E . B É N É Z I T

DICTIONNAIRE
critique et documentaire
DES PEINTRES
SCULPTEURS
DESSINATEURS
ET GRAVEURS

Le *Dictionnaire des Peintres, Sculpteurs, Dessinateurs et Graveurs BÉNÉZIT* constitue une œuvre de l'esprit protégée par les dispositions du Code de la Propriété Intellectuelle, les Conventions Internationales afférentes au Droit d'Auteur, la Législation de l'Union Européenne.

Il est, en outre, protégé par la Directive 96/9/CE relative à la protection juridique des bases de données, transposée dans le Code de la Propriété Intellectuelle par la loi 98.536 du 1er juillet 1998.

Le Code de la Propriété Intellectuelle n'autorisant, aux termes des alinéas 2 et 3 de l'article L. 122-5 d'une part, que les « *copies ou reproductions strictement réservées à l'usage privé du copiste et non destinées à une utilisation collective* » et, d'autre part, que les analyses et les courtes citations dans un but d'exemple et d'illustration, « *toute représentation ou reproduction intégrale, ou partielle, faite sans le consentement de l'auteur ou de ses ayants droit ou ayants cause, est illicite.* » (alinéa 1er de l'article L. 122.4). « *Cette représentation ou reproduction, par quelque procédé que ce soit, constituerait donc une contrefaçon sanctionnée par les articles L. 335.2 et suivants du Code de la Propriété Intellectuelle.* »

Tous droits de reproduction, de traduction ou d'adaptation réservés pour tous pays.

E.BÉNÉZIT

DICTIONNAIRE
critique et documentaire
DES PEINTRES
SCULPTEURS
DESSINATEURS
ET GRAVEURS

de tous les temps et de tous les pays
par un groupe d'écrivains spécialistes
français et étrangers

•

NOUVELLE ÉDITION
entièrement refondue
sous la direction de Jacques BUSSE

•

TOME 13
SOLIMENA- VALENTIN

GRÜND
1999

GARANTIE DE L'ÉDITEUR

Malgré tous les soins apportés à sa fabrication,
il est malheureusement possible que cet ouvrage comporte un défaut
d'impression ou de façonnage. Dans ce cas, il vous sera échangé sans frais.
Veuillez à cet effet le rapporter au libraire qui vous l'a vendu ou nous écrire
à l'adresse ci-dessous en nous précisant la nature du défaut constaté.
Dans l'un ou l'autre cas, il sera immédiatement fait droit à votre réclamation.

Éditions Gründ – 60, rue Mazarine – 75006 Paris

Éditions précédentes: 1911-1923, 1948-1955, 1976

© 1999 Editions Gründ, Paris

ISBN: 2-7000-3010-9 (série classique)
ISBN: 2-7000-3023-0 (tome 13)

ISBN: 2-7000-3025-7 (série usage intensif)
ISBN: 2-7000-3038-9 (tome 13)

ISBN: 2-7000-3040-0 (série prestige)
ISBN: 2-7000-3053-2 (tome 13)

Dépôt légal mars 1999

NOTES CONCERNANT LES PRIX

Tous les prix atteints en ventes publiques par les œuvres des artistes répertoriés dans le Bénézit sont indiqués :

– dans la monnaie du pays où a eu lieu la vente (*cf* abréviations ci-dessous) ;
– dans la monnaie au jour de la vente.

Afin de permettre au lecteur d'évaluer ce que représentent en valeur actualisée les transactions précitées, nous donnons dans le tome 1 :

– un tableau retraçant l'évolution du pouvoir d'achat du franc depuis 1901 (page 8) ;
– un tableau donnant les cours à Paris du dollar américain et de la livre sterling depuis la même année (page 10).

Ainsi pourra-t-on estimer par un double calcul la valeur d'une transaction effectuée par exemple à Londres en 1937, à New York en 1948, etc., et par une simple lecture à Paris en 1955.

DÉSIGNATION DES MONNAIES SELON LA NORME ISO

ARS	Peso argentin		**HKD**	Dollar de Hong Kong
ATS	Schilling autrichien		**HUF**	Forint (Hongrie)
AUD	Dollar australien		**IEP**	Livre irlandaise
BEF	Franc belge		**ILS**	Shekel (Israël)
BRL	Real (Brésil)		**ITL**	Lire (Italie)
CAD	Dollar canadien		**JPY**	Yen (Japon)
CHF	Franc suisse		**NLG**	Florin ou Gulden (Pays-Bas)
DEM	Deutsche Mark		**PTE**	Escudo (Portugal)
DKK	Couronne danoise		**SEK**	Couronne suédoise
EGP	Livre égyptienne		**SGD**	Dollar de Singapour
ESP	Peseta (Espagne)		**TWD**	Dollar de Taïwan
FRF	Franc français		**USD**	Dollar américain
GBP	Livre sterling		**UYU**	Peso uruguayen
GRD	Drachme (Grèce)		**ZAR**	Rand (Afrique du Sud)

Jusqu'aux années 1970, les prix atteints lors des ventes en Angleterre étaient indiqués indifféremment en livres sterling ou en guinées. Lorsque tel a été le cas, l'abréviation GNS a été conservée.

PRINCIPALES ABRÉVIATIONS UTILISÉES

Rubrique muséographique

Les abréviations correspondent au mot indiqué et à ses accords.

Acad.	Académie
Accad.	Accademia
Assoc.	Association
Bibl.	Bibliothèque
BN	Bibliothèque nationale
Cab.	Cabinet
canton.	cantonal
CNAC	Centre national d'Art contemporain
CNAP	Centre national des Arts plastiques
coll.	collection
comm.	communal
Contemp.	Contemporain, contemporary...
dép.	départemental
d'Hist.	d'Histoire
Fond.	Fondation
FNAC	Fonds national d'Art contemporain
FRAC	Fonds régional d'Art contemporain
Gal.	Galerie, Gallery, Galleria...
hist.	historique
Inst.	Institut, Institute
Internat.	International
Libr.	Library
min.	ministère
Mod.	Moderne, Modern, Moderna, Moderno...
mun.	municipal
Mus.	Musée, Museum
Nac.	Nacional
Nat.	National
Naz.	Nazionale
Pina.	Pinacothèque, Pinacoteca...
prov.	provincial
région.	régional
roy.	royal, royaux

Rubrique des ventes publiques

abréviations des techniques

/	sur
acryl.	acrylique
alu.	aluminium
aquar.	aquarelle
aquat.	aquatinte
attr.	attribution
cart.	carton
coul.	couleur
cr.	crayon
dess.	dessin
esq.	esquisse
fus.	fusain
gche	gouache
gché	gouaché
gchée	gouachée
gchées	gouachées
gches	gouaches
grav.	gravure
h.	huile
h/cart.	huile sur carton
h/pan.	huile sur panneau
h/t	huile sur toile
inox.	inoxydable
isor.	Isorel
lav.	lavis
linograv.	linogravure
litho.	lithographie
mar.	marouflé, marouflée...
miniat.	miniature
pan.	panneau
pap.	papier
past.	pastel
peint.	peinture
photo.	photographie
pb	plomb
pl.	plume
reh.	rehaussé, rehaut, rehauts...
rés.	résine
sculpt.	sculpture
sérig.	sérigraphie
synth.	synthétique
tapiss.	tapisserie
techn.	technique
temp.	tempera
t.	toile
vinyl.	vinylique

SOLIMENA Giulio
Né vers 1667 à Naples. Mort le 25 décembre 1722 à Rome. xviiᵉ-xviiiᵉ siècles. Italien.
Peintre.
L'Académie de Saint-Luc de Rome possède de lui *Le massacre des Innocents*, daté de 1702.

SOLIMENA Orazio
xviiiᵉ siècle. Actif à Naples dans la première moitié du xviiiᵉ siècle. Italien.
Peintre, graveur au burin.
Neveu et élève de Francesco Solimena. Il peignit des sujets religieux dans l'église Saint-Dominique de Barra ; il fut aussi architecte.

SOLINGEN Gottschalk von. Voir **SOLLINGEN**

SOLINGEN Johannes Van
Né en 1712 ou 1713 à Leyde. xviiiᵉ siècle. Hollandais.
Graveur au burin.
Il fit ses études à Leyde. Il grava des vues.

SOLINI Tommaso. Voir **SALINI**

SOLIS
xviiᵉ siècle. Actif à Séville. Espagnol.
Sculpteur sur bois.
Élève de Montanès, qu'il assista en 1617 et 1618, dans des travaux de sculpture pour Santa Maria de las Cuevas. Le Musée de Séville conserve de lui : *La Justice, La Force, La Vieillesse, La Jeunesse* (bois).

SOLIS Alonso de
xviᵉ siècle. Espagnol.
Peintre.
Il travailla à Séville et émigra en Amérique en 1556.

SOLIS Andreas ou **Endres**
Né le 20 septembre 1550. Mort le 23 juin 1592. xviᵉ siècle. Allemand.
Peintre.
Fils de Virgil Solis l'Ancien, frère de Hans. Il était actif à Nuremberg.

SOLIS Diego de
xviᵉ siècle. Actif dans la seconde moitié du xviᵉ siècle. Espagnol.
Sculpteur.
Il fut chargé de la sculpture des stalles de la cathédrale d'Orense en 1580.

SOLIS Fernando ou **Hernardo**
xviᵉ siècle. Actif à Valladolid vers 1598. Espagnol.
Graveur au burin.

SOLIS Francisco de
Né en 1629 à Madrid. Mort le 25 septembre 1684 à Madrid. xviiᵉ siècle. Espagnol.
Peintre d'histoire et graveur au burin.
Fils du peintre Juan de Solis. Il fut d'abord destiné à l'église, mais ayant affirmé ses qualités picturales à l'âge de dix-huit ans, par un tableau sur lequel le roi Philippe IX lui fit marquer son âge pour affirmer sa précocité, Francisco fut autorisé à devenir peintre. Il collabora à la décoration pour l'entrée solennelle de la reine Louise d'Orléans et y peignit les douze travaux d'Hercule. Francisco de Solis fut un véritable ami des arts. Il ouvrit une académie où les jeunes artistes étaient admis à venir dessiner gratuitement. Il écrivit une *Vie des peintres, sculpteurs et architectes espagnols*, dont le manuscrit fut malheureusement perdu. Il réunit aussi une remarquable collection de livres, de gravures, de dessins qu'il se proposait de léguer à la nation Espagnole, ce qu'une mort prématurée l'empêcha de réaliser. ·

SOLIS Georg
Né le 23 novembre 1573. Mort avant le 9 juin 1608. xviᵉ siècle. Actif à Nuremberg. Allemand.
Peintre.
Fils d'Andreas Solis.

SOLIS Hanns ou **Sallis**
xviiᵉ siècle. Allemand.
Peintre.
Il était actif à Nuremberg en 1525. Probablement père de Virgil Solis dit l'Ancien.

SOLIS Hans
Mort avant le 26 décembre 1616. xviᵉ-xviiᵉ siècles. Allemand.
Peintre, illustrateur.
Fils de Virgil Solis, dit l'Ancien, frère d'Andreas. Il était actif à Nuremberg. Il travailla aussi à Francfort-sur-le-Main. Il peignit des messages illustrés.

SOLIS Juan
xviiᵉ siècle. Actif à Segovia. Espagnol.
Peintre.
Père de Francisco de Solis.

SOLIS Nicolas, Nikolaus ou **Niclas**
Né vers 1542 à Nuremberg. Mort en 1584 à Augsbourg. xviᵉ siècle. Allemand.
Peintre, graveur.
Fils de Virgil Solis l'Ancien. Graveur au burin et à l'eau-forte, il fut aussi dessinateur pour la gravure sur bois. Il grava sur quinze feuillets le mariage du duc Guillaume V de Bavière avec Renée de Lorraine en 1568.

SOLIS Virgil ou **Virgilius**, l'Ancien
Né en 1514 à Nuremberg. Mort le 1er août 1562 à Nuremberg. xviᵉ siècle. Allemand.
Enlumineur, peintre, dessinateur et graveur au burin, à l'eau-forte et sur bois.
Cet artiste a laissé une grande quantité de gravures. On sait qu'il possédait un remarquable talent d'enlumineur, bien qu'on ait conservé de lui peu d'ouvrages de ce genre. Nagler cite une Bible de Francfort, datée de 1561 contenant un portrait. Il a gravé des sujets religieux et mythologiques, des portraits, des animaux, des chasses, des ornements. Il a gravé sur bois et sur cuivre, généralement d'après ses propres dessins, lesquels sont généralement d'une belle exécution. Ses planches s'élèvent à plus de 2 000. Il était le père de Andreas et de Hans.

Ventes Publiques : Paris, 1864 : *Deux dessins à la plume lavés d'aquarelle* : FRF 50 – Paris, 1896 : *Scène mythologique. Combat dans les nuages*, dess. à la pl. : FRF 55 – Paris, 21 mai 1928 : *Lansquenet*, pl. : FRF 780 – Paris, 28 nov. 1934 : *Le roi David contemple de son Palais Bethsabée au bain*, pl. : FRF 380 – Londres, 13 déc. 1984 : *Projet de frise 1537*, pl. et encre noire (11,3x32,4) : GBP 2 400.

SOLIS Virgil ou **Virgilius II**, le Jeune
Né le 14 novembre 1551 à Nuremberg. xviᵉ siècle. Allemand.
Peintre de scènes mythologiques, aquarelliste, dessinateur.
Fils de Virgil l'Ancien, il travailla à Prague pour l'empereur Rodolphe II et dessina des plans de quartiers de la ville de Prague.
Ventes Publiques : Heidelberg, 11 avr. 1992 : *Diane et ses suivantes partant à la chasse*, aquar. et encre (19,9x20,8) : DEM 2 600.

SOLIS AVILA Antonio
Né le 27 septembre 1898 à Madronera (près de Caceres, Estremadure). Mort le 21 décembre 1967 à Madrid. xxᵉ siècle. Espagnol.
Peintre de figures, portraits, paysages animés, dessinateur, illustrateur.
Il prit part à diverses expositions collectives, dont : 1930 Exposition internationale de Barcelone ; 1930, 1948 Exposition de la Société Nationale des Beaux-Arts, Madrid, obtenant une troisième médaille en 1948. Il exposa également à New York. Il collabora à plusieurs revues espagnoles.
Bibliogr. : In : *Cien Anos de pintura en Espana y Portugal, 1830-1930*, Antiqvaria, t. X, Madrid, 1993.

SOLISMEO. Voir **SOLOSMEO**

SOLITARIO Ernesto
Né en juillet 1838 à San-Giorgio Lamulara. xixᵉ siècle. Italien.
Sculpteur.
Élève de l'Académie de Naples. Il a travaillé pour les églises de Baia et de Saviano. Le Musée du Capodimonte de Naples conserve de lui un buste colossal de *Charles III*.

SOLIVA Jacobus
xviiiᵉ siècle. Actif dans la première moitié du xviiiᵉ siècle. Suisse.
Peintre.
Il a peint des tableaux d'autel pour la chapelle Sainte-Anne de Truns en 1717.

SOLIVA Joaquin
xviiiᵉ siècle. Espagnol.

Peintre.
Il fut peintre à la Manufacture de porcelaine d'Alcora de 1783 à 1789.

SOLIVA Louis
Né à Paris. xixe siècle. Français.
Sculpteur.
Il figura au Salon des Artistes Français, obtenant une mention honorable en 1893.

SOLIVA Miguel
Mort en 1755 à Alcora. xviiie siècle. Actif à Conca. Espagnol.
Peintre sur porcelaine.
Il travailla pour la Manufacture de porcelaine d'Alcora de 1727 à 1750.

SOLIVES Francisco. Voir **SOLIBES**

SÖLKNER Franz
xviiie siècle. Autrichien.
Sculpteur.
Il a exécuté des sculptures sur le maître-autel de l'église de Hallein en 1799.

SOLL Gottfried
xixe siècle. Actif à Trostberg. Allemand.
Peintre.
Fils d'Ignaz Soll II.

SOLL Ignaz I
Né en 1780 à Trostberg. Mort en 1841 à Trostberg. xixe siècle. Allemand.
Peintre.
Fils de Joseph Soll. Il peignit des tableaux religieux.

SOLL Ignaz II, de son vrai nom **Kirchbichler**
Né le 23 décembre 1805 à Seeon. Mort en 1866 à Trostberg. xixe siècle. Allemand.
Peintre.
Père de Gottfried, d'Ignaz Soll III, de Josef et de Xaver Soll. Fils adoptif d'Ignaz Soll I. Il travailla à Munich et fut ami de Ludwig Schanthaler.

SOLL Ignaz III
Mort en 1903 à Trostberg. xixe siècle. Allemand.
Peintre.
Fils d'Ignaz Soll II.

SOLL Josef
Mort en 1921 à Trostberg. xixe-xxe siècles. Allemand.
Peintre.
Fils d'Ignaz Soll II.

SOLL Joseph ou **Franz Joseph** ou **Söll**
Né à Friedingen-sur-le-Danube. Mort le 9 février 1798 à Trostberg. xviiie siècle. Allemand.
Peintre de sujets religieux.
Père d'Ignaz Soll I. Il peignit des tableaux d'autel pour les églises d'Alzgern, de Feichten, Ostaig, Kirchweidach, Lauterbach, d'Obereschelbach, de Siegsdorf, Tacherting et Trostberg.

SOLL Xaver
xixe siècle. Actif à Trostberg. Allemand.
Peintre.
Fils d'Ignaz Soll II.

SOLLAZZINO Giuliano. Voir **GIULIANO di Giovanni de' Castellani da Montelupo**

SOLLBRIG Johann Gottlieb ou **Gottlob.** Voir **SOLBRIG**

SOLLENER Johann. Voir **SOLLERER**

SÖLLER Anton
Né le 6 janvier 1807 à Cologne. Mort le 9 décembre 1875 à Mülheim. xixe siècle. Allemand.
Peintre de paysages et de portraits et restaurateur de tableaux.
Élève des Académies de Düsseldorf et de Munich. Il travailla à Mülheim-sur-le-Rhin.

SOLLERER Johann ou **Sollener**
Né le 30 avril 1747. Mort le 28 juin 1809 à Vienne. xviiie siècle. Autrichien.
Miniaturiste.
Élève de l'Académie de Vienne.

SOLLERIO. Voir **SOLARI**

SOLLET François
xvie siècle. Actif à Paris en 1566. Français.
Sculpteur.

SOLLEWYN Hendrina A.
Née en 1784 à Haarlem. xixe siècle. Hollandaise.
Peintre de fleurs et de fruits.
Elle fut l'élève de W. Hendriks.

SOLLFLEISCH Johann Anton
xviiie siècle. Actif à Cham. Allemand.
Peintre.
Il travailla pour les églises de Miltach et de Weissenregen.

SOLLI Giuseppe
Né vers 1753 à Florence. xviiie siècle. Italien.
Graveur d'ornements.
Élève de Vincenzo Meucci.

SOLLIER
xviiie siècle. Français.
Peintre.
Élève de l'Académie Royale. Médaillé en 1751 et en 1752.

SOLLIER Claude Florentin
Mort le 23 janvier 1784. xviiie siècle. Actif à Paris. Français.
Peintre et marchand de tableaux.
Membre de l'Académie de Saint-Luc en 1774. Il y exposa une nature morte.

SOLLIER Clémence Marie Louise
Morte en 1849. xixe siècle. Française.
Peintre de portraits, de figures de genre et pastelliste.
Elle exposa au Salon entre 1842 et 1849.

SOLLIER Eugène ou **Paul Louis Eugène**
Né à Paris. Mort en avril 1915. xxe siècle. Français.
Sculpteur et médailleur.
Élève de Cl. Cordier. Il exposa au Salon de 1869 à 1909. Sociétaire des Artistes Français depuis 1883, il obtint des mentions honorables en 1881 et 1883.

SOLLIER Henri Alexandre
Né le 7 décembre 1886 à Bagnolet (Seine-Saint-Denis). Mort en 1966 à Paris. xxe siècle. Français.
Peintre.
Élève de Fr. Flammeng, de Fr. Schommer et de J. Adler. Il travailla pendant trois ans à Dakar, d'où il rapporta quelques œuvres caractéristiques.
Il exposa régulièrement, à Paris, au Salon des Artistes Français dès avant 1914, où il obtint en 1920 une mention. En 1922, il reçut le Prix de l'Afrique Occidentale Française. Il obtint des médailles, d'argent en 1930, d'or en 1934 et 1937 (Exposition internationale).
En 1922, il reçut le Prix de l'Afrique Occidentale Française. Après 1957, il travailla successivement en Auvergne, en Haute-Savoie, en Provence et en Italie. Il fut membre du comité et du Jury des Artistes Français en 1937. Surtout paysagiste, il fut aussi peintre d'architectures. L'ex-Musée des Colonies à Paris conservait de ses œuvres.

H. Sollier

MUSÉES : CASABLANCA.
VENTES PUBLIQUES : PARIS, 18 fév. 1980 : *Marché du Sénégal* 1923, h/t (130x162) : FRF 31 000 – PARIS, 7 juin 1988 : *Femme Bambara* 1922, h/pan. (35x27) : FRF 3 500 – LONDRES, 21 oct. 1988 : *Bretonnes après la messe*, h/t (65x81) : GBP 1 980.

SOLLIER d'Apt Joseph Noël Eleazar
Né le 25 décembre 1810 à Apt (Vaucluse). xixe siècle. Français.
Sculpteur.
Élève de David d'Angers. Il exposa au Salon entre 1841 et 1843, des bustes, des statuettes de bronze et des figures allégoriques. Il a exécuté une fontaine à Saignon (Vaucluse).

SOLLIGER Andres. Voir **SSALGEN**

SOLLIMA Pietro ou **Solima**
xviie siècle. Actif à Messine vers 1650. Italien.
Peintre.
Élève de Quagliata, il subit plus tard l'influence de Durer.

SOLLINGEN Gottschalk von ou **Solingen**
xvie-xviie siècles. Travaillant à Cologne de 1572 à 1605. Allemand.
Peintre.

SOLLITTO Carlo. Voir **SELLITTI**

SOLLMANN Paul
Né le 15 septembre 1886 à Cobourg (Bavière). XXᵉ siècle. Allemand.
Peintre de paysages, architectures, aquarelliste, graveur.
Il fit ses études à Munich, à Rome et à Paris. Il vécut et travailla à Rothebourg-ob-der Tauber.
Musées : Cobourg (Mus. mun.) : plusieurs aquarelles.

SOLLY Arthur. Voir **SOLY**

SOLMANS Alden
Né en 1835. Mort le 29 avril 1930 à South Norwalk. XIXᵉ-XXᵉ siècles. Américain.
Peintre.

SOLMAR Jacob
Né vers 1799 à Ludwigslust. Mort en mai 1832. XIXᵉ siècle. Allemand.
Portraitiste.
Élève de Fr. Lenthe et des Académies de Berlin et de Dresde.

SOLMI Valentino
Né en 1810. Mort en 1866. XIXᵉ siècle. Actif à Bologne. Italien.
Peintre d'architectures.
La Pinacothèque de Bologne conserve de lui *Église byzantine* et *Portail de l'église Araceli à Rome.*

SOLMS F. C. de, comte
XVIIIᵉ siècle. Actif au début du XVIIIᵉ siècle. Allemand.
Aquafortiste.
Il a gravé un paysage en 1705.

SOLMS Friedrich Wilhelm Maximilian de, comte
XVIIIᵉ siècle. Travaillant vers 1770. Allemand.
Aquafortiste.
Le Cabinet d'Estampes de Dresde conserve deux vignettes de cet artiste.

SOLMS Jacobus von
Mort après 1623. XVIIᵉ siècle. Actif à Cologne. Allemand.
Peintre.
Le Musée de Dortmund conserve de lui une *Crucifixion.*

SOLMS Marie Studolmine de, née **Wyse**
Née le 21 (?) juillet 1833 à Waterford. Morte le 6 février 1902 à Paris. XIXᵉ siècle. Française.
Caricaturiste et écrivain.
Fille de Lætitia Bonaparte, sœur de Lucien Bonaparte.

SOLMS-LAUBACH Christiane Louise de, comtesse
Née en 1754 à Laubach. Morte en 1815. XVIIIᵉ-XIXᵉ siècles. Allemande.
Peintre.
Elle exposa à Kassel en 1781 et à Berlin en 1786.

SOLNON Daniel
XXᵉ siècle. Français.
Peintre. Trompe-l'œil.
Il montre ses œuvres dans des expositions personnelles, dont : 1995, *Dijon vue par... Daniel Solnon*, palais des ducs de Bourgogne, Dijon.
Tenté par l'abstraction à ses débuts, ce peintre est devenu un spécialiste français reconnu du trompe-l'œil.

SOLNZEFF Feodor Grigorievitch
Né le 14 avril 1801 près de Jaroslav. Mort le 3 mars 1892 à Saint-Pétersbourg. XIXᵉ siècle. Russe.
Peintre.
Élève de l'Académie de Saint-Pétersbourg. Il fit des voyages d'études dans les principaux centres artistiques européens. Il peignit à Moscou, pour le compte de l'empereur Nicolas, plusieurs tableaux d'histoire, fut en 1876 nommé professeur à l'Académie de Saint-Pétersbourg.
Musées : Moscou (Gal. Tretiakov) : *La vision d'un ange au pontife Zacharie* – Saint-Pétersbourg (Mus. Russe) : *Rencontre de Sviataslav et de Zimisus.*

SOLNZEFF Iégor Grigoriévitch
Né le 12 avril 1812. Mort le 31 décembre 1864 à Saint-Pétersbourg. XIXᵉ siècle. Russe.
Peintre de paysages et mosaïste.
Le Musée Roumianzeff à Moscou, conserve de lui : *Vue d'Italie.*

SOLOBRIN Jérôme
D'origine italienne. XVᵉ-XVIᵉ siècles. Travaillant à Amboise de 1494 à 1502. Italien.
Céramiste.

SOLODOVNIKOV Alexei Pavlovich
Né en 1928. XXᵉ siècle. Russe.
Peintre de compositions à personnages.
Il obtint, en 1956, le diplôme de l'Institut des Beaux-Arts de Kiev où il étudia dans l'atelier de Grigoriev. Il devint membre de l'Union des Artistes et ses œuvres sont souvent reproduites dans des livres consacrés à l'art ukrainien. Il vit et travaille à Kiev.
Musées : Kiev (Mus. des Beaux-Arts) – Moscou (Mus. des Beaux-Arts).
Ventes Publiques : Paris, 19 juin 1991 : *L'affiche 1965*, h/t (115x153) : FRF 7 000 – Paris, 16 nov. 1992 : *Route sous la neige*, h/t (49,5x78,5) : FRF 3 200.

SOLOGOUB Leonid Romanovitch
Né en 1884 à Erik. XXᵉ siècle. Russe.
Peintre, architecte.
Il fut élève de l'Académie impériale de Pétrograd. Il a exposé, à Paris, au Salon des Indépendants, au Salon d'Automne, de même qu'à La Haye, Rotterdam, et en Russie.

SOLOMATKIN Léonid Ivanotich
Né en 1837. Mort en 1883. XIXᵉ siècle. Russe.
Peintre de genre.
La Galerie Tretiakov, à Moscou, conserve de lui : *Dans la cave.*
Ventes Publiques : Lucerne, 20 mai 1980 : *Paaysans russes dans un intérieur 1860*, h/t (21x29) : CHF 2 600 – Londres, 19 déc. 1996 : *Accueil du fonctionnaire 1867*, h/t (20x28,5) : GBP 9 200.

SOLOMBRE Jean
Né en 1948 à Paris. XXᵉ siècle. Français.
Peintre, graveur, illustrateur. Tendance abstraite.
Il vit et travaille à Boulogne-Billancourt. Il a illustré plusieurs livres de ses estampes, dont : 1978, *Le cœur mémorable*, texte de Jean Solombre ; 1979, *Carnaval*, texte de Michel Haas ; 1980, *Les eaux étroites*, texte de Julien Gracq ; 1981, *Labours d'exil*, texte de Jean Solombre ; 1981, *La route*, texte de Julien Gracq ; *Mornings on the earth*, texte de Kenneth White.
Il participe à des expositions collectives en France où il a notamment figuré, à Paris, au Salon Grands et Jeunes d'Aujourd'hui et à d'autres manifestations à l'étranger : foires internationales d'art de Chicago, Bâle, Washington, New York, Londres, Franfort.
Il montre ses œuvres dans des expositions personnelles, parmi lesquelles : 1979, galerie Jean-Marie Cupillard, Grenoble ; 1980, galerie Lahumière, Paris ; 1981, Musée de Montbrison ; 1982, galerie Michèle Broutta, Paris ; 1989, rétrospective, artothèque de Mulhouse.
Dans une grande simplification des formes, il réduit figures, paysages et objets à de simples silhouettes clairsemées dans l'espace de la toile.
Bibliogr. : *Jean Solombre*, préface de Kenneth White, Éditions Art Extension & Éditions Natiris, Frédéric Daussy, 1988.
Musées : Atlanta (Mus. d'Art mod.) – Chicago (Art Inst.) – Indianapolis (Mus. d'Art mod.) – Paris (Mus. d'Art mod. de la Ville) – Paris (BN) – Paris (FNAC).
Ventes Publiques : Paris, 7 mars 1990 : *Terres amovibles*, acryl./t (100x81) : FRF 12 000 – Paris, 23 nov. 1992 : *Les générations 1990*, acryl./t (146x114) : FRF 8 000 – Londres, 23 oct. 1996 : *Salon de musique*, tapisserie (185x226) : GBP 805.

SOLOMBRINO Eleucadio
XVIᵉ siècle. Actif à Forli dans la seconde moitié du XVIᵉ siècle. Italien.
Peintre.
Il peignait sur majolique.
Musées : Berlin (Mus. du château) : *Mariage d'Hercule et de Déjanire* – Bologne (Mus. mun.) : *Sainte Madeleine lavant les pieds du Christ* – Ravenne (Mus. nat.) : *Ecce homo.*

SOLOME Anton
XIXᵉ siècle. Actif à Riedenbourg au milieu du XIXᵉ siècle. Allemand.
Peintre de portraits et de figures.
Élève de l'Académie de Munich.

SOLOMIN Nikolaï
Né en 1940. XXᵉ siècle. Russe.
Peintre de compositions à personnages, portraits, paysages animés.
Il fréquenta l'École des Beaux-Arts de V. Sourikov et fut élève de Viktor Tciplakov. Il devint membre de l'Union des artistes d'URSS et fut nommé Artiste du Peuple.
Ventes Publiques : Paris, 15 mai 1991 : *L'hiver à Moscou 1975*, h/t (55x65) : FRF 4 500.

SOLOMINE Nicolaï
Né en 1907. xxᵉ siècle. Russe.
Peintre de figures.
Il fut membre de l'Union des Artistes Soviétiques.
VENTES PUBLIQUES : PARIS, 14 mai 1990 : *Portrait d'une tsigane*, h/t (74x59) : FRF 8 000.

SOLOMKO Serge de
xxᵉ siècle. Français.
Illustrateur.
Il a illustré : *Nymphes dansant avec des satyres*, de René Boylesve ; *Adolphe*, de Benjamin Constant ; *Balthasar, Discours prononcé à l'inauguration de la statue de Renan à Tréguier, Les Noces corinthiennes, Le Procurateur de Judée*, d'Anatole France ; *Mlle de Maupin*, de Théophile Gautier ; *Les Trois Rois*, d'Émile Gebhart ; *Les Trophées*, de José Maria de Hérédia ; *La Princesse de Clèves*, de Mme de La Fayette ; *Les nuits*, d'Alfred de Musset ; *La prière sur l'Acropole*, d'Ernest Renan ; *Aux Flancs du Vase*, d'Albert Samain ; *Anna Pavlova*, de V. Snétlow ; *Les Fêtes galantes*, de Paul Verlaine.

SOLOMON Abraham
Né en mai 1824 à Londres. Mort le 19 décembre 1862 à Biarritz (Basses-Pyrénées). xixᵉ siècle. Britannique.
Peintre de genre, portraits, animaux.
Frère de Simeon Solomon, il fut élève de la Art School de Bloomsbury en 1838 puis de la Royal Academy en 1839 ; il prit part aux expositions du British Institute et de la Royal Academy. On cite de lui : *Attendant le verdict*. Ses œuvres ont été popularisées par la gravure.
Ses premières œuvres furent inspirées par ses origines juives, plus tard, travaillant avec son frère, il fut comme lui attiré par les rites chrétiens orthodoxe et catholique.
MUSÉES : LEICESTER : *La Fuite de Lucknow* – MONTRÉAL : *L'Acquittement* – SHEFFIELD : *Le Soupirant timide.*
VENTES PUBLIQUES : LONDRES, 20 déc. 1909 : *Départ de la diligence* ; Biarritz : GBP 6 – LONDRES, 16 déc. 1924 : *Les beautés rivales* : GNS 70 – LONDRES, 20 mai 1925 : *Les beautés rivales* : GBP 136 – LONDRES, 20 mars 1963 : *La première classe dans la diligence* : GBP 2 500 – LONDRES, 15 déc. 1972 : *L'attente du verdict* : GNS 2 800 – LONDRES, 16 mars 1973 : *Le lion amoureux* : GNS 3 000 – LONDRES, 9 avr. 1974 : *En attendant le verdict 1857* : GBP 2 700 – LONDRES, 25 oct. 1977 : *Le portrait de mémoire 1851*, h/t, haut arrondi (29x34) : GBP 3 000 – LONDRES, 25 mai 1979 : *Le lion amoureux*, h/t, haut arrondi (71,1x90,1) : GBP 7 500 – NEW YORK, 29 oct. 1981 : *Première Classe 1854*, h/t, haut arrondi (68,5x96,5) : USD 120 000 – LONDRES, 30 nov. 1984 : *En attendant le verdict* ; *L'acquittement* 1859, h/t, une paire (61x75) : GBP 30 000 – LONDRES, 18 juin 1985 : *A contrast* 1855, h/t (105x151) : GBP 60 000 – LONDRES, 31 oct. 1986 : *Mad Blaiz* 1857, h/t (51x61) : GBP 3 000 – LONDRES, 19 déc. 1991 : *Soirée de givre*, h/cart. (20,3x15,2) : GBP 2 640 – LONDRES, 12 nov. 1992 : *Le lion amoureux*, h/t, haut arrondi (71x92) : GBP 27 500 – LONDRES, 11 juin 1993 : *La Visiteuse* 1853, h/pan. (22,9x17,5) : GBP 6 325 – LONDRES, 30 mars 1994 : *Le jeune acolyte 1842*, h/t (66x36) : GBP 8 625 – LONDRES, 10 mars 1995 : *Portrait de miss Rowley*, h/t (61,3x51,1) : GBP 3 680.

SOLOMON Harry
Né en 1873 à New York. xxᵉ siècle. Américain.
Peintre.
Il fit ses études à Paris. Il vécut et travailla à New York.

SOLOMON Hyde
Né en 1911 à New York. xxᵉ siècle. Américain.
Abstrait.
Il fut élève du Pratt Institute de 1923 à 1933 y étudiant d'abord la sculpture pendant huit années, avant de s'orienter vers la peinture.
De 1949 à 1952, il a bénéficié d'une bourse MacDowell, en 1951, puis en 1956-1959, de bourses Yaddo.
Il participe à de nombreuses expositions de groupe, notamment à New York au Whitney Museum, à Paris au Salon des Réalités Nouvelles.
Il a d'abord subi les influences de l'impressionnisme français et de l'expressionnisme allemand. Ayant ensuite pris part, en 1944, à l'organisation d'une galerie privée, des élèves de Hans Hofmann avec lesquels il avait pris contact, l'amenèrent à l'abstraction. En 1950, on a ainsi pu voir de lui au Salon des Réalités Nouvelles de Paris, une composition abstraite, à tendance géométrique, nette, aérée, de composition classiquement équilibrée.

SOLOMON J. J.
xixᵉ siècle. Travaillant à Londres de 1854 à 1856. Britannique.
Peintre d'architectures.
Il peignit des motifs de Bruges et d'Anvers.

SOLOMON J. Solomon ou **Joseph Solomon**
Né le 16 septembre 1860 à Londres. Mort le 27 juillet 1927 à Birchington. xixᵉ-xxᵉ siècles. Britannique.
Peintre d'histoire.
Il fut élève en 1877 des Écoles de la Royal Academy et, en 1879, élève de Cabanel à Paris. Après un voyage d'études en Italie, en Allemagne, en Hollande, en Espagne, au Maroc, il revint encore travailler neuf mois près de Cabanel. Il se fixa à Londres. Il fut membre en 1887 du Royal Institute, associé de la Royal Academy en 1894, académicien en 1906.
À Londres, il exposa à partir de 1881, obtint une médaille de troisième classe à Paris en 1889 lors de l'Exposition universelle.
MUSÉES : LEEDS : *Le réveil* – LIVERPOOL : *Samson* – LONDRES (Diploma Gal.) : *Saint Georges* – VICTORIA : *Lord Provost Longair.*
VENTES PUBLIQUES : LONDRES, 23 avr. 1910 : *Bacchante* 1885 : GBP 24 – LONDRES, 30 avr. 1910 : *Le Papillon* : GBP 54 – LONDRES, 13 mai 1911 : *Saint Pierre reniant le Christ 1883* : GBP 48 ; *Dalila 1887* : GBP 25 – LONDRES, 5 juin 1924 : *Convalescence* : GBP 63 – LONDRES, 24 nov. 1926 : *Hermann A. de Stern enfant* : GBP 231 – LONDRES, 27 jan. 1976 : *Femme du harem 1887*, h/t (168x122) : GBP 420 – LONDRES, 15 mai 1979 : *Dalila 1887*, h/t : GBP 700 – LONDRES, 6 mars 1981 : *Portrait de jeune fille*, h/t. (50,8x35,5) : GBP 1 500 – LONDRES, 25 nov. 1983 : *Portrait de Violet, Lady Metchett, avec ses deux filles*, h/t (205,7x106,7) : GBP 7 000 – LONDRES, 29 nov. 1985 : *Laus Deo*, h/t, haut arrondi (236,5x173) : GBP 11 000 – NEW YORK, 24 fév. 1987 : *Portrait of Mrs Alfred Mond and her two daughters*, h/t (205,7x106,7) : USD 47 500 – NEW YORK, 23 mai 1989 : *Lucille 1890*, h/t (61x51) : USD 9 900 – NEW YORK, 28 fév. 1990 : *Dans le potager*, h/t (61x50,8) : USD 35 200 – LONDRES, 8 fév. 1991 : *Etude pour Eve*, h/t (69,8x56,4) : GBP 4 180 – NEW YORK, 13 oct. 1993 : *Loué soit Dieu !*, h/t (244,2x176,5) : USD 57 500 – LONDRES, 5 nov. 1993 : *Étude pour la naissance de l'amour*, sanguine (45,5x26,3) : GBP 2 760 – LONDRES, 7 juin 1995 : *Portrait d'un jeune enfant avec une cage à oiseaux 1902*, h/t (63,5x51) : GBP 3 910.

SOLOMON J. W.
xixᵉ siècle. Actif à Londres de 1827 à 1849. Britannique.
Peintre de genre et d'histoire et portraitiste.

SOLOMON Lance Valben
Né en 1913 à Liverpool (Australie). xxᵉ siècle. Australien.
Peintre de paysages, paysages animés.
Il fut élève de la Royal Academy de Londres. Il obtint le prix du paysage en 1939.
VENTES PUBLIQUES : LONDRES, 11 mai 1976 : *Paysage à l'étang*, h/cart. (30,5x25,5) : GBP 250 – SYDNEY, 29 juin 1981 : *À la ferme*, h/cart. (40x60) : AUD 1 700 – SYDNEY, 4 juil. 1988 : *Kangaroo Valley 1938*, h/t (29x36) : AUD 700 – SYDNEY, 16 oct. 1989 : *Une route en été*, h/t (30x36) : AUD 700 – SYDNEY, 26 mars 1990 : *Bétail dans un paysage*, aquar. (20x25) : AUD 1 000 – SYDNEY, 2 juil. 1990 : *Matin de printemps*, h/cart. (30x25) : AUD 3 000 – SYDNEY, 29-30 mars 1992 : *Bétail paissant près d'une crique*, h/cart. (46x40) : AUD 2 600.

SOLOMON Rebekka
Née en 1832. Morte en 1886. xixᵉ siècle. Britannique.
Peintre d'histoire, portraits.
Sœur d'Abraham Solomon. Elle exposa à la Royal Academy de 1852 à 1869.
VENTES PUBLIQUES : LONDRES, 11 juil. 1969 : *Jésus dans la maison de ses parents*, en collaboration avec John Everett Millais : GNS 1 200 – LONDRES, 3 fév. 1978 : *A fashionale couple*, h/t (48,2x53,3) : GBP 900 – LONDRES, 3 juil 1979 : *La réprimande 1865*, h/t (66,5x79,5) : GBP 900 – LONDRES, 18 mars 1983 : *Un couple élégant*, h/t (48,2x53,3) : GBP 1 800 – NEW YORK, 24 mai 1985 : *Le secret* ; *Une leçon d'éventail*, h/cart., une paire de forme ovale (20,9x15,9) : USD 2 000 – LONDRES, 14 mars 1997 : *L'Amie dans le besoin 1850*, h/t, haut cintré (97x79,5) : GBP 7 820.

SOLOMON Simeon
Né le 9 octobre 1840 à Londres. Mort le 14 août 1905 à Londres. xixᵉ siècle. Britannique.
Peintre de figures, portraits, peintre à la gouache, aquarelliste, dessinateur. Préraphaélite.
Il fut élève de la Cary's Academy à Bloomsbury puis des Écoles de la Royal Academy. Il fut également aidé des conseils de son

frère aîné Abraham Solomon. Il fut très jeune ami des préraphaélites Dante Gabriel Rossetti et Burne-Jones. En 1858, il exposa un dessin à la Royal Academy et en 1860, une peinture : *Moïse*. Il exposa aussi fréquemment à la Dudley Gallery. En 1866, il fit son premier voyage en Italie, et y étudia particulièrement Luini et Sodoma. Il exposa pour la dernière fois à la Royal Academy en 1871. Il obtint une médaille de bronze aux Expositions universelles de Paris en 1889 et une d'argent en 1900. Il publia en 1871 un ouvrage : *A Vision of Love revealed in sleep*. Il mourut dans un asile de vieillards.

Le raffinement des lignes et de la couleur caractérise les œuvres de ce peintre appartenant au cercle des artistes gravitant autour de Gabriel Rossetti dans les années 1860. Gérald Schurr, qui contribua à le sortir d'un oubli généralisé, écrit de ses tableaux qu'il sont « précieux, aux harmonies décoratives, dont le ton mélancolique et l'atmosphère trouble, le spiritualisme *prenant sa source dans les ténèbres* étaient fort appréciés d'Oscar Wilde », qu'il semble citer dans sa propre phrase.

S S
1894

BIBLIOGR. : Gérald Schurr, in : *Les Petits Maîtres de la peinture 1820-1920, valeur de demain*, Les Éditions de l'Amateur, t. IV, Paris, 1979.
MUSÉES : BIRMINGHAM : *Grec* – *Aurore* – BOSTON : *Nuit* – DUBLIN (Gal. mun.) : *Moïse sauvé des eaux* – LONDRES (Victoria and Albert Mus.) : *Dans le temple de Vénus*, aquar. – *Portrait de Tennyson*.
VENTES PUBLIQUES : LONDRES, 17 fév. 1922 : *Amour entre juif et chrétienne*, pierres de coul. : **GBP 10** – LONDRES, 10 juil. 1970 : *Ruth* ; *Noémie et l'enfant* : **GNS 500** – LONDRES, 1er oct. 1973 : *La prêtresse du soleil*, aquar. et gche : **GNS 1 100** – LONDRES, 16 juil. 1976 : *Tête de femme de profil* 1892, h/pan. (43,5x38) : **GBP 250** – LONDRES, 14 juin 1977 : *Shadrach, Meshach and Abednego* 1863, gche (32,5x23) : **GBP 4 200** – MUNICH, 27 mai 1977 : *Rosa Mystica* 1867, h/t (50x37,5) : **DEM 3 000** – LONDRES, 1er oct 1979 : *Air* 1894, craie bleue (50x24) : **GBP 4 500** – LONDRES, 6 oct. 1980 : *In the summer twilight* 1869, aquar. reh. de blanc (51x73) : **GBP 9 500** – LONDRES, 9 avr. 1980 : *Sapho et Erinna dans le jardin de Mytelene* 1864, h/t (33x37) : **GBP 4 200** – LONDRES, 23 juin 1981 : *Ruth et Boaz* 1862, aquar. avec reh. de gche/pap. (24x18) : **GBP 2 800** – NEW YORK, 28 oct. 1982 : *Love in Autumn* 1866, h/t (84x66) : **USD 45 000** – LONDRES, 1er mars 1983 : *Shadrach, Meshach and Abednego in the burning fiery Furnace* 1873, aquar. reh. de blanc (33x22,8) : **GBP 9 000** – LONDRES, 16 fév. 1984 : *Sleep* 1886, cr. noire et cr. bleu (25,3x22) : **GBP 4 500** – LONDRES, 27 nov. 1984 : *Marguerite* 1866, h/t (40,5x35,5) : **GBP 4 000** – LONDRES, 30 mai 1985 : *Méditation* 1873, mine de pb et cr. rouge (25x28) : **GBP 1 400** – NEW YORK, 30 oct. 1985 : *Mercure*, h/cart. (61x50,2) : **USD 14 000** – LONDRES, 22 mai 1986 : *Un pope de l'église orthodoxe* 1874, gche (30,5x21,5) : **GBP 4 000** – ENGHIEN-LES-BAINS, 25 oct. 1987 : *Ave Maria*, past. (48x32) : **FRF 25 000** – PARIS, 20 mars 1989 : *L'Archange Gabriel* 1896, aquar. reh. de gche/pap. (35x24) : **FRF 11 000** – NEW YORK, 23 mai 1990 : *Les bonnes nouvelles* 1884, cr./pap. (28x45,5) : **USD 16 500** – LONDRES, 26 sep. 1990 : *Tête de femme* 1890, craie rouge/pap. teinté (40,5x29) : **GBP 1 045** – LONDRES, 12 juin 1992 : *Quia Multum Amavit (Évangile selon St Luc)* 1892, sanguine (35,8x40,7) : **GBP 3 080** – NEW YORK, 29 oct. 1992 : *Comme la mort est belle* 1884, craies bleu et rouge et cr./pap. (43,7x31,7) : **USD 3 080** – LONDRES, 13 nov. 1992 : *Tête de femme* 1892, h/cart. (45x38,2) : **GBP 3 300** – LONDRES, 11 juin 1993 : *Bacchus* 1867, aquar. et gche (50,2x37,5) : **GBP 32 200** – NEW YORK, 20 juil. 1994 : *Tête de jeune fille*, aquar. et encre/pap. (27,9x21,6) : **USD 2 415** – LONDRES, 4 nov. 1994 : *Visage symbolique* 1894, sanguine (28,9x23,5) : **GBP 4 140** – LONDRES, 9 mai 1996 : *Jeunesse à l'aube* 1884, h/cart. (48x34,5) : **GBP 1 725** – LONDRES, 5 juin 1996 : *Ophélie* 1890, craie rouge (35,5x28,5) : **GBP 3 450** – LONDRES, 6 nov. 1996 : *Marguerite* 1866, h/t (40,5x35,5) : **GBP 12 075** ; *Amor* 1877, craie noire (22x17) : **GBP 1 840** – LONDRES, 8 nov. 1996 : *Saint Jean-Baptiste* 1898, aquar. (24,2x33,4) : **GBP 3 500** – LONDRES, 7 mars 1997 : *Dans le crépuscule de l'été* 1866, craies coul. et cr. avec reh. de blanc, étude (42x61,5) : **GBP 4 025** – LONDRES, 6 juin 1997 : *Celle qui a tant aimé* 1892, sanguine (35,8x40,7) : **GBP 4 370** – LONDRES, 4 juin 1997 : *Dans le crépuscule de l'été* 1869, aquar. reh. de blanc et de gomme arabique (52x73,5) : **GBP 34 500** ; *Portrait d'une femme*, aquar. et gche, de forme ovale (26,5x22) : **GBP 2 990** –

LONDRES, 5 nov. 1997 : *La Sécheresse* 1866-1872, aquar. reh. de gche (39x20) : **GBP 2 990** ; *Une jeune fille* 1863, h/pan., de forme ronde (diam. 20) : **GBP 14 950**.

SOLOMON William Ewart Gladstone
Né en 1880 à Sea Point (près de Captown). XXe siècle. Britannique.
Peintre de figures, portraits, illustrateur.
Il fit ses études à Londres. Il exécuta des illustrations de livres sur les Indes et fut également écrivain d'art.

SOLOMONS
XVIIIe siècle. Actif à Londres en 1782. Britannique.
Portraitiste.

SOLOMONS Richard
XIXe siècle. Actif à Liverpool dans la première moitié du XIXe siècle. Britannique.
Peintre de marines.
Il exposa à Londres en 1823.

SOLOMOUKHA Anton
Né en 1945 à Kiev (Ukraine). XXe siècle. Actif en France. Russe-Ukrainien.
Peintre de figures.
Diplômé de l'Académie des Beaux-Arts de Kiev, il quitta l'URSS en 1979 pour s'installer à Paris.
Il participe à des expositions collectives, dont : 1982 à Paris Salon de la Jeune Peinture ; 1985, *Travaux sur papier*, Salon de Villeparisis ; 1985, Octobre des Arts, Lyon ; 1986, Génie de la Bastille, Paris ; 1989, Salon de Montrouge ; 1990, Foire internationale d'art contemporain, présenté par la Galerie du Génie, Paris. Il montre ses œuvres dans des expositions personnelles, notamment à la galerie Philippe Gravier à Paris.
Il pratique en général une peinture de citations ou interprète des mythes anciens : *Suzanne et le vieillard* (1989) mêlant des styles de représentation différents dans une même toile.
VENTES PUBLIQUES : PARIS, 31 oct. 1990 : *RARANOM* 1989, techn. mixte/t et collage (152x125) : **FRF 40 000** – PARIS, 25 juin 1993 : *Sans titre* 1989, techn. mixte/t (148x137) : **FRF 3 200** – PARIS, 28 jan. 1994 : *Le lutteur*, h/t (151x125) : **FRF 4 800**.

SOLON
IIe siècle avant J.-C. Actif à Myrina. Antiquité grecque.
Sculpteur.
Il a sculpté une statue d'*Aristomène* à Télos.

SOLON
Antiquité grecque.
Tailleur de camées.
MUSÉES : LONDRES (Mus. Britannique) : *Méduse*, dite de Strozzi – NAPLES (Mus. nat.) : *Hercule*.

SOLON Harry
Né le 5 juin 1873 à San Francisco (Californie). XXe siècle. Américain.
Peintre de portraits.
Il fut élève de l'Art Institute de Chicago, de l'Académie Julian, d'Henri Royer et Richard Muller, à Paris. Il fut membre de la Fédération américaine des arts.
On lui doit de nombreux portraits de ses compatriotes.

SOLON Léon Victor
Né en 1872 à Stoke-on-Trent (Staffordshire). Mort en 1957 à New York. XXe siècle. Actif puis naturalisé aux États-Unis. Britannique.
Peintre, illustrateur, céramiste, affichiste.
Fils du sculpteur Marc Louis Emmanuel Solon (1835-1913). Il fut aussi écrivain. Il vécut longtemps en Angleterre et devint directeur artistique de la manufacture céramique de Minton, entre 1897 et 1909. Il se fixa ensuite aux États-Unis en Floride puis à New York.
Il exécuta des décorations architecturales pour le musée des Beaux-Arts de Philadelphie. Ses illustrations, d'une préciosité insolite, se rapprochent du style de Mucha. Il est auteur et illustrateur de plusieurs ouvrages, dont : *The Ancient art stoneware* (1892) ; *Old French faïence* (1903) ; *Ceramic literature* (1910). Il collabora, dans le domaine de la presse, à *The Parade* et *The Studio*.
BIBLIOGR. : In : *Dictionnaire des illustrateurs 1800-1914*, Ides et Calendes, Neuchâtel, 1989.

SOLON Marc Louis Emmanuel
Né en 1835 à Montauban (Tarn-et-Garonne). Mort le 23 juin 1913 à Stoke-on-Trent. XIXe-XXe siècles. Français.

Céramiste, peintre sur porcelaine, dessinateur, aquafortiste, collectionneur et écrivain.
Père de Léon Victor Solon. Il travailla sous le pseudonyme de Milès. Il travailla aux Manufactures de porcelaine de Sèvres et de Stoke-on-Trent. Le musée des Arts décoratifs de Hambourg, le musée Céramique de Limoges et le Victoria and Albert Museum de Londres possèdent des œuvres de cet artiste.

SOLON Marie Jeanne
Née en 1836 à Montauban. XIXᵉ siècle. Française.
Peintre et miniaturiste.
Élève de Belloc. Elle débuta au Salon en 1857. Le musée de Montauban conserve d'elle : *Portrait de femme* (miniature sur ivoire).

SOLONYER Franz, orthographe erronée. Voir SALONIER Franz

SOLORZANO Andres
XVIᵉ siècle. Actif dans la première moitié du XVIᵉ siècle. Espagnol.
Sculpteur.
Il travailla au maître-autel de la cathédrale de Tolède de 1503 à 1504.

SOLORZANO Esteban
XVIᵉ siècle. Actif à Huesca. Espagnol.
Peintre.
Probablement élève de Pedro de Aponte. Il travailla pour la cathédrale et pour l'église du Carmen d'Huesca de 1520 à 1557.

SOLOSMEO Antonio di Giovanni da Settignano ou Solismeo
XVIᵉ siècle. Actif à Florence, de 1525 à 1536. Italien.
Peintre et sculpteur.
Élève d'Andrea Sansovino pour la sculpture et d'Andrea del Sarto pour la peinture. Dans l'église de Badia di San Fedele à Poppi on voit de lui une *Vierge, l'Enfant Jésus et des saints*, signée Antonius Solusmeus Scultor, M. D. XXVII.

SOLOTAREFF Boris
Né en 1889 en Russie. Mort en 1966 à New York. XXᵉ siècle. Actif aux États-Unis. Russe.
Peintre de portraits, paysages, chevaux, natures mortes.
Il a fréquenté l'Académie des Beaux-Arts de Munich jusqu'en 1914. Pendant la guerre, il s'installa à Lausanne, puis vint à Paris. Il fut membre du Salon des Indépendants jusqu'à son départ pour les États-Unis en 1937 où il se fixa à New York.
Ses peintures sont traditionnelles. Ses thèmes principaux sont les chevaux et les jockeys.

SOLOTARJOFF Dorotéi Iermolaiévitch
XVIIᵉ siècle. Actif dans la seconde moitié du XVIIᵉ siècle. Russe.
Peintre.
Élève de Stan. Lopuzki et de Daniel Wuchter. Il exécuta pour la cour de Moscou des peintures décoratives.

SOLOTARJOFF Karp Ivanovitch
XVIIᵉ siècle. Actif dans la seconde moitié du XVIIᵉ siècle. Russe.
Peintre d'icônes.
Élève de Bogdan Saltanoff. Il travailla pour la cour de Moscou.

SOLOVIOV Serguei
Né en 1915 à Noguinsk. XXᵉ siècle. Russe.
Peintre de genre, portraits. Réaliste-socialiste.
Il fréquenta l'École des Beaux-Arts V. Sourikov à Moscou où il fut élève de Sergueï Guerassimov jusqu'en 1941. Il fut peintre de sujets militaires durant la Seconde Guerre mondiale. Membre de l'Union des peintres de l'URSS depuis 1943. Il a enseigné l'art à l'École secondaire des Beaux-Arts de Moscou.
Représentant particulièrement fidèle de l'esthétique du réalisme-socialiste, il a peint nombre d'œuvres rendant compte de la guerre, de ses héros, de même que des représentations du labeur des ouvriers. Il s'est ensuite spécialisé dans les portraits intimistes.
BIBLIOGR. : In : *Catalogue de la vente Tableaux soviétiques*, Salle Drouot, Paris, 3 oct. 1990.
MUSÉES : ALMA-ATA – KOURGAN – MOSCOU (Gal. Tretiakov).
VENTES PUBLIQUES : PARIS, 12 déc. 1992 : *Les terrassiers* 1960, h/cart. (21x24) : FRF 4 500.

SOLOVIOVA Irina
Née en 1966. XXᵉ siècle. Russe.
Peintre de fleurs.
Ancienne élève de l'École des Beaux-Arts de Moscou, elle travailla sous la direction de Olga Pasternak.
VENTES PUBLIQUES : PARIS, 12 déc. 1992 : *Chrysanthèmes*, h/t

(65x54) : FRF 4 000 ; *Les Renoncules*, h/t (50x61) : FRF 4 800 – PARIS, 20 mars 1993 : *Premières tulipes*, h/t (50x50) : FRF 4 500 – PARIS, 18 oct. 1993 : *Bouquet en jaune*, h/t (65x54) : FRF 4 500.

SOLOVJOFF Dimitri ou Solovieff
XVIIIᵉ siècle. Russe.
Peintre de compositions religieuses, figures, cartons de tapisseries.
Actif dans la première moitié du XVIIIᵉ siècle, il travailla à la Manufacture de tapis de Saint-Pétersbourg comme dessinateur de cartons et exécuta des peintures dans les châteaux de Peterhof et de Monplaisir ainsi que dans la cathédrale Saint-Paul de Saint-Pétersbourg.
MUSÉES : MOSCOU (Gal. Tretiakov) : *Cordonniers*.

SOLPACH Andreas. Voir SOLBACH

SOLSERNUS ou Solsternus
XIIIᵉ siècle. Actif à Spoleto en 1267. Italien.
Mosaïste.
On voit de cet artiste une importante mosaïque de style byzantin, représentant le *Christ sur un trône, la Vierge et saint Jean*, signée et datée de 1267, à la façade de la cathédrale de Spoleto.

SOLT Jacobus Van. Voir SOLDT

SOLTAN Anna de, comtesse. Voir RÖMER Anna von

SOLTAU Hermann Wilhelm
Né le 9 juillet 1812 à Hambourg. Mort le 14 mai 1861 à Hambourg. XIXᵉ siècle. Allemand.
Peintre de genre, portraits, architectures, graveur, dessinateur.
Il fit ses études à Hambourg où il fut l'élève de Gerdt Hardorff le Jeune, puis à Munich et à Paris. Il réalisa des eaux-fortes et des lithographies.
MUSÉES : ALTONA : *Ipkenwarft sur l'île de Hooge – Le polder de Kremper – Bas-fonds près de Büsum* – HAMBOURG (Kunsthalle) : *Portrait de Carsten Wilhelm Soltau* – KIEL (Cab. d'Estampes) : *Peintre endormi son chevalet – La rencontre de Hoptrup – Cordonniers dans leur atelier – Pasteur dans sa chambre de travail* – MUNICH (Mus. Nat.) : *Portraits de princes bavarois des XIIIᵉ au XVᵉ siècles*, gche, vingt-six œuvres – MUNICH (Mus. mun.) : *Carnaval chez les artistes*, cinq lithographies.
VENTES PUBLIQUES : VIENNE, 29-30 oct. 1996 : *Bonheur familial à la campagne*, h/t, de forme ovale (136x181) : ATS 172 000.

SOLTAU Otto
Né le 27 mars 1885 à Arnis-sur-Schlei. XXᵉ siècle. Allemand.
Peintre de portraits, figures, chevaux.
Il fit ses études à Hanovre et à Munich et chez Georg Greve-Waldhausen. Il exposa à Berlin en 1911.
VENTES PUBLIQUES : LONDRES, 24 mars 1988 : *Deux études de botanique*, cr. et aquar. (26x18) : GBP 880.

SOLTAU Pauline, née Suhrlandt
Née le 30 juin 1833 à Ludwigslust. Morte le 13 avril 1902 à Schwerin. XIXᵉ siècle. Allemande.
Peintre de genre, portraits.
Elle fut élève de son père Rudolf Suhrlandt et d'Ed. Dubufe à Paris.
MUSÉES : RUDOLSTADT : *La Grande-duchesse Marie von Mecklenburg-Schwerin* – SCHWERIN : *Portrait de l'intendant von Wolzogen*.
VENTES PUBLIQUES : NEW YORK, 28 mai 1992 : *La Préférée de la mère*, h/t (116,2x88,9) : USD 8 800.

SOLTMANN Hans
Né le 4 décembre 1876 à Breslau (Breslau). XXᵉ siècle. Allemand.
Peintre, graveur, lithographe, illustrateur.
Il fit ses études aux Académies de Berlin et de Carlsruhe. Il s'établit à Berlin. Il exécuta de nombreuses illustrations de livres d'enfants. Il gravait le bois.

SOLUTUS ou Soluti
XVIᵉ siècle. Travaillant en 1555. Italien.
Peintre.
Il subit l'influence de D. Capriolo. La Pinacothèque de Trévise conserve de lui *Adoration des bergers*.

SOLVAIN Jean
Né en 1600 au Puy. Mort en 1664. XVIIᵉ siècle. Français.
Peintre.
Le Musée du Puy conserve de lui : *Portrait de Gaspard de Chabron, docteur et avocat au présidial de la sénéchaussée de Riom*.

SOLVEEN Henri
Né le 3 janvier 1891 à Strasbourg (Bas-Rhin). xxe siècle. Allemand.
Peintre de paysages, graveur.
Il fit ses études à Strasbourg et à Leipzig et fut le fondateur de l'Arc. Il fut également écrivain.
Musées : Strasbourg : *Portrait de Lothar von Seebach*.

SOLVES Jean-Michel
Né en 1955 à Paris. xxe siècle. Français.
Peintre, technique mixte. Abstrait.
Il a étudié à l'École des Beaux-Arts de Paris. Il participe à des expositions collectives, parmi lesquelles : 1987, 1988, Salon de Montrouge (Paris) ; 1989, Biennale de la Jeune Peinture, Cannes.
Il montre ses œuvres dans des expositions personnelles, dont : 1988, galerie Loft ; 1989, galerie Pierre Lescot.
Ses œuvres, marquées par une certaine rigueur de composition, mais sans être géométriques, comprennent des éléments de relief en métal.

SOLVYNS Balthazar ou **Frans Balthazar**
Né le 6 juillet 1760 à Anvers. Mort le 10 octobre 1824 à Anvers. xviiie-xixe siècles. Belge.
Peintre de marines, aquafortiste.
Élève de Quartenmont à Anvers, puis de Vincent, à Paris. Ethnographe, il partit aux Indes en 1789 pour plusieurs années et y réunit les éléments d'un important ouvrage sur les mœurs, les fêtes, les costumes des Hindous, comprenant trois cents planches. Il fut capitaine du port d'Anvers. Ses peintures sont rares.

Ventes Publiques : Paris, 4 avr. 1997 : *Deux Indigènes dénommés Oorni et Kurtaul*, grav. reh., une paire (37x25) : FRF 6 700.

SOLY Arthur ou **Solly**
Mort vers 1695. xviie siècle. Travaillant vers 1683. Britannique.
Graveur et dessinateur de portraits.
Il grava des portraits et travailla pour Robert White.

SOLYMOS Beatrix
Né le 4 mars 1889 à Mitrovica. xxe siècle. Hongrois.
Peintre de portraits, natures mortes.

SOLZIUS H.
Sculpteur.
Le Musée de Sydney conserve de lui un bas-relief : *Le banquet des dieux*.

SOM Carl de ou **Desom Carl**
xviie siècle. Allemand.
Peintre.
Il travailla dans le monastère de Weingarten.

SOM Laurens ou **Soon**
xviiie siècle. Hollandais.
Sculpteur sur ivoire.
Le Musée municipal d'Amsterdam conserve de lui des ustensiles en miniature pour une maison de poupée, sculptés sur ivoire.

SOM Ludwig
xviiie siècle. Travaillant à Lindau de 1705 à 1720. Allemand.
Graveur au burin.
Le Musée municipal de Lindau conserve des œuvres de cet artiste.

SOMACCHINI. Voir **SAMACHINI**

SOMAGLIA Rossane, comtesse della, née **Landi**
Née le 3 février 1751 à Plaisance. Morte le 16 avril 1827. xviiie-xixe siècles. Italienne.
Dessinatrice.
Elle dessina surtout des architectures. Elle fut également traductrice.

SOMAINI Francesco
Né le 14 mai 1795 à Maroggia. Mort le 13 août 1855 à Milan. xixe siècle. Italien.
Sculpteur de sujets religieux, statues, bustes, bas-reliefs.
Il travailla avec Camillo Paccetti et fut élève de l'Académie de la Brera à Milan. Il travailla dans une grande partie de l'Italie du Nord.

SOMAINI Francesco
Né en 1926 à Lomazzo (près de Côme). xxe siècle. Italien.

Sculpteur.
Dans le même temps qu'il étudiait le droit jusqu'à la licence, il poursuivait des études artistiques à l'Académie de la Brera à Milan.
Il participe à de nombreuses expositions de groupe, parmi lesquelles : Biennale de São Paulo, en 1959, où il obtint le prix du meilleur sculpteur étranger ; Biennale de Venise en 1960 où une salle entière lui fut consacrée ; Biennale d'art sacré à Rome en 1968, dont il obtint le premier prix de sculpture ; *IIe Biennale Européenne de Sculpture de Normandie* au Centre d'Art Contemporain de Jouy-sur-Eure en 1984.
Il montre ses œuvres dans des expositions personnelles, à Florence en 1956, à Milan en 1959, 1962, 1968.
Après des débuts normalement figuratifs, des voyages en Europe, en 1944 et 1949, lui firent découvrir l'art moderne international. Avec une série de sculptures, inspirées par des crânes de chevaux, il amorça un mouvement de libération d'avec une réalité trop individualisée. À partir de 1950, il adopta un vocabulaire résolument abstrait. Une volonté délibérément monumentale lui fit expérimenter, depuis 1954, un matériau nouveau : le « conglomérat ferreux ». Il réalisa avec ce matériau le *Monument aux Marins Italiens*, du Corso du 22 mars, à Milan en 1966-1967. Ses sculptures s'élancent dans l'espace selon un processus baroque tout végétal, en élégantes déchirures déchiquetées accrochant leurs plis des portions de vide.
Bibliogr. : U. Apollonio, Michel Tapié : *Francesco Somaini*, Griffon, Neuchâtel, 1960 – Giovanni Garandente, in : *Nouveau dictionnaire de la sculpture moderne*, Hazan, Paris, 1970 – in : Catalogue de la *IIe Biennale Européenne de Sculpture de Normandie*, Centre d'Art Contemporain, Jouy-sur-Eure, 1984.
Ventes Publiques : New York, 19 mai 1966 : *Orizzontale*, bronze : USD 2 500 – New York, 4 avr. 1968 : *Orizzontale*, bronze patiné : USD 3 500 – Londres, 25 oct. 1974 : *Projet de monument*, bronze : USD 1 200 – New York, 22 oct. 1976 : *Racconto sul mare* 1961-1962, bronze, patine grise (Long. 48,2) : USD 750 – New York, 8 oct. 1988 : *La Vague* (66x129,5x50,7) : USD 2 475 – New York, 10 oct. 1990 : *Sculpture*, bronze à patine argentée (H. 25,4) : USD 1 760 – Milan, 16 nov. 1993 : *Sans titre*, acier (20x43x16) : ITL 3 450 000.

SOMAINI Giuseppe
xixe siècle. Italien.
Sculpteur.
Élève de Francesco Somaini.

SOMAIO Giovanni Francesco de
Mort entre 1477 et 1481. xve siècle. Actif à Vicence. Italien.
Peintre.
Il travailla à Vicence à partir de 1453.

SOMARÉ Sandro
Né après 1925. xxe siècle. Italien.
Peintre. Surréaliste.
En 1969 à Bruxelles, il figurait, avec d'autres jeunes artistes peu connus, à l'exposition organisée par Patrick Waldberg, sous le titre *Signes d'un renouveau surréaliste*.

SOMAZZI Arlette, née **Van den Bilcke**
Née le 27 octobre 1921 à Villié-Morgon (Rhône). xxe siècle. Française.
Sculpteur de bustes, médailleur.
Après un bref passage à l'École des Beaux-Arts de Lyon, elle fut élève, à l'Académie de la Grande-Chaumière à Paris, d'Yves Brayer en peinture, puis de Charles Despiau en sculpture. Elle partit alors en Afrique Équatoriale, où elle vécut trois ans et exposa à Léopoldville (aujourd'hui Kinchassa), Brazzaville. Ensuite, elle passa quatre ans en Polynésie, y tournant un film : *Té Poé Moana* (La Perle du Grand Océan).
Depuis lors, fixée à Menton, elle y a exposé en 1964 ; à Monte-Carlo en 1966, 1968 ; des ensembles de sculptures dans l'Atrium de l'Opéra de Monte-Carlo en 1972 avec une présentation d'Armand Lanoux ; au Palais de l'Europe de Menton en 1982 ; puis en 1987 à Paris galerie F. Muller une exposition préfacée par Alain Decaux ; en 1994 avec dix bustes au *Jardin de Sculptures* du Musée des Beaux-Arts de Menton ; en 1997 *Sculptures Dessins* au musée des Beaux-Arts de Menton.
En France continentale, elle a sculpté plusieurs médailles pour la Monnaie de Paris, dont celles de : Fernand Gregh, Joséphine Baker, Henri Guillemin ; de nombreuses autres, dont celles commandées par la Principauté de Monaco ; ou pour les villes de Menton : Marcel Pagnol, Jean Cocteau ; Nice : Nietzsche, etc.
Elle a sculpté de très nombreux bustes et masques d'écrivains :

Arthur Miller, René Huyghe, en 1994-1995 Louis-Ferdinand Céline ; musiciens : Karl Münchinger, Samson François, Henri Dutilleux ; danseurs : Serge Lifar, Rudolf Noureev ; comédiens : André Luguet ; personnalités de toutes sortes : Prince Rainier III, Alexandre Onassis, en 1998 : Prince Albert de Monaco... Comme Arlette Somazzi le dit drôlement elle-même : « J'ai fait tous les gens qui se présentaient à moi, s'ils avaient du caractère. Besoin de dialogue, intensément. », ce que confirme son préfacier Alain Decaux : « Le dialogue est évident entre vous et vos sujets ».

BIBLIOGR. : Armand Lanoux : *Bustes et Masques d'Arlette Somazzi*, Présentation de l'exposition, Opéra de Monte-Carlo, 1972 – Alain Decaux : *Arlette Somazzi, ses personnages*, Gal. F. Muller, Paris, 1987 – divers : Catalogue de l'exposition *Somazzi – Sculptures, Dessins*, Musée des Beaux-Arts, Menton, nombreuse documentation.

MUSÉES : MENTON (Mus. du Palais Carnolès) : *Prince Rainier III – Prince Louis de Polignac – Samson François – Arthur Miller – Serge Lifar – Rudolf Noureev* – autres bustes et masques – MONACO : *Prince Louis de Polignac* – NICE (Mus. Chéret) : *François Didier Gregh*.

SOMAZZO Bernardo
XVe siècle. Italien.
Peintre.
Il a peint, en 1412, des fresques dans l'église Saint-Jacques de Livo, près de Gravedona.

SOMEBODY P.
XVIIIe siècle. Travaillant en Angleterre vers 1780. Britannique.
Graveur.
Pseudonyme d'un graveur au burin, on cite de lui un *Portrait du général Wolfe*, d'après Benjamin West.

SOMEDA Domenico
Né à Udine. XIXe-XXe siècles. Italien.
Peintre d'histoire, de genre, paysages.
Vers 1885 à Venise, il débuta en exposant *Invasion des Magyars*.

SOMELLI Guido
Né en 1881 à Florence. XXe siècle. Italien.
Peintre de figures, paysages.

SOMENZIO Francesco
Mort peu après 1580. XVIe siècle. Actif à Crémone. Italien.
Peintre.
Élève de Bern. Campi. Il travailla pour la cathédrale de Crémone.

SOMENZIO Pietro Martire
XVIe siècle. Actif à Crémone. Italien.
Miniaturiste et calligraphe.

SOMER Bernard ou Barent Van ou Someren ou Soemeren
Né vers 1572 à Anvers. Mort en 1632 à Amsterdam. XVIe-XVIIe siècles. Hollandais.
Peintre, graveur au burin et marchand de tableaux.
Frère de Paul Van Somer. Élève de P. Lisart en 1588. Il épousa la fille d'Arnold Mystens, Leonora, et, en 1626, A. Brauwer demeura chez lui.
VENTES PUBLIQUES : PARIS, 1er mars 1920 : *Portrait d'un homme de qualité*, encre de Chine : FRF 195.

SOMER Hendrick Van ou Someren ou Zomeren
Né en 1615 à Amsterdam. Mort à Amsterdam, à la fin de 1684 ou au début de 1685. XVIIe siècle. Éc. flamande.
Peintre de compositions religieuses, figures, paysages, fleurs et fruits, dessinateur.
Fils de Bernard Van Somer.
MUSÉES : LONDRES (British Mus.) : *Une famille*, dessin.
VENTES PUBLIQUES : NEW YORK, 7 juin 1978 : *Saint Jérôme traduisant la Bible* 1651, h/t (98x123) : **USD 13 000** – NEW YORK, 17 jan. 1985 : *Saint Jérôme traduisant la Bible* 1651, h/t (98x123) : **USD 21 000** – NEW YORK, 31 mai 1989 : *Saint Jérôme* 1654, h/t (129,3x105) : **USD 71 500** – NEW YORK, 18 mai 1994 : *Saint Jérôme*, h/t (130,2x104,8) : **USD 19 550**.

SOMER Jan Van ou Someren
Né en 1645 à Amsterdam (?). Mort après 1699 à Amsterdam (?). XVIIe siècle. Hollandais.
Graveur à la manière noire et peintre.

Frère de Paul Van Somer. Il a gravé un grand nombre de portraits et des sujets de genre, d'après les maîtres de son époque.

VENTES PUBLIQUES : LONDRES, 27 juin 1984 : *Le porteur de lettres*, mezzotinte/pap. filigrané (36,6x28,6) : USD 1 250.

SOMER Mathias Van ou Someren ou Sommern
XVIIe siècle. Hollandais.
Dessinateur et graveur de portraits.
Il travaillait en 1650 à Amsterdam, puis jusqu'en 1670, à Cologne, Ratisbonne et Nuremberg. Il a gravé des portraits.

SOMER Melchior
XVIIe siècle. Actif dans la première moitié du XVIIe siècle. Allemand.
Sculpteur sur bois.
Il travailla à Gand. Thieme et Becker le donnent comme Allemand.

SOMER Paul Van ou Someren
Né vers 1576 à Anvers. Mort entre le 27 juin et le 10 octobre 1621 à Londres. XVIIe siècle. Éc. flamande.
Peintre d'histoire, portraits.
Il travailla en 1604 à Anvers et suivit Van Mander à Amsterdam, où avec son frère Bernard il exécuta de nombreux portraits. En 1600, il était à Londres et en 1617 à Bruxelles, où il fit les portraits d'*Albert et d'Isabelle*. Il revint à Londres pour y achever sa carrière. Ses ouvrages se rencontrent fréquemment en Angleterre.

MUSÉES : COPENHAGUE : *Charles Ier d'Angleterre* – LONDRES (Nat. Portrait Gal.) : *François Bacon – Elisabeth Vernon, comtesse de Southampton – Henri, prince de Galles – Jacques Ier – Anne de Danemark, femme de Jacques Ier*.
VENTES PUBLIQUES : NEW YORK, 22-23 fév. 1906 : *Portrait de sir Francis Leigh* : **USD 250** – LONDRES, 11 déc. 1909 : *Portrait de Henry Frederic ; prince de Galles ; fils de Jacques Ier* : **GBP 220** – LONDRES, 26 fév. 1910 : *Portrait de sir Edward Hales enfant* : **GBP 25** – LONDRES, 25-26 mai 1911 : *Portrait d'un gentilhomme d'une dame*, deux pendants : **GBP 441** – LONDRES, 10-11 nov. 1911 : *Jeune garçon* : **GBP 68** – LONDRES, 3 fév. 1922 : *Tête de femme* : **GBP 31** – LONDRES, 27 juin 1924 : *Le prince de Galles* : **GBP 231** – LONDRES, 18 juin 1924 : *Le comte de Pembroke et le comte de Montgomery* : **GBP 99** – LONDRES, 4 déc. 1925 : *Lady Musgrave* : **GBP 220** – LONDRES, 27 nov. 1968 : *Portrait de James Ier d'Angleterre* : **GBP 1 800** – LONDRES, 17 mars 1972 : *Portrait de femme* : **GNS 1 400** – LONDRES, 21 mars 1979 : *Portrait de Robert Carey, I comte de Monmouth avec sa famille*, h/t (227,5x216) : **GBP 7 500** – NEW YORK, 4 nov. 1986 : *Portrait de Henry, 18th Earl of Oxford, High Chamberlain of England*, h/t (217x120,8) : **USD 21 000** – CALAIS, 3 juil. 1994 : *Scènes pastorales dans des ruines antiques*, pl. et lav., une paire (chaque 19x28) : FRF 14 000.

SOMER Paul Van ou Someren
Né vers 1649 à Amsterdam. Mort vers 1694 (?) à Londres. XVIIe siècle. Hollandais.
Peintre et graveur au burin et à la manière noire.
Frère de Jan Van Somer. Il alla à Paris de 1671 à 1675, puis à Londres. Il a gravé des sujets religieux et mythologiques, des scènes de genre et des portraits. Le Cabinet d'estampes d'Amsterdam possède de lui *Moïse sauvé des eaux*, et l'Albertina de Vienne, *La Cène*.
VENTES PUBLIQUES : PARIS, 1844 : *Chien rapportant un canard à son maître* : **FRF 55** ; *Le chasseur bredouille* : **FRF 85** – GAND, 1856 : *La leçon de chant* : **FRF 200** – PARIS, 1886 : *Portrait de Henri, prince de Galles, fils de James Ier* : **FRF 4 350** – LONDRES, 9 oct. 1928 : *Richard Dering* : **GBP 210** – LONDRES, 2 mai 1929 : *Le roi James Ier* : **GBP 157** – NEW YORK, 18 déc. 1929 : *Portrait de femme* : **USD 430** – LONDRES, 29 mai 1931 : *James Ier d'Angle-*

terre : **GBP 189** – KINGSTON-ON-THAMES, 25 juil. 1934 : *Le comte d'Essex* : **GBP 600** – LONDRES, 28 juil. 1939 : *Lady Arabella Stuart* : **GBP 131**.

SOMEREN. Voir **SOMER**

SOMERS Francine
Née en 1923 à Gand. XXe siècle. Belge.
Peintre de scènes animées, graveur, médailleur, dessinateur.
Ses médailles, fondues à la cire perdue, se caractérisent par leur stylisation synthétique.
BIBLIOGR. : In : *Dict. biogr. illustré des artistes en Belgique depuis 1830*, Arto, Bruxelles, 1987.

SOMERS Frans
XVIIe-XVIIIe siècles. Actif à Anvers. Éc. flamande.
Sculpteur.
Élève de Cornelis Maes.

SOMERS Frans
XVIIIe siècle. Actif à Anvers. Éc. flamande.
Sculpteur.
Probablement fils de Frans Somers I. Le Musée de Bruxelles possède de lui *Jésus et la Samaritaine*.

SOMERS Guillaume
Né le 12 décembre 1819 à Anvers. XIXe siècle. Belge.
Peintre d'histoire, scènes de genre, intérieurs.
Il fut élève de Gustave Wappers à l'Académie des Beaux-Arts d'Anvers.

SOMERS Louis Jean
Né le 25 novembre 1813 à Anvers. Mort le 3 juin 1880 à Anvers. XIXe siècle. Belge.
Peintre d'histoire, scènes de genre.
Il fut élève de Ferdinand de Braeckeleer. Il a subi l'influence de Félix De Vigne.

Louis Somers fᵗ Antwerpia

MUSÉES : ANVERS : *Le bibliothécaire – La correction de l'épreuve* – BRÊME : *Fraternité (scène dans un cloître)* – LEIPZIG : *Cromwell découvrant une conspiration contre sa vie* – LIÈGE : *Le plainchant des moines* – MALINES : *L'attente* – STRASBOURG : *Les trois buveurs*.
VENTES PUBLIQUES : PARIS, 13-14 mars 1929 : *Le collectionneur* : **FRF 1 400** – BRUXELLES, 26 avr. 1971 : *La leçon de musique* : **BEF 40 000**.

SOMERSALO Jaakko
Né en 1916. XXe siècle. Finlandais.
Peintre, graveur. Tendance abstraite.
Il exécuta d'abord des gravures sur bois, figuratives, dont les coloris étaient renforcés par un procédé de superpositions de feuilles de couleur. Puis d'un dessin stylisé, il évolua vers une abstraction relative. Son dessin synthétique peut évoquer la concision extrême-orientale. Dans ses peintures, le coloris est également l'objet d'un travail technique particulier, par superposition de glacis de tonalités différentes, où dominent les laques rouges.

SOMERSCALES Thomas Jacques
Né le 30 octobre 1842 à Hull. Mort le 27 juin 1927. XIXe-XXe siècles. Britannique.
Peintre d'histoire, de genre, marines, aquarelliste.
Il exposa à la Royal Academy de Londres, en tout cas en 1901. Il dut voyager souvent et longtemps en Amérique du Sud, certainement en 1895, 1907, 1909, 1910, 1912, 1913, 1918, dont les côtes et les baies sont le thème de nombreuses œuvres. Il peignit aussi parfois des reconstitutions historiques d'événements maritimes.
MUSÉES : BRISTOL : *Les caravelles de Christophe Colomb – Attendant le pilote* – LIVERPOOL : *Un homme à la mer* – LONDRES (Tate Gal.) : *Départ de Valparaiso*.
VENTES PUBLIQUES : LONDRES, 21 mars 1910 : *Quittant Valparaiso 1895* : **GBP 15** – LONDRES, 28 avr. 1924 : *Toutes voiles dehors* : **GBP 32** – LONDRES, 10 juil. 1939 : *Homeward Bound* : **GBP 80** – PARIS, 17 jan. 1951 : *Paysage d'Amérique du Sud 1912 et 1913*, deux aquar., ensemble : **FRF 280** – LONDRES, 6 fév. 1973 : *Voiliers en mer* : **GBP 1 250** – LONDRES, 15 oct. 1976 : *La baie de Valparaiso 1909*, h/t (107x183) : **GBP 3 200** – LONDRES, 6 fév. 1981 : *Bateaux au large de Valparaiso*, h/pan. (29x40) : **GBP 3 200** – NEW YORK, 8 mai 1981 : *Vue des Andes, Chili 1906*, h/t (61x91,5) : **USD 22 000** – NEW YORK, 29 mai 1984 : *In the doldrums 1910*, h/t

(60,3x104) : **USD 14 000** – LONDRES, 2 oct. 1985 : *A three master*, h/t (58x82) : **GBP 5 800** – LONDRES, 20 nov. 1986 : *Le port de Valparaiso 1882*, h/cart. (35,6x50,8) : **GBP 8 000** – LONDRES, 31 mai 1989 : *La fin du voyage – la baie de Valparaiso 1907*, h/t (46x35,5) : **GBP 11 550** – LONDRES, 2 juin 1989 : *Vue panoramique de Robin Hood Bay 1918*, h/t (39x48) : **GBP 1 650** – LONDRES, 30 mai 1990 : *Virement de bord*, h/t (46x30,5) : **GBP 4 950** – LONDRES, 20 jan. 1993 : *Au large de Rio 1910*, h/t (35,5x53) : **GBP 15 870** – LONDRES, 29 mai 1997 : *Mer écumeuse au large de Tenerife 1905*, h/t (81,5x122) : **GBP 49 900**.

SOMERSET Isabel, lady **Henry**
Morte le 12 mars 1921. XIXe-XXe siècles. Britannique.
Sculpteur, peintre de figures.
Elle fut aussi écrivain.
MUSÉES : MELBOURNE : *Mère et enfant*, plâtre, statuette.

SOMERSET Richard Gay
Né en 1848 à Manchester. XIXe siècle. Britannique.
Paysagiste.
Les Musées de Manchester et de Rochdale conservent des peintures de cet artiste.

SOMERVILLE ou Sommervaille
XIXe siècle. Travaillant vers 1800. Britannique.
Tailleur de camées.

SOMERVILLE Andrew
Né en 1808 à Édimbourg. Mort en janvier 1834 à Édimbourg. XIXe siècle. Britannique.
Peintre de genre.
Il fit ses études à la Trustees' Academy à Édimbourg et se fixa dans cette ville. Il obtint un rapide succès, fut élu associé de la Royal Scottish Academy en 1831 et académicien en 1832. Le musée d'Édimbourg conserve de lui : *Enfants du village*.

SOMERVILLE Charles
Né le 29 juillet 1870 à Falkirk. XIXe-XXe siècles. Britannique.
Peintre de figures, portraits, paysages.

SOMERVILLE Daniel
XVIIIe-XIXe siècles. Actif à Edimbourg de 1798 à 1825. Britannique.
Graveur au burin et lithographe.

SOMERVILLE Howard
Né en 1873 à Dundee. XIXe-XXe siècles. Britannique.
Peintre de portraits, intérieurs, natures mortes, illustrateur.
Il était établi à Londres. Il travailla pour le *Punch*.
MUSÉES : LIVERPOOL (Walker Art Gal.) : *Joyce – Un foulard de Manille*.
VENTES PUBLIQUES : BOLTON, 15 mai 1985 : *Portrait of J. Page Laughlin*, h/t (77,5x63,5) : **USD 2 300**.

SOMERVILLE Stuart Scott
Né en 1908. XXe siècle. Britannique.
Peintre de figures, nus, paysages animés, natures mortes de fleurs, pastelliste.
VENTES PUBLIQUES : LONDRES, 29 juil. 1988 : *Bouquet de fleurs variées dans un vase*, past. (50x36,2) : **GBP 968** – LONDRES, 2 mars 1989 : *Fleurs de pommier 1931*, h/t (60x50) : **GBP 5 280** – LONDRES, 12 mai 1989 : *Nu debout dans un jardin*, past. (56,2x38,7) : **GBP 1 650** – LONDRES, 12 mai 1993 : *Fleurs d'été dans un vase*, h/cart. (35,5x25,5) : **GBP 1 035**.

SOMIS
Antiquité grecque.
Sculpteur.
Il sculpta la statue d'un vainqueur d'Olympie.

SOMIS Lorenzo, dit **l'Ardi** ou **l'Ardito**
Né en 1702 à Turin. Mort le 29 novembre 1775 à Turin. XVIIIe siècle. Italien.
Peintre.
Frère de Prospero Somis. Il pratiqua la peinture et le violon.

SOMIS Prospero
Né vers 1693. XVIIIe siècle. Italien.
Peintre.
Frère de Lorenzo Somis.

SOMLO Jenö ou **Eugen**
Né en 1894 à Budapest. XXe siècle. Hongrois.
Peintre de figures.

SOMLO Lili
Née en 1887 à Budapest. XXe siècle. Hongroise.
Peintre de figures, paysages.

SOMLO-HLAVATHY Sari ou **Charlotte**
Née le 7 mars 1886 à Arad. xxᵉ siècle. Hongroise.
Sculpteur de monuments.
Elle fit ses études à Budapest. Elle était aussi poétesse.
À Budapest, elle a sculpté des tombeaux.
Musées : Budapest (Gal. mun.).

SOMM Henry ou **Henri**, pseudonyme de **François Clément Sommier**
Né en 1844 à Rouen (Seine-Maritime). Mort le 15 mars 1907
à Paris. xixᵉ siècle. Français.
Peintre de genre, figures, aquarelliste, graveur, illustrateur, silhouettiste. Impressionniste.
Après des études à Rouen, il arrive en 1870 à Paris, où il perfectionne sa technique du dessin. En 1879 et 1889, il participa aux
expositions des Impressionnistes chez Durand-Ruel à Paris.
Illustrateur, il a collaboré avec la presse : *Le Chat noir, La
Charge, La Cravache, Chronique Parisienne, High-Life, Frou-
Frou, Le Rire*, où il avait une colonne de croquis humoristiques. Il
a publié des albums : 1870 *La Rapinéïde ou L'Atelier* ; 1885 *La
Berline de l'émigré* ; 1886 *L'Escalier* ; 1908, dans la collection *Les
maîtres humoristes* : *Henry Somm*. Il a contribué à l'illustration
de *Sérénités* de A. Tinchant. Il a illustré des ouvrages littéraires,
dont : *Journal d'un nègre à l'Exposition de 1900* de G. Bergeret ;
Tanzaï et Néadarné de Crébillon fils ; *La Maison de fous* de R.
Lesclide ; *Rose tendre et vert foncé* de Montassier ; *Solutions
conjugales, Histoires conjugales, On n'ose pas dire* de A.
Saulière. En 1911, la Galerie Berthe Weill à Paris lui consacra
une exposition particulière. En 1933, il figura dans une exposition sur *Le Décor sous la IIIᵉ République*, au Musée du Louvre.
Depuis, ses œuvres ont été montrées dans plusieurs galeries, à
Londres, Dusseldorf, Paris (galerie Prouté, 1983 et 1986).
D'abord profondément marqué par le Japonisme, il voulut que
l'État l'envoyât en mission au Pays du Soleil Levant. Mais la
guerre de 1870 l'en empêcha, et il résolut alors de se consacrer à
ce qui ferait son succès : la représentation des Parisiennes de
l'époque. Il s'en fit une spécialité et l'exerça avec talent, dans des
aquarelles – qu'Arsène Alexandre qualifiait en 1897 d'« affriolantes par leur sujet même » ! – et des dessins élégants, inspirés,
vifs, spirituels parfois jusqu'à la satire. Ces œuvres sont souvent
bien plus que des illustrations de mode, et l'on songe à l'art d'un
Constantin Guys ou d'un Toulouse-Lautrec, ou encore, par certains côtés, d'un Monet ou d'un Renoir. Henry Somm a laissé un
nombre important d'albums d'esquisses remplis de croquis d'un
mérite incontestable. Il y accumula les notations les plus fugitives, saisies avec art et qui sont d'un maître. Ces dessins, longtemps restés inconnus, font vivement regretter la part que, pour
vivre, il fut contraint de consacrer aux journaux humoristiques.
Ses possibilités de peintre, et de peintre de grand talent, ne trouvèrent en fait pas à s'employer pleinement. En 1897, dans la préface d'un catalogue de vente, Roger-Milès écrivait : « Henry
Somm est de ceux dont l'art, qui semble fugitif, est fait de qualités solides ; il est le viatique qui empêche de disparaître ». ■ A. G.

Cachet de vente

BIBLIOGR. : Marcus Osterwalder, in : *Dictionnaire des illustrateurs 1800-1914*, Ides et Calendes, Neuchâtel, 1989.
MUSÉES : Auvers-sur-Oise (Mus. Daubigny) – Cleveland – Kansas City (Mus. of Rockhill Nelson) – Paris (Mus. d'Orsay) : *Grammaire japonaise illustrée*, dess. – Paris (Mus. du Louvre) – Rouen
(Mus. des Beaux-Arts) : *La Douillette rouge*, aquar. – San Francisco – Washington D. C. (Mus. of Fine Art).
VENTES PUBLIQUES : Paris, 1898 : *Trio* : FRF 85 – Paris, 3 mars
1898 : *A votre santé*, aquar. : FRF 70 – Paris, 26 fév. 1900 : *Jeune
femme à mi-corps en élégant costume*, dess. : FRF 163 – Paris, 8
fév. 1919 : *Parisienne*, aquar. : FRF 26 – Paris, 27 mars 1919 : *La
femme au bichon*, aquar. : FRF 34 – Paris, 13 fév. 1924 : *Jeune
femme à l'éventail*, aquar. : FRF 160 – Paris, 14 nov. 1927 :

Femmes en promenade, aquar. : FRF 270 – Paris, 12-13 nov.
1928 : *Au cirque*, aquar. : FRF 105 – Paris, 17 fév. 1937 : *Promeneurs sur les boulevards*, aquar. : FRF 75 – Paris, 1ᵉʳ avr. 1942 :
Parisienne au bois, aquar. : FRF 600 – Paris, 17 juin 1942 : *Promeneuses le soir*, aquar. : FRF 210 – Paris, 30 oct. 1942 : *Femme
assise devant une décoration japonaise*, gche en forme d'éventail : FRF 1 000 – Paris, 2 juin 1943 : *Femme au bois*, aquar. :
FRF 1 300 – Paris, 17 déc. 1943 : *Parisienne à la campagne*, encre
de Chine et aquar. : FRF 700 – Paris, 18 juil. 1944 : *Parisienne*,
aquar. : FRF 3 100 – Paris, 23 mars 1945 : *La femme au bouquet*,
aquar. : FRF 2 400 ; *Entre les deux, son cœur balance*, aquar. :
FRF 2 350 ; *Le suiveur*, aquar. : FRF 2 300 – Paris, oct. 1945-juil.
1946 : *Au Moulin-Rouge, cavalier seul, Valentin le Désossé et
l'Asperge*, aquar. : FRF 3 000 ; *Fille galante en conversation avec
un promeneur au Jardin de Paris*, aquar. : FRF 5 550 – Paris, 11
juin 1947 : *Jeune Parisienne dans son appartement ; Jeune
Parisienne dans un jardin d'hiver*, deux aquar. : FRF 3 000 – Nice,
24 fév. 1949 : *Scènes de la vie parisienne*, quatre dess. à la pl. reh.
d'aquar. : FRF 6 100 – Paris, 5 mai 1949 : *La femme et les deux
pantins*, aquar. : FRF 2 300 – Paris, 9 juin 1949 : *Parisienne assise
dans les jardins de Bullier*, lav. d'encre de Chine reh. de gche :
FRF 6 500 – Paris, 28 juin 1950 : *L'élégante*, aquar. : FRF 2 100 –
Paris, 5 mars 1951 : *Femme en robe bleue*, aquar. : FRF 3 200 ;
Femme en robe jaune, aquar. : FRF 3 100 – Paris, 30 avr. 1951 :
L'élégante au bois, aquar. : FRF 3 000 – Paris, 28 mai 1951 :
Jeune femme à l'éventail, aquar. : FRF 3 200 – Paris, 23 nov.
1953 : *Élégantes en conversation et messieurs*, aquar. et gche :
FRF 21 000 – Paris, 20 nov. 1972 : *La tasse de café* : FRF 4 500 –
Londres, 6 déc. 1973 : *Au bar*, gche : GBP 1 000 – Londres, 8 déc.
1977 : *Dans les coulisses* vers 1878-1880, aquar. et cr.
(44,5x29,2) : GBP 1 000 – Londres, 4 avr 1979 : *Jeune femme
devant une librairie*, aquar., gche et cr. (14,5) : GBP 900 –
Londres, 26 mars 1980 : *Jeune femme assise*, fus. et cr. de coul.
(47,5x30,5) : GBP 1 100 – Versailles, 21 fév. 1982 : *Élégantes en
promenade* 1899, lav. et sépia (30x23) : FRF 14 000 – Paris, 7
mars 1982 : *Élégante*, aquar. (48x34) : FRF 14 000 – Londres, 7
déc. 1983 : *Une élégante*, aquar./traits pl. (43,2x30,5) : GBP 1 150
– Enghien-les-Bains, 1ᵉʳ déc. 1985 : *Élégante sur les Grands Boulevards*, aquar. et encre de Chine (20,5x14) : FRF 8 000 – Paris,
12 oct. 1986 : *Portrait de Léon Tolstoï*, pl. (30x19) : FRF 5 500 –
Troyes, 24 nov. 1987 : *Le carnet de bal*, aquar. et lav. (30,5x23,5) :
FRF 21 000 – Paris, 3 juin 1987 : *Élégante au bouquet*, aquar.
(21x15) : FRF 10 100 – Paris, 22 mars 1988 : *Élégante au jardin*,
aquar. (29,5x21,5) : FRF 10 500 – Paris, 9 déc. 1988 : *L'élégante*, aquar. (22,5x15,5) :
FRF 14 000 – Paris, 2 déc. 1988 : *L'élégante*, aquar. (30x18) :
FRF 5 500 – Paris, 9 déc. 1988 : *L'élégante*, aquar. (30x18) :
FRF 14 000 – Paris, 2 déc. 1988 : *Élégantes* 1900, encre et
aquar. (20x25,5) : FRF 4 000 – Calais, 4 mars 1990 : *Élégante au
bord de la rivière*, aquar. (23x16) : FRF 10 500 – La Varenne-
Saint-Hilaire, 20 mai 1990 : *Élégante à l'éventail*, aquar.
(20,5x16) : FRF 9 000 – Paris, 6 oct. 1990 : *Élégante dans un intérieur japonisant*, aquar. (19,5x14) : FRF 5 300 – Paris, 26 juin
1991 : *Élégante au musée*, aquar. (49x32) : FRF 21 500 – Paris, 28
oct. 1991 : *Élégante au bord de la rivière*, pl. et aquar. (23x15,5) :
FRF 5 500 – Paris, 24 avr. 1992 : *À l'atelier*, aquar. (20x27,5) :
FRF 8 200 – Calais, 4 juil. 1993 : *L'entrée du théâtre Montmartre*,
aquar. (20x15) : FRF 6 500 – Paris, 16 déc. 1994 : *Femme dans un
paysage par grand vent*, aquar. (19,5x14,5) : FRF 7 600 – Paris,
27 jan. 1995 : *Japonaise*, aquar. gchée (48x31) : FRF 5 500.

SOMMA G.
xviiiᵉ siècle. Actif à Naples dans la seconde moitié du xviiiᵉ
siècle. Italien.
Sculpteur.
Il modela des figurines de crèches.

SOMMA Nicola
xviiiᵉ siècle. Actif à Naples dans la seconde moitié du xviiiᵉ
siècle. Italien.
Sculpteur.
Il sculpta des figurines de crèches.

SOMMARIVA Emilio
Né le 8 décembre 1883 à Lodi. xxᵉ siècle. Italien.
Peintre de paysages.
Il fut élève de Giuseppe Mentessi.

SOMMARUGA Napoleone
Né en 1848 à Milan. Mort le 4 juin 1906 à Milan. xixᵉ siècle.
Italien.
Peintre d'architectures et d'intérieurs d'églises.

SOMMARUGA Renzo
Né en 1917 à Milan. xxᵉ siècle. Italien.

Graveur de figures, nus, paysages, paysages urbains, dessinateur.

Jusqu'à la fin des années trente, il avait une activité de musicien, violoniste, compositeur, qu'il interrompit pour se consacrer à la peinture, et surtout à la gravure et au dessin. Il participe à des expositions collectives, dont : 1995 *Attraverso l'Immagine*, au Centre culturel de Crémone.

Il grave sur linoléum, sur bois, à l'eau-forte. Son style varie en fonction de la technique utilisée. D'une façon générale, il privilégie le trait cursif et net.

BIBLIOGR. : In : Catalogue de l'exposition *Attraverso l'Immagine*, Centre culturel Santa Maria della Pietà, Crémone, 1995.

SOMMATI DI MOMBELLO Giulio
Né en 1858 à Chieri. XIXe-XXe siècles. Italien.
Peintre de paysages, d'architectures.
Il fut élève d'Andrea Gastaldi, Pier Celestino Gilardi. Il était actif à Turin.

SOMMAVILLA Goffredo
Né le 23 juin 1850 à Belluno. XIXe-XXe siècles. Actif en Uruguay. Italien.
Peintre de figures, genre, portraits.
Il exposa à Milan et Turin, avant de se fixer en Uruguay.

SOMME Charles de
Né en janvier 1637 à Bruxelles. Mort le 11 juillet 1673 à Paris. XVIIe siècle. Français.
Peintre de fleurs et de fruits.
Il fut peintre de la reine.

SOMME Félicité
Née à Anvers. XIXe siècle. Belge.
Peintre d'histoire, scènes de genre, portraits.
Elle exposa à Gand, Bruxelles et Paris de 1826 à 1849.

SÖMME Jacob Kielland
Né le 2 mai 1862 à Stavanger. XIXe-XXe siècles. Norvégien.
Peintre de genre, intérieurs, portraits, illustrateur, décorateur.
Il fut élève de Wilhelm von Lindenschmit le Jeune à l'Académie des Beaux-Arts de Munich ; de Pascal Dagnan-Bouveret à l'Académie Colarossi de Paris.
Il peignit aussi sur porcelaine.
MUSÉES : BERGEN (Gal. mun.) : *Petite fille cueillant des fleurs* – OSLO (Gal. nat.) : *La mère de l'artiste – Intérieur à la lumière de la lampe.*

SOMME Théophile François
Né le 7 septembre 1871 à Nancy (Meurthe-et-Moselle). XIXe-XXe siècles. Français.
Sculpteur de statuettes.
Il exposait à Paris, au Salon des Artistes Français, don il fut membre sociétaire depuis 1899. Il reçut en 1902 une mention honorable, 1924 une médaille d'argent, 1925 une médaille d'or, 1937 médaille d'or pour l'Exposition internationale, fut hors-concours.
VENTES PUBLIQUES : FRANCFORT-SUR-LE-MAIN, 24 juin 1978 : *Inspiration* vers 1900, bronze et ivoire (H. 47,5) : **DEM 4 200** – BREST, 14 déc. 1980 : *Jeune Bretonne en prière*, bronze et ivoire (H. 28) : **FRF 6 800** – PARIS, 10 avr. 1981 : *Femme au manchon*, bronze patiné et ivoire (H. 25) : **FRF 10 000** – PARIS, 7 déc. 1983 : *Inspiration*, bronze et ivoire (H. 42) : **FRF 27 500** – LOKEREN, 30 nov. 1985 : *Dénicheurs d'aigles*, bronze, patine brun foncé (H. 95) : **BEF 260 000** – PARIS, 17 avr. 1991 : *Orientale assise*, sculpt. chryséléphantine (H. 20) : **FRF 20 000**.

SOMMEDEVILLE Melchior
XVIe siècle. Actif à Bruges en 1563. Éc. flamande.
Peintre.
Élève de Marc Gérards.

SOMMER. Voir aussi SOMER

SOMMER A.
Originaire de Bohême. XIXe siècle. Travaillant au début du XIXe siècle. Autrichien.
Dessinateur.
Élève de l'Académie de Leipzig, il exposa deux paysages à Dresde en 1802, puis encore en 1805.

SOMMER Alois. Voir SONNE von Sonnefeld

SOMMER August ou Carl Wilhelm August
Né le 5 mars 1839 à Cobourg. Mort le 15 septembre 1921 à Cobourg. XIXe-XXe siècles. Allemand.

Sculpteur de sujets mythologiques.
Il fit ses études à Stuttgart, Munich, Vienne, Budapest. En 1875, il alla à Rome, puis revint se fixer à Cobourg.
MUSÉES : BERLIN (Gal. nat.) : *Sirène endormie – Faune à l'outre* – BUCAREST (Mus. Simu) : *Une Bacchante.*
VENTES PUBLIQUES : NEW YORK, 24 mai 1979 : *Voyageur et son chien dans un paysage*, h/t (71,2x107) : **USD 1 000**.

SOMMER Carl August
Né en 1829 à Veitlahn. XIXe siècle. Allemand.
Paysagiste et lithographe.
Il travailla à Altona et exposa des paysages de 1872 à 1894.
VENTES PUBLIQUES : NEW YORK, 30 avr. 1980 : *Paysage montagneux au crépuscule*, h/t (50,8x91,4) : **USD 1 300**.

SOMMER Eberhard
XVIIe siècle. Actif au milieu du XVIIe siècle. Allemand.
Sculpteur sur bois et architecte.
Il sculpta des autels dans l'abbatiale de Schöntal-sur-Jagst.

SOMMER Ed
Né en 1932. XXe siècle. Suisse.
Sculpteur. Abstrait-cinétique.
Il fit des études commerciales ; de 1952 à 1965, il travailla dans l'industrie. En 1959, il commença ses premiers travaux artistiques. Pendant deux années, il fut auditeur libre du professeur Max Bense. En 1964, il réalisa ses premiers objets en Plexiglas, qui allait devenir son matériau de prédilection, utilisé en feuilles façonnées à la chaleur. De 1965 à 1969, en tant que critique d'art, il fut collaborateur de la revue *Art International.*
Il participait à de nombreuses expositions collectives concernant le cinétisme, dans la période de sa vogue. Il montre ses réalisations dans des expositions personnelles : 1966 Esslingen, Cologne, Kassel ; 1967 Milan, Rome, Berne, Francfort-sur-le-Main ; 1968 Bologne, Esslingen, Düsseldorf, Cologne ; 1969 Cologne, Amsterdam, Nuremberg, Hambourg ; 1970 Krefeld, Francfort-sur-le-Main ; etc.
Certaines de ses réalisations en Plexiglas, matériau transparent, comportent en outre des éléments mobiles, Transparence et mouvement, se prêtant à des lectures multiples, lui donnèrent l'idée, passant au cinéma, de réaliser des films d'animation pour la télévision. Ingéniosité et élégance caractérisent sa production, envisagée entièrement en fonction du matériau. ■ J. B.
BIBLIOGR. : Frank Popper, in : *L'Art cinétique*, Gauthier-Villars, Paris, 1970 – Catalogue de l'exposition *Ed Sommer*, Galerie Appel und Fertsch, Frankfurt-am-Main, 970.

SOMMER Elias
Mort le 23 mars 1717 à Leipzig. XVIIIe siècle. Actif à Zeitz. Allemand.
Peintre.
Il exécuta à Zeitz des peintures pour des églises et l'Hôtel de Ville.

SOMMER Eugénie. Voir HAUPTMANN Eugénie

SOMMER Ferdinand ou Johann Andreas Ferdinand ou Sommer-Collier
Né le 28 mai 1822 à Cobourg. Mort le 26 juillet 1901 à Lucerne. XIXe siècle. Suisse.
Peintre de paysages.
Élève de Fr. Rauscher à Cobourg et de L. W. Schirmer à Karlsruhe. Il s'établit en Suisse vers 1855. Il fut le premier maître de Ferdinand Hodler.
VENTES PUBLIQUES : NEW YORK, 26 janv 1979 : *Paysage alpestre* 1875, h/t (44x65,5) : **USD 2 000** – ZURICH, 30 nov. 1981 : *Thoune* 1855, h/cart. (32x49) : **CHF 6 200** – LUCERNE, 19 mai 1983 : *Die Jungfrau ; Das Wetterhorn*, h/t, une paire (chaque 19x27) : **CHF 3 000** – BERNE, 20-21 juin 1996 : *Scherzligen avec le château de Schadau* vers 1870, h/pan. (18,7x27,5) : **CHF 3 000**.

SOMMER Friedrich ou Carl Johann Friedrich
Né le 6 décembre 1830 à Lübeck. Mort le 9 janvier 1867 à Schwartau. XIXe siècle. Allemand.
Peintre de genre, paysages.
Élève de Paul Weber à Düsseldorf. Il séjourna à Rome en 1864 et 1865.

SOMMER G. Chr.
XVIIIe siècle. Actif au début du XVIIIe siècle. Allemand.
Sculpteur.
Il travailla pour un pavillon de chasse près de Weikersheim en 1716.

SÖMMER Georg
XIXe siècle. Allemand.

Peintre de paysages, fleurs et fruits.
Il travaillait à Munich vers 1834.
VENTES PUBLIQUES : COLOGNE, 15 juin 1989 : *Lever de soleil à Venise*, h/t (37x55) : DEM 1 250.

SOMMER H.
XVIIIᵉ siècle. Actif à Vienne vers 1790. Autrichien.
Dessinateur.
Il dessina des vues de Vienne.

SOMMER H. S.
XVIIIᵉ siècle. Travaillant en 1753. Suédois.
Peintre.
Il peignit des portraits.

SOMMER Hans
XVIIᵉ siècle. Actif à Linz en 1679. Autrichien.
Peintre.
Il peignit un tableau d'autel pour l'église d'Auspitz (Moravie).

SOMMER Hans ou **Johann Jakob**
XVIIᵉ-XVIIIᵉ siècles. Actif de 1666 à 1714. Allemand.
Sculpteur.
Il exécuta des statues et des sculptures décoratives pour Schötal et Weikersheim.

SOMMER Hans Peter
Mort le 30 août 1694 à Bamberg. XVIIᵉ siècle. Allemand.
Peintre, relieur et graveur.
Il peignit et grava des armoiries des chanoines pour la salle du chapitre et le calendrier, à Bamberg.

SOMMER Hedwig, puis épouse **Holtz**
Née le 22 août 1901 à Berlin. XXᵉ siècle. Allemande.
Peintre, graveur, décorateur.
Elle fut élève de l'Académie des Beaux-Arts de Weimar. Elle était active à Wustrow.

SOMMER Heinrich Philipp
Né le 1ᵉʳ mars 1778 à Staden (Hesse). Mort le 6 avril 1827 à Hanau. XIXᵉ siècle. Allemand.
Sculpteur.
Il travailla à Hanau et à Aschaffenbourg. Le Musée de Francfort-sur-le-Main conserve de lui *L'Amour et Psyché*.

SOMMER Heinrich Philipp Wilhelm
XIXᵉ siècle. Actif dans la première moitié du XIXᵉ siècle. Allemand.
Sculpteur.
Fils de Heinrich Philipp Sommer.

SOMMER Ignaz
Né le 4 mars 1737 à Friedland (Bohême). XVIIIᵉ siècle. Autrichien.
Sculpteur.

SOMMER J. G.
XIXᵉ siècle. Actif à Leipzig au début du XIXᵉ siècle. Allemand.
Peintre de portraits, graveur au burin et lithographe.
Le Cabinet d'Estampes de Dresde conserve de lui *Napoléon Iᵉʳ*, et le mMusée municipal de Leipzig les portraits de l'empereur *François Iᵉʳ* et du roi *Frédéric Guillaume III*.

SOMMER Johann
XIXᵉ siècle. Actif en Bavière vers 1840. Allemand.
Peintre.
Il peignit une *Annonciation* dans la chapelle de Hammpolding.

SOMMER Johann Andreas
XVIIIᵉ siècle. Actif au milieu du XVIIIᵉ siècle. Allemand.
Sculpteur.
Fils de Philipp Jacob Sommer. Il sculpta des autels pour des églises du Wurtemberg.

SOMMER Johann Friedrich
XVIIᵉ siècle. Allemand.
Peintre.
Il travailla pour des églises à Gotha et aux environs.

SOMMER Johann Friedrich
XVIIᵉ-XVIIIᵉ siècles. Allemand.
Sculpteur.
Fils de Hans Jakob Sommer. Peut-être identique au suivant.

SOMMER Johann Friedrich
XVIIIᵉ siècle. Allemand.
Sculpteur.
Il sculpta à Marbourg de 1705 à 1745 des fontaines et un buffet d'orgues.

SOMMER Johann Jakob. Voir **SOMMER Hans**

SOMMER Johann Wilhelm
XIXᵉ siècle. Actif à Francfort-sur-le-Main dans la première moitié du XIXᵉ siècle. Allemand.
Médailleur.

SOMMER Josef Daniel
Né le 14 août 1886 à Steinheim. XXᵉ siècle. Allemand.
Sculpteur de monuments, bas-reliefs.
Il fut élève de l'Académie des Beaux-Arts de Düsseldorf. Il s'établit dans cette ville.
Il était aussi sculpteur sur bois. Il sculpta des monuments aux morts, des bas-reliefs décoratifs.

SOMMER Joseph
Né le 5 novembre 1876 à Aix-la-Chapelle. XXᵉ siècle. Allemand.
Sculpteur de monuments.
Il fut élève d'Adolf Menzel à l'Académie de Berlin. Il s'établit dans cette ville.
Il sculpta des monuments aux morts, des tombeaux, des fontaines.

SOMMER Karl
XIXᵉ siècle. Actif à Vienne de 1834 à 1836. Autrichien.
Peintre.

SOMMER Max
Né en 1880. Mort en 1917. XXᵉ siècle. Suisse.
Sculpteur d'animaux, dessinateur.

SOMMER Michael ou **Summer**
Mort avant 1639 à Lübeck. XVIIᵉ siècle. Allemand.
Sculpteur sur bois.
Il travailla pour la cathédrale de Lübeck.

SOMMER Philipp Christoph
XVIIIᵉ siècle. Actif au milieu du XVIIIᵉ siècle. Allemand.
Sculpteur sur bois.
Fils de Johann Andreas Sommer. Il sculpta les armoiries du prince Ludwig Friedrich Carl von Hohenlohe et de sa femme sous l'orgue de l'abbatiale d'Ohringen.

SOMMER Philipp Friedrich
XVIIIᵉ siècle. Allemand.
Sculpteur.
Il était sculpteur à la cour de Hesse-Kassel à Marbourg en 1764.

SOMMER Philipp Jacob
XVIIIᵉ siècle. Travaillant de 1721 à 1737. Allemand.
Sculpteur et peintre.
Il travailla pour l'église de Schöntal et le jardin du château de Weikersheim.

SOMMER Traugott Heinrich
Né le 17 octobre 1818 à Meissen (Saxe-Anhalt). XIXᵉ siècle. Allemand.
Lithographe.
Élève de Ch. E. Klinkicht. Il travailla à Vienne.

SOMMER Werner
Né en 1928. XXᵉ siècle.
Peintre.
MUSÉES : AARAU (Aargauer Kunsthaus) : *Pénétration* 1969 – *Structure nº 1* 1969.

SOMMER Wilhelm
Né le 12 août 1877 à Soest. XXᵉ siècle. Allemand.
Peintre de compositions religieuses, dessinateur, illustrateur.
Il s'établit à Munster, où il travailla pour des églises. Il illustra des livres religieux.

SOMMERAU Louis ou **Johann Gottfried Ludwig**
Né le 19 mars 1756 à Wolfenbüttel. Mort le 30 juillet 1786 à Brunswick. XVIIIᵉ siècle. Allemand.
Peintre et graveur au burin.
Élève de Ch. de Mechel, à Bâle. Il a gravé des sujets religieux, portraits et des scènes de genre, et une série de vingt planches d'après des tapisseries de Raphaël et de ses élèves, publiées à Rome en 1780, et à Londres, avec l'addition de six planches par Cattermole, en 1837.

SOMMEREUX Pierre
Né en 1962. XXᵉ siècle. Français.
Peintre de compositions animées. Abstrait-matiériste.
Il participe à des expositions collectives, dont : 1985 Lyon, *Festi-*

val de la jeune peinture, et Prix Linossier ; 1987 Paris, *Antiquité du futur* ; 1988 Rilleux-la-Pape, *Argo 1988, IIᵉ Foire d'Art Contemporain* ; et Toulouse, *L'Art en Marche*, Parc des Expositions ; etc.

VENTES PUBLIQUES : PARIS, 16 juin 1988 : *Sans titre 1988*, techn. mixte/t (54x93) : FRF 4 100 ; *Sans titre 1987*, techn. mixte en relief/t (60x120) : FRF 4 000 – PARIS, 30 mars 1989 : *Sans titre 1989*, techn. mixte/bois (74x125) : FRF 4 500.

SOMMERFELD Alois von. Voir **SONNE VON SONNEFELD Alois**

SOMMERHALDER Jakob ou **Joseph Peter**
XIXᵉ siècle. Actif à Burg près de Reinach en Argovie de 1819 à 1836. Suisse.
Peintre de portraits.
Il fut également bosseleur. Le Musée provincial de Zurich conserve de lui deux portraits en miniature.

SOMMERHALTER Philippe
XXᵉ siècle.
Sculpteur d'assemblages. Arte-povera.
En 1991-1992 à Paris, il a montré ses réalisations dans des expositions personnelles.
Dans les années quatre-vingt-dix, toutes ses sculptures sont fondées sur un seul principe : la mise en relation, en opposition de deux matériaux, de deux dynamismes : une pièce métallique de récupération et une chambre à air sous pression.
VENTES PUBLIQUES : PARIS, 29 sep. 1993 : *Le totem 1990*, acier et chambre à air (200x13x44) : FRF 6 000.

SÖMMERING Detmar Wilhelm
Né le 26 juin 1793 à Francfort-sur-le-Main. Mort le 14 août 1871 à Francfort-sur-le-Main. XIXᵉ siècle. Allemand.
Dessinateur.

SÖMMERING Margaretha. Voir **GRUNELIUS Margaretha**

SÖMMERING Samuel Thomas
Né le 28 janvier 1755 à Thorn. Mort le 2 mars 1830 à Francfort-sur-le-Main. XVIIIᵉ-XIXᵉ siècles. Allemand.
Dessinateur et aquafortiste.
Mari de Margaretha Grunelius et père de Detmar Wilhelm S.

SOMMERLAT Philippe Gérard
XVIIIᵉ siècle. Travaillant à Ludwigsbourg de 1759 à 1764, à Höchst en 1774. Allemand.
Peintre sur porcelaine.

SOMMERS Otto
XIXᵉ siècle. Allemand.
Peintre de paysages animés, paysages, paysages de montagne, paysages d'eau.
VENTES PUBLIQUES : NEW YORK, 25 mai 1989 : *Vue du lac George*, h/t (61x91,4) : USD 39 600 – NEW YORK, 28 mai 1992 : *Vue de Conway dans le New Hampshire*, h/t (79x117,2) : USD 17 600 – NEW YORK, 20 jan. 1993 : *Vaches dans un paysage fluvial montagneux 1873*, h/t (85,7x123,2) : USD 3 450 – LONDRES, 11 oct. 1995 : *Paysage alpin 1873*, h/t (85x122,5) : GBP 2 990 – NEW YORK, 9 mars 1996 : *Soldat de l'Union menant un troupeau de vaches pour l'armée 1866*, h/t (76,2x111,8) : USD 29 900 – NEW YORK, 27 sep. 1996 : *Le Long de l'arête montagneuse 1870*, h/t (71,2x100,3) : USD 13 800.

SOMMERSTED Julie ou **Jane Nissen**
Née le 7 avril 1883 à Copenhague. Morte le 9 septembre 1935 à Copenhague. XXᵉ siècle. Danoise.
Peintre de portraits, illustrateur.
Elle fut élève du portraitiste Bertha Dorph à Copenhague.
Elle peignait des portraits d'enfants et illustra des œuvres de H. C. Andersen.

SOMMERSTEIN Caspar ou **Sumerstain**
XVIᵉ siècle. Actif à Nuremberg dans la seconde moitié du XVIᵉ siècle. Allemand.
Peintre et graveur au burin (?).
Il travailla d'abord à Nuremberg et à partir de 1579, à Ratisbonne.

SOMMERSTEIN Jorg
XVIᵉ siècle. Travaillant à Nuremberg en 1580. Allemand.
Peintre.

SOMMIER
XVIIIᵉ siècle. Allemand.
Peintre de paysages, peintre de décors de théâtre.

Il peignit les décors du théâtre de la cour de Munich de 1752 à 1784 et exécuta aussi des paysages de petit format.

SOMMIER François Clément. Voir **SOMM Henry**

SOMMYEVRE Bernard de
Né à Versailles (Yvelines). XXᵉ siècle. Français.
Peintre.
Il expose à Paris, au Salon des Tuileries et au Salon d'Automne dont il est sociétaire.
VENTES PUBLIQUES : VERSAILLES, 8 juil. 1990 : *Romance*, h/t (73x92) : FRF 4 000.

SOMOFF Konstantin Andreievitch. Voir **SOMOV**

SOMOGYI Aaniel
Né le 13 septembre 1837 à Nyiregyhaza. Mort en 1890. XIXᵉ siècle. Hongrois.
Peintre de paysages, paysages de montagne.
Il fit ses études à Munich où il s'établit.
MUSÉES : ROSTOCK (Mus. mun.) : *L'Eiger – Le Mönch*.
VENTES PUBLIQUES : LONDRES, 11 fév. 1976 : *Vue de Berchtesgaden 1875*, h/t (100,5x152,5) : GBP 1 000.

SOMOGYI Alajos ou **Alois**
Né en 1816 à Komarom. XIXᵉ siècle. Hongrois.
Peintre.
Il était prêtre. Il peignit vers 1840 des tableaux d'autel pour des églises du diocèse de Gran et émigra en Amérique vers 1850.

SOMOGYI Gusztav
Né le 17 octobre 1878 à Arad. Mort en Sibérie. XXᵉ siècle. Hongrois.
Illustrateur, caricaturiste.

SOMOGYI Imre ou **Emerich**
Né le 27 mai 1902. XXᵉ siècle. Hongrois.
Sculpteur.
Il était actif à Budapest.

SOMOGYI Istvan ou **Stefan**
Né le 4 septembre 1897 à Ogyalia. XXᵉ siècle. Hongrois.
Peintre de portraits.
Il fit ses études à Budapest.
Il a peint *Le Régent Horthy à cheval*.

SOMOGYI Jozsef
Né en 1916. XXᵉ siècle. Hongrois.
Sculpteur de monuments, statues, animaux, ornemaniste.
Il expose depuis 1941. Il a reçu les Prix Kossuth et Munkacsy et le titre d'Artiste Émérite. En 1958, il a obtenu un Grand Prix à l'Exposition Mondiale de Bruxelles. Il montre aussi ses œuvres dans des expositions individuelles : 1946, 1947, 1958, etc.
Il sculpte des monuments funéraires, des décorations architecturales, des statues et des animaux.
BIBLIOGR. : In : *Hongrie 68*, Pannonia, Budapest, 1968.
MUSÉES : BUDAPEST (Gal. nat.).

SOMOGYI Niklos ou **Nikolaus**
Né le 2 janvier 1892 à Miskolc. Mort le 5 octobre 1918 à Budapest. XXᵉ siècle. Hongrois.
Peintre de figures, paysages.

SOMOGYI Sandor ou **Alexander**
Né le 16 mai 1881 à Gyulahaza. XXᵉ siècle. Hongrois.
Sculpteur de statues, statuettes.
Il a aussi sculpté des plaquettes et des figurines en terre cuite.

SOMOS Anton
XVIIIᵉ siècle. Actif à Vienne dans la seconde moitié du XVIIIᵉ siècle. Autrichien.
Peintre.
Il peignit des portraits de l'impératrice *Marie-Thérèse d'Autriche* et de sa famille.

SOMOS Stefan Valentin ou **Istvan Balint**
Né le 12 décembre 1893 à Presbourg. Mort le 11 août 1931 à Vienne. XXᵉ siècle. Hongrois.
Peintre, graveur, illustrateur.
Frère de Arpad Somos de Talbor. Il reçut sa formation à Budapest et à Vienne.

SOMOS DE TALBOR Arpad
Né en 1891 à Losonc. XXᵉ siècle. Actif aussi en France. Hongrois.
Peintre de figures, nus, portraits, graveur.
Frère aîné de Stefan Somos. Il arriva en France à l'âge de dix-

sept ans, en 1908. En 1914, il s'établit en Suisse et revint en France après la guerre. Il travailla aussi à Rome. Il retournait périodiquement en Suisse.

À Paris, dès son arrivée, il exposait au Salon des Artistes Français, des nus et une eau-forte ; puis reçut en 1938 une mention honorable, 1939 médaille d'argent.

À partir de son séjour en Suisse, il a surtout poursuivi une carrière de portraitiste, puis en France et à Rome.

SOMOV Andrei Ivanovitch ou Somoff, Sonov, Sonoff
Né le 11 mai 1830. Mort le 12 juin 1909. xixᵉ-xxᵉ siècles. Russe.

Dessinateur, graveur.

Il était artiste amateur. Il était le père de Konstantin Andréiévitch Somov. Il fut conservateur du Musée de l'Ermitage à Saint-Pétersbourg.

SOMOV Konstantin Andreievitch ou Somoff, Sonov, Sonoff
Né le 18 novembre 1869 à Saint-Pétersbourg. Mort en 1939 à Paris. xixᵉ-xxᵉ siècles. Actif aussi en France. Russe.

Peintre de scènes animées, figures, portraits, paysages, peintre à la gouache, aquarelliste, pastelliste, graveur, illustrateur.

Fils d'Andrei Ivanovitch Somov, conservateur du Musée de l'Ermitage à Saint-Pétersbourg. De 1888 à 1897, il fut élève de Wassili Verechtchaguine, Pavel Tchistiakov à l'Institut Supérieur d'Art de l'Académie des Arts de Saint-Pétersbourg ; en 1894, il fréquenta aussi l'atelier de Ilia Répine. De 1897 à 1899, il poursuivit sa formation à Paris, à l'Académie Colarossi. En 1990 et 1994, il avait voyagé en Italie ; en 1997, de Paris, où il séjourna pendant deux ans, il voyagea à Londres ; en 1901, à Berlin et Dresde ; en 1905, il revint à Paris. Dès 1899, s'étant lié avec ses fondateurs, il avait été membre du Mir Iskousstva (Le Monde de l'Art) ; de 1903 à 1910 membre de l'Union des Artistes Russes ; en 1913, il fut élu membre de l'Académie des Beaux-Arts.

Il exposa à travers l'Europe : depuis 1894 en Russie ; en 1898 à Munich ; de 1900 à 1902 à Berlin ; 1905 Dresde ; depuis 1906 à Paris au Salon d'Automne ; 1907 Vienne, pour l'Exposition internationale ; 1909 Rome ; 1928 Bruxelles ; 1929 Copenhague. En 1971 à Léningrad, une exposition fut consacrée à l'ensemble de son œuvre. En 1979 au Centre Georges Pompidou de Paris, il était représenté à l'exposition *Paris-Moscou*.

Il eut une activité d'illustrateur, dans la presse : Mir Iskousstva, Solotoje Runo, Toison d'or ; d'ouvrages littéraires, d'entre lesquels : 1908 *Le livre de lecture de Madame la Marquise* de F. Blei ; 1927 *Manon Lescaut* de l'abbé Prévost ; *Voyage en Italie* de Goethe ; *Daphnis et Chloé* de Longus. Son talent était divers : il pouvait peindre le spectacle de la vie quotidienne de son temps avec une ironie amère, comme, prélevés du xviiiᵉ siècle, de fragiles arlequins attendrissants ou des élégantes coquettes dans un décor bucolique. Ses portraits sont d'une facture ferme et moderne ; en outre, ils constitue un témoignage sur la société internationale des années vingt et trente : *Femme en robe de soirée rouge fumant une cigarette sur un sofa bleu*. Ses paysages rappellent le pré-impressionnisme de Manet, mais ayant conservé l'accent russe. ◼ J. B.

Bibliogr. : In : Catalogue de l'exposition *Paris-Moscou*, Centre Georges Pompidou, Paris, 1979 – Marcus Osterwalder, in : *Dictionnaire des illustrateurs 1800-1914*, Ides et Calendes, Neuchâtel, 1989.

Musées : Helsinki : *Temps orageux*, past. – Moscou (Gal. Tretiakov) : *Le matin dans le jardin – Dame en bleu – L'Île de l'Amour – Dans le crépuscule – Portrait de l'artiste – Portrait du poète Kouzmine* 1909 – *Portrait du poète A. Blok* 1907, mine de pb, cr. de coul., encre de Chine – Saint-Pétersbourg (Mus. Russe) : *Sorcellerie* 1898-1902 – *Le Soir – L'Été – Le Printemps – Promenade de la marquise – Le père de l'artiste – Portrait de l'artiste* – des aquar. et des gouaches.

Ventes Publiques : Londres, 5 mars 1981 : *Couple d'amoureux dans un paysage orageux*, gche (70,5x100) : **GBP 10 500** – New York, 24 fév. 1983 : *Portrait de jeune paysanne* 1895, h/cart. entoilé (18x15) : **USD 2 500** – San Francisco, 21 juin 1984 : *Deux femmes dans un parc* 1927, gche (33x26) : **USD 850** – Londres, 20 fév. 1985 : *le baiser*, aquar. et pl., de forme ovale (20,5x16) : **GBP 2 600** – Londres, 13 fév. 1986 : *Couple d'amoureux dans un paysage* 1920, gche (27,5x38,5) : **GBP 4 000** – Londres, 1ᵉʳ mai 1987 : *Deux jeunes femmes dans un parc* 1927 (34x26) : **GBP 2 800** – Londres, 14 nov. 1988 : *Femme en robe de soirée rouge fumant une cigarette sur un sofa bleu* 1925, gche (36x28,5) :

GBP 5 500 – Londres, 5 oct. 1989 : *Jeune femme endormie* 1915, h/t (29x43,2) : **GBP 28 600** ; *Portrait de Sir Bruce Lockhart* 1934, cr./cart. (56,6x41,6) : **GBP 2 860** – Londres, 15 juin 1995 : *Portrait de jeune fille (Thérèse Nivet)* 1939, cr., craie et sanguine (41,5x26) : **GBP 1 265** – Londres, 14 déc. 1995 : *Matin d'été* 1932, aquar. (17,5x22,5) : **GBP 27 600**.

SOMOZA Fernando
Né en 1927 à Madrid. xxᵉ siècle. Espagnol.

Peintre de compositions à personnages. Nouvelles figurations.

En 1957, il a exposé à São Paulo, Bahia, Rio de Janeiro ; en 1959 à Vienne, Anvers ; en 1963 à La Haye, Rome ; en 1964 à New York ; en 1965, 1967 à Madrid ; en 1968 à Paris ; etc.

Il fait partie du courant des années soixante, mal défini par l'appellation de Nouvelles Figurations. Alors, en réaction contre les débordements de l'abstraction, tant géométrique que lyrique, nombreux furent les jeunes peintres, et en particulier ceux du pop art, qui revinrent à la figuration. Somoza disait le contraste entre la misère du peuple espagnol dans son ensemble et l'apparition, réservée à quelques privilégiés, provocatrice aux autres, de la société de consommation. Somoza ne recourt pas aux images successives, inspirées de la bande dessinée, il multiplie les points de vue et les différents moments d'une même action continue, en répétant l'image du personnage central en différents plans de la composition, pour en souligner la permanence : ainsi la misère n'apparaît-elle pas comme un instantané fortuit et peut-être pittoresque, mais comme une donnée constante. Entourant les répétitions du personnage principal en différents points, tout un monde de silhouettes découpées figurait le quotidien de l'Espagne. Surgis d'une pâte grumeleuse, ces vieillards abandonnés et fiers, ces enfants mal venus, accusaient le monde industriel qui les ignorait et écrasait.

Bibliogr. : Venancio Sanchez Marin : *Fernando Somoza*, Cuadernos de Arte, Madrid, 1965 – Venancio Sanchez Marin : *Fernando Somoza en la Realidad*, Galerie Biosca, Madrid, 1967 – Jean A. Mazoyer : *Somoza ou la nouvelle figuration de la solitude espagnole*, in : Catalogue de l'exposition *Fernando Somoza*, Galerie Lambert, Paris, 1968.

SOMPAKU. Voir GOSHUN Matsumura

SOMPEL Pieter Van ou Sompelen
Né vers 1600 à Anvers. Mort après 1643. xviiᵉ siècle. Éc. flamande.

Graveur.

Élève de Pieter Soutman, dont il imita la manière. Il a gravé de nombreux portraits.

SOMPEL Willy Van
Né en 1949 à Gand. xxᵉ siècle. Belge.

Peintre, technique mixte.

Il vit et travaille à Gand. Il participe à des expositions collectives, dont : 1988 Salon de Montrouge ; 1989 Marseille, *Dimension Jouet*, Musée de la Vieille Charité ; etc. Il produit ses œuvres dans des expositions personnelles : 1987 Paris, Zurich, galerie Cartwright ; 1988 Stuttgart, galerie Kaess Weiss, et Amsterdam, galerie R. Swart ; 1989 Bruxelles, galerie Lucien Bilinelli, et Gand, galerie Richard Foncke.

SOMPSOIS de
D'origine française. xviiiᵉ siècle. Travaillant à La Haye en 1778. Français.

Miniaturiste.

SOMSSICH Jozsef de, comte, dit l'Aîné
Né en 1812. Mort le 15 juin 1894. xixᵉ siècle. Hongrois.

Peintre.

SOMSSICH Jozsef de, comte, dit le Jeune
Né en 1864. xixᵉ-xxᵉ siècles. Hongrois.

Peintre de figures, portraits, paysages.

Il fit ses études à Munich et à Paris.

SOMSSICH Lazar
xviiiᵉ siècle. Actif dans la seconde moitié du xviiiᵉ siècle. Hongrois.

Dessinateur et architecte ?

SOMVILLE Roger
Né le 13 novembre 1923 à Schaerbeek (Bruxelles). xxᵉ siècle. Belge.

Peintre de compositions à personnages, figures, portraits, peintre de compositions murales, cartons de tapisseries, pastelliste, graveur, céramiste. Réaliste.

Il fut élève de l'Académie des Beaux-Arts de Bruxelles et de Charles Counhaye à celle de La Cambre. Personnage combatif, dès 1945, il s'est inscrit parmi les promoteurs du mouvement réaliste à forte dénotation sociale, proche du réalisme socialiste, conçu comme devant assumer une fonction quasi pédagogique par son intégration synthétique au cadre architectural de l'espace quotidien. En 1946, il fut, avec Edmond Dubrunfaut et Louis Deltour, fondateur du Centre de Rénovation de la *Tapisserie de Tournai* et en resta membre jusqu'en 1950. En 1950, il devint membre des groupes *Force Murale* et *Céramique de Dour*. Donnant forme médiatique à ses convictions dans plusieurs ouvrages, en 1969 il a écrit *Pour le Réalisme – Un Peintre s'interroge*. Depuis 1947, il fut professeur d'art monumental et directeur de l'Académie de Watermael-Boitsfort.

Il participe à des expositions collectives : 1962 Lausanne, Iʳᵉ Biennale internationale de la Tapisserie, Musée cantonal. Il expose individuellement : 1976 Saint-Denis, rétrospective au Musée d'Art et d'Histoire ; 1979-1980 Bruxelles, rétrospective 1946-1979 ; 1991, château de Karreveld ; 1993 Bruxelles, *50 ans de dessins*. Il a obtenu de nombreuses distinctions, dont ; 1957, Prix Koopal ; 1960, Prix Anto Carte et Prix Lebon ; 1964, Prix d'art monumental C. Montald ; 1970, Prix de la Critique.

D'une génération formée dans la tradition post-cubiste, il en a conservé et les maniérismes de la découpe de la réalité en facettes, et les références stylistiques chères à Picasso et Pignon, qui cautionnaient politiquement, jusque dans les années soixante, une certaine recherche plastique en marge du strict réalisme. Ses vastes compositions didactiques hautes en couleurs, ainsi que les nombreuses tapisseries qui ornent les ambassades belges à travers le monde, mettent volontiers en scène des personnages solidement bâtis, aux musculatures démonstratives, voisinant avec un bestiaire, moutons, chèvres, ânes, échappé en droite ligne de l'œuvre de Picasso. ■ J. B.

Somville

BIBLIOGR. : Bernard Dorival, sous la direction de..., in : *Peintres contemp.*, Mazenod, Paris, 1964 – M. Fryns, Émile Langui : *Roger Somville*, Bruxelles, 1973 – Ph. Robert-Jones : *Roger Somville. L'Œuvre gravé*, Bruxelles, 1974 – J. Goldman : Catalogue de l'exposition rétrospective *Roger Somville*, Bruxelles, 1979-1980 – in : *Dict. biogr. illustré des artistes en Belgique depuis 1830*, Arto, Bruxelles, 1987.

MUSÉES : ANVERS (Mus. des Beaux-Arts) – BRUXELLES (Mus. d'Art mod.) – CANTON – CAPTOWN (South African Nat. Gal.) – CHARLEROI (Mus. des Beaux-Arts) – COURTRAI – DRESDE (Neue Gal.) – FAENZA (Mus. de la Céramique) – GAND (Mus. des Beaux-Arts) – LA HAVANE (Mus. nat. d'Art mod.) – IXELLES – LIDICE – LISBONNE (Mus. dos Coches) – LA LOUVIÈRE – MALINES – MEXICO (Mus. de Arte mod.) – MONS – MOSCOU (Mus. Pouchkine) – NANJA-LUKA (Mus. d'Art mod.) – OSTENDE – ROCHEFORT – SAINT-DENIS (Mus. mun. d'Art et d'Hist.) – SAINT-PÉTERSBOURG (Mus. de l'Ermitage) – VERVIERS.

VENTES PUBLIQUES : ANVERS, 12 oct. 1971 : *La Moisson* : BEF 36 000 – BRUXELLES, 29 oct. 1974 : *Arlequin* : BEF 90 000 – ANVERS, 7 avr. 1976 : *Baigneuse au parasol* 1964, h/t (97x130) : BEF 120 000 – LOKEREN, 6 nov. 1976 : *Tête d'homme*, past. (72x54) : BEF 40 000 – LOKEREN (Belgique), 12 mars 1977 : *Arlequin*, past. (75x55) : BEF 36 000 – BRUXELLES, 26 oct. 1977 : *Hommage à P. P. Rubens*, h/t (90x72) : BEF 60 000 – ANVERS, 8 mai 1979 : *Femmes sur l'estacade* 1964, lav. (54x71) : BEF 31 000 – BRUXELLES, 28 mars 1979 : *Tête* 1964, past. (72x54) : BEF 36 000 – ANVERS, 23 oct 1979 : *Arlequin*, h/t (100x80) : BEF 70 000 – BRUXELLES, 28 oct. 1981 : *Jef au café* 1975, h/t (114x146) : BEF 220 000 – LOKEREN, 20 fév. 1982 : *Clown*, past. (72x54) : BEF 60 000 – LOKEREN, 28 mai 1983 : *Le Fumeur* 1970, past. (109x72) : BEF 70 000 – BRUXELLES, 27 mars 1985 : *Deux personnages* 1965, lav. (54x71) : BEF 190 000 – BRUXELLES, 1ᵉʳ avr. 1987 : *Plage, en saluant Félicien Rops* 1979, encre de Chine (56x73) : BEF 50 000 – LOKEREN, 28 mai 1988 : *Femme au chapeau* 1970, past. (110x73) : BEF 100 000 – LOKEREN, 8 oct. 1988 : *La golle* 1970, past. (55x72) : BEF 85 000 – AMSTERDAM, 24 mai 1989 : *Figure monumentale « au » femme* 1988, h/t (100x80,5) : NLG 12 650 – LOKEREN, 21 mars 1992 : *Figure* 1974, h/t (130x195) : BEF 330 000 – LOKEREN, 10 oct. 1992 : *Jeune Femme*, past. (71x54) : BEF 110 000 – LOKEREN, 20 mars 1993 : *L'amazone*, h/t (80x100) : BEF 140 000 – LOKEREN, 9 oct. 1993 : *Au café de nuit ce fumeur*, h/t (80x100) : BEF 240 000 – LOKEREN, 4 déc. 1993 : *La*

plage au drapeau 1968, h/t (114x146) : **BEF 480 000** – AMSTERDAM, 8 déc. 1993 : *Portrait de sa femme* 1964, encre noire/pap. (67x47) : **NLG 2 185** – LOKEREN, 28 mai 1994 : *Baigneuse* 1983, h/t (200x200) : **BEF 580 000** – LOKEREN, 11 mars 1995 : *Le fumeur*, past. (59x84) : **BEF 60 000** – LOKEREN, 20 mai 1995 : *Fumeur*, h/t (80x100) : **BEF 230 000** – LOKEREN, 5 oct. 1996 : *Nu devant un miroir* 1965, encre et lav. (54x71) : **BEF 55 000** – LOKEREN, 18 mai 1996 : *Femme*, past. (53,5x71) : **BEF 60 000** – LOKEREN, 8 mars 1997 : *Tête d'homme* 1973, h/t (92x73,5) : **BEF 200 000** – LOKEREN, 8 mars 1997 : *Nu couché*, litho. (57,5x78) : **BEF 14 000** – LOKEREN, 11 oct. 1997 : *La Plage à Ostende, la terrasse* 1967, h/t (60x73) : **BEF 300 000** – LOKEREN, 6 déc. 1997 : *Le Maillot de bain* 1964, lav., pl. et encre de Chine (53,5x71) : **BEF 75 000** – LOKEREN, 6 déc. 1997 : *La Plage* 1966, h/t (130x160) : **BEF 550 000**.

SON Jan Frans Van ou **Zoon** ou **Jan Van Son**
Né le 16 août 1658 à Anvers. Mort avant 1718 à Londres. XVIIᵉ-XVIIIᵉ siècles. Éc. flamande.
Peintre de scènes de chasse, natures mortes.
Fils de Joris Van Son. Peut-être élève de J. P. Gillemans I. Il alla jeune à Londres et épousa une Anglaise, la mère de Robert Streater. Il bénéficia grandement des relations de ce dernier. Les biographes ne sont pas d'accord sur la date de sa mort : certains situent en 1700 et d'autres en 1723.
MUSÉES : AMSTERDAM : *Guirlande de fruits – Buste de madone*, grisaille – BRUXELLES : *Fruits* – FLORENCE : *Deux joueurs* – KASSEL : *Une table pour le déjeuner du matin* – LILLE : *Bouquet de fleurs* – LYON : *Fruits sur un plat d'argent* – NANTES : *Raisins dans un vase d'or – Fruits et nature morte* – VALENCIENNES : *Fruits sur une table*.
VENTES PUBLIQUES : PARIS, 1892 : *Nature morte* : FRF 595 – PARIS, 25 avr. 1892 : *Fruits* : FRF 530 – BRUXELLES, 1899 : *Nature morte* : FRF 330 ; *Nature morte* : FRF 720 – PARIS, 30 avr. 1900 : *Guirlande de fruits* : FRF 800 – PARIS, 29 juin 1900 : *Fruits étalés sur une table* : FRF 140 – PARIS, 28 juin 1905 : *Fruits, crustacés et objets divers* : FRF 1 600 – PARIS, 3-4 et 5 juin 1907 : *La coupe de figues* : FRF 1 600 – PARIS, 17 oct. 1919 : *Compotier de pêches* : FRF 230 – LONDRES, 13 juil. 1945 : *Plats de fruits et masques sculptés* : GBP 105 – PARIS, 16 mars 1951 : *Nature morte aux fruits* 1683 : FRF 72 000 – PARIS, 6 juin 1951 : *Nature morte aux fruits et aux crevettes* : FRF 29 000 – PARIS, 15 mars 1973 : *Nature morte* : FRF 38 000 – LONDRES, 13 juil 1979 : *Nature morte*, h/pan. (55,2x84,6) : GBP 18 000 – LONDRES, 20 fév. 1981 : *Le Fauconnier et son chien*, h/t (137,2x134,6) : GBP 4 200.

SON Johannes
Né le 24 décembre 1859 à Lyon (Rhône). Mort en 1942. XIXᵉ-XXᵉ siècles. Français.
Peintre de paysages, architectures, marines, pastelliste.
Il fut élève d'Edmond Yon. Il exposait à Lyon, à la Société Lyonnaise des Beaux-Arts dont il était hors-concours ; à Paris, depuis 1890 au Salon des Indépendants, au Salon des Artistes Français dont il était sociétaire depuis 1892, au Salon de la Société Nationale des Beaux-Arts depuis 1909. Il était membre de l'Académie de Mâcon. Il fut fait chevalier de la Légion d'honneur en 1908, officier en 1928.
MUSÉES : BOURG-EN-BRESSE – MÂCON – PARIS (Mus. du Petit Palais) – PONT-DE-VAUX.
VENTES PUBLIQUES : PARIS, 18 mars 1920 : *Bassin à Dieppe, soleil couchant*, past. : FRF 220 – PARIS, 19 oct. 1950 : *Bord de mer* : FRF 550 – LYON, 13 juin 1988 : *La brouette de fleurs*, h/t (145x200) : FRF 138 000 – PARIS, 3 avr. 1990 : *Le Pont-Marie à Paris*, h/t (54x81) : FRF 22 500 – VERSAILLES, 22 avr. 1990 : *Le pont Charlemagne à Espalion (Aveyron)*, past. (81x65) : FRF 3 600 – NEW YORK, 21 mai 1991 : *Canal vénitien*, h/t (61x80) : USD 3 850 – LE TOUQUET, 30 mai 1993 : *Petit village au bord de la Loire*, h/pan. (277x41) : FRF 5 000 – PARIS, 2 juin 1997 : *Port de Cassis le matin*, h/t (38x55) : FRF 13 000.

SON Joris ou **Georg Van**
Baptisé à Anvers le 24 septembre 1623. Mort en 1667, enterré à Anvers le 25 juin 1667. XVIIᵉ siècle. Éc. flamande.
Peintre de natures mortes, fleurs et fruits.
Père de Frans Son, il fut reçu maître à Anvers en 1644. Il épousa en 1656 Cornelia Van Heulens et eut pour élèves Abr. Herderroyer, C. Van Huynen, Fr. v. Evenbroeck, J. P. Gellemans, N. Montalie.

J. G. S.
J. W Son
1665

MUSÉES : COPENHAGUE : *Fruits et fleurs*, deux tableaux – DOUAI : *Fleurs et fruits* – DRESDE : *Fruits et légumes – Fruits – Chardons et bleuets* – GOTHA : *Fruits* – HANOVRE : *Nature morte* – MADRID : *Fruits divers – Fruits et fleurs – Guirlande de fruits autour d'un médaillon représentant un portrait d'enfant* – SCHLEISSHEIM : *Deux guirlandes de fruits* – STOCKHOLM : *Fruits et écrevisses cuites* – TOURNAI : *Orfèvrerie et fruits* – VALENCIENNES : *Fleurs.*

VENTES PUBLIQUES : BRUXELLES, 1865 : *Raisins avec leurs branches :* **FRF 55** ; *Panier avec fruits :* **FRF 140** – PARIS, 28 fév. 1919 : *Fruits :* **FRF 820** – BRUXELLES, 12 mars 1951 : *Nature morte au homard* 1665 : **BEF 56 000** – LONDRES, 27 mai 1959 : *Guirlande de fruits entourant une niche sculptée :* **GBP 280** – LONDRES, 23 mars 1960 : *Nature morte de fruits :* **GBP 400** – COPENHAGUE, 19 et 26 oct. 1962 : *Nature morte aux melon, pêches, huîtres :* **DKK 22 500** – LONDRES, 29 oct. 1965 : *Nature morte :* **GNS 800** – BRUXELLES, 28 fév. 1967 : *Nature morte :* **BEF 140 000** – LONDRES, 25 juil. 1969 : *Nature morte aux fruits :* **GNS 2 200** – COLOGNE, 26 nov. 1970 : *Nature morte :* **DEM 18 000** – LONDRES, 26 nov. 1971 : *Nature morte :* **GNS 8 500** – LONDRES, 29 juin 1973 : *Nature morte :* **GNS 11 000** – LONDRES, 24 mars 1976 : *Nature morte aux fleurs et aux fruits, h/pan.* (33x46) : **GBP 13 000** – LONDRES, 13 juil. 1977 : *Nature morte aux fruits, h/t* (54x40) : **GBP 10 000** – NEW YORK, 13 jan. 1978 : *Nature morte aux fleurs et aux fruits, h/t* (86,5x72,5) : **USD 8 000** – LONDRES, 12 déc. 1980 : *Nature morte aux fruits, h/t* (54x74,3) : **GBP 32 000** – LONDRES, 10 juil. 1981 : *Nature morte aux fruits sur un entablement, h/t* (80x116,8) : **GBP 38 000** – LONDRES, 15 avr. 1983 : *Nature morte aux huîtres, h/pan.* (34,2x44,5) : **GBP 19 000** – LONDRES, 11 déc. 1985 : *Nature morte aux fruits sur un entablement, h/t* (57x43) : **GBP 19 000** – LONDRES, 9 avr. 1986 : *Natures mortes aux fleurs et aux fruits, h/t* (165x127) : **GBP 19 000** – MONACO, 17 juin 1988 : *Nature morte aux fruits, gâteaux et verres, h/t* (74x106) : **FRF 1 443 000** – LONDRES, 21 avr. 1989 : *Buste de femme sculpté entouré de quatre compositions de fruits, h/t* (63,5x46,5) : **GBP 23 100** – LONDRES, 7 juil. 1989 : *Nature morte avec un verre à vin du Rhin, un citron pelé sur un plat d'étain, des huitres, des cerises et une orange sur un entablement drapé, h/pan.* (28,3x40) : **GBP 143 000** – NEW YORK, 11 jan. 1990 : *Nature morte avec des huitres, des citrons, des crevettes et du raisin près d'un pichet de faïence bleue et blanche sur un entablement drapé, h/pan.* (48x64) : **USD 242 000** – LONDRES, 11 avr. 1990 : *Nature morte d'un panier débordant de raisin, pêches, pommes, noisettes etc... sur un entablement* 1662, *h/t* (58x45,5) : **GBP 26 400** – LONDRES, 11 déc. 1991 : *Nature morte d'une grappe de fruits suspendue à un clou dans une niche, h/t* (59,5x42,5) : **GBP 22 000** – PARIS, 12 juin 1992 : *Nature morte au verre monté et fruits, h/pan.* (59,5x43,5) : **FRF 350 000** – NEW YORK, 14 oct. 1992 : *Nature morte de raisin, pêches, cerises avec une assiette d'étain et un plat de porcelaine chinoise, h/pan.* (44,5x61) : **USD 15 400** – PARIS, 11 déc. 1992 : *Guirlande de fleurs et fruits autour d'un portrait, h/t* (109x82,5) : **FRF 41 000** – LONDRES, 9 juil. 1993 : *Nature morte avec un jambon, un pâté en croûte, un verre de bière et des fruits sur une table, h.* (60x89) : **GBP 62 000** – LONDRES, 6 juil. 1994 : *Nature morte de fruits dans une corbeille avec un gâteau en croûte et d'autres fruits dans des assiettes sur un entablement drapé, h/pan.* (57x81,4) : **GBP 62 000** – NEW YORK, 12 jan. 1996 : *Vanité avec un crâne, un pistolet, des livres, un violon et une partition, un calice, des fruits, des huîtres et un citron pelé sur un plat d'étain sur une table drapée de rouge* 1652, *h/pan.* (88,9x119,1) : **USD 178 500.**

SON Nicolas de, ou Antoine ou Deson
Né à Reims (Marne). XVIIᵉ siècle. Français.
Graveur de sujets religieux, scènes de genre, architectures, paysages, dessinateur, copiste.
Il était actif vers 1628.
Il gravait à l'eau-forte et au burin. Il a gravé des copies d'estampes de Jacques Callot.
VENTES PUBLIQUES : PARIS, 1865 : *Danse dans un jardin*, dess. à la pl. : **FRF 30** – PARIS, 6 nov. 1991 : *L'excellent frontispice de l'église de l'abbaye Saint Nicaise de Reims*, eau-forte et burin (43,8x30,2) : **FRF 3 600.**

SON Peter de
XVIIᵉ siècle. Travaillant en 1646. Français.
Graveur au burin.
Il grava des scènes de batailles et de perspectives.

SONA Giovanni Battista
Né à Comasine. XVIIIᵉ siècle. Actif dans la seconde moitié du XVIIIᵉ siècle. Italien.

Sculpteur sur bois.
Il sculpta le tabernacle de l'autel de Saint Antoine pour l'église de Peio.

SONAY Nicolaas
Né à La Haye. Mort en 1688 à La Haye, jeune. XVIIᵉ siècle. Hollandais.
Sculpteur sur bois.
Élève de Rombout Verhulst.

SONCINI Francesco
Né en 1548. Mort le 15 août 1576. XVIᵉ siècle. Actif à Padoue. Italien.
Peintre et sculpteur.
Sans doute identique au suivant.

SONCINI Francesco
XVIᵉ siècle. Actif à Lodi au milieu du XVIᵉ siècle. Italien.
Peintre.
Élève de Callisto Piazza. Il exécuta des fresques et des peintures décoratives à Lodi.

SONCINO. Voir aussi au prénom.

SONCINO Andrea ou Sonsino ou Sonzino
XVIᵉ siècle. Actif à Milan et à Rome vers 1580. Italien.
Sculpteur et peintre de grotesques et d'ornements.
Il sculpta deux anges dans l'église Sainte-Marie Majeure de Rome.

SONCINO Giovanni ou Soncini
XVIᵉ siècle. Actif à Reggio Emilia, de 1523 à 1539. Italien.
Peintre.
Il subit l'influence de Costa et de Francia. Le Musée Municipal de Reggio Emilia conserve de lui *Madone sur son trône.*

SONDERBORG Kurt R. H., pseudonyme de Hoffmann
Né le 5 avril 1923 dans l'île de Sonderborg. XXᵉ siècle. Actif depuis 1953 aussi en France et depuis 1960 aux États-Unis. Danois.
Peintre, graveur, dessinateur.
Son père était allemand, musicien de jazz et peintre amateur. Il commença à peindre avec lui dans le port de Hambourg. De 1939 à 1941, il suivit un apprentissage commercial ; individualiste anti-nazi, en 1941-1942 il fut détenu par la Gestapo à la prison de Hambourg-Fuhlsbüttel ; libéré, sa firme commerciale l'envoya en Russie jusqu'à la fin de la guerre. Au cours de ces événements, il fut amputé du bras droit. Revenu à Hambourg, il se rappela les premières peintures effectuées en compagnie de son père ; il prit des leçons avec un professeur privé, puis, de 1947 à 1949, il fut élève de Wilhelm Grimm à l'École Régionale des Beaux-Arts de Hambourg. En 1951, il entreprit un voyage, à bicyclette, en Italie du Nord, à Rome et en Sicile. Dans l'île de Stromboli, à observer les remuements du volcan, il éprouva des impressions qui allaient durablement influencer sa propre peinture. En 1953, donc marqué par son expérience du Stromboli, d'une part il fut un admirateur tardif du groupe allemand *Zen 49*, d'autre part, à Paris, il fit un passage dans l'*Atelier 17* de Stanley William Hayter. En 1961, il fit un séjour à New York et, depuis, partage son temps entre New York et Paris.
Depuis son premier *Sgrafitto* de 1953, exécuté pour l'Exposition des Jardins à Hambourg, Sonderborg participe à de nombreuses expositions collectives internationales : en 1955 à Paris, sa participation à l'exposition d'artistes allemands, au Cercle Volney, en 1958 et 1964 à la Biennale de Venise, en 1963 à la Biennale de São Paulo, en 1964 à la Documenta III de Kassel, etc., remportant de nombreux Prix : 1955 Hambourg, bourse du Prix Lichtwark ; et Hagen, Prix Osthaus ; 1961 Tokyo, Prix de la Biennale de la Gravure ; 1963 São Paulo, Grand Prix de la Biennale. Il montre surtout des ensembles de sa production dans des expositions personnelles, d'entre lesquelles : 1956 Hanovre et Stockholm ; 1957 Cologne, Berlin, Paris, Munich ; 1960 Paris ; 1961 New York ; 1962 Bâle, Fribourg, Stuttgart, Paris ; 1965 Cologne, rétrospective au Wallraf-Richartz Museum ; etc.
Dès son retour à Hambourg, alors que l'Allemagne, sortie du pouvoir nazi, découvrait pêle-mêle le cinéma américain, le nouveau jazz et surtout l'art moderne, prohibé en tant qu'« art dégénéré », Sonderborg s'essayait à des expressions abstraites. En effet, l'observation des grues, pontons, divers échafaudages et structures métalliques du port de Hambourg l'avait conduit à un constructivisme semi-abstrait. Les impressions de dynamisme ressenties au spectacle des convulsions du Stromboli l'écartèrent d'une éventuelle recherche concertée de construction formelle pré-structurée, pour le choix et les risques de la gestualité. Hans Hartung n'a-t-il pas parfois comparé sa propre activité graphique avec les tracés d'un sismographe ?

À son retour de Sicile, en 1953, il se rapprocha du groupe *Zen 49*, éprouvant quelques similitudes et inspirations possibles entre l'expression graphique gestuelle à laquelle il était en train d'aborder et la calligraphie extrême-orientale. Plus décisif fut son passage à l'Atelier 17 de Hayter ; l'exceptionnelle fertilité intellectuelle et prospective artistique de Hayter, d'ailleurs lui-même de longtemps orienté vers la recherche de l'aléatoire au travers du geste, confirma Sonderborg dans la voie qu'il découvrait à son usage.

À partir de cette époque, se servant de larges brosses, de pinceaux chinois, surtout de lames et racloirs divers, il travaille sur différents supports apprêtés, souvent du carton, parfois du papier photographique, posés à plat sur le sol. Après avoir appliqué diverses couches de couleurs qui peuvent se superposer, en général du noir, du blanc et du rouge, il étale, étire, mélange, malaxe, trace, racle, gratte, griffe, allant et revenant sur ses traces, surtout faisant de la vitesse la base même de sa poétique de l'instant, la garante de l'authenticité des traces de l'énergie libérée et des tensions latentes enregistrées. Depuis lors, ses ouvrages n'ont plus porté d'autres titres que la date de leur exécution et le temps passé, en général de l'ordre de quelques minutes. On peut supposer qu'à l'exemple des calligraphes zen, l'extrême brièveté de l'acte n'est que la résultante de la longueur et de l'intensité de la concentration préalable. Chez Soulages, le souci de perfection de la facture transfère le geste au rang de moyen et non plus de but en soi, et la date portée par l'œuvre n'est que celle de son achèvement.

Au cours de son séjour de 1961 à New York, il a produit des dessins à l'encre de Chine sur papier blanc, tracés à la plume, au bambou, au pinceau chinois, constitués du vocabulaire de base du graphisme : points, traits, traces, courbes, ellipses, spirales, où l'on a pu voir le reflet de l'agitation frénétique de la ville. Certains de ses biographes ont tenté un classement iconographique de sa production, distinguant les périodes successives par des caractéristiques graphiques spécifiques, selon l'orientation générale des tracés : dextrogyres ou sinistrogyres, descendants ou ascendants, une disposition concentrique ou au contraire excentrée, etc. Certains autres ont cru bon de tenter une sorte de décryptage de sa syntaxe et de son vocabulaire, comme s'il s'y agissait d'idéogrammes ; ainsi Carl Lazzlo : « Il peint le rire des copeaux de métal sans pourtant peindre des copeaux, il peint le vol des avions sans montrer des avions, le glissement des bateaux sans que, jamais, on voie des bateaux. Les mille mouvements, les explosions, le scintillement, les vibrations et le tremblement, tout cela se répand de tous côtés, comme une allégresse indéfiniment libérée. » On ne sait trop dans quelle mesure il convient d'adhérer à une telle lecture d'une œuvre abstraite, qui semble n'avoir d'autre but que de faire excuser son abstraction.

À des titres très divers chez Hartung, Soulages, Franz Kline, l'aspect calligraphique des faits plastiques qu'ils proposent se réfère clairement à la notion d'élégante économie des calligraphies extrême-orientales. Cependant, ces propositions occidentales se heurtent à cette différence fondamentale que les calligraphies extrême-orientales portent sens et sont portées par lui, tandis qu'elles-mêmes en sont dénuées. Chez Hartung, si le graphe se veut porteur du mouvement de la conscience, sa trace même enregistrée, il n'en néglige prudemment pas moins l'apparence plastique. Chez Soulages, au contraire, le geste se veut, non pas statique évidemment, mais retenu, maîtrisé dans le seul projet du fait plastique unique à constituer dans sa perfection. Chez Kline, la trace prenant possession de la page blanche se suffit à elle-même, indifférente à quelque sens désormais négligeable en regard de l'élégance calligraphique. Sonderborg, plus proche de Hartung, et peut-être moins prudemment plasticien, entend bien que ses signes nous parviennent comme des signaux de ses détresses, même s'ils s'avèrent aussi indéchiffrables que d'antiques grimoires jetés dans des bouteilles à la mer depuis le fond des âges. À contrepied de l'étrange lecture, universalomorphique, animiste, de son œuvre qu'en faisait Carl Lazzlo, Sonderborg la restitue à la gestualité qui la fonde en tant que fait plastique et à sa pureté abstraite : « Mes peintures me racontent toujours de nouveau que tout change sans cesse ; elles me racontent toujours de nouveau ce que je ne sais pas et que j'oublie toujours ». ■ Jacques Busse

[signature]

BIBLIOGR. : *K. R. H. Sonderborg*, Quadrum, Bruxelles, 1956 – W. Grohmann : *K. R. H. Sonderborg*, Quadrum, Bruxelles, 1961 – Jean-Clarence Lambert, in : *Diction. des Artistes Contemporains*, Librairies associés, Paris, 1964 – Dr. Franz Roh, in : *Peintres Contemp.*, Mazenod, Paris, 1964 – Sarane Alexandrian, in : *Diction. univers. de l'Art et des Artistes*, Hazan, Paris, 1967 – Michel Ragon, in : *Vingt-cinq Ans d'art vivant*, Casterman, Paris, 1969 – in : *Diction. univers. de la peint.*, Le Robert, Paris, 1975 – in : *L'Art du XXᵉ siècle*, Larousse, Paris, 1991 – in : *Diction. de l'Art Mod. et Contemp.*, Hazan, Paris, 1992.

VENTES PUBLIQUES : GENÈVE, 27 nov. 1965 : *Composition noir et rouge* : **CHF 4 300** – PARIS, 3 mars 1970 : *Composition* : **FRF 5 500** – DÜSSELDORF, 14 nov. 1973 : *28-1-1958 19.11-20.15 h*, temp. : **DEM 7 500** – PARIS, 5 déc. 1974 : *Composition en noir et blanc 1960* : **FRF 4 000** – MUNICH, 29 mai 1979 : *Figuration 1965*, encre de Chine (99x70) : **DEM 2 200** – ZURICH, 10 nov. 1982 : *Composition 1961*, acryl./t (108x70) : **CHF 5 000** – HAMBOURG, 10 juin 1983 : *Composition 1977*, acryl./t. (81x116) : **DEM 16 000** – HAMBOURG, 9 juin 1984 : *Composition 1961*, temp./t (107,5x70) : **DEM 24 000** – DÜSSELDORF, 9 nov. 1985 : *Composition abstraite 1958*, pinceau et encre de Chine (64x38) : **DEM 3 100** – LONDRES, 28 mai 1986 : *20-6-60 18.12-19.07 h*, temp./pap. mar./t (109x70,5) : **GBP 8 000** – MUNICH, 2 juin 1987 : *Composition 1972*, pl. et encre de Chine (69,1x49,4) : **DEM 7 000** – PARIS, 23 mars 1988 : *Composition 1960*, gche/pap. mar./t (108,5x69,5) : **FRF 82 000** – NEUILLY, 20 juin 1988 : *New York 1963*, encre de Chine (41x33) : **FRF 8 500** – LONDRES, 30 juin 1988 : *8-5-1959 17.39-18.12 h*, détrempe à l'œuf/pap. fort (108x70,5) : **GBP 24 200** – LONDRES, 6 avr. 1989 : *27-7-1967 11.09-11.53 h 1967*, détrempe à l'œuf/pap./t (108x70,5) : **GBP 19 800** – PARIS, 26 mai 1989 : *Composition 1962*, encre (28,5x22,5) : **FRF 13 000** – LONDRES, 22 fév. 1990 : *17-2-1957 17.23-19.02 h*, temp. à l'œuf/pap. épais (52x67) : **GBP 14 300** – LONDRES, 5 avr. 1990 : *Sans titre*, h/pan. (70,5x109,5) : **GBP 25 300** – LONDRES, 21 mars 1991 : *3-9-1962, 2.25 à 2.42 h 1962*, temp./nylon/t (118,5x70) : **GBP 24 200** – LONDRES, 20 mai 1993 : *Sans titre*, encre/pap. (41x31) : **GBP 1 380** – LONDRES, 3 déc. 1993 : *Sans titre 1960*, acryl./deux feuilles de pap. photographique (140x108) : **GBP 20 700** – COPENHAGUE, 14 juin 1994 : *Composition 1976*, encre (56x77) : **DKK 12 000** – LONDRES, 26 oct. 1995 : *nᵒ 690 1961*, encre/pap. (57x78) : **GBP 2 760** – LONDRES, 21 mars 1996 : *28-12-1960 1961*, temp. sur vinyl./cart. (110,5x70,5) : **GBP 9 775** – COPENHAGUE, 12 mars 1996 : *Composition 1977*, encre (76x57) : **DKK 12 000** – PARIS, 1ᵉʳ juil. 1996 : *Composition 1963*, encre de Chine/pap. (76x56) : **FRF 16 000** – LONDRES, 26 juin 1997 : *Composition 1960*, temp./pap. photo./t (109,2x70) : **GBP 6 900**.

SONDEREGGER Jacques Ernest

Né le 24 décembre 1882 à Thusis. XXᵉ siècle. Suisse.
Peintre, graveur, illustrateur.
À Paris, il exposait aux Salons des Humoristes et des Indépendants. Il exposait aussi à Florence, Londres, Zurich.
Entre autres ouvrages, il a illustré : les *Contes* d'Edgar Poe, *Madame Bovary* de Gustave Flaubert.

SÖNDERGAARD E.

XIXᵉ siècle. Actif dans la première moitié du XIXᵉ siècle. Danois.
Peintre.
Le Musée de Frederiksborg conserve de lui *Portrait de la reine Marie Sophie Friederike* (daté de 1823).

SÖNDERGAARD Jens Andersen

Né le 4 octobre 1895 à Oester Assels. Mort en 1957 à Copenhague. XXᵉ siècle. Danois.
Peintre de scènes animées, figures, portraits, paysages animés, marines. Expressionniste.
Il fut élève de Malthe-Odin Engelsted et, en 1919-1920, de l'Académie des Beaux-Arts de Copenhague.
Son œuvre vigoureuse, parfois rude, d'une facture abrupte mais d'un coloriste sensible, le montre aussi préoccupé des questions posées par Cézanne. Ses peintures des années vingt, dont les thèmes principaux sont les paysages et marines de l'Ouest du Jutland, relèvent de l'expressionnisme alors répandu au Danemark, et dont Söndergaard fut le représentant le plus notoire, qui proposa des directives à la génération suivante. Ces paysages, aux formes violemment stylisées, sont souvent animés de personnages qui contribuent à la tension dramatique.
MUSÉES : AARHUS – BERLIN – COPENHAGUE (Mus. nat.) : *Portrait du peintre Niels Lergaard* – ESBJERG – GÖTEBORG – LÜBECK – MALMÖ – MARIBO – ODENSEE – OSLO – RANDERS – VEJEN – VEJLE.

VENTES PUBLIQUES : COPENHAGUE, 23 nov. 1950 : *Crépuscule sur le port* 1945 : **DKK 3 175** ; *Paysage d'été* 1944 : **DKK 2 950** – COPENHAGUE, 2-3 mai 1962 : *Paysage avec maisons* : **DKK 9 400** – COPENHAGUE, 10 oct. 1963 : *Mère et enfant* : **DKK 10 000** – COPENHAGUE, 27 fév. 1968 : *Bord de mer* : **DKK 13 000** – COPENHAGUE, 13 mai 1970 : *Pêcheurs au bord de la mer* : **DKK 46 000** – COPENHAGUE, 11 oct. 1973 : *Paysage au bord de la mer* : **DKK 24 000** – COPENHAGUE, 28 nov. 1974 : *Scène de port* : **DKK 25 000** – COPENHAGUE, 29 avr. 1976 : *Barques sur la plage*, h/t (80x100) : **DKK 34 000** – COPENHAGUE, 12 mai 1977 : *Pêcheurs sur la plage* 1939, h/t (110x135) : **DKK 58 000** – COPENHAGUE, 8 mars 1979 : *Personnages au bord de la mer*, h/t (100x122) : **DKK 34 000** – COPENHAGUE, 9 avr. 1981 : *Paysage*, h/t (90x92) : **DKK 25 000** – COPENHAGUE, 11 mai 1983 : *Maisons en bord de mer* 1934, h/t (100x123) : **DKK 28 000** – COPENHAGUE, 15 oct. 1985 : *Personnages au bord de la mer un jour d'été* 1944, h/t (82x95) : **DKK 44 000** – COPENHAGUE, 14 mai 1986 : *Fête populaire* 1950, h/t (130x140) : **DKK 82 000** – COPENHAGUE, 4 mai 1988 : *Paysage à Thy* 1936 (80x88) : **DKK 22 000** – COPENHAGUE, 2 mars 1988 : *Maisons et paysage*, h/t (97x120) : **DKK 17 000** – COPENHAGUE, 30 nov. 1988 : *Talus en bord de mer* 1934, h/t (85x100) : **DKK 28 000** – COPENHAGUE, 10 mai 1989 : *Paysage de dunes*, h/t (66x92) : **DKK 19 000** – COPENHAGUE, 20 sep. 1989 : *Personnages près de la mer*, h/t (102x120) : **DKK 44 000** – COPENHAGUE, 21-22 mars 1990 : *Chevaux dans une cour de ferme* 1950, h/t (77x100) : **DKK 19 000** – COPENHAGUE, 9 mai 1990 : *Personnages au bord de la mer*, h/t (144x154) : **DKK 28 000** – COPENHAGUE, 31 oct. 1990 : *Paysage de dunes, à Stenbjerg* 1955, h/t (85x100) : **DKK 40 000** – COPENHAGUE, 2 avr. 1992 : *Marine*, h/t (44x48) : **DKK 3 500** ; *Le fjord de Lynaes* 1956, h/t (80x100) : **DKK 13 000** – COPENHAGUE, 21 oct. 1992 : *Paysage hivernal avec des personnages et une maison*, h/t (68x94) : **DKK 12 000** – COPENHAGUE, 21 avr. 1993 : *Marine*, h/t (90x100) : **DKK 17 500** – COPENHAGUE, 20 oct. 1993 : *Le chemin vers Limfjorden*, h/t (66x71) : **DKK 17 000** ; *Paysage à Thy* 1936, h/t (80x98) : **DKK 22 000** – COPENHAGUE, 24 avr. 1995 : *Paysage estival à Bovbjerg* 1948, h/t (67x77) : **DKK 17 000** – COPENHAGUE, 17 avr. 1996 : *Clair de lune* 1956, h/t (80x100) : **DKK 16 000** – COPENHAGUE, 29 jan. 1997 : *Vue sur un fjord*, h/t (66x78) : **DKK 25 000** – COPENHAGUE, 17 avr. 1997 : *Paysage* 1953, h/t (87x103) : **DKK 25 000** – COPENHAGUE, 12-14 nov. 1997 : *Paysage estival* 1941, h/t (110x140) : **DKK 42 000**.

SÖNDERGAARD Ole Olsen
Né le 24 mai 1876 à Allerslev (près de Lejre). XXᵉ siècle. Danois.

Peintre de compositions religieuses, figures, portraits, paysages.

Il était le père de Povl Söndergaard. Il fut élève de Holger Grönvold, J. Frederick Vermehren, P. H. Kristian Zahrtmann.
Il exécuta des décorations murales pour des églises danoises.
MUSÉES : AARHUS : *Portrait de l'artiste* – FREDERIKSBORG : *Portrait du peintre L. A. Ring*.
VENTES PUBLIQUES : COPENHAGUE, 22 fév. 1951 : *Bord de mer* : **DKK 2 000**.

SÖNDERGAARD Povl
Né le 4 juin 1905 à Ringsted. XXᵉ siècle. Danois.

Sculpteur.

Il était le fils d'Ole Olsen Söndergaard. Il fut élève d'Einar Utzon-Frank à l'Académie des Beaux-Arts de Copenhague. Il était actif à Copenhague.
MUSÉES : MARIBO.

SONDERGELT Ebrard
XVᵉ siècle. Actif à Genève au milieu du XVᵉ siècle. Suisse.
Peintre verrier.
Il exécuta des vitraux, en 1458, pour l'église Notre-Dame du Bourg à Valence.

SONDERLAND Fritz
Né le 20 septembre 1836 à Düsseldorf. Mort le 13 juin 1896 à Düsseldorf. XIXᵉ siècle. Allemand.
Peintre de genre.
Fils de Johann Baptist Wilhelm Adolf Sonderland. Il fut élève de l'Académie de Düsseldorf et de Fr. Hiddemann.
MUSÉES : RIGA.
VENTES PUBLIQUES : LONDRES, 28 juil. 1972 : *Perrette et le pot au lait* : **GNS 480** – COLOGNE, 22 nov. 1973 : *Deux enfants essayant d'attraper des moineaux* : **DEM 16 000** – VIENNE, 13 juin 1978 : *Le nouvel uniforme* 1872, h/t (63x48) : **ATS 22 000** – COLOGNE, 11 juin 1979 : *Petit garçon avec son chien*, h/pan. (30x26) : **DEM 14 000** – COLOGNE, 21 nov. 1985 : *Les petits garnements*, h/t

(69x89) : **DEM 56 000** – NEW YORK, 23 mai 1990 : *Un petit ennui*, h/t (63,5x53,3) : **USD 11 000** – NEW YORK, 22 mai 1991 : *Un petit ennui*, h/t (63,5x53,3) : **USD 7 150**.

SONDERLAND Johann Baptist Wilhelm Adolf
Né le 2 février 1805 à Düsseldorf. Mort le 21 juillet 1878 à Düsseldorf. XIXᵉ siècle. Allemand.

Peintre de genre, illustrateur, lithographe et graveur à l'eau-forte.

Père de Fritz Sonderland. Élève de Cornelius et de Schadow à l'Académie de Düsseldorf. Il a gravé des scènes de genre et diverses illustrations.
MUSÉES : BERLIN (Mus. nat.) : *Hans et Grete* – DÜSSELDORF (Mus. mun.) : quatre dessins – KALININGRAD, ancien. Königsberg : *L'ours danseur*.

SONDERMANN August Friedrich
XIXᵉ siècle. Actif à Erfurt. Allemand.
Sculpteur-modeleur de cire.
Membre de l'Académie de Berlin en 1843. Il fut aussi sellier.

SONDERMANN Hermann
Né le 19 octobre 1832 à Berlin. Mort le 2 avril 1901 à Düsseldorf. XIXᵉ siècle. Allemand.

Peintre de genre, portraits, paysages animés.

Il fut élève d'Otto à l'Académie de Berlin, de Schadow et de Jordan ; il fit des études à Anvers et à Düsseldorf, travailla à Berlin, puis se fixa à Düsseldorf.
MUSÉES : BRUNSWICK (Mus. mun.) : *L'inscription à l'école* – WIESBADEN (Mus. mun.) : *Nos héros*.
VENTES PUBLIQUES : PARIS, 24 mars 1924 : *Une appétissante fournée* : **FRF 650** – COLOGNE, 16 oct. 1970 : *Paysanne et enfants dans un paysage* : **DEM 4 600** – VIENNE, 11 mars 1980 : *La signature du contrat de mariage* 1865, h/t (68x85) : **ATS 300 000** – LONDRES, 26 mars 1982 : *Fillette nourrissant des chèvres* 1890, h/pan. (32x23,5) : **GBP 3 800** – LONDRES, 24 juin 1983 : *La Belle Fileuse* 1865, h/t (63,5x72,5) : **GBP 9 500** – CHESTER, 10 juil. 1986 : *La préparation du repas*, h/t (88x76) : **GBP 13 000** – HEIDELBERG, 12 oct. 1991 : *La joie d'être père*, h/bois (28,5x23,5) : **DEM 7 800** – AMSTERDAM, 20 avr. 1993 : *Dans le pub* 1875, h/pan. (31,5x23) : **NLG 4 600**.

SONDERMANN Hermann
Né le 6 mars 1887 à Wülfrath. XXᵉ siècle. Allemand.
Peintre, dessinateur, illustrateur.
Il fit ses études à Elberfeld. Il s'établit à Dresde. Il était aussi écrivain.
Il illustra des revues d'histoire naturelle.

SONDERMANN Johann David
XIXᵉ siècle. Allemand.
Sculpteur sur ivoire, modeleur.
Cuisinier royal, il fut actif au milieu du XIXᵉ siècle et pratiqua la sculpture.

SONDERMANN Karl ou Wilhelm Hermann Karl
Né le 29 août 1862 à Düsseldorf. XIXᵉ-XXᵉ siècles. Allemand.
Peintre, graveur.
Il fut élève des Académies des Beaux-Arts de Düsseldorf et de Weimar. Il devint professeur à l'École d'Art d'Erfurt.

SONDERMAYR Benedict
XVIIᵉ siècle. Actif à Vienne dans la seconde moitié du XVIIᵉ siècle. Autrichien.
Sculpteur.
Il sculpta des autels pour l'abbaye de Heiligenkreuz près de Vienne.

SONDERMAYR Simon ou Sigismund Thaddäus ou Sandermayr
XVIIIᵉ siècle. Actif à Augsbourg dans le second quart du XVIIIᵉ siècle. Allemand.
Graveur au burin.
Il grava des sujets religieux et des portraits.

SONDHEIM Becky
Née le 5 janvier 1858 au Havre (Seine-Maritime), de parents allemands. XIXᵉ-XXᵉ siècles. Allemande.
Peintre de portraits, natures mortes.
Elle fut élève de Paul Borgmann à Francfort-sur-le-Main, de Ludwig Herterich à l'Académie des Beaux-Arts de Munich. Elle s'établit à Francfort en 1894.

SONDHEIM Maier Salomon ou Sondheimer
Né en 1806 à Mannheim. XIXᵉ siècle. Allemand.
Peintre de compositions religieuses, scènes de genre, portraits, intérieurs d'églises, sculpteur de bustes.

MUSÉES : COPENHAGUE : *Migration des oiseaux – Garçon avec un canard – Buste de l'acteur Phister – La Femme de Loth – Buste de Mme Phister – Le berger avec Rémus et Romulus – Le peintre Th. Brendstrup –* HANOVRE (Mus. prov.) : *Intérieur de la cathédrale d'Anvers.*

SONDHEIMER Hermann
Né à Mannheim. Mort vers 1850 à Bruxelles. XIXᵉ siècle. Allemand.
Miniaturiste.

SONDRUP Just Nielsen
Né le 2 avril 1873 à Barmer (près de Nibe). XIXᵉ-XXᵉ siècles. Danois.
Sculpteur.
Il fut élève de Herman Wilhelm Bissen à l'Académie des Beaux-Arts de Copenhague. Il s'établit à Lyngby.
MUSÉES : AALBORG – COPENHAGUE – HJÖRRING – HORSENS.

SONEMANNS Pieter ou Sonnemans ou Sonnemanns ou Sonmans
XVIIᵉ siècle. Éc. flamande.
Peintre de compositions religieuses, paysages.
Frère de Wilhelm Sonmans, il fut actif à Dordrecht et à Malines.
MUSÉES : HANOVRE : *Paysage avec la Sainte Famille,* deux toiles – MALINES : *Religieuse du couvent de Leliendael.*

SONFIST Alan
Né en 1946 à New York. XXᵉ siècle. Américain.
Peintre, technique mixte, artiste multimédia.
Depuis 1969, il participe à de nombreuses expositions collectives, surtout aux États-Unis ; en 1975, à la IXᵉ Biennale de Paris. Ses expositions personnelles ont aussi lieu aux États-Unis ; ainsi que : en 1971, à Amsterdam, Cologne, Milan ; en 1972, à Londres ; etc.
La photographie, par séries, est son médium de prédilection.

SONG BAOSHUN ou Song Pao-Chouen ou Sung Pao-Shun, surnom : Shuaichu, nom de pinceau : Zhichan
Né en 1748, originaire de Xian, (province du Shenxi). Mort en 1810. XVIIIᵉ-XIXᵉ siècles. Chinois.
Peintre.
Archéologue et connaisseur d'art, il peint des paysages dans le style des maîtres des Song du Nord (960-1127).

SONG CHU ou Song Tch'ou ou Sung Ch'u
Originaire de Xingzhou, (province du Hebei). XIᵉ siècle. Chinois.
Peintre.
Peintre de paysages dans le style de Guo Xi (vers 1020-1100).

SONG DI ou Song Ti ou Sung Ti, surnom : Fugu
Originaire de Luoyang, (province du Henan). XIᵉ siècle. Chinois.
Peintre.
Peintre de paysages dans le style de Li Cheng (actif vers 960-990), il serait le premier à avoir représenté le fameux paysage des rivières Xiao et Xiang.

SONG GU. Voir SONG JUE

SONG HEOU-TCHENG ou Song Houzheng
XXᵉ siècle. Chinois.
Peintre.
Dans la seconde moitié du XXᵉ siècle, il était membre de la brigade de Tongsingtchouang, dans la commune populaire de Tawang. Il faisait partie des peintres paysans du district de Huxian. Voir HUXIAN, Peintres Paysans du.

SONG HIU. Voir SONG XU

SONG JOU-TCHE. Voir SONG RUZHI

SONG JUE ou Song Kiue ou Sung Chüeh ou Song Gu ou Song Ku ou Sung Ku, surnom : Biyu, nom de pinceau : Lizhixian
Né en 1576, originaire de Putian, (province du Pujian). Mort en 1632. XVIIᵉ siècle. Actif à Nankin. Chinois.
Peintre.
Poète, calligraphe et peintre, il fait des paysages dans le style de Mi Fu (1051-1107) et des maîtres Yuan. Le Musée du Palais de Pékin conserve de lui un paysage, *Montagne descendant vers une rivière,* à l'encre sur papier et accompagné d'une inscription de Chen Jiayen, et le National Palace Museum de Taipei, un *Paysage,* avec un poème et un colophon du peintre daté 1608.

SONG JUNYE ou Song Tsiun-Ye ou Sung Chün-Yeh, surnom : Shengqiu, nom de pinceau : Jianfu
Originaire de Changshu, (province du Jiangxi). XVIIIᵉ siècle. Actif vers 1700. Chinois.
Peintre.
Vice-président du Bureau de la Guerre et peintre, il est élève de Wang Hui (1632-1717). Le National Palace Museum de Taipei conserve une de ses œuvres, *Paysage,* peint sur éventail et accompagné d'une inscription de l'empereur Qing Kangxi.

SONG KE ou Song K'o ou Sung K'o, surnom : Zhongwen, nom de pinceau : Nangongsheng
Né en 1327, originaire de Suzhou, (province du Jiangsu). Mort en 1387. XIVᵉ siècle. Chinois.
Peintre.
Poète et peintre de bambous, il fait partie des *Dix Talents* de l'époque. La Freer Gallery of Art de Washington conserve un de ses rouleaux en longueur, signé et daté 1369, *Dix mille bambous sur les collines près d'une rivière.*

SONG-K'IUAN. Voir PU QUAN

SONG KIUE. Voir SONG JUE

SONG K'O. Voir SONG KE

SONG KU. Voir SONG JUE

SONG-LEANG-TCH'EN. Voir SONG LIANG CHEN

SONG LIAN ou Song Lien ou Sung Lien
Né en 1310. Mort en 1381. XIVᵉ siècle. Chinois.
Amateur d'art, historien, critique d'art.
Historien, littérateur et critique d'art, mieux connu comme éditeur d'une *Histoire de la dynastie Yuan,* il publie, dans le recueil de ses écrits, *Song Xueshi Quanji,* un essai intitulé : *Hua Yuan* (Les origines de la peinture). Cet ouvrage, dont la conception traditionnelle remonte à Zhang Yanyuan (810 ?-880 ?) et d'autres écrits antérieurs, concerne les origines historico-mythiques de la peinture en relation avec l'écriture et l'importance morale et politique de la peinture, dans les temps les plus anciens. A ces considérations générales, s'ajoutent des remarques plus intéressantes, telle, le premier grand changement (dans l'évolution du style) date de Gu Kaizhi et de Lu Tanwei, le second de Yan Liben et de Wu Daozi et le troisième de Guan Tong, Li Cheng et Fan Kuan, division des premières étapes de l'art chinois qui sera reprise par tous les écrivains ultérieurement. Mais il n'a rien à dire sur l'évolution du monde pictural après la dynastie des Song du Nord (960-1127).
BIBLIOGR. : O. Siren : *The Chinese on the Art of Painting, Translations and Comments,* Peiping, 1936.

SONG LIANGCHEN ou Song Leang-Tch'en ou Sung Liang-Ch'ên
XIIᵉ-XIIIᵉ siècles. Actif probablement pendant la dynastie des Song du Sud (1127-1279). Chinois.
Peintre.
Peintre de fleurs et d'oiseaux.

SONG LIEN. Voir SONG LIAN

SONG LIN ou Sung Lin, surnom : Liuyu
Originaire de Tongzhou, (province du Jiangsu). XIXᵉ siècle. Actif vers 1800. Chinois.
Peintre.
Peintre de fleurs, à l'encre, dans le style de Hua Yan (1682-1765).

SONG LUO ou Song Io ou Sung Io, surnom : Muzhong, nom de pinceau : Mantang
Né en 1634, originaire de Shangqiu, (province du Henan). Mort en 1713. XVIIᵉ-XVIIIᵉ siècles. Chinois.
Peintre.
Collectionneur fameux, lettré et poète, il est aussi peintre de paysages, d'orchidées et de bambous.

SONG MAOJIN ou Song Meou-Tsin, Sung Mou-Chin ou Song Moujin, surnom : Mingzhi
Originaire de Songjiang, (province du Jiangsu). XVIᵉ siècle. Chinois.
Peintre.
Il appartenait au cercle des disciples du peintre Song Xu (1576-1632).

SONG NIAN ou Song Nien ou Sung Nien
D'origine mongole. XIᵉ siècle. Actif à la fin du IXᵉ siècle. Chinois.

Peintre.

Fonctionnaire, il donne jeune sa démission pour se consacrer à la peinture et à la calligraphie. Il est aussi l'auteur d'un traité, le *Yiyuan Lun Hua*, mélange de jugements critiques, principes esthétiques, et procédés techniques. Les exposés techniques sont fondés sur une solide expérience technique et ses vues personnelles sont fortes et originales ; il oppose l'impératif de création individuelle aux préceptes traditionnels d'imitation des Anciens.

BIBLIOGR. : P. Ryckmans : *Les Propos sur la peinture de Shitao*, Bruxelles, 1970.

SONG PAO-CHOUEN. Voir **SONG BAOSHUN**

SONG QIXIANG ou **Sung Ch'i-Hsiang**
Né en 1917. xxᵉ siècle. Chinois.
Peintre. Traditionnel.
VENTES PUBLIQUES : NEW YORK, 16 juin 1993 : *Peinture de nouvel an*, encre et pigments/pap., kakémono (45,7x68,6) : **USD 1 610**.

SONGQUAN. Voir **PU QUAN**

SONG RUZHI ou **Song Jou-Tche** ou **Sung Ju-Chih**, nom de pinceau : **Biyun**
Originaire de Quiantang, (province du Zhejiang). x111ᵉ siècle.
Actif pendant l'ère Jingding (1260-1264). Chinois.
Peintre.
Peintre de l'Académie de Peinture, il deviendra moine taoïste sous la dynastie suivante des Yuan (1279-1368). Il fait des paysages, des figures, des fleurs et des oiseaux et travaille dans le style de Lou Guan (actif vers 1265).

SONG TAO ou **Chou Chunhui**
Né en 1944 à Kaifeng (province du Henan). xxᵉ siècle. Chinois.
Peintre de fleurs, oiseaux, décorateur. Traditionnel.
En 1965, il fut diplômé de l'École des Beaux-Arts de Kaifeng. Il travaille ensuite, comme peintre et décorateur, dans l'atelier d'art artisanal et des beaux-arts de Kaifeng.
BIBLIOGR. : In : Catalogue de l'exposition *Peintres traditionnels de la République populaire de Chine*, Galerie Daniel Malingue, Paris, 1980.

SONG TCH'OU. Voir **SONG CHU**

SONG TI. Voir **SONG DI**

SONGTIAN ou **Song-T'ien** ou **Sung-T'ien**
x111ᵉ-xivᵉ siècles. Actif pendant la dynastie Yuan (1279-1368). Chinois.
Peintre.
Ce peintre est inconnu en Chine mais est mentionné dans un ouvrage japonais, le *Kundaikan Sayuchôki* nº 114, comme spécialiste de représentations d'écureuils. Il ne faut pas le confondre avec Yongtian qui peint aussi des écureuils.

SONG TSIUN-YE. Voir **SONG JUNYE**

SONG WENZHI ou **Sung Wan-Chih**
Né en 1919 dans le district de Taicang (province du Jiangsu). xxᵉ siècle. Chinois.
Peintre de paysages animés. Traditionnel.
Il a été directeur-adjoint de l'Institut de Peinture Traditionnelle et vice-président de l'Association des Peintres de la province de Jiangsu.
BIBLIOGR. : In : Catalogue de l'exposition *Peintres traditionnels de la République populaire de Chine*, Galerie Daniel Malingue, Paris, 1980.
VENTES PUBLIQUES : HONG KONG, 17 nov. 1988 : *Chutes d'eau* 1985, encre et pigments/pap., kakémono (136x68) : **HKD 17 600** – HONG KONG, 16 jan. 1989 : *Brouillard et chute d'eau au Mont Lu*, encre et pigments/pap., makémono (127x179) : **HKD 33 000** – HONG KONG, 2 mai 1991 : *Huang Shan* 1981, encre/pap., kakémono (130,3x62,4) : **HKD 52 800** – HONG KONG, 30 avr. 1992 : *Le lac Tai* 1978, encre et pigments/pap. (28x102,2) : **HKD 24 200** – HONG KONG, 28 sep. 1992 : *Soleil au travers des nuages sur le Mont Huang*, encre et pigments/pap., kakémono (101x47) : **HKD 30 800** – HONG KONG, 22 mars 1993 : *Le matin au bord du lac Tai*, encre et pigments/pap., makémono (39x59) : **HKD 59 100** – NEW YORK, 16 juin 1993 : *Un endroit précis du magnifique Mont Lu* 1990, encre et pigments/pap., kakémono (57,8x61,6) : **USD 3 450** – HONG KONG, 3 nov. 1994 : *Cascade de montagne bordée de pins* 1981, encre et pigments/pap. (97x47) : **HKD 36 800** – HONG KONG, 30 oct. 1995 : *Shu Jiang à l'aube* 1986,

encre/pap., makémono (32,5x296) : **HKD 97 750** – HONG KONG, 29 avr. 1996 : *Huang Shan parmi les nuages*, encre et pigments/ pap. or (31,2x45) : **HKD 66 700** – HONG KONG, 28 avr. 1997 : *Village au printemps*, encre et pigments/cart. or (37,5x45,4) : **HKD 63 250**.

SONG XU ou **Song Hiu** ou **Sung Hsü**, surnom : **Chuyang**, nom de pinceau : **Shimen**
Né en 1523 ou 1525, originaire de Jiaxing, (province du Zhejiang). Mort en 1605. xviᵉ siècle. Chinois.
Peintre de paysages.
Il deviendra moine sous le nom de Zuxuan. Comme peintre, il travaille dans le style de Shen Zhou (1427-1509) et sera le maître des peintres Zhao Zuo et Song Maojin.
MUSÉES : COLOGNE (Mus. für Ostasiatische Kunst) : *La cascade Longqiu au mont Yandang*, encre et coul. légères sur pap. tacheté d'or, éventail signé – NEW YORK (Metropolitan Mus.) : *Paysage de rivière signé et daté* 1587, éventail – PÉKIN (Mus. du Palais) : *Haute montagne s'élevant au-dessus de la rivière* daté 1580, encre et coul. sur pap. – *Pêcheur sur la rivière à l'hiver* daté 1604 – STOCKHOLM (Nat. Mus.) : *Voiles lointaines dans la brume sur la rivière* daté 1605, signé – TAIPEI (Nat. Palace Mus.) : *Pics dans les nuages et cascade à l'automne* daté 1583, signé – *Célébration du nouvel an*, signé.
VENTES PUBLIQUES : NEW YORK, 1ᵉʳ juin 1992 : *Paysage de neige* 1587, encre et pigments/soie (161,9x64,8) : **USD 66 000**.

SONG Yulin
Né en 1947. xxᵉ siècle. Chinois.
Peintre de paysages animés, paysages, paysages de montagne. Traditionnel.
VENTES PUBLIQUES : HONG KONG, 30 avr. 1992 : *Paysage d'automne* 1991, makémono, encre et pigments/pap. (31,8x177,8) : **HKD 93 500** – HONG KONG, 29 oct. 1992 : *Ermite dans la montagne* 1992, encre et pigments/pap. (136x66,5) : **HKD 93 500** – HONG KONG, 29 avr. 1993 : *Paysage* 1992, encre et pigments/pap. (136x66,3) : **HKD 92 000** – HONG KONG, 5 mai 1994 : *Visite à un lettré dans la montagne*, encre et pigments/pap., makémono (24x365,5) : **HKD 109 250** – HONG KONG, 29 avr. 1996 : *Scène de montagnes* 1995, encre et pigments/pap. (48,5x188) : **HKD 64 400**.

SONIUS Witken
xviiᵉ siècle. Éc. flamande.
Peintre de compositions religieuses.
L'orthographe de son nom n'est pas certaine. Actif dans la seconde moitié du xviiᵉ siècle, cet artiste a peint une *Résurrection du Christ* dans la grande salle de l'Hôtel de Ville de Berg-op-Zoom.

SONJE Jan Gabrielsz
Né vers 1625 à Delft. Mort en septembre 1707 à Rotterdam. xviiᵉ-xviiᵉ siècles. Hollandais.
Peintre de compositions animés, paysages, paysages d'eau, paysages de montagne.
Il fut élève d'A. Pynaker. Il entra en 1646 dans la gilde de Delft. Il alla à Rotterdam en 1654, épousa en 1658 Élisabeth de Jouge et, en 1665, à Dordrecht, Claesje Kerkenburgh. Il fut inspecteur de la Confrérie de Rotterdam en 1678, 1686 et 1692.
Il a peint des paysages montagneux dans la manière de sites d'Italie ; ses ciels sont clairs, avec de légers nuages blancs, et des fonds sombres. On lui doit aussi des sites des bords du Rhin dans la manière de Saftleven. Voir aussi Pseudo-Sonje Jan Gabrielsz.

MUSÉES : AUGSBOURG : *Fleuve* – BESANÇON : *Port sur une rivière* – BURGHAUSEN : *Paysage avec fleuve* – LA HAYE : *Vallée* – MANNHEIM (Gal. nat.) : *Paysage avec cascade* – ROTTERDAM : *Vue de Rotterdam*.
VENTES PUBLIQUES : DORDRECHT, 10 juin 1969 : *Paysage d'Italie* – **NLG 4 000** – COLOGNE, 14 juin 1976 : *Paysage à l'auberge* 1664, h/pan. (43x69) : **DEM 9 500** – VIENNE, 14 juin 1977 : *Paysage boisé*, h/pan. (50,8x39,8) : **ATS 140 000** – PARIS, 25 oct. 1978 : *Paysage des bords du Rhin*, h/pan. (37,5x49,5) : **FRF 11 800** – LONDRES, 12 déc 1979 : *Paysage fluvial au moulin*, h/pan.

(40,5x32,5) : **GBP 2 500** – Vienne, 17 nov. 1982 : *Paysage fluvial boisé animé de personnages*, h/pan. (79x62) : **ATS 150 000** – Londres, 24 oct. 1984 : *Voyageurs sur un bac, Italie*, h/t (91,5x108) : **GBP 5 200** – Londres, 20 avr. 1988 : *Paysage avec rivière et embarcations* 1666, h/pan. (66,5x105) : **GBP 9 900** – New York, 11 jan. 1989 : *Voyageurs sur un chemin*, h/pan. (28,6x36,8) : **USD 9 900** – Londres, 30 oct. 1991 : *Vaste paysage fluvial avec des figures près d'un bois*, h/t (76,5x61,7) : **GBP 2 860** – Paris, 14 déc. 1992 : *Promeneurs près d'un rivage*, h/pan. (64x48,5) : **FRF 21 000** – Paris, 28 avr. 1993 : *Cavalier dans un paysage boisé*, h/t (117x101) : **FRF 60 000** – Londres, 9 juil. 1993 : *Paysage fluvial italien avec des voyageurs empruntant la barque du passeur*, h/pan. (58,7x92,7) : **GBP 7 475** – Londres, 6 juil. 1994 : *Vaste paysage fluvial avec une bergère et son troupeau et une cascade à droite*, h/pan. (91x124) : **GBP 16 100** – Londres, 8 juil. 1994 : *Vaste paysage fluvial avec l'arrivée du bac et des voyageurs sur un chemin* 1666, h/pan. (66,6x105,3) : **GBP 12 075** – Amsterdam, 15 nov. 1994 : *Paysage fluvial avec une péniche* 1670, encre et lav./traces de craie (13,8x18,4) : **NLG 10 580** – Paris, 19 déc. 1994 : *Bergers au bord d'un lac*, h/t (65,5x90,5) : **FRF 20 500** – Amsterdam, 13 nov. 1995 : *Paysage italien au crépuscule avec des ermites et un voyageur au bord d'un torrent*, h/t (63,3x54,4) : **NLG 9 200** – Londres, 19 avr. 1996 : *Paysage fluvial avec des bergers près d'un pont*, h/pan. (37,5x49,5) : **GBP 4 140**.

SONMANS Pieter. Voir SONEMANNS

SONMANS Wilhelm ou William ou Sonemans, Sunman
Mort en 1708 à Londres. xviie-xviiie siècles. Actif à Londres. Éc. flamande.
Peintre de portraits.
Frère de Pieter Sonemanns. Il partit de Dordrecht pour s'établir à Londres et peignit des portraits pour des collèges et l'Université.
Musées : Bath : *Enfant avec chien* – Oxford (Gal. de Portraits) : *Le bibliothécaire John Hudson* – *Le baron Nathaniel Crew* – *Thomas Bouchier ?* – *Thomas Creech*.
Ventes Publiques : Londres, 15 nov. 1989 : *Portrait de James Stuart, l'ancien prétendant, enfant*, h/t (124x100) : **GBP 11 000**.

SONN Albert H.
Né le 7 février 1867 à Newark (New Jersey). xixe-xxe siècles. Américain.
Peintre, illustrateur.
Il fut élève de l'Académie Nationale de Dessin de New York. Il était membre de la Fédération américaine des Arts et du Salmagundi Club.

SONNBERGER Mathias
Né le 17 février 1778 à Hohenfurt. Mort le 30 août 1824 à Hohenfurt. xixe siècle. Autrichien.
Sculpteur.
Il travailla pour la chapelle du cimetière de Hohenfurt.

SONNE Edvard ou Carl Edvard
Né le 1er décembre 1804 à Birkeröd. Mort le 3 janvier 1878 à Copenhague. xixe siècle. Danois.
Graveur au burin et à la manière noire.
Fils et élève de Jörgen Sonne. Il fit ses études à Copenhague et à Parme. Il grava des portraits.

SONNE Jörgen ou Jeppe Jörgen
Né en 1771 à Svaneke. Mort le 25 septembre 1833 à Copenhague. xviiie-xixe siècles. Danois.
Graveur.
Père d'Edvard et de Jörgen Valentin. Il fut élève de l'Académie de Copenhague et de J. C. Seehusen. Il grava des billets de banque et des cartes.

SONNE Jörgen Valentin
Né le 24 juin 1801 à Birkeröd. Mort le 24 septembre 1890 à Copenhague. xixe siècle. Danois.
Peintre de genre, batailles, paysages animés.
Il fut d'abord destiné à la carrière des armes et il renonça pour la peinture. Après avoir commencé ses études à l'Académie de Copenhague, il alla travailler pendant trois ans avec Hen à Munich et se rendit ensuite à Rome. Il fut membre de l'Académie de Copenhague en 1846 et chevalier de l'ordre de Danneburg en 1850. On cite notamment de lui les fresques du musée Thorwaldsen.
A son retour au Danemark, il peignit d'abord des scènes de la vie rustique, mais la campagne de Schleswig, en 1848, lui fournit le sujet de nombreux tableaux.
Musées : Copenhague : *Épisode du combat d'Isted* – *La bruyère*

d'Isted – *Paysans italiens se rendant au marché* – *Vieux pêcheur* – *Foire d'automne dans la campagne romaine* – *Bétail cherchant de l'eau pour se rafraîchir* – *Le sommeil des malades sur la tombe de sainte Hélène* – *L'attaque* – *La sortie de Fredericia, 16 juin 1849* – *Combat d'Isted* 1850 – *Fin du combat d'Isted* – *Fête de saint Jean à Tisville* – *Ils reviennent du marché* – *Le matin après la bataille d'Isted* – *Soirée d'été* – Malmö : *Intérieur d'église*.
Ventes Publiques : Copenhague, 2 oct. 1958 : *Fidèles sortant de l'église* : **DKK 21 600** – Copenhague, 26 fév. 1976 : *Buffles tirant des péniches sur le Tibre* 1833, h/t (49x64) : **DKK 10 500** – New York, 26 mai 1977 : *Le pique-nique au bord de la rivière* 1839, h/t (65x81) : **USD 1 800** – Copenhague, 29 août 1978 : *Bergers italiens* 1838, h/t (59x81) : **DKK 11 000** – Copenhague, 28 avr. 1981 : *Carnaval romain*, h/t (65x90) : **DKK 40 000** – Copenhague, 17 août 1983 : *La Famille du pêcheur*, h/t (52x69) : **DKK 18 000** – Copenhague, 2 oct. 1985 : *Troupeau au bord d'une rivière regardant des baigneuses* 1865, h/t (82x120) : **DKK 26 000** – Copenhague, 25 oct. 1989 : *Etude de paysage* 1847, h/t (25x41) : **DKK 8 000** – Londres, 27-28 mars 1990 : *Après-midi d'été* 1873, h/t (74,5x84) : **GBP 22 000** – Stockholm, 16 mai 1990 : *Paysage rustique avec un paysan ramenant ses chevaux et deux jeunes filles portant de l'eau*, h/t (78x66) : **SEK 36 000** – Copenhague, 5 fév. 1992 : *Paysage de marais un après-midi d'été*, h/t (30x45) : **DKK 8 000** – Copenhague, 6 mai 1992 : *Noce sortant du temple en Sjealland, avec un militaire retrouvant sa fiancée mariée à un autre* 1856, h/t (91x132) : **DKK 105 000** – Copenhague, 18 nov. 1992 : *Enfants essayant d'attraper des anguilles au bord d'un ruisseau en été* 1845, h./acajou (25x36) : **DKK 10 000** – Copenhague, 6 sep. 1993 : *Paysans allumant un feu sur un promontoire sur la côte et dansant autour* 1860, h/t (107x144) : **DKK 67 000** – Copenhague, 21 mai 1997 : *Les loups attaquent les troupeaux de moutons, scène familiale de bergers italiens* 1838 (25x34) : **DKK 14 000**.

SONNE VON SONNEFELD Alois
Né en 1766. Mort le 5 juin 1819 à Vienne. xviiie-xixe siècles. Autrichien.
Peintre d'architectures.

SONNEGA Auke Cornelis
Né en 1910 à Leeuwarden (Pays-Bas). Mort en 1963. xxe siècle. Hollandais.
Peintre de sujets typiques, paysages.
Il partit pour l'Indonésie en 1935 et s'installa à Bali en 1937. Il consacra sa peinture aux paysages indonésiens : Sumatra, Java, Bali, etc. Il est connu en Indonésie et dans le Sud-Est asiatique.
Ventes Publiques : Singapour, 5 oct. 1996 : *Jardin à Bali*, h/t (50,5x60,5) : **SGD 33 350**.

SONNEMANNS Pieter. Voir SONEMANNS

SONNEMANS
xviie siècle. Éc. flamande.
Sculpteur.
Cet artiste travaillait à La Haye en 1683.

SONNENBERG Johannes ou Sonnenberg-Gallant
Né en 1740 à Utrecht. xviiie siècle. Hollandais.
Peintre de fleurs et de fruits.
Élève en 1763, maître à La Haye en 1770. Il travailla à Leyde de 1781 à 1793. Le Musée de Bruxelles conserve de lui *Faisan*.

SONNENBERG N.
xixe siècle. Actif à Deventer en 1813. Hollandais.
Dessinateur.
Il dessina des scènes des guerres de Napoléon Ier.

SONNENBURG Ludwig Otto von
Né le 8 août 1860 à Vienne. xixe-xxe siècles. Autrichien.
Peintre de genre, portraits, aquarelliste.
Il fut élève de Josef Mathias von Trenkwald à l'Académie des Beaux-Arts de Vienne.

SONNENFELD Gotthard
Né le 2 mars 1874 à Berlin. xixe-xxe siècles. Allemand.
Sculpteur de figures allégoriques, bustes.
Il était sculpteur sur bois et sur pierre.
Musées : Berlin (Mus. prov.) : *sept bustes* – Detmold : *Shylock* – Schwerin (Mus. prov.) : *Souci et Despote*.
Ventes Publiques : Londres, 7 déc. 1977 : *Guerrier embrassant une captive* vers 1900, bronze doré (H. 64) : **GBP 600**.

SONNENFELD Lenke ou Helene, épouse Földes
Née le 12 août 1896 ou 1899 à Ujpest. xxe siècle. Hongroise.
Sculpteur de figures, groupes. Expressionniste.
Elle reçut sa formation à Budapest, Vienne, Paris. Elle a exposé à

Paris, au Salon des Tuileries, en 1925 un marbre : *Maternité*, en 1928 un ensemble de sculptures en taille directe, des pierres et des marbres.

SONNENLEITER Johannes ou Jean

Né le 20 février 1825 à Nuremberg. Mort le 12 octobre 1907 à Vienne. xixe siècle. Allemand.
Graveur au burin et sur acier.
Élève de C. Mayer et de Reindel. Il a gravé des scènes de genre. Il figura aux expositions de Paris : médaille de deuxième classe en 1878 (Exposition universelle).

SONNENSCHEIN Gaspar ou Kaspar

Né en 1832 à Budapest. Mort sans doute. xixe siècle. Hongrois.
Peintre de genre, portraits.

SONNENSCHEIN Susette

Née vers 1779. Morte en 1795. xviiie siècle. Suisse.
Dessinatrice.
Fille de Valentin.
Musées : Berne : deux dessins.

SONNENSCHEIN Valentin ou Johann Valentin

Né en 1749 à Stuttgart. Mort le 22 septembre 1828 à Berne. xviiie-xixe siècles. Suisse.
Sculpteur de groupes, bustes, stucateur.
Il fut élève de Wilhelm Beyer à Stuttgart. Il travailla d'abord pour le duc de Wurtemberg, mais s'établit à Zurich en 1775. Sa fille Susette fut dessinatrice.
Musées : Bâle : *Ganymède – Groupe à la mémoire de Rud. von Jenner* – Berlin (Mus. allemand) : *Pénélope en deuil* – Berne : *Ariane délaissée – Vénus au repos – Dame assise avec un petit garçon – Homme écrivant – Vieillard en robe de chambre*, bas-relief – *Groupe de famille – Buste d'un inconnu en toge romaine – Modèle d'un tombeau pour Sophie Durheim – Buste d'un inconnu – Buste d'un homme avec perruque – Buste d'une dame avec perruque – Buste d'une dame âgée avec voile – Buste de l'artiste – Buste du maire Fr. von Sinner – Buste de R. von Sinner – Buste de K. Stuber – Buste de Guillaume Tell avec sa femme et son fils – Jupiter et Io*, bas-relief – *Sacrifice d'Iphigénie – La bataille de Donnerbühl – La bataille de Laupen – Winkelried – Céphale et Procris – Amour et Psyché – Buste de Karl Rudolf Hartmann* – Berne (Mus. historique) : *Le curé Samuel Hopf*, statuette – *C. Frisching*, statuette – *Un maire en costume d'apparat – Carl Brunner avec le Génie – Buste du maire Nikolaus Friedrich von Steiger* – Nuremberg (Mus. germanique) : *Buste d'une femme avec fichu* – Stuttgart (Gal. nat.) : *Tombeau avec urne et Psyché* – Zurich (Mus. nat.) : *Apollon et Flore – Méléagre et Hébé – Le jeune Hercule – Urne avec le portrait de Salomon Gessner – Buste du maire d'Heidegger – Portrait*, plusieurs médaillons – *Dame assise avec livre – Buste d'Albrecht von Haller – Buste d'un homme en habit de maison – Pâtre et petit berger – Léda et le cygne – Amour et Psyché – Zeus, Héra et Ganymède – Mort de Procris – Buste d'un inconnu revêtu d'une toge.*
Ventes Publiques : Paris, 8 déc. 1987 : *Buste de femme*, terre cuite (H. 55) : **FRF 48 000.**

SONNENSTERN Emil. Voir SCHRÖDER-SONNENSTERN

SONNER Anton

Né en 1815 à Tölz. xixe siècle. Allemand.
Peintre.
Élève de l'Académie de Munich. Il travailla à Tölz.

SONNER Karl

Né le 14 avril 1889 à Munich. xxe siècle. Allemand.
Peintre de décorations murales, graveur.
Il fut élève de Gabriel von Hackl à l'Académie des Beaux-Arts de Munich.
Il fut surtout peintre de façades.

SONNERAT Charles

xixe siècle. Français.
Peintre d'architectures, graveur, dessinateur.
Il travaillait à Paris vers 1800. Il grava des vues de villes aux environs de Rome.

SONNERAT Pierre

Né en 1745 à Lyon. Mort le 12 avril 1814 à Paris. xviiie-xixe siècles. Français.
Dessinateur de paysages, fleurs et fruits, illustrateur.
Il était peut-être le père de Charles Sonnerat. Il illustra des récits de voyages et dessina des sujets de sciences naturelles.

SONNEVILLE Albert Henri

Né le 11 septembre 1873 à Roubaix (Nord). xixe-xxe siècles. Français.
Peintre de paysages.
Il fut élève de Louis Charles Spriet, également de Roubaix, et de Jules Lefebvre. Il exposait à Paris, depuis 1921 au Salon des Artistes Français, reçut une médaille de bronze en 1925, et figura aussi au Salon des Indépendants.

SONNEVILLE Georges de

Né en 1889 à Nouméa (Nouvelle-Calédonie), de parents français. Mort en 1978 à Talence (Gironde). xxe siècle. Français.
Peintre de figures, paysages, dessinateur, illustrateur, affichiste.
Il fréquenta l'atelier du paysagiste Paul Antin, où il rencontra Yvonne Préveraud, qui deviendra Mme de Sonneville. À partir de 1913, il étudia à l'académie Ranson à Montparnasse. Il créa, en 1928, un Salon annuel des Indépendants bordelais. Après guerre, il fonda le Groupe des Peintres Modernes et le Groupe des Trois. Il exposa au Salon des Amis des Arts à Bordeaux. Des expositions rétrospectives ont honoré le centenaire de sa naissance : Musée d'Aquitaine, Bordeaux, en 1990 ; Nouméa, 1992. Il réalisa de nombreux dessins humoristiques et satiriques. Il publia, avec la collaboration de Copperie, le manifeste *Horizons* qui renfermait des textes de Jean Cocteau et d'André Salmon, des dessins de sa femme, de Raoul Dufy et d'André Lhote. Le style de sa peinture évolua au fil du temps. D'abord marqué par le fauvisme et par les Nabis (surtout Denis et Sérusier), il expérimenta un temps la géométrisation post-cubiste mais l'abandonna rapidement pour trouver sa manière propre : une écriture ondoyante et rapide, portée par une palette claire et chantante. Entre 1920 et 1958, prenant comme modèle de référence le *Journal* de Delacroix, il a consigné dans ses *Cahiers noirs* ses réflexions générales sur l'art et le Beau, ses goûts et dégoûts en matière de peinture, ses interrogations sur son art et sur celui de ses contemporains.
Bibliogr. : Gérald Schurr, in : *Les Petits Maîtres de la peinture 1820-1920, valeur de demain*, Les Éditions de l'Amateur, t. VII, Paris, 1989 – Georges de Sonneville : *Les Cahiers noirs, journal d'un peintre, 1920-1958*, préface de Robert Coustet, Bordeaux, Art & Arts Éditeur, 1994.

SÖNNICHSEN Hinrich Melcher

Né en 1746 à Abro. Mort en 1812. xviiie-xixe siècles. Danois.
Peintre.
Frère de Peter Sönnichsen. Il a peint le plafond de l'église d'Enge et l'autel de l'église de Ladelund.

SÖNNICHSEN Peter

Né avant 1746 à Abro. xviiie siècle. Danois.
Sculpteur.
Frère de Hinrich Melcher Sönnichsen. Il s'établit à Kolding en 1829.

SONNICHSEN Yngvar

Né le 9 mars 1875 à Oslo. xxe siècle. Actif aussi aux États-Unis. Norvégien.
Peintre, illustrateur.
Il acquit sa formation à Anvers, Bruxelles, et fut élève de William Bouguereau et Benjamin-Constant à Paris. Il fut actif à North Seattle et membre de la Fédération américaine des Arts. Il obtint de nombreuses distinctions.
Musées : Arendal (Gal. mun.) – Laurvik (Gal. mun.) – Oslo (Gal. mun.).

SÖNNICKS Jens ou Sonnicks. Voir SÜNCKSEN

SONNIER Keith

Né en 1941 à Mamou (Louisiane). xxe siècle. Américain.
Peintre, sculpteur d'installations, technique mixte, multimédia.
Entre 1959 et 1963, il fut élève de l'Université de Louisiane. En 1963-1964, il séjourna en France. Revenu aux États-Unis, il entra en relation avec Robert Morris, à la Rutgers University. Robert Morris l'introduisit à New York.
Depuis 1966, il participe à de nombreuses expositions collectives, dont : 1966 New York, *Eccentric Abstraction* ; 1969 Berne, *Quand les attitudes deviennent formes*, Kunsthalle ; New York, *Anti-Illusion*, Whitney Museum ; 1970 New York, *Information*, Museum of Modern Art ; Turin, *Conceptuel Art – Arte Povera – Land Art*, Musée ; 1971 Düsseldorf, *Prospect'71*, Kunsthalle ; Copenhague, *American Art 1950-1970*, Louisiana Museum ; 1972 Biennale de Venise ; Kassel, *Documenta V* ; 1973 Rome,

Contemporeana ; New York, *Biennial Exhibition*, Whitney Museum ; 1975 Paris, IXᵉ Biennale ; etc.

Il montre ses réalisations dans des expositions personnelles, dont : 1968, 1971, 1972 Cologne, galerie Ricke ; 1970 Eindhoven, Stedelijk Van Abbemuseum ; 1970, 1972, 1974, 1975 New York, galerie Léo Castelli ; 1971 New York, Museum of Modern Art ; etc.

À l'Université de Louisiane, jusqu'en 1963, il peignait dans des tonalités sombres avec des empâtements à la Soutine. À Paris, en 1963-1964, il évolua d'une figuration érotique à une approche de l'abstraction. À ses débuts à New York, en 1966, ses dernières peintures non-figuratives comportaient pourtant encore des connotations sensorielles, voire sensuelles. Sous l'influence de Morris, ayant abandonné la peinture, il a assemblé, dans des installations, des matériaux divers, plastiques, matières synthétiques, objets préfabriqués, avec une prédilection pour les matériaux mous. Il adopta d'abord un registre géométrique à base de formes rectangulaires, pyramidales ou coniques, qu'il délaissa rapidement. Pour sa participation à l'exposition *Eccentric Abstraction*, en 1966, il créa des sculptures non géométriques, organiques, faites d'étoffes qui reposent sur le sol et se gonflent à intervalles réguliers. Puis, le choix des matériaux devient de plus en plus hétéroclite ; il juxtapose des chiffons déchirés, morceaux de soies délicatement peintes, latex floqué, plaques de verre ; ensuite des volumes géométriques avec des barres de néon et des surfaces réfléchissantes, dont des miroirs impliquant la présence reflétée du spectateur. Les assemblages se désorganisent, on ne peut parler de structures, mais de mise en relation, d'associations comme on dit des associations d'idées, fortuites, dues au hasard, de symbiose de choses diverses. En tout cas à ce moment, Sonnier, en réaction ouverte contre l'austérité du Minimal Art, vise la sensibilité, l'expression, la provocation. Son travail avoue des affinités indirectes avec le contenu incongru et souvent sexuel du surréalisme. Loin d'être isolée, la démarche de Sonnier se rapproche de celles de Hesse, Saret, voire Serra ou Morris, et s'inscrit dans un courant, l'« Anti-Form », qui s'est manifesté, aux États-Unis, à la fin des années soixante et qui, par certains côtés, peut être rapproché de l'Art Pauvre européen. Après avoir développé ses investigations à l'échelle d'environnements, pendant une courte période, autour de 1975, Sonnier a exploré les ressources de la technique multimédia, vidéo, télécommunications, en interactivité entre participants. Ensuite, s'écartant des phases antérieures, il a utilisé de nouveau le néon dans des calligraphies d'origine chinoise ; ou encore, est revenu à la réalisation d'objets, en bambou ou acier, jusqu'à la réalisation, en 1994, de la commande publique, *De rouge à bleu*, pour la station *Joffre-Mutualité* du Métrobus de Rouen, où il résoud un problème lumino-cinétique d'environnement. À tout moment, Sonnier se montre non attaché à une définition de lui-même et de son activité, disponible, en recherche permanente d'expérimentations. ■ Pierre Faveton, J. B.

Bibliogr. : J. P. Criqui : *Keith Sonnier*, Édit. Domaine de Kerguéhennec, 1987 – in : *Diction. de l'Art mod. et contemp.*, Hazan, Paris, 1992.

Musées : Montréal (Mus. d'Art Contemp.) : *La Salle* 1980, installation.

Ventes Publiques : New York, 21 oct. 1976 : *Ba-O-Ba séries (OAA)* 1969-1974, néon et verre (217x201x46) : **USD 2 500** – New York, 3 mai 1989 : *Sans titre* 1971, tubes de néon (203x231x63,5) : **USD 41 250** – New York, 9 mai 1990 : *Slanted tuft* 1968, maille métallique/cuivre et bois (165x50,7x10) : **USD 19 800** – Paris, 8 oct. 1991 : *Sans titre* 1970, cr. de coul. et peint./pap. (57x51) : **FRF 10 000** – New York, 14 nov. 1991 : *Sans titre*, cr., past. et craie/pap. (33x24,8) : **USD 550** – New York, 6 oct. 1992 : *Fa (reconstruction)*, sculpt. de néon (190,5x180,3) : **USD 17 600**.

SONNIER Léon Julien Ernest
Né à Paris. XIXᵉ-XXᵉ siècles. Français.
Peintre de paysages, marines, paysages d'eau, pastelliste.
Il fut élève de Jean-Paul Laurens et Frédéric Montenard. Il exposait à Paris, au Salon des Artistes Français, reçut en 1900 une mention honorable pour l'Exposition universelle.
Musées : Louviers : *La Seine à Herqueville* – *Dans la prairie* – *Baigneuse aux aguets* – *Plaine de Porte-Joie*.
Ventes Publiques : Paris, 4 mars 1925 : *Bords de rivière*, past. : **FRF 140** ; *Petit port de pêche en Bretagne* : **FRF 410** – Paris, 26 mars 1947 : *Bord de mer* 1906, past. : **FRF 400** – Enghien-les-Bains, 28 mars 1982 : *Repos auprès de la rivière*, past. (65x99) : **FRF 21 000**.

SONNINI DE MANONCOUR Charles Nicolas Sigisbert
Né le 1ᵉʳ février 1751 à Lunéville. Mort le 29 mai 1812 à Paris. XVIIIᵉ-XIXᵉ siècles. Français.
Dessinateur.
Explorateur, il rapporta des dessins de ses expéditions.

SONNIUS Emmanuel
Mort avant le 16 novembre 1662 à Helsingör. XVIIᵉ siècle. Hollandais.
Peintre.
Fils de Hendrick Sonnius, on ne connaît sa mort que par le même document citant celle de son père. Il fut peintre à la cour de Clève en 1652.

SONNIUS Hendrik ou **Zonius**
Mort avant le 16 novembre 1662 en Angleterre. XVIIᵉ siècle. Hollandais.
Peintre de portraits, paysages animés.
Il travailla avec Sybert. Moninchx ou Jan. Van Ravesteyn en 1635. Il fut un des fondateurs de la Pictura en 1656. Il séjourna en Angleterre.
Musées : Genève (Mus. Rath) : *Paysage* – Londres (British Mus.) : *Route avec deux figures*.

SONNLEITHNER Franz
Né à Littau. XVIIIᵉ siècle. Actif dans la première moitié du XVIIIᵉ siècle. Autrichien.
Peintre.
Élève de l'Académie de Vienne. Il peignit des tableaux d'autel pour l'église de l'Assomption à Einoth (Moravie).

SONNLEITHNER Franz
Né en 1782 à Vienne. Mort le 12 novembre 1817 à Vienne. XIXᵉ siècle. Autrichien.
Portraitiste.

SONNLEITHNER Ludwig
Né le 20 juillet 1817 à Landau-sur-l'Isar. XIXᵉ siècle. Actif à Würzburg. Allemand.
Sculpteur.
Il exécuta des sculptures architecturales, des tombeaux et des statues pour des autels de Würzburg et pour les localités des environs.

SONNTAG C.
XIXᵉ siècle. Actif dans la première moitié du XIXᵉ siècle. Allemand.
Peintre de genre et aquafortiste.

SONNTAG Eduard ou **Carl Eduard**
Né le 14 août 1813 à Dresde. Mort le 23 juin 1887 à Bockenheim (près de Francfort-sur-le-Main). XIXᵉ siècle. Allemand.
Aquarelliste et architecte.

SONNTAG Friedrich W.
Né le 10 septembre 1895 à Berlin-Schöneberg. XXᵉ siècle. Allemand.
Peintre de figures, portraits, paysages, marines.
Il fut élève de Walther Klemm, Carl Becker-Gundahl, Adolf Münzer, ce dernier peut-être à l'Académie des Beaux-Arts de Düsseldorf. Il s'établit à Essen.
Musées : Dortmund : *Fille des rues* – Hagen : *Le Mont Breitkopf dans l'Oberland bernois* – Munster : *Portrait de l'artiste* – Recklinghausen : *Port*.

SONNTAG Ignaz
Né en 1801 à Vienne. XIXᵉ siècle. Autrichien.
Peintre et lithographe.
Élève de l'Académie de Vienne. Il grava des portraits, des scènes historiques et des scènes de genre.

SONNTAG Johann Tobias
Né le 18 septembre 1716 à Darmstadt. Mort en 1774. XVIIIᵉ siècle. Allemand.
Peintre.
Fils de Zacharias Sonntag. Il peignit des scènes de chasse, des batailles et des cavaliers. Le Musée de Darmstadt conserve de lui *Vue de Darmstadt*, et celui d'Olten, deux *Paysages d'hiver*.

SONNTAG Jozef ou **Joseph**
Né en 1784 à Dresde. Mort le 1ᵉʳ février 1834 à Cracovie. XIXᵉ siècle. Allemand.
Peintre de paysages et de portraits et lithographe.
Il étudia à Dresde avec Klass. En 1805, il se rendit à Vienne. Il alla ensuite à Varsovie. En 1825, il vint à Cracovie, où il fut nommé professeur de dessin au Lycée Sainte-Barbe. Il fit des portraits,

des paysages, des miniatures et des tableaux de genre. Les Musées de Cracovie et de Lemberg conservent des œuvres de cet artiste.

SONNTAG Wilhelm Moritz
Né le 6 avril 1816 à Dresde. Mort le 8 janvier 1842 à Dresde. XIXᵉ siècle. Allemand.

Peintre et aquafortiste.
Élève de Carl August Richter.

SONNTAG William Louis I, l'Aîné ou Sontag
Né le 2 mars 1822 à Pittsburgh. Mort le 22 janvier 1900 ou 1916 à New York. XIXᵉ siècle. Américain.

Peintre de paysages animés, paysages, marines, paysages d'eau, paysages de montagne, aquarelliste.
Il devint associé de la National Academy de New York en 1860, et fut fait académicien.

MUSÉES : CINCINNATI – DETROIT – KANSAS CITY – MELBOURNE (Mus.) : *Automne dans l'Hudson.*

VENTES PUBLIQUES : NEW YORK, 18-20 avr. 1906 : *Dans l'État de Vermont* : USD 140 – NEW YORK, 19 avr. 1911 : *Le Ravin* : USD 90 – NEW YORK, 20 mars 1969 : *Paysage* : USD 2 750 – NEW YORK, 26 mai 1971 : *Paysage fluvial avec pêcheurs* : USD 2 600 – NEW YORK, 20 avr. 1972 : *Paysage* : USD 2 600 – NEW YORK, 28 sep. 1973 : *Paysage au crépuscule* : USD 2 100 – NEW YORK, 16 oct. 1974 : *Deux Chasseurs dans un paysage montagneux 1846* : USD 1 800 – NEW YORK, 29 avr. 1976 : *Delaware Water Gap*, h/t (79,4x115) : USD 6 000 – NEW YORK, 21 avr. 1977 : *Paysage montagneux vers 1847-1848*, h/t (98,5x118) : USD 2 300 – NEW YORK, 24 oct 1979 : *Fin de l'été*, h/t (91,5x142,5) : USD 9 000 – PORTLAND, 11 juil. 1981 : *On Millbrook, New Hampshire*, h/t (51x91,5) : USD 7 250 – NEW YORK, 23 juin 1983 : *Paysage 1894*, aquar. (24,8x36,2) : USD 1 900 – NEW YORK, 31 mai 1984 : *River view 1864*, h/t (76,2x127) : USD 17 000 – NEW YORK, 30 sep. 1985 : *Lac de montagne, Maryland*, h/t (91,5x142,9) : USD 22 000 – NEW YORK, 14 mars 1986 : *Marée basse*, aquar. (25,2x35,5) : USD 2 200 – NEW YORK, 5 déc. 1986 : *Mountain lake inlet*, h/t (92,7x135,7) : USD 18 000 – NEW YORK, 4 déc. 1987 : *Fishing*, h/t (48x82) : USD 38 000 – NEW YORK, 17 mars 1988 : *Paysage de lac de montagne animé d'un personnage*, h/t (40x60) : USD 9 625 – NEW YORK, 26 mai 1988 : *Parure de fête en danger*, aquar./p. collé/cart. (35,5x53,1) : USD 13 200 – NEW YORK, 30 sep. 1988 : *Soleil levant*, h/t (30,8x50,8) : USD 7 700 – NEW YORK, 1ᵉʳ déc. 1988 : *Le vieux moulin 1862*, h/t (45,7x61) : USD 11 000 – NEW YORK, 28 sep. 1989 : *Androscoggin dans le New Hampshire*, h/t (44,5x77,5) : USD 26 400 – NEW YORK, 30 nov. 1989 : *Panorama bien dégagé*, h/t (50,8x91,4) : USD 20 900 – NEW YORK, 16 mars 1990 : *Un chalet abandonné 1862*, h/t/rés. synth. (91x73) : USD 13 200 – NEW YORK, 24 mai 1990 : *Paysage fluvial et montagneux 1864*, h/t (76,2x127) : USD 29 700 – NEW YORK, 27 sep. 1990 : *Pêche dans un lac de montagne*, h/t (51,6x79,5) : USD 8 800 – NEW YORK, 6 déc. 1991 : *Derniers rayons du soleil sur les montagnes de Massanutten 1865*, h/t (91,8x142,4) : USD 33 000 – NEW YORK, 12 mars 1992 : *Sur le Shenandoah*, h/t (50x75,1) : USD 6 600 – NEW YORK, 28 mai 1992 : *Ruisseau de montagne au pied du Mont Carter dans le New Hampshire*, h/t (102x160,2) : USD 30 800 – NEW YORK, 22 sep. 1993 : *Marée basse*, aquar. et gche/pap. (23x50,5) : USD 2 760 – NEW YORK, 3 déc. 1993 : *La pêche dans une crique 1865*, h/t (76,6x127) : USD 21 850 – NEW YORK, 12 sep. 1994 : *Cabane dans le désert 1890*, aquar./pap. (22,5x28,6) : USD 1 610 – NEW YORK, 30 nov. 1995 : *La Rivière Cumberland*, h/t (61x101,6) : USD 17 250 – NEW YORK, 22 mai 1996 : *Vue d'une ville dans une vallée*, h/t (88,9x142,2) : USD 54 625 – NEW YORK, 26 sep. 1996 : *Le Vieux Moulin*, h/t (69,8x101,6) : USD 10 925 – NEW YORK, 30 oct. 1996 : *Vers les Pilot Mountains, New Hampshire*, h/t (30,5x50,8) : GBP 8 625 – NEW YORK, 23 avr. 1997 : *Paysage vallonné, Cincinnatti 1852*, h/t (43,2x63,5) : USD 8 050 ; *Ruisseau de montagne 1859*, h/t (26x20,3) : USD 2 990 ; *Paysage*, h/t (51,4x76,2) : USD 4 600 – NEW YORK, 7 oct. 1997 : *Pêche au bord d'un lac au coucher de soleil 1865*, h/t (33x53,3) : USD 13 800.

SONNTAG William Louis II, le Jeune ou Sontag
Né en 1870 à New York. XIXᵉ-XXᵉ siècles. Américain.

Peintre de genre.
Fils de William Louis Sonntag, dit l'aîné.

VENTES PUBLIQUES : NEW YORK, 21 juin 1979 : *Camp gitan*, aquar. (35x52) : USD 3 100.

SONNTAG Zacharias
Mort en 1737. XVIIIᵉ siècle. Travaillant à Darmstadt. Allemand.

Peintre de natures mortes, de paysages, de scènes de chasse et de marines.
Père de Johann Tobias Sonntag.

SONOFF Andrei Ivanovitch. Voir **SOMOV**

SONOIS
XVIIIᵉ siècle. Actif en Lorraine. Français.

Portraitiste.
Il a peint un *Portrait de Jacques Hulin, ministre de Stanislas, duc de Lorraine.*

SONOLET Louis
Né en 1875. Mort en 1928. XXᵉ siècle. Français.

Peintre.
Il était établi à Paris.

SONREL Antoine
XIXᵉ siècle. Actif à Nancy au milieu du XIXᵉ siècle. Français.

Lithographe.
Il travailla de 1844 à 1850 à Neuchâtel.

SONREL Elisabeth
Née le 17 mai 1874 à Tours (Indre-et-Loire). Morte en 1953. XIXᵉ-XXᵉ siècles. Française.

Peintre de sujets allégoriques, scènes de genre, figures, portraits, paysages, fleurs, peintre à la gouache, aquarelliste, pastelliste, dessinateur, illustrateur.
Elle fut élève de Jules Lefebvre. Elle figura à Liverpool, ainsi qu'au Salon des Artistes Français de Paris, obtenant une mention honorable en 1893, une médaille de troisième classe en 1895, une médaille de bronze en 1900, pour l'Exposition universelle. Elle reçut également le Prix Henri Lehmann, décerné par l'Institut de France. Florence Levy, dans son American Annual de 1910, l'appelle à tort Sorrel.

Elle peignit de nombreux portraits de femmes et d'enfants. Ses scènes de genre sont très représentatives de l'académisme fin de siècle : *Sarah Bernhardt dans le rôle de Francesca de Rimini.*

Elisabeth Sonrel

MUSÉES : MULHOUSE : *Le Cortège de Flore.*
VENTES PUBLIQUES : NEW YORK, 22-23 jan. 1909 : *Angélique* : USD 110 – PARIS, 11-13 juin 1923 : *Sarah Bernhardt dans le rôle de Francesca da Rimini*, aquar. : FRF 320 – PARIS, 10 mars 1950 : *Titania*, aquar. : FRF 3 000 – PARIS, 25 nov. 1974 : *Les Esprits de l'Abîme*, aquar. : FRF 101 000 – VERSAILLES, 15 juin 1976 : *La Lecture à la châtelaine*, peint./tissu (28x37) : FRF 9 000 – LONDRES, 4 mai 1977 : *Jeune fille en rouge*, h/t (59,5x48) : GBP 3 600 – LONDRES, 23 nov. 1978 : *Jeune femme aux hortensias*, aquar. et cr. (42x49,5) : GBP 2 100 – ENGHIEN-LES-BAINS, 28 oct 1979 : *Les abîmes 1893*, aquar./pap. bistre (54x38) : FRF 52 000 – ENGHIEN-LES-BAINS, 27 juin 1982 : *Les esprits de l'abîme 1899*, aquar. reh. d'or (110x83) : FRF 170 000 – PARIS, 14 déc. 1984 : *Jeune fille de profil, au bord de la mer*, aquar. reh. de past. (24x22) : FRF 9 000 – LONDRES, 20 juin 1985 : *Jeune fille rousse parmi des pommiers en fleurs*, aquar. reh. de gche blanche/trait de cr. (31,5x47) : GBP 1 050 – STOCKHOLM, 10 déc. 1986 : *Jeune fille cousant au pied d'un arbre 1898*, aquar. (31x43) : SEK 27 000 – PARIS, 24 nov. 1987 : *Béatrice Portinari*, aquar. gchée/fond préparé à la feuille d'or (31x20) : FRF 35 000 – PARIS, 8 déc. 1987 : *Deux Femmes en coiffe*, past. (48x64) : FRF 17 000 – PARIS, 24 nov. 1988 : *Béatrice Portinari*, aquar. gchée/fond préparé à la feuille d'or (31x20) : FRF 35 000 – VERSAILLES, 5 mars 1989 : *Portrait présumé de Béatrice Portinari*, h/t (65x54) : FRF 75 500 – PARIS, 20 mars 1989 : *Jeune Femme en coiffe*, aquar. (31x46) : FRF 29 000 – PARIS, 4 mars 1990 : *Nostalgie sur la grève*, aquar. (46x29) : FRF 12 500 – LONDRES, 30 mars 1990 : *La Musique*, h/t (95,2x122) : GBP 22 000 – VERSAILLES, 25 nov. 1990 : *Dorothea*, cr., aquar. et gche (49x23) : FRF 30 200 – LONDRES, 18 juin 1993 : *La Provende des faisans*, cr., encre et aquar. (31,7x49,5) : GBP 1 265 – PARIS, 24 mars 1994 : *La Poésie 1907*, aquar. et gche (41,5x49,5) : FRF 38 000 – NEW YORK, 19 jan. 1995 : *La Forêt de Brocéliande*, aquar./cart. (46x57,2) : USD 10 350 – PARIS, 4 juil. 1995 : *Le Jardin des Vierges 1892*, aquar. (30,5x44) : FRF 15 500 – NEW YORK, 15 déc. 1996 : *Fillette en rose dans un jardin de lys 1897*, h/pan. (49,8x14,6) : USD 12 650 – CALAIS, 15 déc. 1996 : *Village médiéval*, aquar. (35x50) : FRF 7 500.

SONS Jan ou Hans. Voir **SOENS Jan**

SONSAI, de son vrai nom : **Kimura Kôkyô**, surnom : **Seishuku**, noms de pinceau : **Sonsai** et **Kenkadô**
Né en 1736 à Osaka. Mort en 1802. XVIIIᵉ siècle. Japonais.

Peintre de paysages.

Il appartient à l'école Nanga (peinture de lettré). Ses œuvres furent très appréciées plus tard par Chikuden (1777-1835).

VENTES PUBLIQUES : NEW YORK, 17 oct. 1989 : *Bambous*, encre/pap., kakémono (118,7x40) : **USD 11 000.**

SONSINO Andrea. Voir SONCINO

SONSIS Jan ou Hans. Voir SOENS

SONTAG Christoph
XVIIIᵉ-XIXᵉ siècles. Allemand.
Modeleur.
Il vécut à Wallendorf, travaillant de 1797 à 1800. Il travailla à la Manufacture de porcelaine de Wallendorf.

SONTAG William Louis. Voir SONNTAG

SÖNTGEN Jean Joseph ou Johann Joseph
Né à Coesfelden (Westphalie). Mort le 4 août 1788 à Nancy.
XVIIIᵉ siècle. Français.
Sculpteur.
Il fut sculpteur particulier du duc de Lorraine Stanislas dont il fit le mausolée à Saint-Roch de Nancy en 1766. On cite encore de lui les travaux du catafalque érigé pour le service funèbre à Saint-Roch de Nancy lors de la mort de Louis XV.

SÖNTGENS Johann Jakob
Mort après 1701. XVIIᵉ siècle. Actif à Cologne. Allemand.
Peintre.
Il peignit des sujets religieux et des portraits.

SONTHEIM Ignaz
Né en 1766. Mort le 16 avril 1825 à Vienne. XVIIIᵉ-XIXᵉ siècles.
Autrichien.
Peintre d'architectures.

SONTO Y CUERO Alfredo, orthographe erronée. Voir SOUTO CUERO

SONZINO Andrea. Voir SONCINO

SONZINO Francesco
XVIIᵉ siècle. Actif à Florence en 1639. Italien.
Sculpteur.

SONZINO Pietro
XVIIᵉ siècle. Actif en Toscane. Italien.
Sculpteur.
Il travailla à Rome en 1639.

SOOLMAKER Jan Frans ou Sooemaker ou Soomackers
Né en 1635 à Anvers. Mort après 1685 en Italie. XVIIᵉ siècle.
Éc. flamande.
Peintre d'animaux, paysages animés.
Il fut élève de J. de Bruin. Il fit admis dans la gilde d'Anvers en 1654. Il était à Amsterdam en 1665.
Cet artiste contemporain de Ruysdael, Wynaerts, Berchem, imita surtout la manière de ce dernier et s'en rapprocha sensiblement. Cependant ses ouvrages sont d'une exécution plus lourde, les ombres sont moins transparentes. Il a traité comme son modèle des paysages animés. Ses œuvres sont généralement de petites dimensions et sur panneaux.

MUSÉES : AMIENS : *Halte de chasse – Tonte de moutons –* BRUXELLES : *Réconciliation de Jacob et d'Esaü – Paysannes à la fontaine, en Italie –* BUDAPEST : *Le berger –* COLOGNE : *Paysage –* DARMSTADT : *Pâtres italiens à la fontaine –* DUBLIN : *Bétail dans un paysage montagneux –* GENÈVE (Ariana) : *Paysage –* LA HAYE : *Carrefour en Italie –* SCHLEISSHEIM : *Ruines et troupeau –* VALENCIENNES : *Marché aux bestiaux –* VIENNE (Liechtenstein) : *Paysage.*
VENTES PUBLIQUES : PARIS, 1831 : *Paysage avec animaux :* **FRF 1 470** – PARIS, 1834 : *Site d'Italie :* **FRF 155** – PARIS, 1846 : *Paysage pastoral :* **FRF 672** – PARIS, 1861 : *Un marché aux che-*

vaux : **FRF 900** – PARIS, 1873 : *La rentrée du troupeau :* **FRF 3 500** – PARIS, 1882 : *Paysage et animaux :* **FRF 2 050** – PARIS, 30 nov. 1891 : *L'abreuvoir :* **FRF 1 600** ; *Le passage du gué :* **FRF 1 300** – PARIS, 1897 : *Paysage avec soleil couchant :* **FRF 455** – BRUXELLES, 30 mai 1899 : *Passage du gué :* **FRF 800** – PARIS, 12 mai 1928 : *Le halage du bateau :* **FRF 940** – PARIS, 27 oct. 1948 : *Le roi Salomon et la reine de Saba :* **FRF 7 500** – PARIS, 30 mars 1949 : *Offrandes royales :* **FRF 5 200** – LUCERNE, 26 juin 1965 : *Paysage animé de personnages :* **CHF 5 500** – AMSTERDAM, 19 avr. 1966 : *Berger et son troupeau, voyageurs et cavalier près d'une fontaine :* **NLG 4 300** – LUCERNE, 22 juin 1968 : *Ruines dans un paysage d'Italie :* **CHF 6 600** – LONDRES, 19 nov. 1971 : *Scène de chasse :* **GNS 2 600** – ROUEN, 13 mars 1974 : *Bergers et troupeaux dans un paysage montagneux :* **FRF 23 100** – LONDRES, 9 juil. 1976 : *Vue de l'Escorial*, h/t (70x99) : **GBP 4 800** – COLOGNE, 11 mai 1977 : *Paysage d'Italie*, h/pan. (39,5x47,5) : **DEM 24 000** – PARIS, 11 juil. 1985 : *Scène d'extérieur avec ruines, vaches et personnages*, h/t (92x110) : **FRF 46 000** – NEW YORK, 7 avr. 1988 : *Paysans et bétail au bord d'un ruisseau, sur fond de colline surmontée de ruines*, h/t (74x89,5) : **USD 8 250** – LONDRES, 16 avr. 1997 : *Paysans et leurs bêtes près d'une fontaine dans un paysage méridional*, h/t (62,6x73) : **GBP 6 670.**

SOOM Gisebrecht Van ou Sooms ou Zoems ou Zoms ou Zooms
XVIᵉ siècle. Éc. flamande.
Peintre.
Il peignit des figurines à Bruges de 1548 à 1562.

SOON Laurens. Voir SOM

SOONIUS Louis
Né en 1883. Mort en 1956. XXᵉ siècle.
Peintre de scènes de genre. Figuratif.

Louis Soonius

VENTES PUBLIQUES : AMSTERDAM, 17 sep. 1980 : *Scène de plage*, h/t (29x44,3) : **NLG 2 000** – AMSTERDAM, 24 avr. 1991 : *Jeune Fille sur une plage*, h/cart. (24,5x30,5) : **NLG 4 600** – AMSTERDAM, 30 oct. 1991 : *Enfants jouant dans les dunes*, h/t (30x41) : **NLG 4 370** – AMSTERDAM, 28 oct. 1992 : *Jeunes Filles en maillot de bain sur une plage*, h/t (41x61) : **NLG 9 200** – AMSTERDAM, 2 nov. 1992 : *Enfants avec des ânes sur une plage*, h/t (49x68) : **NLG 5 520** – AMSTERDAM, 11 fév. 1993 : *Jeune femme en robe rose se promenant sur une plage 1921*, h/pan. (31,5x23,5) : **NLG 1 495** – AMSTERDAM, 21 avr. 1993 : *Plaisirs de la plage 1918*, h/t (32,5x48) : **NLG 12 650** – AMSTERDAM, 19 oct. 1993 : *Enfants avec un chien sur une plage*, h/pan. (28x36) : **NLG 4 830** – AMSTERDAM, 11 avr. 1995 : *Une journée à la plage*, h/t (25,5x36) : **NLG 7 670** – AMSTERDAM, 19-20 fév. 1997 : *Beautés sur la plage 1919*, craie noire et past./pap. (44,5x52,5) : **NLG 4 036** – AMSTERDAM, 2 juil. 1997 : *Ânes sur une plage*, h/pan. (18x24) : **NLG 6 342** – AMSTERDAM, 27 oct. 1997 : *Personnages sur une terrasse*, h/pan. (19x28) : **NLG 7 316.**

SOORD Alford Usher
Né en 1868. Mort en août 1915 à Granmere. XIXᵉ-XXᵉ siècles.
Britannique.
Peintre de décorations murales, portraits, paysages, fleurs.

SOOS Gyula ou Julius
Né le 15 août 1891 à Mezőtur. XXᵉ siècle. Hongrois.
Peintre de figures, paysages.
Il reçut sa formation à Berlin et Munich. Il était établi à Budapest.
VENTES PUBLIQUES : ZURICH, 7 nov. 1981 : *Famille de gitans*, h/t (63x80) : **CHF 8 000.**

SOOS Joska ou Soosz
Né le 20 décembre 1921 à Apostay. XXᵉ siècle. Actif et naturalisé en Belgique. Hongrois.
Peintre. Abstrait, tendance magique.
En principe autodidacte, d'autant qu'œuvrant dans des zones peu communicables, il a cependant reçu les conseils de Marcel Delmotte.
Sans références spéciales avec des sources nord-américaines ou hindoues, ses œuvres, qui ont souvent l'aspect de totems lumineux, sont inspirées par l'iconographie chamanique. Elles se situent à la frontière, floue et mal définie, du non-figuratif et du fantastique. Tout à fait ésotériques, elles côtoient les secrets de

l'astrophysique et de la dynamique cosmologique, dans le projet d'entrer en communication extatique avec les esprits de la nature. D'un point de vue plastique, les arabesques qui symbolisent ces communications extra-sensorielles dénotent toujours un sens plastique raffiné.

Musées : Budapest – Charleroi.

SOOS Vilmos. Voir SZAMOSI SOOS

SOOSTER Ullo
XXᵉ siècle. Russe.

Peintre de scènes animées. Tendance fantastique.

Dans l'époque stalinienne, il fut un des rares artistes de la Russie soviétique à pratiquer des formes d'expression résolument modernes, en opposition aux directives institutionnelles, impérativement réalistes et stérilement rétrogrades. À ce titre, il était resté à peu près inconnu. La libéralisation du régime ne l'a pourtant pas fait réapparaître.

On sait qu'il se rapprochait d'un fantastique surréalisant, créant des êtres inquiétants, à la ressemblance de crustacés, dont les attributs sexuels seraient mis en évidence, produisant une ambiguïté entre aspect repoussant et organes d'attraction, probablement symbolique du milieu social de l'époque.

SOOSZ Joska. Voir SOOS Joska

SOOT Eyolf
Né le 24 avril 1858 à Aremack. Mort le 30 août 1928 à Oslo. XIXᵉ-XXᵉ siècles. Norvégien.

Peintre de genre, figures, portraits, paysages.

Il figura aux expositions du Salon des Artistes Français à Paris. Il reçut en 1889 une médaille d'argent pour l'Exposition universelle, 1900 une médaille d'or pour l'Exposition universelle.

Son *Portrait de l'écrivain Jonas Lie* est souvent cité.

Musées : Bergen : *Portrait de Björnson* – Oslo (Mus. nat.) : *Une visite – L'infanticide – Paysage près de Saint-Cloud – Jonas Lie avec sa femme – Bj. Björnson avec sa femme.*

SOOTWICX Jurriaan, appellation erronée. Voir COOTWYCX

SOPATROS I
IIIᵉ siècle avant J.-C. Actif à Thèbes vers 200 av. J.-C. Antiquité grecque.

Sculpteur.

Assistant et probablement fils de Menecrate. Il sculpta des statues pour le temple de Delphes.

SOPATROS II
IIᵉ siècle avant J.-C. Actif à Démétrias au début du IIᵉ siècle av. J.-C. Antiquité grecque.

Sculpteur.

Fils de Theodoros. Il travailla à Delphes et exécuta des statues.

SOPATROS III
IIᵉ siècle avant J.-C. Actif à Soloi, travaillant vers 100 avant J.-C. Antiquité grecque.

Sculpteur.

Il sculpta des statues.

SOPER George
Né en 1870 à Londres. XIXᵉ-XXᵉ siècles. Britannique.

Peintre de genre, paysages, graveur.

Il fut élève de sir Frank Short. À partir de 1890, il exposa à Londres.

De 1890 à 1893 il peignit des paysages ; plus tard, il grava surtout des scènes champêtres.

SOPER Thomas George ou James
XIXᵉ siècle. Britannique.

Peintre de paysages, paysages d'eau, aquarelliste.

Il exposa très fréquemment à Londres de 1836 à 1890, notamment à la Royal Academy, à la British Institution, à Suffolk Street et à la New-Water-Colours Society. Il travailla à Edmartin.

Musées : Reading : *La Rivière Arum dans le Sussex*, aquar.

Ventes Publiques : Chester, 13 janv. 1984 : *Wharfdale, Yorkshire 1860*, h/t (92,5x137) : GBP 4 400.

SOPER William
XIXᵉ-XXᵉ siècles. Britannique.

Peintre de portraits, miniatures.

De 1882 à 1903, il était actif à Londres.

Il exposait à Londres, des miniatures.

SOPERS Antoine Nazaire
Né en 1824 à Bois-le-Duc. Mort le 8 mars 1882 à Liège. XIXᵉ siècle. Belge.

Sculpteur de figures allégoriques, typiques, bustes, compositions décoratives.

Il fut élève des Académies des Beaux-Arts de Liège et d'Anvers. Il poursuivit sa formation à Rome. Il figura aux expositions du Salon de Paris, reçut une médaille en 1864.

Ayant souvent créé des compositions décoratives, on cite de lui dans cet esprit la décoration de la salle des concerts du Conservatoire de Bruxelles.

Bibliogr. : In : *Dict. biogr. illustré des artistes en Belgique depuis 1830*, Arto, Bruxelles, 1987.

Musées : Bruxelles : *Jeune Napolitaine jouant à la roglia* – Liège : *Jeune Napolitaine jouant à la roglia – Le Temps.*

SOPHER Bernhard
Né le 15 juin 1879 à Safed (Israël), de parents allemands. XXᵉ siècle. Allemand.

Sculpteur de sujets allégoriques, figures, groupes, bustes. Orientaliste.

Il fut élève des Académies des Beaux-Arts de Berlin et Weimar. En 1908, il s'établit à Düsseldorf.

Musées : Aix-la-Chapelle : *Moine faisant pénitence* – Dresde (Gal. nat.) : *Enfant mulâtre* – Düsseldorf (Mus. mun.) : *Buste d'homme – Torse d'enfant – Jeunesse et Âge mûr* – Essen (Mus. Folkwang) : *Joueuse de dés* – Kaliningrad, ancien. Königsberg : *Mère et enfant – Tête d'une petite Chinoise – Petite mulâtresse.*

SOPHIE de Hohenlohe-Ingelfingen. Voir HOHENLOHE-INGELFINGEN

SOPHIE de Lippe, princesse
Née le 7 août 1834 à Karlsruhe. Morte le 6 avril 1904 à Karlsruhe. XIXᵉ siècle. Allemande.

Peintre de natures mortes.

SOPHIE de Saxe-Cobourg-Saalfeld, princesse, et comtesse Mensdorff-Pouilly
Née le 19 août 1779 à Saalfeld. Morte le 8 juillet 1835 à Tuschitz. XIXᵉ siècle. Allemande.

Dessinateur, aquafortiste et écrivain.

Elle grava des portraits.

SOPHIE ALBERTINE de Suède, princesse
Née le 8 octobre 1753 à Stockholm. Morte le 17 mars 1829 à Tullgarn. XVIIIᵉ-XIXᵉ siècles. Suédoise.

Dessinateur.

Dès 1787, elle fut abbesse du couvent de Quedlinbourg. Elle devint également membre de l'Académie Saint-Luc de Rome.

SOPHIE CHRISTIANE de Hohenlohe-Ingelfingen, princesse
Née le 10 septembre 1762 à Magdebourg. Morte le 29 avril 1831 à Ingelfingen. XVIIIᵉ-XIXᵉ siècles. Allemande.

Peintre de portraits et de miniatures.

Elle peignit des portraits de membres de la famille des Hohenlohe.

SOPHIE ÉLÉONORE FRIEDRIKE de Schleswig-Holstein-Sonderborg-Augustenbourg, princesse
Née le 8 mars 1767. Morte le 18 novembre 1836. XVIIIᵉ-XIXᵉ siècles. Allemande.

Miniaturiste.

Le Musée Körner de Dresde conserve d'elle un *Portrait de Ferdinand von Schill.*

SOPHIE FRIEDERIKE MATHILDE de Wurtemberg, princesse
Née le 17 juin 1818 à Stuttgart. Morte le 3 juin 1877. XIXᵉ siècle. Allemande.

Aquarelliste.

SOPHIE HEDWIG de Danemark, princesse
Née le 28 août 1677 à Copenhague. Morte le 13 mars 1735. XVIIIᵉ siècle. Danoise.

Peintre de genre, portraits, miniatures, fleurs et fruits.

On conserve treize peintures de cette artiste au château de Rosenborg, à Copenhague.

SOPHILOS I
VIᵉ siècle avant J.-C. Actif dans le premier tiers du VIᵉ siècle avant J.-C. Antiquité grecque.

Peintre de vases.

Il est le plus ancien peintre de vases grecs dont on connaisse le nom. Il peignit des figures et des animaux stylisés. On voit sa signature sur quelques vases, dont le Dinos de l'Acropole d'Athènes et le Dinos de Pharsale.

SOPHILOS II
Antiquité grecque.

Mosaïste.
Il était actif à l'époque hellénistique. On connaît de lui une mosaïque se trouvant à Alexandrie et représentant une allégorie de cette ville.

SOPHOCLES
IVe siècle avant J.-C. Actif vers 300 avant Jésus-Christ. Antiquité grecque.
Sculpteur.
Il exécuta trois statues à Olympie, probablement des statues équestres.

SOPHRON
Ier siècle. Actif à Sounion. Antiquité grecque.
Sculpteur.
Il exécuta la statue de Klados de Marathon qui se trouvait sur l'Acropole d'Athènes.

SOPHRONISKOS
Ve siècle avant J.-C. Antiquité grecque.
Sculpteur.
Père du philosophe Socrate à qui il apprit le métier de sculpteur.

SOPOCKO Konstanty
Né le 5 décembre 1903 à Varsovie. XXe siècle. Polonais.
Graveur, illustrateur.
Il acquit sa formation à Varsovie.
Il grava des vues, des ex-libris et illustra *Till Eulenspiegel*.

SOPOLIS ou **Sopylus**
Ier siècle avant J.-C. Actif à Rome de 87 à 54 avant J.-C. Antiquité romaine.
Peintre.
Portraitiste cité par Pline.

SOPRANI Raffaello ou **Raffaele**
Né le 8 janvier 1612 à Gênes. Mort le 2 janvier 1672 à Gênes. XVIIe siècle. Italien.
Peintre de paysages, et écrivain d'art.
Peintre d'origine patricienne. Il écrivit une biographie d'artistes liguriens.

SOPRANO Antonio
Né à Trapani. XVIe siècle. Actif dans la première moitié du XVIe siècle. Italien.
Sculpteur.
Il sculpta un *Crucifix* dans la cathédrale d'Alcamo en 1524.

SOPRANO Francesco
XVIe siècle. Actif à Trapani dans la première moitié du XVIe siècle. Italien.
Sculpteur.

SOPYLUS. Voir **SOPOLIS**

SOQUET Pierre ou **Soqueti**
Mort en mai 1505 à Aix-en-Provence. XVe siècle. Actif à Saint-Quentin. Français.
Sculpteur.
Il exécuta des sculptures à la façade de l'église Saint-Sauveur d'Aix-en-Provence.

SOQUI. Voir **SOCQUET**

SORA Orlando
Né le 18 février 1903. XXe siècle. Italien.
Peintre de sujets religieux.
Il n'eut pas de maître. Il était actif à Lecco, où il exécuta une *Maternité* pour l'Opera Maternita.

SORAIRE Gaspar Besares
Né en 1900 à Santiago del Estero. XXe siècle. Argentin.
Peintre de genre, scènes typiques, natures mortes, aquarelliste, graveur.
Il fut élève de l'Académie Nationale des Beaux-Arts de Buenos Aires. Il obtint plusieurs Prix, dont un, en 1930, du Salon National, et un autre, la même année, au Salon des Aquarellistes et des Graveurs. En 1931, il obtint aussi une médaille d'or au Salon Municipal de La Plata.
Il peignit souvent, avec des couleurs brillantes, des scènes pittoresques de son pays natal, et de nombreuses natures mortes.

SORAJE Pedro ou **Sorage**
Né en 1744 à Ariza. Mort vers 1765 à Madrid. XVIIIe siècle. Espagnol.
Sculpteur.
Élève de Robert Michel. L'Académie San Fernando de Madrid conserve de lui *Le siège de Numance*.

SORANZO Giuseppe
Né à Venise. XIXe siècle. Actif dans la seconde moitié du XIXe siècle. Italien.
Sculpteur.
Le musée Correr de Venise possède de lui la statue de *Teodoro Correr*.

SORANZO Marco Aurelio
XVIIe siècle. Actif à Venise en 1659. Italien.
Médailleur.

SORBERGER Johann Georg
Mort en 1703. XVIIe siècle. Actif à Gotha. Allemand.
Médailleur.
Il travailla pour la cour de Gotha et grava des médailles pour des événements historiques et des portraits.

SORBI Giovanni
Né vers 1695 à Sienne. XVIIIe siècle. Italien.
Peintre.
Élève de Giuseppe Nasini et de Giuseppe Crespi à Rome. Il travailla pour des églises de Sienne et de Rome.

SORBI Giovanni
Né le 30 novembre 1779 à Crémone. XIXe siècle. Italien.
Sculpteur sur bois et sur ivoire.
Il se fixa à Brescia en 1827.

SORBI Raffaello ou **Raffaelo**
Né le 24 février 1844 à Florence. Mort le 19 décembre 1931 à Florence. XIXe-XXe siècles. Italien.
Peintre de sujets religieux, genre, intérieurs, figures, portraits, paysages animés, paysages urbains.
Il fut élève de l'Académie des Beaux-Arts de Florence. Il exposait surtout à Florence, à Parme et à Paris.

Musées : Florence (Palais Pitti) : *Sortie de Léopold Ier, grand-duc de Toscane – Portrait du sculpteur Emilio Zocchi* – Prague (Rudolfinum) : *Le Fumeur*.
Ventes Publiques : Londres, 29 avr. 1911 : *Aveugle 1888* : **GBP 47** – Londres, 8 mars 1935 : *Retour des chasseurs* : **GBP 120** – New York, 4-5 fév. 1944 : *Florence* : **USD 475** – Londres, 10 juil. 1964 : *La chasse au faucon* : **GNS 1 850** – Milan, 21 oct. 1969 : *L'auberge* : **ITL 1 600 000** – Milan, 4 juin 1970 : *Sainte Madeleine* : **ITL 2 600 000** – Londres, 15 mars 1974 : *L'heure de musique* : **GNS 8 000** – Milan, 28 oct. 1976 : *La chaise-à-porteurs*, h/t (33x44) : **ITL 6 000 000** – New York, 7 oct. 1977 : *Les ménestrels 1874*, h/t (51,5x66,5) : **USD 12 500** – Amsterdam, 24 avr 1979 : *La Fileuse 1872*, h/t (112,5x77) : **NLG 6 000** – Milan, 5 nov. 1981 : *Le Déjeuner des laboureurs 1914*, h/t (66,5x113,5) : **ITL 65 000 000** – Milan, 15 juin 1983 : *Lavandières au bord de la rivière*, h/pan. (40x20,5) : **ITL 28 000 000** – Florence, 27 mai 1985 : *Paysage d'automne*, h/pan. (11x7,5) : **ITL 3 000 000** – Milan, 29 mai 1986 : *L'auberge de campagne 1908*, h/t (62x85) : **ITL 70 000 000** – Milan, 23 mars 1988 : *Bacchantes poursuivies par des faunes*, h/t (26x33,5) : **ITL 16 500 000** – Rome, 14 déc. 1989 : *L'auberge en plein-air 1892*, h/t (48x80) : **ITL 299 000 000** – Milan, 18 oct. 1990 : *Canards*, h/pan. (3,5x6,5) : **ITL 4 500 000** – Milan, 18 oct. 1990 : *Le repas des laboureurs 1914*, h/t (66x113) : **ITL 135 000 000** – Amsterdam, 24 avr. 1991 : *Elégante jeune femme avec un manchon assise dans un intérieur 1871*, h/pan. (23,5x19) : **NLG 59 800** – Milan, 6 juin 1991 : *La gardeuse de dindons*, h/pan. (15x14,5) : **ITL 19 000 000** – New York, 20 fév. 1992 : *La ronde 1877*, h/t (40x74,9) : **USD 57 750** – Paris, 2 nov. 1992 : *Jeune Femme accoudée*, h/pan. (9,5x5,5) : **ITL 4 000 000** – Milan, 3 déc. 1992 : *Vue de maisons*, h/pan. (7,5x6,8) : **ITL 6 215 000** – New York, 17 fév. 1993 : *Le Départ pour la chasse 1926*, h/t (60,3x100,6) : **USD 107 000** – Milan, 21 déc. 1993 : *Paysanne dans une oliveraie*, h/pan. (3,5x6,5) : **ITL 17 825 000** – Milan, 29 mars 1995 : *Tête d'homme avec un chapeau*, h/pan. (5,5x6) : **ITL 2 530 000** – New York, 1er nov. 1995 : *Le Jeu de cartes 1893*, h/t (49,5x78,7) : **USD 12 500** – Milan, 29 nov. 1996 : *Tête de jeune fille souriante*, h/pan. (6,5x6,5) : **ITL 6 990 000** ; *Vestales entrant dans l'amphithéâtre*, h/pan. (9x11) : **ITL 5 242 000** ; *Maison en hiver*, h/pan. (6,5x11,5) : **ITL 7 572 000** – Rome, 28 nov. 1996 : *La Communion 1901*, h/pan. (21,5x13) : **ITL 13 000 000**.

SORBILLI Giuseppe Antonio
Né en 1824 à Quammaro. Mort le 10 janvier 1890 à Naples. XIXe siècle. Italien.

Sculpteur de sujets religieux.

Il reçut sa formation à Naples.

Il travailla pour des églises de Naples et pour les cathédrales de Capoue et d'Avellino.

SORBINI Candido

XIXᵉ siècle. Italien.

Peintre de compositions religieuses.

Actif au milieu du XIXᵉ siècle, il travailla pour des églises de Montepulciano.

SORCH. Voir **SORGH**

SORDET Eugène Etienne

Né le 7 juillet 1836 à Genève. Mort le 15 juillet 1915 à Genève. XIXᵉ-XXᵉ siècles. Suisse.

Peintre de paysages de montagne.

MUSÉES : GENÈVE (Mus. Ariana) : *Vue prise au-dessus du glacier du Rhône, au coucher du soleil* – GENÈVE (Mus. d'Art) : *Paysage alpestre* – deux études de montagnes.

VENTES PUBLIQUES : NEW YORK, 14 mai 1976 : *La cascade*, h/pan. (18,5x28) : USD 550 – ZURICH, 1ᵉʳ juin 1983 : *Grosse Scheidegg (Rosenlaui) mit Wetterhorn*, h/t (98x146) : CHF 14 000 – BERNE, 26 oct. 1988 : *Le val d'Aniviers 1916*, h/cart. (27,5x45) : CHF 1 100.

SORDET-BOISSONNAS Caroline Sophie

Née le 6 novembre 1859 à Genève. XIXᵉ-XXᵉ siècles. Suisse.

Peintre de portraits, pastelliste.

Elle fut élève d'Édouard Ravel à l'École des Beaux-Arts de Genève.

Elle exécuta surtout des portraits d'enfants au pastel.

SORDI Francesco

Né à Padoue. Mort en 1562 à Padoue. XVIᵉ siècle. Italien.

Sculpteur de statues religieuses.

Frère de Marcantonio Sordi.

Il exécuta des statues pour les églises de Padoue.

SORDI Girolamo ou **Sordo**, dit **Girolamo Padovano** et **Girolamo dal Santo**

Mort peu après 1549. XVIᵉ siècle. Travaillant vers 1546. Italien.

Peintre et miniaturiste.

Il était abbé de Saint-Clément, à Florence et peignit plusieurs miniatures dans les livres de chœur de Santa Maria Nuova. On lui attribue également un certain nombre de fresques dans les églises de Padoue et d'autres villes. En particulier, il peignit à Padoue la façade du palais Cornaro ; exécuta plusieurs fresques dans l'église S. Francesco et à S. Giustina, en collaboration avec Parentivo, des *Scènes de la vie de saint Benedict*.

SORDI Marcantonio

Mort vers 1593. XVIᵉ siècle. Actif à Padoue. Italien.

Sculpteur.

Frère de Francesco Sordi. Il exécuta des autels et des tombeaux dans des églises de Padoue.

SORDICCHIO. Voir **PINTURICCHIO**

SORDILLO de Pereda, il. Voir **ARCO Alonso del**

SORDINI Ettore

Né en 1934 à Milan. XXᵉ siècle. Italien.

Peintre. Nouvelles figurations.

Il participe à des expositions de groupe, notamment en 1972 à la Biennale de Menton.

Sa peinture se rattache au courant de la nouvelle figuration.

SORDINO, il. Voir **CALVI Jacopo Alessandro**

SORDO, il. Voir **DINI Bernardino, TORTEROLI G. T., VIVIANI A.**, ainsi que tous les noms des artistes ayant porté ce sobriquet répandu

SORDO Giovanni del, appelé aussi **Mone da Pisa**

Né sans doute vers 1509. Mort peut-être en 1606. XVIᵉ siècle. Actif à Pérouse. Italien.

Peintre.

Élève de Barocci. Il travailla à Pise et à Pérouse ; il passait pour un bon coloriste.

SORDO Girolamo. Voir **SORDI**

SORDOT Gérard

XVIIᵉ siècle. Travaillant au début du XVIIᵉ siècle. Français.

Graveur d'ornements et orfèvre.

SOREAU Daniel ou **Sorian** ou **Soriau**

Né à Anvers. Mort fin mars 1619 à Hanau. XVIᵉ-XVIIᵉ siècles. Éc. flamande.

Peintre de sujets allégoriques, figures, portraits, animaux, natures mortes, architecte.

Père de Peter et d'Isaac Soreau, il est le fondateur de la dynastie des Soreau. Il fut d'abord marchand de laine et était bourgeois de la ville de Francfort-sur-le-Main en 1586. Établi à Hanau vers 1599, il fut l'un des architectes de cette ville. Son activité de peintre s'est déroulée entre 1608 et 1615 et fut très productive. Il fut le maître de Sebastian Stoskopf, Peter Binoit et de ses fils.

BIBLIOGR. : In : *Diction. de la peinture flamande et hollandaise*, coll. *Essentiels*, Larousse, Paris, 1989.

SOREAU Isaac ou **Soriau**

Né en 1604 à Hanau (Hesse). XVIIᵉ siècle. Éc. flamande.

Peintre de natures mortes.

Il serait l'un des fils de Daniel Soreau et frère jumeau de Pieter. On ne sait rien de sa vie, mais il a été très souvent confondu avec Jan, notamment en ce qui concerne l'attribution d'une nature morte datée de 1638 et conservée à Schwerin.

Il serait l'auteur de très nombreuses natures mortes, peintes selon une composition classique : fleurs, fruits et objets sont posés sur un entablement, peints avec une grande délicatesse, dans des couleurs vives, sur fond sombre.

*I. Soreau
1638.*

BIBLIOGR. : In : *Diction. de la peinture flamande et hollandaise*, coll. *Essentiels*, Larousse, Paris, 1989.

MUSÉES : BALTIMORE – CHAMBÉRY (Mus. des Beaux-Arts) : *Nature morte* – DARMSTADT – HAMBOURG – MUNICH – OXFORD – PARIS (Mus. du Petit Palais) – SCHWERIN : *Nature morte aux fleurs et fruits 1638* – STOCKHOLM – TURIN.

VENTES PUBLIQUES : MONACO, 17 juin 1988 : *Nature morte au panier de raisins sur un entablement*, h/pan. (46x62) : FRF 610 500 – LA FLÈCHE, 8 avr. 1990 : *Gobelet de tulipes, plat de raisin, prunes et bol de fraises des bois*, h. : FRF 4 900 000 – MONACO, 4 déc. 1992 : *Corbeille de raisin près d'un coupe Wan-Li pleine de pêches et de raisins avec des cerises sur un entablement*, h/pan. (64x84) : FRF 388 500 – NEW YORK, 14 jan. 1993 : *Raisin dans un plat d'étain, framboise dans un bol de porcelaine Wan-Li avec une rose, un œillet, des noisettes et des groseilles sur une table*, h/pan. (36,2x52,7) : USD 88 000 – CLERMONT-FERRAND, 30 juin 1993 : *Fraises des bois, grappes de raisin et vases de fleurs sur un entablement*, h/pan. (18,5x39) : FRF 1 350 000 – PARIS, 15 déc. 1993 : *Corbeille de raisin et prunes et abricots dans une porcelaine de Wan-Li*, h/pan. chêne (64,5x85,5) : FRF 620 000 – NEW YORK, 11 jan. 1996 : *Nature morte au panier de fruits et de légumes avec des asperges et des artichauts sur une table de bois*, h/cuivre (61,3x65,4) : USD 211 500 – LONDRES, 11 déc. 1996 : *Nature morte aux fruits et aux fleurs, grappes de raisin dans une coupe Wan-Li, fraises, roses et autres fleurs dans un vase en verre*, h/pan. (49,8x64,6) : GBP 177 500.

SOREAU Jan ou **Soriau, Sorione, Sorious**

Né en 1591 à Francfort. Mort sans doute avant 1626. XVIIᵉ siècle. Éc. flamande.

Peintre de natures mortes, fleurs, aquafortiste.

Sans doute fils de Daniel Soreau. On lui a longtemps attribué une *Nature morte aux fleurs et aux fruits* au musée de Schwerin, en raison de la signature I. Soreau ce qui l'a fait confondre avec Isaac Soreau. Mais ce tableau étant daté 1638, il semble hors de question que Jan en soit l'auteur, tandis qu'Isaac l'a sans doute peint. De ce fait, il y a un doute sur l'attribution de toutes les œuvres citées dans les musées et dans les ventes publiques de cet artiste.

BIBLIOGR. : In : *Diction. de la peinture flamande et hollandaise*, coll. *Essentiels*, Larousse, Paris, 1989.

MUSÉES : HAMBOURG : *Le déjeuner* – STOCKHOLM : *Fleurs et fruits*.

VENTES PUBLIQUES : PARIS, 12 déc. 1949 : *Tulipes et œillets dans un verre* : FRF 15 500 – LONDRES, 30 nov. 1966 : *Nature morte aux fleurs et aux fruits* : GBP 4 600 – LONDRES, 8 déc. 1972 : *Nature morte aux fleurs et aux fruits* : GNS 26 000 – LONDRES, 29 juin 1973 : *Nature morte aux raisins* : GNS 3 500 – LONDRES, 2 juil. 1976 : *Nature morte aux fruits et aux fleurs*, h/pan. (73x102,5) : GBP 48 000 – NEW YORK, 26 nov. 1978 : *Nature morte de fruits et de fleurs*, h/bois (54,5x75,5) : FRF 500 000 – PARIS, 21 nov. 1984 : *Corbeille de fruits et fruits sur un entablement*, h/bois (55,5x71,5) : FRF 170 000.

SOREAU Peter ou **Pieter** ou **Soriau**
Né en 1604 à Hanau (Hesse). Mort avant le 3 octobre 1672.
XVIIᵉ siècle. Éc. flamande.
Peintre de portraits, natures mortes, graveur.
Fils de Daniel Soreau et frère jumeau d'Isaac, on sait seulement qu'il s'est marié en 1637 et qu'il fut bourgeois de Francfort en 1638.
BIBLIOGR. : In : *Diction. de la peinture flamande et hollandaise*, coll. *Essentiels*, Larousse, Paris, 1989.
MUSÉES : DRESDE (Cab. des Estampes) : *Autoportrait*.

SOREL Andrei Florea
Né le 5 avril 1954 à Bucarest. XXᵉ siècle. Actif depuis 1981 en France. Roumain.
Peintre de figures, portraits, animaux, décorateur.
En 1972, il obtient un diplôme de décorateur de l'École d'Architecture de Bucarest. Il travailla un temps comme dessinateur, créateur de meubles et objets de décoration. Depuis 1974, il travaille surtout comme peintre.
Il participe à des expositions collectives, en France au Salon des Indépendants de Paris, en Italie. Il expose aussi individuellement depuis 1977 à Bucarest, puis en Roumanie, France, Allemagne, Suisse, etc.
Il peint souvent des compositions de chevaux et d'oiseaux. Sa peinture est essentiellement décorative. Il pratique volontiers un clair-obscur à effets.
BIBLIOGR. : Ionel Jianou et autres : *Les Artistes roumains en Occident*, American Romanian Academy of Arts and Sciences, Los Angeles, 1986.

SOREL Gustaaf ou **Gustave**
Né le 17 janvier 1905 à Ostende. Mort le 14 mai 1981 à Ostende. XXᵉ siècle. Belge.
Peintre de scènes et paysages typiques.
Il fut élève des Académies des Beaux-Arts d'Anvers et de Malines. Il fut le fondateur et premier directeur de l'Académie des Beaux-Arts d'Ostende.
Il fut d'abord influencé par Georges Minne et Frans Masereel. Il a surtout peint des scènes de rues.
BIBLIOGR. : In : *Dict. biogr. illustré des artistes en Belgique depuis 1830*, Arto, Bruxelles, 1987.
MUSÉES : BRUXELLES (Fonds Nat.) – OSTENDE (Mus. des Beaux-Arts).

SOREL Victor
XIXᵉ siècle. Actif dans la première moitié du XIXᵉ siècle. Français.
Lithographe.
Il grava surtout des scènes de bal.

SORELLA, pseudonyme de **Ansingh Theresia**
Née en 1883. Morte en 1968. XXᵉ siècle. Hollandaise.
Peintre de natures mortes de fleurs et fruits.
VENTES PUBLIQUES : AMSTERDAM, 11 fév. 1993 : *Nature morte avec du mimosa et un bouton de rose et une corbeille de fruits*, h/t (70x60) : **NLG 2 530.**

SORELLE Marie, née **Delsalle**
Née à Paris. XIXᵉ-XXᵉ siècles. Française.
Peintre de genre, peintre sur émail.
Elle fut élève du peintre de portraits sur émail Léon Lannier et de Hippolyte (?) Robillard. Elle débuta à Paris, au Salon de 1878.

SORELLO Miguel de
Né vers 1700 à Barcelone. Mort vers 1765. XVIIIᵉ siècle. Espagnol.
Graveur.
Il travailla à Rome, à Barcelone et à Florence.

SORENSEN Anders
XVIIᵉ siècle. Travaillant dans l'île de Funen de 1639 à 1664. Danois.
Sculpteur sur bois.
Il sculpta de nombreux autels pour des églises du Danemark.

SORENSEN Arne Haugen. Voir **HAUGEN-SÖRENSEN Arne**

SÖRENSEN Bent
Né le 1ᵉʳ août 1923 à Maribo. XXᵉ siècle. Danois.
Sculpteur de monuments. Abstrait.
De 1946 à 1949, il fut élève de l'Académie des Beaux-Arts de Copenhague. Il participe à des expositions collectives, dont : nombreuses à Copenhague et au Danemark, notamment depuis 1963 au Parc de Sculptures de Odense ; 1955 Rome ; 1966 Paris,

Exposition internationale de Sculpture Contemporaine, Musée Rodin ; 1968 Bucarest, Belgrade ; 1973 Francfort-sur-le-Main ; 1984 Jouy-sur-Eure, IIᵉ Biennale Européenne de Sculpture de Normandie, Centre d'Art Contemporain ; etc. Il expose individuellement à Copenhague en 1970, 1975.
Il crée de nombreuses sculptures monumentales, en bronze, céramique, acier Corten, granit, pour des bâtiments publics dans plusieurs villes du Danemark. Ses sculptures, constituées de formes puissantes, se présentent souvent comme des sortes de portiques pénétrables.
BIBLIOGR. : In : Catalogue de la *IIᵉ Biennale Européenne de Sculpture de Normandie*, Centre d'Art Contemporain, Jouy-sur-Eure, 1984.

SÖRENSEN Carl Fredrick ou **Frederik** ou **Frederick**
Né le 8 février 1818 à Besser (île de Samsa). Mort le 24 janvier 1879 à Copenhague. XIXᵉ siècle. Danois.
Peintre de marines.
Cet artiste obtint, en 1846, comme peintre de marines, l'autorisation d'accompagner une frégate danoise partant en croisière dans la Méditerranée. Il en rapporta de remarquables marines. Depuis lors il passa presque tous ses étés à la mer, où il prit des croquis, des études qu'il traduisait l'hiver en tableaux.
On le cite, avec des deux Melbys, comme le plus grand peintre de marines danois. Chacun de ces trois artistes, par ses qualités particulières, était digne du premier rang.

e Frederik Sörensen

e. Frederik Sorensen

e Frederik

MUSÉES : COPENHAGUE : *Matin d'été, rade de Helsingors – En vue de l'Islande* – OSLO : *Vue de Kronberg* – STOCKHOLM : *esquisse – Vaisseaux de guerre suédois devant Elfsborg, ciel orageux – Marine – Tempête sur la côte norvégienne.*
VENTES PUBLIQUES : COPENHAGUE, 2 nov. 1950 : *Voiliers en haute mer 1868* : **DKK 2 300** – LONDRES, 22 avr. 1959 : *L'entrée du port de Gothenburg* : **GBP 220** – LONDRES, 22 jan. 1971 : *Marine* : **GNS 450** – COPENHAGUE, 6 fév. 1974 : *Le Port d'Amsterdam 1878* : **DKK 17 500** – COPENHAGUE, 10 nov. 1976 : *Marine 1868*, h/t (91x133) : **DKK 13 500** – COPENHAGUE, 30 août 1977 : *Bord de mer*, h/t (68x94) : **DKK 13 000** – LONDRES, 28 nov 1979 : *Le port de Madeira*, h/t (45,5x64) : **GBP 6 500** – LONDRES, 23 juin 1981 : *Pêcheurs sur la plage 1853*, h/t (98x148) : **GBP 8 000** – LONDRES, 28 nov. 1984 : *Vue du port d'Elsinore avec le château de Kronborg à l'arrière-plan 1859*, h/t (102x149) : **GBP 15 000** – LONDRES, 27 nov. 1985 : *Bateaux par forte mer 1873*, h/t (156x220) : **GBP 8 500** – COPENHAGUE, 20 août 1986 : *Vue de Stockholm 1868*, h/t (88x135) : **DKK 240 000** – LONDRES, 24 mars 1988 : *La frégate Jytland par mer houleuse 1870*, h/t (105,4x151,1) : **GBP 4 400** – STOCKHOLM, 15 nov. 1988 : *Paysage côtier avec un voilier*, h. (34x46) : **SEK 8 500** – COPENHAGUE, 5 avr. 1989 : *Pêcheurs dans leurs barques 1850*, h/t (19x29) : **DKK 17 500** – LONDRES, 21 juin 1989 : *Les activités des pêcheurs sur la grève 1853*, h/t (98x148) : **GBP 9 900** – COPENHAGUE, 25 oct. 1989 : *Paysage de la région de Kullen*, h/t (29x43) : **DKK 12 000** – NEW YORK, 17 jan. 1990 : *Bateau à aubes par mer agitée 1869*, h/t (58,4x78,8) : **USD 4 675** – COPENHAGUE, 21 fév. 1990 : *Marine au soleil couchant à Kronborg en Suède 1847*, h/t (27x36) : **DKK 41 000**, 16 mai 1990 : *Voiliers dans un fjord 1876*, h/t (34x46) : **SEK 4 800** – COPENHAGUE, 6 déc. 1990 : *Voiliers sur la lagune avec le Palais des Doges et Santa Maria della Salute à Venise 1875*, h/t (93x135) : **DKK 80 000** – LONDRES, 17 mai 1991 : *La Baie de Naples avec le Vésuve au fond 1868*, h/t (41x47) : **GBP 3 520** – COPENHAGUE, 29 août 1991 : *Pêche aux harengs en Suède 1871*, h/t (45x57) : **DKK 25 000** – COPENHAGUE, 20 mai 1992 : *Vaisseau de guerre*, h/t (30,5x26) : **GBP 990** – COPENHAGUE, 18 nov. 1992 : *Voiliers au large d'une côte montagneuse*, h/t (23x36) : **DKK 14 500** – COPENHAGUE, 10 fév. 1993 : *Côte occidentale de Norvège 1872*, h/t (42x58) : **DKK 21 000** – LONDRES, 16 juil. 1993 : *Voiliers pris dans la tempête 1873*, h/t (162x224) : **GBP 9 200** – AMSTERDAM, 9 nov. 1993 : *Personnages près de la Schreierstoren d'Amsterdam 1872*, h/t (65x95) : **NLG 6 325** – COPENHAGUE, 6 sep. 1993 : *Pêcheurs et leurs barques sur la grève*, h/t (32x53) : **DKK 9 200** – COPENHAGUE, 8 fév. 1995 : *Déchargement des barques de pêche sur la grève de*

Hornbaek 1852, h/t (77x117) : **DKK 70 000** – Copenhague, 17 mai 1995 : *Le Port de Sonderborg avec le navire royal Slesvig et le château à l'arrière-plan* 1851, h/t (21x28) : **DKK 59 000** – Copenhague, 23 mai 1996 : *Pêcheurs et leus barques sur le rivage près de Hastings* 1854, h/t (32x48) : **DKK 18 500** – Amsterdam, 5 nov. 1996 : *Paysage de rivière animé avec des ruines* 1836, h/t (62x79,5) : **NLG 5 310** – Amsterdam, 22 avr. 1997 : *Personnages près du Schreierstoren, Amsterdam* 1872, h/t (65x95) : **NLG 14 780** – Copenhague, 21 mai 1997 : *Escadre danoise avec des frégates au large du port* (35x53) : **DKK 9 000**.

SORENSEN David
xx⁰ siècle. Canadien.
Sculpteur d'installations.
En 1971, il a proposé des environnements, influencés par l'Art pauvre, qui mettaient en relation des éléments divers. En 1972, dans le même esprit mais avec un impact plus fort, il a exposé des sculptures en caoutchouc, dont la souplesse était avant tout un élément de provocation, d'étonnement.

SÖRENSEN Eiler ou Carl Eiler
Né le 9 septembre 1869 à Benlöse (près de Ringsted). xix⁰-xx⁰ siècles. Danois.
Peintre de genre, figures, portraits, paysages animés, paysages, intérieurs.
Il fut élève de Holger K. Grönvold et de l'Académie des Beaux-Arts de Copenhague. Il était actif à Ballerup.
Musées : Aalborg – Copenhague – Kolding – Maribo – Oslo – Randers – Ribe – Tönder.
Ventes Publiques : Copenhague, 26 fév. 1976 : *le peintre L. A. Ring à son chevalet* 1916, h/t (44x58) : **DKK 3 200** – Londres, 5 mai 1989 : *Intérieur*, h/t (58,5x50) : **GBP 1 650** – Londres, 16 fév. 1990 : *Le soir à la lumière d'une chandelle*, h/t (45,8x47,6) : **GBP 1 210** – Cologne, 23 mars 1990 : *Enfants dans un parc enneigé*, h/t (60x66,5) : **DEM 3 500** – Copenhague, 8 fév. 1995 : *Intérieur élégant*, h/t (61x50) : **DKK 5 000** – Londres, 22 nov. 1996 : *Intérieur*, h/t (63x50,2) : **GBP 2 070**.

SÖRENSEN Henrik ou Henri Arnold
Né le 12 juillet 1864 à Copenhague. xix⁰-xx⁰ siècles. Actif aussi en France. Danois.
Graveur.
Frère puîné de Louis Henrik Sörensen. Il fut élève de Hans Peter Hansen à Copenhague et, à Paris, du graveur sur bois Léon Rousseau. Il est possible qu'il ait rejoint son frère à Paris à partir de 1888.
Il était graveur sur bois.

SÖRENSEN Henrik Ingvar
Né le 12 février 1882 à Fryksände (Wärmland). Mort en 1962 à Oslo. xx⁰ siècle. Norvégien.
Peintre de compositions à personnages, compositions religieuses, figures, nus, portraits, paysages, paysages urbains, peintre de compositions murales, graveur, illustrateur. Postcézannien.
Il était d'origine suédoise. Il fut élève de l'École des Arts et de l'Industrie d'Oslo ; puis, en 1904-1905 à Copenhague, dans l'atelier de P. H. Kristian Zahrtmann ; ensuite, lors d'un séjour important à Paris, il fréquenta l'Académie Colarossi. En 1908-1910, avec ses compatriotes Jean Herterg et Einar John, il fut élève d'Henri Matisse. Après Paris, il voyagea en Italie, Espagne, Afrique du Nord. Il revint à Oslo en 1914. Après son retour en Norvège, il a transmis aux jeunes artistes ce qu'il avait lui-même appris de l'art moderne en France. Il semble qu'il ait de nouveau séjourné à Paris de 1919 à 1927. Revenu en Norvège, il travailla beaucoup dans la province du Telemark. Pendant la guerre de 1939-1945, il a illustré l'effort de guerre de la Norvège. En 1972, fut créé à Holmsbu, près de Drammen, un Musée Henrik Sörensen.
En 1914 à Oslo, il a participé à l'Exposition d'Art national. En 1986-1987, une exposition rétrospective lui a été consacrée au Statens Museum for Kunst. Parallèlement à sa carrière importante de peintre, il a eu une activité de graveur d'illustrations et il a écrit ses réflexions en matière d'art.
Au début de son séjour à Paris, il fut d'abord influencé par les œuvres de Gauguin, Van Gogh et de Cézanne, devant conserver durablement quelque chose de cette dernière influence, notamment dans ses paysages. L'enseignement d'Henri Matisse lui apporta le sens nouveau d'une composition audacieuse et décorative et une liberté légère dans l'usage de la couleur, qui apparente certaines des œuvres du moment au fauvisme. Ces deux acquis caractérisent en particulier l'une de ses œuvres les plus connues : *Gudrun sur le pas de la porte*, de la Galerie nationale

d'Oslo, où le personnage, accessoire pour ce qui concerne la psychologie, est songeur et grave, mais pour ce qui concerne le fait plastique, est, d'un dessin synthétique encore redevable à l'exemple de Cézanne, complètement décalé sur le côté droit de la composition, dégageant l'arrière-plan sur toute sa moitié gauche, et dont le parti chromatique décline toutes les modulations du bleu concentrées sur la robe à rayures, faisant éclater en trois points stratégiques les ocres et roses du visage et des mains.
Entre 1919 et 1927, donc sans doute à Paris, il a peint des portraits, tel le *Portrait de l'écrivain suédois Pär Lagerkvist* de 1920-1921, et surtout des compositions religieuses et allégoriques, pathétiques, probablement inspirées par l'angoisse d'époque, consécutive à la guerre : *Les Veuves* ; la trilogie de la Passion *Gethsémani, Golgotha, Pietà*, de 1921-1925 ; *Inferno*, de 1924-1925.
Après 1927, dans les années trente, revenu en Norvège, il peignit de nombreux paysages des montagnes et forêts du Telemark, souvent animés d'un seul personnage, à la façon de Carl David Friedrich, et parfois traités en variantes multiples. Il a entrepris la décoration de nombreuses églises. En 1934, il a réalisé de grandes compositions pour l'autel et le chœur de la cathédrale de Linköping (Suède) ; de 1938 à 1950, avec une équipe de peintres, le mur de fond du nouvel Hôtel de Ville d'Oslo, sur trois cents mètres carrés, par lequel, sur des thèmes typiques norvégiens et dans le genre épique, et pourtant en référence aux compositions décoratives de Matisse, il a renouvelé l'art monumental dans les pays scandinaves ; en 1939, il a participé à la décoration du Palais de la Société des Nations à Genève.
L'homme et l'œuvre sont divers. Il est clair que Henrik Sörensen a contribué à introduire la modernité du début de siècle français dans le milieu artistique norvégien, et qu'il a joué personnellement un rôle considérable en tant que peintre de compositions monumentales. Quant à son apport poétique, il a exprimé le mystère des paysages de montagnes et de forêts de la Norvège et développé à partir de ce décor la solitude de l'homme face à une nature grandiose. ■ Jacques Busse
Bibliogr. : In : Encyclopédie *Les Muses*, Grange Batelière, Paris, 1969-1974 – in : *Diction. univers. de la Peint.*, Le Robert, Paris, 1975 – in : *L'Art du xx⁰ siècle*, Larousse, Paris, 1991.
Musées : Göteborg : *Intermède – Établissement de bains sous la pluie – L'Enfer 1924-1925* – Helsinki (Mus. Ateneum) : *Nu* – Holmsbu, près de Drammen (Mus. Henrik Sörensen) : un fonds considérable – Oslo (Gal. nat.) : *Homme et Femme – Gudrun sur le seuil – La trilogie de la Passion : Gethsémani, Golgotha, Pieta 1921-1925 – Inferno 1924-1925 – Ragna – Soir en Telemark*.
Ventes Publiques : Copenhague, 18 mai 1971 : *Notre-Dame de Paris et la Seine* : **DKK 6 600** – Stockholm, 16 mai 1984 : *Paysage boisé*, h/t (60x72) : **SEK 19 000** – Göteborg, 18 mai 1989 : *Cascade*, h/t (48x38) : **SEK 15 500** – Stockholm, 6 déc. 1989 : *Paysage estival avec un cours d'eau*, h/t (46x55) : **SEK 18 500** – Copenhague, 13 avr. 1994 : *Été en Norvège* 1932, h/t (50x60) : **DKK 16 000**.

SORENSEN Jacobus Lorenz
Né en 1812. Mort en 1857. xix⁰ siècle. Hollandais.
Peintre de scènes animées, portraits, paysages urbains, marines, graveur, lithographe.
Il a gravé des portraits et des vues d'Amsterdam.
Ventes Publiques : Amsterdam, 16 avr. 1996 : *Pêcheurs près d'une crique en forêt* 1856, h/t (30x35) : **NLG 2 360**.

SORENSEN Jens
Né le 28 septembre 1887 à Kolding. Mort en 1953. xx⁰ siècle. Danois.
Peintre de genre, portraits, paysages.
Il fut élève de l'Académie des Beaux-Arts de Copenhague. Il était actif à Copenhague.

Jens Sörensen (signature)

Musées : Maribo : *Portrait de l'artiste*.
Ventes Publiques : Copenhague, 7 avr. 1976 : *Autoportrait*, h/t (41x38) : **DKK 1 800** – Copenhague, 20 oct. 1993 : *Vue depuis Dyrehavsbakken*, h/t (77x95) : **DKK 8 000**.

SÖRENSEN Jens Flemming
Né en 1933 à Copenhague. xx⁰ siècle. Danois.
Sculpteur de figures mythologiques, portraits. Polymorphe figuratif et abstrait.

Il est de formation autodidacte. Il est membre du groupe *Grön-ningen*. Depuis 1960, il participe à des expositions collectives, principalement au Danemark, en Suède, Norvège, Finlande, mais aussi en France, notamment : 1973 *Art Danois* aux Galeries nationales du Grand Palais, Paris ; à Thonon-les-Bains, il est représenté par la galerie Galise Petersen ; etc. En 1972, il a reçu la médaille Eckersberg.

Il sculpte le marbre et pratique aussi la fonte du bronze. Il joue souvent sur les contrastes classiques : noir, blanc ; dur, mou ; minéral, organique ; lourd, léger ; etc. Il traite souvent l'apparence humaine, les têtes, et produit aussi des volumes semi-abstraits symboliques de la création, de la venue au monde : œuf fendu, coquille entr'ouverte, etc.

BIBLIOGR. : In : Catalogue de l'exposition *Art Danois*, Galeries nationale du Grand Palais, Paris, 1973.

MUSÉES : AALBORG (Mus. du Nord-Jutland) – GOTHENBURG – RANDERS – SKIVE.

VENTES PUBLIQUES : COPENHAGUE, 21-22 mars 1990 : *Forme ronde*, bronze (H. 16) : DKK 5 000 – COPENHAGUE, 30 mai 1990 : *Double portrait*, marbre (H. 43) : DKK 25 000 – COPENHAGUE, 14-15 nov. 1990 : *Forme ronde*, bronze (H. 16) : DKK 7 000 – COPENHAGUE, 13-14 fév. 1991 : *Double portrait*, marbre (H. 58) : DKK 45 000 – COPENHAGUE, 4 déc. 1991 : *Double portrait*, marbre (H. 57, l. 36) : DKK 30 000 – COPENHAGUE, 20 mai 1992 : *Torse de jeune femme* 1986, marbre (H. 85, l. 40, prof. 30) : DKK 65 000 – COPENHAGUE, 3 juin 1993 : *Sans Titre*, marbre blanc sur socle de marbre noir (H. 37, L. 174, l.54) : DKK 19 500 – COPENHAGUE, 6 sep. 1993 : *Le Phénix rêvant à sa prochaine vie*, marbre blanc sur socle de marbre noir (H. 76) : DKK 6 500.

SÖRENSEN Jörgen
Né le 16 mai 1861 à Oslo. Mort le 1er septembre 1894 à Askim. XIXe siècle. Norvégien.
Peintre de paysages.
Il fut élève de J. Middelthun, d'A. E. Disen et de Barlag à Oslo.
MUSÉES : OSLO : *Paysage*, six toiles.
VENTES PUBLIQUES : LONDRES, 27-28 mars 1990 : *Été en Norvège* 1890, h/t (91x109) : GBP 15 400.

SORENSEN Jörgen Haugen. Voir **HAUGEN-SORENSEN Jörgen**

SÖRENSEN Karl
Né le 27 novembre 1896 à Aalborg. Mort en 1959. XXe siècle. Danois.
Peintre de figures, paysages, marines.
Il fut élève de l'Académie des Beaux-Arts de Copenhague. Il était actif à Copenhague.
MUSÉES : MARIBO.

SÖRENSEN Louis Henrik
Né le 30 juin 1853 à Copenhague. Mort le 13 décembre 1912 à Paris. XIXe-XXe siècles. Depuis 1888 actif en France. Danois.
Graveur.
Frère aîné d'Henrik Sörensen. Il fut élève d'un Sandberg, possiblement Hjalmar. À partir de 1888, il s'établit à Paris.
Il était graveur sur bois.

SÖRENSEN Margrete
Née en 1949. XXe siècle. Danoise.
Sculpteur, dessinateur. Abstrait, néo-constructiviste.
Elle vit et travaille à Copenhague. Elle participe à des expositions collectives, d'entre lesquelles : 1983 Copenhague, *Nouvelle abstraction*, Musée national des Beaux-Arts ; 1985 Duisburg, *Sculpture danoise au xxe siècle*, Wilhelm-Lehmbruck Museum ; 1987 São Paulo, Biennale ; 1990 Stockholm, Foire d'Art ; 1991 Ivry et Corbeil-Essonnes, *Questions de sens*, Centres d'art ; etc. Elle expose individuellement, dont : 1981 Hambourg, Künstlerhaus ; 1983 New York, Leo Castelli Gallery ; 1985 Copenhague, galerie Nörballe ; Stockholm, galerie 16 ; 1990 Copenhague, galerie Stalke ; Herning, Kunstmuseum ; etc.
Pour ses réalisations, constructions très diverses, elle utilise des matériaux également très divers, du papier au bois. Elle disperse le sens de ses propositions plastiques dans une complexité délibérée de leurs composants.
MUSÉES : COPENHAGUE (Mus. nat. des Beaux-Arts) – HERNING (Kunstmus.).

SÖRENSEN Nanna, née Levison
Née le 4 septembre 1897 à Nakskov. XXe siècle. Danoise.
Peintre de figures.
Femme de Sören Christian Sörensen.

SÖRENSEN Olga
XXe siècle. Active depuis 1920 aussi en France et États-Unis. Danoise.

Peintre de portraits, paysages, fleurs, miniaturiste.
Elle fut élève de l'Art Student's League de New York, de l'Académie Julian à Paris. En France, depuis 1923 elle a participé au Salon de la Société Nationale des Beaux-Arts. Aux États-Unis, elle était membre de l'American Artists Professional League.

SÖRENSEN Sören Christian
Né le 10 février 1885 à Hvidbjerg. XXe siècle. Danois.
Peintre de figures, paysages.
Il fut élève de l'Académie des Beaux-Arts de Copenhague. Il était actif à Copenhague. Il était le mari de Nanna Sörensen.
MUSÉES : AALBORG – MARIBO – RANDERS – RIBE – RÖNNE.
VENTES PUBLIQUES : COPENHAGUE, 30 nov. 1988 : *Suzanne au bain* 1912, h/t (93x81) : DKK 4 000.

SORENSEN-DIEMANN Clara Leonhard
Née le 29 novembre 1877 à Indianapolis. XXe siècle. Américaine.
Sculpteur.
Elle fut élève de Lorado Taft et Victor Brenner. Elle était active à Cedar Rapids.

SÖRENSEN-RINGI Harald
Né le 3 mars 1872 à Shon. Mort le 11 avril 1912 à Stockholm. XIXe-XXe siècles. Suédois.
Sculpteur de figures allégoriques, portraits, peintre-aquarelliste, dessinateur.
Il exposa à Paris, au Salon des Artistes Français, 1889 mention honorable pour l'Exposition Universelle.
MUSÉES : OSLO (Gal. Nat.) : *La Nuit* – STOCKHOLM (Mus. nat.) : *Per Hasselberg – Eva Bonnier*.
VENTES PUBLIQUES : STOCKHOLM, 14 juin 1990 : *Enfant lisant*, bronze (H. 17,5) : SEK 6 700.

SORET Claude
Mort en 1663 à Chambéry. XVIIe siècle. Français.
Peintre.
De l'Ordre des Franciscains, il exécuta la plupart des peintures qu'on voit dans l'abbaye des Franciscains de Chambéry.

SORET François
Mort fin 1675 ou début 1676. XVIIe siècle. Actif à Chambéry. Français.
Peintre.
Il exécuta des peintures décoratives et religieuses.

SORET Jean François
XVIIIe siècle. Actif à Stockholm. Suédois.
Peintre de portraits, peintre de miniatures.
Il a peint un *Portrait du roi Gustave IV* qui se trouve à l'Université d'Upsala.

SORET Nicolas
Né le 28 janvier 1759 à Genève. Mort le 30 novembre 1830 à Genève. XVIIIe-XIXe siècles. Suisse.
Peintre de miniatures sur émail.
Il travailla à Londres et à Saint-Pétersbourg et exécuta de nombreux portraits en miniature de princes de son époque.
VENTES PUBLIQUES : PARIS, 2 juin 1950 : *Portrait d'homme* 1797, miniat. sur émail, sans indication de prénom : FRF 20 500.

SORG. Voir aussi **SORGH**

SORG Caroline ou Marie Antoinette Caroline
Née le 15 février 1833 à Strasbourg (Bas-Rhin). Morte le 3 février 1923 à Strasbourg. XIXe-XXe siècles. Française.
Peintre de compositions religieuses.
Sœur de Louis Sorg, elle fut son élève. À Paris, elle fut élève de Léon Cogniet.
Elle a peint de nombreux tableaux d'autels pour des églises d'Alsace.

SORG Christian
Né en 1941 à Paris. XXe siècle. Français.
Peintre. Abstrait.
Depuis 1976, il participe à des expositions collectives, dont : 1977 Paris, à l'ARC (Art, Rencontre, Confrontation), Musée d'Art moderne de la Ville ; 1977, 1978, 1979 Paris, galerie Françoise Palluel ; 1979 Paris, Centre Georges Pompidou et galerie Jean Fournier ; etc. En 1977 et 1978, la galerie Palluel l'a exposé individuellement.
Sa peinture est un compromis entre des éléments totalement gestuels, à la façon de la calligraphie japonaise, et des éléments géométriques monochrome.

SORG Hendrick Maartensz. Voir **SORGH**

SORG Ignaz
XVIIIe-XIXe siècles. Actif à Ratisbonne. Allemand.
Sculpteur.
Fils de Simon Sorg.

SORG Joachim
Né à Augsbourg. Mort entre 1582 et 1584 à Vienne. XVIe siècle. Autrichien.
Enlumineur.
Il s'établit à Vienne en 1568. Il peignit des scènes de l'enterrement de l'empereur Ferdinand Ier.

SORG Johann Jacob
Né le 8 septembre 1743 à Strasbourg. Mort le 13 octobre 1821 à Mutzig (Bas-Rhin). XVIIIe-XIXe siècles. Français.
Peintre.
Père de Joseph Sorg. Il travailla à Augsbourg, à Mannheim et à Munich. Le Musée d'Oberehnheim conserve de lui *Sainte Odile* et *Visitation*, et le Musée de Strasbourg, *Portrait d'un homme* et *Portrait de l'artiste*.

SORG Johann Leonhard ou **Hans Bernhard** ou **Sorgh**
Mort en 1668. XVIIe siècle. Allemand.
Peintre.
Fils de Leonhard Sorg, il était actif à Winzig.

SORG Jörg I ou **Georg** ou **Sarg**
XVIe siècle. Actif à Augsbourg dans la première moitié du XVIe siècle. Allemand.
Peintre de portraits.
Père de Jörg Sorg II. Élève de Jörg Furtenagel. Il peignit une suite de portraits d'empereurs d'Allemagne.

SORG Jörg II
XVIe siècle. Actif à Augsbourg. Allemand.
Peintre.
Fils de Jörg Sorg I.

SORG Joseph
XVIIIe-XIXe siècles. Actif à Ratisbonne. Allemand.
Sculpteur.
Fils de Simon Sorg.

SORG Joseph ou **Marie Louis Joseph**
Né le 9 octobre 1791 à Mutzig (Bas-Rhin). Mort le 25 mai 1870 à Strasbourg (Bas-Rhin). XIXe siècle. Français.
Peintre.
Fils de Johann Jacob Sorg et père de Louis et de Caroline Sorg.

SORG Kilian
XVIe siècle. Allemand.
Sculpteur.
Élève de Peter Dell le Jeune à Würzburg. Il sculpta des tombeaux dans la cathédrale de Bamberg et dans les églises situées aux environs de cette ville dans la seconde moitié du XVIe siècle.

SORG Leonhard ou **Sorgh**
XVIIe siècle. Allemand.
Peintre.
Actif à Karlsmarkt près de Brieg, il travailla également à Oppeln, Brief, Winzig et Ols.

SORG Louis ou **Aloïs Barnabé Louis**
Né le 10 juin 1823 à Strasbourg (Bas-Rhin). Mort le 18 décembre 1863 à Strasbourg (Bas-Rhin). XIXe siècle. Français.
Peintre et lithographe.
Fils de Joseph Sorg et élève de Gleyre à Paris. Il exécuta de nombreux tableaux d'autel et des fresques en Alsace.

SORG Marie Françoise
Née le 15 mars 1780 à Strasbourg. Morte le 21 avril 1838 à Haguenau (Bas-Rhin). XIXe siècle. Française.
Peintre de portraits en miniatures.
Fille de Johann Jacob Sorg.

SORG Simon
Né en 1708. Mort le 3 décembre 1792. XVIIIe siècle. Actif à Ratisbonne. Allemand.
Sculpteur.
Père d'Ignaz et de Joseph Sorg. Il sculpta plusieurs autels dans la Vieille Chapelle de Ratisbonne et des tombeaux pour les princes de Thurn et Taxis.

SORGATO Antonio
Né en 1801. Mort le 20 septembre 1875. XIXe siècle. Actif à Padoue. Italien.
Peintre et miniaturiste, graveur au burin et dessinateur.

SORGH. Voir aussi **SORG**

SORGH Hendrick Maartensz ou **Sorg** ou **Sorch** ou **Zorg** ou **Zorgh**, pseudonyme de **Rokes**
Né vers 1611 à Rotterdam. Mort en 1670, enterré à Rotterdam le 28 juin 1670. XVIIe siècle. Hollandais.
Peintre.
Il était fils de Martin Rokes qui fut surnommé Sorgh. Ayant montré de remarquables dispositions pour la peinture, il fut envoyé à Anvers. Peut-être élève de Teniers et Willem Buytewech, mais il prête à confusion avec Hendrick Martens Roches. Il semble avoir vécu à Amsterdam de 1630 à 1632, puis être resté à Rotterdam au moins jusqu'en 1659 ; il épousa en 1633 Adriaentje Pieters Hollaer. Il fut inspecteur de la Gilde en 1659 et eut pour élèves : A. Diepraam et J. Blanwet. Il s'est surtout inspiré de la manière de Brouwer dans ses représentations d'intérieurs paysans ; à la fin de sa carrière, il montre l'influence de Steen.

MUSÉES : AMIENS : *Cuisine* – AMSTERDAM : *Joueur de luth* – *Marché aux légumes* – *Tempête sur la Meuse* – *Marché au poisson* – *Marchande de poisson* – ASCHAFFENBOURG : *Auberge* – BÂLE : *Marché aux légumes* – *Scène d'auberge* – BATH : *Réunion en plein air* – BERLIN : *Dispute de paysans à l'auberge* – BONN : *Les fumeurs* – *Réunion dans une pièce* – BRUNSWICK : *Réunion de paysans* – *Les travailleurs de la vigne* – BUDAPEST : *L'adoration des bergers* – CAEN : *Violoniste* – CAMBRIDGE : *Paysan assis* – CHELTENHAM : *Le Christ chez Marthe et Marie* – CHICAGO : *Intérieur flamand* – COPENHAGUE : *Adoration des bergers* – DRESDE : *Cuisinière chez une marchande de poisson à Rotterdam* – *Joueurs de cartes à l'auberge* – *Paiement des manœuvres* – DUBLIN : *Le déjeuner* – DUNKERQUE et ELBERFELD : *Intérieur flamand* – GENÈVE (Rath) : *L'explosion (laboratoire d'alchimiste)* – HAMBOURG : *Dégustation de jambon* – *Adoration des bergers* – HANOVRE : *Paysans à table* – *Joueurs de cartes* – KARLSRUHE : *Intérieur flamand* – KASSEL : *Marché aux légumes et marché aux viandes à Rotterdam* – LEIPZIG : *Paysans au cabaret* – LIER : *Deux buveurs d'eau* – LONDRES (Nat. Gal.) : *Paysans jouant aux cartes* – *Buveur* – LOWTHER CASTLE : *Lord Lansdale* – *Paysans jouant aux cartes* – MADRID : *Vieille femme se chauffant* – MARSEILLE : *Marché aux poissons* – MAYENCE : *Scène de cuisine* – *Joueurs de cartes* – MONTPELLIER : *Intérieur rustique* – MULHOUSE : *Intérieur de cuisine* – NANTES : *Intérieur de cuisine* – ORLÉANS : *Chez le médecin* – PARIS (Mus. du Louvre) : *Intérieur de cuisine* – *Intérieur flamand* – REIMS : *Marchande de moules* – ROTTERDAM : *Vue de la Meuse* – *Le grand marché à Rotterdam* – SAINT-PÉTERSBOURG (Mus. de l'Ermitage) : *Adoration des bergers* – *Rixe* – *Marine* – STOCKHOLM : *Mouton à la boucherie* – UTRECHT : *Le Satyre chez le paysan* – VALENCIENNES : *Intérieur de buanderie* – VARSOVIE : *Intérieur de cuisine* – VIENNE (Gal. Harrach) : *L'homme à l'épine* – *Femme et enfant* – *Le secrétaire* – *Le violoniste* – WORCESTER, Massachusetts : *Paysans à l'auberge*.
VENTES PUBLIQUES : NEW YORK, 21 juin 1979 : *Camp gitan*, aquar. (35x52) : USD 3 100 – LONDRES, 11 déc. 1987 : *Portrait de jeune femme en robe grise et verte jouant de l'épinette*, h/pan. (124,5x90,8) : GBP 380 000.

SORGH Johann Leonhard ou **Hans Bernhard**. Voir **SORG**

SORGH Leonhard. Voir **SORG**

SORGUE Jean-Marie
Né en 1924. XXe siècle. Français.
Peintre, dessinateur.
Il fut élève de l'École d'Architecture de Grenoble, puis de l'École des Beaux-Arts de Paris. Il vit et travaille à Aix-en-Provence, où il fut professeur d'Arts Plastiques.

Il participe peu aux expositions collectives, dont : 1984 Marseille, *Cantini 84*, Musée Cantini. Il expose surtout individuellement : 1955 Aix-en-Provence ; 1962, 1964 Paris, galerie de l'Université ; 1964, 1966, 1968 Marseille, galerie Le Solstice ; 1971 Paris, galerie Arlette Chabaud ; 1972 Marseille, Goethe Institut ; 1974, 1976, 1977, 1979, 1980 Aix-en-Provence, diverses galeries ; 1978 Montpellier ; 1979, 1980 Paris, galerie Visconti ; 1981 Grenoble, Musée des Beaux-Arts ; 1982 Aix-en-Provence, Musée Granet ; 1983 Tours, Centre Culturel ; etc.

À partir de 1947, il fut surtout graphiste. Il opta ensuite pour la peinture, qu'il pratiqua jusqu'en 1968 ; il délaissa de nouveau la couleur pour le dessin à l'encre de Chine. Peintures et dessins sont travaillés par séries : *Murs, Crépuscules, Horizons, Cellules, Forteresses, Émergences*, etc.

Bibliogr. : Pierre Gaudibert : préface du catalogue de l'exposition *J.-M. Sorgue – Falaises et Émergences*, Mus. de Grenoble, 1981 – in : Catalogue de l'exposition *Cantini 84*, Mus. Cantini, Marseille, 1984.

SORI Pietro. Voir **SORRI**

SORIA Claude de
Née le 6 décembre 1926 à Paris. XXᵉ siècle. Française.
Sculpteur.
Claude de Soria vit et travaille à Paris. Elle participe au Salon de Mai en 1972, et à des expositions collectives à Paris (Arc Musée d'Art Moderne de la Ville, Fondation Cartier), Lund (Suède), Sydney, Tokyo... Elle montre ses œuvres dans des expositions personnelles à Paris dans les galeries Germain, Beaudoin-Lebon, Montenay, Tendances, en 1988 au Musée Picasso d'Antibes.
D'abord élève d'André Lhote et de Fernand Léger, c'est à l'atelier de Zadkine que Claude de Soria se découvre sculpteur. Pendant une décennie, elle travaille le plâtre et la terre cuite, jusqu'en 1973, année durant laquelle elle rencontre la matière de sa vie, le ciment. Une matière dont, attentive, émerveillée, elle saura « éveiller » tous les possibles : « Au moment de la *prise*, le matériau liquide, chaotique, devient solide, fige et laisse les formes se définir dans les tensions dues aux contraintes de la pesanteur et de l'équilibre, et répondre aux hasards que je m'applique à susciter. Ce qui m'intéresse est de mettre en évidence ce filtre travail de la nature et d'amener la matière à se révéler le plus possible dans son devenir, toute activation nouvelle du matériau se traduisant par l'apparition immédiate d'une surface différente. En somme je laisse la matière me révéler ce que j'attends obscurément d'elle. » De cette écoute sensible, sont nées volumes – *Boules, Sphères, Tiges, Aiguilles* – et surfaces – *Disques, Ouvertures, Lames, Contre-lames, Regards*, toutes œuvres semblant ouvrir aux deux infinis, le cosmique et l'intérieur. Parallèlement, elles sont souvent prolongées par une découverte de leur emprise sur des matériaux divers (papier, plastique, rhodoïd, toile). ■ Joëlle Naïm
Ventes Publiques : Paris, 26 sep. 1989 : *Ouverture 9 bis* 1987, ciment (D.40) : FRF 5 000.

SORIA Cristobal de
XVIᵉ siècle. Espagnol.
Peintre.
Il exécuta des peintures sur les volets du retable de la cathédrale de Séville, en 1563.

SORIA Edouardo
Né en 1890 à Santander (Cantabrie). Mort vers 1945. XXᵉ siècle. Espagnol.
Peintre de figures typiques, nus, portraits, paysages, marines.
Il séjourna à Paris, où il eut pour maîtres Adolphe Déchenaud et François Flameng. Il prit part à diverses expositions collectives, dont : 1931, 1932 Salon des Artistes Français, Paris ; il exposa également à Buenos Aires et à Londres.
S'il a réalisé quelques paysages, il a surtout peint des portraits féminins, tels que : *Belle Bretonne – Portrait de Manola – Manola tolédane – Femme cousant – Olympia – Femme en rouge*, qui se caractérisent par des tonalités douces et vaporeuses.
Bibliogr. : In : *Cien Anos de pintura en Espana y Portugal, 1830-1930*, Antiqvaria, t. X, Madrid, 1993.
Ventes Publiques : Londres, 23 mars 1988 : *Sabine*, h/t (90x133) : GBP 6 600 – Londres, 22 juin 1988 : *Olympia*, h/t (96x128) : GBP 2 750 – Londres, 11 mai 1990 : *Beauté espagnole*, h/t (81x65) : GBP 4 180.

SORIA Giovanni Battista ou **Suria**
Né en 1581 à Rome. Mort le 22 novembre 1651 à Rome. XVIIᵉ siècle. Italien.

Sculpteur sur bois et architecte.
Élève de Giovanni Battista Montano. Il exécuta de nombreuses sculptures sur bois (stalles, buffets d'orgues, portails), pour des églises de Rome.

SORIA Martin de
XVᵉ siècle. Espagnol.
Peintre de sujets religieux, sculpteur.
Il fut actif dans la région d'Aragon en Espagne, entre 1471 et 1487.
Il a réalisé surtout des retables de maître-autels, parmi lesquels : *Saint Pierre* ; *Saint Christophe* ; *Pallaruelo de Monegros* 1485 ; *Saint Blas* 1487, pour l'église de Luesia (Saragosse). On cite encore de lui un retable pour la cathédrale de Huerto.
Bibliogr. : In : *Dictionnaire de la peinture espagnole et portugaise du Moyen Âge à nos jours*, coll. Essentiels, Larousse, Paris, 1989.
Musées : Boston (Mus. of Fine Arts) : *Retable de saint Michel et saint Antoine abbé – Retable de saint Pierre* – Chicago (Art Inst.) : *Retable de saint Christophe*.
Ventes Publiques : New York, 17 jan. 1992 : *L'Adoration des bergers* ; *l'Adoration des Mages*, temp./pan., une paire (chaque 147,3x71,1) : USD 28 600.

SORIA Pedro de
XVIIᵉ siècle. Actif à Séville au milieu du XVIIᵉ siècle. Espagnol.
Peintre.
Il a peint une *Immaculée Conception* pour l'église S. Maria d'Arcos de la Frontera.

SORIA Robert Diaz de. Voir **DIAZ De Soria**

SORIA Salvador
Né le 30 mai 1915 à Valence. XXᵉ siècle. Espagnol.
Peintre, technique mixte, sculpteur, dessinateur. Figuratif, puis abstrait-matiériste.
À partir de 1932, il fréquenta les cours du soir de l'École des Arts et Métiers de Valence. En 1935-1936, il s'orienta vers le dessin de mode. En 1937, il s'engagea dans l'armée républicaine sur le front de Teruel. À la chute des républicains, il passa la frontière française et fut interné à Septfonds, puis Argelès et Perpignan, avant d'être libéré fin 1942. Il se dissimula de l'occupant allemand dans le Sud-Ouest jusqu'en 1945, puis resta dans le Lot-et-Garonne, tout en prenant des contacts avec Paris. Il ne retourna en Espagne qu'en 1953, où il vécut et travailla à Valence. En 1957, il devint membre du groupe Parpallo. En 1960, il a voyagé en Italie ; 1961 à Bruxelles ; 1962 Angleterre. En 1964, il s'établit, avec sa famille, à Madrid. En 1969, il intégra sa nouvelle maison de Benisa où, à partir de 1980, il s'établit définitivement. En 1988, il fut nommé membre de l'Académie Royale San Carlos de Valence.
Il participe à des expositions collectives, d'entre lesquelles : à partir de 1946 Paris, Salon des Surindépendants ; 1955 Valence, Iᵉʳ Salon d'Automne ; Barcelone, IIIᵉ Biennale Hispano-Américaine ; 1957 Madrid, groupe Parpallo, à l'Ateneo ; à partir de 1958 très nombreuses, dont : 1960 Biennale de Venise ; 1961 Bruxelles, *Peinture Espagnole*, galeries contemporaines ; Tokyo, Musée National d'Art Moderne ; 1962 Londres, *Art Espagnol Contemporain*, Tate Gallery ; 1963 VIIᵉ Biennale de São Paulo ; 1964 Madrid, *XXV Années d'Art Espagnol*, Palais du Retiro ; 1965 Tokyo, VIIIᵉ Biennale ; 1966 XXXIIIᵉ Biennale de Venise, avec une salle personnelle ; 1978 Paris, Iʳᵉ Triennale Européenne de Sculpture, Jardins du Palais Royal ; 1987 Saragosse, *25 ans d'Art Contemporain Espagnol*, Salle Luzan ; etc.
Il montre des ensembles de ses œuvres dans des expositions individuelles, dont : 1958 Madrid, galerie Biosca ; Valence, Centre d'études nordaméricaines ; Santander ; Bilbao ; 1961 Lausanne ; 1962 Chicago, galerie Joachim ; 1963 Londres, galerie Marlborough ; 1965 Bilbao ; 1967 Madrid, galerie Biosca ; 1973 Madrid, première exposition personnelle de sculptures, galerie Skira ; 1978 Santander, galerie Sur ; 1980 Saragosse, Salle Luzan ; 1983 Elche, Musée d'Art Contemporain ; 1986 Valence ; 1990 Madrid, galerie Alvar ; 1992 Jaen, Palais Provincial ; 1993 Séville, Salle Imagen ; 1994 Valence, Centre Julio Gonzalez (IVAM) ; 1994-95 Saragosse, exposition rétrospective 1940-1992, Palais de Sastago ;...
Après ses premiers essais inspirés du cubisme, ce fut au camp d'Argelès qu'il commença véritablement son œuvre de peintre. Une première époque figurative, de 1940 à 1956-57, se subdivise en plusieurs périodes. De 1940 à 1948, ce fut principalement des figures, souvent situées devant un fond de paysage ou de village, personnages hiératiques et graves, liés à la nostalgie de

l'exil, dessinés de lignes sobres et étirées en hauteur, peints de couleurs vives mais pourtant atténuées, légèrement foncées pour ombrer les formes. De 1948 à 1953, encore en référence aux horreurs guerrières, il a peint des visages, aux déformations violemment cubo-expressionnistes.

De 1953 à 1957, se situe la période de transition par laquelle Soria va basculer de la figuration à un expressionnisme-abstrait à forte composante matiériste. Contrairement aux deux périodes précédentes, en conséquence du retour en Espagne, les thèmes de celle-ci sont très enjoués, mêlant tendresse et humour : en 1953, encore marquée de l'expressionnisme antérieur, une femme, assise dans son intérieur simple, tient un petit enfant dans les bras ; en 1954-55, dessinée et peinte avec une simplification d'artiste humoriste ou jouant l'artiste naïf, une femme assise dans un grand fauteuil rustique, vêtue d'une robe campagnarde presque noire tient un chat blanc malicieux dans son giron ; dans cette même note d'humour naïf, une femme repasse du linge, une famille à table attend le repas, en 1957 un marchand ambulant vend des noix de coco à des enfants sur la plage, et encore, sans personnages, quelques natures mortes sommaires de quelques humbles objets usuels. Outre la diversité et la tonalité joyeuse de cette période, elle est surtout très importante parce que Soria y initie un travail sur les matières, imitant ou schématisant par des moyens divers, le bois des tables, la chaux des murs, la tôle de la vieille cuisinière rouillée, la coque pileuse des noix de coco, utilisant déjà des poudres de pierres de couleurs. De ce matériau, il fit le fondement de ses œuvres ultérieures, qui sera bientôt complété de quantité d'autres de toutes sortes.

À partir de 1958, il a évolué à l'abstraction. Dans un premier temps, en 1958-1959, cette évolution s'est faite, d'une part par l'exploitation des textures moléculaires des matières dont se composent les objets de la réalité dont il s'inspire plus ou moins, d'autre part et surtout par la réduction du champ visuel projeté sur ces objets ; par exemple : un fragment d'un dessus de table de bois devenant la totalité de l'objet même de la peinture. À partir de 1960, l'introduction des matériaux les plus divers, fer, ciment, sable, goudron, les interventions brutales, découpage et perforation des diverses matières, soudure de tôles, dans la constitution de ses propositions plastiques, transfèrent sa peinture dans le statut de la sculpture, et jouent un rôle prépondérant dans la recherche d'équivalences sensibles, très souvent tactiles : *Fer et Cuivre Oxydés* de 1962 ou métaphoriques : *Christ Mécanique* de 1964.

Sans du tout minimiser les qualités plastiques et la poésie de l'époque figurative, on peut considérer que c'est avec l'époque abstraite que l'œuvre de Soria a atteint sa plénitude. Dans cette époque abstraite, on peut remarquer un phénomène double et presque contradictoire. Ce qui s'impose au spectateur avec évidence, c'est le baroquisme exacerbé des matériaux et des techniques mis en œuvre et des colorations qui en résultent, raffinées dans la sobriété des tons propres des matériaux naturels ou exaltées par l'apport d'éléments manufacturés, mais c'est aussi la conscience très forte d'une composition rigoureuse, parfois presque constructiviste : *Intégration 85* de 1985, qui tempère le baroquisme sous-jacent et lui confère une monumentalité impressionnante. ■ J. B.

Bibliogr. : B. Dorival, sous la direction de, in : *Peintres Contemp.*, Mazenod, Paris, 1964 – in : *Diction. Univers. de la Peint.*, Le Robert, Paris, 1975 – Catalogue de l'exposition *S. Soria*, galerie Alvar, Madrid, 1990 – Catalogue de l'exposition *Salvador Soria*, Jaen, Palais Provincial, 1992 – divers : Catalogue de l'exposition *Salvador Soria*, Centre Julio Gonzalez, Valence, 1994, abondante documentation – divers : Catalogue de l'exposition *Salvador Soria. Exposition rétrospective 1940-1992*, Palais de Sastago, Saragosse, 1994-95, abondante documentation.

Musées : Alicante (Mus. de la Excma) – Barcelone (Mus. d'Art Contemp.) – Bilbao (Mus. des Beaux-Arts) – Elche, Alicante (Mus. d'Art Contemp.) – Madrid (Mus. d'Art Contemp.) – Madrid (BN) – Pedralba, Valence (Mus. Pedralba 2000) – Séville (Mus. d'Art Contemp.) – Tolède (Mus. d'Art Contemp.) – Valence (Mus. des Beaux-Arts) – Valence (Acad. roy. des Beaux-Arts) – Valence (Mus. Nat. de Céramique) – Vilafames, Castellon (Mus. d'Art Contemp.).

SORIA AEDO Francisco
Né le 3 mai 1898 à Grenade (Andalousie). Mort le 2 novembre 1965 à Madrid. XXe siècle. Espagnol.
Peintre de scènes de genre, nus, portraits.
Il fut élève de Munoz Lucena et de José Maria Lopez Mezquita. Il

fut professeur de l'École des Beaux-Arts de Madrid. Il prit part à diverses expositions collectives, dont : 1924 Exposition Nationale des Beaux-Arts, Madrid, obtenant une seconde médaille ; 1929 Exposition Internationale de Barcelone, recevant une première médaille ; 1957 Grenade. Il exposa également à Oslo, Venise, Bruxelles et Pittsburgh, et montra ses œuvres dans une exposition personnelle à Grenade en 1926.

On mentionne de lui : *Portrait de la marquise de Laula – Fruit de l'amour – Cours de latin – Gitane.*

Bibliogr. : In : *Cien Anos de pintura en Espana y Portugal, 1830-1930*, Antiqvaria, t. X, Madrid, 1993.

Musées : Barcelone : *Nuit de Noël dans le village de Torerillo de Lavapiés.*

Ventes Publiques : Barcelone, 23 mai 1984 : *Sabado en la cueva*, h/t (180x110) : **ESP 310 000** – Londres, 15 fév. 1990 : *Femmes du peuple*, h/t (100,3x91) : **GBP 3 300** – Londres, 18 nov. 1994 : *Adolescents*, h/t (94x73,7) : **GBP 4 830.**

SORIA Y FERRANDO Ricardo
Né le 30 décembre 1839 à Valence. Mort en 1906 à Valence. XIXe siècle. Espagnol.
Sculpteur.

SORIAN Daniel. Voir **SOREAU**

SORIANI Nicolo
Mort le 3 janvier 1499. XVe siècle. Actif à Crémone. Italien.
Peintre.
Oncle et premier maître de Garofalo.

SORIANO Carlo
XVIIe siècle. Actif au milieu du XVIIe siècle. Italien.
Peintre et aquafortiste.
Il a peint le tableau d'autel *Madone du Rosaire avec saint Dominique* pour la cathédrale de Pavie vers 1650.

SORIANO Ferran
XXe siècle. Espagnol.
Sculpteur. Abstrait.
Il montre ses œuvres dans des expositions personnelles : 1971 Barcelone ; 1975 Rome ; 1979, 1981, 1984 Musée Historique de Hospitalet ; 1984 Palma de Majorque ; 1985 Paris ; 1990 Palais des Rois de Majorque, Perpignan.
Il réalise des sculptures pour de nombreux édifices publics de Catalogne, parmi lesquels : Hôpital de Saint-Paul à Barcelone, Hôtel de Ville de Hospitalet.

Bibliogr. : In : *Catalogue National d'Art Contemporain*, Éditions d'art Iberico 2000, Barcelone, 1990.

Musées : Banolas, Catalogne (Mus. d'Art des Pays Catalans) – Hospitalet (Mus. Historique) – Porreres, Îles Baléares (Mus. mun.) – Tarragone.

SORIANO Joaquin
XVIIIe-XIXe siècles. Espagnol.
Paysagiste.
Il travailla de 1799 à 1808 à la Manufacture de porcelaine du Buen Retiro de Madrid.

SORIANO José
XVIIIe siècle. Actif de 1731 à 1735. Espagnol.
Modeleur.
Il travailla à la Manufacture de porcelaine d'Alcora de 1731 à 1735.

SORIANO Juan
XVe siècle. Espagnol.
Sculpteur.
Il travailla en 1445 au maître autel de la cathédrale de Saragosse.

SORIANO Juan
XVIe siècle. Espagnol.
Miniaturiste.
Il illustra les missels de la cathédrale de Grenade en 1533.

SORIANO Juan
Né en 1920 à Guadalajara (Jalisco). XXe siècle. Mexicain.
Peintre de figures, nus, intérieurs, portraits, paysages, animalier, technique mixte, peintre à la gouache, sculpteur, graveur, décorateur de théâtre, dessinateur. Tendance fantastique.
Il ne reçut pas de formation artistique, autre qu'un enseignement sur le XIXe siècle mexicain et sur l'art européen. Toutefois, il semble avoir reçu, très jeune, les conseils de Roberto Montenegro et Jesus Reyes Ferreira. En 1935, il fut nommé professeur à l'École d'Art de Mexico.
Il participe à des expositions collectives au Mexique, dès 1934 à

Guadalajara, ainsi qu'aux États-Unis et en Europe. Il voyage souvent en Europe, séjournant surtout à Rome et à Paris, où il a vécu.

S'il a été influencé par les muralistes mexicains de la première moitié du siècle, il s'en est résolument détaché par le baroquisme de son inspiration, beaucoup plus lié à un fantastique exotique qu'à aucune source surréaliste. Surtout peintre de figures, il participe souvent de l'attirance culturelle mexicaine pour la mort, peignant squelettes et têtes de morts, toutefois dans un contexte presque familier. De toute façon inclassable, il évolue sans complexes dans la peinture, se rapprochant parfois d'une abstraction très colorée.

J- Soriano

Bibliogr. : B. Dorival, sous la direction de, in : *Peintres contemporains,* Mazenod, Paris, 1964 – Damian Bayon et Roberto Pontual : *La Peinture de l'Amérique latine au xxᵉ siècle,* Éditions Menges, Paris, 1990.

Musées : Philadelphie (Mus. of Art) : *Espace infini* 1945.

Ventes Publiques : New York, 27 nov. 1985 : *Le jardin mystérieux 1943,* gche (65x50) : **USD 2 500** – New York, 21 nov. 1988 : *La jeune fille au drap 1947,* h/t (50x110) : **USD 35 200** ; *Personnage romantique dans un paysage 1950,* gche/pap. (50,9x64,9) : **USD 4 675** – New York, 17 mai 1989 : *Le taureau couché 1978,* h. et détrempe/t. (115x150) : **USD 35 200** – New York, 21 nov. 1989 : *Oiseau en vol 1981,* h/t (96,7x195) : **USD 13 200** – New York, 1ᵉʳ mai 1990 : *La chapelle du rosaire 1960,* h/t (123,2x75) : **USD 23 100** – New York, 20-21 nov. 1990 : *Femme au jardin 1945,* h/t (60x45) : **USD 17 600** – New York, 20 nov. 1991 : *Paysage lyrique,* h/t (105,5x80,5) : **USD 46 200** – New York, 18-19 mai 1992 : *La fille de Rapaccini 1956,* h/t (64,7x155,2) : **USD 28 600** – New York, 24 nov. 1992 : *Taureau 1990,* bronze à patine verte (H. 28,6) : **USD 11 000** – New York, 25 nov. 1992 : *Apollon et les poissons 1987,* h/t (130,8x100,4) : **USD 24 200** – New York, 18 mai 1993 : *Deux jeunes filles à la poterie 1939,* h/t (74x60,4) : **USD 23 000** – New York, 18-19 mai 1993 : *Chats 1973,* encre (31,6x40,8) : **USD 1 150** – New York, 18 mai 1994 : *Sans titre 1991,* h/t (120x170,2) : **USD 9 200** – New York, 16 mai 1996 : *Femme endormie 1953,* h/t (66x155) : **USD 32 200** – New York, 29-30 mai 1997 : *Fillette à la nature morte 1939,* h/t (81,3x65,1) : **USD 35 650.**

SORIANO Nicasio
xvIIIᵉ siècle. Travaillant à Alcora de 1731 à 1735. Espagnol.
Modeleur.

SORIANO Peter
Né en 1959. xxᵉ siècle. Américain.
Sculpteur, dessinateur. Post-pop art.
Il reçut d'abord une formation de peintre. En 1996 à Paris, la galerie Jean Fournier a montré une exposition individuelle d'un ensemble de ses œuvres.
Il modèle ses futures réalisations d'abord en cire ; ensuite est confectionné leur moule ; enfin la sculpture terminale est coulée en résine de couleur. Il proscrit totalement l'utilisation de socles ; ses créations doivent être posées au sol, comme des jouets abandonnés, ou accrochées comme grimpant au mur. Il en résulte un aspect hybride généralisé : d'une part on ne sait s'il sont référés à des objets naturels ou artificiels ou plutôt à une association contre nature des deux ; d'autre part ils sont en résine dure et polie mais ont l'air de formes molles gonflables, et l'on ne sait si leurs formes molles à la Walt Disney et leurs couleurs agressivement fausses en font des objets seulement comiques.
Bibliogr. : Karen Rudolph, Éric Suchère : *L'art contre nature de Peter Soriano,* in : Beaux-Arts, N° 144, Paris, avr. 1996.

SORIANO Rafael
Né en 1920 à Cidra (Cuba). xxᵉ siècle. Cubain.
Peintre.
Il étudia avec Pelaez, Carreno et Bermudez, puis fréquenta l'École d'Art de Alberto Tarasco à Matanzas et enfin l'Académie San Alejandro de La Havane. En 1942 il revint enseigner à Matanzas. En 1962 il s'exila à Miami.
Ses peintures sont souvent des compositions influencées par les aspects décoratifs du cubisme.
Ventes Publiques : New York, 8 mai 1981 : *Métamorphose d'une orchidée,* h/t (50,5x61) : **USD 2 100** – New York, 25 nov. 1992 : *Les sortilèges de la nuit 1991,* h/t (127x152,3) : **USD 18 700** – New York, 18 mai 1993 : *Qualité de la lumière,* h/t (127,3x152,7) :

USD 20 700 – New York, 22-23 nov. 1993 : *Sortilège 1985,* h/t (127,3x127,2) : **USD 14 950** – New York, 18 mai 1994 : *Voyage vers le silence 1991,* h/t (127x127) : **USD 16 100.**

SORIANO Raymond
xxᵉ siècle. Américain.
Artiste multimédia. Cinétique.
Il a remplacé totalement les matériaux et matériels traditionnels du graphisme par ceux du cinéma. Son « homme-caméra » crée des « Synfilmies ». Le graphisme est remplacé par ce qu'enregistrent les mouvements de la caméra, ceux-ci étant réglés en fonction de l'analyse spatiale d'un ensemble de carrés blancs et de couleurs, eux-mêmes mis en mouvement.
Bibliogr. : Frank Popper, in : *L'Art Cinétique,* Gauthier-Villars, Paris, 1970.

SORIANO DE TOBAR Juan
xvIIIᵉ siècle. Actif en Espagne. Espagnol.
Peintre.
A rapprocher de Alonso Miguel de Tobar.
Musées : Séville : *Épisode de la vie de saint Augustin – Les rois mages – Saint François d'Assise recevant les stigmates – Vision de saint François – Cène de saint François – Épisode de la vie de saint François d'Assise – Fiançailles de la Vierge – Mort de saint Augustin – Une sainte – Apparition de Jésus à une sainte.*

SORIANO Y FORT José
Né à Valence. xixᵉ siècle. Espagnol.
Peintre de scènes de genre, portraits.
Il eut pour maître Alejandro Ferrant. Il fut nommé peintre officiel du marquis de Cerralbo. Il figura dans des expositions collectives à Paris, au Salon des Artistes Français, 1898 médaille de troisième classe ; Munich ; Madrid, où il obtint une seconde médaille à l'Exposition Nationale de 1897.
On mentionne de lui : *Marchand ambulant – Défense de la Corogne.* Le Fort Soriano, né à Valence au xixᵉ siècle, mentionné comme sculpteur paraît résulter d'une erreur.
Bibliogr. : In : *Cien Anos de pintura en Espana y Portugal, 1830-1930,* Antiqvaria, t. X, Madrid, 1993.
Musées : Madrid : *Disgrâce.*

SORIANO MURILLO Benito
Né le 3 avril 1827 à Palma de Majorque. xixᵉ siècle. Espagnol.
Peintre de genre et illustrateur.
Élève de C. Lorenzale. Le Musée du Prado de Madrid conserve de lui *Portrait de Baroeta y Aldamar,* et le Musée Moderne de cette ville, *Une nuit au Pausilippe.*

SORIAU Daniel. Voir **SOREAU**
SORIAU Jan. Voir **SOREAU**
SORIAU Peter. Voir **SOREAU**

SORIAX François
xvIIIᵉ siècle. Allemand.
Peintre sur faïence.
Il travailla à la Manufacture de Mosbach de 1770 à 1772.

SORICE Tommaso
xvIᵉ siècle. Italien.
Sculpteur.
Il travailla à la Porta Pia de Rome en 1562.

SORIEUL Jean
Né en 1824 à Rouen (Seine-Maritime). Mort le 13 août 1871 à Rouen. xixᵉ siècle. Français.
Peintre d'histoire.
Élève de Bellangé et de L. Cogniet. Il exposa au Salon entre 1847 et 1863.
Musées : Arras : *Combat de Quiberon* – Bagnères-de-Bigorre : *Le drapeau du 91ᵉ à la Courtine de Malakoff* – Chartres : *Bataille du Mans, 12 et 13 décembre 1793* – Rouen : *Paysage, campagne de Russie 1812* – *Prêtres secourant des soldats* – Saint-Lô : *Épisode des guerres de Pologne.*
Ventes Publiques : Paris, 27-29 fév. 1924 : *Halte de Gardes nationaux* : **FRF 200** – Paris, 12 juin 1926 : *Visite de Napoléon III en Russie* : **FRF 1 550** – Paris, 26 jan. 1927 : *Épisode de la bataille du Mans (1793)* : **FRF 430** – Paris, 7 fév. 1951 : *Jeune fille et militaires* : **FRF 11 800.**

SORIGUEROLA, Maître de. Voir **MAÎTRES ANONYMES**

SORIN François
Né le 7 octobre 1655 à Troyes. Mort le 29 mai 1736 à Troyes. xvIIᵉ-xvIIIᵉ siècles. Français.
Peintre et graveur au burin.
Il peignit des sujets religieux, des paysages et des portraits.

SORINA Victoire
Née en 1926 à Temirgvenskaïa. xxᵉ siècle. Active en Belgique. Russe.
Peintre de compositions animées, portraits, paysages, natures mortes.
Elle fut élève de Carlo De Roobver, Fernand Crommelinck, Rik Slabbinck à l'Institut Supérieur des Beaux-Arts d'Anvers. Elle est devenue professeur à l'Académie de Berchem.
Bibliogr. : In : *Dict. biogr. illustré des artistes en Belgique depuis 1830*, Arto, Bruxelles, 1987.

SORINE Saveli ou **Savely, Abramovitch** ou **Sorin** ou **Ssorin**
Né le 27 février 1878 ou 1887 à Polotzk. Mort en 1953 à New York. xxᵉ siècle. Actif aussi aux États-Unis. Russe.
Peintre de portraits, dessinateur, illustrateur.
Il fut élève d'Ilia Efimovich Répine à l'Académie des Beaux-Arts de Saint-Pétersbourg, où il obtint le Prix de Rome et une bourse d'études qui lui permit de s'installer à Paris. Puis, il se retira aux États-Unis.
Il exposa au Salon d'Automne, à Paris, de 1922 à 1923, à l'Exposition Internationale de Pittsburgh de 1923 à 1924, au Salon des Tuileries, à Paris, de 1926 à 1930, au Salon des Indépendants, à Paris, et également à Londres, Washington, Chicago, New York, Moscou et Saint-Pétersbourg.
Il a illustré entre autres ouvrages, les œuvres de Maxime Gorki. Son art se rattache à la tradition ingriste.
Musées : Moscou – Paris (Mus. d'Orsay) : *La danseuse Anna Pavlova* – Pskov – Saint-Pétersbourg.

SORIO Giuseppe
Né le 21 janvier 1900 à Vérone. xxᵉ siècle. Italien.
Peintre.
Il fut élève de Carlo degli Albertini, également de Vérone. Il fut aussi critique d'art.

SORIO Luigi
Né en 1835 ou 1838 à Vérone. Mort le 21 septembre 1909 à Milan. xixᵉ siècle. Italien.
Peintre.
Ventes Publiques : Milan, 20 mars 1980 : *Scène de marché*, h/t (63x88) : ITL 3 000 000.

SORIONE Jan ou **Sorius**. Voir **SOREAU**

SORISENE Pietro Antonio
xviiᵉ siècle. Actif dans la seconde moitié du xviiᵉ siècle. Italien.
Peintre.
Il travailla pour les églises Saint-Georges et Sainte-Agathe de Brescia.

SORITA Sebastian
xviᵉ siècle. Espagnol.
Peintre.
Il peignit les anges du crucifix de l'ancien maître-autel de la cathédrale de Valence en 1566.

SÔRI Tawaraya, nom familier : **Mototomo,** nom de pinceau : **Ryûryûkyo Hyakurin**
xviiiᵉ siècle. Actif dans la seconde moitié du xviiiᵉ siècle. Japonais.
Peintre.
Élève de Sumiyoshi Hiromori, il est ensuite influencé par le style de Kôrin (1658-1716).

SÔRITSU Oguri ou **Sôkei Oguri**
xviᵉ siècle. Japonais.
Peintre.
Peintre de peinture à l'encre (*suiboku*) de l'époque Muromachi, il est disciple de son père Sôtan (1413-1481). Il vit au temple Daitoku-ji de Kyoto où il laisse un ensemble de vingt-six portes à glissière peintes à l'encre sur papier, datées 1490, représentant des oies sauvages dans les roseaux. Une partie de ces peintures sont montées en rouleaux et conservées au Musée National de Kyoto ; elles sont au registre des Biens Culturels Importants.

SORIUS. Voir **SOYE Philipp de**

SORKAU Albert
Né le 24 octobre 1874 à Toul (Meurthe-et-Moselle). xixᵉ-xxᵉ siècles. Français.
Peintre de genre, intérieurs, pastelliste.
Il fut élève de Léon Bonnat. Il s'est établi à Boulogne-sur-Seine. Il exposait à Paris, depuis 1897 au Salon des Artistes Français,

1912 mention honorable, 1942 médaille d'argent. Il exposait aussi à Dieppe, Dijon, Nancy, médailles d'or à Chaumont et à Seattle, médailles de vermeil à Langres et à Reims.
En général en scènes d'intérieur, il a essentiellement illustré les us typiques quotidiens de la vie des ouvriers, paysans, ménagères et servantes en Flandre française.
Ventes Publiques : Paris, 15 avr. 1924 : *La bonne histoire :* FRF 300 – Paris, 30 mars 1925 : *Paysan mangeant la soupe,* past. : FRF 265 – Paris, 3 juil. 1933 : *Le jour des cuivres en Flandre :* FRF 600 – Paris, 5 avr. 1943 : *Le repas :* FRF 6 200 – Paris, 10 mai 1950 : *Scène d'intérieur :* FRF 19 000 – Paris, 15 mars 1951 : *La causette :* FRF 24 500 – Nice, 29-30 oct. 1954 : *Les soubrettes :* FRF 11 000 – Zurich, 14 mai 1983 : *Les Domestiques,* h/t (65x80) : CHF 4 600 – Paris, 22 mars 1993 : *Les lingères,* h/t (50x62) : FRF 5 500 – Calais, 12 déc. 1993 : *Scène d'intérieur en Flandres,* h/t (65x81) : FRF 22 500.

SORKINE Raya. Voir **RAYA**

SORKO Virgil
Né le 16 mars 1771 à Salzbourg. Mort le 11 décembre 1820 à Freising. xviiiᵉ-xixᵉ siècles. Allemand.
Aquarelliste et dessinateur.
Il fut moine dans le monastère de Tegernsee où il peignit des portraits et des vues.

SORLAIN J. Voir **DENARIÉ Paul**

SORLAY Jérôme ou **Saurlay** ou **Somley** ou **Sorlet**
xviiᵉ siècle. Actif à Lyon. Français.
Peintre d'histoire.
Élève de Mignard. Il peignit en 1664 : *Apparition du Christ à saint Pierre fuyant Rome.*

SORLET Bastien. Voir **JORLET**

SORLIN
xviiᵉ siècle. Actif à Lyon. Français.
Peintre d'histoire.
Peut-être identique à Jérôme Sorlay.

SÖRLING Olof
Né le 1ᵉʳ septembre 1852 à Stockholm. xixᵉ siècle. Suédois.
Dessinateur.
Élève de l'Académie de Stockholm. Il illustra des livres d'ethnographie et d'histoire.

SORM Jiri
Né le 8 avril 1957 à Prague. xxᵉ siècle. Tchécoslovaque.
Peintre. Tendance surréaliste.
Il a suivi un cycle de onze ans d'études artistiques, tout d'abord à l'École secondaire graphique entre 1972 et 1976, puis à l'Académie des Beaux-Arts de Prague de 1978 à 1984. Il a participé à des expositions collectives en Bulgarie 1983, Bohème 1984, à Bratislava 1985, Helsinki 1986, Prague 1987, 1988. Ses expositions personnelles se sont déroulées en Bohème en 1981, 1987, à Prague en 1986, à Berlin en 1988.
Jiri Sorm cherche à concilier l'ancien temps et notre époque à travers des symboles qui, intégrés à sa peinture, deviennent stimulateurs de la pensée.

SORMANI. Voir aussi **SORMANO**

SORMANI Gian Luciano
Né le 10 avril 1867 à Legnano. xixᵉ-xxᵉ siècles. Italien.
Peintre de genre, aquarelliste.
Il fut élève de Pompeo Molmenti. Il était établi à Venise. Il était aussi relieur.
Il illustrait des scènes de la vie quotidienne de la lagune.
Ventes Publiques : Rome, 19 nov. 1992 : *Prière sur la lagune,* aquar. (17x34) : ITL 1 092 000.

SORMANI Giovanni Antonio et **Leonardo**. Voir **SORMANO**

SORMANI Pace Antonio
Né à Osteno. Mort peut-être en 1561 à Carrare (?). xviᵉ siècle. Actif à Savona.
Sculpteur et architecte.
Père de Giovanni Antonio et de Leonardo Sormano. Il travailla à Savona, à Gênes et à Carrare.

SORMANI Pietro
Mort après 1878. xixᵉ siècle. Actif à Milan. Italien.
Sculpteur.
Élève de l'Académie de la Brera de Milan, où il exposa de 1825 à 1827.

SORMANI Stefano
xviiᵉ siècle. Travaillant à Soccavo, de 1640 à 1647. Italien.

Sculpteur.

Il exécuta des colonnes pour le maître-autel de l'église de l'Annonciation de Naples.

SORMANIS Johannes Petrus de. Voir **SORMANO Giovanni Pietro di**

SORMANNO Giovanni Antonio et **Leonardo**. Voir **SORMANO**

SORMANO. Voir aussi **SORMANI**

SORMANO Giovanni Antonio ou **Sormani** ou **Sormanno**
Mort le 21 octobre 1575 à Madrid. XVIe siècle. Espagnol.
Sculpteur et architecte.
Frère de Leonardo Sormano. Il était actif à Savona. Il travailla pour la cour de Madrid et pour le roi Philippe II d'Espagne.

SORMANO Giovanni Lorenzo
Né à Osteno. XVIe siècle. Italien.
Sculpteur.
Il travailla pour les églises de Finale Ligure et de Condino.

SORMANO Giovanni Pietro di, appelé aussi **Johannes Petrus de Sormanis**
XVIe siècle. Italien.
Peintre.
Il travailla pour la cathédrale de Milan.

SORMANO Giulio
XVIe siècle. Actif dans la seconde moitié du XVIe siècle. Espagnol.
Sculpteur sur marbre.

SORMANO Leonardo ou **Sormani** ou **Sormanno**
Né probablement à Savona. Mort après 1589 à Rome. XVIe siècle. Italien.
Sculpteur, restaurateur.
Frère de Giovanni Antonio Sormano. Il restaura des antiquités pour le Vatican de Rome. Il travailla aussi pour l'église Sainte-Marie Majeure de Rome.

SORMANO Pietro di ou **Sormano Petrus de**
XVe siècle. Actif en Lombardie vers 1430. Italien.
Sculpteur.
Il travailla pour la cathédrale de Milan.

SORNAS Jeanne Marie, Mme. Voir **GROSSIN Jeanne Marie**

SORNET Edme Jean Louis
Né le 18 janvier 1802 à Paris. Mort en 1876 à Paris. XIXe siècle.
Français.
Sculpteur.
Élève de Bosio. Il entre à l'École des Beaux-Arts le 4 octobre 1835. Il obtint une médaille de troisième classe en 1839. Le Musée de Valenciennes conserve de lui *Buste d'Antoine Watteau*, et celui de Versailles *Buste en marbre du général Brunet*.

SORNIQUE Dominique
Né en 1708. Mort le 7 février 1756 à Paris. XVIIIe siècle. Français.
Dessinateur et graveur au burin.
Élève de Ch. Simonneau. Il a gravé des sujets religieux, des scènes de genre et de portraits. On lui doit aussi de jolies vignettes.

SORNIQUE Hervé
Né en 1948 à Châtellerault (Vienne). XXe siècle. Français.
Peintre, sculpteur, graveur. Polymorphe, tendance expressionniste-abstrait.
Il vit et travaille à Coussay-les-Bois (Vienne). Depuis 1976, il a figuré aux Salons de Mai et de la Jeune Sculpture à Paris ; en 1981 à Saint-Savin-sur-Gartempe, à *La gravure dans tous ses états* ; il a exposé individuellement en 1983 à Paris, en 1988 à Poitiers ; etc.
Sa peinture résulte d'une réflexion constante et multiple sur l'être et les raisons d'être de la peinture, à l'intérieur de la peinture sur la forme et la contre-forme, sur la présence des angles dans le rectangle, sur l'investissement de l'espace du tableau. Cette réflexion en devenir se manifeste dans des réalisations très diverses, aboutissant parfois à une peinture totalement adaptée au courant de l'expressionnisme-abstrait international, parfois à une mosaïque de petites saynètes typiquement expressionnistes figuratives, dans une savoureuse facture allusive, où une petite dame assise sur une chaise dans un coin du format est confrontée à une sorte d'énorme diable qui occupe tout le restant des angles et de la surface. Ces saynètes ont été aussi agrandies dans le projet d'un film d'animation. Chez Hervé Sornique, on perçoit une réflexion de qualité, mais peut-être inhibante, et une promesse de peinture sensuelle en gestation.
VENTES PUBLIQUES : DOUAI, 1er avr. 1990 : *Composition 1984-85*, acryl./velours d'ameublement (128x116) : FRF 9 000.

SOROGUINE Guennady. Voir **SOROKINE**

SOROKA Alexandre
Né en 1942. XXe siècle. Russe.
Peintre de paysages animés, natures mortes, fleurs. Postimpressionniste.
Il fréquenta l'Institut Répine à l'Académie des Beaux-Arts de Leningrad. Il devint membre de l'Association des Peintres de Saint-Pétersbourg.
Il applique une technique discrètement postimpressionniste à des sujets conventionnels.
VENTES PUBLIQUES : PARIS, 23 mars 1992 : *Dans les hautes herbes*, h/t (49x74) : FRF 4 200.

SOROKA Grigori
Né en 1823. Mort en 1864. XIXe siècle. Russe.
Peintre.
Élève de Wenezianoff. Le Musée Russe de Leningrad conserve de lui *Portrait de Wenezianoff, Tête de femme, Pêcheurs, vue de la propriété des Pozdnéev*, et *Pièce dans une maison de campagne*.

SOROKIN Iéograf ou **Jevgraf Semenovitch** ou **Semionovitch**
Né le 6 décembre 1821 à Bolichija Soli. Mort en 1892 à Moscou. XIXe siècle. Russe.
Peintre de compositions religieuses, scènes de genre, fresquiste.
Frère de Pavel et de Vassili Sorokin, il fut élève de l'Académie de Saint-Pétersbourg. Il a exécuté des fresques dans l'église russe de Paris.
MUSÉES : MOSCOU (Mus. Roumianzeff) : *Annonciation – Espagne – Rendez-vous* – MOSCOU (Gal. Tretiakov) : *Petite Mendiante espagnole – Bazar au Caire – Ruines du temple de Medinet-Alev* – SAINT-PÉTERSBOURG (Mus. russe) : *Mariage de la Vierge*.

SOROKIN Paul Semenovitch ou **Pavel Semionovitch**
Né en 1839 à Bolichija Soli. Mort le 12 mai 1886 à Moscou. XIXe siècle. Russe.
Peintre de compositions religieuses.
Il fut membre de l'Académie de Saint-Pétersbourg.
MUSÉES : MOSCOU (Mus. Roumianzeff) : *Les Premiers Martyrs russes* – MOSCOU (Gal. Tretiakov) : *Esquisse pour un plafond*.

SOROKIN Vassili Semenovitch ou **Semionovitch**
Né en 1833 à Bolichija Soli. XIXe siècle. Russe.
Peintre de cartons de mosaïques.
Frère de Iévgraf et de Paul Sorokin, il fut lui aussi élève de l'Académie de Saint-Pétersbourg. Il a exécuté des mosaïques dans l'église Isaac de Moscou.

SOROKINE Guennadi ou **Soroguine Guennady**
Né en 1935 à Orekhovo-Zouévo (région de Moscou). XXe siècle. Russe.
Peintre de sujets typiques, paysages urbains, architectures.
De 1953 à 1957, il fréquenta l'École Supérieure des Beaux-Arts M. Kalinine de Moscou. Il devint membre de l'Union des Peintres de la Russie et Artiste émérite. Il vit à Orékhovo-Zouévo et depuis 1960 participe à des expositions nationales et internationales.
Il est un représentant typique de l'école de peinture réaliste soviétique.
VENTES PUBLIQUES : PARIS, 6 fév. 1993 : *Au cœur de la forêt*, h/t (90x80) : FRF 3 100 – PARIS, 14 déc. 1993 : *Troïka 1991*, h/t (118x100) : FRF 12 000.

SOROKINE Ivan
Né en 1910 à Simbirsk (Oulianovsk). Mort en 1986. XXe siècle. Russe.
Peintre de genre, figures.
Il fréquenta de 1930 à 1948 la Faculté ouvrière près de l'Académie russe des Beaux-Arts. Il fut admis en 1948 à l'Union des peintres de l'URSS, section de Leningrad.
MUSÉES : FEODOSSIA (Mus. Arts) – GORKI (Mus. Arts) – KEMEROVO (Mus. Arts) – MOSCOU (Mus. Communications).

VENTES PUBLIQUES : PARIS, 27 jan. 1992 : *Le Ravaudage des filets*, h/t (74x99) : **FRF 6 500**.

SOROLLA Y BASTIDA Joaquin

Né le 27 février 1863 à Valence. Mort le 11 août 1923 à Cercedilla (près de Madrid). XIXe-XXe siècles. Espagnol.

Peintre d'histoire, sujets religieux, scènes de genre, nus, portraits, paysages, paysages d'eau, marines, peintre à la gouache, aquarelliste, dessinateur, illustrateur.

Il étudia à l'École des Beaux-Arts de Valence, dans l'atelier de Gonzalo Salva, puis il fut influencé par deux peintres de Valence : Bernardo Ferrandiz et Francisco Domingo Marqués. Mais l'influence d'Ignace Pinazo Camarlench fut de loin la plus forte, comme en témoigne l'œuvre de Sorolla antérieure à l'année 1885. Ayant obtenu une bourse d'études pour l'Italie, il travailla à Rome et à Assise de 1884 à 1888, où il reçut les conseils de Francisco Pradilla y Ortiz. Bien qu'établi à Madrid, il voyagea régulièrement en France. Par affinités et pour étudier sur place l'œuvre des artistes de l'École de Paris, il fit de fréquents séjours dans cette ville. En Espagne, il épousa Garcia del Castillo. Atteint d'hémiplégie, il cessa définitivement de peindre en juin 1920.

Il figura dans diverses expositions collectives : aux expositions de la Société Nationale des Beaux-Arts de Madrid, à partir de 1881, recevant une seconde médaille en 1884, pour *Le deux mai 1808* ; une première médaille en 1892 et en 1895 ; ainsi qu'à Munich, Vienne, Venise, Rome et Chicago. Membre correspondant de la Société des Artistes Français de Paris, il prit une part assez active aux expositions du Salon. Il y obtint une médaille de deuxième classe en 1890 avec *Boulevard de Paris*, une médaille de troisième classe en 1893, une médaille de deuxième classe en 1895, le Grand Prix en 1900, pour l'Exposition Universelle ; il fut fait chevalier de la Légion d'honneur cette même année. Il montra également ses compositions dans des expositions personnelles, dont : 1906 galerie Georges Petit à Paris ; 1907 Berlin, Düsseldorf et Cologne ; 1908 Grafton galleries à Londres ; 1909 New York, Buffalo et Boston ; 1911 The Art Institute à Chicago, The City of Art à Saint Louis.

Dès l'âge de vingt ans, Sorolla s'était fait remarquer pour le réalisme de sa composition intitulée : *Le deux mai 1808*, où se profilent déjà les trois caractéristiques qui jalonneront tout son œuvre : la préoccupation constante de la lumière, l'exécution à l'air libre (à laquelle l'initia Gonzalo Salva) et le faible développement d'un dessin strict. Il peignit les sujets les plus divers, aussi bien des compositions historiques comme *La Mort de Valentino*, que des thèmes religieux : *L'Enterrement du Christ* (œuvre aujourd'hui détruite), *Sainte Claire – Le Baiser de la relique – Saint Sébastien* ; des portraits : *Elena – Mère – Le Greffier – Le Docteur Simarro dans le laboratoire – Alphonse XIII en uniforme des hussards* ; des scènes de genre : *Cousant les voiles – Le Retour de la pêche – La Baignade – Vision de l'Espagne, Valence* ; ou des paysages : *Mer et rochers de San Esteban – Les Asturies – Tolède*. En 1911, Sorolla reçut la commande d'une série de panneaux décoratifs illustrant *Les Provinces de l'Espagne*, pour la bibliothèque de la Hispanic Society of America de New York ; œuvre monumentale sur laquelle il travailla près de huit ans et qui représente une largeur totale de cinquante-huit mètres. Dans les années 1917-1918, le paysage et la plage (thèmes chers à l'artiste) céderont la place au jardin ; on mentionne notamment différentes versions des jardins de l'Alcazar de Séville et de l'Alhambra de Grenade. De sa Valence natale, Sorolla sut rendre, et utiliser à d'autres fins, le poudroiement des lumières et les vibrations violemment colorées dans les ombres. Par sa fougue à traduire la nature et la lumière en face, il se rattache sans aucun doute au meilleur impressionnisme, dont il assura le succès en Espagne, par la caution de ses propres succès officiels, y condamnant du même coup la tradition de la peinture d'atelier. Sa technique par larges touches se rapproche de celle de son ami Zorn. Il fut particulièrement habile à traduire les jeux de la lumière sur l'eau, la transparence de celle-ci sur le sable et l'éclat brutal des coulées de lumière sur les corps nus des baigneurs en plein air. ■ Sandrine Delcluze

BIBLIOGR. : Jacques Lassaigne : *La peinture espagnole, de Velasquez à Picasso*, Skira, Genève, 1952 – Bernardino de Pantorba : *La vie et l'œuvre de Joaquin Sorolla y Bastida*, Madrid, 1970 – Felipe Maria Garin : *La vision de l'Espagne de Sorolla*, Valence, 1973 – Florencio de Santa-Ana et Fernando Olmeda : *Joaquin Sorolla*, Madrid, 1983 – Catalogue de l'exposition *Le peintre Joaquin Sorolla y Bastida*, Édition Edmund Peel, Londres, 1989 – in : *Catalogue National d'Art Contemporain*, Éditions d'art Iberico 2000, Barcelone, 1990 – in : *Diction. de l'Art Mod. et Contemp.*, Hazan, Paris, 1992 – in : *Cien Anos de pintura en Espana y Portugal, 1830-1930*, Antiqvaria, t. X, Madrid, 1993.

MUSÉES : BAYONNE : *Route dominant la mer dans un décor de rochers – Portraits d'homme – Enfant* – BERLIN : *Pêcheurs de Valence – Plage de Valence et enfants se baignant* – BOSTON : *Chemin près d'un phare* – BROOKLYN : *Paysage* – BUENOS AIRES : *Beaucoup de plaisir – Loup de mer – Sur la plage de Valence* – BUFFALO : *Vieux castillan – Portrait de Charles M. Kurtz* – CHICAGO : *Les deux sœurs – Portrait de Lydia M. Hibbard* – CINCINNATI : *Le petit-fils – Portrait de Rose Bay* – MADRID (Mus. d'Art Mod.) : *Et ils disent que le poisson est cher ! – Le pêcheur blessé – Enfants sur la plage* – MADRID (Mus. Sorolla) : *Divers portraits* – NEW YORK (Metropolitan Mus.) : *Le nageur – Le bain – Portrait de la femme de l'artiste – Le château de San Servando* – PARIS (Mus. d'Orsay) : *Rentrée de la pêche – Préparation des raisins secs* – PHILADELPHIE : *Les jeunes amphibies* – ROME (Gal. Mod.) : *On rentre les filets* – SAINT LOUIS (Mus. mun.) : *Une seconde Marguerite – Avant le bain – Sous l'ombrelle – Le jardin de los Aldarves dans l'Alhambra* – VALENCE : *Enfant nu – Homme assis – Trois têtes d'homme – Taverne – Jeune fille – Portrait de Clotilda Carcia – La Vierge en couches – Portrait de l'architecte Francisco Jareno – Nu* – VENISE (Gal. d'Art Mod.) : *Raccommodage des voiles* – VILLANUEVA Y GELTRU (Mus. Balaguer) : *Le Deux-Mai 1808*.

VENTES PUBLIQUES : PARIS, 18-21 déc. 1918 : *Enfants sur la plage* : **FRF 400** – PARIS, 24-26 avr. 1929 : *Étude de bébé nu sur le sable*, dess. : **FRF 330** – PARIS, 14 déc. 1933 : *Sur la plage de Valence* : **FRF 19 100** ; *La barque de pêche* : **FRF 11 000** – NEW YORK, 18-19 nov. 1941 : *Bateaux à voile à Valence* : **USD 2 500** – PARIS, 5 mars 1947 : *Panier de poissons* : **FRF 19 500** – LONDRES, 4 mai 1960 : *Portrait d'un artiste* : **GBP 300** – NEW YORK, 27 mars 1963 : *Fillette au bord de la mer* : **USD 14 000** – LONDRES, 4 déc. 1968 : *Petit garçon nu sur la plage tenant un melon* : **GBP 8 000** – PARIS, 27 mai 1972 : *Barques dans une crique* : **FRF 81 000** – MADRID, 13 déc. 1973 : *Deux bœufs dans la mer, étude pour Soleil d'après-midi* : **ESP 3 800 000** – PARIS, 11 juin 1974 : *Jeune baigneur* : **FRF 43 000** – MADRID, 17 mai 1976 : *Dos de mayo*, h/t (95x117) : **ESP 650 000** – NEW YORK, 28 avr. 1977 : *Le champ de fleurs 1903*, h/t (65,5x94) : **USD 17 000** – LONDRES, 28 nov 1979 : *Pescadores Valencianas 1903*, h/t (93x126,5) : **GBP 140 000** – BARCELONE, 23 avr. 1980 : *Femme vue de dos*, aquar. (63x44) : **ESP 1 050 000** – NEW YORK, 28 mai 1981 : *Triste Herencia 1899*, h/t (212x287) : **USD 240 000** – NEW YORK, 21 jan. 1983 : *Deux jeunes femmes dans une cuisine 1890*, aquar. (64x48,3) : **USD 25 000** – NEW YORK, 24 fév. 1983 : *Encajonanda pasas Javea 1901*, h/t (89x126) : **USD 145 000** – BARCELONE, 25 oct. 1984 : *La Lecture*, pl. (15x14) : **ESP 115 000** – LONDRES, 26 nov. 1985 : *Les trois sœurs Errazuriz 1897*, h/t (226x138) : **GBP 55 000** – MADRID, 8 mai 1986 : *El boyero castellano 1913*, h/t (200x300) : **ESP 14 500 000** – LONDRES, 22 juin 1988 : *Clotilde 1888*, aquar. et gche (45x29,5) : **GBP 44 000** – LONDRES, 23 nov. 1988 : *Allégorie de la bataille de Lépante*, h/pap./cart. (54x73) : **GBP 41 800** – NEW YORK, 22 fév. 1989 : *Egrappage des raisins à Javea 1900*, h/t (58,4x89) : **USD 385 000** – NEW YORK, 24 mai 1989 : *Enfants jouant au bord de la mer*, h/cart./pan. (14x22,7) : **USD 66 000** – NEW YORK, 24 oct. 1989 : *Famille ségoviane 1894*, h/t (55,9x78,1) : **USD 770 000** – LONDRES, 22 nov. 1989 : *Attelage de bœufs remontant une barque sur le sable 1910*, h/t (98x128) : **GBP 825 000** – ROME, 14 déc. 1989 : *Repos bien mérité*, aquar. (25x35) : **ITL 12 650 000** – LONDRES, 15 fév. 1990 : *Le mousquetaire*, cr. et aquar. (24x16) : **GBP 4 400** – NEW YORK, 28 fév. 1990 : *La laitière*, h/t (145,4x98,5) : **USD 297 000** – NEW YORK, 23 mai 1990 : *Enfants à la plage*, h/t (72,1x94,9) : **USD 2 420 000** – LONDRES, 19 juin 1990 : *Retour des pêcheurs à Valence en fin d'après midi 1908*, h/t (103,5x148) : **GBP 1 815 000** – MADRID, 22 nov. 1990 : *Francisqueta, jeune fille de pêcheur*, h/t (91x112) : **ESP 212 800 000** – ROME, 11 déc. 1990 : *Le connaisseur*, aquar. avec reh. de blanc (34x24) : **ITL 20 700 000** –

MADRID, 24 jan. 1991 : *Voiliers*, h/t (34,5x52,5) : **ESP 23 520 000** –
NEW YORK, 28 fév. 1991 : *Portrait de Troubetzkoy*, h/t (100,3x80,6) :
USD 132 000 – NEW YORK, 22 mai 1991 : *Sortie de bain sur la
plage de Valence* 1908, h/t (81,9x106) : **USD 2 640 000** – LONDRES,
21 juin 1991 : *Retour de la pêche*, h/t/cart. (47x62,5) :
GBP 484 000 – NEW YORK, 20 fév. 1992 : *Barques à Valence*, h/t
(51,4x84,8) : **USD 550 000** – LONDRES, 29 mai 1992 : *Barques à
Zarauz près de San Sebastian* 1910, h/t (68x78) : **GBP 198 000** –
MADRID, 16 juin 1992 : *Dans la barque*, h/pan. (9,5x12,5) :
ESP 2 500 000 – LONDRES, 27 nov. 1992 : *Gamin dans les rochers
à Javea* 1905, h/t (57,8x37,5) : **GBP 99 000** – NEW YORK, 17 fév.
1993 : *Portrait de Don Diego de Alvear* 1903, h/t (137,2x101,6) :
USD 79 500 – MADRID, 25 mai 1993 : *Portrait de Don Juan Anto-
nio Garcia del Castillo*, h/t (107x70) : **ESP 3 680 000** – LONDRES, 16
juin 1993 : *Bœufs dans la mer, étude pour Soleil d'après-midi*
1902, h/t (96x135,5) : **GBP 848 500** – NEW YORK, 13 oct. 1993 :
Gitane 1912, h/t (110,5x63,5) : **USD 321 500** – PARIS, 29 avr. 1994 :
Barques de la région de Valence, h/t (32,5x33) : **FRF 750 000** –
LONDRES, 14 juin 1995 : *Les orangers, chemin de la mer à Valence*
1903, h/t (65x97) : **GBP 67 500** – NEW YORK, 23-24 mai 1996 : *Le
Patio de la maison de Sorolla* 1917, h/t (95,9x64,8) : **USD 156 500**
– NEW YORK, 25 oct. 1996 : *Maria regardant les poissons, Granja*,
h/t : **USD 2 092 500** – LONDRES, 21 nov. 1996 : *Paysanne près de
Rome* 1888, past., aquar. et gche avec reh. de blanc (38,7x27) :
GBP 11 500 – LONDRES, 13 juin 1997 : *Voilier sur la grève* 1906, h/t
(18,5x27,3) : **GBP 20 700** – LONDRES, 11 juin 1997 : *Le Bain, étude
d'enfants pour Héritage triste*, h/t (37x40) : **GBP 87 300** –
LONDRES, 19 nov. 1997 : *Sous la voile d'une barque, plage de
Valence* vers 1905, h/pan. (16x26) : **GBP 23 000**.

SORREL Elisabeth, appellation erronée. Voir **SONREL**

SORRELL Alan
Né le 11 février 1904 à Londres. Mort en 1974. XXᵉ siècle. Britannique.
**Peintre de compositions à personnages, scènes animées,
paysages urbains, architectures, peintre de compositions murales, dessinateur.**
Il fut élève de l'École des Beaux-Arts de Southend. Il interrompit
ses études et travailla pendant deux ans comme dessinateur
commercial. En 1924, il entra au Royal College of Art de
Londres, où il resta élève jusqu'en 1927. En 1928, il obtint une
bourse de la British School pour Rome. De 1931 à 1948, il fut
assistant instructeur au Royal College of Art. En 1936, il visita
l'Islande. De 1941 à 1945, il fut peintre de la guerre dans la Royal
Air Force. En 1947, il se maria avec l'artiste Elisabeth Tanner.
Dès 1931, il exposa à la Royal Academy et au New English Art
Club de Londres.
En 1934, il a peint des décorations murales pour la Librairie Cen-
trale de Southend ; en 1949-1950, *Les Saisons* pour la Warwick
Oken School. Le Ministère du Travail lui commanda une série de
dessins de monuments anciens.
MUSÉES : LONDRES (Tate Gal.) : *Debout le matin très tôt : R.A.F.
camp 1914 – Les Docks de Southampton* 1944.
VENTES PUBLIQUES : LONDRES, 24 avr. 1985 : *Paysage à la ferme*
1942, aquar. et pl. reh. de blanc (30,5x62) : **GBP 1 000** – LONDRES,
25 sep. 1992 : *Londinium Romanum* 1959, h/t/cart. (259x366) :
GBP 990.

SORRENTINI Carol
XVIIIᵉ siècle. Actif à Capodimonte dans la seconde moitié du
XVIIIᵉ siècle. Espagnol.
Peintre sur porcelaine et doreur.
Il travailla à la Manufacture de porcelaine du Buen Retiro de
Madrid.

SORRENTINI Fernando
Né à Capodimonte. XVIIIᵉ siècle. Travaillant en 1759. Espa-
gnol.
Peintre sur porcelaine et doreur.
Il exerça son activité à la Manufacture du Buen Retiro de
Madrid.

SORRENTINI Fernando
XVIIIᵉ-XIXᵉ siècles. Actif à Capodimonte de 1785 à 1808. Espa-
gnol.
Modeleur sur porcelaine.
Il exerça son activité à la Manufacture de porcelaine du Buen
Retiro de Madrid.

SORRENTINI Francisco
XIXᵉ siècle. Actif à Capodimonte en 1802. Espagnol.
Modeleur sur porcelaine.

SORRENTINI Gabriel
Né à Capodimonte. XVIIIᵉ-XIXᵉ siècles. Travaillant de 1769 à
1808. Espagnol.
Peintre sur porcelaine et doreur.
Il travailla à la Manufacture de porcelaine du Buen Retiro de
Madrid.

SORRENTINI José
XVIIIᵉ-XIXᵉ siècles. Actif à Capodimonte de 1759 à 1802. Espa-
gnol.
Peintre sur porcelaine et doreur.
Il travailla à la Manufacture de porcelaine du Buen Retiro de
Madrid.

SORRENTINI Manuel
Né à Capodimonte. XVIIIᵉ-XIXᵉ siècles. Travaillant de 1785 à
1802. Espagnol.
Peintre sur porcelaine et doreur.
Il travailla à la Manufacture de porcelaine du Buen Retiro de
Madrid.

SORRENTINI Pablo
XVIIIᵉ-XIXᵉ siècles. Actif à Capodimonte de 1764 à 1808. Espa-
gnol.
Peintre sur porcelaine et doreur.
Il travailla à la Manufacture de porcelaine du Buen Retiro de
Madrid.

SORRENTINI Rafael
XVIIIᵉ siècle. Actif à Capodimonte en 1785. Espagnol.
Modeleur sur porcelaine.
Il exerça son activité à la Manufacture de porcelaine du Buen
Retiro de Madrid.

SORRI Pietro
Né vers 1556 à San Giosué (près de Sienne). Mort en 1621 ou
1622 à Sienne. XVIᵉ-XVIIᵉ siècles. Italien.
Peintre de compositions religieuses, portraits.
Élève de Arcangelo Salimbiani à Sienne, puis, à Florence, de
Passignano, dont il épousa la fille. Il accompagna son beau-père
à Venise et profita de son séjour pour étudier la manière de Paul
Véronèse. Il alla ensuite à Gênes et à Rome. Il travailla également
à Sienne.
MUSÉES : FLORENCE (Mus. des Offices) : *Portrait de l'artiste* –
SIENNE (Pina.) : *Pentecôte.*
VENTES PUBLIQUES : MILAN, 20 mai 1982 : *Incontro con la Vero-
nica*, h/pan. (56x50) : **ITL 16 000 000** – MILAN, 4 déc. 1986 :
Scènes de la vie du Christ, pl. et lav., feuilles d'études (20,6x27,3) :
ITL 4 800 000 – LONDRES, 18 oct. 1989 : *Pieta avec la Vierge des
sept douleurs, les anges et des putti*, h/pan. en grisaille
(27x34,5) : **GBP 5 500.**

SORRIEU Frédéric
Né le 17 janvier 1807 à Paris. XIXᵉ siècle. Français.
Lithographe.
Élève de N. N. Cassas et Deroy. Il débuta au Salon en 1836 ; men-
tion honorable en 1861.

SORS Françoise
Née le 8 septembre 1929 à Perpignan (Pyrénées-Orientales).
XXᵉ siècle. Française.
Peintre.
Elle participe à des expositions collectives à Paris : depuis 1951,
au Salon d'Automne, dont elle est sociétaire depuis 1962 ; de
1954 à 1961, au Salon de la Jeune Peinture ; 1955, *Découvrir*,
galerie Charpentier ; 1960, 1961, 1962, galerie Philippe Reichenbach ; 1961, Biennale de Paris ; 1980, *Panorama de la Jeune Peinture des années 1950/1960*, Salon des Artistes Français.

SORTAIS Georges Julien
Né le 1ᵉʳ février 1860 à Paris. XIXᵉ siècle. Français.
Peintre.
Il fut élève de son oncle Gustave Jacquet. Il fut aussi historien
d'art.

SORTAMBOSC Alphonse Émile
Né vers 1836 à Angerville-la-Martel (Seine-Maritime). Mort
le 24 juin 1889 au Havre. XIXᵉ siècle. Français.
Sculpteur.

SORTE Cristoforo
Né à Vérone. Mort vers 1600 à Venise. XVIᵉ siècle. Italien.
Peintre de paysages, marines.

Élève de Giulio Romano. Géographe et écrivain d'art, il peignit aussi des marines et des paysages et exécuta de nombreuses cartes géographiques.

SORTET Paul
Mort le 27 avril 1966. xxᵉ siècle. Belge.
Peintre.

SORTINI Gaetano. Voir **SORTINO**

SORTINI Saverio Xavier
Né le 1ᵉʳ janvier 1860 à Noto. Mort en mars 1925 à Venise.
xixᵉ-xxᵉ siècles. Italien.
Sculpteur de statues.
Il exposa à Paris, au Salon des Artistes Français, obtenant une mention honorable en 1900 pour l'Exposition Universelle.
Musées : Rome (Mus. d'Art Mod.) : *Pêcheur breton*.

SORTINO Gaetano ou **Sciortini, Sciottino, Sortini, Sottino**
xviiiᵉ siècle. Actif à Rome. Italien.
Peintre.
Il peignit des tableaux d'autel pour les églises Santa Maria de' Constantinopoli et San Stefano in Piscinula.

SORTIS Eduardo de
Né en septembre 1861 à Naples. Mort au Mont Cassin.
xixᵉ-xxᵉ siècles. Italien.
Sculpteur de statues.
À partir de 1887, avec une *Tête* en bronze, il exposa à Naples.
Il est l'auteur de statues en terre cuite, en bronze et en marbre. Il s'est spécialisé dans le genre « antique romain », avec notamment : *Ancien Romain* de 1888, statue de bronze. La même année, il sculptait un *Chevalier du siècle passé*, représentant Charles III de Bourbon, roi de Naples.

SORZA Carlo dalla, ou della
Né en 1896 ou 1903 à Venise. Mort en 1977. xxᵉ siècle. Italien.
Peintre de paysages.
En 1946, il obtint à l'unanimité le Prix de peinture Burano. Son aîné, le peintre De Pisis vante le charme « verlainien » de son œuvre.
Ventes Publiques : Milan, 8 nov. 1984 : *Asolo*, h/t (49,5x59,5) : ITL 2 300 000 – Milan, 15 mars 1994 : *Paysage*, h/pap./cart. (48x58) : ITL 3 220 000.

SOS Géza
Né le 31 décembre 1870 à Vienne. Mort le 30 janvier 1918 à Budapest. xixᵉ-xxᵉ siècles. Hongrois.
Sculpteur animalier.
Il travailla à Budapest et à Buenos Aires.

SOSA BRAVO Alfredo
Né en 1930 à Sagua-la-Grande. xxᵉ siècle. Cubain.
Peintre de scènes animées, figures, natures mortes, céramiste, lithographe, dessinateur.
Il est autodidacte en art. Collectivement et individuellement, il expose depuis 1957, obtenant diverses distinctions, notamment en 1976 : diplôme d'honneur de la Biennale de céramique d'art de Vallauris, et médaille d'or du 34ᵉ Concours international de céramique d'art de Faenza. Il est céramiste à l'Atelier Cubartesa du Ministère de l'Industrie.
Il a publié des lithographies et semble surtout actif en tant que céramiste. Il a créé une décoration murale en céramique à l'Hôtel *Habana Libre*.
Bibliogr. : Divers, dont Jacques Lassaigne, Alejo Carpentier, in : Catalogue de l'expos. *Cuba – Peintres d'aujourd'hui*, Mus. d'Art Mod. de la Ville, Paris, 1977-78.
Musées : Cuba (Mus. Nat.).

SOSCHTSCHENKO Michaïl Ivanovitch
Né en 1857. Mort en 1908. xixᵉ-xxᵉ siècles. Russe.
Peintre de genre.
Musées : Moscou (Gal. Tretiakov) : *Le Tribunal de première instance*.

SOSEN. Voir **MORI SOSEN**

SÔSETSU Kitagawa
Peut-être originaire de Kanazawa, préfecture de Kanagawa.
xviiᵉ siècle. Japonais.
Peintre d'animaux, fleurs.
Sôsetsu, fils ou frère de Sôtatsu (actif vers 1630), est le plus important disciple de ce dernier et lui succède à la tête de l'atelier Tawara-ya avant 1639, et au titre de *hokkyô* (le pont de la loi, titre ecclésiastique conféré à des artistes), avant 1642.

Il excelle dans les compositions décoratives et poétiques de fleurs et d'herbes, mais elles manquent toutefois du sens constructif des œuvres de Sôtatsu.
Ventes Publiques : New York, 17 oct. 1989 : *Héron sous un lotus*, encre et pigments/pap. (87,8x33,9) : USD 4 400.

SÔSETSU-SAI. Voir **SENKA**

SOSHANA Afroyim
Née le 1ᵉʳ septembre 1927 à Vienne. xxᵉ siècle. Active depuis 1952 aussi en France. Autrichienne.
Peintre de scènes et paysages animés, figures, portraits, sculpteur, dessinatrice.
Elle quitta l'Autriche en 1938. De 1938 à 1940, elle séjourna en Angleterre, où elle fit ses premières études artistiques. À partir de 1941, elle séjourna aux États-Unis. En 1949, elle entreprit un voyage en Europe. En 1952, elle décida de s'établir à Paris, où elle rencontra, entre autres, les sculpteurs Brancusi, Zadkine, César. En 1956, elle partit pour l'Inde, le Japon, la Chine, pays qui lui laissa une forte impression. En 1958, elle voyagea à travers l'Afrique. De retour à Paris, elle connut Pinto Gallizio, et ils décidèrent de faire des œuvres en commun. En 1965-66, elle voyagea en Amérique latine. Ensuite, elle entreprit un long voyage, partant de Tahiti, passant par l'Australie, la Malaisie, la Thaïlande, le Laos, et arriva en Inde, où elle séjourna. À son retour en Europe, elle passa par le Népal, l'Afghanistan, l'Iran et Israël. En 1969, elle se trouva de nouveau à Paris.
Elle montre ses œuvres dans des expositions personnelles : en 1948 eut lieu la première à La Havane ; 1953, 1955 à Paris ; 1958 à Johannesburg ; 1960 à Rio de Janeiro et São Paulo ; 1966 à Mexico.
Lors de son séjour de 1941 aux États-Unis, elle peignit une série de portraits de personnalités connues. À Paris en 1952, elle fut influencée par l'esprit de l'École de Paris des Brancusi et autres. En Chine, elle fut initiée à la technique traditionnelle de la peinture chinoise, qui eut ensuite une durable influence sur sa propre pratique. En 1969 à Paris, elle créa des formes sculpturales monumentales en Plexiglas. D'après ses dessins, Richard Young, en Angleterre, exécuta une série de multiples en plastique.
Son dessin, tant à la plume qu'au fusain, dans ses exceptionnelles habiletés, révèle l'influence de la calligraphie extrême-orientale. Elle montre une égale virtuosité dans sa peinture, résolument figurative sans minutie, dont la manière elliptique, s'accommodant de raccourcis frôlant les procédés graphiques de l'abstraction lyrique, rappelle la première manière de Zao Wou-Ki à son arrivée en France. La peinture de Soshana évoque, comme par des tours d'illusion, de quelques coups de pinceau, la terre, les arbres, le ciel, l'eau, les roseaux, les personnages, situant des clairs-obscurs brutaux, des éclats de lumière fulgurants, des silhouettes se découpant sur la route luisante ou le miroir d'un étang. ■ J. B.
Musées : Antibes (Mus. Picasso) – Jérusalem (Israël Mus.) – Mexico (Nat. Mus. of Mod. Art) – New Jersey (Fairleigh-Dickinson University Mus.) – New York (Jewish Mus.) – New York (City Hospital) – Paris (Mus. Nat. d'Art Mod.) – Rio de Janeiro – Rome (Mus. d'Art Mod.) – Salisbury (Art Gall. of Rhodesia) – São Paulo (Mus. of Mod. Art) – Stamford.
Ventes Publiques : Zurich, 13 avr. 1983 : *Fleurs 1953*, h/t (73x61) : CHF 3 200 – Amsterdam, 31 mai 1994 : *Paysage montagneux*, h/t (38x45) : NLG 2 990.

SÔ SHISEKI. Voir **SHISEKI Kusumoto**

SÔSHÛ. Voir **KANÔ SÔSHÛ**

SOSIBIOS
Iᵉʳ siècle avant J.-C. Actif à Athènes. Antiquité grecque.
Sculpteur.
Le Musée du Louvre de Paris conserve de lui un vase représentant un cortège de fête religieuse.

SOSIGENES
Vᵉ siècle avant J.-C. Antiquité grecque.
Sculpteur.
Fils du général athénien Eucrate. Il travailla à Cycicos.

SOSIKLES
Antiquité grecque.
Sculpteur.
Le Musée du Capitole de Rome conserve de lui la copie d'une statue d'amazone blessée.

SOSIMENES
IIIᵉ siècle avant J.-C. Antiquité grecque.
Sculpteur.

SOSINI Giovanni Battista. Voir **SOZZINI**

SOSIPATROS
Né à Soloi. Actif à l'époque hellénistique. Antiquité grecque.
Sculpteur.
Il exécuta des travaux sur l'Acropole de Lindos.

SOSIS
IIIe siècle avant J.-C. Antiquité grecque.
Tailleur de camées.
On cite de lui un camée *Hercule tuant le centaure*.

SOSIS
Originaire probablement de Béotie. IIIe siècle avant J.-C. Travaillant vers 200 avant Jésus-Christ. Antiquité grecque.
Sculpteur.

SOSITHEOS
IVe siècle avant J.-C. Athénien, travaillant entre 325 et 308 avant Jésus-Christ. Antiquité grecque.
Sculpteur.
Il sculpta la statue du général *Demetrios de Phalérone* qui se trouvait à Éleusis.

SOSNO Sacha, pseudonyme de **Sosnowsky Alexandre**
Né en 1937 à Marseille (Bouches-du-Rhône). XXe siècle. Français.
Peintre technique mixte, sculpteur, artiste multimédia.
Groupe École de Nice.
À Nice et à Paris, il fut étudiant en langues orientales et en sciences politiques. Il fut d'abord reporter journaliste. Depuis 1972, il se consacre à la peinture, puis à la vidéo et, surtout à partir de 1979, à la sculpture.
Il participe à de nombreuses expositions collectives, d'entre lesquelles quelques repères : en 1972 à Nice, *École de Nice, rétrospective*, studio Ferrero ; 1974 Paris, Salon de la Jeune Peinture ; Paris, *Art vidéo, Confrontation 74*, Musée d'Art Moderne de la Ville ; 1974-75 Paris, *L'art contre l'idéologie*, galerie Rencontres ; 1975 Bruxelles, *Artists' Video Tapes*, Palais des Beaux-Arts ; Paris, *L'Image*, Institut de l'Environnement ; 1976 Biennale de Venise ; 1982 Le Havre, *De l'Hommage au Modèle*, Musée des Beaux-Arts ; 1984 Nice, *Nice, l'art contemporain au musée*, Musée des Ponchettes et Galerie d'Art Contemporain ; 1985 Nice, *Artistes de la région*, Villa Arson ; 1986 Paris, *Art jonction*, galerie Beaubourg ; etc.
Il montre des ensembles de ses réalisations dans des expositions individuelles, dont : 1972, 1974 Nice, studio Ferrero ; San Remo, 1973 Bologne ; 1974 Paris, galerie Mony Calatchi ; 1975 Anvers, Centre Culturel International ; 1976 Gand ; Porto ; 1978 Caracas, galerie La Pyramide ; 1979, Saint-Paul-de-Vence, Musée ; 1983 Nice, Musée Jules Chéret ; 1984 Genève, *Bronzes de Sosno*, galerie du Cours Saint-Pierre ; Paris, *Sculptures monumentales habitées*, FIAC (Foire Internationale d'Art Contemporain) ; 1986 Saint-Paul-de-Vence, galerie Alexandre de la Salle ; Munich, *Bronzes 1979-1985*, galerie Rouf ; etc.
Sosno ambitionne de pouvoir réaliser de nombreux projets monumentaux : à la place de la pyramide de Pei devant le Louvre, une réplique énorme de la *Vénus de Milo*, évidée d'un grand rectangle orientant le regard par le Carrousel, l'Arc de l'Étoile, jusqu'à la Grande Arche de la Défense ; un homme géant porté par et occultant le haut d'une gigantesque tête antique ; etc. En 1985, à Nice-Acropolis, a été installée une statue, de marbre et bronze, de 5 mètres de hauteur et de 22 tonnes, sur le thème « Il faut en toute chose préférer l'intérieur à l'extérieur ».
Alors qu'il était journaliste, il recourt au graphisme et à la peinture pour approfondir ses relations avec les informations, souvent horribles, qu'il véhiculait. Il précisait un élément de la réalité photographiée, soit au moyen d'une flèche pointée ou, au contraire, en modifiant l'intégrité de cette réalité photographique par l'application d'un aplat de couleur, généralement rouge et de forme géométrique, qui occulte une partie de la photographie initiale. Dans cette première approche plastique, la pratique de Sosno se rapprochait des formulations de ce qui fut à un moment l'art sociologique.
Même s'il n'a utilisé les termes qu'à partir de 1974, dès ses premières interventions il avait posé le principe stratégique qui fondera l'ensemble de ses activités et créations : marquer des « points sensibles », opérer « oblitération ». C'est donc désormais délibérément qu'il marquera et oblitérera tout ce qui passe à sa portée, qui soit image et qui porte sens : photos, objets, émission de télévision, projection vidéo, enfin les sculptures,

sans doute la partie la plus spectaculaire de son activité. À partir de moulages en bronze de statues antiques ou moderne, *Vénus de Milo* ou *Statue de la Liberté* de Bartholdi, il dispose de deux tactiques d'oblitération : soit il en occulte une ou des parties par des plaques métalliques placées devant en écrans ou par l'apposition traumatisante d'une poutre, par exemple de béton, qui semble traverser la tête occultée, le buste ou la statue de part en part, soit, à l'inverse, il en évide une grande partie, en général évidement de section rectangulaire, méthode qui, si elle occulte une partie de la sculpture, au contraire révèle ce qu'il y a de l'autre côté. Ce principe généralisé de l'occultation réactive l'ancienne opposition du plein et du vide, sous les espèces du sens et de la perte de sens, certes, mais on ne peut s'empêcher, si l'on admire la performance, d'en relever la force provocatrice et, accessoirement, la vertu ludique.   ■ Jacques Busse
BIBLIOGR. : Pierre Restany, *Avida Ripolin : Catalogue de l'exposition* Sosno. *Sculptures*, gal. Alexandre de la Salle, Saint-Paul-de-Vence, 1986, bonne documentation.
VENTES PUBLIQUES : PARIS, 11 oct. 1989 : *Drapé dans le vide* 1979-1986, bronze (61x33,5x17) : FRF 80 000.

SOSNOWSKI Tomasz Oskar de, comte
Né le 12 octobre 1810 à Norvomalin, certaines sources donnent décembre 1811. Mort le 27 janvier 1886 à Rome. XIXe siècle. Polonais.
Sculpteur.
Élève de Chr. Rauch à Berlin. Il s'établit à Rome, où il exécuta de nombreuses statues pour des églises. Il contribua largement à la renaissance d'une statuaire polonaise.
MUSÉES : CRACOVIE (Mus. Nat.) : *Œdipe et Antigone* – LEMBERG (Mus. Lubormirski) : *Buste de J. Korzeniowski* – POSEN (Mus. Miezynski) : *Buste de l'archevêque L. Przyluski*.

SOSOLIC Dominique
Né en 1950 à Ornans (Doubs). XXe siècle. Français.
Graveur, illustrateur.
À Paris, il fut élève de l'Université de Paris I-Sorbonne en Arts Plastiques, et agrégé. Il est professeur des lycées et collèges. Il vit et travaille à Dole.
Il participe à des expositions collectives de graveurs, d'entre lesquelles : 1976 Mulhouse, Biennale européenne de la gravure ; 1978 Cracovie, Biennale internationale ; 1980 New York, Philadelphie, Associated American Artists ; 1982 Charleville, Triennale européenne de la gravure, remportant le Premier Prix ; 1985 Baden-Baden, Swansea, Copenhague, Biennale européenne de la gravure ; 1988 Cracovie, Biennale internationale ; etc. Depuis 1978, il montre ses réalisations dans des expositions personnelles à Besançon, Épinal, Montbéliard, en 1981 au Musée de Moutiers (Suisse), Strasbourg, 1985 au Centre culturel de Vesoul, 1988 au Musée Denon de Chalon-sur-Saône, 1989 au Centre culturel de Toulouse.
Il a réalisé des gravures pour l'édition et pour le mécenat d'entreprise, et illustré divers ouvrages littéraires, notamment les *Œuvres complètes* d'Arthur Rimbaud.
MUSÉES : ADELAÏDE (Art Gal. of South Australia, Cab. des Estampes) – ANNECY (Mus., Cab. des Estampes) – BRUXELLES (Bibl. roy., Cab. des Estampes) – DOLE (FRAC Franche-Comté) – ÉPINAL (Cab. des Estampes) – PARIS (BN, Cab. des Estampes) – STRASBOURG (Cab. des Estampes).

SOSOS
Actif à l'époque hellénistique. Antiquité grecque.
Mosaïste.
Il a exécuté une mosaïque où étaient représentés des restes d'aliments.

SOSPATAK Laszlo Pataky von. Voir **PATAKY-SOSPATAK**

SOSSI Giacomo. Voir **SOZZI**

SOSSO Renzo
Né le 2 juillet 1895 à Turin. XXe siècle. Italien.
Peintre de paysages.
Il était autodidacte en art. Il était actif à Milan.
MUSÉES : MILAN (Gal. Mod.) : *Matin au bord du lac*.

SOSTEN Diedrich von
Mort le 30 avril 1695 à Hambourg. XVIIe siècle. Allemand.
Peintre.
Premier maître de F. W. Tamm.

SOSTEN Hinrich
Mort le 14 janvier 1726 à Hambourg. XVIIIe siècle. Allemand.

Peintre.

Il fut maître en 1705.

SOSTEN Johann Caspar

Mort le 1er décembre 1717 à Hambourg. xviiie siècle. Allemand.

Peintre.

Il fut maître en 1699.

SOSTER Bartolomeo

Né en 1803 à Valdagno. xixe siècle. Actif à Milan. Italien.

Graveur au burin.

Élève de G. Longhi.

SOSTRATOS I

ve siècle avant J.-C. Actif à Chios dans la seconde moitié du ve siècle avant Jésus-Christ. Antiquité grecque.

Sculpteur.

Il a sculpté des statues de dieux, surtout une *Athéné* à Aliphera.

SOSTRATOS II

ve siècle avant J.-C. Actif à Rhegium. Antiquité grecque.

Sculpteur.

Élève de Pythagore de Rhegium.

SOSTRATOS III

ive siècle avant J.-C. Athénien, travaillant de 328 à 325 avant Jésus-Christ. Antiquité grecque.

Sculpteur.

Fils du peintre Euphranor. Il a sculpté une statue dans le théâtre de Dionysos à Athènes.

SOSTRATOS IV

Né à Cnide. iiie siècle avant J.-C. Travaillant au début du iiie siècle avant Jésus-Christ. Antiquité grecque.

Sculpteur, architecte, décorateur.

Il est célèbre pour avoir construit le phare d'Alexandrie, œuvre grandiose par la hardiesse de son architecture, la richesse de sa décoration sculptée et l'ingéniosité de la trouvaille qui permettait aux trompes gigantesques des Tritons, sculptés aux pieds de Ptolémée II, de résonner sous l'action des vents afin de prévenir les navigateurs contre la brume.

SOSTRATOS V

ier siècle avant J.-C. Antiquité grecque.

Tailleur de camées.

Il a taillé des camées représentant des scènes mythologiques.

SOTA CARRIAZO Lope de La. Voir LA SOTA CARRIAZO

SOTADAS

ve siècle avant J.-C. Actif à Thespié dans la première moitié du ve siècle av. J.-C. Antiquité grecque.

Sculpteur.

Il travailla pour le temple de Delphes.

SOTAIN Noël Eugène

Né le 19 ou 27 février 1816 à Paris. xixe siècle. Français.

Graveur sur bois.

Élève de Barbant père. Il grava d'après G. Doré.

SÔTAN. Voir TEN-Ô SÔTAN

SOTAS

ier siècle. Antiquité grecque.

Sculpteur de statues.

Il travaillait probablement vers la fin du ier siècle. Il sculpta la statue d'une prêtresse à Éleusis.

SÔTATSU Nonomura, surnom : Inen, noms de pinceau : Tawara-Ya et Taiseiken

xviie siècle. Actif à Kyoto dans la première moitié du xviie siècle. Japonais.

Peintre.

Au début du xviie siècle, l'établissement du shôgunat des Tokugawa, soutenu par le développement du commerce et de l'industrie, assure au Japon une paix durable. Bien qu'Edo (actuelle Tokyo) s'affirme comme centre politique, Kyoto, siège de la famille impériale, reste le grand centre culturel et les différentes classes sociales font appel à des artistes très divers pour satisfaire leur besoin d'œuvres d'art et faire revivre la culture nationale créée à l'époque Heian (ixe-xiie siècle). Sous cette impulsion, Sôtatsu, peintre né, magicien de la couleur, forge un style original que caractérise une stylisation hardie, hautement décorative, qui fait revivre le *yamato-e* d'antan. Son art représente un des sommets de la peinture japonaise. Nous ne savons que fort peu de choses sur la carrière de Sôtatsu, dont on ignore même les

dates de naissance et de mort, mais les études approfondies de plusieurs spécialistes, notamment de Yamane Yûzô et Tani Nobuzaku, ont jeté quelques lumières sur le personnage et son entourage. Il serait issu d'une grande famille marchande, enrichie dans le commerce des étoffes avec la Chine et la fabrication des brocarts, et si son nom de famille n'est pas encore connu, du moins savons-nous qu'il porte le nom commercial (*yagô*, nom de son magasin) de Tawara-ya, celui d'une célèbre maison d'éventails décorés. Il est donc vraisemblable que Sôtatsu ait dirigé cet atelier, mais sa formation artistique reste obscure. Sans doute dessine-t-il les modèles d'éventails et de papiers décorés que recopient ensuite ses assistants, et son goût personnel reflète aussi bien la tradition artisanale et médiévale de la peinture profane et populaire, que sa culture classique. Il existe encore de nombreuses peintures sur papier d'éventail (*senmenga*), réunies sur des paravents, du « style Sôtatsu », qui reprennent les mêmes thèmes et les mêmes compositions, où l'on distingue la touche du maître et de ses disciples. Il semble donc que le style décoratif de la maison Tawara-ya est très en vogue à l'époque, et que c'est par là que l'originalité de Sôtatsu commence d'être appréciée. Peut-être est-ce à ce titre qu'il participe, en 1602, à la réparation des *Heike no kyô*, trente-deux rouleaux richement décorés, offerts, en 1160, par le clan Taira au sanctuaire d'Istukushima et dont il aurait remplacé plusieurs montures et refait deux *mikaeshi* (frontispices) qu'il orne de paysages et d'animaux tracés à l'encre d'or et d'argent. Il s'inspirera souvent, par la suite, des guerres qui mirent aux prises les clans Taira et Minamoto, au xiie siècle.

Deux éléments semblent désormais déterminants dans la carrière de cet artiste. D'une part, son expérience de peintre-décorateur sur éventails, qui le rend maître de la construction décorative à partir de la combinaison de thèmes classiques : un regard attentif sur ses œuvres montre qu'elles sont presque toujours construites comme une peinture sur éventail, selon un système tridimensionnel (rayonnement à partir d'un point central du premier plan, représentant, de fait, le pivot de l'éventail, développement par zones circulaires, enfin, progression de droite à gauche) qui leur confère profondeur et cohésion. D'autre part, l'influence de Hon-ami Kôetsu (1558-1637), grand mécène, calligraphe et décorateur, personnage important du monde cultivé de l'époque. Sôtatsu aurait épousé sa cousine si ce n'est sa sœur. La collaboration des deux artistes est indiscutablement prouvée par les nombreux rouleaux et albums (dont le plus ancien remonte à 1606), où la très belle calligraphie de Kôetsu vient s'inscrire sur des feuilles richement dotées de motifs à l'encre d'or et d'argent par Sôtatsu, œuvres collectives où l'harmonie du dessin, de l'écriture et de la poésie réalise une forme synthétique proche de celle de la période Heian. Sôtatsu s'attache aussi bien à rendre la souplesse des lignes que la vigueur des accents et réussit, par la technique *tarashikomi* (touches d'encre fraîchement posées qui, par aspersion d'eau, deviennent des taches dégradées) à nuancer les surfaces unies. Il reprendra ces procédés dans ses peintures monochromes à l'encre de Chine, introduisant dans l'art du lavis un sentiment décoratif nouveau, éloigné de la tradition chinoise et dans ses rouleaux et paravents en couleurs superposées pour former des harmonies imprévues. Il innove aussi dans le traitement des motifs dépourvus de cerne, selon l'antique parti chinois dit *sans os*. Le rôle précis de l'influence de Kôetsu sur l'esthétique de Sôtatsu reste à déterminer, mais on peut admettre l'importance du milieu artistique évoluant autour de Kôetsu et de sa clientèle aristocratique qui, peut-être, l'oriente par ses commandes. Tout le passé de l'ancienne cité impériale revit dans son interprétation des *Kasen*, les poètes de l'époque Heian, riche album où les à-plats de couleurs vives s'allient au fond d'or. Un des faits certains de la vie de Sôtatsu est qu'en automne 1630, alors qu'il a déjà accédé au grade de *hôkkyô* (pont de la loi, titre ecclésiastique conféré à des artistes laïques), il se consacre aux copies des rouleaux de la *Saigyô monogatari* (histoire des errances du poète Saigyô (1118-1190) dans les campagnes nippones), d'après les rouleaux du xvie siècle, à la demande d'un seigneur local, Honda Tominasa, si l'on en croit, du moins, le colophon de Karasumaru Mitsuhiro (1579-1638), courtisan lettré ami du peintre. Il aurait exécuté, la même année, trois paires de paravents sur fond d'or pour l'empereur Gomizunoo : c'est dire qu'il est déjà dans sa pleine maturité. La copie des rouleaux de Saigyô est très supérieure à l'original, par la fraîcheur du coloris plein de poésie et la souplesse du dessin. Quant à son titre de *hôkkyô*, M. Yamane se demande s'il ne lui avait pas été conféré pour ses travaux au temple Yôgen-in de

Kyoto, temple construit en 1621 par la femme de Hidetada, second shôgun des Tokugawa, en mémoire de son père Asai Nagamasa. C'est un ensemble de huit *shitomi* (portes à glissières en bois de cryptomère) ornés de motifs animaliers et de douze *fusuma* (portes à glissières en papier) ornés de pins et de rochers sur fond d'or. Les animaux imaginaires accusent la stylisation caractéristique de Sôtatsu ; les deux lions traités de face, le corps ondulant en une torsion violente, emplissent presque toute la surface et semblent jaillir de l'espace laissé nu, si ce n'est quelques rehauts dorés qui jouent sur les veines du bois. L'humour est ici sous-jacent comme dans tout l'œuvre d'ailleurs. La composition des pins et rochers n'a pas encore atteint les hauts sommets qu'elle touchera ultérieurement dans les grandes réalisations dont la plus ancienne serait une paire de paravents, conservés au temple Daigo-ji de Kyoto, représentant des danses classiques, *bugaku*. Réalisation d'une unité parfaite et d'une surprenante tension artistique, elle consiste en une mise en page hardie, sur fond uni, de formes empruntées et quasiment « découpées » des peintures classiques, en l'occurrence le *Kogaku-zu* du XVᵉ siècle. Quatre groupes de danseurs vêtus de costumes fantastiques sont disposés sur un fond d'or, selon le même axe diagonal qui traverse les paravents et qui est suggéré par de grands tambours décoratifs dans le coin inférieur droit et un bosquet de pins et de pruniers dans le coin supérieur gauche. En l'absence de tout élément anecdotique, la composition tend à un effet purement plastique, voire abstrait. Viennent, dès lors, deux paravents relatant deux épisodes du *Genji monogatari* (Roman du Prince Genji, début du IXᵉ siècle), d'une originalité saisissante, où les couleurs en a-plats modèlent les formes et se combinent avec un usage savant du vide tandis que le mécanisme de construction est le fruit de recherches parfaitement conscientes, proche de celui de l'art contemporain (on notera dans l'épisode *Sekiya*, l'axe diagonal qui symbolise le lien psychologique entre les deux antagonistes). Majestueuses également sont les évocations du site de *Matsushima*, paysage célèbre du Japon, sur les deux paravents conservés à la Freer Gallery of Art de Washington. Le mouvement incessant des flots agités anime tout l'espace de leurs lignes d'or et d'argent rehaussées de touches blanches, tandis qu'à droite, deux îlots rocheux couronnés de pins résistent aux assauts de la mer et qu'une seule vague, dont la crête cache l'extrémité des feuillages, suggère la profondeur. *Les Dieux du Vent et du Tonnerre*, au Kennin-ji de Kyoto, constituent une sorte d'apothéose de la production artistique de cet artiste. Empruntant son thème au *Kitanotenjin engi* (rouleau enluminé du XIIᵉ siècle), il n'a jamais su, avec autant de bonheur, hausser la miniature à la grandeur d'un art décoratif puissant et mouvementé. Son interprétation très personnelle de l'espace sera rarement égalée et disparaît dans la copie qu'en fera Ogata Kôrin (1658-1716), copie qui, pourtant, obtiendra la célébrité, reléguant pour les siècles le modèle dans l'ombre. Même après sa mort, semble-t-il, ses disciples continuent de produire selon ses modèles et d'apposer souvent sur les œuvres le cachet *Inen* (surnom supposé du maître) ou même *Sôtatsu*, qui constituent somme toute les « marques déposées » de son atelier, mais n'en rendent que plus difficiles les identifications.
Du fait de son originalité, le génie de Sôtatsu restera longtemps méconnu. Son fils ou frère, Sôsetsu, lui succédera à la tête de l'atelier Tawara-ya, avant 1639, mais il faudra attendre que Kôrin donne droit de cité à cet art en qui s'exprime pourtant l'essence même de l'esthétique japonaise. ∎ M. M.
BIBLIOGR. : W. Watson : *Sôtatsu*, Londres, 1959 – Terukazu Akiyama : *La peinture japonaise*, Genève, 1961 – Hiroshi Mizuo : *Edo Painting : Sotatsu and Korin*, New York, Tokyo, 1965 – M. Paul-David : *Sôtatsu*, *Nonomura*, in : Encyclopaedia Universalis, vol. 15, Paris, 1973.
MUSÉES : ATAMI (Art Mus.) : *Rouleau des cerfs*, rouleau en longueur, encre d'or et d'argent sur pap. – CLEVELAND (Mus. of Art) : *Le prêtre zen Chôka*, rouleau en hauteur, encre sur pap. – ISHIKAWA (Yamakawa Foundation of Art) : *Maki (pins chinois)*, paravent à six feuilles, coul. sur pap. d'or. – KYOTO (Nat. Mus.) : *Gibier d'eau dans l'étang aux lotus*, rouleau en hauteur, encre sur pap., au registre des Trésors Nationaux – *Herbes et fleurs*, coul. sur pap. d'or, quatre portes à glissières – *Plantes des quatre saisons en fleurs*, coul. sur pap. d'or, quatre portes à glissières, cachet de Inen – *Dragon*, rouleau en hauteur, encre sur pap. – KYOTO (Temple Chômyô-Ji) : *Bœufs*, deux rouleaux en hauteur, encre sur pap., inscription de Karasumaru Mitsuhiro, au registre des Biens Culturels Importants – KYOTO (Temple Daigo-Ji) : *Bugaku*, coul. sur pap. d'or, deux paravents à deux feuilles, au registre des Biens Culturels

Importants – *Paravents aux onze éventails*, coul. sur pap. d'or, deux paravents à deux feuilles – *Canards dans les roseaux*, encre sur pap., deux écrans – KYOTO (Temple Kennin-Ji) : *Les Dieux du Tonnerre et du Vent*, coul. sur pap. d'or, deux paravents à deux feuilles, au registre des Trésors Nationaux – KYOTO (Temple Myoho-In) : *Érables*, coul. sur pap. d'or, éventail – KYOTO (Temple Yôgen-In) : *Pins et rochers*, coul. sur pap. d'or, douze portes à glissières – *Animaux imaginaires*, coul. sur bois, quatre portes à glissières, au registre des Biens Culturels Importants – TOKYO (Nat. Mus.) : *Cerisiers et yamabuki (kerries du Japon)*, coul. sur pap., deux paravents à six feuilles, attribution – *Plantes des quatre saisons en fleurs*, coul. sur pap., deux paravents à six feuilles, cachet de Inen – *Dragon*, rouleau en hauteur, encre sur pap. – *Sankirai (herbes)*, rouleau en hauteur, coul. légères sur pap. – TOKYO (Goto Art Mus.) : *Les mille grues*, deux shikishi, encre d'or et d'argent sur pap. – TOKYO (Hatakeyama Kinenkan Mus.) : *Fleurs et herbes des quatre saisons*, rouleau en longueur, encre d'or et d'argent sur pap., par Sôtatsu et Kôetsu – *Gibier d'eau dans l'étang aux lotus*, rouleau en hauteur, encre sur pap. – TOKYO (Imperial Household Agency) : *Paravents aux quarante-huit éventails*, coul. sur pap., deux paravents à six feuilles, cachet de Inen – *Daim*, rouleau en hauteur, encre sur pap. – TOKYO (Okura Cultural Foundation) : *Éventails flottants*, coul. sur pap., deux paravents à six feuilles, cachet de Inen, au registre des Biens Culturels Importants – TOKYO (Seikadô Foundation) : *Épisode Sekiya et épisode Miotsukushi du Genji monogatari*, coul. sur pap. d'or, deux paravents à six feuilles, au registre des Trésors Nationaux – TOKYO (Yamatane Art Mus.) : *Maki, pins chinois et érables*, coul. sur pap. d'or, paravent à six feuilles, cachet de Taiseiken – WASHINGTON D. C. (Freer Gal. of Art) : *Matsushima*, coul. sur pap., deux paravents à six feuilles.

SÔTEI, de son vrai nom : **Kanda Nobusada,** nom familier : **Shôshichi,** nom de pinceau : **Sôtei**
Né en 1590. Mort en 1662. XVIIᵉ siècle. Japonais.
Peintre.
Peintre de sujets bouddhiques, dont les successeurs garderont le même nom de pinceau.

SOTERAS Jorge, puis **Georges**
Né le 20 janvier 1917 à Barcelone (Catalogne). Mort le 9 mars 1990. XXᵉ siècle. Depuis 1939 actif, puis naturalisé en France. Espagnol.
Peintre de compositions à personnages, figures, portraits, paysages, natures mortes, peintre à la gouache, illustrateur.
En 1936, il s'engagea dans l'armée républicaine, jusqu'à la fin de la guerre civile en 1939. Passé en France, il fut interné pendant un an, puis se fit discret pendant l'occupation allemande. En 1944-45, il se maria à Angers et commença à peindre. En 1947, il s'établit à Paris, puis en banlieue à Villeneuve-Saint-Georges. En 1958, il put revenir se fixer à Paris. En 1959, il entre dans le groupe de peintres catalans *Art Nostre*, avec Clavé, Grau Sala, Salès et autres. À partir de 1970, il s'installa en Provence.
En 1946, il a commencé à participer à des expositions collectives à Angers ; puis dans les petits Salons de la périphérie parisienne ; dans des groupes dans quelques galeries de Paris ; ensuite et entre autres : à partir de 1952 à Paris, au Salon des Indépendants, dont il deviendra sociétaire ; depuis 1954 Paris, Salon d'Automne ; 1954 Paris, Salon du Nu, galerie Bernheim ; 1955 Menton, invité à la Biennale ; depuis 1956 Paris, Salon Terres Latines ; 1956 Paris, Salon Comparaisons ; 1960 Paris, sélectionné pour les Prix de l'Amateur d'Art et Antral ; à partir de 1960 Paris et province, nombreux groupes ; 1964 Rome et Florence, *L'École de Paris* ; etc.
Il exposait aussi individuellement : 1953 Paris, des gouaches, galerie Philips ; Angers, galerie Lamoureux ; 1954 Paris, galerie Vivet ; 1955 Paris, galerie Vents et Marées ; 1959, 1961 Paris, galerie du Colisée ; 1961-1962 Lyon, Avignon, Marseille ; 1963 Francfort, Munich, Genève ; 1964 Amiens et Musée de Maubeuge ; 1968 Los Angeles, galerie Juarez ; à partir de 1970 plusieurs en Provence, notamment Avignon, galerie Ducastel ; depuis 1978 Paris, exclusivement et presqu'annuellement galerie Vendôme ; province et étranger, par l'intermédiaire de la même galerie.
Parallèlement à son œuvre peint, Soteras a illustré quelques ouvrages littéraires : en 1947 *Le Romancero Gitano* de Federico Garcia Lorca, en 1952 *L'Inferno* de Dante, en 1953 *Les chants de Maldoror* de Lautréamont, et quelques autres.
De 1945 à 1953, il travaillait selon la technique traditionnelle avec

pinceaux et brosses. À partir de 1953, il commença à peindre surtout au couteau. Son œuvre peut se diviser en trois périodes principales. Jusqu'en 1960, il a peint, avec une sobriété impressionnante du dessin à peine relevé de gris et de bruns, une série de natures mortes de quelques objets des plus ordinaires placés dans un angle de soupente, qu'on pourrait rapprocher du climat misérabiliste alors cultivé, si elles n'étaient bien plus le reflet véridique de sa propre condition d'existence. De 1960 à 1970, il a peint, dans la même sobriété de tons, des personnages austères aux visages graves et mystérieux. Après son installation en Provence en 1970, il a peint les vastes étendues horizontales et arides de la région que rompent les verticales de quelques cyprès et de rares masures, découvrant l'éclat, jusque là inconnu, de la couleur, qu'il contient cependant dans la chaleur des jaunes jusqu'aux rouges de la garrigue qu'interrompent à peine le vert sombre d'un arbre et le mur blanc d'une bâtisse. De 1985 à son exposition de 1989 *Regards sur l'homme*, donc pendant les dernières années de sa vie, Soteras a ressenti le besoin de se retourner sur son passé et a repris le thème des personnages hiératiques, complété en décor de discrets rappels du thème des natures mortes, où cependant on remarque deux légères différences : la couleur s'est ravivée d'être passée en Provence, les visages, naguère encore graves, amorcent un début de sourire, peut-être en sorte d'adieu apaisé. ∎ J. B.

Bibliogr. : Divers : *Soteras d'Hier et d'Aujourd'hui*, sans édit., gal. Vendôme, Paris, 1983, bonne documentation –, Ariel Brami : Catalogue de l'exposition *Soteras « Regards sur l'Homme »*, gal. Vendôme rive gauche, Paris, 1989.
Musées : Maubeuge – Paris (Mus. d'Art Mod. de la Ville) : *Nature morte à la guitare*.
Ventes Publiques : Versailles, 29 oct. 1989 : *L'ocre de la terre*, h/t (33x46) : FRF 6 000 – Versailles, 26 nov. 1989 : *La Bastide*, h/t (54x73) : FRF 12 500 – Doullens, 15 juin 1990 : *Promenade dans le Vaucluse*, h/t (50x65) : FRF 45 000 – Versailles, 15 juin 1990 : *Prince d'Espagne*, h/t (92x65) : FRF 101 000 – Bernay, 15 juin 1990 : *Maisons blanches aux arbres morts*, h/t (82x60) : FRF 75 000 – Versailles, 8 juil. 1990 : *Mas en Provence*, h/t (54x73) : FRF 26 000 – Paris, 12 juil. 1990 : *Liberté*, h/t (100x50) : FRF 65 000 – Paris, 17 oct. 1990 : *Maisons sur le plateau*, h/t (54x73) : FRF 85 500 – Paris, 28 nov. 1990 : *Poète à la marguerite*, h/t (60x92) : FRF 86 000.

SOTERIUS Von Sachsenheim Klara Adelheid, plus tard Mme Sockl
Née le 5 novembre 1822 à Hermannstadt (Sibiu, Roumanie). Morte le 25 juillet 1861 à Vienne. XIXᵉ siècle. Autrichienne.
Portraitiste.
Elle signa *Sachsenheim*.

SOTHERN Fanny
XIXᵉ siècle. Active à Londres. Britannique.
Peintre de portraits.
Elle exposa à Londres, notamment à la Royal Academy et à Suffolk Street de 1871 à 1875.
Ventes Publiques : Londres, 4 fév. 1911 : *Étude de tête d'homme* : GBP 1.

SOTIO Alberto
XIIᵉ siècle. Italien.
Peintre.
Il a peint un *Christ en croix* dans la chapelle Ercoli de la cathédrale de Spoleto.

SOTIRA
XIXᵉ siècle. Actif à Vienne vers 1830. Autrichien.
Peintre.
Le Musée Municipal de Vienne conserve de lui *L'église des Augustins à Vienne*.

SOTIROV Stoyan
Né en 1903 à Blagoevgrad. XXᵉ siècle. Bulgare.
Peintre de compositions à personnages, figures, portraits, graphiste, affichiste. Postcézannien.
Dans une première période, ses œuvres révèlent l'influence de Cézanne, les personnages étant traités statiques et synthétiques comme des sculptures. D'une façon générale, il traitait surtout des thèmes à résonance sociale, mais aussi des portraits et il composa des affiches.
Bibliogr. : B. Dorival, sous la direction de, in : *Peintres contemp.*, Mazenod, Paris, 1964.
Musées : Sofia (Gal. Nat.) : *Le Déjeuner* 1931 – *L'Algérie* 1962.

SOTNIKOFF Vladimir
Né en 1952. XXᵉ siècle. Russe.

Peintre de figures, paysages, natures mortes.
Dans ses peintures, un dessin sec et nerveux le distingue de la médiocrité ambiante.
Ventes Publiques : Paris, 10 fév. 1991 : *Jeune fille se coiffant*, h/t (106x65) : FRF 6 500 ; *La nuit blanche*, h/isor. (100x80) : FRF 7 000 – Paris, 5 juil. 1991 : *Autoportrait 1980*, h/t (130x100) : FRF 3 500.

SOTNIKOV Aleksei
Né en 1904 à Stanitza Mikhaïlovskaïa (Kouban). XXᵉ siècle. Russe.
Sculpteur, dessinateur.
De 1928 à 1931, il fut étudiant aux Vhutein (Ateliers populaires), sous les conseils de Victor Tatline, P. Kouznetsov, L. Bruni, D. Sterenberg. Sans doute influencé par Tatline, il s'intéressa à la bionique. Il assista Tatline pour la construction de sa machine volante *Létatline*. Encore sous l'influence de Tatline, il s'orienta, dans l'esprit du « productivisme » prescrit par les instances du parti, dans la réalisation d'objets destinés au nouveau cadre de vie soviétique, puis, en 1930, devint dessinateur à l'usine de porcelaine de Doulevo.
Bibliogr. : In : Catalogue de l'exposition *Paris-Moscou*, Centre Beaubourg, Paris, 1979.

SOTO Arendano Ernesto
Né en 1886 à Olavarria. XXᵉ siècle. Argentin.
Sculpteur.
Il fut élève de l'Académie des Beaux-Arts de Buenos Aires, où il devint professeur. Il eut aussi une activité d'écrivain.

SOTO Jacinto de
XVIIᵉ siècle. Actif à Séville de 1631 à 1644. Espagnol.
Peintre.
Il travailla pour les églises de Carmora et d'Alcala del Rio.

SOTO Jesus Rafael ou Jésus Raphaël
Né le 5 juin 1923 à Ciudad Bolivar. XXᵉ siècle. Depuis 1950 actif en France. Vénézuélien.
Peintre, sculpteur d'environnements. Art optique, art cinétique.
Né d'une famille pauvre, à l'âge de seize ans il commença à peindre des enseignes de cinéma. Grâce à l'obtention d'une bourse, de 1942 à 1947, il fut élève de l'École des Beaux-Arts de Caracas, où le précédait de deux années Carlos Cruz-Diez, né lui aussi en 1923. À sa sortie de l'Académie, en 1947, il fut nommé directeur de l'École des Beaux-Arts de Maracaibo. En 1950, renonçant aux commodités dont il bénéficiait au Venezuela, il décida à venir se fixer à Paris. Ayant appris la guitare étant enfant, il put gagner sa vie en jouant dans les cabarets. En 1954, il fut remarqué par Vasarély et la directrice de galerie Denise René. En 1955, l'architecte vénézuélien Carlos Raul Villanueva acquiert deux de ses premiers reliefs. Dès 1965, il est alors âgé de quarante-deux ans, il entreprend les démarches pour la création d'un musée dans sa ville natale de Ciudad Bolivar, où il déposerait sa collection personnelle, constituée depuis 1950. En 1973 à Ciudad Bolivar, fut inauguré le Museo de Arte Moderno Jesus Soto.
Il participe à des expositions collectives, d'entre lesquelles : 1951 et années suivantes Paris, Salon des Réalités Nouvelles ; 1955 Paris, *Le Mouvement*, galerie Denise René ; 1956 Marseille, Festival d'avant-garde organisé par Michel Ragon, Immeuble Le Corbusier ; 1961 Amsterdam, *Bewogen Beweging*, Stedelijk Museum ; 1962 Paris, galerie Édouard Loeb ; 1964 Biennale de Venise, avec un ensemble de dix-neuf œuvres ; 1967 Paris, *Lumière et Mouvement*, Musée municipal d'art moderne ; 1972 Paris, *Douze ans d'Art français*, galeries nationales du Grand Palais ; 1992 Saint-Paul-de-Vence, *L'art en mouvement*, Fondation Maeght ; 1996 Biennale de São Paulo, *La Dématérialisation* ; etc.
Il montre des séries de ses réalisations dans des expositions personnelles, dont : 1949 Caracas, au Taller Libre de Arte ; 1956 Paris, galerie Denise René ; 1957 Caracas, Musée des Beaux-Arts ; 1965 New York, galerie Kootz ; 1967 Paris, galerie Denise René ; 1968 Berne, exposition rétrospective, Kunsthalle, puis Hanovre Kestner-Gesellschaft, Düsseldorf Kunstverein, Amsterdam Stedelijk Museum, Bruxelles Palais des Beaux-Arts, Paris Musée municipal d'Art Moderne ; 1974 New York, rétrospective, Guggenheim Museum ; 1979 Paris, présentation de *Écritures, Courbes immatérielles, Grands Carrés, Orthogonaux* au Musée National d'Art Moderne du Centre Beaubourg ; 1982 Madrid, rétrospective, Palais de Velazquez ; 1986 Tokyo, Centre

de Sculpture Contemporaine ; 1994 Séoul, New York ; 1995 Caracas ; 1997 Paris, rétrospective à la Galerie Nationale du Jeu de Paume, et galerie Denise René.

Sa carrière, très tôt reconnue publiquement, lui a valu une succession de distinctions : 1960 Venezuela, Prix national de Peinture ; 1990 Paris, médaille Picasso de l'UNESCO ; 1993, à l'occasion du vingtième anniversaire du Museo d'Arte Moderno Jesus Soto à Ciudad Bolivar, il fut fait commandeur de l'Ordre des Arts et Lettres.

Concernant ses débuts de peintre à l'époque de l'École des Beaux-Arts, lui-même et les témoignages concordent pour dire ses portraits et paysages influencés par les cubistes, qui, alors à Caracas, paraissaient le comble de l'avant-gardisme. Il ne faut toutefois pas négliger le rôle qu'y tenait l'architecte vénézuélien Carlos Raul Villanueva qui, depuis 1947, travaillait pour des commandes internationales concernant la Cité Universitaire de Caracas, où il allait être occupé pendant plus de vingt ans, en relation avec de nombreux artistes. Si la réflexion de Soto était partie de la révolution cubiste, il semble aussi que, dès lors, il avait entrepris l'étude de Mondrian découvert en 1951 au cours d'un voyage en Hollande, Malévitch, Kandinsky, Klee, Albers. En relation avec son propre intérêt pour les philosophes de l'Antiquité occidentale, le *Carré blanc sur fond blanc* lui paraissait être une proposition plastique relevant plus de la spiritualité que du domaine des formes. Il voyait bien que Kandinsky et Mondrian avaient détaché la peinture de la figuration, allant jusqu'au bout des possibilités entrevues par les cubistes de 1910, mais il lui semblait, en contrepartie que l'on devait pouvoir les dépasser à leur tour. L'abstraction lui semblait n'être qu'une simplification de la figuration. Son intuition était que, comme l'art s'était détaché de la figuration, il devait désormais se détacher du domaine des formes et de leurs rapports plastiques, commun à la figuration et à l'abstraction, pour s'ouvrir au domaine des idées. Poursuivant sa réflexion, il parvint à la conclusion que, pour briser le carcan des rapports formels où s'était enfermé le néoplasticisme, il fallait le « dynamiser », c'est-à-dire ouvrir ses trois dimensions d'« espace » sur la dimension du « temps ».

Dans une première période de 1951-1952, il fonde ses peintures, alors d'abord planes, sur les notions sérielles de répétition et de progression, un module carré unique d'une seule couleur, en plus du noir et du blanc, par sa répétition progressive engendrant une autre réalité globale et rythmique. En 1953, il commença à utiliser le Plexiglas pour obtenir des phénomènes de superposition du motif, dans une rythmique ainsi multipliée. À partir de 1955, ses réalisations se prolongent de plus en plus dans la troisième dimension. Précisément en 1955, ayant vu à l'exposition *Le Mouvement*, la « machine optique » *Rotary, Demi-Sphère* de Marcel Duchamp, comportant des spirales superposées mues par un moteur, il montra, en 1956, une *Structure cinétique*, constituée de spirales superposées sur Plexiglas, non mobiles, et dont les variations d'interférences étaient provoquées par les déplacements du spectateur. En 1957-58, il parvint au maximum d'effet de ses *Désintégrations optiques* et *Vibrations horizontal-vertical*, dans lesquelles il abandonne le Plexiglas pour, dans un premier temps, l'utilisation de grilles métalliques entrecroisées, suspendues devant un front de fines lignes. En 1960, avec son mural du Festival d'avant-garde de la Porte de Versailles, ce sont même toutes sortes d'éléments métalliques hétéroclites qu'il assemble devant le fond. Jusque-là, tout lui paraissait bon pour provoquer ses vibrations : « Ce qui m'intéresse, c'est la transformation de la matière. Prendre un élément, une ligne, un morceau de bois, de fer, et le transformer en pure lumière... le transformer en vibrations. Une matière solide, la faire devenir aérienne... » Cette vibration peut être provoquée par les divers biais des illusions optiques : phénomènes physiques de diffusion des rayons colorés ; phénomènes physiologiques de perception des contrastes simultanés ou successifs, des persistances rétiniennes ; phénomènes psychologiques, liés à la « Gestalt », d'illusions affectant des éléments séparés perçus dans des ensembles globaux. Afin de rester objectif, précisons qu'il n'expérimenta que peu de ces ressources.

Presque du début, Soto s'est surtout impliqué dans l'exploitation du seul principe repéré concernant les déformations (cassures) subies par des lignes obliques coupant un réseau de parallèles. On a pu assimiler l'art et la production de Soto à ses séries dominantes : à partir de 1962 et à peu près sans plus discontinuer, aux tableaux, de dimensions relativement modestes, consistant en séries de fines tiges noires, à peu près horizontales et parallèles, suspendues à quelque distance en avant du fond du tableau, peint de fines lignes verticales parallèles, alternativement noires et blanches, les déformations optiques étant accentuées et prolongées du fait des légères et lentes oscillations des tiges suspendues devant la grille fixe, ainsi que du fait du déplacement du spectateur, produisant des effets de moirures maintenant bien connus. En 1963, il réalisa des « désintégrations optiques » constituées de fils métalliques en arabesques, qu'il nomma *Écritures*. En 1965, toujours selon les mêmes principes de base, avec les *Vibrations immatérielles*, des barres métalliques suspendues à des fils de nylon devant une grille de rayures verticales noires et blanches, semblent disparaître ou apparaître selon les lents mouvements des barres ou les déplacements du spectateur. Depuis 1967-68, ses *Environnements cinétiques* ou *Pénétrables*, sont constitués de centaines de longs tubes métalliques peints ou fils de plastiques colorés, soit fixés verticalement sur un socle, soit pendant, verticaux et parallèles, d'au-moins trois mètres de haut jusqu'au sol, dont le déplacement longitudinal du spectateur ou la mise en mouvement communiquée par le spectateur qui les pénètre et traverse, provoquent aussi des effets de déformations illusoires, de moirures, outre, dans le cas d'un *Pénétrable*, le plaisir spécial ressenti au contact de cette pluie sèche ; ainsi des *Extensions*, des *Progressions*, du *Cube à espace ambigu* ou du *Grand Pénétrable*, celui-ci disposé à l'entrée de son exposition personnelle de 1969, occupant tout le parvis du Musée d'Art Moderne de la Ville de Paris, au cœur duquel les spectateurs s'étonnaient d'apparaître ou de disparaître. Depuis les dernières années soixante-dix, dans l'esprit des *Pénétrables*, il a su donner des prolongements au phénomène initial, en créant à l'intérieur du volume de la forêt de fils plastiques un autre *Volume virtuel*, seulement matérialisé par la coloration des tubes ou fils sur une certaine partie de leur longueur, soit fixe pour chacun des côtés pour constituer un cube, soit différente selon un calcul précis pour tous pour constituer, par exemple, une sphère.

En fait, dans la suite de cette période, quelque peu répétitive d'un même principe de base, à partir de 1980, Soto a aussi réalisé, dans l'esprit des tableaux optiques des années soixante, les *Espaces ouverts*, puis les *Ambivalences*, des tableaux statiques, consistant en deux plans parallèles, comportant des carrés de couleurs vives en aplats fixés en avant du fond traité graphiquement en rayures ; le déplacement du spectateur entraînant une vision des deux plans modifiée par la parallaxe variable de l'angle de vision.

Soto a toujours eu en vue un art de communication sociale. L'époque lui a été favorable, il a pu réaliser une considérable quantité d'animations et d'environnements monumentaux, d'entre lesquels : 1957 Caracas, *Structure cinétique*, Cité universitaire ; 1958 Bruxelles, *Structure cinétique*, Pavillon du Venezuela à l'Exposition Universelle ; 1960 Paris, premier mural, composé de rebuts métalliques que Spoerri l'a aidé à collecter et Tinguely à assembler, Festival d'avant-garde de la Porte de Versailles ; 1966 Venise, un *Mur panoramique vibrant* pour le Pavillon du Venezuela à la Biennale ; 1967 Montréal, *Volume suspendu*, au Pavillon du Venezuela à l'Exposition Universelle ; 1968 Paris, une installation pénétrable, Place Furstenberg ; 1969 Paris, un *Mur cinétique* pour l'UNESCO à Paris ; 1970 Francfort, Rennes, Rethel, diverses commandes, et Osaka, un *Environnement* de dix-huit mètres de long pour le Pavillon Français de l'Exposition Universelle ; 1973 Caracas, Maracaibo, diverses commandes ; 1974 Caracas, plusieurs intégrations architecturales permanentes pour l'ouverture du Musée d'Art Contemporain ; 1974 Genève, un *Mur cinétique* pour le Bureau international du Travail ; 1977 Toronto, un *Volume virtuel suspendu* pour la Royal Bank of Canada ; 1979 Caracas, diverses commandes ; 1987 Paris, *Volume virtuel*, Centre Beaubourg ; 1988 Caracas, plusieurs commandes ; 1992 Séville, *Demi-Sphère jaune et verte* pour l'Exposition Universelle ; 1994 Caracas, *Cube de France* pour l'Ambassade de France ; 1995 Osaka, *Welcoming Flag* sur la Tour Phœnix ; Roissy, *Volume virtuel Air France* au Siège principal de la Compagnie ; etc.

En France, par une sorte de reconnaissance très attardée de l'art optique, dont la vogue fut contemporaine de la présidence de Georges Pompidou, ce ne fut qu'en 1995 qu'il obtint le Grand Prix National de Sculpture ; et, sans doute en conséquence de cette reconnaissance, qu'en 1996-1997 la Galerie Nationale du Jeu de Paume lui a consacré une grande exposition rétrospective. Exactement au même moment où meurt Vasarely et menace de sombrer sa fondation de Gordes, se pose la question du statut réel de tout ce que laisse derrière elle l'ancienne vogue

de l'art cinétique, y compris ses promoteurs. Les artistes ciné-
tistes ambitionnaient un art accessible à tous, une harmonie universelle, mais une bonne intention peut en cacher une autre. La
qualification la plus innocente qui leur est appliquée est celle
d'art du « gadget », de la physique optique amusante. Plus grave
est le soupçon exprimé d'une originelle volonté de puissance,
d'expansionnisme terroriste de ce qu'ils ont cru être un concept
esthétique et qui pouvait être la façade d'une idéologie inté-
griste.   ■ Jacques Busse

BIBLIOGR. : Michel Seuphor, in : *Diction. de la peint. abstraite*,
Hazan, Paris, 1957 – Catalogue de l'exposition *Soto*, Mus. d'Art
Mod. de la Ville, Paris, 1969 – Frank Popper, in : *L'Art Cinétique*,
Gauthier-Villars, Paris, 1970 – Frank Popper, in : *Nouveau dic-
tion. de la sculpt. mod.*, Hazan, Paris, 1970 – Marcel Joray : *Jesus
Rafael Soto*, Griffon, Paris, 1984 – Damian Bayon et Roberto
Pontual : *La Peinture de l'Amérique latine au xxe siècle*, Éditions
Menges, Paris, 1990 – Guy Brett, in : *Le cinétisme et la tradition
en peinture et sculpture*, in : *Artstudio*, nº 22, Paris, automne 1991
– Gérard-Georges Lemaire : *Soto*, La Différence, Paris, 1996 –
Catalogue de l'exposition *Soto*, Gal. Nat. du Jeu de Paume, Paris,
1997.

MUSÉES : CIUDAD BOLIVAR (Mus. de Arte Mod. Jesus Soto) : un
panorama très complet de l'œuvre – MONTRÉAL (Mus. d'Art
Contemp.) : *Vibration* 1967 – *Composition jaune, blanc, bleu* 1968
– *Gran Amarillo* 1971 – PARIS (Mus. Nat. d'Art Mod.) : *Volume virtuel* 1987.

VENTES PUBLIQUES : LONDRES, 23 juin 1966 : *Vibration rouge et
noire* : **GBP 450** – PARIS, 8 déc. 1970 : *Écriture (composition
mobile)* : **FRF 20 000** – LONDRES, 12 avr. 1972 : *Vibrations rouge,
bleue, noire sur fond bleu, bois peint et fils de fer, double face* :
GBP 1 600 – PARIS, 25 mars 1974 : *Espace virtuel gris et noir* :
FRF 28 000 – LONDRES, 4 déc. 1974 : *Construction optique, métal
bleu et noir sur bois peint.* : **GBP 1 300** – LONDRES, 2 déc. 1976 :
Relations jaune et blanche 1962, bois peint et baguettes d'acier
(100x200) : **GBP 3 100** – LONDRES, 29 juin 1977 : *Sans titre* 1966,
h/t (140x101,5) : **GBP 4 500** – PARIS, 23 oct. 1977 : *Trois triangles*
1969, bois peint et baguettes métal (126x68,5x30) : **ITL 3 600 000**
– NEW YORK, 18 mai 1979 : *La criz sobre el rombo* 1970, acryl./bois
avec fils de nylon et fil de fer peints (125,5x125,5) : **USD 8 000** –
NEW YORK, 17 oct 1979 : *Carrés vert et noir* 1947, bois, métal et fils
de Nylon (150,2x150,2) : **USD 7 000** – NEW YORK, 9 juil. 1981 : *Pain
de siempre* 1977, h/isor. (60x60) : **USD 1 800** – NEW YORK, 10 juin
1982 : *Sans titre* 1962, acryl./bois et objets en fer (22,7x11,7x6) :
USD 5 000 – NEW YORK, 12 mai 1983 : *Large vibration of blue and
black* 1972, peint. métal, fils de fer et fils de Nylon, construction
cinétique/bois (205,2x149,8) : **USD 28 000** – LONDRES, 28 juin
1984 : *L'Œil-de-bœuf* 1963, construction (diam. 70) : **GBP 3 200** –
PARIS, 6 déc. 1985 : *Blanc de blanc* 1967, acryl. et techn. mixte/
bois (157,5x157,5) : **FRF 130 000** – NEW YORK, 30 mai 1985 :
Grande croix jaune 1966, bois peint et construction métal
(152,6x152,6) : **USD 13 000** – PARIS, 12 juin 1986 : *Écriture métallique* 1979, bois peint, métal et fils de Nylon (102x192x44) :
FRF 120 000 – NEW YORK, 22 mai 1986 : *Composition* 1973,
h/bois avec fils de Nylon et fils de fer peints (81,5x127) :
USD 8 000 – NEW YORK, 17 mai 1988 : *Petites Vibrations rouges*
1965, bois peint (49,5x36,6) : **USD 5 500** – PARIS, 20 juin 1988 :
Mobile mural, bandes d'acier/fond noir/socle d'acier avec des
baguettes d'acier mobiles (H. 30, L. 27) : **FRF 14 600** – NEW YORK,
21 nov. 1988 : *Relations jaune et argenté* 1965, techn. mixte/pan.
(158x107) : **USD 28 600** , *Trapèze*, construction d'acier (36x36) :
USD 2 475 – NEW YORK, 4 mai 1989 : *Sans titre* 1966, acryl./bois
avec des tiges de métal et des fils de Nylon, alu. et Plexiglas
(62,5x49,8x50,8) : **USD 16 500** – NEW YORK, 17 mai 1989 : *Bleu et
grande barre* 1965, bois peint et construction métallique
(155,5x106) : **USD 44 000** – NEW YORK, 21 nov. 1989 : *Plan immatériel* 1970, h/bois avec filins métalliques et fil de Nylon (diam.
75) : **USD 49 500** – LONDRES, 22 fév. 1990 : *Vibration pure* 1969,
h/bois, cuivre et alu. (100x100x44) : **GBP 20 900** – NEW YORK, 1er
mai 1990 : *La pluie* 1975, bois peint avec des fils métalliques et
des cordelettes de Nylon (142x142) : **USD 71 500** – PARIS, 23 oct.
1990 : *Sans titre* 1965, sculpt. en bois et acier (53x43x14) :
FRF 56 000 – ROME, 30 oct. 1990 : *Petite écriture de Rome* 1966,
bois, Nylon et fils de fer mobile (73,5x140x16) : **ITL 30 000 000** –
NEW YORK, 19-20 nov. 1990 : *AMB. N.Y. K* 1984, construction en
matériaux mixtes (159x159) : **USD 49 500** , *Qbiii*, acryl./métal et
bois (153,5x153,5) : **USD 93 500** – STOCKHOLM, 5-6 déc. 1990 :
Objet optique (31,5x31,5x16) : **SEK 6 200** – LONDRES, 6 déc. 1990 :
Sans titre 1962, corde Nylon, métal et peint./bois (60x197) :
GBP 38 500 – PARIS, 15 avr. 1991 : *Bleu au centre* 1988 (53x52) :

FRF 26 500 – NEW YORK, 15-16 mai 1991 : *Ecriture blanche au
centre* 1977, acryl., fils de métal et bois (56x214x18) : **USD 49 500**
– NEUILLY, 30 juin 1991 : *Bleu au centre* 1988, acryl. et techn.
mixte/pan. (53x52x16) : **FRF 45 000** – PARIS, 8 oct. 1991 : *Relations jaune et argenté* 1965, relief de bois et métal peint
(158x107) : **FRF 200 000** – NEW YORK, 20 nov. 1991 : *Vibration en
trois couleurs* 1965, bois peint et construction métallique (H.
106,5, l. 106,5, prof. 15,2) : **USD 13 200** – NEW YORK, 18-19 mai
1992 : *Construction en blanc* 1974, bois peint et corde de Nylon et
filins métalliques (201,8x214,5) : **USD 38 500** – PARIS, 1er oct.
1992 : « *T en cruz* » 1972 (120x120) : **FRF 89 000** – LONDRES, 15
oct. 1992 : *Volume sur le losange* 1963, h/t avec du métal peint et
des fils de Nylon (111,8x111,8x53,3) : **GBP 11 000** – NEW YORK, 23
nov. 1992 : *Noyau central* 1969, construction de métal peint
(211,5x108) : **USD 33 000** – LONDRES, 25 mars 1993 : *Fond avec
cobalt* 1972, acryl./bois avec métal peint et fils de Nylon (diam.
100,7) : **GBP 11 500** – NEW YORK, 18 mai 1993 : *Sculpture en bleu
et noir* 1966, bois peint, fils de Nylon et filins métalliques (H. 175,
l. 106, prof. 66) : **USD 32 200** – NEW YORK, 18 mai 1994 : *AMB. 38*
1983, bois peint et construction métallique (118,5x107,3) :
USD 50 600 – ZURICH, 31 oct. 1994 : *Vibrations*, Plexiglas, sérig. et
cadre de bois, objet cinétique (H. 57, base 26x16,5) : **CHF 4 000** –
PARIS, 26 juin 1995 : *Marron sur marron* 1989, assemblage de bois
peint (53x52x16) : **FRF 28 000** – LONDRES, 21 mars 1996 : *Sans
titre* 1967, h/bois, filins de métal, corde de Nylon et métal
(87,5x62x82) : **GBP 9 775** – PARIS, 24 nov. 1996 : *Le Trou noir*
1986, bois et métal (103x102) : **FRF 62 000** – NEW YORK, 25-26
nov. 1996 : *Composition* 1957, bois peint et Plexiglas avec matériaux divers (79,7x39,4x30,5) : **USD 23 000** – NEW YORK, 26-27
nov. 1996 : *Rond blanc* 1970, bois peint et métal (94x94) :
USD 27 600 – LUCERNE, 7 juin 1997 : *Tiges sur transparence* 1968,
Plexiglas, deux barreaux mobiles (20x14x70,5) : **CHF 4 200** –
NEW YORK, 29-30 mai 1997 : *Sans titre* 1962, techn. mixte
(57,1x60,3) : **USD 68 500** – LONDRES, 26 juin 1997 : *Vibration noire*
1966, h/pan. avec baguette métal. et Nylon (155,9x106x35) :
GBP 36 700 – PARIS, 19 oct. 1997 : *Mobile*, Plexiglas et sérig.,
multiple (57x26x11) : **FRF 7 200**.

SOTO José de
Né à Aquilar de la Frontera. Mort à Aquilar de la Frontera.
XIXe siècle. Travaillant vers 1800. Espagnol.
Peintre, sculpteur.
Il appartint à l'ordre des Carmes.

SOTO José Maria
XIXe siècle. Travaillant au Pérou de 1808 à 1821. Éc. sud-
Américaine.
Médailleur.

SOTO Juan de
Né en 1592 à Madrid. Mort en 1620 à Madrid. XVIIe siècle.
Espagnol.
Peintre d'histoire et stucateur.
Élève de Bartolomé Carducho, qu'il aida dans plusieurs
ouvrages, et dont il imita la manière. Très jeune, il fut choisi pour
peindre une fresque dans la chambre de la reine au Palais du
Prado. Il était appelé à la plus brillante destinée quand la mort
interrompit sa carrière.

SOTO Lorenzo de
Né en 1634 à Madrid. Mort en 1688 à Madrid. XVIIe siècle.
Espagnol.
Peintre de paysages, d'histoire et de genre.
Élève de Benito Manuel de Ogüero dont il imita la manière. A la
suite d'un impôt frappant les artistes, Soto abandonna la peinture et se retira à Yecla en Murcie, comme receveur des rentes
royales. Durant cette période, qui dura de longues années, il peignit d'excellents paysages. De retour à Madrid, à la fin de sa vie,
il ne put reprendre sa place parmi les peintres tant ses œuvres
étaient dédaignées des amateurs, et il fut réduit, pour vivre, à les
vendre sur la place publique.

SOTO Pascual
Né en 1781 à Valence. XIXe siècle. Espagnol.
Peintre de fleurs.
Élève de l'Académie de Valence. Le Musée de cette ville possède
deux peintures de cet artiste.

SOTO Pedro de
XVIIe siècle. Actif à Séville dans la seconde moitié du XVIIe
siècle. Espagnol.
Sculpteur.
Il sculpta deux statues d'anges pour l'église Santa Catalina de
Séville. Il rédigea son testament en 1679.

SOTO Pedro de
XVIIIᵉ siècle. Espagnol.
Sculpteur.
Il travailla pour des églises de Séville.

SOTO Ramon de
Né le 23 novembre 1942 à Valence. XXᵉ siècle. Espagnol.
Sculpteur d'installations. Abstrait-géométrique.
Il fut élève de l'École des Beaux-Arts de San Carlos à Valence, et de l'École de San Fernando à Madrid. Il mène une importante carrière de professeur à Valence. À Valence, Madrid et autres villes d'Espagne, il participe à de nombreuses expositions collectives et expose aussi individuellement.
Il conçoit des formes sérielles en fonction de leur possible intégration paradoxale à l'architecture.
Musées : IBIZA (Mus. d'Art Contemp.) – VALENCE (Mus. de Sculpture à l'air libre) – VALENCE (Mus. Saint Pie V) – VILLAFAMES (Mus. d'Art Contemp.).

SOTOFF Rodion Isotovitch
Né en 1761. XVIIIᵉ siècle. Russe.
Graveur au burin.
Il travailla à Saint-Pétersbourg en 1812.

SOTOMAYOR Antonio
Né le 13 mai 1904 à Chulumani. XXᵉ siècle. Bolivien.
Peintre, illustrateur.
À La Paz, il fut élève du sculpteur belge Adolphe Lambert.
Il illustra des ouvrages sur les Indiens.

SOTOMAYOR Luis de
Né en 1635 à Valence. Mort en 1673 à Madrid. XVIIᵉ siècle. Espagnol.
Peintre d'histoire.
Il fut d'abord élève du peintre de batailles Esteban March, mais ne pouvant se soumettre au caractère capricieux de son maître, il le quitta pour aller à Madrid dans l'atelier de Juan Carregno. Il revint ensuite à Valence et y fut fort apprécié. Il peignit, notamment, pour le couvent des Augustines, un *Saint Christophe, la Vierge et le Christ* et un *Saint Augustin*, et pour celui des Carmes, deux importantes compositions sur la légende de *La découverte miraculeuse d'une image de la Vierge*.

SOTOMAYOR Y ZARAGOZA Fernando Alvarez de
Né le 25 septembre 1875 à El Ferrol (Galice). Mort le 17 mars 1960 à Madrid. XIXᵉ-XXᵉ siècles. Espagnol.
Peintre de compositions religieuses, sujets mythologiques, scènes de genre, portraits, paysages animés, paysages.
Alvarez fut d'abord élève de Manuel Dominguez, à Madrid ; plus tard, il alla se perfectionner à Rome. Il séjourna à Amsterdam et La Haye, puis s'établit à Santiago, où il fut directeur de l'École des Beaux-Arts de la ville, à partir de 1911. Il revint en Espagne en 1915, travaillant à la cour d'Alphonse XIII. En 1922, il fut nommé, à Madrid, directeur du Musée du Prado et membre de l'École des Beaux-Arts. On le décora aussi de la Grande Croix d'Alphonse X, d'Isabelle la Catholique, d'Alphonse XII, de la Couronne d'Italie, commandeur de la Légion d'honneur et du Mérite du Chili.
L'artiste obtint beaucoup de succès aux diverses expositions auxquelles il prit part, dont : une médaille d'argent à l'Exposition Nationale de Madrid en 1904 ; une médaille d'or à l'Exposition Internationale de Munich en 1909 vint confirmer le sentiment du public.
Il se consacra surtout à la peinture et ses qualités de dessinateur lui permirent d'y produire beaucoup d'effet. Il peignit des scènes mythologiques, des types populaires et des portraits, œuvres qui sont prétextes à l'exploitation des possibilités de la couleur pure. On lui doit aussi un tableau de *Saint Vincent Ferrier*. On mentionne parmi ses œuvres principales : *Tous les hommes au gaillard d'arrière* (propriété de l'État), *La Dispute*, *La forge*, *La Mission*, *Contraste*, *La vie au camp* (triptyque), *Le Marché à Rome*, *La Fiancée*, *Un orage pendant le pèlerinage*, *Un batelier*, *Le cidre*.

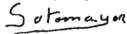

BIBLIOGR. : F.J. Sanchez Canton : *Alvarez de Sotomayor*, Santiago, 1952 – Damian Bayon et Roberto Pontual : *La Peinture de l'Amérique latine au XXᵉ siècle*, Éditions Menges, Paris, 1990 – in : *Cien Anos de pintura en Espana y Portugal, 1830-1930*, Antiqvaria, t. X, Madrid, 1993.

Musées : MADRID (Mus. d'Art Mod.) : *La Fiancée – Les grands-parents*.
VENTES PUBLIQUES : MADRID, 13 déc. 1973 : *Le docteur en théologie* : ESP 180 000 – MADRID, 18 déc 1979 : *Fête champêtre 1917*, h/t (132x151) : ESP 3 200 000 – MADRID, 22 mai 1984 : *Étude pour un portrait du duc d'Albe*, h/cart. (61x41,5) : ESP 130 000 – MADRID, 15 oct. 1986 : *Paysannes au marché*, h/t (10x67) : ESP 3 500 000 – MADRID, 31 mars 1987 : *Saint Jérôme*, h/pan. (100x70) : ESP 1 100 000 – LONDRES, 22 juin 1988 : *La maraîchère*, h/t (100x89) : GBP 68 200 ; *La marchande de poisson*, h/t (90x76) : GBP 93 500 – LONDRES, 23 nov. 1988 : *Les deux fileuses*, h/t (91x70) : GBP 68 200 – LONDRES, 17 fév. 1989 : *Les musiciennes*, h/t (93x73) : GBP 77 000 – NEW YORK, 25 oct. 1989 : *La préparation des filets de pêche*, h/t (64,8x78,8) : USD 143 000 – LONDRES, 15 fév. 1990 : *Ouvrières dans un atelier de tissage*, h/t (100x110) : GBP 93 500 – NEW YORK, 24 oct. 1990 : *Paysanne à l'orée d'une forêt*, h/t (66x80) : USD 44 000 – NEW YORK, 30 oct. 1992 : *Fidèles dans l'église*, h/t (55,2x55,2) : USD 27 500 – LONDRES, 17 juin 1994 : *Rue ensoleillée de Bruges 1902*, h/t (86,3x71) : GBP 5 750.

SOTON
IIᵉ siècle avant J.-C. Travaillant vers 100 avant Jésus-Christ.
Antiquité grecque.
Sculpteur.
Il sculpta des statues pour le temple d'Aphrodite, près de Phistyon.

SOTONINA Galina
XXᵉ siècle. Russe.
Peintre de compositions animées, technique mixte, peintre à la gouache, aquarelliste, peintre de collages, photomontages, dessinatrice. Tendance constructiviste.
Elle faisait partie du mouvement d'avant-garde de la ville de Kazan. Elle décora également des textiles.

SOTRIFFER Christian
XIXᵉ-XXᵉ siècles. Autrichien.
Sculpteur de sujets religieux, statues.
Il était actif à Saint-Ulrich dans la vallée de Gröden.
En 1893, il exposa à Trieste *L'archange saint Michel terrassant le démon*.

SOTRIFFER Franz
XIXᵉ-XXᵉ siècles. Autrichien.
Sculpteur, décorateur.
À Bozen-Gries, il construisit et sculpta l'autel dans l'église protestante.

SOTRIFFER Jakob ou Johann Jakob
Né en 1796 à Pläsches. XIXᵉ siècle. Autrichien.
Sculpteur.
Élève de l'Académie de Vienne. Il sculpta des sujets religieux sur pierre, sur bois et sur albâtre. Le Musée Ferdinandeum d'Innsbruck conserve de lui *L'Immaculée Conception* et *Saint Léopold*.

SOTRIFFER Josef
Né en 1802. XIXᵉ siècle. Autrichien.
Sculpteur.
Frère de Jakob Sotriffer. Il travailla pour des églises du Tyrol et sculpta quatre anges pour l'église de Brixen.

SOTTA Joachim
Né en août 1810 à Malesco. Mort le 22 août 1877 à Treillères (Loire-Atlantique). XIXᵉ siècle. Français.
Peintre.
Il s'établit en France en 1825 et fit ses études à Paris. Le Musée de Nantes conserve de lui *Portrait de femme* et *Portrait de Delaunay*.

SOTTA L.
XIXᵉ siècle. Française.
Peintre de portraits.
Elle exposa au Salon en 1833 et en 1838. Le Musée de Versailles conserve d'elle : *Portrait de Vieilleville*.

SOTTEK Frank
Né le 10 octobre 1874 à Toledo. XIXᵉ-XXᵉ siècles. Américain.
Peintre, graveur.
Il était actif à Toledo.

SOTTER George William
Né le 25 septembre 1879 à Pittsburgh. Mort en 1953. XXᵉ siècle. Américain.
Peintre de sujets religieux, paysages, peintre de cartons de vitraux, graveur.
Il fut élève de William Chase, Thomas Pollock Anshutz, Edward

Willis Redfield, Henry George Keller. Il était actif à Holicong. Il était membre du Salmagundi Club. Il obtint diverses distinctions.

Ses vitraux ornent de nombreuses églises américaines.

MUSÉES : READING.

VENTES PUBLIQUES : NEW YORK, 14 mars 1991 : *Formation de nuages*, h/cart. (25,2x30,3) : **USD 5 500** – NEW YORK, 22 mai 1996 : *Soir d'hiver*, h/t (54,6x64,8) : **USD 9 775.**

SOTTILI Enrico
Né le 8 mai 1890 à Reggio Emilia. XXᵉ siècle. Italien.
Peintre de figures, paysages, natures mortes.
Il fut élève d'un certain Ottavio Grolla. Il était actif à Milan.

SOTTILI Pietro
Né le 25 novembre 1803 à Parme. XIXᵉ siècle. Italien.
Graveur au burin.
Il grava des monuments funéraires et des médailles.

SOTTINO Emilio
XVIIᵉ siècle. Actif à Bologne. Italien.
Peintre.
On cite de lui une *Annonciation* qui se trouve dans l'église Santa Maria de Constantinopoli de Rome.

SOTTINO Gaetano. Voir **SORTINO**

SOTTOCORNOLA Giovanni
Né le 1ᵉʳ août 1855 à Milan. Mort le 12 février 1917 à Milan. XIXᵉ-XXᵉ siècles. Italien.
Peintre de genre, intérieurs, figures, portraits, paysages animés, natures mortes, fleurs.
Il fut élève de l'Académie de la Brera de Milan. Il exposait à Milan.

MUSÉES : MILAN (Gal. d'Art Mod.) : *Lumière et Travail – Maruccia – Portrait d'une femme.*
VENTES PUBLIQUES : MILAN, 14 déc. 1978 : *Bergère et troupeau dans un paysage*, h/t (66x85,5) : **ITL 2 600 000** – LONDRES, 14 jan. 1981 : *La Jeune Bergère*, h/t (58,5x71) : **GBP 1 600** – LONDRES, 8 fév. 1984 : *Bergère et troupeau de moutons dans un paysage*, h/t (39,5x65,5) : **GBP 1 600** – ROME, 29 oct. 1985 : *Paysanne et troupeau au pâturage*, past. (23x28) : **ITL 1 500 000** – ROME, 13 mai 1986 : *L'angelo del mattino*, h/t (70x90) : **ITL 15 000 000** – MILAN, 10 déc. 1987 : *Le maçon* 1891, h/t (214x125) : **ITL 44 000 000** – MILAN, 1ᵉʳ juin 1988 : *Personnage féminin dans un intérieur*, h/t (45x35,5) : **USD 4 500 000** – MILAN, 14 juin 1989 : *Portrait de jeune fille en buste* 1906, past./pap. (53x38) : **ITL 17 000 000** – NEW YORK, 24 oct. 1989 : *Le jeune marchand de fruits* 1893, h/t (130,2x 72,7) : **USD 35 200** – LONDRES, 24 nov. 1989 : *La jeune marchande de fruits*, h/t (74,3x129,5) : **GBP 41 800** – MILAN, 6 déc. 1989 : *Prairie de montagne avec une jeune paysanne et des vaches*, h/t (43x65) : **ITL 13 000 000** – MONACO, 21 avr. 1990 : *Roses et pivoines*, h/t (49x79) : **FRF 55 500** – MILAN, 9 nov. 1993 : *Bonheur maternel* 1896, h/t (120,5x65) : **ITL 34 500 000** – MILAN, 21 déc. 1993 : *Nature morte* 1885, h/pan. (22x44) : **ITL 16 100 000** – MILAN, 20 déc. 1994 : *Jeune fille priant* 1901, past./pap. (54x39) : **ITL 8 625 000.**

SOTTSASS Ettore
Né en 1917. XXᵉ siècle. Italien.
Designer.
Il s'installa à Milan en 1947. En 1958, il devint designer consultant des fabrications Olivetti. En 1979, il travailla pour le groupe Alchimia. En 1981, il participa à la création du groupe de designers *Memphis*, dont les membres se sont attachés à repenser l'environnement quotidien. Ensuite, Sottsass a travaillé indépendant. En 1994, le Centre Beaubourg lui a consacré une exposition dans le Forum.
Dans les années soixante, ses meubles et créations diverses témoignent de l'influence du pop art. Il invente des meubles aux formes baroques et toniques dans des mises en couleurs soit tonitruantes, soit au contraire raffinées dans la juxtaposition de multiples tons atténués. Presqu'au long du siècle, son activité s'est exercée depuis la conception d'immeubles jusqu'à celle de coupes pour la Manufacture de Sèvres, outre l'écriture d'essais sur la société de consommation.
VENTES PUBLIQUES : NEW YORK, 4 oct. 1990 : *Max (prototype de meuble étagère)*, sycomore, bois laqué, carreaux de terre cuite et Plexiglas (223x132x32) : **USD 8 800.**

SOTZMANN Daniel Friedrich
Né le 13 avril 1754 à Spandau. Mort le 3 août 1840 à Berlin (?). XVIIIᵉ-XIXᵉ siècles. Allemand.
Dessinateur et graveur de cartes géographiques.

SOUANIN Danielle
Née en 1934. XXᵉ siècle. Française.
Peintre de figures, groupes, sculpteur.
Elle expose à Paris.
En peinture, dans une matière riche, elle peint des spectres indiscernables, des larves indécises qui semblent prises au piège d'un sol convulsé de violence. Elle peint le désespoir et l'Apocalypse.
VENTES PUBLIQUES : PARIS, 13 juin 1994 : *Les pélerins*, bronze (H. 151) : **FRF 9 000.**

SOUARD
Né en 1728. XVIIIᵉ siècle. Français.
Peintre de fleurs.
Il travailla à la Manufacture de porcelaine de Sèvres à partir de 1752.

SOUASIE Jacob. Voir **SAUVAGE**

SOUBDAIN Jehan ou **Soudain**
XVIᵉ siècle. Français.
Peintre verrier.
Il travailla, entre autres, pour la cathédrale de Troyes de 1516 à 1546.

SOUBDAIN Pierre ou **Soudain**
XVIᵉ siècle. Français.
Peintre verrier.
Fils de Jehan Soubdain. Il travailla à Troyes de 1558 à 1560.

SOUBEYRAN Pierre
Né le 6 novembre 1709 à Genève. Mort le 12 avril 1775 à Genève. XVIIIᵉ siècle. Suisse.
Peintre, graveur au burin, dessinateur, et architecte.
Élève de G. F. Schmidt et de Gardelle. Il a gravé des sujets religieux, des scènes de genre, des batailles et des portraits. Il travailla longtemps à Paris, retourna à Genève en 1750, et y fut directeur de l'École des Beaux-Arts.

SOUBIRAN Eugène
XIXᵉ-XXᵉ siècles. Français.
Peintre d'histoire, de portraits.
Il fut élève de Camille Chazal. À Paris, il débuta au Salon de 1873.

SOUBIRAN Pierre
Mort avant le 29 octobre 1693. XVIIᵉ siècle. Actif à Paris. Français.
Graveur au burin et médailleur.
Il fut graveur du roi.

SOUBRE Charles
Né en 1821 à Liège. Mort en 1895 à Liège. XIXᵉ siècle. Belge.
Peintre d'histoire, scènes de genre, figures, portraits, paysages.
Il fut élève de J. Barthélémy Vieillevoye à l'Académie des Beaux-Arts de Liège. Il était parallèlement architecte de profession. De 1893 à 1895, il exposa au Cercle des Beaux-Arts de Liège.
Il fut surtout peintre d'histoire, très à l'aise dans les grandes compositions de personnages multiples dans des décors complexes.
BIBLIOGR. : Pierre Somville, in : *Le Cercle royal des Beaux-Arts de Liège 1892-1992*, Crédit Communal, Liège, s. d.
MUSÉES : LIÈGE : *Famille noble devant le Conseil des Troubles – Départ des volontaires liégeois pour Bruxelles avec Charles Rogier à leur tête (4 sept. 1830) – Mort de l'empereur d'Allemagne Henri IV* – LIÈGE (Mus. de l'Art Wallon) : *Paysage des Ardennes.*

SOUBRE Isaack Arentsz
Né à Delft. XVIIᵉ siècle. Actif dans la seconde moitié du XVIIᵉ siècle. Hollandais.
Peintre sur faïence.

SOUBREAU ou **Soubrot**
XVIIIᵉ siècle. Travaillant à Paris de 1741 à 1749. Français.
Peintre d'architectures.

SOUBRICAS Henri Augustin
Né à Lille (Nord). XXᵉ siècle. Français.
Sculpteur.

Il fut élève d'Antoine Injalbert et Alfred Boucher. Il expose à Paris, depuis 1920 au Salon des Artistes Français, 1927 médaille de bronze, 1937 Légion d'honneur pour l'Exposition Internationale.

SOUBRY Bart
Né en 1942 à Saint-Éloi-Winkel (Ostende). xx⁰ siècle. Belge.
Sculpteur. Tendance abstraite.
De 1958 à 1965, il fut élève de l'Académie des Beaux-Arts d'Ostende, mais est autodidacte en sculpture. Il vit et travaille à Ostende. Il participe à des expositions collectives dans les grandes villes de Belgique, en Hollande, à l'étranger, dont : 1982 Castellanza, Exposition internationale de Sculpture en plein air, Fondation Pagani ; 1984, 1985 Castellanza, Exposition internationale de petites sculptures, Fondation Pagani ; 1988, 1990 Gand, Lineart ; 1988 Ostende, *Sculpture aujourd'hui 88* ; 1990 Ostende, *Sculptures, Assemblages, Céramiques*, Musée des Beaux-Arts ; 1991 Bruxelles, avec le peintre Fri Cavens. Il est souvent sélectionné pour des Prix : en 1966, 1971, Prix d'œuvres graphiques de Flandre du Nord ; 1970, 1974, 1978, Prix de sculptures de Flandre du Nord ; 1981 Prix national de sculpture Mark Macken ; 1982 Prix de la ville de Louvain.
Ses sculptures, généralement en mabre, s'inspirent souvent, dans une formulation abstraite, de la faune et de la flore marines.
Musées : Ostende (Mus. des Beaux-Arts) : *Lux-Or* 1982.

SOUCANCY DE BARICOUX Marie Henriette Thérèse
xviii⁰ siècle. Française.
Peintre d'éventails.
Elle fut membre de l'Académie Saint-Luc de Paris en 1730.

SOUCEK Karel
Né le 26 septembre 1915 à Krocehlavy (près de Prague). xx⁰ siècle. Tchécoslovaque.
Peintre de scènes animées, graveur, illustrateur.
De 1934 à 1939, il fut élève des écoles d'art de Prague. Tôt, il fut lié avec le *Groupe 42*. Il a voyagé en Europe. À partir de 1958, il a été professeur à l'Académie des Beaux-Arts de Prague.
Outre de nombreuses expositions en Tchécoslovaquie, il participe à des expositions internationales où l'art tchécoslovaque est représenté, notamment : 1946 Paris, 1947 Lucerne, 1958 Moscou, 1961 New York et Biennale de São Paulo, 1962 Londres, 1965 Bochum et Baden-Baden, etc. Il a reçu diverses distinctions : 1958 Bruxelles, une médaille ; 1959, à São Paulo ; 1961 New York, sélectionné pour le Prix Guggenheim.
Dans une première période, il peignait des scènes de la vie quotidienne, des foules urbaines, dans une gamme de bruns sombres et lourds. Dans les années cinquante, il schématisa la représentation de ces mêmes thèmes urbains, mais aux uns aux autres, un peu comme au travers des facettes d'un polyèdre de cristal.
Bibliogr. : Bernard Dorival, sous la direction de, in : *Peintres contemp.*, Mazenod, Paris, 1964 – in : Catalogue de l'exposition *50 ans de peint. tchécosl. 1918-1968*, mus. tchécoslov., 1968.

SOUCH John
xvii⁰ siècle. Actif à Chester. Britannique.
Peintre.
Élève de Randle Holme l'Ancien. Il subit l'influence de Corn. Johnson. La Galerie d'Art de Manchester conserve de lui *Sir Thomas Aston au chevet de sa femme*.
Ventes Publiques : Londres, 18 déc. 1933 : *Roger Puleston* : GBP 71.

SOUCHAY Erich
Né le 21 mars 1877 à Berlin. xx⁰ siècle. Allemand.
Peintre.
Il fut élève de Waldemar Friedrich et Hans Olde, sans doute à l'Académie des Beaux-Arts de Weimar, de Carl von Marr à l'Académie de Munich. Il voyagea en Italie et à Paris.

SOUCHAY Paul
Né le 26 mai 1849 à Berlin. Mort le 15 décembre 1900 à Berlin. xix⁰ siècle. Allemand.
Peintre.
Élève d'A. Wolff et de Max Michael.

SOU CHE. Voir SU SHI

SOUCHI
Né en 1925 à Paris. xx⁰ siècle. Français.
Il fut élève, à Paris, de Fernand Léger, sans doute dans son académie privée, et de Jean Souverbie à l'École des Beaux-Arts. Il a

participé aux Salons de la Jeune Peinture, des Artistes Français, des Indépendants, d'Automne. Il a aussi exposé aux États-Unis.

SOUCHODOLISKI Boris
xviii⁰ siècle. Travaillant en 1754. Russe.
Peintre.
Le Musée Russe de Leningrad possède deux panneaux de cet artiste.

SOUCHODOLSKY Piotr Alexandrovitch ou Suchodolsky, Ssuchodoljskij
Né en 1836 ou 1843. Mort le 8 janvier 1903. xix⁰ siècle. Russe.
Peintre de paysages.
Musées : Moscou (Gal. Tretiakov) : *Le soir – Le marais –* une étude – Saint-Pétersbourg (Mus. Russe) : *Débordement du fleuve Oka au printemps.*

SOUCHON Élizabeth
Née le 27 janvier 1952 à La Roche-sur-Yon (Vendée). xx⁰ siècle. Française.
Peintre, restauratrice. Abstrait, puis art fantastique.
Elle suivit à Paris un cursus d'études très diversifié : 1969 l'Atelier Met de Penningen, 1970 l'Atelier d'artisanat d'art d'Annie Martin, 1971 l'École d'Architecture d'Intérieur Camondo, 1971-1977 l'École des Beaux-Arts, où elle travailla surtout avec le peintre et professeur de restauration Nicolas Waker et avec lequel elle resta en relation amicale et pédagogique. Entretemps, de 1974 à 1976, elle voyagea au Venezuela, vivant longuement dans des tribus d'Indiens d'Amazonie. En 1979, elle voyagea en Europe, notamment en Grèce. À partir de 1981, et conjointement à la poursuite de sa propre peinture, elle pratique professionnellement la restauration d'objets d'art, en particulier des icônes, participe à la création de décors pour le spectacle, se montre apte à d'autres tâches.
Elle participe à des expositions collectives, d'entre lesquelles le Salon d'Automne. Elle a fait sa première exposition personnelle à Paris en 1978, galerie Yves Brun. Au long de son cheminement, elle est attentive aux rencontres, le danseur Noureïev, l'actrice Jeanne Moreau, et s'enrichit aux longues amitiés avec un sage hindou, un astrologue chinois, un guérisseur africain... ou le très âgé poète Paul Géraldy.
Sauf quelques interruptions nécessitées par les voyages exotiques, elle peint beaucoup, la peinture constituant l'axe de sa vie par ailleurs nomade. Sa longue formation diversifiée l'a confortée d'une solide technique, concernant aussi bien le faire matériel et manuel que la construction, la composition. Évitant les références trop appuyées aux grands aînés, Kandinsky, Miro, d'autres, son imagination formelle et chromatique s'est donné libre cours avec aisance et sans trop d'abord se fixer sur une ligne directrice contraignante, d'autant que, au cours de son évolution, elle s'est orientée ensuite résolument vers une figuration fantastique cohérente, créant un monde onirique personnel, souvent référé à des mythologies anciennes rencontrées au cours des voyages et de ses curiosités en éveil. ■ J. B.

SOUCHON François
Né le 19 novembre 1787 à Alais (Gard). Mort le 5 avril 1857 à Lille (Nord). xix⁰ siècle. Français.
Peintre de portraits, de paysages et d'histoire.
Élève de David et ami de Sigalon. Il peignit de nombreux paysages historiques. Il exposa au Salon de 1824 à 1837. En 1836, il fut nommé directeur de l'École des Beaux-Arts de Lille.

Souchon.

Souchon

Musées : Alais : *Louis XVIII* – Lille : *La grande cascade de Tivoli – Paysage – Résurrection de Lazare,* esquisse.

SOUCHON Wilhelm Ferdinand
Né le 17 janvier 1825 à Halberstadt. Mort le 26 octobre 1876 à Weimar. xix⁰ siècle. Allemand.
Peintre de compositions religieuses, portraits.
Il fut élève d'August Rémy à Berlin. Il continua ses études à Munich et à Rome. Il peignit pour des églises.
Musées : Breslau, nom all. de Wroclaw : *Jeune Fille endormie.*
Ventes Publiques : Paris, 1881 : *Jeune Fille endormie* : FRF 2 205 – Londres, 17 mars 1995 : *Imogène dans Cymbeline de Shakespeare* 1872, h/t (83x113) : GBP 5 750.

SOUCHOVO-KOBYLINA Ssofia Vassiliévna
Née en 1825. Morte en 1867 à Rome. xix⁰ siècle. Russe.
Paysagiste.

SOUCI Alfred
Né le 18 juillet 1879. xxᵉ siècle. Allemand.
Peintre, graveur.
Il fut élève de Ludwig von Löfftz et de Eugen (?) Wolff à l'Académie des Beaux-Arts de Munich. Il était actif à Munich.
En gravure, il pratiquait l'eau-forte.

SOUCY François
Né en 1929 à Montréal (Québec). xxᵉ siècle. Canadien.
Sculpteur. Abstrait-cinétique.
De 1949 à 1952, il fut élève de l'École des Beaux-Arts de Québec.
En 1955-56, il séjourna à Florence.
Depuis 1958, il a consacré sa recherche à la sculpture d'intégration architecturale, essentiellement tournée vers l'occupation de la quantité d'espace qui lui est assignée par le maître-d'œuvre, et au mouvement qui confère aux réalisations plastiques leur prolongement dans la dimension du temps, c'est à dire dans la dimension de l'écoulement de la vie des occupants des lieux.
Beaucoup des œuvres de Soucy sont constituées de triangles, évidés et les trois côtés polychromes, posés sur une pointe, ce qui leur confère une légèreté immatérielle ; ils sont souvent disposés concentriquement les uns à l'intérieur des autres, pivotant sur eux-mêmes à des vitesses variables, offrant ainsi au regard des combinaisons formelles et chromatiques dans l'espace sans cesse renouvelées.
BIBLIOGR. : Guy Viau, in : *Nouveau diction. de la sculpt. mod.*, Hazan, Paris, 1970.

SOUDAEN Gerrit
Né vers 1694. xviiiᵉ siècle. Actif à Amsterdam. Hollandais.
Paysagiste.

SOUDAIN Alexandre Marie
Né en 1833 à Paris. xixᵉ siècle. Français.
Graveur d'architectures.
Il exposa au Salon de 1861 à 1877. Sociétaire des Artistes Français depuis 1887 ; médaille de troisième classe en 1861, rappelé en 1863, médaille d'argent en 1889 (Exposition Universelle).

SOUDAIN Jehan et **Pierre**. Voir **SOUBDAIN**

SOUDAN Jean-Pol
Né le 2 juillet 1953 à Ronse près de Renaix. xxᵉ siècle. Belge.
Peintre. Expressionniste, puis abstrait-lyrique.
En 1953, il suivit des cours d'architecture aux Académies des Beaux-Arts de Tournai, Bruxelles, Lille, Londres.
Dans sa période expressionniste, il s'inspirait des Ardennes flamandes et de la mer. Dans sa période abstraite-lyrique, on trouve dans les peintures des signes ésotériques de toutes origines, astrologiques comme dans tous les propos de ce genre, égyptiens, aztèques, etc. ; lui-même invoque une vision « australe » et « cosmique ».

SOUDAN Maurice
Né en 1878 ou 1880 à Audenarde. Mort en 1948 à Bruxelles. xxᵉ siècle. Actif aussi en France. Belge.
Peintre de figures, portraits, paysages, natures mortes.
Frère d'Octave Soudan, il était autodidacte de formation artistique. De 1914 à 1918, il a vécu le temps de la guerre à Toulouse.
Il a travaillé à Paris, en 1921 à Collioure dans les Pyrénées-Orientales, à Aix et Marseille. Une exposition rétrospective posthume lui aurait été consacrée en 1960, sans doute en Belgique.
A été citée la construction robuste de ses peintures par le dessin et la couleur.
BIBLIOGR. : In : *Dict. biogr. illustré des artistes en Belgique depuis 1830*, Arto, Bruxelles, 1987.
VENTES PUBLIQUES : LOKEREN, 11 mars 1995 : *Rhododendrons en fleurs*, h/t (60x64) : BEF 60 000.

SOUDAN Octave ou **Octaaf**
Né en 1872 à Audenarde. Mort en 1948 à Laethem-Saint-Martin. xixᵉ-xxᵉ siècles. Belge.
Peintre de figures, paysages, graveur. Postimpressionniste.
Frère aîné de Maurice Soudan.
Il a surtout travaillé sur les paysages des Ardennes flamandes, sensible à leurs modifications selon le passage des saisons.

OcT SOUDAN

BIBLIOGR. : In : *Dict. biogr. illustré des artistes en Belgique depuis 1830*, Arto, Bruxelles, 1987.

VENTES PUBLIQUES : LOKEREN, 25 fév. 1984 : *Paysage au lac* 1917, h/t (71x91) : BEF 95 000 – LOKEREN, 28 mai 1988 : *Paysage d'été*, h/pan. (30x40) : BEF 50 000 – LOKEREN, 21 mars 1992 : *Paysage de neige*, h/t (52x68) : BEF 75 000 – LOKEREN, 12 mars 1994 : *La Lys à Baarle-Drongen*, h/t (60x80) : BEF 60 000 – LOKEREN, 11 mars 1995 : *La Lys à Baarle-Drongen*, h/t (60x80) : BEF 55 000.

SOUDBININE Séraphin
Né à Nijni-Novgorod. xxᵉ siècle. Actif en France. Russe.
Sculpteur. Postromantique.
Il vint se fixer à Paris. Il exposait au Salon de la Société Nationale des Beaux-Arts.
Il subit fortement l'influence de l'œuvre de Rodin.
VENTES PUBLIQUES : LONDRES, 25 mai 1977 : *Tamara Karsavina dans « Le Spectre de la Rose »*, bronze (H. 35) : GBP 2 400 – MONTE-CARLO, 25 nov 1979 : *Faune*, bronze (H. 16,5) : FRF 24 000 – LONDRES, 9 mai 1984 : *Buste de Feodor Chaliapine* 1907, bronze (H. 43) : GBP 4 200.

SOUDBINSKY Sémion Serguéiévitch
Né en 1845. Mort le 11 décembre 1912. xixᵉ-xxᵉ siècles. Russe.
Peintre.

SOUDÉIKINE Serguei Yourievitch ou **Ssudéikin**
Né en 1882 ou 1883, près de Smolensk ou à Saint-Pétersbourg. Mort en 1946 à Paris ou New York. xxᵉ siècle. Actif aux États-Unis. Russe.
Peintre de genre, scènes animées, figures, intérieurs, aquarelliste, peintre de décors de théâtre, illustrateur.
De 1897 à 1909, il fut élève intermittent de Constantin Korovine à l'Institut de Peinture, Sculpture et d'Architecture de Moscou ; de 1909 à 1911, de l'Académie des Arts de Saint-Pétersbourg. En 1920, il émigra à Paris ; en 1923 gagna les États-Unis.
À partir de 1904, il a participé aux expositions collectives de la Rose Rouge, de la Rose Bleue, de l'Union des Artistes, de la Toison d'Or, en 1911 du Mir Iskoustva (Le Monde de l'Art).
Peu avant 1900, il travailla à l'Opéra privé de S. Mamontov à Moscou ; en 1905, à l'Atelier-Théâtre de la rue Povarski, dépendant du Théâtre d'Art de Moscou ; en 1910-11, à la Maison de l'Intermède, attirant sur lui et sur son travail l'attention de Meyerhold dans sa période préromantique. Il a illustré *Anna Pavlova* de V. Svétlow. À partir de 1912, il travailla pour Serge de Diaghilev à Paris, exécutant les décors de *L'Après-midi d'un faune* d'après les esquisses de Léon Bakst, du *Sacre du Printemps* d'après les esquisses de Nikolai Roerich, de *La tragédie de Salomé* de Florent Schmitt. Aux États-Unis, il collabora avec Balanchine, Fokine, A. Bölm, B. Nijinska.
Ayant surtout été décorateur de théâtre et de ballet, dans ses diverses productions il fut séduit par les thèmes exotiques, qui autorisaient une grande liberté de création formelle ainsi qu'une généreuse licence dans les harmonies de couleurs. ∎ J. B.
BIBLIOGR. : In : Catalogue de l'exposition *Paris-Moscou*, Centre Beaubourg, Paris, 1979.
VENTES PUBLIQUES : PARIS, 2 déc. 1931 : *Dédain* : FRF 190 ; *Scène théâtrale*, aquar. : FRF 230 – LONDRES, 9 juil. 1969 : *Scène de « Pétrouchka »* : GBP 1 300 – NEW YORK, 24 mars 1977 : *Le danseur de tango à l'Oasis* 1921, h/t (56x69) : USD 3 500 – NEW YORK, 24 nov. 1978 : *Projet de décor*, aquar., gche et cr. (47,6x62,5) : USD 1 300 – NEW YORK, 6 déc 1979 : *L'oasis* 1921, h/t (59,7x72,5) : USD 3 600 – NEW YORK, 22 juin 1983 : *Projet de rideau de scène pour Sadko*, gche reh. d'argent (52x98,7) : USD 2 800 – NEW YORK, 7 juin 1984 : *Paysage avec personnages*, h/t (155x129,5) : USD 1 200 – LONDRES, 6 mars 1986 : *Étude pour un ballet*, aquar. (23,5x32,3) : GBP 1 800 – NEW YORK, 15 nov. 1990 : *Intérieur avec des couples en train de danser*, h/carton (23x40,6) : USD 4 675.

SOUDERVILLE Isaac de. Voir **JOUDERVILLE**

SOUDKOVSKY Rufin Gavrilovitch
Né le 7 avril 1850 à Otchakoff. Mort le 4 février 1885 à Odessa. xixᵉ siècle. Russe.
Peintre de genre, paysages portuaires, marines.
Il fut élève de l'Académie de Saint-Pétersbourg. Il devint membre de l'Académie en 1881.
Peintre de marines, il fut influencé par Aivazovsky.
MUSÉES : MOSCOU (Gal. Tretiakov) : *Otchakoff – Embarcadère d'Otchakoff – Mer démontée – Mer calme – Sol marécageux* – études – SAINT-PÉTERSBOURG (Mus. Russe) : *Le Port d'Otchakoff – Tranquillité de la mer*.
VENTES PUBLIQUES : PARIS, 23 avr. 1989 : *Chapka monakha* 1871 (35x45) : FRF 14 500.

SOUDOYER Jean
XVIe siècle. Français.
Peintre verrier.
Il travailla pour la cathédrale de Senlis, l'église Saint-Médard de Creil et Saint-Lazare, de Beauvais, de 1505 à 1531. Il est probablement identique à Souldoier (Jean).

SOUDOYER Jean. Voir aussi **LE SOUDOYER**

SOUEN I. Voir **SUN YI**

SOUEN K'I. Voir **SUN QI**

SOUEN HOU. Voir **SUN HU**

SOUEN KIUN-TSŌ. Voir **SUN JUNZE**

SOUEN K'O-HONG. Voir **SUN KEHONG**

SOUEN LONG. Voir **SUN LONG**

SOUEN NGAI. Voir **SUN AI**

SOUEN PO-TCHOUEN. Voir **SUN BOZHUN**

SOUEN TCHE. Voir **SUN ZHI**

SOUEN TCH'ENG-TSONG. Voir **SUN CHENG ZONG**

SOUEN TCHE-WEI. Voir **SUN ZHIWEI**

SOUEN TI. Voir **SUN DI**

SOUEN TSONG-WEI. Voir **SUN ZONGWEI**

SOUEN WEI. Voir **SUN WEI**

SOUETINE Nikolaï Mikhaïlovitch. Voir **SUETIN Nikolai**

SOUFFLOT Jacques Germain
Né le 22 juillet 1713 à Irancy (près d'Auxerre, Yonne). Mort le 29 août 1780 à Paris. XVIIIe siècle. Français.
Peintre, architecte et écrivain.
Membre de l'Académie royale d'architecture le 25 novembre 1749, et associé libre de l'Académie royale de peinture le 8 novembre 1760. C'était un remarquable dessinateur. On lui doit le Panthéon, à Paris.
VENTES PUBLIQUES : PARIS, 1780 : *Vue de la Bourse de Lyon*, dess. à la pl. et lavé : FRF 12 – PARIS, 10 et 11 avr. 1929 : *Monument à Coupole*, dess. : FRF 320.

SOUFFRON Pierre, sieur de La Maison
Né à La Roque-Gageac. Mort en 1622 à Auch. XVIIe siècle. Français.
Sculpteur de sujets religieux.
Il travailla pour des églises d'Auch dans la première moitié du XVIIe siècle. Il fut également architecte.

SOUFY Hassen
Né le 31 décembre 1937 à Tunis. XXe siècle. Tunisien.
Peintre. Abstrait-géométrique.
En 1962, il fut diplômé de l'École des Beaux-Arts de Tunis. Il devint membre du groupe de l'École de Tunis. Il vint à Paris, où il fut élève de l'École des Arts Décoratifs et, en 1973, fit un séjour à la Cité des Arts. En 1968, il obtient le Premier Prix de la Ville de Tunis, en 1969 fut invité à la Biennale de São Paulo. Depuis 1969, il a participé à des groupes en Tunisie et à l'étranger, et montré des expositions personnelles à Tunis.
Il pratique une peinture abstraite, strictement géométrique et parfois de couleurs très vives, souvent en contrastes forts. Dans leur exécution, un côté collage accentue la recherche systématique des complémentaires. Dans d'autres cas, des couleurs sourdes, tamisées, sont réparties en de vastes compositions tendant au monochrome, dont l'intérêt majeur semble bien être la recherche de la sensation d'espace. C'est une peinture qui encourt le risque d'être qualifiée de décorative.
BIBLIOGR. : In : Catalogue de l'exposition *Art Contemporain Tunisien*, Théâtre du Rond-Point, Paris, 1986.

SOUGEN J.
Hollandais.
Peintre.
On cite de lui une *Nature morte avec des raisins et un verre de vin*.

SOUGEZ Madeleine
Née le 8 décembre 1891 à Bordeaux (Gironde). Morte le 19 juillet 1945 à Paris. XXe siècle. Française.
Peintre de genre, figures, portraits, natures mortes, fleurs, sculpteur.
Elle fut élève des Écoles des Beaux-Arts de Bordeaux, puis de Paris, en sculpture. Elle se tourna tôt ensuite vers la peinture. Elle exposait à Paris, aux Salons des Tuileries, d'Automne, des Indépendants.

Elle traita surtout des scènes familières : *La Sieste* de 1928, *Le sommeil d'Arlequin* de 1929, *Jour de fête* et *Lassitude* de 1930 ; des figures de genre et portraits : *La petite fille aux livres* et *Arlequin* de 1927, *Le loup bleu* de 1928, *Masques* de 1930 ; des natures mortes et fleurs : *Le verre de cidre* de 1927, *Zinias* de 1928, *Le bol rouge* de 1930.
Elle maîtrisait en toute connaissance la technique du dessin, mais, quant à la couleur, elle était sujette au phénomène assez rare de vision « hyperchromatique », due à une affection physiologique de l'œil. Corroborant les découvertes de Chevreul, elle percevait réellement à la frange de chaque couleur l'illusion subtile de sa complémentaire. Ces impressions subjectives, traduites avec mesure, donnent lieu dans ses peintures, entre une couleur et sa voisine, à des « passages », mystérieux parce que « passages » par la complémentaire de la couleur la plus voisine ou par la synthèse des complémentaires des deux couleurs voisines. Ces phénomènes optiques ainsi matérialisés confèrent à la peinture de Madeleine Sougez une richesse de tons et un éclat particuliers. ■ J. B.
MUSÉES : DRESDE – LEEDS – MUNICH – LA ROCHELLE.

SOUGNÉ Léon
Né en 1895 à Barvaux. Mort en décembre 1964 à Barvaux. XXe siècle. Belge.
Peintre de paysages, fleurs, décorateur.
Obligé d'exercer un métier très jeune, il ne fit pas d'études artistiques. Il reçut les conseils du paysagiste wallon Xavier Wurth. Il quitta peu son village natal de Barvaux. Pour assurer la sécurité de sa famille, il exerçait le métier de décorateur. De 1921 à 1924, il séjourna dans le Midi de la France. Il participait à des expositions collectives, notamment au Salon d'Hiver à Paris. Il exposait aussi individuellement, pour la première fois en 1915 à Liège. Ensuite, il exposait en permanence dans son atelier de Barvaux, puis, à partir de 1960, à Durbuy. Il était membre de l'Association des artistes professionnels de Belgique.
Peintre de facture classique, il peignit surtout les paysages dans les alentours de La Roche et de son château, de Durbuy, Dochamps et autres villages d'Ardenne et de Famenne. Pendant son séjour dans le Midi, il éclaircit et colore sa palette. Il préservait ce goût de la couleur dans ses peintures de fleurs. D'une façon générale, au contraire, il fut reconnu pour un peintre des neiges et des brumes.

SOUHAITROND
XVIIIe siècle. Français.
Peintre sur émail.
Probablement identique à Soutterant (F. A. de).

SOU HAN-TCH'EN. Voir **SU HANCHEN**

SOU-HSÜEH SHAN-JÊN. Voir **SOUXUE SHANREN**

SOU I. Voir **SU YI**

SOUIETINE Nikolai Mikailovitch. Voir **SUETIN Nikolai**

SOUILLARD Auguste Édouard
Né en 1833. Mort en 1887. XIXe siècle. Actif à Dieppe (Seine-Maritime). Français.
Sculpteur.
Père de Georges Adolphe et de Martial Henri Souillard, il travailla surtout l'ivoire.

SOUILLARD Georges
XIXe siècle. Actif à Dieppe. Français.
Sculpteur sur ivoire.
Fils de Georges Adolphe Souillard. Le Musée de Dieppe conserve des œuvres de cet artiste.

SOUILLARD Georges Adolphe
Né à Dieppe (Seine-Maritime). XIXe siècle. Français.
Sculpteur sur ivoire.
Fils d'Auguste Édouard S.

SOUILLARD Martial Henri
Né à Dieppe (Seine-Maritime). XIXe siècle. Français.
Sculpteur sur ivoire.
Fils d'Auguste Édouard Souillard.

SOUILLET Georges François
Né en 1861 à Tours (Indre-et-Loire). Mort en 1957. XIXe-XXe siècles. Français.
Peintre de paysages animés, paysages, paysages urbains, paysages d'eau, natures mortes.
Il fut élève de Félix Laurent à l'École des Beaux-Arts de Tours et d'Alexandre Cabanel à celle de Paris. Il figura au Salon des Artistes Français de Paris, à partir de 1899, au Salon de la Société des Beaux-Arts de Nantes en 1899 et en 1906.

Il fut avant tout un paysagiste. Il peignit des vues d'Île-de-France, de Normandie, de Bretagne, d'Afrique du Nord et surtout de Touraine. Gérald Schurr écrivait : « Sa facture est justement équilibrée entre la spontanéité impressionniste et le classicisme propre aux peintres de la Touraine. »

J Souillet

BIBLIOGR. : Gérald Schurr, in : *Les Petits Maîtres de la peinture 1820-1920, valeur de demain*, Les Éditions de l'Amateur, t. V, Paris, 1981.
MUSÉES : TOURS (Mus. des Beaux-Arts).
VENTES PUBLIQUES : PARIS, 6 juil. 1990 : *L'Arc du Carrousel au jardin des Tuileries*, h/cart. (41x33) : **FRF 7 200** ; *Bord de mer*, h/t (65x92) : **FRF 15 500** – PARIS, 10 déc. 1990 : *Les pots de fleurs*, h/t (38x55,5) : **FRF 5 000** – PARIS, 27 nov. 1991 : *Le parc de Saint-Cloud*, h/cart. (41x33) : **FRF 3 500**.

SOU JEN-CHAN. Voir **SU RENSHAN**

SOUKENS Gysbert
Né le 16 septembre 1685 à Bommel. Mort le 27 mars 1760 à Bommel. XVIIIᵉ siècle. Hollandais.
Paysagiste.
Élève de son père Jan Soukens.

SOUKENS Hendrik
Né le 9 avril 1680 à Bommel. Mort le 29 juillet 1711 à Bommel. XVIIIᵉ siècle. Hollandais.
Peintre de scènes de chasse, paysages animés, dessinateur.
Il fut l'élève de son père Jan Soukens. Il fit un voyage à Rome.
VENTES PUBLIQUES : PARIS, 22-23 fév. 1929 : *Chasse au cerf* : **FRF 550** – AMSTERDAM, 10 mai 1994 : *Marché au pied des ruines d'un palais*, encre et lav./craie noire (20,5x32,4) : **NLG 2 300**.

SOUKENS Jan
XVIIᵉ-XVIIIᵉ siècles. Hollandais.
Peintre de paysages animés, graveur au burin.
Élève de J. Vosterman. De 1678 à 1725, à Bommel, il a peint surtout des bords de rivière animés de personnages. Il a gravé des sujets de même genre. On cite ses peintures : *Paysage au clair de lune* (Nimègue) et *Vue d'un fleuve* (Prague, Moslitz).

*Jou Jer
1689

(J – S) 1678
Soukins.*

VENTES PUBLIQUES : PARIS, 1898 : *Paysage avec ruines*, lav. d'encre de Chine : **FRF 25** – AMSTERDAM, 18 mai 1981 : *Nombreux personnages dans un paysage*, h/cuivre (28x41) : **NLG 7 000**.

SOUKHOROUKIKH Anatoli
Né en 1935. XXᵉ siècle. Russe.
Peintre de scènes d'intérieurs, paysages animés.
Il fit ses études à Kharkov et fut l'élève de Alexandre Khmelnitzky. Il est membre de l'Union des Artistes d'URSS.
MUSÉES : ALOUBKA (Mus. Art Russe) – MOSCOU (min. de la Culture) – SIEVASTOPOL (Gal. Art Contemp.) – SIMFÉROPOL (Mus. des Beaux-Arts).
VENTES PUBLIQUES : PARIS, 25 nov. 1991 : *Un roman d'amour*, h/t (90x100) : **FRF 7 000**.

SOUKHOV Alexandre
Né en 1921. XXᵉ siècle. Russe.
Peintre de compositions animées, paysages.
Il fut élève de Alexandre Kanevskii à l'école des Beaux-Arts V. Sourikov de Moscou.
VENTES PUBLIQUES : PARIS, 13 avr. 1992 : *Au mois de mars*, h/cart. (48x57) : **FRF 6 000**.

SOUKHOV Vassili
Né en 1949. XXᵉ siècle. Russe.
Peintre d'intérieurs, de paysages.
Il fit ses études à l'Institut Répine de Leningrad et fréquenta l'atelier de Milnikov de 1973 à 1979. Depuis 1975 il expose en Union Soviétique et également à l'étranger : Italie, Cuba, Suède, Pologne et Finlande.
VENTES PUBLIQUES : PARIS, 8 déc. 1990 : *Un soir de février 1982*, h/t (110x130) : **FRF 5 000**.

SOU KIUN-LIANG ou **Su Junliang**
XXᵉ siècle. Chinois.
Peintre de scènes animées. Réaliste-socialiste.
Dans la seconde moitié du XXᵉ siècle, membre de la brigade de Wouman, dans la commune populaire de Tawang, il fait partie des peintres paysans du district du Huxian (Voir la notice : Huxian, Peintres Paysans du). Il ne paraît pas probable de l'identifier avec SUN JUNLIANG.

SOUKOP Willi
Né le 5 janvier 1907 à Vienne. XXᵉ siècle. Actif depuis 1934 en Angleterre. Autrichien.
Sculpteur de monuments, intégrations architecturales, figures, technique mixte. Tendance abstraite.
De 1928 à 1934, il fut élève de Hans Bitterlich, Johann (?) Müller, à l'Académie des Beaux-Arts de Vienne. En 1934, il quitta l'Autriche pour l'Angleterre. Jusqu'en 1940, il habita Darlington Hall. En 1949, il devint membre de la Royal Society of British Artists ; en 1958 associé de la Royal Society of British Sculptors ; en 1963 associé de la Royal Academy. De 1945 à 1947, il fut professeur à l'École d'Art de Guilford ; en 1945-46 à l'École d'Art de Bromley ; depuis 1947 à l'École d'Art de Chelsea.
Dès 1935, il exposait à la Royal Academy. En 1938, il fit sa première exposition personnelle.
Il a conçu des décorations architecturales pour des écoles et des églises. En 1959, il a réalisé un relief en feuilles de métal pour l'école de Harpenden et une décoration murale pour Elmington Estate, à Camberwell.
MUSÉES : LONDRES (Tate Gal.) *Owl* 1961-62.
VENTES PUBLIQUES : LONDRES, 7 mars 1986 : *Twisted female torso*, bronze patine verte (H. 45) : **GBP 500** – LONDRES, 12 mai 1989 : *Structure sans titre*, bois sur base de bronze (H. 95,7) : **GBP 605** – LONDRES, 21 sep. 1989 : *Vénus*, bronze (H. 30,5) : **GBP 605** – LONDRES, 11 juin 1992 : *Deux figures*, bois (H. 102) : **GBP 1 045**.

SOU KOUO. Voir **SU GUO**

SOULACROIX Charles ou **Joseph Frederic Charles** ou **Frederigo**
Né le 6 juillet 1825 à Montpellier (Hérault). Mort en 1879. XIXᵉ siècle. Français.
Peintre de genre, sculpteur.
Il fut élève de Ramey, de Cornelius et de Dumont. Il entra à l'École des Beaux-Arts le 22 septembre 1845. Il débuta au Salon en 1849.

F. Soulacroix

MUSÉES : PHILADELPHIE (Gal. Nat.) : *Un jeu d'esprit*.
VENTES PUBLIQUES : LONDRES, 31 juil. 1930 : *Au revoir* : **GBP 50** – PARIS, 18 juin 1932 : *La Déclaration* : **FRF 900** – LONDRES, 20 fév. 1970 : *Prête pour le bal* : **GBP 700** – LOS ANGELES, 13 nov. 1972 : *Jeune femme en robe du soir* : **USD 2 900** – NEW YORK, 9 oct. 1974 : *L'éventail de plumes* : **USD 3 750** – LONDRES, 11 fév. 1976 : *Le Concert*, h/t (105x179) : **GBP 3 800** – LONDRES, 6 avr. 1978 : *La demande en mariage*, h/t (61x46) : **GBP 2 200** – LONDRES, 9 mai 1979 : *Le galant entretien*, h/t (86x66,5) : **GBP 5 600** – NEW YORK, 11 fév. 1981 : *Le Galant Entretien*, h/t (87x68) : **USD 18 000** – LONDRES, 16 mars 1983 : *Le Galant Entretien*, h/t (71x80,5) : **GBP 12 000** – SAN FRANCISCO, 28 fév. 1985 : *Interlude musical*, h/t (55x32) : **USD 7 000** – NEW YORK, 27 fév. 1986 : *Deux élégantes dans un parc*, h/t (82x52) : **USD 8 000** – LONDRES, 23 mars 1988 : *Promenade romantique*, h/t (84x58) : **GBP 8 250** – NEW YORK, 23 mai 1989 : *Un moment intime*, h/t (83,3x67) : **USD 22 000** – NEW YORK, 24 oct. 1989 : *Bavardages entre amies*, h/t (85,1x68,6) : **USD 79 750** – NEW YORK, 1ᵉʳ mars 1990 : *Conversation amoureuse*, h/t (65x84) : **USD 66 000** – NEW YORK, 23 mai 1990 : *Confidences*, h/t (75,6x57,8) : **USD 110 000** – LONDRES, 28 nov. 1990 : *La robe dorée*, h/t (58,5x25) : **GBP 8 800** – LONDRES, 17 mai 1991 : *La sérénade*, h/t (84x64,5) : **GBP 18 700** – NEW YORK, 17 oct. 1991 : *Un panier d'œillets et de jonquilles*, h/t (61x100,3) : **USD 22 000** – NEW YORK, 28 mai 1992 : *La Demande en mariage*, h/t/rés. synth. (90,8x74,3) : **USD 31 900** – NEW YORK, 29 oct. 1992 : *Le baise-main du mousquetaire*, h/t (98,4x66) : **USD 27 500** – LONDRES, 17 mars 1993 : *Jeune femme écrivant une lettre*, h/t (38,5x27,5) : **GBP 9 430** – PARIS, 10 déc. 1993 : *Jeune élégante*, (59x31) : **FRF 16 000** – NEW YORK, 26 mai 1994 : *La lettre d'amour*, h/t (48,9x76,2) : **USD 42 550** – LONDRES, 17 juin 1994 : *Entreprise amoureuse*, h/t (56x40,5) : **GBP 13 800** – LONDRES, 16 nov. 1994 : *Anxieuse attente*, h/t (70x40) : **GBP 20 700** – LONDRES, 15 nov. 1995 : *La Sérénade*, h/t (75x44,5) : **GBP 20 700** – NEW YORK, 23

oct. 1997 : *Les Trois Connaisseuses,* h/t (90,2x68,6) : **USD 112 500** ; *Le Perroquet favori,* h/t (72,4x47) : **USD 71 250**.

SOULAGES Pierre
Né le 24 décembre 1919 à Rodez (Aveyron). xxᵉ siècle. Français.

Peintre, peintre de cartons de tapisseries, cartons de vitraux, graveur, lithographe, sculpteur. Abstrait-lyrique.

Durant ses études au lycée de Rodez, d'entre les richesses naturelles ou architecturales de la région, il fut spécialement sollicité par les grands plateaux déserts de la région, l'art roman et par les menhirs néolithiques gravés du Musée Fenaille de Rodez. À l'âge de dix-huit ans, donc vers 1937-38, au cours d'un séjour à Paris, il fit un bref passage dans une académie privée et, surtout, il vit une exposition Cézanne et une exposition Picasso, qui lui révélèrent l'existence d'une peinture qu'il ne soupçonnait même pas, tout en aspirant inconsciemment à cet inconnu. Après avoir été mobilisé, il se retrouva à Montpellier, où il fut élève de l'École des Beaux-Arts et où il visita assidûment le Musée Fabre. À partir de 1943, et du fait de l'occupation allemande, pour éviter d'être expédié en Allemagne au titre du STO (Service du Travail Obligatoire), il se camoufla comme viticulteur dans la région. Ce ne fut qu'en 1946 qu'il put consacrer tout son temps à la peinture. Revenu à Paris, il s'installa à Courbevoie et, à partir de 1947-48, à Paris, d'abord près du cimetière Montparnasse, puis, en 1957, près de Saint-Julien-le-Pauvre. En 1958, il voyagea au Cambodge, en Thaïlande, au Japon. En 1959, il se fit construire sur ses plans un atelier à Sète, où il travaillera ensuite une partie de l'année. En 1961, il voyage encore au Mexique. Ensuite, sa vie est tout entière vouée à son travail et aux expositions.

Soulages participe à de très nombreuses expositions collectives, d'entre lesquelles quelques-unes : 1947 Paris, Salon des Surindépendants ; 1948 et pendant plus d'une année, exposition itinérante dans les musées allemands, *Französische abstrakte Malerei,* avec six peintures ; à partir de 1948 et pendant quelques années Paris, Salon des Réalités Nouvelles, fondé depuis 1946, auquel il participa de nouveau en 1971 et en 1996 pour commémorer son cinquantenaire ; 1949 à 1957 Paris, Salon de Mai, fondé depuis 1945 ; 1951 dans plusieurs musées américains, *Advancing french art* ; 1952 Biennale de Venise ; 1953 New York, *Younger European Painters,* Guggenheim Museum et plusieurs autres musées américains ; 1954 Berne, *Tendances actuelles de l'École de Paris,* Kunsthalle ; 1955 New York, *The new decade,* Museum of Modern Art ; 1955, 1958 et autres, Pittsburgh, Carnegie International Exhibition ; 1955, 1959, 1964 et autres, Kassel, Documenta ; 1956 Mexico, *Arte frances contemporaneo* ; 1956 Minneapolis, *Expressionnism,* Walker Art Center ; 1956-57 Berlin et plusieurs musées américains, *120 Meisterwerke des Musée d'Art Moderne* ; 1957 Paris, *Depuis Bonnard,* Musée National d'Art Moderne ; 1958 Copenhague, Oslo, *De Franske* ; 1959 Biennale de Tokyo ; 1959 Ljubljana, Biennale de Gravure ; 1960 Paris, *Antagonismes,* Musée des Arts Décoratifs ; 1961 Turin, *Peintres d'aujourd'hui* ; 1961 Moscou, *Art Français* ; 1962 Seattle, *Art since 1950* ; 1963 Musée de Montréal, *Peinture française contemporaine* ; 1964 Londres, *Painting and Sculpture of a decade 54-64,* Tate Gallery ; 1965-66 musées d'Amérique du Sud, *Pintura francesa contemporanea* ; 1965 Lisbonne, *Un seculo de pintura francesa 1850-1950,* Fondation Gulbenkian ; 1966 Bruxelles, *Vingt peintres français,* Palais des Beaux-Arts ; 1966 Saint-Paul-de-Vence, *Dix ans d'art moderne,* Fondation Maeght ; 1967 Montréal, *Exposition Internationale des Beaux-Arts,* Pavillon International de l'Exposition ; 1967 Copenhague, *De Courbet à Soulages,* Musée Royal des Beaux-Arts ; 1968 Washington, *Paintings in France 1900-1967,* National Gallery, puis New York Metropolitan Museum, Boston Fine Arts Museum, Chicago Art Institute ; 1968 Paris, *Peintres européens d'aujourd'hui,* Musée des Arts Décoratifs ; Saint-Paul-de-Vence, *L'art vivant 1965-1968,* Fondation Maeght ; Hövikodden, inauguration du Sonja Henie og Niels Onstad Kunstsender ; 1969 Londres, *French Paintings since 1900,* Royal Academy ; 1970 Séoul, *Estampes et Tapisseries françaises,* National Museum of Modern Art ; New York, *The 10th Anniversary Selection,* Solomon R. Guggenheim Museum ; 1971 Lisbonne, *Art français depuis 1950,* Fondation Gulbenkian ; 1974 Londres, *Picasso à Lichtenstein. Chefs-d'œuvre du xxᵉ siècle de la Collection Nordrhein-Westfalen,* Tate Gallery ; 1976 São Paulo, Rio de Janeiro, *De l'Impressionnisme à nos jours,* Musées d'Art Moderne ; 1977 Paris, *Paris-New York,* Centre Beaubourg ; 1979 Paris, Collection du Musée Salvador Allende, Centre culturel suédois ; 1981 Paris, *Paris-Paris,* Centre Beaubourg ; 1983 Saint-Étienne, *Les années 60,* Musée d'Art et d'Industrie ; 1984 New York, Exposition inaugurale des nouvelles salles, Museum of Modern Art ; 1985 Paris, Exposition inaugurale des nouvelles salles, Centre Beaubourg ; 1986 Séoul, *Art français du xxᵉ siècle,* Exposition inaugurale du Musée National d'Art Moderne ; 1987 Villeurbanne, Collections du Musée de Saint-Étienne, Nouveau Musée ; 1988 Paris, *Les années 50,* Centre Beaubourg ; 1990 Paris, *Polyptyques. Le tableau multiple du Moyen Âge à nos jours,* Musée du Louvre ; 1995 Barcelone, *Europa de postguerra 1945-1965, arte despuès del diluvio,* Centre Culturel ; puis Vienne, Künsthaus.

Très tôt, Soulages montrait des ensembles de ses peintures dans des expositions personnelles, dont quelques principales : 1949 à Paris, la première, galerie Lydia Conti ; 1951 Copenhague, galerie Birch ; 1954 New York, première exposition galerie Kootz, suivie d'autres jusqu'en 1966 ; 1956 Paris, première exposition galerie de France ; 1960-61 Hanovre, première exposition rétrospective, Kestner-Gesellschaft, puis Essen Folkwang Museum, Zurich Kunsthaus, La Haye Gemeente Museum ; 1966 Houston, rétrospective au Museum of Fine Arts ; 1967 Paris, rétrospective au Musée National d'Art Moderne ; 1968 New York, *Soulages paintings since 1963,* galerie Knoedler, puis Pittsburgh Museum of Art, Buffalo Albright-Knox Art Gallery, Montréal Musée d'Art Contemporain, Québec Musée du Québec ; 1972 Washington, rétrospective, University of Maryland Art Gallery ; 1974-75 Dakar, Madrid, Lisbonne, Musée Fabre de Montpellier, Museo de Arte Moderno de Mexico, Brasilia, Museu de Arte Moderna de Rio de Janeiro, São Paulo, Caracas, Macaraibo ; 1976 Saint-Étienne, rétrospective, Musée d'Art et d'Industrie ; 1979 Paris, *Soulages, peintures récentes (1968-1979),* Musée National d'Art Moderne ; 1984 Tokyo, rétrospective, Seibu Museum of Art ; 1986 Paris, galerie de France ; 1987 Lyon, Musée Saint-Pierre d'Art Contemporain ; 1989 Kassel, *Soulages, 40 Jahre Malerei,* Museum Fridericianum ; 1989 Nantes, rétrospective, Musée des Beaux-Arts ; 1991 Vienne, Fondation Ludwig ; 1993-94 Séoul, rétrospective, Musée National d'Art Contemporain ; Pékin, Musée des Beaux-Arts de Chine ; Taipei, Fine Arts Museum ; 1994 Münster, *Soulages : Lumière vivante, Peinture et les vitraux de Conques,* Westfälisches Landesmuseum ; 1996 Paris, rétrospective, Musée d'Art Moderne de la Ville.

Lors des expositions collectives auxquelles il participait ou pour l'ensemble de son travail, lui ont été décernées diverses distinctions : 1953 São Paulo, un Prix à la Biennale ; 1957 Tokyo, Grand Prix de la Biennale ; 1964 Pittsburgh, Prix Carnegie ; 1975 Paris, Grand Prix de Peinture de la Ville ; 1976 en Allemagne, Prix Rembrandt ; 1986 Paris, Grand Prix National de Peinture ; 1994 au Japon, Prix Impérial de Peinture.

Au cours des périodes qui se succèdent et parallèlement à la peinture, Soulages a travaillé dans plusieurs autres techniques. Pour le théâtre : en 1949, il peignit le dispositif scénique de *Héloïse et Abélard* de Roger Vaillant ; en 1951, le dispositif scénique de *Abraham* chorédrame de Delannoy pour le Capitole de Toulouse ; et des maquettes, commandées par Louis Jouvet, mais qui du fait de sa mort ne furent pas réalisées, pour *La Puissance et la Gloire* de Graham Greene ; en 1952, le décor pour un ballet *Geste pour un génie,* donné à Amboise pour le cinquième centenaire de Léonard de Vinci. Dès 1951-1952, il a commencé son œuvre gravé à l'eau-forte et son œuvre lithographié, qui deviendront très importants ; à partir de 1957, il initie une technique nouvelles en partant de cuivres attaqués, rongés, et jusqu'à être découpés et percés par la morsure de plusieurs bains d'acide, le blanc du papier étant forcément plus blanc que celui d'une plaque même le mieux essuyée. Il a exécuté des cartons de tapisseries : 1963 Paris, une tapisserie d'environ 8x12 mètres pour la Maison de la Radio ; une autre pour la Hochschule de Saint-Gall ; 1985 Paris, cartons de deux tapisseries destinées au Ministère des Finances, qui sera inauguré en 1991. En 1966, il a conçu un vitrail verre et béton pour le Suermondt Museum d'Aix-la-Chapelle ; en juin 1994, a été inauguré l'ensemble de cent quatre vitraux conçu, de 1987 à 1994, pour l'abbatiale Sainte-Foix de Conques. En 1968, il a réalisé pour Pittsburgh un décor en carreaux de céramique modelés et émaillés de 3,92 mètres sur 6,16. En 1976, il aborda la sculpture avec ses premiers bronzes. En 1982, il a peint un triptyque double-face pour le Musikhus d'Aarhus ; en 1983, un polyptique pour la Direction des Télécommunications de Dijon.

Ayant commencé à dessiner et peindre très jeune, il traitait déjà avec prédilection des paysages d'hiver, où des arbres dépouillés se détachaient en contraste noir sur des fonds clairs ou bruns. Dans une réflexion rétrospective, avec ce que ce processus comporte d'extrapolation anachronique, lui-même en dira plus tard : « Ce qui me touchait, c'étaient les qualités physionomiques des formes de l'arbre et de ses branches nues : en somme l'arbre considéré comme une peinture abstraite peut l'être. » Après les vicissitudes de la guerre, revenu à Paris en 1946, il fit ses premiers dessins au fusain, lavis au brou de noix et peintures, abstraits, sans référence à aucune figuration, en noir ou brun sur fond blanc. En 1948, lors de l'exposition itinérante en Allemagne *Französische abstrakte Malerei*, l'affiche de l'exposition était faite à partir de l'une de ses six peintures en noir et blanc. Ayant sous les yeux la reproduction de cette affiche, plusieurs reproductions de lavis et peintures de 1947, 1948, 1949, et la reproduction, dans le catalogue des Réalités Nouvelles de 1949, de la peinture qu'il y exposait, tous ces documents sont évidents : d'une part, concernant sa chronologie personnelle, dès ce moment, Soulages était, à peu de choses près, en possession des structures syntaxiques et du début du vocabulaire constitutifs de son art, qui ne demanderaient plus qu'à se développer ; d'autre part, concernant la chronologie historique, ses peintures étaient alors déjà constituées de grands signes calligraphiques noirs ou bruns, prenant possession de la surface blanche, à un moment où l'Américain Franz Kline pratiquait encore une peinture expressionniste. Ainsi, avec les œuvres de 1947 à 1950 de cette première période qu'on peut dire « calligraphique », Soulages avait-il pris place, avec Hartung, Schneider et peu d'autres, parmi les créateurs de la seconde génération de l'abstraction que, par opposition au géométrisme dominant de la première, on qualifia de « lyrique ».

Dès cette première époque, s'affirme l'un des principes fondamentaux de l'art de Soulages : au décryptage progressif des œuvres des autres artistes se référant du signe à caractère graphique, il oppose déjà fréquemment, dans le cas des siennes, l'unité de leur perception instantanée dans leur globalité. Au même titre qu'il refuse la figuration et l'anecdote, il refuse aussi une lecture successive et aléatoire de ses œuvres. Il propose ses peintures comme des emblèmes métaphoriques, en réponse aux interrogations non résolues posées par le monde et l'existence, un « c'est » en réponse à un « qu'est-ce ? » Ces métaphores n'ont pas vocation à être déchiffrées littéralement ; il les impose comme des surgissements totaux et évidents. De fait, lorsque, au hasard des expositions et des musées, le regard rencontre une peinture de Soulages, elle est ressentie immédiatement comme un tout, on peut dire, selon la « Gestalt », comme plus et autre que la somme des éléments qui la composent, comme une « structure », résultant de la contribution de tous ses éléments, eux-mêmes inséparables de la « forme » finale.

De 1950 à 1963, malgré l'arbitraire de ce type de classement, peut être située une deuxième période, dite parfois « des barres noires » ou « architecturée ». D'évidence, les peintures de ces années apparaissent beaucoup plus élaborées que les grands signes graphiques précédents. On ne sait selon quels critères de goût ou de jugement, les peintures de cette période forment la partie la plus généralement célébrée de l'œuvre de Soulages. Les grands signes graphiques précédents un peu frustes y sont maintenant affirmés par une technique picturale développée, qui s'avère appropriée et somptueuse : les pâtes ductiles des barres noires, structurelles, sont travaillées là pour éviter les coulures, intempestives sauf si délibérées ; les traces des brosses ou des couteaux de peintre, ponctuelles, s'y lisent dans leurs alternances et reprises successives, définissant le rythme statique de chaque œuvre ; avec les épaisseurs opaques alternent des pellicules transparentes, témoignant d'un particulier raffinement ; les blancs intercalaires, souvent interprétés dans le sens d'un contre-jour, posés en reliefs maçonnés au couteau-truelle ; dans ces intervalles entre les barres noires, en lieu du blanc, parfois un bleu profond, un jaune éblouissant ou un rouge glorieux, éclatent d'autant qu'inattendus.

Entre 1960 et 1965, car il n'est pas question de préciser des dates exactes qui marqueraient le moment exact du passage d'une période à la suivante, d'autant que les distinguer relève déjà de l'arbitraire et qu'elles se chevauchent souvent, Soulages ressentit la nécessité de renoncer, non sans courage, aux larges barres noires qui étaient devenues l'image archétypale de son renom international. Tant qu'à prendre des risques, pour aborder à cette troisième période, il repartit de ce qui peut-être le contraire de la barre : la tache. À partir de vastes taches noires

envahissant la presque totalité de la surface de la toile, il leur confère forme par les découpes du contour, contre-formes par les blancs laissés en réserve à l'intérieur de la tache, et frémissement de la vie par les effets de transparence obtenus par essuyage dans la tache même. Ici encore, la peinture se fait son propre objet, la tache exaltant sa réalité, sa forme et sa saveur de tache, dans sa non reproductible singularité.

Peu avant 1970, de nouveau Soulages prit des libertés avec la technique précédente de la troisième période, que l'on peut dire « des taches ». Sans pour autant revenir aux barres, dans une quatrième période que l'on peut dire « des signes souples », il couvre de grands signes calligraphiques, élégamment reliés entre eux en volutes et arabesques. Ici encore, la simplicité des moyens apparents mis en œuvre confond, autant que confond de nouveau l'évidente efficacité de l'occupation de l'espace de la toile par ces quelques grands coups de brosse apparemment désinvoltes.

Depuis 1979, Soulages a radicalement abandonné presque tout de ce qu'il avait pratiqué dans les périodes précédentes, pour s'investir totalement dans ce qu'il désigne lui même comme « un autre type de peinture », ce qu'on peut appeler la « période du noir », qui constitue aujourd'hui la cinquième période bien tranchée de son œuvre. Ayant recouvert la totalité du support d'une épaisse couche de noir ductile, avec des brosses plates, appelées *spalters*, il le creuse de sillons parallèles, différemment orientés selon les zones de la partition décidée. Quant à ces *spalters*, Soulages précise lui-même qu'« il ne s'agit pas d'un outil qui pourrait être voisin du peigne cubiste et produire des stries semblables, *mécaniques*, mais d'une brosse plate appelée *spalter*, parfois de grande dimension, qui produit dans la pâte des sortes de dièdres à angles différents aléatoires qui créent une qualité de reflets très particulière. » Lorsque la lumière atteint les surfaces striées, plusieurs phénomènes interviennent simultanément : la lumière n'atteint la surface de la peinture qu'entre les striures, seuls ces intervalles sont éclairés, leur surface noire devient clarté, les striures en creux, ne recevant aucune lumière, restent noires ; la diversité d'orientation des striures différencie, comme par un effet de texture, les plans qui composent l'œuvre ; chaque limite entre le noir du creux d'une striure et son dessus éclairé est perçu visuellement comme un fort contraste, ce qui, par la multiplication des striures, provoque un effet de vibration, la clarté devient véritablement lumière jusque dans ses vibrations ; la différence d'orientation des striures par rapport à l'éclairage de l'œuvre conditionne l'intensité de l'impact de la lumière sur les striures, donc l'intensité de la clarté et l'intensité de la vibration ; les plans qui composent l'œuvre seront donc perçus comme plus ou moins clairs, plus ou moins vibrants. Dans l'évolution de cette période, après la radicalisation du procédé dans les premières œuvres, apparaîtront, comme ce fut le cas dans d'autres périodes, des variantes, quelques plages lisses non striées, quelques interventions colorées, une plage d'un bleu éclatant, et aussi, à partir de 1980, des peintures souvent présentées en polyptyques. Quant à cette apparente rupture de style apparue à partir de 1979, dans l'œuvre de Soulages, Pierre Daix la commente ainsi, en tant que « nouveauté vraie... qui se fait jour dans la maturité d'une œuvre, comme une germination brusque, jusque là enfouie, insoupçonnée, qui surgit déjà achevée dans sa plénitude. Elle se manifeste telle une brisure dans la trajectoire antérieure, sans toutefois la rompre parce qu'elle obéit en fait à la même nécessité intérieure. Elle la libère des filons déjà exploités et de la maîtrise des expériences accumulées. »

Le noir ? Effectivement, jusqu'ici aucun paragraphe de cette notice ne lui a été voué. Peut-être est-ce en réaction contre le fait que tant d'études sur la peinture de Soulages commencent par lui, quand elles ne s'y limitent pas. Plus sérieusement, pourquoi lui allouer un espace à part quand il est omniprésent, dans l'œuvre comme dans cette notice. En outre, s'il est omniprésent, ce n'est pas en tant que le noir archétypal que seul semblent percevoir et prendre en considération certains auteurs, mais, au contraire, comme il a été tenté précédemment de le relever dans le cours des périodes, dans la multiplicité d'une part des combinatoires, forme, couleur associée, auxquelles il participe, d'autre part et surtout dans la multiplicité des traitements techniques auxquels il est ponctuellement soumis et qui en modifient l'apparence : monochromie ou situation de contraste ; opacité ou transparence ; matité ou brillance ; homogénéité ou modulation ; intégrité ou agressions diverses ; etc.

Si d'aventure quelque historien de l'art se proposait de définir la poétique de l'œuvre de Soulages, il se heurterait d'emblée au refus radical du principal intéressé de s'avancer sur cette voie. Soulages ne donne jamais de titre à ses œuvres, seulement ses dimensions et la date de son achèvement. Par contre, il ne tarit pas, il sait être disert, et il adore les mots pour eux-mêmes, sur les matériaux utilisés, toile, châssis, pigments, solvants, diluants, et sur les outils, car chaque destination et donc chaque geste approprié requièrent tel et non tel outil ; d'ailleurs Soulages connaît le nom précis d'une incroyable quantité d'outils d'une incroyable quantité de métiers artisanaux, dont beaucoup à lui étrangers, dont il n'hésite pas à détourner l'utilisation au profit de sa propre pratique : dès ses débuts, aux matériels pour artistes il avait préféré les outils des peintres en bâtiment, qu'il modifie d'ailleurs à son usage ; ou bien, un autre exemple : à une époque et sans un certain but précis, en place des couteaux de peintre traditionnels trop rigides, il utilisait les rectangles de caoutchouc dur des carrossiers de voitures. Il conviendrait peut-être d'insister sur cet aspect de l'art de Soulages : dans toutes ses époques, dans toutes ses œuvres, on sent très bien que la facture, matériaux, outils, gestes, est toujours impeccablement adéquate au projet plastique initial. Les œuvres dont la structure pourrait paraître relativement simple, s'imposent avec force par l'intelligence et la perfection de leur réalisation ponctuelle. Dans l'œuvre de Soulages, le structurel, la pensée, était en place dès le début, porteuse de l'unité de l'œuvre ; au long des périodes, marquées par les variations du même thème structurel, ce qui crée la diversité dans cette imposante unité, ce sont les inépuisables inventions qui renouvellent le ponctuel, la technique. Lorsqu'on parcourt l'ensemble de l'œuvre par les reproductions des grandes monographies, on est surpris à chaque page et l'on comprend vite que ce qui génère chaque œuvre par rapport à la précédente, c'est toujours une nouvelle trouvaille technique, ce qui n'a pu se faire, et se renouveler durant plus de cinquante ans, sans une exceptionnelle compétence technique. Le structurel c'est la pensée unique et intangible, à laquelle le ponctuel, la technique multiple, insuffle la respiration de la vie. Alors, comment comprendre cette totale pudeur à refuser de titrer ? Comme une revendication de la part d'artisanat de l'art ? Il y a sans doute de cela : conjonction d'une pensée matérialiste et d'un savoir-faire, attitude que prendront les promoteurs de Support-Surface, leur savoir-faire restant plus discret.

Pourtant, Soulages ne refuse pas de se référer aux premières sensations et émotions visuelles, ressenties dans l'enfance et la jeunesse, devant les arbres dénudés et noirs des Causses, les laves de l'architecture romane de Conques, les silex striés du Musée Fenaille. Mais ces premières émotions ne sont plus que souvenirs, quand arrive le moment de l'œuvre peinte, l'œuvre abstraite, elle est ce qu'elle est, ses formes, ses figures, ne renvoient à rien d'autre qu'elles-mêmes ; il dit : « le tableau est un objet concret, un ensemble de formes sur lesquelles viennent se faire des émotions, se défaire des sens ». Soulages n'impose au spectateur qu'un objet plastique unique et primordial, dans la perfection de sa facture ; ensuite, c'est au spectateur de le découvrir ou non, et de le ressentir ou non. Lorsqu'il reconnaît l'éclosion des « émotions » et des « sens » chez le spectateur, son abstraction est loin de la radicalisation où amèneront à leur tour les minimalistes américains des années soixante, avec la limitation de la création artistique aux seules perceptions primaires, excluant tout mécanisme associatif, conscient ou involontaire, avec aucune autre réalité, physique ou psychique. Ce que peint Soulages, c'est la peinture elle-même. Il ne s'agit pas de concrétiser un projet préalable à l'aide de formes et de couleurs ; ce sont les formes et les couleurs qui, en se faisant et découlant les unes des autres, se créent et du même coup créent la peinture, le « fait plastique » dont la pureté formelle devrait se suffire à elle-même, pure de toute ressemblance, de toute référence et de tout rapprochement par association. Soulages a pris lui-même soin de réfuter absolument pour ses peintures toute exégèse interprétative, et de les situer clairement en tant que « faits plastiques », c'est à dire en tant que rapports de formes, de clairs et de sombres, de couleurs, en fonction d'un espace donné, dont la perception des rythmes se prolonge dans la quatrième dimension du temps : « Plus le rythme est fort et moins l'image, je veux dire la tentative d'association figurative, est possible. Si ma peinture ne rencontre pas l'anecdote figurative, elle le doit, je crois, à l'importance qui y est donnée au rythme, à ce battement des formes dans l'espace, à cette découpe de l'espace par le temps... L'espace et le temps cessent d'être le milieu dans lequel baignent les formes peintes... Plus que des moyens d'expression et des

supports d'une poésie, ils sont eux-mêmes cette poésie. » Peut-on pour autant rejeter ceux qui, à l'inverse mais profitant de sa diversité très éloignée des « structures primaires » minimalistes, pour participer à l'art de Soulages, doivent recourir à ces ressemblances : poutres, échafaudages, à ces références : Rembrandt, Le Lorrain, Piranèse, à ces associations d'images : contre-jour, clair-obscur, vitrail, cathédrale ? Le cas de Soulages, dans son temps, a l'insolente évidence d'un mégalithe. Apparente facilité et efficacité, ce sont peut-être les deux pôles entre lesquels se produit, dans sa diversité, ce phénomène, qu'on est tenté de qualifier de naturel, que constitue l'œuvre de Soulages. La facilité est ce qui lui est le plus fréquemment opposé, sous les formes diverses de : répétition, recette, maniérisme, etc. Au long d'une évolution, dont il a été constaté plus de phases et de diversités que ne le laisserait soupçonner le reproche d'uniformité qui lui est parfois imputé, il est vrai que son œuvre présente un caractère d'unité impressionnant, unité assimilée au structurel au long de cette notice, à la condition de reconnaître la diversité et le renouvellement dans l'unité et la continuité. L'efficacité est peut-être ce qui lui est le moins dénié, même par ceux qui sont le plus en désaccord avec ses options esthétiques et plastiques ; il ne semble pas qu'il ait jamais été reproché à aucune de ses œuvres de ne pas être réussie, au point que l'on sente parfois percer le reproche paradoxal d'une trop grande perfection, perfection technique assimilée au ponctuel au long de cette notice. Il appartient sans doute à une constante de l'art français et de sa peinture, d'aboutir, par les voies les plus opposées, à des créations, à des objets « bien finis », auxquels il manquera peut-être toujours quelque accent sauvage ; ce qui est d'autant plus sensible quant à Soulages qu'il avait eu évidente vocation à créer les grands sigles totémiques de la tribu, même pour le peu qui reste de l'homme primitif au xxᵉ siècle. Internationalement reconnu dès la trentaine, tout destin n'aura été aussi peu aventureux. De toute façon, aux yeux du public français qui ne s'est consolé qu'avec le romanesque d'avoir été si peu romantique, qu'il manquera toujours à ce géant débonnaire et disert, à qui tout réussit, de ne pas s'être coupé l'oreille ou de ne pas avoir été pourrir à Tahiti, car ce n'est pas pour sa poésie que le public aime Rimbaud, c'est pour son silence. Or, de Pierre Soulages, il y a l'œuvre, sans commentaire. ■ Jacques Busse

BIBLIOGR. : In : *Premier bilan de l'art actuel*, Paris, 1953 – *Soulages*, in : La Table ronde, nᵒ 77, Paris, mai 1954 – Michel Ragon : *Soulages*, in : Cimaise, Paris, janv. 1956 – Michel Seuphor, in : *Diction. de la peint. abstraite*, Hazan, Paris, 1957 – Roger Van Gindertael : Catalogue de l'exposition *Pierre Soulages. Gouaches et Gravures*, gal. Berggruen, Paris, 1957 – B. Dorival, in : *Les peintres du xxᵉ siècle*, Tisné, Paris, 1957 – Hubert Juin : *Soulages*, Le Musée de Poche, Georges Fall, Paris, 1957 – Georges Charbonnier, in : *Le monologue du peintre*, Julliard, Paris, 1959 – Izis, reportage photographique : *L'atelier de Soulages*, in : Catalogue de l'exposition *Soulages*, Gal. de France, Paris, 1960 – Michel Ragon : *Soulages, les peintures sur papier*, Hazan, Paris, 1960 – Jean Grenier, in : *Entretiens avec dix-sept peintres non-figuratifs*, Calmann-Lévy, Paris, 1963 – Hubert Juin, in : *Peintres contemp.*, Mazenod, Paris, 1964 – Bernard Dorival : Catalogue de l'exposition *Soulages*, Mus. Nat. d'Art Mod., Paris, 1967 – James Johnson Sweeney : *Soulages*, Ides et Calendes, Neuchâtel, 1972, documentation très complète – Georges Duby, Christian Labbaye : *Soulages. Eaux-fortes, Lithographies, 1952-1973*, Yves Rivière, Arts et Métiers Graphiques, Paris, 1974 – Bernard Ceysson : *Entretien avec Pierre Soulages*, in : Catalogue de l'exposition *Pierre Soulages*, Mus. d'Art et d'Industrie, Saint-Étienne, 1976 – Bernard Ceysson : *Soulages*, Flammarion, Paris, 1979 – Pontus Hulten, Alfred Pacquement, in : Catalogue de l'exposition *Soulages*, Centre Beaubourg, Paris, 1979 – Charles Juliet : *Entretien avec Pierre Soulages*, in : Catalogue de l'exposition *Pierre Soulages. Peintures de 1984 à 1986*, gal. de France, 1986, bonne documentation – G. Duby ; Pierre Encrevé, divers : *Soulages, Œuvres*, Mus. Saint-Pierre, Lyon, 1987 – B. Ceysson ; Veit Loers : *Soulages, 40 jahre Malerei*, Cantz, Stuttgart, 1989 – Charles Juliet : *Entretien avec Pierre Soulages*, L'Échoppe, Caen, 1990 – Pierre Daix, James-Johnson Sweeney : *Pierre Soulages*, *l'œuvre 1947-1990*, Ides et Calendes, Neuchâtel, 1991, documentation très complète – Pierre Encrevé : *Soulages – L'Œuvre complet, peintures*, 3 vol., Le Seuil, Paris, 1994-1998 – divers : Catalogue de l'exposition *Soulages – Noir Lumière*, Mus. d'Art Mod. de la Ville, Paris, 1996.

Musées : AALBORG (Nordjyllands Kunstmus.) – BERLIN (Nat. Gal.) : *Peinture 1957* – BIELEFELD (Kunsthalle) : *Peinture, 23 mars 1952* – BROU (Mus. de l'Ain) – BUFFALO (Albright-Knox Art Gal.) : *Peinture, 193,4x129,1, 1948-49*, brou de noix/t. – *Peinture, 3 avr. 1954* – *Peinture, 4 juil. 1956* – CAEN (Mus. des Beaux-Arts) – CAMBRIDGE (Fogg Art Mus., Harvard University) : *Peinture, 29 oct. 1955* – CANBERRA (Australian Nat. Gal.) – CHICAGO (Art Inst.) : *Peinture, 17 mars 1960* – CHICAGO (Mus. of Contemp. Art) – CINCINNATI (Art Mus.) – CLERMONT-FERRAND (FRAC) – CLEVELAND (Mus. of Art) : *Peinture, 14 avr. 1958* – COLOGNE (Wallraf-Richartz Mus.) : *Composition 1950* – *Peinture, 31 déc. 1964* – COLOGNE (Mus. Ludwig) – COPENHAGUE (Mus. roy. des Beaux-Arts) : *Composition 1950* – *Composition 1957*, gche – DALLAS (Mus. of Art) – DETROIT (Inst. of Arts) : *Peinture, 3 mai 1962* – DUNKERQUE (Mus. d'Art Contemp.) – DÜSSELDORF (Kunstsamml. Nordrhein-Westfalen) : *Peinture, 8 déc. 1959* – ESSEN (Folkwang Mus.) : *Peinture, 14 mars 1955* – ÉVREUX (Mus. des Beaux-Arts) – GRENOBLE (Mus. de Peinture et de Sculpture) : *Composition 1949* – HAKONE (Open-Air Mus.) – HAMBOURG (Kunsthalle) : *Peinture, 26 déc. 1955* – HANOVRE (Niedersächsisches Landesmus.) : *Peinture, 6 juil. 1958* – *Composition, 6 juil. 1960* – HANOVRE (Sprengel Mus.) – HELSINKI (Ateneumin Taidemus.) : *Peinture, 11 mars 1960* – *Peinture, 21 août 1963* – HOUSTON (Mus. of Fine Arts) : *Peinture, 22 août 1961* – HÖVIKODDEN (Sonja Henies og Niels Onstads Stiftelser Kunstsenter) : *Peinture, 10 déc. 1954* – *Peinture, 8 août 1958* – *Peinture, 20 déc. 1958* – *Peinture, 22 mars 1959* – plusieurs *Peintures 1959* – *Peinture, 265x202 cm, 15 déc. 1962* – *Peinture, 1963* – *Peinture, 14 juin 1963* – JÉRUSALEM (Bezalel Nat. Art Mus.) : *Peinture, 21 déc. 1964* – JOHANNESBURG (Art Gal.) : *Peinture, 1er juin 1959* – KURASHIKI (Ohara Mus. of Art) : *Peinture, 4 mai 1959* – LINCOLN (University of Nebraska Art Gal.) : *Peinture, 11 juil. 1955* – LINCOLN (Sheldon Memorial Art Gal.) – LONDRES (Tate Gal.) : *Peinture, 23 mai 1953* – LOS ANGELES (County Mus. of Art) : *Peinture, 6 juin 1959* – LUND (Konstmus. d'Esquisses d'Art Monumental) : *12 Esquisses 1965*, gches – MANNHEIM (Städtische Kunsthalle) : *Peinture, 9 juin 1954* – MARSEILLE (Mus. Cantini) : *Sans titre 1973*, vinyle/pap. mar. – *Peinture, 14 8 79 1979*, h/t – MARSEILLE (FRAC Côte-d'Azur) – METZ (Mus. d'Art et d'Hist.) – MILWAUKEE (Art Mus.) – MINNEAPOLIS (Walker Art Center) : *Peinture, 26 déc. 1955* – MONTPELLIER (Mus. Fabre) – MONTPELLIER (FRAC Roussillon) – MONTRÉAL (Mus. of Fine Arts) : *Peinture, 27 juil. 1956* – MONTRÉAL (Mus. d'Art Contemp.) : *Peinture, 5 février 1964* – deux eaux-fortes – MUNICH (Neue Pinakothek, Bayerische Staatsgemäldesammlungen) : *Peinture n° 30, nov. 1956* – NANTES (Mus. des Beaux-Arts) : *Peinture, 13 juin 1950* – NEW HAVEN (Yale University Art Gal.) : *Peinture, 12 juil. 1957* – NEW YORK (Mus. of Mod. Art) : *Peinture, 193,4x129,1, 1948-49* – *Peinture, 10 janv. 1951* – *Peinture, 1er août 1956* – *Peinture, 14 mars 1961* – NEW YORK (Solomon R. Guggenheim Mus.) : *Peinture, mai 1953* – *Peinture, 20 nov. 1956* – NEW YORK (Brooklyn Mus.) : *Composition n° 1, 1955*, aquar. – NEW YORK (Cultural Center) – NÜRTINGEN (Sammlung Domnick) – OSLO (Sonja Henies og Niels Onstads Stiftelser Kunstsenter) : Voir à Hövokodden – OTTAWA (Nat. Gal. of Canada) – PARIS (Mus. Nat. d'Art Mod.) : *Peinture, 1948*, brou de noix/pap. – *Composition 1956* – *Peinture, 14 août 1956* – *Dessin 1959*, encre de Chine – *Peinture, 19 juin 1963* – *Peinture, 14 mai 1968. (220x365)* – *Peinture, 4 panneaux (324x362) polyptyque C 1985* – PARIS (Mus. d'Art Mod. de la Ville) : *Peinture, 16 déc. 1959* – PARIS (CNAC) : *Peinture, 1963* – *Peinture, 14 mai 1968* – PHILADELPHIE (Mus. of Art) – PITTSBURGH (Carnegie Mus. of Art) : *Peinture, 24 nov. 1963* – QUÉBEC (Mus. des Beaux-Arts) – RENNES (FRAC) – RENNES (FRAC) – RIO DE JANEIRO (Mus. de Arte Mod.) : *Peinture, 3 juin 1958* – *Peinture, 15 août 1958* – RODEZ (Mus. des Beaux-Arts) – ROTTERDAM (Mus. Boymans Van Beuningen) : *Peinture, 12 janv. 1952* – ROUEN (Mus. des Beaux-Arts et de la Céramique) : *Peinture, 63-10* – *Peinture, 63-13* – SAINT-ÉTIENNE (Mus. d'Art Mod.) : *Peinture, 45,5x76,5, 1948 1*, goudron/verre – *Peinture, 130x162, 18 avr. 1959* – SAINT LOUIS (Washington University Mus.) – SAINT-PAUL-DE-VENCE (Fond. Maeght) : *Peinture, 21 juin 1971* – SÃO PAULO (Mus. de Arte Mod.) – SÃO PAULO (Mus. de Arte Contemporanea da Universidade) : *Peinture, 22 mai 1959* – SKOPJE (Mus. d'Art Contemp.) : *Peinture, 1964* – STUTTGART (coll. Domnick) – *Peinture 1947 – 2 Encre/pp 1947* – *Peinture, 1949* – Encre/pp 1967 – TOKYO (Seibu Mus. of Art) – TOULOUSE (Mus. des Augustins) – TOULOUSE (FRAC Pyrénées) – TOYAMA (mun. Mus.) – TURIN (Civica Gal. d'Arte Mod.) : *Peinture, 1951* – VALENCE (Mus. des Beaux-Arts et d'Hist. Nat.) – VALENCE (Instituto de Arte Contemporaneo) – VIENNE (20sten Jahrhunderts Mus.) : *Peinture, 1959* – VILLENEUVE-D'ASCQ (Mus. d'Art Mod. du Nord) – WALTHAM (Rose Art Mus.) – WASHINGTON D. C. (Nat. Gal. of Art) – WASHINGTON D. C. (Duncan Phillips Memorial Gal.) : *Peinture, 10 juil. 1950* – ZURICH (Kunsthaus) : *Peinture, 9 fév. 1952.*

VENTES PUBLIQUES : NEW YORK, 27 avr. 1960 : *Peinture :* USD 9 000 – LONDRES, 23 nov. 1960 : *Composition en noir, fond jaune :* GBP 1 700 – MILAN, 28 mars 1962 : *Composition, temp. :* ITL 1 000 000 – MILAN, 21-23 nov. 1962 : *Composition, fond rouge :* ITL 2 500 000 – GENÈVE, 2 nov. 1963 : *Composition, gche :* CHF 5 000 – HAMBOURG, 18 nov. 1967 : *Composition, gche et h. :* DEM 7 500 – PARIS, 18 juin 1971 : *Composition noire et bleue :* FRF 33 500 – LONDRES, 12 avr. 1972 : *Composition :* GBP 1 750 – LONDRES, 2 juil. 1974 : *Peinture 16 nov. 1965 :* GNS 8 000 – LONDRES, 2 déc. 1976 : *Composition 1960*, h/t (132x99) : GBP 6 200 – NEW YORK, 20 fév. 1988 : *Trois questions*, h/t (162,6x129,6) : USD 79 200 – LONDRES, 20 oct. 1988 : *Composition*, techn. mixte (55x75) : GBP 10 120 – COPENHAGUE, 8 fév. 1989 : *Composition 1957*, h/t (73x53) : DKK 470 000 – PARIS, 23 mars 1989 : *Composition abstraite 1955* (92x65) : FRF 685 000 – PARIS, 13 avr. 1989 : *Composition moderne*, lav. d'encre (49x32) : FRF 155 000 – PARIS, 16 avr. 1989 : *4 août 1961*, h/t (196x130) : FRF 1 750 000 – PARIS, 23 juin 1989 : *Peinture 60x73x74 1974* (60x73) : FRF 325 000 – LONDRES, 29 juin 1989 : *Peinture 1959*, h/t (130x90) : GBP 187 000 – COPENHAGUE, 20 sep. 1989 : *Peinture 1952*, h/t (33x46) : DKK 350 000 – PARIS, 7 oct. 1989 : *3 août 71 1971*, h/t (162x114) : FRF 880 000 – PARIS, 8 oct. 1989 : *Peinture 1989*, h/t (46x96,5) : FRF 221 000 – LONDRES, 26 oct. 1989 : *Trois questions*, acryl./t. (162,5x129,5) : GBP 132 000 – PARIS, 28 mars 1990 : *Composition, traînée blanche*, h/t (55x48) : FRF 750 000 – LONDRES, 5 avr. 1990 : *Peinture 8 octobre 1975*, h/t (60x81) : GBP 52 800 – NEW YORK, 8 mai 1990 : *Sans titre*, encre/pap./t. (66,7x50,2) : USD 47 300 – PARIS, 10 juin 1990 : *Composition 1954*, gche et encre de Chine/pap. (65x50) : FRF 490 000 – PARIS, 18 juin 1990 : *Composition 1950*, h/t (89x116) : FRF 1 550 000 – LONDRES, 28 juin 1990 : *Peinture 41-58*, h/t (129,7x161,5) : GBP 242 000 – PARIS, 31 oct. 1990 : *Peinture 13 avril 1960*, h/t (162x130) : FRF 1 800 000 – LONDRES, 6 déc. 1990 : *Peinture : 14 avril 1962 1962*, h/t (161x129) : GBP 192 500 – NEW YORK, 1er mai 1991 : *27 février 57*, h/t (59,8x80,8) : USD 104 500 – AMSTERDAM, 23 mai 1991 : *15 nov. 53 1953*, gche/pap. (65x50) : NLG 35 650 – PARIS, 20 juin 1991 : *Composition à fond noir 1956*, h/t (65x91,5) : FRF 460 000 – VERSAILLES, 27 oct. 1991 : *Composition 1956*, h/t (130x98) : FRF 1 700 000 – LONDRES, 27 juin 1991 : *Peinture 25-2-55*, h/t (99,7x72,4) : GBP 63 800 – ZURICH, 16 oct. 1991 : *Abstraction 1954*, encre/pap. (103x75,7) : CHF 35 000 – VERSAILLES, 27 oct. 1991 : *Composition 1956*, h/t : FRF 1 700 000 – LONDRES, 5 déc. 1991 : *19 mars 1960*, h/t (130x130) : GBP 60 500 – COPENHAGUE, 4 mars 1992 : *Composition 1971*, h/t (81x100) : DKK 280 000 – PARIS, 24 mai 1992 : *Sans titre 1948*, h/t (116x89) : FRF 450 000 – NEW YORK, 8 oct. 1992 : *Sans titre 1958*, h/t (96,5x129,5) : USD 97 900 – LONDRES, 3 déc. 1992 : *Peinture, 7 juillet 59*, h/t (202x124) : GBP 65 000 – PARIS, 23 mars 1993 : *Composition 1970*, h/t (73x92) : FRF 180 000 – NEW YORK, 10 nov. 1993 : *Sans titre*, encre noire et lav./pap. (55,8x38) : USD 25 300 – COPENHAGUE, 2 mars 1994 : *Composition 1981*, h/t (65x100) : DKK 220 000 – PARIS, 10 mars 1994 : *Peinture 1963*, h/t (160x203) : FRF 550 000 – PARIS, 11 avr. 1994 : *Composition 1956*, h/t (54,5x37,5) : FRF 325 000 – NEW YORK, 3 mai 1994 : *31 janvier 1954*, h/t (146x96,5) : USD 129 000 – PARIS, 24 juin 1994 : *13.4.60*, h/t (165x130) : FRF 750 000 – PARIS, 12 oct. 1994 : *16-12-71*, h/t (65x92) : FRF 180 000 – PARIS, 23 nov. 1994 : *Peinture 1974*, h/t (162x130) : FRF 330 000 – PARIS, 1er déc. 1994 : *Peinture 18.10.63*, h/t (91,5x72,5) : GBP 69 700 – VERSAILLES, 4 déc. 1994 : *Composition 1961*, h/t (130x97) : FRF 1 130 000 – LONDRES, 21 mars 1996 : *Peinture, 11 juillet 1958*, h/t (162x130) : GBP 172 000 – PARIS, 20 juin 1996 : *Peinture 222x222, 15 mai 1987*, h/t, diptyque (222x222) : FRF 400 000 – PARIS, 4 déc. 1996 : *L 32 B 1974*, litho. (75,5x56,5) : FRF 400 000 – PARIS, 7 mars 1997 : *Composition bleue et noire*, litho. – FRF 4 200.

SOULANGE-BODIN Auguste Thomas
Mort en 1906. XIXe siècle. Français.
Peintre.
Sociétaire des Artistes Français.

SOULANGE-TESSIER
XIXe siècle. Française.

Peintre de fleurs, peintre à la gouache, aquarelliste.
En 1843 et 1848, elle exposa au Salon de Paris.
VENTES PUBLIQUES : REIMS, 27 avr. 1997 : *Bouquet de fleurs sur un entablement*, gche/vélin (63x52) : **FRF 19 000.**

SOULANGE-TESSIER Louis Emmanuel
Né le 8 juillet 1814 à Amiens (Somme). Mort le 12 février 1898 à Paris. XIXe siècle. Français.
Peintre, graveur de reproduction.
Il débuta au Salon de 1841, année où il obtint une médaille de troisième classe ; en 1857, il reçut la médaille de deuxième classe. Il fut fait chevalier de la Légion d'honneur le 7 juillet 1859.
Teissier a gravé d'après Chardin, Prud'hon, Decamps, Rosa Bonheur, Hébert, etc.
MUSÉES : AMIENS : *Une vague.*

SOULARY Claude ou Claudius
Né en 1792 à Lyon (Rhône). Mort en février 1870 à Saint-Étienne (Loire). XIXe siècle. Français.
Peintre d'histoire.
Élève de Révoil et du baron Gros. Il exposa au Salon en 1819 et en 1824. Il fut directeur de l'École des Beaux-Arts de Saint-Étienne à partir de 1823. L'Hôtel de Ville de Saint-Étienne conserve de lui : *Vue prise au Treuil près de Saint-Étienne, Vue prise de la colline de Bel Air, Clair de lune, Intérieur d'un monastère en ruine.*
MUSÉES : HANOVRE : *La villa Raphaël dans le jardin de la villa Borghèse – Ruines avec une tour –* LYON : *Le Géant Ugolin emprisonné avec ses enfants –* SAINT-ÉTIENNE : *L'auteur – Vieillard en adoration – La paysanne au chevreau – Les mendiants – Les naufragés.*

SOULAS François
Né en 1930 à Orléans (Loiret). XXe siècle. Français.
Peintre de portraits, paysages, graveur.
Apparenté au graveur Louis Joseph Soulas. Il fut élève des Écoles, où il diplôme en 1955, des Arts Décoratifs et, de 1957 à 1960 en gravure, des Beaux-Arts de Paris. Il a aussi travaillé la peinture avec Édouard Mac-Avoy. Il participe à de nombreuses expositions collectives régionales, obtenant diverses distinctions ; ainsi qu'au Salon de la Société Nationale des Beaux-Arts, en 1979, 1981. Il montre des ensembles d'œuvres dans des expositions personnelles, dont : 1957, 1976 Rouen, 1969 Clermont-Ferrand, 1976 Paris à la galerie Anne Colin, etc. Il s'est surtout spécialisé en gravure, pointe-sèche et burin, dans les paysages de la Sologne, de l'Orléanais, des bords de Loire, des vues de Blois.

SOULAS Jean
Mort avant le 12 septembre 1542. XVIe siècle. Actif à Paris. Français.
Sculpteur.
Il a sculpté un haut-relief représentant la *Nativité* qui se trouve dans la cathédrale de Chartres.

SOULAS Louis Joseph
Né le 1er septembre 1905 à Orléans (Loiret). Mort le 26 mars 1954 à Paris. XXe siècle. Français.
Peintre, graveur, illustrateur.
Dès 1922 à Paris, il participe aux Salons des Artistes Français, de la Société Nationale des Beaux-Arts, ainsi qu'aux Salons de la Société de la gravure originale, de la Société de la gravure sur bois, des Peintres-graveurs. Il expose aussi au Salon des artistes orléanais, dont il est membre du jury. En 1932, il obtient une bourse de voyage de l'État, en 1937 le Grand Prix international de gravure à Varsovie, en 1938 il fut invité à la Biennale de Venise. De 1938 à sa mort, il fut directeur de l'École des Beaux-Arts d'Orléans, fait chevalier de la Légion d'honneur en 1950.
Il eut une intense activité d'illustrateur. Il illustra *La Beauce, La Gerbe noire, Les Bêtes de la nuit* dont il écrivit les textes, et, entre autres : *Raboliot* de Maurice Genevoix, *Jacquou le Croquant* et *Le Moulin du Frau* d'Eugène Le Roy, *Thérèse Desqueyroux* de François Mauriac, *Dominique* d'Eugène Fromentin, *Présentation de la Beauce à Notre-Dame de Chartres* de Charles Péguy, *La Marche à l'étoile* de Vercors, *Le Journal d'un curé de campagne* de Georges Bernanos, *Présentation de la France* de Jules Romains.
MUSÉES : BOSTON – LE HAVRE – ORLÉANS (Mus. des Beaux-Arts) – PARIS (Mus. d'Art Mod.).

SOULDOIER Jean
XVIe siècle. Français.
Peintre verrier.
Il exécuta des vitraux pour la cathédrale de Senlis et l'église de Creil. Il s'agit probablement du même artiste que Soudoyer (Jean).

SOULEILLON Adèle, née Chailly
XIXe siècle. Française.
Peintre de portraits et miniaturiste.
Elle exposa au Salon entre 1824 et 1836. Voir aussi le peintre Chailly, dont le Musée de Rochefort possède une peinture de 1823.

SOULEN Henry James
Né le 12 mars 1888 à Milwaukee. Mort en 1965. XXe siècle. Américain.
Peintre de scènes animées, scènes typiques, peintre à la gouache, dessinateur.
Il fut élève du peintre et illustrateur américain Howard Pyle.
VENTES PUBLIQUES : NEW YORK, 24 jan. 1990 : *Quartier chinois*, gche et fus./cart. (52,5x45) : **USD 1 320** – NEW YORK, 23 sep. 1993 : *Scène de cirque*, h/t (86x4x76,2) : **USD 6 325.**

SOULÈS Eugène Édouard ou Mathieu Eugène Édouard
Né en 1811 à Paris. Mort en 1876 à Paris. XIXe siècle. Français.
Peintre d'architectures, paysages, paysages urbains, aquarelliste.
Il exposa au Salon de Paris, entre 1831 et 1872, obtenant une médaille de troisième classe en 1841.
Il a surtout produit des aquarelles topographiques.
MUSÉES : HELSINKI : *Église italienne.*
VENTES PUBLIQUES : PARIS, 27 fév. 1895 : *Vue du château de Chambord*, aquar. : **FRF 26** ; *Vue d'Étretat* : **FRF 31** – PARIS, 18 nov. 1926 : *Vue du château de Chateaudun*, aquar. gchée : **FRF 650** – PARIS, 16 avr. 1945 : *La Fontaine des Innocents*, aquar. : **FRF 1 100** – PARIS, 5 fév. 1951 : *Vues de villes*, six aquar. : **FRF 37 000** – PARIS, 9 mars 1951 : *Château en montagne*, aquar. : **FRF 7 900** – PARIS, 9 juin 1971 : *La Bourse, vue prise de la rue Vivienne* : **FRF 4 500** – NEW YORK, 7 jan. 1981 : *Bord de mer*, aquar. (17,2x28) : **USD 750** – NEW YORK, 25 oct. 1984 : *La place Vendôme*, aquar. et pl. (16,5x21,5) : **USD 7 500** – NEW YORK, 21 mai 1986 : *Vue du Panthéon*, aquar. et pl. rеh. de gche blanche (20,4x13,3) : **USD 2 600** – LONDRES, 23 mars 1988 : *Un château médiéval*, aquar. (25x31) : **GBP 2 090** – NEUILLY, 3 fév. 1991 : *Vue d'une rue de Lourdes ; Château de Lourdes*, aquar., une paire (16,3x13,5 et 13x16,5) : **FRF 12 000** – PARIS, 14 mars 1997 : *L'Île de la Cité, le vieux Châtelet*, aquar. (17,5x31,5) : **FRF 21 000.**

SOULÈS Félix
Né le 12 octobre 1857 à Eauze (Gers). Mort en mars 1904 à Eauzé. XIXe siècle. Français.
Sculpteur de monuments, sujets allégoriques, animalier.
Il fut élève de François Jouffroy et d'Alexandre Falguière. À Paris, il débuta au premier Salon des Artistes Français de 1881. En 1887, il obtint le Second Grand Prix de Rome. Il obtint une médaille d'argent à l'Exposition Universelle de 1900.
Son groupe allégorique monumental de *L'Aurore* participe à la décoration d'une des façades du Grand Palais des Champs-Élysées.
MUSÉES : BORDEAUX (Mus. des Beaux-Arts) : *Bacchante et chèvre.*

SOULIE Henri
Né le 3 mai 1826 à Arnonville (Seine-et-Oise). XIXe siècle. Français.
Peintre de genre.
Élève de Gleyre. Entré à l'École des Beaux-Arts le 7 octobre 1846. Il exposa au Salon entre 1849 et 1870. Le Musée de Bagnères conserve de lui *Rêverie dans la campagne, Odalisque au repos, Odalisque liseuse* et celui de Tarbes, *Adieux du Christ à sa mère.*
VENTES PUBLIQUES : PARIS, 19 et 20 juin 1925 : *Intérieurs villageois*, trois gches : **FRF 460.**

SOULIE Léon
Né en 1807 à Toulouse (Haute-Garonne). Mort en mai 1862 à Toulouse. XIXe siècle. Français.
Peintre de genre, figures, paysages, intérieurs, aquarelliste, dessinateur.
MUSÉES : CASTRES : *Intérieur d'une cuisine de campagne – Un marché –* TOULOUSE : *Le Moulin – L'Écluse Bayard à Toulouse – Ravaudeuses toulousaines – Types toulousains – Port de la Daurade – Autour du rémouleur – Port de Saint-Cyprien à Toulouse – L'Ancienne porte du Pont-Neuf à Toulouse – Le Pont-Neuf, rive droite – Gamins de Toulouse – Une excentrique – Un coin du quai.*

Ventes Publiques : Paris, 17-18 déc. 1941 : *Scène d'intérieur*, aquar. : **FRF 170** – Paris, 30 juin 1943 : *Paysage avec tour en ruine*, aquar. : **FRF 300** – Paris, 16 avr. 1945 : *Vieille tour près d'un torrent*, aquar. : **FRF 650** – Paris, 18 oct. 1946 : *Vue de Toulouse*, aquar. : **FRF 1 950** – Paris, 5 nov. 1993 : *Intimité familiale*, h/t (37,5x46) : **FRF 6 000**.

SOULIÉ Michel
xix⁰ siècle. Français.
Peintre de paysages, paysages urbains.
Musées : Tulle (Mus. des Beaux-Arts) : *Vue de Tulle*.

SOULIÉ Tony
Né le 9 décembre 1955 à Paris. xx⁰ siècle. Français.
Peintre technique mixte, peintre de collages, artiste d'interventions. Expressionniste-abstrait.
De 1971 à 1976, il fut élève de l'École des Arts Appliqués et de l'École des Beaux-Arts de Paris. En 1988 lui fut décerné le Prix de la Villa Médicis « Hors les Murs ». Il a une considérable activité de voyage, quasiment de nomadisme, qui semble lui être nécessaire pour alimenter son travail pictural, montrant dans le choix de ses très nombreuses destinations une prédilection pour les déserts et les volcans. Dans les années quatre-vingt, il est également très impliqué dans des activités théâtrales, également itinérantes, indifféremment comme auteur, acteur, metteur en scène.
Il participe à des expositions collectives, dont : en 1984 à Paris, *L'autre nouvelle génération*, Grand Palais ; en 1985 au Kulturhuset de Stockholm ; et Foires de Cologne et de Paris ; en 1987 Paris, *Ceci n'est pas un carré blanc*, Centre National d'Arts Plastiques ; et au Berkeley Art Center de Californie ; en 1988 à l'ARCO de Madrid ; et au Palais National de la Culture de Sophia ; au Musée National de Bucarest ; 1989 à l'ARCO de Madrid ; et Montbéliard, Centre d'Art Contemporain ; 1991, galerie Paris-Bastille ; 1995 Bordeaux, galerie Le Troisième Œil.
Il fait des expositions personnelles : à partir de 1977, au Centre culturel de Troyes, à la galerie du Haut Pavé à Paris ; depuis 1986 et presque annuellement à Paris, galerie Françoise Palluel ; 1989 New York, galerie Denise Cadé ; 1991 Bordeaux, galerie Jean-Christophe Aguas ; Créteil, Maison des Arts ; 1996 Paris, *Mers du Sud*, galerie Protée.
Son rituel de préparation à l'effusion plastique, étant soumis à l'événement, au voyage, à l'humeur, est insaisissable dans sa multiplicité. En général, de ses voyages dans toutes les orientations, il rapporte des documents, dessins, peintures, collages ou bien, ayant accompli des actions assimilables au land art, il en rapporte les traces photographiques, mais qu'il n'exposait pas, considérant ces aspects de son être au monde comme strictement personnels. De ces matériaux intimes, dont il montrera ultérieurement des « photos-peintures », vont découler ses peintures, exécutées en atelier, à l'acrylique combinée avec des vernis. Il pratique sur le sol une peinture totalement gestuelle et instinctive, corporelle, par superposition accumulée d'épaisseurs successives. Cette opération mimétique évoque d'abord une recréation d'un socle tellurique, sans doute récemment visité, avec des matières pigmentaires généreuses et peu de couleurs différentes, noir, brun et rouge ou le socle parfois monochrome. Sur ce fond informel et matiériste arrive ensuite une dispersion à travers le format de quelques signes graphiques et taches, idéogrammes à usage intime, où l'on peut vouloir déchiffrer le code graphique d'un œil ouvert ou celui du cratère d'un volcan, l'évocation d'une fumée rousse, ou, surprise, parfois reconnaissable le rouge homologue de la lave en fusion.
Soulié a déclaré, phrase souvent reprise : « Je n'ai jamais rêvé de faire une peinture ; j'ai toujours rêvé d'un voyage possible. » Il semble signifier que, d'entre la peinture et le voyage, c'est le voyage qu'il privilégie. Ces peintures informelles, sauvages, sont données, et sans doute à recevoir, comme la résonance mémorisée d'un ailleurs parcouru et respiré par lui, mais à jamais inconnaissable pour autrui, à qui n'en parviendra, dans les cas les plus réceptifs, qu'une sorte de correspondance gustative.
■ J. B.
Bibliogr. : Manuel Jover : *Tony Soulié*, in : Art Press, n⁰ 157, Paris, avr. 1991 – Françoise Bataillon : *Tony Soulié*, in : Beaux-Arts, Paris, 1991.
Musées : Belfort – Bourg-en-Bresse (Fond. d'Art Contemp.) – Paris (FNAC) – Paris (Mus. d'Art Mod. de la Ville) – Sarreguemine – Toulon – Tulle.
Ventes Publiques : Paris, 23 avr. 1988 : *Continent* 1987, acryl. et techn. mixte/t. (200x200) : **FRF 12 000** – Paris, 16 juin 1988 : *Sans titre* 1988, acryl./pap. mar./t. (100x100) : **FRF 5 000** – Paris, 12

fév. 1989 : *Coulée de lave*, acryl./t. (140x140) : **FRF 13 000** – Paris, 30 mars 1989 : *Roma* 1988, acryl./t. (100x100) : **FRF 9 200** – Paris, 22 déc. 1989 : *Sans titre*, acryl./t. (100x100) : **FRF 8 500** – Paris, 14 juin 1990 : *Désert* 1990, acryl./t. (100x100) : **FRF 12 500** – Paris, 8 nov. 1990 : *Cyclade*, acryl./t. (200x200) : **FRF 25 000** – Paris, 3 juin 1992 : *Toros* 1991, acryl. et vernis/pap. craft (68x97) : **FRF 6 000**.

SOULIER Charles
xviii⁰ siècle. Actif en 1774. Français.
Peintre.
Il peignit des armoiries pour la ville d'Épinal.

SOULIER François
Né à Épinal. xviii⁰ siècle. Français.
Peintre de compositions religieuses.
On cite de lui un tableau peint en 1777 pour le chapitre Saint-Goery à Épinal.

SOULIGNAC Antoine
xvii⁰ siècle. Français.
Peintre verrier.
Il exécuta des vitraux pour l'église Saint-Eustache de Paris et la cathédrale de Sens.

SOULIKIAS Paul
Né en 1926. xx⁰ siècle. Canadien.
Peintre de paysages, paysages urbains.

P. Soulikias

Ventes Publiques : Montréal, 25 avr. 1988 : *Maisons vues de la fenêtre* 1980, h/t (51x61) : **CAD 1 100** – Montréal, 30 avr. 1990 : *Les éboulements à Québec* 1973, h/t (41x51) : **CAD 880** – Montréal, 5 nov. 1990 : *Piedmont au Québec* 1983, h/t (41x51) : **CAD 880** – Montréal, 6 déc. 1994 : *Saint-Faustin*, h/t (71x91,5) : **CAD 900**.

SOULIOL Laure
xix⁰ siècle. Française.
Peintre de portraits, architectures, intérieurs.
Elle était active à Paris et, entre 1834 et 1846, y exposait au Salon.
Ventes Publiques : Paris, 10 avr. 1995 : *Intérieur d'église*, h/t (82x100) : **FRF 9 000**.

SOUMI Nasser
Né en 1948. xx⁰ siècle. Depuis environ 1980 actif en France. Palestinien.
Peintre technique mixte, sculpteur d'assemblages, graveur.
En 1977, il obtint une licence d'Arts Plastiques en section gravure, à la Faculté des Beaux-Arts de Damas. De 1980 à 1982, il fut élève de l'École des Beaux-Arts de Paris. Il participe à des expositions collectives, dont : 1973-1978 Damas, la *Salle du Peuple* ; 1978 Tokyo, *Tiers-monde et Japon*, au Musée ; 1985 Koweit, IX⁰ Biennale arabe ; 1986 Paris, Salon Comparaisons ; Salon du Caire ; 1988 Paris, *Peintres méditerranéens contemporains*, Institut du monde arabe ; 1992 Gand, Linéart ;... Il montre son travail dans des expositions personnelles : 1979 Beyrouth, Institut Goethe ; 1984 Paris, Cité internationale des Arts ; 1984 Paris, galerie Le point nommé ; 1986 Varsovie ; 1989, 1993 Paris, galerie Lélia Mordoch ; 1990 Marseille, Maison des associations ; 1991 Alep ;...
Ses peintures procédaient d'un expressionnisme-abstrait international généralisé. Il s'est beaucoup plus investi dans ses sculptures d'assemblages. Matériellement plutôt bien réalisées, elles lient ensemble par des jeux de cordes bariolées enlacées des objets quelconques, cailloux, coquillages, bois travaillés, percés ou bois de flottage corrodés ramassés sur les grèves, hélices, skis, intérieurs de transistors, tout et n'importe quoi, etc. Le charme de ces objets innocents tient à leur ambition de modernité que tempère leur bricolage passéiste.
Bibliogr. : Michel Nuridsany : *Nasser Soumi dans la lumière indigo*, in : Catalogue de l'exposition *Nasser Soumi*, gal. Lélia Mordoch, Paris, 1993.
Musées : Bagdad (Mus. Nat.) – Paris (FNAC) – Paris (BN) – Tunis (Mus. d'Art Mod.).

SOUMY Joseph Paul Marius
Né le 28 février 1831 au Puy (Haute-Loire). Mort le 26 juillet 1863 à Saint-Genis-Laval (Rhône). xix⁰ siècle. Français.
Peintre de scènes de genre, portraits, paysages, copiste, graveur, lithographe.
Il fut élève de Joseph Vibert et de Claude Bonnefond à l'École

des Beaux-Arts de Lyon, puis, à partir de 1852, du graveur Henriquel Dupont à l'École des Beaux-Arts de Paris. Il obtient le grand Prix de Rome au concours de gravure en 1854. De retour en France, il mena une vie peu régulière et, étant atteint d'une maladie des yeux, termina sa vie par un suicide. Il exposa au Salon de Paris en 1859 et 1861.

Durant son séjour à Rome, il peignit des paysages, des portraits, des scènes de genre et plusieurs copies d'après Raphaël et Michel-Ange. À son retour d'Italie, il s'adonna à la gravure.

Musées : Bayonne (Mus. Bonnat) : *Portrait de Carpeaux* – Lyon (Mus. des Beaux-Arts) : *Le Dédain* – *Tête de moine* – Marseille : *La Carolina.*

Ventes Publiques : Paris, 30-31 mai 1892 : *Portrait de Carpeaux* – FRF 125 – Paris, 6-7 mai 1920 : *Portrait de Carpeaux* : FRF 950.

SÔUN, de son vrai nom : **Tazaki Un**, nom de pinceau : **Sôun**

Né en 1815. Mort en 1898. XIXᵉ siècle. Actif à Ashikaga (préfecture de Tochigi). Japonais.

Peintre.

Peintre de paysages de l'école Nanga (peinture de lettré), élève de Kanai Ushû, Haruki Nammei et Tani Bunchô.

SOUNES W.

XIXᵉ siècle. Britannique.

Médailleur.

Il exposa à Londres de 1820 à 1847.

SOUNES William Henry

Né en 1830 à Londres. Mort le 6 septembre 1873 à Sheffield. XIXᵉ siècle. Britannique.

Aquarelliste, sculpteur, médailleur, dessinateur.

Après avoir été professeur de modelage à l'École d'Art de Birmingham, il fut appelé à la direction de celle de Sheffield. Il exposa des médailles à la Royal Academy en 1846.

Musées : Londres (Victoria and Albert Mus.) : *Chambre à coucher de la reine Élisabeth à Haddon Hall* 1869, aquarelle – *Grande salle du même monument*, aquarelle.

SOUNOUNOU Claire

XXᵉ siècle. De 1968 environ à 1988 active au Liban. Américaine.

Peintre de genre. Postimpressionniste.

On ne sait presque rien d'elle. Mariée à un Libanais, elle vécut une vingtaine d'années à Beyrouth avant d'en fuir la guerre et les bombardements. En 1986, au 12ᵉ Salon du Musée Sursock, elle exposait une peinture sous le titre *Le vieux Beyrouth,* dont le vrai sujet est *Le bordel après un bombardement.*

On peut s'étonner que cette peinture soit la seule connue de Claire Sounounou, car elle présente des qualités multiples et rares : une mise en page classique mais complexe : cernée par les pénombres intérieures, une échappée en perspective écrasée de lumière ; détails architecturaux aussi bien en intérieur que des bâtiments plus ou moins détruits ; atmosphère intimiste des femmes nues, comme indifférentes aux événements.

Bibliogr. : In : Catalogue de l'exposition *Liban – Le regard des peintres, 200 ans de peinture libanaise,* Institut du monde Arabe, Paris, 1989.

SOUPLET Louis Ulysse

Né en 1819 à Compiègne (Oise). Mort en 1878 à Paris. XIXᵉ siècle. Français.

Peintre d'histoire, scènes de genre, paysages animés, paysages.

Il fut élève de Léon Cogniet, puis de Charles Jacque. Il figura au Salon de Paris, à partir de 1845.

On peut rapprocher ses œuvres de celles des peintres de Barbizon.

Musées : Compiègne : *Réquisition prussienne* – Lyon (Mus. des Beaux-Arts) : *Lavage des moutons en Champagne.*

Ventes Publiques : Paris, 8 mai 1936 : *La bergère et son troupeau* ; *Le berger et son troupeau,* les deux : FRF 540 – Lindau, 5 oct. 1983 : *La Basse-cour,* h/t (54x65) : DEM 4 000 – New York, 17 jan. 1990 : *La traversée du ruisseau* 1867, h/t (230x155,7) : USD 7 700.

SOUPLY Émile

Né en 1933 à Charleroi. XXᵉ siècle. Belge.

Sculpteur de monuments, décorateur. Abstrait.

Il fut élève de l'École d'Art de Maredsous. D'abord orfèvre, il se forma seul à la sculpture, conservant de son activité professionnelle le goût des matériaux précieux, de la précision technique. En 1962, il fut l'un des co-fondateurs, à Bruxelles, du groupe *Design* ; puis, en 1966, du groupe *Axe 66,* ateliers d'esthétique industrielle.

À partir de 1953, il créa d'abord des objets ornementaux, de petites dimensions et, en fonte d'argent, et peut-être des meubles ; à partir de 1958, ses premières sculptures métalliques abstraites. Après 1964, il a élargi sa vision et, dans des dimensions plus importantes, créé des formes inspirées de l'univers technologique moderne. Son œuvre est alors conditionné par la technicité du métal et par la volonté d'intégration architecturale. Il a réalisé des sculptures monumentales pour le métro de Bruxelles, le siège de la banque Bruxelles-Lambert, le Centre culturel de Nivelles, l'Hôtel Brussels-Hilton, la pavillon belge de l'Exposition de Montréal en 1967. En acier oxydé, chromé ou inoxydable, il imagine, dans des proportions monumentales, des sortes de profils étirés, y insérant parfois des verres déformants, du Plexiglas, des miroirs, fragments en coupe d'on ne sait quelles machines d'anticipation. ■ J. B.

Bibliogr. : Denys Chevalier, in : *Nouveau diction. de la sculpt. mod.,* Hazan, Paris, 1970 – in : *Dict. biogr. illustré des artistes en Belgique depuis 1830,* Arto, Bruxelles, 1987.

SOUPLY Françoise. Voir **CLABOTS**

SOURBIER Jos

Né à Carpentras (Vaucluse). XIXᵉ siècle. Français.

Graveur.

Il figura au Salon des Artistes Français et obtint une mention honorable en 1895, une médaille de troisième classe en 1896 et une médaille de deuxième classe en 1899.

SOURCHES Louis François du Bouchet de, marquis

Né au début du XVIIᵉ siècle. XVIIᵉ siècle. Travaillant de 1645 à 1683. Français.

Dessinateur et graveur à l'eau-forte, amateur.

Élève, croit-on, de Stefano della Bella dont il imita la manière d'une façon surprenante. Il aurait fait ses études de 1640 à 1649. Le Cabinet des estampes de la Bibliothèque Nationale conserve de lui quatre-vingt-dix estampes copiées d'après della Bella et intitulées *Diverses figures et manèges de chevaux gravés par le marquis de Sourches.* On cite encore de lui une série d'estampes fort rares : *Le berger* ; *L'homme de qualité* ; *La Dame de qualité* ; *Le duel* ; *Le porte-drapeau* ; *La marchande de vieux habits* ; *Le départ pour la chasse* ; *Le pêcheur* ; *Le puits* ; *Les ramoneurs* ; *Le batelier* ; *Le promeneur.*

SOURDEVAL Alfred de

Né à Vire (Calvados). XIXᵉ siècle. Français.

Paysagiste et aquarelliste.

Il débuta au Salon de 1874.

SOURDILLON Berthe

Née le 11 mai 1895 à Paris. Morte en 1976. XXᵉ siècle. Française.

Peintre de paysages, figures, natures mortes. Postimpressionniste.

Elle a beaucoup voyagé dans son enfance et sa jeunesse, Russie, Italie où elle reçut ses premières leçons de peinture. Fixée en France, elle lia amitié avec Kikoïne, Krémègne, Soutine. Elle eut, en 1926, un contrat avec le prestigieux marchand Zborowski. Elle poursuivit toutefois son exploration du vaste monde, recherchant les régions solitaires aux vastes panoramas, les rivages de la Méditerranée, l'Espagne, le Mexique dont elle a peint l'enchevêtrement des ruines pré-colombiennes dans une nature sauvage. New York lui est apparu aussi comme un paysage de pierres vertigineux et fantastique.

Dans une première période, elle pratiquait un dessin naturaliste sobre et précis dans des tons sourds, paysages ruraux, portraits d'enfants, maternités. Autour de 1948 s'épanouit sa facture, à l'occasion de natures mortes, légèrement relevées à la manière de Cézanne ou vues en plongée, d'une écriture libérée, dynamique, et chaleureusement colorées. Cette mutation se reporta alors sur tout son œuvre et particulièrement dans les paysages, qu'elle représente baignés dans la lumière délicates de l'aube ou du soir, où s'harmonisent les influences conjuguées d'un expressionnisme optimiste et d'un postimpressionnisme heureux qui rappelle Bonnard. ■ J. B.

Bibliogr. : Raymond Charmet, in : Catalogue de la vente d'atelier de *Berthe Sourdillon*, L'Isle-Adam, 30 oct. 1988.
Musées : Moscou – Philadelphie.
Ventes Publiques : Paris, 30 mai 1945 : *Paysage* : FRF 650 – Paris, 20 déc. 1946 : *Portrait de fillette ; Une autre peinture*, ensemble : FRF 1 200 – L'Isle-Adam, 30 oct. 1988 : *L'Île d'Or, la baignade*, h/isor. (65x81) : FRF 20 500 ; *Village en Provence* 1967, h/isor. (60x73) : FRF 18 500 – La Varenne-Saint-Hilaire, 21 mai 1989 : *Avallon 1963*, h/t (29x36) : FRF 4 200 – Paris, 26 mai 1989 : *Les baigneuses*, h/isor. (60x73) : FRF 12 000 – Paris, 20 fév. 1990 : *Paysage provençal*, h/isor. (50x65) : FRF 115 000 – Versailles, 22 avr. 1990 : *Bord de mer* 1967, h/rés. synth. (73x92) : FRF 12 500 – La Varenne-Saint-Hilaire, 16 juin 1990 : *Village de Provence*, h/t (60x73) : FRF 12 000 – Paris, 16 oct. 1992 : *Les voiliers*, h/isor. (65x81) : FRF 3 800.

SOURDIN Étienne
XVIIe siècle. Actif au milieu du XVIIe siècle. Français.
Sculpteur.
Il travailla pour l'église et le cimetière d'Épineuil (Yonne).

SOURDIS Simone
Née le 2 avril 1901 à Paris. XXe siècle. Française.
Peintre de genre, portraits.
Elle fut élève de Fernand Humbert et de Suzanne Minier, qui avait été aussi élève d'Humbert. Elle exposait à Paris, aux Salons des Artistes Français, d'Automne et des Femmes peintres et sculpteurs.

SOURDIT
XVIIIe siècle. Actif à Rouen. Français.
Sculpteur d'autels.
Il a sculpté l'autel de l'église de Gallardon en 1750.

SOURDY Louise
Née le 13 juin 1900 à Paris. XXe siècle. Française.
Peintre de portraits, paysages.
Elle exposait à Paris, aux Salons des Artistes Français et des Tuileries.

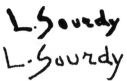

Musées : Paris (Fonds Nat.) : *La maison de Mimi Pinson* 1926.

SOURÉ
Né en 1736. XVIIIe siècle. Français.
Peintre de fleurs.
Il travailla en 1754 pour la Manufacture de Sèvres.

SOURELL Hermann
Né le 21 avril 1875 à Berlin. XIXe-XXe siècles. Allemand.
Peintre.
Il fut élève de l'Académie des Beaux-Arts de Berlin.

SOUREN Luc
Né en 1952 à Maastricht. XXe siècle. Hollandais.
Sculpteur. Abstrait.
Il travaille le bois. Ses sculptures sont à dominante curviligne baroque. Les surfaces des volumes principaux peuvent être retravaillées par incision de motifs réduits.

SOURIAU Pierre
XXe siècle. Français.
Peintre de paysages, intérieurs, architectures.
Grand voyageur, il rapporte des peintures du monde entier. Souvent à Nouméa, il est établi à La Flèche (Sarthe). Il expose à Paris, au Salon des Artistes Français.

SOURIKOV Vassili Ivanovitch. Voir SURIKOV

SOURIS Alexandre
Né le 23 octobre 1847 à Bruxelles. Mort le 12 janvier 1929 à Louvain. XIXe-XXe siècles. Belge.
Peintre.
Il eut surtout une activité de technicien de la peinture. Professeur à l'École industrielle et professionnelle de Louvain, il organisa un cours de peinture en bâtiment et de peinture décorative. Il fut ensuite appelé à la direction des ateliers de peinture aux Chemins de Fer Belges. Il a écrit plusieurs ouvrages sur la technique de la peinture, dont, en 1901, un traité de peinture industrielle.

De 1919 à 1927, il fut l'un des collaborateurs du journal *Le Moniteur de la Peinture*.
Toutefois, à titre personnel, il a réalisé des tableaux sur bois, usant de matières assez épaisses.

SOURLANT Leurentz. Voir SAUERLANDT

SOURLEY Jérôme. Voir SORLAY

SOUROU Paul
Né en 1864 à Carcassonne (Aude). Mort en 1921 à Carcassonne. XIXe-XXe siècles. Français.
Peintre de portraits, paysages, paysages urbains.
Il fut élève de Jérome. Il fut directeur de l'École des Beaux-Arts de Carcassonne.
Il peignit de nombreuses vues de Carcassonne.
Musées : Carcassonne.

SOUROVTCEV Andreï
Né en 1931. XXe siècle. Russe.
Peintre de paysages animés, figures.
Il fut élève de K. Maksimov à l'École des Beaux-Arts de V. Dourikov à Moscou. Il devint membre de l'Union des Artistes d'URSS et fut nommé Artiste du peuple.
Musées : Iaroslavl (Mus. Art Russe) – Moscou (Gal. Tretiakov) – Saint-Pétersbourg (Mus. Russe) – Saint-Pétersbourg (Mus. des Beaux-Arts de l'institut Répine) – Tchéliabinsk (Mus. des Beaux-Arts) – Vladimir (Mus. des Beaux-Arts).
Ventes Publiques : Paris, 25 nov. 1991 : *Lettre d'amour* 1957, h/cart. (44x30) : FRF 9 500.

SOUSA. Voir aussi SOUZA

SOUSA Alberto Augusto
Né en 1860 à Lisbonne. Mort en 1961. XXe siècle. Portugais.
Peintre de scènes de genre, architectures, paysages, paysages d'eau, aquarelliste, dessinateur, illustrateur. Naturaliste.
Il fut élève de l'École des Beaux-Arts de Lisbonne, à partir de 1891, puis de Manuel de Macedo. Il prit part à diverses expositions collectives à Lisbonne, Porto et Coimbra, obtenant une mention honorable en 1901, une médaille d'honneur en 1942.
Peintre de la seconde génération naturaliste portugaise, il s'est spécialisé dans les paysages de bords de mer et les tableaux de genre. Il a collaboré à *L'Illustration Portugaise* en 1903, à l'*L'Illustration* de Paris en 1908. En 1916, il a fondé la revue *Terre Portugaise*.
Bibliogr. : In : *Cien Anos de pintura en Espana y Portugal, 1830-1930*, Antiqvaria, t. X, Madrid, 1993.
Musées : Alpiarça – Aveiro – Ilhavo – Lisbonne (Mus. Nat. d'Art Contemp.) – Santarem – Viseu.

SOUSA Angelo de
Né en 1938 à Lourenço-Marques. XXe siècle. Portugais.
Peintre, sculpteur. Tendance minimaliste.
Vers 1970, il a passé deux années à Londres, pour s'initier à la sculpture et à l'expression multimédia. Il réalisa alors des sculptures en métal d'intention minimaliste. À son retour et après une période de réflexion, il a opéré un retour à la couleur, par le choix d'un des systèmes dits de trois primaires, soit élémentaire, soit industriel, soit physique.
Bibliogr. : In : *Diction. de l'art mod. et contemp.*, Hazan, Paris, 1992.

SOUSA Aurélia de
Née en 1865 à Valparaiso. Morte en 1922 à Porto. XIXe-XXe siècles. Active au Portugal. Chilienne.
Peintre de sujets religieux, scènes de genre, portraits, intérieurs, paysages, natures mortes.
Elle fut élève de Costa Lima, plus tard de Marques de Oliveira à l'École des Beaux-Arts de Porto, et enfin de Jean-Paul Laurens et de Benjamin-Constant à l'Académie Julian à Paris.
Son œuvre revêt une certaine sensibilité féminine, l'artiste privilégiant la représentation d'enfants, de fleurs, de nus et de petites scènes intimes. On lui doit également un *Saint Antoine*.
Bibliogr. : In : *Cien Anos de pintura en Espana y Portugal, 1830-1930*, Antiqvaria, t. X, Madrid, 1993.
Musées : Lisbonne (Mus. Nat. d'Art Contemp.) : *Atelier* – Porto – Soares Dos Reis : *Scène familiale.*

SOUSA Joao de
XVIIIe siècle. Portugais.
Sculpteur.
Il a sculpté à Rome un lavoir qui se trouve dans le cloître de l'église de la Sainte-Trinité des Espagnols.

SOUSA Joao José de
XIXᵉ siècle. Actif à Rio de Janeiro. Argentin.
Graveur au burin et dessinateur.
Élève de F. Bartolozii à Londres. Il publia une série de portraits de personnalités célèbres.

SOUSA Joaquim Pedro de
Né en 1821. XIXᵉ siècle. Actif à Lisbonne. Portugais.
Graveur au burin.
Élève de l'Académie de Lisbonne, il continua ses études à Paris.

SOUSA ANDRADE Maria Celia de
XXᵉ siècle. Active aussi en France. Brésilienne.
Peintre, pastelliste. Abstrait-géométrique.

SOUSA LOPES Adriano. Voir **SOUZA LOPES**

SOUSA LOUREIRO Arthur José de. Voir **LOUREIRO Arthur José SOUSA de**

SOUSA MALDONADO Theodoro de
XVIIIᵉ siècle. Actif à Porto vers 1750. Portugais.
Peintre de miniatures et dessinateur.

SOUSA PINTO Jose Julio ou **Julio de**. Voir **SOUZA PINTO**

SOUSA RODRIGUES Adolpho de. Voir **RODRIGUES Adolpho de Sousa**

SOUSA VILLAR Thomaz de
XVIIIᵉ siècle. Actif à Lisbonne en 1727. Portugais.
Peintre.

SOUSY-RICKETTS Charles de. Voir **RICKETTS Charles de Sousy**

SOUTENS Maria
XVIIᵉ siècle. Active à La Haye au milieu du XVIIᵉ siècle. Hollandaise.
Miniaturiste.
Elle fut membre de la gilde en 1657.

SOUTER Adrian
Mort en 1645. XVIIᵉ siècle. Actif à Middelbourg. Hollandais.
Portraitiste.

SOUTER James Balloch
Né en 1914. Mort en 1940. XXᵉ siècle. Britannique.
Peintre de genre, figures, intérieurs.
VENTES PUBLIQUES : LONDRES, 9 juin 1988 : *Jeune fille lisant*, h/t (58,8x48,9) : **GBP 2 860** – LONDRES, 29 juil. 1988 : *Deux jeunes filles assises dans un intérieur*, h/t (42,5x52,5) : **GBP 11 220**.

SOUTER John Bulloch
Né en 1890. Mort en 1972. XXᵉ siècle. Britannique.
Peintre de scènes animées, figures, portraits, intérieurs, natures mortes, fleurs, pastelliste.
Il se spécialisa surtout dans les natures mortes de fleurs.
VENTES PUBLIQUES : LONDRES, 2 mars 1989 : *Conversation à Chelsea*, h/t (50x60) : **GBP 12 100** – GLASGOW, 6 fév. 1990 : *Nature morte avec un Bouddah, un collier de perles, des graines de pavots et un coquillage*, h/cart. (40x29) : **GBP 1 100** – LONDRES, 25 jan. 1991 : *La guitare*, h/cart. (58x38) : **GBP 1 760** – GLASGOW, 5 fév. 1991 : *Roses crème dans un pichet blanc*, h/cart. (40,5x30,5) : **GBP 1 100** – LONDRES, 6 juin 1991 : *Roses jaunes dans un vase blanc*, h/cart. (41x31) : **GBP 1 375** – ÉDIMBOURG, 28 avr. 1992 : *Nature morte avec une rose rose près d'un verre et des ciseaux*, h/t. cartonnée (30,5x40,5) : **GBP 1 320** – NEW YORK, 28 mai 1992 : *Diane*, h/cart. (53,3x40,6) : **USD 7 150** – GLASGOW, 1ᵉʳ fév. 1994 : *Roses roses dans un vase de verre brun*, h/cart. (41,5x31,5) : **GBP 1 495** – PERTH, 29 août 1995 : *Étude de nature morte*, h/cart. (51x61) : **GBP 1 610**.

SOUTEYRAND Francine
Née le 26 octobre 1929 à Paris. XXᵉ siècle. Française.
Peintre de paysages animés, paysages urbains, natures mortes, aquarelliste.
Elle est active et expose à Paris.

SOUTHALL Derek
Né en 1930 à Coventry. XXᵉ siècle. Britannique.
Peintre. Abstrait, tendance minimaliste.
De 1947 à 1953, il fit ses études à Coventry, Camberwell, Goldsmith's. Il participe à des expositions collectives à Coventry, Londres, Oxford, à l'exposition *Jeunes Anglais* en Autriche, au Prix John Moores à Liverpool, etc. Il expose individuellement à Londres, Oxford, Birmingham. Il a été encouragé par des acquisitions de l'Arts Council et de la Société d'Art Contemporain.

Sa démarche est liée à celle des Américains du minimal art. Toutefois, il ne s'attaque pas, à proprement parler, aux « structures primaires », mais aborde le même objectif de la perception immédiate, non psychologique, des formes et des couleurs par le moyen technique d'une sorte de post-tachisme.
MUSÉES : OXFORD (Mus. d'Art Mod.).

SOUTHALL Joseph Edward
Né le 23 août 1861 à Nottingham. Mort en 1944. XIXᵉ-XXᵉ siècles. Britannique.
Peintre de sujets religieux, mythologiques, scènes de genre, portraits, paysages, paysages urbains, marines, peintre à la gouache, aquarelliste, graveur, dessinateur, illustrateur.
Il fut d'abord apprenti chez un architecte. Passionné, il visitait les musées en Italie et adoptait à son propre usage d'artiste les points de vue de l'historien de l'art anglais John Ruskin, qui, à l'époque, faisait autorité. Il fut membre du jury de l'École des Beaux-Arts de Birmingham, où il était établi.
Membre de plusieurs associations, il participait à des expositions collectives à Londres : Fine Art Society, New English Art Club, New Gallery, Royal Academy, et, à Paris, a figuré au Salon de la Société Nationale des Beaux-Arts.
Il collabora avec des organes de presse : *The Quest, The Yellow Book* ; en 1895, il a illustré *L'Histoire de Barbe-bleue* de Charles Perrault.
Peintre, il a réalisé des compositions murales à l'Art Gallery de Birmingham. Dans son ensemble, son œuvre est influencé à la fois par les théories de Ruskin, par l'exemple encore proche des préraphaélites, et s'inscrit dans le style général fin de siècle qui préludait à l'Art nouveau.
BIBLIOGR. : Catalogue de l'exposition *Joseph Southall*, Musée de Birmingham et Société des Beaux-Arts de Londres, 1980 – Marcus Osterwalder, in : *Dictionnaire des illustrateurs 1800-1914*, Ides et Calendes, Neuchâtel, 1989.
MUSÉES : BIRMINGHAM : *La beauté endormie – Portrait de sir Withworth Wallis – La lettre* – LIVERPOOL : *Bateaux en mer*.
VENTES PUBLIQUES : LONDRES, 5 nov. 1974 : *L'homme au fez*, temp. : **GBP 1 700** – LONDRES, 19 mars 1979 : *Contentement* 1928, temp./parchemin (38x28) : **GBP 2 600** – LONDRES, 10 nov. 1981 : *Fowey, estuaire* 1917, temp. (45,5x56) : **GBP 7 400** – LONDRES, 15 juin 1982 : *Torcello* 1921, h/t (25,5x16,5) : **GBP 2 400** – LONDRES, 27 nov. 1984 : *Ariane* 1903, temp. reh. de gche et or/cart. (35x31) : **GBP 17 000** – LONDRES, 18 déc. 1984 : *Beauty seeing the Image of the Home in the Fountain* 1897, craie noire et blanche et lav. de coul./pap. gris (48,6x46,5) : **GBP 1 300** – CHESTER, 18 jan. 1985 : *Anne Hathaway's cottage, Stratford-upon Avon* 1918, craies de coul. (16,5x27,5) : **GBP 500** – LONDRES, 6 mars 1986 : *The Nut Brown Maid* 1902-1904, h/t (99x64,8) : **GBP 70 000** – LONDRES, 8 mars 1990 : *Embarcations dans un port italien* 1928, cr. et aquar. (30,5x22,9) : **GBP 8 250** – LONDRES, 3 mai 1990 : *Gladiateur romain avec une dame* 1938, aquar. et gche/soie (30,5x20,5) : **GBP 5 280** – LONDRES, 5 juin 1992 : *Pont Henri IV à Paris* 1937, temp. (23,5x21) : **GBP 4 180** – LONDRES, 6 nov. 1992 : *Beauty seeing the Image of the Home in the Fountain*, détrempe/pan. (46x46) : **GBP 13 200** – LONDRES, 25 mars 1994 : *Flore* 1921, temp./t. (51,1x39,3) : **GBP 10 350** – LONDRES, 2 nov. 1994 : *Sainte Dorothée et ses deux sœurs refusant d'honorer l'idole*, tempéra, peint. or et pierres naturelles/t (62x58,5) : **GBP 54 300** – LONDRES, 10 mars 1995 : *Ariane* 1903, temp./pan. (35,5x33) : **GBP 17 250** – NEW YORK, 12 fév. 1997 : *La Fille d'Hérodias* 1904-1906, temp. et gesso/t. (101,6x91,4) : **USD 310 500** – NEW YORK, 23 mai 1997 : *The Nut Brown Maid* 1902-1904, temp. et gesso/t. (99,1x65,4) : **USD 96 000** – LONDRES, 5 nov. 1997 : *La Goélette* 1907, aquar. et gche (38,5x27) : **GBP 11 040**.

SOUTHCOTT William Frederiks
Né le 12 septembre 1874 à Middlesex. XIXᵉ-XXᵉ siècles. Britannique.
Graveur, lithographe, illustrateur.
Il était actif à Londres.

SOUTHERDEN John Ellison
XIXᵉ siècle. Actif à Londres dans la première moitié du XIXᵉ siècle. Britannique.
Peintre.
Il exposa à Londres de 1827 à 1835.

SOUTHGATE Frank
Né en 1872. Mort en 1916. XIXᵉ-XXᵉ siècles. Britannique.

Peintre de paysages animés, animalier de volatiles, paysages d'eau, peintre à la gouache, aquarelliste.

FranK Southgate

VENTES PUBLIQUES : LONDRES, 28 mai 1980 : *Oiseaux sur une plage*, aquar. reh. de blanc (75x126,5) : **GBP 1 400** – LONDRES, 8 juin 1989 : *Le retour des canards sauvages*, aquar. et gche (43x62,2) : **GBP 3 740** – LONDRES, 25 fév. 1992 : *Chasseur d'oiseaux dissimulé observant un vol d'oies sauvages*, h/t en grisaille (39,7x60) : **GBP 4 180** – LONDRES, 16 mars 1993 : *Perdrix audessus d'un chaume*, aquar. avec reh. de blanc (39x60) : **GBP 3 795** – PERTH, 31 août 1993 : *Faisans*, aquar. et gche (35x60,5) : **GBP 2 300** – LONDRES, 15 mars 1994 : *Faisan et faisanes dans la neige*, h/cart. (59,7x90,2) : **GBP 4 370** – LONDRES, 22 nov. 1995 : *Chasse au faisan*, aquar. et gche (38x57) : **GBP 2 070** – LONDRES, 14 mai 1996 : *Vol de canards au-dessus des marécages*, cr. et aquar. avec reh. de blanc (38x58,5) : **GBP 4 025**.

SOUTHLOND Simon
XIVᵉ siècle. Britannique.
Peintre verrier.
Assistant de William Martyn. Il travailla à Queensborough Castle en 1374.

SOUTHWARD George
Né en 1803. Mort en 1876 à Salem. XIXᵉ siècle. Américain.
Peintre de paysages, de natures mortes et de portraits.
Élève de J. A. Ames à Boston et de Th. Sully à Philadelphie.

SOUTHWARD Nathaniel ou Southworth
Né en 1806. Mort en 1858. XIXᵉ siècle. Américain.
Miniaturiste.
Il travailla à Boston dont le Musée possède des œuvres de sa main.

SOUTHWICK Albert A.
Né le 25 août 1872 à Providence. XIXᵉ-XXᵉ siècles. Américain.
Médailleur.
Il se forma à Rhode Island, Berlin et Paris.

SOUTHWICK Alfred
Né le 5 avril 1875 à Southwick. XIXᵉ-XXᵉ siècles. Britannique.
Sculpteur, peintre de sujets religieux.
Il était établi à Londres. Il a travaillé pour les cathédrales de Liverpool, Carlisle, et pour l'abbaye de Dowbside.

SOUTHWICK Jeanie Lea
Née à Worcester. XXᵉ siècle. Américaine.
Peintre, aquarelliste.
Elle fut élève de l'Art Students' League de New York et de l'École des Beaux-Arts de Boston. Elle était membre de la Fédération Américaine des Arts.

SOUTHWICK Katherine, puis Keeler
Née le 9 janvier 1887 à Buxton. XXᵉ siècle. Américaine.
Peintre, illustratrice.
Elle fut élève de l'Académie des Beaux-Arts de Chicago. Elle se maria avec un peintre, R. Burton Keeler. Elle était active à New York.

SOUTHWORTH Fred W.
Né le 7 février 1860. XIXᵉ-XXᵉ siècles. Actif aux États-Unis.
Canadien.
Peintre de marines.
Il se forma en autodidacte. Il était actif à Tacoma.
MUSÉES : TACOMA : *Marine*.

SOUTHWORTH Nathaniel. Voir SOUTHWARD

SOUTIF Paul Louis
Né à Conches-en-Ouche. XIXᵉ siècle. Français.
Peintre d'animaux.
Élève de Lasalle et de A. Salomon. Il débuta au Salon de 1868. Il s'est spécialisé dans la peinture de basses-cours.
VENTES PUBLIQUE : PARIS, 10 fév. 1943 : *Le Poulailler* : **FRF 900**.

SOUTINE Chaïm
Né en 1893 à Smilovitchi (gouvernement de Minsk). Mort le 9 août 1943 à Paris. XXᵉ siècle. Actif depuis 1913 en France.
Russe-Lituanien.
Peintre de figures, paysages animés, paysages, natures mortes, fleurs, dessinateur. Expressionniste.
Dixième d'une famille de onze enfants d'un ghetto lituanien,

Chaïm Soutine fut rudement élevé par un père tailleur de village, pour être à la fois maintenu dans les rigueurs de l'orthodoxie juive et contenu dans l'humilité de sa condition. Une peut-être trop touchante histoire conte que, enfant, il ambitionna de posséder un de ces crayons bleu d'un côté et rouge de l'autre. Pour s'en procurer un, il commit un larcin enfantin, qui lui valut d'être à demi assommé par son père. Presque tout aussitôt après, d'autres que les siens le rossèrent cruellement pour cet usage non conformiste qu'il fit du bleu et du rouge appliqués à la figure humaine sacrée. Bien qu'ayant préalablement assommé son enfant, le père porta plainte contre les assommeurs chrétiens, les gens de l'autre bout du village. Les coupables offrirent au père vingt-cinq roubles pour son désistement. C'aurait été avec ces vingt-cinq roubles que le petit Chaïm serait parti pour Vilna, où il est aussi relaté qu'il aurait été admis à quatorze ans à l'École des Beaux-Arts ; une autre version, plus probable, le fait s'enfuir, au même âge, mais à Minsk, où il aurait exercé divers petits métiers et reçu quelques conseils d'un peintre local. Il est certain qu'il fut ensuite élève de l'École des Arts de Vilna, de 1910 à 1912. En 1913, encouragé par Krémègne et Kikoïne, il partit pour Paris, où il s'inscrivit à l'École des Beaux-Arts, dans l'atelier de Fernand Cormon, qu'il semble avoir moins fréquenté que le Musée du Louvre, et vint surtout partager la précarité des hôtes de la branlante cité artistique de « La Ruche », quartier de Vaugirard, puis celle des ateliers de la Cité Falguière, retrouvant ou rejoignant Chagall, Kikoïne, Krémègne, Lipchitz, Henri Laurens, Fernand Léger, Zadkine, dont l'amitié le sauvait de la solitude. En 1915, il rencontra Modigliani, une amitié très forte les rapprocha, sans doute parce que partageant la même bohème, peut-être aussi parce que peignant tous deux l'être humain pour lui-même, presque toujours seul, sans aucun apprêt ni anecdote, même si le voyant à l'inverse l'un de l'autre. Pour supporter la misère, Soutine dut parfois exercer d'incertains métiers. Il était fort. Il fut porteur dans les gares. Parvenu à quelque notoriété, il confiera : « Si je n'avais pas été certain de devenir un grand artiste et d'être reconnu comme tel, j'aurais laissé la peinture et je me serais fait plutôt boxeur. » Ceci peint assez l'homme, cet homme rude en apparence, parfois violent dans les discussions et qui, cependant, quêtait, sans beaucoup de paroles, ces douceurs que lui accordèrent de délicates amitiés féminines. On trouverait à écrire une *Vie pittoresque de Soutine* sans nul besoin de la romancer, pas plus que celle de son cher Modigliani. En 1917, Modigliani lui fit connaître Léopold Zborowski, poète et amateur d'art, qui devint son collectionneur et son marchand. Ce fut sans doute Zborowski qui poussa Soutine à aller peindre à Céret, où il fréquentait déjà bon nombre de peintres, et où il séjourna pendant les étés de 1919 à 1922 ; d'autres sources donnent : à Cagnes et à Vence en 1918 ; à Céret en 1919 ; à Cagnes de nouveau en 1922 ou 1923 et sans doute en 1925 aussi. En 1920, la mort de Modigliani affecta très gravement Soutine. Il a été dit que Zborowski apprécia moins les peintures rapportées de Céret que les précédentes, mais en 1922-23, le docteur américain Albert Coombs Barnes en acquit une centaine, pour sa fondation de Merion. Cet achat améliora évidemment la situation matérielle de Soutine. Barnes aurait installé Soutine dans la villa du parc Montsouris, où habitaient déjà Braque, Lurçat, Foujita, Chana Orloff. En 1925, revenu de Cagnes à Paris, il s'installa dans un atelier de la rue du Saint-Gothard ; il devait en changer plusieurs fois ensuite. Après 1925, il fit divers séjours dans l'Indre, en Provence, à Vence. Alors qu'il séjournait, en 1928, à Châtel-Guyon, il fit la connaissance de Monsieur Marcellin et Madame Madeleine Castaing, qui le prirent en affection et l'hébergèrent, entre 1930 et 1936, autant qu'il le voulait bien, dans leur château de Lèves, près de Chartres. En 1929, il séjourna à Bordeaux, chez Élie Faure. Bien que revenant à Paris en hiver, il semble qu'il ne fréquentait plus Montparnasse. S'il connut alors quelque période d'accalmie, il était encore sujet à de graves crises de dépression, au cours desquelles il aurait détruit certaines de ses peintures.
En 1939, chez des amis à Civry près d'Avallon, il fut surpris par la déclaration de guerre ; il put rester à Civry jusqu'au début 1941. Revenu à Paris occupé, il dut se cacher. La guerre, la défaite de 1940 avaient refait du peintre devenu célèbre, suffisamment riche, un Juif pourchassé. Il se réfugia dans la campagne française, dans le village de Champigny-sur-Veuldre, en Touraine. Le critique de l'époque, Maximilien Gauthier, a dit les derniers jours de l'artiste : « Sept fois il changea de domicile, bien vu pour commencer, puis contrarié, voire outragé. La bienveillance du maire ne va pas jusqu'à le dispenser de porter

l'étoile jaune. On la lui coud sur le bleu de mécanicien dont Soutine est revêtu pour aller peindre dans la campagne, coiffé d'un large chapeau de jardinier ». Soutine doit fuir, il n'ose plus profiter de généreuses hospitalités. Il couche dans les bois. Une compagne dévouée lui trouve un abri, le soigne selon les conseils du professeur Gosset. Soutine a l'estomac perforé. Pour le transporter sans risque à Paris, on doit avoir « recours à un macabre subterfuge. Il voyage en fourgon mortuaire, sous la protection sinistre du fanion noir et blanc. » Paris enfin, le 8 août 1943, en pleine occupation allemande : « On l'opère à vingt-trois heures. Il meurt à six heures du matin. Les cloches sonnaient, pour la première messe, à l'église voisine. Il n'avait pas cinquante ans. On l'a enterré au cimetière Montparnasse. Les journaux d'alors n'ont rien dit. »

Il ne paraît pas qu'il eut beaucoup d'occasions de montrer publiquement ses peintures dans des expositions collectives et Salons traditionnels. Toutefois, à l'occasion de l'Exposition Internationale de Paris en 1937, il participa à l'exposition des *Maîtres de l'Art indépendant 1895-1937*, au Petit Palais, avec plus d'une dizaine de peintures.

Il montra des ensembles de ses peintures dans quelques expositions personnelles : 1927 Paris, galerie Bing ; 1935 Chicago, Arts Club, peut-être à cause du docteur Barnes ; et, après sa mort : fin 1944, Paris venant d'être libéré de l'occupant, le Salon d'Automne lui rendit un important hommage rétrospectif ; en janvier 1945 Paris, une quarantaine de peintures furent exposées galerie de France ; 1950 New York, Museum of Modern Art, et Cleveland, Museum of Art ; 1956 Paris, rétrospectives, Maison de la Pensée française et New York, Museum of Modern Art ; 1959 Paris, *Cent tableaux de Soutine*, galerie Charpentier ; 1973 Paris, Musée de l'Orangerie des Tuileries et New York, Marlborough Gallery ; 1989 Chartres, Musée des Beaux-Arts.

L'œuvre complet est considérable. On ne doit pas le réduire aux œuvres les plus connues et les plus reproduites. Toutefois, il n'est pas inutile d'en rappeler les principales et la chronologie, parce que, en fait, ce sont souvent celles qui ont donné lieu à des séries de reprises, de variantes, souvent nombreuses, souvent de mémoire assez longtemps après, qu'on peut qualifier de thèmes majeurs. Précisons aussi que les titres incertains ni les datations hypothétiques ne sont absolument fiables et que des confusions sont très possibles. Il eût été tentant, et ce fut tenté, de diviser l'œuvre en périodes bien nettes selon les thèmes ; dans la réalité, les thèmes se sont enchevêtrés et l'on ne peut qu'en donner acte et s'y résigner.

De ses premières œuvres, il ne reste presque rien, d'autant qu'à cette époque il en aurait détruit la plupart : de 1914-15 *Nature morte à la soupière* ; de 1914-16 *Les maisons*, à moins qu'il y ait confusion avec celles de 1919-22 ; de 1915 *Fillette en bleu* ; de 1915-16 *Les harengs et la bouteille de Chianti* ; 1916 *Les fourchettes*, *La Nurse*. Ces premières peintures sont encore simples de lignes, composition calme, objets schématisés, simples de couleurs, ocres et bruns, et d'un sentiment triste, reflet de sa condition matérielle du moment.

Sa manière expressionniste personnelle s'est affirmée à partir des encouragements de Zborowski et du séjour à Céret : 1916-17 *Le grand arbre penché*, 1916, le début de la série des *Glaïeuls* ; 1917 *L'atelier à Paris, Cité Falguière*, parfois datée de 1914, à moins qu'il s'agisse d'une autre version ; 1919 *Glaïeuls, Les glaïeuls rouges*, s'il ne s'agit pas de la même peinture ; 1919-1922 *Les maisons, Paysage, Place à Céret* ; 1921 *Colline à Céret*.

À partir de 1920, se multiplient les peintures, qui souvent généreront des séries : 1920-21 *La folle, Déchéance*, parfois datée de 1924 ; 1921 *Le garde-chasse, La vieille actrice* ; vers 1921 *Rue sinistre* ; 1921-22 *L'homme au canotier*, qui, si près des débuts, restera l'un de ses portraits les plus torturés ; 1922 *Femme en rouge* (ou 1923), *La fiancée* ; de 1922 à 1927 *La table*, la série *Le petit pâtissier*, la première de ses séries devenues célèbres.

De son séjour à Cagnes, il rapporta des paysages qui s'accordaient tout spécialement à sa vision lyrique exacerbée, les rues tortueuses et montantes du village, coupées d'escaliers cahoteux, encadrées des maisons de guingois et comme ivres, avec parfois un arbre hallucinant, mêlant ses volutes de feuillages à ceux des nuages courant sous le vent : 1923 *Paysage à Cagnes, Arbre couché, Le village, Paysage de Gourdon* ; 1923-24 *L'homme au foulard rouge, La montée de Cagnes* ; 1925 *Rue à Cagnes*.

Entre 1924 et 1926, en même temps qu'il travaillait encore de mémoire sur les thèmes de Cagnes, paysages et figures, il pei-

gnit les natures mortes de poissons, de volailles et gibiers morts et de quartiers de viande : 1924 *La raie, L'idiot du village, Le garçon en noir* ; 1924-26 *Paysage aux figures, Cagnes-sur-Mer* ; 1925 les paysages de Cagnes ; 1925 *Bœuf et tête de veau, Le poulet plumé, Le lapin, Dindon et tomates, Nature morte au faisan, Portrait d'homme, Le lièvre sur fond bleu, La fille en rose* ; 1925-26 *Le poulet, Le bœuf écorché*, plusieurs *La volaille, Le dindon*. On a souvent conté l'anecdote du « bœuf à Soutine », ce bœuf écorché, miraculeusement acquis par ce peintre qui mangeait si peu de viande, thème qu'il voulut traiter certainement en raison de l'admiration presque exclusive qu'il portait à Rembrandt. Suspendu dans l'atelier, le bœuf fut le plus précieux, le plus éloquent, des modèles de Soutine, qui en peignit une série. Parce qu'il en allait d'une œuvre de patience, d'une œuvre passionnelle, d'un portrait et d'une ode à la chair et au sang, le bœuf, comme on s'en doute, eut le temps d'empester la rue du Saint-Gothard et son voisinage, outre que le déménagement du bœuf touche à la littérature d'hallucination. On ne sait, devant ces épaisseurs de matières pigmentaires, malaxées, triturées, torturées, si l'on est incommodé par cette vision de chair éventrée et de sang coagulé que la putréfaction verdit, ou ébloui par cet accord éclatant du feu du rouge et de l'or du jaune, que le contraste du fond noir-vert exalte.

En 1927 et dans les années suivantes, il peignit de nombreux portraits et figures typiques, dont les célèbres séries des *Enfant de chœur, Groom* et autres. Qu'il peigne, il y a peu, un bœuf écorché ou maintenant un petit pâtissier, un enfant de chœur, un groom, le principe qui sous-tend son regard sur le modèle est le même : d'une part les visages sont malmenés, nez tordu, bouche bée entr'ouverte sur des petits bouts de dents gâtées, yeux chassieux, vides ou apeurés, oreilles décollées, mains boudinées et sanguinolantes, d'autre part c'est l'habillement dont le rôle est déterminant, quant au fonctionnement chromatique, pour confirmer la dimension psychologique du portrait. Dans le cas du pâtissier, tout de blanc vêtu et coiffé, par contraste évident le visage semble s'empourprer vulgairement ; dans le cas du groom, tout en rouge, le visage semble blême et livide : vers 1927 *Le groom* ; 1927 *La communiante, Le Chasseur de chez Maxim's* ; 1927-29 *Le garçon d'étage* ; 1928 *Portrait de Madeleine Castaing, Jeune Anglaise, L'enfant de chœur, Le garçon d'honneur, Portrait de garçon* ; 1928-29 *Portrait de Lina, Portrait de Maria Lani* ; 1929 *Le poulet, Vence, petite place de village, Le grand arbre de Vence*. De 1930 à sa mort, il produisit moins ; de ses dernières années ne subsistent plus de nouveau que de rares peintures : entre 1930 et 1935, chez les Castaing, plusieurs *Paysage de Lèves* et surtout de *La route des grands prés à Chartres* ; 1931 *La femme au bain* (torse) ou *Femme entrant dans l'eau*, le seul nu de son œuvre, parfois daté de 1933, peut-être s'agit-il de la peinture d'après *La femme au bain de Rembrandt* ; 1932 *L'enfant de chœur, La maison blanche, Paysage avec personnages (La route blanche)* ; de cette époque datent les curieuses interprétations d'œuvres des peintres qu'il aimait, pour memoire Rembrandt : *Les demoiselles de la Seine de Courbet, La Cathédrale de Chartres de Corot*, et des reprises de thèmes anciens ; 1933 *L'arbre vert* ; 1934 *L'enfant de chœur, Vieille maison à Oisème* ; 1934-35 *La bonne* ; 1939 *Jour de vent à Auxerre, Deux enfants assis sur un tronc d'arbre* ; 1939-40 *Après l'orage* ; 1940 *Le grand arbre* ; 1941 *Les porcs* ; 1942 *Le gros arbre bleu*, plusieurs *Mère et enfant* ; enfin, datant de sa dernière année, plusieurs *Paysage de Champigny-sur-Veuldre*.

Déraciné, le juif lituanien Chaïm Soutine ne fut jamais pleinement assimilé en France, sans même tenir compte de la présence nazie des trois dernières années. Le génie français n'est pas expressionniste, si les personnages peints par Modigliani séduisent pourtant, passant outre leurs déformations expressives, de simplification des traits généraux, de « gommage » de l'accidentel, d'étirement de la ligne, c'est parce que ce sont des déformations maniéristes, comme une sorte de chirurgie esthétique, tandis que si l'œuvre d'un Soutine subjugue, c'est comme subjugue ce qui est interdit, quelque cérémonial satanique. Il effraie surtout, ce peintre qui ne compose pas (dans les deux sens du terme), qui ne dessine même pas, qui peint directement avec les couleurs qui sortent du tube, les malaxe fougueusement à la brosse ou bien avec les doigts comme à la truelle, qui traduit la forme et le volume par le relief des empâtements, comme le sculpteur modèle la glaise, qui ne connaît de couleurs éclatantes que pour une célébration tragique et de demi-teintes que pour des insinuations malsaines, qui exaspère les traits de caractère, au-delà de la caricature, jusqu'au cauchemar, pour jeter à la face du monde le portrait des choses et des gens tels que lui les voit et tels que lui les croit être en vérité, torturés, malfaisants, maudits. Les portraits sont ceux de ses compagnons de malédiction. Les enfants de chœur, petits pâtissiers, grooms, ne sont pas là pour composer une ronde enfantine, mais infernale. Les animaux morts, tués, les quartiers de bœuf écorché, sont ceux des sacrifices. Les paysages hallucinés sont la préfiguration, ici-bas, du cataclysme qui emportera tout, quand les temps seront consommés. Peut-être que le plus effrayant, dans le cas Soutine, c'est que sa capacité de malédiction, sa puissance à exprimer l'horreur et l'effroi, se sont pourtant trouvées dépassées, sans ressources, comme prises de vertige et sans voix, devant le déferlement inouï de barbarie où il allait lui aussi être englouti. ■ André Salmon, Jacques Busse

BIBLIOGR. : Maurice Raynal, in : *Anthologie de la peinture en France de 1906 à nos jours*, Montaigne, Paris, 1927 – Élie Faure : *Soutine*, Paris, 1928 ou 1929 – Waldemar-George : *Soutine*, Le Triangle, Paris, 1928 – Raymond Escholier, in : *La peinture française au XXe siècle*, Paris, 1937 – Raymond Cogniat : *Soutine*, Édit. du Chêne, Paris, 1945 – Bernard Dorival, in : *Les étapes de la peinture française contemporaine*, Gallimard, Paris, 1948 – René Huyghe, in : *Les contemporains*, Tisné, Paris, 1949 – Maurice Raynal, in : *Peint. mod.*, Skira, Genève, 1953 – Jacques Lassaigne, in : *Diction. de la peint. mod.*, Hazan, Paris, 1954 – E. Szittya : *Soutine et son temps*, Belfer, Arts, Paris, 1955 – B. Dorival, in : *Les peintres du XXe siècle*, Tisné, Paris, 1957 – Michel Ragon, in : *L'Expressionnisme* et Georges Charensol, in : *Les grands maîtres de la peint. mod.*, in : *Hre gle de la peint.*, tomes 17 et 22, Rencontre, Lausanne, 1966 – Frank Elgar, in : *Diction. univers. de l'Art et des Artistes*, Hazan, Paris, 1967 – Jean Leymarie, M. Castaing : *Soutine*, Biblioth. des Arts, Paris, 1968 – Pierre Courthion : *Soutine peintre du déchirant*, Édit. S.A., Lausanne, Denoël, Paris, 1972 – Catalogue de l'exposition *Soutine*, Mus. de l'Orangerie, Paris, 1973 – in : *Diction. universel de la peint.*, Le Robert, Paris, 1975 – Jacques Lanthemann, *Soutine, Catalogue raisonné des Dessins*, Le Point, Paris, 1981 – A. Werner : *Chaïm Soutine*, Paris, New York, 1986.

MUSÉES : AMSTERDAM (Stedelijk Mus.) : *Bœuf écorché 1926* – AVIGNON (Mus. Calvet) : *La raie 1924* – *Déchéance 1924* – *L'idiot du village 1924* – *Vue de Vence* – *Jeune garçon* – BERNE (Kunsthalle) : *Fillette en bleu* – *Paysage vers 1921* – *Paysage à Cagnes 1923-24* – *Poulet 1925-26* – BORDEAUX (Mus. des Beaux-Arts) : *La montée de Cagnes 1923-24* – BUFFALO (Albright-Knox Art Gal.) : *Bœuf écorché vers 1925* – CHICAGO (Art Inst.) : *Paysage à Cagnes 1923* – *La volaille ou Le coq 1926* – *Petite place de village, Vence 1929* – CLEVELAND (Mus. de peint. et de sculpt.) : *La raie* – COPENHAGUE (Mus. roy.) : *L'allée d'arbres* – *Bœuf écorché 1925-26* – LOS ANGELES (County Mus. of Art) : *La Nurse vers 1916* – LUCERNE (Kunstmus.) : *Rue sinistre vers 1915* – *Portrait de Lina 1928-29* – *La bonne 1934-35* – MERION (Barnes Foundat.) : *Le petit pâtissier* – MOSCOU – NEW YORK (Metropolitan Mus.) : *Portrait de Madeleine Castaing* – NEW YORK (Mus. of Mod. Art) : *Portrait de Madeleine Castaing 1928* – *Portrait de Maria Lani 1928-29* – PARIS (Mus. Nat. d'Art Mod.) : *Le Pâtissier 1922* – *La volaille 1925-26* – *Le Groom vers 1927* – PARIS (Mus. de l'Orangerie) : *Glaïeuls 1919* – *Les maisons 1919-22* – *Paysage 1919-22* – *Le petit pâtissier 1922* – *La fiancée 1922* – *La table 1922-27* – *Arbre couché 1923* – *Le village 1923* – *Bœuf et tête de veau 1925* – *Le poulet plumé 1925* – *Le lapin 1925* – *Dindon et tomates 1925* – *Nature morte au faisan 1925* – *Portrait d'homme 1925* – *Le dindon 1925-26* – *Le garçon d'étage 1927-29* – *Jeune Anglaise 1928* – *Enfant de chœur 1928* – *Garçon d'honneur 1928* – *La maison blanche 1932* – *Paysage avec personnages (La route blanche) 1932* – *Le gros arbre bleu 1942* – PARIS (Mus. d'Art Mod. de la Ville) : *Femme à la robe bleue* – *Grotesque* – *Torse au fond bleu* – *Femme en rouge 1922* – *Les porcs 1941* – PHILADELPHIE – SÃO PAULO (Mus. de Arte) : *Le grand arbre*

1940 – TOLEDO, États-Unis – TROYES (Mus. d'Art Mod., coll. P. Lévy) : *Paysage à Cagnes* – *Lièvre au volet vert* – WASHINGTON D. C. (Phillips Nat. Memorial Gal.) : *Portrait de garçon 1928* – *Jour de vent à Auxerre 1939* – *Retour de l'école après l'orage 1939*.

VENTES PUBLIQUES : PARIS, 12 oct. 1922 : *Nature morte* : **FRF 115** – PARIS, 24-25 nov. 1924 : *Paysage* : **FRF 2 800** – PARIS, 12 déc. 1925 : *Maisons de village* : **FRF 3 700** – PARIS, 12 juin 1926 : *Poissons à la lampe* : **FRF 4 700** – PARIS, 20 oct. 1926 : *Paysage* : **FRF 12 100** ; *L'arc-en-ciel* : **FRF 14 000** ; *Le coq mort* : **FRF 22 000** ; *L'enfant au jouet* : **FRF 20 000** – PARIS, 29 avr. 1927 : *La route montante* : **FRF 3 550** ; *L'homme en prière* : **FRF 19 000** ; *Paysage du Midi* : **FRF 20 300** – PARIS, 16 déc. 1927 : *Paysage* : **FRF 8 000** – PARIS, 18 mai 1928 : *Les poulets* : **FRF 9 600** ; *Paysage* : **FRF 6 800** – PARIS, 24 nov. 1928 : *Paysage* : **FRF 5 000** ; *Merlans* : **FRF 4 800** ; *Sous-bois* : **FRF 7 000** ; *Table et chapeau* : **FRF 17 100** – PARIS, 8 mai 1929 : *Une rue à Cagnes* : **FRF 14 500** ; *Le village de Cagnes* : **FRF 14 100** – PARIS, 19 fév. 1932 : *Les poissons* : **FRF 4 000** ; *Fleurs* : **FRF 3 600** – PARIS, 7 nov. 1934 : *Vase de glaïeuls* : **FRF 1 010** – PARIS, 2 juil. 1936 : *Les poissons* : **FRF 1 200** – NEW YORK, 29 avr. 1937 : *Petit garçon en manteau vert* : **USD 625** – PARIS, 3 juin 1937 : *Le gros chêne* : **FRF 11 500** – PARIS, 28 oct. 1937 : *Jeune servante* : **FRF 11 000** ; *Les glaïeuls* : **FRF 6 100** ; *Le canard* : **FRF 12 000** ; *Les peupliers* : **FRF 24 000** ; *Portrait d'enfant en pied* : **FRF 20 000** – PARIS, 13 déc. 1940 : *Le valet de chambre* : **FRF 7 300** ; *Femme au fauteuil rouge* : **FRF 2 800** ; *Le poulet* : **FRF 5 200** ; *Le faisan* : **FRF 10 000** ; *Le bœuf* : **FRF 360 000** ; *Hameau en montagne* : **FRF 9 200** ; *Les glaïeuls* : **FRF 5 100** – PARIS, 14 oct. 1942 : *Paysage* : **FRF 23 000** ; *Portrait d'homme* : **FRF 21 000** – NEW YORK, 26-27 jan. 1944 : *Nature morte* : **USD 2 050** – PARIS, 31 mars 1944 : *La ruelle rouge* : **FRF 78 000** – NEW YORK, 17-18 jan. 1945 : *Nature morte, dess.* : **USD 1 550** – NEW YORK, 17 mai 1945 : *Paysage* : **USD 1 600** – PARIS, 24 fév. 1947 : *Fleurs* : **FRF 136 000** – PARIS, 1er juin 1949 : *Les poissons* : **FRF 210 000** – GENÈVE, 5 nov. 1949 : *Paysage de Cagnes* : **CHF 5 500** ; *Le vivre mort* : **CHF 3 000** – PARIS, 21 avr. 1950 : *Sous-bois* : **FRF 275 000** ; *Portrait de femme* : **FRF 200 000** – PARIS, 27 juin 1951 : *La route montante* : **FRF 1 020 000** – PARIS, 15 juin 1954 : *Le valet de chambre* : **FRF 3 800 000** – LONDRES, 4 juil. 1956 : *Glaïeuls dans un vase en verre* : **GBP 2 800** – PARIS, 10 juin 1958 : *Le poulet* : **FRF 4 000 000** – PARIS, 18 mars 1959 : *Le village* : **FRF 9 300 000** – NEW YORK, 9 déc. 1959 : *Paysage dans le Midi* : **USD 17 000** – PARIS, 9 mars 1961 : *L'arbre de la place* : **FRF 22 500** – LONDRES, 14 juin 1962 : *Le pâtissier* : **GBP 28 000** – NEW YORK, 21 oct. 1964 : *Jeune femme en rouge sur fond bleu* : **USD 42 500** – GENÈVE, 27 nov. 1965 : *Paysage de Céret* : **CHF 167 000** – GENÈVE, 10 nov. 1967 : *Femme à la robe noire* : **CHF 173 000** – GENÈVE, 7 nov. 1969 : *Paysage de Cagnes* : **CHF 520 000** – LONDRES, 27 juin 1972 : *La folle* : **GNS 40 000** – NEW YORK, 3 juin 1973 : *La fille en rouge, debout, la main sur un fauteuil* : **GNS 65 000** – GENÈVE, 6 juin 1974 : *Rue de Cagnes-sur-Mer* : **CHF 460 000** – VERSAILLES, 11 juin 1974 : *Maisons aux toits rouges derrière les arbres 1918* : **FRF 350 000** – LONDRES, 29 nov. 1976 : *Place à Céret 1919, h/t (68x83)* : **GBP 85 000** – NEW YORK, 19 oct. 1977 : *Le patissier, les mains sur les hanches vers 1926/27, h/t (76,2x68,7)* : **USD 180 000** – LONDRES, 2 avr 1979 : *Paysage au collier vert 1926, h/t (90x80,5)* : **GBP 50 000** – NEW YORK, 5 nov. 1981 : *Maisons à Cagnes 1923, h/t (60,2x73,1)* : **USD 160 000** – NEW YORK, 18 mai 1983 : *Portrait d'une fillette en bleu 1928, h/t (99,7x64,8)* : **USD 200 000** – NEW YORK, 13 nov. 1985 : *La Polonaise 1929-1930, h/t (81,3x64,8)* : **USD 200 000** – PARIS, 26 juin 1986 : *Maisons dans la tempête, h/t (46x61)* : **FRF 500 000** – PARIS, 27 juin 1986 : *Les glaïeuls rouges 1919, h/t* : **FRF 592 000** – LONDRES, 2 déc. 1986 : *L'arbre de Vence vers 1930, h/t (80,7x61,5)* : **GBP 150 000** – VERSAILLES, 15 juin 1988 : *L'atelier à Paris 1917, h/t (81x54)* : **FRF 400 000** – LONDRES, 28 juin 1988 : *Maisons derrière les arbres, h/t (73,7x60)* : **GBP 187 000** – NEW YORK, 10 mai 1989 : *L'homme au complet bleu, h/t (81x60)* : **USD 770 000** ; *L'arbre de Vence 1929, h/t (71x46)* : **USD 880 000** – TEL-AVIV, 30 mai 1989 : *Cité Falguière 1917, h/t (82x54)* : **USD 214 500** – LONDRES, 26 juin 1989 : *La boulangère, h/pan. (51,5x52,5)* : **GBP 264 000** – PARIS, 20 juil. 1989 : *Village du midi, h/t (41x33)* : **FRF 1 410 000** – NEW YORK, 15 nov. 1989 : *Le garde-chasse 1921, h/t (85x41,3)* : **USD 451 000** – PARIS, 1er avr. 1990 : *Paysage aux figures, Cagnes-sur-Mer 1924-1926, h/t (72x94,5)* : **FRF 3 700 000** – LONDRES, 2 avr. 1990 : *Vieille maison à Oisème 1934, h/cart. (68x69,5)* : **GBP 528 000** – NEW YORK, 16 mai 1990 : *L'homme en prière, h/t (91x54,2)* : **USD 286 000** – NEW YORK, 18 mai 1990 : *Paysage du midi, h/t (65,5x81,2)* : **USD 297 000** – TEL-AVIV, 31 mai 1990 : *Paysage de Gourdon*

1923, h/t (64,5x44,5) : **USD 209 000** – Paris, 16 juin 1990 : *Le grand arbre penché* 1916-1917, h/t (81x65) : **FRF 2 000 000** – Paris, 25 mai 1991 : *Les harengs et la bouteille de Chianti* 1915-16, h/t (68x40,5) : **FRF 500 000** – Londres, 26 juin 1991 : *Nature morte aux poissons et aux fruits*, h/t (61x74) : **GBP 104 500** – New York, 5 nov. 1991 : *La petite fille en rose*, h/t (73x54,3) : **USD 638 000** – New York, 25-26 fév. 1992 : *Vue de Montmartre*, h/t (66x81,3) : **USD 275 000** – Paris, 12 juin 1992 : *La femme au bain (torse)* 1931, h/t (54,5x62) : **FRF 2 800 000** – New York, 10 nov. 1992 : *Femme en rouge assise sur un banc*, h/t (61x55,9) : **USD 165 000** – Londres, 1er déc. 1992 : *Le garçon en noir* 1924, h/t (46,4x30,8) : **GBP 88 000** – Paris, 23 juin 1993 : *Paysage de Cagnes*, h/t (60x72) : **FRF 940 000** – Paris, 8 avr. 1994 : *La liseuse endormie*, h/t (57x42) : **FRF 480 000** – Paris, 29 avr. 1994 : *Le garçon d'étage* 1928, h/t (55x38) : **FRF 1 850 000** – New York, 11 mai 1994 : *Femme couchée sur un divan rouge*, h/t (54x81,3) : **USD 464 500** – Tel-Aviv, 27 sep. 1994 : *Paysage de Cagnes*, h/t (60x72) : **USD 310 500** – Paris, 28 nov. 1994 : *Nature morte aux fruits*, h/t (54x65) : **FRF 610 000** – Londres, 29 nov. 1994 : *Glaïeuls* 1919, h/t (55,2x38,7) : **GBP 89 500** – Londres, 27 juin 1995 : *La route des grands prés à Chartres*, h/t (66,1x41,2) : **GBP 78 500** – Tel-Aviv, 12 oct. 1995 : *Nature morte à la soupière*, h/t (60,5x72,7) : **USD 145 500** ; *Le Paysan*, h/t (64x55,2) : **USD 195 000** – New York, 30 nov. 1995 : *Paysage de Céret*, h/t (66x54,6) : **USD 332 500** – Londres, 28 nov. 1995 : *La route qui monte*, h/t (65x48) : **GBP 133 500** – Paris, 1er avr. 1996 : *Le Lièvre sur fond bleu* 1925, h/t (75,5x47) : **FRF 475 000** – Tel-Aviv, 14 avr. 1996 : *Nature morte aux poivrons et carottes*, h/t (60x46) : **USD 90 500** – New York, 30 avr. 1996 : *La Fille en rose* 1925, h/t (87x63,5) : **USD 717 500** – Londres, 4 déc. 1996 : *Nature morte aux fruits* 1922, h/t (54x65) : **GBP 66 400** – Tel-Aviv, 30 sep. 1996 : *Bouquet de fleurs* vers 1919, h/t (58,5x38) : **USD 96 000** – Londres, 25 juin 1996 : *Bouquet de fleurs* vers 1919, h/t (58,5x38) : **GBP 38 900** – New York, 14 nov. 1996 : *Les Glaïeuls* vers 1919, h/t (55,3x38,1) : **USD 74 000** – Paris, 16 juin 1997 : *Paysage de Champigny* vers 1942, h/t (36x52) : **FRF 580 000** – Paris, 19 juin 1997 : *Les Pintades* vers 1926-1927, h/t (50x65) : **FRF 920 000**.

SOU T'ING-YU. Voir **SU TINGYU**

SOUTMAN Pieter Claesz
Né vers 1580 à Haarlem. Mort le 16 août 1657 à Haarlem. xviie siècle. Hollandais.
Peintre de portraits et de figures et graveur à l'eau-forte.
Probablement élève de Rubens, bourgeois d'Anvers en 1620. Il fit partie du groupe de beaux graveurs attachés à Rubens pour la reproduction de ses œuvres et Soutman montra dans ce genre de travail des qualités de dessinateur tout à fait remarquables. Il a produit aussi plusieurs planches d'après ses propres compositions. Il revint à Haarlem en 1628, épousa en 1630 Gudula Frans, fut commissaire de la gilde en 1633 et peintre de la cour de Wladislaus Sigisdmon roi de Pologne. Il eut pour élèves Jan Timans en 1619, Jonas Suyderkoef, Corn. Visscher, W. Psz, v. d. Leeund, J. Louys et P. Sompel. On cite de lui : *Portrait d'Adr. Fr. de Lies Van Wissen* (Bruxelles), deux tableaux d'arquebusiers (Haarlem), *Entrée triomphale du prince Frédéric Henri* (La Haye, maison Bosch), *Les quatre évangélistes* et *Sigismond III, roi de Pologne* (Stockholm), *L'homme au manteau de fourrure* et *Élisabeth, reine d'Espagne* (Vienne).

P. Sout

Ventes Publiques : Paris, 25 avr. 1925 : *Charles V, en buste de trois quarts*, lav. de Chine, pierre noire et sanguine : **FRF 210** – New York, 29 oct. 1931 : *Femme d'un bourgeois* : **USD 220** – Portrait d'un bourgeois : **USD 220** – Londres, 18 nov. 1959 : *La défaite de Sanherib*, pierre noire, lav. et encre brune : **GBP 280**.

SOUTNER Johann, appellation erronée. Voir **SAUTNER**
SOUTO CUERO Alfredo ou **Souto y Cuero**
Né en 1862 à La Corogne (Galice). Mort en 1940. xixe-xxe siècles. Espagnol.
Peintre de scènes de genre, portraits, paysages, paysages d'eau.
Il est le père d'Arturo Souto Feijoo. Il fut élève de Roman Navarro, puis de l'École des Beaux-Arts de Madrid. Il figura régulièrement aux expositions de la Société Nationale des Beaux-Arts de Madrid, obtenant une troisième médaille en 1892, une autre en 1895.
C'est essentiellement dans les régions de l'Andalousie et de la

Galice, que l'artiste trouva de l'inspiration pour ses paysages. On mentionne de lui : *Paysage de Grenade* – *Aux alentours de la rivière Lérez* – *Contemplant une fleur* – *Dans l'atelier* – *Souvenirs de Galice*.
Bibliogr. : In : *Cien Anos de pintura en Espana y Portugal, 1830-1930*, Antiquaria, t. X, Madrid, 1993.
Musées : Madrid (Mus. d'Art Mod.) : *Le chemin de la source*.

SOUTO FEIJOO Arturo
Né le 3 juillet 1901 à Pontevedra (Galice). Mort en 1964 à Mexico. xxe siècle. Actif depuis 1943 au Mexique. Espagnol.
Peintre de scènes de genre, portraits, paysages, aquarelliste, pastelliste, graveur, dessinateur, illustrateur, lithographe.
Fils du peintre Alfredo Souto Cuero, il fut élève de l'École des Arts et Métiers de Séville, puis de l'École des Beaux-Arts de Madrid, à partir de 1922. Il séjourna à Rome en 1934, à Paris l'année suivante ; il étudia alors à l'Académie de la Grande Chaumière. En 1941 et 1942, il vécut à New York, puis il s'établit définitivement à Mexico.
Il prit part à diverses expositions collectives, dont : 1926, 1930 Société Nationale des Beaux-Arts de Madrid ; 1931 Cercle des Beaux-Arts de Madrid ; 1932 Athénée de Madrid ; 1937 Exposition Universelle de Paris ; 1938 Bruxelles ; 1962 Madrid, Vigo, Santiago et Bilbao. Il exposa également à Philadelphie, Pittsburgh, San Francisco et Hartford.
Durant la guerre civile d'Espagne, il collabora à l'illustration de divers journaux au service de la cause républicaine. Il publia un album de lithographies intitulé : *Dessins de Guerre*.
Bibliogr. : In : *Catalogue National d'Art Contemporain*, Éditions d'art Iberico 2000, Barcelone, 1990 – in : *Cien Anos de pintura en Espana y Portugal, 1830-1930*, Antiquaria, t. X, Madrid, 1993.
Musées : Barcelone (Mus. d'Art Mod.) : *Réfugiés* – *Miliciens dans un intérieur* – *Mendiants galiciens* – *Nouvelle Famille*.
Ventes Publiques : Madrid, 21 juin 1977 : *Crucifixion*, aquar. (47x61,5) : **ESP 60 000** – Madrid, 24 mars 1981 : *Dama*, aquar. (65x50) : **ESP 100 000** – Madrid, 22 fév. 1983 : *Scène de cirque*, aquar. (63x48) : **ESP 180 000** – Madrid, 22 oct. 1985 : *Paysage urbain*, h/t (50x65) : **ESP 325 000** – Madrid, 17 mars 1993 : *Rue parisienne*, aquar., pl. et encre (23x30) : **ESP 200 000** – Madrid, 21 mars 1995 : *Mascarade de carnaval*, encre et lav. (33,5x47) : **ESP 275 000** – Madrid, 21 déc. 1995 : *Femme dans un intérieur*, aquar. (50x65) : **ESP 375 000**.

SOU TONG-P'O. Voir **SU SHI**
SOUTRA Suzanne Marie Delphine ou **S.M.D.**
Née en 1897 à Hanoï (région du Tonkin). Morte en 1986. xxe siècle. Française.
Peintre de paysages, fleurs, aquarelliste.
Elle fut élève de Désiré-Lucas et de Marie Réol, qui avait elle-même été élève de Désiré-Lucas. Elle exposait à Paris, au Salon des Artistes Français à partir de 1922 et en devint sociétaire. En 1939, elle figura au Salon des Tuileries. Elle a montré des ensembles de ses œuvres à Paris, Nantes, Langres, Toulouse, Nice.
Elle a surtout peint des paysages, huiles et aquarelles, de Charente, de Provence, d'Italie.

SOUTRA Yvonne
Née en 1905 à Ruelle (Charente). xxe siècle. Française.
Peintre et sculpteur de sujets religieux, peintre de décorations murales, de cartons de vitraux, illustrateur.
Elle fut élève de Maurice Denis et Georges Desvallières, à l'Atelier d'Art Sacré, qu'ils avaient fondé en 1919.
Elle participe à des expositions collectives : à Paris de 1926 à 1939, Salon d'Automne. Elle expose aussi en Belgique, Grande-Bretagne, Italie, Brésil, etc.
Elle a réalisé des décorations murales en France, en Angola, et en Suisse à Mörschwill, Fribourg. Elle a créé des sculptures pour : Hôpital Foch, Suresnes ; Hôpital Paul-Brousse, Villejuif ; l'Hôpital de Dijon ; et à Balzers (Liechtenstein). Elle est l'auteur des seize verrières de la cathédrale de Fukuoka (Japon), réalisées en 1986.

SOUTRENON Élise
Née le 27 décembre 1881 à Paris. Morte le 18 mars 1952 à Levallois (Hauts-de-Seine). xxe siècle. Française.
Peintre.
SOUTTER Emmanuel Joseph. Voir **SUTTER**
SOUTTER Jean-Jacques
Né le 28 septembre 1765 à Genève. Mort le 19 juillet 1840 à Genève. xviiie-xixe siècles. Suisse.

Peintre d'émaux.

Le Musée Rath, à Genève, conserve de lui des portraits sur cuivre d'après Mignard, Duchêne et Isabey.

SOUTTER Joseph. Voir **SUTTER**

SOUTTER Louis Adolph

Né le 4 juin 1871 à Morges (Canton de Vaud). Mort le 20 février 1942 à Ballaigues (Canton de Vaud). XIXe-XXe siècles. Suisse.

Peintre de sujets religieux, compositions allégoriques, figures, portraits, paysages, peintre à la gouache, aquarelliste, peintre technique mixte, dessinateur. Fantastique onirique.

Son père était pharmacien, sa mère musicienne était née Jeanneret, apparentée à Le Corbusier. Louis Soutter passa son enfance à Morges, près de Lausanne. À dix-neuf ans, il commença des études d'ingénieur, les interrompit deux ans plus tard, en 1992, pour l'architecture ; changeant de nouveau d'orientation, il opta pour la musique et partit, dans la même année 1892, à Bruxelles étudier avec Eugène Ysaïe au Conservatoire Royal. Il y fit la connaissance d'une Américaine, Magde Fursman. Après trois années en Belgique, en 1895 il revint à Lausanne, mit fin à ses études musicales et décida d'apprendre la peinture. À Lausanne, il suivit les cours de Charles Koëlla, puis de l'atelier de Jules et Léon Gaud à Genève. Ensuite à Paris, il devint élève de Jean-Paul Laurens et Benjamin-Constant, ainsi que de l'Académie Colarossi. En 1897, il partit pour les États-Unis, séjourna quelques mois à New York et Chicago, épousa Magde Fursman et, finalement, alla s'installer près de sa belle-famille à Colorado Springs. Là, il donna des leçons de dessin et de violon et devint, dès 1898, directeur de la section artistique du Colorado College. Jusqu'en 1903, il fit divers voyages en Europe, puis survint la cassure, il divorça, revint en Suisse. Son père mourut en 1904, la pharmacie fut reprise par Albert, le frère de Louis. De 1907 à 1915, il passa quelques années comme violoniste dans des orchestres symphoniques de Genève et Lausanne, et, congédié des orchestres, il se produisit brièvement dans des cinémas muets, stations de cure et touristiques. En fait, il avait mené et menait encore une existence parasitaire de dandy, aux élégances vestimentaires extravagantes. Sa famille, lasse de supporter des dépenses souvent somptuaires, demanda à ce qu'il en fût empêché ; en novembre 1915, le juge de paix de Morges le plaça en curatelle. En 1922, il fit un séjour dans une clinique d'Eclangens (Canton de Vaud) et, en 1923, âgé de cinquante-deux ans, il fut placé dans un asile de vieillards à Ballaigues, dans le Jura vaudois. Il y passa la dernière vingtaine d'années de sa vie.

Louis Soutter n'a pas eu de carrière. C'est dans un asile de vieillards qu'il a réalisé tout son œuvre, en dehors de tous les circuits artistiques, et même en marge de la société, bien qu'il eût connu quelques amitiés, Le Corbusier, Auberjonois, Giono. Quelques expositions de ses œuvres furent organisées de son vivant : en 1936 au Wadsworth Atheneum de Hartford (Connecticut), grâce à l'appui de Le Corbusier, qui écrivit un article dans la revue surréaliste, Le Minotaure, de Paris ; en 1937 à Lausanne ; 1939 à New York. L'œuvre de Soutter ne fut révélé au public que vingt ans après sa mort, en 1961, lors de la rétrospective du Musée Cantonal de Lausanne. Depuis, les expositions se sont multipliées : en 1961-1962 en Allemagne ; de 1969 à 1971 aux États-Unis ; entre 1974 et 1976 dans les musées d'Autriche, Allemagne, Italie, Espagne, France ; en 1974, 1986 à Lausanne ; 1987 Marseille, Musée Cantini ; 1990 Paris, galeries Franka Berndt et Jacques Barbier-Caroline Beltz, puis Troyes, Musée d'Art Moderne, et Martigny, Fondation Pierre Gianadda ; 1997 Paris, Centre culturel suisse.

À l'époque de Colorado Springs, les œuvres de Louis Soutter étaient plutôt conventionnelles, portraits, natures mortes, paysages de vieux châteaux, de vieux quartiers, de fermes rurales. Il utilise alors la plume, où il est le plus expérimenté, le crayon, l'aquarelle. Michel Thévoz fait la remarque que « quelques œuvres se distinguent par de curieuses déformations ou par une véhémence gestuelle qui préfigurent la manière ultérieure ».

À partir de 1923, à l'asile de Vallaigues, il recommença à dessiner et ne cessera plus. Une seule source fait mention, au début de son séjour, de ce qu'il aurait illustré certains de ses livres, Flaubert, Madame de Staël, et de ce qu'il aurait copié des œuvres de maîtres anciens. De ces vingt années de production, Ernest Manganel a établi une classification en trois grandes périodes, classification reprise et entérinée par Michel Thévoz. De 1923 à 1930, dans la période des « Dessins de cahiers », Soutter, peu après son arrivée à Ballaigues se mit à dessiner sur des cahiers d'écolier. Il représentait d'abord des paysages, des aspects de la nature, des scènes de la vie quotidienne, bref tout ce qu'il rencontrait lors de ses fréquentes randonnées. Ce fut au cours de ces randonnées qu'il connut son parent Le Corbusier, qui fut des premiers à s'intéresser à lui et à son activité graphique. Les thèmes se diversifient dans la suite. Les cahiers constituent des suites sur un même thème. Les dessins naissent de la mythologie, de la Bible, du théâtre. Il créait aussi des paysages imaginaires, aux architectures fabuleuses. Les figures et les scènes fantastiques sont générées par un réseau de fines textures et de traces qui sillonnent la feuille dans tous les sens, jusqu'à la recouvrir entièrement. Cette écriture de hachures continuera de se développer dans la suite. Dans ces dernières années, il connut aussi René Auberjonois, et Marcel Poncet dans l'atelier duquel il réalisa quelques peintures à l'huile.

De 1930 à 1937, dans la période « maniériste », Soutter a pris conscience de ses capacités de dessinateur. Il adopte des formats plus grands. Il se restreint à quelques thèmes très obsessionnels. Les tracés apparaissent des formes humaines, architecturales, végétales. D'innombrables personnages surgissent, surtout des femmes, rarement maternelles, le plus souvent sataniques, tourmentées, enchevêtrées, corps et visages tordus dans les affres d'une destinée cruelle. Sa mère était morte en 1931. En 1933, il fit un séjour à Vallorbe, et, la même année, débuta une grande amitié réciproque avec Jean Giono. En 1936, il fit un séjour chez sa cousine, Madame Walter du Martheray à Peroy (Vaud).

En 1937, a été créée une Société des amis de Louis Soutter. À partir de 1937, dans la dernière période, dite des « Peintures au doigt », une baisse de la vue contraignit Soutter à adopter une nouvelle technique, posant l'encre ou la couleur directement avec le doigt sur le papier. Son œuvre devient encore plus métaphorique. Il se limite à quelques figures, silhouettes énigmatiques, ombres échappées du théâtre de Strindberg, morts-vivants. Cette écriture au doigt apparaît comme le paroxysme d'un œuvre tout entier fondé, non sur ce qu'on appelle la gestualité, mais plus précisément sur un rythme manuel.

Jean Giono rapporte que Soutter dessinait avec un rythme convulsif du poignet, dans une sorte de va-et-vient automatique, comme pour se libérer d'une obsession physique. Dessiner aurait été donner libre cours à cette énergie psychique et physique. Michel Thévoz estime que « le dessin représente une ultime ressource, un succédané pour un individu incapable de rêver, incapable de construire et de faire tenir une fonction onirique dans un registre purement mental. Les traits jouent alors un rôle de consignation et de relance à l'égard d'impulsions trop inhibées pour se faire jour dans un simple rêve. » Peut-être Michel Thévoz minimise-t-il le fait que presque tous les dessins et peintures, s'ils ne sont jamais signés parce qu'ils n'étaient pour leur auteur des œuvres, sont le plus souvent traversés, n'importe où, n'importe comment, syndrome fréquent de la schizophrénie, d'inscriptions qui font titres, certes ésotériques, mais comme l'amorce d'une explication, d'un aveu, pour lui-même en auto-analyse ? Bien que Soutter n'ait jamais été confié à un psychiatre, ses dessins sont œuvres d'un psychopathe, s'imposent comme un cri et apparaissent en définitive comme l'ultime ressource d'un être écorché face à la société, et singulièrement face à la société asilaire, dans l'antichambre de la mort.

Une approche de l'œuvre de Louis Soutter ne serait pas complète aujourd'hui, s'il n'était pas rappelé qu'on pourrait encore ne voir dans les dessins et les peintures au doigt de Soutter que l'inexpérience et les maladresses et qu'un tel œuvre n'aurait pu attirer l'attention, malgré ses quelques qualités techniques inégales, sans l'intérêt porté, à peu près depuis les années soixante, à toutes les formes d'« art brut » et particulièrement aux expressions graphiques des malades mentaux. Encore que Soutter n'appartienne pas à ces deux catégories, n'étant ni tout à fait autodidacte en peinture, ni tout à fait fou dans sa tête. Et plus encore, depuis les expositions des années soixante-dix, quatre-vingt, il a pu être fait de l'œuvre de Louis Soutter une source importante du néo-expressionnisme, néofauvisme ou néoprimitivisme germanique d'Arnulf Rainer, Penck ou Georg Baselitz. Une telle surenchère s'imposait-elle, ne pouvait-il suffire, pour qu'existe enfin, même à titre posthume, Louis Soutter, passant outre la modestie des moyens techniques, d'autant qu'ensuite reconnue pour vertu, devant ces dessins muets souvent tellement éloquents, de se sentir happé par un quelque chose que quelqu'un essaie de nous dire, ce qu'a su entendre le poète suisse Hermann Hesse, Prix Nobel de 1946, et qu'il a transcrit dans le poème dédié à Soutter : « Je peins avec de l'encre et du sang, je peins vrai. La vérité est terrifiante. »

■ Pierre Faveton, Jacques Busse

BIBLIOGR. : Le Corbusier : *Louis Soutter,* in : Le Minotaure, n° 9, Paris, 1936 – Ernest Manganel, René Berger : *Louis Soutter,* Mermod, Lausanne, 1961 – Michel Thévoz : *Louis Soutter,* Rencontre, Lausanne, 1970 – Michel Thévoz : *Louis Soutter ou l'écriture du désir,* L'Âge d'Homme, Lausanne, 1974 – Jean-Baptiste Mauroux : *Louis Soutter, visionnaire et proscrit,* Adversaires, Paris, 1975 – Michel Thévoz : *Louis Soutter. Catalogue de l'Œuvre,* 2 vol., L'Âge d'Homme, Institut suisse pour l'étude de l'art, Zurich, 1976 – Nicolas Cendo : Catalogue de l'exposition *Louis Soutter,* avec des textes de M. Thévoz, divers, correspondances de Soutter-Le Corbusier, Giono-Dubuffet, poème de H. Hesse, Mus. Cantini, Marseille, 1987, excellente documentation – in : *L'Art du XXᵉ siècle,* Larousse, Paris, 1991 – *Louis Soutter,* Adam Biro et Centre culturel suisse, Paris, 1997.

MUSÉES : AARAU (Aargauer Kunsthaus) : *Première sortie du matin* vers 1923-30, encre de Chine – *Les vieux, le miroir et la couche* vers 1923-30, cr. – *Synagogue* vers 1923-30, encre de Chine – *Joie de la vita* vers 1923-30, cr. – *Et il enseignait* vers 1923-30, encre de Chine – *Arcade,* recto – *Maison avec arcade* vers 1923-30, encre, verso – *Évasion,* recto – *Pelure de fruit avec lion* vers 1923-30, encre de Chine, verso – *Noël* vers 1923-30, encre de Chine – *Les quatre as* vers 1923-30, encre de Chine, recto – *Deux personnages, soleil,* verso – *Bon Dieu* vers 1930-37, encre de Chine, deux dessins – *La Présentation* vers 1930-37, encre de Chine – *Pauvre cheminot* vers 1937, encre et gche – *La corde fatale* vers 1937-42, encre, recto – *La poule et le poulet,* verso – *La femme et le bâton* vers 1937-42, encre et gche – *Le Fils prodigue,* recto – *Famille de sans Dieu dans l'univers* vers 1937-42, encre et gche, verso – *Notre mère* vers 1937-42, encre – *Les Divines* vers 1937-42, encre – *Vampire, c'est la guerre* 1939, encre et h. – LAUSANNE (Mus. canton. des Beaux-Arts) : *Ville et coupoles* avant 1930 – *Nous souffrons d'amour* 1930-1937 – *Sang de croix* 1940 – MARTIGNY (Fond. Gianadda) : *Avant le massacre* 1939, h/t – PARIS (Fond. Le Corbusier) – VEVEY (Mus. Jenisch des Beaux-Arts) : *Georges ne vit plus* avant 1937.

VENTES PUBLIQUES : BERNE, 19 juin 1970 : *La Robe* : **CHF 10 000** – BERNE, 17 juin 1972 : *Nous lâchons* : **CHF 6 400** – ZURICH, 1ᵉʳ nov 1979 : *Noël* 1935, encre de Chine (50,6x33,3) : **CHF 6 000** – BERNE, 25 juin 1981 : *Bannis* vers 1935, aquar. et gche/trait de pl. (26x34,5) : **CHF 18 500** – ZURICH, 30 oct. 1982 : *La cité aux trois habitants,* encre de Chine (19x28) : **CHF 6 500** – GENÈVE, 25 juin 1985 : *Jeune femme dévêtue,* encre de Chine et h/pap. (31x24,5) : **CHF 15 000** – ZURICH, 14 juin 1986 : *Les Vivantes* 1930-1937, pl. et encre de Chine (22,8x28,5) : **CHF 8 000** – BERNE, 19 juin 1987 : *Ville blanche* 1923-1930, pl. et encre de Chine (22,2x17,4) : **CHF 5 200** – PARIS, 9 déc. 1991 : *Tête de Christ,* peint./pap. (44x57) : **FRF 165 000** – ZURICH, 16 oct. 1991 : *Femmes devant un portail,* pl. (21,7x17) : **CHF 5 200** – LUCERNE, 21 nov. 1992 : *Le Jour, la draperie et la trompe du vent,* encre/pap. (27,1x21) : **CHF 7 500** ; *Le Miroir et les jeunes femmes (recto)* ; *Homme et Cheval (verso),* encre/vélin et dess. (18x28) : **CHF 8 500** – ZURICH, 9 juin 1993 : *Quatre Personnages au cercle,* encre et gche/pap. (58x44) : **CHF 41 400** – ZURICH, 7 avr. 1995 : *Vie champêtre,* encre (19,6x27,6) : **CHF 4 600** – ZURICH, 25 mars 1996 : *Golgotha (recto)* ; *Personnages (verso),* encre et craie grasse blanche/pap. (50x65) : **CHF 82 760** – ZURICH, 5 juin 1996 : *Employées du sang* 1937-1942, encre de Chine et gche/pap. (49x65) : **CHF 103 100** – ZURICH, 14 avr. 1997 : *Deux personnages luttant,* encre de Chine/pap. (44x58) : **CHF 57 500**.

SOUTTERANT F. A. de
XVIIIᵉ siècle. Actif à Londres en 1797. Britannique.
Miniaturiste.
Il exposa à Londres deux portraits en 1797. Le Musée du Louvre de Paris conserve de lui *Jeune fille riant.*

SOUTZOS Demetrios
Né en 1871 à Vasiliko. Mort le 29 décembre 1929. XIXᵉ-XXᵉ siècles. Grec.
Peintre de sujets religieux, peintre de compositions murales.
Il fit ses études à Athènes.
Il peignit des sujets religieux, des fresques, des décorations dans des églises.

SOUVAIGE Jacob. Voir SAUVAGE
SOUVAROFF Konstantin Vladimirovitch ou Souvoroff ou Smorroff
Né en 1842. XIXᵉ siècle. Russe.
Paysagiste.
Élève de l'Académie de Saint-Pétersbourg. La Galerie Tretiakov, à Moscou, conserve de lui une *Vue de Finlande.*

SOUVERBIE Jean
Né le 21 mars 1891 à Boulogne-Billancourt (Hauts-de-Seine). Mort le 8 ou 9 février 1981. XXᵉ siècle. Français.
Peintre de compositions à personnages, figures, nus, portraits, natures mortes, peintre de compositions murales. Cubiste.
Il fut élève de Jean-Paul Laurens. Très jeune, il rencontra Maurice Denis et Paul Sérusier.
Il exposa surtout dans les principaux Salons annuels de Paris et figurait dans les participations françaises aux expositions internationales. Des expositions personnelles montraient des ensembles de ses œuvres. Il fut très longtemps professeur chef d'atelier à l'École des Beaux-Arts de Paris, tôt élu membre de l'Institut, où il occupa de hautes fonctions.
Il fut d'abord attiré par l'œuvre de Poussin et, séjournant souvent en Provence, par les ruines romaines. Ensuite, il fut influencé directement par l'esthétique des Nabis, son utilisation de la couleur rapprochant cependant sa peinture du fauvisme. Ce ne fut que vers 1920 qu'il reçut le choc définitif de la découverte du cubisme à travers l'œuvre de Georges Braque. En fait, les diverses attirances ressenties jusque-là et jusqu'à celle pour Braque l'amenèrent à voir dans le cubisme la possibilité d'un renouvellement de l'art classique. Peintre de compositions de figures, surtout féminines, et de nus, celles qu'il peint alors ne sont pas très éloignées des figures « pompéiennes » contemporaines de Picasso. Toutefois, le souvenir de Poussin confère à la composition des siennes un équilibre constructif monumental et son passage par les Nabis et le fauvisme apportant la couleur à son appropriation du cubisme. Ce fut très naturellement que lui furent confiées des décorations murales, en 1937 pour le théâtre du Palais de Chaillot de Paris : *La Musique,* entre 1945 et 1951 pour des paquebots. Dans les natures mortes, c'est de nouveau à Braque qu'on peut l'associer. Sa position dans le cubisme tardif, le cubisme synthétique et non plus analytique, est originale : la composition de l'ensemble comme des parties, soumise à la proportion d'or, soucieuse d'équilibre, tout en restant construction intellectuelle devient mesure, les déformations qu'entraîne cette reconstruction systématique de la réalité tendent à la grâce.
Jean Souverbie, humaniste de tradition profondément latino-française, a su concilier son appartenance à un courant esthétique d'avant-garde et une carrière officielle brillante. ■ J. B.

BIBLIOGR. : In : *Diction. univers. de la peint.,* Le Robert, Paris, 1975.

MUSÉES : BOSTON – GENÈVE (Mus. du Petit Palais) : *Femme à la pastèque* 1920 – PARIS (Mus. Nat. d'Art Mod.) : *Pêcheuse* – *Femme assise au bord de la mer* – *Bergère du Lot* – *Chanteurs des rues* – PHILADELPHIE.

VENTES PUBLIQUES : PARIS, 14 juin 1928 : *La coiffure* : **FRF 3 000** ; *Personnages dans un paysage* : **FRF 5 800** ; *Femme et enfants* : **FRF 6 200** – PARIS, 5 nov. 1937 : *Jeune femme allongée* : **FRF 500** – PARIS, 13 déc. 1940 : *Femme et enfants* : **FRF 1 800** – *Souvenir de Grèce* : **FRF 2 000** – PARIS, 2 mars 1942 : *Nu assis* : **FRF 3 400** – PARIS, 22 fév. 1943 : *Femme à la guitare* : **FRF 10 000** – PARIS, 25 fév. 1944 : *Mère et enfants* : **FRF 35 000** ; *Nu debout* : **FRF 7 500** – PARIS, 27 mars 1944 : *Nu couché sur la plage* : **FRF 8 000** ; *Mère près d'un berceau* : **FRF 13 000** – PARIS, 20 juin 1944 : *Les Trois Grâces* : **FRF 20 000** – PARIS, 9 avr. 1945 : *Les Trois Parques* : **FRF 4 100** ; *Léda et le cygne* : **FRF 16 000** – PARIS, 1948 : *Nu assis* : **FRF 25 500** – PARIS, 14 nov. 1949 : *Nu à la coquille* : **FRF 12 000** – PARIS, 28 mai 1951 : *Le peintre et sa famille* : **FRF 21 000** – PARIS, 12 avr. 1954 : *Paysage breton* : **FRF 35 000** – PARIS, 11 juin 1959 : *Nature morte à la fenêtre* : **FRF 260 000** – GENÈVE, 8 nov. 1969 : *Nu assis* : **CHF 7 400** – LONDRES, 3 juin 1970 : *Nu romantique* : **GBP 600** – PARIS, 18 juin 1974 : *Nu au* *voile* : **FRF 18 000** – Versailles, 27 juin 1976 : *Le modèle*, h/t (73x60) : **FRF 25 000** – Versailles, 4 déc. 1977 : *Deux jeunes femmes se coiffant* 1941, h/t (65x54) : **FRF 10 000** – Versailles, 13 juin 1979 : *Jeune femme assise devant la fenêtre ouverte* 1959, h/t (65x81) : **FRF 14 500** – Versailles, 29 nov. 1981 : *Ariane endormie* 1964, h/t (72x99) : **FRF 26 000** – Paris, 16 mars 1983 : *Jeune Femme accoudée*, cr. noir (16,5x26) : **FRF 6 000** – Versailles, 8 juin 1983 : *La Terre* 1935, h/t (210x350,5) : **FRF 85 000** – Cannes, 21 sep. 1985 : *Pietà* 1944, h/t (143x96) : **FRF 24 000** – Lyon, 27 mai 1986 : *Nu allongé* 1960, h/t (66x100) : **FRF 47 500** – Paris, 24 nov. 1987 : *Deux Femmes nues au bord de l'océan*, h/t (33x55) : **FRF 31 000** – Paris, 9 déc. 1987 : *L'Aurore* 1960, h/t (60x73) : **FRF 110 000** – New York, 18 fév. 1988 : *Femme nue allongée*, h/t (50x61) : **USD 6 600** – Londres, 24 fév. 1988 : *Nu allongé* 1929, h/t (60x81) : **GBP 5 940** – Versailles, 15 juin 1988 : *Baigneuse dans un paysage* 1925, h/t (60x81) : **FRF 93 000** – Paris, 20 juin 1988 : *Nu* 1981, h/pan. (50x32) : **FRF 14 500** – Paris, 23 juin 1988 : *Femmes à la fontaine*, h/pan. (61x44,5) : **FRF 39 000** – Morlaix, 15 août 1988 : *Baigneuses*, h/cart. mar./pan. (34x41) : **FRF 30 000** – Paris, 16 oct. 1988 : *Tauromachie*, h/t (41,5x33) : **FRF 23 000** – Paris, 19 déc. 1988 : *Baigneuse*, h/t (49x32) : **FRF 23 000** – Paris, 15 mars 1989 : *Visage de femme*, h/t (29x32,5) : **FRF 8 000** – Paris, 4 avr. 1989 : *Baigneuse*, h/t (60x92) : **FRF 16 000** – Paris, 13 avr. 1989 : *Femme à la pastèque* 1920, h/t (100x73) : **FRF 135 000** – Paris, 27 avr. 1989 : *Baigneuses*, h/t (46x38) : **FRF 31 000** – Paris, 22 nov. 1989 : *Modèle assis de dos*, h/t (100x81) : **FRF 170 000** – Paris, 9 déc. 1989 : *Retour de pêche*, h/t (100x81) : **FRF 210 000** – Paris, 11 mars 1990 : *Composition cubiste au journal*, h/cart. (23,5x18) : **FRF 52 000** – Paris, 11 oct. 1990 : *Baigneuse*, h/t (38x46) : **FRF 120 000** – Paris, 27 nov. 1990 : *Nu debout* 1947, h/cart. (61x45,5) : **FRF 115 000** – Paris, 27 mai 1991 : *Femme allongée de dos* 1956, h/t (52x91) : **FRF 110 000** – Paris, 2 fév. 1992 : *Les baigneuses*, h/isor. (43x62,5) : **FRF 44 500** – New York, 27 fév. 1992 : *Aphrodite et Hélios* 1947, h/cart. (48,2x57) : **USD 6 600** – Nogent-sur-Marne, 4 avr. 1992 : *Bouteille de rhum au comptoir* 1956, h/t (50x61) : **FRF 95 000** – Paris, 2 avr. 1993 : *Vénus et ses suivantes* 1941, h/t (50x61) : **FRF 36 000** – New York, 10 mai 1993 : *Les Baigneuses*, h/t (73x91,5) : **USD 8 625** – Paris, 10 juin 1993 : *Vénus*, h/t (47x33) : **FRF 28 500** – Londres, 23 juin 1993 : *Nu allongé* 1925, h/t (43x94) : **GBP 15 500** – Londres, 29 nov. 1994 : *Tête de jeune femme* 1928, h/t (45,7x37,7) : **GBP 20 700** – Paris, 16 déc. 1994 : *Le couple*, h/t (73x100) : **FRF 86 000** – Moulins, 14 mai 1995 : *Le Printemps*, h/t (71x100) : **FRF 71 000** – Paris, 15 juin 1995 : *Baigneuse dans un paysage* 1929, h/t (60x81) : **FRF 69 000** – Calais, 7 juil. 1996 : *Le Couple d'amoureux*, h/t (38x55) : **FRF 52 000** – Paris, 13 nov. 1996 : *La Terre* 1935, h/t (210x350,5) : **FRF 420 000** – Londres, 23 oct. 1996 : *Pegasus et poète*, h/t (46x55,5) : **GBP 6 325** – Paris, 27 juin 1997 : *Les Trois Femmes* 1930, h/t (60x73) : **FRF 32 000** – Calais, 6 juil. 1997 : *Maternité* 1964, h/t (41x33) : **FRF 30 000**.

SOUVILLE Alexandre
xviie siècle. Actif dans la seconde moitié du xviie siècle. Français.
Peintre.
Il travaillait surtout en Angleterre.

SOUVILLE Michel
xviiie siècle. Actif à Paris au début du xviiie siècle. Français.
Peintre.
Il reçut en 1705 le second Grand Prix de l'Académie Royale pour *Judith et Holopherne*.

SOUVAROFF. Voir **SOUVAROFF Konstantin Vladimirovitch**

SOUVOROVA Nathalia
Né en 1941. xxe siècle. Russe.
Peintre de natures mortes.
Elle est Membre de l'Union des Peintre d'URSS.
Ventes Publiques : Paris, 10 juin 1991 : *Bouquet à la fenêtre*, h/t (118x123) : **FRF 9 500**.

SOUVOROVA Olga
Née en 1966. xxe siècle. Russe.
Peintre de figures.
Elle fut élève de l'atelier Milnikov.
Ventes Publiques : Paris, 10 juin 1991 : *Jeune femme au chat*, h/t (110x105) : **FRF 5 000**.

SOUVRAZ Jean-Paul
Né le 26 août 1948 à Lille (Nord). xxe siècle. Français.

Peintre de figures, animaux, peintre à la gouache. Figuration narrative.
Il interrompt des études de droit pour l'histoire de l'art à la faculté de Lille. Il vit et travaille à Evry. Il participe à des expositions collectives, notamment à Paris aux Salons du dessin et de la peinture à l'eau, Comparaisons, d'Automne. Depuis 1972, il montre ses œuvres dans des expositions personnelles à Milan (1978) ; Bourges (1981, 1991) ; Lille (1977, 1981, 1989) ; Paris (1981) ; Barcelone (1984) ; Gand (1987-1988) ; Bruxelles (1990) ; Detroit (1983) ; Bad-Sackingen (1990).
D'allures tourmentées, ses figures grimaçantes sont le fruit d'une imagination moqueuse, qui se plaît à caricaturer le monde qui l'entoure : des militaires aux voyous, de la maîtresse d'école aux prostituées. Ses personnages, tout en volumes, aux couleurs vives cernées de noir, évoquent l'expressionnisme, Ensor, Grosz, mais aussi l'art primitif et la bande dessinée.
Bibliogr. : Jacques Barbaut : *Jean-Paul Souvraz*, Artension, n° 9, Rouen, 1990 – Éric Pessiot : *Jean-Paul Souvraz*, Artension, Rouen, été 1992.
Musées : Bourges (Artothèque) – Paris (CNAC).

SOUWEINE Josine
Née en 1899 à Anvers. Morte en 1983 à Uccle. xxe siècle. Belge.
Sculpteur. Traditionnel.
Elle fut élève de Victor Rousseau à l'Académie des Beaux-Arts de Bruxelles. En 1923, elle remporta le Prix de Rome.
Bibliogr. : In : *Dict. biogr. illustré des artistes en Belgique depuis 1830*, Arto, Bruxelles, 1987.

SOUXUE SHANREN ou Seou-Sie Chan-Jen ou Sou-Hsüeh Shan-Jên
Né en 1710. Mort vers 1780. xviiie siècle. Chinois.
Peintre.

SOUZA. Voir aussi **SOUSA**

SOUZA Francis Newton ou Newton Francis
Né en 1924 à Goa. xxe siècle. Actif depuis 1950 en Angleterre, depuis 1976 aux États-Unis. Portugais, Indien.
Peintre de compositions à personnages, sujets religieux, nus, paysages, dessinateur. Expressionniste.
Il est né dans le territoire portugais de la côte ouest de l'Inde, où il vécut une adolescence misérable. Il arriva à Bombay en 1928. Attiré par la peinture, il fut successivement élève, puis renvoyé, du collège Saint-Xavier et, en 1943, de la Sir J. J. School of Art de Bombay. Très engagé dans les mouvements sociaux, il fut l'un des fondateurs du *Progressive Artists Group* de Bombay. Surveillé par la police, sous le prétexte d'obscénité, perquisitionné et, d'autre part, incompris du public, en 1950, il émigra à Londres.
À Bombay, en 1949, deux de ses peintures furent refusées à l'exposition sur l'Inde organisée par la Art Society. Depuis Londres, il a trouvé son public ; il y participe à des expositions collectives, ainsi qu'à São Paulo, Venise, Paris, etc. En 1982 à Londres, il a participé à l'exposition *Contemporary Indian Art, An Exhibition of the Festival of India*, à la Royal Academy. Depuis 1951, presque annuellement à Londres, il montre des expositions personnelles de ses œuvres ; depuis 1954 à Paris ; depuis 1959 en Allemagne ; en Inde ; en Suède ; aux États-Unis ; etc.
Dans ses débuts, peut-être du fait d'une inspiration sociale comparable, ses compositions de figures étaient proches, en intention mais très rudimentaires en réalisation, de celles des muralistes mexicains Diego Rivera et Jose Clemente Orozco. Il intégrait déjà des apports de l'art traditionnel indien et de l'art nègre. Après 1945, un graphisme plus incisif, une matière pigmentaire épaisse et blafarde, aspergée de jets de couleurs, ont poussé son expressionnisme dans un sens caricatural ; on évoque aussi à son sujet Soutine, Rouault, le cubo-expressionnisme de Picasso, en faisant abstraction des aspects les plus sommaires de ses moyens techniques. Dans son expression, le dessin est prioritaire, c'est lui qui détermine le sens de l'œuvre, il est direct, impulsif, violent, souvent proche des graffitis « bruts » de Dubuffet, comparaison plus justifiée que les précédentes. Dans son œuvre, on trouve aussi des paysages, mais bien éloignés du genre bucolique ; la nature exotique y inspire la peur. Ses œuvres les plus provocatrices, agressives ou contestataires, facilement sacrilèges, empruntent les voies de l'imaginaire religieux, où le personnage du Christ est particulièrement exploité : *Christ, Déposition de croix* ou celles de l'imaginaire érotique, où règne la femme : *Amants*, inspiré de l'érotisme des temples sacrés de l'Inde et des traités amoureux. C'est un art primitif,

sauvage, dont la facture naïve est contredite par la violence de l'expression. ■ J. B.

BIBLIOGR. : Edwin Mullins : *Souza*, Londres, 1962 – B. Dorival, sous la direction de, in : *Peintres contemp.*, Mazenod, Paris, 1964 – in : Encyclopédie des Arts Les Muses, Grange Batelière, Paris, 1969-1974 – in : *Diction. de l'art mod. et contemp.*, Hazan, Paris, 1992.

MUSÉES : BARODA – LONDRES (Contemporary Art Society) – MELBOURNE – VICTORIA (Nat. Gal.).

VENTES PUBLIQUES : LONDRES, 26 mars 1993 : *Église romane près de Madrid* 1963, h/cart. (74x81) : **GBP 805.**

SOUZA-CARDOSO Amadeo ou Amadeu de

Né en 1887 à Manhufe (Amarante). Mort en 1918 à Espinho. XXᵉ siècle. De 1906 à 1914 actif en France. Portugais.

Peintre. Cubiste.

Né dans une riche famille du nord du Portugal, il fut élève en architecture de l'École des Beaux-Arts de Lisbonne. Arrivé à Paris en 1906, il poursuivit sa formation en peinture dans les académies privées de Montparnasse. Il se lia avec Juan Gris et avec Modigliani qui devint son ami. Il visita la Belgique, l'Allemagne, l'Espagne et, à la déclaration de guerre de 1914, il retourna dans sa famille au Portugal. Il y reprit sans doute contact avec les Delaunay, qui y étaient immigrés, mais y vécut très isolé les dernières années de sa vie. Il mourut de l'épidémie de grippe espagnole qui causa des ravages en 1918 dans les pays d'Europe occidentale.

Il n'eut guère l'opportunité d'exposer beaucoup. Pourtant, à Paris, en 1911 il exposa avec Modigliani dans son propre atelier ; en 1911, 1912, 1914, il participa au Salon des Indépendants ; en 1912, au Salon d'Automne ; en 1913, il fut l'un des participants de l'exposition historique de l'*Armory Show* de New York. Il figura aussi dans des groupes en Allemagne, à Berlin, Cologne, Munich ; en Angleterre, à Londres ; en Russie, à Moscou. En 1916, deux expositions de ses œuvres, à Porto et Lisbonne, firent scandale, le public portugais n'étant absolument pas préparé à recevoir la peinture cubiste. Après sa mort, deux expositions eurent lieu à Paris, en 1925 et 1958. Il fut oublié pendant de longues années au Portugal ; en 1953, fut ouverte une salle Souza-Cardoso au Musée d'Amarante ; en 1956 à Porto, la galerie Domingues Alvarez organisa une autre œuvre. En 1987, pour le centenaire de sa naissance, la Fondation Calouste Gulbenkian de Lisbonne a organisé une grande rétrospective de l'ensemble de son œuvre, dont les cinq peintures en sa possession depuis 1969.

Malgré la brièveté de sa carrière, il a connu une évolution diversifiée. Ayant abandonné l'architecture, il ne semble pas avoir rencontré les fauves, mais il imita brièvement le maniérisme de Modigliani, puis fut immédiatement sensible à l'influence cubiste. Dès 1912, il publia un album *XX Dessins*. Selon certaines sources, d'abord proche du cubisme « orphique » de Delaunay, ce que confirme la peinture *Les cavaliers* de 1913, il se rapprocha du cubisme plus constructif de Picasso, Braque, Gleizes, notamment avec *La maison portugaise* de 1914 et des natures mortes, peintes sur le principe du collage avec insertions de mots en caractère d'imprimerie. Dans la suite de son évolution se manifestèrent des tendances divergentes, expressionnistes, dans le sens de ce qui serait le purisme, et même avec une possibilité abstraite. Outre son rôle de précurseur dans l'art portugais, Souza-Cardoso se différencie dans le contexte cubiste d'époque par la joyeuse générosité de l'exploitation de la couleur dans la rigueur constructiviste. ■ J. B.

BIBLIOGR. : José Pierre, in : *Le Cubisme*, in : *Hre gle de la peint.*, t. XIX, Rencontre, Lausanne, 1966 – in : *L'art du XXᵉ siècle*, Larousse, Paris, 1991 – in : Cien Anos de pintura en Espana y Portugal, 1830-1930, Antiqvaria, t. X, Madrid, 1993.

MUSÉES : AMARANTE : un ensemble important – LISBONNE (Fond. C. Gulbenkian) : *Grande nature morte* – quatre autres œuvres – PARIS (Mus. Nat. d'Art Mod.) : *Les cavaliers* 1913.

SOUZA LOPES Adriano de ou Sousa Lopes

Né en 1879 à Leiria. Mort en 1944 à Lisbonne. XXᵉ siècle. Portugais.

Peintre d'histoire, sujets militaires, portraits, paysages, paysages d'eau, graveur, dessinateur.

Il fut élève de l'École des beaux-arts de Lisbonne, puis de celle de Paris, dans l'atelier de Fernand Cormon. Il fut nommé directeur du Musée national d'Art Contemporain de Lisbonne, en 1929. Durant un séjour en Italie, en 1937, il apprit les techniques de la peinture à fresques.

Il figura dans diverses expositions collectives, dont : 1906, 1907, 1912 Salon des Artistes Français de Paris, obtenant une mention honorable la première année ; 1915 exposition *Panama-Pacifico*, San Francisco ; 1927 Société Nationale des Beaux-Arts, Lisbonne ; 1932 exposition portugaise au Jeu de Paume, Paris. Il exposa personnellement pour la première fois à Lisbonne en 1917. Une exposition rétrospective lui fut consacrée, à titre posthume, à Porto en 1945 ; une autre eut lieu à Lisbonne en 1946.

Il est connu pour ses diverses vues de Venise et ses paysages du littoral portugais, parmi lesquels : *Effet de lumière* ; *Barques dans le Tage*. À la qualité de son imagination, il faut préférer aujourd'hui ses qualités de coloriste.

BIBLIOGR. : In : *Cien Anos de pintura en Espana y Portugal, 1830-1930*, Antiqvaria, t. X, Madrid, 1993.

MUSÉES : LISBONNE (Mus. Nat. d'Art Contemp.) – LISBONNE (Mus. de l'Artillerie).

SOUZA PINTO José Giulio de, ou Julio ou Sousa Pinto

Né le 15 septembre 1855 dans l'Île de Terceira (Açores). Mort en 1939. XIXᵉ-XXᵉ siècles. Actif aussi en France. Portugais.

Peintre de scènes de genre, portraits, paysages animés, paysages, pastelliste. Naturaliste.

Il eut pour maître Soares dos Reis à l'École des Beaux-Arts de Porto. Il s'établit à Paris, où il fut élève d'Alexandre Cabanel, de Pascal Dagnan-Bouveret et de Bastien Lepage. Son succès fut important, il obtint une mention honorable en 1883, une médaille d'or à l'Exposition Internationale de Porto en 1887, une médaille d'argent pour l'Exposition Universelle de 1889, ainsi que le grand prix de peinture à Porto. Il fut fait chevalier de la Légion d'honneur en 1895, puis officier ; et commandeur de Santiago. Il fut nommé membre du Jury, hors-concours, pour l'Exposition Universelle de 1900 ; membre de l'Académie des Beaux-Arts de Lisbonne.

Paysagiste de la première génération naturaliste portugaise, il a surtout traité des sujets campagnards empruntés à la vie des paysans français. Il se rattache à l'art de Jules Breton à celui de l'américain Ridgway-Knight. La gravure et les autres moyens de reproduction ont popularisé ces tableaux qui obtenaient un vif succès au Salon de Paris chaque année. Aussi, l'artiste s'attachait-il à ne pas décevoir les amateurs en exécutant des scènes de genre excluant toute surprise.

BIBLIOGR. : In : *Cien Anos de pintura en Espana y Portugal, 1830-1930*, Antiqvaria, t. X, Madrid, 1993.

MUSÉES : AMIENS (Mus. de Picardie) : *Tête de vieillard* – LISBONNE (Mus. Nat. d'Art Contemp.) : *L'été – Effet d'après-midi* – MELBOURNE : *Dans les champs* – MONTE-CARLO : *Un enfant dans le bois* – NICE (Mus. Chéret) : *Au coin du feu* – PARIS (Mus. d'Orsay) : *La récolte des pommes de terre* – PORTO – RIO DE JANEIRO : *Le rendezvous* – VISEU (Mus. Grao-Vasco) : *En Bretagne*.

VENTES PUBLIQUES : PARIS, 29 oct. 1926 : *En été*, past. : **FRF 2 800** – PARIS, 3 juil. 1944 : *Rue au clair de lune*, past. : **FRF 800** – SÃO PAULO, 17 juin 1980 : *Enfant à cheval au milieu d'une rivière*, h/t (92x74) : **BRL 600 000** – RIO DE JANEIRO, 4 août 1983 : *Soleil couchant* 1903, h/t (93x74) : **BRL 2 500 000** – LONDRES, 19 mars 1986 : *Le jeune pêcheur à la ligne*, h/t (34x26,5) : **GBP 3 600** – NEW YORK, 23 mai 1989 : *La baignade* 1895, h/t (81,6x65,4) : **USD 46 750** – LONDRES, 6 juin 1990 : *Lecture dans un intérieur*, h/pan. (46x38) : **GBP 13 200** – MONACO, 16 juin 1990 : *La culotte déchirée* 1883, h/t (76,5x60,5) : **FRF 144 300** – NEW YORK, 22 mai 1991 : *Le feu des ramasseurs de pommes de terre*, h/t (47,6x46,4) : **USD 19 800** – PARIS, 25 mai 1994 : *Portrait de petite fille*, h/t/pan. (23,5x18,5) : **FRF 46 000** – LONDRES, 14 juin 1996 : *Pensées lointaines*, h/pan. (44,4x33,5) : **GBP 12 075.**

SOUZANETTO Manfredo de

Né le 1ᵉʳ juin 1947 à Jacinto (Minas Gerais). XXᵉ siècle. Brésilien.

Peintre, sculpteur, dessinateur. Abstrait-paysagiste, puis conceptuel.

Il fut élève de l'École des Beaux-Arts et des Arts Graphiques de Belo-Horizonte ; il suivit également des études d'architecture. À partir de 1968, il participe à des expositions collectives, d'abord à Belo-Horizonte, puis dans tout le Brésil. En 1973, il fut invité à la Biennale de São Paulo. Il montre des ensembles d'œuvres dans des expositions personnelles : 1974 la première à Belo-Horizonte, 1975 Rio de Janeiro, 1976 Paris.

Si, dans ses premières œuvres, le dessin de Souzanetto a pour référence avouée la montagne, il la transforme, par un jeu subtil d'effacements, collages, superpositions, en un espace géométrique dépouillé. Il travaille par séries, dont celle de la fourche est

la plus connue. Les objets qu'il crée jouent sur le symbolisme, autant par la forme, par exemple la fourche qui menace et rive au sol, que par les matériaux qui les constituent, avec, chez Souzanetto, une constante des matériaux les plus naturels de sa région d'origine, la terre, le bois, la toile rude, qui évoquent la population restée très rurale. Les deux systèmes symboliques joints peuvent signifier, à l'abri de la censure, l'asservissement.
Bibliogr. : Damian Bayon et Roberto Pontual : *La Peinture de l'Amérique latine au xxᵉ siècle*, Éditions Menges, Paris, 1990.

SOUZOUKI Ruythi
xxᵉ siècle. Japonais.
Peintre de genre, paysages.
Il a exposé à Paris, au Salon des Tuileries.
Ventes Publiques : Paris, 27 déc. 1926 : *La balançoire au marin* : FRF 220 – Paris, 8 juin 1983 : *Le Chapelier Lewis*, h/t (81x100) : FRF 32 000 – Paris, 12 juin 1991 : *Élégantes dans une vitrine* 1931, h/t (81x100) : FRF 58 000.

SOVAK Pravoslav
Né en 1926. xxᵉ siècle. Tchèque.
Peintre de compositions animées, technique mixte, aquarelliste, graveur, dessinateur.
Il expose fréquemment en Allemagne. En 1996, le Pavillon des Arts à Paris a présenté une exposition d'ensemble de ses réalisations.
À des thèmes divers, quotidiens, sociaux, il applique des techniques, à contre-courant de tous les courants « bad », « figuration libre », « graffitie », parfaitement maîtrisées, notamment lorsqu'il associe pointe-sèche, vernis mou, aquatinte et aquarelle. Sur des supports quadrillés, il distribue dans l'espace à deux dimensions figures et éléments de la composition à la façon d'un collage ou d'un rébus.

SOVARI Janos ou Johann
Né le 15 novembre 1895 à Papolc. xxᵉ siècle. Hongrois.
Sculpteur.
Il était actif à Budapest.

SOVLATCHKOV Alexandre
Né en 1945. xxᵉ siècle. Russe.
Peintre de scènes animées, paysages urbains, paysages, natures mortes, fleurs.
Il fut élève de l'Académie des Beaux-Arts de Leningrad (Institut Répine). Il est membre de l'Association des Peintres de Leningrad.
Il part d'une vision conventionnelle des choses qu'il traite ensuite dans des ensembles de gris colorés très empâtés.
Musées : Astrakhan (Mus. de Peinture) – Moscou (Gal. Tretiakov) – Nikolaïeu (Mus. des Beaux-Arts) – Saint-Pétersbourg (Mus. Russe) – Saint-Pétersbourg (Mus. d'Hist.).

SOW Ousmane
xxᵉ siècle. Sénégalais.
Sculpteur de scènes animées, figures, groupes.
Il était kinésithérapeute, d'où il tient une connaissance profonde du corps humain.
Il a participé en 1997 à l'exposition *Terres d'ici et d'ailleurs*, à l'Espace d'Art contemporain du lycée agricole de Venours, pour un travail en collaboration avec l'artiste américain Charles Simonds. Il montre aussi son travail dans des expositions personnelles, dont : 1991 Saint-Amand-les-Eaux ; 1992 Riom, Musée Mandet.
Il sculpte des colosses de près de trois mètres, dont il hypertrophie les proportions et la musculature, dans des scènes africaines de la vie quotidienne ou dans des luttes tribales, que la polychromie rend encore plus réalistes. Ousmane Sow ne transmet pas de concept quand il sculpte, il manifeste l'identité africaine et s'il se réfère à Rodin, c'est par la puissance que ses colosses magnifient.

SOWDEN John
Né le 10 novembre 1838. Mort le 16 janvier 1926. xixᵉ-xxᵉ siècles. Britannique.
Peintre-aquarelliste de paysages animés.
Il fut élève de William Henry (?) Hunt. Il était actif à Bradford.
Musées : Bradford (Bolling Hall) : 350 aquarelles.
Ventes Publiques : Londres, 20 nov 1979 : *Vue d'Amsterdam*, aquar. reh. de blanc (75x56) : GBP 550 – Londres, 25 jan. 1988 : *Troupeau de bovins traversant la rue principale*, aquar. (54,5x77,5) : GBP 1 980.

SOWERBY James
Né en 1756 à Londres, ou 1757. Mort en 1822. xviiiᵉ-xixᵉ siècles. Britannique.

Peintre de portraits, marines, fleurs et fruits, graveur, dessinateur.
Fils de John Sowerby, il fut élève des cours de la Royal Academy et travailla avec le peintre de marine Richard Wright. D'abord maître de dessin et peintre de portraits, il se tourna ensuite vers la botanique, publiant en 1790 un premier ouvrage important : *English Botany* ; il termina les 36 volumes de la collection en 1814.
Ventes Publiques : Londres, 20 nov. 1985 : *Self portrait with his brother Charles and sister Arabella*, h/t, de forme ovale (61x61) : GBP 9 000 – New York, 21 nov. 1986 : *William Curtis's Botanic Garden, Lambeth Marsh* ante 1787, aquar. (27,9x47,8) : USD 19 000 – Londres, 10 juil. 1996 : *Portrait de l'artiste avec son frère Charles et sa sœur Arabella*, h/t (diam. 62) : GBP 11 500.

SOWERBY John G.
xixᵉ-xxᵉ siècles. Britannique.
Peintre de paysages, peintre à la gouache, aquarelliste. Symboliste.
Il appartenait à une famille de fabricants de verre de Gateshead, dans laquelle il y eut plusieurs peintres. Il vécut à Gateshead, Colchester, Abingdon et Ross-on-Wye. Il fut actif de 1876 à 1914.
Il exposa à la Royal Academy de Londres dans les dates de son activité.
Il se spécialisa dans les paysages à tendance préraphaélite ou symboliste, faisant parfois penser aux peintres français contemporains Le Sidaner et Alphonse Osbert.
Ventes Publiques : Londres, 19 mai 1978 : *La chasse aux pigeons*, h/t (85,4x137,6) : GBP 600 – Londres, 25-26 avr. 1990 : *Les sièges de buis*, aquar. et gche (26x36) : GBP 3 080 – Londres, 13 nov. 1992 : *Le val ambré : Une nuée de jonquilles dorées au bord du lac, sous les arbres flottant et dansant dans la brise...*, h/t, d'après un poème de Wordsworth (81,3x151,8) : GBP 7 700.

SOWERBY Rita
xxᵉ siècle. Britannique.
Peintre de sujets religieux.
En 1946 à Paris, elle participa à l'Exposition d'Art Sacré Britannique.

SOWIETZKI
xviiiᵉ siècle. Allemand.
Peintre.
Il travailla à la Manufacture de faïence de Proskau en 1769.

SOYA-JENSEN Carl Martin ou C. E. ou Jensen
Né le 27 décembre 1860 à Odense. Mort le 21 février 1912 à Copenhague. xixᵉ-xxᵉ siècles. Danois.
Peintre de paysages, architectures.
Il fut élève de Niels Bredal, peut-être en Italie, et, à Paris, de Benjamin-Constant.
Musées : Aarhus – Ribe – Rønne.
Ventes Publiques : Copenhague, 5 fév. 1992 : *Maison au bord d'une rivière en France*, h/t (33x54) : DKK 6 000.

SOYA-JENSEN Johanne Elise, née Bolvig
Née le 7 février 1864 à Copenhague. Morte le 6 décembre 1892 à Copenhague. xixᵉ siècle. Danoise.
Peintre de paysages.
Elle fut la femme de Carl Martin Soya-Jensen.

SOYAMA Sachihiko ou Ôno Sachihiko
Né en 1859, originaire de la préfecture de Kagoshima. Mort en 1892. xixᵉ siècle. Actif à Tokyo. Japonais.
Peintre.
Peintre de paysages à la peinture à l'huile et à l'aquarelle, il élève de San Giovanni. Il forme des disciples dans son atelier privé.

SOYE ou Soyez
xviiiᵉ siècle. Actif à Provins au milieu du xviiiᵉ siècle. Français.
Sculpteur sur bois.
Il travailla pour les églises de Courtacon et de Sourdun.

SOYE Caroline, épouse Nicard
Née le 7 décembre 1814. Morte le 2 avril 1898. xixᵉ siècle. Française.
Peintre de scènes animées, portraits en miniatures, aquarelliste.
Elle fut élève de la miniaturiste Lizinka de Mirbel. Elle exposa au Salon de Paris, en 1835 et en 1838, médaille de troisième classe.
Ventes Publiques : Paris, 14-15 fév. 1944 : *Marché aux bestiaux* 1834, aquar. : FRF 1 050.

SOYE Philipp de ou **Sericus, Sciticus, Sericio, Sericeus, Syticus, Sircio, Sitiens, Sitius, Sirceus, Sorius** ou **Sojo**
Né vers 1538 en Hollande ou en France. XVIᵉ siècle. Hollandais.
Graveur.
Il fut élève de Cornelius Cort à Rome vers 1568. Il a gravé au burin notamment une série de vingt-huit portraits de papes et de nombreux sujets d'histoire religieuse d'après les maîtres de son époque.

SOYER A.
Né à Paris. Mort après 1844. XIXᵉ siècle. Français.
Sculpteur et fondeur.
Il exposa à Paris de 1822 à 1827. Exécuta, à Rome, le médaillon du *Pape Léon XII*.

SOYER Emma ou **Elizabeth Emma**, Mrs, née **Jones**
Née en 1813 à Londres. Morte le 29 ou 30 août 1842 à Londres. XIXᵉ siècle. Britannique.
Peintre de genre, figures, portraits.
Cette artiste montra une extrême précocité. Elle exposa à la Royal Academy en 1823, à peine âgée de dix ans et deux ans plus tard elle avait déjà produit plus de cent portraits, dessinés d'après nature. En 1836 elle épousa le célèbre chef de cuisine Soyer et à dater de ce moment, elle prit part aux expositions sous son nom de femme. Elle exposa au Salon de Paris de 1840 à 1842. Certains de ses tableaux, notamment *Le petit garçon juif vendant des oranges*, ont été popularisés par la gravure.
Musées : Cahors : *En vedette* – Gotha : *Vendeur de figurines*, en plâtre.
Ventes Publiques : Paris, 18 mars 1929 : *La Jeune Marchande et son enfant* : FRF 900.

SOYER Eugène
Né à Paris. XIXᵉ-XXᵉ siècles. Français.
Peintre de genre, portraits, paysages.
Il fut élève de Jules Dupré. Il débuta au Salon de Paris de 1879.

SOYER Isaac
Né en 1907. XXᵉ siècle. Depuis 1914 actif, puis naturalisé aux États-Unis. Russe.
Peintre de genre, intérieurs, figures, nus.
En 1914, à la suite de ses frères aînés Moses et Raphael, il émigra aux États-Unis. Il fut élève de la Cooper Union, puis de la National Academy of Fine Arts et de l'Educational Alliance Art School. Il a exposé à New York, San Francisco, Paris.
Comme ses frères, il peignait des scènes de genre dans un style réaliste. Il a souvent traité des figures féminines dans des attitudes d'élégance.
Musées : Brooklyn – Dallas – New York (Whitney Mus.) : *Bureau de placement* – *La Brodeuse*.
Ventes Publiques : New York, 25 mai 1989 : *L'ouvrier d'entretien du matériel* à Buffalo, h/t (76,2x63,5) : USD 8 800 – New York, 28 sep. 1989 : *Les bas rouges*, h/t (71,4x38,2) : USD 4 400 – New York, 31 mars 1994 : *Jeune femme se mettant du rouge à lèvres*, h/t (61x40,6) : USD 2 588 – New York, 25 mai 1994 : *La jeune employée*, h/t (76,2x91,4) : USD 16 100 – New York, 21 sep. 1994 : *Après la classe* 1946, h/t (106x91,1) : USD 18 400 – New York, 29 nov. 1995 : *Nu féminin avec une cigarette*, h/t (71,1x40,6) : USD 4 312 – New York, 7 oct. 1997 : *Une paire de souliers lustrés pour 5 cents*, h/t (92,1x83,8) : USD 23 000.

SOYER Jean. Voir **SOHIER**

SOYER Jean Baptiste
Né à Nancy. XIXᵉ siècle. Français.
Peintre de genre, portraits, miniatures.
Il exposa au Salon de Paris de 1801 à 1810.

SOYER Jeannin, dit **Petiot**
XVᵉ siècle. Français.
Sculpteur et architecte.
Il travailla pour l'église de Poligny.

SOYER Jehan, appellation erronée. Voir **POYET Jehan**

SOYER Louise Charlotte, née **Landon**
XIXᵉ siècle. Française.
Graveur au burin.

Mère de Paul Constant Soyer. Elle grava des portraits, des meubles et des orfèvreries.

SOYER Marie Pauline, Mme, née **de Saint-Yves Landon**
Née le 26 avril 1786 à Caen. XIXᵉ siècle. Française.
Graveur au burin.
Élève de François Urbain Massard.

SOYER Maximilien
Mort avant 1687. XVIIᵉ siècle. Actif à Nantes. Français.
Sculpteur.

SOYER Moses
Né en 1898 ou 1899. Mort en 1974. XXᵉ siècle. Depuis 1912 actif, puis naturalisé aux États-Unis. Russe.
Peintre de genre, intérieurs, figures, nus.
Comme son frère Raphael, immigré en 1912, il acquit sa formation artistique à New York. Il participait régulièrement aux expositions internationales de la Fondation Carnegie, à Pittsburgh.
Il a souvent traité des scènes du travail des danseuses et, presque exclusivement, des figures féminines.
Musées : Los Angeles – New York (Whitney Mus.).
Ventes Publiques : New York, 13 jan. 1972 : *Jeune fille en bleu* : USD 7 000 – New York, 21 mars 1974 : *Les Ballerines* : USD 3 400 – New York, 28 oct. 1976 : *Ballerine assise* 1955, h/t (61x45,7) : USD 1 600 – New York, 27 oct. 1977 : *Marcia en robe noire* 1958, h/t (91,4x76,2) : USD 3 000 – New York, 28 avr. 1978 : *Danseuse assise*, h/t (76,2x61) : USD 2 600 – New York, 23 mai 1979 : *Danseuses au repos*, h/t (63,5x81) : USD 3 200 – New York, 18 mars 1983 : *Couple assis*, aquar., fus. et past. (61,6x48,3) : USD 1 300 – New York, 23 mars 1984 : *Femme enceinte*, h/t (92,1x76,9) : USD 8 000 – New York, 5 déc. 1985 : *Mini and Red* 1962, h/t (91,5x76,3) : USD 3 500 – New York, 4 déc. 1987 : *City children* 1952, h/t (91,5x76,3) : USD 60 000 – New York, 28 sep. 1989 : *Danseuses à l'entraînement* 1951, h/t (76,2x91,4) : USD 16 500 – New York, 30 mai 1990 : *Nu assis* (50,8x40,7) : USD 6 600 – New York, 17 déc. 1990 : *Nu assis* (61x50,8) : USD 2 860 – New York, 14 nov. 1991 : *Danseuse au repos* (55,9x23,5) : USD 1 430 – New York, 18 déc. 1991 : *La Diseuse de bonne aventure*, h/t (58,4x53,3) : USD 7 150 – New York, 15 avr. 1992 : *Danseuse à la jupe rouge* 1950, h/t (50,2x26) : USD 4 950 – New York, 4 mai 1993 : *Ballerine assise en rouge*, h/t cartonnée (46,6x39,3) : USD 3 680 – New York, 31 mars 1994 : *Portrait de jeune femme en chemisier rouge*, h/t cartonnée (46,6x30,5) : USD 978 – New York, 25 mai 1994 : *La Couturière*, h/t (63,5x76,2) : USD 13 800 – New York, 28 nov. 1995 : *Les Danseuses du ballet*, h/t (63,5x46) : USD 4 025 – New York, 30 oct. 1996 : *Danseuses à l'échauffement* 1951, h/t (76,2x91,4) : USD 6 325 – New York, 27 sep. 1996 : *Femme s'habillant*, h/t (50,8x40,8) : USD 5 750 – New York, 25 mars 1997 : *Portrait d'une jeune fille brune*, h/t et aq.pp, une paire (57,5x39,7 et 36,8x29,2) : USD 4 312.

SOYER Paul Constant
Né le 24 février 1823 à Paris. Mort le 19 mai 1903 à Écouen (Seine-Saint-Denis). XIXᵉ siècle. Français.
Peintre de sujets allégoriques, scènes de genre, portraits, intérieurs, graveur.
Il est le fils de Louise Charlotte Soyer. Il fut élève de Léon Cogniet. Il exposa au Salon de Paris, à partir de 1847, puis Salon des Artistes Français. Il obtint une médaille en 1870, une médaille de deuxième classe en 1882.
Il eut une importante activité de graveur sur bois et à l'eau-forte.

PAUL Soyer.

Musées : Amiens (Mus. de Picardie) : *Faune et bacchante* – Autun (Mus. Rolin) : *Intérieur de forgerons* – Cherbourg : *Une répétition dans la sacristie avant la messe* – Glasgow : *L'oiseau mort*.
Ventes Publiques : Paris, 1872 : *Tête de bohémienne* : FRF 205 – Paris, 1888 : *Paysanne lisant le journal* : FRF 280 ; *Intérieur de paysans* : FRF 200 – New York, 15-16 avr. 1909 : *Le petit élève* : USD 145 – Paris, 8-10 nov. 1926 : *Intérieur de forgerons* : FRF 920 – Paris, 6 mars 1944 : *La lavandière* : FRF 2 200 – Paris, 28 juin 1950 : *Enfants aux lapins* ; *Enfants aux chats*, deux pendants : FRF 22 100 – Vienne, 19 sep. 1972 : *La cuisine rustique* : ATS 25 000 – Paris, 25 mai 1977 : *Vieillard regardant un bébé endormi*, h/pan. (35x28) : GBP 1 150 – Londres, 28 nov 1979 : *La forge*, h/pan. (35,5x46) : GBP 1 800 – Berne, 23 oct. 1982 : *Paysage fluvial* 1882, h/pan. (21x27) : CHF 5 500 – New York, 28 oct.

1986 : *Nymphes et Putti au printemps*, h/t (180x125,7) :
USD 10 000 – LONDRES, 14 juin 1995 : *Jeune enfant parlant à son aïeule*, h/t (100x79) : **GBP 7 475**.

SOYER Raphael
Né en 1889 ou 1899 à Tombov. Mort en 1987. xxe siècle. Actif depuis 1912 aux États-Unis. Russe.

Peintre de scènes animées, intérieurs, figures, nus, portraits, paysages urbains animés, dessinateur.

Il émigra avec sa famille, dont son frère Moses, en 1912 et s'installa à New York. Le plus jeune frère, Isaac, les rejoignit en 1914. Il dut d'abord travailler en usine, puis comme vendeur de journaux. Il suivit les cours du soir de la Cooper Union, puis put enfin, durant quatre ans, être élève de la National Academy of Design. À la suite de Ben Shahn, les trois frères Soyer, Moses, Raphael et Isaac, furent parmi les premiers membres du groupe *Social Realist*. En 1964, il peignit un *Hommage à Eakins*, le maître de l'école réaliste américaine, conservé à la Hirschhorn Foundation. Il devint professeur à l'Art Students' League.

Participant à de nombreuses expositions collectives, il remporta distinctions et prix.

Très accessoirement, on peut noter que Raphael Soyer peignit, au long de sa carrière, un grand nombre d'autoportraits. Comme d'autres membres du groupe *Social Realist*, Raphaël Soyer se constitua une technique dont l'apparence la fait ressembler à une sorte de photographie, volontiers un peu voilée de brouillard, en accord avec l'atmosphère psychologique misérabiliste des sujets traités, non sans conserver un lien avec l'Ashcan School (l'École de la Poubelle), surtout du fait de certains sujets traités. Raphaël Soyer dépeignait la vie quotidienne des années vingt et trente dans le New York de la Quatorzième Rue et du Lower East Side, scènes de rue, fatigues des petites gens. Surtout, ouvrières, vendeuses, couturières, danseuses, furent ses sujets favoris. Puis, dans les années soixante, soixante-dix, il se consacra au phénomène « hippie ». ■ J. B.

RAPHAEL SOYER

BIBLIOGR. : Sylvan Cole : *Raphael Soyer. Fifty Years of Printmaking, 1917-1967*, New York, 1967 – J.D. Prown, Barbara Rose, in : *La Peinture américaine, de la période coloniale à nos jours*, Skira, Genève, 1969.

MUSÉES : NEW YORK (Metropolitan Mus.) – NEW YORK (Whitney Mus.) – WASHINGTON D. C. (Phillips Memorial Gal.).

VENTES PUBLIQUES : NEW YORK, 20 avr. 1944 : *Dans le bureau* : **USD 750** – NEW YORK, 15 avr. 1959 : *Le modèle* : **USD 950** – NEW YORK, 11 avr. 1962 : *Lèche-vitrines* : **USD 2 750** – NEW YORK, 27 jan. 1965 : *Le couloir du métro* : **USD 4 750** – NEW YORK, 13 déc. 1973 : *Le marchand de fleurs* : **USD 14 000** – NEW YORK, 23 mai 1974 : *Les coulisses* : **USD 12 000** – NEW YORK, 28 oct. 1976 : *Portrait d'Alfred Wolff* 1929, h/t (71,2x66) : **USD 5 000** – NEW YORK, 27 oct. 1977 : *Femme à la poitrine découverte, assise*, h/t (66,5x56) : **USD 2 750** – NEW YORK, 7 juin 1979 : *L'artiste et son père*, cr. (23x30,5) : **USD 3 000** – NEW YORK, 25 avr. 1980 : *Le quai du métro* 1946, h/t (107x66) : **USD 15 000** – NEW YORK, 29 mai 1981 : *Mur imaginaire dans mon atelier* 1947, h/t (68,6x66) : **USD 11 000** – NEW YORK, 11 mars 1982 : *Autoportrait*, craie brune et cr. (33,6x26) : **USD 1 700** – NEW YORK, 30 sep. 1982 : *Portrait du sculpteur Adolf Wolf*, h/t (82x68,2) : **USD 7 000** – NEW YORK, 23 mars 1984 : *Autoportrait*, cr. (39,1x26,6) : **USD 950** – NEW YORK, 6 déc. 1984 : *Window shoppers* 1938, h/t (91,5x61) : **USD 45 000** – NEW YORK, 28 fév. 1985 : *Memories* 1970, litho., suite de dix dont neuf en coul. : **USD 800** – NEW YORK, 25 oct. 1985 : *Scène de rue*, aquar. et cr. (48,3x25,3) : **USD 2 600** – NEW YORK, 4 déc. 1986 : *Village East street scene* 1965-1966, h/t (152,4x152,4) : **USD 85 000** – NEW YORK, 26 mai 1988 : *Moses Soyer dans la rue*, h/t (76,2x55,8) : **USD 35 200** ; *Le Tailleur*, fus./pap. (43,2x35,5) : **USD 4 400** – NEW YORK, 24 juin 1988 : *Devant l'évier*, h/rés. synth. (34,6x25) : **USD 16 500** – NEW YORK, 24 jan. 1989 : *Nu endormi*, sanguine (33,2x33,8) : **USD 1 210** – NEW YORK, 28 sep. 1989 : *Modèle aux bras croisés*, h/t (50,8x40,1) : **USD 11 000** – NEW YORK, 30 nov. 1989 : *Broadway et la 42e rue* 1935, h/t (52,1x43,2) : **USD 46 750** – NEW YORK, 24 jan. 1990 : *Modèle au chapeau*, encre/pap. (19,1x24,7) : **USD 880** – NEW YORK, 16 mars 1990 : *Modèle à contre-cœur*, h/t (50,8x40,6) : **USD 9 900** – NEW YORK, 24 mai 1990 : *Étude pour Village East*, h/t (71x1,47) : **USD 29 700** – NEW YORK, 30 nov. 1990 : *Jeune femme sur un lit pliant*, h/t (101,6x127) : **USD 55 000** – TEL-AVIV, 1er jan. 1991 : *recto : Nu ; verso : Femme debout*, encre et lav. (30x44,5) :

USD 1 100 – NEW YORK, 12 avr. 1991 : *Étude pour Scène de rue* 1985, h/t (61x40,6) : **USD 11 550** – NEW YORK, 12 mars 1992 : *La conversation*, h/t (81,7x56,2) : **USD 5 500** – NEW YORK, 23 sep. 1992 : *Compagnes de chambre*, h/t (91,5x60,9) : **USD 13 200** – NEW YORK, 3 déc. 1992 : *Karen Conrad, ballerine*, h/t (76,2x50,8) : **USD 14 300** – NEW YORK, 26 mai 1993 : *Jeune fille en train de s'habiller*, h/t (81,3x66) : **USD 16 100** – NEW YORK, 14 sep. 1995 : *Kathleen*, h/t (50,8x61) : **USD 15 525** – NEW YORK, 3 déc. 1996 : *Jour de pluie à Londres, autoportrait* ; *Rachel*, cr. et aquar./pap., une paire (24x17) : **USD 2 990** – NEW YORK, 5 déc. 1996 : *Femme se rongeant les ongles* 1912, h/t (101,6x81,3) : **USD 23 000** – NEW YORK, 26 sep. 1996 : *Femme attendant*, h/t (96,5x66) : **USD 4 887** – NEW YORK, 25 mars 1997 : *Portrait d'une fille à la guitare*, h/t (78,1x61) : **USD 9 775** ; *L'Artiste et sa femme* vers 1950-1955, h/t (38,1x35,6) : **USD 4 887**.

SOYER Theophile
Né à Paris. xixe siècle. Français.

Peintre d'histoire et sur émail.

Élève de Yvon et Levasseur. Il débuta au Salon de 1870.

SOYERE Jean. Voir SOHIER

SOYERS Jean Baptiste ou Soyer-Willemot
Né à Nancy. xviiie siècle. Français.
Peintre.

SOYEZ. Voir SOYE

SOYKA Hugo
Né le 19 octobre 1860 à Lettowitz (Moravie). xixe-xxe siècles. Autrichien.
Peintre.

Il était actif à Vienne.

SÔYÛ ou Gyokuraku
xvie siècle. Japonais.
Peintre.

Peintre de l'école Kanô.

SOZI Bernardino, ou Bino, di Vincenzo ou Sotij
xvie-xviie siècles. Italien.
Sculpteur et architecte.

Il travailla pour des églises de Pérouse de 1573 à 1603.

SOZZI Agatino
Mort en 1837 à Palerme. xixe siècle. Italien.
Peintre, caricaturiste et poète.

Neveu d'Olivio Sozzi.

SOZZI Francesco
Mort en 1818. xixe siècle. Actif à Palerme. Italien.
Peintre.

Fils d'Olivio Sozzi. Il travailla pour des églises de Catania et d'Agrigente.

SOZZI Giacomo ou Sossi
Né à Castione. xixe siècle. Italien.
Sculpteur.

Il exposa à la Brera de Milan de 1872 à 1894. Il travailla pour la cathédrale de Milan et le cimetière monumental de cette ville.

SOZZI Giuseppe
Né vers 1465. Mort en 1505. xve siècle. Actif à Rome. Italien.
Peintre.

SOZZI Giuseppe, il. Voir aussi ALVINO Giuseppe d'

SOZZI Marcello
xixe siècle. Actif à Rome de 1850 à 1860. Italien.
Peintre.

Élève de T. Minardi. Il a peint des fresques dans les églises Saint-Paul-hors-les-Murs et Sainte-Marie de Trastevere. Le Musée du Vatican possède de lui *Le bienheureux Jean donnant l'aumône*.

SOZZI Olivio
Né en 1696 à Palerme. Mort en 1765 à Ispica Val di Noto. xviiie siècle. Italien.
Peintre.

Père de Francesco Sozzi. Il exécuta de nombreuses fresques et tableaux d'autel pour des églises de Palerme. Le Musée de cette ville conserve de lui *Madone avec saint Philippe Neri*.

SOZZINI Giovanni Battista
Né en 1525 à Sienne. Mort en 1582 à Sienne. xvie siècle. Italien.
Peintre, modeleur, stucateur et médailleur.

Élève de Bartolommeo Neroni, de D. Beccafumi et de Past. de Pastorini. Il travailla pour la cathédrale de Sienne.

SOZZO Giuseppe, il. Voir **ALVINO Giuseppe d'**

SOZZO di Stefano
XIIIe-XIVe siècles. Italien.
Enlumineur.
Il travailla à Sienne.

SP 38, pseudonyme de **Périer Sylvain**
Né en 1938. XXe siècle. Français.
Peintre technique mixte, auteur de performances, affichiste. Groupe Art-Cloche.
Il fait partie du groupe *Avatar*, mais participe aux activités du collectif non-conformiste et contestataire Art cloche.
Il a réalisé l'affiche du film *Black Mic Mac n° 2*. Il est également peintre de graffitis.
BIBLIOGR. : In : *Art cloche. Élément pour une rétrospective. Squatt artistique*, catalogue de ventes, Me Pierre Cornette de Saint-Cyr, lundi 30 janvier 1989, Paris.
VENTES PUBLIQUES : PARIS, 30 jan. 1989 : *Genre la fuite* (220x160) : FRF 5 300 – PARIS, 24 avr. 1991 : *Fishrevolt n° 4 (dernière danse à Boinod)* 1990, acryl./t. libre (205x163) : FRF 5 000.

SPAAK Carl
XVIIIe siècle. Actif à Stockholm. Suédois.
Sculpteur.
Il exécuta la chaire de l'église de Lagga en 1718.

SPAAN Jan
XVIIIe siècle. Hollandais.
Dessinateur et aquafortiste.
Il dessina des vues d'Amsterdam.

SPACAGNA Jacques
Né en 1936 à Paris. XXe siècle. Français.
Peintre. Lettres et Signes. Groupe lettriste.
Depuis 1959, il est membre du groupe lettriste. Depuis 1961, il participe à des expositions collectives, souvent avec les lettristes, à Paris, au Salon Comparaisons ; en 1963, 1965, 1967, à la Biennale des jeunes artistes ; ainsi qu'à des groupes en Allemagne, Suisse, Angleterre.
À partir des signes d'un alphabet imaginaire et d'une écriture organique, il construit des espaces dynamiques d'inspiration cosmique. Cette écriture qui semble plus se tisser que se tracer, joue à la fois sur son automatisme et sur sa préciosité. L'utilisation des teintes et or argent en accentue l'effet, tout en donnant un caractère oriental aux compositions.

SPACCA Ascensidonio, appelé aussi **Fantino da Bevagna** ou **Fantini Mevanatis**
Né vers 1557. Mort en 1646 à Bevagna. XVIe-XVIIe siècles. Italien.
Peintre.
Il travailla pour l'église de Spello et de Vallegroria.

SPACHHOLZ Johann Carl
XIXe siècle. Actif à Stuttgart dans la première moitié du XIXe siècle. Allemand.
Miniaturiste, dessinateur et graveur au burin.

SPACIO. Voir **SPAZ**

SPACKMAN Cyril Saunders
Né le 15 août 1889 à Cleveland (Ohio). XXe siècle. Américain.
Peintre, sculpteur, graveur de sujets religieux.
Il fut élève de Henry George Keller à Cleveland. Il était actif à Croydon. Il était membre de la Fédération Américaine des Arts.
MUSÉES : CHICAGO – CLEVELAND.

SPACKMAN Isaac
Mort le 7 janvier 1771 à Islington. XVIIIe siècle. Actif vers le milieu du XVIIIe siècle. Britannique.
Peintre d'animaux.
Il est surtout connu pour ses peintures d'oiseaux.
VENTES PUBLIQUES : LONDRES, 24 nov. 1977 : *Volatiles*, aquar./parchemin, une paire (24x37 et 23x33,5) : GBP 650 – LONDRES, 17 nov. 1983 : *Oiseaux* 1765, aquar. et gche/parchemin, une paire (24x35) : GBP 1 300.

SPACY. Voir **SPAZ**

SPADA Alessandro
XVIIe siècle. Travailla en 1690. Britannique.
Graveur au burin.

SPADA Filippo de, comte
Né en 1789 à Terni. Mort le 10 février 1852 à Macerata. XIXe siècle. Italien.

Peintre et architecte.
Il exécuta des tableaux d'autel pour les églises de Macerata.

SPADA Giovanni Battista
XVe siècle. Italien.
Enlumineur (?)
Il travailla à Milan en 1436.

SPADA Jacopo
XVIIIe siècle. Actif au début du XVIIIe siècle. Italien.
Sculpteur.
Il a sculpté un autel se trouvant dans l'église San Pietro di Castello de Venise.

SPADA Leonello ou **Lionello**
Né en 1576 à Bologne. Mort le 17 mai 1622 à Parme. XVIIe siècle. Italien.
Peintre d'histoire, compositions religieuses, dessinateur.
Ses parents, extrêmement pauvres, le placèrent comme broyeur de couleurs chez les Carracci. Ses remarquables dispositions artistiques se développèrent rapidement dans ce milieu et il ne tarda pas à être accepté comme élève par ses maîtres. Il se classa parmi les meilleurs jeunes peintres bolonais. Il alla ensuite à Rome et, séduit par la facture puissante de Michel Angelo da Caravaggio, il se plaça sous sa direction et l'accompagna à Naples et à Malte. Après la mort d'Amerighi, Spada séjourna à Ferrare, à Modène et à Reggio puis revint enfin à Bologne. Il y trouva de nombreux travaux. Il y peignit notamment une *Pêche miraculeuse*, pour le réfectoire de San Procole et un tableau d'autel pour San Domenico. Il acheva sa carrière à Parme où l'avait appelé le duc Rameccio. Il signa souvent ses œuvres d'une épée (*spada* en italien).

MUSÉES : BARNARD CASTLE : *Jésus âgé de douze ans au Temple* – BESANÇON : *Mariage mystique de sainte Catherine* – BOLOGNE (église San Domenico) : *Saint Jérôme – Saint Dominique faisant brûler les livres hérétiques* – BOLOGNE (église San Michele in Bosco) : *Vie de sainte Cécile et de saint Benoît*, fresques – BOLOGNE : *Melchisédech et Abraham* – BORDEAUX : *Les quatre âges de la vie* – BORGHAUSEN : *Travaux de construction* – CHANTILLY : *Christ couronné d'épines* – DRESDE : *Christ à la colonne – David remet à un guerrier la tête de Goliath – Amour maîtrisant un léopard* – FLORENCE : *L'artiste* – GLASGOW : *Vierge et enfant Jésus – Une muse* – KARLSRUHE : *Sainte Famille* – LILLE : *Chasteté de Joseph* – MADRID (Mus. du Prado) : *Sainte Cécile* – MODÈNE : *Diseuse de bonne aventure – La Vierge et saint François* – NAPLES : *Caïn et Abel – Flagellation* – PARIS (Mus. du Louvre) : *Retour de l'enfant prodigue – Énée et Anchise – Concert – Martyre de saint Christophe* – PARME (Pina.) : *Judith et Holopherne – Décollation de saint Jean Baptiste – Gethsémani – Saint Pierre renie Jésus* – PARME (église des Carmes) : *Saint Jérôme* – PARME (San Sepolcro) : *Le Martyre de sainte Catherine* – REGGIO (église de la Madonna) : *David et Abigaïl – Judith et Holopherne – Esther et Assuerus – Les Vertus* – ROME (Palais Borghèse) : *Musiciens* – TURIN (Pina.) : *Le Retour de l'enfant prodigue* – VARSOVIE (Mus. Nat.) : *Jérémie*.

VENTES PUBLIQUES : PARIS, 1776 : *La Tentation de saint Antoine*, pl. et bistre ; *Une petite Sainte Famille*, bistre, deux dess. : FRF 20 – PARIS, 1811 : *Madeleine expirante* : FRF 201 – PARIS, 1843 : *Sainte Lucie* : FRF 410 – PARIS, 1863 : *La crucifixion* : FRF 8 925 – PARIS, 1865 : *Le Christ conduit au supplice*, dess. à la pl. : FRF 15 – PARIS, 15 fév. 1943 : *La pyramide humaine*, dess. à la pl. : FRF 400 – VIENNE, 18 juin 1968 : *Saint Jérôme* : ATS 40 000 – VIENNE, 22 sep. 1970 : *Salomé* : ATS 35 000 – MILAN, 3 nov. 1982 : *La mort de Cléopâtre*, h/t (83x123) : ITL 20 000 000 – MILAN, 27 nov. 1984 : *Christ devant Ponce Pilate*, h/t (120x174) : ITL 25 000 000 – NEW YORK, 6 juin 1985 : *La mort de Lucrèce*, h/t (138,5x95) : USD 21 000 – NEW YORK, 11 jan. 1990 : *La Mort de Lucrèce*, h/t (138,5x95) : USD 66 000.

SPADA Michelangelo
Originaire de Vérone. XVIIIe siècle. Italien.
Peintre.
Élève de Brentana et de Giovanni Giuseppe dal Sole. Il travailla vers 1730, notamment pour l'église et le monastère de Sainte Anastasie de Vérone.

SPADA Simone, appelé aussi **Simone dei Martinazzi** ou **de Martinatis Dictus de Spadis**
Né en 1482 à Parme. Mort en 1546 à Parme. XVIe siècle. Italien.

Peintre.

Élève de F. Francia et de Filippo Mazzola. Le Musée Kaiser Friedrich de Berlin conserve de lui *Madone avec l'Enfant, saint Roch et sainte Appollonia,* œuvre datée de 1504.

SPADA Valerio

Né en 1613 à Valdasa. Mort en 1688 à Valdasa. XVIIe siècle. Travaillant à Florence. Italien.

Miniaturiste, calligraphe et graveur à l'eau-forte.

Élève de Lorenzo Lippi. Il grava des œuvres de calligraphie.

SPADA Veronica

XVIIIe siècle. Active à Vérone vers 1718. Italienne.

Peintre de natures mortes, fleurs, fruits et oiseaux.

Sœur de Michelangelo Spada.

SPADA Virgilio

Né le 17 juillet 1596 à Brisighella (près de Faenza). Mort le 11 décembre 1662 à Rome. XVIIe siècle. Italien.

Dessinateur d'architectures.

Frère de Bernardino Spada qui fit construire le Palais Spada à Rome.

SPADAFORA Antonio. Voir SPATAFORA

SPADAFORA Bernardo

XVe siècle. Actif à Naples. Italien.

Peintre.

Il travailla dans la cathédrale d'Amalfi en 1499.

SPADAFORA Giuseppe. Voir SPATAFORA

SPADARI Benedetto

XVIe siècle. Actif à Arezzo en 1528. Italien.

Peintre.

Élève de Guglielmo di Pietro de Marcillat.

SPADARI Giangiacomo

Né en 1938 à San Marino. XXe siècle. Italien.

Peintre de scènes animées, peintre de collages. Nouvelles Figurations, tendance pop art.

Ce fut en 1961 qu'il s'établit à Milan et se détermina pour la peinture.

Spadari prend part à des expositions collectives, nationales et internationales, dans un premier temps à objectif politique : 1966 Milan, *La contestation autorisée,* librairie Einaudi ; 1969 Paris, *Salle rouge pour le Viet-Nam,* au Salon de la Jeune Peinture ; 1970 en France également, *Aspects du racisme.*

Depuis le début des années soixante, Spadari a fait de nombreuses expositions personnelles, en Italie, à Naples, Turin, Rome, Florence et surtout Milan : 1968, galerie Bergamini ; 1974 *Garibaldi et le compromis historique* ; mais aussi à l'étranger : 1973 Berlin, *Rosa Luxemburg : une vie pour le socialisme* ; 1993 Paris, *Amarcord* en hommage à Federico Fellini, galerie du Centre.

Pour des raisons diverses et réelles, mais d'ordre technique et non idéologique, il est souvent associé au Français Bernard Rancillac. Tous deux utilisent un procédé de projection et solarisation de l'image prélevée des documents de l'actualité, procédé issu de la technique photographique, qui accentue les ombres, créant des contrastes vibrants entre zones sombres et zones éclairées, et hausse les couleurs jusqu'à l'insolite, à la limite de l'insoutenable. Loin de vouloir occulter la réalité, Spadari pense au contraire mettre ainsi en évidence les éléments protagonistes du sens. Voulant provoquer et infléchir, il propose des images associatives, toujours lisibles bien que non servilement fidèles à la réalité. Ce procédé d'associations évoque aussi les photomontages de Heartfield, auquel d'ailleurs Spadari fait ouvertement référence dans certaines de ses peintures, réutilisant des éléments qui lui sont empruntés.

Ses premières peintures étaient indifféremment figuratives ou informelles. Puis, une première partie de l'œuvre de Spadari est placée sous le signe de la figuration politique : 1969 *Storia americana* ; 1973 *Die rote Fahne* (Le drapeau rouge). Dans cet univers de lutte politique, il juxtapose des éléments apparemment disparates, mais toujours signifiants, et qui en appellent toujours à des références historiques réelles : le cuirassé Potemkine, l'assassinat de Trotsky, le combat de Rosa Luxemburg... Dans ces peintures politiques, il peut introduire des sortes de citations extraites d'œuvres d'artistes, avec des options desquels il est d'accord, par exemple des citations de Fernand Léger quand il s'agit de luttes ouvrières.

Dans une deuxième partie de son œuvre, de 1976 à 1980, il a appliqué les mêmes procédés techniques et narratifs à la représentation de faits divers : le boxeur Marcel Cerdan et la chanteuse Édith Piaf, le cycliste Fausto Coppi à l'assaut du col du Galibier, associés à une transposition de scènes célèbres du cinéma, qui elles-mêmes peuvent être des transpositions de la réalité, recensant ces phénomènes imaginaires qui se sont intégrés dans l'inconscient collectif, associant le monde de la fiction cinématographique à celui de la fiction littéraire par l'insertion de portraits de ses écrivains « vedettes » : Hemingway, Proust, Camus. Puis, dans les années quatre-vingt, constatant : « ...le monde que je connaissais ne m'intéressait plus. Ni l'homme, ni l'idéologie... », il s'est appliqué à une série de paysages, *Le temps de la nature,* inspirés de Caspar David Friedrich, délaissant totalement la présence humaine.

Quels que soient les thèmes développés, l'art de Spadari vise avant tout à communiquer et sa technique, ne négligeant pas les moyens expérimentés par les avant-gardes historiques, dadaïste en Allemagne, agitprop en U.R.S.S., fait toujours référence aux médias les plus efficaces, photographie, cinéma, affiche, bande dessinée et hebdomadaires illustrés. Bien que le mot ne soit jamais avancé, la peinture de Spadari, avec ses recours aux procédés techniques et stratégies médiatiques de la publicité, est apparue et s'est développée à la faveur de la proliferation du pop art, dont elle constitue l'un des nombreux diverticules, dont le temps fort restera celui de l'engagement politique.

◼ Jacques Busse

BIBLIOGR. : In : *L'art du XXe siècle,* Larousse, Paris, 1991 – in : *Diction. de l'Art Mod. et Contemp.,* Hazan, Paris, 1992.

VENTES PUBLIQUES : MILAN, 14 avr. 1992 : *Pour un personnage,* h/t (80x80) : **ITL 1 200 000** – MILAN, 12 déc. 1995 : *La fugue* 1967, h/t (100x100) : **ITL 1 150 000.**

SPADARI Ottolini di Guizzadino de

XVe siècle. Travaillant à Ferrare en 1481 et à Bologne de 1488 à 1493. Italien.

Miniaturiste.

SPADARINI Antonio ou Spadarino

Originaire de Vérone. XVIIIe siècle. Italien.

Peintre.

Il travailla dans la première moitié du XVIIIe siècle. Il exécuta des tableaux d'autel pour des églises de Vérone et des environs.

SPADARINO Giovanni Antonio. Voir GALLI Giovanni Antonio

SPADARO Micco. Voir GARGIULIO Domenico

SPADEN Jan I, dit Jan Oliepot

Mort avant 1394. XIVe siècle. Actif à Louvain. Éc. flamande.

Peintre.

Père de Jan II S. Il travailla pour la ville de Louvain à partir de 1364.

SPADEN Jan II

XVe siècle. Actif à Louvain de 1411 à 1424. Éc. flamande.

Peintre.

Fils de Jan Spaden I.

SPADINI Andrea

Né en 1912 à Rome. Mort en 1983 à Rome. XXe siècle. Italien.

Sculpteur de figures, groupes.

MUSÉES : ROME (Gal. d'Arte Mod.).

VENTES PUBLIQUES : ROME, 28 mars 1995 : *Trois figures entourant un tronc d'arbre,* argile (22x11x11) : **ITL 2 990 000.**

SPADINI Armando ou Spandini

Né le 29 juillet 1883 à Poggio de Caiano. Mort le 31 mars 1925 à Rome. XXe siècle. Italien.

Peintre de compositions religieuses, figures, nus, portraits, paysages, natures mortes, dessinateur.

Autodidacte de tempérament, il ne suivit que quelques mois l'enseignement de Adolfo de Karolis à l'Académie des Beaux-Arts de Florence. Il travailla un certain temps comme céramiste, puis, en 1910, il s'établit comme peintre à Rome. En 1983, pour le centième anniversaire de sa naissance, la Galerie Nationale d'Art Moderne de Rome organisa une exposition rétrospective de son œuvre.

Il faisait une peinture proche de celle des « macchiaioli », qui peuvent être considérés comme les représentants d'un certain impressionnisme italien. Il s'agissait, contre l'académisme artificiel, d'une « réaction naturaliste » par la pratique du plein air et une technique spontanée et synthétique. Outre des portraits et des scènes intimistes, Armando Spadini peint des paysages d'une agréable fraîcheur. Une technique de touches souples et des tons éclatants s'accordent à traduire la luminosité de la terre italienne.

BIBLIOGR. : Adolfo Venturi : *Armando Spadini*, Mondadori, Milan, 1927 – Mario Borgiotti, in : *Genio dei Macchiaioli*, Alfieri et Lacroix, Milan, 1964 – Catalogue de l'exposition *Armando Spadini*, Gal. Nat. d'Art Mod., Rome, 1983.

MUSÉES : FLORENCE (Gal. d'Art Mod.) : *Dame au jardin* – *Portrait d'une dame* – *Poules* – LIMA : *Jeux d'enfants* – PARIS (Mus. d'Orsay) : *Portrait du comte Trimoli* – PLAISANCE (Gal. d'Art Mod.) : *La famille du peintre A. de Karolis* – *Enfant au berceau* – ROME (Gal. d'Art Mod.) : *Jeune fille à l'éventail*.

VENTES PUBLIQUES : MILAN, 12-13 mars 1963 : *Femmes et enfants* : **ITL 6 500 000** – MILAN, 3 mars 1965 : *La famille* : **ITL 18 000 000** – MILAN, 4 juin 1970 : *Musica al Pincio* : **ITL 14 000 000** – MILAN, 29 mars 1973 : *Nu* : **ITL 8 000 000** – MILAN, 26 mai 1977 : *Villa Borghese*, h/t (50x61) : **ITL 10 000 000** – MILAN, 20 mars 1980 : *Parc animé de nombreux personnages* 1915, h/t (87x57,5) : **ITL 36 000 000** – MILAN, 19 mars 1981 : *Bozzetto della Visitazione* 1924, h/t (84,5x114) : **ITL 44 000 000** – MILAN, 30 oct. 1984 : *Mère et enfants à la fenêtre* 1911, h/t (75x55) : **ITL 36 000 000** – MILAN, 12 déc. 1985 : *Le parc de la Villa Borghese*, h/t (70x82) : **ITL 40 000 000** – MILAN, 11 déc. 1986 : *Tête d'enfant*, sanguine (25x19) : **ITL 2 400 000** – MILAN, 9 juin 1987 : *Moïse sauvé des eaux*, h/t (80x65,5) : **ITL 42 000 000** – MILAN, 23 mars 1988 : *Saint Antoine entouré d'animaux*, h/cart. (66x96) : **ITL 60 000 000** – MILAN, 1er juin 1988 : *La famille à la Villa Tavazzi* 1925, h/t (50x40) : **ITL 70 000 000** – ROME, 14 déc. 1988 : *Nu féminin*, cr. et aquar. /pap. (24x19) : **ITL 750 000** – ROME, 12 déc. 1989 : *Villa Borghèse*, cr. gras/pap. (18,5x25) : **ITL 1 500 000** – MILAN, 8 mars 1990 : *Groupe de famille à la Villa Tavazzi à Rome* 1914, h/t (92x76) : **ITL 135 000 000** – MILAN, 18 oct. 1990 : *L'Épouse et la fille du peintre* 1910, h/t (92x74,5) : **ITL 58 000 000** – MILAN, 6 juin 1991 : *Paysage (recto)* : *Mère et fils (verso)*, h/t (54x54) : **ITL 42 000 000** – ROME, 14 nov. 1991 : *Amour maternel*, h/t (62x50) : **ITL 74 750 000** – ROME, 10 déc. 1991 : *Printemps nuageux*, h/t (72x94) : **ITL 65 000 000** – ROME, 26 mai 1993 : *Anna et Lillo*, h/t (90x66) : **ITL 54 000 000** – ROME, 27 avr. 1993 : *Personnages dans un parc*, h/t (100x60) : **ITL 11 260 500** – MILAN, 29 mars 1995 : *Étude pour Moïse* 1920, h/t (91x110) : **ITL 92 000 000** – LONDRES, 12 juin 1996 : *Erina Berni au chapeau*, h/t (75x64) : **GBP 25 300**.

SPADINI Franca
Née à Grosseto. XXe siècle. Italienne.
Sculpteur.
Elle fut élève de l'Université de New York et fréquenta des ateliers de sculpture et de céramique. Elle s'est établie à Livourne. Collectivement et individuellement, elle expose à Castiglioncello, Milan, Florence, Livourne, Rome. En 1971, elle fut lauréate du Prix de Sculpture de Livourne ; en 1972 à l'Exposition Internationale d'Art Contemporain de Rome.

SPADINSACHI Giorgio
XVe siècle. Italien.
Peintre.
Il a peint un blason pour la porte de la ville de Reggio Emilia en 1489.

SPADOLINI Guido
Né le 8 juillet 1889 à Florence. XXe siècle. Italien.
Peintre, graveur de paysages.
Il fut élève de Tito Lessi. Il était actif à Florence.
Il grava une suite de vingt-trois feuillets : *Les jardins de Florence*.

SPAEDT Christian
XVIIe siècle. Actif en Styrie en 1601. Autrichien.
Peintre.
Il peignit une fresque (*L'Assomption*) pour le cimetière de Vordernberg.

SPAEINGAERT Jacob. Voir SPAIGNAERTS

SPAEKENS Théodor
Né en 1810 ou 1812 à Maestricht. XIXe siècle. Hollandais.
Peintre d'histoire et aquafortiste.
Élève de Van Bree. Ses œuvres sont à Bruxelles et à Maestricht (église Saint-Servatruis).

SPAENDONCK Cornelis Van, ou Corneille de
Né le 7 décembre 1756 à Tilbourg. Mort en janvier 1840 à Paris. XVIIIe-XIXe siècles. Actif en France. Hollandais.
Peintre de portraits, miniatures, natures mortes, fleurs et fruits.

Frère de Gerardus Van Spaendonck, il vint aussi à Paris, où se passa toute sa carrière ; il travailla à la Manufacture de Sèvres. Il aurait, lui aussi, été élève de Guillaume Herreyns à l'Académie de Peinture, Sculpture et Architecture de Malines qu'il venait de fonder en 1771, mais il semble que la biographie qui lui est attribuée dans cet ouvrage (*Dictionnaire biographique illustré des artistes en Belgique depuis 1830*) soit celle de son frère.

Il aurait peint quelques portraits à l'huile, mais, comme son frère, se fit essentiellement connaître avec succès pour ses peintures de fleurs. Il semblerait que les peintures de Gerardus comportent souvent des papillons et insectes divers, voire oiseaux, et non celles de Cornelis ; toutefois, on peut supposer que des erreurs d'attribution auraient pu se produire entre les œuvres des deux frères.

Pour les ventes publiques, voir aussi les prix de Spaendonck Gerardus.

Corneille Van Spaendonck

BIBLIOGR. : In : *Dict. biogr. illustré des artistes en Belgique depuis 1830*, Arto, Bruxelles, 1987.

MUSÉES : ANGERS : *Vase de Fleurs* – BESANÇON : *Tulipes* – CARCASSONNE : *Coupe de cristal et fleurs* – LYON : *Roses dans un vase* – *Fleurs dans un vase et bouquet sur une table de marbre* – PARIS (Mus. du Louvre) : *Fleurs dans une corbeille* – SOISSONS : *Vue du tombeau de M. et Mme Leprince*.

VENTES PUBLIQUES : PARIS, 1805 : *Deux bouquets de fleurs dans des carafes*, deux dess. en coul. : **FRF 241** – PARIS, 1841 : *Bouquet de fleurs dans un vase* : **FRF 900** ; *Vase de pavots* : **FRF 811** – PARIS, 21 mai 1873 : *Fleurs et fruits* : **FRF 3 505** ; *Fleurs et fruits* : **FRF 3 000** – PARIS, 1883 : *Bouquet de fleurs et fruits* ; *Bouquet de fleurs, fruits et nid d'oiseau*, deux aquar., formant pendants : **FRF 410** – PARIS, 1891 : *Fleurs* : **FRF 1 500** – PARIS, 20 juin 1919 : *Le bouquet* : **FRF 300** – PARIS, 12 déc. 1919 : *Corbeille de fleurs* : **FRF 2 000** – PARIS, 11 juin 1920 : *Fleurs sur une table de marbre* : **FRF 910** – PARIS, 6 mai 1921 : *Fleurs, fruits et gibier*, deux toiles : **FRF 700** – PARIS, 26 nov. 1926 : *Fleurs dans un vase* : **FRF 4 200** – PARIS, 18 mars 1937 : *Vase de fleurs : roses, primevères, giroflées* : **FRF 3 500** – PARIS, 16 mars 1939 : *Vase de fleurs* : **FRF 30 000** – BRUXELLES, 15 avr. 1939 : *Fleurs* : **BEF 7 000** – PARIS, 13-14 déc. 1943 : *Corbeille de fleurs et insectes*, attr. : **FRF 120 000** – PARIS, 24 mars 1944 : *Vase de fleurs*, attr. : **FRF 12 800** – PARIS, oct. 1945-juil. 1946 : *Nature morte aux raisins, coloquinte, papillons et lézard* 1839, aquar. : **FRF 1 500** – PARIS, 21 oct. 1946 : *Bouquet de fleurs dans un vase de porcelaine*, attr. : **FRF 6 000** – PARIS, 6 déc. 1946 : *Branche de roses*, attr. : **FRF 19 100** – PARIS, 29 jan. 1947 : *Fleurs*, attr. : **FRF 55 000** – PARIS, 15 mai 1950 : *Vases de fleurs*, deux pendants. Attr. : **FRF 155 000** – PARIS, 14 mars 1955 : *Table d'office* : **FRF 40 500** – LONDRES, 26 mars 1969 : *Bouquet de fleurs* : **GBP 9 000** – LONDRES, 10 nov. 1971 : *Natures mortes aux fleurs*, deux pendants : **GBP 2 400** – NEW YORK, 6 déc. 1973 : *Nature morte aux fleurs* : **USD 17 000** – AMSTERDAM, 26 avr. 1977 : *Natures mortes*, gche, une paire (73x58,5) : **NLG 39 000** – PARIS, 21 mars 1977 : *Vase de fleurs* 1818, h/t (52,5x41,5) : **FRF 54 000** – LONDRES, 18 juin 1980 : *Nature morte aux fleurs*, h/pan. (19x14,5) : **GBP 3 400** – BRADFORD, 19 nov. 1981 : *Nature morte aux fleurs*, h/t (56,5x41) : **DEM 32 000** – VERSAILLES, 30 oct. 1983 : *Bouquet de fleurs au panier* ; *Bouquet à la rose*, gche, deux pendants (32,5x24,5) : **FRF 95 000** – MONTE-CARLO, 14 fév. 1983 : *Bouquet de fleurs dans un vase en bronze*, h/cuivre (32x27) : **FRF 85 000** – LONDRES, 4 juil. 1986 : *Nature morte aux pêches, raisins et aux fleurs sur un entablement* 1804, h/t (92,7x73,6) : **GBP 28 000** – NEW YORK, 15 jan. 1987 : *Nature morte aux fleurs dans un vase de verre et fruits sur un entablement* 1787, h/t (69x53,5) : **USD 105 000** – PARIS, 15 avr. 1988 : *Nature morte aux raisins et pêches sur un entablement*, h/cart. (17,3x22,5) : **FRF 12 500** – LONDRES, 22 avr. 1988 : *Trois épis de maïs suspendus à un clou* (51x41,5) : **GBP 7 150** – AMSTERDAM, 18 mai 1988 : *Une rose, des lilas, un soucis, des myosotis, une anémone et un hibiscus dans un panier, sur une console de marbre* 1798, h/pan. (27,9x20,4) : **NLG 126 500** – NEW YORK, 11 jan. 1989 : *Roses, tulipes, narcisses, volubilis, delphiniums et autres dans une urne avec un nid sur un entablement* 1817, h/t (80,6x64,7) : **USD 28 600** – NEW YORK, 23 mai 1989 : *Composition florale dans une corbeille d'osier* 1821, h/t (51x40,5) : **USD 110 000** – PARIS, 12 déc. 1989 : *Une corbeille de différentes fleurs*, h/t (93x73) : **FRF 2 400 000** – NICE, 29 juin

1995 : *Bouquet de fleurs*, h/t (81x64) : **FRF 310 000** – Londres, 20 nov. 1996 : *Nature morte de fleurs dans un vase sur un entablement 1824*, h/pan. (63x52) : **GBP 58 700** – Amsterdam, 27 oct. 1997 : *Nature morte de tulipes, pivoines, roses, et autres fleurs sur un entablement de marbre 1817*, h/t (84x67) : **NLG 306 800**.

SPAENDONCK Gerardus Van, ou Gérard de

Né le 23 mars 1746 à Tilbourg. Mort le 18 mai 1822 à Paris. XVIIIᵉ-XIXᵉ siècles. Depuis 1770 actif en France. Hollandais.

Peintre de portraits, miniatures, natures mortes, fleurs et fruits, peintre à la gouache, aquarelliste.

Bien que presque toute sa vie se soit passée en France, à Paris, c'est en Hollande et plus tard à Anvers, qu'il se forma. Il fut élève d'Herreyns, peintre d'histoire à peine plus âgé que lui de trois années mais qui était, dès 1765, professeur à l'Académie. Gérard Spaendonck arrive à Paris en 1770 ; quatre années plus tard il obtint la place de peintre en miniature du roi. Il exécuta à cette époque des dessus de tabatières à motifs de fleurs, à la gouache ou à l'aquarelle, d'une grande précision de dessin, très fraîches de couleurs, qui obtinrent un énorme succès. Les œuvres plus importantes qu'il peignit par la suite, devaient toujours se ressentir de ces débuts modestes où la finesse du dessin, l'habileté de la main, eut plus de part que le sentiment artistique. Il est cependant l'auteur d'un nombre considérable de tableaux de fleurs. Reçu en 1791 membre de l'Académie Royale, il exposa au Salon jusqu'à sa mort. Bien que peintre du Roi, la Révolution ne lui tint pas rigueur et il fut nommé professeur au Jardin des Plantes où il eut de nombreux élèves. A la création de l'Académie des Beaux-Arts, il fut l'un des premiers nommés ; il y siégea jusqu'en 1822.

Gérard Van Spaendonck ainsi que son frère prolongèrent jusqu'au milieu du XIXᵉ siècle la tradition des peintres de fleurs hollandais si estimés dans ce pays d'horticulteurs, où Rachel Ruysch au XVIIIᵉ siècle, fut le lien entre Van Huysum et Gérard Van Spaendonck. Son éloge funèbre prononcé par Quatremère de Quincy l'assimile aux plus grands peintres ; l'avenir n'a pas ratifié ce jugement un peu prématuré. Gérard Van Spaendonck appartient à ces peintres « précieux » qui savent accumuler les détails remplissant d'admiration les amateurs d'antan. Il est juste de reconnaître que cette faveur s'est en partie maintenue de notre temps pour certaines œuvres du passé. Les productions des deux Spaendonck, si elles ne sont pas appréciées aujourd'hui pour les mêmes raisons, appartiennent cependant à un genre de décoration aimable qui s'accorde parfaitement au mobilier ancien, ce qui justifie l'estime qu'on leur accorde.

Musées : Angers : *Plantes* – *Portraits de La Réveillère-Lépeaux et de Gérard* – Bagnères-de-Bigorre : *Fruits* – Épinal : *Fleurs* – Fontainebleau : *Corbeille et vase de fleurs* – Montpellier : *Grappe de raisin noir* – Paris (Mus. du Louvre) : *Fruits et fleurs*.

Ventes Publiques : Paris, 1807 : *Vase de fleurs* : **FRF 220** – Paris, 1821 : *Bouquet de fleurs* : **FRF 2 550** – Paris, 1857 : *Vase de fleurs* : **FRF 2 450** – Paris, 1859 : *Bouquets de fleurs dans un vase, deux miniatures ornant le dessus et le dessous d'une tabatière* : **FRF 910** – Paris, 1862 : *Bouquet de pivoines, tulipes et oreilles d'ours* : **FRF 3 280** – Paris, 1868 : *Oiseau, fruits et fleurs* : **FRF 2 025** – Paris, 1877 : *Fleurs et fruits* : **FRF 2 150** – Paris, 4 juin 1891 : *Fleurs dans un vase* : **FRF 4 100** ; *Fleurs et fruits dans une corbeille* : **FRF 2 500** – Paris, 1898 : *Fleurs et fruits, miniature* : **FRF 820** ; *Vase de fleurs, miniature* : **FRF 1 150** – Paris, 1899 : *Bouquet de fleurs* : **FRF 1 200** – Paris, 8 avr. 1919 : *Fleurs et raisins, miniat. à la gche* : **FRF 1 350** – Paris, 29 et 30 nov. 1920 : *Vase de fleurs sur une table de marbre* : **FRF 2 400** – Paris, 11 déc. 1934 : *Vase de fleurs* : **FRF 18 100** – Paris, 5 déc. 1936 : *Nature morte* : **FRF 7 300** – Paris, 5 mars 1937 : *Vase de cristal d'où s'échappent les fleurs, une grappe de raisin, des pêches et un melon ouvert* : **FRF 6 700** – Paris, 4 déc. 1941 : *Fleurs* : **FRF 18 000** – Paris, 11 juin 1942 : *Roses et œillets* : **FRF 7 200** – Paris, 28 oct. 1942 : *Vase de fleurs, attr.* : **FRF 7 000** – Paris, 16 déc. 1942 : *Fleurs dans un vase en céladon gris, école des Van Spaendonck* : **FRF 33 000** – Paris, 7 avr. 1943 : *Corbeille de fleurs, école des Van Spaendonck* : **FRF 20 000** – Paris, 27 déc. 1946 : *Bouquet de fleurs, miniature* : **FRF 22 000** – Paris, 11 avr. 1951 : *Fleurs dans des vases, deux pendants. École des Van Spaendonck* : **FRF 158 000** – Londres, 11 juil. 1962 : *Panier de fleurs* : **GBP 1 900** – Londres, 27 mars 1963 : *Bouquet de fleurs* : **GBP 2 000** – Londres, 22 avr. 1966 : *Panier de fleurs sur un entablement* : **GNS 2 500** – Londres, 21 mars 1973 : *Nature morte aux fleurs, aquar.* : **GBP 500** – Versailles, 17 févr. 1974 : *Vase de fleurs* : **FRF 35 000** – Paris, 25 fév. 1976 : *Nature morte 1815*, h/pan. (42,5x33,5) : **FRF 8 200** – Paris, 16 juin 1977 : *Le bouquet de fleurs, aquar. gchée* (43,5x35,5) : **FRF 14 000** – Paris, 28 nov. 1978 : *Vase de fleurs 1773*, h/t, forme ovale (54x45,5) : **FRF 115 000** – Vienne, 10 juin 1980 : *Nature morte aux fleurs*, h/t (66x53,5) : **ATS 130 000** – Londres, 10 déc. 1982 : *Fleurs et nid d'oiseaux sur un entablement*, h/pan. (22,2x19) : **GBP 7 500** – Amsterdam, 15 nov. 1983 : *Nature morte aux fleurs, aquar.* (65,9x51,8) : **NLG 12 000** – Versailles, 20 fév. 1983 : *Vase de fleurs, nid d'oisillons et fruits posés sur un entablement de marbre brèche 1775*, h/t : **FRF 91 000** – Londres, 22 mars 1985 : *Bouquet de fleurs*, h/pan. (68,5x57) : **GBP 16 000** – Monte-Carlo, 3 avr. 1987 : *Panier de fleurs et urne d'albâtre sur un entablement en marbre 1787*, h/t (100x81,5) : **FRF 2 200 000** – New York, 11 jan. 1991 : *Bouquet de tulipes, roses et pavot avec un papillon blanc et autres insectes*, h./marbre (50,9x38,1) : **USD 363 000** – Monaco, 2 juil. 1993 : *Branche de roses à cent feuilles*, h/t (22x17,8) : **FRF 188 700** – New York, 19 mai 1994 : *Composition florale dans une corbeille survolée par des papillons, une libellule près d'une urne d'albâtre sur un piédestal gravé sur un entablement de marbre 1787*, h/t (100x81,6) : **USD 1 047 500** – Londres, 9 déc. 1994 : *Grenades, pêches, raisin et fleurs de capucines dans une corbeille avec une urne sculptée sur un entablement 1776*, h/t (65,5x55,3) : **GBP 41 100** – Paris, 24 nov. 1995 : *Bouquet de fleurs et nid sur un entablement, gche et aquar.* (21,5x16,5) : **FRF 33 000**.

SPAET Franz Xaver ou Spaett. Voir SPÄTH

SPAETH Carola

Née le 29 avril 1883 à Philadelphie. XXᵉ siècle. Américaine.
Peintre.
Elle était active à Philadelphie.

SPAETH Marie Haughton

Née à Hanover (New Hampshire). XXᵉ siècle. Américaine.
Peintre de portraits.
Elle fut élève de l'Académie des Beaux-Arts de Philadelphie. Elle compléta sa formation en France, Espagne, Italie. Elle était membre de la Fédération Américaine des Arts.
Elle est l'auteur de nombreux portraits d'enfants.

SPAETHE Oscar

Né en 1875 à Bucarest. XXᵉ siècle. Roumain.
Sculpteur de figures mythologiques.
Musées : Bucarest (Mus. Simu) : *Bacchus* – *Le pâtre*.

SPAETHLING Franz Xaver

Né le 23 juin 1842 à Waidhaus. Mort le 13 juin 1911 à Ratisbonne. XIXᵉ-XXᵉ siècles. Allemand.
Peintre, restaurateur.

SPAGIASI Giovanni ou Spaggiari

Né vers 1650 à Reggio Emilia. Mort le 3 octobre 1730 à Varsovie. XVIIᵉ-XVIIIᵉ siècles. Italien.
Peintre décorateur.
Père de Pellegrino Spagiasi. Il étudia à Rome où le pape le nomma *Cavaliere aurasi i Conte del sacro Palazzo*. En 1726 il vint à Varsovie et travailla pour le roi Auguste II.

SPAGIASI Pellegrino ou Spaggiari

Né à Reggio Emilia. Mort vers 1746 en France. XVIIIᵉ siècle. Italien.
Peintre de décors, d'intérieurs, de perspectives.
Fils de Giovanni Spagiasi. Élève de Francesco Bibiena. Il peignit le tableau du maître-autel de l'église Saint-Dominique de Reggio Emilia.

SPÄGL Wolfgang

XVIIᵉ siècle. Actif à Mühldorf dans la seconde moitié du XVIIᵉ siècle. Allemand.
Peintre.
Il peignit un tableau d'autel pour l'église d'Ecksberg en Bavière.

SPAGNA Francesco

XVIIᵉ siècle. Actif à Rome de 1627 à 1639. Italien.
Médailleur et orfèvre.
Il travailla pour le Vatican de Rome.

SPAGNA Giuseppe

Mort le 4 décembre 1839. XIXᵉ siècle. Actif à Rome. Italien.
Sculpteur, fondeur et orfèvre.
Il restaura la statue de Marc-Aurèle à Rome.

SPAGNA Paolo

XVIIᵉ siècle. Actif à Rome de 1651 à 1655. Italien.
Peintre.
Élève de G. F. Romanelli.

SPAGNA Pietro
XVIIᵉ siècle. Travaillant vers 1680. Italien.
Mosaïste.
Il exécuta des mosaïques pour le Vatican de Rome et la cathédrale Saint-Marc de Venise.

SPAGNAERT Jacob. Voir **SPAIGNAERTS**

SPAGNI Biagio
XVIIIᵉ siècle. Actif à Reggio Emilia. Italien.
Peintre.

SPAGNOLI Antonio
Né le 16 avril 1849 à Isera. Mort le 19 mars 1932. XIXᵉ-XXᵉ siècles. Italien.
Sculpteur.
Il fut élève d'Antonio Tantardini et de l'Académie des Beaux-Arts de Milan.
Il a travaillé à Innsbruck et à Rovereto.

SPAGNOLI Sebastiano
XVIᵉ siècle. Italien.
Peintre.
Actif à Padoue, il travailla à Bassano de 1503 à 1514.

SPAGNOLI Umberto
Né vers 1872 au Caire (Égypte). Mort en mars 1922 à Mar del Plata (Argentine). XIXᵉ-XXᵉ siècles. Italien.
Sculpteur.

SPAGNOLINI Arnolfo
Né en 1764 à Turin. XVIIIᵉ siècle. Italien.
Dessinateur d'ornements et architecte.

SPAGNULO Giuseppe
Né le 28 décembre 1936 à Grottaglie. XXᵉ siècle. Italien.
Sculpteur, dessinateur. Abstrait, tendance process art.
Son père avait un atelier de céramiste, où le jeune Giuseppe Spagnulo apprit à pétrir la glaise sur le tour et à la cuire au four. Puis il fut élève à l'École d'Art de Grottaglie ; ensuite, de 1952 à 1958, à l'Institut d'Art pour la céramique à Faenza. En 1959, il étudia la sculpture avec Marino Marini à l'Académie Brera de Milan. En 1959-60, il travailla comme assistant dans l'atelier de Lucio Fontana et Gio et Arnaldo Pomodoro ; il connut aussi Tancredi et Manzoni. En 1963, il entra en relation avec le directeur de la galerie Salone Annunciata et son groupe de jeunes artistes. En 1980, il séjourna une année à Berlin. Il vit et travaille à Milan.
Il participe à des expositions collectives, dont : 1967 Lissone, pour le Prix Lissone ; 1972 36ᵉ Biennale de Venise avec une salle entière et Palazzo Reale de Milan ; 1973 Biennale d'Anvers-Middelheim ; 1977 Galleria civica d'Arte moderna de Turin ; Museum Boymans-Van-Beuningen de Rotterdam ; 1979 Pinacoteca de Ravenne ; 1981 Palais des expositions de Rome et Hayward Gallery de Londres.
Il montre ses œuvres dans de nombreuses expositions personnelles, d'entre lesquelles : très régulièrement en Italie, depuis la première en 1965 à Milan, galerie Salone Annunciata, elle fut suivie d'autres en 1968, 1971, en 1972 : *Ferri spezzati* (Fers brisés), 1975, 1976, 1977 : *Cartoni* ; 1977 Galleria civica d'Arte moderna de Turin : *Paesaggi* et Harbor Art Museum de Newport ; 1978 Milan, Studio Carlo Grossetti : *Archeologia* et Kunsthalle de Bielefeld ; 1979 Cloître des Carmélites et galerie Appel et Fertsch de Francfort-sur-le-Main ; 1981 National galerie de Berlin et Kunstverein de Braunschweig ; 1982 Galerie im Lenbachhaus de Munich ; 1990 galerie Daniel Templon de Paris.
De 1960 à 1964, ses sculptures étaient en faïence et formées au tour de potier. Au cours des années, il aborda de nouveaux matériaux, dès avant l'exposition de 1965, la pierre, le bois ; en 1968, pendant la contestation sociale, l'acier, qui lui ouvrait des possibilités spatiales, jusqu'ici négligées, et dont il réalisait de grandes constructions qu'il érigeait dans les rues de Milan, en signe de protestation contre l'ordre établi.
Puis, restant dans des dimensions comparables à celles des réalisations minimalistes américaines, jusqu'en 1976, ce fut l'époque des « Fers brisés », où s'est affirmée particulièrement la parenté de leur réalisation avec le process art, comme en témoignent ses propres commentaires sur sa volonté de transgresser l'inertie de la matière et de détourner la gravité, par exemple celui concernant l'une des œuvres figurant à l'exposition de 1979 à Francfort : « J'ai pris un boulet d'acier et l'ai monté à une hauteur de mille mètres, afin de le faire tomber au sol. Au point de chute j'ai placé une plaque carrée de fer incandescent. Le boulet d'acier est aussi devenu incandescent par le frottement avec l'air. Le choc est monstrueux, sur la plaque de fer en est resté l'enfoncement, le boulet s'est ovalisé et fendu. – Que signifie cette opération ? – Aucune machine n'a été nécessaire pour ce travail, seule la réflexion a suffi à élever le boulet à une hauteur de mille mètres, pour le faire tomber ensuite. – Oui, c'est vrai ; je suis là, pour faire converger des forces surnaturelles. » Les réalisations de cette période des « Fers brisés » comportent aussi une dimension symbolique ; sans que ce soit très nouveau, Spagnulo glose volontiers sur le contenu symbolique, entre autres, de l'horizontalité, du cercle et, en général de cette série en tant que brisure des symboles d'un idéal collectif.
À partir de 1976, Spagnulo a radicalement changé d'orientations, d'objectifs, de matériaux, de dimensions. Il conceptualise son travail avec le thème des « Cartoni » (Cartons), dans la série des *Paesaggi* (Paysages) en tant qu'idée du présent sans cesse changeant et dramatique, et dans la série de la *Archeologia* en tant que retour sur le tragique passé de l'homme. Après 1982, il est revenu à la terre cuite peinte, avec une série d'*Autoportraits*. On ne peut statuer sur le devenir d'un artiste et son son art. Quant à ce qui a été fait, il a su conférer de la diversité, du spectaculaire, une certaine ingénuité poétique, à des entreprises qui ont pu entretenir des rapports avec des démarches contemporaines, minimalisme, conceptualisme, process art, mais sans se restreindre à aucune. ■ J. B.

BIBLIOGR. : Catalogue de l'exposition *Giuseppe Spagnulo*, Cloître des Carmélites et galerie Appel et Fertsch, Francfort-sur-le-Main, 1979, abondante documentation – in : *L'Art du XXᵉ siècle*, Larousse, Paris, 1991.
MUSÉES : BERLIN (Nationalgal.) – BIELFELD (Kunsthalle) – DORTMUND (Mus. am Ostwall) – MUNICH (Stadt Gal. in Lenbachhaus) – TURIN (Mus. civico d'Arte Mod.).
VENTES PUBLIQUES : MILAN, 24 mars 1988 : *Barre brisée* 1972, fer (36x80x46) : ITL 4 500 000.

SPAGNUOLI Francesco
XIXᵉ siècle. Actif à Bologne de 1834 à 1847. Italien.
Dessinateur et graveur au burin.

SPAHN Franz Anton. Voir **SPAUN**

SPAHN Victor
Né en 1949. XXᵉ siècle. Français.
Peintre.
VENTES PUBLIQUES : LE TOUQUET, 11 nov. 1990 : *La régate*, h/t (66x54) : **FRF 15 000** – LE TOUQUET, 19 mai 1991 : *Les joueurs de polo*, h/t (72x60) : **FRF 17 000** – LE TOUQUET, 10 nov. 1991 : *Le golfeur*, h/t (65x54) : **FRF 11 000** – LE TOUQUET, 30 mai 1993 : *La régate*, h/t (81x60) : **FRF 14 000** – LE TOUQUET, 21 mai 1995 : *L'allée cavalière*, h/t (61x50) : **FRF 8 500** – PARIS, 4 nov. 1997 : *Partie de polo*, h/t (50x65) : **FRF 4 100.**

SPAHR-MUHLENDYCK Ruth
Née en 1922 à Altenkirchen. Morte en 1977. XXᵉ siècle. Allemande.
Peintre de scènes animées. Tendance fantastique.
Autodidacte, elle peint depuis 1946. Elle participe à des expositions collectives à Munich, Wiesbaden, Francfort.
Peut-être expressionnisme, peut-être fantastique, sa peinture, très descriptive, fait penser à l'univers de Brueghel, magiquement transposé au XXᵉ siècle. Le café-concert s'y est substitué à la kermesse. Ruth Spahr-Muhlendyck n'hésite pas à donner à ses peintures un caractère fabuleux.

SPAIGNAERTS Jacob ou **Spaeingaert, Spagnaert, Spainiaert, Spanjaert** ou **Spainyaert**
Mort après 1655. XVIIᵉ siècle. Actif à Anvers. Éc. flamande.
Peintre.
Il peignit des paysages.

SPAIGNIEN Hendrik Van ou **Spanien** ou **Spanyen**
XVIIᵉ siècle. Actif à Anvers dans la première moitié du XVIIᵉ siècle. Éc. flamande.
Peintre et graveur au burin (?).
Élève de P. Snaeyers.

SPAINIAERT Jacob ou **Spainyaert.** Voir **SPAIGNAERTS**

SPALA Vaclav
Né le 24 août 1885 à Zlunice (Bohême). Mort le 13 mai 1946 à Prague. XXᵉ siècle. Tchécoslovaque.
Peintre de figures, paysages, fleurs, peintre à la gouache, graveur. Expressionniste.
Il apprit d'abord la ferronnerie d'art. De 1903 à 1908, il fut élève

de l'Académie des Beaux-Arts de Prague. À partir de 1907, il effectua de nombreux voyages d'étude et d'information, surtout en France, et en Hongrie et Yougoslavie. Dès 1918, il fut membre du groupe *Les Obstinés*, à la suite de quoi, en 1921, il publia, dans la revue *Veraïkon*, ses souvenirs, *Ce fut comme ça*, sur la période troublée de l'avant-guerre jusqu'à l'après-guerre. En 1945, il reçut le titre de « Peintre national ». Il a figuré de son vivant et, mort est représenté, dans les expositions importantes de peinture tcécoslovaque.

Comme beaucoup de peintres tchécoslovaques de sa génération, il s'est référé aux exemples français du début du siècle lui-même ; parti de Cézanne, a subi d'abord l'influence du cubisme, dans des compositions de 1913-1914, géométrisées sur le plan bidimensionnel sans profondeur. Son tempérament l'écarta tôt de cette conception trop intellectuelle, abstraite, de la peinture et le fit se tourner du côté de Vlaminck, celui du fauvisme pour la couleur et du « retour à la forme » pour la construction post-cézannienne de l'espace et des volumes, et abandonner les figures pour l'expression concrète du paysage, spontanément violente dans la dynamique de la composition et de la couleur. Désormais, le paysage lui a apporté des possibilités de liberté envers le modèle, que ne lui donnait pas le travail sur les formes et volumes des figures, au point qu'il a pu souvent privilégier le jeu des rapports colorés jusqu'à approcher l'abstraction. Une *période verte*, de 1923 à 1926, est fondée sur la prééminence de la couleur verte, dont l'influence, par effet induit de « contraste simultané », sur les autres, les pousse vers les tonalités complémentaires roussâtres. À partir de 1927, la *période bleue*, par l'envahissement de la toile par le bleu, induit la perception des autres tons comme étant poussés vers les ocres. Le goût et le souci de la couleur auront dominé son œuvre au long de sa carrière. Il les a continuement exploités en particulier dans la peinture de bouquets de fleurs. Dans les années trente jusqu'aux dernières années de sa vie, Spala, de plus en plus libéré de la forme littérale figée au bénéfice du dynamisme de la forme abstractisée, de plus en plus ivre de couleurs, apparaît, proche des Erich Heckel, Max Pechstein, Karl Schmidt-Rottluff, comme l'un des représentants de cet expressionnisme très spécifique de la « Brücke », très différent de l'expressionnisme viscéral et glauque d'Europe centrale, un expressionnisme attaché à une composition structurée et éclatante.

Si Spala s'impose comme l'un des créateurs de la peinture tchécoslovaque moderne, c'est assez indépendamment des Kupka, Filla, Kubista, qui représentent la très importante participation tchécoslovaque au mouvement cubiste et même à l'abstraction. Sans avoir totalement rompu avec l'empreinte cubiste, Vaclav Spala est l'un des chefs de file du courant expressionniste, qui compte peut-être moins de peintres de premier plan, mais qui ne fut pas moins nombreux, courant dans lequel il a su communiquer un sentiment très original du paysage national.

BIBLIOGR. : In : Catalogue de l'exposition *50 ans de peinture tchécoslovaque, 1918-1968*, musées tchécoslovaques, 1968 – in : *Diction. Univers. de la Peint.*, Le Robert, Paris, 1975.
MUSÉES : PRAGUE (Gal. Nat.).
VENTES PUBLIQUES : NEUILLY, 27 mars 1990 : *Bouquet de fleurs* 1940, h/t (53x39) : FRF 52 000 – BERNE, 12 mai 1990 : *Paysage avec le fleuve Opava en Bohême* 1915, temp./cart. (50x62) : CHF 7 500 – LONDRES, 19 mars 1997 : *Zanda* 1917, h/pan. toilé (38x31,5) : GBP 1 725 ; *Autoportrait* 1914, linocut (158x113) : GBP 1 092.

SPALAZZI JACOBACCI Hena
Née le 10 juin 1869 à Ascoli Piceno. XIXᵉ-XXᵉ siècles. Italienne.
Peintre.
Elle fut élève de Giorgio Paci, de Giovanni Picca, de Pio Nardini et de Gustavo Simoni. Elle vécut et travailla à Rome.

SPALDING C. B.
XIXᵉ siècle. Britannique.
Peintre de sujets équestres.
Il était actif dans la première moitié du XIXᵉ siècle.

Il a peint ce qui concerne l'élevage, le dressage des chevaux et la chasse en Grande-Bretagne.
VENTES PUBLIQUES : PARIS, 6 juin 1951 : *Deux chevaux et un chien au pré* 1837 : FRF 1 500 – LONDRES, 27 nov. 1969 : *Le rendez-vous de chasse* : GNS 1 700 – LONDRES, 1ᵉʳ mars 1985 : *Diligence dans un paysage de neige* ; *Diligence traversant un ruisseau*, h/t, une paire (61x50,1) : GBP 1 600 – LONDRES, 10 avr. 1991 : *Chevaux pur-sang bai dans leurs écuries* 1838, h/t, une paire (chaque 62x76) : GBP 2 200.

SPALDING Elisabeth
Née à Erie (Pennsylvanie). XXᵉ siècle. Américaine.
Peintre de paysages.
Elle fut élève de l'Art Sudents' League de New York et de l'académie des beaux-arts de Philadelphie. Elle fut membre de la Fédération américaine des arts.

SPALDING G.
XIXᵉ siècle. Actif à Londres. Britannique.
Miniaturiste.
Il exposa douze miniatures à la Royal Academy de 1821 à 1832.

SPALDING Thomas
Né à Güstrow. XVIIIᵉ siècle. Allemand.
Peintre.
Le Musée de Güstrow conserve de lui une aquarelle représentant un paysage.

SPALENZA Gianantonio
XVIIIᵉ siècle. Travaillant à Brescia en 1777. Italien.
Médailleur.

SPALINSZKY Tadaeus
Né en 1809 à Zombor. XIXᵉ siècle. Hongrois.
Peintre.
Il exécuta des tableaux pour des églises des environs de Munkacs de 1767 à 1807. Il était moine.

SPALLA Giacomo
Né vers 1775 à Turin. Mort le 31 janvier 1834. XIXᵉ siècle. Italien.
Sculpteur.
On voit de lui, au Musée de Chambéry : *Le général de Boigne*, au Palais de Compiègne, *L'Hymen*, et au Musée de Versailles, *L'impératrice Marie-Louise*.

SPALLETTA Niccolo
Né au XVIᵉ siècle à Caccamo. XVIᵉ siècle. Italien.
Peintre.
De l'ordre des Dominicains, il exécuta des fresques dans le monastère Saint-Dominique de Palerme.

SPALLETTI Ettore
Né en 1940 à Cappelle sul Tavo (Abruzzes). XXᵉ siècle. Italien.
Auteur d'installations, peintre, sculpteur, dessinateur.
Il participe à de nombreuses expositions collectives, notamment : 1980, 1981 galerie nationale d'Art moderne de Rome ; 1980 National Museum of Modern Art d'Osaka ; 1982 palais des Beaux-Arts de Bruxelles ; 1982, 1993 Biennale de Venise ; 1982, 1993 Documenta de Kassel ; 1984, 1991 Castello di Rivoli ; 1985 Art Gallery of Ontario à Toronto ; 1986 Centre national d'Art contemporain de Grenoble ; 1986, 1989 Museum Van Hadendaagse Kunst de Gand ; 1988 musée Saint Pierre d'Art contemporain de Lyon ; 1990 musées cantonaux des Beaux-Arts à Sion ; 1992 FIAC (Foire Internationale d'Art Contemporain) à Paris, Moderna Galerija de Ljubljana, Expo 92 à Séville, musée cantonal d'Art de Lugano ; 1993 Guggenheim Museum de New York avec Haim Steinbach. Il montre ses œuvres dans des expositions personnelles depuis 1975 : 1982 Museum Folkwang d'Essen ; 1982-1983 musée des Beaux-Arts de Gand ; 1985 musée Saint-Pierre d'Art contemporain de Lyon ; 1989 Kunstverein de Munich ; 1991 musée d'Art moderne de la ville de Paris ; 1992 IVAM, centre Julio Gonzalez de Valence ; 1993 Villa Arson de Nice ; 1995 MUKHA d'Anvers, galerie Claire Burrus à Paris.
Utilisant des pigments purs, que Spalletti applique, ponce et polit couche après couche, la technique adoptée évoque le travail de la fresque. La couleur – monochrome – apparaît primordiale, elle instaure une autre dimension qui enveloppe les figures géométriques simples retenues, colonne, cône, cylindre, vase ou les espaces occupés. D'apparence poudreuse, elle établit un climat intemporel, impose une atmosphère sensuelle. En 1996 a été inauguré l'ensemble des lieux complétant la salle mortuaire de l'hôpital de Garches, dont Spalletti a conçu la rénovation : des panneaux monochromes peints de couleurs différentes selon

l'affectation de chaque espace avant d'aboutir à la salle mortuaire, où quelques panneaux d'un rose charnel semblent flotter sur l'unanime et immatériel bleu-ciel de la pièce, entourant trois reposoirs et une fontaine centrale de marbre blanc, dont le jet d'eau permanent rompt le silence. ■ L. L.

Bibliogr. : Catalogue de l'exposition : *Ettore Spalletti*, Museum Folkwang, Essen, Museum Van Hedendaagse, Gand, 1982 – Catalogue de l'exposition : *Ettore Spalletti*, Galerie Locus Solus, Gênes, 1991 – Catalogue de l'exposition : *Ettore Spalletti*, Musée d'Art moderne de la Ville, Paris, 1991 – Anaxtu Zabalbeascoa : *Lothar Baumgarten, Ettore Spalletti, Juan Munoz*, Art Press, n° 171, Paris, juil.-août 1992 – Éric Suchère : *Ettore Spalletti*, Art Press, n° 204, Paris, juil.-août 1995.

Musées : Nantes (Mus. des Beaux-Arts) – Paris (FNAC) : *Quartetto, giallo oro* 1991, objet.

Ventes Publiques : Milan, 15 déc. 1992 : *Y - 1972*, objet en acier, plexiglas et matière Plastique (50x50x6) : **ITL 2 200 000** – Paris, 17 mars 1994 : *A.6 1990*, couches de coul./bois bleu (160x120) : **FRF 68 000** – Francfort-sur-le-Main, 14 juin 1994 : *Papier pressé*, enduit de coul. sur pap. pressé (24x32x5) : **DEM 8 500**.

SPALLIERI Alessandro ou Spalliero
XVIᵉ siècle. Actif à Rome en 1590. Italien.
Peintre.

SPALLUCCI Camillo ou Spalucci
XVIᵉ siècle. Italien.
Peintre.
Il travailla pour des églises de Naples, de Rome et de Florence.

SPALMACH
XXᵉ siècle. Actif en Italie. Roumain (?).
Sculpteur.
Il vécut et travailla à Venise.
Musées : Bucarest (Mus. Simu).

SPALT Janos ou Johann
Né le 6 novembre 1880 à Budapest. XXᵉ siècle. Hongrois.
Sculpteur.
Il fit ses études à Paris.

SPALTEISEN Ambros. Voir SPALTISEN

SPALTENSTEIN Ulrich
XVIᵉ-XVIIᵉ siècles. Actif à Gaienhofen-sur-l'Untersee et à Fribourg de 1591 à 1627. Suisse.
Sculpteur de blasons.

SPALTHOF
XVIIᵉ siècle. Actif vers 1650. Hollandais.
Peintre de genre.
Il fit ses études en Italie. Il peignit des foires, des marchés, des carnavals, dans le style de Theodorus Helmbrecker.
Houbraken cite un peintre animalier du nom de Spalthof, qui alla trois fois à Rome à pied. Il paraît probable qu'il s'agit du même artiste.

SPALTHOF Jan Philip ou Joannes Philippus ou Spalthoven
XVIIᵉ-XVIIIᵉ siècles. Éc. flamande.
Peintre de paysages animés.
Il était actif à Anvers vers 1700.
Ventes Publiques : New York, 19 mars 1981 : *Paysage aux cascades*, h/t (77,5x123) : **USD 3 000** – Londres, 16 déc. 1985 : *Paysage d'Italie*, h/t (47x62,5) : **GBP 2 000** – Paris, 18 jan. 1988 : *Paysage animé de nombreux personnages*, h/cart. (23,5x31) : **FRF 50 000**.

SPALTISEN Ambros ou Spalteisen ou Spaltysen
XVIᵉ siècle. Actif à Lucerne de 1521 à 1548. Suisse.
Peintre.

SPALUCCI Camillo. Voir SPALLUCCI

SPALVINS Arnolds
Né en 1911. XXᵉ siècle. Russe-Letton.
Peintre.
Il fut élève de Purvitis à l'académie des beaux-arts de Riga, jusqu'en 1936. On a pu voir de ces œuvres à l'exposition *Art letton* à Paris en 1939.

SPAMAAR Pieter Gerardus
XIXᵉ siècle. Hollandais.
Peintre de genre.
Le Musée de Mulhouse conserve de lui : *L'amateur de moules* et *Fête de nuit*.
Ventes Publiques : Paris, 13 et 14 jan. 1947 : *Scènes d'intérieur*,

deux pendants : **FRF 14 500** – Paris, 20 fév. 1950 : *Le repas* : **FRF 10 100** – Paris, 24 fév. 1950 : *Moines en prière*, deux pendants : **FRF 1 000**.

SPAMPANI Arcangelo
Né en 1695. XVIIIᵉ siècle. Travaillant vers 1739. Italien.
Peintre et dessinateur.

SPAMPANI Giuseppe Vincenzo Ludovico
Né vers 1768 à Livourne. Mort le 31 décembre 1828 à Genève. XVIIIᵉ-XIXᵉ siècles. Suisse.
Peintre.
Il exécuta des peintures décoratives à Milan et à Genève.

SPAN von
XVIIIᵉ siècle. Allemand.
Peintre.
Il peignit des portraits à la cour de Brunswick vers 1760. Peut-être identique à Joseph Ignatius Span.

SPAN Franz Anton. Voir SPAUN

SPAN Franz Xaver
XVIIIᵉ siècle. Actif à Salzbourg de 1760 à 1763. Autrichien.
Peintre.
Il peignit surtout des portraits. Le Musée de Salzbourg conserve de lui *Portrait de Franz Anton Rauchenbichler*.

SPAN Joseph Ignatius
Mort en 1772 (?) à Altenbourg. XVIIIᵉ siècle. Actif à Altenbourg. Allemand.
Peintre.
Il fut peintre à la cour d'Altenbourg et peignit surtout des portraits. Peut-être identique au peintre von Span.

SPANBROECK Jan
XVIIᵉ siècle. Actif à Haarlem. Hollandais.
Peintre.
Il a peint une bataille en 1653.

SPÄNDL Josef. Voir SPÄNL

SPANG Michael Henry
D'origine danoise. XVIIIᵉ siècle. Travaillant en Angleterre de 1750 à 1767. Britannique.
Sculpteur.
Il fut collaborateur de L. F. Roubillac et de Robert Adam. Il exposa à Londres de 1760 à 1762. Le Musée Victoria et Albert de Londres conserve de lui *Statuette de William Hogarth* (terre cuite).

SPANGAERT Jan. Voir SPANJAERT

SPANGENBERG Christian Philipp
XVIIIᵉ siècle. Allemand.
Médailleur.
Il travailla à Klausthal de 1716 à 1751 et à Friedberg en Hesse en 1747.

SPANGENBERG Friedrich
Né vers 1566 à Friedberg en Hesse. Mort le 30 avril 1617 à Francfort-sur-le-Main. XVIᵉ-XVIIᵉ siècles. Allemand.
Peintre.
Père de Johann Friedrich Spangenberg.

SPANGENBERG Friedrich, l'Ancien
XIXᵉ siècle. Actif à Göttingen. Allemand.
Peintre.
Père de Friedrich Spangenberg le Jeune.

SPANGENBERG Friedrich, le Jeune
Né le 3 décembre 1843 à Göttingen. Mort le 8 juin 1874 près du Vésuve, accidentellement. XIXᵉ siècle. Allemand.
Peintre d'histoire et de genre.
Fils de Friedrich Spangenberg l'Ancien. Élève de Ramberg à Munich. Il peignit à Weimar en 1861 : *Le triomphe de l'union américaine*, pour le Capitole de Washington, puis il retourna à Munich.

SPANGENBERG Gustav Adolf
Né le 1ᵉʳ février 1828 à Hambourg. Mort le 19 novembre 1891 à Berlin. XIXᵉ siècle. Allemand.
Peintre d'histoire, scènes de genre, portraits.
Il fut élève de Kaufmann à Hambourg, puis de Couture et H. de Triquéti, à Paris. Il poursuivit ses études à Hanau à la Gewerbeschule et à l'Académie d'Anvers. Après avoir voyagé de 1855 à 1857 en Italie, en Angleterre et en Hollande, il s'établit à Berlin comme peintre d'histoire et de genre. Il fut professeur à l'Académie de Berlin, membre de cette Académie, de celles de Vienne et

de Hanau. Il obtint une médaille d'or à Vienne en 1873 et à Berlin en 1876.

Musées : Berlin : *Le cortège de la Mort* – Breslau, nom all. de Wroclaw : *Soir de la saint Jean à Cologne* – Hambourg : *Faust et Mephisto* – *La sieste de l'ânier* – Kaliningrad, ancien. Königsberg : *Arrivée de Luther à Worms* – Leipzig : *Luther et sa famille.*

Ventes Publiques : Paris, 25 mars 1991 : *Famille tzigane 1874*, h/t/isor. (89x132) : **FRF 28 100.**

SPANGENBERG Heinrich Daniel Theodor
Né en 1764 à Iéna. Mort vers 1806 à Gotha. xviiie siècle. Allemand.
Peintre.
Élève de J. H. Tischbein à Kassel. Il fut peintre à la cour de Gotha.

SPANGENBERG Johann
Mort en 1519 à Walkenried. xvie siècle. Actif à Hardegsen. Allemand.
Peintre verrier.
De l'ordre des Cisterciens, il rénova les vitraux de l'abbatiale de Walkenried.

SPANGENBERG Johann Friedrich
Mort le 22 juin 1623 à Francfort-sur-le-Main. xviie siècle. Allemand.
Peintre.
Fils de Friedrich Spangenberg, né vers 1566.

SPANGENBERG Louis
Né le 11 mai 1824 à Hambourg. Mort le 17 octobre 1893 à Berlin. xixe siècle. Allemand.
Peintre de paysages, architectures.
Frère de Gustav Adolf Spangenberg. Il fut élève de Kirchner à Munich. Il visita la Grèce, l'Italie, la Belgique, l'Angleterre, la France, puis se fixa à Berlin. Il travailla également à Karlsruhe et à Munich. Il était également architecte.
Il subit l'influence des maîtres français à Paris et à Barbizon.
Musées : Breslau, nom all. de Wroclaw (Mus. prov.) : *Ruines du temple de Zeus à Athènes* – *Motif de l'Engadine* – *Vue du Parthénon à Athènes* – Hambourg : *Paysage – Marais.*
Ventes Publiques : Londres, 17 nov. 1995 : *Le Vésuve vu de Pompeï 1883*, h/t (66x95,2) : **GBP 11 500.**

SPANGENBERG Paul
Né le 26 juillet 1843 à Güstrow. Mort le 22 juillet 1918 à Berlin. xixe-xxe siècles. Allemand.
Portraitiste et peintre de genre.
Élève de C. Steffeck. Il continua ses études à Düsseldorf et à Paris.
Musées : Güstrow : *Portrait d'une femme* – Rostock : *Perdita* – *Portrait de Mme Elisabeth Becker* – Schwerin : *Tête d'étude.*
Ventes Publiques : New York, 17 mai 1982 : *Les bonnes nouvelles*, h/pan. (54x38,1) : **USD 1 700.**

SPANGENBERGER Johann Kilian
xviiie siècle. Actif à Fulda vers 1704. Allemand.
Peintre.
Il fut peut-être également tailleur de camées.

SPANGERT Jan. Voir SPAJAERT

SPANGHER Ferenc
Mort en 1919. xixe-xxe siècles. Roumain.
Sculpteur.
On ne sait presque rien de lui. On cite sa participation, en 1918, aux expositions de la revue *MA* (Aujourd'hui) fondée par Lajos Kassak qui s'intéressa aux tendances internationales les plus contemporaines de l'époque, notamment le dadaïsme, l'expressionnisme du groupe *Der Sturm*. On a pu voir le *Portrait de Kassak* à l'exposition *L'Art en Hongrie 1905-1930 art et révolution* en 1980-1981 au musée d'Art et d'Industrie à Saint-Étienne et au musée d'Art moderne de la Ville de Paris.
Bibliogr. : Catalogue de l'exposition : *L'Art en Hongrie 1905-1930 – art et révolution*, Musée d'art et d'Industrie, Saint-Étienne, Musée d'Art moderne de la Ville, Paris, 1980-1981.
Musées : Budapest (Mus. Kassak) : *Portrait de Kassak.*

SPÄNGLER Andreas ou Spöngler
Né le 16 avril 1589 à Innsbruck. Mort après 1669 probablement à Schwaz. xviie siècle. Autrichien.
Graveur au burin.
Élève de Johann Smisek. Il grava des portraits, des paysages et des illustrations de livres.

SPANI Andrea ou Giovanni Andrea
xvie siècle. Actif à Reggio Emilia. Italien.

Sculpteur et orfèvre.
Fils et assistant de Bartolomeo Spani.

SPANI Bartolomeo, dit il Clemente ou Clementi
Né en 1468 à Reggio Emilia. Mort après 1538. xve-xvie siècles. Italien.
Sculpteur, architecte et orfèvre.
Père d'Andrea et de Girolamo Spani et élève de Casotti. Il exécuta des statues et des tombeaux pour les cathédrales de Modène et de Reggio Emilia.

SPÄNI Dominik
Né le 1er août 1811 à Arth. Mort le 7 mai 1896 à Arth. xixe siècle. Suisse.
Portraitiste.
Élève de Kaspar Moos.

SPANI Girolamo
xive siècle. Actif à Reggio Emilia. Italien.
Sculpteur, architecte et orfèvre.
Fils de Bartolomeo Spani. Il travailla à Reggio Emilia de 1537 à 1544.

SPANI Pietro ou G. P. Maria, dit Clementi
Né en 1535. xvie siècle. Actif à Reggio Emilia. Italien.
Peintre.
Fils de Girolamo Spani.

SPANI Prospero ou Sogari, dit il Clemente ou Clementi
Né le 16 février 1516 à Reggio Emilia. Mort le 25 mai 1584 à Reggio Emilia. xvie siècle. Italien.
Sculpteur, architecte et orfèvre.
Neveu et élève de Bartolomeo Spani. Un des plus importants sculpteurs de la Renaissance à Reggio Emilia. Il travailla dans la cathédrale de cette ville où il exécuta plusieurs statues et tombeaux. Le Musée Municipal de Reggio Emilia conserve de lui *Porteuse d'eau* et les bustes de *Gherardo Mazzoli*, de *Dionisio Ruggeri*, de *Gaspare Scaruffi* et de *la comtesse Lucrezia Scaruffi-Malaguzzi.*

SPANIEL Otakar
Né le 13 juin 1881 à Jaromer. Mort en 1955. xxe siècle. Tchécoslovaque.
Sculpteur, médailleur.
Il fut élève de J. Trautenhayn et de Josef V. Myslbeck. Il vécut et travailla à Prague.
Il est surtout connu pour ses bustes et médailles-portraits.
Musées : Prague (Gal. Mod.).

SPANIEN Hendrik Van. Voir SPAIGNIEN

SPANIER Elias
Né le 3 mars 1821 à Paderborn. Mort le 27 avril 1863 à La Haye. xixe siècle. Actif à La Haye. Hollandais.
Graveur sur bois, lithographe et éditeur.

SPANIER Will
Né le 30 janvier 1894 à Hambourg. xxe siècle. Allemand.
Peintre de portraits, graveur.
Il fut élève de Christian Landenberger.

SPANJAARD-SPANJAARD R.
Né le 5 décembre 1866 à Borne. xixe-xxe siècles. Hollandais.
Peintre de portraits, fleurs.
Il fut élève d'Eduard Frankfort et de Jac. Geerlings.

SPANJAERT Jacob. Voir SPAIGNAERTS

SPANJAERT Jan ou Spanjaert ou Spangert
Né vers 1590 à Amsterdam. Mort avant le 11 novembre 1664. xviie siècle. Hollandais.
Peintre.
Il travailla à Delft. Il peignit des allégories, des sujets religieux et des scènes rustiques.

SPÄNL Josef ou Spändl ou Spännl
Né vers 1710. Mort le 1er octobre 1736 à Vienne. xviiie siècle. Autrichien.
Sculpteur.

SPÄNL Simon
Né vers 1678. Mort le 16 mars 1722 à Vienne. xviiie siècle. Autrichien.
Sculpteur.

SPANN. Voir aussi SPAN ou SPAUN

SPANN Melchior
Mort en 1720 à Pettau. xviie-xviiie siècles. Actif à Pettau à partir de 1689. Autrichien.
Peintre.

SPANNAGEL Wilhelm
Né vers 1600 à Aix-la-Chapelle. xviiᵉ siècle. Actif à Münster.
Allemand.
Sculpteur.
Élève de Gerh. Gröninger. Il sculpta surtout des tombeaux et le maître-autel dans l'église de Freckenhorst.

SPANNI. Voir **SPANI**

SPÄNNL Josef. Voir **SPÄNL**

SPANNRING Hubert
Né en 1864. Mort le 1ᵉʳ janvier 1930 à Salzbourg. xixᵉ-xxᵉ siècles. Autrichien.
Sculpteur de monuments.
Il sculpta des monuments à Salzbourg.

SPANNRING Luise
Née le 5 juillet 1894 à Villach. xxᵉ siècle. Autrichienne.
Sculpteur de compositions religieuses, céramiste.
Fille de Hubert Spannring, elle exécuta des crèches et des autels.
Musées : Linz.

SPANO Antonio ou **Sparano**
Mort avant le 8 août 1615 à Madrid. xviiᵉ siècle. Actif à Tropea. Italien.
Sculpteur sur ivoire et peintre.
Il a sculpté des sujets religieux sur ivoire pour la cathédrale de Constance. Le South Kensington Museum de Londres possède une œuvre de cet artiste.

SPANO Francisco ou **Sparano**
xviiᵉ siècle. Espagnol.
Sculpteur sur ivoire.
Il travailla pour le roi Philippe III d'Espagne à Madrid.

SPANO Maria
Née le 25 septembre 1843 à Naples. xixᵉ siècle. Italienne.
Peintre de genre, marines.
Elle fut élève de son père Raffaello Spano. Elle vécut et travailla à Naples.
Musées : Capodimonte – Naples.
Ventes Publiques : Rome, 24 mars 1992 : *Marine avec des pêcheurs relevant leur filet* 1889, h/pan. (13,5x22) : **GBP 2 990 000.**

SPANO Raffaello
Né en 1817 à Naples. xixᵉ siècle. Italien.
Peintre d'histoire.
Élève de l'Institut des Beaux-Arts de Naples. Il a exposé surtout dans cette ville. La Pinacothèque de Capodimonte possède de cet artiste : *Abigaïl et David.*

SPANOGHE Leo
Né en 1874 à Termonde (Flandre-Orientale). Mort en 1955 à Gand (Flandre-Orientale). xxᵉ siècle. Belge.
Peintre de compositions animées, paysages, marines.
Il fut élève de l'académie des beaux-arts de Termonde.
Bibliogr. : In : *Dict. biogr. illustré des artistes en Belgique depuis 1830*, Arto, Bruxelles, 1987.
Ventes Publiques : Lokeren, 28 mai 1988 : *Personnage dans une barque en été*, h/t (100x150,5) : **BEF 240 000** – Lokeren, 5 déc. 1992 : *Paysage estival avec une charrette*, h/t (100x80) : **BEF 48 000** – Lokeren, 4 déc. 1993 : *Bateaux sur l'Escaut*, h/t (97x65) : **BEF 90 000** – Lokeren, 12 mars 1994 : *Les bords de l'Escaut*, gche (38x58) : **BEF 26 000** – Lokeren, 8 oct. 1994 : *Hiver*, h/t (80x70) : **BEF 70 000.**

SPANSWANGER Tobias
Mort en 1736 à Munich. xviiiᵉ siècle. Allemand.
Peintre.
Il fut maître en 1726.

SPANTON Mabel Mary
Née le 1ᵉʳ décembre 1874 à Hanley (Staffordshire). xixᵉ-xxᵉ siècles. Britannique.
Peintre de paysages, marines, aquarelliste.
Elle vécut et travailla à Bexhill-on-Sea.
Elle exposa à Paris au Salon des Artistes Français à partir de 1907, à la Walker Art Gallery de Liverpool, à l'académie royale de l'Ouest, au Salon des Femmes Artistes de Londres, à Derby Hull, Birmingham et Oldham.

SPANYAR Pal ou **Paul**
Né le 24 janvier 1874 à Nyitra. xxᵉ siècle. Hongrois.
Peintre de genre.

SPANYEN Hendrik Van. Voir **SPAIGNIEN**

SPANYI Bela ou **Adalbert von**
Né le 19 mars 1852 à Budapest. Mort le 12 juin 1914 à Budapest. xixᵉ-xxᵉ siècles. Hongrois.
Peintre de paysages.
Il fit ses études à Vienne et à Munich. Il se fixa à Budapest.
Ventes Publiques : Berne, 23 nov. 1968 : *Paysage de la Puszta* : CHF 950 – Vienne, 2 déc. 1969 : *La dernière cigogne* : ATS 35 000 – Vienne, 16 mars 1976 : *Coucher de soleil*, h/pan. (40x47) : ATS 13 000 – Vienne, 11 mars 1980 : *Berger et moutons dans un paysage*, h/pan. (18x20) : ATS 40 000 – Munich, 13 sep. 1984 : *Paysage au marais au crépuscule* 1887, h/bois (15x38) : DEM 5 000 – Londres, 7 av. 1993 : *La cueillette des champignons en forêt* 1890, h/t (120x69,5) : GBP 2 185.

SPANYI Corneille ou **Spanyik Kornel**
Né le 29 octobre 1858 à Presbourg. xixᵉ-xxᵉ siècles. Hongrois.
Peintre de genre.
Il fut élève de Gyula Benczur. Il participa à Paris à des expositions, notamment en 1900 à l'Exposition universelle où il reçut une médaille de bronze.
Musées : Budapest (Mus.).
Ventes Publiques : Los Angeles, 28 nov. 1973 : *Bergère et troupeau* : USD 1 200 – Londres, 5 oct. 1990 : *Un geste de gentleman* 1912, h/t (119x95) : GBP 3 520.

SPANZANI Agostino. Voir **MITELLI**

SPANZOTTI Francesco ou **Spanzotto**
Mort en 1531 à Casale. xviᵉ siècle. Italien.
Peintre.
Père de Pietro Spanzotti. Il travailla à Casale.

SPANZOTTI Giovanni Martino ou **Spanzotto**
Né avant 1456 à Casale. Mort entre 1526 et le 2 novembre 1528 à Casale. xvᵉ-xviᵉ siècles. Italien.
Peintre d'histoire.
Cet artiste a la gloire d'avoir été le maître de Sodoma. Il quitta sa ville natale pour Vercelli, le 11 août 1491 et il y resta jusqu'en 1498. Giovanni Antonio Bazzi dit Il Sodoma était déjà son élève depuis un an et ne fut peut-être pas étranger à ce déplacement. Martino épousa à Vercelli Costantina, fille de Antonio Plauta. Il laissait deux fils. En 1511, il était peintre des ducs de Savoie. De récents travaux ont permis de lui attribuer différentes peintures classées jusqu'alors comme l'œuvre d'auteurs inconnus. Il fut aussi le maître de Défendente Ferrari de Chivasso, un des artistes les plus éminents de l'École piémontaise.
Musées : Budapest : *Pietà* – Paris (Mus. du Louvre) : *Pietà* – *Naissance de saint Jean Baptiste* – Turin : *Madone et Enfant* – *Adoration des Rois Mages* – *Madone avec sainte Anne.*
Ventes Publiques : Londres, 21 mars 1973 : *Saint André ; Saint Jérôme* : GBP 4 000.

SPANZOTTI Pietro
Né après 1503. Mort avant le 9 juillet 1556. xviᵉ siècle. Italien.
Peintre.
Fils de Francesco Spanzotti. Il travailla pour l'église de Casale.

SPANZOTTI Pietro ou **Pier Antonio** ou **Spanzotto**
Originaire de Casale. xviᵉ siècle. Italien.
Miniaturiste.
Fils de Giovanni Martins Spanzotti. Il travaillait de 1548 à 1572. On le mentionne travaillant au fort Saint-Ange à Rome de 1546 à 1549. En 1561, il est mentionné parmi les premiers membres de l'académie San Luca.

SPANZOTTI Pietro de Campanigo
xvᵉ-xviᵉ siècles. Italien.
Peintre.
Il travailla à Varèse puis à Casale de 1470 à 1505.

SPANZOTTI Pietro Evasio
xviᵉ siècle. Actif de 1531 à 1539. Italien.
Peintre.
Fils de Giovanni Martino Spanzotti. Il travailla à Chivasso.

SPANZOTTO. Voir **SPANZOTTI**

SPAR Georg ou **Spär**
Mort en 1457. xvᵉ siècle. Allemand.
Enlumineur.
Il travailla dans le monastère de Wiblingen.

SPARAGNINI Maurizio
Né vers 1730 à Urbania. xviiiᵉ siècle. Italien.

Peintre.
Élève de Marco Benefial. Il travailla pour les églises d'Urbino et d'Urbania.

SPARANO Antonio. Voir **SPANO**

SPARANO Ferdinando de
Né à Striano. xvɪᵉ siècle. Actif dans la seconde moitié du xvɪᵉ siècle. Italien.
Peintre.
Il travailla pour les églises de Cava dei Tirreni.

SPARANO Stefano
xvɪᵉ siècle. Actif à Caiazzo dans la première moitié du xvɪᵉ siècle. Italien.
Peintre.
Il exécuta des tableaux d'autel pour les cathédrales de Caiazzo et de Sorrente.
VENTES PUBLIQUES : ZURICH, 3 juin 1983 : *L'Annonciation*, temp./ fond or (93,5x57) : **CHF 40 000**.

SPARAPANE Agostino
xvᵉ siècle. Actif à Norcia en 1497. Italien.
Peintre.
Fils et assistant de Giovanni Sparapane. Il exécuta avec lui des fresques dans l'église de Fematre.

SPARAPANE Antonio
xvᵉ siècle. Travaillant en 1487. Italien.
Peintre.
Fils de Giovanni Sparapane. Il peignit des tableaux d'autel.

SPARAPANE Francesco
xvɪᵉ siècle. Actif de 1533 à 1539. Italien.
Peintre.
Frère de Vincenzo Sparapane. Il peignit des tableaux d'autel pour des églises près de Norcia.

SPARAPANE Giovanni
xvᵉ siècle. Actif à Norcia. Italien.
Peintre.
Il peignit avec son fils Antonio des fresques dans l'église Saint-Sauveur de Campi en 1464.

SPARAPANE Girolamo
xvɪᵉ siècle. Actif au milieu du xvɪᵉ siècle. Italien.
Peintre.
Assistant de son frère Francesco Sparapane. Il a peint un *Saint Laurent* dans l'hôpital près de Norcia.

SPARAPANE Paolo
xvᵉ siècle. Actif à Norcia à la fin du xvᵉ siècle. Italien.
Peintre.
Assistant de son père Antonio Sparapane.

SPARAPANE Pietro
xvᵉ siècle. Actif à Norcia à la fin du xvᵉ siècle. Italien.
Peintre.
Assistant de son père Agostino Sparapane.

SPARAPANE Vincenzo
Mort le 16 mai 1553 à Spoleto. xvɪᵉ siècle. Italien.
Peintre.
Il travailla à Norcia de 1535 à 1538 comme assistant de son frère Francesco Sparapane.

SPARAPANI Alberto
Né à Casale (Toscane). xxᵉ siècle. Italien.
Sculpteur de sujets religieux, monuments.
Il fut élève de l'institut d'art de Volterra et suivit en auditeur libre l'académie des beaux-arts de Pise. Il a participé à diverses expositions en Italie.
On cite des statues principalement en marbre ou bronze, notamment pour des églises, des monuments, ainsi que *La Bonté du pape Giovanni* de 1963, *Communauté européenne* à Rome.

SPARBOOM Cornelis Jansz. Voir **SPARREBOOM**

SPARE Austin Osman
Né le 31 décembre 1888 à Snowhill. Mort en 1956. xxᵉ siècle.
Britannique.
Peintre, graveur, illustrateur.
Il fut élève de l'école des beaux-arts de Londres, où il vécut et travailla.

Austin O. Spare

VENTES PUBLIQUES : LONDRES, 26 juil. 1984 : *Nu endormi et nu à la tête de cerf*, pl. (50,5x36,5) : **GBP 1 400**.

SPARER Max
Né le 6 juin 1886 à Tramin. xxᵉ siècle. Autrichien.
Peintre de paysages, graveur.
Il vécut et travailla à Bozen.
Il pratiqua la peinture et la gravure sur bois.

SPARGIONI Stefano
Mort en 1724. xvɪɪɪᵉ siècle. Actif à Rome. Italien.
Peintre.
Élève de D. Odazzi.

SPARHAWK-JONES Elizabeth
Née en 1885 à Baltimore. xxᵉ siècle. Américaine.
Peintre de genre, figures, portraits.
Elle fut élève de l'académie des beaux-arts de Philadelphie, où elle vécut et travailla. Elle a participé aux expositions de l'Institut Carnegie à Pittsburgh.
VENTES PUBLIQUES : NEW YORK, 28 oct. 1976 : *La marchande de dentelles*, h/t (76,2x84) : **USD 5 250**.

SPARHILD Johan C.
Mort le 15 août 1716. xvɪɪɪᵉ siècle. Actif à Ehrenbreitstein.
Allemand.
Peintre.

SPARKES Catharine Adelaide, née **Edwards**
Née le 8 octobre 1842 à Londres. xɪxᵉ siècle. Britannique.
Peintre de genre et illustratrice.
Élève de la Royal Academy de Londres : elle y exposa jusqu'en 1890. Le Musée de Nottingham possède une aquarelle de cette artiste.
VENTES PUBLIQUES : CHESTER, 9 oct. 1986 : *Alice in Wonderland 1874*, aquar. (38x30,5) : **GBP 1 050**.

SPARKJAER Chr.
xvɪɪɪᵉ siècle. Danois.
Peintre.
Il a peint un *Portrait de la reine Caroline Mathilde* au château de Rosenborg à Copenhague.

SPARKS Arthur Watson
Né en 1870 à Washington. Mort en 1919. xɪxᵉ-xxᵉ siècles.
Américain.
Peintre de genre, paysages.
Il fut élève à Paris de l'académie Julian et de l'école des beaux-arts. Il fut professeur à Pittsburgh.

SPARKS Herbert Blande
xɪxᵉ siècle. Britannique.
Peintre de genre, miniatures, aquarelliste.
Il exposa à Londres, notamment à la Royal Academy à partir de 1893.
VENTES PUBLIQUES : LONDRES, 17 oct. 1984 : *The Squire's wedding*, aquar. sur trait de cr. reh. de blanc (74,3x52,1) : **GBP 650** – LONDRES, 3 nov. 1993 : *Dans le jardin*, h/t (77x61) : **GBP 1 840** – MONTRÉAL, 5 déc. 1995 : *Jeune femme assise dans le jardin*, aquar. (29,9x22,8) : **CAD 800** – LONDRES, 17 avr. 1996 : *Indiscrétion*, aquar. (53,3x72,4) : **GBP 747**.

SPARKS Nathaniel
Né le 18 juin 1880 à Bristol. xxᵉ siècle. Britannique.
Peintre, aquarelliste, graveur.
Il fut élève de Frank Short. Il vécut et travailla à Londres.
Graveur, il privilégia l'eau-forte.

SPARKS Will
Né le 7 décembre 1862 à Saint Louis (Montana). Mort en 1937. xɪxᵉ-xxᵉ siècles. Américain.
Peintre de compositions murales, graveur.
Il fut élève de l'école des beaux-arts de sa ville natale et de l'académie Julian à Paris. Il fut membre de la Fédération américaine des arts.
MUSÉES : MINNEAPOLIS – SAINT LOUIS – SAN FRANCISCO (Golden Gate) : une fresque – TOLEDO.
VENTES PUBLIQUES : SAN FRANCISCO, 4 mai 1980 : *Octobre day, Sonoma County 1911*, h/t (51x71) : **USD 2 000**.

SPARMANN Karl Christian
Né le 3 février 1805 à Hintermaner (près de Meissen). Mort le 18 décembre 1864 à Dresde. xɪxᵉ siècle. Allemand.
Peintre de paysages.
Élève d'Arnold à Meissen et de Dahl à Dresde. Il fut, à Arenberg, professeur de dessin du prince Louis Napoléon qui, devenu empereur, lui servit une pension.
MUSÉES : BAUTZEN (Mus. mun.) : *Paysage près de Plauen* – KARLSRUHE (Kunsthalle) : *La Vieille Ville de Meissen*.

VENTES PUBLIQUES : MUNICH, 18 mai 1988 : *Vue de Dresde* 1842, h/t (61,5x78,5) : **DEM 22 000** – LONDRES, 17 mars 1993 : *Vallée du Rhin* 1837, h/t (78x104) : **GBP 5 750** – LONDRES, 31 oct. 1996 : *Bord de rivière* 1835, h/t (47x71) : **GBP 2 070.**

SPARNAAY Tjalf
Né en 1954. xxᵉ siècle. Hollandais.
Peintre.
VENTES PUBLIQUES : AMSTERDAM, 7 déc. 1994 : *Arôme* 1989, h/t (100x100) : **NLG 3 220** – AMSTERDAM, 6 déc. 1995 : *Sur une grande liberté* 1993, h. et acryl./t. (120x160) : **NLG 5 750.**

SPARR François Nicolas de
XVIIIᵉ siècle. Actif au milieu du XVIIIᵉ siècle. Autrichien.
Peintre.
Il peignit des vues prises pendant les campagnes d'Orient du prince Eugène.

SPARRE Axel de, maréchal comte
Né le 9 janvier 1652 à Wisby. Mort le 31 mai 1728 à Brokind. XVIIᵉ-XVIIIᵉ siècles. Suédois.
Peintre de portraits, miniatures.
MUSÉES : STOCKHOLM (Mus. Nat.) : *Le Roi Charles XII de Suède.*

SPARRE Axel de, baron
Né le 4 septembre 1674 à Sundby. XVIIᵉ-XVIIIᵉ siècles. Suédois.
Peintre de portraits, miniatures.
Certainement parent, peut-être fils du maréchal comte Axel de Sparre. Il était officier. Il doit y avoir confusion quant au *Portrait du roi Charles XII.*
MUSÉES : GRIPSHOLM : *Portrait du roi Charles XII de Suède* 1715.

SPARRE Axel ou Carl Axel Ambjörn
Né le 16 septembre 1839 à Västra Ed. Mort le 23 octobre 1910 à Ostra Eneby. XIXᵉ-XXᵉ siècles. Suédois.
Peintre d'histoire, genre, portraits.
Il fut élève de l'académie des beaux-arts de Stockholm et de Düsseldorf. Il était officier.

SPARRE Emma Josepha, née Munktell
Née le 29 juin 1851 à Kopparberg. Morte le 8 septembre 1913 à Rättvik. XIXᵉ-XXᵉ siècles. Suédoise.
Peintre de genre, portraits.
Elle est la femme du peintre Axel Ambjörn Sparre. Elle fit ses études à Düsseldorf et à Paris.
VENTES PUBLIQUES : GÖTEBORG, 9 nov. 1983 : *Femme peintre à son chevalet, endormie* 1890, h/t (146x100) : **SEK 12 500** – LONDRES, 29 mars 1990 : *Au piano* 1891, h/t (146,5x114,5) : **USD 13 200.**

SPARRE Erik
Né en 1682 ou 1683. Mort en 1716, tombé devant Stralsund. XVIIIᵉ siècle. Suédois.
Miniaturiste amateur.
Il a peint le portrait du roi *Charles XII de Suède* en 1707.

SPARRE Louis, appelé Sparre af Söfdeborg Pehr Louis
Né le 3 août 1863 à Gravellona (près de Milan), de parents suédois. Mort en 1964. XIXᵉ-XXᵉ siècles. Actif aussi en Finlande. Suédois.
Peintre, graveur.
Il fit ses études à l'académie Julian à Paris. Il travailla en Finlande et à Stockholm.
MUSÉES : GÖTEBORG – HELSINKI – STOCKHOLM.
VENTES PUBLIQUES : STOCKHOLM, 31 mars 1971 : *Le parc* : **SEK 6 000** – STOCKHOLM, 23 avr. 1980 : *Paysage* 1912, h/t (23,5x32,5) : **SEK 5 200** – STOCKHOLM, 15 nov. 1989 : *Rue animée en Orient*, h/pan. (23x17) : **SEK 7 200** – STOCKHOLM, 16 mai 1990 : *Hiver scandinave* 1931, h/t (60x79) : **SEK 17 500** – STOCKHOLM, 28 oct. 1991 : *Barques au soleil à Blahaäll dans l'île de Gotland*, h/t (36x53) : **SEK 7 200** – STOCKHOLM, 13 avr. 1992 : *Jardinier à l'ombre d'un arbre* 1919, h/t (45x45) : **SEK 5 200.**

SPARRE Marta. Voir AMÉEN

SPARREBOOM Cornelis Jansz ou Sparboom
Mort le 13 juin 1713 à Alkmaar. XVIIIᵉ siècle. Hollandais.
Peintre et verrier.
Il exécuta des vitraux pour des églises d'Alkmaar et des environs.

SPARRER A.
XVIIIᵉ siècle. Actif à Kronach. Allemand.
Sculpteur.
Il a sculpté l'autel dans l'église de Grafengehaig en 1767.

SPARRGREN Lorens ou Lars Svensson
Né en 1763 à Göteborg. Mort le 31 mars 1828 à Stockholm. XVIIIᵉ-XIXᵉ siècles. Suédois.

Miniaturiste.
Il subit l'influence de Greuze et fit ses études à l'Académie de Stockholm et à Paris. On lui doit surtout des portraits.
MUSÉES : GÖTEBORG : *Portraits de Charles XIII, de C. Waern, d'une femme et d'un homme* – STOCKHOLM : *Charles XIV (Bernadotte) en général*, aquar. – *L'artiste à 37 ans* – *Gustave II Adolphe*, miniatures.
VENTES PUBLIQUES : PARIS, 27 avr. 1910 : *Portrait de jeune femme*, miniature : **FRF 815.**

SPARROW Thomas
XVIIIᵉ siècle. Actif à Philadelphie de 1765 à 1784. Américain.
Graveur sur bois et au burin et orfèvre.
Il se fixa à Annapolis et grava des ex-libris, des vignettes et des billets de banque.

SPARROW Walter Shaw
Né en 1862. XIXᵉ-XXᵉ siècles. Britannique.
Peintre.
Il fut élève de Legros, Portaels, Stallaert, et J. Van Severdonck. Il écrivit aussi sur l'art.

SPARSI Marcello. Voir SPARZO

SPARTALI Marie. Voir STILLMAN

SPARVIER Pierre de
Né en 1663. Mort le 27 mars 1731 à Florence. XVIIᵉ-XVIIIᵉ siècles. Français.
Peintre de batailles, portraits, fleurs.
Élève de Cesare Gennari à Bologne. La Galerie Nationale de Florence conserve son autoportrait.

SPARZO Marcello ou Sparzi, Sparsi, Sparti, Sparzio, Spassi
XVIᵉ-XVIIᵉ siècles. Actif à Urbino. Italien.
Sculpteur et stucateur.
Élève de Fed. Brandani. Il travailla à Rome, à Sienne, à Gênes, à Pavie et à Turin.

SPAS Pierre
Né en 1914 à Hazebrouck (Nord). XXᵉ siècle. Français.
Peintre, dessinateur.
Il a participé en 1992 à l'exposition : *De Bonnard à Baselitz – Dix Ans d'enrichissements du cabinet des estampes 1978-1988* à la Bibliothèque nationale à Paris.
BIBLIOGR. : Catalogue de l'exposition : *De Bonnard à Baselitz – Dix Ans d'enrichissements du cabinet des estampes 1978-1988*, Bibliothèque nationale, Paris, 1992.
MUSÉES : PARIS (BN) : *Le Moulin de Steenvoorde (Nord)* vers 1978, litho.

SPASSI Marcello. Voir SPARZO

SPAT Gabriel
Né en 1890 à Chistinau. Mort en 1967 à New York. XXᵉ siècle. De 1919 à 1942 en France et depuis 1942 actif aux États-Unis. Roumain.
Peintre, dessinateur. Postimpressionniste.
Il fut élève de l'académie des beaux-arts de Genève, puis étudia à Paris, à l'académie Colarossi et à celle de la Grande Chaumière. Après la Première Guerre mondiale, il vécut à Paris, fréquentant l'atelier de La Ruche, Soutine et Modigliani. Il s'enfuit aux États-Unis en 1942.
Il fut connu entre les deux guerres, à Paris comme sculpteur, réalisant les portraits de personnalités, notamment d'acteurs. Il réalisa des dessins satiriques anti-germaniques, qui ont été détruits durant la Seconde Guerre mondiale, mettant en scène la société nazie.
VENTES PUBLIQUES : NEW YORK, 30 sep. 1988 : *Fin d'après-midi dans le parc*, h/t (56x71) : **USD 7 150** – LE TOUQUET, 12 nov. 1989 : *Cocktail*, h./ pan. (22x30) : **FRF 10 500** – PARIS, 6 fév. 1991 : *Porte Dauphine à Paris*, h/cart. (19,5x27) : **FRF 4 000** – NEW YORK, 12 juin 1992 : *Le bois de Boulogne*, h/t (38,1x50,8) : **USD 3 575** – NEW YORK, 12 sep. 1994 : *Soirée de gala*, h/t. cartonnée (155,2x35,6) : **USD 2 300** – NEW YORK, 10 oct. 1996 : *À la plage*, h/t (45,7x86,4) : **USD 4 312.**

SPÄT Simon
XVIIIᵉ siècle. Actif à Vienne en 1742. Autrichien.
Sculpteur.

SPÄT Urban ou Spätt, Spatt, Spett
XVIIIᵉ siècle. Actif à Schrobenhausen dans la première moitié du XVIIIᵉ siècle. Autrichien.
Sculpteur.
Il travailla à Vienne de 1729 à 1743.

SPATAFORA Antonio
Né à Palerme. XVIᵉ siècle. Actif dans la seconde moitié du XVIᵉ siècle. Italien.
Peintre.
Élève de Vincenzo degli Azani da Pavia. Il peignit des tableaux d'autel pour les églises de Caccamo, d'Enna et de Partinico.

SPATAFORA Giuseppe ou **Spadafora**
XVIᵉ siècle. Actif à Palerme. Italien.
Sculpteur, stucateur et architecte.
Élève d'Antonello Gaggini. Il travailla pour la cathédrale de Palerme.

SPÄTE Otto
Né en 1852 à Kyana (près de Zeitz). XIXᵉ-XXᵉ siècles. Allemand.
Sculpteur de bustes.
Il travailla à Iéna.
Musées : WEIMAR (Mus. provinc.) : *Buste du général von Tümpling.*

SPÄTH. Voir aussi **SPEETH** et **SPETH**

SPÄTH Balthasar
XVIIIᵉ siècle. Travaillant en 1751. Allemand.
Sculpteur.
Il exécuta des sculptures décoratives à la porte de Berg à Düsseldorf.

SPÄTH David ou **Speth**
XVIIIᵉ siècle. Actif à Gerstetten dans la première moitié du XVIIIᵉ siècle. Allemand.
Sculpteur sur bois.
Il sculpta les stalles des églises de Gussenstadt et de Königsbronn.

SPÄTH Franz Xaver ou **Speth, Spaet, Spaett** ou **Spoett**
Né en 1735 à Munich. XVIIIᵉ siècle. Allemand.
Graveur.
Il fut élève de K. G. Amling, puis d'Audran à Paris, qu'il imita. Il grava au burin des portraits à Munich.

SPÄTH Jakob. Voir **SPETH**

SPÄTH Wilhelm
XVIIᵉ-XVIIIᵉ siècles. Actif à Constance. Allemand.
Peintre verrier.
Il travailla à Constance de 1672 à 1725. Le Musée de cette ville conserve des œuvres de cet artiste.

SPATIO. Voir **SPAZ**

SPÄTNER Christoph. Voir **SPETNER**

SPATOLA Adriano
Né en 1941 à Sapjane. Mort en 1988 à San Ilario d'Enza. XXᵉ siècle. Italien.
Artiste.
Il a participé en 1992 à l'exposition : *De Bonnard à Baselitz – Dix Ans d'enrichissements du cabinet des estampes 1978-1988* à la Bibliothèque nationale à Paris.
Il fut aussi poète et a réalisé des livres d'artistes.
BIBLIOGR. : Catalogue de l'exposition : *De Bonnard à Baselitz – Dix Ans d'enrichissements du cabinet des estampes 1978-1988*, Bibliothèque nationale, Paris, 1992.
Musées : PARIS (BN).

SPÄTT E. C.
XVIIIᵉ siècle. Allemand.
Portraitiste.

SPÄTT Urban ou **Spatt**. Voir **SPÄT**

SPÄTZ ou **Spatz**. Voir aussi **SPAZ**

SPATZ Hermann Albert
Né le 24 août 1899 à Ludwigshafen (Rhénanie-Palatinat). XXᵉ siècle. Allemand.
Peintre.
Il fut élève de Becker-Gundahl et de Klemmer.

SPATZ Michael I
Né vers 1731. Mort en 1791. XVIIIᵉ siècle. Autrichien.
Peintre de fleurs.
Il fut peintre à la Manufacture de porcelaine de Vienne.

SPATZ Michael II
XVIIIᵉ-XIXᵉ siècles. Actif de 1792 à 1821. Autrichien.
Peintre sur porcelaine.

SPATZ Willy
Né le 7 septembre 1861 à Düsseldorf (Rhénanie-Westphalie). Mort le 4 août 1931. XIXᵉ-XXᵉ siècles. Allemand.
Peintre d'histoire.
Il fut élève de Peter Janssen et de Karl Marr.
Musées : DÜSSELDORF : *Visite à la Sainte Famille.*

SPAULDING Grace, épouse **John**
Née le 10 février 1890 à Battle Creek. XXᵉ siècle. Américaine.
Peintre.
Elle fut élève de Daniel Garber, de Charles W. Hawthorne et de Fred Wagner. Elle vécut et travailla à Houston.

SPAULDING Henry Plympton
Né le 16 septembre 1868 à Cambridge (Massachusetts). XIXᵉ-XXᵉ siècles. Américain.
Peintre de marines.
Il fut élève de Ross Turner et de Blummers. Il fut membre de la Fédération américaine des arts.
VENTES PUBLIQUES : PARIS, 22 jan. 1927 : *La mer* : FRF 105.

SPAUN Franz Anton ou **Spahn** ou **Span**
Né le 22 janvier 1724 à Jettingen. Mort après 1779. XVIIIᵉ siècle. Allemand.
Peintre de portraits.
Fils de Johann Martin Spaun. Il devint peintre à la cour d'Augsbourg et fut avant tout portraitiste.

SPAUN Johann Martin
XVIIIᵉ siècle. Actif à Jettingen dans la première moitié du XVIIIᵉ siècle. Allemand.
Peintre.

SPAVENTI Carlo
XVIIᵉ-XVIIIᵉ siècles. Italien.
Peintre.
Il exécuta des bannières pour l'église de Coredo.

SPAVENTI Domenica
XVIIIᵉ siècle. Active à Trente. Italienne.
Peintre.
Élève d'A. Bâlestra. Elle peignit des sujets religieux.

SPAVENTI Filippo
XIXᵉ siècle. Travaillant à Venise et à Florence de 1853 à 1863. Italien.
Sculpteur.
Élève de l'Académie de Venise.

SPAVENTI Silvio Marco
Né en 1863 à Vérone (Vénétie). XIXᵉ-XXᵉ siècles. Italien.
Peintre.
Il fut aussi architecte et écrivit sur l'art.
Musées : VÉRONE (Pina.).

SPAYEMENT Nicolas. Voir **SPHEYMAN**

SPAZ Adam ou **Spacio, Spacy, Spätz, Spatio, Spatz, Spazzio, Spezza**
XVIIᵉ-XVIIIᵉ siècles. Italien.
Sculpteur et architecte.
Actif à Lanzo (près de Côme), il travailla à Prague de 1696 à 1705.

SPAZ Andrea
Mort en 1628 à Prague. XVIIᵉ siècle. Autrichien.
Sculpteur et architecte.
Il travailla pour le duc de Wallenstein et collabora aux décorations du château d'Oldenbourg.

SPAZ Bartholomäus
XVIIᵉ siècle. Actif dans la première moitié du XVIIᵉ siècle. Autrichien.
Peintre.
Il travailla de 1626 à 1628 dans l'abbatiale de Klosterneubourg.

SPAZ Johann
XVIIᵉ siècle. Actif à Linz au milieu du XVIIᵉ siècle. Autrichien.
Sculpteur.
Il exécuta un tombeau dans l'église Saint-Michel de Vienne et travailla pour l'abbatiale de Kremsmünster.

SPAZ Johann Baptist
XVIIᵉ-XVIIIᵉ siècles. Autrichien.
Sculpteur et stucateur.
Il était actif à Linz, il aurait aussi été actif à Milan dans la première moitié (?) du XVIIᵉ siècle. Il exécuta des sculptures pour les abbatiales de Seitenstetten, de Kremsmünster, de Saint-Florian et de Klosterneubourg.

SPAZ Johann Peter
xviie siècle. Actif à Linz dans la seconde moitié du xviie siècle.
Autrichien.
Sculpteur.
Il travailla pour diverses abbatiales et pour des églises de Krems-
münster, de Saint-Pierre, de Salzbourg et de Ratisbonne.

SPAZ Marcantonio
xviie-xviiie siècles. Actif à Linz. Autrichien.
Sculpteur.
Il travailla pour les églises de Seitenstetten et de Paura près de
Lambach.

SPAZ Peter
xviie-xviiie siècles. Actif à Linz. Autrichien.
Sculpteur.
Peut-être identique à Johann Peter Spaz. Il travailla pour les
abbatiales de Seitenstetten, de Kremsmünster et de Lambach.

SPAZEMENT Nicolas. Voir **SPHEYMAN**

SPAZIANI Corrado
Né en 1921 à Castel Ritaldi. Mort en 1986 à Terni. xxe siècle.
Italien.
**Peintre de figures, compositions à personnages, pay-
sages urbains, natures mortes. Tendance expressionniste.**
En 1940, il commence son activité de peintre à Terni. Il aura de
nombreuses expositions collectives et personnelles, parmi lesquelles : Galerie Vendôme à Paris en 1967 ; Galerie Bernheim-
Jeune à Paris en 1975 ; Galerie Max G. Bollag Modern Art Center à Zurich en 1981. En 1994, la région de l'Ombrie lui consacre
une exposition rétrospective et une monographie par Bruno
Mantura. Son œuvre est aussi exposé en 1997 à la Galerie Ély-
sée-Miromesnil de Paris.
Il crée un monde très personnel, peuplé de personnages plus ou
moins imaginaires ou emblématiques (*La Putain parisienne*,
1977, le *Paysan au soleil couchant*, 1979), dans une manière assez
expressive et parfois violente, qui n'est pas sans rappeler celle de
Chagall. En 1975, Marcel Brion écrit à son propos : « Le regard
que Corrado Spaziani pose sur le monde est celui d'un enfant-
mage (...) qui promène partout ses yeux émerveillés, émerveil-
lants ». Quant à ses points communs avec les expressionnistes
allemands, ils sont pour Marcel Brion assez limités : « J'aime que
Spaziani soit seul, soit l'unique hôte de ses vérités légendaires, à
l'écart de toutes les tribus esthétiques, et que son souci soit
d'amener à l'éclatante pyrotechnie du jour ce qu'il invente dans
l'ombre, tire de l'ombre ».
Bibliogr. : G. Mandel : *Corrado Spaziani*, Edizioni D'Arte, Fon-
dazione Europa-Milano, 1981 – catalogue de l'exposition *Spaziani*, Galerie Bernheim-Jeune, Paris, 1975 – catalogue de l'exposition *Corrado Spaziani, oli e collages, 1962-1982*, Perugia,
Palazzo dei Priori Sala del Grifo e del Leone, 1982.
Ventes Publiques : Zurich, 23 sep. 1981 : *Neige*, h/isor. (60x80) :
CHF 3 500 – Zurich, 27 jan. 1982 : *Il carretto siciliano* 1980,
h/isor. (60x78) : CHF 4 000 – Zurich, 26 jan. 1983 : *Scène champêtre*, h/isor. (50x70) : CHF 3 500.

SPAZIN Julie Christiane. Voir **FRACHON-SPAZIN,**
Mme

SPAZIO. Voir **SPAZ**

SPAZZAPAN Lojze ou **Luigi**
Né le 18 avril 1889 ou 1890 à Gradisce (Slovénie). Mort le 18
février 1958 à Milan (Lombardie). xxe siècle. Actif et naturalisé en Italie. Autrichien.
**Peintre de nus, animaux, fleurs, illustrateur, dessina-
teur. Figuratif puis abstrait.**
Il fit ses études tout d'abord en Italie, à Gorizia, puis en Autriche,
à l'académie des beaux-arts de Vienne. Après la guerre, il revint
en Italie et s'installa à Turin en 1928, où il collabora comme illustrateur à *La Gazetta del Populo*.
Il a participé en 1935 à la Quadriennale de Rome. La Biennale de
Venise lui organisa une exposition rétrospective de ses œuvres
en 1960.
Il réussit à se libérer de toute référence figurative pour créer un
art proche d'une abstraction « expressionniste » cherchant à
rendre la lumière par l'intermédiaire de la couleur et jouant de la
superposition de teintes.
Bibliogr. : S. Alberti, Angelo Dragone : *Spazzapan Luigi – Catalogue général*, Vallechi, Florence, s. d.
Ventes Publiques : Milan, 10 avr. 1970 : *Nu et Fleurs*, temp. :
ITL 1 200 000 – Milan, 18 mai 1971 : *Le Chien* : ITL 3 800 000 –

Milan, 26 avr 1979 : *Marine avec barque*, temp. (50x75) :
ITL 1 200 000 – Milan, 10 mars 1982 : *Chevaux*, temp. (38x50) :
ITL 1 600 000 – Rome, 22 mai 1984 : *La forêt*, temp. (50x70) :
ITL 3 800 000 – Saint-Vincent (Italie), 6 mai 1984 : *Cheval et
cavalier*, h/cart. (50x70) : ITL 8 500 000 – Milan, 9 mai 1985 :
Trois nus, encre coul. et encre de Chine/pap. mar./pan.
(49,5x36,5) : ITL 2 800 000 – Milan, 20 oct. 1987 : *Un officier persan*, temp./pap. entoilé (89x55) : ITL 7 000 000 – Milan, 8 juin
1988 : *Étude n° 2 (Fleurs dans l'espace)* 1955, détrempe/pap.
(51x75) : ITL 3 300 000 – Milan, 19 déc. 1989 : *Femme aux chats*,
temp. et encre de Chine aquarellée/pap. (59x56,5) : ITL 5 000 000
– Milan, 24 oct. 1990 : *Une actrice*, temp./pap./rés. synth.
(75x54) : ITL 10 000 000 – Rome, 30 oct. 1990 : *Composition géométrique n° 3* 1948, temp./pap./t. (73x96) : ITL 18 000 000 –
Rome, 9 avr. 1991 : *Composition abstraite* 1950, temp. et h/pap.
(51,5x66,5) : ITL 12 000 000 – Milan, 21 juin 1994 : *Corrida*,
temp. (70x50) : ITL 5 750 000 – Rome, 14 nov. 1995 : *Rue dans
une ville avec personnage*, encre de Chine et aquar./pap.
(48,5x56) : ITL 4 140 000 – Milan, 20 mai 1996 : *Composition
géométrique aux fleurs* vers 1949-1950, temp./pap. mar./t.
(100x74) : ITL 10 925 000 – Milan, 23 mai 1996 : *Forêt avec personnage* 1936, temp./pap. mar./pan. (69x49) : ITL 3 910 000.

SPAZZI Antonio
Né à Pellio. Mort le 22 novembre 1848 à San Trinita. xix^e
siècle. Italien.
Sculpteur.
Père de Grazioso Spazzi. Il sculpta surtout des statues pour des
églises de Vérone.

SPAZZI Attilio
Né en 1854. Mort en 1915. xixe-xxe siècles. Italien.
Sculpteur.
Fils du sculpteur Grazioso Spazzi, il travailla avec son frère Carlo
Spazzi.

SPAZZI Carlo
Né en 1854 à Vérone (Vénétie). xixe-xxe siècles. Italien.
Sculpteur de monuments, bustes, statues.
Fils du sculpteur Grazioso Spazzi, il travailla avec son frère Atti-
lio Spazzi.
Musées : Vérone : *Buste du sculpteur Ugo Zannoni.*

SPAZZI Grazioso
Né le 15 août 1816 à Vérone. xixe siècle. Italien.
Sculpteur.
Il sculpta le tombeau d'Antonio Cesari dans la cathédrale de
Vérone.

SPAZZIO. Voir **SPAZ**

SPEAKMAN Esther
xixe siècle. Américaine.
Peintre de portraits.
Elle exposa à Philadelphie de 1843 à 1861.

SPEAR Arthur, prince
Né en 1879 à Washington. xxe siècle. Américain.
Peintre.
Il fut élève de Jean-Paul Laurens. Il vécut et travailla à Boston.

SPEAR Ruskin
Né le 30 juin 1911. Mort en 1990. xxe siècle. Britannique.
**Peintre de portraits, animaux, intérieurs, paysages
urbains.**
Il fit ses études à Londres à la Hammersmith School of Art et
plus tard au Royal College of Art avec Sir William Rothenstein
de 1931 à 1934. Puis il exécuta des commandes pour le Comité
facultatif des Artistes de guerre. Il fut enseignant libre à la Central School de 1945 à 1948, et au Royal College of Art à partir de
1948. Il séjourna eu URSS en 1957.
Il a exposé à Londres à partir de 1932 à la Royal Academy, dont il
devint membre associé en 1944, académicien en 1954, au London Group dont il fut membre en 1942, président en 1949 et
1950 ; en 1957 *Exposition de Peinture anglaise* à Moscou et
Leningrad où il présente *Looking at people*.

Musées : Londres (Tate Gal.) : *Scène de neige* 1946 – *Le Canari de
monsieur Hollinbery's* 1950 – *Professeur Carel Weight* 1961 –
Southampton (Civic Center).
Ventes Publiques : Londres, 14 mars 1979 : *Nu couché*, h/t

(59x73) : **GBP 560** – LONDRES, 10 juin 1983 : *La Famille Spear dans la salle de séjour* vers 1930-1935, h/cart. (49,5x74,5) : **GBP 1 200** – LONDRES, 13 nov. 1985 : *Romance* 1958, h/cart. (197x132) : **GBP 2 000** – LONDRES, 13 juin 1986 : *Sherry Bar Portrait*, h/t (98,2x67,5) : **GBP 4 000** – LONDRES, 8 juin 1989 : *Animal captif*, h/t (109x104) : **GBP 2 200** ; *Nu allongé*, h/t (42,5x75) : **GBP 6 050** – LONDRES, 8 juin 1990 : *Pub* 1949, h/t (61,5x73,5) : **GBP 17 600** – LONDRES, 25 jan. 1991 : *Jeune femme dans un bar*, h/pan. (37x47) : **GBP 2 530** – LONDRES, 7 juin 1991 : *Bonheur*, h/cart. (82,5x58,5) : **GBP 2 640** – LONDRES, 14 mai 1992 : *Chimpanzé*, h/cart. (40,5x40,5) : **GBP 1 210** – LONDRES, 6 nov. 1992 : *Marteaux-piqueurs dans Broadway à l'heure de pointe* 1953, h/t (91,5x132) : **GBP 8 800**.

SPEARE G.
XVIIIe-XIXe siècles. Actif à Londres de 1799 à 1826. Britannique.
Peintre d'architectures et de paysages.
Il exposa à Londres de 1810 à 1826.

SPECCARD Hans ou Jan. Voir SPECKAERT

SPECCHI Alessandro
Né en 1668 à Rome. Mort le 16 novembre 1729 à Rome. XVIIe-XVIIIe siècles. Italien.
Graveur à l'eau-forte et au burin et architecte.
Il a gravé d'une pointe alerte et spirituelle une série d'estampes d'après les palais et édifices de Rome. Ces planches furent publiées par Dom de Rossi en 1699.

SPECCHIETTI Giovanni
XVIIe siècle. Actif à Padoue au milieu du XVIIe siècle. Italien.
Peintre.

SPECCHIETTI Pietro
XVIe siècle. Italien.
Peintre.
Il exécuta un tableau d'autel pour l'église Saint-Mathieu de Padoue en 1540.

SPECHT A.
XIXe siècle. Actif à Mayence (?) au milieu du XIXe siècle. Allemand.
Lithographe.
Il grava des vues du château de Wilhelmshöhe, près de Kassel.

SPECHT August
Né le 1er août 1849 à Lauffen. XIXe siècle. Actif à Stuttgart. Allemand.
Peintre, lithographe et illustrateur.
Élève de Läpple et d'A. Kappis. Frère de Carl Gottlob et de Friedrich Specht.

SPECHT Carl Gottlob
Né le 11 mars 1846 à Lauffen. XIXe siècle. Allemand.
Graveur sur bois.
Il travailla à Stuttgart.

SPECHT Ernst Christian
Mort entre 1801 et 1806 à Gotha. XVIIIe siècle. Allemand.
Peintre et silhouettiste.
Il fut peintre à la cour de Gotha et peignit des portraits, des natures mortes et des paysages.

SPECHT Friedrich
Mort vers 1810 à Hambourg. XIXe siècle. Allemand.
Portraitiste.

SPECHT Friedrich
Né le 6 mai 1839 à Lauffen. Mort le 12 juin 1909 à Stuttgart. XIXe siècle. Allemand.
Peintre animalier, sculpteur, lithographe et illustrateur.
Frère d'August et de Carl Gottlob Specht. et élève de l'Académie de Stuttgart. Il illustra *La vie des animaux* de Brehm et des livres pour enfants. La Galerie Nationale de Berlin conserve de lui deux dessins d'animaux, et la Galerie Nationale de Stuttgart, *Voiture avec cheval blanc.*
VENTES PUBLIQUES : LONDRES, 17 mars 1983 : *Un saint-bernard, un lévrier, un terrier et autres chiens*, aquar. reh. de blanc (23x14) : **GBP 700**.

SPECHT Hans
XVIIe siècle. Actif dans la première moitié du XVIIe siècle. Allemand.
Sculpteur sur bois.
Il a sculpté la chaire de l'église de Willersdorf.

SPECHT Herman
XVIIe siècle. Hollandais.

Graveur au burin.
Ce négociant d'objets d'art actif à Amsterdam, durant la première moitié du XVIIe siècle, grava un plan d'Utrecht.

SPECHT Jacob ou Jonas
Mort en 1575 à Forchheim. XVIe siècle. Allemand.
Sculpteur sur bois.

SPECHT Jasper ou Caspar
XVIIe siècle. Hollandais.
Graveur de paysages et marchand de tableaux.
Peut-être élève de Lamsweerde. Doyen du collège des peintres d'Utrecht en 1686.

SPECHT Lot
Né en 1461. XVe siècle. Actif à Ravensbourg. Allemand.
Peintre.

SPECHT Pierre Alexandre
Né à Paris. XIXe siècle. Français.
Paysagiste.
Élève de Lhuillier et Troyon. Il débuta au Salon de 1864.

SPECHT Wilhelm Émile Charles Adolphe de
Né le 30 novembre 1843 à Saint-Denis (Seine-Saint-Denis). XIXe siècle. Français.
Peintre d'histoire, scènes de genre, portraits, paysages urbains, peintre à la gouache, aquarelliste.
Il fut élève de Léon Cogniet et de Félix-Joseph Barrias à l'École des Beaux-Arts de Paris, à partir de 1861. Il débuta au Salon de Paris en 1865.
Il peignit diverses vues de Paris, dont les grands boulevards, le canal Saint-Martin, le Pont-Neuf, etc.
VENTES PUBLIQUES : PARIS, 9 juin 1949 : *Le bal travesti* 1862, aquar. gchée : **FRF 4 800** – PARIS, 4 mai 1951 : *Portrait* : **FRF 4 100**.

SPECHT Willy
Né le 10 avril 1910 à Berlin. XXe siècle. Allemand.
Peintre, graveur.
Il fut élève de l'académie des beaux-arts de Leipzig, où il vécut et travailla.
MUSÉES : LEIPZIG (Mus. mun.).

SPECK August
Né en 1898 à Zurich. Mort en 1977. XXe siècle. Suisse.
Peintre de paysages.
VENTES PUBLIQUES : BERNE, 12 mai 1990 : *La grande maison grise*, h./contre-plaqué (33x48,5) : **CHF 5 000** – ZURICH, 3 avr. 1996 : *Paysage près de Rorbas* 1939, h/t/bois (23,5x37) : **CHF 1 200**.

SPECK Friedrich August
Né vers 1740 à Dresde. XVIIIe siècle. Allemand.
Peintre et aquafortiste.
Élève, à l'Académie de Dresde, de Lor. Zucchi. Il fut d'abord graveur et se consacra plus tard à la peinture. La Galerie de Dresde conserve de lui *Vieille femme se réchauffant.*

SPECK Hans, appellation erronée. Voir SPECK Paul

SPECK Johann
XIXe siècle. Actif au milieu du XIXe siècle. Suisse.
Sculpteur sur bois.
Il sculpta des stalles pour la chapelle Saint-Nicolas d'Oberwil, près de Zoug.

SPECK Joseph Anton
XIXe siècle. Actif à Zoug dans la première moitié du XIXe siècle. Suisse.
Peintre.
Fils de Karl Joseph Speck l'Ancien. Il a peint un tableau d'autel représentant *La légende d'Érasme* dans l'église de Schönbrunn.

SPECK Joseph Augustin
XIXe siècle. Actif à Zoug dans la première moitié du XIXe siècle. Suisse.
Peintre.
Il travailla avec son frère Joseph Anton Speck.

SPECK Karl Joseph, l'Ancien
Né le 14 mars 1729 à Zoug. Mort le 24 mars 1798 à Zoug. XVIIIe siècle. Suisse.
Peintre.
Élève de K. J. Keiser, puis de Brandenberg à Rome. Il peignit des tableaux d'autel et des plafonds pour des églises de Suisse.

SPECK Karl Joseph, le Jeune
Né le 19 mars 1758 à Zoug. Mort le 2 décembre 1818 à Zoug. XVIIIe-XIXe siècles. Suisse.

Peintre.

Élève et assistant de son père Karl Joseph Speck l'Ancien, puis élève de J. M. Wyrsch à Besançon.

SPECK Maximilian von
XIXe siècle. Actif vers 1830. Allemand.

Peintre.

La Galerie Moderne de Dresde conserve de lui *Bateaux au crépuscule*. Peut-être identique à Karl Max Speck von Sternburg.

SPECK Paul
Mort à la mi-mars 1557 à Leipzig. XVIe siècle. Actif à Ehrenfriedersdorf (près d'Annaberg). Allemand.

Sculpteur et architecte.

Il exécuta des chaires, des tombeaux et des fonts-baptismaux pour des églises de Leipzig, de Schneeberg et de Zwickau.

SPECK Pieter Van der ou Spek
XVIIIe siècle. Travaillant de 1740 à 1743. Hollandais.

Sculpteur.

Il exécuta des travaux à la chaire de l'église catholique de La Haye.

SPECK Walt
Né le 29 décembre 1895 à Detroit. XXe siècle. Américain.

Peintre d'architectures, paysages, paysages urbains, décorateur.

Il fut élève de J. P. Wicker et d'Othon Friesz.

MUSÉES : DETROIT : *Hangars pour bateaux*.

SPECK von Sternburg Charlotte, née Hänel von Cronenthall
Née le 8 mai 1787 à Leipzig. Morte le 9 mars 1836 à Lützschena. XIXe siècle. Allemande.

Lithographe.

Mère de Karl Max Speck. Elle exécuta des lithographies d'après des vues de Lützschena et des peintures de la Galerie de cette ville.

SPECK von Sternburg Karl Max
Né le 29 janvier 1811 à Leipzig. Mort le 21 mai 1884 à Lützschena. XIXe siècle. Allemand.

Peintre.

Fils de Charlotte Speck von Sternburg. Peut-être identique à Maximilian von Speck.

SPECKAERT Hans ou Jan ou Speckard, Speccard ou Speeckaert
Né vers 1530 à Bruxelles. Mort en 1577 à Rome. XVIe siècle.

Éc. flamande.

Peintre de scènes mythologiques, compositions religieuses, portraits, dessinateur, graveur. Maniériste.

Élève de Hans Van Aachen, il travailla à Florence et à Rome. Certains tableaux, tels *Moïse et le serpent d'airain* et *La conversion de saint Paul*, identifiés comme étant de sa main, par leur style proche de celui de ses dessins connus, sont peints dans une veine maniériste qui mène à l'art des derniers maniéristes flamands.

•H. S. P.

BIBLIOGR. : In : *Diction. de la peinture flamande et hollandaise*, coll. Essentiels, Larousse, Paris, 1989.

MUSÉES : BERLIN – BRUNSWICK – BUENOS AIRES (Mus. Nac. de Bellas Artes) : *Moïse et le serpent d'airain* – DRESDE – DÜSSELDORF – FLORENCE – FRANCFORT-SUR-LE-MAIN – GÖTTINGEN – LONDRES – MUNICH – PARIS (Mus. du Louvre) : *Conversion de saint Paul* – VENISE – VIENNE (Kunstmus.) : *Portrait de Cornelis Cort*.

VENTES PUBLIQUES : AMSTERDAM, 25 avr. 1983 : *Scène biblique*, pl. et lav. (21,1x26,8) : NLG 9 600 – AMSTERDAM, 18 nov. 1985 : *La traversée de la Mer Rouge*, pl. et lav. (17,9x28,8) : NLG 5 400 – PARIS, 10 mars 1986 : *Le Combat des Titans*, pl. et lav. de brun reh. de gche blanche (41,4x26,8) : FRF 58 000 – NEW YORK, 16 jan. 1992 : *La Mort de Sisara*, h/t (171,5x170,8) : USD 77 000.

SPECKAERT Michel Joseph
Né le 10 décembre 1748 à Louvain. Mort le 17 septembre 1838 à Bruxelles. XVIIIe-XIXe siècles. Belge.

Peintre de natures mortes, fleurs.

Il vécut et travailla à Malines, entre 1824 et 1835. Il figura régulièrement aux Salons de Bruxelles, Gand et Anvers.

MUSÉES : LA FÈRE : *Le nid – La souris*.

VENTES PUBLIQUES : AMSTERDAM, 30 nov. 1981 : *Nature morte aux fleurs* 1776, h/pan. (41,5x34,5) : NLG 15 500 – LONDRES, 22 juin 1983 : *Nature morte aux fleurs*, h/pan. (69x51,5) : GBP 2 400 –

BRUXELLES, 28 mars 1985 : *Nature morte* 1826, h/t (57x46) : BEF 320 000 – PARIS, 12 déc. 1988 : *Vase de fleurs* (51,5x38) : FRF 60 000.

SPECKART Hans. Voir SPIECHART

SPECKBACHER Romed
Né le 22 janvier 1889 à Thaur (Tyrol). XXe siècle. Autrichien.

Sculpteur de sujets religieux.

Il fit ses études à Innsbruck et à Hall. Il sculpta surtout des crèches pour diverses églises du Tyrol.

SPECKBERGER ou Spöckberger
XVIIIe siècle. Actif à Vienne vers 1790. Autrichien.

Miniaturiste et silhouettiste sur verre.

SPECKEL Veit Rudolph. Voir SPECKLE

SPECKER Klemens
XVe siècle. Actif dans la seconde moitié du XVe siècle. Suisse.

Enlumineur et calligraphe.

Il travailla à l'abbaye de Königsfelden.

SPECKER-GONZENBACH Barbara Elisabeth
Née le 6 février 1774 à Saint-Gall. Morte le 19 juillet 1825 à Uberlingen. XVIIIe-XIXe siècles. Suisse.

Peintre amateur.

SPECKERT Johann Nepomuk
Mort en 1794 à Offenbourg. XVIIIe siècle. Allemand.

Sculpteur.

Il sculpta la chaire et les fonts-baptismaux de l'église d'Offenbourg.

SPECKFLEISCH Jerzy
XVe siècle. Actif à Cracovie de 1429 à 1431. Polonais.

Peintre.

SPECKFLEISCH Nikolaus
XIVe siècle. Polonais.

Peintre.

Il fut peintre à la cour du roi Vladislav Jagiello à Cracovie dans les années 1390.

SPECKLE Philipp
XVIIe-XVIIIe siècles. Allemand.

Sculpteur d'ornements sur pierre et sur bois.

Pierre le Grand le fit venir en Russie en 1697.

SPECKLE Veit Rudolph ou Specklin ou Speckel
Mort en 1550 à Strasbourg. XVIe siècle. Allemand.

Graveur sur bois.

On cite de lui une série de bois pour l'*Herbier* de Fuchsius, avec les portraits de l'auteur de l'ouvrage du graveur et ceux de Henrich Furlmaurer et Albrech-Maher auteurs des dessins gravés.

SPECKLER Ignaz
XVIIIe siècle. Travaillant en 1783. Allemand.

Sculpteur.

Il a sculpté la chaire de l'église d'Allmansweier.

SPECKLIN Veit Rudolph. Voir SPECKLE

SPECKLIN Zacharias
Né en 1530 à Strasbourg. Mort le 15 avril 1576 à Bâle. XVIe siècle. Allemand.

Graveur sur bois.

Fils de Veit Rudolph Speckle.

SPECKTER Erwin
Né le 18 juillet 1806 à Hambourg. Mort le 23 décembre 1835 à Hambourg. XIXe siècle. Allemand.

Peintre d'histoire et lithographe.

Il étudia à Munich avec Cornelius mais fut surtout influencé par Overbeck et Genelli. Après avoir peint *Le Christ et la Samaritaine*, il alla en Italie en 1830 et y exécuta *Samson et Dalila* et *Les Saintes Femmes au tombeau du Christ*. Il a publié une série de lettres sur l'Italie.

MUSÉES : HAMBOURG : *Les sœurs de l'artiste – Le peintre Herterich – Les trois Marie – Minerve reçoit Pégase – Portrait d'un jeune homme – Chasse chez Reinbek – Les deux Italiennes* – LEIPZIG : *Samson et Dalila*.

VENTES PUBLIQUES : HAMBOURG, 7 déc. 1985 : *Etudes de têtes*, cr. (28,8x21,2) : DEM 2 000.

SPECKTER Hans
Né le 27 juillet 1848 à Hambourg. Mort le 29 octobre 1888 à Lübeck. XIXᵉ siècle. Allemand.
Peintre, illustrateur et écrivain d'art.
Élève de Louis Asher et de Martin Gensler. Le Musée de Hambourg conserve de lui *Paysage italien.*
VENTES PUBLIQUES : NEW YORK, 26 mai 1977 : *Le pot au lait brisé* 1873, h/t (49x39,5) : **USD 1 650.**

SPECKTER Johann Michael
Né le 5 juillet 1764 à Uthlede. Mort le 1ᵉʳ mars 1845 à Hambourg. XVIIIᵉ-XIXᵉ siècles. Allemand.
Lithographe.
Père d'Erwin et d'Otto Speckter, ce fut un grand collectionneur de gravures.

SPECKTER Otto
Né le 9 novembre 1807 à Hambourg. Mort le 29 avril 1871 à Hambourg. XIXᵉ siècle. Allemand.
Peintre, graveur à l'eau-forte, illustrateur et lithographe.
Frère d'Erwin Specker. Il fut surtout lithographe et illustrateur.
VENTES PUBLIQUES : MUNICH, 28 nov 1979 : *Vue de Murschau (?),* aquar./trait de craie (32x43,5) : **DEM 8 000.**

SPECTOR Buzz
Né en 1948 à Chicago. XXᵉ siècle. Américain.
Peintre, technique mixte.
Il participe à des expositions collectives ou personnelles régulièrement aux États-Unis.
VENTES PUBLIQUES : PARIS, 16 déc. 1990 : *Le Hollandais volant* 1987, techn. mixte (65x85) : **FRF 12 000.**

SPEDDING James
Né le 26 juin 1808. Mort le 9 mars 1881 à Londres. XIXᵉ siècle.
Britannique.
Dessinateur.
Le Musée Fitzwilliam de Cambridge conserve de lui les portraits de *Tennyson* et d'*Edward Fitz Gerald.*

SPEECK Isaack
Né vers 1593. Mort en 1667. XVIIᵉ siècle. Actif à Amsterdam.
Hollandais.
Peintre.

SPEECKAERT Gustave ou **Victor François Gustave**
Né le 14 février 1843 à Saint-Josse-ten-Noode. Mort le 24 novembre 1887 à Schaerbeek. XIXᵉ siècle. Belge.
Peintre.
Petit-fils de Michel Joseph Speeckaert.

SPEECKAERT Hans ou **Jan.** Voir **SPECKAERT**

SPEECKAERT Léopold ou **Speckaert**
Né en 1834 à Bruxelles. Mort en 1915 à Saint-Gilles (Bruxelles). XIXᵉ-XXᵉ siècles. Belge.
Peintre d'histoire, sujets allégoriques, scènes de genre, natures mortes.
Il vécut et travailla à Bruxelles. Il exposa de 1857 à 1869.
Peintre réaliste, il s'est inspiré des scènes quotidiennes de la misère telle que l'alcoolisme, la mendicité.
BIBLIOGR. : In : *Dict. biogr. illustré des artistes en Belgique depuis 1830,* Arto, Bruxelles, 1987.

SPEECKAERT Michel Joseph. Voir **SPECKAERT**

SPEECX Abraham
XVIIᵉ siècle. Actif à Amsterdam en 1626. Hollandais.
Peintre de portraits, miniatures.

SPEED Harold
Né le 11 février 1872 à Londres. Mort le 20 mars 1957 à Londres. XIXᵉ-XXᵉ siècles. Britannique.
Peintre de portraits, paysages.
Il fut élève de la Royal Academy à Londres. Il participa à Paris, au Salon de la Société Nationale des Beaux-Arts, dont il fut membre associé.

HAROLD-SPEED-

MUSÉES : BELFAST : *Portrait d'Edouard VII* – BIRMINGHAM : *Portrait de Holman Hunt* – LONDRES (Nat. Gal.) : *L'Alcantara* – Tolède.
VENTES PUBLIQUES : PARIS, 26-28 déc. 1922 : *Profil de femme :* **FRF 650** – NEW YORK, 30 oct. 1980 : *Roses and chintz* 1908, h/t (206x157) : **USD 18 500** – LONDRES, 13 nov. 1985 : *Tulip walk, Wytham Abbey,* h/t (63,5x51) : **GBP 1 400** – LONDRES, 12 nov. 1986 : *Breakfast time* 1913, h/t (77,5x101,5) : **GBP 48 000** –

LONDRES, 5 nov. 1993 : *Portrait de la femme de l'artiste* 1904, craie rouge (33x24,2) : **GBP 1 495.**

SPEED Lancelot
Né en 1860 à Londres. Mort le 21 décembre 1931 à Southend-on-Sea. XXᵉ siècle. Britannique.
Peintre de marines, dessinateur.
Il a illustré de nombreux livres de contes pour enfants.
BIBLIOGR. : In : *Dict. des illustrateurs 1800-1914,* Ides et Calendes, Neuchâtel, 1989.

SPEED Ulysses Grant
Né en 1930. XXᵉ siècle. Américain.
Sculpteur de compositions animées, animaux, sujets de sport.
On connaît des sculptures en bronze.
VENTES PUBLIQUES : NEW YORK, 31 mai 1990 : *Dresseur de cheval sauvage,* bronze (H. 71,8) : **USD 2 200** – NEW YORK, 17 déc. 1990 : *La capture au lasso* 1981, bronze à patine brune (86,5) : **USD 2 310.**

SPEEDY GRAPHITO
Né en 1961 à Paris. XXᵉ siècle. Français.
Peintre, sculpteur. Figuration libre.
Il participe à des expositions collectives depuis 1984 : en 1984 à Paris, à l'exposition *Et dans dix ans... qui ?,* à l'Espace Cardin ; en 1985 à Saint-Quentin, à l'exposition *Émotions,* à la Maison de la Culture ; et à Rennes, *Les médias-peintres,* Maison de la Culture ; en 1986 à Montpellier, il a participé à l'exposition itinérante *La figuration de 1960 à nos jours* ; et à Nice, *Speedy maton* ; et Festival de Frasso Telesino, *Peinture Sauvage* ; en 1987 Paris, *Les allumés de la télé,* à la Grande Halle de la Villette ; en 1987, 1988 Paris, FIAC (Foire Internationale d'Art Contemporain) ; etc. À Paris, les galeries Paradis, puis Polaris l'ont exposé individuellement. Comme l'indique le pseudonyme adopté par ce peintre, ses productions sont soigneusement réalisées grossièrement à l'imitation des graffitis des années quatre-vingt.
VENTES PUBLIQUES : PARIS, 13 avr. 1988 : *Tornado* 1987, peint. laquée/t. (61,5x72) : **FRF 5 500** ; *Le repas de Speedy,* sculpt. techn. mixte (44,5x47x35) : **FRF 10 000** – PARIS, 16 juin 1988 : *Palissade* 24 mai 1987, acryl./pan. (200x300) : **FRF 13 000** – PARIS, 17 juin 1988 : *Skult. 7/75,* sculpt. de résine (33,5x20x20,5) : **FRF 2 200** – PARIS, 16 oct. 1988 : *Le Cavalier* 1986, résine patine bleue (H 52) : **FRF 8 500** – PARIS, 12 fév. 1989 : *Sans titre,* acryl./t. (66x54) : **FRF 10 000** – PARIS, 12 juin 1989 : *Le combat des chefs,* h/t (150x120) : **FRF 10 000** – PARIS, 9 mai 1990 : *Vers les années 90* 1985, acryl./t. (150x150) : **FRF 17 500** – PARIS, 3 fév. 1996 : *L'Art, moi j'aime ça... 1989,* acryl./t. (67x62) : **FRF 4 500.**

SPEELBERCK Gabriel. Voir **SPILBERG**

SPEENHOFF J. H.
Né le 23 octobre 1869 à Kralingen. XIXᵉ-XXᵉ siècles. Hollandais.
Illustrateur.
Il fut aussi écrivain. Il vécut et travailla à Amsterdam.

SPEER Bartholomäus, appellation erronée. Voir **SPEER Martin**

SPEER Martin
Né en 1700. Mort le 28 octobre 1765 à Ratisbonne. XVIIIᵉ siècle. Allemand.
Peintre et aquafortiste.
Peut-être élève de Soliména. Il travailla à Ratisbonne et à Naples. Le Musée de Mayence conserve de lui *Saint Barthélemy,* et celui de Schleissheim, *Prométhée au rocher.*

VENTES PUBLIQUES : PARIS, 1867 : *Madone adorée par saint Jean et sainte Catherine :* **FRF 510.**

SPEER Michael, appellation erronée. Voir **SPEER Martin**

SPEER Paul
Né le 11 janvier 1878 à Berlin. XXᵉ siècle. Allemand.
Peintre, graveur.
Il fut élève d'Otto Eckmann.

SPEERLI. Voir **SPERLI**

SPEETH Peter
Né en 1772 à Mannheim. Mort en 1831 à Odessa. XVIIIᵉ-XIXᵉ siècles. Allemand.

Graveur et architecte.

Frère de Balthasar Speth. Il grava des architectures et des paysages. Le Musée Germanique de Nuremberg possède de lui *Cavalier parlant à des paysans*.

SPEETS Cornelis

Né le 19 octobre 1794 à Ouddorp (près d'Alkmaar). Mort après 1825. xixᵉ siècle. Hollandais.

Peintre d'intérieurs.

SPEHNER-BÉNÉZIT Marie Salomé

Née le 3 novembre 1870 à Dachstein (Bas-Rhin). Morte le 3 septembre 1950 à Hyères (Var). xxᵉ siècle. Française.

Peintre de portraits, pastelliste, peintre de compositions murales.

Épouse du peintre Emmanuel Charles Bénézit, elle étudia pendant plusieurs années les pastellistes du xviiiᵉ siècle, notamment Maurice Quentin de La Tour, Jean Baptiste Perroneau, ainsi que les pastels de Degas. Elle a pris part à des expositions à Paris.

Pastelliste, elle se consacra presque exclusivement au portrait, surtout d'enfants, dont elle chercha à rendre la fraîcheur et la grâce. Elle réalisa également des peintures à l'huile, notamment une décoration murale, dans l'église de son village natal, consacrée à *Jeanne d'Arc*, tentant d'y concilier naïveté archaïque et style classique.

[signature: S. Spehner]

SPEICH Mary, née Galay

Née en 1869 à Genève. xixᵉ-xxᵉ siècles. Suissesse.

Peintre de portraits, fleurs.

Elle fut élève de Joseph Mittey et de Frédéric Gillet.

SPEICH Matthias

Né le 5 février 1850 à Luchsingen. Mort au printemps 1908 à Paris. xixᵉ siècle. Suisse.

Peintre de fleurs.

Élève de W. Blumer. Il travailla comme dessinateur d'ornements et de fleurs à Paris. Le Musée Municipal de Glarus possède de lui *Phlox*.

SPEICHER Eugène E.

Né le 5 avril 1883 à Buffalo (New York). Mort en 1962. xxᵉ siècle. Américain.

Peintre de genre, portraits, paysages, fleurs, natures mortes.

Il fit ses études à Buffalo, à New York, où il vécut et travailla, et en Europe. Il exposa régulièrement à la Fondation Carnegie de Pittsburgh. Il obtint de très nombreuses récompenses, à partir de 1911, notamment un prix par le Salmagundi Club en 1913.

Il appartint au groupe de Woodstock. Bien qu'il doive sa réputation aux portraits, il réalisa également des paysages et des natures mortes.

MUSÉES : BROOKLYN : *Loïs* – CLEVELAND : *Portrait de l'actrice Jeanne Balzac* – DETROIT : *Torse de Hilda* – NEW YORK (Metropolitan Mus.) : *À l'aube* – Polly – WASHINGTON D. C. (Corcoran Art Gal.) : *Sara Rivers*.

VENTES PUBLIQUES : NEW YORK, 25-26 nov. 1929 : *Fleurs rouges et jaunes* : USD 225 – NEW YORK, 23 jan. 1936 : *Plage de Weekepang* : USD 400 – NEW YORK, 20-21 oct. 1943 : *Chrysanthèmes* : USD 800 – NEW YORK, 1ᵉʳ mai 1946 : *Nu* : USD 2 000 – NEW YORK, 16 mars 1967 : *Portrait de petite fille* : USD 1 600 – NEW YORK, 10 déc. 1970 : *Portrait de femme* : USD 950 – NEW YORK, 22 mars 1978 : *Fleurs dans un vase blanc* vers 1925, h/t (51x40,5) : USD 2 300 – NEW YORK, 23 mai 1979 : *Babette* 1931, h/t (145x114,5) : USD 14 000 – SAN FRANCISCO, 3 oct. 1981 : *Portrait de Katherine*, h/t (58,5x51,5) : USD 2 000 – NEW YORK, 7 déc. 1984 : *Portrait of Nancy Chase*, h/t (64x56) : USD 4 500 – NEW YORK, 15 mars 1985 : *Nature morte aux fleurs*, cr. et fus. (33,7x28) : USD 900 – NEW YORK, 15 mars 1985 : *Portrait de femme*, h/t (115x89) : USD 3 000 – NEW YORK, 4 déc. 1986 : *Portrait de Katherine Rosen* 1923, h/t (127x101,6) : USD 14 000 – NEW YORK, 26 mai 1988 : *Le passage de l'orage* 1907, h/t (53,3x91,4) : USD 10 450 – NEW YORK, 28 sep. 1989 : *Octobre dans les prairies de Saugerties près de New York*, h/t (41x51) : USD 1 650 – NEW YORK, 24 jan. 1990 : *Nu allongé*, aquar. et cr./pap. (43x60) :

USD 880 – NEW YORK, 30 mai 1990 : *Nu*, h/t (161,5x129,5) : USD 2 750 – NEW YORK, 17 déc. 1990 : *Nature morte avec des pivoines roses et blanches*, h.t. (55,9x45,5) : USD 2 860 – NEW YORK, 25 sep. 1992 : *Nu assis*, h/t (95,3x80) : USD 2 860 – NEW YORK, 4 déc. 1992 : *Nature morte de fleurs* 1947, h/t (43,3x32,9) : USD 4 180 – NEW YORK, 12 sep. 1994 : *Portrait de Miss Rosalie Shay*, h/t (63,5x55,9) : USD 1 840 – NEW YORK, 28 nov. 1995 : *Tulipes*, h/t (57x40,5) : USD 4 140 – NEW YORK, 21 mai 1996 : *Bouquet de fleurs d'été dans un vase bleu avec des livres sur une table*, h/t (56,2x41) : USD 1 840 – NEW YORK, 3 déc. 1996 : *Nature morte de fleurs*, h/t (45,8x41,3) : USD 6 325 – NEW YORK, 26 sep. 1996 : *Graziana* 1943, h/t (94x81,3) : USD 6 612 – NEW YORK, 25 mars 1997 : *Des Lys*, h/t (31,8x33) : USD 3 450 ; *Jean* vers 1930, h/t (47x48,9) : USD 4 887.

SPEIER. Voir aussi SPEYER et SPIR

SPEIER Meta

Né le 6 janvier 1889 à Francfort-sur-le-Main (Hesse). xxᵉ siècle. Allemand.

Peintre.

Il fut élève de Weissgerber. Il vécut et travailla à Munich.

SPEIGEL Nikolaus, appellation erronée. Voir SPIEGEL Johann Nikolaus

SPEIGHT

xixᵉ siècle. Britannique.

Actif au début du xixᵉ siècle, il peignait sur porcelaine.

SPEIGHT Francis

Né en 1896 en Caroline du Nord. Mort en 1989. xxᵉ siècle. Américain.

Peintre.

Il étudia à l'académie des beaux-arts de Pennsylvanie. Il exposa régulièrement à la fondation Carnegie de Pittsburgh, au Metropolitan Museum et à l'Art Gallery de Toronto, à l'académie des beaux-arts de Pennsylvanie. Il obtint la Cresson Travelling Scholarship en 1925.

Il fut remarqué aux États-Unis comme l'un des jeunes artistes dynamiques de son temps.

VENTES PUBLIQUES : NEW YORK, 25 mars 1997 : *Au-dessus de la haie* 1930-1931, h/t (81,6x101,6) : USD 7 475.

SPEIJ Martinus. Voir SPEY

SPEIKEL C.

xviiiᵉ siècle. Travaillant vers 1750. Allemand.

Peintre.

SPEISSEGGER ou Speisegger

xviiᵉ siècle. Actif à Schaffhouse. Suisse.

Sculpteur sur bois.

Il exécuta des stalles et le maître-autel de l'abbaye de Marchtal.

SPEISSEGGER Alexander ou Speisegger

Né le 10 septembre 1750 à Schaffhouse. Mort en 1798 à Berne. xviiiᵉ siècle. Suisse.

Portraitiste.

Il peignit aussi des portraits en miniature. Le Musée National de Zurich conserve de lui les portraits d'un pasteur de Zurich et de sa femme.

SPEISSEGGER Georg Heinrich

Né le 28 août 1774 à Schaffhouse. Mort le 12 octobre 1846 à Schaffhouse. xviiiᵉ-xixᵉ siècles. Suisse.

Peintre de portraits et de vues.

SPEISSEGGER Johann Konrad

Né le 27 septembre 1696 à Schaffhouse. Mort le 5 octobre 1781. xviiiᵉ siècle. Suisse.

Sculpteur sur bois.

SPEK Pieter Van der. Voir SPECK

SPEL Jacob

xviiᵉ siècle. Actif à Kampen, travaillant à Amsterdam en 1627. Hollandais.

Peintre.

SPELA Lorenzo

xviiᵉ siècle. Italien.

Graveur sur bois.

Il travailla pour les églises Saint-Antoine et Saint-Jean d'Urbino, de 1664 à 1666.

SPELDRICKT Jan Van der

xviᵉ siècle. Travaillant de 1542 à 1549. Hollandais.

Graveur au burin.

SPELIERS Jean
Né en 1920 à Mouscron. xxᵉ siècle. Belge.
Peintre de compositions animées, portraits, paysages, marines, fleurs.
Il fut élève de l'académie des beaux-arts de Bruxelles, où il eut pour professeurs Alfred Bastien et Henri Logelain.
BIBLIOGR. : In : *Dict. biogr. illustré des artistes en Belgique depuis 1830*, Arto, Bruxelles, 1987.

SPELLIN Johannes. Voir **SPENLIN**

SPELMAN John A.
Né le 30 septembre 1880 à Owatonna. xxᵉ siècle. Américain.
Peintre.
Il fut élève de l'Art Institute de Chicago. Il vécut et travailla à Oak Park.
VENTES PUBLIQUES : NEW YORK, 10 juin 1992 : *Une grange rouge dans les Blue Mountains*, h/t (74,8x92,7) : USD 2 090 – NEW YORK, 31 mars 1993 : *Rivière de montagne en automne* 1930, h/t (81,3x91,4) : USD 2 185.

SPELT Adriaen Van der
Né vers 1630 à Leyde. Mort en 1673 à Gouda. xvIIᵉ siècle. Éc. flamande.
Peintre de portraits, natures mortes, fleurs et fruits.
Il fut élève de Crabeth II. Il était en 1658 dans la gilde de Leyde. Il vécut longtemps à Berlin après 1672, puis à Gouda. Il était également peintre verrier.
Il se spécialisa dans la représentation de natures mortes en trompe l'œil décoratif d'inspiration italienne.
MUSÉES : CHICAGO (Art Inst.) : *Nature morte*.
VENTES PUBLIQUES : PARIS, 12 avr. 1989 : *Vase de fleurs sur un entablement de marbre*, h/pan. (44x35) : FRF 700 000 – NEW YORK, 11 jan. 1995 : *Portrait d'un homme en buste portant un habit de cérémonie avec un chapeau à plume et une chaîne corporative*, h/pan. (63,5x47,6) : USD 6 325.

SPELTDOOREN
xIXᵉ siècle. Actif à Bruxelles. Belge.
Sculpteur sur bois.
Le Musée de Louvain conserve de lui *Buste de Xavier Heuschling*.

SPELTER Jakob
xIXᵉ siècle. Actif à Karlsruhe. Allemand.
Peintre de miniatures.
Élève de J. M. Morgenroth. Il peignit sur porcelaine de 1820 à 1856.
MUSÉES : MANNHEIM : *Portrait du grand duc Léopold de Bade – Portrait de la grande duchesse Sophie – Portrait de deux barons von Babo – Portrait d'un homme – Portrait d'une femme* – MUNICH (Mus. Nat.) : *Portrait d'une femme*.

SPELTINI Michele
Né le 3 août 1786. xIXᵉ siècle. Actif à Crémone. Italien.
Miniaturiste.

SPELTINI Tommaso
Né le 9 août 1783. xIXᵉ siècle. Actif à Crémone. Italien.
Peintre de décorations.
Frère de Michele Speltini.

SPELTINI Vespasiano
xIXᵉ siècle. Actif à Crémone. Italien.
Peintre et graveur au burin.
Élève de G. Gallina et de G. Longhi. Il a peint un tableau de piété dans la cathédrale de Crémone.

SPELTJENS Guillaume
xvIIᵉ siècle. Actif dans la seconde moitié du xvIIᵉ siècle. Éc. flamande.
Sculpteur.
Il collabora avec Jean Christ. Hansche aux reliefs du plafond de la bibliothèque et à ceux du réfectoire de l'abbaye Parck à Héverlé, près de Louvain.

SPELUZZI Gaetano
xIXᵉ siècle. Actif à Milan au milieu du xIXᵉ siècle. Italien.
Peintre et ciseleur.
Il exécuta des peintures au Théâtre social de Milan en 1855.

SPELUZZI Giuseppe
Né vers 1827. Mort le 26 avril 1890 à Milan. xIXᵉ siècle. Actif à Milan. Italien.
Fondeur, dessinateur, ciseleur et décorateur.
Il décora le théâtre de la Scala de Milan.

SPENCE Alfredo
xIXᵉ siècle. Italien.
Peintre.
Fils de William Blundell Spence. Il exposa à Florence en 1822.

SPENCE Benjamin Edward
Né en 1822 à Liverpool. Mort le 21 octobre 1866 à Livourne. xIXᵉ siècle. Britannique.
Sculpteur.
Fils et probablement élève de William Spence. A seize ans, il modela un buste et un groupe qui lui valurent un prix à l'exposition de Manchester. Peu après, il alla à Rome où il fut protégé de John Gibson et devint l'élève de J.-B. Wyatt. Benjamin Edward Spence s'installa à Rome. De 1849 à 1866, il envoya cinq ouvrages à la Royal Academy. Ce ne fut pas un artiste éminent, mais ses ouvrages, s'ils n'ont pas une grande puissance, ni une grande originalité, ne sont pas sans élégance.
MUSÉES : LIVERPOOL : *Psyché à la source* – SYDNEY : *Hippolyte – La dame du lac – Fillette des Highlands*.
VENTES PUBLIQUES : LONDRES, 18 juil. 1983 : *The Angel's whisper*, marbre (H. 95) : GBP 1 000.

SPENCE C. J.
xIXᵉ siècle. Britannique.
Aquarelliste et aquafortiste.
Père de Robert Spence.

SPENCE Ernest
xIXᵉ siècle. Britannique.
Peintre de compositions mythologiques, portraits.
Il travaillait à Londres de 1884 à 1894.
VENTES PUBLIQUES : NEW YORK, 17 jan. 1990 : *Orphée conduisant Eurydice hors des Enfers* 1893, h/t (178x64,1) : USD 3 300.

SPENCE Harry
Né vers 1870 à Londres. xIXᵉ-xxᵉ siècles. Britannique.
Peintre de genre.
Il vécut et travailla à Glasgow. Il participa à l'Exposition internationale de Glasgow en 1901, aux expositions de la Society of British Artists, dont il fut membre.
MUSÉES : GLASGOW : *La Gondole*.
VENTES PUBLIQUES : GLASGOW, 7 fév. 1989 : *Le carré de choux* 1883, h/t (61x51) : GBP 1 430.

SPENCE Percy F. S.
Né en 1868 à Sydney. Mort en septembre 1933 à Londres. xIXᵉ-xxᵉ siècles. Australien.
Peintre de portraits, illustrateur.
Il passa la première partie de sa vie aux îles Fidji, et prit part aux expositions de l'Art Society of New South Wales à Sydney. Il alla à Londres en 1895 et y résida jusqu'en 1905. Il collabora au *Graphic*, au *Harper's Magazine* et à *The Pall Mail*.
MUSÉES : LONDRES (Nat. Gal.) : *Portrait de Robert Louis Balfour Stevenson* – SYDNEY : *Le Laboureur – Homme des bois australien – Sir George Dibbs*.
VENTES PUBLIQUES : LONDRES, 17 mai 1974 : *Chevaux* : GNS 850 – LONDRES, 28 mai 1980 : *The gallant highwayman* 1908, aquar. et gche (41x60,5) : GBP 400.

SPENCE Robert
Né le 6 octobre 1871 à Tynemouth. xIXᵉ-xxᵉ siècles. Britannique.
Peintre, graveur.
Fils de C. J. Spence et élève de Cormon à Paris, il vécut et travailla à Londres. Il grava à l'eau-forte des scènes des opéras de Wagner.

SPENCE Thomas Ralph
Né vers 1855 à Gilling (près de Richmond). Mort en 1903. xIXᵉ siècle. Actif à Londres. Britannique.
Décorateur et peintre.
Il exécuta des peintures décoratives dans la cathédrale de Manchester.
VENTES PUBLIQUES : LONDRES, 23 mars 1981 : *Chanson de Phemius et plainte de Pénélope* 1897, h/t (87,5x182) : GBP 9 500 – LONDRES, 18 jan. 1984 : *The sleeping beauty* 1892, h/t (34x180) : GBP 5 500 – LONDRES, 1ᵉʳ nov. 1985 : *Nausicaa* 1898, h/t (139,1x60,3) : GBP 5 000 – NEW YORK, 28 oct. 1986 : *Nausicaa* vers 1898, h/t (140,6x62,2) : USD 9 500 – LONDRES, 4 juin 1997 : *La Première Invasion de Rome par les Gaulois, l'insulte à Papirius* 1893, h/t (68,5x206) : GBP 16 675.

SPENCE William
Né en 1793 à Chester. Mort le 6 juillet 1849 à Liverpool. xIXᵉ siècle. Britannique.

Sculpteur.

Il fut placé très jeune chez un sculpteur sur bois, professeur de dessin à Liverpool. La connaissance qu'il fit du sculpteur John Gibson fut précieuse à Spence par les avis et la protection dont cet artiste le fit bénéficier. Il fut nommé professeur dans la classe des Antiques à la Liverpool Academy et prit une part active à ses expositions. Il exposa également à la Royal Academy à Londres huit bustes de 1821 à 1844. A la fin de sa carrière il s'associa à une maison de commerce de Liverpool, et ne s'occupa plus d'art qu'en amateur. Le Musée de Liverpool conserve de lui des bustes de *George Canning* et de *John Foster*.

SPENCE William ou Guglielmo Blundell

Né vers 1815. Mort en janvier 1900 à Florence. XIXe siècle. Italien.

Peintre, graveur au burin et collectionneur.

Il fit ses études à Londres, à Rome et à Florence où il s'établit vers 1838. Le Musée des Offices de Florence, conserve de lui *Portrait de l'artiste*.

SPENCELAYH Charles

Né le 26 octobre 1865 à Rochester. Mort le 25 juin 1958 à Northampton. XIXe-XXe siècles. Américain.

Peintre de genre, figures, portraits, aquarelliste, graveur, peintre de miniatures, dessinateur.

Il exposa à Londres, notamment à la Royal Academy à partir de 1887. Il vécut et travailla à Hollingbourne.

Graveur, il pratiqua particulièrement l'eau-forte.

C.SPENCELAYH
1948
C.SPENCELAYH

BIBLIOGR. : Aubrey Noakes : *Charles Spencelayh and his Paintings,* Jupiter, Londres, 1978.

MUSÉES : LONDRES (Tate Gal.) : *Le Château de Rochester* 1895.

VENTES PUBLIQUES : LONDRES, 6 juil. 1928 : *Alexandre Rose day :* **GBP 273** – LONDRES, 10 mai 1929 : *La déclaration de Balfour :* **GBP 84** – LONDRES, 24 juil. 1931 : *Une faute,* dess. : **GBP 42** – LONDRES, 30 nov. 1945 : *Poisson étrange,* dess. : **GBP 73** – LONDRES, 9-10 avr. 1946 : *Le sou perdu :* **GBP 135** – LONDRES, 15 déc. 1950 : *Le vieux marchand :* **GBP 588** – LONDRES, 30 nov. 1960 : *Le violon neuf :* **GBP 700** – LONDRES, 22 mars 1963 : *Le point de vue :* **GNS 900** – LONDRES, 16 oct. 1968 : *Le diamantaire :* **GBP 1 650** – LONDRES, 20 mai 1970 : *Le marchand :* **GBP 1 600** – LONDRES, 25 jan. 1974 : *Vieillard lisant dans un intérieur :* **GNS 8 500** – LONDRES, 9 mars 1976 : *Le pot de confitures,* h/t (38x28) : **GBP 300** – LONDRES, 28 jan. 1977 : *Two minute's silence,* h/t (65x44,5) : **GBP 700** – LONDRES, 25 mai 1979 : *Morning chapter,* h/t (54,5x36,8) : **GBP 9 500** – LONDRES, 21 oct. 1980 : *A lucky fond,* aquar. (28x20,3) : **GBP 1 700** – NEW YORK, 28 mai 1981 : *Rêves de gloire* 1900, h/t (76x51) : **USD 5 500** – LONDRES, 21 juil. 1982 : *La Chaise cassée,* aquar. et reh de gche (39,5x32) : **GBP 2 050** – LONDRES, 29 mars 1983 : *Non coupable,* h/t (66x51) : **GBP 6 500** – LONDRES, 13 juin 1984 : *Crocus précoces,* aquar. reh. de blanc (23x17) : **GBP 3 200** – CHESTER, 19 avr. 1985 : *The early bird,* aquar. (19x15) : **GBP 2 900** – LONDRES, 17 déc. 1986 : *The bad shilling,* h/t (41x30) : **GBP 6 800** – LONDRES, 15 juin 1988 : *Le temps de cuisson,* h/t (61x51) : **GBP 14 850** – CHESTER, 20 juil.1989 : *Les allume-feu* 1916, aquar. (24x19) : **GBP 12 650** – LONDRES, 27 sep. 1989 : *Une pomme par jour,* h/t. (23,5x18) : **GBP 19 800** – LONDRES, 13 déc. 1989 : *Le disparu* 1899, h/t (76x51) : **GBP 3 850** – LONDRES, 31 jan. 1990 : *Juste assez pour un !,* aquar. et gche (36x26) : **GBP 17 820** – LONDRES, 21 mars 1990 : *La préparation d'une sottise,* h/t (41x30) : **GBP 9 900** – LONDRES, 13 juin 1990 : *Jour de jeûne,* h/t (46x30,5) : **GBP 24 200** – LONDRES, 14 juin 1991 : *Jeune garçon assis sur une table et jouant de la guimbarde* 1899, h/t (66x46) : **GBP 26 400** – LONDRES, 19 déc. 1991 : *Pois de senteur,* h/t (38x30,5) : **GBP 4 180** – LONDRES, 13 mars 1992 : *À genoux pour séduire,* h/t (63,5x76,2) : **GBP 30 800** – NEW YORK, 18 fév. 1993 : *Le nouvel animal de compagnie,* h/t (76x50,5) : **USD 8 800** – LONDRES, 8-9 juin 1993 : *Damné chat !,* h/t (76x51) : **GBP 19 550** – LONDRES, 5 nov. 1993 : *Une bonne histoire !,* h/t (50,7x40,6) : **GBP 35 600** – LONDRES, 25 mars 1994 : *Le trou de mémoire* 1926, h/t (50,5x38,6) : **GBP 26 450** – PERTH, 29 août 1995 : *Ils viennent d'arriver,* h/t (40,5x30,5) : **GBP 19 550** – LONDRES, 5 juin 1996 : *Un invité pour le thé,* aquar. reh. et gche

(35x26) : **GBP 18 400** – LONDRES, 5 sep. 1996 : *Ulysse bafouant Polyphème* 1884, h/t (46x69) : **GBP 2 990** – LONDRES, 12 mars 1997 : *Annie Laurie,* h/t (61x51) : **GBP 82 900** – LONDRES, 4 juin 1997 : *Toutes les quatre heures* 1945, h/pan. (22x14,5) : **GBP 15 525** – LONDRES, 5 nov. 1997 : *À découvert à la banque,* h/t (61,5x51) : **GBP 107 100.**

SPENCELAYH Vernon

Né le 9 juillet 1891 à Chatham. XXe siècle. Américain.

Peintre de figures, natures mortes, peintre de miniatures.

Fils du peintre Charles Spencelayh, il vécut et travailla à Oakmere Close.

SPENCELEY J. Winfred

Né en 1865 à Boston (Massachusetts). XIXe-XXe siècles. Américain.

Graveur.

Il fit ses études à Boston. Il grava surtout des ex-libris, pratiquant la gravure au burin.

SPENCER Asa

Mort le 1er avril 1847 en Angleterre. XIXe siècle. Actif à Philadelphie. Américain.

Graveur au burin.

SPENCER Celia, Mrs. Voir GANDY Celia

SPENCER Diana. Voir BEAUCLERCK Diana, Lady

SPENCER Edna Isbester

Née le 12 novembre 1883 à Saint John. XXe siècle. Canadienne.

Peintre, sculpteur.

Élève de Bela Pratt et de Robert Altken, elle vécut et travailla à Boston. Elle obtint une mention au Salon de la Société Nationale des Beaux-Arts à Paris en 1926.

SPENCER Frederick Gore. Voir GORE

SPENCER Frederick ou Fred

XIXe-XXe siècles. Britannique.

Peintre de natures mortes, aquarelliste.

Il fut actif de 1890 à 1913. Il participa aux expositions de la Royal Academy de 1905 à 1913.

Peintre de natures mortes, il a privilégié les représentations de fruits et de citrons.

VENTES PUBLIQUES : LONDRES, 26 sep. 1990 : *Pommes,* aquar. (14x29) : **GBP 1 430** – LONDRES, 17 nov. 1995 : *Vieux livres à lire,* aquar. et reh. de blanc (33,2x20,7) : **GBP 4 370.**

SPENCER Frederick R.

Né le 7 juin 1806 à Lenox (États-Unis). Mort le 3 avril 1875 à Wampsville. XIXe siècle. Américain.

Peintre de portraits.

Élève de l'Académie de New York, il vint, vers 1830, s'établir à New York comme peintre de portraits. En 1848, il fut nommé membre de la National Academy de New York. En 1858, il se retira dans sa ville natale et acheva sa carrière.

VENTES PUBLIQUES : NEW YORK, 28 juin 1977 : *Jeune fille à la rose* 1851, h/t (91,5x73,7) : **USD 1 400** – NEW YORK, 2 févr 1979 : *Portrait d'un petit garçon* 1833, h/t (111,6x86,8) : **USD 3 000** – NEW YORK, 26 oct. 1984 : *Jeune fille à l'éventail* 1851, h/t (91,4x73,7) : **USD 1 800.**

SPENCER Gervase ou Jarvis

Mort le 30 octobre 1763 à Londres. XVIIIe siècle. Britannique.

Miniaturiste, émailleur et aquafortiste.

Il exposa à la Society et Artists cinq miniatures de 1761 à 1763. Reynolds a peint le portrait de cet artiste qui, après avoir été simple domestique, était devenu le peintre à la mode de l'époque. Il a laissé des miniatures et des émaux signés *G. S.* Le Musée de Nottingham conserve de lui un *Portrait de femme*.

VENTES PUBLIQUES : PARIS, 8 avr. 1954 : *Portrait d'homme en habit bleu :* **FRF 15 000.**

SPENCER Gilbert

Né le 4 août 1892 à Coockham (Berkshire). Mort en 1979. XXe siècle. Britannique.

Peintre de compositions religieuses, compositions animées, sujets militaires, genre, paysages, graveur.

Frère cadet de Stanley Spencer, il suit les traces de son frère à la Slade School de Londres qu'il fréquente de 1913 à 1915, après avoir étudié en 1911 et 1912 au Royal College of Art. Dès avant la Seconde Guerre mondiale, il enseigne au Royal College of Art, puis est nommé directeur de la Glasgow School of Art en 1948.

À partir de 1950, il dirige la Camberwell School of Art de Londres. Il vécut et travailla à Londres. Il fut membre dès 1919 du New English Club, où il fit sa première exposition personnelle en 1923, de la Royal Academy à partir de 1960.

Dès les débuts, son œuvre laisse apparaître un peu des qualités de mystère et de naïveté déjà perceptibles dans les œuvres de son frère. Avec la maturité, il change de genre, acquérant plus de personnalité, se détourne des sujets religieux et aborde les scènes de la vie quotidienne, notamment les scènes villageoises et les paysages, réalisant notamment des gravures sur bois. Il fut peintre officiel entre 1940 et 1943.

Musées : Londres (Tate Gal.) : *A Cotswold farm* 1930-1931 – *Le Commencement d'un événement historique : les martyrs de Tolpuddle* 1937 – *Le Val de Blackmore à Campton Abbas* 1942 – *Sashes Meadow, Cookham* 1914-1919 – Southampton (Civic Center) : *Colline de Melburg.*

Ventes Publiques : Londres, 22 nov. 1972 : *Vue de Cockham* : **GBP 800** – Londres, 13 juil. 1973 : *Emma Green Caversham* : **GNS 1 650** – Londres, 1er mars 1974 : *Le débardeur* : **GNS 420** – Londres, 10 nov. 1976 : *Le sermon sur la montagne* 1920-1922, h/t (152,5x101,5) : **GBP 500** – Londres, 7 juin 1978 : *Le Sermon sur la montagne*, h/t (150,5x116,5) : **GBP 600** – Londres, 27 juin 1979 : *Paysage : champs et maisons*, h/t (56x60,5) : **GBP 980** – Londres, 19 nov. 1980 : *Autoportrait* 1914, cr. (33,5x19) : **GBP 1 300** – Londres, 12 juin 1981 : *Portrait de Madame Anne Carling écrivant* 1930, h/t (112,5x82) : **GBP 1 600** – Londres, 9 nov. 1984 : *Man at a sluice gate on the Thames* 1932, h/t (71,2x56) : **GBP 3 500** – Londres, 15 mai 1985 : *Nature morte*, h/t (61x46) : **GBP 1 700** – Londres, 14 nov. 1986 : *Twyford, Dorset*, h/t (66x89) : **GBP 5 000** – Londres, 12 juin 1987 : *Tu ne commettras pas l'adultère* 1927, pl. et encre noire (57,5x52) : **GBP 2 400** – Londres, 4 mars 1988 : *Promenade du soir*, h/pan. (31,8x39,3) : **GBP 2 750** – Londres, 12 mai 1989 : *Couple âgé se promenant* 1953, h/t (40x30) : **GBP 1 320** – Londres, 9 juin 1989 : *Début de printemps*, h/cart. (25,4x34,4) : **GBP 5 280** – Londres, 20 sep. 1990 : *Promenade du soir*, h/pan. (33x41) : **GBP 1 500** – Londres, 2 mai 1991 : *La cheminée*, h/t (60x44) : **GBP 1 430** – Sydney, 2 déc. 1991 : *Voiliers à Middle Harbour*, h/cart. (90x108) : **AUD 1 200.**

SPENCER Guy Raymond
Né le 1er septembre 1878 à Jasper (Colorado). XXe siècle. Américain.
Illustrateur.
Il vécut et travailla à Omaha.

SPENCER Henry Cecil
Né le 5 mars 1903 à Mangum (Oklahoma). XXe siècle. Américain.
Peintre de portraits.
Il fut élève d'Ernest Blumenschein et de l'Art Students' League de New York. Il fut membre de la Ligue américaine des artistes professeurs.

SPENCER Howard Bonnell
Né à Plainfield (New Jersey). XXe siècle. Américain.
Peintre.
Il fut élève de l'Art Students' League de New York, de Frank V. du Mond, Albert P. Lucas et Walt Kuhn. Il fut membre du Salmagundi Club.

SPENCER Hugh
Né le 19 juillet 1887 à Saint Cloud (Minnesota). XXe siècle. Américain.
Illustrateur, sculpteur.
Il fut élève de Charles S. Chapman, de Harvey Dunn et d'Arthur Covey. Il fut aussi écrivain. Il vécut et travailla à Chester. Il réalisa des sculptures en bois.

SPENCER James Burton
Né le 8 octobre 1940 à Wolfville (Nouvelle-Écosse). XXe siècle. Canadien.
Peintre de figures, paysages, marines, graveur.
De 1958 à 1961, il étudie à l'université d'Acadie, puis va à Toronto où il est élève de Carl Schaefer à l'Ontarion College of Art. Il voyagea ensuite en Europe.
Il exécute ses premiers tableaux à partir de photographies, illustrant les personnages de la musique populaire avec une touche volontiers expressionniste. Il peint ensuite une série érotique. Avec les *Vagues*, il entreprend une description minutieuse proche de l'hyperréalisme, des éléments grandioses et puissants de la nature. Il a ensuite exprimé cette même fascination avec la série *Montagne.*

SPENCER John S.
XIXe siècle. Actif à Londres de 1835 à 1863. Britannique.
Peintre.

SPENCER Joseph B.
Né en 1829 à Salisbury. XIXe siècle. Actif à Scranton. Américain.
Peintre de fleurs et d'animaux.

SPENCER Lavinia, comtesse, née Bingham
Née le 27 juillet 1762. Morte le 8 juin 1831. XVIIIe-XIXe siècles. Britannique.
Dessinatrice et aquafortiste amateur.
Fille du comte de Lucan. Bartolozzi et Gilbray gravèrent d'après ses ouvrages.

SPENCER Lillie ou Lilly Martin
Née en 1822 en Angleterre. Morte le 22 mai 1902 à New York. XIXe siècle. Américaine.
Peintre de compositions animées, portraits, animaux, natures mortes.
Elle peignit les portraits des généraux *Grant* et *Sherman* et de *William Cullen Bruant.*

Ventes Publiques : New York, 18 nov. 1976 : *Les Poussins* 1861, h/cart. (42,5x35,5) : **USD 2 000** – New York, 28 avr. 1978 : *Beauty and Barbarism* vers 1890, h/t (76,2x63,5) : **USD 2 500** – New York, 21 nov. 1980 : *Nature morte aux framboises*, h/t (40,6x50,8) : **USD 11 000** – New York, 28 jan. 1982 : *La robe rose* 1896, h/t (92,1x73,6) : **USD 1 800** – New York, 24 juin 1988 : *Jane Eleanor Sherman Lacey et son fils Edward*, h/t (121,5x90,8) : **USD 4 400** – New York, 28 sep. 1989 : *Le Pique-nique* 1856, h/t (31,1x41,2) : **USD 12 100** – New York, 26 sep. 1990 : *Haute mode*, h/t (74,9x62,9) : **USD 7 150** – New York, 27 mai 1993 : *Et le petit cochon partait au marché...* 1857, h/cart. (45,7x35,6) : **USD 20 700** – New York, 7 oct. 1997 : *Nature morte aux pêches*, h/pan. (27,3x35,5) : **USD 18 400.**

SPENCER Margaret Fulton
Née le 26 septembre 1862 à Philadelphie. XIXe-XXe siècles. Américaine.
Peintre de portraits, fleurs.
Femme du peintre Robert Spencer, elle fut élève de Mary Th. Birge et d'Alexander Harrison. Elle vécut et travailla à New York. Elle fut aussi architecte.
Musées : Detroit – Saint Louis.

SPENCER Mary
Née en 1835 à Springfield. Morte en 1923 à Brooklyn (New York). XIXe-XXe siècles. Américaine.
Peintre de natures mortes, fleurs et fruits, aquarelliste.
Elle fut élève de H. Adams, de H. B. Snell, d'A. Dow et R. Miller. Elle fut membre de la Fédération américaine des arts.
Musées : Cincinnati : *Nature morte avec des fruits.*

SPENCER Niles
Né le 16 mai 1893 à Pawrucket (Rhode Island). Mort en 1952 à New York. XXe siècle. Américain.
Peintre d'intérieurs, architectures, paysages, paysages urbains. Précisionniste.
Il fit ses études à l'école de dessin Rhode Island à Providence, à l'Art Students' League de New York, où il fréquenta en 1915 les ateliers de Georges Bellow et Robert Henri. En 1921, il séjourna en Europe, en France où il fut séduit par la Riviera française, en Italie où il fréquenta le peintre Carlo Carra. Il vécut et travailla à New York.
Il a montré ses œuvres dans des expositions personnelles : 1925 New York ; 1949 Carnegie Institute de Pittsburgh ; 1954 Museum of Modern Art à New York.
Peintre de la vie moderne américaine, il devint « précisionniste », voulant rendre des avec précision objective et impersonnelle, ce qu'il voyait. Dans un premier temps il adopta le style cubiste, dans l'esprit d'un aspect du précisionnisme auquel convient mieux l'appellation de cubisme réaliste, sans toutefois en tirer les conséquences, et se situa à mi-chemin entre la réalité et l'abstraction. Il peignit alors un univers désertique et triste, resté proche de la réalité parce que présenté dans un espace à trois dimensions, réalisant des œuvres d'une belle qualité puriste, un peu dans l'esprit d'un Demuth. De son séjour dans les environs d'Aix-en-Provence subsistent des paysages « cézannesques » ayant pour thèmes les arbres et maisons rustiques.
Bibliogr.: J. D. Prown, Barbara Rose, in : *La Peinture américaine, de la période coloniale à nos jours*, Skira, Genève, 1969.
Musées : Newark – New York (Mus. of Mod. Art) – New York

(Whitney Mus. of American Art) – WASHINGTON D. C. (Phillips Memorial Gal.).

VENTES PUBLIQUES : NEW YORK, 24 mai 1972 : *Sheridan Square, New York* : **USD 2 500** – NEW YORK, 14 mars 1973 : *La Table du studio* : **USD 6 500** – NEW YORK, 12 déc. 1974 : *The Watch Factory* : **USD 2 250** – NEW YORK, 21 avr. 1978 : *Fall river 1938*, h/cart. entoilé (30x45) : **USD 5 500** – NEW YORK, 25 oct 1979 : *Vue d'une ville 1926*, h/t (77,5x92) : **USD 34 000** – NEW YORK, 29 mai 1981 : *Le Capitole, Providence*, h/cart. (22,8x30,5) : **USD 3 000** – NEW YORK, 1er déc. 1988 : *Arbres et ferme du sud de la France*, h/cart. (43,2x53,3) : **USD 17 600** – NEW YORK, 30 nov. 1989 : *Au-dessus d'une excavation 2 1949*, h/t (42,5x31,8) : **USD 47 300** – NEW YORK, 14 mars 1991 : *Arbres et maisons campagnardes dans le sud de la France*, h/cart. (43,5x53,7) – NEW YORK, 5 déc. 1996 : *Église de Pike County 1946*, h/t (50,8x76,2) : **USD 90 500**.

SPENCER Noël Woodward
Né le 29 décembre 1900 à Nuneaton. XXᵉ siècle. Américain.
Peintre, graveur.
Il vécut et travailla à Birmingham en Alabama. Graveur, il privilégia le burin.

SPENCER Robert
Né le 1er décembre 1879 à Harvard. Mort le 10 juillet 1931 à New York. XXᵉ siècle. Américain.
Peintre de genre, portraits, paysages, architectures.
Mari de Margaret Spencer et élève de William Chase, Francis Jones et Robert, il travailla durant l'été 1909 sous la direction de Daniel Garber et subit son influence, réalisant notamment, d'après le sujet préféré de son maître, une peinture de la vallée de Tohicken.
Il participa à des expositions, à New York, où il reçut une médaille d'or en 1914, à l'Exposition de Pittsburgh où il obtint une mention honorable, à Panama où il obtint une médaille d'or, à San Francisco et à Philadelphie, de 1915 à 1926.
MUSÉES : BUFFALO – CHICAGO – NEW YORK – PITTSFIELD – WASHINGTON D. C.
VENTES PUBLIQUES : NEW YORK, 28 oct. 1976 : *Le marché du village*, h/pan. (53,5x71) : **USD 2 500** – NEW YORK, 27 oct. 1977 : *Scène de marché*, h/pan. (53,3x71) : **USD 1 900** – LOS ANGELES, 17 mars 1980 : *Weather*, h/t (76,2x91,5) : **USD 17 000** – NEW YORK, 1er juin 1984 : *La digue*, h/t (51,4x61) : **USD 12 000** – NEW YORK, 5 déc. 1985 : *Rockport, boats in a harbor*, h/t (45,8x51,5) : **USD 15 000** – NEW YORK, 30 sep. 1988 : *La vallée de Tohicken à Point Pleasant en Pennsylvanie 1910*, h/t (63,5x76,2) : **USD 23 100** – NEW YORK, 23 mai 1990 : *Baignade l'après-midi*, h/t (76,8x91,5) : **USD 99 000** – NEW YORK, 30 nov. 1990 : *La Charrette du colporteur près du canal à New Hope*, h/t (51x61) : **USD 50 600** – NEW YORK, 30 nov. 1990 : *Croisée de chemins 1909*, h/t (63,5x76,2) : **USD 44 000** – NEW YORK, 28 mai 1992 : *Croquis de la cité nº 1*, h/t (28x36) : **USD 12 100** – NEW YORK, 4 déc. 1992 : *Ville à flanc de colline*, h/t (76,6x91,7) : **USD 38 500** – NEW YORK, 14 mars 1993 : *Femme suspendant sa lessive*, h/t (40,8x30,5) : **USD 10 925** – NEW YORK, 4 déc. 1996 : *Tour à Harlem*, h/t (30,5x35,5) : **USD 8 050**.

SPENCER Stanley, Sir
Né le 30 juin 1891 à Cookham (Berkshire). Mort le 14 décembre 1959 à Taplow. XXᵉ siècle. Britannique.
Peintre de sujets religieux, genre, compositions animées, paysages, natures mortes, fleurs, dessinateur. Tendance naïf.
Il fit ses études à la Slade School de Londres, de 1908 à 1912. À la suite de cela, il se retira dans son village natal. Il fut obligé de quitter momentanément son village puisqu'au cours de la Première Guerre mondiale, il servit en Macédoine. Au cours de la Seconde Guerre mondiale, il travailla pour le War Artists Committee à Glasgow, spécialisé dans la peinture des chantiers navals.
Des rétrospectives de son œuvre ont été organisées : 1955 Tate Gallery de Londres ; 1976-1977, 1981 exposition itinérante organisée par The Arts Council of Great Britain ; 1980 Royal Academy de Londres ; 1991 Barbican Art Gallery à Londres.
Il peignit à l'écart de tous les autres courants picturaux contemporains. Son art devient en quelque sorte proche de l'art naïf reliant tout à l'univers restreint qu'est son village. C'est ainsi qu'il représenta des épisodes de la Bible dans le décor de Cookham. Sa manière, elle, n'est pas éloignée de l'expressionnisme nordique. Influencé par son séjour en Macédoine, il réalisa les peintures murales de la chapelle de Burghclere (1922-1932) et la

Résurrection. Toutefois, il se révèle plus à l'aise à travers les petits paysages. Dans les années trente, son marchand l'encouragea à peindre des natures mortes de fleurs, plus faciles à vendre sur le marché difficile de cette époque. Le succès fut tel que Spencer regrettait de n'avoir plus assez de temps à consacrer aux compositions plus difficiles, les compositions religieuses, qui étaient sa véritable vocation.

Stanley Spencer [signature]

BIBLIOGR. : Eric Newton : *Stanley Spencer*, Penguin, Londres, 1947 – A. Brookner, in : *Dict. de l'art et des artistes*, Hazan, Paris, 1967 – John Rothenstein : *Stanley Spencer – L'Homme, correspondance et souvenirs*, P. Elek, Londres, 1979 – Duncan Robinson : *Vision depuis un village du Berkshire*, Phaidon, Oxford, 1979 – Keith Bell : *Stanley Spencer*, Royal Academy, Londres, 1980 – Keith Bell : *Stanley Spencer – Catalogue raisonné des peintures*, Phaidon Press, Londres, 1992 – in : *Dict. de l'art mod. et contemp.*, Hazan, Paris, 1992 – F. Mac – Carthy : *Stanley Spencer : an English Vision*, Yale University Press, 1997.
MUSÉES : BRADFORD – CAMBRIDGE (Fitzwilliam Mus.) – COOKHAM (Tate Gal.) : *Résurrection* – LONDRES (Tate Gal.) : *Souvenirs de Macédoine* – OTTAWA (Nat. Gal.) – SOUTHAMPTON (Civic Center) : *Portrait de Patricia Preece 1933*.
VENTES PUBLIQUES : LONDRES, 17 juil. 1946 : *Procession de femmes* : **GBP 120** – LONDRES, 14 nov. 1959 : *Près de la rivière 1936* : **GBP 650** – LONDRES, 4 déc. 1963 : *Autoportrait* : **GBP 2 700** – LONDRES, 15 avr. 1964 : *L'Adoration des vieillards* : **GBP 2 000** – LONDRES, 9 juil. 1969 : *Jardin* : **GBP 2 300** – LONDRES, 22 nov. 1972 : *Portrait de Lady Slesser* : **GBP 1 300** – LONDRES, 10 mai 1974 : *The betrayal* : **GNS 7 800** – LONDRES, 12 nov. 1976 : *Colombine*, h/t (40,5x51) : **DEM 8 500** – LONDRES, 16 nov. 1977 : *Paysage 1927*, h/t (45x65) : **GBP 1 200** – LONDRES, 21 juin 1979 : *Domestic Life*, cr. et lav., haut arrondi (39,5x50) : **GBP 780** – LONDRES, 19 oct 1979 : *At the piano 1957*, h/t (91,5x61) : **GBP 13 000** – LONDRES, 29 mai 1980 : *Les Noces de Cana 1953*, litho. (52x43,5) : **GBP 410** – LONDRES, 11 mars 1981 : *Femmes écoutant le Christ prêcher 1953*, h/t (117x131) : **GBP 65 000** – LONDRES, 3 nov. 1982 : *La Sainte Famille 1909*, cr. pl. et lav. (32x33,5) : **GBP 1 900** – LONDRES, 4 mars 1983 : *Juin, la cueillette des fleurs 1926*, h/t. pl. (50,5x37,5) : **GBP 1 200** – LONDRES, 4 nov. 1983 : *Nu (Patricia Preece) 1935*, h/t (50,8x76,2) : **GBP 21 000** – LONDRES, 27 sep. 1985 : *The Disrobing of Christ*, cr. et lav. bleu (38,8x57) : **GBP 1 900** – LONDRES, 13 nov. 1985 : *Cactus, Cookham Dean 1938*, h/t (51x76) : **GBP 30 000** – LONDRES, 12 nov. 1986 : *Coronation cockatoo*, h/t (89,5x59) : **GBP 32 000** – LONDRES, 11 nov. 1987 : *Hilda et moi choisissant un cadre pour l'une des ses peintures*, cr. et lav. sépia (21x25,5) : **GBP 2 400** – LONDRES, 11 nov. 1987 : *Christ preaching at Coockham Regatta, punts meeting*, h/t (79x129,5) : **GBP 390 000** – LONDRES, 10 nov. 1989 : *L'expulsion des marchands du temple*, h. et gche/pap. quadrillé pour transfert (14x34,4) : **GBP 11 000** – LONDRES, 9 mars 1990 : *La résurrection : l'éveil 1945*, h/t, triptyque (panneaux latéraux 50,8x76,3, panneau central 76,3x50,8) : **GBP 770 000** – LONDRES, 8 juin 1990 : *Le port de St Ives 1937*, h/t (71x94) : **GBP 132 000** – LONDRES, 20 sep. 1990 : *Tête de fillette 1925*, cr. (35,5x25) : **GBP 3 080** – LONDRES, 25 jan. 1991 : *Croquis pour la chapelle de Burghclere dans le Berkshire*, cr. (26x35) : **GBP 660** – LONDRES, 7 mars 1991 : *Gypsophile*, h/t (71x86) : **GBP 83 600** – NEW YORK, 7 mai 1991 : *Portrait d'homme*, cr./pap. (35,5x25,4) : **USD 2 640** – LONDRES, 6 juin 1991 : *Bégonias*, h/t/pan. (76x51) : **GBP 77 000** – LONDRES, 7 nov. 1991 : *Fernlea à Cookham*, h/pap./t. (25,5x35,5) : **GBP 14 300** – LONDRES, 14 mai 1992 : *La récolte des noix à Fernlea à Cookham*, cr. (26x35) : **GBP 3 520** – LONDRES, 6 nov. 1992 : *Près de la rivière à Sarajevo 1922*, h/t (25,5x35,5) : **GBP 8 250** – LONDRES, 12 mars 1993 : *Étude pour « La résurrection des soldats » à Burghclere*, h. et cr./pap. (28,5x49) : **GBP 9 200**.

SPENCER Thomas
Né en 1700. Mort en 1765 ou 1767. XVIIIᵉ siècle. Britannique.
Peintre de scènes de chasse, animalier.
VENTES PUBLIQUES : LONDRES, 20 nov. 1981 : *The Earl of Arundell's Mountain Arabian*, h/t (99x124,5) : **GBP 7 500** – LONDRES, 21 nov. 1984 : *Gentilhomme à cheval dans un paysage boisé*, h/t (94x122) : **GBP 15 000** – NEW YORK, 6 juin 1985 : *Bay Boulton with Sir Edward O'Brien up on Newmarket heath*, h/t (102,2x125,6) : **USD 15 000** – LONDRES, 12 mars 1986 : *Chasseur et son cheval avec deux chiens devant une maison de campagne*, h/t (71x123) :

GBP 25 000 – New York, 9 juin 1988 : *Bay Boulton monté par Sir Edward O'Brien*, h/t (102,2x125,6) : **USD 14 300** – Londres, 10 nov. 1993 : *Charles Montagu avec un pur-sang tenu par son lad*, h/t (90x105,5) : **GBP 34 500** – New York, 9 juin 1995 : *Le cheval arabe de Mr. Charles Wilson avec son palefrenier*, h/t (78,7x113) : **USD 2 875** – New York, 11 avr. 1997 : *Lord Carbery chassant à courre*, h/t (80x100,3) : **USD 63 000** – Londres, 12 nov. 1997 : *Le pur-sang bai Flying Childers tenu par un lad portant la livrée du duc de Devonshire, dans un paysage*, h/t (58x68,5) : **GBP 20 700**.

SPENCER Vera
Née en 1926 à Prague. xxᵉ siècle. Active depuis 1936 et naturalisée en Angleterre. Tchécoslovaque.
Peintre, peintre de collages. Abstrait.
Après avoir été élève de Kokoschka et avoir subi son influence, dans une première période expressionniste, elle fut élève de la Slade School de Londres, où elle vécut et travailla, pendant trois années.
Elle participe à des expositions collectives en Angleterre, France et à New York. Elle a montré une exposition personnelle de ses œuvres en 1952 à Paris.
Ses premières peintures abstraites datent de 1950. Elle pratique surtout la technique du collage.
Bibliogr. : Michel Seuphor, in : *Dict. de la peinture abstraite*, Hazan, Paris, 1957.
Ventes Publiques : Londres, 24 mai 1990 : *Sans titre* 1963, h/t (102x127) : **GBP 6 050**.

SPENCER W. Clyde
Né vers 1864 à Pretoria. Mort le 17 juillet 1915 à New York. xixᵉ-xxᵉ siècles. Américain.
Illustrateur.

SPENCER W. H.
xixᵉ siècle. Travaillant en 1825. Américain.
Graveur au burin.

SPENCER PRYSE Gerald ou Pryse Gerald Spencer
Né en 1881 à Londres. xxᵉ siècle. Britannique.
Peintre, graveur de sujets militaires, paysages.
Il grava des paysages et des scènes de guerre et réalisa des lithographies.
Ventes Publiques : Londres, 19 juil. 1935 : *Audrey* : **GBP 44**.

SPENCER-STANHOPE John Roddam. Voir STANHOPE John Roddam Spencer

SPENDELOWE Theodore
xviiiᵉ siècle. Travaillant à Londres de 1730 à 1740. Britannique.
Graveur au burin.

SPENDER J. Humphrey
Né en 1910. xxᵉ siècle. Britannique.
Peintre d'intérieurs, paysages.
Il participa aux expositions de la Royal Academy de Londres de 1960 à 1968.
Ventes Publiques : Londres, 15 mars 1985 : *Atomic flower* 1939-1940, h/t (50,8x61) : **GBP 1 600** – Londres, 9 juin 1988 : *Paysage aux pylones* 1938, h/t (60x40) : **GBP 4 400** – Londres, 22 mai 1991 : *La chambre d'un marin*, h/t/cart. (285x135) : **GBP 1 760**.

SPENDHOFER Hans
xviᵉ siècle. Suisse.
Sculpteur.
Il travailla à Constance de 1572 à 1574 et à Strasbourg en 1577.

SPENER Michael ou Spenner
xviiᵉ siècle. Actif à Strasbourg en 1610. Allemand.
Sculpteur sur bois.

SPENGEL
xviiiᵉ siècle. Suisse.
Peintre verrier.
Il a peint en 1745 *François Iᵉʳ de Lorraine à cheval*.

SPENGEL Johann Ferdinand
Né le 30 janvier 1819 à Hambourg. xixᵉ siècle. Actif à Munich. Allemand.
Peintre de paysages.
Il fut aussi horticulteur.

SPENGLER
xviiiᵉ siècle. Allemand.
Peintre de paysages.
Il travaillait en 1798, peut-être à Berlin.

SPENGLER Abraham
Baptisé à Berne le 5 septembre 1592. Mort vers 1655 à Berne. xviᵉ-xviiᵉ siècles. Suisse.
Peintre verrier.
Fils de Jakob Spengler I.

SPENGLER Caspar ou Kaspar
Né en 1553 à Saint-Gall. Mort en mars 1604 à Constance. xviᵉ siècle. Suisse.
Peintre verrier.
Père de Hiéronymus Spengler. Les Musées de Frauenfeld, d'Innsbruck, de Saint-Gall et de Zurich conservent des œuvres de cet artiste.

SPENGLER Clemens
Né le 10 mai 1903 à Munich (Bavière). xxᵉ siècle. Allemand.
Peintre, graveur.
Il fut élève de Richard Riemerschmied et de Karl Caspar. Il exécuta des cartons pour des vitraux.

SPENGLER Gustave
Né en 1818. Mort en 1876 à Lausanne. xixᵉ siècle. Suisse.
Lithographe.
Élève de Piot.

SPENGLER Hieronymus ou Jeronymus
Né en 1589. Mort en 1635. xviiᵉ siècle. Suisse.
Peintre verrier.
Il travailla pour l'église de la cour d'Innsbruck et pour la ville de Constance.

SPENGLER Jakob I
Mort avant Pâques 1600 à Berne. xviᵉ siècle. Suisse.
Peintre verrier.
Il exécuta des vitraux pour la ville de Berne de 1583 à 1589.

SPENGLER Jakob II
Baptisé à Berne le 30 octobre 1579. Mort après 1603. xviᵉ siècle. Suisse.
Peintre verrier.
Fils de Jakob Spengler I.

SPENGLER Joachim
Né en 1632 à Saint-Gall. Mort en 1688 ou 1689 à Constance. xviiᵉ siècle. Allemand.
Peintre verrier.
Le Musée de Constance conserve de lui *Sainte Famille*.

SPENGLER Johann ou Hans Jacob
xviiiᵉ siècle. Actif à la fin du xviiiᵉ siècle. Britannique.
Modeleur de porcelaine.
Il s'établit à Londres peu avant 1790 et travailla à la Manufacture de Derby.

SPENGLER Johann Georg
Né en 1660. Mort en 1737. xviiᵉ-xviiiᵉ siècles. Allemand.
Peintre verrier.
Il a peint une *Crucifixion* dans l'Hôtel de Ville de Constance.

SPENGLER Johann Konrad
Né le 22 juillet 1767 à Copenhague. Mort le 1ᵉʳ mars 1839 à Copenhague. xviiiᵉ-xixᵉ siècles. Danois.
Dessinateur, sculpteur sur ivoire et écrivain.
Fils de Lorenz Spengler. Il fit ses études à Rome et devint assistant de son père à Copenhague.

SPENGLER Johannes
xviiiᵉ siècle. Actif dans la seconde moitié du xviiiᵉ siècle. Allemand.
Modeleur de porcelaine.
Il travailla à la Manufacture de porcelaine de Höchst.

SPENGLER Joseph Anton
Né en 1698. Mort en 1780. xviiiᵉ siècle. Actif à Constance. Allemand.
Peintre verrier.

SPENGLER Lorenz
Né en 1720 à Schaffhouse. Mort le 20 décembre 1807 à Copenhague. xviiiᵉ siècle. Danois.
Sculpteur.
Explorateur, il est aussi connu comme graveur sur ivoire et tourneur. Il fut élève de J. M. Teuber à Ratisbonne. Il se fixa à Copenhague en 1745, et y travailla pour la cour royale. Le Musée Provincial de Kassel conserve de lui deux médaillons d'ambre portant l'effigie du roi Frédéric V de Danemark et de sa femme.

SPENGLER Maria Salomé
xviiiᵉ siècle. Active à Constance en 1726. Allemande.
Peintre verrier.
Elle travailla à Constance et à Saint-Gall.

SPENGLER Nicolaus
XVIIIe siècle. Actif dans la seconde moitié du XVIIIe siècle. Allemand.
Modeleur de porcelaine.
Il travailla à la Manufacture de porcelaine de Höchst.

SPENGLER Nikolaus Michael
Né le 28 décembre 1700. Mort le 4 avril 1776 à Darmstadt. XVIIIe siècle. Allemand.
Peintre verrier.
Il exécuta des vitraux pour le pavillon de chasse de Kranischstein près de Darmstadt.

SPENGLER Wolfgang
Né en 1624 à Constance. XVIIe siècle. Allemand.
Peintre verrier.
Petit-fils de Caspar Spengler. Le Musée de Cluny à Paris, conserve des œuvres de cet artiste.

SPENLIN Johannes ou **Spenlein** ou **Spellin**
Mort en 1609. XVIe siècle. Actif à Weimar et à Dresde. Allemand.
Peintre.
Il peignit des portraits et des scènes de chasse.

SPENLOVE-SPENLOVE Franck
Né le 24 février 1864 à Stirling. Mort en mai 1933 à Londres. XIXe-XXe siècles. Britannique.
Peintre.
Il exposa à Londres, notamment à la Royal Academy, à Suffolk Street, au Royal Intitute à partir de 1885 et jusqu'en 1909 d'après diverses sources. Il fut membre du Royal Institute of Painters in Watercolors et de la Royal Cambrian Academy. Il exposa à Paris, où il reçut une médaille de troisième classe en 1901.

SPENNER Michael. Voir **SPENER**

SPERA Clemente
XVIIe-XVIIIe siècles. Italien.
Peintre de paysages portuaires, architectures.
Actif à Milan, il se spécialisa dans la peinture de perspectives et d'ornements. Il peignait également dans les tableaux de Magnasco les fonds et les ruines.
VENTES PUBLIQUES : MILAN, 5 juin 1985 : *Paysage animé de personnages*, h/t (101x76) : **ITL 8 500 000** – ROME, 19 nov. 1990 : *Calanque animée avec navigation au large* ; *Chantier de construction de bateaux au fond d'une crique*, h/t, une paire de forme ovale (chaque 145x117) : **ITL 46 000 000.**

SPERANDEU Roger
XVe siècle. Actif à Valence de 1404 à 1450. Espagnol.
Peintre.

SPERANDIO Savelli ou **Sperindio**
XVe siècle. Actif à Mantoue. Italien.
Sculpteur, médailleur, orfèvre et architecte.
On lui attribue sous toutes réserves un médaillon rectangulaire, en marbre, représentant *Jean II Bentivoglio* (Musée du Louvre). La pinacothèque de Ferrare conserve d'autre part de lui deux bas-reliefs en marbre.

SPERANDON Hermant ou **Spéradon**
XVe siècle. Actif dans la seconde moitié du XVe siècle. Français.
Sculpteur.
Il sculpta un *Saint François* pour l'église Saint-François de Blois, en 1468.

SPERANTSAS Vassili
Né en 1938 à Athènes. XXe siècle. Actif depuis 1965 en France. Grec.
Peintre.
Il vit et travaille à Paris. Il a participé en 1992 à l'exposition : *De Bonnard à Baselitz – Dix Ans d'enrichissements du cabinet des estampes 1978-1988* à la Bibliothèque nationale à Paris.
BIBLIOGR. : Catalogue de l'exposition : *De Bonnard à Baselitz – Dix Ans d'enrichissements du cabinet des estampes 1978-1988*, Bibliothèque nationale, Paris, 1992.
MUSÉES : PARIS (BN).

SPERANZA Domenico
Né en 1729. Mort en 1794. XVIIIe siècle. Actif à Milan. Italien.
Peintre et aquafortiste amateur.

SPERANZA Filippo
Né en 1848 à San Martino al Cimino. Mort le 7 décembre 1903 à Rome. XIXe siècle. Italien.

Médailleur.
Élève de P. Mercuri. Il travailla pour la Monnaie Royale de Rome.

SPERANZA Giovanni Battista
Né vers 1600 à Rome. Mort fin juin 1640 à Rome. XVIIe siècle. Italien.
Peintre d'histoire.
Élève de Francesco Albano, Speranza fut célèbre comme peintre de fresques. On cite notamment de lui à l'église Santa Caterina à Sienne une suite de fresques sur la *Vie de la Vierge* et aux Orfanelli, un plafond représentant *La Passion*.

SPERANZA Giovanni, dit **Vaienti** ou **Vajenti**
Né vers 1480 à Vicence. Mort le 8 janvier 1532 à Vicence. XVIe siècle. Italien.
Peintre de compositions religieuses.
Vasari dit qu'il fut élève de Montagna, mais la critique moderne discute cette affirmation. On cite de cet artiste une *Vierge sur le trône avec l'Enfant Jésus et des saints*, à l'église San-Giorgio, à Velo, et à la Casa Nievo, à Vicence une *Vierge et l'Enfant Jésus*. D'autres peintures de lui sont conservées à Santa Corona et Santa Chiara à Vicence et à la Casa Pioveni à Padoue.
Les œuvres de Speranza présentent une grande analogie avec celles de Bartholomeo Montagna.
MUSÉES : BALTIMORE : *Christ donnant la bénédiction* – BUDAPEST : *Vierge et enfant Jésus* – MILAN (Mus. Brera) : *Vierge, Enfant Jésus, saint Bernard, saint François* – *Vierge, Jésus, saint Joseph, sainte Marie-Madeleine* – STRASBOURG : *Sainte Famille* – VICENCE : *La Vierge avec deux saints*.
VENTES PUBLIQUES : NEW YORK, 30-31 mars 1911 : *Vierge et Saints* : **USD 75** – LONDRES, 11 juil. 1973 : *La Sainte Famille* : **GBP 8 500** – MILAN, 12 juin 1989 : *La Naissance de la Vierge*, h/t (65x80) : **ITL 23 000 000.**

SPERANZA Luigi di Giovanni
Né le 6 avril 1819 à Salce. Mort le 14 octobre 1879. XIXe siècle. Actif à Belluno. Italien.
Peintre.

SPERANZA Michelangelo
Originaire de Vérone. XVIIIe siècle. Italien.
Sculpteur.
Il travailla dans la première moitié du XVIIIe siècle. Il fut élève de Domenico Aglio. Il sculpta des statues pour des églises de Vérone et des environs.

SPERANZA Natale di Giacomo
Né le 21 juin 1790. Mort à Trévise. XIXe siècle. Italien.
Médailleur.
Il travailla à Belluno.

SPERANZA Sebastiano
XVIIe siècle. Actif dans la première moitié du XVIIe siècle. Italien.
Sculpteur.
Élève de Bernin. Il exécuta des copies d'après des statues antiques.

SPERANZA Serafino
XIXe siècle. Actif à Rome de 1880 à 1898. Italien.
Graveur au burin et médailleur.

SPERANZA Stefano
XVIIe siècle. Travaillant à Rome vers 1635. Italien.
Peintre et sculpteur.
Il exécuta le bas-relief qui orne le tombeau de la comtesse Mathilde à Saint-Pierre de Rome.

SPERBER Aldo
XXe siècle.
Sculpteur, auteur d'assemblages.
Il fut élève de l'école des beaux-arts de Paris. Il participe à des expositions collectives depuis 1984 : 1989 Foire internationale de Barcelone ; 1991 Foire internationale de Bologne.
Il réalise des assemblages à partir de matériaux pauvres, bois, paille, os, objets de récupération, des reliefs et des sculptures en bois flotté. Ces titres, *Idole* – *Fétiche*, évoquent quelque croyance primitive.
VENTES PUBLIQUES : PARIS, 14 oct. 1991 : *Le fétiche dans la valise*, assemblage (59x39) : **FRF 3 500.**

SPERBER Johann ou **Hans**
Né vers 1550 à Prague. Mort le 12 mars 1621 à Zittau. XVIe-XVIIe siècles. Autrichien.

Peintre.

Il exécuta des peintures dans des églises et l'Hôtel de Ville de Zittau.

SPERCO Carl

XIXe siècle. Actif à Dresde vers 1800. Allemand.
Peintre et aquafortiste.
Élève de Klengel.

SPERDUTI Paolo

Né en 1725 à Arpino. Mort en 1799 à Rome. XVIIIe siècle. Italien.
Peintre.
Il a peint un tableau de piété dans l'église de Venafro.

SPERGES auf Palenz und Reisdorf Joseph de, baron ou Spergs

Né le 31 janvier 1725 à Innsbruck. Mort le 26 octobre 1791 à Vienne ou à Udine. XVIIIe siècle. Autrichien.
Peintre amateur.
Élève de J. G. D. Graismair.

SPERINDIO Savelli. Voir SPERANDIO

SPERINDIO di Giovanni da Campo

XVe siècle. Actif à Ferrare à la fin du XVe siècle. Italien.
Peintre.

SPERINGS Peter Nicolas. Voir SPIERINCKX

SPERL Johann

Né le 3 novembre 1840 à Buch (Bavière). Mort le 29 juillet 1914 à Aibling. XIXe-XXe siècles. Allemand.
Peintre de genre, figures, portraits, paysages, intérieurs.
Il fut élève d'August von Kreling à l'école d'art de Nuremberg et de Ouschütz et Arthur Ramberg à l'académie des beaux-arts de Munich.
En tant que paysagiste, on peut supposer qu'il fut influencé par les peintures de Courbet exposées à Munich.

J. Sperl

Bibliogr. : Werner Moritz : *Johann Sperl. Ein Leben mit Wilhelm Leibl. Werkverzeichnis*, Rosenheimer, Rosenheim, s. d.
Musées : BERLIN : *Maison de paysans – Printemps – Chambre paysanne – Maison de paysans à Bezzingen –* BRÊME (Kunsthalle) : *Chambre paysanne –* COLOGNE : *Leibl et l'artiste chassant la gélinotte – Deux Paysannes –* FRANCFORT-SUR-LE-MAIN (Steadel Inst.) : *La Maison et le jardin de Leibl –* HALLE (Mus. mun.) : *À la fenêtre –* HAMBOURG : *Paysage d'hiver –* HANOVRE : *Intérieur d'une maison de paysans – La Maison de Leibl à Aibling – Jeune Paysanne – L'Atelier de Leibl –* LEIPZIG (Mus. des Beaux-Arts) : *Paysage de Bavière –* MUNICH (Mus. Nat.) : *Paysage avec ferme – Leibl et l'artiste à la chasse –* MUNICH (Mus. mun.) : *Le Jardin de Leibl – Jardin en fleur –* NUREMBERG (Mus. germanique) : *Deux Jeunes Paysannes en conversation –* NUREMBERG (Mus. mun.) : *Chasseurs de gélinotte –* STUTTGART : *Maison de campagne –* VENISE (Gal. d'Art Mod.) : *Devant l'atelier de Leibl –* WUPPERTAL : *Ferme.*
Ventes Publiques : PARIS, 1-2 avr. 1902 : *Les Habits neufs* : FRF 1 875 – NEW YORK, 21-22 jan. 1909 : *The Wooing* : USD 105 – FRANCFORT-SUR-LE-MAIN, 11-13 mai 1936 : *À la fête* : DEM 3 500 – COLOGNE, 21 avr. 1967 : *La gardeuse d'oies* : DEM 17 000 – MUNICH, 14 mars 1973 : *La gardeuse d'oies* : DEM 31 000 – COLOGNE, 12 nov. 1976 : *Paysage boisé*, h/t (54x47) : DEM 8 500 – COLOGNE, 22 juin 1979 : *Paysage de printemps*, h/t (62x51) : DEM 45 000 – MUNICH, 26 nov. 1981 : *Jeune Femme dans un jardin*, cr. (25x21) : DEM 2 000 – COLOGNE, 18 nov. 1982 : *L'invitation à la danse*, h/pan. (30x25) : DEM 70 000 – MUNICH, 15 sep. 1983 : *Le Nouveau-né 1878*, h/pan. (32,5x22,5) : DEM 100 000 – NEW YORK, 22 mai 1986 : *La sortie de l'église 1899*, h/t (97,8x70,5) : USD 31 000 – LONDRES, 20 mai 1993 : *Paysanne et sa fillette rentrant des champs*, h/t (39,5x49) : GBP 56 500.

SPERL Johann ou Johann Ulrich

Né vers 1718 à Ottingen. Mort le 25 juin 1796 à Ludwigsbourg. XVIIIe siècle. Allemand.
Peintre sur faïence.
Il travailla à la Manufacture de faïence d'Ottingen-Schrattenhofen.

SPERLI Johann Jacob, l'Ancien

Né le 17 juin 1770 à Bendlikon. Mort en 1841 à Zurich. XVIIIe-XIXe siècles. Suisse.

Peintre de paysages, aquarelliste, graveur, dessinateur.
Père de Johann Jacob le Jeune, il a réalisé des gravures à la manière noire.
Ventes Publiques : ZURICH, 17 mai 1982 : *Panorama de Lausanne et du Lac Léman*, aquat. (20,4x110,6) : CHF 4 400 – ZURICH, 4 juin 1992 : *Kurort dans l'est de la Suisse 1823*, cr. et aquar./pap. (39x51,5) : USD 3 390.

SPERLI Johann Jacob, le Jeune

Né en 1815 à Aüssersihl-Zurich. Mort en 1868 à Winterthur. XIXe siècle. Suisse.
Peintre et graveur à la manière noire.
Élève de son père Johann Jacob Sperli l'Ancien. Le Cabinet d'estampes de Zurich possède des œuvres de cet artiste.

SPERLICH Emil

Né en 1872. Mort en 1909 à Bucarest. XIXe-XXe siècles. Roumain (?).
Peintre de genre, aquarelliste.
Musées : BUCAREST (Mus. Simu).

SPERLICH Hans

Né le 21 novembre 1847 à Jägerndorf. XIXe siècle. Actif à Würzburg. Allemand.
Peintre.
Élève de Lindenschmit. Il a peint le plafond du Musée de Würzburg (*La Franconie se met sous la protection de la Bavière*).

SPERLIN Johann

Mort avant 1615. XVIIe siècle. Allemand.
Peintre.
Il fut peintre à la cour de Saxe.

SPERLING

XIXe siècle. Actif à Brunswick. Allemand.
Peintre.

SPERLING Carl Friedrich

Né en 1724 à Anspach. Mort en 1759 à Anspach. XVIIIe siècle. Allemand.
Peintre.
Frère de Carl Martin Sperling. Il peignit des portraits et des tableaux de genre.

SPERLING Carl Martin

Né en 1720 à Anspach. XVIIIe siècle. Allemand.
Peintre.
Fils de Johann Christian Sperling. Le Musée National de Munich conserve de lui *Conversion de saint Paul* et *Chute de Simon le Magicien*.

SPERLING Claus

Né le 6 mai 1890 à Berlin. XXe siècle. Allemand.
Peintre de figures, portraits, animaux.
Fils du peintre Heinrich Sperling, il fut élève de Heinrich von Zügel.
Musées : SCHWERIN (Mus. prov.) : *Vaches.*

SPERLING Diana

Née en 1791. Morte en 1862. XIXe siècle. Britannique.
Peintre de paysages, intérieurs, aquarelliste, dessinatrice.
La plupart de ses aquarelles furent réalisées pendant un voyage dans le sud de l'Angleterre.
Ventes Publiques : LONDRES, 17 nov. 1994 : *Le salon à Tickford Park dans le Buckinghamshire*, cr. et aquar. (21,2x17,2) : GBP 1 150 – LONDRES, 17 nov. 1995 : *Vue de la fenêtre de la chambre : la maison du recteur de Charmouth*, cr. et aquar. (20,4x15,8) : GBP 1 610.

SPERLING Hans

XVIe-XVIIe siècles. Allemand.
Peintre.
Il vécut à Wernigerode, travaillant de 1594 à 1601. Il a peint un *Saint Théobald* pour l'église de Nöschenrode.

SPERLING Heinrich

Né le 23 mars 1844 à Warnkenhagen. Mort le 20 juin 1924 à Berlin. XIXe-XXe siècles. Allemand.
Peintre de figures, animaux.
Père de Claus Sperling, il fut élève de Carl Steffeck et de Paul Meyerheim.

H. Sperling

Musées : Schwerin (Mus. prov.) : *Repos après le travail.*
Ventes Publiques : Londres, 3 oct. 1980 : *Chien Saint-Bernard* 1886, h/t (54,6x65,5) : **GBP 750** – Londres, 15 jan. 1991 : *Un Saint-Bernard à l'orée d'un bois*, h/t (58,3x69,8) : **GBP 2 530** – Londres, 22 nov. 1996 : *Tête d'un cheval gris* 1910, h/t/pan. (30,5x26,8) : **GBP 1 092.**

SPERLING Hieronymus
Né en 1695 à Augsbourg. Mort en 1777 à Augsbourg. XVIII⁰ siècle. Allemand.
Graveur au burin.
Élève de Preissler, à Nuremberg. Il a gravé des portraits, des sujets religieux et mythologiques, notamment une suite de planches sur les églises de Vienne, publiée par Peffel en 1724 et des reproductions de statues de la Galerie de Dresde.

SPERLING Jacob Gottfried
Né en 1730. Mort en 1751. XVIII⁰ siècle. Actif à Anspach. Allemand.
Peintre.
Frère de Carl Friedrich Sperling.

SPERLING Johann Carl Gottlieb
Né en 1790 à Dresde. XIX⁰ siècle. Allemand.
Peintre.
Élève de C. A. Lindner.

SPERLING Johann Christian
Né en 1690 ou 1691 à Halle-sur-Saale. Mort le 10 octobre 1746 à Anspach. XVIII⁰ siècle. Allemand.
Peintre de compositions mythologiques, figures.
Fils de Johann Henrich Sperling, il fut élève d'Adrian Van der Werff. Il devint peintre de la cour à Anspach.
Musées : Dresde : *Vertumne et Pomone* – Gotha : *Tête de Persan coiffé d'un turban.*
Ventes Publiques : New York, 16 jan. 1992 : *Danaé* 1724, h/cuivre (48,9x58,7) : **USD 30 800.**

SPERLING Johann Ferdinand
XVIII⁰ siècle. Autrichien.
Sculpteur.
Il exécuta une partie de la colonne de la Sainte Trinité à Luditz de 1701 à 1704.

SPERLING Johann Heinrich
Né vers 1660. Mort après 1718 à Hambourg (?). XVII⁰-XVIII⁰ siècles. Actif à Hambourg. Allemand.
Peintre.
Il peignit des portraits.

SPERLING Julius
XIX⁰ siècle. Actif à Magdebourg dans la première moitié du XIX⁰ siècle. Allemand.
Peintre d'animaux.
Il peignit surtout des chevaux.

SPERLING M. L.
XVIII⁰ siècle. Actif à la fin du XVIII⁰ siècle. Allemand.
Peintre sur porcelaine.
Il travailla à la Manufacture de porcelaine de Berlin et y peignit des arabesques, des paysages, des chasses et des animaux domestiques.

SPERLING Marie
Née vers 1900. XX⁰ siècle. Française.
Peintre, peintre de cartons de tapisseries, peintre de cartons de mosaïques. Abstrait.
Elle vit et travaille près de Nice.
Depuis 1945, elle participe à de nombreuses expositions collectives, surtout dans le sud de la France, notamment : de 1963 à 1965 Festival de la Côte d'Azur ; 1965 Biennale de Menton, Saint-Paul-de-Vence. Elle montre ses œuvres dans des expositions personnelles : 1945, 1946 Nice ; 1950 Strasbourg ; 1951 Vence ; 1958, 1961, 1965 Paris ; 1960 Milan.
Elle pratique une abstraction désormais classique et internationale, réalisant de nombreuses tapisseries, des mosaïques, notamment pour l'aéroport de Nice en 1958.

SPERLING Michael
XVII⁰ siècle. Allemand.
Peintre.
Il travailla en 1636 pour l'église de Nöschenrode.

SPERLING Wolfgang
XVIII⁰ siècle. Actif à Augsbourg dans la première moitié du XVIII⁰ siècle. Allemand.
Graveur au burin.

SPERLING HECKEL Catharine. Voir HECKEL

SPERO Nancy
Née en 1926 à Cleveland (Ohio). XX⁰ siècle. Américaine.
Peintre de figures, peintre de collages, dessinateur, auteur d'installations.
Elle fut élève dans les années cinquante de l'Art Institute de Chicago, où elle rencontre le peintre Léon Golub qu'elle épousera. En 1950, elle fait un premier séjour à Paris, où elle fréquente l'école des beaux-arts et l'atelier de Lhote, puis, de 1956 à 1957, voyage en Italie. De 1959 à 1964, elle séjourne de nouveau à Paris avec son mari. Elle vit et travaille à New York.
Elle participe à des expositions collectives : 1950 Salon des Indépendants à Paris ; 1952 Université de Chicago ; 1963 Salon des Réalités Nouvelles à Paris, musée cantonal de Lausanne ; 1964 American Center à Paris ; 1973 Centre culturel de New York ; 1976 Art Institute de Chicago ; 1977 Museum of Contemporary Art de Chicago ; 1979 Gemeentemuseum de La Haye ; 1980 Institute of Contemporary Art de Londres ; 1983 New Museum of Modern Art de New York ; 1984 Hirshhorn Museum and Sculpture Garden de Washington ; 1986 Biennale de Sydney ; 1988, 1992 Museum of Modern Art de New York ; 1989 *Les Magiciens de la terre* à la Grande Halle de La Villette à Paris ; 1990 Centre international d'art contemporain de Montréal ; 1991 Irish Museum of Modern Art de Dublin ; 1993 Whitney Museum of American Art de New York et Corcoran Gallery of Art de Washington.
Elle montre ses œuvres dans des expositions personnelles depuis 1958 : 1962, 1965 galerie Breteau à Paris ; 1973, 1976, 1981 A. I. R. Gallery à New York ; 1983 Wadsworth Atheneum de Hartford (Connecticut) ; 1983, 1984, 1986, 1987, 1988 Chicago ; 1984 University Art Museum de Berkeley ; 1986, 1993 County Museum of Art de Greenville (Caroline du Sud) ; 1987 Everson Museum of Art de Syracuse (New York) ; Institute of Contemporary Art de Londres ; 1990 Smith College Museum of Art de Northampton, 1991 Salburger Kunstverein et Kunstlerhaus de Salzbourg ; 1992 musée d'Ulm ; 1994 Konsthall de Malmö ; 1994-1995 *Leon Golub and Nancy Spero : War and Memory* à l'American Center de Paris.
À Paris, elle réalise la série *Black Paintings* dans des tonalités sombres, montrant des couples dans leur intimité mais aussi leur grande solitude. À la fin des années soixante, en réaction contre la suprématie du pop'art et de l'art minimal, elle use de moyens originaux ; abandonnant l'huile pour des œuvres sur papier plus délicates, elle utilise volontiers des silhouettes découpées, des textes et le format de la frise. Elle réalise à cette époque une série ayant pour thème la guerre du Vietnam. En 1970-1971, elle travaille à *Codex Artaud* à partir de l'écrivain Artaud sur des « banderoles » verticales ou horizontales sans châssis fixées directement sur le mur. Viennent ensuite les séries *Torture of women* (1976), *Notes in time on women* (1976-1979), *The First Language* (1979-1981), *To the revolution* (1979-1981) où elle met en scène l'exploitation des femmes par l'homme, mais aussi leur intelligence, leur créativité, employant souvent la forme du récit. Pour ce faire, elle bannit de ses œuvres, dès 1974, toute représentation masculine et emprunte ses formes aux figures antiques, aux arts primitifs, « imprimées », sur le papier ou directement sur le mur, à l'aide de tampons réalisés par ses soins. Vers 1979, elle cesse d'utiliser l'écriture, et privilégie le mouvement, le rythme donné par les figures aériennes, « dignes et fortes ».
Dans ses œuvres engagées, elle revendique l'indépendance des femmes, leur droit à l'expression : « J'aimerais pouvoir agir sans avoir à faire constamment référence à cette présence masculine plutôt qu'en réaction contre. Pourquoi faut-il que les femmes artistes en soient réduites à répondre au pouvoir, à l'autorité des hommes ? » (N. Spero). ■ Laurence Lehoux
Bibliogr. : Catalogue de l'exposition : *I⁰⁰ Salon des Galeries Pilotes*, Musée cantonal, Lausanne, 1963 – in : *Dict. de l'art mod. et contemp.*, Hazan, Paris, 1992 – Catalogue de l'exposition : *Léon Golub – Nancy Spero*, American Center, Paris, 1994 – Manuel Jover : *Golub et Spero font la paire*, Beaux-Arts, n⁰ 127, Paris, oct. 1994 – Jon Bird, Jo Anna Isaak, Sylvère Lotringer : *Nancy Spero*, Phaidon, Londres, 1996.
Musées : New York (Mus. of Mod. Art) : *Codex Arthaud* – Ottawa (Nat. Gal. of Canada) : *Torture of women* 1976.
Ventes Publiques : New York, 10 oct. 1990 : *Mère et enfant*, techn. mixte et collage (63,5x48,1) : **USD 1 045.**

SPERONI Andrea, dit **il Moro**
XVe-XVIe siècles. Travaillant à Parme de 1490 à 1512. Italien.
Peintre.

SPERONI Stefano
Né vers 1502. Mort le 6 novembre 1562 à Mantoue. XVIe
siècle. Italien.
Peintre.
Élève de Giulio Romano.

SPERR Martin, appellation erronée. Voir **SPEER**

SPERRY Reginald T.
Né en 1845 à Hartford. XIXe siècle. Actif à Brooklyn. Améri-
cain.
Paysagiste.

SPERTALS Arvids
Né le 20 décembre 1897 à Zemgallen. XXe siècle. Russe-
Letton.
Peintre, décorateur de théâtre.
Il fut élève de l'académie des beaux-arts de Riga et de K. Urbans
et de Waldemars Tone.
MUSÉES : RIGA (Mus. du Théâtre).

SPERTINI Giovanni
Né en 1821 à Pavie. Mort le 13 février 1895 à Milan. XIXe
siècle. Italien.
Sculpteur et peintre.
Élève de l'Académie de Milan et de Benzoni, de Labus et de
Magni, il sculpta des bustes et des monuments funéraires. Le
Musée de la Brera de Milan conserve de lui *Buste de Giovanni
Bellezza* et *L'épistolographe*.

SPERWER Peter ou **Pedro**
Baptisé à Anvers le 1er février 1662. Enterré à Anvers le 14
octobre 1727. XVIIe-XVIIIe siècles. Éc. flamande.
Peintre.
Il alla à Paris et y fut élève de l'Académie de Saint-Luc, en 1675 et
1676. Il épousa à Paris Marie de Crespy, puis vécut à Bruxelles et
à Anvers, où il entra dans la gilde en 1700. En 1703, il peignit le
portrait du roi pour l'Hôtel de Ville d'Anvers. On cite de lui, à
Poitiers, *Jésus remettant les clefs à saint Pierre* (peut-être une
copie), et à Ypres, *Allégorie des vanités du monde*.

SPESCHA Matias
Né en 1925 à Trun (Grisons). XXe siècle. Actif en France.
Suisse.
Peintre, sculpteur, auteur d'assemblages, technique
mixte. Abstrait.
Il a travaillé à Zurich, de 1950 à 1954. Il vécut à Paris de 1954 à
1958 et étudia à l'académie de la Grande Chaumière à Paris. Il se
fixa ensuite à Bages, dans l'Aude.
Il commença à exposer à Zurich, puis participe à des expositions
collectives : 1960 Ve Biennale de São Paulo, sélection pour le prix
Guggenheim à New York, et en Suisse ; 1961 Exposition internationale de Tokyo. Il montre ses œuvres dans des expositions
personnelles : 1990 Kunstmuseum de Winterthur ; 1991, 1992
Pontresina ; 1992 Bâle, Lieu d'Art Contemporain de Sigean
(Aude) ; 1993 Bündner Kunstmuseum de Coire.
De 1951 à 1955, il réalisa des peintures pour des affiches de
cinéma. Il évolua vers l'abstraction à partir de 1957. Ses compositions sont constituées de surfaces brunes dont la morphologie
s'apparente à la tache dans les années soixante. Il poursuit, au fil
des années, dans sa peinture austère, une quête spirituelle qui
inclut l'homme, avec des œuvres hantées par la couleur, sourde,
des espaces silencieux aux formes simples qui concentrent des
énergies créatrices. Il réalise également des sculptures, dans lesquelles le spectateur a sa place.
BIBLIOGR. : Bernard Dorival, sous la direction de... : *Peintres
contemp.*, Mazenod, Paris, 1964 – Tadeus Pfeifer : *Les Sévères
Directives de Matias Spescha*, Art Press, n° 191, Paris, mai 1994.
VENTES PUBLIQUES : LUCERNE, 25 mai 1991 : *Sans titre* 1950, techn.
mixte/pap. (50x64) : CHF 3 200 – ZURICH, 2 juin 1994 : *Sans titre*,
trois acryl./pap. (chaque 66x50) : CHF 4 025 – LUCERNE, 23 nov.
1996 : *Sans titre* 1991, techn. mixte et collage/pap. (19x28) :
CHF 2 300 ; *Sans titre* 1970, aquar. et lav./pap. (23x26,8) :
CHF 2 600.

SPESSART Johann Philipp
XVIIIe siècle. Actif dans la première moitié du XVIIIe siècle. Alle-
mand.
Sculpteur sur bois.
Il a exécuté, avec le sculpteur Friedrich Heydt, l'autel de la cha-
pelle de la Vierge à Hessenthal.

SPETH Balthasar
Né le 22 décembre 1774 à Mannheim. Mort le 31 mai 1846 à
Munich. XVIIIe-XIXe siècles. Allemand.
Miniaturiste, lithographe et critique d'art.
Frère de Peter Speeth. Le South Kensington Museum de
Londres conserve de lui *Portrait du roi Maximilien de Bavière*.

SPETH David. Voir **SPÄTH**

SPETH Eugen
XVIIe siècle. Suisse.
Peintre.
De l'ordre des Bénédictins, il travailla à Salem et à Saint-Gall au
XVIIe siècle.

SPETH Félix
XVIIIe siècle. Actif dans la seconde moitié du XVIIIe siècle.
Autrichien.
Peintre.
Le Musée Municipal de Fribourg possède de lui deux dessins à la
plume représentant *Le camp autrichien près de Fribourg en
1795*.

SPETH Franz ou **Ferenc**
XVIIIe siècle. Actif à Pécs. Hongrois.
Sculpteur.
Il a sculpté les stalles et diverses châsses pour la cathédrale de
Pécs de 1756 à 1762.

SPETH Franz Xaver. Voir **SPÄTH**

SPETH Jakob ou **Späth**
Né en 1820 à Dietenheim. Mort en 1856. XIXe siècle. Alle-
mand.
Peintre.
Élève de J. Schraudolph ; il assista celui-ci dans l'exécution des
peintures décoratives de la cathédrale de Spire.

SPETHMANN Albert
Né le 27 juillet 1894 à Altona. XXe siècle. Américain.
Peintre de figures, nus, intérieurs, paysages.
Il fut élève de Willy Spatz et de Hugo von Habermann. Il vécut et
travailla à Bad Tölz.
MUSÉES : DÜSSELDORF (Mus. de l'Acad.) : *Nu masculin* – DÜSSEL-
DORF (Mus. mun.) : *Intérieur* – HAMBOURG (Kunsthalle) : *Coin d'ate-
lier* – MUNICH (Lenbachhaus) : *Paysage au bord de l'Isar* – PFARZ-
HEIM (Mus. mun) : *Étude de tête*.
VENTES PUBLIQUES : BERNE, 7 mai 1981 : *Les Bords de l'Isar* 1924,
h/t (45x40,5) : CHF 1 200.

SPETHMANN Karl
Né le 17 avril 1888 à Altona. XXe siècle. Allemand.
Peintre, sculpteur, dessinateur.
Il vécut et travailla à Hambourg.
On cite ses sculptures sur bois.
MUSÉES : ALTONA – HAMBOURG.

SPETNER Christoph ou **Spätner**
Né vers 1617 à Stedten. Mort le 30 novembre 1699. XVIIe
siècle. Actif à Leipzig. Allemand.
Peintre.
Il peignit des portraits et des vues de villes. Le Musée Municipal
de Leipzig conserve de lui *Les quatre évangélistes* et *Vue de la
ville de Leipzig*.

SPETNER Christoph Friedrich
XVIIe siècle. Actif dans la seconde moitié du XVIIe siècle. Alle-
mand.
Peintre.
Fils de Christoph S.

SPETT Urban. Voir **SPÄT**

SPETTENKHOFFER Georg
XVIe siècle. Actif à Vienne dans la seconde moitié du XVIe
siècle. Autrichien.
Peintre.
Il travailla dans le château impérial de Vienne.

SPETZER Gerardo
XVe siècle. Autrichien.
Peintre.
Il travailla pour des églises de Trente en 1478.

SPETZGER Karl Georg Johann ou **Spezger**
Né le 13 mars 1801 à Gries (près de Bozen). Mort le 20 juillet
1856 à Innsbruck. XIXe siècle. Autrichien.
Portraitiste.
Élève des Académies de Vienne et de Munich.

SPEY/SPICQ

SPEY Martinus ou Speij

Né en 1777 à Anvers. XIXᵉ siècle. Éc. flamande.

Peintre de portraits, natures mortes, fleurs et fruits.

Il alla à Paris en 1809 et y demeura jusqu'en 1814. À partir de cette date, on perd toute trace de lui.

Il peignit principalement des natures mortes au gibier.

Ventes Publiques : New York, 17 jan. 1992 : *Importante composition de fruits, fleurs et insectes*, h/t (67,9x54) : **USD 28 600** – Paris, 23 mars 1994 : *Nature morte aux fruits et au papillon*, h/t (45x55) : **FRF 56 000**.

SPEYBROUCK Joseph

Né en 1891 à Courtrai (Flandre-Occidentale). Mort en 1956. XXᵉ siècle. Belge.

Peintre de compositions religieuses, dessinateur.

Il fut élève de l'Académie des Beaux-Arts de Courtrai. Peintre, il fut aussi longtemps professeur à l'Académie Saint-Luc de Tournai.

Bibliogr. : In : *Dict. biogr. illustré des artistes en Belgique depuis 1830*, Arto, Bruxelles, 1987.

SPEYER. Voir aussi SPIR

SPEYER Christian Georg ou Speier

Né le 21 février 1855 à Vorbachzimmern. Mort le 5 octobre 1929 à Stuttgart (Bade-Wurtemberg). XIXᵉ-XXᵉ siècles. Allemand.

Peintre de sujets militaires, batailles, figures, animaux.

Il fut élève de Carl Haeberlin à l'école d'art de Stuttgart de 1876 à 1880. En 1881 et 1882, il voyagea en Italie et en Tunisie. Il revint à Munich en 1883, séjourna à Berlin en 1885 et à Paris en 1887. Il visita aussi Vienne et Düsseldorf. À partir de 1901, il résida à Munich.

Il s'est spécialisé dans la peinture de chevaux.

Musées : Breslau, nom all. de Wroclaw : *Jument dans les bouleaux – Cortège des Rois mages* – Strasbourg : *Cavalier* – Stuttgart (Mus. Nat.) : *Cavalier wurtembergeois à Worth – Cavaliers aux chiens* – Stuttgart (Mus. mun.) : *Cavalière* – Zurich (Kunsthaus) : *Avant-garde tunisienne*.

Ventes Publiques : Cologne, 12 nov. 1976 : *Scène de la guerre de Trente Ans 1878*, h/t (98x147) : **DEM 16 000** – Londres, 31 mars 1978 : *Cavaliers arabes sur la plage au crépuscule 1920*, h/t (109x96,5) : **GBP 1 400** – New York, 22 mai 1985 : *Campement bédouin*, h/t (47x59,6) : **USD 17 000**.

SPEYER Hans ou Speyr. Voir SPIR

SPEYER Nora

XXᵉ siècle.

Peintre de figures.

Elle montre ses œuvres dans des expositions personnelles : 1996 galerie Darthea Speyer à Paris.

SPEZGER Karl Georg Johann. Voir SPETZGER

SPEZIA Paolo

XIXᵉ siècle. Actif à Rome au milieu du XIXᵉ siècle. Italien.

Peintre.

Il a peint une fresque dans la basilique Saint-Paul-hors-les-Murs de Rome.

SPEZZA. Voir SPAZ

SPEZZINI Francesco ou Spezzino

Né en 1579 à Gênes ou à La Spézia. XVIIᵉ siècle. Éc. génoise.

Peintre.

Élève de Luca Cambiaso et de G.-B. Castelli. Il alla à Rome étudier les œuvres de Michel Ange, Raphaël et Jules Romain. Il retourna à Gênes, où il travailla pour les églises, notamment pour S. Colombano. Il mourut, jeune encore, de la peste.

SPHEYMAN Nicolas ou Spayement ou Spazement

Mort avant 1751. XVIIIᵉ siècle. Français.

Paysagiste.

Plusieurs de ses tableaux décorèrent un des appartements de Mme la Dauphine, duchesse de Bourgogne, château de Versailles (Piganiol). Le Musée de Reims conserve de lui *Paysage avec des bergers*.

SPHINX. Voir SATTERLEE Walter

SPHYNS M.

XVIIIᵉ siècle. Actif à Londres à la fin du XVIIIᵉ siècle. Britannique.

Graveur au burin.

Il grava des paysages et des illustrations pour la *Lénore* de Burger.

SPICCIOTTI Giacomo Antonio ou de Spicotis ou Spiciotto

Né le 26 juillet 1520. Mort entre le 6 octobre 1576 et le 5 septembre 1601. XVIᵉ siècle. Actif à Parme. Italien.

Peintre.

Il subit l'influence du Corrège. La Galerie de Parme conserve de lui *La Vierge avec l'Enfant et saint François d'Assise*.

SPICER Henry

Né vers 1741 à Reepham. Mort le 8 juin 1804 à Londres. XVIIIᵉ siècle. Britannique.

Miniaturiste, graveur au burin et à la manière noire.

Élève de Gervase Spencer, il acquit une grande réputation comme peintre sur émail. Il exposa à Londres de 1765 à 1804, douze miniatures à la Society of Artists et quarante-sept à la Royal Academy. Il exécuta le *Portrait du prince de Galles*. Au cours d'un voyage qu'il fit à Dublin, il peignit plusieurs célébrités irlandaises.

Ventes Publiques : Paris, 12 avr. 1872 : *Portrait d'homme* : **FRF 52**.

SPICER J.

XIXᵉ siècle. Active à Londres au début du XIXᵉ siècle. Britannique.

Peintre sur émail.

Fille de Henry S. Elle exposa à Londres de 1801 à 1802.

SPICER M. A.

XVIIIᵉ-XIXᵉ siècles. Active à Londres. Britannique.

Peintre sur émail.

Fille de Henry S. Elle exposa à Londres de 1799 à 1803.

SPICER Nehemiah

XVIIIᵉ siècle. Actif de 1762 à 1768. Britannique.

Tailleur de camées.

SPICER-SIMSON Margaret, née Schmidt

Née le 6 mars 1874 à Washington. XIXᵉ-XXᵉ siècles. Américaine.

Peintre de miniatures.

Femme du peintre Theodore Spicer-Simson, elle fut élève en Europe de Ludwig Knaus, de Louis M. Boutet-de-Monvel et d'Eugène Carrière. Elle vécut et travailla à New York.

SPICER-SIMSON Theodore

Né le 25 juin 1871 au Havre (Seine-Maritime). XIXᵉ-XXᵉ siècles. Actif aux États-Unis. Français.

Peintre, sculpteur, médailleur, illustrateur.

Il fit ses études en Angleterre, Allemagne, et à l'école des beaux-arts de Paris. Il vécut et travailla à New York. Il fut membre de la Société Nationale des Beaux-Arts en 1928.

On cite ses illustrations pour *Le Roi au masque d'or* de Marcel Schwob.

Musées : Londres (Victoria and Albert Mus.) – Paris (Mus. d'Art Mod.).

SPICHTIG

XVIIIᵉ siècle. Actif au milieu du XVIIIᵉ siècle. Suisse.

Sculpteur sur bois.

Il a sculpté les autels latéraux de la chapelle de Flüeli-Ranft. Il fut également tourneur.

SPICHTIG Heinrich

XVIIᵉ siècle. Actif dans la seconde moitié du XVIIᵉ siècle. Suisse.

Sculpteur.

Il a sculpté les fonts-baptismaux pour l'église de Sarnen en 1685.

SPICIOTTO Giacomo Antonio. Voir SPICCIOTTI

SPICKER. Voir SPICRE

SPICKMANN Borries

XVIIIᵉ siècle. Actif dans la première moitié du XVIIIᵉ siècle. Allemand.

Sculpteur sur bois.

Il a exécuté des sculptures pour les autels de la Vierge et de saint Antoine dans l'église des Franciscains à Gesecke en 1736.

SPICOTIS Giacomo Antonio de. Voir SPICCIOTTI

SPICQ Pierre

Mort le 10 février 1651 à Tournai. XVIIᵉ siècle. Éc. flamande.

Peintre et cartographe.

Élève d'Antoine de Joncquoy. Il peignit des portraits et exécuta des peintures décoratives pour l'Hôtel de Ville de Tournai.

SPICRE Guillaume ou **Guillemin** ou **Spicker**
xvᵉ siècle. Français.
Peintre.
Probablement père de Pierre. Il exécuta des vitraux pour des églises de Dijon de 1450 à 1476.

SPICRE Pierre ou **Spicker**
Mort sans doute en juin 1478. xvᵉ siècle. Bourguignon, actif à Dijon, dans la seconde moitié du xvᵉ siècle. Français.
Peintre.
Né selon toutes probabilités à Dijon, où son père Guillaume Spicre, peintre verrier du duc Philippe le Bon, demeure en 1450, Pierre Spicre apparaît pour la première fois dans les textes en 1470 comme juré expert à la réception du tombeau de Jean sans Peur, exécuté par Antoine Le Moiturier. On perd sa trace pendant trois ans pour le retrouver en Suisse, à Lausanne, où il travaille pour le chapitre de la cathédrale en collaboration avec le grand orfèvre dijonnais Charles Humblot. Le marché que conserve le Manuale Capituli, mentionne que le jeudi 4 mars 1473 le maître Spicre, se présente devant le chapitre et s'engage à faire un retable destiné au Maître Autel, toutes les peintures nécessaires. Ce retable a disparu. L'appel ainsi fait au peintre Pierre Spicre confirmant son talent et sa réputation au-delà du milieu dijonnais, témoigne d'autre part des liens existant au xvᵉ siècle entre la vieille Bourgogne ducale et la Bourgogne cisjurane. En 1472-1473, Pierre Spicre est locataire à Dijon d'une maison située dans la paroisse Saint-Pierre. Le 13 septembre 1474, dans le marché qu'il passe avec le chapitre de la collégiale de Beaune, Pierre Spicre promet de faire de son métier de peintre, « les patrons des histoires de Notre Dame » qui sont terminés et définitivement soldés en 1475. Cette tenture formant une suite de cinq pièces, commandée par le cardinal Jean Rolin et terminée grâce à la libéralité d'Hugues Le Coq, est un des plus extraordinaires exemples de la tapisserie au Moyen Âge. Elle est encore aujourd'hui conservée dans la sacristie de l'église Notre-Dame de Beaune ; celle de l'Histoire de saint Bernard dont le chapitre commande le 26 avril 1475 les cartons à Pierre Spicre, n'existe plus. En 1477, Pierre Spicre qui jouit à Dijon d'une situation privilégiée apparaît encore une fois dans les textes d'archives. Enfin en 1478 ainsi que le montre un compte de la paroisse Saint-Pierre, il est mort. Pierre Spicre est l'auteur entre 1470 et 1471 d'une importante peinture murale représentant la *Résurrection de Lazare* (chapelle Saint-Léger, à Notre-Dame de Beaune), commandée par Jean Rolin. On lui attribue les portraits d'*Hugues de Rabutin et de sa femme Jeanne de Montaigu* (collection Rockefeller) et les peintures de la chapelle Ferry de Clugny (cathédrale d'Autun), figurant la procession de saint Grégoire pendant la peste de Rome. Les peintures murales de Notre-Dame de Dijon représentant le *Baptême* et la *Circoncision* et celles de Châteauneuf, le *Christ et les Apôtres*, relèvent d'une technique et d'une inspiration identiques à ces derniers. Récemment attribuées à Pierre Spicre, les peintures du château de Lausanne, exécutées pour Benoît de Montferrand entre 1477 et 1478, sont les dernières en date dans la chronologie des œuvres de ce peintre dont la personnalité s'affirme chaque jour davantage. ■ Jacques Bacri

SPICUZZA Francesco J.
Né le 23 juillet 1883 en Sicile. xxᵉ siècle. Actif aux États-Unis. Italien.
Peintre.
Il vécut et travailla à Milwaukee.
Musées : MILWAUKEE – SAINT-PAUL (Minnesota).

SPIECHART Hans ou **Speckart** (?)
xvⁱᵉ-xvⁱⁱᵉ siècles. Allemand.
Peintre de compositions religieuses.
Il fut élève de Christian Schwarz. Il travailla à Munich de 1590 à 1610.

SPIEGEL. Voir aussi **SPIEGL**

SPIEGEL Caspar
xvⁱⁱᵉ siècle. Actif à Berlin à la fin du xvⁱⁱᵉ siècle. Allemand.
Sculpteur.

SPIEGEL Ferdinand
Né le 4 juillet 1879 à Wurzbourg (Bavière). Mort en 1950. xxᵉ siècle. Allemand.
Peintre de figures, peintre de compositions murales, graveur, illustrateur.

Il fut élève de Julius Diez à Munich. Il figura à l'exposition organisée par les instances du régime nazi, proposée en opposition à l'exposition de l'*Art dégénéré*, où figuraient tous les mouvements artistiques d'avant-garde considérés comme tels, et qui fut inaugurée par Hitler à Munich en 1937.
Il avait de la facilité et, dans un premier temps, peignit de nombreuses décorations murales dans des lieux très divers, y compris des cabarets. Sous le IIIᵉ Reich, il sut représenter sous des dehors très virils les militaires des différentes armes qui, à cette époque, étaient les représentants les plus autorisés du régime. Ainsi de son triptyque : *Aviateur – Soldat – Marin*.
Musées : BERLIN (Gal. Nat.) – MUNICH (Neue Pina.).
VENTES PUBLIQUES : COLOGNE, 30 mai 1981 : *Jeune femme assise* 1913, h/t (111x100) : DEM 1 800.

SPIEGEL Franz ou **Spiegl**
Né en 1734. Mort le 14 mai 1795 à Vienne. xvⁱⁱⁱᵉ siècle. Autrichien.
Peintre et architecte.

SPIEGEL Franz ou **Spiegl**
Né en 1797. Mort le 14 février 1829 à Vienne. xⁱxᵉ siècle. Autrichien.
Mosaïste et architecte.
Élève de l'Académie de Vienne.

SPIEGEL Hans
Né le 2 février 1894 à Wurzbourg (Bavière). xxᵉ siècle. Allemand.
Peintre de compositions à personnages.
Il fut élève des académies des beaux-arts de Munich et de Stuttgart. Il figura à l'exposition organisée par les instances du régime nazi, proposée en opposition à l'exposition de l'*Art dégénéré*, où figuraient tous les mouvements artistiques d'avant-garde considérés comme tels, et qui fut inaugurée par Hitler à Munich en 1937.
Il fut un artiste en vue à l'époque du régime nazi. Il savait exalter la virilité et la bravoure. Une de ses peintures les plus connues, *Les Camarades*, représente un soldat en portant un autre, blessé, sur son dos, illustration de la célèbre chanson militaire *Die Zwei Kameraden* (les deux camarades), racontant le même épisode.
Musées : MUNICH – STETTIN – STUTTGART.

SPIEGEL Johann
Mort en 1590. xvⁱᵉ siècle. Actif à Augsbourg. Allemand.
Peintre et dessinateur.

SPIEGEL Johann. Voir aussi **SPIEGL**

SPIEGEL Johann Nikolaus
Né vers 1706. Mort le 14 mai 1759 à Messkirch. xvⁱⁱⁱᵉ siècle. Suisse.
Peintre d'autels.
Il travailla pour le monastère de Muri et peignit le maître-autel de l'église de Bietingen.

SPIEGEL-FALKENSTEIN. Voir **QUENTE Paul**

SPIEGELBERG Johan
xvⁱⁱⁱᵉ siècle. Actif à Stockholm en 1707. Suédois.
Graveur au burin.
Élève d'Aveele.

SPIEGELE Louis Van de
Né en 1912 à Cuesmes. Mort en 1971 à Mons. xxᵉ siècle. Belge.
Peintre. Surréaliste.
Il fit ses études à l'académie royale de Mons. Il fut membre du groupe *Rupture* en 1935, du *Groupe Surréaliste du Hainaut* en 1938, et du groupe *Haute Nuit*. Il a peu exposé.
Il pratique un surréalisme qu'il veut en opposition avec celui de Magritte. Plus occulte, plus mystérieux, le surréalisme de Spiegele évolue dans un univers de ténèbres.
BIBLIOGR. : In : *Dict. biogr. illustré des artistes en Belgique depuis 1830*, Arto, Bruxelles, 1987.

SPIEGELEIR Marthe de
Née le 12 novembre 1897 à Courtrai (Grammont). Morte le 25 septembre 1991 à Courtrai (Grammont). xxᵉ siècle. Belge.
Peintre de portraits, paysages, paysages urbains, natures mortes, fleurs.
Autodidacte, elle ne fréquenta pas l'académie des beaux-arts de Gand qu'en 1932. Elle se consacra réellement à la peinture à la mort de sa mère en 1945, donnant des cours de peinture dans son atelier pour vivre.

Elle a participé à plusieurs expositions consacrées aux peintres flamands, en Belgique et à l'étranger notamment en 1970 au Salon des Artistes Français à Paris. Elle a reçu en 1967 la médaille d'argent des Arts, Sciences et Lettres à Paris, en 1968 la médaille de bronze du Mérite de Léopold. En 1973, elle a été fait chevalier de l'ordre de Léopold.

Elle pratique une peinture sincère, mélancolique, qui échappe au temps. Privilégiant les clairs-obscurs, sans couleurs vives ni contrastes violents, elle évoque la misère humaine, le quotidien, dans un climat intemporel.

Bibliogr. : Bert Dewilde : *Marthe de Spiegelen – monographie*, 1978.

Musées : Courtrai – Lexhy (Mus. du château).

Ventes Publiques : Lokeren, 10 déc. 1994 : *Salle de garde*, h/t (80x110) : BEF 50 000 – Lokeren, 8 mars 1997 : *Autoportrait*, h/cart. (27x19) : BEF 8 500.

SPIEGHEL Hendrick Laurensz
Né le 11 mars 1549 à Amsterdam. Mort le 4 janvier 1612 à Alkmaar. xviᵉ-xviiᵉ siècles. Hollandais.
Graveur amateur et poète.

SPIEGL. Voir aussi **SPIEGEL**

SPIEGL Franz. Voir **SPIEGEL**

SPIEGL Georg
xviiᵉ siècle. Allemand.
Peintre.
Il peignit des tableaux d'autel pour les églises d'Oberschweigendorf et de Piegendorf.

SPIEGL Jeremias
Mort le 6 juin 1589 à Innsbruck. xviᵉ siècle. Autrichien.
Graveur et orfèvre.

SPIEGL Johann I ou **Spiegel**
Né vers 1653. Mort le 29 décembre 1723 à Vienne. xviiᵉ-xviiiᵉ siècles. Autrichien.
Graveur au burin.

SPIEGL Johann II ou **Spiegel**
Né le 1ᵉʳ juillet 1748 à Vienne. Mort le 9 novembre 1823 à Vienne. xviiiᵉ-xixᵉ siècles. Autrichien.
Peintre.

SPIEGL Johann III ou **Spiegel**
Né en 1776. Mort le 9 mai 1823 à Vienne. xixᵉ siècle. Autrichien.
Graveur au burin.

SPIEGL Joseph
Né en 1772 (?) à Vienne. xviiiᵉ-xixᵉ siècles. Autrichien.
Graveur à la manière noire.
Il grava d'après Rubens. Peut-être identique à Johann III Spiegl.

SPIEGLER Franz Joseph
Né le 5 avril 1691 à Wangen. Mort le 15 avril 1757 à Constance. xviiiᵉ siècle. Allemand.
Peintre.
Élève de Johann Kaspar Sing. Il fut l'un des maîtres de la peinture baroque de l'Allemagne du Sud. Il exécuta de très nombreux tableaux d'autel pour des églises de Bavière et du Wurtemberg. Dans l'église de Zwiefalten, considérée comme l'une de ses meilleures décorations, il peignit, en 1738, des architectures imaginaires, qui se fondent dans les volutes des nuages, en conformité avec cette constante de l'art baroque de l'identité des contraires, de la fusion dans la lumière des matériaux solides avec les impondérables, de la spiritualisation éthérée de la matière. Le Musée National de Munich conserve de lui *Naissance de Samuel*.

SPIEGLER Jakob
xviiᵉ siècle. Allemand.
Peintre.
Il travailla à Ulm et à Strasbourg.

SPIEGLER Johann, appellation erronée. Voir **SPIEGLER Franz Joseph**

SPIEGLER Rudolf
Né en 1885 à Zagreb. xxᵉ siècle. Yougoslave.
Peintre.
Il fut élève de l'académie des beaux-arts de Zagreb.

SPIEKER Klemens
Né le 10 mars 1874 à Ottergen (près de Höxter). xixᵉ-xxᵉ siècles. Allemand.

Sculpteur d'animaux.
Il vécut et travailla à Ottbergen.

SPIELBERG Adriana. Voir **SPILBERG**

SPIELBERG Gabriel. Voir **SPILBERG**

SPIELBERG Johann. Voir **SPILBERG**

SPIELBERGER Hans ou **Johann**. Voir **SPILNBERGER**

SPIELBICHLER Franz A.
Né en 1899 à Trubenbach (Basse-Autriche). xxᵉ siècle. Autrichien.
Peintre.
Il était manœuvre en 1913. Il fut mobilisé en 1917. Il fut mineur de 1919 à 1936, puis fut ouvrier dans une usine. En 1939, de nouveau mobilisé, il fut prisonnier en Russie, la même année. En 1945, il redevint l'ouvrier dans une fabrique de Furthof.
Peintre du dimanche, il s'attache surtout à décrire le paysage de sa région.
Bibliogr. : Oto Bihalji-Merin : *Les Peintres naïfs*, Delpire, Paris, s. d.

SPIELER Hugo
Né le 28 février 1854 à Berlin. Mort en février 1922 à Dresde (Saxe). xixᵉ-xxᵉ siècles. Allemand.
Sculpteur.
Il fut élève de l'académie des beaux-arts de Munich. Il fut modeleur à la manufacture de porcelaine de Meissen.

SPIELER Josef Jakob
Né à Lindenberg (Vorarlberg). xviiiᵉ siècle. Actif dans la seconde moitié du xviiiᵉ siècle. Autrichien.
Peintre.
Il exécuta des fresques au plafond des églises d'Au en Vorarlberg et d'Eglofs en Souabe.

SPIELER Marie
Née le 14 janvier 1845 à Breslau. Morte le 28 décembre 1913 à Breslau. xixᵉ-xxᵉ siècles. Allemande.
Peintre de compositions animées, genre, portraits.
Elle fut élève de Karl F. E. Gebhardt.
Musées : Breslau, nom all. de Wroclaw (Mus. prov.) : *Dans le cloître des ermites de Palerme – La Mère de l'artiste – Les Lavandières de Scanno*.

SPIELMANN Johann Baptist von
xviiiᵉ siècle. Allemand.
Aquafortiste.
Il a gravé des paysages.

SPIELMANN Max
Né le 8 octobre 1906 à Hötting. xxᵉ siècle. Autrichien.
Peintre, graveur.
Il fut élève de l'Académie des Beaux-Arts de Munich et de Klemmer.
Musées : Budapest (Cab. des Estampes) – Vienne (Albertina Mus.).

SPIELMANN Oskar
Né le 25 avril 1901 à Brunn. Mort en 1973. xxᵉ siècle. Autrichien.
Peintre de figures, portraits, paysages.
Il fut élève de l'académie des beaux-arts et de Karl Krattner.
Bibliogr. : Lynne Thornton : *La Femme dans la peinture orientaliste*, Paris, A. C. R. Edition, 1985.
Musées : Alger : *Mauresque riant* – Brunn : *Grande composition* – Prague (Gal. Mod.) : *Portrait d'une jeune fille*.
Ventes Publiques : Paris, 9 déc. 1996 : *La Détente*, aquar. et gche (49x64) : FRF 18 000.

SPIELMANN Viktor
Né en 1769 à Zug. Mort en 1848 à Saint-Georgen (près de Saint-Gall). xviiiᵉ-xixᵉ siècles. Suisse.
Peintre de paysages urbains, aquarelliste, dessinateur.
Il était prêtre.
Ventes Publiques : New York, 16 fév. 1993 : *Midi sur la place Saint-Marc avec Santa Maria della Salute* 1839, aquar./pap. (24,2x32) : USD 660.

SPIELTER Carl ou **Carl Johann**
Né le 1ᵉʳ février 1851 à Brême. Mort le 26 juin 1922 à Brême. xixᵉ-xxᵉ siècles. Allemand.
Peintre de compositions animées, genre.
Il fut élève de Gabriel Max et de Hans Makart.
Ventes Publiques : New York, 2 mars 1967 : *La vente aux*

enchères : **USD 3 250** – New York, 23 fév. 1968 : *La vente aux enchères* : **USD 2 500** – Paris, 20 mai 1974 : *L'antiquaire* : **FRF 9 000** – New York, 12 oct 1979 : *Le Grand Tour, Naples 1887*, h/t (96,5x201) : **USD 22 000** – New York, 28 oct. 1981 : *Le Collectionneur 1896*, h/t (62,9x52) : **USD 6 000** – Munich, 17 mai 1984 : *Avant la vente aux enchères*, h/t (55x68,5) : **DEM 3 700** – Londres, 19 juin 1985 : *L'héritière 1886*, h/pan. (40,5x31) : **GBP 3 000** – Cologne, 27 juin 1986 : *Chez l'antiquaire 1902*, h/t (90x110) : **DEM 11 000** – Copenhague, 21 fév. 1990 : *L'expert en œuvre-d'art*, h/t (54x69) : **DKK 16 000** – Paris, 20 juin 1994 : *L'héritage 1908*, h/t (48x68) : **FRF 16 000**.

SPIER. Voir aussi **SPIERRE**

SPIER François ou **Claude**. Voir **SPIERRE**

SPIER Michaël
Né en 1700 à Ratisbonne. XVIII⁰ siècle. Allemand.
Peintre et graveur à l'eau-forte.
Il a gravé des sujets religieux.

SPIERA Alessandro
XVI⁰ siècle. Actif à Venise en 1550. Italien.
Peintre.

SPIERA Giacomo
Né le 12 septembre 1792 à Venise. Mort le 18 mars 1874 à Venise. XIX⁰ siècle. Italien.
Sculpteur d'ornements.

SPIERINC. Voir aussi **SPIRINX**

SPIERINC Jan
Né probablement à Gand. XV⁰ siècle. Actif dans la seconde moitié du XV⁰ siècle. Éc. flamande.
Enlumineur.
Fils de Niklas Spierinck. Les Musées de Cambridge, de Londres, de Rome (Vatican), de Vienne et d'Utrecht conservent des enluminures de cet artiste.

SPIERINC Niklas ou **Claes**. Voir **SPIERINCK**

SPIERINCK Anthoni ou **Antoine**. Voir **SPIERINCKX**

SPIERINCK Gilles
XVI⁰ siècle. Actif à Oudenaarde dans la première moitié du XVI⁰ siècle. Éc. flamande.
Sculpteur et peintre.
Il travailla pour des églises d'Oudenaarde et de Nokere.

SPIERINCK Karl Philipp ou **Spierincks**. Voir **SPIERINGH**

SPIERINCK Niklas ou **Claes** ou **Clay** ou **Claeis** ou **Spierinc**
XV⁰ siècle. Actif à Gand. Hollandais.
Enlumineur.
Père de Jan S. Il enlumina un livre d'heures conservé au British Museum et on peut probablement lui attribuer l'ornementation de deux ouvrages semblables qui se trouvent à présent l'un à Aston, près de Birmingham, l'autre au Musée de cette dernière ville. Il copia et décora également plusieurs ordonnances du duc de Bourgogne.

SIN

SPIERINCK Peter Nicolas. Voir **SPIERINCKX**

SPIERINCKX. Voir aussi **SPIRINX**

SPIERINCKX Anthoni ou **Antoine** ou **Spierinck** ou **Spierincx**
Né en 1565 à Anvers. Mort le 5 janvier 1625 à Anvers. XVI⁰-XVII⁰ siècles. Éc. flamande.
Graveur sur bois.
Il grava des scènes populaires et des sujets religieux.

SPIERINCKX Anthoni ou **Antoine**
Né le 30 juillet 1592 à Anvers. XVII⁰ siècle. Éc. flamande.
Graveur sur bois.
Il grava des figures.

SPIERINCKX Jan
XVII⁰ siècle. Actif à Anvers et à Lyon de 1634 à 1636. Éc. flamande.
Graveur au burin.
Père de Louis Spirinx.

SPIERINCKX Jan
XVII⁰ siècle. Actif à Anvers de 1688 à 1689. Éc. flamande.
Peintre.

SPIERINCKX Karel Peter ou **Pieter Nicolas** ou **Spierincks, Spierinck, Spierings, Spierinx** ou **Sperings**
Né le 30 août 1635 à Anvers. Mort en août 1711 à Anvers. XVII⁰-XVIII⁰ siècles. Éc. flamande.
Peintre de paysages.
Il alla en Italie, y copia les œuvres de Paul Bril et de Salvator Rosa et s'inspira de la manière de ces maîtres. Il fut parfois aidé dans ses tableaux par Pieter Ykens, qui peignait les figures. Il épousa Maria de Jode. Il ne paraît pas impossible qu'il ait vécu en Angleterre, car certains biographes l'y ont fait mourir.
Musées : Avignon : *Paysage avec le Christ et les pèlerins d'Emmaüs* – La Haye : *Foire de village* – Madrid (Prado) : *Paysage avec ruines* – *Paysage d'Italie* – Nuremberg : *Vue des églises Saint-Michel et Notre-Dame de Paris* – Le Puy-en-Velay : *Paysage avec cascade* – Rennes : *Paysage avec nymphes et satyres* – Uppsala : *Trois paysages*.
Ventes Publiques : New York, 4 juin 1980 : *Bergers et nymphes dans un paysage*, h/t (70x97) : **USD 4 000** – Londres, 10 avr. 1981 : *Bacchus, Pan et Silène*, h/t (113,6x124,4) : **GBP 6 500**.

SPIERING F. S.
XVII⁰ siècle. Travailla en 1663. Allemand.
Miniaturiste.

SPIERINGH Karl Philipp ou **Karel Philips** ou **Spierinck** ou **Spierincks**
Né vers 1608. Mort le 22 mai 1639 à Rome. XVII⁰ siècle. Actif à Bruxelles. Éc. flamande.
Peintre.
Élève de Paul Bril. Il travailla pour des églises de Rome.

SPIERINGS Peter Nicolas. Voir **SPIERINCKX**

SPIERINX. Voir **SPIRINX**

SPIERRE Claude ou **Spire** ou **Spier**
Né en 1642 à Nancy. Mort le 1ᵉʳ mars 1681 à Lyon. XVII⁰ siècle. Français.
Peintre de portraits et graveur.
Élève de Pietro de Cortone avec qui il travailla en Italie. Il se tua en tombant d'un échafaudage sur lequel il travaillait à l'église Saint-Nizier à Lyon.

SPIERRE François ou **Spier**
Né le 12 novembre 1639 à Nancy. Mort le 6 août 1681 à Marseille. XVII⁰ siècle. Français.
Portraitiste et graveur au burin.
Frère de Claude Spierre. Il travailla à Rome au moment de la mort de son frère. Il rentra aussitôt en France en apprenant la nouvelle de l'accident survenu à Claude Spierre, mais en cours de route il tomba et se tua également.

SPIERS Albert Van, dit **Piramied**
Né en 1666 à Amsterdam. Mort en 1718. XVII⁰-XVIII⁰ siècles. Hollandais.
Peintre d'histoire.
Élève de Willem Van Ingen ou de Gérard de Lairesse. Il alla en Italie vers 1687 et revint à Amsterdam en 1697. Il y trouva de nombreux travaux de décoration. Il alla ensuite à La Haye en 1701.

SPIERS Benjamin Walter
XIX⁰-XX⁰ siècles. Britannique.
Peintre à la gouache de sujets de genre, intérieurs, natures mortes, aquarelliste, dessinateur, illustrateur.
Il était actif vers 1860-1910.
Ventes Publiques : Londres, 1ᵉʳ mars 1984 : *Un coin de bibliothèque 1884*, aquar. reh. de gche (41x66) : **GBP 3 600** – Londres, 29 oct. 1985 : *Polite Literature 1881*, aquar. et cr. reh. de blanc (28,1x42,5) : **GBP 1 500** – Londres, 21 jan. 1986 : *Away from the world and its toils and its cares 1885*, aquar. reh. de blanc (25x33) : **GBP 2 900** – Londres, 30 jan. 1991 : *Illustration d'un poème de Thackeray (intérieur d'un magasin d'antiquité) 1882*, aquar. et gche (68,5x122) : **GBP 35 200** – Londres, 5 juin 1991 : *Le déjeuner du célibataire 1883*, aquar. avec reh. de blanc (29x41,5) : **GBP 9 900** – Londres, 5 nov. 1993 : *Nature morte avec un pichet, un verre et des pommes, une assiette 1876*, cr. et aquar. (21x22,3) : **GBP 805** – Londres, 9 juin 1994 : *Nature morte de porcelaines 1878*, aquar. (20,5x27) : **GBP 9 430** – Londres, 17 nov. 1994 : *Le coin du collectionneur*, cr. et aquar. (33,1x60) : **GBP 27 600**.

SPIERS Harry
Né le 15 octobre 1869 à Selsea. XIX⁰-XX⁰ siècles. Américain.

Peintre.

Il fut élève de l'académie Julian à Paris. Il vécut et travailla à Dedham.

Musées : Boston – Toronto.

SPIERS Richard Phené

Né le 19 mai 1838 à Oxford. Mort le 3 octobre 1916 à Londres. xixe-xxe siècles. Britannique.

Peintre d'architectures, graveur.

Il fut aussi architecte. Il fut membre de la Society of Artists.

Musées : Londres (Victoria and Albert Mus.) : deux aquarelles.

SPIES David (?)

xviie siècle. Actif en Mecklenbourg. Allemand.

Peintre et sculpteur.

Il travailla pour le château de Schwerin.

SPIES Michael. Voir SPIESS

SPIES Robert

Né le 6 mai 1886 à Saint-Pétersbourg. Mort le 17 septembre 1914 près de Juvincourt. xxe siècle. Russe.

Peintre, sculpteur, graveur de portraits, paysages, illustrateur.

Il fut élève de l'académie des beaux-arts de Dresde et de Sascha Schneider. Il grava des portraits, des illustrations pour les vingt-quatre préludes de Chopin et des paysages.

SPIES Wolfgang

Né vers 1697. Mort le 18 novembre 1736. xviiie siècle. Actif à Salzbourg. Autrichien.

Peintre.

Il travailla pour l'église Saint-Pierre de Salzbourg et l'abbaye de Mölln.

SPIESS Andreas Franz

xviiie-xixe siècles. Actif à Vienne. Autrichien.

Peintre.

Père d'Anton Leopold S.

SPIESS Anton Leopold

xviiie siècle. Actif à Graz dans la première moitié du xviiie siècle. Autrichien.

Peintre.

SPIESS August

Né le 18 janvier 1841 à Munich (Bavière). Mort en 1923 à Munich (Bavière). xixe-xxe siècles. Allemand.

Peintre d'histoire, illustrateur, dessinateur.

Fils d'August Fred Spiess, il fut élève à l'académie des beaux-arts de Munich, de Philipp von Foltz. Il décora les châteaux du roi Louis II de Bavière.

Musées : Munich (Mus. mun.) – Rostok : Tête d'étude.

SPIESS August Fred ou Friedrich

Né le 8 mars 1806 à Castel. Mort le 10 juillet 1855 à Munich. xixe siècle. Allemand.

Dessinateur peintre et graveur au burin.

Père d'August et de Heinrich S. Élève de Amsler à l'Académie de Munich. Il a gravé des sujets religieux et des portraits. On lui doit aussi des portraits au crayon qui sont estimés.

SPIESS August Karlowitsch

Mort le 5 avril 1904 à Saint-Pétersbourg. xixe siècle. Russe.

Sculpteur.

Il fut élève de l'académie des beaux-arts de Berlin. Il décora de peintures plusieurs salles du Palais d'Hiver de Saint-Pétersbourg.

SPIESS Heinrich

Né le 10 mai 1832 à Munich. Mort le 6 août 1875 à Munich. xixe siècle. Allemand.

Peintre d'histoire et illustrateur.

Élève de Valtz, à l'Académie de Munich, et de Kaulbach. Il peignit en collaboration avec Schwind, des fresques à la Wartburg, et, avec son père Aug. Friedr. Spiess, des allégories sur les sciences dans les arcades du Maximilianeum, à Munich. Le Musée National de Munich conserve de lui deux Scènes de la vie d'Henri le Lion.

SPIESS Heinrich

Né le 18 octobre 1838 à Uhwiesen. Mort le 28 novembre 1884 à Schaffhouse. xixe siècle. Suisse.

Sculpteur et stucateur.

Il fit ses études à Rome.

SPIESS Hubert

xviie siècle. Travaillant vers 1690. Allemand.

Graveur au burin.

Il grava des portraits de princes bavarois.

SPIESS Johann Baptist

Né à Sterzing. Mort le 2 avril 1688 à Brunn. xviie siècle. Autrichien.

Peintre.

Le Musée de Brunn conserve de lui Vue de la ville de Brunn.

SPIESS Johann Baptist

Mort le 1er juin 1746. xviiie siècle. Actif à Ried (Haute-Autriche). Autrichien.

Peintre.

Il peignit des statues dans les églises de Lohnsbourg et de Hohenzell.

SPIESS Johann Nepomuk

Né en 1838 à Rutzendorf. xixe siècle. Autrichien.

Peintre de paysages, d'animaux et de natures mortes.

Élève de l'Académie de Vienne. Il travailla dans cette ville.

SPIESS Josef Rudolf

Né vers 1626 à Munich. Mort le 23 septembre 1656 à Rome. xviie siècle. Allemand.

Il travailla pour l'archiduc Leopold Wilhelm d'Autriche.

SPIESS Joseph

Né vers 1702. Mort le 22 mars 1736 à Vienne. xviiie siècle. Autrichien.

Peintre.

Il fut à Rome en 1725.

SPIESS Louis Moïse

Né le 11 décembre 1800 à Genève. Mort le 29 octobre 1877 à Genève. xixe siècle. Suisse.

Graveur et ciseleur.

Il fit ses études à Paris.

SPIESS Michael ou Spies

xvie-xviie siècles. Actif à Meissen. Allemand.

Sculpteur.

Il fit ses études à Pirna et à Magdebourg. Il travailla pour des églises des environs de cette dernière ville.

SPIESS Michael

Né en 1838 à Würzburg. Mort le 27 décembre 1894 à Rome. xixe siècle. Allemand.

Sculpteur.

Il s'établit à Rome en 1868. Il sculpta huit bustes d'empereurs romains pour le château de Herrenchiemsee.

SPIESS Otto Wolfgang

Né le 14 décembre 1893 à Düsseldorf (Rhénanie-Westphalie). Mort le 3 juillet 1931. xxe siècle. Allemand.

Peintre de portraits, paysages.

Il fit ses études à Dantzig, Berlin et Dresde.

Musées : Rostock (Mus. mun.) : Les Parents de l'artiste.

SPIESS Theodor

Né le 20 janvier 1846 à Kenzingen. Mort le 22 mars 1920 à Munich (Bavière). xixe-xxe siècles. Allemand.

Peintre d'animaux, décorateur.

Il fut élève de l'académie des beaux-arts de Munich. Il peignit des plantes et des animaux.

SPIESS VON KRANTSCHBERG Leopold Anton

Né en 1694. Mort le 24 novembre 1756 à Vienne. xviiie siècle. Autrichien.

Peintre d'histoire.

SPIGELER Nicolaus

xve siècle. Actif à Neisse de 1413 à 1417. Allemand.

Peintre.

SPIHLER Paul

xixe siècle. Français.

Peintre de fleurs et de fruits.

Élève de Baron et Liébegott. Il débuta au Salon de 1879.

Ventes Publiques : Paris, 24 mars 1982 : Nature morte aux pêches et aux roses 1878, h/t (92x73) : FRF 14 000.

SPILBERG Adriana ou Spielberg

Née vers 1657 à Amsterdam. xviie siècle. Hollandaise.

Peintre et pastelliste.

Fille et élève de Joh. Spilberg. Elle épousa à Düsseldorf, en 1684, Wilhelm Breekvelt, puis en 1697, Eglon Van der Neer.

SPILBERG Gabriel ou Spielberg ou Speelberck

Né à Düsseldorf. xve-xvie siècles. Allemand.

Peintre.

Il vint à Utrecht vers 1590, puis fut peintre de la cour à Madrid. Un Gabriel Spilberg était à Cologne en 1620.

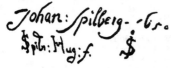

SPILBERG Johann, l'Ancien ou **Spielberg**
XVIIe siècle. Actif à Düsseldorf dans la première moitié du XVIIe siècle. Allemand.
Peintre de portraits.
Père de Johann S. le Jeune. Il dessina des portraits pour des arbres généalogiques.

SPILBERG Johann, le Jeune ou **Spielberg**
Né le 30 avril 1619 à Düsseldorf. Mort le 10 août 1690 à Düsseldorf. XVIIe siècle. Allemand.
Peintre.
Peut-être neveu de Gab. Spilberg. Il était fils de Johann S. l'Ancien. Envoyé par le duc de Pfalz-Neubourg à Anvers près de Rubens, il alla après la mort de ce dernier à Amsterdam chez Govaert Flinck. Il épousa en 1649 Maria Gerrits. Il travailla à Düsseldorf, à Cologne et, après un mort du duc, retourna à Amsterdam. Le comte palatin Philippe Guillaume l'appela près de lui, puis il retourna encore à Amsterdam et travailla ensuite au château de Düsseldorf pour le comte palatin Jean Guillaume.

MUSÉES : AMSTERDAM (Mus. Nat.) : *Repas d'arquebusiers – Portraits de Jan Van der Poll et de Harmen Van der Poll* – BERLIN (Mus. Nat.) : *Jaël avec marteau et clou* – BURGHAUSEN : *Anna Catharina Constantia, femme de Philippe Guillaume du Palatinat* – DARMSTADT : *Portrait d'une jeune femme* – DÜSSELDORF (Mus. mun.) : *Le comte Wolfgang Wilhelm – La femme de celui-ci – La comtesse Sophie Éléonore de Hesse – L'électeur Jean Guillaume du Palatinat – La princesse Éléonore Madeleine du Palatinat* – MUNICH (Mus. Nat.) : *Fauconnier* – NAPLES (Pina.) : *Portrait d'une vieille dame* – SCHLEISSHEIM : *Portrait d'un savant* – SPIRE : *L'électeur Jean Guillaume enfant – Portrait d'une femme* – VERVIERS : *Portrait d'un homme – Portrait d'une femme.*
VENTES PUBLIQUES : LONDRES, 13 juil. 1923 : *Femme en « Jael »* : GBP 105 – COPENHAGUE, 8 mai 1973 : *Paysage au pont* : DKK 15 000.

SPILEMAEKERS Jan
XIXe siècle. Actif à Gand vers 1840. Belge.
Peintre de genre.
Élève de Janssens.

SPILENBERGER. Voir **SPILNBERGER Hans**

SPILER Jakob
XVe siècle. Actif à Nuremberg en 1492. Allemand.
Peintre.

SPILGER Johann
XVIIIe siècle. Travaillant à Eggenbourg en 1773. Autrichien.
Sculpteur.
Il exécuta des sculptures dans l'église Saint-Guy de Stockern.

SPILIMBERGO Adriano
Né le 31 juillet 1901 à Buenos Aires. Mort en 1975 à Spilimbergo. XXe siècle. Actif en Italie. Argentin.
Peintre de paysages, fleurs.
Il vécut et travailla à Milan.
VENTES PUBLIQUES : MILAN, 27 oct. 1970 : *La fenêtre* : ITL 700 000 – MILAN, 24 oct. 1972 : *Lignano* : ITL 1 300 000 – MILAN, 7 nov. 1978 : *Madonna di Campiglio 1963*, h/t (60x80,5) : ITL 2 400 000 – MILAN, 26 juin 1979 : *Venise*, h/t (40x50) : ITL 2 200 000 – MILAN, 26 nov. 1981 : *Marine*, h/t (80x100) : ITL 12 500 000 – MILAN, 14 juin 1983 : *Nu*, techn. mixte/t. (46,5x37) : ITL 1 800 000 – MILAN, 14 juin 1983 : *Paysage montagneux*, h/t (80x120) : ITL 11 000 000 – MILAN, 19 déc. 1985 : *Paysage au lac*, h/t (83x103) : ITL 8 000 000 – MILAN, 11 mars 1986 : *Canale di Rimini 1954*, h/t (80x100) : ITL 12 000 000 – MILAN, 7 juin 1989 : *Lac de Saint Moritz*, h/t (51x60) : ITL 6 500 000 – MILAN, 27 mars 1991 : *Le lac de Saint Moritz*, h/t (50x60) : ITL 6 500 000 – MILAN, 20 juin 1991 : *Paysage avec un lac*, h/t (46x55) : ITL 8 000 000 – MILAN, 14 nov.

1991 : *Vue de Lecco*, h/t (60x80) : ITL 9 000 000 – MILAN, 19 déc. 1991 : *L'île de San Giorgio*, h/t (45x55) : ITL 9 500 000 – MILAN, 9 nov. 1992 : *Paysage hivernal*, h/t (80x110) : ITL 13 000 000 – ROME, 25 mars 1993 : *Vase de fleurs*, h/pan. (80x58) : ITL 7 500 000 – MILAN, 14 déc. 1993 : *Colline en Ligurie 1938*, h/t (55x75) : ITL 8 050 000 – MILAN, 9 mars 1995 : *Fleurs*, h/t (80x60) : ITL 12 650 000 – MILAN, 28 mai 1996 : *Venise le quai de la Dogana et l'église de la Salute*, h/t (80x100) : ITL 21 850 000 – MILAN, 10 déc. 1996 : *Maisons dans le bois*, h/t (100x80) : ITL 15 145 000.

SPILIMBERGO Alessandro di
XVIe siècle. Actif à Monfalcone dans la seconde moitié du XVIe siècle. Italien.
Peintre.
Élève de Giacomo Seccante à Udine. Il travailla de 1556 à 1590.

SPILIMBERGO Irene di
Née vers 1540 à Udine. Morte le 15 décembre 1559 à Venise. XVIe siècle. Italienne.
Peintre de compositions religieuses.
On dit qu'elle fut élève de Titien qui, ajoute-t-on, peignit son portrait. Bien qu'elle fit de la peinture pour son agrément, elle y apportait le zèle d'un artiste professionnel. Lanzi mentionne d'elle trois peintures qui, de son temps, existaient à la Casa Manago à Venise.
VENTES PUBLIQUES : ROME, 8 mars 1990 : *Naissance de la Vierge*, h/cuivre (67x72) : ITL 15 000 000.

SPILIMBERGO Lino Enea
Né en 1896 à Buenos Aires. Mort en 1954 ou 1964. XXe siècle. Argentin.
Peintre de compositions à personnages, figures, portraits, paysages animés, peintre de compositions murales, dessinateur.
Il fut élève de l'École des Beaux-Arts de Buenos Aires. Il voyagea en Europe, vers 1925 seulement, surtout en France, où il fréquenta l'atelier d'André Lhote à Paris, et en Italie, où il découvrit la peinture de la Renaissance et de la pré-Renaissance. Il devint professeur de l'École des Beaux-Arts de Buenos Aires, jouant un rôle prépondérant dans la formation des jeunes artistes en Argentine. Il reçut le grand Prix de peinture en 1937.
Il subit l'influence de Giorgio de Chirico, dans les années vingt, élaborant alors sa manière dite métaphysique, caractérisée par une construction perspective accentuée. La leçon d'André Lhote a pu aussi influer sur son évolution. Par la simplification de la ligne et des grandes masses géométrisées, surtout peintre de figures, il élève celles-ci jusqu'à l'allégorie, femmes et enfants, vus ou issus de son imagination, dont il fait surgir du clair-obscur qui enrobe d'ombre les vêtements de couleurs, les visages et les mains, superbement modelés dans la tradition italienne de la pré-Renaissance. Leurs immenses yeux fixes, interrogatifs, regardent qui les regarde. En 1946, il fut l'un des quatre peintres, avec Urruchua, Berni, Manuel Colmeiro, choisis pour décorer collectivement la coupole des *Galerias Pacifico*, dans le centre commercial de Buenos Aires. Les quatre peintres étant de styles différents, le résultat en subit les conséquences. Pour sa part, Spilimbergo y traita le thème des mineurs, dans un équilibre chromatique de bruns chauds et de gris bleutés froids, avec un sens remarqué du monumental, qui aurait pu lui valoir d'autres occasions de créer un art muraliste argentin, en regard du mexicain. ■ J.B.

BIBLIOGR. : Damian Bayon et Roberto Pontual : *La Peinture de l'Amérique latine au XXe siècle*, Éditions Menges, Paris, 1990.
MUSÉES : BUENOS AIRES (Mus. Nat. des Beaux-Arts) : *Figures 1937.*
VENTES PUBLIQUES : NEW YORK, 6 nov. 1980 : *Un village de Bolivie 1939*, h/t (51x41,3) : USD 18 000 – NEW YORK, 21 nov. 1988 : *Étude pour un visage de femme*, sanguine/pap. (73,5x56) : USD 3 080 – NEW YORK, 23-24 nov. 1993 : *Nuit de lune dans le bois (L'esprit du bois) 1930*, h/pan. (110x56) : USD 134 500.

SPILLAR Jaroslav
Né en 1869 à Pilsen. Mort en novembre 1917. XIXe-XXe siècles. Tchécoslovaque.
Peintre de genre, sujets typiques.
Il peignit des scènes de la vie populaire tchèque.

SPILLAR Karel
Né le 21 novembre 1871 à Pilsen. Mort en 1939. XIXe-XXe siècles. Tchécoslovaque.

Peintre, graveur, pastelliste.
Il fut élève de l'académie des beaux-arts de Prague, où il vécut et travailla.
Musées : Prague (Gal. Mod.).
Ventes Publiques : Lindau (B.), 7 oct. 1981 : *Deux baigneuses*, past. (48,5x54) : **DEM 1 500** – Vienne, 19 mars 1985 : *Portrait de jeune fille*, past. (55x42) : **ATS 25 000**.

SPILLENBERGER J. M.
XVIIᵉ siècle. Actif à Augsbourg. Allemand.
Aquafortiste.
Il grava des paysages et des scènes bibliques.

SPILLENBERGER Janos
XVIIᵉ siècle. Actif à Kaschau de 1619 à 1650. Hongrois.
Peintre.
Père de Johann S.

SPILLENBERGER Johann. Voir SPILNBERGER Hans ou Johann

SPILLENBERGER Samuel
XVIIᵉ siècle. Actif à Kaschau de 1636 à 1667. Hongrois.
Peintre.

SPILLER Johann Jakob
XIXᵉ siècle. Actif à Elgg dans la première moitié du XIXᵉ siècle. Suisse.
Miniaturiste.
Il n'eut aucun maître. Il travailla à Saint-Gall de 1825 à 1856.

SPILLER John
Né en 1763. Mort en 1794. XVIIIᵉ siècle. Actif à Londres. Britannique.
Sculpteur.
Élève de John Bacon. Il exposa à Londres de 1778 à 1786.

SPILLER Jurg
Né en 1913 à Bâle. XXᵉ siècle. Suisse.
Peintre. Expressionniste, puis tendance abstraite.
Il suivit des études universitaires en même temps que sa formation picturale en Angleterre, France, Allemagne. Il séjourna au Mexique en 1951-1952.
Il a participé à une exposition itinérante en Allemagne en 1950. Durant sa première période, il exposa à Londres, Berlin, puis à Bâle, Zurich, Paris, Copenhague.
Avant la Seconde Guerre mondiale, ses peintures se rattachaient au courant expressionniste d'origine germanique. Ensuite il fut influencé par le constructivisme postcézanien de la peinture française. Il tendit vers l'abstraction.
Bibliogr. : Michel Seuphor : *Dict. de la peint. abstraite*, Hazan, Paris, 1957.

SPILLER Karl
Né le 15 décembre 1886 à Elgg. XXᵉ siècle. Suisse.
Peintre.
Il fut élève des écoles d'art de Zurich et de Munich.

SPILLER Libert
Né le 31 août 1912 au Pré-Saint-Gervais. XXᵉ siècle. Français.
Peintre.
Il fut élève de André F. Breuillaud à l'académie Gadin. Il participa à Paris, au Salon des Indépendants en 1946. Il débute au milieu des années trente. Artisan, il mettra au service de l'art une bonne conscience ouvrière.

SPILLER Theodor
XIXᵉ siècle. Actif dans la seconde moitié du XIXᵉ siècle. Suisse.
Aquarelliste et miniaturiste.
Fils de Johann Jakob S. Il exposa à Saint-Gall de 1850 à 1863.

SPILLIAERT Léon
Né en 1881 à Ostende. Mort en 1946 à Bruxelles. XXᵉ siècle. Belge.
Peintre de genre, portraits, paysages, marines, natures mortes, aquarelliste, pastelliste, peintre à la gouache, dessinateur. Symboliste.
Son père tenait un salon de coiffure et parfumerie à Ostende. Il étudia fort peu de temps à l'Académie des Beaux-Arts de Bruges. Il travailla dans une maison d'édition de Bruxelles de 1902 à 1905, puis revint à Ostende. Il fut membre du groupe des Indépendants, puis du Sillon, puis en 1920 du groupe de la revue *Sélection* à Bruxelles, d'où devait sortir l'expressionnisme flamand, avec Permeke et de Smet, avec lesquels il n'eut que peu de points communs quant à l'expressionnisme, alors qu'il fut ami de Permeke, partageant le même atelier. Il vécut et travailla à Bruxelles dans les années vingt, après son mariage en 1916.

Il a participé au Salon des Indépendants à Paris en 1909, 1911 et 1913 ; ainsi qu'aux expositions consacrées à l'art symboliste : 1980 Brooklyn Museum de New York. En 1909, il fit sa première exposition à Bruxelles. Des rétrospectives posthumes lui furent consacrées : 1972 et 1981-1982 aux Musées Royaux des Beaux-Arts de la Belgique à Bruxelles ; 1980 Metropolitan Museum de New York et Philipps Collection à Washington ; 1996 Museum voor Schone Kunsten d'Ostende ; 1998 Musée de la Seita de Paris.
L'avant 1900 fut, en Belgique, une époque particulièrement brillante. L'architecture y était représentée par des inventeurs de premier plan, comme Horta ou Van de Velde ou le viennois Joseph Hoffmann, qui y construisit le palais Stoclet. La littérature est également représentée par des auteurs de réputation internationale, avec Maeterlinck et Verhaeren. James Ensor occupe, avec Van Gogh et Munch, une place considérable dans la genèse de l'expressionnisme moderne. Préparant la voie aux surréalistes belges, bon nombre de peintres de qualité, même s'ils ne comptèrent pas parmi eux de grands génies, investigaient ces contrées mal définies entre symbolisme et fantastique, contrebalançant, en Belgique, ce que les Préraphaélites représentaient en Angleterre et, en France, les Nabis à la suite de Gauguin et de Redon. Le reproche envers l'impressionnisme triomphant est général : peinture de matérialistes, ils ont laissé de côté toute spiritualité. Gustave Moreau, d'une certaine façon exemplaire, va réconcilier la peinture et l'idéalisme : « Je ne crois ni à ce que je touche ni à ce que je vois. Je ne crois qu'à ce que ne vois pas et uniquement à ce que je sens. » Parallèlement à la découverte freudienne, l'époque entière était en quête de nouvelles croyances, en quête d'une nouvelle dimension de l'être ; Verhaeren évoquait des œuvres « nées au plus profond de l'être intime dans la chambre obscure et fantastique des rêveries et des visions. » Spilliaert autour de 1900 peignait dans le climat du symbolisme d'époque. Comme de nombreux peintres de l'époque, Redon et les Symbolistes belges, il utilisait peu l'huile, lui préférant les peintures à l'eau, à cause de leur matité lumineuse, le pastel ou les crayons de couleurs. Dans un œuvre diffus, dénué de ligne directrice, sensible à des influences multiples, jusqu'en 1920, son utilisation de la ligne florale, de l'arabesque décorative, l'apparentait souvent aux Nabis. Ses visions les plus déconcertantes, portes closes, immensités vides, abîmes vertigineux, se situent dans une période assez brève, avant 1920. Dans la suite, il se limita à une peinture plus traditionnelle. Outre de nombreux autoportraits, toute sa vie, il traita avec prédilection le thème de la mer, et tout spécialement à Ostende, avec la plage, les baigneurs, les promenades sur les digues. Dans ce cas, les lignes sinueuses sont remplacées au contraire par de longues droites se rejoignant en perspective à l'infini, conclues par les horizontales calmes de la mer et du ciel, l'espace suggéré tend vers l'abstraction. Après 1935, à ce thème privilégié, il adjoignit le calme de la forêt.
Venu du symbolisme littéraire et coloré de Munch, ayant peut-être pris quelque chose du sens de la solitude que l'on trouve dans les places désertées de Chirico, laissant présager parfois Magritte, Spilliaert, à travers un œuvre aux aspects divers, constitue, pour la peinture belge, un chaînon très intéressant entre la génération des symbolistes (jusqu'aux débuts verlainiens de Picasso) et celle des surréalistes. ■ J. B.

Bibliogr. : R. M., in : *Dict. univers. de l'art et des artistes*, Hazan, Paris, 1967 – Catalogue de l'exposition : *L'Art flamand, d'Ensor à Permeke*, Musée de l'Orangerie des Tuileries, Paris, 1970 – Catalogue de l'exposition : *Symbolistes et surréalistes belges*, Gal. nat. du Grand Palais, Paris, 1972 – André Fermigier : *Explorateurs de l'imaginaire*, Nouvel Observateur, Paris, 14 févr. 1972 – Goldberg Itzhak : *L'Irréelle Exactitude de Spilliaert*, Beaux-Arts, n° 145, Paris, mai 1996.
Musées : Bruxelles (Mus. roy. des Beaux-Arts) : *Galerie royale à Ostende 1908*, aquar. – Gand (Mus. des Beaux-Arts) : *Intérieur, deux novembre*, dess., aquar. et lav. – *Nu accroupi devant la mer* – Ostende (Mus. des Beaux-Arts) : *Vertige, l'escalier magique* – Paris (Mus. d'Orsay).

VENTES PUBLIQUES : PARIS, 4 mai 1923 : *Baigneuses*, aquar. : **FRF 40** – PARIS, 15 juin 1945 : *La Bonbonne 1909* ; *La Jetée 1908*, aquar. : **FRF 330** – ANVERS, 13-14 avr. 1967 : *Les Chaloupes* : **BEF 75 000** – ANVERS, 23 avr. 1969 : *Les Pèlerins* : **BEF 80 000** – BRUXELLES, 13 mai 1970 : *Printemps*, gche : **BEF 220 000** – ANVERS, 19 avr. 1972 : *L'artiste à son chevalet*, aquar. : **BEF 210 000** – ANVERS, 3 avr. 1973 : *Femme sur un banc*, aquar. : **BEF 600 000** – ANVERS, 2 avr. 1974 : *Femme à la cape*, past. : **BEF 600 000** – ANVERS, 7 avr. 1976 : *Fille dans la neige 1913*, past. (90x70) : **BEF 900 000** – ANVERS, 25 oct. 1977 : *Le serpent et la femme 1913*, dess. en coul. (100x150) : **BEF 700 000** – BREDA, 26 avr. 1977 : *Baigneuse 1910*, past. (65x50) : **NLG 40 000** – BRUXELLES, 23 nov. 1977 : *La côte belge 1924*, h/h (55x70) : **BEF 200 000** – ANVERS, 23 oct 1979 : *Les tulipes jaunes 1925*, gche (48x62) : **BEF 320 000** – BRUXELLES, 24 oct 1979 : *Marine 1908*, h/cart. (65x50) : **BEF 280 000** – BRUXELLES, 20 fév. 1980 : *Jeune brodeuse (Mme Spilliart)*, dess. (46x46) : **BEF 150 000** – ANVERS, 29 avr. 1981 : *Un coin de mon jardin 1921*, h/t (100x80) : **BEF 440 000** – ANVERS, 26 oct. 1982 : *Les Arbres en hiver 1929*, lav. (54x74) : **BEF 210 000** – ANVERS, 25 oct. 1983 : *Nocturne 1923*, h/t (75x100) : **BEF 300 000** – ANVERS, 3 avr. 1984 : *Plage, le soir 1908*, aquar. (75x50) : **BEF 1 200 000** – ANVERS, 3 avr. 1984 : *Baigneurs 1910*, dess. (35x25) : **BEF 320 000** – ANVERS, 23 avr. 1985 : *Les oignons 1917*, dess. en coul. (44x49) : **BEF 260 000** – BRUXELLES, 29 oct. 1986 : *Le château de Karreveld en hiver 1920*, h/pan. (149x90) : **BEF 800 000** – LONDRES, 24 fév. 1988 : *Vue du col Latemar en Italie 1932*, aquar., gche et encre de Chine (25,5x33,5) : **GBP 1 650** – ANVERS, 28 mai 1988 : *Arbres sur un ciel bleu 1945*, aquar. (34x48,5) : **BEF 360 000** – LOKEREN, 8 oct. 1988 : *Paysage du Brabant 1919*, gche (69x87) : **BEF 1 300 000** ; *Le Grenier 1909*, aquar. (65x50) : **BEF 750 000** – PARIS, 14 déc. 1988 : *Maison dans un paysage*, past. (76x52) : **FRF 69 000** – LONDRES, 21 fév. 1989 : *Coucher de soleil au bord de la rivière 1932*, aquar./pap. (36,2x53,3) : **GBP 4 400** – PARIS, 10 avr. 1989 : *Marine et digue 1912*, aquar., encre de Chine et cr. de coul. (53x74) : **FRF 180 000** – AMSTERDAM, 24 mai 1989 : *Arbres au bord d'un lac 1930*, encre et aquar./pap. (46x60) : **NLG 27 600** – PARIS, 17 juin 1989 : *Baigneuse debout 1910*, aquar. avec reh. de lav. (65x50) : **FRF 240 000** – ANVERS, 23 juin 1989 : *Femme au châle noir* vers 1913, past. et encre de Chine (60x45) : **FRF 220 000** – LONDRES, 19 oct. 1989 : *Portrait de P. G. Van Hecke et Norine 1920*, past. et gche/pap. (170x120) : **GBP 110 000** – PARIS, 23 nov. 1989 : *L'Escalier 1909*, aquar. et gche/pap. (48x65) : **NLG 195 500** – PARIS, 24 avr. 1990 : *La Dune*, past. (18x24) : **FRF 27 000** – BRUXELLES, 13 déc. 1990 : *Chantier du port d'Ostende 1924*, gche/pap. épais (38x55) : **BEF 364 800** ; *L'Îlot du parc d'Ostende 1921*, aquar./pap./cart. (45x96) : **BEF 547 200** – AMSTERDAM, 22 mai 1991 : *La mer 1907*, aquar. et pap. (43x52) : **NLG 43 700** – PARIS, 12 juin 1991 : *La Dune*, past. (18x24) : **FRF 22 500** – LOKEREN, 21 mars 1992 : *Arbres derrière un mur 1917*, aquar. (48,5x76,5) : **BEF 400 000** – LONDRES, 24 mars 1992 : *Plage*, past., gche et fus./cart. (62,5x49,2) : **GBP 22 000** – PARIS, 3 oct. 1992 : *Paysage 1930*, aquar. (23,5x30,5) : **BEF 130 000** ; *Marguerites 1922*, gche (37,5x45) : **BEF 200 000** – AMSTERDAM, 9 déc. 1992 : *Barques de pêche en mer 1904*, aquar. et cr./pap. (49x50) : **NLG 20 125** – LOKEREN, 20 mars 1993 : *Marguerites 1922*, gche (37,5x45) : **BEF 440 000** – PARIS, 6 avr. 1993 : *Parc à Bruxelles 1917*, aquar. et gche (46x65) : **FRF 40 000** – LOKEREN, 9 oct. 1993 : *L'Église Sainte-Godelieve à Gistel le soir 1930*, aquar. (55x75) : **BEF 440 000** – AMSTERDAM, 8 déc. 1993 : *Nature morte avec des pommes et des noix 1917*, past. et cr./pap. (39x48) : **NLG 10 925** – AMSTERDAM, 31 mai 1994 : *Paysage au clair de lune 1924*, past. et gche/pap. (38x50) : **NLG 13 800** – PARIS, 8 juin 1994 : *Paysage aux arbres*, aquar. (30,5x51) : **FRF 26 000** – LOKEREN, 8 oct. 1994 : *Le prêle*, past. (71x51) : **BEF 700 000** – LOKEREN, 20 mai 1995 : *Baigneuse accroupie dans l'eau*, past. (47x63) : **BEF 1 200 000** – LONDRES, 28 juin 1995 : *Grande marine, marine bleue 1924*, gche (75x98) : **GBP 20 700** – AMSTERDAM, 4-5 juin 1996 : *La Mer 1922*, gche/pap. (48x60) : **NLG 29 500** ; *La Digue au bord de la mer 1908*, past., encre de Chine et aquar./pap. (49x65) : **NLG 195 500** – PARIS, 20 nov. 1996 : *Forêt au crépuscule 1914*, encre et aquar./pap. (50x63) : **FRF 72 000** – AMSTERDAM, 10 déc. 1996 : *Hangar et dirigeable 1910*, brosse, encre noire et aquar./pap. (65x50) : **NLG 115 320** – LOKEREN, 18 mai 1996 : *Volailles* vers 1917, aquar. (25,5x34,5) : **BEF 170 000** – LOKEREN, 8 mars 1997 : *Le 1er Mai (recto), Le Départ (verso)* vers 1920 et 1909, aquar. et gche (73x64,5) : **BEF 700 000** – AMSTERDAM, 1er déc. 1997 : *Arbres 1946*, aquar. et encre/pap. (61x71,5) : **NLG 24 780** – LOKEREN, 6 déc. 1997 : *Nature morte au coquillage, au vase et aux plumes de paon 1911*, past. (87x69) : **BEF 1 100 000**.

SPILLIAERT Pol
Né en 1935 à La Panne. XXe siècle. Belge.
Sculpteur. Tendance abstraite.
Il fut élève de l'académie Saint-Luc à Gand, où il enseigna par la suite. Il réalise des sculptures en marbre ou bronze, fragments aériens de corps.
BIBLIOGR. : In : *Dict. biogr. illustré des artistes en Belgique depuis 1830*, Arto, Bruxelles, 1987.

SPILLING Karl
Né le 10 août 1872 à Francfort-sur-l'Oder (Brandebourg). XIXe-XXe siècles. Allemand.
Peintre.
Il fut élève de l'académie des beaux-arts de Berlin, où il vécut et travailla. À Munich, il eut pour professeurs Scheurenberg et Lindenschmit.

SPILLMANN Franz Benedikt
Mort le 17 février 1683 à Graz. XVIIe siècle. Autrichien.
Graveur au burin.
Il grava des vues de Graz, des châteaux et des sujets religieux.

SPILLMANN Georg
Né le 21 mars 1821 à Zug. Mort en 1877 à Paris. XIXe siècle. Suisse.
Paysagiste.
Il fit ses études à Munich, à Paris chez Calame, et à Rome.

SPILMAN Hendrik ou Henricus
Né en 1721 ou 1724 à Amsterdam. Mort en 1784 à Haarlem. XVIIIe siècle. Hollandais.
Peintre de paysages, dessinateur, graveur.
Il fut élève d'Abraham de Haen II. Il entra dans la gilde de Haarlem en 1742.
Il a gravé dans le style d'Everdingen et de Berchem, des paysages et des portraits.

MUSÉES : HAARLEM (Mus. Frans Hals) : *Vue de Haarlem*.
VENTES PUBLIQUES : PARIS, 1783 : *Deux paysages*, dess. à la pierre noire lavés au bistre : **FRF 47** – PARIS, 20 juin 1924 : *Paysage animé de personnages*, dess. : **FRF 90** – PARIS, 10 et 11 mai 1926 : *Charrette longeant un canal animé d'embarcations*, lav. : **FRF 6 200** – AMSTERDAM, 29 oct 1979 : *Vue de Breukelen*, pl. et lav./aquar. (23,4x37,3) : **NLG 2 200** – PARIS, 23 jan. 1995 : *Vue d'une charmille près d'une maison*, encre de Chine (8,5x17,5) : **FRF 9 500** – LONDRES, 3 avr. 1995 : *Vue d'une rivière hollandaise*, encre, lav. et aquar. (9,1x16,5) : **GBP 667** – AMSTERDAM, 12 nov. 1996 : *Vues de Overveen*, cr., encre brune et lav./craie noire (chaque 8x10,4) : **NLG 3 068**.

SPILNBERGER Hans ou Johann ou Spillenberger ou Spielberger
Né en 1628 à Kaschan (Hongrie). Mort en 1679 à Vienne, emporté par la peste. XVIIe siècle. Hongrois.
Peintre de compositions religieuses, graveur, dessinateur.
Après avoir travaillé en Italie, il alla s'établir à Vienne et y fut peintre de la cour. On lui doit quelques estampes et eaux-fortes.
MUSÉES : AUGSBOURG (Kreuzkirche) : *Saint Pierre prêchant* – DRESDE (Gal. des Peintures) : *Scène dans un temple antique* – NUREMBERG (Mus. Germanique) : *Pan et la nymphe* – RATISBONNE (église de Saint-Émeran) : *Mort de saint Benedic* – VIENNE (église Saint-Étienne) : *Assomption de la Vierge*.
VENTES PUBLIQUES : PARIS, 4 mars 1988 : *Jésus avec les disciples Pierre, Jacques et Jean près du lac Tibériade*, pl. lav. brun, sanguine sur esq. à la pierre noire (25,8x20) : **FRF 6 000**.

SPILSBURY Edgar Ashe
XIXe siècle. Actif à Londres dans la première moitié du XIXe siècle. Britannique.
Peintre animalier.
Il exposa à Londres de 1800 à 1828.
VENTES PUBLIQUES : NEW YORK, 30 oct. 1985 : *Lion dans un paysage orageux 1820*, h/t (83,2x111,6) : **USD 3 000**.

SPILSBURY Francis B.
XVIIIe-XIXe siècles. Britannique.
Peintre et dessinateur amateur.
Il était médecin de la marine et profita de ses voyages pour dessiner de nombreux costumes des contrées visitées par lui. Il fit la campagne de Syrie en 1795 et publia un ouvrage : *Picturesque Scenery in the Holy Land and Syria*. On lui doit aussi un ouvrage sur la côte ouest d'Afrique illustré par lui-même.

SPILSBURY John, dit **Inigo**
Né en 1730 (?) en Angleterre. Mort en 1795 à Londres (?). XVIIIe siècle. Britannique.
Graveur et marchand d'estampes.
Il a produit plusieurs gravures à la manière noire d'après Reynolds et d'autres peintres, et aussi d'après ses propres dessins. Vers 1782, il était maître de dessin à Harrow School. On l'a quelquefois surnommé Inigo Spilsbury pour le distinguer de son frère Jonathan. Il exposa à la Society of Artists de 1763 à 1771.

SPILSBURY Jonathan
Né à Londres. Mort après 1807. XVIIIe siècle. Britannique.
Peintre de portraits et graveur à la manière noire et au pointillé.
Frère de John Spilsbury. Il a gravé des portraits et des scènes de genre. Il exposa à la Royal Academy de 1776 à 1807.

SPILSBURY Maria ou **Mary**, Mrs **Taylor**
Née en 1777 à Londres. Morte vers 1823 ? en Irlande. XVIIIe-XIXe siècles. Britannique.
Peintre de genre, figures, portraits, graveur.
Elle était peut-être la fille de John Spilsbury. Elle peignit des scènes paysannes et des enfants ; elle exposa à la Royal Academy en 1807.
Musées : DUBLIN (Gal. Nat.) : *Portrait de Mrs Grattan*.
Ventes Publiques : LONDRES, 24 oct. 1984 : *Crossing the brook*, h/t (54,5x47,5) : **GBP 1 500** – LONDRES, 3 mai 1985 : *Couple dans un intérieur devant une fenêtre ouverte* 1812, h/t (49,5x38,8) : **GBP 1 500** – LONDRES, 15 juil. 1988 : *La Danse des moissons à Rosanna (Irlande)*, h/t (63,5x76,5) : **GBP 19 800** – LONDRES, 18 oct. 1989 : *L'Époque des moissons*, h/t (69x89) : **GBP 5 500**.

SPILTZ Johann Caspar
XVIIIe siècle. Actif à Pfeffenhausen de 1740 à 1768. Allemand.
Peintre.
Il a peint deux tableaux d'autel représentant *Saint Joseph* et *Sainte Anne* dans l'église de Hofendorf.

SPIN Jacob
Né en 1806. Mort en 1875 ou 1885. XIXe siècle. Hollandais.
Peintre de marines, peintre à la gouache, aquarelliste, dessinateur.
Il peignait les bateaux plutôt que la mer elle-même.
Ventes Publiques : AMSTERDAM, 26 mai 1976 : *Trois-mâts en mer* 1841 (51x71,5) : **NLG 10 000** – AMSTERDAM, 30 oct 1979 : *Trois-mâts au port* 1860, aquar. (47x62) : **NLG 4 800** – AMSTERDAM, 28 oct. 1980 : *Trois-mâts en mer* 1837, h/t (42,3x58) : **NLG 3 000** – AMSTERDAM, 6 mars 1984 : *Le voilier* 1858, aquar. (56x71) : **NLG 3 000** – PARIS, 3 juil. 1987 : *Le Trois-mâts « Jeannette Philippine »* 1837, aquar. et pl. (39x56) : **FRF 21 500** – AMSTERDAM, 23 avr. 1988 : *Le Termonde suivi du Loodsboode Texel n° 3 prennent le large toute voiles dehors* 1857, encre noire à la pl., aquar. et gche (48x64) : **NLG 2 530** – AMSTERDAM, 23 avr. 1991 : *La Zeebloem* 1849, aquar. (48x62) : **NLG 4 830** – AMSTERDAM, 2-3 nov. 1992 : *Un trois-mâts*, aquar. (29x40) : **NLG 2 760** – COPENHAGUE, 2 fév. 1994 : *Le trois-mâts Formosa au large des côtes anglaises* 1842, aquar. (52x67) : **DKK 22 000** – AMSTERDAM, 11 avr. 1995 : *Le Rheinvis Feith construit à Groningen* 1858, aquar. (52,5x73) : **NLG 6 844**.

SPINA, della. Voir aux prénoms qui précèdent

SPINA Rosario
Né en 1857 à Acireale. XIXe-XXe siècles. Italien.
Peintre.
Il fut élève de Domenico Morelli à Naples. Il vécut et travailla à Catane.

SPINAZZI Innocenzo
Né à Rome. Mort en 1798 à Florence. XVIIIe siècle. Italien.
Sculpteur.
Élève de Maini. Il sculpta de nombreuses statues pour des églises de Rome et de Florence. Le Palais Pitti conserve de lui *Buste du grand-duc Léopold*.

SPINAZZI Paolo
Né en 1761. Mort en 1785. XVIIIe siècle. Italien.

Sculpteur.
Fils d'Innocenzo S.

SPINDLBAUER Johann Andreas
XVIIe siècle. Autrichien.
Sculpteur.
Il travailla pour des églises de Salzbourg.

SPINDLER Andreas
XVIIe siècle. Autrichien.
Peintre.
Il fut probablement l'auteur des tableaux d'autel qui se trouvent dans l'église Saint-Nicolas de Ziz.

SPINDLER Antoni
XVIIIe-XIXe siècles. Actif à Cracovie. Polonais.
Graveur au burin.
Élève et gendre d'Adam Gieryk. Il grava de petites images de piété.

SPINDLER Charles
Né le 11 mars 1865 à Boersch (Bas-Rhin). XIXe-XXe siècles. Français.
Peintre de genre, aquarelliste, graveur, décorateur.
Il fit ses études à Düsseldorf et à Berlin et s'établit à Saint-Léonard, près de Boersch. Il grava des costumes alsaciens, des vues et des illustrations.
Musées : MULHOUSE : *Alsaciennes*, sanguine.

SPINDLER Christian Friedrich ou **Spintler**
XVIIIe siècle. Actif à Bayreuth dans la seconde moitié du XVIIIe siècle. Allemand.
Peintre.
Élève de Vien à Paris.

SPINDLER Erwin
Né le 27 mars 1860 à Dresde (Saxe). Mort le 4 janvier 1926 à Leipzig (Saxe). XIXe-XXe siècles. Allemand.
Peintre de paysages.
Il fut élève de Victor P. Mohn et de Jacques M. Schenker à Dresde. Il était sourd-muet.

SPINDLER Franz
Né à Hall (Tyrol). Mort probablement à Terfens. XVIIIe siècle. Autrichien.
Sculpteur.
Élève de Jakob Jennewein à Innsbruck. Il a sculpté une crèche à Maria Larch.

SPINDLER Georg
XVIIe siècle. Travaillant en 1630. Autrichien.
Sculpteur sur bois.
Il sculpta, avec Nivard Spindler, les bas-reliefs représentant des scènes de la vie de saint Bernard pour l'abbaye de Heiligenkreuz.

SPINDLER Hans
XVIIe siècle. Autrichien.
Sculpteur.
Il exécuta des sculptures sur le maître-autel de l'église de Garsten en 1623.

SPINDLER Hieronymus
Mort en 1640 à Eisenach. XVIIe siècle. Actif à Eisenach. Allemand.
Peintre.
Fils de Michael S. et peintre à la cour d'Eisenach.

SPINDLER Johann, dit **le Jeune**
XVIIe siècle. Actif à Prague de 1667 à 1672. Autrichien.
Peintre.
Élève de Skreta.

SPINDLER Johann
Né en 1691. Mort le 9 novembre 1770. XVIIIe siècle. Actif à Bayreuth. Allemand.
Sculpteur sur bois.
Il sculpta un autel dans l'église de Himmelkron.

SPINDLER Johann Jakob
Né vers 1714. Mort le 14 janvier 1784. XVIIIe siècle. Actif à Bamberg. Allemand.
Peintre.

SPINDLER Josef
XVIIIe siècle. Travaillant à Hall (Tyrol) vers 1780. Autrichien.
Sculpteur.

SPINDLER Karl ou **Johann Karl**
Né en 1725. Mort vers 1790. XVIIIe siècle. Actif à Bamberg. Allemand.
Peintre d'histoire et miniaturiste.

SPINDLER Louis
Né en 1824 à Rouen (Seine-Maritime). XIXᵉ siècle. Français.
Peintre.

SPINDLER Louis Pierre
Né le 29 juin 1800 à Huningue (Haut-Rhin). Mort le 13 mai 1889 à Fontainebleau (Seine-et-Marne). XIXᵉ siècle. Français.
Peintre d'histoire, scènes de genre, portraits, intérieurs, dessinateur, illustrateur.
Il fut élève de Louis Girodet et de Jean-Baptiste Regnault à l'École des Beaux-Arts de Paris, à partir de 1818. Il exposa au Salon de Paris, entre 1827 et 1834, obtenant une médaille de troisième classe en 1833.
Musées : STRASBOURG : *Intérieur londonien.*

SPINDLER Michael
Mort en 1639 à Eisenach. XVIIᵉ siècle. Allemand.
Peintre.

SPINDLER Nivard
XVIIᵉ siècle. Travaillant en 1630. Autrichien.
Sculpteur sur bois.
Il sculpta, avec Georg Spindler, des bas-reliefs représentant des scènes de la vie de saint Bernard pour l'abbaye de Heiligenkreuz.

SPINDLER Walter
XIXᵉ-XXᵉ siècles. Français.
Peintre de portraits, aquarelliste.
VENTES PUBLIQUES : PARIS, 11-13 juin 1923 : *La Nuit, d'après Michel-Ange*, aquar. : FRF 1 965 ; *Diva Sarah Bernhardt, Musa Inspiratrix* : FRF 5 100 – PARIS, 9 mars 1949 : *Portrait de Sarah Bernhardt 1894* : FRF 4 200 – LONDRES, 28 jan. 1977 : *Portrait de Sarah Bernhardt 1891*, h/t (142x110,5) : GBP 2 000 – LONDRES, 21 nov. 1996 : *La Nuit, d'après Michel-Ange 1898*, craies noire et rouge, pl., encre, aquar. et gche avec reh. d'or (21,1x26,7) : GBP 1 150.

SPINEDA Ascanio
Né en 1588 à Trévise. Mort après 1648. XVIIᵉ siècle. Italien.
Peintre.
Élève et imitateur de Palma le Jeune à Venise. Il exécuta des tableaux d'autel pour les églises de Trévise.

SPINEIDER Hans
XVIᵉ siècle. Actif à Meran vers 1580. Autrichien.
Sculpteur sur bois et marqueteur.
Il a sculpté l'autel de la chapelle du château Velthurns, près de Klausen.

SPINEL Nicolas de. Voir **SPINELLI Niccolo**

SPINELLI Aldo
XXᵉ siècle. Italien.
Artiste.
Il fut actif dans les années soixante-dix. Il a participé en 1992 à l'exposition : *De Bonnard à Baselitz – Dix Ans d'enrichissements du cabinet des estampes 1978-1988* à la Bibliothèque nationale à Paris, avec deux livres d'artiste.
BIBLIOGR. : Catalogue de l'exposition : *De Bonnard à Baselitz – Dix Ans d'enrichissements du cabinet des estampes 1978-1988*, Bibliothèque nationale, Paris, 1992.
Musées : PARIS (BN).

SPINELLI Andrea
Né le 15 février 1508 à Parme. Mort le 24 mai 1572 à Venise.
XVIᵉ siècle. Italien.
Médailleur et fondeur.
Il grava des médailles représentant des doges et des scènes historiques.

SPINELLI Aretino. Voir **SPINELLI Luca**

SPINELLI Domenico. Voir **CORI Domenico di Nicolo de**

SPINELLI Gaetano
Né en août 1887 à Bilonto. XXᵉ siècle. Italien.
Peintre de genre, portraits.
Il fut élève de l'académie des beaux-arts de Naples, où il eut pour professeurs Domenico Morelli et Filippo Palizzi.

SPINELLI Gaspari ou **Parri** ou **Spinello**
Né en 1387 à Arezzo. Mort le 9 juin 1453. XVᵉ siècle. Italien.
Peintre d'histoire.
Fils et élève de Luca Spinelli. Il travailla plus tard avec Ghiberti, à Florence. On cite de lui à Arezzo une *Crucifixion* (avec la Vierge *et figures de saints*) à l'église de S. Domenico ; il peignit pour l'église de Santa Maria della misericordia, aujourd'hui au Musée de la ville *Saint Michel, Saint Benoît, Le Christ dans la gloire avec sainte Catherine, Deux anges musiciens, La Vierge de la Miséricorde*, et pour l'église de S. Francesco, *La Cène*. Le Musée des Offices, à Florence, possède un grand nombre de dessins de cet artiste, étrangement nerveux et expressifs dans la gravité dramatique des scènes et des personnages.
VENTES PUBLIQUES : PARIS, 4 fév. 1924 : *Un saint* : FRF 12 500 – LONDRES, 10 juil. 1925 : *La Vierge et l'Enfant* : GBP 94 – LONDRES, 14 juin 1926 : *Tête d'ange* : GBP 135 – LONDRES, 21 jan. 1927 : *Sainte Catherine et saint Grégoire* : GBP 262 – LONDRES, 22 mai 1928 : *Saint Pierre*, pl. : GBP 380 – LONDRES, 15 mai 1929 : *Tête d'ange* : GBP 200 – PARIS, 9 déc. 1960 : *Vierge de Majesté* : FRF 15 300.

SPINELLI Giovanni Battista
Mort vers 1647. XVIIᵉ siècle. Italien.
Peintre de compositions religieuses.
Élève de Stanzione, patricien de Naples, il jouit d'une bonne réputation de peintre.
VENTES PUBLIQUES : LONDRES, 2 juil. 1984 : *Un garçon broyant des couleurs sur une table*, pl. et lav. (37,5x17,2) : GBP 4 600 – MILAN, 21 avr. 1986 : *Judith et Holopherne*, h/t (84,5x67,5) : ITL 6 000 000 – LONDRES, 10 déc. 1993 : *Samson*, h/t (81,2x65,7) : GBP 10 350 – LONDRES, 5 juil. 1996 : *La Sainte famille avec saint Jean Baptiste enfant*, h/t (74,6x58,7) : GBP 20 700.

SPINELLI Luca, dit **Spinello Aretino** ou **Nicolo de Piero**, ou **Spinello Aretino e Lorenzo di Nicolo**
Né à Arezzo, en 1330, 1332, 1333, vers 1346, ou 1350. Mort le 14 mars 1410 à Arezzo. XIVᵉ-XVᵉ siècles. Italien.
Peintre d'histoire, compositions religieuses.
Il appartenait à une famille gibeline qui avait dû fuir Florence en 1310. Luca fut placé chez Jacopo del Cassentino et y fit son éducation. Vers 1358, on le cite peignant des fresques dans le chœur de S. Maria Maggiore et exécutant des tableaux d'autel pour les églises des SS. Apostoli, Sta Lucia et Sta Croce. En 1361, il est de retour à Arezzo pour peindre un tableau d'autel à l'abbaye des Camaldoli. Il y exécute aussi divers travaux notamment à S. Francesco. En 1384, après le sac d'Arezzo, notre artiste revint à Florence, y exécute un tableau d'autel pour l'église de la Congrego du Monte Oliveto. Il décora également la sacristie de S. Miniato des fresques sur la vie de S. Benedic, dont le rythme aigu et incisif fait pressentir l'œuvre de Lorenzo Monaco. En 1391-1392, Spinelli travailla au Campo Santo de Pise et y peignit six fresques sur les miracles de S. Potitus et S. Ephesus. On le retrouve à Florence, en 1400-1401 occupé à peindre des scènes de la vie de saint Philippe et de saint Jacques dans l'église de Sta Croce et un tableau d'autel dans le couvent de Sta Felicita. De la même époque date la célèbre fresque qu'il fit à Santa Maria degli Angeli, à Arezzo, représentant *La chute des anges rebelles*, dont les fragments sont conservés à la National Gallery à Londres. En 1404 et 1405, Spinelli est occupé à la décoration de la cathédrale de Sienne, en collaboration avec son fils Gaspari. Après un séjour à Florence où notre artiste s'emploie à différents travaux dans l'église de San Niccolo, il est encore à Sienne en 1408 pour décorer la Sala di Badia au Palazzo Pubblico de seize fresques sur la campagne des Vénitiens contre Frédéric Barberousse. On croit qu'après ce grand travail, il se retira à Arezzo. Il introduisit de plus en plus des références à l'art gothique.
Musées : AREZZO (Pina.) : *La Trinité avec des anges – Lutte entre les anges et les démons* – BONN : *Saint Augustin et Grégoire le Grand* – BORDEAUX : *Le Christ en Croix* – BUDAPEST (Gal.) : *Prophète, saint Jean et Némésius – Martyre de saints – Saint Barthélemy* – CAMBRIDGE (U.S.A.) : *Madone avec l'Enfant et des anges, deux tableaux – Prophète, saint Benoît et sainte Lucie – Martyre de ces saints – Saint Benoît – Épiphanie* – CITTA DI CASTELLO (Pina.) : *Madone avec l'Enfant* – COPENHAGUE (Glyptothèque) : *Madone avec l'Enfant* – LIVERPOOL : *Salomé – Femmes avec l'Enfant Jésus* – LONDRES (Gal. Nat.) : *Saint Jean Baptiste, saint Jean l'Évangéliste et saint Jacques le majeur – Fragment d'une fresque représentant la chute des anges rebelles – Deux fragments d'un cadre décoratif de la même fresque – Crucifixion* – MOSCOU (Mus. Roumianzeff) : *Annonciation* – MUNICH : *Saint Maurice, saint Augustin, saint Pierre, saint Nicolas et saint Étienne – Saint Antoine, saint Ambroise, saint Paul et sainte Catherine* – NEW YORK (Metropolitan Mus.) : *Sainte Marie-Madeleine avec des anges* – PARME (Gal.) : *Saint Benoît remet la règle à ses frères – Épiphanie – Salomé avec la tête de saint Jean*

Baptiste – Saint Jacques le mineur et Daria – Saint Philippe et saint Chrisantus – Pavie (Mus. Malaspina) : Saint Jean Baptiste priant – Pise : La Vierge et l'Enfant Jésus – Trois saints – Prato : La Vierge, Jésus et des saints – Couronnement de la Vierge – Saint Louis (U.S.A.) : La Madone, l'Enfant et des anges – Sienne (Mus. mun.) : Couronnement de la Vierge – Dormitio Virginis.
Ventes Publiques : New York, 2 avr. 1931 : Salvator Mundi : **USD 220** – Londres, 14 mai 1958 : L'ange de l'Annonciation : **GBP 500** – Milan, 16 mai 1962 : La décollation de saint Jean Baptiste, La Crucifixion de saint Pierre ; Le martyre de saint Laurent ; Saint Thomas d'Aquin secouru par les anges, 4 temp. sur bois : **ITL 7 000 000** – Londres, 24 nov. 1967 : La Vierge et l'Enfant entourés de saints : **GNS 5 000** – Londres, 24 juin 1970 : Saint Dominique ressuscitant un enfant : **GBP 7 500** – New York, 30 mai 1979 : Salvator Mundi, h/pan., fond or, en forme de trèfle (22,5x23,5) : **USD 8 000** – Londres, 10 juil. 1987 : La Crucifixion, h/pan. (28,5x80,5) : **GBP 170 000** – Milan, 13 déc. 1989 : Christ bénissant, temp./pan. en forme de trèfle à fond d'or (22x23) : **ITL 75 000 000** – New York, 1er juin 1990 : Tête de Hérode, fresque (42x36) : **USD 104 500** – Londres, 22 avr. 1994 : Vierge à l'Enfant sur un trône, temp./pan. à fond or (118,5x58,8) : **GBP 496 500** – New York, 30 jan. 1997 : L'Archange Gabriel et la sainte Vierge à l'Annonciation vers 1390, fond or et temp./pan., une paire (chaque 102,9x40,6) : **USD 145 500**.

SPINELLI Niccolo, dit **Niccolo Fiorentino**
Né le 23 avril 1430 à Florence. Mort en avril 1514 à Florence. xve-xvie siècles. Italien.
Médailleur.
Identique à Nicolas de Spinel, à la cour de Charles le Téméraire. Il fut le plus grand médailleur et sigillographe de Florence. Il grava des médailles à l'effigie de personnalités de son époque.

SPINELLI Parri. Voir **SPINELLI Gaspari**

SPINELLI Rafaelo
Né à Vallerotonda. xixe siècle. Italien.
Graveur.
Il figura aux expositions de Paris ; mention honorable en 1889.

SPINELLO Aretino. Voir **SPINELLI Luca**

SPINELLO Baldissera
xve siècle. Actif à Modène en 1479. Italien.
Enlumineur.

SPINELLO Parri. Voir **SPINELLI Gaspari**

SPINETTI Mario
xixe-xxe siècles. Italien.
Peintre de genre.
Il travailla à Rome, où il exposa ainsi qu'à Milan et Venise de 1881 à 1905.
Ventes Publiques : New York, 1er avr. 1981 : Fête chez le cardinal, h/t (61x100) : **USD 8 500** – New York, 30 oct. 1985 : Une journée aux courses 1886, aquar./trait de cr. (56x38,7) : **USD 1 400** – New York, 17 fév. 1993 : L'Entrée dans le salon, h/t (60,3x100,3) : **USD 6 440**.

SPINGA Alfonso
xviiie siècle. Actif à Naples. Italien.
Peintre.
Élève de Solimena. Il peignit des tableaux d'autel pour des églises de Naples, d'Ischia et de Gênes.

SPINGLER F. J.
xviiie siècle. Actif dans la première moitié du xviiie siècle. Allemand.
Peintre.
Il a peint La Vierge avec des saints dans l'église d'Erisdorf.

SPINI Giovanni Francesco
xviie siècle. Actif à Bologne vers 1680. Italien.
Peintre.
Il peignit des sujets religieux pour des églises de Bologne.

SPINNRAD Jürgen ou **Spinrad**
xvie siècle. Actif en Bohême. Allemand.
Sculpteur.
Il travailla aussi à Brunswick vers 1563. Il sculpta des tombeaux dans les églises de Brunswick, de Lunebourg, de Celle et de Wolfenbuttel. Il passe pour avoir été l'inventeur du rouet.

SPINNY Guillaume Jean Joseph de
Né en 1721 à Bruxelles. Mort le 13 octobre 1785 à Eikenduimen. xviiie siècle. Éc. flamande.
Peintre de portraits, graveur.

Il vécut en France et entra en 1756 dans la confrérie de La Haye. Il a également gravé des portraits.

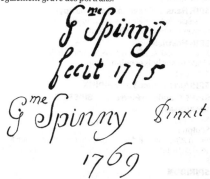

Musées : Amsterdam (Mus. Nat.) : Portraits du vice-amiral H. Lijnslager, du baron Henri Collot d'Escury, du baron Siméon Petrus Collot d'Escury, de Charlotta Elisabeth v. d. Burch, d'Anna Magdalena della Faille et d'une dame inconnue – La Haye (Mus. mun.) : Les membres du conseil municipal de La Haye en 1759 – Aarnout Jost Van Duyn – Quirijn Van Strijen.
Ventes Publiques : Amsterdam, 13 oct. 1981 : Portrait de Maria Buck 1765, h/t (51,5x43,5) : **NLG 5 800** – Londres, 17 avr. 1991 : Portrait d'une dame 1761, h/t (50x40,5) : **GBP 1 760** – Amsterdam, 7 mai 1997 : Portrait d'une dame noble, h/pan., trompe-l'œil (21x15,2) : **NLG 14 991**.

SPINOLA Ippolito
xixe siècle. Actif à Turin à la fin du xixe siècle. Italien.
Peintre.

SPINOLA Johann
Né vers 1647. xviie siècle. Actif à Prague. Autrichien.
Peintre.
Il se trouvait à Rome en 1677.

SPINOSA Domenico
Né en 1916 à Naples (Campanie). xxe siècle. Italien.
Peintre d'intérieurs, paysages, natures mortes.
Il fut élève de l'académie des beaux-arts de Naples, où il vit et travaille.
Il participe à de nombreuses expositions collectives à partir de 1948 : 1954, 1956, 1958, 1960 Biennale de Venise ; 1951, 1955, 1959 Quadriennale de Rome. Il a obtenu diverses récompenses parmi lesquelles : 1957 prix Michetti à Francavilla al Mare, 1961 médaille d'or au Morgan's Paint à Rimini. Il montre ses œuvres dans des expositions personnelles en Italie.
Figuratif, il peint des natures mortes d'objets familiers, des scènes d'intérieurs intimes, les paysages de la campagne napolitaine, dans une gamme colorée et poétique en accord avec un dessin discrètement allusif.
Bibliogr. : Bernard Dorival, sous la direction de... : Peintres contemp., Mazenod, Paris, 1964.
Ventes Publiques : Milan, 14 déc. 1988 : Composition 1957, h/pan. (64x49) : **ITL 2 000 000**.

SPINRAD Jürgen. Voir **SPINNRAD**

SPINTI Johann Caspar
xviie-xviiie siècles. Actif à Goslar, à Leipzig de 1685 à 1700. Allemand.
Sculpteur de statues et d'ornements.

SPINTINGEN
xviiie siècle. Travaillant vers 1770. Allemand.
Aquafortiste.
Il grava des têtes de chevaux.

SPINTLER Christian Friedrich. Voir **SPINDLER**

SPINZI Pietro
xixe siècle. Actif dans la première moitié du xixe siècle. Italien.
Peintre d'ornements.
Il travailla pour le Palais Royal de Turin.

SPIR Adam
xve siècle. Travaillant à Bâle de 1455 à 1490. Suisse.
Graveur sur bois et enlumineur.

SPIR Bernhard
xvie siècle. Travaillant à Bâle en 1526. Suisse.

Graveur sur bois et enlumineur.
Fils de Heinrich S.

SPIR Hans ou Speyer ou Speyr ou Spyr
xve siècle. Actif à Bâle vers 1455. Suisse.
Graveur sur bois et enlumineur.

SPIR Heinrich
Mort en 1530 ou 1531. xvie siècle. Actif à Bâle. Suisse.
Graveur sur bois et enlumineur.
Fils d'Adam S.

SPIRAIN Nicolas. Voir SPIRINX

SPIRE Claude ou Pierre. Voir SPIERRE

SPIRIDINOV
Né en Bulgarie. xixe siècle. Bulgare.
Sculpteur.
Formé en Allemagne, il devint, après Schatz, professeur à l'Académie des Beaux-Arts ouverte à Sofia après la libération de 1878.

SPIRIDON
Français.
Peintre de genre.
Cité dans des catalogues de ventes. Peut-être identique à Ignace S.
VENTES PUBLIQUES : PARIS, 16 et 17 mai 1892 : La balançoire : FRF 950 ; Poisson d'avril : FRF 460 – PARIS, 7 mai 1897 : L'essai du corset : FRF 700 ; Tentation de Diane : FRF 215 ; La partie de volant : FRF 460 – LONDRES, 9 juil. 1898 : Sapho : FRF 3 200 – PARIS, 19 mars 1900 : Curiosité : FRF 600.

SPIRIDON, pseudonyme de Mitic François
Né le 2 septembre 1936 à Subotica. xxe siècle. Actif depuis 1970 et naturalisé en France. Yougoslave.
Peintre de compositions d'imagination, animaux, aquarelliste, pastelliste, illustrateur. Surréaliste.
Né aveugle, il devint orphelin de guerre à l'âge de quatre ans. Ce fut l'orphelinat national qu'il recouvra la vue à l'âge de cinq ans. Après avoir travaillé comme tourneur, il reprit ses études et obtint son diplôme d'enseignant de littérature en 1964. Il enseigna jusqu'en 1969, animant en même temps la rubrique des arts du journal Dnevnick. Poète, il édita en 1969 son premier recueil de poésie illustré par lui-même La Mariée lumineuse. Il vint à Paris dans le but de s'affirmer comme peintre, devant exercer d'abord les métiers les plus divers et peignant la nuit. En 1973, il rencontre Dali, qui le soutient alors qu'il traverse une période de maladie et de solitude.
Il participe à des expositions collectives : 1979, 1989 New York ; 1980 Migam Bastille à Paris ; 1983, 1984 Foire de Bâle ; 1990 et 1991 Salon d'Automne à Paris ; 1992 De Bonnard à Baselitz – Dix Ans d'enrichissements du cabinet des estampes 1978-1988, à la Bibliothèque nationale à Paris. Il montre ses œuvres dans des expositions personnelles, à partir de 1975 régulièrement à Paris : 1975 exposition privée des peintures de Spiridon chez Dali, à partir de 1987 à la galerie Katia Granoff ; ainsi que : 1987 Nice ; 1989 Genève ; 1990 Mougins. Il obtint divers prix : 1975 Palme d'or et du Mérite Belgo-Hispanique ; 1980 Diplôme du Mérite à l'académie Leonard de Vinci à Rome, médaille d'or pour Le Nouveau Surréalisme poétique à Paris ; 1987 médaille d'argent de la ville de Paris ; 1988 médaille de vermeil des Arts, Sciences et Lettres à Paris.
Il imagine une communion universelle entre des bonnes volontés. Composant à partir de matières colorantes originales, il donne à voir un monde fantasmagorique.

MUSÉES : PARIS (BN) : L'Oiseau aux yeux géants 1980.
VENTES PUBLIQUES : PARIS, 15 fév. 1993 : L'oiseau Phénix 1991, acryl./t. (46x38) : FRF 14 000 – PARIS, 6 déc. 1993 : Bretagne – la Côte d'Émeraude, acryl./cart. (30x37) : FRF 15 000.

SPIRIDON Gheorghe
Né en 1923 à Burdusaci près de Bacau. xxe siècle. Roumain.

Peintre de paysages.
Il fut élève de Jean Alex Steriadi à l'école des beaux-arts de Bucarest.
Il participe aux expositions de peinture roumaine à Bucarest, ainsi qu'à Helsinki, Athènes, Alexandrie, Prague, Istanbul.
Surtout paysagiste, il lui est arrivé de traiter des paysages urbains. Il a également peint des compositions sur le travail des femmes dans les usines.
BIBLIOGR. : Bernard Dorival, sous la direction de... : Peintres contemp., Mazenod, Paris, 1964.

SPIRIDON Ignace
xxe siècle. Actif en France. Italien.
Peintre de portraits.
Il participa à Paris, où il s'installa, à des manifestations collectives, notamment aux Expositions universelles de 1889 et de 1900, où il reçut une mention honorable.
VENTES PUBLIQUES : PARIS, 22 fév. 1928 : Portrait de Kubelik : FRF 1 650 – PARIS, 17 mai 1950 : Portrait du violoniste Kubelik 1903 : FRF 14 500 – PARIS, 27 oct. 1950 : Femme au caniche (Paris) : FRF 10 000 – LONDRES, 17 fév. 1971 : Un livre intéressant : GBP 400 – LONDRES, 19 jan. 1973 : Portrait d'un jeune garçon : GNS 1 300 – LONDRES, 7 mai 1976 : Le galant entretien 1879, h/t (53x37) : GBP 480 – NEW YORK, 13 oct. 1978 : La convalescente, h/pan. (40,5x32) : USD 4 000 – COLOGNE, 30 mars 1979 : Page au verre de vin, h/t (100x75) : DEM 4 500 – LONDRES, 24 juin 1981 : Élégantes se reposant au bord d'une route, h/t (69x44,5) : GBP 1 250 – NEW YORK, 29 fév. 1984 : Élégants personnages se divertissant, h/pan. (45,5x54) : USD 6 500 – NEW YORK, 24 mai 1985 : Les indiscrètes, h/t (56,5x47) : USD 8 500 – LONDRES, 26 fév. 1988 : La leçon de géographie, h/t (52,5x40,7) : GBP 6 600 – LONDRES, 17 mars 1989 : Après-midi d'été, h/t (71x46) : GBP 6 600 – NEW YORK, 25 oct. 1989 : L'invité indésirable, h/t (53,3x64,2) : USD 17 600 – PARIS, 9 déc. 1989 : Départ de chasse, h/t (121x87) : FRF 130 000 – ROME, 28 mai 1991 : Le bel Otyero, h/t (147x85,5) : ITL 33 000 000 – LONDRES, 4 oct. 1991 : L'heure de la distribution du grain 1869, h/t (76,2x99,7) : GBP 3 850 – PARIS, 12 mai 1995 : Portrait de jeune femme à la guirlande de roses, h/t (74x61) : FRF 4 200 – NEW YORK, 20 juil. 1995 : La toilette, h/t (42,5x33) : USD 4 312 – LONDRES, 11 oct. 1995 : Portrait d'une jeune lady, h/t (72x62) : GBP 2 990.

SPIRINCK. Voir SPIERINCK et SPIRINX

SPIRINX Laurent
Né le 5 janvier 1645 à Lyon. Mort après 1687. xviie siècle. Français.
Graveur au burin.
Fils de Louis S.

SPIRINX Louis ou Spirinck
Né le 2 mars 1596 à Anvers. Mort en 1669. xviie siècle. Français.
Graveur au burin et dessinateur.
Fils du graveur Jan Spierinckx. Il travailla à Lyon de 1636 à 1663 ; il exécuta des portraits et des scènes historiques.

SPIRINX Nicolas ou Spirink ou Spirain
xviie siècle. Travaillant à Lyon et à Dijon de 1606 à 1643. Français.
Graveur au burin et imprimeur.

SPIRITO Grandjean, dit Mansu Spirito
Mort avant 1659. xviie siècle. Actif à Chambéry. Français.
Peintre.
Fils du peintre Salomon Grandjean et peintre à la cour d'Emmanuel Ier, duc de Savoie.

SPIRK J.
Né vers 1683 à La Haye. xviiie siècle. Hollandais.
Portraitiste.
Élève de G. Netscher.

SPIRO Eduard ou Ede
Né en 1790 ou 1805 à Presbourg. Mort le 27 octobre ou 24 novembre 1856 à Vienne. xixe siècle. Hongrois.
Peintre.
Il fit ses études à Milan et à Rome. Il peignit des sujets de genre, des scènes d'histoire et des portraits.

SPIRO Eugen
Né le 18 avril 1874 à Breslau. Mort en 1962 ou 1972. xxe siècle. Allemand.
Peintre de genre, portraits, intérieurs, paysages, natures mortes, graveur.

Il travailla à Breslau, Munich, Paris et en Italie.

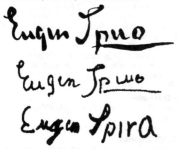

Musées : Berlin (Mus. mun.) : *Intérieur* – Berlin (Mus. Nat.) : *Nu* – Breslau, nom all. de Wroclaw (Mus. prov.) : *Le Peintre Sch.* – Gleiwitz : *Portrait de l'artiste* – Munich (Nouv. Pina.) : *Fillette avec un chapeau* – Nuremberg (Mus. mun.) : *Portrait d'Oskar Petri*.
Ventes Publiques : Paris, 28 fév. 1945 : *La femme au gant* : **FRF 2 100** – Paris, 4 juil. 1947 : *Femmes dans un paysage* : **FRF 1 000** – Munich, 25 mai 1976 : *Barques de pêche au port* 1929, h/cart. (38x46) : **DEM 2 300** – Munich, 30 nov 1979 : *Portrait de Tilla Durieux* 1905, h/t (47x33) : **DEM 3 000** – Londres, 8 fév. 1984 : *Paysage aux oliviers* 1926, h/t (76,8x94,9) : **GBP 1 900** – Heidelberg, 12 oct. 1985 : *Spanische Reise* 1924, eaux-fortes, portofolio de douze (22x27,5) : **DEM 3 000** – Londres, 20 oct. 1989 : *Le parasol rose* 1931, h/t cartonnée (45,5x37) : **GBP 4 950** – Cologne, 20 oct. 1989 : *Portrait d'un jeune garçon* 1906, h/t (32x26) : **DEM 3 000** – Tel-Aviv, 1ᵉʳ jan. 1991 : *Jeune femme sous un arbre* 1918, h/cart. (44,5x49,5) : **USD 3 300** – Paris, 1ᵉʳ juil. 1992 : *Le matador*, h/pan. (56x35,2) : **FRF 7 500** – Paris, 27 mai 1994 : *L'atelier* 1921, h/t (73x60) : **FRF 5 500** – Paris, 21 nov. 1995 : *Lecture dans la clairière* 1928, h/t (65x84) : **FRF 11 000**.

SPIRO Georges

Né le 10 août 1909 à Varsovie. Mort en 1984. xxᵉ siècle. Actif depuis 1938 et depuis 1948 naturalisé en France. Polonais.
Peintre de nus, animaux, natures mortes. Surréaliste.
Il se forma lui-même à la peinture, en 1942, alors qu'il résidait en France depuis 1938. Il vit et travaille à Nice.
Il participa à des expositions collectives, fréquemment dans le Midi de la France, mais aussi à Londres, Berne, Stockholm et aux États-Unis ; depuis 1950 Biennale de Menton ; depuis 1968 Salon des Peintres témoins de leur temps. Il montra ses œuvres dans des expositions personnelles dans le Midi, à Lugano, Oran, Zurich, Bâle, Montréal, Genève, Lausanne, Londres, Vienne, Cologne, etc. Il obtint divers prix : 1948 prix de la Jeune Peinture à Paris.
Il fut, de par son inspiration comme par le métier minutieux qu'il pratique, de suite catalogué parmi les peintres surréalistes.

$S_{pi}ro$

Bibliogr. : Pierre Cailler : *Spiro*, Genève, 1959.
Musées : Antibes (Mus. Grimaldi) – Baltimore – Paris (BN) : *Femme à la rose bleue* – Philadelphie.
Ventes Publiques : Genève, 8 déc. 1973 : *Paysage d'animaux* : **CHF 4 400** – Genève, 8 juin 1974 : *Perruches, paillons* : **CHF 3 100** – Versailles, 5 déc. 1976 : *La vie des paysans*, h/t (65x92) : **FRF 8 000** – Versailles, 4 déc. 1977 : *Femme – Fleur*, h/t (60x73) : **FRF 6 600** – Versailles, 20 juin 1979 : *La Belle et son château*, h/t (81x66,5) : **FRF 8 500** – Versailles, 18 juin 1981 : *L'Homme et la Science*, h/t (195x97) : **FRF 17 000** – Zurich, 14 mai 1982 : *Nature morte métaphysique* 1954, pavatex (47,5x54,5) : **CHF 4 000** – Versailles, 18 déc. 1983 : *Bijoux*, h/t (81x65) : **FRF 12 000** – Paris, 3 mai 1985 : *L'Homme et la Science*, h/t (195x97) : **FRF 29 000** – Paris, 2 mars 1987 : *Pêches et raisins*, h/pan. (38x45) : **FRF 5 000** – Paris, 2 mars 1988 : *Pêches et raisins*, h/pan. (38x45) : **FRF 5 000** – Versailles, 15 mai 1988 : *Nu au collier bleu*, h/t (61x50) : **FRF 8 500** – Versailles, 26 nov. 1989 : *L'Atlantide*, h/t (55x46) : **FRF 18 000** – Paris, 28 oct. 1990 : *L'arche de Noé* 1980, h/t (52x61) : **FRF 19 500** – Paris, 25 mars 1991 : *La ville*, h/t (50x61) : **FRF 17 000** – Monaco, 6 déc. 1992 : *Composition surréaliste*, h/cart. (21,5x25,5) : **FRF 18 870** – New York, 26 fév. 1993 : *Nature morte de fleurs dans un vase bleu*,

h/rés. synth. (45,7x37,5) : **USD 1 610** – Paris, 28 sep. 1993 : *La civilisation pléthorique* 1959, h/t (50x61) : **FRF 9 000** – New York, 29 sep. 1993 : *La tour*, h/t (54,6x64,8) : **USD 2 070** – New York, 24 fév. 1994 : *Têtes lunaires* 1973, h/t (50,2x61) : **USD 2 760** – New York, 7 nov. 1995 : *Bateau*, h/t (63,5x53,3) : **USD 920** – Zurich, 3 avr. 1996 : *Magie noire* 1955, h/rés. synth. (33x41) : **CHF 2 200** – Londres, 23 oct. 1996 : *Composition surréaliste*, h/t (50x65) : **GBP 920.**

SPIRONI Leonardo

xvᵉ siècle. Actif à la fin du xvᵉ siècle. Italien.
Peintre.
Il travailla pour des églises de Bergame.

SPISANELLI ou Spisano. Voir PISANELLI

SPITAELS Adam

xixᵉ siècle. Belge.
Peintre d'histoire, genre.
Élève de Navez ; il travailla à Bruxelles, et en 1824 à Paris.

SPITERIS Jeanne

Née en 1922 à Smyrne. xxᵉ siècle. Grecque.
Sculpteur, peintre de décors, costumes de théâtre.
Elle fut élève de l'école des beaux-arts d'Athènes. Elle fut membre du groupe artistique d'avant-garde Stathmi. Des voyages en France, Allemagne, Autriche, Suisse, lui ont permis de se familiariser avec les aspects les plus actuels de la sculpture. Elle participe à des expositions, en Grèce notamment aux manifestations du groupe Stathmi, à Paris à plusieurs reprises aux Salons de la Jeune Sculpture et des Réalités Nouvelles, ainsi que : 1965 Symposium de sculpture de Montréal. Elle a montré pour la première fois ses œuvres dans deux expositions personnelles en 1960 à Turin et Venise.
Elle s'est exprimée, dans une première période, par des formes très déchiquetées, notamment dans la série des *Divinités*. Dans une seconde période, elle est revenue à des compositions de formes équilibrées, voire même à tendance géométrique, recourant parfois à la polychromie. En 1951, elle a créé les masques et les costumes pour les *Nuées* d'Aristophane représentées au théâtre national d'Athènes, puis reprise l'année suivante à Paris à la Comédie française.
Bibliogr. : Frank Elgar, in : *Nouv. Dict. de la sculpture mod.*, Hazan, Paris, 1970.
Musées : Lausanne (Mus. cant. des Beaux-Arts) : *Le Balcon*, sculpt.

SPITGERBER August

Né le 27 août 1844 à Steingaden. xixᵉ siècle. Allemand.
Paysagiste.
La Pinacothèque de Munich conserve de lui : *Soir*.

SPITTA Gertrud

Née le 12 janvier 1881 à Berlin. xxᵉ siècle. Allemande.
Peintre.
Ventes Publiques : Berne, 12 mai 1990 : *La verte prairie et la forêt épaisse*, h/t (50x70) : **CHF 750.**

SPITTA Theodor

Né le 28 mars 1823 à Brandebourg. Mort le 18 septembre 1908 à Brandebourg. xixᵉ siècle. Allemand.
Peintre de paysages et de marines.
Élève de H. Eschke à Berlin.

SPITZ André. Voir ANDRÉ-SPITZ

SPITZ Jacob ou Hans Jacob

xviiᵉ siècle. Actif à Strasbourg de 1611 à 1647. Allemand.
Sculpteur.
Il orna de sculptures, en 1615, la fontaine sur la place d'Obernai.

SPITZ Johann Friedrich Carl

Né en 1813 à Hanau (Hesse). xixᵉ siècle. Allemand.
Peintre.
Élève de l'Académie de Munich.

SPITZ Karl

Né le 19 septembre 1853 à Karlsruhe (Bade-Wurtemberg). xixᵉ-xxᵉ siècles. Allemand.
Peintre de paysages.
Il fut élève de l'école d'art de Carlsruhe.
Musées : Fribourg (Mus. mun.).

SPITZ Marie Thérèse

xxᵉ siècle. Française.
Peintre.
Elle exposa à Paris, au Salon des Artistes Français, dont elle

devint membre sociétaire et où elle obtint une médaille d'argent en 1936. La même année, elle remporta le prix Corot.

SPITZEL Christina Rosina. Voir **CORVINUS**

SPITZEL Gabriel ou **Spizel**
Né le 11 octobre 1697 à Augsbourg. Mort le 21 janvier 1760 à Augsbourg. XVIIIᵉ siècle. Allemand.
Peintre de portraits et graveur à la manière noire.
Il a gravé des portraits et des scènes de genre.
MUSÉES : AUGSBOURG : *Jeune fille en costume d'Augsbourg – Allégorie de la fragilité de la gloire*, grav. – *Prêtre*, grav. – HALLE (Mus. mun.) : *L'éditeur Gustav Dreissig*.

SPITZENPFEIL Lorenz Reinhard
Né le 3 juillet 1874 à Michelau. XIXᵉ-XXᵉ siècles. Allemand.
Graveur.
Il fut élève de l'école des arts décoratifs de Nuremberg. Il grava des œuvres de calligraphie.

SPITZER Egidius
Mort en 1604. XVIᵉ siècle. Actif à Brunswick. Allemand.
Peintre.
Fils de Peter S. Il exécuta des peintures dans l'église des Franciscains de Brunswick.

SPITZER Emmanuel
Né le 30 octobre 1844 à Papa. Mort le 26 août 1919 à Waging (Bavière). XIXᵉ-XXᵉ siècles. Allemand.
Peintre de compositions animées, genre, figures, illustrateur.
Il fit ses études à Paris et Munich.
MUSÉES : MUNICH (Gal. mun.) : *Deux Dames – Marchande de légumes – Habitué du Hofbräuhaus de Munich.*
VENTES PUBLIQUES : VIENNE, 20 sep. 1977 : *Joyeuse compagnie dans un intérieur* 1886, h/t (70x95) : **ATS 120 000** – VIENNE, 15 sep. 1982 : *Les fiançailles* 1893, h/t (74x109) : **ATS 65 000** – LONDRES, 11 juil. 1983 : *Allégorie du Printemps*, h/t (87x53,5) : **GBP 1 700** – COLOGNE, 28 juin 1991 : *Moments de détente*, h/pap. (23,5x29) : **DEM 1 600** – NEW YORK, 24 mai 1995 : *Le nouvel appartement*, h/t (76x100) : **USD 6 325** – NEW YORK, 17 jan. 1996 : *Comme au théâtre !* 1869, h/t (88,9x67,3) : **USD 5 750**.

SPITZER Franz
Originaire de Vienne. XIXᵉ siècle. Autrichien.
Miniaturiste et aquafortiste.
Il travailla à Innsbruck de 1810 à 1825.
MUSÉES : SALZBOURG (Mus. mun.) : *Trois miniatures* – VIENNE : *Portrait d'un inconnu.*

SPITZER Johann Wenzel
Né le 6 août 1711 à Prague. Mort en 1774 à Prague. XVIIIᵉ siècle. Autrichien.
Peintre.
Élève de Franz Dom. Barbieri et de l'Académie de Vienne. Il peignit des tableaux d'autel pour plusieurs églises de Bohême.

SPITZER Joseph Ambros ou **Spizer**
Mort avant 1782. XVIIIᵉ siècle. Actif à Griesbach. Allemand.
Peintre.
Il peignit des tableaux d'autel pour l'église d'Oberinding en 1779.

SPITZER Karl Philipp
Né le 4 août 1887 à Spire. XXᵉ siècle. Allemand.
Peintre, graveur.
Il n'eut aucun maître. Il fut aussi écrivain. Il grava des illustrations de livres scientifiques.

SPITZER Marthe
Née le 17 mai 1877 à Paris. Morte le 1ᵉʳ mars 1956. XXᵉ siècle. Française.
Sculpteur de compositions religieuses, bustes, portraits.
Elle étudia d'abord la musique puis aborda la sculpture fréquentant peu de temps l'académie des beaux-arts. Elle séjourna en Espagne en 1917, puis de retour en France fréquente les sculpteurs Bourdelle, Despiau et Belmondo. Elle était décorée de la Légion d'honneur.
Elle exposa en Espagne en 1917 puis participa à Paris, en 1923 et 1927 au Salon des Tuileries, ainsi qu'au Salon d'Automne, dont elle fut membre sociétaire. Elle montra ses œuvres dans des expositions personnelles à Paris : à la galerie Druet en 1921, sur le péristyle de la Madeleine.
Elle débuta avec de nombreux portraits en plâtre, bronze et pierre, et des bustes, notamment un bronze de Debussy au

conservatoire de musique à Paris. Dans les dernières années de sa vie, elle se consacra plus spécifiquement à l'art religieux. On cite : *Pietà* à la Sainte-Beaume près de Marseille, un *Saint Dominique*, un *Saint Joseph* à l'abbaye de Dourgne, un bas-relief de Marie Mère du Bel Amour pour la chapelle de la maison d'Ananie à Paris, des crucifix.
BIBLIOGR. : Catalogue de la vente *Atelier Marthe Spitzer*, Maître Bruno Roquigny, Ourville-en-Caux, 26 mai 1996.
VENTES PUBLIQUES : OURVILLE-EN-CAUX, 26 mai 1996 : *Éve*, statue en plâtre (H. 188) : **FRF 8 000**.

SPITZER Peter
XVIᵉ siècle. Actif à Brunswick, de 1533 à 1578. Allemand.
Peintre.
Père d'Egidius S. Il travailla pour le duc et la ville de Brunswick.

SPITZER Thomas
Né le 7 mars 1779 à Perwang. XIXᵉ siècle. Autrichien.
Peintre de portraits, sculpteur.
Il travailla pour des églises de Haute-Autriche. Il est connu également comme menuisier et horloger.
MUSÉES : SALZBOURG : *Autoportrait.*

SPITZER Walter
Né le 14 juin 1927 à Cieszyn. XXᵉ siècle. Actif depuis 1945 en France. Polonais.
Peintre, graveur, illustrateur, sculpteur, peintre de décors de théâtre. Tendance expressionniste.
Venu à Paris, il y étudie à l'école des beaux-arts.
Il participe à divers Salons : Peintres Témoins de leur Temps, Comparaisons, Jeune Peinture dont il a été membre du jury. Il montre ses œuvres dans des expositions personnelles : 1957, 1961, 1963, 1966 Paris.
Peintre polonais d'origine juive, marqué par la Seconde Guerre mondiale, il évoque les horreurs de la fuite, de l'exil, du massacre. Volontiers expressionniste, il use de pâtes épaisses et de violence du graphisme, et sa peinture prend souvent des allures de farces dérisoires. Également illustrateur, on cite parmi ses réalisations : *Aucassin et Nicolette*, l'œuvre romanesque d'André Malraux, *Le Tour du malheur* de Kessel, les *Bestiaires* et *Le Chaos de la nuit* de Montherlant, les œuvres romanesques de Sartre pour lesquelles il a exécuté 64 lithographies en couleurs. Il a également réalisé une série sur le *Cantique des cantiques* avec des planches vivement colorées, qui mettent l'accent sur l'aspect charnel de l'œuvre.

W. Spitzer

MUSÉES : PARIS (BN) : *La Fête.*
VENTES PUBLIQUES : PARIS, 18 fév. 1972 : *Le fou au coq* : **FRF 2 500** – PARIS, 8 déc. 1973 : *Le départ* : **FRF 4 500** – PARIS, 14 mars 1974 : *Le Peintre dans son atelier* : **FRF 6 000** – PARIS, 7 déc. 1976 : *Les gens du voyage*, h/t (54x65) : **FRF 3 100** – VERSAILLES, 19 fév. 1978 : *Le joueur d'Orgue de Barbarie*, bronze, patine noire (H. 34) : **FRF 3 600** – VERSAILLES, 25 nov 1979 : *Animation sur la place du village*, h/t (73x60) : **FRF 9 500** – VERSAILLES, 16 juin 1981 : *La Synagogue de Sniadowo*, h/t (81x100) : **FRF 12 500** – NEUILLY, 9 mars 1988 : *Les tziganes*, h/pap. mar./t. (73x54) : **FRF 10 000** – PARIS, 20 mars 1988 : *En route vers le soleil*, h/t (50x73) : **FRF 20 000** – LA VARENNE-SAINT-HILAIRE, 29 mai 1988 : *Le départ du village*, h/t (81x65) : **FRF 17 000** – PARIS, 23 juin 1988 : *Dîtes-le avec des fleurs*, h/t (54x65) : **FRF 19 100** – VARENNE-SAINT-HILAIRE, 23 oct. 1988 : *Le Mariage*, h/t (60x73) : **FRF 25 400** – VERSAILLES, 18 déc. 1988 : *Le Marchand de Venise*, h/t (60x73) : **FRF 28 000** – PARIS, 19 mars 1989 : *Le Marché aux chevaux au village*, h/t (65x81) : **FRF 43 000** – PARIS, 16 avr. 1989 : *Le Musicien*, bronze patine noire (H 24) : **FRF 12 000** – LONDRES, 20 oct. 1989 : *Bouquet de fleurs* 1963, h/t (99,7x64,7) : **GBP 1 760** – VERSAILLES, 26 nov. 1989 : *La Fête d'Esther*, h/t (81x100) : **FRF 92 000** – PARIS, 22 oct. 1989 : *Hommage à Rembrandt*, h/t (100x100) : **FRF 97 100** – PARIS, 11 mars 1990 : *Mardi Gras*, h/t (81x100) : **FRF 103 000** – PARIS, 8 avr. 1990 : *La Fête au village*, gche et collage (48x64) : **FRF 23 000** – NEW YORK, 12 oct. 1990 : *Le Pique-nique* 1968, h/t (50x61) : **USD 5 225** – CHALON-SUR-SAÔNE, 14 oct. 1990 : *La Saga du peintre*, gche/pap. (70x80) : **FRF 39 000** – FONTAINEBLEAU, 18 nov. 1990 : *La Répétition*, h/t (72x92) : **FRF 51 000** – PARIS, 6 juil. 1992 : *Le Messager*, gche het. (64x47) : **FRF 21 000** – NEW YORK, 10 nov. 1992 : *Fillette avec sa poupée* 1965, h/t (67,6x54,3) : **USD 1 210** – NEW YORK, 22 fév. 1993 : *Déjeuner sur l'herbe* 1957, h/t (54x64,8) : **USD 2 200** – PARIS, 4

avr. 1993 : *L'Aubade*, h/t (41x33) : **FRF 5 500** – Paris, 26 mars 1995 : *Couple sous un arbre*, gche et past./pap. (71x54) : **FRF 28 000** – Paris, 13 déc. 1996 : *Homme et jeune garçon*, h/t (81x65) : **FRF 19 000** – Paris, 16 mars 1997 : *Souvenirs 1973*, h/t (46x55) : **FRF 18 000** – Paris, 25 mai 1997 : *Le Mariage*, h/t (54x65) : **FRF 14 100**.

SPITZMANN Hans
Né le 29 juillet 1884 à Thorn. XXᵉ siècle. Allemand.
Peintre, graveur.
Il fut élève de l'académie des beaux-arts de Cassel. Il vécut et travailla à Quedlinbourg.

SPITZNAGEL Heinrich
Né le 28 novembre 1872 à Griessen. XIXᵉ-XXᵉ siècles. Allemand.
Peintre de paysages.
Il fut élève de l'académie des beaux-arts de Carlsruhe. Il vécut et travailla à Fribourg.
Musées : Fribourg.

SPITZWEG Carl ou Karl
Né le 5 février 1808 à Munich. Mort le 23 septembre 1885 à Munich. XIXᵉ siècle. Allemand.
Peintre de genre, figures, paysages, aquarelliste, illustrateur.
Tout d'abord pharmacien, il se consacra assez tardivement à la peinture. Il commença à exposer vers 1836. Il voyagea en France ainsi qu'en Angleterre et c'est certain qu'il retint la leçon des peintres humoristes de ces deux pays : Rowlanson, Henri Monnier, Gavarni.

Spitzweg semble donc avoir subi de nombreuses influences, entre autres celles de romantiques français : Baron, Eugène Lami, parfois même Diaz. On retrouve des traces visibles de ces différentes sources dans de nombreuses œuvres du peintre munichois. Tantôt c'est le paysage doré forestier dans la peinture intitulée *Promenade*, idylle d'un chasseur bavarois, qui fait penser à un Diaz assagi et sentimental. La *Sérénade* nous introduit dans le monde mystérieux de la nuit ; l'effet de clair de lune est observé avec soin et les valeurs restent très transparentes malgré les tons assez foncés du tableau. Spitzweg se montre là observateur attentif du réel.

C'est d'ailleurs une des caractéristiques de l'artiste : il est toujours très « vrai », mais non comme pourrait l'être un peintre naturaliste, car c'est avant tout un peintre de genre, soucieux de présenter un sujet plaisant. On sent qu'il se divertissait infiniment lui-même à l'accumulation de multiples détails pittoresques. Ses tableaux sont de petites dimensions, peints avec un soin extrême de l'exactitude, et cependant sa pâte est assez généreuse pour éviter la sécheresse. Son dessin est correct et généralement humoristique, sans aller jusqu'à la caricature. La couleur est discrète, mais sonore et les valeurs sont très habilement placées de manière à offrir des contrastes qui ne manquent pas de vigueur.

Spitzweg, spirituel, mordant, imprévu, produisit aussi ces aimables petites compositions où il retrace des épisodes d'une philosophie peu compliquée, échos de la vie bourgeoise, légèrement sarcastiques : *Les Idylles sous les toits*, *Le Facteur*, *Le Départ*, *L'Alchimiste*, *Le Fiancé*, *Le Vieux Rat de bibliothèque*, types parfaitement saisis sur le vif. Autant d'œuvres, autant de réussites. Il enlevait prestement chacune de ses petites scènes et tout ce qu'il créait ainsi était plein de vie et de mouvement. Il dessinait des ensembles de paysages citadins, riants ou sévères, des coins retirés où les petits drames domestiques trouvent si naturellement leur décor ; il absorbait en lui tout ce que le pittoresque lui apportait de surprises ; curieux de tout, il reproduisait tout. Il composa ainsi durant sa longue existence une quantité de tableaux qui semblent formuler toute l'existence de petites gens sans grandes passions ni grandes prétentions.

Il faut faire une place à part à deux tableaux fort célèbres : *Le Pauvre Poète* et *L'Écrivain*. Le premier de ces tableaux nous montre le poète dans sa mansarde ; il est couché tout habillé sur un mauvais matelas posé à même le carrelage, abrité sous un grand parapluie ouvert, qui indique assez l'état de la toiture, ses diverses hardes dispersées au hasard. Le poêle est éteint et un manuscrit remplace le bois de chauffage absent ; de gros livres aux riches reliures s'opposent à la détresse de ce parfait lettré. C'est une illustration fidèle de la *Vie de Bohème*, de Murger. Tout ici est dit avec bonne humeur et sans hargne. L'autre peinture, l'*Écrivain*, présente dans un intérieur baigné de lumière le personnage dans son solennel habit noir qui fait une belle tache

plastique. Il taille prétentieusement sa plume. Nous retrouvons là l'esprit d'Henri Monnier et il est bien certain que l'acteur qui est sous nos yeux est un frère de Joseph Prud'homme. Ces deux exemples montrent assez qu'en dehors de la facture romantique française, Spitzweg a fortement subi l'influence de la littérature de notre pays.

Karl Spitzweg est peu connu en France, mais ses œuvres jouissent à juste titre dans son propre pays d'une estime pleinement justifiée par ses qualités de peintre et la finesse de son observation. ■ E. C. Bénézit

Cachet de vente

Bibliogr. : Günter Roennefahrt : *Carl Spitzweg. Beschreibendes Verzeichnis seiner Gemälde und Aquarelle*, Bruckmann, Munich, 1960.

Musées : Aix-la-Chapelle : *Réunion d'acteurs* – Berlin : *Ermite lisant* – *Ermite rentrant* – *Rue de Venise* – *Femme se baignant dans la mer près de Dieppe* – *Le curé amateur de cactus* – *Les cerfs-volants* – *Le pauvre poète* – *Femmes se baignant* – *La lettre d'amour* – *Anglais dans la Campagne romaine* – Berne : *Parfum de roses* – Brême : *Le vieux soldat* – *Réunion sous les arbres* – Breslau, nom all. de Wroclaw : *Ronde nocturne* – Chemnitz : *Pente de montagne* – Darmstadt (Mus. prov.) : *Lavandières* – Dresde : *Procession à Dachau* – Elberfeld : *Le géologue* – *Le propriétaire* – *La pharmacie « À la cigogne »* – Essen : *Trois dessins* – Francfort-sur-le-Main (Mus. Staedel) : *L'ermite devant son ermitage* – *Le veuf* – *Rivière avec truites* – Fribourg (Mus. mun.) : *Auprès de la Croix* – *Le violoniste au clair de lune* – *Tentation de saint Antoine* – *Sentinelle turque* – Halle (Mus. mun.) : *Le valet d'écurie* – Hambourg (Kunsthalle) : *L'astrologue* – *Ermite en montagne* – *Vieux monsieur sur la terrasse* – *Touristes en montagne* – Hanovre (Mus. prov.) : *Musiciens de rue* – *La place préférée* – *La sérénade* – *La visite de cérémonie* – *La diligence* – *Paysage avec baigneurs* – *Vieille sérénade* – Heidelberg (Mus. mun.) : *Le gardien endormi* – *Fuite en Égypte* – Kaliningrad, ancien. Königsberg : *Paysage* – Leipzig : *Deux jeunes filles* – Magdebourg (Mus. Kaiser Friedrich) : *La Sentinelle* – Mannheim (Kunsthalle) : *Le temps de la paix* – Munich (Nouvelle Pina.) : *Le pauvre poète* – *Dans la mansarde* – *Les ermites* – *Ermite* – *Le feu follet* – *Le scribe* – *Le corbeau* – *Au bord du lac d'Ammersee* – *Le pique-nique* – *Ronde nocturne* – *Visite du souverain* – *Clarinettiste mendiant* – *Le facteur* – *Le veuf* – Munich (Gal. mun.) : *Promeneur se reposant* – *Le contrôle de la douane* – Munich (Gal. Schack) : *La sérénade* – *Un hypocondre* – *Le Départ* – *Turcs dans un café* – *Ermite jouant du violon* – *Bergère à l'alpage* – Nuremberg (Gal. mun.) : *Le pique-nique* – Prague (Rudolfinum) : *La sérénade* – *Douanier autrichien* – *L'ermite* – Riga : *Le vieux commandant de la forteresse* – *L'ermite* – Stuttgart (Gal. Nat.) : *Paysage de montagnes* – *L'alchimiste* – *Mercredi des Cendres* – *La ronde de nuit* – Ulm : *Paysage de montagnes* – Vienne (Belvédère) : *Le célibataire* – Zurich (Kunsthaus) : *Ruelle de village avec gardien de nuit* – *L'ermitage* – *Mansarde au clair de lune.*

Ventes Publiques : Paris, 28 mars 1923 : *La diligence sur le chemin* : **FRF 370** – Paris, 25 avr. 1925 : *Chasseur*, lav. encre de Chine : **FRF 160** – New York, 7 et 8 déc. 1933 : *Devant l'autel* : **USD 675** – Berlin, 29 et 30 mai 1934 : *L'ermite et le corbeau* : **DEM 8 800** – Genève, 28 août 1934 : *Le peintre au travail* : **CHF 2 100** – Francfort-sur-le-Main, 11-13 mai 1936 : *Retour au clair de lune* : **DEM 20 500** – Lucerne, nov. 1950 : *Femme et cavalier dans un paysage*, esquisse : **CHF 2 600** – New York, 24 jan. 1951 : *La route de la falaise* : **USD 900** – Hambourg, 29 mars 1951 : *L'ermite* : **DEM 3 000** – Cologne, 22 mai 1951 : *Avant l'audience* : **DEM 2 000** – Cologne, 26 nov. 1958 : *Un Ermite*, sur pap. entoilé : **DEM 25 000** – Munich, 8 déc. 1959 : *Report* : **DEM 8 500** – Cologne, 2 et 6 nov.

1961 : *Les amoureux dans les bois* : **DEM 38 000** – ZURICH, 8 nov. 1963 : *Le chemin interdit* : **CHF 39 000** – LONDRES, 1er juil. 1964 : *Carnaval à Munich* : **USD 3 500** – MUNICH, 23 juin 1965 : *Enfants dans les bois* : **DEM 70 000** – MUNICH, 11 déc. 1968 : *Moine péchant à la ligne* : **DEM 41 000** – MUNICH, 19 et 20 mars 1969 : *La chasse au faucon* : **DEM 52 000** – MUNICH, 10 déc. 1969 : *Couple dans un paysage montagneux*, aquar. : **DEM 4 600** – LUCERNE, 17 nov. 1973 : *Clown au cachot* : **CHF 110 000** – ZURICH, 16 mai 1974 : *La sérénade* : **CHF 188 000** – ZURICH, 28 mai 1976 : *Clair de lune*, h/pan. (32x54) : **CHF 54 000** – MUNICH, 24 mai 1977 : *Paysage fluvial*, h/pan. (10,5x21) : **DEM 19 000** – MUNICH, 23 nov. 1978 : *Vue d'un village* 1853, cr. (25x40) : **DEM 6 200** – MUNICH, 29 nov 1979 : *Paysage boisé* 1879, dess. au cr. aquarellé (25x35) : **DEM 4 700** – LONDRES, 9 mai 1979 : *Moine étudiant dans un intérieur*, h/pan. (21x10) : **GBP 7 200** – MUNICH, 27 nov. 1980 : *Couple sur un banc*, cr. (6x11) : **DEM 2 100** – ZURICH, 11 nov. 1981 : *Wäscherbleiche*, h/cart. (41,2x20,5) : **CHF 156 000** – MUNICH, 29 juin 1982 : *Turc assis*, cr. (21x16) : **DEM 4 000** – MUNICH, 24 nov. 1983 : *L'Heure des bavardages* vers 1869-1870, cr. (32x34) : **DEM 12 500** – MUNICH, 20 oct. 1983 : *Le Peintre au repos dans un sous-bois*, h/t (49,5x30) : **DEM 265 000** – MUNICH, 28 nov. 1985 : *L'atelier de l'alchimiste*, cr. (19x15,5) : **DEM 6 100** – ZURICH, 29 nov. 1985 : *Le chemin interdit*, h/pan. (38x31) : **CHF 190 000** – LONDRES, 28 nov. 1986 : *Der Philosoph (Der Leser im Park)*, h/t (37x28) : **GBP 110 000** – MUNICH, 11 nov. 1987 : *Die Scharwache* vers 1875/1880, h/t (53x31) : **DEM 680 000** – LONDRES, 24 juin 1988 : *Le chasseur du dimanche*, h/t (41x23) : **GBP 88 000** – MUNICH, 10 mai 1989 : *Le chasseur de mouches*, h/t (38x30,5) : **DEM 330 000** – COLOGNE, 20 oct. 1989 : *L'alchimiste*, h/pap. (25x35) : **DEM 1 100** – MUNICH, 29 nov. 1989 : *La sérénade*, h/t (32,5x22) : **DEM 484 000** – MUNICH, 31 mai 1990 : *En passant au pied du gibet*, h/t (36x29,5) : **DEM 110 000** – MUNICH, 12 déc. 1990 : *Le chasseur d'aigles*, h/pan. (29x21) : **DEM 242 000** – MUNICH, 12 juin 1991 : *Le dernier convoi* 1914, h./couvercle de boîte à cigare (12x21,5) : **DEM 35 200** – MUNICH, 10 déc. 1991 : « *Der Osterspaziergang* », h/t (30,5x52,5) : **DEM 402 500** – MUNICH, 25 juin 1992 : *Une ferme au Tyrol* 1846, cr. (22,5x30) : **DEM 7 006** – MUNICH, 10 déc. 1992 : *Sentinelle sur un chemin de ronde*, h/pap./cart. (13,5x 25) : **DEM 135 600** – MUNICH, 22 juin 1993 : *Turcs*, h/t (26x21) : **DEM 114 600** – MUNICH, 7 déc. 1993 : *Bazar oriental*, h/t (76,5x61,5) : **DEM 272 800** – HEIDELBERG, 5-13 avr. 1994 : *Étude de main avec l'index pointé*, craie (41,7x32,8) : **DEM 3 600** – PARIS, 22 mai 1994 : *Sonneur de trompe*, aquar. (27x22) : **FRF 11 000** – MUNICH, 21 juin 1994 : *La Sentinelle*, h/t (33,5x27) : **DEM 212 910** – LONDRES, 13 oct. 1994 : *Secrétaire taillant sa plume*, h/t (39x22) : **GBP 144 500** – MUNICH, 27 juin 1995 : *Moine devant un serpent*, h/bois, boîte à cigares (21x13,5) : **DEM 216 300** – LONDRES, 9 oct. 1996 : *Bavaroise sur la Alm* vers 1870-1875, h/t (33x23,8) : **GBP 18 400** – MUNICH, 3 déc. 1996 : *Jeune Bavaroise sur la Alm*, h/bois, boîte à cigare (13,5x11) : **DEM 33 600** – MUNICH, 23 juin 1997 : *Il arrive*, h/t (54,5x32) : **DEM 1 334 000**.

SPIZEL Gabriel. Voir **SPITZEL**

SPIZER Joseph Ambros. Voir **SPITZER**

SPLANO Giovanni Tommaso
Né à Bitonto. XVIe siècle. Travaillant à Naples vers 1590. Italien.
Peintre.
Élève d'Andrea Sabatini à Naples. Il peignit des tableaux d'autel pour des églises de Naples.

SPLEISS Hans Martin
Né le 17 février 1592 à Schaffhouse. Mort en 1671 à Schaffhouse. XVIIe siècle. Suisse.
Peintre verrier.
Élève d'A. Schmucker à Stein-sur-le-Rhin. Les Musées de Schaffhouse et de Zurich conservent plusieurs vitraux de cet artiste.

SPLENDORE Giovanni Francesco
XVIIe siècle. Actif à Lugano dans la seconde moitié du XVIIe siècle. Italien.
Peintre.
Il travailla pour des églises de Vienne et de Passau.

SPLENYI Ernezta de, baronne
Née le 15 novembre 1872 à Pénzeskut. XIXe siècle. Hongroise.
Peintre de portraits, natures mortes.

SPLIETH Heinrich
Né le 18 février 1877 à Elbing. Mort le 21 mars 1929 à Berlin. XIXe-XXe siècles. Allemand.

Sculpteur de statues, monuments, animaux.
Il fut élève de l'académie des beaux-arts de Berlin et de Ludwig Manzel. Il sculpta des monuments et des statues équestres.

SPLIETH Heinrich Joseph
Né le 17 août 1842 à Frauenbourg. Mort le 2 février 1894 à Elbing. XIXe siècle. Allemand.
Sculpteur et médailleur.
Père de Heinrich S. Il a sculpté l'autel du Rosaire dans l'église d'Allenstein.

SPLINTEN Marcelis. Voir **SPLINTER**

SPLINTER Dirk Van ou **Splinters**
XVIe siècle. Actif à Utrecht en 1523. Hollandais.
Peintre.

SPLINTER Gerrit ou **Splinters**
XVIe siècle. Éc. flamande.
Peintre.
Il appartint à la gilde d'Utrecht de 1569 à 1584. Il fut peut-être le maître d'Abraham Bloemaert.

SPLINTER Geryt ou **Splinterss**
XVIe siècle. Éc. flamande.
Sculpteur de sujets religieux.
Il exécuta des sculptures dans la chapelle du Saint-Sépulcre de la cathédrale d'Utrecht de 1501 à 1505.

SPLINTER Heynderick
XVIe-XVIIe siècles. Travaillant à La Haye de 1580 à 1630. Hollandais.
Peintre.

SPLINTER Jan Jansz ou **Splinters**
XVIe siècle. Actif à Utrecht de 1507 à 1522. Hollandais.
Peintre.

SPLINTER Marcelis ou **Splinten** ou **Splinters**
XVIIe siècle. Actif à Utrecht de 1600 à 1619. Hollandais.
Peintre.

SPLINTER Robert ou **Splinters**
XVIIe siècle. Actif à Utrecht dans la première moitié du XVIIe siècle. Hollandais.
Peintre.
Élève d'Abrah. Bloemaert.

SPLINTER Willem ou **Splinters**
XVIe siècle. Actif à Utrecht en 1569. Hollandais.
Peintre.

SPLINTERS. Voir **SPLINTER**

SPLINTERSS Geryt. Voir **SPLINTER**

SPLITGERBER August ou **Karl Martin August**
Né le 27 août 1844 à Steingaden. Mort le 30 mai 1918 à Munich (Bavière). XIXe-XXe siècles. Allemand.
Peintre de paysages.
Il fut élève de Hermann Anschütz.
MUSÉES : MUNICH (Neue Pina.).
VENTES PUBLIQUES : COLOGNE, 26 mars 1976 : *Paysage alpestre*, h/cart. (17,5x14,5) : **DEM 4 400** – NEW YORK, 30 juin 1981 : *Troupeau à l'abreuvoir*, h/t (76x56) : **USD 2 000** – MUNICH, 13 sep. 1984 : *Enfants dans une clairière*, h/pan. (34x26,5) : **DEM 9 500** – MUNICH, 10 déc. 1992 : *Idylle paysanne*, h/pan. (23,5x36) : **DEM 11 300** – AMSTERDAM, 19 oct. 1993 : *Paysanne ramassant des fagots dans un paysage hivernal*, h/pan. (12,5x24) : **NLG 4 830** – MUNICH, 25 juin 1996 : *Paysage d'hiver*, h/t (21x27) : **DEM 4 922**.

SPLITGERBER Fritz
Né le 10 février 1876 à Munich (Bavière). Mort le 5 septembre 1914 à Munich. XIXe-XXe siècles. Allemand.
Peintre de paysages.
Il fut le fils du peintre August Splitgerber.
VENTES PUBLIQUES : MUNICH, 24 nov. 1978 : *Paysages* 1902-1903, aquar., suite de neuf (14x9 et 9x14) : **DEM 2 800**.

SPÖCKBERGER. Voir **SPECKBERGER**

SPODE Samuel
XIXe siècle. Britannique.
Peintre de sport équestre, animalier.
Il était actif de 1825 à 1858.
VENTES PUBLIQUES : LONDRES, 24 nov. 1978 : *L'arrivée de la course*, h/t (7x59,7) : **GBP 1 900** – LONDRES, 29 fév. 1984 : *Cheval bai dans un paysage*, h/t (71x92) : **GBP 1 800** – LONDRES, 20 nov.

1985 : *La chasse à courre* 1835, h/t (108x138) : **GBP 13 000** – Londres, 18 avr. 1986 : *Harkaway avec son jockey sur un champ de courses* 1842, h/t (76,2x130,2) : **GBP 8 000** – New York, 9 juin 1988 : *Bryan-o-Linn*, h/t (59,5x89,5) : **USD 6 050** – Londres, 16 mai 1990 : *Bryan-o-Linn, poulain alezan tenu par son palefrenier dans un paysage*, h/t (70x90) : **GBP 3 740** – Londres, 5 juin 1991 : *Poney et chien de meute*, h/t (71x91,5) : **GBP 1 430** – New York, 4 juin 1993 : *Le taureau « Matadore » ; Vache et son veau dans une étable*, h/t, une paire (91,4x71,1 et 71,1x91,4) : **USD 5 750** – New York, 3 juin 1994 : *Le cheval Harkaway* 1842, h/t (76,2x129,5) : **USD 11 500** – New York, 9 juin 1995 : *Un cheval alezan avec deux chiens de meute*, h/t (63,5x76,2) : **USD 6 325**.

SPOEDE Jacques
Mort vers 1693. xviie siècle. Actif à Anvers. Éc. flamande.
Sculpteur d'ornements.
Il travailla à Anvers à partir de 1676 et exécuta des sculptures dans l'église des Dominicains de cette ville.

SPOEDE Jan Jakob ou Jean Jacques
Né vers 1680 à Anvers. Mort le 26 novembre 1757 à Paris. xviiie siècle. Éc. flamande.
Peintre de portraits, natures mortes, dessinateur, caricaturiste.
Après avoir fait ses premières études à l'Académie d'Anvers, il vint à Paris. Il fut l'élève et ami intime de Watteau. Il devint recteur de l'Académie de Saint-Luc. Il exposa au Salon de l'Académie de Saint-Luc en 1751, 1752 et 1753. Il était également marchand de tableaux.
Musées : Orléans : *Portrait de Bobereau doyen des maîtres peintres*, caricature.
Ventes Publiques : Paris, 6-7 mai 1920 : *Le doyen des maîtres peintres*, attr. : **FRF 2 820** – Londres, 23 nov. 1928 : *Full cry* : **GBP 126** – Paris, 14 avr. 1988 : *Nature morte de légumes et de fruits*, h/t (83x114) : **FRF 150 000**.

SPOEL Jacob
Né le 19 octobre 1820 à Rotterdam. Mort le 30 octobre 1868 à Rotterdam. xixe siècle. Hollandais.
Peintre d'histoire, scènes de genre, portraits, graveur.
Il fut élève de W. H. Schmidt.
Musées : Amsterdam : *Le Duc Bernard de Saxe-Weimar* – Haarlem : *Arrivée de Guillaume IV à Rotterdam* – Rotterdam : *Anthonie Van Hoboken*.
Ventes Publiques : Amsterdam, 10 fév. 1988 : *Les soins au jeune malade*, h/t (39x31) : **NLG 2 530** – Milan, 1er juin 1988 : *Portrait d'une dame âgée avec un livre et autres objets* 1848, h/t (100x80) : **ITL 5 500 000** – Ludlow (Shropshire), 29 sep. 1994 : *La chance de l'un nuit à un autre*, aquar. (33x42) : **GBP 5 750**.

SPOELDER Cristoffel
xviie siècle. Travaillant à Amsterdam en 1671. Hollandais.
Sculpteur sur bois.

SPOERER Eduard ou Spörer
Né le 24 juin 1841 à Reval. Mort le 22 novembre 1898 à Düsseldorf. xixe siècle. Allemand.
Peintre de paysages.
Il fut élève des académies de Pétersbourg et de Düsseldorf. Il travailla à Paris, puis se fixa à Düsseldorf.
Il subit l'influence d'Eugen Dücker.
Musées : Brême : *Le Château de Montorgueil à Jersey* – Cologne : *Côtes normandes.*
Ventes Publiques : Londres, 26 mars 1982 : *Lavandières au bord de la mer, Bretagne* 1896, h/t (106x150) : **GBP 3 500** – Londres, 17 juin 1994 : *Paysage du Bas-Rhin* 1898, h/t (87x127) : **GBP 6 900**.

SPOERRI Daniel, pseudonyme de Spoerri-Feinstein Daniel Isaac
Né en 1930 à Galati (Roumanie), de mère suisse. xxe siècle. Actif depuis 1941 et naturalisé en Suisse, à partir de 1959 actif aussi en France, actif aussi en Allemagne. Roumain.
Auteur d'assemblages, peintre de collages, sculpteur. Nouveaux-Réalistes.
Son père était d'origine juive converti au luthérianisme et devenu pasteur. Sa mère, suissesse, était sœur du recteur de l'université de Zurich. Son père ayant été tué en 1941, la famille se réfugia en Suisse. Il eut une enfance et une adolescence picaresques aux multiples épisodes. La danse le retint plus durablement, il fut premier danseur de l'opéra de Berne, en 1954. Parallèlement metteur en scène, il devint en 1957 assistant de G. R. Sellner à Darmstadt. En 1958, il édita une revue littéraire de poésie concrète *Material*. En 1960 il organisa une exposition itiné-rante, *Le Mouvement dans l'art*, dans les musées d'Amsterdam, Stockholm, Copenhague. En 1967, il séjourne en Grèce sur l'île Symi et l'année suivante ouvre un restaurant à Düsseldorf, puis une Eat Art Gallery où les artistes viennent réaliser des œuvres d'art comestibles. De 1971 à 1982, il est professeur à l'école d'Art et de Dessin de Cologne, en 1983 à la Kunstakademie de Munich. Il participe depuis 1959 à de très nombreuses expositions collectives, notamment avec le groupe des Nouveaux Réalistes, régulièrement à Paris : 1960 Festival d'Avant-Garde ; 1962, 1963 Salon Comparaisons ; 1963 Biennale ; 1986 *Les Nouveaux Réalistes* au musée d'Art moderne de la ville ; 1989 *Les Magiciens de la Terre* au centre Georges Pompidou ; ainsi que : 1961-1962, 1967, 1968 Museum of Modern Art de New York ; 1965 palais des Beaux-Arts de Bruxelles ; 1967, 1978 Kunsthalle de Düsseldorf ; 1968 Kunsthalle de Cologne ; 1969 Kunsthalle de Berne ; 1970 Museum Boymans-Van-Beuningen de Rotterdam ; 1977 Documenta de Cassel ; 1979 Biennale de Sydney ; 1980 Museum Moderner Kunst de Vienne ; 1980, 1981, 1983, 1986 Kunstverein de Cologne ; 1988 Museum Ludwig de Cologne, Biennale de Tokyo, musée d'Art contemporain de Bordeaux ; 1989 Gewerbemuseum de Bâle.
Il montre ses œuvres dans des expositions personnelles : 1961, 1963, 1965 galerie Schwartz à Milan ; 1939 Kunstverein d'Aix-la-Chapelle ; 1970 CNAC à Paris ; 1971 Kunsthalle de Hambourg, Stedelijk Museum d'Amsterdam ; 1972, 1976 centre national d'Art contemporain à Paris ; 1974 Kunsthalle de Düsseldorf ; 1977, 1990 Centre Georges Pompidou à Paris ; 1985 Spendhaus de Reutlingen ; 1987, 1991 Kunstmuseum de Soleure ; 1990 musée Picasso d'Antibes, Museum des 20. Jahrhunderts de Vienne, Lenbachhaus de Munich ; 1991 musée Rath à Genève ; 1992 Exposition universelle de Séville ; 1994 musée de l'Assistance publique à Paris ; 1996 galerie Yvon Lambert à Paris ; 1998 Centre culturel suisse à Paris.
Très lié dans les années soixante avec Tinguely, collaborant avec lui à certains spectacles, Spoerri dans ses premières réalisations plastiques, se rattachait clairement aux recherches géométriques cinétiques. En 1959, il avait présenté à Paris un objet justement géométrique et cinétique, reproduit à cent exemplaires : *Multiplication d'Art transformable* entreprise qu'il poursuivit sous le même titre, avec d'autres artistes. À partir de 1960, il prit nettement parti pour les principes du groupe des Nouveaux Réalistes fédéré par Pierre Restany. Pour sa propre part, Spoerri inventa un processus original d'appropriation objective de la réalité quotidienne : avec ses *Tableaux-Pièges*, il immobilise les accessoires résiduels de l'activité d'un individu, à un moment précis et aléatoire. Par exemple, il arrête le repas de quelqu'un ou il interrompt une femme à sa toilette puis fixe tous les éléments et reliefs du repas interrompu ou des soins de toilette, avec une colle ou un enduit plastique, sur un support ensuite présenté verticalement, comme un tableau ou un relief, constituant d'une certaine façon le portrait de l'individu piégé, dans une certaine activité et à un certain moment, étant bien entendu qu'en effet, dans les actes les plus familiers et les plus ordinaires de la vie chacun est conditionné par une somme d'habitudes et l'usage automatique d'accessoires appropriés. Dans ses *Détrompe l'œil*, il exploite de vieilles peintures trouvées au marché aux puces, qu'il modifie ou plus exactement complète, en en respectant le sujet original jusqu'à l'absurde : par exemple dans une nature morte de victuailles il plante un véritable couteau et une fourchette. Travaillant toujours selon le procédé de l'assemblage, il procède par série : « Quand j'ai achevé une série, en général je ne reviens pas dessus. Je ne suis pas puriste au point de me l'interdire, mais les idées ne me viennent plus » (Spoerri). Il explore successivement les jeux de mots (*Piège à mots*), les lunettes et autres prothèses pour la vision (*L'Optique moderne*), les croyances populaires (*Objets de magie à la noix*), les objets africains (*Ethnosyncrétismes*), les tapisseries (*Le Trésor des pauvres*), des fragments d'ateliers (*Les Palettes d'artistes*), mais aussi la conception d'expositions lorsqu'il réalise de 1977 à 1982 à Paris, Cologne et Berlin des musées sentimentaux, où il présente des objets fétiches des villes comme dans les anciens cabinets de curiosité, la technique de la sculpture elle-même avec la réalisation en 1984 de bronzes polis, en vue de figer des objets courants (hachoirs à viande, presse-légumes, formes à chapeau) et n'en retenir que la forme. Dans les années quatre-vingt, il aborde une longue série le *Cabinet anatomique* à partir de gravures anciennes consacrées à l'anatomie, la médecine, notamment planches décrivant les maladies de la peau, dessins de Le Brun scanérisés, pièces aujourd'hui appréciées des collection-

neurs. Ces planches, de petit format, constituent le fond de l'œuvre sur lequel l'artiste colle ses objets, assemblages minutieux, précieux, soigneusement choisis, pièces de monnaies, plumes, coquillages, fleurs en plastiques, insectes (...) en vue d'établir un dialogue. Spoerri fonctionne par associations d'idées, donne libre cours à ses fantasmes, invitant à voir des fleurs dans les lésions de la peau. Il déroute pour libérer à son tour l'imagination du spectateur : « J'aime que celui-ci entre dans mon travail en se racontant une histoire, qu'il puisse passer d'un objet à l'autre selon sa propre logique » (Spoerri).

Dans la suite de Dada, Spoerri a su pousser assez loin les processus de création non rétiniens prônés par les Nouveaux Réalistes, se trouvant très souvent rencontré l'esprit et l'aspect des réalisations en « collage » de Kurt Schwitters. Accumulant, inventoriant, il s'intéresse au décalage qui naît entre le sujet retenu et la technique utilisée, abordant diverses thématiques qui touchent à l'homme. Il met en scène le quotidien pour en saisir la réalité poétique, sur lequel il porte un regard souvent teinté d'humour, aimant à mêler les genres et les sens (vue, odorat, toucher), à transmuer le réel.

BIBLIOGR. : Catalogue du Ier Salon international des Galeries Pilotes, Musée cantonal, Lausanne, 1963 – Pierre Restany : *Les Nouveaux Réalistes*, Planète, Paris, 1968 – Pierre Cabanne, Pierre Restany : *L'Avant-Garde au xxe siècle*, Balland, Paris, 1969 – Catalogue de l'exposition : *Spoerri*, Centre national d'Art contemporain, Paris, 1972 – Jean Jacques Lévêque : *Spoerri*, Galerie des Arts, Paris, févr. 1972 – Alain Jouffroy : *Daniel Spoerri et le nouveau parti international*, Opus International, Paris, 1972 – divers, in : *Daniel Spoerri, Kosta Théos, Dogma. I am god*, Leeber, Bruxelles, 1987 – *Dossier Daniel Spoerri*, Opus International, n° 110, Paris, sept.-oct. 1988 – Otto Hahn : *Spoerri*, Flammarion, coll. *La Création contemporaine*, Paris, 1990 – Gilbert Lascault : *Objets sentimentaux et autres de Daniel Spoerri*, Artstudio, n° 19, Paris, hiver 1990 – Catalogue de l'exposition : *Spoerri*, Musée Picasso, Antibes, 1990.

MUSÉES : AALBORG (Kunstmus.) – AMSTERDAM (Stedelijk Mus.) : *City Gallery 1965*, tableau-piège – ANTIBES (Mus. Picasso) – BÂLE (Kunstmus.) – BEUNINGEN (Mus. Boymans Van Beuningen) : *L'Homme est un nécrophage 1970-1971* – BRÊME (Weserburg Mus.) : *LHOOQ 1966* – CHAMALIÈRES (FRAC Auvergne) : *Voyage en Islande et au Groënland 1979* – CHICAGO (Mus. of Contemporary Art) – COLOGNE (Mus. Ludwig) – DÜSSELDORF (Kunstmus.) : *Tableau-piège au carré 1961-1964* – GENÈVE (Petit Palais, Mus. d'Art Mod.) – GRENOBLE – HANOVRE (Kestner-Gesellschaft) – KREFELD (Kaiser Wilhelm Mus.) : *Achat de vieux dentiers (ici on peut tout essayer) 1961* – LEVERKUSEN (Städtisches Mus.) : *Objet n° 20 1967* – LILLE (FRAC, Nord-Pas-de-Calais) : *Triple multiplicateur d'art* – MARSEILLE (Mus. Cantini) : *Béquilles, nature morte 1974-1976* (Mus. of Mod. Art) – NÎMES – OTTERLO (Rijksmus. Kröller Mus.) – PARIS (Mus. Nat. d'Art Mod.) : *Les Boîtes 1961* – *L'Odalisque 1990* – PARIS (BN) – ROTTERDAM (Mus. Boymans Van Beuningen) : *L'Homme est un nécrophage 1970-1971* – SAINT-ÉTIENNE – SOLEURE (Kunstmus.) – STOCKHOLM (Mod. Mus.) – VIENNE (Mus. Mod. Kunst) : *Catalogue tabou 1961* – *L'Optique moderne 1961-1962* – *Ça crève les yeux que c'est rose 1966* – ZURICH (Kunsthaus).

VENTES PUBLIQUES : PARIS, 5 déc. 1971 : *Menu serbe* : **FRF 14 500** – PARIS, 17 nov. 1972 : *Restaurant de la City Galerie Zurich (tableau-piège)* : **FRF 17 500** – PARIS, 6 avr. 1973 : *Le violon volé, assemblage sur bois* : **FRF 11 000** – ROME, 4 avr. 1974 : *Composition, assemblage sous Plexiglas* (ITL 1 000 000) – MILAN, 5 déc. 1974 : *Rest Spoerri (tableau-piège)* : **ITL 900 000** – MILAN, 13 déc. 1977 : *Tableau piège 1972, assemblage* (70x70x40) : **ITL 1 000 000** – PARIS, 21 juin 1979 : *Tableau-piège des souliers 1961*, h/t (154x46x27) : **FRF 6 000** – MILAN, 6 avr. 1982 : *Aktion Restaurant 1972, tableau piège sous Plexiglas* (71x71x40) : **ITL 1 600 000** – CHALON-SUR-SAÔNE, 14 nov. 1984 : *Die Schlüssel zum 1000 järigen Reich, assemblage* (70x100) : **FRF 38 000** – PARIS, 6 déc. 1985 : *Triple multiplicateur d'art 1969*, techn. mixte (51x47x47) : **FRF 22 000** – MILAN, 27 oct. 1986 : *Partager la poire en deux 1964, assemblage sous Plexiglas* (33x46x33) : **ITL 20 000 000** – ROME, 21 mars 1989 : *« Aktion Rest Spoerri »* 1972, techn. mixte (70x70x33) : **ITL 8 000 000** – PARIS, 23 juin 1989 : *Tableau-piège 1981, bronze à patine doré* (43x31x30) : **FRF 15 000** – PARIS, 7 oct. 1989 : *Fauteuil « serpents »* 1979 (H. 142, 115x56) : **FRF 292 000** – PARIS, 9 oct. 1989 : *Restes de repas de Niki de Saint-Phalle et Giuseppé Chiari (tableau-piège) 1972, assemblage sous Plexiglas* (70x70x33) : **FRF 130 000** – PARIS, 5 fév. 1990 : *Pied piège piégé pour Arman 14 avr. 1970* :

FRF 100 000 – LONDRES, 22 fév. 1990 : *Hommage à Yves Klein 1969, métal, plastique et techn. mixte sur feuille de métal sur cart.* (63x63) : **GBP 23 100** – MILAN, 13 juin 1990 : *Aktion Rest. Spoerri 1972, assemblage sous Plexiglas* (71x71x33,5) : **ITL 24 000 000** – STOCKHOLM, 14 juin 1990 : *Plateau avec une bouteille, deux verres, une coupe et un cendrier (tableau-piège), bronze doré* (43x31,5x30) : **SEK 19 000** – LONDRES, 18 oct. 1990 : *Tableau-piège 1972, collage de verres, bouteilles, tasses, saucières, pot à lait, cendrier, serviettes de pap., etc./pan. de cart. peint. dans une boîte de Plexiglas* (70,5x70,5x23) : **GBP 6 600** – PARIS, 28 oct. 1990 : *Variation sur Un repas de Roy Lichtenstein 1964, restes de repas collés ou inclus dans de la rés. sur bois sous Plexiglas* (36,5x64x54) : **FRF 150 000** – PARIS, 30 mai 1991 : *Why don't you live with me ?* 1964, objets/pan. (93x122) : **FRF 220 000** – NEW YORK, 14 nov. 1991 : *Sans titre (Table non débarrassée) 1969, assemblage* (70x73,7x26,7) : **USD 17 600** – PARIS, 19 jan. 1992 : *Tableau-piège 1965, pièces de vaisselle/pan.* (45x71) : **FRF 45 000** – LONDRES, 26 mars 1992 : *Tableau-piège 1972, assemblage de pièces de vaisselle* (70x70) : **GBP 6 380** – PARIS, 22 déc. 1992 : *Détrompe l'œil, le cheval évadé 1986, assemblage d'objets/pan.* (92x96x40) : **FRF 53 000** – MILAN, 6 avr. 1993 : *Tableau-piège 1972, assemblage d'objets/Plexiglas* (70x70x34) : **ITL 6 000 000** – PARIS, 29 sep. 1993 : *Mon petit déjeuner 1972, vaisselle et objets divers collés sur bois* (80x45) : **FRF 35 000** – PARIS, 13 juin 1995 : *Détrompe l'œil, forêt vierge, la jungle ou Hommage au Douanier Rousseau 1963, tableau sculpt.* (120x172x100) : **FRF 240 000** – ZURICH, 14 nov. 1995 : *Tableau-piège 1972, assemblage de vaisselle sale/bois* (70x70) : **CHF 8 000** – PARIS, 1er juil. 1996 : *Le Danger de la multiplication 1971, tableau-piège, collage de chaussures, pièges à souris, graviers, ossements/pan. bois* (60x60) : **FRF 21 000** ; *Salute Otto ou la Table du critique 1990, tableau-piège, objets divers/pan.* (80x120x26) : **FRF 75 000** – AMSTERDAM, 2-3 juin 1997 : *Tableau-piège 1972, assemblage objets divers/bois* (70x70x40) : **NLG 14 160** – LONDRES, 26 juin 1997 : *Tableau-piège : Le Panier à provision de Janie Baticheff 1962, fer, bois, porcelaine, pap. journal, métal, cuir et plastique/bois* (95,5x53,3x38) : **GBP 11 500**.

SPOETT Franz Xaver. Voir **SPÄTH**

SPOFFORTH Robert
XVIIIe siècle. Actif en Angleterre vers 1707. Britannique.
Graveur au burin et marchand d'estampes.
On croit qu'il fut élève de S. Gribelin. On cite de lui des portraits, notamment ceux de la *Reine Anne* et de *George Ier*.

SPOHLER Jacob Jan Coenraad ou **Jan Coenraad Jacob**
Né en 1837. Mort en 1923. XIXe-XXe siècles. Hollandais.
Peintre de genre, paysages animés.
Il pourrait être le fils de Jan Jacob. Il a repris à peu près les thèmes traités par lui. On peut évidemment craindre qu'il ait pu se produire des erreurs d'attribution entre leurs œuvres.
VENTES PUBLIQUES : LONDRES, 6 mai 1977 : *Paysage fluvial avec bateaux et moulins*, h/t (34,3x43,2) : **GBP 2 400** – NEW YORK, 4 mai 1979 : *Scène de canal en été*, h/t (43x66) : **USD 5 000** – NEW YORK, 13 fév. 1981 : *Été ; Hiver*, h/t, 21x33 : **USD 6 000** – NEW YORK, 24 mai 1984 : *Vue d'un estuaire*, h/t (66x94) : **USD 6 250** – AMSTERDAM, 19 nov. 1985 : *Patineurs dans un paysage d'hiver*, h/t (43,5x67) : **NLG 22 000** – ZURICH, 7 juin 1986 : *Paysage d'hiver*, h/t (60x78,5) : **CHF 42 000** – PARIS, 12 oct. 1990 : *Scène de patinage en Hollande*, h/t (60x90) : **FRF 50 000** – AMSTERDAM, 5-6 fév. 1991 : *Paysage estival avec des barques amarrées et des pêcheurs à la ligne et l'église de St-Bavo à Haarlem au fond*, h/t (35x49) : **NLG 8 050** – AMSTERDAM, 24 avr. 1991 : *Paysage d'hiver avec des patineurs sur une rivière gelée et des moulins à vent au fond*, h/pan. (9,5x15,5) : **NLG 6 325** – AMSTERDAM, 28 oct. 1992 : *Paysage d'hiver avec des patineurs et un traîneau à cheval sur une rivière gelée près d'une ferme*, h/pan. (21x16) : **NLG 6 325** – NEW YORK, 16 fév. 1993 : *Moulins à vent le long d'un canal*, h/t (65,3x92,7) : **USD 3 300** – AMSTERDAM, 21 avr. 1993 : *Paysage fluvial avec des paysannes près d'un buisson en été*, h/t (35,5x49,5) : **NLG 7 475** – LONDRES, 16 juin 1993 : *Vues de villes en hiver*, h/pan., une paire (chaque 15x11,5) : **GBP 2 990** – AMSTERDAM, 14 sep. 1993 : *Le passeur*, h/pan. (21x27) : **NLG 9 200** – AMSTERDAM, 9 nov. 1993 : *Le passeur*, h/t (41,5x64,5) : **NLG 20 700** – AMSTERDAM, 19 avr. 1994 : *Paysage fluvial en été au crépuscule*, h/pan. (38,5x52,5) : **NLG 34 500** – LOKEREN, 8 oct. 1994 : *Paysage de rivière en Hollande*, h/pan. (16x12) : **BEF 70 000** – LONDRES, 18 nov. 1994 : *Voiliers sur une rivière*, h/t (46x64,7) : **GBP 2 760** – LONDRES, 22 fév. 1995 : *Patineurs sur un lac*, h/t (51x66) :

GBP 3 047 – Amsterdam, 16 avr. 1996 : *Paysage fluvial avec des bateaux et des moulins à vent*, h/t (44x67,5) : NLG 8 496 – Amsterdam, 5 nov. 1996 : *Le Bac*, h/t (46x69) : NLG 20 060 – Amsterdam, 19-20 fév. 1997 : *Personnages sur un sentier le long d'une rivière, une ville au loin*, h/t (43,5x67) : NLG 29 983 – Londres, 21 nov. 1997 : *Paysage de rivière au bac*, h/t (67,5x93,5) : GBP 17 250.

SPOHLER Jan Jacob
Né le 7 novembre 1811 à Nederhorst-la-Montagne. Mort en 1879 à Amsterdam. XIXe siècle. Hollandais.

Peintre de genre, paysages animés.

Le plus âgé des trois Spohler, il semblerait être le père de Jacob Jan Coenraad. Il fut élève de Jan Willem Pieneman, alors directeur de l'Académie des Beaux-Arts d'Amsterdam. Il paraît certain qu'il fut surtout établi à Amsterdam, toutefois il est rapporté qu'il travailla aussi à Haarlem et Bruxelles et, en outre, les titres de certaines de ses peintures mentionnent qu'il connaissait Delft et même Nuremberg, s'il n'y a pas eu erreur d'attribution pour cette dernière.

Il s'est complètement spécialisé dans un thème typique : les canaux hollandais, soit avec leur animation estivale : voiliers, passeur, barques de paysans ou de promeneurs, pêcheurs, soit l'hivernale, patineurs, traîneaux et luges, et toujours sur fond de moulins à vent. On peut craindre que des confusions se soient produites entre ses peintures et celles de Jacob Jan Coenraad Spohler, peut-être son fils, qui reprit les mêmes thèmes, et même avec celles de Johannes Franciscus, puisqu'on trouve dans les peintures attribuées à Jan Jacob une *Scène de rue dans un village hollandais*, qui sera le thème majeur de Johannes Franciscus.

VENTES PUBLIQUES : Paris, 13 mars 1898 : *Une rue de Nuremberg* : FRF 100 – Paris, 21 fév. 1925 : *Patineurs sur un canal glacé* : FRF 655 – Paris, 10 mars 1926 : *Canal à Amsterdam* : FRF 1 020 – Paris, 29 mars 1943 : *Le marché d'Amsterdam* : FRF 17 000 – Londres, 15 nov. 1963 : *Paysage fluvial avec barques* : GNS 850 – Londres, 4 juin 1969 : *Paysage d'hiver avec patineurs* : GBP 1 600 – Londres, 8 nov. 1972 : *Paysage d'hiver avec patineurs* : GBP 5 500 – New York, 17 avr. 1974 : *Paysage d'hiver* : USD 20 000 – Amsterdam, 7 sep. 1976 : *Paysage d'été*, h/t (42x60) : NLG 10 000 – Londres, 23 fév. 1977 : *Paysage d'hiver au moulin animé de personnages*, h/t (61,5x85) : GBP 7 200 – Londres, 10 fév. 1978 : *Paysage d'hiver animé de personnages 1856*, h/t (31,7x42,4) : GBP 3 200 – Amsterdam, 24 avr 1979 : *Paysage d'hiver à la rivière gelée animé de nombreux personnages*, h/t mar. (63x88,8) : NLG 64 000 – New York, 28 mai 1981 : *Paysage d'hiver*, h/t (69x96) : USD 30 000 – Zurich, 1er juin 1983 : *Paysage d'hiver en hiver, Hollande*, h/t (60x78,5) : CHF 36 000 – Cologne, 21 nov. 1985 : *Paysage d'hiver au moulin et canal gelé*, h/t (60x80) : DEM 25 000 – Londres, 26 fév. 1988 : *Rivière avec des personnages et des voiliers*, h/t (35,6x53,4) : GBP 5 060 – Amsterdam, 10 fév. 1988 : *Rivière avec des paysans dans une barque vers un moulin à vent*, h/pan. (25x35) : NLG 3 220 – Amsterdam, 16 nov. 1988 : *Paysage hollandais avec le passeur sur un canal en été*, h/t (31x46) : NLG 12 650 – Amsterdam, 26 fév. 1989 : *Villageois sur le chemin bordant la rivière avec la cathédrale de Delft au lointain*, h/t (31x46) : NLG 6 325 – New York, 24 mai 1989 : *Scène de rue dans un village hollandais*, h/pan. (26,6x20,4) : USD 6 600 – Amsterdam, 19 sep. 1989 : *Patineurs poussant leur luge sur une rivière gelée*, h/pan. (11,5x16) : NLG 9 200 – Cologne, 20 oct. 1989 : *Paysage de Hollande avec des personnages sur un canal gelé*, h/t (52x75) : DEM 26 000 – New York, 1er mars 1990 : *Patineurs sur une rivière gelée*, h/t (50,2x67,3) : USD 35 200 – Cologne, 23 mars 1990 : *Paysage d'hiver avec patineurs sur un canal gelé*, h/t (44,5x35) : DEM 13 000 – Amsterdam, 25 avr. 1990 : *Vaste paysage fluvial avec des embarcations à voiles en été*, h/t (58x80) : NLG 69 000 – Amsterdam, 30 oct. 1990 : *Paysage d'hiver avec des paysans à l'auberge et des patineurs sur le canal*, h/t (59x80) : NLG 92 000 – Londres, 19 juin 1991 : *Paysage d'hiver animé*, h/t (63,5x84) : GBP 12 650 – Amsterdam, 22 avr. 1992 : *Navigation sur une rivière près d'un moulin à vent avec des pêcheurs sur le rivage*, h/t (57,5x74,5) : NLG 32 200 – Londres, 19 juin 1992 : *Paysage fluvial animé avec un moulin*, h/pan. (56x71,2) : GBP 7 920 – Amsterdam, 2 nov. 1992 : *Paysage fluvial avec des barques et un pêcheur près d'un moulin*, h/pan.

(24x32) : NLG 7 820 – Londres, 25 nov. 1992 : *Patineurs sur une rivière gelée devant un moulin à vent*, h/t (63x83,5) : GBP 12 100 – Amsterdam, 19 oct. 1993 : *Paysage hivernal avec un chasseur en conversation avec des paysans près d'un traîneau sur un canal gelé*, h/pan. (38x51) : NLG 43 700 – Amsterdam, 8 nov. 1994 : *Nombreux personnages sur une rivière gelée*, h/pan. (34x51,5) : NLG 48 300 – Amsterdam, 7 nov. 1995 : *Navigation sur une rivière avec des pêcheurs près d'un moulin*, h/t (57,5x74,5) : NLG 35 400 – Londres, 17 nov. 1995 : *Voilier dans un estuaire avec des personnages sur le rivage*, h/t (37,5x48,2) : GBP 6 325 – Londres, 14 juin 1996 : *Patineurs sur un paysage hivernal*, h/pan. (29,1x41,2) : GBP 9 775 – Londres, 21 nov. 1996 : *Patineurs sur une rivière gelée*, h/t (61x80,5) : GBP 32 200 – Amsterdam, 30 oct. 1996 : *Coucher de soleil, barques sur une rivière avec des moulins au bord de l'eau*, h/pan., une paire (20,3x15,8) : NLG 13 838 – Amsterdam, 22 avr. 1997 : *Paysage d'hiver 1839*, h/t (54x69) : NLG 56 640 – Amsterdam, 27 oct. 1997 : *Patineurs autour d'un koek en zopie, un château tout près*, h/t (55x84) : NLG 59 000.

SPOHLER Johannes Franciscus
Né en 1853. Mort en 1894. XIXe siècle. Hollandais.

Peintre de paysages urbains animés, paysages typiques, paysages d'eau.

Il pourrait aussi être un fils de Jacob Jan Spohler. En tout cas, les trois Spohler pourraient être parents.

S'il est aussi peintre de genre, il s'est toutefois spécialisé dans d'autres thèmes que ceux de Jan Jacob et Jacob Jan Coenraad, peint surtout des vues de villes, de rues et de canaux hollandais, le plus souvent d'Amsterdam, animés de personnages, quelquefois de rixes.

VENTES PUBLIQUES : Amsterdam, 27 avr. 1976 : *Vue d'Amsterdam*, h/t (35,5x44,5) : NLG 12 500 – Amsterdam, 31 oct. 1977 : *Vue d'une ville de Hollande*, h/pan. (25,5x21) : NLG 19 000 – Londres, 14 févr 1979 : *Ville au bord d'un canal*, h/pan. (20x16) : GBP 2 900 – New York, 13 fév. 1981 : *Scène de canal*, h/pan. (19,7x15,9) : USD 4 500 – Londres, 21 oct. 1983 : *Amsterdam*, h/t (42,5x34,2) : GBP 3 200 – New York, 13 fév. 1985 : *Jour de marché 1873*, h/t (44,5x35) : USD 3 800 – Londres, 21 oct. 1986 : *Vue d'une rue en Hollande en été*, h/t (44,5x35) : GBP 3 600 – Amsterdam, 16 nov. 1988 : *Vue de la Maison Zorgvliet à Ellewoutsdijk avec une calèche attendant devant la grille et une paysanne en costume traditionnel 1882*, h/t (65x86) : NLG 6 325 – New York, 23 fév. 1989 : *Une rue l'hiver en Hollande*, h/t (20x16) : USD 4 400 – Londres, 6 oct. 1989 : *Une rue d'une ville hollandaise*, h/pan. (20x16) : GBP 3 740 – Amsterdam, 25 avr. 1990 : *Vue d'une ville hollandaise*, h/t (43x33) : NLG 10 120 – Amsterdam, 2 mai 1990 : *Citadins flanant sur le quai d'un canal*, h/pan. (20x15,7) : NLG 16 100 – Amsterdam, 5 juin 1990 : *Une rue en hiver avec de nombreux passants et des traîneaux*, h/pan. (33,5x27) : NLG 39 100 – New York, 18 juin 1990 : *Vue d'Amsterdam*, h/t (14,6x11,4) : USD 4 400 – Londres, 22 nov. 1990 : *Canal hollandais*, h/pan. (12,7x10,2) : GBP 3 520 – Amsterdam, 23 avr. 1991 : *Personnages dans une barque sur un canal dans une ville de Hollande*, h/pan. (12x9) : NLG 13 225 – Londres, 19 juin 1991 : *Le vieux marché de Delft*, h/pan. (19x15) : GBP 3 080 – Londres, 17 juin 1992 : *Canal à Amsterdam*, h/t (46,5x61) : GBP 6 050 – Amsterdam, 28 oct. 1992 : *Amsterdam avec des personnages élégants sur un pont basculant*, h/pan. (21,5x17) : NLG 6 900 – Amsterdam, 2 nov. 1992 : *Le quartier juif d'une ville hollandaise*, h/pan. (20,5x16) : NLG 11 500 – Londres, 7 avr. 1993 : *Péniche de foin à quai*, h/pan. (19,5x15,5) : GBP 2 300 – Amsterdam, 9 nov. 1993 : *Personnages dans une rue de ville hollandaise*, h/pan. (19x14,5) : NLG 8 050 – New York, 17 fév. 1994 : *Scène de rue dans une ville hollandaise 1881*, h/pan., une paire (chaque 15,5x20,4) : USD 39 100 – Amsterdam, 7 nov. 1995 : *Scène de rue au bord d'un canal*, h/t (35x43,5) : NLG 12 980 – Londres, 31 oct. 1996 : *Scène sur un canal à Amsterdam*, h/pan. (20,5x16) : GBP 2 990 – Amsterdam, 5 nov. 1996 : *Ville et bateaux sur un canal*, h/t (45x36) : NLG 15 340.

SPOHR Friedrich Wilhelm
Né le 18 mars 1797 à Riga. Mort le 28 septembre 1877 à Riga. XIXe siècle. Allemand.

Paysagiste et portraitiste.

Élève des Académies de Munich et de Dresde.

SPOHR Louis
Né le 5 avril 1784 à Brunswick. Mort le 22 octobre 1859 à Cassel. XIXe siècle. Allemand.
Peintre de portraits amateur.
Élève de Seidel à Königsberg. Il était également compositeur. Le Musée National de Brunswick conserve de lui *Portrait de l'artiste*.

SPOHRER. Voir aussi **SPÖRER**

SPOHRER E. A.
XVIIIe-XIXe siècles. Active à Francfort-sur-le-Main de 1790 à 1825. Allemande.
Peintre de fruits.
Élève de J. D. Bager. Elle peignit à la manière de son maître et beaucoup de ses peintures sont attribuées à celui-ci.

SPOL A.
XIXe siècle. Travaillant en 1834. Belge.
Aquafortiste.
Il peignit des animaux.

SPOL Charles
Né le 16 août 1800 à Bruxelles, de parents français. XIXe siècle. Français.
Peintre.
Il fut élève de Petitot et de Guerin. Il entra à l'école des beaux-arts de Bruxelles, le 15 septembre 1819.

SPOLANDER Roland
XXe siècle. Suédois.
Artiste.
Il fut actif dans les années quatre-vingt. Il a participé en 1992 à l'exposition : *De Bonnard à Baselitz – Dix Ans d'enrichissements du cabinet des estampes 1978-1988* à la Bibliothèque nationale à Paris, avec un livre d'artiste.
BIBLIOGR. : Catalogue de l'exposition : *De Bonnard à Baselitz – Dix Ans d'enrichissements du cabinet des estampes 1978-1988*, Bibliothèque nationale, Paris, 1992.
MUSÉES : PARIS (BN).

SPOLARICH THOMA Laszlo ou **Ladislaus**
Né le 14 novembre 1889 à Nagyszöllos. XXe siècle. Hongrois.
Peintre.
Il fit ses études à Budapest, où il vécut et travailla, et peignit des fresques.

SPOLDI Aldo
Né en 1950 à Crema. XXe siècle. Italien.
Peintre de personnages, pastelliste, auteur d'installations, sculpteur, technique mixte, multimédia.
Il fut élève de l'académie Brera à Milan. Il vit et travaille à Crema. Il participe à des expositions collectives : 1980 Biennale de Paris ; 1981 Galerie nationale d'art moderne de Rome ; 1982 Biennale de Venise, Hayward Gallery de Londres ; 1983 Palais des expositions de Rome, Centre Georges Pompidou à Paris. Il montre ses œuvres dans des expositions personnelles : 1978, 1981, 1983 Milan ; 1978 Rome ; 1980 Gênes ; 1983 New York. Il débuta avec des œuvres conceptuelles, puis évolua avec des peintures figuratives, à la facture naïve, faisant référence au monde de l'enfance, mais aussi à la littérature, en particulier au théâtre, par les titres choisis : *Les Souffrances du Jeune Werther* 1979, *Richard III* 1980 ou *Le Malade imaginaire* 1989, bien que l'image demeure étrangère au sujet évoqué. Spoldi inscrit son travail dans la superficialité. Morcelant son sujet, en général un personnage, sur plusieurs tableaux placés à divers niveaux du mur, de bas en haut de gauche à droite, selon l'ordonnancement du corps et de ses membres (des pieds à la tête), il donne une dynamique matérielle à l'œuvre, une mise en scène théâtrale. Fréquemment, il accompagne l'ensemble de panneaux publicitaires en bois peint. Il a également réalisé une œuvre « totale », réunissant musique, histoire, sculpture, cinéma.
BIBLIOGR. : Catalogue de l'exposition : *Écritures dans la peinture*, Villa Arson, 2 vol., Nice, 1984 – in : *Dict. de l'art mod. et contemp.*, Hazan, Paris, 1992.
VENTES PUBLIQUES : MILAN, 27 mars 1990 : *Maquette pour « Wilhelm Meinster »* 1977, gche et cr./cart. découpé et décalé (110x40) : **ITL 4 000 000** – MILAN, 13 juin 1990 : *Étude pour « Wilhelm Meister »* 1979, temp./cart. (150x100) : **ITL 4 500 000** – MILAN, 15 mars 1994 : *« Le tour du monde en 80 jours »* 1979, past./pap. (140x270) : **ITL 9 200 000**.

SPOLETI Pier Lorenzo
Né en 1680 à Finale. Mort en 1726 à Finale. XVIIIe siècle. Italien.

Peintre de portraits et copiste.
Élève de Domenico Piola ; il travailla à Madrid et à Lisbonne.

SPOLVERINI Alessandro
XVIIe siècle. Actif à Parme. Italien.
Peintre.

SPOLVERINI Hilario, Ilario ou **Pier Ilario**, dit **Mercanti**
Né le 13 janvier 1657 à Parme. Mort le 4 août 1734 à Parme. XVIIe-XVIIIe siècles. Italien.
Peintre d'histoire, compositions religieuses, sujets militaires, batailles, scènes de genre, portraits.
Il fut élève de Francesco Monti. Il fut fréquemment employé par le duc François de Parme, à la cour duquel il aurait collaboré avec Francesco Bibbiena.
Il peignit quelques tableaux religieux, notamment à la Chartreuse et à la cathédrale de Parme, mais son genre véritable fut les batailles, les attaques de bandits, les scènes de violence qu'il traduisait avec beaucoup de verve.
MUSÉES : NAPLES (Mus. Nat.) : *Portrait équestre d'Antonio Farnèse* – PARME (Gal.) : Trois peintures représentant des batailles – *Portrait d'Elisabetta Farnèse, reine d'Espagne* – VENISE (Mus. Correr) : Quarante-huit scènes de guerre.
VENTES PUBLIQUES : MILAN, 25 nov. 1965 : *Bataille* : **ITL 800 000** – MILAN, 29 nov. 1973 : *Scène de bataille* : **ITL 6 000 000** – VIENNE, 30 nov. 1976 : *Le Jeu de boules*, h/t (35x60,5) : **ATS 100 000** – MILAN, 5 déc. 1978 : *Scènes de bataille*, deux h/t (73x136) : **ITL 8 500 000** – MILAN, 26 mai 1981 : *Scènes de bataille*, h/t (66x90) : **ITL 26 000 000** – MILAN, 8 mai 1984 : *Scène de bataille* ; *La fin de la bataille*, h/t, une paire (73x136) : **ITL 15 000 000** – MILAN, 4 avr. 1989 : *Bataille*, h/t (76x127) : **ITL 29 000 000** – NEW YORK, 1er juin 1990 : *Engagements de cavalerie sous les murailles d'une ville fortifiée*, h/t, une paire (101x141) : **USD 44 000**.

SPONG W. B.
XIXe siècle. Britannique.
Peintre de genre.
Il séjourna quelque temps en Australie, puis retourna en Angleterre. Le Musée de Sydney conserve de lui : *Scène de rue au Caire* (aquarelle).

SPÖNGLER Andreas. Voir **SPÄNGLER**

SPONSWAGER Thomas
Mort le 9 mars 1735 à Munich. XVIIIe siècle. Allemand.
Peintre.
Il travailla à Nymphenbourg et pour la ville de Munich.

SPONT Pieter
Mort le 13 septembre 1797. XVIIIe siècle. Actif à Alkmaar. Hollandais.
Graveur.
Il exécuta des gravures représentant des instruments de musique.
MUSÉES : ALKMAAR.

SPOONER Arthur
XXe siècle. Britannique.
Peintre d'animaux, paysages, fleurs.
Il fut actif de 1890 à 1955. Il participa aux expositions de la Royal Academy de Londres de 1907 à 1941.
VENTES PUBLIQUES : LONDRES, 2 oct 1979 : *La nymphe des eaux*, h/t (105x49) : **GBP 900** – LONDRES, 12 juin 1985 : *La moisson* ; *Le laboureur*, h/t, une paire (60x90) : **GBP 5 200** – LONDRES, 6 mars 1986 : *The Nottingham Boat Club* 1894, h/t (100x161) : **GBP 85 000** – LONDRES, 29 juil. 1988 : *Trois chevaux de labour*, h/cart. (27,5x35) : **GBP 715** – LONDRES, 17 juin 1992 : *Iris (d'après un poème de Shelley)* 1905, h/t (152,5x61) : **GBP 16 500** – LONDRES, 6 nov. 1995 : *Un charroi de bois*, h/t (71x92) : **GBP 11 500**.

SPOONER Charles
Né vers 1720 dans le comté de Wexford. Mort le 5 décembre 1767 à Londres. XVIIIe siècle. Irlandais.
Graveur au burin à la manière noire.
Élève de J. Brookes. Il grava des portraits d'après Rembrandt, Téniers et ses propres modèles.

SPOOL Cornelis Rudolf Hendrik
Né le 2 août 1867 à La Haye. XIXe-XXe siècles. Hollandais.
Peintre de portraits, paysages.
Il fut élève de l'académie des beaux-arts d'Amsterdam et de Willem Maris.
MUSÉES : HAARLEM (Mus. Frans Hals) : *Portrait d'une dame*.

SPOOR W. J. L.
Né à Budel. Mort après 1810. XIXe siècle. Hollandais.

Dessinateur, peintre et aquafortiste amateur.
Élève de Heindrik J. Antonissen dont il imita la manière au début de sa carrière. Il fut le maître du prince Guillaume V. On lui doit beaucoup de copies d'après Paul Potter.

SPOORS Mathias ou Matthys
Mort le 12 octobre 1654 à Delft, dans l'explosion d'une poudrière. XVIIe siècle. Hollandais.
Peintre.
Élève de Carel Fabritius.

SPOORWATER Hendrik
Mort avant 1702. XVIIe siècle. Hollandais.
Peintre.
Il travailla à Haarlem vers 1664.

SPOR Joseph
Né à Forbach (Moselle). XIXe siècle. Français.
Peintre, portraitiste et dessinateur.
Élève de Hebert et de Bonnat. Il débuta au Salon de 1867.

SPOR Michael. Voir SPÖRER Michael

SPOR Sebastian
XVIIIe siècle. Autrichien.
Peintre.
Il a peint Sainte Rose pour l'église Saint-Egide de Prague.

SPORCK Johann Rudolph
Né en 1695. Mort le 21 janvier 1759 à Prague. XVIIIe siècle. Autrichien.
Dessinateur.
Il était évêque. Il fut un grand mécène et dessina, surtout des portraits dont on en connaît plus de sept cents.

SPORCKMANS Huybrecht. Voir SPORKMANS

SPORER. Voir aussi SPORRER

SPORER Bernhard
Mort en 1526 à Chringen. XVIe siècle. Allemand.
Sculpteur et architecte.
Il sculpta un tabernacle et un Ecce Homo dans l'église de Gemmrigheim vers 1525.

SPÖRER Eduard. Voir SPOERER Eduard

SPORER Hans ou Johannes
Né en 1573 à Bayreuth. XVIe-XVIIe siècles. Allemand.
Peintre.
Fils de Wolf S. I. On cite de lui une miniature.

SPORER Johann
Né vers 1720 à Sommerach. Mort le 23 avril 1759 à Rome. XVIIIe siècle. Allemand.
Sculpteur sur pierre et sur ivoire.
Il se fixa à Rome en 1739. Le Musée de Schwerin possède de lui Hercule luttant avec l'Hydre et Apollon luttant avec Python.

SPORER Johann
Né le 17 juillet 1862 à Schwendberg. XIXe-XXe siècles. Autrichien.
Sculpteur de compositions religieuses, figures.
Il fut élève de Matthäus Schiestl à Wurzbourg. Il sculpta des figurines de crèche en bois.

SPORER Josef
Né le 11 avril 1906 à Ramsau (vallée de Ziller). XXe siècle. Autrichien.
Sculpteur.
Fils de Johann Sporer, il travailla à Innsbruck.

SPORER Matthias
XVIIIe siècle. Actif à Sommerach dans la première moitié du XVIIIe siècle. Allemand.
Sculpteur.
Il sculpta le buffet d'orgues de l'église de Volkach.

SPORER Michael ou Spor
XVIe-XVIIe siècles. Actif à Bautzen. Allemand.
Peintre.
Il travailla pour des églises et pour l'Hôtel de Ville de Bautzen.

SPORER Seraphin
XVIIIe siècle. Actif à Ljubljana. Autrichien.
Peintre.
Il se fit frère franciscain. Cité à Ljubljana le 2 janvier 1737.

SPORER Wolf I
Né vers 1527 à Bayreuth. Mort après 1591. XVIe siècle. Allemand.

Peintre, sculpteur, graveur au burin et verrier.
Il travailla pour les églises de Bayreuth et de Meissen.

SPORER Wolf II
Né en 1566 (?) à Bayreuth. Mort le 9 novembre 1614 à Dantzig. XVIe-XVIIe siècles. Allemand.
Peintre et graveur sur bois.
Frère de Hans S. Il exécuta des sculptures dans l'église Notre-Dame de Dantzig et dans l'église d'Oliva.

SPORIKHINA Alla
Née en 1958. XXe siècle. Russe.
Peintre.
Elle fut élève de l'école des beaux-arts de Rostov et devint membre de l'Union des Artistes d'URSS.
VENTES PUBLIQUES : PARIS, 9 déc. 1991 : Les pains de campagne, h/t (90x90) : FRF 8 000.

SPORKMANS Huybrech ou Huibrecht ou Herbert ou Sporckmans
Baptisé à Anvers le 13 octobre 1619. Enterré à Anvers le 14 août 1690. XVIIe siècle. Éc. flamande.
Peintre.
Probablement élève de Rubens. Maître en 1640, doyen de la gilde en 1658. Il épousa en 1654, Maria Catherina Bœst, et, en 1688 Maria Anna Van der Broek. Le Musée d'Anvers conserve de lui : La ville d'Anvers prie l'empereur Ferdinand de rouvrir l'Escaut.

HVBERTVS SPORCKMANS PiNXiT

VENTES PUBLIQUES : LONDRES, 8 fév. 1978 : Portrait d'un gentilhomme, h/t (66x53,5) : GBP 1 600 – LONDRES, 20 oct. 1982 : Portrait présumé du baron Van Amerogen, h/t (65x52) : GBP 1 400.

SPORKMANS Peter
Mort le 2 juin 1656 à Vienne. XVIIe siècle. Autrichien.
Peintre.
Il travailla pour le comte de Schwarzenberg à Bruxelles.

SPÖRL Conrad
XVIe-XVIIe siècles. Actif à Nuremberg de 1581 à 1610. Allemand.
Graveur sur bois.

SPÖRL G. F.
XVIIe siècle. Actif à Cologne en 1682. Allemand.
Dessinateur.

SPÖRL Hans
XVIIe siècle. Travaillant à Nuremberg de 1604 à 1621. Allemand.
Graveur sur bois et peintre.
Graveur, il fut aussi connu comme peintre de messages.

SPÖRL Hans Conrad
XVIIe siècle. Actif à Nuremberg de 1607 à 1641. Allemand.
Peintre et graveur.
Le Musée Germanique de Nuremberg possède des armures gravées par cet artiste.

SPÖRL Jobst I
XVIe siècle. Travaillant à Nuremberg en 1560. Allemand.
Peintre.
Il a peint des enfants.

SPÖRL Jobst II
Né en 1583 à Nuremberg. Mort en 1665. XVIIe siècle. Allemand.
Graveur sur bois, illustrateur, peintre.
Il exécuta aussi des illustrations de livres et fut connu comme peintre de messages.

SPÖRL Jobst III
XVIIe siècle. Travaillant à Nuremberg de 1648 à 1661. Allemand.
Graveur sur bois.

SPÖRL Johann, le Jeune
XVIIe siècle. Travaillant à Nuremberg en 1677. Allemand.
Sculpteur.

SPÖRL Marx
XVIIe siècle. Travaillant à Nuremberg de 1610 à 1621. Allemand.
Peintre.
Il fut aussi connu comme peintre de messages.

SPORLEDER Gottfried
Mort vers 1750. XVIIIe siècle. Travaillant à Halle et à Quedlinbourg. Allemand.
Portraitiste.

SPORLEDER Johann Christian Heinrich
Né en 1719 à Halle. XVIIIᵉ siècle. Allemand.
Peintre.
Fils de Gottfried S. Il fut peintre de l'Université de Halle.

SPORNBERG W.
D'origine suédoise. XVIIIᵉ-XIXᵉ siècles. Travaillant à Bath de 1793 à 1805. Britannique.
Miniaturiste et silhouettiste.
Le Musée Victoria et Albert de Londres et la Galerie Nationale de Washington conservent des miniatures de cet artiste.

SPORNBERGER Adam
XVIIᵉ siècle. Travaillant à Innsbruck en 1694. Autrichien.
Peintre.

SPORNIKOV Boris Alexandrovich
Né en 1930 à Kiev. XXᵉ siècle. Russe.
Peintre de compositions animées, portraits, paysages.
Il entra en 1951 à l'Institut des Beaux-Arts de Kiev où il étudia sous la direction de Trokhimenko, obtenant son diplôme en 1957. Il fut membre de l'Union des Artistes en 1962. Il vit et travaille actuellement à Kiev.
Il participe à de nombreuses expositions nationales et internationales, notamment au Canada, au Japon, en Turquie et en Tchécoslovaquie.
Musées : KHARKOV – KIEV – MOSCOU – OMSK – TULA.
VENTES PUBLIQUES : PARIS, 19 juin 1991 : *Printemps* 1976, h/t (120x100) : **FRF 4 000.**

SPÖRR Franz
Mort le 22 septembre 1882 à Telfs. XIXᵉ siècle. Actif à Hötting, près d'Innsbruck. Autrichien.
Peintre.
Élève de l'Académie de Vienne. Il exécuta des tableaux d'autel, des fresques et des vitraux pour des églises du Tyrol.

SPORRER. Voir aussi **SPÖRER**

SPORRER Fidelis
Né en 1733 à Weingarten. Mort en 1811 à Guebwiller (Haut-Rhin). XVIIIᵉ-XIXᵉ siècles. Français.
Sculpteur sur bois.
Il fit ses études à Stuttgart, à Augsbourg et à Munich. Il exécuta des sculptures pour les églises de Guebwiller, de Weingarten et de Willingen. Le Musée de Strasbourg conserve de lui *Après la descente de Croix* (groupe en bois).

SPORRER Nikolaus
XVIIIᵉ siècle. Actif à Constance. Suisse.
Sculpteur.
Il sculpta la fontaine de Moïse sur la place de la cathédrale de Berne en 1791.

SPORRER Philipp ou **Spörer**
Né le 1ᵉʳ mai 1829 à Murnau. Mort le 30 juillet 1899 à Munich. XIXᵉ siècle. Allemand.
Peintre de genre, portraits, paysages, illustrateur.
Il fut élève de l'Académie de Munich. Ami de Spitzweg, il imita sa manière.
Musées : MUNICH (Mus. mun.) : *Paysage de montagne* – MUNICH (Mus. Nat.) : *Trois fresques* – MUNICH (Nouvelle Pina.) : *Portrait du peintre Spitzweg.*
VENTES PUBLIQUES : NEW YORK, 15-16 mars 1906 : *Bains défendus* : **USD 100** – MUNICH, 25 nov. 1976 : *Il est interdit de se baigner ici* 1888, h/t (53,5x77) : **DEM 8 500** – MUNICH, 18 mars 1982 : *Kirchgang* 1886, h/t : **DEM 12 000** – MUNICH, 20 oct. 1983 : *Chemin en haute montagne,* h/t (30x24) : **DEM 3 600.**

SPORRER Théobald Joseph
Né en 1857 à Bordeaux (Gironde). XIXᵉ siècle. Français.
Sculpteur et médailleur.
Élève de son père. Sociétaire des Artistes Français depuis 1886, il figura au Salon de ce groupement ; mention honorable en 1893.
Musées : LIMOGES : *Médaillons de Jourdan (deux œuvres), Bugeaud, Gay-Lussac.*

SPÖRRI Eduard
Né en 1901. XXᵉ siècle. Suisse.
Sculpteur de figures allégoriques, nus, bustes, portraits, dessinateur.
Musées : AARAU (Aargauer Kunsthaus) : *Petit veau couché* vers 1925-30, bronze – *Tête de jeune fille (Anna, sœur de l'artiste)* 1927,

bronze – *Jeune fille debout* 1927-30, bronze – *Nu féminin assis* 1932, dess. – *Tête de garçon* vers 1935-40, bronze – *Baigneuse debout* 1939, plâtre – *Baigneuse* 1944, relief en bronze – *Tête de Otto Ernst* 1945, bronze – *Tête du Docteur Arthur Frey* 1947, bronze – *Printemps* 1948, relief en bronze – *Automne* 1950, relief en bronze – *Nu féminin avec chaise et serviette* 1951, encre de Chine – *Penseuse* 1953, bronze – *Baigneuse accroupie* 1960, bronze – *Buste du Docteur Ernst Bachmann* 1967, bronze – *Tête du Docteur Paul Hausherr* 1972, bronze – *Nu féminin assis* 1980, cr. – nombreuses autres œuvres.
VENTES PUBLIQUES : ZURICH, 29 mai 1976 : *Nu agenouillé,* bronze (H. 29,5) : **CHF 2 500.**

SPOT de
Né près de Bruges (Flandre-Occidentale). XXᵉ siècle. Actif aussi en France. Belge.
Peintre de paysages, marines.
Il vit et travaille à Paris et Bruxelles.
Il participe à des expositions collectives en Belgique, en France, notamment au Salon des Artistes Français à Paris, dont il fut membre sociétaire, en Allemagne et Grande-Bretagne. Il montre ses œuvres régulièrement dans des expositions personnelles depuis 1962 en Belgique.
Il réalise des paysages déserts, aux larges horizons, traversés parfois d'un personnage, d'un oiseau, qui possèdent une fraîcheur enfantine. Retenant une lumière intense, il privilégie les contrastes de couleurs, jaunes, bleus, verts acidulés.

SPOTKOVSZKY Karoly ou **Karl**
Né le 22 juin 1858 à Apatfalva. Mort en 1936 à Satoralja-Ujhely. XIXᵉ-XXᵉ siècles. Hongrois.
Peintre de figures.

SPÖTTL Theodor
Né le 23 avril 1872 à Arnsdorf. XIXᵉ-XXᵉ siècles. Autrichien.
Peintre de compositions religieuses.
Il fit ses études à Munich. Il vécut à Meran. Il travailla pour des églises du Tyrol.

SPOWERS Ethel
Née en 1890. Morte en 1947. XXᵉ siècle. Australienne.
Graveur de paysages, illustrateur.
À l'âge de quinze ans, elle eut deux de ses dessins reproduits dans le *Australian.* Elle fut élève de la National Gallery School de Victoria puis vint à Londres étudier, notamment de 1928 à 1931 à la Grosvenor School of Modern Art de Londres, dirigée par Iain MacNab, et où elle eut pour professeur Claude Flight.
Elle a exposé en Australie, à la Victorian Artists' Society, à la Arts and Craft Society, au Women's Art Club et au Lyceum Club. De 1920 à 1936, elle a montré six expositions personnelles de ses œuvres.
Elle représenta dans de nombreuses œuvres les enfants et leurs jeux puis s'inspira du monde industriel, dans une vision moderniste.
BIBLIOGR. : In : *Creating Australia – 200 Years of art 1788-1988,* The Art Gallery of South Australia, Adelaïde, 1988.
Musées : CANBERRA (Austral. Nat. Gal.) : *The Works Yallourn* 1933.

SPRADBERRY Walter Ernest
Né le 29 mars 1889 à Dulwich. XXᵉ siècle. Britannique.
Peintre de paysages.
Paysagiste, il a réalisé également des affiches.

SPRAGUE Howard Freeman
Né en 1871 à Huron (Ohio). Mort le 15 mai 1899 à Buffalo (New York). XIXᵉ siècle. Américain.
Peintre de marines, illustrateur.
VENTES PUBLIQUES : PARIS, 6 déc. 1990 : *Croiseur russe au mouillage avec d'autres bâtiments de guerre,* lav. d'encre de Chine avec reh. de gche (64x90) : **FRF 9 000.**

SPRAGUE Martin
XVIIIᵉ siècle. Américain.
Portraitiste et graveur au burin.
Il travailla à Boston.

SPRAGUE-PEARCE Charles. Voir **PEARCE Charles Sprague**

SPRANCK Marcel Henri
Né le 1ᵉʳ novembre 1896 à Chantilly (Oise). XXᵉ siècle. Français.
Sculpteur.
Il exposa à Paris, au Salon des Artistes Français à partir de 1926.

SPRANDEL Johann Christoph. Voir **SPRANTHEL**

SPRANGER Bartholomaeus ou **Sprangers** ou **Sprangerson**, dit aussi **Spranger Van den Schilde**
Né le 21 mars 1546 à Anvers. Mort en août 1611 à Prague.
XVIᵉ-XVIIᵉ siècles. Éc. flamande.
Peintre et aquafortiste.
Fils du riche marchand d'Anvers Joachim Sprangher. Ayant montré un goût marqué pour la peinture, il fut élève de Jan Mandyn, en 1557 à Haarlem, puis de Frans Mostaert et de Corn. Van Dalem. Il travailla à Paris vers 1565 avec Marc Duval le sourd et il y connut des œuvres des maîtres de Fontainebleau. Il alla ensuite à Lyon, à Milan, à Parme, où on le cite étudiant avec Bernardino Gatti et à Rome. Dans cette ville, il travailla trois ans pour le cardinal Farnèse au château de Caprarola et pour le pape Pie V. Ces travaux terminés, il se rendit à Vienne en 1575 près de l'empereur Maximilien II qui le nomma son premier peintre. L'empereur Rodolphe lui continua cette faveur. En 1582, il l'accompagna à Augsbourg, fut peintre de la chambre impériale en 1584 et anobli en 1588. En 1602, il retourna aux Pays-Bas puis revint à Cologne et Prague, où il acheva sa carrière. Il a fait aussi de la sculpture. Les exemples du Parmesan et du Corrège, étudiés en Italie, des peintres de Fontainebleau en France, l'amenèrent à figurer parmi les créateurs de ce style « maniériste » si caractéristique du XVIᵉ siècle à travers toute l'Europe. Il peignait soit de grandes compositions décoratives, soit de petits panneaux sur cuivre. Que ses thèmes fussent bibliques ou mythologiques, il les choisissait en fonction des occasions qu'ils offraient de représenter des nus, dont il exploite les ressources érotiques sans aucune dissimulation, jouant souvent du contraste entre les guerriers de cour musclés et la sveltesse souple et maniérée de femmes aux amples avantages que ne démentent ni les visages minaudiers, ni les poses alanguies ; le climat de prélude galant étant également établi grâce à une étrange gamme colorée, de quelques tons acides irritant de nombreuses demi-teintes doucereuses. Dessinateur minutieux, attentif au détail révélateur, il eut un rôle important dans la création, et surtout la propagation, de ce maniérisme érotique. ■ J. B.

BART SPRANGER.

B-S
1592

B
Epoxyngerf

BIBLIOGR. : Robert Genaille, in : *Diction. Univers. de l'Art et des Artistes*, Hazan, Paris, 1967.
MUSÉES : ANVERS : *Jésus appelant à lui les enfants* – BRUNSWICK : *Sainte Famille* – BRUXELLES : *Suzanne justifiée par Daniel*, contesté – BUDAPEST : *Sainte Barbe* – CHICAGO : *Mars* – FLORENCE : *L'artiste* – *Adoration* – FRIEDLAND : *Le ressuscité* – GRAZ : *Vénus reçue par Cérès et Bacchus* – *Mars*, *Vénus et l'Amour* – LINZ : *Ulysse et Circé* – MAYENCE : *Sainte Famille et anges* – MILAN (Ambrosiana) : *Conversion de saint Paul* – NUREMBERG (Mus. Germanique) : *Jugement de Midas* – *Vénus, Mercure et l'Amour* – *Suzanne au bain* – OLDENBOURG : *Amour et Psyché* – OSLO : *Diane et Actéon* – *Guerrier avec bouclier* – PARIS (Mus. du Louvre) : *La Justice* – PRAGUE : *Sainte Élisabeth* – *Résurrection* – SAINT-PÉTERSBOURG (Mus. de l'Ermitage) : *Vénus et les Grâces* – SCHLEISSHEIM : *Suzanne au bain* – *Apollon et Pan* – TROYES : *Vénus et l'Amour* – TURIN : *Jugement dernier* – VIENNE : *Ulysse et Circé*, deux œuvres – *Vénus et Mars* – *L'artiste* – *Sa femme* – *Vénus et Mercure* – *Vulcain* – *La victoire de la Sagesse sur l'Ignorance* – *Allégorie sur les vertus de l'empereur Rodolphe II* – *Hercule et Omphale* – *Apollon et les Muses*, marbre – *Glaucus et Scylla* – *Salmacis et l'hermaphrodite* – *Hercule et Déjanire* – *Mars, Vénus et l'Amour* – *Cérès et Bacchus quittent Vénus* – *Vénus et Adonis* – *Le péché originel* – *Jupiter et Antiope* – *Les trois saintes femmes au tombeau* – VIENNE (Gal. Liechtenstein) : *Autoportrait*.
VENTES PUBLIQUES : PARIS, 1776 : *Paysage et grotte, dans laquelle on voit Loth caressant une de ses filles ; Composition sur le même sujet*, deux dess. à la pl. et à l'encre de Chine : **FRF 50** – PARIS, 4 juin 1891 : *Portrait de femme* : **FRF 510** – PARIS, 10 juin 1893 : *Loth et ses filles* : **FRF 350** – DIJON, 1894 : *Ecce Homo* : **FRF 200** – AMSTERDAM, 23 juin 1910 : *Un bal au XVIᵉ siècle* : **NLG 240** – PARIS, 9 déc. 1910 : *Vertumne et Pomone* : **FRF 450** – PARIS, 27 avr. 1921 : *Loth et ses filles* : **FRF 1 000** – PARIS, 26 fév. 1923 : *Un fes-*

tin, pl. et sépia : **FRF 165** – PARIS, 25 avr. 1925 : *Cléopâtre*, lav. de Chine : **FRF 160** – PARIS, 28 et 29 juin 1926 : *Faune blessé*, sanguine : **FRF 280** – PARIS, 25 mai 1927 : *Portrait présumé de Christiane Muller, femme du peintre* : **FRF 4 000** – PARIS, 23 mai 1928 : *La mise au tombeau*, dess. : **FRF 750** – PARIS, 10 déc. 1930 : *Festin bachique*, pl. et lav. de sépia : **FRF 720** – PARIS, 28 nov. 1934 : *Figure allégorique : L'Abondance*, pl. et lav. de bistre : **FRF 170** – PARIS, 16 oct. 1940 : *Le festin des dieux*, sanguine : **FRF 260** – PARIS, 17 mars 1943 : *L'arrivée du voyageur*, pl. et lav. de bistre : **FRF 18 000** – PARIS, 12 avr. 1954 : *La fuite en Égypte*, pl. lavée d'encre de Chine : **FRF 14 000** – LONDRES, 28 fév. 1964 : *L'Ascension* : **GNS 700** – COLOGNE, 18 nov. 1965 : *Mercure et Psyché* : **DEM 10 500** – LUCERNE, 15 et 16 juin 1967 : *Vénus, Adonis et Cupidon* : **CHF 16 000** – LONDRES, 11 déc. 1980 : *Apollon*, pl. et reh. de blanc (21x14) : **GBP 2 400** – PARIS, 16 nov. 1984 : *Enfant debout de profil vers la gauche tenant une brassée de fleurs*, pl. et lav. (16x9) : **FRF 23 000** – LONDRES, 5 déc. 1985 : *Saint Sébastien attaché à l'arbre*, eau-forte (19,5x9,1) : **GBP 23 000** – LONDRES, 19 fév. 1987 : *Triomphe de la Sagesse*, pl. et lav./pap. gris-vert (32x21,5) : **GBP 12 000**.

SPRANGER Eduard
XIXᵉ siècle. Actif dans la première moitié du XIXᵉ siècle. Allemand.
Peintre d'architectures.
Élève de l'Académie de Berlin. Il exposa dans cette ville de 1826 à 1839. Le Musée Provincial de Berlin conserve de lui trois dessins à l'encre de Chine.

SPRANGER W.
XIXᵉ siècle. Britannique (?).
Paysagiste.
Le Musée de Cape Town conserve de lui : *Florence*.

SPRANGER Van den Schilde Bartholomaeus. Voir **SPRANGER Bartholomaeus**

SPRANTHEL Johann Christoph ou **Sprandel**
Né vers 1742 à Ludwigsbourg. Mort le 14 août 1804 à Ludwigsbourg. XVIIIᵉ siècle. Allemand.
Peintre sur porcelaine.
Il travailla à la Manufacture de porcelaine de sa ville natale de 1770 à 1804.

SPRAVKIN Silvina
Née en 1954 à Buenos Aires, de parents russes. XXᵉ siècle. Active en Hollande. Argentine.
Sculpteur. Réaliste.
Elle a travaillé en Italie.
Ses sculptures en marbre blanc ont pour thème, presque abstrait, des drapés d'étoffes.
BIBLIOGR. : In : catalogue de l'exposition *Une patience d'ange*, gal. Lieve Hemel, Amsterdam, 1995.

SPREAD Henry Fenton
Né en 1844 à Kinsale. XIXᵉ siècle. Irlandais.
Portraitiste et peintre de genre.
Élève de Rivière et de H. Warren à Londres et d'E. Slingeneyer à Bruxelles. Il travailla en Australie.

SPRED William
Mort en 1909. XIXᵉ-XXᵉ siècles. Britannique.
Peintre d'architectures, paysages, graveur.
Il fut élève de Charles Verlat à Anvers. Il exposa de 1880 à 1889 à la Royal Academy de Londres, où il vécut et travailla.
Graveur, il réalisa des eaux-fortes. Il représenta des vues et des architectures.

SPREAFICO Eugenio
Né le 18 janvier 1856 à Monza (Lombardie). Mort le 18 octobre 1919 à Magreglio. XIXᵉ-XXᵉ siècles. Italien.
Peintre de genre, paysages.
Il exposa à Milan, Rome, Turin.
MUSÉES : MILAN (Gal. d'Art Mod.) : *Paysage*.
VENTES PUBLIQUES : MILAN, 6 nov. 1980 : *Bords de l'Adda*, h/t (30x47) : **ITL 850 000** – MILAN, 22 avr. 1982 : *Jeune femme assise dans un paysage*, h/t (62x86) : **ITL 10 000 000** – MILAN, 19 oct. 1989 : *Séchage de draps sur l'herbe pour le blanchir*, h/pan. (27,5x36) : **ITL 18 000 000** – MILAN, 6 déc. 1989 : *Maisons au bord d'un lac*, h/t (35,5x61) : **ITL 13 500 000** – MILAN, 19 mars 1992 : *Maisons de Magreglio*, h/pan. (24x30) : **ITL 11 000 000** – MILAN, 14 juin 1995 : *Campagne dans les environs de Monza avec des cultivateurs*, h/t (34x51) : **ITL 10 925 000**.

SPREAFICO Luigi
Mort le 29 septembre 1923. XIXᵉ-XXᵉ siècles. Italien.

Peintre de paysages, paysages urbains.
Il fut élève de l'académie Brera à Milan, où il exposa de 1869 à 1874, des vues de villes et un jardin.

SPREAFICO Teresa
Née à Milan. XIXe siècle. Active dans la première moitié du XIXe siècle. Italienne.
Miniaturiste.
Elle exposa à Milan de 1827 à 1834 des miniatures et des portraits.

SPREAT W.
XIXe siècle. Actif à Exeter. Britannique.
Paysagiste.
Il exposa à Londres de 1841 à 1848. La Galerie d'Art d'York conserve deux peintures de cet artiste.

SPRECHER Friedrich Daniel
Né vers 1780 à Berlin. Mort après 1840. XIXe siècle. Allemand.
Peintre de portraits, peintre de miniatures.
Élève à l'Académie de Mannheim de Lamine et de Verhelst. Il se fixa à Berlin en 1802.

SPRECHER VON BERNEGG Andreas ou Johann Andreas
Né le 13 janvier 1764 à Luzein. Mort le 25 août 1841 à Jenins. XVIIIe-XIXe siècles. Suisse.
Peintre de fleurs, de fruits et de paysages.
Le Musée de Zurich possède de lui *Nature morte avec des raisins.*

SPRENG Anton
Né le 15 mars 1770 à Schwechat près de Vienne. Mort le 18 décembre 1845 à Vienne. XVIIIe-XIXe siècles. Autrichien.
Peintre d'histoire et portraitiste.
Élève, à l'Académie de Vienne, de Hubert Maurer. Il exécuta des fresques et des tableaux d'autel pour la cathédrale de Steinamanger et les églises de Reidling et de Kalksbourg.

SPRENG Otto
Né le 18 septembre 1877 à Langenthal. XXe siècle. Suisse.
Peintre de paysages.
Il fut élève de l'académie des beaux-arts de Paris. Il peignit des façades à Lucerne.
MUSÉES : BERNE – LUCERNE.

SPRENG Peter ou Spring
XVIe-XVIIe siècles. Actif à Fribourg (Suisse). Suisse.
Sculpteur.
Il sculpta le maître-autel de l'église de Fribourg.

SPRENGEL Ambrosius ou Ambrozy
Né à Dantzig. Mort en 1694 à Dantzig. XVIIe siècle. Polonais.
Peintre d'histoire.
Il peignit des tableaux d'église et des tableaux d'histoire.

SPRENGEL Christ
XVIIIe siècle. Travaillant en 1735. Hollandais.
Aquarelliste.

SPRENGEL Theodor
Né le 18 septembre 1832 à Waltershausen. Mort le 21 juin 1900 à Reval. XIXe siècle. Allemand.
Peintre et poète.
Élève de l'Académie de Dresde et de Th. Hildebrandt à Düsseldorf. Il travailla en Finlande et à Reval.

SPRENGER
XIXe siècle. Actif à Altenbourg en 1814. Allemand.
Dessinateur.
Il dessina des architectures.

SPRENGER Jean
Né le 2 avril 1869 à Brügg. XIXe-XXe siècles. Suisse.
Peintre, graveur.
Il fit ses études à Paris. Peintre, il pratiqua également la gravure sur bois.

SPRENGER Johann
XVIe siècle. Autrichien.
Enlumineur.
Il appartenait à l'ordre des Bénédictins à Andechs à la fin du XVIe siècle.

SPRENGER Markus
XVIe siècle. Actif à Hambourg. Allemand.
Sculpteur.
Il exécuta des sculptures sur la façade de la tour de l'église Sainte-Catherine de Hambourg.

SPRENGER Maurice Isabelle
Née à Bordeaux (Gironde). XIXe siècle. Française.
Peintre de fleurs.
Élève de M. Auguin, Lalanne et Jeannin. Elle débuta au Salon de 1880.
VENTES PUBLIQUES : LONDRES, 21 mars 1997 : *Asters et chrysanthèmes dans un panier* 1885, h/t (105x121) : GBP 4 830.

SPRENGER Peter
Mort en 1791. XVIIIe siècle. Actif à Würzburg. Allemand.
Dessinateur de vues et graveur au burin.
Il exécuta des illustrations de récits de voyages.

SPRENGER Wilhelm
Né le 10 octobre 1850 à Rosenberg. XIXe siècle. Actif à Berlin. Allemand.
Peintre de genre, portraitiste et paysagiste.
Élève de Gussow.

SPRENGHOLZ Peter
Né en 1936 à Lubeck (Schleswig-Holstein). Mort en 1968. XXe siècle. Allemand.
Peintre, illustrateur.
Il vécut à partir de 1950 à Céret. Il a participé en 1992 à l'exposition : *De Bonnard à Baselitz – Dix Ans d'enrichissements du cabinet des estampes 1978-1988* à la Bibliothèque nationale à Paris.
BIBLIOGR. : Catalogue de l'exposition : *De Bonnard à Baselitz – Dix Ans d'enrichissements du cabinet des estampes 1978-1988*, Bibliothèque nationale, Paris, 1992.
MUSÉES : PARIS (BN) : *La Sardane.*

SPRETI Karl de, comte
Né en 1806 à Munich. Mort en 1865 à Munich. XIXe siècle. Allemand.
Peintre et aquafortiste amateur.
Il séjourna en Grèce. Il grava des scènes militaires et des chevaux. Le Musée de Munich conserve des dessins de cet artiste.

SPREUWEN Jacob Van ou Sprenwen
Né en 1611 à Leyde. XVIIe siècle. Éc. flamande.
Peintre de genre, figures, intérieurs.
Il fut élève de Gérard Dou et travailla à Leyde. Il épousa en 1650 la veuve de P. Quast.

J SPREU
J . v. sprewen 164

MUSÉES : AMSTERDAM : *Philosophe dans son cabinet de travail* – COPENHAGUE : *Ermite en prière* – LEIPZIG : *Le géographe* – OSLO : *Intérieur de cuisine* – UTRECHT : *Peintre dans son atelier.*
VENTES PUBLIQUES : LONDRES, 6 avr. 1977 : *Intérieur de cuisine*, h/t (66x74,5) : GBP 2 000 – AMSTERDAM, 12 juin 1990 : *Atelier de peintre avec un jeune homme près d'une table drapée et d'objets destinés à une vanité*, h/pan. (54,4x42,5) : NLG 8 050 – AMSTERDAM, 16 nov. 1994 : *Moine pénitent*, h/cuivre (38x33) : NLG 6 325 – NEW YORK, 12 jan. 1995 : *Un artiste dans son atelier*, h/pan. (30,5x36,8) : USD 46 000 – LONDRES, 5 avr. 1995 : *Intérieur avec un savant et une vieille femme filant près d'une cheminée*, h/pan. (46x56,5) : GBP 12 075.

SPREWITSCH Alexander Nikolaiévitch
Né le 30 juin 1834 à Moscou. Mort le 19 juillet 1884 à Moscou. XIXe siècle. Russe.
Graveur.
Il grava des portraits.

SPRICK Johann
XIXe siècle. Actif dans la première moitié du XIXe siècle. Allemand.
Peintre et lithographe.
Élève de l'Académie de Berlin. Il peignit des paysages, des marines, des architectures, des portraits et des scènes de genre.

SPRIECMAN L. A.
Né en 1739. Mort en 1829. XVIIIe-XIXe siècles. Allemand.
Peintre.
Il a peint des scènes religieuses dans l'église protestante de Meddersheim.

SPRIET Jan Frans Van
XIXe siècle. Actif à Tournai. Éc. flamande.
Peintre.
Vers 1808, élève de l'Académie d'Anvers.

SPRIET Jan Van der ou Spriett
Né vers 1700 à Delft. Mort probablement à Londres. XVIIIe siècle. Hollandais.

Peintre portraitiste et graveur au burin à la manière noire.
Il fut élève à l'orphelinat de Delft, puis élève de J. Verkolje. Il alla en Angleterre. On cite de lui : *Thimey Cruzo*.

SPRIET Louis Charles Alexandre
Né en 1864 à Roubaix (Nord). Mort en novembre 1913 à Paris. XIXᵉ-XXᵉ siècles. Français.
Peintre de paysages.
Il fut élève d'Antoine A. Hébert, Léon J. Bonnat et Jean J. Weerts. Il participa à Paris, au Salon des Artistes Français, et reçut une mention honorable en 1910.
VENTES PUBLIQUES : PARIS, 30 juin 1932 : *Thémistocle banni vient demander asile à son vainqueur Admète* : FRF 55 ; *Le Pont* : FRF 30 – PARIS, 2 juin 1943 : *Village de montagne* : FRF 800 ; *L'Orage* : FRF 850.

SPRIETT Jan Van der. Voir **SPRIET**

SPRINCHARN Gerda ou **Gertrud Linnea**
Née le 29 avril 1871 à Litselberga. XIXᵉ-XXᵉ siècles. Suédoise.
Sculpteur de portraits.
Elle fut élève de l'académie des beaux-arts de Stockholm. Elle sculpta des types populaires suédois et des portraits.

SPRINCHORN Carl
Né le 13 mai 1887 à Broby. Mort en 1971. XXᵉ siècle. Actif depuis 1904 aux États-Unis. Suédois.
Peintre de genre, paysages, natures mortes.
Il fit ses études à New York et Paris, où il fut membre sociétaire du Salon des Indépendants, participant à ses expositions.
VENTES PUBLIQUES : BOLTON, 20 nov. 1980 : *Vase de fleurs*, h/cart. (51,5x46) : USD 1 700 – PORTLAND, 28 sep. 1985 : *Ice flow*, h/t (53,5x73,5) : USD 2 750 – NEW YORK, 30 sep. 1988 : *Central Park*, h/t (61x81,3) : USD 2 200.

SPRINCK Christian Friedrich ou **Sprink**
Né en 1769 à Dresde. Mort en 1831. XVIIIᵉ-XIXᵉ siècles. Allemand.
Aquafortiste et graveur au burin.
Père de Friedrich Sprink et élève de l'Académie de Dresde. Il grava des vues de Dresde et des monuments funéraires.

SPRINCK Friedrich ou **Christian Friedrich.** Voir **SPRINK**

SPRINCK Johann ou **Spring**
D'origine allemande. XVIIIᵉ-XIXᵉ siècles. Travaillant en Russie. Russe.
Portraitiste.

SPRING Alfons ou **Alphons**
Né le 30 mai 1843 à Libau. Mort le 17 juillet 1908 à Munich. XIXᵉ siècle. Allemand.
Peintre de genre, intérieurs.
Il travailla à Munich, Saint-Pétersbourg et Paris. Il obtint en 1889 une mention honorable à l'Exposition universelle de Paris.

MUSÉES : BAUTZEN (Mus. mun.) : *Chez le maire du village – Chez le juge de paix* – BERLIN (Gal. Nat.) : *Intérieur d'une ferme bavaroise* – BROOKLYN (New York) : *Scène d'auberge* – CHICAGO : *Peu Persuadé* – MUNICH (Nouv. Pina.) : *Un Jour de nettoyage – Intérieur de Schleissheim – Cuisine à Ladis* – RIGA (Mus. mun.) : *Un Marin qui revient de loin* – STETTIN : *Intérieur de ferme* – WUPPERTAL : *Intérieur du château Warth*.
VENTES PUBLIQUES : BERLIN, 1894 : *Le Petit Marchand de gibier* : FRF 700 – PARIS, 24 avr. 1897 : *Moine endormi* : FRF 165 – LONDRES, 4 juil. 1910 : *Dans l'atelier* : GBP 19 – LONDRES, 8 déc. 1922 : *On surveille grand-mère* : GBP 36 – PARIS, 15 juin 1934 : *Vieux paysan assis* : GBP 320 – LONDRES, 17 mai 1967 : *Le Zoo de Munich* : GBP 320 – LUCERNE, 25 nov. 1972 : *Jeune fille cousant* : CHF 9 000 – NEW YORK, 14 mai 1976 : *La lecture du journal*, h/pan. (51,5x66) : USD 850 – LONDRES, 30 nov. 1977 : *Deux buveurs de bière*, h/pan. (35x21,5) : GBP 2 400 – VIENNE, 18 sept 1979 : *Les Politiciens du village*, h/pan. (51x74) : ATS 250 000 – NEW YORK, 13 fév. 1981 : *Nouveaux Amis 1877*, h/t (43,2x52,7) : USD 10 000 – NEW YORK, 25 oct. 1984 : *Souvenirs...*, h/pan. (37,4x55,5) – ZURICH, 14 nov. 1985 : *Femme nettoyant des étains*, h/pan. (27x21) : CHF 5 500 – MUNICH, 25 juin 1992 : *La Discussion politique*, h/bois (20x27) : DEM 6 215 – NEW YORK, 29 oct. 1992 : *Jeu de cartes*, h/pan. (52,1x71,8) : USD 6 600 – NEW

YORK, 19 jan. 1994 : *La lettre*, h/pan. (55,9x74,9) : USD 9 775 – LONDRES, 22 fév. 1995 : *Le Moine endormi*, h/t (127x92) : GBP 1 725 – VIENNE, 29-30 oct. 1996 : *Dans le grenier*, h/pan. (80x100) : ATS 773 000.

SPRING Edward Adolphus
Né en 1837 à New York. XIXᵉ siècle. Américain.
Sculpteur.
Élève de W. K. Brown et de W. R. Rimmer.

SPRING Johann. Voir **SPRINCK**

SPRING Lorenz
XVIIᵉ siècle. Actif à Mindelheim dans la première moitié du XVIIᵉ siècle. Allemand.
Peintre.
Il travailla pour l'église de Grosskitzighofen.

SPRING Peter. Voir **SPRENG**

SPRINGAEL Antoine
Né le 26 mars 1871 à Bruxelles. Mort le 1ᵉʳ novembre 1928 à Bruxelles. XIXᵉ-XXᵉ siècles. Belge.
Sculpteur de figures, peintre de genre, portraits.
Il fut élève de l'académie des beaux-arts de Bruxelles. Il exposa à Bruxelles de 1897 à 1903. Il sculpta des types populaires et des miséreux ; il peignit des scènes de genre et des portraits.
MUSÉES : TOURNAI : *Désespoir – Berger*.

SPRINGER Carl
Né le 4 novembre 1874 à Fultonham. XIXᵉ-XXᵉ siècles. Américain.
Peintre.
Il vécut et travailla à Punta Gorda.
MUSÉES : COLOMBUS (Gal. d'Art).

SPRINGER Charles Henry
Né le 15 septembre 1857 à Providence (Rhode Island). Mort en mai 1920 à Providence (Rhode Island). XIXᵉ-XXᵉ siècles. Américain.
Peintre, sculpteur, illustrateur.
Il fut élève d'Hugo Breul et de Frederick Warren Freer.

SPRINGER Cornelis
Né le 25 mai 1817 à Amsterdam. Mort le 18 février 1891 à Hilversum. XIXᵉ siècle. Hollandais.
Peintre d'architectures et de vues, aquafortiste, lithographe.
Élève de J. Van der Stock, de H. G. ten Kate jusqu'en 1837. Il prit part à diverses expositions notamment à La Haye en 1857 (médaille d'or) et à Paris en 1867. Il fut membre de l'Académie de Rotterdam et chevalier de l'ordre de Léopold.
Il adopta le genre de son maître ten Kate et y montra une incontestable supériorité.

BIBLIOGR. : H. C. de Bruijn, Willem Laanstra, J. H. A. Ringeling : *Catalogue raisonné – Cornelis Springer, 1917-1891*, Utrecht, 1984.
MUSÉES : AMSTERDAM (Mus. Nat.) : *Hôtel de Ville et place du marché aux légumes à Veere – Vue de La Haye*, avec K. Karssen – AMSTERDAM (Mus. mun.) : *Mairie de Cologne – Dégel – Église de Zandvoort – Courbe du Heerengracht – Vue d'Enkhuysen – Le Heerengracht en hiver – Fontaine à Nuremberg* – BRÊME : *Hôtel de Ville et marché à Brême – Hôtel de Ville de Brême* – ROTTERDAM : *Mairie et marché de Naarden*.
VENTES PUBLIQUES : PARIS, 1861 : *Vue de ville* : FRF 1 300 – PARIS, 1873 : *Vue de Hollande* : FRF 2 380 – PARIS, 1882 : *Vue de Hollande* : FRF 2 500 – PARIS, 1884 : *Vue d'Amsterdam* : FRF 3 059 – PARIS, 1884 : *Vue de ville en Allemagne*, 1884 : FRF 1 980 – LA HAYE, 1889 : *Jour de marché dans une ville de Hollande* : FRF 1 450 – PARIS, 18 fév. 1896 : *Vue de ville* : FRF 945 ; *Vue d'une ville en Hollande* : FRF 650 – PARIS, 1910 : *L'Hôtel de Ville de Luphen* : FRF 812 – BERLIN, 12 déc. 1899 : *Dessin architectural* : FRF 462 – NEW YORK, 1ᵉʳ-3 avr. 1908 : *Port sur le Zuyder-see* : USD 115 – LONDRES, 6 déc. 1909 : *Vue d'une ville hollandaise 1850* : GBP 6 – LONDRES, 23 avr. 1910 : *Une rue à Amsterdam 1867* : GBP 17 – NEW YORK, 14-17 mars 1911 : *Palais de l'État, à Rosward* : USD 700 – LONDRES, 18 mars 1911 : *Place du marché à*

Culembourg 1860 : **GBP 18** – Londres, 20 juil. 1923 : *La Galerie des bouchers à Haarlem* : **GBP 183** – Londres, 7 mars 1924 : *Hôtel de Ville de Haarlem* : **GBP 225** – Londres, 18 juil. 1927 : *Hôtel de Ville et Place du Marché de Brunswick* : **GBP 304** – Amsterdam, 21 oct. 1949 : *Le pont du marché d'Oudewater* 1883 : **NLG 5 400** – Amsterdam, 3 avr. 1950 : *L'Hôtel de Ville de Leeuwarden* 1873 : **NLG 7 400** – La Haye, 28 fév. 1951 : *Vue d'Haarlem* 1863 : **NLG 3 500** – Amsterdam, 4 avr. 1951 : *Le grand marché à Brunswick* 1867 : **NLG 3 800** – Amsterdam, 20 juin 1951 : *Vue d'une ville hollandaise* 1871 : **NLG 5 600** ; *L'Hôtel de Ville de Veere* 1860 : **NLG 5 500** – Amsterdam, 29 et 30 sep. 1965 : *L'église de Enkhuizen* : **NLG 20 000** – Cologne, 17 nov. 1966 : *La mairie de Naarden* : **DEM 24 000** – Londres, 13 déc. 1967 : *Vue d'Alkmaar* : **GBP 3 000** – Amsterdam, 27 et 28 fév. 1968 : *Vue de Enkhuizen*, aquar. : **NLG 5 800** – Londres, 16 oct. 1968 : *Scène de rue* : **GBP 3 600** – Amsterdam, 25 nov. 1969 : *Vue de Haarlem* : **NLG 35 000** – Londres, 19 mai 1971 : *Scène de rue* : **GBP 5 400** – Londres, 4 fév. 1972 : *Scène de rue* : **GNS 5 800** – Amsterdam, 16 mai 1972 : *Vue d'une ville*, aquar. : **NLG 18 000** – Amsterdam, 28 fév. 1973 : *Hôtel Kaiser Worth* : **GBP 24 000** – Amsterdam, 18 fév. 1974 : *Scène de rue, Alkmaar* : **NLG 150 000** – Amsterdam, 15 nov. 1976 : *Scène de rue, Amsterdam* 1879, h/pan. (48,5x64,5) : **NLG 76 000** – Amsterdam, 31 oct. 1977 : *Scène de rue* 1856, h/pan. (49x39,5) : **NLG 100 000** – Amsterdam, 15 mai 1979 : *Vue d'Enkhuisen* 1878, cr. noir et past. (31x40) : **NLG 3 800** – Amsterdam, 15 mai 1979 : *La vieille église de Monnickendam* 1866, aquar. (62x46) : **NLG 18 000** – Amsterdam, 24 avr 1979 : *Scène de rue* 1871, h/pan. (44,5x57) : **NLG 110 000** – Cologne, 21 mai 1981 : *Vue d'une ville de Hollande* 1846, h/t (39,6x48,2) : **DEM 55 000** – Londres, 22 juin 1983 : *L'Église Zalt-Bommel, Amsterdam* 1866, h/pan. (62x50) : **GBP 38 000** – Londres, 18 juin 1985 : *Scène de marché à Münster* 1868, h/t (101x140) : **GBP 40 000** – Londres, 28 nov. 1986 : *Vue d'Anvers* 1841, h/t (74x91,5) : **GBP 30 000** – Amsterdam, 30 août 1988 : *Rue de Brielle avec la cathédrale à l'arrière-plan*, craies de coul./pap. (33x40) : **NLG 2 530** – Amsterdam, 16 nov. 1988 : *Nieuwe Gracht à Haarlem avec un coupé et son cocher et de nombreux passants* 1880, h/t (35x25) : **NLG 19 550** ; *Scène de la vie quotidienne à Oudewater* 1876, h/t (30,5x42,5) : **NLG 109 250** – Amsterdam, 10 avr. 1990 : *À la poterne, peut-être à Enkhuisen* 1837, encre et aquar. avec reh. de blanc/pap. (35,8x27,8) : **NLG 8 050** ; *Maraîcher déchargeant sa charrette devant la « Maison des poids » sur le « Brink » sous l'œil des passants* 1888, cr. et aquar. avec reh. de blanc/pap. (58x47) : **NLG 34 500** – Amsterdam, 2 mai 1990 : *La place du marché de Oudewater avec un paysan poussant une brouette, un autre vendant des œufs tandis que d'autres bavardent* 1856, h/pan. (49x39,5) : **NLG 276 000** – Amsterdam, 30 oct. 1990 : *Vue de Bolsward avec l'Hôtel de Ville au fond et des passants bavardant sur un pont au premier plan* 1872, h/pan. (45x57) : **NLG 253 000** – Amsterdam, 30 oct. 1991 : *Le marché aux poissons de Harderwijk avec de nombreux villageois* 1864, h/pan. (31x41,5) : **NLG 161 000** – Amsterdam, 5-6 nov. 1991 : *Karnemelksgracht à Enkhuisen*, craies noire et brune (29x40) : **NLG 10 120** – Londres, 29 nov. 1991 : *Le Rokin à Amsterdam* 1854, h/pan. (59,7x77,5) : **GBP 165 000** – New York, 20 fév. 1992 : *La Grande rue de Oudewater en été* 1878, h/pan. (55,9x73,7) : **USD 159 500** – Amsterdam, 28 oct. 1992 : *Keizersgracht à Amsterdam avec la maison des poids et la Westerkerk* 1864, h/pan. (44,5x62) : **NLG 264 500** – New York, 17 fév. 1993 : *Le long du canal* 1844, h/pan. (59,7x78,1) : **USD 51 750** – Londres, 17 nov. 1993 : *Scène de rue dans une ville hollandaise* 1863, h/t (57x47) : **GBP 93 900** – Amsterdam, 21 avr. 1994 : *Une femme bavardant avec une marchande de légumes et un couple dans une charrette à cheval derrière une église gothique* 1851, h/pan. (33x42) : **NLG 201 250** – Amsterdam, 8 nov. 1994 : *L'Hôtel de Ville de Kampen* 1864, h/pan. (62x52) : **NLG 304 750** – Londres, 11 avr. 1995 : *Herengracht près du Amstel à Amsterdam* 1883, h/pan. (46,5x64,5) : **GBP 52 100** – Amsterdam, 15 nov. 1995 : *Le porche du cloître Sainte-Catherine à Brielle* 1862, aquar. et craie noire (9x16,2) : **NLG 7 080** – Londres, 15 mars 1996 : *Vue hollandaise avec des personnages sur le pont d'un canal* 1848, h/pan. (41,5x34,5) : **GBP 80 700** – Amsterdam, 5 nov. 1996 : *Personnages sur le porche d'une église* 1844, h/t (48x40) : **NLG 64 900** – Londres, 13 juin 1997 : *Hôtel de Ville, Kampen* 1866, h/pan. (62x52) : **GBP 89 500**.

SPRINGER Eva
Née à Cimarron. XXe siècle. Américaine.
Peintre, graveur.
Elle fut élève de Will Howe Foote et Kenneth H. Miller à New

York, de Auguste J. Delécluse, Marie Laforge et Richard Miller à Paris. Elle fut membre du Pen and Brush Club.

SPRINGER Ferdinand
Né le 1er octobre 1906 à Berlin. XXe siècle. Depuis 1928 actif en France. Allemand.
Peintre, aquarelliste, graveur, peintre de cartons de tapisseries, illustrateur. Abstrait.
De père allemand et de mère suisse, il fit ses études de philosophie et d'histoire de l'art, à l'université de Zurich. Il travailla ensuite à Milan dans l'atelier de Carra. Venu à Paris, il fut élève, en peinture, de Bissière à l'académie Ranson, puis de S. W. Hayter, en gravure, à l'atelier 17. En 1935, il se lie avec Wilhelm Uhde qui lui achète des peintures. En 1937, il séjourna aux États-Unis. Mobilisé dans l'armée française en 1939, après la déroute de 1940 il fut interné au Camp des Milles, puis lors de l'occupation du sud de la France par les Allemands, en 1942, il se réfugia en Suisse. Après 1945, il vint se fixer à Grasse, séjournant régulièrement à Paris et en Allemagne.
Il participe à des expositions collectives à Paris : Salon de Mai ; 1932 Salon des Tuileries ; 1947, 1956, 1957 Salon des Réalités Nouvelles ; ainsi que : 1937 aux États-Unis ; 1958 Biennale de Venise ; 1959 Documenta de Kassel et en Grande-Bretagne, Allemagne, Suisse. Il montre des expositions personnelles : 1936 galerie des Quatre-Chemins à Paris ; 1948 musée de Winterthur ; depuis 1952 galerie La Hune à Paris ; 1955 musée de Krefeld et de Lübeck ; 1961 musée Fragonard à Grasse ; 1967 Kunstverein de Heidelberg ; 1973 musée des beaux-arts de Caen ; à partir de 1980 régulièrement à la galerie Ludwig Lange à Berlin ; 1987, 1989 rétrospective à la galerie Callu Mérite à Paris. En 1998, il a exposé à La Ciotat, galerie du port et Chapelle des Pénitents Bleus et, avec Nelly Marez Darley, galerie Callu Mérite à Paris.
En 1937, il illustra de gravures le *Symposium* de Platon, à Londres. Diverses sources font débuter l'abstraction dans son œuvre en 1952, avec les dix-sept burins pour le Tao-te-King, d'après lesquels l'état français fit exécuter quatre tapisseries. En fait, s'il est vrai qu'une exceptionnelle habileté manuelle le rendit apte à adopter des styles différents, voire contradictoires, la gravure exposée en 1947 au Ier Salon des Réalités Nouvelles montre qu'il produisait déjà alors des œuvres totalement abstraites, comme celle-ci faite de formes courbes élégamment articulées entre elles. Il conserva dans la suite cette souplesse de la ligne, cette élégance de l'articulation, entre Miro et Estève. Graveur-illustrateur, il a illustré *Eupalinos* de Valéry en 1947, le *Mythe de la Caverne* d'après Platon, à Paris, en 1948, etc.

[signature : Springer]

Bibliogr. : *Ferdinand Springer*, Das Kunstwerk, cahier 8-9, Baden-Baden, 1950 – Michel Seuphor, in : *Dict. de la peinture abstr.*, Hazan, Paris, 1957 – Bernard Dorival, sous la direction de..., in : *Peintres contemp.*, Mazenod, Paris, 1964 – Catalogue de l'exposition *Hommage à Ferdinand Springer et à Nelly Marez Darley*, gal. Callu Mérite, Paris, 1998.
Musées : Bâle – Brême – Cambridge (Fogg Art Mus.) – Cincinnati (Art Mus.) – Hambourg – Heidelberg – Londres – Munich – New York (Mus. of Mod. Art) – Paris – Rouen – Saint-Étienne – Wuppertal.
Ventes Publiques : Paris, 20 jan. 1997 : *Palio* 1959, h/t (125x42) : FRF 4 000.

SPRINGER Franz
XIXe siècle. Actif à Vienne. Autrichien.
Peintre de paysages et d'architectures et lithographe.
Élève de l'Académie de Vienne. Il exposa de 1853 à 1863.

SPRINGER Friedrich Wilhelm
Né en 1760. Mort en 1805. XVIIIe siècle. Actif à Königsberg. Allemand.
Peintre de portraits, peintre de miniatures.

SPRINGER Johann Christoph Friedrich
XVIIIe siècle. Allemand.
Peintre.
Il travaillait en 1788 à la Manufacture de porcelaine d'Ilmenau.

SPRINGER Julius
Né vers 1776. Mort le 30 décembre 1818 à Heidelberg. XVIIIe-XIXe siècles. Allemand.
Peintre.

SPRINGER Leendert
Né en 1789. Mort en 1871 à Leyde. xixᵉ siècle. Hollandais.
Peintre de portraits, miniatures, paysages animés, graveur, dessinateur.
Il réalisa également des lithographies.
Musées : Bruxelles : *Portrait du professeur Brugman.*
Ventes Publiques : Londres, 3 juin 1983 : *Intérieur d'église,* h/t (39,4x49,5) : **GBP 1 000** – Amsterdam, 24 sep. 1992 : *Berger et son troupeau près d'une ferme au bord d'une rivière,* encre et lav./pap. (18,5x24) : **NLG 1 035.**

SPRINGER Marx
xviᵉ siècle. Actif à Staden (Hesse), travaillant aussi à Strasbourg de 1577 à 1582. Allemand.
Sculpteur sur pierre et sur bois.

SPRINGER Sidonie
Née le 4 mai 1878 à Weckelsdorf-Adersbach. xxᵉ siècle. Autrichienne.
Peintre, graveur.
Elle fit ses études à Prague et à Vienne. Elle travailla à Munich.
Musées : Prague (Gal. Mod.) : *Ruelle de Prague.*

SPRINGETT Sabino
Né en 1913. xxᵉ siècle. Péruvien.
Peintre de compositions à personnages, figures, peintre de compositions murales, fresques.
En 1957, il eut l'occasion de peindre une fresque représentant *L'éducation religieuse* au Ministère de l'Éducation de Lima.
Bibliogr. : Damian Bayon et Roberto Pontual : *La Peinture de l'Amérique latine au xxᵉ siècle,* Éditions Menges, Paris, 1990.

SPRINGINKLEE Hans
Mort en 1540 à Nuremberg. xviᵉ siècle. Allemand.
Peintre, graveur sur bois, dessinateur et enlumineur.
Il étudia à Nuremberg, avec Albert Dürer et acquit une grande perfection tant pour l'exécution du dessin que de la peinture. Il prit part à l'ornementation de l'*Hortulus animœ* au moins comme dessinateur des bois, s'il ne les grava pas, imprimé en 1516 par Anton Koberger. Il termina un Missel pour l'archevêque de Mayence (1524) et peignit les esquisses d'un livre de prières exécutées par Georg Dummen. Il est assez probable qu'il participa également à l'enluminure du livre de prières de Maximilien, conservé à la Bibliothèque de Munich.

SPRINGINKLEE Ulrich
xviᵉ siècle. Autrichien.
Peintre.
Actif à Rattenberg, il travailla aussi à Brixen de 1533 à 1539. Il exécuta des peintures décoratives, des blasons et des fresques.

SPRINGLER Elias Georg
xviiᵉ siècle. Autrichien.
Peintre de décors.
Il fut à Innsbruck peintre à la cour de Léopold V.

SPRINGLER Tobias
xviiᵉ siècle. Actif à Innsbruck au milieu du xviiᵉ siècle. Autrichien.
Peintre de portraits.

SPRINGLI Hans Jakob. Voir **SPRÜNGLI**

SPRINGOLO Nino
Né le 1ᵉʳ mars 1886 à Trévise (Vénétie). xxᵉ siècle. Italien.
Peintre de figures, paysages.
Il fut élève à Venise de Cesare Laurenti et à Monaco de Hugo von Habermann. Il a peint surtout des paysages parfois des figures telles que : *Garçon au violon.*
Musées : Rome – Venise.

SPRINGSGUTH S. ou I. ou Springsgoth ou Springwell
xixᵉ siècle. Actif à Londres (?). Britannique.
Graveur au burin.
Il travailla vers 1800. Il grava des portraits et des illustrations de livres.

SPRINK Christian Friedrich. Voir **SPRINCK**

SPRINK Friedrich ou Christian Friedrich
Né le 31 octobre 1815 à Dresde. Mort en août 1838 à Breslau. xixᵉ siècle. Allemand.
Lithographe.
Fils de Christian Friedrich Sprinck et élève de l'Académie de Dresde. Il peignit des portraits d'enfants.

SPRONG Gérard ou Verspronck. Voir **VERSPRONCK**

SPRONG Jan Van
Né en 1597 à Haarlem. Mort en 1662 à Haarlem. xviiᵉ siècle. Hollandais.
Portraitiste.
Élève de son père et de Frans Hals. Le Musée de Lille conserve de lui deux portraits de jeunes hommes.

SPRONKEN Arthur ou Sproncken
Né en 1930 à Beek. xxᵉ siècle. Hollandais.
Sculpteur de compositions mythologiques, animaux.
Il fut élève de Marino Marini à l'académie Brera de Milan.
Il a participé à des expositions collectives : 1963 IIIᵉ Biennale de Paris.
Il tient, de l'admiration qu'il éprouva pour son maître, Marino Marini, une prédilection presque exclusive pour le thème du cheval. Il est vrai qu'il s'est lui-même à peu près détaché de l'apparence réelle du cheval, l'ayant transmué en une articulation de formes entre l'organique et le minéral, sans cesse reprises en d'innombrables variantes. Trouvant ses sources dans la statuaire antique, dans laquelle aussi figurait le cheval, des thèmes mythologiques se sont également développés à travers ses œuvres : le centaure, le taureau, la figuration du soleil. Sur le thème du taureau solaire, il a imaginé de nombreuses œuvres, dans lesquelles s'affrontent le géométrisme élémentaire du disque solaire et les circonvolutions de la forme animale recréée dans son œuvre.
Bibliogr. : Dolf Welling : *Nouv. Dict. de la sculpture mod.,* Hazan, Paris, 1970.
Ventes Publiques : Amsterdam, 8 déc. 1988 : *Amazone,* bronze (H. 44) : **NLG 12 650** – Amsterdam, 21 mai 1992 : *Cheval,* bronze (H. 18) : **NLG 6 900** – Amsterdam, 9 déc. 1992 : *Cheval,* bronze sur base de marbre (H. 18) : **NLG 13 225** – Amsterdam, 8 déc. 1993 : *Cheval,* bronze sur socle de marbre (H. 21,5) : **NLG 2 530** – Amsterdam, 5 juin 1996 : *Un cheval,* bronze (H. 27) : **NLG 12 650** – Amsterdam, 1ᵉʳ déc. 1997 : *Cheval,* bronze (H. 17,5) : **NLG 17 700.**

SPRONKEN Ernest
Né le 4 janvier 1940 à Maastricht (Limbourg). xxᵉ siècle. Hollandais.
Peintre de compositions animées.
Il étudia les arts graphiques et la publicité, à l'académie de Maastricht, où il travaille et expose. Il réalise des œuvres figuratives à tendance expressionniste.

SPROSSE Carl Ferdinand
Né le 11 juin 1819 à Leipzig. Mort le 1ᵉʳ janvier 1874 à Leipzig. xixᵉ siècle. Allemand.
Peintre de paysages, architectures, aquarelliste, graveur, dessinateur.
Il fut élève de Brauer et de Schnorr à l'Académie de Leipzig. Il a travaillé en Italie, à partir de 1840 et a gravé beaucoup de vues de ce pays. En 1848, il revint en Allemagne, mais il n'y resta qu'un an et en 1849, on le retrouve à Rome. En 1850, 1857, 1860 il travailla à Venise. Il visita aussi la Grèce. Il vint à Londres en 1852-1853 et exposa à la Royal Academy et à Suffolk Street des vues de Venise.
Musées : Leipzig : *Tombeaux des Scaliger à Vérone – Église Saint-Marc à Venise* – Sibiu (Mus. Bruckenthal) : *Le Lac de Traunsee.*
Ventes Publiques : Rome, 16 déc. 1993 : *Temple de Vénus à Rome* 1854, aquar./pap. (42x33) : **ITL 4 025 000.**

SPRUANCE Benton Murdoch
xxᵉ siècle. Américain.
Peintre, graveur.
Bibliogr. : Ruth E. Fine, Robert F. Looney : *Les Gravures de Benton Murdoch Spruance. Un Catalogue raisonné,* Université de Pennsylvanie, Philadelphie, 1986.
Ventes Publiques : New York, 25 sep. 1980 : *The bridge from Race Street,* gche (57,8x36,8) : **USD 1 600** – New York, 6 mars 1985 : *Shovel Pass* 1944, litho. (34x47,7) : **USD 1 000.**

SPRUCE Edward Caldwell
Né à Knutsford. Mort en juin 1922 à Leeds. xxᵉ siècle. Britannique.
Sculpteur de bustes.
Musées : Leeds (Gal. mun.) : *Buste de lord Airedale.*

SPRUCE Everett Franklin ou Everest
Né en 1908. xxᵉ siècle. Américain.
Peintre.
Il a exposé à la fondation Carnegie de Pittsburgh.

VENTES PUBLIQUES : NEW YORK, 23 mai 1979 : *Ozark montaineer 1936*, h/t (87x97) : **USD 2 200** – NEW YORK, 31 mai 1990 : *The Beach*, h/isor. (50,8x61) : **USD 6 000.**

SPRUMONT André
Né en 1938 à Andenne. XXe siècle. Belge.
Peintre. Abstrait-lyrique.
Il expose régulièrement en Belgique, notamment : 1991 Marche, 1995 Charleroi.
Il travaille sur la couleur, jouant des effets de transparence, sur la matière et le geste, explorant la lumière, dans des œuvres austères.

SPRUNG
XVIIIe siècle. Actif à Plauen à la fin du XVIIIe siècle. Allemand.
Miniaturiste.

SPRUNG Hanns
Né le 14 mars 1884 à Coblence (Rhénanie-Palatinat). Mort le 6 février 1948 à Coblence. XXe siècle. Allemand.
Peintre de compositions religieuses, figures, portraits, paysages, natures mortes, aquarelliste, dessinateur, sculpteur de bustes.
Il fut élève des académies des beaux-arts de Düsseldorf et de Carlsruhe. En 1910 et 1931, il séjourna en Italie. Il montre ses œuvres dans des expositions : 1910 Kunstverein de Carlsruhe et Baden-Baden ; 1912 Kunstverein d'Hanovre ; 1914 Kunstverein de Cologne.
Durant la Première Guerre mondiale, il a réalisé des portraits de militaires français. Surtout peintre de portraits et paysages, il subit l'influence de l'impressionnisme et de Cézanne. Il réalisa également des œuvres à tendance expressionniste.
BIBLIOGR. : Franz Hardy : *Der Maler Hanns Sprung 1884-1948*, 1968.
MUSÉES : CARLSRUHE : *Nature morte avec œillets* – CARLSRUHE (Cab. des Estampes) – COBLENCE (Mus. de la Ville) : *Portrait du peintre Martin 1910-1912* – MANNHEIM : *Village au soleil* – PHILADELPHIE.

SPRÜNGLI Hans Jakob ou Springli
Né vers 1559 à Zurich. Mort le 7 mai 1637 à Zurich. XVIe-XVIIe siècles. Suisse.
Peintre verrier.
Il exécuta des vitraux à Nuremberg et à Zurich. Le Musée National de cette ville conserve de lui *Saint Jérôme*, et l'intérieur d'une coupe orné de motifs allégoriques.

SPRUNK Robert Godfrey
Né le 19 novembre 1862 à Kröxen. Mort le 9 avril 1912 à Ridgefield. XIXe-XXe siècles. Américain.
Peintre.
Il fut élève de Thomas Eakins à Philadelphie, de Bouguereau et Robert-Fleury à Paris.

SPRUNNER Kaspar
XVIIe siècle. Actif à Weilheim au milieu du XVIIe siècle. Allemand.
Sculpteur.
Il a sculpté une *Fontaine de Neptune* sur la place du marché de Weilheim en 1646.

SPRUTE Bernard
XXe siècle. Allemand.
Peintre.
Il a exposé à la Kunsthalle de Recklinghausen, puis en 1991 à Verviers.
Il réalise une peinture tumultueuse, où des formes chaotiques se côtoient, s'interpénètrent.

SPRUYT Charles
Né le 26 juillet 1769 à Bruxelles. Mort le 14 novembre 1851 à Bruxelles. XVIIIe-XIXe siècles. Belge.
Peintre d'histoire, portraitiste, lithographe et aquafortiste.
Élève de son père Philippe Lambert Joseph Spruyt. Il alla à Rome en 1815. Il lithographia en 1829 les tableaux de la collection d'Arenberg.
VENTES PUBLIQUES : PARIS, 1815 : *Vue de la Sambre* : **FRF 30** ; *Vue de l'Escaut* : **FRF 36** ; *Paysage* : **FRF 46.**

SPRUYT J. Van der
XVIIIe siècle. Travaillant à Rotterdam en 1785. Hollandais.
Graveur au burin.
Il grava des portraits et des architectures.

SPRUYT Jacob Philips
Né à Gand. XVIIIe siècle. Éc. flamande.

Peintre de genre et portraitiste.
Il travailla à La Haye en 1764 et à Delft, et alla finir sa carrière dans sa ville natale.

SPRUYT Jan ou Johannes
Né en 1627 ou 1628 à Amsterdam. Mort en 1671 à Amsterdam. XVIIe siècle. Hollandais.
Peintre de natures mortes.
Il se maria à Amsterdam en 1657.
MUSÉES : GRAZ : *Canard dans les roseaux* – LA HAYE (Mus. Bredius) : *Canards – Coq et pigeon* – MUNSTER : *Volaille* – SAINT-PÉTERSBOURG (Mus. de l'Ermitage) : *Femme tressant des couronnes de fleurs* – WUPPERTAL : *Oiseaux morts*.
VENTES PUBLIQUES : AMSTERDAM, 30 oct 1979 : *Volatiles dans un paysage 1659*, h/t (83,2x112,5) : **NLG 29 000.**

SPRUYT Laurens
XVIIe siècle. Actif à Utrecht dans la première moitié du XVIIe siècle. Hollandais.
Peintre.

SPRUYT Philippe Lambert Joseph ou Johan
Né le 3 avril 1727 à Gand. Mort le 5 mai 1801 à Gand. XVIIIe siècle. Éc. flamande.
Peintre de genre, intérieurs, graveur.
Il fut élève de Carle Van Loo à Paris. Il fut professeur de dessin à Gand. Il a gravé un nombre important d'estampes.

VENTES PUBLIQUES : PARIS, 11 mars 1974 : *Suzanne au bain* : **FRF 5 000** – PARIS, 30 nov. 1990 : *Scènes d'intérieur 1778*, h/pan., une paire (chaque 46,6x40) : **FRF 55 000.**

SPRY William
XIXe siècle. Britannique.
Peintre de natures mortes, fleurs et fruits.
Il exposa à la Royal Academy de 1834 à 1847.
VENTES PUBLIQUES : LONDRES, 9 mars 1976 : *Nature morte*, h/t (39x29) : **GBP 800.**

SPRYSS Hans ou Spyss
XVe-XVIe siècles. Actif à Zaberfeld. Allemand.
Sculpteur et architecte.
Il travailla à Zaberfeld et à Lauffen-sur-le-Neckar.

SPUDIAS
IVe siècle avant J.-C. Antiquité grecque.
Sculpteur.
Il a sculpté une statue à Épidaure.

SPUERIBOL Jakob ou Spureybol
XVIe siècle. Actif à Anvers dans la première moitié du XVIe siècle. Éc. flamande.
Peintre.

SPÜHEL Emil
Né le 25 janvier 1868 à Winterthur (Zurich). XIXe-XXe siècles. Suisse.
Peintre.
Il fut élève de Léon Pétua de Winterthur et de Alexander von Liezen-Mayer à Munich.

SPÜHLER Anna Gustavine
Née le 13 mars 1872. Morte en 1967. XIXe-XXe siècles. Suissesse.
Peintre de paysages, paysages urbains, aquarelliste, graveur.
Elle fut élève de Jules Matthey et de Henri D. Bovy à Genève. Elle séjourna à Florence d'où elle rapporta des aquarelles. Elle vécut et travailla à Aarau.
MUSÉES : AARAU (Aargauer Kunsthaus) : *Palais Vecchio à Florence*, aquar. – *Sur l'Arno 1898*, aquar.

SPULAK A.
XIXe siècle. Tchécoslovaque.
Portraitiste.
Il travailla à Nachod, Pardubitz et Chrudim au milieu du XIXe siècle. Les Musées de Czernovitz, de Pardubitz et de Prague conservent des œuvres de cet artiste.

SPULER Erwin
Né le 23 mars 1906 à Augsbourg (Bavière). XXe siècle. Allemand.
Peintre, céramiste.
Il a également réalisé des lithographies.

SPULER-KREBS Anna, née Krebs
Née à Mariendorf (près de Mannheim, Bade-Wurtemberg). Morte le 20 avril 1933 à Erlangen (Bavière). xxᵉ siècle. Allemande.
Sculpteur de statues, figures, graveur.
Elle fut élève de Ludwig Manzel. Elle sculpta des enfants ainsi que des statues destinées à décorer des fontaines.

SPUR. Voir PREM Heimrad, STURM Helmut, ZIMMER Hans Peter

SPUREYBOL Jakob. Voir SPUERIBOL

SPURGAZZI Ernesto
Né en 1847 à Turin (Piémont). Mort en 1921. xixᵉ-xxᵉ siècles. Italien.
Peintre de genre, paysages.
Il fut élève de Baccaria et Andrea Gastaldi.
Musées : Turin (Gal. d'Art Mod.) : *Paysage*.

SPURRIER Steven
Né le 13 juillet 1878 à Londres. Mort le 12 mars 1961 à Saint-John's Wood (Londres). xxᵉ siècle. Britannique.
Peintre, illustrateur, dessinateur, peintre de décors de théâtre.
Il fut apprenti orfèvre dès l'âge de dix-sept ans, et suivit les cours du soir de dessin à l'école Gilbert Garrett. Il mit fin à sa carrière d'orfèvre en 1900 et commença l'illustration de magazines.
Il participa aux expositions : à partir de 1913 de la Royal Academy de Londres dont il fut membre associé en 1945 et nommé académicien en 1952 ; 1933 Royal Society of British Artists.
Il travailla pour *Madame* et de 1902 à 1904 pour *Black and White*, après quoi il contribua régulièrement à de nombreux journaux notamment à *The Graphic – Illustrated London News – Radio Times*. Auteur de *Black and White* (1910), et de *Illustration in Wash and Line* (1933), il fit aussi des peintures sur le cirque.
Musées : Londres (Tate Gal.) : *Yellow Washstand* 1939.
Ventes Publiques : Londres, 2 mars 1989 : *La fête foraine*, h/t (38,2x50) : GBP 990.

SPYCK Egbert Van der
xviiᵉ siècle. Actif à La Haye dans la seconde moitié du xviiᵉ siècle. Hollandais.
Peintre.
Membre de la gilde en 1682.

SPYCK F. A.
xviiiᵉ siècle. Travaillant en 1785. Hollandais.
Peintre et aquafortiste.
Il grava des architectures.

SPYCK Hendrick Van der
xviiᵉ-xviiiᵉ siècles. Actif à La Haye de 1667 à 1716. Hollandais.
Peintre de portraits.
Spyck était intime ami de Spinoza. Le célèbre philosophe mourut chez lui. Le Musée de Gotha conserve de lui *Portrait du mathématicien E. W. von Tschirnhausen*.

SPYCK Jacob III
Mort après 1721 à La Haye. xviiiᵉ siècle. Hollandais.
Peintre.
Fils de Jacobus Alberts S.

SPYCK Jacob Van der I
Mort en 1687 à La Haye. xviiᵉ siècle. Hollandais.
Peintre.
Père de Jacobus Alberts S.

SPYCK Jacobus Alberts II, pseudonyme : Tuberoos
Mort en 1686 à La Haye. xviiᵉ siècle. Hollandais.
Portraitiste.
Fils de Jacob Van der S. I. Il alla à Rome, et fut doyen de la gilde de La Haye en 1650.

SPYCK Johannes Van der
xviiiᵉ siècle. Actif à Leyde de 1736 à 1761. Hollandais.
Graveur au burin.
Il grava des portraits, des architectures, des illustrations de livres et des scènes historiques.

SPYERS James
xviiiᵉ siècle. Actif à Londres dans la seconde moitié du xviiiᵉ siècle. Britannique.
Peintre de paysages et de vues.
Il exposa à la Royal Academy à Londres de 1780 à 1790. W. Jukes grava d'après lui.

SPYERS P.
xixᵉ siècle. Actif dans la première moitié du xixᵉ siècle. Hollandais.
Graveur sur bois.

SPYKERMAN Pieter ou Spyckerman
Mort le 22 mai 1666 à Haarlem. xviiᵉ siècle. Hollandais.
Peintre.
Membre de la gilde en 1660.

SPYKERMAN Pieter Heyndrick
xviiᵉ siècle. Travaillant à La Haye en 1647. Hollandais.
Peintre.

SPYR Hans. Voir SPIR

SPYROPOULOS Jannis
Né en 1912 à Pylos. xxᵉ siècle. Grec.
Peintre. Abstrait-informel.
Après des études commencées à Athènes, il fréquenta l'école des beaux-arts de Paris entre 1938 et 1940. Il remporta le prix de l'UNESCO, en 1960, à la Biennale de Venise. Il fut élève de l'école des beaux-arts d'Athènes. À Paris, il fréquenta diverses académies libres. Il ne s'y fit connaître qu'après la Seconde Guerre mondiale.
Il participe à de nombreuses expositions collectives : 1960 Biennale de Venise, dont il reçu le prix de l'UNESCO. Il montre ses œuvres dans de nombreuses expositions personnelles : 1950 Athènes ; 1959, 1961 et 1963 New York ; 1962 Munich, Ostende, Portland ; ainsi qu'à Londres, Milan, en Allemagne, au palais des Beaux-Arts de Bruxelles, à Paris, etc.
Il réalise une peinture qui s'apparente à l'abstraction lyrique et l'art informel. Dans une première période, la poésie se dégageait d'un travail en finesse des matières riches sans être ostentatoires, et des couleurs, suavement accordées, dans des gammes de bruns, de gris ou de tons sombres, selon les séries ; des grattages dans la couche picturale en irritaient délicatement l'harmonie. Dans une deuxième période, ces grattages sont devenus délibérément tout un alphabet de signes inventés, dont les graphismes structurent la surface colorée. Il fut longtemps considéré comme l'artiste le plus en vue de l'art grec moderne.
Bibliogr. : Bernard Dorival, sous la direction de... : *Peintres contemp.*, Mazenod, Paris, 1964 – Michel Ragon : *Vingt-Cinq Ans d'art vivant*, Casterman, Paris, 1969.
Ventes Publiques : Bruxelles, 13 déc. 1990 : *Réflexion n° 12* 1964, h/t (73x99,5) : BEF 342 000 – Londres, 25 oct. 1995 : *Ithaki n° 7*, h/t (66,5x94) : GBP 6 325.

SPYSER Hans, dit Zwinger
xviᵉ siècle. Actif à la fin du xviᵉ siècle. Suisse.
Peintre verrier.
Élève de M. Grimm à Schaffhouse.

SPYSS Hans. Voir SPRYSS

SQUARCINA Giovanni
Né le 11 septembre 1825 à Zara. Mort le 29 décembre 1891 à Vienne. xixᵉ siècle. Italien.
Peintre de genre, portraits, intérieurs.
Il exposa à Venise, à Milan, à Bologne.
Ventes Publiques : Lucerne, 30 sep. 1988 : *Un homme fumant un cigare ; Une jeune femme et son enfant* 1854, h/t, une paire (chaque 46x41) : CHF 5 100.

SQUARCIONE Francesco ou Squarcon ou Squarzon ou Squarzanus
Né en 1394 à Padoue. Mort en 1474 à Padoue. xvᵉ siècle. Italien.
Peintre d'histoire.
Squarcione possède dans l'histoire de l'art en Italie un nom connu de tous, non par ses œuvres – elles sont extrêmement rares, et les critiques mêmes lui contestent – mais parce qu'il fut le maître de Mantegna, de Cosme Tura et l'inspirateur des jeunes artistes qui constituèrent l'École de Padoue au xvᵉ siècle. On ne lui compte pas moins de cent trente-sept élèves. Il est fils du notaire Giovanni Squarcione, probablement riche. Il est à peu près certain qu'il fait d'abord du commerce. En 1423, il est cité comme tailleur et brodeur. La tradition lui fait faire de fréquents voyages en Italie et même en Grèce. Il semble bien qu'il appartienne à la catégorie de marchands des récits du Moyen Âge allant de villes en villes, de pays en pays, offrant les étoffes rares, les vêtements somptueux à leurs riches clients. Mais Squarcione est aussi un amateur d'art. Au cours de ses pérégrinations, il achète et rapporte chez lui les productions de l'art antique, statues ou autres, qu'il rencontre au passage. Son œil s'affine à ce trafic, son goût s'affirme et lorsqu'il ne peut acheter l'objet qu'il convoite, il en fera faire un moulage, s'il le

peut. Ce n'est que vers 1439 – il a environ quarante-cinq ans – qu'il est mentionné comme peintre. De 1441 à 1463, il est inscrit sur les registres de la Confrérie des peintres de Padoue. En 1448, Squarcione fait avec Mantegna, son élève depuis de longues années et qu'il a adopté pour son fils, un contrat de travail en commun. Mantegna est alors âgé de dix-sept ans, mais on ne saurait mettre en doute son talent puisqu'il était inscrit dans la Confrérie des peintres dès 1441. Si l'on admet l'hypothèse du Squarcione cherchant à se faire une renommée avec le talent d'autrui, il serait compréhensible qu'un homme de son expérience rompu à toutes les ruses commerciales ait cherché, par les flatteries, par l'espérance d'un gros héritage, à capter à son profit une organisation artistique telle que Mantegna. L'hypothèse paraît soutenue par l'instance judiciaire introduite par le jeune peintre en 1455, demandant la nullité de la convention, en raison de ce qu'il l'avait consenti étant mineur et qu'il avait été trompé dans le contrat. Connaissant l'âme italienne de l'époque, on conçoit après la déception résultant de cette rupture, la haine de notre artiste pour son ancien élève. Un autre fait semble bien établir la qualité « d'entrepreneur de peinture », du Squarcione, s'il est permis d'employer cette désignation : on voit en effet, en 1466, dans une convention d'un de ses élèves Pietro Calzetto que les peintures de celui-ci doit exécuter seront peintes, d'après des dessins de Niccolo Pizzolo, un autre élève, et non d'après des œuvres du maître. En 1465, sa ville natale l'exemptait de toutes taxes en récompense du plan dressé par lui de Padoue et de la province. Il en offrit un exemplaire à la seigneurie de Venise. On connaît deux œuvres signées de Squarcione. La charmante *Vierge et l'Enfant Jésus* du Musée de Berlin et le tableau d'autel du Musée de Padoue, peint vers 1449-1452, dans lequel certains critiques disent que l'on peut voir une œuvre de jeunesse de Gregorio Schiavone, qui fut élève de Squarcione. Il jouit cependant de son vivant d'une réputation considérable à Padoue et en Italie et fut l'objet d'attentions flatteuses de personnages tels que l'empereur Frédéric, le cardinal Mezzarota, etc.   ■ E. Bénézit

Musées : Berlin (Mus. Kaiser Friedrich) : *Madone avec l'Enfant* – Padoue : *Tableau d'autel*.
Ventes Publiques : Paris, 1864 : *Guerriers revêtus de leurs armures*, dess. à la pl. lavé de bistre : FRF 60 – Paris, 1881 : *La décollation d'une sainte* : FRF 790 – Paris, 1888 : *La Vierge et l'Enfant Jésus*, attr. : FRF 820.

SQUARISE Marco
Né en 1943. XXᵉ siècle. Suisse.
Peintre, illustrateur.
Musées : Aarau (Aargauer Kunsthaus) : *Feuille du mois de juin* pour spécialité PRO ARGOVIA 1977.

SQUELLA Juan
XVᵉ siècle. Travaillant à Barcelone et à Tortona de 1425 à 1478. Espagnol.
Peintre.

SQUEQUO Pietro
Né le 13 juin 1820 à Monselice. XIXᵉ siècle. Italien.
Paysagiste.
Élève de l'Académie de Venise. Il a travaillé au Caire et à Suse.

SQUILLACE Niccolo di
XVᵉ siècle. Actif à Naples de 1486 à 1490. Italien.
Graveur sur bois.

SQUILLI
XVIIIᵉ siècle. Actif à Florence. Italien.
Graveur d'architectures.

SQUILLI Giacomo
XVIIᵉ siècle. Actif à Florence au début du XVIIᵉ siècle. Italien.
Enlumineur.

SQUINDO Emil
Né le 13 février 1857 à Nördlingen. Mort le 18 novembre 1882 à Munich. XIXᵉ siècle. Allemand.
Peintre.
Élève de l'Académie de Munich chez Hiltensperger, Löfftz et W. von Diez.
Musées : Nordlingen (Mus. mun.) : *Tête de vieillard* – Stralsund : *Portrait du peintre G. Laeverenz* – Würzburg : *Retour de Louis XVI à Paris*.

SQUIRE Josiah
XIXᵉ siècle. Actif à Londres dans la première moitié du XIXᵉ siècle. Britannique.
Portraitiste.

SQUIRE Maud Hunt
Née à Cincinnati (Oklahoma). XXᵉ siècle. Américaine.
Peintre, illustrateur, graveur.
Elle fut élève de l'Art Club de Cincinnati. Elle participa à Paris, au Salon d'Automne, dont elle fut membre sociétaire.

SQUIRE-SMITH Tom. Voir SMITH Tom

SQUIRRELL Leonard Russell
Né le 30 octobre 1893 à Ipswich. XXᵉ siècle. Britannique.
Peintre, pastelliste, aquarelliste.
Ventes Publiques : Londres, 16 oct. 1986 : *Paysage boisé* 1929, past. (42x52) : GBP 1 100.

SRAMKIEWICZ Kazimierz
Né en 1914 à Poniec. XXᵉ siècle. Polonais.
Peintre de compositions à personnages, paysages.
Il termina ses études d'architecture à Lwow en 1938, puis obtint le diplôme de l'académie des beaux-arts Kopernik de Torun en 1947. Devenu professeur à l'académie des beaux-arts de Gdansk, il fut membre fondateur du *Groupe des Peintres Réalistes*, très représentatif du courant du Réalisme-socialiste d'après la guerre.
Pourtant, dans son œuvre personnel, sans prétendre à quelque avant-garde formelle, Sramkiewicz fait preuve d'un goût de géométrisme qui confère à ses peintures comme un soupçon de modernité.
Musées : Cracovie – Florence (Mus. d'Art Contemp.) – Gdansk – Moscou (Gal. Tretiakov) – Poznan – Saint-Pétersbourg (Mus. de l'Ermitage) – Varsovie.
Ventes Publiques : Paris, 29 mai 1991 : *Concert pour deux pianos et percussions* 1972, h/t (100x150) : FRF 3 700.

SRAWO Jakob
XVIIᵉ siècle. Actif en Transylvanie dans la première moitié du XVIIᵉ siècle. Autrichien.
Sculpteur.
Il a sculpté le tombeau de George Paltzius dans l'église de Reichesdorf.

SRBINOVIC Mladen
Né en 1925 à Souchitsa (Macédoine). XXᵉ siècle. Yougoslave.
Peintre de nus, natures mortes, graveur.
Il fut élève, jusqu'en 1953, de l'académie des beaux-arts de Belgrade, où il enseignera à son tour. Il a voyagé à Paris, Londres, en Italie, à Varsovie. Il fut membre du groupe de Septembre.
Il participe à partir de 1951 à de très nombreuses expositions collectives : 1954 XXVIIᵉ Biennale de Venise en arts graphiques ; 1955, 1961 Iʳᵉ et IVᵉ Biennales méditerranéennes d'Alexandrie ; 1957 Salon de la Jeune Gravure à Paris ; 1958, 1960 Guggenheim International Award de New York ; 1959 Vᵉ Biennale de Tokyo ; 1961 VIᵉ Biennale de São Paulo ; 1969 Salon de Mai à Paris...
Figuratif, il ne procède que par allusions à la forme, nus féminins ou natures mortes, dont il restitue l'image radiographique.
Bibliogr. : Bernard Dorival, sous la direction de... : *Peintres contemp.*, Mazenod, Paris, 1964.

SREBRENITSKI Grigori Féodorovitch ou Srebrenizki ou Februitski
Né en 1741 en Petite Russie. Mort le 10 décembre 1779 à Saint-Pétersbourg. XVIIIᵉ siècle. Russe.
Graveur au burin.

SRECKO Pierre. Voir SABLJAK

SREDINE Alexander Valentinovitch ou Sredin
Né le 30 août 1872 à Kertch. XIXᵉ-XXᵉ siècles. Yougoslave.

Peintre d'intérieurs.

Il fut élève de J.-P. Laurens et de Benjamin Constant à Paris et de Valentin Serov et Korovine à Moscou.

Musées : Kiev – Moscou – Odessa – Paris – Saint-Pétersbourg.

SRETLING Marc
Né le 15 juillet 1897. xxᵉ siècle. Russe.
Peintre.

Il participa à Paris aux Salons d'Automne et des Tuileries.

SRNA Juraj
xixᵉ siècle. Yougoslave.
Peintre.

Il vécut à Zagreb, travaillant en 1831. Il a peint un tableau d'autel *(Sainte Juliane)* dans l'église Sainte-Catherine de Zagreb.

SRNEC Aleksandar
Né en 1924 à Zagreb. xxᵉ siècle. Yougoslave.
Peintre, graveur, sculpteur, multimédia. Abstrait puis cinétique.

Il fut élève de l'académie des beaux-arts de Zagreb jusqu'en 1949. Il fut membre du groupe EXAT 51.
Il a exposé à Zagreb, en 1953, 1967, 1969, 1971 (...) ; Belgrade en 1953, 1958, 1963 ; Paris en 1959 ; Londres, etc.
Il se sert d'abord du langage abstrait pour parvenir à des formes essentielles d'origine organique puis géométrique. De cette abstraction néo-constructiviste, il passe rapidement au cinétisme et au lumino-cinétisme, dont il est l'un des premiers représentants en Yougoslavie. Il utilise en particulier des projections de lumière sur des écrans rotatifs. Il travaille également à partir de photographies prises pendant les projections. Parallèlement il a une importante activité dans le cinéma d'animation, créant en 1960 un film abstrait à partir d'un carré rouge.

SRNITCH Vuka
Née le 10 décembre 1923. xxᵉ siècle. Yougoslave.
Peintre.

Elle a participé à Paris au Salon de Mai.

SROCZYNSKI J.
Né à Lemberg. xviiiᵉ siècle. Polonais.
Peintre.

Il a peint des tableaux à fresques pour l'église des Bernardins de Lemberg, en 1740.

SROUR Habib
Né en 1860. Mort en 1938. xixᵉ-xxᵉ siècles. Libanais.
Peintre de portraits, natures mortes, pastelliste.

Il vécut ses années de jeunesse, dès 1870, à Rome où il fréquenta l'école des beaux-arts. Il séjourna ensuite en Égypte avant de s'installer définitivement au Liban, où il enseigna à l'école impériale ottomane de Bachoura et reçut des élèves dans son atelier.
Il a figuré dans des expositions collectives, notamment en 1934 à l'hôtel Saint-Georges à Beyrouth.
Peintre officiel de la vie libanaise, il s'est spécialisé dans les portraits à l'huile de personnalités religieuses et politiques.
Bibliogr. : In : catalogue de l'exposition *Liban – Le regard des peintres, 200 ans de peinture libanaise*, Institut du monde Arabe, Paris, 1989.

SRUTEK Josef
xixᵉ siècle. Actif à Nachod de 1849 à 1870. Tchécoslovaque.
Peintre.

Il a sculpté un *Chemin de Croix* dans l'église de Nachod.

SRZEDNICKI Konrad
Né le 1ᵉʳ novembre 1894 à Wysokie Marzowieckie. xxᵉ siècle. Polonais.
Graveur.

Il fit ses études à Varsovie. Il exécuta des chromolithographies, des gravures à l'eau-forte et des gravures sur bois.

SS.
Pour les patronymes commençant par ces lettres, voir les patronymes commençant par **S, SA, SCH, SE, SI, SO, SY, SZ**

SSEU-MA TCHONG. Voir SIMA ZHONG

SSŬ-MA CHUNG. Voir SIMA ZHONG

STA Henri de
xixᵉ-xxᵉ siècles. Français.
Dessinateur.

Il a réalisé des dessins d'humour pour la revue *Mame* et des illustrations.
Bibliogr. : In : *Dict. des illustrateurs 1800-1914*, Ides et Calendes, Neuchâtel, 1989.

STAACK Zora
xxᵉ siècle. Yougoslave.
Peintre.

Il participa à Paris au Salon de Mai, en 1953.

STAADEN Jan Van
Né vers 1662. xviiᵉ siècle. Hollandais.
Peintre.

Il travailla à Amsterdam.

STAAF Carl Theodor
Né le 28 juin 1816 à Lillhärdal. Mort le 3 mai 1880 à Stockholm. xixᵉ siècle. Suédois.
Peintre de genre et portraitiste.

Élève de l'Académie de Stockholm. Il travailla pour des édifices publics de Stockholm. Le Musée de Göteborg conserve de lui *Portrait de Marcus Larsen*, et le Musée National de Stockholm, *Portrait de la mère du peintre Marcus Larsen*.

STAAK Jurjen
xviiiᵉ siècle. Actif à Sneek. Hollandais.
Peintre verrier.

Il exécuta, en collaboration avec Ype Staak, des vitraux dans plusieurs églises de Hollande.

STAAK Ype
xviiiᵉ siècle. Actif à Sneek. Hollandais.
Peintre verrier.

Il exécuta des vitraux dans plusieurs églises de Hollande.

STAAL Gustave ou Pierre Gustave Eugène
Né le 2 septembre 1817 à Vertus (Marne). Mort le 19 octobre 1882 à Ivry (Val-de-Marne). xixᵉ siècle. Français.
Portraitiste, dessinateur, pastelliste, graveur au burin et lithographe.

Élève de Paul Delaroche. Entré à l'École des Beaux-Arts le 7 avril 1838. Il exposa au Salon de 1839 à 1872. Staal fut un collaborateur assidu du *Magasin Pittoresque*.

G. STAAL.

Ventes Publiques : Paris, 1880 : *Saint-Louis*, dess. à la mine de pb : FRF 40 – Paris, 1898 : *Portrait de Hegesippe Moreau*, dess. à la mine de pb, légèrement reh. de gche : FRF 70 – New York, 29 fév. 1984 : *Nymphe et Amours*, h/t (73x54) : USD 1 800.

STAAL Pieter Michiel ou Stael, dit den Hyger
Né vers 1575. Mort en 1622 à Delft. xviiᵉ siècle. Hollandais.
Paysagiste.

Il peignit des scènes de l'Ancien Testament et des paysages.

STAASENS Sebastian ou Staessens ou Stassens
Né en 1752 à Gand ou à Mannheim. Mort après 1821. xviiiᵉ-xixᵉ siècles. Allemand.
Peintre et dessinateur.

Il travailla à Mannheim. Le Musée du château de cette ville conserve de lui *Cours du docteur F. A. Mai*, *Portrait du docteur Mai et de sa femme Sylvia*, et la Galerie Nationale de Spire, *Messe, selon le rite grec*.

STAAT Hjalmar. Voir STRAAT Hjalmar Karl

STAATS Gertrud
Née le 21 février 1859 à Breslau. xixᵉ-xxᵉ siècles. Allemande.
Peintre de paysages.

Elle fut élève d'Adolf Dressler à Breslau et de Hans Gude à Berlin.
Musées : Breslau, nom all. de Wroclaw : *Prairie dans les hautes montagnes*.

STAB Raymond
xxᵉ siècle. Français.
Illustrateur.

Il a illustré les *Poèmes au Dunois* de Paul Fort.

STABELL Lars Erikson
Né le 23 décembre 1874 à Strinda. xixᵉ-xxᵉ siècles. Norvégien.
Peintre de portraits, paysages.

Il fut aussi architecte.

STABELLI Antonio
Né à Bologne. xviiᵉ siècle. Travaillant vers 1670. Italien.
Sculpteur.

Il a sculpté le bas-relief *Le Christ en Croix* dans l'église Notre-Dame de la Liberté de Bologne.

STABEN Hendrik
Né en 1578 à Anvers. Mort en 1658 à Paris. XVIIe siècle. Éc. flamande.
Peintre.
Élève de Tintoret, à Venise, jusqu'à dix-sept ans. Il alla ensuite à Paris et y peignit de petits tableaux d'intérieur d'une belle facture. Le Musée de Bruxelles conserve une peinture de cet artiste.
VENTES PUBLIQUES : PARIS, 7 mars 1923 : *La Visite à l'antiquaire* : FRF 4 000.

STÄBER Georg
XVe-XVIe siècles. Actif à Rosenheim. Autrichien.
Peintre.
Il travailla à Salzbourg où il peignit un retable pour la chapelle du cimetière de l'église Saint-Pierre.

STABEROW Karl
XIXe siècle. Actif dans la première moitié du XIXe siècle. Allemand.
Peintre de paysages et d'architectures.
Élève de l'Académie de Berlin.

STABILE Antonio
XVIe siècle. Actif à Naples dans la seconde moitié du XVIe siècle. Italien.
Peintre.
Élève de Silvio Buono. Il a peint des tableaux d'autel dans l'église S. Francesco delle Monache, ainsi que dans l'église Saint-Séverin et Sainte-Sosie.

STABILE Luigi
Né le 10 juin 1822 à Naples. XIXe siècle. Italien.
Peintre.
Élève de Maldarelli. Il peignit des fresques dans des églises et à la Préfecture de Naples.

STABINGER Ferdinand
Né le 26 mai 1866 à Thaur. XIXe-XXe siècles. Autrichien.
Sculpteur de bustes, figures.
Il fit ses études à Halle et Vienne. Il sculpta surtout des bustes et des figures en bois.

STABLE
XVIIIe siècle. Actif à Londres de 1767 à 1775. Britannique.
Portraitiste.

STABLENT. Voir **STALBEMT Adriaen Van**

STABLER Harold
Né le 10 juin 1872 à Levens. XIXe-XXe siècles. Britannique.
Sculpteur.
Mari du sculpteur Phoebe Stabler, sculpteur elle-même, il réalisa également des faïences et des travaux d'orfèvrerie.
MUSÉES : DETROIT (Art Inst.) – PARIS (Mus. des Arts déco.).

STABLER Phoebe, née **Mc Leish**
XIXe-XXe siècles. Britannique.
Sculpteur de groupes, céramiste.
Elle fut la femme du sculpteur Harold Stabler.
MUSÉES : LIVERPOOL (Walker Art Gal.) : *Granny*, bronze.

STABLES Joseph
XVIIIe siècle. Actif à Londres et à Derby dans la seconde moitié du XVIIIe siècle. Britannique.
Peintre.
Il exposa des paysages à Londres en 1783.

STÄBLI Adolf ou **Johann Adolf**
Né le 31 mai 1842 à Winterthur. Mort le 21 septembre 1901 à Munich (Bavière). XIXe siècle. Suisse.
Peintre de paysages.
Son père, Diethelm Rudolf Stäbli, professeur de dessin à Zurich, fut son premier maître. Stäbli fut ensuite élève d'Adolf Zoller de l'Académie de Karlsruhe, puis d'Allier à l'Académie de Munich. Il travailla aussi à Paris où les maîtres de l'École de Barbizon, surtout Théodore Rousseau, l'influencèrent.
MUSÉES : AARAU : *L'abbaye de Fahr*, seize dessins – HANOVRE : *Paysage avec chapelle* – MUNICH (Nouvelle Pina.) : *Paysage bavarois* – SAINT-GALL : *Inondation* – WINTERTHUR : *Après l'orage* – ZURICH (Kunsthaus) : *Paysage avec bouleaux.*
VENTES PUBLIQUES : PARIS, 1er fév. 1950 : *Paysage de montagne* : FRF 3 800 – ZURICH, 15 mars 1951 : *Cavaliers dans un paysage* : CHF 1 700 – LUCERNE, 11 juin 1951 : *Rochers et sapins* : CHF 2 000 – LUCERNE, 30 nov. 1968 : *Paysage suisse* : CHF 17 000 – LUCERNE, 24 nov. 1972 : *Paysage* : CHF 6 000 – ZURICH, 1er juin 1973 : *Paysage* : CHF 16 200 – LUCERNE, 21 juin 1974 : *Vue de*

Berchtesgaden : **CHF 4 800** – ZURICH, 5 mai 1976 : *Paysage au grand arbre*, h/t (88x74) : **CHF 9 500** – LUCERNE, 19 nov. 1977 : *Paysage orageux*, h/t (41x32,5) : **CHF 4 500** – ZURICH, 25 mai 1979 : *Paysage*, h/t (77,5x132) : **CHF 12 000** – ZURICH, 15 mai 1981 : *Bord de lac au ciel orageux*, h/t (80,5x100,5) : **CHF 10 000** – ZURICH, 21 juin 1985 : *Paysage fluvial 1881*, h/t (81x126,5) : **CHF 16 000** – BERNE, 26 oct. 1988 : *Paysage à l'arrivée de l'orage*, h/t (49x63,5) : **CHF 2 800** – ZURICH, 14-16 oct. 1992 : *Paysage fluvial*, h/t (55,5x70) : **CHF 7 500** – ZURICH, 21 avr. 1993 : *Jour de pluie*, h/t (58x81,5) : **CHF 9 200** – ZURICH, 24 nov. 1993 : *Vue d'un sous-bois avec un étang 1877*, h/cart. (32x40) : **CHF 6 325** – HEIDELBERG, 15 oct. 1994 : *L'Arrivée de l'orage*, h/pan. (60x74) : **DEM 4 600** – ZURICH, 5 juin 1996 : *Paysage de moyenne montagne vers 1880*, h/t (79,5x125,5) : **CHF 8 625**.

STÄBLI Diethelm Rudolf
Né le 2 décembre 1812 à Brugg. Mort le 22 décembre 1868 à Winterthur. XIXe siècle. Suisse.
Graveur au burin et lithographe.
Père d'Adolf Stäbli. Il fit ses études à Munich. Il grava d'après Kaulbach et Schwind.

STABOLI Battinio de
XVIe siècle. Actif à Naples en 1509. Italien.
Peintre.

STABROVSKI Casimir ou **Kasimierz** ou **Stabrowski**
Né le 21 novembre 1869 à Kruplany. Mort le 8 juin 1929 à Garvolin. XIXe-XXe siècles. Polonais.
Peintre de genre.
Il fit partie de l'école de Cracovie. Il exposa à Paris et reçut une médaille d'argent en 1900 à l'Exposition universelle.
Imaginatif et poète, il puisa dans la nature ce qui convenait à sa propre sensibilité.
MUSÉES : VARSOVIE – VENISE – WURZBOURG.

STABULIS Joannes de. Voir **JEAN de Stavelot**

STACCOLI Francesco
Mort vers 1815. XIXe siècle. Actif à Rome. Italien.
Aquarelliste.
Élève d'A. von Maron.

STACEY Jean Georges
Né le 8 février 1863 à La Fayette. XIXe-XXe siècles. Américain.
Peintre.
Il fut élève de l'Art Students' League de New York, de Charles W. Hawthorne et Susan Richer Knox. Il fut membre de la Ligue américaine des Artistes Professeurs.

STACEY John Franklin
Né en 1859 à Biddeford. XIXe-XXe siècles. Américain.
Peintre.
Il fit ses études à Boston puis avec Boulanger et Lefebvre à l'académie Julian à Paris.

STACEY Walter S.
Né en 1846 à Londres. Mort en 1929 à Newton Abbot. XIXe-XXe siècles. Britannique.
Peintre de genre, paysages, dessinateur, illustrateur, aquarelliste.
Il exposa à Londres au Royal Institute of Painters in Watercolours, dont il fut membre, au New English Art Club et, à partir de 1871, à la Royal Academy et à Suffolk Street.
Il a réalisé des illustrations de livres pour enfants.

W. G. Stacey

BIBLIOGR. : In : *Dict. des illustrateurs 1800-1914*, Ides et Calendes, Neuchâtel, 1989.
VENTES PUBLIQUES : LONDRES, 6 déc. 1909 : *Le Retour du pêcheur 1882* : **GBP 4** – NEW YORK, 29 oct. 1992 : *Le Prince Edouard et son jeune compagnon attendant de recevoir le fouet à la place de son maître 1882*, h/t (142,2x111,8) : **USD 4 400**.

STACH Georg Bernhard
Mort en 1832. XIXe siècle. Actif à Hildesheim. Allemand.
Médailleur.

STACH Ignaz
XIXe siècle. Travaillant en 1824. Allemand.
Peintre.
Il a peint une *Sainte Odile* pour la vieille église d'Oberbessenbach.

STACHE Adolphe
Né en 1823. Mort en 1862. XIXᵉ siècle. Belge.
Peintre de genre, portraits.
Il travailla à Bruxelles.
VENTES PUBLIQUES : AMSTERDAM, 24 avr. 1991 : *Élégante compagnie écoutant de la musique*, h/t (70x84) : **NLG 3 220**.

STACHE Ernst
Né en 1849 à Ober-Peilau. XIXᵉ siècle. Allemand.
Peintre de paysages, architectures.
Il travailla à Munich et à Rome.
VENTES PUBLIQUES : LONDRES, 3 oct 1979 : *Scène de canal, Venise*, h/t (87,5x72,5) : **GBP 550** – ROME, 14 déc. 1988 : *Le Colisée et l'Arc de Constantin* 1890, h/t (111x200) : **ITL 21 000 000**.

STACHEL. Voir **STAHEL**

STÄCHELI Jakob
XVIᵉ siècle. Travaillant à Berne de 1507 à 1525. Suisse.
Peintre et verrier.
Il exécuta de nombreux vitraux pour des églises du canton de Berne ainsi que pour des maisons bourgeoises.

STACHI Constantin D.
Né en 1844. Mort en 1920. XIXᵉ-XXᵉ siècles. Roumain.
Peintre de portraits, paysages.
Il fut élève de l'école d'art de Jassy ; il continua ses études à Munich et Berlin.
MUSÉES : BUCAREST (Pina. Nat.) – JASSY.

STACHIEWICZ Pierre ou **Piotr**
Né le 29 octobre 1858 à Novosiolki Goscinne. Mort en 1938. XIXᵉ-XXᵉ siècles. Polonais.
Peintre de compositions religieuses, dessinateur, illustrateur.
Il fit ses études à l'école des beaux-arts de Cracovie où il travailla de 1877 à 1883. Il étudia ensuite deux ans à l'école des beaux-arts de Munich avec Anton Seitz. En 1886, il fit un voyage en Italie. On lui doit de nombreuses illustrations de livres divers.
MUSÉES : CRACOVIE : *Les Funérailles d'un montagnard*.
VENTES PUBLIQUES : MUNICH, 28 nov 1979 : *Portrait de femme*, past. (55x66) : **DEM 1 800** – NEW YORK, 16 fév. 1984 : *Vierge couronnée*, sanguine/pap./cart. (45,7x61,9) : **USD 1 320** – LONDRES, 18 juin 1993 : *Vierge couronnée*, cr. et sanguine : (46x62) : **GBP 1 725**.

STACHL Franz. Voir **STÖCKL**

STACHOVA
Née en Bohême. XXᵉ siècle. Tchécoslovaque.
Peintre.

STACHOWIAK Adolf
Né en 1835. Mort le 10 mars 1905 à Berlin. XIXᵉ siècle. Allemand.
Portraitiste.

STACHOWICZ Marcin
Mort le 11 juillet 1770. XVIIIᵉ siècle. Actif à Cracovie. Polonais.
Peintre.
Il fut maître de la corporation en 1745.

STACHOWICZ Michal ou **Stachovitch**
Né le 14 août 1768 à Cracovie. Mort le 26 mars 1825 à Cracovie. XVIIIᵉ-XIXᵉ siècles. Polonais.
Peintre, aquafortiste et lithographe.
Il étudia avec Molitor, puis avec Casimir Molodzinski pendant sept ans. Toute sa vie s'écoula à Cracovie, qu'il évoqua souvent dans ses compositions. Il fit plusieurs tableaux d'histoire, religieux et de genre. En 1816, il décora le palais épiscopal de peintures murales. Il travailla aussi pour l'Université de la ville et y fit plusieurs portraits de personnages connus, ainsi que la décoration des murs et des plafonds. En 1817 il fut nommé professeur au lycée de Sainte-Barbe. Membre de la Société des savants de Cracovie.
MUSÉES : CRACOVIE (Mus. Nat.) : *Le serment de Kosciuszko – Entrée solennelle du prince J. Poniatowski – Deux portraits en miniature de Kosciuszko* – LEMBERG (Mus. mun.) : *Trois peintures à l'huile et cinq gouaches* – POSEN (Mus. Mielsynski) : *L'arrestation de saint Pierre – Paysans jouant aux cartes* – VARSOVIE (Mus. Nat.) : *Déménagement – Le marché aux grains – Danse à l'auberge du village.*

STACHOWICZ Teodor Baltazar
Né en 1800 à Cracovie. Mort en 1873 à Cracovie. XIXᵉ siècle. Polonais.

Peintre amateur.
Fils de Michal Stachowicz. Le Musée National de Cracovie conserve de lui *L'église des Dominicains à Cracovie, L'abbaye des Dominicains à Cracovie* et *L'abbaye des Cisterciens de Mogila.*

STACHOWSKI Vladyslav
Né en 1852 à Kuba. Mort le 2 octobre 1932 à Varsovie. XIXᵉ-XXᵉ siècles. Polonais.
Peintre.
Il fut élève de l'académie de Saint-Pétersbourg. Il exposa à Cracovie, Bromberg et Varsovie.

STÄCK Josef Magnus
Né le 4 avril 1812 à Lund. Mort le 21 février 1868 à Stockholm. XIXᵉ siècle. Suédois.
Peintre de paysages animés, paysages, marines.
Il fit ses études à Stockholm, à Munich, à Paris et en Italie. Il exposa au Salon de Paris, de 1847 et de 1848.
On cite surtout ses paysages italiens et les scènes hollandaises de sa dernière manière.

$tάck

MUSÉES : HELSINKI : *Paysage d'hiver hollandais* – STOCKHOLM : *Paysage italien ensoleillé – Marine au clair de lune.*
VENTES PUBLIQUES : STOCKHOLM, 25-27 sep. 1935 : *Paysage d'hiver* : **SEK 1 890** – STOCKHOLM, 11 oct. 1950 : *Paysage de la campagne romaine* 1847 : **SEK 2 225** – LONDRES, 16 mars 1951 : *À la fenêtre* : **GBP 136** – STOCKHOLM, 30 oct 1979 : *Paysage* 1857, h/t (87x73) : **SEK 10 200** – LONDRES, 24 nov. 1982 : *Paysage d'hiver au moulin animé de personnages* 1863, h/t (48x69) : **GBP 2 000** – STOCKHOLM, 1ᵉʳ nov. 1983 : *Vue de Stockholm* 1837, h/t (49x72) : **SEK 70 000** – STOCKHOLM, 9 avr. 1985 : *Paysage de Hollande en hiver* 1863, h/t (48x69) : **SEK 29 000** – STOCKHOLM, 15 nov. 1988 : *Paysage d'Italie avec des constructions et des personnages*, h. (38x54) : **SEK 50 000** – STOCKHOLM, 19 avr. 1989 : *Paysage d'hiver animé avec un chateau fortifié près de Arnheim*, h/t (50x73) : **SEK 8 500** – GÖTEBORG, 18 mai 1989 : *Le canal et l'église de Oude, vus depuis Amsterdam, en hiver* 1850, h/t (90x127) : **SEK 295 000** – STOCKHOLM, 15 nov. 1989 : *Port fluvial animé de la nuit* 1857, h/t (66x82) : **SEK 50 000** – STOCKHOLM, 14 nov. 1990 : *Paysage lacustre et boisé avec la barque du passeur*, h/t (38x54) : **SEK 30 000** – LONDRES, 29 nov. 1991 : *Grande marina à Capri* 1867, h/t (62,2x93,3) : **GBP 6 600** – STOCKHOLM, 30 nov. 1993 : *Paysage hivernal au crépuscule avec des patineurs près d'un moulin*, h/t (38x54) : **SEK 27 000**.

STACK Milko
Né en 1940. XXᵉ siècle. Actif en France.
Sculpteur.
Il semble s'être spécialisé dans le travail du bronze.
VENTES PUBLIQUES : NEUILLY, 3 fév. 1991 : *Jeux d'ondulation* 1990, bronze (18,5x35x9,5) : **FRF 11 500** – PARIS, 3 juin 1991 : *Les danseurs* 1987, bronze (31,7x7x5,5) : **FRF 7 500**.

STACKE Agnès
Née en 1942 en Charente. XXᵉ siècle. Française.
Peintre. Groupe Art-Cloche.
Elle fut élève de l'école des beaux-arts de Bordeaux. Elle dirige une galerie à Auvers-sur-Oise. Elle fut membre du groupe art-cloche fondé en 1981, qui occupa un « squatt » de la rue d'Arcueil à Paris, groupe informel contestataire se réclamant de Dada et de Fluxus, et participa aux expositions du groupe de 1981 à 1988.
BIBLIOGR. : In : *Art Cloche. Élément pour une rétrospective. Squatt artistique*, catalogue de ventes, Me Pierre Cornette de Saint-Cyr, lundi 30 janvier 1989, Paris.

STACKELBERG Otto Magnus von, baron
Né le 25 juillet 1787 à Revel. Mort le 27 mars 1837 à Saint-Pétersbourg. XIXᵉ siècle. Russe.
Dessinateur de paysages et d'architectures.
Il fit ses études à Dresde et en Italie. Antiquaire, on le signale, en 1810, en Grèce attaché à une mission archéologique dont les travaux amenèrent la découverte des ruines du Temple d'Apollon à Bassœ et des marbres d'Égine. Stackelberg fit de nombreux dessins de ces vestiges de l'antiquité grecque qu'il publia en 1826. On lui doit aussi des vues de sites, des costumes de la Grèce moderne, des sépultures anciennes. Il visita aussi l'Italie et découvrit des fresques étrusques.

VENTES PUBLIQUES : HAMBOURG, 6 juin 1985 : *Vénus, Bacchus et Amour* 1821, cr. (18,3x17,5) : **DEM 3 000.**

STACKENBROECK Christophe de
xve siècle. Éc. flamande.
Sculpteur sur bois.
Il a sculpté le retable dans l'église Saint-Jean de Malines de 1488 à 1489.

STACKER Heinrich ou Staker
xvie-xviie siècles. Actif à Munich. Allemand.
Graveur au burin et éditeur.
Il grava des vues d'Einsiedeln.

STACKHOUSE J.
xviiie siècle. Travaillant à Londres vers la fin du xviiie siècle. Britannique.
Peintre de fleurs et de fruits.

STACKHOUSE Robert
Né en 1942. xxe siècle. Américain.
Peintre de paysages, marines, aquarelliste, dessinateur, technique mixte.
VENTES PUBLIQUES : NEW YORK, 27 fév. 1990 : *Sur le pont rouge du bateau* 1982, aquar., fus. et cr./pap. (183x108) : **USD 6 600** – NEW YORK, 7 mai 1996 : *Vue intérieur de Ruby birth* 1988, aquar., fus. et cr./pap./tissu (227,3x365,1) : **USD 6 900.**

STÄCKL Franz. Voir STÖCKL

STACKL Karl
Né vers 1834. Mort en 1877 à Hall (Tyrol). xixe siècle. Autrichien.
Dessinateur.

STACKPOLE Ralph
Né le 1er mai 1885 à Williams (Oregon). Mort le 10 décembre 1973 à Chauriat (Puy-de-Dôme). xxe siècle. Actif depuis 1949 en France. Américain.
Sculpteur, peintre.
Dès l'âge de seize ans, il entra à l'école des beaux-arts de Californie. Il fut élève de Gottardo Piazzoni. En 1903, il fut élève du sculpteur animalier Arthur Putnam (ou Putman). À Paris, en 1906-1907, il travailla dans l'atelier d'Antoine Mercier à l'école des beaux-arts. Revenu aux États-Unis, il étudia la peinture avec Robert Henri, en 1911. Il fit un autre séjour à Paris et en Europe en 1922 et 1923. Il regagna ensuite la Californie. Il a enseigné pendant presque vingt années à l'école des beaux-arts de San Francisco, où il avait lui-même débuté. Il décida de venir s'installer en France en 1949, vivant dans le Puy-de-Dôme d'où sa femme est originaire.
Il a participé à des expositions collectives régulièrement à Paris, dans les Salons annuels notamment aux Réalité Nouvelles de 1961 à 1964, et à l'étranger. Il a montré ses œuvres dans deux expositions personnelles en 1959 à Paris notamment au Centre culturel américain.
Il se consacra finalement surtout à la sculpture, et tout spécialement à l'intégration architecturale de la sculpture monumentale. S'il a toujours travaillé les mêmes sortes de pierre, notamment le granit avec prédilection, il utilise aussi le bois, souvent polychromé ou comportant des incrustations et continue de peindre des décorations murales dans des lieux publics et des universités. Au cours de sa carrière, son évolution a défini plusieurs périodes. Il fut d'abord influencé par le romantisme de Rodin. Ensuite l'art gothique, étudié au cours de ses voyages en Europe détermina certains caractères de ses propres œuvres. Finalement il trouva sa plus authentique source d'inspiration dans l'art des Indiens d'Amérique, notamment dans la peinture et l'ornementation des emblèmes totémiques. En 1938-1939, il réalisa dans cet esprit une statue de trente mètres de hauteur, pour l'exposition de San Francisco.
BIBLIOGR. : Denys Chevalier, in : *Nouv. Dict. de la sculpture mod.*, Hazan, Paris, 1970.
VENTES PUBLIQUES : LOS ANGELES, 8 mars 1976 : *Nu agenouillé, Jeune fille couchée,* deux bronzes, patine verte (H. 25,5, Long 36) : **USD 1 200** – LOS ANGELES-SAN FRANCISCO, 10 oct. 1990 : *Femme mettant du rouge à lèvres,* h/t (64x51) : **USD 4 400.**

STACPOOLE Frederick
Né en 1813. Mort le 19 décembre 1907. xixe siècle. Actif à Londres. Britannique.
Peintre et graveur à la manière noire.
Associé de la Royal Academy. Il exposa à Londres, notamment à la Royal Academy, à Suffolk Street, à la British Institution à partir de 1841.

STACQUET Henri ou Staquet
Né le 25 novembre 1838 à Bruxelles. Mort le 19 décembre 1907 à Schaerbeck (près de Bruxelles). xixe siècle. Belge.
Peintre de genre, paysages animés, paysages, marines, intérieurs, architectures, peintre à la gouache, aquarelliste.
Il fut élève de l'Académie libre de sa ville natale et figura aux Expositions de Paris ; il obtint une médaille de bronze lors de l'Exposition Universelle de 1889.

MUSÉES : ANVERS : *La lectrice* – *La Chapelle,* aquarelles – BOSTON : *Paysage d'hiver* – BRUXELLES : aquarelles – BRUXELLES : *Estacade à Ostende* – *Intérieur de la vieille église de Grimberghen* – *Vue de Katwijk* – BUDAPEST : *Hiver à Rotterdam* – *La Côte près de Katwijk* – COURTRAI : *Paysage d'hiver* – GAND : *Pêcheur dans la tempête* – MALINES : *Paysage d'hiver* – OSTENDE : *Intérieur* – *Marine* – PARIS (ancien Luxembourg) : *Intérieur* – SCHAERBECK : *Paysage.*
VENTES PUBLIQUES : NEW YORK, 11-12 mars 1909 : *Route dans les Flandres,* aquar. : **USD 35** – LOKEREN, 8 oct. 1988 : *Pêcheurs sur une plage,* aquar. et gche (22x33) : **BEF 26 000** – BRUXELLES, 12 juin 1990 : *Paysage animé,* aquar. (27x38) : **BEF 24 000** – LOKEREN, 11 mars 1995 : *Cavalier dans la neige,* h/cart. (35x28) : **BEF 26 000.**

STACY Graham
xxe siècle. Suédois.
Sculpteur.
Il a participé en 1976 à l'exposition *L'Art dans la rue* qui réunissaient divers sculpteurs contemporains suédois à Borlänge.

STADECKER Calire Leo
Né le 6 octobre 1886 à New York. Mort le 6 juillet 1911 à New York. xxe siècle. Américain.
Peintre.

STÄDEL Anna Rosina Magdalena, dite Rosette, née von Willemer
Née à Francfort-sur-le-Main. Morte le 16 mars 1845 à Francfort-sur-le-Main. xixe siècle. Allemande.
Dessinatrice et peintre amateur.
Élève d'Anton Radl.

STADELHOFER Emil
Né le 2 décembre 1872 à Imatingen. xixe-xxe siècles. Allemand.
Sculpteur de bustes, statues.
Il fut élève de l'académie des beaux-arts de Karlsruhe. Il sculpta des bustes et des statues.

STADELMANN
xviie siècle. Actif à Engen. Allemand.
Sculpteur.
Il exécuta des sculptures dans l'église d'Engen.

STADELMANN Hans
Né le 6 juillet 1876 à Nuremberg (Bavière). xxe siècle. Allemand.
Peintre, graveur.
Il fut élève de l'académie des beaux-arts de Munich, où il vécut et travailla.
MUSÉES : NUREMBERG (Gal. mun.).
VENTES PUBLIQUES : NEW YORK, 24 mai 1985 : *Frau Herzeloide* 1919, h/pan. (44,5x32,4) : **USD 1 500.**

STADELMANN Rudolph
Né en 1814 à Suhl. xixe siècle. Allemand.
Médailleur.
Élève de l'Académie de Berlin. Il travailla à Rome et à Darmstadt.

STADEMANN Adolf ou Stademan
Né le 19 juin 1824 à Munich. Mort le 30 octobre 1895 à Munich. xixe siècle. Allemand.
Peintre de genre, paysages animés, paysages, paysages portuaires.
Fils de Ferdinand, il fut élève de Lebschée et de Lotze. Il s'établit et travailla à Munich.

MUSÉES : MAYENCE : *Paysage de fleuve le soir* – MUNICH : *Château Kalkberg* – *Paysage d'hiver.*

Ventes Publiques : Munich, 30 nov. 1972 : *Vue d'un port au clair de lune* : DEM 4 000 – Vienne, 20 mars 1973 : *Paysage d'hiver* : ATS 100 000 – Berlin, 28 avr. 1974 : *Paysage d'hiver* : DEM 10 000 – Berne, 21 oct. 1977 : *Paysage au clair de lune*, h/cart. (31x47,5) : CHF 6 000 – Munich, 27 mai 1978 : *Village dans un paysage d'hiver, au clair de lune* 1858, h/t (29,5x24,5) : DEM 7 200 – New York, 12 oct 1979 : *Le canal gelé sous un ciel d'hiver*, h/cart. (32x47) : USD 11 000 – New York, 11 fév. 1981 : *Enfants patinant sur une rivière gelée*, h/t (30,5x56,5) : USD 14 000 – Berne, 12 mai 1984 : *Eisvergnügen*, h/t (43x61) : CHF 37 000 – Munich, 23 oct. 1985 : *Les patineurs*, h/t (40x50) : DEM 20 000 – Munich, 13 mars 1986 : *Les joies de l'hiver*, h/t : DEM 28 000 – Berne, 26 oct. 1988 : *Bûcherons et traîneau de bois en forêt l'hiver*, h/pan. (24,5x36) : CHF 21 000 – Londres, 6 oct. 1989 : *Retour de chasse*, h/pan. (14x20) : GBP 2 640 – Munich, 29 nov. 1989 : *Paysage hollandais hivernal* 1862, h/t (50x73,5) : DEM 27 500 – New York, 17 jan. 1990 : *Groupe de patineurs sur la glace*, h/t (59,7x100,4) : USD 18 150 – New York, 23 mai 1990 : *Paysage d'hiver le soir*, h/t (66,5x118,1) : USD 11 000 – Munich, 31 mai 1990 : *Paysage d'hiver au coucher de soleil* 1845, h/t (134x173) : DEM 44 000 – New York, 19 juil. 1990 : *Scène de patinage*, h/pan. (13,3x33,1) : USD 6 050 – Munich, 12 déc. 1991 : *Paysage hollandais en hiver*, h/pan. (33,5x49) : DEM 13 200 – New York, 20 fév. 1992 : *Paysage d'hiver*, h/pan. (21,9x32,4) : USD 6 875 – Amsterdam, 30 oct. 1992 : *Personnages dans un paysage hivernal gelé*, h/t (61x100,5) : USD 7 700 – New York, 16 fév. 1993 : *Patineurs sur un canal gelé*, h/cart. (30,5x46,5) : USD 4 620 – Londres, 18 juin 1993 : *Paysage d'hiver avec des patineurs*, h/t (25,4x49) : GBP 5 520 – Amsterdam, 21 avr. 1994 : *Nombreux patineurs sur un canal avec une cité au fond*, h/pan. (10x24,5) : NLG 10 120 – Munich, 21 juin 1994 : *Les plaisirs de l'hiver*, h/cart. (31x48) – New York, 20 juil. 1995 : *Patineurs dans un paysage d'hiver*, h/cart. (31,1x47) : USD 7 475 – Vienne, 29-30 oct. 1996 : *Patineurs sur un lac gelé en Hollande au clair de lune* 1875, h/t (91x152) : ATS 184 000.

STADEMANN Ferdinand
Né en 1791 à Berlin. Mort en 1872 à Munich. xixᵉ siècle. Allemand.
Dessinateur.
Père d'Adolf Stademann. Il travailla pour la cour de Bavière et séjourna à Athènes de 1832 à 1841. Le Musée Municipal conserve des dessins de cet artiste.
Ventes Publiques : Londres, 9 déc. 1982 : *Panorama von Athen, 1841*, 10 litho. : GBP 6 000.

STADEMANN Wilhelm
Né le 11 mars 1846 à Munich. xixᵉ siècle. Allemand.
Dessinateur.
Fils de Ferdinand Stademann. Le Musée Municipal de Munich conserve des dessins de cet artiste.

STADIEUS
iiiᵉ siècle avant J.-C. Athénien, travaillant vers 200 avant J.-C.
Sculpteur.
Maître de Polyclès.

STADING Evelina
Née en 1803 à Stockholm. Morte le 4 avril 1829 à Rome. xixᵉ siècle. Suédoise.
Peintre.
Cette artiste, élève de Fahlcrantz, voyagea, à partir de l'année 1824, en Allemagne et en Italie. Elle a séjourné pendant quelque temps à Dresde, puis à Rome en 1827. Elle jouissait d'une grande considération dans le monde artistique allemand. Le Musée d'Oslo conserve d'elle : *Vue d'une partie du parc de la villa Chigi près d'Ariccia et parc de Rosersberg*.

STADION Adolph
Né à Marbourg-sur-la-Lahn. xviiᵉ siècle. Allemand.
Sculpteur.
Il collabora avec Samuel Steiger dans le château de Friedenstein à Gotha.

STADION F. C. de, comte
xviiiᵉ siècle. Actif dans la seconde moitié du xviiiᵉ siècle. Allemand.
Aquafortiste amateur.
Il grava des paysages.

STADIOS
Antiquité grecque.
Peintre.
D'origine inconnue, il fut élève de Nicosthenes.

STADL. Voir VONSTADL

STADLER
xviiᵉ siècle. Actif dans le second quart du xviiᵉ siècle. Autrichien.
Sculpteur.
Il sculpta un bas-relief *L'Immaculée Conception* dans l'église de Garsten.

STADLER A.
Né à Augsbourg. xviiᵉ siècle. Actif dans la première moitié du xviiᵉ siècle. Allemand.
Médailleur.
Il grava des médailles à l'effigie de sept gouverneurs d'Augsbourg.

STADLER A.
xviiiᵉ siècle. Actif dans la seconde moitié du xviiiᵉ siècle. Allemand.
Peintre.
Il a peint les fresques du plafond de l'église de Marktredwitz en 1777.

STADLER Alois Martin
Né le 12 avril 1792 à Imst. Mort le 11 mars 1841 à Sterzing. xixᵉ siècle. Autrichien.
Peintre de sujets religieux.
Il fit ses études à Innsbruck, à Munich, en Italie, et se fixa à Munich en 1822. Il travailla pour plusieurs églises tyroliennes. On cite de lui notamment une *Assomption* pour l'église paroissiale d'Imst. Le Musée du Ferdinandeum d'Innsbruck conserve de lui *Triomphe de la Vierge*.

STADLER Anton. Voir aussi STADLER Toni

STADLER Anton ou Antal
Né en 1828 à Klausenbourg. Mort le 23 mars 1872 à Kaschau. xixᵉ siècle. Hongrois.
Peintre et graveur.
Il grava des portraits d'aristocrates et de généraux hongrois.

STADLER Crescentia
Née en 1828 à Fribourg. xixᵉ siècle. Allemande.
Peintre.
Élève de l'Académie de Munich. La Galerie Municipale de Fribourg conserve d'elle *Portrait d'un vieillard* et *Paysanne du Brisgau*.

STADLER Franz
xviiiᵉ siècle. Actif à Neufelden de 1724 à 1773. Autrichien.
Sculpteur.
Il sculpta des autels, des chaires pour plusieurs églises de Basse et de Haute-Autriche.

STADLER Franz
Né vers 1762. Mort après 1811. xviiiᵉ-xixᵉ siècles. Actif à Dresde. Allemand.
Dessinateur et graveur de paysages.
Élève de l'Académie de Dresde. Il exécuta de nombreuses vues de Dresde et des environs. Le Musée Municipal de Bautzen conserve de lui un *Portrait peint par lui-même*.

STADLER Franz Benedikt
xviiᵉ siècle. Actif à Plattling vers 1690. Allemand.
Sculpteur sur bois.
Il a sculpté des autels et la chaire de l'église de Loh.

STADLER Franz von
Né en 1808 à Nuremberg. xixᵉ siècle. Allemand.
Graveur au burin et à l'eau-forte.
Élève d'Alb. Reindel.

STADLER Gottfried
Né en 1616. Mort en 1664. xviiᵉ siècle. Actif à Zurich. Suisse.
Peintre verrier.
Élève de H. J. Nüscheler. Il exécuta des vitraux pour des maisons bourgeoises. Le Musée Historique de Berne conserve de lui *Commerçant traversant un col*. Les Musées de Berlin et de Zurich renferment d'autres œuvres de cet artiste.

STADLER Hans
xviiᵉ siècle. Allemand.
Peintre.
Il a peint la chaire de l'église Saint-Martin de Bamberg en 1613.

STADLER Hans
xviiᵉ siècle. Allemand.

Médailleur.
Il grava une médaille pour commémorer l'achèvement de l'Hôtel de Ville d'Augsbourg en 1620.

STADLER Hans ou Johann
Né le 20 avril 1841 à Bamberg. xixᵉ siècle. Allemand.
Peintre de portraits, peintre de miniatures.
Élève de l'Académie de Munich, de Georg Hiltensperger et de Raab. Il se fixa à Vienne en 1872.

STADLER Hans Georg
xviiᵉ siècle. Actif à Reichenhall dans la seconde moitié du xviiᵉ siècle. Allemand.
Sculpteur sur bois.
Il a sculpté le tabernacle dans l'église de Grossgmain.

STADLER Hans Ludwig I
Né en 1605 à Zurich. Mort en 1660 à Zurich. xviiᵉ siècle. Suisse.
Peintre.
Frère de Gottfried et père de Hans Ludwig Stadler II.
VENTES PUBLIQUES : LONDRES, 29 mars 1968 : *Femme et enfant* : GNS 750.

STADLER Hans Ludwig II
Né le 12 septembre 1654 à Zurich. Mort en 1730 à Zurich. xviiᵉ-xviiiᵉ siècles. Suisse.
Peintre.
Fils de Hans Ludwig Stadler I.

STADLER Heinrich
xviiiᵉ siècle. Actif à Eger dans la seconde moitié du xviiiᵉ siècle. Autrichien.
Peintre.
Père de Josef Stadler. Le Musée Municipal d'Eger conserve des peintures de cet artiste.

STADLER Johann
Né en 1804 peut-être à Fribourg. Mort le 5 février 1859 à Vienne. xixᵉ siècle. Autrichien.
Peintre de genre et portraitiste et lithographe.
Élève de l'Académie de Munich. Il se fixa à Vienne.

STADLER Johann Ehrenfried
Né en 1702 à Dresde. xviiiᵉ siècle. Allemand.
Peintre sur porcelaine.
Il travailla à la Manufacture de porcelaine de Meissen.

STADLER Johann Georg
Né à Schwaz. Mort en 1771 à Innsbruck. xviiiᵉ siècle. Autrichien.
Sculpteur.
Assistant de Stefan Föger. Il sculpta des autels.

STADLER Johann Jakob
Né le 19 avril 1819 à Zurich. Mort le 31 octobre 1855 à Zurich. xixᵉ siècle. Suisse.
Paysagiste.
Élève de Diday et de W. Huber. Le Musée de Berne et le Kunsthaus de Zurich conservent des œuvres de lui.

STADLER Josef
xixᵉ siècle. Actif à Eger dans la première moitié du xixᵉ siècle. Autrichien.
Peintre de fresques.
Père de Séverin Stadler. Le Musée Municipal d'Eger conserve des œuvres de cet artiste.

STADLER Joseph
xviiiᵉ siècle. Actif à Ratisbonne vers 1775. Allemand.
Peintre d'architectures et de paysages.

STADLER Joseph Constantine
Né en Allemagne. xviiiᵉ-xixᵉ siècles. Travaillant à Londres entre 1780 et 1812. Allemand.
Peintre et graveur à la manière noire.
Il exposa quatre tableaux à la Royal Academy en 1787. Il a gravé notamment une planche à l'aquatinte d'après Girtin.

STADLER Julius Jakob
Né le 8 août 1828 à Zurich. Mort le 27 novembre 1904 à Lauenen (près de Thun). xixᵉ siècle. Suisse.
Aquarelliste et architecte.
Élève d'Eisenlohr à Karlsruhe. L'École Polytechnique de Zurich possède des aquarelles de cet artiste.

STADLER Konrad
xvᵉ siècle. Travaillant à Nuremberg en 1407. Allemand.
Sculpteur.

STADLER Louise ou Hortensia Louise
Née le 18 mai 1864 à Zurich. xixᵉ-xxᵉ siècles. Suissesse.
Peintre.
Elle fut élève de Louis J. R. Collin à Paris et d'Ottilie Roederstein à Francfort-sur-le-Main.

STADLER Séverin Heinrich Josef
Né le 15 mars 1801 à Eger. Mort le 2 juin 1867 à Eger. xixᵉ siècle. Autrichien.
Peintre.
Il a peint des tableaux d'autel. Le Musée Municipal d'Eger conserve des peintures de cet artiste.

STADLER Toni von, ou Anton
Né le 9 juillet 1850 à Göllersdorf. Mort le 17 septembre 1917 à Munich (Bavière). xixᵉ-xxᵉ siècles. Depuis 1878 actif en Allemagne. Autrichien.
Peintre de paysages.
À partir de 1878, il s'établit à Munich. Il participa à Paris en 1900 à l'Exposition universelle, où il reçut une mention honorable.
MUSÉES : BRÊME : *Les Alpes* – DRESDE : *Paysage franconien* – FRANCFORT-SUR-LE-MAIN : *Paysage franconien* – MUNICH : *Paysage du soir* – *Vue lointaine* – STUTTGART : *Paysage alpestre, vue étendue.*
VENTES PUBLIQUES : COLOGNE, 16 nov. 1967 : *Paysage aux environs de Munich* : DEM 4 000 – VIENNE, 21 sep. 1971 : *Paysage à Inzersdorf* : ATS 30 000 – DÜSSELDORF, 13 nov. 1973 : *Le champ de blé* : DEM 2 800 – MUNICH, 25 mai 1976 : *Paysage d'été*, h/t (28x40) : DEM 5 200 – MUNICH, 27 mai 1978 : *Paysage au ciel orageux* 1905, h/pan. (33x40) : DEM 7 200 – NEW YORK, 24 janv 1979 : *Paysage au crépuscule*, h/pan. (13,5x18) : USD 2 000 – MUNICH, 29 nov. 1984 : *Paysage de l'Isar* 1908, h/t (40,5x40,5) : DEM 11 500 – MUNICH, 8 mai 1985 : *Am Ammersee*, h/pan. (34,5x29,5) : DEM 7 000.

STADLER Toni
Né le 5 septembre 1888 à Munich (Bavière). Mort en 1982. xxᵉ siècle. Allemand.
Sculpteur de figures, nus, bustes.
Fils du peintre Toni ou Anton von Stadler, il fut d'abord élève du sculpteur animalier August Gaul, à Berlin, puis de Hermann Hahn à Munich qui eut sur lui une influence déterminante. Il séjourna à Paris de 1925 à 1927, et à la Villa Médicis à Rome, ayant obtenu le prix de Rome en 1934. De 1946 à 1958, il fut professeur à l'académie des beaux-arts de Munich.
Il participe à des expositions collectives, notamment en 1955 et 1959 à la Documenta de Kassel où il représente l'Allemagne. Des expositions personnelles sont présentées régulièrement en Allemagne notamment en 1989 à Francfort-sur-le-Main. Il obtint le prix de la Villa Romana à Florence en 1938 et de nouveau en 1959.
Dans sa génération, tandis que Mataré et Marcks se rattachaient à la tradition germanique gothique, Stadler à la suite de Hildebrand, et en accord avec l'école munichoise, se veut dans la tradition méditerranéenne et à ce titre a subi l'influence de Maillol rencontré à Paris. De Maillol, il tient le goût pour les statures de femmes fortes un peu lourdes, les bras difficilement levés, mais la poitrine et le ventre offerts. Après la Seconde Guerre mondiale, il abandonna la technique de la glaise, du ciment et de la fonte d'après moulage, pour la technique (originellement étrusque) de la cire perdue. Dans cette technique fébrile et l'archaïsme de ses sources, il a peut-être retrouvé une certaine spontanéité de la sensibilité.
BIBLIOGR. : Julianah Roh : *Dict. de la sculpture*, Hazan, Paris, 1960 – Thomas Weczerek : *Toni Stadler. Das plastische Werk*, Munich, 1988.
MUSÉES : BERLIN (Gal. nat) : *Tête d'enfant* – DUISBOURG : *Buste d'une femme* – MUNICH (Gal. mun.) : *Tête d'enfant* – *Buste d'une femme* – MUNICH (Gal. Nat.) : *Tête d'une jeune fille* – *Tête d'un enfant* – *Buste d'une femme* – *Deux Masques de jeunes filles* – STUTTGART (Gal. Nat.) : *Buste d'une femme.*
VENTES PUBLIQUES : BERLIN, 3 juil. 1969 : *La chèvre*, bronze patiné : DEM 4 100 – MUNICH, 24 mai 1977 : *Tête de jeune fille*, bronze (H. 34,3) : DEM 3 700 – MUNICH, 27 nov 1979 : *Jeune fille à la colombe*, bronze (H. 31) : DEM 5 800 – COLOGNE, 7 déc. 1983 : *Statuette* 1960, bronze patine brun vert (H. 37) : DEM 6 000 – MUNICH, 11 juin 1985 : *Nu debout* 1961, bronze patine brune (H. 113) : DEM 13 600 – COLOGNE, 10 déc. 1986 : *Jeune fille aux bras levés* 1961-1962, bronze patine gris foncé (H. 114) : DEM 24 000.

STADLER Vitus
xviiᵉ siècle. Actif à Tyrnau. Autrichien.

Sculpteur.
Il a sculpté le maître-autel et le tabernacle de l'église des Jésuites de Tyrnau en 1640.

STADLIN Edouard, l'Ancien
Né le 21 décembre 1812 à Zug. Mort le 25 octobre 1884 à Zug. XIXᵉ siècle. Suisse.
Paysagiste.
Père de Eduard Stadlin le Jeune.

STADLIN Eduard, le Jeune
Né le 2 février 1845 à Zug. Mort le 1ᵉʳ février 1881 à Vienne. XIXᵉ siècle. Suisse.
Peintre de décorations.
Fils de Eduard Stadlin l'Ancien. Élève et assistant de Makart.

STADLMAIER Johann Nepomuk Anton
XVIIIᵉ siècle. Actif à Freystadt en Bavière dans la seconde moitié du XVIIIᵉ siècle. Allemand.
Peintre.

STADLMAYR J. C.
XVIIIᵉ siècle. Actif dans la seconde moitié du XVIIIᵉ siècle. Allemand.
Peintre, sculpteur sur bois.
Il décora de ses peintures le château d'Ehrenbreitstein.

STADLMEYER Franz
Né le 16 juin 1764 à Vienne. Mort le 26 août 1823 à Vienne. XVIIIᵉ-XIXᵉ siècles. Autrichien.
Peintre.

STADLMEYER Johann Andreas
XVIIIᵉ siècle. Actif dans la première moitié du XVIIIᵉ siècle. Allemand.
Sculpteur.
Il a sculpté l'autel de l'église de Kraftsbuch.

STADNIZKIJ Piotr Grigoriévitch
Né le 24 août 1853 à Neljubowka. XIXᵉ-XXᵉ siècles. Russe.
Sculpteur, médailleur.
Il travailla pour l'Office de la Monnaie à Saint-Pétersbourg.

STADSKLEIV Thorlieiv Jörgensen
Né le 10 octobre 1865 à Bö. XIXᵉ-XXᵉ siècles. Norvégien.
Peintre de paysages.
Il fut élève de l'école d'art d'Oslo. Ses paysages témoignent de l'influence qu'il reçut de l'impressionnisme à travers Cézanne et Gauguin.
Musées : Oslo (Gal. d'art) : deux paysages.

STADTLÄNDER
XIXᵉ siècle. Actif au début du XIXᵉ siècle. Allemand.
Miniaturiste.

STADTLANDER Johan ou **Statlander**
XVIIIᵉ siècle. Actif à Brême de 1720 à 1743. Allemand.
Médailleur.

STÄDTLER Johann Leonhard ou **Stättler**
Né le 18 décembre 1759 à Neustadt-sur-l'Aisch. XVIIIᵉ siècle. Allemand.
Peintre.
Il peignit des paysages avec des bergers à la manière de Georg Schüz I.

STADTLER Johann Michael
Né en 1756 près de Ratisbonne. Mort le 8 mai 1787 à Bruckberg. XVIIIᵉ siècle. Allemand.
Peintre sur porcelaine.

STAEBLER Stephen de
XXᵉ siècle. Américain.
Sculpteur de figures.
Il réalisa des figures en bronze.
Bibliogr. : Donad Kuspit : *Stephen de Staebler – La Figure*, San Francisco, 1987.
Ventes Publiques : New York, 25-26 fév. 1992 : *Figure debout à l'épaule bleue*, bronze (191,7x38x44,5) : **USD 19 800** – New York, 7 mai 1996 : *Figure* 1989, bronze (210,8x52,1x64,8) : **USD 17 250**.

STAECK Klaus
Né le 28 février 1938 à Pulsnitz près de Dresde (Saxe). XXᵉ siècle. Allemand.
Artiste, graveur, dessinateur.
Autodidacte en peinture, il fit d'abord des études juridiques. Il vit et travaille à Heidelberg.
Il participe à de très nombreuses expositions collectives, parmi

lesquelles : 1967 Biennale de Lujbjana ; 1970 Kunstverein de Karlsruhe ; 1971 Biennale de Paris ; 1972, 1982 Documenta de Kassel ; 1973 Kunstverein de Hannovre ; 1974 Kunstverein de Cologne, Art Institute of Contemporary Arts de Londres ; 1992 *De Bonnard à Baselitz – Dix Ans d'enrichissements du cabinet des estampes 1978-1988* à la Bibliothèque nationale à Paris, avec un livre d'artiste. Il montre ses œuvres dans des expositions personnelles : 1965 Prague ; 1975 Stedelijk Van Abbemusuem d'Eindhoven ; 1978 exposition itinérante en Allemagne et Autriche organisée par le Kunstverein de Francfort.
Il réalise des gravures, notamment sur bois, des photomontages, des affiches et cartes postales et est aussi éditeur. Il pratique un art engagé politiquement, usant de l'ironie afin de frapper le public.
Bibliogr. : Catalogue de l'exposition : *De Bonnard à Baselitz – Dix Ans d'enrichissements du cabinet des estampes 1978-1988*, Bibliothèque nationale, Paris, 1992.
Musées : Bâle (Kunstmus.) – Berlin (Nationalgal.) – Cologne (Kunsthalle) – Düsseldorf (Kunstverein) – Eindhoven (Stedelijk Van Abbemus.) – Heidelberg (Kunstverein) – Krefeld (Kaiser Wilhelm Mus.) – Paris (BN) – Stockholm (Mod. Mus.) – Vienne (Mus. des 20. Jahrhunderts).

STAEGER Ferdinand
Né le 3 mars 1880 à Trebitsch. Mort en 1976. XXᵉ siècle. Actif en Allemagne. Tchécoslovaque.
Peintre de compositions allégoriques, portraits, natures mortes, dessinateur.
Il fit ses études à l'école des arts décoratifs de Prague puis à Munich, où il collabora à la revue *Jugend*. Il participa à Paris, à l'Exposition universelle, où il reçut une médaille d'or.
Graveur reconnu, il réalisa de nombreuses illustrations d'ouvrages allemands.
Bibliogr. : In : *Dict. des illustrateurs 1800-1914*, Ides et Calendes, Neuchâtel, 1991.
Musées : Brünn – Essen – Prague – Vienne.
Ventes Publiques : Munich, 24 nov. 1978 : *Le feu de camp*, h/t mar./c (53x69) : **DEM 2 600**.

STAEHLE Wolfgang
Né en 1950 à Stuttgart (Bade-Wurtemberg). XXᵉ siècle. Allemand.
Artiste, multimédia.
Il a exposé à Paris, à la galerie Sylvana Lorenz.
Il réalise des installations vidéos, manipulant des images médiatiques puisées à la télévision, dans la publicité.

STAEHLIN Peter von
XVIIIᵉ siècle. Actif au milieu du XVIIIᵉ siècle. Russe.
Aquafortiste amateur.
Il grava des vues de Saint-Pétersbourg.

STAEHR-NIELSEN Erik
Né le 21 juillet 1890 à Copenhague. Mort le 13 août 1921 à Esbönderup. XXᵉ siècle. Danois.
Peintre de figures, paysages, marines, natures mortes.
Frère d'Olaf Staehr-Nielsen, il fut élève de Holger K. Gronvold, Malthe O. Engelsted, Johan Rohde et de Harald Giersing. Il travailla en Sierra-Léone.
Il peignit des scènes de la forêt vierge.
Musées : Copenhague (Mus. Nat.) – Maribo.
Ventes Publiques : Copenhague, 9 mai 1990 : *Nature morte avec des bols et des fleurs jaunes* 1920, gche (49x65) : **DKK 5 000** – Copenhague, 31 oct. 1990 : *Les cavaliers bleus* 1919, h/t (87x120) : **DKK 22 000** – Copenhague, 2 avr. 1992 : *Jungle* 1914, h. (75x40) : **DKK 4 200** – Copenhague, 21 oct. 1992 : *Personnage dans la jungle* 1918, h/cart. (87x61) : **DKK 8 000** – Copenhague, 13 avr. 1994 : *Adoration du soleil* 1918, litho. (29x35) : **DKK 4 200**.

STAEHR-NIELSEN Olaf Christian
Né le 25 septembre 1896 à Copenhague. XXᵉ siècle. Danois.
Sculpteur, décorateur.
Frère d'Erik Staehr-Nielsen, il sculpta surtout des bas-reliefs. Il pratiqua aussi la ciselure.

STAEHR-OLSEN Fritz
Né en 1858. Mort en 1922. XIXᵉ-XXᵉ siècles. Danois.
Peintre de paysages.
Ventes Publiques : Göteborg, 1ᵉʳ oct. 1988 : *Littoral vu de Aalsgaarde* 1919, h/t (47x71) : **SEK 4 000** – Stockholm, 15 nov. 1989 : *Paysage côtier* 1917, h. (79x126) : **SEK 29 000**.

STAËL Nicolas de
Né le 5 janvier 1914 à Saint-Pétersbourg, le 23 décembre

1913 du calendrier russe. Mort le 16 mars 1955 à Antibes (Alpes-Maritimes). XXᵉ siècle. Depuis 1935 actif et depuis 1948 naturalisé en France. Russe.

Peintre de nus, portraits, paysages, marines, natures mortes, peintre de collages, peintre de cartons de tapisseries, sculpteur, graveur, dessinateur, illustrateur.

Il occupait beaucoup de place dans la vie : autour de deux mètres de hauteur ; des gestes en rapport, une voix de basse russe à faire vibrer les murs, excessif en tout, fort de l'assurance d'avoir produit une peinture indispensable à ce moment précis. Il a également occupé beaucoup de place dans la mort : par l'existence de son œuvre d'abord, par la question que son suicide laissa en suspens au moment où l'un des créateurs de la seconde génération de l'abstraction était revenu à la figuration ; par une postérité allant d'un Olivier Debré, ayant assimilé son apport dans une poétique nouvelle, à une foule de simples pasticheurs. Il avait les origines de son physique – enfant, il fut page à la cour du tsar. Il était fils du baron Vladimir Ivanovitch de Staël-Holstein, l'un des barons baltes qui constituaient une aristocratie militaire entre la Prusse orientale et la Finlande, celui-ci général et gouverneur de la forteresse Saints-Pierre-et-Paul, sa famille étant russe depuis deux siècles et étant apparentée aux Staël-Holstein dont faisait partie madame de Staël. Sa mère Lioubov Bérénikoff était une femme cultivée, aimant la musique et la peinture. En 1919, la famille de Staël fuyant la révolution émigra en Pologne, puis à Berlin, enfin en 1920 à Bruxelles. Son père mourut en 1921, sa mère en 1922. Il semble qu'il fut recueilli avec ses deux sœurs par un ingénieur bruxellois qui devint leur tuteur, il semble qu'il s'agissait d'un industriel russe établi à Bruxelles selon Emmanuel Frigero ; d'autres sources le disent avoir été élevé dans une institution créée pour recueillir les enfants d'émigrés russes, ç'aurait été le directeur de l'institution lui-même qui l'aurait adopté. À partir de ce moment, il reçut une éducation accomplie : étude classique, grec, latin, beaux-arts, sports, cheval. En 1932, il entra à l'Académie Royale des Beaux-Arts de Bruxelles, où il eut pour professeur Van Haelen. Depuis l'âge de seize ans, il voyageait, d'abord en Hollande, où il découvrit Vermeer, Hals, Rembrandt, Hercule Seghers. Lors de son premier séjour à Paris, en 1935, il découvrit Cézanne, Braque, Matisse et Soutine. Entre 1934 et 1937, il voyagea en Espagne, au Maroc et en Algérie. Ce fut en 1936 qu'il rencontra Jeannine Guillou, peintre, qui devint sa compagne. En 1937, il fit un voyage en Italie. Durant ces dernières années, après avoir d'avoir travaillé à Bruxelles comme peintre de décors, il avait surtout vécu à Paris dans des conditions très difficiles, fréquentant quelque temps l'atelier de Fernand Léger. En 1939, à la déclaration de la guerre, il s'engagea dans la légion étrangère, qu'il suivit en Tunisie, puis démobilisé il se réfugia tout d'abord à Nice. Il revint à Paris, où il passa les années de l'occupation allemande. Il fit la connaissance de Braque, avec qui il resta en amitié. En 1943, il connut le marchand de tableaux Jeanne Bucher, qui l'hébergea avec sa femme et sa fille, dans ce vieil hôtel particulier du boulevard Montparnasse où elle tenait sa galerie. En 1946 Jeannine Guillou était morte, le laissant une fois de plus seul dans la vie. En 1947, il épousera Françoise Chapouton, avec qui il eut deux garçons et une fille. Son mariage avec une Française lui permit de sa faire naturaliser. Il s'installe à Antibes en 1954 et séjourne à la même époque à New York, où il voit les *Grandes Baigneuses* de Cézanne. On retrouva son corps un matin de 1955 dans la courette en bas de son atelier des remparts d'Antibes, on conclut au suicide. On le savait alors déprimé. On le savait aussi curieusement apaisé.

Il participa à des expositions collectives : 1944 *Peintures abstraites* à la galerie l'Esquisse à Paris, réunissant Doméla, Kandinsky, Magnelli, de Staël ; 1944, 1946, 1951, 1952 Salon d'Automne à Paris ; à partir de 1945 régulièrement au Salon de Mai pour lequel il lui arriva souvent de réserver la primeur de peintures très importantes ; 1947 Gemeentemuseum de La Haye ; 1949 musée des beaux-arts de Lyon, Art Gallery of Toronto ; 1952 Kunsthaus de Zurich ; 1953 Biennale de São Paulo ; 1954 Biennale de Venise ; ...

Il montra ses œuvres dans des expositions personnelles à Paris : 1944 durant l'occupation grands dessins en noir à la galerie L'Esquisse tenue place Dauphine par Maurice Pannier ; 1945 peintures à la galerie Jeanne Bucher ; 1950, 1951 galerie Jacques Dubourg ; et à l'étranger : 1948 Montevideo ; 1951 New York ; 1952 Londres ; 1953 Phillips Gallery à Washington, puis à titre posthume : 1956, 1990 ; 1955 musée Picasso à Antibes et importante exposition itinérante aux États-Unis ; 1956 musée national d'Art moderne de Paris, Whitechapel Art Gallery de Londres ;

1957 Kunsthalle de Berne ; 1958 musée Réattu à Arles ; 1960 Galleria civica d'Arte moderna de Turin ; 1965-1966 exposition itinérante organisée par le Museum Boymans Van Beuningen de Rotterdam ; 1967 Scottish National Gallery of Modern Art d'Edimbourg ; 1972, 1991 fondation Maeght à Saint Paul de Vence ; 1977 musée Unterlinden à Colmar ; 1979 Bibliothèque nationale de Paris ; 1981 galeries nationales du Grand Palais à Paris et Tate Gallery de Londres ; 1984 musée de Peinture et de Sculpture de Grenoble ; 1986 musée Picasso à Antibes, musée des Beaux-Arts de Rennes ; 1987 Institut français d'Athènes ; 1993 Museum of Art de Tobu ; 1994 Hôtel-de-Ville de Paris, Schirn Kunsthalle de Francfort ; 1995 Fondation Pierre Gianadda à Martigny (Suisse).

Ce fut en 1936, au cours d'un voyage au Maroc qu'il commença à peindre un paysage. Démobilisé, vers 1940, à Nice, il peignit des natures mortes et une série de *Portraits de Jeannine*, mais surtout se retrouva en compagnie de Sonia Delaunay, Le Corbusier, Jean Arp, Magnelli. Ces rencontres lui permirent de se trouver en plain-pied dans ce que la peinture avait alors de plus vivant et dans aussi ce qui touchait au plus près de l'abstraction, ce qui lui évita de s'attarder trop dans les tristesses académiques du postcubisme, auxquelles sauront sacrifier plusieurs générations de jeunes peintres. À cette époque, il dessinait plus qu'il ne peignait. Il n'était que sur la voie de ce qui allait devenir son moyen d'expression. Partant d'objets simples, d'arbres, il les réduisait, dans de grands dessins en noir, à leurs seules lignes de force, un peu à la façon dont Mondrian était aussi parti d'un arbre pour aboutir à l'abstraction néoplasticiste. Ces premières peintures abstraites semblaient issues d'une vision fougueuse et presque romantique des espaces et de leurs interpénétrations. Dans une technique gestuelle avant la lettre, il couvrait la toile d'une multitude de traits à peu près concentriques, se chevauchant, s'entrecroisant, se heurtant ou parfois coupés de quelques droites incisives, peints très en matière, de tons ocre et surtout terre verte et noirs. Il ne fait aucun doute que, à cette époque précise, il avait créé une expression plastique nouvelle, qui ne devait rien à l'abstraction à tendance géométrique de la première génération des peintres abstraits, et qui annonçait l'apparition de ce que l'on allait appeler l'abstraction lyrique. C'est peut-être ce qui fait l'importance historique de Nicolas de Staël et pourtant ce ne sont pas les œuvres de cette première période qui ont fait sa réputation. Dans la période qui faisait suite aux premières peintures abstraites, des formes étrangères, faits picturaux d'abord, mais pouvant évoquer des fragments d'épaves ou des troncs d'arbres morts, s'intégrèrent dans l'ensemble des lignes tendues à travers l'espace, apportant des lambeaux de réalité à ces paysages mentaux. À ce propos on peut noter que De Staël a toujours précisé que les peintures de toutes ces époques y compris les plus abstraites, avaient été élaborées à partir d'observations de la réalité, ce qui était déjà le cas de ses premiers dessins à tendance abstraite, et ce qui expliquera peut-être mieux le futur retour à la réalité qui, à l'époque, surprit tellement. Il délaissa alors peu à peu la technique des premières peintures, faite de traces épaisses et grisâtres de gestes concentriques et heurtés de ses immenses bras déployés qui présageaient l'abstraction lyrique gestuelle pour une technique presque contradictoire par larges plans maçonnés d'épaisses couches de couleurs, souvent contraires, superposées en relief. Sa deuxième période dura de 1948 à 1952. Les larges plans maçonnés semblent s'organiser intrinsèquement, sans références immédiatement discernables à la réalité, et pourtant ils sont générateurs d'associations d'images dans l'esprit de celui qui regarde, avec des espaces, des profondeurs, des paysages de vide et de solitude. Roger Van Gindertael a écrit des peintures de cette période : « La brosse et plus souvent la truelle organisent la surface en grands pans clairs aux nuances rares. La palette accueille les rouges éclatants, les bleus calmes, les ocres dorés et les améthystes. Staël fait du noir même une lumière ». De cette même période Pierre Schneider écrit : « Dès 1948-1949 (...), De Staël met au point les masses quadrangulaires ou triangulaires où la couleur, le poids de la matière et le dynamisme du geste foisonnent. Naissent alors ces toiles véhémentes, frontales, terreuses – les bruns, les verts et les noirs, y dominent – qui comptent parmi les plus fortes d'un des moments les plus féconds de l'art moderne. » Pierre Schneider allant plus loin écrit encore : « 1950 : l'équilibre dans la panique. De Staël a trouvé une solution. Mais il est précisément le danger. La palette se fait élégante, la texture raffinée. *Miniaturisées*, touches rectangulaires et carrées traversent la toile en caravanes féeriques. C'est l'époque du succès ». S'affirmant dans cette technique bien possédée, De Staël peignit désormais sur des formats toujours plus grands, cette maîtrise de la surface recomposée par plans juxtaposés allant parfois jusqu'à l'élégance ; on l'a bien vu quand le procédé des petites touches carrées ou rectangulaires, grassement appliquées composant la surface en puzzle, fut repris par les suiveurs. Pourtant un André Fermigier, au goût plus suave il est vrai, a pu trouver les peintures de cette époque parmi les plus importantes : « Les plans se sont simplifiés, condensés en petits carrés posés sur la toile avec une sensibilité, une justesse exquise dans l'accrochage des tons, le frémissement des dessous de pâte superposés, le jeu des beiges et des gris rehaussés de bleus, de rouges, de tous les tons d'une palette, d'un œil infaillible. » C'est ce système qui avait existé chez Paul Klee, de mosaïque de petites touches carrées ou rectangulaires que l'on retrouva chez une Vieira da Silva et chez beaucoup d'autres peintres des années cinquante. On l'a signalé, dans cette période, De Staël était passé du geste au maçonnage et des gris-verts aux couleurs éclatantes. Les épaisseurs superposées n'étaient évidemment pas gratuites ; résultant d'une insatisfaction, d'un travail repris plusieurs fois, d'une tension vers l'équilibre de lignes et de surfaces le plus juste, elles contiennent dans leurs épaisseurs une charge d'émotion et d'énergie directement communicable du peintre au spectateur. En 1951, un voyage à Londres lui redonna le goût et le sens des gammes de gris et, en conclusion de cette deuxième période, celle des larges plans rectangulaires violemment colorés, la série, dite des *Toits de Paris*, composée également de larges plans rectangulaires maçonnés en relief par couches successivement reprises, mais, qui maintenant se tiennent à l'infinie variété des gris, chauds et froids, les plus délicats, rappel effectivement des successions des toits de zinc aperçus par les verrières de l'atelier de la rue Gauguet. Ainsi se conclut cette deuxième période. En 1952, ayant assisté au match de football France-Suède en nocturne, il fut enthousiasmé par le spectacle visuel et en fit le point de départ d'une longue série de peintures, des plus petites, aux plus grandes, qui, outre leurs qualités plastiques propres, représentent l'intérêt exceptionnel de constituer son retour avoué à la figuration. De 1952 à sa mort en 1955, ce sont les sujets traités qui vont désormais jalonner son œuvre, d'autres sujets de sport, des orchestres, inspirés de ceux de Sydney Bechet ; des fleurs ; des natures mortes, avec des pommes, des bouteilles ; de nombreux paysages surtout à partir de son installation à Antibes en 1954 ; enfin de grandes figures nues, inspirées des *Baigneuses* de Cézanne. Étant passé d'une abstraction plus apparente que réelle à une figuration retrouvée et assumée, ni sa vision, ni sa technique ne s'en trouvèrent modifiées. Sur des formats de plus en plus grands, les larges surfaces colorées, rectilignes, soit horizontales, soit verticales appliquées à la truelle, reprises en plusieurs fois, épaisses, s'équilibrent et se répondent en contrastes successifs ; la couleur jouant à la fois un rôle plastique spatial, les plans colorés se mettant d'eux-mêmes à leurs places respectives, et un rôle symbolique, les couleurs étant porteuses de colorations psychologiques spécifiques, très souvent de violence chez De Staël ou bien de stridences heurtées comme dans ses orchestres de jazz. De cette époque Pierre Schneider encore paraît donner une analyse intéressante : « Alors que l'abstraction lyrique n'a même pas encore obtenu la consécration, il revient à la figuration et se pose le plus difficile des problèmes, comment représenter la réalité des choses sans renoncer à l'expérience abstraite des années précédentes ? De Staël adopte d'abord une solution de relative facilité : les formes caractéristiques de sa manière (la touche carrée ou rectangulaire) sélectionnent dans le vaste monde du réel, à la manière des têtes chercheuses, les objets qui coïncident, *collent*, le mieux avec elles : bouteilles, falaises droites, maisons cubiques, plages et routes. Il veut ainsi nous faire prendre une superposition pour une synthèse. La recette est si séduisante qu'un nombre incroyable de peintres s'en emparera. Charnière infaillible entre le figuratif et le non-figuratif, la solution *synthétique* permet à volonté de passer de l'un à l'autre. L'énorme influence de De Staël entre 1952 et 1960 tient à cette découverte ». Cependant dans les derniers paysages d'Antibes, dans les dernières natures mortes et dans les grandes figures nues, la matière picturale redevint rare et mince, appliquée très fluide, à l'essence de térébenthine et même essuyée avec des tampons d'ouate, comme les premières peintures de jeune homme, en même temps que les couleurs pâlissent jusqu'à des accords de tons crémeux très délicats. Au sujet de ces dernières œuvres, là encore les avis sont très partagés. Quand Schneider écrit : « Il se tourne vers

Vuillard, vers Derain, vers Matisse. Tantôt, jaunes et rouges s'entrechoquent ; tantôt bleus et gris se rapprochent jusqu'à se confondre. Tantôt les toiles se bloquent dans une solidité forcenée (*l'atmosphère ne se volatilise pas*, dit-il), tantôt elles se diluent. L'œuvre des dernières années prend parfois des allures de désastre ». André Fermigier, pour maintenir en parallèle deux commentateurs déjà cités, réplique : « On a pourtant été trop sévère à l'égard de ces toiles de la fin de 1954 et 1955 : la fuite du *Bateau blanc*, l'exquise fragilité de *L'Étagère* sont les dernières confidences d'un *cœur tendre qui hait le néant vaste et noir* ». Dans la dernière année, il entreprend près de trois cents toiles, qui resteront inachevées : la dernière *Le Grand Concert*, monumentale, abandonnée aussi, pour cause de gigantisme incontrôlable...

Dans la fébrilité de cette dernière époque, de Staël fut amené à s'intéresser à des techniques très diverses : l'illustration de livres, la tapisserie, la sculpture, le papier collé. Dans le même temps qu'il était reconnu, au bout d'un dur chemin, il était discuté d'avoir renoncé à l'abstraction et d'être revenu au sujet. Lui qui était surtout apparu comme un grand cheval rétif, il aimait que le critique Pierre Courthion lui donnât des conseils. On sait aussi que le collectionneur Jean Bauret joua aussi un rôle important auprès de lui dans cette dernière période, il en a laissé le témoignage troublant : « Il employait toujours le couteau à mastic. Je lui conseillai la truelle qui est un gros couteau à peindre, son couteau de vitrier engendrant des *biscuits*. J'ai essayé de le faire passer des biscuits aux lunes, des lunes aux péniches, des péniches aux bouteilles, etc., et il a pris l'habitude de prendre exemple sur les formes picturales de la nature au lieu de prendre des leçons dans les Cahiers d'art. Le passage du *biscuit* abstrait à la *lune* concrète est important ». On se dit que ce n'est quand même pas si simple la peinture, les peintres et leur évolution, le passage de l'abstraction à la figuration. Et pourtant dans ce cas, on sait que ce rôle de Jean Bauret auprès de De Staël fut authentique. Alors il faut peut-être se dire que c'était là sa maladie, une maladie de la volonté, et qu'il a préféré fuir les autres en fuyant la vie.

Assez longtemps après sa mort, il est bien malaisé de situer historiquement son œuvre. Pierre Schneider a pu écrire dès 1964 : « Peu d'artistes obtinrent et perdirent aussi soudainement leur ascendant sur le public et sur les peintres. Ignoré jusque vers 1950, copié, plagié, à partir de 1952, Staël fut honoré d'une vaste exposition rétrospective au musée d'Art moderne, un an à peine après sa mort. Depuis c'est le silence ». Il y a peut-être un malentendu De Staël, il y en a peut-être plusieurs. D'abord où est l'œuvre de De Staël ? Probablement dans la première période abstraite, qui constituait un véritable apport historique, quant à l'abstraction lyrique et à la gestualité, tout en étant en soi, indépendamment du rôle historique, quelque chose de neuf, de violent, de romantique, qui s'imposait sans conteste. Pourtant ce fut sa deuxième période qui lui valut la renommée, et à travers laquelle le public voit De Staël encore maintenant, et non pas tellement le début de cette seconde période dont les œuvres étaient encore abstraites, aux larges bandes, colorées s'équilibrant réciproquement à mesure que se juxtaposant, dans une sorte de bonheur facile que démentaient les nombreuses reprises de chaque surface qui se superposaient en relief, mais plutôt à la fin de la deuxième période, à partir des footballeurs, c'est-à-dire à partir du retour au sujet, footballeurs d'abord puis paysages, natures mortes, nus. C'est bien aux œuvres de cette période que va l'enthousiasme d'André Fermigier : « Aucun peintre n'a eu à ce point le don de résumer une forme, de la saisir de l'intérieur, d'en rendre sensible à la fois la substance et l'apparence... Stupéfiants de vérités atmosphériques, les cimes, les horizons de Mantes, de Honfleur, les *Figures au bord de la mer*, les arbres du *Parc de Sceaux*, chef-d'œuvre entre les chefs-d'œuvre, réalisent le rêve de Cézanne par rapport à l'impressionnisme et entre ces mains puissantes qui paraissent alors dignes de recueillir l'héritage de Courbet, la moindre bouteille prend des proportions de colonne, d'architecture du temple... Il lui restait à découvrir la lumière méditerranéenne : paysages de Grasse, d'Uzès. La couleur devient d'une liberté stupéfiante dans le *Grand Nu orange* ou dans ces vues d'Agrigente, qu'il rapporte d'un voyage en Sicile durant l'été de 1953 et qui sont peut-être là le sommet, la période conclusion de son œuvre. Et tout cela fut peint l'année de la mort de Matisse ».

Il semblerait que l'on admire le plus souvent De Staël pour la partie la plus convenue de son œuvre ; mais il semblerait également à l'inverse que la peinture révolutionnaire de son œuvre lui ait relativement échappé, à lui ami de Braque, qui était tellement respectueux des œuvres du passé, cette première période abstraite que Pierre Schneider a bien évoquée : « De Staël sabre, presqu'à l'aveuglette, le bâti classique : diagonales, hachures s'enchevêtrent, se nient. Cherchant de s'affranchir le geste s'incurve, mais s'arrête au bord de la liberté, se stabilise en formes hélicoïdales. D'autre part, le peintre réagit contre la surface bien finie, lisse et, sous l'influence de Braque, laisse gonfler et s'épaissir la matière de son tableau. Rugosités, éclats se heurtent... Ainsi déjà s'affirme ce qui fait la particularité de l'œuvre de De Staël : l'étrange mariage de l'énergie et de l'inquiétude. Il est de ceux qui sont eux-mêmes quand ils cherchent, non quand ils trouvent ».

Bien au-delà de l'indéniable présence de ce millier de toiles peintes en dix ans, telle est peut-être la double ambiguïté de De Staël : qu'il n'en ait pas assumé jusqu'au bout la partie historiquement novatrice et qu'il soit souvent admiré comme s'il n'avait peint qu'elles, le retour à la figuration. De Staël ne s'était jamais lui-même décrété abstrait. Ce que le public a aimé en lui, c'est son retour à des valeurs rassurantes. Il est peut-être fatal qu'il faille toujours que l'enfant prodigue fasse retour.

■ Jacques Busse

fael

BIBLIOGR. : Pierre Courthion : *Bonjour à Nicolas de Staël*, in : catalogue de l'exposition *De Staël*, Montévideo, 1948 – Georges Duthuit : *Nicolas de Staël*, Paris, 1950 – Roger Van Gindertael : *Nicolas de Staël*, Paris, 1951 – Pierre Courthion : *Peintre d'aujourd'hui*, Genève, 1952 – Catalogue de l'exposition rétrospective : *Nicolas de Staël*, Musée national d'Art moderne, Paris, 1956 – Michel Seuphor : *Dict. de la peinture abstraite*, Hazan, Paris, 1957 – Antoine Tudal : *Nicolas de Staël*, Musée national d'Art moderne, Paris, 1956 – Daniel Dobbels : *Nicolas de Staël*, Musée de Poche, Paris, vers 1957 – Bernard Dorival : *Les Peintres du xxᵉ s.*, Tisné, Paris, 1957 – Pierre Courthion : *Art indépendant*, Albin Michel, Paris, 1958 – Jean Grenier : *Essai sur la peinture contemp.*, Gallimard, Paris, 1959 – Roger Van Gindertael : *Staël*, Hazan, Paris, 1960 – Michel Ragon, in : *Peintres contemp.*, Mazenod Paris, 1964 – Pierre Courthion : *De Staël reste le peintre capital de sa génération*, Arts, Paris, 9 déc. 1964 – Pierre Schneider : *De Staël et le désordre*, L'Express, Paris, 21 déc. 1964 – Georges Charensol : *Les Grands Maîtres de la peinture moderne*, Jean Clarence Lambert : *La Peinture abstraite*, in : *Hist. gén. de la peinture*, t. XXII et XXIII, Rencontre, Lausanne, 1966 – Raoul Jean Moulin, in : *Dict. univers. de l'art et des artistes*, Hazan, Paris, 1967 – André Chastel, Germain Viatte, Françoise de Staël, Jacques Dubourg : *Catalogue de l'œuvre peint de Nicolas de Staël*, Le Temps, Paris, 1968 – Catalogue de l'exposition : *Nicolas de Staël*, Fondation Maeght, Saint-Paul-de-Vence, 1972 – André Fermigier : *Un Cosaque au cœur innombrable*, Nouvel Observateur, Paris, 31 juil. 1972 – Jean Pierre Jouffroy : *La Mesure de Nicolas de Staël*, Bibliothèque des Arts, Paris, 1981 – Catalogue de l'exposition : *Nicolas de Staël*, Réunion des Musées nationaux, Centre Georges Pompidou, Paris, 1981 – Guy Dumur : *Nicolas de Staël*, coll. *Les Maîtres de la peinture*, Flammarion, Paris, 1989 – Arno Mansar : *Nicolas de Staël*, La Manufacture, Paris, 1990 – Daniel Dobbels : *Staël*, Hazan, Paris, 1994 – J. L. Prat, sous la direction de... : *De Staël*, Fondation Pierre Gianadda, Martigny, 1995 – Françoise de Staël : *Catalogue raisonné de l'œuvre peint de Nicolas de Staël*, Ides et Calendes, Neuchâtel, 1996.

MUSÉES : ANTIBES (Mus. Picasso) : *Nature morte 1955* – BÂLE (Kunstmus.) : *Composition 1952* – BERNE (Kunstmus.) – BOSTON (Mus. of Fine Arts) : *Rue Gauguet 1949* – CHICAGO (Art Inst.) – CINCINATI (Art Mus.) – COLMAR (Mus. Unterlinden) – COLOGNE (Ludwig-Richartz Mus.) – DENVER (Art Mus.) – DIJON (Mus. des Beaux-Arts) : *La Ville blanche* vers 1951-1952 – DÜSSELDORF (Kunstsammlung Nordrhein-Westfalen) – ÉDIMBOURG (Scottish Nat. Gal. of Mod. Art) – FORT WORTH (Art Mus.) – GRENOBLE (Mus. de peinture et de Sculpture) – HANOVRE (Sprengel Mus.) – HOUSTON (Mus. of Fine Arts) – INDIANAPOLIS (Art Mus.) – KARLSRUHE (Kunsthalle) – KYOTO – LONDRES (Tate Gal.) : *Marathon 1948* – LONDRES (Victoria and Albert Mus.) – LOS ANGELES (County Mus. of Contemp. Art) – LYON (Mus. des Beaux-Arts) – MARTIGNY (Fond. Pierre Gianadda) – MELBOURNE (Nat. Gal. of Victoria) – MILWAUKEE (Art Center) – MINNEAPOLIS (Walker Art Center) – MONTPELLIER (Mus. Fabre) – NEW YORK (Mus. of Mod. Art) : *Peinture 1947* – NEW YORK (Metrop. Mus. of Art) – OSLO – OTTAWA (Nat. Gal. of

Canada) – PARIS (Mus. Nat. d'Art Mod.) : *Composition abstraite 1949* – *Les Toits 1952* – *Le Lavandou 1952* – PARIS (BN) : *Crâne 1953-1954*, dess. à la pl. – PARIS (Mus. d'Art Mod. de la ville) – RENNES (Mus. des Beaux-Arts et d'Archéologie) – ROTTERDAM (Mus. Boymans-Van-Beuningen) : *Les Bouteilles 1952* – SAINT-PAUL-DE-VENCE (Fond. Maeght) – STUTTGART (Staatsgal.) – TOLEDO (Mus. of Fine Arts) – TORONTO (Art Gal. of Ontario) – TROYES (Mus. d'Art Mod.) – VILLENEUVE-D'ASCQ (Mus. d'Art Mod.) – WASHINGTON D. C. (Hirsshorn and Sculpture Garden) – WASHINGTON D. C. (Nat. Gal.) – WASHINGTON D. C. (Philips Memorial Art Gal.) : *Peinture 1949* – WINTERTHUR (Kunstmus.) – ZURICH (Kunsthaus) : *Composition 1951*.

VENTES PUBLIQUES : PARIS, 10 juin 1958 : *Composition* : **FRF 2 000 000** – NEW YORK, 6 mai 1959 : *Le bassin des bateaux à voiles à Naples* : **USD 300** – LONDRES, 21 nov. 1960 : *Abstraction* : **GBP 13 000** – NEW YORK, 25 jan. 1961 : *Abstraction* : **USD 12 500** – LONDRES, 12 juin 1963 : *Composition grise* : **GBP 10 600** – NEW YORK, 13 jan. 1965 : *Fleurs* : **USD 68 000** – NEW YORK, 13 déc. 1967 : *Composition*, gche : **USD 2 750** – LONDRES, 24 avr. 1968 : *Les Indes Galantes* : **GBP 38 000** – PARIS, 12 juin 1969 : *Composition*, gche et collage : **FRF 12 500** – NEW YORK, 21 oct. 1971 : *Mer et nuages* : **USD 80 000** – PARIS, 12 juin 1972 : *Composition*, gche et encre de Chine sur fond de litho. : **FRF 10 000** – LONDRES, 4 déc. 1974 : *Rochers sur la plage 1954* : **GBP 48 000** – PARIS, 24 juin 1976 : *Composition*, past. (24x32) : **FRF 22 000** – MUNICH, 24 mai 1977 : *Composition*, litho. en coul. (35x44) : **DEM 3 850** – NEW YORK, 16 mai 1977 : *Rectangles jaunes et verts* vers 1951, h/t (129,5x96,5) : **USD 80 000** – LONDRES, 26 nov 1979 : *Étude en couleur I* 1951, litho. en coul. (27x48) : **GBP 600** – NEW YORK, 8 nov 1979 : *Composition sur fond marron 1946*, gche et aquar. (40,3x47) : **USD 3 000** – LONDRES, 4 juil 1979 : *Marine 1952*, h/t (81x116) : **GBP 42 000** – NEW YORK, 25 nov. 1980 : *Nature morte à la bouteille 1952*, litho. en coul. (15x55,3) : **USD 4 500** – COLOGNE, 17 mai 1980 : *Projet de décoration 1946*, h., cr. de coul. et mine de pb (37x54,5) : **DEM 10 500** – PARIS, 15 mai 1981 : *Composition*, fus. (43x32,5) : **FRF 11 000** – NEW YORK, 18 fév. 1982 : *Nature morte*, gche et aquar. (56x76,2) : **USD 8 000** – NEW YORK, 20 mai 1982 : *Fleurs grises 1953* : **USD 120 000** – NEW YORK, 16 nov. 1983 : *Nu* ; *Composition 1953 et 1946*, pinceau et encre noire et, pl. et lav. et gche rouge, une paire (53,7x41,4 et 45x28) : **USD 6 500** – LONDRES, 23 mars 1983 : *Six couleurs et un noir*, gche et collage (16x35,5) : **GBP 2 500** – LONDRES, 4 déc. 1984 : *Footballeurs 1952*, h/t (81x65) : **GBP 98 000** – LONDRES, 27 juin 1985 : *Etude en couleurs Nᵒ 1* 1951, litho. en coul. (27x48) : **GBP 2 100** – PARIS, 29 mars 1985 : *Composition 1949*, lav. (33x25) : **FRF 26 000** – PARIS, 19 juin 1986 : *Composition en bleu, rouge et jaune 1940*, h/t (60x81) : **FRF 990 000** – PARIS, 4 déc. 1987 : *Où il frappe il ne pousse plus aucune herbe 1964*, objets divers dans un bac de terre (9x31x31) : **FRF 3 000** – NEW YORK, 18 fév. 1988 : *Composition sur fond noir 1953*, collage/pap. (53x41,9) : **USD 20 900** – LONDRES, 25 fév. 1988 : *Composition brune nᵒ 2 1945* (24x38) : **GBP 1 210** – LONDRES, 30 juin 1988 : *Bouteilles 1952*, h/t (53x72) : **GBP 209 000** – PARIS, 22 nov. 1988 : *Composition 1948*, h/t (55x46) : **FRF 540 000** – LONDRES, 1ᵉʳ déc. 1988 : *Lieux fuyants 1949*, h/t (38,6x55,3) : **GBP 70 400** ; *Rochers sur la plage 1954*, h/t (60x81) : **GBP 297 000** – PARIS, 16 déc. 1988 : *Composition 1950*, peint./t. (89x72) : **FRF 2 025 000** – PARIS, 23 mars 1989 : *Composition 1944*, h/t (34,3x22) : **FRF 280 000** – PARIS, 29 mars 1989 : *Port de Naples*, h/t (50x70) : **FRF 250 000** – PARIS, 13 avr. 1989 : *Marine 1954* (19x24,5) : **FRF 1 570 000** – NEW YORK, 3 mai 1989 : *Villersville 1952*, h/cart. (12x22) : **USD 865 800** – LONDRES, 27 juin 1989 : *Paysage du Midi 1953*, h/cart. (32x45) : **GBP 313 500** – NEW YORK, 5 oct. 1989 : *Sans titre*, h/t (20,3x56,5) : **USD 198 000** – PARIS, 9 oct. 1989 : *Composition 1949*, h/t (38x46) : **FRF 1 625 000** – NEW YORK, 13 nov. 1989 : *Footballeurs 1952*, h/cart. (24,3x32) : **USD 638 000** – NEW YORK, 14 nov. 1989 : *Mer et nuages 1953*, h/t (100x73) : **USD 1 210 000** – NEW YORK, 15 nov. 1989 : *Nature morte à la pomme 1952*, h/pan. (22,2x35,5) : **USD 385 000** – PARIS, 15 déc. 1989 : *Arbres 1954*, encre de Chine/pap. (60x45) : **FRF 150 000** – PARIS, 28 mars 1990 : *Syracuse 1954*, h/t (50x73) : **FRF 11 000 000** – LONDRES, 2 avr. 1990 : *Compotier et chandelier 1954*, h/t (60,3x81,2) : **GBP 715 000** – NEW YORK, 15 mai 1990 : *Ciel à Honfleur 1952*, h/t (89x130) : **USD 1 320 000** – PARIS, 11 juin 1990 : *Nature morte*, h/t (65x81) : **FRF 7 900 000** – PARIS, 27 juin 1990 : *Marine 1954*, h/t (24x33) : **FRF 1 800 000** – PARIS, 26 nov. 1990 : *Ciel 1953*, h/t (131x56) : **FRF 2 800 000** – NEW YORK, 9 mai 1991 : *Marine, La Ciotat 1952*, h/t (16x21,6) : **USD 83 600** – LONDRES, 27 juin 1991 : *Le bocal*, h/t (73x100) : **GBP 572 000** – LONDRES, 26 mars 1992 : *Composition, fond vert* *clair* 1953, collage de pap./cart. (32x22,5) : **GBP 23 100** – Eng-hien-les-Bains, 12 avr. 1992 : *Composition* 1949, h/t (38x46) : **FRF 545 000** – New York, 11 mai 1992 : *Le Picador*, collage/pap. (29,2x22,2) : **USD 18 700** – New York, 11 nov. 1992 : *Fleurs sur fond rouge* 1953, h/t (129,5x89) : **USD 682 000** – Paris, 24 nov. 1992 : *Parc des Princes* 1952, h/cart./pan. (12x16,5) : **FRF 800 000** – New York, 4 mai 1993 : *Voiliers à Antibes* 1953, collage (50,2x64,5) : **USD 23 000** – Londres, 23 juin 1993 : *Bouteilles* 1954, h/t (60,5x80,7) : **GBP 165 000** – New York, 9 nov. 1994 : *Composition* 1949, h/t (54,6x66) : **USD 233 500** – Londres, 1er déc. 1994 : *Le Picador* 1954, collage/pap. (29x22) : **GBP 28 750** – Paris, 30 mars 1995 : *Paysage* 1953, h/t (65x81) : **FRF 1 550 000** – New York, 9 mai 1995 : *La Table de l'artiste* 1954, h/t (88,9x116,2) : **USD 376 500** – Londres, 27 juin 1996 : *La Route d'Uzès* 1954, h/t (65x81) : **GBP 315 000** – New York, 13 nov. 1996 : *Lignes* 1954, h/t (64,8x81,3) : **USD 217 000** – Londres, 5 déc. 1996 : *Composition* 1950, h/t (130,2x96,5) : **GBP 80 700** – Paris, 28 avr. 1997 : *Composition* 1949, h/t (100x65) : **FRF 830 000** – Londres, 26 juin 1997 : *Composition abstraite* 1949, encre/pap. (66x51) : **GBP 11 500.**

STAEL Pieter. Voir STAAL

STAEL-HOLSTEIN Carl von
Né vers 1811 en Livonie. xixe siècle. Allemand.
Portraitiste et peintre de genre.
Élève de Wachs à Berlin. Il exposa de 1834 à 1840.

STAELBENT Adriaen Van. Voir STALBEMT

STAELPAERT. Voir aussi STALPAERT

STAELPAERT Jérôme
xvie siècle. Éc. flamande.
Peintre de paysages.
Il travailla à Anvers et à Oudenaarde dans la seconde moitié du xvie siècle.

STAENHEYL Ulrich
xvie siècle. Éc. flamande.
Peintre verrier.
Il entra au service de Philippe II d'Espagne en 1566 à Madrid.

STAES Victor
xvie siècle. Actif à Alkmaar en 1587. Hollandais.
Peintre.

STAESSENS Sebastian. Voir STAASENS

STAETS Dierick
xvie siècle. Actif à Kampen, travaillant à Anvers au xvie siècle.
Éc. flamande.
Peintre verrier.
Père de Jan Staets.

STAETS Jan
xvie siècle. Actif à Kampen, travaillant à Anvers au xvie siècle.
Éc. flamande.
Peintre verrier.

STAF J. W.
xviie siècle. Hollandais.
Peintre d'histoire.
Le Musée de Bâle conserve de lui : *Judas devant les grands prêtres.*

STAFF Théodor
Né en 1816. Mort en 1880. xixe siècle. Suédois.
Peintre.
Portraitiste. Connu pour son *Portrait d'Oscar Ier*, figurant au château de Drottningholm.

STAFFORD Albert
Né le 22 janvier 1903 à Leicester. xxe siècle. Britannique.
Peintre, dessinateur, graveur, illustrateur.
Il réalisa des affiches, comme graveur il privilégia l'eau-forte.

STAFFORD John Phillips
Né en 1851. Mort en mars 1899 à Londres. xixe siècle. Britannique.
Peintre, dessinateur et caricaturiste.
Il fut d'abord peintre de décors de théâtre, puis fit de l'illustration et des dessins humoristiques. Il fut notamment, durant plusieurs années, un des meilleurs collaborateurs du *Funny Folks*. Il exposa à Londres à la Royal Academy en 1877, 1878, 1886 de petits sujets de genre où s'affirme la note comique.

STAFFORD Lawrence
Né en 1938 à Kansas City. xxe siècle. Américain.

Peintre. Abstrait, tendance minimal art.
Il participe à des expositions de groupe : 1964 Mid American Annual à Kansas City ; 1966 Exposition annuelle de l'Art Institute de Chicago ; 1969 Suermondt Museum d'Aix-la-Chapelle, Wallraf-Richartz Museum, *Une Tendance de la peinture contemporaine* présentée à la foire artistique de Cologne. Il montre ses œuvres dans des expositions personnelles : 1969 Cologne.
Il se rattache sans y appartenir à proprement parler au courant du Minimal Art américain qui se donne pour objet de redonner au public les notions exactes des formes et des couleurs, isolées de tout contexte associatif avec une réalité quelle qu'elle soit, même psychologique. Lawrence Stafford, pour sa part, tente de revenir à ces « structures primaires » de la perception visuelle, par une technique de tachages colorés se fondant les uns dans les autres et mettant bien en évidence la nature même de chacune des couleurs opposées aux autres. Toutefois l'agrément harmonique des tons fondus incite à les associer avec des souvenirs de paysages.
Bibliogr. : Catalogue de l'exposition : *Une Tendance de la peinture contemporaine*, Foire artistique, Cologne, 1969.

STAGE Bertha
Née le 21 juin 1890 à Copenhague. xxe siècle. Danoise.
Peintre, décorateur.
Elle fut élève de Jens Möller-Jensen.

STÄGELICH J. C. ou Stäglich
xviiie-xixe siècles. Actif à Berlin de 1787 à 1812. Allemand.
Peintre de portraits, miniatures.

STAGER Balz ou Baltazar ou Balthasar
Né le 14 juin 1861 à Glarus. Mort en 1937 à Zurich. xixe-xxe siècles. Suisse.
Peintre de paysages.
Il fut élève de Rudolf Koller à Zurich et de J. G. Steffen à Munich.
Ventes Publiques : Berne, 1er mai 1980 : *Paysage alpestre sous un ciel d'orage* 1903, h/t (90x120) : **CHF 12 000** – Lucerne, 2 juin 1981 : *Paysage fluvial boisé* 1896, h/t (142,5x117) : **CHF 9 000** – Berne, 6 mai 1983 : *Paysage au lac* 1902, h/t (55x46) : **CHF 3 500** – Zurich, 19 juil. 1984 : *Paysage au lac sous un ciel orageux* 1910, h/t (80x110) : **CHF 3 200** – Berne, 26 oct. 1988 : *Averse sur le lac de Zurich* 1912, h/t (60x73) : **CHF 2 200** – Zurich, 2 juin 1994 : *Le Walensee et les monts Churfirsten à contre-jour* 1902, h/t (55x46) : **CHF 3 450.**

STÄGER Hans
Né en 1935. xxe siècle. Suisse.
Peintre de paysages, aquarelliste.
Musées : Aarau (Aargauer Kunsthaus) : *Aux Grangettes* 1974, aquar.

STAGER Steffen
Mort le 17 décembre 1645 à Tönning. xviie siècle. Allemand.
Peintre.
Il travailla à Flensbourg et à Tönning. Il exécuta des fresques dans l'église de Tating vers 1620.

STAGER Walter
Né le 12 mars 1874 à Vilmergen. xixe-xxe siècles. Suisse.
Sculpteur.
Il fut élève de l'école d'art de Lucerne et d'Augusto Rivalta à Florence.

STAGG Jessie A.
xxe siècle. Active aux États-Unis. Britannique.
Peintre, graveur.
Élève de l'Art Students' League de New York, elle étudia également à Londres et à Rome. Elle fut membre de la Fédération américaine des arts.

STAGGI Gioacchino ou Giovachino. Voir STAGI

STAGI Bernardino
xviie siècle. Italien.
Sculpteur.
Frère de Giuseppe Stagi. Il restaura les sculptures sur la façade de l'église Notre-Dame-de-l'Épine de Pise vers 1600.

STAGI Domenico, appelé aussi Domenico de Pietrasanta, ou Palo di Filippo da Pietrasanta
xviiie siècle. Italien.
Peintre d'architectures et de perspectives.
Il a peint les fresques du plafond de l'église Santa Maria del Carmine, de Florence, entre 1735 et 1776.

STAGI Gioacchino ou Giovachino ou Staggi
Né à Pietrasanta. xviiie siècle. Travaillant à Varsovie de 1781 à 1794. Italien.

Sculpteur.

Il travailla à Varsovie pour Stanislas Auguste, roi de Pologne.

STAGI Giuseppe
XVIᵉ siècle. Italien.
Sculpteur.

Frère de Bernardino Stagi. Il termina les sculptures de la chapelle de S. Ranieri dans la cathédrale de Pise dans la seconde moitié du XVIᵉ siècle.

STAGI Pietro
XVIIIᵉ siècle. Travaillant de 1783 à 1793. Italien.
Sculpteur.

Frère de Gioacchino Stagi. Il travailla en Pologne et à Saint-Pétersbourg.

STAGI Stagio ou **Anastagio**
Né en 1496 (?) à Pietrasanta (?). Mort en mai 1563 à Pise. XVIᵉ siècle. Italien.
Sculpteur.

Fils de Lorenzo Stagi de Stasio. et père de Bernardino et de Giuseppe S. Il fut un des plus importants décorateurs de son époque. Probablement élève de Giuliano di Taddeo. Il travailla pour le Camposanto et la cathédrale de Pise ainsi que pour l'église Notre-Dame-de-l'Épine de cette ville.

STAGI de Stasio Lorenzo ou **Stagi di Staso**
Né en 1455 à Pietrasanta. Mort le 28 (?) avril 1506 à Pietrasanta. XVᵉ siècle. Italien.
Sculpteur.

Père de Stagio Stagi. Il travailla pour la cathédrale de Pietrasanta où il exécuta une balustrade et un tabernacle.

STAGIO di Fabiano. Voir **SASSOLI Fabiano**

STAGIO di Taddeo d'Antonio
XVᵉ siècle. Travaillant de 1465 à 1472. Italien.
Peintre.

Élève de Neri di Bicci.

STAGLIANO Arturo
Né le 13 mars 1870 à Naples (Campanie). Mort en 1936 à Turin (Piémont). XIXᵉ-XXᵉ siècles. Italien.
Peintre de figures, portraits, sculpteur.

Il fut élève de Leonardo Bistolfi à Turin.

STÄGLICH J. C. Voir **STÄGELICH**

STAGNI Francesco, l'Ancien
Mort en 1768. XVIIIᵉ siècle. Actif à Bologne. Italien.
Sculpteur d'ornements.

Il exécuta des ouvrages en stuc dans la sacristie du Corpus Domini de Bologne.

STAGNI Francesco, le Jeune
Mort le 5 mars 1830. XIXᵉ siècle. Actif à Bologne. Italien.
Peintre d'ornements.

Élève de P. Scandellari, il continua ses études avec M. Tesi et P. Francelli.

STAGNOLI Antonio
Né en 1922 à Bagolino. XXᵉ siècle. Italien.
Graveur de figures, animaux.

Il fut élève de l'académie Brera à Milan, où il eut pour professeurs Aldo Carpi, Christoforo De Amicis, Umberto Vittorini et Italo Valenti.

Il a participé en 1993 à l'exposition : *Il Sentimento delle cose* à la bibliothèque civique de Verolanuova.

Ses eaux-fortes, aquatintes et pointes-sèches, hommes, animaux (chèvre, chien), seuls ou réunis, se caractérisent par le dynamisme, la nervosité du trait.

BIBLIOGR. : Catalogue de l'exposition : *Il Sentimento delle cose*, Bibliothèque civique, Verolanuova, 1993.

STAGNON Antoine Maria
Né en 1751 à Mondelli. Mort en 1805 à Turin. XVIIIᵉ siècle. Français.

Dessinateur et graveur au burin.

Cet artiste graveur des sceaux du roi de Sardaigne, grava notamment de nombreux costumes et uniformes Sardes et du Nord de l'Italie. Saint Non l'employa pour la gravure de quelques planches de son *Voyage pittoresque* en Italie. Plus tard, certaines de ses estampes ayant été revêtues du nom de Choffard, Stagnon protesta énergiquement.

STAGNON Giacomo
Né à Mondelli. XVIIIᵉ siècle. Actif de 1750 à 1772. Italien.
Graveur au burin.

Il grava des portraits, des cartes géographiques et des billets de banque.

STAGNON Giovanni Battista, l'Ancien
Né en 1681. Mort en 1758 à Mondelli. XVIIIᵉ siècle. Italien.
Médailleur et sculpteur (?)

STAGNON Giovanni Battista, le Jeune
Né en 1764 à Mondelli. XVIIIᵉ siècle. Italien.
Graveur au burin.

Neveu d'Antoine Maria Stagnon. Il grava des portraits et des sujets religieux.

STAGNON Pietro Antonio
Né en 1711. Mort en 1799. XVIIIᵉ siècle. Actif à Mondelli. Italien.
Graveur.

Père d'Antoine Maria Stagnon.

STAGURA Albert
Né le 9 novembre 1866 à Dresde (Saxe). Mort en 1947. XIXᵉ-XXᵉ siècles. Allemand.
Peintre de paysages, fleurs.

Il fut élève de Léon Pohle et de Friedrich Preller. Il travailla à Dresde et à Munich.

STAHEL Jost ou **Stachel**
XVIᵉ-XVIIᵉ siècles. Actif à Lucerne. Suisse.
Sculpteur.

Fils de Wolfgang Stahel. Il assista son père dans l'exécution des sculptures de l'église de la cour de Lucerne.

STAHEL Rudolf ou **Stachel**
Né vers 1448. Mort en 1527 ou 1528 à Constance. XVᵉ-XVIᵉ siècles. Actif à Constance. Allemand.
Peintre.

Il travailla pour la ville de Constance.

STAHEL Wolfgang ou **Stachel**
XVIᵉ-XVIIᵉ siècles. Actif à Lucerne. Suisse.
Sculpteur.

Père de Jost Stahel. Il travailla avec son fils Jost pour l'église de la cour de Lucerne.

STÄHELIN Johann Ulrich
Né en 1802 à Saint-Gall. XIXᵉ siècle. Suisse.
Peintre de portraits et de paysages.

Il fit ses études à Munich où il travailla jusqu'en 1845.

STAHELL Hans
XVIᵉ siècle. Actif à Vienne en 1598. Autrichien.
Sculpteur.

STAHL Albert Alexander
Né en 1815 à Munich. XIXᵉ siècle. Allemand.
Peintre d'histoire et portraitiste.

Élève de l'Académie de Munich et Nazaréen. Le Musée Provincial de Berlin conserve de lui *Portrait de Fr. Julius Stahl, frère de l'artiste.*

STAHL Anton
XIXᵉ siècle. Travaillant à Bamberg en 1804. Allemand.
Dessinateur et aquarelliste.

STAHL Émile
Né à Schittigheim (Bas-Rhin). XIXᵉ siècle. Français.
Peintre de genre.

Élève de Bonnat. Il débuta au Salon de Paris en 1879. Le Musée de Strasbourg conserve de lui *Laveuse de vaisselle.*

STAHL Erich Ludwig
Né le 3 juin 1882 à Rostock (Mecklembourg-Poméranie). XXᵉ siècle. Allemand.

Peintre, graveur.
Il fit ses études à Berlin, où il vécut et travailla. Il grava des vues du vieux Rostock.

STAHL Friedrich
Né le 27 décembre 1863 à Munich (Bavière). Mort en 1940. XIXe-XXe siècles. Allemand.
Peintre de compositions religieuses, compositions mythologiques, genre, figures, nus, natures mortes, illustrateur. Symboliste.
Il fut élève de l'académie des beaux-arts de Munich, sous la direction de Julius de Benczur, Ludwig von Löfftz, Hugo Diez. En 1886, au cours d'un séjour à Berlin, il travailla comme peintre et illustrateur. Il séjourna à Londres pour étudier les Préraphaélites. Il visita aussi la France, l'Italie, la Hollande. De retour en Allemagne, il fut un des co-fondateurs de la *Vereinigung der XI* (Groupe des XI), qui exposa pour la première fois à Berlin en 1892. De 1904 à 1913, il se fixa à Florence, s'inspirant de Botticelli, suivant là encore l'exemple des Préraphaélites. À son retour à Munich, il fut un membre actif de la Sécession. Puis, il se fixa à Rome, relativement longtemps après les Nazaréens, mais toujours dans la perspective de s'inspirer de la peinture de la Renaissance italienne.
Il puisa ses sujets aux sources les plus diverses, notamment la Bible et la mythologie, traitant également des sujets de genre contemporains. Les études de nus, qu'il a laissées, témoignent d'un dessin énergique et savant. Savante aussi sa peinture, dont les personnages sont souvent nimbés d'une clarté de crépuscule qui exalte les ocres dorés des visages et des corps. Il traite les détails du décor, pourtant souvent noyé d'ombre, avec la précision d'un Gustave Moreau. Comme celle de Gustave Moreau, sa peinture se situe bien dans son époque par son appartenance au courant symboliste. Il est touchant de remarquer que sa fervente référence au Botticelli du *Printemps*, n'est pas exclusive d'une germanité qui le rattache, surtout dans les personnages féminins, aux vierges de Dürer. ■ M. M., J. B.
Musées : BERLIN : *L'Improvisateur – La Fête des fleurs à Paris.*
Ventes Publiques : NEW YORK, 12 mai 1978 : *Le bal* 1902, h/pan. (68x61,5) : USD 13 000 – BERNE, 25 juin 1981 : *Le Café Bauer à Berlin* 1889, gche/pap. noir (52x67,5) : CHF 2 400 – LONDRES, 27 juin 1988 : *Le Jugement de Pâris* 1909, h/t (107x147,5) : GBP 38 500 ; *Adam et Eve*, h/t (70,5x70,5) : GBP 9 900 – LONDRES, 30 mars 1990 : *La Marchande de fleurs*, aquar. et gche (42x30) : GBP 4 400 – AMSTERDAM, 30 oct. 1991 : *Parmi les roses trémières* 1882, h/t (100x60) : NLG 17 250 – LONDRES, 22 mai 1992 : *Ancolies et sceau de Salomon dans un vase avec un bol de cerises sur la table* 1911, h/pan. (50,2x43,8) : GBP 3 850 – LONDRES, 20 mai 1993 : *Le Jugement de Pâris* 1909, h/t (146x105,7) : GBP 12 650 – VIENNE, 29-30 oct. 1996 : *Le Train de nuit*, h/cart. (57x77,5) : ATS 322 000 ; *Amoureux dans un champ*, h/pan. (diam. 32) : ATS 149 500.

STAHL Heinrich
Né le 14 février 1880 à Wurzbourg (Bavière). XXe siècle. Allemand.
Peintre de paysages.

STAHL Jakob
XVIIe siècle. Actif à Narva au milieu du XVIIe siècle. Allemand.
Dessinateur de vues.
Il a dessiné des vues de Narva, en 1656.

STAHL Johann Caspar
Né vers 1747 à Nuremberg. Mort le 6 mars 1809. XVIIIe siècle. Allemand.
Sculpteur-modeleur de cire.
Frère de Johann Ludwig Stahl. Il modela des portraits.

STAHL Johann Ludwig
Né en 1759 à Nuremberg. Mort en 1835. XVIIIe-XIXe siècles. Allemand.
Sculpteur-modeleur de cire, miniaturiste, graveur.
Frère de Johann Caspar Stahl, il pratiqua la gravure au burin et à l'eau-forte et la sculpture. Il fut aussi géomètre. La Bibliothèque Municipale de Nuremberg conserve de nombreuses vues de Nuremberg exécutées par cet artiste.
Ventes Publiques : PARIS, 10 oct. 1983 : *La Promenade* ; *La Compagnie* 1784, aquar., deux pendants (chaque 19,4x29,6) : FRF 13 500.

STAHL Johann Philipp
XVIIIe siècle. Allemand.
Peintre.

Il travailla pour la cathédrale et pour des églises de Bamberg, ainsi que pour l'église de Han.

STAHL Joseph
XVIIIe siècle. Allemand.
Peintre.
Il a peint un *Saint Guy* pour l'église de Burgebrach en 1726.

STAHL Joseph
XIXe siècle. Actif au milieu du XIXe siècle. Allemand.
Modeleur.
Il travailla à la Manufacture de Damm et exécuta des figurines d'apôtres et de types populaires d'Aschaffenbourg.

STAHL Karl Heinrich Hermann
Né le 13 mai 1824 à Darmstadt. Mort le 13 novembre 1848 à Darmstadt. XIXe siècle. Allemand.
Peintre et aquafortiste.
Élève d'Ernst Rauch et de l'Académie de Düsseldorf. Il peignit des portraits et des scènes de la mythologie germanique. Le Musée Municipal de Darmstadt conserve de lui *Portrait du grand-père de l'artiste*, et le Musée Provincial de cette ville, *Portrait de l'artiste* et *Le baiser de Judas*.

STAHL M. Louise
Née à Cincinnati (Oklahoma). XXe siècle. Américaine.
Peintre.
Elle fut élève de l'Art Students' League de New York. Elle fut membre de la Ligue américaine des artistes professeurs et de la Fédération américaine des arts.

STAHL Oswald
XVIIIe siècle. Actif à Bamberg au milieu du XVIIIe siècle. Allemand.
Peintre.
Il peignit cent un blasons dans la chapelle Saint-Jean, près d'Oberhaid.

STAHLBAUM Christian Ludwig
Né le 20 juin 1795 à Dresde. XIXe siècle. Allemand.
Graveur au burin et éditeur.
Il travailla à Königsberg et à Berlin, et, à partir de 1785, en Hollande.

STÄHLE Franz Xaver
XVIIIe siècle. Actif dans la seconde moitié du XVIIIe siècle. Allemand.
Peintre.
Il a peint le plafond de l'église d'Illerbeuren en 1783.

STAHLER Heinrich. Voir STALLER

STÄHLI Johann
Né le 29 novembre 1778 à Brienz. Mort le 24 octobre 1861 à Habkern. XIXe siècle. Suisse.
Paysagiste.
Le Musée de Berne conserve de lui *Paysage italien* et *Dans les Alpes*.

STÄHLI Johann
Né le 22 décembre 1816 à Brienz. Mort le 20 avril 1901 à Brienz. XIXe siècle. Suisse.
Sculpteur sur bois.

STÄHLI Melchior
Né le 6 juillet 1808 à Brienz. Mort le 6 avril 1877 à Brienz. XIXe siècle. Suisse.
Sculpteur sur bois.
Élève de Christ. Fischer. Il fut également tourneur.

STAHLMANN
XIXe siècle. Actif à Munich vers 1828. Allemand.
Peintre de fleurs et de fruits.

STAHLMEYER Joseph
Né à Vienne. XVIIIe siècle. Actif au milieu du XVIIIe siècle. Autrichien.
Sculpteur sur bois.
Il travailla dans le château de Peterhof, près de Saint-Pétersbourg.

STAHLSCHMIDT Max
Né le 22 juillet 1854 à Berlin. XIXe siècle. Allemand.
Peintre de paysages et d'animaux et aquafortiste.
Le Musée de Weimar conserve de lui : *Troupeau au pâturage dans l'Ettensbera*.

STAHLY François
Né le 18 mars 1911 à Constance, de père italien et de mère

allemande. xxᵉ siècle. Actif depuis 1931 et depuis 1940 naturalisé en France. Italien.

Sculpteur, sculpteur d'intégrations architecturales, peintre de cartons de tapisserie, peintre de cartons de vitraux.

De double nationalité, il opta pour la nationalité italienne à sa majorité puis en 1940 devint citoyen français, s'engageant dans l'armée française. Après avoir passé sa jeunesse en Suisse, il vint à Paris, en 1931, où il s'inscrivit à l'académie Ranson, comme élève du sculpteur Charles Malfray, qui y remplaçait Maillol. Il y resta pendant sept années devenant l'ami, dans l'atelier de sculpture, d'Étienne-Martin et de Signori, et dans l'atelier de peinture, où professait Bissière, se liant avec Manessier, Le Moal, Bertholle. Ces élèves de l'académie Ranson allaient être à l'origine de la formation à Lyon, en 1936, du groupe *Témoignage*, réunissant peintres, sculpteurs, musiciens, poètes, artisans, sous la direction de Marcel Michaud, dans la volonté de refus de la déspiritualisation des activités artistiques, et parmi lesquels on trouve de nombreux chrétiens. De 1945 à 1949, il dut s'isoler en Normandie. Le marchand et animateur René Drouin, et Wols et Mathieu, l'exhortèrent à venir se fixer à Meudon-Bellevue, où, en 1958, il ouvrit un « atelier de travail collectif » ; expérimentation d'enseignement qu'il poursuivit aux États-Unis, en 1960, à l'université de Californie en 1961, à la Aspen School of Contemporary Art dans le Colorado.

Il participe à des expositions collectives, notamment, régulièrement à Paris aux Salons des Réalités Nouvelles et de Mai, dont il fut membre du comité, à la Tate Gallery de Londres, aux Biennales de Venise, São Paulo, Tokyo, où il obtint le prix de sculpture du gouvernement de Tokyo, etc, ainsi que : 1937, 1938 avec le groupe *Témoignage* à Lyon ; 1948 *H.W.P.S.M.T.B.* réunissant Hartung, Wols, Picabia, Stahly, Mathieu, Tapié et Bryen. Il montre aussi ses œuvres dans des expositions personnelles : 1949, 1953, 1959, 1966 à Paris ; 1960 New York ; 1961 Milan, San Francisco, Seattle, Washington ; 1980 musée de Meudon, rétrospective au musée de Dortmund ; 1987 fondation Mona Bismarck à Paris, musée de Constance ; etc. Il a reçu le Grand Prix national de la sculpture en 1979.

En 1937, il avait obtenu une première commande : le portique du Pavillon de la Femme à l'Exposition internationale à Paris. Dans les années quarante, il réalisa de très petites sculptures en bois, allusivement d'inspiration végétale, avec des formes courbes souples mais tendant déjà à l'abstraction, telles *L'Ange* ou *Le Doigt* que lui acheta en 1943 le collectionneur Henri Pierre Roché, plus tard auteur du roman *Jules et Jim*. Le bois fut et resta assez longtemps le matériau spécifique des intentions de la sculpture de Stahly. En 1947-1952, il avait réalisé l'un de ses bois les plus émouvants, évoquant des éléments végétaux pétrifiés : *Le Château de larmes*. Mais en 1948-1950, il avait également réalisé son premier bronze : *Kito* suivi en 1953 d'autres : *Coquilles – Serpent de feu – Éclosion*. En 1943-1947, il avait travaillé la pierre avec le *Tombeau d'un nouveau-né*. Selon les matériaux mis en œuvre, il se laissait conduire à des propositions plastiques différentes, cette acceptation de l'esprit propre du matériau devant rester une des constantes de son travail. En 1946, le livre de Gishia et Nicole Védrès : *La Sculpture en France depuis Rodin* reproduisait une sculpture en olivier de Stahly, abstraite et dont la forme se pliait avec évidence à la structure originelle du matériau de base. Stahly saura de plus en plus exploiter les richesses intrinsèques de racines d'origines et de tailles diverses, évitant de les modifier dans leur architecture intérieure, se contentant d'en exalter les potentialités. Pourtant, également en bois, la sculpture reproduite dans le catalogue du IIIᵉ Salon des Réalités Nouvelles, en 1949, tout en utilisant la spécificité du bois employé l'a mené, avec fermeté à la composition d'un groupe de formes à la ressemblance humaine, où l'on ne peut pas ignorer l'influence de l'élégante souplesse d'Henri Laurens. En 1953-1955, Stahly et son ami Étienne-Martin réalisèrent leur premier travail important en collaboration : les vitraux reliefs de l'église de Baccarat. Ils poursuivirent cette collaboration, notamment avec la chapelle du Saint-Sacrement, en 1958, pour la cité du Vatican, à l'Exposition universelle de Bruxelles. Dans les années soixante, les forêts du Nord-Ouest américain lui suggèrent de nouvelles formes sculpturales nettement totémiques, ainsi que l'idée de sortes de murs-rideaux, constitués de sculptures très rapprochées et groupées en ensembles mobiles ou non, tel celui que l'on voit dans le hall de la Maison de la Radio à Paris, qu'il réalisa en 1962-1963. Dans le même esprit, et également inspiré des paysages de l'Utah et de l'Arizona, il réalisa, autour de 1960,

des grilles et des reliefs en bronze. Dès 1956, il avait exécuté un signal en acier inoxydable, utilisé dans plusieurs expositions avant d'être érigé à l'entrée de l'autoroute du sud. En 1961, il eut une commande d'une fontaine en acier inoxydable à Fontana, près de Los Angeles ; en 1962 d'une fontaine en pierre pour l'Exposition universelle de Seattle ; en 1962 encore une *Fontaine des quatre saisons* qui obtint le premier prix du Golden Gateway Park à San Francisco ; en 1963 d'une fontaine pour l'université de Saint-Gall, en Suisse, et d'une fontaine en bronze pour le Collège de Saint-Denis de La Réunion ; en 1964 d'un signal à Hayward en Californie ; et en 1966 d'une colonne à Dallas (Texas) sculptée dans un seul bloc de pierre ; etc. Cette liste, loin d'être exhaustive, de ses très nombreuses intégrations architecturales le plus souvent conçues en accord avec les architectes des bâtiments, indique bien la volonté de Stahly de concevoir son travail de sculpteur dans la perspective d'une collaboration avec les différents intervenants dans la conception et l'édification du cadre de vie des collectivités sociales. Ses expérimentations d'ateliers de création collective, ainsi que ses nombreuses collaborations avec Étienne-Martin, le confirment. Pourtant, il a toujours réussi à réserver une partie de son temps et de son activité à la création d'œuvres plus intimes. Stahly se veut plus un bâtisseur du cadre de vie qu'un « artiste » dans l'acceptation crypto-romantique du terme. C'est peut-être ce côté apparemment plus réservé qui le distingue nettement de son grand ami Étienne-Martin, dont les préoccupations mystiques sont souvent clairement exprimées. Toutefois, aussi bien dans ses œuvres destinées à des intégrations architecturales publiques, que dans ses créations plus confidentielles, depuis ses premiers bois des années quarante jusqu'aux totems des années soixante, en dépit de la réserve de l'homme distingué des rapports sociaux, l'artiste a toujours insufflé la vie à ces formes qui semblent être restées en suspens entre le choix de prendre forme humaine ou forme végétale.

■ Jacques Busse

BIBLIOGR. : Jean Arp, Henri Pierre Roché : Catalogue de l'exposition *François Stahly*, Galerie Paul Facchetti, Paris, 1953 – *L'Atelier François Stahly*, Graphis, nº 81, Zurich, 1959 – Carola Giedon-Welcker : *Le Sculpteur François Stahly*, Das Werk, Winterthur, 1960 – Yvon Taillandier : *François Stahly et le sentiment mystique dans l'art contemporain*, Connaissance des arts, Paris, 1961 – Carola Giedon-Welcker : *François Stahly*, Galerie Jeanne Bucher, Paris, 1961 – Pierre Cabanne, in : *Dict. des artistes contemp.*, Libraires Associés, Paris, 1964 – R. M., in : *Dict. univers. de l'art et des artistes*, Hazan, Paris, 1967 – Michel Ragon : *Vingt-Cinq Ans d'art vivant*, Casterman, Paris, 1969 – Herta Wescher, in : *Nouv. Dict. de la sculpture mod.*, Hazan, Paris, 1970 – in : *L'Art du xxᵉ s.*, Larousse, Paris, 1991.

MUSÉES : PARIS (FRAC) : *Ville imaginaire*, bronze – *Pietà*.

VENTES PUBLIQUES : VERSAILLES, 11 mars 1973 : *L'heure insolite*, bronze patiné : **FRF 4 700** – PARIS, 2 déc. 1976 : *Petite Hydra* 1972, bronze (65x35x38) : **FRF 10 500** – PARIS, 21 juin 1983 : *Petite Hydra*, bronze patiné (H. 56) : **FRF 25 000** – PARIS, 7 juin 1985 : *Composition abstraite*, bronze (H. 170) : **FRF 38 000** – PARIS, 12 oct. 1986 : *Sans titre*, bronze patine brune (H. 170) : **FRF 74 000** – PARIS, 23 oct. 1990 : *Tikaï*, bronze à patine brune (13x9,5x9,5) : **FRF 10 000** – PARIS, 16 fév. 1992 : *Arbre* (58x32x26) : **FRF 55 000** – PARIS, 12 oct. 1994 : *Le buisson ardent* 1961, bronze (H. 101, l. 110, prof. 12) : **FRF 30 000**.

STAHN

xviiiᵉ siècle. Actif à Saint-Pétersbourg dans la seconde moitié du xviiiᵉ siècle. Russe.

Peintre sur porcelaine.

Il travailla à la Manufacture de porcelaine de Saint-Pétersbourg.

STAHN A. J.

xviiiᵉ siècle. Allemand.

Peintre.

Il peignait la porcelaine à la Manufacture de Furstenberg.

MUSÉES : BRUNSWICK : *Le Jugement de Pâris*, plateau en porcelaine.

STAHR Alwin

Né le 12 septembre 1836 à Oldenbourg. xixᵉ siècle. Allemand.

Peintre.

Élève de l'Académie de Berlin. Il travailla dans cette ville.

STAIGER Edmond

Né à Paris. xixᵉ-xxᵉ siècles. Français.

Peintre de portraits, fleurs, aquarelliste.

Il fut élève de Bouguereau et Gabriel Ferrier. Il exposa à Paris au

Salon des Artistes Français, dont il fut membre sociétaire à partir de 1900. Il reçut une mention honorable en 1900.
Musées : GENÈVE (Mus. Ariana) : *Bouquet de camélias*, aquar.

STAIGER J. P.
XVIIIe siècle. Actif au milieu du XVIIIe siècle. Autrichien.
Sculpteur.
Il a sculpté le maître-autel de l'église de Taufkirchen.

STAIGER Johann ou Steiger
Né en 1765. Mort le 11 octobre 1808 à Vienne. XVIIIe siècle.
Autrichien.
Portraitiste et pastelliste.

STAIGER Lucien Nicolas
Mort en 1908. XIXe siècle. Français.
Sculpteur.
Il exposa à Paris au Salon des Artistes Français, dont il fut membre sociétaire.

STAIGER Otto
Né en 1894 à Bâle. Mort en 1967. XXe siècle. Suisse.
Peintre de paysages, figures, peintre de cartons de vitraux, aquarelliste.
Il travailla à Genève et dans le Tessin. Il a exécuté des vitraux dans l'église de Liestal et dans l'église Saint-Antoine de Bâle.
Musées : AARAU (Aargauer Kunsthaus) : *Garten* 1923 – *Soir* 1923 – *Femme au miroir* – BÂLE (Mus. mun.) : *Paysage*.

STAIGER Paul
Né en 1941 à Portland (Oregon). XXe siècle. Américain.
Peintre de compositions animées, genre. Hyperréaliste.
Il a exposé dès 1969 aux États-Unis aux expositions historiques qui ont consacré le mouvement de l'hyperréalisme : 1970 *22 Realists* au Whitney Museum of American Art à New York ; 1971 Biennale de Paris ; 1972 *Sharp focus realism* à New York et Documenta de Kassel.
Sa peinture se rattache totalement à cet hyperréalisme américain qui a connu un succès considérable au début des années soixante-dix tant aux USA qu'en Europe. Pour sa part, Staiger a pleinement participé à l'aventure. Comme la plupart des hyperréalistes, il part de la photographie qu'il projette sur toile et repeint le plus fidèlement possible. Il apparaît néanmoins que ce souci de fidélité à l'image photographique manifeste moins une volonté d'objectivité vis-à-vis de la réalité qu'une appréhension de la facticité de l'image. Ainsi les thèmes mêmes de Staiger renforcent cette idée d'univers factice. S'il peint des personnages, il les fait poser comme face à un objectif, peignant justement plus la pose que le personnage. De même que la longue série qu'il a consacrée aux maisons des stars de Hollywood ou aux lieux mythiques du cinéma, ainsi le *Griffith Observatory* de 1970 où James Dean tourna une scène de *La Fureur de vivre* est bien proche d'une démystification de cet American Way of Life longtemps triomphant et depuis sérieusement battu en brèche. Peintre californien, peintre des plages californiennes, de la joie de vivre californienne, du ciel, du soleil californiens, c'est en définitive moins la Californie que Staiger dépeint que son image publicitaire.
Ventes Publiques : PARIS, 5 déc. 1971 : *Leo Carillo Beach* : **FRF 6 000** – PARIS, 12 mars 1972 : *Griffith observatory* : **FRF 6 000** – PARIS, 6 avr. 1973 : *Leo Carillo Beach* : **FRF 16 000** – NEW YORK, 13 nov. 1980 : *Charles Rasmussen's Mayflower Rig 1968*, acryl./t. (133,5x213,5) : **USD 2 000** – AMSTERDAM, 19-20 fév. 1997 : *El Segundo 1972*, peint. spray/t. (213x259) : **NLG 4 612**.

STAIGG Richard Morrell
Né le 7 septembre 1817 à Leeds. Mort le 11 octobre 1881 à Newport. XIXe siècle. Américain.
Portraitiste, paysagiste et peintre de genre.
Il n'eut aucun maître, mais subit l'influence de W. Alston. Il s'établit en Amérique en 1831. Le Musée de Worcester conserve de lui une miniature, peinte sur ivoire.

STAIMER Hans. Voir STEINER

STAIN
XIXe siècle. Actif à Böblingen en 1825. Allemand.
Portraitiste.

STAIN. Voir aussi STEIN

STAIN Andreas. Voir STEIN

STAIN Hermann. Voir STEIN

STAIN Jörg
Mort le 18 mai 1491. XVe siècle. Actif à Ulm. Allemand.

Sculpteur.
Il fut mentionné à Ulm à partir de 1467. Il travailla pour la cathédrale d'Ulm et pour l'église de Lorch.

STAINBÖCKH Andreas. Voir STEINBÖCK

STAINDL Matthäus
XVIIe siècle. Actif au début du XVIIe siècle. Autrichien.
Sculpteur.
Il a travaillé pour l'abbaye de Kremsmünster en 1606.

STAINDORFER Johann Georg
XVIIe siècle. Actif dans la seconde moitié du XVIIe siècle. Autrichien.
Peintre.
Il a peint les tableaux pour les autels latéraux de l'église de Biberach en Basse-Autriche en 1681.

STAINER. Voir aussi STEINER

STAINER Ferdinand. Voir STEINER

STAINER Johann Baptist
XVIIIe siècle. Actif au milieu du XVIIIe siècle. Allemand.
Peintre.
Il a peint le tableau d'autel représentant *La Vierge, sainte Anne et saint Joachim* dans l'église de Winhöring en 1748.

STAINER Josef. Voir STEINER

STAINER Michael ou Johann Michael. Voir STEINER

STAINER N.
XVIIe siècle. Actif à Erbendorff. Allemand.
Sculpteur sur bois.
Il a sculpté la chaire de l'église de Reuth (Bavière) en 1678.

STAINER Paul. Voir STEINER

STAINER Sebastian. Voir STEINER

STAINER-KNITTEL Anna. Voir KNITTEL Anna

STAINES F. W.
XIXe siècle. Actif à Londres dans la première moitié du XIXe siècle. Britannique.
Peintre de paysages et de marines.
Il exposa à Londres de 1829 à 1846.

STAINES Robert
Né le 21 octobre 1805 à Londres. Mort le 3 octobre 1849 à Londres. XIXe siècle. Britannique.
Graveur au burin.
Élève de J. C. Edwards et des frères Finden. Il grava pour des illustrés.

STAINFORTH Martin
XIXe-XXe siècles. Actif depuis 1909 en Australie. Britannique.
Peintre d'animaux.
Il s'est spécialisé dans la représentation de chevaux et de scènes de chasse.
Ventes Publiques : PARIS, 27 jan. 1950 : *Pur sang* : **FRF 1 400** – SYDNEY, 6 oct. 1976 : *Lion Island 1925*, h/t mar. (28x28) : **AUD 110** – LONDRES, 17 juin 1983 : *La Chasse au lion 1903*, h/cart. (58,5x45,7) : **GBP 1 000** – SYDNEY, 16 oct. 1989 : *La chasse*, h/cart. (45x60) : **AUD 7 000** – SYDNEY, 26 mars 1990 : *La chasse*, h/cart. (45x59) : **AUD 5 000**.

STAINHART Dominicus ou Stainhardt ou Steinhard ou Steinhart
Né le 29 septembre 1655 à Weilheim. Mort en 1712 à Munich. XVIIe-XVIIIe siècles. Allemand.
Sculpteur.
Fils de Matthias Stainhart. Il travailla à Rome où il exécuta avec son frère Franz I, le coffre conservé dans la Galerie Colonna de Rome. Il fut sculpteur sur bois, sur ivoire, sur écaille, sur ambre et sur corail. Le Musée National de Munich possède de lui quatre bas-reliefs en ivoire.

STAINHART Franz I ou Stainhardt ou Steinhard ou Steinhart
Né le 7 juillet 1651 à Weilheim. Mort le 2 mars 1695 à Weilheim. XVIIe siècle. Allemand.
Sculpteur de compositions religieuses.
Fils de Matthias et frère de Dominicus Stainhart avec lequel il travailla à Rome. Il pratiqua la sculpture sur ivoire, sur bois, sur écaille, sur corail et sur ambre. Il sculpta des figures pour un autel de l'église d'Unterammergau en 1687.

STAINHART Franz II ou Steinhardt ou Steinhart
Né le 11 octobre 1683 à Weilheim. XVIIIe siècle. Allemand.

Sculpteur sur bois et sur ivoire.
Peut-être identique à Johann Franz Stainhart. Il appartenait à la Compagnie de Jésus. Il a sculpté les anges et des ornements pour l'église des Jésuites d'Eichstätt en 1721.

STAINHART Johann Franz
Mort le 3 mai 1741 à Munich. XVIIIe siècle. Allemand.
Sculpteur sur bois.
Peut-être identique à Franz Stainhart II.

STAINHART Joseph ou Steinhart
Né à Weilheim. Mort le 12 mai 1668 à Munich. XVIIe siècle. Allemand.
Sculpteur sur bois.
Fils de Matthias S.

STAINHART Matthias ou Stainhardt ou Steinhard ou Steinhart
Né à Mering. Mort le 2 juillet 1672 à Weilheim. XVIIe siècle. Allemand.
Sculpteur sur bois.
Père de Dominicus, de Franz I et de Joseph Stainhart. Il travailla pour la cour de Munich et sculpta des Crucifix et des statues de saints.

STAINHAUSER Gandolph Ernst ou Steinhauser von Treuberg
Né le 21 décembre 1766 à Salzbourg. Mort le 30 septembre 1805 à Vienne. XVIIIe siècle. Autrichien.
Portraitiste.
Il peignit des portraits d'ecclésiastiques et d'aristocrates autrichiens. Le Musée Municipal de Salzbourg conserve de lui Portrait d'homme.

STAINHOFER Franz Josef. Voir STEINHOFFER
STAINIER Imbert. Voir STANIER
STAINIER R. Voir STANIER
STAINL Bartholomäus ou Stainle. Voir STEINLE
STAINMETZ Anton. Voir STEINMETZ
STAINMÜLLER. Voir STEINMÜLLER
STAINPICHLER Franz
XVIIe-XVIIIe siècles. Actif à Graz, de 1676 à 1706. Autrichien.
Peintre.
Il travailla pour l'abbaye de Vorau et peignit les fresques du plafond du Mausolée de Ferdinand II à Graz.

STAINTON George
XIXe-XXe siècles.
Peintre de paysages, paysages d'eau, aquarelliste.
Il fut actif à Londres de 1860 à 1890. Il est cité par le Art Prices Current de 1910-1911.
VENTES PUBLIQUES : LONDRES, 5 déc. 1910 : Bords de rivière ; soleil couchant : GBP 1 – LONDRES, 16 juil. 1974 : Homeward Bound : GBP 320 – LONDRES, 9 mars 1976 : Bateaux sur la Tamise, h/t (60x91) : GBP 500 – LONDRES, 6 fév. 1981 : Au large de Tilbury, h/t (61x102,2) : GBP 1 900 – LONDRES, 27 oct. 1982 : Bateaux de pêche au large de Calais 1884, h/t (68,5x63,5) : GBP 1 200 – LONDRES, 21 juin 1983 : Luggage boat, Portsmouth-H. M. S. Victory in the distance 1886, h/t (76x107) : GBP 3 600 – LONDRES, 5 juin 1985 : Barques et bateaux au large de la côte 1886, h/t (76x107) : GBP 4 800 – LONDRES, 2 nov. 1989 : Paysage boisé avec un berger et son chien assis à l'ombre près du troupeau 1875, h/t (60,9x91,5) : GBP 3 300 – LONDRES, 30 mai 1990 : Le mât brisé dans la tempête, aquar. avec reh. de gche (19,5x30) : GBP 605 – LONDRES, 13 juin 1990 : Une aube calme, h/t (61x91) : GBP 4 400 – LONDRES, 20 mai 1992 : Penarth, h/t (51x76) : GBP 2 860 – LONDRES, 11 mai 1994 : Passé et présent, h/t (40x61) : GBP 2 760 – LONDRES, 6 nov. 1995 : Un port au crépuscule, h/t (60,5x101) : GBP 3 220 – LONDRES, 29 mars 1996 : L'embouchure de la rivière Itchen à Southampton, h/t (57,8x82,6) : GBP 8 280.

STAIR Ida
Née le 4 février 1857 à Logansport. Morte le 27 mars 1908 à Denver. XIXe siècle. Américaine.
Sculpteur.
Élève de Preston Power et de Chase à New York ainsi que de Taft à Chicago. Elle sculpta des statues à Denver.

STAJESSI Charles
Né le 28 juin 1852 à Romont. Mort le 18 janvier 1907 à Fribourg. XIXe siècle. Suisse.
Aquarelliste amateur.
Il n'eut aucun maître.

STAJIC-TOSKOVIC Jovan
Né en 1798 à Mitrowitz. Mort le 6 juillet 1824 à Vienne. XIXe siècle. Yougoslave.
Peintre.
Fils et élève de Todor Stajic-Toskovic. et de l'Académie de Vienne. C'est le représentant principal du classicisme serbe.

STAJIC-TOSKOVIC Todor
XVIIIe siècle. Actif dans la seconde moitié du XVIIIe siècle. Yougoslave.
Peintre.
Il travailla à Mitrowitz. Père de Jovan Stajic-Toskovic.

STAKE
XIXe siècle. Allemand.
Peintre.
Il travailla pour la Manufacture de porcelaine de Meissen. Il voyagea à Paris en 1830.

STAKER Heinrich. Voir STACKER
STALARD François et Jean. Voir STELLA
STALBANT. Voir STALBEMT Adriaen Van
STALBEMPT. Voir STALBEMT Adriaen Van
STALBEMT Adriaen Van ou Stalbant, Staelbent, Stablent ou Stalbempt
Né le 12 juin 1580 à Anvers. Mort le 21 septembre 1662 à Anvers. XVIIe siècle. Éc. flamande.
Peintre de compositions religieuses, paysages animés, paysages, graveur.
Né de parents protestants, il alla à Middlebourg après la capitulation d'Anvers et revint dans cette ville en 1610. Il y fut maître la même année, il épousa, en 1613, Barbara Verdelft, fut doyen de la gilde en 1617 et de 1632 à 1633. Il alla passer dix mois à Londres. Sous le règne de Charles Ier, Van Dyck peignit son portrait.
Il a peint des paysages dans le genre de Brueghel et gravé à l'eau-forte des paysages.

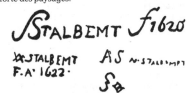

MUSÉES : AMSTERDAM : Paysage montagneux – ANVERS : Paysage avec l'ours et les deux compagnons – BERLIN : Adoration des bergers – CHAMBÉRY (Mus. des Beaux-Arts) : Paysage – DRESDE : Festin de dieux – Jugement de Midas – FLORENCE (Mus. des Offices) : Château près d'un étang – FRANCFORT-SUR-LE-MAIN : Fête de dédicace – KASSEL : Adoration des bergers – Kermesse – LEIPZIG : Route de village au bord d'un canal – MADRID : Entrée de David, vainqueur de Goliath, paysage de P. Breughel le Jeune – MAYENCE : Paysage avec canal – SCHWERIN : Paysage boisé.
VENTES PUBLIQUES : PARIS, 1760 : Paysage : FRF 100 – PARIS, 1777 : Une vue des environs de Bruxelles : FRF 1 015 – PARIS, 1869 : Paysage : FRF 60 ; Paysage : FRF 30 – PARIS, 1899 : Rue de village sur un canal : FRF 3 875 – LONDRES, 1er fév. 1924 : Scène dans une ville hollandaise : GBP 105 – STOCKHOLM, 22 nov. 1950 : Paysage avec personnages bibliques 1656 : SEK 1 975 – LONDRES, 1er juin 1951 : Mars et Apollon 1630 : GBP 121 – LONDRES, 30 juin 1965 : Village au bord d'une rivière : GBP 2 000 – AMSTERDAM, 20 mai 1969 : Paysage animé de nombreux personnages : NLG 20 000 – LONDRES, 24 juin 1970 : Paysage boisé animé de personnages : GBP 3 400 – VIENNE, 19 sep. 1972 : Ruth dans un paysage : ATS 80 000 – NEW YORK, 4 avr. 1973 : Vue d'une petite ville animée de personnages : USD 47 500 – LONDRES, 29 mars 1974 : Abraham et les trois anges dans un paysage fluvial : GNS 8 500 – LONDRES, 8 déc. 1976 : Scène villageoise, h/pan. (48x77,5) : GBP 12 500 – LONDRES, 6 avr. 1977 : Les Israélites construisant le tabernacle, h/cuivre (38x51) : GBP 11 500 – LONDRES, 12 déc 1979 : Village au bord d'une rivière, h/pan. (16x24) : GBP 25 500 – LONDRES, 10 juil. 1981 : Le Christ et le centurion, h/pan., de forme hexagonale (47,6x65,5) : GBP 24 000 – LONDRES, 13 juil. 1984 : Greenwich Palace from the north-east, with a man-o'-war at anchor, h/pan. (13,5x28,5) : GBP 26 000 – NEW YORK, 17 jan. 1986 : Elégants dans une calèche passant

devant un village, h/pan. (33,5x45) : **USD 15 000** – Monaco, 17 juin 1988 : *Scène galante au bord d'un étang*, h/cuivre (17,8x25) : **FRF 299 700** – Paris, 27 juin 1989 : *Paysage de rivière avec le Christ guérissant un aveugle*, pan. de chêne (22x35) : **FRF 430 000** – Londres, 7 juil. 1989 : *Village dans une vallée boisée avec une gentilhomme et des paysans devant une auberge*, h/cuivre (17x25,5) : **GBP 49 500** – Paris, 8 déc. 1989 : *Paysage avec chaumière en bordure de forêt*, h/pan. (39,5x47) : **FRF 140 000** – New York, 4 avr. 1990 : *Le festin des dieux*, h/pan. (28,6x41,2) : **USD 12 100** – Amsterdam, 13 nov. 1990 : *Paysage d'hiver avec un couple élégant patinant et un homme jouant au palet au premier plan*, h/cuivre (10x13,5) : **NLG 161 000** – Londres, 30 oct. 1991 : *Le jugement de la Vérité*, h/pan. (52,5x78,5) : **GBP 6 820** – Londres, 8 déc. 1993 : *Le triomphe de Mélancolie*, h/pan. (38,4x62,2) : **GBP 18 400** – Paris, 16 mars 1994 : *Paysage boisé avec rivière ; Paysage avec moulin*, h/pan., une paire (65,5x105,5) : **FRF 180 000** – Orléans, 28 mai 1994 : *Village hollandais avec une promenade familiale au bord d'un étang*, h/pan. (44x85,5) : **FRF 260 000** – Paris, 27 nov. 1995 : *Paysans revenant du marché dans un paysage boisé*, h/pan. (52x85) : **FRF 200 000** – New York, 12 jan. 1996 : *Paysage boisé et montagneux avec des personnages sur un chemin longeant un torrent*, h/pan./t. (30x30) : **USD 40 250** – Paris, 1er avr. 1996 : *Naïades près de la fontaine de Neptune*, h/pan. (54x75) : **FRF 125 000** – Paris, 9 déc. 1996 : *Vue d'un village fluvial animé*, h/pan. de chêne (36x53,5) : **FRF 480 000** – Londres, 3 juil. 1997 : *Tobie et l'archange Raphaël dans un paysage fluvial rocheux et boisé*, h/cuivre (49x65,7) : **GBP 34 500**.

STALBOM Johan
Né en 1712 à Nyland. Mort en 1777 à Orräng. xviiie siècle. Suédois.
Miniaturiste.
Le Musée de Stockholm conserve de lui : *Portrait du général Lors Gripenwald, Portrait de Helena Retzia.*

STALBURCH Jan Van
xvie siècle. Actif à Louvain de 1555 à 1562. Éc. flamande.
Peintre et graveur à l'eau-forte.
Il a gravé, notamment d'après A. Dürer, F. Floris et Heemskerk.

STALDER Anselm
Né en 1956. xxe siècle. Allemand.
Peintre, aquarelliste.
Il participe à des expositions collectives : 1988 Cercle des Beaux-Arts de Madrid ; 1992 *De Bonnard à Baselitz – Dix Ans d'enrichissements du cabinet des estampes 1978-1988* à la Bibliothèque nationale à Paris.
Il montre ses œuvres dans des expositions personnelles : 1981 Innsbruck ; 1982 Kunstmuseum de Bâle ; 1984 Biennale de Venise ; 1985 Lehmbrück Museum de Duisbourg ; 1988 Kunsthalle de Bâle puis Centre culturel suisse à Paris ; 1992 Kunsthaus de Zurich.
Musées : Paris (BN) : *Journal de tampons d'artistes* 1978.
Ventes Publiques : Zurich, 25 mars 1996 : *Sans titre*, aquar./pap. (35x99) : **CHF 3 680**.

STALDER Thomas
Né en 1960 à Aarau. xxe siècle. Suisse.
Peintre. Abstrait.
Il vit et travaille à Zürich.
Il participe à des expositions collectives régulièrement à Zurich, ainsi que : 1992 Kunstmuseum de Saint-Gall ; 1994 musée cantonal de Lugano ; 1995 Kunstmuseum de Glarus ; 1997 *Abstraction/Abstractions – Géométries provisoires* au musée d'Art moderne de Saint-Étienne. Il montre ses œuvres dans des expositions personnelles : 1982 Kunstmuseum de Lucerne ; 1991, 1993, 1996 galerie Bob Van Orsouw à Zurich ; 1993 Berne ; 1994 Düsseldorf ; 1995 Munich.
Musées : Aarau (Aargauer Kunsthaus) : *Dessin* 1977 – *Objet – Bodenskulptur* 1981.

STALENBERGH Théodore Wynant. Voir STALLENBERG

STALF Giovanni
D'origine flamande. xvie siècle. Actif dans la seconde moitié du xvie siècle. Éc. flamande.
Peintre.
Il exécuta des fresques dans le Palais Fossi de Florence en 1575.

STALKER E.
xixe siècle. Travaillant de 1801 à 1815. Britannique.

Graveur de portraits et de vignettes.
Il vécut à Londres de 1801 à 1823. Il travailla à Philadelphie vers 1815.

STALL Margarete
Née le 4 août 1871 à Vienne. xixe-xxe siècles. Autrichienne.
Peintre de paysages, fleurs.
Elle fut élève de Theodor Hummel et de Max Dasio. Elle vécut et travailla à Munich.

STALLAERT Joseph
Né le 19 mars 1825 à Merchtem. Mort le 24 novembre 1903 à Bruxelles. xixe siècle. Belge.
Peintre de compositions mythologiques, scènes de genre, portraits.
Il fut élève de Navez. Il dirigea l'Académie de Tournai, puis celle de Bruxelles.

Jos Stallaert.

Musées : Anvers : *Polyxène immolé sur le bûcher d'Achille – Le peintre Constant Wauters – L'artiste* – Bruxelles : *Mort de Didon* – Gand : *Polyxène* – Liège : *La balançoire* – Tournai : *Bruno Renard.*
Ventes Publiques : Bruxelles, 19 mars 1980 : *L'heureuse mère*, h/t (60x49) : **BEF 44 000** – Enghien-les-Bains, 21 mars 1982 : *Jeune femme à la harpe 1850*, h/t (100x76) : **FRF 190 000** – New York, 17 fév. 1993 : *Maternité*, h/t (124,5x95,9) : **USD 21 850**.

STALLENBERG Théodore Wynant ou Stalenbergh
Né le 22 août 1738. xviiie siècle. Actif à Anvers. Belge.
Aquafortiste amateur.

STALLER Gerard Johan
Né en 1880. Mort en 1956. xxe siècle. Hollandais.
Peintre de compositions animées, genre, paysages, paysages urbains, aquarelliste.
Ventes Publiques : Amsterdam, 20 mars 1978 : *Jeune femme assise dans un escalier*, aquar. (44x33,8) : **NLG 5 200** – Amsterdam, 24 mars 1980 : *Scène de marché, Amsterdam 1910*, aquar. et gche (80x60) : **NLG 8 000** – Amsterdam, 28 oct. 1980 : *Scène de marché, Amsterdam*, h/t (119x78,5) : **NLG 12 500** – Amsterdam, 5-6 nov. 1991 : *Figures dans un paysage oriental 1930*, h/t (107x162) : **NLG 2 185** – Amsterdam, 24 sep. 1992 : *Figures sur le Jordaan à Amsterdam*, aquar. avec reh. de blanc/pap. (60x46) : **NLG 3 450** – Amsterdam, 19 avr. 1994 : *Rue d'Amsterdam au crépuscule 1947*, h/pan. (22x17) : **NLG 1 840** – Amsterdam, 7 nov. 1995 : *Famille chantant devant une boulangerie dans le Jordaan à Amsterdam*, aquar. (47x33) : **NLG 2 124**.

STALLER Heinrich ou Stahler
xviiie siècle. Actif à Francfort-sur-le-Main dans la première moitié du xviiie siècle. Allemand.
Sculpteur.
Il sculpta des statues sur la façade de l'église de Wiesentheid.

STALLI Antonio ou Stalla
Né à Gênes. xviie siècle. Travaillant à Rome de 1632 à 1658. Italien.
Peintre.
Il fut membre de l'Académie Saint-Luc à Rome, et s'établit à Venise vers 1663.

STALMANN Emmy
Née le 26 août 1878. xxe siècle. Allemande.
Peintre de paysages.
Elle fut élève de Walter Leistikow et de Franz Skarbina. Elle vécut et travailla à Berlin.

STALPAERT Daniel ou Stalpert
Né vers 1615 à Amsterdam. Mort en 1676 à Amsterdam. xviie siècle. Hollandais.
Peintre et architecte.
Il se maria à Amsterdam en 1639 et en 1645.

STALPAERT Jérôme
Né le 16 décembre 1613 à Bruges. Mort vers 1680 à Bruges. xviie siècle. Éc. flamande.
Sculpteur.
Fils de Jeronimus, il était également architecte.

STALPAERT Jeronimus ou Staelpaert
Né le 4 février 1589 à Bruges. xviie siècle. Éc. flamande.
Sculpteur et architecte.

Fils de Romyn Stalpaert. Il travailla à Bruges où il termina les stalles de l'église Saint-Sauveur. Il a probablement sculpté l'autel de l'église de Dixmude.

STALPAERT Peeter
Né vers 1572. Mort vers 1635 à Amsterdam. XVIᵉ-XVIIᵉ siècles. Hollandais.
Peintre de paysages et de marines.
Il se maria en 1599 à Amsterdam et en 1611. Le Musée d'Amsterdam conserve de lui : *Paysage vallonné.*

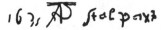

VENTES PUBLIQUES : LONDRES, 11 mars 1911 : *Paysage montueux :* GBP 9.

STALPAERT Romyn ou **Remi** ou **Remy**
Mort avant 1622. XVIIᵉ siècle. Actif à Bruges. Éc. flamande.
Peintre.
Père de Jeronimus Stalpaert.

STALZER Hans
Né le 8 avril 1878 à Vienne. XXᵉ siècle. Autrichien.
Peintre de portraits, paysages.
Il fut élève de l'académie des beaux-arts de Vienne. Il peignit des portraits d'acteurs et de personnalités politiques de son époque.
MUSÉES : VIENNE (Mus. mun.) : *Dans un frais vallon,* triptyque.

STAM R. Van de
XIXᵉ siècle. Travaillant à Amsterdam de 1818 à 1820. Hollandaise.
Dessinatrice de portraits.

STAM Willem Hendrik
Né le 29 juin 1831 à La Haye. Mort le 3 janvier 1874 à La Haye. XIXᵉ siècle. Hollandais.
Graveur sur bois et lithographe.
Élève de Henry Brown. Il grava des illustrations de livres d'histoire.

STAMBACCHI. Voir **STAMBUCCHI**

STAMBACH Werner
Né le 27 janvier 1882 à Winterthur. XXᵉ siècle. Suisse.
Peintre de compositions murales.
Il travailla à Francfort, à Düsseldorf, à Hanovre, et à partir de 1909 à Londres.

STAMBUCCHI ou **Stambacchi**
Originaire du Tessin. XIXᵉ siècle. Travaillant à Gênes vers 1800. Italien.
Sculpteur.
Assistant de Girolamo Centenaro.

STAMBUCCHI Giovanni
Né vers 1770. XVIIIᵉ siècle. Italien.
Peintre.
Élève de l'Académie de Milan. Peut-être identique à Protasio Girolamo Stambucchi.

STAMBUCCHI Protasio Girolamo
Né en 1759 à Milan. Mort le 15 avril 1833. XVIIIᵉ-XIXᵉ siècles. Italien.
Peintre.
Il exposa à Milan en 1812. Peut-être identique à Giovanni Stambucchi. Il peignit surtout des portraits.

STAMBULESCU Ipolit. Voir **STRAMBULESCO**

STÄMEL Johann Georg ou **Stämbl**
XVIIᵉ siècle. Actif à Graz de 1682 à 1695. Autrichien.
Sculpteur.
Peut-être père de Josef Thaddäus Stammel.

STAMER Agnes
Née en 1856 en Mecklembourg. Morte le 18 février 1894 à Charlottenbourg. XIXᵉ siècle. Allemande.
Peintre de genre.
Élève de Skarbina et de Max Klein.

STÄMER Gregor
XVIIᵉ siècle. Actif à Ried (Tyrol) de 1677 à 1692. Autrichien.
Sculpteur sur bois.
Il a sculpté l'autel de l'église de Fendels.

STÄMER Martin
Né à Ried (Tyrol). Mort le 27 mars 1689 à Serfaus. XVIIᵉ siècle. Autrichien.

Sculpteur sur bois.
Il travailla pour l'église de Kaltenbrunn.

STAMER Michael
Né en 1681 à Ried (Tyrol). Mort en 1765. XVIIIᵉ siècle. Autrichien.
Sculpteur sur bois.
Il sculpta les autels de l'église de Ried.

STÄMITZ Joseph
XVIIIᵉ siècle. Actif à Deutschbrod. Autrichien.
Peintre.

STAMKART Franz
Né le 27 octobre 1875 à Amsterdam. XXᵉ siècle. Hollandais.
Peintre, dessinateur.
Il fut élève de l'académie des beaux-arts d'Amsterdam.

STAMLER Mathyas ou **Stammler**
XIVᵉ siècle. Allemand.
Enlumineur et calligraphe.
Il appartint à l'ordre des Franciscains. Le Musée Germanique de Nuremberg conserve de lui un feuillet représentant l'office de sainte Agnès et enluminé par cet artiste.

STAMM Andreas
Né en 1654. Mort le 12 mai 1722. XVIIᵉ-XVIIIᵉ siècles. Actif à Alsfeld. Allemand.
Peintre.
Il a peint la plupart des tableaux du chœur de l'église Sainte-Walpurgis d'Alsfeld.

STAMM Franz
Né en 1796. Mort le 22 mars 1839 à Vienne. XIXᵉ siècle. Autrichien.
Paysagiste.

STAMM Johann Gottlieb Samuel
Né en 1767 à Meissen (Saxe-Anhalt). Mort le 12 janvier 1814 à Dresde. XVIIIᵉ-XIXᵉ siècles. Allemand.
Peintre de paysages, lithographe et graveur à l'eau-forte.
Élève de Klengel. Il s'établit à Dresde. On le cite généralement comme copiste. Il a gravé des paysages notamment d'après Dietrich et Klengel.

STAMM Stephan
XVIIIᵉ siècle. Allemand.
Sculpteur.
On lui attribue les stucatures de l'église Notre-Dame d'Aschaffenbourg vers 1768.

STAMM-HAGEMANN Gertrud
Née le 1ᵉʳ mars 1890 à Iserlohn. XXᵉ siècle. Allemande.
Peintre de compositions religieuses, figures, portraits.
Elle fut élève d'Arthur Kampf, de Bruno Paul et de Christian Elsaesser. Elle est connue pour ses silhouettes.
MUSÉES : DÜSSELDORF (Mus. mun.) : *Le Voyageur* – MÜLHEIM (Mus. mun.) : *La Vierge avec des fleurs et des animaux.*

STAMMATICO Greco
XVᵉ siècle. Italien.
Peintre.
On lui attribue les fresques de la chapelle de la Vierge de l'église Saint-Benoît de Subiaco.

STAMMBACH Eugen
Né le 14 février 1876 à Stuttgart. XXᵉ siècle. Allemand.
Peintre de paysages, natures mortes.
Il fut élève de l'académie des beaux-arts de Stuttgart.
MUSÉES : STUTTGART (Gal. Nat.) : *Paysage de neige* – STUTTGART (Gal. mun.) : *Paysage – Nature morte.*

STAMMEL Eberhard
Né le 19 septembre 1833 à Düren. Mort en janvier 1906 à Düsseldorf. XIXᵉ-XXᵉ siècles. Allemand.
Peintre de genre.
Il fut élève de Carl Sohn.
VENTES PUBLIQUES : NEW YORK, 11 fév. 1981 : *Mère et enfant nourrissant des canards* 1876, h/t (62x81) : **USD 6 500** – MUNICH, 30 juin 1983 : *L'Amateur d'art,* h/t (72x57) : **DEM 4 500** – AMSTERDAM, 30 oct. 1991 : *Gentilhomme agrémentant ses huîtres d'un bon vin,* h/t (35x29,5) : **NLG 3 450.**

STAMMEL Josef Thaddäus
Né en 1695 à Graz. Mort le 21 décembre 1765 à Admont. XVIIIᵉ siècle. Autrichien.
Sculpteur.

Peut-être fils de Johann Georg Stämel. Élève de J. J. Schoy. Il travailla surtout pour l'abbaye d'Admont où il exécuta les sculptures de la bibliothèque. Le Musée Provincial de Graz conserve de lui *Saint Pierre se repentant et sainte Madeleine*.

STAMMELKAMMER Johann Konrad
XVIIIe siècle. Actif à Innsbruck en 1710. Autrichien.
Peintre.
Le Musée National de Munich conserve de lui les portraits de l'empereur Charles VI et de sa femme.

STAMMEN Peter
Né le 29 septembre 1886 à Crefeld. XXe siècle. Allemand.
Sculpteur de monuments.
Il fut élève de l'institut Städel à Francfort-sur-le-Main et à l'académie des beaux-arts de Düsseldorf, où il vécut et travailla. Il sculpta des monuments aux morts et des fontaines.

STAMMLER Mathyas. Voir STAMLER

STAMO Foto
Né en 1916. XXe siècle. Albanais.
Peintre de portraits.
MUSÉES : TIRANA (Gal. des Arts) : *Portrait de jeune homme*.

STAMOS Theodoros ou Théodore
Né en 1922 à New York. XXe siècle. Américain.
Peintre, pastelliste. Expressionniste-abstrait.
Bien que de parents grecs, il est toutefois l'un des peintres américains contemporains d'importance, nés sur le continent américain. Il commença ses études artistiques par la sculpture. Dès l'âge de quatorze ans, il fut élève de l'American Artists School de New York (d'autres sources indiquent la Stuyvesant High School) de 1936 à 1939. Ce ne fut qu'après ses études qu'il délaissa la sculpture pour la peinture tout en étant obligé d'exercer différents métiers pour vivre matériellement. Entre 1948-1949, il fait un voyage en Europe et surtout en Grèce. Il a enseigné au Black Mountain College (Caroline du Nord), à la Cummington School of Art du Massachusetts, à l'Art Students' League de New York.
Il participe à de nombreuses expositions collectives : 1955 *Jeunes Peintres* au musée d'Art moderne de Paris, Rome et Bruxelles, *50 Ans d'art aux États-Unis* au musée d'Art moderne de Paris ; régulièrement aux expositions internationales de la fondation Carnegie de Pittsburgh. À vingt-deux ans, il fait sa première exposition personnelle à New York à la Wakefield Gallery, suivie de nombreuses autres régulièrement à New York. Il a obtenu une bourse de la fondation Tiffany en 1951, une distinction de la Brandeis University en 1959.
Ses premières huiles utilisent des formes marines rendues dans des tons sombres, verts, gris et noirs. Il s'était inspiré de la peinture chinoise et japonaise qu'il n'oubliera jamais totalement. Admirateur de Dove, il fut influencé par lui, ses couleurs deviennent bleues, jaunes, ocres, blanches, donnant, au début un effet opaque, puis plus transparent. Son séjour en Grèce en 1948-1949 modifie son travail, il donne alors une vue plus abstraite de la nature, ses couleurs deviennent plus claires, il agrandit ses toiles. Cependant de retour aux États-Unis, se développe à nouveau son goût pour l'Orient avec sa série des *Maisons de thé*, pour lesquelles il fait jouer du blanc sur du blanc, avec des effets calligraphiques noirs. Après la série des *Champs* peints en 1954, apparaît une nouvelle liberté dans son travail ; puis en 1957 il suit une nouvelle direction vers des couleurs relevées et une texture enrichie. Ses sources d'inspiration demeurent partagées entre la nature et l'Orient. Assimilé par certains à l'expressionnisme abstrait, il a su développer, notamment par son traitement original de la couleur, un style personnel dans la lignée de Matisse.

BIBLIOGR. : Michel Seuphor, in : *Dict. de la peinture abstraite*, Hazan, Paris, 1957 – Bernard Dorival, sous la direction de... : *Peintres contemp.*, Mazenod, Paris, 1974 – Ralph Pomeroy : *Stamos*, Abrams, New York, 1974 – in : *L'Art du XXe s.*, Larousse, Paris, 1991.
MUSÉES : BUFFALO (Albright-Knox-Art Gal.) – DETROIT (Inst. of Arts) – NEW YORK (Mus. of Mod. Art) : *The Fallen Fig* 1949 – NEW YORK (Metrop. Mus.) – NEW YORK (Whitney Mus. of American Art).
VENTES PUBLIQUES : NEW YORK, 6 avr. 1967 : *Spectre on seawall* :

USD 1 300 – NEW YORK, 14 mai 1970 : *The Cleft* : USD 1 200 – NEW YORK, 25 mars 1971 : *Patato bug* : USD 1 300 – NEW YORK, 31 mai 1973 : *Infinity field (meteora series I)* : USD 2 900 – LOS ANGELES, 27 fév. 1974 : *Hommage à Milton Avery* 1968 : USD 3 500 – NEW YORK, 30 mars 1978 : *La mariée grecque* 1958, h/t (129,5x119,5) : USD 6 000 – NEW YORK, 19 oct 1979 : *Wawahachie* 1960, h/t (155x124,5) : USD 6 000 – NEW YORK, 16 oct. 1981 : *Paysage de Grèce n° 1* 1953, encre (57,2x52) : USD 3 600 – NEW YORK, 10 nov. 1982 : *Hibernation* 1946, gche et craies de coul. (66,7x50,7) : USD 2 100 – NEW YORK, 9 mai 1984 : *White field III* 1958, h/t (152,5x182,8) : USD 50 000 – NEW YORK, 27 fév. 1985 : *Sans titre* 1948, gche et encre de Chine (43,2x53,3) : USD 15 000 – NEW YORK, 12 nov. 1986 : *Sans titre (High Sun)* vers 1962, h/t (142,2x132,1) : USD 50 000 – NEW YORK, 4 mai 1987 : *A very law sun* 1963/1964, h/t (175,3x101,6) : USD 67 500 – NEW YORK, 8 oct. 1988 : *Soundings 4* 1964, h/t (121,8x91,5) : USD 110 000 – NEW YORK, 8 oct. 1988 : *Champ d'infinité Lefkada série III* 1978, acryl./t. (142,4x132,1) : USD 16 500 – NEW YORK, 9 nov. 1988 : *Sentinelle* 1962, h/t (172,6x152,6) : USD 143 000 – NEW YORK, 10 nov. 1988 : *Autel* 1948, h/rés. synth. (121,9x91,5) : USD 77 000 – PARIS, 4 juin 1989 : *Infinity field, Lefkada* 1989, h/t (112x86) : FRF 125 000 – NEW YORK, 5 oct. 1989 : *Mendiant oriental*, h/rés. synth. (75x59,6) : USD 22 000 – NEW YORK, 9 nov. 1989 : *Le jour de la renaissance du phœnix* 1956, h/t (179x123,8) : USD 46 750 – NEW YORK, 21 fév. 1990 : *Champ infini de la série de Lefkada* 1980, gche/pap. (76,3x55,9) : USD 4 400 – NEW YORK, 23 fév. 1990 : *Champ infini de la série de Lefkada* 1980, acryl./t. (137,5x81,3) : USD 26 400 – NEW YORK, 27 fév. 1990 : *Trois rois* 1949, h/rés. synth. (76,3x96,5) : USD 33 000 – NEW YORK, 7 nov. 1990 : *Sans titre*, h/rés. synth. (63,5x76,2) : USD 15 400 – ROME, 3 déc. 1990 : *Champ infini* 1982, acryl./pap. (77x57) : ITL 16 100 000 – NEW YORK, 3 oct. 1991 : *Champ infini de la série de Lefkada* 1980, acryl./t. (244x193,2) : USD 33 000 – NEW YORK, 27 fév. 1992 : *Fissure* 1956, h/t (40,6x107,3) : USD 11 000 – NEW YORK, 8 oct. 1992 : *Champ infini de la série des Lefkada* 1980, acryl./t. (116,8x71,7) : USD 13 200 – NEW YORK, 19 nov. 1992 : *Sans titre*, h/t (142,2x131,4) : USD 9 900 – NEW YORK, 23-25 fév. 1993 : *Canal* 1958, h/t (45,7x132,1) : USD 9 775 – NEW YORK, 11 nov. 1993 : *Le jour des trois soleils #2* 1963, h/t (172,7x111,8) : USD 28 750 – NEW YORK, 5 mai 1994 : *Puritain* 1959, h/t (182,9x152,4) : USD 16 100 – PARIS, 5 juil. 1994 : *Infinity field Lefkada Séries* 1980, acryl./t. (113x87) : FRF 20 000 – NEW YORK, 15 nov. 1995 : *Printemps blanc 1* 1963, h/t (167,6x111,8) : USD 20 700 – LONDRES, 21 mars 1996 : *Infinity field, series Torino* 1985, acryl./t. (167,5x127) : GBP 2 300 – NEW YORK, 8 mai 1996 : *Sans titre n° 2* 1960, h/t (167,7x154,9) : USD 43 700 – NEW YORK, 19 nov. 1996 : *Infinity field Lefkada series V* 1982, acryl./t. (183x122) : USD 7 475 – NEW YORK, 10 oct. 1996 : *Infinity Field Lefkada Series 2C* 1975, acryl./t. (167x152,4) : USD 8 050 – NEW YORK, 6 mai 1997 : *Infinity Field Lefkada Series* 1976, acryl./t. (167,7x127) : USD 6 900.

STAMP William
Né le 6 février 1819 à Newcastle-upon-Tyne. Mort le 5 juin 1846 à Newcastle-upon-Tyne. XIXe siècle. Britannique.
Sculpteur sur bois.
Il sculpta des statuettes et des bustes représentant des personnages des drames de Shakespeare.

STAMPA Antonio
XVIe siècle. Actif à Modène dans la seconde moitié du XVIe siècle. Italien.
Sculpteur.

STAMPA George Loraine
Né le 29 novembre 1875 à Constantinople. XXe siècle. Britannique.
Peintre, illustrateur, graveur.
Il vécut et travailla à Londres. Il grava *L'Humour de la rue*, paru en 1921.

STAMPA Girolamo
XVIIIe siècle. Actif dans la seconde moitié du XVIIIe siècle. Italien.
Peintre.
Il restaura la fresque de Giovanni Spagna dans l'église des Saints-Anges d'Assise.

STAMPART Frans Van
Né le 12 juin 1675 à Anvers. Mort le 3 avril 1750 à Vienne. XVIIIe siècle. Éc. flamande.
Portraitiste et graveur à l'eau-forte.
Élève de Gilein Peeter Van der Sypen. On lui donne aussi comme

maîtres Tyssens et Van Dyck. Maître en 1692. Appelé à Vienne, il fut peintre de la cour à partir de 1698, des empereurs Leopold et Charles VI. La cathédrale d'Anvers conserve de lui : *L'évêque Francken-Sierstorpff.*

MUSÉES : BRUXELLES : *Charles de Lorraine, Stathouder des Pays-Bas* – MUNICH : *Joseph Ier, empereur d'Allemagne* – ORLÉANS : *Portrait de jeune homme* – VIENNE : *Portrait de vieillard.*

STAMPER James William

Né le 19 octobre 1873 à Birmingham. XIXe-XXe siècles. Britannique.

Peintre de paysages, natures mortes.

STAMPFER Jakob ou Hans Jakob ou Jean

Né en 1505 ou 1506 à Zurich. Mort le 2 juillet 1579 à Zurich. XVIe siècle. Suisse.

Graveur de médailles et sur pierre.

Il travailla à Zurich et grava des médailles représentant des paysages et des personnages de son époque.

STAMPFER N.

XVIe siècle. Travaillant vers 1550.

Graveur d'ornements.

Il grava des modèles pour orfèvres et les signa NS.

STÄMPFLI Peter

Né le 3 juillet 1937 à Deisswil (près de Berne). XXe siècle. Actif depuis 1960 en France. Suisse.

Peintre de natures mortes, peintre à la gouache, aquarelliste, pastelliste. Tendance pop art puis abstrait.

Il fut élève de l'école des arts et métiers de Bienne, puis du peintre Max von Mühlenen à Berne.

Il participe à des expositions collectives, régulièrement à Paris : 1963, 1965, 1967, 1969, 1971, 1977 Biennale ; 1965, 1966, 1968 Salon Comparaison ; 1966, 1967, 1968 Grands et Jeunes d'Aujourd'hui ; depuis 1969 à l'ARC au musée d'Art moderne de la ville (1969 *Distances,* 1977 *Mythologies quotidiennes,* 1979 *Tendance de l'art en France, 1968-1978*) ; 1969, 1970, 1971 Salon de Mai ; 1971 musée Galliera ; 1972 *Artistes suisses contemporains* et *Douze Ans d'art contemporain en France* aux Galeries nationales du Grand Palais ; 1976, 1977, 1979 musée national d'Art moderne de Saint Gall ; 1963 musée de Tel-Aviv ; 1964 Exposition nationale suisse à Lausanne ; 1967 Biennale de São Paulo ; 1968 *Wege und Experimente* au Kunsthaus de Zurich ; 1969 *22 Jeunes Suisses* au Stedelijk Museum d'Amsterdam ; 1970 Biennale de Venise ; 1971 Kunsthaus de Aarau ; 1976 musée d'Art moderne de São Paulo ; 1977 musée d'Art et d'Histoire de Neuchâtel ; 1978 Seibu Museum of Art de Tokyo ; 1979 musée cantonal des beaux-arts de Lausanne. Il montre ses œuvres dans des expositions personnelles depuis 1966 régulièrement à Paris notamment en 1974 au musée Galliéra, à la galerie Lelong ; ainsi que : 1966, 1969, 1979 Zurich ; 1967 Cologne ; 1968 Institut Torcuata Di Tella à Buenos Aires ; 1972 palais des beaux-arts de Bruxelles ; 1976 musée de l'Abbaye Sainte Croix des Sables d'Olonne ; 1979 musée d'Art et d'Industrie de Saint-Étienne ; 1994 Genève.

Après des débuts dans des directions diverses, à partir de 1962, il comprit le pouvoir de fascination exercé par des objets complètement isolés de leur contexte, qu'il peignit désormais détounés de l'ensemble dont ils font partie, isolés sur fond blanc, et grandis démesurément. En 1966, il montrait des objets de différentes natures : une rose ou un groupe de plusieurs roses, un goulot de bouteille ou un goulot de bouteille au-dessus d'un verre ; puis des détails de voiture, pare-chocs chromés, ailes laquées, roues avec enjoliveurs étincelants. Finalement, à partir de 1968-1969, non seulement il isole la seule roue, voire seulement le pneu, des gros-plans d'automobiles, mais il ne plus peint que ce seul thème renonçant à tous les autres, dans une exceptionnelle ascèse du vocabulaire. Il était évident qu'une telle détermination allait donner lieu à une floraison de commentaires. Disons que les plus sérieux tournent autour de deux explications : pour les uns Stämpfli, tout à fait dans la perspective pop art, a choisi un symbole très précis d'un cadre de vie actuel et le traite avec les méthodes ordinaires de la publicité pour en exalter au maximum les possibilités expressives ; pour les autres c'est au contraire dans une perspective liée à l'op art, que Stämpfli dénature un objet à l'origine indifférent (le pneu) pour en exploiter au maximum les ressources rythmiques, graphiques et géométriques, Stämpfli a d'ailleurs eu la bonne idée

de s'expliquer lui-même dans les années soixante-dix et en des termes fort simples, sur le sens de sa démarche : « J'ai commencé par l'ensemble de la voiture, puis l'intérêt s'est centré sur les roues avec des morceaux de carrosseries, puis une cristallisation s'est produite sur l'aspect fonctionnel de la roue. J'essaie de parvenir aux limites d'extension dans toutes les directions ; un peu plus et ce serait autre chose qu'une roue. Il y a donc un côté beaucoup plus abstrait dans mon travail... Je crois que ma peinture est très suisse et n'a rien de français. Je peux dire qu'en France je ne connais absolument personne qui cherche dans le sens de la simplicité et de l'organisation logique des faits quotidiens, de la beauté des produits industriels qui nous entourent. » Ajoutons que, dans ces déclarations, Stämpfli omet peut-être les travaux comportant bien des différences avec le sien par ailleurs consacrés à la beauté de sa mécanique moderne, de Klasen, Klapeck, Jacques Poli par exemple. Depuis cette époque, il a évolué basculant progressivement vers l'abstraction. Épurant ses sujets, il s'attache au détail qu'il décompose, aborde selon des perspectives inattendues pour n'en retenir que la structure, la géométrie des formes. De même son traitement de la couleur s'est modifié ; du noir et blanc, des teintes grises, beiges, il explore depuis les années quatre-vingt la couleur, vive avec des aplats rouge, bleu, jaune, abandonnant l'huile, la gouache puis le crayon noir, pour le fusain et les crayons de couleur.

BIBLIOGR. : Catalogue de l'exposition : *100 Artistes dans la ville,* Montpellier, 1970 – Jorge Glusberg : *Peter Stämpfli,* Opus International, juin 1970 – Dr Jean Christophe Ammann : *Stämpli un constat d'objectifs du monde moderne* – Daniel Abadie : *Cinq Questions ou l'éloge de la neutralité,* Galerie des Arts, Paris, oct. 1971 – Alain Jouffroy : catalogue de l'exposition *Stämpfli,* Musée d'Art et d'Industrie, Saint-Étienne, 1979 – Marc Le Bot : *Stämpfli,* coll. Repères, n° 46, Galerie Lelong, Paris, 1988 – D. J. : *L'Effet zoom de Peter Stämpfli,* Beaux-Arts Magazine, n° 128, Paris, nov. 1994.

MUSÉES : AARAU (Aargauer Kunsthaus) : *CN 36* 1977 – *Articlio* 1979, past. – *An 77* 1979, past. – PARIS (Mus. Nat. d'Art Mod.) : *Gala* 1965 – Seiberling 1985.

VENTES PUBLIQUES : PARIS, 18 mars 1972 : *Impala Sport Sedan :* FRF 9 000 – PARIS, 4 juin 1973 : *Le Mans :* FRF 7 200 – PARIS, 19 mars 1980 : *Le sabre* 1966, h/t (163x120) : FRF 5 500 – PARIS, 26 avr. 1982 : *Imapla spott sedam* 1968, h/t (214x185) : FRF 12 500 – PARIS, 22 avr. 1983 : *190 L 1* 1975, acryl./t. (251x259) : FRF 11 500 – PARIS, 24 mars 1984 : *P G 6 deep* 1979, gche (151x138) : FRF 13 000 – PARIS, 4 déc. 1986 : *G 800,* dess./pap. (250x115) : FRF 13 000 – PARIS, 25 oct. 1987 : *Monte-Carlo* 1971, cr. (94x197) : FRF 16 500 – PARIS, 30 jan. 1989 : *MS Plus* 1977, dess. à la mine de pb (125x105,5) : FRF 12 000 – PARIS, 6 avr. 1989 : *Corvaire* 1968, acryl./t. (192x168) : FRF 115 000 – PARIS, 7 oct. 1989 : *V 10 M. et S.* 1972, dess. au cr. (100x200) : FRF 53 000 – PARIS, 15 fév. 1990 : *Futura* 1986, acryl./t. (181x156) : FRF 100 000 – PARIS, 31 oct. 1990 : *Petra* 1986, h/t (185x161) : FRF 65 000 – PARIS, 16 avr. 1992 : *Albion* 1984, acryl./t. (192x168) : FRF 14 000 – PARIS, 7 oct. 1995 : *Chaussure de luxe* 1963, h/t (184x193) : FRF 75 000.

STÄMPFLI Pierre, dit Pierre

Né à Saint-Imier (Berne). Mort en 1975 à Biel. XXe siècle. Actif aussi en France. Suisse.

Peintre de genre, figures, portraits, compositions animées, paysages urbains, natures mortes, graveur.

Il commença ses études artistiques à Bienne, puis vint à Paris, fréquentant l'école des arts décoratifs et l'académie de la Grande Chaumière. En 1939, il retourne en Suisse, puis séjourne de nouveau à Paris, de 1946 à 1953.

Il a participé à des expositions collectives, notamment à Paris aux Salons des Artistes Français et des Indépendants. Il a montré des expositions à Genève, Lausanne, Bienne, Soleure, à Rabat et Casablanca, etc.

Il a édité plusieurs ouvrages, illustré de gravures de techniques diverses, notamment *L'Annonce faite à Marie* de Paul Claudel, *Le Chef d'œuvre inconnu* de Balzac. Il peint des sujets anecdotiques, mais aussi quelques portraits et natures mortes, dans une facture large et grasse, souvent de tonalité sombre. Il signe de son prénom Pierre.

BIBLIOGR. : Guy Dornand : *Pierre Stampfli,* s. l., s. d., 1965.

VENTES PUBLIQUES : BERNE, 1er mai 1980 : *Le quai des bouquinistes à Paris* 1964, h/t (47x71) : CHF 2 000 – BERNE, 12 mai 1990 : *Le rêve Arlequin* 1972, h/t (47x21) : CHF 2 200 – BERNE, 24 oct. 1992 : *Mahlzeit* 1947 (60x73) : CHF 1 600 – PARIS, 29 nov. 1996 : *Anteo* 1979, past./pap. (150x110) : FRF 9 100.

STANCANPIANO Vincenzo
Né en 1835 à Naples. XIXe siècle. Italien.
Paysagiste.
La Pinacothèque de Bologne conserve une peinture de cet artiste.

STANCARI Antonio
Né à Guastalla. XVIIIe siècle. Actif dans la première moitié du XVIIIe siècle. Italien.
Peintre.
Il appartint à l'ordre des Servites. Il fut élève de Giacomo Parolini.

STANCARI Filippo
XVIIe siècle. Italien.
Peintre.
Il a peint *La bienheureuse Giuliana di Collalto reçoit de saint Blaise l'anneau d'abbesse* dans l'église du Saint-Esprit de Venise.

STANCESCO, Mme
XIXe siècle. Roumaine.
Peintre.
Elle figura aux expositions de Paris, et obtint une mention honorable à l'Exposition Universelle de 1889.

STANCESCU Constantin J.
Né le 20 octobre 1837 à Bucarest. Mort en août 1909 à Bucarest. XIXe siècle. Roumain.
Peintre d'histoire, portraits, intérieurs, dessinateur, lithographe.
Il étudia à l'École des Beaux-Arts de Bucarest, puis à celle de Paris. Plus tard, il fut professeur, puis directeur de l'École des Beaux-Arts de Bucarest. Il eut également une activité de poète et d'écrivain.
Musées : BUCAREST (Mus. Simu) : *Tête d'étude.*

STANCHI Giovanni
Né vers 1645. XVIIe siècle. Actif à Rome. Italien.
Peintre de fleurs et de fruits.
Ventes Publiques : MILAN, 24 nov. 1983 : *Nature morte aux fleurs*, h/t, une paire (85x61) : **ITL 19 000 000** – ROME, 12 nov. 1986 : *Vase de fleurs dans un jardin, Vase de fleurs et fontaine*, h/t, une paire (101x152) : **ITL 29 000 000.**

STANCIC Miljenko
Né en 1926 à Varazdin (Croatie). XXe siècle. Yougoslave.
Peintre de compositions animées, figures, animaux, paysages. Tendance surréaliste.
Il fut élève de l'école des beaux-arts de Zagreb, où il vit et travaille.
Il participe à de nombreuses expositions de groupe internationales soit consacrées à la peinture yougoslave, soit plus généralement au surréalisme auquel il se rattache d'une certaine façon. Il montre ses œuvres dans des expositions personnelles : 1952 musée des Arts et Métiers de Zagreb ; 1954 Belgrade ; 1958 Rijeka ; 1959 hôtel de ville de Belgrade ; 1959, 1969 Paris ; 1960 Dubrovnik et Hambourg ; 1966 musée d'Art contemporain de Belgrade ; 1967 Bruxelles.
Dans des décors de gares fantômes, d'univers envahi par les lignes à haute tension, d'évoque d'inquiétants monstres aux visages poupins, dans une technique expressionniste d'une virtuosité étonnante, maniant de savoureuses pâtes dans tous les ocres, jusqu'aux flamboiements des oranges safranés, sur fond de résonance bleu-nuit et violets.
Bibliogr. : Patrick Waldberg : Catalogue de l'exposition *Miljenko Stancic*, Galerie Lambert, Paris, 1969.

STANCOP Enrique
XIVe siècle. Espagnol.
Peintre verrier.
Il fut chargé de l'exécution de trois vitraux dans la cathédrale de Valence en 1376.

STANCZEL Theophilus
Né peut-être vers 1470 à Bartfeld. Mort en 1531. XVe-XVIe siècles. Hongrois.
Peintre.
Il travailla en Hongrie et en Pologne et peignit surtout des tableaux d'autel.

STANDINGER Friedrich
Né en 1829 à Vienne. Mort le 15 février 1888 à Vienne. XIXe siècle. Autrichien.
Peintre d'histoire et de portraits.
En 1843, il fut élève de l'Académie de Vienne et travailla aussi avec Fuhrich. Il s'adonna presque exclusivement au genre religieux. Il fut restaurateur du Musée impérial. On voit de lui au Musée de Vienne : *Portrait de l'artiste.*

STANDISH Henry
Mort en 1793. XVIIIe siècle. Actif à Dublin. Irlandais.
Graveur de sceaux.

STANEK Emanuel
Né le 13 avril 1862 à Prague. Mort le 11 février 1920 à Londres. XIXe-XXe siècles. Tchécoslovaque.
Peintre, graveur.
Il fut élève des académies des beaux-arts de Prague et de Munich.
Ventes Publiques : NEW YORK, 18 juin 1982 : *Voilier quittant le port* 1886, h/t (147x112) : **USD 2 000.**

STANESBY Alexander
XIXe siècle. Actif à Londres au milieu du XIXe siècle. Britannique.
Peintre de portraits, peintre de miniatures.
Il exposa à Londres de 1848 à 1854.
Ventes Publiques : LONDRES, 26 jan. 1987 : *Chine bleu et noir* 1884, aquar. reh. de gche, une paire de forme lunette (23x30,5) : **GBP 2 000.**

STANESBY Joshua
XIXe siècle. Actif à Londres dans la première moitié du XIXe siècle. Britannique.
Peintre de portraits, d'intérieurs et de genre.

STANESCU Marin
Né en 1882 à Braïla. XXe siècle. Roumain.
Peintre de genre.
Il se fixa à Bucarest.
Musées : BUCAREST (Mus. Simu) : *Voïvodes et princesses.*

STANETTI Dionysius
Mort en 1767 ? à Kremnitz. XVIIIe siècle. Hongrois.
Sculpteur.
Il exécuta des sculptures pour les églises de Schemnitz et de Hagybanya ainsi que le monument commémoratif de la peste à Kremnitz.

STANETTI Johann ou Stanety
Né en 1663 à Oberglogau. Mort le 19 juillet 1726 à Vienne. XVIIe-XVIIIe siècles. Autrichien.
Sculpteur.
Il travailla pour la cour de Vienne, pour des églises de cette ville et pour l'église de Mariazell.

STANFIELD George Clarkson
Né le 1er mai 1828 à Londres. Mort le 22 mars 1878 à Hampstead. XIXe siècle. Britannique.
Peintre de paysages, paysages urbains, paysages d'eau, paysages de montagne, marines, aquarelliste, dessinateur.
Il fut l'élève de son père William Clarkson. Il devint membre de la Royal Academy et exposa à Londres de 1844 à 1876.
Musées : BRISTOL : *Broletto, Hôtel de Ville de Côme – Bateaux de pêche hollandais – Marine – Soir sur la Hamoaze Plymouth – Matinée, sur la Hamoaze – Deux aquarelles –* LONDRES (Victoria and Albert Mus.) : *Aquarelle –* MELBOURNE (Nat. Gal. of Victoria) : *Whitby vu du Nord –* MONTRÉAL : *Église Saint-Matthias, à Trèves – Beilstein sur la Moselle.*
Ventes Publiques : LONDRES, 6 mars 1911 : *En Arles* : **GBP 3** – LONDRES, 1er avr. 1911 : *Château de Chillon* 1874 : **GBP 6** – LONDRES, 24 juil. 1911 : *Namur et Dinant* 1860, deux peintures : **GBP 6** – LONDRES, 12 juil. 1968 : *Bords du Rhin* : **GNS 800** – LONDRES, 10 oct. 1969 : *La marée du soir* : **GNS 800** – LONDRES, 15 déc. 1972 : *Naples* : **GNS 2 200** – LONDRES, 27 mars 1973 : *Bords de la Loire* : **GBP 1 300** – LONDRES, 18 oct. 1974 : *Vue de Bellagio sur le lac de Côme* : **GNS 950** – LONDRES, 16 juil. 1976 : *Vue du château d'Angers* 1870, h/t (75x126) : **GBP 2 200** – LONDRES, 28 jan. 1977 : *Vue d'un village au bord du Rhin* 1863, h/t (66x100,3) : **GBP 6 200** – COLOGNE, 11 juin 1979 : *Vue de Dinant*, h/t (61x91) : **DEM 30 000** – LONDRES, 13 nov. 1980 : *On the Rhine*, aquar., cr. et pl. reh. de blanc (19x28) : **GBP 620** – LONDRES, 25 mars 1981 : *Château d'Ischia*, h/t (142,5x239) : **GBP 6 500** – LONDRES, 14 juil. 1983 : *Barques sur le Rhin*, h/t (51x76) : **GBP 3 000** – LONDRES, 10 juil. 1984 : *Venise*, aquar. et gche/pap teinté (20x25,5) : **GBP 2 100** – LONDRES, 21 nov. 1985 : *Vue du château de Chillon*, aquar., pl. et encre brune (21x31) : **GBP 6 600** – LONDRES, 16 mai 1986 : *Le château d'Ischia*, h/t (58,3x103,5) : **GBP 3 000** – LONDRES, 17 nov.

1987 : *Hastings depuis la mer*, aquar. et cr. reh. de blanc (17,8x27,5) : **GBP 3 500** – LONDRES, 27 sep. 1989 : *Lac d'Italie du nord*, h/t (43x63) : **GBP 2 420** – LONDRES, 3 nov. 1989 : *La porte de Bruxelles à Malines* 1860, h/t (66x81) : **GBP 5 500** – LONDRES, 24 nov. 1989 : *Château Chillon* 1871, h/t (62x92) : **GBP 13 200** – NEW YORK, 24 oct. 1990 : *Balduinstein sur Lahn* 1866, h/t (61,2x77,5) : **USD 15 400** – LONDRES, 3 juin 1992 : *Angera sur le lac Majeur* 1862, h/t (38x58,5) : **GBP 1 870** – LONDRES, 13 nov. 1992 : *Le Mont Saint-Michel* 1872, h/t (61x91,5) : **GBP 3 080** – LONDRES, 30 mars 1994 : *L'église de Santa Maria della Salute à Venise* 1854, h/t (66x106,5) : **GBP 42 200** – PARIS, 2 déc. 1994 : *Venise* 1865, h/t (76,5x61) : **FRF 19 000** – LONDRES, 10 mars 1995 : *Les Alpes*, h/t (58,4x106,7) : **GBP 2 875** – LONDRES, 4 juin 1997 : *La Forteresse de Givet, France* 1863, h/t (51x76) : **GBP 2 530**.

STANFIELD William Clarkson
Né le 3 décembre 1793 à Sunderland. Mort le 18 mai 1867 à Londres. XIXᵉ siècle. Britannique.

Peintre de paysages, marines, peintre à la gouache, aquarelliste, décorateur, illustrateur.

Fils de l'écrivain irlandais James Stanfield. Il fut d'abord marin et pratiqua le dessin en amateur. Le capitaine Marryat lui conseilla de s'adonner à l'art, mais il fallut un accident, qui provoqua sa réforme en 1818 pour l'y décider. Il fut d'abord peintre de décors de théâtre et peignit en même temps de petits tableaux de marines dont la sincérité établit la réputation de l'artiste. Il exposa à Londres à partir de 1820, notamment à la Royal Academy, à la British Institution et à Suffolk Street. Il fut nommé membre de la Society of British Artists en 1824. En 1829, son succès croissant lui fit renoncer à la peinture de théâtre. En 1832 il fut élu associé à la Royal Academy et académicien en 1835. En 1839, il visita l'Italie. Jusqu'alors il avait surtout peint des sites des côtes anglaises, françaises et hollandaises ; il y ajouta des paysages italiens. Bien que sa santé fût sérieusement altérée, il continua à travailler et exposa l'année même de sa mort.

Stanfield est un artiste délicat et sensible. Il a peint les ciels avec un talent qui n'est pas sans analogie avec celui de Bonington.

MUSÉES : BEAUFORT : *Le port de Tilbury* – CAMBRIDGE : *La côte près de Gênes* – DUBLIN : *Aquarelles* – HAMBOURG : *La baie d'Ischia* – *Le rocher de Saint-Michel (Cornouailles)* – LEICESTER : *Macbeth et les sorcières* – LONDRES (Victoria and Albert Mus.) : *Le Rhin près de Cologne* – *A market boat on the Scheldt* – *La grève près de Boulogne* – *Rochers au bord de la mer* – *On the Dogger bank* – *Ville et château d'Ischia* – *La côte à Douvres* – *La Victoire remorquée à Gibraltar avec le corps de Nelson* – *Pêche à la crevette* – *Marine* – *Combat naval* – *Vue du Rhin* – *Vue de l'Escaut* – *Arc de Trajan* – *Aquarelles et études* – LONDRES (Tate Gal.) : *Entrée du Zuyderze* – *Bataille de Trafalgar* – *Lac de Côme* – *Canal de la Giudecca et églises des Jésuites à Venise* – LONDRES (Wallace Coll.) : *deux aquarelles* – *Beilstein sur la Moselle* – *Oxford vu de la rivière* – MANCHESTER : *deux aquarelles* – *Cittara dans le golfe de Salerne* – *Cachot de Chillon* – *Oude Scheld, île de Texel* – MELBOURNE : *Le Matin après Trafalgar* – *Aquarelle* – PRESTON : *une aquarelle* – SHEFFIELD : *Le Dernier de l'équipage* – *Scène de rivage* – SUNDERLAND : *une aquarelle* – *Lac de Garde*.

VENTES PUBLIQUES : LONDRES, 1837 : *Bateau marchand sur l'Escaut* : **FRF 4 465** – LONDRES, 1848 : *Les naufrageurs, Calais* : **FRF 10 765** – LONDRES, 1861 : *Vue de la côte irlandaise* : **FRF 10 756** ; *Golfe de Salerne* : **FRF 13 200** – LONDRES, 1863 : *Environs de Saint-Malo, au large* : **FRF 33 500** ; *Beilstein sur la Moselle* : **FRF 39 370** ; *Pic du Midi* : **FRF 66 919** ; *Lac de Garde* : **FRF 21 525** – LONDRES, 1872 : *Le Matin après le naufrage* : **FRF 73 500** – LONDRES, 1881 : *La Bataille de Roverdo* : **FRF 86 625** ; *Le Pic du Midi, Pyrénées* : **FRF 66 965** – LONDRES, 1881 : *Une jetée* : **FRF 59 125** – LONDRES, 1884 : *Garde-côte dans un coup de vent, Bidassoa* : **FRF 49 875** – LONDRES, 1888 : *Le Chasse-marée* : **FRF 43 750** – LONDRES, 1889 : *Lac Majeur*, dess. : **FRF 9 445** – LONDRES, 1891 : *Baie de Naples* : **FRF 26 250** – LONDRES, 1894 : *Mont Saint-Michel* : **FRF 78 700** – LONDRES, 1896 : *Garde-côte, Bidassoa* : **FRF 60 360** – LONDRES, 1896 : *Pêcheurs de Calais* : **FRF 17 340** – LONDRES, 1899 : *le matin après le naufrage*, aquar. : **FRF 3 675** – NEW YORK, 26 jan. 1906 : *Sur les côtes de Bretagne* : **USD 350** – LONDRES, 6 déc. 1909 : *Heidelberg* : **GBP 5** – LONDRES, 7 mars 1910 : *Bateaux hollandais sur la Meuse* 1849 : **GBP 13** – LONDRES, 27 mars 1910 : *Outward Boucad* 1856 : **GBP 210** – LONDRES, 6 mai 1910 : *Le lendemain du naufrage* : **GBP 514** – LONDRES, 20 mars 1911 : *Moulin à vent* 1827 : **GBP 37** – LONDRES, 9 juin 1911 : *Worm's Head, canal de Bristol* 1863 : **GBP 68** – LONDRES, 27 jan. 1922 : *Le Port de La Rochelle* : **GBP 81** – LONDRES, 16 juin 1922 : *Village tyrolien*, dess. : **GBP 57** –

LONDRES, 30 juin 1922 : *Ancona* : **GBP 60** – LONDRES, 19 juil. 1922 : *Le repaire des bandits* : **GBP 63** – LONDRES, 21 juil. 1922 : *Saint-Jean-de-Luz* : **GBP 78** – LONDRES, 2 fév. 1923 : *En dehors des limites (marine)* : **GBP 84** – LONDRES, 30 nov. 1923 : *Le lac de Côme*, dess. : **GBP 86** – LONDRES, 28 nov. 1924 : *Côte normande* : **GBP 75** – PARIS, 4 mars 1925 : *Ville italienne au pied des Alpes*, aquar. : **FRF 160** – LONDRES, 6 mai 1925 : *Mont-Saint-Michel des Cornouailles* : **GBP 150** – LONDRES, 30 avr. 1926 : *The Pearl Divers*, dess. : **GBP 27** – LONDRES, 4 juin 1926 : *Highlanders allant au marché*, dess. : **GBP 36** – LONDRES, 23 mars 1928 : *Lucerne*, dess. : **GBP 50** ; *En vue de Cadix*, dess. : **GBP 27** – LONDRES, 5 déc. 1930 : *A Portsmouth*, dess. : **GBP 29** – LONDRES, 19 juil. 1935 : *Heidelberg*, dess. : **GBP 33** – PARIS, 23 déc. 1943 : *Château au bord d'un fleuve*, aquar. : **FRF 400** – NEW YORK, 24 mars 1944 : *Scène de port* : **USD 700** – LONDRES, 16 mars 1945 : *Fort Rouge à Calais*, dess. : **GBP 39** – PARIS, oct. 1945-juil. 1946 : *Voiliers en mer*, aquar. : **FRF 12 000** – LONDRES, 17 avr. 1964 : *Vue de la Bidassoa* : **GNS 600** – LONDRES, 9 juin 1967 : *Vue de Heidelberg* : **GNS 750** – LONDRES, 2 juil. 1971 : *Vue d'Avignon* : **GNS 1 800** – LONDRES, 28 nov. 1972 : *Le petit port de pêche* : **GBP 2 300** – LONDRES, 20 nov. 1973 : *Le golfe de Sorrento* : **GBP 6 200** – NEW YORK, 9 oct. 1974 : *Le départ des pêcheurs* 1853 : **USD 2 750** – LONDRES, 9 mars 1976 : *Bateaux sur l'Escaut*, h/t (70x100) : **GBP 650** – CREWKERNE (Angleterre), 17 mars 1977 : *Bateaux au port*, h/t (85x107) : **GBP 4 000** – LONDRES, 20 mars 1979 : *Preston Pans*, aquar. et reh. de blanc (16,5x27) : **GBP 1 000** – LONDRES, 6 juin 1980 : *le moulin à vent de Saardam* 1828 ?, h/t (71,1x109,2) : **GBP 1 600** – LONDRES, 23 mars 1981 : *Embouchure de la Scheldt* 1835, h/t (70x109) : **GBP 17 500** – LONDRES, 15 mars 1983 : *Le Golfe de Salerno*, h/t (71x110,5) : **GBP 18 000** – LONDRES, 6 nov. 1985 : *Le pont de Egripo, ou Negropont*, lav. de brun/trait de cr. (13,5x21) : **GBP 650** – LONDRES, 19 nov. 1987 : *Leicester's gatehouse, Kenilworth Castle, Warwickshire*, aquar./traits de cr. de gche (19,5x27) : **GBP 3 000** – LONDRES, 15 juil. 1988 : *L'Embouchure de la Scheldt* 1835, h/t (70x109) : **GBP 22 000** – LONDRES, 25 jan. 1989 : *Sur le quai des docks de Chatham*, aquar. (31,5x44,5) : **GBP 660** – LONDRES, 30 mai 1990 : *L'entrée de La Rochelle*, h/cart. (31x41) : **GBP 3 080** – CHALON-SUR-SAÔNE, 21 avr. 1991 : *Port méditerranéen*, h/t (33x41) : **FRF 25 000** – NEW YORK, 15 oct. 1991 : *Place de village*, encre, aquar. et gche/pap. brun (25,5x34,5) : **USD 3 520** – LONDRES, 22 nov. 1991 : *Au large de Douvres*, cr. et aquar. avec reh. de blanc (12,7x20,3) : **GBP 440** – NEW YORK, 5 juin 1992 : *Un port à l'aube* 1842, h/t (97,8x128,9) : **USD 4 950** – LONDRES, 17 juil. 1992 : *Sur la côte Sud*, h/t (77,5x117) : **GBP 8 800** – LONDRES, 6 avr. 1993 : *Vue de la côte aux environs de Naples* 1842, h/t (55x90) : **GBP 3 450** – LONDRES, 2 nov. 1994 : *Pont écroulé à Rome*, h/t (90,5x128,5) : **GBP 13 800** – LONDRES, 17 avr. 1996 : *Sur la lagune ; Une rue ; Le Palais de justice ; Place du marché*, h/t, ensemble de quatre vues sur Venise (deux de 160x82 et deux de 155x82) : **GBP 89 500** – NEW YORK, 12 déc. 1996 : *Sur la côte Est, trois-mâts échoué et personnages sur la grève* 1857, h/t (68,3x106,4) : **USD 9 200** – LONDRES, 29 mai 1997 : *Pêcheurs rapportant la pêche du jour*, h/t (66x112) : **GBP 12 650** – LONDRES, 4 juin 1997 : *Lagune vénitienne*, h/pan. (50x76) : **GBP 7 820** – LONDRES, 5 juin 1997 : *Lac Garda, Italie* 1866, h/t (50,8x76,2) : **GBP 5 175**.

STANFORD Brian
Né en 1939 à Wilmington (Kent). XXᵉ siècle. Britannique.

Peintre. Abstrait-constructiviste.

Il participe à des expositions collectives en Grande-Bretagne, Italie et Suisse. Il montre ses œuvres dans des expositions personnelles : 1966 City Art Gallery de Portsmouth ; 1966-1967 Lugano ; 1973, 1988 Campione d'Italia ; 1975 Carona (Suisse) ; 1982 Morcote (Suisse) ; 1985 New York ; 1990 Zürich.

Il réalise une peinture abstraite rigoureuse, qui obéit à une composition claire. À partir de figures géométriques pures, cercles, lignes, carrés, il travaille dans la lignée du constructivisme.

STANG Johann Christian
Né à Schlüchtern. Mort le 10 décembre 1796 à Hanau. XVIIIᵉ siècle. Allemand.

Peintre sur faïence.

Il se fixa à Hanau en 1773.

STANG Rudolf
Né à Düsseldorf. Mort le 2 janvier 1927 à Boppard. XIXᵉ-XXᵉ siècles. Allemand.

Peintre de portraits, paysages, graveur.

Il fut élève de Josef von Keller à l'académie des beaux-arts de

Düsseldorf. Il fut célèbre par ses gravures, au burin ou à l'eau-forte, d'après les maîtres italiens.

STANGA Vincenzo de, comte
Né le 5 septembre 1874 à Milan. Mort le 20 mars 1922 à Milan. XIXᵉ-XXᵉ siècles. Italien.
Graveur, peintre.
Il fut élève d'Oreste Silvestri. Il réalisa des eaux-fortes et des lithographies.

STANGASSINGER Andreas
XVIIᵉ-XVIIIᵉ siècles. Allemand.
Sculpteur.
Il sculpta des statues dans les églises de Saint-Leonhart, à Berchtesgaden, près de Salzbourg et de Vordergern, entre 1695 et 1715.

STANGE Bernhard
Né le 24 juillet 1807 à Dresde. Mort le 9 octobre 1880 à Sindelsdorf. XIXᵉ siècle. Allemand.
Peintre de genre et paysagiste.
Il travailla à Munich, à Venise, et dans les montagnes du Tyrol et de l'Italie.
Musées : Breslau, nom all. de Wroclaw (Mus. prov.) : *Lac italien* – Budapest : *Coucher de soleil au bord de la mer – La Nuit – Le Soir* – Munich (Gal. Schack) : *L'Angélus – Place à Venise au clair de lune* – Munich (Nouvelle Pina.) : *Bateaux dans le golfe de Venise – Dans une ville italienne – Une fenêtre de tour.*
Ventes Publiques : Londres, 18 juin 1980 : *Lavandière au bord d'une rivière de montagne*, h/t (39x47,5) : **GBP 1 200** – Düsseldorf, 5 déc. 1984 : *Le retour de la flotte victorieuse*, h/t (142x224) : **DEM 11 000**.

STANGE Carl Friedrich
Né le 13 janvier 1784 à Dresde. Mort le 30 mars 1851 à Altona. XIXᵉ siècle. Allemand.
Dessinateur de paysages et d'architectures, aquafortiste et lithographe.
Élève de C. A. Witzani. La Kunsthalle de Hambourg conserve de lui *Village, Paysage* et *Paysage avec étang*, et le Musée Historique de la même ville, *Les remparts de Hambourg.*

STANGE Wilhelm
Né en 1795 à Breslau. XIXᵉ siècle. Allemand.
Paysagiste amateur.
Élève de J. Chr. Klengel. Il travailla à Munich et à Polnisch-Wartenberg.

STANGENBERG Knut Viktor
Né le 13 juillet 1871 à Vassunda. XIXᵉ-XXᵉ siècles. Suédois.
Peintre, dessinateur, illustrateur.
Il dessina des illustrations humoristiques pour des revues.

STANGER A.
XVIIᵉ siècle. Hollandais.
Peintre.
On cite de lui *Jacob vendant son droit d'aînesse.*

STANGER Aloïs
Né le 24 mai 1836 à Munich. Mort le 11 juillet 1870 à Munich. XIXᵉ siècle. Allemand.
Médailleur.
Élève de M. Widnmann à l'Académie de Munich. Il travailla à Dresde.

STANGERUS Cornelis ou **Stanger**
Baptisé à Delft en 1616. Mort avant le 23 février 1667 à Middelbourg. XVIIᵉ siècle. Actif à Amsterdam. Hollandais.
Peintre.
Maître à Middelbourg en 1664. On cite de lui : *Enfants nus dansant.*
Ventes Publiques : Versailles, 7 juin 1973 : *Le galant couple* : **FRF 16 000** – Versailles, 13 nov. 1977 : *Nature morte au pichet de grès et verre de vin* 1664, h/t (53,5x58,5) : **FRF 27 000** – Zurich, 12 nov. 1982 : *La tentation de l'érudit*, h/pan. (92x70) : **CHF 20 000** – Londres, 13 déc. 1985 : *Jeune homme offrant un verre de vin à un violoncelliste*, h/t (127,6x102) : **GBP 11 000**.

STANGL Albert
Né le 11 novembre 1896 à Munich. XXᵉ siècle. Allemand.
Peintre de paysages, fleurs, décorateur.
Il fut élève d'Eugen Ehrenböck.
Musées : Munich (Gal. mun.) : *Vallée de la Nab près de Kallmünz – Au bord de la mer du Nord.*

STANGL David
Né à Augsbourg. XVIIᵉ siècle. Travaillant à Linz de 1639 à 1654. Allemand.

Peintre.
Il peignit pour les églises de Saint-Wolfgang-am-Stein et de Schlägl.

STANGL Hans
Né le 8 mars 1888 à Munich. XXᵉ siècle. Allemand.
Sculpteur de figures, portraits.
Il fut élève d'Ignatius Taschner et de Hermann Hahn.
Musées : Munich (Gal. mun.) : *Tête d'une jeune fille.*

STANGL Heinz
Né le 19 décembre 1942 à Vienne. XXᵉ siècle. Autrichien.
Peintre de compositions animées, figures, intérieurs, paysages.
Il fut élève, de 1961 à 1967, de l'école des beaux-arts de Vienne, où il vécut et travailla. Il fut membre de la Sécession de Vienne à partir de 1968. Il a obtenu une bourse, en 1970 du British Council de Londres, en 1976 une bourse d'état à Vienne.
Il a participé à la Biennale de Paris en 1971. Il montre ses œuvres dans de nombreuses expositions personnelles, depuis 1963 régulièrement à Vienne, ainsi que : 1966, 1970 Munich ; 1969, 1973, 1975, 1977 Linz ; 1969, 1979 Paris ; 1972, 1975 Cologne ; 1974 Brescia ; 1976 Ravenne, Düsseldorf.
C'est un individualiste typique. Il construit des espaces compliqués, des scènes d'intérieurs, des salles de bain. Chez lui le monde se coagule en scènes bucoliques, les groupes sont peu cohérents, les figures planent et disparaissent, montrent un profil multiple. Il y règne (aussi dans les couleurs) une atmosphère de campagne, accompagnée de mélancolie. Il suivit les traces de la peinture de fantaisie viennoise.

STANGL Johann Georg
XVIIIᵉ siècle. Actif à Rohrbach dans la première moitié du XVIIIᵉ siècle. Autrichien.
Sculpteur sur bois et ébéniste.
Il a sculpté les stalles de l'église de Schlägl en 1735.

STANGRET Maria
Née en 1938 à Cracovie. XXᵉ siècle. Polonaise.
Peintre, peintre de collages. Abstrait informel puis tendance land art.
Actrice elle participa notamment aux diverses actions d'avant-garde menées à Cracovie autour du théâtre Cricot 2 de Tadeusz Kantor et à la galerie Foksal.
Elle montre ses œuvres dans des expositions personnelles : 1974, 1988 Varsovie ; 1982 galerie de France à Paris ; 1995 musée Narodowe à Cracovie.
Elle pratiqua d'abord une peinture informelle puis adopta la technique du collage avec toutes les possibilités de chocs surréalisants qu'elle comporte. À partir de 1969, elle pratiqua des démarches proches du happening et surtout du land art américain, par exemple, en peignant des arbres réels avec de la couleur verte.
Bibliogr. : In : *Catalogue du IIIᵉ Salon international des galeries Pilotes,* Musée cantonal, Lausanne, 1970.

STANHOPE John Roddam Spencer ou **Spencer-Stanhope**
Né le 20 janvier 1829 à Cannon Hall. Mort le 2 août 1908 à Florence (Toscane). XIXᵉ siècle. Britannique.
Peintre de sujets allégoriques, scènes de genre, peintre à la gouache, aquarelliste, fresquiste, dessinateur. Préraphaélite.
Il descend d'une grande famille aristocratique, son grand-père maternel ayant été comte de Leicester. Malgré l'opposition de ses parents, il étudia les beaux-arts avec G. F. Watt et l'accompagna en Italie (1853) et en Grèce (1857-1859).
Il exposa à Londres à la Royal Academy à partir de 1859, ainsi qu'à Liverpool en 1860 à la Liverpool Academy.
Fortement influencé par la personnalité de Gabriel Rossetti, il devint l'un de ses épigones, et, avec Holman Hunt, Arthur Hughes, W. S. Burton, etc., fut l'un des représentants du mouvement préraphaélite. Il peignit des fresques dans l'église anglicane de Florence, ainsi qu'à Oxford, où avec Rossetti et Burne-Jones notamment, il participa à la réalisation de la fresque *La Mort d'Arthur* sur les murs de la Oxford Union.
Bibliogr. : In : Catalogue de vente Christie's, Londres, vente du 7 juin 1996.
Musées : Liverpool (Walker Art Gal.) : *Expulsion du paradis* – Manchester (Mus. mun.) : *La Tentation d'Ève – Les Eaux du Léthé.*
Ventes Publiques : Londres, 7 juil. 1922 : *Automne*, dessin :

GBP 48 – Londres, 12 avr. 1926 : *Le rescapé*, dess. : **GBP 52** – Londres, 15 juin 1945 : *Ève tentée par le serpent*, dess. : **GBP 89** – Londres, 20 nov. 1970 : *Allégories du Matin et de la Nuit*, deux pendants : **GNS 1 900** – Londres, 12 juin 1973 : *Rispah fille d'Aiah*, aquar. : **GNS 2 200** – Londres, 22 jan. 1974 : *Cupidon et Psyché*, temp. : **GNS 1 200** – Londres, 9 avr. 1974 : *Juliette et sa nourrice* : **GBP 1 700** – Londres, 29 juil. 1977 : *The Graice*, h/pan. (91,5x91,5) : **GBP 1 300** – Londres, 19 mars 1979 : *Nuit*, h/t (102x64,5) : **GBP 8 800** – Londres, 10 nov. 1981 : *Charon et Psyché*, h/t (94x135) : **GBP 31 000** – Londres, 4 juin 1982 : *Psyché et Cupidon*, temp. reh. d'or/pap. mar./t. (34,7x39,7) : **GBP 3 500** – Londres, 27 nov. 1984 : *Rispah, the daughter of Aiah*, h/t (109x65,5) : **GBP 9 500** – New York, 25 fév. 1987 : *Orpheus and Eurydice on the banks of the river Styx*, h/pan. (100x140) : **USD 110 000** – Londres, 21 nov. 1989 : *Le lapin blanc*, aquar. et gche/t. (56x81) : **GBP 7 700** – Londres, 21 juin 1989 : *Dante et Béatrice*, aquar. et gche (35,5x53,5) : **GBP 10 450** – Londres, 9 juin 1994 : *Ève et le serpent*, aquar. et gche (150,5x74,5) : **USD 66 400** – Londres, 7 juin 1996 : *Lutin des temps modernes*, h/t (48,2x85,7) : **GBP 221 500** – Londres, 6 juin 1997 : *Amour et la jeune fille* 1877, temp. avec peint. or et feuille or/t. (138x202,5) : **GBP 727 500.**

STANHOPE-FORBES Elizabeth Adela. Voir FORBES Elizabeth Adela Stanhope

STANIEK Eduard
Né le 12 octobre 1859 à Lispitz. Mort le 25 août 1914 à Francfort-sur-le-Main. xixe siècle. Allemand.
Sculpteur, médailleur, décorateur.
Il fut élève de l'Académie des beaux-arts de Vienne et professeur à l'école des Arts décoratifs de Francfort. Médailleur, il pratiqua également la ciselure.

STANIER Henry
Né en 1844 à Birmingham. Mort en 1920. xixe-xxe siècles.
Actif en Espagne. Britannique.
Peintre de scènes de genre, figures, intérieurs, paysages, natures mortes, fleurs et fruits, aquarelliste.
Il exerça la charge de vice-consul à Grenade. Il fut actif jusqu'en 1886. Il exposa à Suffolk Street, à Londres, de 1860 à 1864.
Il peignit des paysages et des sujets de genre inspirés presque essentiellement par la ville de Grenade et sa région. On mentionne de lui : *Figure assise dans un intérieur mauresque à Grenade – Promenade sous les tonnelles – Promenade à la tombée du jour, Grenade.*
Bibliogr. : In : *Cien Anos de pintura en Espana y Portugal, 1830-1930*, Antiquaria, t. X, Madrid, 1993.
Musées : Sydney : *Vue générale de l'Alhambra de Grenade – Vue de l'intérieur de l'Alhambra*, deux œuvres – York, Angleterre : *Benvenuto Cellini dans son atelier.*
Ventes Publiques : Londres, 29 juin 1976 : *Les sirènes*, h/pan. à haut arrondi (25,5x31) : **GBP 500** – Chester, 6 juil. 1984 : *Milton and his family* 1861, h/t (100x136) : **GBP 1 100** – Paris, 18 nov. 1988 : *Vue de Grenade* 1886, aquar. (34x53) : **FRF 6 500** – New York, 21 mai 1991 : *Femme arabe avec une cruche* 1878, aquar. (45,7x33,6) : **USD 1 100** – Londres, 9 mai 1996 : *L'Alhambra de Grenade ; Grenade la nuit* 1886, aquar., une paire (45x71 et 45x73) : **GBP 1 035.**

STANIER Imbert
xve siècle. Actif au début du xve siècle. Français.
Enlumineur.
Il enlumina une Bible pour Jean de France, duc de Berry, en 1404.

STANIER R.
xviiie siècle. Actif à Londres vers 1770-1790. Britannique.
Peintre d'histoire et graveur.
On le cite exposant un tableau religieux à la Society of Artists en 1776. Il a gravé des scènes de genre.

STANIFORTH Joseph Morewood
Né le 16 mai 1863 à Cardiff. Mort le 17 décembre 1921. xixe-xxe siècles. Britannique.
Peintre, peintre de compositions murales, dessinateur.
Il travailla pour des périodiques et exécuta des peintures murales à Cardiff.

STANILAND Charles Joseph
Né le 19 juin 1838 à Kingston-upon-Hull. Mort en 1916 à Londres. xixe-xxe siècles. Britannique.
Peintre d'histoire, portraits, marines, natures mortes, aquarelliste, dessinateur, illustrateur.

Il fit ses études à la School of Art de Birmingham, puis à Londres à la South Kensington et à la Royal Academy. Il collabora à divers illustrés. Il fut membre du Royal Institute of Painters in Watercolours.

Bibliogr. : In : *Dict. des illustrateurs 1800-1914*, Ides et Calendes, Neuchâtel, 1989.
Musées : Londres (Vict. and Albert Mus.) – Sunderland (Gal. d'Art).
Ventes Publiques : Londres, 19 oct. 1983 : *Les envoyés hollandais offrant la couronne de Hollande à Henri III de France*, h/t (106,5x184) : **GBP 5 500** – Londres, 1er mars 1984 : *La leçon* 1875, aquar. reh. de gche (32x44,5) : **GBP 950** – Londres, 21 juil. 1987 : *The Lotos Eaters* 1883, aquar. et cr. reh. de blanc (75x122) : **GBP 4 800** – Londres, 5 mars 1993 : *At the back of the church* 1876, cr. et aquar. (51,1x91,5) : **GBP 8 050** – Londres, 6 nov. 1996 : *Les émissaires hollandais offrent la couronne de Hollande au roi de France Henri III*, h/t (106,5x183) : **GBP 10 120.**

STANISAVLJEVIC Jovan
Né en 1816 à Neusatz. Mort le 24 janvier 1842 à Rome. xixe siècle. Yougoslave.
Peintre.
Élève de J. Pesky à Budapest. Il peignit plusieurs portraits à Esseg.

STANISLAS Ier Leszczynski
Né le 20 octobre 1677 à Lemberg. Mort le 23 février 1766 à Lunéville. xviiie siècle. Polonais.
Peintre amateur.
Roi de Pologne, il s'intéressa beaucoup aux arts et fit de la peinture lui-même. On connaît de lui *Portrait du Comte Antoine Ossolinski* (signé « *Antoine, Comte Ossolinski de Fenczyn Stanislas Leszczynski roi de Pologne peignit à Lunéville en 1746* »).

STANISLAUS Stolcensis
xviie siècle. Polonais.
Enlumineur.
De l'ordre des Carmes, il a enluminé un Missel pour le monastère des Carmes de Cracovie en 1644. Il était aussi calligraphe.

STANISLAVSKI Jan Grzegorz
Né le 24 juin 1860 à Olszama. Mort le 10 janvier 1907 à Kiev. xixe-xxe siècles. Polonais.
Peintre de paysages.
De 1885 à 1895, il fréquenta l'atelier du peintre Carolus Duran. Il participa à des expositions collectives à Paris, notamment en 1900 à l'Exposition universelle où il reçut une mention honorable.
D'abord réaliste, il passe ensuite par une période impressionniste, peignant surtout des paysages dans lesquels il montre un grand amour de la nature dans un style qui donna naissance à une école. Par la suite, il travaille dans l'esprit de l'Art Nouveau.
Musées : Cracovie – Lemberg – Varsovie – Vienne.

STANISLAW Krakowa. Voir l'article SAMOSTRZELNIK Stanislas

STANKA F. J.
xviiie siècle. Actif à Vienne à la fin du xviiie siècle. Autrichien.
Graveur au burin.
Le Musée Municipal de Vienne conserve de lui *Défilé du corps d'artillerie des bourgeois de Vienne en 1790.*

STANKEVITCH A.
Né en 1815. Mort en 1835. xixe siècle. Russe.
Peintre de genre.
La Galerie Tretiakov à Moscou conserve de lui : *Italienne et enfant.* Malgré la différence des dates on se demande s'il ne pourrait pas être le même peintre qu'Alexandre Stankievicz.

STANKIEVICZ Alexandre
Né en 1824 à Varsovie. Mort en 1892 à Rome. xixe siècle. Polonais.
Peintre.
Élève de l'Académie des Beaux-Arts de Saint-Pétersbourg.
Musées : Cracovie (Mus. Nat.) : *Un berger romain* – Posen (Mus. Mielzynski) : *Portrait d'homme* – Varsovie (Mus. Nat.) : *J. U. Niemcewicz – R. Hube – Portrait d'une dame – Vénus avec l'Amour.*

STANKIEVICZ Robert
XVIII° siècle. Polonais.
Peintre.
Il peignit pour les églises de Wielun et de Czestochova.

STANKIEVICZ Zofia ou **Sophie**
Née le 20 mai 1862 à Charkoff. XIX°-XX° siècles. Polonaise.
Peintre de paysages, paysages urbains, natures mortes, graveur.
Elle fut élève de Robert-Fleury à l'académie Julian de Paris.
Elle a participé à l'exposition d'Art polonais ouverte en 1921, à Paris, au Salon de la Société Nationale des Beaux-Arts.
Elle peignit des vues du vieux Varsovie, des paysages et des natures mortes.
Musées : Varsovie (Mus. Nat.).

STANKIEWICZ Richard
Né en 1922 à Philadelphie. Mort en 1983 à New York. XX° siècle. Américain.
Sculpteur, peintre.
Américain d'origine polonaise, il servit dans la marine américaine, de 1941 à 1947, faisant quelques essais de sculpture. Il suivit ensuite les cours de peinture à la Hans Hofmann School of Fine Arts à New York. En 1950, à Paris, il pratiquait encore les deux disciplines, travaillant dans les ateliers de Fernand Léger et d'Ossip Zadkine. À partir de 1951, revenu définitivement à New York, il se consacra à la sculpture. En 1969, il séjourne en Australie. Parralèlement à la sculpture, il enseigne à Albany (New York).
Il participe à des expositions collectives : 1958 à 1966 manifestation annuelle du Whitney Museum of American Art à New York ; 1958 exposition des jeunes artistes à la XXIX° Biennale de Venise ; 1961 et 1968 Museum of Modern Art de New York ; 1964 Jewish Museum de New York ; 1979 musée d'Art de l'Université d'Albany (NY) ; 1980 *Paris-Paris*, 1986 *Qu'est-ce que la sculpture moderne ?* au musée national d'art moderne de Paris.
Il montre ses œuvres dans des expositions personnelles à New York : de 1952 à 1958 régulièrement à la Hansa Gallery, dont il fut l'un des fondateurs en 1951 ; à partir de 1972 à la Zabriskie Gallery ; ainsi qu'à l'étranger : 1985 Major Gallery à Londres ; 1989 galerie Zabriskie à Paris.
Il prit une place importante parmi les néodadaïstes new yorkais, précurseurs du pop art. Sculpteur, il se fit connaître dans les années cinquante pour ses assemblages monumentaux de déchets métalliques de toutes sortes (roue, manivelle, fil de fer) soudés, œuvres sobres dans la lignée de Picasso et Gonzalez. Après une première période où il n'employait pas sans ostentation des pièces de récupération dans un état tout à fait délabré, jouant sur l'opposition entre matériau de rebut et élan poétique, il choisit désormais ses matériaux de base avec un certain soin de l'état de conservation, de présentation et même de la patine et réalise des compositions plus classiques, parfois abstraites. Son travail, animé, avant l'heure, évoque les « machines » de Tinguely et les Nouveaux Réalistes, mais n'en a pas la fantaisie, Stankiewicz privilégiant les recherches formelles rigoureuses.
Bibliogr. : Sarane Alexandrian, in : *Dict. univers. de l'art et des artistes*, Hazan, Paris, 1967 – Robert Goldwater : *Nouv. Dict. de la sculpture mod.*, Hazan, Paris, 1970 – Catalogue de l'exposition : *La Sculpture de Richard Stankiewicz*, University Art Gall., Albany, 1979 – in : *Dict. de l'art mod. et contemp.*, Hazan, Paris, 1992 – in : *Dict. de la sculpture mod.*, Larousse, Paris, 1992.
Musées : Grenoble (Mus. de Peinture et Sculpture) – Paris (Mus. Nat. d'Art Mod.) *Europe en vélo* 1953 – *Panneau* 1955 – *Plonger au fond de l'océan* 1958.
Ventes Publiques : New York, 22 jan. 1972 : *Abstraction*, fer forgé : USD 1 500 – New York, 19 oct 1979 : *Sans titre 1961*, métal (H. 56) : USD 1 600 – New York, 13 mai 1981 : *Sans titre 1964*, acier rouillé (124,5x99x63,5) : USD 13 000 – New York, 2 nov. 1984 : *Sans titre 1964-1965*, relief : acier rouillé, forme ronde (diam. 43,1) : USD 6 500 – New York, 3 mai 1988 : *Sans Titre*, fer et acier (50,2x35,6x36,8) : USD 18 700 – New York, 8 nov. 1993 : *Sans titre*, acier (42,2x29,2x6,4) : USD 2 300 – New York, 24 fév. 1994 : *Composition 1959*, acier (en tout 32,4x40,6x22,9) : USD 9 200 – New York, 5 mai 1994 : *Sans titre #RS 66*, acier soudé (111,8x61x45,7) : USD 27 600 – New York, 3 mai 1995 : *Sans titre (S-RS-135)* 1981, acier soudé (52,1x52,1x39,5) : USD 9 200 – New York, 7 mai 1996 : *Sans titre*, acier soudé (233,7x165,1x66) : USD 34 500.

STANKOVIC Milic
Né vers 1930. XX° siècle. Yougoslave.

Peintre. Surréaliste.
Comme Dado, à un degré moindre, Velickovic, vivant tous les deux en France, Stankovic resté lui en Yougoslavie se rattache au courant surréaliste, particulièrement actif en Yougoslavie, comme souvent dans les pays peu atteints par les mouvements néodadaïstes, et restés à la représentation et aux techniques picturales.
Bibliogr. : Catalogue de l'exposition : *L'Art Yougoslave de la Préhistoire à nos jours*, Galeries nationales du Grand-Palais, Paris, 1971.

STANKOVITS Eugénia
Née le 18 mai 1881. XX° siècle. Hongroise.
Peintre de figures, paysages.
Elle vécut et travailla à Budapest.

STANKOWSKI Anton
Né en 1906 à Geisenkirchen. XX° siècle. Allemand.
Peintre, dessinateur. Abstrait-constructiviste.
Il fut élève de Theo Van Doesburg à la Folkwangschule d'Essen. Il pratiqua la typographie dans un esprit constructiviste et la publicité dans son propre atelier à Zurich. Il participa à la Seconde Guerre mondiale et fut fait prisonnier en URSS.
Peintre, il exploite divers systèmes de composition géométrique et les variantes qui en résultent. Il a également réalisé des photomontages.
Bibliogr. : In : *L'Art du xx° s*, Larousse, Paris, 1991.
Musées : Grenoble – Reutlingen – Stuttgart – Zurich.

STANLAWS Penrhyn ou **Penrhyn Stanley Adamson**
Né en 1877 à Dundee (Écosse). Mort en 1957. XX° siècle. Actif aux États-Unis. Britannique.
Illustrateur, peintre de portraits.
Il fut élève de Constant et de Laurens à Paris. Il vécut et travailla à New York.
Ventes Publiques : New York, 4 juin 1982 : *À l'Opéra*, past. (101,6x101,6) : USD 7 250 – New York, 5 mai 1984 : *Repose*, past. (28x38) : USD 1 500.

STANLEY
XVIII° siècle. Actif à Londres dans la seconde moitié du XVIII° siècle. Britannique.
Portraitiste.
Il exposa à Londres de 1763 à 1769.

STANLEY
XX° siècle. Français.
Peintre de paysages urbains.
Il s'est spécialisé dans la peinture de Paris, notamment de la Seine et ses abords.
Ventes Publiques : Paris, 29 oct. 1926 : *Quai de la Bastille* : FRF 1 750 – Paris, 24 avr. 1929 : *Joinville-le-Pont* : FRF 510 – Paris, 10 mars 1943 : *Le quai de Valmy en hiver 1921* : FRF 1 400 – Paris, 24 nov. 1949 : *Les quais de Paris 1925* : FRF 2 900.

STANLEY Abram R.
Né en 1816 dans l'État de New York. Mort après 1856. XIX° siècle. Américain.
Peintre.
Il reçut quelques leçons d'un artiste italien, et c'est sans doute pour cette raison que ses portraits montrent parfois des réminiscences des primitifs italiens. Il travailla à Oneido, puis à Shulsburg où il fut maître de poste pendant dix ans.

STANLEY Archer
XIX° siècle. Britannique.
Peintre de paysages et d'architectures.
Fils de Caleb Robert Stanley. Il exposa à Londres de 1847 à 1877.

STANLEY Caleb ou **Colet Robert**
Né en 1795. Mort le 13 février 1868 à Londres. XIX° siècle. Britannique.
Peintre d'architectures, paysages, paysages urbains, paysages d'eau, marines, aquarelliste.
Il fit ses études en Italie et se fixa à Londres. Il effectua divers séjours en Allemagne, Autriche, Hollande, France, Écosse, etc. Il exposa à la Royal Academy de Londres, de 1819 à 1863 ; au British Institute, de 1820 à 1867.
Il peignit surtout des paysages urbains, notamment de nombreuses vues du vieux Paris, avant que ne soient entrepris les travaux de transformation du baron Haussmann.

C. R. STANLEY

Bibliogr. : Gérald Schurr, in : *Les Petits Maîtres de la peinture 1820-1920, valeur de demain,* Les Éditions de l'Amateur, t. VI, Paris, 1985.
Musées : Dublin : Aquarelle – Londres (Victoria and Albert Mus.) : *Le pont de Callander, Pertshire* – Deux aquarelles – Paris (Mus. Carnavalet) : *Paris : le boulevard des Capucines à l'angle de la rue de la Paix (actuellement place de l'Opéra).*
Ventes Publiques : Londres, 15 déc. 1972 : *Vue de Rouen* : **GNS 1 300** – Londres, 20 nov. 1973 : *Bords de Seine à Paris* : **GBP 7 800** – Londres, 8 mars 1977 : *La route de campagne 1834,* cart. (53,5x42) : **GBP 950** – Londres, 6 juin 1980 : *Vue de l'île de la Cité, Paris 1836,* h/t (91,5x137) : **GBP 9 000** – Londres, 12 mars 1986 : *Rouen,* h/t (71x96,5) : **GBP 4 000** – Londres, 19 déc. 1991 : *Paysage continental avec une église surplombant une rivière dans une vallée,* h/t (76,2x111,8) : **GBP 2 420** – Londres, 13 juil. 1994 : *La Tamise à Lambeth,* h/t (73x137) : **GBP 21 850.**

STANLEY Carl Frederik
Né au printemps 1740 en Angleterre. Mort le 9 mars 1813 à Copenhague. xviiie-xixe siècles. Danois.
Sculpteur.
Il vint à Copenhague en 1746 et fut élève de l'Académie de cette ville. Important prédécesseur de Thorwaldsen.
Musées : Copenhague (Mus. Nat.) : *Madame M. Martin-Horn* – *Buste du poète Joh. Ewald* – Frederiksborg (Mus. Nat.) : *Buste de la reine Juliane-Marie.*

STANLEY Charles ou Simon Carl
Né le 12 décembre 1703 à Copenhague. Mort le 17 février 1761 à Copenhague. xviiie siècle. Danois.
Sculpteur.
Père de Carl Frederik S. et élève de J. C. Sturmberg à Copenhague. Il travailla en Angleterre. Il exécuta des stucatures et des statues à Little Easton et à Ely. Il se fixa à Copenhague en 1747. Le Musée National de cette ville conserve de lui *Vertumnus, Pomone et l'Amour* et *Ganymède avec l'aigle.*

STANLEY Charles H.
xixe siècle. Britannique.
Peintre de genre et d'intérieurs d'églises.
Il est peut-être le fils de Caleb Robert Stanley. Il exposa à Londres de 1842 à 1860.

STANLEY Christopher
Mort le 18 décembre 1748 à Dublin. xviiie siècle. Irlandais.
Graveur de sceaux.

STANLEY Dorothy, née Tennant
Née le 22 mars 1855 à Londres. Morte le 5 octobre 1926. xixe-xxe siècles. Britannique.
Peintre de genre, nus.
Elle exposa sous son nom de jeune fille de 1879 à 1890 à la Royal Academy de Londres, sous son nom d'épouse à partir de 1892 notamment à la New Gallery. Elle fut aussi écrivain.
Musées : Londres (Tate Gal.) – Sheffield (Art Gal.) : *Les Émigrants.*
Ventes Publiques : Londres, 13 nov. 1985 : *Bank Holiday 1884,* h/t (23x32) : **GBP 2 600** – Montréal, 30 oct. 1989 : *Nu assis 1885,* h/pan. (19x14) : **CAD 1 100** – Londres, 11 oct. 1991 : *Nu féminin assis dans un paysage boisé 1885,* h/pan. (19x13,6) : **GBP 2 090.**

STANLEY G.
xixe siècle. Travaillant de 1800 à 1817. Britannique.
Dessinateur.
Il dessina des antiquités.

STANLEY Harold John
Né en 1817 à Lincoln. Mort en 1867 à Munich. xixe siècle. Britannique.
Peintre de genre et d'histoire et illustrateur.
Élève de Kaulbach à Munich. Il voyagea en Italie et revint de Munich pour s'y établir. Il exposa à Londres de 1860 à 1864, trois œuvres à la Royal Academy, une à la British Institution et une à Suffolk Street. Il a fait des dessins d'illustration.

STANLEY Jane C. Mahon
Née le 21 juillet 1863. xixe-xxe siècles. Américaine.
Peintre.
Elle fut membre de la Fédération américaine des arts.

STANLEY John Mix
Né le 17 janvier 1814 à Canandaigua. Mort le 10 avril 1872 à Detroit. xixe siècle. Américain.
Peintre de scènes de genre, sujets typiques, figures, portraits, animaux, paysages, aquarelliste, dessinateur.
A vingt ans, il devint peintre d'enseignes à Detroit, puis commença sa carrière comme portraitiste et paysagiste. Installé à Chicago en 1838-1839, il peignit les Indiens dont le campement s'étendait autour de Fort Snelling. De 1840 à 1842, il travailla à New York, Philadelphie et Baltimore, puis traversa l'Arkansas et le Nouveau Mexique en direction de la Californie, relevant esquisses et peintures de la vie indienne. En 1843, il se rendit, en compagnie de l'agent des affaires indiennes, Pierce Mason Butler, à un conseil de chefs Cherokees. En 1846, il exposa ses peintures de l'Ouest à Cincinatti et à Saint Louis. À l'occasion d'une rencontre avec Keokuk, le fameux chef de guerre Sauk, il fit le portrait de nombreux autres chefs Sauks. En 1847, il accompagna en Californie l'expédition militaire du général Stephen Watts Kearny, se dirigea ensuite vers l'Oregon, en canoë sur la Columbia, prenant des croquis au long de son voyage. Il embarqua pour Hawaï où il réalisa le *Portrait du roi Kamehameha III et de sa femme.* En 1850, il exposa plus de cent cinquante portraits d'Indiens et, dans l'espoir que le gouvernement voudrait l'acquérir, il déposa sa collection à la Smithsonian Institution, mais elle fut en grande partie brûlée au cours d'un incendie.
Ses paysages de l'Ouest, en particulier celui qui est conservé à Detroit, peuvent être comparés favorablement avec les mêmes sujets traités par ses contemporains. Cependant, les scènes de genre et les portraits d'Indiens qui ont établi sa réputation ont surtout valeur de document et, stéréotypes populaires en leur temps, on y verra aujourd'hui, au choix, le mélodrame ou le naïf.

Stanley (signature)

Musées : Honolulu : *Portrait du roi Kamehameha III et de sa femme.*
Ventes Publiques : New York, 19 oct. 1972 : *Camp indien* : **USD 12 000** – New York, 28 sep. 1973 : *Indiens à cheval* : **USD 3 500** – New York, 23 mai 1974 : *Chasseurs dans un intérieur 1862* : **USD 30 000** – Los Angeles, 24 juin 1980 : *Chevaux,* aquar. et pl. (15x21,5) : **USD 3 000** – Los Angeles, 24 juin 1980 : *Cinook Indian guides, Clackamas River, h/pap. mar./t.* (25,4x35,5) : **USD 11 000** – New York, 24 avr. 1981 : *Paysage montagneux 1866,* h/t (91,7x122,2) : **USD 7 500** – Bloomfields Hills (Mich.), 25 oct. 1987 : *Scène de chasse dans un paysage montagneux,* h/t (71,2x101,6) : **USD 42 500** – New York, 27 mai 1993 : *Groupe d'éclaireurs 1864,* h/t, de forme ovale (21x25,4) : **USD 57 500** – New York, 2 déc. 1993 : *Portrait de Wai-e-cat (Celui qui s'envole) 1847,* gche/pap. (23,2x16,4) : **USD 37 950** – New York, 4 déc. 1996 : *Jim Shaw, Delaware 1837,* h/pan. (16,2x16,2) : **USD 32 000.**

STANLEY Montague
Né le 5 janvier 1809 à Dundee, d'origine écossaise. Mort le 4 mai 1844 à l'île de Bute. xixe siècle. Britannique.
Peintre de paysages et de marines.
Demeuré tout jeune orphelin de père, il voyagea avec sa mère, en Amérique, en Océanie. Il joua la comédie dès l'âge de huit ans et fut acteur jusqu'en 1838. Cependant, malgré les succès qu'il y trouvait, il renonça à la scène pour faire de la peinture et fut élève de J. W. Ewbank. Il n'y réussit pas moins bien et fut élu associé de la Royal Scottish Academy.

STANLEY Robert
Né le 3 janvier 1932 à New York. xxe siècle. Américain.
Peintre de figures, nus, paysages.
Il fut élève de l'High Museum of Art d'Atlanta, puis à New York de la Columbia University, de l'Art Students' League, de la Brooklyn Museum of Art School. Il a enseigné de 1970 à 1972 à la School of Visual Arts de New York, puis a été invité dans diverses universités américaines. Il vit et travaille à New York.
Il participe à des expositions collectives : 1968 Documenta de Kassel ; 1970 Contemporary Arts Center de Cincinnati ; 1973 Biennale du Whitney Museum of American Art de New York ; 1980 Corcoran Gallery de Washington ; 1981 Art Museum de Worcester. Il montre ses œuvres dans des expositions personnelles : depuis 1965 régulièrement à New York, notamment en 1977 au P.S.1 ; 1966, 1967 Kassel ; 1968 Francfort-sur-le-Main ; 1980 rétrospective à Winnipeg (Manitoba).
Il réalise de très grandes peintures figuratives dans un style proche de la bande dessinée. Il a également réalisé des livres d'artistes.
Bibliogr. : Gérard Gassiot-Talabot : *Robert Stanley,* Opus International, Paris, déc. 1971.
Musées : Aix-la-Chapelle (Mus. Ludwig) – Cambridge (Fogg Art

Mus.) – MILWAUKEE (Contemp. Art Center) – NEW YORK (Whitney Mus. of American Art) – NEW YORK (Metrop. Mus. of Art).

STANLEY Sidney Walter
Né le 14 août 1890 à Clapham. Mort en 1956. XXe siècle. Britannique.
Peintre de paysages, illustrateur.
Il vécut et travailla à Londres. Il participa aux expositions de la Royal Academy en 1916 et 1922. Il exécuta des peintures décoratives.
VENTES PUBLIQUES : ZURICH, 25 mai 1984 : *Paysage fluvial*, h/t (45,5x55) : **CHF 6 000** – PARIS, 17 oct. 1990 : *Arbres dans un paysage*, h/cart. (24,5x31,2) : **FRF 3 100.**

STANLEY Simon Carl. Voir STANLEY Charles

STANNARD Alexander Molyneux
Né le 11 septembre 1885 à Bedford. Mort en 1975. XXe siècle. Britannique.
Peintre de paysages.
Il est le fils du peintre Henry Stannard. Il participa aux expositions de la Royal Academy à Londres de 1908 à 1915.
VENTES PUBLIQUES : CHESTER, 20 juil. 1989 : *Chaumières au bord d'un chemin de campagne*, h/t, une paire (chaque 24x34,3) : **GBP 1 760** – LONDRES, 1er nov. 1990 : *Personnages sur un chemin longeant des chaumières*, aquar. avec reh. de blanc (37,5x62,9) : **GBP 1 155.**

STANNARD Alfred
Né en 1806 à Norwich. Mort le 26 janvier 1889 à Norwich. XIXe siècle. Britannique.
Peintre de paysages animés, paysages, paysages d'eau, paysages portuaires, marines.
Frère de Joseph Stannard, il tient, comme lui, bien que moins importante, une place dans l'école de Norwich. Il exposa à Londres, de 1826 à 1860, huit tableaux à la British Institution et sept à Suffolk Street.
Il peignit surtout des sites de Hollande.
MUSÉES : NORWICH : *Scène de rivière avec moulin.*
VENTES PUBLIQUES : NEW YORK, 12-14 avr. 1909 : *Bough Apton* : **USD 110** – NEW YORK, 22-24 mars 1911 : *Bough Apton* : **USD 60** – LONDRES, 17 oct. 1945 : *Paysage* : **GBP 82** – LONDRES, 11 juil. 1951 : *La rentrée des moutons* 1853 : **GBP 240** – LONDRES, 16 juil. 1965 : *Caister Castle, Norfolk* : **GNS 1 800** – LONDRES, 21 oct. 1970 : *Marine* : **GBP 2 500** – LONDRES, 15 déc. 1972 : *Paysage boisé* : **GNS 4 800** – COPENHAGUE, 30 avr. 1974 : *Pêcheurs auprès de leur barque* : **DKK 10 000** – LONDRES, 15 oct. 1976 : *Le moulin à eau*, h/pan. (17,8x23) : **GBP 800** – LONDRES, 13 oct. 1978 : *Voiliers au large de la côte*, h/pan. (35,5x46,5) : **GBP 2 000** – LONDRES, 2 févr 1979 : *Scène de bord de mer* 1856, h/t (24,7x32,4) : **GBP 2 600** – LONDRES, 17 juin 1981 : *Barges on the Norfolk Broads* 1833, h/pan. (43x52) : **GBP 2 900** – LONDRES, 17 fév. 1984 : *Figures by a rock* 1844, h/t (48,2x65,4) : **GBP 2 800** – LONDRES, 30 oct. 1985 : *Marée basse, Yarmouth*, h/t (82x115,5) : **GBP 2 600** – LONDRES, 18 oct. 1989 : *Paysage de rivière avec le passeur et d'autres barques* 1831, h/pan. (33,5x47,5) : **GBP 2 090** – LONDRES, 29 mai 1997 : *Port de Gorleston* 1872, h/t (58,5x75,5) : **GBP 6 900.**

STANNARD Alfred George
Né en 1828 à Norwich. Mort en 1885 à Norwich. XIXe siècle. Britannique.
Paysagiste et peintre de natures mortes et de genre.
Fils d'Alfred Stannard. Il exposa à Londres de 1851 à 1864, notamment à la Royal Academy, à la British Institution et à Suffolk Street. Le Musée de Norwich conserve de lui : *Scène de route.*
VENTES PUBLIQUES : LONDRES, 3 fév. 1978 : *Bateaux au large du port de Gorleston, Norfolk* 1848, h/t (42x75) : **GBP 1 100.**

STANNARD Eloise Henriet ou Harriet
Née en 1828 à Norwich. Morte en 1893 ou 1898, en 1915 selon le Mayer. XIXe siècle. Britannique.
Peintre de natures mortes, fleurs et fruits.
Elle était membre de la Society of Lady Artists. Elle exposa à Londres, particulièrement à la Royal Academy et à la British Institution à partir de 1852 jusqu'en 1893.

EKStannard 1887

MUSÉES : NORWICH : trois peintures.
VENTES PUBLIQUES : LONDRES, 20 juil. 1966 : *Nature morte aux fruits* : **GBP 400** – LONDRES, 13 oct. 1967 : *Nature morte aux fruits* : **GNS 1 000** – ÉCOSSE, 27 août 1971 : *Nature morte aux fruits* : **GBP 950** – ÉCOSSE, 22 fév. 1972 : *Fruits et fleurs* : **GBP 700** – LOS ANGELES, 9 avr. 1973 : *Nature morte aux fruits* : **USD 23 000** – LONDRES, 26 avr. 1974 : *Nature morte aux fruits* 1860 : **GNS 5 800** – ÉCOSSE, 24 août 1976 : *Canetons* 1894, h/t (43x38) : **GBP 1 000** – LONDRES, 21 oct. 1977 : *Panier de fruits* 1876, h/t (43x35,5) : **USD 1 300** – LONDRES, 1er oct 1979 : *Nature morte aux fruits* 1857, h/t (75x62) : **GBP 4 800** – LONDRES, 10 nov. 1981 : *Nature morte aux fruits sur un entablement* 1880, h/t, haut arrondi (61x51) : **GBP 7 000** – LONDRES, 2 mars 1984 : *Nature morte aux fruits* 1862, h/t (62,3x74,9) : **GBP 9 000** – LONDRES, 10 mai 1985 : *Fruits sur un entablement* 1877, h/t (49,5x61) : **GBP 9 000** – LONDRES, 31 oct. 1986 : *Panier de fruits*, h/t (77,5x61) : **GBP 5 500** – LONDRES, 3 juin 1988 : *Panier de raisin et de pêches avec un potiron et des prunes sur un lit de feuilles*, h/t (50,1x60,3) : **GBP 3 520** – LONDRES, 15 juin 1988 : *Paniers de raisin et de pêches* 1884, h/t (38x43) : **GBP 6 600** – LONDRES, 2 juin 1989 : *Corbeilles de framboises et liseron sur un entablement* 1870, h/t (27,5x35,5) : **GBP 9 020** – LONDRES, 13 déc. 1989 : *Nature morte aux fraises et mésanges bleues*, h/t (30,5x38) : **GBP 17 600** – LONDRES, 9 fév. 1990 : *Panier de raisin renversé, pomme et framboises* 1873, h/t (30,5x35) : **GBP 6 820** – LONDRES, 21 mars 1990 : *Nature morte de fruits sur un entablement de marbre*, h/t (30,5x41) : **GBP 7 150** – LONDRES, 26 sep. 1990 : *Corbeille de fruits renversée avec un papillon sur l'anse* 1860, h/t (61x51) : **GBP 11 000** – LONDRES, 13 fév. 1991 : *Groseilles blanches ; Groseilles rouges* 1897, h/t, une paire (chaque 27x34) : **GBP 9 020** – LONDRES, 3 juin 1992 : *Roses jaunes* 1892, h/t (33x41) : **GBP 6 600** – LONDRES, 13 nov. 1992 : *Framboises dans une feuille de chou au fond d'un panier avec deux fleurs de liseron ; Fraises et roses avec une corbeille renversée sur un entablement de marbre*, h/t, une paire (33x28) : **GBP 6 600** – LONDRES, 5 nov. 1993 : *Friandises de Noël*, h/t (40,6x30,5) : **GBP 7 820** – LONDRES, 10 mars 1995 : *Raisin, pêches, ananas et poires autour d'un compotier d'argent* 1858, h/t (49,8x60,6) : **GBP 13 800** – LONDRES, 7 juin 1996 : *Grappe de raisins noirs dans une coupe ciselée, raisins blanc et noir dans une coupe de cristal, pêches et framboises dans un panier d'osier* 1886, h/t (43,1x35,6) : **GBP 10 350** – LONDRES, 6 nov. 1996 : *Nature morte de mûres* ; *Nature morte de framboises et abricots*, h/cart., une paire de forme ovale (25,5x36) : **GBP 9 200** – LONDRES, 8 nov. 1996 : *Groseilles rouges ; Groseilles blanches* 1897, h/t, une paire, de forme ovale (28x35,6) : **GBP 9 500** – LONDRES, 14 mars 1997 : *Les Quatre Saisons* 1872, h/t, de forme ovale (chaque 43,2x38,1) : **GBP 80 700** – LONDRES, 3 mars 1997 : *Perdrix à pattes rouges avec un papillon* 1898, h/t (30,5x38,2) : **GBP 2 800** – LONDRES, 6 juin 1997 : *Raisins dans une corbeille, pêches, canneberges, et un papillon sur un entablement de bois* 1896, h/t (22x30,5) : **GBP 3 500** – LONDRES, 6 juin 1997 : *Des fraises dans un panier avec un grand papillon blanc sur un entablement de pierre* ; *Des raisins noirs dans une corbeille en osier avec des poires et des piments sur un entablement de pierre* 1895 et 1897, h/t, une paire (28x36) : **GBP 9 430** – LONDRES, 7 nov. 1997 : *Oranges dans une corbeille d'osier sur un entablement de bois* ; *Pommes dans un panier en paille sur un entablement de bois avec du houx* 1895 et 1896, h/t (22,9x30,5) : **GBP 10 350.**

STANNARD Emily, née Coppin
Née en 1803 à Norwich. Morte le 6 janvier 1885 à Norwich. XIXe siècle. Britannique.
Peintre de natures mortes, fleurs et fruits.
Femme de Joseph Stannard. Elle fit ses études à Norwich et réussit brillamment. Dès 1820, elle recevait la grande médaille d'or de la Society of Arts de Norwich. La même année, elle alla en Hollande sous son père et y fit plusieurs copies d'après Van Huysum. De 1823 à 1825, elle exposa à Londres à la British Institution et à Suffolk Street sous son nom de jeune fille. Après son mariage, elle continua à peindre jusqu'à un âge très avancé, mais se contenta des expositions de Norwich où ses œuvres furent très admirées.
MUSÉES : NORWICH : *Fleurs – Nature morte.*
VENTES PUBLIQUES : LONDRES, 16 oct. 1968 : *Nature morte aux fleurs* : **GBP 850** – LONDRES, 26 oct 1979 : *Nature morte aux fleurs* 1861, h/t (81,8x64,2) : **GBP 11 000** – LONDRES, 18 mars 1981 : *Nature morte aux fruits et aux fleurs sur un entablement* 1825, h/pan. (32,5x44) : **GBP 2 200** – NEW YORK, 1er mars 1984 : *Nature morte au fleurs et aux fruits*, h/pan. (32,3x44,4) : **USD 3 200** – LONDRES, 18 avr. 1986 : *Nature morte à la guirlande de fleurs* 1835, h/pan. (24,1x30,8) : **GBP 8 000** – LONDRES, 26 mai 1989 : *Canard suspendu dans une niche avec d'autres oiseaux, un fusil et une carnassière*, h/pan. (24x21) : **GBP 1 100** – LONDRES, 28 fév. 1990 :

Nature morte de gibier suspendu 1857, h/pan. (31,5x24) :
GBP 1 760 – NEW YORK, 28 mai 1993 : *Nature morte de fleurs et de fruits entourant une urne sur un entablement de marbre*, h/pan. (32,3x44,4) : **USD 6 325** – LONDRES, 12 mars 1997 : *Nature morte aux fleurs d'été et nid d'oiseau*, h/t (51x40,5) : **GBP 9 775**.

STANNARD Emily
Née en 1875 à Woburn. Morte en 1907 à Woburn. XIXe siècle. Britannique.
Peintre de paysages.
Elle est la fille du peintre Henry Stannard.
VENTES PUBLIQUES : LONDRES, 13 mai 1977 : *Nature morte*, h/t (45,7x38) : **GBP 700**.

STANNARD Henry
Né en 1844 à Woburn. Mort le 15 novembre 1920 à Bedford. XIXe-XXe siècles. Britannique.
Peintre de sujets de sport, animaux, paysages.
Fils du peintre John Stannard, il fit ses études à Londres et travailla pour des illustrés. Il fut aussi écrivain. Il participa aux expositions de la Royal Academy de 1905 à 1915.
Il peignit des paysages, des oiseaux et des scènes de chasse.

STANNARD Henry John Sylvester
Né le 12 juillet 1870 à Londres. Mort en 1951. XIXe-XXe siècles. Britannique.
Peintre de compositions animées, paysages, aquarelliste, peintre à la gouache.
Fils du peintre Henry Stannard, il participa aux expositions de la Royal Academy de 1905 à 1915. Il peignit des motifs des environs de Sandringham.

MUSÉES : DUDLEY – LUTON – WOLVERHAMPTON.
VENTES PUBLIQUES : LONDRES, 20 nov 1979 : *Paysages d'été*, deux aquar. (29x49) : **GBP 1 200** – LONDRES, 27 juil. 1982 : *By Granny's gate* ; *Outside the cottage*, 2 aquar. avec reh. de blanc (26x35,5) : **GBP 1 300** – LONDRES, 17 oct. 1984 : *Fillettes nourrissant des canards*, aquar. reh. de blanc (35x51,5) : **GBP 2 700** – LONDRES, 29 oct. 1985 : *Paysage au ruisseau*, aquar. (35,5x53,5) : **GBP 2 200** – LONDRES, 22 mai 1986 : *Cottage dans le Surrey*, aquar. reh. de gche (35,5x53,5) : **GBP 4 000** – LONDRES, 28 avr. 1987 : *Sheperd's Cottage, Maulden, Bedfordshire*, aquar. (41x67,5) : **GBP 5 000** – LONDRES, 25 jan. 1988 : *Une ancienne chaumière*, aquar. (35x53,5) : **GBP 2 090** ; *Près de Reigate*, aquar. (33x49,5) : **GBP 4 400** – GLASGOW, 7 fév. 1989 : *Perdrix picorant dans la neige*, aquar. et gche (34x49) : **GBP 935** – CHESTER, 20 juil. 1989 : *Le vieux pont de Bromham Mill près de Bedford*, h/t (33x47) : **GBP 3 080** – MONTRÉAL, 30 oct. 1989 : *Paysage anglais typique en mai*, aquar. (25x35) : **CAD 3 850** – LONDRES, 31 jan. 1990 : *Sur la rivière Ouse près de Great Barford dans le Badfordshire*, aquar. (50x64) : **GBP 5 280** – LONDRES, 25-26 avr. 1990 : *On recouvre de chaume une maison rustique près de la marre aux canards*, aquar. et gche (51x76) : **GBP 10 120** – LONDRES, 26 sep. 1990 : *Une allée de jardin*, aquar. (26x36) : **GBP 2 750** – LONDRES, 30 jan. 1991 : *Un jeune colporteur*, aquar. (25,5x35,5) : **GBP 2 090** – NEW YORK, 21 mai 1991 : *La maison de grand'mère*, aquar./cart. (26,7x36,8) : **USD 880** – LONDRES, 5 juin 1991 : *Jeux avec un chaton*, aquar. (25x35) : **GBP 2 640** – LONDRES, 19 déc. 1991 : *Petite fille nourrissant les poulets devant le cottage*, cr. et aquar. (34,3x48,9) : **GBP 2 640** – LONDRES, 3 juin 1992 : *Lande couverte de bruyère*, aquar. (33,5x50,5) : **GBP 1 650** – LONDRES, 7 oct. 1992 : *Jeux au bord du ruisseau*, aquar. avec reh. de blanc (26x36) : **GBP 2 200** – NEW YORK, 20 oct. 1992 : *Le jardin de la reine Adélaïde*, aquar./pap. (35,6x48,9) : **USD 1 540** – LONDRES, 5 mars 1993 : *Cottage pittoresque dans le Warwickshire*, cr. et aquar. (25,7x35,7) : **GBP 3 220** – LONDRES, 5 nov. 1993 : *Enfants s'amusant à la lisière d'un champ*, aquar. (36,1x54) : *Une allée*, aquar. (35,5x53,5) : **GBP 2 990** – LONDRES, 25 mars 1994 : *Chaumière au bord d'un ruisseau*, cr. et aquar. (34,2x24,2) : **GBP 2 875** – LONDRES, 29 mars 1995 : *La provende des poules* ; *Jeux avec le chaton*, aquar. et gche, une paire (35x51) : **GBP 6 670** – NEW YORK, 18-19 juil. 1996 : *Les environs de Dunstable dans le Bedfordshire*, aquar./pap. (26,7x36,8) : **USD 1 495** – ÉDIMBOURG, 15 mai 1997 : *Près de Flitwick, Bedfordshire*, aquar. (35,5x52) : **GBP 4 600** – LONDRES, 4 juin 1997 : *Compagnons de jeu sur un chemin du Bedfordshire*, aquar. reh. de blanc (25x35) : **GBP 4 140** ; *Nourrissant les canards* ; *Les Petites Aides*, aquar., une paire (chaque 25,5x35,5) : **GBP 5 520**.

STANNARD Joan Molyneux
Né en 1903. Mort en 1942. XXe siècle. Britannique.
Peintre de paysages, fleurs, aquarelliste, peintre à la gouache.
VENTES PUBLIQUES : LONDRES, 25 jan. 1989 : *Bordures de fleurs de chaque côté de l'allée*, aquar. (24x34) : **GBP 935** – LONDRES, 29 mars 1995 : *Vieux cottages anglais*, aquar. et gche, une paire (chaque 32,5x48,5) : **GBP 2 070**.

STANNARD John
Né en 1795 à Londres. Mort en 1881 à Woburn. XIXe siècle. Britannique.
Peintre de paysages et d'animaux.
Fils de Robert S.
VENTES PUBLIQUES : LONDRES, 5 mars 1910 : *A la ferme* 1872 : **GBP 7** – LONDRES, 12 avr. 1911 : *Paysage boisé* : **GBP 14** – LONDRES, 30 mai 1985 : *Un jardin de fleurs*, aquar. reh. de gche (34x49) : **GBP 800**.

STANNARD Joseph
Né le 13 septembre 1797 à Norwich. Mort le 7 décembre 1830 à Norwich. XIXe siècle. Britannique.
Peintre de portraits, paysages animés, marines, aquarelliste, graveur.
Il fut élève de Robert Ladbrooke. Il alla continuer ses études en Hollande. Il était membre de la Norwich Society of Artists et occupa une place distinguée parmi les artistes de son époque. Il exposa à Londres de 1820 à 1829, notamment à la British Institution et à Suffolk Street. Il a publié une suite d'eaux-fortes.
MUSÉES : BRISTOL : *Marine avec figures* – LONDRES (Victoria and Albert Mus.) : une aquarelle – NORWICH : *Thorpe Water Froler afternoon* – *Un souffle frais*.
VENTES PUBLIQUES : NEW YORK, 22 jan. 1908 : *Humble chaumière* : **USD 250** – LONDRES, 27-29 mai 1935 : *La place de Yarmouth* : **GBP 110** – LONDRES, 19 juil. 1972 : *La rivière Orwell* : **GBP 1 100** – LONDRES, 4 oct. 1973 : *Bateaux à quai* : **GNS 1 700** – LONDRES, 21 oct. 1977 : *Surlingham ferry*, h/t (61x85) : **GBP 1 200** – LONDRES, 20 nov 1979 : *La roulotte des Bohémiens* 1830, cr. et craies de coul./pap. brun (20x37,2) : **GBP 450** – LONDRES, 11 avr. 1980 : *Bateaux de pêche à l'ancre dans un estuaire* 1825, h/t (61x74,2) : **GBP 4 500** – LONDRES, 5 juin 1981 : *Voiliers sur la Scheldt*, h/t (61x89,5) : **GBP 2 500** – LONDRES, 14 juin 1983 : *Gitanes et enfants* 1830, craies noire et de coul./pap. brun (26x45) : **GBP 1 000** – LONDRES, 19 mars 1985 : *La réparation des filets*, craies de coul./pap. gris (28,4x24) : **GBP 700** – LONDRES, 10 juil. 1986 : *Running for port* 1829, cr. et craies bleue et blanche/pap. brun (16x12,5) : **GBP 580** – LONDRES, 10 juil. 1996 : *Pêcheur avec ses filets et son chien dans un paysage côtier*, h/pan. (28x37,5) : **GBP 14 950**.

STANNARD Lilian, plus tard Mme Silas
Née le 24 mars 1884 à Woburn. Morte en 1944. XXe siècle. Britannique.
Peintre de paysages, aquarelliste, peintre à la gouache, dessinateur.
Sœur du peintre Henry Sylvester Stannard, elle participa aux expositions de la Royal Academy de 1905 à 1930. Elle a réalisé de nombreuses vues de jardins.

VENTES PUBLIQUES : LONDRES, 24 juil. 1984 : *A path amongst the Rosebeds*, aquar. (25x34,6) : **GBP 800** – LONDRES, 23 juil. 1985 : *Une allée fleurie*, aquar. (24x34,7) : **GBP 1 300** – LONDRES, 16 oct. 1986 : *Paysage du Herefordshire*, aquar. reh. de gche (24x35) : **GBP 3 000** – LONDRES, 29 avr. 1987 : *Le Jardin de Walmer Castle, Kent*, aquar. reh. de gche (51x84) : **GBP 5 200** – LONDRES, 25 jan. 1988 : *Jardinet fleuri autour des maisons*, aquar. (24x34) : **GBP 5 280** ; *Un parterre dans un jardin*, aquar. (25,5x35,5) : **GBP 2 200** – LONDRES, 25 jan. 1989 : *La roseraie du presbytère de Stagdew*, aquar. et gche (34x24) : **GBP 2 090** – AMSTERDAM, 10 avr. 1990 : *Un coin de jardin* ; *La roseraie*, aquar. et gche/pap., une paire (24,5x17,5) : **NLG 7 475** – LONDRES, 26 sep. 1990 : *Les massifs de rhododendron*, aquar. avec reh. de gche (34,5x50) : **GBP 3 300** – LONDRES, 30 jan. 1991 : *Une roseraie*, aquar. et gche (chaque 24,5x17) : **GBP 2 750** – NEW YORK, 22-23 juil. 1993 : *Un jardin anglais*, aquar./pap./cart. (35,6x25,4) : **USD 3 163** – LONDRES, 5 nov. 1993 : *La roseraie de Dorking*, aquar. (24,8x33,1) : **GPB 2 760** – LONDRES, 25 mars 1994 : *La mare aux nénuphars*, cr. et aquar. (25,5x35,7) : **GPB 4 600**.

STANNARD Theresa Sylvester
Née le 14 décembre 1898 à Flitwick. Morte en 1947 ou 1951. XXᵉ siècle. Britannique.
Peintre de paysages, aquarelliste, peintre à la gouache.
Fille du peintre Henry Sylvester Stannard, elle participa à une exposition de la Royal Academy en 1915. Elle s'est spécialisée dans les vues de jardins.
VENTES PUBLIQUES : LONDRES, 24 mai 1984 : *Bords de lac fleuri*, aquar. (35,5x52) : **GPB 1 900** – LONDRES, 30 mai 1985 : *Un chat dans un jardin*, aquar. (35,5x25,5) – LONDRES, 26 jan. 1987 : *La Mare*, aquar. reh. de gche (53x35,5) : **GPB 1 800** – NEW YORK, 25 fév. 1988 : *Dans le jardin de grand'mère* 1907, aquar. et gche (36,9x26,2) : **USD 1 870** – LONDRES, 25 jan. 1989 : *Jardin fleuri de reines-marguerites*, aquar. et gche (21x13,5) : **GPB 1 155** – LONDRES, 25-26 avr. 1990 : *Bords du lac*, aquar. (35,5x25) : **GPB 550** – LONDRES, 29 oct. 1991 : *Le cottage dans le jardin*, cr. et aquar. avec reh. de blanc (37x26,5) : **GPB 1 650** – LONDRES, 12 mai 1993 : *Jardin d'agrément*, aquar. avec reh. de blanc (34x52) : **GPB 2 012** – LONDRES, 6 nov. 1995 : *Jardin en été*, aquar. (34,5x24,5) – LONDRES, 6 nov. 1996 : *Le Chemin de la chaumière* ; *Le Jardin de la chaumière*, aquar., une paire (chaque 34,5x24,5) : **GPB 2 300** – LONDRES, 5 nov. 1997 : *L'Époque des abeilles*, aquar. reh. de blanc (35,5x25,5) : **GPB 2 875**.

STANNERMORE Henry
XIVᵉ siècle. Actif à Londres dans la seconde moitié du XIVᵉ siècle. Britannique.
Peintre verrier.
Il fut maître de la gilde de Londres en 1368.

STANNUS Anthony Carey
XIXᵉ-XXᵉ siècles. Britannique.
Peintre de compositions animées, genre, intérieurs, paysages, marines, aquarelliste, peintre à la gouache.
Il exposa à Londres de 1862 à 1903.
VENTES PUBLIQUES : LONDRES, 16 mars 1973 : *Intérieur rustique* : GNS 420 – LONDRES, 26 jan. 1984 : *Vue panoramique de Mexico City depuis Chapultepec*, aquar. reh. de blanc (28x63) : **GPB 3 100** – LONDRES, 29 oct. 1987 : *Real del Monte*, aquar. (29,2x63,5) : **GPB 1 100** – NEW YORK, 21 nov. 1988 : *Arrivée des renforts à Vera Cruz*, aquar./pap. (25,5x35,3) : **USD 2 420** – PERTH, 1ᵉʳ sep. 1992 : *Le bassin aux saumons*, aquar. avec reh. de blanc (49x80,5) : **GPB 1 485** – PERTH, 31 août 1993 : *Un port d'Écosse* 1886, aquar. et gche (27,5x52,5) : **GPB 632** – PERTH, 29 août 1995 : *Pêcheur amenant sa prise au rivage* 1891, h/t (91,5x153) : **GPB 1 150**.

STANO Giovanni
Né le 14 juin 1871 à Manduria. XIXᵉ-XXᵉ siècles. Italien.
Peintre de genre, compositions religieuses, portraits, paysages.
Il fut élève de Domenico Morelli et de Filippo Palizzi. Il travailla pour des églises de Manduria et de Lecce, où il vécut.

STANOJEVIC Véliko
Né le 10 février 1892 à Belgrade. XXᵉ siècle. Yougoslave.
Peintre de figures, portraits, graveur.
Il fit ses études à Belgrade et Paris.

STANSKI Albert. Voir STATTLER Woïciech

STANSKI Woïciech ou Albert Korneli. Voir STATTLER Woïciech

STANSON George C.
Né en 1885 à Briscour (Basses-Pyrénées). XXᵉ siècle. Actif aux États-Unis. Français.
Peintre, sculpteur.
Il exécuta des fresques dans l'université de la Jolla et dans le Golden Gate Museum de San Francisco.

STANTCHEFF
XIXᵉ siècle. Actif en Bulgarie. Bulgare.
Peintre.
Il figura aux expositions de Paris ; mention honorable en 1900 (Exposition Universelle).

STANTON Clark ou George Clark
Né en 1832 à Birmingham. Mort le 8 janvier 1894 à Edimbourg. XIXᵉ siècle. Britannique.
Peintre de compositions mythologiques, scènes de genre, aquarelliste, sculpteur, décorateur, illustrateur.
Il était employé comme dessinateur dans une importante maison de commerce anglaise. Ses dons le firent envoyer en Italie par ses patrons pour y faire des études sérieuses. En 1855, de retour en Grande-Bretagne, il s'établit à Édimbourg comme peintre et sculpteur et, à partir de 1857 jusqu'en 1926, exposa à la Royal Scottish Academy. En 1862, il fut élu associé à la Royal Scottish Academy et en 1883 devint académicien.
Il fit en même temps de l'art décoratif et traduisit nombre de dessins pour les orfèvres. Il fit aussi des illustrations.

E. Stanton.

Clark Stanton

MUSÉES : ÉDIMBOURG : *Eurydice*, haut-relief en plâtre – GLASGOW : *Jeune Fille avec des fruits*.
VENTES PUBLIQUES : LONDRES, 3 nov. 1993 : *Orphée et Eurydice*, aquar. (51,5x66,5) : **GPB 1 035**.

STANTON Edward
Né en 1681 ou 1682. Mort en juin 1734. XVIIIᵉ siècle. Britannique.
Sculpteur.
Fils et élève de William Stanton. Il sculpta des tombeaux, des gisants et des bustes.

STANTON Elizabeth
Née le 31 décembre 1894 à New York. XXᵉ siècle. Américaine.
Peintre.
Elle fut élève de Francis Luis Mora, Albert Sterner et Cecilia Beaux. Elle fut membre de la Fédération américaine des arts.

STANTON Harry Edgar
Né le 19 avril 1888 à Londres. XXᵉ siècle. Britannique.
Peintre, illustrateur.
Il vécut et travailla à Frome.

STANTON Herbert Hughes, Sir. Voir HUGHES-STANTON Herbert Edwin Pelham

STANTON Horace Hughes
Né en 1843. Mort le 13 septembre 1914 à New Rochelle (New York). XIXᵉ-XXᵉ siècles. Américain.
Peintre de genre, paysages.
Il vécut et travailla à Londres jusqu'en 1913.

STANTON John
Né le 9 mars 1829 à Orange County. Mort après 1911 à Cincinnati. XIXᵉ-XXᵉ siècles. Américain.
Graveur.
Il est connu comme graveur de sceaux.

STANTON Lucy May
Née le 22 mai 1875 à Atlanta. XXᵉ siècle. Américaine.
Peintre de portraits.
Elle fit ses études à Paris, à l'académie Colarossi, et fut élève de Lucien Simon et de Jacques E. Blanche.
MUSÉES : NEW YORK (Metrop. Mus.).

STANTON Samuel Ward
Né le 8 janvier 1870 à Newburgh. Mort le 15 avril 1912, Disparu dans le naufrage du Titanic. XIXᵉ-XXᵉ siècles. Américain.
Peintre de marines.
Il fut élève de l'Art Students' League de New York et de l'académie Julian à Paris. Il fut assistant de Francis D. Millet.
VENTES PUBLIQUES : LONDRES, 11 mai 1994 : *Navigation au large des côtes*, h/t (46,5x61) : **GPB 1 265**.

STANTON Thomas
Né en 1610 ou 1611. Mort le 24 mai 1674. XVIIᵉ siècle. Britannique.
Sculpteur.
Oncle de William Stanton et peut-être élève d'Edward Marshall. Il sculpta des tombeaux.

STANTON Thomas
Né vers 1750. XVIIIᵉ siècle. Actif à Londres. Britannique.
Peintre de paysages, de vues, d'architectures.
Middiman grava d'après lui une *Vue de Stonyhurs College*.

STANTON William
Né en 1639. Mort le 7 mars 1705. XVIIᵉ siècle. Britannique.
Sculpteur et architecte.
Père d'Edward Stanton et élève de son oncle Thomas Stanton. Il

sculpta de très nombreux tombeaux, des gisants et des épitaphes.

STANTZ Ludwig
Né le 18 septembre 1801 à Berne. Mort le 20 avril 1871 à Berne. XIXᵉ siècle. Suisse.
Peintre.
Rénovateur de la peinture sur verre en Suisse. Il exécuta des vitraux aux armoiries des vingt-deux cantons suisses et d'autres pour la cathédrale de Berne. Il fut également héraldiste et écrivain d'art.

STANZANI Emilio
Né en 1906. Mort en 1977. XXᵉ siècle. Suisse.
Sculpteur de figures.
Musées : AARAU (Aargauer Kunsthaus) : *Arlequin dansant* 1949, bronze.
VENTES PUBLIQUES : ZURICH, 30 oct. 1980 : *Homme regardant vers le haut*, bronze (H. 70) : **CHF 5 000** – ZURICH, 9 nov. 1985 : *Composition*, bronze (H. 167) : **CHF 6 500** – ZURICH, 7 juin 1986 : *Fleur 1969-1980*, bronze (H. 167) : **CHF 5 000** – ZURICH, 13 oct. 1993 : *Un regard vers les cieux*, bronze (70x44) : **CHF 6 500** – LUCERNE, 26 nov. 1994 : *Sans titre*, bronze plastifié (H. 34) : **CHF 2 900** – LUCERNE, 20 mai 1995 : *sans titre*, bronze plastifié (H. 50, l. 54) : **CHF 2 000** – ZURICH, 26 mars 1996 : *Sans titre*, bronze plastifié (39x9x17) : **CHF 2 800**.

STANZEL Rudi
Né en 1958. XXᵉ siècle. Autrichien.
Peintre, sculpteur. Abstrait.
Il vit et travaille à Vienne. Il participe à des expositions collectives : depuis 1987 régulièrement à Vienne, notamment en 1991 au Bildich Museum des 20 Jahrhunderts ; 1988 Bâle ; 1990 musée d'Art et d'histoire de Fribourg ; 1992 Salon Découverte à Paris. Il montre ses œuvres dans des expositions personnelles : 1986, 1987 Vienne ; 1986 Graz ; 1988 Linz.
Le travail de Stanzel se situe à la frontière des techniques, à la fois sculpture et tableau. Il propose des peintures, très épaisses, qui s'avancent en saillie, constituées de superpositions de couches de matière plastique, d'où l'aspect de volume. Parallèlement, il développe tout un travail sur la surface monochrome, riche en matières et accidents.

STANZIONI Massimo ou Stanzione, dit Cavaliere Massimo
Né en 1585 à Orta di Atella. Mort en 1656 à Naples. XVIIᵉ siècle. Italien.
Peintre d'histoire, scènes mythologiques, compositions religieuses, portraits, dessinateur.
Il fut élève de Giovanni-Battista Caracciolo et de Belisario Corenzio pour la peinture à fresque. Il reçut aussi des conseils de Lanfranco et de Falerizio Santafede. Étant allé à Rome, il y étudia les œuvres de Caravagesques de la première génération : Saraceni, Simon Vouet, Valentin, ainsi que celles d'Annibale Carracci et fut l'ami de Guido Reni. A son retour à Naples, après 1630, Stanzioni se plaça au premier rang des peintres du royaume. La tradition veut qu'il ait excité la jalousie de Ribera et qu'il ait eu grandement à souffrir de ses agissements. On cite de lui, à Naples, les plafonds des églises de San Paolo et du Gesù Nuovo, *Saint Bruno présentant les règles de son ordre* à la Certosa, à S. Martino *S. Emidio*, au Palais Cassaro *Cléopâtre*.
Stanzioni possède une grande pureté de ligne et beaucoup de sentiment.

Œ C MX.

BIBLIOGR. : Willette Schütze : *Massimo Stanzione. L'Œuvre complet*, Electa, Naples, 1992.
Musées : BESANÇON : *Loth et ses filles* – BUDAPEST : *Sainte Anne et saint Joachim* – BURGHAUSEN : *Sainte Madeleine* – DRESDE : *La Physique* – FLORENCE (Mus. des Offices) : *L'artiste* – FRANCFORT-SUR-LE-MAIN : *Suzanne au bain* – LONDRES (Gal. Nat.) : *Déploration du Christ* – LYON : *Saint Sébastien* – MADRID (Prado) : *Vision de Zacharie* – *Prédication de saint Jean Baptiste dans le désert* – *Décollation de saint Jean Baptiste* – *Saint Jérôme écrivant* – *Sacrifice à Bacchus* – NAPLES : *Sainte Famille* – *Baptême du Christ* – *Lucrèce* – *Adoration des bergers* – *Sainte Agathe en prison* – *Saint Bruno* – NEW YORK (Metropolitan Mus.) : *Lucrèce* – ROME (Gal. Corsini) : *Madone et l'Enfant* – ROME (Gal. Doria Pamphily) : *Sibylle* – VIENNE (Harrach) : *Le Massacre des Innocents* – VIENNE

(Liechtenstein) : *Vierge et l'Enfant Jésus* – ZURICH : *Orphée aux Enfers.*
VENTES PUBLIQUES : PARIS, 1776 : *Vieille femme portant un enfant*, dess. à la sanguine : **FRF 40** – PARIS, 1854 : *Portrait d'un jeune enfant* : **FRF 280** – MILAN, 29 oct. 1964 : *Sainte Catherine d'Alexandrie et les Docteurs* : **ITL 1 700 000** – LONDRES, 27 nov. 1970 : *Jeune femme versant du vin* : **GNS 1 700** – ROME, 11 juin 1973 : *Le suicide de Lucrèce* : **ITL 8 000 000** – MILAN, 16 mai 1974 : *San Apollonia* : **ITL 4 800 000** – LONDRES, 1ᵉʳ déc. 1978 : *Suzanne et les vieillards*, h/t, les deux vieillards étant d'une autre main (152x178) : **GBP 9 000** – NEW YORK, 12 juin 1981 : *Salomé*, h/t (111x90) : **USD 10 000** – ROME, 7 juin 1984 : *Sainte Cécile*, h/t, forme octogonale (99x74) : **ITL 18 000 000** – ROME, 12 nov. 1986 : *Madonna Annunciata*, h/t (55x45) : **ITL 7 500 000** – NEW YORK, 4 juin 1987 : *La Vierge et l'Enfant*, h/t (127,5x96,8) : **USD 220 000** – PARIS, 4 mars 1988 : *Céphale pleurant la mort de Massimo Procris*, pinceau et lav. (29x23,3) : **FRF 21 000** – LONDRES, 30 mars 1989 : *Vierge à l'Enfant*, h/t (78,1x64,8) : **GBP 3 520** – NEW YORK, 10 jan. 1990 : *Vierge à l'Enfant*, h/t (77x64) : **USD 55 000** – NEW YORK, 31 mai 1990 : *L'Adoration des Mages*, h/t (246x157,5) : **USD 143 000** – ROME, 19 nov. 1990 : *Portrait d'un jeune gentilhomme*, h/t (125x99) : **ITL 41 400 000** – LONDRES, 3 juil. 1991 : *Le Mariage mystique de sainte Catherine*, h/t (124x150,5) : **GBP 34 100** – LONDRES, 13 déc. 1991 : *La Madone et l'Enfant*, h/t (127x96,5) : **GBP 121 000** – NEW YORK, 17 jan. 1992 : *L'Adoration des Bergers*, h/t (115,6x153,7) : **USD 27 500** – NEW YORK, 14 jan. 1993 : *Le Martyre de saint Laurent*, h/t (208,2x178,3) : **USD 154 000** – ROME, 23 nov. 1993 : *La Fuite en Égypte*, h/t (131x102) : **ITL 66 700 000** – ROME, 29-30 nov. 1993 : *Vierge à l'Enfant*, h/t (73x63) : **ITL 58 925 000** – ROME, 24 nov. 1994 : *Portrait d'un joueur de guitare*, h/t (75x61) : **ITL 76 602 000** – NEW YORK, 31 jan. 1997 : *Sainte Marie-Madeleine en pénitence*, h/t (203,2x151,2) : **USD 46 000**.

STANZL Adolf
Né le 19 avril 1834 à Moldauthein. XIXᵉ siècle. Autrichien.
Peintre et sculpteur.
Fils de Johann Stanzl et élève de son père et de Zorn. Il travailla à Linz à partir de 1856, où il exécuta des tableaux d'autel et des statues.

STANZL Johann
Mort en 1849 à Budweis. XIXᵉ siècle. Autrichien.
Peintre d'histoire et portraitiste.
Père d'Adolf Stanzl.

STAP Jan Woutersz. Voir WOUTERSZ Johan ou Jan
STAPELEN David Van
Né vers 1626. XVIIᵉ siècle. Actif à Middelbourg. Hollandais.
Peintre.
Élève de Jac. Adriaen Backer.

STAPEN F.
XVIIᵉ siècle. Actif probablement dans la seconde moitié du XVIIᵉ siècle. Hollandais.
Peintre.
On cite de lui *Narcisse se regardant dans une flaque d'eau.*

STAPERT Focke
XVIIᵉ-XVIIIᵉ siècles. Hollandais.
Peintre.
Élève de Matthys Naiveu.
VENTES PUBLIQUES : LONDRES, 17 fév. 1978 : *La visite du docteur*, h/pan. (30,4x23,5) : **GBP 2 000**.

STAPF Bartholomäus
Né vers 1710 à Pfronten. Mort en 1766. XVIIIᵉ siècle. Allemand.
Peintre.
Fils et élève de Bonaventura Stapf. Il a peint le plafond de l'église de Heitlern.

STAPF Bonaventura
Né en 1672 à Pfronten. Mort en 1747. XVIIᵉ-XVIIIᵉ siècles. Allemand.
Peintre.
Père de Bartholomäus Stapf. Il travailla à Pfronten. À rapprocher de Bonaventura Stapf qui travaillait à Brixen.

STAPF Bonaventura
XVIIIᵉ siècle. Actif à Brixen. Autrichien.
Peintre.
Le Musée de Brixen conserve de lui *Saint Joachim et sainte Anne* et *Sainte Elisabeth*, œuvres datées de 1739. À rapprocher de Bonaventura Stapf qui travaillait à Pfronten.

STAPF Class ou **Klaus**
Né à Pfronten. XVIIe siècle. Allemand.
Sculpteur.

STAPF Franz Sales ou **Johann Franz Sales**
Né en 1743 à Pfronten. Mort en 1820 à Heitlern. XVIIIe-XIXe siècles. Allemand.
Peintre.
Élève de Balthasar Riepp. Il travailla à Augsbourg et à Rome. Il peignit des plafonds d'églises.

STAPF Franz Xaver
XVIIIe siècle. Actif à Ziertheim. Allemand.
Peintre.
Il travailla en 1793 notamment pour l'abbaye de Neresheim.

STAPF Hans Jörg
Né vers 1650 à Pfronten. Mort après 1716. XVIIe-XVIIIe siècles. Allemand.
Sculpteur et peintre.

STAPF Johann Gabriel
Né en 1740 à Pfronten-Ried. XVIIIe siècle. Allemand.
Sculpteur.
Fils de Mang Anton Stapf. Il travailla d'abord à Pfronten, puis à Kempten.

STAPF Johann Ulrich ou **Stapff**
Né vers 1642. Mort en 1706 à Augsbourg. XVIIe siècle. Allemand.
Graveur.
Il travailla à Augsbourg. Il gravait au burin et fut égalemenr éditeur.

STAPF Joseph
Né en 1718. Mort en 1785. XVIIIe siècle. Allemand.
Sculpteur et architecte.
Probablement frère de Mang Anton Stapf. Il fut l'artiste le plus important de sa famille. Il exécuta des sculptures sur pierre et sur bois, pour les églises d'Innsbruck, de Brixen et de Pfronten.

STAPF Mang Anton
Né en 1704 à Pfronten. Mort en 1775. XVIIIe siècle. Allemand.
Sculpteur et architecte.
Probablement frère de Joseph Stapf. Il travailla pour les églises de Pfronten.

STAPF Maximilian
Né en 1749 à Pfronten. XVIIIe siècle. Allemand.
Peintre.
Fils de Bartholomäus Stapf.

STAPFER Elise
XIXe siècle. Actif à Berne. Suisse.
Peintre de natures mortes et de portraits.
Sœur de Luise Stapfer.

STAPFER Luise
Née le 21 décembre 1792 à Mett. Morte le 7 janvier 1861 à Berne. XIXe siècle. Suisse.
Peintre de natures mortes et de portraits.
Sœur d'Elise Stapfer.

STAPHORST Abraham ou **Staphortius**
Né vers 1638 à Edam. Mort en 1696. XVIIe siècle. Hollandais.
Peintre de portraits.
Il alla à seize ans en Italie, vers 1654 et en revint vers 1660. Il alla en Angleterre deux fois.

STAPLEAUX Louiza Schavije
XIXe siècle. Belge.
Peintre de fleurs et de portraits.
Femme de Michael Ghislain Stapleaux.

STAPLEAUX Michel Ghislain
Né le 26 juin 1799 à Bruxelles. Mort le 28 octobre 1881 à Gien (Loiret). XIXe siècle. Belge.
Peintre d'histoire, compositions mythologiques, intérieurs, portraits, animaux, aquarelliste.
Il fut élève de Jacques-Louis David à Bruxelles. Il fut nommé peintre officiel de la cour de Wurtemberg et professeur à l'Académie des Beaux-Arts de Bruxelles. Les collections du roi de Wurtemberg et celles du prince d'Oldenbourg conservent de ses œuvres.
Il collabora avec son maître, notamment dans *Mars et Vénus*.
BIBLIOGR. : Gérald Schurr, in : *Les Petits Maîtres de la peinture 1820-1920, valeur de demain*, Les Éditions de l'Amateur, t. V, Paris, 1981.

MUSÉES : SOISSONS : *Caniche blanc* – WIESBADEN : *Portrait d'un homme – Portrait d'une femme*.
VENTES PUBLIQUES : PARIS, 10 déc. 1980 : *Jeunes filles du canton de Genève*, aquar. (33x28) : **FRF 7 800**.

STAPLES Clayton Henry
Né le 4 février 1892 à Oscola (Wisconsin). XXe siècle. Américain.
Peintre.
Il fut élève de l'Art Institute de Chicago. Il fut membre du Salmagundi Club.

STAPLES John C., Mrs. Voir **EDWARDS Mary Ellen**

STAPLES Robert Ponsonby, Sir
Né le 30 juin 1853 à Cookstown (Irlande). Mort en 1943. XXe siècle. Britannique.
Peintre de genre, portraits, paysages.
Il fit ses études à Louvain et à Dresde.
MUSÉES : BELFAST : *Construction d'un bateau* – LONDRES (Gal. Nat.) : *Portrait du caricaturiste Phil May* – WORTHING (Gal. mun.) : *Le Dernier Coup pour le prix de la reine*.
VENTES PUBLIQUES : LONDRES, 10 mai 1983 : *Souvenir de Kingcross, Irelande*, aquar. (30,5x45) : **GBP 900** – LONDRES, 9 nov. 1984 : *Portsewart Strand*, h/t (50,8x76,2) : **GBP 1 300** – LONDRES, 12 avr. 1985 : *L'heure du thé*, h/t (59x48) : **GBP 11 000** – COPENHAGUE, 29 août 1991 : *Portrait de femme en robe blanche*, h/t (102x76) : **DKK 5 800** – AMSTERDAM, 19 oct. 1993 : *Le port de Rotterdam avec une église* 1915, aquar./pap. (35x24,5) : **NLG 2 070**.

STAPPEN Charles Van der, ou **Pierre Charles**
Né le 19 décembre 1843 à Bruxelles. Mort en 1900, ou le 21 octobre 1910 à Bruxelles. XIXe siècle. Belge.
Sculpteur de monuments, médailleur et décorateur.
Élève de Portaels à l'Académie des Beaux-Arts de Bruxelles. Il visita la France, l'Angleterre, la Hollande, l'Italie en 1871, Florence en 1873, Naples, Rome de 1876 à 1879. Après un retour à Paris, il se fixa définitivement à Bruxelles. En 1880, il y créa un atelier libre, en 1883 il devint professeur à l'Académie de Bruxelles, d'autres sources le donnent devenu directeur. Il fut élu membre de l'Académie Royale de Belgique.
Après une longue période de sommeil académique, la sculpture belge prit un essor nouveau, dans la seconde moitié du XIXe siècle. Van der Stappen contribua à ce renouveau. Toute sa vie, il fut avide de connaissances nouvelles. C'est ainsi, qu'à l'instar des anciens florentins, il s'exerça dans les domaines les plus divers de son art, et la ville de Bruxelles lui commanda même un surtout de table. Dans sa maturité, il se complut à opposer des corps humains à des animaux, aux volumes plus ondoyants, ou moins plastiques, faisant ainsi ressortir, sans procédé, la nature propre de l'oiseaux, tels *La charmeuse d'oiseaux*, *L'enfant au bouc*. En 1887, il traita la façade du Musée Royal des Beaux-Arts de Bruxelles. Deux œuvres marquent surtout la fin de sa carrière : *Ompdrailles* (Avenue Louise, à Bruxelles) et *Les bâtisseurs de villes* (Parc du Cinquantenaire, à Bruxelles), solides monuments d'un constructeur de formes, sincère et dénué de toute routine.
BIBLIOGR. : In : *Dict. biogr. illustré des artistes en Belgique depuis 1830*, Arto, Bruxelles, 1987 – in : *Dictionnaire de Sculpture*, Larousse, Paris, 1992.
MUSÉES : ANVERS : *David* – BERLIN : *Fillette de Seeland* – BRESLAU, nom all. de Wroclaw : *Chimère* – BRUXELLES : *L'homme avec l'épée* – *Le Sphinx* – *Aimez-vous les uns les autres* – *Alma Mater* – *Baigneuse* – *Groupe de lutteurs* – *Tu dois manger ton pain* – *Mon oncle le juriste* – *Bustes de J. Fr. Portael*, d'*Emile Sacré* et d'*Ed. Agnessens* – *Saint Georges* – BUCAREST (Mus. Simu) : *Argus* – DRESDE (Albertinum) : *Le constructeur de villes* – GAND : *Pax vobiscum* – MAGDEBOURG (Mus. Kaiser Friedrich) : *Plaintes d'une femme* – TOURNAI : *Fileuse au repos* – *Charmeuse* – *Sphinx* – *Pascuccia* – *Pax vobiscum* – VENISE (Gal. d'Art Mod.) : *David* – *Évêque*.
VENTES PUBLIQUES : BRUXELLES, 22 mai 1985 : *Danseuse au serpent*, plâtre, patine brune : **BEF 70 000** – LOKEREN, 5 mars 1988 : *La porteuse de lait*, bronze (H. 51) : **BEF 160 000**.

STAPPEN Simon
XVIe siècle. Allemand.
Sculpteur sur bois.
Il travailla pour le duc de Brunswick dans la première moitié du XVIe siècle et exécuta des sculptures aux façades de maisons bourgeoises de la ville de Brunswick.

STAPPERS Julien
Né en 1875. Mort en 1960. XIXe-XXe siècles. Belge.

Peintre de fleurs, natures mortes.
VENTES PUBLIQUES : BRUXELLES, 27 mars 1990 : *Vase de fleurs*, h/t (80x60) : **BEF 32 000** – AMSTERDAM, 20 avr. 1993 : *Nature morte de fleurs*, h/pan. (49x39) : **NLG 2 300.**

STAQUAR Pedro ou Scachar ou Staxar
D'origine allemande. xvᵉ siècle. Espagnol.
Sculpteur.
Il fut chargé de l'exécution d'un bas-relief représentant la *Passion* dans la chapelle royale de Barcelone.

STAR Dirck Van ou Staren
xvıᵉ siècle. Actif en Hollande. Hollandais.
Graveur.
Les œuvres de cet artiste sont datées de 1520 à 1550. Elles sont marquées, généralement de son monogramme un D et un V séparés par une étoile. On l'appelle quelquefois, le maître de l'étoile. Elles sont d'un bon dessin. Star et Staren que certains biographes séparent en deux notices, sont certainement un même artiste. Il a gravé des sujets religieux, des scènes de genre et des allégories, d'après ses dessins.

STAR François et **Jean**. Voir **STELLA François** et **Jean Van der**

STARABACNIK Johann Baptist
Né le 10 septembre 1657 à Kranj. Mort le 26 novembre 1743 à Kranj. xvııᵉ-xvıııᵉ siècles. Yougoslave.
Peintre.

STARACE Girolamo
Né vers 1730 à Naples. Mort en 1794. xvıııᵉ siècle. Italien.
Peintre de scènes mythologiques, compositions religieuses.
Il travailla pour les châteaux royaux ainsi que pour des églises de Naples.
VENTES PUBLIQUES : ROME, 28 avr. 1981 : *Jésus et la femme adultère*, h/t (95x112,5) : **ITL 3 600 000** – NEW YORK, 12 oct. 1989 : *Le Miracle de Foggia : l'Assomption et le couronnement du portrait de la Vierge de Saint-Luc*, h/t (101x75,5) : **USD 5 500** – ROME, 21 nov. 1995 : *Hercule enfant présenté à Minerve et à Junon*, h/t (49x35) : **ITL 6 482 000.**

STARBUS Johan ou Jaen
Né en 1679 à Amsterdam. Mort en 1724 à Stockholm. xvıııᵉ siècle. Actif en Suède. Hollandais.
Peintre de portraits, miniatures.
Il fut élève de David von Krafft et travailla en Suède.
MUSÉES : STOCKHOLM : *Portraits d'hommes*, miniatures.

STARCH Michael
Né à Villingen. Mort avant 1589. xvıᵉ siècle. Suisse.
Peintre verrier.
Il travailla à Schaffhouse.

STARCK. Voir aussi STARK

STARCK
xvıııᵉ siècle. Actif à Berlin dans la seconde moitié du xvıııᵉ siècle. Allemand.
Sculpteur de monuments.
Il sculpta des tombeaux.

STARCK Carl. Voir STARKE

STARCK Christoph
xvıııᵉ siècle. Allemand.
Peintre et doreur.
Il travailla dans le château d'Ehrenbreitstein près de Coblence de 1713 à 1714.

STARCK Constantin ou Karl Constantin
Né le 2 mars 1866 à Riga. xıxᵉ-xxᵉ siècles. Actif en Allemagne.
Russe.
Sculpteur, médailleur.
Il fut élève d'A. Wolff, Fritz Schaper, F. Herter et Begas à l'académie des beaux-arts de Berlin, et de Adolf Donndorf à l'école des beaux-arts de Stuttgart.
MUSÉES : BERLIN : *Rêverie – Tête de femme – La Source* – DRESDE (Albertina Mus.) : *Buste de femme.*

STARCK Donat
xvııᵉ siècle. Actif à Klagenfurt. Autrichien.

Médailleur.
Il grava des médailles à l'effigie de l'empereur Ferdinand II. Il travailla aussi à Vienne et à Prague.

STARCK F. E.
xıxᵉ siècle. Allemand.
Silhouettiste.
Il vécut à Weimar (?), travaillant en 1805. Le Musée National de Weimar conserve de lui *Wieland assis à son bureau.*

STARCK Hélène
Née le 23 avril 1902 à Berlin. xxᵉ siècle. Allemande.
Peintre de compositions religieuses.
Fille du peintre Constantin Starck, elle peignit des sujets bibliques.

STARCK Jean
Né le 3 septembre 1940 à Cornimont (Vosges). xxᵉ siècle. Français.
Peintre de collages. Abstrait-matiériste. Groupe Art-Cloche.
Il fit des études d'esthétique et théâtrales à Paris, où il vit depuis 1974. En 1980, il rencontre Dubuffet et l'année suivante fonde le groupe *Transmigration*. Il fut membre du groupe Art cloche fondé en 1981, qui occupa un « squatt » de la rue d'Arcueil à Paris, groupe informel contestataire se réclamant de Dada et de Fluxus. Il expose en France et à l'étranger, participant notamment aux expositions du groupe de l'art cloche de 1981 à 1988.
Il confectionne des collages-assemblages d'éléments hétéroclites, dans la lointaine suite de Kurt Schwitters. Il a également réalisé une vidéo performance en 1983.
BIBLIOGR. : In : *Art Cloche. Élément pour une rétrospective. Squatt artistique*, catalogue de ventes, Me Pierre Cornette de Saint-Cyr, lundi 30 janvier 1989, Paris.
VENTES PUBLIQUES : PARIS, 20 nov. 1988 : *Etude primitive*, techn. mixte/cart. (82x101) : **FRF 5 100** – PARIS, 30 jan. 1989 : *Au musée A.C.*, h/t (78x102) : **FRF 3 500** – PARIS, 26 avr. 1990 : *Cheval cosmique*, techn. mixte/pan. (125x145) : **FRF 16 000** – PARIS, 29 nov. 1992 : *Portrait aux deux ors*, techn. mixte/t. (130x114) : **FRF 7 000.**

STARCK Johann
xvııᵉ siècle. Actif à Coblence. Allemand.
Peintre.
Il peignit des portraits et des sujets religieux.

STARCK Johannes Adolf Robert
Né à Riga. Mort le 3 juillet 1885 à Liebenzell. xıxᵉ siècle. Allemand.
Peintre de figures.
Frère de Constantin Starck.

STARCK Julius Josephus Gaspard
Né le 18 mai 1814 à Bastogne. Mort le 2 avril 1884 à Schaerbeek. xıxᵉ siècle. Belge.
Peintre de sujets typiques, scènes de genre, figures.
Il fut élève de Navez et d'Horace Vernet.
MUSÉES : BRUXELLES : *L'Ancien Café de la Kasba à Alger.*
VENTES PUBLIQUES : RIO DE JANEIRO, 26 nov. 1982 : *Chez le barbier en Orient*, h/t (51,5x72,4) : **GBP 3 800** – PARIS, 18 juin 1986 : *La favorite*, h/t (110x96) : **FRF 98 000** – PARIS, 11 déc. 1995 : *Fumeur de chibouk* ; *L'Écrivain public* 1875, h/t (25,5x36) : **FRF 36 000** – LONDRES, 11 oct. 1996 : *Scène dans un café turc*, h/t (44,5x54,5) : **GBP 38 900** – PARIS, 5-7 nov. 1996 : *La Leçon de tchibouk*, h/pan. (21x17) : **FRF 15 000.**

STARCK Petter. Voir STARK

STARCK Simon
xvıııᵉ siècle. Autrichien.
Peintre.
Il travailla au maître-autel de l'église des Franciscains de Graz en 1719.

STARCKE. Voir aussi STARKE

STARCKE Dagmar
Née le 13 décembre 1899 à Copenhague. xxᵉ siècle. Danoise.
Peintre, décorateur.
Femme du sculpteur Henrik Starcke, elle fut élève de Sigurd Wandel.

STARCKE Henrik
Né le 16 avril 1899 à Copenhague. xxᵉ siècle. Danois.
Sculpteur de figures.
Il fut élève d'Ejnar Nielsen.

VENTES PUBLIQUES : COPENHAGUE, 7 avr. 1976 : *La famille heureuse,* bronze (H. 53, Larg. 55) : DKK 4 900.

STARCKE Johann Friedrich
XVIIIe siècle. Actif à Zwickau au milieu du XVIIIe siècle. Allemand.
Sculpteur.
Il a sculpté les fonts baptismaux de l'église de Vielau près de Zwickau en 1755.

STARCKE Richard
Né le 6 décembre 1864 à Naumbourg. XIXe-XXe siècles. Allemand.
Peintre de genre, illustrateur, graveur.
Il fut élève de l'académie des beaux-arts de Berlin. Il vécut et travailla à Weimar.
MUSÉES : FRANCFORT-SUR-LE-MAIN (Inst. Staedel) : *Atelier de cordonnier* – WEIMAR : *Paysan de Thuringe* – *Intérieur d'une ferme en Thuringe* – ZWICKAU : *Paysan de Thuringe.*

STÄRCKLIN. Voir STÖRCHLIN

STARCKMANN P.
Né à La Haye. XVIIIe siècle. Hollandais.
Graveur au burin.
Il a gravé des armoiries et des cartes géographiques.

STARENBERGH Bastiaen ou Starrenburch ou Sterrenburch
Né vers 1588. Mort après 1651. XVIIe siècle. Hollandais.
Peintre.
Il fut aussi connu comme négociant d'art.

STARGK Heinrich
XVIIe siècle. Actif à Hambourg. Allemand.
Dessinateur.
Le Cabinet d'Estampes de Berlin conserve de lui *Couple nu assis dans un paysage,* daté de 1616.

STARING Mauritz Lodewijk Christaen
Né le 12 novembre 1840 à Lochem. Mort le 20 août 1914 à Dordrecht. XIXe-XXe siècles. Hollandais.
Peintre de sujets militaires.
Officier et frère du peintre Willem Constantijn Staring, il fut parfaitement autodidacte.

STARING Willem Constantijn
Né le 16 juin 1847 à Laren. Mort le 17 janvier 1916 à Zutphen. XIXe-XXe siècles. Hollandais.
Peintre de sujets militaires.
Officier et frère du peintre Maurits Lodewijk Staring, il peint des uniformes.

STARITA Lorenzo
Né le 28 décembre 1842 à Bari. XIXe siècle. Italien.
Peintre de portraits et d'intérieurs.
Il fit ses études à Naples.

STARITSKY Ania ou Anna
Née en 1911 à Poltava (Ukraine). Morte le 13 février 1981 à Paris. XXe siècle. Active depuis 1932 en Belgique, depuis 1947 en France. Russe-Ukrainienne.
Peintre, peintre de collages, illustrateur, graveur, graphiste. Abstrait, tendance géométrique.
À Moscou, elle fut élève dans un cours de dessin dirigé par la fille de Tolstoï. Elle fut ensuite élève de l'École des Beaux-Arts de Sofia, en Bulgarie. De 1932 à 1947, elle vécut à Bruxelles, où elle travailla comme dessinatrice. Elle se maria avec le peintre abstrait belge Bill Orix, pseudonyme de Guillaume Hoorickx. Elle se fixa ensuite en France, travaillant à Paris et à Nice.
Elle participe à de nombreuses expositions collectives, notamment : régulièrement à Paris, depuis 1951 au Salon des Réalités Nouvelles. Elle montre des ensembles de ses œuvres dans des expositions personnelles, à Paris, Nice, Bruxelles, Anvers, etc.
Elle a illustré de nombreux ouvrages, poésies et romans, dont : de Pierre Albert-Birot : 1966 *La Belle Histoire,* 1967 *Merci quand même, mon bon Daimon,* 1968 *Deux Poèmes :* Beau-Fixe, *Cri,* 1969 *Divertissement,* 1973 *Quatrains de Chantilly,* de Michel Butor : 1972 *Une Chanson pour Don Juan,* 1974 *Avertissement aux Locataires Indésirables,* 1976 *Devises Fantômes,* et : 1947 *Histoire d'une Marie* d'André Baillon, 1950 *Le Jeu Secret* de Thomas Owen, 1950-52 *Amours de Cassandre, Amours de Marie,*

Sonnets pour Hélène de Ronsard, 1970 *Éclats du Temps* de Jean Follain, 1970 *De la Prairie* d'Eugène Guillevic, 1972 *La Jeune Fille* de Gaston Puel, 1975 *Grimoire* de Jean-Claude Renard.
Elle s'inscrit dans la seconde génération de l'abstraction. Dans des compositions construites selon des schémas à tendance géométrique, elle a su préserver une certaine spontanéité de l'inspiration et de l'exécution, ce qui l'apparente parfois à Jean Deyrolle ou Joseph Lacasse. ■ **J. B.**
BIBLIOGR. : Michel Seuphor, in : *Diction. de la Peint. Abstraite,* Hazan, Paris, 1957 – Luc Monod, in : *Manuel de l'amateur de Livres Illustrés Modernes 1875-1975,* Ides et Calendes, Neuchâtel, 1992.
MUSÉES : PARIS (BN) : *Le Prophète* 1965-1970, linogravure.
VENTES PUBLIQUES : PARIS, 25 oct. 1976 : *Composition,* h/t (80x112) : FRF 2 000 – DOUAI, 1er avr. 1990 : *Composition,* collage/pan. (32,5x44) : FRF 4 100 – PARIS, 27 mars 1995 : *Sans titre* 1956, h/pan. (20x42,5) : FRF 4 300.

STARK. Voir aussi STARCK

STARK Arthur James
Né le 6 octobre 1831 à Chelsea. Mort le 29 octobre 1902 à Nutfield. XIXe siècle. Britannique.
Peintre, d'animaux, paysages, aquarelliste, dessinateur.
Fils de James Stark. Il exposa à la Royal Academy de 1848 à 1883.
MUSÉES : GLASGOW : *Chien et gibier mort* – NORWICH : *Poneys de Dartmoor.*
VENTES PUBLIQUES : LONDRES, 11 juil. 1969 : *Paysage boisé* : GNS 380 – LONDRES, 13 juin 1978 : *Paysage boisé,* aquar. et reh. de blanc (25x35) : GBP 700 – LONDRES, 18 fév. 1983 : *La Forêt St. Leonard près de Windsor* 1875, h/t mar./pan. (40x58,2) : GBP 900 – LONDRES, 16 déc. 1986 : *Paysage boisé avec personnages et ânes au bord d'une rivière,* h/t (45,5x61) : GBP 21 000 – NEW YORK, 9 juin 1995 : *Un hunter bai dans un paysage* 1858, h/t (63,5x76,2) : USD 2 760.

STÄRK Bruno
Né en 1894 à Schweigern. Mort en 1979 à Stuttgart. XXe siècle. Allemand.
Peintre de paysages.
VENTES PUBLIQUES : HEIDELBERG, 9 oct. 1992 : *L'île de Frauenchiemsee,* h/t (34x65) : DEM 1 100.

STARK Gustl
Né en 1917 à Mayence. XXe siècle. Allemand.
Peintre. Tendance abstraite.
Il fit ses études à Würtzburg et à Nuremberg. Il voyagea en Europe et notamment à Paris.
Il participe à de nombreuses expositions de groupe, surtout dans des villes allemandes, ainsi qu'au Salon des Réalités Nouvelles à Paris où on a pu remarquer en 1955 ses élégantes combinaisons de signes graphiques, tenant des idéogrammes de Miro et de ceux de Klee, avec des surfaces de fond suffisamment sourdes pour les mettre en valeur.
BIBLIOGR. : Michel Seuphor : *Dict. de la peinture abstraite,* Hazan, Paris, 1957.

STARK Heinrich
XVIe siècle. Allemand.
Sculpteur sur bois.
Il sculpta avec Hans Dapratzhaus les stalles de l'église Saint-Martin de Memmingen ainsi que celles de l'église de Steingaden.

STARK James
Né le 19 novembre 1794 à Norwich. Mort le 24 mars 1859 à Londres. XIXe siècle. Britannique.
Peintre de paysages, animaux, graveur.
Il fut élève de John Crome pendant trois ans, puis se rendit à Londres où il entra aux Écoles de la Royal Academy. Il commença à exposer à Londres en 1812. Son fâcheux état de santé l'obligea à revenir à Norwich et durant trois ans, il lui fut impossible de peindre. Sa santé s'étant améliorée, il prit une part active aux expositions de la Norwich Society of Artists, dont il faisait partie en 1812. En 1818, il obtint à la British Institution un prix de 50 livres sterling. En 1821, il épousa Elizabeth Dinmore et alla pendant quelques années résider à Yarmouth. Il était de retour à Norwich en 1827 et y commençait la publication de *Scenery of the Rivers Yare, Wavency and Bure.* Il alla ensuite à Londres, à Windsor, où il travailla pendant dix ans et vint enfin terminer sa carrière à Londres.
James Stark tient dans l'école de Norwich une place intéressante, il aime les vastes horizons, les ciels profonds mais on ne

saurait le comparer à ses grands concitoyens Old Crome ou Sell Cotman.

Musées : Édimbourg : *Gowbarrow Park* – Glasgow : *Paysage : scène forestière,* deux œuvres – Londres (Victoria and Albert Mus.) : *Viviers à Hastings – Lloyd's Pulpit, Festimog. North Wales – Viviers et moulin à vent, Hastings – Paysage,* deux œuvres – *Vue perspective de Windsor* – deux aquarelles – Londres (Tate Gal.) : *Vallée de la Yare, Norwich – Paysage de forêt* – Manchester : *Paysage du Norfolk* – Montréal (Learmont) : *Scène à Norwich* – New York (Metropolitan Mus.) : *Le moulin* – *Pâturages* – Norwich : *Baigneurs – Le chêne de la forêt – Entrée de la forêt – Scène de route à Intwood – Château de Windsor* – Nottingham : *Scène forestière avec ruisseau et cottages* – Sheffield : *Paysage.*

Ventes Publiques : Paris, 1874 : *Le Pont de l'Évêque :* **FRF 3 350** ; *Les côtes de Norfolk :* **FRF 6 200** – Londres, 1891 : *La Rivière Weir :* **FRF 11 290** ; *Trumps Mill près de Virginia Water :* **FRF 13 120** ; *Le Ferry :* **FRF 8 500** – Londres, 1892 : *Foire sur les bords du Yare :* **FRF 36 750** ; *La Toilette des moutons :* **FRF 14 430** – Londres, 1894 : *Vue dans la forêt :* **FRF 9 180** – Londres, 1894 : *Paysage boisé :* **FRF 9 970** ; *Vue sur la rivière Yare à Thorpe :* **FRF 13 018** – Londres, 1898 : *Sentier de campagne :* **FRF 8 660** – New York, 1899 : *Vieux Pont dans le Norfolk :* **FRF 4 500** – Londres, 1899 : *La Forêt de Malborough :* **FRF 5 900** – New York, 12-14 mars 1906 : *Paysage et rivière :* **USD 140** – Paris, 16-18 mai 1907 : *A l'entrée de l'allée :* **FRF 3 100** – New York, 17-18 mars 1909 : *Paysage et rivière dans le Norfolk :* **USD 195** – Londres, 18 déc. 1909 : *Vue près de Norwich :* **GBP 19** ; *Paysage boisé :* **GBP 204** – Londres, 21 mars 1910 : *Lisière d'un bois :* **GBP 11** – Londres, 17 juin 1910 : *Le Bac :* **GBP 105** ; *Ruisseau dans un bois :* **GBP 131** – Londres, 13 mars 1911 : *Chemin dans un bois :* **GBP 79** – Londres, 3 avr. 1922 : *Paysage boisé :* **GBP 78** – Londres, 12 mai 1922 : *Lisière d'un bois :* **GBP 94** ; *L'Heure de traire :* **GBP 173** – Londres, 19 mai 1922 : *Un fort à New Forest :* **GBP 409** – Londres, 16 juin 1922 : *Marlingford :* **GBP 168** – Londres, 3 juil. 1922 : *Clairière d'une forêt :* **GBP 94** – Londres, 25-26 juil. 1922 : *Route longeant un bois :* **GBP 115** – Londres, 6 juil. 1923 : *Paysage boisé :* **GBP 273** – Londres, 25 jan. 1924 : *Chaumière parmi les arbres :* **GBP 204** – Londres, 23 mai 1924 : *La Lisière d'un bois :* **GBP 199** – Londres, 13 mars 1925 : *Troupeau buvant :* **GBP 215** – Londres, 15 mai 1925 : *Scène de forêt :* **GBP 220** – Paris, 14 déc. 1925 : *La Famille du tailleur de pierre :* **FRF 310** – Londres, 20 déc. 1925 : *Paysage boisé :* **GBP 294** – Londres, 5 mars 1926 : *Ruisseau aux truites :* **GBP 126** – Londres, 30 avr. 1926 : *Le Loch Shipmeadow :* **GBP 2 205** ; *Pêcheurs sur la Yare :* **GBP 840** – Londres, 14 mai 1926 : *Paysage avec bohémiens :* **GBP 682** – Londres, 25 juin 1926 : *Coin d'un bois :* **GBP 294** – Londres, 23 mars 1928 : *Un vieux loch :* **GBP 189** – Londres, 15 mars 1929 : *Paysage boisé :* **GBP 441** – Londres, 19 avr. 1929 : *Paysage près de Windsor :* **GBP 168** – Londres, 28 fév. 1930 : *La Route de la ferme :* **GBP 378** – New York, 1er mai 1930 : *Paysage :* **USD 270** – New York, 12 nov. 1931 : *Chemin de campagne :* **USD 325** – New York, 23 mars 1934 : *Postwick Grove :* **GBP 231** – New York, 29 mars 1934 : *Le Moulin de Lenwade :* **USD 500** – Londres, 13 avr. 1934 : *Vue de New Forest :* **GBP 798** – Londres, 6 mars 1936 : *La Toilette des moutons à Thorpe :* **GBP 588** – Londres, 24 juil. 1936 : *Vue de Holne :* **GBP 194** – Londres, 19 juil. 1937 : *En route pour la foire :* **GBP 220** – Londres, 3 mai 1940 : *Paysage boisé :* **GBP 115** – Londres, 26 juin 1941 : *Route de sous-bois :* **GBP 780** – Paris, 29 jan. 1943 : *Paysage animé,* attr. : **FRF 13 000** – New York, 28 fév. 1945 : *Paysage :* **USD 625** – Londres, 12 juil. 1946 : *Près de Norwich :* **GBP 1 732** – Londres, 31 jan. 1947 : *Lambeth :* **GBP 546** – Londres, 11 juil. 1947 : *Chemin du Norfolk :* **GBP 399** – Londres, 18 nov. 1949 : *Troupeau dans un paysage :* **GBP 252** – Londres, 16 déc. 1949 : *Jeune fille pourchassant des oiseaux :* **GBP 315** – Londres, 5 juin 1950 : *Route à travers bois :* **GBP 262** – Londres, 8 déc. 1950 : *Scène de rivière :* **GBP 609** – Londres, 3 oct. 1958 : *Scène sur le Greta, Yorkshire :* **GBP 420** – Londres, 24 juil. 1959 : *Vue sur le Yare avec des pêcheurs et leurs filets :* **GBP 2 310** – Londres, 13 avr. 1960 : *Postwick Reach, sur la rivière Yare près de Thorpe :* **GBP 1 250** – Londres, 19 avr. 1961 : *Cavalier bavardant avec un bouvier près d'un moulin à vent :* **GBP 780** – Londres, 22 nov. 1963 : *Paysage boisé avec troupeau :* **GNS 1 600** – Londres, 9 déc. 1964 : *Near Cromer :* **GBP 3 000** – Londres, 25 juin 1965 : *Paysage boisé :* **GNS 3 800** – Londres, 20 oct. 1968 : *Paysage fluvial avec barques :* **GBP 3 200** – Londres, 20 nov. 1969 : *Paysage boisé :* **GBP 5 400** – Londres, 17 juin 1970 : *Paysage d'été :* **GBP 3 800** – Londres, 6 avr. 1973 : *Paysage fluvial boisé :* **GNS 2 800** – Londres, 26 juil. 1974 : *Paysage fluvial boisé :* **GNS 1 000** – Londres, 18 juin 1976 : *Paysage boisé à la rivière,* h/t (44x59,5) : **GBP 4 500** – Londres, 20 juil. 1976 : *Paysage au moulin,* aquar. (25,5x35,5) : **GBP 400** – Londres, 23 nov. 1977 : *Paysage au moulin,* h/pan. (28x46) : **GBP 3 200** – Londres, 15 mars 1978 : *Cavalier dans un paysage boisé 1834,* h/t (59,5x90) : **GBP 2 000** – Londres, 21 nov. 1980 : *Cromer Sands,* h/t (103x154,3) : **GBP 22 000** – Londres, 17 juin 1981 : *Postwick Reach near Thorpe,* h/t (61,5x100) : **GBP 8 000** – Londres, 16 nov. 1983 : *Whitlingham près de Norwich,* h/pan. (43x61) : **GBP 5 500** – Londres, 19 nov. 1985 : *Winterton, Norfolk,* aquar., gche et cr. (21,8x33) : **GBP 800** – Londres, 29 jan. 1988 : *Paysanne trayant une vache et garçon de ferme dans un paysage,* h/pan. (41x54,3) : **GBP 1 980** – Londres, 25 jan. 1989 : *Les Environs de Cromer dans le Norfolk,* aquar. (12,5x25) : **GBP 770** – Londres, 15 nov. 1989 : *Paysage avec un campement de bohémiens au bord du chemin,* h/pan. (51x68) : **GBP 11 000** – Londres, 14 mars 1990 : *Cerfs en lisière de forêt,* h/t (47,5x38,5) : **GBP 6 050** ; *Jardinier au bord du bassin dans un parc,* h/t (44,5x59,5) : **GBP 8 580** ; *Vue de Bradistone Cottage dans le Norfolk,* h/t (44,5x90) : **GBP 10 450** – Londres, 12 juil. 1991 : *Lavandière près d'un moulin à eau avec des vaches dans une prairie dans un paysage fluvial,* h/t (75x106) : **GBP 8 800** – Londres, 18 nov. 1992 : *Enfants avec un chien dans l'allée d'un parc,* h/cart. (39x30) : **GBP 3 080** – Londres, 15 déc. 1993 : *La Rivière Weir,* h/t (93,4x142,9) : **GBP 41 100** – St. Asaph (Angleterre), 2 juin 1994 : *La Tonte des moutons à Thorpe,* h/t (84x112) : **GBP 91 700** – Londres, 3 avr. 1996 : *Vue de Marham dans le Norfolk,* h/pan. (26x36) : **GBP 8 625** – Londres, 13 nov. 1996 : *Garenne,* h/t (73,5x61) : **GBP 9 775.**

STARK Johann Josef
Né à Schönfeld (Bohême). Mort en 1748 à Prague. xviiie siècle. Autrichien.
Peintre et aquafortiste.
On cite de lui *Deux cavaliers devant l'auberge.*

STARK Johann Karl
Né le 4 juillet 1774 à Œdenbourg. Mort le 7 février 1811 à Vienne. xviiie-xixe siècles. Autrichien.
Peintre et aquafortiste.
Il fit ses études à Dresde et à Vienne. Il peignit des paysages et des portraits.

STARK Joseph ou Josef August
Né le 6 mars 1782 à Graz. Mort le 23 juillet 1838 à Graz. xixe siècle. Autrichien.
Peintre d'histoire et graveur à l'eau-forte.
Il étudia d'abord la théologie et le droit puis travailla la peinture à l'Académie de Vienne. En 1817, il fut nommé directeur de l'Académie de Graz. En 1826 il voyagea en Italie. Le Musée de Graz conserve de lui : *Portrait de l'artiste ; Cimon allaité par sa fille ; Susanne au bain ; L'empereur Maximilien sur la Martinswand ; L'Immaculée ; Baumkirchner défend la porte de Wiener-Neustadt ; Le philosophe Cléanthe ; Anna von Gösting se précipite du haut du rocher ; Saint Grégoire, pape ; Œdipe à Colonne ; Saint Borromée prie pour la libération de Milan de la peste ; Baptême du Christ.* Il a, d'autre part, gravé des sujets religieux et des scènes de genre.

STARK Margaret
xxe siècle. Américaine.
Peintre.
Elle a régulièrement exposé à la fondation Carnegie de Pittsburgh. Elle a assimilé les techniques descriptives de l'art européen.

STARK Marietta
Née le 8 septembre 1865 à Trieste. xxe siècle. Autrichienne.
Peintre, aquarelliste.
Elle fit ses études à Budapest.

STARK Otto
Né le 29 janvier 1859 à Indianapolis. Mort le 24 avril 1926 à Indianapolis. xixe-xxe siècles. Américain.
Peintre de genre, portraits, paysages, illustrateur.
Il fit ses études à Cincinnati et New York, puis continua ses études à l'académie Julian à Paris.
Musées : Cincinnati – Indianapolis.

STARK Petter ou Starck
xviie siècle. Actif dans la seconde moitié du xviie siècle. Suédois.
Peintre et doreur.
Il peignit le retable de l'église de Rödeby et les barrières du chœur de celle de Fridlefstad.

STARK Robert
Né le 1ᵉʳ mai 1853 à Torquay. Mort le 27 août 1931 à Victoria (Colombie anglaise). XIXᵉ-XXᵉ siècles. Britannique.
Sculpteur d'animaux, peintre de paysages.
Il exposa à Londres, notamment à la Royal Academy et à Suffolk Street de 1883 à 1897.
MUSÉES : LONDRES (Tate Gal.) : *Rhinocéros indien.*

STARK Samson
Né en 1586. Mort avant 1632. XVIIᵉ siècle. Actif à Berne. Suisse.
Peintre verrier.
Le Musée historique de Berne conserve un grand nombre de vitraux peints par cet artiste.

STARK Teréz
Né en 1856 à Milan. XIXᵉ siècle. Actif à Budapest. Hongrois.
Peintre de portraits et de figures.

STARK Tom
Né en 1959 à Bad Dürkheim. XXᵉ siècle. Allemand.
Artiste, auteur de performances, vidéaste.
Il vit et travaille à Darmstadt.
Il a participé en 1992 à l'exposition *De Bonnard à Baselitz – Dix Ans d'enrichissements du cabinet des estampes* à la Bibliothèque nationale à Paris.
Il réalise des photographies, vidéos, performances et livres d'artistes.

STARKE. Voir aussi **STARCKE**

STARKE Carl ou **Starck**
XVIIIᵉ-XIXᵉ siècles. Allemand.
Graveur au burin et à l'eau-forte.
Il vécut à Weimar, travaillant de 1790 à 1810. Il illustra des œuvres d'anatomie et dessina des caricatures.

STARKE Friedrich ou **Johann Friedrich**
Né le 5 février 1802 à Kölln (près de Meissen). Mort le 10 janvier 1872 à Dresde. XIXᵉ siècle. Allemand.
Peintre de fleurs et de fruits.
Élève de l'Académie de Dresde. Il fut professeur de dessin des enfants de Louis-Philippe à Paris. Il travailla pour la Manufacture de porcelaine de Meissen.

STARKE Heinrich Eduard
Né le 25 juin 1802 à Weimar. Mort après 1834. XIXᵉ siècle. Allemand.
Dessinateur et architecte.
Fils de Johann Christian Thomas. Il illustra les œuvres scientifiques de Goethe.

STARKE Johann
Mort vers 1815. XIXᵉ siècle. Actif à Meissen. Allemand.
Peintre de fleurs et de fruits.

STARKE Johann Christian Thomas
Né en 1764 probablement à Weimar. Mort le 6 février 1840 probablement à Weimar. XVIIIᵉ-XIXᵉ siècles. Allemand.
Graveur au burin.
Pierre de Heinrich Eduard Starke. Il grava des illustrations de livres et des cartes géographiques.

STARKE Konrad
Né en septembre 1870 à Leuben (près de Lommatzch). Mort le 21 janvier 1911 à Paris. XIXᵉ-XXᵉ siècles. Allemand.
Peintre de figures, portraits, paysages, graveur.
Il fut élève de H. Bürkner et d'Ernst M. Geyger à Dresde. Peintre et aquafortiste, il réalisa aussi des lithographies.

STARKE Lorenz
Né vers 1775 à Vienne. XIXᵉ siècle. Autrichien.
Paysagiste.
Élève de M. von Molitor.

STARKE Marie Wilhelmine
Née le 2 août 1860 à Ballenstedt. Morte le 6 mars 1912 à Hambourg. XIXᵉ-XXᵉ siècles. Allemande.
Peintre de paysages, graveur.
Elle fit ses études aux académies de Dresde, de Vienne et de Munich. Elle grava des paysages italiens.

STARKE Oskar
Né le 7 mars 1870 à Dresde. XIXᵉ-XXᵉ siècles. Allemand.
Peintre de paysages.
Il fut élève de l'académie des beaux-arts de Dresde.

STARKE Ottomar
Né le 21 juin 1886 à Darmstadt. XXᵉ siècle. Allemand.

Peintre, peintre de décors de théâtre, graveur.
Il fut élève de Maximilien Dasio à Munich. Il travailla pour les théâtres de Mannheim, Francfort, Düsseldorf et de Darmstadt.
MUSÉES : FRIBOURG : *La Calabre.*

STARKE Paul
Né le 16 avril 1864 à Lauchhammer. XIXᵉ-XXᵉ siècles. Allemand.
Peintre, décorateur.
Il fut élève de l'école des arts décoratifs de Dresde, où il vécut et travailla, de celle de Nuremberg et de Berlin.

STARKE Wilhelm
XVIIᵉ siècle. Actif à Gotha. Allemand.
Peintre.

STARKENBORGH Jacobus Nicolas, baron Tjarda Van
Né en 1822 à Wehe. Mort le 4 août 1895 à Wiesbaden. XIXᵉ siècle. Hollandais.
Peintre de paysages animés, paysages.
Il fut membre de l'Académie d'Amsterdam.
MUSÉES : AMSTERDAM : *Vache* – GDANSK, ancien. Dantzig (Mus. mun.) : *Paysage de Thuringe* – SYDNEY : *Scène forestière dans la Virginie de l'Ouest.*
VENTES PUBLIQUES : VIENNE, 30 mai 1967 : *Matinée d'été* : ATS 28 000 – VIENNE, 14 juin 1977 : *Moissonneurs dans un paysage alpestre,* h/t (43,5x60,5) : ATS 65 000 – NEW YORK, 12 mai 1978 : *Paysage avec troupeau,* h/t (92x129) : USD 2 200 – NEW YORK, 18 sep. 1981 : *Voyageurs dans un paysage alpestre* 1866, h/t (84x107) : CAD 3 300 – NEW YORK, 1ᵉʳ mars 1984 : *L'heure de la traite* 1874, h/t (50,8x75,5) : USD 1 500 – CHESTER, 4 oct. 1985 : *Westphalia, Dusseldorf,* h/t (91x126) : GBP 2 900 – AMSTERDAM, 28 oct. 1992 : *Paysage boisé animé avec une belle demeure au fond,* h/t (73,5x153) : NLG 21 850 – NEW YORK, 26 mai 1993 : *Les moissonneurs,* h/t (81,3x94) : USD 7 763 – AMSTERDAM, 16 avr. 1996 : *Une famille de montagnards,* h/t (27x38) : NLG 3 540.

STARKER Erwin
Né le 8 février 1872 à Stuttgart. XIXᵉ-XXᵉ siècles. Allemand.
Peintre de paysages.
Il fut élève d'Albert Kappis à l'école des beaux-arts de Stuttgart et de Gustav Schönleber. Il alla faire ses études en Hollande, en Belgique, à Vienne, en Styrie, à Paris, Berlin, Dresde, etc. et se fixa à Stuttgart.
MUSÉES : STUTTGART (Mus. nat.) : *Paysage – Vallée de la Meuse, près de Dinant* – STUTTGART (Mus. mun.) : *Paysage de Souabe – Chênes – Paysage des bords du Neckar* – ULM (Mus. mun.) : *Intérieur de forêt.*

STARKIE Edith. Voir **RACKHAM Edith**

STÄRKLIN. Voir **STÖRCHLIN**

STARKOPF Anton
Né le 11 avril 1889 à Koil. XXᵉ siècle. Actif en France et en Allemagne. Russe-Estonien.
Sculpteur.

STARKOVSKI Sergueï
Né en 1952 à Yaroslavl. XXᵉ siècle. Russe.
Peintre de natures mortes.
Il fréquenta l'école des beaux-arts de Yaroslavl où il vit toujours. Il est membre de l'Union des Peintres de Russie. Il participe à des expositions dans son pays et à l'étranger.
VENTES PUBLIQUES : PARIS, 14 déc. 1993 : *Nature morte à la verseuse* 1991, h/t (70x75) : FRF 4 000.

STARKWEATHER-BLOOMFIELD William Edward ou **Bloomfield**
Né en 1879 à Edimbourg (Écosse). Mort en 1969. XXᵉ siècle. Actif aux États-Unis. Britannique.
Peintre de figures, paysages, marines. Postimpressionniste.
Il fut élève de l'Art Students' League de New York, où il vécut et travailla, puis de l'académie Colarossi à Paris, et du peintre espagnol Joaquin Sorolla y Bastida à Madrid. Il fut membre du Salmagundi Club. Il obtint de nombreuses distinctions. Il écrivit aussi sur l'art.
Au cours d'un séjour en Bretagne, il a peint des paysages de Belle-Ile-en-Mer.
VENTES PUBLIQUES : NEW YORK, 21 mai 1991 : *Les Falaises et la mer à Peggy's Cove,* h/t (40,6x50,1) : USD 2 860 – NEW YORK, 23 sep. 1992 : *Le Vieil Henry et son petit-fils* 1908, h/t (73,5x91,5) : USD 6 600.

STARKY Geoffroy ou **Starley**
XIVᵉ siècle. Actif au milieu du XIVᵉ siècle. Britannique.

Peintre verrier.

Il travailla pour la chapelle Saint-Étienne de l'abbaye de Westminster en 1351.

STARKY Richard
XVIe siècle. Britannique.
Sculpteur.

Ce sculpteur sur albâtre travailla à Nottingham, en 1529.

STARLING Albert
Mort en 1913. XIXe-XXe siècles. Britannique.
Peintre de genre, portraits, marines.

Il vécut et travailla à Sutton. Il exposa à Londres, notamment à la Royal Academy et à Suffolk Street à partir de 1878.

Musées : LIVERPOOL : *Étrangers dans un pays étrange*.

Ventes Publiques : LONDRES, 12 mai 1989 : *La marchande d'oranges*, h/t (30x25) : GBP 1 210.

STARLING M. J.
XIXe siècle. Actif à Londres dans la première moitié du XIXe siècle. Britannique.
Graveur sur acier.

Il grava d'après T. Alla, W. Leitch et T. P. Neale.

STARLING Thomas
XIXe siècle. Actif à Londres de 1820 à 1840. Britannique.
Graveur d'ex-libris.

STARLING William Francis
XIXe siècle. Actif à Londres dans la première moitié du XIXe siècle. Britannique.
Graveur au burin.

Il grava des illustrations pour des drames de Shakespeare.

STARMAYR Gottlieb ou Johann Gottlieb
XVIIIe siècle. Travaillant de 1720 à 1740. Autrichien.
Peintre.

Il exécuta des peintures pour des églises de Dürnstein et de l'abbaye de Klosterneuburg. Il fut le maître du peintre dit « Kremser Schmidt ».

STARN Doug et Mike, dits Starn Twins (les jumeaux Starn)
Nés en 1962 à Boston (Massachusetts). XXe siècle. Américains.
Peintres de compositions religieuses, peintres de collages, graveurs, technique mixte. Tendance conceptuelle.

Ils firent des études d'art plastique à Boston.

Ils participent à des expositions collectives : 1987 Biennale du Whitney Museum à New York.

Ils travaillent à partir de photographies, agrandies, coloriées grâce à divers colorants, coupées puis reconstituées et collées par du scotch, du ruban adhésif noir, souvent recouvertes de couleur (bleu, jaune), de grands transparents, et fixées à des tasseaux de bois ou directement au mur, par des agrafes, punaises ou scotch. Leurs œuvres, bâclées, car froissées, tachées, piétinées, en apparence éphémères, se référent à l'histoire de la peinture : Philippe de Champaigne et la *Crucifixion* (1985), Rembrandt et *Double Rembrandt (avec pas)* (1987-1991), Géricault et *Le Radeau de la Méduse en bleu et jaune* (1990-1991).

Bibliogr. : Nancy Jones : *Doug et Mike Starn : La reconstruction du vide*, Artstudio, n° 23, Paris, hiver 1991 – Jean Luc Chalumeau : *Histoire critique de l'art contemporain*, coll. *Études*, Klincksieck, Paris, 1994.

Ventes Publiques : NEW YORK, 4 mai 1989 : *Sans titre*, photo. et ruban adhésif dans un cadre de bois (48,2x62,8) : USD 7 700 – NEW YORK, 23 fév. 1990 : *Chevaux*, montage de photo. et bandes de cellophane dans un cadre (104,3x87) : USD 30 800 – NEW YORK, 9 mai 1990 : *Nature morte macabre 1985*, impression argent et bandes adhésives/cart. (152,4x101,6) : USD 38 500 – NEW YORK, 13 nov. 1991 : *Frères siamois (jaune, noir et blanc)* 1990, silicone et film (99x73,6) : USD 8 800 – PARIS, 30 nov. 1991 : *Sans titre* 1989, impression photographique/feuille de Plexiglas, métal et bois (132x114) : FRF 52 000 – NEW YORK, 6 mai 1992 : *Essai de rayures sur grand portrait bleu de Ian et avec des ouvertures*, collage de bandes adhésives sur photo. (292x182) : USD 9 350 – NEW YORK, 19 nov. 1992 : *Portrait de Stark*, photo-collage avec des rubans adhésifs de cellophane dans un cadre de l'artiste (274,3x200,7) : USD 17 600 – PARIS, 4 déc. 1992 : *Buste*, impression argent (245x115) : FRF 65 000 – NEW YORK, 3 mai 1994 : *Sans titre* 1989, photo. en noir et blanc et émulsion avec du bois et de l'acier (130,2x119,4x38,7) : USD 9 200 – NEW YORK, 24 fév. 1995 : *Manque de compassion*, impression argent avec acé-

tate et ruban adhésif/bois (261,6x19,1) : USD 5 750 – NEW YORK, 8 mai 1996 : *Christ aux barres*, collage de grav. argentée et ruban adhésif (105,4x170,2) : USD 20 125.

STARNINA Gherardo di Jacopo, appelé aussi Maître de l'Enfant Alerte
Né en 1354 à Florence. Mort entre février 1409 et octobre 1413 à Florence. XIVe-XVe siècles. Italien.
Peintre de compositions religieuses.

Il fut élève de Antonio Veneziano. On le cite dans la corporation des peintres florentins en 1387 sous le nom de Gherardo et Jacopo Starna. Vasari rapporte qu'il alla en Espagne, sous le nom de Jaime ou Jaume, appelé à la Cour et qu'il y exécuta pour le roi diverses peintures dont il fut bien payé. On dit qu'il eut pour élève Masolino da Panicale.

Venu deux fois à Valence, Starnina a certainement influencé les peintres espagnols à l'affût de recherches nouvelles. Lui-même laissa à Valence le retable de Bonifacio Ferrer représentant la *Crucifixion* entourée des sept sacrements placés dans des médaillons reliés aux plaies du Christ par des rayons lumineux. Les volets représentent le *Baptême du Christ* et la *Conversion de Saint Paul* tandis que la prédelle raconte *L'Entrée de Bonifacio Ferrer à la Chartreuse de Portacoeli*. Si la prédelle dénote un goût siennois, la partie principale du retable montre un art fait de simplifications quelquefois audacieuses. Ces deux tendances se retrouvent dans son œuvre intitulée *La Thébaïde*.

Musées : FLORENCE (Mus. des Offices) : *La Thébaïde* – MADRID (église de Santa Croce) : *Saint Jérôme mourant expliquant ses archives à ses disciples* – MADRID (cathédrale de Prato) : *Scènes de la vie de la Vierge* – MOULINS : *Crucifixion*.

Ventes Publiques : LONDRES, 8 mai 1929 : *Deux sujets de la légende de saint Michel* : GBP 760 – LONDRES, 29 mars 1935 : *La Vierge et l'Enfant* : GBP 210 – PARIS, oct. 1945-juil. 1946 : *La Vierge et l'Enfant* pour d'or, attr. : FRF 60 100 – PARIS, 10 fév. 1992 : *Sainte Catherine d'Alexandrie et Saint Jean-Baptiste*, temp./fond or/pan. de peuplier (26,5x30) : FRF 200 000 – NEW YORK, 30 jan. 1997 : *La Tête d'un ange*, temp. et dorure/pan., de forme ovale (14,6x28,9) : USD 26 450 – PARIS, 17 déc. 1997 : *La Vierge allaitant l'Enfant*, temp./pan. fond or (79x48) : FRF 210 000.

STARODOUBSTEV Serge
Né en 1951. XXe siècle. Russe.
Peintre de nus, figures, animaux.

Il fut élève de l'école des beaux-arts V. I Moukhina et membre de l'association des Peintres de Léningrad.

Il a subi l'influence de Chagall. Il met en scène un monde intemporel, aisément identifiable, fait de rêves.

Musées : SAINT-PÉTERSBOURG (Mus. russe) – SAINT-PÉTERSBOURG (Mus. d'Hist.).

STAROS Gottfried
Né vers 1636. Mort le 28 septembre 1665 à Zittau. XVIIe siècle. Allemand.
Peintre.

STAROST Caspar
XVIe siècle. Actif au milieu du XVIe siècle. Allemand.
Sculpteur sur bois.

Il a sculpté la chaire dans l'église de la Montagne à Muskau.

STAROWIEYSKI Franciszek
Né le 8 juillet 1930 à Cracovie. XXe siècle. Actif aussi en France. Polonais.
Dessinateur de figures, groupes, compositions à personnages. Fantastique.

Il fit ses études à l'Académie des Beaux-Arts à Cracovie et à Varsovie. Peintre et dessinateur réputé pour ses affiches, il a enseigné à l'École des Beaux-Arts de Berlin en 1980. Il a participé à de nombreuses expositions collectives, parmi lesquelles : l'Arsenal de Varsovie en 1955, la Biennale des Jeunes de Paris en 1963, la Biennale internationale de São Paulo en 1973 et la Biennale de Venise en 1986. Il a eu également plusieurs expositions personnelles, en Pologne et à l'étranger : Berlin, Paris, Zurich, Rome, New York, Moscou. Depuis 1980, il réalise des « théâtres de dessin », sortes de performances qui consistent à dessiner et peindre devant public et durant plusieurs jours consécutifs, d'immenses compositions qui se modifient et évoluent en cours d'exécution.

Profondément marqué par l'histoire de la peinture et en particulier la période qui va du maniérisme au baroque, il antidate ses tableaux de trois cents ans, et leur donne parfois des titres latins.

Mais il ne pratique pas pour autant l'imitation servile : si sa technique est proche de celle des anciens maîtres, si l'on y retrouve le « contraposto », la « figura serpentina », le « disegno artificiale », les personnages représentés sont des figures de la mythologie post-moderne, effrayantes, apocalyptiques, « coupée(s) de l'harmonie divine » comme le dit Jean-Louis Ferrier. Corps difformes, adipeux, hérissés de piquants, à têtes de rapaces ou acéphales, pourvus d'ailes qui semblent les encombrer, tels sont les monstres qui peuplent les compositions de Starowieyski. Ce dernier déclare pourtant à leur propos : « On évoque à mon sujet l'horreur, la cruauté, certaines expressions démoniaques, la magie, la cabale, le masochisme. Je supporte cette cruauté mais je n'aime pas toutes ces définitions. Mes personnages sont toujours classiques et parfaits comme chez Raphaël ; ils ont tous des aspirations élevées et des attitudes pleines de dignité. Je rêve, dans l'absolu, d'un art parfait et idéal ». ■ A. G.
Bibliogr. : Catalogue de l'exposition *Santa Conversazione. Franciszek Starowieyski, opere dal 1956 al 1990*, Galerie Spicchi dell'Est, Rome, 1991.

STARR Louisa, plus tard Mme Canziani
Née en 1845 à Londres. Morte en mai 1909 à Londres. XIXe siècle. Britannique.
Peintre de genre, d'histoire et portraits.
Elle exposa à Londres sous son nom de jeune fille de 1863 à 1884, trente-six œuvres à la Royal Academy et deux à Suffolk Street. Après son mariage, elle reprit ses expositions à la Royal Academy, surtout des portraits à partir de 1885. Le Musée de Liverpool conserve d'elle : *Sintram*.
Ventes Publiques : LONDRES, 20 fév. 1909 : *Portrait d'une dame* : **GBP 4** – LONDRES, 24 avr. 1911 : *Contemplation* : **GBP 15**.

STARR Sydney
Né le 10 juin 1857 à Kingston-upon-Hull. Mort le 3 octobre 1925 à New York. XIXe-XXe siècles. Américain.
Peintre de genre, portraits, paysages, décorateur.
Il fut membre de la Society of British Artists. Il exposa à Londres, notamment à la Royal Academy et à Suffolk Street à partir de 1872. Il participa à des expositions collectives à Paris, notamment à l'Exposition universelle de 1889 où il reçut une médaille de bronze.

STARRENBERG Johann
Mort en 1759 à La Haye. XVIIIe siècle. Hollandais.
Peintre.

STARRENBERG Johann Van ou Sterenberg ou Sterrenberg
Né à Groningue. XVIIe siècle. Actif dans la seconde moitié du XVIIe siècle. Hollandais.
Peintre.
Il peignit des portraits.

STARRENBURCH Bastiaen. Voir STARENBERGH

STARTER Daniel
XVIIe siècle. Actif à Augsbourg. Allemand.
Sculpteur.
Il travailla pour la cathédrale de Freising de 1624 à 1625.

STARTUP Peter
Né le 11 décembre 1921 à Fulham (Londres). XXe siècle. Britannique.
Peintre, dessinateur, peintre à la gouache, sculpteur de figures.
Il fit ses études à Londres, à la Hammersmith School of Arts and Crafts de 1935 à 1939, à la Central School de 1943 à 1944, à la Ruskin School of Drawing de 1944 à 1945 et à la Slade School de 1945 à 1948, où il commença à s'intéresser à la sculpture, qu'il étudia grâce à une bourse du British Council, à l'abbaye de La Cambre à Bruxelles de 1948 à 1949. Il a enseigné à l'école d'art de Guilford de 1949 à 1959, à l'école d'art de Ealing à partir de 1960, à l'école d'art de Winbledon à partir de 1962.
Il montre ses œuvres dans des expositions personnelles : pour la première fois des gouaches et des dessins en 1952, pour la première fois des sculptures en 1962 à l'Association internationale des Artistes.
Il abandonna la peinture pour se consacrer à la sculpture vers 1951.
Musées : LONDRES (Tate Gal.) : *Up-ended Figure* 1961.

STARZEWSKI Jan
XVIIIe siècle. Actif à Zolkiev. Polonais.
Peintre.

STARZYNSKI Boleslav
Né en 1834 à Varsovie. Mort en 1900. XIXe siècle. Polonais.
Peintre, sculpteur et orfèvre amateur.
Le Musée national de Varsovie conserve de lui une peinture *Cheval à l'abreuvoir*, et des sculptures *Veit Stoss* ; *Charretier polonais avec deux chevaux* ; *Trompette polonais* ; *Cavalier luttant contre un ours.*

STAS Dirick
Né à Kampen. XVIe siècle. Actif dans la seconde moitié du XVIe siècle. Hollandais.
Peintre verrier.
Père de Jan Stas.

STAS Guillaume
Né le 13 juin 1802 à Louvain. Mort le 28 août 1859 à Louvain. XIXe siècle. Belge.
Sculpteur.
Élève de l'Académie de Louvain et de Rude à Bruxelles. Il sculpta des bustes.

STAS Jan
Né à Kampen. XVIe siècle. Actif dans la seconde moitié du XVIe siècle. Hollandais.
Peintre verrier.
Fils de Dirick Stas.

STASCHUS Daniel
Né le 22 mars 1872 à Girreniken. XIXe-XXe siècles. Allemand.
Peintre de paysages, graveur.
Il fut élève de l'académie des beaux-arts de Königsberg.
Musées : KALININGRAD, ancien. Königsberg (Mus. mun.) : *Soir d'été à Nidden.*

STASCHUS-FLOESS Paule
Née le 19 novembre 1878 à Francfort-sur-le-Main. XXe siècle. Allemande.
Peintre de paysages, natures mortes.
Femme du peintre Daniel Staschus, elle fit ses études à Königsberg, où elle vécut et travailla, et à Munich.

STASHKEVETCH Jospeh
XXe siècle.
Dessinateur de paysages urbains.
Il a montré ses œuvres pour la première fois dans une exposition personnelle en 1995 à New York.
Il a réalisé une série sur la banlieue new yorkaise, au crayon Conté et à l'aquarelle, de grand format (un mètre sur un mètre cinquante), d'après des photographies ratées en apparence. Ses dessins d'une grande qualité technique, en noir et blanc, évoquent un monde en mouvement (trains, voitures hantent les lieux) déserté par l'homme.
Bibliogr. : Vincent Katz : *Jospeh Stashkevetch*, Art Press, n° 208, Paris, déc. 1995.

STASIAK Ludwik ou Louis
Né en 1858 à Bochnia. Mort en 1924. XIXe-XXe siècles. Polonais.
Peintre de genre, compositions animées, paysages.
Il fut élève de Jan Matejko à Cracovie, d'August Eisenmenger à Vienne, et de Alexander Van Liezen-Mayer à Munich. Il peignit des scènes de la vie populaire et des paysages polonais.
Ventes Publiques : NEW YORK, 13 déc. 1985 : *Souvenir de la révolution de Kosciusko*, h/t (80x149) : **USD 2 600**.

STASITZKY
Né peut-être à Klausenbourg. XIXe siècle. Actif au début du XIXe siècle. Hongrois.
Peintre.
Il peignit des portraits.

STASIULEWICZ Stanislaw
Né le 13 décembre 1955. XXe siècle. Polonais.
Peintre de paysages, compositions.
Il fit ses études sous la direction de Jan Szancenbach à l'académie des beaux-arts de Varsovie dont il sortit diplômé. En Pologne, il a participé aux salons Arts contemporains polonais, et Arsenal 88 à Varsovie. À l'étranger, il participe à des expositions collectives en Suède, en U.R.S.S., en Autriche et en Allemagne. Il a montré ses œuvres dans des expositions personnelles en Pologne, dans des galeries et à l'église St. Vincent de Paul de Bydgoszcz.

STASNY Mathias. Voir STIASNY

STASSEN Franz
Né le 12 février 1869 à Hanau (Hesse). Mort en 1949. XIXe-XXe siècles. Allemand.

Peintre de compositions mythologiques, aquarelliste, peintre de compositions murales, peintre de cartons de tapisserie, dessinateur, illustrateur.
Il fut élève de l'académie des beaux-arts de Berlin. Il exécuta des peintures décoratives sur des sujets empruntés à la mythologie germanique. Il fut illustrateur de livres et dessina les cartons des tapisseries wagnériennes de la Chancellerie du IIIe Reich.
BIBLIOGR. : In : *Dict. des illustrateurs 1800-1914*, Ides et Calendes, Neuchâtel, 1989.
MUSÉES : ALTENBURG.
VENTES PUBLIQUES : LONDRES, 5 oct. 1990 : *Printemps*, h/t (71,1x71,1) : **GBP 3 080**.

STASSENKO Euguéni
Né en 1958 à Moscou. XXe siècle. Russe.
Peintre de compositions animées, paysages. Nouvelles figurations.
Il fut élève de la faculté des beaux-arts de l'Institut pédagogique de Moscou. Il expose depuis 1985.
Il réalise des peintures figuratives d'une grande économie de moyen. Il privilégie les surfaces travaillées en grands aplats dans une gamme de tons réduite. On peut citer : *Le Matin* ; *Entre chien et loup* ; *Sous les arbres*.

STASSENS Sebastian. Voir **STAASENS**

STASSER Jakob
XXe siècle. Suisse.
Peintre.
Il fut l'un des représentants de l'avant-garde bâloise.

STASTNY Mathias. Voir **STIASNY**

STATHERN Henry ou **Sathern** ou **Stauerne** ou **Stau-herne**
XIVe siècle. Britannique.
Peintre verrier.
Il travailla pour le château de Windsor. Probablement identique à Henry Stannermore.

STATHOPOULOS Didier
Né à Vesoul (Haute-Saône). XXe siècle. Français.
Peintre.
Il participe à des expositions collectives : Salon des Artistes Français à Paris, Salon de peinture franc-comtoise de Lons-le-Saulnier.

STATI Cristoforo ou **Cristofano**
Né en 1556 à Bracciano. Mort le 22 septembre 1619 à Rome. XVIe-XVIIe siècles. Italien.
Sculpteur de compositions religieuses.
Père de Francesco Stati. Il fit ses études à Florence et à Rome. Il travailla pour des églises de Rome. Il fut aussi connu comme négociant d'art.

STATI Francesco
Né en 1592 à Bracciano. Mort le 2 août 1627 à Rome. XVIIe siècle. Italien.
Sculpteur de compositions religieuses.
Fils de Cristoforo Stati. Il travailla pour le Vatican de Rome. Il fut aussi connu comme négociant d'art.

STATIN Alexander
XVIIIe siècle. Actif à la fin du XVIIIe siècle. Russe.
Peintre.
Le Musée Russe de Leningrad conserve de lui *Portrait d'homme*, daté de 1797.

STATIO Johann
Mort en 1671 à Eisenstadt. XVIIe siècle. Autrichien.
Stucateur.

STATIUS Otto. Voir **OTTO Statius**

STATIUS Van Ludich ou **Liège**
XVe siècle. Actif au milieu du XVe siècle. Allemand.
Sculpteur.
Il a sculpté le retable de l'église d'Erkelenz en 1457.

STATLANDER Johan. Voir **STADTLANDER**

STATON Joseph
XVIIIe siècle. Travaillant à Londres de 1760 à 1780. Britannique.
Peintre verrier et marchand d'estampes.

STATSINGER Evelyn
XXe siècle. Américaine.
Peintre, dessinateur, pastelliste. Polymorphe.

Elle fait sa première exposition personnelle en 1949.
Ce fut la première artiste de la génération d'après-guerre à Chicago, à développer un style surréaliste plausible. À la fin des années quarante, elle réalisait des dessins à l'encre d'une technique telle que le spectateur avait tendance à se perdre dans ces surfaces embrouillées, avant de pouvoir en comprendre la signification de ce mélange de formes abstraites ou de symboles magiques personnels. Elle continua dans cette voie jusqu'aux environs des années cinquante, où elle arrêta subitement. Elle commença alors à se consacrer à l'abstraction employant des pastels à la place de l'encre, dessins aux formes idéographiques, dont émanait un caractère surréaliste froid et silencieux. Puis, au milieu des années soixante, les figures reviennent. Elle travaille maintenant à l'huile, et fait aussi des dessins aux crayons de couleurs, sortes de rêves fantaisistes.

STATTLER Adam
Né vers 1835 à Cracovie. Mort après 1866. XIXe siècle. Polonais.
Sculpteur.
Fils et élève de Voïciech Stattler.

STATTLER Albert. Voir **STATTLER Woïciech**

STATTLER Fritz
Né le 15 janvier 1867 à Pilsen. XIXe-XXe siècles. Autrichien.
Peintre de genre, portraits, natures mortes.
Il fut élève de Christian Griepenkerl et de C. Stuber à Vienne et de Gabriel Van Hackl et Carl von Marr à Munich.
MUSÉES : MUNICH (Mus. mun.) : *Marché aux pots*.

STATTLER Henri Antoine ou **Henryk Antoni**
Né le 3 juin 1834 à Cracovie. Mort le 26 mai 1877 à Varsovie. XIXe siècle. Français.
Sculpteur.
Fils et élève de Woïciech Stattler. Il eut une part importante dans la renaissance de la statuaire polonaise. Le Musée de Versailles conserve de lui *Portrait de Joseph Shlopicki, général polonais*, le Musée de Melun *Pannychis* et le Musée national de Varsovie, les bustes de *A. Mickiewicz* et de *K. Brodzinski*.

STÄTTLER Johann Leonhard. Voir **STÄDTLER**

STATTLER Stanislas
Né vers 1836 à Cracovie. Mort sans doute en 1871 à Paris (?). XIXe siècle. Polonais.
Peintre.
Fils de Voïciech Stattler et élève de A. Scheffer, Roux et Jollivet. Il exposa au Salon en 1867, *Océanide* (émail sur lave), dont Napoléon III fit don au Musée de Limoges l'année suivante.
VENTES PUBLIQUES : PARIS, 4 juin 1951 : *L'intérieur du peintre* 1860 : **FRF 3 000**.

STATTLER Woïciech ou **Albert Korneli** ou **Stanski**
Né le 16 avril 1800 à Cracovie. Mort le 6 novembre 1875 à Varsovie. XIXe siècle. Polonais.
Peintre de figures, portraits.
Il fit ses études à Cracovie avec Peschke, Brodorski et Lampi. En 1821, il alla à Rome et travailla à l'Académie San Luca ; il subit l'influence d'Overbeck. Il devint l'ami du sculpteur Thorwaldsen et de Mickiewicz. En 1883, il revint à Cracovie, où il fut professeur de peinture à l'École des Beaux-Arts. Il fut également écrivain d'art.
Ses œuvres sont solidement dessinées, et expressives dans leur composition.
MUSÉES : CRACOVIE : *Les Macchabées – Portrait du sénateur Sonaczynski – Portrait d'homme – Portrait du docteur Sedlmayer – une étude – Portrait de Mme Stattler* – VARSOVIE (Mus. nat.) : *L'Artiste*.

STATTMAN Adolf
Né le 14 avril (?) 1867 à Stuttgart. XIXe-XXe siècles. Allemand.
Peintre de paysages, graveur.
Il fut élève de Robert Haug et de Carl von Marr. Il grava des armoiries.

STATTMÜLLER P. Beda
Né en 1699 à Ottobearen. Mort le 16 janvier 1770 à Weingarten. XVIIIe siècle. Allemand.
Peintre et musicien.

STÄTTNER Georg Friedrich. Voir **STETTNER**

STATUES, STATUETTES de, Maîtres des. Voir **MAÎTRES ANONYMES**

STATZ Vinzenz
Né le 9 avril 1819 à Cologne. Mort le 21 août 1898 à Cologne. XIXe siècle. Allemand.

Peintre d'architectures, paysages, architecte.
Il grava surtout des architectures de style gothique.
VENTES PUBLIQUES : COLOGNE, 14 nov. 1974 : *Paysage à la chapelle* : DEM 4 800.

STAUB Andreas
Né le 17 octobre 1806 à Mariakirch. Mort le 5 avril 1839 à Vienne. XIXe siècle. Autrichien.
Peintre et lithographe.
Élève de l'Académie de Vienne. Il expose de 1830 à 1839. L'Albertina et le Musée municipal de Vienne conservent de nombreuses gravures de cet artiste.

STAUB Cecilia, plus tard Mme Kolar
Née en 1886 à Budapest. XXe siècle. Hongroise.
Peintre de natures mortes.
Elle vécut et travailla à Miskolc.
MUSÉES : BUDAPEST (Gal. mun.).

STAUB Erich
Né en 1942. XXe siècle. Suisse.
Peintre.
VENTES PUBLIQUES : LUCERNE, 4 juin 1994 : *Le chemin des souris* 1992, acryl./t (60x34) : CHF 1 800.

STAUB Ernst
Né le 13 février 1896 à Thalwil-Zurich. XXe siècle. Suisse.
Peintre de compositions murales.
Il fut élève de l'académie des beaux-arts de Paris. Il exécuta des peintures murales à Zurich et Winterthur.

STAUB Josef
Né en 1931. XXe siècle. Suisse.
Peintre, sculpteur.
VENTES PUBLIQUES : LUCERNE, 4 juin 1994 : *Sans titre* 1964, h/t (61x50) : CHF 1 400 – LUCERNE, 20 mai 1995 : *Aro II* 1971, plastique chromé (env. 70x30x35) : CHF 6 000.

STAUB Leonhard
Né après 1800. Mort en 1826 à Paris. XIXe siècle. Suisse.
Graveur au burin et à l'eau-forte.
Élève de François Forster à Paris.

STAUB Louis François
Né à Forbach (Moselle). XIXe siècle. Français.
Peintre de paysages.
Élève de Rudder. Il exposa au Salon entre 1850 et 1870.

STAUBER Carl
Né le 3 novembre 1815 à Amberg. Mort le 24 novembre 1902 à Munich. XIXe siècle. Allemand.
Peintre de genre, illustrateur, caricaturiste, aquafortiste et lithographe.
Élève de P. Cornelius, de H. Hesse et de J. Schnorr. Il collabora à des revues humoristiques.

STÄUBLE Jürg
Né en 1948. XXe siècle. Suisse.
Sculpteur, dessinateur. Abstrait.
Il montre ses œuvres dans des expositions personnelles : 1984, 1990 Genève.
Il réalise à partir de carton et contre-plaqué des formes géométriques pures, aériennes, usant fréquemment de la figure de l'ellipse.
BIBLIOGR. : Dolène Airnadi : *Jürg Stäuble*, Art Press, Paris, printemps 1990.
MUSÉES : AARAU (Aargauer Kunsthaus) : *Modèle et Trou II* 1971 – *Plan zu Raumobjekt* 1975.

STAUBMANN Adalbert ou Vojtech
XVIIIe-XIXe siècles. Actif à Pilsen. Autrichien.
Peintre.
Père de Maria Staubmann.

STAUBMANN Andreas
XIXe siècle. Actif à Vienne dans la première moitié du XIXe siècle. Autrichien.
Peintre.
Il a peint un tableau d'autel pour l'église d'Umlowitz en 1813.

STAUBMANN F.
XIXe siècle. Autrichien.
Peintre.
Il a peint le tableau d'autel représentant Sainte Anne dans l'église de Gratzen en 1815.

STAUBMANN Maria
Morte le 9 juin 1856 à Prague. XIXe siècle. Autrichienne.

Peintre de genre, natures mortes, portraits, peintre de miniatures.
Fille d'Adalbert Staubmann.

STAUD. Voir aussi STAUDT

STAUD Carl
Né le 10 juin 1847 à Stuttgart. XIXe siècle. Allemand.
Graveur sur bois et dessinateur.
Élève d'Adolf Closs.

STAUD Franz
Né le 23 novembre 1905 à Mülhen (Tyrol). XXe siècle. Allemand.
Sculpteur de compositions religieuses.
Il fut élève de l'académie des beaux-arts de Vienne. Il a sculpté des crèches pour l'église Sainte Anne de Vienne et pour celle de Steinach.

STAUD Josef
Né le 26 novembre 1908 à Matrei-sur-le-Brenner. XXe siècle. Autrichien.
Sculpteur de compositions religieuses, statues, genre.
Frère de Franz Staud, il fit ses études à Innsbruck et à Munich et sculpta des crèches, des crucifix et des statuettes de genre.

STAUDACHER Franz Joseph
Né à Tegernsee. XIXe siècle. Actif dans la première moitié du XIXe siècle. Allemand.
Stucateur.

STAUDACHER Hans
Né en 1923 à Ossiach. XXe siècle. Autrichien.
Peintre, peintre à la gouache, aquarelliste, dessinateur, technique mixte. Abstrait.

H. Staudacher (signature)

VENTES PUBLIQUES : VIENNE, 10 déc. 1985 : *Kitzbühel* 1974, encre de Chine et aquar. (48x64) : ATS 16 000 – LONDRES, 18 oct. 1990 : *Sans titre* 1958, h. (99,5x60) : GBP 5 500 – LONDRES, 17 oct. 1991 : *Irrtum (Erreur)* 1959, h., gche, encre et cr./cart. (90x130) : GBP 7 480 – MUNICH, 26 mai 1992 : *Sans titre* 1961, h/t (50x40) : DEM 6 900 – MUNICH, 1er-2 déc. 1992 : *Sans titre* 1974, techn. mixte (43x30,5) : DEM 2 300 – LONDRES, 26 oct. 1995 : *Sans titre* 1959, aquar., encre et gche/pap. (75x52) : GBP 1 840.

STAUDACHER Lorenz
Né en 1657 à Limbourg. Mort le 6 janvier 1741 à Coblence. XVIIe-XVIIIe siècles. Allemand.
Sculpteur et architecte.
Il travailla pour les évêques de Trèves dans la cathédrale de cette ville et au château d'Ehrenbreitstein près de Coblence.

STAUDACHER Quirin
XVIIe siècle. Actif à Kraibourg. Allemand.
Peintre.
Il travailla pour l'abbaye de Saint-Veit près de Neumarkt où il peignit de nombreux tableaux d'autels.

STAUDACHER Vitus
Né le 15 novembre 1850 à Gaimersheim (près d'Ingolstadt). XIXe-XXe siècles. Allemand.
Peintre de paysages.
Il fut élève d'Ernest H. Richard à Carlsruhe. Il travailla à Baden-Baden.
MUSÉES : FRIBOURG – GLARUS.

STAUDE Hans J.
Né le 13 décembre 1904 à Port-au-Prince (Haïti), de parents allemands. Mort le 23 juillet 1973 à Florence. XXe siècle. Actif depuis 1929 en Italie. Allemand.
Peintre de portraits, paysages, natures mortes, pastelliste, dessinateur.
Il passe son enfance à Hambourg et y découvre la peinture à travers l'expressionnisme. En 1925, il part en Italie et s'installe à Florence. De retour en Allemagne, deux ans plus tard, il quitte de nouveau Hambourg en 1928 pour Paris cette fois. En 1929, il s'installe définitivement à Florence, où il a enseigné, entre 1950 et 1972, y ouvrant son propre atelier.
À Paris, il étudia l'impressionnisme qui aura une influence déterminante sur son travail. Également profondément marqué par la Renaissance italienne, il semble conjuguer dans sa peinture cette double influence impressionniste et de la Renaissance. Il a beaucoup peint la Toscane, et les Appenins mais ne fut pas que pay-

sagiste, réalisant également portraits et natures mortes. Il a utilisé l'huile, le pastel et l'acrylique.

Musées : Florence (Mus. des Offices, Cab. des dessins) – Florence (Palais Pitti).

STAUDENFUCHS Giacomo
xve siècle. Actif à Trente. Autrichien.
Peintre.
Il mit son talent au service de l'évêque de Trente.

STAUDENMAIER Rudolf
xxe siècle. Allemand.
Peintre de figures, portraits.
Il peignait dans un métier très traditionnel, hérité directement du xixe siècle. Ses portraits de vieilles dames allemandes très dignes lui valurent de faire partie de l'exposition proposée en exemple et opposée à celle de l'*Art dégénéré*, à Munich en 1937.

STAUDENMAYER Franz
xviiie siècle. Actif au milieu du xviiie siècle. Allemand.
Peintre.
Il a peint un Crucifié pour l'église de Bermatingen en 1741.

STAUDER Anton
Mort le 16 décembre 1706 à Wurzach. xviie siècle. Allemand.
Peintre.

STAUDER Franz
Né vers 1734 en Saxe. xviiie siècle. Allemand.
Peintre.
Il fut, à Rome, élève d'A. R. Mengs.

STAUDER Jakob Christoph ou Studer
Né en 1641 à Saint-Gall. Mort en 1709. xviie siècle. Suisse.
Peintre.
Il travailla pour l'Hôtel de Ville de Saint-Gall.

STAUDER Johann Karl
Né en 1719 à Constance. xviiie siècle. Allemand.
Assistant de son père Karl Stauder le Jeune. Il a peint le *Couronnement de la Vierge* dans l'église Saint-Étienne de Constance en 1739.

STAUDER Johann ou Hans Jakob
Né à Ochsenhausen. xviie siècle. Allemand.
Peintre et sculpteur sur bois.
Il a sculpté l'autel de l'église de Humlangen en 1683.

STAUDER Josef
xixe siècle. Actif au Tyrol. Autrichien.
Sculpteur.
Il sculpta de nombreux autels pour des églises du Tyrol du Sud.

STAUDER Karl ou Franz Karl, l'Ancien ou Studer
Mort vers 1725 à Constance. xviiie siècle. Allemand.
Peintre.
Il peignit de nombreux tableaux d'autel pour des églises de Constance et des environs.

STAUDER Karl ou Jakob Karl, le Jeune ou Studer
Né en 1694 à Oberweiler. Mort en 1751 ou 1756 à Constance. xviiie siècle. Allemand.
Peintre.
Il s'établit à Constance en 1700. Il peignit des tableaux d'autel, des plafonds et des fresques pour des églises de Constance et des environs.

Ventes Publiques : Lucerne, 6 nov. 1981 : *Le Chemin des âmes chrétiennes* 1752, h/t (128,5x77) : CHF 8 500.

STAUDHAMER Sebastian
Né le 18 décembre 1857 à Burgkirchen. xixe siècle. Actif à Munich. Allemand.
Peintre, sculpteur et écrivain d'art.
Élève de Carl Baumeister et de Max Adam. Il peignit des portraits de prélats ainsi que des tableaux d'autel.

STAUDIGL Franz
Né le 27 mars 1885 à Vienne. xxe siècle. Autrichien.
Peintre de figures, paysages, natures mortes, graveur.
Il fut élève de l'académie des beaux-arts de Vienne. Il exposa à Munich en 1932. Il peignit des paysages de la forêt de Bohême, des natures mortes et des figures.

STAUDINGER Aloys
Né le 27 avril 1864 à Munich. xixe-xxe siècles. Allemand.
Peintre de cartons de vitraux.
Il fut élève de Carl Bouché. Il exécuta des vitraux des églises et des monuments publics de Nuremberg, d'Esslingen et de Graz.

STAUDINGER Eduard
Né le 10 janvier 1877 à Munich. xxe siècle. Allemand.
Peintre de figures, paysages.
Il fut élève de Ludwig Herterich.

STAUDINGER Ernst
Mort en août 1846 à Berlin. xixe siècle. Allemand.
Peintre d'histoire.

STAUDINGER Franz
Né en 1705. Mort le 25 septembre 1781 à Furth. xviiie siècle. Autrichien.
Sculpteur sur bois et ébéniste.
Il sculpta des stalles pour l'église de Göttweig.

STAUDINGER Franz
xviiie siècle. Actif en Bavière. Allemand.
Peintre.
Il exécuta des peintures sur la tour de l'église de Landsberg.

STAUDINGER Friedrich
Né en 1829 à Vienne. Mort le 15 février 1888 à Vienne. xixe siècle. Autrichien.
Peintre d'histoire.
Élève de Führich à l'Académie de Vienne. Il exécuta des plafonds dans des châteaux et des églises d'Autriche.

STAUDINGER Johann Baptist
Né en 1827 à Elbogen (près de Karlsbad). xixe siècle. Autrichien.
Portraitiste et peintre de genre.
Élève de P. Fendi à l'Académie de Vienne.

STAUDINGER Karl
Né le 30 mars 1874 à Wies. xixe-xxe siècles. Actif depuis 1929 en Colombie. Autrichien.
Peintre, graveur, décorateur.
Il fut élève de Erwin Knirr et Franz Stuck à Munich.
Musées : Dachau : *Devant le miroir.*

STAUDINGER Luise, plus tard Mme Federn
Née le 1er août 1879 à Worms. xxe siècle. Allemande.
Sculpteur de figures, bustes.
Elle fit ses études à Darmstadt, où elle vécut et travailla, à Paris et Berlin. Elle sculpta des tombeaux, des figurines et des bustes.

STAUDT Karl
Né le 28 janvier 1884 à Elberfeld. Mort le 4 octobre 1930 en Espagne. xxe siècle. Allemand.
Peintre de portraits, paysages.
Il fut élève de l'académie des beaux-arts de Berlin.
Musées : Wasserbourg – Wuppertal.

STAUDT Klaus
Né vers 1935. xxe siècle. Allemand.
Peintre, sculpteur. Cinétique.
Dans l'esprit des réalisations de Günther Uecker, il revêt de peinture uniformément blanche des éléments divers, pour mettre en évidence le cheminement cinétique de la lumière entre son éclat, ses ombres, propre et portée, les phénomènes de reflet, etc.
Bibliogr. : Frank Popper : *L'Art cinétique*, Gauthier Villars, Paris, 1970.

STAUDT Wolf Jacob
xviiie siècle. Actif à Nuremberg au milieu du xviiie siècle. Allemand.
Peintre.
Il exécuta des peintures dans le château de Zillbach près de Weimar.

STAUERNE Henry. Voir STATHERN

STAUFFACHER Jakob
Né en 1860. xixe-xxe siècles. Suisse.
Dessinateur, peintre de cartons de tapisserie.
Frère du peintre Johannes Stauffacher, il travailla à Saint Gall.

STAUFFACHER Johannes
Né le 27 juillet 1850 à Bühl (près de Nesslau). Mort en 1916 à Saint-Gall. xixe-xxe siècles. Suisse.
Peintre de fleurs, dessinateur, illustrateur.
Frère de l'artiste Jakob Stauffacher, il fit ses études à Saint-Gall et à Paris. Il exécuta des illustrations de livres. Il fut aussi écrivain.

Ventes Publiques : Zurich, 10 déc. 1996 : *Transhumance dans les Alpes*, cr., encre de Chine et aquar./pap. (13x256) : CHF 29 900.

STAUFFER Carl ou **Karl**. Voir **STAUFFER-BERN**

STAUFFER Fred
Né en 1892 à Gümligen ou Sigriswil. Mort en 1980 à Berne. xxᵉ siècle. Suisse.
Peintre de compositions religieuses, portraits, paysages, fleurs, peintre de compositions murales.
Il fit ses études à Berne, où il continuera de travailler. Il exécuta des peintures murales dans des églises et des monuments publics de Suisse.

[signatures]

Musées : Aarau (Aargauer Kunsthaus) : *La Banlieue* 1930 – *Début du Printemps Beatenberg* 1932 – Bâle : *Fonte des neiges* – Berne : *Portrait du père de l'artiste* – Bienne : *Début du Printemps* – Coire : *Eiger, Moine et Jeune Femme* – Winterthur : *Soir de mars*.
Ventes Publiques : Berne, 24 oct. 1970 : *Paysage aux environs de Bâle* : CHF 6 500 – Berne, 18 oct. 1974 : *Les Tournesols* 1937 : CHF 6 500 – Berne, 7 mai 1976 : *Vue du lac de Thoun* 1938, h/t (65x90) : CHF 3 300 – Berne, 7 mai 1977 : *Vue du lac de Thoun* 1935, h/t (53,5x88) : CHF 5 500 – Berne, 1ᵉʳ mai 1980 : *Paysage*, craies de coul. (56,5x44) : CHF 2 400 – Berne, 23 oct. 1980 : *Scène champêtre* 1967, h/pan. (70,5x150) : CHF 8 000 – Zurich, 28 oct. 1981 : *Paysage* 1927, h/t (65,3x90,5) : CHF 10 000 – Berne, 6 mai 1983 : *Vue du Simmental*, temp. (45x63) : CHF 2 500 – Zurich, 9 nov. 1983 : *Paysage* 1927, h/t (65,3x90,5) : CHF 7 500 – Berne, 4 mai 1985 : *Fermes aux environs de Kaltacker*, craie (30,5x43) : CHF 1 800 – Berne, 2 mai 1986 : *Le moissonneur* 1948, h/pan. (50x70) : CHF 4 400 – Berne, 26 oct. 1988 : *Jour d'hiver ensoleillé à Lauenen* 1947, détrempe (48x58) : CHF 7 000 – Berne, 12 mai 1990 : *Panorama de champs et de nuages*, h/rés. synth. (80x122) : CHF 10 000 – Zurich, 4 juin 1992 : *Ländte à Regen*, h/t (80x70) : CHF 6 780 – Zurich, 24 juin 1993 : *Niedermuhlen sous la neige* 1960, h/t (95x145) : CHF 7 500 – Zurich, 14 avr. 1997 : *Autoportrait* 1919, h/cart. (52x45) : CHF 7 475.

STAUFFER Kilian
Né vers 1659 à Beromunster. Mort le 29 juin 1729 à Würzburg. xviiᵉ-xviiiᵉ siècles. Suisse.
Stucateur, sculpteur d'autels et ébéniste.
Il travailla pour des églises de Fribourg (Suisse), de Würzburg et de Schönau.

STAUFFER Ruth
Née en 1895 à Aix-la-Chapelle. Morte en 1974 à Berne. xxᵉ siècle. Suisse.
Peintre.
Elle fut élève de son oncle Fred Stauffer.

STAUFFER Viktor
Né le 20 novembre 1852 à Vienne. Mort le 24 juillet 1934. xixᵉ-xxᵉ siècles. Autrichien.
Peintre de portraits, peintre de compositions murales.
Il fut élève de Griepenkerl à l'académie des beaux-arts de Vienne, puis de Hans Canon. Il exécuta des peintures dans le château du grand-duc du Luxembourg.
Ventes Publiques : Londres, 19 juin 1991 : *Portrait de la Comtesse Conrad von Hötzendorf*, h/t (225x113) : GBP 7 150.

STAUFFER-BERN Karl
Né le 2 septembre 1857 à Trübschachen (canton de Berne). Mort le 25 janvier 1891 à Florence. xixᵉ siècle. Suisse.
Peintre de genre, portraits, pastelliste, sculpteur, graveur.
Il étudia la gravure à Munich avec Raal et Halm, puis alla continuer ses études à Berlin, où il acquit une belle réputation de portraitiste. C'est à Rome qu'il s'initiera à la sculpture. Il fut également poète.
Il fit d'abord des portraits à l'huile, puis s'adonna à la gravure et y fit preuve de remarquables qualités. Il a gravé à l'eau-forte et au burin des portraits et des scènes de genre, dans lesquelles il laisse parfois percer une pointe d'humour.
Bibliogr. : Max Lehrs : *Karl Stauffer-Bern. Ein Verzeichnis seiner Radierungen und Stiche*, Ernst Arnold, Dresde, 1907.
Musées : Bâle : *Gustav Freytag : Adorant – Adrian von Buben-*berg – Berlin : *Gustav Freytag – Berne : La mère de l'artiste – Sa sœur – L'artiste – Le sculpteur Klein – Le conseiller Lœwe, de Berlin – Tête d'homme – Tête de femme – cinq études – Genève (Rath) : Femme nue couchée – Hanovre : Portrait d'une dame – Neuchâtel : Ébauche – Wuppertal : Portrait de la comtesse Smirnof.
Ventes Publiques : Berne, 9 juin 1977 : *Gottfried Keller* 1887, eau-forte : CHF 3 000 – Berne, 22 juin 1979 : *Gottfried Keller* 1887, eau-forte/pap. de Chine : CHF 1 500 – Berne, 21 juin 1980 : *Conrad Ferdinand Meyer* 1887, eau-forte : CHF 2 350 – Lucerne, 21 mai 1980 : *Portrait de jeune femme* 1886, past./Pavatex (57x41) : CHF 2 300 – Berne, 25 juin 1981 : *Conrad Ferdinand Meyer* 1887, eau-forte : CHF 2 200 – Berne, 25 juin 1981 : *Autoportrait* 1884, past./trait de fus. (45,5x34,5) : CHF 7 000 – Berne, 24 juin 1983 : *Académie d'homme* 1886, eau-forte (52x36) : CHF 3 100 – Zurich, 9 nov. 1983 : *La Cueillette des pommes* (recto) ; *Portrait de femme au chapeau rouge* (verso), h/t (117x70) : CHF 15 000 – Berne, 19 juin 1987 : *Portrait de Gottfried Keller* 1887, eau-forte : CHF 1 400.

STAUHERNE Henry. Voir **STATHERN**

STAUL L.
xixᵉ siècle. Travaillant à Paris vers 1815. Français.
Graveur au pointillé.

STAULUND Carl Gottlieb
Né le 25 septembre 1851 à Helsingör. Mort le 20 avril 1888 à Copenhague. xixᵉ siècle. Danois.
Peintre de décorations, portraits, illustrateur.
Ventes Publiques : Londres, 1ᵉʳ oct. 1980 : *Nature morte* 1875, h/pan. (67,5x48) : GBP 350 – Londres, 29 mai 1985 : *Sous-bois en été* 1885, h/t (57x88,5) : GBP 1 850.

STAURIS Rinaldo de
Né dans la seconde moitié du xvᵉ siècle à Crémone. xvᵉ siècle. Italien.
Sculpteur.
Il travailla pour la Chartreuse de Pavie de 1464 à 1490.

STAUT Piet
Né en 1876 à Beveren/Waas. Mort en 1933 à Anvers. xxᵉ siècle. Belge.
Peintre de compositions animées, genre, figures, animaux, paysages, natures mortes.
Il fut élève de Verlat à l'académie des beaux-arts d'Anvers.
Bibliogr. : In : *Dict. biogr. illustré des artistes en Belgique depuis 1830*, Arto, Bruxelles, 1987.
Ventes Publiques : Lokeren, 28 mai 1994 : *Paysan en train de labourer*, h/t (124x181) : BEF 33 000 – Lokeren, 7 oct. 1995 : *Paysan en train de labourer*, h/t (124x181) : BEF 33 000.

STAVASSER Peter Andréiévitch
Né en 1816 à Saint-Pétersbourg. Mort le 24 avril 1850 à Rome. xixᵉ siècle. Russe.
Sculpteur.
Élève de l'Académie de Saint-Pétersbourg.
Musées : Moscou (Gal. Tretiakov) : *Buste de l'architecte F. I. Eppinger* – Saint-Pétersbourg (Mus. Russe) : *Buste de J. Sternberg – La nymphe – Argus déchaussant une nymphe*.

STAVELEY W. ou **Stavely**
xviiiᵉ-xixᵉ siècles. Britannique.
Portraitiste.
Il exposa à Londres de 1785 à 1805.

STAVELOT Jean de. Voir **JEAN de Stavelot**

STAVENAU
Né à Dantzig. xviiiᵉ siècle. Actif au début du xviiiᵉ siècle. Allemand.
Il travailla dans le château de Schlobitten.

STAVENHAGEN Wilhelm Siegfried
Né le 27 septembre 1814 à Goldingen. Mort le 8 janvier 1881 à Mitau (nom allemand de Ielgava, Lettonie). xixᵉ siècle. Allemand.
Sculpteur et dessinateur.
Élève de l'Académie de Saint-Pétersbourg, puis d'Ed. Schmidt von der Launitz à Francfort. Il dessina des vues des pays baltiques.

STAVERDEN Jacob Van ou **Giacomo Van**, appelé aussi **d'Yver**
Mort à Rome. xviiᵉ siècle. Actif à Amersfoort. Hollandais.

Peintre de fleurs et de fruits.

Il était à Rome vers 1674 et entra au service du pape.

VENTES PUBLIQUES : NEW YORK, 18 jan. 1983 : *La Marchande de légumes*, h/t (57,2x43) : USD 4 000.

STAVEREN Gijsbert Van

Né le 20 février 1790 à Alphen-sur-le-Rhin. Mort après 1840. XIX° siècle. Hollandais.

Peintre de fleurs et fruits, ornemaniste.

Il travailla à Gouda.

STAVEREN J. Van

XVII° siècle. Hollandais.

Peintre.

Le Musée de Bruxelles conserve de lui *Retour de la chasse*, daté de 1674.

STAVEREN Jan Adriensz Van

Né vers 1625 à Leyde. Mort le 21 janvier 1668 à Leyde. XVII° siècle. Hollandais.

Peintre de sujets religieux, scènes de genre, portraits, paysages.

Élève de G. Dou dont il imita la manière. Il était dans la gilde en 1645. Il fut soldat et bourgmestre de Leyde. Son œuvre religieuse reste attachée au goût du baroque théâtral des années 1630.

MUSÉES : AIX : *Ermite en prière dans une grotte* – AMSTERDAM : *Vieillard en prière* – *Le maître d'école* – *Ermite* – BERGUES : *Ermite lisant* – BRUNSWICK : *Vieillard à table* – BUDAPEST : *L'anachorète* – COPENHAGUE : *Saint Jérôme* – DOUAI : *Vieillard* – DUNKERQUE : *L'Adoration des Bergers* – LA FÈRE : *Intérieur hollandais* – GLASGOW : *L'ermite* – LEYDE : *L'ermite* – MUNSTER : *Le fumeur* – PARIS (Mus. du Louvre) : *Savant dans son cabinet* – STOCKHOLM : *Scène de cuisine* – YPRES : *Femme écrivant*.

VENTES PUBLIQUES : PARIS, 1840 : *Saint Pierre dans sa prison* : FRF 510 – PARIS, 1845 : *Le Solitaire* : FRF 510 – PARIS, 1852 : *Jeune femme sortant du bain* : FRF 380 – PARIS, 1860 : *Un religieux* : FRF 1 960 – PARIS, 1863 : *L'Adoration des bergers* : FRF 2 330 – PARIS, 1874 : *La lecture* : FRF 720 – PARIS, 22 mai 1897 : *Saint Jean écrivant l'Apocalypse* : FRF 1 600 – LONDRES, 27 déc. 1909 : *Ermite en prière dans sa cellule* : GBP 25 – NEW YORK, avr. 1910 : *L'Ermite* : FRF 2 250 – PARIS, 25 juin 1921 : *Un ermite en méditation* : FRF 500 – LONDRES, 7 mai 1926 : *Marché aux légumes* : GBP 73 – PARIS, 12 avr. 1943 : *Sainte Madeleine* : FRF 2 400 – PARIS, 2 mars 1951 : *Portrait d'homme barbu*, attr. : FRF 1 650 – BRUXELLES, 26 oct. 1971 : *Auberge avec marchande de légumes* : BEF 120 000 – VIENNE, 12 mars 1974 : *L'ermite* : ATS 65 000 – PARIS, 15 déc. 1989 : *Portrait d'un moine lisant*, pan. parqueté (39x31) : FRF 92 000 – AMSTERDAM, 12 juin 1990 : *Benedicité avant le repas*, h/pan. (44x58,1) : NLG 29 900 – AMSTERDAM, 10 nov. 1992 : *Un vagabond assis sur un banc sous un auvent et bourrant sa pipe*, h/pan. (45,6x34,2) : NLG 11 500 – MONACO, 4 déc. 1993 : *L'âne de Balaam*, h/pan. (106x97,5) : FRF 55 500 – LONDRES, 25 fév. 1994 : *Saint Antoine*, h/pan. (49x36,9) : USD 2 070 – AMSTERDAM, 14 nov. 1995 : *Moine priant dans une grotte*, h/pan. (44x32,5) : NLG 10 384 – AMSTERDAM, 7 mai 1996 : *Vue d'un village fortifié avec des paysans revenant du marché dans une barque* h/pan. (35x47,5) : NLG 13 800.

STAVEREN Petrus ou Staverenus ou Staverinus

XVII° siècle. Actif à La Haye vers 1635. Hollandais.

Peintre et graveur au burin.

On cite de lui une estampe : *Homme comptant l'argent*.

VENTES PUBLIQUES : PARIS, 15 juin 1951 : *Nature morte aux poissons* : FRF 9 000 – LONDRES, 6 juil. 1994 : *Le joyeux buveur*, h/pan. (17,5x13) : GBP 5 175.

STAVEREN Thiéri Van

XV° siècle. Actif dans la première moitié du XV° siècle. Éc. flamande.

Médailleur et orfèvre.

Il travailla à Louvain et à Bruxelles.

STAVERINUS Petrus. Voir STAVEREN

STAVERT Daniel

XVII° siècle. Travaillant en Suède. Suédois.

Miniaturiste et peintre de batailles.

Le Musée de Stockholm conserve de lui un *Portrait d'homme âgé*.

STAVOER Hinrick

XVI° siècle. Travaillant à Hildesheim et à Brunswick, dans la première moitié du XVI° siècle. Allemand.

Sculpteur sur bois.

Il a sculpté le grand retable de l'église d'Enger vers 1525 ainsi que des statues dans la cathédrale de Brunswick.

STAVROS. Voir PAPASSAVAS Stavros

STAWASSER Peter Andréievitch. Voir STAVASSER

STAWIARSKI Sacha Stanislas

Né le 26 septembre 1941. XX° siècle. Actif en France. Polonais.

Peintre de compositions animées, paysages. Polymorphe.

Il fut élève de l'académie des beaux-arts de Varsovie, puis de celle de Paris. À partir de 1973, il fut membre de l'association des Artistes polonais plasticiens. Il vit et travaille à Ramatuelle (Var). Il participe à Paris, depuis 1977 au Salon des Artistes Français. Il montre ses œuvres dans des expositions personnelles, en France et à l'étranger : Berlin, Stockholm, Helsinki, Osaka, Cracovie, Kiev, Québec.

Ses œuvres obéissent à plusieurs courants artistiques, entre abstraction et surréalisme, postimpressionnisme et post-cubisme.

STAWINOGA Ottmar, dit Stawi

Né le 21 juillet 1924 à Beuthen (Silésie). XX° siècle. Allemand.

Peintre de compositions animées, genre, paysages, paysages urbains, fleurs, aquarelliste, illustrateur, dessinateur. Postimpressionniste.

Il fut autodidacte. Durant la Seconde Guerre mondiale, il fut photographe reporter de guerre puis fut prisonnier de guerre en URSS. De retour en Allemagne il s'installa à Karlsruhe et Greven (Westphalie).

Il montre de nombreuses expositions personnelles en Allemagne.

BIBLIOGR. : *Ottmar Stawi, le peintre et son œuvre*, Hilbert und Thomas Beiner, Neustadt, 1986.

STAXAR Pedro. Voir STAQUAR

STAY

XVIII° siècle. Actif à Deux-Ponts en 1775. Allemand.

Peintre de porcelaine.

STAY Benedikt

Né en 1650 à Raguse. Mort en 1685 à Raguse. XVII° siècle. Italien.

Peintre.

Il fit ses études en Italie et à Paris. Il subit l'influence de Carracci. Il peignit des portraits d'évêques à Raguse.

STAYLER Alen

XIV°-XV° siècles. Britannique.

Enlumineur.

Il enlumina le livre de chœur de l'abbaye de Saint-Alban.

STAYNEMER Jan Van. Voir STINEMOLEN

STAYNER Hans. Voir STEINER

STAYNER T. ou J.

XVIII° siècle. Actif à Londres dans la seconde moitié du XVIII° siècle. Britannique.

Graveur à la manière noire et au pointillé.

STAYNERE Gylbert

XV° siècle. Actif à Bath en 1459. Britannique.

Peintre verrier.

STAYTCHO Ellena

Née le 1er octobre 1884 à Foultcha. XX° siècle. Bulgare.

Sculpteur de statues.

Elle participa à Paris de 1923 à 1927 au Salon des Artistes Français, où elle obtint une mention honorable, au Salon des Indépendants, à partir de 1927 au Salon d'Automne.

MUSÉES : PARIS (Hôtel de Ville).

STAZ Valentin

XVII° siècle. Actif à Eisenstadt de 1673 à 1680. Autrichien.

Stucateur.

Probablement parent de Johann Statio.

STAZEWSKI Henryk

Né le 9 janvier 1894 à Varsovie. Mort en 1988 à Varsovie. XX° siècle. Polonais.

Peintre, graveur. Constructiviste. Groupe Blok, groupe Praesens, groupe a.r.

Il fut élève de Stanislaw Lentz à l'académie des beaux-arts de Varsovie de 1914 à 1919. En 1924, il fut l'un des organisateurs avec Kobro, Szczucka, Strzeminski, Berlewi, du groupe *BLOK* et rédacteur de la revue qui portait le même nom et propageait l'orientation constructiviste. À partir de cette date également, il fut en contact permanent avec les représentants du néo-plasticisme aux Pays-Bas. En 1926, il devint un des membres fondateurs du groupe *Praesens* qui se vouait entre autres aux problèmes de l'architecture moderne. Au début des années trente, il séjourna à Paris et s'y lia d'amitiés avec Michel Seuphor et Mondrian. Il était membre du groupe *a.r.* (artistes révolutionnaires) à Lodz et, en tant que représentant, complétait à Paris, de concert avec le poète Jan Brzekowski, une collection de peinture moderne transmise par la suite au musée d'art de Lodz. À partir de 1926, il se consacra à l'architecture. Il vécut et travailla à Varsovie.

Il participe à des expositions collectives, depuis 1922, régulièrement à Varsovie ; à New York : 1950 *Construction and Geometry in painting*, 1961 *15 Polish Artists* au Museum of Modern Art ; 1964 *Mondrian, De Stijl, and their impact* ; à Paris : 1928 section polonaise du Salon d'Automne organisée par la Société d'échanges littéraires et artistiques entre la France et la Pologne et le cercle des artistes polonais de Paris, 1930 en qualité de membre du groupe Cercle et Carré, 1932 Abstraction-Création, 1957 *Précurseurs de l'art abstrait en Pologne*, 1969 *Peinture moderne polonaise – Sources et Recherches* au musée Galliéra à Paris, 1977 *Aspects historiques du Constructivisme et de l'Art Concret* au musée d'Art moderne de la ville, 1978 *Abstraction-Création* au musée d'Art moderne de la ville à Paris ; ainsi que : à partir de 1945 Salon de Mars de Zakopane ; 1966 Biennale de Venise ; 1973 *Constructivisme en Pologne* au Folkwang Museum d'Essen ; 1978 *Abstraction-Création* au Westfälisches Landesmuseum de Münster ; 1980 Staatliche Kunstsammlungen de Dresde.

Il montre ses œuvres dans des expositions personnelles : depuis 1921 régulièrement à Varsovie, notamment à l'Art Propaganda Institute ; 1956 Rome ; 1963 Londres ; 1966 Chicago ; 1969 Museum of Fine Arts de Lodz ; 1970 Narodna Gallerie de Prague ; 1975 Zurich ; 1979 Palais des expositions de Rome ; 1982 galerie Denise René à Paris ; 1997 Institut polonais à Paris. Il a reçu le prix du ministère de la culture à Varsovie en 1965.

Dès le début de son activité, il a participé au mouvement polonais et mondial d'avant-garde. Dans ses tableaux d'avant-garde, (pour la plupart égarés ou détruits pendant la guerre de 1939-1945), il s'attaquait surtout aux problèmes de la contradiction entre les divisions de la surface du tableau et son indivisibilité foncière, ainsi qu'entre la toile à deux dimensions et une vision à trois dimensions suggérée par l'image. Son idée d'une architecture dominant tous les arts et d'une peinture « utilitaire » (entendons comportant une fonction sociale) l'ont rapproché de Van Doesburg. Après la guerre, 1955 fut le point de départ de nouvelles recherches entreprises par les abstraits polonais. Après une période pendant laquelle il se vouait aux tableaux noirs et blancs ou blancs, mais exécutés dans un matériel différencié, surtout vers la fin des années cinquante, l'artiste fait actuellement surtout des reliefs, blancs ou en couleurs exécutés dans le métal ou à l'aide d'autres techniques où il revient au problème de l'objet à trois dimensions, réel cette fois et aux questions de la cinétique, qui l'absorbent de plus en plus. Dans les années soixante-dix, il reprend avec une précision surprenante le problème de la distribution des accidents de couleur successifs dans le cadre d'un système statique de formes géométriques simples.

En conclusion, on peut dire que dans cette Pologne, dès 1930 informée de la démarche de Malévitch (d'autant qu'il était d'origine polonaise), au courant des mouvements d'idées promus par Marinetti, le groupe De Stijl, El Lissitzky, Kurt Schwitters, le Bauhaus, un Stazewski, évoluant dans les contrées délimitées par Malévitch et Mondrian, annonçant les recherches de l'opposition de formes « positif-négatif », que Dewasne ne reprendra qu'une vingtaine d'années plus tard ou bien encore les effets optiques, alors également étudiés par Albers ou Itten, qu'exploitera Vasarely, tandis que pour sa part, un Strzeminski, de qui l'« Unisme » poursuivit le suprématisme de Malévitch, réalisait plus clairement que Rodchenko, également vers 1930, les peintures monochromes qu'illustrera Yves Klein trente ans plus tard. Donc non seulement le rôle de Stazewski fut très important dans la création d'un art d'avant-garde polonais au début du XXᵉ siècle, mais il doit aussi trouver place au rang des précurseurs de certains des courants clefs de l'art du XXᵉ siècle. ■ J. B.

Bibliogr. : Bernard Dorival, sous la direction de... : *Peintres contemp.*, Mazenod, Paris, 1964 – Mieczyslaw Porebski : Catalogue de l'exposition *Peinture moderne polonaise – Sources et Recherches*, Musée Galliéra, Paris, 1969 – Catalogue du IIᵉ Salon des Galeries Pilotes, Musée cantonal, Lausanne, 1970 – Catalogue de l'exposition : *Abstraction-Création 1931-1936*, Westfälisches Landesmuseum, Münster, musée d'Art moderne de la ville, Paris, 1978 – Catalogue de l'exposition : *Les Années trente en Europe. Le temps menaçant*, Musée d'Art moderne de la ville, Paris Musées, Flammarion, Paris, 1997.

Musées : AMSTERDAM (Stedelijk Mus.) – BOCHUM (Städtische Gal.) – CRACOVIE (Nat. Mus.) – GENÈVE (Mus. du Petit-Palais) – LODZ (Mus. des Beaux-Arts) – LODZ (Mus. Sztuki) : *Peinture abstraite vers 1929* – *Composition* 1930 – LONDRES (Tate Gal.) – NEW YORK (Mus. of Mod. Art) – NEW YORK (Guggenheim Mus.) – OTTERLO – SAINT GALLEN (Mus. de la Ville) – VARSOVIE (Nat. Mus.).

Ventes Publiques : AMSTERDAM, 13 déc. 1990 : *Relief n° 12/67*, h./alu. collé sur h/bois (56x56) : **NLG 8 050** – AMSTERDAM, 22 mai 1991 : *Composition n° 74*, techn. mixte/cart. (60x60) : **NLG 3 565** – AMSTERDAM, 19 mai 1992 : *Composition*, gche/pap. (18,5x14) : **NLG 2 300** – PARIS, 12 mai 1993 : *Composition 1930*, gche/cart. (10x13) : **FRF 4 000**.

STAZIO Abbondio
Né en 1675 à Massagno. Mort en 1757 à Venise. XVIIIᵉ siècle. Italien.
Stucateur.
Il exécuta des stucatures dans des palais de Venise.

STAZIO Giovanni Battista
XVIIᵉ siècle. Actif à Turin dans la première moitié du XVIIᵉ siècle. Italien.
Stucateur.
Il sculpta une statue pour une fontaine à Turin, en 1617.

STAZIO Giuseppe
XVIIIᵉ siècle. Actif à Rome dans la première moitié du XVIIIᵉ siècle. Italien.
Peintre.
Il travailla à Rome en 1720.

STEA Cesare
Né le 17 août 1893 à Bari. XXᵉ siècle. Actif aux États-Unis. Italien.
Sculpteur.
Il fut élève d'Alexandre Calder. Il vécut et travailla à New York.

STEAD Frederick, dit Fred
Né le 3 août 1863 à Shilley. Mort en 1940. XXᵉ siècle. Britannique.
Peintre de portraits, figures, paysages.
Mari du peintre May Stead, il vécut et travailla à Bradford.
Musées : BRADFORD.
Ventes Publiques : LONDRES, 31 oct. 1986 : *The spirit is*, h/t (121,6x42,8) : **GBP 7 500** – LONDRES, 3 juin 1988 : *En sortant*, h/t (53,4x40,7) : **GBP 1 320** – NEW YORK, 20 juil. 1995 : *Cendrillon*, h/t (91,4x68,6) : **USD 4 887**.

STEAD May, née Grenning
Née à Bradford. XIXᵉ siècle. Active dans la seconde moitié du XIXᵉ siècle. Britannique.
Peintre de fleurs, de paysages et de miniatures.
Femme de Fred Stead.

STEAR Lorenz. Voir STÖR

STEARNS Junius Brutus
Né en 1810 à Burlington. Mort le 16 septembre 1885 à Brooklyn. XIXᵉ siècle. Américain.
Peintre de genre, portraits.
Il fit ses études à New York.
Musées : BROOKLYN : trois peintures.
Ventes Publiques : NEW YORK, 30 avr. 1969 : *La partie de pêche* : **USD 6 250** – NEW YORK, 21 mai 1970 : *Enfants pêchant*, h/t (53,4x40,7) : **GBP 1 320** – NEW YORK, 21 juin 1979 : *Washington et Lafayette à la bataille de Brandywine 1848*, h/t (59,8x107,9) : **USD 7 000** – NEW YORK, 31 jan. 1985 : *Come to mother*, h/t mar./cart., haut arrondi (74,3x92,1) : **USD 3 000** – NEW YORK, 30 sep. 1988 : *Le fouineur*, h/cart. (24,7x19,8) : **USD 2 200** – NEW YORK, 14 sep. 1995 : *La capture de Major André*, h/t (68,6x86,4) : **USD 16 100**.

STEBBINS Emma
Née en 1810 à New York. Morte en 1882. XIXᵉ siècle. Américaine.
Peintre et sculpteur.

Elle n'eut aucun maître, mais subit l'influence de P. Acker. Elle sculpta des statues pour des jardins publics de Boston et de New York.

VENTES PUBLIQUES : NEW YORK, 2 févr 1979 : *Sendolphin 1866*, marbre blanc (H. 83,8) : **USD 2 300**.

STEBEL-RUDIN Élise
Née en 1864 à Saint-Gall. XIXᵉ-XXᵉ siècles. Suissesse.
Peintre de paysages, fleurs.
Elle fut élève de E. Jon à Paris, et de Peter Paul Müller à Munich.

STEBER David
XVIIᵉ siècle. Actif à Landsberg-sur-le-Lech dans la première moitié du XVIIᵉ siècle. Allemand.
Peintre.
Il travailla pour l'abbaye de Wessobrunn de 1613 à 1620.

STEBER Samuel
XVIᵉ siècle. Actif à Finsterwalde dans la seconde moitié du XVIᵉ siècle. Allemand.
Peintre.
Il a peint un tableau d'autel pour l'église d'Altdöbern en 1575.

STEBERL Ondrej
Né en 1897 à Bratislava. XXᵉ siècle. Tchécoslovaque.
Peintre de compositions religieuses, compositions animées, genre.
Facteur de profession, il peint dans un style d'imagerie populaire slave, des scènes familières de la vie quotidienne des paysans slovaques, ainsi que des scènes religieuses.
BIBLIOGR. : Dr L. Gans : *Catalogue de la collection de peinture naïve Albert Dorne*, Pays-Bas, s. d.

STEBLER-HOPF Anny ou Annie
Née le 4 septembre 1861 à Thun. Morte le 30 janvier 1918. XIXᵉ-XXᵉ siècles. Suisse.
Peintre de genre, portraits, animaux, paysages.
Elle fut élève de Karl Gussow à Berlin et de l'académie Julian à Paris. Elle vécut et travailla à Zurich.
MUSÉES : BERNE : *Réunion de Piétistes chez Mr Monod* – ZURICH (Kunsthaus) : *Porcs à l'abattoir*.

STEBNER
Mort le 13 octobre 1771 à Nuremberg. XVIIIᵉ siècle. Allemand.
Peintre sur faïence.
Il travailla à la Manufacture de faïence de Nuremberg.

STECCHI Fabio
Né le 12 mai 1855 à Urbino. Mort le 3 octobre 1928 à Nice (Alpes-Maritimes). XIXᵉ-XXᵉ siècles. Actif et naturalisé en France. Italien.
Sculpteur.
Il fut élève de Fedi à Florence et de Paul Dubois à Paris. Il participa à Paris, au Salon des Artistes Français, où il obtint une mention pour un groupe d'enfants et en 1889 à l'Exposition universelle, ainsi qu'à Milan où il obtint une médaille d'or en 1906. On cite d'entre ses œuvres *Buste de Jules Verne* ; *Buste du Dr Blanche* ; *Buste de Pietro Mascagni* ; *G. Eiffel* ; un *Buste de Gambetta,* commande de l'état en 1908 ; les quatre statues de l'horloge de la gare de Lyon à Paris.

STECH
Mort à Venise. XVIIᵉ siècle. Actif dans la première moitié du XVIIᵉ siècle. Allemand.
Paysagiste.
Fils de Heinrich Stech.

STECH Alajos ou Alois
Né le 29 novembre 1813 à Sasvar. Mort le 13 janvier 1887 à Tata. XIXᵉ siècle. Hongrois.
Peintre.
Il exposa des fleurs et des paysages à Budapest en 1841. Il peignit aussi des tableaux d'autel. Le Musée national de Budapest conserve des peintures de cet artiste.

STECH Andreas ou Steche, Stecher, Steg, Stegh
Né en 1635 à Stolp. Mort en 1697 à Dantzig. XVIIᵉ siècle. Polonais.
Peintre d'histoire, portraits.
Fils de Heinrich Stech. Plusieurs tableaux de lui se trouvent à la Bourse de Dantzig. Un tableau de bataille est conservé à la Galerie Schwartz, à Dantzig. Il peignit aussi pour les églises de cette ville. Les portraits qu'il fit ont été gravés par Edelink, Kainzelman, Blooteling P. von Gunst, J. Saal, L. Vischer et autres.
MUSÉES : BRUNSWICK : *Promenade aux portes de Dantzig* –

GDANSK, ancien. Dantzig : *Portrait de Heinrich von Schwarzwald* – *L'artiste* – *Deux portraits d'homme* – OLIVA : *Portrait du Docteur Schmiedt* – *Quatre hommes en costume romain* – POSEN (Mus. Mielzynski) : *Portrait de Jan Helvetius, astronome à Dantzig* – *Lavement des pieds* – *Le Christ avec les apôtres et sainte Marthe*.
VENTES PUBLIQUES : PARIS, 21-22 fév. 1919 : *Eliezer et Rébecca*, encre de Chine : **FRF 20** – LONDRES, 7 juin 1974 : *Vase de fleurs* : **GNS 3 000**.

STECH Andreas
XVIIIᵉ siècle. Travaillant vers 1780. Allemand.
Miniaturiste.
Le Musée d'Augsbourg conserve de lui *Portraits d'une vieille dame et d'un vieux monsieur*.

STECH Heinrich
Mort en 1653 à Dantzig. XVIIᵉ siècle. Allemand.
Peintre.
Père d'Andreas Stech I. Il travailla d'abord à Stolp et se fixa à Dantzig en 1642.

STECHER Franz Anton
Né le 16 août 1814 à Nauders. Mort le 19 août 1853 à Innsbruck. XIXᵉ siècle. Autrichien.
Peintre.
Élève de Gebhard Flatz à Innsbruck et de l'Académie de Vienne. Il peignit de nombreux tableaux d'autel dans des églises du Tyrol et de Styrie.

STECHER Georg
Mort le 15 août 1714 à Stendhal. XVIIIᵉ siècle. Allemand.
Peintre.
Il a peint le portrait du curé Stephanus pour l'église Notre-Dame de Stendhal.

STECHER Johann Gottfried
Né vers 1750. Mort le 3 juin 1824 à Holzfeld. XVIIIᵉ-XIXᵉ siècles. Actif à Penig. Allemand.
Sculpteur.
Il sculpta un autel pour l'église d'Oberschöna et des statues pour celle de Seelitz près de Rochlitz.

STECHER Josef
Né à Graun. Mort le 22 octobre 1861 à Martinsbruck. XIXᵉ siècle. Autrichien.
Miniaturiste.

STECHER Josef Anton
Né le 15 janvier 1790 à Oetz. XIXᵉ siècle. Autrichien.
Peintre.
Il peignit des tableaux d'autel pour l'église d'Oetz et pour celle de Huben.

STECHINELLI Jean Filippe
XVIIIᵉ siècle. Actif à Hildesheim de 1713 à 1746. Allemand.
Portraitiste.

STECHMANN Carl Gerhard, appellation erronée. Voir STEHMANN Carl Gerhard

STECHMANN Johann David
XVIIIᵉ siècle. Actif dans la première moitié du XVIIIᵉ siècle. Allemand.
Peintre sur porcelaine.
Il travailla à la Manufacture de porcelaine de Meissen en 1717.

STECHOW Gertrud
Née le 3 octobre 1858 à Lindow. XIXᵉ siècle. Active à Berlin. Allemande.
Paysagiste et graveur.
Élève de Paul Flickel.

STECK Friedrich
Né le 18 septembre 1768 à Lenzbourg. Mort le 4 juillet 1839 à Berne. XVIIIᵉ-XIXᵉ siècles. Suisse.
Peintre de portraits, officier.

STECK Leo
Né le 1ᵉʳ février 1883 à Davos. Mort en 1960 à Berne. XXᵉ siècle. Actif depuis 1930 en France. Suisse.
Peintre de figures.
Il se fixa à Paris en 1930. Il exécuta des peintures décoratives.
MUSÉES : AARAU (Aargauer Kunsthaus) : *Nu féminin étendu 1916* – BERNE : *Tristesse*.
VENTES PUBLIQUES : BERNE, 12 mai 1990 : *Les compagnons d'Emmaüs 1928*, h/t (40x100) : **CHF 800**.

STECK Paul Albert
Né à Troyes (Aube). XIXᵉ siècle. Français.

Peintre d'histoire, paysages.
Élève de Gérome. Sociétaire des Artistes Français depuis 1896. Il reçut une mention honorable en 1895, une médaille de troisième classe en 1896, une bourse de voyage en 1896, une médaille de bronze en 1900 à l'Exposition universelle. Le Musée de Dieppe conserve de lui *Paysage des environs de Paris, Venise conquérante* et quatre aquarelles, le Musée de Montauban, *Symphonie*, et celui de Rouen, *Tendre automne*. En dehors de ses paysages assez classiques et de ses scènes historiques assez académiques, il exécuta des portraits pris sur le vif.
Ventes Publiques : Paris, 20 nov. 1925 : *Vieux pont romain* : FRF 270 ; *La porteuse de seaux (Flandre)* : FRF 160.

STECKEL Tobiasz
XVIIe siècle. Actif à Cracovie. Polonais.
Graveur.

STECKER, appellation erronée. Voir **STOCKER**

STECKMEST C.
XIXe siècle. Actif au milieu du XIXe siècle. Danois.
Lithographe.
Il grava surtout des portraits.

STECZYNSKI Zygmunt Bogusz
Né en 1814 à Hermanovice. Mort le 5 août 1890 à Cracovie. XIXe siècle. Polonais.
Écrivain et lithographe amateur.
Il grava des vues et des paysages.

STEDELIN Melchior
XVIIe siècle. Actif dans la seconde moitié du XVIIe siècle. Suisse.
Peintre de figures.
Il travailla pour l'église de Steinen en 1665.

STEDMANN J. Gabriel
XVIIIe siècle. Actif dans la seconde moitié du XVIIIe siècle. Hollandais.
Dessinateur et officier.
Il dessina des scènes empruntées aux guerres de Surinam, datées de 1772 à 1777.

STEDMANN Jeanette
Née en 1880. Morte le 8 mars 1924 à Chicago. XXe siècle. Américaine.
Peintre de portraits.

STEE P.
XVIIIe siècle. Travaillant vers 1778. Britannique.
Graveur au burin à la manière noire.
Il grava des portraits.

STEEA Philip Wilson, orthographe erronée. Voir **STEER**

STEED J.
XIXe siècle. Travaillant en 1832. Britannique.
Graveur sur acier.
Il grava des vues du Rhin.

STEEDEN O.
XIXe siècle. Actif à Londres en 1823. Britannique.
Portraitiste.

STEEDMAN Charles
XIXe siècle. Britannique.
Peintre de genre, paysages, marines.
Actif au milieu du XIXe siècle, il exposa à Londres de 1826 à 1858.
Ventes Publiques : New York, 17 déc. 1969 : *La grotte au bord de la mer* : USD 1 000 – Londres, 21 juil. 1989 : *Jeune enfant tournant le bras de la meule*, h/pan. (20,6x25,5) : GBP 1 155.

STEEG Niek Van de
XXe siècle.
Auteur d'installations.
Musées : Angoulême (FRAC Poitou-Charente) : *L'Étage I de la très grande administration démocratique* 1994, assemblage – Marseille (FRAC Alpes-Côtes d'Azur) : *Le Pavillon à vent dans son site* 1992 – Paris (FNAC) : *Bureau de la Très Grande Administration Démocratique sans étage spécifique* 1994, installation – *L'étage 1 (Information et identité)* 1994, encre et photo.

STEEGER Hans. Voir **STEGER**

STEEGER Johann Jörg
XVIIIe siècle. Actif dans la vallée de Puster au début du XVIIIe siècle. Autrichien.
Peintre.
Il a peint un tableau d'autel dans l'église de Wälschellen en 1716.

STEEL Aaron
Mort en 1845. XIXe siècle. Britannique.
Peintre sur porcelaine.

STEEL Georges
Né en 1923. XXe siècle. Belge.
Peintre de figures, portraits.
Ventes Publiques : Lokeren, 7 oct. 1995 : *Femme espagnole avec une cruche* 1959, h/t (74x60) : BEF 24 000 – Lokeren, 9 déc. 1995 : *Adolescent assis* 1975, h/t (73x60) : BEF 26 000.

STEEL Gourlay. Voir **STEELL Gourlay**

STEEL James W.
Né en 1799 à Philadelphie. Mort le 30 juin 1879 à Philadelphie. XIXe siècle. Américain.
Graveur au burin.
Élève de B. Tanner et de G. Murray. Il grava des billets de banque, des portraits et des paysages.

STEEL John Sydney
Né en 1863. Mort en 1932. XIXe-XXe siècles. Britannique.
Peintre d'animaux.
Ventes Publiques : Glasgow, 7 fév. 1989 : *Poneys dans la cour des écuries*, h/t (53x79) : GBP 2 310 – Perth, 28 août 1989 : *Chevreuils en hiver à Kinnoul dans le Perthshire*, h/t (51x61) : GBP 1 540 – Édimbourg, 26 avr. 1990 : *Cerf et son troupeau à flanc de colline couverte de neige*, h/t (50,8x76,2) : GBP 11 000 – Perth, 29 août 1995 : *Repos après une mise à mort*, h/t (39x52) : GBP 920.

STEEL Léo
Né en 1878 à Stekene/Waas. Mort en 1939. XXe siècle. Belge.
Peintre de compositions religieuses, figures, portraits, paysages, natures mortes.
Il fut élève de l'académie des beaux-arts d'Anvers.
Bibliogr. : In : *Dict. biogr. illustré des artistes en Belgique depuis 1830*, Arto, Bruxelles, 1987.

STEEL Thomas. Voir **STEELE**

STEELANDT Jules
XXe siècle. Français.
Peintre.
Il participa à Paris, au Salon des Artistes Français, dont il fut membre sociétaire. Il reçut une mention honorable en 1935.

STEELANT Jan Van ou **Steenlant**
XVe siècle. Actif à Gand de 1455 à 1489. Éc. flamande.
Peintre et sculpteur (?).
Sans doute descendant de Bloc Van Steelant (Panwelszoon).

STEELE Brandt Théodore
Né le 16 novembre 1870 à Battle Creek. XIXe-XXe siècles. Américain.
Peintre.
Fils du peintre Théodore Clément Steele, il fut élève du peintre Aman-Jean à Paris.

STEELE Christopher, dit **Count Steele**
Né en 1733 à Egremont. Mort en 1767. XVIIIe siècle. Britannique.
Peintre de portraits.
Il fit ses études à Paris avec un peintre anglais peu connu nommé Wright. Il s'établit tour à tour à York et à Kendal et fit de nombreuses tournées en province, peignant des portraits à des prix modiques. George Romney était son élève en 1756 et l'assista dans l'enlèvement d'une jeune demoiselle dont Steele était le professeur. On ne sait rien de très précis sur la fin de sa vie, sinon que ses collections de peintures, de dessins et d'estampes furent vendues aux enchères en 1759. On croit que, après cette date, il alla vivre en Irlande avec sa femme.
Ventes Publiques : Londres, 11 juil. 1986 : *Portrait de fillette en robe bleue*, h/t (109,2x86,3) : GBP 22 000 – Londres, 13 juil. 1994 : *Portrait de Miss Bache vêtue d'une robe rose et debout dans un paysage*, h/t (76x63) : GBP 6 900.

STEELE David
XVIIIe siècle. Travaillant en 1762. Britannique.
Peintre sur porcelaine.

STEELE Edwin
XIXe siècle. Britannique.
Peintre de natures mortes, peintre sur porcelaine.
Fils de Thomas Steele, Il fut actif à Swinton.
Ventes Publiques : Londres, 20 juil. 1976 : *Natures mortes aux fruits*, deux h/t, formant pendants (61x30) : GBP 520 – New York, 15 nov. 1990 : *Nature morte de roses*, h/cart. (31,8x41,9) : USD 8 800.

STEELE Frederic Dorr
Né le 6 août 1873 à Marquette (Michigan). Mort le 6 juillet 1944 à New York. XIXᵉ-XXᵉ siècles. Américain.
Dessinateur.
Il étudia à la National Academy of Design et à l'Art Students' League de New York, où il enseigna par la suite.
Il participa en 1904 à une exposition à Saint Louis, où il reçut une médaille de bronze.
Il est connu pour ses illustrations des aventures de Sherlock Holmes de Conan Doyle.
BIBLIOGR. : In : *Dict. des illustrateurs,* Ides et Calendes, Neuchâtel, 1989.

STEELE Horatio
XIXᵉ siècle. Actif à Swinton. Britannique.
Peintre sur porcelaine.
Fils de Thomas Steele.

STEELE Jane
XIXᵉ siècle. Active à Londres dans la première moitié du XIXᵉ siècle. Britannique.
Peintre de paysages et d'architectures.
Elle exposa de 1810 à 1812.

STEELE Jeffrey
Né le 3 juillet 1931 à Cardiff (South Wales). XXᵉ siècle. Britannique.
Peintre. Tendance cinétique.
Il étudia à l'école d'art de Cardiff de 1948 à 1950, à celle de Newport de 1950 à 1952, puis à l'école des beaux-arts de Paris de 1959 à 1960.
Il participe à des expositions collectives : 1965 Museum of Modern Art de New York ; 1967 Carnegie Institute de Pittsburgh ; 1968 Institute of Contemporary Art de Londres ; 1969, 1975 Helsinki ; 1977 Museo civico de Varese ; 1981 Biennale de dessin de Ljubljana. Il montre ses œuvres dans des expositions personnelles : 1961 Institute of Contemporary Art de Londres ; 1965 Reginald College of Art de Manchester ; 1967 City Art Gallery de Manchester ; 1975 Paris ; 1976 Bruxelles ; 1977 Montréal ; 1977, 1978 Amsterdam ; 1979 Berne.
Les effets optiques qu'il obtint de peintures en noir et blanc se rattachent au mouvement virtuel selon la classification de William C. Seitz précisée pour l'exposition historique du cinétisme : *The Responsive Eye.* Obéissant à un système, ses peintures sont rigoureusement composées, par la mathématique, pour des effets d'illusions optiques et des déformations de perspective. Il a parfois travaillé avec le peintre Bridget Riley. Dans les années quatre-vingt, sa pratique artistique se simplifie, obéissant à des jeux de permutation.
BIBLIOGR. : Frank Popper : *L'Art cinétique,* Gauthiers-Villars, Paris, 1970 - in : *Dict. de l'art mod. et contemp.,* Hazan, Paris, 1992.
MUSÉES : AARAU (Kunsthaus) – CARDIFF (Nat. Mus. of Wales) – GENÈVE (Cab. des Estampes) – HELSINKI (Ateneum Art Mus.) – LODZ (Mus. Szutki) – LONDRES (Victoria and Albert Mus.) – ROTTERDAM (Mus. Boymans Van Beuningen).

STEELE Jeremiah
XVIIIᵉ-XIXᵉ siècles. Actif à Nottingham. Britannique.
Miniaturiste.
Il exposa à Londres, de 1801 à 1826, vingt-sept miniatures à la Royal Academy et trois à la British Institution. Le Victoria and Albert Museum de Londres conserve de lui le portrait de *John Wynne.*

STEELE Louis John
XVIIIᵉ-XIXᵉ siècles. Travaillant de 1781 à 1786 ou de 1871 à 1876. Britannique.
Aquafortiste.

STEELE Theodore Clement
Né le 11 décembre 1847 à Owen County. Mort le 24 juillet 1926 à Bloowington. XIXᵉ-XXᵉ siècles. Américain.
Peintre de paysages, marines.
Il fut élève de Gyula Benczur et de Ludwig Loefftz.
MUSÉES : CINCINNATI – INDIANAPOLIS – SAINT LOUIS.
VENTES PUBLIQUES : NEW YORK, 27 mars 1985 : *Une vallée* 1902, h/t (38x56,5) : **USD 3 600** – NEW YORK, 30 sep. 1988 : *Sur le versant de la colline* 1914, h/t (76,2x102) : **USD 7 150** – NEW YORK, 25 sep. 1992 : *Marine* 1903, h/t (35,6x55,9) : **USD 5 775**.

STEELE Thomas ou **Steel**
Né en 1769 à Derby. Mort en 1850. XVIIIᵉ-XIXᵉ siècles. Britannique.

Peintre de fleurs et de fruits sur porcelaine.
Père d'Edwin et de Horatio Steele. Il travailla à la Manufacture de Swinton.

STEELE Thomas Sedgwick
Né le 11 juin 1845 à Hartford. Mort le 10 septembre 1903 à Swampscott. XIXᵉ siècle. Américain.
Peintre de natures mortes, illustrateur.
Élève de P. Marcius-Simons. Il est l'auteur de récits de voyages.
VENTES PUBLIQUES : NEW YORK, 29 jan. 1982 : *Nature morte aux pommes* 1888, h/t (23x35,5) : **USD 1 600** – NEW YORK, 7 juin 1985 : *The best of the lot* 1891, h/t (40,6x51,4) : **USD 2 500** – NEW YORK, 17 déc. 1990 : *Nature morte de pensées,* h/t (30,5x35,6) : **USD 1 760**.

STEELINK Abraham George
Né le 26 novembre 1844 à Amsterdam. XIXᵉ siècle. Hollandais.
Graveur à l'eau-forte.
Fils de Willem Steelink l'Ancien. Il grava des portraits et des sujets religieux.

STEELINK Willem, l'Ancien
Né le 30 avril 1826 à Amsterdam. Mort le 3 août 1913 à Amsterdam. XIXᵉ-XXᵉ siècles. Hollandais.
Peintre de scènes de genre, portraits, animaux, paysages, graveur.
Élève de A. B. B. Taurel et de l'Académie d'Amsterdam. Il grava sur cuivre, sur acier et à l'eau-forte des portraits, des paysages et des scènes de genre.
VENTES PUBLIQUES : TORONTO, 22 juin 1982 : *Moutons dans un paysage boisé,* h/t (68,7x92,5) : **CAD 2 000** – ÉDIMBOURG, 9 juin 1994 : *Prairie ombragée,* h/t (33,6x47) : **GBP 1 380** – MONTRÉAL, 6 déc. 1994 : *La surveillance du troupeau,* h/t (66x44,4) : **CAD 1 100**.

STEELINK Willem, le Jeune
Né le 16 juillet 1856 à Amsterdam. Mort le 27 novembre 1928 à Woorbourgh. XIXᵉ-XXᵉ siècles. Hollandais.
Peintre d'animaux, paysages, aquarelliste, peintre à la gouache, graveur.
Fils du peintre Willem Steelink l'Ancien, il fut élève de Barend Wynveld et de Charles M. Verlat. Il appartient à la phalange des beaux paysagistes hollandais modernes. Peintre, il réalisa aussi des eaux-fortes et des lithographies.

MUSÉES : LA HAYE (Mus. Mesdag) : *Moutons.*
VENTES PUBLIQUES : ROTTERDAM, 1891 : *Un thé :* **FRF 280** – NEW YORK, 8-10 avr. 1908 : *Moutons au pâturage :* **USD 280** – NEW YORK, 14-17 mars 1911 : *Retour à la grange :* **USD 130** – LONDRES, 21 juil. 1911 : *Dans le marais :* **GBP 47** – LONDRES, 9 déc. 1921 : *Repos en chemin :* **GBP 50** – LONDRES, 27 avr. 1923 : *Le troupeau dans les dunes :* **GBP 47** – LONDRES, 17 avr. 1925 : *Près de Deckersdoon,* dess. : **GBP 36** – PARIS, 18 oct. 1948 : *Bord de rivière :* **FRF 1 100** – LONDRES, 12 fév. 1969 : *L'heure du thé :* **GBP 450** – AMSTERDAM, 26 mai 1976 : *Berger et troupeau dans un paysage,* aquar. (45,5x65) : **NLG 1 550** – LONDRES, 20 oct. 1978 : *Troupeau au pâturage,* h/t (32x47) : **GBP 1 600** – LONDRES, 15 juin 1979 : *Troupeau de moutons,* aquar. (29,2x46,4) : **GBP 500** – LONDRES, 14 févr 1979 : *Troupeau à l'abreuvoir,* h/t (32,5x47) : **GBP 750** – NEW YORK, 25 fév. 1988 : *Moutons paissant dans une prairie* 1862, aquar. (46x4,3) : **USD 880** – AMSTERDAM, 16 nov. 1988 : *Paysage de polder en automne avec un berger et son troupeau près d'une ferme,* aquar. et gche/pap. (31,5x47) : **NLG 1 380** – MONTRÉAL, 30 avr. 1990 : *Paysage avec des moutons,* h/t (36x28) : **CAD 935** – AMSTERDAM, 5-6 nov. 1991 : *Berger avec son troupeau,* h/t (49x67) : **NLG 3 910** – AMSTERDAM, 24 sep. 1992 : *Berger avec son troupeau près d'une mare à Berneveld,* h/t (32,5x49) : **NLG 2 760** – LONDRES, 7 avr. 1993 : *Berger et son troupeau dans un village,* h/t (33x47) : **GBP 1 150** – AMSTERDAM, 9 nov. 1993 : *Berger et son troupeau,* aquar. (37x64) : **NLG 4 830** – NEW YORK, 19 jan. 1994 :

Bergère et son troupeau dans un paysage, h/t (55,6x80,6) :
USD 2 300 – AMSTERDAM, 8 nov. 1994 : *Berger et son troupeau près d'un hangar en hiver,* aquar. (55x42,5) : NLG 5 290 – MONTRÉAL, 18 juin 1996 : *Verts pâturages,* h/pan. (22,8x34,2) : CAD 1 200.

STEELL
XVIIIe siècle. Travaillant en 1781. Britannique.
Silhouettiste.

STEELL David George
Né en 1856. Mort en 1930. XIXe-XXe siècles. Britannique.
Peintre de compositions animées, figures, animaux, paysages.
Fils de Gourlay Steel. Il fut membre de la Royal Scottish Academy et participa chaque année à ses expositions de 1873 à 1930.
En 1891, il exposa à la Royal Academy of Arts.
VENTES PUBLIQUES : GLASGOW, 30 nov. 1976 : *Cheval et chien à l'écurie* 1883, h/t (61,5x74) : GBP 380 – LONDRES, 2 mars 1984 : *The Dumfriesshire otter hounds near Hoddon Castle with Mr. Davidson the juntsman* 1909, h/t (158,8x226,2) : GBP 9 000 – PERTH, 26 août 1991 : *Une prise embarrassante,* h/t (51x66) : GBP 2 420 – NEW YORK, 5 juin 1992 : *Le messager* 1895, h/t (29,2x24,1) : USD 6 050 – PERTH, 1er sep. 1992 : *Le chemin des pâturages* 1878, h/t (51,5x77) : GBP 1 045 – NEW YORK, 20 juil. 1994 : *Bétail des Highlands au bord du Glen Dorchart* 1911, h/t. cartonnée (34,3x44,1) : USD 1 035 – PERTH, 30 août 1994 : *Hunters attachés à la porte de leur écurie* 1882, h/t (64x84) : GBP 5 750.

STEELL Gourlay
Né le 22 mars 1819 à Édimbourg. Mort le 31 janvier 1894 à Édimbourg. XIXe siècle. Britannique.
Peintre de genre, animaux, modeleur animalier, dessinateur, illustrateur.
Fils du sculpteur sur bois John Steell et frère de sir John Robert Steell. Il commença ses études artistiques à l'École du Board of Manufactures, puis fut élève de Robert Scott Lander.
Il commença à exposer à la Scottish Academy à l'âge de treize ans et se fit rapidement un nom dans le monde des artistes. De 1835 à 1894, il exposa régulièrement à la Scottish Academy, y fut associé en 1846 et académicien en 1859. De 1865 à 1880, il parut à la Royal Academy à Londres avec dix peintures.
Il produisit de nombreux dessins d'illustration, modela des animaux pour être reproduits en métaux précieux par les orfèvres d'Édimbourg. Il remplaça son père comme professeur de modelage au Watt Institute à Édimbourg. À la mort de sir E. Landseer en 1873 il fut nommé peintre animalier de la reine Victoria pour l'Écosse. En 1882, il fut nommé directeur de la Galerie de tableaux d'Édimbourg.
MUSÉES : GLASGOW : *Paysage avec chiens et gibier.*
VENTES PUBLIQUES : ÉDIMBOURG, 15 nov. 1977 : *The Inglis Family* 1868, h/t (120x160) : GBP 1 200 – PERTH, 24 avr 1979 : *Gertrude, Blossom and Bob* 1861, h/t, haut arrondi (44x53) : GBP 1 100 – NEW YORK, 30 juin 1981 : *The Prize Lamb,* h/cart. (76x63,5) : USD 1 700 – LONDRES, 18 avr. 1984 : *Le chien-loup,* h/t, haut arrondi (147x183) : GBP 3 000 – LONDRES, 14 fév. 1985 : *Irish wolfhound and terrier,* h/t : GBP 5 800 – LONDRES, 11 juin 1986 : *Master Bradford on his shetland pony* 1874, h/t (91x71) : GBP 9 000 – HADDINGTON, Écosse, 21-22 mai 1990 : *Minna, le chien préféré du Marquis de Dalhousie allongé sur une peau de tigre* 1857, h/t (100x126) : GBP 31 900 – LONDRES, 5 nov. 1993 : *Un griffon Dandy Dinmont* 1866, cr. et aquar. (70,3x72,3) : GBP 7 820 – NEW YORK, 4 juin 1993 : *Une jument de race Clydesdale tenue par son palefrenier* 1860, h/t (101,6x127) : USD 9 200 – PERTH, 29 août 1995 : *Garde-chasse dans les Highlands* 1869, h/t (112x86,5) : GBP 3 450 – LONDRES, 27 mars 1996 : *La descente des collines* 1888, fus. et craie/pap. /t (202x171,5) : GBP 6 210 – PERTH, 20 août 1996 : *Maître Bradford sur son poney des Shetlands* 1874, h/t (91x71) : GBP 3 680 – NEW YORK, 11 avr. 1997 : *Le Meilleur Ami du maître* 1863, h/t (134,6x160) : USD 37 375.

STEELL John
Né en Écosse. XVIIIe-XIXe siècles. Britannique.
Sculpteur sur bois.
Père de sir John Robert Steel.

STEELL John Robert, Sir
Né le 18 septembre 1804 à Aberdeen. Mort le 15 septembre 1891 à Édimbourg. XIXe siècle. Britannique.
Sculpteur.
Fils du sculpteur sur bois John Steel. Membre de la Royal Scot-

tish Academy dont il fut un fidèle exposant. On le cite également exposant à la Royal Academy à Londres, neuf ouvrages de 1837 à 1876.
MUSÉES : ÉDIMBOURG (Gal. nat.) : *Le juge David Boyle – Le marquis James of Dalhousie – H. W. Williams – Katherine, Lady Stuart of Allanbank* – quatre bustes – LONDRES (Gal. nat.) : *Thomas de Quincey – Florence Nightingale.*

STEEN Antoon Van der
Mort en 1627. XVIIe siècle. Actif à Anvers. Éc. flamande.
Peintre.
Élève de Frans Francken l'Ancien.

STEEN Cornelis
Né en 1655 ou 1656. Mort en février 1697 à Leyde. XVIIe siècle. Actif à Leyde. Hollandais.
Peintre.
Fils de Jan Steen, en 1680 dans la gilde de Leyde. Le Musée municipal de Leyde conserve de lui *Scène dans une auberge.*

STEEN Dirck
Né le 16 juillet 1674. XVIIe-XVIIIe siècles. Hollandais.
Peintre et sculpteur.
Fils de Jan Steen. Il fut probablement peintre d'une cour allemande.

STEEN Franciscus Van der ou Stein
Né vers 1625 à Anvers. Mort le 20 janvier 1672 à Vienne. XVIIe siècle. Éc. flamande.
Peintre et graveur à l'eau-forte.
Élève d'Alexandre Voet en 1638 à Anvers, maître en 1643, il fut graveur de la cour de Léopold Guillaume puis de Ferdinand III à Vienne et se maria en 1665. Il a surtout gravé des portraits.

STEEN Francoys Van de
XVIIe siècle. Éc. flamande.
Graveur.
Il fit ses études à Anvers dans la seconde moitié du XVIIe siècle.

STEEN Gaspard Van den
XVIIe siècle. Actif dans la seconde moitié du XVIIe siècle. Éc. flamande.
Sculpteur.
Frère de Jan Van den Steen ou Steene. Il travailla en 1671 pour le jubé de l'église de l'abbaye d'Averbode.

STEEN Germain Van der. Voir VANDERSTEEN
STEEN Jacques Van den. Voir STEENE
STEEN Jan Van den ou Van der ou Steene
Né en 1637 à Malines. Mort en 1723 à Malines. XVIIe-XVIIIe siècles. Éc. flamande.
Sculpteur.
Élève de A. Bauen ou Bayens en 1646, de R. Pauli en 1653, de A. Quellinus le Jeune. Il fut novice des Jésuites, mais abandonna le cloître et partit en Angleterre. Il fut maître à Malines en 1670. Il travailla pour l'église de Saint-Rombaut de Malines.

STEEN Jan
Né en 1685 à Alkmaar. XVIIIe siècle. Hollandais.
Peintre d'histoire et de genre.

STEEN Jan Van der ou Stone
Mort avant 1784 au Bengale. XVIIIe siècle. Hollandais.
Peintre.
Il travailla à Constantinople à la fin du XVIIIe siècle fut soldat, alla aux Indes, prit le nom de Stone et mourut au Bengale, comme lieutenant d'artillerie anglaise.
MUSÉES : AMSTERDAM : *Vue de Constantinople – Deux vues du Bosphore,* attr.

STEEN Jan Havicksz
Né en 1626 à Leyde. Enterré à Leyde le 3 février 1679. XVIIe siècle. Hollandais.
Peintre de compositions religieuses, genre, intérieurs, portraits.
Il était fils d'un riche brasseur. Il fut probablement élève de Nicolas Knupfer à Utrecht puis d'Adrian Van Ostade à Haarlem et de Jan van Goyen à La Haye. Il était en 1646 étudiant à l'Académie de Leyde, et en 1648 un des fondateurs de la gilde. En 1649, il épousa Margaretha, la fille de Jan Van Goyen à La Haye. Il demeura dans cette ville jusqu'en 1654, puis dirigea une brasserie à Delft jusqu'en 1657. Il ne paraît pas y avoir réussi. Revenu à Leyde en 1658, il en repartit pour Haarlem de 1661 à 1669. De nouveau à Leyde en 1669, il obtint la permission de tenir une auberge en 1672, et se remaria en 1673 avec Maria Van Egmont.

Il paraît avoir mené une vie incertaine et précaire, toutefois contredite par le grand nombre de ses œuvres. Il subit plusieurs revers financiers, ses meubles étant saisis pour dettes. Il vendait parfois ses ouvrages à des prix extrêmement bas : ainsi aurait-il exécuté trois portraits pour 29 florins, montant du loyer de sa maison pour 1666-1667. À la fin de sa vie, sa situation paraît avoir été plus favorable par suite de l'héritage paternel et il laissa à sa veuve et à ses enfants la maison familiale. Il eut pour élève Richard Brakenburg. La tradition hollandaise, négligeant la décoration de rares palais et des églises réformées, en lieu de peinture murale exploita la peinture de chevalet. Dans des formats modestes, elle reproduisait la vie de tous les jours, les joies bourgeoises ou rustiques, les scènes d'intérieur ; elle créait la « peinture de genre ». Même s'il traitait des scènes de cabaret, Jan Steen vivait parmi sa femme et ses enfants et les prenant sans cesse pour modèles. C'est dans un entourage populaire que l'artiste travaillait, puisque sa seconde femme était « tripière » et vendait au marché des têtes et des pieds de veau et de mouton cuits. Il a soin de présenter les scènes prises à un point de vue élevé, de manière à ce que les personnages du premier plan ne cachent pas ceux des plans éloignés. Il se montre en général très économe d'objets accessoires. Le nombre des ustensiles divers y est moins prodigue que chez les autres peintres hollandais.

Il fut aussi peintre de paysages, surtout à ses débuts, avec des toiles telles que la *Partie de quilles* (Londres), *La Terrasse* ou *Le Jardin d'auberge*.

Non seulement par ces scènes de cabaret, traitées aussi par Ostade, Brouwer et bien d'autres peintres de « bambochades », Jan Steen appartient authentiquement à l'école hollandaise par son goût pour les effets de lumière, par la vigueur des empâtements, la richesse des tons, les groupements heureux et naturels. Sans avoir recherché la spiritualité de Rembrandt, Jan Steen s'est pourtant attaché dans une certaine mesure au problème du « clair-obscur », souci pictural et scénique qui contribue à le sauver d'être purement anecdotique.

■ E. C. Bénézit, J. B.

Bibliogr. : A. Bredius : *Jan Steen*, Amsterdam, 1927 – Schmidt-Degener et Van Gelder : *Jan Steen*, Paris, 1929 – H. C. Jonge : *Jan Steen*, Amsterdam, 1939 – W. Martin : *Jan Steen*, Amsterdam, 1955 – Karel Baun : *The Complete Works of Jan Steen*, 1980.

Musées : Aix : *Adoration des bergers* – Amsterdam : *L'artiste – Erysichton – Le boulanger Aostwaard – Après boire – L'anniversaire du prince – Scène de famille – La Saint Nicolas – La joyeuse famille – Joyeux retour – Noce au village – Le charlatan*, deux œuvres – *Ecureuse – La leçon de danse – La cage du perroquet – Le malade – Le libertin – La sauvegarde du diable – Les pèlerins d'Emmaüs – La vendue – La ravaudeuse et le joueur de flûte – L'homme riche et le pauvre Lazare* – Anvers : *Samson insulté par les Philistins – La noce de village* – Augsbourg : *Le poète couronné* – Avignon : *La fête des rois* – Bâle : *Dans l'auberge – Jésus à douze ans* – Berlin : *Le jardin de l'auberge – La dispute au jeu – Compagnie dépravée – Le baptême* – Bordeaux : *Scène de cabaret* – Brême : *Couple d'amoureux* – Breslau, nom all. de Wroclaw : *Visite à la campagne* – Brunswick : *Le contrat de mariage* – Bruxelles : *Les rhétoriciens – L'opérateur – La fête des rois – L'offre galante* – Budapest : *Famille de chats* – Le Cap : *Scipion – Caniche* – Cheltenham : *Vaches maigres et grasses* – Chicago : *Musiciens* – Cincinnati : *La visite du médecin* – Cologne : *Samson aux mains des Philistins – Bethsabée – Après l'accouchement – De Wijn is een Spodder* – Constance : *Loth et ses filles* – Copenhague : *L'avare – David acclamé après avoir tué Goliath* – Dresde : *Noces de Cana – Mère et enfant – Répudiation d'Agar* – Dublin : *L'école du village – Femme raccommodant un bas* – Düsseldorf : *Querelle* – Édimbourg : *La consultation* – Enschede : *Alchimistes – Paysans* – Florence : *Le repas du jambon* – Francfort-sur-le-Main : *Moïse frappant le rocher – Le convive importun – L'alchimiste – Le marché aux poissons* – Gênes : *Pâques fleuries – Fête d'auberge* – Glasgow : *Divertissement familial* – Gotha : *Réunion joyeuse* – Gottingue : *Antoine et Cléopâtre* – Graz : *Arrestation d'un criminel* – Haarlem : *Kermesse de village* – Hambourg : *Joyeux paysans – Après l'accouchement – Musiciens – Le gourmand – Tête d'enfant* – La Haye : *Fête de village – Le dentiste – Une ménagerie – Médecin tâtant le pouls à une jeune fille – Médecin près d'une jeune femme malade – So de maden songen se pijpen de jongen – L'estaminet* – La Haye (Mus. comm.) : *Remontrance pastorale – Marché aux poissons* – La Haye (Mauritshuis) : *Le repas d'huîtres* – Karlsruhe : *Jardin d'auberge* – Kassel : *La fête des rois – Joyeuse compagnie de douze personnes – La cuisinière – Chambre de malade* – Leyde : *Laban cherche les faux dieux emportés par Rachel – Scène champêtre – Jeune homme dessinant à la lueur d'une chandelle – La lettre* – Liège : *Le ménétrier – Le musicien hollandais – D'un mariage vient l'autre* – Liverpool : *Un étal de boucher* – Londres (Nat. Gal.) : *Le maître de musique – Le marchand de lunettes – Intérieur avec personnages – Scène sur une terrasse – Partie de quilles* – Londres (Wallace) : *Fête de Noël – Le joueur de luth – La leçon de harpe – Débauche dans une taverne – L'alchimiste de village* – Lugano (Thyssen coll.) : *Autoportrait* – Mayence : *Enfants apprenant à danser à un chat* – Melbourne : *Joyeuse compagnie* – Montpellier : *Le repos du voyageur – Repas de famille* – Mulhouse : *Le maître d'école* – Munich : *Joueurs de cartes se battant au cabaret – Médecin tâtant le pouls à une femme – Remontrance paternelle* – New York (Metropolitan Mus.) : *Paysans* – Nice : *Marchande de poissons* – Niort : *Poissons, gibier et fruits* – Paris (Mus. du Louvre) : *Fête flamande dans un intérieur d'auberge – Repas de famille – La mauvaise compagnie* – Paris (Mus. du Petit Palais) : *Scène de musique* – Philadelphie : *Joueurs de quilles – Le barbier de village – La diseuse de bonne aventure – Scène de musique – En jouant aux cartes – Dans l'auberge* – Rotterdam : *Agar – Saint-Michel chez Jan Steen – Le concassage des pierres – La visite du médecin* – Rouen : *Le marchand d'oublies* – Saint-Pétersbourg (Mus. de l'Ermitage) : *Esther devant Assuerus – La visite du médecin – Fête d'été – Les buveurs – Le vieillard malade – La partie de tric-trac – Noce de paysans – Deux scènes de cabaret – Le malade d'amour* – Schwerin : *L'as de cœur* – Strasbourg : *La diseuse de bonne aventure – Joyeuse compagnie* – Venise : *Le bénédicité* – Vienne (Mus. nat.) : *Les débauchés – Mariage villageois* – Vienne (Gal. Liechtenstein) : *Bethsabée reçoit le message de David.*

Ventes Publiques : Paris, 1805 : *Deux bouquets de fleurs dans des carafes*, deux dess. en coul. : **FRF 241** – Paris, 1841 : *Bouquet de fleurs dans un vase* : **FRF 900** ; *Vase de pavots* : **FRF 811** – Paris, 21 mai 1873 : *Fleurs et fruits* : **FRF 3 505** ; *Fleurs et fruits* : **FRF 3 000** – Paris, 1883 : *Bouquet de fleurs et fruits* ; *Bouquet de fleurs, fruits et nid d'oiseau*, deux aquar., formant pendants : **FRF 410** – Paris, 1891 : *Fleurs* : **FRF 1 500** – Paris, 20 juin 1919 : *Le bouquet* : **FRF 300** – Paris, 12 déc. 1919 : *Corbeille de fleurs* :

FRF 2 000 – Paris, 11 juin 1920 : *Fleurs sur une table de marbre* : FRF 910 – Paris, 6 mai 1921 : *Fleurs, fruits et gibier, deux toiles* : FRF 700 – Paris, 26 nov. 1926 : *Fleurs dans un vase* : FRF 4 200 – Paris, 18 mars 1937 : *Vase de fleurs : roses, primevères, giroflées* : FRF 3 600 – Paris, 16 mars 1939 : *Vase de fleurs* : FRF 30 000 – Bruxelles, 15 avr. 1939 : *Fleurs* : BEF 7 000 – Paris, 13-14 déc. 1943 : *Corbeille de fleurs et insectes*, attr. : FRF 120 000 – Paris, 24 mars 1944 : *Vase de fleurs*, attr. : FRF 12 800 – Paris, oct. 1945-juil. 1946 : *Nature morte aux raisins, coloquinte, papillons et lézard 1839*, aquar. : FRF 1 500 – Paris, 21 oct. 1946 : *Bouquet de fleurs dans un vase de porcelaine*, attr. : FRF 6 000 – Paris, 6 déc. 1946 : *Branche de roses*, attr. : FRF 19 100 – Paris, 29 jan. 1947 : *Fleurs*, attr. : FRF 55 000 – Paris, 15 mai 1950 : *Vases de fleurs, deux pendants*, attr. : FRF 155 000 – Paris, 14 mars 1955 : *Table d'office* : FRF 40 500 – Londres, 26 mars 1969 : *Bouquet de fleurs* : GBP 9 000 – Londres, 10 nov. 1971 : *Natures mortes aux fleurs, deux pendants* : GBP 2 400 – New York, 6 déc. 1973 : *Nature morte aux fleurs* : USD 17 000 – Amsterdam, 26 avr. 1977 : *Natures mortes, gche, une paire (73x58,5)* : NLG 39 000 – Paris, 21 mars 1977 : *Vase de fleurs 1818, h/t (52,5x41,5)* : FRF 54 000 – Londres, 18 juin 1980 : *Nature morte aux fleurs, h/pan. (19x14,5)* : GBP 3 400 – New York, 8 jan. 1981 : *Scène de taverne, h/pan. (55,5x45)* : USD 145 000 – Versailles, 30 oct. 1983 : *Bouquet de fleurs au panier ; Bouquet à la rose*, gche, deux pendants (32,5x24,5) : FRF 95 000 – Amsterdam, 14 mars 1983 : *Musiciens ambulants devant une ferme, h/pan. (40x49)* : NLG 150 000 – Londres, 11 déc. 1985 : *Lazare chez les riches 1667, h/t mar./pan. (68x79,5)* : GBP 60 000 – Londres, 12 déc. 1986 : *Scène de marché sur un pont, h/pan. (47,6x65,7)* : GBP 30 000 – Londres, 8 avr. 1987 : *Allégorie de l'Amour, h/t (65x81,5)* : GBP 48 000 – Paris, 15 avr. 1988 : *Nature morte aux raisins et pêches sur un entablement, h/cart. (17,3x22,5)* : FRF 12 500 – Londres, 22 avr. 1988 : *Trois épis de maïs suspendus à un clou (51x41,5)* : GBP 7 150 – Amsterdam, 18 mai 1988 : *Une rose, des lilas, un soucis, des myosotis, une anémone et un hibiscus dans un panier, sur une console de marbre 1798, h/pan. (27,9x20,4)* : NLG 126 500 – New York, 11 jan. 1989 : *Roses, tulipes, narcisses, volubilis, delphiniums et autres dans une urne avec un nid sur un entablement 1817, h/t (80,6x64,7)* : USD 28 600 – New York, 23 mai 1989 : *Composition florale dans une corbeille d'osier 1821, h/t (51x40,5)* : USD 110 000 – Paris, 12 déc. 1989 : *Une corbeille de différentes fleurs, h/t (93x73)* : FRF 2 400 000 – Nice, 29 juin 1995 : *Bouquet de fleurs, h/t (81x64)* : FRF 310 000 – Londres, 22 nov. 1996 : *Nature morte de fleurs dans un vase sur un entablement 1824, h/pan. (63x52)* : GBP 58 700 – Amsterdam, 27 oct. 1997 : *Nature morte de tulipes, pivoines, roses, et autres fleurs sur un entablement de marbre 1817, h/t (84x67)* : NLG 306 800.

STEEN Otte
xve siècle. Actif à Lütjenbourg dans la seconde moitié du xve siècle. Allemand.
Sculpteur sur bois.
Il sculpta un reliquaire pour l'église de Lütjenbourg en 1471.

STEEN Philippe Van den
xviie siècle. Actif à Malines. Éc. flamande.
Sculpteur.
Il travailla pour l'abbaye d'Averbode.

STEEN Pieter Dircxsz
Mort avant 1594 à Leyde. xvie siècle. Hollandais.
Peintre et orfèvre.

STEEN Thadaeus ou Tede
Né en 1651 à La Haye. xviie siècle. Hollandais.
Peintre.
Fils de Jan Steen. Il peignit des paysages et des ruines.

STEEN Theodorus
Né le 3 juillet 1674 à Leyde. xviie-xviiie siècles. Hollandais.
Sculpteur.
Fils de Jan Steen.

STEEN-GERMAIN Van der. Voir VANDERSTEEN Germain

STEEN-HERTEL Elna Sophie Cathrine, née Steen
Née le 31 mars 1872 à Copenhague. xxe siècle. Danoise.
Sculpteur.
Elle fut élève d'A. Saabye à Copenhague et de l'académie Colarossi à Paris. Elle vécut et travailla à Charlottenlund.
Musées : Copenhague – Göteborg.

STEEN JOHNSEN Sören
Né le 7 octobre 1903 à Trondheim. xxe siècle. Norvégien.

Peintre de paysages.
Il fut élève de l'académie des beaux-arts d'Oslo et de Per Krogh à Paris.
Musées : Oslo (Gal. d'art) : *Paysage.*

STEENACKER Auguste Joseph Hubert
Né en 1890 à Saint Gilles-Termonde. xxe siècle. Belge.
Peintre de portraits, paysages, graveur.
Il étudia à l'académie de Termonde, où il fut élève de Franz Courtens et Jan W. Rosier.
Il travaille à pleine pâte appliquant la peinture au couteau. Dans les paysages, il privilégie la représentation de l'arbre.
Bibliogr. : In : *Dict. biogr. illustré des artistes en Belgique depuis 1830*, Arto, Bruxelles, 1987.

STEENACKERS François Frédéric
Né au xixe siècle à Lisbonne. xixe siècle. Portugais.
Sculpteur.
Il figura aux Expositions de Paris ; mention honorable en 1861.

STEENBÄCK-KNAP Else Christine, née Steenbäck-Petersen
Née le 12 août 1884 à Copenhague. xxe siècle. Danoise.
Peintre de paysages.
Musées : Kolding.

STEENBEEK Constant
Né en 1897 à Weert-Saint-Georges. xxe siècle. Belge.
Peintre. Naïf.
Comme la plupart des peintres naïfs, il a d'abord exercé un autre métier. Il a été longtemps carreleur-mosaïste et ne peint que depuis 1966.

STEENBERGHEN Albertus ou Steenbergen
Né le 26 mai 1814 à Hoogeveen. Mort en 1900. xixe siècle. Hollandais.
Peintre d'oiseaux, fleurs et fruits.
Élève de Jan Van Ravenway.
Musées : Amsterdam (Mus. mun.) : *Fleurs.*
Ventes Publiques : Lucerne, 20 nov. 1796 : *Natures mortes aux fleurs et aux fruits, deux h/pan., formant pendants, chaque (30x46)* : CHF 2 200 – Bruxelles, 1-2-3 mars 1966 : *Fleurs et fruits* : BEF 85 000 – Londres, 14 juin 1972 : *Nature morte aux fleurs et aux fruits* : GBP 650.

STEENBOCK Sievert Nikolaus
Né le 7 mai 1822 à Flensbourg. Mort le 8 mars 1904 à Rostock. xixe siècle. Allemand.
Peintre de portraits, de paysages, d'animaux, lithographe.
Il fit ses études à Flenbourg et à Hambourg et se fixa à Rostock.
Le Musée de cette ville conserve des aquarelles de cet artiste.

STEENBUCH
xviiie siècle. Danois.
Peintre.
Il travailla probablement à Odense.

STEENE Augustus Van de, ou Van den
Né le 5 novembre 1803 à Bruges. Mort le 6 avril 1870 à Saint-Josse-ten-Noode. xixe siècle. Belge.
Peintre de paysages, d'architectures, graveur, lithographe.
Fils de François Bernard Jacques Van den Steene. Élève de Joseph François Ducq à l'Académie des Beaux-Arts de Bruges et de Alois Senefelder à Munich pour la lithographie dont il était l'inventeur. Il séjourna aussi en Italie et en Suisse.
Il fut, en 1818-1819, le propagateur du procédé lithographique en Belgique.
Bibliogr. : In : *Dict. biogr. illustré des artistes en Belgique depuis 1830*, Arto, Bruxelles, 1987.
Ventes Publiques : Londres, 22 juil. 1910 : *Vue de Bruges* : GBP 16 – Lausanne, 17 et 20 oct. 1961 : *Vue de Bruges* : CHF 4 100.

STEENE Dominique Jean Van de
Né en 1759 à Bruges. Mort en 1829. xviiie-xixe siècles. Belge.
Dessinateur, lithographe.
Il fut professeur à l'Académie des Beaux-Arts de Termonde, puis sans doute de Courtrai.
Étant donnée la date, 1818, de la publication d'Alois Senefelder sur son invention de la lithographie, Dominique Van de Steene ne put la pratiquer que sur le tard.
Bibliogr. : In : *Dict. biogr. illustré des artistes en Belgique depuis 1830*, Arto, Bruxelles, 1987.

STEENE Édouard Adolphe
Né en 1818 à Termonde. Mort en 1898 à Courtrai. XIXᵉ siècle.
Belge.
Dessinateur, lithographe, illustrateur de presse.
Fils de Dominique Jean Van de Steene, il fut élève de son père à
l'Académie des Beaux-Arts de Courtrai.
À partir de 1837, il travaillait au Journal de Bruges.
BIBLIOGR. : In : *Dict. biogr. illustré des artistes en Belgique depuis
1830*, Arto, Bruxelles, 1987.

STEENE Erasme Van den
Né en 1643 ou 1644 à Gand. Mort en 1696 à Gand. XVIIᵉ siècle.
Éc. flamande.
Graveur au burin, calligraphe et relieur.
On cite de lui un *Portrait de l'artiste*, daté de 1676.

STEENE François Van de, ou **Van den**
Né le 8 octobre 1736 à Bruges. Mort le 26 mars 1808 à
Bruges. XVIIIᵉ siècle. Éc. flamande.
Peintre de figures.
Père de François Bernard Jacques Van den Steene. Il fut élève de
Matthias de Visch à l'Académie des Beaux-Arts de Bruges. Il est
aussi connu comme notaire.
BIBLIOGR. : In : *Dict. biogr. illustré des artistes en Belgique depuis
1830*, Arto, Bruxelles, 1987.

STEENE François Bernard Jacques Van de, ou **Van
den**
Né le 3 mars 1781 à Bruges. Mort en 1848, ou le 15 avril 1849
à Bruges. XIXᵉ siècle. Belge.
Peintre de paysages amateur.
Fils de François Van den Steene et père d'Auguste. Il était
notaire comme son père. Il fut élève de son père et de Jean François Le Gillon.
BIBLIOGR. : In : *Dict. biogr. illustré des artistes en Belgique depuis
1830*, Arto, Bruxelles, 1987.
MUSÉES : BRUGES : *Paysage de forêt avec un pont*.

STEENE Jacques Van den ou **Steen** ou **Stienne**
XVIᵉ-XVIIᵉ siècles. Éc. flamande.
Peintre.
Élève de Jean Ségart. À Tournai de 1581 à 1611, il travailla pour
l'église Saint-Brice et l'église des Jésuites de la même ville.

STEENE Pieter
Né en 1804 à Gand. Mort en 1874. XIXᵉ siècle. Belge.
Dessinateur, lithographe.
Fils aîné de Dominique Jean Van de Steene. Il fut élève de l'Aca-
démie des Beaux-Arts de Termonde, où il succéda à son père
comme professeur.
BIBLIOGR. : In : *Dict. biogr. illustré des artistes en Belgique depuis
1830*, Arto, Bruxelles, 1987.

STEENE William
Né le 18 août 1888 à Syracuse. XXᵉ siècle. Américain.
Peintre, sculpteur.
Il fut élève de Robert Henri et l'Art Students' League de New
York, où il vécut et travailla.

STEENFELDT Joh. Eilert
Né le 31 mars 1799 à l'île de Funen. Mort le 26 décembre
1863. XIXᵉ siècle. Danois.
Dessinateur.
Il privilégia les sujets d'histoire naturelle.

STEENHOFF Willem Jan
Né le 13 janvier 1863 à Utrecht. Mort le 22 décembre 1932 à
Amsterdam. XIXᵉ-XXᵉ siècles. Hollandais.
Graveur.
Il fut élève de l'académie des beaux-arts d'Amsterdam et direc-
teur du musée Mesdag de La Haye. Il fut aussi écrivain d'art.

STEENKS Gerard L.
Né en 1847. Mort en 1926. XIXᵉ-XXᵉ siècles. Américain.
Peintre de natures mortes.
Artiste de Brooklyn, il étudia à la National Academy of Design et
se spécialisa dans la peinture de natures mortes. Il exposait à
l'Association d'Art et au Club d'Art de Brooklyn.
VENTES PUBLIQUES : NEW YORK, 26 mai 1993 : *Salade de homard*,
h/t (45,8x76,5) : USD 16 100.

STEENLANT Jan Van. Voir **STEELANT**

STEENMOLEN Josse Van. Voir **STEYNEMEULEN**

STEENRE Wouter Van
XVIIᵉ siècle. Actif à Utrecht de 1658 à 1672. Hollandais.

Peintre.
Élève de son oncle C. Poelenborch. Un Wouter Van Steenre fut
inspecteur de la gilde d'Utrecht en 1669. Le Musée municipal de
Francfort-sur-le-Main possède de lui *Loth et ses filles*.

STEENREE Willem ou **Georg**. Voir **STENREE**

STEENS N. D.
XVIIIᵉ siècle. Hollandais.
Paysagiste.

STEENVOORD P. G.
XIXᵉ siècle. Travaillant à Amsterdam de 1810 à 1820.
Peintre de fleurs.

STEENVOORDEN Jacob Van, dit **Enéa**
Mort entre le 7 mai 1667 et 1680. XVIIᵉ siècle. Actif à La Haye.
Hollandais.
Peintre.
Élève de Johan Daucker en 1649 à La Haye.

STEENVORDE Bertold von. Voir **STENVORDE**

STEENWIJCK. Voir aussi **STEENWYCK**

STEENWIJCK Claes Claesse Van
XVIIᵉ siècle. Hollandais.
Sculpteur.
Il fut maître à Delft en 1667. Peut-être identique à Claes Claesz
Steenwijck.

STEENWIJCK Claes Claesz
XVIIᵉ siècle. Hollandais.
Sculpteur sur bois.
Il exécuta une partie des stalles de la Grande église d'Alkmaar de
1654 à 1655. Peut-être identique à Claes Claesse Van Steenwijck.

STEENWIJK Hendrick Van. Voir **STEENWYK Hendrick**

STEENWIJK Hendrick Van ou **Steenwyck**
Né en 1864. Mort en 1937. XIXᵉ-XXᵉ siècles. Hollandais.
Peintre de figures, paysages, marines.
VENTES PUBLIQUES : AMSTERDAM, 24 avr. 1991 : *Le bord de la
plage*, h/cart. (45x35) : NLG 4 370 – AMSTERDAM, 3 nov. 1992 :
Maternité, h/t (32,5x29) : NLG 2 300 – AMSTERDAM, 20 avr. 1993 :
Sur le plage de West-Capelle, h/pan. (27,5x45) : NLG 1 610.

STEENWINKEL
Né à Delft. XVIIᵉ siècle. Hollandais.
Peintre d'animaux.
Il travailla pour Christian IV de Danemark en 1640.

STEENWINKEL Anthonie ou **Stenwinkel**
Mort en 1688 à Copenhague. XVIIᵉ siècle. Danois.
Peintre de portraits, figures.
Il travailla pour la cour de Copenhague à partir de 1670.

STEENWINKEL Gérard ou **Gérart**
XVIIᵉ siècle. Éc. flamande.
Peintre.
Élève de Mattys Musson à Anvers en 1632.

STEENWINKEL Hans I, dit **Hans von Emden**
Né vers 1545 à Anvers. Mort le 10 mai 1601 à Halmstad. XVIᵉ
siècle. Éc. flamande.
Sculpteur et architecte.
Il travailla à Anvers, à Emden et se fixa au Danemark en 1578 où
il sculpta des tombeaux.

STEENWINKEL Hans II
Né le 24 juin 1587 à Copenhague. Mort le 6 août 1639 à
Copenhague. XVIIᵉ siècle. Danois.
Sculpteur et architecte.
Fils de Hans Steenwinkel I. Il travailla pour la cour de Danemark.
Il sculpta surtout des décorations.

STEENWINKEL Hans III
Né avant 1639. Mort en 1700 à Copenhague. XVIIᵉ siècle.
Danois.
Sculpteur et architecte.
Fils de Hans Steenwinkel II. Il sculpta des décorations et des por-
tails.

STEENWINKEL Henrik ou **Hendrik**
XVIIᵉ siècle. Actif à Delft. Hollandais.
Peintre et copiste.
Élève de Jan Verkolje I.

STEENWINKEL Lourens ou **Laurens** ou **Lorentz** ou
Laurids
Né probablement vers 1585. Mort en 1619. XVIIᵉ siècle.
Danois.

Sculpteur et architecte.
Fils de Hans Steenwinkel I. Il travailla pour le château de Rosenborg à Copenhague et pour l'église de la Trinité à Kristianstad.

STEENWINKEL Martin ou Morten
Né le 3 juillet 1595 à Varberg. Mort le 9 décembre 1646 à Copenhague. XVIIᵉ siècle. Danois.
Peintre et architecte.
Frère de Hans Steenwinkel II. Il exécuta dix peintures sur les plafonds du château de Kronborg près de Helsingör.

STEENWYCK. Voir aussi STEENWIJCK

STEENWYCK Abraham
Né vers 1640 à Breda. Mort en 1698 à Breda. XVIIᵉ siècle. Hollandais.
Peintre de natures mortes.
Cet artiste est souvent confondu à tort avec les deux Hendrick Van Steenwick. On suppose qu'il est né à Breda en 1640, c'est-à-dire neuf ans avant la mort du dernier Steenwick. On affirme qu'Abraham Steenwick passa toute sa vie à Breda. On manque totalement de renseignements sur ce peintre.
Il se plaisait à peindre des natures mortes, auxquelles il donnait une signification symbolique : La Fragilité Humaine, Le Luxe, Le Plaisir, La Mort, etc. Ces allégories particulières, traitées dans une belle couleur et une pâte généreuse, jouissent encore d'une réputation méritée. Si l'artiste se plaisait à donner dans ses peintures des leçons de morale, sa vie paraît-il était loin de répondre à cette rigueur ; on lui attribue une existence de débauche ; en tout cas il mourut à peine âgé de 58 ans, dans une profonde misère.

VENTES PUBLIQUES : LONDRES, 18 avr. 1980 : *Nature morte aux roses et aux fruits*, h/pan. (32,4x26) : **GBP 8 500** – PARIS, 27 juin 1989 : *Nature morte de raisins, pêches et citron disposés sur un entablement*, pan./pan. de bois de chêne parqueté (57x72,5) : FRF 29 500.

STEENWYCK Harmen ou Herman Van
Né en 1612 à Delft. Mort après 1656. XVIIᵉ siècle. Hollandais.
Peintre de scènes de genre, natures mortes.
Frère de Pieter Van Steenwyck, il fut élève de son beau-frère David Bailly à Leyde de 1628 à 1633. Il vécut à Delft en 1644, voyagea aux Indes, d'où il revint en 1655, ce qui explique sans doute son goût pour les motifs exotiques.
Il aimait représenter les volailles, gibiers, poissons, mais surtout des *Vanités*, dont il était un véritable spécialiste. Il lui arrive aussi d'introduire un personnage, comme le montre le *Paysan dans un intérieur*, qui, en quelque sorte, est une nature morte.

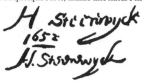

BIBLIOGR. : In : *Diction. de la peinture flamande et hollandaise*, coll. Essentiels, Larousse, Paris, 1989.
MUSÉES : AMSTERDAM (Mus. nat.) : *Deux Natures mortes* – BUCAREST – BUDAPEST – CAEN (Mus. des Beaux-Arts) : *Paysan dans un intérieur* – GÖTEBORG – LEYDE (Mus. de Lakenthal) : *Vanitas* – LONDRES (Nat. Gal.) – MANNHEIM (Gal. Nat.) : *Intérieur de cuisine* – NIORT : *Nature morte* – OXFORD (Ashmolean Mus.) : cinq natures mortes – WÜRZBURG.
VENTES PUBLIQUES : LONDRES, 3 fév. 1922 : *Vasque de porcelaine et fruits* : **GBP 37** ; *Canard mort, poisson et fruits* : **GBP 39** – LONDRES, 27 nov. 1963 : *Nature morte aux fruits* : **GBP 680** – LONDRES, 25 juin 1969 : *Natures mortes, deux pendants* : **GBP 2 300** – LONDRES, 21 mars 1973 : *Nature morte aux fruits* : **GBP 6 800** – LONDRES, 31 oct. 1980 : *Jeune garçon assis près d'une table avec fruits et gibier mort*, h/t (89,5x109,2) : **GBP 16 000** – AMSTERDAM, 30 nov. 1981 : *Natures mortes*, h/pan., une paire (21x24,5 et 20,5x23,5) : **NLG 68 000** – AMSTERDAM, 14 mars 1983 : *Homme nettoyant du poisson*, h/pan. (25,5x32,5) : **NLG 13 500** – LONDRES, 12 juil. 1985 : *Nature morte aux poissons*, h/pan. (17,1x21) : **GBP 12 000** – NEW YORK, 15 jan. 1988 : *Nature morte de fruits dans une coupe de faïence bleue et blanche avec une cruche et un couteau posés sur une table* (31,2x33,7) :

USD 17 600 – LONDRES, 27 oct. 1989 : *Nature morte avec une morue, un quartier de viande, des pots de terre et des fruits sur un entablement*, h/pan. (31x35,5) : **GBP 11 000** – MONACO, 18-19 juin 1992 : *Nature morte avec un panier de fruits renversé, des oiseaux morts et un chat sur un entablement*, h/pan. (48x93) : **FRF 160 950** – AMSTERDAM, 16 nov. 1993 : *Nature morte de fruits, de poissons près d'un pot de terre sur une table*, h/pan. (36x49) : **NLG 105 800** – AMSTERDAM, 10 mai 1994 : *Nature morte de fruits sur un entablement de pierre*, h/pan. (19x23,5) : **NLG 29 900** – NEW YORK, 12 jan. 1996 : *Vanité : un crâne coiffé d'un béret à plume posé sur un livre près d'une flûte, un verre de vin, des pêches et perles sur un entablement de pierre partiellement drapé*, h/pan. (28x31,8) : **USD 46 000.**

STEENWYCK Hendrick Van. Voir STEENWIJK Hendrick Van

STEENWYCK Isaac Van
XVIIᵉ siècle. Actif à Utrecht. Hollandais.
Peintre.

STEENWYCK Nicholas
Né en 1640 à Breda. Mort en 1698. XVIIᵉ siècle. Hollandais.
Peintre de natures mortes, animaux.
Il a réalisé des natures mortes de poissons.
VENTES PUBLIQUES : PARIS, 11 mars 1921 : *Portrait de l'artiste par lui-même* : FRF 500.

STEENWYCK Pieter Van ou Steenwijk
Né vers 1615 à Delft. Mort après 1654. XVIIᵉ siècle. Hollandais.
Peintre de genre, intérieurs, natures mortes.
Frère de Herman Steenwyck et élève de D. Bailly à Leyde de 1632 à 1635, membre de la gilde de Delft en 1642, il vivait à La Haye en 1654. Il fut essentiellement peintre de Vanités, symbole de la vie qui s'enfuit et de la fragilité des choses de ce monde.
MUSÉES : BERLIN : *Table, livres, instruments de musique*, attr. – LEYDE : *In memoriam Kaarten Hapertsz Tromp* – MADRID (Prado) : *Emblème de la mort* – YPRES : *Le peintre dans son atelier.*
VENTES PUBLIQUES : MILAN, 4 avr. 1989 : *Intérieur d'une cathédrale avec des personnages*, h/pan. (25x30) : **ITL 10 000 000** – PARIS, 29 mars 1994 : *Vanité : Ars longa, vita brevis*, h/t (74,5x96,5) : **FRF 100 000.**

STEENWYCK Thomas
XVIIᵉ siècle. Hollandais.
Peintre.
Il peignit des églises.

STEENWYK Hendrik Van, l'Ancien ou Steenwijk ou Steenwyck
Né vers 1550 peut-être à Steenwyk (Overyssel). Mort en 1603 à Francfort. XVIᵉ siècle. Hollandais.
Peintre de sujets religieux, architectures, paysages urbains.
Il fut élève de Jean de Vries. L'élève s'attacha tout spécialement à l'étude de la perspective et de l'architecture. Il devait ainsi atteindre plus tard dans la peinture des monuments une renommée justifiée.
Steenwyk débuta par de petits tableaux qui obtinrent un succès immédiat et établirent sa réputation. Son maître se montra fort généreux envers lui, vantant ses mérites. Son nom commençait à se répandre avantageusement dans son pays, quand les persécutions religieuses l'obligèrent à quitter les Pays-Bas et à se réfugier à Francfort-sur-le-Main. C'est dans cette dernière ville que s'écoula sa vie. Van Steenwyk eut plusieurs élèves, entre autres le peintre Pieter Neeffs l'Ancien et son propre fils Hendrik. On confond souvent les œuvres du père et celles du fils.
Avec son fils, il contribua à faire évoluer le sens donné aux représentations d'églises. Au lieu de faire, comme au XVᵉ siècle, des intérieurs d'églises à valeur symbolique, l'architecture romane symbolisant l'Ancien Testament et l'architecture gothique, le Nouveau, leurs représentations se « laïcisent » et deviennent plus réalistes en s'appuyant sur des intérieurs existants. Bien que Steenwyk l'Ancien ait encore peint des églises inventées, il représente aussi des intérieurs réels. Il n'y atteint pas encore la majesté ni surtout le mystère des intérieurs d'églises que peindra, plus tard, Saenredam.

MUSÉES : AMSTERDAM : *Intérieur d'un édifice sombre et voûté* – BERGAME (Acad. Carrara) : *Intérieur* – BRUNSWICK : *Place de marché* – BRUXELLES : *Intérieur de l'église Saint-Pierre à Louvain* – BUDAPEST : *Intérieur de la cathédrale d'Anvers* – LA FÈRE : *Délivrance de saint Pierre* – FONTAINEBLEAU : *Deux intérieurs d'églises* – OSLO : *Intérieur d'église* – SAINT-PÉTERSBOURG (Mus. de l'Ermitage) : *Trois intérieurs d'églises gothiques* – SCHLEISSHEIM : *Intérieur de la cathédrale d'Aix-la-Chapelle* – STOCKHOLM : *Intérieur d'église de style baroque* – VIENNE : *Intérieur d'église gothique* – VIENNE (Czernin) : *Prêtre en prison* – VIENNE (Gal. Liechtenstein) : *Intérieur.*

VENTES PUBLIQUES : PARIS, 1760 : *Intérieur d'église* : FRF 600 – LONDRES, 24 juin 1927 : *L'Annonciation* : GBP 73 – LONDRES, 24 mai 1929 : *Intérieur d'église* : GBP 84 – NEW YORK, 2 mars 1967 : *Intérieur d'église* : USD 3 250 – COPENHAGUE, 18 avr. 1978 : *Intérieur de cathédrale animé de nombreux personnages*, h/t (80x114) : DKK 25 000 – PARIS, 31 mars 1982 : *Intérieur d'église animé de personnages*, h/bois (66x97,5) : FRF 36 000 – PARIS, 2 fév. 1983 : *Intérieur animé de personnages*, h/métal (25,5x37) : FRF 41 200 – PARIS, 9 avr. 1990 : *Intérieur de la cathédrale d'Anvers avec les Sept Sacrements*, h/t (73x106) : FRF 150 000 ; *Vue d'une place de marché*, h/t (113x182) : FRF 410 000.

STEENWYK Hendrik Van, le Jeune ou **Steenwijk** ou **Steinweck** ou **Steinweyk**
Né vers 1580 à Francfort ou à Amsterdam. Mort vers 1649 à Londres. XVIIᵉ siècle. Depuis environ 1635 actif en Angleterre. Éc. flamande.
Peintre de sujets religieux, figures, architectures.
Fils et élève de Hendrik Van Steenwyk l'Ancien, avec lequel on le confond souvent, d'autant que la science de la perspective du fils est égale à celle du père. Van Dyck, qui faisait grand cas de son talent, le produisit à la cour d'Angleterre et Charles Iᵉʳ lui commanda de nombreux travaux. Van Dyck ne dédaigna pas même de faire exécuter des « fonds » d'architectures dans ses propres portraits ; entre autres en 1637 dans ceux du roi Charles Iᵉʳ et de la reine Henriette de Bourbon. Van Dyck cependant avait apporté tous ses soins dans ces œuvres : le fond accompagnant les personnages représente la magnifique architecture de la façade d'une maison royale ; il fut traité par Van Steenwyk dans un ton clair et transparent, qui ne dépare en rien la touche de Van Dyck. Ces portraits furent gravés. C'est à tort que Sandrart et plusieurs écrivains ont attribué le « fond » de ces tableaux à Steenwyk le père. Il y a impossibilité matérielle ; Van Dyck né le 25 mars 1599 ne peut avoir eu recours à Steenwyk le père, mort en 1603. Steenwyk II (le fils) connut en Angleterre un très grand succès. Ses nombreuses œuvres lui procurèrent une fortune considérable. Les tableaux de Steenwyk le fils sont malgré cela fort rares. Steenwyk fit souche en Angleterre et s'y maria. Il mourut à Londres âgé de soixante-dix ans environ. Sa femme, Suzanna née Gaspoel, qui avait appris la peinture avec lui, faisait également des tableaux du même genre. Après son veuvage, elle quitta l'Angleterre et vint à Amsterdam. ■ E. C. B.

[signatures manuscrites : H.V STEIN. 1649 / Henderich / V: Steenwick 1631 / HENRI VAN STEENWICK 1614 / H V'S. 1614]

MUSÉES : AIX-EN-PROVENCE : *Perspective d'un jardin* – AVIGNON : *Saint Pierre aux Liens* – BORDEAUX : *Réunion de famille* – *Intérieur d'église* – BRUNSWICK : *Délivrance de saint Pierre* – *Intérieur d'église gothique* – BRUXELLES : *Intérieur d'église* – BUDAPEST : *Délivrance de saint Pierre* – CAEN : *La prison de saint Pierre* – *Intérieur d'église* – CAMBRAI : *Grande église de style ogival à trois nefs* – COPENHAGUE : *Intérieur d'église gothique* – DARMSTADT : *Délivrance de saint Pierre* – DRESDE : *Trois intérieurs d'églises gothiques* – *Charles Iᵉʳ d'Angleterre dans un arc de triomphe* – *Henriette, femme de Charles Iᵉʳ* – DUBLIN : *Palais* – *Intérieur d'église avec figures* – LA FÈRE : *Intérieur d'église gothique* – FLORENCE : *Intérieur d'un grand souterrain* – LA HAYE : *Vue d'une place entourée de monuments* – KASSEL : *Halle avec des gardiens endormis* – *Intérieur d'église gothique* – *Coup d'œil dans une chapelle gothique* – *Saint Jérôme au travail* – LEIPZIG : *Terrasse devant le vestibule d'une construction Renaissance* – LONDRES (Nat. Gal.) : *Intérieur* – *Intérieur d'église* – MADRID : *Perspective animée de personnages* – *Perspective avec reniement de saint Pierre* – MILAN (Ambrosiana) : *Intérieur de cathédrale, avec Jan Brueghel* –

MONTPELLIER : *Délivrance de saint Pierre* – MOSCOU (Roumianzeff) : *Intérieur d'une cathédrale gothique* – NOTTINGHAM : *Deux intérieurs d'églises* – PARIS (Mus. du Louvre) : *Jésus chez Marthe et Marie* – *Deux intérieurs d'églises* – PRAGUE : *Intérieur d'église* – SAINT-PÉTERSBOURG (Mus. de l'Ermitage) : *Deux intérieurs d'églises* – SCHWERIN : *Intérieur de palais Renaissance* – *Vestibule d'un palais de justice* – *Prison avec la délivrance de saint Pierre* – STOCKHOLM : *Joueuse de luth* – STUTTGART : *Délivrance de saint Pierre* – TURIN : *Architecture du portrait de Charles Iᵉʳ par Mytens* – VIENNE : *Intérieur d'église, deux œuvres* – *Délivrance de saint Pierre, deux œuvres* – VIENNE (Schonborn-Bucheim) : *Une prison.*

VENTES PUBLIQUES : PARIS, 1772 : *Intérieur d'église, figures par Pourbus* : FRF 2 000 – PARIS, 11 jan. 1816 : *Intérieur d'une église d'architecture gothique* : FRF 657 – PARIS, 1845 : *Intérieur d'église* : FRF 790 – PARIS, 1846 : *Intérieur d'église* : FRF 1 470 – GAND, 1856 : *Intérieur d'église avec personnages* : FRF 3 400 – LONDRES, 1882 : *Intérieur d'église avec figures* : FRF 941 ; *Soldats gardant saint Pierre en prison* : FRF 3 516 ; *Saint Jérôme à ses dévotions* : FRF 4 985 – LONDRES, 1885 : *Intérieur de cathédrale* : FRF 4 000 – PARIS, 24 fév. 1899 : *Le festin* : FRF 960 – PARIS, 28 avr. 1900 : *Intérieur d'un palais flamand* : FRF 370 – BERLIN, 3 mai 1910 : *Intérieur d'église* : FRF 3 150 – LONDRES, 12 avr. 1911 : *Intérieur d'une cathédrale*, h/t (73x106) : GBP 19 ; *Intérieur d'une cathédrale, figures de F. Francks* : GBP 27 – PARIS, 28 fév. 1919 : *Monastère en ruines* : FRF 120 – PARIS, 14 mai 1943 : *Jésus chez Nicodème*, attr. : FRF 4 500 – LONDRES, 6 mars 1948 : *Saint Jérôme* : GBP 230 – PARIS, 20 avr. 1951 : *Intérieur d'église vers 1620*, attr. : FRF 30 500 – PARIS, 1ᵉʳ-2 avr. 1954 : *Intérieur d'église* : FRF 82 000 – PARIS, 4 déc. 1963 : *Le couronnement d'un roi* : FRF 5 500 – NEW YORK, 25 mars 1964 : *Intérieur d'une gothique* : USD 1 700 – LONDRES, 27 nov. 1970 : *Parc animé de nombreux personnages* : GNS 4 000 – LONDRES, 26 juin 1974 : *La libération de saint Pierre* : GNS 3 000 – LONDRES, 26 nov. 1976 : *Intérieur de la cathédrale d'Anvers*, h/cart. (34,3x44,4) : GBP 12 000 – NEW YORK, 16 juin 1977 : *Intérieur d'église*, h/pan. (28,5x36) : USD 3 900 – PARIS, 10 déc 1979 : *Présentation au temple*, h/bois (40x50) : FRF 60 000 – LONDRES, 8 juil. 1981 : *Intérieur d'église gothique*, h/pan. (16,5x23) : GBP 2 500 – AMSTERDAM, 14 mai 1984 : *Deux hommes dormant dans une crypte 1625*, pl. et lav. reh. de blanc/pap. gris-bleu (12,4x16,8) : NLG 180 000 – LONDRES, 6 juil. 1984 : *Nature morte aux fruits, gibier, poisson et ustensiles de cuisine 1646*, h/pan., une paire (40x46,7) : GBP 65 000 – LONDRES, 11 déc. 1985 : *Intérieur d'église gothique*, h/pan. (22x28,5) : GBP 28 000 – LONDRES, 9 avr. 1986 : *Intérieur d'église 1596*, h/cuivre (35x51) : GBP 14 000 – PARIS, 12 déc. 1988 : *Intérieur d'une galerie palatiale*, h/pan. (34x43) : FRF 70 000 – AMSTERDAM, 28 nov. 1989 : *Intérieur d'une église gothique orientée à l'est avec Jésus parmi les Docteurs*, h/pan. (45,8x59) : NLG 11 500 – LONDRES, 15 déc. 1989 : *Intérieur d'une cathédrale gothique avec le cortège d'un baptême*, h/pan. (34,8x48,2) : GBP 28 600 – NEW YORK, 1ᵉʳ juin 1990 : *Intérieur du temple de Jupiter pendant la célébration d'une fête nocturne 1624*, h/t (89x127,5) : USD 28 600 – LONDRES, 19 avr. 1991 : *Intérieur de cathédrale gothique avec la célébration de la messe à un autel latéral*, h/cuivre (diam. 17,8) : GBP 8 800 – PARIS, 27 juin 1991 : *Sacrifice à Jupiter dans un bâtiment gothique*, h/t (52,5x66) : FRF 60 000 – NEW YORK, 16 jan. 1992 : *Saint Jérôme dans une église gothique 1625*, h/cuivre (20,3x28,5) : USD 66 000 – STOCKHOLM, 19 mai 1992 : *Intérieur d'église animé*, h/pan. (44x64) : SEK 27 000 – PARIS, 19 juin 1992 : *Intérieur d'église avec deux personnages 1626*, cuivre (13x3) : FRF 11 000 – AMSTERDAM, 16 nov. 1993 : *Figures dans une rue bordée de palais*, h/cuivre (25x36) : NLG 82 800 – PARIS, 31 mars 1994 : *Personnages à l'intérieur d'une église 1604*, h/cuivre (9x6,5) : FRF 13 000 – LONDRES, 20 avr. 1994 : *Capriccio architectural avec des figures*, h/pan. (56,4x101,4) : GBP 17 250 – NEW YORK, 19 mai 1994 : *Saint Jérôme étudiant dans sa cellule*, h/cuivre (25,1x18,4) : USD 34 500 – LONDRES, 5 avr. 1995 : *Capriccio de l'intérieur d'une cathédrale gothique pendant la célébration de la messe dans une chapelle latérale 1630*, h/pan. (15,4x20,7) : GBP 5 750 – AMSTERDAM, 14 nov. 1995 : *Personnages à l'intérieur d'une église*, h/pan. (75,5x107,5) : NLG 34 220 – LONDRES, 8 déc. 1995 : *Gardes endormis dans une galerie voûtée 1627*, h/cuivre (33,7x40) : GBP 34 500 – PARIS, 15 déc. 1995 : *Intérieur d'église*, cuivre (57,5x38) : FRF 250 000.

STEENWYK Susanna Van, née **Gaspoel**
XVIIᵉ siècle. Hollandaise.
Peintre d'architectures.
Femme de Hendrik Van Steenwyk le Jeune. Elle était à Leyde en 1649 et plus tard à Amsterdam.

Musées : Dessau : *Église gothique* – Leyde : *La Lakenhalle à Leyde* – Zwolle (Maison prov.) : *Intérieur d'église.*

STEEPER John
XVIIIe siècle. Américain.
Graveur au burin.
Il fut un des premiers graveurs de Philadelphie.

STEEPLE John
XIXe siècle. Britannique.
Peintre de paysages animés, aquarelliste.
Il exposa à la Royal Academy, à Suffolk Street, etc., de 1852 à 1886.
Musées : Londres (Victoria and Albert Mus.) : une aquarelle.
Ventes Publiques : Londres, 16 déc. 1980 : *Pêcheur au bord d'une rivière,* h/t (89,5x127) : **GBP 550** – New York, 26 fév. 1982 : *Pêcheurs à la ligne près d'un moulin* 1855, h/t (59,7x91,4) : **USD 2 400** – Londres, 25 jan. 1988 : *Un berger et son troupeau sur un chemin* 1871, aquar. (17x24,5) : **GBP 528.**

STEER Hans Georg
XVIIIe siècle. Travaillant à Unterammergau de 1709 à 1710.
Allemand.
Stucateur.

STEER Henry Reynolds
Né en 1858 à Londres. Mort en 1928 à Leicester. XIXe-XXe siècles. Britannique.
Peintre de genre, paysages, aquarelliste.
Il fut membre du Royal Institute in Water Colours. Il exposa à Londres, régulièrement à Suffolk Street et au Royal Institute à partir de 1880.
Musées : Leicester : *Soirée* – Liverpool (Walker Art Gal.) : *Dorothy.*
Ventes Publiques : Londres, 13 févr 1979 : *A funny portrait* 1888, aquar. (28x26) : **GBP 500** – Londres, 24 mai 1984 : *Le forgeron* 1893, aquar. (38x53) : **GBP 1 900** – Londres, 10 oct. 1985 : *Les joueurs de boules,* aquar. (55x38) : **GBP 1 000** – Amsterdam, 14 juin 1994 : *Le repos,* aquar. avec reh. de blanc/pap. (52x37,5) : **NLG 2 185** – Londres, 5 nov. 1997 : *Veille de Noël, Highcross Market, Leicester,* XVIe siècle, h/t (147,5x101,5) : **GBP 20 700.**

STEER Philip Wilson
Né le 28 décembre 1860 à Birkenhead (Cheshire). Mort en 1942 à Londres. XXe siècle. Britannique.
Peintre de genre, figures, portraits, paysages, marines, aquarelliste. Tendance impressionniste.
Il fut élève de la School of Art de Gloucester puis à Paris de l'académie Julian et de l'école des beaux-arts, de 1882 à 1884. Il fut l'un des fondateurs du New English Art Club en 1886. De 1893 à 1930, il enseigna la peinture à la Slade School of Art de Londres. À l'âge de soixante-dix ans, il perdit à peu près la vue.
Il participa aux expositions du New English Art Club, du groupe London Impressionists, du groupe des Vingt à Bruxelles, de la Royal Academy de 1883 à 1885. Il montra ses œuvres dans des expositions rétrospectives, notamment en 1929 et 1960 à la Tate Gallery de Londres. Il fut décoré de l'ordre du mérite.
Dans une première période, ses œuvres le montrent fortement influencé par Whistler, Manet, Monet, et sont singularisées par un dessin schématique. Des nus de la même époque mettent en œuvre une matière généreuse et sensuelle. Cependant essentiellement paysagiste, ils ne cessa guère de donner des gages d'une nostalgie du XVIIIe siècle et de révéler les influences de Constable et de Gainsborough. Dans quelques compositions de figures ou de portraits, ce sont les influences de Fragonard et de Boucher que l'on décèle. Quelques autres portraits enfin se rapprochent de Degas. Quant à une manifestation de l'impressionnisme proprement dit, c'est surtout dans ses aquarelles (technique privilégiée après 1920), ses marines, et surtout les très nombreuses scènes sur la plage de Walberswich qu'on la trouve, certaines de ses scènes de plages montrant même une technique néo-impressionniste très caractérisée. Dans les dernières années de son travail, il peignit quelques compositions très légères de matière, rappelant les évocations brumeuses et poétiques de Turner. Steer, avec Walter Sickert, est l'un des plus importants représentants de l'impressionnisme anglais, encore que, de ce point de vue, il y ait bien des réserves à formuler sur l'authenticité de l'impressionnisme de l'un et de l'autre.

Bibliogr. : Alfred Yockney : *Catalogue raisonné,* Faber, Londres, 1945 – Frank Mc Ewen : *Dict. de la peinture mod.,* Hazan, Paris, 1954 – Anita Brookner : in *Dict. univers. de l'art et des artistes,* Hazan, Paris, 1967 – in : *Dict. de la peinture anglaise et américaine,* Larousse, Paris, 1991.
Musées : Aberdeen – Bradford : *La Fin du chapitre* – Cambridge (Fitzwilliam Mus.) : *Enfants se baignant* 1894 – Cardiff : *L'Écolière* – Dublin – Florence (Mus. des Offices) : *L'Artiste* – Leeds – Liverpool – Londres (Tate Gal.) : *Mrs Cyprian Williams et ses filles* 1891 – *Jeunes Filles courant sur le ponton de Walberswick* 1894 – *La Plage à Walberswick* – *Une Régate* – *Mme Raynes* – *Bethsabée* – *Le Château de Richmond* – *Le Château de Chepstow* – *La Chambre de musique* – *Painswick Beacon* – Manchester – Melbourne : *La Robe japonaise* – Ottawa (New Gal.) – Oxford (Ashmolean Mus.) : *Richmond* 1906 – Perth – Southampton (Civic Center) : *En regardant les régates de Cowes* 1892.
Ventes Publiques : Londres, 30 avr. 1910 : *Pensées* 1902 : **GBP 157** – Londres, 17 juin 1910 : *Le sopha* 1889 : **GBP 141** – Londres, 17 fév. 1922 : *Notre-Dame de Paris,* dess. : **GBP 27** – Londres, 22 juin 1923 : *Le sofa :* **GBP 152** – Londres, 30 mai 1924 : *Knaresborough :* **GBP 131** – Londres, 24-27 juil. 1925 : *Embarquement :* **GBP 388** – Londres, 25 juin 1926 : *Blackwater, Essex,* dess. : **GBP 25** – Londres, 29 avr. 1927 : *Le bois :* **GBP 210** – Londres, 24 juin 1927 : *Nuages pluvieux :* **GBP 199** – Londres, 6 juil. 1928 : *Scène de forêt :* **GBP 388** – Londres, 22 juil. 1929 : *Paysage de l'Essex,* dess. : **GBP 75** – Londres, 28 mars 1930 : *La tempête à Harwich :* **GBP 315** – Londres, 24 mai 1935 : *Le miroir :* **GBP 115** – Londres, 14 avr. 1937 : *Paysage près de Bridgnorth :* **GBP 145** – Londres, 3 mars 1939 : *Le château de Cepstow,* dess. : **GBP 38** – Londres, 19 juin 1942 : *Orage menaçant :* **GBP 210** – Londres, 16-17 juil. 1942 : *Sous la falaise,* dess. : **GBP 39** – Londres, 24 sep. 1943 : *Le port de Douvres :* **GBP 157** – Londres, 11 jan. 1946 : *Jeu de cache cache dans les bois :* **GBP 724** – Londres, 4 juin 1947 : *Surf :* **GBP 330** – Londres, 20 mai 1960 : *Le petit laquais noir :* **GBP 1 365** – Londres, 26 avr. 1961 : *Portrait de Miss Bennett :* **GBP 500** – Londres, 20 juin 1962 : *With the tide :* **GBP 1 900** – Londres, 15 déc. 1965 : *Jeune fille se reposant sur un canapé :* **GBP 2 400** – Londres, 11 déc. 1970 : *Paysage Blackberrying :* **GNS 1 500** – Londres, 15 déc. 1971 : *Trois baigneuses sur la plage :* **GBP 3 400** – Londres, 11 mai 1973 : *Chepstow Castle,* aquar. : **GNS 580** – Londres, 13 mars 1974 : *Knaresborough,* aquar. et gche : **GBP 500** – Londres, 11 juin 1976 : *Nymphe des bois* 1902, h/t (70x58) : **GBP 850** – Londres, 18 nov. 1977 : *Portrait of Miss Montgomery* vers 1907-1908, h/t (66x76,2) : **GBP 1 700** – Londres, 20 nov. 1978 : *Knaresborough* 1900, aquar. et craies de coul. (24x36) : **GBP 600** – Londres, 7 juin 1978 : *The Ermine Sea* 1890, h/t (60x75) : **GBP 20 000** – Londres, 8 juin 1979 : *Enfants jouant dans un parc* 1909, h/t (58x91,3) : **GBP 7 500** – Londres, 25 juin 1980 : *Severn Valley* 1925, aquar. (22x33) : **GBP 800** – Londres, 6 nov. 1981 : *Nude putting on stockings* 1900, h/t (61x50,8) : **GBP 1 050** – Londres, 9 mars 1984 : *Enfant de pêcheurs sur la plage, Etaples* 1887, h/t (56x61) : **GBP 20 000** – Londres, 6 fév. 1985 : *Kitty* 1902, craie noire (14,5x11,5) : **GBP 650** – Londres, 15 mars 1985 : *Ludlow Castle, stormy sky* 1898, h/t (50,8x66) : **GBP 3 400** – New York, 27 fév. 1986 : *The morning room (Rêverie, Lilian Montgomery)* 1908, h/t (91,5x75,5) : **USD 77 000** – Londres, 14 oct. 1987 : *Bateaux à l'ancre* 1913, h/t (51x66) : **GBP 23 000** – Londres, 29 juil. 1988 : *Les docks de Harwich* 1932, aquar. (23,8x33,2) : **GBP 1 430** – Londres, 2 mars 1989 : *Portrait d'une jeune fille assise dans un intérieur* 1933, h/t (60x50) : **GBP 18 700** – Londres, 20 sep. 1990 : *St Cloud* 1907, aquar., gche et cr. (25,5x37) : **GBP 1 320** – Londres, 7 mars 1991 : *L'averse* 1911, h/t (56x75) : **GBP 12 100** – New York, 22 mai 1991 : *Le profil de miss Lilian Montgomery* 1907, h/t (61,6x50,8) : **USD 22 000** – Londres, 7 nov. 1991 : *L'enlèvement des Sabines* 1896, h/t (71,1x93,6) : **GBP 7 150** – Londres, 5 juin 1992 : *Strand-on-the-Green* 1893, h/pan. (19,5x27,5) : **GBP 5 500** – Londres, 6 nov. 1992 : *La petite servante à Richmond* 1893, h/pan. (26,5x20) : **GBP 4 400** – St. Asaph (Angleterre), 2 juin 1994 : *Un tour de cartes* 1903, h/t (79x66) : **GBP 80 700.**

STEERS Fanny
Morte en 1861. XIXe siècle. Britannique.
Paysagiste.
Elle exposa à Londres de 1846 à 1860.

STEERS W.
XIXe siècle. Actif dans la première moitié du XIXe siècle. Britannique.
Peintre de fleurs et de portraits.
Il exposa à Londres de 1823 à 1831.

STEEVENS Anton. Voir **STEVENS**

STEFAN
XIVe siècle. Autrichien.
Peintre verrier ?
Il a probablement exécuté, en collaboration avec le maître Friedrich ou Fridericus les vitraux dans la cathédrale Saint-Étienne de Vienne en 1342.

STEFAN Bedrich ou **Friedrich**
Né le 9 décembre 1896 à Prague. XXe siècle. Tchécoslovaque.
Sculpteur.
Il fut élève de Jan Stursa à l'académie des beaux-arts de Prague, puis assistant d'Otto Gutfreund.
MUSÉES : PRAGUE (Gal. nat.) : *Torse*, marbre.

STEFAN J.
XVIIIe siècle. Actif au milieu du XVIIIe siècle. Autrichien.
Peintre.
Il a sculpté le calvaire dans l'église de Saint-Martin (Haute-Autriche) en 1751.

STEFAN. Voir aussi **STEPHAN**

STEFANATO Maurizio
Né le 26 avril 1947 à Caier (Vénétie). XXe siècle. Italien.
Peintre. Abstrait.
Il participe à des expositions collectives régulièrement en Italie depuis 1976 et montre ses œuvres dans des expositions personnelles.
Il réalise des œuvres abstraites qui mêlent rigueur géométrique, par un jeu de lignes qui structurent l'œuvre, et éléments lyriques.

STEFANELLI Giovanni Girolamo
XVIe siècle. Actif à Porcia dans la première moitié du XVIe siècle. Italien.
Peintre.
Il fut chargé de l'exécution d'un tableau d'autel et des peintures du plafond de l'église de Pordenone en 1531.

STEFANELLI Joseph
Né en 1921 à Philadelphie. XXe siècle. Américain.
Peintre.
Il fut élève de la Museum School of art de Philadelphie, de l'Academy of Fine Arts de Pennsylvanie en 1941-1942, de l'Art Students' League de New York de 1946 à 1948, puis de la Hans Hofmann School of New York. Il fut correspondant artistique de la revue *Yank* pendant la Seconde Guerre mondiale. Il vit et travaille à New York.
Il participe à de nombreuses expositions collectives : 1958, 1961 Carnegie International de Pittsburgh ; de 1958 à 1961 Whitney Annuals à New York ; 1960 *Soixante Peintres américains* au Walker Art Center de Minneapolis. Il montre ses œuvres dans des expositions personnelles depuis 1950 régulièrement à New York.
BIBLIOGR. : Bernard Dorival, sous la direction de... : *Peintres contemp.*, Mazenod, Paris, 1964.

STEFANELLI Stefano
XVIIe siècle. Actif à Rome en 1631. Italien.
Peintre.

STEFANESCHI Giovanni Battista ou **Melchiorre**, dit **l'Eremita di Monte Senario**
Né en 1582 à Ronta. Mort le 31 octobre 1659 à Venise. XVIIe siècle. Italien.
Miniaturiste.
Il était moine au couvent des Servites de Monte Senario à Mugello. Il travailla sous la direction d'Andrea Comodi. Stefaneschi acquit un coloris d'un éclat remarquable en imitant la manière de Bodani et de Clovia. Ainsi que ce dernier, il peignit de nombreux portraits. Il exécuta également plusieurs figures de saints en on cite de lui une tête de *Christ* ainsi que le frontispice d'un volume intitulé : *Acta B. Philippi Benitii. Ord. Serv.* conservé pour les frères de l'Annonciation à Florence. La Galerie de cette ville conserve son *Portrait par lui-même*.

STEFANI, de, ou **di**. Voir au prénom
STEFANI. Voir aussi **STEFANO** ou **STEVENS**
STEFANI Anton. Voir **STEVENS**
STEFANI Benedetto ou **Benetto**
XVIe siècle. Travaillant à Vérone de 1570 à 1580. Italien.
Graveur au burin.
Il grava d'après Michel-Ange et Marco Angolo del Moro.

STEFANI Giovanni
XVIIe siècle. Italien.

Peintre.
Il exécuta des fresques dans le Campo Santo de Pise en 1615.

STEFANI Giovanni de
XVIIIe siècle. Actif à Pesaro entre 1760 et 1790. Italien.
Peintre et graveur sur bois.
Il grava des vues.

STEFANI Marco
XVIIIe siècle. Actif à Pesaro vers 1766. Italien.
Graveur au burin.

STEFANI Nicolo dei ou **Stefano**. Voir **NICOLO dei Stefani**

STEFANI Pietro
XVIIe siècle. Italien.
Sculpteur de blasons et d'ornements.
Élève du Bernin. Il sculpta le maître-autel dans l'église Saint-Jean de Citta di Castello.

STEFANI Pietro degli ou **Stefano**. Voir **PIETRO degli Stefani**

STEFANI Sigismondo de'. Voir **SIGISMONDO de' Stefani**

STEFANI Tommaso degli, dit **il Giottino**. Voir **GIOTTINO**

STEFANI Ubaldo
Né vers 1755 à Pesaro. Mort après 1805 à Pesaro. XVIIIe siècle. Italien.
Peintre de portraits, peintre de miniatures.
Frère de Giovanni de Stefani et élève de Lazzarini.

STEFANI Vincenzo de
Né le 6 mars 1859 à Vérone. Mort en 1937. XIXe-XXe siècles. Italien.
Peintre de sujets religieux, scènes de genre, figures, paysages, fleurs, aquafortiste.
Paysagiste de talent, il exposa : *Rue de Capri* ; *A Capri* ; *Le mont Mario* ; *Le long de l'Adige* (Milan en 1883) ; *Le soir* (Turin, 1884) ; *Rusticité* (exposé à Florence en 1885) ; *En montagne* ; *Triste convalescence* ; *Montanina* ; *Fleurs de Mars* (Milan, 1886). *Mélancolie* ; *Après-midi* ; *Au temps des cigales* ; furent admirées à Venise, en 1887.
De Stefani possède des qualités rares comme coloriste, ses tons sont robustes et chauds, son dessin est correct et sûr.
MUSÉES : VENISE (Gal. Mod.) : *Repos de midi* – VÉRONE (Pina.) : *Saint Joseph.*
VENTES PUBLIQUES : ROME, 25 mai 1988 : *La vénitienne*, h/t (34x29) : ITL 1 800 000 – MILAN, 14 mars 1989 : *Le travail au soleil* 1902, h/t (89x55,5) : ITL 11 000 000 – MILAN, 12 déc. 1991 : *Jeune fille lisant* 1895, h/t (105x86) : ITL 14 000 000 – MILAN, 8 juin 1993 : *Trois amies* 1900, h/t (94x77) : ITL 19 000 000 – MILAN, 21 déc. 1993 : *Roses d'hiver* 1911, h/t (72x96,5) : ITL 9 200 000.

STEFANI da Fossano ou **Borgognone** ou **Egogni Ambrogio**. Voir **BORGOGNONE Ambrogio**

STEFANINI Giovanni Grisostomo
Né en 1714. XVIIIe siècle. Actif à Florence. Italien.
Peintre et graveur au burin.
Il grava des bas-reliefs romains.

STEFANINO da Cremona. Voir **LAMBRI Stefano**

STEFANO. Voir aussi **STEFANI**

STEFANO de, ou **di**. Voir aussi au prénom

STEFANO, maestro
XIVe siècle. Italien.
Peintre.
Travaillant à Rome en 1369, il serait le père de Giottino. Il fut chargé de peintures dans le Vatican de Rome. Il aurait travaillé aux fresques de l'église inférieure d'Assise.

STEFANO
XVe siècle. Italien.
Peintre.
Il restaura les peintures des statues de Dante et de Pétrarque dans la Salle des audiences de Florence en 1475.

STEFANO Ambrogio di. Voir **BORGOGNONE Ambrogio**
STEFANO Clemente di. Voir **CLEMENTE di Stefano**
STEFANO Geromino de. Voir **GERONIMO de Stefano**
STEFANO Pierangelo
Né le 11 février 1893 à Vicence. XXe siècle. Italien.

Peintre de compositions religieuses, genre.
Il n'eut aucun maître. Il exécuta des sujets sociaux et religieux.

STEFANO Pietro di. Voir **PIETRO di Stefano**

STEFANO Vincenzo de
Né le 12 mars 1861 à Barletta. xixᵉ-xxᵉ siècles. Italien.
Peintre de genre, portraits, paysages, marines.
Il fut élève de Filippo Palizzi et Domenico Morelli à Naples.
Musées : Barletti (Hôtel de ville) : *Portrait de Mariano Sante – Portrait de Massimo d'Azeglio*.
Ventes Publiques : Milan, 6 déc. 1989 : *Marine de la région de Naples avec le Vésuve au fond*, h/t (42x20) : ITL 1 500 000.

STEFANO di Alberto di Prendiparte Azzi. Voir **AZZI Alberto**

STEFANO d'Antonio di Vanni
Né en 1407 (?). Mort le 19 mai 1483. xvᵉ siècle. Actif à Florence. Italien.
Peintre.
Les œuvres de cet artiste ont disparu. On sait qu'en 1468, il peignit à l'hôpital de San Matteo ; que, en 1472, il peignit le mausolée de Temmo Balducci, que Francesco di Simone Ferrucci avait sculpté. On dit aussi qu'il travailla avec Bicci di Lorenzo à des peintures pour San Marco et pour l'église des Carmes.

STEFANO da Carpi, fra. Voir **CARPI Stefano da, fra**

STEFANO de'Fedeli
xvᵉ siècle. Italien.
Peintre.
Il fut employé par le duc Galeazzo Maria Sforza à la peinture de fresques dans une des chapelles du château de Milan. En 1478, on le cite travaillant pour le médecin de la cour du duc, Ambrogio Guifo. Son nom figure sur la liste des peintres de Milan en 1481. Son père Matteo, fut aussi peintre.

STEFANO di Ferrara. Voir **FALZAGALLONI**

STEFANO Fiorentino ou **Stefano da Ponte Vecchio**, dit **lo Scimmia**
Né en 1301 à Florence. Mort en 1350. xivᵉ siècle. Italien.
Peintre de compositions religieuses, fresquiste.
R. Longhi, en 1951, serait parvenu à définir la personnalité de Stefano Fiorentino, le distinguant de Tommaso degli Stefani, dit Giottino et de Maso di Banco avec lesquels il a longtemps été confondu.
Parmi les fresques que Vasari attribue à Stefano Fiorentino, citons à Assise : la *Crucifixion*, dans la salle capitulaire du couvent de S. Francesco ; le *Couronnement de la Vierge* et deux *Histoires de saint Stanislas*, dans la basilique inférieure ; la *Vierge et des saints*, dans l'église S. Chiara ; la *Crucifixion* et *L'Annonciation*, au couvent de S. Giuseppe. Ses œuvres dans les églises de Rome et dans le monastère de Santa Maria Novella de Florence ont péri. Le tableau de la *Vierge avec l'Enfant Jésus*, dans le Campo Santo de Pise, que Lanzi lui attribue, appartiendrait à l'école de Sienne.
Dérivé de l'art de Giotto, il s'en distingue par une manière « douce et unie » que définissait déjà Vasari. La lumière diffuse de ses compositions permet de laisser passer l'air entre les personnages. On dit qu'il fut l'un des premiers à établir les règles de la perspective sur des principes plus réguliers et à placer ses personnages dans des attitudes moins conventionnelles. La haute qualité des œuvres attribuées à Stefano, donne un rôle primordial à cet artiste du trecento, qui réussit à unir la ligne florentine à la couleur siennoise.
Bibliogr. : In : *Diction. de la peinture italienne*, coll. *Essentiels*, Larousse, Paris, 1989.

STEFANO Francese. Voir **FURNO Stefano del**

STEFANO di Genova
xvᵉ siècle. Actif à Gênes dans la seconde moitié du xvᵉ siècle. Italien.
Peintre.
Il travailla à Ascoli Piceno de 1450 à 1490.

STEFANO di Giovanni Maria
xviiᵉ siècle. Actif à Rome en 1624. Italien.
Peintre.

STEFANO di Giovanni. Voir **SASSETTA, il**

STEFANO di Giovanni da Verona da Zevio
Né en 1374 ou 1375 à Vérone. Mort en 1450 ou 1451 à Vérone. xvᵉ siècle. Italien.
Peintre de compositions religieuses, dessinateur.

Les renseignements biographiques sur cet artiste sont peu nombreux et peu fiables. Cependant, on dit qu'il serait le fils de Jean d'Arbois, peintre à la cour de Philippe le Hardi. Il aurait travaillé avec des miniaturistes lombards, notamment sous la direction de Michelino da Besozzo, avec lequel il est parfois confondu. On cite la *Madone au buisson de roses*, au Castel Vecchio de Vérone, qui est tantôt attribuée à Stefano da Verona, tantôt à Michelino da Besozzo. Il aurait travaillé à Vérone, à Mantoue et à Castel Romano.
L'*Adoration des mages*, à l'académie Brera de Milan est sa seule œuvre datée : 1435. Sa *Madone dans la roseraie*, conservée au musée de Vérone, pourrait, à elle seule, symboliser son œuvre fait d'élégance, d'illogisme spatial, d'apesanteur, d'irréalité, de goût pour l'ornement, de poésie, se rattachant ainsi au gothique international. Il laissa de nombreux dessins conservés aux musées du Louvre, à l'Albertina, et aux Offices.
Bibliogr. : In : *Diction. univers. de la Peint.*, Le Robert, Paris, 1975 – in : *Diction. de la peinture italienne*, coll. *Essentiels*, Larousse, Paris, 1989.
Musées : Budapest : *La Vierge et l'Enfant Jésus* – Florence (Mus. des Offices) : dessins – Milan (Acad. Brera) : *Adoration des mages* – Paris (Mus. du Louvre) : dessins – Rome (Gal. Colonna) : *Madone et des anges* – Vérone : *Madone dans la roseraie* – Vienne (Albertina) : dessins.

STEFANO di Luigi
Né à Milan. xvᵉ siècle. Actif dans la seconde moitié du xvᵉ siècle. Italien.
Enlumineur.
Il travailla pour les bibliothèques de la cathédrale de Sienne.

STEFANO di Martino
xvᵉ siècle. Actif à Palerme en 1475. Italien.
Sculpteur.

STEFANO di Matteo
xvᵉ siècle. Actif à Udine en 1461. Italien.
Peintre.

STEFANO di Mosciano
xiiᵉ siècle. Travaillant en 1167. Italien.
Sculpteur.
Il exécuta des hauts-reliefs dans l'église de Circumello.

STEFANO da Padova. Voir **DALL'ARZERE Stefano**

STEFANO da Pandino
Né à Milan. xvᵉ siècle. Actif de 1416 à 1458. Italien.
Peintre verrier et peintre.
Il travailla pour la cathédrale de Milan.

STEFANO da Perugia
xivᵉ siècle. Italien.
Peintre.
Il travailla au Vatican de Rome en 1369.

STEFANO Pievano di Sant'Agnese. Voir **STEFANO Veneziano**

STEFANO da Ponte Vecchio. Voir **STEFANO Fiorentino**

STEFANO dei Ritratti. Voir **FIORINI Stefano**

STEFANO di San Ginesio. Voir **FOLCHETTI Stefano**

STEFANO di Sant'Agnese. Voir **STEFANO Veneziano**

STEFANO di Settecastelli
xvᵉ siècle. Actif à Udine de 1448 à 1465. Italien.
Peintre, sculpteur sur bois, doreur et verrier.
Il travailla pour la cathédrale d'Udine.

STEFANO Tedesco. Voir **MAGNA Stefano della**

STEFANO de Vellate
xivᵉ siècle. Suisse.
Sculpteur.
Il a sculpté en 1347, le tombeau de Giovanni de Orello qui se trouve devant la façade de l'église des Minorites de Locarno.

STEFANO Veneziano, dit **Stefano Pievano di Sant'Agnese**
xivᵉ siècle. Italien.
Peintre.
Ce primitif vénitien, actif à Venise entre 1353 et 1381, croit-on, était prêtre à la paroisse de Sant'Agnese. Il appartenait au cercle de Paolo da Venezia et fut probablement son élève. Il travailla en 1380 avec Semitecolo, à un tableau d'autel, *Couronnement de la Vierge*, daté de 1381, conservé aujourd'hui à l'Académie de

Venise. Il signa cet ouvrage : STEFAN PLEBANUS SANCTÆ AGNETIS. On cite aussi de lui : *Vierge sur un trône et Enfant Jésus* (1369), au Musée Correr de la même ville. À Paris, au Louvre, une *Vierge*, datée de 1353, lui est aussi attribuée.

MUSÉES : PARIS (Mus. du Louvre) : *Vierge* 1353, attr. – VENISE (Academia) : *Couronnement de la Vierge* 1381 – VENISE (Mus. Correr) : *Vierge sur un trône et Enfant Jésus* 1369.

STEFANO da Verona. Voir STEFANO di Giovanni da Verona

STEFANO da Zevio. Voir STEFANO di Giovanni da Verona

STEFANO SANT ANNA
XVIe siècle. Italien.
Peintre.
On voit, dans l'église S. Dionisio, à Messine, un tableau d'autel représentant un *Saint patron sur un trône*, signé Stefanus Sta Anna, 1519.

STEFANOFF. Voir STEPHANOFF

STEFANOFF Valentin
Né le 16 février 1959 à Sofia. XXe siècle. Actif depuis 1994 en France. Bulgare.
Graveur, dessinateur, technique mixte.
En 1985, il reçoit sa formation à l'Académie des Beaux-Arts de Sofia, dans la classe de scénographie. Dès 1994, il habite Paris.
Il participe à des expositions collectives : 1993 Gyor, Hongrie, IIe Biennale internationale de l'Art ; Maastricht, Hollande, Ire Biennale internationale graphique ; Ljubljana, Slovénie, XXe Biennale internationale de l'art graphique ; Varna, Bulgarie, VIIe Biennale internationale de la gravure ; 1994 Budapest, Hongrie, *Artexpo* ; Philadelphie, *Gravures contemporaines*, The Print club ; Cracovie, Pologne, Triennale de la gravure ; Belgrade, Yougoslavie, IIIe Biennale internationale de la gravure ; Peoria, Illinois, XXVe Exposition internationale de la gravure et du dessin, Bradley University ; 1995 New Mexico, Albuquerque, *Art graphique bulgare contemporain* ; Saint-Guilhem-le-Désert, France, *Autour de Valentin Stefanoff* ; Séoul, *Festival de la gravure Séoul'95* ; Paris, Stand Atelier Tangui Garric, au Salon des Arts Graphiques Actuels (SAGA) ; 1996 Paris, Stand Atelier Tangui Garric, au Salon de Mars ; Paris, Stand Atelier Tangui Garric, au Salon des Arts Graphiques Actuels (SAGA).
Il montre des ensembles de ses œuvres dans des expositions personnelles, dont : 1990 Sapporo, Japon, Galerie NDA ; Tokyo, Japon, Galerie Dodenzaka ; 1991 Le Locle, Suisse, musée des Beaux-Arts ; 1993 Sofia, Galerie Ata-ray ; Sofia, *Installation « 6x4x16 »*, Institut français ; 1994 Paris, *Installation « 6x4x16 »*, gravures et dessins, Galerie Bernard Jordan ; Vienne, Autriche, Centre culturel bulgare *Maison Wittgenstein* ; Montpellier, France, Artothèque ; Belgrade, Yougoslavie, Galerie Graficki Kolektiv ; 1995 Saint-Germain-en-Laye, France, Galerie Expo Art ; 1996 Paris, *Méthodes d'auto-éducation*, Cité des Arts.
Valentin Stefanoff travaille surtout dans le domaine du dessin graphique et, dans la plupart des cas, exploite des techniques complexes. Ses compositions représentent des objets-signes, minutieusement dessinés, qui entrent en combinaison avec des éléments de la réalité ainsi que de l'imaginaire. Stefanoff cherche la polyphonie textuelle de l'image graphique.
■ Boris Danaïlov
BIBLIOGR. : In : Catalogue de l'exposition *N-formes ? Reconstructions et interprétations*, Sofia, 1994.

STEFANONE, maestro
Né vers 1325 à Naples. Mort vers 1390. XIVe siècle. Italien.
Peintre d'histoire.
Aurait été élève de Maestro Simone. En collaboration avec son camarade d'atelier Gennaro di Cola, il aurait peint des fresques dans l'église de S. Giovanni da Carbonara à Naples. Il aurait peint aussi *Les saintes femmes pleurant le Christ mort* à Sta Maria della Pietà, œuvre qui s'y voit encore ; on lui attribue également une généalogie du Christ dans la chapelle de S. Loranzo à la cathédrale de Naples. D'autres ouvrages lui sont aussi attribués à S. Domenico Maggiore. Cet artiste n'a peut-être jamais vécu et son existence a été probablement inventée par De Dominici.

STEFANONI Giacomo Antonio
Né à Bologne. XVIIe siècle. Actif vers 1630. Italien.
Peintre, graveur au burin et éditeur.
Il grava des sujets religieux d'après les Carracci.

STEFANONI Pietro ou Steffanoni ou Stephanoni
Né en 1589 à Vicence. XVIIe siècle. Italien.

Graveur au burin et éditeur.
Il grava des recueils de dessins et des sculptures antiques.

STEFANONI Tino
Né le 6 juillet 1937 à Lecco (Lombardie). XXe siècle. Italien.
Peintre de paysages, natures mortes. Nouvelles figurations.
Il se manifesta surtout à la fin des années soixante, exposant à Venise, participant notamment vers 1970 à la Biennale, à Milan, Padoue, Trente.
Sa peinture est évidemment tributaire du pop art et de la nouvelle figuration en ce sens qu'elle véhicule les notions de quotidienneté d'objets de masse et de figuration quasi publicitaire. Pourtant sa peinture ne peut se réduire à une lecture aussi cursive. Il s'agit en fait pour Stefanoni de fonder une véritable emblématique de l'univers contemporain à travers ses objets quotidiens. Il dessine donc des objets courants, chemises, tasses, entonnoirs, etc., les déterminant par simples contours, créant ainsi des sortes d'idéogrammes. Il s'en sert alors comme d'un lexique dans une manière d'écriture alignant des objets. Ces transcriptions se lisent comme des hiéroglyphes de la civilisation d'abondance sacrifiant à leur manière au culte et à la mythologie des choses.
VENTES PUBLIQUES : MILAN, 7 juin 1989 : *Paysage* 1989, h/t (30x45) : ITL 2 600 000 – MILAN, 19 déc. 1989 : *Paysage* 1989, h/t (30x50) : ITL 4 200 000 – MILAN, 27 mars 1990 : *Nature morte* 1988, h/t (30x45) : ITL 3 600 000 – MILAN, 26 mars 1991 : *Liste de choses* 1979, h et dess./t (30x40) : ITL 2 600 000 ; *Dionysio* 1983, h/t (135x120) : ITL 8 000 000 – MILAN, 24 mai 1994 : *Les flacons* 1970, techn. mixte/t/pan. (95x80) : ITL 2 185 000 – MILAN, 28 mai 1996 : *Les petits pots*, relief de plastique (100x80) : ITL 6 900 000.

STEFANORI Attilio
Né le 24 mars 1860 à Rome. Mort en 1911. XIXe-XXe siècles. Italien.
Peintre d'histoire, paysages, aquarelliste.
MUSÉES : ROME (Gal. nat. d'Art mod.) : *En Ombrie*, aquar.

STEFANOVITCH Konstantin
Né en 1930 à Belgrade. XXe siècle. Yougoslave.
Peintre, aquarelliste, dessinateur. Abstrait-informel.
Il poursuit une démarche gestuelle, dans des œuvres colorées.
BIBLIOGR. : *Stefanovitch*, coll. La Mémoire de l'art, Les Éditeurs associés.
VENTES PUBLIQUES : PARIS, 14 avr. 1991 : *Sans titre*, h/t (96,5x96,5) : FRF 11 000.

STEFANOVSKI Ivan Pétrovitch
Né le 7 mars 1850. Mort en 1878. XIXe siècle. Russe.
Peintre.
Élève de l'Académie de Saint-Pétersbourg. La Galerie Tretiakov, de Moscou, conserve de lui : *La communauté des ouvriers sur la route*.

STEFANSSON Jon
Né le 22 février 1881 à Saudarkrokur. Mort en 1962. XXe siècle. Islandais.
Peintre de portraits, paysages, natures mortes, fleurs.
Il fut élève de P. H. Kristian Zahrtmann à Copenhague, et de Henri Matisse à Paris. Il est l'un des peintres les plus importants de l'Islande contemporaine.
Son œuvre est fortement influencé par Matisse et Cézanne.
MUSÉES : COPENHAGUE – REYKJAVIK.
VENTES PUBLIQUES : COPENHAGUE, 24 oct. 1972 : *Nature morte* – COPENHAGUE, 5 sep. 1973 : *Vase de fleurs* : DKK 9 100 – COPENHAGUE, 22 mai 1974 : *Nature morte* : DKK 11 000 – COPENHAGUE, 8 mars 1977 : *La cascade*, h/t (114x150) : DKK 30 000 – COPENHAGUE, 23 janv 1979 : *Bord de mer, Islande*, h/t (46x63) : DKK 20 000 – BRÊME, 28 mars 1981 : *La Plage de Bornholm*, h/t (54x68) : DEM 4 200 – COPENHAGUE, 2 juin 1983 : *Paysage*, h/t (66x94) : DKK 100 000 – COPENHAGUE, 25 sep. 1985 : *Vase de fleurs*, h/t (72x60) : DKK 80 000 – COPENHAGUE, 13 fév. 1986 : *Vase de fleurs*, h/t (105x80) : DKK 60 000 – COPENHAGUE, 9 mai 1990 : *Nature morte d'une coupe de fruits, une cafetière et un verre sur une table*, h/t (81x100) : DKK 100 000 – COPENHAGUE, 2 avr. 1992 : *Fleurs des champs dans un pichet*, h/t (54x46) : DKK 28 000 – COPENHAGUE, 26 avr. 1995 : *Paysage d'un fjord à Phingvalla en Islande*, h/t (62x90) : DKK 54 000.

STEFANSSON Kristin Jonsdottir
Née le 25 janvier 1888 à Arnarnes. XXe siècle. Islandaise.
Peintre de figures, paysages.
Elle vécut et travailla à Reyjavik.

MUSÉES : COPENHAGUE (Mus. nat.).
VENTES PUBLIQUES : COPENHAGUE, 8 mars 1977 : *Paysage*, h/t (89x129) : DKK 14 000.

STEFANUCCI Antonio
Né à Rome. XVIIIe-XIXe siècles. Travaillant à Pérouse de 1780 à 1807. Italien.
Sculpteur et architecte.
Il exécuta une partie du maître-autel de l'église S. Francesco al Prato de Pérouse en 1781.

STEFEENS Hans
Né en 1911. XXe siècle. Allemand.
Peintre de portraits.
Il montre ses œuvres dans des expositions personnelles, notamment en 1994 à Paris.
Il réalise des œuvres à tendance informelle, qui jouent des effets de transparence, de superposition, sur lesquelles viennent se greffer des signes abstraits ou primitifs inspirés de l'enfance, de griffures.

STEFENSWERTH. Voir STEVENSWEERTH
STEFFAN. Voir aussi STEPHAN ou STEVENS
STEFFAN Arnold
Né le 27 juillet 1848 à Munich. Mort le 4 décembre 1882 à Munich. XIXe siècle. Allemand.
Paysagiste.
Élève d'Echter, de W. Diez, de Strähuber et de Piloty. Quelquefois donné comme peintre suisse. Le Musée de Glaris conserve de lui *Moisson en Bavière* ; *Jour d'automne au lac de Wallen* ; *Sur le Löntsch*.
VENTES PUBLIQUES : LUCERNE, 21-27 nov. 1961 : *Passage du Rhin* : CHF 4 000 – LUCERNE, 6 nov. 1986 : *Paysage montagneux 1878*, h/pan. (30,5x26) : CHF 12 000.

STEFFAN Johann Gottfried
Né le 13 décembre 1815 à Waedenswil (Zurich). Mort le 16 juin 1905 à Munich. XIXe siècle. Suisse.
Peintre de paysages, paysages de montagne, graveur, lithographe.
Il est le père d'Arnold Steffan. Il fut d'abord lithographe chez son compatriote Bodmer, à Munich. En 1841, il entra comme élève à l'Académie des Beaux-Arts de Munich. Il se perfectionna par des voyages d'études en Italie et à Paris. Puis il s'établit définitivement à Munich.
Il peignit presque essentiellement des paysages de montagne.
MUSÉES : BÂLE : *Waedenswil sur le lac de Zurich – Paysage avec des motifs de la Murgtal sur le Wallensee – Paysage dans les montagnes – Ramsan* – BERLIN : *Lac d'Herrenchien* – BERNE : *Vue alpestre avant l'orage (Glaris) – Environs de Meiringen – Lac de Murg* – BRÊME : *Le Wetterhorn sur la route de Rosenlani* – DRESDE : *Jour d'automne dans les Alpes saint-galloises* – KALININGRAD, ancien. Königsberg : *Paysage d'automne, Allemagne du Sud* – LEIPZIG : *Alpes bavaroises* – MAYENCE : *Paysage automnal* – MUNICH : *Paysage de haute montagne – Paysage*.
VENTES PUBLIQUES : PARIS, 3 avr. 1950 : *Vues de Suisse*, deux pendants : FRF 13 000 – LUCERNE, 21-27 nov. 1961 : *Paysage montagneux avec rivière* : CHF 16 000 – BERNE, 29 mai 1964 : *Paysage alpestre avec lac* : CHF 12 500 – LUCERNE, 30 nov. 1968 : *Paysage suisse* : CHF 21 000 – PARIS, 27 nov. 1970 : *Paysage d'été* : CHF 20 000 – PARIS, 29 juin 1973 : *Paysage boisé* : CHF 4 800 – BERNE, 25 nov. 1976 : *Paysage de Bavière 1869*, h/t (88x117) : CHF 10 500 – ZURICH, 20 mai 1977 : *Paysage de Bavière 1845*, h/t (43x54) : CHF 12 000 – ZURICH, 19 mai 1979 : *Obersee dans le canton de Glarus 1857*, h/t (97x115,5) : CHF 70 000 – TOKUNELLES, 27 nov. 1981 : *Paysage alpestre 1846*, h/t (95x85) : GBP 9 000 – BERNE, 22 oct. 1983 : *Paysage alpestre 1888*, h/t (92x118) : CHF 44 000 – ZURICH, 21 nov. 1986 : *Paysage de l'Oberland Bernois 1886*, h/t (100x75,5) : CHF 63 000 – ZURICH, 4 juin 1992 : *Sommets des Alpes dans le canton de Glarus en Suisse 1866*, h/t (69x91) : CHF 29 380 – ZURICH, 9 juin 1993 : *Torrent de montagne 1850*, h/t (30x45) : CHF 5 750 – HEIDELBERG, 5-13 avr. 1994 : *Ermitage près d'une chute d'eau 1888*, h/t (60x40) : DEM 3 000 – ZURICH, 2 juin 1994 : *Soir d'été près de Unterterzen 1888*, h/t (33x37) : CHF 8 050 – ZURICH, 8 déc. 1994 : *Weggis et le Mont Glärnisch depuis l'autre côté du lac 1857*, h/cart. (28,5x36,5) : CHF 9 775 – ZURICH, 30 nov. 1995 : *Paysanne avec un veau*, h/t (53x74,5) : CHF 170 900 – VIENNE, 29-30 oct. 1996 : *Cascade dans les Alpes bavaroises 1877*, h/t (121x100) : ATS 437 000.

STEFFANI Luigi
Né le 19 février 1827 à San Giovanni Bianco. Mort le 19 avril 1898 à Milan. XIXe siècle. Italien.

Peintre d'architectures, paysages, marines.
Il participa à tous les grands Salons italiens. Il a également exposé à Paris et à Londres.
MUSÉES : PRATO (Gal. antique et mod.) : *Iles des Cyclopes, Sicile.*
VENTES PUBLIQUES : LONDRES, 6 déc. 1909 : *Marée basse* : GBP 4 – MILAN, 18 mai 1971 : *La lagune à Venise* : ITL 1 050 000 – MILAN, 5 nov. 1981 : *Marine*, h/pan. (16x32) : ITL 2 500 000 – MILAN, 14 mars 1989 : *Naufrage*, h/t (76x127) : ITL 20 000 000 – MILAN, 6 déc. 1989 : *Marine avec barque et pêcheurs*, h/t (44,5x64,5) : ITL 4 200 000 – ROME, 16 avr. 1991 : *Personnages et embarcations sur un rivage*, hp (11,5x16,5) : ITL 3 450 000 – MILAN, 12 déc. 1991 : *Marine avec des pêcheurs*, h/t (74,5x145) : ITL 15 000 000 – MILAN, 19 mars 1992 : *Marine avec des barques de pêcheurs sur les côtes de Hollande*, h/t (64x112) : ITL 13 500 000 – LONDRES, 17 juin 1992 : *Labourage*, h/t (68,5x108,5) : GBP 6 820 – NEW YORK, 13 oct. 1993 : *Débarquement de la pêche* ; *La remontée des filets*, h/t, une paire (chaque 59,7x99,7) : USD 3 800 – MILAN, 19 déc. 1995 : *Marine avec une barque de pêcheurs au soleil couchant*, h/t (30x51) : ITL 4 600 000 – MILAN, 18 déc. 1996 : *Vue de Londres animé*, h/t (48x40) : ITL 12 232 000.

STEFFANONI Attilio
Né le 22 septembre 1938 à Bergame. XXe siècle. Italien.
Peintre de paysages, graveur. Nouvelles figurations.
Il a d'abord fréquenté l'académie Carrare de Bergame puis en 1959 à Paris l'atelier de Friedlaender. Il expose en Italie, à Rome, Trente, Milan (1964, 1969, 1971), Bologne.
Parti d'une figuration assez libre, transposant souvent des paysages en larges zones de couleurs qui s'épanouissent, il a évolué vers une figuration plus précise, dans la lignée de la nouvelle figuration.
VENTES PUBLIQUES : ROME, 4 avr. 1974 : *La Porta 1967* : ITL 500 000 – MILAN, 27 sep. 1990 : *Phonographe 1970*, acryl./t. (70x50) : ITL 2 000 000.

STEFFANONI Giuseppe
Mort le 22 juillet 1902 à Bergame. XIXe siècle. Italien.
Peintre.

STEFFANONI Pietro. Voir STEFANONI

STEFFANUTTI Petrus
Né en 1820 à Fiume. Mort après 1859. XIXe siècle. Italien.
Sculpteur.
Élève et assistant de Luigi Zandomenghi à Venise. Il sculpta des statues pour des églises de Fiume.

STEFFE Gerald
Né en 1939 à Linz. XXe siècle. Actif en Suède. Autrichien.
Peintre, graveur.
Il vit et travaille à Stockholm.
Il a participé en 1992 à l'exposition *De Bonnard à Baselitz – Dix Ans d'enrichissements du cabinet des estampes* à la Bibliothèque nationale à Paris.

STEFFEK Carl ou Karlo Constantin Heinrich
Né le 4 avril 1818 à Berlin. Mort le 11 juillet 1890 à Königsberg, ou 1896. XIXe siècle. Allemand.
Peintre d'histoire, scènes de genre, portraits, animaux, dessinateur, lithographe, graveur à l'eau-forte.
Élève de l'Académie, de Kruger, de Begas, à Berlin, et de Paul Delaroche à Paris. Il alla ensuite à Rome et y travailla de 1840 à 1842. En 1859, il fut nommé professeur à l'Académie de Königsberg et en 1880 il en devenait directeur. Il était membre des Académies de Berlin et de Vienne.
Il exposa à Paris ; médaille de troisième classe en 1855 ; chevalier de la Légion d'honneur la même année.
Il a gravé et lithographié des sujets d'histoire et des scènes de genre.

C. Steffek [signature]

MUSÉES : BERLIN (Mus. nat.) : *Jument et poulain – Le Dr Neumann – Renard devant son terrier – Promenade à cheval de l'artiste – Forêt – Oliveraie en Italie – L'artiste jeune – Chiens jouant* – BERLIN (Mus. prov.) : *Chevaux au pré – Le père de l'artiste – Courses de chevaux – Deux chevaux* – BRESLAU, nom all. de Wroclaw : *La reine Louise et ses fils à Louisenwahl – Chienne et ses petits* – HALLE : *Tête de nègre – Chevaux* – HAMBOURG (Kunsthalle) : *Deux chevaux arabes – Groupe d'arbres – M. Staegemann à cheval –*

HANOVRE : *L'artiste* – KALININGRAD, ancien. Königsberg : *Deux buffles* – *La reine Louise et ses deux fils dans le parc de Louisenwahl* – *Frédéric Guillaume III en conversation avec Stein et York* – STETTIN : *Deux chiens* – *Rabatteurs avec deux chevaux.*

VENTES PUBLIQUES : BERLIN, 1894 : *Le prince Guillaume de Prusse à la bataille de Worth* : FRF 625 – BERLIN, 1898 : *Attente* : FRF 756 – PARIS, 7 juin 1951 : *Portrait d'un cavalier* : FRF 10 000 – COLOGNE, 9 juin 1971 : *Le cavalier* : DEM 4 000 – LONDRES, 26 juil. 1973 : *Jument et poulain* : GNS 480 – COLOGNE, 29 mars 1974 : *Le cirque ambulant* : DEM 2 800 – BERNE, 25 oct 1979 : *La course de chevaux* 1886, h/t (39x63) : CHF 10 500 – LONDRES, 18 mars 1983 : *L'Arrivée de la course, Hoppegarten, Berlin* 1873, h/t (74x130) : GBP 35 000 – NEW YORK, 7 juin 1985 : *L'arrivée de la course, Hoppgarten, Berlin* 1873, h/t (74x130) : USD 75 000 – AMSTERDAM, 19 sep. 1989 : *Un taureau attaquant un chien et le gardien de troupeau à l'arrière plan*, h/t (90x106) : NLG 3 680 – MUNICH, 10 déc. 1992 : *Portrait d'homme* 1838, fus. et lav. avec reh. de blanc/pap. (18,6x15,2) : DEM 2 147 – AMSTERDAM, 19 oct. 1993 : *Le Kronprinz Frédéric Guillaume pendant la guerre de 1870*, h/t (36x50,2) : NLG 4 830 – MUNICH, 27 juin 1995 : *Portrait d'un jeune homme* 1837, cr. et reh. de blanc/pap. (15x10,5) : DEM 1 150.

STEFFELAAR Cornelis
Né le 3 mars 1795 à Amsterdam. Mort le 28 mars 1861 à Haarlem. XIXe siècle. Hollandais.
Paysagiste et aquafortiste.
Élève de Kobell. Il a gravé des animaux, des paysages, des scènes de genre. Le Musée de Bruxelles conserve des œuvres de cet artiste.
VENTES PUBLIQUES : LONDRES, 24 avr. 1911 : *Le cerf-volant* : GBP 9 – PARIS, 14 juin 1954 : *Nature morte au plat de poissons* : FRF 33 000.

STEFFEN. Voir aussi **STEPHAN**

STEFFEN
XVe siècle. Actif à Leipzig dans la seconde moitié du XVe siècle. Allemand.
Peintre verrier.
Il exécuta des vitraux pour l'Hôtel de Ville de Leipzig de 1476 à 1486.

STEFFEN
XVIe siècle. Travaillant à Meisenheim de 1519 à 1520. Allemand.
Peintre.

STEFFEN
Né à Bunden. XVIIe siècle. Suisse.
Sculpteur.
Il sculpta, en 1692, le maître-autel de l'église de Morschach.

STEFFEN Eduard
XIXe siècle. Actif dans la seconde moitié du XIXe siècle. Autrichien.
Peintre de genre, de fleurs et d'architectures.
Élève de l'Académie de Prague. Il exposa dans cette ville de 1862 à 1867.

STEFFEN Hans ou **Steffens**
XVIe siècle. Allemand.
Sculpteur.
Il sculpta des tombeaux dans la cathédrale de Dantzig.

STEFFEN L.
XIXe siècle. Travaillant à Berlin vers 1830. Allemand.
Graveur au burin et lithographe.
Il exécuta des chromolithographies et grava des ornements architecturaux.

STEFFEN Ulrich
Né en 1816 à Winterthur. XIXe siècle. Suisse.
Portraitiste.
Il fit ses études à Munich.

STEFFEN Walter Arnold
Né en 1924. Mort en 1982. XXe siècle. Suisse.
Peintre de sujets religieux, figures, paysages.
MUSÉES : AARAU (Aargauer Kunsthaus) : *Tausend Engel Madonna* 1964 – *Madonna mit Brüsten* – Venise.
VENTES PUBLIQUES : ZURICH, 23 fév. 1983 : *Christ, diable et anges*, h/isor. (140x180) : CHF 15 000 – ZURICH, 22 juin 1990 : *Saints* 1962, h/pan. (71,5x114,5) : CHF 4 600 – ZURICH, 18 oct. 1990 : *Chaos ordonné* 1964, h/t (97x130) : CHF 3 800 – ZURICH, 7-8 déc. 1990 : *Kaléidoscope* 1965, h/pan. (83x86) : CHF 3 400 – ZURICH, 21 juin 1991 : *Les Feux de l'enfer*, h/t (60x92) : CHF 1 400 –

ZURICH, 24 juin 1993 : *Nikjlaus von der Flüe* 1967, h/t (120x59,5) : CHF 2 800 – LUCERNE, 23 nov. 1996 : *Prophète de la lune* 1965, h/bois (120x29,5) : CHF 2 400.

STEFFEN Zacharias Moritz Christoffer ou **Stephen**
XVIIe siècle. Danois.
Stucateur.
Il travailla pour divers châteaux à Copenhague.

STEFFENINI Ottavio
Né le 8 août 1889 à Cuneo. XXe siècle. Italien.
Peintre de genre, compositions animées, nus, portraits, figures, paysages.
Il fut élève de Gaudenzio Ferrari à Rome, et de Joaquin Sorolla à Madrid. Il a travaillé à Paris, d'où il a rapporté en 1923 un *Palais de justice*. Il a peint des portraits, des nus, des maternités et des compositions : *Composition historique, Composition indienne.* On lui doit aussi des paysages nuancées.
MUSÉES : MILAN (Gal. mod.) : *Académie* – *Paysage* – ROME (Gal. mod.).
VENTES PUBLIQUES : MILAN, 16 nov. 1993 : *Mère et fille*, h/t (83x72) : ITL 4 025 000.

STEFFENS Anton. Voir **STEVENS**

STEFFENS Carl Heinrich
Né en 1801 à Posen. XIXe siècle. Allemand.
Peintre.
Élève de C. Kretschmar et de W. Wach à l'Académie de Berlin. Il exposa dans cette ville en 1832.

STEFFENS Franz Wilhelm
Né en 1818 à Dantzig. Mort le 1er septembre 1910 à Berlin. XIXe-XXe siècles. Allemand.
Peintre.
Il travailla à Rome de 1845 à 1851.

STEFFENS Hans. Voir **STEFFEN**

STEFFENS Johann
Né le 23 juin 1700 à Fiesch-Goms. Mort le 1er mars 1777. XVIIIe siècle. Suisse.
Peintre et doreur.

STEFFENS Johannes
XVIIe siècle. Travaillant à Amsterdam en 1663 et en 1666. Hollandais.
Peintre.
Il voyagea en France en 1666.

STEFFENS Johannes
XVIIe siècle. Actif à La Haye à la fin du XVIIe siècle. Hollandais.
Peintre.
Il fut élève de la gilde de La Haye en 1695.

STEFFENS Louise Eugénie
Née le 20 février 1841 à La Haye. Morte le 12 mars 1865 à Bruxelles. XIXe siècle. Belge.
Peintre de genre.
Élève de Charles C. A. de Groux.
VENTES PUBLIQUES : PARIS, 10 oct. 1980 : *La sortie de la messe* 1862, h/t (50x65) : FRF 4 500.

STEFFENS Maximilian
Né vers 1587, originaire du Brabant. XVIIe siècle. Travaillant à Hambourg de 1611 à 1638. Allemand.
Sculpteur.
Il exécuta la chaire de l'église Sainte-Catherine. Le Musée historique de Hambourg conserve deux statues de cet artiste.

STEFFENSEN Peder
XVIIe siècle. Travaillant de 1600 à 1608. Danois.
Peintre de décorations.
Il travailla dans le château de Frederiksborg.

STEFFENSEN Peter
Né vers 1693. XVIIIe siècle. Danois.
Sculpteur.
Il travailla à Copenhague en 1720.

STEFFENSEN Povl ou **Paul** ou **Poul**
Né le 2 décembre 1866. Mort le 26 mai 1923 à Aarhus. XIXe-XXe siècles. Danois.
Peintre de figures, animaux, paysages, illustrateur.
Il fut élève de Christen N. Overgaard et de l'académie des beaux-arts de Copenhague.

Poul Steffensen

Musées : Aalborg – Randers.
Ventes Publiques : Copenhague, 21 sep. 1950 : *Vaches à la rivière* : **DKK 2 600** – Copenhague, 9 mai 1951 : *Cour de ferme* 1906 : **DKK 4 900** – Copenhague, 21 oct. 1970 : *Troupeau de vaches à la rivière* : **DKK 8 500** – Copenhague, 7 déc. 1972 : *Le vieux berger et ses moutons* : **DKK 7 500** – Copenhague, 22 nov. 1973 : *Vaches dans un enclos* : **DKK 9 000** – Copenhague, 21 nov. 1974 : *Vaches au pâturage* : **DKK 6 500** – Copenhague, 10 nov. 1976 : *Paysage 1912*, h/t (32x49) : **DKK 6 100** – Copenhague, 24 mars 1977 : *Troupeau au pâturage*, h/t (48x69) : **DKK 12 300** – Copenhague, 20 févr 1979 : *Chevaux dans un paysage 1910*, h/t (58x89) : **DKK 16 500** – Copenhague, 8 oct. 1981 : *Le Retour du troupeau 1918*, h/t (92x142) : **DKK 14 000** – Copenhague, 19 jan. 1983 : *Le Petit Gardien de troupeau 1910*, h/t (57x88) : **DKK 13 000** – Copenhague, 13 juin 1985 : *Troupeau au bord d'un ruisseau 1911*, h/t (64x87) : **DKK 18 000** – Londres, 24 mars 1988 : *Sur la plage*, h/t (40,6x52,6) : **GBP 3 520** – Londres, 16 mars 1989 : *Cerfs à Jaegersborg Dyrehaven 1907*, h/t (57x102) : **GBP 3 300** – Göteborg, 18 mai 1989 : *Une plage 1913*, h/t (65x102) : **SEK 15 100** – Copenhague, 6 mars 1991 : *Trois vaches dans une prairie sur les berges de la Ry*, h/t (32x44) : **DKK 7 000** – Copenhague, 29 août 1991 : *Cheptel 1917*, h/t (57x88) : **DKK 10 500** – Copenhague, 5 mai 1993 : *La vache entêtée 1910*, h/t (57x88) : **DKK 6 500**.

STEFFENSEN Signe
Née le 23 novembre 1881 à Odense. Morte le 4 février 1935 à Nåstved. xxᵉ siècle. Danoise.
Peintre.
Elle fut élève de l'académie des beaux-arts de Copenhague.

STEFFERL Bartholomäus, l'Ancien
Né en 1869 à Raskotec. xixᵉ-xxᵉ siècles. Autrichien.
Peintre de paysages, décorateur.
Père de Bartholomäus Stefferl le jeune, il fut élève de Fantoni et de Constantin Damianos. Il travailla à Gratz.

STEFFERL Bartholomäus, le Jeune
Né le 14 août 1890 à Gleisdorf. xxᵉ siècle. Autrichien.
Peintre de portraits, paysages, natures mortes, graveur, illustrateur.
Fils du peintre Bartholomäus Stefferl le vieux, il subit l'influence du cubisme. Il grava des illustrations de livres.

STEFFESWERT. Voir STEVENSWEERTH

STEFIC Anton
Né le 12 janvier 1878 à Gabernik. Mort le 4 mai 1915 près de Gorizia. xxᵉ siècle. Italien.
Sculpteur de figures, portraits.
Il fit ses études à Ljubljana et à Zagreb. Il mourut sur le champ de bataille.
Musées : Ljubljana : *Portrait de l'artiste*.

STEFUES
xviiᵉ siècle. Autrichien.
Peintre.
Il travailla pour le château de Wilfersdorf en 1640.

STEFULA Gyorgy ou Georgy
Né en 1913 à Hambourg. xxᵉ siècle. Allemand.
Peintre de compositions animées, natures mortes, fleurs.
Son père était d'origine hongroise et sa mère d'origine française.
Il n'exposa pour la première fois qu'en 1949 à Munich. Ensuite, il participa à des expositions, à Zurich en 1952, au musée de Dortmund et aux manifestations consacrées à l'art naïf.
Dit naïf, il s'en distingue par une pratique de véritable professionnel. C'est volontairement qu'il s'applique à retrouver la fraîcheur de la naïveté, aux sources de l'enfance ou de l'innocence originelle. Ses compositions semblant avoir fait appel aux richesses de l'inconscient sonne une féerie de couleurs, illustrant les beautés du monde, jeunes filles en fleurs, volières pleines d'oiseaux, et évitant soigneusement la vulgarité des maladresses volontaires.

Bibliogr. : Oto Bihalji-Merin : *Les Peintres naïfs*, Delpire, s. d.
Ventes Publiques : Zurich, 12 nov. 1976 : *Nature morte aux fleurs 1964*, h/t (61,5x77,5) : **CHF 4 400** – Munich, 31 mai 1983 :

Baumburg 1962, h/t (20,5x40) : **DEM 4 550** – Lucerne, 3 déc. 1988 : *Jasmin et roses sauvages 1960*, h/t (72x51) : **CHF 950**.

STEFUNKO Franc
Né en 1903. xxᵉ siècle. Tchécoslovaque.
Sculpteur.
Musées : Prague (Gal. nat.) : *Bronze 1932*.

STEGANI Gaetano
Né à Bologne. Mort en 1787 à Rimini. xviiiᵉ siècle. Italien.
Peintre d'architectures et architecte.
Il travailla pour les églises de Rimini et la cathédrale de Forli.

STEGAR Sebastian ou Steger
xviiᵉ siècle. Actif à Ljubljana de 1682 à 1689. Autrichien.
Peintre et orfèvre.

STEGAR Thomas ou Steger
xviiᵉ siècle. Actif à Ljubljana de 1651 à 1658. Autrichien.
Peintre.

STEGELLMANN Clauss
xviiᵉ siècle. Travaillant à Gottorf en 1629. Allemand.
Sculpteur-modeleur de cire.

STEGEMANN Franz
xixᵉ siècle. Actif à Berlin vers 1820. Allemand.
Peintre d'architectures.

STEGEMANN Heinrich
Né le 15 septembre 1888 à Hambourg. xxᵉ siècle. Allemand.
Peintre, graveur.
Il fut élève de l'académie des beaux-arts de Weimar.
Il subit l'influence de Munch. Aquafortiste, il réalisa aussi des gravures sur bois.
Musées : Hambourg – Mannheim – Nuremberg – Rostock.

STEGEMANN Magnus Friedrich
Né le 1ᵉʳ mars 1785 à Dorpat. Mort le 27 janvier 1861 à Wenden. xixᵉ siècle. Allemand.
Peintre.
Élève de Karl August Senff à Dorpat. Il travailla à Riga.

STEGER Andrä ou Sticker
xviᵉ siècle. Actif à Innsbruck en 1510. Autrichien.
Peintre.

STEGER Anton
Né le 17 janvier 1818 à Eben-sur-l'Achensee. Mort le 3 février 1899 à Jenbach. xixᵉ siècle. Autrichien.
Sculpteur.
Il sculpta des cerfs dans le château de Tratzberg et des crucifix pour le cimetière de Schwaz.

STEGER Christoph
xviiᵉ siècle. Allemand.
Peintre de portraits.
Il travailla à Halle pour la cour du duc de Saxe-Weissenfels.

STEGER E.
xviiiᵉ siècle. Actif au début du xviiiᵉ siècle. Autrichien.
Peintre.
Il a peint le *Portement de la croix* pour l'église de Krems, en 1707.

STEGER Friedrich
Né au Schleswig. xixᵉ siècle. Actif dans la seconde moitié du xixᵉ siècle. Allemand.
Sculpteur.
Il exposa à Vienne des bustes, en 1869.

STEGER Hanns
xviᵉ siècle. Travaillant à Vienne en 1518. Autrichien.
Sculpteur sur bois.

STEGER Hans ou Johann Friedrich ou Steeger ou Steiger ou Steyer
Mort en 1637. xviiᵉ siècle. Actif à Dresde. Allemand.
Sculpteur et architecte.
Élève de Paul Puchner I. Il travailla pour les châteaux de Dresde et de Torgau.

STEGER Johann ou Stöger
Né à Augsbourg. xviiᵉ siècle. Autrichien.
Peintre et dessinateur.
Il travailla pour des églises et des châteaux en Moravie. L'Albertina de Vienne possède des dessins de cet artiste.

STEGER Johann
Né le 21 octobre 1827 à Ungarisch-Hradisch. Mort le 4 août 1891 à Iglau. xixᵉ siècle. Autrichien.

Peintre.
Élève de l'Académie de Prague. Il exécuta des peintures pour des églises d'Iglau.

STEGER Johann
Né en 1850 à Trente. Mort le 14 février 1891 à Innsbruck. XIXe siècle. Autrichien.
Peintre.

STEGER Milly
Née le 15 juin 1881 à Rheinberg. Morte en 1948. XXe siècle. Allemande.
Sculpteur, graveur.
Elle fut élève de Karl Janssen à Düsseldorf et de Georg Kolbe à Berlin, où elle vécut et travailla.
MUSÉES : BERLIN (Gal. nat.) : Jeune Fille – ESSEN : La Fille de Jephté – GDANSK, ancien. Dantzig (Mus. mun.) : Tête de femme – WUPPERTAL : Danseuse.
VENTES PUBLIQUES : BERLIN, 6 déc. 1986 : Tête de femme, bronze (H. 55) : DEM 2 200.

STEGER Sebastian. Voir STEGAR

STEGER Silvester
XVIe siècle. Actif à Innsbruck en 1535. Autrichien.
Peintre.

STEGER Thomas ou Stöger
Mort avant 1630. XVIIe siècle. Actif à Innsbruck. Autrichien.
Peintre.
Il travailla pour la cour d'Innsbruck.

STEGER Thomas. Voir STEGAR

STEGEREN J. Van
XVIIe siècle. Travaillant en 1661. Hollandais.
Dessinateur et aquafortiste.

STEGL Josef
Né le 21 mars 1895 à Tetschen. XXe siècle. Autrichien.
Peintre de paysages.
Il fut peintre de décors à Vienne.
MUSÉES : TETSCHEN.

STEGLEHNER Karoly ou Karl
Né en 1819. Mort en 1890 à Budapest. XIXe siècle. Hongrois.
Peintre et illustrateur.

STEGLER Albert Lorentzen
Né le 10 septembre 1884 à Fuglebjerg. XXe siècle. Danois.
Peintre de compositions religieuses, portraits, paysages, fleurs, peintre de compositions murales.
Il fut élève des académies des beaux-arts de Copenhague, Dresde et de Berlin.
Il travailla pour des églises et des hôtels de ville du Danemark.

STEGLICH Julius
Né le 6 mars 1839 à Meissen (Saxe-Anhalt). Mort le 15 octobre 1913 à Dresde. XIXe-XXe siècles. Allemand.
Peintre d'histoire, compositions religieuses, illustrateur.
Il fut élève de l'académie des beaux-arts de Dresde. Il peignit des sujets religieux et illustra des bibles.
MUSÉES : DRESDE (Mus. mun.) : Entrée de Guillaume Ier, à Dresde le 1er septembre 1882.

STEGLICH William ou Olsen
Né le 21 mars 1866 à Christianshavn. Mort en 1918. XIXe-XXe siècles. Danois.
Peintre de portraits.

STEGMAIER Heinrich. Voir STEGMEYER

STEGMAN Henning
Mort en 1693. XVIIe siècle. Travaillant à Travemunde en 1669. Allemand.
Sculpteur sur bois.

STEGMANN August Wilhelm Ludolph
Né en 1840. Mort en 1921 à Dresde. XIXe-XXe siècles. Allemand.
Peintre de genre, portraits, paysages.
Il fut élève de Pauwels.
MUSÉES : DRESDE (Mus. mun.) : Portrait de l'écrivain Rudolf Stegmann – Incendie de l'église de la Sainte-Croix de Dresde en 1897.

STEGMANN Carl von
Né en 1832 à Eisenach. Mort le 28 mai 1895 à Nuremberg. XIXe-XXe siècles. Allemand.
Lithographe, architecte, décorateur et écrivain.
Il grava des architectures et des ornements.

STEGMANN Franz
Né le 16 septembre 1831 à Gandersheim. Mort le 18 avril 1892 à Düsseldorf. XIXe siècle. Allemand.
Peintre d'architectures.
Élève des Académies de Bruxelles, de Düsseldorf et de Munich. Le Musée municipal de Brunswick conserve de lui Nef latérale de l'église des Jésuites à Cologne, et le Musée de Glaris, Dans la cathédrale d'Aix-la-Chapelle.
VENTES PUBLIQUES : LONDRES, 1er nov. 1973 : Paysages d'hiver sur les bords du Rhin, deux pendants : GNS 2 200 – BERNE, 12 mai 1984 : Die Pfalz am Rhein, h/t (47x64) : CHF 5 000.

STEGMANN Ulrich Ewald
XVIIIe siècle. Actif à Mitau dans la seconde moitié du XVIIIe siècle. Allemand.
Peintre de paysages.

STEGMANN und STEIN Hans von
Né le 21 septembre 1858 à Stachau. XIXe siècle. Allemand.
Paysagiste.
Élève de l'Académie de Berlin. Il s'établit à Francfort-sur-l'Oder.

STEGMAYER Mathilde
Née le 27 décembre 1873 à Giessen. XIXe-XXe siècles. Allemande.
Peintre de figures, paysages, décoratrice.
Elle fut élève de Heinrich R. Kröh et de Wilhelm J. Bader à Darmstadt.
MUSÉES : DARMSTADT : Paysage – Vue de Paris, deux œuvres.

STEGMEYER Heinrich
XVIIIe-XIXe siècles. Actif à Vienne. Autrichien.
Peintre.
Il peignit deux tableaux pour l'église Saint-Jean-Népomucène de Vienne en 1819.

STEGMILLER J. ou Stegmuller
XIXe siècle. Actif en Bavière dans la seconde moitié du XIXe siècle. Allemand.
Peintre.
Il peignit des tableaux d'autel pour les églises d'Arnsberg et de Wolkestshofen.

STEGMULLER
XVIIIe siècle. Français (?).
Peintre.
On ne connaît de cet artiste qu'une série de peintures à la gouache, exécutées vers 1761 représentant l'Hôpital de la Charité, de Dijon.

STEGMULLER Heinrich
Né à Wiesnsteig. XVe siècle. Travaillant en 1443. Allemand.
Enlumineur et calligraphe.

STEGMULLER Johann
XVIIe-XVIIIe siècles. Actif à Kornhaus. Autrichien.
Sculpteur.
Il sculpta des statues de saints pour l'église de Veself (Bohême).

STEHLE Alois
Né le 15 juin 1854 à Sigmaringen. XIXe-XXe siècles. Allemand.
Sculpteur de bustes, monuments.
Il fut élève de l'académie des beaux-arts de Munich. Il sculpta des bustes, des autels et des tombeaux.

STEHLI Jean Claude
Né en 1923 à Lausanne. XXe siècle. Suisse.
Peintre de figures, paysages, natures mortes, fleurs et fruits.
Il fut élève de l'école des beaux-arts de Fribourg, puis il travailla à Paris, à l'académie de la Grande-Chaumière. Il séjourne ensuite au Maroc.
Il s'attache à rendre la réalité dans des œuvres aux sujets évidents dont il saisit l'unicité, l'étrangeté.
VENTES PUBLIQUES : ZURICH, 23 fév. 1983 : Nature morte au verre blanc 1969, h/t (65x76) : CHF 3 000.

STEHLIK Edouard
XIXe siècle. Polonais.
Sculpteur.
Prit part à la renaissance de la sculpture en Pologne.

STEHLIK Zygmunt ou Sigismond
Né en 1834 à Cracovie. Mort en 1864 à Cracovie. XIXe siècle. Polonais.
Sculpteur.
Élève de K. Ceptowski. Il a sculpté un autel dans la cathédrale de Krzemieniec.

STEHLIN Caroline
Née en 1879. Morte en 1954. xxᵉ siècle. Américaine.
Peintre de natures mortes, fleurs.
Elle commença ses études en 1900 avec William Merritt Chase à New York, puis suivit les cours de la Shinnecock Summer School et de l'European Summer Classes. Elle exposa souvent à l'académie des beaux-arts de Pennsylvanie et à la National Academy of Design de Washington.
Ventes Publiques : New York, 26 mai 1993 : *Le kimono fleuri*, h/t (76,3x40,7) : **USD 8 050** – New York, 14 mars 1996 : *Nature morte de roses* 1908, h/t (50,8x66) : **USD 23 000** – New York, 26 sep. 1996 : *Femme assise lisant*, h/t (66,7x51,4) : **USD 21 850**.

STEHLIN Peter von. Voir **STAEHLIN**

STEHLINGER Émily
Née à Paris. xixᵉ siècle. Française.
Peintre de portraits, de genre, miniaturiste et peintre sur porcelaine.
Élève de Donzel et de Levasseur. Elle débuta au Salon de 1877.

STEHMANN Anja
Née en 1945 à Halver. xxᵉ siècle. Active en France. Allemande.
Peintre. Tendance pop art.
Elle participe à des expositions collectives à Paris : 1968 *Distances* organisée par l'ARC au musée d'Art moderne de la ville ; 1969 Salon de Mai.
Dans un style pop, elle peint des compositions à contexte social ou politique.

STEHMANN Carl Gerhard
Né en 1780. xixᵉ siècle. Allemand.
Sculpteur sur bois.
Il travailla à Leipzig.

STEHR Hermann
Né le 24 mars 1887 à Hanovre. xxᵉ siècle. Allemand.
Peintre, graveur.
Il fut élève d'Angelo Janck à l'académie des beaux-arts de Munich. Peintre, il a également réalisé des eaux-fortes.

STEHR Ignatz
xviiᵉ siècle. Actif à Obertrum dans la seconde moitié du xviiᵉ siècle. Autrichien.
Peintre.
Il sculpta le *Saint Sépulcre* dans l'église de Schleedorf en 1685.

STEIB Josef
Né le 13 février 1898 à Munich. Mort le 29 septembre 1957 à Cochem. xxᵉ siècle. Allemand.
Peintre de compositions religieuses, compositions animées, portraits, animaux, paysages, natures mortes, fleurs, aquarelliste, graveur, dessinateur.
Il a étudié la peinture à Munich, puis le dessin avec le peintre Wilhelm Herberholtz à Düsseldorf, où il résida durant treize années. Il vécut et travailla ensuite à Berlin de 1934 à 1942 puis en Bavière. Il a montré ses œuvres à plusieurs reprises en Allemagne et reçut le prix Albrecht Dürer de Nürnberg en 1932, une médaille d'argent de la ville de Graz.
Peintre figuratif qui s'inscrit dans la tradition, il a abordé diverses techniques et développé de très nombreux thèmes, notamment des paysages d'Allemagne et des pays qu'il a visités. Pour diffuser son travail, il a réalisé des calendriers et plusieurs livres. Graveur, il privilégia la technique de l'eau-forte.
Musées : Augsbourg (Stadtmus.) – Bielefeld (Kunsthaus) – Cologne (Rheinisches Mus.) – Dortmund (Kunst und Gewerbemuseum) – Düsseldorf (Kunstsammlung) – Mayence (EifelMus.) – Munich (Sammlungen des Bayrischen Staates) – Münster (Landesmus.) – Nordhausen – Nuremberg.
Ventes Publiques : Munich, 2 mai 1979 : *Marché d'Orient*, h/t (60x70) : **DEM 2 200** – Düsseldorf, 8 déc. 1982 : *Bords du Rhin*, h/t (90x70) : **DEM 4 000**.

STEIB Theodor
xviiᵉ siècle. Actif à Breslau au milieu du xviiᵉ siècle. Allemand.
Peintre de miniatures.

STEICHEL Franz. Voir **STEIGEL**

STEICHEN Edouard Jean
Né en 1879 à Milwaukee. Mort en 1973. xixᵉ-xxᵉ siècles. Américain.
Peintre de genre et de paysages.
Il travailla à New York et à Paris. Le Metropolitan Museum de New York et le Musée de Toledo conservent des œuvres de cet artiste.

Ventes Publiques : New York, 11-12 avr. 1907 : *Lever de lune sur un lac* : **USD 240** – Londres, 29 nov. 1982 : *Paysage au lac au clair de lune* 1905, h/t (53x63,5) : **GBP 6 500** – New York, 30 sep. 1985 : *Blue dusk*, h/t mar./cart. (19,4x30,5) : **USD 9 500**.

STEICHEN Edward
Né en 1879. Mort en 1973. xxᵉ siècle. Américain.
Peintre de paysages.
Ventes Publiques : New York, 30 jan. 1980 : *Across the crest of the Great Divide* 1907, h/t (81,3x101,6) : **USD 27 000** – New York, 2 juin 1983 : *Moonlit pond, Mamaroneck* 1905, h/t (53,3x63,5) : **USD 26 000** – New York, 1ᵉʳ déc. 1988 : *Paysage d'été* 1904, h/t (38,1x45,7) : **USD 17 600** – New York, 24 mai 1990 : « *La bosse du chameau* » *dans le Vermont*, h/t/cart. (19,7x30,5) : **USD 17 600** – New York, 26 sep. 1996 : *Le Lac George* 1910, h/t (62,2x63,5) : **USD 76 750**.

STEIDEL
xviiiᵉ siècle. Actif dans la seconde moitié du xviiiᵉ siècle. Allemand.
Peintre et dessinateur.
Il travailla pour les Manufactures de Heidelberg et de Mannheim de 1760 à 1765 et réalisa des modèles.

STEIDEL J. F.
xviiiᵉ siècle. Allemand.
Peintre.
Il peignit un tableau d'autel dans l'église Sainte-Étienne de Bamberg en 1707.

STEIDL Anton Franz
Mort le 23 décembre 1737 à Innsbruck. xviiiᵉ siècle. Actif à Innsbruck. Autrichien.
Peintre.
Il a peint une *Sainte Ursule* et une *Sainte Anne*, pour l'abbatiale de Wilten en 1719.

STEIDL Melchior Michael ou **Martin Melchior**
Né à Innsbruck. Mort le 4 août 1727 à Munich. xviiᵉ-xviiiᵉ siècles. Autrichien.
Peintre de compositions religieuses, fresquiste.
Il fut élève de J. A. Wolf à Munich. Il exécuta de nombreux tableaux d'autel pour des églises d'Autriche et d'Allemagne.
Ses fresques de la Résidence de Bamberg ou du Monastère Saint-Florian, renouvellent les exploits des colonnades du Père Pozzo, aériennes et cyclopéennes, en y ajoutant un élément fantastique.
Bibliogr. : Marcel Brion : *La peinture allemande*, Tisné, Paris, 1959.
Musées : Eichstädt (église des dominicains).

STEIDLE Alfred
Né le 21 janvier 1878 à Stuttgart. xxᵉ siècle. Allemand.
Sculpteur, médailleur.
Il fit ses études à Carlsruhe, Munich et Stuttgart.

STEIDLEN Johann Mathias. Voir **STEUDLIN**

STEIDLER
xixᵉ siècle. Actif à Vienne. Autrichien.
Portraitiste.
On cite de lui le portrait de *Michael Leitermayer*.

STEIDLIN Johann Mathias et **Tobias.** Voir **STEUDLIN**

STEIDNER. Voir **STEUDNER**

STEIFEL Erhard
Né en 1940 à Zurich. xxᵉ siècle. Actif en France. Suisse.
Peintre.
Il fit ses études à l'école d'art de Zurich. Il participe à des expositions collectives, notamment en 1972 à la Biennale de Menton.

STEIFENSAND Xaver
Né en 1809 à Kaster. Mort le 6 janvier 1876 à Düsseldorf. xixᵉ siècle. Allemand.
Dessinateur et graveur.
Élève de Götzenberger et de Caccers, puis, jusqu'en 1833, élève de l'Académie de Düsseldorf. Il travailla aussi avec Felsing, à Darmstadt. En 1835, il revint à Düsseldorf et y exécuta de nombreuses planches, notamment pour les éditions de luxe de Goethe et de Schiller. Il fut membre de l'Académie de Berlin. Il a gravé des sujets religieux, des portraits et des scènes de genre.

STEIGEL Franz ou **Steichel**
Mort en 1644. xviiᵉ siècle. Actif à Nuremberg. Allemand.
Peintre verrier.

STEIGENBERGER Bartholomäus
Né en 1709 en Bavière. Mort en 1751 à Vienne. xviiiᵉ siècle. Allemand.

Peintre.
Il appartint à l'ordre des Augustins.

STEIGER. Voir aussi STAIGER

STEIGER Albrecht von
Né le 15 juin 1813 à Lausanne. Mort le 15 juillet 1888 à Thun. XIXe siècle. Suisse.
Dessinateur.
Élève de Johann Stähli et de R. Toepffer.

STEIGER Andreas
XVIIe siècle. Actif à Alfeld au début du XVIIe siècle. Allemand.
Sculpteur sur bois.
Il sculpta les statues ornant la façade de l'Hôtel de Ville d'Alfeld.

STEIGER Dominik
Né en 1940 à Vienne. XXe siècle. Autrichien.
Artiste, vidéaste.
Il vit et travaille à Vienne.
Il a participé en 1992 à l'exposition *De Bonnard à Baselitz – Dix Ans d'enrichissements du cabinet des estampes* à la Bibliothèque nationale à Paris.
Écrivain et musicien, il réalise des vidéos et des livres d'artistes.

STEIGER Eduard
XIXe-XXe siècles. Allemand.
Sculpteur de monuments.
Frère du sculpteur Otto Steiger, il a vécu et travaillé à Aschaffenbourg. Il a réalisé des tombeaux.

STEIGER Georg. Voir STEYGER

STEIGER Gustav von
Né le 9 octobre 1867 à Berne. XIXe-XXe siècles. Suisse.
Peintre de paysages, graveur.
Mari du peintre Marie Louise Steiger, il fut élève de Louis Olivier Merson et de Alfred Roll à Paris.
MUSÉES : LUCERNE.

STEIGER Hans. Voir aussi STEGER

STEIGER Hans
Né vers 1595 à Freiberg. Mort en 1634 à Freiberg. XVIIe siècle. Allemand.
Sculpteur sur marbre et sur bois.

STEIGER Johann. Voir STAIGER

STEIGER Josef
Né en 1810 à Fribourg. XIXe siècle. Allemand.
Peintre.
Il fit ses études à Munich et travailla à Fribourg.

STEIGER Julius ou Giulio
Né le 8 décembre 1836 à Flawil. Mort le 23 octobre 1901 à Innsbruck. XIXe siècle. Suisse.
Lithographe et paysagiste.

STEIGER Karl
Né le 20 septembre 1857 à Wellenau. XIXe siècle. Suisse.
Peintre de genre, portraits, caricaturiste.
Élève de l'Académie de Munich. Il exécuta des illustrations de livres sur l'aviation.

STEIGER Marie Louise, née Stettler
Née en 1872 à Berne. XIXe-XXe siècles. Suisse.
Peintre.
Elle fut la femme du peintre Gustav von Steiger.

STEIGER Otto
Né en 1865 à Rapperswil. XIXe-XXe siècles. Suisse.
Sculpteur de monuments.
Il fut élève de Rusterholz à Zurich. Il sculpta surtout des tombeaux et des monuments aux morts.

STEIGER Peter
Né en 1804 à Altstetten (près de Zurich). XIXe siècle. Suisse.
Peintre de vues, graveur et lithographe.
Il travailla à Zurich.

STEIGER Robert von
Né le 8 janvier 1856 à Rio de Janeiro. XIXe siècle. Suisse.
Peintre de genre, portraits.
Il fit ses études à Berne et à Düsseldorf et se fixa à Buenos Aires.
Il peignit aussi des fresques.

STEIGER Samuel
Né à Quedlinbourg. XVIIe siècle. Actif au milieu du XVIIe siècle. Allemand.
Sculpteur.
Il exécuta des sculptures pour le château Friedenstein de Gotha.

STEIGER Theodor
XVIIe siècle. Actif à Quedlinbourg dans la seconde moitié du XVIIe siècle. Allemand.
Peintre.
Il a peint un *Christ* dans l'église Saint-Égide de Quedlinbourg, en 1687.

STEIGERWALD Otto
Né en 1886 à Mayence. Mort le 25 mai 1918, tombé sur le champ de bataille. XXe siècle. Allemand.
Sculpteur de bustes.
Il fut élève de Charles Samuel à Bruxelles et de Rodin à Paris. Il sculpta des bustes et des bas-reliefs.

STEIJN J. Voir STEYN

STEILEN Théophile Alexandre. Voir STEINLEN Theophile Alexander

STEIMER Eugen
Né le 2 octobre 1860 à Baden (Argovie). XIXe-XXe siècles. Suisse.
Peintre de compositions religieuses, dessinateur.
Il exécuta les peintures dans l'église des Capucins de Wil et dans la chapelle de Göschenalp.

STEIN Van der. Voir VANDERSTEIN

STEIN
XVIIIe siècle. Actif à Bayreuth en 1711. Allemand.
Peintre.
Il travailla pour la cour de Bayreuth et pour l'église de Bayreuth-Sankt-Georgen.

STEIN
XVIIIe siècle. Actif à la fin du XVIIIe siècle. Allemand.
Sculpteur sur bois.
Il travailla pour le château de Munster.

STEIN
Né à Washington. XIXe siècle. Travaillant à Steubenville en 1820. Américain.
Portraitiste.

STEIN
XIXe siècle. Allemand.
Peintre de genre.
Le Musée de Mulhouse conserve de lui : *Une Espagnole* (aquarelle).

STEIN Alwyn von
Né le 31 juillet 1848 à Kiel. Mort le 17 mars 1919. XIXe-XXe siècles. Autrichien.
Peintre de genre, portraits.
Il fut élève de Christian Ruben à l'académie des beaux-arts de Vienne et de Nicaise de Keyser à l'académie des beaux-arts d'Anvers.

STEIN Andreas ou Stain
Mort en 1625. XVIIe siècle. Actif à Nuremberg. Allemand.
Peintre verrier.

STEIN Andres Wilhelm
XVIIIe siècle. Allemand.
Peintre.
Il a peint une *Nativité* dans l'église de Stralsbach, vers 1700.

STEIN Anna
Née le 23 avril 1936 à Budapest. XXe siècle. Depuis 1957 active en France. Hongroise.
Peintre de figures, peintre de cartons de vitraux, sculpteur.
De 1954 à 1956, elle fut élève de l'École des Beaux-Arts de Budapest ; de 1957 à 1962, de Jean Souverbie et Jean Aujame à l'École des Beaux-Arts de Paris.
Elle participe à des expositions collectives à Paris : aux Salons d'Automne, de Mai, Comparaisons, Grands et Jeunes d'Aujourd'hui, Jeune Peinture ; ainsi que : 1971 musée des Gobelins ; 1976 Palais de l'Unesco ; 1982 musée des Arts décoratifs ; en province et à l'étranger : 1966 Maison de la culture du Havre ; 1980 Biennale de Limoges ; 1982 musée national de Budapest ; 1983 musée de Belfort ; etc. Elle montre ses œuvres dans des expositions personnelles : 1968 Maison de la culture d'Orléans ; 1971, 1976, 1980, 1981, 1983, 1986, 1988, 1989, 1991, 1994, 1996 Paris ; 1978 musée Janus Pannonius de Pecs ; 1981 Lausanne ; 1982 Institut français de Cologne ; 1983 La-Chaux-de-Fonds,

Colmar ; 1985, 1988, 1993 Lausanne, galerie Florimont ; 1986 Galerie nationale de Budapest ; 1987 Musée de Trouville ; etc.
Elle réalise des œuvres tourmentées, où les formes se mêlent, évoquant des envolées, des draperies tourbillonnantes.
BIBLIOGR. : Michael Gibson : *Anna Stein*, Cimaise, déc. 1982 – Catalogue de l'exposition *Anna Stein*, Hôtel de Ville, Issy-les-Moulineaux, 1994.
MUSÉES : BUDAPEST (Mus. des Beaux-Arts) – LA CHAUX DE FONDS (Mus. international de l'horlogerie) – PÉCS (Mus. Janus Pannonius) – SAINT-MAUR.

STEIN Anna Maria. Voir PREISSLER Esther Maria

STEIN Arthur
Né le 10 octobre 1880 à Kahnsdorf. xxe siècle. Allemand.
Peintre, graveur, sculpteur.
Il fut élève des académies des beaux-arts de Leipzig et de Dresde.

STEIN August Ludwig ou Auguste Louis
Né en 1732. Mort le 7 décembre 1814 à Leipzig. xviiie-xixe siècles. Allemand.
Peintre, dessinateur et graveur à l'eau-forte.
Il a gravé des sujets religieux, des portraits et des scènes de genre. Les Musées de Dresde et de Leipzig conservent des œuvres de cet artiste.

S.f.

VENTES PUBLIQUES : PARIS, 1884 : *Portrait présumé de Marie-Thérèse, impératrice d'Allemagne* ; *Portrait présumé de Joseph II, empereur d'Allemagne*, deux pendants, attr. : **FRF 700.**

STEIN Carl Friedrich
Né à Glogau. xviiie-xixe siècles. Allemand.
Graveur sur bois.
Élève de J. G. F. Unger. Il exposa des vues de Glogau et des blasons à Berlin en 1798 et en 1800.

STEIN Carl Friedrich
Né à Böblingen. xixe siècle. Travaillant à Stuttgart de 1817 à 1841. Allemand.
Peintre.
Il peignit des portraits en miniature et des sujets d'histoire.

STEIN Charlotte von
Née le 25 décembre 1742 à Weimar. Morte le 6 janvier 1827 à Weimar. xviiie-xixe siècles. Allemande.
Dessinatrice.
Le Musée Goethe de Weimar conserve trois paysages de cette artiste.

STEIN Cordt
xviie siècle. Actif à Lunebourg au début du xviie siècle. Allemand.
Sculpteur.
Il a sculpté la chaire dans l'église du couvent d'Ebstorf en 1615.

STEIN David
xviiie siècle. Actif à Sarrebruck de 1773 à 1774. Allemand.
Sculpteur.
Il sculpta dans l'église Saint-Louis, en collaboration avec son frère Joseph, des chapiteaux, des clefs de voûte et des vases.

STEIN Franz von der. Voir STEEN Franciscus Van der

STEIN Friedrich. Voir STEIN Carl Friedrich

STEIN Georges
Né vers 1870. xixe-xxe siècles. Français.
Peintre de scènes de genre, paysages animés, paysages, paysages urbains, peintre à la gouache, aquarelliste, dessinateur.
Il peignit des paysages urbains, à l'huile ou à l'aquarelle, Londres, Monte-Carlo, et surtout le Paris typique. Il réalisa ainsi de nombreuses vues du marché aux fleurs de la Madeleine, celui de l'île de la Cité, ainsi que les jardins du Luxembourg, l'Opéra, les Folies Bergères, le Moulin Rouge, etc.

Georges STEIN

VENTES PUBLIQUES : PARIS, 17 mai 1950 : *Quai aux fleurs, Paris*, aquar. : **FRF 3 800** – PARIS, 19 juin 1950 : *Moulin Rouge* ; *Quai aux fleurs*, deux aquar., formant pendants : **FRF 1 300** – PARIS, 4 mai 1951 : *Westminster Bridge, London* : **FRF 11 000** – PARIS, 19 avr. 1977 : *Le Luxembourg*, aquar. (48x44) : **FRF 3 300** – NEW YORK, 4 mai 1979 : *L'Opéra et la Rue Auber*, aquar. (24x33) : **USD 1 900** – CASTRES, 17 juin 1979 : *Les grands boulevards*, h/t (46x61) : **FRF 5 000** – LONDRES, 24 juin 1981 : *Paris, la rue Auber*, h/t (41,5x60) : **GBP 2 600** – BARBIZON, 31 oct. 1982 : *Place de la République*, aquar. gchée (29,5x41) : **FRF 20 000** – VERSAILLES, 16 juin 1983 : *Paris, quai de la Tournelle*, aquar. (31x44) : **FRF 18 000** – NEW YORK, 26 mai 1983 : *La Nuit parisienne*, h/t (83x132) : **USD 18 000** – PARIS, 7 mars 1984 : *Paris animé*, aquar. (35,5x22,5) : **FRF 7 500** – ENGHIEN-LES-BAINS, 24 nov. 1985 : *Les grands boulevards, la nuit*, aquar. gchée (37x52) : **FRF 44 000** – NEW YORK, 29 oct. 1986 : *L'Avenue du Bois de Boulogne*, h/t (66x89,5) : **USD 24 000** – PARIS, 7 juin 1988 : *Promenade à Monte-Carlo avec la Tête de Chien*, aquar. gchée (25x36,5) : **FRF 7 000** – PARIS, 29 juin 1988 : *Les Folies Bergères la nuit*, aquar. (27x39) : **FRF 41 000** – CALAIS, 13 nov. 1988 : *Le marché aux fleurs à la Madeleine*, h/pan. (27x35) : **FRF 50 000** – MONACO, 2 déc. 1988 : *Monte-Carlo, la Tête de Chien*, aquar. (25,5x37) : **FRF 16 650** – LA VARENNE-SAINT-HILAIRE, 21 mai 1989 : *Animation le soir auprès du casino de Vichy*, h/t (60x73) : **FRF 19 600** – NEW YORK, 24 mai 1989 : *Un boulevard parisien le soir*, gche et craie blanche (38,4x49,9) : **USD 9 900** ; *Le marché aux fleurs dans l'île de la Cité à Paris*, h/t (45,7x55,3) : **USD 13 200** – CALAIS, 4 mars 1990 : *La place de la Concorde animée*, h/pan. (16x22) : **FRF 45 000** – NEUILLY, 26 juin 1990 : *Vue de Paris*, h/cart. (19x26) : **FRF 25 000** – NEW YORK, 24 oct. 1990 : *Vue du Louvre et des Tuileries*, h/t (38,1x55,2) : **USD 11 000** – CALAIS, 9 déc. 1990 : *Le Pont-Neuf à la tombée du jour*, h/t (38x55) : **FRF 28 000** – CALAIS, 19 juin 1991 : *Le Marché aux fleurs à Paris*, h/t (46x54,5) : **GBP 6 600** – PARIS, 4 juil. 1991 : *L'Opéra au crépuscule*, h/t (92x60) : **FRF 56 000** – NEW YORK, 17 oct. 1991 : *Boulevard des Italiens*, h/t (27,3x41,3) : **USD 7 150** – PARIS, 2 déc. 1991 : *Paris, la tour Saint-Jacques*, aquar. gchée/cart. (28x19) : **FRF 14 000** – LONDRES, 2 oct. 1992 : *Notre-Dame de Paris*, h/t (38,1x54,6) : **GBP 2 090** – PARIS, 6 avr. 1993 : *Péniches sur la Seine à Paris*, aquar. gchée (15x31) : **FRF 6 000** – CHALON-SUR-SAÔNE, 16 mai 1993 : *Chasse à courre à Fontainebleau*, h/t (33x46) : **FRF 10 500** – PARIS, 9 juin 1993 : *Paris, l'avenue de l'Opéra*, h/pan. (15,5x22) : **FRF 25 500** – PARIS, 16 déc. 1993 : *Paris, la promenade avenue du Bois avec l'Arc de Triomphe au fond*, mine de pb, gche et aquar. (36,5x53) : **FRF 35 500** – LONDRES, 16 mars 1994 : *La Place Neuve à Genève*, h/t (46x64,5) : **GBP 4 370** – NEW YORK, 24 mai 1995 : *Le Quai aux fleurs à Paris*, h/t (45,7x54,9) : **USD 18 400** – PARIS, 11 déc. 1995 : *La Casbah d'Alger*, gche (41x32) : **FRF 14 500** – NEW YORK, 23 mai 1996 : *Promeneurs au bois de Boulogne*, aquar. reh. de gche et fus. (34,9x54) : **USD 5 750** – CALAIS, 7 juil. 1996 : *Jardin animé d'enfants*, h/t (38x61) : **FRF 21 000** – VIENNE, 29-30 oct. 1996 : *Sur les Champs-Élysées*, h/t (38x55) : **ATS 149 500** – PARIS, 20 oct. 1997 : *Élégante aux Champs-Élysées*, aquar. et gche (36x52,5) : **FRF 18 000.**

STEIN Gottfried
Né vers 1687. Mort en 1747 à Augsbourg. xviiie siècle. Allemand.
Graveur au burin.
Il grava des illustrations de livres et des scènes bibliques.

STEIN Gottfried
Mort en 1790 à Breslau. xviiie siècle. Allemand.
Sculpteur.
Il sculpta la plupart des statues du parc du château de Karlsruhe.

STEIN Guillaume
xviiie siècle. Actif à Sarrebruck. Allemand.
Sculpteur sur bois.
Il exécuta des travaux de sculpture dans l'église Saint-Louis de Sarrebruck et y sculpta le buffet d'orgues.

STEIN Hans Ulrich I, vom. Voir FISCH

STEIN Heinrich
xve siècle. Actif à la fin du xve siècle. Allemand.
Peintre.
Il exécuta des peintures dans la salle du conseil de l'Hôtel de Ville de Leipzig.

STEIN Hermann ou Stain
Né à Vienne. xve siècle. Actif dans la seconde moitié du xve siècle. Autrichien.
Peintre.
Il travailla à Leipzig et à Nuremberg.

STEIN Jakob ou Johann Jakob
Né à Hallgarten. Mort en 1767 à Sarrebruck. xviiie siècle. Allemand.

Sculpteur.

Père de David, de Guillaume et Joseph et de Louis Stein.

STEIN Joël
Né en 1926 à Boulogne-sur-Mer. XXe siècle. Français.

Sculpteur, décorateur de théâtre. Groupe de recherche d'art visuel (GRAV).

Il fut élève de l'académie des beaux-arts de Paris, puis dans l'atelier de Fernand Léger. En 1960, il participa à la fondation du groupe de Recherche d'Art Visuel, avec Morellet, Le Parc, Sobrino, Yavaral, Rossi. À la même époque, il travaille au service de la recherche cinématographique de l'ORTF. Il a réalisé en collaboration avec le sociologue Abram Moles, spécialiste des mass média un film sur la théorie des communications. Il donna également des cours à l'école des beaux-arts de Paris.

Il prit part à toutes les expositions du groupe Recherche d'Art Visuel jusqu'à sa dissolution en 1968. Il a montré en 1970 une exposition personnelle de ses *Distorsions polychromes* au Kunstnerner Hus d'Oslo.

Il fut certainement parmi les premiers artistes qui préconisèrent la participation du spectateur à la création de l'œuvre, ou, en tout cas, à son animation intégrant la notion de jeu dans les catégories de la création. Dans une première période, il expérimenta les modifications progressives de formes et de couleurs, utilisant dès 1962 les phénomènes de la lumière polarisée, soit en projections, soit dans des sortes de kaléidoscopes maniés par le spectateur. Il réalisa aussi des objets à partir de superpositions et de juxtapositions d'éléments en relief. Il créa une série d'objets très remarqués caractérisés par des ballons blancs suspendus, sur lesquels se projettent les rayons complexes produits par des polyèdres de miroirs en mouvement. Enfin Stein s'est attaché depuis 1968 à la recherche de possibilités artistiques du rayon laser également recueilli, divisé, multiplié, renvoyé dans toutes les directions, par des jeux de miroirs, manipulés par le spectateur. En 1971, il a réalisé un décor de ballet pour une chorégraphie de Michel Decombey à l'Opéra comique de Paris.

BIBLIOGR. : *Stein. Propositions pour le laser*, Chroniques de l'art vivant, Paris, déc. 1969 – Frank Popper : *L'Art cinétique*, Gauthier Villars, Paris, 1970 – Frank Popper, in : *Nouv. Dict. de la sculpt. mod.*, Hazan, Paris, 1970.

STEIN Johann Carl Heinrich Theobald. Voir STEIN Theobald

STEIN Johann Gabriel ou Janos Gabriel
Né le 14 juin 1874 à Klausenbourg. XIXe-XXe siècles. Hongrois.

Peintre de compositions religieuses, figures, illustrateur.

Il fit ses études à Budapest et Paris.

STEIN Joseph
XVIIIe siècle. Actif à Sarrebruck en 1773 et 1774. Allemand.

Sculpteur.

Il sculpta avec son frère David des chapiteaux, des clefs de voûte et des vases dans l'église Saint-Louis de Sarrebruck.

STEIN Joseph
Né en 1784. Mort le 2 juin 1843 à Vienne. XIXe siècle. Autrichien.

Peintre de blasons.

STEIN Judith
Née en 1953 à New York. XXe siècle. Américaine.

Auteur de performances.

Elle fut élève de l'Institute of the Arts de Valencia (Californie), où elle a montré sa première exposition personnelle en 1973.

Elle participe à des expositions collectives : 1972 Valencia (Californie) ; 1973 Santa Barbara, New York, Walker Art Center de Minneapolis, Wadsworth Atheneum d'Hartford, Institute of Contemporary Art de Boston ; 1975 Biennale de Paris.

BIBLIOGR. : Catalogue de la Biennale de Paris, Musée d'Art moderne de la ville, Paris, 1975.

STEIN Kilian
XVIe siècle. Allemand.

Peintre.

Il vécut à Würzburg, travaillant en 1528.

STEIN Lewis
Né en 1945 à New York. XXe siècle. Américain.

Peintre. Minimal art.

Il a participé à plusieurs expositions de groupe, parmi lesquelles *Une Tendance de la peinture contemporaine* à la foire d'Art de Cologne en 1969. Il montre ses œuvres dans les expositions personnelles : 1969 Los Angeles.

Il se rattache sans ambiguïté au courant du Minimal Art, qui se donne pour but de remettre en évidence les sensations des formes et de couleurs, détachées de tout contexte associatif avec une quelconque réalité, soit physique, soit psychologique. Il présente de petites surfaces primaires (carrés ou rectangles) peintes de couleurs franches, se détachant sur de très grandes surfaces de tonalités neutres. Le spectateur reçoit ainsi des sensations très précises de couleurs, de surfaces simples et d'espacements (ou de rythmes).

BIBLIOGR. : Catalogue de l'exposition : *Une Tendance de la peinture contemporaine*, Foire d'Art, Cologne, 1969.

STEIN Maggy
Née en 1931 à Luxembourg. XXe siècle. Luxembourgeoise.

Sculpteur de compositions mythologiques.

Elle fut élève du sculpteur Lucien Wercollier à Luxembourg.

BIBLIOGR. : Catalogue de l'exposition : *150 Ans d'Art Luxembourgeois*, Musée national d'Histoire et d'Art, Luxembourg, 1989.

MUSÉES : LUXEMBOURG (Mus. nat. d'Hist. et d'Art) : *Dryade* vers 1966 – *Isis* 1979-1980.

STEIN Maurice Jay
Né le 26 mars 1898 à New York. XXe siècle. Américain.

Peintre de portraits, dessinateur.

Il a fait des études dans divers collèges et instituts aux États-Unis.

Il a montré une exposition personnelle de ses œuvres en 1963 à Rockland (Maine). Il a obtenu diverses récompenses, notamment le premier prix et la médaille d'or en 1962 au Hunter College de New York.

Il est devenu le spécialiste de portraits de joueurs de golf professionnels et autres sportifs.

STEIN Moritz Adolf
XIXe siècle. Travaillant à Berlin de 1826 à 1866. Allemand.

Dessinateur de portraits et aquarelliste.

La Galerie nationale de Berlin conserve de lui le portrait de la *Comtesse de Broel*.

STEIN Otto Th W.
Né le 23 janvier 1877 à Saaz. XXe siècle. Allemand.

Peintre, graveur.

Il fit ses études à Vienne, Prague, Carlsruhe et Paris.

STEIN Paul
Né en 1949 à Neuwied. XXe siècle. Allemand.

Peintre.

Il a participé en 1992 à l'exposition *De Bonnard à Baselitz – Dix Ans d'enrichissements du cabinet des estampes* à la Bibliothèque nationale à Paris.

Peintre, il a également réalisé des livres d'artistes.

STEIN Peter
Né en 1922. XXe siècle. Suisse.

Peintre.

MUSÉES : AARAU (Aargauer Kunsthaus) : *Noir/Blanc/Gris* 1964 – *Blanc/Gris* 1979.

VENTES PUBLIQUES : LUCERNE, 24 nov. 1990 : *Sans titre* 1986, h/t (92x62) : **CHF 4 000** – LUCERNE, 25 mai 1991 : *Sans titre* 1965, h/t (50x50) : **CHF 2 600** – ZURICH, 21 avr. 1993 : *Sans titre* 1985, h/t (50x50) : **CHF 1 400** – LUCERNE, 4 juin 1994 : *Trois traces* 1983, h/t (80x100) : **CHF 5 500**.

STEIN Rudolf Gottlob
Né en 1697. XVIIIe siècle. Allemand.

Peintre de fleurs.

Il travailla pour la Manufacture de porcelaine de Meissen de 1727 à 1739.

STEIN Sophus Frederik
Né le 10 février 1862 à Copenhague. XIXe-XXe siècles. Danois.

Peintre d'animaux, paysages.

Fils de Théobald Stein et élève de l'académie des beaux-arts de Copenhague, il y exposa de 1880 à 1885.

STEIN Théobald ou Johann Carl Heinrich Théobald
Né le 7 février 1829 à Copenhague. Mort le 16 novembre 1901 à Copenhague. XIXe siècle. Danois.

Sculpteur et écrivain d'art.

Il figura aux expositions de Paris et reçut une médaille d'argent en 1900 à l'Exposition universelle.

MUSÉES : COPENHAGUE : *Buste de Ludwig Holberg – Amour triomphant* – ODENSE : *Le poète H. C. Andersen* – STOCKHOLM (Mus. nat.) : *Buste du peintre Edv. Bergh*.

Ventes Publiques : Copenhague, 5 sep. 1978 : *Enfant à la colombe*, bronze, patine verte (H. 129) : **DKK 24 100.**

STEIN Theodor Friedrich
Né vers 1730 à Hambourg. Mort le 1er août 1788 à Lübeck. xviiie siècle. Allemand.
Dessinateur et peintre de portraits.
La Kunsthalle de Hambourg conserve de lui *Portrait d'un violoncelliste.*

STEIN Werner
Né le 10 janvier 1855 à Brunswick. Mort le 18 janvier 1930 à Streitwald. xixe-xxe siècles. Allemand.
Sculpteur de monuments.
Il fut élève de Johannes Schilling à Dresde. Il a fait de nombreux mausolées entre autres ceux de Grassi, Mendelssohn-Bartholdy, Robert Schumann.
Musées : Leipzig : *Dominic Grassi*, marbre, médaillon.

STEIN Wilhelmine von
xixe siècle. Travaillant entre 1865 et 1879. Autrichienne.
Peintre.
Elle exposa à Vienne en 1868.

STEIN CALLENFELS Johanna Wilhelmine Van
Née le 7 décembre 1831 à Vlaardingen. xixe siècle. Hollandaise.
Peintre.
Le Musée Municipal de La Haye conserve d'elle : *La maison Groenhosen.*

STEIN-RANKE Marie, née Stein
Née le 13 juin 1873. xixe-xxe siècles. Allemande.
Peintre de portraits, graveur.
Elle fit ses études à Düsseldorf, à Munich et à Paris. Elle vécut et travailla à Heidelberg.
Graveur, elle privilégia la technique de l'eau-forte.

STEINACH Anton Victor Alexander
Né le 26 février 1819 à Breslau. Mort le 28 septembre 1891 à Uttwil. xixe siècle. Allemand.
Peintre de genre, paysages.
Élève de l'Académie de Dresde, puis de Fr. Schulz à Berlin.
Musées : Munich (Mus. mun.) : *Les environs d'Eisenach.*
Ventes Publiques : Berne, 26 oct. 1988 : *Promenade d'automne dans un parc*, h/t (63x94) : **CHF 2 700.**

STEINACKER
Originaire de Vienne. xviiie siècle. Autrichien.
Peintre.
Il travailla à Dresde en 1799.

STEINACKER Alfred
Né en 1838 à Œdenbourg. Mort en 1914 à Vienne. xixe-xxe siècles. Autrichien.
Peintre de genre, animaux.
Élève de l'Académie de Vienne. Il peignit des scènes de marché hongrois.
Ventes Publiques : Vienne, 5 nov. 1974 : *Scène de marché en Hongrie* : **ATS 22 000** – Vienne, 22 juin 1976 : *Loups poursuivant une troïka*, h/pan. (26,5x39,5) : **ATS 32 000** – Vienne, 14 mars 1984 : *La Mare aux canards*, h/t (32x45) : **ATS 30 000** – Munich, 3 déc. 1996 : *Marché aux chevaux en Hongrie* 1888, h/bois, quatre œuvres (chaque 13x26) : **DEM 7 200.**

STEINACKER Carl
xixe siècle. Actif à Œdenbourg. Autrichien.
Peintre.
Élève de l'Académie de Vienne. Le Musée d'Œdenbourg conserve des peintures de cet artiste.

STEINÄCKER Hermann Joseph von
Né en 1819 à Mayen. Mort le 8 juillet 1846 à Düsseldorf. xixe siècle. Allemand.
Peintre d'histoire et de genre.
Il était sourd-muet.

STEINAUER Cristian Wilhelm
Né le 4 septembre 1741 à Leipzig. Mort le 31 décembre 1826 à Naumbourg. xviiie-xixe siècles. Allemand.
Dessinateur amateur.

STEINBACH
xviiie siècle. Actif à Veisdorf en 1760. Allemand.
Peintre sur porcelaine.

STEINBACH Eduard
Né le 21 avril 1878 à Hambourg. xxe siècle. Allemand.

Peintre, graveur.
Il fut élève des académies des beaux-arts de Karlsruhe et de Leipzig. Comme graveur, il privilégia la technique de l'eau-forte.
Musées : Hambourg (Kunsthalle) : *Chambre à Finkenwärder – La Chambre de l'artiste – La Femme de l'artiste – Vieux Quartier de Hambourg.*

STEINBACH Erhard
xve-xvie siècles. Actif à Leipzig. Allemand.
Peintre.
Il peignit des armoiries pour l'Hôtel de Ville de Leipzig.

STEINBACH Erwin de. Voir ERWIN de Steinbach

STEINBACH Haim
Né en 1944 en Palestine, de parents allemands. xxe siècle. Actif en partie aux États-Unis. Israélien.
Sculpteur, auteur d'assemblages, auteur d'installations.
Il se fixe à New York au début des années soixante, où il fut élève de la High School of Art and Design puis du Pratt Institute de Brooklyn. Il séjourne ensuite une année en France, où il fréquente l'université d'Aix-en-Provence. De retour aux États-Unis, il étudie à l'université de Yale jusqu'en 1971. De 1973 au début des années quatre-vingt, il enseigne parallèlement, notamment au Goddard College et au Middlebury College (Vermont) et à la Cornell University de New York. Il organise également des expositions. Il vit et travaille à Brooklyn (New York).
Il participe à des expositions collectives depuis 1972 : 1978 Cornell University d'Ithaca (New York) ; 1986 New Museum de New York, *L'Art et son double* à la fondation Caja de Pensiones de Barcelone et Madrid ; 1987 Documenta de Kassel ; 1990-1991 musée national d'Art moderne à Paris ; 1992 Biennale de Sydney ; 1993 Biennale de Venise. Il montre ses œuvres dans des expositions personnelles depuis 1969 : 1973 université de Yale ; 1979 Artists Space à New York ; 1981, 1986 Project for the Art à Washington ; à partir de 1987 galerie Sonnabend à New York ; 1988 CAPC de Bordeaux ; à partir de 1989 galerie Yvon Lambert à Paris ; 1991 Palais des Beaux-Arts de Bruxelles ; 1992 Witte de With Center pour l'art contemporain à Rotterdam ; 1993 Solomon R. Guggenheim Museum de New York avec Ettore Spalletti ; 1994 Landesgalerie in der Kunsthalle Ritter à Klagenfurt.
Il réalise d'abord des peintures abstraites à tendance minimaliste composées de formes découpées, figures géométriques ou ombres chinoises puis rectangles, traits, triangles, animant l'espace monochrome, laissé vide en son centre. Le motif se développe en marge du tableau. Bientôt, il renonce à la toile traditionnelle et travaille à partir de ce matériau banal aux multiples motifs qu'est le linoléum sur lequel il peint, au sol, des figures abstraites. Puis il assemble « ces fragments de culture » populaires, qui évoquent le bois, le carrelage, le marbre, aux multiples connotations, de manière conceptuelle sur des panneaux. Dans le même esprit, il cesse de peindre dans les années quatre-vingt, et commence à montrer des objets usagés, acquis aux puces, sur des étagères récupérées, fantaisistes, sur fond de papier peint. Sa collection s'enrichit ensuite avec des articles de consommation courants (tasses, chaussures, lampes, guitare, ballon, balayettes pour toilette...) achetés au gré des boutiques new-yorkaises, puis des pièces de plus grande valeur, antiquités, objets d'art ou de design. Le socle évolue, Steinbach le réalise désormais lui-même et adopte une structure simple à tendance géométrique ; à angles, composé à partir de formes triangulaires, en contre-plaqué stratifié, ce support évoque les sculptures hard edge des minimalistes américains, Judd, Kelly. Théâtralisant sa mise en scène, le cadre s'« étoffe », les assemblages prennent parfois dans des « meubles » imposants en bois (*Sans Titre – fusils, chapeaux* – 1988), où ils semblent perdus, extraits de leur contexte, happés par le vide.
Hétéroclite, l'œuvre de Steinbach mêle les genres. Présenter l'une à côté de l'autre au même niveau une pièce rare et une boîte de corn flakes (*Stay with friends*) sans motivation autre en apparence que les rapprocher physiquement, et le bien de consommation perd sa fonction pour devenir objet de collection, l'œuvre d'art perd de sa valeur présumée pour se fondre au fonctionnel. Ses accumulations se jouent des genres et des conventions, associant trivial et luxe, kitsch et élégance, produit industriel et objet rare. Oscillant entre pop art et tendance conceptuelle, elles érigent au rang d'œuvre d'art le quotidien, le familier, et sont le révélateur d'une époque qui sacralise la consommation. ∎ L. L.
Bibliogr. : Hervé Legros : *Haim Steinbach*, Beaux-Arts, Paris, mai 1991 – Kim Levin : *Haim Steinbach : signes de progrès/objets*

contradictoires, Artstudio, n° 19, Paris, hiver 1990 – in : *L'Art du xxᵉ s.*, Larousse, Paris, 1991 – Catalogue de l'exposition : *Haim Steinbach*, Museo d'Arte contemporaneo, Castello di Rivoli, Charta, Milan, 1995.

Musées : Amsterdam (Stedelijk Mus.) – Los Angeles (County Mus. of Art).

Ventes Publiques : New York, 9 nov. 1988 : *Exuberant relative – 3* 1986, formica coloré, casques de plastique et quatre boîtes de bière et soda (63,9x143,5x38,4) : **USD 28 600** – New York, 9 nov. 1989 : *Ensemble naturellement – version 2* 1986, techn. mixte/ Formica (63,5x71,5x36,8) : **USD 28 600** – New York, 27 fév. 1990 : *Ensemble naturellement – version 4 E-1* 1986, techn. mixte/ Formica (61x69,8x36,8) : **USD 26 400** – New York, 14 fév. 1991 : *Équilibre artistique*, montage de deux réveils et d'un objet à moteur simulant une vague sur un tablette de Formica (48,8x94x30,6) : **USD 9 900** – New York, 1ᵉʳ mai 1991 : *Rappro- chés et différents* 1985, bois, Formica, paires de chaussures de sport et chandeliers de cuivre (91,5x52x50,8) : **USD 17 600** – New York, 13 nov. 1991 : *Un-color becomes Alter-ego* 1985, relief mural avec deux masque de gomme et un poste radio-stéréo- cassette sur console de Formica (81,2x164,8x40,6) : **USD 13 200** – New York, 11 nov. 1993 : *Ensemble naturellement (doublé)* 1984, construction techn. mixte (61x140,3x36,8) : **USD 13 800** – New York, 23 fév. 1994 : *Ustensiles d'une minute V-2* 1990, cinq pots en céphalon et cinq balles médicinales sur une plaque de Formica (63,5x445,1x35,5) : **USD 14 950** – New York, 20 nov. 1996 : *Suprêmement noir* 1985, étagère, deux cruches en céra- mique, trois boîtes cart. de détergent (78,7x167,6x33) : **USD 9 200**.

STEINBACH Johann Heinrich
Né en 1734. Mort le 29 avril 1761 à Bayreuth. xviiiᵉ siècle. Actif à Bayreuth. Allemand.
Peintre sur porcelaine.

STEINBACH Ludwig Carl August
Né en 1812 à Karlsruhe. xixᵉ siècle. Allemand.
Peintre de paysages et de décorations.
Il fit ses études à Munich sous la direction de Rottmann.
Ventes Publiques : Londres, 20 avr 1979 : *Les ramasseurs de fagots*, deux h/t (72,3x45,6) : **GBP 1 000**.

STEINBACH Matthes
Mort en 1516 à Leipzig. xviᵉ siècle. Allemand.
Peintre.
Probablement fils d'Erhard Steinbach.

STEINBACH Peter
Né à Annaberg. Mort en 1636 à Nuremberg. xviiᵉ siècle. Alle- mand.
Peintre d'histoire, genre, graveur.
Il grava des scènes historiques et contemporaines. Il fut aussi connu comme peintre de messages et imprimeur.

STEINBACHER Bartholomäus
xviiiᵉ siècle. Actif à Passau en 1715. Autrichien.
Sculpteur.
Il a sculpté le portail de l'église de Kallham.

STEINBAUER Raimund
Né en 1733. Mort le 30 septembre 1816 à Vienne. xviiiᵉ-xixᵉ siècles. Autrichien.
Sculpteur.

STEINBECK. Voir aussi STEINBÖCK

STEINBECK Hanss George. Voir STEINBÖCK

STEINBECK Thomas ou Steinpöck
Né en 1705 à Augsbourg. Mort le 22 juin 1752 à Vienne. xviiiᵉ siècle. Autrichien.
Miniaturiste.

STEINBEGKH Hanss George. Voir STEINBÖCK

STEINBERG Bruno
Né le 29 novembre 1881 à Elberfeld. xxᵉ siècle. Allemand.
Peintre de portraits, fleurs.
Il fut élève de Ludwig Schmid-Reutte.
Musées : Essen (Folkwang Mus.) : *Portrait du docteur Heine- mann* – Wuppertal (Mus. mun.) : *Fleurs*.

STEINBERG Edik Arkadlevich, parfois Edward
Né le 3 mars 1937 à Moscou. xxᵉ siècle. Depuis 1991 actif aussi en France. Russe.
Peintre, technique mixte, peintre de collages. Abstrait, néoconstructiviste.

Il n'a pas reçu de formation classique. Il s'est formé à Taroussa et auprès de son père, ancien élève du Vkhoutemas de Moscou dans les années vingt, et il fut élève de Boris Sveshnikov et Oscar Rabin.
Il montre sa première exposition personnelle en 1987 à l'Asso- ciation « Ermitage » de Moscou, puis, entre autres, 1991, 1993, galerie Claude Bernard, Paris.
Il s'inscrit dans la lignée de Malevitch et reprend à son compte les recherches formelles de la tradition constructiviste russe, se plaçant en marge du réalisme socialisme alors prôné. Il adopte néanmoins une expression moins austère, une composition moins rigide, notamment par l'introduction d'éléments incongrus au cœur de la géométrie, avec des effets de matière et de transparence, et des harmonies de couleurs assourdies per- sonnelles plus prononcées. Des chiffres ou lettres viennent par- fois animer les surfaces terreuses.
Bibliogr. : In : *Dict. de l'art mod. et contemp.*, Hazan, Paris, 1992.
Ventes Publiques : Moscou, 7 juil. 1988 : *Composition : octobre/ novembre 1987*, h/t (120x120) : **GBP 24 200** ; *Composition : novembre 1987*, h/t (120x120) : **GBP 9 350**.

STEINBERG Edward. Voir STEINBERG Edik Arkadle- vich

STEINBERG Franz Anton von
Né en 1684 à Kalec. Mort le 7 février 1765 à Idria. xviiiᵉ siècle. Yougoslave.
Peintre et graveur au burin.
Il grava des paysages et des cartes géographiques. Le Musée National de Ljubljana conserve de lui *Chasse au bord du lac de Zirknitz*.

STEINBERG Gottfried von
Mort en 1782 à Munich. xviiiᵉ siècle. Allemand.
Graveur au burin.
Il grava des portraits, des sujets religieux et des spécimens d'écriture.

STEINBERG Heinrich
Né au milieu du xviiiᵉ siècle en Silésie. xviiiᵉ-xixᵉ siècles. Actif à Berlin. Allemand.
Dessinateur.
Élève de l'Académie de Berlin. Il y exposa de 1787 à 1814.

STEINBERG Hermann
Né le 5 mai 1822. Mort le 20 août 1877. xixᵉ siècle. Russe.
Peintre de batailles.
Élève de l'Académie de Saint-Pétersbourg.

STEINBERG Saul
Né le 15 juin 1914 à Ramnicul-Sarat. xxᵉ siècle. Actif depuis 1941 et depuis 1943 naturalisé aux États-Unis. Roumain.
Peintre de genre, scènes typiques, compositions ani- mées, animaux, natures mortes, peintre de collages, peintre à la gouache, aquarelliste, peintre de composi- tions murales, dessinateur, illustrateur.
Il vint étudier l'architecture à Milan. Attiré en Amérique et devenu citoyen américain, il fit toute la guerre en France, Alle- magne et jusqu'au Japon, dont il rapporta son premier grand succès : *All in line*.
Il a participé à des expositions collectives à Paris au Salon de Mai, ainsi que : 1946 Museum of Modern Art de New York ; 1949 Institute of Art de Detroit ; 1954 Whitney Museum de New York ; 1962 Museum of Arts and Science de Norfolk (Virginie) ; 1970 fondation Maeght à Saint-Paul-de-Vence ; 1971 Corcoran Gallery of Art de Washington ; 1974 Museum of Art de Cleve- land ; 1977 Minnesota Museum of Art de Saint Paul. Il a montré ses œuvres dans des expositions personnelles : depuis 1943 régulièrement à New York, notamment musée d'Art moderne ; 1948 Institute of Design de Chicago ; 1952 Museu d'Arte de São Paulo ; 1952, 1957 Institute of Contemporary Arts de Londres ; depuis 1953 régulièrement à la galerie Maeght de Paris ; 1953 Stedelijk Museum d'Amsterdam ; 1954 Corcoran Art Gallery de Washington ; 1959 musée d'Art moderne de Bruxelles ; 1968 musée des Beaux-Arts de Caracas, Kunsthalle de Hambourg, Moderna Museet de Stockholm ; 1974 Institute of Contempo- rary Art de Boston, Kunstverein de Cologne ; 1978 Whitney Museum de New York...
Les albums de dessins de Steinberg sont toujours ce que l'on appelle aux États-Unis des « best-sellers ». L'inépuisable verve, souvent cruelle, du dessinateur et humoriste, n'explique pas seule l'engouement du public, mais encore son talent purement

graphique, qui repose sur une utilisation de la ligne. Ce Roumain qui publia ses premiers dessins humoristiques à Milan, vite remarqués par les Américains, est un artiste qui marquera l'histoire et l'évolution du dessin au XXᵉ siècle aussi fortement que Daumier au XIXᵉ siècle, il faut oser le dire. Il est à Picasso et Paul Klee, ce que Daumier fut à Delacroix ou Géricault. Non seulement ses dessins figurent dans les publications les plus luxueuses d'Amérique, *Vogue – Harper's Bazaar – Fair*, non seulement il a peint de grandes fresques murales dans de nombreux buildings privés ou publics, en outre, ainsi de Daumier au Louvre. Il a également réalisé des illustrations de contes. ∎ J. B.

Steinberg

Saul

Bibliogr. : In : *Les Muses*, t. XIII, Grange Batelière, Paris, 1969 – Jean Frémon : *Steinberg*, coll. Repères, nᵒ 30, Galerie Lelong, Paris, 1986.
Musées : Buffalo (Albright Knox Art Gal.) – Detroit (Inst. of Arts) – Londres (Victoria and Albert Mus.) – New York (Mus. of Mod. Art) – New York (Metropolitan Mus. of Art) – Paris (BN).
Ventes Publiques : New York, 4 mars 1970 : *Locomotive sur un pont* : **USD 1 700** – Los Angeles, 13 nov. 1973 : *Une biographie* : **USD 4 600** – New York, 20 et 21 avr. 1976 : *Station 1950*, gche et pl. (33,5x57,5) : **USD 1 700** – New York, 14 déc. 1976 : *The French Drawing board* 1973, techn. mixte (65x90) : **USD 8 500** – New York, 20 oct. 1977 : *Pyramide nᵒ 8* 1968, techn. mixte/pap. (36x57,5) : **USD 3 500** – New York, 20 oct. 1977 : *Roma Napoli* 1970, h/t (71x112) : **USD 14 000** – New York, 3 nov. 1978 : *S.T.* 1967, collage, craies coul., encre et cr./pap. (71x56,5) : **USD 5 800** – New York, 19 oct 1979 : *La bibliothèque* 1968, encre et past. (43,8x57,2) : **USD 4 500** – New York, 20 avr 1979 : *Vingt cartes postales (Long Island)* 1968, aquar. et pl. (57,1x72,4) : **USD 6 500** – Londres, 5 déc 1979 : *Tables series – Moonlight* 1972, h., cuivre, tampons caoutchouc et techn. mixte/pan. (79x107) : **GBP 7 000** – New York, 19 nov. 1981 : *Legal Landscape* 1968, acryl., collage, encre et aquar./t. (72,5x53,3) : **USD 13 000** – New York, 12 nov. 1982 : *Les lecteurs*, pl., encre de Chine et mine de pb (57x64) : **USD 5 200** – New York, 9 nov. 1983 : *The killer* 1966, pl. et encres coul. (54x70) : **USD 9 000** – New York, 9 nov. 1983 : *Sans titre* vers 1943, gche/cart. (35x24,5) : **USD 14 000** – New York, 14 mars 1984 : *Main street* 1972-1973, litho. coul. (39,3x55,4) : **USD 850** – New York, 10 mai 1984 : *Leningrad table* 1973, collage aquar. tampons et encre/cart. (53,4x40) : **USD 19 000** – New York, 10 mai 1984 : *The yellow pyramid* 1973, h. aquar. et tampons/pap. (68,5x99) : **USD 22 000** – New York, 2 mai 1985 : *Egypt still life* 1972, cr. de coul. pl. et collage/cart. (58,5x73,4) : **USD 8 000** – New York, 8 fév. 1986 : *Vie d'artiste* 1970, h., pl. et tampons avec encres rouge et noire (76,6x101,6) : **USD 21 000** – New York, 8 oct. 1988 : *Jeu d'échecs* 1968, encre et aquar. /pap. (73,8x58,4) : **USD 16 500** – Londres, 20 oct. 1988 : *Sans titre*, encre/pap. (62,5x47) : **GBP 825** – New York, 10 nov. 1988 : *Diplôme* 1950, techn. mixte/pap. (37x58,8) : **USD 18 700** – New York, 3 mai 1989 : *La table de Milan* 1973, bois peint, feuille de métal et timbres de caoutchouc/bois (58,5x71) : **USD 44 000** – New York, 5 oct. 1989 : *Vue de la 9ᵉ Avenue* 1976, cr. et cr. de coul., aquar./pap. (69,2x50,2) : **USD 110 000** – Paris, 11 oct. 1989 : *Nature morte* 1980, dess. à la mine de pb et cr. coul. (36x58) : **FRF 126 000** – Paris, 29 mars 1990 : *Le coq* 1942, gche (25,5x33) : **FRF 80 000** – New York, 9 mai 1990 : *Nature morte égyptienne* 1972, graphite, cr. de coul. et collage/pap. (58,4x73,6) : **USD 18 700** – New York, 4 oct. 1990 : *Exposition – le photographe* 1972, techn. mixte/pap./cart. (50,5x65,7) : **USD 24 750** – New York, 15 fév. 1991 : *Sans titre*, encre/pap. (52,5x37) : **USD 8 250** – New York, 1ᵉʳ mai 1991 : *Table Rodazachari* 1981, techn. mixte/cart. (116,8x182,8x76,2) : **USD 66 000** – New York, 13 nov. 1991 : *Jeu de massacre* 1978, cr. coul. et graphite/pap. (58,4x73,7) : **USD 14 300** – Paris, 24 avr. 1992 : *Trois voyageurs* 1967, aquar. et encre/pap. (36x28) : **FRF 45 000** – New York, 6 mai 1992 : *Pyramide d'aquarelle* 1972, aquar., graphite, encre, timbre de caoutchouc et grav. dorée/pap. (50,8x75,6) : **USD 14 300** – New York, 8 oct. 1992 : *Le Carnet d'Égypte* 1973, étain soclé, h., feutres, encre et cr. de coul. sur bois (50,7x65,4x3,6) : **USD 19 800** – New York, 17 nov. 1992 : *Sans titre*, encre/pap. (36,5x50,5) : **USD 6 600** – New York, 19 nov.

1992 : *La table au carnet de croquis* 1974, encres noire et coul., timbres de caoutchouc, acryl. graphite et cr. coul., bois et collage de pap./pan. (71,1x58,4) : **USD 24 200** – New York, 10 nov. 1993 : *Le monde vu de la 5ᵉ Avenue*, encre, graphite, cr. coul. et aquar./cart. (73x51) : **USD 222 500** – Paris, 15 fév. 1995 : *Oiseaux* 1947, encre de Chine (39x27,5) : **FRF 22 000** – New York, 3 mai 1995 : *Quatre couchers de soleil* 1971, gche, aquar., encre et tampons/pap. (76,2x57,2) : **USD 61 900** – Paris, 2 juin 1995 : *Écritoire* 1972, relief et tampons sur bois (67x51) : **FRF 85 000** – Londres, 25 oct. 1995 : *Portrait de Jacinthe* 1946, encre/pap. (20x21) : **GBP 1 058** – New York, 9 mai 1996 : *Ingresso air mail* 1970, cr., past., aquar. et collage pap. (49,8x64,8) : **USD 16 100** – Paris, 1ᵉʳ juil. 1996 : *Les Indiens*, cr. coul. et encre de Chine/pap. (35,5x26,5) : **FRF 9 000** – New York, 20 nov. 1996 : *La Gorée* 1972, cr., encre coul., tampons, aquar. et h/pap. (74,3x102,3) : **USD 25 300** – New York, 7 mai 1997 : *Table d'Afrique du Nord* 1976, techn. mixte/bois (78,4x106,4x3,8) : **USD 48 875**.

STEINBERGER Jakob ou Johann Jakob Anton
Né le 13 mars 1823 à Francfort-sur-le-Main. Mort le 7 avril 1878 à Francfort-sur-le-Main. XIXᵉ siècle. Allemand.
Portraitiste et peintre d'histoire.

STEINBERGER Johann Christoph
Né en 1680. Mort en 1727 à Augsbourg. XVIIIᵉ siècle. Allemand.
Graveur au burin et dessinateur.
Il grava des sujets religieux et des scènes d'après Watteau.

STEINBERGER Leonhard Michael
Né vers 1713. Mort en 1772 à Augsbourg. XVIIIᵉ siècle. Allemand.
Graveur au burin.
Il grava surtout des vues, des perspectives et des cartes géographiques.

STEINBÖCK Andreas ou Stainböckh ou Steinpeck ou Steinpöckh
XVIIᵉ-XVIIIᵉ siècles. Autrichien.
Sculpteur.
Il sculpta des monuments à Eggenbourg et à Vienne entre 1699 et 1727.

STEINBÖCK Carl
XIXᵉ siècle. Travaillant à Vienne, de 1808 à 1828. Autrichien.
Paysagiste et lithographe amateur.
Il exposa à Vienne de 1813 à 1828.

STEINBÖCK Ferdinand
XVIIIᵉ siècle. Travaillant de 1718 à 1728. Autrichien.
Sculpteur.
Élève d'Andreas Steinböck. Il sculpta des autels.

STEINBÖCK Hanss George ou Steinbeck ou Steinbegkh
Originaire d'Ischl. XVIIᵉ siècle. Travaillant à Dresde de 1663 à 1682. Allemand.
Sculpteur.
Il travailla pour la ville de Dresde.

STEINBÖCK Jacob
XVIIᵉ-XVIIIᵉ siècles. Actif à Eggenbourg de 1696 à 1717. Autrichien.
Sculpteur.

STEINBÖCK Konrad
Mort en 1711 à Melk. XVIIIᵉ siècle. Autrichien.
Sculpteur-modeleur de cire.

STEINBÖCK Oswald Georg
Né le 4 août 1813 à Vienne. Mort le 28 mai 1870 à Teplitz. XIXᵉ siècle. Autrichien.
Médailleur.
Il grava des médailles commémoratives.

STEINBÖCK Veit
Mort en 1713 à Vienne. XVIIIᵉ siècle. Autrichien.
Sculpteur.
Il exécuta des sculptures sur la colonne du Graben de Vienne et pour l'église Saint-Pierre de cette ville.

STEINBÖCK Wolfgang
Né en 1650 à Eggenbourg. Mort en 1708. XVIIᵉ siècle. Autrichien.
Sculpteur.
Il travailla pour l'abbaye de Melk et le Palais Liechtenstein de Vienne.

STEINBÖLH Hanss George. Voir **STEINBÖCK**

STEINBRECHER Gustav Richard
Né le 25 mars 1828 à Dresde. Mort le 4 mars 1887 à Pot-schappel. XIXe siècle. Allemand.
Graveur sur bois.
Élève de l'Académie de Dresde. Il grava des illustrations de livres divers, de la Bible et de contes de fées.

STEINBRECHER Johann ou **Hanss Friedrich**
XVIIe-XVIIIe siècles. Allemand.
Sculpteur.
Il travailla pour l'Hôtel de Ville et pour des églises de Dresde.

STEINBRECHER Johann Paul
Mort en 1724 à Dresde. XVIIIe siècle. Allemand.
Sculpteur sur bois.
Il sculpta un confessionnal et une chaire pour l'ancienne église Notre-Dame de Dresde.

STEINBRECHT Alexander
Né le 9 juin 1864 à Leipzig. XIXe-XXe siècles. Allemand.
Peintre de paysages, illustrateur.
Il fut élève d'Adolf Stademann et d'August Fink. Il vécut et travailla à Diessen.

STEINBRENNER Georg Michael
Né le 29 janvier 1750 à Essigwenden. Mort le 26 février 1824 à Ludwigsbourg. XVIIIe-XIXe siècles. Allemand.
Peintre sur porcelaine.
Il travailla à la Manufacture de porcelaine de Ludwigsbourg.

STEINBRENNER Hans
Né en 1928 à Francfort-sur-le-Main. XXe siècle. Allemand.
Sculpteur, peintre, dessinateur. Figuratif, puis abstrait-géométrique.
De 1946 à 1954, il fut élève de diverses écoles d'art et notamment à l'École des Arts Décoratifs d'Offenbach-sur-le-Main, puis de Hans Mettel à la Städelschule de Francfort et de Toni Stadler à l'Académie des Beaux-Arts de Munich. En 1955, il obtint une bourse décernée par l'industrie allemande. En 1963, il participa au Symposium de sculpteurs européens à Berlin. En 1967, il obtint une bourse de séjour à Paris, décernée par la République Fédérale. Il vit et travaille à Francfort-sur-le-Main, où il a enseigné en 1974 à la Städelschule.
Il participe à de nombreuses expositions collectives : 1957 Biennale des Jeunes de Paris ; 1957, 1959, 1965, 1973 Biennale de sculpture d'Anvers-Middelheim ; 1961 IIe Exposition internationale de sculpture contemporaine au musée Rodin à Paris ; 1964 Documenta III de Kassel ; 1970 Exposition mondiale d'Osaka dans le Pavillon allemand ; 1973 Exposition Internationale de Nottingham ; 1977 Salon d'Automne à Paris ; 1982 Kunstverein de Mannheim ; 1985 Musée de Darmstadt ; 1987 Musée de Pontoise ; 1988 Salon des Réalités Nouvelles à Paris ; 1992 Triennale de Sculpture d'Osaka ; 1994 Centre d'Art contemporain de Saint-Priest, etc.
Il montre ses œuvres dans de nombreuses expositions personnelles, d'entre lesquelles : depuis 1952 régulièrement à Francfort-sur-le-Main, notamment à la galerie Appel et Fertsch, et en 1996 au Städelsches Kunstinstitut, Städtische Galerie ; en outre : 1985, 1987 Tokyo, Gatodo gallery ; 1987 Saarlouis ; 1988 Musée de Pontoise, Kunstverein de Berlin ; 1989 Kunstverein de Braunschweig ; 1993, 1994 Tokyo, galerie Shigeru Yokota ; 1994 Paris, *Peintures* à la galerie Olivier Nouvellet ; 1995 Kunstverein de Speyer ; 1997 Paris, galerie Emmanuel Carlebach ; etc.
Il débuta avec des œuvres figuratives, des figures debout ou assises, seules ou en groupe, puis évolua dans une première période abstraite aux formes courbes, organiques inspirées de Arp. Puis, ses sculptures, toujours de proportions monumentales, se caractérisent par le fait qu'elles sont fondées, à partir d'un bloc unique et massif, sur des imbrications ou superpositions de cubes et de parallélépipèdes rectangles, point de départ apparemment simple, dont il tire les combinaisons les plus diverses, et les plus imposantes. On ne peut pas ne pas remarquer que son art répond, en sculpture en trois dimensions, aux préceptes du néoplasticisme de Mondrian ; esprit qu'on retrouve dans ses peintures, effectivement construites sur des agencements de carrés et de rectangles, aux accords de couleurs sombres et confidentiels. Ce qui contribue à transmuer ce qui n'aurait pu qu'évoquer un jeu de cubes d'enfant, en propositions plastiques complexes et solennelles, est la façon dont Steinbrenner met en valeur le matériau élu pour chacune de ses sculptures : souvent de lourdes pièces de bois, à peine dégros-

sies et dont les fibres et les nodosités apparentes corrigent la rigueur de la découpe orthogonale ; ou bien des blocs de pierre au grain très accusé, qu'anime la lumière frisante sur les faces opposées. Abstraites, ses œuvres brutes, minimales, constituées par la superposition de masses équarries depuis le seul bloc originel, s'élancent silencieuses vers le ciel et évoquent l'homme, notamment celui des sculptures archaïques grecques, l'architecture des origines, les stèles primitives dressées pour des cultes muets.
BIBLIOGR. : Udo Kultermann : *Junge deutsche Bildhauer*, 1963 – Ulrich Gertz : *Die Kunst des 20 Jarhunderts in Hesse*, 1966 – Catalogue de l'exposition : *Hans Steinbrenner*, Frankfurter Kunstkabinett, Francfort-sur-le-Main, 1970 – Catalogue de l'exposition : *Hans Steinbrenner – Sculptures 1960-1982*, Kunstverein, Bremerhaven, Oberhessisches Museum, Giessen, 1984 – Catalogue de l'exposition : *Hans Steinbrenner – Sculptures 1982-1985*, Galerie Katrin Rabus, Brême, 1986 – Catalogue de l'exposition : *Hans Steinbrenner*, Musée de Pontoise, 1988 – Catalogue de l'exposition : *Hans Steinbrenner*, Kunstverein, Braunschweig, 1989 – *Hans Steinbrenner : Catalogue raisonné des sculptures 1948-1960*, J. W. Goethe Universität, Francfort/Main, 1990 – Catalogue de l'exposition : *Hans Steinbrenner – Sculptures 1989-1993*, Galerie Katrin Rabus, Brême, 1993 – Catalogue de l'exposition : *Hans Steinbrenner*, Kunstverein, Speyer, 1995 – Catalogue de l'exposition : *Hans Steinbrenner*, Städelgarten du Musée des Beaux-Arts, Francfort-sur-le-Main, 1993 – Catalogue de l'exposition : *Hans Steinbrenner, peintures et dessins 1965-1994*, galerie Gudrun Spielvogel, Munich, 1997.
MUSÉES : ANVERS (Middelheim Mus.) – BOTTROP (Quadrat Mus.) – BRÊME (Kunsthalle) – DUISBOURG (Lehmbruck Mus.) – FRANCFORT-SUR-LE-MAIN (Städel Kunstinst.) – FRANCFORT-SUR-LE-MAIN (Mus. d'Hist.) – GIESSEN (Mus. de Haute-Hesse) – KARLSRUHE (Gal. mun.) – KASSEL (Mus. des Ursulines) – CINCINNATI : *Adoration des Mages* – DARMSTADT : *Geneviève* – DÜSSELDORF (Mus. mun.) : *Portrait de Th. Hildebrandt* – MAGDEBOURG : *La gloire du poète – Le sac de Magdebourg – L'Amour et Psyché*.

STEINBRYCH N. ou **Steinbrück**
XVIIe siècle. Allemand.
Peintre.
Il a peint des portraits.

STEINBÜCHLER Rudolf
Né le 12 février 1901. XXe siècle. Autrichien.
Peintre.
Il fut élève de Ludwig Herterich et de Franz Klemmer à l'académie des beaux-arts de Munich. Il peignit des fresques.

STEINBURG Johann Gottlieb
Né en 1788. Mort le 13 juin 1845 à Prague. XIXe siècle. Autrichien.
Peintre de fleurs.

STEINDL A.
XVIIIe siècle. Actif à Teltsch en 1750. Autrichien.
Peintre.
Il a peint un tableau d'autel dans l'église d'Urbanau.

STEINDL Bartholomäus. Voir **STEINLE**
STEINDL Matthias ou **Steindel.** Voir **STEINL**

STEINECKE Walter
Né le 7 mars 1888 à Pülzlingen. xxᵉ siècle. Allemand.
Peintre, graveur, illustrateur.
Il fut élève de Rudolf Siegmund à Kassel. Il vécut et travailla à Lemgo.
Musées : NORDHAUSEN (Mus. mun.).

STEINECKER Erhart
xviᵉ siècle. Autrichien.
Peintre.
Il vécut à Vöcklabruck, travaillant en 1516. Il peignit un buffet d'orgues pour l'abbaye de Kremsmünster.

STEINEGER Agnès
Née au xixᵉ siècle à Christiania (aujourd'hui Oslo). xixᵉ siècle. Norvégienne.
Portraitiste.
Elle figura aux expositions de Paris ; mention honorable en 1889 (Exposition Universelle) et en 1900 (Exposition Universelle).

STEINEGGER Bilger
xviᵉ siècle. Travaillant à Berne de 1554 à 1596. Suisse.
Peintre verrier.
Fils de Heinrich Steinegger.

STEINEGGER Heinrich
xviᵉ siècle. Travaillant à Berne de 1526 à 1555. Suisse.
Peintre verrier.
Le Musée Historique de Münster conserve des vitraux de cet artiste.

STEINEGGER Simon
xviᵉ siècle. Travaillant à Berne de 1556 à 1581. Suisse.
Peintre verrier.
Fils de Heinrich Steinegger.

STEINEKE G.
xixᵉ siècle. Actif à Hanovre en 1830. Allemand.
Lithographe.

STEINEL Johann ou **Jean-Paul**
Né le 14 décembre 1878 à Heidelberg. xxᵉ siècle. Allemand.
Sculpteur de groupes, figures.
Il fut élève de l'académie des beaux-arts de Munich. Il réalisa des groupes féminins.
Musées : MANNHEIM – MUNICH (Mus. mun.).

STEINEL Matthias. Voir **STEINL**

STEINEL Prokop ou **Steinl**
Né en 1732 à Schedietz. Mort le 21 avril 1794 à Prague. xviiiᵉ siècle. Autrichien.
Peintre.
Il peignit des portraits et des chevaux.

STEINELT Adam. Voir **STENELT**

STEINEMANN Hermann
Né le 22 janvier 1852 à Berlin. xixᵉ siècle. Allemand.
Sculpteur.
Élève de Fr. Drake. Il sculpta des monuments aux morts et des statues.

STEINEN Gottschalk von den
Mort le 16 février 1675 à Cologne. xviiᵉ siècle. Allemand.
Sculpteur.
Père de Melchior von den Steinen.

STEINEN Heinrich von den
xviᵉ siècle. Actif à Cologne entre 1581 et 1590. Allemand.
Sculpteur.
Père de Gottschalk von den Steinen.

STEINEN Melchior von den
Né le 1ᵉʳ avril 1603 à Cologne. xviiᵉ siècle. Allemand.
Sculpteur.
Il exécuta des sculptures décoratives dans des maisons bourgeoises de Cologne.

STEINEN Wilhelm von den
Né le 19 février 1859 à Viersen. xixᵉ siècle. Actif à Düsseldorf. Allemand.
Peintre et illustrateur.
Il exécuta des illustrations de récits de voyages.

STEINER Agnes
Née en 1845 à Hambourg. Morte le 9 avril 1925 à Hambourg. xixᵉ-xxᵉ siècles. Allemande.
Peintre de fleurs et lithographe.

STEINER Alice Fanny
Née le 28 octobre 1888 à Winterthur. xxᵉ siècle. Suissesse.
Peintre, graveur.
Elle vécut et travailla à Zurich.

STEINER Anna Barbara
Née le 3 avril 1768 à Winterthur. Morte le 3 mars 1854 à Tägerwilen. xviiiᵉ-xixᵉ siècles. Suisse.
Paysagiste et aquafortiste.
Femme de Johann Conrad Steiner. Elle peignit des paysages du lac de Constance.

STEINER Antonie
Née le 22 janvier 1866 à Innsbruck. xixᵉ-xxᵉ siècles. Autrichienne.
Sculpteur de compositions religieuses.
Fille du sculpteur Sebastian Steiner, elle sculpta des crucifix et des statues d'anges. Elle vécut et travailla à Meran.

STEINER Arnold
Né le 14 février 1878 à Winterthur. xxᵉ siècle. Suisse.
Sculpteur.

STEINER Arthur
Né le 2 juillet 1885 à Gumbinnen. xxᵉ siècle. Allemand.
Peintre, sculpteur d'animaux.
Il vécut et travailla à Königsberg.

STEINER Barbara. Voir **STEINER Anna Barbara**

STEINER Barbara. Voir **KRAFFT**

STEINER Bartli
xviiᵉ siècle. Travaillant en 1600. Suisse.
Sculpteur sur bois.
Il exécuta des stalles dans l'église de Beromunster.

STEINER Clément Léopold
Né le 7 mars 1853 à Paris. Mort en décembre 1899 à Paris. xixᵉ siècle. Français.
Sculpteur de monuments, groupes, sujets mythologiques.
Il fut élève de A. Millet, Jouffroy et Bailly. Débuta au Salon de 1876. Médaille de première classe et bourse de voyage en 1884, médaille d'or en 1889 (Exposition Universelle).
Sculpteur de sujets ambitieux, il réalisait des groupes monumentaux. Sa dernière œuvre, mentionnée par S. Lami, est un des Pégases en bronze doré qui surmontent les quatre pylones du pont Alexandre III, à Paris, en fait *La Renommée de l'Industrie*, celui de gauche sur la rive gauche en regardant les Invalides.
Musées : LIMOGES : *Le père nourricier* – MOSCOU (Mus. Roumianzeff) : *Dame tenant le jeune Bacchus dans ses bras*.
Ventes Publiques : LONDRES, 25 sep. 1986 : *Hébé*, bronze (H. 94) : GBP 2 400.

STEINER Eduard ou **David Eduard**
Né le 7 avril 1811 à Winterthur. Mort le 5 avril 1860 à Winterthur. xixᵉ siècle. Suisse.
Portraitiste, aquafortiste, lithographe et pastelliste.
Il subit l'influence de Cornélius à Munich. On lui doit quelques paysages à l'encre de Chine, des portraits et des fresques.
Musées : WINTERTHUR : Trente portraits d'artistes – ZURICH (Kunsthaus) : *Entrée de Zurich dans la Confédération*.

STEINER Emil
xixᵉ siècle. Allemand.
Sculpteur de bustes.
Élève de Karl Heinrich Möller. Il exposa à Berlin de 1868 à 1892 des bustes de généraux prussiens.

STEINER Emmanuel
Né le 1ᵉʳ avril 1778 à Winterthur. Mort le 15 octobre 1831 à Winterthur. xixᵉ siècle. Suisse.
Graveur à l'eau-forte et peintre.
Élève de J. R. Schellenberg et d'Anton Graff à Dresde.

E. st. f.

STEINER Ermann, ou **Hermann**, puis **Ermanno**
Né le 30 janvier 1878 à Meran. Mort le 24 juin 1963 à Meran. xxᵉ siècle. Autrichien.
Sculpteur de compositions religieuses, sujets allégoriques, figures, ornemaniste.
Fils du sculpteur Sebastian Steiner, il fut le mari du peintre Adèle Steiner-Perlmutter. Il a participé à des expositions collectives : 1903 Exposition mondiale de Saint Louis, où il représente l'Autriche ; 1918 Exposition de guerre de Munich ; 1952 Foire de Milan ; 1955 Bari.

Il réalise des sculptures et hauts-reliefs sur bois, où il mêle sacré et profane, d'une grande intensité, inspirés de la sculpture gothique allemande tardive. Il met en scène femmes, satyres, faunes grimaçants, dans des compositions chargées, au mouvement ample. Il sculpta aussi des sujets religieux et fut surtout connu pour ses angelots et ses amours. Il a également décoré de nombreux meubles, avec des sculptures de fruits, volutes, nymphes et masques.

Musées : Rome (Mus. du Vatican) : *Chapelet.*

STEINER Ernst
Né le 31 octobre 1864 à Innsbruck. Mort en 1934 à Salzbourg. XIXᵉ-XXᵉ siècles. Autrichien.
Sculpteur.
Fils du sculpteur Sebastian Steiner, il sculpta sur bois des bas-reliefs d'après Defregger.

STEINER Ferdinand ou Stainer
Mort le 10 juillet 1725 à Klagenfurt. XVIIIᵉ siècle. Autrichien.
Peintre et graveur au burin.
Il peignit des portraits d'évêques pour la cathédrale de Gurk et d'autres églises de Carinthie.

STEINER Franz
XVIIᵉ siècle. Actif à la fin du XVIIIᵉ siècle. Autrichien.
Peintre.
Il peignit *Saint Norbert* et *La Mort de saint Népomucène* pour le réfectoire de l'abbaye de Wilten.

STEINER Franz Lukas
Né le 1ᵉʳ décembre 1692 à Arth. XVIIIᵉ siècle. Suisse.
Peintre.
Fils de Johann Balthasar Steiner. Il a peint *Notre-Dame du Bon Conseil* dans l'église des Capucins de Schwyz-Village.

STEINER Franz Xaver
XVIIIᵉ siècle. Autrichien.
Peintre.
De la Compagnie de Jésus, il a peint des fresques dans l'église des Jésuites de Troppau.

STEINER Fridolin, dit le Père Lukas
Né le 4 juillet 1849 à Ingenbohl. Mort le 2 décembre 1906 à Beuron. XIXᵉ siècle. Suisse.
Peintre.
Il fut élève de Jakob Würger à Rome. Il travailla pour les abbayes de Beuron et du Mont Cassin.

STEINER Fritz
Né le 28 juillet 1891 à Friedrichsfelde (près de Berlin). XXᵉ siècle. Allemand.
Peintre, graveur.
Il vécut et travailla à Berlin.

STEINER Fülöp. Voir STEINER Philipp

STEINER G.
XIXᵉ siècle. Travaillant à Sonnenbourg vers 1800. Allemand.
Peintre de figures et de portraits.

STEINER Georg
Né à Bensberg près de Cologne. XVIIIᵉ siècle. Actif dans la première moitié du XVIIIᵉ siècle. Allemand.
Sculpteur sur ivoire.
Le Musée des Métiers de Stuttgart conserve une coupe en ivoire, exécutée par cet artiste en 1705.

STEINER Georg Friedrich
Né à Thorn. XVIIIᵉ siècle. Travaillant de 1730 à 1740. Allemand.
Peintre de vues.

STEINER Gyula. Voir STEINER Julius

STEINER Hans ou Stainer ou Staimer ou Stayner
Né à Reidlingen. Mort en 1610. XVIIᵉ siècle. Allemand.
Peintre.
Il travailla à Stuttgart pour le duc Louis III.

STEINER Hans
Né le 28 août 1885 à Leipzig. XXᵉ siècle. Allemand.
Peintre, graveur.
Il fut élève des académies des beaux-arts de Berlin, où il vécut et travailla, de Carlsruhe et Munich. Il subit l'influence de Grunewald.

STEINER Hans Adolf
Né le 20 octobre 1872 à Dürrenäsch. Mort en 1955. XIXᵉ-XXᵉ siècles. Allemand.

Peintre de paysages, aquarelliste, pastelliste, dessinateur.
Il fit ses études à Bâle, Munich, Leipzig et Rome. Il vécut et travailla à Aarau.
Musées : Aarau (Aargauer Kunsthaus) : *Aarwangen* 1913 – *Printemps précoce* 1917 – *L'Île de Reichenau* 1921 – *Paysage d'été* 1921 – *Printemps précoce* 1925 – *Septembre* 1926, past. – *À Untersee* 1921 – *Barque de pêche* 1934 – *Au bord du lac* 1935 – *Nature morte* 1937 – *Hiver à Adelboden* 1938 – *Le Lenzburg* 1938 – *Près du lac d'Hallwiler* 1943 – *La chute de l'Aar près de Schinznach* 1948 – *Étang de forêt.*

STEINER Hans Rudolf
XVIIIᵉ siècle. Actif au début du XVIIIᵉ siècle. Suisse.
Graveur sur bois.
Le Musée National de Zurich conserve un bas-relief exécuté par cet artiste en 1709.

STEINER Heinz Arthur ou Steiner-Xanten
Né le 20 septembre 1882 à Xanten. XXᵉ siècle. Autrichien.
Peintre de paysages.
Il fut élève de l'académie des beaux-arts de Düsseldorf. Il fut aussi restaurateur de tableaux.

STEINER Hermann. Voir STEINER Ermann, ou Hermann, puis Ermanno

STEINER Herwig
Né en 1956 à Tulln. XXᵉ siècle. Autrichien.
Peintre. Abstrait-géométrique.
Il étudia l'histoire à l'université de Vienne, puis l'architecture. Il participe à des expositions collectives : 1987 Salon de la Jeune Peinture à Paris ; 1989 Osterreichisches Museum des 21 Jahrhunderts de Vienne, Nationalmuseum de Belgrade, Moderne Galerie de Ljubljana ; 1990 National Galerie de Bratislava, Kunstverein d'Erfurt ; 1992 Salon Découvertes à Paris. Il montre ses œuvres dans des expositions personnelles : 1989 Vienne.
Il travaille à partir de figures géométriques abstraites, notamment avec la figure de la cible, privilégiant les effets de matière qui rendent singulières des formes banales.

STEINER Ignaz, appellation erronée. Voir STEINER Johann

STEINER J. Georg zum Geist
Né le 17 août 1788 à Winterthur. XIXᵉ siècle. Suisse.
Paysagiste.
Fils de Johann Konrad S.

STEINER J. L.
XIXᵉ siècle. Travaillant en 1800. Français.
Miniaturiste.

STEINER Jakob
XVIᵉ siècle. Suisse.
Sculpteur sur bois.
Il travailla pour l'Hôtel de Ville de Bâle dans la première moitié du XVIᵉ siècle. Il fut également ébéniste.

STEINER Johann
XVIIIᵉ siècle. Actif à Prague au milieu du XVIIIᵉ siècle. Autrichien.
Miniaturiste.

STEINER Johann
XVIIIᵉ siècle. Autrichien.
Peintre de fleurs.
Fils de Johann Nepomuk Steiner, peintre et chirurgien, il fut actif durant la seconde moitié du XVIIIᵉ siècle.

STEINER Johann Balthasar
Né le 12 janvier 1668 à Arth. Mort le 28 septembre 1744 dans la même localité. XVIIᵉ-XVIIIᵉ siècles. Suisse.
Peintre.
Père de Franz Lukas et de Joseph Anton Steiner. Élève de Lukas Wiestner. Il peignit pour les églises d'Arth, de Gersau d'Oberiberg, de Rheinau, de Rigi-Klösterli et de Steinerberg.

STEINER Johann Michael
Né à Wartha. XVIIIᵉ siècle. Actif dans la première moitié du XVIIIᵉ siècle. Allemand.
Peintre.
Il travailla à Frankenstein pour les églises de Glogau et de Habelschwerdt.

STEINER Johann Nepomuk
Né le 20 mai 1725 à Iglau (Moravie). Mort le 21 novembre 1793 à Iglau. XVIIIᵉ siècle. Autrichien.

Peintre de portraits et de sujets religieux, aquafortiste et restaurateur de tableaux.

Il subit l'influence de Mengs en Italie. Il travailla pour les églises d'Iglau et des environs, devint peintre de la cour, à Vienne, en 1755, et peignit les portraits de Marie-Thérèse et de Joseph II.

VENTES PUBLIQUES : VIENNE, 15 sep. 1981 : *Portrait de Marie-Louise d'Espagne*, h/t (141x93) : **ATS 100 000**.

STEINER Johann ou Hans Konrad

Né le 13 février 1757 à Winterthur. Mort le 28 septembre 1818 à Tagerwilen. XVIIIᵉ-XIXᵉ siècles. Suisse.

Peintre de paysages, aquarelliste et graveur à l'eau-forte.

Élève de A. Zuigg. Il fit ses études à Genève et à Dresde, alla à Paris et deux fois en Italie. Il dessina d'après Claude Lorrain. Il peignit beaucoup de paysages suisses à l'aquarelle et à l'huile. Il grava des paysages et des scènes de genre.

VENTES PUBLIQUES : LONDRES, 12 déc. 1985 : *Scène de chasse près de Herrenberg*, pl. et lav. (18,4x13,6) : **GBP 950**.

STEINER Josef ou Stainer

Mort en 1788. XVIIIᵉ siècle. Autrichien.

Peintre de compositions religieuses.

Fils de Michael Steiner. Il exécuta les autels des églises de Hartkirchen et de Peuerbach.

STEINER Josef

Né le 29 mai 1877 à Graz. XXᵉ siècle. Actif en Allemagne. Autrichien.

Peintre de fleurs, graveur.

Il fit ses études à Vienne et à Berlin, où il s'installa.

VENTES PUBLIQUES : VIENNE, 14 sep. 1976 : *Bouquet de fleurs*, h/pan. (59,5x50) : **ATS 30 000** – VIENNE, 15 mars 1977 : *Nature morte aux fleurs*, h/pan. (60x50) : **ATS 30 000** – LONDRES, 17 mars 1989 : *Fleurs d'été dans un vase*, h/t (64x76) : **GBP 4 950**.

STEINER Josef

Né en 1885 à Deutsch-Lansberg. XXᵉ siècle. Autrichien.

Graveur.

Il fut élève d'A. Penz et de L. von Schrötter à Graz, de B. Mannfeld à Francfort-sur-le-Main. Il vécut et travailla à Vienne. Graveur, il privilégia la technique de l'eau-forte.

STEINER Josef

Né le 17 septembre 1899 à Munich. XXᵉ siècle. Allemand.

Peintre de natures mortes, fleurs et fruits, graveur.

Il fut élève de Karl Hofer. Il vécut et travailla à Berlin.

VENTES PUBLIQUES : VIENNE, 15 sep. 1981 : *Nature morte aux fleurs*, h/pan. (60x50) : **ATS 55 000** – VIENNE, 18 mai 1983 : *Bouquet de fleurs*, h/pan. (40x30) : **ATS 25 000**.

STEINER Joseph Anton

XVIIIᵉ siècle. Actif à Arth au milieu du XVIIIᵉ siècle. Suisse.

Peintre.

Assistant de son père Johann Balthasar Steiner. Il exécuta des peintures dans l'église de Gersau.

STEINER Julie

Née le 1ᵉʳ septembre 1878 à Stuttgart. XXᵉ siècle. Allemande.

Peintre, graveur.

Elle fut élève d'Angelo Janck et de Christian Landenberger à Munich, et de Leopold von Kalcreuth à Stuttgart.

STEINER Julius

Né le 4 mars 1863 à Innsbruck. Mort le 19 février 1904 à Leipzig. XIXᵉ siècle. Autrichien.

Sculpteur de bustes.

Il exécuta plus de mille portraits en buste.

MUSÉES : MERAN (Mus. mun.) : *Buste du duc Charles Théodor de Bavière* – *Buste du chef d'orchestre Grissemann* – *Buste du docteur Tappeiner*.

STEINER Julius ou Gyula

Né le 9 juillet 1878 à Budapest. XXᵉ siècle. Allemand.

Sculpteur de bustes, graveur.

Il fut élève de l'académie des beaux-arts de Vienne. Il vécut et travailla à Berlin. Il sculpta surtout des bustes.

STEINER Karl

Né le 13 mai 1875 à Zurich. XXᵉ siècle. Actif en Allemagne. Suisse.

Peintre.

Il fit ses études à Munich, où il vécut et travailla, à Paris et à Rome.

STEINER Kaspar ou Johann Caspar

Né le 31 janvier 1734 à Winterthur. Mort le 13 juin 1812 à Bergame. XVIIIᵉ-XIXᵉ siècles. Suisse.

Peintre de portraits et de paysages.

Il dirigeait une fabrique de soie à Bergame et s'adonna à la peinture durant ses loisirs. Il fit d'abord le portrait et montra de remarquables qualités de coloriste, où son dessin malheureusement est faible. Il fit ensuite des paysages. Le Musée de Winterthur conserve de lui *Portrait de Johann Rudolf Sulzer*.

STEINER Leonhard

Né le 9 novembre 1836 à Zurich. Mort le 13 décembre 1920 à Zurich. XIXᵉ-XXᵉ siècles. Suisse.

Peintre de paysages.

Il fut aussi poète.

MUSÉES : WINTERTHUR – ZURICH.

STEINER Leonhard ou Lienhard

Né à Küsnacht. XVIIᵉ siècle. Suisse.

Peintre verrier.

Il travailla pour l'église de Küsnacht en 1641.

STEINER Léopold. Voir STEINER Clément Léopold

STEINER Lilly ou Lily ou Lili

Née le 7 avril 1884 à Vienne. XXᵉ siècle. Active aussi en France. Autrichienne.

Peintre de portraits, paysages, marines, fleurs, aquarelliste, graveur, dessinatrice.

Elle s'établit à Paris vers 1904. Elle figura régulièrement aux Salons des Indépendants et des Tuileries de Paris.

Elle s'est surtout fait connaître pour ses portraits d'enfants, mais on cite aussi de sa main un *Portrait du compositeur Honegger*.

MUSÉES : LA HAYE – PARIS (Mus. du Petit Palais) : *Le Jardin du Luxembourg au printemps* – PARIS (Gal. Nat. du Jeu de Paume) : *Jeune fille avec un bouquet de fleurs* – *Le cactus et saint Sulpice* – ULM – VIENNE (Albertina Mus.).

VENTES PUBLIQUES : PARIS, 18 mai 1945 : *Marine*, aquar. : **FRF 8 000** – PARIS, 8 juin 1949 : *Roses* 1937 : **FRF 3 100** – PARIS, 30 avr. 1951 : *Souvenir de Majorque* 1926 : **FRF 3 500**.

STEINER Ludwig

XIXᵉ siècle. Actif à Vienne de 1828 à 1843. Autrichien.

Peintre.

Il peignit des portraits de femmes.

STEINER Matthes ou Steinner

XVIᵉ siècle. Travaillant à Erfurt et à Naumbourg, dans la seconde moitié du XVIᵉ siècle. Allemand.

Sculpteur.

Il sculpta des épitaphes dans la cathédrale de Naumbourg.

STEINER Michael

Né en 1945 à New York. XXᵉ siècle. Américain.

Sculpteur, peintre. Abstrait, tendance minimal art.

Il participe à des expositions collectives : 1966 *Ten Sculptors* à la Dwan Gallery avec Lewitt, Flavin, Judd, Reinhard, Morris, Andre, Smithson. Il montre ses œuvres dans des expositions personnelles depuis 1963 régulièrement à New York ; ainsi que : 1974 Museum of Fine Arts de Boston ; 1977 Kunsthalle de Bielefeld ; Kunst und Museumverein de Wuppertal ; 1992 Museum of Art de Laudersale (Floride) 1993 galerie Gérald Piltzer à Paris. Il fut lauréat du Guggenheim Fellowship en 1971.

Il a renoncé à l'acier et aux formes strictement géométriques, pour le bronze, souvent coloré, et une structure plus souple, aérienne, de courbes, de circonvolutions, se jouant de l'équilibre, des vides et des pleins, qui évoque la sculpture sensuelle d'Anthony Caro. Certaines de ses pièces plus massives, font penser à des animaux, des machines. Il réalise parallèlement une peinture gestuelle.

BIBLIOGR. : Alin Avila : *Michael Steiner – Sculptures 1965-1992*, coll. Visions, Ramsay, Paris, 1993 – Patricia Brignone : *Michael Steiner*, Art Press, nᵒ 187, janv. 1994.

MUSÉES : BIELEFELD (Kunsthalle) – BOSTON (Mus. of Fine Arts) – DENVER (Art Mus.) – DES MOINES (Art Center) – DUISBOURG (Lehmbruck Mus.) – HANOVRE (Mus. Sprengel) – HOUSTON (Mus. of Fine Arts) – LUDWIGSHAFEN (Hack Mus.) – MINNEAPOLIS (Walker Art Center) – NEW YORK (Mus. of Mod. Art) – NEW YORK (Solomon Guggenheim Mus.) – NICE (Mus. d'Art Mod. et d'Art Contemp.) – PARIS (Mus. Nat. d'Art Mod.) – SYRACUSE (Everson Art Mus.) – WASHINGTON D. C. (Hirsshorn Mus. and Sculpture Garden).

VENTES PUBLIQUES : NEW YORK, 27 fév. 1980 : *Klends* 1976, bronze (20,3x30,7x47) : **USD 1 800** – NEW YORK, 6 mai 1982 : *Sans titre* 1979, bronze (6162,5x38) : **USD 3 000** – NEW YORK, 9 mai 1984 : *Kerma* 1976, bronze (20,2x50x43,2) : **USD 1 500** – NEW YORK, 10 Nov. 1988 : *La forêt* 1982, acier soudé (99x99x92,5) : **USD 12 100** – NEW YORK, 14 fév. 1989 : *Star Carr* 1979, bronze

(41x56,5x43) : **USD 5 500** – New York, 23 fév. 1990 : *Vue de l'Estaque* 1982, bronze à patine brune (h. 101,6) : **USD 8 800** – New York, 7 mai 1990 : *Sans titre* 1980, bronze à patine brune (L. 58,4) : **USD 9 900** – New York, 8 mai 1990 : *Sans titre* 1965, acier inox. en 5 parties (61x88,9x182,8) : **USD 17 600** – New York, 7 mai 1991 : *R-26*, bronze à patine grise (22,2x54x24,5) : **USD 4 400**.

STEINER Michael ou Johann Michael ou Stainer
Né vers 1684. Mort en 1764. xviiie siècle. Actif à Peuerbach. Autrichien.
Peintre.
Père de Josef et de Paul Steiner. Il peignit des tableaux d'autel pour les églises de Raab et de Peuerbach. A rapprocher de Johann Michaël Steiner.

STEINER Michel
Né le 15 janvier 1934 à Soissons (Aisne). xxe siècle. Français.
Peintre de figures, nus, paysages, aquarelliste, pastelliste, dessinateur.
Il fut élève de l'école des beaux-arts de Bourges de 1954 à 1958. Il enseigna la peinture de 1962 à 1976 à l'école des beaux-arts d'Avignon, où il est directeur depuis 1985, puis de 1976 à 1985 à l'école des beaux-arts de Valence. Il vit et travaille à Villeneuve-lès-Avignon.
Il participe à des expositions collectives : 1962 Salon de la Jeune peinture à Paris. Il montre ses œuvres dans des expositions personnelles : 1962, 1964 Paris ; depuis 1974 régulièrement à Avignon ; 1984 CRAC (Centre de recherche et d'Action Culturelle) à Valence.
Il travaille dans un esprit proche de Giacometti, par évocation, suggérant les lieux et les corps comme à travers un voile, l'aspect fugitif du modèle qui échappe au réel, à la représentation. À la recherche de l'essence de l'être, du paysage, impossible à saisir, le geste se répète, la matière varie, prend vie, pour mieux cerner les contours du sujet qui n'est que prétexte. Jouant des transparences, Steiner retient la douceur du blanc, du gris, utilisant la couleur de manière discrète, osant parfois un léger bleu, un tendre rose.
Bibliogr. : Philippe Jacottet, Michel Steiner : *Carnets – Dans la lumière du Vaucluse*, Galerie Gerard Guerre, Avignon, 1983 – Bernard Noël : *Michel Steiner – Peindre intime*, CRAC, Centre de Recherche et d'Action Culturelle, Valence, 1984.

STEINER Nikolaus
xviiie siècle. Allemand.
Stucateur.
Il a exécuté un autel dans l'ancienne abbatiale de Frauenalb en 1763.

STEINER Paul ou Stainer
Mort en 1776. xviiie siècle. Actif à Peuerbach. Autrichien.
Peintre.
Fils de Michael Steiner. Il peignit de nombreux tableaux d'autel.

STEINER Philipp ou Fülöp
Né en 1812 à Kittsee. xixe siècle. Hongrois.
Peintre de genre, paysagiste et portraitiste.
Élève de l'Académie de Vienne ; il continua ses études à Munich.

STEINER Rudolf
Né le 27 février 1861 à Kraljévic (Croatie). Mort le 30 mars 1925 à Dornach près de Bâle. xixe-xxe siècles. Actif en Suisse. Autrichien.
Peintre de figures, sculpteur, dessinateur.
Après des études scientifiques à Vienne à l'École technique supérieure, il étudia les mathématiques, l'histoire naturelle et la chimie avant d'obtenir une licence de philosophie. Philosophe spiritualiste qui vise à unifier les domaines de la vie et la science et fondateur de l'anthroposophie, il effectua de nombreuses conférences de 1919 à 1924. Il eut une influence sur les peintres Kandinsky, Jawlensky, Klee, Mondrian, le poète Morgenstern. Il se livra également à diverses activités, l'architecture, réalisant les plans du Goethéanum à Dornach près de Bâle où il vécut et travailla, la peinture en amateur, la sculpture sur bois.
Ses œuvres n'ont été présentées qu'en 1992 à Cologne et Francfort-sur-le-Main, puis en 1993 au musée de Kassel, parallèlement à une exposition d'œuvres de Beuys, qu'il influença.
Outre ses peintures et sculptures de figures conventionnelles à tendance symboliste, on inclut dans son œuvre ses nombreux dessins, qui mêlent mots, schémas et graphiques, exécutés durant ses conférences à la craie sur du papier noir (100x150) de diverses couleurs, conservés dans une intention philosophique et non artistique. Ce travail anticipe les actions de Beuys, et les performances des années soixante-dix. Son art participe de la vie et est la vie, réinsérant l'acte artistique dans la quotidienneté.
Bibliogr. : Patrick Beurard : *Joseph Beuys et Rudolf Steiner : pour en finir avec un tabou*, Opus International, n° 132, Paris, aut. 1993.

STEINER Sebastian ou Stainer
Né en 1837 à Sterzing. Mort le 6 avril 1896 à Meran. xixe siècle. Autrichien.
Sculpteur.
Père d'Antonie, d'Ernst, d'Hermann et de Julius Steiner. Il fit ses études à Innsbruck et à Munich. Il sculpta des tombeaux et des bustes. Le Musée du Ferdinandeum conserve de lui les bustes de *Hermann Gilm* et de *Johann Jakob Staffler*.

STEINER Valentin
Né le 14 février 1736 à Buchlowitz. Mort le 30 juillet 1799 à Œdenbourg. xviiie siècle. Autrichien.
Peintre.
Il exécuta des peintures dans le chœur de l'église de Rust en 1798.

STEINER della PIETRA Reszö ou Rudolf
Né le 24 novembre 1854 à Ferto-Fehéregyhaza. xixe-xxe siècles. Hongrois.
Peintre de compositions religieuses, paysages.
Il fit ses études à Vienne. Il vécut et travailla à Oedenbourg.

STEINER PERLMUTTER Adèle
Née en 1887 à Varsovie. Morte en 1981 à Merano. xxe siècle. Polonaise.
Peintre de sujets allégoriques, genre, figures, natures mortes, dessinateur, aquarelliste, pastelliste.
Après la révolution de Varsovie, elle étudie à Munich, où elle eut pour professeur Alexej Jawlensky, puis à Paris, avec Auguste Rodin.
Elle réalisa de très nombreux portraits, dans une matière épaisse.

STEINER-PRAG Hugo
Né le 12 décembre 1880 à Prague. xxe siècle. Autrichien.
Peintre de genre, compositions religieuses, architectures, paysages urbains, graveur, illustrateur.
Il fut élève des académies des beaux-arts de Prague et de Munich. Il fut aussi relieur et metteur en scène. Il a séjourné au Portugal d'où il a rapporté de nombreuses scènes. Parmi ses illustrations, on cite les *Contes* d'Andersen.
Musées : Leipzig (Mus. des Beaux-Arts) : *Saint Ferdinand – Église Saint-Martin de Cintra près de Lisbonne* – Prague (Gal. Mod.) : *Taverne portugaise.*
Ventes Publiques : New York, 25 fév. 1988 : *Le sapin de Noël, illust. pour les Contes d'Andersen* 1905, encre (14,1x12,7) : **USD 660.**

STEINER-PRAG Paula, née Bergmann
Née le 26 juillet 1880 à Seedorf. xxe siècle. Allemande.
Peintre de fleurs, décoratrice.
Femme du peintre Hugo Steiner-Prag, elle peignit surtout des fleurs.

STEINERT Matthias
Né en 1709 en Tyrol. Mort le 17 mars 1765 à Leipzig. xviiie siècle. Autrichien.
Sculpteur sur pierre et sur bois.
Il travailla à Dresde chez Matthäus Kugler.

STEINFELD Anton
xviiie siècle. Actif à Eger dans la première moitié du xviiie siècle. Autrichien.
Sculpteur.
Il exécuta des stucatures dans l'église de Chodau en 1733.

STEINFELD Franz, l'Ancien
Né en 1750. Mort le 13 avril 1832 à Vienne. xviiie-xixe siècles. Autrichien.
Sculpteur.
Père de Franz Steinfeld le Jeune. Il sculpta des figures pour le parc de Schönbrunn.

STEINFELD Franz, le Jeune
Né le 26 mai 1787 à Vienne. Mort le 5 novembre 1868 à Pisck (Bohême). xixe siècle. Autrichien.
Peintre de paysages, lithographe, sculpteur, graveur.
Il étudia d'abord la sculpture à l'Académie de Vienne puis, sans maître, s'adonna au paysage. Il y fit preuve d'un remarquable

talent et son succès lui valut l'emploi de peintre à la cour. Il fut nommé professeur à l'Académie de Vienne et recommandait à ses élèves l'étude de la nature et de Ruysdael. Il a gravé et lithographié des paysages.

Musées : Graz (Mus. prov.) : *Le Lac de Grundlsee – Le Dachstein – Le Lac d'Altaussee – Toplitzsee* – Linz (Gal. prov.) : *Heligoland* – Vienne (Mus. du Belvédère) : *Moulin abandonné – Vue sur le lac de Hallstatt* – Vienne (Mus. mun.) : *Partie du parc de Dornbach – Vue sur le lac de Hallstatt.*

Ventes Publiques : Vienne, 9 juin 1970 : *Zell-bei-Waidhoven :* ATS 25 000 – Vienne, 6 juin 1972 : *Lac de montagne :* ATS 45 000 – Vienne, 3 déc. 1974 : *Le Vieux Moulin :* ATS 130 000 – Vienne, 13 juin 1978 : *Paysage montagneux, aquar.* (22x32,5) : ATS 22 000 – Vienne, 13 juin 1978 : *Côte escarpée* 1841, h/t (29x36) : ATS 35 000 – Vienne, 11 mars 1980 : *Chalet alpestre,* h/pap. mar./cart. (42x51,5) : ATS 80 000 – Vienne, 15 sep. 1981 : *Paysage montagneux au torrent,* h/cart. (25,5x33) : ATS 70 000 – Londres, 27 fév. 1985 : *Vue d'un village au bord d'un lac de montagne* 1847, h/pan. (45x58) : GBP 5 400 – Vienne, 29-30 oct. 1996 : *Clairière,* h/t (71x80,5) : ATS 195 500 ; *Rendez-vous de chasseurs dans la forêt,* h/t (83x75) : ATS 195 500.

STEINFELD Wilhelm
Né en 1816 à Vienne. Mort en 1854 à Ischl. xixe siècle. Autrichien.
Peintre de paysages.
Élève de son père Franz Steinfeld et à l'Académie de Vienne.
Musées : Vienne : *Lac de montagne à l'approche de l'orage – Chemin avec pont.*
Ventes Publiques : Vienne, 13 sep. 1966 : *Paysage du Salzkammergut :* ATS 30 000 – Vienne, 18 sep. 1973 : *Paysage de montagne :* ATS 45 000 – Vienne, 18 mai 1976 : *Paysage alpestre,* h/pap. (16x21) : ATS 12 000 – Vienne, 10 juin 1980 : *Lac alpestre avec couple dans une barque,* h/t (47,5x40) : ATS 60 000 – Vienne, 17 fév. 1981 : *Paysage alpestre,* h/pan. (16,5x20,3) : ATS 16 000 – Vienne, 26 mai 1982 : *La diligence dans un paysage du Salskammergut,* h/t (52,8x66,1) : ATS 90 000 – Vienne, 14 mars 1984 : *Vue du Hallstättersee* 1841, h/pan. (62x53) : ATS 150 000.

STEINFELS. Voir STEVENS

STEINFURTH Hermann
Né le 18 mai 1823 à Hambourg. Mort le 7 février 1880 à Hambourg. xixe siècle. Allemand.
Peintre d'histoire, sujets mythologiques, portraits, lithographe.
Élève de Sohn et de Schadow à Düsseldorf. Il travailla dans cette ville et à Hambourg.
Musées : Cologne : *Éducation de Jupiter* – Hambourg : *Portrait de Ludwig Knaus – Portrait de G. E. Harzen – Autoportrait – Diane au bain – Portrait d'une vieille femme.*
Ventes Publiques : New York, 22-23 juil. 1993 : *Portrait d'un gentleman,* h/t (39,4x47) : USD 1 035.

STEINGASTINGER J. Heinrich
Né le 11 décembre 1717 à Berchtesgaden. Mort en 1737 à Brünn. xviiie siècle. Autrichien.
Sculpteur.

STEINGRÜBEL Johann Simpert
xviiie-xixe siècles. Allemand.
Enlumineur.
Père de Joseph Steingrübel. Il fut aussi connu comme négociant d'art à Munich.

STEINGRÜBEL Joseph
Né le 10 février 1804 à Augsbourg. Mort le 19 octobre 1838 à Augsbourg. xixe siècle. Allemand.
Peintre de paysages animés, paysages, lithographe.
Élève de son père Johann Simpert Steingrübel et de l'Académie de Munich.
Musées : Copenhague – Munich.
Ventes Publiques : Rouen, 20 fév. 1983 : *Paysage boisé* 1830, aquar., une paire (chaque 29x21) : FRF 11 000 – Amsterdam, 12 sep. 1985 : *Vue de la ville de Coire en Suisse,* eau-forte coloriée (41,5x52,5) : NLG 8 000 – Munich, 25 juin 1992 : *Paysage boisé avec des chasseurs* 1831, h/bois (23x35) : DEM 6 780.

STEINGRUBER Johann Andreas David
Né en 1740 à Ansbach. xviiie siècle. Allemand.
Dessinateur.
Frère de Johann Jakob Steingruber. Il dessina des vues de châteaux.

STEINGRUBER Johann Jakob
Né en 1728 à Ansbach. Mort en 1790 à Ansbach. xviiie siècle. Allemand.
Dessinateur et architecte.
Il dessina des plans et des jardins.

STEINHAGEN Heinrich
Né le 10 septembre 1880 à Wismar. xxe siècle. Allemand.
Peintre de portraits, graveur.
Musées : Hambourg (Kunsthalle) : *Portrait de l'artiste.*

STEINHAL Traute. Voir STEINTHAL

STEINHAMMER Friedrich Christoph
xviie siècle. Actif à Nuremberg. Allemand.
Peintre et graveur à l'eau-forte.
Il a gravé des sujets religieux.
Musées : Stockholm : *Moïse et le serpent d'airain.*
Ventes Publiques : Londres, 11 déc. 1996 : *La Conversion de saint Paul* 1623, h/cuivre (30x37) : GBP 4 600.

STEINHARD ou Steinhardt, Steinhart. Voir aussi STAINHART

STEINHARDT Friedrich Karl
Né le 6 janvier 1844 à Francfort-sur-le-Main. xixe siècle. Allemand.
Peintre de genre et portraitiste.
Élève de Jakob Becker, il continua ses études à Paris et à Bruxelles.

STEINHARDT Jakob
Né le 23 mai 1887 à Zerkov. Mort en 1968. xxe siècle. Actif et naturalisé en Israël. Polonais.
Peintre de compositions religieuses, compositions animées, figures, paysages, graveur, illustrateur, pastelliste.
Il quitta sa Pologne natale en 1906 pour étudier à Berlin, où il fut élève de Lovis Corinth, et en 1909 il séjourna à Paris et travailla avec Laurens et Matisse. En 1912, avec Richard Janthur et Ludwig Meidner, il fonda à Berlin, le groupe *Die Pathetiker*. Il fit un premier séjour en Palestine en 1925 puis quitta l'Allemagne en 1933 pour s'installer à Jérusalem.
Il exécuta des illustrations de l'Ancien Testament et de l'histoire juive, qui lui ont assuré une position de chef d'école. Il s'inspirait de héros bibliques pour symboliser les souffrances de l'humanité pendant le xxe siècle. Job surtout l'inspira et il revint souvent sur le sujet au cours de sa carrière puisque *Job et Jérémie* de 1945 représente et pleure l'Holocauste, un bois gravé *Job* de 1957 proteste contre la guerre de Suez, deux autres toiles mettant en scène le même personnage, datées de 1965-1966, anticipent la mort de l'artiste.

Ventes Publiques : Londres, 2 déc. 1980 : *Portrait de Ludwig Meidner* 1912, cr. (28x21) : GBP 950 – Tel-Aviv, 15 mai 1982 : *La sortie de la maison de prières* 1924, h/t (66,5x77,5) : ILS 156 300 – Jérusalem, 18 mai 1985 : *Personnages dansant dans un paysage* 1959, h/cart. (48x63) : USD 2 955 – Tel-Aviv, 2 jan. 1989 : *Village dans les collines de Jérusalem* 1959, h/t (65,5x81) : USD 4 620 – Tel-Aviv, 3 jan. 1990 : *Juifs dans un village* 1958, h/t (79x101) : USD 5 060 – Tel-Aviv, 19 juin 1990 : *Personnage féminin et violoniste* 1954, h/t/cart. (49x69) : USD 3 960 – Tel-Aviv, 1er jan. 1991 : *Job* 1913, past. (52x46,5) : USD 7 920 – Tel-Aviv, 12 juin 1991 : *Femme avec un éventail* 1956, h/t (70x48,5) : USD 2 970 – Tel-Aviv, 26 sep. 1991 : *Job retiré dans les montagnes* (recto) ; *Paysage expressioniste* (verso) 1913, h/t (149x105) : USD 30 800 – Tel-Aviv, 6 jan. 1992 : *Procession de funérailles* 1922, h/t (82,5x100) : USD 7 260 – Tel-Aviv, 14 avr. 1993 : *Maisons au bord d'un lac,* h/t (54x65,5) : USD 9 775 – Amsterdam, 26 mai 1993 : *Rue de Haïfa* 1925, h/t (52x63,5) : NLG 9 200 – Tel-Aviv, 25 sep. 1994 : *Jeremias II,* h/t (64,7x54) : USD 17 250 – Londres, 14 juin

1995 : *Sur la terrasse* 1944, h/t (58x79) : **GBP 1 955** – TEL-AVIV, 12 jan. 1997 : *Garçons jouant dans les bois* 1926, h/t (60,5x80) : **USD 12 650** ; *Personnages à table* 1922, aquar. et pl. (12,5x20) : **USD 1 093**.

STEINHART Anton
Né en 1889. Mort en 1964. XXᵉ siècle. Autrichien.
Dessinateur de scènes typiques, paysages, graveur.
Expressionniste.
Il a suivi la voie d'un expressionnisme tardif sans doute influencé par Kubin. On cite ses dessins à la plume des paysages des Alpes et des mœurs rurales.
VENTES PUBLIQUES : VIENNE, 15 déc. 1978 : *Paysage de neige*, h/t (49x64,5) : **ATS 28 000**.

STEINHAUER Anton
XVIᵉ siècle. Autrichien.
Sculpteur.
Il exécuta des travaux au tombeau de Maximilien Iᵉʳ dans l'église de la cour d'Innsbruck.

STEINHAUSEN Wilhelm August Theodor
Né le 2 février 1846 à Sorau. Mort le 5 janvier 1924 à Francfort-sur-le-Main. XIXᵉ-XXᵉ siècles. Allemand.
Peintre de genre, compositions religieuses, paysages, graveur.
Il fut élève de l'académie des beaux-arts de Berlin et de l'école d'art de Karlsruhe. Après un voyage d'étude en Italie, il s'établit successivement à Munich, Berlin et Francfort-sur-le-Main.
Il exposa à Paris, notamment à l'Exposition universelle de 1900, où il reçut une mention honorable.
Peintre, il réalisa aussi des eaux-fortes et des lithographies.
MUSÉES : BERLIN (Gal. Nat.) : *Fuite en Égypte* – CHEMNITZ (Mus. mun.) : *Paysage du Hunsrück* – CINCINNATI : *L'Astrologue* – COLOGNE : *L'Artiste et sa femme* – DARMSTADT : *Paysage du lac de Constance* – DRESDE : *Paysage* – ELBERFELD : *Repos pendant la fuite* – *Large horizon* – *Le Christ de Nicodème* – *Motif de l'Odenwald* – ESSEN : *Nuit de Noël* – *L'Artiste* – *Portrait du peintre J. H. Hoff* – *Saint Christophe* – *Laissez venir à moi les petits enfants* – *Trente-Deux Paysages d'étude* – *Paysage au bord du lac de Constance* – *Pommiers* – *L'Alouette* – *Le Parc de Lainz* – *L'Étoile du matin* – *La Forêt de bouleaux* – FRANCFORT-SUR-LE-MAIN : *Paysage printanier* – *La Femme de l'artiste* – HAMBOURG (Kunsthalle) : *Paysage de Westerwald* – KARLSRUHE (Kunsthalle) : *Conversion de saint Paul* – KIEL (Kunsthalle) : *Le Christ à Emmaüs* – LEIPZIG (Mus. des Beaux-Arts) : *L'Artiste à sa fenêtre* – MANNHEIM (Mus. mun.) : *Le Château de Schöneck dans le Hunsrück* – ZURICH (Kunsthaus) : *Femme dans un paysage du soir*.
VENTES PUBLIQUES : NEW YORK, 2 mai 1979 : *Bords de rivière fleuris*, h/t (112x76,2) : **USD 1 000** – MUNICH, 29 mai 1980 : *Autoportrait* 1894, craie reh. de blanc (34,5x27) : **DEM 1 800**.

STEINHAÜSER Adolph Georg Gustav
Né le 14 mai 1825 à Brême. Mort le 28 mai 1858 à Brême. XIXᵉ siècle. Allemand.
Sculpteur.
Frère de Carl Steinhäuser. Élève de J. B. Scholl à Darmstadt et de A. Wolff à Berlin, il alla à Rome. Le Musée de Brême conserve deux marbres de lui : *Amour* et *Jeune pêcheur*.

STEINHAUSER Agoston ou August
Né en 1883 à Erlau. XXᵉ siècle. Hongrois.
Peintre de paysages, natures mortes.

STEINHAÜSER Carl Johann
Né le 3 juillet 1813 à Brême. Mort le 9 décembre 1879 à Karlsruhe. XIXᵉ siècle. Allemand.
Sculpteur de bustes, statues, monuments.
Il commença ses études à l'école de dessin de Brême et avec le peintre Messerer. Il travailla ensuite avec Rauch, à Berlin. De 1835 à 1863, il vécut à Rome. À partir de cette dernière date, il vint à Karlsruhe comme professeur à l'École d'art. Mention honorable à Paris en 1861.
MUSÉES : BRÊME : *Psyché* – *Pandore* – *Mignon* – *Violoniste* – *Déborah* – *David* – *Goethe et Psyché* – *Monument de la famille Bird à Philadelphie* – *Le génie de la Paix* – *Bas-relief funéraire* – KARLSRUHE (Kunsthalle) : *Buste de Sapho* – *Buste de Périclès* – *Buste de Byron* – *Ophélie* – SCHWERIN : *Sainte Geneviève* – WEIMAR : *Goethe et Psyché*.
VENTES PUBLIQUES : NEW YORK, 25 mai 1988 : *L'enfant à la coquille* 1840, marbre (H. 135) : **USD 22 000**.

STEINHAUSER Christian
XVIIIᵉ siècle. Actif à Weingarten dans la première moitié du XVIIIᵉ siècle. Allemand.
Peintre.
Il sculpta un crucifix et des statues dans l'église de Horgenzell en 1716.

STEINHAUSER Franz
XIXᵉ siècle. Actif à Vienne dans la première moitié du XIXᵉ siècle. Autrichien.
Peintre.
Il exposa des paysages et des tableaux de gibiers à Vienne de 1824 à 1847.

STEINHAÜSER Friedrich Wilhelm. Voir STEINHAÜSER Wilhelm

STEINHAÜSER Georg Andreas
Né en 1779 à Furth. XIXᵉ siècle. Allemand.
Sculpteur sur bois.
Père d'Adolph Steinhäuser. Il travailla à Brême et pour la cathédrale de Verden.

STEINHAÜSER Joseph
XVIIIᵉ siècle. Travaillant en 1781. Allemand.
Stucateur.
Il exécuta des vases pour la diète de Dresde.

STEINHAÜSER Pauline Marie Luise, née Francke
Née en 1810 à Gustroso. Morte en 1866 à Karlsruhe. XIXᵉ siècle. Allemande.
Peintre d'histoire et de genre.
On cite d'elle : *Esther devant Assuérus* (au château de Bellevue, à Berlin) et *Le Christ et la Samaritaine* – *Saint Jean jeune* – *L'archange saint Michel* (au Musée de Schwerin).

STEINHAÜSER Wilhelm ou Friedrich Wilhelm Georg
Né le 9 avril 1817 à Brême. Mort le 5 mai 1903 à Brême. XIXᵉ siècle. Allemand.
Peintre et lithographe.
Frère d'Adolph et de Carl Steinhäuser.

STEINHAUSER von Treuberg Gandolph Ernst. Voir STAINHAUSER Gandolph

STEINHEIBL André
XVIIᵉ siècle. Actif à Füssen. Allemand.
Sculpteur.
Il a sculpté l'épitaphe de Friedrich Achilles von Kaltental dans l'église d'Osterzell.

STEINHEIL Adolphe Charles Edouard
Né le 10 mars 1850 à Paris. Mort le 31 mai 1908 à Paris. XIXᵉ-XXᵉ siècles. Français.
Peintre d'histoire, genre, intérieurs, fleurs, peintre de cartons de vitraux.
Il fut élève de son père L. C. A. Steinheil. Il mourut assassiné en même temps que sa belle-mère et ce double meurtre donna lieu à un procès retentissant.
Il exposa à Paris, au Salon en 1870, puis au Salon des Artistes Français, dont il fut membre sociétaire. Il reçut une médaille de troisième classe en 1882, une médaille de bronze à l'Exposition universelle en 1889 et la même année fut fait chevalier de la Légion d'honneur.
MUSÉES : MULHOUSE : *Peintre de natures mortes*.
VENTES PUBLIQUES : PARIS, 1869 : *Intérieur d'un cellier* : **FRF 1 610** – PARIS, 1876 : *Jeune Mère allaitant son enfant* : **FRF 1 750** – PARIS, 1896 : *Le Message* : **FRF 310** – NEW YORK, 3 fév. 1906 : *Amateurs d'art* : **USD 425** – NEW YORK, 18-20 avr. 1906 : *À la fenêtre* : **USD 625** – NEW YORK, 12 fév. 1909 : *À la fenêtre* : **USD 220**.

STEINHEIL Carl Friedrich
Né le 12 novembre 1860 à Munich. Mort le 21 août 1917 à Gollenhausen. XIXᵉ-XXᵉ siècles. Allemand.
Peintre de genre.
Il fut élève de Wilhelm Lindenschmit. Il subit l'influence de Wilhelm Leibl et peignit surtout des paysans.

STEINHEIL Louis Charles Auguste
Né le 26 juillet 1814 à Strasbourg (Bas-Rhin). Mort le 16 mai 1885 à Paris. XIXᵉ siècle. Français.
Peintre d'histoire, scènes de genre, portraits, fleurs, peintre de compositions murales, cartons de vitraux, peintre verrier, sculpteur, céramiste, graveur, décorateur.
Il est le beau-frère d'Ernest Meissonier. Il entra à l'École des Beaux-Arts de Paris, en 1833. Il fut élève d'Henri Decaisne et de David d'Angers.

Il exposa au Salon de Paris, à partir de 1836, obtenant une médaille de troisième classe en 1847, une médaille de deuxième classe en 1848 et une médaille d'argent, pour les vitraux, à l'Exposition Universelle de 1878.

Il imagina des décors de céramique pour Théodore Deck. Il réalisa diverses peintures murales pour l'une des chapelles de la cathédrale Notre-Dame de Paris, pour les cathédrales de Strasbourg, de Bayonne et de Limoges. Il participa également à la reconstitution des vitraux de la Sainte-Chapelle à Paris.

MUSÉES : MULHOUSE : deux dessins de vitrail – NANTES (Mus. des Beaux-Arts) : *La jeune mère – Bulles de savon*.

VENTES PUBLIQUES : PARIS, 30 avr. 1951 : *Le fumeur* : FRF 37 000 – NEW YORK, 26 janv 1979 : *Consultation 1880*, h/pan., parqueté (21,5x14) : USD 1 100.

STEINHEIM Salomon Levi
Né le 6 août 1789 à Bruchheusen. Mort après 1848. XIXᵉ siècle. Allemand.
Graveur amateur.
Il était médecin à Altona. Il privilégia l'eau-forte.

STEINHER
XIXᵉ siècle.
Sculpteur.
Il figura à l'Exposition de 1889 avec *Berger jouant avec un fauve*, aujourd'hui au Musée de Semur.

STEINHEYBL Jacob
XVIIIᵉ siècle. Autrichien.
Sculpteur.
Il sculpta un autel pour l'église du monastère de Saar en Moravie.

STEINHOFF Melchior
Mort en 1606. XVIᵉ siècle. Allemand.
Peintre de compositions religieuses.
Il travailla pour la cathédrale de Münster, où il peignit sur verre.
MUSÉES : MÜNSTER (Mus. prov.) : *Le Jugement Dernier*.

STEINHOFF Salomon
XVIIᵉ siècle. Allemand.
Sculpteur.
Il a sculpté l'autel de l'église de Ratibor en 1656.

STEINHOFFER Franz Josef ou Stainhofer
XVIIIᵉ siècle. Actif à Zwettl. Autrichien.
Sculpteur.
Il a sculpté la chaire et deux autels dans l'église de Horn.

STEINHORST Dietrich
XVIᵉ-XVIIᵉ siècles. Allemand.
Sculpteur sur bois.
Il travailla pour la ville de Lübeck.

STEINHOUSE Tobie
Née en 1925 à Montréal. XXᵉ siècle. Canadienne.
Peintre, graveur.
Elle fit ses études à Montréal, puis à l'Art Students' League de New York. Venue à Paris en 1948, elle y vit jusqu'en 1957 et travaille avec Vieira da Silva puis étudie la gravure à l'atelier 17 de Hayter.
Elle a participé à de nombreuses expositions collectives, notamment en 1972 à la Biennale de Menton et a montré ses œuvres dans des expositions personnelles.
Figuratives ou abstraites, ses compositions s'inscrivent dans une structure linéaire qui évoque le vitrail. Son art est volontiers intimiste, lié avec les endroits où elle vit.

STEINICKEN Christian
Mort en 1896 à Munich. XIXᵉ siècle. Allemand.
Peintre de vues et graveur sur acier.

STEINIGER Ferdinand
Né le 26 mai 1882 à Leipzig. XXᵉ siècle. Allemand.
Peintre, graveur.
Il fut élève de Richard Müller, Oskar Zwintscher et de Eugen Bracht. Il vécut et travailla à Dresde, où il fut aussi relieur.

STEINIKE Heinrich ou Johann Heinrich Ludolf
Né le 5 mai 1825 à Leer. Mort en 1909 à Düsseldorf. XIXᵉ siècle. Allemand.
Paysagiste.
Il travailla à Düsseldorf. Le Musée de Courtrai conserve de lui *Le soir dans les hautes montagnes*, et celui de Hanovre *Hardanger Fjord*.

STEININGER August
Né le 1ᵉʳ janvier 1873 à Vienne. XIXᵉ-XXᵉ siècles. Autrichien.

Peintre, aquarelliste, graveur.
Il fut élève du graveur William Unger. Il privilégia les techniques de l'aquarelle et de l'eau forte.

STEINKAMP-AUGUSTI Käte
Née le 29 septembre 1895. XXᵉ siècle. Allemande.
Illustratrice.
Elle vécut et travailla à Duisbourg.

STEINKE Alfred
Né le 17 septembre 1888 à Berlin. XXᵉ siècle. Allemand.
Peintre, graveur.

STEINKELLNER Friedrich ou Steinkeller Fritz
Né en 1942 à Bad-St-Leonhard in Kärnten (Carinthie). XXᵉ siècle. Autrichien.
Peintre. Abstrait.
Il fait ses études à l'atelier d'Art graphique et à l'académie des beaux-arts de Vienne en 1962, puis à l'académie des Arts plastiques de Vienne.
Il a participé à des expositions collectives dès 1970 en Allemagne, dont la IXᵉ Biennale internationale d'Arts Graphiques de Laibach. Il montre ses œuvres dans des expositions personnelles à Vienne, notamment en 1996 Österreichische Galerie.
Abstraite, sa peinture est marquée par ses études graphiques, aux couleurs sombres.

STEINKOPF Gottlob Friedrich
Né le 1ᵉʳ mars 1778 à Stuttgart. Mort le 20 mai 1860 à Stuttgart. XIXᵉ siècle. Allemand.
Peintre de paysages et d'histoire.
Élève de son père J. F. Steinkopf et de J. F. Leybold. Il travailla à Vienne, Rome, Stuttgart. Il fut dans cette ville professeur à l'École des Beaux-Arts, et en fut ensuite directeur. Le Musée de Stuttgart conserve de lui : *Paysage héroïque avec Achille et Chiron* et *Les Champs-Élysées*.
VENTES PUBLIQUES : COLOGNE, 21 oct. 1966 : *Paysage idyllique* : DEM 5 000 – COLOGNE, 20 nov. 1986 : *Grand-père et ses petites filles sur un chemin de campagne 1839*, h/pan. (46x61) : DEM 48 000.

STEINKOPF Johann Friedrich, l'Ancien
Né le 8 mars 1737 à Oppenheim. Mort le 25 janvier 1825 à Stuttgart. XVIIIᵉ-XIXᵉ siècles. Allemand.
Peintre de paysages et d'animaux.
Il fut d'abord peintre sur porcelaine à Frankental et à Ludwigsburg, puis professeur de dessin au gymnasium de Stuttgart. Peintre de la cour du duc Frédéric en 1802. Il fut influencé par les peintres animaliers hollandais. Le Musée Municipal de Stuttgart conserve de lui *Paysage avec chevaux*, et le Musée National de cette ville, *Paysage avec vaches*.

STEINKOPF Julius
Né en 1815 à Stuttgart. Mort en 1892 à Stuttgart. XIXᵉ siècle. Allemand.
Paysagiste.
Fils et élève de Gottlob Friedrich Steinkopf. Le Musée de Stuttgart possède de lui plusieurs dessins et esquisses représentant des paysages italiens.

STEINKOPF Maria
XIXᵉ siècle. Active à Stuttgart. Allemande.
Dessinatrice de portraits.
Fille de Gottlob Friedrich S. et élève de K. J. Th. Leybold.

STEINL Jakob
XVIIIᵉ siècle. Travaillant à Speinshart dans la seconde moitié du XVIIIᵉ siècle. Allemand.
Sculpteur sur bois et ébéniste.
Il sculpta les autels d'Oberbibrach et de Tremmersdorf.

STEINL Matthias ou Steindl ou Stinle
Né vers 1644. Mort le 18 avril 1727 à Vienne. XVIIᵉ-XVIIIᵉ siècles. Autrichien.
Peintre, sculpteur sur ivoire et architecte.
Il fut un des artistes les plus connus du baroque autrichien. On cite de lui de nombreux autels et portails à Vienne et en Autriche. Le Musée des Beaux-Arts de Vienne conserve de lui les statuettes des empereurs *Léopold Iᵉʳ*, *Joseph Iᵉʳ* et *Charles VI* (ivoire).

STEINL Prokop. Voir **STEINEL**

STEINLA Moritz, pseudonyme de **Franz Anton Erich Moritz Muller**
Né le 21 août 1791 à Steinlah (près de Hildesheim). Mort le 21 septembre 1858 à Dresde. XIXᵉ siècle. Allemand.

Peintre, graveur au burin et sur bois.
Élève de l'Académie de Dresde, il obtint une pension du roi pour aller poursuivre ses études en Italie. Il travailla à Florence et à Milan avec Morghen puis avec Longhi. Il grava les œuvres des grands maîtres italiens. Il alla à Madrid en 1851 pour graver la *Madone aux poissons* de Raphaël. A son retour à Dresde, il fut nommé professeur à l'Académie.
Musées : Dresde : *L'artiste – Portrait de la comtesse Caroline Egloffstein* – Halle (Mus. mun.) : *Paysage au clair de lune.*

STEINLE
XVIIIe siècle. Actif à Neuburg-sur-le-Danube. Allemand.
Sculpteur sur bois.
Il sculpta les confessionnaux de l'église de Bergen.

STEINLE Bartholomäus ou Stainl ou Stainle ou Steindl
Né à Rottenbuch. Mort en 1628 à Weilheim. XVIIe siècle. Allemand.
Sculpteur.
Il fut un représentant du maniérisme populaire. On cite de lui l'autel de l'église de Stams, ainsi qu'un certain nombre de statues dans les églises de Rottenbuch et de Polling. Le Musée Municipal de Weilheim conserve de lui les statuettes de *Saint Laurent* et de *Saint Étienne.*

STEINLE Edward von, ou Eduard Jakob, ou Johann Edward
Né le 2 juillet 1810 à Vienne. Mort le 18 septembre 1886 à Francfort. XIXe siècle. Autrichien.
Peintre d'histoire, compositions religieuses, sujets allégoriques, compositions à personnages, scènes de genre, portraits, aquarelliste, peintre de cartons de vitraux, fresquiste, dessinateur, graveur à l'eau-forte.
Fils d'un graveur, fut d'abord élève graveur chez Kininger et à l'Académie de Vienne. Il travailla ensuite la peinture avec Léopold Kupelwieser et se rangea sous la bannière de la nouvelle école d'art religieux allemand. En 1828, il alla à Rome retrouver les chefs de ce mouvement Overbeck, Führich, Cornelius et Ph. Veit, et reçut leurs conseils et leurs encouragements.
Médaille d'or à l'Exposition Universelle de Paris en 1835. Membre des Académies de Berlin, de Munich, de Hanau et de Vienne.
À la suite des artistes de la nouvelle école d'art religieux allemand, il donna à ses héros de contes et légendes, un décor de Moyen Age mystérieux et naïf à la fois. Il quitta Rome en 1834 pour revenir à Vienne. Il fit un court séjour à Francfort et décora de fresques une chapelle à Rhemeck. En 1838, il travailla à Munich avec Cornelius, et enfin revint s'établir définitivement à Francfort. Il y fut professeur à l'Institut Städel en 1850. En 1875, il peignit des décorations pour la cathédrale de Strasbourg et décora également la cathédrale de Mayence et celle de Cologne.
Musées : Bâle : *Saint Luc peignant la Madone – Moïse détruit les tables de la loi* – Berlin : *La fille du peintre – Madone – La baronne de Berlichingen – Attente de la justice universelle* – Cologne : *La fille de l'artiste – L'Art* – Darmstadt : *Songe d'une nuit d'été,* aquar. – Düsseldorf : Dessins – Francfort-sur-le-Main : *La sybille tiburtine – Un cardinal – Le chevalier et Geneviève – Saint Luc – L'artiste – La femme de l'artiste et sa fille – Portrait d'un enfant – Le gardien de la tour – Le graveur Charles Kappes – Marie-Madeleine cherchant le ressuscité le matin de Pâques – En méditation – Le violoniste – Têtes de femmes* – Aquarelles – Hambourg : *Adam et Ève* – Innsbruck (Ferdinandeum) : *Ange jouant du luth* – Karlsruhe : *Saint Luc peignant la Madone – La Visitation – L'Amour cherchant sa proie* – Mannheim (Kunsthalle) : *Les cavaliers de l'Apocalypse* – Munich (Gal. Schack) : *Adam et Ève – Loreley – Le gardien de la tour – Le violoniste* – Munich (Nouvelle Pina.) : *Cycle de Parsifal,* quatre aquarelles – Stettin : *Famille italienne à table* – Vienne : *L'artiste – Sainte Famille et saint Jean – Dante et Béatrice* – Weimar : *La sentinelle* – Worms : *La Loreley.*
Ventes Publiques : Munich, 28 nov 1979 : *Portrait du peintre Ph. Veit,* cr. (10,5x9) : **DEM 3 200** – Hambourg, 10 juin 1982 : *La Vierge et l'Enfant avec saint Jean Baptiste enfant,* h/pan. (34,1x25,1) : **DEM 3 600** – Heidelberg, 14 oct. 1988 : *Esquisse pour un vitrail d'autel de style gothique,* aquar. (46,8x18,3) : **DEM 1 750** – New York, 22-23 juil. 1993 : *Les Chasseurs,* h/t (23,5x29,2) : **USD 1 955** – Vienne, 29-30 oct. 1996 : *Adam et Eve après la chute* 1853, h/t (130x107) : **ATS 437 000.**

STEINLE Franz Xaver
Né le 9 mai 1810 à Vöhringen. Mort le 10 mai 1874 à Weissenhorn. XIXe siècle. Allemand.
Peintre.

Élève de Conrad Huber. Il peignit des tableaux d'autel. Le Musée de Weissenhorn conserve des œuvres de cet artiste.

STEINLE Matthias. Voir aussi STEINL Matthias

STEINLE Matthias
XVIIe siècle. Autrichien.
Sculpteur sur bois.
Il sculpta des confessionnaux et des armoiries d'apparat pour l'église de Mattsee. Il était également ébéniste.

STEINLE Matthias
XVIIe siècle. Travaillant à Breslau en 1684. Allemand.
Dessinateur et graveur d'ornements.
Il grava des fleurs, des feuillages et des enfants.

STEINLE Wilhelm
Né vers 1818 à Burg près de Magdebourg. Mort le 9 avril 1881 à Rome. XIXe siècle. Allemand.
Peintre.
Élève des Académies de Berlin et de Munich.

STEINLECHER Ignaz
XVIIIe siècle. Allemand.
Peintre.
Il exécuta des tableaux d'autel pour l'église Saint-Étienne de Constance.

STEINLECHNER Anton
Né vers 1698 à Hall (Tyrol). Mort le 30 janvier 1748 à Prague. XVIIIe siècle. Autrichien.
Peintre.

STEINLEIN Aimé Daniel
Né en 1923 à Saint-Amand-les-Eaux (Nord). XXe siècle. Français.
Peintre.
Il vit et travaille à Bièvres.
Il a participé en 1992 à l'exposition *De Bonnard à Baselitz – Dix Ans d'enrichissements du cabinet des estampes* à la Bibliothèque nationale à Paris.
Musées : Paris (BN) : *Soir au marais* 1978.
Ventes Publiques : Versailles, 28 jan. 1990 : *Dernière neige,* h/t (61x50) : **FRF 5 500.**

STEINLEN Christian Gottlieb, dit Théophile
Né le 26 mars 1779 à Stuttgart (Bade-Wurtemberg). Mort le 28 mars 1847 à Vevey (Vaud). XIXe siècle. Suisse.
Peintre d'histoire, scènes de genre, paysages animés, paysages, aquarelliste, dessinateur, illustrateur.
Grand-père de Théophile Alexandre Steinlen. Il peignit des paysages suisses et des aquarelles.
Ventes Publiques : Berne, 24 juin 1983 : *Vue de la ville de Vevey vers 1820,* aquat. coloriée (23x33,4) : **CHF 4 600** – Londres, 24 juin 1988 : *Vue de Vevey sur le lac Léman,* cr. et aquar. (45,8x66,3) : **GBP 4 180** – Londres, 16 juin 1993 : *L'Infanterie anglaise soutenue par une légion de la cavalerie allemande à Saint-Gottard près du Pont du Diable* 1812, encre et aquar. (44x68) : **GBP 1 265** – New York, 10 jan. 1995 : *Fête champêtre dans un paysage de montagne* 1837, aquar./craie (23,2x32,6) : **USD 2 415** – Zurich, 25 mars 1996 : *Le Lac de Berg en Suisse* 1839, h/t (98x134) : **CHF 24 150** – Zurich, 5 juin 1996 : *Vue sur Vevey,* aquar./pap. (12,5x19) : **CHF 4 025.**

STEINLEN Marius
Né le 19 septembre 1826 à Vevey. Mort le 4 avril 1866. XIXe siècle. Suisse.
Peintre et illustrateur.
Fils de Christian Gottlieb Steinlen. et élève de J. A. Glardon à Genève ainsi que de Gleyre à Paris.

STEINLEN Théophile Alexandre
Né le 10 novembre 1859 à Lausanne. Mort le 14 décembre 1923 à Paris. XIXe-XXe siècles. Depuis 1881 actif et depuis 1901 naturalisé en France. Suisse.
Peintre de genre, nus, portraits, animaux, paysages, fleurs, pastelliste, sculpteur, graveur, dessinateur, illustrateur.
Il fut élève de l'académie des beaux-arts de Lausanne. Il vint à Paris à l'âge de dix-neuf ans et dut, pour vivre, se consacrer au dessin industriel. Vers 1880, il se fixe à Montmartre, et devint un des familiers du cabaret du Chat noir.
Il exposa à Paris, à partir de 1893 au Salon des Indépendants, régulièrement au Salon des Humoristes. Des expositions personnelles de son œuvre ont été organisées : 1978 Kunsthalle de Berlin ; 1987 centre des expositions de la ville de Montreuil ;

1988 musée de l'Affiche à Paris ; ainsi qu'à la Galleria Civica d'Arte Moderna de Turin.

Il commença vers 1880 à dessiner pour tous les journaux humoristiques. Il a collaboré successivement au *Chat noir*, au *Gil Blas illustré*, au *Mirliton*, au *Chambard*, au *Rire*, à *L'Assiette au beurre*. Il fut en 1911 un des treize fondateurs du journal *Les Humoristes* avec Forain, Willette, Léandre, J. Veber, etc., dont la durée fut éphémère. Son œuvre est très considérable. Il a illustré entre autres ouvrages le *Roman incohérent* de Joliet, *L'Entrée des clowns* de F. Champsaur, les *Chansons de femmes* de P. Delmet, *Dans la rue* et *Sur la Route* d'Aristide Bruant, *Barrabas* de Lucien Descaves, *L'Affaire Crainquebille* d'Anatole France, *Les Gueules noires* d'Émile Morel, *Histoire du chien de Brisquet* de Charles Nodier, *Les Soliloques du pauvre* et *Le Cœur populaire* de Jehan Rictus, *La Chanson des gueux* de Jean Richepin, *Les Contes du chat noir* de Rodolphe Salis, *Contes à Sarah*, *Dans la Vie* et *Des Chats et autres bêtes* qui constituent ses recueils d'histoires sans paroles. Il a également exécuté de très belles affiches, certaines consacrées à Bruant, à Yvette Guilbert, des eaux-fortes et quelques tableaux parmi lesquels on peut citer : *Le Quatorze Juillet*, *L'Absinthe*, *Le Beau Soir* et un magistral *Portrait d'Anatole France*.

Amateur de chats, au début de sa carrière, il les a dessinés, peints, modelés, cherchant à traduire toute la fantaisie souple de leurs attitudes. Cet œuvre de sculpture est peu connu. Il est le peintre au dessin vigoureux, aux couleurs originales, le peintre connu de la rue, particulièrement des faubourgs et des quartiers populeux de Montmartre. Au cours de la Première Guerre mondiale, il a consacré aux malheurs de la Belgique et de la Serbie envahies quelques estampes. Claude Roger Marx en a écrit : « Il est l'ami de tous les déshérités, de tous les errants des villes ou des villages, qui glissent maigres et voûtés sous le vent, sous la pluie, de Crainquebille qui pousse sa misère, des gueux qui font peur, des couples qui s'étreignent interminablement, des chiens nerveux, des chats aventuriers. Il s'est plu à illustrer les rêves d'une génération généreuse qui croyait avec Anatole France à l'avènement de *temps meilleurs*... Par sa générosité, il est, comme Daumier, l'antipode d'un Forain... Ce grand ouvrier du dessin a vu moins un gagne-pain dans son labeur de journaliste que le moyen de défendre la vérité et de secourir son prochain... Ses lithographies, ses eaux-fortes, qui évoquent la vie des rues, des usines, des chantiers, de la mine, des échafaudages, suggèrent la faim, l'accident, la guerre, l'amour... » ■ Marcelle Bénézit

BIBLIOGR. : E. de Crauzat : *L'Œuvre gravé et lithographié de Steinlen*, Société de propagation des livres d'art, Paris, 1913 – Claude Roger Marx, in : *Dict. de la peinture mod.*, Hazan, Paris, 1954 – F. Jourdain : *Alexandre Steinlen*, Cercle d'art, Suisse, 1954 – Maurice Pianzola : *Théophile Steinlen*, Rencontre, Lausanne, s. d – Klaus Schrenk : Catalogue de l'exposition *Steinlen*, Kunsthalle, Berlin, 1978 – E. de Crauzat : *L'Œuvre gravé et lithographié de Steinlen. Catalogue descriptif et analytique suivi d'un essai de bibliographie et d'iconographie de son œuvre raisonné*, Alan Wofsy Fine Arts, San Francisco, 1983 – Réjane Bargiel, Christophe Zagrodzki : *Steinlen affichiste : Catalogue raisonné*, Éditions du Grand Pont, Lausanne, 1986.

MUSÉES : BERLIN (Gal. Nat.) : *Angora*, bronze – GENÈVE (Mus. du Petit Palais) – LAUSANNE (Mus. cant. des Beaux-Arts) : *Chat*, bronze – *Le Chemineau* – MOSCOU (Mus. Pouchkine) : *L'Ennemi du peuple* 1899 – PARIS (Mus. des Arts Déco) – VEVEY : *Les Laveuses* – *Le Cheval tombé* 1905.

VENTES PUBLIQUES : PARIS, 1895 : *L'omnibus*, dess. à la pl. et au cr. : **FRF 175** – PARIS, 1898 : *Apothéose des chats* : **FRF 1 020** – PARIS, 1900 : *La Tentation*, dess. au cr. de coul. : **FRF 102** – PARIS,

12-13 nov. 1918 : *Le marchand de marrons*, cr. : **FRF 112** – PARIS, 21-22 nov. 1920 : *Les midinettes* : **FRF 715** – PARIS, 5 juin 1922 : *Les trois Montmartroises* : **FRF 1 720** – PARIS, 16 mars 1925 : *Le Cabaret du Chat noir*, aquar. : **FRF 230** – PARIS, 27 avr. 1925 : *Anatole France de face souriant*, fus. reh. de craie : **FRF 1 950** – PARIS, 10 juin 1926 : *Amour*, past. : **FRF 500** / *Idylle* : **FRF 11 200** – PARIS, 1er-3 déc. 1927 : *Bal musette*, dess. : **FRF 1 000** – PARIS, 27 avr. 1929 : *Les laveuses* : **FRF 7 650** – PARIS, 22 nov. 1930 : *Anatole France à la Béchellerie*, plume, mine de pb et cr. de coul. : **FRF 3 100** – PARIS, 9 déc. 1932 : *Le baiser*, fus. : **FRF 780** – PARIS, 27 fév. 1936 : *Chat sur un coussin* : **FRF 400** – PARIS, 12 mars 1941 : *Les bouquetières*, fus. : **FRF 650** – PARIS, 1er avr. 1942 : *La Plaine Saint-Denis vue de Montmartre 1915*, cr. coul. : **FRF 1 900** – PARIS, 28 janv. 1943 : *L'hiver*, aquar. : **FRF 2 000** – PARIS, 29 mars 1943 : *Le baiser*, fus. reh. : **FRF 3 900** – PARIS, 2 juil. 1943 : *Rue de Montmartre* : **FRF 4 100** – PARIS, 2 mai 1944 : *Portrait de la fille de l'artiste* : **FRF 1 350** – PARIS, 9 avr. 1945 : *Rue de Montmartre* : **FRF 25 800** – PARIS, oct. 1945-juil. 1946 : *Les amoureux* : **FRF 10 000** – PARIS, 24 fév. 1947 : *Croquis de la Vie parisienne*, past. : **FRF 4 700** – PARIS, 8 déc. 1948 : *Femme au tub*, sépia : **FRF 8 000** – PARIS, 27 juin 1949 : *Les cheminots*, deux dess. sépia : **FRF 3 000** – PARIS, 25 oct. 1950 : *Chats siamois 1920*, cr. Conté : **FRF 5 100** – PARIS, 28 juin 1951 : *Buste de femme nue*, cr. noir : **FRF 1 120** – PARIS, 17 déc. 1954 : *Vase d'anémones sur une table*, aquar. : **FRF 38 000** – PARIS, 23 juin 1965 : *Femme au chapeau* : **GBP 800** – PARIS, 6 mars 1967 : *Suite de onze chats*, bronzes : **FRF 10 000** – MILAN, 9 avr. 1968 : *Couple d'amoureux assis sur un banc* : **ITL 1 300 000** – GENÈVE, 24 avr. 1970 : *Paysage* : **CHF 9 000** – GENÈVE, 18 juin 1972 : *Les dahlias* : **CHF 15 500** – LONDRES, 29 mars 1973 : *La chemise rouge* : **GBP 3 000** – ZURICH, 16 mai 1974 : *Paysage* : **CHF 24 000** – VERSAILLES, 27 juin 1976 : *Le chat couché*, h/t (50x65) : **FRF 4 000** – LOS ANGELES, 21 sep. 1976 : *Jeune paysane et son galant*, aquar. et fus. (30,5x22,3) : **USD 1 300** – NEW YORK, 22 oct. 1976 : *Chez Maxim's*, cr. bleu (50x35) : **USD 2 500** – ENGHIEN-LES-BAINS, 11 déc. 1977 : *Le chat-tigre assis*, pochoir/velours (45x45) : **FRF 5 500** – BREDA, 26 avr. 1977 : *Chats*, h/t (65x80) : **NLG 7 000** – ENGHIEN-LES-BAINS, 13 mars 1977 : *Chat angora assis*, bronze : **FRF 8 300** – ZURICH, 29 nov. 1978 : *Nu assis 1921*, aquar. (68x53) : **CHF 7 300** – LONDRES, 6 déc 1979 : *L'été, chat sur une balustrade 1909*, litho. en coul. (49,4x60) : **GBP 1 300** – LONDRES, 5 juil 1979 : *Les chats aux coussins 1920*, fus. (45x60) : **GBP 3 800** – ENGHIEN-LES-BAINS, 9 déc 1979 : *Le chat*, past. (58x42) : **FRF 28 100** – ZURICH, 30 mai 1979 : *Les lavandières*, h/t (65x54,5) : **CHF 50 000** – ENGHIEN-LES-BAINS, 18 nov 1979 : *Le grand chat angora assis*, bronze, patine brune nuancée vert (H. 24) : **FRF 31 000** – ZURICH, 30 nov. 1981 : *Couple au repos*, h/t (50,5x73) : **CHF 38 000** – PARIS, 21 déc. 1983 : *La Rue 1896*, litho. cinq coul., affiche : **FRF 95 000** – ZURICH, 8 juin 1983 : *Les Poilus 1915*, fus. (109x73) : **CHF 7 000** – ZURICH, 8 juin 1983 : *L'Alouette 1919*, past. (101x70) : **CHF 8 000** – ENGHIEN-LES-BAINS, 17 avr. 1983 : *Les Trois Libertines*, h/t (157x100) : **FRF 252 000** – LONDRES, 29 mars 1984 : *Chat angora assis*, bronze, cire perdue (H. 12,5) : **GBP 1 600** – LONDRES, 25 juin 1985 : *La promenade*, cr bleu (48x38) : **GBP 2 800** – PARIS, 28 nov. 1985 : *Chat*, bronze, cire perdue (H. 12,5) : **FRF 18 000** – PARIS, 18 avr. 1986 : *Chat assis*, bronze patiné (H. 27,5) : **FRF 100 000** – VERSAILLES, 19 oct. 1986 : *Chats allongés sur le sofa 1888*, h/t (66x82) : **FRF 140 000** – PARIS, 11 déc. 1987 : *Chat angora assis*, bronze (H. 12,4) : **FRF 60 000** – L'ISLE-ADAM, 28 fév. 1988 : *Femme nue dans un intérieur*, fus. et craie blanche (47x62,5) : **FRF 37 000** – LONDRES, 24 fév. 1988 : *Nu debout au bras allongé*, fus. (61x44) : **GBP 880** – PARIS, *Jeune femme au buste découvert 1920*, fus. et past. (60x45) : **GBP 1 650** – PARIS, 24 avr. 1988 : *Chat assis*, bronze patine brune (14) : **FRF 12 000** – BRIVE-LA-GAILLARDE, 24 avr. 1988 : *Le locataire, journal hebdomadaire*, affiche lithographique, épreuve avant la lettre manuscrite (158x118,5) : **FRF 19 500** – PARIS, 7 juin 1988 : *Tristesse*, plaque bronze, patine brune (44x33) : **FRF 11 500** – PARIS, 17 juin 1988 : *Henri IV a découvert 1894*, lav. gché, avec un poème manuscrit d'Aristide Bruant (35,5x17,5) : **FRF 8 200** – LUCERNE, 30 sep. 1988 : *Baigneuses dans un paysage boisé*, h/t (55x46) : **CHF 8 500** – NEW YORK, 6 oct. 1988 : *Études de femme debout*, fus./pap. (64,5x49,8) : **USD 2 310** – CALAIS, 13 nov. 1988 : *Le modèle*, dess. (34x27) : **FRF 91 000** – VERSAILLES, 24 nov. 1988 : *Massaïda*, past. (455,5x61) : **FRF 190 000** – PARIS, 14 déc. 1988 : *Le Chat*, bronze cire perdue (H. 12) : **FRF 65 000** – PARIS, 16 déc. 1988 : *Au café*, cr. (35x26) : **FRF 39 000** – PARIS, 19 déc. 1988 : *Personnages au turban bleu*, fus. et past. (51x40) : **FRF 10 000** – PARIS, 12 fév. 1989 : *L'Arbre*, dess. aquarellé (20x24,5) : **FRF 7 500** – LYON, 8 mars 1989 : *Les Trois Grâces* 1905, h/t (157x100) : **FRF 825 000** – Paris, 13 avr. 1989 : *Chat squeletté*, bronze patiné (8,5x6,5) : **FRF 30 000** – Copenhague, 10 mai 1989 : *La Mode*, craie grasse et encre (35x15) : **DKK 13 000** – La Varenne-Saint-Hilaire, 21 mai 1989 : *Le Bal à Montmartre*, past. (58x43) : **FRF 230 000** – Paris, 6 juil. 1989 : *Chat persan assis*, bronze (H. 12,5) : **FRF 49 000** – Zurich, 25 oct. 1989 : *Jeune femme se coiffant*, encre (25,5x19,5) : **CHF 1 000** – Amsterdam, 13 déc. 1989 : *Un homme et son parapluie*, encre et cr. bleu/pap. (37x27) : **NLG 2 875** – Tel-Aviv, 3 jan. 1990 : *Foule et Fortune*, fus. (31,5x21) : **USD 1 870** – Paris, 21 mars 1990 : *Élégantes place Vendôme*, encre (20x26,5) : **FRF 15 500** – Berne, 12 mai 1990 : *Deux Chats*, litho. monotype (63x52) : **CHF 15 000** – Amsterdam, 22 mai 1990 : *Chat couché sur un coussin*, bronze (12x14x6) : **NLG 4 830** – Copenhague, 30 mai 1990 : *Affiche de l'Exposition de l'Œuvre dessiné et peint de T. A. Steinlen* 1894, litho. : **DKK 14 000** – Paris, 10 juin 1990 : *Affiche pour la Compagnie française des chocolats et des thés* : **FRF 10 500** – Amsterdam, 6 nov. 1990 : *Scène de rue*, encre et aquar. (33x25,5) : **NLG 5 175** – Paris, 7 nov. 1990 : *Le Baiser*, fus. et craie (60x37) : **FRF 53 000** – Londres, 28 nov. 1990 : *La groseille à maquereau*, encre et cr. de coul. (36x32) : **GBP 1 320** – New York, 22 mai 1991 : *Le 18 mars au Père Lachaise*, craies noire et bleue et lav./cart. (36,8x52,1) : **USD 8 800** – Heidelberg, 12 oct. 1991 : *Musiciens de rues*, encre brune avec reh. de craies rouge et bleue (32,1x21) : **DEM 1 800** – Paris, 13 déc. 1991 : *Femme courtisée*, dess. avec reh. de cr. coul. : **FRF 9 500** – Tel-Aviv, 6 jan. 1992 : *Musiciens et Peintre*, aquar. et cr. (26,5x19) : **USD 2 310** – New York, 12 juin 1992 : *Vase de fleurs et livres* 1920, h/t (62,9x44,5) : **USD 6 875** – Londres, 30 juin 1992 : *Le Grand Chagrin* 1898, cr. coul., encre et cr./pap. (47x35,5) : **GBP 6 600** – Munich, 26 mai 1992 : *Les Chats*, litho. coul. (35x30) : **DEM 1 340** – Amsterdam, 9 déc. 1992 : *Le Chat*, bronze cire perdue (H. 14) : **NLG 8 050** – Paris, 2 avr. 1993 : *Chat faisant le gros dos*, bronze (H. 16,3, L. 17,5, l. 4,7) : **FRF 54 000** – Paris, 4 mai 1993 : *Le Cheminot*, past. gras et encre de Chine (27x44) : **FRF 8 000** – Zurich, 9 juin 1993 : *Chat assis sur un socle*, bronze (H. 28) : **CHF 23 000** – Paris, 11 juin 1993 : *Blanchisseuses rapportant l'ouvrage*, pointe sèche, aquat. et eau-forte (35x26,4) : **FRF 6 500** – Lokeren, 4 déc. 1993 : *Chat couché*, bronze (H. 7,5, l. 16) : **BEF 55 000** – Limoges, 13 fév. 1994 : *Élégantes*, h/t (200x130) : **FRF 610 000** – Paris, 27 mars 1994 : *En attendant la visite*, mine de pb (35x27) : **FRF 11 500** – Paris, 2 déc. 1994 : *Chat assis*, bronze cire perdue (H. 24, l. 12, L. 15) : **FRF 36 000** – Paris, 2 fév. 1995 : *Retour du soldat*, fus. et cr. gras (50x39) : **FRF 65 000** – New York, 24 fév. 1995 : *Retour des champs*, h/t (33x40,6) : **USD 6 900** – Zurich, 12 juin 1995 : *Deux femmes, l'une portant un enfant*, fus./pap. (21x14) : **CHF 2 415** – New York, 29 juin 1995 : *Chat*, bronze (H. 9,5, L. 23,5) : **USD 4 600** – Zurich, 30 nov. 1995 : *Belmont-sur-Lausanne* 1919, h/t (47x65,5) : **CHF 17 250** – Zurich, 5 juin 1996 : *Fugitifs*, cr./pap. (32x49) : **CHF 2 300** – Paris, 13 juin 1996 : *Les Blanchisseuses* 1898, eau-forte et aquat. (36x27) : **FRF 7 000** – Londres, 3 déc. 1996 : *Couple d'amoureux dans une barque*, past./pap. (56x34) : **GBP 5 750** – Paris, 4 déc. 1996 : *Le Joyeux Cheminot*, fus. et aquar. (21,6x10,2) : **FRF 6 500** – Paris, 12 déc. 1996 : *Chat assis*, bronze (H. 12,5) : **FRF 30 000** – Zurich, 8 avr. 1997 : *Femmes, cr., deux esquisses* : **CHF 1 100** – Paris, 22 avr. 1997 : *L'Hiver, ou Chat sur un coussin* 1909, litho. coul. (34,5x18) : **FRF 13 500** – Zurich, 4 juin 1997 : *Scène parisienne*, craie/pap. (34,5x18) : **CHF 12 650** – Paris, 25 mai 1997 : *Mères et enfants*, fus./pap. (34,5x31) : **FRF 4 200** – Paris, 27 mai 1997 : *Personnages sur les boulevards*, fus. et cr. coul. (28x40,5) : **FRF 11 000** – Paris, 11 juin 1997 : *Chat*, bronze patine brune (H. 12,5) : **FRF 32 000** ; *Mère et enfant dans un intérieur* vers 1894, fus. et cr. coul. (39x30,5) : **FRF 12 000** – Paris, 18 juin 1997 : *Le Repos du modèle*, past. (46x64) : **FRF 117 000** – Cannes, 8 août 1997 : *La Blanchisseuse*, past./pap. (52,5x38,5) : **FRF 25 000** – Paris, 19 déc. 1997 : *Le Chargement de la charrette* 1909, cr. coul. : **FRF 12 000**.

STEINLING Josef

Né le 12 avril 1846 à Vienne. Mort le 19 juin 1915 à Vienne. XIXe-XXe siècles. Autrichien.

Peintre de compositions religieuses.

Il fut élève de Carl Wurzinger à Vienne, puis de Carl Piloty à Munich. Il peignit des tableaux d'autel pour les églises de Vienne.

STEINMANN Balthasar, dit Bingesser ou Bingiser

Né en 1550 à Saint-Gall. Mort le 8 octobre 1615. XVIe-XVIIe siècles. Suisse.

Sculpteur et ébéniste.

Il sculpta des fontaines à Zurich.

STEINMANN Christoph

Né le 2 mai 1630. Mort le 9 décembre 1693. XVIIe siècle. Actif à Saint-Gall. Suisse.

Graveur et ébéniste.

Il grava des vues de Saint-Gall et des châteaux de Bürglen et d'Altenklingen.

STEINMANN Conrad ou Johann Conrad

Né le 11 février 1866 à Neflenbach. XIXe-XXe siècles. Suisse.

Peintre, graveur.

Il fut élève de l'académie Julian et de Gérôme à Paris.

STEINMANN Frederic ou Friedrich

Né en 1864 à Vienne. XXe siècle. Autrichien.

Graveur.

Il exposa à Paris, notamment au Salon des Artistes Français, où il reçut une mention honorable en 1894.

STEINMANN Leopold Krestianovitch

Né en 1848 à Varsovie. XIXe siècle. Russe.

Médailleur.

Élève des Académies de Berlin et de Saint-Pétersbourg.

STEINMETZ Anton ou Stainmetz

XVIIIe siècle. Actif à Innsbruck dans la seconde moitié du XVIIIe siècle. Autrichien.

Peintre.

STEINMETZ Beppo ou Joseph

Né le 1er janvier 1872 à Munich. Mort en 1933 à Munich. XIXe-XXe siècles. Allemand.

Peintre de genre, compositions animées, figures.

Il fut élève des académies des beaux-arts de Munich, Karlsruhe, et de l'académie Julian à Paris.

Musées : Munich (Gal. mun.) : *Enfants sur le toit* – Munich (Gal. Nat.) : *Enfants jouant*.

Ventes Publiques : Munich, 10 mai 1989 : *Jeune élégante et sa servante*, h/t (56x50) : **DEM 14 300**.

STEINMETZ J. C.

XIXe siècle. Actif à Nuremberg au début du XIXe siècle. Allemand.

Aquafortiste.

Il grava des vues du vieux Nuremberg.

STEINMETZ Johann

XVIIe siècle. Travaillant à Vienne vers 1760. Autrichien.

Dessinateur d'animaux.

Frère de Ludwig Steinmetz.

STEINMETZ Ludwig

XVIIIe siècle. Travaillant à Vienne vers 1760. Autrichien.

Dessinateur de batailles.

Frère de Johann Steinmetz.

STEINMETZ Ludwig

Né le 28 mai 1807 à Munich. Mort le 23 mars 1867 à Munich. XIXe siècle. Allemand.

Paysagiste.

Il grava des vues des environs de Berchtesgaden.

STEINMETZ M.

XVIIIe siècle. Actif à Francfort-sur-le-Main vers 1780. Allemand.

Aquafortiste amateur.

STEINMETZ-NORIS Fritz

Né le 31 octobre 1860 à Nuremberg. XIXe-XXe siècles. Allemand.

Peintre de compositions murales.

Il fut élève de l'académie des beaux-arts de Munich. Il vécut et travailla à Pasing. Il collabora aux peintures du château de Neuschwanstein.

STEINMÜLLER Christian ou Stainmüller ou Steinmiller

Né en 1587 à Augsbourg. Mort le 3 février 1651 à Vienne. XVIIe siècle. Allemand.

Peintre.

Élève de Hans Krumpper à Munich. Il peignit des plafonds dans le château de Munich et un tableau d'autel pour l'abbaye de Weissenau.

STEINMÜLLER Hans ou Stainmüller

Né vers 1554 à Rochlitz. Mort en 1619 à Augsbourg. XVIe-XVIIe siècles. Allemand.

Portraitiste et orfèvre.
Père de Christian Steinmüller. Il a exécuté les statues du Christ et des douze apôtres pour l'église Saint-Ulrich d'Augsbourg.

STEINMULLER Joseph
Né le 28 février 1795 à Vienne. Mort le 27 juillet 1841 à Vienne. XIXᵉ siècle. Autrichien.
Graveur.
Élève de K. Maurer à l'Académie de Vienne. Il a gravé des sujets religieux, des portraits et des scènes de genre.

STEINMÜLLER Thomas ou Stainmüller ou Stainmüllner
XVIIᵉ siècle. Actif à Olmütz dans la première moitié du XVIIᵉ siècle. Allemand.
Sculpteur.

STEINNER Matthes. Voir STEINER

STEINPECK Andreas. Voir STEINBÖCK

STEINPICHLER Franz. Voir STAINPICHLER

STEINPÖCK Thomas. Voir STEINBECK

STEINPÖCKH Andreas. Voir STEINBÖCK

STEINRÜCK Albert
Né le 20 mai 1872 à Wetterbourg. Mort le 10 février 1929 à Berlin. XIXᵉ-XXᵉ siècles. Allemand.
Peintre.
Il fut élève de Franz Gruber. Acteur et peintre amateur, il travailla pour les théâtres de Hambourg, Munich et Berlin.

STEINRUCKER Leopold
Né le 28 octobre 1801 à Vienne. Mort en 1879. XIXᵉ siècle. Autrichien.
Portraitiste.
Il travailla à Budapest où il peint des portraits d'archiducs.

[signature : Leop Steinrucker]

STEINS Hermann
Né en 1935 à Haaksbergen. XXᵉ siècle. Actif depuis 1980 en France. Hollandais.
Peintre, graveur.
Il vit et travaille à Paris.
Il a participé en 1992 à l'exposition *De Bonnard à Baselitz – Dix Ans d'enrichissements du cabinet des estampes* à la Bibliothèque nationale à Paris.
MUSÉES : PARIS (BN) : *Association (les chiens)* 1982, eau-forte, aquat., pointe sèche.

STEINSCHNEIDER Heinrich Joachim
Né en 1814 à Tarnox. XIXᵉ siècle. Autrichien.
Graveur.
Frère de Jacob Steinschneider et élève de l'Académie de Vienne. Il travailla en Angleterre.

STEINSCHNEIDER Jacob
Né en 1782 à Tarnow. Mort en 1838 à Vienne. XIXᵉ siècle. Autrichien.
Graveur et tailleur de camées.
Élève de Ludwig Pichler.

STEINSCHNEIDER Johann
Né en 1824 à Vienne. XIXᵉ siècle. Autrichien.
Graveur.
Fils de Jacob Steinschneider.

STEINSKY Franz Anton
Né le 16 janvier 1752 à Leitmeritz. Mort à Prague. XVIIIᵉ siècle. Autrichien.
Portraitiste, paysagiste et calligraphe.

STEINTHAL Traute, plus tard Mme Tomine
Née en 1868 à Berlin. Morte en 1906 à Paris. XIXᵉ siècle. Allemande.
Peintre de portraits.
Elle fut élève de Karl Stauffer-Bern, Franz Skarbina, Karl Gussow et Franz Lenbach. Elle peignit des portraits d'acteurs et d'écrivains.
VENTES PUBLIQUES : LONDRES, 5 oct. 1983 : *Portrait d'une actrice* 1898, h/t (183x128) : GBP 1 050.

STEINVELT Adam. Voir STENELT

STEINWALD Anton
Né à Wels. Mort en 1786 à Hermannstadt (Sibiu, Roumanie). XVIIIᵉ siècle. Autrichien.

Peintre.
Il exécuta des fresques dans l'église de Hermannstadt et dans les châteaux des environs.

STEINWAND Franz Josef
XIXᵉ siècle. Allemand.
Peintre.
Père de Hermann Steinwand.

STEINWAND Hermann
Né le 27 novembre 1843 à Horb. Mort le 20 décembre 1920 à Horb. XIXᵉ-XXᵉ siècles. Allemand.
Peintre, sculpteur de statues, compositions religieuses.
Fils du peintre Franz Josef Steinwand, il sculpta des statues pour de nombreuses églises du Wurtemberg.

STEINWECK Hendrik Van. Voir STEENWIJK

STEINWEYK Hendrik Van. Voir STEENWIJK

STEIR Pat
Née en 1940 à Newark (New Jersey). XXᵉ siècle. Active aussi en Hollande. Américaine.
Peintre de portraits, paysages, natures mortes, dessinatrice, graveur, peintre de compositions murales, sculpteur, auteur d'installations, technique mixte.
Elle fut élève du Pratt Institute de New York, où elle eut pour professeurs Philip Guston et Richard Lindner, dont elle subira l'influence. Elle est aussi auteur de poésie. Elle vit et travaille à New York et Amsterdam.
Elle participe à des expositions collectives : 1985 centre d'Art contemporain de Genève, Museum of Modern Art de New York ; 1986 Museum of Art d'Athens (Georgie), Museum of Modern Art de San Francisco, Museum of Fine Arts de Boston, centre d'Art contemporain de Genève ; 1987 Biennale de São Paulo, centre d'Art contemporain de Montréal, Kunstverein de Graz ; 1989 Walker Art Center de Minneapolis ; 1990 musée des Beaux-Arts de Tourcoing ; 1991 Biennale de Whitney Museum of American Art de New York ; 1992 Documenta de Kassel, Museum of Modern Art de New York ; 1993 Biennale de Venise, Guggenheim Museum Soho de New York ; 1995 Art Museum de Miami, Virginia Museum of Fine Arts de Richmond, Irish Museum of Modern Art de Dublin, musée d'Art moderne de Genève ; 1996 Palacio de Velasquez de Madrid, museo de Arte contemporaneo de Barcelone. Elle montre ses œuvres dans des expositions personnelles : depuis 1964 régulièrement à New York, ainsi que : 1973 Corcoran Art Gallery de Washington ; 1976 Otis Art Institute de Los Angeles ; 1980 galerie d'Art contemporain de Genève ; 1983-1984 Contemporary Art Museum de Houston ; 1984 County Museum de Los Angeles, Art Center de Des Moines ; 1984, 1986-1987 Museum of Fine Arts de Dallas ; 1985 Art Museum de Cincinnati ; 1987 Rijkmuseum Vincent Van Gogh d'Amsterdam ; 1987-1988 Museum of Art de Baltimore, Kunstmuseum de Bern ; 1988-1989 musée d'Art et d'Histoire de Genève, Tate Gallery de Londres ; 1990 musée d'Art contemporain de Lyon, National Gallery of Art de Washington ; 1992 Le Magasin, centre d'Art de Grenoble ; 1994 Irish Museum of Modern Art de Dublin ; 1995 centre d'Art contemporain de Quimper, musée d'Art moderne de Genève.
Influencée par l'expressionnisme abstrait en vogue dans les années cinquante alors qu'elle débute, elle oscille entre l'abstraction et la figuration interrogeant dans une tendance conceptuelle l'acte de peindre. Dans les années soixante-dix, elle adopte comme vanité l'histoire de l'art, explorant les sujets traditionnels et les grands maîtres tels que Rembrandt, Courbet, Van Gogh, Turner, Hokusaï ou les peintres classiques chinois. Mêlant ces diverses références tant temporelles que culturelles au sein d'une même œuvre, elle développe un travail original riche en matière, qui conjugue liberté d'expression et rigueur de la forme par le recours à une composition géométrique d'une grande discrétion qui structure l'ensemble. Parmi les cycles récents auxquels elle travaille dans les années quatre-vingt, citons *Waves* (Vagues) et *Waterfalls* (Cascade) débuté en 1986. Essentiellement peintre, mais aussi graveur, lithographe et sculpteur, elle a réalisé une œuvre murale pour l'exposition du centre d'Art contemporain de Quimper.
BIBLIOGR. : Catalogue de l'exposition : *Pat Steir*, Centre d'Art contemporain, Genève, 1989 – Pat Steir : *La Ligne du cœur*, Centre national d'Art contemporain, Grenoble, 1992.
MUSÉES : CHÂTEAUGIRON (FRAC Bretagne) : *Peacock waterfall* 1990, acryl./t. – KERGUÉHENNEC (Domaine de sculpture).
VENTES PUBLIQUES : NEW YORK, 11 mai 1983 : *Sans titre 1978*, h/t/

pan., huit panneaux (chaque 30,5x30,5) : **USD 3 000** – NEW YORK, 3 mai 1985 : *Sans titre*, gche, cr. et mine de pb (76,2x101,5) : **USD 1 000** – NEW YORK, 2 mai 1985 : *Veronica's Veil 1972*, h., mine de pb, cr. rouge et encre noire/t. (241,3x181) : **USD 7 500** – NEW YORK, 17 nov. 1987 : *When I think of Venice 1980*, eau-forte et aquat. en coul. (106,1x138,8) : **USD 2 500** – NEW YORK, 3 oct. 1991 : *Arbre de Judée 1983*, h/t/trois pan. (152,4x457,2) : **USD 20 900** – NEW YORK, 8 oct. 1992 : *Sans titre (des séries de vague) 1986*, h/t (92x89,8) : **USD 8 250** – NEW YORK, 18 nov. 1992 : *Magnifique peinture*, h/t en cinq parties (en tout 61x304,8) : **USD 13 200** – NEW YORK, 19 nov. 1992 : *Porte de cave 1972*, h. et graphite/t. (182,8x274,3) : **USD 10 450**.

STEISSLINGER Fritz
Né le 2 août 1891 à Göppingen. XXᵉ siècle. Allemand.
Sculpteur, graveur.
Il vécut et travailla à Stuttgart.

STEKELENBURG Jan
Né en 1922 à Maasbree. Mort en 1977. XXᵉ siècle. Hollandais.
Peintre, sculpteur.
Il fut élève de l'académie des beaux-arts d'Amsterdam. Il a réalisé de très nombreux voyages en Espagne en 1952, en France en 1954, en Yougoslavie.
Il participe à des expositions collectives, notamment : 1955 Biennale de São Paulo, 1957 Exposition internationale de la fondation Carnegie à Pittsburgh... Il montre ses œuvres dans des expositions personnelles à partir de 1953 à Amsterdam.
Son voyage en Espagne lui inspira des compositions baroques dans la manière de Gaudi, la Yougoslavie lui fit composer des sortes de vues aériennes de paysages portuaires. Depuis 1960, il a adopté le thème de l'homme dominant la machine.
BIBLIOGR. : Bernard Dorival, sous la direction de... : *Peintres contemp.*, Mazenod, Paris, 1964.
VENTES PUBLIQUES : AMSTERDAM, 8 déc. 1993 : *L'auto bleue*, h/cart. (51x65) : **NLG 2 875** – AMSTERDAM, 31 mai 1995 : *Sur la photo*, h/t (69,5x115) : **NLG 1 652**.

STEL A. Van der
XVIIIᵉ siècle. Travaillant vers 1750. Hollandais.
Dessinateur d'animaux.
Il privilégia les sujets d'histoire naturelle.

STELCK
XVIIIᵉ siècle. Actif à Ochsenfurt. Allemand.
Peintre.
Il peignit des tableaux d'autel dans l'église de Höpfingen.

STELLA, généalogie de la famille
XVIᵉ-XVIIᵉ siècles. Français.
Voir tableau généalogique ci-dessous.

STELLA Andrea
XVIIᵉ siècle. Actif à Vienne dans la seconde moitié du XVIIᵉ siècle. Autrichien.
Stucateur.

STELLA Angelo Luigi
XIXᵉ siècle. Actif à Milan. Italien.
Peintre de paysages.
Il exposa à Milan en 1854.

STELLA Antoine ou Bouzonnet-Stella, pseudonyme de Antoine Bouzonnet
Né le 25 novembre 1637 à Lyon (Rhône). Mort le 9 mai 1682 au palais du Louvre à Paris. XVIIᵉ siècle. Français.
Peintre d'histoire, sujets mythologiques, compositions religieuses, compositions décoratives, graveur.
Le peintre Jacques Stella, son oncle, le fit venir jeune à Paris et lui apprit, ainsi qu'à ses sœurs, à dessiner et à peindre. Par brevet du 29 avril 1657, le roi accorda à Antoine Bouzonnet et à sa sœur Claudine le logement qu'occupait au Louvre Jacques Stella. Grâce à un legs de ce dernier, Antoine Bouzonnet put faire le voyage d'Italie. Il séjourna à Rome (où il fut accueilli par le Poussin), dessina des pierres gravées et peignit d'après les maîtres, à Venise et à Mantoue où il travailla d'après Jules Romain.
Il fut reçu membre de l'Académie royale de peinture, le 27 mars 1666 ; son morceau de réception était *Les Jeux Pythiens*. Il exposa, en 1673, *Le Baptême de Jésus-Christ*.
À son retour en France, en juin 1664, il peignit dans un style correct et froid des sujets mythologiques et des tableaux religieux pour diverses églises : à Paris, pour les Jacobins de la rue Saint-Honoré, les Jésuites, Saint-Paul (*Martyre de saint Étienne*), Saint-Germain-l'Auxerrois (*Adoration des bergers*), Saint-Gervais et Saint-Protais (*La Cène*, un *Jésus au jardin des Oliviers*, imité de Le Brun et qui existe encore) ; en province, pour des églises ou chapelles d'Abbeville, Angers, Beauvais, Châlons-sur-Marne, Langres, Lyon (*La vocation de saint Jacques le Majeur*, une *Annonciation* pour Notre-Dame de Fourvière).
On connaît encore de lui, par le testament de sa sœur Claudine : *Moïse sauvé par la fille du Pharaon*, *Pluton enlevant Proserpine*, *Dieu le Père et ses anges*, *Bacchus et Silène*, *Romulus et Rémus trouvés par les bergers* (gravé par sa sœur Antoinette), et des dessins d'après les Jules Romain de Mantoue (gravés par la même). Il grava lui-même plusieurs pièces à l'eau-forte. Lorsqu'il mourut, il venait d'entreprendre, avec Claude Audran, la décoration du cloître des Chartreux de Bourg-Fontaine, près de Villers-Cotterets.
VENTES PUBLIQUES : PARIS, 6 déc. 1982 : *Ensevelissement des morts*, pl. et lav. d'encre de Chine (28x20) : **FRF 2 100**.

STELLA Antoinette, pseudonyme de Bouzonnet
Née le 24 août 1641 à Lyon. Morte le 21 octobre 1676 au palais du Louvre à Paris, des suites d'une chute. XVIIᵉ siècle. Française.
Graveur.
Élève de son oncle Jacques Stella et de sa sœur aînée Claudine Bouzonnet, elle a gravé au burin et surtout à l'eau-forte. Sa sœur Claudine cite d'elle, outre ses œuvres de début : *Le Triomphe de l'Empereur Sigismond, de Jules Romain*, suite de 25 eaux-fortes (1675), d'après les dessins faits, à Mantoue, par Antoine Bouzonnet, *Romulus et Rémus trouvés par les bergers*, d'après le même (1675), une planche représentant *Vingt saintes*, deux suites de 11 et 22 planches pour des Heures.

STELLA Antonio
XVIᵉ siècle. Espagnol.
Peintre.
Il a peint le portrait de l'évêque Jéronimo Manrique dans la cathédrale d'Ávila en 1590.

Généalogie de la famille des STELLA.

JEAN VAN DER S.
(1525-1601)

|

FRANÇOIS VAN DER S.
le vieux
(1563 ou 1565-1605)

JACQUES DE S. (1596-1657)	FRANÇOIS DE S. le jeune (1603 ?-1647)	MADELEINE DE S. épouse vers 1635 ETIENNE BOUZONNET

CLAUDINE BOUZONNET STELLA (1636-1697)	ANTOINE BOUZONNET STELLA (1637-1682)	FRANÇOISE BOUZONNET STELLA (1638-1691)	ANTOINETTE BOUZONNET STELLA (1641-1676)

STELLA Claudine, pseudonyme de **Bouzonnet**
Née le 7 juillet 1636 à Lyon. Morte le 1er octobre 1697 au palais du Louvre à Paris. xviie siècle. Française.
Peintre, graveur.
Élève de son oncle Jacques Stella, elle dessinait et peignait, mais son goût pour la gravure, qu'elle enseigna à ses deux sœurs, lui fit abandonner la peinture. Elle a gravé au burin et à l'eau-forte, surtout d'après Poussin et J. Stella ; elle a su rendre merveilleusement, par un travail souple et harmonieux, le génie mâle et la couleur de Poussin, dont elle est restée le meilleur interprète, et le talent plus mièvre de Stella. Dans son testament, fait en 1693, elle énumère les planches qu'elle a gravées outre ses œuvres de début, soit 125 pièces.

STELLA Domenico
Né à Rovigo. xvie-xviie siècles. Travaillant de 1580 à 1606. Italien.
Peintre.
Il a peint le plafond de l'église Notre-Dame du Bon-Secours de Rovigo.

STELLA Eduard
Né le 27 septembre 1884 à Vienne. xxe siècle. Autrichien.
Peintre, graveur, décorateur.
Il fut élève de Heinrich Lefler à l'académie des beaux-arts de Vienne.
Musées : Vienne (Mus. de l'Armée).

STELLA Étienne Alexandre
Né à Paris. xixe siècle. Français.
Sculpteur.
Élève de Dumont. Il débuta au Salon de 1879.
Ventes Publiques : Paris, 25 sep. 1997 : *La Cigale*, bronze patiné (H. 37,5) : FRF 4 000.

STELLA Fermo da Caravaggio
xvie siècle. Actif dans la première moitié du xvie siècle. Italien.
Peintre et sculpteur sur bois.
Il peignit des fresques et des plafonds pour plusieurs églises d'Armeno et de Teglio. La Galerie Nationale de Turin conserve de lui *Madone avec saint Georges et saint Jean Baptiste*. Il faut peut-être le rapprocher de Ghisoni (Fermo) da Caravaggio.

STELLA François de, dit **le Jeune**
Né en 1603 (?) à Lyon. Mort le 26 juillet 1647 à Paris. xviie siècle. Français.
Peintre d'histoire, paysagiste et portraitiste.
Fils français du Flamand François Van der Stella l'Ancien. Élève de son frère Jacques de Stella, qu'il accompagna en Italie. Il peignit l'histoire, mais s'y montra inférieur à son frère Jacques. Il travailla pour plusieurs églises de Paris. Il fit notamment un tableau d'autel pour l'église des Augustins.

STELLA François Van der ou **Stellaert** ou **Sterre** ou **Ster** ou **Stalard** ou **Stallard** ou **Star**, dit **l'Ancien**
Né en 1563 ou 1565 à Malines. Mort le 26 octobre 1605 à Lyon. xvie siècle. Éc. flamande.
Peintre d'histoire.
Élève de son père Jean Van der Stella, tous deux Flamands. Il alla à Rome en compagnie d'un jésuite et y compléta son éducation artistique. À son retour en Flandre, il s'arrêta à Lyon et, ayant épousé la fille d'un notaire de la ville, il s'y fixa, fondant une lignée française. Il se forma une bonne clientèle. Il fit des travaux pour plusieurs églises notamment une *Descente de Croix*, aux Célestins et une *Mise au tombeau* à l'église Saint-Jean, œuvres intéressantes pour l'époque.
Musées : Lyon (Mus. des Beaux-Arts) : *La Vierge, l'Enfant Jésus et saint Jean Baptiste* – Orléans (Mus. des Beaux-Arts) : *Sainte Famille*.

STELLA Françoise, pseudonyme de **Bouzonnet**
Née le 12 décembre 1638 à Lyon. Morte au palais du Louvre à Paris, le 12 avril 1691 selon Jal ou en 1692 selon Herluison. xviie siècle. Française.
Peintre et graveur.
Élève de son oncle Jacques Stella et de sa sœur aînée Claudine Bouzonnet, elle a gravé surtout au burin et d'après Jacques Stella. Sa sœur Claudine cite d'elle 126 planches.

STELLA Frank
Né le 12 mai 1936 à Malden (Massachusetts). xxe siècle. Américain.
Peintre, peintre de collages, sculpteur, graveur, technique mixte. Abstrait-minimaliste, puis polymorphe.

Après des études artistiques à la Phillips Academy à Andover, et à l'Université de Princeton, il séjourne en Europe, en 1961, notamment en Grande-Bretagne, Espagne et France, puis au Maroc. Il épouse la même année la critique d'art Barbara Rose. En 1982, il séjourne une année à Rome à l'académie américaine des Arts et des Lettres. Nommé professeur en 1983 à l'université de Harvard, il y donne une série de conférences. Il vit et travaille à New York depuis 1958.
Il participe à de très nombreuses expositions collectives : 1959 *16 Americans* au Museum of Modern Art de New York ; 1964 *The Shaped Canvas*, 1966 *Systemic Painting* au Solomon R. Guggenheim de New York ; 1965 Fogg Art Museum de Harvard avec Kenneth Noland et Jules Olitski, VIIe Biennale de São Paulo ; 1968 *L'Art du réél 1948-1968* au Centre national d'Art contemporain à Paris, IVe Documenta de Kassel ; 1969 Metropolitan Museum de New York ; 1970 IIIe Salon des Galeries Pilotes au musée cantonal de Lausanne ; 1980 *Après le classicisme* au musée d'Art et d'Industrie de Saint-Étienne ; 1981 *A New Spirit in Painting* à la Royal Academy de Londres ; 1985 Biennale de Paris ; 1987 *L'Époque, la mode, la morale, la passion* au musée national d'Art moderne de Paris ; 1993 Solomon R. Guggenheim Museum Soho de New York.
Il montre ses œuvres dans des expositions personnelles : 1959 Bibliothèque publique de Malden ; depuis 1960 à New York, régulièrement à la galerie Leo Castelli, au Museum of Modern Art (1970, 1979, 1987) ; 1966 Art Museum de Pasadena et de Seattle ; 1968 Gallery of Modern Art de Washington ; depuis 1975 régulièrement à la galerie Daniel Templon à Paris ; 1976 Museum of Art de Baltimore ; 1977 Kunsthalle de Bielefeld, Museum of Modern Art d'Oxford ; 1978, 1984 Art Museum de Fort Worth ; 1980 CAPC (Centre d'Arts plastiques contemporains) de Bordeaux, Kunstmuseum de Bâle ; 1982 Martin Gropius Bau à Berlin ; 1983 Museum of Modern Art de San Francisco, Albright-Knox Art Gallery de Buffalo, Fogg Art Museum de l'université de Harvard ; 1985 Institute of Contemporary Art de Londres ; 1988 centre Georges Pompidou à Paris.
Il débuta dans les années soixante alors que l'époque était à la réaction contre les déliquescences tachistes de l'expressionnisme abstrait. Tandis que le pop art revenait à la figuration, au narratif, au plaisir de l'image, du dessin facile, de la couleur gaie, Frank Stella, à la suite de quelques précurseurs, Ellsworth Kelly, Barnett Newman, Ad Reinhardt, Mark Rothko, Clifford Still, repartit des données proposées par Malevitch et Mondrian, en vue de la plus grande simplicité des moyens plastiques mis en œuvre pour eux-mêmes. Ce retour aux « structures primaires » de la forme et de la couleur, aux sensations brutes, débarrassées de tout contexte associatif, à l'esprit du *Carré blanc sur fond blanc* de Malevitch ou de l'ascèse du néoplasticisme de Mondrian, aura sans doute été nécessaire après les effusions des abstractions lyriques les plus relâchées. En revanche, celui qui fut un des principaux représentants dans les années soixante-dix du minimal art avec Tony Smith, Morris Louis, Kenneth Noland, donnera naissance, ironie du sort, à des œuvres exubérantes, toujours abstraites, qui prennent leurs sources dans cet art minimal des débuts, mais aussi dans l'expressionnisme et le pop art. Travaux d'hier et d'aujourd'hui mettent une fois de plus en évidence l'une des constantes de la peinture américaine contemporaine, soulignée en 1987 par Jacques Busse et toujours d'actualité quant à Stella, « le besoin de matérialiser l'espace dans des formats considérables, en fait besoin d'un espace *environnementiel*, apte à capter, piéger le spectateur ».
L'activité de Stella se révèle, par sa prolixité, difficile à aborder ici exhaustivement et chronologiquement, les séries pouvant se chevaucher dans le temps, les principes d'élaboration étant abordés, abandonnés puis repris dans une optique autre. Schématiquement, avant de considérer plus précisément quelques moments clés du travail de Stella (choix qui pourra sembler arbitraire), on peut distinguer dans son activité picturale plusieurs périodes, chacune se composant de très nombreuses séries : de 1958 à 1965 recours au motif de la bande et apparition du *shaped canvas* (format découpé), de 1965 à 1970 développement d'une forme géométrique irrégulière jusqu'à la périphérie du tableau, de 1970 à 1978 construction en relief à partir d'imbrications de formes complexes, à partir de 1979 développement dans l'espace d'œuvres sculpturales, baroques.
Après les *Pre Black Paintings* aux couleurs impures et au tracé irrégulier, Stella réalise la série des *Delta* qui annonce – par l'association de bandes verticales et obliques et l'utilisation de la couleur noire qui recouvre une autre couleur –, les *Black Pain-*

tings (Peintures noires) de 1959-1960. D'une extrême simplicité, rigoureusement abstraites et impersonnelles, ces toiles, organisées selon une structure linéaire ou en losange, obéissent à un principe de répétition, bandes noires peintes à main levée de même largeur et séparées par un mince liseré, le blanc de la toile. Dans le même esprit mécanique, systématique, viennent les séries monochromes de 1960 des *Aluminium Paintings* au ton gris de l'aluminium, des *Copper Paintings* au ton brun du cuivre, métaux qui donnent à la toile un éclat particulier. Avec la série des *Aluminium Paintings*, Stella commence à peindre en forme (*shaped canvas*) : partant d'un carré ou parfois d'une croix, il couvre l'espace autour du schéma de départ de bandes parallèles, jusqu'à une surface satisfaisante en fonction des proportions avec la forme initiale et le module des bandes ; il découpe ensuite le surplus de la toile, selon la structure d'origine. Il développe cette formule avec les *Notched V* (V à encoches), *Running V* (V courants) de 1964, succession monochrome de bandes disposées en vague selon un rythme dynamique d'angles, d'accents. Avec la série dite « marocaine » (*Fez, Marrakech*...), la couleur réapparaît vive, gaie, parfois « vulgaire », évoquant le clinquant de la société de consommation, la culture pop, et annonçant ses propres compositions à venir. Pour explorer la couleur, cet élément aussi primordial à la peinture que le format, Stella préfère revenir le temps de quelques séries à la structure carrée, plutôt qu'au format découpé. Dans ce cadre, les bandes éclatantes, concentriques, souvent réparties en zone, obéissent à un rythme coloré, dégradés de tons de valeurs pures. Dès cette époque, les peintures de l'artiste ne répondent plus exactement à l'objectif du minimal art tel que le définit E. C. Goossen : « L'expérience de la perception, au lieu d'être considérée comme un moyen, est devenue une fin en soi... Au spectateur on ne donne pas de symboles, mais des faits. Ces faits ne sont pas destinés à influencer la démarche de sa pensée, ni à éveiller des associations familières, mais à l'amener à évaluer ses propres réactions. » Là semble résider le paradoxe du minimalisme : c'est à partir du moment qu'il commence à nous toucher, qu'il se renie.

Une nouvelle problématique se dessine dans la série suivante, *Irregular Polygons* (polygones irréguliers) de 1965, alors que Stella abandonne le principe d'alternance des bandes jusque-là privilégié, pour mettre en œuvre le développement d'une forme initiale (carré, triangle, triangle dans un carré, figure géométrique asymétrique...) jusqu'à la périphérie dans une esthétique polychrome, dont il ne se départira plus désormais qu'épisodiquement. Il renonce à l'ascèse d'un « minimal » radical, jouant avec les formes et leur imbrication. Il peint des bandes courbes, concentriques, découpe souvent le tour des peintures selon la dernière courbe, quart de cercle et demi-cercle, use de couleurs vives et légères, l'ensemble rappelant à la fois la valeur redonnée à la couleur par Matisse, et le style décoratif, net, courbe et laqué, des années trente, ainsi que les décorations murales. De cette période date la série *Proctators*, variation de 93 figures réalisées à partir d'un rapporteur dans une gamme de ton psychédélique, soit trente et un formats agencés en entrelacs, arc-en-ciel et éventail.

En 1970, la structure se complexifie dans l'espace, les plans étant multipliés, superposés. D'après une maquette sur papier, un modèle en carton, les tableaux des *Polish Villages* (Villages polonais), en mémoire des synagogues polonaises détruites par les nazis durant la guerre, sont exécutées grandeur nature en volume sur du bois puis du métal (et non plus la toile). Ces vastes collages qui évoquent le constructivisme mêlent les matières, carton, feutre, papier, et sont élaborés à partir des figures du triangle et de la ligne oblique, inclinées dans l'espace selon divers angles. Cette série de « bas-reliefs » réalisée par couches successives en engendrent deux autres en apparence antinomique : les *Brazilian* où apparaissent plusieurs niveaux d'obliques dans une composition angulaire et la série qui emprunte ses titres à Diderot, surprenante à cet étape du parcours de Stella, puisqu'elle opère un retour en arrière, reprenant une structure fermée, conventionnelle, de carrés concentriques dans des formats démesurés et une palette de couleurs exubérantes à lire comme une pause dans l'audace avant de franchir le pas vers d'autres horizons.

À partir de 1976, Stella réalise des peintures en relief toujours d'importantes dimensions, qui tendent de plus en plus vers la sculpture, bien que Stella les nomme « tableaux » et les présente de manière frontale. Élaborées d'après maquette en carton, puis en métal, elles associent de multiples matériaux, d'abord à partir

d'un format carré fixé au mur par des supports en acier ; par la suite le cadre explose, les formes s'épanouissent, libres, dans l'espace, maintenues sur un grillage courbe non visible. Stella travaille d'abord isolément les formes (bandes, mais aussi serpentins, cônes, tubes) découpées dans le carton, de la tôle, du bronze, de l'aluminium, du grillage, du bois, de la fibre de verre, de la mousse, associant matériaux, pauvres et rares. Il les peint ensuite à la main de couleurs fluorescentes, avec des motifs qui se réfèrent à l'histoire de la peinture : les arabesques de Matisse, les *dots* (pointillés) de Lichtenstein, les plans de couleurs de Malevitch, le *dripping* de Pollock, use de diverses factures : coups de brosse, frottis de couleurs, coulures, gribouillages. Il introduit aussi des objets réels comme des jouets d'enfants (série *Playskool*), des boîtes de conserve, des matériaux usinés (plaques d'aluminium, de magnésium). Stella fait réaliser grandeur nature ses maquettes préparatoires et assembler, à l'usine, par une équipe d'assistants, selon ses plans avec vis et écrous, ses compositions exubérantes sur châssis métallique. De nouveau, il explore chaque fois de manière différente la profondeur, les effets de perspective, dans des œuvres impossibles à décrire, du fait des différents niveaux de lecture chaque fois renouvelés selon les séries.

Il convient, avant de conclure, de s'arrêter sur les titres donnés par Stella à ses tableaux. Descriptifs depuis ses débuts, ils évoquent des lieux, des voyages : Rio de Janeiro et les *Brazilian*, Malte (...) ; ses goûts littéraires : Diderot et *Le Neveu de Rameau*, Melville et les *Waves* (Vagues), série débutée en 1986 et rebaptisée en 1988 *Moby Dick*, Calvino et les *Cones and Pillars* qui empruntent leurs titres aux contes populaires de cet auteur italien ; les activités ornithologiques de l'artiste : les *Exotic Birds* (Oiseaux exotiques) ; sa passion des courses automobiles : *Circuit*. Le choix des titres définit une volonté précise d'inscrire son œuvre dans la réalité, dans une référence culturelle partagée, sans en être pour autant un équivalent pictural.

Deux rétrospectives dès l'âge de cinquante-deux ans au MOMA de New York, des œuvres dans les institutions publiques du monde entier, des commandes publiques internationales, Stella apparaît comme un véritable phénomène. Néanmoins, ses détracteurs qui généralement ne reconnaissent que la première période, minimaliste, de son œuvre jugent son travail actuel, suspect, opportuniste, superficiel et bâclé, que seule la réputation de l'artiste soutiendrait. Le parcours de Stella, en marge des mouvements, semble aller à rebours d'un itinéraire classique : pionnier de l'art minimal, il en pose les règles rigoureuses, systématiques, dans une œuvre qui refuse l'illusionnisme, la subjectivité et par-là même la citation, puis, après dix années de pratiques radicales, il se met, à travers une structure éclatée qui lui est propre, à revisiter les abstractions de ce siècle, nous les proposant en vrac, et s'abandonne, avec une énergie débordante dans une pratique décorative, rococo, selon une démarche logique et cohérente. Explorant les tensions, les rapports d'équilibre entre les formes, les matériaux, qu'il s'est appropriés, Stella, avec une maîtrise certaine de ses moyens, en appelle à la sensualité. ■ Laurence Lehoux

BIBLIOGR. : Catalogue du Ier Salon international des Galeries pilotes, Musée cantonal, Lausanne, 1963 – Robert Rosenblum : *Frank Stella – Five Years of variation on an « irreductible » Theme*, Artforum, New York, mars 1965 – Philipp Leider : *Frank Stella*, Artforum, New York, juin 1965 – Michael Fried : *Frank Stella*, Artforum, New York, nov. 1966 – E. C. Goossen : Catalogue de l'exposition *L'Art du réél USA 1948-1968*, Centre national d'Art contemporain, Paris, 1968 – J. Patrice Marandel : *Oldenburg et Stella*, Chroniques de l'art vivant, Paris, août 1970 – Robert Rosenblum : *Frank Stella*, Penguin New Art, New York, 1971 – Catherine Millet : *La Peinture américaine*, Galilée, Art Press, Paris, 1980 – Richard Axsom : *Catalogue raisonné de l'œuvre gravé*, Hudson Hill Press, Université du Michigan, New York, 1983 – in : Catalogue de le Nouvelle Biennale, Paris, 1985 – Lawrence Rubin : *Frank Stella : Paintings 1958 à 1965. Catalogue raisonné*, Thames and Hudson, Londres, 1986 – Bernard Ceysson : « *Ut pictura pictura* » *Frank Stella ou l'abstraction accomplie*, Artstudio n° 1, Paris, été 1986 – William Rubin : *Frank Stella*, Museum of Modern Art, New York, 1987 – Stella : *Champ d'œuvre*, Hermann, Paris, 1988 – Alfred Pacquement : *Frank Stella*, Flammarion, Paris, 1988 – Catalogue de l'exposition *Frank Stella*, Centre Georges Pompidou, Paris, 1988 – *Frank Stella : saute-mouton*, Art Press n° 188, Paris, févr. 1994 – Robert K. Wallace : *Frank Stella. Sous le signe de Melville encore*, Art Press n° 200, Paris, mars 1995.

MUSÉES : AMSTERDAM (Stedelijk Mus.) : *Newstead Abbey 1960 – Les Indes Galantes 1962-1967* – ATLANTA (High Mus.) – BÂLE (Kunstmus.) – BERLIN (Nationalgal.) : *Sanbornville I 1966* – BERNE (Kunstmus.) – BIELEFELD (Kunsthalle) : *Khurasan Gate I 1968* – BUFFALO (Albright Knox Art Gal.) – CAMBRIDGE (Massachusetts) – CHICAGO (Art Inst.) : *De la Nada Vida a la Nada Muerte 1965* – Nasielsk IV 1972 – CLEVELAND (Art Mus.) – COLOGNE (Mus. Ludwig) : *Ctesiphon III 1968* – DALLAS (Mus. of Fine Art) – DARMSTADT (Hessisches Landesmus.) – DES MOINES (Art Center) : *Union Pacific 1960* – DETROIT (Inst. of Art) : *Union I 1966* – DUISBERG (Lehmbruck Mus.) – DÜSSELDORF (Kunstmus.) : *Lake City 1963-1964* – DÜSSELDORF (Kunstsammlung Nordrhein-Westfalen) : *Delphine and Hippolyte 1959* – EINDHOVEN (Stedelijk Van Abbemus.) : *Tuxedo Junction 1964* – ÉPINAL (Mus. départ. des Vosges) – *Konskie II* 1971, dépôt du Frac de Lorraine – ESSEN (Mus. Folkwang) : *Tomlinson Court Park 1959* – FORT WORTH – FRANCFORT-SUR-LE-MAIN (Mus. für Mod. Kunst) : *Rabat 1964* – HARTFORD (Wadsworth Atheneum) : *Coney Island 1958* – HOUSTON (Contemp. Art Mus.) : *Bam 1965* – Ctesiphon II 1967 – LONDRES (Tate Gal.) : *Guadalupe Island Caracar 1979* – LOS ANGELES (County Art Mus.) – LOS ANGELES (Mus. of Contemp. Art) – METZ (FRAC) : *Konskie II 1971* – MINNEAPOLIS (Inst. of Arts) – MUNICH (Staatsgal. Mod. Kunst) – MÜNSTER (Westfalen Landesmus.) – NAGOAKA (Mus. of Art) – NEW HAVEN (Yale University Art Gal.) : *Coney Island 1958* – NEW YORK (Mus. of Mod. Art) : *Astoria 1958 – The Marriage of Reason and Squalor 1959 – Empress of India 1965 – Kastura 1979* – NEW YORK (Solomon R. Guggenheim Mus.) – NEW YORK (Whitney Mus. of American Art) : *Die Fahne hoch 1959* – NEW YORK (Brooklyn Mus.) : *Brooklyn Moore Series 1962* – NEW YORK (Metropolitan Mus. of Art) – NICE (Mus. d'Art Mod. et d'Art Contemp.) : *Damascus Gate II 1969* – PARIS (Mus. Nat. d'Art Mod.) : *Plus ou moins 1964* – Flin Flon 1970 – Parcezew II 1971 – *La Vieille au jardin 1986* – PHILADELPHIE – ROTTERDAM (Mus. Boymans-Van-Beuningen) : *Marsamxett Harbour 1983* – SAINT-ÉTIENNE (Mus. d'Art et d'Industrie) : *Agbatana II 1968* – SAN FRANCISCO (Mus. of Mod. Art) : *Wolfeboro I 1966* – SHIGA (Mus. of Mod. Art) – STOCKHOLM (Mod. Mus.) – STUTTGART (Staatsgal.) – TOKYO (Mus. of Mod. Art) – TOLEDO (Mus. of Art) – VANCOUVER (Art Mus.) – VIENNE (Mus. Mod. Kunst) – WASHINGTON D. C. (Nat. Gal. of Art) – WASHINGTON D. C. (Hirshhorn Mus. and Sculpture Garden) : *Pagosa Springs* – WASHINGTON D. C. (Corcoran Gal. of Art) : *Botofago 1975* – WASHINGTON D. C. (Smithsonian Inst.) – ZURICH (Kunsthaus).

VENTES PUBLIQUES : NEW YORK, 18 nov. 1970 : *Sept Marches* : **USD 33 500** – NEW YORK, 17 nov. 1971 : *Sinjerli variation III* : **USD 36 000** – NEW YORK, 26 oct. 1972 : *Sunset beach sketch* : **USD 24 000** – NEW YORK, 18 oct. 1973 : *Sabine pass* : **USD 35 000** – LONDRES, 4 avr. 1974 : *Sans titre*, aquar. : **GBP 1 200** – NEW YORK, 3 mai 1974 : *Sidney Guberman 1963* : **USD 67 500** – MILAN, 5 déc. 1974 : *N° 7 Konskie II*, feutre, cart., étoffe et temp./cart. ondulé : **ITL 13 000 000** – NEW YORK, 21 oct. 1976 : *Dade City 1963*, zinc chromé/t. (208x239) : **USD 28 000** – NEW YORK, 19 mai 1977 : *River of Ponds IV 1971*, litho. en coul. (81x81) : **USD 2 050** – NEW YORK, 20 oct. 1977 : *Gabin (sketch) 1972*, feutre et acryl./cart. (87x76,2) : **USD 7 750** – NEW YORK, 19 mai 1979 : *Double Gray Scramble 1973*, sérig. en coul. : **GBP 4 700** – LONDRES, 4 déc 1979 : *Tijuca I 1975*, h. et laque/alu. (243x340x20) : **GBP 18 000** – NEW YORK, 18 mai 1979 : *Lipsko IV 1972*, bois relief (249x241x20) : **USD 21 000** – NEW YORK, 13 nov. 1980 : *Sans titre*, stylo-feutre (117x89) : **USD 3 600** – NEW YORK, 16 mai 1980 : *Black-white-black sketch 1966*, aquar. et encre/pap. (43,8x56,5) : **USD 3 100** – NEW YORK, 19 nov. 1981 : *Tampa 1963*, h/t (52,5x252,5) : **USD 225 000** – NEW YORK, 9 nov. 1982 : *Sketch Sinjerli variation III 1976*, techn. mixte (81,7x107,9) : **USD 12 000** – NEW YORK, 4 mai 1982 : *Cieszowa III 1973*, construction techn. mixte : **USD 27 000** – NEW YORK, 16 nov. 1983 : *Bonin Hight Heron 1979*, sérig. en coul. (153x213,8) : **USD 15 000** – NEW YORK, 9 nov. 1983 : *Double Maze 1966*, stylos-feutres coul./pap. calque (43,2x56) : **USD 11 000** – NEW YORK, 10 mai 1983 : *Itata 1964*, poudre métallique avec émulsion de polymer/t. (197x340) : **USD 260 000** – NEW YORK, 10 mai 1984 : *Wake Island rail 1979*, techn. mixte/pan. (152,4x213,4) : **USD 22 000** – NEW YORK, 31 oct. 1984 : *Anderstorp 1981*, techn. mixte/magnésium gravé (275x314x40) : **USD 290 000** – NEW YORK, 1er oct. 1985 : *Sinjerli variation III 1980*, cr. coul., cr. cire, aquar. et sérig. (81,3x81,3) : **USD 16 000** – NEW YORK, 6 nov. 1985 : *Madinat As-Salam I 1970*, polymer et polymer fluorescent/t. découpée (300x760) : **USD 270 000** – NEW YORK, 2 mai 1985 : *Rakow III 1971*, feutre, t. peinte et cart. fixé/support en bois (236,3x276,8) : **USD 75 000** –

NEW YORK, 12 nov. 1986 : *Vallelunga II 1983*, cr. coul., émail uréthane, alkyd fluorescent et magma/magnésium (281,4x315,2x38) : **USD 350 000** – NEW YORK, 10 nov. 1986 : *Gray scramble XII (double) 1968*, acryl./t. (176x350) : **USD 200 000** – NEW YORK, 13 jan. 1987 : *La Fuite en Égypte*, mine de pb, pl. et lav. (35,5x26,4) : **USD 16 000** – NEW YORK, 5 mai 1987 : *Saskatoon II 1969*, polymer et polymer fluorescent/t. (274,5x548,7) : **USD 390 000** – NEW YORK, 8 oct. 1988 : *Kufa Gate III-B 1968*, acryl./t. (152,5x152,5) : **USD 110 000** – NEW YORK, 9 nov. 1988 : *Le joli bouton de rose 1975*, cirage et vernis/acier soudé (59,4x43,2x24) : **USD 44 000** – LONDRES, 6 avr. 1989 : *Bogoria 1972*, acryl., feutre, cr. coul. et collage pap./cart./bois, croquis (68,3x83,8) : **GBP 26 400** – NEW YORK, 2 mai 1989 : *Quathlamba 1964*, poudre de métal dans une émulsion de polymer/t. (196,8x454) : **USD 1 320 000** – NEW YORK, 4 mai 1989 : *La Plage de Newport 1967*, acryl., feutres coul., collage et cr./pap. (59,7x99) : **USD 50 600** – NEW YORK, 7 nov. 1989 : *Variation II sur la Porte de Damas*, polymer et polymer fluorescent/t. (152,4x610) : **USD 605 000** – NEW YORK, 8 nov. 1989 : *Tomlinson Court Park, version II 1959*, vernis noir/t. (213,3x276,8) : **USD 5 060 000** – NEW YORK, 23 fév. 1990 : *De la mer 1970*, gch./pap. (41,2x194,5) : **USD 66 000** – NEW YORK, 27 fév. 1990 : *Tessons de poteries II 1982*, techn. mixte/alu. (100,5x114,3x15,2) : **USD 308 000** – NEW YORK, 7 mai 1990 : *Carrés divisés 1966*, acryl./t. (182,9x182,9) : **USD 550 000** – NEW YORK, 30 avr. 1991 : *Double en noir, blanc et gris 1966*, h/t (160x320) : **USD 429 000** – NEW YORK, 13 nov. 1991 : *Joatinga I 1974*, techn. mixte/alu. alvéolé (243,8x335,3) : **USD 220 000** – PARIS, 16 fév. 1992 : *Rayy II 1970*, h/pap. (52x205) : **FRF 150 000** – NEW YORK, 6 mai 1992 : *Albatros, 5X*, techn. mixte/alu. (304,8x419,1) : **USD 363 000** – AMSTERDAM, 21 mai 1992 : *Étude pour Grodno 1973*, techn. mixte/pap./cart. (80x76) : **NLG 32 200** – NEW YORK, 18 nov. 1992 : *Esquisse pour Minium*, minium et graphite/t. découpée (140,3x135,2) : **USD 198 000** – LONDRES, 3 déc. 1992 : *Labyrinthe 1966*, acryl./t. (91x91) : **GBP 46 200** – NEW YORK, 3 mai 1993 : *Promenade de Sacramento 2 1978*, acryl./t. (266,7x266,7) : **USD 310 500** – NEW YORK, 9 nov. 1993 : *Kingsbury Run I 1961*, peint. alu. et h/t préformé (175,2x181,2) : **USD 662 500** – LOKEREN, 4 déc. 1993 : *Polygone excentrique sans titre 1968*, aquar. (43x55,5) : **BEF 220 000** – NEW YORK, 3 mai 1994 : *La Grille verte 1958*, h/t (205x215,3) : **USD 310 500** – PARIS, 4 mai 1994 : *Rayy II 1970*, h/pap. (51x200) : **FRF 80 000** – NEW YORK, 27 oct. 1994 : *Les Indes galantes (petite version) 1964*, alkyd fluo/t. (49,8x49,8) : **GBP 67 500** – LONDRES, 26 oct. 1995 : *Sans titre 1986*, techn. mixte/pap. (150x150) : **GBP 11 500** – NEW YORK, 15 nov. 1995 : *Ascension D : valeurs vertes ascendantes, spectre ascendant 1978*, acryl./t. (175,22x175,2) : **USD 145 500** – NEW YORK, 7 mai 1996 : *En bas 1964*, poudre métallique dans une émulsion de polymer/t. (243,8x279,5) : **USD 827 500** – LONDRES, 23 mai 1996 : *Sans titre 1960*, h/t (28x28) : **GBP 25 300** – NEW YORK, 9 nov. 1996 : *Talladega Three II 1982*, litho. (167,5x131) : **USD 79 500** – NEW YORK, 19 nov. 1996 : *New Caledonian Lorikeet 1976*, techn. mixte/alu. (304,8x396,2x61) : **USD 162 000** – NEW YORK, 20 nov. 1996 : *Wake island rail 1980*, acryl., feuille or, past. coul. et collage/pan. (153,4x213,4) : **USD 43 125** – NEW YORK, 7 mai 1997 : *Double noir 1966*, encre/pap. graphique (43,2x55,9) : **USD 37 375** – NEW YORK, 10 nov. 1997 : *Turkish Mambo 1959*, laque/t. (230,5x337,2) : **USD 3 962 500** – NEW YORK, 6 mai 1997 : *Telluride 1962*, peint., t. et cuivre/pan. toilé (57,2x68,9) : **USD 365 500**.

STELLA Giacomo

Né à Brescia. XVIe siècle. Travaillant à Rome en 1568. Italien.
Peintre.

STELLA Giacomo

Né le 16 mars 1595 à Rome. XVIIe siècle. Italien.
Peintre.
Fils de Vincenzo Stella.

STELLA Giacomo di Marco Antonio

Né vers 1555 à Brescia. Mort vers 1630 à Brescia. XVIe-XVIIe siècles. Italien.
Peintre.
Il travailla dans plusieurs salles du Vatican de Rome ainsi que pour la basilique Saint-Pierre.

STELLA Giovanni

Né au XVIIe siècle à Melano. XVIIe siècle. Suisse.
Peintre et stucateur.
Il exécuta des fresques et des stucatures dans l'église de Melano.

STELLA Giovanni

Né le 14 mars 1839 à Naples. XIXe siècle. Italien.

Tailleur de camées.
Élève de L. Perrotti. Il exécuta des copies d'après l'antiquité, Canova et Thorwaldsen.

STELLA Giovanni Battista
Né à Melano. XVIᵉ-XVIIᵉ siècles. Suisse.
Peintre et graveur au burin ?
Il travailla au maître-autel de la cathédrale de Côme en 1604.

STELLA Guglielmo
Né le 8 mars 1828 à Milan. Mort en 1888 à Venise. XIXᵉ siècle. Italien.
Peintre de sujets allégoriques, scènes de genre, paysages, illustrateur.
Ce fut un des chefs de l'École moderne italienne. Il a exposé à Parme, Venise, Turin.

G. Stella

Musées : Bergame (Accad. Carrara) : Une peinture.
Ventes Publiques : Paris, 1894 : *L'arrivée au couvent* : **FRF 221** ; *La couturière* : **FRF 257** ; *Vertu et vice* : **FRF 259** – Milan, 17 juin 1981 : *Personnages dans un intérieur*, h/t (65x91) : **ITL 10 000 000** – Milan, 16 déc. 1982 : *Tragédie de la mer 1864*, h/t (59x73,5) : **ITL 5 000 000** – Milan, 30 oct. 1984 : *La lettre 1859*, h/t (68x90) : **ITL 22 000 000** – Londres, 6 juin 1990 : *Barques à l'abri des falaises sur la côte sud de l'Italie*, h/pan. (48x73) : **GBP 2 860** – Milan, 12 mars 1991 : *Scène familiale dans un intérieur 1856*, h/cart. (13,5x17) : **ITL 5 000 000**.

STELLA Guido Balsamo
Né en 1882 à Turin. XXᵉ siècle. Italien.
Peintre, sculpteur, graveur, décorateur.
Il fut élève de l'académie des beaux-arts de Munich. Il séjourna en Suède. Il exposa à Dresde en 1919.
Peintre, il pratiqua aussi la sculpture sur bois et l'eau-forte.

STELLA Ignaz. Voir STERN Ignaz

STELLA Jacques de
Né en 1596 à Lyon (Rhône). Mort en 1657, enterré à Paris le 30 avril. XVIIᵉ siècle. Français.
Peintre d'histoire, sujets mythologiques, compositions religieuses, scènes de genre, portraits, dessinateur, graveur à l'eau-forte.
Né à Lyon du mariage de son père, le Flamand François Van der Stella l'Ancien. Celui-ci étant mort alors que son fils n'avait que onze ans, il n'en put recevoir que les premiers principes. Cependant il put continuer ses études seul. Quand il eut vingt ans il partit pour l'Italie. À Florence, il fut employé par le duc Cosme de Médicis et rencontra Callot, qui comme lui était au service de ce prince, et l'incita à pratiquer la gravure. Après un séjour de sept années en Toscane, Jacques se rendit à Rome, en 1623 et y devint l'intime ami de Nicolas Poussin. Stella demeura onze ans dans la Ville Éternelle. À son retour en France, en 1634, il fut fort bien accueilli par le cardinal qui le détourna de répondre à l'invitation du roi d'Espagne, le nomma peintre du roi et, plus tard, le fit décorer de l'ordre de Saint-Michel. Étienne Bouzonnet, orfèvre, établi à Lyon, y épousa, vers 1635, Madeleine Stella, sœur du peintre Jacques de Stella ; il mourut à Paris, aux galeries du Louvre, le 17 décembre 1660, ayant eu cinq enfants dont quatre, nés à Lyon, de 1636 à 1641 (Claudine, Antoine, Françoise et Antoinette), furent peintres ou graveurs (voir leurs notices). Jacques de Stella, mort en 1657, ayant laissé à son neveu Antoine une somme d'argent pour lui permettre d'aller étudier cinq ans en Italie, Antoinette Bouzonnet et ses sœurs prirent vers cette époque et portèrent par reconnaissance le nom de Stella.
Jacques travailla pour plusieurs églises notamment à Saint-Germain-le-Vieux, chez les religieuses de l'Assomption et chez les Carmélites, mais ses tableaux de chevalet sont grandement supérieurs à ses grandes compositions. Il a gravé des sujets religieux et des scènes de genre. Peu de ses œuvres nous sont parvenues. La plupart des commandes officielles qu'il exécuta, les portraits, les pastorales qui lui étaient réclamées à la fin de sa vie, ne sont le plus souvent connues que par la gravure. Arrivé à Rome après un long séjour à Florence, sa manière était déjà suffisamment affirmée pour qu'il ait résisté à l'influence caravagesque, qui dominait auprès des jeunes artistes de la Rome des années 1620.
Les œuvres de la première partie de sa vie dénotent les influences de Raphaël et de son propre ami Poussin. Dans la suite, il évolua dans le sens de l'art plus décoratif des La Hyre et Le Brun. Des compositions comme *Le baptême du Christ*, de 1645, à l'église Saint-Louis-en-l'Isle de Paris, *Jésus parmi les docteurs*, de 1640-1642, *Clélie passant le Tibre avec ses compagnes*, au château de Fontainebleau, si proche des compositions romaines de Poussin, le placent dans la peinture classique française du XVIIᵉ siècle, aux côtés des Poussin, Le Brun, Le Sueur et Philippe de Champaigne.

$ ⊠ $ ✦F. $ •J•✦

Musées : Alençon : *Sacrifice d'Abraham* – Angers : *Sainte Famille* – Béziers : *Présentation au temple* – Budapest : *Fiançailles de saint Joseph et de la sainte Vierge* – *Mort d'Antoine* – Caen : *L'École d'Athènes* – Chantilly : *Le Grand Condé* – Compiègne : *Martyre de saint Laurent* – Coutances : *Moïse sauvé des eaux* – Épinal : *La Vierge en contemplation devant l'Enfant Jésus endormi* – Florence : *Jésus servi par les anges* – Fontainebleau : *Minerve venant visiter les Muses* – *Clélie passant le Tibre avec ses compagnes* – Genève (Mus. Ariana) : *Saint prosterné devant la Vierge* – Grenoble : *Eliezer et Rébecca* – Limoges : *Mater dolorosa* – Lisbonne (Gal. Nat.) : *Madone et l'Enfant* – Lyon : *Adoration des anges* – *Pastorale* – Montpellier : *La Samaritaine* – Moret-sur-Loing : *Bethléem* – Munich (Mus. Nat.) : *Madeleine repentante* – Nantes : *Assomption* – *Paysans dansant au son de la cornemuse* – Oldenbourg : *Diane avec des nymphes* – Paris (Mus. du Louvre) : *Jésus-Christ recevant la Vierge dans le ciel* – *Sainte Cécile jouant de l'orgue* – Philadelphie : *Le Christ à la colonne* – Posen (Mus. Mielzynski) : *La Vierge et sainte Élisabeth* – Rouen : *Sainte Anne conduisant la Vierge au temple* – Saint-Pétersbourg (Mus. de l'Ermitage) : *La Salutation angélique* – *Sainte Famille* – *Vénus et Adonis* – Toulouse : *Mariage de la Vierge* – *Repos de la Sainte Famille* – *Communion de saint Pierre* – Turin (Nouvelle Pina.) : *Toilette de Vénus* – *Rébecca à la fontaine* – Vienne : *Jugement de Salomon*.
Ventes Publiques : Paris, 1777 : *Paysage* ; *Sainte famille* : **FRF 900** – Paris, 1777 : *Le sommeil de l'Enfant Jésus* : **FRF 3 000** ; *Vénus endormie sur un lit de repos, un amour est auprès d'elle* : **FRF 991** – Paris, 1806 : *Laban envoyant des présents à Rachel* : **FRF 995** – Paris, 1845 : *Repos de la Sainte Famille* : **FRF 550** ; *La Purification de la Vierge* : **FRF 480** – Paris, 1855 : *La Visitation*, dess. à la pl., lavé en coul. : **FRF 40** – Paris, 1861 : *Sainte Famille* : **FRF 480** – Paris, 1865 : *La Vierge assise* : **FRF 1 000** – Paris, 1868 : *Mariage mystique de sainte Catherine* : **FRF 520** – Paris, 1873 : *Le mariage de la Vierge* : **FRF 10 500** ; *Le concert turc* : **FRF 3 550** – Paris, 1887 : *Sujets religieux* : **FRF 3 800** – Paris, 8 et 9 avr. 1910 : *Les jeux et les plaisirs de l'enfance* : **FRF 640** – New York, 16 et 17 fév. 1911 : *Nymphe et Satyre* : **USD 65** – Londres, 9 juil. 1926 : *Le repos en Égypte* : **GBP 73** – Londres, 26 nov. 1929 : *Naissance de la Vierge* : **GBP 75** – Paris, 26 mai 1933 : *Adoration des Bergers*, peint. sur lapi-lazuli. attr. : **FRF 900** – Paris, oct. 1945-juil. 1946 : *Les Niobides percées de flèches par Diane et Apollon*, pl. et lav. d'encre de Chine : **FRF 1 500** – Paris, 6 mars 1950 : *L'Annonciation*, lav. : **FRF 1 600** – Paris, 30 nov. 1951 : *Bethsabée recevant le message de David* : **FRF 50 000** – New York, 9 jan. 1980 : *L'Annonciation*, dess. au lav. (25x18) : **USD 1 300** – Paris, 26 fév. 1982 : *La circoncision*, h/pan., de forme ronde (diam. 14) : **FRF 13 000** – Londres, 5 juil. 1983 : *Trois paysannes, l'une tenant un bébé dans ses bras*, craie noire, pl. et lav. (16,5x24,2) : **GBP 1 000** – Londres, 5 juil. 1984 : *La Sainte Famille 1633* ?, h./ardoise (53x37) : **GBP 18 000** – Paris, 17 avr. 1985 : *Homme buvant 1619*, pl. : **FRF 13 500** – Londres, 19 déc. 1985 : *L'Enfant Jésus adoré par les Anges*, h/t (30,5x28) : **GBP 2 000** – Londres, 9 déc. 1986 : *L'Ange apparaissant à saint Joseph dans son échoppe, la Vierge lisant à l'arrière-plan*, craie noire, lav. gris et pl. et encre brune (36,6x26,3) : **GBP 7 000** – Rome, 10 mai 1988 : *David dansant devant l'arc*, h/t (80x98) : **ITL 9 000 000** – Londres, 30 juin 1989 : *La Madeleine repentante*, ardoise (13,5x20,5) : **FRF 20 000** – Paris, 12 déc. 1989 : *Tarquin et Lucrèce*, t. (73x98) : **FRF 210 000** – Londres, 11 avr. 1990 : *Vierge à l'Enfant avec Marie-Madeleine et saint Jacques*, h./ardoise/pan. (45,5x40) : **GBP 38 500** – Londres, 12 déc. 1990 : *Sémiramis appelant aux armes*, h./ardoise (35,5x53) : **GBP 19 250** – Monaco, 21 juin 1991 : *Retour d'Égypte 1644*, h/t (58x49) : **FRF 122 100** – Paris, 25 juin 1991 : *Le Concert*, h/t (54x65,5) : **FRF 120 000** – Paris, 10 avr. 1992 : *Salomon recevant la Reine de Saba*, h/t (98x142) : **FRF 105 000** – Paris, 17 déc. 1993 : *Tarquin et Lucrèce*, h/t (73x97) : **FRF 120 000** – Londres, 4 juil. 1994 : *Le jugement de*

Pâris, encre et lav. avec reh. de blanc/pap. (15,1x21) : **GBP 1 265** – New York, 4 oct. 1996 : *Le Repos lors de la fuite d'Égypte*, h/t (28,6x37,5) : **USD 5 175** – New York, 21 oct. 1997 : *La Madone et l'Enfant avec les saints François et Jean Baptiste*, h./ardoise (38,1x42,5) : **USD 34 500**.

STELLA Jean Van der ou Star ou Stalard
Né en 1525 à Malines. Mort en 1601 à Anvers. xvie siècle. Éc. flamande.
Peintre.
Le plus anciennement connu d'une famille d'artistes qui vint s'établir en France au xvie siècle. Père de François Van der Stella, l'Ancien.

STELLA Joseph
Né le 13 mai 1879 à Muro Lucano. Mort le 5 novembre 1946 à New York. xxe siècle. Depuis 1896 actif aux États-Unis. Italien.
Peintre de paysages urbains, natures mortes, fleurs, collages, dessinateur. Tendance futuriste puis tendance précisionniste.
Émigré italien, il est d'abord dessinateur pour des journaux et fait ses études à Paris. Il s'installe à New York en 1896, où il commence des études de médecine puis décidant de se consacrer à la peinture étudie à l'Art Students' League de New York puis à la New School of Art. Il séjourne en Europe, notamment en 1909 et 1912, et c'est au cours de ses voyages qu'il entre en contact avec le futurisme. Il fut membre du groupe L'Art pour l'Art fondé par Stieglitz.
Il exposa pour la première fois en tant que futuriste italien dans les années dix. Il a participé à des expositions collectives : 1913 Armory Show de New York ; 1922 Salon Dada ; 1939 Museum of Modern Art de New York. Il montre ses œuvres dans les expositions personnelles : 1910 Carnegie Institute de Pittsburgh ; à partir de 1913 très régulièrement à New York notamment en 1923 à la Société anonyme, en 1960 au Museum of Modern Art ; 1930, 1932 Paris ; 1939, 1978 musée de Newark ; 1963, 1994 Whitney Museum of American Art de New York ; 1967 Rome.
Bien qu'attaché au futurisme entre 1913-1918, ce fut un peintre spécifiquement américain, traduisant les réalités de la vie quotidienne, l'effervescence de la vie moderne américaine, en cherchant à les dépasser, les transcender. Il décompose toutes choses en fragments mobiles selon les lignes de force brisées. L'exemple le plus connu de cette époque est *Coney Island* (1913), considéré comme le sommet de son art et qui est une véritable symphonie de bleus, rouges, verts, jaunes. En 1918, il peint dans un esprit similaire *Brooklyn Bridge*, thème qu'il reprendra très souvent mais en le schématisant de plus en plus à une époque, où vers 1920, il aime figurer la puissance des États-Unis à travers des ouvrages d'art de New York. C'est également à partir de ce moment que le style de Stella se rapproche de celui des précisionnistes et devient plus statique, représentant un monde à deux dimensions, comme le montre la série de cinq panneaux connus sous le titre : *Interprétation de New York* (1920-1922). Dans la suite, il consent à une schématisation de ses préceptes constructifs, avec des collages abstraits, puis donne une peinture à la fois mystique, symbolique, romantique. ■ A. J.
Bibliogr. : José Pierre : *Le Futurisme et le Dadaïsme*, in : *Hist. gén. de la peinture*, t. XX, Rencontre, Lausanne, 1966 – J. D. Prown et B. Rose : *La Peinture américaine de la période coloniale à nos jours*, Skira, Genève, 1969 – Irma Blumenthal Jaffe : *Joseph Stella*, Harvard University Press, Cambridge, Massachusetts, 1970 – in : *L'Art du xxe s.*, Larousse, Paris, 1991.
Musées : Chicago (Art Inst.) – Minneapolis (Walker Art Center) – Newark – New Haven (Yale University Art Gal.) : *Coney Island* – New York (Mus. of Mod. Art) : *Factories* – New York (Whitney Mus. of American Art) : *Tropical Sonata 1920-1921* – Brooklyn Bridge – Variations on an Old Theme 1939 – New York (Brooklyn Mus.) – Phoenix (Art Mus.) – San Francisco (Mus. d'Art Mod.).
Ventes Publiques : New York, 16 fév. 1961 : *Conay Island* : **USD 1 000** – New York, 29 oct. 1964 : *Femme assise*, gche : **USD 850** – New York, 14 mars 1968 : *Abstraction*, past. : **USD 3 500** – New York, 21 mai 1970 : *L'Amazone* : **USD 5 500** – Los Angeles, 20 nov. 1972 : *Femme couchée*, aquar. et cr. : **USD 1 500** – Los Angeles, 14 mars 1973 : *Arbre, cactus, lune*, gche : **USD 17 000** – Los Angeles, 21 mars 1974 : *Abstraction*, aquar. : **USD 2 700** – Los Angeles, 12 déc. 1974 : *Fleur tropicale* : **USD 2 300** – New York, 21 avr. 1977 : *Poires*, h/t (23x32,5) : **USD 1 700** – New York, 21 avr. 1978 : *Nature morte*, past. (63x47) : **USD 5 000** – New York, 20 avr 1979 : *Paysage boisé au*

crépuscule 1942, past. (62,2x47) : **USD 3 100** – New York, 25 oct 1979 : *Poteaux télégraphiques* vers 1920, h/t (91,5x76,2) : **USD 32 500** – New York, 25 avr. 1980 : *Femme de profil*, cr. et pointe d'argent (43x34) : **USD 2 800** – New York, 29 mai 1981 : *Fleur tropicale*, gche, aquar. et cr. (69,8x52,1) : **USD 5 000** – New York, 28 sep. 1983 : *New York interpreted* 1925, cr. et mine de pb (31,9x20,3) : **USD 7 000** – New York, 3 juin 1983 : *Nocturne*, h/t (28,4x33,4) : **USD 4 500** – New York, 27 jan. 1984 : *Nocturne II*, past. (41,9x59) : **USD 13 000** – New York, 15 mars 1985 : *Nénuphars*, mine de pb et cr. (28,2x34,8) : **USD 3 800** – New York, 5 déc. 1986 : *Tree of My Life* 1919, h/t (212,1x191,8) : **USD 2 000 000** – New York, 1er oct. 1987 : *Iris blanc*, pointe d'argent et cr. coul. (34,6x26,7) : **USD 6 200** – New York, 29 avr. 1988 : *L'Amazone*, h/t (68,6x55,9) : **USD 23 100** – New York, 30 sep. 1988 : *Nature morte aux fruits* 1944, cr. coul./pap. (35,5x27,7) : **USD 1 870** – New York, 24 jan. 1989 : *Salade et citrons* 1944, cr. de coul./pap. (28,8x42,2) : **USD 17 600** – New York, 24 mai 1989 : *Paysage*, h/t (39,4x62,2) : **USD 63 250** – New York, 1er déc. 1989 : *Le pont de Brooklyn*, aquar. et cr./pap. (22,2x16,5) : **USD 24 200** – New York, 24 jan. 1990 : *Racines de cyprès*, cr./pap. (30,5x24,2) : **USD 1 760** – New York, 16 mars 1990 : *Tracé*, collage de pap./pap. quadrillé (32,1x24,2) : **USD 12 100** – New York, 14 mars 1991 : *Nature morte avec une aubergine*, cr./pap./cart. (41x47,4) : **USD 8 250** – New York, 26 sep. 1991 : *Les fils télégraphiques*, aquar./pap. (16,6x22,8) : **USD 13 200** – New York, 6 déc. 1991 : *Jouets* 1943, h. et cr./t. (52,1x42) : **USD 9 900** – New York, 12 mars 1992 : *Étude pour « La bataille des lumières à Coney Island »*, h/t (24x29,2) : **USD 38 500** – Paris, 11 mars 1992 : *Village sur le lac*, h/t (38x61,5) : **FRF 86 000** – New York, 28 mai 1992 : *Chien sur un balcon à Paris*, h/t/pan. (53,4x45,8) : **USD 12 100** – New York, 23 sep. 1992 : *Dans le zoo du Bronx*, h/t (28x34,5) : **USD 11 550** – New York, 3 déc. 1992 : *Abstraction*, aquar./pap. (25,4x17,8) : **USD 15 400** – New York, 26 mai 1993 : *Paysage italien*, h. et encre/t., tondo (diam. 47,2) : **USD 25 300** – New York, 3 déc. 1993 : *Nénuphar* 1919, cr. et pointe d'argent (20,3x20,3) : **USD 18 400** – New York, 12 sep. 1994 : *Fleur tropicale*, aquar./pap. (69,5x52,1) : **USD 4 312** – New York, 13 sep. 1995 : *Nature morte aux aubergines*, cr. de coul./pap./cart. (41x47,4) : **USD 8 050** – New York, 4 déc. 1996 : *Gardénia*, cr. coul./pap. (26x34,3) : **USD 9 200** – New York, 27 sep. 1996 : *Abstraction*, h/t (33,5x33,5) : **USD 9 200** – New York, 25 mars 1997 : *Tête de Christ* vers 1930, h/t (24,1x18,7) : **USD 2 875** – New York, 6 juin 1997 : *Nocturne* 1929, h/t (86,4x72,4) : **USD 68 500**.

STELLA Lodovico
Né en 1582 à Brescia. Mort après octobre 1667 à Rome. xviie siècle. Actif à Rome. Italien.
Peintre et musicien.
Fils de Giacomo di Marco Antonio Stella. Membre de l'Académie Saint-Luc à Rome en 1618.

STELLA Paolo
Né à Milan. Mort en 1552 à Prague. xvie siècle. Italien.
Sculpteur.
Il se fixa à Prague en 1537. Probablement identique à Paolo di Milano qui exécuta les statues de *Saint Thomas d'Aquin* et de *Saint Pierre Martyr* dans l'église Saint-Jean et Saint-Paul de Venise.

STELLA Vincenzo, dit Vincenzo Fiamingo
Né à Brescia. xvie-xviie siècles. Italien.
Peintre.
Père de Giacomo Stella (né en 1595). Il travailla pour des églises de Rome.

STELLA Yvana
Née en 1945 à Rome. xxe siècle. Active en France. Italienne.
Sculpteur de figures, peintre de figures, pastelliste, peintre de collages, dessinatrice, technique mixte.
Elle étudia à l'école des beaux-arts de Rome en 1965, puis à celle de Paris en 1981. Elle participe à des expositions collectives, notamment : 1990, 1993, 1994 Salon des Indépendants à Paris. Elle montre ses œuvres dans des expositions personnelles : 1961 Monte-Carlo ; 1962 Rome ; 1982 Barcelone ; depuis 1986 régulièrement à Paris.
Elle privilégie les figures, notamment de femmes et de couples, usant d'un dessin sommaire en silhouettes comme découpées, à l'attitude offerte. Elle a consacré une série de collages et de

sculptures en papier à Lionel Jospin, qu'elle avait activement soutenu lors de sa campagne présidentielle en 1995.

Yvaria Stella

VENTES PUBLIQUES : PARIS, 29 nov. 1992 : *Oriflamme – Jules César*, h/t (88x103) : **FRF 9 300** ; *Sirène des plages*, sculpt. sur bois et mosaïque (60x20x20) : **FRF 4 500.**

STELLA da Caravaggio. Voir STELLA Fermo

STELLA-SAMSON Louise Jeanne
Née le 22 janvier 1880 à Paris. XXᵉ siècle. Française.
Peintre de fleurs et de fruits et aquarelliste.
Élève de Madeleine Lemaire, Blanche Odin et Harpignies. Sociétaire des Artistes Français depuis 1900, elle figura au Salon de ce groupement ; mention honorable en 1909.

STELLA SANCHEZ Pauline
Née vers 1960. XXᵉ siècle. Depuis environ 1980 active aux États-Unis. Mexicaine.
Peintre, sculpteur, auteur d'assemblages, multimédia. Tendance minimaliste.
Elle vit et travaille à Los Angeles. En 1989, elle participa à une exposition du Centre d'art Contemporain d'Ivry-sur-Seine. Ensuite en 1990, la galerie Froment et Putman de Paris a présenté une exposition personnelle de ses réalisations.
Elle oppose ou intègre, ses peintures de type monochrome, la matière pigmentaire sensuellement triturée, à des objets réels, soit présentés devant les peintures, soit reproduits. Elle déclare ne pas voir l'intérêt de mêler la représentation et la peinture. Elle associe à ses peintures des objets quotidiens. L'objet réel peut sembler parfois établir une relation entre sa fonction et la peinture, le rateau pour ratisser la toile bleue, la marmite pour faire bouillir le gris d'une autre toile.
BIBLIOGR. : Denis Baudier : *Pauline Stella Sanchez*, Art Press, Paris, 1990.

STELLAART
Né vers 1920. XXᵉ siècle. Hollandais.
Peintre à la gouache.
Il est surtout connu pour ses œuvres figurant dans la collection Vidal de Saint-Germain.

STELLAERT François, Jacques, Jean. Voir STELLA

STELLARD. Voir l'article LYON Jacob

STELLATO Aniello
XVIIᵉ siècle. Actif à Naples dans la première moitié du XVIIᵉ siècle. Italien.
Sculpteur sur bois.
Il sculpta des statuettes et des figurines de crèche.

STELLATO Francesco
XVIIᵉ siècle. Actif à Naples dans la première moitié du XVIIᵉ siècle. Italien.
Sculpteur sur bois.
Il sculpta des statues de saints pour des églises de Naples.

STELLATO Mercurio
Né à Naples. XVIIᵉ siècle. Italien.
Peintre.
Il fut collaborateur d'Agostino Tassi à Rome de 1619 à 1627.

STELLER Pawel
Né le 23 janvier 1895 à Hermanice. XXᵉ siècle. Actif en Pologne. Tchécoslovaque.
Peintre de figures, graveur.
Il acquit sa formation à Prague et à Varsovie. Il peignit des têtes de paysans et d'ouvriers de Silésie.

STELLETSKII Dmitri Semenovich ou Stelletsky, Stellezkij
Né en 1875. Mort en 1947. XIXᵉ-XXᵉ siècles. Actif depuis 1914 en France. Russe.
Peintre de figures, portraits, peintre de décors de théâtre. Populiste.
Il fut élève de l'Académie des Beaux-Arts de Saint-Pétersbourg, notamment en sculpture. En 1903, avec Boris Kustodiev, il visita Novgorod, dans le but de recherches sur l'art de l'ancienne Russie, ce qui restera l'un de ses intérêts.
De 1904 à 1913, il participa aux expositions collectives de la Nouvelle Association des Artistes, l'Union des Artistes, et le Monde de l'Art. En 1912, il se joignit de nouveau au groupe du Monde de l'Art. Il a figuré aussi au Salon de la Société Nationale des Beaux-Arts de Paris.
De 1908 à 1909, il eut une activité d'illustrateur et décorateur de théâtre, notamment pour Serge de Diaghilev.
Ses peintures et décors exploitent des sujets populaires dans un style volontairement archaïsant.
VENTES PUBLIQUES : LONDRES, 9 mai 1984 : *Boris Godounov : projet de costume d'un prêtre russe*, aquar. reh. de gche blanche sur traits de cr. (65,5x33) : **GBP 1 500** – LONDRES, 22 mai 1992 : *Le fauconnier*, h/t (65x54,3) : **GBP 1 100.**

STELLING
XIXᵉ siècle. Actif à Hambourg. Allemand.
Paysagiste.
Le Musée Municipal de Hambourg conserve des aquarelles de cet artiste.

STELLINGWERFF Gerrit Louwerensz Van
XVIIᵉ siècle. Actif à Amersfoort. Hollandais.
Peintre.
Membre de la gilde en 1633. On cite de lui : *Les directeurs de saint Joris* (à l'église Saint-Joris, à Amersfoort).

STELLINGWERFF Jacobus
Mort avant le 12 décembre 1736. XVIIIᵉ siècle. Actif à Amsterdam. Hollandais.
Dessinateur.
Frère de Jan Stellingwerff. Le Musée de Bruxelles conserve de lui dix-huit vues de Hollande.

STELLINGWERFF Jan
Né vers 1684. XVIIIᵉ siècle. Hollandais.
Graveur au burin.
Frère et assistant de Jacobus Stellingwerff.

STELLMACHER Eduard
Né le 7 juin 1868 à Volckstedt (près de Rudolstadt). XIXᵉ-XXᵉ siècles. Allemand.
Sculpteur de statuettes.
Il travailla à Turn-Töplitz. Il sculptait la terre cuite et était modeleur sur porcelaine.
VENTES PUBLIQUES : PARIS, 28 mai 1991 : *Esclave*, terre cuite (H. 44, terrasse 13,5x13,5) : **FRF 10 000.**

STELLWAG Johann Nicolaus
XVIIIᵉ siècle. Travailla à Stuttgart de 1740 à 1750.
Peintre de portraits, peintre de miniatures.

STELSON Sylvia
Née le 2 septembre 1828. Morte le 16 octobre 1872 à Boston. XIXᵉ siècle. Américaine.
Peintre de natures mortes.

STELTNER Ludwig
Né en 1806 à Dantzig. XIXᵉ siècle. Allemand.
Peintre.
Il fit ses études à Munich et travailla à Dantzig.

STELTSER Paul ou Johann Paul
XVIIIᵉ siècle. Danois.
Stucateur.
Il exécuta des stucatures dans les châteaux de Copenhague et des environs.

STELTZNER Thesa
Née le 8 janvier 1868 à Francfort-sur-l'Oder. XIXᵉ-XXᵉ siècles. Allemande.
Peintre de natures mortes.

STELZEL Johann, l'Ancien
Né en 1748. Mort le 12 février 1816. XVIIIᵉ-XIXᵉ siècles. Actif à Prague. Autrichien.
Graveur au burin.

STELZEL Johann, le Jeune
Né en 1775. Mort le 25 mai 1837. XIXᵉ siècle. Actif à Prague. Autrichien.
Graveur au burin.

STELZEL Mar ou Marian
XVIIIᵉ siècle. Actif à Prague de 1757 à 1787. Autrichien.
Graveur au burin.

STELZER Johann Jakob ou Stelzner
Né vers 1706. Mort en 1780 à Augsbourg. XVIIIᵉ siècle. Allemand.
Graveur au burin.
Il grava des vues de villes et des reproductions de statues antiques.

STELZER Johannes
XVIIe siècle. Allemand.
Sculpteur.
Actif à Schongau, il travailla aussi à Wessobrunn de 1621 à 1628.

STELZIG Johann
XVIIIe-XIXe siècles. Actif de 1783 à 1805. Autrichien.
Peintre de grotesques et doreur.
Il travailla dans la Manufacture de porcelaine de Vienne.

STELZLE Melchior. Voir **STÖLZL**

STELZNER Carl Ferdinand
Né vers 1805 à Flensbourg. Mort le 23 octobre 1894 à Hambourg. XIXe siècle. Allemand.
Miniaturiste.
Les Musées de Göteborg et de Hambourg conservent des œuvres de cet artiste.

STELZNER Carl Gottlob
XIXe siècle. Travaillant à Flensbourg de 1805 à 1831. Allemand.
Miniaturiste et graveur au burin.
Père de Carolina Stelzner. Il peignit des vues de Flensbourg.

STELZNER Carolina ou **Anna Carolina**
Née le 20 décembre 1808 à Flensbourg. Morte le 31 mai 1875 à Dresde. XIXe siècle. Allemande.
Portraitiste et lithographe.
Femme de Carl Ferdinand Stelzner et élève de son père Carl Gottlob Stelzner. Le Musée de Hambourg conserve des œuvres de cette artiste.

STELZNER Heinrich
Né le 27 mai 1833 à Bayreuth. Mort le 12 novembre 1910 à Munich. XIXe-XXe siècles. Allemand.
Peintre de genre, graveur.
Il travailla à Munich, Bayreuth, Nuremberg.
MUSÉES : MUNICH (Pina.) : *La Bibliothèque* – ZURICH (Kunsthaus) : *Sermon protestant pendant la Guerre de Trente Ans*.
VENTES PUBLIQUES : NEW YORK, 15 oct. 1976 : *Printemps*, h/pan. parqueté (42,5x68,5) : USD 3 000 – VIENNE, 13 mars 1979 : *Le pasteur musicien*, h/pan. (44x31) : ATS 40 000 – LINDAU, 6 mai 1981 : *La Diseuse de bonne aventure*, h/pan. (22,5x20) : DEM 8 000 – NEW YORK, 29 oct. 1992 : *L'étude de documents 1883*, h/pan. (34,2x26) : USD 2 200.

STELZNER Johann
Né vers 1785 à Mühlhausen. XIXe siècle. Allemand.
Portraitiste et silhouettiste.

STELZNER Johann Jakob. Voir **STELZER**

STEMATSKY Avigdor
Né en 1908 à Odessa. Mort en 1989. XXe siècle. Actif depuis 1922 en Israël. Russe.
Peintre de scènes animées, intérieurs, figures, portraits, paysages, aquarelliste, pastelliste.
En 1928, il fut élève de l'École Bézalel de Jérusalem. En 1931, il vint poursuivre sa formation à Paris. Il est membre du groupe *Horizons Nouveaux*.
Il participe à des expositions collectives nationales et internationales d'art israélien, dont : en 1948, 1956 Biennale de Venise ; en 1949, l'exposition du groupe *New Horizons* à Tel-Aviv ; 1955 Biennale de São Paulo ; etc. En 1941 et en 1956, il a obtenu le Prix Dizengoff.
Dans une première période, il subit l'influence de Zaritsky, le fondateur et animateur du groupe *Horizons Nouveaux*. Il se libéra de cette emprise en évoluant vers une expression plus violente.
BIBLIOGR. : B. Dorival, sous la direction de, in : *Peintres contemp.*, Mazenod, Paris, 1964.
VENTES PUBLIQUES : TEL-AVIV, 16 mai 1983 : *Figure, maisons et arbres*, aquar. (41,5x34,5) : ILS 43 050 – TEL-AVIV, 2 jan. 1989 : *Personnages dans un intérieur entourés d'objets*, h/t (60,5x73) : USD 4 400 – TEL-AVIV, 3 jan. 1990 : *Le Parc du roi David*, h/t (38x46) : USD 9 680 – TEL-AVIV, 19 juin 1990 : *Intérieur 1940*, aquar. (40,5x33,5) : USD 3 080 – TEL-AVIV, 1er jan. 1991 : *Sans titre*, h/t (38,5x46,5) : USD 5 280 ; *Ramat Gan à King David Park*, h/t (38x46) : USD 9 350 – TEL-AVIV, 12 juin 1991 : *Cueillette des olives*, h/t (54x65) : USD 8 250 – TEL-AVIV, 26 sep. 1991 : *Composition*, h/t (46x55) : USD 8 250 – TEL-AVIV, 14 juin 1992 : *Intérieur 1940*, aquar. (40,5x33,5) : USD 7 040 – TEL-AVIV, 20 oct. 1992 : *Composition 1959*, past. aquar. et cr. (48,8x68) : USD 5 500 – TEL-AVIV, 14 avr. 1993 : *Composition 1962*, aquar. et fus. (70x100) :

USD 4 140 – TEL-AVIV, 4 oct. 1993 : *Composition 1966*, h/t (41x28) : USD 5 175 – NEW YORK, 23 fév. 1994 : *Composition abstraite 1967*, cr. de coul./pap. (50,8x64,2) : USD 2 760 – TEL-AVIV, 4 avr. 1994 : *Composition*, h/t (73x54) : USD 6 670 – TEL-AVIV, 11 avr. 1996 : *Portrait de jeune fille*, h/t (61,3x46,2) : USD 12 650 – TEL-AVIV, 30 sep. 1996 : *Composition 1969*, h/t (99,8x81,3) : USD 12 650 – TEL-AVIV, 24 avr. 1997 : *Composition 1974*, aquar. et cr./pap. (100x69,5) : USD 5 000 – TEL-AVIV, 23 oct. 1997 : *Composition 1966*, h/t (75x92) : USD 25 300.

STEMMER
XVIIIe siècle. Actif à Stuttgart travaillant en 1799. Allemand.
Portraitiste.

STEMMER Johann Jakob. Voir **STIMMER**

STEMMLER Gertrud
Née le 4 novembre 1889 à Aschaffenburg. XXe siècle. Allemande.
Peintre.
Elle fut élève de l'Académie des Beaux-Arts de Stuttgart, ville où elle a ensuite travaillé.

STEMMLER Hermann
Né le 20 août 1893 à Hirschberg. Mort le 6 août 1918 en France, tombé au front. XXe siècle. Allemand.
Peintre.
Il fut élève de Hugo von Habermann à Munich, de Christian Landenberger à l'Académie des Beaux-Arts de Stuttgart.

STEMOLAK Karl
Né le 11 novembre 1875 à Graz. XXe siècle. Autrichien.
Sculpteur de monuments, statues, statues allégoriques, bustes de portraits.
Il fut élève de Edmund Hellmer et de l'Académie des Beaux-Arts de Vienne.
Il sculpta de nombreuses statues pour les monuments publics de Vienne.
MUSÉES : VIENNE (Gal. Nat.) : *Buste d'une musicienne* – VIENNE (Städtisches Mus.) : *Beauté consciente d'elle-même*.

STEMP
XVIIIe siècle. Actif dans la seconde moitié du XVIIIe siècle. Allemand.
Sculpteur.
Le Musée du Château de Stuttgart conserve de lui le portrait en albâtre de l'abbé *Gerbert de Saint-Blasien*.

STEMPEL Johann Georg
XVIIIe siècle. Actif à Rohrbach de 1709 à 1735. Autrichien.
Sculpteur sur bois.
Il a sculpté des stalles, des chaires et un buffet d'orgues dans les églises de Rohrbach et de Schlägl.

STEMPEL Konrad
XVIIIe siècle. Actif à Rohrbach dans la première moitié du XVIIIe siècle. Autrichien.
Sculpteur sur bois.
Il a sculpté les autels latéraux dans l'église de Rohrbach.

STEMPEL Sophie Angelika von
Née le 13 mai 1827 en Courlande. XIXe siècle. Allemande.
Peintre.
Élève de J. Döring à Mitau et de R. Kummer à Dresde. Elle a peint des tableaux d'autel pour l'église de Jakobstadt en 1883.

STEMPFEL André
Né le 20 octobre 1930 à Villeurbanne (Rhône), de père suisse.
XXe siècle. Français.
Peintre technique mixte, peintre de collages, sculpteur d'assemblages, environnements. Abstrait-géométrique.
Groupe MADI.
À l'âge de quinze ans à Lyon, il fréquenta l'Académie du Minotaure, dirigée par un disciple d'Albert Gleizes. À partir de 1950, il s'établit à Grenoble, où il travailla à l'École des Arts Décoratifs et suivit les cours d'histoire de l'art à la Faculté. Arrivé à Paris en 1957, il fréquenta l'Académie de la Grande Chaumière.
Il participe à des expositions collectives, dont : en 1962 au Musée de Grenoble, *Jeunes artistes* ; 1965 Paris, *Schèmes*, au Musée d'Art Moderne de la Ville ; 1984 Paris, *Sols*, au Centre national des arts plastiques ; 1987 Paris, *Lisible, illisible*, au Centre Beaubourg ; 1989 Nouveau Musée de Villeurbanne, *Dépôts du Fonds national d'art contemporain* ; 1995 Albuquerque, MADI, galerie Arte structura ; 1997 Madrid, *MADI*, Musée Reina Sophia ; 1997 Paris, *Art construit*, galerie Florence Arnaud ; etc. À Paris, il a participé au Salon de Mai et au Salon de Montrouge ; depuis

1968, il participe au Salon des Réalités Nouvelles, dont il est membre du comité depuis 1980 ; de 1980 à 1985, il a présenté de grandes installations au Salon de la Jeune Sculpture.

Il montre des ensembles de ses réalisations dans des expositions personnelles, d'entre lesquelles : 1963 Paris, galerie du Haut Pavé ; 1968 Grenoble, galerie Parti pris ; 1968, 1970 Paris, galerie La Roue ; 1979 Paris, galerie Rive gauche ; 1987-88 Grenoble, *Morceaux choisis, Éléments de panique*, Espace Achard ; 1991 Paris, *Éléments de panique*, galerie Claude Dorval ; 1994 Clamart, *Concerto pour silence et jaune Sénégal*, Centre Chanot d'Arts Plastiques ; 1995 Paris, *Di-fractions en jaune d'or*, galerie Florence Arnaud ; 1997 Paris, *Variations sur quatre notes*, galerie Claude Dorval ; 1997 Hospices de Gigondas, *Dessins et installations* ;...

De son atelier sortent des tableaux, excédant souvent par quelque fuite hors champ le bidimensionnel, et des sculptures, autonomes en eux-mêmes, prêts à transférer leur provocation à réflexion tempérée d'humour dans les domiciles particuliers, mais surtout les projets d'interventions, monumentales, en extérieur. Pour lui, la sculpture a pour destination de se mesurer et conjuguer avec l'espace ce peuvent être des espaces bâtis ou naturels, peut-être plus souvent justement entre les espaces inévitables entre le naturel et le bâti. Stempfel, dont la malice à jouer à cache-cache avec les espaces a été de longtemps repérée, a eu et continue d'avoir de nombreuses occasions de réaliser ces interventions « in situ », depuis 1969, soit à titre éphémère, soit plus d'une trentaine au titre d'animations définitives, dont : 1972 à Poitiers, un mur-signal en acier émaillé pour un collège d'enseignement secondaire ; 1975 Sassenage (Isère), espace sculpté en béton et lave émaillée ; 1977 Échirolles, sculpture en béton polychrome au collège d'enseignement secondaire Pablo Picasso ; 1979 Thonon-les-Bains, façade monumentale en acier émaillé pour l'Hôtel des Finances ; 1989 Meaux, volumes en métal peint et installations au sol pour l'Hôtel des Finances ; 1993 Noisiel, ensemble sculpté en béton peint pour l'Hôtel des Finances ; 1994 Berlin, deux murs en pierres polychromes pour un immeuble du centre ; 1997 Paris, un mur en pierres polychromes pour le siège de Hanovre International ;...

Les matériaux que Stempfel met en œuvre sont divers, depuis le simple carton jusqu'au béton, en fonction de l'œuvre à réaliser, de ses contraintes, bi-dimensionnelle ou tri-dimensionnelle, localisation, exposition, etc. Ces matériaux sont divers d'ailleurs indifférents, puisque, quels qu'ils soient, leur aspect final doit être géométriquement anonyme.

La poétique de Stempfel est à double face, paradoxale, en ce qu'elle concilie dans un subtil compromis l'austérité du géométrique abstrait et le sourire en coin (on devrait dire en angle) de « calembours plastiques ». En œuvres planes (ou à peu près) ou en œuvres en volume en œuvres en espace, toujours le premier aspect propose du géométrique pur et dur, dans la tradition constructiviste ou plasticiste qui va de Mondrian, Van Doesburg, à François Barré, François Morellet, mais, dès le second regard, on s'aperçoit qu'un perturbateur facétieux est passé par là. Cette poétique a des aspects de stratégie militaire, il s'agit de prendre le spectateur par surprise, au dépourvu. En règle générale, la perfection fondamentale du géométrique est perturbée subrepticement à l'intérieur d'elle-même, par elle-même, c'est un de ses constituants parfaits qui pourtant sème la zizanie, par un principe de déplacement incongru : une case de l'ensemble mural a glissé jusqu'au sol ou bien l'arche monumentale qui se voulait majestueuse a égaré les éléments de sa clef de voûte qui parsèment le parvis. Stempfel pourrait faire sien l'adage de G. K. Chesterton : « Avec quoi plaisanter sinon avec les choses sérieuses ? ». ■ J. B.

STEMPSIUS D. G. Voir **SEMPELIUS**

STEN. Voir aussi **STEEN**

STEN John
Né le 12 mai 1879 à Njutanger. Mort le 22 décembre 1922 dans l'île de Bali. XXe siècle. Suédois.
Peintre de nus, paysages. Postcézannien.
Il fut l'assistant d'Amalia Lindegren. Ses peintures dénotent une influence française, de Cézanne à Matisse.
Musées : GÖTEBORG – HUDIKSVALL – LINKÖPING – STOCKHOLM.
Ventes Publiques : GÖTEBORG, 29 mars 1973 : *Nu assis* : **SEK 5 000** – STOCKHOLM, 21 avr. 1982 : *Village de pêcheurs*, h/t (48x68) – STOCKHOLM, 14 juin 1990 : *Nu féminin assis*, h/t (85x64) : **SEK 105 000** – STOCKHOLM, 5-6 déc. 1990 : *Paysage méridional*, h/t (58x99) : **SEK 29 000** – STOCKHOLM, 30 nov. 1993 : *Nu féminin*, h/t (64x33) : **SEK 15 000**.

STENBERG Emerik, ou Isaak Johan Emerik Gustav
Né le 7 janvier 1873 à Stockholm. Mort le 31 juillet 1927 à Leksand. XIXe-XXe siècles. Suédois.
Peintre de genre, intérieurs, portraits, paysages.
Il fut élève de l'Académie des Beaux-Arts de Stockholm.
Dans une technique saine et robuste, il a particulièrement bien traduit le folklore de la Dalécarlie.
Musées : GÖTEBORG : *Veillée mortuaire à Leksand* – STOCKHOLM (Mus. Nat.) : *À l'heure du crépuscule* – STOCKHOLM (Mus. Nordique) : *Portrait de B. Salin* – STOCKHOLM (Mus. Historique) : *Oscar Montelius*.
Ventes Publiques : GÖTEBORG, 5 avr. 1978 : *Jeune fille arabe* 1896, h/t (40x20) : **SEK 6 200** – STOCKHOLM, 21 avr. 1982 : *Deux hommes dans un intérieur rustique*, h/t (65x84) : **SEK 17 800** – STOCKHOLM, 29 oct. 1985 : *Vieillard dans un intérieur* 1900, h/t (90x65) : **SEK 33 000** – STOCKHOLM, 28 oct. 1991 : *Intérieur avec une cuisinière* 1912, h/t (89x74) : **SEK 19 500**.

STENBERG Georgij Augustovitch ou Gueorgui Avgoustovitch
Né en 1900 à Nijni-Novgorod. Mort en 1933 à Moscou. XXe siècle. Russe.
Graphiste, affichiste, décorateur.
Frère de Vladimir Stenberg ; ils étaient fils d'un peintre suédois, naturalisé russe. Inséparables, ils eurent le même parcours, jusqu'à la mort accidentelle de Georgij ; peut-être celui-ci était-il plutôt le collaborateur de son aîné. De 1912 à 1917, ils furent élèves en scénographie de l'Institut d'Art Stroganov à Moscou, puis poursuivirent leur formation en peinture et sculpture dans les ateliers Swomas (Ateliers Nationaux Supérieurs d'Art Libres).
En 1919, 1920, 1921, ils participèrent aux expositions de l'*Obmokhu* (Société des Jeunes Artistes) ; en 1921, à l'exposition *Les Constructivistes*. À partir de 1922, ils obtinrent des Prix et distinctions pour leurs scénographies et affiches. En 1925, ils obtinrent une médaille d'or à l'Exposition Internationale des Arts Décoratifs de Paris.
Spécialisés dans le graphisme, le décor et les costumes de théâtre, ils signaient ensemble : *2 Stenberg 2*. Ils créaient alors des décors pour le studio de cinéma Chanzonkov et pour un théâtre d'opérette de Moscou. À partir de 1918, ils assumèrent la charge des travaux d'aménagement de la Place Rouge de Moscou, pour la commémoration annuelle de la Révolution d'Octobre. En 1919, ils réalisèrent des *Constructions polychromes*, des *Constructions techniques* et un *Emblème de l'exposition du Bâtiment*, en métal et verre. De 1922 à 1931, ils travaillaient pour les aménagements matériels du Théâtre Kamernyi d'Alexandre Taïrov, ensuite pour des affiches de films. Ces affiches de films, en grand nombre, sont caractérisées par leurs effets dynamiques et rythmiques, obtenus par la démultiplication des images, procédé proche du futurisme italien. En 1932, ils participèrent au concours pour la construction du Palais des Soviets ; leur projet fut retenu mais non réalisé. Dans leurs diverses activités, les frères Stenberg se sont affirmés parmi les précurseurs et promoteurs du constructivisme russe.
■ J. B.

Bibliogr. : In : Encyclopédie *Les Muses*, Grange Batelière, Paris, 1969 – 1975 – Andrei B. Nakov : Catalogue de l'exposition *V. A. et G. A. Stenberg, la période « Laboratoire », 1919-1921 du Consructivisme Russe*, gal. J. Chauvelin, Paris, 1975, importante documentation – in : Catalogue de l'exposition *Paris-Moscou*, Centre Beaubourg, Paris, 1979 – in : *L'Art du XXe siècle*, Larousse, Paris, 1991 – in : *Diction. de l'Art Mod. et Contemp.*, Hazan, Paris, 1992.

Ventes Publiques : NEW YORK, 21 mai 1981 : *Extinction du feu*, pl. et encre de Chine avec aquar. (27x18,2) : **USD 4 250** – LONDRES, 2 avr. 1987 : *Projet d'affiche de sport* vers 1928, gche/ traits de cr./pap. mar./cart. (24,5x36) : **GBP 2 500** – LUGANO, 28 mars 1992 : *Deux danseuses*, cr. et détrempe/pap. (28,7x35) : **CHF 4 700**.

STENBERG Johan Erland
Né le 21 février 1838 à Koikhala. Mort le 9 février 1917 à Helsinki. XIXe-XXe siècles. Finlandais.
Sculpteur.
Musées : HELSINKI : *Oreste poursuivi par les Euménides* – *Buste de Charles XV* – *Médaillon de J. J. Nervander* – *Médaillon du musicien Ro'b Kajanus* – *Buste du conseiller des mines J. J. von Julin* – *Buste du baron Wrede* – *Deux études.*

STENBERG Vladimir Augustovitch ou Avgoustovitch
Né en 1899. Mort en 1982. XXe siècle. Russe.

Sculpteur, graphiste, affichiste, décors de théâtre. Constructiviste.

Son parcours est inséparable de celui de son frère Georgij, jusqu'à la mort de celui-ci en 1933. Ils étaient fils d'un peintre suédois, naturalisé russe. De 1912 à 1917, ils furent élèves en scénographie de l'Institut d'Art Stroganov à Moscou, ensuite ils furent étudiants en peinture et sculpture aux ateliers du *Swomas* (Ateliers Nationaux Supérieurs d'Art Libres) et membres du groupe *Obmokhu* (Société des Jeunes Artistes).

Ils participaient à des expositions collectives : en 1919, 1920, 1921 aux expositions de l'*Obmokhu* ; en 1921, à l'exposition *Les Constructivistes*. Leurs constructions métalliques furent exposées en 1922 à Moscou et à Berlin à la galerie Van Diemen, en 1923 à Paris à la galerie Paul Guillaume. À partir de 1922, ils obtinrent des Prix et distinctions pour leurs scénographies et affiches. En 1925, ils obtinrent une médaille d'or à l'Exposition Internationale des Arts Décoratifs de Paris. En 1977, à Paris, ils étaient représentés à l'exposition *Aspects historiques du Constructivisme et de l'Art Concret* au musée d'Art moderne de la ville.

L'activité des deux frères fut très diverse. Spécialisés dans le graphisme, le décor et les costumes de théâtre, ils signaient ensemble, dès 1915-16 : 2 Stenberg 2. Ils créaient alors des décors pour le studio de cinéma Chanzonkov et pour un théâtre d'opérette de Moscou.

Après la Révolution, en « agit'prop », ils prirent part à la décoration pour les fêtes de masse. À partir de 1918, ils assumèrent la charge des travaux d'aménagement de la Place Rouge de Moscou, pour la commémoration annuelle de la Révolution d'Octobre, charge que Vladimir conserva jusqu'en 1948. Lorsque, en 1919, ils assemblèrent des *Constructions polychromes*, des *Constructions techniques* et un *Emblème de l'exposition du Bâtiment*, faits de matériaux modernes, en métal et verre, défiant les lois de la pesanteur et de l'équilibre, ils œuvraient dans la continuité du constructivisme de Tatlin. Ces œuvres, exposées à Moscou, Berlin et Paris, n'ont pas été conservées ; grâce à des photos prises alors par Vladimir, certaines ont pu être reconstituées en 1974. Ayant renoncé à la création artistique « pure », de 1922 à 1931, ils travaillaient pour les aménagements matériels du Théâtre Kamernij d'Alexandre Taïrov à Moscou, ensuite pour des affiches de films. Ces affiches de films, en grand nombre, sont caractérisées par leurs effets dynamiques et rythmiques, obtenus par la démultiplication des images par photomontage, procédé proche du futurisme italien. En 1932, ils participèrent au concours pour la construction du Palais des Soviets ; leur projet fut retenu mais non réalisé. Après la mort de Georgij, en 1933, Vladimir poursuivit sa carrière, notamment en tant que conseiller de l'Office des Transports Urbains de Moscou, chargé de la conception des wagons. Dans leurs diverses activités, les frères Stenberg se sont affirmés parmi les précurseurs et promoteurs du constructivisme russe. ■ J. B.

Bibliogr. : In : Encyclopédie *Les Muses*, Grange Batelière, Paris, 1969 – 1975 – Andrei B. Nakov : Catalogue de l'exposition *V. A. et G. A. Stenberg, la période « Laboratoire », 1919-1921 du Constructivisme Russe*, gal. J. Chauvelin, Paris, 1975, importante documentation – in : Catalogue de l'exposition *Paris-Moscou*, Centre Beaubourg, Paris, 1979 – in : *L'Art du xxᵉ siècle*, Larousse, Paris, 1991 – in : *Diction. de l'Art Mod. et Contemp.*, Hazan, Paris, 1992.

STENBOCK Magnus von, comte
Né le 12 mai 1664 à Stockholm. Mort le 23 février 1717 à Copenhague. xviiᵉ-xviiiᵉ siècles. Suédois.
Peintre de portraits.
Ce général a peint de bons portraits.

STENBOCK Magnus von, comte
Né en 1806 à Reval. Mort en 1836 à Düsseldorf. xixᵉ siècle. Allemand.
Peintre.
Il fit ses études à Dresde et à Düsseldorf. Il peignit des scènes de soldats et de brigands.

STENDER Johann Carl
xviiiᵉ siècle. Allemand.
Sculpteur.
Il sculpta des statues décoratives devant le Palais Artus à Dantzig vers 1760.

STENDLER Karl
Né le 14 janvier 1858 à Hambourg. xixᵉ-xxᵉ siècles. Allemand.
Sculpteur.
Il fut élève de l'Académie des Beaux-Arts de Dresde.

STENE Giovanni, dit Monsu-Zan
Mort vers 1728. xviiiᵉ siècle. Actif à Venise. Italien.
Miniaturiste.

STENE Jan Van der. Voir SCHOONJANS Jan

STENE Jean. Voir STEVE

STENELT Adam ou Steinelt ou Steinvelt
Né à Freiberg. Mort après 1631. xviiᵉ siècle. Allemand.
Sculpteur.
Il travailla à Osnabruck au service du prince-évêque Philippe Sigismond. Il sculpta surtout des tombeaux dans un style Renaissance-baroque. On trouve ses œuvres dans les cathédrales de Münster et d'Osnabrück.

STENERSEN Gudmund
Né le 18 août 1863 à Ringsacker. Mort le 17 août 1934 à Oslo. xixᵉ-xxᵉ siècles. Norvégien.
Peintre de genre, paysages animés, paysages.
Il a figuré au Salon des Artistes Français de Paris, 1900 médaille d'argent pour l'Exposition Universelle.
Musées : Bergen (Gal. Municip.) : *En partant au pâturage* – Oslo (Gal. Nat.) : *Paysage* – Trondheim : *Messe du Dimanche*.

STENERSEN Olaf Sigurd
Né le 1ᵉʳ avril 1894 à Copenhague. xxᵉ siècle. Danois.
Peintre de figures, paysages, natures mortes.

STENGEL George J.
Né le 26 septembre 1872 à Newark (New Jersey). Mort en 1937. xixᵉ-xxᵉ siècles. Américain.
Peintre.
Il fut élève de l'Art Students' League de New York et de l'Académie Julian à Paris. Il était membre du Salmagundi Club et de la Fédération Américaine des Arts.
Ventes Publiques : New York, 3 déc. 1996 : *La Voix du printemps*, h/t (51,5x61) : USD 3 680.

STENGEL Gustav Philipp
Né en 1812 à Nuremberg. xixᵉ siècle. Allemand.
Peintre.
Élève de l'École d'Art de Nuremberg ; il continua ses études à Munich.

STENGEL Johann Christoph. Voir STENGL

STENGEL Reinhard
Né à Hanau (Hesse). xixᵉ siècle. Actif dans la première moitié du xixᵉ siècle. Allemand.
Peintre.
Élève de K. Westermayr. Il s'établit à Madrid en 1813.

STENGEL Stephan Christian de, baron
Né le 6 octobre 1750 à Mannheim. Mort le 3 octobre 1822 à Bamberg. xviiiᵉ-xixᵉ siècles. Allemand.
Dessinateur et aquafortiste amateur.
Il dessina des paysages, des scènes et costumes populaires, des insectes et des caricatures ; il grava des paysages.
Ventes Publiques : Munich, 29 oct. 1985 : *Jeune fille vue de dos*, sanguine (22x13,5) : DEM 2 000.

STENGELEIN Johann Eberhard ou Stenglein
Mort en 1803 à Ansbach. xviiiᵉ siècle. Allemand.
Peintre sur porcelaine.
Il travailla à la Manufacture de porcelaine de Brückberg. Le Musée Municipal d'Ansbach conserve de lui une tasse à café avec un paysage hollandais.

STENGELER
xviiiᵉ siècle. Allemand.
Peintre.
Il a peint trois tableaux pour l'église Saint-Paul d'Aix-la-Chapelle vers 1790.

STENGELIN Alphonse
Né le 26 septembre 1852 à Lyon (Rhône). Mort le 12 mars 1938 à Satigny (canton de Genève). xixᵉ-xxᵉ siècles. Actif aussi en Suisse. Français.
Peintre de portraits, animaux, paysages et marines animés, natures mortes, fleurs, graveur.
Il fut élève de Augustin P. B. Chenu dit Fleury et de Joseph B. Guichard à l'École des Beaux-Arts de Lyon, puis de Florian Némorin Cabanne. Il termina sa carrière à Satigny, en Suisse.
Il exposa, à Paris, au Salon des Artistes Français, à partir de 1882, et régulièrement au Salon de la Société Nationale des

Beaux-Arts. Il obtint une mention honorable en 1885, une médaille de bronze en 1889, pour l'Exposition Universelle.
On lui doit des paysages hollandais, qui évoquent la manière de Jan Josefsz Van Goyen, des vues du Nord et de la Meuse ; il peignit également des natures mortes et des fleurs.

MUSÉES : AIX-EN-PROVENCE : *Landes solitaires* – AMSTERDAM (Rijksmus.) : *Clair-obscur en Drenthe* – AMSTERDAM (Mus. mun.) : *Nocturne – Lever de lune à Wormoud* – AMSTERDAM (Mus. Nat.) : *Paysage à Drenthe* – ANGERS : *Plage de Katwijk* – AVIGNON (Mus. Calvet) : *Vue du parc d'Ecully – La Meuse à Dordrecht* – BÂLE : *Cour de ferme en Hollande* – BORDEAUX (Mus. des Beaux-Arts) : *Effet de neige* – CARCASSONNE : *Éclaircie* – CARPENTRAS : *Arrivée de bateau pêcheur* – DIGNE : *Bords de fleuve en Hollande* – DORDRECHT : *Temps orageux* – GENÈVE : *Le Bain des vaches* – GRENOBLE (Mus. des Beaux-Arts) : *Ferme sous bois* – LA HAYE (Mus. Mesdag) : *Soleil couchant derrière un moulin* – LYON (Mus. des Beaux-Arts) : *Environs d'Assen* – MARSEILLE (Mus. Cantini) : *Coup de soleil d'automne* – MONTPELLIER (Mus. Fabre) : *Fin d'automne en Hollande* – NANTES (Mus. des Beaux-Arts) : *Mer du Nord* – NARBONNE : *La Meuse en Hollande* – NICE (Mus. Chéret) : *Environs de Laaghalen* – NÎMES (Mus) : *Dunes en Hollande* – PAU : *Débarquement sur la plage* – RIOM : *Bateau sur la Mer du Nord* – SAINT-ÉTIENNE (Mus. d'Art et d'Industrie) : *Vaches hollandaises.*
VENTES PUBLIQUES : PARIS, 27 mars 1900 : *Paysage hollandais* : FRF 50 – PARIS, 11 mai 1945 : *Bords de mer* : FRF 700 – PARIS, 11 juin 1945 : *Paysage* : FRF 600 ; *Marine* : FRF 1 000 ; *Moutons sur la route* : FRF 1 350 – CALAIS, 7 juil. 1996 : *Vase de fleurs 1912*, h/t (47x44) : FRF 7 000.

STENGER Eduard
Né le 29 décembre 1833. Mort le 24 février 1895 à Damm (près d'Aschaffenbourg). XIXe siècle. Allemand.
Dessinateur.
Élève de Johann Klipphan. Il travailla à la Manufacture de faïence de Damm.

STENGER Johann
Né en 1767. Mort le 7 mai 1802 à Vienne. XVIIIe siècle. Autrichien.
Graveur au burin.

STENGL Johann Christoph ou Stengel
XVIIe-XVIIIe siècles. Actif à Munich. Allemand.
Graveur.
Il fut graveur à la cour de Munich. Le Musée National de Munich conserve des fusils gravés par cet artiste.

STENGLE Ulrich
XVIIIe siècle. Allemand.
Sculpteur.
Il exécuta des ornements au maître-autel de l'église de Gunzbourg vers 1757.

STENGLEIN Johann Eberhard. Voir STENGELEIN

STENGLIN Emanuel
XVIIe siècle. Actif à Augsbourg de 1640 à 1660. Allemand.
Dessinateur et architecte.
Il dessina des vues d'Augsbourg. Le Musée de cette ville conserve de lui *Le marché aux vins d'Augsbourg* et deux dessins à la plume.

STENGLIN Ernst Hugo von, baron
Né le 13 novembre 1862 à Schwerin. Mort le 10 novembre 1914 près de Dixmude, tué au front. XIXe-XXe siècles. Allemand.
Sculpteur, peintre de sujets de sport.
Il fut élève de l'Académie des Beaux-Arts de Munich.
Il s'était spécialisé dans les sujets de chasse.

STENGLIN Ferdinand
XVIIIe siècle. Actif à Stuttgart vers 1710. Allemand.
Peintre de portraits et graveur à la manière noire.
Il a gravé des portraits et des allégories.

STENGLIN Johann ou Stenglen
Né en 1715 à Augsbourg. Mort en 1770 à Saint-Pétersbourg. XVIIIe siècle. Russe.
Graveur au burin à la manière noire.
Élève de J. G. Bodenehr à Augsbourg. Il s'établit à Saint-Pétersbourg en 1741. Il grava des portraits.

STENGLMAIR J. Al.
XVIIIe siècle. Actif à Munich. Allemand.
Graveur.

STENIUS Per
Né en 1922. XXe siècle. Finlandais.
Peintre de paysages, aquarelliste. Abstrait-paysagiste, polymorphe.
Peintre de petits formats. D'une part, il poursuit la quête parfaitement figurative des paysages de son pays, notamment des neiges de Laponie. D'autre part, ne reniant pas l'influence de Paul Klee, il passe simultanément d'une semi-abstraction poétique à des variations totalement abstraites, usant de colorations délibérément chantantes.
BIBLIOGR. : B. Dorival, sous la direction de, in : *Peintres contemp.*, Mazenod, Paris, 1964.
VENTES PUBLIQUES : STOCKHOLM, 22 mai 1989 : *Chemin forestier* 1988, h/t (71x49) : SEK 39 000.

STENMAN Andreas
XVIIIe siècle. Actif dans la seconde moitié du XVIIIe siècle. Suédois.
Peintre sur faïence.
Inventeur du procédé pour reproduire des estampes sur faïence. Il travailla dans la manufacture de Marieberg.

STENN Henri
Né en 1903. Mort en 1993. XXe siècle. Français.
Peintre de paysages, paysages portuaires, paysages d'eau.
VENTES PUBLIQUES : LA VARENNE-SAINT-HILAIRE, 29 mai 1988 : *Bord de Marne*, h/t (54x65) : FRF 10 000 – PARIS, 16 oct. 1988 : *Bords de Marne*, h/t (46x55) : FRF 7 000 – PARIS, 12 fév. 1989 : *Bretagne*, h/isor. (41x54) : FRF 8 500 – PARIS, 17 déc. 1989 : *Port de la Meuse*, h/t (46x55) : FRF 11 300 – VERSAILLES, 21 jan. 1990 : *Bords de Marne*, h/t (46x55) : FRF 6 800 – PARIS, 23 mars 1990 : *L'étang 1950*, h/cart. (49x61) : FRF 5 500 – SCEAUX, 10 juin 1990 : *Bord de Marne*, h/t (46x55) : FRF 7 500 – PARIS, 24 mars 1995 : *Bords de Marne*, h/t (46x55) : FRF 7 500.

STENNE Pierre A. L.
Né en 1893. Mort le 24 septembre 1967 à Paris. XXe siècle. Français.
Sculpteur, animalier.
Il exposait à Paris, au Salon des Artistes Français.
VENTES PUBLIQUES : PARIS, 8 nov. 1995 : *Étalon boulonnais*, bronze (H. 23) : FRF 10 800.

STENNE Robert
Né en 1931 à Verviers. XXe siècle. Belge.
Peintre, aquarelliste. Tendance abstraite.
Aquarelliste sensible, il joue avec subtilité sur la fluidité des formes qui se font et se défont. Stenne veut tenter une approche de l'infra-humain ou de l'au-delà, par une investigation de l'inconscient. Quand il est peintre à l'huile, si le propos reste le même, sa manière s'alourdit avec la technique.
BIBLIOGR. : In : *Dict. biogr. illustré des artistes en Belgique depuis 1830*, Arto, Bruxelles, 1987.

STENNER Hermann
Né en 1891 à Bielefeld. Mort à l'automne 1914, tué au front. XXe siècle. Allemand.
Peintre.
Il fut élève d'Adolf Hölzel à l'Académie des Beaux-Arts de Stuttgart.
BIBLIOGR. : Georg Gmelin : *Hermann Stenner*, K. Thiemig, Munich, 1975.
VENTES PUBLIQUES : BIELEFELD, 29 sep. 1984 : *Nu assis*, h/cart. (69x49) : DEM 12 000 – MUNICH, 25 nov. 1986 : *Montjoie 1912*, h/t (38x40,5) : DEM 14 000 – DÜSSELDORF, 27 juin 1987 : *Scène de théâtre 1913*, aquar. et pl. reh. d'or (28,5x17) : DEM 3 800.

STENNES
Né à Neuerbourg. XVIIIe siècle. Allemand.
Sculpteur.
Il a sculpté le maître-autel et les stalles de l'église de Weweler en 1774.

STENNETT William, dit **Delineator**
Mort vers 1762 à Boston (Angleterre). XVIIIe siècle. Britannique.
Dessinateur de vues.
Cet amateur fit, dans la première moitié du XVIIIe siècle un certain nombre de dessins des églises du Lincolnshire, dont quelques-uns furent gravés. Il les signait *Delineator*. Il était marchand. On affirme qu'il mourut ruiné.

STENRAT Johannes ou **Steenroet** ou **Steenrot** ou **Stenrod** ou **Steynrot**
Né entre 1410 et 1415. Mort en 1484 à Lübeck. XVe siècle. Allemand.
Peintre et sculpteur sur bois.
Il travailla à Lübeck et en Suède, surtout pour l'église de Vadstena.

STENREE Willem ou **Georg** ou **Steenree**
Né en 1600 à Utrecht. Mort en 1648. XVIIe siècle. Hollandais.
Peintre d'histoire, sujets allégoriques.
Neveu et élève de Cornelis Poelemburg dont il imita la manière.

STENSTADVOLD Hakon
Né en 1912 à Sarpsborg. Mort en 1977 à Waerum. XXe siècle. Suédois.
Peintre de genre.
VENTES PUBLIQUES : COPENHAGUE, 13 avr. 1994 : *La lampe allumée* 1939, h/t (68x94) : **DKK 15 000.**

STENT Peter
D'origine hollandaise. XVIIe siècle. Travaillant à Londres de 1640 à 1667. Britannique.
Graveur au burin et éditeur.
Il grava des animaux et des fleurs.

STENVELDEN P. Van
XVIIe siècle. Actif à la fin du XVIIe siècle. Hollandais.
Peintre.
Il grava une vue de Gibraltar.

STENVINKEL Jan
Né en 1933 à Stockholm. XXe siècle. Suédois.
Peintre. Expressionniste.
De 1954 à 1957, il fut élève de Endre Nemes et Torsten Renqvist à l'École des Beaux-Arts de Valand, à Göteborg, où il est établi et où il est membre du *Groupe 54*. Il participe à des expositions collectives, dont : en 1957 à New York ; en 1962 à Paris, *Aspects de la jeune peinture suédoise*. Il montre des ensembles de ses œuvres dans des expositions personnelles : 1957 Stockholm ; 1959 Göteborg.
Il fait partie de ce qu'on peut appeler l'école de Göteborg, dont l'activité n'est pas moindre que celle de Stockholm. Les peintres de Göteborg se distinguent peut-être de ceux de Stockholm en ce qu'ils sont plus marqués par la tradition expressionniste très ancrée dans les pays scandinaves, tandis que ceux de Stockholm sont plus sensibilisés aux mouvements d'idées venus de l'ouest.
BIBLIOGR. : Folke Edwards, in : Catalogue de l'exposition *Aspects de la jeune peinture suédoise*, gal. J. Massol, Paris, 1962.

STENVORDE Bertold von ou **Steenvorde**
Né entre 1370 et 1380. Mort en 1446 à Lübeck. XIVe-XVe siècles. Allemand.
Peintre.
Il travailla pour les Dominicains de Trondhjem en 1436.

STENZEL Wilhelm ou **Stentzel**
XVIIIe-XIXe siècles. Actif à Blessin. Allemand.
Peintre de genre et d'histoire.
Élève de l'Académie de Berlin ; il y exposa jusqu'en 1810.

STENZER Joseph
Né en 1790 à Hengersberg. Mort en 1842. XIXe siècle. Actif à Munich. Allemand.
Lithographe amateur.

STEPANEK Ernö ou **Ernst**
Né le 29 janvier 1881 à Czegled. Mort en août 1934 à Budapest. XXe siècle. Hongrois.
Peintre de paysages.

STEPANOV
Né vers 1935. XXe siècle. Russe.
Peintre, sculpteur technique mixte. Cinétique.
Avec surtout Lev Nusberg, ainsi que Francisco Infante, Volodja Galkin, il fait partie du groupe *Dvizjenie*, dont les activités sont consacrées aux effets optiques, lumineux et cinétiques. Dans ce groupe œuvrent des techniciens de disciplines diverses.

BIBLIOGR. : Frank Popper, in : *L'art cinétique*, Gauthier-Villars, Paris, 1970.

STEPANOV Alexei Stiepanovitch ou **Claude** ou **Stiepanov, Stiepanoff**
Né en 1854. Mort en 1910. XIXe siècle. Russe.
Peintre d'icônes, scènes de chasse, sujets de genre, paysages animés, peintre à la gouache, aquarelliste.
On doit remarquer la similitude de dates de naissance et de mort entre STEPANOV Alexei Stiepanovitch ou Claude et STEPANOV Klawdi Petrovitch. Il fut élève de l'Académie des Beaux-Arts de Saint-Pétersbourg. Il devint académicien en 1905. À Paris, on l'appelait « le Meissonier russe ». Il fonda à Moscou une école d'art dans l'esprit de l'art byzantin. Il exposa au Salon des Artistes Français de Paris, de 1890 à 1892.
À la fin de sa vie, il se consacra presque exclusivement à une peinture religieuse, inspirée des Byzantins. Ses plus belles icônes étaient conservées au Kremlin, dans la chapelle à la mémoire du grand duc Serge.
MUSÉES : MOSCOU (Gal. Tretiakov) : *Conversation militaire – Dans l'attente du train – Vol de grues –* SAINT-PÉTERSBOURG (Mus. Russe) : *Après la chasse.*
VENTES PUBLIQUES : PARIS, 27 fév. 1989 : *L'amateur dans son cabinet* 1884, aquar. gchée (32x24) : **FRF 121 000.**

STEPANOV Daniel
Né en 1882 à Saint-Pétersbourg. Mort en 1937 à Venise. XXe siècle. Russe.
Peintre, sculpteur, médailleur.
Fils d'Alexéi, dit Claude. Il travailla au Turkestan. En 1925, il se réfugia en Italie, où il participa à la Biennale de Venise.
Il fut premier médailleur à la Monnaie Impériale de Saint-Pétersbourg.

STEPANOV Fiodor
Né le 7 février 1815. XIXe siècle. Russe.
Sculpteur.
Élève de l'Académie de Saint-Pétersbourg de 1824 à 1831, il fit un voyage d'études à Munich de 1840 à 1843. Il se fixa ensuite à Saint-Pétersbourg.

STEPANOV Klawdi Petrovitch
Né le 2 octobre 1854. Mort en 1910. XIXe-XXe siècles. Russe.
Peintre de genre.
On doit remarquer la similitude de dates de naissance et de mort entre STEPANOV Alexei Stiepanovitch ou Claude et STEPANOV Klawdi Petrovitch. Il suivit les cours de l'Université en histoire, philosophie et étudia de 1876 à 1877 à l'Académie des Beaux-Arts. Il fut officier pendant la guerre russo-turque. Il vécut à Florence de 1880 à 1889 et ensuite à Saint-Pétersbourg. La Galerie Tretiakov de Moscou conserve de lui un *Don Quichotte.*

STEPANOV Nikolai Alexandrovitch
Né en 1805. Mort en 1877. XIXe siècle. Russe.
Sculpteur.
Il eut comme spécialité la composition de terres cuites caricaturales.

STEPANOVA Varvara Fedorovna, pseudonymes **Agrarikh** et **Varst**
Née en 1893 ou 1894 à Kovno, ou Kaunas (Lituanie). Morte en 1958 à Moscou. XXe siècle. Russe.
Peintre de figures, paysages, peintre à la gouache, peintre de collages, peintre de décors de théâtre, décoratrice, graphiste, illustratrice. Abstrait-constructiviste. Groupe productiviste.
En 1911, elle fut élève de l'École d'Art de Kazan à Moscou ; elle y rencontra Alexandre Rodchenko, avec qui elle se mariera. En 1912, elle fréquenta les ateliers de Ilia Machkov et Konstantin Youon à Moscou ; En 1913-1914, elle devint élève de l'Institut Stroganov, toujours à Moscou. En 1917, elle écrivait des poésies « transmentales » ; en 1918, elle réalisait son premier livre à poèmes graphiques ; en 1919, elle collaborait avec Kroutchonykh pour ses livres-objets. Elle travaillait en phase avec la pensée et l'art de Rodchenko. Elle participa à la mise au point de ses écrits théoriques : *Pour une théorie de la technique d'une productivité.* Elle fut membre de l'INKHUK et travailla à l'IZO, section des arts plastiques du Commissariat du Peuple à l'Éducation. Issue du mouvement constructiviste, avec Rodchenko, Tatlin, Ljubov Popova, elle prit parti contre l'art pour l'art et pour le programme « productiviste », un art fonctionnel et pratique. En 1923, elle assurait le secrétariat des groupes d'Analyse

objective et des Constructivistes. En 1924-25, elle enseigna l'art du textile dans les ateliers d'arts appliqués du *Vkhutemas* (Institut culturel).

Elle participait aux expositions collectives d'avant-garde du moment, notamment : avec le groupe de l'*Obmokhu* (Association des jeunes artistes) ; en 1919 à *Création non figurative et suprématiste* ; en 1921 à l'exposition *5 x 5 = 25*, avec le groupe de Rodchenko ; en 1922 à Berlin, à une exposition d'art russe, galerie Van Diemen ; en 1925 à Paris, à l'Exposition Internationale des Arts Décoratifs.

Dans les années qui suivirent la révolution d'octobre, quand il s'agissait encore de donner un art révolutionnaire à la révolution sociale, son travail se situait dans le prolongement abstrait-constructiviste du cubisme et du futurisme, dont les manifestes de Marinetti étaient traduits en russe depuis 1913 et 1915. En 1918-19, lorsqu'elle composait des poèmes graphiques, elle se situait déjà dans la perspective de donner des prolongements aux avant-garde du moment : « En reproduisant par le graphisme pictural la poésie abstraite, j'introduis le son comme nouvelle qualité, augmentant ainsi les possibilités du graphisme. » En 1919, elle illustra de gouaches abstraites *Gly-Gly* de Kroutchenikh. En 1919-20, elle créa une série de peintures abstraites dans le même esprit postfuturiste. En 1921, elle écrivait : « La technique et l'industrie ont placé l'art devant le problème de la construction et non plus devant la représentation contemplative. » Puis, en accord avec son option productiviste, afin de mettre l'art au service du peuple, elle s'est spécialisée dans le décor de théâtre et les arts graphiques et décoratifs. Entre 1920 et 1922, en même temps que Popova, elle créait des décors et costumes pour le théâtre de Meyerhold, notamment pour la pièce *La mort de Tarelkine* de Soukhovo-Kobyline, et pour l'Institut d'Art Dramatique Lounatcharski à Moscou. Elle publiait aussi des collages dans le magazine *Ciné-photo*. Entre 1923 et 1925, avec Popova et Rodchenko, elle travaillait les techniques graphiques ; contribuant à la revue de Maiakovski *Lev*, puis, en 1927-28, à *Novi Lev*. Elle appliquait les principes du constructivisme à la création dans le domaine du textile, notamment, en 1924, à la première fabrique d'État de textile imprimé de Moscou. À partir de 1926, elle réalisait régulièrement des dessins, graphismes, pour les journaux, les livres, le cinéma. Elle entreprit aussi, avec d'autres artistes dont Popova, la création collective et anonyme de tissus à décor géométrique, l'anonymat résultant d'une idéologie collectiviste. Dans les années trente, elle revint à la peinture de paysages, et resta fidèle au naturalisme jusqu'à sa mort. Ses paysages étaient traités dans une matière très grasse et des harmonies sourdes, qui, en France, peuvaient alors rappeler l'œuvre d'Alfred Bouche.

De la période constructiviste de Stepanova et dans toutes ses manifestations, ce qui attire l'attention, c'est d'abord sa singulière faculté de réflexion sur l'état des choses et de prospection des techniques nouvelles, et, en communauté de pensée avec Rodchenko, l'empreinte de l'influence du futurisme dans sa dimension dynamique, recherche du mouvement dans les peintures et surtout les scénographies, effets optiques dans les créations textiles.   ■ Jacques Busse

Bibliogr. : In : Encyclopédie des arts *Les Muses*, Grange Batelière, Paris, 1969-1974 – in : Catalogue de l'exposition *Paris-Moscou*, Centre Beaubourg, Paris, 1979 – in : *L'Art du xxe siècle*, Larousse, Paris, 1991 – in : *Diction. de l'Art Mod. et Contemp.*, Hazan, Paris, 1992.

Ventes Publiques : Moscou, 7 juil. 1988 : *Deux personnages* 1921, h/t (70x56) : **GBP 82 500** ; *Dessin de motifs pour tissu imprimé*, gche/pap., 3 feuilles (21x27) : **GBP 4 950** ; *Paysage* 1940, h/cart. (56x70) : **GBP 8 800** – Londres, 6 oct. 1988 : *Photomontage 26*, collage/pap. (32,5x20,5) : **GBP 14 300** – Londres, 5 oct. 1989 : *Photomontage : Visite du musée Monia*, collage/pap. (38x26,5) : **GBP 17 600**.

STEPHAN. Voir aussi **STEFAN** et **STEVENS**

STEPHAN
xive siècle. Actif à Munich en 1392. Allemand.
Sculpteur.
Il a sculpté la statue de *Saint Georges* pour le monastère des Carmes de Straubing.

STEPHAN
xve siècle. Autrichien.
Peintre verrier.
Il exécuta des vitraux dans la cathédrale Saint-Étienne de Vienne de 1416 à 1430.

STEPHAN
xve siècle. Actif à Vienne en 1425. Autrichien.
Enlumineur.

STEPHAN
xviiie siècle. Travaillant vers 1700. Autrichien.
Peintre.
Il a peint dans l'église des pêcheurs de Rust *Saint Dominique reçoit le chapelet de la main de la Vierge*.

STEPHAN
Né à Ruthen. Mort le 18 octobre 1732 à Münster. xviiie siècle. Allemand.
Sculpteur.
Il exécuta deux anges pour l'ancienne église des Capucins de Münster en 1695.

STEPHAN
xviiie siècle. Travaillant en Bohême. Autrichien.
Dessinateur et graveur au burin.
Il grava des vues, ainsi que des effigies de saint Népomucène.

STEPHAN
Né à Klausenbourg. xviiie siècle. Actif dans la seconde moitié du xviiie siècle. Hongrois.
Peintre.
De l'ordre des Franciscains, il exécuta des peintures dans l'église des Franciscains d'Erlau.

STEPHAN Bernhard
xvie siècle. Allemand.
Peintre.
Il peignit trois fresques dans l'Hôtel de Ville de Mühlhausen de 1570 à 1572.

STEPHAN Christian Michael
Né en 1679 à Leipzig. xviiie siècle. Allemand.
Peintre.
Il peignit des portraits.

STEPHAN Christoph
Né le 12 octobre 1797 à Cologne. Mort le 16 janvier 1864 à Cologne. xixe siècle. Allemand.
Sculpteur.
Il exécuta des sculptures pour des églises et des maisons bourgeoises de Cologne, et pour l'église Saint-Pierre de Riga.

STEPHAN Gary
Né en 1942. xxe siècle. Américain.
Peintre, sculpteur.
Ventes Publiques : New York, 16 mai 1980 : *Sans titre* 1977, acryl./pap., 2 feuilles (77,5x57) : **USD 1 800** – New York, 9 mai 1984 : *Sans titre* 1974, encre/deux feuilles de pap. collées (88,3x68,5) : **USD 950** – New York, 1er nov. 1984 : *The four last things* 1979, acryl./t. (244x147,5) : **USD 12 000** – New York, 2 mai 1985 : *Farm* 1984, aquar. (64,7x50,7) : **USD 1 200** – New York, 13 nov. 1986 : *Mental Value* 1983, acryl./quatre t. attachées (229,2x213,3) : **USD 9 000** – New York, 20 fév. 1988 : *Rose*, acryl./t. d'emballage (174x248) : **USD 1 100** – New York, 8 oct. 1988 : *Il fut transfiguré* 1977, h/t (203,2x152,4) : **USD 11 000** – New York, 10 Nov. 1988 : *Sans titre* 1982, acier forgé sur socle de bois (183,5x39,4x10,6) : **USD 7 150** – New York, 4 mai 1989 : *Le balcon* 1974, acryl./t. de jute (160x132,1) : **USD 4 180** – New York, 4 oct. 1989 : *Ecoles* 1981, acryl./t. (244,1x162,5) : **USD 8 800** – New York, 8 mai 1990 : *L'agonie dans le jardin* – Paul Hamlyn, Londres 1981, acryl./t. (228,6x122) : **USD 8 250** – New York, 5 oct. 1990 : *Le jour de la Toussaint* 1983, acryl./t. (182,9x137,2) : **USD 10 450** – New York, 27 fév. 1992 : *Le savoir entravé* 1981, acryl./t. (228,6x121,9) : **USD 3 850** – New York, 9 mai 1992 : *Monde* 1982, h/t (243,8x152,1) : **USD 4 950** – New York, 16 nov. 1995 : *Sans titre* 1989, acryl. et aquar./pap. (94,9x74,9) : **USD 1 150**.

STEPHAN Henrik ou Heinrich
Né le 7 mars 1896 à Mariakemend. xxe siècle. Hongrois.
Peintre, graveur.
Il reçut sa formation à Budapest et travailla au Bauhaus de Weimar.

STEPHAN Johann Adolph
Né en 1756 à Dresde. Mort vers 1802 à Prague. xviiie siècle. Allemand.
Peintre d'architectures, paysages, dessinateur.
Élève de Chr. Hutin et de l'Académie de Dresde. Il peignit surtout des décorations.

STEPHAN Joseph
Mort en 1786 à Munich. xviiie siècle. Allemand.

Peintre de sujets religieux, scènes de chasse, sujets de genre, animaux, paysages, graveur à l'eau-forte.
Élève de Watterschot, actif à Munich. Il a gravé des paysages.

Musées : Burghausen : *Chasse sur le lac de Wurm – Motif du lac de Wurm* – Munich (Mus. Nat.) : *Courses de chevaux à Nymphenbourg – Bécasse dans les buissons – Moineau blanc dans un buisson – Bal – Canard noir et blanc – Chien chassant une perdrix – Renard blanc prenant une perdrix – Alouette blanche – Dogue blanc – Dogue blanc et noir – Faisan – Canard dans un paysage.*
Ventes Publiques : Paris, 1867 : *Le torrent* : **FRF 1 200** – Cologne, 11 nov. 1964 : *Paysage bavarois avec chasseurs* : **DEM 6 500** – Cologne, 26 mars 1976 : *Vue de Munich*, h/t (74x111) : **DEM 18 000** – Londres, 1er avr. 1992 : *Un marché près de l'enceinte d'une ville*, h/t (38x50,3) : **GBP 6 380** – Londres, 10 déc. 1993 : *Vue de Bethléhem avec la caravane des Rois mages survolée par la Sainte Trinité et la Nativité dans un cartouche en bas* 1752, h/t (86,5x121,5) : **GBP 20 700** – Vienne, 29-30 oct. 1996 : *Chasse au sanglier en hiver* ; *Chasse à courre*, trois h/t (chaque 74,2x108) : **ATS 1 015 000.**

STEPHAN Leopold
Né en 1826 à Prague. Mort le 23 avril 1890 à Prague. xixe siècle. Tchèque.
Peintre de paysages.
Il fut élève de Maximilian Haushofer à l'Académie des Beaux-Arts de Prague.
Musées : Prague (Gal. Mod.).

STEPHAN Pierre
xviiie siècle. Travaillant en Angleterre dans la seconde moitié du xviiie siècle. Britannique.
Modeleur sur porcelaine.
Il travailla aux Manufactures de porcelaine de Derby, de Wirksworth et de Londres.

STEPHAN von Kaschau, appelé aussi **Stephanus Lapicida de Cassovia**
Né probablement à Torna. Mort vers 1498. xve siècle. Hongrois.
Sculpteur et architecte.
Il travailla dans la cathédrale de Kaschau où il sculpta le tabernacle.

STEPHAN von Krems, dit **Obsiler**
xve siècle. Travaillant à Klösterneubourg de 1437 à 1453. Autrichien.
Enlumineur.

STEPHAN W.
xvie siècle. Autrichien.
Enlumineur.
Il enlumina des parties de la Bible de Leitmeritz en 1556.

STÉPHANE Gaston
xxe siècle. Français.
Illustrateur.
Il a illustré *Le voyage de compagnie* de Camille Mauclair.

STEPHANE Micius
Né en 1912 à Haïti. xxe siècle. Haïtien.
Peintre de genre.
Il a participé à plusieurs expositions, dont : *Les peintures populaires d'Haïti* à l'Arts council de Grande-Bretagne à Londres en 1968-1969 ; *Peinture d'Haïti*, 1969-1970 au Musée Ostwall de Dortmund ; *Trois générations d'art haïtien*, 1982 au Musée d'Art d'Allentown. Il était également présent à l'Exposition itinérante dans le sud des Etats Unis : *Les maîtres de la peinture haïtienne dans la collection de Siri von Reis.*
Ventes Publiques : New York, 9 nov. 1976 : *Couple dans un intérieur*, h/isor. (61x40,5) : **USD 725** – New York, 20 déc. 1980 : *Le match de boxe*, h/isor. (40,5x41,2) : **USD 9 000** – New York, 30 mai 1984 : *Cérémonie vaudoue* 1947, h/cart. (50,8x61) : **USD 8 000** – New York, 19-20 nov. 1990 : *Marchande de fruits*, h/rés. synth. (50,8x40,7) : **USD 2 420** – New York, 15 mai 1991 : *Le mariage*, h/t. cartonnée (51x61) : **USD 1 320** – New York, 19 mai 1992 : *Marché sous Mapou*, h/rés. synth. (23,5x58,2) : **USD 2 090** – New York, 24 nov. 1993 : *Famille*, h/rés. synth. (39,7x46) : **USD 748.**

STEPHANI. Voir aussi **STEPHANY** et **STEVENS**

STEPHANI
xviiie siècle. Travaillant vers 1730.
Peintre d'histoire.
La Galerie Harrach, à Vienne, conserve de lui *Joseph devant Pharaon et Isaac bénissant Jacob.*

STEPHANI Anton. Voir **STEVENS**

STEPHANI Arnold
Né le 11 avril 1848 à Gränichen. xixe siècle. Actif à Berne. Suisse.
Graveur sur bois et dessinateur.

STEPHANI Bertrand
xve siècle. Travaillant à Aix-en-Provence, dans la seconde moitié du xve siècle. Français.
Sculpteur.
Fils d'Étienne Stephani. Il a sculpté un *Christ en Croix avec saint Jean et sainte Madeleine*, près de Trois-Bons-Dieux.

STEPHANI Christoph Abraham
Né vers 1708. Mort le 1er juillet 1764 à Dresde. xviiie siècle. Allemand.
Tailleur de camées et d'armoiries.
Il grava des camées à l'effigie des princes de Saxe.

STEPHANI Erich
Né le 30 janvier 1879 à Waldkirchen. xxe siècle. Allemand.
Sculpteur de figures allégoriques, graveur.
Il fut élève du graveur Georg Weinhold, du peintre Hermann Groeber et de l'Académie des Beaux-Arts de Karlsruhe ; puis de Rodin à Paris. Il était actif à Berlin.
Musées : Mannheim (Kunsthalle) : *Le ressac*, terre cuite.

STEPHANI Étienne ou **Audinet**
xve siècle. Actif en Provence de 1447 à 1476. Français.
Sculpteur.
Il exécuta des sculptures à Aix, Carpentras et Marseille. On conserve de lui une *Transfiguration de la Vierge* à Saint-Maximin sur le chemin de Saint-Zacharie.

STEPHANI Henricus ou **Stepht**
Originaire de Westphalie. xive siècle. Actif dans la première moitié du xive siècle. Allemand.
Enlumineur.
Il enlumina un missel à Karlsbourg (Transylvanie).

STEPHANI Johann Christian
Mort en 1784 à Leipzig. xviiie siècle. Allemand.
Tailleur de camées et d'armoiries.
Peut-être fils de Christoph Abraham Stephani. Il travailla pour la cour de Dresde.

STEPHANI Johann Christian Michael, appellation erronée. Voir **STEPHAN Christian Michael**

STEPHANI Peeter. Voir **STEVENS**

STÉPHANIE Serge
Né vers 1943. xxe siècle. Français.
Peintre de scènes animées, technique mixte.
Il fut élève du graveur Friedlaender à Paris. En 1992, il a fait une exposition à Paris, galerie France T.
Peintre, il fabrique aussi des boîtes contenant des saynetes en relief. Ses compositions peintes minutieuses sont surchargées de détails ornementaux, évoquant Klimt ou les miniatures orientales.

STEPHANOFF Fileter N. ou **Stefanoff**
Né en Russie. Mort vers 1790 à Londres, par suicide. xviiie siècle. Russe.
Peintre de portraits et de décorations et graveur au burin.
Il vint à Londres comme peintre de portraits, mais y trouva surtout des travaux de décoration de plafonds, etc. Il fit aussi les décors pour un cirque établi dans St Giorge's Field. Sa femme Gertrude, sa fille, ses deux fils Francis Philip et James, furent peintres.

STEPHANOFF Francis Philip
Né en 1788 à Londres. Mort le 15 mai 1860 à West Hannam. xixe siècle. Britannique.
Peintre d'histoire, compositions à personnages, scènes de genre, aquarelliste, illustrateur.
Il était fils du peintre russe Fileter Stephanoff et se fit une rapide réputation avec ses tableaux de genre et de sujets historiques.
Il exposa à Londres de 1807 à 1845, quarante-neuf œuvres à la Royal Academy, cinquante-quatre à la British Institution, une à Suffolk Street et onze à la Old Water-Colours Society.

Il produisit un grand nombre d'illustrations.

Musées : Dublin : *Scène du roi Lear*, aquar. – Glasgow : *La nouvelle ménagère* – Londres (Victoria and Albert Mus.) : *La mort d'Abel* 1810, aquar. – *Vieille femme prenant le thé*, aquar. – *Intérieur d'un marchand de fruits*, aquar. – *Scène de Lalla Rouk*, aquar. – *Couronnement de George IV*, aquar. – *La British Institution*, aquar.

Ventes Publiques : New York, 18 au 20 avr. 1911 : *Les parents pauvres* : USD 550 – New York, 4 et 5 fév. 1931 : *La réconciliation* : USD 375 – Londres, 15 mars 1978 : *Le Prince Noir menant son prisonnier à Westminster après la bataille de Poitiers*, h/t (61x92) : **GBP 800** – Londres, 23 nov 1979 : *The discovery 1818 ?*, h/pan. (61,4x50,7) : **GBP 4 000** – Londres, 23 nov. 1984 : *The Discovery 1816*, h/pan. (62,1x50,9) : **GBP 6 500** – Londres, 9 juil. 1986 : *Le Camp du Drap d'Or* 1823 ?, h/pan. (20,5x66) : **GBP 5 000** – Londres, 2 nov. 1989 : *Avances inattendues* 1826, h/pan. (77x62) : **GBP 1 980** – Glasgow, 31 oct. 1996 : *Le Dit du Prisonnier* 1827, h/pan. (91,4x77,5) : **GBP 1 610.**

STEPHANOFF Gertrude
Morte le 7 janvier 1808 à Londres. xviiiᵉ siècle. Britannique.
Peintre de fleurs.
Femme de Fileter Stephanoff. Elle fut peintre de fleurs, professeur de dessin et exposa à la Royal Academy de 1783 à 1808.

STEPHANOFF James
Né en 1787 à Londres. Mort en 1874 à Bristol. xixᵉ siècle. Britannique.
Peintre d'histoire, aquarelliste, illustrateur et dessinateur.
Fils de N. Fileter Stephanoff et frère de Francis Philip. Il fut élève des Écoles de la Royal Academy, mais n'y réussit guère et ne tarda pas à la quitter. Il fut surtout dessinateur et aquarelliste et fit de l'art décoratif. Il exposa à Londres des sujets historiques de 1810 à 1859, vingt à la Royal Academy, trente-trois à la British Institution, cinq à Suffolk Street, deux cent quarante-cinq à la Old Water-Colours Society. Il fut membre de cette association et un des fondateurs de la Sketching Society. Il fut fréquemment employé pour la Société des antiquaires de Londres pour reproduire à l'aquarelle des broderies ecclésiastiques. On voit de lui au Victoria and Albert Museum dix-neuf aquarelles. Le Musée Britannique de Londres conserve de lui *Les statues d'Elgin, une reconstitution.*
Ventes Publiques : Londres, 16 fév. 1923 : *Matin du mariage*, dess. : **GBP 14** – Londres, 15 mars 1984 : *Le mariage d'Othello et Desdémone* 1835, aquar. sur trait de cr. (52x62) : **GBP 750.**

STEPHANOFF L.
Britannique.
Aquarelliste.
Le Victoria and Albert Museum à Londres conserve une aquarelle *Amoureux* de cet artiste, sur lequel on ne trouve aucun renseignement.

STEPHANONI Pietro. Voir STEFANONI

STEPHANOS
D'origine grecque. Iᵉʳ siècle avant J.-C. Travaillant à Rome dans la seconde moitié du Iᵉʳ siècle avant Jésus-Christ. Antiquité grecque.
Sculpteur.
Élève de Praxitèle. Il sculpta des statues d'athlètes, imitant des originaux grecs. Les Musées de Naples et le Louvre de Paris conservent des statues exécutées par cet artiste.

STEPHANOVSKI Ivan Pétrovitch. Voir STEFANOVSKI

STEPHANSEN Axel
Né le 24 janvier 1879 à Ullerslev. xxᵉ siècle. Danois.
Peintre de paysages, architectures.
Il était actif à Valby, près de Copenhague.

STEPHANUS. Voir aussi ÉTIENNE et STEFANO

STEPHANUS
xᵉ siècle. Actif à Rome dans la seconde moitié du xᵉ siècle. Italien.
Peintre.

STEPHANUS Plebanus. Voir STEFANO Veneziano

STEPHANY G.
Né à Augsbourg (?). xviiiᵉ-xixᵉ siècles. Travaillant à Bath et à Londres. Britannique.
Sculpteur sur ivoire.
Il exposa à la Royal Academy de 1791 à 1803. Le Musée de Bath conserve des œuvres de cet artiste.

STEPHEN
xiiiᵉ siècle. Britannique.
Peintre.
Il exécuta des peintures dans le Westminster Hall de Londres en 1274.

STEPHEN
xvᵉ siècle. Britannique.
Peintre verrier.
Il exécuta des vitraux dans la cathédrale de Winchester de 1449 à 1458.

STEPHEN Clive
Né en 1889. Mort en 1957. xxᵉ siècle. Australien.
Sculpteur de figures.
Son art semble s'inspirer du mystère dégagé par certaines effigies primitives.
Bibliogr. : In : *Creating Australia – 200 Years of Art 1788-1988*, The Art Gallery of South Australia, Adelaïde, 1988.

STEPHEN Zacharias Moritz Christoffer. Voir STEFFEN

STEPHENS A.
xixᵉ siècle. Actif à Londres. Britannique.
Miniaturiste.
Il exposa à Londres de 1812 à 1839 trente miniatures à la Royal Academy.

STEPHENS Alice, née Barber
Née le 1ᵉʳ juillet 1858 à Near Salem (New Jersey). Morte le 13 juillet 1932 à Philadelphie. xixᵉ-xxᵉ siècles. Américaine.
Peintre de genre, intérieurs, portraits, graveur, illustratrice.
À Philadelphie, elle fut élève de l'Académie féminine des Beaux-Arts ; à Paris, des Académies Julian et Colarossi.
Elle était graveur sur bois et travailla surtout pour des revues : comme praticienne pour *Scribner's*, comme illustratrice pour *Harper's, Century* et autres. Elle a illustré des ouvrages littéraires, dont : 1894 *Story of Babette* de Stuart ; 1897 *John Halifax, Gentleman* et 1898 *Little Lame Prince* de Craik ; 1898 *Katrina* de Deland ; 1902 *Little Women* et 1905 *Under the Lilaks* de Alcott ; 1911 *Mother Carey's Chickens* de Wiggin. Son style est soucieux du détail des scènes de genre.
Bibliogr. : Marcus Osterwalder, in : *Dictionnaire des illustrateurs 1800-1914*, Ides et Calendes, Neuchâtel, 1989.
Ventes Publiques : New York, 27 sep. 1990 : *Concert à l'Académie* 1891, h. en grisaille/cart. (47,5x63) : **USD 6 600.**

STEPHENS Clara Jane
xixᵉ-xxᵉ siècles. Américaine.
Peintre.
Elle fut élève de Kenyon Cox, William M. Chase, Frederick M. Dumond. Elle était membre de la Société des Artistes Indépendants et de la Fédération Américaine des Arts.

STEPHENS Edward Bowring
Né le 10 décembre 1815 à Exeter. Mort le 10 novembre 1882 à Londres. xixᵉ siècle. Britannique.
Sculpteur de statues, peintre de portraits.
Élève d'E. H. Baily à Londres et de la Royal Academy. Il sculpta des statues.
Musées : Exeter : *Statue du prince Albert* – Oxford : *Statue de Priestly.*
Ventes Publiques : Londres, 6 juin 1973 : *Le lanceur de poids* ; *Le coureur à pied*, deux marbres : **GBP 580** – Londres, 4 juil 1979 : *The deer stalker* 1878, bronze, patine brune (H. 30,5) : **GBP 450** – Londres, 15 juin 1990 : *Portrait de la femme et de la fille de l'artiste assises dans un parc*, h/t (91,5x71,1) : **GBP 3 850** – Londres, 14 juin 1991 : *Portrait de la femme et de la fille de l'artiste assises dans un parc*, h/t (91,5x71,1) : **GBP 3 850.**

STEPHENS Ethel A.
xixᵉ siècle. Australienne.
Peintre.
Le Musée de Sydney conserve d'elle : *Spring's Inheritance.*

STEPHENS Frederik George
Né en 1828. Mort en 1882. xixᵉ siècle. Britannique.
Peintre et écrivain d'art. Symboliste. Préraphaélite.
Il fut élève de la Royal Academy de Londres et de William Holman Hunt. En tant que peintre et écrivain, il fut un des premiers préraphaélites.

STEPHENS George Frank
Né le 28 décembre 1859 à Rahway. xixᵉ-xxᵉ siècles. Américain.

Sculpteur.
Il fut élève de l'Académie des Beaux-Arts de Philadelphie. Il était actif à Arden.

STEPHENS Henry Louis
Né le 11 février 1824 à Philadelphie. Mort le 13 décembre 1882 à Bayonne (New York). XIXe siècle. Américain.
Peintre et illustrateur.
Il exécuta des illustrations pour des journaux humoristiques.

STEPHENS James John
XIXe siècle. Actif à Dublin dans la première moitié du XIXe siècle. Irlandais.
Portraitiste.
Il exposa à Dublin de 1829 à 1845.

STEPHENS L.
XIXe siècle. Actif à Londres. Britannique.
Miniaturiste.
Il exposa à la Royal Academy dix miniatures de 1824 à 1829.

STEPHENS Mathilde
XIXe siècle. Allemande.
Peintre.
Elle exposa à Berlin où elle travaillait en 1836 une marine.

STEPHENS Peter
XVIIIe siècle. Britannique.
Dessinateur amateur.
A publié en 1761 à Londres un *Album de quelques vues d'Italie.*

STEPHENS Richard. Voir STEVENS

STEPHENS William
XVIIIe siècle. Actif à Cambridge entre 1736 et 1760. Britannique.
Graveur.
Il pratiqua la gravure notamment sur argent et réalisa des cachets et des ex-libris.

STEPHENS William
XVIIIe siècle. Britannique.
Peintre sur porcelaine.

STEPHENS William Reynolds. Voir REYNOLDS-STEPHENS William

STEPHENSON. Voir aussi STEVENSON

STEPHENSON Ian
Né le 11 janvier 1934 près de Meadowfield (Durham). XXe siècle. Britannique.
Peintre. Abstrait-géométrique.
De 1951 à 1956, il fut élève de l'école d'art du King's College de l'Université de Durham. En 1958 et 1959, ayant reçu la bourse de voyage Boise de la London University, il s'installa en Italie. De 1959 à 1962, il fut maître de conférence à la Polytechnic School of Art de Londres ; de 1959 à 1966, artiste-visiteur à la Chelsea School of Art de Londres ; de 1966 à 1970, directeur des Foundation Studies, au Département des Beaux-Arts de l'Université de Newcastle ; depuis 1970, maître de conférence principal, de nouveau à la Chelsea School of Art.
Il participe à des expositions collectives : 1958 Londres, New Vision Centre ; de 1962 à 1968 Londres, New Art Centre ; 1967 Paris, 5e Biennale des Jeunes Artistes ; 1973 Paris, *La peinture moderne anglaise aujourd'hui,* Musée d'Art Moderne de la ville. En 1970, il a montré un ensemble de ses œuvres dans une exposition individuelle rétrospective à la Laing Art Gallery de Newcastle-upon-Tyne.
En 1957, il fut lauréat du Prix de la Junior Section de la Ire John Moores Liverpool Exhibition. En 1960, il fut lauréat du Prix de la section britannique, lors de l'exposition européenne du Prix Marzotto. En 1964, il reçut le Calouste Gulbenkian Purchase Award. En 1966, il remporta le Premier Prix de l'exposition *Nothern Painters.*
Dès ses débuts, profondément marqué par l'œuvre de Seurat et les recherches optiques du divisionnisme, ses peintures en étaient une application. Il pratiquait une figuration par petites touches, mouchetures. Ensuite, tout en restant attaché à son intérêt pour le pointillisme, il a totalement abandonné le sujet et est arrivé à une abstraction, constituée d'une accumulation uniforme de toutes petites touches de couleurs, dont le mélange optique doit créer des sensations diverses. Sa peinture privilégie la lumière, liant à une pensée mystique. Pour lui, les petites touches sont comparables à des atomes, comme l'ensemble de la surface du tableau constitue une sorte de microcosme. ■ J. B.

BIBLIOGR. : Alan Bowness : *Ian Stephenson,* in : The Studio, Londres, juin 1962 – Pierre Rouve : *In Search of Stephenson,* in : Arts Review, Londres, nov. 1964 – Norbert Lynton : *Ian Stephenson,* Premio Marzotto Publication, vol. 6, Milan, 1966 – Andrew Forge : *The Development of Ian Stephenson's Painting,* in : Studio International, Londres, nov. 1968 – Edward Lucie-Smith, in : Catalogue de l'exposition : *La Peinture anglaise aujourd'hui,* Musée d'Art moderne de la ville, Paris, 1973.
MUSÉES : LONDRES (Tate Gal.) : *Quadrama IV* 1969.

STEPHENSON J.
XVIIIe siècle. Travaillait vers 1785. Britannique.
Portraitiste.

STEPHENSON James
Né le 26 novembre 1828 à Manchester. Mort le 28 mai 1886 à Londres. XIXe siècle. Britannique.
Graveur et lithographe.
A gravé en 1839 les illustrations de *Manchester as it is.*

STEPHENSON John Cecil
Né le 15 septembre 1889 à Bishop Auckland (Durham, Nouvelle-Zélande). Mort en 1965 à Londres. XXe siècle. Britannique.
Peintre, aquarelliste, émailleur, orfèvre, décorateur.
Abstrait-géométrique.
Il souhaitait faire une carrière musicale, mais décida de faire ses études, de 1908 à 1914, à l'École des Beaux-Arts de Leeds ; puis à Londres, de 1914 à 1918 au Royal College of Art ; en 1918 à la Slade School. Il compléta sa formation à Paris, en Italie. Dès 1937, il collaborait à la revue *Circle,* qui défendait l'art géométrique. En 1941, il se maria avec la peintre Kathleen Guthrie. En 1945, il devint membre du Hampstead Artists Council ; en 1959 des Free Painters. De 1922 à 1955, il enseigna à la Northern Polytechnic School of Art.
Il participait à des expositions collectives : 1934, avec la *7 & 5 Society* ; 1937 à Londres, à l'exposition *Constructive Art* ; de 1953 à 1959, avec le London Group. Dans ces expositions, il se retrouvait souvent en compagnie de Ben Nicholson, Barbara Hepworth, Edward Wadsworth, Henry Moore. Sa première exposition personnelle n'eut curieusement lieu qu'en 1960, à Londres. Après sa mort, en 1975 une exposition rétrospective de l'ensemble de son œuvre eut lieu à Londres, au Camden Arts Centre.
Dans ses débuts jusqu'en 1932, il travailla dans un style naturel, faisant des paysages à l'aquarelle et des portraits à l'huile. Il évolua alors vers l'abstraction. D'emblée, il se situa dans une abstraction géométrique, de caractère néoplastique, à base de lignes orthogonales, de figures simples, d'aplats de couleurs. Tôt, il s'est intéressé à l'intégration de sa peinture à l'architecture. Après la guerre de 1939-1945, il a eu de nombreuses occasions de réaliser des peintures murales. En 1958, pour l'Exposition Internationale de Bruxelles, il créa une composition monumentale pour le Pavillon Anglais de l'Industrie. Il a étendu ses recherches plastiques aux matériaux modernes, à leur utilisation dans le mobilier, les objets utilitaires. ■ J. B.
BIBLIOGR. : In : *L'Art du XXe siècle,* Larousse, Paris, 1991.
MUSÉES : LONDRES (Tate Gal.) : *Peinture* 1937.
VENTES PUBLIQUES : LONDRES, 13 nov. 1985 : *Composition* 1936, temp. (67x74) : **GBP 4 500** – LONDRES, 14 nov. 1986 : *Sans titre* 1938, temp./t. mar./pan. (91,5x71,2) : **GBP 1 800** – LONDRES, 26 mars 1993 : *Abstraction* 1934, h/t/pan. (23x47) : **GBP 3 450.**

STEPHENSON Lionel M.
Né en 1854. Mort en 1907. XIXe-XXe siècles. Canadien.
Peintre de paysages. Naïf.
D'origine anglaise, il émigra au Canada avec sa famille en 1885. Il peignit des huiles naïves de Fort Garry et d'autres sites de la région de Winnipeg qu'il vendait aux militaires durant la rébellion de Riel en 1885.
VENTES PUBLIQUES : MONTRÉAL, 30 avr. 1990 : *Fort Garry* 1879, h/pan. (32x47) : **CAD 2 640.**

STEPHENSON T.
XVIIIe siècle. Travaillait vers 1700. Britannique.
Peintre.
Peut-être Thomas Stevenson.

STEPHT Henricus. Voir STEPHANI

STEPMAN Charles
Né en 1891 à Koekelberg. Mort en 1964. XXe siècle. Belge.
Sculpteur de statues.
Son père était un décorateur ornemaniste. Il fut élève de l'Aca-

démie des Beaux-Arts de Bruxelles. Il fut fondateur du cercle d'art *Eugène Simonis*. Il fut professeur à l'Institut des sourds-muets et aveugles de Berchem-Sainte-Agathe. Depuis 1974, à Koekelberg, son atelier et sa maison sont devenus Maison Stepman – Centre artistique.
BIBLIOGR. : In : *Dict. biogr. illustré des artistes en Belgique depuis 1830*, Arto, Bruxelles, 1987.

STEPNEY G. et S.
XIXe siècle. Actifs vers 1840. Britanniques.
Graveurs de reproductions.

STEPNITZ Carl Joachim
XIXe siècle. Actif à Berlin. Allemand.
Sculpteur.
Élève et assistant de 1842 à 1844 à l'Académie de Berlin.

STEPPE Romain
Né le 13 janvier 1859 à Aners. Mort en 1927. XIXe-XXe siècles. Belge.
Peintre de paysages animés, paysages d'eau, marines.
Il fut élève de Joseph Van Haerde (?), puis de Johannes A. Boland (?), enfin de Isidore Meyers, impressionniste membre de « l'école du gris ». Lui-même devint membre de l'association *Als ik kan* (Comme je peux). Il voyagea et peignit sur l'Escaut, dans la Campine du Limbour, en Angleterre, Hollande, France. Il revint se fixer à Anvers en 1887. Il exposait à Anvers, à partir de cette date.
Dans ses paysages et marines, il s'est toujours montré soucieux de traduire les effets d'éclairage changeants et caractéristiques, selon l'heure, la saison, le temps qu'il fait : après-midi, couchant, sous l'orage, en mai, soir d'octobre, clair de lune, etc.

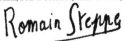

BIBLIOGR. : In : *Dict. biogr. illustré des artistes en Belgique depuis 1830*, Arto, Bruxelles, 1987.
VENTES PUBLIQUES : BRUXELLES, 14 juin 1977 : *Marine au clair de lune*, h/t (70x100) : **BEF 36 000** – LOKEREN, 13 oct 1979 : *Bateaux au large de la côte*, h/t (25x34) : **BEF 26 000** – AMSTERDAM, 2 mai 1990 : *Après-midi sur l'Escaut*, h/pan. (15,7x17,8) : **NLG 2 300** – BRUXELLES, 12 juin 1990 : *Paysage au couchant*, h/pan. : **BEF 28 000** – AMSTERDAM, 30 oct. 1991 : *Un steamer en pleine mer sous l'orage 1908*, h/t (120x180) : **NLG 8 050** – LOKEREN, 21 mars 1992 : *Ciel de mai*, h/t (70x100) : **BEF 55 000** – LOKEREN, 10 oct. 1992 : *L'Escaut à Saint-Amand*, h/t (50x70) : **BEF 55 000** – LOKEREN, 5 déc. 1992 : *Le soir sur l'Escaut*, h/pan. (25x18,5) : **BEF 22 000** – LOKEREN, 15 mai 1993 : *Les bords de l'Escaut un soir d'octobre à Saint-Amand*, h/t (49,5x64,5) : **BEF 44 000** – PARIS, 29 juin 1993 : *Clair de lune sur les bords de l'Escaut 1899*, h/pan. (32x24) : **FRF 4 200** – LOKEREN, 9 oct. 1993 : *Côte anglaise près de Douvres*, h/t (41x57) : **BEF 40 000** – LOKEREN, 28 mai 1994 : *Marée montante sur la côte*, h/t (150x100) : **BEF 120 000** – LOKEREN, 11 mars 1995 : *Soir*, h/t (49x70) : **BEF 48 000** – 16 avr. 1996 : *Le départ de la flotte de pêche*, h/t (25,5x50) : **NLG 4 956** – LOKEREN, 5 oct. 1996 : *Bateaux sur l'Escault*, h/t (33x45) : **BEF 34 000** – LOKEREN, 6 déc. 1997 : *Vue de rivière aux moulins*, h/t (90x120) : **BEF 95 000**.

STEPPES Edmund
Né le 11 juillet 1873 à Burghausen près de Munich. XIXe-XXe siècles. Allemand.
Peintre de paysages animés, paysages d'eau, paysages de montagne.
De 1891 à 1893, il fut élève de Heinrich Knirr ; de 1893 à 1895 de l'Académie des Beaux-Arts de Munich. Il fit un voyage d'étude en Bohême, Allemagne, Suisse et Italie.
Ses paysages sont souvent consacrés au renouveau du printemps et souvent aussi à la majesté de la montagne. Il y exprime un sentiment postromantique.
MUSÉES : BAUTZING : *Printemps – Automne – Après-midi de dimanche* – BERLIN (Gal. Nat.) : *Derrière le grillage – Printemps dans la forêt du Palatinat* – DÜSSELDORF : *Souffle de l'immensité* – HEIDELBERG : *Paysage de montagne* – KARLSRUHE : *Calme de l'automne – Paysage alpestre* – KASSEL : *Le soir* – MUNICH (Staatsgal.) : *Troupe de cerfs* – MUNICH (Städtische Gal.) : *Collines du pays natal* – MUNICH (Mus. im Lenbachhaus) : *Début de printemps* – STUTTGART : *Le petit dieu dans les montagnes* – WUPPERTAL-ELBERFELD : *Avant-Printemps*.
VENTES PUBLIQUES : COLOGNE, 18 mars 1989 : *Sous-bois et lac de montagne 1904*, h/t (100x85) : **DEM 2 500**.

STEPS Henri et Mathieu
XVIIe siècle. Actifs à Bruxelles. Belges.
Sculpteurs.

STER François Van der. Voir STELLA

STERBAK Jana, pseudonyme de Sterbakova
Née en 1955 à Prague. XXe siècle. Active au Canada. Tchécoslovaque.
Artiste multimédia de performances, sculpteur d'installations. Body art.
En 1968, elle arriva en Amérique, avec ses parents fuyant la répression de Prague. Elle fut élève de la Vancouver School of Art et des Universités de Vancouver, Montréal, Toronto, et en particulier du peintre Léon Golub. Dans les premières années quatre-vingt, elle vivait et travaillait à Toronto et New York, puis s'est fixée à Montréal. Elle travaille à Montréal et à Paris.
Elle participe à des expositions collectives, dont : 1990, Biennale de Venise ; 1992 *Désordres* à la Galerie nationale du Jeu de Paume à Paris ; 1994 Paris, *Hors limites. L'art et la vie.1952-1994*, Centre Beaubourg ; 1996 *L'Âme au corps – Le Corps exposé de Man Ray à nos jours* au musée d'Art contemporain de Marseille. Elle montre ses œuvres dans des expositions personnelles, dont : 1978 Vancouver ; 1982 Toronto, *Objets-Golem comme sensations*, Mercer Union ; 1990 Chicago, galerie Donald Young ; 1992 Paris, galerie Crousel-Robelin ; New York, Museum of Modern Art ; 1993 Humlebaek (Danemark), Museum of Modern Art Louisiana ; 1994 Paris, Centre Beaubourg ; et Nantes, Musée des Beaux-Arts ; 1995 musée d'Art moderne de Saint-Étienne.
Elle travaille sur le corps, mais non tant lui-même que la perception qu'on en a de l'extérieur, perception sociale et culturelle, par le vêtement notamment qui couvre, mais aussi enferme, annihile les mouvements physiques. Ces soi-disant vêtements sont parfois pièges inviolables, parfois générateurs de chaleur intense, parfois mobiles par télé-commande, etc., par l'effet de techniques mathématiques, physiques, mécaniques que maîtrise Jana Sterbak. Parmi ses œuvres : *Le vêtement (Je voudrais vous faire sentir comme je sens, moi)* de 1984, sorte de manteau en fil de fer, comportant dans sa partie centrale un réseau de résistance électrifié ; *Vanitas, robe de chair pour albinos anorexique* de 1987, robe réalisée en viande crue ; *Télécommande* de 1989, sorte d'armature de crinoline métallique transportant une danseuse ou un mannequin à vive allure ; etc. Son travail oscille entre humour noir et provocation violente. ■ J. B.
BIBLIOGR. : Ami Barak : *Jana Sterbak*, in : Art Press, no 169, Paris, mai 1992 – Robert Fleck : *Jana Sterbak*, in : Beaux-Arts, no 129, Paris, déc. 1994 – Patrice Brignone : *Le corps et son espace*, in : Art Press, no 210, Paris, fév. 1996.
MUSÉES : MONTRÉAL (Mus. d'Art Contemp.) – OTTAWA (Mus. des Beaux-Arts du Canada) – TORONTO (Art Metropole).

STERBER Johann
Né le 1er décembre 1795 à Krems. Mort avant 1859. XIXe siècle. Autrichien.
Paysagiste et dessinateur.
Élève de l'Académie de Vienne. Il reçut deux fois le prix Gundel.

STERBINI Faustino
XIXe siècle. Italien.
Miniaturiste.
Il exposa à Rome en 1816 trois miniatures.

STERCHINI Giovanni Maria
Mort entre le 14 octobre 1528 et le 19 décembre 1530. XVIe siècle. Actif à Casale. Italien.
Peintre.

STERCK
XVIe siècle. Actif à Fribourg en Suisse. Suisse.
Sculpteur sur bois.

STERCK ou Stercke, Stercx, Sterckx, famille d'artistes
XVIIe-XVIIIe siècles. Actifs à Anvers et à Bruxelles. Éc. flamande.
Peintres, sculpteurs.
Parmi les artistes les plus importants de la famille, citons Hans, Joos, Pierre et Maximilian.

STERCKMANS Marie, née Davin
XXe siècle. Belge.
Peintre de figures, paysages.
Elle était la femme de Michel Sterckmans.
MUSÉES : GAND : *Provençale*.

STERCKMANS Michel
Né le 22 avril 1883 à Schaerbeek. XXᵉ siècle. Belge.
Peintre de figures, portraits, natures mortes.

STERCKX ou **Stercx**. Voir **STERCK**

STERENBERG David Petrovitch
Né en 1881. Mort en 1948. XXᵉ siècle. Russe.
Peintre, peintre de natures mortes, aquarelliste, graveur.
Il était actif à Moscou. Il fut le fondateur de l'Association d'artistes *Ost*.
Ventes Publiques : Munich, 27 nov. 1981 : *Nature morte*, aquar. (34x25) : **DEM 6 100** – Londres, 13 fév. 1986 : *Nature morte cubiste*, gche et aquar./traits cr. (18x27,7) : **GBP 1 700**.

STERENBERG Johann Van. Voir **STARRENBERG**

STERER Richard
Né le 11 mars 1874 à Vienne. Mort le 12 décembre 1930 à Vienne. XXᵉ siècle. Autrichien.
Peintre de portraits, paysages.
À Vienne, il dirigea une école privée de dessin et peinture.

STERHAN Elisabeth
XIXᵉ siècle. Allemande.
Graveur au burin.

STERIADI Jean Alex
Né en 1880 ou 1881. XXᵉ siècle. Roumain.
Peintre de figures, lithographe.
Il fut élève de George D. Mirea à l'École des Beaux-Arts de Bucarest ; de Georg Weinhold à Munich ; de Jean-Paul Laurens à Paris. À partir de 1929, il fut professeur à l'Académie des Beaux-Arts de Bucarest. Il fut directeur de plusieurs musées roumains. En 1930 lui fut attribué le Prix National de Peinture.
Il exposa au Salon de Bucarest, avec le Groupe de la Jeunesse Artistique ; au Salon d'Automne à Paris ; au Glaspalast de Munich.
Musées : Bucarest (Mus. Simu) : *Tête de Bohémienne*.

STERIADI Nora
Née en 1889 à Braïla. XXᵉ siècle. Roumaine.
Céramiste.
Musées : Athènes – Paris (Mus. des Arts Décoratifs) – Sèvres (Mus. de la Céramique) – Tokyo.

STERIO Karoly ou **Karl**
Né en 1821 à Szaszkabanya, en Hongrie. Mort le 3 juin 1862 à Budapest. XIXᵉ siècle. Hongrois.
Peintre et lithographe.
Il étudia à Vienne, à Presbourg et à Budapest. Il travailla à Vienne et représenta surtout des scènes populaires ou historiques.
Ventes Publiques : Londres, 27 nov. 1986 : *Le Comte Franz Esterhazy avec son frère Moritz 1844*, aquar./traits cr. (24x31,5) : **GBP 1 000**.

STERITZ Sebastian
Mort en 1592 à Constance. XVIᵉ siècle. Suisse.
Peintre verrier.

STERK Gabriël
Né le 29 novembre 1942. XXᵉ siècle. Actif depuis 1958 en Australie. Hollandais.
Sculpteur de figures, groupes, nus, bustes, animalier, peintre, dessinateur. Polymorphe.
En 1958, il émigra de Hollande pour l'Australie. En 1959, il avait commencé à dessiner et peindre à Adélaïde ; en décembre de la même année, il revint en Europe pour poursuivre sa formation ; après une courte période en Italie, il devint élève de l'Académie Royale des Beaux-Arts d'Amsterdam, où il étudia la sculpture de 1960 à 1967. En 1979, il retourna en Australie. Il travaille en Australie du Sud et en France. En 1969, il obtint la médaille du Prix de Rome ; en 1974, l'Académie des Beaux-Arts lui décerna le Prix Louis Weiller.
Bien que foncièrement figuratif, sculpteur de bustes, de nus féminins, de chevaux, dans ses groupes, de corps humains, de chevaux, d'êtres hybrides mêlant les genres, il lui arrive de côtoyer tantôt l'expressionnisme fantastique, tantôt l'abstrait.
Bibliogr. : John Dowie : *Gabriël Sterk*, Adélaïde, 1985.

STERL Robert Hermann
Né le 23 juin 1867 à Grossdobritz (Saxe). Mort le 10 janvier 1932 à Naundorf (près de Pötzscha). XIXᵉ-XXᵉ siècles. Allemand.

Peintre de scènes animées, figures, portraits, paysages urbains, paysages d'eau animés, graveur, lithographe. Réaliste.
De 1882 à 1889, il fut élève de Julius Scholtz et Léon Pohle à l'Académie des Beaux-Arts de Dresde. En 1892, il travaillait à Meudon, près de Paris ; ensuite en Hollande. Il accomplit de nombreux voyages d'étude en Russie, surtout le long de la Volga, en 1906, 1908, 1910 et 1914. De 1904 à 1932, il fut professeur à l'Académie de Dresde.
Un grand nombre de ses peintures ont été inspirées par ses voyages en Russie. Autour de 1910, il représentait dans la peinture allemande un compromis entre réalisme et postimpressionnisme. Très influencé par Jean-François Millet, il traita souvent des sujets à résonance sociale : *Casseurs de pierres, Cessation de travail, Portefaix, Chargement de bateaux*, etc.
Bibliogr. : Horst Zimmermann : : *Catalogue raisonné. Robert Sterl Ölgemälde*, Kunsthalle, Rostock, 1976.
Musées : Bautzen (Mus. mun.) : *Port de chargement sur la Volga – Dans la carrière* – Chemnitz : *Pharmacie à Lauenstein – Cessation du travail* – Dresde : *L'église de la cour – Le quatuor Petri – Portrait de Ernst Edler von Schuch – Chargement de bateaux près de Nijni-Novgorod – Procession en Russie – Casseurs de pierres – Portefaix sur la Volga* – Dresde (Mus. mun.) : *Portrait de la reine Carola – Portrait du comte Otto Vitzhum von Eckstädt – Portrait d'Ernst von Schuch* – Essen (Folkwang Mus.) : *Casseurs de pierres* – Nuremberg (Mus. Germanique) : *Portefaix russes*.
Ventes Publiques : Munich, 29 nov. 1977 : *Les tailleurs de pierre 1920*, h/t (77x65) : **DEM 6 000** – Munich, 29 mai 1979 : *Rue de Moscou vers 1914*, h/t (75,5x95) : **DEM 5 000** – Cologne, 5 déc. 1981 : *Portrait de femme 1924*, h/t (140x72) : **DEM 4 300** – Cologne, 8 déc. 1984 : *Arbeiter im Steinbruch*, h/t (106x126) : **DEM 7 000** – Cologne, 4 déc. 1985 : *Voilier*, h/t (46,5x55,5) : **DEM 8 500**.

STERLE Franz
Né le 7 mai 1889 à Cerknica. Mort le 29 avril 1930 à Londres. XXᵉ siècle. Actif en Yougoslavie. Autrichien.
Peintre de portraits.
Il acquit sa formation à Ljubljana, où il s'établit dans la suite.

STERLIN, famille d'artistes
XVIᵉ-XVIIᵉ siècles. Actifs à Tournai aux XVIᵉ et XVIIᵉ siècles. Belges.
Graveurs.
Les principaux graveurs de la famille sont Pasquier, Jean, Michel I et Michel II.

STERLING Marc
Né en 1895 ou 1898. Mort en 1976. XXᵉ siècle. Russe.
Peintre de figures, paysages animés, natures mortes, fleurs.
Il fut élève de l'Académie des Beaux-Arts de Moscou. En 1923, il s'établit à Paris, où il exposait au Salon des Tuileries.
Ventes Publiques : Paris, 26 oct. 1926 : *Nature morte* : **FRF 550** – Paris, 11 juil. 1949 : *L'héliotrope* : **FRF 130** – Paris, 27 jan. 1950 : *Fleurs dans un vasque 1924* : **FRF 300** – Paris, 24 déc. 1953 : *Nature morte* : **FRF 6 000** – Paris, 21 nov. 1983 : *Nature morte à la photo 1928*, h/t (65x81) : **FRF 10 100** – Paris, 21 mars 1985 : *Nature morte cubiste au journal*, h/t (65x81) : **FRF 15 000** – Paris, 8 nov. 1989 : *Jeune fille aux fruits*, h/t (73x54) : **FRF 22 000** – Reims, 18 mars 1990 : *Arbres et couple rouge*, h/t (81x60) : **FRF 8 500** – Tel-Aviv, 19 juin 1990 : *Vase de fleurs*, h/t (60,5x50) : **USD 2 200** – Tel-Aviv, 1ᵉʳ jan. 1991 : *Vase de fleurs*, h/t (60x45,5) : **USD 2 640** – Paris, 17 juin 1991 : *L'arbre de vie*, h/t (100x65) : **FRF 10 000** – Tel-Aviv, 6 jan. 1992 : *Vase de fleurs près d'une petite poupée*, h/t (65x53,5) : **USD 2 860**.

STERMANN Peter
Né le 28 janvier 1903 à Duisbourg. XXᵉ siècle. Allemand.
Peintre de natures mortes, graveur.
Il fut élève de l'École des Beaux-Arts et de l'Académie de Düsseldorf. Il s'établit à Berlin, où, en 1930, il exposa avec un groupe de huit peintres.

STERN Anton Aloïs
Né le 31 mars 1827 à Steyr. Mort en 1924. XIXᵉ-XXᵉ siècles. Autrichien.
Peintre de sujets religieux.
Il fut aussi restaurateur de tableaux.

STERN Armin
Né le 17 août 1883 à Galanta (près de Presbourg). XXᵉ siècle. Allemand.

Peintre de portraits.
Il fut élève de Franz von Stuck, donc sans doute à l'Académie des Beaux-Arts de Munich. Il s'établit à Franfort-sur-le-Main.
Musées : Francfort-sur-le-Main (Städel Mus.) : *Portrait de l'écrivain S. von Halle.*

STERN Bernard
Né le 7 décembre 1920 à Bruxelles. xxᵉ siècle. Actif en France et aux États-Unis. Belge.
Peintre de compositions à personnages. Post-pop art.
N'ont été utilisés ici que les renseignements paraissant à peu près vraisemblables. Il participe à des expositions collectives, parfois extrêmement diverses, comme par exemple : 1975 Bruxelles, *Arts sans frontières,* galerie Isy Brachot, et la même année : Paris, Salon d'Automne ; de toute façon nombreuses à la galerie Isy Brachot de Bruxelles ou sur son stand de la FIAC de Paris (Foire internationale d'Art contemporain) ; 1988 Paris, galerie Michel Broomhead ; Il expose individuellement fréquemment, notamment : 1972 Londres, Drian Gallery ; 1975 Genève, Musée du Petit Palais ; 1976 Bruxelles, galerie Isy Brachot ; 1978 Bruxelles, galerie Isy Brachot ; 1983 Paris, galerie Isy Brachot ; 1987 Paris, galerie Michel Broomhead ; 1990 Paris, galerie Artuel ; etc.
Il exploite l'imagerie venue de l'un des courants du pop art, le plus populiste, mixant stars de cinéma, bestiaire de Walt Disney, transcriptions graphiques de photos de personnalités, « posters » de films, textes publicitaires, etc. Dans une série, ses peintures post pop sont découpées en trois bandes, chacune collée sur une des trois faces d'une sorte de tuyau à section triangulaire ; ces tuyaux sont appareillés côte à côte, chacun sur un axe, et l'ensemble sur une armature. Le fait de faire tourner arbitrairement les tuyaux triangulaires sur eux-mêmes génère des rencontres d'images, un certain nombre de fois inattendues, mais non imprévisibles. Cette cinétisation sommaire semble avoir séduit Pierre Restany qui y a vu, peut-être, un très vague rappel des images télescopées de ses « nouveaux-réalistes affichistes ». ■ J. B.
Bibliogr. : Catalogue de l'exposition *Bernard Stern : New York fractalisé, peintures en 3 actes,* gal. Artuel, Paris, 1990, documentation incertaine.
Ventes Publiques : Zurich, 29 oct. 1983 : *Harlequin Boy 1972,* h/t (89x63) : **CHF 3 600** – New York, 8 oct. 1988 : *Emballages de fruits 1972,* h/t (182,8x182,8) : **USD 26 400** – Paris, 20 fév. 1990 : *Le petit port,* h/t (46x55) : **FRF 18 000** – New York, 15 fév. 1991 : *Champion* h/t (183x183) : **USD 9 350** – New York, 23-25 fév. 1993 : *Cageots de fruits 1972,* h/t (182,9x182,9) : **USD 8 050** – Londres, 26 mai 1994 : *Mur du Marathon 1983,* h/t (129,5x162) : **GBP 1 380.**

STERN Christoph
xviᵉ siècle. Allemand.
Sculpteur.

STERN Emma
Née en 1878 à Sankt-Wendel (Sarre). Morte en 1970 à Paris. xxᵉ siècle. Active depuis environ 1935 en France. Allemande.
Peintre de genre, intérieurs, paysages animés. Naïf.
Propriétaire d'un magasin comprenant trente employées, elle dut quitter l'Allemagne après l'arrivée des nazis et des persécutions. Réfugiée à Paris, ne parlant pas bien le français, elle s'occupa d'abord à broder, puis commença à peindre, à l'âge de soixante-dix ans. Des expositions de son œuvre se sont multipliées : 1954 Paris ; 1964 Munich ; 1965 Paris ; 1966 Cologne ; 1968 Berlin ; 1969 Sarrebruck ; 1971 Stuttgart ; 1973 Paris. Un film en France et deux en Allemagne lui ont été consacrés.
Son grand âge lui permit d'éviter les pièges de la naïveté délibérée, le remettant miraculeusement en contact avec sa vision d'enfant. Dans des perspectives aberrantes, elle a retracé, dans les couleurs du rêve heureux, tous les moments agréables d'un quotidien paisible, entre les fleurs du jardin et la tasse de thé du salon attendrissant.
Bibliogr. : Anatole Jakovsky, in : *Les peintres naïfs,* Paris, 1956 – Claude Roy : *Emma Stern,* in : Nouvel Observateur, Paris, 1965 – Catalogue de l'exposition *Emma Stern,* gal. Antoinette, Paris, 1973.

STERN Ernst
Né le 1ᵉʳ avril 1876 à Bucarest. xxᵉ siècle. Actif depuis 1905 en Allemagne. Roumain.
Peintre, lithographe, illustrateur, peintre de décors de théâtre.
Il fut élève de Franz von Stuck, sans doute à l'Académie des

Beaux-Arts de Munich. En 1905, il vint à Berlin, où il collabora au magazine *Lustige Blätter* (Feuilles comiques). Il devint le directeur des théâtres de Max Reinhardt. Il établit les maquettes des décors de nombreux opéras.

$$\mathsf{STERN}$$

STERN Fried
Né le 13 novembre 1875 à Francfort-sur-le-Main (Hesse). xxᵉ siècle. Allemand.
Peintre de paysages.
Il fut élève de Johann H. Hasselhorst à l'Institut Städel de Francfort et de Karl von Pidoll. Il était aussi écrivain.
Musées : Francfort-sur-le-Main (Städel Inst.) : *Paysage du Taunus avec Altkönig.*

STERN Friedrich Siegmund
Né en 1803 à Livland. Mort le 10 mai 1889 à Riga. xixᵉ siècle. Russe.
Lithographe.
Élève de l'Académie de Saint-Pétersbourg. Il travailla à Dorpat et à Arensbourg.

STERN Hans
Né le 23 novembre 1872 à Schlanders. xixᵉ-xxᵉ siècles. Autrichien.
Sculpteur.
Il était actif à Innsbruck.

STERN Ignaz, pseudonyme en Italie : Stella
Né en 1679 ou 1680 à Mariahilf. Mort le 28 mai 1748 à Rome. xviiiᵉ siècle. Actif en Italie. Allemand.
Peintre de sujets religieux, mythologiques, allégoriques, scènes de genre, fleurs.
Il alla jeune à Bologne et y fut élève de Carlo Cignani. Il travailla dans plusieurs églises de la Lombardie et fit à Rome un séjour de plusieurs années.
À Rome, il travailla notamment à Saint-Jean-de-Latran et dans la sacristie de San-Paolino. Il peignit aussi des « bambochades », des concerts, des conversations.
Musées : Aix-la-Chapelle : *Fleurs dans un vase* – Copenhague (Thorwaldsen Mus.) : *Le garçon aux bulles de savon* – Nuremberg (Mus. Germanique) : *Marie avec deux anges – Marie allaitant l'enfant Jésus* – Vienne : *La Vierge, l'enfant Jésus et saint Jean.*
Ventes Publiques : New York, 14 nov 1979 : *Nature morte aux fleurs avec deux angelots sur un entablement 1743,* h/t (102x140) : **USD 19 000** – New York, 18 jan. 1988 : *Cupidon et Psyché,* h/t (68,5x86,3) : **USD 30 000** – Paris, 27 juin 1988 : *Vénus et l'Amour,* h/t (93x74) : **FRF 56 000** – Londres, 8 juil. 1988 : *Groupe de jeunes femmes personnalisant la Sculpture, la Poésie, la Musique et la Peinture, portraiturant un seigneur à cheval en armure représentant le protecteur des Arts,* h/t (74,7x99,5) : **GBP 24 200** – Monaco, 3 déc. 1988 : *Le triomphe de Vénus,* h/cuivre (25x35,5) : **FRF 88 000** – New York, 11 jan. 1989 : *Allégorie du printemps,* h/t (150x130,5) : **USD 44 000** – Monaco, 2 déc. 1989 : *Enfant aux bulles de savon,* h/t (54x65,5) : **FRF 122 100** – Londres, 1ᵉʳ mars 1991 : *Le triomphe de Vénus,* h/t (70x134,5) : **GBP 27 500** – Paris, 18 déc. 1991 : *Vierge à l'Enfant dans une guirlande de fleurs,* h/t (45x36) : **FRF 55 000** – Bologne, 8-9 juin 1992 : *L'ange gardien 1725,* h/t (43x31) : **ITL 16 100 000** – New York, 15 jan. 1993 : *La Sainte Famille avec sainte Anne et un ange dans un intérieur,* h/t (124,5x156,2) : **USD 14 375** – New York, 12 jan. 1996 : *Vierge à l'Enfant,* h/cuivre (25,3x18,7) : **USD 10 925.**

STERN Irma, épouse Prinz
Née en 1894 au Transvaal. xxᵉ siècle. Britannique.
Peintre de paysages.
Elle fut élève de Max Pechstein, sans doute à Berlin.
Ventes Publiques : Johannesburg, 17 mars 1976 : *Village du Transkei 1929,* h/t (67x77) : **ZAR 1 400** – Johannesburg, 21 juin 1983 : *Head of a Pondo man 1929,* fus. (60,5x46,5) : **ZAR 1 000** – Johannesburg, 29 nov. 1983 : *Nature morte aux amaryllis 1936,* h/cart. entoilé (82x74) : **ZAR 15 000.**

STERN Janos
xviiiᵉ siècle. Hongrois.
Peintre.
Il travailla à Papa, Raab, Györ.

STERN Jean
xxᵉ siècle. Suisse.
Sculpteur d'assemblages, technique mixte.

Il montre des ensembles de ses créations dans des expositions personnelles, investissant l'espace des galeries comme participant aux œuvres, dont : 1992 Genève, galerie Andata-Ritorno ; 1995 Bâle, galerie Gisèle Linder ; etc.

Il travaille à partir de matériaux de récupération de toutes sortes, toile, bois, plâtre, métaux, zinc, plomb, Plexiglas, miroirs, etc. Il assemble ces matériaux destinés à la casse, par les procédés compatibles avec leur nature, dans ce qu'il appelle des « reliefs », combinatoires baroques, dont il unifie les composantes par des effets de peinture. Pour Jean Stern, quant à ses reliefs, la peinture leur apporte le faux-semblant : tantôt, monochrome, elle en « gomme les volumes », tantôt elle en crée de faux par de fausses ombres, propres quand peintes sur les formes elles-mêmes, portées quand peintes sur le mur de derrière. Des œuvres naturelles dans leur réalité matérielle, illusionnistes dans leurs tours.

STERN Johann
Né vers 1715 à Graz. XVIIIᵉ siècle. Autrichien.
Sculpteur.
Il travailla à Seelowitz, près de Brunn. Il était le frère de Joseph.

STERN Johann Baptist
XVIIIᵉ siècle. Actif à Constance vers 1750. Allemand.
Peintre.
Élève de Fr. Jos. Spiegler.

STERN Jonasz
Né en 1904 à Kalusz. XXᵉ siècle. Polonais.
Peintre, peintre de monotypes, dessinateur, graphiste. Abstrait-géométrique.
Il était établi à Cracovie. De 1929 à 1934, il fut élève de l'Académie des Beaux-Arts de la ville. Avant la Seconde Guerre mondiale, il fut l'un des créateurs du *Groupe de Cracovie*, qui réunissait les artistes d'avant-garde. Il a été professeur à l'Académie de Cracovie.
Avant la guerre, il exposait avec le *Groupe de Cracovie*. Après 1945, il a participé à des expositions collectives, dont : Salon de Mars de Zakopane, en 1956 à Bruxelles avec le groupe *Roter Reiter*, à partir de 1957 au *Groupe de Cracovie* reconstitué, en 1957 à une exposition à Munich, et en Yougoslavie, Égypte, en 1961 à New York. Il a exposé individuellement en 1958 à Sopot.
Ses œuvres sont généralement apparentées à l'abstraction géométrique. Toutefois, dans ses travaux plus spontanés, dessins, monotypes, il fait preuve de curiosité pour le domaine surréaliste.
BIBLIOGR. : B. Dorival, sous la direction de, in : *Peintres Contemp.*, Mazenod, Paris, 1964.

STERN José Joseph
Né le 4 novembre 1905 à Philippopolis. XXᵉ siècle. Actif et naturalisé en France. Bulgare.
Peintre de genre, portraits, paysages, aquarelliste.
Tôt en France, il fut élève de Lucien Simon à l'École des Beaux-Arts de Paris et des Académies libres de Montparnasse et Montmartre. Il reçut les conseils de son compatriote Julius Pascin. Ensuite, il résidait à Paris et à Nice. Il participait à des expositions collectives, à Paris : aux Salons des Artistes Français, des Tuileries ; à la Biennale de Menton ; ainsi que dans des galeries de Paris, Nice, New York, Londres, Lisbonne, etc.
Il a surtout peint des scènes de courses de chevaux, du monde de la danse, du carnaval.
MUSÉES : BOSTON : *Portrait du sculpteur J. Davidson* – BUENOS AIRES : *Paysage de Saint-Paul-de-Vence* – DETROIT : *Portrait de Kisling* – STOCKHOLM : *Fjords norvégiens*.

STERN Joseph
Né le 7 mars 1716 à Graz. Mort le 1ᵉʳ juillet 1775 à Brunn. XVIIIᵉ siècle. Autrichien.
Peintre.
Il travailla à Rome de 1739 à 1741 et fut un des chefs principaux de l'école baroque en Moravie.

STERN Ludovico
Né le 25 juillet 1780 à Rome. Mort après 1861. XIXᵉ siècle. Italien.
Peintre, graveur au burin et architecte.
VENTES PUBLIQUES : MILAN, 6 mai 1971 : *Nature morte aux fleurs* : ITL 1 500 000 – LOS ANGELES, 12 mars 1979 : *Nature morte aux fleurs*, h/t (48x63,5) : **USD 8 000**.

STERN Ludwig, Lodovico ou Ludovic
Né le 5 octobre 1709 à Rome. Mort le 25 décembre 1777 à Rome. XVIIIᵉ siècle. Italien.
Peintre de compositions religieuses, portraits, natures mortes, fleurs et fruits.

Il était le fils d'Ignaz, le père de Martino. Élève de son père, il appartint à partir de 1741 à la confrérie des Virtuoses et devint membre de l'Académie de Saint-Luc en 1756. Il passe pour être un portraitiste remarquable.
MUSÉES : AIX-EN-PROVENCE : *Deux tableaux de fleurs* – ASCHAFFENBOURG : *Franz Ludwig d'Erthal* – SCHLEISSHEIM : *Judith tenant la tête d'Holopherne* – WÜRZBURG : *Le Pape Benoît XIV*.
VENTES PUBLIQUES : PARIS, 19 nov. 1976 : *Corbeille de fleurs, oiseau et papillon* 1754 ; *Vase de fleurs et oiseau, deux cuivres, faisant pendants* (chaque 33x26) : **FRF 23 100** – MILAN, 21 mai 1981 : *Nature morte aux fleurs et aux champignons*, h/t (64,5x94) : **ITL 7 000 000** – LONDRES, 11 déc. 1992 : *L'Immaculée Conception*, h/t (46x33,2) : **GBP 4 950** – MILAN, 8 juin 1995 : *Nature morte avec fleurs et fruits*, h/t, une paire (chaque 38,5x49,5) : **ITL 29 900 000** – NEW YORK, 11 jan. 1996 : *Nature morte avec une tulipe, des jonquilles, des roses et autres fleurs dans un vase de verre*, h/t (45,7x36,8) : **USD 18 400** – PARIS, 25 juin 1996 : *Bouquet de fleurs dans un vase en pierre sculptée, coings et figues*, h/t (73x62,5) : **FRF 60 000**.

STERN Marguerite Louise Delphine ou Stern-Fould, née Fould
Née le 23 septembre 1866 à Marnes-la-Coquette (Hauts-de-Seine). XIXᵉ-XXᵉ siècles. Française.
Sculpteur de statues, figures, bustes, animalier.
Elle fut élève d'Édouard François Millet de Marcilly. Elle exposait à Paris, depuis 1914 au Salon des Artistes Français, 1926 mention honorable, 1932 médaille de bronze ; ainsi qu'à l'Union des Femmes Peintres et Sculpteurs. Elle fut présidente de la Fédération Française des Artistes ; elle était officier dans l'Ordre d'Orange-Nassau.
Elle a sculpté des bustes de personnalités, des sujets gracieux : *Ballerine*, des animaux : *Chien basset*.
MUSÉES : ALGER (Mus. Franchet-d'Esperey) : *Buste du maréchal Franchet-d'Esperey* – PARIS (Mus. de l'Armée) : *Buste du général Balfourier*.

STERN Martino
Né le 6 mai 1744 à Rome. XVIIIᵉ siècle. Italien.
Peintre.
Il était le fils de Ludwig Stern.

STERN Max
Né le 15 juin 1872 à Düsseldorf. Mort en 1943. XIXᵉ-XXᵉ siècles. Allemand.
Peintre de genre, portraits, scènes et paysages animés, paysages. Expressionniste.
De 1888 à 1892, il fut élève de Peter Janssen et de K. F. Eduard von Gebhardt à l'Académie des Beaux-Arts de Düsseldorf. De 1892 à 1894, il séjourna à Munich, où il fut élève de Carl von Marr pendant un semestre. Il voyagea en Italie, Hollande, à Paris.
MUSÉES : COLOGNE (Wallraf Richartz Mus.) : *Bonnes d'enfants* – DÜSSELDORF : *Messe dans les dunes* – *Portrait du professeur Wolkhardt* – *La laveuse* – *Portrait du docteur Schlossmann* – DÜSSELDORF (Mus. d'Hist.) : *Portrait du bourgmestre Köttgen*.
VENTES PUBLIQUES : BERLIN, 3 juil. 1969 : *Scène de marché* : **DEM 9 000** – DÜSSELDORF, 13 nov. 1973 : *Les marronniers en fleurs* : **DEM 5 800** – LONDRES, 5 avr. 1974 : *Hofgarten, Düsseldorf* : **GNS 1 200** – LONDRES, 9 déc. 1977 : *Scène de marché*, h/t (60,5x50,5) : **GBP 900** – COLOGNE, 21 mars 1980 : *Bord de mer animé de personnages*, h/t mar./pan. (27,5x37) : **DEM 5 500** – COLOGNE, 20 juin 1983 : *Femme sur une terrasse fleurie*, h/t (60x69) : **DEM 14 000** – COLOGNE, 28 juin 1985 : *Les vendanges*, h/t (90x75) : **DEM 7 500** – LONDRES, 2 nov. 1989 : *Personnages dans une cour ombragée*, h/t (59,7x78,7) : **GBP 7 700** – NEW YORK, 1ᵉʳ mars 1990 : *Personnages dans un parc un jour d'été*, h/t (60,3x50,8) : **USD 16 500** – TEL-AVIV, 14 avr. 1993 : *Paysage avec un personnage au bord d'une rivière*, h/pan. (71x58) : **USD 6 325** – TEL-AVIV, 7 oct. 1996 : *Paysage fluvial*, h/pan. (70x57) : **USD 6 900**.

STERN Rosa
Née le 6 mars 1868 à Szeged. XIXᵉ-XXᵉ siècles. Hongroise.
Sculpteur.
Elle exposa à Paris.

STERN Stefano
Né le 2 août 1764 à Rome. Mort le 28 novembre 1786 à Rome. XVIIIᵉ siècle. Italien.
Peintre.

STERN Veronica, épouse Telli
Née en 1717 à Rome. Morte le 8 octobre 1801 à Rome. XVIIIᵉ siècle. Italienne.

Miniaturiste.
Elle était la fille d'Ignaz Stern et la sœur de Ludwig Stern. Elle fut membre de l'Académie Saint-Luc à partir de 1742.

STERNAD Rudolf
Né le 2 septembre 1880 à Reichenberg. xxᵉ siècle. Autrichien.
Peintre de portraits, lithographe.
Il était actif à Vienne. Il a peint les portraits des membres de la haute aristocratie autrichienne et espagnole, de la bourgeoisie de Vienne et du patriciat suisse.

STERNADEL Antonin
Né le 10 mai 1910 à Trojanovic. xxᵉ siècle. Tchécoslovaque.
Peintre, graveur, illustrateur.
Il fut élève de l'École des Arts Décoratifs de Prague de 1927 à 1933, ainsi que de l'Académie des Beaux-Arts. Il est devenu lui-même professeur. Il participe à des expositions de groupe depuis 1942.
Il a un dessin très cursif, très aisé, qui lui permet de s'attaquer avec légèreté à d'ambitieuses compositions, dans lesquelles il ne craint pas d'introduire des morceaux influencés par de grands artistes contemporains, à la manière de citations dans un texte.
BIBLIOGR. : *Cinquante ans de peinture tchécoslovaque 1918-1968*, catalogue de l'exposition, Musées tchécoslovaques, 1968.

STERNBERG Frank
Né en 1858. xIxᵉ-xxᵉ siècles. Britannique.
Graveur.
Il fut élève de sir Hubert von Herkomer.

STERNBERG Isaak Emerik. Voir STENBERG Emerik, ou Isaak Johan Emerik Gustav

STERNBERG Nicolas
Né en 1901. xxᵉ siècle. Actif en France. Hongrois.
Dessinateur.

STERNBERG Wilhelm ou Vassily Ivanovitch
Né le 12 décembre 1818 à Saint-Pétersbourg. Mort le 8 novembre 1845 à Rome. xIxᵉ siècle. Russe.
Peintre de portraits, de genre et de paysages, lithographe.
MUSÉES : Moscou (Roumianzeff) : *Le peintre Raïeff*, deux fois – *Tête de jeune Italien* – *Tête de vieil Italien* – *Paysans italiens jouant aux cartes* – *Une étude* – Moscou (Gal. Tretiakov) : *Aux environs d'Albano* – *Lac Nemi* – *L'artiste* – *Cabaret de Petite-Russie* – *Monastère Vidonbetzky près de Kiev* – *Moine des environs de Rome* – *Marché italien* – *Chiens sous la table* – *Peintres russes à Rome*, caricature – *Chez le chef* – *Une étude* – Saint-Pétersbourg (Mus. Russe) : *Un moulin dans le désert* – *Jeu de colin-maillard* – *Une aquarelle.*

STERNBURG C. von
xIxᵉ siècle. Travaillant vers 1840. Autrichien.
Graveur de portraits.
On lui doit le portrait de l'acteur *Karl Andreas von Bernbrunn.* Peut-être s'agit-il de Charlotte Speck von Sternburg.

STERNE Hedda
Née en 1915 ou 1916 à Bucarest. xxᵉ siècle. Active depuis 1941 aux États-Unis. Roumaine.
Peintre. Abstrait-paysagiste.
Elle a acquis sa formation artistique à Bucarest, Vienne et Paris. Elle est établie à New York. Dès son arrivée, elle entra en contact avec le groupe de la galerie de Peggy Guggenheim, rencontrant Max Ernst, Rothko, Clifford Still. Elle est mariée avec le dessinateur Saül Steinberg.
Elle participe à des expositions collectives et, depuis 1943, expose individuellement à New York.
Ses premières peintures furent influencées par le surréalisme. Après 1950, elle évolua à l'abstraction. Le 20 mai 1950, elle fut la seule femme présente sur la photographie des *Irascibles*, publiée par *Life*, avec les peintres De Kooning, Pollock, Clifford Still, Motherwell..., qui refusèrent de participer à l'exposition du Museum of Modern Art *American Painting Today – 1950*, manifestation qui contribua à la promotion publique de l'expressionnisme abstrait.
BIBLIOGR. : Michel Seuphor, in : *Diction. de la peint. abstraite*, Hazan, Paris, 1957 – in : *Diction. de l'Art Mod. et Contemp.*, Hazan, Paris, 1992.
VENTES PUBLIQUES : New York, 9 nov. 1983 : *Windows* 1945, h/t (51x76) : USD 3 500.

STERNE Maurice
Né en 1877 à Libbau. Mort en 1957 à New York. xxᵉ siècle. Actif depuis 1989 aux États-Unis. Russe-Letton.

Peintre de genre, figures, portraits, paysages, marines, natures mortes, fleurs, lithographie, sculpteur.
Il arriva à l'âge de douze ans en Amérique. Il fut élève de la National Academy à New York. Établi à New York, il voyagea en Europe, séjournant surtout à Paris, allant aussi en Grèce et en Asie orientale.
Il participait régulièrement aux expositions internationales de la Fondation Carnegie de Pittsburgh. En 1928, il reçut la Logan Medal à l'Art Institute de Chicago et le Premier Prix Clark.
Lors de son séjour à Paris, il subit les influences de Cézanne, Gauguin, Derain. Pendant quelque temps, il plaqua sur un sentiment traditionnel des choses des emprunts vaguement géométrisants, emprunts stylistiques superficiels méconnaissant profondément leur raison fondamentale d'origine. Le style de Maurice Sterne est entièrement fondé sur un dessin académique, que sa connaissance de l'Orient lui permit d'abord de nuancer et de diversifier. Ses représentations de scènes rituelles de l'Inde et de l'Indonésie à Bali, *Bali Bazaar* de 1913, lui valurent un grand succès. Dans la suite des années vingt et trente, il fut alors apprécié pour la qualité de son dessin, sa ligne pure et les formes stylisées. En 1933, il fit partie du programme du « New Deal » de commandes, par le gouvernement Roosevelt, d'œuvres pour l'art destinées à des bâtiments publics, programme qui ne dura que cinq mois, mais qui préfigurait l'énorme « Work Projects Administration » de 1935 à 1939. Toutefois, et il n'était pas le seul dans ce cas, ses sujets de genre et sa technique académique ne convenaient absolument pas à des intégrations architecturales. Son œuvre sculpté, un peu marginal, foncièrement naturaliste, traite de sujets variés, figures typiques, femmes du sérail, baigneuses. Vers 1945, sur la côte Est à Provincetown (Massachusetts), il peignit des marines lumineuses dans une palette de couleurs étendue et dans une facture aussi intuitive et spontanée que ses œuvres précédentes étaient contrôlées et formelles.

Maurice Sterne

BIBLIOGR. : J. D. Prown, B. Rose, in : *La Peinture américaine*, Skira, Genève, 1969.
MUSÉES : Detroit : *Entrée du ballet* – *Mûres* – New York (Mus. of Mod. Art) : *Girl in blue chair* – *Resting at the Bazaar* – New York (Whitney Mus. for American Art) : *Bali Bazaar* 1913 – Washington D. C. (Metropolitan Mus.) : *Le jeteur de bombes*, bronze.
VENTES PUBLIQUES : New York, 20-21 oct. 1943 : *Jeune fille de Bali* : USD 250 – New York, 14 mars 1968 : *Portrait de fillette* : USD 1 300 – New York, 15 avr. 1970 : *Jeux de plage* : USD 900 – New York, 21 avr. 1978 : *Jeune femme à l'ombrelle*, h/pan. (38x19,7) : USD 2 000 – New York, 5 déc. 1980 : *Nature morte aux pommes*, h/t mar./cart. (56,5x66,8) : USD 1 600 – New York, 28 sep. 1983 : *Indigène*, cr. (52,7x37,5) : USD 1 000 – New York, 18 déc. 1985 : *Marcella* 1939, h/t (114x61) : USD 1 700 – New York, 16 mars 1990 : *Tulipes* 1917, h/t (87x56) : USD 12 100 – New York, 14 nov. 1991 : *Soucis dans un vase* 1928, h/t (73,6x59,7) : USD 4 180 – New York, 25 sep. 1992 : *Bord de mer à Princetown* 1946, h/pan. (61x81,9) : USD 935 – New York, 11 mars 1993 : *Indien Taos*, h/tissu de pap. drapé sur cart. (42,5x31,7) : USD 7 475 – New York, 9 sep. 1993 : *Expression d'une impression* 1949, h/t (83,8x114,3) : USD 1 840 – New York, 12 sep. 1994 : *Femme dansant*, h. et gche/pap. /cart. (41,3x29,5) : USD 2 070.

STERNECKER Hans
xvIᵉ siècle. Actif à Ravensbourg vers 1565. Allemand.
Peintre.

STERNEN Mathäus
Né le 20 septembre 1870 à Verd (près de Vrhnika). xIxᵉ-xxᵉ siècles. Yougoslave.
Peintre, restaurateur. Postimpressionniste.
Il étudia à Graz, Vienne, Munich et Paris. Vers 1906, il fonda, avec Richard Jakopic à Ljubljana, une École de Dessin et Peinture. Plus tard, il se fixa à Laibach. Il fut, avec Jakopic, un des promoteurs du postimpressionnisme slovène.

STERNER Albert Edward
Né le 8 mars 1863 à Londres, de parents américains. Mort le 16 décembre 1946 à Astoria (New York). xIxᵉ-xxᵉ siècles. Américain.
Peintre de genre, intérieurs, portraits, architectures, aquarelliste, graveur, dessinateur, lithographe, illustrateur.

Il commença sa formation à l'Art Institute de Birmingham. À Paris, il fut élève de Gustave Boulanger, Jules Lefebvre, J.-L. Gérome à l'Académie Julian. En 1879, il alla aux États-Unis, d'abord à Chicago comme lithographe et dessinateur ; en 1885, il fonda son propre atelier à New York. En 1907, il fut nommé président de la Society of Illustrators. En 1934, il devint membre de la National Academy of Design.

Il exposa à Paris, au Salon des Artistes Français, 1891 mention honorable, 1900 médaille de bronze pour l'Exposition universelle ; ainsi qu'à Munich, 1905 médaille d'or.

Il a travaillé pour la presse : *Harper's, Quiver, Pick-me-up, English Illustrated, Black and White, Life, Scribner's*, etc. Il a illustré des ouvrages littéraires : *L'ennui, Madame !* de D. Meunier, *Prue and I* de G. W. Curtis, *Fenwick's Career* de Mrs Ward.

Son style est essentiellement illustratif. Il a le sens des éclairages feutrés des intérieurs.

Bibliogr. : Marcus Osterwalder, in : *Dictionnaire des illustrateurs 1800-1914*, Ides et Calendes, Neuchâtel, 1989.

Musées : New York (Metropolitan Mus.).

Ventes Publiques : New York, 28 oct. 1976 : *Jeune femme sur une plage, dessinant* 1886, aquar. (23,5x33) : USD 4 250 – New York, 1er mai 1979 : *Marie en veste rouge*, past. (81x66) : USD 1 600 – New York, 25 sep. 1980 : *Le Balcon* 1900, fus. et cr. (55,5x41,5) : USD 1 000 – New York, 24 sep. 1981 : *Bord de mer* 1885, pl. (23,4x30,6) : USD 650 – Paris, 9 déc. 1981 : *Portrait de lady Mendl*, past. (82x65) : FRF 13 000 – New York, 1er juil. 1982 : *Femme lisant dans un jardin* 1896, h/t (28x44,4) : USD 2 300 – New York, 1er juin 1984 : *Autoportrait à la palette* 1911, h/cart. (62,2x48,5) : USD 4 000 – New York, 15 mars 1985 : *Nature morte* 1942, h/pan. (51x40,5) : USD 1 800 – New York, 28 sep. 1989 : *La table de l'artiste* 1934, h/t (76,2x63,7) : USD 2 750 – New York, 24 jan. 1990 : *La prière* 1900, fus./pap. teinté/cart. (61,6x40,6) : USD 715 – New York, 14 fév. 1990 : *Hell Gate Bridge* 1934, h/pan. (32,5x56) : USD 3 520 – New York, 10 mars 1993 : *Harold en train de lire*, h/t (70,5x60,3) : USD 2 300 – New York, 15 nov. 1993 : *Flora lisant* 1945, h/cart. (50,8x40,7) : USD 920 – New York, 3 déc. 1996 : *Nu à l'aquarium* 1917, h/t (86,5x73,5) : USD 4 025.

STERNER Harold
Né en 1895. xxe siècle. Américain.
Peintre de scènes animées, figures, paysages urbains, architectures.
Il figurait aux expositions internationales de la Fondation Carnegie de Pittsburgh.
Ses architectures se réfèrent clairement aux perspectives de l'époque métaphysique de Chirico.
Ventes Publiques : New York, 31 mars 1993 : *Artiste à son chevalet dans une architecture fantastique*, gche/cart. (38,1x27,9) : USD 805 – New York, 28 nov. 1995 : *Icare II*, h/rés. synth. (55,2x67,4) : USD 4 600.

STERNFELD Jacques
Né le 26 janvier 1874 à Vienne. Mort en 1934. xixe-xxe siècles. Autrichien.
Peintre de figures, portraits, intérieurs, natures mortes.
Il fut élève de Siegmund L'Allemand à l'Académie des Beaux-Arts de Vienne.
Musées : Jérusalem : *Nature morte* – Vienne : *L'acteur Theodor Weiss* – *Vue de l'atelier de l'artiste*.
Ventes Publiques : Lindau, 7 mai 1980 : *Nu couché*, h/t (120x195) : DEM 4 000.

STERNFIELD Edith A.
Née le 26 septembre 1898 à Chicago (Illinois). xxe siècle. Américaine.
Peintre, graveur.
Elle fut élève de l'Art Institute de Chicago. Elle était membre de la Ligue Américaine des Artistes Professeurs.

STERNHOVEN C.
Né en 1634. xviie siècle. Allemand.
Dessinateur.
L'Albertina de Vienne possède un portrait de l'artiste dessiné par lui-même.

STERNICHA Jean-Michel
Né en 1949 à Toulouse (Haute-Garonne). xxe siècle. Français.
Dessinateur humoristique, illustrateur, dessinateur publicitaire, décorateur. Populiste.
Il fut élève de l'École des Beaux-Arts de Toulouse.

STERNSEHER Hans Heinrich ou **Henricus**
Mort avant 1397. xive siècle. Actif à Vienne. Autrichien.

Peintre.
Il devint en 1375 peintre de la cour du duc Leopold III.

STERPIN Paul
Né en 1873 à Spy. xixe-xxe siècles. Belge.
Peintre de paysages.
Il fut élève de Josse Impens à l'Académie des Beaux-Arts de Saint-Josse-ten-Noode.
Il a surtout peint les paysages typiques du pays mosan, d'où il était originaire.
Bibliogr. : In : *Dict. biogr. illustré des artistes en Belgique depuis 1830*, Arto, Bruxelles, 1987.
Musées : Namur.
Ventes Publiques : Bruxelles, 19 déc. 1989 : *Effet de lumière sur la Meuse*, h/t (30x60) : BEF 20 000.

STERPIN Paul
Né en 1931 à Uccle. xxe siècle. Belge.
Peintre de figures, dessinateur.
Autodidacte en art. Au cours d'un voyage au Mexique, il rencontra David A. Siqueiros, dont il fit un portrait au fusain.
Bibliogr. : In : *Dict. biogr. illustré des artistes en Belgique depuis 1830*, Arto, Bruxelles, 1987.

STERPINI Ugo
Né en 1927 à Rome. xxe siècle. Italien.
Peintre, sculpteur, décorateur.
Les œuvres de ses débuts pouvaient être apparentées à l'art fantastique, dans son sens large. Ensuite, de ce fantastique il évolua dans le sens du surréalisme. En 1963, il s'associa avec l'architecte Fabio de Sanctis, pour fonder l'*Ufficina Undici*, où sont conçus et créés des « meubles irrationnels », de formulation anthropomorphique, métamorphique ou métaphorique, tout en respectant leur fonction utilitaire première.
Bibliogr. : José Pierre, in : *Le Surréalisme*, in : *Hist. générale de la peint.*, tome 21, Rencontre, Lausanne, 1966.

STERR Hans
Mort en 1516. xve-xvie siècles. Actif à Berne entre 1510 et 1515. Suisse.
Peintre verrier.
L'église de Jegistorf possède de lui deux magnifiques vitraux.

STERR Johann Kaspar
Originaire de Mattighofen. xviiie siècle. Allemand.
Peintre.

STERRE François Van der. Voir **STELLA**

STERRE DE JONG Jacobus Frederik
Né en 1866. Mort en 1920. xixe-xxe siècles. Hollandais.
Peintre de genre, peintre à la gouache, aquarelliste.
Ventes Publiques : New York, 4 mai 1979 : *La lecture du journal*, h/t (33x27) : USD 1 700 – Amsterdam, 28 fév. 1989 : *Mère et son enfant assis près d'une table dans un intérieur*, aquar. et gche/pap. (48,5x39) : NLG 1 495 – Amsterdam, 25 avr. 1990 : *Petite Fille assise aux pieds de sa mère occupée à coudre*, h/t (52x42) : NLG 7 475 – Amsterdam, 5 nov. 1996 : *Enfant regardant sa mère coudre*, h/t (42x34) : NLG 3 330.

STERRENBERG Johann Van. Voir **STARRENBERG**

STERRENBURCH Bastiaen. Voir **STARENBERGH**

STERRER Franz
Né le 16 novembre 1818 à Wels. Mort le 17 septembre 1901 à Écully (près de Lyon). xixe siècle. Autrichien.
Peintre.
Élève de F. von Amerling. Il exposa de 1840 à 1845 à l'Académie de Vienne. Il s'établit ensuite à Écully, après avoir épousé une Française à Constantinople. Le Musée municipal au château à Mannheim possède de lui les *Portraits du musicien Jakob Heinefetter et de sa femme Anna*.
Ventes Publiques : Vienne, 15 mars 1977 : *Portrait de femme* 1852, h/t (74x60) : ATS 25 000.

STERRER Joseph, l'Ancien
Né le 15 janvier 1807 à Wels. Mort le 19 septembre 1888 à Linz. xixe siècle. Autrichien.
Paysagiste et lithographe.
Il était le frère de Franz et le père de Joseph le Jeune et du sculpteur Karl. Il s'établit plus tard à Linz. Le Musée de cette ville possède plusieurs œuvres de l'artiste.

STERRER Joseph, le Jeune
Né vers 1839 à Wels. Mort le 22 décembre 1864 à Linz. xixe siècle. Autrichien.

Lithographe.
Frère du sculpteur Karl Sterrer.

STERRER Karl
Né le 25 mai 1844 à Wels. Mort le 17 octobre 1918 à Vienne. xixe-xxe siècles. Autrichien.
Sculpteur de statues, bas-reliefs.
Il était fils de Joseph Sterrer l'Ancien, frère de Joseph le Jeune et père de Karl Sterrer le peintre. Il étudia à Linz et à Vienne. Il s'établit à Vienne.
À Vienne, il sculpta les reliefs des *Quatre saisons* au nouveau Hofburg. Il sculpta plusieurs statues pour le Parlement, dont *Cicéron* et *Tacite*.
Ventes Publiques : Vienne, 14 jan. 1976 : *La famille idyllique* 1911, h/t (70x50) : **ATS 10 000** – Paris, 3 avr. 1992 : *La lecture*, h/t (116x89) : **FRF 30 000** – New York, 13 oct. 1993 : *Baigneuse 1925*, h/t (90,2x129,5) : **USD 8 625**.

STERRER Karl
Né le 4 décembre 1885 à Vienne. Mort en 1960. xxe siècle. Autrichien.
Peintre de figures, portraits, paysages.
Il était fils du sculpteur Karl Sterrer. Il fut élève de Alois Delug et Christian Griepenkerl à l'Académie des Beaux-Arts de Vienne. En 1908, il obtint le Prix de Rome ; en 1919 le Prix Reichel. À partir de 1921, il devint professeur à l'Académie.
S'il traita des sujets très divers, il fut surtout peintre de nombreux portraits.
Musées : Dresde : *Paysage d'hiver* – Pittsburgh (Cernegie Foundat.) : *Jeune fille* – Vienne (Gal. Autrichienne) : *Nuit d'hiver* – *Le voyageur* – Vienne (Mus. de l'Armée) : *Portrait*, plusieurs fois.
Ventes Publiques : Vienne, 18 mars 1977 : *Die handeln und die dichten* 1911, h/t (70x50) : **ATS 28 000** – Vienne, 13 juin 1980 : *Jeune fille couchée*, craie de coul. et aquar. (53x66) : **ATS 18 000** – Vienne, 12 nov. 1980 : *« Liebesfrügling »* 1910, h/t (103x87) : **ATS 130 000** – Vienne, 22 mars 1983 : *Les Deux Dormeurs*, aquar. et craie (98x153) : **ATS 100 000** – Vienne, 13 sep. 1983 : *Vue du Vésuve* 1911, h/t (53x75) : **ATS 100 000**.

STERRY Carl
Né le 29 mars 1861 à Neu-Haidau-am-Oder. xixe-xxe siècles. Allemand.
Peintre de genre, figures typiques, portraits, graveur. Orientaliste.
Il fut élève d'Anton von Werner à l'Académie des Beaux-Arts de Berlin.
Ventes Publiques : Londres, 18 mars 1994 : *Musicienne arabe* 1888, h/t (175,2x97,3) : **GBP 10 120**.

STERZ Andreas
xviie siècle. Actif en Styrie. Autrichien.
Peintre.

STESSEN Jean-Baptiste
Né en 1861 à Retie. Mort en 1949 à Geel. xixe-xxe siècles. Belge.
Peintre de figures, portraits, intérieurs, paysages, dessinateur. Postimpressionniste.
Il fut élève de Karel Verlat et Eduard Dujardin à l'Académie des Beaux-Arts d'Anvers. En 1893, il fonda une école de dessin.
Il a peint les paysages pittoresques des Campines.
Bibliogr. : In : *Dict. biogr. illustré des artistes en Belgique depuis 1830*, Arto, Bruxelles, 1987.

STETCHER Karl
Né en 1832. Mort en janvier 1924 à Wichita Kansas. xixe-xxe siècles. Actif aux États-Unis. Allemand.
Peintre de portraits, peintre verrier.
Il partit jeune aux États-Unis et s'établit à New York. Il est l'auteur des vitraux de l'église de la Trinité à New York.

STETERA Francesco
xvie siècle. Actif en Vénétie. Italien.
Peintre.

STETHAIMER Hans, l'Ancien ou **Stettheimer, Stettenheimer, Stetthamer**
Né entre 1350 et 1360 à Burghausen. Mort le 10 août 1432 à Landshut. xive-xve siècles. Autrichien.
Peintre, architecte.
L'œuvre de cet artiste se trouve réparti entre les plus importantes des églises de Bavière.

STETHAIMER Hans, le Jeune ou **Stettheimer, Stettenheimer, Stetthamer**
Né vers 1400. Mort après 1459. xve siècle. Allemand.

Peintre, architecte.
A achevé plusieurs des travaux de son père.

STETKA Gyula ou Julius
Né le 29 août 1855 à Kiralylehota. Mort le 14 octobre 1925 à Budapest. xixe-xxe siècles. Hongrois.
Peintre d'histoire, de portraits.
Il fut élève des Académies des Beaux-Arts de Vienne et de Munich.

STETNER S.
xvie siècle. Actif à Neustift (près de Brixen) dans la première moitié du xvie siècle. Autrichien.
Miniaturiste.
Il fut un des miniaturistes les plus remarquables du début du xvie siècle.

STETSON Charles Walter
Né le 25 mars 1858 à Tiverton Four Cornes. Mort le 21 juillet 1911 à Rome. xixe-xxe siècles. Américain.
Peintre de paysages, graveur.
Il vécut en Californie, puis à Paris et à Rome.
Musées : Washington D. C. (Corcoran Gal.) : Deux peintures.
Ventes Publiques : Bolton, 17 nov. 1983 : *Cérémonie religieuse*, h/t (50,8x61) : **USD 1 300** – New York, 30 sep. 1988 : *Vue de ma fenêtre après la pluie à Pasadena*, h/t (50,8x60,9) : **USD 4 950**.

STETTEN Carl Ernst von
Né le 7 mars 1857 à Augsbourg. xixe-xxe siècles. Actif aussi en France. Allemand.
Peintre de genre, scènes animées, portraits, paysages, paysages urbains.
Il étudia à Munich et à Paris. Jusqu'en 1913, il eut un atelier à Neuilly-sur-Seine. En France, il figurait probablement au Salon des Artistes Français, puisqu'il fut nommé chevalier de la Légion d'honneur. Après 1914, il s'établit près de Locarno, puis à Munich.
Ventes Publiques : Londres, 14 juin 1995 : *Marchande de fleurs sur les Grands Boulevards*, h/t (71,5x56,5) : **GBP 8 625**.

STETTER Dora, épouse Koch-Stetter
Née le 4 mai 1881 à Bayreuth. xxe siècle. Allemande.
Peintre de portraits, paysages, graveur.
Elle s'établit à Berlin.

STETTER Josef
xviiie siècle. Actif vers 1770. Allemand.
Peintre.

STETTER Karl
xviie siècle. Actif à Villingen vers 1623. Allemand.
Peintre.

STETTER Lina
Née le 26 juin 1869 à Zurich. xixe-xxe siècles. Suisse.
Peintre de paysages, natures mortes, graveur.
Elle fut élève de Maximilian Dasio et d'Anton Azbé à l'École de Peinture de Munich.

STETTHEIMER Florine
Née en 1871. Morte en 1944 ou 1948. xixe-xxe siècles. Américaine.
Peintre de portraits, fleurs.
Née à Rochester aux États-Unis, mais d'origine allemande, issue d'une famille aisée elle passa sa jeunesse en Allemagne, vivant à Berlin, Munich, Stuttgart. Finalement en 1914 elle s'installa avec sa mère et deux sœurs à New York. Là, elle se lia avec l'avant-garde de l'époque : Marcel Duchamp, Gaston Lachaise, Elie Nadelman, etc.
Son travail est caractérisé par un mélange de naïveté et de maniérisme et reste toujours distinct de celui de ses amis. Elle ne chercha pratiquement pas à commercialiser ses œuvres et peignit pour son plaisir offrant ses peintures à ses amis ou familiers.
Musées : New York (Metropolitan Mus. of Art) – New York (Mus. of Mod. Art) – New York (Brooklyn Mus.).
Ventes Publiques : New York, 27 jan. 1984 : *Fleurs rouges et jaunes*, aquar. (38x49,5) : **USD 900** – New York, 24 mai 1990 : *Vase de fleurs sous un dais*, h/t (88,9x43,2) : **USD 60 500** – New York, 29 nov. 1990 : *Portrait de Marcel Duchamp 1923*, h/t (76,2x66) : **USD 110 000** – New York, 4 déc. 1992 : *Ma carte d'anniversaire 1929*, h/t (96,5x66,5) : **USD 66 000** – New York, 4 déc. 1996 : *Delphiniums and Colombine*, h/t (91,5x76,2) : **USD 107 000** – New York, 6 juin 1997 : *4-Juillet n° 2 1927*, h/t (71,1x45,7) : **USD 145 500**.

STETTHEIMER Hans. Voir **STETHAIMER**

STETTINER Jacques
Né le 29 juin 1904 à Paris. xxᵉ siècle. Français.
Peintre.

STETTKA Gyula ou **Julius**. Voir **STETKA**

STETTLER Daniel
Né en 1591. Mort en 1629, de la peste. xvɪɪᵉ siècle. Actif à
Berne. Suisse.
Peintre verrier.

STETTLER Gustav
Né en 1913. xxᵉ siècle. Suisse.
Peintre de figures.
Musées : Aarau (Aargauer Kunsthaus) : *Africaine* 1968.

STETTLER Marie Louise. Voir **STEIGER**

STETTLER Martha ou **Marthe**
Née en 1870 à Berne. Morte en 1945. xɪxᵉ-xxᵉ siècles. Suisse.
Peintre de compositions à personnages, scènes de
genre, figures, animalier, paysages, natures mortes,
graveur.
Elle a travaillé à Paris, où elle exposait, depuis 1905 au Salon des
Indépendants, ainsi qu'aux Salons de la Société Nationale des
Beaux-Arts et des Tuileries.
Musées : Berne : *Enfant et poupée – Le Parc du Luxembourg,
Paris* – Bienne : *Véranda* – Genève (Mus. Rath) : *Conversation* –
Lugano : *Dans la verdure* – Rome (Mus. d'Art Mod.) : *Jeune fille
lisant* – Soleure : *Nature morte* – Winterthur : *Première commu-
nion.*
Ventes Publiques : Paris, 24 fév. 1934 : *Jardin du Luxembourg
en hiver* : FRF 150 – Fontenay-aux-Roses, 28 juil. 1945 : *Paysage* :
FRF 450 – Berne, 28 avr. 1978 : *Enfants jouant dans le jardin des
Tuileries*, h/t (49x64,5) : CHF 4 000 – Paris, 2 mars 1979 : *Le bas-
sin des Tuileries* 1912, h/t (65x81) : FRF 5 000.

STETTLER Rudolf Friedrich
Né le 8 mars 1815 à Berne. Mort le 13 octobre 1843 à Berne.
xɪxᵉ siècle. Suisse.
Peintre et architecte.

STETTLER Wilhelm
Né le 12 mars 1643 à Berne. Mort en 1708. xvɪɪᵉ siècle. Suisse.
Dessinateur, graveur et peintre.
Élève de Conrad Meyer, à Zurich et de Joseph Werner, à Paris. Il
fut employé par Charles Patin pour les dessins de son ouvrage
sur la numismatique. Stettler accompagna Patin, dans ses
voyages en Hollande et en Italie. Il composa une série de cent
quinze gravures pour *La Nef des fous* (Das Narrenschiff), de
Sébastien Brandt.

STETTNER Andreas
xvɪɪᵉ siècle. Autrichien.
Peintre.

STETTNER Christian
xvɪɪᵉ siècle. Actif à Francfort-sur-le-Main vers 1650. Allemand.
Peintre.

STETTNER Daniel
Né en 1711 à Nuremberg. Mort le 1ᵉʳ octobre 1769 à Nurem-
berg. xvɪɪɪᵉ siècle. Allemand.
Peintre, architecte et ingénieur.

STETTNER Gabor ou **Gabriel**
Né en 1740 à Ofen. Mort le 22 décembre 1815 à Ofen. xvɪɪɪᵉ-
xɪxᵉ siècles. Allemand.
Peintre de fleurs.

STETTNER Georg
xvɪɪɪᵉ siècle. Actif à Nuremberg. Allemand.
Graveur au burin.

STETTNER Georg Friedrich ou **Stättner**
Né à Augsbourg. Mort en 1639 à Francfort-sur-le-Main. xvɪɪᵉ
siècle. Allemand.
Peintre et graveur au burin.

STETTNER Johann Thomas
Né en 1785 à Nuremberg. Mort le 27 juillet 1872 à Triesdorf
(près d'Herrieden). xɪxᵉ siècle. Actif à Nuremberg. Allemand.
Graveur et médailleur.

STETTNER Sebestyen ou **Sebastian**
Né en 1699. Mort le 7 novembre 1758 à Ofen. xvɪɪɪᵉ siècle.
Autrichien.
Peintre.

STETTNER Thomas. Voir **STETTNER Johann Thomas**

STEUART Charles ou **Stewart**
xvɪɪɪᵉ siècle. Britannique.
Peintre de paysages.
Membre de la Society of Artists. Exposa à Londres de 1762 à
1790, trente-six œuvres à la Society of Artists et quatre à la Free
Society.

STEUART George
xvɪɪɪᵉ siècle. Actif à Londres. Britannique.
Portraitiste.
A envoyé neuf portraits en 1783 à la Société des Artistes.

STEUB Fritz
Né le 11 novembre 1844 à Lindau. Mort le 5 août 1903 à Par-
ten-Kirchen. xɪxᵉ siècle. Allemand.
Dessinateur de caricatures et graveur sur bois.
A publié des caricatures dans les *Fliegende Blätter* à partir de
1864.

STEUBEN Alexandre Joseph de, baron
Né le 22 juin 1814 à Paris. Mort le 7 juin 1862 à Paris. xɪxᵉ
siècle. Français.
Peintre d'histoire, scènes de genre, portraits, composi-
tions décoratives, dessinateur.
Élève de son père et de Ingres. Exposa au Salon entre 1840 et
1845, et obtint une médaille de troisième classe en 1840 avec son
Portrait de Rubens.
Le Musée du Louvre conserve de lui une peinture décorative :
Bataille d'Ivry, clémence d'Henri IV après la victoire au plafond
de la deuxième salle de la céramique antique. La cathédrale
Saint-Isaac à Saint-Pétersbourg possède de lui un tableau : *Jacob bénit ses enfants.*
Ventes Publiques : Paris, 10 et 11 juin 1925 : *Portrait du peintre
Lethière*, cr. : FRF 310 – Paris, 22 fév. 1929 : *Le message
d'amour* : FRF 2 400 – Paris, 28 juin 1993 : *Portrait de Edmé
Champion* 1851, h/t (74x60) : FRF 18 000.

**STEUBEN Charles Auguste Guillaume Henri François
Louis de**, baron
Né en 1788 à Bauerbach (près de Mannheim, Bade-
Wurtemberg). Mort le 21 novembre 1856 à Paris, ou 1858.
xɪxᵉ siècle. Allemand.
Peintre d'histoire, compositions religieuses, mythologiques, sujets allégoriques, batailles, scènes de genre,
portraits, dessinateur.
Il est le fils d'un officier de l'armée russe. Il commença son édu-
cation artistique à l'Académie de Saint-Pétersbourg, puis il fut
élève du baron Gérard, de Robert Lefebvre et de Prud'hon à
Paris. Il collabora au Musée historique créé à Versailles et fut
nommé chevalier de la Légion d'honneur. Vers la fin de sa carrière, il retourna en Russie.
Il exposa au Salon de Paris, de 1812 à 1843, obtenant une
médaille de première classe en 1819.
Il peignit des scènes de la vie du Christ dans la cathédrale de
Saint-Isaac.

[signatures]

Musées : Auxerre : *Portrait de la marquise de Blecqueville* – Ber-
lin (Mus. Hohenzollern) : *Portrait du prince Guillaume de Prusse
– Portrait du prince Frédéric de Prusse – Portrait du prince Frédé-
ric Guillaume de Prusse – Portrait du prince Louis Ferdinand de
Prusse* – Compiègne (Mus. du Château) : *Mercure et Argus* –
Lille : *Jeanne la Folle devant le cadavre de son époux Philippe le
Beau – La marquise de Béthisy* – Lons-le-Saunier : *Allégorie de la
Force* – Moscou (Mus. Roumianzeff) : *Le comte V. Th. Adlerberg
– Une Andalouse* – Moscou (Gal. Tretiakov) : *Le Golgotha* –
Nantes (Mus. des Beaux-Arts) : *Esmeralda – Une odalisque –
Jeune fille lisant* – Paris (École des Beaux-Arts) : *Portrait du Pape
Léon X*, copie – Saint-Pétersbourg (Mus. Russe) : *Portrait de
Kokoreff – Henri le Grand, enfant, sauvé par sa
mère* – Versailles (Mus. d'Hist.) : *Le capitaine Desaix – La bataille
de Poitiers – La bataille d'Ivry – Desaix général – Louis, duc d'An-
jou et roi de Naples – Louis, duc d'Orléans – Louis III – Charles le

Chauve – Louis IV – Hugues Capet – Le comte Saint-Pol – Anne d'Autriche – Pichegru.
VENTES PUBLIQUES : PARIS, 1830 : *Le retour de l'île d'Elbe* : **FRF 6 550** ; *La mort de Napoléon* : **FRF 12 000** – PARIS, 1844 : *Pierre le Grand* : **FRF 2 120** – PARIS, 1870 : *Pierre le Grand* : **FRF 4 300** – PARIS, 1876 : *Pendant une révolte des Strelitz, Pierre le Grand est mis par sa mère sous la protection de la Vierge* : **FRF 620** – PARIS, 19 mars 1897 : *Portrait de jeune femme* : **FRF 160** – PARIS, 9-11 déc. 1912 : *Portrait d'E. Delacroix* : **FRF 5 000** – PARIS, 28 oct. 1949 : *Portrait présumé de l'artiste* : **FRF 8 000** – LONDRES, 30 nov. 1977 : *La mort de Napoléon, h/t* (69x95,5) : **GBP 3 500** – LONDRES, 8 mai 1985 : *Retour de l'île d'Elbe, février 1815* 1818, h/t (98x130) : **GBP 48 000** – LONDRES, 22 nov. 1989 : *Mère et enfant, h/t* (72,5x58,5) : **GBP 7 700** – PARIS, 3 oct. 1991 : *Album de 68 feuilles de compositions historiques, religieuses et de portraits*, cr. et pl. (chaque feuille 23x15) : **FRF 6 000** – NEW YORK, 2 oct. 1996 : *Portrait en buste de Napoléon 1812, h/pan.* (31,2x24,2) : **USD 1 610.**

STEUBEN Éléonore Anne de, baronne, née Trollé
Née le 25 décembre 1788 à Paris. Morte le 29 décembre 1869 à Paris. XIX⁰ siècle. Française.
Peintre de portraits.
Élève de son mari Charles Steuben et de Robert Lefèvre. Exposa au Salon en 1827 et en 1835.

STEUDL Melchior ou Steudlin. Voir STEIDL

STEUDLIN Andreas. Voir la notice Steudlin Tobias

STEUDLIN Johann Matthias ou Steidlen, Steidlin
XVIII⁰ siècle. Allemand.
Dessinateur et graveur au burin.
Il travailla à Augsbourg et à Ratisbonne. Entre 1738 et 1740, il fut graveur de la cour à Karlsruhe.

STEUDLIN Tobias ou Steidlin
Né en 1642. Mort en 1701. XVII⁰ siècle. Actif à Augsbourg. Allemand.
Peintre de miniatures.
Son fils Andreas fut également enlumineur et peintre de lettres.

STEUDNER Daniel ou Steudtner, Steutner, Steidner
XVIII⁰ siècle. Actif à Augsbourg. Allemand.
Graveur au burin.
Il a laissé un œuvre très important.

STEUDNER Esaias Philipp ou Steudtner, Steutner, Steidner
Né en 1671. Mort le 3 octobre 1760. XVII⁰-XVIII⁰ siècles. Actif à Augsbourg. Allemand.
Sculpteur sur ivoire.

STEUDNER Georg Christoph ou Steudtner, Steutner, Steidner
XVIII⁰ siècle. Actif à Augsbourg. Allemand.
Graveur au burin.

STEUDNER Joh. Heinrich ou Steudtner, Steutner, Steidner
Né en 1686. Mort en 1707. XVII⁰ siècle. Actif à Augsbourg. Allemand.
Graveur au burin.

STEUDNER Marc Christoph ou Steudtner, Steutner, Steidner
Né vers 1660. Mort le 9 septembre 1704. XVII⁰ siècle. Actif à Augsbourg. Allemand.
Sculpteur, graveur et peintre.
Nous ne possédons plus de lui que quelques gravures.

STEUDTNER. Voir STEUDNER

STEUER
XIX⁰ siècle. Actif à Halle vers 1808. Allemand.
Graveur.

STEUER Anna
Née le 17 octobre 1871 à Breslau. XIX⁰-XX⁰ siècles. Allemande.
Décorateur, dessinateur.
Elle fut élève du peintre Eduard Kaempffer à Breslau, étudia à Munich, puis, de 1902 à 1906 à Stuttgart. Elle fut active à Munich, ensuite à Magdebourg, où elle fut professeur à l'École Technique et à l'École des Beaux-Arts jusqu'en septembre 1929.

STEUER Bernard Adrien
Né le 21 juin 1853 à Paris. Mort en 1913. XIX⁰-XX⁰ siècles. Français.

Sculpteur de figures, bustes.
Il fut élève de François Jouffroy, Eugène Lequesne, Aimé Millet. Il exposait à Paris, au Salon des Artistes Français, obtint des mentions honorables en 1882, 1883, 1884, 1886 et en 1900 pour l'Exposition universelle.
MUSÉES : LAON : *Après la chasse* – LIMOGES : *Buste de Gay-Lussac* – PARIS (Mus. d'Hist. Nat.) : *Achille Valenciennes* – VERSAILLES : *Flocon.*

STEUER L.
XVII⁰ siècle. Actif en Styrie. Autrichien.
Peintre.

STEUER Paul
Né le 16 mai 1879 à Berlin. XX⁰ siècle. Allemand.
Peintre.
Il était actif à Berlin. De 1910 à 1932, il fut professeur à l'École des Beaux-Arts de Königsberg (Prusse).

STEUERMARCK Friedrich Anton
XVII⁰ siècle. Allemand.
Peintre.

STEUERWALD Jan Dam
Né le 13 avril 1805 à Bergen-op-Zoom. Mort le 10 mai 1869 à La Haye. XIX⁰ siècle. Hollandais.
Peintre, lithographe et graveur au burin.
Élève en 1821 de A. Van der Koogh à Dordrecht, où il fonda le premier atelier de lithographie.

STEUERWALD Joh.
XVIII⁰ siècle. Actif à Kitzingen. Allemand.
Sculpteur.

STEUERWALDT Wilhelm ou Steuerwald
Né le 1er septembre 1815 à Quedlinburg. Mort en décembre 1871 à Quedlinbourg. XIX⁰ siècle. Allemand.
Peintre d'architectures, paysages, graveur, lithographe.
Il fut le fils et l'élève du professeur de dessin et de peinture Wilhelm, né en 1791, mort en 1863. Il fut ensuite l'élève de C. Hasenpflug et de l'Académie de Düsseldorf et de J. W. Schirmer.
VENTES PUBLIQUES : LONDRES, 13 oct. 1967 : *Bords du Rhin avec ruines* : GNS 320 – MUNICH, 27 juin 1995 : *Ruines d'un cloître en hiver, h/t* (46x51,5) : **DEM 11 500.**

STEUMS Anton. Voir STEVENS Anton

STEUR Gerrit Van der
Mort le 30 avril 1729. XVII⁰-XVIII⁰ siècles. Hollandais.
Peintre de marines.
En 1696 il entra dans la gilde d'Alkmaar.

STEURBAUT Marcel
Né en 1933 à Gand. XX⁰ siècle. Belge.
Dessinateur, illustrateur.
Il collabore, entre autres, aux journaux *Gazet Van Antwerpen, Belang Van Limburg.* Il est aussi auteur de bandes dessinées.
BIBLIOGR. : In : *Dict. biogr. illustré des artistes en Belgique depuis 1830*, Arto, Bruxelles, 1987.

STEURER Klement Adrian. Voir STEYERER

STEUTNER. Voir STEUDNER

STEVAERT François
XVII⁰ siècle. Actif à Malines. Éc. flamande.
Peintre.
Il était le fils de Josse Stevaert. De 1627 à 1630, il fut l'élève de David Herregout.

STEVAERT Josse
Mort en 1625, de la peste. XVII⁰ siècle. Actif à Malines. Éc. flamande.
Peintre.
Il a peint plusieurs salles du palais de Justice de Malines.

STEVAERTS. Voir PALAMEDES I et PALAMEDES Anthonie

STEVAN Jean
Né le 8 janvier 1896 à Saint-Gilles (près de Bruxelles). Mort le 24 mars 1962 à Bruxelles. XX⁰ siècle. Belge.
Peintre de paysages.
En 1919, il a débuté à Bruxelles. Il a participé à des expositions collectives à Bruxelles, Anvers, Luxembourg.
BIBLIOGR. : In : *Dict. biogr. illustré des artistes en Belgique depuis 1830*, Arto, Bruxelles, 1987.
VENTES PUBLIQUES : BRUXELLES, 19 déc. 1989 : *Ferme, h/cart.* (24,5x29,5) : **BEF 22 000** – LOKEREN, 12 mars 1994 : *Vue d'un vil-*

lage avec une église, h/pan. (70x59,5) : **BEF 36 000** – Lokeren, 8 mars 1997 : *Bosgezicht*, h/t (60x80) : **BEF 15 000**.

STEVANOVIC Borivoje
Né le 14 octobre 1879 à Nisch. xxᵉ siècle. Yougoslave.
Peintre de paysages.
Il étudia à Belgrade et à Munich. Il était actif à Belgrade.

STEVE Jean ou Stene, dit Monsieur Jean
xviiᵉ siècle. Actif à la fin du xviiᵉ siècle. Français.
Peintre et miniaturiste.
Il travailla à Venise à la fin du xviiᵉ siècle. Il a peint une *Descente de croix* pour l'église de S. Basso.

STEVE Miguel
xviᵉ siècle. Actif à Valence. Espagnol.
Peintre.

STEVEN
xvᵉ-xviᵉ siècles. Actif à Haarlem. Éc. flamande.
Sculpteur.

STEVEN, pseudonyme de Wilsens Stefan
Né en 1937 à Peer. xxᵉ siècle. Belge.
Graphiste, illustrateur, dessinateur publicitaire, dessinateur humoriste.
Il fut élève de l'Académie de Saint-Luc à Schaerbeek et des Kölner Werkschulen (écoles professionnelles de Cologne).
Bibliogr. : In : *Dict. biogr. illustré des artistes en Belgique depuis 1830*, Arto, Bruxelles, 1987.

STEVEN Fernand
Né en 1895 à Liège. Mort en 1955 à Herstal. xxᵉ siècle. Belge.
Peintre de paysages, paysages industriels, peintre de compositions murales.
Il fut élève, vers 1908, de l'École professionnelle de mécanique et, parallèlement, d'Adrien De Witte et d'Évariste Carpentier aux cours du soir de l'Académie des Beaux-Arts à Liège. En 1932, il devint membre du groupe *Art Moderne* de Liège et collabora à la revue *Anthologie*. Il fut professeur à l'Académie de Liège. De 1924 à 1954, il a participé aux expositions du Cercle des Beaux-Arts de Liège.
Vers 1922, voyageant en France, il peignit des paysages de Bretagne, Vendée, des Pyrénées. Vers 1927, il commença à réaliser des compositions sur des sujets industriels, surtout à partir de machines, dans une optique futuriste. À partir de 1937 environ, il a réalisé des compositions murales dans des bâtiments officiels de Liège et pour l'Hôtel de Ville de Chênée. Dans une perspective spiritualiste, il fusionne des éléments végétaux, marins, mécaniques, astraux.
Bibliogr. : G. Linze : *Fernand Steven*, Bruxelles, 1959 – in : *Dict. biogr. illustré des artistes en Belgique depuis 1830*, Arto, Bruxelles, 1987 – Pierre Somville, in : *Le Cercle royal des Beaux-Arts de Liège 1892-1992*, Crédit Communal, Liège, s.d., 1892.
Musées : Liège (Mus. de l'Art Wallon) : *Turbo-réacteur* 1950.
Ventes Publiques : Paris, 28 nov. 1988 : *Ville basse, ville haute* 1940, h/t (179-86) : **FRF 4 000**.

STEVEN von Calcar. Voir CALCAR Jan Steven von

STEVEN Hollandus. Voir HERWIJCK Steven Cornelisz Van

STEVENAY Claude
xviᵉ siècle. Actif à Nancy. Éc. lorraine.
Peintre verrier.

STEVENINO Cremonense. Voir LAMBRI Stefano

STEVENS
xviiᵉ siècle. Hollandais.
Peintre.
On conserve de lui une *Nature morte* au Musée d'Amsterdam.

STEVENS Agapit
Né en 1849. Mort en 1917. xixᵉ-xxᵉ siècles. Belge.
Peintre de genre, figures, pastelliste.
Ventes Publiques : New York, 28 mai 1980 : *Rêverie*, h/pan. (48x35,5) : **USD 1 000** – New York, 28 mai 1981 : *Une beauté du harem* (56x76) : **USD 4 000** – L'Isle-Adam, 7 oct. 1984 : *Musicienne orientale*, h/t (121x75) : **FRF 49 000** – Bruxelles, 27 fév. 1985 : *Eurydice*, h/t (123x148) : **BEF 130 000** – Londres, 17 mars 1989 : *Jolie jeune femme*, past. (53,4x44,5) : **GBP 2 200** – Amsterdam, 25 avr. 1990 : *Rêverie*, h/pan. (65,5x45) : **NLG 2 300** – Londres, 17 juin 1992 : *Jeune fille avec des coquelicots dans les cheveux*, past. (52,5x43,5) : **GBP 792** – Londres, 19 nov. 1993 : *Beauté orientale*, h/t (105,6x71,8) : **GBP 8 050** – Londres, 17 juin

1994 : *Beauté orientale*, h/t (100,3x80,6) : **GBP 5 750** – New York, 24 mai 1995 : *Le départ* 1897, h/t (60,3x45,7) : **USD 4 600** – Londres, 21 mars 1997 : *Une beauté orientale*, h/t (75,5x56) : **GBP 5 750** – Londres, 13 mars 1997 : *Dame avec son chien à la fenêtre*, h/t (97,8x65,4) : **GBP 3 680** – New York, 23 mai 1997 : *Sur le balcon*, h/t (125,7x99,7) : **USD 74 000**.

STEVENS Aimé
Né en 1879 à Schaerbeek. Mort en 1951. xxᵉ siècle. Belge.
Peintre de figures, portraits.
Il fut élève de Joseph Stallaert et Joseph Quinaux à l'Académie des Beaux-Arts de Bruxelles. Il devint professeur à cette même Académie.
Ventes Publiques : Lokeren, 10 déc. 1994 : *Dame en robe du soir*, h/t (130x100) : **BEF 80 000** – Lokeren, 9 déc. 1995 : *Dame en robe du soir*, h/t (130x100) : **BEF 80 000**.

STEVENS Alfred
Né le 11 mai 1823 à Bruxelles, et non en 1828. Mort le 24 août 1906 à Paris. xixᵉ-xxᵉ siècles. Belge.
Peintre de genre, portraits, paysages, marines.
Frère de Joseph Stevens, il fut élève de Navez à Bruxelles et de C. Roqueplan à Paris. Ses premiers tableaux datent de 1848. Il a exposé régulièrement à Paris, où il séjourna souvent et fit carrière, et à Bruxelles. Il fut essentiellement un peintre de la femme et plus particulièrement de la parisienne du second empire. On a pu voir deux tableaux de Stevens à l'ancien Musée du Luxembourg, à l'occasion de l'exposition des peintres belges, organisée pendant la guerre 1914-1918. Son dessin est précis, sa peinture claire, lumineuse, sa pâte assez nourrie. En 1890 il adhéra à la Société Nationale des Beaux-Arts, dont il demeura depuis un exposant fidèle. Lors de l'Exposition universelle de 1889, il peignait en collaboration de Gervex : *Panorama de l'histoire du siècle*, composé d'un grand nombre de portraits en pied. Il a publié en 1886 un ouvrage : *Impressions sur la peinture* qui eut un grand retentissement et fut traduit en plusieurs langues.
Alfred Stevens réagit contre la grandiloquence héritée, et mal comprise, du romantisme et abandonna des sujets qu'il avait traités à ses débuts comme *Un soldat regrettant sa patrie*. Ami de Manet, il fut aussi un représentant du réalisme, vu sous l'angle mondain du familier de la cour de l'Impératrice qu'il était. Il exprimait les aspects modernes de son temps. Il fut également l'un des premiers amateurs des « japonaiseries ». S'il fut l'ami des impressionnistes, surtout de Manet et de Berthe Morisot, lui-même ne peut que difficilement être considéré comme un impressionniste. Ce fut chez lui que se rencontrèrent Bazille et Manet. Il gardait dans son atelier des peintures de Manet, dans l'espoir de les vendre à ses riches visiteurs. C'est dans son atelier que Durand-Ruel vit les deux premiers Manet qu'il acheta, en 1872. Membre correspondant de l'Académie Royale de Belgique et de l'Académie Royale de Madrid, Stevens a obtenu outre ses récompenses aux Salons un grand nombre de médailles aux Expositions universelles notamment le Grand Prix en 1889 et en 1900 à Paris. Commandeur de la Légion d'honneur, grand officier de l'ordre de Léopold de Belgique.

BIBLIOGR. : C. Lemonnier : *A. Stevens et son œuvre*, Bruxelles, 1906 – Fr. Boucher : *A. Stevens*, Paris, 1930 – G. Van Zype : *Les Frères Stevens*, Bruxelles, 1936 – J. L. Broeckx, A. Stevens en zijn : *Impression sur la peinture*, Bruxelles, 1943 – R. H. Ives Gammell : *Boston Painters 1900-1930*, 1986.

MUSÉES : ANVERS : *Désespérée – Un sphinx parisien – Mendicité autorisée* – BOSTON : *L'Auditeur attentif* – BRUXELLES : *La Dame en rose – La Bête à bon Dieu – Salomé – La Veuve et ses enfants – Route du cap Saint-Martin à Menton – L'Atelier d'Alfred de Knyff – L'Atelier – Fleurs d'automne – Le Bouquet effeuillé – Marine – Figure de femme – Tous les bonheurs* – LIÈGE – LONDRES : *Mrs Mary Collmann* – Carton pour décoration de salle à manger à Dorchester House – *Femme*, étude – *Adolescent et femme*, étude *– Femme assise et enfant avec d'autres figures*, étude – *Enfant tenant un autre enfant*, étdue – *Garçon assis*, étude – *Femme avec les bras étendus*, étude – MUNICH : *Dans le boudoir* – NANCY : *L'Attente* – NANTES : *Marine* – NEW YORK : *La Robe japonaise* – PONTOISE : un past. – TOURNAI – WINCHESTER : *Une mère.*

VENTES PUBLIQUES : PARIS, 1868 : *La Séduction* : **FRF 4 100** – PARIS, 1872 : *La Lettre de faire-part* : **FRF 5 800** – PARIS, 1873 : *L'Atelier de l'artiste* : **FRF 20 500** – BRUXELLES, 1874 : *Le Cadeau de Nouvel An* : **FRF 21 000** – PARIS, 1875 : *Le Bain* : **FRF 7 805** ; *La Coquette* : **FRF 6 600** – PARIS, 1878 : *L'Atelier de l'artiste* : **FRF 8 700** – NEW YORK, 1881 : *Dans le jardin* : **FRF 13 250** – PARIS, 1886 : *La Conversation* : **FRF 17 500** – NEW YORK, 1886 : *A Boulogne-sur-Mer* : **FRF 13 500** – PARIS, 1890 : *Ophélie* : **FRF 29 100** ; *Fedora* : **FRF 15 000** ; *Le Masque japonais* : **FRF 15 000** ; *Le Chien au miroir* : **FRF 10 500** – PARIS, 6 avr. 1891 : *La Femme à la colombe* : **FRF 10 000** – PARIS, 14 juin 1891 : *La Musicienne* : **FRF 9 500** – PARIS, 14 avr. 1893 : *La Parisienne japonaise* : **FRF 8 300** – PARIS, 25 fév. 1896 : *Lady Macbeth* : **FRF 2 030** ; *Le Coup de vent* : **FRF 2 000** – BRUXELLES, 5 avr. 1897 : *Yamatori* : **FRF 4 500** – NEW YORK, 4 fév. 1898 : *Alsace* : **FRF 6 500** ; *Souvenirs et Regrets* : **FRF 8 000** ; *Dame examinant une statuette d'éléphant* : **FRF 3 875** – ANVERS, 1898 : *La Dame au camélia* : **FRF 2 200** ; *L'Atelier* : **FRF 25 000** – LONDRES, 1899 : *La Veuve* : **FRF 10 140** – PARIS, 1900 : *L'Attente* : **FRF 20 000** – PARIS, 1900 : *La Visite* : **FRF 21 000** ; *Femme à la colombe* : **FRF 12 500** ; *Crépuscule à Sainte-Adresse* : **FRF 5 200** – PARIS, 27 juin 1900 : *Perplexité* : **FRF 9 000** – PARIS, 11 mars 1901 : *Le Jour de fête* : **FRF 25 000** ; *Un sphinx parisien* : **FRF 13 500** – NEW YORK, 1er-2 mars 1906 : *Le Paquebot* ; *Le Tréport* : **USD 150** – PARIS, 12-14 juin 1907 : *Un coup de vent au Tréport* : **FRF 2 700** – PARIS, 19 avr. 1910 : *Ophélie* : **FRF 8 100** – NEW YORK, avr. 1910 : *La Femme aux cerises* : **USD 750** – LONDRES, 26 oct. 1910 : *Dans l'atelier* : **GBP 39** – NEW YORK, 16 nov. 1910 : *Le Verrou* : **USD 205** – NEW YORK, 13 jan. 1911 : *Marine* : **USD 410** – PARIS, 22 mars 1911 : *Le Repos du modèle* : **FRF 1 900** – LONDRES, 9 juin 1911 : *La Proclamation 1889* : **GBP 9** – PARIS, 30 mai 1912 : *Rêverie* : **FRF 45 000** – PARIS, 3 fév. 1919 : *Sur la terrasse* : **FRF 2 700** – PARIS, 21 juin 1919 : *Dans le parc* : **FRF 3 600** – PARIS, 6 mai 1920 : *Portrait de jeune femme* : **FRF 4 000** – PARIS, 10 déc. 1920 : *En promenade dans le parc* : **FRF 5 550** – PARIS, 16 mars 1921 : *La Confidence* : **FRF 6 100** – PARIS, 21-22 nov. 1922 : *La Plage* : **FRF 1 050** – PARIS, 13 déc. 1923 : *Portrait de femme en corsage bleu* : **FRF 3 100** – PARIS, 11-13 juin 1923 : *La Nuit en rade du Havre* : **FRF 1 550** – PARIS, 30 nov. 1925 : *Marine* : **FRF 1 150** – PARIS, 24 fév. 1926 : *Un moine guerrier* : **FRF 12 500** – LONDRES, 28 mai 1926 : *Le Miroir* : **GBP 58** – PARIS, 23 juin 1926 : *L'Attente* : **FRF 56 000** – PARIS, 2 et 3 déc. 1926 : *L'Éducation du petit chien* : **FRF 13 800** ; *Rêverie* : **FRF 41 000** ; *La Perruche* : **FRF 7 500** – LONDRES, 27 avr. 1927 : *Étude de nu*, sanguine : **GBP 49** – PARIS, 3 déc. 1927 : *L'Heure du bain* : **FRF 6 600** – PARIS, 16 déc. 1927 : *La Chanteuse* : **FRF 2 000** – PARIS, 28 mars 1928 : *Femme en buste, les mains croisées* : **FRF 10 100** – PARIS, 23 juin 1928 : *La Lecture sur la plage* : **FRF 3 800** – LONDRES, 4 juil. 1928 : *Étude de nu vu de dos*, sanguine : **GBP 40** – LONDRES, 11 juil. 1928 : *Étude pour la décoration de Dorchester House*, sanguine : **GBP 36** – LONDRES, 10 mai 1929 : *Le Studio* : **GBP 252** – PARIS, 5-6 juin 1929 : *Jeune Femme en costume de soirée* : **FRF 3 310** – NEW YORK, 15 nov. 1929 : *Sur la terrasse* : **USD 275** – PARIS, 12 mai 1932 : *Portrait de jeune femme* : **FRF 1 750** – PARIS, 28 oct. 1932 : *Le Bateau de Trouville, effet de soir* : **FRF 450** – LONDRES, 20 avr. 1934 : *Groupe de personnages*, sanguine : **GBP 23** – PARIS, 28 juin 1935 : *Dou-*

loureuse Certitude : **FRF 4 220** – PARIS, 20 nov. 1935 : *Rêverie* : **FRF 23 000** – PARIS, 17 fév. 1937 : *L'Attente* : **FRF 6 100** – PARIS, 27 nov. 1937 : *La Plage* : **FRF 370** – PARIS, 16-17 mai 1939 : *Voiliers en mer* : **FRF 680** – PARIS, 11 mars 1940 : *Jeune femme à la colombe* : **FRF 5 000** – PARIS, 30 juin-1er juil. 1941 : *Vue du Tréport* : **FRF 1 050** – PARIS, 20 mars 1942 : *Frère et Sœur 1891* : **FRF 20 000** – PARIS, 22 juin 1942 : *La Récolte du goémon 1884* : **FRF 4 000** – PARIS, 2 déc. 1942 : *Marines*, deux toiles : **FRF 21 000** – PARIS, 23 juin 1943 : *Femme assise au bord de la mer 1893* : **FRF 13 000** ; *Barque et Voiliers en mer* : **FRF 4 600** – PARIS, 8 nov. 1943 : *Vapeur et Voiliers en mer* : **FRF 8 000** – PARIS, 17-18 fév. 1944 : *Effet de soleil sur la mer* : **FRF 10 100** – PARIS, 21-22 fév. 1945 : *Marine* : **FRF 24 000** – PARIS, 23 mars 1945 : *Bords de mer au Tréport* : **FRF 10 000** ; *Voiliers et Vapeur en mer* : **FRF 12 500** – NICE, 2 juin 1945 : *Marine et Paysage* : **FRF 65 000** ; *Marine au Tréport 1890* : **FRF 60 000** ; *Sainte-Adresse* : **FRF 35 000** – PARIS, oct. 1945-juil. 1946 : *Le Tréport* : **FRF 12 500** ; *Marine* : **FRF 18 000** – PARIS, 2 juil. 1947 : *Vapeurs et barques à voiles en mer* : **FRF 9 300** – PARIS, 24 nov. 1948 : *Le Tréport* : **FRF 16 500** – PARIS, 28 jan. 1949 : *Bord de mer* : **FRF 14 000** – PARIS, 23 fév. 1949 : *Le Musicien*, dess. : **FRF 13 000** ; *Marine* : **FRF 12 100** – NICE, 24 fév. 1949 : *La Femme à l'éventail* : **FRF 31 000** – PARIS, 28 fév. 1949 : *L'Atelier du peintre* : **FRF 20 000** ; *Salomé*, past. : **FRF 6 500** – MONACO, 11 avr. 1949 : *Effets de lune* : **FRF 33 000** – PARIS, 17 mai 1949 : *Femme dans un intérieur* : **FRF 30 000** – PARIS, 17 mars 1950 : *Marine* : **FRF 10 000** – PARIS, 30 mars 1950 : *Marine* : **FRF 6 100** – PARIS, 1er juin 1950 : *Marines, deux pendants* : **FRF 6 000** – PARIS, 28 juin 1950 : *Baigneurs, voiliers et vapeur* : **FRF 33 000** – PARIS, 28 juin 1950 : *L'Adieu, bord de mer* : **FRF 20 000** ; *La Harpiste* : **FRF 18 000** ; *Marine au clair de lune* : **FRF 15 000** – BRUXELLES, 21 oct. 1950 : *Le Chapeau fleuri* : **FRF 12 000** ; *Au cirque* : **BEF 9 000** – PARIS, 27 nov. 1950 : *L'Entrée du port* : **FRF 46 500** – BRUXELLES, 2 déc. 1950 : *Jeune Femme* : **BEF 2 200** – NICE, 20 déc. 1950 : *Vue d'une plage* : **FRF 25 000** – PARIS, 22 déc. 1950 : *Jeunes Femmes sur un balcon* : **FRF 23 000** – PARIS, 22 jan. 1951 : *L'Entrée du port* : **FRF 15 000** – PARIS, 7 fév. 1951 : *Mer par gros temps* ; *Crépuscule sur la mer 1874*, deux pendants : **FRF 15 500** – PARIS, 28 fév. 1951 : *Entrée du port* : **FRF 24 000** – PARIS, 6 mars 1951 : *Marine, clair de lune* : **FRF 20 000** – BRUXELLES, 28 avr. 1951 : *Menton 1894* : **BEF 4 500** – PARIS, 23 mai 1951 : *Sainte-Adresse, crépuscule* : **FRF 12 500** – BRUXELLES, 28 mai 1951 : *Après le bal* : **BEF 9 000** ; *La Robe de bal* : **BEF 2 500** – LUCERNE, 11 juin 1951 : *Jeune Femme dans un intérieur* : **CHF 3 000** – AMSTERDAM, 20 juin 1951 : *Maternité 1880* : **NLG 925** – PARIS, 20 juin 1951 : *La Lettre* : **FRF 26 000** – PARIS, 7-8 déc. 1954 : *Portrait de femme assise* : **FRF 190 000** – LONDRES, 26 fév. 1964 : *Soir de première* : **GBP 1 200** – LONDRES, 24 nov. 1965 : *Les Visiteurs* : **GBP 1 900** – PARIS, 4 mai 1966 : *Terrasse aux environs de Honfleur* : **FRF 13 000** – BRUXELLES, 1er mars 1967 : *La Visite matinale* : **BEF 140 000** – LONDRES, 6 déc. 1968 : *Promenade sur la plage* : **GNS 1 100** – LONDRES, 3 juil. 1970 : *Femme à l'ombrelle rouge* : **GNS 1 100** – VERSAILLES, 5 déc. 1971 : *Ophélie* : **FRF 22 000** – VERSAILLES, 10 déc. 1972 : *Dame examinant une statuette* : **FRF 29 000** – VERSAILLES, 3 juin 1973 : *La Parisienne* : **FRF 24 000** – BRUXELLES, 28 mai 1974 : *L'Étude du rôle* : **BEF 170 000** – PARIS, 5 juin 1974 : *Rêverie*, past. : **FRF 15 000** – LONDRES, 30 nov. 1976 : *La Parisienne devant la mer*, h/t (128x98) : **GBP 10 000** – ZURICH, 23 nov. 1977 : *Marguerite Pillini sur la plage de Deauville 1876*, h/t (70x43) : **CHF 12 000** – LONDRES, 23 nov. 1978 : *Au salon*, aquar. (55x37,5) : **GBP 600** – LONDRES, 29 nov 1979 : *Femme à l'éventail*, fus. reh. de blanc/pap. beige (63,5x25,5) : **GBP 700** – LONDRES, 9 mai 1979 : *Jeune fille lisant près d'une fenêtre ouverte*, h/t (72,5x53,5) : **GBP 7 700** – LONDRES, 26 fév. 1980 : *Nu debout*, bronze (H. 49,5) : **GBP 2 400** – LONDRES, 23 juin 1981 : *Jeune Fille sur un balcon vers 1890*, h/t (120x98) : **GBP 14 000** – NEW YORK, 1er mars 1984 : *Carriole et cheval sur une plage au clair de lune 1886*, past. (69,8x43,8) : **USD 1 900** – NEW YORK, 5 mai 1984 : *Dans le parc vers 1875*, h/t (92,5x65) : **USD 105 000** – LONDRES, 21 juin 1985 : *La nouvelle robe*, h/t (67,5x48) : **GBP 16 000** – LONDRES, 28 nov. 1986 : *Jeune femme à son miroir*, h/t (32x21) : **GBP 10 000** – REIMS, 20 déc. 1988 : *Jeune Femme fumant le narguilé allongée sur un sofa*, h/t (100x81) : **FRF 29 000** – AMSTERDAM, 10 fév. 1988 : *Chevalier en armure dans une salle de garde 1885*, h/pan. (62,5x46,5) : **NLG 4 830** – LOKEREN, 28 mai 1988 : *Marine*, h/pan. (32,5x24) : **BEF 85 000** – PARIS, 23 juin 1988 : *Menton 1894*, h/t (82x66) : **FRF 23 500** – VERSAILLES, 6 nov. 1988 : *Voiliers en mer 1893*, h/pan. (23,5x14) : **FRF 8 000** – NEW YORK, 23 fév. 1989 : *A la campagne, jeune femme dans un parc avec une ombrelle*, h/t

(78,1x55,8) : **USD 462 000** – Cologne, 18 mars 1989 : *Bateaux de pêche près des côtes anglaises*, h/pan. (22x14) : **DEM 1 200** – Londres, 20 juin 1989 : *Jeune femme s'admirant dans un miroir*, h/pan. (62x47,5) : **GBP 13 200** – New York, 24 oct. 1989 : *Le miroir convexe*, h/t (92,7x64,8) : **USD 286 000** – Londres, 24 nov. 1989 : *Admiration devant un portrait* 1879, h/pan. (46x33,5) : **GBP 22 000** – New York, 28 fév. 1990 : *Au large de Menton l'après-midi* 1894, h/t (54,6x81,3) : **USD 17 600** – Paris, 22 mars 1990 : *Élégante*, h/t (61,5x50,5) : **FRF 70 000** – Amsterdam, 25 avr. 1990 : *Steamer sur un large fleuve*, h/pan. (40x24) : **NLG 13 800** – Bruxelles, 9 oct. 1990 : *Vue de Sainte-Adresse* 1884, h/pan. (51x35) : **BEF 200 000** – Paris, 19 nov. 1990 : *Élégante à l'ombrelle au bord de la rivière*, h/t (46x33) : **FRF 38 000** – Paris, 5 déc. 1990 : *Femme appuyée à son lavoir*, encre et cr. (36,5x25) : **FRF 12 000** – New York, 28 fév. 1991 : *Navigation au large de la côte*, h/t (65,4x54,6) : **USD 7 700** – New York, 16 oct. 1991 : *Femme assise à l'éventail*, h/pan. (21,3x15,6) : **USD 16 500** – Paris, 20 nov. 1991 : *Femme à l'éventail*, h/t (57x42) : **FRF 30 000** – New York, 19 fév. 1992 : *La dame en noir*, h/pan. (50,2x39,7) : **USD 17 600** – Amsterdam, 14-15 avr. 1992 : *Vue du Havre au clair de lune* 1882, h/pan. (35x26,5) : **NLG 2 760** – Paris, 24 juin 1992 : *Marine*, h/pan. (41x32,5) : **FRF 20 000** – New York, 29 oct. 1992 : *Voiliers*, h/pan. (26x36,2) : **USD 2 200** – New York, 30 oct. 1992 : *L'automne* 1874, h/pan. (69x21,5) : **USD 22 000** – New York, 18 fév. 1993 : *L'Étude du rôle* 1888, h/t (94x59) : **USD 165 000** – Calais, 14 mars 1993 : *Vapeurs et voiliers en mer*, h/pan. (39x32) : **FRF 10 000** – Lokeren, 9 oct. 1993 : *La Musicienne*, h/t (46,5x35) : **BEF 1 500 000** – Londres, 18 mars 1994 : *La plage d'Ostende*, h/t (47x39,1) : **GBP 6 900** – Paris, 17 juin 1994 : *Jeune femme au livre*, h/pan. (35x27) : **FRF 82 000** – New York, 12 oct. 1994 : *L'été*, h/t (115,6x57,2) : **USD 266 500** – Lokeren, 11 mars 1995 : *Marine*, h/t (74x61) : **BEF 110 000** – Paris, 10 avr. 1995 : *Coucher de soleil sur la mer, au loin un vapeur*, h/t (73x60) : **FRF 20 000** – Orléans, 10 juin 1995 : *Jeune femme et son bébé assise sur une terrasse avec une fillette contemplant le soleil couchant*, h/t (67x98) : **FRF 610 000** – Lokeren, 9 mars 1996 : *Le Petit Porteur d'eau*, h/t (92,5x60) : **BEF 220 000** – New York, 23 mai 1996 : *Avant le bal*, h/pan. (74,9x52,7) : **USD 74 000** – Londres, 12 juin 1996 : *Portrait d'une dame*, h/t (75x55) : **GBP 14 950** – Vienne, 29-30 oct. 1996 : *Soucis d'amour*, h/t (104x72,5) : **ATS 817 000** – Paris, 13 nov. 1996 : *Jeune Femme accoudée sur un fauteuil*, pl. et lav. d'encre brune/traits cr. noir (39x27,5) : **FRF 20 000** – Paris, 8 déc. 1996 : *Élégante à la toilette bleue*, h/t (53x41) : **FRF 36 000** – Calais, 15 déc. 1996 : *Petit voilier gagnant le large* 1889, h/pan. (24x19) : **FRF 13 000** – Paris, 30 oct. 1996 : *Jeune femme dans un intérieur*, h/pan. (47,5x31) : **FRF 122 000** – Londres, 22 nov. 1996 : *Femme en robe blanche*, h/t (58,5x39,5) : **GBP 4 600** – New York, 24 oct. 1996 : *La Villa près des falaises à Sainte-Adresse* 1884, h/t (64,1x92,1) : **USD 442 500** – Lokeren, 7 déc. 1996 : *Femme se reposant au bord de la mer*, h/pan. (41x31,5) : **BEF 400 000** – Paris, 4 avr. 1997 : *Voiliers au soleil couchant*, h/pan. d'acajou (27x21) : **FRF 8 500**.

STEVENS Alfred George
Né le 30 décembre 1817 à Blandford. Mort le 1ᵉʳ mai 1875 à Londres. xixᵉ siècle. Britannique.
Sculpteur, peintre, dessinateur.
Il était fils d'un peintre décorateur. Ses dispositions et ses goûts artistiques lui valurent l'appui d'un riche amateur qui lui avança les fonds nécessaires à un voyage en Italie. Stevens y étudia les différentes écoles, depuis les primitifs jusqu'à la Renaissance et en fit de remarquables copies. En 1845, il fut nommé maître de dessin à Sommers et Horn. Plus tard il devint dessinateur dans une grande maison de bronze et y fournit des modèles.
Musées : Londres (Victoria and Albert) : Plusieurs Décorations – *Le prophète Daniel*, étude d'une mosaïque pour saint Paul – Londres (Nat. Portrait Gal.) : *L'artiste*, cr.
Ventes Publiques : New York, 25-27 avr. 1946 : *Le bouquet* : USD 375 – Londres, 20 juin 1989 : *La vaillance et la couardise ; La vérité et le mensonge*, deux groupes, bronze (H. 61,5 et 60) : **GBP 18 700**.

STEVENS Andries. Voir CUYPER Andries de

STEVENS Anton I ou Steevens, Stefani, Steffan, Stephan, Stephani, Steffens, Steums, Stivens
xviᵉ siècle. Actif à Malines. Éc. flamande.
Peintre.
Maître dans la corporation des peintres, à Malines en 1560.

STEVENS Anton II, dit Stephani
Né le 15 avril 1618 à Prague. Mort en 1672. xviiᵉ siècle. Actif à Malines. Éc. flamande.

Peintre.
Fils de Peeter II Stevens. Père de Johann Jacob et Paul Anton. En 1665, il devint peintre officiel de la cour. Peignit des tableaux d'autels.

STEVENS D.
xviiiᵉ siècle. Britannique.
Portraitiste.
On cite de lui les portraits de George Iᵉʳ et de George II d'Angleterre qui furent gravés par John Faber.

STEVENS Francis
Né le 21 novembre 1781. Mort en 1822 ou 1823 à Exeter. xixᵉ siècle. Britannique.
Peintre aquarelliste, paysagiste et graveur.
Élève de P. S. Munn. Il exposa à Londres de 1804 à 1823, douze œuvres à la Royal Academy, deux à la Bristish Institution et soixante-dix-huit à la Old Water-Colours Society. Il devint membre de cette association en 1806. Il fut un des fondateurs de la Sketching Society. Il alla ensuite dans le Norfolk et, en 1810, on le cite membre de la Norwich Society. Il alla finir sa carrière à Exeter. Il a gravé une suite d'eaux-fortes, de chaumières et de fermes anglaises. Le Victoria and Albert Museum à Londres conserve deux aquarelles de lui. Il mourut d'apoplexie.
Ventes Publiques : Londres, 29 fév. 1980 : *Vue d'Eton*, h/t (34,2x45) : **GBP 1 300** – Londres, 14 mars 1985 : *Harewood House, Yorkshire*, aquar./traces de cr. (47,5x67) : **GBP 950**.

STEVENS Frans Van
Originaire de Lierre. xviiiᵉ siècle. Belge.
Paysagiste.
Élève de l'Académie d'Anvers.

STEVENS George
xixᵉ siècle. Britannique.
Peintre animalier, natures mortes, fruits.
Il exposa à Londres, entre 1810 et 1865.
Ventes Publiques : Londres, 27 juin 1980 : *Bécassines dans un paysage* 1816, h/t (42x51,5) : **GBP 2 800** – Londres, 10 nov. 1982 : *Couvée de perdrix dans un paysage* 1840, h/t (71x91) : **GBP 1 500** – Londres, 26 mai 1989 : *Un lièvre gîtant dans un champ* 1815, h/t (64x76,2) : **GBP 3 850** – Perth, 24 août 1989 : *Bécassines* 1815, h/t (42x53) : **GBP 2 860** – Londres, 1ᵉʳ mars 1991 : *Lièvre tapi dans l'herbe dans un paysage vallonné* 1815, h/t (64x84,5) : **GBP 4 180**.

STEVENS Gustave Max
Né le 27 février 1871 à Saint-Josse-ten-Noode (Bruxelles). Mort en 1946. xxᵉ siècle. Belge.
Peintre d'histoire, figures, nus, portraits, paysages, paysages d'eau, fleurs, pastelliste, graveur, lithographe, illustrateur, dessinateur. Tendance préraphaélite, puis impressionniste.
Il fut élève de Jean Portaëls à l'Académie des Beaux-Arts de Bruxelles et de Fernand Cormon à Paris. Il fut l'un des fondateurs du cercle Le Sillon. Il figura, à Paris, au premier Salon d'Art Idéaliste en 1896 et au Salon des Artistes Français, obtenant une médaille de bronze à l'Exposition universelle de 1900.
Ses premières œuvres s'apparentent aux peintures du groupe des Préraphaélites et de celui de la Rose-Croix, puis il montre une touche plus impressionniste et des tonalités plus vives. Il illustra *En province française*, dont il écrivit aussi le texte.
Bibliogr. : Gérald Schurr, in : *Les Petits Maîtres de la peinture 1820-1920, valeur de demain*, Les Éditions de l'Amateur, t. III, Paris, 1976.
Musées : Bruxelles (Mus. des Beaux-Arts) : *Paysage d'hiver* – Ixelles : *Derniers rayons*.
Ventes Publiques : Paris, 29 oct. 1926 : *Le tournant de la Seine* : **FRF 3 500** – Bruxelles, 28 mars 1979 : *Femme au manchon* 1905, aquar. (60x41) : **BEF 26 000** – Paris, 9 juin 1988 : *Femme en gris*, past. (81x54) : **FRF 15 000** – Bruxelles, 12 juin 1990 : *Elégante au chapeau*, h/t (110x75) : **BEF 250 000** – Londres, 28 nov. 1990 : *Jeune fille près d'une statuette de terre cuite de Rodin* 1896, h/t (63,5x97) : **GBP 12 100** – Amsterdam, 2-3 nov. 1992 : *La femme casquée*, h/t (79,5x49,5) : **NLG 3 220** – Lokeren, 9 déc. 1995 : *Nu assis près d'une fenêtre*, past./pap./t. (97x57,5) : **BEF 36 000**.

STEVENS H.
xviiiᵉ siècle. Travaillait vers 1729. Britannique.
Portraitiste.

STEVENS Jacob I
Né vers 1565 à Malines. Mort avant le 24 septembre 1630 à Anvers. xviᵉ-xviiᵉ siècles. Éc. flamande.
Peintre.

Il était le fils de Anton I Stevens. Il fut maître à Anvers en 1589, puis alla à Malines où il eut plusieurs élèves entre 1590 et 1614.

STEVENS Jacob II
Né en 1593 à Malines. XVIIᵉ siècle. Éc. flamande.
Peintre.
Fils et élève de Jacob I Stevens. Il travailla à Malines. Il épousa en secondes noces en 1626, son élève Agnès Bisschop.

STEVENS Jan. Voir aussi CUYPER Jan de

STEVENS Jan
XVᵉ siècle. Actif à Louvain entre 1477 et 1485. Belge.
Peintre.

STEVENS Jan
XVIᵉ siècle. Hollandais.
Sculpteur et architecte.

STEVENS Jan
Né en 1595 à Malines. Mort vers 1627. XVIIᵉ siècle. Éc. flamande.
Peintre.
Fils de Jacob I Stevens, frère de Jacob II Stevens. Membre de la gilde de Saint-Luc, il travailla à Malines et à Anvers.

STEVENS Jan John Johannes
Né en Hollande. Mort en 1722 à Londres. XVIIIᵉ siècle. Hollandais.
Peintre de paysages.
Il vint s'établir à Londres au début du XVIIIᵉ siècle et paraît s'y être créé une clientèle assez sérieuse et peignit de nombreux trumeaux et dessus de porte dans la manière de Van Diest.

STEVENS Johann Jacob
Né en 1651 à Prague. Mort en 1730 à Prague. XVIIᵉ-XVIIIᵉ siècles. Éc. flamande.
Peintre.
Il était fils d'Anton II Stevens et devint un des peintres les plus réputés de Prague. Les églises de cette ville conservent de lui de nombreuses fresques.

STEVENS John
XVIIIᵉ siècle. Actif à Londres vers 1750. Britannique.
Graveur au burin.

STEVENS John Calvin
Né le 8 octobre 1855 à Boston (Massachusetts). XIXᵉ-XXᵉ siècles. Américain.
Peintre de paysages.
Il fut membre de la Fédération Américaine des Arts et du Salmagundi Club.

STEVENS John D.
Né vers 1793 à Ayr. Mort le 1ᵉʳ juin 1868 à Édimbourg. XIXᵉ siècle. Britannique.
Peintre de genre, portraits.
Fit avec succès ses études aux écoles de la Royal Academy à Londres. Il s'établit pendant quelque temps dans sa ville natale puis alla en Italie, où s'écoula la majeure partie de sa vie. Membre fondateur de la Royal Scottish Academy. Il mourut des suites d'un accident de chemin de fer.
Musées : LONDRES (Nat. Portrait Gal.) : *Portrait de Sir Charles Bell.*
Ventes Publiques : NEW YORK, 17 jan. 1996 : *Tout à son travail*, h/t (69,9x50,2) : **USD 1 840**.

STEVENS Joseph Édouard
Né le 20 décembre 1819 ou 1816 à Bruxelles. Mort le 2 août 1892 à Bruxelles. XIXᵉ siècle. Actif aussi en France. Belge.
Peintre de scènes de genre, figures, animalier, aquarelliste, graveur.
Il est le frère d'Alfred Stevens. Il était d'une santé délicate et vécut une existence assez retirée. Il fut élève de Louis Robbe, mais, surtout se forma seul par l'étude de la nature. Il vint travailler à Paris fort jeune, il y était un habitué du cirque des Champs-Élysées, et fréquentait assidûment la fourrière ou le marché aux chevaux. Il avait là de nombreux amis, entre autres Baudelaire, qu'il revit à Bruxelles. Il ne retourna dans sa ville natale qu'en 1844, où il vint terminer ses jours. Il domina la peinture animalière du XIXᵉ siècle en Belgique et fut à ce titre célébré par Léon Cladel.
Il prit une part active aux expositions de Bruxelles et de Paris, figurant au Salon de Paris, à partir de 1846. Il reçut une médaille de deuxième classe en 1852, une autre en 1855, pour l'Exposition universelle. Il fut nommé officier de l'Ordre de Léopold en 1863, puis chevalier de la Légion d'honneur en 1866.

Il fut un véritable portraitiste d'animaux, surtout de chiens, comme dit joliment Arthur Laes : il affectionnait particulièrement « les prolétaires de la race », en parlant de ses chiens errants. Il eut également une activité de critique d'art et de marchand de tableaux.
Bibliogr. : Paul Fierens : *Joseph Stevens*, Bruxelles, 1931 – G. Van Zype : *Les Frères Stevens*, Bruxelles, 1936.
Musées : ANVERS : *Chien et tortue* – BRUXELLES (Mus. des Beaux-Arts) : *Bruxelles le matin* – *Le chien au miroir* – *Le basset* – *Épisode du marché aux chiens à Paris* – *La forge* – *Après le travail* – *Plus fidèle qu'heureux* – *Sellerie* – *Intérieur de la Vieille Boucherie à Bruxelles* – *Une Aquarelle* – GAND – HAMBOURG : *Chien et chat* – IXELLES – ROUEN (Mus. des Beaux-Arts) : *Métier de chien* – SAINT-JOSSE-TEN-NOODE – STUTTGART : *Deux musiciennes* – TOURNAI : *Le chien à l'os.*
Ventes Publiques : PARIS, 1861 : *Chien basset à l'attache* : FRF 265 – PARIS, 12 fév. 1872 : *Le chien et la mouche* : FRF 1 900 – PARIS, 1881 : *Le déjeuner remis* : FRF 2 900 – PARIS, 1891 : Sainte-Adresse : FRF 1 250 – PARIS, 27 fév. 1896 : *Les chiens savants* : FRF 1 400 – PARIS, 1898 : *La charrette de sable* : FRF 10 500 – PARIS, 10 déc. 1926 : *Le chien coiffé* : FRF 5 150 – PARIS, 2-3 déc. 1926 : *Une halte* : FRF 14 500 – BRUXELLES, 25-26 mars 1938 : *La nichée* : BEF 5 200 – PARIS, 20 nov. 1946 : *Femme en bleu* : FRF 17 000 – PARIS, 10 déc. 1948 : *Scène de chiens* : FRF 27 500 – BRUXELLES, 13 mai 1950 : *Le protecteur* : BEF 22 000 – BRUXELLES, 28 avr. 1951 : *Le marchand de chiens* : BEF 3 400 – BRUXELLES, 4 déc. 1973 : *Surprise* : BEF 70 000 – BRUXELLES, 23 avr. 1974 : *Chats et chiens jouant* : BEF 46 000 – ANVERS, 19 oct. 1976 : *Chiens se battant*, h/t (58x81) : BEF 85 000 – VERSAILLES, 13 nov. 1977 : *Le petit chien*, h/t (32,5x41) : FRF 7 000 – LONDRES, 20 avr. 1978 : *La confrontation : chien et singe* 1865, aquar. (41x32) : GBP 650 – BRUXELLES, 28 mars 1979 : *Petit chien sur un coussin*, h/t (29x35) : BEF 55 000 – LONDRES, 25 mars 1981 : *Les Animaux savants*, h/pan. (14x10) : GBP 2 000 – BRUXELLES, 23 mars 1983 : *Les Trois Bassets*, h/t (57x98) : BEF 100 000 – STOCKHOLM, 16 mai 1990 : *Jeune fille en costume régional préparant le repas*, h/pan. (41x30) : SEK 30 000 – LOKEREN, 28 mai 1994 : *Intérieur avec un petit singe et deux chiens*, h/t (32x40) : BEF 40 000.

STEVENS Justin, Somerville et Thomas. Voir POPE-STEVENS

STEVENS Lawrence Tenney
Né le 16 juillet 1896 à Brighton (Massachusetts). XXᵉ siècle. Américain.
Sculpteur, peintre, de sujets religieux, animalier, graveur.
Il obtint le Prix de Rome américain. Il se spécialisa dans les sujets religieux, et créa des statuettes pour la porcelaine.
Ventes Publiques : NEW YORK, 30 sep. 1988 : *Ours polaire*, porcelaine blanche (H. 17) : USD 1 100.

STEVENS Léopold
Né en 1866 à Paris. Mort en 1935 à Paris. XIXᵉ-XXᵉ siècles. Belge.
Peintre de scènes de genre, portraits, paysages, paysages d'eau, marines.
Il eut pour maître son père Alfred Stevens. Il reçut une bourse de voyage en 1892. Il exposa au Salon des Artistes Français de Paris, obtenant une médaille de bronze en 1900, pour l'Exposition universelle ; au Salon de 1902, on lui consacra une salle entière.
Il peignit surtout des sujets de genre et des vues de la région bretonne, et réalisa quelques portraits, dont celui de Courteline.
Bibliogr. : Gérald Schurr, in : *Les Petits Maîtres de la peinture 1820-1920, valeur de demain*, Les Éditions de l'Amateur, t. IV, Paris, 1979.
Musées : BRUXELLES (Mus. des Beaux-Arts) : *Scène de démolition.*
Ventes Publiques : PARIS, 7-8 mai 1896 : *Vieille femme de pêcheur en prière* : FRF 50 ; *Vue d'un port* : FRF 140 – PARIS, 11-13 juin 1923 : *Une Bretonne* : FRF 1 500 ; *La jeune tricoteuse* : FRF 550 – PARIS, 4 fév. 1928 : *Petite Bretonne les mains jointes* : FRF 370 ; *Le lièvre* : FRF 310 – NICE, 14-15 fév. 1945 : *Eugénie Buffet chantant dans les rues de Paris pour les soldats du Maroc* : FRF 6 500 – PARIS, oct. 1945-juil. 1946 : *Vue d'un port* : FRF 3 700 ; *Les deux singes* : FRF 15 000 – PARIS, 18 juin 1947 : *Marine* : FRF 1 000 ; *Paysanne dans la campagne* : FRF 1 600 – PARIS, 15 nov. 1950 : *Paysages* 1918, deux pendants : FRF 3 200 – PARIS, 16 nov. 1981 : *Georges Courteline, debout, tenant un porte-*

feuille, h/t (160x89) : **FRF 20 000** – Paris, 23 juin 1986 : *Portrait de G. Courteline*, h/t (160x80) : **FRF 75 000** – Paris, 5 fév. 1988 : *Paysage d'Afrique du Nord*, h/pan. (18x26) : **FRF 1 600** – Bruxelles, 12 juin 1990 : *Vues de Namur*, h/t, une paire (47x69) : **BEF 32 000** – Paris, 2 nov. 1992 : *Marée basse* 1888, h/pan. (22x41,5) : FRF 5 800.

STEVENS Paul Anton
XVIIᵉ siècle. Éc. flamande.
Peintre.
Il était le fils de Anton II Stevens.

STEVENS Peeter I
Né vers 1540 à Malines. XVIᵉ siècle. Éc. flamande.
Peintre.
Faisait partie de la gilde de Malines en 1560 ; alla en 1566 à Rome.
Ventes Publiques : Vienne, 2 déc. 1969 : *Paysage à la grotte ; animé de personnages* : ATS 110 000.

STEVENS Peeter II, appelé aussi Magzhan, dit Stephani ou Stephan
Né vers 1567 à Malines. Mort après 1624. XVIᵉ-XVIIᵉ siècles. Éc. flamande.
Peintre paysagiste et graveur.
Fils aîné d'Anton I Stevens et père d'Anton II Stevens ; membre de la gilde de Malines en 1560. En 1589, franc-maître à Anvers. Il fut peintre de la cour de Rodolphe II à Prague de 1590 à 1612 et figure dans les comptes sous les noms de Pet. Magzhan. Il revint peut-être dans les Pays-Bas après avoir été, vers 1600, à Venise et à Rome. Encore nommé à Prague en 1624. Les œuvres de Peeter I et celles de Peeter II n'ont jamais été parfaitement différenciées, même par les archives. Il semble qu'outre les compositions guerrières ou portraits de commande, il ait peint d'assez nombreux paysages.

1609   P S.
PE·STEPH· I·F P.S·

Musées : Berlin (Kaiser Friedrich Mus.) : *Paysage d'hiver* – Brunswick : *Paysage avec la fuite en Égypte* – *Paysage*, deux fois – Graz : *Paysage*, deux fois – Lyon : *Paysage* – Sibiu : *Paysage avec rivière* – Vienne : *Fuite en Égypte*.
Ventes Publiques : Paris, 5 déc. 1946 : *Un palais au bord de la mer vers 1590*, pl. et lav. de bleu, signé Petrus Stephani de Prague : FRF 5 000 – Paris, 4 fév. 1949 : *Les vendanges*, attr. : FRF 46 000 – Milan, 29 oct. 1964 : *Paysans dansant dans un paysage* : ITL 2 000 000 – Londres, 12 déc. 1973 : *La fuite en Égypte* : GBP 4 200 – Londres, 28 juin 1974 : *Village dans un paysage fluvial boisé* : GNS 9 500 – Stockholm, 23 avr. 1981 : *La Chute de Phaéton*, h/pan. (156x174) : SEK 101 000 – Amsterdam, 26 nov. 1984 : *Voyageurs dans un paysage fluvial boisé*, aquar. et pl. (21,3x33,2) : NLG 42 000 – Londres, 24 oct. 1984 : *Scène villageoise*, h/pan. (24x32) : GBP 17 500 – Londres, 30 oct. 1985 : *Chasseurs dans un paysage boisé*, h/cuivre (44x65,5) : GBP 8 200 – Londres, 9 déc. 1987 : *Engagement de cavalerie dans un paysage*, h/cuivre (33x23) : GBP 26 000.

STEVENS Philibert Henri
Né le 23 juillet 1829 à Mons. Mort le 7 avril 1870 à Bruxelles. XIXᵉ siècle. Belge.
Paysagiste.
Élève de Paul Lauters. Il exposa à Mons et à Bruxelles en 1860, 1866 et 1869.

STEVENS Pieter ou Stephani
XVIIᵉ siècle. Hollandais.
Peintre de genre, portraits, paysages, dessinateur, graveur.
Bourgeois d'Amsterdam en 1689. Il a gravé des portraits.
Ventes Publiques : Amsterdam, 25 nov. 1991 : *Joueur de cornemuse faisant danser des couples de paysans dans un paysage*, encre et lav. brun et bleu (13x10,1) : NLG 1 495 – Amsterdam, 25 nov. 1992 : *Paysage fluvial boisé avec une maison dans une île*, encre et aquar. (24,4x17,8) : NLG 74 750.

STEVENS René, dit « Le Sylvain »
Né le 25 avril 1858 à Ixelles (Bruxelles). Mort en 1937 à Auderghem. XIXᵉ-XXᵉ siècles. Belge.
Peintre de paysages.
Il fut élève de l'Académie des Beaux-Arts de Bruxelles. En 1923, il écrivit un *Guide de la Forêt de Soignes*, dont il fut un grand

protecteur et secrétaire général de la Ligue des amis de cette forêt.
Il peignit essentiellement des paysages des sous-bois de la forêt de Soignes.

René Stevens

Bibliogr. : In : *Dict. biogr. illustré des artistes en Belgique depuis 1830*, Arto, Bruxelles, 1987.
Ventes Publiques : Bruxelles, 19 déc. 1989 : *Sous bois ensoleillé*, h/t (60x85) : BEF 40 000 – Lokeren, 8 oct. 1994 : *« Ils ne marchaient pas comme des soldats, mais ils se battaient comme des lions »*, h/t (130x95) : BEF 36 000.

STEVENS Richard ou Stephens
Né vers 1542. Mort en 1592. XVIᵉ siècle. Hollandais.
Peintre, sculpteur et médailleur.
Il vint en Angleterre vers 1568 où il fit le tombeau des trois ducs de Sussex dans l'église de Borcham. On cite de lui des portraits, notamment celui de Lord Lumbey, peint, vers 1590, dans la manière d'Holbein. Le Musée de Bruxelles conserve de lui : *Rêve de crépuscule*. Il est surtout estimé en Angleterre comme graveur en médaille.

STEVENS T.
XIXᵉ siècle. Actif à Londres. Britannique.
Miniaturiste.
Il exposa à Londres de 1831 à 1844 cinq miniatures à la Royal Academy.

STEVENS Walter
Né en 1887 à Malines. Mort en 1967 à Wilrijk. XXᵉ siècle. Belge.
Peintre de paysages, paysages d'eau, paysages urbains, natures mortes, graveur. Postimpressionniste.
Il fut élève de Jan Willem Rosier à l'Académie des Beaux-Arts de Malines, de Isidore Verheyden, Charles Rousseau (?) et Constant Montald à l'Académie de Bruxelles. Il est devenu professeur à l'Académie d'Anvers.
Il a peint et gravé à l'eau-forte les paysages de Bretagne, Provence, de l'Escaut et de la Mer du Nord.
Bibliogr. : In : *Dict. biogr. illustré des artistes en Belgique depuis 1830*, Arto, Bruxelles, 1987.
Musées : Anvers.

STEVENS William Charles
Né en 1854 à Barre (Massachusetts). Mort en 1917. XIXᵉ-XXᵉ siècles. Américain.
Peintre de paysages.
Musées : Worcester : *Sentier à travers bois* – *Le Ruisseau* – autres œuvres.

STEVENS William Lester
Né le 16 juin 1888 à Rockport (Massachusetts). Mort en 1969. XXᵉ siècle. Américain.
Peintre de scènes animées, paysages et marines animés, paysages d'eau, peintre à la gouache, aquarelliste, pastelliste, dessinateur.

W LESTER STEVENS

Ventes Publiques : New York, 12 oct. 1978 : *New England church*, isor. (61x76,2) : USD 1 400 – Bolton, 20 nov. 1980 : *Une ferme du Berkshire en hiver*, h/t (107x122) : USD 1 600 – New York, 21 oct. 1983 : *Conway au mois d'octobre*, h/t (63,5x76,2) : USD 2 000 – Washington D. C., 9 déc. 1984 : *Paysage d'hivers*, h/isor. (61x76,2) : USD 3 100 – New York, 24 jan. 1990 : *Volailles picorant*, aquar. et cr./pap. (52x66) : USD 990 – New York, 17 déc. 1990 : *Voiliers sur un lac bordé d'arbres*, h/cart. (59,7x75) : USD 2 310 – New York, 21 mai 1991 : *Les rochers et la mer à Rockport dans le Massachusetts*, h/t (50,8x61) : USD 825 – New York, 15 avr. 1992 : *Paysage d'hiver avec un ruisseau*, h/t (71,1x88,9) : USD 1 320 – New York, 25 sep. 1992 : *La neige recouvrant le port*, temp., past. et fus./pap. (40,6x50,8) : USD 1 870 – New York, 15 nov. 1993 : *Paysage estival* 1916, h/t (76,2x76,2) : USD 5 175.

STEVENSON. Voir aussi STEPHENSON

STEVENSON Beulah
Née en 1905 à Brooklyn (New York). XXᵉ siècle. Américaine.
Peintre de sujets divers, fleurs.
Elle fut élève de John Sloan. Elle était membre de la Société des Artistes Indépendants.

Ventes Publiques : New York, 12 sep. 1994 : *Fleurs dans une coupe blanche* 1923, h/t (59,1x41,3) : **USD 1 380**.

STEVENSON David Watson
Né le 25 mars 1842. Mort le 18 mars 1904 à Edimbourg. xixe siècle. Britannique.
Sculpteur.
Élève, à Edimbourg, du sculpteur William Brodie. Étudia aussi à la Royal Institution School of Art et à l'École de modèles de la Royal Scottish Academy. Il alla à Rome compléter ses études. A son retour à Edimbourg il acquit rapidement la réputation d'un artiste sincère et consciencieux et d'importants travaux lui furent confiés. Il fit, notamment les statues du *Travail* et de l'*Étude* pour le monument du Prince Albert. Parmi ses ouvrages les plus goûtés on cite : *Nymphe au ruisseau, Écho, Galathé*. Associé à la Royal Scottish Academy en 1877, il fut académicien en 1886. Il prit une part active aux Expositions de cet Institut. On le cite aussi exposant assez fréquemment à la Royal Academy à Londres à partir de 1868. Le Musée d'Edimbourg conserve un portrait de lui : *Jeune paysanne écossaise*.

STEVENSON Gordon
Né le 28 février 1892 à Chicago. xxe siècle. Américain.
Peintre de portraits.
Il fut élève de Joaquin Sorolla y Bastida. Il était actif à New York.

STEVENSON Harold
Né le 11 mars 1929 à Idabel (Oklahoma). xxe siècle. Américain.
Peintre de compositions à personnages. Expressionniste.
Entre 1959 et 1969, il vécut à Paris. En 1968, il accrocha à la Tour Eiffel son *Portrait d'El Cordobes*, peinture de quatorze mètres sur deux mètres cinquante.
Il montre ses œuvres, souvent par séries, dans des expositions personnelles : la première en 1949 à New York ; 1962 à Paris, *Le sensuel fantastique* ; en 1963 à Paris, *Adam retrouvé* ; ensuite aux États-Unis.
De retour aux États-Unis, en 1969, il réalisa une série de cent portraits des habitants d'Idabel, son lieu de naissance. Les œuvres de Stevenson véhiculent toujours un symbolisme fortement sexualisé, à tel point que Dotson Rader a fait remarquer que le cow-boy, mythe américain par excellence et image sexuelle, plus précisément homosexuelle, de la violence, était au centre de l'œuvre de Stevenson : « Stevenson est le premier artiste américain à expliquer, donc à solenniser, dans ses œuvres, le rapport entre la sexualité mâle, la violence et la mort. Et cela dans un idiome totalement américain. » En 1972, la grande peinture qu'il a réalisée, *Ara Pacis*, apparaît bien comme une allégorie du guerrier vaincu, émasculé, ces jeux guerriers n'étant rien moins que des joutes sexuelles.
Ventes Publiques : Paris, 14 mars 1990 : *Sans titre* 1971, acryl./t. (131,5x88) : **FRF 8 000**.

STEVENSON J. H.
xviiie-xixe siècles. Actif à Londres. Britannique.
Miniaturiste, peintre de genre et d'architectures.
Il exposa à Londres, de 1776 à 1833, deux miniatures à la Society of Artists, deux, à la Free Society, et quarante-trois à la Royal Academy.

STEVENSON James Alexander, pseudonyme : **Myrander**
Né le 18 octobre 1881 à Chester. Mort le 30 novembre 1935 à Londres. xxe siècle. Britannique.
Sculpteur de statues, bustes, médailleur.
Il fut élève du Royal College of Art et de la Royal Academy de Londres. Il était établi à Londres et aurait travaillé au ministère de la Guerre au Caire.
Musées : Londres (Tate Gal.) : *Buste d'empereur* – Londres (Victoria and Albert Mus.) : *Statue du peintre sir John Millais*.

STEVENSON Mary. Voir CASSATT

STEVENSON R., Miss
xviiie-xixe siècles. Active à Londres. Britannique.
Miniaturiste.
Elle exposa deux miniatures à la Royal Academy en 1801 et en 1802.

STEVENSON Robert Alan Mowbray
Né le 28 mars 1847 à Edimbourg. Mort le 18 avril 1900 à Chiswick. xixe siècle. Britannique.
Paysagiste et critique d'art.
Il étudia à l'Université de Cambridge, à l'École des Beaux-Arts d'Edimbourg, à l'Académie d'Anvers et ensuite à Paris avec Carlous-Durau.

STEVENSON Robert Louis
Né le 13 novembre 1850 à Edimbourg. Mort le 4 décembre 1894 à Samoa. xixe siècle. Britannique.
Dessinateur de paysages, graveur sur bois.
Ce célèbre écrivain a dessiné des paysages des environs de Monastier dans le sud de la France. Il avait étudié le dessin, dans sa jeunesse. Il lui arrivait fréquemment de crayonner les personnages de ses romans avant de les décrire. On lui doit également le plan de la fameuse « Ile au trésor » dans laquelle on a voulu voir l'Ile de la Tortue, mais qui semble bien, en définitive, n'avoir été qu'une imagination d'écrivain.

STEVENSON Robert Macaulay
Né le 5 juin 1860 à Glasgow. Mort en 1952. xixe-xxe siècles. Britannique.
Peintre de paysages, paysages d'eau, aquarelliste.
Il étudia à l'École des Beaux-Arts de Glasgow. Il fut membre de la Royal Scottish Water Colours Society. De 1910 à 1932, il séjourna en France, où il subit l'influence de Corot. Puis, il s'établit définitivement en Écosse. Il exposa à la Royal Academy de Londres, à partir de 1884.
Il peignit divers paysages avec des effets de lune, ce qui le fit surnommer « the moonlighter ». Il signait *Macaulay Stevenson*.
Musées : Barcelone : *Lever de lune* – Berlin : *Jairus Tich* – Bruxelles (Mus. des Beaux-Arts) : *Rêve de crépuscule* – Glasgow : *Commencement de l'été sur la Seine* – Munich : *Soir* – Zurich : *Paysage sous la lune*.
Ventes Publiques : Édimbourg, 26 avr. 1990 : *Estuaire avec des barques de pêche à l'ancrage*, h/t (76,2x101,6) : **GBP 3 850** – Perth, 27 août 1990 : *Canotage sur un lac* 1880, h/t (76x123) : **GBP 3 080** – Perth, 31 août 1993 : *Les bouleaux argentés*, h/t (127x61) : **GBP 1 495**.

STEVENSON Thomas
Né dans la deuxième moitié du xviie siècle en Angleterre. xviie siècle. Britannique.
Peintre de paysages et de portraits.
Élève d'Aggas. Il exécuta des dessins pour la corporation des orfèvres, à l'occasion de la nomination de sir Robert Vyner comme lord-maire. On lui doit aussi des portraits et des paysages.

STEVENSON W.
xviiie siècle. Actif à Londres. Britannique.
Miniaturiste.
Il exposa à la Royal Academy cinq miniatures de 1777 à 1778.

STEVENSON W.
xixe siècle. Actif vers 1848. Britannique.
Miniaturiste.

STEVENSON William Grant
Né en 1849 à Ratho. Mort le 6 mai 1919. xixe-xxe siècles. Britannique.
Peintre de genre, paysages animés, animalier, sculpteur de monuments, illustrateur.
Il était membre de la Royal Scottish Academy, où il exposait, notamment en 1894 un bronze, *Cerf*. Il est l'auteur de la statue colossale du héros *William Wallace*, à Aberdeen.
Musées : Édimbourg : *Cerf* avant 1894.
Ventes Publiques : Glasgow, 7 fév. 1989 : *Pompage de l'eau à la rivière*, h/t (51x76) : **GBP 2 200** – Londres, 14 fév. 1990 : *Un terrier écossais* 1879, h/cart. (48,2x58,3) : **GBP 880** – Glasgow, 4 déc. 1991 : *Fillette donnant le biberon à un agneau*, h/t (46x61) : **GBP 770** – Glasgow, 14 fév. 1995 : *En quittant les montagnes*, h/t (30,5x46) : **GBP 517**.

STEVENSWEERTH Jan Van
xvie siècle. Éc. flamande.
Sculpteur.
Il a sculpté des sujets religieux pour les églises de Rhénanie et du Limbourg.

STEVER Gustav Curt
Né le 16 mai 1823 à Riga. Mort le 17 mars 1877 à Düsseldorf. xixe siècle. Russe.
Peintre d'histoire et de genre.
Élève de l'Académie de Berlin, il travailla en 1854 chez Couture à Paris. Il fit des portraits pour la cour de Stockholm et pour l'Université d'Upsal en 1850. Il travailla à Hambourg de 1859 à 1865. On cite de lui : *La mort du roi vandale Gottschalk* et *David*, au

Musée de Schwerin. Il peignit des cartons pour les vitraux du Schröder Mausoleum à Hambourg et pour l'église Saint-Paul à Schwerin.

VENTES PUBLIQUES : COLOGNE, 23 mars 1973 : *Scène d'intérieur* : **DEM 5 300** – COLOGNE, 29 mars 1974 : *Joie familiale* 1873 : **DEM 7 000** – LONDRES, 20 avr 1979 : *Le départ pour la guerre*, h/t (116,7x99) : **GBP 1 500**.

STEVER Jorge
Né en 1940 à Tremplin (Neu Brandenburg). XXᵉ siècle. Allemand.
Peintre, dessinateur. Hyperréaliste.
Entre 1959 et 1966, Stever voyagea en Allemagne, Angleterre, France, Italie, Espagne, Turquie. Il séjourna à Malte et à Londres. Il s'est établi à Cologne.
Il participe à des expositions collectives, dont : en 1972 Eindhoven, *Relativ Realism*, Van Abbemuseum ; et Documenta de Kassel. Individuellement, il a exposé : en 1968 à Malte, ensuite à Munich, Francfort, Düsseldorf, Cologne, Hambourg, etc.
Stever utilise les ressources techniques du trompe-l'œil traditionnel et d'une figuration minutieuse, ce qui le fit rapprocher, en 1972 à la Documenta, des hyperréalistes américains. On a pu arguer qu'à la différence de ceux-ci, il ne décrit pas le monde extérieur, il ne fait pas de constat. Plus proche du Gäfgen, dans sa période hyperréaliste, Stever peint des détails insignifiants, « a priori » superflus, il montre des anti-événements : un morceau de papier posé sur une surface, la déchirure d'une feuille de papier. Il apporte une attention soutenue à la réalisation de ces peintures déroutantes et à la fois raffinées.
VENTES PUBLIQUES : LONDRES, 5 avr 1979 : *Sans titre* 1972, acryl./t. (139x88,5) : **GBP 500** – NEW YORK, 16 fév. 1984 : *Sans titre* 1974, h. et acryl./t. (76x76) : **USD 1 200** – STOCKHOLM, 14 juin 1990 : *Composition en gris*, h/t (161x141) : **SEK 12 000**.

STEVEREN Gysbert Van. Voir STAVEREN Gijsbert Van

STEVERS. Voir PALAMEDES I et PALAMEDES Anthonie

STEVNS Niels Larsen
Né le 9 juillet 1864 à Gaevbo ou Gevno. Mort en 1941. XIXᵉ-XXᵉ siècles. Danois.
Peintre de figures, portraits, paysages, architectures, aquarelliste, sculpteur, dessinateur, graveur. Figuratif, puis expressionniste-abstrait.
Il exposa à Charlottenborg, puis à Stockholm, Malmö, Brighton. Il travailla pour la cathédrale de Viborg. La plus longue partie de son œuvre, qui l'avait fait estimer du public pour ses qualités de sérieux technique, est figurative. Dans ses dernières années, il évolua soudainement à un expressionnisme abstrait à la fois dynamique dans sa gestualité et sobre dans ses moyens matériels et techniques.
BIBLIOGR. : In : *Diction. Universel de la Peint.*, Le Robert, Paris, 1975.
VENTES PUBLIQUES : COPENHAGUE, 25 nov. 1976 : *Paysage* 1935, h/t (61x98) : **DKK 11 500** – COPENHAGUE, 12 mai 1977 : *Paysage* 1920, h/t (41x57) : **DKK 10 000** – COPENHAGUE, 6 mars 1980 : *Bord de mer en été*, h/t (67x105) : **DKK 20 000** – COPENHAGUE, 10 mai 1984 : *Paysage* 1936, h/t (64x102) : **DKK 42 000** – COPENHAGUE, 31 oct. 1990 : *Journée de printemps près de Borup* 1935, h/t (62x99) : **DKK 50 000** – COPENHAGUE, 2 avr. 1992 : *Chemin près de Christiansdal* 1919, h/t (50x70) : **DKK 12 000** – COPENHAGUE, 21 avr. 1993 : *Tête de femme*, h/t, étude (36x27) : **DKK 4 100** – COPENHAGUE, 19 oct. 1994 : *H. C. Andersen*, aquar. (88x63) : **DKK 9 000** – COPENHAGUE, 14 fév. 1996 : *Intérieur du dôme de l'église de Viborg*, h/t (59x38) : **DKK 4 300** – COPENHAGUE, 12-14 nov. 1997 : *Roses jaunes et rouges* 1914, h/t (51x35) : **DKK 12 000**.

STEVO Jean, pseudonyme de Van Stijnvoort Jean
Né le 28 mai 1914 à Bruxelles. Mort en 1974 à Ixelles. XXᵉ siècle. Belge.
Peintre. Tendance fantastique, puis abstrait.
Il fut élève de l'Académie des Beaux-Arts de Bruxelles et d'Edgard Tytgat pour la gravure. Ami de James Ensor, ainsi que de Magritte, Mesens, Paul Nougé, Marcel Lecomte, il était aussi poète et critique d'art.
Graveur, il travaillait en lithographie, à la pointe sèche, eauforte, aquatinte, etc. ; dans ces techniques, on cite particulièrement ses grands bois gravés non-figuratifs, d'une belle ordonnance. Peintre, ses amitiés surréalistes l'influencèrent à ses débuts. Puis, sa peinture fit surtout référence à l'univers fantas-

tique d'Ensor, avant d'évoluer à l'abstraction. Tenté d'abord par une certaine abstraction lyrique, il s'en libéra en évoluant progressivement, comme auparavant de la fantaisie au fantastique, alors du fantastique à l'irréel.
BIBLIOGR. : In : *Dict. biogr. illustré des artistes en Belgique depuis 1830*, Arto, Bruxelles, 1987.
MUSÉES : BRUXELLES (Mus. roy. des Beaux-Arts, Cab. des Estampes).
VENTES PUBLIQUES : LOKEREN, 9 oct. 1993 : *Le serpent à plumes* 1954, h/pan. (100x70) : **BEF 60 000**.

STEWARD. Voir STEWART

STEWARDSON Edmond Austin
Né en 1860 à Philadelphie. XIXᵉ siècle. Américain.
Sculpteur de figures, nus.
Il figura au Salon des Artistes Français de Paris, 1990 mention honorable.
MUSÉES : NEW YORK (Metropolitan Mus.) : *Baigneuse*.

STEWARDSON Thomas
Né en 1781 à Kendal. Mort le 28 août 1859 à Londres. XIXᵉ siècle. Britannique.
Peintre de genre, portraits.
Élève de Romney à Londres, il fut peintre de la reine Caroline.
MUSÉES : LONDRES (Nat. Portrait Gal.) : *Portrait de George Grote*.
VENTES PUBLIQUES : LONDRES, 7 fév. 1929 : *Capitaine W. Buchanan* : **GBP 70** – LONDRES, 26 avr. 1985 : *Portrait of Lieutenant-colonel Sir William Robert Clayton Bt.*, h/t (127x101,6) : **GBP 10 000** – LONDRES, 3 avr. 1996 : *Jeunes garçons jouant au backgammon*, h/t (126x97) : **GBP 3 450** – NEW YORK, 4 oct. 1996 : *Portrait du Lieutenant-Colonel Sir William Robert Clayton Bt. de trois-quarts en uniforme de la Royal Horse Guards portant la médaille Waterloo devant un paysage*, h/t (127,6x102,3) : **USD 51 750**.

STEWART Allan
Né le 11 février 1865 à Édimbourg (Écosse). Mort en 1951. XIXᵉ-XXᵉ siècles. Britannique.
Peintre d'histoire, sujets militaires, portraits, paysages animés, illustrateur.
Il fut élève de l'Académie des Beaux-Arts d'Édimbourg. Il s'établit à Bonally près de Kenley (Surrey), et, depuis 1895, à Londres. Ses œuvres ont figuré dans les galeries d'Australie et d'Afrique-du-Sud.
VENTES PUBLIQUES : ÉCOSSE, 24 juil. 1976 : *La charge* 1915, h/t (122x193) : **GBP 620** – LONDRES, 11 oct. 1991 : *William Penn recevant la Charte de Pennsylvanie des mains de Charles II* 1913, h/t (122x183) : **GBP 2 860**.

STEWART Anthony
Né en 1773 à Crieff (Écosse). Mort en 1846 à Londres. XVIIIᵉ-XIXᵉ siècles. Britannique.
Peintre de paysages et miniaturiste.
Il fut l'élève d'Alexander Kasmyth à Édimbourg et fut d'abord paysagiste. Cependant la peinture en miniature lui convenant davantage il s'y adonna, d'abord en Écosse, puis à Londres. Il y réussit brillamment. Il fit le portrait de la princesse Charlotte et celui de la princesse Victoria, depuis reine d'Angleterre. A partir de 1830, il se consacra presque exclusivement aux portraits d'enfants. De 1807 à 1820 il exposa douze miniatures à la Royal Academy.

STEWART Arthur
Né en 1877 à Londres. XXᵉ siècle. Britannique.
Peintre de figures, portraits.
Il était établi à Londres. Il faisait partie de la Society of British Artists.

STEWART Charles. Voir STEUART

STEWART Charles Edward
Né en 1887. Mort en 1938. XXᵉ siècle. Britannique.
Peintre de paysages animés, aquarelliste.
MUSÉES : GLASGOW : *Traversant la rivière*.
VENTES PUBLIQUES : LONDRES, 27 juin 1978 : *Retour de chasse*, h/t (108x151) : **GBP 2 000** – LONDRES, 1ᵉʳ juil. 1980 : *L'Hésitation du médecin*, h/t (89x74) : **GBP 1 000** – NEW YORK, 18 sep. 1981 : *L'Hésitation du médecin*, h/t (89x74) : **USD 3 100** – NEW YORK, 10 juin 1983 : *Chasseurs à cheval et chiens dans un paysage boisé*, h/t (46,3x61) : **USD 2 800** – LONDRES, 6 fév. 1985 : *Portrait d'une fillette*, h/t (91,5x61) : **GBP 1 400**.

STEWART F. A.
XIXᵉ siècle. Britannique.

Paysagiste et peintre de marines.
Il exposa à Londres entre 1828 et 1832.

STEWART Frank Algernon
Né le 16 octobre 1877 à Croydon. Mort en 1945. xxᵉ siècle.
Britannique.
Peintre de sujets de chasse, peintre à la gouache, aquarelliste, dessinateur, illustrateur.
En 1901, il travailla à l'Académie Julian de Paris. Il s'établit à Cheltenham. Il illustra de nombreux livres.
Ventes Publiques : Londres, 21 juil. 1981 : *Scènes de chasse*, aquar. et cr. avec reh. de blanc, suite de quatre (chaque 24x71,2) : **GBP 3 000** – New York, 29 juin 1983 : *Scène de chasse*, aquar. (43x65) : **USD 950** – Londres, 4 fév. 1986 : *Optimist at the Meet*, aquar., gche et cr. (38x30,5) : **GBP 2 200** – Londres, 8 mars 1990 : *Chasse à courre près de Bittesby*, aquar. et gche (22,9x68,7) : **GBP 4 950** – New York, 22-23 juil. 1993 : *Chasse au renard*, aquar., fus. et encre/pap. (25,4x34,3) : **USD 1 150**.

STEWART Grace Bliss
Née le 18 avril 1885 à Atchison (Kansas). xxᵉ siècle. Américaine.
Peintre de compositions animées.
Elle fut élève de l'Art Students League de New York. Elle était membre du Pen and Brush Club et de la Fédération Américaine des Arts.

STEWART Grace Campbell
xixᵉ siècle. Active à Londres. Britannique.
Miniaturiste, surtout de portraits.
Elle exposa treize miniatures à la Royal Academy de 1843 à 1856.

STEWART Graham
Né en juin 1786 à Dublin. xixᵉ siècle. Irlandais.
Graveur sur bois.
Il gravait surtout des reproductions.

STEWART Helen Mary
Née à Wellington (Nouvelle-Zélande). xxᵉ siècle. Australienne.
Peintre.
En 1927 à Londres, elle fut élève de Frederic Whiting ; ensuite, elle travailla dans les Académies de Montparnasse à Paris ; en 1930, elle retourna travailler à Sydney ; en 1931 à Londres, elle fut élève de la Grosvenor Art School d'art moderne ; en 1932 à Paris, elle fréquenta l'Académie d'André Lhote, où elle rencontra le peintre américain Vaclav Vytlacil. En 1932, elle retourna en Australie. Elle voyagea encore, en 1936 au Japon et, en 1946, se fixa en Nouvelle-Zélande. Elle exposa ses œuvres en Australie en 1934.

STEWART Hope J.
xixᵉ siècle. Actif entre 1834 et 1865. Britannique.
Peintre.
Le Musée d'Edimbourg conserve de lui une aquarelle, le portrait de *Sir Will. Hamilton*.

STEWART James
xviiiᵉ siècle. Britannique.
Portraitiste.
Il fut peintre de George III en 1764. Il travailla pour Boydell. On cite de lui *Portrait de G. F. Cooke* au Garrick Club.

STEWART James
Né en 1791 à Edimbourg. Mort en 1863 dans la colonie du Cap. xixᵉ siècle. Britannique.
Peintre de genre, de portraits, paysagiste et graveur.
Élève de Robert Scott, John Burnet et Graham. Il grava d'abord dans sa ville natale puis alla travailler à Londres en 1830. Il y reproduisit des œuvres de Wilkin. En 1833 il alla en Afrique et exploita une ferme dans la Colonie du Cap. L'insurrection des Caffres le ruina complètement ; il dut revenir en Angleterre. Il reprit la peinture de portrait et l'enseignement du dessin et, à force d'économies, parvint à réunir la somme nécessaire à un nouvel établissement en Afrique. Il acheta une autre ferme et y acheva sa vie. Le Musée de Nottingham conserve de lui : *L'atelier*. On lui doit quelques estampes.
Ventes Publiques : Paris, oct. 1945-Juillet 1946 : *La fenaison* : **FRF 10 000** – Londres, 1ᵉʳ avr. 1980 : *La cueillette du houblon*, h/t (30x25) : **GBP 750**.

STEWART John
Né en 1800. xixᵉ siècle. Britannique.
Paysagiste, peintre de genre et de portraits.
Il exposa à Londres entre 1828 et 1865.

STEWART John A.
xixᵉ siècle.
Peintre.
La National Gallery of Victoria de Melbourne conserve de lui : *Portrait du Rév. G. Gifillan*. Peut-être identique au précédent.

STEWART Joseph
xviiiᵉ siècle. Actif à Worcester (Massachusetts). Américain.
Pastelliste et dessinateur de portraits.
Ventes Publiques : New York, 21 nov. 1980 : *Portrait of David Baldwin* 1790, h/t (144,8x157,5) : **USD 28 000**.

STEWART Julius Leblanc
Né le 6 septembre 1855 à Philadelphie. Mort le 5 janvier 1919 à Paris. xixᵉ-xxᵉ siècles. Américain.
Peintre de genre, portraits, paysages animés, paysages urbains, architectures.
À Paris, il fut élève de Gérome et de Raimundo de Madrazo. Il exposait à Paris, au Salon des Artistes Français, 1885 mention honorable, 1890 médaille de troisième classe, 1895 chevalier de la Légion d'honneur, 1901 officier de la Légion d'honneur. En 1891 à Berlin, il obtint une médaille d'or, de même qu'en 1895 ; en 1897 et 1901 des médailles d'or à Munich ; en 1895 en Belgique, il fut fait chevalier de l'Ordre de Léopold.
D. Dodge Thompson écrit de lui : « Après le tournant du siècle Stewart exposa régulièrement des études de personnages dans des paysages, des portraits et des vues de Venise. À partir de 1889 il a remporté un grand succès avec des scènes vénitiennes, l'Empereur d'Allemagne, Guillaume en achetant une en 1895. »
Musées : Buffalo (Acad. des Beaux-Arts) – Chicago (Inst. of Art) – Detroit – Philadelphie.
Ventes Publiques : Paris, 5-10 juin 1905 : *La lecture* : **FRF 500** – New York, 18 oct. 1944 : *Prête pour le bal* : **USD 450** – Paris, 18 juin 1951 : *Portrait de femme* 1906 : **FRF 2 500** – New York, 22 oct. 1969 : *Prête pour le bal* : **USD 2 800** – Londres, 1985 : *La liseuse* 1885, h/t (89,6x64,1) : **GBP 9 500** – New York, 24 avr. 1981 : *Nymphe des bois* 1904, h/t (152,5x85,9) : **USD 3 000** – New York, 6 déc. 1984 : *Portrait de Laure Hayman* 1882, past. (88,9x71,1) : **USD 14 000** – New York, 6 déc. 1984 : *Summer's promenade* 1880, h/t (85,1x149,2) : **USD 155 000** – Londres, 29 nov. 1985 : *An idle afternoon* 1884, h/t (53,3x100) : **GBP 75 000** – New York, 30 mai 1986 : *La Toilette* 1905, h/t (150,7x90,5) : **USD 13 000** – New York, 1ᵉʳ déc. 1988 : *Portrait d'une jeune femme* 1892, h/t (91,4x65,4) : **USD 38 500** – New York, 16 mars 1990 : *Le vœu irréalisé* 1899, h/t (135,3x75,6) : **USD 9 350** – New York, 30 mai 1990 : *Portrait d'une dame* 1902, h/t (92,2x64,8) : **USD 3 025** – New York, 30 nov. 1990 : *L'heure du thé* 1883, h/t (167,5x231,3) : **USD 847 000** – New York, 30 nov. 1990 : *Sarah Bernhardt et Christine Nilsson*, h/t (96,5x130,8) : **USD 187 000** – New York, 26 sep. 1991 : *Pique-nique sous les arbres* 1896, h/t (54x100) : **USD 82 500** – New York, 4 déc. 1992 : *Autoportrait*, h/pan. (14,6x12,7) : **USD 6 600** – New York, 22 sep. 1993 : *Passe-temps féminin*, h/t (85x53,4) : **USD 14 950** – New York, 21 sep. 1994 : *Un après-midi romantique*, h/t (106,7x121,9) : **USD 32 200** – New York, 26 sep. 1996 : *Nymphes chasseresses* 1898, h/t (140,3x111,8) : **USD 26 450** – Paris, 2 avr. 1997 : *Portrait de la vicomtesse de Gouÿ d'Arcy* 1887, h/t (55,5x37) : **FRF 90 000** – New York, 5 juin 1997 : *Venise* 1887, h/t (36,8x69,8) : **USD 43 700** – Paris, 21 nov. 1997 : *Le Vicomte Ludovic Lepic en visite au Salon de 1888* 1888, h/pan. (40x28) : **FRF 480 000**.

STEWART M., Miss
xviiiᵉ-xixᵉ siècles. Britannique.
Peintre de genre et de portraits.
Elle exposa à Londres entre 1791 et 1819.

STEWART Malcolm
Né en 1829. Mort en 1916. xixᵉ-xxᵉ siècles. Britannique.
Peintre de genre, portraits.
Musées : Glasgow : *Portrait du docteur Livingstone* – Londres (Nat. Portrait Gal.) : *RoundellPalmer*.

STEWART Maria
Née en 1773 à Castle Stewart en Écosse. Morte le 6 décembre 1849 à Clevedon (Somerset). xviiiᵉ-xixᵉ siècles. Britannique.
Dessinatrice d'architectures.
Elle épousa en 1823 sir Abraham Elton et publia surtout des séries de vues d'Edimbourg.

STEWART Mary, Miss
xixᵉ siècle. Active à Londres. Britannique.
Miniaturiste.

Exposa à Londres, notamment à la Royal Academy à partir de 1888.

STEWART R.
XVIIIᵉ siècle. Britannique.
Médailleur.

STEWART Thimothea
XXᵉ siècle. Active aussi en France. Américaine.
Sculpteur, peintre, graveur. Tendance surréaliste.
Au cours de ses études universitaires à Oxford, elle apprit à sculpter. Elle vint passer une année à l'École des Beaux-Arts de Paris. Elle alla peindre en Espagne, où, paradoxalement, elle a étudié les icônes russes. Revenue à Paris, elle a recherché un isolement apte à se dégager de toute influence.

STEWART Thomas Kirk
Né le 11 novembre 1848 à New York. Mort le 8 octobre 1879 à Kansas City. XIXᵉ siècle. Américain.
Sculpteur de portraits.

STEWART William
Né en 1823. Mort en 1906. XIXᵉ siècle. Britannique.
Peintre de genre, intérieurs.
VENTES PUBLIQUES : PERTH, 20 août 1996 : *Le soleil brille doucement dans la pièce où le rouet tourne joyeusement...*, h/t (61x51) : GBP 1 840.

STEWART Wm.
XIXᵉ siècle.
Peintre d'oiseaux.
La National Gallery of Victoria de Melbourne conserve de lui *Choucas* et *Les rivaux*.

STEWART Le Conte
Né le 15 avril 1891 à Glenwood (Utah). XXᵉ siècle. Actif au Canada. Américain.
Peintre, illustrateur.
Il était actif à Cardston (Alta).

STEWART-CLAYBURN Ella
XXᵉ siècle. Américaine.
Peintre. Expressionniste-abstrait.
Elle a beaucoup voyagé en Europe. Elle expose à New York, Boston, Provincetown. Le Miami Museum lui a consacré une exposition personnelle.

STEWARTSON. Voir **STEWARDSON**

STEWE, Mrs. Voir **PHELPS Edith Catlin**

STEWERT James
XVIIIᵉ siècle. Actif à Londres vers 1767. Britannique.
Sculpteur.

STEWERWALD. Voir **STEUERWALD**

STEYAERT Antoon Ignaz
Né le 1ᵉʳ février 1761 ou 1765 à Bruges. Mort le 11 février 1841 à Bruges. XVIIIᵉ-XIXᵉ siècles. Belge.
Peintre d'histoire, compositions religieuses, scènes de genre, figures, portraits, paysages.
Il fut élève de l'Académie des Beaux-Arts de Bruges, obtenant plusieurs prix. Il s'établit à Gand en 1796. Il était le père de Antoon Pieter Steyaert. À partir de 1809, il dirigea l'Académie de Gand.
BIBLIOGR. : In : *Dict. biogr. illustré des artistes en Belgique depuis 1830*, Arto, Bruxelles, 1987.
MUSÉES : GAND (Église Saint-Nicolas) : *Saint Antoine prêchant à Limoges*.

STEYAERT Antoon Pieter
Né le 8 janvier 1788 ou 1786 à Bruges. Mort le 25 mai 1863 à Gand. XIXᵉ siècle. Belge.
Peintre de paysages. Romantique.
Il était fils de Antoon Ignaz Steyaert. Il fut élève de l'Académie des Beaux-Arts de Bruges ou de Gand. Il devint professeur à l'Académie de Gand.
Ses paysages sont typiques du sentiment romantique de la nature : plusieurs *Paysages montagneux avec ruines, Restes d'un ancien château gothique dans un paysage montagneux* et *Paysage avec habitations rustiques*.
VENTES PUBLIQUES : BRUXELLES, 4 oct. 1977 : *L'aveugle et son aimable guide*, h/pan. (33x25) : BEF 36 000.

STEYAERT Édouard
Né en 1868 à Moerkerke. Mort en 1932 à Schaerbeek. XIXᵉ-XXᵉ siècles. Belge.

Peintre de cartons de vitraux, peintre verrier.
Il fut élève de Édouard Wallays à l'Académie des Beaux-Arts de Bruges. Il poursuivit sa formation à Anvers et Bruxelles.
Il est l'auteur des vitraux de Notre-Dame-au-Bois à Tervuren, et de ceux de l'église Saint-Servais à Schaerbeek.
BIBLIOGR. : R. M. Van den Haute : *L'artiste peintre verrier E. Steyaert*, Bruxelles, 1940 – in : *Dict. biogr. illustré des artistes en Belgique depuis 1830*, Arto, Bruxelles, 1987.

STEYAERT François
Né le 1ᵉʳ octobre 1863 à Gand. Mort en 1948. XIXᵉ-XXᵉ siècles. Belge.
Peintre, décorateur.
Il fut élève de Théodore Canneel, Jean-J. Delvin, Louis Tytgadt à l'Académie des Beaux-Arts de Gand.
BIBLIOGR. : In : *Dict. biogr. illustré des artistes en Belgique depuis 1830*, Arto, Bruxelles, 1987.

STEYER Hans. Voir **STEGER Hanns**

STEYERER Klement Adrian ou **Steurer**
Né en 1744. Mort le 4 juillet 1827 à Nymphenbourg. XVIIIᵉ-XIXᵉ siècles. Allemand.
Peintre sur porcelaine.

STEYERT Auguste
Né en 1830 à Lyon, de parents alsaciens. Mort en 1904 à Lyon. XIXᵉ siècle. Français.
Dessinateur et graveur d'ex-libris.

STEYGER Georg
XVIᵉ-XVIIᵉ siècles. Actif à Quedlinbourg. Allemand.
Peintre et sculpteur.
Son œuvre sur bois est surtout d'inspiration religieuse.

STEYN Carole
Née en 1938 à Manchester. XXᵉ siècle. Britannique.
Peintre, sculpteur, pastelliste. Abstrait, pop art, figuration narrative.
Après avoir étudié à l'Académie Julian à Paris en 1953, elle poursuivit ses études à la St Martin's School of Art de Londres entre 1954 et 1956.
À partir de 1968, elle participa à de nombreuses expositions collectives à Londres, mais aussi à Sarajevo en 1993-1994. Ses expositions personnelles se sont déroulées à Londres à partir de 1971.
Lors de ses études à Paris, elle a été influencée par les peintres postimpressionnistes et les Fauves. Plus tard, ses bas-reliefs montrent une influence du constructivisme russe. Certains de ses reliefs peints sont faits à partir d'un choix éclectique de matériaux : œufs, noix, os, restes recyclés, dans des compositions dont les thèmes sont la fertilité, le sexe, la mort et la guerre. Elle s'oriente ensuite vers une approche plus sereine et plus classique de l'art, avec des sujets comme *La paix, la volupté, le luxe*, peints dans des coloris tendres, puis des sujets à tendance érotique.

STEYN J. ou **Steijn**
Né en 1805. Mort le 19 décembre 1840. XIXᵉ siècle. Hollandais.
Miniaturiste, dessinateur.
Il est actif à Amsterdam. Il réalisa des titres de livres et de vignettes.

STEYNEMEULEN Josse Van ou **Steenmolen, Steynemoelen**
Né au XVIᵉ siècle à Anvers. XVIᵉ-XVIIᵉ siècles. Belge.
Graveur de monnaies.
Il travailla dans les Monnaies d'Anvers de 1589 à 1621.

STEYNEMOLEN Godefroid Van
XVIIᵉ siècle. Actif à Malines en 1652. Éc. flamande.
Peintre.
Doyen de la gilde en 1581. Il dut quitter la ville en 1586 pour avoir pris parti contre les Espagnols.

STEYNEMOLEN Jan Van. Voir **STINEMOLEN**

STEYNEN Antoine
XVIIᵉ siècle. Belge.
Sculpteur sur bois.

STEYNEN Jan Van
XVIᵉ siècle. Actif à Rome vers 1550. Allemand.
Peintre verrier.
Est peut-être le même que Jan Van Stinemolen.

STEYNROT Johannes. Voir **STENRAT**

STEYVOORT Colette Van
Née en 1933 à Bruges. xxᵉ siècle. Belge.
Peintre, sculpteur, décorateur.
Elle fut élève d'une école technique de Bruges. Née à Bruges, elle a renouvelé l'art de la dentelle en la constituant en tableau ou en sculpture.
BIBLIOGR. : In : *Dict. biogr. illustré des artistes en Belgique depuis 1830*, Arto, Bruxelles, 1987.

STEZAKER John
Né en 1949 à Worcester. xxᵉ siècle. Britannique.
Auteur d'installations. Conceptuel.
Il fut élève de la Slade School à Londres, où il vit et travaille depuis 1963. Il enseigne à la Chelsea School of Art de Londres.
Il participe à des expositions collectives : 1972 Hayward Gallery de Londres ; 1973 Kunsthalle de Cologne, Art Council de Londres ; 1975 Londres et Biennale de Paris. Il montre ses œuvres dans des expositions collectives : 1970 Forum Park Museum de Graz ; 1973 Museum of Modern Art d'Oxford ; 1974 Munster.
Il réalise une œuvre conceptuelle se développant généralement autour de textes et photographies.
BIBLIOGR. : Catalogue de la Biennale de Paris, Musée d'Art moderne de la ville, Paris, 1975.
MUSÉES : LONDRES (Victoria and Albert Mus.).
VENTES PUBLIQUES : NEW YORK, 4 mai 1993 : *Prenez en un, S.V.P.* 1976, photo. montées sur cart./rés. synth. : USD 2 300.

STHENNIS
Originaire d'Olynthos. IVᵉ siècle avant J.-C. Antiquité grecque.
Sculpteur.
Il était le fils d'Herodoros et le père du sculpteur Herodoros. Il émigra à Athènes après la destruction de sa ville natale. Il travailla avec Leochares sur l'Acropole d'Athènes et a souvent sculpté des matrones en pleurs.

STI Franz, pseudonyme de **Stirnimann**
Né en 1915 à Olten. xxᵉ siècle. Suisse.
Peintre, sculpteur. Abstrait-informel.
Autodidacte, depuis les années quarante, il pratique des techniques diversifiées, dans un esprit apparenté au surréalisme. Sa peinture, référencée au tachisme, reste surtout décorative. Il soude aussi le métal et produit des formes en arabesques. Il propose des formes vaguement anthropomorphes, parfois larvaires. Il réalise ensuite des formes-reliefs abstraites, avec des effets de matières prononcés, obtenus en enduisant un support de bois de mastic étalé au couteau.

STIASNY Aladar
Né en 1881 à Olod. Mort en 1920 en Sibérie. xxᵉ siècle. Hongrois.
Peintre.
Il étudia la peinture à Krefeld et à Lyon. Il devint professeur à l'École Technique et à l'École des Beaux-Arts de Budapest. Prisonnier de guerre, il mourut en Sibérie.

STIASNY Mathias ou **Matei** ou **Stasny**
Né en 1794 à Prague. Mort le 13 septembre 1866 à Brünn. xixᵉ siècle. Actif en Autriche. Tchécoslovaque.
Peintre.
Élève de 1810 à 1817 de l'Académie de Prague avec Jos. Bergler. Étudia ensuite à Dresde et à Vienne. Il ouvrit en 1841 une École de peinture à Brünn.

STIBBE Eugen
Né le 6 septembre 1868 à Cologne. Mort en 1921. xixᵉ-xxᵉ siècles. Allemand.
Peintre de portraits, paysages.
De 1894 à 1904, il fut élève de l'Académie Julian à Paris. Il continua à peindre des paysages en France. Il s'établit à Munich.
VENTES PUBLIQUES : PARIS, 3 mai 1945 : *Route dans les champs* : FRF 250 – PARIS, 2 juin 1950 : *Le Pont de Moret* 1908 : FRF 1 800 – STOCKHOLM, 16 mai 1990 : *Le pont de Mor*, h/pan. (38x46) : SEK 8 000.

STIBBERT Frederick
Né à Florence. Mort le 10 avril 1906 à Florence. xixᵉ siècle. Italien.
Peintre et écrivain.

STIBER Georg
Originaire de Lauenbourg sur l'Elbe. xviᵉ siècle. Allemand.
Peintre.

STIBER Wolfgang. Voir **STUBER**

STIBERGER Anton. Voir **STIPPERGER**

STIBLIN Hans
xviᵉ siècle. Actif dans la seconde moitié du xviᵉ siècle. Allemand.
Peintre.

STIBRAL Jiri ou **Georg**
Né le 27 juillet 1859 à Prague. xixᵉ-xxᵉ siècles. Tchèque.
Peintre, architecte.
Il était actif à Prague.

STICH G. C.
xviiᵉ siècle. Actif à Cologne. Allemand.
Graveur au burin.
Il grava des portraits de *Clément X* ; d'*Innocent XI* ; de *Maximilien Henri, prince électeur de Cologne*.

STICHART Alexander Otto
Né le 11 mars 1838 à Werdau. Mort le 2 juillet 1896 à Jöhstadt près d'Annaberg en Saxe. xixᵉ siècle. Allemand.
Peintre et illustrateur.
Il étudia à Dresde, Munich, Anvers et Vienne. Il séjourna à Rome en 1878 et 1879. Une chapelle de l'hôpital de Zittau conserve de lui *Le Christ au Mont des Oliviers*.

STICHLING Johann Wolfgang
Né le 26 mai 1666 à Neuenstein près d'Ohringen. Mort avant 1757 à Neuenstadt (Wurtemberg). xviiᵉ-xviiiᵉ siècles. Allemand.
Peintre.

STICHLING Otto
Né le 10 avril 1866 à Ohrdruf (Thuringe). Mort le 28 avril 1912 à Berlin. xixᵉ-xxᵉ siècles. Allemand.
Sculpteur de statues, figures allégoriques.
Il fut élève de Fritz Schaper et de Ernst Herter qui lui succédait à l'Académie des Beaux-Arts de Berlin. Il devint lui-même professeur à l'École des Beaux-Arts d'Altona et de Charlottenbourg.
MUSÉES : BERLIN (Gal. Nat.) : *Jeune femme* – COLOGNE (Mus. des Arts Décoratifs) : 24 reliefs en bois – *La Sculpture* – *La Peinture* – *La Musique* – *La Poésie*.

STICHS Friedrich
Né le 17 mai 1900 à Neckarzimmern. xxᵉ siècle. Allemand.
Peintre de portraits, paysages.
Il fut élève de l'École des Beaux-Arts et de l'Académie de Karlsruhe. Il était actif à Karlsruhe.

STICK J.
xviiᵉ siècle. Français.
Peintre de portraits.

STICKER Andrä. Voir **STEGER**

STICKROTH Harry
Né en 1844. Mort en 1922 à Chicago. xixᵉ-xxᵉ siècles. Américain.
Peintre de portraits, paysages, décorateur.

STICKS Edward
xixᵉ siècle. Américain.
Peintre de compositions allégoriques. Naïf.
En 1883, il a peint un *Royaume de la Paix* dans la manière d'Henri Rousseau le Douanier.

STICKS George Blackie
Né en 1843. Mort en 1938. xixᵉ-xxᵉ siècles. Britannique.
Peintre de paysages animés, paysages, paysages d'eau.
Il a souvent peint des paysages typiques d'Écosse.
VENTES PUBLIQUES : LONDRES, 14 juin 1977 : *Paysage d'Écosse* 1876, h/t (105x150) : GBP 1 700 – PERTH, 24 avr 1979 : *Loch Fyne* 1898, h/t (69x89) : GBP 1 300 – LONDRES, 3 nov. 1989 : *Un lac dans les Highlands* 1880, h/t (106x159) : GBP 11 000 – PERTH, 1ᵉʳ sep. 1992 : *Le Vieux Donjon sur le sommet le soir* 1879, h/t (92x71) : GBP 1 705 – PERTH, 31 août 1993 : *L'île de Skye en Écosse* 1877, h/t (71x92) : GBP 2 300 – GLASGOW, 16 avr. 1989 : *Partie de pêche dans les Highlands* 1876, h/t (45,5x35,5) : GBP 575 – LONDRES, 15 avr. 1997 : *Glen Finlas* 1899, h/t (71x91,5) : GBP 3 565.

STIEBELER Carl
Né vers 1795. xixᵉ siècle. Allemand.
Paysagiste, dessinateur d'architectures et graveur à l'aquatinte.
Il exposa à Berlin entre 1832 et 1846. Parmi les gravures il faut citer : *Vue de la ville de Bunzlau* ; *Le Königsee* ; *Palais du prince Guillaume* et *Vue du château d'Oranienbourg après l'incendie*.

STIEBERGER Anton. Voir **STIPPERGER**

STIEBORSKY Willy
Né le 15 juillet 1881. xxe siècle. Autrichien.
Peintre de portraits, paysages, dessinateur humoriste, illustrateur, graveur.
Il fut élève de l'Académie des Beaux-Arts de Vienne. Il fut actif à Vienne. Il fut un collaborateur des magazines *Lustige Blätter* et *Fliegende Blätter*.

STIEF Sebastian
Né le 16 janvier 1811 à Tengling près de Traunstein. Mort en 1889 à Salzbourg. xixe siècle. Autrichien.
Peintre.
D'une étonnante fécondité, il a composé cent soixante-seize tableaux d'inspiration religieuse, quarante-six paysages et cinq cent cinquante-cinq portraits.
Ventes Publiques : Vienne, 20 mars 1973 : *Voyageurs dans un paysage montagneux* : **ATS 28 000**.

STIEFEL Eduard
Né le 5 avril 1875 à Zurich. Mort en 1968. xxe siècle. Suisse.
Peintre de figures, groupes.
À Munich, de 1898 à 1902, il fut élève de Ludwig Herterich, Peter Halm, Heinrich Zügel, à l'Académie des Beaux-Arts. À partir de 1904, il revint à Zurich et, en 1905, fut nommé professeur à l'École des Beaux-Arts.
Il peignit surtout des personnages féminins dans leurs attitudes familières.
Musées : Bienne – Lugano – Wuppertal : *Femme et enfant* – Zurich : *Femme près du poêle*.
Ventes Publiques : Zurich, 3 avr. 1996 : *Baigneurs*, h/t (81x62) : **CHF 1 200**.

STIEFEL Ernst
Né le 14 juin 1892 à Zurich. xxe siècle. Suisse.
Peintre de figures, paysages, natures mortes.
Il était actif à Zurich.

STIEFEL Marie
Née en 1879 à Zurich. xxe siècle. Suisse.
Peintre d'intérieurs, paysages, fleurs, graveur.
À partir de 1896, elle fut élève de l'École des Beaux-Arts de Zurich ; de 1900 à 1903, elle fut élève d'Eugène Grasset à Paris. Elle fut ensuite active à Zurich. Graveur, elle travaillait surtout le bois.

STIEFF Wilhelm
xixe siècle. Actif à Vienne. Autrichien.
Peintre.
Il exposa entre 1826 et 1828.

STIEFFEL Otto
Né le 24 février 1887 à Mannheim. xxe siècle. Allemand.
Peintre de portraits, paysages, graveur.
Il fut élève de l'École des Beaux-Arts de l'Académie de Karlsruhe, et d'une école de peinture à Munich. Il s'établit à Unkel-sur-le-Rhin.

STIEFT
xixe siècle. Actif à Graz vers 1845. Autrichien.
Peintre de portraits.

STIEFVATER Johann Michael
xviiie siècle. Allemand.
Peintre sur faïence.
Il travailla de 1741 à 1744 à la Fabrique de Göppingen, en 1744 à Hanau et en 1745 à Kunersberg.

STIEGEL Eduard
Né le 20 mars 1818. Mort le 18 mars 1879 à Kassel. xixe siècle. Allemand.
Peintre de genre, portraits, paysages, architectures, aquarelliste.
A partir de 1867 il fut professeur à l'Académie des Beaux-Arts de Kassel et professeur de dessin du prince Guillaume. Les Musées de Kassel possèdent plusieurs spécimens de son activité artistique.
Ventes Publiques : Cologne, 23 mai 1985 : *Eglise et chapelle à Bacharache 1873*, h/t (77x110) : **DEM 4 500**.

STIEGER Georg
xviie-xviiie siècles. Actif à Ehrenbourg entre 1694 et 1708. Autrichien.
Sculpteur.

STIEGER Jean
Né le 6 février 1948 à Linz, de parents yougoslaves. xxe siècle. Actif et depuis 1974 naturalisé en France. Autrichien.

Peintre, dessinateur, illustrateur. Tendance surréaliste.
Il est établi à Nancy. Il ne participe à aucun Salon. Il montre ses peintures et dessins dans des expositions personnelles en France, surtout en Lorraine et en Alsace, et dans plusieurs pays d'Europe.
Il se définit lui-même peintre surréaliste-symboliste. Il illustre spécialement les œuvres d'Edgar Poe et de Franz Kafka. Il apparente l'univers qu'il décrit au langage de la folie et des métamorphoses.

STIEGER Oswald
Né le 22 juin 1857 à Salzbourg. Mort le 3 février 1924 à Graz. xixe-xxe siècles. Autrichien.
Peintre de genre, portraits, paysages.
Il fut élève de l'Académie des Beaux-Arts de Munich. Il était officier.

STIEGLITZ Christian Ludwig
Né le 12 décembre 1756 à Leipzig. Mort le 17 juillet 1836 à Leipzig. xviiie-xixe siècles. Allemand.
Dessinateur, graveur.
Juriste de profession, il était le fils de Carl Ludwig, graveur amateur, né en 1727, mort en 1787 à Leipzig. Le Musée Municipal de cette ville possède plusieurs de ses dessins.

STIEHLER Karl Gotthelf
Mort le 5 octobre 1778 à Meissen. xviiie siècle. Allemand.
Sculpteur.

STIEL Jan
xviiie siècle. Actif dans la première moitié du xviiie siècle. Allemand.
Portraitiste.

STIELER Eugen von, ritter
Né le 19 septembre 1845 à Munich. Mort le 9 octobre 1929 à Munich. xixe-xxe siècles. Allemand.
Peintre de genre, portraits.
Il fut élève de Hermann Anschütz, Ferdinand Barth, Otto Seitz à l'Académie des Beaux-Arts de Munich.

STIELER Joseph Karl
Né le 1er novembre 1781 à Mayence. Mort le 9 avril 1858 à Munich. xixe siècle. Allemand.
Peintre de portraits, miniaturiste.
Il fut d'abord peintre en miniature, puis travailla la peinture à l'huile avec Fäsel à Würzburg et Fuger à Vienne ; après un séjour en Pologne en 1805 il vint à Paris et fut élève de Gérard. Il exposa à Paris en 1808. La même année, il était à Francfort et peignait pour le grand-duc, un *Saint Charles*. Il visita successivement Milan, Rome, Munich, Vienne. En 1820, il fut nommé peintre de la cour d'Autriche.
On cite de lui les portraits de Goethe, de Humbolt, de Schelling, de Beethoven.
Musées : Augsbourg : *Enfants de la famille Hösslin sur la tombe de leur mère* – Berlin (Mus. Hohenzollern) : *Ludwig Tieck* – *La reine Elisabeth de Prusse* – Burghausen : *L'empereur François Ier et sa femme* – Copenhague (Thorwaldsen Mus.) : *Le prince héritier Louis* – Ellingen (Château) : *Le roi Maximilien Ier* – *Le prince Charles* – *Le prince héritier Louis* – *Le maréchal Wrede à cheval* – Graz : *Portrait de dame* – Hambourg : *Le général Tettenborn* – *Portrait de dame* – Heidelberg : *Louis Ier de Bavière* – Mayence : *L'ange gardien veille sur un enfant* – Munich : *Thérèse, reine de Bavière* – *Luitpold de Bavière* – *Prince Adalbert de Bavière* – *Aldegunde, archiduchesse d'Autriche, duchesse de Modène* – *Alexandra-Augusta, princesse de Toscane* – *Otto Ier, roi de Grèce* – *Amalie de Grèce* – *Hildegarde, archiduchesse d'Autriche* – *Mathilde, grande-duchesse de Hesse* – *Le chanteur Sigl* – *Nespermann* – *Goethe* – *François Ier, empereur d'Autriche* – *Charlotte Caroline Augusta, impératrice d'Autriche* – *Lady Thérèse Spence* – *Irène, marquise de Pallavicini* – *Caroline, comtesse de Holnstein de Bavière* – *Lady Jane Erskine* – *Portrait d'une dame* – *Elise, reine de Prusse* – *Louise, baronne de Neubeck* – *Wilhelmine Sulzer* – *Elise List* – *Caroline Lizuis* – *Catharina Botzaris* – *Antonia Wallinger* – *Rosalie Julie von Bonar* – *La princesse héritière de Bavière* – *La baronne Friederike von Gumppenberg* – *Caroline, comtesse Waldbott* – *Rassenheim* – *Lady Emilie Milbanke* – *Josepha Conti* – *La princesse Alexandra de Bavière* – *La princesse Augusta de Bavière* – *Creszentia, princesse d'Ottingen et Walerstein* – *Hélène Sedlmayer* – *Amalie von Schintling* – *Mariane Florenzi* – *Lady Jane Ellenborough* – *Regina Dasenberger* – *Anna Hillmayer* – *Nanette Kaula* – *Cornelia Vetterlein* – *Amélie, baronne de Krudener* – *Isabelle, comtesse de Tauffkirchen* – *Engelburg* – *Maximilian*

Borzaga – *Auguste Strobl* – *Maria Dietzsch* – *Lola Montez* – MUNICH (Residenz Mus.) : *Schelling* – *Eugène de Beauharnais* – *Le duc de Leuchtenberg* – *Otto Ier, roi de Grèce* – *Marie Amélie des Deux-Ponts* – *L'archiduchesse Sophie d'Autriche* – MUNICH (Mus. Nat.) : *Eugène Beauharnais* – MUNICH (Gal. mun.) : *Dr Simon von Häberl* – *Le ministre marquis von Zentner* – SCHWERIN (Mus. du Château) : *Alexandrine, grande duchesse de Mecklembourg* – STUTTGART : *Monsieur Gemming* – VIENNE (Mus. d'Hist.) : *Beethoven.*

VENTES PUBLIQUES : PARIS, 17 mars 1923 : *Portrait d'homme assis et en habit bordé de fourrures* : **FRF 370** – PARIS, 30 avr. 1951 : *George Sand et ses amis* : **FRF 90 000** – PARIS, 11 mars 1964 : *George Sand et ses amis dans le parc de Nohant* : **FRF 10 000** – COLOGNE, 14 juin 1976 : *Portrait de femme en robe bleue ; Portrait d'homme, deux h/pan.* (62,5x53) : **DEM 1 900** – STUTTGART, 6 mars 1981 : *Fillettes nourrissant des lapins 1854,* h/t (100x82) : **DEM 15 000** – LONDRES, 1er juin 1983 : *Portrait de Katharina Bozzario,* h/t (71x57) : **GBP 50 000** – HEIDELBERG, 12 oct. 1985 : *Portrait de jeune fille de profil à droite 1838,* cr. (30x22,5) : **DEM 3 600.**

STIELER Maximilian
Né le 16 février 1825 à Munich. Mort le 23 juin 1897 à Munich. XIXe siècle. Allemand.
Peintre et poète.
Élève de l'Académie de Munich, il travailla ensuite dans l'atelier de son père Joseph Carl. Il exposa de 1857 à 1858 à Francfort-sur-le-Main et revint ensuite à Munich. Il a composé des tableaux de genre et des portraits.

STIELER Robert Friedrich
Né le 15 juin 1847 à Heilbronn (Bade-Wurtemberg). Mort en mai 1908 à Karlsruhe. XIXe-XXe siècles. Allemand.
Peintre de paysages, architectures, aquarelliste.
Il fut élève de l'École des Beaux-Arts de Stuttgart et de l'Académie de Karlsruhe. Pendant de longues années, il fut professeur de dessin à l'École Technique de Stuttgart. En 1883, il obtint une médaille d'or. Il fut surtout aquarelliste.
VENTES PUBLIQUES : MUNICH, 15 mars 1984 : *Scène de rue, Bretagne,* h/cart. monté/pap. (50x32,5) : **DEM 8 000** – HEIDELBERG, 9 oct. 1992 : *Le château de Heidelberg vu de l'est 1875,* h/pan. (22x31) : **DEM 1 600.**

STIÉMART François Albert
Né le 3 décembre 1680 à Douai. Mort en 1740 à Paris. XVIIIe siècle. Français.
Peintre de portraits et décorateur.
Reçu académicien le 28 juin 1720. Le Musée de Fontainebleau conserve de lui : *Enfants jouant avec un chien.* Il fut gardien des tableaux du roi et exécuta des travaux de décoration au Louvre.

STIENNE Jacques Van den. Voir STEENE

STIENNE Louis
Né le 13 janvier 1845 à Strasbourg (Bas-Rhin). Mort le 19 février 1908 à Strasbourg. XIXe-XXe siècles. Français.
Sculpteur, restaurateur.
Il fut élève de Louis Sorg. Il travailla à la réfection des statues de la cathédrale.

STIÉNON DU PRÉ Caroline
Née en 1883 à Gand. Morte en 1979. XXe siècle. Belge.
Peintre de portraits, paysages, paysages urbains, fleurs.
Postimpressionniste.
Elle fut élève de Ferdinand Willaert à l'Académie des Beaux-Arts de Gand. Elle devint l'épouse du compositeur Fred Stiénon du Pré.

(Stiénon du Pré

STIENTJES Staf, pseudonyme de Haluin Gustave d'
Né le 14 décembre 1883 à Waregem. Mort le 13 février 1974 à Tiegem. XXe siècle. Belge.
Peintre de portraits, paysages animés.
De 1896 à 1903, il fut élève en peinture et en sculpture de l'Académie des Beaux-Arts de Courtrai. Il fut ami de Valerius De Saedeleer. Pendant la guerre de 1914-1918, Stientjes vécut à Paris, peignant à Montmartre avec Utrillo. À son retour, il se fixa définitivement à Tiegem, où il exploitait un café-brasserie, et où il exposait ses peintures. Toutefois, il participa aussi à des expositions à Courtrai, Gand, Roulers, Alost, Waregem, Audenaerde,

Bruges, Iseghem, Avelghem, Mouscron, et en France à Lille, Roubaix. En décembre 1983, une rétrospective de son œuvre a été organisée à Tiegem. Il a reçu diverses distinctions, dont le grade de chevalier dans l'Ordre de Léopold II de Belgique.
À partir de son installation à Tiegem, il s'est surtout inspiré du très beau paysage de Flandre à sa portée. Dans les vallonnements se déroulant jusqu'à l'horizon, alternent champs cultivés, prairies et petits bois, entrecoupés de routes et hameaux. Ses paysages, qu'il traite sobrement dans un accord de bruns sombres et chauds et de verts d'eau glauque, animés de quelques voyageurs ou chasseurs, sont marqués par l'influence de Valerius De Saedeleer et, à travers celui-ci, se réfèrent aux paysages de Brueghel, notamment dans les paysages de neige, dont la blancheur est rompue d'arbres dénudés et de silhouettes noires attardées. ■ J. B.
VENTES PUBLIQUES : ANVERS, 28 oct. 1980 : *Coucher de soleil,* h/t (140x160) : **BEF 75 000** – RUMBEKE, 20-23 mai 1997 : *Portrait d'un gentleman,* h/pap. (25x22) : **BEF 16 314.**

STIEPANOFF. Voir STEPANOV

STIEPEVICH Vincent G.
Né en 1841. Mort en 1910. XIXe-XXe siècles. Russe.
Peintre de genre, scènes et figures typiques, aquarelliste. Orientaliste.
VENTES PUBLIQUES : NEW YORK, 24 jan. 1980 : *Le harem,* h/t (75,6x50,2) : **USD 2 000** – NEW YORK, 28 oct. 1981 : *Jeune Femme au bain,* h/t (76,2x50,8) : **USD 3 500** – LONDRES, 27 nov. 1984 : *La favorite du pacha 1886,* h/t (93,5x155) : **GBP 26 000** – NEW YORK, 22 mai 1985 : *Musicienne au harem,* h/t (91,5x61) : **USD 31 000** – NEW YORK, 22 mai 1986 : *Une sérénade au harem,* h/t (45,8x61) : **USD 13 000** – NEW YORK, 25 fév. 1988 : *Repos sur la terrasse,* h/t (45,8x61) : **USD 2 860** – NEW YORK, 17 jan. 1990 : *Beauté de harem,* h/t (50,8x40,7) : **USD 3 850** – NEW YORK, 21 mai 1991 : *Beauté orientale,* h/t (21,3x15,6) : **USD 1 210** – NEW YORK, 15 oct. 1991 : *Au harem,* h/t (45,7x61) : **USD 6 050** – NEW YORK, 28 mai 1993 : *Servante jouant de la musique pour sa maîtresse dans un harem,* aquar./pap. (49,5x72,5) : **USD 6 325** – NEW YORK, 26 mai 1994 : *Jeune femme de harem nourrissant un cygne,* h/t (76,2x50,8) : **USD 20 700** – PARIS, 10-11 avr. 1997 : *La Jeune Femme aux pigeons,* h/t (76x51) : **FRF 101 000** – PARIS, 17 nov. 1997 : *La Jeune Femme aux pigeons,* h/t (76x51) : **FRF 113 000.**

STIER Alexius
XVe siècle. Actif à Innsbruck vers 1483. Autrichien.
Peintre.

STIERHOUT Desiderius ou Stierhold
XVIIe siècle. Actif à Leyde vers 1677. Hollandais.
Graveur au burin.
A gravé un portrait du philosophe Jakob Böhme.

STIERLE Johann Jakob Gottfried
Né en 1764 à Berlin. Mort en 1806 à Berlin. XVIIIe siècle. Allemand.
Médailleur.
Il travailla à la Monnaie de Berlin.

STIERLEIN Georg. Voir STIRLEYN

STIERLIN Johann Jakob
Né le 1er décembre 1820 à Schaffhouse. Mort le 4 janvier 1905 à Veltheim. XIXe siècle. Suisse.
Paysagiste.

STIERNBERG Theodor von
Né le 19 août 1840 à Rosenburg. XIXe-XXe siècles. Allemand.
Peintre, graveur.
Il fut élève de l'École des Beaux-Arts de Kassel et de Ernst Pickardt à Berlin. Il était actif à Wiesbaden.
MUSÉES : WIESBADEN : *Nature morte.*

STIERNSCHANTZ Beda Maria
Née en 1867. Morte en 1910. XIXe-XXe siècles. Finlandaise.
Peintre de figures.
Elle se forma à Helsingfors et à Paris.
MUSÉES : HELSINKI (Atheneum) : *Tête de jeune fille.*

STIERNSTEDT Sophie Louise
Née le 19 août 1845 à Cathrineberg. Morte le 3 juillet 1927 à Stockholm. XIXe-XXe siècles. Suédoise.
Peintre de paysages.
Elle fut élève de Frederik Rohde à Copenhague, de Hans Gude à Berlin, de Louis Dardoize et Lucien Simon à Paris, et travailla aussi à Rome. De 1890 à 1901, elle vécut dans le Midi de la France.

STIESSBERGER Josef
Né en 1802. Mort le 10 mars 1872. XIXᵉ siècle. Actif à Salzbourg. Autrichien.
Lithographe.
A composé soixante lithographies pour l'ouvrage de Georg Pezolt : *Le duché de Salzbourg et ses environs.*

STIETZEL Eduard. Voir **STUTZEL**

STIÉVENART Clément
Né le 11 juin 1851 à Mons. Mort en 1924 à Mons. XIXᵉ-XXᵉ siècles. Belge.
Peintre de genre.
À partir de 1883, il devint professeur à l'Académie des Beaux-Arts de Mons.

STIÉVENART Fernand
Né à Douai. XIXᵉ-XXᵉ siècles. Français.
Peintre de compositions religieuses, paysages.
Il fut élève de Adrien Demont et Gustave Boulanger. Il exposait à Paris, au Salon des Artistes Français, depuis 1893 sociétaire et mention honorable, 1900 médaille de bronze pour l'Exposition universelle, 1902 médaille de troisième classe.
VENTES PUBLIQUES : CALAIS, 12 déc. 1993 : *Le prophète Élie nourri par les oiseaux* 1896, h/t (151x200) : **FRF 15 000.**

STIÉVENART Michel
Né le 2 décembre 1910 à Mons. XXᵉ siècle. Belge.
Sculpteur de monuments, figures. Tendance abstraite.
Il fut élève de Léon Navez à l'Académie des Beaux-Arts de Mons, puis de Ernest L. A. Wynants à l'Institut supérieur des Beaux-Arts d'Anvers. En 1950, il obtint le Prix de Sculpture de plein air d'Anderlecht, d'autres sources indiquent la même année le Prix de la Commune de Forest.
Il travaille le bois, la pierre, le métal, mais préférentiellement la pierre en taille directe. Il est l'auteur d'œuvres monumentales en Belgique, notamment pour l'Hôtel de Ville de Marcinelle, pour la Bibliothèque de Quiévrain, pour le palais de Justice de Charleroi. Il exploite les richesses de la pierre, jouant sur la diversité des grains et des couleurs. Ses sculptures, figures couchées ou formes dressées, taillées en masses compactes, se situent aux confins de la non-figuration. Les références figuratives y sont certes lisibles, mais schématiques, stylisées, presque symbolisées.

STIEWI Franz
Mort le 18 octobre 1890 à Aix-la-Chapelle. XIXᵉ siècle. Actif à Aix-la-Chapelle. Allemand.
Paysagiste et portraitiste.
Il étudia à l'École des Beaux-Arts d'Aix-la-Chapelle et à l'Académie de Munich. Les Musées d'Aix-la-Chapelle possédaient plusieurs de ses toiles.

STIFFENHOFFEN Antoine
Né en 1758 près de Bregenz. XVIIIᵉ siècle. Éc. tyrolienne.
Sculpteur.
Élève de Luc Breton. Le Musée de Besançon conserve de lui : *Milon de Crotone dévoré par un lion* (plâtre pour lequel il obtint le second prix du concours de 1781, à l'École de peinture et de sculpture de Besançon) et un *Buste de Louis XIV* en terre cuite.

STIFTER Adalbert
Né le 23 octobre 1806 à Oberplan. Mort le 28 janvier 1868 à Linz. XIXᵉ siècle. Éc. de Bohême.
Poète et miniaturiste.
Il fut comme peintre un autodidacte et relégua la peinture au second plan quand il fut devenu un écrivain célèbre. Il se rangea aux côtés des Nazaréens et combattit le naturalisme. Il se consacra surtout au paysage. Il a surtout évoqué les paysages des environs de Salzbourg et de Vienne, avec beaucoup de naturel et sans la moindre littérature, sans atteindre à la dimension des romantiques du « paysage tragique », mais comme un « petit romantique » à l'émotion discrète.
BIBLIOGR. : Marcel Brion : *La peinture allemande*, Tisné, Paris, 1959.
VENTES PUBLIQUES : MUNICH, 17-18-19 mars 1965 : *Vue d'un village* : **DEM 14 500** – VIENNE, 18 juin 1968 : *Lac alpestre* : **ATS 70 000** – BERNE, 7 mai 1981 : *Portrait de jeune fille aux nattes*, h/t (44x36) : **CHF 12 000** – VIENNE, 19 mars 1983 : *Clair de lune sur le lac* vers 1840, h/pap. (23x24,5) : **ATS 120 000.**

STIFTER Alfred
Né en 1904 à Linz. XXᵉ siècle. Autrichien.
Peintre, peintre sur verre.

De 1923 à 1928, il fut élève de l'Académie des Beaux-Arts de Vienne. Il se spécialisa dans la peinture sur verre.

STIFTER Moritz
Né en 1857. Mort le 23 mai 1905. XIXᵉ-XXᵉ siècles. Autrichien.
Peintre de genre, figures typiques. Orientaliste.
Il fut officier, puis, pendant quelques années, élève de l'Académie des Beaux-Arts de Munich.

M. Stifter

VENTES PUBLIQUES : VIENNE, 14 mars 1978 : *Le galant entretien* 1896, h/pan. (21x13) : **ATS 18 000** – VIENNE, 16 mai 1984 : *Malheureux en amour*, h/pan. (27x21,5) : **ATS 75 000** – COPENHAGUE, 12 nov. 1985 : *Nymphes dansant*, h/t (31x47) : **DKK 29 000** – NEW YORK, 28 fév. 1990 : *Scène de harem* 1890, h/pan. (33x40,7) : **USD 19 800** – ZURICH, 22 juin 1990 : *La lettre*, h/pan. (27x21) : **CHF 950** – LONDRES, 17 mai 1991 : *Une Odalisque*, h/t (107x69) : **GBP 5 500** – NEW YORK, 17 oct. 1991 : *Le miroir* 1890, h/pan. (39,4x31,8) : **USD 10 450** – LONDRES, 11 fév. 1994 : *Une Odalisque*, h/pan. (31,7x25,6) : **GBP 3 450** – LONDRES, 15 nov. 1995 : *Petites filles arabes au repos*, h/pan. (26,5x15,5) : **GBP 4 830.**

STIGELL Rob
Né le 14 mai 1852 à Helsingfors (Helsinki). Mort le 1ᵉʳ décembre 1907 à Helsingfors. XIXᵉ-XXᵉ siècles. Finlandais.
Sculpteur de monuments, figures, groupes, sujets de genre, bustes.
Il exposa à Paris, participant au Salon des Artistes Français, 1891 mention honorable, 1898 médaille de troisième classe, 1900 médaille d'or pour l'Exposition universelle.
Son œuvre principale *Les Naufragés* est érigée sur le mont de l'Observatoire à Helsinki.
MUSÉES : HELSINKI : *Lanceur de fronde – Archer – Buste du Dr Axel Lille – Qui gagne ?*

STIGGER Johann
XVIIIᵉ siècle. Actif à Innsbruck. Autrichien.
Peintre.
Il se maria en 1752 à Innsbruck où il resta jusqu'en 1779.

STIGGER Johann
Né en 1872 à Silz (Tyrol). XIXᵉ-XXᵉ siècles. Autrichien.
Peintre.
Il fut élève de l'École des Beaux-Arts d'Innsbruck.

STIGGINS William
Né en 1821. Mort en 1844 à Liverpool. XIXᵉ siècle. Actif à Liverpool. Britannique.
Peintre de figures et d'animaux.

STIGLER Johannes
Originaire de Prague. XVIIIᵉ siècle. Éc. de Bohême.
Peintre.

STIGLMAIER Johann Baptist
Né le 18 octobre 1791 à Furstenfeldbruck. Mort le 2 mars 1844 à Munich. XIXᵉ siècle. Allemand.
Sculpteur, médailleur et dessinateur.
Il fut à partir de 1810 élève de l'Académie de Munich et se manifesta surtout comme sculpteur.

STIGZELIUS DE COCK Julia. Voir **COCK Julia Elisabeth**

STIJL De. Voir par exemple **DOESBURG Théo Van, MONDRIAN Piet, VANTONGERLOO Georges**

STILHART Hans, l'Ancien
Mort avant 1522. XVᵉ-XVIᵉ siècles. Actif à Constance à partir de 1483. Suisse.
Peintre verrier.
Il passa de Thann en Alsace à Constance et à Saint-Gall. Il a peint de nombreux blasons.

STILHART Hans, le Jeune
XVIᵉ siècle. Actif à Constance. Suisse.
Peintre verrier.
Fils de Hans Stilhart l'Ancien.

STILHART Kaspar
Mort en 1547. XVIᵉ siècle. Suisse.
Peintre verrier.
Fils naturel de Ludwig. Il se spécialisa dans la peinture des blasons, dont le Musée du Louvre nous fournit quelques spécimens. Il devint maître à Constance en 1531.

STILHART Ludwig
Mort entre 1536 et 1537. XVIᵉ siècle. Suisse.

Peintre verrier.

Il était fils de Hans Stilhart l'Ancien. Son atelier, spécialisé dans la peinture des blasons, fut très achalandé. Il devint bourgeois de la ville de Constance en 1507.

STILHEID. Voir LIN Hans ou Hermann

STILKE Hermann Anton

Né le 29 janvier 1803 à Berlin. Mort le 22 septembre 1860 à Berlin. xixᵉ siècle. Allemand.

Peintre d'histoire, sujets religieux.

Il fut élève de Kolbe à l'Académie de Berlin, puis de Cornelius à Munich. Il suivit ce maître à Düsseldorf.

En collaboration avec Sturmer il peignit un *Jugement dernier* dans la salle de la cour d'assises à Coblenz, puis exécuta des fresques au Jardin de la Cour, à Munich. De 1827 à 1833, il résida en Italie et à cette dernière date, il rejoignit Schadow à Düsseldorf. Il résida dans cette ville jusqu'en 1850, exécutant entre-temps des fresques à la Rittersaal, en 1842-1846, à Stofzenfels et des fresques au théâtre de Dessau. Sa femme Herminie Stilke fut un habile dessinateur d'ornements pour les éditions de luxe.

Musées : Berlin (Neue Nationalgalerie) : *Le christianisme élevé au rang de religion d'État* – Berlin (Château) : *Enlèvement d'Europe* – Berlin (Gal. Nat.) : *Enlèvement des enfants d'Edouard IV* – Brême : *La mort du roi Jean de Bohême, à la bataille de Crécy (1346)* – *L'Empereur Frédéric II salue sa fiancée Isabelle d'Angleterre* – Francfort-sur-le-Main (Romer) : *Portrait de l'empereur Henri III* – Kaliningrad, ancien. Königsberg : *Sortie des chrétiens de la Terre Sainte, après le ravage de Ptolémaïs par les Sarrazins* – Munich : *Enlèvement du prince de Saxe* – Posen : *Pèlerins dans le désert.*

Ventes Publiques : New York, 23 mai 1990 : *Jeanne d'Arc en prière* 1836, h/t (104,7x83,2) : USD 22 000.

STILKE Hermine, née Peipers

Née le 3 mars 1804 à Eupen. Morte le 23 mai 1869 à Berlin. xixᵉ siècle. Allemande.

Dessinatrice et peintre de fleurs.

Elle était la femme d'Hermann Anton Stilke et dirigea à Berlin une école privée de dessin pour dames. Elle se consacra surtout à l'illustration de livres de poésie.

STILL Clyfford

Né en 1904 à Grandin (North Dakota). Mort le 23 juin 1980 à Baltimore (Maryland). xxᵉ siècle. Américain.

Peintre. Expressionniste-abstrait.

Clifford Still fut élevé à Alberta, au Canada. Il commença à travailler dans une ferme, puis, grâce à une bourse, vint étudier à la Spokane University de l'État de Washington, dont il obtint le diplôme en 1933, à la suite duquel il put enseigner le dessin et la peinture et donc être financièrement indépendant, puis à la Washington State University proprement dite, dont il fut également diplômé en 1935. En 1941, il arriva à San Francisco, sur la côte du Pacifique, pour y travailler dans les industries de guerre, au détriment de son activité de peintre. En 1943, il rencontra Rothko, avec lequel il restera lié. Ensuite, à New York, il fut, avec Rothko, Motherwell, Baziotes, cofondateur du groupe *Subjects of the Artists*. En 1950-1951, il se fixa à New York et travailla avec Pollock et De Kooning. En 1961, il s'installa définitivement dans le Maryland. En 1978, malgré une misanthropie réputée, il devint membre de l'Académie Américaine des Arts et des Lettres.

De 1933 à 1941, il enseigna au Washington State College de Pullman. De 1946 à 1950, il enseigna à la California School of Fine Arts de San Francisco ; il eut quantité d'élèves et son enseignement y reçut un considérable retentissement. À New York, après 1950 et pendant dix ans, il a poursuivi son enseignement au Hunter College et au Brooklyn College.

Clifford Still était connu pour son caractère entier, d'autres disaient difficile. De son vivant, il a refusé presque toutes les propositions d'expositions individuelles en Europe, notamment à Bâle, Venise ou Paris, alléguant son refus de la « culture institutionnelle ». Il a pourtant accepté de participer à des expositions nationales et internationales importantes consacrées à l'art américain moderne, notamment : 1952 New York, *15 Américains*, Museum of Modern Art ; 1953 New York, *La Nouvelle Peinture Américaine*, Museum of Modern Art ; 1954 New Haven, *L'objet et l'image dans l'art et la poésie modernes*, Yale University Art

Gallery ; 1955 Paris, *Cinquante ans d'art aux États-Unis*, Musée National d'Art Moderne ; 1961 Minneapolis, *60 peintures américaines 1960*, Walker Art Center ; 1968 Paris, *L'art du réel. USA. 1948-1968*, Galeries Nationales du Grand Palais.

Des ensembles de ses peintures ont fait l'objet d'expositions individuelles américaines, d'entre lesquelles : 1943 San Francisco, Museum of Art ; 1945 et 1947 à la galerie Art of this Century de Peggy Guggenheim, et 1950, 1951, 1959 New York ; 1959 Buffalo, première rétrospective, Albright-Knox Art Gallery ; 1979 New York, deuxième et dernière rétrospective de son vivant, Metropolitan Museum ; après sa mort, seulement : 1992 Kunsthalle de Bâle, Centre d'Art Reina Sofia de Madrid, Stedelijk Museum d'Amsterdam, *36 tableaux de Clifford Still prêtés par l'Albright-Knox Art Gallery de Buffalo et le Museum of Modern Art de San Francisco*. En effet, après avoir vendu environ quatre-vingts œuvres et en avoir offert une soixantaine, ses dispositions testamentaires stipulent que les environ sept-cent-cinquante tableaux et les quelque mille-cinq-cents travaux sur papier restants ne pourront être séparés et devront faire l'objet d'une donation si une institution s'engageant à leur consacrer entièrement un espace approprié. La presque totalité de son œuvre est donc vouée à rester ignorée et probablement dans de mauvaises conditions de conservation.

Du fait de certaines destructions de ses premières œuvres, de la rétention qu'il pratiqua envers les suivantes, on sait finalement très peu de choses sur le processus exact de son évolution et sa chronologie et les informations suivantes n'éviteront pas un évident flottement. Depuis les années trente à Washington et jusqu'à son arrivée en 1941 à San Francisco, Still aurait produit des paysages en rapport avec les vastes étendues de l'Ouest américain, puis des peintures d'inspiration mythologique aux figures peu identifiables, J. D. Prown et B. Rose rappellent « les créatures mythiques de ses premières peintures (qui évoquent) les êtres qui rodaient sur terre avant l'apparition de l'homme » ; ils évoquent encore « les personnages menaçants de Still ». Puis, à partir de 1941, il pratiqua une peinture expressionniste violente, influencée consciemment par l'enseignement que Hans Hofmann donnait, depuis 1934, dans son école de New York où passèrent de nombreux jeunes artistes qui devaient créer la nouvelle peinture américaine, et bien que Still ne l'eût jamais suivi lui-même. C'est à cette époque de la Deuxième Guerre mondiale, alors que peignant peu pendant son affectation aux industries de guerre, qu'il se serait passionné pour les Monet de la dernière période, c'est à dire les *Nymphéas* les plus détachés des apparences, vastes toiles rayonnantes de lumières irréelles, à peine traversées de formes fugitives. Ayant recouvré son activité normale, ses propres œuvres de 1945 confirment son évolution à l'abstraction, cependant, dans le flou qui recouvre ces années là, certains commentateurs en impliquent, encore ou plutôt de nouveau, à quelques éléments de détail une origine surréaliste : des éclats de couleurs vives animés de torsions de flammes.

Clifford Still abandonna alors toute représentation narrative, toute transcription de l'espace tridimensionnel, pour s'engager résolument dans une abstraction totale, même si certains pourront encore voir dans les failles blanches ou colorées qui traversent verticalement les fonds noirs ou bruns des réminiscences des gorges et canyons de l'Ouest où il vécut dans les années trente. Il travaillait des matières pigmentaires épaisses, étalées et triturées frontalement au couteau, recouvrant à densités de couleurs égales, la totalité du tableau, l'opacifiant comme un mur, laissant supposer son prolongement hors ses limites, recherchant des accords colorés sourds, faisant se juxtaposer les surfaces sans contours nets, au contraire comme déchirés. Parti-pris frontal, étalement du même « all over », sans composition privilégiant un centre, ni notions de haut et de bas, matière malaxée, accords colorés sourds, sont les paramètres qui spécifient les peintures de cette période. C'était ainsi le contenu de son enseignement à la California School of Fine Arts. Il fut considéré comme un chef de file d'un nouveau pôle de l'expressionnisme-abstrait, très éloigné, pour exemples, de la véhémence viscérale d'un De Kooning ou de la gestualité forcenée d'un Pollock.

Ce n'avait été qu'après son établissement à San Francisco en 1941 que son œuvre s'était progressivement affirmée. Les principaux artistes qui furent marqués par la pensée et l'art, les philosophies et religions, de l'Extrême-Orient, Tobey, Rothko et Still, vécurent pendant un certain temps et en même temps dans les villes de la côte du Pacifique, où, en effet, ils étaient plus facilement en contact avec des éléments des civilisations des pays de l'autre côté du Pacifique, c'où la désignation, quelque peu artificielle d'une école du Pacifique. D'ailleurs, Tobey, Rothko et Still ne tardèrent pas à quitter San Francisco ou Seattle pour New York. Toutefois, ils avaient commencé à familiariser l'Amérique avec un certain mysticisme de la nature, un sens cosmique de l'espace, ainsi que leurs propositions pour traduire ces notions par la peinture. Avec Still, Tobey et Rothko introduisirent à New York quelque chose de très nouveau et très singulier, en opposition avec l'« action painting », qui dominait l'école de New York du moment, et qui, malgré ses radicalisations, était encore d'origine européenne. Ce qu'ils apportaient allait donner à la peinture américaine, en soi et dans sa continuation, l'un de ses aspects les plus originaux et spécifiques en ce qu'il était absolument indépendant de toute référence européenne : d'abord une négation radicale de tout lien avec la réalité extérieure, ensuite une mise en évidence, très caractéristique, de la perception de l'espace, il est vrai déjà exploitée par Pollock, enfin une mise en condition du spectateur, « piégé » par la dimension hors normes des peintures, malgré l'unicité du sujet contradictoire avec la complexité anecdotique des grandes compositions du passé, dimension où le sens commun est tenté de dire « américaine », et qui a pu être qualifiée de « dimension du vide ». Dans ces conditions réunies, le spectateur, immergé au cœur du flux coloré, est amené à se laisser absorber dans des méditations, la « spiritualité libératrice » de Still, en accord avec les formes floues, les colorations tendant à la monochromie, la matière même des pâtes colorées de ces plages ou champs, « color fields », presque vides qui constituent leurs peintures.

À partir de son accession à une abstraction consciente et délibérée, l'évolution de son œuvre continuera de se faire insensiblement, sans périodes tranchées. Dans un article, Alain Cueff écrit : « Pour autant qu'on sache, puisque Still a détruit de nombreux travaux... la transition entre sa première manière expressionniste et la suivante fait l'objet d'une évolution presque imperceptible... Le noir se résorbe peu à peu et les couleurs cessent de se chevaucher pour s'approcher les unes des autres avec retenue. Les figures dans lesquelles elles s'épanouissaient sont la proie d'une extension irrépressible jusqu'à constituer finalement de vastes zones déchiquetées. » À partir de 1946, Still abandonna définitivement ses anciens titres à connotation symbolique pour une numérotation chronologique préservant de toute interprétation. Dès 1952, dans le catalogue de l'exposition 15 Américains, Clifford Still déclarait : « Depuis les temps les plus anciens, on a demandé à l'artiste de perpétuer les valeurs de son temps. On n'y trouve généralement que des éléments de sadisme, de superstition et de volonté de pouvoir... Les valeurs impliquées ne permettent pas d'avoir la paix... Nous sommes maintenant poussés à une action qui n'illustre ni des mythes usés, ni les alibis contemporains... La mesure de la grandeur de l'artiste sera dans la profondeur de sa conscience. » Pour Still, avec la peinture il ne s'agissait de rien moins que proposer à l'homme une spiritualité libératrice.

Ses peintures sont fondées sur des moyens très simples. Sur de très vastes surfaces, privilégiant toujours la verticalité, symbolique de la dimension spirituelle, il met en présence de larges taches de deux ou trois couleurs, posées en nappes se répandant avec naturel. Le caractère plan bidimensionnel de la toile est accusé par la volonté d'étaler les taches en aplats. Dans cette période, Still revalorise la totalité de la surface de la toile, le centre étant très souvent presque entièrement occupé par une énorme tache noire ou de tonalité extrêmement sombre, dont on retrouvera ensuite l'écho dans les ascétiques constructions de Barnett Newmann, en plaçant sur ses pourtours déchiquetés les accidents et ruptures de formes et de couleurs qui constituent alors comme une toile de fond sans finitude. D'ailleurs, cette sobriété des moyens mis en œuvre par Clifford Still dans ses peintures, le rôle privilégié qu'elles redonnent à la perception de l'espace et des couleurs, en tant que tels dans leur extension, en tant que « structures primaires » de la perception, le font compter au nombre des précurseurs du « Minimal Art ».

■ Jacques Busse

Bibliogr. : In : Catalogue de l'exposition 15 Américains, Mus. of Mod. Art, New York, 1952 – Greenberg, in : American-type painting, in : Partisan Review, n° 2, New York, 1955 – Michel Seuphor, in : Diction. de la peint. abstraite, Hazan, Paris, 1957 – Catalogue de l'exposition Paintings by Clifford Still, Albright-Knox Art Gal., Buffalo, 1959 – E. C. Goossen : Painting as Confrontation : Clifford Still, in : Art International, Zurich, janv. 1960 – Catalogue de l'exposition Clifford Still, Institute of Contemp. Art,

Univers. of Pennsylvania, Philadelphie, 1953 – B. Dorival, sous la direction de, in : Peintres contemp., Mazenod, Paris, 1964 – Catalogue de l'exposition Clifford Still. Thirty-three Paintings in the Albright-Knox Art Gall., Buffalo, 1966 – Sarane Alexandrian, in : Diction. Univers. de l'Art et des Artistes, Hazan, Paris, 1967 – Pierre Cabanne, Pierre Restany, in : L'avant-garde au XXe siècle, Balland, Paris, 1969 – J. D. Prown, B. Rose, in : La Peinture américaine, Skira, Genève, 1969 – Madeleine Deschamps, in : La dimension du vide, in : Chroniques de l'Art Vivant, Paris, juil. 1970 – in : Diction. Univers. de la Peint., Le Robert, Paris, 1975 – Alain Cueff : Dossier Clifford Still, in : Beaux-Arts, Paris, mai 1991 – Catalogue de l'exposition 36 tableaux de Clifford Still, prêtés par l'Albright-Knox Art Gallery de Buffalo et le Museum of Modern Art de San Francisco, Kunsthalle de Bâle, Centre d'art Reina Sofia de Madrid, Stedelijk Museum d'Amsterdam, 1992.

Musées : Amsterdam (Stedelijk Mus.) – Bâle (Kunstmus.) – Sans titre 1957 – Buffalo (Albright-Knox Art Gal.) : 1957-D N° 1 1957, faisant partie d'une donation de 34 œuvres – Chicago – Detroit (Inst. of Arts) : Peinture 1951 – Hartford (Wadsworth Atheneum Mus.) : Numéro 5 1951 – Londres (Tate Gal.) : Sans titre 1953 – Lugano (Fond. Thyssen-Bornemisza) : Sans titre 1965 – New York (Metropolitan Mus.) : Sans titre 1946 – New York (Mus. of Mod. Art) : Peinture 1951 – Paris (Mus. Nat. d'Art Mod.) : Composition 1945 – Philadelphie (Inst. of Contemp. Art) – Saint-Louis – San Francisco (Mus. of Mod. Art) – Stockholm – Venise (Fond. Peggy Guggenheim) : Jamais 1944.

Ventes Publiques : Londres, 5 déc. 1962 : Sans titre : GBP 3 600 – New York, 13 oct. 1965 : Peinture : USD 29 000 – New York, 17 avr. 1969 : 1948-H : USD 43 000 – New York, 26 oct. 1972 : 1955-D : USD 57 500 – New York, 12 mai 1977 : Sans titre 1954, h/t (398x236) : USD 165 000 – New York, 9 nov. 1983 : Fear 1945, h/pap. (65,5x49,5) : USD 50 000 – New York, 2 mai 1985 : Sans titre 1954, h/t (297,2x256,3) : USD 725 000 – New York, 9 nov. 1989 : Sans titre, h/t (122x96,5) : USD 104 500 – New York, 27 fév. 1990 : Sans titre 1938, h/t (67,5x52) : USD 38 500 – New York, 7 mai 1990 : 1955-D, h/t (296,2x281,9) : USD 1 100 000 – New York, 14 nov. 1995 : 1955-D 1955, h/t (296,2x281,9) : USD 684 500 – New York, 8 mai 1996 : Sans titre 1948, h/t (127,6x116,8) : USD 662 500 – New York, 20 nov. 1996 : Sans titre vers 1940-1941, h/t (89,5x87,6) : USD 85 000.

STILL Friedrich Wilhelm. Voir **STILLEN**

STILL Johann Friedrich Wilhelm
XVIIe siècle. Autrichien.
Sculpteur et stucateur.
Il travailla à Olmutz en 1691, à Troppau en 1695 et à Vienne en 1707.

STILLEMANS Henri Victor
Né le 14 août 1879 à Anvers. XXe siècle. Belge.
Peintre d'intérieurs, paysages, natures mortes.
Il fut élève d'Isidore Verheyden à l'Académie des Beaux-Arts de Bruxelles. Il fit de nombreux séjours en Auvergne.
Musées : Bruxelles (Fonds Nat.).

STILLEN Friedrich Wilhelm ou **Still**
XVIIIe siècle. Allemand.
Sculpteur.

STILLER Joseph
Né en 1731 à Ettringen. Mort le 12 juin 1771 à Lamerdingen. XVIIIe siècle. Actif à Ettringen. Allemand.
Stucateur.
Il était le fils de Michael Stiller.

STILLER Ludwig
Né le 26 août 1872 à Munich. XIXe-XXe siècles. Allemand.
Peintre de genre, illustrateur.
Il était actif à Munich.
Musées : Bucarest (Mus. Simu) : Une halte.

STILLER Matthäus ou **Mathias**
Mort le 7 avril 1710 à Ettringen. XVIIIe siècle. Allemand.
Stucateur.
Il était le père de Michael. A travaillé dans les églises de sa région.

STILLER Michael
XVIIIe siècle. Allemand.
Sculpteur.
Ce stucateur a travaillé dans les édifices religieux de sa région. Il se maria le 26 janvier 1711.

STILLER Richard
Né le 12 octobre 1871 à Kohlfurt. XIXe-XXe siècles. Allemand.

Peintre.

Il fut élève de l'École des Beaux-Arts de Berlin, travailla aussi à Dresde et à l'Université de Breslau. Il était aussi écrivain. Il était actif à Radebeul près de Dresde, où presque la totalité de ses œuvres est restée.

STILLER Simon

Né le 5 octobre 1643 à Wessobrun. Mort à Augsbourg. XVIIe siècle. Allemand.

Sculpteur stucateur.

Il était fils de Matthäus Stiller.

STILLERICH Johann

Né en 1802. Mort le 2 novembre 1843 à Vienne. XIXe siècle. Autrichien.

Peintre d'histoire.

STILLFRIED und RATHENITZ Raimund von, marquis

Né le 6 août 1839 à Komotau. Mort le 12 août 1911 à Vienne. XIXe-XXe siècles. Autrichien.

Peintre-aquarelliste de paysages. Orientaliste.

Il était aussi photographe. Il a entrepris de nombreux voyages au Japon, en Chine, au Mexique.

Il a peint le Fuji Yama pour le palais du Mikado à Tokyo.

STILLGEBAUER Johann Carl

XVIIIe siècle. Allemand.

Sculpteur.

Il travailla de 1729 à 1731 à la construction du château au Belvédère près de Weimar.

STILLHAMMER Hans Wilhelm

Né le 5 mai 1881 à Stuttgart. XXe siècle. Allemand.

Peintre.

Il était actif à Stuttgart.

Musées : Stuttgart.

STILLHART. Voir **STILHART**

STILLING Hans

Né vers 1570 à Dresde. Mort en février 1632 à Dresde. XVIe-XVIIe siècles. Allemand.

Sculpteur de portraits.

Il fut à Dresde le sculpteur le plus réputé de son époque. Malheureusement la plupart de ses œuvres ont été incendiées.

STILLMAN Ary

Né en 1891. XXe siècle. Actif aux États-Unis. Russe.

Peintre de portraits, paysages, natures mortes.

À Paris, il exposait aux Salons de la Société Nationale des Beaux-Arts, des Indépendants, d'Automne, des Tuileries ; aux États-Unis, il exposa à New York, Saint Louis, Chicago.

STILLMAN Marie, née **Spartali**

Née en 1844 à Londres. Morte en 1927. XIXe-XXe siècles. Britannique.

Peintre d'histoire, sujets mythologiques, figures, peintre à la gouache, aquarelliste, dessinateur.

De 1866 à 1882, son père, Michael Sarfati, riche commerçant grec, était consul général de Grèce à Londres. La communauté gréco-anglaise de Londres fournit des membres importants à l'art victorien. Marie Stillman y fréquenta Zambaco, qui fut pendant plusieurs années la compagne de Burne-Jones, et Aglia Coronio née Ionides, elles étaient connues dans le cercle artistique sous le surnom des « Trois Grâces ». Elle étudia sous les conseils de Ford Madox Brown en même temps que les enfants du peintre.

En 1867 et 1871, elle exposa à Londres sous le nom de Spartali. À partir de 1872, elle signa du nom de son époux W. J. Stillman, exposant surtout à la Grosvenor Gallery et à la New Gallery.

Ses origines l'amenèrent à peindre des scènes de genres inspirées de la mythologie ou de légendes de son pays.

Musées : Liverpool : *La Madonna degli Scrovegni*.

Ventes Publiques : New York, 13 oct. 1978 : *Jeune fille à l'éventail*, aquar. et gche (69x54) : USD 4 250 – Londres, 19 mars 1979 : *À la fontaine* 1833, aquar. et de gche (42x31) : GBP 4 200 – Londres, 10 nov. 1981 : *Lady en prière*, aquar. avec reh. d'or (42x31) : GBP 4 800 – New York, 6 mai 1984 : *Jeune femme à l'éventail*, aquar. (66x53,5) : USD 11 500 – Londres, 29 oct. 1985 : *Portrait de femme*, craie noire/pap. brun (30,2x21,3) : GBP 1 600 – Londres, 25 oct. 1991 : *Pharmakeutria et le philtre d'amour*, aquar. et gche (52x47) : GBP 16 500 – Londres, 12 juin 1992 : *La première rencontre de Pétrarque et de Laure dans l'église Sainte-Claire d'Avignon* 1889, cr., aquar. et gche (57,2x50,8) : GBP 12 650 ; *La rêveuse*, cr., aquar. et gche (54x47) : GBP 17 600.

STILLMAN William James

Né le 1er juin 1828 à Schenectady (New York). Mort le 6 juillet 1901. XIXe siècle. Américain.

Paysagiste et écrivain.

Il étudia à l'Union College, fonda à New York la revue « The Crayon » devint consul des États-Unis à Rome en 1861 et épousa en 1871 en seconde noce Marie Spartali. Il se lia d'amitié avec Turner, Rossetti et Ruskin.

STILP Karl Johann

Né le 4 novembre 1668 à Waldsassen. XVIIe siècle. Actif à Eger. Allemand.

Sculpteur.

Son œuvre, sur pierre et sur bois, est surtout d'inspiration religieuse.

STILP Kaspar

XVIIIe siècle. Actif vers 1700. Autrichien.

Peintre de portraits, peintre de miniatures.

Il travailla à Vienne et à Presbourg.

STILPP Friedrich ou **Stulp**

Originaire de Scheibbs. XVIIIe siècle. Autrichien.

Peintre.

Est l'auteur de plusieurs tableaux d'autels.

STILPP Michael ou **Stilp**

XVIIIe siècle. Actif à Scheibbs. Autrichien.

Peintre.

STILWELL-WEBER Sarah S.

Née en 1878. Morte en 1939. XXe siècle. Américaine.

Peintre, dessinateur, illustrateur.

De 1894 à 1900, elle fut élève de Howard Pyle au Drexel Institute. Elle semble s'être spécialisée dans les illustrations d'histoires enfantines.

Bibliogr. : Marcus Osterwalder, in : *Dictionnaire des illustrateurs 1800-1914*, Ides et Calendes, Neuchâtel, 1989.

STIMELMAIER Tobias ou **Stimmelmayer**

Originaire de Hilgertshausen dans l'Oberlay. XVIIe siècle. Allemand.

Peintre.

Élève de Mich. Gumpp à Munich en 1663, il se rendit plus tard à Vienne où il résida de 1667 à 1680.

STIMER Ivan

Originaire de Krainbourg. XVIIIe siècle. Autrichien.

Sculpteur sur bois.

STIMMEL Ernst Friedrich

Né le 16 février 1858 à Kennenburg (près d'Esslingen). XIXe-XXe siècles. Allemand.

Peintre de paysages, animalier.

De 1884 à 1886, il fut élève des Académies des Beaux-Arts de Stuttgart et de Karlsruhe. Il fut actif à Munich et à Fribourg-en-Brisgau.

STIMMELMAYER Tobias. Voir **STIMELMAIER**

STIMMER Abel

Né le 7 juin 1542 à Schaffhouse. Mort après 1606 à Baden-Baden. XVIe siècle. Suisse.

Peintre, graveur et dessinateur de vitraux.

Il a travaillé aux fresques de la maison du Cavalier à Schaffhouse. En 1569 il peint le portrait d'*Elisabeth Peyer*, conservé à Bâle. Après avoir séjourné à Fribourg, il devint en 1580 bourgeois de Strasbourg. Il aurait terminé la décoration de la salle des fêtes de Baden-Baden, où il se serait fixé ensuite.

Musées : Ambras (Château) : *Portrait de Lazarus von Schwendi* – Bâle : *Portrait d'Elisabeth Teyer* – Eberstein : *Portrait du comte Philippe II d'Eberstein* – Vienne (Mus. d'Hist. de l'Art) : *Wandelbar – Barbara – Justina et Anna von Stauffen – Lazarus von Schwendi*.

STIMMER Christoph. Voir aussi **STIMMER Hans Christophel**

STIMMER Christoph, l'Ancien

Né vers 1490 à Burghausen. Mort le 23 octobre 1562 à Schaffhouse. XVIe siècle. Suisse.

Peintre et peintre verrier.

Père des différentes branches de Stimmer, à Schaffhouse. Il était le père du calligraphe Christoph le Jeune, de Tobias Abel, Gideon, Hans Christophel et Josias I Stimmer. Il est l'auteur du cycle de quatorze vitraux dans la salle principale de l'Hôtel de Ville de Pfullendorf et ceux-ci passent pour être un des chefs-d'œuvre de la Renaissance allemande.

STIMMER Christoph Ludwig
Né vers 1580. xviie siècle. Suisse.
Peintre et peintre verrier.
Il était petit-fils de Christoph l'Ancien et a vécu à Schaffhouse.

STIMMER Emanuel
Né le 11 novembre 1660 à Schaffhouse. Mort le 1er avril 1748 à Schaffhouse. xviie-xviiie siècles. Suisse.
Peintre.

STIMMER Gideon ou **Gedion**
Né le 21 août 1545 à Schaffhouse. Mort entre 1577 et 1578. xvie siècle. Suisse.
Peintre et dessinateur de vitraux.
Il était fils de Christoph l'Ancien. Ses dessins se trouvent répartis entre les Musées de Bâle, Berne, Erlangen, Oxford, Schaffhouse et Zurich.

STIMMER Hans Christophel ou **Johan Christoph** ou **Christoffel**
Né le 17 mars 1549. Mort après le 18 juillet 1578 à Schaffhouse. xvie siècle. Suisse.
Peintre et graveur sur bois.
On le croit frère cadet de Tobias Stimmer, demi-frère de Christoph le Jeune, donc fils de Christoph l'Ancien. Il fit preuve d'un grand talent et grava souvent les bois dont Tobias avait fait les dessins. Il a gravé des sujets d'histoire et des portraits de papes.

STIMMER Hans Ulrich Johann
Né le 15 janvier 1589 à Schaffhouse. xviie siècle. Suisse.
Peintre.
Il a livré quelques tableaux à l'huile à l'église Saint-Étienne de Würzburg.

STIMMER Johann Jakob ou **Stemmer**
Né en 1732, originaire de Gross-Zimmer. xviiie siècle. Allemand.
Peintre sur porcelaine.
Il travailla à la fabrique de porcelaine de Brunswick.

STIMMER Josias I
Né le 24 février 1555 à Schaffhouse. Mort après 1574. xvie siècle. Suisse.
Peintre.
Il était le fils de Christoph l'Ancien. Il travailla à l'horloge astronomique de la cathédrale de Strasbourg.

STIMMER Josias II
Né le 15 août 1591 à Schaffhouse. Mort le 19 juillet 1629. xviie siècle. Suisse.
Peintre et peintre verrier.

STIMMER Tobias
Né le 17 avril 1539 à Schaffhouse. Mort le 4 janvier 1584 à Strasbourg. xvie siècle. Suisse.
Peintre d'histoire, sujets religieux, scènes de genre, portraits, compositions décoratives, peintre de cartons de vitraux, dessinateur, graveur sur bois, illustrateur.
Il est le plus célèbre des peintres suisses qui travaillèrent dans le sillage de Holbein. On pense qu'il fut élève de Hans Asper, à Zurich. Il a certainement subi l'influence des Italiens, lorsqu'il travailla en Italie, copiant Titien et Raphaël.
Actif à Schaffhouse, de 1567 à 1570, il y peignit la façade de la maison dite du « Reiter » (Cavalier). En 1574, il se trouvait à Strasbourg, où il peignit les décorations de l'horloge astronomique. Entre 1578 et 1584, il exécuta les importantes peintures de la salle des fêtes du château de Baden-Baden, aujourd'hui disparues. On sait qu'il composa également des cartons pour les vitraux. Il fournissait aussi des gravures aux imprimeurs de Strasbourg, des sujets religieux, des sujets de genre, des titres et des illustrations de livres. Les portraits que l'on connaît encore de lui, tels ceux du Musée de Bâle, montrent une grande souplesse dans le dessin, et l'on sait que Rubens les admirait ; ils savent exprimer un curieux équilibre de simplicité dans les attitudes et de distinction naturelle.

Bibliogr. : Marcel Brion : *La peint. allemande*, Tisné, Paris, 1959 – Pierre du Colombier, in : *Diction. Univers. de l'Art et des Artistes*, Hazan, Paris, 1967.
Musées : Bâle (Kunstmuseum) : *Portraits du banneret Jakob Schwytzer et de Elsbeth Lochmann, sa femme.*

Ventes Publiques : Paris, 10 mai 1864 : *Tobie rendant la vue à son père*, dess. à la pl. et à l'encre de Chine : FRF 15 – Paris, 1888 : *Armoiries des cantons de Schwytz*, dess. à la pl. et à l'encre de Chine : FRF 265 – Paris, 1900 : *Judith* ; *Holopherne* : FRF 120 ; *Étude d'ornements* : FRF 450 – Paris, 8-10 juin 1920 : *La famille de Darius aux pieds d'Alexandre*, dess. : FRF 1 700 – Lucerne, 2-7 sep. 1935 : *Portrait d'homme* : CHF 4 000 – Amsterdam, 29 oct 1979 : *Un cheval*, craie noire et reh. de blanc/pap. bleu (29,4x19,5) : NLG 4 200 – Londres, 9 avr. 1981 : *La Nativité 1565*, pl. et lav. de gris avec reh. de blanc (17x12,5) : GBP 10 000 – Londres, 7 juil. 1992 : *Portrait d'un homme barbu assis devant une table, en buste 1576*, encre (29,4x20,8) : GBP 18 700.

STIMMING Pauline, née **Kilger**
Née le 21 novembre 1836 à Halle. xixe siècle. Allemande.
Paysagiste.

STIMPFIG Jürgen
Né en 1955 à Heidenheim-sur-Brenz. xxe siècle. Allemand.
Sculpteur.
Il a étudié de 1978 à 1980 à Vienne, puis à Paris entre 1980 et 1986 à l'École des Beaux-Arts dans l'atelier Cardot. Le Goethe-Institut à Paris a présenté un ensemble de ses œuvres en 1987. Il a obtenu le Premier Prix de Sculpture à Saint-Germain-en-Laye en 1987. Il sculpte des torses.

STIMSON John Ward
Né le 16 décembre 1850 à Paterson (New Jersey). Mort le 11 juin 1930 à Corona (Californie). xixe-xxe siècles. Américain.
Peintre, illustrateur.
À Paris, il fut élève d'Alexandre Cabanel et de Louis Jacquesson de La Chevreuse dans ses ateliers privés. Pendant six ans, il alla en Italie et plus tard en Belgique, en Hollande, en Angletere. Il fut aussi écrivain. Pendant cinq ans, il fut directeur du Metropolitan Museum de New York.

STINDE Sophie
Née le 21 septembre 1853 à Lensahn. xixe-xxe siècles. Allemande.
Peintre de paysages.
Elle était la sœur de l'écrivain Julius Stinde. En 1889, elle fut élève de l'École de Peinture de Karlsruhe, puis de Peter Paul Müller à Munich.

STINEMOLEN Jan Van ou **Steynemolen** ou **Staynemer**
Né en 1518 sans doute à Malines. xvie siècle. Belge.
Paysagiste d'architectures.
Il a dessiné avec la minutie des peintres de l'Asie Orientale des vues de Naples et de Ponza.

STINGER Georg
xviie siècle. Actif à Ehrenbourg. Allemand.
Sculpteur.

STINLE Matthias. Voir **STEINL**

STIORE Francesco
Né le 16 octobre 1806 à Venise. xixe siècle. Italien.
Graveur de monnaies et médailleur.
Il étudia en 1827 à l'Académie de Vienne.

STIPLE Hans Wilhelm ou **Stuble**
xviie siècle. Allemand.
Sculpteur.
Il travailla au xviie siècle.

STIPLOVSEK Franz
Né le 12 mai 1898 à Malinska. xxe siècle. Yougoslave.
Peintre de portraits, graveur.
Il fut actif à Krsko (Slovénie).

STIPPERGER Anton, l'Ancien ou **Stiberger, Stieberger, Stuberger**
xviiie siècle. Autrichien.
Peintre.
Élève de l'Académie de Vienne.

STIPPERGER Anton, le Jeune
Mort en 1824. xviiie-xixe siècles. Autrichien.
Graveur.
Il était le fils d'Anton l'Ancien. Il entra en 1766 à l'Académie de gravure Jak. Schmutzer et obtint en 1769 un prix pour ses paysages.

STIPPERGER Lukas
Né le 8 octobre 1755 à Vienne. Mort le 30 mars 1806 à Vienne. xviiie siècle.
Peintre et graveur au burin.

Élève de l'Académie de Vienne de 1765 à 1773 et de l'Académie de gravure en 1769. Il a composé des tableaux d'autels.

STIPPLER Eustache
XVIIe siècle. Actif à Innsbruck à partir de 1670. Autrichien.
Peintre.

STIPULKOWSKY
XIXe siècle. Travaillant vers 1840.
Graveur sur bois, surtout de reproductions.

STIRL Walther Reinhold
Né le 23 décembre 1854 à Loschwitz près de Dresde. Mort le 17 juin 1901 à Loschwitz près de Dresde. XIXe siècle. Allemand.
Peintre de fleurs et de natures mortes.
Il fut à partir de 1885 professeur à l'École des Beaux-Arts de Dresde.

STIRLEYN George
XVIe siècle. Allemand.
Miniaturiste.
Il participa à l'ornementation d'un missel exécuté pour Albert de Brandebourg en 1533, et conservé dans l'église Saint-Pierre et Saint-Alexandre à Aschaffenbourg.

STIRLING Edwin
Né en 1819 à Dryburgh en Écosse. Mort en 1867 à Liverpool. XIXe siècle. Britannique.
Sculpteur.
On lui doit une statue du *Prince Albert* à Hastings et plusieurs statues au front méridional de Horton Hall à Cheshire.

STIRLING John
Né vers 1820. Mort après 1871 à Londres. XIXe siècle. Actif à Aberdeen. Britannique.
Peintre de genre.
Il exposa à Londres, de 1855 à 1871, vingt-quatre œuvres à la Royal Academy et quatre à la British Institution.
VENTES PUBLIQUES : LONDRES, 4 déc. 1904 : *Un mot difficile* 1876 : GBP 13.

STIRNBRAND Franz Seraph
Né en 1788 sur la frontière croate. Mort le 2 août 1882 à Stuttgart. XIXe siècle. Autrichien.
Peintre de portraits.
Il fut d'abord peintre décorateur à Linz, consacrant ses loisirs à des études artistiques. En 1813 il alla travailler à Francfort et y copia des portraits, d'après les maîtres anciens. En 1820, il alla en Belgique et à Paris, puis en Luxembourg, et de là à Karlsruhe où il demeura quatre ans ; de 1824 à 1825 il vécut en Italie particulièrement à Rome. Il alla ensuite à Ludwigsburg, où il peignit le portrait de la reine douairière Charlotte Mathilde. En 1830 il vint s'établir définitivement à Stuttgart comme peintre de portraits et y acheva sa carrière.
MUSÉES : LUDWIGSBURG : *La reine Catherine Paulowna de Wurtemberg – La reine Charlotte de Wurtemberg* – LUDWIGSBURG (Château Monrepos) : *La reine Mathilde de Wurtemberg* – MARBACH (Schiller Mus.) : *Karl von Schiller, fils du poète* – STUTTGART : *Portrait de femme – Le ministre des finances, comte Lebrecht von Mandelsloh – La duchesse Pauline de Nassau – L'acteur Karl Seydelmann – Le compositeur Lindpaintner – Le comte Auguste von Normann et son épouse Caroline Guther – Le prince Constantin de Russie – Monsieur et Madame von Suckow – Jeune fleuriste* – ULM (Hôtel de Ville) : *Le roi Guillaume Ier de Wurtemberg* – ULM : *Le capitaine Karl von Faulhaber.*
VENTES PUBLIQUES : HEIDELBERG, 13 oct 1979 : *Portrait de jeune femme* 1818, h/t (75x59) : DEM 2 300.

STIRNIMANN Friedrich
Né en 1841 à Ettswil (canton de Lucerne). Mort le 4 août 1901 à Lucerne. XIXe siècle. Suisse.
Peintre.
Élève de Deschwanden à Stans, ensuite de l'Académie de Karlsruhe, de Munich et de l'Académie Julian à Paris. Il se lia d'amitié avec Victor Scheffel, Arnold Böcklin et Hans Thomas. Il fit des portraits, des tableaux de genre et des intérieurs. Le Musée d'Aarau conserve de lui : le *Pain des pauvres.*
VENTES PUBLIQUES : BERNE, 25 oct 1979 : *Jeunesse et vieillesse,* h/t (50x41) : CHF 3 000 – LUCERNE, 19 mai 1983 : *La Mauvaise Nouvelle* 1885, h/t (160x103,5) : CHF 4 000 – LUCERNE, 7 nov. 1985 : *Angelots labourant,* h/t (58x148) : CHF 4 500.

STIRR Thomas
XVIe siècle. Actif à Londres. Britannique.
Peintre.

STITES John Randolph
Né en 1836 à Buffalo (New York). XIXe siècle. Américain.
Paysagiste et peintre de genre.
Il travailla à Chicago, à La Nouvelle Orléans et à New York.

STITNY Thomas
XVIe siècle. Éc. de Bohême.
Enlumineur.
La Bibliothèque de l'Université de Prague conserve de lui : *Essai sur les doctrines de la religion chrétienne.*

STITT H. D.
Né en 1880 à Hot Springs (Arkansas). XXe siècle. Américain.
Peintre de paysages.
Il fut élève d'Howard Pyle, Robert Spencer, Fred Wagner à l'Académie des Beaux-Arts de Philadelphie. Il était membre du Salmagundi Club.
VENTES PUBLIQUES : LOS ANGELES, 24 juin 1980 : *Maison au bord d'une rivière,* h/t (30,5x50,5) : USD 1 100.

STITT Moritz
Né en 1843 à Vienne. Mort sans doute 1911. XIXe-XXe siècles. Autrichien.
Peintre de portraits.
Il fut élève de l'Académie des Beaux-Arts de Vienne.

STITZEL Richard
Né le 12 octobre 1893 à Mannheim. XXe siècle. Allemand.
Peintre de portraits, paysages, dessinateur.
Il fut élève de l'Académie des Beaux-Arts de Karlsruhe et de l'École des Beaux-Arts de Suttgart. Il fut actif à Mannheim.
Dans ses paysages, il se montre sensible au passage des jours et des saisons.
MUSÉES : KARLSRUHE : *Un dessin au pinceau* – MANNHEIM : *Portrait de Heinz, enfant – Automne sur le Rhin – Premier jour de printemps.*

STIUBEL Dimitrie
Né en 1901 à Bacau. Mort en 1985 à Mettmann. XXe siècle. Actif depuis 1975 en Allemagne. Roumain.
Peintre d'histoire, de marines, peintre de décorations murales, illustrateur.
Il fut d'abord officier de marine, puis commanda plusieurs navires. En 1929, il prit un congé d'un an et s'inscrivit comme élève de Ernst Liebermann à la Knirrschule de Munich. Il poursuivit sa carrière de marin, tout en continuant à peindre. Il a été l'objet de nombreuses distinctions et décorations, en Roumanie et en France, notamment la Légion d'honneur en 1937.
Il a participé à de nombreuses expositions collectives, en Roumanie, France, Suisse, Finlande, Pologne. Après sa première exposition personnelle, en 1922 à Iassy, il en fit une vingtaine d'autres en Roumanie, France, Angleterre, Suisse, Grèce.
Il a réalisé des décorations murales sur des sujets d'histoire, notamment, en 1937 à Paris, pour le Pavillon de la Roumanie à l'Exposition internationale. Il a décoré plusieurs navires. Il s'est surtout fait connaître comme peintre de marines et sujets maritimes.
Il a créé un grand nombre de maquettes de timbres. Fondateur et co-rédacteur en chef de la revue *La Roumanie maritime et fluviale,* il en a assuré l'illustration. Il a illustré des ouvrages sur les arts, les sciences.
BIBLIOGR. : Ionel Jianou et autres : *Les Artistes roumains en Occident,* American Romanian Academy of Arts and Sciences, Los Angeles, 1986.

STIVAL Jean Alphonse
Né le 11 novembre 1879 à Paris. Mort en avril 1944 à Paris. XXe siècle. Français.
Peintre de figures, paysages, natures mortes, fleurs, fresquiste.
Il fut élève de Fernand Cormon. Il exposait régulièrement à Paris, aux Salons des Artistes Indépendants, d'Automne et des Tuileries. Dans les années trente, il peignit un des célèbres piliers de la brasserie *La Coupole* à Montparnasse. En 1945, le Salon d'Automne a organisé une exposition rétrospective posthume de son œuvre.

STIVELLIN
XVIIIe siècle. Travaillait vers 1700. Allemande.
Peintre de portraits.
Dans l'ancien château de Salzdahlum se trouvaient plusieurs portraits de famille princière peints par cette artiste.

STIVENS Anton. Voir **STEVENS**

STIX Alexander
Né le 26 juin 1819 à Francfort-sur-le-Main. Mort le 13 janvier 1893 à Francfort-sur-le-Main. XIXe siècle. Allemand.
Graveur sur bois, peintre de figures, portraits, aquarelliste.

STIZ Franz
XVIIIe siècle. Actif à Kufstein. Autrichien.
Sculpteur.

STOAKES Charles
XVIIe-XVIIIe siècles. Britannique.
Sculpteur et architecte.

STOBBAËRTS Jan ou **Jean-Baptiste**
Né le 18 mars 1838 à Anvers. Mort avant 1914 à Schaerbeek (Bruxelles) ou en 1914 à Woluwe-Saint-Lambert. XIXe-XXe siècles. Belge.
Peintre de compositions mythologiques, sujets religieux, scènes de genre, nus, intérieurs, animaux, graveur.
Orphelin de bonne heure, et de famille très modeste, il fut peintre en bâtiment et décorateur. Puis chez le peintre E. Noterman, il prépare les fonds de ses tableaux. Il fréquente les cours du soir de l'Académie d'Anvers, où il connaît Henri de Braekeleer, avec lequel il recevra plus tard les conseils de Henri Leys. Il lutta contre le romantisme qu'il trouvait impropre au génie flamand, et entama à Anvers, avec Isidore Meyers, la lutte contre l'enseignement officiel. Dans sa ville natale, signalons par curiosité, qu'il fut toujours un incompris, L'étable de la ferme seigneuriale à Cruyninghen, qu'il tenait pour son chef d'œuvre, exposée en 1884 à Bruxelles, fut refusée l'année suivante à Anvers. Aussi se fixa-t-il définitivement à Bruxelles, où sa réputation était grande.
Il exposa pendant quarante ans aux Salons triennaux de Bruxelles, Anvers et Gand. En 1873, Le tondeur de chiens, est médaillé à Vienne sur la proposition de Meissonier.
La ferme, ses travaux et ses animaux lui fourniront des sujets. Né la même année qu'Alfred Verwée, animalier comme lui, il s'en distingue de prime abord, parce qu'il peint les animaux dans le clair-obscur des étables et des écuries, tandis que Verwée intégrait l'animal à son cadre, le paysage. On connaît aussi de lui quelques nus féminins et des gravures, par lesquelles il contribua au renouveau de cette technique dans les ateliers anversois.
■ J. B.

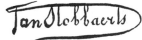

BIBLIOGR. : Georges Marlier : Jan Stobbaerts, Bruxelles, 1944 – in : Dict. biogr. illustré des artistes en Belgique depuis 1830, Arto, Bruxelles, 1987.
MUSÉES : ANVERS : Le sculpteur Fabri – Sortie de l'étable – Intérieur d'étable – Le bain de roses – Le moulin de Kiel – Dragage dans la Woluwe – Abattoir – La truie – La charrette de foin – Chemin creux – Le dragage de la Woluwe – Le réduit du boucher – Intérieur d'un moulin – Chiens – BRUXELLES (Mus. des Beaux-Arts) : Étable de la vieille ferme seigneuriale de Gruyninghen – Le sellier – La vieille cuisine – GAND – LA HAYE : Matinée dans la métairie – NAMUR : Étable du moulin Saint-Pierre – SAINT-JOSSE-TEN-NOODE – TOURNAI : Chiens et chats – Intérieur de cuisine – Les porcs dans la cour – VERVIERS.
VENTES PUBLIQUES : PARIS, 6 avr. 1891 : L'étable : **FRF 1 000** – PARIS, 1900 : La réception : **FRF 500** – PARIS, 14-15 mai 1902 : Intérieur d'étable : **FRF 230** – BRUXELLES, 7 déc. 1946 : La rentrée des vaches : **BEF 34 000** – La cuisine : **BEF 42 000** – BRUXELLES, 26 nov. 1949 : La porte verte : **BEF 100 000** ; Le porcher : **BEF 60 000** – BRUXELLES, 24 mars 1950 : Le lait de veau : **BEF 75 000** – BRUXELLES, 8-9 déc. 1955 : Intérieur au moulin de Woluwée : **BEF 200 000** – ANVERS, 12 oct. 1971 : Travail dans l'étable : **BEF 110 000** – BRUXELLES, 26 mars 1974 : Étable d'un brasseur brabançon : **BEF 100 000** – ANVERS, 19 oct. 1976 : La Tentation de Saint-Antoine, h/bois (95x74) : **BEF 150 000** – LOKEREN, 14 mai 1977 : Intérieur d'étable, h/pan. (38x48) : **BEF 135 000** – LOKEREN, 16 fév. 1980 : Bœuf à l'étable 1859, h/t (67x79) : **BEF 36 000** – BRUXELLES, 30 nov. 1984 : Le Chien Méchant, h/t (45x72) : **BEF 88 000** – BRUXELLES, 27 mars 1985 : Cour de ferme, h/t (46x72) : **BEF 170 000** – BRUXELLES, 19 mars 1986 : Intérieur d'écurie 1882, h/t (48x73) : **BEF 200 000** – LOKEREN, 8 oct. 1988 : La veste du fermier 1914, h/pan. (37,5x47,5) : **BEF 220 000** –

AMSTERDAM, 2 mai 1990 : Le marché aux bestiaux, h/t (48x71) : **NLG 12 650** – PARIS, 12 oct. 1990 : L'écuelle de lait, h/pan. (36,5x48) : **FRF 10 000** – LOKEREN, 21 mars 1992 : Étable à la ferme des moineaux à Woluwe, h/pan. (18,5x38) : **BEF 44 000** – LOKEREN, 10 oct. 1992 : Intérieur d'étable 1914, h/t/pan. (19,5x41) : **BEF 33 000** – LOKEREN, 11 mars 1995 : Temps orageux, h/t (48,5x73) : **BEF 170 000** – LOKEREN, 5 oct. 1996 : Ferme près d'un moulin, h/pap./pan. (20x30) : **BEF 30 000**.

STOBBAERTS Marcel
Né en 1889 ou 1899 à Forest (Bruxelles). Mort en 1979 à Bruxelles. XXe siècle. Belge.
Peintre de genre, figures, portraits, intérieurs, paysages. Expressionniste, puis intimiste.
Il était petit-fils de Jan Stobbaerts. Il fut élève de Constant Montald à l'Académie des Beaux-Arts de Bruxelles. Il obtint le Prix de la Jeune Peinture Belge. Il était membre du groupe Orientation. Il commença de traiter de la vie populaire dans une manière composite, qui tient de l'expressionnisme et du futurisme. Ce mélange passablement dynamique, narratif et volontiers caricatural lui valut le Prix de la Jeune Peinture Belge. Il évolua ensuite vers plus de sobriété, traitant la réalité dans un esprit intimiste, non dépourvu de sensibilité. Dans cet esprit, il réalisa des peintures de petits formats, scènes d'intérieurs, nus, portraits, paysages principalement urbains, et surtout maternités et scènes de la prime enfance. Il traite ces différents sujets en touches menues, à la fois ouatées et acidulées. À son propos a été évoqué le terme d'« animisme ».

Stobbaerts-Marcel

BIBLIOGR. : In : Dict. biogr. illustré des artistes en Belgique depuis 1830, Arto, Bruxelles, 1987.
VENTES PUBLIQUES : BRUXELLES, 24 fév. 1976 : le roman 1957, h/t (53x64) : **BEF 28 000** – AMSTERDAM, 23 avr. 1980 : Scène de plage, h/t (64x75,5) : **NLG 11 000** – LOKEREN, 28 mai 1988 : La fête foraine, h/t (120x100) : **BEF 380 000** – BRUXELLES, 12 juin 1990 : Intérieur, aquar. (32x45) : **BEF 90 000** – BRUXELLES, 23 mai 1992 : La famille (chez Jacques Maes), h/t (60x80) : **BEF 48 000** – LOKEREN, 20 mai 1995 : Deux enfants 1924, h/t (80x61) : **BEF 55 000**.

STOBBAERTS Pieter
Né en 1865 à Bruxelles. Mort en 1946 ou 1948. XIXe-XXe siècles. Belge.
Peintre d'intérieurs, paysages.
Il était cousin de Jan Stobbaerts. Il fut élève de Jean-François Portaels à l'Académie des Beaux-Arts de Bruxelles. Il était membre-fondateur du cercle Voorwaarts (En avant).
BIBLIOGR. : In : Dict. biogr. illustré des artistes en Belgique depuis 1830, Arto, Bruxelles, 1987.
VENTES PUBLIQUES : BRUXELLES, 19 déc. 1989 : Moulin à eau 1893, h/t (62x90) : **BEF 100 000** ; Scène d'intérieur, h/pan. (60x75) : **BEF 38 000** – BRUXELLES, 7 oct. 1991 : Vue de Bruges, h/t (26x41) : **BEF 32 000** – LOKEREN, 23 mai 1992 : Intérieur, h/pan. (80x60) : **BEF 24 000** – LOKEREN, 9 oct. 1993 : Intérieur avec une dentellière, h/pan. (60x49,5) : **BEF 30 000** – LOKEREN, 20 mai 1995 : Fondeur dans son atelier 1900, h/t/pan. (73,5x92) : **BEF 40 000**.

STOBBE Johann Heinrich
Né en 1802 à Königsberg en Prusse. XIXe siècle. Allemand.
Peintre de genre et de portraits.
Élève de Sam. Benj. Weidner jusqu'en 1822 et de Joh. Ed. Wolf jusqu'en 1830. Il travailla à Königsberg en 1835 et à l'Académie de Düsseldorf avec C. Sohn.

STOBBE Max
Né le 26 novembre 1883 à Altona. XXe siècle. Allemand.
Peintre d'architectures, lithographe.
Il fut élève de l'École des Beaux-Arts de Hambourg et vint aussi travailler à Paris. Il fut actif à Altona.
MUSÉES : ALTONA – HAMBOURG.

STOBBIONE Bruno
Né le 29 juillet 1926 à Gênes. XXe siècle. Italien.
Peintre de natures mortes. Réaliste-photographique.
Il utilise les techniques du trompe-l'œil, mettant en scène, dans le goût ancien, des objets plus ou moins contemporains, en tout cas ne datant jamais véritablement.

STOBE Stephan
Originaire de Königsberg (Prusse). XVIIe siècle. Allemand.
Sculpteur.

Il se maria en 1621 à Breslau où il travailla, puis il devint sculpteur de la cour à Cracovie.

STOBER
XVIe siècle. Actif vers 1583. Espagnol.
Peintre.

STÖBER Benedikt
Originaire de Landsberg. Mort avant 1721 à Vienne. XVIIIe siècle. Travaillant à Vienne. Autrichien.
Sculpteur.

STÖBER Christoph
XIXe siècle. Autrichien.
Tailleur sur pierre.
Il travailla à Vienne où il exposa entre 1824 et 1828. Il tailla la pierre tendre.

STÖBER Eduard
Originaire de Turkheim. XIXe siècle. Allemand.
Peintre de genre.
Il étudia à Munich où il exposa en 1843.

STÖBER Franz
Né en 1760 à Vienne. Mort le 4 octobre 1834 à Spire. XVIIIe-XIXe siècles. Autrichien.
Peintre d'architectures, paysages, natures mortes, aquarelliste.
Élève de l'Académie de Vienne avec Johann Christian Brand. Il fit des voyages d'études en Suisse et en Hollande.
Il a peint des vues de Spire.
MUSÉES : SPIRE : Plusieurs aquarelles – VIENNE (Mus. du Belvédère) : Ruines de l'église Saint-Jacques à Spire – WÜRZBURG (Mus. de l'Université) : Moulin près de Mayence.
VENTES PUBLIQUES : PARIS, 9 déc. 1949 : Fruits 1803 : FRF 750 – LONDRES, 6 juil. 1994 : Nature morte avec des bécasses et autres oiseaux dans un paysage 1785, h/t, une paire (chaque 23,8x35) : GBP 3 910.

STÖBER Franz Joseph
XVIIIe siècle. Allemand.
Peintre.
A surtout traité des sujets religieux.

STÖBER Franz Xaver
Né le 20 février 1795 à Vienne. Mort le 11 avril 1858 à Vienne. XIXe siècle. Autrichien.
Graveur au burin et graveur.
Élève de son père Joseph et de l'Académie de Vienne avec Hubert Maurer. En 1835 il devint membre de l'Académie de Vienne. Il a illustré plusieurs livres.

STÖBER Fritz
Né le 4 décembre 1874 à Siedlinghausen (Westphalie). XIXe-XXe siècles. Allemand.
Peintre de portraits, paysages.
De 1894 à 1899, il fut élève de l'Académie des Beaux-Arts de Berlin. Il était actif à Berlin et aussi comme écrivain.

STÖBER Hermann
Né en 1742. Mort le 14 mars 1790 à Vienne. XVIIIe siècle. Autrichien.
Sculpteur.
Il travailla à Vienne.

STÖBER Johann Baptist
XVIIIe siècle. Allemand.
Peintre.

STÖBER Johann Peter
XVIIIe siècle. Actif à Waldthurn. Allemand.
Sculpteur.

STÖBER Joseph
Né le 13 juin 1768 à Vienne. Mort le 12 mars 1852 à Vienne. XVIIIe-XIXe siècles. Autrichien.
Graveur au burin.
Il était le père de Franz Xaver Stöber. Il étudia à l'Académie de Vienne avec Hubert Maurer et ensuite douze ans chez Schmutzer. Il a gravé des vignettes pour les almanachs et les livres de poésie.

STÖBER Leopold
Né en 1807 à Vienne. Mort le 23 février 1832 à Vienne. XIXe siècle. Autrichien.
Peintre de portraits et d'histoire.
Il était le fils de l'orfèvre Ignaz Stöber. Il exposa en 1828 à l'Académie de Vienne. La Nativité, La résurrection du Christ et le Portrait de l'artiste entouré de sa famille.

STÖBER Weber Thomas
XVIIIe siècle. Allemand.
Sculpteur.

STÖBERL Matheis
XVe siècle. Actif à Sterzing. Allemand.
Peintre.

STÖBLER Ursus Viktor
XVIIIe siècle. Actif à Melk. Autrichien.
Peintre.
Il a peint une Adoration des rois mages.

STOBWASSER Gustav
XIXe siècle. Actif à Berlin. Allemand.
Peintre.
Il fut vers 1835 élève de l'Académie de Berlin avec G. W. Wach, puis il fit un voyage d'études à Düsseldorf. Il a peint des portraits et des tableaux de genre.

STOCADE. Voir HELT Albert et Nicolas Van

STOCCHI Achille
XVIIIe siècle. Italien.
Sculpteur.
Il était fils d'un sculpteur, Amedeo Stocchi. Il fut en 1869 membre de la Confrérie des Virtuoses. On lui doit une statue de l'Automne à l'entrée du Pincio sur la place du Peuple et une autre du peintre Tofanelli à Saint-Marc à Rome.

STOCHEM Jan Van ou Stocheyn. Voir STOCKEM

STOCINGER Hans ou Stockinger, Stozinger ou Stotzinger
XVe siècle. Actif à Bozen au début du XVe siècle. Allemand.
Peintre.
Probablement d'origine souabe. Il a traité des sujets religieux.

STOCK
XIXe siècle. Actif à Springfield (Massachusetts) vers 1840. Américain.
Peintre.

STOCK
XIXe siècle. Actif à Schwäbisch Hall vers 1841. Allemand.
Peintre d'architectures.

STOCK Andreas
XVIIIe siècle. Hongrois.
Peintre.

STOCK Andries Jacobsz
Né vers 1580 à Anvers. Mort après 1648 à La Haye. XVIIe siècle. Hollandais.
Dessinateur et graveur.
Peut-être élève de J. de Gheyn. Maître à La Haye en 1613. Il fut officier d'arquebusiers à La Haye. Accusé de faux monnayage à Amsterdam et gracié en 1642, il alla probablement à Anvers et revint à La Haye, avant 1648. Il a gravé des sujets religieux, des portraits et notamment plusieurs pièces d'après A. Dürer.

A. S. sculp. 1626

STOCK Bernaert Van der ou Stockt, Stoct
Né avant 1469. XVe siècle. Actif à Bruxelles. Éc. flamande.
Fils de Vranck. Il fit en 1505 un voyage à Jérusalem et fut plusieurs fois proviseur de la confrérie de Saint-Loys.

STOCK Carl
Né le 10 mars 1876 à Hanau-Hesselstadt. XXe siècle. Allemand.
Sculpteur de monuments, groupes, figures.
Il fut élève de l'Académie des Beaux-Arts de Hanau et travailla aussi à Munich. Depuis 1908, il était actif à Francfort-sur-le-Main.
Il est l'auteur du Monument de Körner, de groupes monumentaux à la gare de Francfort-sur-le-Main, de fontaines à Bitterfeld et à Worms.

STOCK Dorothea Johanna
Née le 6 mars 1760 à Nuremberg. Morte le 30 mai 1832 à Berlin. XVIIIe-XIXe siècles. Allemande.
Peintre.
Fille de Johann Michael Stock. Membre de l'Académie de Dresde. Elle fit beaucoup de copies d'après les tableaux du Musée de Dresde. Elle fut à Dresde et à Berlin en relations avec les hommes les plus éminents de son siècle. Le Musée Körner à

Dresde nous présente plusieurs de ses miniatures au crayon d'argent.

STOCK F. I.
Né en 1801. XIXᵉ siècle. Actif à Hambourg. Allemand.
Lithographe.

STOCK Franz
Né le 22 novembre 1896 à Kulm-sur-la-Weser. XXᵉ siècle. Allemand.
Peintre de figures, paysages.
Il fut élève de l'École de Berlin. Il était actif à Berlin.

STOCK Friedrich Johann
XIXᵉ siècle. Actif à Vienne entre 1856 et 1870. Autrichien.
Paysagiste et peintre d'architectures.

STOCK H.
XVIIᵉ siècle. Travaillait vers 1635. Britannique.
Graveur au burin.

STOCK Hans. Voir **STOCKER**

STOCK Henri Charles
Né en 1826 à Bordeaux. Mort le 11 février 1885 à Bordeaux. XIXᵉ siècle. Français.
Peintre de paysages et de marines.
Élève de Gudin. Exposa au Salon de 1838 à 1865. Il emprunta nombre de sujets de ses envois à des sites vus pendant ses voyages dans le Calvados, la Manche, les Pyrénées, le Jura, sur les bords de la Méditerranée, en Italie.
Musées : Bordeaux : *Granville – Environs de Pont-Aven – Vue de Bordeaux, prise du quai de Bacalan – Port en Bretagne –* Dieppe : *Cascade dans les Pyrénées –* Helsinki : *Retour des pêcheurs, soirée – Départ des pêcheurs, matinée.*
Ventes Publiques : Paris, 26 jan. 1944 : *Marine au clair de lune :* FRF 900 – Paris, 23 fév. 1945 : *Marine :* FRF 7 000 – Londres, 19 avr. 1978 : *Vue du port de Bordeaux,* h/t (49x78,5) : GBP 3 400 – Chester, 22 juil. 1983 : *Le Port de Bordeaux,* h/t (48x78,5) : GBP 4 000.

STOCK Henry John
Né le 6 décembre 1853 à Londres. Mort en 1930. XIXᵉ-XXᵉ siècles. Britannique.
Peintre de sujets allégoriques, figures, dessinateur. Symboliste.
Il fut élève de l'École d'Art Saint-Martin et de l'École de la Royal Academy. Il exposa à Londres, à partir de 1874, à la Royal Academy, au Royal Institute of Art dont il fut membre, à la Grosvenor Gallery.
Proche des pré-raphaélites, les sujets que traite H. J. Stock sont inspirés de la Bible, de la littérature, Dante, Shakespeare, Goethe entre autres, de la musique, Brahms, Schumann, composés selon une certaine théâtralité et réalisés dans une technique éprouvée, relativement traditionnelle.

HJ·STOCK

Ventes Publiques : Londres, 9 juin 1911 : *Dante* 1882 : GBP 2 – Londres, 19 juil. 1983 : *La Porte ouverte* 1921, aquar. et cr. (61x38) : GBP 750 – Londres, 22 mai 1986 : *The flower maiden,* aquar. reh. de gche (100x59) : GBP 2 200 – Londres, 13 fév. 1991 : *L'Esprit de la nuit* 1896, h/t (54x29) : GBP 990 – Londres, 4 nov. 1994 : *Le Baiser* 1891, cr. et craie blanche/pap. chamois (66,7x54,9) : GBP 10 350 – Londres, 27 mars 1996 : *Le poète dans les flammes d'un premier amour* 1883, encre (26x35) : GBP 1 150 – Londres, 14 mars 1997 : *Influences* 1904, cr., aquar. et gche avec reh. de blanc (28x34) : GBP 8 050.

STOCK Ignatius Van der
XVIIᵉ siècle. Éc. flamande.
Peintre de compositions religieuses, scènes animées, paysages animés, paysages.
Il était actif autour de 1660. Descendant du peintre du XVᵉ siècle, Vranck Van der Stock, il fut élève de Jacques Fouquières. Il fut reçu maître dans la gilde de Saint-Luc à Bruxelles en 1660 et eut pour élève A. F. Boudewyns.
Il a gravé d'après ses propres dessins des paysages et des sujets de genre. La collégiale de Sainte-Gudule à Bruxelles conserve de lui un *Jésus-Christ dans un paysage* de 1661.
Bibliogr. : In : *Diction. de la peinture flamande et hollandaise,* coll. Essentiels, Larousse, Paris, 1989.
Musées : Berlin (Staatliche Mus.) : *Paysage avec un ânier –*

Bruxelles (Mus. roy. des Beaux-Arts) : *Paysage –* Madrid (Mus. du Prado) : *Paysage* 1660.
Ventes Publiques : Amsterdam, 15 nov. 1983 : *Paysage boisé animé de personnages,* craies noire et blanche/pap. gris vert (25,2x40,9) : NLG 4 000 – Londres, 13 fév. 1985 : *Muletiers sur une route boisée,* h/t (45x37) : GBP 3 200 – New York, 13 oct. 1989 : *Apparition de l'ange à Hagar et Ismaël dans le désert,* h/pan. (77,5x53) : USD 15 400 – Londres, 27 oct. 1989 : *Partie de chasse au faucon dans un paysage boisé près d'un lac,* h/t (119,4x190) : GBP 7 150 – Amsterdam, 7 mai 1992 : *Paysage italien boisé avec un muletier et une paysanne sur un chemin,* h/t (57,5x84) : NLG 14 950.

STOCK J. M.
XIXᵉ siècle. Actif à Graz. Autrichien.
Lithographe.

STOCK Jacobus Van der. Voir **STOK**

STOCK Jan Van der ou Stockt, Stoct
XVᵉ siècle. Actif à Bruxelles. Éc. flamande.
Peintre.
Père de Vranck Van der Stock.

STOCK Johann Friedrich
Originaire de Berlin. Mort le 16 septembre 1866 à Breslau. XIXᵉ siècle. Allemand.
Peintre de paysages, paysages urbains, architectures, paysages de montagne.
En 1839, il exposa à Berlin quatre peintures : *Ruines de Stolzenfels ; Baccharach ; Paysage de montagne ; Ferme.*
Ventes Publiques : Amsterdam, 2 mai 1990 : *Vue du « Marché aux gendarmes » (place de l'Académie) à Berlin depuis la cathédrale française* 1831, h/t (45x65,5) : NLG 6 900.

STOCK Johann Martin. Voir **STOCK Martin III**

STOCK Johannes Van der
XVIIᵉ siècle. Hollandais.
Peintre et graveur.
En 1656, dans la gilde de La Haye. Le Musée de Rennes conserve de lui : *Jésus au jardin des oliviers.*

STOCK John
Mort en 1781. XVIIIᵉ siècle. Britannique.
Peintre.

STOCK Joseph Whiting
Né en 1815 à Springfield (Massachusetts). Mort en 1855 à Springfield. XIXᵉ siècle. Américain.
Peintre de portraits.
Il fut gravement blessé à l'âge de onze ans et resta infirme. On lui conseilla alors d'apprendre la peinture pour en faire un métier. En 1832 il commença effectivement sa carrière de peintre, faisant surtout des portraits, se déplaçant alors en fauteuil roulant. A partir de 1842 il entreprit un journal intime sur lequel il notait aussi la liste de toutes ses œuvres. Il peignit au moins un millier de portraits, dont beaucoup d'enfants, dans un style dit naïf, à la fois poétique et statique.
Musées : Boston : *Jane Henrietta Russel.*
Ventes Publiques : New York, 21 juin 1979 : *Portrait de jeune femme,* h/t (76,2x63,5) : USD 3 500 – New York, 30 avr. 1981 : *Samuel, fils du capitaine J. L. Gardner, à deux ans et demi* 1842, h/t (115,5x92) : USD 28 000 – New York, 27 jan. 1984 : *Portrait of Addison C. Rand* 1844, h/t monté/alu. (118,1x96,5) : USD 20 000 – New York, 26 oct. 1985 : *Portrait of Jane Tyler* 1845, h/t (101x76) : USD 70 000.

STOCK Martin I
XVIᵉ siècle. Actif vers 1556. Allemand.
Miniaturiste et poète.

STOCK Martin II
Né en 1693 à Hermannstadt (Sibiu, Roumanie). Mort en 1752 à Hermannstadt. XVIIIᵉ siècle. Allemand.
Peintre.
Il était le père de Johann Martin.

STOCK Martin III
Né en 1742 à Hermannstadt (Sibiu, Roumanie). Mort le 25 mars 1800. XVIIIᵉ siècle. Allemand.
Peintre d'histoire et graveur.
Élève de Meyten. Il s'établit à Presbourg comme peintre d'histoire et de portraits. On lui doit surtout des eaux-fortes sur les musiciens tziganes. Il abandonna l'art quelques années avant sa mort. Son œuvre est représenté dans les Musées d'Hermannstadt, de Budapest et de Vienne.

STOCK Michiel Van der ou **Stockt, Stoct**
Né avant 1469. XVe siècle. Actif à Bruxelles. Éc. flamande.
Peintre.
Fils de Vranck Van der Stock.

STOCK Paul Friedrich
Né en 1776 à Dresde. Mort le 21 mai 1858 à Berlin. XIXe siècle.
Allemand.
Peintre, surtout sur porcelaine.
Il étudia à l'Académie de Dresde et chez J. E. Schenau. Il exposa
à Dresde en 1800. Il s'établit à partir de 1802 à Berlin.

STOCK Paulus Van der
XVIIe siècle. Actif à La Haye. Hollandais.
Peintre.

STOCK Pierre Van der
XVIIe siècle. Actif à Malines vers 1665. Hollandais.
Sculpteur.
Maître de Laurent Van der Meulen.

STOCK Pieter Willemsz Van der
XVIIe siècle. Hollandais.
Peintre de genre, intérieurs, architectures, peut-être
paysages.
Il était actif à Amsterdam de 1636 à 1651.
VENTES PUBLIQUES : NEW YORK, 10 jan. 1996 : *Personnages élégants jouant au backgammon dans le hall d'une riche demeure*,
h/pan. (33,2x42,8) : **USD 14 950** – NEW YORK, 26 fév. 1997 : *Personnages assis autour d'une table drapée dans un intérieur*, h/t
(72,4x75,5) : **USD 1 725**.

STOCK Silvester
XIXe siècle. Actif vers 1820. Allemand.
Dessinateur.

STOCK Vranck Van der ou **Vrancke** ou **Stockt, Stoct**
Né avant 1424. Mort le 14 juin 1495 à Bruxelles. XVe siècle.
Actif à Bruxelles. Éc. flamande.
Peintre.
Il fut en relations avec Roger Van der Weyden, à qui il succéda
en 1464 comme peintre de la ville de Bruxelles.
VENTES PUBLIQUES : LONDRES, 19 avr. 1996 : *L'Adoration des Rois
Mages*, h/pan. (80x51,5) : **GBP 36 000** – LONDRES, 3 déc. 1997 :
L'Adoration des Mages, h/pan. (80,6x51,8) : **GBP 45 500**.

STOCKAMER Balthasar ou **Stockomer** ou **Stokomer**
Mort vers 1700 à Nuremberg. XVIIe siècle. Actif à Nuremberg.
Allemand.
Sculpteur et graveur sur ivoire.
A obtenu la faveur de la cour des Médicis. Le Palais Pitti à Flo-
rence garde de lui *Hercule et l'hydre* et un groupe de la *Cruci-
fixion*.

STOCKAMER Georg. Voir **STOCKHAYMER**

STOCKAR-ESCHER Clementine, née **Escher**
Née le 4 avril 1816 à Zurich. Morte le 17 décembre 1886 à
Zurich. XIXe siècle. Suisse.
Peintre de portraits, fleurs, aquarelliste, lithographe.
Autodidacte. Le Musée de Zurich conserve d'elle cinq aquarelles
(*Bacchante ; La vie naissant de la mort ; La mort naissant de la
vie ; Il y a plus de cent ans ; Prunes sur l'arbre*).

STOCKARDT Georg ou **Stockhart**
Né vers 1728 à Forchheim. Mort le 17 mai 1789 à Forchheim.
XVIIIe siècle. Allemand.
Ébéniste.
Il travailla pour le château de Forchheim.

STOCKBAUER Hans
Né le 21 octobre 1910 à Leoben. XXe siècle. Autrichien.
Peintre de scènes animées, graveur.
En 1929 et 1930 à Paris, il a fréquenté l'Académie Julian. Il s'est
établi à Graz.
MUSÉES : VIENNE (Albertina) : *Les moissonneurs*.

STOCKDALE Frederick Wilton Litchfield
Mort après 1848. XIXe siècle. Britannique.
Peintre d'architectures, paysagiste, graveur et écrivain.
Exposa à la Royal Academy entre 1803 et 1821. Le Victoria and
Albert Museum, à Londres, conserve une aquarelle de lui, et le
British Museum, *l'Église de Tottenham*.

STÖCKEL Johann
Né en 1595. Mort en 1656 à Breslau. XVIIe siècle. Allemand.
Graveur, miniaturiste et calligraphe.

STÖCKEL Marx ou **Stöcklein**
XVIIIe siècle. Allemand.
Peintre.

STÖCKEL Peter
XVIIe siècle. Actif à Bartfeld. Autrichien.
Peintre.

STOCKEM Jan Van ou **Stochem** ou **Stockeyn**
XIVe siècle. Travaillant à Dijon en 1394. Belge.
Graveur sur bois.

STOCKEM Johannes von ou **Van** ou **Stockum**
Mort en 1465. XVe siècle. Actif à Cologne. Allemand.
Peintre.

STOCKENMAIR Georg. Voir **STOCKHAYMER**

STOCKENSTRÖM Albert Reinhold von
Né le 11 novembre 1867 à Härnösand. XIXe-XXe siècles. Sué-
dois.
Sculpteur de statues.
En 1889, il fut élève de l'Académie des Beaux-Arts de Stockholm.
En 1892, il vint à Paris, avant de se fixer en Suède.
Il a exécuté quatre statues de bronze pour la façade de l'Hôtel de
Ville de Hälsingborg.

STOCKER
XVIIIe siècle. Français.
Peintre.

STOCKER Anton
Mort avant 1503. XVe siècle. Allemand.
Peintre.

STOCKER Carlotta
Née en 1921 à Lucerne. Morte en 1972 à Zurich. XXe siècle.
Suisse.
Peintre de natures mortes.
MUSÉES : AARAU (Aargauer Kunsthaus) : *Nature morte rouge et
jaune 1966*.
VENTES PUBLIQUES : ZURICH, 24 nov. 1993 : *Nature morte avec un
coquillage 1969*, acryl./t. (70x70) : **CHF 5 750**.

STOCKER Daniel Georg
Né le 9 juillet 1865 à Stuttgart. XIXe-XXe siècles. Allemand.
Sculpteur de monuments, statues.
Frère de Rudolph Stocker. Il fut élève d'Adolf Donndorf à l'Aca-
démie des Beaux-Arts de Stuttgart. Il fit un voyage d'étude en
Italie et à Paris et se fixa à Stuttgart.
Il a exécuté de nombreux monuments funéraires, des statues de
personnages célèbres et bibliques, des figures allégoriques.
MUSÉES : MARBACH (Schiller Mus.) : *Schiller* – STUTTGART : *Le Jour
et la Nuit* – *Caïn*.

STOCKER Dionysius
Originaire d'Esslingen. XVIe siècle. Allemand.
Sculpteur.
Il devint bourgeois de Ratisbonne en 1526.

STOCKER Franz Xaver
Né le 21 décembre 1835 à Vienne-Neudorf. Mort le 9 juillet
1887 à Vienne. XIXe siècle. Autrichien.
Peintre d'histoire.

STOCKER Hans
XVe siècle. Suisse.
Peintre.
Il était actif à Bâle entre 1414 et 1451.

STÖCKER Hans
Né le 28 février 1896 à Bâle. Mort en 1983. XXe siècle. Suisse.
Peintre de compositions religieuses, figures, portraits,
peintre de compositions murales, cartons de vitraux,
mosaïste.
Il exposait à Paris, depuis 1926 au Salon des Indépendants,
depuis 1928 au Salon d'Automne, au Salon des Surindépendants
depuis sa fondation ; ainsi qu'au Salon des Peintres, Sculpteurs
et Architectes Suisses, à Bâle, Zurich, Berne, Berlin, Stuttgart,
Hambourg, Karlsruhe.
Il a exécuté des peintures murales et des vitraux pour l'église
Saint-Antoine de Bâle et celle de Liestal.

MUSÉES : AARAU (Aargauer Kunsthaus) : *Tempête de Sirocco
1922* – *Dans l'atelier 1934* – *Marie avec l'Enfant Jésus 1953* – *Portrait de Madame Frey-Wiedemann 1954* – BÂLE.

Ventes Publiques : Zurich, 13 juin 1986 : *Das Münster in Stein-Säckingen* 1942, h/t (81x100) : **CHF 8 000.**

STOCKER Jörg, l'Ancien
xvᵉ-xvıᵉ siècles. Travaillant à Ulm entre 1481 et 1514. Allemand.
Peintre.
On lui attribue un panneau à la chapelle Niedhart, à Ulm, et des tableaux d'autel à Oberstadion et Dischurgen. On voit de lui au Musée de Stuttgart *Le Jugement dernier* et *Sainte Marguerite*, et au Musée de Darmstadt, *Saint Laurent*.

STOCKER Jörg, le Jeune
xvıᵉ siècle. Actif à Ulm entre 1520 et 1529. Allemand.
Peintre.
A décoré l'autel de sainte Anne à Oberstadion en 1520.

STOCKER P.
xvıᵉ siècle. Actif à Zug vers 1621. Suisse.
Peintre.

STOCKER Robert
xıxᵉ siècle. Actif entre 1830 et 1850. Britannique.
Peintre.
Le British Museum à Londres conserve de lui trois aquarelles parmi lesquelles il faut citer : *Le siège de la ville de Multan dans les Indes.*

STOCKER Rudolf
Né le 8 juin 1879 à Stuttgart. xxᵉ siècle. Allemand.
Sculpteur de monuments, statues, bustes.
Frère très puîné de Daniel Stocker. Il fut élève de l'École des Beaux-Arts de Stuttgart ; en 1902 et 1903 de l'Académie ; ainsi qu'à Berlin, Florence et Rome. En 1907, il se fixa définitivement à Stuttgart.
Il est l'auteur de nombreux monuments commémoratifs de la guerre de 1914-1918.
Musées : Marbach (Schiller Mus.) : *Buste du poète César Flaischlen* – Stuttgart : *Lanceur de boules au repos* – *Vitesse.*

STOCKERT Martin
xvııᵉ siècle. Actif à Leutschau entre 1647 et 1667. Hongrois.
Peintre.

STOCKH M. E.
xvıııᵉ siècle. Allemand.
Graveur.

STOCKHAMER J. B.
xvıııᵉ-xıxᵉ siècles. Allemand.
Peintre.
Il était attaché à la Cour de Weissenfels.

STOCKHARDT Clara Henriette Marie
Née le 13 octobre 1829 à Bautzen. Morte le 6 février 1897 à San Remo. xıxᵉ siècle. Allemande.
Peintre d'architectures et paysagiste.
Elle étudia chez Max Schmidt à Berlin et vécut à Naumbourg, Weimar, Rome et Turin.

STOCKHART Georg. Voir STOCKARDT

STOCKHAYMER Georg ou Stockamer ou Stockenmair
xvᵉ siècle. Actif entre 1439 et 1488. Autrichien.
Miniaturiste.

STOCKHOLDER Jessica
Née en 1959 à Seattle. xxᵉ siècle. Américaine.
Sculpteur d'assemblages, installations.
Elle vit et travaille à New York. Elle participe à des expositions collectives internationales. Elle s'accommode mieux de présentations individuelles, dont : en 1993 à Rotterdam, galerie Witte de With ; 1993 Nîmes, Carré d'Art ; 1994 New York, galerie Jay Snyder, galerie Jay Gorney Modern Art ; 1994, au Consortium de Dijon ; 1995 New York, galerie Jay Gorney Modern Art ; 1995 Barcelone, Caixa de Pensiones ; 1995 New York, galerie Jay Gorney Modern Art ; 1995 Paris, galerie Nathalie Obadia ; 1996 Hanovre, Sprengel Museum ; 1998 Nantes, dans la Salle Blanche du Musée des Beaux-Arts et Antibes, Musée Picasso.
Elle s'est fait connaître dans les années quatre-vingt, avec des installations investissant entièrement les salles d'exposition, constituées de l'assemblage des éléments les plus hétéroclites, matériaux de construction, objets trouvés, vieux vêtements, sous-vêtements et tapis, qui nécessitaient un inventaire sans fin. Dans la suite de son évolution, elle a un peu délaissé les installations débordantes, qui devaient être démontées et détruites en fin d'exposition, pour réaliser des objets plus proches de la sculpture. En sélectionnant un peu plus les matériaux, elle procède encore par assemblages-accumulations. Elle en unifie les constituants disparates en les recouvrant de couches de peinture, dont les couleurs, indépendantes des formes, alternent et jouent avec celles des objets eux-mêmes. ■ J. B.
Bibliogr. : Susan Harris, in : Art Press, n° 190, Paris, avr. 1994 – Barry Schwabsky : *Jessica Stockholder. La séduction du réel,* in : Art Press, n° 205, Paris, sept. 1995 – Manuel Jover : *Le bricolage existentiel de Jessica Stockholder,* in : Beaux-Arts Magazine, Paris, déc. 1995 – Catalogue de l'exposition *Jessica Stockholder,* Mus. des Beaux-Arts, Nantes, et Mus. Picasso, Antibes, 1998.
Musées : Buffalo (Albright-Knox Art Gal.) – Chicago (Art Inst.) – Limoges (FRAC Limousin) : *J.S. 177* 1992, techn. mixte – Los Angeles (County Mus.) – New York (Whitney Mus. of American Art) – Nîmes (Carré d'Art, Mus. d'Art Contemp.) – Utrecht (Centraal Mus.) – Washington D. C. (Corcoran Gal.).
Ventes Publiques : New York, 19 nov. 1996 : *Sans titre (la chaise rose)* 1990, matériaux divers (86,4x91,4x63,5) : USD 11 500.

STOCKINGER Hans. Voir STOCINGER

STÖCKL Franz
Né le 22 août 1671 à Hall (Tyrol). Mort le 13 septembre 1732 à Hall dans le Tyrol. xvııᵉ-xvıııᵉ siècles. Autrichien.
Sculpteur.
A comparer avec le suivant.

STÖCKL Franz ou Stachl, Stäckl
xvıııᵉ siècle. Actif à Frankenmarkt. Autrichien.
Sculpteur.
Sans doute identique au précédent.

STÖCKL Georg
xvıııᵉ siècle. Autrichien.
Peintre.
Cet artiste, qui aurait vécu sur le continent indien, travailla à la manufacture de porcelaine de Vienne entre 1760 et 1785.

STÖCKL Johann
Né en 1774 à Neuötting. Mort vers 1816 à Neuötting. xvıııᵉ-xıxᵉ siècles. Allemand.
Sculpteur.

STÖCKL Rupert ou Stoeckl
Né en 1923 à Munich. xxᵉ siècle. Allemand.
Peintre. Figuratif, puis abstrait.
Il est actif à Munich. Il se forma seul à la peinture. Il commença à exposer ses œuvres à partir de 1950. Il participe à des expositions collectives, notamment : 1957 Biennale de Paris ; 1960 Biennale de Venise. Il montre des ensembles de ses peintures dans des expositions personnelles, fréquemment à Munich, et aussi dans d'autres villes d'Allemagne.
Dans une première période, avec une technique de glacis superposés de tonalités suaves, il évoquait un monde aérien de corps volants étranges ou un monde aquatique d'animaux marins inconnus. Dans une deuxième période, en conservant la même technique de glacis légers évoquant des espaces profonds, il s'est détaché de toute représentation, évoluant à l'abstraction.
Bibliogr. : B. Dorival, sous la direction de, in : *Peintres contemporains,* Mazenod, Paris, 1967.
Musées : Baden-Baden – Darmstadt – Munich.
Ventes Publiques : Munich, 26-27 nov. 1991 : *Composition en bleu* 1956, gche (57x81) : DEM 4 255.

STOCKLASS Jozsef
Né le 25 mars 1868 à Budapest. Mort en 1920 à Budapest. xıxᵉ-xxᵉ siècles. Hongrois.
Sculpteur.
Il se forma et s'établit à Budapest.

STÖCKLEIN Christian. Voir STÖCKLIN

STÖCKLEIN Marx. Voir STÖCKEL

STÖCKLER
xvııᵉ siècle.
Peintre d'architectures.

STÖCKLER Emanuel
Né le 24 décembre 1819 à Nikolsbourg. Mort en 1893. xıxᵉ siècle. Allemand.
Peintre de genre, architectures, paysages, aquarelliste.
Élève de l'Académie de Vienne et de Mössmer et Thomas Euder, de 1834 à 1838 ; il continua ses études en voyageant en Orient, en Italie et dans les contrées balkaniques.
Peintre de la cour en 1863. En 1875, il alla à Saint-Pétersbourg, où il a surtout travaillé, ainsi qu'à Venise.

Musées : Vienne : *Vue du Bosphore – Ruines du palais de Bélisaire à Constantinople –* Quatre aquarelles.
Ventes Publiques : Londres, 21 mars 1980 : *Turcs festoyant, Smyrne,* aquar. (39x48) : **GBP 1 400** – Londres, 10 juin 1982 : *La salle du bal du Palazzo Colonna, Rome,* aquar. et cr. reh. de gche (45,4x65,5) : **GBP 3 000** – Londres, 25 mars 1987 : *Vieux Turc fumant la pipe,* aquar./traces de cr. (35x26) : **GBP 2 800** – Londres, 17 juin 1992 : *La grande galerie du Louvre* 1870, aquar. (40x57) : **GBP 6 050**.

STÖCKLER Johann
XVII⁰ siècle. Travaillait vers 1643. Allemand.
Peintre.

STÖCKLI Johann Christoph
XVIIᵉ siècle. Suisse.
Peintre.

STÖCKLI Paul ou Stoeckli
Né en 1906 à Stans. Mort en 1991. XXᵉ siècle. Suisse.
Peintre, peintre de collages. Figuratif, puis abstrait.
Musées : Aarau (Aargauer Kunsthaus) : *Composition* 1967 – *Composition nᵒ 4* 1972 – *7 Collage* vers 1975.
Ventes Publiques : Lucerne, 30 sep. 1988 : *Port méditerranéen avec des voiliers,* aquar. (24,5x35) : **CHF 1 100** – Lucerne, 15. 1988 : *Grande vitesse* 1960, h/rés. synth. (35x33) : **CHF 3 000** – Zurich, 22 juin 1990 : *Composition en bleu,* h/pan. (85,5x49,7) : **CHF 2 800** – Lucerne, 24 nov. 1990 : *Découpages collés et gouachés* (35,5x33) : **CHF 3 800** – Lucerne, 25 mai 1991 : *Sans titre,* collage et techn. mixte (70x100) : **CHF 3 900** – Lucerne, 23 mai 1992 : *Feuille de journal* 1986, encre, gche et collage (100x70) : **CHF 4 600** – Lucerne, 21 nov. 1992 : *Page de journal,* collage de pap. gouaché/fond vert (100x70) : **CHF 4 000** – Lucerne, 20 nov. 1993 : *Composition,* temp. et techn. mixte/pap. (70x72) : **CHF 2 500** – Lucerne, 15 mai 1993 : *Sans titre,* gche et techn. mixte/cart. (70x100) : **CHF 6 500** – Lucerne, 4 juin 1994 : *Pont de Venise,* h/t (31x55) : **CHF 2 600** – Lucerne, 26 nov. 1994 : *Sans titre,* temp. et collage (33x35) : **CHF 3 200** – Lucerne, 20 nov. 1995 : *Composition,* h/rés. synth. (89x117,5) : **CHF 10 000** – Lucerne, 8 juin 1996 : *Abstraction,* h/rés. synth. (64x91) : **CHF 2 900** – Lucerne, 23 nov. 1996 : *Journal intime,* collage, encre de Chine et lav./pap. noir (101x71) : **CHF 3 300** – Lucerne, 7 juin 1997 : *Sans titre* vers 1965, h/t/Pavatex (64x96) : **CHF 6 400**.

STÖCKLIN Christian ou Stöckli, Stöcklin
Né en 1741 à Genève. Mort en 1795 à Francfort-sur-le-Main. XVIIIᵉ siècle. Suisse.
Peintre d'architectures, intérieurs, intérieurs d'églises.
Il était élève d'Antonio Galli di Bibiena. Il peignit avant tout des intérieurs d'églises.
Musées : Dresde : *Intérieur d'église,* plusieurs fois – Mayence : *Intérieur d'église.*
Ventes Publiques : Paris, 14 nov. 1924 : *Intérieur d'église :* **FRF 430** – Paris, 17 fév. 1928 : *Intérieur d'église :* **FRF 620** – Paris, 11 fév. 1943 : *Intérieur d'église :* **FRF 14 000** – Paris, 11 déc. 1946 : *Intérieur d'une église :* **FRF 16 000** – Cologne, 26 mai 1971 : *Intérieurs d'église,* deux pendants : **DEM 6 400** – Paris, 10 mars 1976 : *Personnages évoluant dans les jardins d'un palais* 1787, h/métal (14,6x19,7) : **FRF 10 500** – Paris, 10 mai 1980 : *Intérieurs d'église,* h/pan., une paire (29x20) : **CHF 9 000** – Cologne, 20 mars 1981 : *Intérieur d'église,* h/bois (37x31,5) : **DEM 4 500** – Amsterdam, 22 mai 1990 : *Intérieur d'église, l'un à l'heure du prêche* 1790, h/pan., une paire (29x30) : **NLG 16 100** – Paris, 17 juin 1991 : *Intérieur d'église gothique,* h/pan., une paire (17,5x20,5) : **FRF 65 000** – New York, 21 mai 1992 : *Intérieur d'une église imaginaire avec des personnages,* h/pan. (66x78) : **USD 66 000** – Amsterdam, 11 nov. 1992 : *Personnages à l'intérieur d'une église,* h/pan. (53,5x41,5) : **NLG 5 750** – Paris, 28 juin 1993 : *Intérieur d'église Renaissance* 1774, h/pan. (266,5x44) : **FRF 42 000** – Paris, 25 mars 1994 : *Intérieurs d'église,* h/pan., une paire (chaque 19x27,5) : **FRF 58 000** – Paris, 16 nov. 1994 : *Intérieur d'église,* h/pan. (18,6x16,2) : **FRF 18 000** – Amsterdam, 13 nov. 1995 : *Intérieur d'une église gothique avec des fidèles priant* 1786, h/pan. (24,6x27,3) : **NLG 8 050** – Londres, 13 déc. 1996 : *Intérieur d'une cathédrale de la Renaissance,* h/pan. (38,4x52,2) : **GBP 17 250** – Londres, 16 avr. 1997 : *Capriccio de ruines classiques près d'une rivière* 1785, h/pan. (17,4x23,6) : **GBP 2 875** – Londres, 3-4 déc. 1997 : *L'Intérieur d'une galerie de peinture* 1775, h/pan. (32,3x37,5) : **GBP 27 600**.

STÖCKLIN Christian Friedrich
Né en 1809 à Francfort-sur-le-Main. Mort en 1852 à Francfort-sur-le-Main. XIXᵉ siècle. Allemand.

Peintre.
Il était le fils de Friedrich Stöcklin.

STÖCKLIN Franziska et Niklaus. Voir STOECKLIN

STÖCKLIN Friedrich
Né en 1770 à Francfort-sur-le-Main. Mort en 1828 à Francfort-sur-le-Main. XVIIIᵉ-XIXᵉ siècles. Allemand.
Peintre d'architectures.
Fils de Christian et père de Christian Frédéric Stöcklin.

STÖCKLIN Fritz
Né en 1899 à Bâle. XXᵉ siècle. Suisse.
Sculpteur, graveur, dessinateur, orfèvre.
Il fut élève de l'École des Arts Décoratifs de Bâle.

STÖCKLIN J. Franz
XVIIIᵉ siècle. Suisse.
Peintre.

STÖCKLIN Johannes
XVIIᵉ siècle. Suisse.
Peintre.

STÖCKLIN Michael
Mort entre 1636 et 1637. XVIIᵉ siècle. Suisse.
Peintre.
Il devint bourgeois de la ville de Constance en 1606.

STÖCKLIN Peter
Mort en 1652. XVIIᵉ siècle. Actif à Bâle. Suisse.
Peintre verrier.

STOCKMAN Aernvert
Mort le 24 avril 1655 à Middelbourg. XVIIᵉ siècle. Hollandais.
Peintre.

STOCKMAN Jan Gerrit ou Gerritsz ou Stockmans
Mort le 9 juillet 1670 à Haarlem. XVIIᵉ siècle. Hollandais.
Peintre de paysages.
Il était en 1637 dans la gilde de Haarlem. Un David Henricsz Stokmans était à La Haye de 1627 à 1632.
Ventes Publiques : Rome, 19 nov. 1991 : *Paysage avec ruines classiques et personnages,* h/t (147x132) : **ITL 10 000 000**.

STOCKMAN Leendert ou Stockmans
Né en 1641 à Haarlem. XVIIᵉ siècle. Hollandais.
Peintre.
Il était le fils de Jan Gerrit Stockman. Il devint en 1670 membre de la gilde.

STOCKMAN Marc
Né le 3 février 1937 à Courtrai. Mort le 4 mai 1983 à Couvron. XXᵉ siècle. Belge.
Peintre de figures, sujets divers, graveur, illustrateur, dessinateur. Polymorphe.
À partir de 1952, il fut élève de l'Académie des Beaux-Arts de Tournai. Il expose depuis 1954, notamment souvent à Courtrai et, entre autres : 1966 Lyon ; 1971 Bruxelles ; 1976 Paris ; 1979 Bruxelles et Ostende.
Il a illustré des livres pour enfants. Dessinateur et peintre, il pratique de nombreuses techniques et surtout, perméable à toutes les influences jusqu'à l'imitation, non sans don, passe par tous les styles possibles.
Bibliogr. : Divers : *Marc Stockman,* Atelier Gervais-Stockman, 1984.

STOCKMAN Rudolf. Voir STOCKMANN

STOCKMANN Anton
Né le 2 avril 1868 à Sarnen (Canton d'Unterwalden). XIXᵉ-XXᵉ siècles. Suisse.
Peintre.
De 1887 à 1890, il fut élève de l'Académie des Beaux-Arts de Karlsruhe ; en 1990 et 1991, il poursuivit sa formation à Munich et, de 1902 à 1904, à Rome. Il se fixa ensuite à Sarnen.
Musées : Sarnen (Hôtel-de-Ville).

STOCKMANN Arnold
Né le 12 septembre 1882 à Sarnen (Canton d'Unterwalden). XXᵉ siècle. Suisse.
Sculpteur, médailleur.
Il fut élève de Johann Karl Bossard, des Écoles des Beaux-Arts de Lucerne, Zurich et Genève.
On cite la médaille qu'il a gravée en l'honneur de *Carl Spitteler*.

STOCKMANN Hermann
Né le 28 avril 1867 à Passau (Bavière). Mort en 1939. XIXᵉ-XXᵉ siècles. Allemand.

Peintre, illustrateur.
Il s'établit à Dachau, il fut aussi professeur.

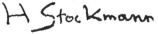

VENTES PUBLIQUES : MUNICH, 29 nov. 1984 : *La récolte de pomme de terre* 1899, h/pan. (22x40,5) : **DEM 9 600.**

STOCKMANN Jakob
Né vers 1700 à Hambourg. Mort le 11 février 1743 à Hambourg. XVIIIᵉ siècle. Allemand.
Peintre de paysages et d'animaux.
Élève de Meyering et de M. Carree en Hollande. Le Musée de Hambourg garde de lui : *Paysage héroïque.*

STOCKMANN Johann Adam
XVIIIᵉ siècle. Actif à Augsbourg entre 1720 et 1783. Allemand.
Peintre dessinateur et graveur au burin.
Élève de Gottfried Kogg et de Melchior Rein. Il a traité des motifs empruntés à la Guerre de Sept ans.

STOCKMANN Rudolf ou Stockman ou Stockmans
Originaire d'Anvers. Mort en 1622 à Rostock. XVIIᵉ siècle. Éc. flamande.
Sculpteur.
Il a sculpté plusieurs chaires pour les églises de Rostock où il vécut à partir de 1577.

STOCKMANN Walter Georg
Né le 21 mars 1893 à Brandebourg. XXᵉ siècle. Allemand.
Peintre, graveur.
Il fut élève de Philipp Franck et Bernhard Hasler à l'École des Beaux-Arts de Berlin. Il s'établit à Stettin.
MUSÉES : BERLIN – MANNHEIM – STETTIN.

STOCKMANN Wilhelm Johann Heinrich
Né le 12 février 1788 à Brunswick. Mort le 27 janvier 1866 à Brunswick. XIXᵉ siècle. Allemand.
Peintre sur laque.
Il était fils d'un peintre, Christoph Ludwig Stockmann. Il a dirigé une des principales fabriques de laque d'Allemagne.

STOCKMANS Jan Gerrit et Leendert. Voir STOCKMAN

STOCKMER ou Stockmer
XVIIIᵉ siècle. Allemand.
Peintre sur porcelaine.
Il travailla jusqu'en 1772 à la fabrique de Wiesbaden, puis au cloître de Veilsdorf.

STOCKMAR Carl Christoph
Mort en 1802. XVIIIᵉ siècle. Allemand.
Graveur et médailleur.

STOCKMAR Johann Christoph
XVIIIᵉ siècle. Allemand.
Graveur.
On le trouve à la cour à Heidersbach, près de Suhl, entre 1719 et 1747.

STOCKMAR Johann Georg
Mort le 24 septembre 1759 à Pirmasens. XVIIIᵉ siècle. Allemand.
Peintre.
On le trouve à la cour de Darmstadt.

STOCKMAR Johann Leonhard
Né le 15 mars 1755 à Ilmenau. Mort le 13 mai 1852 à Eisenach. XVIIIᵉ-XIXᵉ siècles. Allemand.
Médailleur.
Il était le fils de Johann Wolfgany Heinrich.

STOCKMAR Johann Nikolaus
Né vers 1675. Mort après 1745. XVIIIᵉ siècle. Allemand.
Graveur au burin.
Il était le père de Johann Christoph et de Johann Wolfgany Heinrich.

STOCKMAR Johann Wolfgang Heinrich
Né fin juin 1707 à Goldlauter, près de Suhl. Mort le 30 janvier 1785 à Ilmenau. XVIIIᵉ siècle. Allemand.
Médailleur et graveur au burin.
Il était le fils de Johann Nikolaus, le frère de Johann Christoph et le père de Theodor Stockmar.

STOCKMAR Philipp Friedrich
Originaire de Gotha. XVIIIᵉ siècle. Actif à Dresde entre 1760 et 1775. Allemand.

Graveur.
Il grava des armoiries.

STOCKMAR Theodor
Mort vers 1820. XVIIIᵉ-XIXᵉ siècles. Allemand.
Médailleur.
Fils de Johann Wolfgang Heinrich.

STOCKMER. Voir STOCKMAR

STOCKMEYER Karl Heinrich Wilhelm
Né le 15 juin 1858 à Rio de Janeiro, de parents allemands. Mort le 12 mai 1930 à Stuttgart. XIXᵉ-XXᵉ siècle. Allemand.
Peintre de figures, portraits, sculpteur.
De 1879 à 1881, il fut élève de Theodor Poeckh et Carl Heinrich Hoff l'Ancien à l'Académie des Beaux-Arts de Karlsruhe.
MUSÉES : WUPPERTAL : *Portrait d'Ernst Scherenberg.*

STOCKMULLER G.
XIXᵉ siècle. Allemand.
Lithographe.
Le Musée National de Munich conserve de lui un buste de la reine *Thérèse de Bavière.*

STOCKOMER Balthasar. Voir STOCKAMER

STOCKS Arthur
Né le 9 avril 1846 à Londres. Mort le 12 octobre 1889 à Londres. XIXᵉ siècle. Britannique.
Peintre de genre et de portraits.
Fils et élève de Lumb Stocks. Il se destina d'abord à la gravure, mais se sentant plus de goût pour la peinture il entra aux Écoles de la Royal Academy. Il commença à exposer en 1866, à Suffolk Street et continua à prendre part aux expositions de Londres jusqu'en 1890 (exposition posthume), notamment à la Royal Academy, au Royal Institute, dont il fut membre à partir de 1882, et à la British Institution. Ses tableaux sont peints avec intelligence et nombre d'entre eux ont été des succès lors de leur apparition. Le Musée de Liverpool conserve de lui *Orphelins* et *Le meilleur des maris*, et celui d'Aberdeen, *Portrait du père de l'artiste.*
VENTES PUBLIQUES : NEW YORK, 1ᵉʳ et 2 avr. 1902 : *Chiens et chats* : **FRF 1 250** – LONDRES, 26 nov. 1910 : *La pie favorite* 1869 : **GBP 5** – LONDRES, 17 juin 1927 : *Cueillette des petits pois*, dess. : **GBP 19** ; *Heureux comme un jour très long*, dess. : **GBP 21** – LONDRES, 9 déc. 1980 : *The wreck* 1868, h/t (61x74) : **GBP 1 800** – LONDRES, 1ᵉʳ mars 1984 : *Nature morte aux pommes* 1888, h/t : **GBP 1 200** – LONDRES, 17 déc. 1986 : *Guy Fawkes Day* 1887, h/t (122x101,5) : **GBP 17 000.**

STOCKS Bernard O.
XIXᵉ siècle. Britannique.
Peintre.
Il était fils de Lumb, le frère d'Arthur et de Walter Fryer.

STOCKS John
XIXᵉ siècle. Britannique.
Graveur au burin.

STOCKS Katherine M.
Morte sans doute en 1891. XIXᵉ siècle. Britannique.
Aquarelliste, peintre de fleurs.
Elle était la fille de Lumb Stocks. Le Victoria and Albert Museum, à Londres, conserve d'elle : *Fleurs de murailles.*

STOCKS Lumb
Né le 30 novembre 1812 à Lightcliffe. Mort le 28 avril 1892 à Londres. XIXᵉ siècle. Britannique.
Dessinateur de portraits, miniaturiste, graveur au burin.
Il fut élève de C. Cope. En 1827 il vint à Londres et fut placé pour six ans comme apprenti chez le graveur Rolls. De 1832 à 1836 il exposa des miniatures et des petits portraits au crayon. A partir de cette dernière date il se consacra entièrement à la gravure. De 1840 à 1850 il grava de nombreuses planches d'après Slotard pour les publications de l'époque. En 1853 il fut élu associé à la Royal Academy et académicien en 1872. De 1852 à sa mort il se plaça parmi les bons graveurs anglais au burin, ses reproductions d'après les meilleurs peintres « ses contemporains » sont exécutées avec une conscience qui s'affirma jusque dans ses dernières productions.

STOCKS Minna
Née le 24 juin 1846 à Schwerin. Morte le 11 novembre 1928 à Hinzenhagen (près de Lalendorf, Mecklembourg). XIXᵉ-XXᵉ siècles. Allemande.
Peintre animalier, de paysages.

Elle reçut sa formation à Schwerin, de 1867 à 1869 à Berlin, puis à Düsseldorf et à Munich où elle se fixa en 1880.
Musées : Rostock : *En sûreté* – Schwerin : *Vue du lac de Schwerin* – *Étrange apparition.*

STOCKS Walter Fryer
XIXe siècle. Britannique.
Peintre-aquarelliste de paysages.
Fils de Lumb Stocks et frère d'Arthur et Bernard O. En 1866 à Londres, il exposait à la Royal Academy.
Musées : Londres (Victoria and Albert Mus.) : *Le dernier rayon* – *Truites.*

STOCKT Bernaert, Jan, Michiel et Vranck Van der.
Voir **STOCK**

STOCKUM Johannes von ou Van. Voir **STOCKEM**

STOCKVISCH Hendrik. Voir **STOKFISCH**

STOCKWELL Hugh de
Mort en 1349. XIVe siècle. Actif à Londres. Britannique.
Peintre.
Il était le fils de Richard Stockwell II.

STOCKWELL Richard de I
XIIIe siècle. Actif à Londres. Britannique.
Peintre.
Il travailla de 1292 à 1294, pour Henri III, avec Walter of Durham à Westminster.

STOCKWELL Richard de II
Mort en 1349, de la peste. XIVe siècle. Actif à Londres. Britannique.
Peintre.

STOCQUART Henry
Né en 1815. XIXe siècle. Actif à Anvers. Belge.
Paysagiste et aquafortiste.

STOCQUART Ildephonse
Né en 1819 à Grammont. Mort en 1889 à Bruxelles. XIXe siècle. Belge.
Peintre de paysages animés, animalier, graveur.
Il fut élève de Eugène François de Block et Henri Van der Poorten.
Il fut surtout graveur à l'eau-forte. Il traita souvent les environs de Grammont.

[signature : Hd Stocquart]

Musées : Bruxelles (Mus. roy. des Beaux-Arts) : *Paysage avec animaux* – Mons.
Ventes Publiques : Amsterdam, 24 avr 1979 : *Bergère et troupeau dans un paysage,* h/pan. (60,5x51,5) : **NLG 6 000** – Anvers, 21 mai 1985 : *Paysage 1862,* h/pan. (94x122) : **BEF 150 000** – Amsterdam, 28 oct. 1992 : *Paysage boisé avec une bergère et son troupeau traversant un ruisseau,* h/pan. (61,5x52) : **NLG 7 475** – Lokeren, 9 oct. 1993 : *La traite,* h/pan. (29,5x48) : **BEF 48 000**.

STOCT Bernaert, Jan, Michiel et Vranck Van der. Voir **STOCK**

STODART Edward Jackson
Né le 29 octobre 1879 à Barnsbury. XXe siècle. Britannique.
Graveur de reproductions.
Fils d'Edward William Stodart. Il gravait aussi au burin. D'après Fragonard, il exécuta la reproduction de *Les hasards heureux de l'escarpolette.*

STODART Edward William
Né en 1841. Mort en 1914. XIXe-XXe siècles. Britannique.
Graveur de reproductions.
Père de Edward Jackson Stodart.

STODART George
XIXe siècle. Britannique.
Graveur de reproductions.
Sans doute apparenté à Edward William et Edward Jackson Stodart.

STODDARD Enoch Vinc
Né le 20 juin 1883 à Manchester (New Hampshire). XXe siècle. Américain.
Peintre.
À Paris, il fut élève de Louis Biloul et Henri Royer à l'Académie

Julian. Il exposa au Salon des Artistes Français de Paris, à partir de 1932. Aux États-Unis, il exposait à Rochester et était membre de l'American Artists League. Il était aussi écrivain.

STODDARD Frederick Lincoln
Né le 7 mars 1861 à Coaticook. XIXe-XXe siècles. Actif aux États-Unis. Canadien.
Peintre de compositions murales, illustrateur.
Il fut élève de l'École des Beaux-Arts de Saint Louis ; à Paris de Benjamin-Constant et Jean-Paul Laurens. En 1904 à l'Exposition de Saint Louis, il obtint une médaille d'argent. Il était membre du Salmagundi Club. Il s'établit à Stapleton Island (New York).
Il a réalisé des compositions murales au City Hall de Saint Louis et à l'église du Souvenir à Baltimore.

STODDARD Mary, Mrs
Née en Écosse. Morte en 1901 à Londres. XIXe siècle. Active en Australie. Britannique.
Peintre de natures mortes et miniaturiste.
Fille d'un portraitiste d'Edimbourg, Peter Devine. Vint à Sydney après son mariage, où elle exécuta de nombreux portraits et retourna, avec sa famille, à Londres en 1900. Le Musée de Sydney conserve d'elle : *De la terre à l'océan* et *Roses* (aquarelles).

STODDARD Mary, Jr
XIXe siècle. Australienne.
Aquarelliste.
Le Musée de Sydney conserve d'elle : *Queenie.*

STODDART Frances, Miss
XIXe siècle. Britannique.
Paysagiste.
Elle fit des envois à la Royal Academy de Londres et à l'Académie de Berlin.

STÖDER Lukas
XVIe siècle. Actif à Bamberg. Allemand.
Peintre.
A surtout peint des blasons.

STOËBEL Edgar ou Edgard
Né le 21 décembre 1909 en Algérie. XXe siècle. Français.
Peintre, dessinateur.
Il montre ses œuvres dans des expositions personnelles : 1958 Marseille ; 1960, 1963 Paris ; 1969 Copenhague ; 1972 Paris ; à partir de 1974 en Israël, où ses œuvres figurent dans des musées.
Il intitule sa manière la « Figurasynthèse ».
Ventes Publiques : Paris, 17 juin 1990 : *Portrait,* dess. (28x33) : **FRF 3 900.**

STOECKEL Eugène Auguste
Né le 27 août 1882 à Châtellerault (Vienne). XXe siècle. Français.
Peintre de genre.
Il fut élève de Fernand Cormon. Il exposait à Paris, au Salon des Artistes Français, 1911 médaille de troisième classe et Prix de la Savoie.

STOECKL Rupert. Voir **STÖCKL**

STOECKLIN Charles
Né le 1er novembre 1859 à Mulhouse, de parents suisses. XIXe-XXe siècles. Suisse.
Peintre de portraits, paysages, natures mortes, fleurs.
Il fut élève de l'École de Dessin de Mulhouse ; en 1881 de Jules Lefebvre et Benjamin-Constant à l'Académie Julian de Paris. Il s'établit à Bienne.
Ventes Publiques : Londres, 2 juin 1982 : *Odalisque couchée,* h/t (78x108,5) : **GBP 2 100.**

STOECKLIN Franziska
Née en 1894 à Bâle. XXe siècle. Suisse.
Peintre de scènes animées, figures, graveur, lithographe.
Elle était aussi poète. En 1916 à Zurich, elle a exposé des scènes de cirque, danseurs et danseuses de corde.

STOECKLIN Nicklaus ou Nikolaus ou Stöcklin
Né en 1896 à Bâle. Mort en 1982 à Bâle. XXe siècle. Suisse.
Peintre de scènes animées, figures, paysages, paysages urbains, natures mortes, aquarelliste, dessinateur, affichiste, graphiste. Réaliste-photographique.
Il était frère de Franziska Stoecklin. En 1914, il fut élève de Robert Engels à l'École des Arts et Métiers de Munich et, de 1915 à 1918, de Burckhard Mangold pour la lithographie. En 1927, il fit un voyage d'étude à Tunis, dans le Sud de la France, en Grèce et en Italie.

Il participait à des expositions collectives, dont : 1925 Mannheim, Städtische Kunsthalle ; 1979 Winterthur, Kunstmuseum ; expositions au cours desquelles il fut souvent associé aux artistes de la *Neue Sachlichkeit* de Dix et Grosz. Il a exposé à titre individuel : en 1928 à la Kunsthalle de Bâle ; en 1987, après sa mort, au Musée Allemand de l'Affiche d'Essen.

Son métier de « trompe-l'œil » l'apparente parfois à certains surréalistes, tandis que, pour certaines commandes, il use d'une stylisation maniériste. Il a eu surtout une activité de graphiste affichiste, concernant les produits de consommation, la tehnologie moderne, les activités sportives, le tourisme. En tant que peintre, il a montré moins d'invention, dans les sujets les plus divers, se limitant à un réalisme stylisé.

Bibliogr. : In : *L'Art du xxe siècle*, Larousse, Paris, 1991.
Musées : Aarau (Aargauer Kunsthaus) : *Île de Porquerolles* 1923 – Bâle (Kunstmus.) : *Le Lac Majeur* 1916 – Zurich.
Ventes Publiques : Berne, 23 oct. 1971 : *Le Sacré-Cœur* : CHF 3 500 – Berne, 18 nov. 1972 : *Nature morte* : CHF 6 200 – Lucerne, 17 juin 1977 : *Le papillon* 1945, isor. (14x20) : CHF 3 400 – Zurich, 8 juin 1983 : *Ehewerbung* 1920, gche (44,5x79) : CHF 15 000 – Saint-Dié, 10 juil. 1983 : *Paysage du Tessin* 1920-1926, h/cart. (39,5x104) : CHF 25 000 – Zurich, 1 déc. 1984 : *Nietzsche-Haus* 1949, pl./trait de cr. (20,5x29,6) : CHF 1 900 – Zurich, 30 nov. 1985 : *Isch das nit e Schnitzelbank !* 1956, aquar./trait de cr. (36,8x38,7) : CHF 6 200 – Berne, 20 juin 1986 : *Der Goffersberg bei Lenzburg* 1957, h/t mar./cart. (67x104) : GBP 3 200 – Zurich, 25 oct. 1989 : *La Danseuse Tatiana Barbakoff* 1929, h/pan. (54x40) : CHF 24 000 – Zurich, 29 avr. 1992 : *Le Ruban de l'ordre du Mérite*, aquar. et encre (22,5x16,1) : CHF 2 800 – Zurich, 4 juin 1992 : *L'oued de l'oasis de Gabes* 1926, h/cart. (37x46) : CHF 6 780 – Zurich, 9 juin 1993 : *Notre-Dame de Paris vue depuis les quais de la Seine* 1930, h/t (50,5x61,5) : CHF 36 800 – Zurich, 24 nov. 1993 : *Venise* 1960, h/cart. (25x32) : CHF 9 775 – Zurich, 3 déc. 1993 : *Origine de la médecine* 1928, h/pan. (16,5x23,5) : CHF 5 000 – Zurich, 12 juin 1995 : *La Vieille Poste de Sils-Baselgia* 1948, h/rés. synth. (27x35) : CHF 13 800 – Zurich, 30 nov. 1995 : *Piste de luge à Davos*, cr. et aquar./pap. (27x36) : CHF 4 600 – Zurich, 14 mars 1996 : *Avec des roses rouges* 1960, h/t (55x47) : CHF 34 500 – Zurich, 5 juin 1996 : *Quai Cronstadt, Toulon (L'Espionne)* 1928, h/t : CHF 216 100 – Zurich, 17-18 juin 1996 : *Demi-agathe* 1953, h./contre-plaqué (18x233,4) : CHF 3 600 – Zurich, 10 déc. 1996 : *Jeu de domino* 1928, h/t (37x46) : CHF 40 250 – Zurich, 14 avr. 1997 : *Nelly* 1920, h/cart. (34,5x54) : CHF 63 250 – Zurich, 4 juin 1997 : *Moulin* 1929-1930, h/bois (83,5x80,5) : CHF 36 800.

STOEFFLER Friedrich
xixe siècle. Actif à Magdebourg. Allemand.
Peintre.
A exposé à Berlin en 1830 et en 1848 des portraits de sa mère et de lui-même.

STOEGER. Voir aussi STÖGER et STEGER

STOEGER Math. Joseph
xviiie siècle. Autrichien.
Peintre.
Il se maria le 24 février 1718 à Graz.

STOEKL Christoph
xviie siècle. Actif à Leoben. Autrichien.
Peintre.
Il se maria le 3 février 1655.

STOELTZNER Wilhelm
Né le 14 mars 1817 à Lübeck. Mort le 11 octobre 1868 à Lübeck. xixe siècle. Allemand.
Peintre et graveur.

STOENBEKE Hans
xve siècle. Travaillant vers 1480. Allemand.
Peintre.

STOENESCO Eustache Grégoire ou Stoenescu Eustatin Grigorie
Né le 14 mai 1885 à Craijova (Roumanie). Mort en 1956 à New York. xxe siècle. Actif depuis 1901 en France. Roumain.
Peintre de compositions religieuses, scènes de genre, portraits, paysages, natures mortes.
Il arriva à Paris dès 1901. Il fut élève de Jean-Paul Laurens. La guerre interrompit son travail qu'il reprit en 1919. En 1925, au Musée du Jeu de Paume à Paris, il organisa une exposition d'art roumain. En 1947, il quitta définitivement la Roumanie.
En 1907, il commença à exposer au Salon des Artistes Français.

Il reçut en 1911 une mention honorable, 1913 une médaille d'argent, 1922 fut fait chevalier de la Légion d'honneur, 1928 officier, 1937, reçut un Grand Prix pour l'Exposition internationale. Il participait à des expositions collectives : 1922 Biennale de Venise ; 1938 Biennale de Venise, avec une salle entière.
En 1942, il reçut le Prix National de Peinture de Roumanie et, ensuite, fut fait Commandeur de l'Étoile de Roumanie et Grand Officier de la Couronne.
Il montrait aussi des ensembles de ses œuvres dans des expositions personnelles : 1921 Paris ; 1928 Paris, galerie Charpentier ; puis New York, Pittsburgh, Londres, Bucarest.
En 1936, il acheva les vastes décorations de l'église Saint-Georges de Craïcova, bâtie en 1722 par ses ancêtres, avec lesquelles il contribua à rénover l'art religieux balkanique.
Musées : Bucarest – Le Caire – Paris (Mus. d'Orsay) : *Portrait de Jean-Paul Laurens* – Rome (Gal. nat.) – Trieste.
Ventes Publiques : New York, 15 oct. 1993 : *Un vaneau*, h/t (64,8x49,5) : USD 1 725.

STOENESCO de PONTBRIAND Grégoire
Né le 8 août 1912 à Bucarest. xxe siècle. Depuis 1969 actif, puis naturalisé en France. Roumain.
Peintre de compositions religieuses, compositions murales, figures, portraits.
Neveu d'Eustache Grégoire Stoenesco. Il acquit sa formation à Paris, en 1928 à l'Académie Julian, en 1929 à l'Académie d'André Lhote. Il fut ensuite élève de l'atelier de Lucien Simon à l'École des Beaux-Arts. En 1937, la mort de son père l'obligea à rentrer en Roumanie. En 1969, bien que couvert d'honneurs et de profits, il s'échappa de Roumanie et se fixa en France.
Lors de son premier séjour parisien, il exposait alors au Salon des Artistes Français, fut médaillé en 1930. Lors de son retour en France, il exposa de nouveau au Salon des Artistes Français, ainsi qu'au Salon d'Automne.
En Roumanie, dès 1938, il peignait différents tableaux et compositions murales pour le Palais Royal et faisait le *Portrait du roi Carol II*. Il réalisait aussi des décorations murales et fresques pour de nombreuses églises. Il peignit six *Portraits en pied* du Patriarche de Roumanie.
Musées : Arad – Bucarest – Oradea Mare – Sibiu.

STÖER Lorenz ou Stoer. Voir STÖR

STOERKLIN F. A.
xviiie siècle. Actif à Bâle en 1730. Suisse.
Graveur au burin.
A gravé des portraits.

STOEVERE Gheerard ou Stovere ou Stoovere ou Stövere
Mort avant 1419. xve siècle. Éc. flamande.
Peintre.
Il fut doyen dans la gilde de 1412 à 1413.

STOEVERE Jacob ou Stovere, Stoovere, Stovre
xive siècle. Actif à Gand. Éc. flamande.
Peintre.
Il était le frère de Gheerard Stœvere. Il a peint la Maison scabinale de Parchon.

STOEVERE Jean
Né avant 1397. xve siècle. Actif à Gand. Éc. flamande.
Peintre.
Il était le fils de Gheerard Stœvere. On lui doit plusieurs peintures à l'église Saint-Sauveur de Gand.

STOEVERE Jean
xve siècle. Éc. flamande.
Peintre.
Il fut doyen dans la gilde de Saint-Luc à Gand, en 1480-1482 et 1493-1494.

STOEVERE Roger
xve siècle. Actif à Gand. Éc. flamande.
Peintre.
Il était le neveu de Gheerard Stœvere.

STOEVING Curt
Né le 6 mars 1863 à Leipzig. xixe-xxe siècles. Allemand.
Peintre de portraits, sculpteur, architecte.
Il fit ses études à Leipzig et Stuttgart. Il fut aussi professeur.
Il réalisa les portraits de nombreuses personnalités de la fin du siècle.
Musées : Berlin (Acad. des Beaux-Arts) : *Portrait de von Grossheim* – Berlin (Gal. Nat.) : *Portrait de Friedrich Nietzsche* – Leip-

zig : *Portrait de Max Klinger* – *Karl Werner dans son atelier* – Magdebourg : *Portrait de H. Strauss* – Weimar : *Portrait de Friedrich Nietzsche.*

STOFF Alois
Né en 1846 à Korneuburg. xixᵉ siècle. Autrichien.
Peintre de scènes animées, portraits.
Il fut élève de Karl Mayer à l'Académie des Beaux-Arts de Vienne. Il fut actif à Vienne et, en 1868, à Krems.
Ventes Publiques : Londres, 28 mars 1990 : *Chasse près d'une rivière en Afrique*, h/t (81x102,5) : **GBP 3 740.**

STOFF Rodorigo. Voir STOOP Dirk

STOFFADE. Voir KAMPEN Joos

STOFFE Jan Jacobsz Van der
Né en 1611 à Leyde. Mort en 1682. xviiᵉ siècle. Hollandais.
Peintre d'histoire, batailles.
Il était à Leyde de 1644 à 1669. C'est sans doute le même artiste que certains biographes désignent J. V. D. Stoffe. Ses œuvres sont souvent attribuées à D. Stoop ou à Esaias Van de Velde.

Musées : Bamberg : *Combat de cavalerie* – Brunswick : *Combat de cavalerie* – Leyde : *Combat de cavalerie* – *Combat de cavalerie près d'une ruine* – *Combat de cavalerie* – Nuremberg : *Combat de cavalerie* – Vienne (Czernin) : *Société de chasse.*
Ventes Publiques : New York, 12 à 14 mai 1909 : *Batailles* : **USD 165** – Paris, 21 nov. 1928 : *Escarmouche de cavalerie* : **FRF 1 105** – Paris, 8-9 mai 1941 : *Engagement de cavalerie* : **FRF 7 100** – Paris, 19 juin 1950 : *Combat de cavalerie 1654* : **FRF 8 000** – Paris, 13 mai 1954 : *Engagement de cavalerie* : **FRF 30 000** – Vienne, 9 juin 1970 : *Scène de la Guerre de Trente Ans* : **ATS 35 000** – Cologne, 16 juin 1973 : *Engagement de cavalerie* : **DEM 10 000** – Londres, 15 juil. 1977 : *Engagement de cavalerie*, h/pan. (45,7x94,7) : **GBP 1 700** – Cologne, 11 juin 1979 : *Choc de cavalerie*, h/pan. (37x48,5) : **DEM 4 600** – Versailles, 21 fév. 1982 : *Combat de cavalerie*, h/bois (36x62) : **FRF 15 500** – New York, 9 juin 1983 : *Engagement de cavalerie*, h/pan. (43x65) : **USD 2 600** – New York, 21 oct. 1988 : *Escarmouche de cavalerie*, h/pan. (41,5x54) : **USD 4 400** – New York, 11 jan. 1989 : *Engagement de cavalerie*, h/pan. (46,3x62,2) : **USD 6 600** – Londres, 23 mars 1990 : *Engagement de cavalerie 1641*, h/pan. (55,9x86,5) : **GBP 7 150** – Londres, 20 juil. 1990 : *La cavalerie mettant l'infanterie en déroute*, h/pan. (61x85) : **GBP 3 300** – Londres, 17 avr. 1991 : *Partie de chasse à l'orée d'un bois 1645*, h/pan. (36,5x49) : **GBP 3 300** – Amsterdam, 2 mai 1991 : *Escarmouche de cavalerie dans un paysage*, h/pan. (50,3x66,5) : **NLG 5 980** – New York, 10 oct. 1991 : *Engagement de cavalerie*, h/pan. (33,7x56,5) : **USD 19 800** – Amsterdam, 7 mai 1993 : *Escarmouche de cavalerie*, h/pan. (34x45) : **NLG 9 430** – Londres, 6 juil. 1994 : *Escarmouche de cavalerie*, h/pan. (73x106) : **GBP 8 625.**

STOFFEL Bartholomäus
xviiᵉ siècle. Travaillant vers 1600. Français.
Peintre.
A fait le portrait du duc *Ulrich de Danemark.*

STOFFEL Michel
Né en 1903 à Bissen. Mort en 1963 à Luxembourg. xxᵉ siècle. Luxembourgeois.
Peintre. Expressionniste, puis abstrait.
Il fut élève de l'Académie des Beaux-Arts de Weimar et de celle de Bruxelles.
De 1939 à 1949, il fut président du Cercle Artistique. En 1946, il figura, à Paris, à une exposition organisée par l'UNESCO au Musée national d'Art moderne. En 1954, il fut co-fondateur du Salon des Iconomaques à Luxembourg.
Dans sa période expressionniste, il n'était pas éloigné du populisme puissant d'un Permeke. Paul Fierens caractérisait sa méthode comme celle d'un artiste partant de l'intuition pour atteindre à la construction strictement équilibrée. Après une période intermédiaire, il a abouti à des formes d'inspiration géométrique, très rigoureusement dessinées, cernées et peintes en aplats de couleurs sonores.
Bibliogr. : In : *Catalogue de l'exposition 150 ans d'art luxembourgeois*, Mus. nat. d'Hist. et d'Art, Luxembourg, 1989.

STOFFER Josef
xviiiᵉ siècle. Suisse.

Peintre de batailles.
Élève d'Ant. Calza à Bologne.

STÖFFI VON RIEDEN. Voir KUHN Christoph

STOFFREGEN Hedda
Née à Leipzig. xixᵉ-xxᵉ siècles. Allemande.
Peintre.
Elle participait au Salon des Artistes Français de Paris, reçut en 1898 une mention honorable, 1899 une médaille de troisième classe, 1900 une mention honorable pour l'Exposition universelle.
Un correspondant allemand signale être en possession d'une œuvre de ce peintre : *L'aveugle*, datée de 1899, encadrée à Paris et qui aurait pu être l'une des peintures exposées au Salon des Artistes Français. Cette œuvre représente une femme aveugle tenant devant elle sa petite fille qui tend la main pour mendier. L'œuvre, d'un métier traditionnel maîtrisé, composition et dessin aisés, éclairage en clair-obscur mesuré, teintes discrètes, exprime solitude et détresse.

STOFFYN Paul
Né en 1884 à Bruxelles. xxᵉ siècle. Belge.
Sculpteur de figures. Naturaliste.
Il fut élève de Julien Dillens, Charles Van der Stappen, à l'Académie des Beaux-Arts de Bruxelles, où il obtint un Prix en 1904. En 1909, il exposa à Gand un groupe *Pauvres gens.*
Il fut influencé par l'œuvre de Constantin Meunier et s'attacha aussi à exprimer la psychologie des humbles.
Bibliogr. : In : *Dict. biogr. illustré des artistes en Belgique depuis 1830*, Arto, Bruxelles, 1987.
Musées : Ixelles : *Tendresse.*

STÖGER Johann. Voir STEGER

STÖGER Josef
xviiiᵉ siècle. Autrichien.
Sculpteur.

STÖGER Otto
Né le 11 avril 1833 à Wegscheid (Basse Bavière). Mort le 27 décembre 1900 à Munich. xixᵉ siècle. Allemand.
Peintre.
Il vint à Munich en 1854. De 1869 à 1871 il séjourna à Rome. Le Musée municipal d'Histoire de Munich conserve de lui : *Paysage d'orage*, deux *Vues de Rocca di Papa* et *Démolition du fossé des teinturiers à Munich.*

STÖGER Rupert
Mort en 1714. xviiiᵉ siècle. Autrichien.
Peintre.
Frère lai au couvent de Saint-Lambert, en Styrie, il est aussi connu comme peintre.

STÖGER Thomas. Voir STEGER

STOHANDL Oskar
Né le 31 mai 1883 à Brünn. xxᵉ siècle. Allemand.
Peintre de scènes animées, figures, portraits, paysages, fleurs, graveur.
Il fut élève à Vienne de Gustav Klimt, Heinrich Lefler, à Munich de Franz von Stuck. Il s'établit à Munich. Il traita des sujets très divers.
Musées : Munich (Lenbachhaus) : *Dernières nouvelles de la guerre* – *Avant le coucher du soleil* – *Anémones rouges* – Poprad : *Portrait du directeur Reichaert* – Rostock : *Le joyeux vieillard* – *Le lac de Saint-Wolfgang* – *Quatre scènes de danse* – Vienne (Liechtenstein Gal.) : *Portraits de famille.*

STOHL Franz
Né en 1799 à Vienne. Mort en 1882 à Vienne. xixᵉ siècle. Autrichien.
Peintre et lithographe.
Élève de l'Académie de Vienne, il se lia d'amitié avec M. v. Schmid. Il copia des portraits des ancêtres de la famille Schwarzenberg.

STOHL Heinrich
Né en 1826 à Vienne. Mort en 1889 à Waidhofen sur l'Ybbs. xixᵉ siècle. Autrichien.
Peintre et lithographe.
Il était le neveu de Michael Stohl. Il étudia à l'Académie de Vienne et alla ensuite à Munich. Il a représenté fréquemment des chevaux, mais est surtout estimé comme peintre d'intérieurs et d'architectures. A Venise il a peint les portraits des membres des familles *Pourtalés*, *Albrizzi* et *Papadopoli.*

STOHL Michael
Né en 1813 à Vienne. Mort le 18 mars 1881 à Vienne. XIXe siècle. Autrichien.
Aquarelliste, peintre de portraits et lithographe.
Élève de l'Académie de Vienne. Il séjourna longtemps en Italie et en Russie. De retour à Vienne, il fut nommé peintre de la Cour par la grande duchesse Marie Nicolajeona. Le Musée de Vienne conserve de lui *Portrait du comte Ed. Zichy* et deux vues d'Italie.
Il a copié sur commande plus de huit cents tableaux et a peint les portraits de membres de plusieurs familles nobles, les *Liechtenstein*, les *Schwarzenberg*, les *Lobkowitz* et les *Wimpffen*. L'Académie des Beaux-Arts conserve de lui *Portrait de l'artiste par lui-même* ; *Portrait de Craygher* ; *Maison à Pompeï* et *Un pont à Sorrente*.

STOHNER Karl
Né le 2 janvier 1894 à Mannheim. XXe siècle. Allemand.
Peintre de figures, intérieurs, portraits, paysages, paysages urbains, fleurs et fruits.
Il fit de nombreux voyages d'étude, en Hollande, Suisse, Italie, France, Autriche. Il était actif à Mannheim.
MUSÉES : KARLSRUHE : *Portrait de jeune fille* – *Intérieur* – MANNHEIM : *Pêches* – *Fruits et fleurs* – *Dame du ballet* – *Paysage du Sud de la France* – *Coin de Handschubisheim* – *Rue de village dans la neige.*

STOHOM Mathäus. Voir **STOMER**

STÖHNER Ernst
Né en 1860 ou 1865 à Sankt-Pölten. Mort le 18 juin 1917. XIXe-XXe siècles. Autrichien.
Peintre d'intérieurs, portraits, paysages.
Il fut élève de Rudolf Carl Huber, August Eisenmenger, Leopold Karl Müller à l'Académie des Beaux-Arts de Vienne. Il participa au Salon des Artistes Français de Paris, obtenant une mention honorable en 1900 pour l'Exposition universelle.
Dans son évolution, il semble avoir hésité entre les deux options esthétiques caractéristiques de la fin du XIXe siècle, un postromantisme lyrique et une attitude naturaliste.
VENTES PUBLIQUES : LONDRES, 10 fév. 1988 : *Conte d'automne* 1909, h/t (99x88) : **GBP 22 000.**

STÖHR Hans Georg
XVIIIe siècle. Allemand.
Stucateur.
Il travailla pour le château La Favorite de Rastatt.

STÖHR Johann Adam
Né en 1722 à Bamberg. Mort le 4 mai 1758 à Bamberg. XVIIIe siècle. Allemand.
Sculpteur.
Il était le fils de Johann Georg Stöhr et fut en son temps le sculpteur le plus réputé de Bamberg.

STÖHR Johann Georg
Mort le 1er janvier 1749 à Bamberg. XVIIIe siècle. Allemand.
Sculpteur.

STÖHR Johann Kaspar
Né en 1724. Mort le 11 mai 1750. XVIIIe siècle. Actif à Bamberg. Allemand.
Sculpteur.

STOHR Julie
Née le 19 mars 1895 à Saint-Paul (Minnesota). XXe siècle. Américaine.
Peintre.
Elle fut élève, à Paris de Lucien Simon et Émile René Ménard, à New York de Henry (?) Bellows. Elle était membre de la Société des Artistes Indépendants.

STÖHR Martin
Né en 1819 à Windheim (Bade). Mort en 1896 à Kronstadt. XIXe siècle. Actif aussi en Roumanie. Allemand.
Sculpteur.
Il a participé à la décoration du Palais Royal de Bucarest.

STÖHR Philipp Gerhard
Né vers 1795. XIXe siècle. Autrichien.
Peintre et lithographe.
Il étudia de 1818 à 1820 à Florence et à Rome, de 1821 à 1822 à Vienne.

STÖHR S.
XVIIIe siècle. Actif à Augsbourg. Allemand.
Miniaturiste.
A peint trente miniatures sur parchemin.

STOHRER Walter
Né en 1937. XXe siècle. Allemand.
Peintre, peintre à la gouache.

VENTES PUBLIQUES : MUNICH, 29 mai 1984 : *Caspar I* 1969, h/t (150,5x130) : **DEM 17 000** – COLOGNE, 5 juin 1985 : *Caspar I* 1964, h/t (120x90) : **DEM 10 000** – COLOGNE, 28 nov. 1987 : *Mara* 1972, techn. mixte/litho. coul. (60x81) : **DEM 4 000** – LONDRES, 20 mai 1993 : *Sans titre* 1973, h/t (200x174,5) : **GBP 17 250** – LONDRES, 30 juin 1994 : *... mais avant tout la tête elle-même...* 1981, h/t (219,8x200) : **GBP 23 000** – LONDRES, 27 oct. 1994 : *Hallucination et signal* 1967, gche/pap. (61x88) : **GBP 6 900** – HEIDELBERG, 11-12 avr. 1997 : *Sans titre* 1958, techn. mixte/t (116x107) : **DEM 16 000.**

STOIANOVIC Dragoslav
Né le 27 janvier 1891 à Arandjelovac. XXe siècle. Serbe.
Peintre, graveur, illustrateur, décorateur.
Il fit ses études à Belgrade, Munich et Paris. Il s'établit à Belgrade.
Il travailla pour des revues à Magdebourg et à Paris.

STOIANOVIC Streten
Né le 2 février 1898 à Prijedor (Bosnie). XXe siècle. Serbe.
Sculpteur.
Il fit ses études artistiques à Vienne et à Paris avec Bourdelle.

STOIANOW C. Piotr ou **Stojanow**
XIXe-XXe siècles. Russe.
Peintre d'histoire, scènes de genre.
De 1887 à 1894, il fut élève de l'Académie des Beaux-Arts de Saint-Pétersbourg.

VENTES PUBLIQUES : COPENHAGUE, 11 fév. 1976 : *Napoléon entouré de ses soldats pendant la retraite de Russie*, h/t (52x101) : **DKK 6 800** – LINDAU, 4 mai 1983 : *Convoi de cosaques*, h/t (97x142) : **DEM 6 800** – NEW YORK, 19 jan. 1995 : *Une noce*, h/t (121,9x90,2) : **USD 7 475.**

STOICA D.
Né à Zanoaga. XXe siècle. Roumain.
Peintre d'histoire.
Il fit sa formation à Bucarest et Munich.
Pendant la guerre de 1939-1945, il fut attaché au grand quartier général roumain.

STOICA Nicolas
Né en 1905 à Braila. XXe siècle. Roumain.
Peintre de portraits, natures mortes.
Il reçut sa formation à Bucarest et à Rome.
MUSÉES : BUCAREST (Mus. Toma Stelian) : *Nature morte.*

STOILOFF Constantin Adolf ou **Stoilov**, dit **Adolf Baumgarten**
Né en 1850. Mort en 1924. XIXe-XXe siècles. Autrichien.
Peintre de sujets militaires, scènes de genre, animalier, paysages animés.
VENTES PUBLIQUES : ZURICH, 20 mai 1977 : *Les hussards*, deux h/pan., formant pendants (31x47,5) : **CHF 6 800** – BERNE, 25 oct 1979 : *Traîneau dans un paysage de neige*, h/t (50,5x82) : **CHF 4 200** – NEW YORK, 13 fév. 1981 : *Traîneau dans un paysage de neige*, h/t (50,8x81,3) : **USD 2 500** – STOCKHOLM, 27 avr. 1983 : *Paysage d'hiver*, h/t (80x130) : **SEK 18 000** – LONDRES, 20 fév. 1985 : *Un transport d'or en Sibérie*, h/t (67x104,5) : **GBP 4 500** – LONDRES, 13 fév. 1986 : *Un transport d'or en Sibérie*, h/t mar./cart. (67x104) : **GBP 3 200** – LONDRES, 26 fév. 1988 : *La charge des Cosaques*, h/pan. (30,5x48) : **GBP 1 100** – PARIS, 9 nov. 1988 : *La Troïka*, h/t (67x103) : **FRF 38 000** – LONDRES, 14 nov. 1988 : *Troïka poursuivie par les loups*, h/t (64,5x103) : **GBP 3 740** – COLOGNE, 15 juin 1989 : *Colonne de cavalerie en Sibérie*, h/pan. (52x41) : **DEM 4 800** – NEW YORK, 17 jan. 1990 : *Transport d'or en Sibérie*, h/pan. (31,1x47,4) : **USD 4 400** – STOCKHOLM, 16 mai 1990 : *Troïka galopant dans la neige*, h/t (50x81) : **SEK 38 000** – NEW YORK, mai 1992 : *La charge des cosaques*, h/t (68,6x55,9) : **USD 3 575** – NEW YORK, 22-23 juil. 1993 : *Transport d'or*, h/pan. (30,5x47,6) :

USD 2 588 – Londres, 17 avr. 1996 : *L'attaque d'un loup*, h/t (48x80) : **GBP 1 265**.

STOILOV Stoïmen
Né en 1944 à Varna. xxᵉ siècle. Depuis 1991 actif et depuis 1997 naturalisé en Autriche. Bulgare.
Peintre, peintre de collages, graveur. Fantastique, puis abstrait.
Il fut élève et en 1972 diplômé de l'Académie des Beaux-Arts de Sofia. Il participe à des expositions collectives nombreuses en Europe, principalement pour la gravure, obtenant diverses distinctions. Il montre des ensembles de ses œuvres dans des expositions personnelles. Il a été animateur du groupe Volkan et fondateur de la Biennale d'Arts Graphiques de Varna. Depuis son établissement à Vienne, il a créé une décoration murale pour le Ministère des Affaires Étrangères d'Autriche.
Bibliogr. : *Stoïmen Stoilov*, Van Wilder, Paris, s.d., 1998.
Musées : Moscou (Mus. Pouchkine, Cab. des Estampes) – Paris (BN, Cab. des Estampes) – Paris (FNAC) – Vienne (Albertina, Cab. des Estampes) – Washington (Bibl. du Congrès).

STOISSER Josef
Né en 1758. Mort le 13 juillet 1806 à Munich. xviiiᵉ siècle. Actif à Munich. Allemand.
Paysagiste.
Le Musée de Mayence conserve de lui deux *Paysages arcadiens*.

STOITCHEV Emil. Voir STOYCHEV Emil Asparenhov

STOÏTSOV Sacho
Né le 15 octobre 1952 à Blagoevgrad. xxᵉ siècle. Bulgare.
Peintre, sculpteur d'installations, dessinateur.
En 1971, il termine ses études à l'École secondaire des Beaux-Arts de Sofia.
Il participe à des expositions collectives : 1994 Tukson, Arizona, *Dessins* ; Plovdiv, Bulgarie, *À la recherche de mon image reflétée*, salles d'exposition du vieux Plovdiv ; Schaffhouse, Suisse, *12 artistes bulgares*, Centre culturel ; 1995 Johannesbourg, Afrique du Sud, *Limes argo positives*, participation bulgare à la Iʳᵉ Biennale d'Art ; Plovdiv, Semaine des Arts modernes.
Il montre des ensembles de ses œuvres dans des expositions personnelles, dont : 1982 Sofia, *Hégémonie*, Théâtre Sofia ; 1994 Sofia, *Chroniques*, Galerie Art 36 ; Plovdiv, *Signes*, Starinna Galeria ; 1995 Sofia, *Installation*, Galerie Studio Spectar ; Sofia, *Peinture*, Galerie Boyana.
Sacho Stoïtsov se réalise dans le domaine de la peinture, du dessin et de l'installation. Le seul peintre bulgare qui travaille dans le cadre de l'ainsi-nommé « soc-art », sorte de parallèle russe du pop art américain, plus socialement polémique et surtout dirigé contre les survivances du stalinisme. Les installations de Stoïtsov se caractérisent donc par l'interprétation figurée des thèmes sociaux de la vie actuelle et par les attaques visant l'esthétique normative totalitaire. ■ Boris Danaïlov
Bibliogr. : Catalogue de l'exposition *Sacho Stoitzov*, Zeitzeichen Galerie, Berlin, 1995.

STOITZNER Constantin. Voir STOITZNER Konstantin

STOITZNER Josef
Né le 24 février 1884 à Vienne. Mort en 1951 à Bramberg/Pinzgau. xxᵉ siècle. Autrichien.
Peintre d'intérieurs, paysages, natures mortes.
Il était fils de Konstantin Stoitzner. Il fut élève de l'École des Beaux-Arts et de l'Académie de Vienne. Il s'établit à Vienne.
Il avait une technique d'observation et de réalisation méticuleuse.

$$ STOITZNER \mid o \text{ʃEF} $$

Musées : Vienne : *Vieilles maisons dans la rue de Schönnbrunn – Intérieur – Le Parc Saint-Jean – Ferme – Rue sur le Kahlenberg*.
Ventes Publiques : New York, 15 oct. 1976 : *Le jardin ombragé*, h/t (68,5x54,5) : **USD 900** – Vienne, 18 mars 1977 : *Ronco, sopra Ascona*, cart. (71x95) : **ATS 22 000** – Vienne, 20 jan. 1978 : *Paysage d'automne* 1917, h/t (88x97) : **ATS 20 000** – Vienne, 18 mars 1981 : *Nature morte aux fleurs*, h/t (79x56) : **ATS 45 000** – Vienne, 19 mars 1985 : *Paysage de printemps* 1921, h/t (80x90) : **ATS 75 000** – Londres, 8 oct. 1986 : *Vue de l'atelier de l'artiste, Vienne* 1910, h/t (88x98,5) : **GBP 10 000** – New York, 24 mai 1988 : *Paysage alpin au printemps*, h/t (80,6x100,5) : **USD 7 700** – Londres, 21 oct. 1988 : *Village de montagne*, h/t (68,6x55,3) : **GBP 2 530** – Munich, 7 déc. 1993 : *Une maison rustique tyro-*

lienne, h/t (69x55) : **DEM 13 800** – New York, 1ᵉʳ nov. 1995 : *Nature morte de fleurs et de fruits*, h/t (73,7x100,3) : **USD 10 350**.

STOITZNER Konstantin
Né le 20 juillet 1863 à Busau. Mort le 6 janvier 1934 à Vienne. xixᵉ-xxᵉ siècles. Autrichien.
Peintre de genre, paysages, paysages de montagne, natures mortes, fleurs et fruits.
Il était le père de Josef Stoitzner. Il fut élève de Christian Griepenkerl et August Eisenmenger à l'Académie des Beaux-Arts de Vienne.
Il a surtout peint les paysages des Alpes autrichiennes, ceux de la lande de Lunebourg ou de la région d'Emden.
Musées : Vienne.
Ventes Publiques : Londres, 29 oct. 1976 : *Un verre de vin, Une chope de bière*, deux h/pan. (21,5x15) : **GBP 1 200** – Vienne, 16 mars 1979 : *Le Forgeron*, h/cart. (47x67,5) : **ATS 20 000** – Vienne, 17 mars 1981 : *Le Taste-Vin*, h/pan. (68,5x47) : **ATS 50 000** – Cologne, 9 mai 1983 : *Les Politiciens du village*, h/t (67x103) : **DEM 4 500** – New York, 15 fév. 1985 : *Cavaliers au galop*, h/t (68,6x105,4) : **USD 3 000** – New York, 15 oct. 1991 : *Un vieil homme et un enfant sur le quai d'un port*, h/t (81,3x54) : **USD 1 650** – Stockholm, 19 mai 1992 : *Les bonnes nouvelles ; La politique*, h/pan., une paire (chaque 26x21) : **SEK 17 500** – Amsterdam, 20 avr. 1993 : *Nature morte de fruits*, h/t (53x66) : **NLG 1 495** – New York, 28 mai 1993 : *Moines lisant dans une bibliothèque* 1893, h/t (59,7x81,4) : **USD 2 530** – Londres, 27 oct. 1993 : *La lecture du journal*, h/pan. (20x15) : **GBP 2 760** – Londres, 17 mars 1995 : *Coquelicots, marguerites, pivoines et autres fleurs dans un vase de verre*, h/t (63x79) : **GBP 2 070**.

STOITZNER Walter
Né vers 1890. Mort en 1921. xxᵉ siècle. Autrichien.
Peintre.
Il était actif à Vienne.
Ventes Publiques : New York, 29 mai 1981 : *Le Départ pour la chasse*, h/t (87x97,8) : **USD 2 400**.

STOJANOW C. Piotr. Voir STOIANOW

STOJAROV Vladimir Feodorovitch
Né en 1916 ou 1926 à Moscou. Mort en 1973 à Moscou. xxᵉ siècle.
Peintre de compositions à personnages, paysages, natures mortes.
Il étudia de 1946 à 1951 à l'Institut V. Sourikov de Moscou. Il vécut à Moscou mais effectua plusieurs voyages au travers de l'URSS. Il participa à de nombreuses expositions dans son pays.
Musées : Moscou (Gal. Tretiakov) – Moscou (min. de la Culture).
Ventes Publiques : Paris, 7 oct. 1992 : *Au jardin des Tuileries* 1960, h/cart. (35x47,3) : **FRF 5 500** – Paris, 5 nov. 1992 : *Piazza Venezia à Rome* 1959, h/cart. (36x48) : **FRF 4 800**.

STOK Hendrik Gerhard Anton Van der
Né le 28 janvier 1870 à Pelantoengan (Java). xixᵉ-xxᵉ siècles. Hollandais.
Sculpteur, graveur, lithographe.
Il avait été d'abord officier de marine, puis fut élève de Charles L. P. Zilcken et Willem Van Konijnenburg.

STOK Jacoba Van der
xixᵉ-xxᵉ siècles. Hollandaise.
Peintre de fleurs.
Elle était la fille de Jacobus Van der Stok.

STOK Jacobus Van der ou Stock
Né en 1794 ou 1795 à Leyde. Mort le 4 mai 1864 à Amsterdam. xixᵉ siècle. Hollandais.
Peintre de paysages animés, paysages d'eau.
Il fut élève de Albertus Johannes Besters.
Il marqua dans sa production toute vouée à son pays, une prédilection pour les paysages d'hiver avec des promeneurs sur les canaux et lacs gelés, si caractéristiques de la Hollande.
Musées : Bruxelles (Mus. des Beaux-Arts) : *Marine*.
Ventes Publiques : New York, 23 fév. 1968 : *Paysage fluvial* : **USD 1 000** – Londres, 28 juil. 1972 : *Paysage d'hiver* : **GNS 4 500** – Londres, 14 juin 1974 : *Paysage d'hiver* : **GNS 1 400** – Amsterdam, 16 mars 1976 : *Paysage d'hiver*, h/pan. (56,5x70) : **NLG 9 000** – Londres, 20 juil. 1977 : *Paysage d'hiver avec patineurs*, h/pan. (22,5x32,5) : **GBP 2 800** – Amsterdam, 30 mai 1978 : *Paysage à la rivière gelée animée de personnages* 1834, h/t (51x67) : **NLG 20 000** – Londres, 18 juin 1980 : *Paysage d'hiver avec personnages* 1834, h/t (52x67) : **GBP 5 200** – Londres, 25 mars 1981 : *Paysage d'hiver avec patineurs* 1837, h/t (49x59) : **GBP 4 000** –

LONDRES, 25 nov. 1983 : *Paysage d'hiver avec patineurs*, h/t (36,8x49,5) : **GBP 6 000** – ÉDIMBOURG, 22 nov. 1988 : *Paysage d'hiver en Hollande avec un lac gelé et des patineurs près de la porte fortifiée de la ville 1843*, h/pan. (38,7x51,3) : **GBP 28 000** – COLOGNE, 18 mars 1989 : *Paysage fluvial en Hollande*, h/pan. (21x28) : **DEM 9 500** – LONDRES, 5 mai 1989 : *Moulin à vent au bord d'un canal en Hollande avec des personnages sur le chemin*, h/pan. (23x31) : **GBP 1 540** – AMSTERDAM, 2 mai 1990 : *Paysage d'hiver avec des personnages sur un chemin enneigé bordant un canal gelé avec des patineurs*, h/pan. (22x28) : **NLG 19 550** – AMSTERDAM, 22 avr. 1992 : *Paysage fluvial boisé avec des bergers et leur troupeau sur un pont de bois 1827*, h/pan. (37,5x45) : **NLG 6 325** – AMSTERDAM, 21 avr. 1993 : *Paysage avec des paysans attendant le passeur en été*, h/t (68,5x76,5) : **GBP 13 800** – LONDRES, 15 nov. 1995 : *Paysage d'hiver avec une rivière gelée 1835*, h/pan. (32x45) : **GBP 20 125** – NEW YORK, 12 fév. 1997 : *Vue d'Utrecht*, h/pan. (49,5x40,6) : **USD 20 700**.

STOKALSKI Karol
Né en 1794 en Pologne. Mort en 1839 à Rzeczyca (près de Rozwadov). XIXe siècle. Polonais.
Peintre d'histoire et de portraits.
Étudia à Vienne. Il fit les portraits des membres de la famille Lubomirski et de la famille Mniszech. L'église des Capucins à Rozwadov, conserve de lui une *Annonciation*.

STOKBRES L.
XVIIIe siècle. Actif vers 1788. Britannique.
Paysagiste.

STOKBROEKX Jos
Né en 1898 à Berchem. Mort en 1968 à Turnhout. XXe siècle. Belge.
Peintre de paysages, natures mortes.
Paysagiste, il s'attacha à traduire les aspects caractéristiques de la Campine.
BIBLIOGR. : In : *Dict. biogr. illustré des artistes en Belgique depuis 1830*, Arto, Bruxelles, 1987.

STOKELD James
Né en 1827 à Sunderland. Mort en 1877. XIXe siècle. Britannique.
Peintre de genre, aquarelliste.
Il exposa à Londres de 1862 à 1865, une œuvre à la Royal Academy et quatre à Suffolk Street.
On lui doit de nombreuses aquarelles.
MUSÉES : SUNDERLAND : une aquarelle – *La pipe de la paix* – *Donnant un avis* – *Consolation* – *Auld Robin Gray* – *John Anderson my Jo*.
VENTES PUBLIQUES : LONDRES, 1er avr. 1980 : *Le marchand de jouets 1864*, h/t (68,5x91,5) : **GBP 3 000** – LONDRES, 18 jan. 1984 : *Fatherly advice*, h/t (61x48) : **GBP 1 200** – NEW YORK, 12 déc. 1996 : *Après la tempête, Ryhope Village, Durham 1878*, h/t (53,3x83,8) : **USD 10 925**.

STOKER Bartholomeo
Né en 1763 à Dublin. Mort le 12 juin 1788 à Dublin. XVIIIe siècle. Irlandais.
Peintre de portraits et dessinateur.
Il fit ses études à l'école d'art de sa ville natale. Il a fait surtout de jolis portraits au crayon.

STOKER Hans. Voir STÖCKER

STOKER Joseph
Né le 15 février 1825 à Zug. Mort le 18 février 1908 à Zug. XIXe-XXe siècles. Suisse.
Peintre de portraits.
Il fut élève de Wilhelm Moos et, en 1846, de l'Académie des Beaux-Arts de Munich. En 1852, il se fixa à Zug.

STOKER William. Voir l'article JAMES Forbes

STOKES Adrian
Né en 1902. Mort en 1972. XXe siècle. Britannique.
Peintre de paysages.
VENTES PUBLIQUES : LONDRES, 27 sep. 1991 : *Paysage d'Ascona 1948*, h/t (59,5x73,5) : **GBP 770**.

STOKES Adrian Scott
Né en 1854 à Southport. Mort le 30 novembre 1935 à Londres. XIXe-XXe siècles. Britannique.
Peintre de paysages, marines, paysages de montagne.
Il débuta sa formation artistique à Liverpool, puis, en 1871, alla la poursuivre à Londres, aux écoles de la Royal Academy. En 1876, il vint en France. Il était membre de l'Institute of Painters in Oil

Colour. À partir de 1871, il exposa à Londres, notamment à la Royal Academy et à Suffolk Street. Il participa également au Salon de Paris, reçut en 1889 une médaille de bronze et 1900 une médaille d'or pour les Expositions universelles.
Il faisait partie des paysagistes de l'École de Liverpool. À partir de son voyage en France de 1876, sans doute influencé par les impressionnistes, il ne travailla plus qu'en plein air, face à la nature, mode de procéder dont il ne se départit plus.

adrian Stokes

MUSÉES : BRISTOL : *Marine* – LEEDS : *Bateaux de pêche sortant du port* – *Le Bar Harbour* – LIVERPOOL : *Villeneuve-lès-Avignon* – LONDRES (Tate Gal.) : *Montagnes et ciel* – *L'Automne dans les montagnes* – MANCHESTER (City Art Gal.) : *Novembre dans les Dolomites* – PRESTON : *Îles de l'Adriatique*.
VENTES PUBLIQUES : LONDRES, 29 jan. 1910 : *Le sommet du côteau*, h/t : **GBP 18** – LONDRES, 16 fév. 1923 : *Le Lac de Thoune*, dess. : **GBP 37** – LONDRES, 18 juil. 1969 : *Paysage idyllique* : **GNS 320** – LONDRES, 22 fév. 1980 : *Enfant et biche au bord d'un lac alpestre*, h/t (70x85) : **GBP 400** – LONDRES, 3 nov. 1982 : *La grande plaine de Hongrie*, h/t (96,5x122) : **GBP 950** – LONDRES, 23 mai 1984 : *Paysage montagneux aux bouquetins*, h/t (68,5x86) : **GBP 1 800** – NEW YORK, 28 fév. 1990 : *L'automne dans les montagnes*, h/t (78,7x101,6) : **USD 15 400** – LONDRES, 25 jan. 1991 : *Paysage pyrénéen*, h/t (65x85) : **GBP 1 320**.

STOKES Frank Wilbert
Né le 27 novembre 1858 à Nashville (Tennessee). XIXe-XXe siècles. Américain.
Peintre de compositions murales, illustrateur.
Il fut élève de Thomas Eakins à l'Académie des Beaux-Arts de Philadelphie, et, à Paris, de Gérome à l'École des Beaux-Arts, de Raphaël Collin à l'Académie Colarossi, enfin, en 1884, de Jules Lefebvre et Gustave Boulanger à l'Académie Julian. Il s'établit à New York, où il composa un cycle de panneaux pour le Musée d'Histoire naturelle.

STOKES I.
XVIIIe siècle. Britannique.
Peintre de portraits.

STOKES J.
XIXe siècle. Britannique.
Graveur au burin et illustrateur.
A illustré les *Vues du Rhin* de Tombleson (1832).

STOKES Marianne, née Preindlsberger
Née en 1855 à Graz. Morte en 1927 à Londres. XIXe-XXe siècles. Active et naturalisée en Grande-Bretagne. Autrichienne.
Peintre de genre.
Elle était établie à Londres, où elle exposa à partir de 1884, notamment à la Royal Academy et à Suffolk Street.
Elle prenait souvent pour thèmes des fabliaux et des scènes enfantines.
MUSÉES : LIVERPOOL : *Un départ* – *La leçon* – NOTTINGHAM : *Trésors enfantins* – PITTSBURGH (Inst. Carnegie) : *Aucassin et Nicolette*.
VENTES PUBLIQUES : LONDRES, 12 juin 1981 : *Portrait de fillette*, h/cart. (27x23) : **GBP 1 200** – LONDRES, 13 nov. 1986 : *Fillette cueillant des fleurs*, h/t (35x45,7) : **GBP 3 000** – NEW YORK, 29 oct. 1987 : *Aucassin et Nicolette*, h/t (125x81,6) : **USD 70 000** – NEW YORK, 26 mai 1994 : *Aucassin et Nicolette*, h/t (124,5x81,3) : **USD 140 000** – LONDRES, 2 nov. 1994 : *Le Prince-grenouille*, h/t (51x51) : **GBP 7 475**.

STOKES Thomas
Né en 1830. Mort le 13 juin 1910 à Alphington (Australie). XIXe-XXe siècles. Britannique.
Médailleur.
De 1854 à 1856, il travailla à Victoria et à Melbourne.

STOKES Thomas
XVIIIe siècle. Britannique.
Dessinateur.

STOKFISCH Hendrik ou Stockvisch ou Stokvis ou Stokvix
Né le 6 février 1768 à Louvain. Mort vers 1823 à Amsterdam. XVIIIe-XIXe siècles. Éc. flamande.

Peintre de paysages et d'animaux.
Élève de Joh. Chr. Schultsze, à Amsterdam, où il vint très jeune. On lui doit beaucoup d'œuvres au pastel ou à l'encre de Chine. Le Musée d'Amsterdam conserve de lui *Environs de Darthuizen*. Un certain nombre de ses dessins sont conservés à Bruxelles, au Musée Teyler à Haarlem et à l'Albertina de Vienne.

STOKKER Lily Van der
Née en 1954 à Hertogenbosch. xxe siècle. Hollandaise.
Peintre, peintre d'installations. Tendance conceptuelle.
Elle vit et travaille à Amsterdam et à New York. Elle participe à des expositions collectives, d'entre lesquelles : 1994 Dijon, *Surface de Réparations*, Fonds Régional d'Art Contemporain (FRAC Bourgogne) ; Genève, *Art et Public* : 1997 musée d'Art moderne de la ville de Paris ; etc.
Elle expose surtout individuellement : 1989 Rotterdam, galerie Alles Voor 12 & 24 Volt ; 1990, 1992, 1993, 1994 New York, galerie Feature ; 1991 Amsterdam, musée Fodor ; 1992 Anvers, galerie 121 ; Nice, galerie Air de Paris ; Rotterdam, Cologne, Berlin, etc. ; 1993 Stockholm ; 1994 Amsterdam, galerie Van Gelder ; etc.
Lily Van der Stokker produit de simples dessins sur papier, pas du tout de peintures plus importantes sur toile, mais ses réalisations sont le plus souvent des installations conçues en fonction des lieux d'exposition, peintes directement sur les murs, à la façon des papiers peints « décoratifs ». Non sans une ingénuité sans doute feinte, elle prétend faire œuvre de beauté, mais constate que ses « peintures murales ressemblent à des monstres ». Ses *Wall drawings* consistent en dessins simples comme pour de médiocres livres illustrés pour enfants, où les éléments floraux dominent, le tout peint de couleurs suaves ou fluorescentes, et qu'expliquent et commentent quelques inscriptions, telles : « fantastique », « laideur totale », « Moi pauvre artiste, que Dieu m'aide et me donne de l'argent » ou encore « J'ai essayé de faire une mauvaise peinture et je l'ai mise à côté d'une meilleure, pour voir si on peut faire la différence ». Dans cette célébration du kitsch, l'artiste aurait pu amener au spectateur de décrypter soit de la naïveté (ce qui est peu probable), soit de la dérision, mais, dans ce cas, envers quoi ou envers qui ?
Bibliogr. : Éric Troncy : *Lily Van der Stokker au Festival de Cannes*, Art Press, n° 196, Paris, nov. 1994.
Musées : Dijon (FRAC) : *Curlicue in red* 1994.

STOKMANS David Henricsz. Voir l'article STOCKMAN Jan Gerritz

STOKMAR. Voir STOCKMAR

STOKOE Charles John
Mort le 3 février 1926. xixe-xxe siècles. Britannique.
Peintre de paysages.
Il fut élève de Harry P. H. Friswell. Il exposa à partir de 1907.

STOKOMER Balthasar. Voir STOCKAMER

STOKVIS Hendrik ou Stokvix. Voir STOKFISCH

STOLBA Leopold
Né le 11 novembre 1863 à Gaudenzdorf (près de Vienne). Mort le 17 novembre 1929 à Vienne. xixe-xxe siècles. Autrichien.
Peintre, sculpteur, graveur, caricaturiste.
De 1879 à 1881, il fut élève de l'Académie des Beaux-Arts de Vienne.
Il fut surtout connu comme caricaturiste.

STOLBERG Carl Heinrich, prince
Né le 24 octobre 1761. Mort le 5 janvier 1804 à Leipzig. xviiie siècle. Allemand.
Dessinateur, graveur.
Il était le fils du prince Christian Charles de Stolberg-Gedern et de la comtesse Eleonore de Reuss-Lobenstein.

STOLBERG Franz Gebhard
xviie siècle. Allemand.
Peintre.

STOLBERG Oskar
Né le 27 novembre 1882 à New York, de parents autrichiens. xxe siècle. Autrichien.
Sculpteur.
Il fut élève de l'École des Beaux-Arts de Vienne et s'établit à Graz.

STOLCK Pieter Dammisz Van
xviie siècle. Hollandais.

Peintre.
Il fut maître à Rotterdam en 1651.

STOLCZ Ferenc ou Franz
Né le 26 décembre 1865 à Zsaka. xixe-xxe siècles. Hongrois.
Sculpteur.
Il était établi à Hodmezovasarhely.

STOLDI Lorenzo. Voir LORENZI Stoldo di Gino

STOLDO Tommaso
xvie siècle. Actif à Florence. Italien.
Sculpteur.

STOLERENKO Piotr Kouzmitch
Né en 1925 à Kertch (Crimée). xxe siècle. Russe.
Peintre d'histoire, de paysages, de marines, de fleurs, dessinateur.
Il fréquenta l'École des Beaux-Arts de Aivazovsky et fut élève de Nikolaï Barsamov. Membre de l'Union des Artistes d'URSS, il fut nommé Artiste du Peuple. Il vit à Yalta et aime exprimer la douceur et la lumière de la Crimée dans ses paysages. Il peint également des tableaux historico-révolutionnaires. Il a participé à d'importantes expositions officielles dans son pays et en 1961, à Londres il figurait parmi les artistes représentant « L'Art russe ».
Musées : Kiev (Gal. nat.) – Moscou (Mus. de la Culture) – Moscou (Gal. Tretiakov) – Saint-Pétersbourg (Mus. Russe) – Saint-Pétersbourg (Mus. hist.).
Ventes Publiques : Paris, 25 nov. 1991 : *L'heure du thé dans le jardin*, h/t (91x100) : **FRF 56 000** ; *Le jardin fleuri*, h/t (91x99) : **FRF 43 000** – Paris, 6 déc. 1991 : *Au jardin*, h/cart. (86x104) : **FRF 28 000** – Paris, 13 avr. 1992 : *La petite cour au bord de la mer*, h/t (70x90) : **FRF 20 000** ; *La terrasse rose*, h/t (64x70) : **FRF 19 000** – Paris, 20 mai 1992 : *Le passage vers la plage*, h/cart. (70x50) : **FRF 29 000** – Paris, 5 nov. 1992 : *La cour ensoleillée*, h/t (80x80) : **FRF 28 000** – Paris, 16 nov. 1992 : *Au mois de juin*, h/cart. (85x104) : **FRF 32 000** – Paris, 29 nov. 1993 : *À l'ombre du saule*, h/t (89x116) : **FRF 36 000** – Paris, 1er juin 1994 : *La datcha d'été*, h/t (89x116) : **FRF 26 000** – Paris, 1er déc. 1994 : *Petite cour en été*, h/t (90x120) : **FRF 35 000** – Paris, 7 juin 1995 : *Le courrier*, h/t (80x100) : **FRF 47 000**.

STOLF Francisco
xviiie siècle. Allemand.
Sculpteur.
A sculpté trois statues pour la façade de la cathédrale de Valence.

STOLF Jan. Voir STALF Giovanni

STOLF Josef
xviiie siècle. Allemand.
Peintre.
Il travaillait à Rome en 1781 et 1782.

STOLITZA Eugen Ananieff
Né en 1870. xixe-xxe siècles. Russe.
Peintre de portraits, paysages. Postimpressionniste.
Outre des paysages, souvent typiques de l'hiver russe, il peignit des portraits des personnalités du moment, entre autres : *Tolstoï* et *Gorki*.
Musées : Bucarest (Mus. Simu) : *Matin d'hiver* – Moscou (Gal. Tretiakov) : *Étude – La neige fondue*.

STOLK Anna Joanna Van, puis épouse Hoogewerff
Née le 3 février 1853 à Rotterdam. xixe-xxe siècles. Hollandaise.
Peintre, illustrateur.
Elle fut élève de l'Académie de Dessin de La Haye. Elle fit un voyage d'étude à Paris.

STOLK Jan
Né en 1939. xxe siècle. Hollandais.
Peintre, sérigraphe. Lumino-cinétique.
Il vit et travaille à La Haye. Depuis 1963, il participe à des expositions dans les villes de Hollande et de Belgique, ainsi qu'à Montpellier en 1970.
Il crée des panneaux en relief, animés de mouvements et d'effets lumineux, qu'il édite en sérigraphie.
Bibliogr. : In : Catalogue de l'exposition *100 artistes dans la ville*, Montpellier, 1970.

STOLK Reyer Johann Antonis
Né le 30 mars 1896 à Java. xxe siècle. Hollandais.
Peintre, graveur.

Il fut élève de l'École des Beaux-Arts de Haarlem. De 1922 à 1926, il travailla à Vienne.

STOLK Willem Dammasz Van
xviie siècle. Hollandais.
Peintre.
Il alla en 1651 en Italie.

STOLKER Jan
Né le 1er juillet 1724 à Amsterdam. Mort le 8 juin 1785 à Rotterdam. xviiie siècle. Hollandais.
Peintre de sujets allégoriques, portraits, aquarelliste, graveur.
Membre de la Confrérie de La Haye. Élève de J. M. Quinckhardt, près duquel il demeura jusqu'en 1747. Il peignit d'abord des portraits et des groupes, de petites compositions à Amsterdam pendant neuf ans. Il alla ensuite à Rotterdam. Membre de la Confrérie de La Haye, en 1753, directeur de la gilde de Rotterdam en 1766 et 1770. Vers cinquante ans il renonça aux productions originales pour faire des copies des maîtres à l'aquarelle et à l'encre de Chine. Il a surtout gravé des portraits. On cite de lui : *Willem Schepers.*

Ventes Publiques : Paris, 5 mai 1919 : *Allégorie :* FRF 150 ; *La Musique :* FRF 480 – Paris, 20 mai 1942 : *Deux scènes allégoriques* 1765 et 1770, deux toiles : FRF 10 500 – Londres, 23 mars 1990 : *Symbole de la Persévérence : putto tenant un bouclier* 1766, en brunaille (80,8x113) : GBP 3 520 – Paris, 16 juin 1995 : *Portrait d'homme au col blanc,* h/métal (11x8,5) : FRF 4 000 – Paris, 16 juin 1995 : *Portraits d'artistes flamands : E. Willemans, C. Schut, J. Thielen, J.W. Delff, J. Van Eyck, J. Van Craesbeeck, L. Jacobsz, B. Van der Helst, C. Lucas et M. Willemans,* série de dix cuivres, de forme ovale (chacun10x8) : FRF 58 000 – Amsterdam, 10 nov. 1997 : *Portraits d'artistes hollandais, flamands et allemands,* h/cuivre, série de vingt portraits de forme ovale (10,2x8,2 et moins) : NLG 66 885.

STOLKER P.
Actif à Rotterdam. Hollandais.
Peintre de portraits.

STOLL Balthasar
xviie siècle. Actif à Berchtesgaden et à Geisenfeld après 1642. Allemand.
Sculpteur.

STOLL Franz
Mort avant 1825 à Bamberg. xixe siècle. Actif à Bamberg. Allemand.
Peintre d'histoire et d'armoiries.
Ventes Publiques : Paris, 11 avr. 1988 : *Jeune Fille à la guirlande fleurie,* onyx blanc (H. 34,5) : FRF 8 500.

STOLL Fredy Balthazar
xxe siècle. Français (?).
Sculpteur.
Il exposait à Paris, au Salon des Artistes Français, reçut en 1921 une mention honorable, 1937 une médaille d'or pour l'Exposition internationale. En 1930, il avait également figuré au Salon des Tuileries.

STOLL Friedrich ou Stollen
Né vers 1597 à Vienne. Mort le 4 décembre 1647. xviie siècle. Actif à Vienne. Autrichien.
Peintre.
Ses portraits retiennent l'attention par leur distinction et le soin avec lequel ils ont été composés.

STÖLL Friedrich Wilhelm
xviiie siècle. Autrichien.
Sculpteur.
Il fut membre de l'Académie Impériale de sculpture à Vienne.

STOLL Georges
Né en 1955 à Marseille (Bouches-du-Rhône). xxe siècle. Français.
Peintre. Tendance abstraite.
À l'École des Beaux-Arts de Marseille-Luminy, il fut élève de Joël Kermarrec. Il participe à des expositions collectives, dont : 1982 Musée de Nice, *Nouvelles Acquisitions ;* Saint-Étienne, *Deux villes, deux Écoles Saint-Étienne et Marseille ;* Gardanne, *Lieux*

du corps ; 1984 Salon de Montrouge ; 1986 Berlin, *Art français : positions...* Il expose aussi individuellement : 1983 Paris, galerie Lucien Durand et Martigues, Musée Ziem ; 1985 Marseille, galerie Athanor...
On peut s'étonner qu'il se réfère à Cézanne, Picasso et Matisse. Ses peintures, sans être à proprement dire abstraites, retiennent quelques éléments, fragments plutôt, assez indéterminés de la réalité, dont les silhouettes tronquées et sommairement suggérées, peut-être en contre-jour, ouvrent sur une sorte de monochrome, l'espace peut-être ou le ciel ?
Musées : Nice – Paris (FNAC) : *Sans titre* 1988.

STOLL Heinrich
Né en 1822. Mort en 1890 à Neubrandenbourg. xixe siècle. Allemand.
Peintre de portraits.
Il travailla à Neubrandenbourg.
Musées : Neubrandenbourg : *Portrait de l'artiste – Portrait de Christian Reincke – Portrait de la femme de l'artiste.*

STOLL Jacques
Né le 11 décembre 1731 à Fribourg. Mort le 26 février 1812 à Balletswil. xviiie-xixe siècles. Suisse.
Peintre et sculpteur.
A composé des fresques pour les églises.

STOLL Jakob
Mort en 1545 à Fribourg-en-Brisgau. xvie siècle. Allemand.
Peintre.
Le Musée de Karlsruhe conserve de cet artiste une *Nativité,* un *Saint Sébastien* et un *Saint Michel.*

STOLL Joh. Wilhelm
Né en 1752. Mort le 30 avril 1787. xviiie siècle. Allemand.
Peintre.
Il travaillait sur porcelaine à la Manufacture de Ludwigsbourg.

STOLL Leopold
Né en 1750. Mort en 1869. xixe siècle. Allemand.
Peintre de natures mortes, fleurs et fruits, aquarelliste.
Il travailla surtout en Autriche et en Russie au début du xixe s. En 1828 il vint de Cracovie à Varsovie, puis se rendit à Saint-Pétersbourg où il fut peintre du jardin botanique de 1830 à 1834 et membre de l'Académie Impériale.
Il peignit essentiellement des fleurs à l'huile et à l'aquarelle.

Musées : Saint-Pétersbourg (Mus. de l'Ermitage) : *Fleurs et fruits.*
Ventes Publiques : Londres, 7 avr. 1965 : *Fleurs exotiques :* GBP 380 – Vienne, 14 mars 1967 : *Bouquet de fleurs :* ATS 35 000 – Vienne, 22 sep. 1970 : *Nature morte aux fruits et aux fleurs :* ATS 38 000 – Vienne, 14 sep. 1976 : *Nature morte aux fruits* 1842, h/t (79x63) : ATS 20 000 – Vienne, 15 jan. 1980 : *Nature morte aux fruits,* h/t (55x69) : ATS 18 000 – New York, 24 fév. 1982 : *Fleurs* 1831, aquar. et cr. (21,8x27,9) : USD 1 400 – Londres, 7 mai 1989 : *Nature morte aux fruits et aux fleurs* 1841, h/t (75,5x60,5) : GBP 12 500 – Londres, 7 juin 1989 : *Nature morte des fruits divers et oiseau sur un entablement* 1841, h/cart. (38x51) : GBP 2 750 – Munich, 12 juin 1991 : *Nature morte de fleurs avec des lapins et des colombes vivants* 1839, h/t (64x48) : DEM 11 000 – Londres, 12 juin 1997 : *Variété de fleurs d'été dans un vase sur un entablement avec des fruits* 1846, h/t (68x55,2) : GBP 3 680.

STOLLE
xviie-xviiie siècles. Actif à Berlin. Allemand.
Graveur.
Élève de Bettkober. Il exposa entre 1794 et 1800.

STOLLE Christian Peter Wilhelm
Né le 18 octobre 1810 à Lübeck. Mort le 11 septembre 1887 à Lübeck. xixe siècle. Allemand.
Peintre de portraits, d'architectures.
Il était le fils et l'élève du peintre décorateur à Lübeck, Johann Wilhelm Stolle. La plupart de ses tableaux sont restés la propriété de la famille. Quelques dessins et aquarelles sont conservés au Musée de Lübeck.

STOLLEN Friedrich. Voir STOLL

STOLNIK Slavko

Né en 1929 à Voca Donja (près de Varazdin, Croatie). XXᵉ siècle. Yougoslave.

Peintre de scènes animées, portraits, peintre de fixés-sous-verre, aquarelliste. Naïf.

Fils de paysan, paysan lui-même, dès l'école il montra des dons pour le dessin et le modelage. En 1948, travaillant dans une section de jeunesse à l'autoroute Belgrade-Zagreb, il décora le camp d'une grande quantité d'aquarelles. En 1949, au service militaire, il fit le portrait d'un grand nombre de ses camarades. En 1952, engagé dans la Milice Populaire, ses dons y furent encouragés. En 1954, il rencontra le peintre Hegedusic, qui l'accueillit favorablement. En 1955, il montra une première exposition de ses peintures, qui fut suivie de beaucoup d'autres.

Il pratique beaucoup la technique du « fixé-sous-verre », qui a une longue tradition dans l'art populaire yougoslave. Il représente des scènes alertes ou parfois tragiques, avec un bon sens décoratif et une saveur humoristique et caricaturale.

Bibliogr. : Oto Bihalji-Merin, in : *Les peintres naïfs*, Delpire, Paris, s.d.

STOLOFF Irma

XXᵉ siècle. Américaine.

Sculpteur de figures, animaux. Tendance abstraite.

Elle est active à New York. En 1952, 1953, 1954, elle a figuré à Paris, au Salon des Réalités Nouvelles.

Elle crée des sculptures décoratives, à mi-chemin de l'abstraction, évoquant des statures de femmes ou des postures d'animaux et d'oiseaux.

STOLOVSKY Josef

Né le 2 août 1879 à Reichenau. Mort le 10 février 1936 à Prague. XXᵉ siècle. Tchécoslovaque.

Peintre de paysages.

De 1899 à 1904, il fut élève de Rudolf von Ottenfeld à l'Académie des Beaux-Arts de Prague et de Carl von Marr à l'Académie de Munich.

Musées : Prague (Gal. mod.).

STOLP J. J.

XVIIIᵉ siècle. Travaillait vers 1715. Hollandais.

Peintre verrier.

STOLTENBERG Fritz

Né le 7 avril 1855 à Kiel. Mort en 21, ou le 22 novembre 1921 à Schönberg (Holstein). XIXᵉ-XXᵉ siècles. Allemand.

Peintre de paysages, marines, aquarelliste, pastelliste.

De 1872 à 1876, il fut élève de Theodor Hagen à l'École d'Art de Weimar ; de 1876 à 1882 de Gyula Benczur à l'Académie des Beaux-Arts de Munich. Il fut actif, de 1882 à 1885 à Kassel ; de 1885 à 1889 à Munich ; à partir de 1889 à Kiel.

Musées : Kiel : plusieurs aquarelles et pastels.

STOLTENBERG Mathias

Né le 21 juillet 1799 à Tönsberg. Mort le 2 novembre 1871 à Vang. XIXᵉ siècle. Norvégien.

Peintre de portraits et paysages.

Il travailla à Copenhague et fut élève de 1820 à 1826 de l'Académie royale. Les Musées d'Oslo conservent de lui les portraits du Juge *Mölnichen et de sa femme*, du *Conseiller Mölnichen*, de *Doderlein*, de *Delphin et de sa femme*, des *Parents de l'artiste*, de *Helsing* et de *Ole Haagenstad*.

STOLTENBERG-LERCHE. Voir **LERCHE**

STOLTING Heinrich

Né le 20 mars 1814 à Stralsund. Mort le 6 novembre 1884 à Stettin. XIXᵉ siècle. Allemand.

Dessinateur et graveur.

Le Musée municipal de Stettin conserve plusieurs de ses dessins et de ses gravures.

STOLTZ Gerhard

Né en 1948 à Bergen. XXᵉ siècle. Norvégien.

Artiste, technique mixte.

Il vit et travaille à Bergen. Il est membre du groupe Lyn, fondé en 1971.

Il participe aux expositions du groupe Lyn : 1972 Bergen et Stavanger ; 1974 Haugesund ; 1975 Oslo et Biennale de Paris.

Bibliogr. : *Catalogue de la Biennale de Paris*, Paris, 1975.

STOLTZ Giovanni

Originaire du Tyrol. XVIIIᵉ siècle. Autrichien.

Sculpteur.

STÖLTZEL Christian Friedrich. Voir **STÖLZEL**

STOLTZENBURGH Casper

XVIIᵉ siècle. Actif à Arnheim vers 1652. Hollandais.

Sculpteur.

STÖLTZLE Johann ou **Stöltzlen**. Voir **STÖLZLIN**

STOLZ Albert

Né le 19 novembre 1875 à Botzen. XIXᵉ-XXᵉ siècles. Autrichien.

Peintre de compositions décoratives.

Il était fils de Ignaz l'Aîné, frère d'Ignaz le jeune et de Rudolf Stolz. De 1899 à 1901, il fut élève de Alois Delug à l'Académie des Beaux-Arts de Vienne, où, en 1903, il obtint le Prix de Rome.

Il a peint des panneaux décoratifs pour des églises et des restaurants.

STOLZ Andreas Franz

XVIIIᵉ siècle. Actif à Melk. Autrichien.

Sculpteur.

STOLZ Franz

Mort après 1845. XIXᵉ siècle. Actif à Munich. Allemand.

Peintre de portraits, miniaturiste et lithographe.

Il fut élève de l'Académie de Munich vers 1820. On connaît de lui une lithographie (*Napoléon sur son lit de mort*, 1821).

STÖLZ Hans

XVIᵉ siècle. Actif à Memmingen. Allemand.

Peintre.

STOLZ Ignaz, l'Aîné

Né le 23 janvier 1840 à Tramin. Mort le 10 septembre 1907 à Botzen. XIXᵉ-XXᵉ siècles. Autrichien.

Peintre de paysages. Romantique.

Il était le père de Rudolf, d'Albert, d'Ignaz Stolz le Jeune.

STOLZ Ignaz, le Jeune

Né le 20 avril 1868 à Botzen. XIXᵉ-XXᵉ siècles. Autrichien.

Peintre de décorations murales, figures, portraits.

Il était fils d'Ignaz l'Aîné, frère de Rudolf et d'Albert Stolz. À Munich, il fut élève de Ludwig Schmid-Reutte et Karl Raupp. Après 1890, il travailla pendant quinze années à Vienne. À partir de 1906, il se fixa à Botzen.

Musées : Botzen : *Till l'espiègle*.

STOLZ Jakob

Né le 28 novembre 1867 à Sankt-Ingbert. Mort le 5 janvier 1932 à Kaiserslautern. XIXᵉ-XXᵉ siècles. Allemand.

Sculpteur.

Il fut élève de Wilhelm von Rümann à l'Académie des Beaux-Arts de Munich. À partir de 1895, il devint professeur à l'École des Beaux-Arts de Kaiserslautern.

STOLZ Lucien Alix

Né à Amiens (Somme). XIXᵉ-XXᵉ siècles. Français.

Peintre de genre.

À Paris, il fut élève de J. L. Gérome, Fernand Cormon, J. J. Henner, Eugène Thirion. Il exposait à Paris, au Salon des Artistes Français, reçut en 1900 une médaille de troisième classe pour l'Exposition universelle, en 1901 fut sociétaire.

Ventes Publiques : Paris, oct. 1945-juil. 1946 : *Les bouquinistes sur les quais* : FRF 1 050.

STOLZ Max

Né le 21 septembre 1882 à Brixen (Tyrol). XXᵉ siècle. Autrichien.

Sculpteur de portraits.

Il fut élève de l'École d'Art de Botzen, en 1906 vint étudier à Munich, de 1912 à 1917 à Starnberg. Il s'établit à Starnberg.

Musées : Innsbruck (Ferdinandeum).

STOLZ Michael

Né le 1ᵉʳ avril 1820 à Matrei sur Brenner. Mort le 16 novembre 1890 à Innsbruck. XIXᵉ siècle. Autrichien.

Sculpteur et dessinateur.

Il étudia chez Franz Renn à Imst, plus tard chez Josef Klieber à Vienne, et chez Jos. Knabl et Eberhard à Munich. De 1854 à 1884, il fut professeur de dessin à Innsbruck. Il a surtout contribué à décorer les églises de la région.

STOLZ Rudolf

Né le 8 mai 1874 à Botzen. XIXᵉ-XXᵉ siècles. Autrichien.

Peintre de compositions religieuses, peintre de décorations murales.

Il était fils d'Ignaz l'Aîné, frère d'Ignaz le Jeune et d'Albert Stolz. Il travailla d'abord avec son père, puis, en 1896 à Munich, fut élève de Walter Thor dans un cours privé. En 1906, il travailla quelque temps à Berlin, auprès de Hermann Hoffmann.

Il s'est surtout consacré à la peinture murale dans les églises.

STOLZ SEGUI Ramon
Né le 31 août 1872 à Valence. Mort le 5 novembre 1924 à Valence. xxᵉ siècle. Espagnol.
Peintre de scènes de genre, portraits, paysages, paysages d'eau, marines, natures mortes, fleurs et fruits, illustrateur, copiste.
Il étudia à l'École des Beaux-Arts de Valence, de 1887 à 1892, puis de celle de Madrid. Il voyagea en France, Suisse, Angleterre et Allemagne, entre 1897 et 1899. Il figura dans diverses expositions collectives : à partir de 1892, régulièrement aux expositions nationales de Madrid, obtenant une troisième médaille la première année, une autre en 1897 et une deuxième médaille en 1912 ; 1906 L'Art espagnol, Londres ; 1909, 1911, Valence ; 1910 commémoration du centenaire de l'indépendance de Mexico, recevant une médaille d'or.
Il a commencé par copier des planches d'Ignacio Pinazo. Il a également collaboré à l'illustration de revues valenciennes. Peintre de sujets divers, il a réalisé de nombreuses vues de la région de Valence qui révèlent une étude méticuleuse de la nature, des effets lumineux et des mutations de l'éclairage. Parmi ses œuvres, on mentionne : *Portrait de son fils Ramon Stolz Viciano – Enfants sous la tonnelle – Paysan de Valence – Barques sur la plage.*
Bibliogr. : Catalogue de l'exposition *Ramon Stolz*, galerie Galatheo, Valence, 1973 – J. Manaut : *Ramon Stolz. Sa vie et son œuvre*, La Esfera, nᵒ 590, Madrid, avr. 1975 – J. Pérez Rojas et J.L. Alcaide Delgado, in : *Du modernisme à l'Art Déco. L'illustration graphique à Valence*, Valence-Madrid, 1991 – in : *Cien Anos de pintura en Espana y Portugal, 1830-1930*, Antiqvaria, t. X, Madrid, 1993.
Musées : VALENCE (Mus. Saint Pie V).

STOLZ VICIANO Ramon
Né en 1903 à Valence. Mort en 1958 à Madrid. xxᵉ siècle. Espagnol.
Peintre de compositions religieuses, sujets allégoriques, fresquiste, dessinateur.
Fils de Ramon Stolz Segui, il étudia à l'École des Beaux-Arts de Madrid, dans les ateliers de Manuel Benedito et d'Anselmo Miguel Nieto. Il voyagea en France, Belgique, Hollande et Allemagne. On le nomma professeur de l'École des Beaux-Arts de Madrid en 1932.
Il s'initia à la peinture murale en 1939-1940. Il restaura les voûtes du temple du Pilier à Saragosse et la fresque de Palomino dans la basilique des Affligés à Valence. Il réalisa diverses commandes de fresques pour des édifices religieux, parmi lesquels : 1943 chapelle de l'École d'Architecture et chapelle de l'église de l'Esprit Saint, à Madrid ; 1950 coupole de l'église votive de Pampelune, où sont représentés, par plus de quatre-vingt dix, les monuments historiques de la région de Navarre ; 1957 Couvent des Esclaves de Saint Sébastien, dans le Pays Basque. À ces œuvres monumentales, s'ajoutent de multiples esquisses et études préparatoires réalisées à la sanguine ou à l'huile, parmi lesquelles on cite notamment une étude pour *Marie-Madeleine parfumant les pieds de Jésus* et *Les fileuses.*
Bibliogr. : In : *Cien Anos de pintura en Espana y Portugal, 1830-1930*, Antiqvaria, t. X, Madrid, 1993.

STÖLZEL C.
xixᵉ siècle. Actif vers 1830. Allemand.
Dessinateur de portraits.

STÖLZEL Christian Ernst
Né en 1792 à Dresde. Mort le 4 avril 1837. xixᵉ siècle. Allemand.
Peintre, dessinateur et graveur au burin.
Élève de son père Christian Frederich Stölzel. Il fit d'abord des copies de Goltzius, de Pressler, de Bervic. En 1822 il alla à pied en Italie. Il y peignit des paysages, indépendamment des planches qu'il grava et des dessins qu'il exécuta en vue de les graver plus tard. Il a gravé d'après Raphaël, Fra Angelico, etc.

STÖLZEL Christian Friedrich ou **Stöltzel**
Né en 1751 à Dresde. Mort le 23 novembre 1816 à Dresde. xviiiᵉ-xixᵉ siècles. Allemand.
Graveur au burin et dessinateur de portraits.
Il était le père de Christian Ernst Stölzel. Vers 1765, il fut élève de Gius. Canale à l'Académie de Dresde. Il a gravé de nombreux portraits, dont le plus beau est celui du peintre Schenau.

STOLZENBERG F. W.
xviiiᵉ siècle. Actif dans la seconde moitié du xviiiᵉ siècle. Allemand.
Dessinateur.

STÖLZER Berthold
Né le 21 février 1881 à Sömmerda. xxᵉ siècle. Allemand.
Sculpteur de sujets allégoriques, figures.
Musées : BERLIN (Gal. nat.) : *Vanitas* – HANOVRE (Mus. prov.) : *Bonds de bouc – Torse*, marbre.
Ventes Publiques : LONDRES, 14 mai 1980 : *Cheval et cavalier*, bronze (H. 44,5) : GBP 650.

STOLZHUS François ou **Stolzius**. Voir **STOSS**

STÖLZL Melchior ou **Stelzle**
xviiᵉ siècle. Autrichien.
Peintre.
Il subit l'influence de Bellini, Mantegna et Dürer et a surtout peint, à la cour d'Innsbruck, des sujets religieux.

STÖLZL Otto
Né le 18 novembre 1871 à Eisenärtz (près de Traunstein). xixᵉ-xxᵉ siècles. Allemand.
Peintre.
Il fut élève de l'école des Arts décoratifs et de l'académie des Beaux-Arts de Munich. Il s'établit à Nuremberg.

STÖLZLE Ignaz
xixᵉ siècle. Actif à Munich. Allemand.
Peintre.
Élève de l'Académie de Munich.

STÖLZLIN Johann ou **Selzlin, Sälzlin**
Né à Giengen. Mort le 2 avril 1680 à Ulm. xviiᵉ siècle. Allemand.
Peintre et graveur au burin.
Il vécut plus de quarante ans à Ulm.
Musées : ULM (Mus.) : *Portrait de l'artiste avec sa famille.*

STOM Augustinus
xviiᵉ siècle. Actif à Utrecht. Hollandais.
Peintre.
Ventes Publiques : VIENNE, 21 mars 1972 : *Scène de cabaret* : ATS 30 000.

STOM Hendrik ou **Stomme**
xviiᵉ siècle. Travaillait vers 1612.
Dessinateur.

STOM Jan Jansz de. Voir **STOMME**

STOM Mathäus. Voir **STOMER**

STOM W.
xviiᵉ siècle. Actif vers 1650. Hollandais.
Peintre.

STOMER Mathäus I ou **Matthias** ou **Stom** ou **Stoom** ou **Stooms** ou **Stohom**, dit **le Maître de la Mort de Caton**
Né en 1600 à Amersfoort. Mort après 1650 sans doute en Sicile. xviiᵉ siècle. Actif aussi en Italie. Hollandais.
Peintre d'histoire, compositions religieuses, batailles, scènes de genre.
Sans doute élève de Blomaert à Utrecht, il travailla aussi dans l'atelier de Honthorst à Rome vers 1615. Il vécut plusieurs années en Italie, étant à Messine vers 1630, à Rome entre 1630 et 1632, séjournant quelques années à Naples, puis en 1641 en Sicile, où il mourut.
On cite, parmi ses œuvres, un tableau d'autel dans l'église S. Cecilia à Messine, une *Flagellation du Christ* à l'oratoire du Rosaire de Palerme. Attitudes théâtrales, regards fixes caractérisent les personnages de ses compositions, placés dans un clair-obscur artificiel et très contrasté venu de l'influence de Caravage.
Bibliogr. : In : *Diction. de la peinture flamande et hollandaise*, coll. *Essentiels*, Larousse, Paris, 1989.
Musées : AMSTERDAM (Rijksmus.) : *Ecce Homo* – BERGAME (Accad. Carrare) : *Personnages à la lumière d'une chandelle – Personnages soufflant sur un charbon incandescent* – BERLIN : *Esaü vend son droit d'aînesse* – CATANE (Mus. civico) : *Mort de Sénèque – Le Christ insulté – Guérison de Tobie* – COPENHAGUE (Stat. Mus. for Kunst) : *Personnages à la lumière d'une chandelle* – DRESDE : *Le Christ et Nicomède* – GÖTTINGEN (Mus. de l'Université) : *Le repas d'Emmaüs* – GRENOBLE : *Les disciples d'Emmaüs* – LA HAYE (Mus. Bredius) : *Tobie et l'ange* – HOUSTON : *Jugement de Salomon* – LEEDS (City Art Gal.) : *Adoration des bergers* – MALTE (Mus. de la Valette) : *Adam et Ève retrouvant le corps d'Abel* – MELBOURNE (Nat. Gal.) – MESSINE : *Mucius Scoevola en présence de Porsena* – MUNICH

(Alte Pina.) : *Le Christ parmi les docteurs* – NANTES : *Adoration des bergers* – NAPLES (Mus. Capodimonte) : *Multiplication des pains* – *Sainte Famille et Jésus enfant* – *Délivrance de saint Pierre* – *Adoration des bergers* – *Jésus lié* – *Jésus à Emmaüs* – OTTAWA (Nat. Gal.) : *L'arrestation du Christ* – PALERME : *Saint Gaétan et la Madone* – *Madone du rosaire* – *Flagellation* – *Personnages soufflant sur un charbon incandescent* – PARIS (Mus. du Louvre) : *Pilate se lavant les mains devant le peuple* – ROUEN : *Adoration des mages* – STOCKHOLM (Nat. Mus.) : *Adoration des mages* – TOULOUSE : *Adoration des mages* – TURIN (Gal. Sabauda) : *Emprisonnement de Samson* – VARSOVIE : *Personnages soufflant sur un charbon incandescent* – VIENNE : *Annonciation*.

VENTES PUBLIQUES : LONDRES, 27 juin 1962 : *Saint Pierre délivré de la prison par un ange* : GBP 2 000 – LONDRES, 3 déc. 1969 : *Le Christ et la femme adultère* : GBP 3 200 – MILAN, 1er déc. 1970 : *Le dîner d'Emmaüs* : ITL 4 000 000 – FLORENCE, 13 sep. 1972 : *La mort de Brutus* : ITL 9 000 000 – VIENNE, 17 sep. 1973 : *Homme mangeant* : ATS 160 000 – LONDRES, 29 juin 1979 : *Sainte Cécile et l'Ange*, h/t (84x107) : GBP 13 000 – NEW YORK, 18 juin 1982 : *The calling of Matthew*, h/t (176x226) : USD 180 000 – MONTE-CARLO, 25 juin 1984 : *Tobie guérissant la cécité de son père*, h/t (150x200) : FRF 250 000 – LONDRES, 3 avr. 1985 : *L'Annonciation*, h/t (110,5x148,5) : GBP 34 000 – MONTE-CARLO, 29 nov. 1986 : *Pluton rendant Eurydice à Orphée*, h/t (128x161,5) : FRF 180 000 – LONDRES, 19 mai 1989 : *Jeune homme lisant à la lueur d'une chandelle*, h/t (58,8x73,4) : GBP 37 400 – LONDRES, 5 juil. 1989 : *Le Christ discutant avec les docteurs*, h/t (136x181) : GBP 660 000 – MONACO, 2 déc. 1989 : *Nativité*, h/t (98x107) : FRF 799 200 – NEW YORK, 11 jan. 1990 : *Joseph interprétant les rêves du pharaon*, h/t (120,5x152) : USD 132 000 – MONACO, 15 juin 1990 : *Couple de vieillards, lui se chauffant les mains sur un brasero et elle tenant son rosaire*, h/t (94x116) : FRF 832 500 – LONDRES, 12 déc. 1990 : *Saint Pierre et Cléophas*, h/t (96,5x66) : GBP 22 000 – NEW YORK, 14 jan. 1993 : *Une vision de Saint Jérôme*, h/t (93,3x122,6) : USD 49 500 – NEW YORK, 15 jan. 1993 : *Le Christ et la femme adultère*, h/t (101,6x137,2) : USD 123 500 – MILAN, 19 oct. 1993 : *Le peuple se moquant du Christ*, h/t (200x270) : ITL 253 000 000 – PARIS, 29 mars 1994 : *Saint Pierre repentant*, h/t (78x63) : FRF 280 000 – LONDRES, 9 déc. 1994 : *Tobie guérissant la cécité de son père*, h/t (150x200) : GBP 26 450 – PARIS, 12 juin 1995 : *Jeune homme tenant un verre à pied et une chandelle*, h/t (64x49) : FRF 180 000 – ROME, 18 mars 1997 : *Bataille*, h/t, une paire (150x200) : ITL 128 150 000 – LONDRES, 16 avr. 1997 : *Le Christ en prison*, h/t (71,9x84) : GBP 42 200 – AMSTERDAM, 11 nov. 1997 : *La Sainte Famille*, h/t (101,2x128,5) : NLG 20 757 – LONDRES, 3 déc. 1997 : *Une mère et son enfant à la lumière d'une chandelle*, h/t (99,7x73,7) : GBP 34 500.

STOMER Mathäus II ou **Stom** ou **Stoom**
Né vers 1649. Mort en 1702 à Vérone. XVIIe siècle. Éc. flamande.
Peintre de batailles, paysages.
Probablement élève de G. Orlandini à Parme.
MUSÉES : DRESDE : *Attaque de brigands* – *Débarquement de troupes*.
VENTES PUBLIQUES : MILAN, 9 nov. 1971 : *Paysage fluvial* : ITL 1 300 000 – MILAN, 16 mars 1988 : *Batailles*, h/t, une paire (chaque 49x110) : ITL 28 000 000.

STOMIOS
Ve siècle avant J.-C. Antiquité grecque.
Sculpteur.
A exécuté la statue de *Hieronymos d'Andros*, vainqueur aux Jeux Olympiques en 480 avant J.-C.

STOMME Hendrik. Voir **STOM**

STOMME Jan Jansz de ou **Stom**
XVIIe siècle. Actif à Groningen vers 1643-1657. Hollandais.
Peintre de portraits.
Il a dessiné des portraits pour : *Effigies et vitæ professorum academiae Groningae et Olandiae*.

J. B. Stomme . f

MUSÉES : AMSTERDAM : *Portrait de jeune homme*.
VENTES PUBLIQUES : PARIS, 19 mars 1898 : *Portrait de jeune homme* : FRF 210 – VALENCIENNES, 1899 : *Portrait d'une dame de qualité* : FRF 980 – PARIS, 1900 : *Portrait d'une jeune femme* : FRF 1 260 – LONDRES, 19 nov. 1926 : *Dame en noir 1657* : GBP 13

– BRUXELLES, 26 avr. 1971 : *Portrait d'une dame de qualité* : BEF 65 000 – MUNICH, 1er juin 1973 : *Portrait d'Elisabeth Papillon* : DEM 4 500 – MUNICH, 27 mai 1977 : *Portrait d'Elizabeth Papillon*, h/pan. (72,5x57) : DEM 4 000.

STOMME Maerten Boelema de. Voir **BOELEMA Maerten,** dit **BOELEMA de Stomme**

STOMME Melsen Halders de. Voir **HALDERS**

STOMME Van Kampen. Voir **AVERCAMP Hendrick Van**

STOMME Van NYMEGEN, de
XVIe siècle. Hollandais.
Peintre.
Son existence est contestée. Van Mander le dit élève de Frans Floris.

STOMMEL Johann
XVIe siècle. Actif à Cologne vers 1599. Allemand.
Peintre.
A dessiné un portrait d'*Ernst de Bavière*, prince électeur de Cologne.

STOMMEL Julie, épouse **Fahne**
Née en 1813 à Düsseldorf. XIXe siècle. Allemande.
Peintre de fleurs et de fruits.
Élève de J. Winkelirer et de G. Preyer.

STOMPS B. H.
Né le 6 janvier 1867 à Gouda. XIXe-XXe siècles. Hollandais.
Peintre de natures mortes.
Il fut élève de Joannes Frederick Schütz et Ferdinand Oldewelt, probablement à l'École de Dessin de Middelbourg.

STONE, Mrs Smith
XVIIIe siècle. Britannique.
Peintre d'animaux.
Elle exposa à Londres, entre 1780 et 1791.

STONE Alice Balch
Née le 12 juillet 1876 à Swampscott. XXe siècle. Américaine.
Peintre, sculpteur, graveur.
Elle était membre de la Fédération américaine des Arts.

STONE Frank
Né le 22 août 1800 à Manchester. Mort le 18 novembre 1859 à Londres. XIXe siècle. Britannique.
Peintre de genre.
Il fut d'abord destiné à l'industrie, mais à vingt-quatre ans il s'adonna à la peinture. En 1831 il vint à Londres, et deux ans plus tard il commença à peindre. Son succès fut rapide. En 1837 il devint associé de la Old Water-Colours Society et membre en 1843. En 1851 la Royal Academy l'agréa comme associé. Il était en pleine réussite quand il succomba subitement à une affection cardiaque.
MUSÉES : LIVERPOOL : *Amant timide et jeune fille modeste* – LONDRES (Victoria and Albert Mus.) : *Prête pour le bal*, aquar. – LONDRES (Nat. Portrait Gal.) : *Portrait d'un groupe* – MANCHESTER : *Portrait de l'artiste* – SHEFFIELD : *Drapeau de l'armistice* – *Portrait d'Edw. Law*.
VENTES PUBLIQUES : LONDRES, 5 déc. 1910 : *La fille du jardinier* : GBP 8.

STONE Frank Frédéric
Né le 28 mars 1863 à Londres. XIXe-XXe siècles. Britannique.
Sculpteur de figures, bustes.
Il fut élève de Richard C. Belt. Il travailla à Londres, au Canada et à Los Angeles aux États-Unis.
Au Treasury Office de Londres figure un buste de *Gladstone* sculpté par lui.

STONE Henry, dit **Old Stone**
Né en 1616 à Londres. Mort le 24 août 1653 à Londres. XVIIe siècle. Britannique.
Peintre de portraits et sculpteur.
Fils de Nicolas Stone, « maître maçon » de Jacques Ier et frère de l'architecte sculpteur peintre et graveur John Stone. Il passa plusieurs années en Hollande, en France et en Italie. On le cite surtout pour ses portraits et d'excellentes copies de Van Dyck et des maîtres italiens. Le Musée de Hampton Court en conserve une de *La famille Cornaro*, d'après Titien. On voit également de lui à Dublin *Portrait de Charles Ier* et à Londres, à la National Portrait Gallery *William Land* d'après Van Dyck au Victoria and Albert Museum ; *Charles Ier dans trois positions*, d'après Van Dyck.
VENTES PUBLIQUES : LONDRES, 25 juin 1898 : *Charles Ier à cheval*

avec son écuyer : **FRF 6 675** – New York, 23-24 fév. 1906 : *Portrait d'un gentilhomme* : **USD 260** – New York, 21 mars 1906 : *Portrait de l'architecte Inigo Jones* : **USD 475** – Londres, 14 mai 1926 : *Sir John Finch* : **GBP 57** – Londres, 24 jan. 1928 : *Portrait de Charles I*er : **GBP 157**.

STONE Horatio
Né en 1808. Mort en 1875. xixe siècle. Américain.
Sculpteur, dessinateur.
Il exerça longtemps la médecine avant de se consacrer entièrement à la sculpture. Il passa plusieurs années en Italie et dessina un grand nombre des chefs-d'œuvre de la statuaire ancienne et moderne. Il réalisa essentiellement des bustes, parmi lesquels celui du *Chief Justice Roger B. Taney* placé dans le Supreme Court Building à Washington. Le Statuary Hall du Capitol a accueilli trois de ses marbres : *J. Hancock ; A. Hamilton ; E. D. Baker.*

STONE J. M.
xixe siècle. Actif en Australie. Australien.
Peintre.
Le Musée de Sydney conserve de lui : *Langouste australienne.*

STONE J. M.
Né en 1841 à Dana. xixe siècle. Actif à Boston (Massachusetts). Américain.
Peintre de genre, portraits.
Il étudia à Munich chez Seitz et Lindenschmit.

STONE Jacob
xixe siècle. Britannique.
Peintre d'animaux.
Ventes Publiques : Londres, 26 mai 1989 : *Renard près de son gîte*, h/t (30,5x45) : **GBP 1 320.**

STONE James et John
Mort entre 1775 et 1779. xviiie siècle. Actifs à Londres. Britanniques.
Médailleurs.
Père et fils.

STONE Jan Van der. Voir STEEN

STONE John
Né en 1620 à Londres. Mort en septembre 1667 à Winchester. xviie siècle. Britannique.
Architecte, sculpteur, peintre et graveur.
Fils de l'architecte sculpteur Nicolas Stone et frère cadet du peintre Henry Stone. Sculpteur, architecte comme son père, il copia aussi les tableaux des maîtres anciens et apprit à graver avec Thomas Cross. On lui doit notamment une planche pour l'*Histoire de Warwick* de Dugdale. On cite de lui également un traité de fortification dont il grava les planches.

STONE Madeline
Née en 1877. Morte le 24 septembre 1932 à Washington. xxe siècle. Américaine.
Sculpteur.
Elle était la sœur du poète Edgar Lee Masters. Elle fut élève de Gutzon Borglum et d'Antoine Bourdelle.

STONE Marcus C.
Né en juillet 1840 à Londres. Mort le 24 mars 1921 à Londres. xixe-xxe siècles. Britannique.
Peintre d'histoire, genre, portraits, fleurs, illustrateur, dessinateur.
Il était le second fils de Frank Stone. Ses dons se révélèrent précocement. Dès 1858, il commença à exposer à Londres. Il prit une part très active aux expositions de la Royal Academy, dont il fut nommé associé en 1877 et académicien en 1887.
Son succès fut rapide et bon nombre de ses productions devinrent populaires, dont, par exemple, son tableau *In Love*, souvent reproduit.

MARCUS STONE .
MARCUS STONE

Musées : Blacburn : *Deux font la paire, trois ne vont pas* – Glasgow : *Royalistes cherchant un refuge* – Liverpool : *Dans l'attente* – *Ma femme est veuve et sans enfant* – Londres (Tate Gal.) : *Il y a toujours un autre* – Londres (Diploma Gal.) : *Bons amis* – Londres (Gal. de la Corpor.) : *Claudius accuse Hero* – *Sur la route de Waterloo à Paris* – *Mariage d'amour* – Manchester : *L'oiseau*

perdu* – Nottingham : *In Love* – Sheffield : *Claudius accuse Hero* – Sydney : *Jeune femme dérobant des clefs* – York, Angleterre : *Le condamné.*
Ventes Publiques : Londres, 29 jan. 1910 : *Rest* : **GBP 33** – Londres, 16 juin 1922 : *Souvenirs*, dess. : **GBP 52** – Londres, 26 mai 1924 : *Le duel interrompu* : **GBP 99** – Londres, 24 avr. 1936 : *Sur la route de Waterloo à Paris* : **GBP 115** – Londres, 11 juil. 1969 : *Été* : **GNS 400** – Londres, 28 nov. 1972 : *Jeune femme volant des clefs* : **GBP 1 100** – Los Angeles, 27 mai 1974 : *Jeune femme assise dans un jardin* : **USD 3 500** – Londres, 13 oct. 1978 : *Le coup de foudre*, h/t (30x50,2) : **GBP 3 200** – Londres, 9 avr. 1980 : *Amour ou Patrie ?* 1880, h/t (122x75) : **GBP 7 500** – Londres, 23 juin 1981 : *Été brillant* 1892, h/t (62x39,5) : **GBP 12 500** – Londres, 15 mars 1983 : *Baiser volé*, h/t (152,5x71) : **GBP 25 000** – Londres, 10 mai 1985 : *Edward II and his favourite, Piers Gaveston*, h/t (48,9x91,4) : **GBP 4 000** – New York, 28 oct. 1986 : *The peace maker* 1886, h/pan. (45,6x76,2) : **USD 11 000** – Londres, 3 juin 1988 : *La lettre* 1877, h/pan. (30,5x45,8) : **GBP 3 080** – Londres, 23 sep. 1988 : *Rêverie* 1900, h/t (38x24,5) : **GBP 4 950** – New York, 23 mai 1989 : *Fleurs sauvages ; Fleurs de jardin*, h/t, une paire (chaque 91,4x29,2) : **USD 33 000** – Londres, 21 juin 1989 : *Ma maîtresse est une veuve sans enfant*, h/t (185x124,5) : **GBP 26 400** – New York, 28 fév. 1990 : *Amoureux* 1907, h/t (113x90,2) : **USD 99 000** – Londres, 19 déc. 1991 : *Olivia* 1880, h/pan. (21,3x15,5) : **GBP 4 180** – Londres, 12 juin 1992 : *Henry VIII et Ann Boleyn observés par le Reine Catherine* 1870, h/t (122x183) : **GBP 11 000** – Londres, 11 juin 1993 : *La gare d'après W.P. Frith* 1862, h/t (71,8x153) : **GBP 133 500** – New York, 13 oct. 1993 : *La nursery royale en 1538* 1872, h/t (49,5x76,2) : **USD 13 800** – Londres, 5 nov. 1993 : *Prêts pour la chevauchée du matin* 1888, h/t (50,8x76,2) : **GBP 5 175** – Londres, 9 juin 1994 : *Étude pour Appel à la clémence* 1877, h/pan. (30x45,5) : **GBP 8 280** – Londres, 6 nov. 1995 : *L'attente dans les bois* 1894, h/t (45,7x30,5) : **GBP 6 900** – Londres, 27 mars 1996 : *Fâchés ; Réconciliés*, h/t, une paire (chaque 152,5x68,5) : **GBP 58 500** – New York, 12 fév. 1997 : *Edward II et son favori, Piers Gaveston* 1872, h/t (121,9x213,4) : **USD 23 000.**

STONE Nicholas, l'Ancien
Né en 1586 à Woodbury. Mort le 24 août 1647 à Londres. xviie siècle. Britannique.
Sculpteur et architecte.
Il était le père d'Henry, John et Nicholas Stone le Jeune. On peut le considérer comme le sculpteur le plus remarquable du xviie siècle anglais. Il s'installa en 1613 à Londres et exécuta avec son maître Isaac James le tombeau d'Henry comte de Northampton, qui se trouve actuellement à l'Hôpital de la Trinité. Il a reçu plusieurs commandes du roi Charles Ier, exécuta la statue de la *Reine Élisabeth* dans le Guildhall et travailla à la salle des banquets de Whitehall et aux églises Saint-James, Theobald et Monsuch.

STONE Nicholas, le Jeune
Né en 1618. Mort le 17 septembre 1647 à Londres. xviie siècle. Britannique.
Sculpteur.
Il était le fils de Nicholas l'Ancien et le frère de Henry et John Stone. Dans son tombeau pour *Lady Elisabeth Berkeley* il révèle un croisement assez curieux de la tradition anglaise avec l'influence de Bernini.

STONE Reynolds
Né le 13 mars 1909. xxe siècle. Britannique.
Graveur sur bois.

STONE Robert
xixe-xxe siècles. Britannique ou Américain.
Peintre de sport équestre, scènes de chasse, panneaux décoratifs.
Ventes Publiques : New York, 10 juin 1983 : *Scènes de chasse*, h/pan., quatre pièces (15,8x31,7) : **USD 6 000** – New York, 7 juin 1985 : *Scène de chasse*, h/pan., quatres pièces (15x30,5) : **USD 5 000** – New York, 6 juin 1986 : *Scènes de chasse*, h/pan., suite de quatre œuvres (15,5x31,8) : **USD 6 500** – New York, 7 juin 1991 : *Scènes de chasse à courre*, h/pan., ensemble de six panneaux (chaque 15,9x31,8) : **USD 11 000** – New York, 5 juin 1992 : *Scènes de chasse à courre*, h/t, ensemble de quatre panneaux (chaque 15,2x30,5) : **USD 7 150** – New York, 9 juin 1995 : *Sur la piste ; Le passage d'un ruisseau*, h/pan., une paire (15,9x31,1 et 17,8x33,7) : **USD 4 312** – New York, 26 fév. 1997 : *Scènes de chasse*, h/pan., trois pièces (15,5x31,3) : **USD 5 175.**

STONE Seymour Millais
Né le 11 juin 1877 en Pologne. xxe siècle. Américain.

Peintre de genre, portraits.

Probablement de parents anglais ou américains, il arriva aux États-Unis à l'âge de six ans. Toutefois, il eut une jeunesse cosmopolite : il fut élève de l'Académie des Beaux-Arts de Munich, de Anders Zorn en Suède, de Jules Lefebvre à Paris, de John Singer Sargent à Londres. Il fut membre de la Ligue Américaine des Artistes Professeurs et de la Fédération américaine des Arts. Il fut surtout portraitiste de nombreux hommes d'État européens et américains.

Ventes Publiques : New York, 4 mai 1993 : *La visite*, h/cart. (49,3x37,6) : USD 4 600.

STONE Sylvia

Née en 1914. xxe siècle. Américaine.

Peintre, sculpteur.

Dans les années soixante, par souci de réalité, elle passa de la peinture à des réalisations en trois dimensions.

Bibliogr. : J. D. Prown, B. Rose, in : *La Peinture américaine*, Skira, Genève, 1969.

STONE Walter King

Né le 2 mars 1875 à Barnard (New York). xxe siècle. Américain.

Peintre de décorations murales, illustrateur.

Il fut élève d'Arthur Wesley Dow au Pratt Institute. Il était membre du Salmagundi Club.

Musées : Rochester (Gal. mun.).

STONE William

Né en 1944 dans le New Jersey. xxe siècle. Américain.

Peintre de paysages, marines, paysages d'eau.

Il expose régulièrement aux États-Unis et avec le Fondation pour l'Art Contemporain à Athènes en 1990.

Ventes Publiques : Londres, 15 juin 1988 : *Vieille ferme au bord d'un chemin près de Hereford*, h/t (40,5x61) : GBP 2 090 – Paris, 16 déc. 1990 : *Correct time* 1987, techn. mixte (40x31x15) : FRF 8 000 – New York, 29 oct. 1992 : *Reflets sur une mare* 1886, h/t (46,3x66) : USD 1 320 – Londres, 27 sep. 1994 : *Barques de pêche par mer houleuse*, h/t (75x125) : GBP 1 495 – Londres, 3 mai 1995 : *Sur la mer démontée*, h/t (81,5x131,5) : GBP 1 437 – Londres, 9 mai 1996 : *Maison rustique*, h/t (60,5x91,5) : GBP 782.

STONE William J.

xixe siècle. Actif à Washington vers 1822. Américain.

Graveur au burin de portraits et d'architectures.

STONE William Oliver

Né le 26 septembre 1830 à Derby (États-Unis). Mort le 15 septembre 1875. xixe siècle. Américain.

Peintre de portraits, paysages.

Il passa la majeure partie de sa vie à New York et fut membre de la National Academy (associé en 1856, académicien en 1859). Il a surtout produit des portraits de femmes et d'enfants. On cite de lui *Miss Ravel* et *Portrait de James Gordon Bennett*.

Musées : New York (Metropolitan Mus.) : *Miss Ravel*.

Ventes Publiques : Paris, 30 jan. 1903 : *Portrait de femme* : FRF 1 050 – Munich, 24 mai 1976 : *Paysage au pont*, h/t (35x45) : DEM 3 400 – Londres, 17 avr. 1996 : *Paysage d'hiver* 1893, h/t (45,8x61) : GBP 977.

STONER Harry

Né le 21 janvier 1880 à Springfield (Ohio). xxe siècle. Américain.

Peintre, décorateur, illustrateur.

Il était actif à New York.

STONGUE Édouard N., dit Granville

Né à Granville (Manche). xixe-xxe siècles. Français.

Graveur.

Il fut élève de Félix Bracquemond. Il exposait à Paris, au Salon des Artistes Français. Il reçut en 1899 une mention honorable, 1900 une médaille de bronze pour l'Exposition universelle.

STONHOUSE Charles

xixe siècle. Britannique.

Peintre et graveur.

Il exposa entre 1833 et 1865 des portraits et des tableaux de genre à la Royal Academy et à l'Institut britannique.

STOOCKS Lumb. Voir STOCKS

STOOF Willem Benedictus

Né le 4 août 1816 à Utrecht. xixe siècle. Hollandais.

Peintre de portraits, d'histoire et de genre.

Élève de C. Kruseman.

Ventes Publiques : Londres, 13 juin 1973 : *La leçon* : GBP 400.

STOOM Mathäus ou Stomms. Voir STOMER

STOOP Cornelius

Né au début du xviie siècle à Hambourg. xviie siècle. Actif à Hambourg. Allemand.

Peintre de fleurs, de fruits et paysages.

STOOP Dirk ou Daniel ou Thierg ou Theodor ou Rodriguez ou Stoff Roderigo

Né vers 1610 ou 1618 à Utrecht. Mort vers 1681 ou 1686 à Utrecht. Éc. flamande.

Peintre de batailles, portraits, animaux, paysages, aquafortiste.

Fils de Willem Stoop, il était en 1638 dans la gilde d'Utrecht et en 1662 à Lisbonne. Il accompagna en Angleterre l'infante Catherine de Bragance et revint à Utrecht en 1678. Il a peint surtout des batailles, des engagements de cavalerie. Comme graveur il a produit des estampes, dont certaines fort rares, des portraits, des scènes militaires, des vignettes pour les Fables d'Ésope, etc.

D. S.

Musées : Aix : *Soldat et jeune femme – Intérieur d'un corps de garde* – Amiens : *Halte de chasse* – Amsterdam : *Partie de chasse – Chasseurs dans l'attente – La promenade* – Bergame (Acad. Carrara) : *Enfant turc et cheval* – Berlin : *Corps de garde – Chien de chasse et conducteur* – Bonn : *Ruines sur le rivage* – Bruxelles : *Halte près de l'hôtellerie – Repos près de la fontaine* – Copenhague : *Halte après la chasse* – Dresde : *Repos pendant la chasse – Scène dans un camp* – Dublin : *Partie de chasse* – La Fère : *Deux batailles* – La Haye : *Vue de l'église et du couvent de Belem près de Lisbonne* – Leipzig : *Combat entre cavaliers et piétons* – Londres (Nat. Portrait Gal.) : *Catherine de Bragance, femme de Charles II* – Schwerin : *Cavaliers* – Valenciennes : *Le chenil* – Vienne (Liechtenstein) : *Combat turc*.

Ventes Publiques : Gand, 1837 : *Combat entre fantassins et cavaliers* : FRF 230 – Paris, 1845 : *Halte de chasse* : FRF 805 – Paris, 1851 : *Repos de chasseurs* : FRF 385 – Anvers, 1862 : *Les Apprêts du repas de chasseurs* : FRF 410 – Paris, 16 fév. 1949 : *Chez le statuaire*, attr. : FRF 16 000 – Paris, 25 avr. 1951 : *L'Abreuvoir* : FRF 75 000 – Paris, 20 juin 1951 : *La halte du cavalier*, attr. : FRF 4 500 – Londres, 8 juil. 1959 : *Paysage montagneux* : GBP 500 – Cologne, 24 nov. 1971 : *Engagement de cavalerie* : DEM 6 800 – Londres, 7 juil. 1972 : *La halte des chasseurs* : GNS 2 200 – Zurich, 20 mai 1977 : *Le repos des chasseurs*, h/pan. (38,5x47,5) : CHF 18 000 – Londres, 16 juil. 1980 : *Scène de bataille entre Chrétiens et Turcs*, h/pan. (47,5x63,5) : GBP 2 400 – Londres, 10 juil. 1981 : *Portrait équestre d'un gentilhomme dans un paysage*, h/pan., de forme ovale (31,8x39,4) : GBP 4 200 – Londres, 23 mai 1986 : *Engagement de cavalerie*, h/pan. (49,5x63,2) : GBP 4 500 – Paris, 27 juin 1988 : *Siège et attaque d'une forteresse sur la cavalerie turque*, h/pan. (52x74) : FRF 70 000 – New York, 10 jan. 1990 : *Escarmouche de cavalerie près d'un pont*, h/pan. (91,4x152,4) : USD 11 000 – Amsterdam, 22 mai 1990 : *Cheval tenu par un palefrenier dans une écurie*, h/pan. (25x21,5) : NLG 18 400 – Paris, 18 avr. 1991 : *Engagement de cavaliers*, h/pan. (80x115) : FRF 80 000 – Londres, 5 juil. 1991 : *Chasse sur un rivage méditerranéen avec des marchands levantins près de ruines*, h/pan. (46,3x63,5) : GBP 15 400 – Paris, 19 oct. 1993 : *Scène de bataille*, h/pan. (52x73) : ITL 6 555 000 – Amsterdam, 16 nov. 1993 : *Cheval blanc attaché dans une grotte*, h/pan. (52,5x44) : NLG 63 250 – Paris, 31 mars 1994 : *Cavalière dans un paysage*, h/t (92x118) : FRF 75 000 – Amsterdam, 7 mai 1996 : *Page faisant boire un cheval gris et servante apportant à boire au cavalier*, h/pan. (33,5x47,5) : NLG 18 800 – Vienne, 29-30 oct. 1996 : *Cheval se désaltérant à une fontaine devant une grotte italienne avec jeune garçon et chiens*, h/pan. (45,5x53,5) : ATS 172 500 – Amsterdam, 11 nov. 1997 : *Cavalier dépassant des paysans et leurs animaux dans un paysage italien*, h/pan. (46,5x64) : NLG 25 960.

STOOP Jan Pieter

Né vers 1612. xviie siècle. Hollandais.

Peintre de paysages et de batailles.

Peut-être frère de Dirk Stoop ; il travailla en Angleterre.

Ventes Publiques : Paris, 1850 : *Scène d'intérieur avec personnages ivres* : FRF 125 – Paris, 22 avr. 1872 : *Escarmouche sur un pont* : FRF 300 – Paris, 16-18 fév. 1931 : *Cavalier*, dess. à la pl. : FRF 120.

STOOP Johannes

xviie siècle. Hollandais.

Peintre de portraits.
Il travaillait vers 1670.

STOOP Josse
XVIe siècle. Actif à Ypres. Belge.
Sculpteur sur bois.

STOOP Maerten
Né peut-être vers 1620 à Rotterdam. Mort en 1647 à Utrecht.
XVIIe siècle. Hollandais.
Peintre de sujets militaires, scènes de genre, natures mortes.
Il étudia à la Guilde des artistes d'Utrecht où il fut contemporain de Nicolaes Knupfer. Leurs œuvres présentent des similitudes. Compte tenu de la brièveté de sa carrière on ne connaît que peu de ses peintures. Certains biographes le croient frère de Dirk Stoop.
Il a peint des conversations galantes et des scènes militaires.

Musées : AIX : *Soldat et jeune femme* – *Intérieur d'un corps de garde* – AMSTERDAM : *Au quartier* – BERLIN (Kaiser Fried. Muse.) : *Corps de garde* – BUDAPEST : *Paysan et satyre* – COPENHAGUE : *Joyeuse société* – *Pillage* – UTRECHT : *Saint Martin parmi les pauvres.*
Ventes Publiques : NEW YORK, 2 mars 1967 : *Nature morte aux fruits* : USD 1 250 – LONDRES, 21 mars 1973 : *Scène de cabaret* : GBP 3 800 – AMSTERDAM, 26 avr. 1977 : *Intérieur d'étable*, h/pan. (42x61) : NLG 9 000 – ZURICH, 3 juin 1983 : *Soldats jouant aux cartes* 1644, h/pan. (57,5x65,5) : CHF 12 500 – AMSTERDAM, 16 nov. 1993 : *Cavalier dans une maison de plaisir*, h/pan. (59x68) : NLG 120 750.

STOOP Marianna Van der ou Stopp
XIXe siècle. Allemande.
Peintre.
Elle était active à Hambourg.

STOOP Peter. Voir STOOP Jan Pieter

STOOP Roderigo. Voir STOOP Dirk

STOOP Roger
XVe siècle. Actif à Gand en 1433. Hollandais.
Peintre verrier.
Auteur de trois vitraux à Gand.

STOOP Willem Van der
XVIIe siècle. Actif à Utrecht en 1638 et 1643. Hollandais.
Peintre verrier.
Le fils d'un Willem Jansen Van der Stoopen entra dans la gilde d'Utrecht en 1638.

STOOPENDAAL Mosse
Né en 1901. Mort en 1948. XXe siècle. Suédois.
Peintre de paysages, paysages d'eau animés, animaux.
Il peignait les paysages, notamment les paysages d'hiver, et leurs animaux sauvages familiers, volatiles de garennes.
Ventes Publiques : GöTEBORG, 24 mars 1976 : *Canards sauvages*, h/t (65x98) – MALMÖ, 2 mai 1977 : *Renard dans un paysage de neige* 1943, h/t (90x145) : SEK 32 000 – STOCKHOLM, 30 oct 1979 : *Paysage de neige* 1935, h/t (79x128,5) : SEK 25 000 – STOCKHOLM, 27 oct. 1981 : *Renard dans un paysage* 1941, h/t (61x88) : SEK 25 000 – STOCKHOLM, 30 oct. 1984 : *Renard dans un paysage de neige* 1945, h/t (84x125) – GöTEBORG, 26 nov. 1985 : *Oiseaux* 1942, aquar., trois œuvres (31x21) : SEK 10 000 – STOCKHOLM, 4 nov. 1986 : *Tempête de neige* 1938, h/t (140x114) : SEK 69 000 – STOCKHOLM, 27 avr. 1988 : *Écureuil sur une branche, l'hiver*, h/t (23x29) : SEK 35 000 – STOCKHOLM, 15 nov. 1988 : *Oies sauvages dans un marécage en été*, h/t (93x144) : SEK 130 000 – GöTEBORG, 8 mai 1989 : *Paysage enneigé avec un lièvre* 1940, h/t (50x70) : SEK 140 000 – STOCKHOLM, 15 nov. 1989 : *Paysage enneigé avec un lièvre blanc*, h/t (25x34) : SEK 120 000 – STOCKHOLM, 16 mai 1990 : *Lièvre blanc courant dans la neige*, h/t (38x46) : SEK 60 000 – STOCKHOLM, 14 nov. 1990 : *Paysage avec des perdrix dans la neige*, h/t (51x68) : SEK 67 000 – NEW YORK, 28 fév. 1991 : *Mésange dans un arbre couvert de neige* 1923, h/t (78,1x61,2) : USD 16 500 – STOCKHOLM, 29 mai 1991 : *Paysage hivernal avec une pie sur un arbre givré* 1938, h/t (61x80) : SEK 45 000 – STOCKHOLM, 28 oct. 1991 : *Colline au crépuscule en automne* 1923, h/t (54x67) : SEK 15 000 – STOCKHOLM, 19 mai 1992 : *Cane entraînant sa couvée sur un étang avec des nénuphars*, h/t (35x49) : SEK 36 500 – STOCKHOLM, 30 nov. 1993 :

Couple de canards au bord d'un ruisseau en hiver, h/t (65x92) : SEK 41 000.

STOOPENDAEL. Voir STOPENDAEL

STOOPS Herbert Morton
Né en 1887. Mort en 1948. XXe siècle. Américain.
Peintre de scènes animées, dessinateur.
Ventes Publiques : NEW YORK, 21 avr. 1977 : *Combat de boxe*, h/t (113x112) : USD 8 000 – NEW YORK, 27 oct. 1978 : *Affrontement*, h/t (82x91,4) : USD 1 700 – NEW YORK, 26 juin 1981 : *Affrontement entre Français et Indiens*, cr. et lav. (45,1x56,9) : USD 600 – NEW YORK, 28 jan. 1982 : *L'embuscade*, h/t (81,3x101,5) : USD 1 500 – NEW YORK, 26 oct. 1984 : *Indians on the march, winter*, h/t (66x114,3) : USD 5 750 – NEW YORK, 31 mars 1993 : *Le salut dans la plaine*, h/t (61x90,8) : USD 1 955.

STOOTER Cornelis Leonardsz
Né vers 1600. Mort en 1655 à Leyde. XVIIe siècle. Éc. flamande.
Peintre de portraits, marines.
Élève de J. Porcellis. À partir de 1648 il fut doyen de la Gilde de Leyde. Il était le père de Leonard Cornelisz Stooter.
Musées : DARMSTADT – DRESDE – HANOVRE – LEYDE.
Ventes Publiques : LONDRES, 24 mai 1968 : *Scène d'estuaire* : GNS 950 – LONDRES, 4 nov. 1970 : *Bord de mer* : GBP 2 200 – BRUXELLES, 26 mars 1974 : *Tempête en mer* : BEF 180 000 – AMSTERDAM, 18 mai 1976 : *Marine*, h/pan. (40x60) : NLG 10 000 – LONDRES, 25 juil 1979 : *Voiliers par grosse mer*, h/t, vue ovale (39x50,5) : GBP 4 000.

STOOTER Leonard Cornelisz ou Stooters
Né à Leyde. Mort le 18 mai 1692 à Anvers. XVIIe siècle. Éc. flamande.
Peintre de paysages.
Il était le fils de Cornelis Leonardsz Stooter. Il fut en 1656 maître à Anvers et en 1658 bourgeois de la ville.

STOOTS Jan
Mort le 23 janvier 1690. XVIIe siècle. Actif à Malines. Éc. flamande.
Peintre.
Élève de F. Van Orsagghen en 1650, maître en 1684.

STOOVERE. Voir STOEVERE

STOP. Voir MOREL-RETZ Louis Pierre Gabriel Bernard

STOPENDAEL Bastiaen ou Stoopendael
Né en 1637 à Amsterdam. Mort avant le 21 mars 1707. XVIIe-XVIIIe siècles. Hollandais.
Dessinateur de scènes d'histoire, de genre, de vues, graveur.
Il se maria en 1665. Ses meilleures planches sont inspirées de la manière de Cornelis Vischer. Il a surtout produit des vues topographiques, des sujets militaires et historiques et des scènes de genre.

STOPENDAEL Daniel ou Stoopendael
Né vers 1650 à Amsterdam. Mort avant 1740. XVIIe-XVIIIe siècles. Hollandais.
Dessinateur, graveur.
Peut-être parent de Bastiaen Stopendael. Il a gravé dans le même genre, souvent d'après ses propres dessins.

STOPENDAEL Hermanus
XVIIIe siècle. Hollandais.
Graveur de vues de villes.
Il était le fils de Bastiaen Stopendael et devint en 1707 bourgeois d'Amsterdam. Il a gravé au burin des vues d'Amsterdam.

STOPFORD Robert Lowe
Né en 1813 à Dublin. Mort le 2 février 1898 à Cork. XIXe siècle. Irlandais.
Peintre de marines, vues, paysages urbains, paysages, aquarelliste, lithographe.

STOPFORD William Henry
Né en 1842 à Cork. Mort en 1890 à Halifax. XIXe siècle. Britannique.
Paysagiste.
Travailla quelque temps à Halifax. Exposa à la Royal Academy et à Suffolk Street de 1867 à 1880. Il peignit surtout des rochers. Le Victoria and Albert Museum, à Londres, conserve deux aquarelles de lui.
Ventes Publiques : LONDRES, 3 juin 1986 : *The guardship in the river Lee, Cork*, aquar. reh. de blanc (55x82,5) : GBP 1 800.

STOPINTLOCK Hans
xvie siècle. Actif à Brunswick vers 1569. Allemand.
Sculpteur.

STOPINYIA Jaime
xve siècle. Actif à Valence entre 1404 et 1428. Espagnol.
Peintre.

STOPP Marianna Van der. Voir STOOP

STOPPEL Franz Xaver
Né en 1812. xixe siècle. Allemand.
Miniaturiste.
Il étudia à l'Académie de Munich, travailla dans cette ville et,
entre 1840 et 1845, à Augsbourg. Il fit surtout des portraits
miniatures.

STOPPELAER Charles
xviiie siècle. Irlandais.
Peintre de portraits.
Il travailla à Dublin entre 1703 et 1738 et ensuite à Londres. La
Galerie de Dublin conserve de lui un *Portrait d'homme* (1745).

STOPPELAER Herbert
Né à Dublin. Mort en 1772. xviiie siècle. Irlandais.
Peintre de paysages, de portraits.
Cet artiste paraît avoir été quelque peu « bohème » ou tout au
moins avoir essayé nombre de moyens pour gagner sa vie. Il vint
à Londres et y exposa six portraits à la Society of Artists de 1761
à 1771. Il écrivit des pièces, fut acteur, tint avec Charles Dibdin,
un théâtre de marionnettes et dessina des compositions humoristiques ; il fut aussi chanteur. A la fin de sa carrière, il paraissait
s'être fixé sur la peinture de portraits.

STOPPERTJE ou der Stopper. Voir LATOMBE Nicolas

STOPPOLONI Augusto Guglielmo
Né en février 1855 à Sanseverino Marche. Mort en 1936 à
Gubbio. xixe-xxe siècles. Italien.
Peintre d'histoire, sujets allégoriques, scènes de genre,
portraits.
Il fut élève de Francesco Podesti. Il travailla à Rome et, entre
1893 et 1904, à Londres.
VENTES PUBLIQUES : LONDRES, 3 oct 1979 : *Les commères du vil-
lage*, h/t (69x50) : GBP 850 – LONDRES, 24 nov. 1982 : *Mère et ses
deux filles* 1904, past./pap. mar./t (151x108) : GBP 1 400 –
LONDRES, 20 juin 1985 : *Mère et filles* 1904, past. (151x108) :
GBP 1 050 – MILAN, 6 déc. 1989 : *Nos troupes ont occupé Trieste*
1920, h/t (76,5x76,5) : ITL 6 000 000 – ROME, 31 mai 1990 : *Allégorie de la Victoire*, cr./pap., étude (43,5x30) : ITL 1 400 000 –
ROME, 31 mai 1990 : *Allégories de la Paix et de la Guerre*, h/t
(50x90,5) : ITL 3 100 000.

STOR A.
Mort en 1712. xviiie siècle. Allemand.
Sculpteur.

STÖR Franz Jos.
xviie siècle. Actif à Radolfzéll. Suisse.
Peintre verrier.

STÖR Hans Conrad
Mort le 12 janvier 1630. xviie siècle. Actif à Schaffhouse.
Suisse.
Peintre verrier.
Il travailla de 1608 à 1611 chez H. W. Jetzler et devint maître en
1615. Le musée de Cluny à Paris, et celui du château de Berlin
conservent quelques spécimens de son œuvre.

STÖR Johann Christoph
xixe siècle. Actif à Nuremberg entre 1840 et 1847. Allemand.
Peintre de genre.

STÖR Johann Wilhelm
xviiie siècle. Actif à Nuremberg entre 1727 et 1755. Allemand.
Graveur au burin et dessinateur.
Il grava des portraits et une collection de ponts.

STÖR Lorenz ou Lienhart ou Stöer ou Stoer ou Stear ou Storr
xvie-xviie siècles. Allemand.
Peintre et dessinateur.
Il vécut surtout à Nuremberg. Son œuvre principale est *Geome-
tria et Perspectiva* (1555). Le Cabinet des dessins au Louvre à
Paris possède deux de ses dessins représentant des chevaux.

STÖR Niclas ou Niclaus ou Stor
Mort entre 1562 et 1563 à Nuremberg. xvie siècle. Actif à
Nuremberg. Allemand.

Peintre et dessinateur.
Son œuvre considérable s'étend aux domaines les plus variés,
religieux et profanes et témoigne d'une technique très solide, qui
savait flatter le goût de l'époque.
VENTES PUBLIQUES : BERNE, 20 juin 1980 : *Joachim : Markgraf von
Brandenburg*, grav./bois coloriée : CHF 16 000.

STORACE Agostino
xviiie siècle. Actif à Gênes. Italien.
Sculpteur.

STORCH
xviiie siècle. Actif à Potsdam. Allemand.
Sculpteur.
A décoré entre 1747 et 1749 le château de Potsdam.

STORCH Anna Frederike
Née le 14 juillet 1815 à Stettin. Morte le 21 janvier 1898 à
Breslau. xixe siècle. Allemande.
Peintre de fleurs et décorateur.
Élève de Karl Hermann à Breslau. Elle copia les maîtres hollan-
dais anciens et reçut des conseils d'Andreas Lach à Vienne. Elle
travailla à Berlin et à Breslau. Le Musée de cette ville conserve
d'elle *Guirlande de fleurs* et *Décoration de fleurs*.

STORCH Arthur
Né le 22 mars 1870 à Volkstedt (Thuringe). xixe-xxe siècles.
Allemand.
Sculpteur de groupes, figures, bustes, médailleur.
Entre 1897 et 1903, il fut élève de Wilhelm von Rümann à l'Aca-
démie des Beaux-Arts de Munich. Jusqu'en 1911, il fut actif à
Munich, de 1911 à 1917 à Hambourg.
MUSÉES : HAMBOURG : *Hercule et les serpents* – MUNICH : *Buste
d'enfant*.

STORCH Carl
Né le 7 mars 1868 à Budapest. xixe-xxe siècles. Actif en
Autriche. Hongrois.
Graveur, dessinateur de portraits, caricaturiste.
Il fut élève de Wilhelm von Diez, Ludwig Herterich, Anton Azbe,
à l'Académie des Beaux-Arts de Munich.
Pendant vingt-cinq ans, il fut collaborateur aux *Fliegende Blät-
ter*.

STORCH Frederik Ludwig
Né en 1805. Mort le 2 septembre 1883 à Copenhague. xix^e
siècle. Danois.
Peintre de genre, portraits.
Élève de l'Académie de Copenhague. Il travailla à Dresde, à
Munich et à Rome.
MUSÉES : OSLO : *Portrait du peintre Dahl*.
VENTES PUBLIQUES : COPENHAGUE, 23 mars 1966 : *Danseurs dans
un paysage napolitain* : DKK 9 000 – COPENHAGUE, 29 avr. 1980 :
Deux jeunes Italiennes avec un bébé 1848, h/t (76x63) :
DKK 16 000 – COPENHAGUE, 7 nov. 1984 : *Vénus après le bain*, h/t
(107x85) : DKK 93 000 – LONDRES, 12 fév. 1993 : *Le rêve* 1870, h/t
(78,2x91,4) : GBP 4 950.

STORCH Hans
xve-xvie siècles. Actif à Nuremberg entre 1492 et 1522. Allemand.
Peintre.

STORCH Karl, l'Aîné
Né le 28 janvier 1864 à Segeberg. xixe-xxe siècles. Allemand.
Peintre d'histoire, scènes animées, portraits.
Il fut élève de Carl Gustav Hellqvist, Paul Meyerheim, Franz
Skarbina, Max Michael, à l'Académie des Beaux-Arts de Berlin.
Il était actif à Königsberg (Prusse), où, de 1902 à 1928, il fut pro-
fesseur à l'Académie.
MUSÉES : KALININGRAD, ancien. Königsberg : *La mère* – KIEL : *Ma
ville natale* – SEGEBERG (Hôtel de Ville) : *Chasse aux faucons* – *Des-
truction de Segeberg par Torstenson* – *Le comte Henri Rantzau* –
L'empereur Lothaire sur le Mont de Segeberg.

STORCH Karl, le Jeune
Né le 25 novembre 1899 à Berlin. xxe siècle. Allemand.
Peintre de portraits, paysages.
Fils de Karl Storch l'Aîné. Il fut élève des Académies des Beaux-
Arts de Königsberg et Berlin.
Plusieurs de ses tableaux se trouvaient en possession de Hitler et
des Ministères de l'Air et des Cultes.

STORCH Peter, dit Allequatter
xvie siècle. Actif à Fribourg et à Constance entre 1557 et
1558. Allemand.
Peintre.

STÖRCHER Michael
XIXᵉ siècle. Allemand.
Peintre.

STÖRCHLIN Johann ou **Stärklin** ou **Störchli** ou **Störcklin** ou **Störklin**
Mort en 1776. XVIIIᵉ siècle. Actif à Augsbourg. Suisse.
Peintre et graveur.
Il était le plus jeune fils de Johann Rudolf Störchlin.

STÖRCHLIN Johann Heinrich ou **Störcklin**
Né en 1687. Mort en 1737 à Augsbourg. XVIIIᵉ siècle. Suisse.
Peintre et graveur.
Il a gravé des sujets religieux et des portraits.

STORCHLIN Johann Josef ou **Stärcklin** ou **Störchli** ou **Störcklin** ou **Störklin**
Mort en 1778 à Bâle. XVIIIᵉ siècle. Suisse.
Graveur.
A gravé des montagnes, des portraits et des scènes galantes.

STÖRCHLIN Johann Karl Josef ou **Stärcklin** ou **Störchli** ou **Störcklin** ou **Störklin**
XVIIIᵉ siècle. Travaillait à Zug entre 1740 et 1750. Suisse.
Graveur au burin.

STÖRCHLIN Johann Rudolf
Né en 1723. Mort en 1756. XVIIIᵉ siècle. Suisse.
Graveur.
Élève de son père Johann Heinrich Störchlin. Il travailla à la manière des pointillistes.

STORCK Abraham Jansz ou **Stork** ou **Sturk**
Né vers 1635 à Amsterdam. Mort vers 1710 à Amsterdam.
XVIIᵉ-XVIIIᵉ siècles. Éc. flamande.
Peintre de paysages animés, paysages portuaires, marines, architectures, graveur.
On ne nomme pas son maître, mais il paraît s'être inspiré de L. Bakhuisen. Il a peint des marines avec des personnages. Il a également gravé quelques eaux-fortes de paysages et de marines. Il peignit aussi d'ailleurs des figures dans les tableaux de Moucheron et de Hobbema.
Ses évocations de la côte hollandaise sont faciles à identifier, grâce à leur exactitude. Il n'en est pas de même des paysages méditerranéens que l'artiste n'a pas dû connaître personnellement.

A S.? A

A Storck Fec

Musées : AMSTERDAM (Rijksmuseum) : *Le Dam à Amsterdam – La rade d'Enkhuizen – Fête sur l'eau – Marine*, deux œuvres – AMSTERDAM (Mus. d'Hist.) : *Vue d'Amsterdam avec embarquement des troupes de la compagnie hindoue* – AMSTERDAM (Scheepvaart Mus.) : *Combat* – BRÊME : *Vue de Rotterdam* – BROOKLYN : *Vue d'Amsterdam* – CAMBRIDGE (Fitzwil. Mus.) : *Bataille navale près de Lowestoft* – CHAMBÉRY (Mus. des Beaux-Arts) : *Marine* – CHERBOURG : *Marine de Hollande* – COPENHAGUE : *Mer houleuse* – DRESDE : *Port d'Amsterdam* – DUBLIN : *Entrée de port* – GENÈVE (Mus. Ariana) : *Port – Paysage*, deux œuvres – GREENWICH : *Marine*, six œuvres – *Port italien* – A'dam : *Pierre le Grand à A'dam* – LA HAYE (Mauritshuis) : *Plage* – KALININGRAD, anc. Königsberg : *Galère – Marine* – LEIPZIG : *Vue d'un port italien* – LONDRES (Nat. Gal.) : *Paysage de la Meuse avec Rotterdam* – MANNHEIM (Château) : *Paysage d'hiver avec patineurs* – MAYENCE : *Port italien – Entrée d'un port hollandais* – MONTPELLIER (Mus. Fabre) : *Port* – NEW YORK (Metropolitan Mus.) : *Port de mer* – OLDENBOURG : *Bateaux au port* – PARIS (Mus. du Louvre) : *Bataille entre la flotte anglaise et la flotte hollandaise* – PARME : *Bataille navale dans un golfe* – RENNES : *Bataille navale* – ROTTERDAM (Mus. Boymans) : *Port italien – Port hollandais en hiver* – SCHLEISSHEIM : *Marine*, deux œuvres – SCHWERIN : *Vue de Venise* – UTRECHT : *Vue d'un port* – VIENNE (Harrach) : *Marine* – WEIMAR : *Un port – Marine*.

Ventes Publiques : AMSTERDAM, 1706 : *La ville de Dordrecht* : FRF 131 ; *La ville de Rotterdam* : FRF 131 – AMSTERDAM, 17 avr. 1708 : *Deux vues, une soirée et une matinée* : FRF 120 – PARIS, 1842 : *Marine avec un yacht royal* : FRF 320 – PARIS, 1843 : *Marine* : FRF 310 – BRUXELLES, 1851 : *Vue d'Amsterdam* :

FRF 230 – PARIS, 1859 : *Mer houleuse* : FRF 305 – PARIS, 1866 : *Port de la Méditerranée* : FRF 610 ; *Port d'Italie* : FRF 483 – PARIS, 1868 : *Promenade* : FRF 350 – PARIS, 1870 : *Port de mer hollandais* : FRF 900 – PARIS, 1879 : *Marine avec figures* : FRF 1 825 – PARIS, 1881 : *Marine* : FRF 600 – PARIS, 8 mai 1891 : *Port de mer hollandais* : FRF 1 750 ; *Le coup de canon* : FRF 260 – PARIS, 1891 : *Port de mer* : FRF 560 – PARIS, 10-12 mai 1900 : *Marine hollandaise* : FRF 225 – PARIS, 14 déc. 1908 : *Un port de mer* : FRF 410 – LONDRES, 1ᵉʳ juin 1945 : *Vaisseaux de guerre* : GBP 168 – LONDRES, 28 nov. 1945 : *Vue d'Amsterdam* : GBP 220 – PARIS, 19 fév. 1946 : *Flotte à l'appareillage* 1670 : FRF 151 000 ; *Un port* 1673 : FRF 100 000 – PARIS, 21 oct. 1946 : *Un port de mer* : FRF 45 000 ; *Les quais devant un palais* : FRF 45 000 – PARIS, 6 déc. 1946 : *Le marché sur le port*, École d'A. S. : FRF 30 000 – PARIS, 6 déc. 1948 : *Navires de haut bord en vue des côtes*, attr. : FRF 40 000 – PARIS, 11 mars 1949 : *Voiliers et vaisseaux de guerre près de la côte*, École d'A. S. : FRF 17 000 – PARIS, 13 juin 1963 : *Un canal dans une ville de Hollande* : FRF 22 000 – LONDRES, 8 juil. 1964 : *Voiliers dans les mers polaires* : GBP 1 600 – LONDRES, 22 juil. 1966 : *Revue navale* : GNS 6 000 – LONDRES, 13 mars 1968 : *Bateaux de pêche en pleine mer* : GBP 3 000 – LONDRES, 26 mars 1969 : *Bateaux au large de la côte* : GBP 4 700 – LONDRES, 27 nov. 1970 : *Vue de Venise* : GNS 2 500 – LONDRES, 25 juin 1971 : *Vue d'Amsterdam* : GNS 5 500 – PARIS, 26 mai 1972 : *Vue d'un port* : FRF 41 000 – AMSTERDAM, mai 1974 : *Bord de la rivière Amstel* : FRF 44 000 – LONDRES, 2 avr. 1976 : *Scène de port*, h/t (63,5x82) : GBP 15 000 – NEW YORK, 15 juin 1977 : *Scène de port*, h/t (49,5x65) : USD 19 000 – PARIS, 27 févr 1979 : *Combat naval*, pl. et lav. : FRF 4 200 – LONDRES, 11 juil. 1979 : *Pierre le Grand visitant le Peter and Paul*, h/t (66x88,5) : GBP 31 000 – VIENNE, 17 mars 1981 : *Scène de bord de mer* 1683, h/t (34x34) : ATS 230 000 – PARIS, 4 mai 1984 : *Port et remparts d'une ville*, pl. et lav. (16,5x17) : FRF 12 500 – LONDRES, 22 fév. 1984 : *Vue d'un port du Midi animé de personnages*, h/t (80x63,5) : GBP 48 000 – NEW YORK, 15 oct. 1987 : *Scène de port d'Italie* 1680, h/t (67,5x84) : USD 92 500 – LONDRES, 8 juil. 1988 : *Spectateurs sur la jetée observant les casiers à homards, les passagers d'une barque et un navire de guerre tirant une salve au loin*, h/t (49x59,5) : GBP 19 800 – NEW YORK, 21 oct. 1988 : *Frégates et bateaux de pêche dans un port méditerranéen*, h/t (53x63,5) : USD 24 750 – STOCKHOLM, 15 nov. 1988 : *Scène de port animé avec une église sur le quai*, h. (49x65) : SEK 15 000 – PARIS, 12 déc. 1988 : *Navires de haut bord au mouillage dans une rade*, h/t (33,5x44,5) : FRF 1 600 000 – PARIS, 21 avr. 1989 : *Les bords de la Moselle avec des gamins autour d'une charrette et une église et des embarcations sur le fleuve*, h/t (58,5x79) : GBP 44 000 – AMSTERDAM, 20 juin 1989 : *Yachts de la flotte hollandaise amarrés au quai près de Oude Stadtsherberg à Amsterdam*, h/t (46,6x58,9) : NLG 34 500 – AMSTERDAM, 28 nov. 1989 : *Port oriental animé avec un navire marchand hollandais au large* 1677, h/t (84,8x71) : NLG 80 500 – MONACO, 2 déc. 1989 : *Vaisseaux dans une rade*, h/t (81x112) : FRF 321 900 – PARIS, 9 avr. 1990 : *Bateaux de guerre hollandais par une mer calme*, h/t (58,5x71,5) : FRF 500 000 – AMSTERDAM, 14 nov. 1990 : *Embarcations par mer houleuse*, h/t (54,5x67) : NLG 143 750 – LONDRES, 12 déc. 1990 : *Pêcheurs harponnant une baleine sur la côte arctique*, h/t (118x167,5) : FRF 200 000 – NEW YORK, 11 jan. 1991 : *Bâtiments nationaux sur l'Amstel près de la Hoogesluis à Amsterdam*, h/t (63,5x76) : USD 77 000 – LONDRES, 5 juil. 1991 : *Personnages sur une grève observant des bâtiments poussés par le vent sur le point d'entrer en collision tandis qu'un vaisseau hollandais tire une salve*, h/t (59,7x73,2) : GBP 22 000 – LONDRES, 1ᵉʳ avr. 1992 : *Capriccio d'un port méditerranéen* 1679, h/t (132x200,5) : GBP 68 200 – AMSTERDAM, 10 nov. 1992 : *Calèches, marchands et promeneur le long de Buiten-Amstel à Amsterdam*, h/t (58x48,7) : NLG 86 250 – AMSTERDAM, 25 nov. 1992 : *Port méditerranéen avec des hommes déchargeant des bateaux* ; *Port méditerranéen animé avec un couple élégant près de ruines* 1677, encre et lav., une paire (18,5x14,3) : NLG 25 300 – LONDRES, 7 juil. 1993 : *La bataille de Texel*, h/t (100x134) : GBP 84 000 – AMSTERDAM, 16 nov. 1993 : *Vaisseaux de l'Amirauté naviguant en formation sur l'Ij avec Amsterdam à l'arrière-plan*, h/pap./pan. (23x34) : NLG 322 000 – PARIS, 31 jan. 1994 : *Scène de port animée* 1679, h/t (85x65) : FRF 200 000 – NEW YORK, 19 mai 1994 : *Capriccio d'un port méditerranéen animé avec une église et des bateaux* ; *Capriccio d'un port méditerranéen animé avec des bateaux et la poterne de la ville*, h/t, une paire (chaque 54,6x66,7) : USD 310 500 – MONACO, 19 juin 1994 : *Vaisseaux dans un port*, h/t (49x67) : FRF 72 150 – AMSTERDAM, 12 nov. 1996 : *Hommes* déchargeant un bateau dans un port méditerranéen 1677, cr., encres brune et grise et lav. bleu (18,5x14,3) : **NLG 16 520** – LONDRES, 19 avr. 1996 : *Capriccio du bassin de Saint-Marc à Venise avec un galion, un bâtiment de guerre et des gondoles face à la Dogana*, h/t (83,2x111,4) : **GBP 32 200** – NEW YORK, 16 mai 1996 : *Port hollandais avec des bateaux à quai, un bâtiment de guerre ancré au large et une barque avec des baigneurs*, h/t (62,9x80,6) : **USD 107 000** – LONDRES, 3 juil. 1996 : *Amsterdam : la rivière Amstel vue vers la ville avec la barque municipale et d'autres embarcations au premier plan*, h/t (40,5x54,5) : **GBP 84 000** – ÉDIMBOURG, 27 nov. 1996 : *La Forteresse d'Elsimore vue du port*, h/t (57,8x69,5) : **GBP 24 150** – LONDRES, 16 avr. 1997 : *Vaisseaux sur mer clapotante avec en avant-plan des personnages sur la grève*, h/t (50,5x66) : **GBP 5 750** – LONDRES, 4 juil. 1997 : *Bateaux hollandais chassant la baleine dans l'Arctique*, h/t (50x65,7) : **GBP 40 000**.

STORCK Adolf Eduard
Né le 13 juillet 1854 à Brème. XIXe-XXe siècles. Allemand.
Peintre de paysages animés, animaux.
Il fut élève de Fritz Ebel à Düsseldorf. Il fut actif à Munich.
VENTES PUBLIQUES : NEW YORK, 20 jan. 1993 : *Renard dans un sous-bois*, h/t (103,5x75,6) : **USD 1 380**.

STORCK Fritz
Né le 19 janvier 1872 à Bucarest. XIXe-XXe siècles. Actif aussi en Allemagne. Roumain.
Sculpteur.
Fils de Karl Storck l'Aîné. Il fut élève de Ioan Georgescu et de Wilhelm von Rümann à l'Académie des Beaux-Arts de Munich. Il figura au Salon des Artistes Français de Paris, reçut en 1889 une mention honorable pour l'Exposition universelle. Il fut l'un des fondateurs de la *Tinerimea artistica* qui joua un rôle important dans le développement de l'art roumain.
MUSÉES : BUCAREST (Mus. Simu) : *Le Clown* – *Le Père Costache* – *La Pénitente* – *Madame Simu*, buste – *Cecilia Cutzescu*, buste.
VENTES PUBLIQUES : LONDRES, 7 juin 1984 : *Le clown* vers 1898, bronze, patine brun et or (H. 54,4) : **GBP 900**.

STORCK Hans
Né en 1769 à Christianshavn. Mort le 10 décembre 1794 à Copenhague. XVIIIe siècle. Danois.
Peintre d'histoire.
Élève de Abildgaard.

STORCK Heinrich Wilhelm ou Stork
Né le 13 septembre 1808 à Kreuznach. Mort le 10 janvier 1850 à Leipzig. XIXe siècle. Allemand.
Peintre de portraits, d'histoire et lithographe.
Élève de l'Académie de Munich. Il illustra plusieurs livres édités chez Teubner.

STORCK Jacobus et non Jan ou Sturck
Né en 1641. Mort en 1687. XVIIe siècle. Hollandais.
Peintre de marines, paysages.
Il était actif à Amsterdam de 1660 à 1686. Peut-être frère d'Abraham Storck. On confond d'ailleurs souvent leurs œuvres. Il semble avoir travaillé également à Hambourg, Spire et peut-être en Italie. On ne sait actuellement rien d'autre sur cet artiste, d'ailleurs en général nommé à tort Jan.

MUSÉES : AMSTERDAM (Rijksmuseum) : *Le château de Nyenrode* – COPENHAGUE : *Paysage de côte* – EMDEN : *Paysage de rivière* – GOTHA : *Vue d'Amsterdam* – GÖTTINGEN (Univer.) : *Port de mer avec bateaux* (coll. Wallace) : *Château au bord d'une rivière* – PHILADELPHIE : *Vue de Rotterdam* – ROTTERDAM (Mus. Boymans) : *La vieille porte de Rotterdam* – *Vue d'hiver à Rotterdam* – SAINT-PÉTERSBOURG (Mus. de l'Ermitage) : *Mer calme* – *Paysage d'hiver* – SPIRE : *Vue de Spire*.
VENTES PUBLIQUES : LONDRES, 27 juil. 1945 : *Ville sur une rivière* : **GBP 115** – LONDRES, 22 juil. 1966 : *Bord de rivière* : **GNS 950** – NEW YORK, 2 mars 1967 : *Voiliers devant le port d'Amsterdam* : **USD 3 500** – LONDRES, 26 mars 1969 : *Scène de canal* : **GBP 5 200** – AMSTERDAM, 22 mai 1973 : *Marine* : **NLG 43 000** – LONDRES, 26 nov. 1976 : *Vue d'Amsterdam* 1665, h/pan. (74x104) : **GBP 13 500** – VERSAILLES, 6 mars 1977 : *Le départ des vaisseaux*, h/t (43x56) : **FRF 26 500** – LONDRES, 11 juil 1979 : *Vue de la rivière Vecht (?)* 1677, h/t (76x107) : **GBP 13 000** – AMSTERDAM, 18 mai 1981 : *Vue d'Amsterdam* 1687, h/t (83x108) : **NLG 18 500** – ZURICH, 13 juin 1986 : *Paysage fluvial avec vue d'un château fortifié et nom-*

breuses barques, h/pan. (23x30) : **CHF 28 000** – LONDRES, 17 juin 1988 : *La Rivière Y et l'auberge et la digue de Zeeburgh près d'Amsterdam*, h/pan. (60x83) : **GBP 8 800** – LONDRES, 8 juil. 1988 : *Un navire hollandais tirant une salve d'honneur en sortant du port de Rotterdam avec des embarcations à quai au fond*, h/t (65x84) : **GBP 38 500** – AMSTERDAM, 14 nov. 1988 : *Capriccio d'un port méditerranéen*, encre (14,2x20,2) : **NLG 19 550** – LONDRES, 5 juil. 1989 : *Navigation dans un port avec des personnages arrivant à quai*, h/pan (29x31) : **GBP 5 720** – LONDRES, 27 oct. 1989 : *Voyageurs sur le chemin longeant une rivière navigable avec une ville en surplomb à l'arrière-plan* 1675, h/t (48,3x65,8) : **GBP 6 600** – LONDRES, 26 oct. 1990 : *Capriccio d'un port méditerranéen avec un arc roman, des personnages sur le quai et une frégate hollandaise tirant une salve d'honneur*, h/pan. (76x106,1) : **GBP 12 100** – ÉVREUX, 9 déc. 1990 : *Paysage fluvial* 1685, h/t (48x63,5) : **FRF 102 000** – LONDRES, 19 avr. 1991 : *Port méditerranéen avec une église sur le quai et un vaisseau hollandais au large et de riches voyageurs s'embarquant dans une gondole*, h/t (76,2x108,6) : **GBP 15 400** – NEW YORK, 31 mai 1991 : *Péniche sur une rivière passant devant un château avec des personnages au premier plan* 1682, h/t (74,3x108,5) : **USD 24 200** – NEW YORK, 7 oct. 1994 : *Ville allemande au bord d'une rivière avec des figures et des barques*, h/t (74,3x108,5) : **USD 9 200** – NEW YORK, 11 mai 1995 : *Vue d'Amsterdam avec le Singel et la Tour de la Monnaie et des personnages traversant le pont et des baigneurs au premier plan*, h/t (40x48,3) : **USD 17 250** – NEW YORK, 11 déc. 1996 : *Capriccio d'une vue de ville au bord d'un fleuve*, h/t (87x117) : **GBP 36 700** – AMSTERDAM, 10 nov. 1997 : *Un yacht hollandais et autres embarcations sur une rivière près d'une ville*, h/t (79x109,5) : **NLG 71 498** – LONDRES, 18 avr. 1997 : *Vues de Maarsen et Nieuwersluis sur le Vecht, avec des voiliers et des bacs*, h/t, une paire (62,5x85,2) : **GBP 139 000** – LONDRES, 30 oct. 1997 : *Capriccio d'une scène de port avec une cathédrale, des bateaux et des personnages*, h/pan. (61,5x77) : **GBP 5 750**.

STORCK Jan, le Jeune
XVIIe-XVIIIe siècles. Hollandais.
Peintre de paysages.
On ne sait rien de cet artiste, qui fut mentionné dans un catalogue de vente publique à Londres. Peut-être faut-il l'identifier avec le précédent ou l'un des deux artistes de la notice suivante.

STORCK Johannes et Jannis ou Jansen et Sturck
XVIIe siècle. Hollandais.
Peintres.
Ils travaillaient à Amsterdam entre 1649 et 1663.
VENTES PUBLIQUES : LONDRES, 26 juin 1964 : *Scène de port* : **GNS 900** – LONDRES, 13 avr. 1973 : *Scène de canal* : **GNS 7 500**.

STORCK Jörgen
Né le 25 novembre 1880 à Copenhague. Mort le 4 mars 1924 à Copenhague. XXe siècle. Danois.
Peintre de figures, groupes.
Il peignit surtout des figures féminines.
VENTES PUBLIQUES : LONDRES, 27 juil. 1973 : *Jeunes femmes sur une terrasse* : **GNS 500** – LONDRES, 17 mai 1991 : *Dames au balcon* 1909, h/t (121x176) : **GBP 3 080**.

STORCK Karl, l'Ancien
Né en 1826 à Hanau (Hesse). Mort en 1887 à Bucarest. XIXe siècle. Roumain.
Sculpteur.
Il était aussi graveur et ciseleur. Il étudia à Paris où le surprit la Révolution de 1848. Il rentra à Bucarest en 1849. Il fit à Munich son éducation de sculpteur en 1856 et 1857. Il devint en 1865 professeur à l'École des Beaux-Arts de Bucarest. Il a laissé à Bucarest un groupe de marbre représentant *La reine Élisabeth pansant un soldat blessé* et un monument élevé au souvenir de *Mihai Contacuino*.

STORCK Karl ou Carol, le Jeune
Né en 1854 à Bucarest. Mort en 1924 à Bucarest. XIXe-XXe siècles. Roumain.
Sculpteur de monuments, médailleur, peintre.
Il était fils de Karl Storck l'Ancien et fut son élève. Il fit un voyage d'étude à Florence, auprès d'Augusto Rivalta. Il travailla quatre années en Amérique. Il exposa à Paris, au Salon des Artistes Français, reçut en 1900 une médaille d'argent pour l'Exposition universelle.
Il est l'auteur du *Monument de Carol Davila*, érigé devant la Faculté de Médecine de Bucarest.

STORCK Roméo
Né à Paris. xxᵉ siècle. Français.
Peintre de scènes animées, compositions murales.
Dans les années trente, il vécut une bohème heureuse, participant aux remous artistiques de l'entre-deux-guerres. Grand voyageur, il alla notamment au Brésil. Puis il rentra en France et s'installa à Paris.
Au Brésil, il vécut une période de « fresques et maquettes », couvrant les murs de São Paulo, décorant des immeubles de Brasilia. On cite une gigantesque fresque bacchique à l'aéroport de São Paulo.
Ventes Publiques : Zurich, 19 juil. 1984 : *Les saltimbanques*, h/t (81x65) : CHF 4 200.

STORCK-BOTEZ Cecilia
Née le 4 juillet 1914 à Bucarest. xxᵉ siècle. Active depuis 1982 en France. Roumaine.
Peintre, aquarelliste, céramiste, peintre de décorations murales.
Fille du sculpteur Fritz Storck et du peintre Cecilia Storck-Cutzescu, elle a suivi les cours de l'Académie royale des Beaux-Arts de Bucarest, obtenant le diplôme en 1936. Elle a également étudié le graphisme dans l'atelier Paul Colin à Paris en 1945. Elle a été membre du Conseil de direction de l'Union populaire des Arts à Bucarest. Elle a quitté la Roumanie en 1982 pour s'établir à Paris.
Elle montre ses œuvres dans des expositions personnelles, dont la première en 1944, Estoril (Portugal), puis : 1950, Lisbonne ; 1964, 1971, Bucarest.
Cecilia Storck-Botez a réalisé de nombreuses pièces monumentales en céramique qui ont pour thèmes la mer ou la vie populaire, interprétés dans une manière stylisée.
Bibliogr. : Ionel Jianou et autres : *Les Artistes roumains en Occident*, American Romanian Academy of Arts and Sciences, Los Angeles, 1986.

STORCK-CUTZESCU Cecilia
Née en 1879 à Bucarest. xxᵉ siècle. Roumaine.
Peintre de compositions allégoriques, figures, peintre de compositions murales.
Née Cutzescu, elle se maria avec Fritz Storck. Elle reçut sa formation à Munich, peut-être à l'Académie des Beaux-Arts où elle aurait pu rencontrer son mari, et à Paris. À partir de 1916, elle fut professeur à l'Académie de Bucarest.
Elle est l'auteur du grand panneau décoratif *Le Commerce Roumain* dans l'Aula de l'École de Commerce de Bucarest.

STÖRCKLIN. Voir aussi STÖRCHLIN

STÖRCKLIN G.
xviiiᵉ siècle. Allemand.
Graveur au burin.

STORDEUR Jean Baptiste
Né le 25 novembre 1836 à Bruxelles. Mort le 9 juin 1885 à Bruxelles. xixᵉ siècle. Belge.
Sculpteur et médailleur.
Il travailla le dessin en 1852 et 1853 à l'Académie de Bruxelles. Il fut ensuite élève de J. P. Braemt et vécut quelques années à Malines. De 1879 à 1881 il travailla à Anvers puis se fixa à Bruxelles. Le Cabinet des Médailles de Bruxelles conserve une collection complète de ses médailles.

STORDY Charles
xviiiᵉ siècle. Britannique.
Peintre de paysages.
A partir de 1757 il devint membre de la gilde de Dublin.

STORDY J.
Mort en 1799 à Londres. xviiiᵉ siècle. Travaillant à Londres. Britannique.
Miniaturiste.
Il était le frère de Charles Stordy. Exposa à la Royal Academy en 1786, 1787, 1788. Le Musée de Nottingham conserve de lui : *Portrait d'une dame en blanc*.

STOREL Sergio
Né le 14 juin 1926 à Domegge di Cadore. xxᵉ siècle. Depuis 1958 actif en France. Italien.
Sculpteur.
Il apprit à travailler le métal à l'École d'Art de Trévise entre 1954 et 1958. Il poursuivit ensuite sa formation à l'École des Beaux-Arts de Paris, dans l'atelier d'Henri-Georges Adam de 1960 à 1962.

Il figure dans des expositions de groupe, notamment au Salon des Réalités Nouvelles, à Paris, à partir de 1952, de même qu'aux Salons Grands et Jeunes d'Aujourd'hui, Comparaisons, de Mai, et au Salon de la Jeune Sculpture. Il a réalisé une sculpture monumentale, à Épinay-sur-Sernat, en France, et une autre à Dallas aux États-Unis.
Dans une première période, il découpait et pliait des feuilles de plomb, à partir de 1953, il utilisa le ciment, puis il combina les deux matériaux, il revint finalement au métal, qu'il emploie désormais en formes compactes, obtenues par martelage et soudure. De tendance abstraite, ses œuvres entretiennent cependant des rapports allusifs avec des objets ou des êtres réels.
Bibliogr. : Denys Chevalier, in : *Nouveau Dictionnaire de la sculpt. mod.*, Hazan, Paris, 1970.
Musées : Dunkerque (Mus. d'Art mod.) – New York (Guggenheim Mus.) – Washington D. C. (Smithsonian Institution) – Washington D. C. (Hirshhorn Mus.).
Ventes Publiques : Paris, 3 oct. 1988 : *Silhouette 1969*, bronze à patine brun sombre (40x17) : FRF 8 000 – Paris, 22 mai 1989 : *La magie de l'espace 1980*, métal soudé (36x39x14) : FRF 10 000 – Paris, 21 mai 1990 : *La voix de son maître 1980*, métal peint (28x37x17) : FRF 11 000 – Neuilly, 3 fév. 1991 : *La voix de son maître 1980*, fer soudé (34x38x12) : FRF 10 000 – Paris, 3 fév. 1992 : *Nucléisme-fleur 1977*, cuivre soudé (diam. 51) : FRF 15 500.

STORELLI André
Né à Paris. Mort le 5 novembre 1910. xxᵉ siècle. Français.
Peintre de paysages, graveur, écrivain.
Élève de son père, de Questel et de Justin Ouvrié. Débuta au Salon de 1870. Il représenta dans ses gravures et ses aquarelles des vues des châteaux et de la campagne de Blois.

STORELLI Felice ou Félix Marie Ferdinand
Né en 1778 à Turin. Mort le 19 juin 1854 à Paris. xixᵉ siècle. Italien.
Peintre d'histoire, batailles, paysages, aquarelliste, dessinateur.
Il était le père de Ferdinand Michel Storelli et exposa au Salon de 1806 à 1850 et obtint une médaille de première classe en 1825.
Musées : Blois : *Paysage – Bords de la Seine à Marcilly* – Copenhague (Thorwald. Mus.) : *Ville de montagne en Italie* – Paris : *Paysage de forêt* – Versailles : *Charles de Schomberg, maréchal de France – Bataille d'Abensberg*, aquar. – Versailles (Trianon) : *Paysage avec chute d'eau*.
Ventes Publiques : Paris, 10 déc. 1920 : *Vue de la glacière dans le parc de Saint-Cloud*, sépia : FRF 250 – Paris, 27 fév. 1929 : *Vue des environs de Versailles*, aquar. : FRF 200 – Versailles, 25 oct. 1970 : *Épisodes de la campagne d'Italie*, quatre aquar. : FRF 10 500 – Paris, 19 nov. 1985 : *Paysage d'Italie à la cascade 1819*, h/t (90x118) : FRF 50 000 – Milan, 5 déc. 1990 : *Gorges dans les Alpes*, h/t (128x161,5) : ITL 20 000 000 – Paris, 8 avr. 1995 : *Paysage méditerranéen avec le Vésuve 1840*, aquar. (62,5x90) : FRF 34 000 – Londres, 12 déc. 1996 : *Château vu de face, avec un canal en avant-plan ; Le même face arrière vu du parc*, craie noire, aquar., une paire (23,3x32,1) : GBP 1 840 – New York, 17 oct. 1997 : *Vue du Mississippi avec des indiens sur des pirogues et sur le rivage*, h/t (54x74) : USD 21 850.

STORELLI Ferdinand Michel
Né en 1805 à Paris. xixᵉ siècle. Français.
Peintre de genre et de paysages.
Il était le fils et l'élève de Felix Marie Ferdinand et le père d'André. Il exposa au Salon de 1831 à 1877 ; reçut une médaille de troisième classe en 1839, de deuxième classe en 1840.
Ventes Publiques : Paris, oct. 1945-juil. 1946 : *Vue de Naples 1870* : FRF 3 000 – Londres, 3 oct 1979 : *La baie de Naples 1860*, h/t (43,7x64,1) : GBP 750.

STORER A.
xixᵉ siècle. Actif à Londres entre 1840 et 1845. Britannique.
Aquarelliste.
Il a deux de ses vues de Londres au British Museum.

STORER Bartholomäus
Né entre 1580 et 1590. Mort entre 1634 et 1635. xviiᵉ siècle. Actif à Constance. Suisse.
Peintre.
Il devint bourgeois de Constance en 1612. Il a peint la *Flagellation du Christ* sur la façade de Saint-Étienne à Constance.

STORER Christoph. Voir STORER Johann Christoph
STORER Henry Sargant
Né probablement à Cambridge. Mort le 8 janvier 1837 à Londres. xixᵉ siècle. Britannique.

Dessinateur et graveur.

Fils, élève et collaborateur de James Storer, notamment pour les ouvrages : *Cathedrals of Great Britain (the Porfolio)* (1823-1824), *Collegiorum portae apud Cantabrigiam, Delineates of Abbey's Fountains*. A la fin de sa carrière, il vint à Londres.

STORER James
Né en 1781 à Cambridge. Mort le 23 décembre 1852 à Londres. XIXe siècle. Britannique.

Aquarelliste et graveur.

Il dessina et grava un grand nombre d'anciens monuments anglais et d'antiquités. Il travailla d'abord à Cambridge, puis vint finir sa carrière à Londres. Le Musée de Cardiff conserve de lui *Cathédrale de Saint-David*.

STORER James
Né en 1802 à Glasgow. XIXe siècle. Britannique.

Peintre de paysages.

Il se forma à Londres et fit en 1838 un voyage sur le continent.

STORER Johann Christoph ou **Storren**
Né en 1611 à Constance. Mort en 1671 à Constance. XVIIe siècle. Suisse.

Peintre d'histoire, sujets religieux, portraits, graveur à l'eau-forte, dessinateur.

Élève de son père Bart. et de H. Procaccini. Il était le père de Johann Lukas. Il a gravé des sujets religieux et des scènes d'histoire.

MUSÉES : FLORENCE (Gal. roy.) : *Autoportrait*.
VENTES PUBLIQUES : MILAN, 12 déc. 1988 : *Sainte Marguerite*, h/t (121x94) : ITL 8 000 000.

STORER Johann Lukas
Né vers 1645 à Milan. Mort en 1675 à Constance. XVIIe siècle. Actif à Constance. Suisse.

Peintre.

Il était l'élève de son père Johann Christoph et termina les œuvres que celui-ci laissa inachevées.

STORER Louisa
XIXe siècle. Active à Londres. Britannique.

Peintre de fleurs.

Elle exposa à Londres, entre 1816 et 1843.

STOREY George Adolphus ou **Augustus**
Né en 1834 à Londres. Mort le 29 juillet 1919 à Londres. XIXe-XXe siècles. Britannique.

Peintre de genre, portraits.

Exposa à Londres à partir de 1852, notamment à la Royal Academy, à Suffolk Street et à la British Institution. En 1876, il fut agréé associé à la Royal Academy.

MUSÉES : HAMBOURG : *Mme H. Calderon et son enfant – Le vieux soldat – Une jeune dame* – SHEFFIELD : *Les visiteurs de grand-'maman à Noël – Portrait d'une dame* – SUNDERLAND : *Le messager affamé*.
VENTES PUBLIQUES : LONDRES, 1873 : *L'orphelin modeste* : FRF 13 125 – LONDRES, 28 nov. 1972 : *Les orphelins* : GBP 380 – LONDRES, 20 nov. 1973 : *Les orphelins* : GBP 650 – NEW YORK, 30 oct. 1980 : *L'enterrement de la fiancée* 1859, h/t (104x86,5) : USD 5 500 – LONDRES, 4 juin 1982 : *Music hath Charms* 1857-1858, h/t (75x62,2) : GBP 3 800 – NEW YORK, 25 fév. 1983 : *Un jeune prodigue et ses amis*, h/t (107,7x160) : USD 1 800 – LONDRES, 11 déc. 1985 : *Jeune femme lisant dans un intérieur*, aquar. et cr. (18,1x23,6) : GBP 1 200.

STOREY J.
Né en 1827 à Sunderland. Mort en 1877 à Sunderland. XIXe siècle. Britannique.

Peintre de vues de villes, aquarelliste.

STORFFER Ferdinand, dit **Astorffer**
Né vers 1694 à Neufeld. Mort le 11 mars 1771 à Vienne. XVIIIe siècle. Autrichien.

Miniaturiste.

Il travailla à Vienne à partir de 1718. De 1726 à 1728 il fut élève de l'Académie avec Van Schuppen.

STORIALE Vincenzo
XVe siècle. Italien.

Illustrateur.

Il était attaché en 1493 à la cour de Ferdinand Ier à Naples. Écrivain, il illustra des livres.

STORIE José
Né en 1899 à Bruges (Flandre-Occidentale). Mort en 1961 à Bruges. XXe siècle. Belge.

Peintre de portraits, natures mortes, fleurs.

Il fut élève de l'Académie de Bruxelles sous la direction de Jean Delville et H. Richir, où il obtint un prix en 1922. Il a fait des envois à la Société des Artistes Français et a peint surtout des portraits officiels et mondains, des natures mortes et des fleurs.

BIBLIOGR. : In : *Dictionnaire biographique illustré des artistes en Belgique depuis 1830*, Arto, Bruxelles, 1987.
VENTES PUBLIQUES : NEW YORK, 1er mars 1990 : *L'azalée rouge*, h/t/cart. (44,5x36,9) : USD 11 000.

STORINO Gerardo ou **Sturino**
Né dans la première moitié du XVIIe siècle à Palerme. XVIIe siècle. Italien.

Peintre.

STORK. Voir **STORCK**

STORK-KRUYFF Anna Maria
Née en 1870 à Sassenheim. Morte en 1946. XXe siècle. Hollandaise.

Peintre, graveur.

Voir aussi KRUYFF Anna Maria Storck.
VENTES PUBLIQUES : AMSTERDAM, 20 avr. 1993 : *La mouche* 1905, aquar. (20x29) : NLG 4 600.

STÖRKLIN. Voir **STÖRCHLIN**

STORLATO Giovanni
XVe siècle. Actif à Venise. Italien.

Peintre.

STORM G. F.
XIXe siècle. Actif à Philadelphie vers 1834. Américain.

Graveur de portraits.

STORM George
Né en 1830 à Johnstown. Mort le 6 juillet 1913 à Lancaster (Pennsylvanie). XIXe-XXe siècles. Américain.

Peintre de portraits.

STORM Jan
Mort en 1488. XVe siècle. Belge.

Miniaturiste.

STORM Paul
Né le 29 janvier 1880 à Hambourg. XXe siècle. Allemand.

Peintre.

Il fut élève de C. von Marr et de K. Bantzer.

STORM VAN S'GRAVENSANDE Charles
Né le 21 janvier 1841 à Breda. Mort le 7 février 1924 à La Haye. XIXe-XXe siècles. Hollandais.

Peintre de paysages, marines, paysages, lithographe, graveur à l'eau-forte.

Il était fils d'un officier de l'armée hollandaise. En 1899 il alla à Bruxelles et y rencontra Willem Roefols. Il y connut aussi Rops. Il vécut une année en Allemagne. Il exposa à Paris en 1900 (Exposition Universelle) et y remporta une médaille d'or.
Ce peintre qui, avec une forme très personnelle, une liberté de technique toute moderne, a repris les traditions des grands paysagistes hollandais du XVIIe siècle, n'est pas très connu en France, sauf par ses estampes. Il a gravé des marines, des paysages bretons, des vues de Belgique, de Hollande, de Normandie.
MUSÉES : LA HAYE (Mus. Mesdag) : *Le port de Hambourg*.
VENTES PUBLIQUES : NEW YORK, 10 et 11 jan. 1907 : *Temps d'orage* : USD 100 – PARIS, 6 déc. 1924 : *Canal de Hollande*, aquar. : FRF 160.

STORM VAN S'GRAVENSANDE L.
Né le 16 juin 1861 à Vorden. XIXe-XXe siècles. Hollandais.

Peintre de portraits, aquarelliste, miniaturiste.

Il fut élève de l'Académie d'Amsterdam de 1883 à 1888 et de Fernand Cormon à Paris.

STORM-PETERSEN Robert. Voir **PETERSEN Robert Storm**

STÖRMER Curt
Né le 26 avril 1891 à Hagen (Westphalie). XXe siècle. Allemand.

Peintre, graveur sur bois, écrivain.

Il a étudié à Düsseldorf, a vécu à Paris, Worpswede et Lubeck.

STORMIO Hernando. Voir **ESTURMES**

STORMS Julius
Né en 1817 à Bruxelles. XIXe siècle. Belge.

Peintre.

Un Frederick Storms, peintre, travaillait en 1845.

STORN Rudolf Johann ou **Sturn**
XVIIe siècle. Allemand.

Peintre.

Il a accompagné de 1661 à 1663 l'ambassadeur August von Mayern dans son voyage en Russie et a composé avec celui-ci les dessins qui ont illustré la description de ce voyage.

STORNI Carlo
XVIIIe siècle. Actif à Lugaggia. Suisse.
Peintre.

STORNO Franz Koloman
Né le 4 mars 1881 à Ödenbourg (nom actuel : Sopron). Mort le 20 juin 1903 à Ödenbourg. XIXe-XXe siècles. Hongrois.
Peintre.

Il était le fils de Franz Storno le Jeune. Il vécut et travailla à Ödenbourg.

STORNO Franz ou Ferenc, l'Ancien
Né le 20 février 1820 à Eisenstadt. Mort le 29 janvier 1907 à Ödenbourg. XIXe siècle. Hongrois.
Peintre et architecte.

Il étudia à Landshut et à Munich avec J. Schlotthauer. A partir de 1845, il vécut à Ödenbourg. Il a surtout peint des sujets religieux.

STORNO Franz ou Ferenc, le Jeune
Né le 6 novembre 1851 à Ödenbourg (nom actuel : Sopron). XIXe-XXe siècles. Hongrois.
Peintre.

Il était le fils et le collaborateur de Franz Storno l'Ancien et il étudia à Vienne et à Nuremberg.

STORNO Johann Rudolf. Voir STORN Rudolf Johann

STORNO Paul ou Päl
Né le 1er septembre 1892 à Ödenbourg (nom actuel : Sopron). XXe siècle. Hongrois.
Peintre, graveur.

Il étudia à Budapest et à Vienne. Il a reproduit surtout des paysages.

STORNONE Felice
Né le 31 janvier 1853 à Ivrea (Piémont). Mort le 9 septembre 1923 à Ivrea. XIXe-XXe siècles. Italien.
Peintre de paysages, décorateur.

Il était le fils et l'élève de Giuseppe Stornone.

STORNONE Giovanni
Né le 20 septembre 1848 à Ivrea (Piémont). Mort le 5 novembre 1917 à Ivrea. XIXe-XXe siècles. Italien.
Peintre.

Il était le frère de Felice Stornone.

STORNONE Giuseppe
Né le 4 octobre 1816 à Ivrea. Mort le 27 février 1890 à Ivrea. XIXe siècle. Italien.
Peintre.

Il était le père de Giovanni et de Felice Stornone.

STORP Dietrich, dit Glasemaker
Originaire de Dulmen. Mort le 21 novembre 1850 à Munster (Westphalie). XIXe siècle. Allemand.
Peintre.

Élève de Nic. Tom Ring à Munster, il devint le 30 juillet 1632 bourgeois de cette ville. Il obtint le titre de maître en 1633 et le 18 octobre 1644 de maître de la Gilde.

STORP Kaspar
XVIIe siècle. Travaillait vers 1650. Allemand.
Peintre.

A part dans les nefs latérales de la cathédrale de Munster des toiles illustrant la Vie de Marie et la Vie de Saint Paul.

STORR Alois
Né en 1829. XIXe siècle. Autrichien.
Peintre.

Il était le fils de Joseph Storr. Il entra en 1844 à l'Académie de Vienne et plus tard à la Manufacture de porcelaine.

STORR Joseph
Né en 1803. Mort le 13 février 1845 à Vienne. XIXe siècle. Actif à Vienne. Autrichien.
Peintre de fleurs.

STORR Lorenz. Voir STÖR

STORREN Johann Christoph. Voir STORER

STORRER. Voir STORER

STORRS John Henry Bradley
Né le 29 juin 1885 ou 1887 à Chicago (Illinois). Mort en 1956

ou 1966, à Paris ou à Mer près d'Orléans selon d'autres sources. XXe siècle. Depuis 1938 actif en France. Américain.
Sculpteur, peintre, graveur. Abstrait.

Il apprit la sculpture en 1905 à Berlin, séjourna ensuite à Paris, retourna aux États-Unis où il fut élève de Graflye et Bartlett, puis revint en France en 1912 où il reçut les conseils de Rodin. Il s'installa définitivement en France à partir de 1938.

Il a montré une première exposition personnelle de ses œuvres à New York puis à Chicago et exposa régulièrement à Paris. Des rétrospectives de son œuvre ont été montrées en 1969 à la Corcoran Gallery de Washington et en 1976 par le Museum of Contemporary Art de Chicago.

Il s'intéressa très vite au cubisme et, dès 1917, ses recherches dans l'organisation des formes abstraites aboutissaient avec des œuvres comme Panneau avec incrustation de marbre noir et Formes abstraites, puis la série Formes dans l'espace de 1920-1925 et la Composition autour de deux espaces vides de 1932 conservée au Whitney Museum de New York. Il utilise dans ses sculptures la pierre, parfois divers matériaux, tels que l'aluminium, le laiton, le cuivre le bois, le marbre. En 1928, il reçut commande d'une statue de Cérès pour surmonter le Chicago Board of Trade Building. Son œuvre, très appréciée en France, fut interrompue par la déportation dans un camp de concentration nazi. Il ne produira plus ensuite. On lui doit le monument de Wilbur Wright au Mans et, en 1937, le Monument aux morts de l'US Navy à Brest.

BIBLIOGR. : In : L'Art au xxe siècle, Larousse, Paris, 1991.

MUSÉES : NEW YORK (Withney Mus. of Art) : Composition autour de deux espaces vides 1932.

VENTES PUBLIQUES : PARIS, 4 déc. 1972 : Bas-reliefs cubiste, pierre : FRF 10 500 – NEW YORK, 15 mars 1973 : Gendarme assis, bronze : USD 7 000 – NEW YORK, 3 juin 1983 : Personnages 1954, pierre calcaire peinte, une paire (H. totales 48,3 et 47) : USD 28 000 – NEW YORK, 26 oct. 1984 : Composition, abstract forms 1937, h/t (30,5x45,8) : USD 5 750 – NEW YORK, 4 déc. 1987 : Bathers' 1916/1919, bronze patine naturelle (H. 35,9) : USD 115 000 – NEW YORK, 30 nov. 1990 : Deux nus féminins assis, cr. de coul./pap. teinté (31,5x25,1) : USD 4 950 – NEW YORK, 28 mai 1992 : Trois personnages abstraits 1945, h/t. cartonné (25,4x30,5) : USD 7 700 – NEW YORK, 1er déc. 1994 : Cérès, chrome et nickel (H. 50,8) : USD 33 350 – NEW YORK, 29 nov. 1995 : Figure féminine assise, terre-cuite (H. 36,8) : USD 6 900 – NEW YORK, 23 mai 1996 : Têtes de chevaux, bronze (H. 40,6) : USD 140 000 – NEW YORK, 4 déc. 1996 : Coq du matin, alu., cuivre et laiton (H. 90,2) : USD 134 500.

STORSTEIN Age ou Aage ou Ange
Né le 26 juillet 1900 à Stavanger. XXe siècle. Norvégien.
Peintre.

Il fit des voyages d'études à Paris en 1920, où il fut élève d'Othon Friesz et d'André Lhote, en Italie à Munich en 1923. En 1924, il fut élève de Pola Gauguin à Oslo et en 1926 de Per Krohg et Henrik Sörensen à Paris. On lui doit les projets de peintures décoratives destinées à plusieurs monuments d'Oslo, dont l'Hôtel de Ville. On le considère comme un des principaux rénovateurs de l'art monumental scandinave. Depuis 1930, il a été marqué par l'influence cubiste et même par le style et l'écriture de Picasso, qu'il applique dans ses décorations. Celles de l'Hôtel de Ville d'Oslo furent exécutées de 1940 à 1950. Depuis 1946, il est professeur à l'Académie des Beaux-Arts d'Oslo. Il a également voyagé en Espagne et en Tunisie.

BIBLIOGR. : B. Dorival, sous la direction de... : Peintres Contemporains, Mazenod, Paris, 1964.

STORT Eva
Née le 1er février 1855 à Berlin. Morte le 31 janvier 1936. XIXe-XXe siècles. Allemande.
Peintre de paysages.

Elle fut élève de Stauffer-Bern et de M. Liebermann.

STÖRTENBECKER Nikolaus
Né en 1940 à Hambourg. XXe siècle. Allemand.
Peintre. Groupe Zebra.

Il expose depuis 1966 avec le groupe Zebra, dont il est membre, et participe à de nombreuses expositions collectives en Allemagne. Il a été invité à la Biennale de Paris en 1971.

Il montre ses œuvres dans des expositions particulières à Hanovre en 1970, à Nuremberg et Bâle en 1971.

Le groupe Zebra, fondé en 1965, a contribué à un retour du réalisme. En opposition à l'art abstrait, le groupe ne veut pas pour autant revenir à une figuration d'avant la peinture abstraite. Par son utilisation de la photographie, Störtenbecker produit une œuvre assez caractéristique de la fin des années soixante. Alors que la personne humaine, souvent isolée et grotesque, est le thème essentiel du groupe, Störtenbecker semble plus inspiré par les thèmes de la vie campagnarde, peut-être par goût d'un retour aux sources « écologiques ».

STORTENBEKER Ary ou Willem
XIXe siècle. Hollandais.
Peintre et dessinateur.
Le Musée municipal de La Haye conserve de lui un dessin de la *Façade du bâtiment de l'exposition de 1888, à La Haye.*

STORTENBEKER Cornelis Samuel
Né le 29 octobre 1838 à La Haye. XIXe siècle. Hollandais.
Peintre d'oiseaux.
Élève de Pieter et de C. Bisschop.

STORTENBEKER Johannes
Né le 29 octobre 1821 à La Haye. XIXe siècle. Hollandais.
Peintre de genre.
Il était le frère de Cornelis Samuel et de Pieter Stortenbeker.

STORTENBEKER Pieter
Né le 21 avril 1828 à La Haye. Mort le 17 avril 1898 à La Haye. XIXe siècle. Hollandais.
Peintre d'animaux, paysages animés, paysages, aquarelliste.
La famille entière du peintre se composait d'artistes. Élève de son frère Johannes, peintre décorateur connu ; il reçut aussi des conseils de Hendrik Van de Sande Bakhuyzen et de Jan Bedys Tom. Son atelier et tout son héritage artistique fut vendu les 15 et 16 novembre 1898.
MUSÉES : AMSTERDAM : *À l'aube* – AMSTERDAM (Mus. mun.) : *Bétail dans la prairie* – GRONINGEN : *Oiseaux morts* – LA HAYE (Mus. comm.) : *La soirée au Poldersdyk* – *À la brume* – *Réflexion* – ROTTERDAM : *Deux vaches dans un pré*.
VENTES PUBLIQUES : LA HAYE, 1889 : *Une prairie en Hollande* : FRF 1 240 ; *Pâturage et animaux* : FRF 190 – ROTTERDAM, 1891 : *Pâturage avec bétail* : FRF 120 – DORDRECHT, 12 déc. 1972 : *Troupeau de vaches dans un paysage* : NLG 3 000 – LONDRES, 7 mai 1980 : *Le retour du troupeau*, h/t (75x109) : GBP 3 000 – LONDRES, 8 oct. 1982 : *Berger et troupeau dans un paysage* 1854, h/t (63,5x89,5) : GBP 1 100 – AMSTERDAM, 5-6 nov. 1991 : *Vaches dans une prairie*, aquar. (28x52) : NLG 1 840 – AMSTERDAM, 24 sep. 1992 : *Vaches dans une prairie*, h/pan. (23,5x30,5) : NLG 2 530 – AMSTERDAM, 19 oct. 1993 : *Vaches paissant sur la berge d'une rivière* 1859, h/pan. (29x41,5) : NLG 4 370 – AMSTERDAM, 24 avr. 1994 : *Bergers gardant du bétail dans un vaste paysage*, h/t/cart. (28,5x57,5) : NLG 5 520 – AMSTERDAM, 18 juin 1996 : *Vache et son veau au bord d'une rivière*, h/t (47x62) : NLG 3 450.

STORTO Ippolito
XVIe siècle. Actif à Crémone. Italien.
Peintre.
Élève et collaborateur d'Ant. Campi.

STORTZ Christian Philipp
Né le 28 janvier 1826 à Francfort-sur-le-Main. XIXe siècle. Allemand.
Peintre de genre.
A partir de 1845 il fut élève de J. Becker à Francfort.

STORY George Henry
Né le 22 janvier 1835 à New Haven (Connecticut). Mort le 24 novembre 1923 à New York. XIXe-XXe siècles. Américain.
Peintre de genre, portraits, paysages.
Il étudia à New Haven avec Ch. Hine et ensuite à Paris. Il s'établit à New York en 1863.
MUSÉES : NEW YORK (Metropolitan Mus.) : *La jeune mère* – *Portrait d'Alex. S. Murray* – *Portrait de l'artiste* – WASHINGTON D. C. (Gal. nat.) : *Portrait de Lincoln.*
VENTES PUBLIQUES : NEW YORK, 15 jan. 1944 : *Abraham Lincoln* : USD 2 100 – NEW YORK, 4 jan. 1945 : *Abraham Lincoln* : USD 5 750 – NEW YORK, 29 fév. 1956 : *Portrait d'Abraham Lincoln* : USD 3 700 – NEW YORK, 11 avr. 1973 : *Portrait d'Abraham Lincoln* : USD 7 000 – LOS ANGELES, 6 juin 1978 : *Vieux souvenirs brûlés*, h/t (76,2x51) : USD 1 700 – NEW YORK, 19 juin 1981 : *Leasuring out a drink*, h/cart. (46,4x23,6) : USD 2 600 – NEW YORK, 1er juil. 1982 : *Maternité*, h/pan. (30,5x24,7) : USD 1 700 – NEW YORK, 5 déc. 1986 : *Contemplation by the sea*, h/pan. (76x50) : USD 4 500 – NEW YORK, 26 sep. 1990 : *Homme remplissant un verre*, h/cart. (46,3x23,5) : USD 5 225 – NEW YORK, 5 déc. 1991 :

Portrait d'Abraham Lincoln, h/t (50,8x45,7) : USD 22 000 – NEW YORK, 10 juin 1992 : *Fête costumée*, h/t/rés. synth. (76,2x51) : USD 4 950 – NEW YORK, 26 sep. 1996 : *Portrait d'Abraham Lincoln*, h/t (50,8x45,7) : USD 20 700.

STORY J.
XVIIIe siècle. Travaillait entre 1789 et 1793. Britannique.
Peintre de paysages.

STORY Julian Russel
Né le 8 septembre 1850 à Walton-on-Thames (Angleterre). Mort en 1919 à Philadelphie (Pennsylvanie). XIXe-XXe siècles. Américain.
Peintre de genre, portraits.
Il était le fils de William et le frère de Waldo Story. Élève de Duveneeck, Boulanger et Lefebvre. Il figura aux Expositions de Paris, reçut une mention honorable en 1887, médaille de bronze en 1889 (Exposition universelle), médaille de bronze en 1900 (Exposition universelle). Il fut fait Chevalier de la Légion d'honneur en 1901.

Julian Story

MUSÉES : BALTIMORE : *Mise au tombeau* – BOSTON : *Portrait d'Ernest Longfellow* – BUDAPEST : *Sylvaplana* – SAINT LOUIS : *Mlle de Sombreuil (scène de la Révolution française).*
VENTES PUBLIQUES : NEW YORK, 10 oct. 1973 : *Diogène* : USD 950 – NEW YORK, 28 oct. 1982 : *La tragédienne* 1885, h/t (148,5x94,5) : USD 3 500.

STORY Waldo Thomas
Né en 1855 à Rome. Mort le 23 octobre 1915 à New York. XXe siècle. Britannique.
Sculpteur.
Il fut membre de la Society of British Artists. Il exposa à Londres à partir de 1882, notamment à la Royal Academy, à Suffolk Street et à la Grosvenor Gallery.
MUSÉES : LONDRES (Nat. Portrait Gal.) : *Buste de sir William G.-S. V.-V. Harcourt* – OXFORD (Mus. Ashmol.) : *Sir C. T. Newton.*
VENTES PUBLIQUES : NEW YORK, 24 avr. 1981 : *Portrait de jeune femme de profil*, marbre blanc, haut relief (101,7x70,5) : USD 2 200.

STORY William Wetmore
Né le 12 février 1819 à Salem (Massachusetts). Mort le 9 octobre 1895 à Vallombrosa. XIXe siècle. Américain.
Sculpteur et écrivain.
Il travailla à Rome à partir de 1855. Il était le père de Julian et de Waldo Story.
MUSÉES : BALTIMORE (Maryl. Inst.) : *Électre*, marbre – BOSTON : *Le Sauveur*, marbre – *Edward Everett*, bronze – *Marshall*, bronze – CAMBRIDGE, Massachusetts : *Jos. Story*, bronze – NEW YORK (Metropolitan Mus.) : *Cléopâtre* – *Sémiramis* – *Salomé* – *Médée*, marbre – *Polyxène*, marbre – PHILADELPHIE : *Jérusalem en deuil*, marbre.
VENTES PUBLIQUES : NEW YORK, 21 avr. 1978 : *Cléopâtre* 1858, marbre blanc (H. 139,8, larg. 124,5) : USD 40 000 – LONDRES, 4 nov. 1982 : *Cléopâtre*, marbre (H. 138,5, l. 126) : GBP 75 000.

STORZ Martin
Né en 1816 à Diedesfeld. XIXe siècle. Actif à Munich. Allemand.
Graveur sur cuivre et sur acier.
Élève de S. Amsler. Il gravait surtout des reproductions.

STÖRZHÖFER Johann Georg. Jos.
XVIIIe siècle. Allemand.
Stucateur.

STOSKOPF Gustave Jacques
Né le 8 juillet 1869 à Brumath (Bas-Rhin). Mort en 1944. XIXe-XXe siècles. Français.
Peintre.
Il fut élève de Jules Lefebvre, Benjamin Constant et Jean-Paul Laurens à l'Académie Julian, à Paris, puis il poursuivit ses études à l'Académie des Beaux-Arts de Munich. Il exposa, à Paris, au Salon des Artistes Français, dont il fut sociétaire, et au Salon des Tuileries ; jusqu'à Bruxelles en 1928 et à Barcelone en 1929. Il obtint une médaille de bronze en 1925, une médaille d'argent et le Prix Zwiller en 1926, une médaille d'or en 1929. Il fut promu chevalier de la Légion d'honneur.

Il fut peintre, mais aussi journaliste et auteur de pièces de théâtre.

Musées : Colmar – Fribourg-en-Brisgau – Mulhouse – Paris (Mus. du Petit Palais) – Strasbourg.

Ventes Publiques : Strasbourg, 11 mars 1989 : *Paysan dans un intérieur*, h/pan. (100x81) : **FRF 30 000** – Versailles, 10 déc. 1989 : *Portrait de paysan d'Alsace* 1943 (38,5x36,5) : **FRF 20 000** – Strasbourg, 21 juin 1996 : *Paysan alsacien*, h/pan. (79x59) : **FRF 82 000**.

STOSKOPFF Sebastian

Né en 1596, 1597 ou 1599 à Strasbourg. Mort le 10 février 1657 à Idstein. XVIIᵉ siècle. Éc. alsacienne.

Peintre de genre, natures mortes, fleurs et fruits, graveur au burin.

Il fut pris en charge par la ville de Strasbourg, à la mort de son père, en 1615, et envoyé à Hanau, chez le peintre wallon Daniel Soreau, dont il continua l'atelier après la mort de celui-ci. Daniel Soreau lui transmit la tradition hollandaise de la nature morte, d'où souvent le caractère archaïque dans l'esprit du XVIᵉ siècle de ses natures mortes. Il a pu aussi subir l'influence du peintre de natures mortes Georg Flegel, de Francfort. Il vint à Paris vers 1621, et il y demeura jusqu'en 1641. Les œuvres de cette période se ressentent de l'influence française, plus aérées dans leur composition. Il était alors, avec Baugin et Linard, l'un des plus brillants représentants de cette nature morte française des années 1630, juxtaposant des objets quotidiens dans une claire ordonnance et un éclairage poétique. De retour à Strasbourg, sa manière se compliqua de nouveau, se rapprochant de la nature morte allemande contemporaine, surchargée de détails et de symboles. Cependant, il jouissait d'une très grande renommée et les œuvres de cette période, pour moins aérées qu'auparavant, n'en sont pas moins très personnelles, la minutie dans la recherche du trompe-l'œil étant poussée à un tel degré qu'elle en arrive à faire oublier la réalité pour laisser l'esprit du spectateur rêveur devant l'énigme de l'illusion. Il a souvent peint des gravures dans les tableaux que l'on connaît de lui. Il a également traité les thèmes des « Vanités », avec des objets faisant référence à la mort, un crâne de mort par exemple, des « Cinq Sens », et de paniers remplis de verres, sujet particulièrement difficile à traiter. Outre la qualité du rendu des objets représentés, Stoskopff, c'est ce qui en fait l'un des grands peintres de natures mortes de son temps, sait les introduire dans un contexte vivant et surtout dans un climat poétique. Ainsi, dans *Les cinq sens, ou l'Été*, de 1633, du Musée des Beaux-Arts de Strasbourg, certes les instruments de musique sont là pour évoquer l'ouïe, les fruits pour le goût, les fleurs pour l'odorat, et pour le toucher : la peau des pêches, le tapis moelleux, le bois lisse de la mandoline et toutes matières des objets. Mais pour la vue, c'est la totalité du tableau qui intervient : la table aux nombreux objets en apparent désordre : mandoline, cahiers de musique, jeu de dames, bouquet de fleurs dans un petit vase, l'intérieur de la pièce aperçu, avec, accrochés au mur, un violon et un miroir (doublant la vision des objets), et, posée sur le sol, une mappemonde, c'est encore le buste de la charmante jeune femme, au visage très poudré, qui apporte la corbeille de fruits ; de la belle échappée de paysage, la lumière qui pénètre dans la pièce est douce et mesurée, elle met en valeur sans heurt, comme un poudroiement doré qui se pose sur toutes choses à l'intérieur de la pièce, en opposition avec la clarté fraîche du paysage d'étang bordé d'un rideau d'arbres. Il semble qu'outre Hanau et Paris, Stoskopff compléta sa formation à Venise. Il fut certainement apprécié dans les cours d'Europe centrale, puisque les musées de Vienne et Prague possèdent de ses œuvres, provenant des achats impériaux de 1651. Stoskopff fut le maître de Joachim Sandrart le célèbre historiographe et peintre allemand du XVIIᵉ siècle. Ce fut en 1931 que le Musée de Strasbourg put acheter deux de ses œuvres, apparues sur le marché, l'une en Bavière, l'autre à Paris. Le même musée acheta ensuite l'une des deux peintures ayant figuré à l'exposition de Brueghel et ses élèves, en 1934. Un tableau de lui, que l'on vit exposé à Amsterdam, en 1933, une nature morte, datée de 1625, représente trois livres, dont un ouvert sur une gravure dans le genre de Callot, posée sur la table à côté d'une bougie. Sa signature fut longtemps mal lue : A. Kopff, et Ter Kopff.

En 1997, sa ville natale a célébré le quatre-centième anniversaire de sa naissance par une exposition rétrospective de quarante-huit tableaux, provenant du monde entier, au musée de l'Œuvre Notre-Dame. ■ J. B.

Bibliogr. : Hans Haug : *Compte-rendu des Musées de la Ville de Strasbourg 1927-1931*, Strasbourg, 1932 – J. Brauner : *Sébastien Stoskopff*, Strasbourg, 1933 – Catalogue de l'exposition *Les peintres de la réalité en France au XVIIᵉ siècle*, Musée de l'Orangerie, Paris, 1934 – Catalogue de l'exposition *Le XVIIᵉ siècle français – Chefs-d'œuvre des musées de province*, Musée du Petit Palais, Paris, 1958 – R. M., in : *Diction. Univers. de l'Art et des Artistes*, Hazan, Paris, 1967 – Michèle Caroline Heck : *Sébastien Stoskopff 1597-1657*, Réunions des Musées Nationaux, Paris, 1997.

Musées : Prague (Gal. nat.) – Strasbourg (Mus. des Beaux-Arts) : *Jatte de fraises – Les Cinq Sens ou l'Été* 1633 – *Grande Vanité* 1641 – *Corbeille de verres* 1644 – Vienne.

Ventes Publiques : Versailles, 14 juin 1967 : *Nature morte* : **FRF 2 500** – Monaco, 4 déc. 1992 : *Nature morte avec un gigot près d'un réchaud, un pain, un grattoir et un citron sur un entablement*, h/t (44x64) : **FRF 277 500** – Paris, 28 juin 1993 : *Gigot, miche de pain et citrons sur un entablement*, h/t (44x64,5) : **FRF 110 000** – Londres, 1996 : *Nature morte dans une assiette sur une boîte devant une cruche*, h/t (46x57) : **GBP 74 100** – Londres, 3-4 déc. 1997 : *Vanité avec des livres, des coquillages, des partitions de musique disposés sur une table partiellement couverte d'un tissu vert, une étoffe rouge tendue à l'arrière*, h/t (58x82,8) : **GBP 24 150**.

STOSS Andreas

Mort en 1619 à Berne. XVIIᵉ siècle. Actif à Lucens (Canton de Vaud). Suisse.

Peintre.

Il se fixa à Berne en 1584.

STOSS François ou Stolzhus ou Stolzius

Allemand.

Graveur.

Cité par Ris-Paquot.

STOSS Johann

XVIᵉ siècle. Actif à Schässbourg. Polonais.

Peintre et sculpteur de portraits.

Il était le fils de Veit Stoss l'Ancien. On lui a attribué plusieurs tableaux d'autels dans la région de Schässbourg.

STOSS Stanislas

Né sans doute à Cracovie. Mort entre 1527 et 1528 probablement à Nuremberg. XVIᵉ siècle. Polonais.

Sculpteur de portraits.

Il était le fils de Veit Stoss l'Ancien. Le Musée national de Cracovie conserve de lui une statue de *Marie* et un *Crucifié*.

STOSS Veit ou Vit ou Wit, l'Ancien ou Stosz ou Stuosz ou Stwosz

Né en 1438 ou 1447 sans doute à Nuremberg. Mort en 1533 à Nuremberg. XVᵉ-XVIᵉ siècles. Polonais.

Sculpteur, peintre, graveur.

Il était le père de Florian, orfèvre, Johann Martin, Stanislas, Veit le Jeune et Willibald Stoss. Il arriva à Cracovie en 1477, renonçant à son droit de bourgeoisie à Nuremberg, où il put plusieurs œuvres commandées par le roi Casimir IV. On voit à l'église Notre-Dame de Cracovie des sculptures en bois qui représentent : *La Vie, la Mort*, et *L'Assomption de la Vierge*. Ce retable terminé en 1489, en bois sculpté polychrome, présente des personnages aux traits marqués, des vêtements aux nombreux plis cassés, dans une composition ordonnée, mais dont le style tient surtout de l'art flamand. En 1492, il fit le tombeau du roi Casimir IV en marbre rouge, dans la cathédrale de Cracovie. Sur ce tombeau, il grava sa signature : EIT STVOS 1492. Il fit également d'autres tombeaux, dont celui de l'évêque Olesnicki à Gniezno. En 1496, il vint de nouveau à Nuremberg où il s'installa définitivement. Il fut accusé d'une affaire de faux et fut marqué au fer rouge. Cependant il reçut de nombreuses commandes, entre autres, une couronne de bois sculpté, destinée à l'arc triomphal de l'église Saint-Laurent de Nuremberg et représentant la *Salutation angélique* (1517-1518). Il fut chassé de Nuremberg en 1525 en raison de son hostilité à la Réforme. Durant la dernière période de sa vie, il fit de nombreuses Crucifixions. Il donna à ses gravures autant de nervosité qu'à ses sculptures, pour lesquelles il a toujours multiplié les plis anguleux, profonds, les lignes brisées. Il illustre bien la tendance « baroque » du XVᵉ siècle allemand.

Bibliogr. : P. du Colombier, in *Dictionnaire de l'Art et des Artistes*, Hazan, Paris, 1967.

STOSS Veit, le Jeune
Mort avant 1531 à Cronstadt. XVIᵉ siècle. Polonais.
Sculpteur de portraits.
Il s'était fixé en 1522 à Cronstadt. Il était le fils de Veit Stoss l'Ancien. Il appartint à Cronstadt aux gildes des peintres, des sculpteurs et des verriers.

STOSS Willibald
XVIᵉ siècle. Polonais.
Sculpteur de portraits sur bois.
Il était le fils de Veit Stoss l'Ancien.

STOSSBERGER Kaspar
XVIᵉ siècle. Actif à Vilshofen. Allemand.
Peintre.

STOSSEL Erich von, marquis
Né le 6 février 1892 à Francfort-sur-l'Oder (Brandebourg).
XXᵉ siècle. Allemand.
Peintre de portraits, paysages, sculpteur.
Il étudia chez Ad. Meyer, W. Kurau et W. Beindorf à Berlin.

STÖSSEL Heinrich Adam
Né en 1815 à Schweinfurt. XIXᵉ siècle. Allemand.
Peintre de portraits et d'histoire.

STÖSSEL Johann Adam Philipp
Né en 1751 à Schweinfurt. Mort en 1808 à Schweinfurt. XVIIIᵉ siècle. Allemand.
Peintre, sculpteur et graveur au burin.
Élève de Jos. Appiani à Mayence. Il fit un voyage d'études en Suisse, fut professeur de peinture à l'Académie de Saxe et plus tard de mathématiques et de dessin au lycée de Schweinfurt. Il fonda ensuite une école privée de dessin.

STÖSSEL Oskar
Né le 17 janvier 1879 à Neunkirchen (Vienne). XXᵉ siècle. Autrichien.
Graveur, peintre.
Il fut élève des peintres Constantin Damianos et Fr. Kallmorgen et des graveurs Leo Diet et Ferd. Schmutzer.
MUSÉES : GRAZ : *Joueuse de Luth – Portrait de l'écrivain – Le Dr. Hoffer.*

STOSSER Hans, Mathes et **Sigmund**
XVIᵉ siècle. Actifs à Nuremberg entre 1553 et 1561 et entre 1585 et 1586. Allemands.
Peintres de lettres.

STÖSSER Johann Peter
Né en 1721. Mort en 1764. XVIIIᵉ siècle. Allemand.
Sculpteur.

STOSSKOPF. Voir **STOSKOPFF**

STOSZ Vit. Voir **STOSS Veit** ou **Vit**, l'Ancien

STOTHARD Alfred Joseph
Né en 1793 à Londres. Mort le 5 octobre 1864 à Londres. XIXᵉ siècle. Britannique.
Médailleur.
A reproduit dans d'excellentes médailles les effigies de *Walter Scott*, de *Byron*, de *Reynolds*, et de *George Canning*.

STOTHARD Charles Alfred
Né le 5 juillet 1786 à Londres. Mort le 27 mai 1821 à Bere-Ferrers, accidentellement. XIXᵉ siècle. Britannique.
Peintre, enlumineur.
Fils de Thomas Stothard. Il fit ses études artistiques aux Écoles de la Royal Academy où il montra un goût déterminé pour les antiques et dans la suite il s'adonna particulièrement à la reproduction des vestiges du passé. Il n'exposa qu'une fois à la Royal Academy à Londres, en 1811, un tableau d'histoire : *Le Meurtre de Richard II*. Il fit peu après un travail important : *The Monumental effigies of Great Britain* dont il tira les éléments des cathédrales et églises d'Angleterre, et qu'il grava avec beaucoup de goût. La société des antiquaires de Londres l'ayant chargé de dessiner les fameuses tapisseries de Bayeux, il découvrit, au cours d'une excursion les effigies des Plantagenêt, qu'il ajouta à son ouvrage. Le dernier travail qu'il entreprit lui fut fatal. En vue de l'illustration du *Devonshire* dans la *Magna Britania* de Lysons, il avait fait dresser un échafaud devant un vitrail de l'église de Bere Ferrers ; une chute malheureuse causa sa mort. Sa veuve publia une relation du *Voyage de Charles Alfred Stothard en Normandie*, avec vingt et une gravures d'après les dessins de cet artiste.

STOTHARD James
XVIIIᵉ siècle. Actif à Londres. Britannique.

Peintre.
Il envoya en 1777 deux paysages et un tableau de bataille à la Société des Arts.

STOTHARD Robert T.
XIXᵉ siècle. Actif à Londres entre 1821 et 1857. Britannique.
Miniaturiste, peintre de genre, portraits.

STOTHARD Thomas
Né le 17 août 1755 à Londres. Mort le 27 avril 1834 à Londres. XVIIIᵉ-XIXᵉ siècles. Britannique.
Peintre d'histoire, sujets mythologiques, scènes de genre, portraits, aquarelliste, graveur à l'eau-forte, dessinateur, illustrateur.
Son père, débitant de boissons, à Londres, le laissa orphelin à cinq ans. Élevé à la campagne, il revint à Londres pour entrer en apprentissage ; son goût pour le dessin lui valut d'être placé chez un dessinateur industriel. La mort de son patron le laissa libre avant le temps fixé, et il fit des dessins pour les magazines et pour les éditeurs. La connaissance qu'il fit du sculpteur Flaxman lui fournit l'occasion d'études sérieuses. Stothard se maria en 1784 ; en 1793, il acheta la maison, 28 Newman Street où il acheva sa carrière.
Entré comme élève aux Écoles de la Royal Academy, il commença à exposer à cet Institut de genre, notamment en 1778, un *Ajax défendant le corps de Patrocle*. En 1785, il fut nommé associé à la Royal Academy et en 1794, académicien. Sous-bibliothécaire en 1810 et bibliothécaire en 1812.
Il continua à fournir de nombreuses illustrations. On affirme que le nombre de ses dessins de ce genre atteint 5000. Parmi ses ouvrages plus sérieux, on note l'*Escalier de Burleigh house*, à Londres, le *Plafond de la bibliothèque des Avocats à Édimbourg*, pour lesquels on retrouve la spontanéité de Rubens, la lumière des Vénitiens. Il fournit aussi une quantité considérable de modèles pour les joailliers.

Ʒ Stothard

MUSÉES : BOSTON : *Portrait de John Dryden* – BUDAPEST : *La comtesse Manfred fait des cadeaux à la famille d'un soldat* – DUBLIN : *Guerre* – ÉDIMBOURG : *Seize illustrations pour les poésies de Burn* – LONDRES (Nat. Gal.) : *Vendanges en Grèce, danses au vignoble – Bain de Diane et de ses nymphes – Intempérance, Marc-Antoine et Cléopâtre – Bataille – Nymphes découvrant la fleur Narcisse – Cupidon se préparant pour la chasse – Le pèlerinage de Canterbury – Nymphes et satyres – Nymphe endormie – Personnages de Shakespeare – Cupidon attaché à son arbre – Lord William Russel prenant congé de ses enfants – Roméo et Juliette – Dame appuyée sur un sofa – La Paix descend sur la Terre* – LONDRES (Victoria and Albert Mus.) : *Principaux personnages de Shakespeare – Tam O'Shanter, Burno – John Gilpin (Cowper) – Sir Roger de Coverley et les Bohémiennes (Le spectateur Addison) – Scène de la douzième nuit – Brunetta et Phillis – Sancho Pança et la duchesse – Scène de la Tempête – Constance et Arthur (le roi Jean) – La gloire, allégorie – Don Quichotte et Pança – Laure et Pétrarque – Zoraïde découverte par son père – Oreste et Agamemnon – trois esquisses – Dix aquarelles* – MANCHESTER : *trois aquarelles* – NOTTINGHAM : *trois aquarelles et dessins.*
VENTES PUBLIQUES : LONDRES, 9 mai 1910 : *Diane dormant* : **GBP 8** ; *Mort d'un soldat* : **GBP 5** ; *La mort du capitaine Faulkner* : **GBP 5** – LONDRES, 22 juil. 1910 : *Le curé de campagne* : **GBP 7** – NEW YORK, 16-17 fév. 1911 : *Pouvoir de l'innocence* : **USD 190** ; *Innocent stratagème* : **USD 190** – LONDRES, 7 juil. 1911 : *Vendanges en Grèce* : **GBP 33** – PARIS, 30-31 mai 1919 : *Caroline et Walstein*, deux toiles, sans indication de prénom : **FRF 1 650** – PARIS, 25-26 juin 1945 : *Scènes tirées de l'histoire d'Angleterre*, illustr. par Spanzer : **FRF 800** – PARIS, oct. 1945-juil. 1946 : *Scène de l'histoire ancienne* : **FRF 2 900** ; *Le dîner (conte de Boccace)* : **FRF 3 500** – LONDRES, 20 mars 1972 : *Illustration pour Shakespeare* : **GBP 400** – NEW YORK, 15 jan. 1976 : *Sylvia and the outlaws*, h/t (70x53) : **USD 500** – LONDRES, 18 mars 1980 : *Le huitième jour du Décaméron*, aquar. et pl. (26,3x18,8) : **GBP 1 300** – LONDRES, 10 juil. 1984 : *The Victory of Assaye, 23 sept. 1803 design for Wellington's Shield*, cr. et lav. de brun, forme courbe (15,2x29) : **GBP 900** – LONDRES, 14 mars 1984 : *Les pèlerins de Canterbury*, (12x40,5) h/pan. : **GBP 7 000** – LONDRES, 22 nov. 1985 : *Portrait d'un garçon tenant un cheval*, h/t (142,2x114,3) : **GBP 6 000** – LONDRES, 16 mai 1990 : *Danse villageoise*, h/pan. (43,5x56,5) : **GBP 1 650** – LONDRES, 26 oct. 1990 : *Fête champêtre,*

h/t (38x25,5) : **GBP 2 200** – York (Angleterre), 12 nov. 1991 : *Le vase Portland, études de chaque face montrant la forme et la décoration*, aquar. en deux parties (chaque 30,5x22,5) : **GBP 7 150** – New York, 12 jan. 1995 : *Le départ des fils du Sultan Tipu de Zenana le 4 mai 1799*, h/pan. (50,2x71,1) : **USD 28 750**.

STOTT Edward William
Né en 1859 à Rochdale. Mort le 19 mars 1918 à Amberley. xixe-xxe siècles. Britannique.
Peintre de sujets religieux, scènes de genre, paysages, pastelliste, dessinateur.
Il fut élève d'Alexandre Cabanel et de Carolus Duran à Paris. Il se lia alors d'amitié avec Millet et Bastien-Lepage. En 1889, il retourna dans son pays et s'établit définitivement à Amberly, dans le Sussex.
Il exposa à Londres à partir de 1883, notamment à la Royal Academy, dont il fut associé, en 1906, et à la New Gallery. Il figura aussi au Salon des Artistes Français de Paris, obtenant une médaille de bronze à l'Exposition universelle de 1900.
On l'a souvent désigné sous le nom de peintre du clair-obscur et du crépuscule, et il s'est fortement inspiré de Millet.

Bibliogr. : Gérald Schurr, in : *Les Petits Maîtres de la peinture 1820-1920, valeur de demain*, Les Éditions de l'Amateur, t. III, Paris, 1976.
Musées : Hull : *Le bon Samaritain* – Leeds : *Tempête de neige* – Manchester : *Le banc de sable du fleuve* – Preston : *Madone de village.*
Ventes Publiques : Londres, 30 avr. 1910 : *Baigneurs (soleil couchant)* : **GBP 252** ; *Changeant de pâturage* : **GBP 136** ; *La mare aux chevaux, le soir* : **GBP 236** – Londres, 5 juil. 1929 : *La vieille barque* : **GBP 262** – Conway, 20 oct. 1936 : *Repos et paix* : **GBP 160** ; *La mare des chevaux* : **GBP 140** ; *The team* : **GBP 105** – Conway, 10 juil. 1970 : *La cour de ferme, le soir* : **GNS 620** – Conway, 14 juil. 1972 : *Le baiser* : **GNS 700** – Conway, 12 juil. 1974 : *Jour de lessive* : **GNS 2 200** – Londres, 1er oct 1979 : *Les deux mères*, h/t, forme octogonale (87x87) : **GBP 4 000** – Londres, 10 nov. 1981 : *La Lune d'or*, h/t (74x99) : **GBP 5 500** – Londres, 19 mai 1982 : *Agar et Ismaël*, cr. de coul. (26,5x37) : **GBP 800** – New York, 23 fév. 1983 : *Jour de lessive*, past., étude (34x28,5) – Londres, 10 nov. 1985 : *Les labours au printemps*, h/t (30,5x39,5) : **GBP 8 500** – Londres, 12 nov. 1986 : *The inn, evening*, h/t (61x76) : **GBP 3 500** – Londres, 21 sep. 1989 : *Connie* 1895, cr., craies noire et coul., past. (39,5x26,7) : **GBP 462** – Londres, 6 juin 1991 : *Jour de lessive*, past./pap. brun, étude (28x36,5) : **GBP 1 760** – Londres, 25 sep. 1992 : *L'enfant au bonnet rouge*, past./pap. beige, étude (34x17) : **GBP 715** – Londres, 12 mars 1992 : *La pause de midi*, past. et cr. coul. (13,4x22,2) : **GBP 920** – Londres, 13 nov. 1992 : *Le retour du fils prodigue*, h/t (34x71,1) : **GBP 6 600** – Londres, 25 mars 1994 : *La Sainte Famille*, h/t (diam. 71,1) : **GBP 6 670** – New York, 20 juil. 1995 : *Le rideau neuf*, h/t (95,3x61) : **USD 5 750** – New York, 23-24 mai 1996 : *Dans les champs* 1882, h/t (165,1x104,1) : **USD 40 250**.

STOTT William, dit Stott de Oldham
Né le 20 novembre 1857 à Oldham (près de Manchester). Mort le 25 février 1900. xixe siècle. Actif aussi en France. Britannique.
Peintre de scènes de genre, paysages, dessinateur.
Après avoir commencé ses études en Angleterre, il vint à Paris en 1879 et y fut élève de Jean Léon Gérome. Il vécut un certain temps à Grez-sur-Loing, près de Fontainebleau, puis alla s'établir à Londres, où il découvrit l'œuvre de Whistler. Il fut membre de la Society of British Artists. Il signait parfois « Stott of Oldham ».
À partir de 1881, il figura, à Paris, au Salon, puis au Salon des Artistes Français ; ainsi qu'à Londres, à la Royal Academy et très fréquemment à Suffolk Street. Il obtint une médaille de troisième classe en 1882.
Ses paysages restent fortement marqués par l'influence du plein-airisme de Bastien-Lepage.
Bibliogr. : Gérald Schurr, in : *Les Petits Maîtres de la peinture 1820-1920, valeur de demain*, Les Éditions de l'Amateur, t. VI, Paris, 1985.
Musées : Glasgow : *Automne* – Liverpool : *Les Alpes la nuit* – Munich : *La place des bains – L'atelier du grand-père.*

Ventes Publiques : Londres, 4 fév. 1911 : *Pâturage dans les dunes* : **GBP 84** – Londres, 17 mai 1923 : *Rawenglass*, dess. : **GBP 17** – Londres, 3 avr. 1925 : *Chute d'eau*, dess. : **GBP 25** – Londres, 14 mai 1976 : *The happy valley*, h/t (123,2x148,7) : **GBP 1 800** – Londres, 22 fév. 1980 : *Le Béguinage, Bruges*, aquar. (24x33) : **GBP 800** – Londres, 13 nov. 1985 : *Rhododendrons blancs* 1886, past. (46x53) : **GBP 1 300**.

STÖTTRUPP Andreas
Né en 1754 à Hambourg. Mort le 31 juillet 1811. xviiie-xixe siècles. Allemand.
Peintre de portraits et miniaturiste, dessinateur et graveur de portraits.
Il était le père de Christian Andreas Georg Stöttrupp. Il étudia à l'Académie de Copenhague de 1771 à 1774. Il a peint et gravé de nombreux portraits.

STÖTTRUPP Christian Andreas Georg
Né en avril 1789 à Hambourg. Mort le 1er janvier 1835 à Altona. xixe siècle. Allemand.
Graveur de lettres et de vignettes, dessinateur.
Il était le fils d'Andreas Stöttrupp. Le Musée d'Histoire de Hambourg conserve de lui les portraits du *Voiturier Ahlff et de sa femme.*

STOTZ Fritz
Né le 16 août 1884 à Dresde (Saxe). Mort le 2 mars 1920 à Dresde. xxe siècle. Allemand.
Peintre de portraits, intérieurs, natures mortes.
Il fut élève de Bantzer et de G. Kuehl.
Musées : Leipzig : *Portrait du Dr. Schelcher.*

STOTZ Johann Jacob
xviiie siècle. Actif à Langenlois. Autrichien.
Peintre.

STOTZ Otto
Né le 24 mai 1805 à Ludwigsburg. Mort en 1873 à Vienne. xixe siècle. Allemand.
Peintre de chevaux et lithographe.
De 1830 à 1840 il travailla à Stuttgart. Le château de Schönbrunn conserve de lui *Portrait équestre de l'empereur François-Joseph à 18 ans*. Le Musée de Linz nous offre également de lui un *Marché de chevaux.*
Ventes Publiques : Londres, 28 fév. 1973 : *Scène de chasse* : **GBP 900**.

STOTZINGER Hans. Voir STOCINGER

STOTZKY Daniel
Né le 23 juillet 1937 à Rodange (Luxembourg). xxe siècle. Depuis 1958 actif en France. Luxembourgeois.
Peintre, dessinateur.
De père émigré Russe, il a passé son enfance en Lorraine, où il fut élève de l'École des Beaux-Arts de Nancy (1955-1958), notamment de Busse. Ensuite, il fut longtemps inscrit à l'École des Beaux-Arts de Paris (1959-1965), menant une existence fantaisiste, où il eut plus loisir de dessiner sur des nappes de cafés que de peindre. Il vit et travaille à Paris depuis 1958.
Il participe à des expositions de groupe, parmi lesquelles : 1960, galerie des Arts, Paris ; 1964, Biennale de Paris ; 1965, galerie 15, Paris ; 1971, galerie 3, Paris ; 1977, *100 peintres et sculpteurs contemporains*, Caen ; 1978, Biennale internationale d'Alexandrie ; 1980-1981, *Gourmandises*, Centre culturel Gérard-Philippe, Brétigny ; 1984, *Le Tango et les peintres*, Toulouse.
Il montre des œuvres dans des expositions personnelles, dont : 1961, galerie des Beaux-Arts, Paris ; 1965, galerie 15, Paris ; 1971, Studio C, Milan ; 1976, galerie Lalanne, Paris ; 1977, Centre culturel, Toulouse ; 1981, galerie des Couteliers, Toulouse ; 1982, galerie de l'Ancienne Poste, Calais ; 1983, Musée de Caudebec-en-Caux ; 1987, *10 ans à Calais*, galerie de l'Ancienne Poste, Calais ; 1987, Petit Musée du Bizarre, Lavilledieu ; 1988, peintures et dessins, Centre « mac nab », Vierzon ; 1989, galerie Augsbourg (Allemagne).
Il a obtenu le Prix du Dôme en 1967, année où il fut également sélectionné pour le Prix Lefranc, et le Prix Fénéon en 1972.
Ayant rejeté tout le postcubisme de l'École de Paris de l'après-guerre, il s'est tourné vers l'expressionnisme belge, depuis Ensor, et le sens de la Kermesse flamande que l'on trouve aussi chez De Smet ou Tytgat. Dans une première période, sa peinture était très enlevée, proche de la facture de celle des peintres Cobra, puis elle s'est adoucie, utilisant l'aplat de couleur. Ses œuvres, baignées d'une atmosphère fantastique et ludique, mettent en scène des animaux et des personnages burlesques qui se côtoient ou sont peints en portraits.

Bibliogr.: In : *100 artistes dans la ville*, Montpellier, 1970 – Jean Clair : *Portrait d'un inconnu*, in : *chroniques de l'Art Vivant*, Paris, 1972.
Musées: Paris (FNAC) : *L'Évêque* 1988.

STOUF Abel Vincent Michel
Né en 1803 (22 pluviose an XII) à Paris. xixe siècle. Français.
Sculpteur.
Élève de son père. Entré à l'École des Beaux-Arts le 2 septembre 1816.

STOUF Jean Baptiste
Né le 5 janvier 1742 à Paris. Mort le 30 juin 1826 à Charenton-le-Pont. xviiie-xixe siècles. Français.
Peintre et sculpteur.
Élève de Coustou, deuxième prix de sculpture en 1769. Académicien le 27 mars 1784. Débuta au Salon de 1785.
Musées: Paris (Mus. du Louvre) : *Mort d'Abel – L'Affliction* – Paris (Mus. des Arts décoratifs) : *Monument pour Rousseau* – Versailles (Mus. d'Hist.) : *Lavoisier – Le général Joubert* – Versailles (Château) : *L'abbé Suger*.

STOUT Myron
Né en 1908 à Denton (Texas). Mort en 1987 à Provincetown (Massachusetts). xxe siècle. Américain.
Peintre. Abstrait-géométrique.
Il fut élève de Hans Hofmann, dans son école de New York au début des années cinquante. Il vécut dans un certain isolement. Il participa à des expositions de groupe, au Museum of Modern Art de New York, au Whitney Museum of American Art de New York, au Carnegie International de Pittsburgh en 1959, ainsi qu'à l'exposition *Abstraction Géométrique en Amérique*, organisée au Whitney Museum de New York.
Il a montré très rarement ses œuvres dans des expositions personnelles à New York notamment en 1954, 1958, 1962.
Dans les années cinquante-soixante, il fit partie du groupe de peintres pour lesquels l'expression « hard-edge painting » supplanta celle d'abstraction-géométrique. Ses œuvres bichromatiques, noir et blanc, sont caractérisées par des formes et des lignes qui rappellent les masses et les mouvements du corps.
Bibliogr.: In : *L'Art du xxe siècle*, Larousse, Paris, 1991.
Musées: New York (Mus. of Mod. Art) : *Number 3* 1954 – Pittsburgh (Carnegie Inst.) : *Untitled n° 3* 1956.
Ventes Publiques: New York, 10 nov. 1988 : *Sans titre*, fus./pap. (63,5x48,2) : USD 44 000 – New York, 13 nov. 1991 : *Hierophant*, h/t (96,5x76,2) : USD 74 800 – New York, 10 nov. 1993 : *Tereisias III* 1972, graphite/pap. (19,7x15,2) : USD 27 600 – New York, 3 nov. 1994 : *Tereisias II* 1965, graphite/pap. (28,6x26,8) : USD 25 300 – New York, 22 fév. 1995 : *Sans titre*, fus./pap. (63,5x48,2) : USD 17 250 – New York, 21 nov. 1996 : *Sans titre* 1952-1953, h/t (91,5x76,3) : USD 27 600.

STOUT Pieter
xviie-xviiie siècles. Actif à Delft entre 1698 et 1712. Hollandais.
Peintre.

STOUTER D. G.
xixe siècle. Actif vers 1840. Américain.
Peintre.
Sa peinture dite naïve appartient à la période coloniale de la peinture américaine.

STOUTZ Élisabeth de
Née le 5 mai 1854 à Genève. Morte le 7 mai 1917 à Genève. xixe-xxe siècles. Suisse.
Peintre.
Élève de F. Gillet et B. Menn.
Musées: Genève (Mus. Rath) : *Deux portraits de danses*.

STÖVER Gerhard Friedrich
Né le 7 février 1795 à Brême. Mort le 4 juin 1827 à Brême. xixe siècle. Allemand.
Peintre et graveur au burin.
Il a gravé des paysages représentant les environs de Brême. Le Musée Focke de cette ville conserve plusieurs de ses dessins.

STOVER J. P.
xviiie siècle. Hollandais.
Peintre.
Il devint en 1794 membre de la gilde d'Utrecht.

STÖVER Johann Heinrich
Né vers 1829 à Amsterdam. xixe siècle. Hollandais.
Sculpteur.
Il vécut de 1852 à 1872 à Rome. Il a exposé en 1856 un groupe représentant le *Christ, guérissant un aveugle*.

STOVERE ou Stövere. Voir STOEVERE

STÖVESANDT Adolf
Né en 1808 à Dantzig. Mort le 7 juillet 1838 à Dantzig. xixe siècle. Allemand.
Paysagiste.
Élève de M. C. Gregorovius et de l'Académie de Vienne. Il a peint en particulier des paysages alpestres, et des vues des environs de Dantzig.

STÖVESANDT J. F.
xviiie siècle. Allemand.
Dessinateur.

STOVICEK Vladimir
Né en 1896 à Bostanj sur la Save. xxe siècle. Autrichien.
Sculpteur.
Il étudia à Ljubljana. Il fit un voyage d'études à Prague et à Paris.

STOVRE. Voir STOEVERE

STOW James
Né vers 1770 à Maidstone. Mort après 1820. xviiie-xixe siècles.
Britannique.
Graveur au burin.
Il était fils d'un ouvrier cultivateur. Ayant, dès son jeune âge, fait preuve de remarquables qualités artistiques, il fut envoyé à Londres comme apprenti chez Woollett, grâce à une souscription. Il fut aussi élève puis aide de William Sharp. Il obtint un rapide succès et présageait une brillante carrière, mais sa fâcheuse conduite le fit mourir pauvre. Il travailla notamment pour le *Shakespeare* de Boydell pour l'*Homère* de du Roveray. Il fournit aussi des planches pour *Londina Illustrata* (1811-1823). Probablement la même artiste que le graveur John Stow de certains biographes.

STOWASSER Fritz. Voir HUNDERTWASSER

STÖWER Willy
Né le 22 mai 1864 à Wolgast. Mort le 31 mai 1931 à Tegel. (près de Berlin). xxe siècle. Allemand.
Peintre de marines, illustrateur, écrivain.
Il fut l'illustrateur de plusieurs revues et livres consacrés à la marine. L'un des peintres préférés du Kaiser Guillaume II, il l'accompagna dans la plupart de ses déplacements, notamment à un voyage que Guillaume II entreprit sur mer, afin de réaliser des croquis.
Ventes Publiques: Paris, 6 déc. 1990 : *Bâtiments de lignes américains en escadre* 1911, lav. d'encre de Chine et gche (30x43) : FRF 15 000.

STOWEROFFSKI Ernst Friedrich von
Né le 12 mars 1816. Mort le 16 juillet 1878 à Breslau. xixe siècle. Allemand.
Peintre de paysages et de sujets de chasse.
Élève de l'Académie de Dresde. S'établit à Breslau. On voit de lui au Musée de cette ville : *Chasse au Renard* et *Château de Schweinhaus*.

STOWERS T.
xviiie-xixe siècles. Actif à Londres entre 1778 et 1813. Britannique.
Peintre de paysages.

STOWING Curt
Né le 4 mars 1863 à Leipzig (Saxe). xxe siècle. Suédois.
Peintre de genre, portraits, architectures.
Il fut élève des écoles de Leipzig et de Stuttgart.
Musées: Leipzig : *Portrait de Max Klinger – Karl Werner dans son atelier*, aquar.

STOWLEY
xviiie siècle. Actif à Londres vers 1775. Britannique.
Pastelliste surtout de portraits.

STOY Abraham
Né en 1697. Mort le 4 septembre 1734 à Copenhague. xviiie siècle. Danois.
Stucateur.
La plupart de ses travaux ont été exécutés à Copenhague.

STOYCHEV Emil Asparenhov
Né en 1935 à Sofia. xxe siècle. Depuis 1992 actif en France. Bulgare.
Peintre de compositions animées, dessinateur. Tendance surréaliste.
Il est diplômé de l'Académie d'Art de Sofia. Il participe à de nombreuses expositions collectives internationales, dans les

anciens « Pays de l'Est », ainsi qu'à Bâle, Düsseldorf, Madrid, Paris au Salon d'Automne, Tokyo, New Dehli, etc.

En 1992, l'Espace culturel Paul Ricard à Paris, la galerie Duffren à Saint-Tropez ont montré des expositions personnelles de ce peintre arrivé de Macédoine.

Sa peinture est référée aux sources fondatrices de la peinture surréaliste : les paysages aux lointains désertiques rappellent ceux de Dali et de Tanguy, la netteté précise du dessin des figures et éléments du décor vient aussi de Dali, les déformations soudaines infligées aux personnages s'inspirent de Max Ernst. Ce dessin sec, incisif, rappelle aussi celui de George Grosz, ne serait-ce que par sa dimension pamphlétaire, et est complété de sobres indications colorées, En dépit des réminiscences, la maîtrise technique de Stoychev lui permet d'exprimer une personnalité. Il exprime, par des situations symboliques, les frustrations imposées par un régime totalitaire particulièrement dur, concernant l'oppression généralisée, la peur, la torture, la mort.

■ J. B.

STOYEV Vassil
Né en 1950. XXᵉ siècle. Bulgare.
Peintre. Abstrait.

Il est diplômé de l'Académie des Arts de Sofia. Il participe à des expositions collectives en Bulgarie et ses œuvres circulent aussi en Grèce, Yougoslavie, Hollande, Autriche, Allemagne, etc.

Il pratique une abstraction internationale, gestuelle et matiériste quant aux lourdes pâtes de couleurs franches appliquées énergiquement.

VENTES PUBLIQUES : LONDRES, 26 oct. 1989 : *Arena I* 1988, h/t (91x73) : GBP 1 650.

STOZINGER Hans. Voir **STOCINGER**

STRAAT Hjalmar Karl
Né le 2 juin 1885 à Norrköping. XXᵉ siècle. Suédois.
Peintre de paysages, paysages urbains, pastelliste, graveur.

De 1909 à 1913, il fut élève à l'Académie de Stockholm.

MUSÉES : KARLSTAD – NORRKÖPING – OREBRO – VASTERAS.

VENTES PUBLIQUES : LONDRES, 24 mars 1988 : *Une rue, la nuit* 1909, past. blanc, aquar. reh. de blanc/pap. (44,7x55,7) : GBP 990.

STRAATEN Bruno Van
Né le 22 décembre 1786 à Utrecht. Mort le 2 avril 1870 à Utrecht. XIXᵉ siècle. Hollandais.
Peintre de genre, paysages animés.

Élève de J. Kobell.

MUSÉES : ROTTERDAM (Mus. Boymans) : *Blanchisserie aux environs d'une ville* – UTRECHT : *Vue de la métairie entre de Bilt et Amersfoort.*

VENTES PUBLIQUES : LONDRES, 13 juin 1973 : *Paysage d'hiver avec patineurs* : GBP 1 600 – COLOGNE, 19 nov. 1981 : *Troupeau dans un paysage*, h/pan. (60x70) : DEM 19 500 – AMSTERDAM, 14 juin 1994 : *Paysage italien avec un homme faisant boire ses chevaux*, h/pan. (28x33,5) : NLG 3 450.

STRAATEN Bruno Van, Jr
Né en 1812. Mort en 1887. XIXᵉ siècle.
Peintre de scènes de chasse, animaux, paysages animés.

VENTES PUBLIQUES : AMSTERDAM, 2 mai 1990 : *Chasseur et son chien sur un sentier enneigé et des patineurs sur la rivière gelée*, h/t (44x55,5) : NLG 2 944 – AMSTERDAM, 17 sep. 1991 : *Chasseur et son chien sur un chemin enneigé avec des patineurs sur un canal gelé près d'un moulin*, h/t (44x57,5) : NLG 2 530 – AMSTERDAM, 14 sep. 1993 : *Chasseur et bergère conversant près d'un pont dans un paysage boisé et vallonné*, h/pan. (34,5x45) : NLG 1 955.

STRAATEN Hendrik Van der ou **Straeten** ou **de la Rue**
Né vers 1665 à Haarlem. Mort en 1722 à Londres. XVIIᵉ-XVIIIᵉ siècles. Hollandais.
Peintre de paysages, dessinateur.

Il étudia seul. Il entra dans la gilde de Haarlem en 1687. Il alla en France et vers 1690, en Angleterre.

MUSÉES : BRUXELLES – HAARLEM (Mus. Teyler) – LONDRES (British Mus.) – VIENNE (Albertina).

VENTES PUBLIQUES : PARIS, 12-13 nov. 1928 : *Route en Italie*, dess. : FRF 200 – AMSTERDAM, 22 nov. 1982 : *Patineurs aux abords d'une ville*, cr. noire et lav. (29,2x21,4) : NLG 4 800 – AMSTERDAM, 14 nov. 1988 : *Paysage de montagnes avec des personnages*, lav. et craie (19,6x15,4) : NLG 920.

STRAATEN Johannes Josephus Ignatus Van
Né en 1766 à Utrecht. Mort en 1808. XVIIIᵉ siècle. Hollandais.

Peintre de paysages, natures mortes, fleurs et fruits.

Élève de C. Van Gaelen. Il imita la manière de J. Weenix. Il fut souvent aidé dans ses paysages par Swagers.

Ses œuvres sont exécutées avec soin et très poussées. Il peignit surtout des natures mortes au gibier.

VENTES PUBLIQUES : AMSTERDAM, 30 oct 1979 : *Nature morte aux gibiers* 1797 ?, h/t (64x50,5) : NLG 4 200.

STRAATEN Lambert Hendriksz Van der ou **Verstraten** ou **de la Rue**
Né en 1631 à Haarlem. Mort en 1712. XVIIᵉ-XVIIIᵉ siècles. Hollandais.
Peintre d'histoire, portraits, paysages.

Père d'Hendrik Van Straaten. Il fut élève de Gilles Rombouts, en 1656. Il tint ensuite lui-même une école.

VENTES PUBLIQUES : BRUXELLES, 21 mai 1951 : *Paysage avec cours d'eau* 1697 : BEF 3 200 – COLOGNE, 22 nov. 1973 : *Paysage fluvial avec pont* : DEM 36 000 – COLOGNE, 25 nov. 1976 : *Vue d'un port*, h/pan. (68,5x90,5) : DEM 13 000.

STRAATMAN Willem
Mort en avril 1776 à Alkmaar. XVIIIᵉ siècle. Hollandais.
Sculpteur.

Il a exécuté les statues de Marie et de Saint-Dominique pour l'église Saint-Dominique d'Alkmaar.

STRABAX I
Originaire d'Athènes. IVᵉ siècle avant J.-C. Actif au milieu du IVᵉ siècle avant J.-C. Antiquité grecque.
Sculpteur.

Il exécuta, à la demande de l'Aréopage, la statue de *Samippos.*

STRABAX II
Iᵉʳ siècle avant J.-C. Antiquité grecque.
Sculpteur.

STRABILE Joao. Voir **GLAMA Joao**

STRACCIARI Luigi
Né le 2 décembre 1900 à Padoue (Vénétie). XXᵉ siècle. Italien.
Peintre.

Élève de J. P. Van Biesbroeck.

MUSÉES : SAN REMO : plusieurs œuvres.

STRACHAN Arthur Claude
Né en 1865 à Édimbourg (Écosse). Mort en 1929. XXᵉ siècle. Britannique.
Peintre de paysages, aquarelliste.

Il vécut et travailla à Liverpool. Il exposa à Londres, notamment à la Royal Academy, à partir de 1891.

MUSÉES : BOOTE (Art Mus.) : une peinture.

VENTES PUBLIQUES : LONDRES, 27 avr. 1982 : *A view near Evesham*, aquar. reh. de gche (34x24) : GBP 700 – LONDRES, 11 oct. 1983 : *At Dunster : feeding doves in a cottage garden*, aquar. et gche (34,5x49,5) : GBP 1 700 – CHESTER, 4 oct. 1985 : *Fillette avec son chien dans un jardin*, aquar. reh. de gche (28,5x46) : GBP 4 200 – CHESTER, 10 juil. 1986 : *La Mare aux canards*, aquar. reh. de gche (28,5x46) : GBP 3 700 – LONDRES, 26 jan. 1987 : *Church Lane, Silworthy*, aquar. reh. de gche (28x38) : GBP 4 400 – LONDRES, 25 jan. 1988 : *Bourton-on-the-Hill dans le Gloucestershire*, aquar. (26x18) : GBP 2 640 ; *Distribution de grains aux poulets* ; *La Conversation avec les canards*, aquar., deux pendants (chaque 29x47) : GBP 8 580 – ÉDIMBOURG, 22 nov. 1988 : *Un cottage à toit de chaume à Ashton Under Hill dans le Gloucestershire*, aquar. et gche (34,3x49,5) : GBP 5 500 – NEW YORK, 24 mai 1989 : *Une chaumière dans le Devon*, aquar. et gche (37x52,4) : USD 6 600 – CHESTER, 20 juil. 1989 : *Journée d'été dans le Warwickshire*, aquar. reh (36,3x51,5) : GBP 2 750 – LONDRES, 25-26 avr. 1990 : *Après-midi à Welford sur Avon*, aquar. et gche (52x77) : GBP 11 000 ; *Un rafraîchissement à l'ombre*, aquar. avec reh. de gche (16x25,5) : GBP 2 750 – NEW YORK, 21 mai 1991 : *Berger et son troupeau sur le chemin devant une chaumière*, aquar./pap. (25,5x35,5) : USD 1 650 – LONDRES, 29 oct. 1991 : *Jeune paysanne distribuant du grain aux poulets*, aquar. avec reh. de gche (29x46,3) : GBP 2 090 – LONDRES, 12 mai 1993 : *Cottage au bord d'une rivière*, aquar. et gche (28,5x45,5) : GBP 1 610 – LONDRES, 7 juin 1995 : *Cottage et son jardin près d'Evesham*, aquar. et gche (37x52) : GBP 5 980 – NEW YORK, 18-19 juil. 1996 : *La Mare aux canards*, aquar./pap. (50,8x34,3) : USD 3 737 – LONDRES, 6 nov. 1996 : *La Halte*, aquar. et gche (35,5x52) : GBP 2 070.

STRACHAN David
Né le 25 juin 1919 à Salisbury (Wiltshire). XXᵉ siècle. Actif en Australie et en France. Britannique.

Peintre de figures, paysages, natures mortes.
Il vint en Australie en 1921. Il avait étudié la peinture à la Slade School avec Randolphe Schwabe. Il continua à Melbourne, sous la direction de George Bell, puis alla travailler à Paris, où il résida souvent. Il a principalement exposé en Australie.
VENTES PUBLIQUES : SYDNEY, 4 oct. 1977 : *Nature morte 1951*, h/t (33x41) : AUD 2 000 – SYDNEY, 24 nov. 1986 : *Hill and landscape 1964*, h/t (92x122) : AUD 6 500 – SYDNEY, 26 mars 1990 : *Nature morte de fruits*, h/t (33x47) : AUD 4 200.

STRACHAN Douglas
Né en 1875 à Aberdeen (Écosse). XXᵉ siècle. Britannique.
Peintre de genre, portraits.
Il fut élève de la Royal Academy. Il peignit à l'huile, « a fresco », et sur verre.

STRACHEN Franz Joachim et Julius ou Strachge ou Strachgen
Franz Joachim mort avant le 18 février 1661 et Julius entre le 4 janvier et le 31 mars 1648. XVIIᵉ siècle. Allemands.
Peintres de portraits.
Tous deux ont travaillé ensemble à la cour de Gottorff.

STRACHEN Friedrich Franz ou Strachge ou Strachgen
Mort en 1692 à Gottorff. XVIIᵉ siècle. Allemand.
Peintre.

STRACHEN Georg ou Strachge ou Strachgen
Originaire de Stettin. XVIᵉ siècle. Allemand.
Peintre.
Il séjourna aux Pays-Bas et travailla de 1594 à 1596 au tombeau du duc Christophe de Mecklembourg.

STRACHEY Henry
Né en 1863 à Clutton. XIXᵉ-XXᵉ siècles. Britannique.
Peintre.
Il a composé des panneaux muraux pour l'église de Stowey dans l'Essex.
VENTES PUBLIQUES : NEW YORK, 28 oct. 1982 : *Juin 1893*, h/t (127,5x77) : USD 4 500 – LONDRES, 23 sep. 1988 : *La récolte des pommes à cidre 1889*, h/t (76x127) : GBP 2 860.

STRACHGE ou Strachgen. Voir STRACHEN

STRACHOVSKY Josef
Né le 19 septembre 1850 à Kuttenberg. Mort le 9 juillet 1913 à Prague. XIXᵉ-XXᵉ siècles. Tchécoslovaque.
Sculpteur de monuments.
Élève de Jan Kas à Prague et de l'Académie de Munich. A contribué à décorer le fronton du Théâtre national de Prague et a laissé quelques monuments.

STRACHOWSKI. Voir STRAHOWSKY

STRACK Anton Wilhelm
Né en 1758 à Haina (Hesse). Mort le 12 janvier 1829 à Buckebourg. XVIIIᵉ-XIXᵉ siècles. Allemand.
Peintre de paysages et graveur.
Petit-fils de Heinrich Tischbein. Il fut élève de Joseph Henrich Tischbein et peignit particulièrement des paysages de la Westphalie. Il fut peintre de la cour à Bückeburg.
VENTES PUBLIQUES : VIENNE, 21 sep. 1971 : *Paysage animé de nombreux personnages* : ATS 80 000.

STRACK Hélène
Née en 1798 à Kassel. Morte en 1853 à Oldenbourg. XIXᵉ siècle. Allemande.
Peintre.
Elle était la fille de Ludwig Phillipp S. Le Musée d'Oldenbourg conserve d'elle plusieurs aquarelles représentant des fleurs.

STRACK Ludwig Philipp
Né en 1761 à Haina. Mort le 27 janvier 1836 à Oldenbourg. XVIIIᵉ-XIXᵉ siècles. Allemand.
Peintre de portraits, paysages, graveur.
Il était le frère de Wilhelm et le père de Ludwig le Jeune et d'Hélène Strack. Il fit ses études à Kassel, fut peintre du duc d'Oldenbourg en 1783, retourna à Kassel en 1786, date à laquelle il fut invité à Naples par son cousin Wilhelm Tischbein, directeur de l'Académie, il y demeura 15 mois. Il prolongea son voyage vers Rome, la Sicile, Malte et la Calabre et retourna à Kassel en 1794, et fut peintre à la cour du duc de Hesse. Il s'adonna d'abord aux portraits pour se consacrer ensuite aux paysages.
MUSÉES : EMDEN : *Paysage sicilien* – HAMBOURG : *Paysage italien* – *Paysage idéal* – OLDENBOURG : *six paysages italiens* – *Côte Sicilienne* – *Paysage italien* – *Moulin près de Bösdorf* – *Vue d'Eutin* –

Petit lac – *Vue de la ville et du château d'Eutin* – *Deux garçons devant un nid d'oiseau.*
VENTES PUBLIQUES : COLOGNE, 7 juin 1972 : *Vue de l'Etna* : DEM 7 500 – BRÊME, 31 oct. 1981 : *Paysage d'Italie*, h/t (117x165) : DEM 26 000 – LONDRES, 21 mars 1984 : *Paysage d'italie 1812*, h/t (64,5x100) : GBP 4 000 – LONDRES, 9 juil. 1993 : *Le lac d'Averno avec la forteresse de Don Pedro de Tolede et Ischia à l'arrière-plan ; Le golfe et la ville de Salerne avec des bergers et leurs bêtes et des pêcheurs 1793*, h/t, une paire (76x102 et 86,5x102,5) : GBP 47 700 – PARIS, 14 juin 1995 : *Paysage classique animé de bergers 1809*, h/t (86,5x121,5) : FRF 280 000 – MUNICH, 27 juin 1995 : *Paysage fluvial idéal*, encre/pap. (10,5x17) : DEM 2 300.

STRACK Ludwig, le Jeune
Né en 1806 à Oldenbourg. Mort en 1871 à Oldenbourg. XIXᵉ siècle. Allemand.
Peintre.
Les Musées d'Oldenbourg conservent de lui le portrait de *Madame Röben* et trois livres d'esquisses.

STRACK Walter
Né en 1936 à Revin (Ardennes), de parents suisses. XXᵉ siècle. Français.
Peintre. Abstrait-géométrique.
Il vécut d'abord en France, puis en Suisse et, en 1958, se fixa à Paris. Depuis 1957, il participe à des expositions collectives, notamment, en 1997, à *Abstraction-Intégration*, exposition itinérante en Essonne. En 1998 à Saarlouis, la galerie Treffpunkt Kunst a exposé un ensemble de ses œuvres.
Ses peintures obéissent à une stricte organisation totalement abstraite, jouant sur des glissements de certaines parties décalées en dehors du format général. Elles sont constituées de figures géométriques les plus simples, orthogonales, carrés et rectangles, tendant au monochrome.

STRACKE Frans
Né le 5 mai 1820 à Dorsten. Mort le 26 mars 1898 à Baarn. XIXᵉ siècle. Hollandais.
Sculpteur.
Il était le fils d'Ignatus Stracke et fut son élève. A partir de 1842 il travailla à Arnheim. En 1868 il fut nommé professeur à l'Académie d'Amsterdam.
MUSÉES : AMSTERDAM : *Deux mères* – DORDRECHT : *Les voleurs de miel* – *Pêcheurs italiens* – *Blanche Neige.*

STRACKE Ignatus Johann
XIXᵉ siècle. Hollandais.
Sculpteur.
Élève de Rauch. Il fut directeur de l'École des Beaux-Arts de Herzogenbusch. Il était le père de Frans et de Johannes Theodorus Stracke.

STRACKE Johannes Theodorus
Né le 9 juillet 1817 à Dorsten. Mort le 11 novembre 1891 à Cologne. XIXᵉ siècle. Hollandais.
Sculpteur.
Il était le frère de Frans et fut l'élève de son père et de W. Geeffs à Bruxelles. Il fut professeur à l'Académie de Rotterdam et ensuite directeur de l'École des Beaux-Arts de Herzogenbusch. Le Musée Boymans à Rotterdam conserve de lui le buste du *Poète Tollens.*

STRACKE Leo Paulus Johannes
Né le 30 juillet 1851 à Rotterdam. XIXᵉ siècle. Hollandais.
Sculpteur et graveur.
Il était le fils et l'élève de Johannes Theodorus. Il travailla à partir de 1879 à Rotterdam, où il décora le fronton d'un gymnase.

STRACKE Louis
Né le 30 juillet 1856 à Arnhem. Mort le 21 janvier 1934 à Baarn. XIXᵉ-XXᵉ siècles. Hollandais.
Peintre.
Il était le fils de Frans Stracke. Élève de l'Académie d'Amsterdam et d'Anvers, il travailla à Amsterdam, Amersfoort, Soest et Baarn.

STRACQUADAINI Vito, pseudonyme : Aly
Né en 1891 à Kairouan (Tunisie). Mort en 1955. XXᵉ siècle. Italien.
Peintre, affichiste. Groupe musicaliste.
À l'âge de dix-neuf ans, il sortit diplômé de l'Institut des Beaux-Arts de Naples. Pendant la Première Guerre mondiale, il fut appelé par le gouvernement de la Tripolitaine pour diriger le

journal humoristique militaire *Il Ghibli*. Il se fixa à Paris en 1920. En 1939, il séjourna en Italie où il choisit Rome comme résidence.

Il a exposé en 1920 à Paris, au Salon des Humoristes et, en 1921, comme « orientaliste » au Salon des Artistes Français dont il devint par la suite sociétaire. Sous le pseudonyme de Aly, il a réalisé de nombreuses affiches publicitaires typiques du style de l'époque. En qualité d'affichiste, il a participé à toutes les expositions régulières du Salon de la Publicité, mais aussi aux Expositions internationales de Paris en 1925 et 1937. Il obtint le prix de l'affiche pour la Foire de Paris en 1930. En 1929, il créa *L'émotivisme* et présenta l'année suivante son « Cercle chromaticosentimental » au Salon des Indépendants à Paris. Il fut membre du mouvement des Artistes musicalistes de Henri Valensi et Mendès-France, il signa le manifeste d'avril 1932, et participa aux trois premiers salons. Il participa en Italie à quelques expositions.

Musées : Carthage.

STRADA Gaspare
Mort avant 1614 à Rome. xviie siècle. Italien.
Peintre.
Il fit partie en 1584 de la Confrérie des Virtuoses et en 1608 de l'Académie Saint-Luc à Rome. Il était le père de Vespasiano.

STRADA Giov. della. Voir STRAET Jan Van der

STRADA Giovanni
xviiie siècle. Italien.
Sculpteur sur bois.
Il travailla à Turin.

STRADA José de, pseudonyme de Gabriel Jules Delarue
Né le 28 mai 1821 à Vouillé (près de Niort). Mort en août 1902. xixe siècle. Français.
Poète et peintre.

STRADA Ottavio
Né en 1550 sans doute à Rome. Mort en 1612 à Prague. xvie-xviie siècles. Italien.
Dessinateur, miniaturiste.
Il était le fils de Jacopo Strada. Antiquaire, il pratiqua le dessin.

STRADA Vespasiano
Né vers 1582 à Rome. Mort le 5 août 1622. xviie siècle. Italien.
Peintre et graveur à l'eau-forte.
Il était fils d'un peintre espagnol venu s'établir à Rome et fut son élève. Vespasiano travailla surtout à fresque dans les églises de Rome. Il a gravé avec talent un certain nombre d'estampes, qu'il signait S.V.F. ou V.S.I.F. ou encore Vest. S.T.I.F.E.
Ventes Publiques : Paris, 9 mai 1949 : *Le mariage mystique de sainte Catherine*, pl. et lav. de bistre : FRF 2 500.

STRADA de Mantoue Jacopo ou de Strada, ou Sträda, ou Strata, ou Strote
Né en 1507 à Mantoue. Mort en 1588 à Vienne. xvie siècle. Actif à Milan. Italien.
Dessinateur et peintre.
Cet artiste fut particulièrement employé à dessiner des modèles de monnaies et de médailles et à copier des médailles anciennes. On voit de lui dans les bibliothèques de Vienne et de Gotha plusieurs volumes de ces dessins. On lui doit aussi des portraits d'empereurs romains, pour l'ouvrage de son fils Ottavio. Il vécut de 1552 à 1555 à Lyon, où il publia son *Epitomae Thesauri antiquitatum* en 1553.

STRADANO ou Stradanus. Voir STRAET Jan Van der

STRADANO Giovanni. Voir STRAET Jan Van der

STRADANUS. Voir STRAET Jan Van den

STRADMO Girolamo
xviie siècle. Italien.
Peintre.

STRADONE Giovanni
Né en 1911 à Nola. Mort en 1981 à Rome. xxe siècle. Italien.
Peintre de figures, paysages urbains, marines.

Ventes Publiques : Milan, 9 avr. 1970 : *Lo straccivendolo* : ITL 1 500 000 – Rome, 12 avr. 1973 : *Piazza del Popolo* : ITL 2 400 000 – Rome, 21 mai 1974 : *Petit nu rose* 1958 :

ITL 1 600 000 – Rome, 17 nov. 1977 : *Déchargeurs sur le bord du Tibre* 1955, h/t (81x60) : ITL 1 300 000 – Rome, 11 juin 1981 : *Tramonto romano* 1962, h/t (50x70) : ITL 2 800 000 – Rome, 15 nov. 1988 : *Arc de Constantin* 1960, h/cart. (25x30) : ITL 4 000 000 – Rome, 21 mars 1989 : *Danseuse* 1938, h/t (30x40) : ITL 4 500 000 – Rome, 17 avr. 1989 : *Marine* 1937, h/cart. entoilé (50x70) : ITL 6 500 000 – Milan, 6 juin 1989 : *Le Colisée* 1947, h/t (50x60) : ITL 20 000 000 – Rome, 28 nov. 1989 : *Saint Pierre depuis le pont Sant'Angelo* 1964, h/t (50x40) : ITL 10 500 000 – Rome, 28 nov. 1989 : *S. Maria Collemaggio (L'Aquila)* 1956, h/t (50x60) : ITL 7 500 000 – Rome, 10 avr. 1990 : *Le modèle* 1951, h/t (66x56,5) : ITL 9 500 000 – Rome, 30 oct. 1990 : *Fête-danses au Forum romain* 1951, h/t (79x100) : ITL 14 000 000 – Rome, 9 avr. 1991 : *La pyramide de Cestia*, h/t (26x35,5) : ITL 4 200 000 – Milan, 20 juin 1991 : *Jardins du Vatican* 1957, h/t (80x100) : ITL 14 000 000 – Milan, 14 nov. 1991 : *Casimir* 1953, h/cart. (55x40) : ITL 4 000 000 – Rome, 9 déc. 1991 : *Périphérie romaine* 1959, h/t (70x50) : ITL 8 050 000 – Milan, 14 avr. 1992 : *Via Salaria* 1945, h/t (40x50) : ITL 10 000 000 – Rome, 12 mai 1992 : *Jeune homme à la guitare* 1959, h/t (100x70) : ITL 13 500 000 – Rome, 19 nov. 1992 : *Autoroute de nuit* 1961, h/t (90x60) : ITL 5 000 000 – Rome, 3 juin 1993 : *Colisée* 1957, h/t (80x70) : ITL 17 500 000 – Rome, 8 nov. 1994 : *La rencontre* 1940, h/cart. entoilé (50x60) : ITL 5 175 000 – Rome, 14 nov. 1995 : *Sans titre* 1948, h/t (40x50) : ITL 4 025 000 – Milan, 2 avr. 1996 : *Le port* 1960, h/t (60x50) : ITL 8 625 000.

STRADONO Giovanni
xviie siècle. Actif à Crémone vers 1650. Italien.
Peintre de paysages.

STRADTMANN. Voir STRATMANN

STRAEDTMANN. Voir STRARMAN

STRAEHUBER Alexander
Né le 28 février 1814 à Mondsee. Mort le 31 décembre 1882 à Munich. xixe siècle. Allemand.
Dessinateur, lithographe et peintre.
A partir de 1829 il fut élève de l'Académie de Munich avec Jul. Schnorr von Carolsfeld, à partir de 1862 il fut correcteur, et il devint professeur à l'Académie en 1868. Il a illustré de nombreux livres.

STRAELEN Jean-Baptist Van der
Né le 18 mars 1761 à Anvers. Mort le 2 janvier 1847 à Anvers. xviiie-xixe siècles. Belge.
Peintre de paysages, graveur.
Bibliogr. : In *Dict. biogr. illustré des artistes en Belgique depuis 1830*, Arto, Bruxelles, 1987.

STRAELY Peter Eduard. Voir STRÖHLING

STRAET. Voir aussi STRADA

STRAET Jan Van der, dit Stradanus ou Stradano ou Giovanni della Strada
Né en 1523 à Bruges. Mort le 2 novembre 1605 à Florence. xvie siècle. Éc. flamande.
Peintre d'histoire, sujets mythologiques, compositions religieuses, sujets allégoriques, scènes de genre, architectures, paysages, compositions murales, cartons de tapisserie, illustrateur. Maniériste.
Élève de Pieter Aertsen à Anvers, il fut maître dans cette ville en 1545 et travailla à Lyon chez Corneille de La Haye. Il alla ensuite à Venise et Rome puis travailla pour les Médicis et rencontra Vasari. Don Juan d'Autriche l'appela à Naples, puis il retourna à Florence. Il serait, sans doute, retourné en Flandre vers 1576-1578.
Il collabora avec Vasari à plusieurs travaux, notamment au Vatican entre 1550 et 1553 ; au Palazzo Vechio de Florence entre 1550 et 1570. Très habile, il a touché à plusieurs domaines : réalisant des cartons de tapisserie pour la manufacture de Cosme de Médicis, des peintures décoratives pour des palais, des gravures et des illustrations, entre autres, de Dante.
Son art, flamand par son goût réaliste de certains détails, est surtout marqué par le maniérisme italien, avec ses formes allongées et un coloris suave.

Bibliogr. : In : *Diction. de la peinture flamande et hollandaise*, coll. Essentiels, Larousse, Paris, 1989.

Musées : Augsbourg : *Pietà* – Bruxelles : deux tableaux d'architectures – Florence : *Jésus en croix* – Orléans : *Les forges de Vulcain* – Vienne : *Repas des dieux* – *Flagellation*.

Ventes Publiques : Paris, 11 avr. 1924 : *Personnages jouant et buvant dans l'enceinte d'un château*, pl. et lav. de sépia : **FRF 650** – Londres, 27 juin 1939 : *Vues d'Anvers* : **GBP 220** – Lucerne, 23-26 nov. 1962 : *La Descente de Croix* : **CHF 6 000** – Milan, 25 nov. 1976 : *L'adoration des Rois Mages*, h/pan. (156x118) : **ITL 3 300 000** – Londres, 9 déc. 1980 : *Combats de taureaux 1602*, pl. et lav. reh. de blanc (19,8x29,8) : **GBP 2 600** – Paris, 30 nov. 1981 : *La Flagellation du Christ*, pl., encre brune et lav. brun/esq. à la pierre noire (16,5x25) : **FRF 7 200** – Amsterdam, 18 nov. 1985 : *Scène de chasse*, craie noire, pl. et lav. reh. de blanc/pap. (18,4x27,1) : **NLG 70 000** – Milan, 21 avr. 1986 : *Triomphe de la Vertu*, h/pan. (70x57) : **ITL 40 000 000** – Amsterdam, 14 nov. 1988 : *La chasse au cerf*, encre (18,5x27) : **NLG 87 400** – Londres, 3 juil. 1988 : *Equus iuliacus : étalon levant la jambe gauche*, craie noire (17,2x21,3) : **GBP 17 600** – New York, 12 jan. 1990 : *Chasseurs de bouquetins avec leurs chiens*, encre avec reh. de blanc/pap. brun (20,3x28,8) : **USD 47 300** – Londres, 2 juil. 1990 : *Projet d'un frontispice aux armes des Médicis*, lav. bleu et encre brune (11,9x29,4) : **GBP 34 100** – New York, 8 jan. 1991 : *Chasse au faucon en hiver avec des leurres et des pièges*, encre brune et lav. bleu avec reh. de blanc et de rose (20,4x27,9) : **USD 48 400** – Rome, 8 avr. 1991 : *Le Christ et la femme adultère dans une architecture*, h/pan. (42x31,5) : **ITL 3 450 000** – Londres, 2 juil. 1991 : *L'Empereur Frédéric Barberousse à la chasse*, craie noire et encre, lav. bleu/pap. bleu (19,5x26,9) : **GBP 7 700** – Londres, 28 oct. 1992 : *Descente de Croix*, h/pan. (98x74,2) : **GBP 6 380** – Amsterdam, 10 mai 1994 : *Le sacrifice d'Isaac*, encre et craie noire (17,5x13) : **NLG 12 650** – New York, 11 jan. 1995 : *Allégories de la Justice, du Courage et de la Renommée*, h/pan. (54,3x42,2) : **USD 8 625** – Londres, 16-17 avr. 1997 : *Le Roi en tête de cortège s'approchant de personnages suppliants*, pl. et encre brune et lav. bleu/craie noire/deux feuilles de pap. jointes (24,8x34) : **GBP 3 220**.

STRAETEN. Voir aussi **STRAATEN**

STRAETEN Georges Van der
Né le 21 décembre 1856 à Gand. Mort en 1928 à Paris. xixᵉ-xxᵉ siècles. Belge.
Sculpteur de bustes, figures.
Il fut d'abord juriste jusqu'en 1882, ensuite élève de G. Kasteleyn et Jef Lambeaux. De 1883 à 1928, il s'installa à Paris où il se lia d'amitié avec les peintres Jan Van Beers et Rik Wouters. Il vécut et travailla à Gand. Il exposa jusqu'en 1912.
Il s'inspira surtout du genre de Watteau.
Ventes Publiques : New York, 1ᵉʳ nov. 1980 : *Buste de jeune femme*, bronze patiné (H. 58) : **USD 1 300** – Londres, 7 nov. 1985 : *Jeune femme assise sur une corne d'abondance* vers 1910, bronze, patine brun-rouge et vert (H. 68,5) : **GBP 1 700** – Londres, 12 juin 1986 : *Buste de jeune femme* vers 1900, bronze patine brun rouge (H. 46) : **GBP 5 000** – Paris, 27 nov. 1992 : *Buste de jeune fille de profil*, marbre (H. 44) : **FRF 3 500** – Lokeren, 8 oct. 1994 : *Theresa*, bronze (H. 53,5) : **BEF 60 000** – Londres, 13 nov. 1996 : *Cavalier*, bronze (H. 38,6) : **GBP 2 300**.

STRAETEN Hendrik Van der. Voir STRAATEN

STRAETEN Jan Van der
Mort vers 1729. xviiᵉ-xviiiᵉ siècles. Éc. flamande.
Peintre d'architectures.
Il manifesta une prédilection pour les terrasses de châteaux et pour les tons bruns. Il a peint les fonds d'architectures pour plusieurs peintres d'Anvers, où il était établi, et en particulier pour Balthasar Van den Bossche. *Voir aussi* VERSTRAETEN.
Ventes Publiques : Paris, 29 avr. 1982 : *Façades de palais animées*, h/t, deux pendants (56,5x82,5 et 57,5x82,5) : **FRF 60 000**.

STRAETEN Joris ou Georges Van der ou Strata ou Estrata ou Estraten
xviᵉ siècle. Éc. flamande.
Peintre de portraits.
Il travailla à la cour de Lisbonne vers 1556 puis fut peintre de la cour de la reine de France.

STRAETEN Léa Van der. Voir VANDERSTRAETEN Léa

STRAETEN Nancy Van der
Née le 29 mai 1946 à Etterbeck (Bruxelles). xxᵉ siècle. Belge.
Graveur, lithographe.
Elle fut élève de l'Académie Royale des Beaux-Arts de Bruxelles et de l'Atelier de Robert de Kayser. Ses gravures sont non-figuratives.

STRAFELLA Gianserio Giovanni Saverio
Né à Copertino. xviiᵉ siècle. Italien.
Peintre.
Il a laissé neuf fresques au plafond de la cathédrale de Lecce.

STRAFER Harriette R.
Née en 1873 à Covington. xxᵉ siècle. Américaine.
Peintre de miniatures.
Elle fut élève de l'École des Beaux-Arts de Cincinnati et de F. MacMonnies, G. Courtois et R. Collin à Paris.

STRÄFFLER Johann. Voir STREFFLER

STRAFFORD George
xixᵉ siècle. Travaillait entre 1842 et 1857 à Londres et à Melbourne. Britannique.
Peintre.
Le British Museum de Londres conserve trois de ses dessins.

STRAFORO. Voir NOBILI Antonio

STRAGIOTTI Humbert
Né en 1911 à Castellamonte (Piémont). Mort en mars 1978 à Rabastens (Tarn). xxᵉ siècle. Actif en France. Italien.
Peintre, sculpteur. Abstrait.
Il avait d'abord étudié l'architecture, et construisit des hôtels à la Martinique, puis était devenu violoncelliste concertiste. Peintre, il exposa à Paris, Bruxelles et Londres. Il connut bien Braque, dont il fut le marchand et Nicolas de Staël qu'il contribua à faire connaître. Retiré à Roussillon (Vaucluse), il poursuivit son œuvre peint, évoluant à la figuration, et s'initia à la sculpture.

STRAGLIATI Carlo
Né le 7 juillet 1868 à Milan (Lombardie). Mort le 28 juin 1925 à Milan. xxᵉ siècle. Italien.
Peintre de genre, portraits.
Il fut élève de Casnadi et G. Bertini. Il tient une place distinguée parmi les peintres milanais modernes.
Musées : Rome (Galaria naz.) : *Mater delicata*.
Ventes Publiques : New York, 12 ou 15 avr. 1909 : *Paysanne italienne* : **GBP 315** – New York, 9-10 mars 1911 : *La Fille au tambourin* : **GBP 75** – Milan, 14 déc. 1976 : *Tête de jeune fille*, h/t (55x29) : **ITL 950 000** – Milan, 16 déc. 1982 : *La marchande de fleurs*, h/t (128x76) : **ITL 6 000 000** – Milan, 30 oct. 1984 : *Portrait de femme*, h/t (80x57) : **ITL 3 600 000** – Milan, 23 oct. 1996 : *Portrait de jeune fille*, h/t (55x30) : **ITL 3 495 000**.

STRAHAMMER Heinrich
Né le 13 mars 1903 à Vienne. xxᵉ siècle. Autrichien.
Sculpteur, sculpteur de monuments.
Il étudia un an à l'École des Beaux-Arts avec Schufinsky et cinq ans à l'Académie de Vienne avec Jos. Muller. En 1935, il eut le prix de l'État autrichien. On lui doit plusieurs monuments funèbres.

STRÄHER Franz ou Streer
Né vers 1712, originaire d'Autriche. Mort le 14 avril 1768 à Rome. xviiiᵉ siècle. Autrichien.
Peintre.
Il vivait à Rome depuis 1742.

STRAHOWSKY Bartholomäus Florian
xviiiᵉ siècle. Travaillait à Breslau. Allemand.
Graveur au burin.
Il a gravé des effigies de saints et des scènes historiques.

STRAHOWSKY Johann Bartholomäus
Mort vers 1790. xviiiᵉ siècle. Actif à Breslau. Allemand.
Graveur au burin.
Il était le fils de Bartholomäus Florian Strahowsky.

STRAIFF Thomas
Né avant 1448. Mort en 1483 à Wiener-Neustadt. xvᵉ siècle. Actif à Wiener-Neustadt. Autrichien.
Peintre et sculpteur.
On lui doit un buste en pierre (*Ecce homo*) à l'église Notre-Dame de Wiener-Neustadt.

STRAIN Frances
Né le 11 novembre 1898 à Chicago (Illinois). xxᵉ siècle. Américain.
Peintre.
Il fut élève de l'Art Institute de Chicago. Il fut membre de la Société des Artistes Indépendants.

STRAKA Johann
Mort en 1558 à Königgrätz. xviᵉ siècle. Actif à Königgrätz. Autrichien.

Peintre.

Un homonyme, peintre d'histoire né à Vienne en 1747, est mort dans cette ville le 2 avril 1816.

STRAKA Joseph

Né le 12 février 1864 au château de Sar (Moravie). Mort en 1946. XIXᵉ-XXᵉ siècles. Autrichien.
Peintre.

Il vivait et travaillait à Vienne. Il fut élève de August Eisenmenger à l'Académie des Beaux-Arts de Vienne.

Musées : Brünn : *Dans la maison de deuil.*

Ventes Publiques : Londres, 19 juin 1991 : *Prête pour une baignade*, aquar. (38x27) : **GBP 2 420.**

STRAKA Paulus

XVIᵉ siècle. Actif à Königgräz. Autrichien.
Peintre.

STRAKE Hermann

Né le 12 janvier 1854 à Liesborn (Westphalie). Mort en février 1911 à Munich (Bavière). XIXᵉ-XXᵉ siècles. Allemand.
Peintre.

Élève de l'Académie de Düsseldorf, il travailla à Munich.

STRAKHOV Piotr

Né en 1921 à Poutchej (région d'Ivanovo). XXᵉ siècle.
Peintre de natures mortes.

De 1950 à 1957, il fréquenta l'Institut Repine et travailla dans l'atelier de M. Orechnikov. Il devint membre de la section de Léningrad de l'Union des peintres d'URSS. Il participe à des expositions locales.

Musées : Moguilev (Mus. des Arts) – Odessa (Mus. des Arts) – Saint-Pétersbourg (Mus. Pouchkine).

Ventes Publiques : Paris, 27 jan. 1992 : *Les campanules*, h/t (80x64) : **FRF 9 500** – Paris, 5 avr. 1992 : *Le verre de thé*, h/cart. (50x55,2) : **FRF 7 000.**

STRAKHOV-BRASLAVSKI Adolphe

Né en 1896 à Ekaterinoslav. XXᵉ siècle. Russe.
Sculpteur, affichiste.

Il a fait ses études à l'École artistique d'Odessa entre 1913 et 1915. Il a figuré à l'Exposition internationale des Arts décoratifs à Paris en 1925. Plus récemment, il était représenté à l'exposition *Paris – Moscou* au Centre Georges Pompidou, en 1979, à Paris. Il est surtout connu pour la réalisation de ses affiches révolutionnaires.

STRAKUSEK Jano

Né en 1926 à Kovacica (Serbie). XXᵉ siècle. Yougoslave.
Peintre. Groupe Kovacica.

Palefrenier chez des paysans riches du bourg, il prit part à la lutte pour la libération de la Yougoslavie, pendant la Seconde Guerre mondiale. Ce fut dans la clandestinité du combat qu'il commença à peindre et dessiner. À partir de 1946, il travailla comme maçon, puis, après 1952, put s'établir à son compte, dans son village. Au lendemain de la guerre, il fit partie du *Groupe Kovacica* et participa aux expositions du groupe.

Il peignit, pendant ses loisirs, tout ce qui vit sous ses yeux, le village, ses amis, lui-même, la chambre de son ami Sokol, avec une précision scrupuleuse qui ne veut rien oublier.

Bibliogr. : Oto Bihalji-Merin : *Les peintres naïfs*, Delpire, Paris, s.d.

STRALEN Antoni ou Antonie Van ou Verstraelen, Verstralen

Né vers 1593 ou 1594 à Gorkum. Mort en 1641 à Gorkum ou à Amsterdam. XVIIᵉ siècle. Hollandais.
Peintre de paysages animés.

Il a surtout peint des vues de canaux avec des scènes de patinage.

AVS.

Musées : Aix-la-Chapelle – Angers – Hanovre – La Haye – Heidelberg – Oslo – Quimper – Riga.

Ventes Publiques : Amsterdam, 21 mars 1950 : *Divertissement sur la glace* : **NLG 1 400** – Londres, 2 juil. 1976 : *Paysage d'hiver avec patineurs 1637 ?* : **GBP 7 500** – Amsterdam, 3 avr. 1978 : *Scène villageoise*, aquar. et pierre noire (17,5x28,7) : **NLG 12 500** – Amsterdam, 1er oct. 1981 : *Paysage d'hiver aux moulins avec patineurs*, h/pan. (32,5x53) : **NLG 280 000** – Londres, 3 juil. 1985 : *Patineurs sur une rivière gelée*, h/pan. (23x33,5) : **GBP 30 000** – Londres, 9 avr. 1986 : *Patineurs dans un paysage d'hiver près de la porte d'une ville*, h/pan. (33x54) : **GBP 15 000** – New York, 14 jan. 1988 : *Patineurs et traineaux attelés sur un lac gelé 1632*, h/pan. (19,5x37,5) : **USD 121 000** – Amsterdam, 20 juin 1989 : *Patineurs et traineaux attelés sur le canal gelé d'un village*, h/pan. (25,6x30,6) : **NLG 132 250** – Amsterdam, 28 nov. 1989 : *Paysage hivernal animé avec un pont enjambant une rivière gélée*, h/pan. (diam. 24,2) : **NLG 103 500** – Paris, 12 déc. 1989 : *Paysage d'Hiver*, pan. de chêne (34,5x53) : **FRF 350 000** – Amsterdam, 12 juin 1990 : *Patineurs et un traineau à cheval sur un canal gelé*, h/pan. (15,9x13,4) : **NLG 51 750** – Londres, 3 juil. 1991 : *Paysage hivernal avec des patineurs*, h/cuivre (12x19) : **GBP 7 150** – Londres, 5 juil. 1991 : *Paysages d'hiver avec de nombreux patineurs et joueurs de palets sur des canaux gelés*, h/pan., une paire (chaque 40,6x72,4) : **GBP 137 500** – Londres, 22 juin 1993 : *Patineurs sur un canal gelé près d'un village*, h/pan. (21,8x40,5) : **GBP 40 000** – New York, 16 mai 1996 : *Paysage d'hiver avec des patineurs et des promeneurs sur une rivière gelée*, h/pan. (22,9x33,7) : **USD 96 000** – Amsterdam, 6 mai 1997 : *Paysage de rivière gelée avec des patineurs*, h/pan., de forme ronde (diam. 27) : **NLG 80 240** – Paris, 13 juin 1997 : *Patineurs sur une rivière gelée*, pan. chêne (30x47) : **FRF 260 000** – Londres, 4 juil. 1997 : *Élégants joueurs de crosse et villageois sur une rivière gelée près d'un cottage 1639*, h/pan. (19x32,9) : **GBP 111 500** – Londres, 3 déc. 1997 : *Paysage d'hiver avec des joueurs de crosse et des patineurs sur une rivière gelée 1641*, h/pan. (20,2x24,9) : **GBP 98 300.**

STRALENDORFF Carl Friedrich von

Né le 14 mai 1811 à Moringen (près de Göttingen). Mort le 6 juillet 1859 à Francfort-sur-le-Main. XIXᵉ siècle. Allemand.
Peintre de portraits et d'histoire.

Il étudia à Rome à partir de 1831, et de 1840 à 1844 à l'Académie de Düsseldorf. Il se fixa ensuite à Francfort. Il a laissé à l'Institut Städel de cette ville les portraits de *E. von Steinle* et de *sa femme.*

STRÄLS Aleksanders

Né le 12 juin 1879 à Plavinas (Vidzeme). XXᵉ siècle. Russe-Letton.
Peintre de genre, paysages.

Il fut élève de l'École des Beaux-Arts de Riga. Il obtint le prix du Fonds de culture, en 1935. On a vu de ses œuvres à l'exposition d'art de la Lettonie, à Paris, en 1939.

Musées : Riga.

STRAMAYR Hans. Voir STROHMAYER

STRAMBOE Frederik Christian

Né le 14 mars 1833 à Copenhague. Mort le 5 janvier 1908 à Copenhague. XIXᵉ siècle. Danois.
Sculpteur.

Élève de J. A. Jerichau, il travailla de 1864 à 1868 à Rome.

STRAMBULESCO Ipolit ou Stambulescu

Né en 1871 à Maresti. Mort en 1934 à Bucarest. XIXᵉ-XXᵉ siècles. Roumain.
Peintre de genre, portraits, intérieurs.

Il étudia à Bucarest et à Munich. Il devint professeur à l'Académie des Beaux-Arts de Bucarest. Il figura aux expositions de Paris, où il obtint notamment une médaille de bronze en 1900.

Musées : Bucarest (Mus. Simu) : *Mlle Rogaveski – Berger et brebis – Buste de jeune fille – En attendant – Intérieurs.*

STRAMOT Nicolas

Né en 1610. Mort le 23 octobre 1682. XVIIᵉ siècle. Hollandais.
Peintre.

STRAMOT Nicolas

Né le 19 avril 1637 à Diest. Mort le 22 mars 1709 à Montaigu. XVIIᵉ siècle. Hollandais.
Peintre et dessinateur.

On cite de lui une importante peinture à l'église de Sainte-Gertrude à Louvain et au Musée d'Anvers, *Portrait de Frans Van Sterbeeck.*

N Stramot. F.
1623

STRAMOT Nicolas Étienne

Né le 22 septembre 1668 à Diest. XVIIᵉ siècle. Hollandais.
Peintre.

Fils de Pierre Stramot I.

STRAMOT Pierre I

Mort vers 1725 à Diest. XVIIᵉ-XVIIIᵉ siècles. Hollandais.
Peintre de portraits, peintre verrier.

Il était le frère de Nicolas Stramot II. Il a peint plusieurs portraits de personnalités de Diest.

STRAMOT Pierre II
Né le 24 avril 1661 à Diest. Mort le 11 mars 1726 à Diest. XVIIe-XVIIIe siècles. Hollandais.
Peintre.
Fils de Pierre Stramot I.

STRAND Kerry
XXe siècle. Actif au milieu du XXe siècle. Américain.
Dessinateur.
Dans les années soixante-dix, il a travaillé à l'aide d'un ordinateur à enregistrement visuel sur bande magnétique.
BIBLIOGR. : P. Cabanne, P. Restany : *L'Avant-garde au XXe siècle*, Balland, Paris, 1969.

STRANDBERG Hedvig Sofia
Née le 28 octobre 1842 à Stigtomta. Morte le 31 mars 1931 à Stockholm. XIXe-XXe siècles. Suédoise.
Peintre de paysages, aquarelliste.
Élève de A. Malmström à Stockholm et de Collin et Courtois à Paris.
VENTES PUBLIQUES : STOCKHOLM, 15 nov. 1988 : *Rivage ombragé en été*, h. (51x64) : SEK 18 000 – STOCKHOLM, 16 mai 1990 : *Paysage de marais avec des canards prenant leur envol en été* 1892, h/t (51x64) : SEK 10 500.

STRANDBERG Nils
Né en 1923 à Göteborg. XXe siècle. Suédois.
Sculpteur.
Il fit ses études dans une académie libre de Stockholm. Il exposa à Paris en 1955.

STRANDMAN Otto Valdemar
Né le 26 décembre 1871 à Göteborg. XXe siècle. Suédois.
Sculpteur, peintre.
De 1891 à 1895, il fut élève de l'Académie de Stockholm. Il étudia ensuite en Allemagne, en Italie et à Paris. A partir de 1907, il fut professeur à l'École technique de Stockholm et devint membre de l'Académie en 1915.
MUSÉES : STOCKHOLM (Mus. nat.) : un bronze.
VENTES PUBLIQUES : STOCKHOLM, 23 avr. 1981 : *Les Trois Grâces* 1909, bronze patiné (H. 28) : SEK 5 800.

STRANG David Rogerson
Né en 1887. XXe siècle. Britannique.
Graveur.
Il gravait au burin.
MUSÉES : LONDRES (British Mus.) : *Paysage*, grav., deux œuvres.

STRANG Ian ou Jan
Né le 11 avril 1886. Mort le 23 mars 1952 à Wavendon (Buckinghamshire). XXe siècle. Britannique.
Graveur d'architectures, paysages.
Il était le fils de William Strang. Il fut élève de son père à Londres et de l'Académie Julian à Paris. Il fit des voyages d'études en France, en Espagne, en Italie et en Sicile.
Il a peint des vues de Londres et des moulins à vent. Son style vigoureux est d'une exactitude minutieuse. Il gravait à l'eau-forte.

MUSÉES : LONDRES (Tate Gal.) : *Château-fort, Foix* 1934 – *Graigy-Bere* 1939.
VENTES PUBLIQUES : LONDRES, 22 fév. 1980 : *Le Croisic, Bretagne* 1913, h/t (40,5x51) : GBP 850 – LONDRES, 12 mai 1989 : *Vue de Broadway* 1922, h/t (60x90) : GBP 1 760.

STRANG William
Né le 13 février 1859 à Dumbarton (Écosse). Mort le 12 avril 1921 à Bournemouth (Dorset). XIXe-XXe siècles. Britannique.
Peintre, graveur, illustrateur.
Il a étudié à l'Académie de Dumbarton et à la Slade School de Londres. Il fut élève d'Alph. Legros. Il se fixa à Londres en 1875. Il fut membre de la Royal Society of Painters and Etchers, associé de la Royal Academy.
Il figura à des expositions collectives, en Angleterre, mais aussi à l'Exposition universelle de Paris en 1889 où il obtint une médaille d'argent. Il exposa également à Londres, notamment à la Royal Academy, à partir de 1879.
Il a été, dans les dernières de sa vie, fortement influencé par

Rembrandt, Daumier et Forain. Il gravait à l'eau-forte. Parmi ses albums : *A Book of Giants*, 1898. Parmi ses illustrations d'ouvrages : de Lessing, *Natan the Wise*, 1894 ; *Sinbad the Sailor* et *Ali Baba and the Forty Thieves*, 1896 ; de L. Binyon, *Western Flanders*, 1899 ; d'Érasme : *The Praise of Folie*, 1901. Il a collaboré à *English Illustrated* ; *Yellow Book* ; *The Dome*.

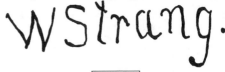

Cachet de vente

BIBLIOGR. : In : *Dictionnaire des illustrateurs 1800-1914*, Ides et Callendes, Neuchâtel, 1989.
MUSÉES : LONDRES (Tate Gal.).
VENTES PUBLIQUES : LONDRES, 10 mai 1922 : *Tête de jeune fille*, pierre de coul. : GBP 10 – LONDRES, 2 mai 1924 : *La salle d'un café* : GBP 31 – LONDRES, 29 nov. 1924 : *Un exilé* : GBP 81 – LONDRES, 1972 : *Groupe d'acteurs au café Royal* : GNS 2 400 – LONDRES, 2 mai 1973 : *Une pièce en argent* : GBP 400 – LONDRES, 16 juin 1976 : *La chanson d'amour* 1907, h/t (80x80) : GBP 670 – LONDRES, 1 fév. 1978 : *La Robe verte* 1913, h/t (126x101,5) : GBP 1 700 – LONDRES, 2 mars 1979 : *La Tentation* 1899 ; *Paradis, 1901* ; *The Sweat of thy Brow* 1899, h/t, trois peint. (122x137 ; 122x203 ; 122x143) : GBP 3 000 – LONDRES, 6 nov. 1981 : *Deux Nus sur la plage, Bretagne* 1921, h/t (40,5x50,8) : GBP 1 500 – ÉDIMBOURG, 22 nov. 1988 : *Le rendez-vous* 1915, h/t (71,2x61) : GBP 12 000 – GLASGOW, 22 nov. 1990 : *Le lieu du rendez-vous* 1915, h/t (71,2x61) : GBP 12 100 – LONDRES, 6 mars 1992 : *Jeune homme lisant sur les remparts d'un port*, h/t (46x53,5) : GBP 4 950 – PARIS, 29 juin 1993 : *Au commencement*, sanguine, étude (35x31) : FRF 4 500 – PERTH, 31 août 1993 : *Jeune Femme au châle jaune* 1920, h/t (76x61) : GBP 2 300.

STRANGARD Ernest
XVIIIe siècle. Actif à Hambourg. Allemand.
Sculpteur.

STRANGE J.
XVIIIe siècle. Britannique.
Graveur au burin.
Il a composé des gravures pour *The Wonderful Magazine* en 1793.

STRANGE Robert, Sir
Né en 1721 à Pomona. Mort le 5 juillet 1792 à Londres. XVIIIe siècle. Actif aussi en France. Britannique.
Peintre de compositions religieuses, sujets allégoriques, portraits, miniatures, graveur, dessinateur, copiste.
On le destinait au barreau. Mais son goût pour le dessin le fit placer comme élève chez Richard Cowper, maître de dessin à Édimbourg. Lors de la tentative de restauration des Stuart, en 1745, Strange rejoignit le Prétendant et fut nommé son graveur. Après la bataille de Culloden, il s'enfuit en France. La paix lui ayant permis de rentrer en Angleterre, il revint à Londres, mais n'y fit qu'un court séjour. De retour en France, il fréquenta pendant un certain temps l'Académie des Beaux-Arts de Rouen, puis fut, à Paris, élève de J.-B. Descamps et de J.-P. Le Bas. On le signale à Londres en 1751, où il s'établit comme graveur d'histoire. Un voyage qu'il effectua en Italie, en 1761, lui permit l'exécution de plusieurs dessins qu'il utilisa en les gravant durant son séjour dans la péninsule ou après son retour en Angleterre. Il fut partout accueilli avec considération et nommé au cours de ce voyage membre des Académies des Beaux-Arts de Rome, de Florence, de Bologne, de Parme et de Paris. En 1787, il fut anobli. Il a acquis, de son maître J.-P. Le Bas, une technique intéressante de gravure à l'eau-forte reprise au burin. Son œuvre comprend environ quatre-vingts pièces, surtout des copies d'après les maîtres anciens. On cite notamment : *Cupidon dormant*, de Guido Reni ; *Autoportrait*, de Raphaël ; *Charles Ier en pied*, *Charles Ier debout près de son cheval* de Van Dyck ; *Apothéose des princes Octave et Albert*, de B. West. Il dessina le portrait du prince Charles et de plusieurs de ses officiers et en grava plu-

sieurs. Il fut également un grand collectionneur de dessins et de tableaux.

BIBLIOGR. : In : *Diction. de la peinture anglaise et américaine*, coll. *Essentiels*, Larousse, Paris, 1991.

VENTES PUBLIQUES : LONDRES, 27 avr. 1934 : *La Vierge et saint Jérome*, dessin d'après Le Corrège ; *Neuf dessins*, copies : **GBP 115.**

STRANGER Otmar
XVIe siècle. Actif à Ratisbonne. Allemand.
Peintre.

STRANOVER Tobias. Voir STRANOVIUS Tobias

STRANOVIUS Jeremias, l'Ancien ou Stranover
Mort en 1702. XVIIe siècle. Actif à Sillein. Tchécoslovaque.
Peintre.
Il se maria en 1675.
MUSÉES : SIBIU : *Portrait d'Eva Germana von Armbruster.*

STRANOVIUS Jeremias, le Jeune ou Stranover
Mort en 1729. XVIIIe siècle. Actif à Hermannstadt (Sibiu, Roumanie). Tchécoslovaque.
Peintre.
Il était le fils de Jeremias Stranovius l'Ancien. Il se maria en 1715.

STRANOVIUS Tobias ou Stranover
Baptisé à Nagy-Szeben le 10 juillet 1684. Mort après 1724 ou 1731. XVIIIe siècle. Tchécoslovaque.
Peintre d'animaux, natures mortes, fleurs et fruits.
Il travailla à Londres, en Hollande, à Hambourg, Dresde et Hermannstadt (Sibiu, Roumanie).

T. Stranover.

MUSÉES : BUDAPEST : *Melons et autres fruits – Fruits et oiseaux dans un paysage – Fleurs dans un vase –* HAMBOURG : *Raisins*, deux œuvres – HERMANNSTADT : *Nature morte avec choux – Champignons –* SCHWERIN : *Perroquet et pigeon – Faisan argenté – Singe et cochon d'Inde – Petit chien blanc – Raisins*, trois œuvres. **VENTES PUBLIQUES :** LONDRES, 18 nov. 1959 : *Nature morte* : **GBP 140** – LONDRES, 25 fév. 1966 : *Nature morte* : **GNS 800** – LONDRES, 10 mai 1967 : *Volatiles et nature morte aux fruits* : **GBP 2 100** – LONDRES, 20 oct. 1972 : *Nature morte* : **GNS 7 000** – NEW YORK, 11 mars 1977 : *Nature morte aux fruits et perroquet*, h/t (59x71,5) : **USD 2 000** – LONDRES, 23 nov 1979 : *Volatiles dans un paysage 1718*, h/t (137,3x112,4) : **GBP 2 600** – COPENHAGUE, 2 nov. 1982 : *Nature morte aux fleurs*, h/t (77x63) : **DKK 130 000** – LONDRES, 2 déc. 1983 : *Volatiles dans un paysage 1726*, h/t (139x144,7) : **GBP 20 000** – NEW YORK, 5 juin 1986 : *Nature morte aux fruits avec un singe et un perroquet dans un paysage*, h/t (86,5x96,5) : **USD 17 500** – LONDRES, 19 mai 1989 : *Couple de bouvreuils perchés sur un melon avec une branche de vigne, du raisin, des pêches et autres fruits*, h/t (50,8x65,1) : **GBP 9 350** – NEW YORK, 13 oct. 1989 : *Coq, poule, faisan et autres volatiles dans un vaste paysage*, h/t (99x126) : **USD 39 600** – AMSTERDAM, 28 nov. 1989 : *Nature morte de fruits d'automne avec un escargot et un papillon*, h/t (48,2x38,8) : **NLG 18 400** – LONDRES, 11 avr. 1990 : *Perroquet gris et d'autres oiseaux attirés par des fruits dans un paysage*, h/t (85,5x128) : **GBP 37 400** – LONDRES, 20 juil. 1990 : *Une grappe de raisin, une figue et des cerises sur un entablement de pierre*, h/t (30,2x39,1) : **GBP 3 850** – LONDRES, 12 avr. 1991 : *Faisan blanc et bouvreuil dans un vaste paysage*, h/cart./t (63,5x76) : **GBP 7 700** – PARIS, 11 avr. 1992 : *Nature morte avec oiseau et grappe de raisin*, h/pan. (30,5x35) : **FRF 35 000** – NEW YORK, 21 mai 1992 : *Perroquet perché sur un anneau de cuivre au-dessus de raisin et de fleurs avec une importante composition de fruits dans une urne sur un entablement de pierre*, h/t (139,7x128,3) : **USD 17 600** – LONDRES, 18 nov. 1992 : *Faisan, canard, martin-pêcheur, deux perroquets, collier et perdrix dans un paysage*, h/t (99x134,5) : **GBP 30 800** – LONDRES, 6 avr. 1993 : *Chien de meute avec deux épagneuls, un chat et un perroquet dans un paysage*, h/t (83,5x107) : **GBP 62 000** – NEW YORK, 13 nov. 1994 : *Pêches, prunes, baies et oiseaux*, h/t (74,9x64,2) : **USD 5 750** – NEW YORK, 23 mai 1997 : *Paysage boisé avec un perroquet et des faisans, des prunes dans un panier, des melons, des pommes, des poires et des raisins*, h/t (106x173) : **USD 55 200.**

STRANSKY Ferdinand
Né en 1904 à Saint-Pölten (Basse-Autriche). XXe siècle. Autrichien.

Peintre.
Il fut élève de l'Académie des Beaux-Arts de Vienne, mais dans l'atelier de technique de restauration d'œuvres anciennes. Il se forma seul à la peinture. Il voyagea en Italie et à Paris. En 1925-1926, il reçut des conseils d'Anton Kolig. Pendant la guerre de 1939-1945, il fut blessé deux fois. En 1947, de retour à Vienne, il fut l'un des fondateurs du groupe *Der Kreis* (Le Cercle). Il vécut et travailla à Vienne. Il a figuré dans des expositions de groupe, organisées dans les différents musées de Vienne.
Il fut surtout influencé par les expressionnistes allemands, notamment Kirchner et Nolde.
BIBLIOGR. : B. Dorival, sous la direction de... : *Peintres contemporains*, Mazenod, Paris, 1964.

STRANSKY Gabriel
Né le 30 juin 1813 à Prague. Mort le 7 août 1871 à Prague. XIXe siècle. Autrichien.
Peintre de natures mortes et paysages.

STRANTZ Else
Née le 4 décembre 1866 à Berlin. XIXe-XXe siècles. Allemande.
Peintre, graveur, écrivain.
Elle fut élève de Hélène Dahm. Elle gravait sur bois.

STRANZ Carl Friedrich Wilhelm ou Strantz
XVIIIe siècle. Actif à Berlin. Allemand.
Peintre de portraits.
Élève de Académie de Berlin en 1775. On lui attribue en général le buste de *De La Fosse* d'après Rigaud.

STRANZ Emanuel Gottlieb ou Strantz
XVIIIe siècle. Actif à Berlin. Allemand.
Peintre de portraits.
Il exposa à l'Académie de Berlin en 1788 deux portraits.

STRANZ Johann Georg ou Strantz
Mort vers 1798. XVIIIe siècle. Actif à Berlin. Allemand.
Peintre de portraits.
Élève de Anna Rosina Liszewska.

STRASBEAUX Jean François ou Strasbaux
XIXe siècle. Français.
Peintre de portraits et miniaturiste.
Élève de Regnault. Exposa au Salon entre 1801 et 1824. Il a peint sous le Directoire des fresques dans la Salle de la Convention du Palais national, ainsi que le plafond de l'ancienne Salle des Séances du Conseil des Cinq Cents au Palais Bourbon.

STRASBERG Hans
XVIIIe siècle. Actif à Weimar vers 1749. Allemand.
Peintre.

STRASCHINSKI Leonard Ossipovitch. Voir STRASZYNSKI Leonard Ludwik

STRASCHIRIPKA Hans Johann Baptist von. Voir CANON

STRASRYBA Vincenz
XVIe siècle. Éc. de Bohême.
Sculpteur.

STRASSBERGER Bruno Heinrich
Né le 16 septembre 1832 à Leipzig (Saxe). Mort le 24 décembre 1910 à Leipzig. XIXe-XXe siècles. Allemand.
Illustrateur.
Il était le fils de Ernst Wilhelm et le frère de Richard Strassberger. Il fut un collaborateur du *Journal illustré de Leipzig*.

STRASSBERGER Christian Gotthelf
Né le 23 septembre 1770 à Frauenstein. Mort en 1841 à Leipzig. XVIIIe-XIXe siècles. Allemand.
Peintre de portraits, dessinateur et graveur.
Il fut d'abord destiné à l'église et étudia à l'Université de Leipzig. Il entra ensuite dans l'atelier d'Oeser. Il fit des portraits au crayon, peignit sur porcelaine et grava quelques estampes. A la fin de sa carrière, il fit surtout de l'enseignement. Le Musée de Leipzig conserve le portrait de l'artiste par lui-même et celui de l'écrivain *Michael Huber*.

STRASSBERGER Ernest Wilhelm
Né le 14 octobre 1796 à Leipzig. Mort le 11 septembre 1866 à Leipzig. XIXe siècle. Allemand.
Peintre de batailles et de décors et lithographe.
Fils et élève de Christian Strassberger. Il alla ensuite travailler à l'Académie de Leipzig. Il commença à exposer en 1816, puis se rendit à Dresde où il poursuivit ses études. En 1823, il fut engagé à la Manufacture de Meissen et y demeura jusqu'en 1842. A cette

date il revint dans sa ville natale et se consacra à la peinture d'incidents de la bataille de Leipzig, dont il avait été témoin. Il fit aussi de la peinture de décor.

STRASSBERGER Richard
Né le 5 avril 1968 à Leipzig (Saxe). XIXe-XXe siècles. Allemand.
Peintre de portraits.
Il fut élève de Ferd. Keller. Il vécut et travailla à Carlsruhe.

STRASSBURGER Markus
XVIIe siècle. Autrichien.
Sculpteur, sans doute peintre.
Il fut actif en Styrie.

STRASSBURGER Peter
XVIIIe siècle. Allemand.
Peintre de portraits.
Il travailla en 1773 à Munich, en 1774 à Würzburg où il fit surtout des pastels.

STRASSER Arthur
Né le 4 avril 1854 à Adelsberg. Mort le 8 novembre 1927 à Vienne. XIXe-XXe siècles. Autrichien.
Sculpteur, peintre.
Il fut élève de l'Académie de Vienne de 1871 à 1875. De 1881 à 1883, il travailla à Paris.
Il adhéra au mouvement naturaliste, puis manifesta une certaine prédilection pour les types populaires de l'Orient.
VENTES PUBLIQUES : ENGHIEN-LES-BAINS, 29 oct. 1978 : *Buste d'un Nubien* 1880, bronze (H. 51) : FRF 8 600 – VIENNE, 14 sep. 1982 : *Haruspex*, terre cuite polychrome (H. 98) : ATS 28 000 – PARIS, 20 nov. 1990 : *Charmeur de serpents*, bronze (H. 47) : FRF 19 000 – PARIS, 7 déc. 1992 : *Charmeur de serpents*, bronze (H. 47) : FRF 17 000 – PARIS, 5 avr. 1993 : *Buste de chef nubien*, terre cuite (H. 50) : FRF 11 000 – NEW YORK, 14 oct. 1993 : *Jeune musicien arabe*, bronze (H. 61,5) : USD 8 050 – PARIS, 22 mars 1994 : *La musicienne*, bronze (H. 84) : FRF 16 000.

STRASSER Elias
Né vers 1753. Mort en 1807 à Augsbourg. XVIIIe-XIXe siècles. Allemand.
Peintre et graveur au burin.

STRASSER Franz
XVIIIe siècle. Actif à Brünn entre 1755 et 1787. Autrichien.
Graveur au burin.

STRASSER Franz
Né en 1843 à Innsbruck. Mort le 26 juin 1876 à Innsbruck. XIXe siècle. Autrichien.
Dessinateur et lithographe.
Il travailla à Vienne et en Autriche et dessina des portraits.

STRASSER Franz Joseph
XVIIIe siècle. Allemand.
Peintre.

STRASSER Gottfried
XVIIIe siècle. Autrichien.
Peintre.

STRASSER Jakob
Né en 1896. Mort en 1978. XXe siècle. Suisse.
Peintre de figures, paysages, natures mortes, fleurs.
MUSÉES : AARAU (Aargauer Kunsthaus) : *Nature morte, pommes* 1926 – *Le Musicien* 1936 – *Möhlin, partie du village* 1937 – *Paysage du Rhin en août* 1940 – *Fleurs de printemps* 1945 – *Kaiseraugst* 1948 – *Fleurs des champs* 1950 – *Fricktalerdorf Zeiningen* 1956 – *Vaches* 1957.

STRASSER Jakob Eduard
Né en 1820 à Gottlieben. XIXe siècle. Allemand.
Peintre de portraits.

STRASSER Johann
Né le 14 avril 1827 à Niederhart. Mort le 18 février 1890 à Niederhart. XIXe siècle. Allemand.
Peintre.
Il étudia de 1849 à 1850 à l'Académie de Munich. Il travailla ensuite à Innsbruck. Il fit des fresques, des portraits et des tableaux d'autels pour les églises du Tyrol.

STRASSER Johann Rudolf
Né en 1662. Mort le 21 décembre 1687. XVIIe siècle. Actif à Zurich. Suisse.
Peintre verrier.

STRASSER Josef
Né en 1718 à Eggenfelden. Mort le 10 mars 1778 à Salzbourg. XVIIIe siècle. Autrichien.

Sculpteur sur bois de portraits.
A sculpté quarante-neuf personnages pour le théâtre mécanique de Hellbrunn.

STRASSER Karl
Né le 21 mars 1841 à Ried. Mort le 8 août 1908 à Ried. XIXe-XXe siècles. Autrichien.
Peintre.

STRASSER Konrad
Né le 11 février 1878 à Schaffhouse. XXe siècle. Suisse.
Graveur, dessinateur d'ex-libris.
Il vécut et travailla à Saint-Gall.

STRASSER Mathias ou Matthäus
Mort en 1659 à Augsbourg. XVIIe siècle. Allemand.
Dessinateur.
Il fit un voyage d'études à Vérone en 1638 et à Rome et s'est formé sous l'influence italienne. Il n'est connu jusqu'ici que comme dessinateur.
VENTES PUBLIQUES : NEW YORK, 14 jan. 1987 : *Hercule, Minerve et autres dieux*, pl. et lav. reh. de blanc/traits de craie rouge (16x44,5) : USD 5 500.

STRASSER Regula
XVIIIe siècle. Actif à Zurich. Suisse.
Peintre et graveur.

STRASSER Roland
Né le 27 avril 1880 à Vienne, certaines sources donnent 1895. Mort en 1974. XXe siècle. Actif depuis 1924 en Angleterre, depuis 1946 actif en Australie, depuis 1952 actif aux États-Unis. Autrichien.
Peintre de figures, nus, graveur.
Fils d'Arthur Strasser. Il étudia de 1911 à 1915 à l'Académie des Beaux-Arts de Vienne avec Rud. Jettmar, puis à l'Académie des Beaux-Arts de Munich avec Angelo Jank. Il se rendit ensuite en Hollande. Lors de ce séjour, il prit connaissance de la sculpture et de l'art balinais en Indonésie. Il partit pour Bali en 1920, où il rencontra Willem Dooijewaard avec qui il travailla et voyagea souvent. Il se rendit également au Siam, à Java, en Nouvelle-Guinée, en Chine, aux Indes, dans les Amériques, aux États-Unis en 1952, où il s'installa définitivement.

VENTES PUBLIQUES : AMSTERDAM, 2-3 nov. 1992 : *Danseuse balinaise*, h/t (100x61) : NLG 34 500 – LONDRES, 7 avr. 1993 : *Une geisha*, gche (87x41) : GBP 1 955 – AMSTERDAM, 19 oct. 1993 : *Japonaise vêtue d'un kimono et tenant un samisen*, craies de coul. et gche/pap. (35,5x19,5) : NLG 1 725 – LONDRES, 27 oct. 1993 : *Jeune japonaise en kimono*, gche (84x37) : GBP 1 150 – AMSTERDAM, 9 nov. 1993 : *Études de nus féminins*, techn. mixte, une paire (chaque 28x22) : NLG 1 610 – SINGAPOUR, 5 oct. 1996 : *Danseuses balinaises autour d'un feu*, h/t (46x56) : SGD 32 200.

STRASSER Sylviane
Née en 1956. XXe siècle. Suisse.
Peintre, peintre de collages.
MUSÉES : AARAU (Aargauer Kunsthaus) : *Der Spaziergang* 1979.

STRASSER VON ORKENY Istvan ou Stefan
Né en 1911 à Szentes. XXe siècle. Hongrois.
Sculpteur.
Il étudia à Budapest. A comparer avec Orkeniy Istvan.
MUSÉES : SZENTES : *Attila*, statue.

STRASSGSCHWANDTNER Josef Anton
Né le 17 octobre 1826 à Vienne. Mort le 5 mars 1881 à Vienne. XIXe siècle. Autrichien.
Peintre d'histoire, sujets militaires, scènes de chasse, sujets de genre, animaux, lithographe.
Élève de l'Académie de Vienne. Il subit l'influence de Pettenkofen. Il travailla à Vienne.
MUSÉES : GRAZ : *Chasseur et son chien* – *Chasseur avec lièvre* – VIENNE : *La réquisition*.
VENTES PUBLIQUES : VIENNE, 1881 : *Le chariot de pierres* : FRF 1 482 – VIENNE, 15 mars 1951 : *L'âne et le chardon* 1888 : ATS 5 500 – VIENNE, 22 mars 1966 : *Napoléon III et l'Impératrice chevauchant dans la forêt de Fontainebleau* : ATS 35 000 – VIENNE, 18 sept. 1976 : *Le troupeau* : ATS 35 000 – VIENNE, 16 mars 1976 : *Le butin des cosaques* 1846, h/t (83x116) : ATS 80 000 – VIENNE, 15 mars 1977 : *Combat entre hussards*

autrichiens et cuirassiers français, h/t (39x47,5) : **ATS 65 000** – LONDRES, 5 oct 1979 : *Scène de chasse*, h/pan. (14x30,5) : **GBP 500** – LONDRES, 25 nov. 1992 : *Le jeune Empereur François-Joseph décorant ses généraux et officiers après la guerre de 1848 1850*, h/t (73x102) : **GBP 52 800**.

STRASSGÜRTL Karl ou **Karoly**
Né le 5 mai 1869 à Budapest. XIXᵉ-XXᵉ siècles. Hongrois.
Graveur.
Il étudia à Budapest avec Doby et à Berlin avec G. Eilers. Il travailla à Berlin et à Copenhague.

STRASSIRYBA Vincenz. Voir **STRASRYBA**

STRASSKIRCHER Moriz
XVᵉ siècle. Autrichien.
Peintre.
Il fut peintre à la cour du prince Sigmund de Tyrol vers 1482.

STRASSMAYR Andreas
Né vers 1635. Mort le 2 janvier 1678. XVIIᵉ siècle. Actif à Bogen. Allemand.
Sculpteur.

STRASZKIEWICZ Stanislaw
Né en 1870. Mort le 21 novembre 1925 à Varsovie. XIXᵉ-XXᵉ siècles. Polonais.
Peintre de paysages.
Il étudia à l'Académie de Cracovie avec J. Stanislawski. Il est représenté au Musée National de Varsovie.

STRASZYNSKI Leonard Ludwik ou **Straschinski Leonard Ossipovitch**
Né le 30 décembre 1827, ou 11 janvier 1828 à Kiew, ou à Tokarowka. Mort en 1878, ou le 4 février 1879 en Volynie, à Shitomir. XIXᵉ siècle. Russe.
Peintre d'histoire et lithographe.
Il étudia à l'Académie de Saint-Pétersbourg de 1847 à 1855, en 1856 il travailla à Berlin, Paris et Bruxelles et en 1860 à Rome. En 1862 il devint membre de l'Académie de Saint-Pétersbourg, en 1864 de l'Académie Quiritti à Rome.
MUSÉES : VARSOVIE (Mus.) : *Portrait d'homme – Acteur*.
VENTES PUBLIQUES : PARIS, 24 et 25 mai 1939 : *L'assassinat de l'évêque de Liège* : **FRF 9 500**.

STRATA Jacopo. Voir **STRADA de Mantoue**

STRATA Joris ou **Georges Van der**. Voir **STRAETEN**

STRATEN. Voir aussi **STRAATEN**

STRATEN Henri Van ou **Henry Van**
Né en 1892 à Anvers. Mort en 1944. XXᵉ siècle. Belge.
Peintre de figures, nus, paysages, natures mortes, graveur de sujets religieux, illustrateur.
Il fut élève de l'académie d'Anvers, où il travailla. Il publia en 1919 son premier album : *L'après-midi d'un faune*, puis en 1920 *La Tentation de saint Antoine*. Il abandonna alors l'art abstrait pour se soumettre à l'influence de Masereel et de Dufy, ainsi qu'en témoignent *La Dormeuse* ; *Les Assassinées* ; *Les Raffinées et le soulard* et *Foires et dimanches*. Par une belle distribution des noirs et des blancs, il a su conférer beaucoup de vie à ses compositions symboliques telles ses scènes de la vie du Christ. Il a également illustré, *Le Paradis des Conditions humaines*, de Jean Richard Bloch ; *Pensionnats*, d'Armand Henneuse ; *À la Matelote*, dont il a écrit le texte. Il gravait le bois.
VENTES PUBLIQUES : ANVERS, 19 oct. 1976 : *La Fille à la robe rouge*, h/t (100x70) : **BEF 17 000** – LOKEREN, 21 fév. 1987 : *Nu de dos* 1918, aquar. (108x78) : **BEF 85 000** – LOKEREN, 12 mars 1994 : *Musique barbare*, h/t (63x96) : **BEF 60 000** – LOKEREN, 8 oct. 1994 : *Jeune femme en bleu* 1929, h/t (100x80) : **BEF 220 000** – LOKEREN, 7 oct. 1995 : *Nature morte de fleurs*, h/t (80x48,5) : **BEF 28 000**.

STRATEN Jan Van der
XVIIᵉ siècle. Actif à Middelburg de 1652 à 1671. Hollandais.
Peintre.

STRATFORD John
XVᵉ siècle. Actif à Londres. Britannique.
Peintre.
A fait de nombreuses copies.

STRATHMANN Carl
Né le 11 septembre 1866 à Düsseldorf (Rhénanie-Westphalie). Mort en 1939 à Munich. XIXᵉ-XXᵉ siècles. Allemand.
Peintre de genre, dessinateur, illustrateur.
Sa mère était anglaise. Il fut élève de l'Académie de Düsseldorf,

de 1822 à 1886 et de l'École des Beaux-Arts de Weimar de 1886 à 1889, notamment dans l'atelier de L. von Kalckreuth. Il vécut et travailla à Munich.
Il collabora aux *Fliegende Blätter* et à *Jugend*. Il fit partie de la Berliner Sezession. Il a illustré *Aladin* en 1918.

C Strathmann

BIBLIOGR. : In : *Dictionnaire des illustrateurs 1800-1914*, Ides et Callendes, Neuchâtel, 1989.
MUSÉES : LEIPZIG : *Les Trois mages* – POSEN : *Musiciens dans la neige* – WEIMAR : *Salambo*.
VENTES PUBLIQUES : COLOGNE, 30 nov. 1973 : *Autoportrait, sur un banc*, aquar. : **DEM 2 600** – MUNICH, 28 nov. 1974 : *Bouquet de tulipes* 1925 : **DEM 2 100** – HAMBOURG, 3 juin 1976 : *Femme lisant dans un jardin* vers 1895, gche et collage (59,5x44) : **DEM 3 400** – MUNICH, 30 nov. 1976 : *Le roi joyeux*, h/pan. (72x100) : **DEM 8 600** – LONDRES, 19 juin 1984 : *La mort de Dante*, aquar., cr., or et gche blanche (56,5x94) : **GBP 8 000**.

STRATI Tommaso
XVIIᵉ siècle. Actif à Cortone. Italien.
Sculpteur.

STRATIL Karl
Né le 11 juillet 1894 à Olmutz (Moravie). XXᵉ siècle. Allemand.
Graveur, illustrateur.
Il fut élève des académies des Beaux-Arts de Vienne et de Leipzig.

STRATIL Vaclav
Né le 7 octobre 1950 à Olomouc (Moravie). XXᵉ siècle. Actif en Yougoslavie. Tchécoslovaque.
Peintre, dessinateur. Abstrait.
Il vit et travaille à Prague. Il participe à des expositions collectives, parmi lesquelles : 1988, IVᵉ Triennale internationale du dessin à Vroclav ; 1990, *Les pragois. Les années de silence*, galerie Lamaignère-Saint-Germain, Paris, exposition itinérante organisée par l'association Présence de l'art contemporain (PACA). Il montre ses œuvres dans des expositions personnelles, dont : 1975, galerie des Jeunes, Tesin ; 1981, galerie Mks, Lesky ; 1982, galerie des Jeunes, Olomouc ; 1984, galerie des Jeunes-Mks, Brno ; 1986, galerie Ckdz, Prague ; 1987, galerie Cks, Liberec ; 1989, galerie régionale, Hradeckralové.
De la surface travaillée en noir et blanc et par recouvrement, émergent des figures géométriques simples : cercle ou carré, pour une abstraction à tendance mystique. « L'Ordinaire, la Simplicité, la Constance : je trouve ma satisfaction à faire mien ces sentiments », nous précise l'artiste.

STRATIOS
IIIᵉ-IIᵉ siècles avant J.-C. Antiquité grecque.
Sculpteur.
Il était le fils de Saperdon. A exécuté deux statues pour Délos.

STRATMAN Anton ou **Straedtmann, Stroedtmann, Stroithmann**
Né en 1732. Mort en 1807. XVIIIᵉ-XIXᵉ siècles. Allemand.
Peintre.
Il fut élève de l'Académie d'Anvers. Il était actif à Paderborn. Il travailla à la décoration du château de Munster ; six portraits d'évêques se trouvent dans la salle des fêtes de ce château.

STRATMAN Ferdinand
Né vers 1770. Mort en 1844. XVIIIᵉ-XIXᵉ siècles. Allemand.
Peintre.
Il était le fils et l'élève d'Anton. Il abandonna la peinture à partir de 1800.

STRATMAN Heinrich ou **Straedtmann, Stroedtmann, Stroithmann**
Mort après 1652 à Arnsberg. XVIIᵉ siècle. Allemand.
Peintre.
Il était actif à Paderborn. On lui attribue une *Crucifixion* conservée à Bremke.

STRATMAN Joh. Heinrich ou **Straedtmann, Stroedtmann, Stroithmann**
Né en 1707. Mort le 3 juillet 1755. XVIIIᵉ siècle. Allemand.
Peintre.
Il était le père d'Anton. Il était actif à Paderborn.

STRATMANN
XVIIIᵉ siècle. Allemand.
Sculpteur sur bois de portraits.

STRATMANN Franz Xaver ou **Strattmann**
Né en 1719 à Vienne. Mort le 17 mars 1793 à Vienne. xviiie siècle. Autrichien.
Peintre, dessinateur.
Il fut élève de l'Académie de Vienne où il obtint en 1736 le premier prix de dessin.

STRATON I
ve siècle avant J.-C. Actif à la fin du ve siècle avant J.-C. Antiquité grecque.
Sculpteur sur marbre.
Il travailla à l'Érechteion.

STRATON II
iie siècle avant J.-C. Actif dans la seconde moitié du iie siècle avant J.-C. Antiquité grecque.
Sculpteur.
Fils du sculpteur Xenophilos.

STRATONIDES
Originaire d'Athènes. ive siècle avant J.-C. Actif au milieu du ive siècle avant J.-C. Antiquité grecque.
Sculpteur.

STRATONIKOS
Originaire du Kyzikos. iiie-iie siècles avant J.-C. Antiquité grecque.
Sculpteur.
Il travailla à Pergamon pour Attalos et pour Eumenes.

STRATTA Carlo
Né le 13 mai 1852 à Turin (Piémont). Mort en 1936 à Turin. xixe-xxe siècles. Italien.
Peintre de genre.
Il fut élève de A. Fontanesi de 1869 à 1875 et de Th. Couture en 1875.
Musées : Turin (Mus. mun.).
Ventes Publiques : Saint-Vincent (Italie), 6 mai 1984 : *Scène de carnaval*, h/t (260x350) : **ITL 7 500 000**.

STRAUB Blasius
xviiie siècle. Actif à Bamberg. Allemand.
Stucateur.

STRAUB Carl
Né le 1er janvier 1805 à Messkirch. xixe siècle. Allemand.
Lithographe.
Il travailla à Munich à partir de 1851. Il fut l'élève et le collaborateur de F. S. Hanfstaengl à Dresde.

STRAUB Georg
Né vers 1805 à Hattenhofen. Mort le 18 mai 1877 à Berne. xixe siècle. Suisse.
Peintre de paysages.
Élève de G. Lory. Il fut de 1845 à 1859 professeur de dessin à Thun, il se fixa ensuite à Zurich.

STRAUB Heinrich Johann
Mort en 1782 à Munich. xviiie siècle. Actif à Munich. Allemand.
Médailleur.

STRAUB J.
Né en 1849. Mort le 18 mai 1903 à Bonn. xixe siècle. Actif à Düsseldorf. Allemand.
Peintre de portraits et d'histoire.
Il fut un des derniers Nazaréens.

STRAUB Jakob. Voir **STRAUB Philipp Jakob**

STRAUB Johann Balthasar
Né le 19 septembre 1666. Mort le 8 avril 1721. xviie-xviiie siècles. Actif à Saint-Gall. Suisse.
Peintre.

STRAUB Johann Baptist
Né le 25 juin 1704 à Wiesensteig. Mort le 15 juillet 1784 à Munich. xviiie siècle. Allemand.
Sculpteur.
Il était le frère de Johann Georg, Josef et Philipp Jakob. Il étudia d'abord chez son père Georges, mort en 1730, puis à Munich, où il travailla pour la Résidence, et à Vienne. Il est considéré avec Ignaz Gunther comme le principal représentant de la sculpture munichoise au xviiie siècle. La plupart de ses œuvres sont d'inspiration religieuse et sont conservées dans les églises.
Musées : Francfort-sur-le-Main : *Minerve* – Munich (Mus. Nat.) : *Saint Paul – Le roi David jouant de la harpe – Bellone* – Munich (Mus. de la Résidence) : *Pluton et Proserpine* – Nuremberg (Mus. Germanique) : *La Religion*.

Ventes Publiques : Munich, 30 sep. et 1er oct. 1964 : *Angelot assis*, bronze patiné : **DEM 11 000**.

STRAUB Johann Georg
Né en 1721 à Wiesensteig. Mort en 1773. xviiie siècle. Allemand.
Sculpteur.
Il était le frère de Johann Baptist, de Josef et de Philipp Jakob.

STRAUB Johann Georg
Né vers 1740 à Heilbronn (Bade-Wurtemberg). Mort le 20 décembre 1823 à Hambourg. xviiie-xixe siècles. Travailla à Hambourg. Allemand.
Peintre.

STRAUB Josef
Né en 1712 à Wiesensteig. xviiie siècle. Allemand.
Sculpteur.
Il était le frère de Johann Baptist, Johann Georg et Philipp Jakob. Il travailla vers 1736 à Ljubljana.

STRAUB Joseph
Né en 1756. Mort le 12 mars 1836 à Vienne. xviiie-xixe siècles. Actif à Vienne. Autrichien.
Sculpteur.

STRAUB Marianne
Née le 23 février 1802 à Avully. Morte le 12 février 1846 à Paris. xixe siècle. Suisse.
Peintre de portraits et de genre.
Elle était la sœur de Sébastien et fut l'élève de J. Hornung.

STRAUB Otto
Né le 26 avril 1890 à Munich (Bavière). xxe siècle. Allemand.
Sculpteur.
Il fut élève de l'Académie des Beaux-Arts de Munich.

STRAUB Philipp Jakob
Né en 1706 à Wiesensteig (Wurt.). Mort en 1774 à Graz. xviiie siècle. Allemand.
Sculpteur.
Il était le frère de Johann Baptist, de Johann Georg et de Josef. De 1730 à 1733, il fut l'élève de Joh. Christ. Il étudia aussi à l'Académie de Vienne. A partir de 1733 il travailla à Gratz. Il fut le sculpteur de Styrie le plus remarquable de son époque. Il sut se libérer de l'influence de Mader pour aboutir à un style personnel.

STRAUB Sébastien
Né le 5 mai 1806 à Avully. Mort le 20 octobre 1874 à Genève. xixe siècle. Suisse.
Peintre de genre et de portraits.
Il fut le frère de Marianne, et fut l'élève de J. Hornung. Il travailla surtout à Paris et exposa au Salon entre 1840 et 1843.

STRAUB Ulrich
xviiie siècle. Actif à Wiesensteig. Allemand.
Sculpteur sur bois, de portraits.

STRAUBE Adolph Friedrich Leonhardt
Né le 24 février 1810 à Weimar. Mort le 25 février 1839 à Weimar. xixe siècle. Allemand.
Sculpteur.
Avec l'aide du duc de Saxe-Weimar, il se rendit à Paris où il travailla dans l'atelier de David d'Angers. On distingue parmi ses œuvres qui se trouvent conservées au Musée de Weimar : les bustes de *Cranach*, de *Goethe*, du fils et de la femme de David d'Angers.

STRAUBE Alexander
xviie siècle. Actif à Hambourg vers la fin du xviie siècle. Allemand.
Peintre.
Ses paysages avec figures et animaux rappellent la manière de Pyncker.

STRAUBE Bartholomaus
Mort le 21 juillet 1740 à Cölleda. xviiie siècle. Actif à Cölleda (Thur.). Allemand.
Peintre.

STRAUBE Johann, l'Ancien et le Jeune
Johann le Jeune mort en 1645. xviie siècle. Actifs à Halle. Allemands.
Peintres.

STRAUBE William
Né le 10 juin 1871 à Berlin. Mort le 3 mai 1954 à Neufrach (Bade-Wurtemberg). xxe siècle. Allemand.

Peintre de portraits, paysages, natures mortes, graveur.

Il fut élève de l'Académie Royale des Beaux-Arts de Berlin de 1896 à 1898, en particulier auprès du peintre d'histoire J. Scheurenberg. De 1898 à 1908, il fut professeur de dessin au lycée de Coblence. Il travailla également à Paris, où il suivit l'enseignement de Jean-Paul Laurens à l'École des Beaux-Arts, mais surtout où il rencontra Matisse dont la technique le marqua profondément. Il fit un voyage d'études en Italie, en Espagne et dans le nord de l'Afrique. Pendant la Première guerre mondiale, malgré les moqueries de ses amis, il suivit de nouveau des cours, auprès du peintre abstrait Adolf Hölzel à l'Académie des Beaux-Arts de Stuttgart. Il appliqua lui-même la méthode d'enseignement de ce dernier, à la fois théorique et pratique, lorsqu'il fut professeur à Berlin (de 1918 à 1925) et à Salem (de 1926 à 1929). En 1929, il demanda sa retraite anticipée pour se consacrer exclusivement à la peinture, à Neufrach au bord du lac de Constance. Il voyagea dans le midi de la France, en Italie et en Yougoslavie jusqu'en 1941, date à laquelle il fut douloureusement frappé par la mort de ses deux fils au front. Il se retira alors définitivement à Neufrach.

En 1912, il participa à l'exposition mémorable du « Sonderbund » à Cologne. En 1913, August Macke intégra certaines de ses œuvres dans celle des « expressionnistes rhénans » à Bonn. Les expositions, tant collectives que personnelles, furent alors nombreuses.

Si, à ses débuts, Straube fut inspiré par Courbet et l'École de Barbizon, la rencontre avec l'art de Matisse fut déterminante. Il intensifia alors son travail du dessin en couleurs, le pastel devenant une de ses techniques d'expression caractéristiques, combinant le tracé du dessin avec le coloris de la peinture. Lors de son séjour à Tunis, avant la guerre, la force expressive de son dessin s'affirma. Puis, au contact de Hölzel, il réfléchit sur le rythme pictural, sur la composition dominée par la couleur, sur la théorie des couleurs, sur la réduction des formes ; mais à l'inverse de son nouveau professeur, il demeura résolument figuratif. Après sa retraite, sur les bords du lac de Constance ou au cours de ses voyages, il réalisa de nombreux paysages, souvent au pastel.

Bibliogr. : Catalogue de l'exposition *William Straube Begegnung mit der Avantgarde*, Bonn et Singen, 1998-99.

Musées : Ahlen (Kunstmuseum) : ensemble du fonds laissé par le peintre – Bonn (Rheinisches Landesmuseum) – Coblence : *Paysage* – Essen : *Sœur de charité* – Mayence : deux paysages – Singen – Stettin : *Madone* – Stuttgart.

STRAUBINGER Hans
Mort avant le 23 octobre 1508. xvᵉ-xviᵉ siècles. Actif à Nuremberg. Allemand.
Ébéniste.

STRAUBINGER Michael
Né vers 1676 à Hohenschwangau. Mort en 1726 à Munich. xviiiᵉ siècle. Allemand.
Peintre.

STRAUCH Étienne
Graveur.
Cité par Ris Paquot.

STRAUCH Georg
Né le 17 septembre 1613 à Nuremberg. Mort le 13 juillet 1675. xviiᵉ siècle. Allemand.
Dessinateur et graveur, miniaturiste et peintre d'histoire.
On dit qu'à l'âge de dix ans il peignait déjà de fort jolie façon. Il étudia avec Johann Hauer et fit, en 1635, son œuvre de présentation : une figure de *S. Sébastien*. Il s'occupa de l'illustration des différents ouvrages de Johann Michael Dillher. Le Belvédère de Vienne conserve de lui un tableau allégorique : *Immaculée Conception*.

STRAUCH Hans Johann
Né en 1597 à Nuremberg. xviiᵉ siècle. Allemand.
Peintre.
Il était le fils de Lorenz. Son chef-d'œuvre est une *Vue de Nuremberg* de 1626.

STRAUCH Heinrich Georg
Né le 23 octobre 1819 à Asslar en Rhénanie. Mort le 28 avril 1856 à Francfort-sur-le-Main. xixᵉ siècle. Allemand.

Peintre d'histoire.
Élève à partir de 1838 à l'Institut de Francfort. Il travailla en 1848 à Dresde et à Berlin et de 1853 à 1855 à Rome.

STRAUCH Lorenz
Né en 1554 à Nuremberg. Mort vers 1630. xviᵉ-xviiᵉ siècles. Allemand.
Peintre d'architectures, portraits, peintre verrier, graveur.
Cet artiste de talent tint une place comme peintre, mais on le connaît surtout comme graveur. On cite de lui vingt-deux estampes dont une, datée de 1599, représente la *Place du Marché* à Nuremberg.

Musées : Brunswick : deux vues de Nuremberg – Nuremberg : Ernst – deux vues de Nuremberg – *L'artiste par lui-même* – Venise (Mus. Correr) : *Portrait d'un joaillier*.

Ventes Publiques : Londres, 17 et 18 mai 1928 : *Comtesse Haller v. Hallerstein* : GBP 94 – Paris, 4 juin 1943 : *Portrait d'homme barbu* 1598 : FRF 2 000 – Bruxelles, 30 jan. 1950 : *Portrait de jeune femme* 1595 : BEF 34 000 – Paris, 11 déc. 1963 : *Portrait d'une femme à mi-corps* : FRF 7 000 – Cologne, 23 nov. 1978 : *Portrait d'un patricien* 1591, h/pan. (28,5x24) : DEM 20 000 – Versailles, 17 fév. 1980 : *Portrait d'un enfant, une fleur dans la main droite*, h/pan. (48x36,5) : FRF 17 000 – Londres, 13 déc. 1991 : *Portrait d'un gentilhomme en buste vêtu d'un manteau noir et d'un col de dentelle blanche* 1604, h/cuivre (diam. 9,6) : GBP 935.

STRAUCH Ludwig Karl
Né le 11 juillet 1875 à Vienne. Mort en 1959. xxᵉ siècle. Autrichien.
Peintre de portraits, paysages.
Il fut élève de l'Académie de Vienne de 1890 à 1899 et a voyagé en Italie et dans le sud de l'Afrique, d'où il revint en Europe en s'arrêtant à Zanzibar et à Bombay. Il fut pendant la Première Guerre mondiale attaché au quartier général autrichien. Il vécut et travailla à Closterneuburg près de Vienne.
Musées : Vienne (Mus. Ethn.) : *Portrait du sultan de Zanzibar Tipo Tip* – vingt-deux études – Vienne (Mus. de l'Armée) : *Le major Buzek*.
Ventes Publiques : Vienne, 19 mai 1976 : *La terrasse du café*, h/t mar./cart. (57x81,5) : ATS 18 000.

STRAUCH Stephan
Né en 1645 à Nuremberg. Mort le 29 mars 1677. xviiᵉ siècle. Allemand.
Peintre et graveur.
Il était le fils de Georg et n'est connu que par quelques portraits et en particulier par le sien et celui du compositeur *Eberlein*.

STRAUCHER Maria Anna
Née en 1805 à Munich. xixᵉ siècle. Allemande.
Peintre de portraits et lithographe.
On possède d'elle des portraits lithographiés de Luther et du prince de Wallerstein.

STRAUCHER Walburga
Née en 1807 à Munich. xixᵉ siècle. Allemande.
Peintre de portraits et lithographe.
Elle était la sœur de Maria Anna S. Elle fut l'élève de G. Bodmer et fit un voyage à Venise en 1844 avec Maria Anna. On connaît d'elle des lithographies représentant des portraits et des vues de Venise.

STRAUS H. Johann
xviiᵉ siècle. Actif vers 1650. Allemand.
Sculpteur.

STRAUS Mitteldorfer
Né le 21 janvier 1880 à Richmond (Virginie). xxᵉ siècle. Américain.
Peintre, illustrateur.
Il fut élève de l'Art Students' League de Washington. Il étudia aussi en Europe et en Afrique. Il fut membre de la Société des Artistes Indépendants et de l'Association Artistique Américaine de Paris.
Ventes Publiques : Raleigh (North Carolina), 5 nov. 1985 : *Marécage ensoleillé*, h/t (50,8x91,5) : USD 3 500.

STRAUSS Aleksander Wladyslaw
Né le 4 décembre 1834 à Vilno. Mort le 6 décembre 1896 à Vilno. xixᵉ siècle. Polonais.

Peintre de portraits.
Il étudia à Vilno de 1851 à 1853 et à l'Académie de Saint-Pétersbourg de 1853 à 1857 avec T. M. Markoff. A partir de 1857, il travailla à Vilno et devint en 1860 professeur de dessin à l'Institut de cette ville. Le Musée de Vilno possède de lui le portrait du *comte Tyszkiewicz*.

STRAUSS André
Né le 2 juin 1885 à Paris. Mort en septembre 1971 à Nogent-sur-Marne (Val-de-Marne). XXe siècle. Français.
Peintre de paysages animés, paysages, paysages d'eau.
Il fut élève de Luc-Olivier Merson, de Fernand Humbert et d'Ernest Laurent. Il exposa dans des Salons parisiens : à partir de 1908, Salon des Artistes Français ; Salon des Tuileries, dont il fut membre fondateur ; régulièrement au Salon d'Automne, dont il devint sociétaire en 1930. Il figura aussi dans diverses expositions collectives : à la Biennale de Venise, à Copenhague, à Berlin, au Caire, à Tokyo, New York, Bruxelles, San Francisco. Il reçut une médaille d'or et le Prix Corot en 1925. Il fut promu officier de la Légion d'honneur en 1937.
Il exécuta les panneaux décoratifs de la salle des fêtes de la mairie de Perros-Guirec, dans les Côtes-d'Armor. Essentiellement peintre de paysages, il réalisa des vues de l'Espagne, des bords du Tarn et surtout de la Corse, et il reste attaché à un certain naturalisme.

Ambré Strauss

Musées : ALBI – AMIENS (Mus. de Picardie) : *Maison au soleil – La Mairie de Perros-Guirec* – DOUAI : *Rue à Moret-sur-Loing* – DUBLIN – LE HAVRE – LILLE – LYON (Mus. des Beaux-Arts) – NANTES – PARIS (Mus. d'Art Mod. de la Ville) : *Paysage corse – Les arbres au bord de la mer* – QUIMPER – RIOM – SAINT-QUENTIN.
Ventes Publiques : PARIS, 1er mars 1926 : *Soleil couchant à Saint-Paul du Var* : FRF 750 – PARIS, 27 déc. 1926 : *Paysage* : FRF 1 300 ; *Paysage* : FRF 1 800 – PARIS, oct. 1945-juil. 1946 : *Vue de port* : FRF 3 600 ; *Vieille rue en escalier dans un village du Midi* : FRF 3 200 – PARIS, 24 nov. 1948 : *Maison à Moret* : FRF 3 000 – PARIS, 20 mars 1950 : *Pins maritimes* : FRF 3 200 – PARIS, 2 mai 1955 : *Le monastère de l'Annonciation* : FRF 30 000 – BERNE, 3 mai 1979 : *Paysage fluvial en Normandie*, h/t (60x73) : CHF 3 000 – PARIS, 7 juin 1988 : *Paysage du Midi*, h/t (60x73) : FRF 6 100 – SAINT-JEAN-CAP-FERRAT, 16 mars 1993 : *Le village du Rozier*, h/t (54x73) : FRF 14 000 – PARIS, 17 nov. 1993 : *Vue d'un port en Bretagne depuis les hauteurs*, h/t (66x51) : FRF 7 000 – PARIS, 13 fév. 1995 : *Automne dans le Tarn*, h/t (80,5x80,5) : FRF 4 000.

STRAUSS Carl
Né le 4 octobre 1873 à Boston (Massachusetts), de parents allemands. XXe siècle. Américain.
Graveur, peintre.
Il fut élève de l'Académie des Beaux-Arts de Boston et de l'École des Beaux-Arts de Munich en 1896, de l'École de peinture de H. Knirr de cette ville et de l'Académie Julian à Paris en 1897. Il travailla à Munich (1898) en Italie (1899-1900), à Boston (1900-1901), à Florence en 1901 et à Zurich.

STRAUSS Dionys. Voir STRAUSS Friedrich Dionys

STRAUSS Ernst Richard
Né le 25 mai 1840 à Dresde. XIXe siècle. Allemand.
Peintre d'histoire et de genre.
Élève de l'Académie de Dresde de 1855 à 1863. Il exposa de 1861 à 1878.

STRAUSS Franz Michael
Né le 11 septembre 1674 à Slovenjgradec. Mort le 1er mars 1740. XVIIe-XVIIIe siècles. Actif à Slovenjgradec. Autrichien.
Peintre.
Il était le père de Johann Andreas S. Il a peint des tableaux pour les églises de la Styrie méridionale.

STRAUSS Friedrich
XVIIe siècle. Actif à Olmutz en 1678. Autrichien.
Peintre.
Il était le père de Friedrich Dionys S.

STRAUSS Friedrich Dionys
Né le 16 février 1660 à Mährisch-Trübau. Mort le 17 juin 1720. XVIIe-XVIIIe siècles. Autrichien.
Peintre.
Il était le fils de Friedrich S. et élève de M. A. Lublinski. Il appar-

tint à l'ordre des Prémontrés. Il fit un voyage d'études à Rome de 1690 à 1693.

STRAUSS Georg Wilhelm
Né en 1791 à Augsbourg. XIXe siècle. Allemand.
Dessinateur de portraits et graveur au burin.

STRAUSS Helene Julie Marie
Née en 1834 à Mitau (nom allemand de Ielgava, Lettonie). XIXe siècle. Allemande.
Peintre de portraits.
Élève de E. D. Schabert, Jul. Döring en 1851 et de l'Académie de Dresde.

STRAUSS Hugo
Né le 21 novembre 1872 à Macassar. Mort en 1944 à Winterthur (Zurich). XXe siècle. Suisse.
Peintre de paysages.
Il fut élève de L. Petua et Wildermuth à Winterthur, de l'Académie d'Amsterdam et de Azbé à Munich.
Ventes Publiques : BERNE, 26 oct. 1988 : *Le lac Majeur* 1929, h/t (46x67) : CHF 1 600 – ZURICH, 22 juin 1990 : *Chien de chasse*, h/pan. (27x35) : CHF 1 000.

STRAUSS Jacob
Originaire de Berlin. XVIe siècle. Allemand.
Peintre.
A contribué à la décoration du château de Schwerin.

STRAUSS Johann Andreas
Né le 13 novembre 1721 à Slovenjgradec. Mort le 11 avril 1783. XVIIIe siècle. Actif à Slovenjgradec. Autrichien.
Peintre.
Élève et fils de Franz Michael. Il a peint pour les églises de la Styrie méridionale.

STRAUSS Johann Hans
XVIIe siècle. Travaillait au milieu du XVIIe siècle à Kiel. Allemand.
Dessinateur et graveur au burin.
A gravé les portraits de *Frédéric III*, de *Christian Albert von Gottorp*, du chancelier *Kielmann* et du pasteur *M. Friis*.

STRAUSS Joseph Augustin
XVIIIe siècle. Allemand.
Peintre.

STRAUSS Kaspar
Mort le 25 mai 1663 à Augsbourg. XVIIe siècle. Allemand.
Peintre.
A peint des tableaux d'églises.

STRAUSS Kristof
XVIIe siècle. Actif à Geiselhöring. Allemand.
Peintre.

STRAUSS Michael. Voir STRAUSS Franz Michael

STRAUSS Peter. Voir TRUNKLIN Peter

STRAUSS Wilhelm
Né en 1844 à Ulm (Bade-Wurtemberg). Mort en octobre 1917 à Ulm. XIXe-XXe siècles. Allemand.
Peintre.
Élève de l'Académie de Stuttgart. Il travailla à Munich et ensuite en 1885 à Ulm.

STRAUSS Zacharias
Né en 1651. Mort vers 1724 à Breslau. XVIIe-XVIIIe siècles. Allemand.
Sculpteur.
Élève de J. H. Böhme l'Ancien. Il s'est fixé à Breslau en 1693.

STRAVINSKI Théodore
Né le 24 mars 1907 à Saint-Pétersbourg. XXe siècle. Actif en Suisse et en France. Russe.
Peintre de portraits, paysages, natures mortes, peintre de compositions murales, peintre de cartons de mosaïques, cartons de vitraux, peintre de décors et costumes de théâtre, illustrateur. Postcubiste.
Fils du musicien Igor Stravinski, il accompagne sa famille en Suisse, entre 1913 et 1920, à Genève, puis en France de 1920 à 1942. Tout en poursuivant ses études secondaires, il s'adonne très vite à la peinture, conseillé, grâce à son père, par les plus grands : Matisse, Braque, Derain. En 1929, il entre à l'Académie d'André Lhote et y reste plus de deux ans. Depuis 1942, il vit à Genève.
Il participe à de nombreuses expositions collectives, parmi les-

quelles : à Paris, aux Salons d'Automne, des Indépendants, des Tuileries. Il montre ses œuvres dans des expositions particulières, dont : 1927, 1928, galerie Quatre-Chemins, Paris ; 1929, galerie Percier, Paris ; 1934, Les Amis de l'Art Contemporain, Paris ; 1941, Musée des Augustins, Toulouse ; 1943, galerie du Lyon d'or, Vevey ; 1945, Kunsthalle, Berne ; 1950, 1964, Musée de l'Athénée, Genève ; 1955, 1966, Musée d'art et d'histoire, Fribourg ; 1957, galerie André Weil, Paris ; 1961, galerie Il Milione, Milan ; 1974, Musée d'Art et d'Histoire, Neuchâtel ; 1983, Galerie Suisse de Paris ; 1986, Galerie Grande-Fontaine, Sion ; 1987, galerie des Chaudronniers, Genève.

On a tenté de définir la personnalité de Stravinski dans la triple influence de ses origines slaves, du réalisme vaudois et de l'enseignement cubiste. Effectivement compositions et dessins ont gardé du cubisme cette construction qui frappe par sa solidité et son équilibre, à tel point qu'on a pu parler du classicisme de Stravinski. Il a surtout traité des scènes de cirque, de la mythologie, le portrait, la nature morte et, plus récemment, le paysage. Il s'est aussi consacré à l'art sacré, abordant le vitrail en 1947. On voit de ses vitraux à Vevey (*Le Baptême du Christ*, 1948, église catholique), à Van-d'en-Haut dans le valais (*Saint Michel, Saint Gabriel*, 1950, chapelle), à Genève (*Figures de Saint*, église Sainte-Thérèse). Il a également conçu une mosaïque pour la chapelle du Plateau d'Assy et a réalisé des peintures murales, parmi lesquelles, *La Transfiguration* (1964) pour l'église Saint-Pierre à Yverdon. En 1977, il est promu Commandeur de l'Ordre de Saint Grégoire le Grand par le pape Paul VI pour « Services rendus à l'Église par son art ». Théodore Stravinski a également réalisé plusieurs décors de théâtre, *Les Noces* de I. Stravinski, *Les Fausses Confidences* de Marivaux, *Sodome et Gomorrhe* de Giraudoux, *The Rake's Progress* de I. Stravinski... et a illustré des ouvrages, dont : *Les Fourberies de Scapin* (Éditions G.L.M., 1935, Paris), *Théâtre complet* de H. de Montherlant (Éditions Ides et Calendes, 1950, Neuchâtel).

Bibliogr. : Maurice Zermatten : *Théodore Stravinski*, Éditions Galerie Suisse de Paris, 1984.

Musées : Fribourg (Mus. d'Art et d'Hist.) – Genève (Mus. d'Art et d'Hist.) – Genève (Mus. du Petit Palais) – Neuchâtel (Mus. d'Art et d'Hist.) – Romont (Mus. du Vitrail) – Vatican (Pina.).

Ventes Publiques : Berne, 18 nov. 1972 : *Nature morte* 1941 : CHF 2 500 – Zurich, 28 nov. 1974 : *Nature morte* : CHF 4 494 – Zurich, 18 nov. 1976 : *Nature morte à la mandoline*, h/t (54x81) : CHF 5 400 – Berne, 26 oct. 1988 : *Jeune femme assise en costume régional à tablier bleu* 1941, aquar. (26x20) : CHF 1 100.

STRAVIUS Heinrich
Né à Hambourg. Mort en 1690. XVIIᵉ siècle. Actif à Hambourg vers 1630. Allemand.
Peintre d'animaux et de sujets de chasse.
A la suite de Flegel, Stravius fut l'un des rares peintres de natures mortes du XVIIᵉ siècle en Allemagne, où le genre ne prit jamais l'importance qu'on lui vit dans les peintures hollandaise ou française. Cependant, Stravius était exactement le contemporain et hambourgeois comme lui, de Johann Georg Hainz, également peintre de natures mortes. Pour Stravius, comptait avant tout l'exactitude du rendu illusionniste des pièces de gibier tuées, accrochées au mur, jusqu'à atteindre au trompe-l'œil.
Musées : Stockholm : *Oiseaux morts et attributs de chasse*.

STRAWBRIDGE Anne West
Née le 20 mars 1883 à Philadelphie (Pennsylvanie). XXᵉ siècle. Américaine.
Peintre.
Elle fut élève de W. M. Chase. Elle fut membre de la Fédération américaine des arts.

STRAYLER Alan
XIIIᵉ siècle. Actif à Saint-Albans. Britannique.
Enlumineur.
Élève de Matthäus à Paris.

STRAZIO VOLUTO. Voir FERMOUT Gilliam

STRAZOVEC Johann
XIVᵉ siècle. Tchécoslovaque.
Enlumineur.

STRAZRYBA Vincenz. Voir STRASRYBA

STRAZSAY Janos ou Joh.
XIXᵉ siècle. Hongrois.
Dessinateur.

STRAZZA Giovanni
Né en 1818 à Milan. Mort le 19 avril 1875 à Milan. XIXᵉ siècle. Italien.

Sculpteur.
Élève de l'Académie Brera avec F. Somaini. Il travailla de 1840 à 1858 à Rome, ensuite à Milan où il devint professeur à l'Académie Brera. Le palais archi-épiscopal de Milan conserve de cet artiste une statue colossale (*Aron*) et le musée de cette ville, *Buste de Manzoni*.
Ventes Publiques : Rome, 4 avr 1979 : *Ismaël abandonné dans le désert*, marbre blanc (76x73x52) : ITL 3 000 000.

STRAZZA Guido
Né en 1922 à Santafiora (Toscane). XXᵉ siècle. Italien.
Peintre.
Il vit et travaille à Milan. Après avoir réussi son diplôme d'ingénieur, il séjourna quelques années en Amérique du Sud. Il revint ensuite en Italie.
Il participe à des expositions de groupe, notamment : Biennale de Venise, 1942 ; Quadriennale de Rome, 1959 ; Biennale de São Paulo, 1951, 1953. Il obtint la médaille d'or au Prix *Morgan's Paint*, à Rimini, en 1959 et 1961. Il obtint le prix Spolète en 1960. Il peint des compositions au climat poétique proche du surréalisme, les formes étant dessinées légèrement sur des fonds de paysages allusifs.
Bibliogr. : B. Dorival, sous la direction de... : *Peintres contemporains*, Mazenod, Paris, 1964.
Musées : Cologne – Lima – Rome – Santiago du Chili.

STRCZANOWSKY Joannes
XVIIIᵉ-XIXᵉ siècles. Actif à Meseritsch de 1770 à 1803. Autrichien.
Graveur au burin.

STREATER Robert I ou Streeter ou Streter
Né en 1621 ou en 1624 à Londres selon certains biographes. Mort en 1679 à Londres. XVIIᵉ siècle. Britannique.
Peintre d'histoire, sujets religieux, portraits, architectures, paysages, natures mortes, compositions murales, graveur.
Il fut élève de Du Moulin. À la restauration, il fut nommé Sergeant-Painter de Charles II.
Il peignit divers plafonds de style baroque, on cite notamment : *Vérité descendant sur les Arts et les Sciences*, au Sheldonian Theatre, à Oxford ; la *Bataille des géants*, à Marden Park, dans le Surrey ; *Moïse et Aaron*, dans l'église de Cornhill. Il a laissé quelques estampes.
Bibliogr. : In : *Diction. de la peinture anglaise et américaine*, coll. Essentiels, Larousse, Paris, 1991.
Ventes Publiques : Londres, 15 mars 1967 : *Vue du château de Brancepeth* : GBP 550.

STREATER Robert II, le Jeune ou Streeter ou Streter
Mort en 1711. XVIIᵉ-XVIIIᵉ siècles. Britannique.
Peintre, décorateur.
Il est le fils du peintre Robert Streater I. Il travailla principalement comme décorateur pour des cérémonies royales.
Bibliogr. : In : *Diction. de la peinture anglaise et américaine*, coll. Essentiels, Larousse, Paris, 1991.

STREATFIELD Thomas
Né en 1777 à Londres. Mort le 17 mai 1848 à Westerham. XIXᵉ siècle. Britannique.
Peintre d'architectures, dessinateur.
Il était ministre protestant. Il réunit des matériaux considérables pour la préparation de l'histoire des comtes de Kent, réunissant toutes les pièces qu'il put trouver et dessinant les édifices anciens, les tombeaux, les vues topographiques, etc. Cet ensemble forme cinquante volumes conservés au British Museum. Il n'écrivit qu'une minime partie de l'ouvrage qu'il avait en vue. Streatfield occupait une situation marquante dans la société anglaise, par la fortune de sa femme et par ses fonctions de chapelain du duc de Kent.

STREBEL Fritz
Né en 1920. XXᵉ siècle. Suisse.
Peintre.
Musées : Aarau (Aargauer Kunsthaus) : *Trauer* 1955 – *Waldarbeiter* 1957 – *Frauenbildnis* 1958 – *In der Dachkammer* 1964 – *Bildnis* 1966 – *Auswanderer* 1968 – *Frau am Fenster – Nacht – Ateliertisch – Hafen II – Piazza II – Pise*.

STREBEL Joao. Voir GLAMA Joao

STREBEL Jörg. Voir STROBEL

STREBEL Richard Hermann
Né le 28 juin 1861 à Vera Cruz. XIXᵉ siècle. Allemand.

Peintre d'animaux et graveur.
Élève de l'Académie de Kassel et de Karlsruhe. Il travailla à partir de 1886 à Munich et illustra un livre sur les chiens allemands et leur origine.

STREBELE Johann
XVIIe siècle. Actif à Stams vers 1699. Autrichien.
Peintre.

STREBELE Joseph
XVIIIe siècle. Actif à Constance. Suisse.
Peintre de portraits.
A partir de 1728, il travailla à Munich.

STREBELL F. J.
XVIIIe siècle. Allemand.
Peintre.
Peut-être descendant de Joao Glama.

STREBELL Jörg. Voir **STROBEL**

STREBELLE Jean-Marie
Né en 1916 à Ixelles (Brabant). Mort en 1989. XXe siècle. Belge.
Peintre de portraits, figures, paysages, marines, céramiste, peintre de cartons de tapisseries, aquarelliste, pastelliste.
Fils de Rodolphe Strebelle. Dès 1911, il navigue et s'embarque vers l'Amérique et l'Afrique à bord de cargos, et en rapporte des dessins empreints de poésie. En 1934, il suit les cours de peinture monumentale, de décor de théâtre et de tissage à l'Institut de la Cambre à Bruxelles. Une nouvelle période de voyages intercontinentaux entrecoupés de séjours à Paris précède son engagement dans les « Marines » américains de 1940 à 1946. Dès son retour en Belgique, il fonde avec ses frères Olivier, sculpteur, et Claude, architecte, un phalanstère à Torhout, qui fonctionne jusqu'en 1950. Il fait ensuite de fréquents séjours en France, vivant pour une grande part de son temps à bord d'un langoustier.
Il montre sa première exposition particulière en 1936. Il reçoit durant sa période d'engagement militaire, le Prix des Peintres de Marines à New York, est le premier lauréat du prix Louis Schmidt en 1950.
Sa grande passion de la mer a orienté toute sa production, mais l'a aussi authentifiée. Restées fidèles à la représentation réaliste souvent magnifiée par la tendresse, ses peintures sont essentiellement des paysages rencontrés au cours de ses voyages, mais il est également peintre de portraits.
BIBLIOGR. : In : *Dictionnaire biographique illustré des artistes en Belgique depuis 1830*, Arto, Bruxelles, 1987.
VENTES PUBLIQUES : LOKEREN, 8 oct. 1994 : *Falaise sarde* 1959, h/t (73x92) : BEF 55 000.

STREBELLE Olivier
Né le 20 janvier 1927 à Bruxelles. XXe siècle.
Sculpteur, architecte, céramiste.
Fils de Rodolphe Strebelle. Il fut élève de l'Institut de la Cambre à Bruxelles. À la fin de la guerre, il a participé avec ses frères Jean-Marie, peintre, Claude, également architecte, à la fondation d'un phalanstère, qui a fonctionné à Torhout jusqu'en 1950. Il obtint le Grand Prix de Rome en 1956. Il fut professeur à l'Académie Royale des Beaux-Arts de Bruxelles et, jusqu'en 1963, à l'Institut Supérieur des Beaux-Arts d'Anvers. Il enseigne régulièrement aux États-Unis. On voit de lui en Belgique de nombreuses réalisations architecturales.
Il participe à des expositions collectives, dont : 1961, Biennale de São Paulo ; 1962, Biennale de Venise ; 1964, Faenza ; 1967, Exposition universelle, Montréal ; 1969, Exposition universelle, Osaka. Il montre ses œuvres dans des expositions personnelles, notamment en 1979 à la galerie Isy Brachot. Il a obtenu en 1951 une médaille d'argent à la Triennale de Milan, le Grand Prix à l'Exposition universelle de Bruxelles en 1958, une médaille d'or à Faenza en 1964.
C'est en 1943 qu'il réalise ses premières sculptures en céramique, et, en 1949 ses premières sculptures démontables en bronze et en céramique. S'il prit d'abord part aux recherches initiales du groupe « COBRA », son art s'est ensuite orienté vers des techniques ornementales. Ses sculptures et céramiques aux formes organiques sont à la limite de la non-figuration, marge étroite où l'on suggère sans imiter.
BIBLIOGR. : In : *Dictionnaire biographique illustré des artistes en Belgique depuis 1830*, Arto, Bruxelles, 1987.
VENTES PUBLIQUES : LOKEREN, 31 mars 1979 : *Composition*, bronze (H. 50, larg. 36) : BEF 55 000.

STREBELLE Rodolphe
Né le 22 juin 1880 à Tournai (Hainaut). Mort en 1959 à Bruxelles. XXe siècle. Belge.
Peintre de sujets religieux, portraits, paysages, natures mortes, cartons de tapisseries, graveur.
Père de Jean-Marie, peintre, Olivier, sculpteur, et Claude, architecte. Arrivé jeune à Bruxelles, il y étudie la musique qu'une surdité précoce l'oblige à abandonner. Il se dirige alors vers la peinture, entre à l'Académie de Bruxelles et y a Delville comme professeur. Il a été président de la Société Belge des Aquarellistes. À partir de 1937, il a enseigné à l'Institut de la Cambre à Bruxelles. Il reçoit en 1924 le prix Edmond Picard, et est classé hors-concours aux Arts Décoratifs à Paris en 1925, devint membre de l'Académie royale de Belgique.
Devenu membre du cercle de *L'Effort*, il y rencontre le peintre Auguste Oleffe qui le marque profondément. On décèle dans ses premières œuvres, souvent des scènes d'intérieur, l'influence de cet impressionnisme intimiste. Il se laisse ensuite séduire par la facture sereine de Gustave Van de Woestijne qui a certainement redonné un nouveau souffle à l'imagerie populaire flamande. Sa peinture exprime alors douceur et apaisement, et il use de raccourcis et de stylisations pleins de charme. Il peint d'abord quelques natures mortes mais se révèle bientôt plus attaché à la figure humaine. Commence alors une longue série de portraits d'enfants : *L'enfant aux anges* (1925), *Recueillement* (1926). À partir d'un voyage à Collioure en 1926, il fait l'expérience du paysage, expérience qui se révèle plus probante lorsqu'il peint par la suite les *Paysages brabançons* ou ceux de *Vendée*. Son œuvre se tourne plus tard vers l'art sacré, illustrant en 1935 la légende des *Saints Crépin et Crépinien*, il gravait sur bois, exécutant des tapisseries : *Saint Sébastien* (1942) et des fresques : *Histoire de saint François* (1952) pour l'église de la Cambre à Bruxelles.

R.STREBELLE

BIBLIOGR. : In : *Dictionnaire biographique illustré des artistes en Belgique depuis 1830*, Arto, Bruxelles, 1987.
MUSÉES : ANVERS – BRUXELLES – GRENOBLE – IXELLES – LIÈGE – NAMUR – RIGA – TOURNAI.
VENTES PUBLIQUES : BRUXELLES, 1er avr. 1987 : *Nature morte* 1926, aquar. (47x60,5) : BEF 140 000 – LOKEREN, 8 oct. 1988 : *Le peintre et son modèle* 1932, h/pap./pan. (103x69) : BEF 850 000 – LOKEREN, 15 mai 1993 : *Femme enceinte* 1927, h/t (85x70,5) : BEF 160 000.

STREBELLE Vincent
Né en 1946 à Uccle (Brabant). XXe siècle. Belge.
Peintre, sculpteur.
Il a été élève des académies de Liège et de Bruxelles.
BIBLIOGR. : In : *Dictionnaire biographique illustré des artistes en Belgique depuis 1830*, Arto, Bruxelles, 1987.

STRECHINE Stephanie von
Née le 22 novembre 1858 à Odessa. XIXe-XXe siècles. Allemande.
Peintre de paysages.
Elle fut élève de Willroider à Munich. Elle travailla dans cette ville, où elle exposa à partir de 1891.

STRECKENBACH Max Th.
Né le 18 mai 1865 à Eckernförde (Schleswig-Holstein). Mort le 22 septembre 1936 à Eckernförde. XIXe-XXe siècles. Allemand.
Peintre de fleurs et fruits, graveur.
Il peignait surtout sur porcelaine.
VENTES PUBLIQUES : COPENHAGUE, 5 avr. 1989 : *Nature morte de fleurs dans un vase*, h/t (70x80) : DKK 36 000.

STRECKENRANFT Claus ou Clas
Mort le 8 janvier 1594 à Kulmbach. XVIe siècle. Actif à Kulmbach. Allemand.
Sculpteur de portraits et ébéniste.

STRECKER Emil
Né le 29 septembre 1841 à Dresde (Saxe). Mort en 1925 à Durnstein (Basse-Autriche). XIXe-XXe siècles. Actif en Autriche. Allemand.
Peintre de genre.
Élève du sculpteur E. Hähnel, il se dirigea ensuite vers la peinture et étudia chez H. von Angeli à Vienne et chez W. Sohn à Düsseldorf. Il travailla à Vienne, puis à Durnstein.
MUSÉES : SIBIU : *Jeune fille au fichu* – TROPPAU : *Le convalescent* – ZURICH : *Jeune fille au bracelet*.

VENTES PUBLIQUES : VIENNE, 20 sep. 1977 : *Retour de chasse*, h/t (61x46) : **ATS 28 000**.

STRECKER Hermann
Né le 24 mars 1836 à Philadelphie. Mort le 30 novembre 1901 à Reading (Pennsylvanie). XIXᵉ siècle. Américain.
Sculpteur.

STRECKER Johann Ludwig
Né le 7 mai 1721 à Darmstadt. Mort le 12 septembre 1799 à Darmstadt. XVIIIᵉ siècle. Allemand.
Peintre de portraits.
Élève de Fiedler, il devint peintre de la cour de Hesse.
MUSÉES : DARMSTADT (Nouveau Palais) : *Louis XI – La comtesse Caroline* – DARMSTADT (Mus. du château) : *La comtesse Caroline – La princesse Louise de Hesse – La princesse Amélie Frédérique de Hesse – La princesse Wilhelmine de Hesse – La duchesse Caroline de Deux-Ponts – La princesse Caroline Frédérique de Mecklembourg* – DARMSTADT (Mus. Hesse) : *Caroline Flaschland* – FRANCFORT-SUR-LE-MAIN (Mus. de Goethe) : *La princesse Louise de Hesse* – GÖTTINGEN : *Georg Christoph Liechtenberg*.

STRECKER Paul
Né le 13 août 1900 à Mayence (Rhénanie-Palatinat). XXᵉ siècle. Allemand.
Peintre.
Il fut élève des Académies des Beaux-Arts de Munich de 1919 à 1922 et de Berlin de 1922 à 1924. En 1925, il travaillait à Rome et à partir de 1926 à Paris, où il exposa au Salon des Tuileries. Il participa, entre les deux guerres, au renouveau humaniste de la peinture de portraits.
MUSÉES : DETROIT – DÜSSELDORF – KIEL – MAYENCE – PRAGUE – ULM – WIESBADEN.

STRECKER Wilhelm
Né en 1795 à Stuttgart. Mort en 1857 à Stuttgart. XIXᵉ siècle. Allemand.
Peintre d'histoire, de portraits, de genre, paysagiste et lithographe.
Inspecteur et restaurateur de la Galerie de Stuttgart. Le musée de cette ville conserve de lui *Junon*.

STRECKFUSS Wilhelm ou Streickfuss
Né le 3 novembre 1817 à Mersebourg. Mort le 6 novembre 1896 à Berlin. XIXᵉ siècle. Allemand.
Peintre de figures.
Élève à Berlin de W. Herbig, de l'Académie de Düsseldorf et de P. Delaroche à Paris de 1842 à 1843. Il voyagea en Italie de 1843 à 1844 et travailla à Berlin, où il fut professeur à partir de 1868.
MUSÉES : BERLIN (Mus. Nat.) – DESSAU – KÖSLIN.
VENTES PUBLIQUES : LONDRES, 28 mars 1996 : *Un étranger à la fenêtre*, h/t (73,6x59,6) : **GBP 1 380**.

STRECZIUS Franciscus
XVIIIᵉ siècle. Hongrois.
Sculpteur.

STREECK Hendrik Van. Voir STREEK Hendrick Van
STREECK Juriaen Van. Voir STREEK Jurian Van
STREEFKERK Carl August
Né en 1884 ou 1968. XXᵉ siècle. Hollandais.
Peintre de paysages urbains, portuaires et d'eau animés, architectures.
VENTES PUBLIQUES : LOS ANGELES, 23 juin 1980 : *Scène de canal, Amsterdam*, h/t (48,9x68,5) : **USD 1 200** – AMSTERDAM, 14-15 avr. 1992 : *Vue de l'église Saint-Nicolas à Amsterdam*, h/t (58x98) : **NLG 1 955** – AMSTERDAM, 18 juin 1996 : *Vue du port d'Amsterdam*, h/t (40,5x80,5) : **NLG 1 265**.

STREEK Hendrick Van ou Hendrik ou Streeck
Né le 11 avril 1659 à Amsterdam. Mort en 1719. XVIIᵉ-XVIIIᵉ siècles. Hollandais.
Peintre d'intérieurs d'églises, natures mortes, sculpteur.
Élève de son père Jurian Van Streek et peut-être d'E. de Witte. Il a peint surtout des intérieurs d'églises.

MUSÉES : AMSTERDAM (Rijksmuseum) : *Pommes* – SAINT-PÉTERSBOURG : *Intérieur d'église gothique* – SCHWERIN : *Table de déjeuner*.

VENTES PUBLIQUES : LONDRES, 26 nov. 1965 : *Nature morte* : **GNS 850** – COPENHAGUE, 12 mai 1969 : *Nature morte* : **DKK 44 000** – PARIS, 25 mars 1982 : *Nature morte au nautile*, h/t (98x76) : **FRF 142 000** – NEW YORK, 20 jan. 1983 : *Nature morte aux fruits et nautile*, h/t (70x59) : **USD 40 000** – PARIS, 27 juin. 1989 : *Nature morte au verre de vin dans une niche*, pan. de chêne non parqueté (64,5x49,5) : **FRF 650 000** – NEW YORK, 11 jan. 1990 : *Nature morte composée d'objets variés : nautile, aiguière, plat d'étain, etc... sur une tablette drapée d'une tapisserie*, h/t (96x73,5) : **USD 60 500**.

STREEK Jurian Van ou Juriaen ou Streeck
Né vers 1632 à Amsterdam. Mort le 12 juin 1687 à Amsterdam. XVIIᵉ siècle. Hollandais.
Peintre de portraits, natures mortes.
Bourgeois d'Amsterdam en 1655. Il signait généralement ses ouvrages *J.V.S.*
Ses natures mortes opposent volontiers les tons froids des argenteries et verreries aux tons chauds des tapis et velours. Il excelle dans le mélange de ces tonalités à la fois somptueuses et délicates, et sait rétablir une composition qui tend vers un déséquilibre.

BIBLIOGR. : E. Zarnowska : *La Nature morte hollandaise*, Bruxelles, 1929.
MUSÉES : LEYDE : *Nature morte* – LILLE : *Reliefs d'un déjeuner* – PARIS (Mus. du Louvre) : *Nature morte* – SAINT-PÉTERSBOURG (Mus. de l'Ermitage) : *Le déjeuner* – SCHLEISSHEIM : *Marchande de poisson* – VIENNE : *Nature morte, fruits*.
VENTES PUBLIQUES : PARIS, 1851 : *Fruits sur une table et divers objets en porcelaine de Chine* : **FRF 181** – PARIS, 1873 : *Le homard* : **FRF 1 520** – PARIS, 1876 : *Nature morte* : **FRF 900** – PARIS, 1894 : *Nature morte allégorique : crâne couronné de lauriers, musique, roses, montre, petit violon, flambeau éteint, sablier* : **FRF 50** – LONDRES, 28 mars 1923 : *Nature morte* : **GBP 84** – LONDRES, 14 juin 1935 : *Nature morte aux fruits* : **GBP 89** – LONDRES, 15 déc. 1943 : *Nature morte* : **GBP 105** – PARIS, 9 mars 1951 : *Nature morte* : **FRF 21 000** – PARIS, 29 mars 1960 : *Nature morte au coquillage* : **FRF 4 200** – COPENHAGUE, 22 mars 1966 : *Nature morte* : **DKK 14 000** – LONDRES, 24 nov. 1967 : *Nature morte* : **GNS 1 600** – LONDRES, 27 nov. 1968 : *Nature morte avec un singe* : **GNS 1 700** – AMSTERDAM, 26 mai 1970 : *Nature morte* : **NLG 15 000** – LONDRES, 25 nov. 1971 : *Nature morte* : **GNS 2 400** – LONDRES, 1ᵉʳ nov. 1972 : *Nature morte* : **GBP 7 000** – LONDRES, 11 juil. 1973 : *Nature morte*, h/t (76x63) : **NLG 28 000** – AMSTERDAM, 24 mai 1977 : *Nature morte aux fruits*, h/pan. (26x23,5) : **NLG 15 000** – LONDRES, 18 avr. 1980 : *Nature morte*, h/t (82,5x65,4) : **GBP 4 200** – LONDRES, 4 avr. 1984 : *Nature morte avec verre de vin*, h/t (96,5x76,5) : **GBP 10 500** – SAINT-DIÉ, 3 fév. 1985 : *Intérieur d'église animé de personnages*, h/pan. (59x48) : **FRF 28 000** – AMSTERDAM, 18 mai 1988 : *Pêches dans un plat d'étain, oranges et citrons dans un compotier en faïence, un verre à vin, un couteau et un quartier d'orange sur une table recouverte d'un drapé*, h/t (63,8x57,8) : **NLG 36 800** – MILAN, 25 oct. 1988 : *Nature morte avec une coupe de faïence, des oranges, des pêches et de la vaisselle*, h/t (64x58) : **ITL 40 000 000** – NEW YORK, 31 mai 1991 : *Nature morte avec une noix, un verre, un quartier d'orange et un couteau sur une assiette d'argent avec des porcelaines de Chine et des fruits dans une coupe*, h/t (86x70) : **USD 330 000** – MONACO, 7 déc. 1991 : *Nature morte avec un citron et des pêches sur un plat de porcelaine près d'une boule de pain et d'un romer*, h/pan. (50,6x42) : **FRF 144 300** – MILAN, 3 déc. 1992 : *Nature morte avec un verre à pied, des fruits dans une coupe de majolique et un vase de Chine*, h/t (49x39) : **ITL 62 000 000**.

STREER Anton
XVIIIᵉ siècle. Actif à Freistadt. Autrichien.
Peintre.
A peint quelques saints pour le monastère des Capucins à Linz.

STREER Franz. Voir STRÄHER
STREET F.
XIXᵉ siècle. Actif à Édimbourg vers 1810. Britannique.
Graveur d'ex-libris.

STREET Frank
xxe siècle. Américain.
Peintre, illustrateur.
Il fut membre du Salmagundi Club.

STREET Robert
Né en 1796. Mort en 1865. xixe siècle. Américain.
Peintre d'histoire, portraits, paysages, fleurs.
Il travaillait à Philadelphie.
Ventes Publiques : New York, 13 nov. 1974 : *Fillette avec chien* :
USD 1 200 – New York, 30 nov 1979 : *Miss Molly Monroe* 1834,
h/t (77,5x64) : USD 5 000 – New York, 27 jan. 1983 : *Fillette en
robe rouge avec un chiot*, h/t (76,2x63,5) : USD 4 600 – New York,
17 déc. 1990 : *Portrait d'une dame en robe pêche* 1837, h/pan.
(76,3x63,5) : USD 2 200 – New York, 4 mai 1993 : *Portrait de John
Sexton de Philadelphie* 1836, h/t (76,2x63,5) : USD 920 – New
York, 9 sep. 1993 : *Fleurs sauvages* 1839, h/t (64,8x78,7) :
USD 1 150.

STREETER Julia Allen
Née le 18 juin 1877 à Detroit (Michigan). xxe siècle. Améri-
caine.
Peintre.
Elle fut élève de l'École d'Art de Détroit. Elle fut membre de la
Fédération Américaine des Arts.

STREETER Robert. Voir **STREATER**

STREETES Guillim. Voir **STRETES**

STREETON Arthur Ernest, Sir
Né le 8 avril 1867 à Victoria (Nouvelle-Galles-du-Sud). Mort
le 2 septembre 1943 à Olinda. xixe-xxe siècles. Australien.
**Peintre de compositions animées, genre, paysages,
aquarelliste. Postimpressionniste.**
Il fut élève des Écoles de la National Gallery et de G. F.
Folingsby, à Victoria. Il apprit également la peinture en observant les peintres Frederick McCubbin et Tom Roberts sur la
plage de Beaumaris à Victoria.
Il exposa à Londres, notamment à la Royal Academy et à Suffolk
Street à partir de 1891. Il obtint une mention honorable au Salon
de Paris en 1891. Après avoir travaillé un certain nombre d'années en Australie, il vint à Londres et s'y classa parmi les bons
paysagistes. Il fut membre de la Society of British Artists. Il
revint en Australie en 1907, où les plus grands honneurs lui
furent rendus.
Sa couleur est claire et légère, il observe remarquablement les
valeurs et rend à merveille la profondeur des vastes horizons.

[signatures manuscrites : Arthur Streeton / Streeton / A.S / Arthur Streeton]

Bibliogr. : In : *Creating Australia – 200 Years of art 1788-1988,*
The Art Gallery of South Australia, Adelaide, 1988.
Musées : Adelaïde (Art Gal. of Australia) : *Premier Été – Ajoncs
en fleurs* 1988 – Canberra (Austr. Nat. Gal.) : *La Cabane* – Mel-
bourne : *Vue de la rivière de Hawkesbury, Nouvelle-Galle-du-Sud
– Windsor – Canots de Chelsea* – Sydney : *Le ruisseau coule pai-
siblement et coulera toujours – Pastorale – Scène dans le Suffolk
pendant la moisson* – une aquarelle – Sydney (Art Gal. of New
South Wales) : *Le Jeu national* 1889 – *En Feu* 1891.
Ventes Publiques : Melbourne, 11-12 mars 1971 : *Pastorale* :
AUD 2 800 – Londres, 16 fév. 1973 : *Martin's Place* : GNS 550 –
Melbourne, 14 mars 1974 : *La Salute, Venise*, aquar. : AUD 950 :
Paysage : AUD 15 000 – RoseberY (Australie), 7 sep. 1976 : *Wind-
sor Park*, aquar. (36x51) : AUD 700 – Sydney, 6 oct. 1976 : *Sirius
Cove Sydney* 1895, h/pan. (11,5x29,5) : AUD 7 500 – Melbourne,

11 mars 1977 : *A million acre garden, Lapstone* 1892, aquar.
(54,5x72,5) : AUD 7 000 – Sydney, 4 oct. 1977 : *Vénus et Adonis*
1906, h/t (133x189) : AUD 6 500 – Sydney, 10 sept 1979 : *Shipping
on the Yarra*, h/pan. (22x19) : AUD 4 500 – Londres, 22 fév. 1980 :
The Royal Barge at Eton 1903, aquar. (37x53,5) : GBP 700 – Sydney, 2 mars 1981 : *Nu*, h/cart. (18x23,5) : AUD 3 800 – Armadale
(Australie), 11 avr. 1984 : *Paysage orageux*, aquar. (24,5x17) :
AUD 1 100 – Sydney, 19 mars 1984 : *Heidelberg* 1889, h/t mar./
cart. (24x45) : AUD 30 000 – Sydney, 23 sep. 1985 : *Picknickers at
Watson's Bay* 1937 (62x99,5) : AUD 100 000 – Melbourne, 21
avr. 1986 : *Summer droving* 1891, h/t (30x60) : AUD 400 000 –
Londres, 1er déc. 1988 : *The Canadian Pacific Hotel Victoria, Vancouver*, h/t (63,5x76,5) : GBP 17 600 – Londres, 30 nov. 1989 : *Un
bras de ruisseau*, h/t (51,1x76,8) : GBP 22 000 – Londres, 28 nov.
1991 : *Kosciusko*, h/t (51,1x76,8) : AUD 29 700 – Melbourne,
20-21 août 1996 : *Le Château de Windsor vu de la forêt, étude en
bleu* 1904, h/t (101,5x127) : AUD 63 000.

STREETON Philippe Eustace ou **Philip**
Né au xixe siècle à Londres. Mort après 1919. xixe-xxe siècles.
Britannique.
Peintre de genre, animalier.
Actif de 1884 jusque vers 1919. Membre du Royal Institute of Oil
Painters. Prit part aux Expositions de Londres, particulièrement
à la Royal Academy, à dater de 1884. Figura au Salon de Paris ;
mention honorable en 1893.
Ventes Publiques : Londres, 9 mars 1976 : *Veaux dans un paysage* 1889, h/t (100x113) : GBP 650 – Londres, 19 mai 1978 : *Les
meilleurs amis* 1918, h/t (75x62,3) : GBP 850 – Chester, 30 mars
1984 : *Quand le chat n'est pas là, les souris dansent*, h/t (73,5x61) :
GBP 2 300 – Londres, 12 juin 1985 : *Le verger* 1898, h/t (65x108) :
GBP 9 500 – Londres, 13 mars 1986 : *Quand le chat n'est pas là,
les souris dansent*, h/t : GBP 4 600 – Londres, 14 fév. 1990 : *Le
jour du marché*, h/t (40,6x50,8) : GBP 3 850 – Montréal, 5 nov.
1990 : *L'alerte*, h/pan. (44x59) : CAD 3 300 – Londres, 16 juil.
1991 : *Deux fox-terriers*, h/pan. (46x61) : GBP 3 410 – New York,
5 juin 1992 : *Le manteau de son maître* 1922, h/t (76,2x63,5) :
USD 12 100 – Londres, 12 juin 1992 : *Un jeune terrier* 1884, h/t
(50,8x76,2) : GBP 9 020 – Londres, 25 mars 1994 : *Les compagnons du coin du feu*, h/cart. (76,2x62,5) : GBP 7 820 – Londres, 6
nov. 1995 : *La visite au blessé* 1905, h/t (56x91,5) : GBP 4 370 –
Glasgow, 16 avr. 1996 : *Repos sur le rivage* 1908, h/t
(126,5x101,5) : GBP 2 070 – Londres, 5 nov. 1997 : *Robert, un dalmatien* 1908, h/t (86x71) : GBP 3 220.

STREETS William. Voir **STRETES Guillim**

STREFFLER Johann ou **Sträffler**
xviiie-xixe siècles. Autrichien.
Peintre.
Il est surtout connu pour ses peintures de fleurs sur porcelaine à
la Manufacture de Vienne de 1765 à 1811.

STREGA Yuta
Née le 5 avril 1946 à Ellwangen. xxe siècle. Depuis 1977 active
en France. Allemande.
**Peintre de figures, scènes de genre, natures mortes,
compositions murales. Tendance expressionniste.**
Formée à l'École des Beaux-Arts de Francfort, elle a commencé
par travailler dans les médias en Allemagne, avant de s'installer
en France et de créer une école de peinture à Sanary-sur-Mer en
1984. Elle a participé à plusieurs expositions collectives, en Allemagne d'abord, puis à Aix-en-Provence (1982), Paris (notamment Salon des Indépendants, 1983 et 1984), Cannes (1984),
Montauban, New York (1984), Tokyo (1985). Elle a eu également
des expositions personnelles, en ex-RFA et dans le sud de la
France.
Ses tableaux représentent des scènes souvent fortement ancrées
dans la réalité (*Pêcheurs de sardines, Arènes*) mais qui en même
temps s'en dégagent par l'angle de vue choisi, par la palette utilisée, par la touche plutôt allusive.

STREGNART
xviiie siècle. Actif à Brée vers 1763. Belge.
Peintre sur faïence.

STREHBLOW Heinrich
Né le 12 mai 1862 à Vienne. xixe-xxe siècles. Autrichien.
Peintre de genre, portraits.
Il fut élève de l'Académie de Vienne et de celle de Munich. Il tra-
vailla à partir de 1899 à Vienne.

STREHL Johann
Mort le 28 novembre 1862 à Vienne. xixe siècle. Autrichien.

Peintre de natures mortes, fleurs et fruits.
Actif à Vienne.
VENTES PUBLIQUES : VIENNE, 14 nov. 1978 : *Bouquet de fleurs* 1846, h/t (52,5x42) : ATS 60 000 – NEW YORK, 16 fév. 1995 : *Nature morte avec des roses et du jasmin dans un vase et des cerises sur un entablement* 1847, h/cart. (36,8x30,5) : USD 8 625 – LONDRES, 11 avr. 1995 : *Nature morte avec des fruits et un écureuil*, h/t (76,5x61) : GBP 3 680.

STREHLING Peter Eduard. Voir **STRÖHLING**

STREHMEL Reinhold
Né le 9 février 1870 à Berlin. XXe siècle. Allemand.
Peintre de portraits, architectures.

STREIB Georges
Né à Paris. XXe siècle. Français.
Peintre.
Il a exposé, à Paris, aux Salons des Indépendants et des Artistes Français. Il obtint une mention en 1933, une médaille d'argent en 1936.

STREIB Wilhelm Friedrich
Né le 31 janvier 1822 à Cobourg. Mort le 9 octobre 1888 à Cobourg. XIXe siècle. Allemand.
Lithographe, écrivain et architecte.
Élève de l'École technique de Karlsruhe. A fait paraître une série de lithographies sur le vieux Cobourg.

STREIBER C. A.
XIXe siècle. Actif à Berlin vers 1844. Allemand.
Peintre de paysages.

STREIBL Michael
Né le 26 mai 1817 à Feldsberg. Mort avant 1859. XIXe siècle.
Autrichien.
Peintre.
Élève de l'Académie de Vienne.

STREICHENBERG August Julius
Né le 5 février 1814 à Angermund (Rhénanie-Westphalie). XIXe siècle. Actif à Berlin. Allemand.
Sculpteur.
Il travailla à Rome de 1842 à 1843. Il alla ensuite en Grèce et se fixa à Berlin.

STREICHER Adolf
Né le 10 août 1879 à Vienne. XXe siècle. Autrichien.
Peintre de paysages.

STREICHER Albuin
Né en 1851 à Innsbruck. XIXe siècle. Autrichien.
Peintre.

STREICHER Franz Nikolaus
Né en 1738 à Trostberg. Mort le 21 mai 1811 à Salzbourg.
XVIIIe-XIXe siècles. Autrichien.
Peintre, surtout de fresques.
Élève de J. Zoffani à Ratisbonne et de l'Académie de Vienne. Il fut le professeur de J.-B. Lampi l'Ancien. Il est l'auteur de nombreux tableaux d'autels.

STREICHER Georg
XVIIe siècle. Actif à Asbach. Autrichien.
Ébéniste.

STREICHER Hans
XVIIe siècle. Actif à Munich entre 1660 et 1670. Allemand.
Peintre.

STREICHER Ignaz
XVIIIe siècle. Allemand.
Peintre d'armoiries.

STREICHER Josef
Né en 1806 à Innsbruck. Mort le 16 septembre 1867. XIXe siècle. Autrichien.
Sculpteur.
Il étudia chez Franz Xav. Renn à Imst et en 1826 à Munich. Le Ferdinandeum à Innsbruck conserve de cet artiste : *Mercure* ; *Amour et Psyché* ; *Fiançailles de sainte Catherine* ; *Foi, Espoir et Amour*.

STREICHER Kajetan
Né vers 1757. XVIIIe siècle. Actif à Salzbourg. Autrichien.
Peintre.
Il était le fils de Franz Nikolaus. Il devint en 1788 bourgeois de Salzbourg.

STREICHMAN Yehezkel
Né en 1906 à Kovno (Lithuanie). Mort en 1993. XXe siècle.
Depuis 1924 actif en Palestine puis en Israël.

Peintre à la gouache, aquarelliste, pastelliste, peintre de technique mixte.
Il émigra en Palestine en 1924 et étudia à l'Académie Bezalel de Jérusalem. En 1948 il fut l'un des fondateurs du mouvement d'Avant-garde *New horizons*.
Le Israel Museum à Jérusalem a montré une rétrospective de son œuvre en 1969. Il reçut, en 1990, le Prix de l'Etat d'Israël.
VENTES PUBLIQUES : TEL-AVIV, 23 nov. 1980 : *Personnage dans un intérieur* 1955, aquar. (87x58) : ILS 9 500 – TEL-AVIV, 15 mai 1982 : *Figure* 1980, aquar. (105,5x75) : ILS 44 350 – TEL-AVIV, 16 mai 1983 : *Abstraction* 1971, techn. mixte/pap. (58,5x88) : ILS 77 500 – TEL-AVIV, 16 mai 1983 : *Sans titre* 1967, h/t (80x60) : ILS 159 300 – TEL-AVIV, 17 juin 1985 : *Hayarkon* 1966, h/t (100x100) : ILS 5 200 000 – TEL-AVIV, 25 mai 1988 : *Bord de fenêtre* 1984, aquar. (47x62) : USD 1 485 – TEL-AVIV, 2 jan. 1989 : *Personnages et bateau à Sheva Tachanot*, aquar. et gche (32x39,5) : USD 1 760 – TEL-AVIV, 30 mai 1989 : *Paysage* 1955, h/t (80,5x70) : USD 17 600 – TEL-AVIV, 3 jan. 1990 : *Paysage* 1983, aquar. (62x47) : USD 2 860 – TEL-AVIV, 31 mai 1990 : *Composition* 1966, h/t (116x130) : USD 28 600 – TEL-AVIV, 1er jan. 1991 : *Portrait d'homme* 1969, aquar. et past. (29x20,5) : USD 990 – TEL-AVIV, 12 juin 1991 : *Sans titre* 1973, techn. mixte et h/pap. (74x72,5) : USD 6 600 – TEL-AVIV, 6 jan. 1992 : *Tête de femme* 1961, techn. mixte/pap. (62,5x47,5) : USD 3 410 – TEL-AVIV, 14 avr. 1993 : *L'automne à ma fenêtre* 1964, h/t (132,5x200) : USD 59 700 – TEL-AVIV, 27 sep. 1994 : *Fenêtre* 1977, aquar. et cr. (53x74,5) : USD 5 750 – TEL-AVIV, 30 juin 1994 : *Femme nue allongée* 1936, h/cart. (60x75) : USD 18 975 – TEL-AVIV, 22 avr. 1995 : *Nature morte avec des fleurs*, h/cart./t. (58,5x49) : USD 13 800 – TEL-AVIV, 11 avr. 1996 : *Vase de fleurs*, aquar./cr. (63,5x48,5) : USD 4 830 – TEL-AVIV, 7 oct. 1996 : *Composition* 1969, aquar. et past. avec reh. de gche/pap. (91x106) : USD 9 200 – TEL-AVIV, 30 sep. 1996 : *Vase de fleurs devant une fenêtre* 1983, h/pan. toilé (60,9x45,7) : USD 9 200 – TEL-AVIV, 24 avr. 1997 : *Vue de la fenêtre de l'atelier* 1974, aquar. et cr. (56,6x75,8) : USD 3 200 – TEL-AVIV, 12 jan. 1997 : *La Cave à vins, Zichron Yaacov* 1947, h/t (51x66,5) : USD 26 450 ; *La Femme de l'artiste* 1965, h/t (130x97) : USD 48 550 ; *Composition* 1969, gche et techn. mixte/pap. (63,5x48,5) : USD 2 185.

STREICKFUSS Wilhelm. Voir **STRECKFUSS Wilhelm**

STREIDL Max Joseph ou **Streidel**
Né vers 1807 à Murnau. Mort en 1837 à Augsbourg. XIXe siècle. Allemand.
Peintre.
Élève de l'Académie de Munich, il fit un voyage d'études à Rome en 1830.

STREIFF Peter
XVIe siècle. Actif à Berne vers 1500. Suisse.
Peintre verrier.

STREIGHT Howard
Né en octobre 1912 à San Jose (Californie). XXe siècle. Américain.
Peintre de paysages.

STREIP A.
XVIIe siècle. Hollandais.
Graveur sur bois.

STREISSENBERGER Balthasar
Né vers 1649. Mort le 26 avril 1693. XVIIe siècle. Actif à Salzbourg. Autrichien.
Sculpteur.

STREISSENBERGER Bonaventura
XVIIe siècle. Actif à Mattsee vers 1672. Autrichien.
Peintre.
Il peignit des tonneaux.

STREISSENBERGER Franz Joseph
XVIIIe siècle. Autrichien.
Peintre.

STREISZENBERGER Franz. Voir **STREUSZENBERGER**

STREISZENBERGER Paul. Voir **STREUSZENBERGER**

STREIT Balthasar
XVIIe siècle. Actif à Hellingen près de Königsberg (Franconie) au début du XVIIe siècle. Allemand.
Graveur.

STREIT Emmy
Née le 4 août 1886 à Neumünster (Schleswig-Holstein). XXe siècle. Allemande.

Peintre.

Elle travailla à l'Académie de Kassel entre 1913 et 1918. Elle vécut et travailla à Neumunster.

STREIT Karl
Né le 27 mai 1852 à Francfort-sur-le-Main. XIXe siècle. Actif à Francfort-sur-le-Main. Allemand.
Peintre de paysages et décorateur.

STREIT Robert
Né le 9 décembre 1883 à Gränzendorf (Bohême). XXe siècle. Autrichien.
Peintre, graveur.
De 1905 à 1912, il fut élève de l'Académie des Beaux-Arts de Vienne. En 1912, il obtint le prix de Rome.
Musées : GABLONZ : Portrait de la femme de l'artiste – VIENNE : Le Quai François Joseph.

STREITENFELD Ludwig ou Louis
Né le 20 décembre 1849 à Vienne. Mort le 6 février 1930 à Eisenach (Thuringe). XIXe-XXe siècles. Actif en Allemagne. Autrichien.
Peintre de portraits, paysages, natures mortes.
Il étudia jusqu'en 1872 à l'Académie de Vienne, ensuite dans les académies de Munich, Düsseldorf et Dresde. Il fit un voyage d'études en Italie, en France, en Suisse. Il travailla à Vienne, à Munich, à partir de 1890 à Berlin, à Neustrelitz et se fixa en 1927 à Eisenach.
Musées : NEUSTRELITZ (Mus. du château) : Le grand-duc Frédéric Guillaume de Mecklembourg – Le grand-duc Adolphe Frédéric V – Adolphe Frédéric VI – Le duc Charles Borwin – L'artiste par lui-même.

STREITER Joseph ou Streitter
Originaire de Weerberg près de Schwaz dans le Tyrol. XVIIIe siècle. Autrichien.
Sculpteur.

STREITHELM Nikolas
XVIIIe siècle. Actif à Ehrenbreitstein entre 1732 et 1744. Allemand.
Sculpteur.

STREITMANN Antal ou Anton
Né en 1850 à Nagykaroly. Mort le 3 mars 1918 à Nagybecskerek. XIXe-XXe siècles. Hongrois.
Peintre de paysages, écrivain.
Il fit ses études à Budapest.

STREITSCHEK Johann
Né le 19 septembre 1834 à Csik Szereda. Mort le 24 novembre 1893 à Vienne. XIXe siècle. Autrichien.
Peintre de fleurs et paysagiste.

STREITT Francz ou Franciszek
Né en 1839 à Brody. Mort le 29 décembre 1890 à Munich. XIXe siècle. Polonais.
Peintre de genre, figures, portraits, paysages animés, paysages.
Il fut élève à l'École des Beaux-Arts de Cracovie de 1858 à 1868. En 1868, il se rendit à Vienne où il travailla à l'Académie des Beaux-Arts avec Engerth jusqu'en 1871.
Musées : BADEN-BADEN : Scène de marché polonais – CRACOVIE (Mus. Nat.) : Enfants de savetiers jouant aux cartes – Enterrement de pauvres – Portrait d'hommes – Ainsi on rigolait quand le patron n'est pas là – LEMBERG : Portrait de dame – Arrestation d'un montagnard.
Ventes Publiques : NEW YORK, 1er-2 mars 1906 : L'Accident : USD 110 – LONDRES, 11 oct. 1968 : Paysage d'hiver animé de personnages : GNS 460 – VIENNE, 18 mars 1969 : Le Jour de l'An dans un petit village de Pologne : ATS 65 000 – LONDRES, 14 juin 1972 : Ménestrels dans un paysage d'hiver : GBP 1 100 – NEW YORK, 2 avr. 1976 : Un bon chien de garde 1876, h/t (69x157) : USD 1 900 – MUNICH, 19 sept 1979 : Le galant entretien, h/pan. (19x15) : DEM 15 000 – NEW YORK, 26 fév. 1982 : Musiciens ambulants, h/pan. (21,2x42) : USD 4 200 – LONDRES, 28 nov. 1990 : Gitans sur le chemin près d'un puits, h/t (40x82) : GBP 3 520 – COPENHAGUE, 29 août 1991 : Deux gamins de Munich, h/t (37x26) : DKK 16 000 – LONDRES, 16 nov. 1994 : Une fausse note, h/pan. (22x42) : GBP 5 750.

STREITTER Joseph. Voir STREITER

STRELE Martha
Née le 11 mars 1889 à Brixen, en italien Bressanone, (Trentin Haut-Adige). XXe siècle. Autrichienne.

Peintre de portraits, paysages, natures mortes.

Elle étudia à l'École des Beaux-Arts d'Innsbruck, chez Hugo Grimm et de 1911 à 1912 à l'Académie des Beaux-Arts de Munich. À partir de 1904, elle se fixa à Innsbruck.
Musées : BUDAPEST (Mus. de l'Armée) : Portrait du général Victor Weber von Webenau – INNSBRUCK (Ferdinandeum) : Paysage.

STRELKOWSKY Alexi Ivanovitch ou Strielkowski
Né en 1819. Mort en 1904 à Moscou. XIXe siècle. Russe.
Peintre de genre et de portraits.
Musées : MOSCOU (Gal. Tretiakov) : Doumacha, aqu. – Le dessinateur Borodin, aqu. – L'artiste, aqu. – Rue de village, aqu.

STRELLER Carl
Né en mars 1889 à Londres. XXe siècle. Allemand.
Graveur.
Il fut élève de l'Académie des Beaux-Arts de Leipzig de gravure. Il fut un collaborateur assidu de l'Illustrierte Zeitung de J. J. Weber.

STRELLER Heinrich
Mort en 1865 à Leipzig. XIXe siècle. Allemand.
Peintre.
Il était le grand-père de Carl.

STRELMAYER Friedrich Karl
XVIIe siècle. Allemand.
Peintre.

STREMEL Max Arthur
Né le 31 octobre 1859 à Zittau (Saxe). Mort le 26 juin 1928 à Ulm (Bade-Wurtemberg). XIXe-XXe siècles. Allemand.
Peintre de genre.
Il fut élève de l'Académie des Beaux-Arts de Munich. Il travailla à Dresde de 1896 à 1899, puis se fixa à Pasing. Il exposait à Paris où il obtint une médaille de bronze en 1889 et 1900 lors des Expositions universelles.
Musées : DRESDE : Chambre flamande – ULM : Moisson et paysage saxon.

STREMI Joseph
Né le 8 juin 1898. XXe siècle. Hongrois.
Peintre, aquarelliste.
Il a exposé, à Paris, au Salon des Artistes Français et au Salon d'Automne à partir de 1928.

STREMPEL Elisabeth
Née le 7 décembre 1840 à Rostock (Mecklembourg-Poméranie). Morte après 1910 à Schwerin (Mecklembourg-Poméranie). XIXe-XXe siècles. Allemande.
Peintre.
Elle étudia chez Paul Fischkein et Minna Ziel à Rostock, ensuite à Berlin, à Dresde, en Italie, de 1874 à 1875 et à Paris en 1878. Elle travailla à Berlin à partir de 1880 et se fixa ensuite à Schwerin (Meckl).
Musées : ROSTOCK : Enfant de patricien hollandais – SCHWERIN : Buste d'un jeune paysan.

STRENG Johann Joachim
Né en 1707 à Stockholm. Mort en 1763 à Stockholm. XVIIIe siècle. Suédois.
Miniaturiste, peintre de portraits.
Le Musée de Stockholm conserve de lui Portrait de K. Brenner, homme de loi, et celui de Göteborg, Le roi Adolphe Frédéric.

STRENGER Christian
XVIIIe siècle. Actif à Breslau vers 1733. Allemand.
Peintre.

STRENGER Johann
XVIIIe siècle. Actif à Detmold vers 1703. Allemand.
Peintre.

STRENGH Adriaen
Mort avant le 11 juillet 1704. XVIIe siècle. Actif à Rotterdam. Hollandais.
Sculpteur.

STRENGNÄS, Maître de. Voir MAÎTRES ANONYMES

STRENT Sygmunt Rafal
Né en 1943. XXe siècle. Polonais.
Peintre.
En 1972 il obtint le diplôme de l'Académie des Beaux-Arts de Varsovie. Dès 1971 il expose en Europe, en Argentine, au Canada et au Japon.
Musées : GDANSK – KATOWICE – LUBLIN – LUXEMBOURG – TORUN – VARSOVIE.

STRENZEL Ignaz
Né en 1786 à Vienne. Mort le 14 janvier 1832. XIXe siècle.
Autrichien.
Peintre de fleurs.
Il fut professeur à l'Académie.

STRESCHNAK Anton
Né le 21 janvier 1833 à Nieder-Schwägersdorf. Mort le 8 juin
1906 à Vienne. XIXe siècle. Autrichien.
Sculpteur.
Élève de l'Académie de Vienne. Il envoya en 1863 à l'Exposition
de mars des artistes autrichiens *La Naissance de la lumière*, ainsi
qu'un crucifix sculpté.

STRESCHNAK Robert
Né vers 1827. Mort le 4 juin 1897 à Vienne. XIXe siècle. Autri-
chien.
Sculpteur.

STRESI Pietro Martire
Mort en 1620. XVIIe siècle. Actif à Milan. Italien.
Peintre.
A surtout fait des copies, du reste estimées.

STRESOR Anne Marie Renée
Née le 23 janvier 1651 à Paris. Morte le 6 décembre 1713.
XVIIe-XVIIIe siècles. Française.
Peintre d'histoire et miniaturiste.
Reçue académicienne le 24 juillet 1676. Elle était fille de Henri
Stresor. Elle quitta l'Académie en 1687 et entra en religion au
couvent de la Visitation à Paris. Elle travailla au bénéfice de son
couvent et produisit un nombre important d'ouvrages.
VENTES PUBLIQUES : PARIS, 1889 : *Portrait de femme* : **FRF 1 780.**

STRESOR Henri
Né en Allemagne. Mort vers 1679. XVIIe siècle. Travaillant à
Paris. Français.
Portraitiste.
D'origine allemande, il vint se fixer à Paris et embrassa la reli-
gion catholique. Il a fait plusieurs portraits de Louis XIV et de
personnages célèbres.

STRETER Robert. Voir **STREATER**

STRETES Guillim ou **Streetes** ou **Streets** ou **Strettes**
XVIe siècle. Actif à Londres vers 1551. Britannique.
Peintre de portraits et miniaturiste.
Peintre du roi Édouard VI. On cite notamment de lui un excellent
portrait d'Édouard VI conservé au Musée du Louvre à Paris.
VENTES PUBLIQUES : LONDRES, 1882 : *Portrait d'Édouard VI* :
FRF 19 944 – LONDRES, 15 mars 1922 : *Édouard VI* : **GBP 34** –
LONDRES, 8 juil. 1927 : *Édouard VI* : **GBP 504** – LONDRES, 11 juil.
1930 : *Sir Thomas Pope* : **GBP 304** – LONDRES, 24 fév. 1937 : *Le roi
Édouard VI* : **GBP 580** – LONDRES, 1er juil. 1938 : *Édouard VI* :
GBP 378 – LONDRES, 28 mars 1947 : *Édouard VI* : **GBP 577** –
LONDRES, 7 juil. 1967 : *Portrait du roi Édouard VI* : **GNS 950** –
LONDRES, 21 juin 1968 : *Portrait de Katherine Parr, sixième femme
d'Henry VIII* : **GNS 7 000.**

STRETTI Viktor
Né le 7 avril 1878 à Plazy, près de Plzen (ou Pilsen en alle-
mand). XXe siècle. Tchécoslovaque.
Peintre, graveur.
Il étudia à Prague et à Munich. Il fit un voyage d'études à Paris en
1901 et se fixa ensuite à Prague.

STRETTI-ZAMPONI Jaromir
Né le 11 juin 1882 à Plazy, près de Plzen (ou Pilsen en alle-
mand). XXe siècle. Tchécoslovaque.
Graveur.
Il était le frère de Viktor Stretti. Il travailla à Paris de 1912 à 1913
et à Prague.

STRETTO Niccolo
XVIIe siècle. Italien.
Stucateur.

STRETTON Philip Eustace. Voir **STREETON Philippe
Eustace**

STRETTON Ricardus de ou **Styrton**
XIVe-XVe siècles. Britannique.
Enlumineur.
Il fut rétribué en 1399 et en 1402 pour ses enluminures des livres
du chœur de York Minster.

STREUBEL Alfred
Né le 28 avril 1861. XXe siècle. Allemand.

Peintre.
Il vécut et travailla à Chemnitz. Il était également docteur en
médecine. Il a exécuté des paysages qui se trouvent actuellement
à l'hôtel de ville de Chemnitz.

STREUBER Friedrich
XIXe siècle. Actif à Dresde vers 1830. Allemand.
Peintre de portraits et lithographe.

STREURMANN G. H.
Né le 8 mars 1882 à Helpman. XXe siècle. Hollandais.
Peintre de natures mortes, paysages.
Il fut élève de O. Eerelman. Il vécut et travailla à Groningen.

STREUSZENBERGER Franz ou **Streiszenberger**
Né le 22 février 1806 à Timelkam. Mort le 7 juillet 1879 à Ried.
XIXe siècle. Autrichien.
Peintre.
Élève de Franz Muller à Gmunden et de l'Académie de Vienne. Il
travailla comme peintre à Vienne, à Munich, à Linz et à Wels.

STREUSZENBERGER Paul ou **Streiszenberger**
Né vers 1810 à Timelkam. Mort en 1857. XIXe siècle. Autri-
chien.
Peintre.
Il était le frère de Franz.

STREUTZEL Otto, orthographe erronée. Voir **STRÜTZEL**

STREVENS, pseudonyme de **Frederick John Lloyd**
Né le 12 juillet 1902 à Londres. XXe siècle. Britannique.
Peintre.
Bien qu'il suivît quelque temps les cours à l'École d'Art de Heatherley à Londres, il fut surtout autodidacte. Il a régulièrement
exposé à la Royal Academy.
Influencé par les impressionnistes, il s'oriente parfois vers l'art
abstrait, mais préfère peindre dans un style romantique et réaliste. Il s'est spécialisé dans les portraits d'enfants.

STRICCOLI Carlo
Né en 1897 à Bari (Pouilles). XXe siècle. Italien.
Peintre.

STRICH-CHAPELL Ferdinand
Né le 4 janvier 1850 à Aix-la-Chapelle. XIXe siècle. Allemand.
Graveur sur bois, surtout de reproductions.
Élève de H. Burkner.

STRICH-CHAPELL Walter
Né le 28 juillet 1877 à Stuttgart (Bade-Wurtemberg). XXe
siècle. Allemand.
Graveur sur bois.
Il étudia à l'École des Beaux-Arts de Stuttgart, et aux Académies
des Beaux-Arts de Karlsruhe et de Stuttgart. Il vécut et travailla à
Sersheim. Il grava surtout des reproductions.

STRICK J. Henri
Né le 20 juin 1892 à Borgerhout (Anvers). XXe siècle. Belge.
**Peintre de scènes religieuses, genre, figures, portraits,
paysages. Réaliste.**
Il a été élève de l'Académie et de l'Institut supérieur d'Anvers
sous la direction de J. De Vriendt et de I. Opsomer. Il a séjourné
en Hollande entre 1914 et 1916 où il a peint de nombreux por-
traits. Il a obtenu le prix de peinture du Gouvernement en 1914
et le prix Van Lerius en 1919.
BIBLIOGR. : In : *Dictionnaire biographique illustré des artistes en
Belgique depuis 1830*, Arto, Bruxelles, 1987.
MUSÉES : ANVERS.

STRICK Jan ou **Hans**
XVIIe siècle. Actif à Delft vers 1611. Hollandais.
Graveur.
Époux de Maria Strick. Il fut maître d'école à Rotterdam.

STRICK Maria, née **Becq**
Née en 1577 à Herzogenbusch. XVIIe siècle. Hollandaise.
Calligraphe et graveur au burin.
Elle épousa en 1598 le graveur Jan Strick.

STRICK Pieter
XVIIIe siècle. Hollandais.
Peintre de sujets mythologiques, figures, portraits.
Actif à Amsterdam de 1708 à 1729, il fut le professeur de B. Bes-
chey.
VENTES PUBLIQUES : MILAN, 13 déc. 1989 : *Diane et Acteon* ; *Tetis
immergeant Achille dans l'eau du Styx*, h/pan., une paire (chaque
29x47) : **ITL 16 000 000.**

STRICKER Christian Frederike
Née le 3 avril 1780 à Weilbourg. Morte le 27 octobre 1840 à
Francfort-sur-le-Main. XIXe siècle. Allemande.

Peintre de fleurs.
Elle était la sœur de Philipp. Elle fut l'élève de F. C. Zschoche et travailla à Francfort-sur-le-Main.

STRICKER Gina. Voir **TELCS-STRICKER Gina**

STRICKER Kaspar
XVIe siècle. Allemand.
Ébéniste.

STRICKER Michael
Originaire de Dinkelsbuhl. Mort le 28 septembre 1650 à Francfort-sur-le-Main. XVIIe siècle. Allemand.
Sculpteur sur bois.

STRICKER Philipp Valentin Wilhelm
Né le 10 février 1782 à Weilbourg. Mort le 13 juin 1830 à Francfort-sur-le-Main. XIXe siècle. Allemand.
Dessinateur et graveur amateur.
Il était le frère de Christian Frederike S.

STRICKER Willem. Voir **BRASSEMARY**

STRICKLER Joh. Franz. Voir **STRIKLER**

STRICKNER Andreas
Né en 1863 à Steinach-sur-le-Brenner. XIXe-XXe siècles. Autrichien.
Peintre, peintre de sujets religieux.
Il étudia à Innsbruck et à Munich. A partir de 1898, il se fixa à Linz. Il exécuta des fresques dans des églises de Linz et de Bad Ischl.

STRICKNER Anton
Né le 3 mars 1822 à Steinach. Mort le 9 novembre 1895 à Steinach. XIXe siècle. Autrichien.
Sculpteur.

STRICKNER Anton, le Jeune
Né le 3 mars 1858. XIXe siècle. Actif à Steinach. Autrichien.
Peintre.
Élève de son oncle Anton.

STRICKNER Johann Michael
Né le 11 août 1720 à Innsbruck. Mort le 16 novembre 1759 à Innsbruck. XVIIIe siècle. Autrichien.
Peintre.
Il était le père de Joseph Leopold. Il étudia à Innsbruck chez le peintre Ignaz Pögel. Il a beaucoup travaillé dans les églises du Tyrol.

STRICKNER Josef Leopold
Né le 15 novembre 1744 à Innsbruck. Mort le 2 avril 1826 à Innsbruck. XVIIIe-XIXe siècles. Autrichien.
Peintre et graveur au burin.
Il était le fils et l'élève de son père Johann Michael. On lui doit de nombreuses fresques dans les églises du Tyrol.

STRICKNER Karl
Né au XVIIIe siècle à Innsbruck. XVIIIe siècle. Autrichien.
Peintre.
Auteur de fresques religieuses.

STRICTIUS Ludwig
Né le 21 décembre 1837 à Vienne. Mort le 16 janvier 1916 à Vienne. XIXe-XXe siècles. Autrichien.
Sculpteur, décorateur de théâtres.
A décoré vingt-trois théâtres, parmi lesquels celui de Graz.

STRIDBECK Johann I ou **Striedbeck**
Né en 1640. Mort le 28 juillet 1716 à Augsbourg. XVIIe-XVIIIe siècles. Allemand.
Dessinateur de vues de villes et paysages et graveur au burin.

STRIDBECK Johann II, le Jeune ou **Striedbeck**
Né en 1665 à Augsbourg. Mort le 19 décembre 1714 à Augsbourg. XVIIe-XVIIIe siècles. Allemand.
Dessinateur et graveur au burin.
Il était le fils et fut l'élève de Johann I. Il travailla à Augsbourg, à Berlin, à Francfort-sur-l'Oder, à Leipzig, à Francfort-sur-le-Main entre 1690 et 1710. Ses œuvres n'ont qu'une valeur artistique assez médiocre.

STRIDBECK Johann III ou **Striedbeck**
Né le 30 juin 1707 à Francfort-sur-le-Main. Mort le 6 février 1772 à Strasbourg. XVIIIe siècle. Allemand.
Graveur au burin.
Il était le fils de Johann II et travailla à Strasbourg, Augsbourg et Bâle. Il a gravé des portraits et des vues.

STRIDBECK Johann Friedrich ou **Striedbeck**
Né en 1748 à Strasbourg. XVIIIe siècle. Allemand.
Graveur au burin.
Il était le fils de Johann III.

STRIDE Jeffrey
XXe siècle. Depuis 1971 actif en France. Britannique.
Peintre.
Après avoir fait ses études à Londres, il se fixa en France en 1971. Il exposa au Musée de Cahors en 1980, à New York l'année suivante. Nombreuses expositions à Londres et à Paris.
MUSÉES : CARDIFF (Mus. Nat. du Pays de Galles).
VENTES PUBLIQUES : PARIS, 26 mai 1989 : *Femme dans un fauteuil*, h/t (92x60) : FRF 3 500.

STRIEBEL Franz Xaver
Né le 21 février 1821 à Mindelheim. Mort le 21 février 1871 à Munich. XIXe siècle. Allemand.
Peintre de genre.
Élève de l'Académie de Munich. Il travailla dans cette ville, dont la Pinacothèque conserve de lui : *Adieu*.

STRIEBEL Friedrich Siegmund
Né vers 1700. Mort le 4 août 1753 à Rome. XVIIIe siècle. Allemand.
Peintre de portraits.
Il travailla à Oschatz (1721) à Dresde et à partir de 1743 à Rome.

STRIEDBECK. Voir **STRIDBECK**

STRIEFFLER Heinrich
Né le 8 juillet 1872 à Neustadt (dans le Haardt). Mort en 1949 à Landau (Bade-Wurtemberg). XXe siècle. Allemand.
Peintre.
Il fut élève de l'École des Arts Décoratifs de Munich de 1891 à 1893 et de l'Académie des Beaux-Arts de 1893 à 1898.
VENTES PUBLIQUES : HEIDELBERG, 15 oct. 1994 : *Vue de Frankweiler*, h/t (43x53,5) : DEM 7 800.

STRIEFFLER Marie
Née en 1917 à Landau (Palatinat). Morte en 1987 à Landau. XXe siècle. Allemande.
Peintre de fleurs.
VENTES PUBLIQUES : HEIDELBERG, 11 avr. 1992 : *Bouquet de fleurs d'été dans un vase bleu* 1973, h/t (76x59) : DEM 4 200.

STRIEGEL. Voir **STRIGEL**

STRIEGLER Andreas Curt
Né le 11 juin 1887 à Mugeln. XXe siècle. Allemand.
Peintre d'animaux.
Il fut élève des Académies des Beaux-Arts de Leipzig, de Bruxelles et de Munich.

STRIELKOWSKI Alexi Ivanovitch. Voir **STRELKOWSKY**

STRIEMER Emil
Mort le 28 juin 1909 à Berlin. XIXe-XXe siècles. Actif à Berlin. Allemand.
Peintre de portraits et d'histoire.
Il exposa de 1876 à 1892 à l'Académie de Berlin.

STRIENING Jan
Né le 27 février 1827 à Haarlem. Mort le 3 janvier 1903 à Rotterdam. XIXe siècle. Hollandais.
Peintre et dessinateur.
Élève de J. P. Blom, H. Reekers, et D. J. H. Joosten, il devint en 1881 professeur à l'Académie de Rotterdam.
VENTES PUBLIQUES : CHESTER, 14 oct. 1982 : *Jour de lessive* ; *L'heure du thé*, h/t, une paire (46x58,5) : GBP 2 100.

STRIEP Kristiaan Jansz
Né en 1634 à Herzogenbusch. Mort en septembre 1673 à Amsterdam. XVIIe siècle. Hollandais.
Peintre.
Bourgeois d'Amsterdam en 1656. Il eut pour élève A. de Heusch.

MUSÉES : SCHWERIN : *Déjeuner* – STOCKHOLM : deux natures mortes – VIENNE (Mus. d'Hist. de l'Art) : *Nature morte*.

VENTES PUBLIQUES : LONDRES, 8-9 avr. 1943 : *Trois verres de vin, citrons et oranges :* **GBP 68** – LONDRES, 6 déc. 1972 : *Nature morte à la coupe d'or :* **GBP 1 000** – LONDRES, 29 mars 1974 : *Nature morte :* **GNS 1 800** – LONDRES, 12 déc 1979 : *Nature morte, h/t (68x56) :* **GBP 6 000.**

STRIETZKE Christoph. Voir STRITZKI

STRIGEL, famille d'artistes
XVe-XVIe siècles. Actifs à Augsbourg. Allemands.
Peintres.
On cite parmi les membres de cette famille : *Claude Wolff*, mort avant 1495, *Hans Wolff*, mort en 1547, et *Wolff*, qui habitait entre 1487 et 1522 à Lunftakten.

STRIGEL Bernhard, dit le Maître de la Collection Hirscher

Né vers 1460 ou 1461. Mort le 4 mai 1528 à Memmingen. XVe-XVIe siècles. Allemand.
Peintre d'histoire et de portraits.
Cet artiste important de l'École allemande était fils, croit-on, d'Yvo Strigel. Vers 1460, Bernhard alla à Ulm, où il fut l'aide de Zeitblom. Plus tard on le trouve à Augsbourg en rapport avec Hans Burckmair. On croit qu'il s'établit à Memmingen dès 1483 ; dans tous les cas il est cité en 1506. En 1517, il est à Augsbourg et à Vienne de 1520 à 1525. L'empereur Maximilien se fit peindre plusieurs fois par lui, l'employa à différentes reprises et l'anoblit. On croit qu'il fut aussi peintre à fresque et on lui attribue cinq des peintures murales du cloître de l'église des franciscains à Schwaz près d'Innsbruck et d'autres ouvrages dans le voisinage. Il peignit, entre autres, le retable de Mindelheim, aujourd'hui divisé entre Nuremberg et le château de Donzdorf. Ses portraits sont fort remarquables et nombre d'entre eux furent attribués aux deux Hans Holbein, à Schongauer, à Amberger. On le désignait autrefois sous l'appellation : « Le Maître de la Collection Hirscher », en raison de peintures classées comme ayant appartenu au chanoine Hirscher, de Fribourg. La découverte de son nom et d'une notice au dos d'un de ses ouvrages, au dépôt du Musée de Berlin et des découvertes plus récentes dans les archives de Memmingen, ont permis de rétablir sa personnalité.
MUSÉES : BÂLE : *Sainte Anne – Martyre de saint Laurent* – BERLIN : *Marie Madeleine et saint Jean-Baptiste – Saint Laurent et sainte Catherine – Saint Vitus et sainte Marguerite – Elisabeth de Huningue et l'empereur Henri II – Saint Norbert – Johannes Cuspinian et sa famille – Naissance de la Vierge et Marie allant au temple,* deux tableaux d'autel *– Mort de la Vierge et Visitation,* deux tableaux d'autel *– L'Empereur Maximilien 1504* – BONN : *Le Christ quitte ses vêtements avant d'être crucifié* – BUDAPEST : *Vladislas* – DONAUESCHINGEN : *Légende de saint Guy – Un possédé est guéri par saint Guy – Jean II, comte de Montfort* – DUBLIN : *Jean III, comte de Montfort* – FLORENCE (Mus. des Offices) : *Groupe de la croix* – FRANCFORT-SUR-LE-MAIN : *Sainte Catherine d'Alexandrie* – FRIBOURG : *Mort de saint Guy* – GÖTTINGEN : *Adieux du Christ* – INNSBRUCK : *Marie de Bourgogne* – KARLSRUHE : *Visitation* – MEMMINGEN (Staedtisches Mus.) – MUNICH : *David avec la tête de Goliath – Saint Servatius, évêque – Vieillard, jeune femme et garçon – Ysathar et Suzanne – Zacharie et Élisabeth – Conrad Rehlinger – Les enfants de Conrad Rehlinger – H. Haller – L'Empereur Maximilien Ier en armure dorée – Sibylla von Freyberg* – NAPLES : *Charles Quint* – NEW YORK (Metrop. Mus.) : *Portrait de femme* – ROME (Borghèse) : *Charles Quint* – STRASBOURG : *Maximilien Ier – Mort de la Vierge* – STUTTGART : *Fuite en Égypte – Ensevelissement – Couronnement de la Vierge – La Vierge au Temple – Visitation – Présentation de Jésus au Temple – Portement de croix – Résurrection* – ULM : *Adoration de Marie* – VIENNE : *La Sainte Famille – Maximilien et sa famille – Maximilien,* deux fois *– Louis II de Hongrie, enfant – Un couple – L'Évangéliste Jean – Le Christ se dépouille de ses vêtements avant d'être crucifié.*
VENTES PUBLIQUES : PARIS, 9-11 déc. 1912 : *Un ange :* **FRF 15 200** – LONDRES, 20 nov. 1925 : *Gentilhomme de la cour de Maximilien :* **GBP 1 575** – LONDRES, 27 juin 1930 : *L'Empereur Maximilien :* **GBP 892** – BERLIN, 30 sep. 1930 : *L'Empereur Maximilien :* **DEM 41 000** ; *Maximilien Ier :* **DEM 60 000** ; *Maria von Burgund :* **DEM 60 000** – NEW YORK, 20 nov. 1931 : *Sainte Catherine :* **USD 650** ; *Saint Laurent :* **USD 650** – LONDRES, 29 mars 1935 : *Maria, sœur de Maximilien :* **GBP 441** – LONDRES, 10-14 juil. 1936 : *La Vierge et l'Enfant,* pl. : **GBP 367** – LONDRES, 8 juil. 1938 : *L'Empereur Maximilien en armure :* **GBP 131** – LONDRES, 27 juin 1939 : *L'Empereur Maximilien :* **GBP 110** – NEW YORK, 5 nov. 1942 : *Saint Onofrio :* **USD 600** – LONDRES, 16 déc. 1942 : *L'Empereur*

Maximilien : **GBP 780** – NEW YORK, 24 mai 1944 : *Un donateur et sa famille :* **USD 1 400** – LONDRES, 26 juin 1959 : *Portrait de l'Empereur Maximilien :* **GBP 1 365** – LONDRES, 14 juin 1961 : *Portrait de femme :* **GBP 2 100** – LONDRES, 27 juin 1962 : *Portrait d'un homme barbu :* **GBP 4 500** – LONDRES, 6 juil. 1966 : *Portrait en buste d'une femme :* **GBP 6 000** – LONDRES, 21 juin 1978 : *L'Annonciation à sainte Anne et saint Joaquin* vers 1506/7, h/pan. (58x30) : **GBP 120 000** – LONDRES, 4 juil. 1997 : *Portrait en buste de l'Empereur Maximilien portant le col et l'insigne de l'Ordre de la Toison d'Or, tenant une lettre à la main, un paysage avec une ville fortifiée sur une rivière et des montagnes aux sommets enneigés dans le lointain, h/pan. mar.* (55x38) : **GBP 78 500.**

STRIGEL Claus
XVIe siècle. Actif à Memmingen vers 1500. Allemand.
Peintre.
Peut-être le fils de Hans le Jeune.

STRIGEL Hans, l'Ancien
XVe siècle. Allemand.
Peintre, et sans doute sculpteur.
Peintre et sans doute sculpteur sur bois, de portraits, il travailla à Memmingen entre 1430 et 1462.
MUSÉES : MUNICH (Mus. Nat.) : *Saint Léonard, Marie et Agathe* – ULM : deux volets d'autel.

STRIGEL Hans, le Jeune
XVe siècle. Actif à Memmingen, entre 1450 et 1479. Allemand.
Peintre.
Il était le fils de Hans l'Ancien. Le Musée de Budapest conserve de lui deux volets d'autel.

STRIGEL Heinrich
XVIIe siècle. Actif à Wernigerode. Allemand.
Peintre.

STRIGEL Yvo ou Yfo ou Eyff ou Strigeler
Né en 1430. Mort le 15 août 1516 à Memmingen. XVe-XVIe siècles. Allemand.
Peintre.
Il travailla avec Bernhard Strigel au retable des Rois Mages. Il peignit, notamment, à 81 ans, un tableau d'autel, pour l'église de S. Maria Val Calanea, conservé actuellement au Musée de Bâle.
MUSÉES : MEMMINGEN (Staedtisches Mus.).

STRIGL Therese
Née le 15 juillet 1824 à Sautens. Morte le 16 février 1908 à Sautens. XIXe siècle. Autrichienne.
Peintre.

STRIGLIONI Gio. Mattia
Né le 27 février 1628 à Badalucco, en Ligurie. Mort le 1er septembre 1685 à Badalucco, en Ligurie. XVIIe siècle. Italien.
Graveur amateur.

STRIJ Abraham Van. Voir STRY

STRIJ Jacob Van. Voir STRY

STRIJBOSCH Wim
Né en 1928. Mort en 1968. XXe siècle. Hollandais.
Peintre.
En 1951 il entre dans le groupe Creatie, se liant ainsi au mouvement Vrij Beelden et au groupe COBRA ; il privilégie alors une abstraction purement géométrique, et associe des œuvres des éléments cosmiques. Il quitte Creatie en 1953 et sa peinture devient plus expressionniste. Il utilise les couleurs primaires, les fait se heurter, et recourt parfois à des éléments figuratifs.
VENTES PUBLIQUES : AMSTERDAM, 3 juin 1997 : *Sans titre, h/t (80,5x110) :* **NLG 18 880.**

STRIJDONCK Guillaume Van. Voir STRYDONCK

STRIK Jacob Van
XVIIe siècle. Éc. flamande.
Peintre.

STRIKLER Joh. Franz ou Strickler
Né le 26 octobre 1666 à Menzingen. Mort le 24 octobre 1722 à Menzingen. XVIIe-XVIIIe siècles. Suisse.
Il a surtout composé des tableaux d'inspiration religieuse.

STRIMPL Ludwik
Né le 18 novembre 1880 à Prague. Mort le 20 décembre 1937 à Prague. XXe siècle. Tchécoslovaque.
Peintre, graveur, illustrateur.
Il fut élève de V. Hynais à Prague. Il est l'illustrateur de *L'Homme invisible* de H. G. Wells chez Calmann-Lévy en 1912.

BIBLIOGR. : In : *Dictionnaire des illustrateurs 1800-1914*, Ides et Callendes, Neuchâtel, 1989.

STRINA Ferdinando
XVIIIe siècle. Actif entre 1730 et 1760 à Naples. Italien.
Graveur d'ornements.
Prieur.

STRINA Pietro
Né le 23 décembre 1874 à Ascoti Piceno. Mort le 7 août 1927 à Naples (Campanie). XXe siècle. Italien.
Peintre de portraits, paysages, marines.
Il fut élève de F. Prosperi et E. Ximenez à Rome. Il travailla plus de vingt ans à São Paulo au Brésil surtout comme portraitiste.

STRINDBERG August Johan
Né le 22 janvier 1849 à Stockholm. Mort le 14 mai 1912 à Stockholm. XIXe-XXe siècles. Suédois.
Peintre de paysages, paysages d'eau. Expressionniste.
Il apprit à peindre avec son ami le paysagiste Per Ekström en 1872 à Stockholm. Il séjourna une première fois à Paris, en 1871, puis il s'y établit, de 1883 à 1889. Bien qu'il eût connu les impressionnistes, dès son voyage à Paris, c'est-à-dire à la naissance même de l'impressionnisme, il resta en peinture un indépendant, ce qui ne veut pas dire le moins du monde qu'il pratiquait une peinture rétrograde. Au contraire, on est surpris aujourd'hui de sa véhémente expressionniste, qui peut s'expliquer par son lien d'amitié avec Edvard Munch. En 1987, à Paris, il était représenté à l'exposition *Lumières du Nord – La Peinture Scandinave 1885-1905*, au Musée du Petit Palais.
On ne retrouve pas trace de sa peinture de 1874 à 1892, puis il semble avoir travaillé en alternance peinture (1892-1894, 1901-1903, 1905) et littérature. Son œuvre plastique est un complément à son œuvre littéraire, pièces de théâtre et romans. Il travaillait au couteau et il qualifiait lui-même ses paysages de symbolistes dans un essai : *Des arts nouveaux ! ou Le hasard dans la production artistique*. En peinture, il ne s'occupait pas des humains, seulement de transgresser les apparences, de douer des éléments d'une existence panthéiste, de confondre ensemble les forces de la nature, mer et ciel, nuages et vent, mâts de navires et arbres dans la tempête ; manière qui rappelle l'œuvre graphique d'un autre poète visionnaire, Victor Hugo.
BIBLIOGR. : Pierre Volboudt, in : *Diction. Univers de l'Art et des Artistes*, Hazan, Paris, 1967.
MUSÉES : STOCKHOLM (Nat. Mus.) : *La ville* – STOCKHOLM (Mus. Strindberg).
VENTES PUBLIQUES : STOCKHOLM, 30 oct 1979 : *L'Arbre*, h/pan. (32x22,5) : **SEK 31 100** – STOCKHOLM, 27 oct. 1981 : *Paysage*, h/t (33x25) : **SEK 82 000** – STOCKHOLM, 24 avr. 1984 : *Fackelblomster* 1892, h/t (35x56) : **SEK 1 325 000** – STOCKHOLM, 9 avr. 1985 : *Paysage nocturne* 1893, h/t (79x59) : **SEK 200 000** – LONDRES, 26 nov. 1986 : *Le Mirage* 1902, h/t (10x18,5) : **GBP 32 000** – STOCKHOLM, 19 oct. 1987 : *Pommiers en fleurs*, h/cart. (17x13) : **SEK 400 000** – STOCKHOLM, 15 nov. 1988 : *Vita Märrn ii* 1892, h. (51x64) : **SEK 3 000 000** – LONDRES, 16 mars 1989 : *L'enfer* 1903, h/t (100x70) : **GBP 1 210 000** – LONDRES, 27-28 mars 1990 : *Tableau de l'automne doré* 1901, h/t (54x35) : **GBP 968 000** – LONDRES, 29 mars 1990 : *Soleil couchant*, h/t (40,2x29,3) : **GBP 418 000** – STOCKHOLM, 19 mai 1992 : *Paysage côtier sur un écran d'écume*, h/t (100x70) : **SEK 1 020 000** – LONDRES, 17 juin 1992 : *L'enfer* 1901, h/t (100x70) : **GBP 473 000** – STOCKHOLM, 5 sep. 1992 : *Terre profonde*, pan. (75x53) : **SEK 3 600 000** – LONDRES, 16 juin 1993 : *Phare II* 1901, h/t (99x69) : **GBP 309 500**.

STRINDBERG Tore
Né le 19 février 1882. Mort en 1968. XXe siècle. Suédois.
Sculpteur, médailleur.
Il était le fils d'un neveu d'August Strindberg. Il fut élève de A. Lindberg (1898-1902) et de l'Académie des Beaux-Arts de Stockholm de 1902 à 1905.
MUSÉES : STOCKHOLM (Mus. Nat.) : *Diane* – STOCKHOLM (Jardin de l'Hôtel de Ville) : *Crocus*.
VENTES PUBLIQUES : STOCKHOLM, 18 nov. 1984 : *Diane chasseresse chevauchant une biche* 1923, bronze (H. 42) : **SEK 21 000** – NEW YORK, 30 mars 1985 : *Asia*, bronze, patine noire (H. 131,5) : **USD 10 000** – STOCKHOLM, 13 nov. 1986 : *Tête de femme* 1945, bronze doré (H. 21) : **SEK 12 500** – STOCKHOLM, 14 juin 1990 : *Tête de jeune femme*, bronze monté sur socle (H. 21) : **SEK 8 500** – STOCKHOLM, 30 nov. 1993 : *Diane chasseresse*, bronze (H. 42,5) : **SEK 22 000**.

STRINGA Alberto
Né en 1881 à Caprino Veronese. Mort le 7 décembre 1931 à Caprino Veronese. XXe siècle. Italien.

Peintre, lithographe.
Il travailla à Rome (1900-1902), à Paris (1903-1905) et à Vienne de 1907 à 1914. À partir de 1918, il se fixa à Caprino Veronese.
VENTES PUBLIQUES : ROME, 19 nov. 1992 : *Jeune fille dans un intérieur*, h/t (160x97) : **ITL 9 200 000** – MILAN, 21 déc. 1993 : *Femme dans un jardin* 1925, h/t (109,5x80) : **ITL 3 450 000**.

STRINGA Francesco
Né le 25 août 1635 à Modène. Mort le 19 mars 1709 à Modène. XVIIe-XVIIIe siècles. Italien.
Peintre d'histoire et graveur au burin.
Conservateur des tableaux du grand-duc de Modène. Le Musée de Modène conserve de lui *Visitation*, et celui d'Orléans, *Couronnement d'épines*.
VENTES PUBLIQUES : PARIS, 24 juin 1929 : *L'ange et le jeune Tobie*, dess. : **FRF 100**.

STRINGARI Remo
Né le 5 septembre 1879 à Aldeno. Mort le 20 mars 1924 à Trente (Trentin-Haut-Adige). XXe siècle. Italien.
Sculpteur.
Il fut élève de H. Bitterlich à l'Académie des Beaux-Arts de Vienne. On lui doit un buste de *Verdi* conservé au théâtre de Trente.

STRINGER Daniel
XVIIIe siècle. Actif à Londres. Britannique.
Peintre de portraits et de genre.
Il était élève des écoles de la Royal Academy vers 1770. Ses œuvres n'étaient pas sans mérite, mais il paraît avoir abandonné l'art assez tôt. La National Gallery de Londres conserve de lui : *Portrait de l'artiste par lui-même*.

STRINGER Francis
Né vers 1740. Mort vers 1790. XVIIIe siècle. Britannique.
Peintre animalier.
Il a surtout peint des chevaux et scènes de chasse.
VENTES PUBLIQUES : LONDRES, 22 juin 1979 : *Pur-sang et groom dans un paysage*, h/t (62,3x90,2) : **GBP 3 800** – LONDRES, 19 juil. 1985 : *The Draught of the Trent* 1800 ?, h/t (99x124,5) : **GBP 10 000** – NEW YORK, 5 juin 1986 : *Macheath held by a groom in a landscape* 1780, h/t (63,5x87,7) : **USD 18 000** – LONDRES, 15 juil. 1988 : *Trotteur bai avec son palefrenier dans un paysage boisé*, h/t (101,6x86,3) : **GBP 22 000** – LONDRES, 12 juil. 1989 : *Little Fox et Orinoco, deux trotteurs avec un palefrenier dans un paysage*, h/t (69,5x105) : **GBP 18 700** – LONDRES, 15 nov. 1989 : *Samuel Frith avec ses piqueurs et sa meute à Chapel-en-le-Frith dans le Derbyshire*, h/t (155x239) : **GBP 28 600** – LONDRES, 1er mars 1991 : *Beauty, cheval d'attelage gris pommelé avec son harnachement* 1782, h/t (86,5x119) : **GBP 8 580** – NEW YORK, 3 juin 1994 : *Samuel Frith avec les piqueurs et la meute de Chapel-en-le-Frith dans le Derbyshire*, h/t (154,3x238,8) : **USD 39 100**.

STRINGER Samuel
Mort en 1784. XVIIIe siècle. Actif à Knutsford. Britannique.
Peintre de paysages.
Il était le frère de Daniel et envoya huit tableaux à l'exposition de Liverpool en 1784.

STRINGOVITS Ferry ou Franciska, née Czipek
Née le 12 octobre 1893. XXe siècle. Hongroise.
Sculpteur.
Il vécut et travailla à Budapest.

STRINTZ Theodor Wilhelm
Né le 18 août 1808 à Strasbourg. Mort le 30 avril 1837 à Strasbourg. XIXe siècle. Français.
Peintre et lithographe.
Il étudia jusqu'en 1832 à Paris.

STRITT Louis Adolphe
XXe siècle. Français.
Peintre.
Il a régulièrement exposé au Salon des Artistes Français à Paris. Il y obtint une mention en 1942, des médailles d'argent en 1943, d'or en 1944. Il fut sociétaire hors-concours.

STRITZKE Joh. Christ.
XVIIIe siècle. Actif à Breslau. Allemand.
Graveur.

STRITZKI Christoph ou Strietzke, Strutzky
Né en 1694 à Christbourg. Mort le 29 mars 1753 à Dantzig. XVIIIe siècle. Actif à Dantzig. Allemand.
Sculpteur.

STRIXNER August
Né en 1820 à Vienne. XIXe siècle. Autrichien.

Lithographe et aquarelliste.

Il travailla de 1836 à 1839 à Munich, ensuite à Vienne et de 1848 à 1855 à Pest. Il a lithographié de très nombreux portraits.

STRIXNER Bonaventura
Né en 1787. Mort le 4 octobre 1830 à Vienne. XIXe siècle. Actif à Vienne. Autrichien.
Peintre et lithographe.

STRIXNER Nepomuk Johann
Né en 1782. Mort en 1855 à Munich. XIXe siècle. Actif à Altötting. Allemand.
Dessinateur, graveur au burin et lithographe.

Élève de Mitterer à Munich. Il se consacra surtout à la reproduction de tableaux de maîtres.

STROBECH Niels
Né en 1944 à Copenhague. XXe siècle. Danois.
Peintre de compositions à personnages, intérieurs. Réaliste, tendance nouvelle objectivité.

Il fut élève de l'Académie des Beaux-Arts de Copenhague sous la direction de Egill Jacobsen de 1962 à 1967.

Il expose collectivement à partir de 1966 au Salon de Printemps à Copenhague, puis : 1966-1972, Charlottenborg, Copenhague ; 1966-1969, Salon d'Automne, Copenhague ; 1969, Biennale de la Baltique, Rostock ; 1972, Louisiana ; 1973, *Art Danois* aux Galeries Nationales du Grand Palais, Paris ; etc.

Niels Strobech pratique une peinture réaliste qui puise ses sources dans celle traditionnelle et minutieuse des maîtres hollandais. S'y ajoute une approche symboliste, voire surréaliste, de la réalité.

BIBLIOGR. : In : *Art Danois*, catalogue de l'expositions, Gal. Nat. du Grand Palais, Paris, 1973.

MUSÉES : AARHUS – HORSENS – MALMÖ – SKIVE – VÄSTERAAS – VEJEN.

STROBEL. Voir aussi STROBL

STROBEL Bartholomäus, l'Ancien
Mort le 23 juillet 1612 à Breslau. XVIIe siècle. Actif à Breslau. Polonais.
Peintre.

Il était le père de Bartholomäus le Jeune.

STROBEL Bartholomäus ou Barthel, le Jeune ou Strobl
Né en 1591 à Breslau. Mort en 1644. XVIIe siècle. Polonais.
Peintre.

De 1602 à 1607 il travailla chez son père à Breslau. En 1636, il fut nommé peintre à la cour du roi Vladislas IV. Il subit l'influence de la peinture flamande.

MUSÉES : POSEN : *Saint Étienne lapidé* – THORN : *Portrait du conseiller J. Hubner.*

STROBEL Christian
Né en 1855 à Salzbourg. Mort en 1899 à Nuremberg. XIXe siècle. Autrichien.
Peintre d'architectures.

Il travailla à Vienne et à Nuremberg. Les collections de cette dernière ville conservent de lui deux *Vues de Nuremberg.*

STROBEL Daniele de
Né le 30 mars 1873 à Parme (Émilie-Romagne). XXe siècle. Italien.
Peintre d'histoire, portraits, paysages, animaux, sculpteur.

Il travailla à l'Institut des Beaux-Arts de Parme et à Rome. Il fut professeur à l'Académie Brera à Milan.

Il exposa à Rome en 1893 et 1929, à Milan en 1897 et 1937, à Venise en 1899 et 1905, à Turin en 1898 et à Florence en 1907, ainsi qu'à Londres et à Munich en 1904 et 1905.

MUSÉES : MILAN : *Petites maisons* – PARME : *Derniers rayons* – ROME : *L'Enfant et la mort* – UDINE : *Provocation.*

VENTES PUBLIQUES : LONDRES, 27 juin 1988 : *Saint Georges,* past./t. (70x96) : GBP 6 050.

STROBEL Friedrich
XVIe siècle. Hongrois.
Peintre.

Il travailla de 1583 à 1598 à Kassa, en Hongrie. Il a peint le portrait de *Mme Dobo.*

STROBEL G. ou Strobl
XVIIe siècle. Actif à Munich au début du XVIIe siècle. Allemand.
Dessinateur et enlumineur.

STROBEL Georg Joh.
Né en 1735 à Wallerstein. Mort en 1792 à Schwab-Gmund. XVIIIe siècle. Allemand.

Peintre.

VENTES PUBLIQUES : MONTE-CARLO, 6 déc. 1987 : *Vue panoramique de Munich avec les électeurs de Bavière chassant,* h/t (80x151) : FRF 290 000.

STROBEL Hans ou Strobl
XVIIe siècle. Actif à Brünn vers 1668. Autrichien.
Peintre.

STROBEL Johann Georg. Voir STROBEL Georg

STROBEL Jörg ou Strebel, Strebell, Ströbel
Mort en 1533 à Augsbourg. XVIe siècle. Allemand.
Peintre.

Il fut maître en 1519.

STROBEL Mathias
Mort en 1572 à Nuremberg. XVIe siècle. Hollandais (?).
Peintre.

La Galerie Harrach, à Vienne, conserve de lui un *Portrait de femme.*

STROBEL Michael
XVIIe siècle. Actif à Calw vers 1627. Allemand.
Sculpteur.

STRÖBEL Paulus, l'Ancien ou Strobel
Mort le 26 octobre 1722 à Nuremberg. XVIIIe siècle. Actif à Nuremberg. Allemand.
Peintre et faïencier.

Le Musée germanique de Nuremberg conserve de lui *Buste du banquier Erasme Wagner.*

STRÖBEL Paulus, le Jeune ou Strobel
XVIIIe siècle. Travaillait entre 1724 et 1731. Allemand.
Peintre faïencier.

Le Musée de Sèvres conserve de lui une clochette en faïence.

STROBEL Stephan
XVIe-XVIIe siècles. Actif à Nuremberg à la fin du XVIe et au début du XVIIe siècle. Allemand.
Peintre.

STROBEL Wenzel Ferdinand
XVIIIe siècle. Autrichien.
Peintre.

Il se maria en 1713 à Brünn où il vivait en 1708.

STROBEL Wilhelm ou Strobl
XVIIe siècle. Actif à Nuremberg. Allemand.
Peintre.

Il étudia à Nuremberg de 1613 à 1617 chez Alexius Linder. Il fut maître en 1651.

STROBENTZ Frigyes ou Fritz
Né le 25 juillet 1856 à Budapest. Mort le 5 juin 1929 à Munich (Bavière). XIXe-XXe siècles. Actif aussi en Allemagne. Hongrois.
Peintre de genre, paysages.

Il fut élève aux académies des Beaux-Arts de Düsseldorf et de Munich. Il travailla ensuite à Munich, Dachau et en Hongrie. Il exposa à Paris, obtint une mention honorable en 1894.

MUSÉES : BUDAPEST : *Dame en rose* – *Jeune fille de Chioggia* – *À table* – *Rêverie* – DRESDE : *Jeune amour* – GRAZ : *Paysage du soir près de Dachau* – MUNICH : *Automne* – PHILADELPHIE : *La Visite.*

VENTES PUBLIQUES : MUNICH, 21 sep. 1983 : *Jeune couple après la messe,* h/t (100x100) : DEM 10 000.

STRÖBER Michl
XVIIIe siècle. Travaillant probablement à Augsbourg. Allemand.
Peintre.

STROBERLE Joao. Voir GLAMA Joao

STROBL. Voir aussi STROBEL

STROBL Anton
Mort le 3 novembre 1723 à Innsbruck. XVIIIe siècle. Autrichien.
Peintre.

STROBL Barthel. Voir STROBEL Bartholomäus

STROBL Bernhard
Né à Neumarkt (Tyrol du Sud). Mort en 1930 à Brixen, en italien Bressanone, (Trentin Haut-Adige). XXe siècle. Autrichien.
Peintre verrier.

STROBL Franz Xaver
Né à Innsbruck. XVIIIe siècle. Autrichien.

Peintre.

Élève de Benno Schuhbauer. La Galerie de Schleissheim garde de lui un portrait de *Marie Anne, veuve du duc Clément de Bavière*.

STROBL G. Voir STROBEL

STROBL Giacomo

XVIIᵉ-XVIIIᵉ siècles. Actif à Cles. Autrichien.
Sculpteur.

STROBL Hans

XVIIIᵉ siècle. Travaillait à Seeham vers 1705. Autrichien.
Sculpteur sur bois de portraits.

STROBL Hans. Voir aussi STROBEL

STROBL Johann

XVIIIᵉ siècle. Actif à Friesach. Autrichien.
Peintre.

STROBL Johann Georg

XVIIIᵉ siècle. Actif à Zell am See en 1759. Autrichien.
Sculpteur.

STROBL Johann Sebastian

Né en 1718. Mort en 1779. XVIIIᵉ siècle. Actif à Ried. Autrichien.
Peintre.

STROBL Judas Thaddäus

XVIIIᵉ siècle. Autrichien.
Peintre de fresques.

STROBL Karl ou Charly

Né le 29 octobre 1900 à Vienne. XXᵉ siècle. Autrichien.
Peintre.

Il vécut et travailla à Vienne.

STROBL Wilhelm. Voir STROBEL

STROBL Zsofia ou Sophie

Née en 1866 à Cracovie. XIXᵉ-XXᵉ siècles. Hongroise.
Peintre de portraits.

Elle était sœur d'Aloïs et son œuvre est représentée à la Galerie de Budapest.

STROBL VON LIPTOUJVAR Aloïs

Né le 21 juin 1856 à Kiralylehota. Mort le 13 décembre 1926 à Budapest. XIXᵉ-XXᵉ siècles. Hongrois.
Sculpteur, peintre de figures, d'intérieurs.

Il figura aux expositions de Paris. Il obtint le Grand Prix en 1900 à l'Exposition universelle de Paris. Son œuvre sculpturale à Budapest est très importante.

MUSÉES : AMSTERDAM : *Cuisine – Les syndics de la halle aux serges à Leyde* – LA HAYE (Mus. comm.) : *Préparatifs pour une fête, intérieur du XVIIIᵉ siècle* – LA HAYE (Mus. Mesdag) : *Église de Breda*.

STROCCO Luisa

Née en 1940 à Alessandria (Piémont). XXᵉ siècle. Italienne.
Peintre. Abstrait.

Elle a fait des études classiques à la Faculté des Lettres et de Philosophie. Elle vit et travaille à Turin.

Elle a fait partie d'expositions de groupe, notamment à la Biennale de Menton en 1972.

STRODE Thaddeus

Né en 1964 à Los Angeles (Californie). XXᵉ siècle. Américain.
Dessinateur.

Il vit et travaille à Pasadena (Californie). Il expose à Santa Monica.

Il met en scène, de façon ironique, dans un univers de bandes dessinées les mythologies de diverses cultures qui imprègnent notre temps : Shiva et l'hindouisme, les *comics* américains, les hallucinations dues au LSD, l'Antiquité grecque...

BIBLIOGR. : Bonnie Clearwater : *Arrêt sur enfance*, Art Press, nº 197, Paris, déc. 1994.

STRODELL Hans Jakob

XVIIᵉ siècle. Actif à Soleure. Suisse.
Peintre verrier.

STROE Johannes

Né le 23 janvier 1805 à Copenhague. Mort le 3 février 1865 à Roskilde. XIXᵉ siècle. Danois.
Peintre, paysagiste.

Élève de J. P. Möller et de l'Académie de Copenhague. Les musées de Copenhague et de Frederiksborg conservent plusieurs de ses œuvres.

STROEBEL Johann Anthonie Balthasar

Né en 1821 à La Haye. Mort le 21 août 1905 à Leyde. XIXᵉ siècle. Hollandais.

Peintre de genre, intérieurs.

Il fut élève de Huib Van Hove. Cet artiste exposa notamment à Philadelphie et y fut médaillé.

Stroebel s'inspira des maîtres hollandais anciens ; on retrouve dans ses ouvrages la préoccupation de Peeter de Hooghe et de Rembrandt.

Stroebel

MUSÉES : LA HAYE (Mus. Mesdag).

VENTES PUBLIQUES : PARIS, 1874 : *Intérieur hollandais* : FRF 1 450 – ROTTERDAM, 1891 : *Chambre de régents au XVIIᵉ siècle* : FRF 1 250 ; *Intérieur* : FRF 675 ; *Intérieur* : FRF 480 – PARIS, 18 fév. 1896 : *La partie d'échecs* : FRF 420 – NEW YORK, 14-17 mars 1911 : *L'antiquaire* : USD 210 – NEW YORK, 30-31 oct. 1929 : *Intérieur hollandais* : USD 230 – AMSTERDAM, 21 mars 1950 : *Intérieur d'une maison seigneuriale* : NLG 3 700 – AMSTERDAM, 18 avr. 1950 : *La visite longuement attendue 1872* : NLG 2 000 – LA HAYE, 26 avr. 1950 : *Le laitier* : NLG 2 000 – PARIS, 19 juin 1950 : *Scènes d'intérieur, deux pendants* : FRF 32 000 – AMSTERDAM, 11 juil. 1950 : *Intérieur d'une demeure seigneuriale* : NLG 1 550 ; *Entrée d'une demeure seigneuriale* : NLG 1 550 – LONDRES, 1ᵉʳ déc. 1950 : *Un verre de vin 1852* : GBP 110 – AMSTERDAM, 13 mars 1951 : *La consécration dans une chapelle 1877* : NLG 1 000 – AMSTERDAM, 4 avr. 1951 : *La requête 1882* : NLG 1 900 – AMSTERDAM, 3 juil. 1951 : *Intérieur d'une maison seigneuriale* : NLG 775 ; *Intérieur d'une maison seigneuriale* : NLG 775 – AMSTERDAM, 14 déc. 1966 : *Paysage* : NLG 3 600 – AMSTERDAM, 27-28 fév. 1968 : *Scène de banquet* : NLG 4 600 – AMSTERDAM, 7 mai 1971 : *Deux jeunes femmes dans un intérieur* : GNS 900 – LONDRES, 27 juil. 1973 : *L'entrée d'une maison* : GNS 1 500 – NEW YORK, 14 mai 1976 : *Un moment de tranquillité*, h/pan. (29x40,5) : USD 1 700 – NEW YORK, 25 oct. 1977 : *Le repas des gentilshommes 1903*, h/t (86x119) : USD 6 500 – AMSTERDAM, 15 mai 1979 : *Scène de taverne*, h/pan. (17x23) : NLG 4 200 – AMSTERDAM, 1ᵉʳ oct. 1981 : *Élégante au pied d'un escalier*, h/pan. (23,5x18) : NLG 8 000 – LONDRES, 5 oct. 1983 : *Mère et enfant dans un intérieur*, h/pan. (23,5x18,5) : GBP 1 700 – AMSTERDAM, 19 nov. 1985 : *Couple chez le bijoutier*, h/t (46x61) : NLG 10 000 – AMSTERDAM, 16 nov. 1988 : *Conversation galante dans une demeure hollandaise*, h/pan. (33x26) : NLG 10 350 – AMSTERDAM, 19 sep. 1989 : *Dans le cabinet de l'homme de loi*, h/t (69,5x88,5) : NLG 7 475 – AMSTERDAM, 25 avr. 1990 : *Femme devant son bureau dans un intérieur*, h/pan. (25x19,5) : NLG 6 325 – AMSTERDAM, 2 mai 1990 : *La boutique du drapier 1879*, h/pan. (20x25) : NLG 4 025 – AMSTERDAM, 6 nov. 1990 : *Le magasin d'antiquités*, h/pan. (32x25) : NLG 5 290 – AMSTERDAM, 24 avr. 1991 : *Cérémonie de mariage 1877*, h/t (87,5x122) : NLG 12 650 – COPENHAGUE, 5 fév. 1992 : *Une visite, intérieur hollandais animé 1885*, h/t (82x111) : DKK 34 000 – AMSTERDAM, 22 avr. 1992 : *Jacob Van Campen dévoilant le projet de l'hôtel de ville d'Amsterdam*, h/t (49x63,5) : NLG 9 200 – AMSTERDAM, 28 oct. 1992 : *Couturières dans une cuisine*, h/t (62,5x48) : NLG 9 200 – NEW YORK, 29 oct. 1992 : *Une visite chez l'apothicaire*, h/t (91,4x68,6) : USD 8 800 – AMSTERDAM, 9 nov. 1993 : *Une servante dans la cour d'une maison*, h/t (68x55) : NLG 17 250 – STOCKHOLM, 30 nov. 1993 : *Jeune fille lisant une lettre pour toute la famille*, h/pan. (27x22) : SEK 28 000 – AMSTERDAM, 8 nov. 1994 : *Servante écoutant à la porte*, h/pan. (31,5x23,5) : NLG 20 125 – LONDRES, 11 avr. 1995 : *Scènes d'intérieur*, h/pan., une paire (chaque 33,5x25,5) : GBP 5 750.

STROEBHART Stanislas Aloysius

Né en 1761. Mort le 12 septembre 1782 à Paris. XVIIIᵉ siècle. Actif à Haguenau. Allemand.
Peintre.

Élève de Brenet.

STROEDEL Georg A.

Né le 24 décembre 1870 à Reichenbach. XXᵉ siècle. Allemand.
Peintre, illustrateur.

Il fut élève de l'Académie des Beaux-Arts de Dresde. Il vécut et travailla à Leipzig.

STROEDTMANN. Voir STRATMAN

STROELY Peter Eduard. Voir STRÖHLING

STROEVER Ida Carola

Née le 16 septembre 1872 à Gut Wedigenstein (Westphalie). XXᵉ siècle. Allemande.
Peintre, graveur.

Elle fut élève de Karola Bar, Schmid-Reute et Th. Hummel à

Munich, voyagea en Hollande et en Italie, vécut et travailla à Brême. Elle exposa à Munich, Berlin, Brême et Hambourg. Elle a peint une série de fresques dans la région de Brême.

STROHDECKER L.
XIXᵉ siècle. Actif vers 1829. Allemand.
Peintre.

STROHE Ferdinand
XVIIIᵉ siècle. Actif à Strasbourg. Éc. alsacienne.
Sculpteur.
A exécuté les autels latéraux de l'*Annonciation* et de *Saint Michel* à l'église Saint-Michel de Reichshofen.

STROHER Karl Friedrich
Né le 3 décembre 1876 à Irmenach. Mort le 14 septembre 1925 à Irmenach. XXᵉ siècle. Allemand.
Peintre de figures, paysages, aquarelliste, graveur, sculpteur, lithographe.
Il séjourna à Paris de 1899 à 1905, se rendit à Berlin, visita ensuite l'Espagne et le sud de la France. Il subit d'abord l'influence de Carrière et de Cézanne pour adopter ensuite la technique des néo-impressionnistes. Il a peint surtout des paysages et des paysans du Hunsruck. Il gravait le bois.

STROHL Hugo Gerard
Né le 24 septembre 1851 à Wels (Haute-Autriche). Mort le 7 décembre 1919 à Mödling près de Vienne. XIXᵉ-XXᵉ siècles. Autrichien.
Dessinateur, illustrateur.
Il fut élève de l'École des ingénieurs et de l'Académie des Beaux-Arts de Vienne. Il illustra les journaux satiriques de Vienne.

STROHL-FERN Alfred
Né vers 1845 à Markirch. Mort en 1927 à Rome. XIXᵉ-XXᵉ siècles. Actif en Italie. Éc. alsacienne.
Peintre, sculpteur.
Il quitta l'Alsace en 1870 pour s'installer à Rome et bâtit vingt-huit ateliers qu'il mit à la disposition d'artistes de talent. Ces ateliers furent dévolus, après sa mort, à l'État français.

STRÖHLING Peter Eduard ou Stroely, Straely
Né en 1768 à Düsseldorf. Mort après 1826 sans doute à Londres. XVIIIᵉ-XIXᵉ siècles. Russe.
Peintre d'histoire, portraits, miniaturiste.
Protégé par le tsar, il commença ses études en Russie puis alla les poursuivre en Italie. Il travailla en France, en Russie, en Autriche et en Italie avant de venir à Londres au début du XIXᵉ siècle. Il y exposa de 1803 à 1826 notamment à la Royal Academy, à la British Institution, et à Suffolk Street.
Il fut le peintre officiel du Prince de Galles entre 1810 et 1820, qui lui commanda de nombreux portraits qu'il offrait à ses amis.
MUSÉES : BERLIN (Mus. Hohenzol.) : *La reine Louise de Prusse* – ÉDIMBOURG (Nat. Portrait Gal.) : *Walter Scott* – FRANCFORT-SUR-LE-MAIN (Mus. d'Hist.) : *Marchand dans son magasin* – (British Mus.) : *Marguerite Farnier* – MANNHEIM (Château) : *Portrait de famille* – VARSOVIE (Mus. Nat.) : *Portrait d'un inconnu* – WEIMAR (Mus. Goethe) : *Ströhling de Düsseldorf.*
VENTES PUBLIQUES : PARIS, 13 nov. 1923 : *Portrait présumé de la comtesse de Fersen*, miniature : **FRF 570** ; *Portrait de jeune femme*, miniature : **FRF 420** – PARIS, 25 nov. 1936 : *Portrait de jeune dame vue en buste*, miniature : **FRF 700** – PARIS, 22 mars 1945 : *Jeune fille en robe blanche, à ceinture rouge, coiffée d'un turban*, miniature : **FRF 11 500** ; *Portrait d'homme en costume noir et cravate blanche*, miniature : **FRF 13 800** – PARIS, 13 juin 1974 : *Portrait du roi de Prusse, à cheval* : **GNS 1 200** – NEW YORK, 11 janv 1979 : *Portrait du roi George IV*, h/cuivre (61x48) : **USD 4 000** – LONDRES, 13 mars 1985 : *A playful catch* 1810, h/t (71x86,5) : **GBP 2 000** – NEW YORK, 25 oct. 1989 : *Un officier russe*, h/cuivre (61x48,2) : **USD 14 300** – LONDRES, 12 avr. 1991 : *Groupe familial avec le Palais ducal de Venise au fond*, h/t (55,9x64,8) : **GBP 4 180** – LONDRES, 10 juil. 1992 : *Bacchus et Ariane*, h/cuivre (65,1x55,5) : **GBP 3 850** – NEW YORK, 12 jan. 1996 : *Portrait d'une jeune fille en robe blanche avec son frère en veste rayée vert et rouge et culotte jaune avec un jeune garçon chevauchant un chien saint-bernard dans un intérieur cossu* 1789, h/cuivre (48,2x38,2) : **USD 17 250.**

STROHMAIER. Voir STROHMAYER et STROHMEYER

STROHMAYER Antal Jozsef
XIXᵉ siècle. Actif à Budapest. Hongrois.
Peintre.
Il travailla à Vienne où il exposa en 1828 des fleurs et des fruits. A Pest au début de l'année 1830, il travailla la lithographie.

STROHMAYER Ferenc Karoly
Né en 1831 à Ofen. Mort après 1882. XIXᵉ siècle. Hongrois.
Peintre.
Il étudia à Vienne et travailla à Pest où il fit surtout des portraits.

STROHMAYER Hans ou Stramayr, Stromair, Stroo-mair
Né à Prague. XVIᵉ siècle. Actif à la fin du XVIᵉ siècle. Éc. de Bohême.
Peintre et graveur.
Il travailla pour l'archiduc Ernest d'Autriche et devint, en 1583, peintre à la cour de l'empereur Rodolphe II. On cite de lui une gravure *Vénus et Amour*, datée de 1593.

STROHMAYER Maté
Né en 1825 à Budapest. Mort le 21 mai 1890 à Budapest. XIXᵉ siècle. Hongrois.
Peintre.
Il étudia à Vienne et fit surtout des portraits.

STROHMEYER Anna
Née le 18 mars 1860 à Berlin. XIXᵉ-XXᵉ siècles. Allemande.
Peintre.
Elle vécut et travailla à Brunswick.
MUSÉES : BRUNSWICK : *Portrait d'enfant.*

STROHOFER Hans
Né le 13 juillet 1885 à Vienne. Mort en 1961. XXᵉ siècle. Autrichien.
Peintre, lithographe.
Il a peint et gravé surtout des portraits.
VENTES PUBLIQUES : VIENNE, 31 sept 1979 : *L'atelier du sculpteur*, temp. (80x105) : **ATS 30 000** – LONDRES, 10 fév. 1988 : *Les mois de l'année*, aquar. avec reh. de gche, projet de calendrier (quatre feuilles de 13,5x11) : **GBP 3 300.**

STROHOFFER Béla
Né le 25 août 1871 à Budapest. XXᵉ siècle. Hongrois.
Sculpteur de bustes.
Il vécut et travailla à Budapest.

STROI Michael ou Stroy
Né le 30 septembre 1803 à Ljubno, en Slovénie. Mort le 19 décembre 1871 à Ljubljana. XIXᵉ siècle. Autrichien.
Peintre.
Il étudia à Venise et à Rome et fonda des ateliers à Ljubljana et à Agram. Il fit surtout des portraits dont certains sont au Musée National et à la Galerie Nationale de Ljubljana et au Musée d'Agram. Il a exécuté de nombreux tableaux pour les églises de Slovénie.

STROIA Hans ou Stroy
XVIIᵉ siècle. Actif à Munich. Allemand.
Peintre.

STROIFFI Ermanno ou Stroifi
Né en 1616 à Padoue. Mort le 4 juillet 1693 à Venise. XVIIᵉ siècle. Italien.
Peintre.
Il étudia à Venise et fut un imitateur de Bern. Strozzi. On lui attribue beaucoup d'œuvres dans les églises de Venise.

STROINSKI Antoni
Né en 1742 ou 1748. Mort en décembre 1820. XVIIIᵉ-XIXᵉ siècles. Polonais.
Peintre.
Fils de Stanislaw Stroinski. Il fit ses études à Rome. A Lamberg, il peignit à fresque pour les églises.

STROINSKI Christine
Née le 4 mai 1905 à Darmstadt (Hesse). XXᵉ siècle. Allemande.
Sculpteur, peintre.
Elle fut élève de Anthes. Elle fit d'assez longs séjours à Berlin et à Paris.

STROINSKI Marcin
Né en 1735. Mort en 1800 à Lemberg. XVIIIᵉ siècle. Polonais.
Peintre.
Frère cadet de Stanislaw Stroinski. Il fit ses études à Rome. Il peignit à Lemberg pour les églises Saint-Martin et Sainte-Marie.

STROINSKI Stanislaw
Né en 1719 à Lemberg. Mort le 26 avril 1802 à Lemberg. XVIIIᵉ siècle. Polonais.
Peintre d'histoire.
Il fit ses études à Rome. En 1771 et 1772, il peignit à fresque pour la cathédrale de Lemberg, les églises de Tarnopol et de Przemysl.

STROITHMANN. Voir **STRATMAN**

STROKIRCH Einar von
Né en 1879. Mort en 1932. xxᵉ siècle. Suédois.
Peintre.
Musées : Göteborg : aquarelles, dessins.

STROLZ Josef
Né le 11 novembre 1799 à Lech, dans l'Arlberg. Mort en 1874 à Bludenz. xixᵉ siècle. Autrichien.
Sculpteur.
Élève de Franz Xav. Renn à Imst. Il fut pendant trente ans professeur de dessin à Bludenz et eut comme élève Jakob Jehly.

STRÖM Fredric Wilhelm
xixᵉ siècle. Suédois.
Sculpteur.
Élève de l'Académie de Stockholm.

STRÖM Gerda Élisabeth Blom, née **Rasmussen**
Née le 8 septembre 1886 à Copenhague. xxᵉ siècle. Danoise.
Peintre de paysages, fleurs.
Elle fut élève du paysagiste Gerhard Lichtenberg Blom qu'elle épousa plus tard. Elle vécut et travailla à Birkeröd.

STRÖM Gustaf
xviiiᵉ siècle. Suédois.
Peintre.

STROM Halfdan Frithjof
Né le 4 novembre 1863 à Christiania (aujourd'hui Oslo). xixᵉ-xxᵉ siècles. Danois.
Peintre de figures, portraits.
Il étudia à l'École des Beaux-Arts de Christiania, à l'Académie des Beaux-Arts de Munich en 1883 et chez A. Roll à Paris de 1892 à 1895. Il eut une médaille d'or à Paris en 1900 et à Munich en 1901. À partir de 1909, il devint professeur à l'Académie des Beaux-Arts d'Oslo et à partir de 1924 directeur de celle-ci.
Musées : Florence (Mus. des Offices) : Portrait de l'artiste – Oslo (Gal. Nat.) : La mère de l'artiste – La marchande de légumes – Au restaurant – Enfants lisant – Soirée en Norvège – Intérieur – Violoniste – Portrait de dame – Portrait de l'historien de l'art Émil Hannover – Paysage d'Oslo – Dans le bois de sapins – Paysage – Paris (ancien Mus. du Luxembourg) : Jeune Mère – Venise (Gal. Mod.) : Chambre norvégienne de valet.

STRÖM Johan, appelé aussi **Jon Snickare**
xviiiᵉ siècle. Actif à Norland vers 1700. Suédois.
Sculpteur.
A sculpté des chaires et des stalles d'église.

STROM Lars Erik
Né en 1929 à Norrköping. xxᵉ siècle. Suédois.
Peintre. Expressionniste.
Il fut élève de l'École des Beaux-Arts de Valad, à Göteborg, de 1952 à 1956, y recevant les conseils de Endre Nemes – de qui l'influence fut fructueuse – et de Torsten Renqvist. Il vit et travaille à Göteborg. Il fut membre du Groupe 54.
Il participe à des expositions collectives, dont : 1955, Lübeck, Bochum ; 1956, Amsterdam ; 1959, Oslo ; 1961, Saint Louis (États-Unis) ; 1962, Paris ; etc. Il montre ses œuvres dans des expositions personnelles, notamment en 1960 à Göteborg.
Sa peinture expressionniste tend vers l'informel.
Bibliogr. : Folke Edwards : Aspects de la jeune peinture suédoise, catalogue de l'exposition, Gal. Massol, Paris, 1962.
Musées : Stockholm (Mus. d'Art Mod.).

STROMAIR Hans. Voir **STROHMAYER**

STROMAIR Linnhart
Mort en 1505. xvᵉ siècle. Actif à Augsbourg. Allemand.
Sculpteur sur bois de portraits.

STROMAYR Hans. Voir **STROHMAYER**

STROMBERG Alexander, baron
Né le 25 janvier 1892 à Kuldiga (Lettonie). xxᵉ siècle. Allemand.
Graveur, aquarelliste.
Musées : Le Havre – Riga.

STRÖMBERG Julia Charlotta Mortana
Née le 24 février 1851 à Lund. Morte en 1920. xixᵉ-xxᵉ siècles. Suédoise.
Peintre de paysages.
Elle était la fille de l'architecte Hans Jacob. Elle fut, de 1872 à 1890, élève de l'Académie des Beaux-Arts de Stockholm. Elle a peint surtout les environs de Stockholm et la côte occidentale de la Suède.

Ventes Publiques : Stockholm, 26 oct. 1982 : Paysage d'été 1888, h/t (67x91) : SEK 10 500 – Stockholm, 24 avr. 1984 : Paysage d'été 1874, h/t (29x46) : SEK 21 000 – Stockholm, 15 nov. 1988 : Maison de bois dans un verger et deux enfants sur le chemin en été, h. (33x53) : SEK 35 000 – Stockholm, 15 nov. 1989 : Sous-bois rocheux avec une jeune femme près d'un cours d'eau 1887, h/t (64x46) : SEK 18 500 – Stockholm, 16 mai 1990 : Couple de paysans sur un chemin longeant des fermes, h/t (33x53) : SEK 36 000.

STROMBICHOS
Originaire d'Athènes. Antiquité grecque.
Sculpteur.

STRÖMDAL Georg Nielsen
Né en 1856. Mort le 24 juillet 1914 à Bekkelaget près d'Oslo. xixᵉ-xxᵉ siècles. Norvégien.
Peintre de paysages.
Il étudia en Allemagne.

STROMEIER Christoph
xvᵉ siècle. Actif à Sarrebruck. Allemand.
Sculpteur.
Le Musée de Sarrebruck conserve de lui des restes d'un chemin de croix.

STRÖMER Johan Henric
Né en 1807 en Finlande. Mort en 1904. xixᵉ siècle. Suédois.
Lithographe.
Il s'était fixé en Suède en 1828.

STROMEYER. Voir aussi **STROHMAYER**

STROMEYER Hélène Marie
Née le 26 août 1834 à Hanovre (Basse-Saxe). Morte le 13 mars 1924 à Karlsruhe (Bade-Wurtemberg). xixᵉ-xxᵉ siècles. Allemande.
Peintre de paysages, fleurs, natures mortes.
Élève de H. Gude et G. Schönleber.
Musées : Donaueschingen : des tableaux représentant des fleurs – Heidelberg : des tableaux représentant des fleurs – Karlsruhe : Roses de la Riviera.
Ventes Publiques : Los Angeles, 5 oct. 1981 : Bouquet dans un paysage, h/t (112x161,5) : USD 8 500 – Zurich, 24 juin 1993 : Nature morte avec des roses dans une coupe d'argent 1912, h/t (41x52,5) : CHF 2 500 – Londres, 17 nov. 1994 : Enfants jouant dans un salon anglais 1858, cr., encre et aquar. (16,5x24,8) : GBP 1 380.

STRONG Joseph D.
Né en 1852 à Bridgeport (Connecticut). Mort le 5 avril 1900 à San Francisco. xixᵉ siècle. Américain.
Peintre de portraits.
Il étudia en Californie et à Munich chez Piloty. Il visita les îles du Sud.

STRONG Sampson
Né vers 1550. Mort en 1611 à Oxford. xviᵉ-xviiᵉ siècles. Britannique.
Peintre de portraits.
On lui attribue de nombreux portraits à Oxford, notamment il exécuta une copie d'un portrait de sir Thomas White, qui se trouve à l'Hôtel de Ville d'Oxford.

STRONGE Lasse
xviiᵉ siècle.
Sculpteur.

STRONGYLION
vᵉ siècle avant J.-C. Actif dans le dernier tiers du vᵉ siècle avant Jésus-Christ. Antiquité grecque.
Sculpteur.
Il travailla à Athènes, Megare et Boiotion. Il doit sa réputation à des reproductions d'animaux en bronze, et en particulier à celle du cheval de Troie.

STROOBANT Dominique
Né en 1947 à Anvers. xxᵉ siècle. Belge.
Sculpteur, dessinateur. Abstrait.
Il fut élève de Stan Hensen et de J. Guiroud à l'Académie Saint-Luc à Saint-Gilles. Il a réalisé des œuvres monumentales, notamment à Berchem, Wilrijk et Milan.
Bibliogr. : In : Dictionnaire biographique illustré des artistes en Belgique depuis 1830, Arto, Bruxelles, 1987.

STROOBANT François
Né le 14 juin 1819 à Bruxelles. Mort le 1ᵉʳ juin 1916 à Ixelles (Brabant). xixᵉ-xxᵉ siècles. Belge.

Peintre de paysages urbains, monuments, peintre de compositions murales, graveur, illustrateur.
Élève de F. J. Navez et de Paul Lauters à l'Académie de Bruxelles. Il a fait de nombreux voyages en Europe en quête de vues caractéristiques de villes. À partir de 1850, il a exclusivement représenté les monuments pittoresques de son pays. Son œuvre comporte quantité de gravures, de peintures murales, notamment celles qui décorent le cabinet du Bourgmestre de Bruxelles et qui représentent d'anciens aspects de la cité. Il a été directeur de l'Académie de Molenbeek-Saint-Jean.

F. STROUBANT
F. STROUBANT

BIBLIOGR. : In : *Dictionnaire biographique illustré des artistes en Belgique depuis 1830*, Arto, Bruxelles, 1987.
MUSÉES : BRUXELLES : *Anciennes maisons des corporations sur la grand-place de Bruxelles* – LONDRES (Guildhall) : *L'hôtel de ville de Bruxelles* – *Le vieux palais épiscopal de Liège*.
VENTES PUBLIQUES : PARIS, 1895 : *Ruines d'Heidelberg*, aquar. : FRF 100 – PARIS, 20 juin 1928 : *Le billet de logement*, pierre noire reh. : FRF 160 – BRUXELLES, 5 oct. 1976 : *Coin de village à Bruges*, h/t (115x92) : BEF 60 000 – BRUXELLES, 4 mars 1977 : *Le canal du Dijver à Bruges (matinée de juin)*, h/t (120x95) : BEF 70 000 – NEW YORK, 24 fév. 1983 : *Le Pont Saint-Charles, Prague 1866*, h/t (150x109) : USD 2 500 – NEW YORK, 13 fév. 1985 : *Vue de Prague 1866*, h/t (150x109) : USD 3 000 – AMSTERDAM, 16 nov. 1988 : *Vue du port de Dordrecht*, h/pan. (23x32) : NLG 2 990 – NEW YORK, 18 fév. 1993 : *Moines prenant une collation devant le Colisée 1842*, h/t (71,1x95,3) : USD 3 738.

STROOBANTS Ernest
Né le 4 septembre 1909 à Liège. Mort le 29 mai 1969 à Liège. XXᵉ siècle. Belge.
Sculpteur de portraits, bustes, figures.
Né de père et de mère sourds-muets, Ernest Stroobants est lui-même atteint d'une déformation de la colonne vertébrale, une infirmité qui le marquera profondément sa vie durant. C'est en 1923, qu'il entre en apprentissage chez un sculpteur d'ameublement. Il exercera ce métier jusqu'en 1960. Le soir, il suit les cours de dessin de l'Académie des Beaux-Arts de Liège, par intérêt mais aussi en souvenir de son père, graveur, qui mourut à peine un an après sa naissance. Il doit interrompre ses études en 1928 pour des raisons de santé qui l'obligeront à rester alité trois ans jusqu'en 1931. Durant sa convalescence, il apprend par lui-même à modeler de la terre glaise. En 1934, il devient membre de l'Atelier de la Cour des Minimes à Liège, groupe d'artistes, animé par Marcel Defize. Entre 1934 et 1940, il continue son apprentissage en autodidacte de la sculpture mais aussi se cultive dans les domaines de l'art, de l'esthétique, de la littérature et de la politique (il est membre du parti communiste). Durant l'occupation nazie, il s'engage à plein temps dans la Résistance. Ce n'est qu'en 1945, à la Libération, qu'il reprend son activité professionnelle et la sculpture. En 1948, commande lui est faite pour décorer, en taille directe, la culée gauche du pont des Arches à Liège de trois bas-reliefs en pierre. Il sculpte dorénavant aussi bien la pierre que le marbre et s'intéresse à la céramique. D'un tempérament dépressif, il s'isole volontairement, refuse les expositions. Il accepte néanmoins en 1960 le poste de directeur de la section de Liège de la Discothèque Nationale de Belgique. Mais, une nouvelle fois souffrant, il perd son emploi en 1965 pour raisons de santé.
Il a figuré à quelques expositions collectives, parmi lesquelles : 1939, L'Atelier, Cour des Minimes, Liège ; 1940, 1945, 1949, 1954, Salons quadriennaux de la Société des Beaux-Arts de Liège ; 1947, 1949, 1951, Salon de l'APIAW, Liège ; 1964, Salon de Liège ; 1965, Salon National des Beaux-Arts de Gand ; 1968, 1969, exposition itinérante des artistes liégeois contemporains ; 1969, Salon Arts en Europe, Bruxelles. Après sa mort : 1995, galerie Claude Antoine, Liège ; 1996, galerie Wittert, Liège.
Sa première exposition personnelle n'a lieu qu'en 1966 à la galerie des Métiers d'art de la Province de Liège, une seconde en 1967 à la galerie d'Egmont, Bruxelles. Après sa mort : 1973, galerie Mouffe, Paris.

Il fut essentiellement un sculpteur de portraits. Ceux des notables de Liège, tels que Louis Poulet, Constant Caron, Charles Fincoeur, mais aussi ceux de ses amis, femmes et enfants. Classique, sa sculpture fait primer l'idée générale sur le détail, « l'unité retrouvée ». D'une figuration épurée, elle n'abandonne pas son attachement au « vérisme » des visages. L'œuvre d'Ernest Stroobants peut légitimement être rapproché de celui de Charles Despiau.
BIBLIOGR. : *Ernest Stroobandts*, catalogue de l'exposition, Galerie des Métiers d'art, Liège, nov. 1966 – Serge Alexandre : *Le sculpteur Ernest Stroobandts 1909-1969*, in : *Art et Fact*, revue de l'Université de Liège, nº 14, Liège.

STROOBANTS Jean-Marie
Né en 1952 à Bruxelles. XXᵉ siècle. Belge.
Dessinateur, céramiste.
BIBLIOGR. : In : *Dictionnaire biographique illustré des artistes en Belgique depuis 1830*, Arto, Bruxelles, 1987.

STROOMAIR Hans. Voir **STROHMAYER**

STROPPA Mario ou **Marius**
Né le 28 avril 1880 à Pandino. XXᵉ siècle. Italien.
Peintre, peintre de perspectives.
Il fut élève de l'Académie Brera à Milan. Il vécut et travailla à Pandino.

STROPPIANA Giuseppe
XVIIIᵉ siècle. Actif à Turin. Italien.
Sculpteur.
On lui doit les magnifiques stalles du chœur de la cathédrale de Turin.

STROSE Hans
Né en 1864 à Coswing (Anhalt). XIXᵉ-XXᵉ siècles. Allemand.
Peintre de portraits, paysages.
Il fut élève en 1886 de l'Académie des Beaux-Arts de Dresde. Il fut professeur de dessin et d'aquarelle à l'École des Beaux-Arts de Munich.
MUSÉES : NUREMBERG (Ville) : *Portrait de peintre Paul Ritter*.

STROSS Franz
XVIIIᵉ siècle. Actif à Weisz-Kirchen. Allemand.
Peintre.

STROTE Jacopo. Voir **STRADA de Mantoue**

STROUD Peter
Né le 23 mai 1921 à Ealing (Middlesex). XXᵉ siècle. Britannique.
Peintre. Abstrait.
Il a débuté comme militaire de carrière en s'engageant en 1938 et a été fait prisonnier en Italie et en Allemagne de 1941 à 1945. Il a ensuite étudié à l'Université de Londres.
Il a montré une première exposition personnelle de ses œuvres à l'Institut d'Art Contemporain à Londres en 1960.
Sa peinture se rattache au courant abstrait du constructivisme géométrique.
MUSÉES : LONDRES (Tate Gal.) : *Six thin reds 1960*.

STROY Johann. Voir **STROIA Hans**
STROY Michael. Voir **STROI**

STROYNOWSKI Leonard
Né en 1859 à Butyn. Mort le 25 juillet 1935 à Cracovie. XIXᵉ-XXᵉ siècles. Polonais.
Peintre de sujets religieux, genre, paysages, portraits.
Il fut élève de J. Matejko. On lui doit des tableaux d'autels dans de nombreuses églises de l'ancienne Pologne russe.
VENTES PUBLIQUES : ENGHIEN-LES-BAINS, 24 fév. 1980 : *Scène de cabaret*, h/t (38x48) : FRF 5 000.

STROZZI Bernardo, dit **il Capucino Genovese** ou **il Prete Genovese**
Né en 1581 à Gênes. Mort le 2 août 1644 à Venise. XVIIᵉ siècle. Italien.
Peintre d'histoire, sujets mythologiques, compositions religieuses, sujets allégoriques, scènes de genre, nus, portraits, natures mortes, dessinateur.
Élève de Pietro Sorri, à l'âge de quinze ans, il fut surtout influencé par la fougue maniériste et luministe des œuvres de Luca Cambiaso. Il entra, jeune, dans l'ordre des Franciscains mais, devant subvenir aux besoins de sa mère et de sa sœur, il obtint de sortir du couvent et d'exercer son métier de peintre. La mort de sa mère, le mariage de sa sœur l'ayant dégagé de ses charges, il fut invité à réintégrer le cloître. Il s'y refusa et, condamné à la suite de ce refus à trois ans de prison, il s'enfuit à

Venise et y termina sa vie comme prêtre séculier. Dans la période où il devait s'occuper de sa famille, il fut même ingénieur du port de Gênes, de 1615 à 1621. Il entretint ensuite de bons rapports avec l'Église, puisqu'il fut fait Monseigneur, en 1635.

Dès sa formation à Gênes, il vit aussi des œuvres de Rubens. Son arrivée à Venise, lui apportant la découverte de la lumière, du soleil, de la couleur, accéléra l'influence rubénienne dans son œuvre. Ses œuvres justement sont très diverses, selon les époques d'abord, mais aussi à l'intérieur d'une même période. Il fut sensible à des influences fort diverses ; d'ailleurs les historiens qui en traitent le voient sous des angles très divers : soit comme un maniériste médiocre ; soit comme un peintre, fruste mais expressif, ayant profité des exemples de Rubens et même de Rembrandt, et dans ce cas sont cités à l'appui les très énergiques figures de *La cuisinière* et du *Joueur de fifre*, toutes deux au Palazzo Rosso de Gênes. On décèle aussi parfois chez lui une influence modérée du caravagisme. Selon l'importance qui lui est attribuée, on peut voir en lui, dans les œuvres de sa période vénitienne, le précurseur de Tiepolo.

Il peignit également de grandes compositions. On cite de lui notamment, à Gênes, une importante fresque, *Le Paradis*, à l'église S. Domenico ; au Palais Durazzo, *Portrait d'un évêque* ; au Palais Balbi, *Joseph en prison*, *Saint Jean-Baptiste*. À Venise, à l'église S. Benedetto, *Saint Sébastien*. On mentionne aussi de ses ouvrages à Novi et à Voltri.

Bibliogr. : G. Fiocco : *Bernardo Strozzi*, Rome, 1921 – O. Grosso : *Il quadro di Erminia fra i pastori e la pittura dello Strozzi nel decennio 1620-1630*, Gênes, 1942 – G. Migoni : *Bernardo Strozzi, Illustrazione Italiana*, No 28, 1948 – P. Zampetti : *Lo Strozzi, Emporium*, CIX, 1949 – Lionello Venturi : *La peinture italienne, du Caravage à Modigliani*, Skira, Genève, 1952 – Catalogue de l'exposition *Le Caravage et la peinture italienne du XVIIe siècle*, Louvre, Paris, 1965 – Luisa Mortari : *Bernardo Stroozi*, Roma, 1966.

Musées : Ajaccio : *Job sur le fumier* – Asolo : *Buste de saint Antoine* – Bergame (Acad. Carrara) : *Portrait d'un religieux* – *Saint Roch* – Berlin : *Portrait d'un officier* – Berlin (Kaiser-Friedrich Mus.) : *Judith* – *Libération de Pierre* – Besançon : *Mort de Lucrèce* – Bologne : *Bérénice* – Brunswick : *Guérison de Tobie* – Bruxelles : *Portrait d'homme* – Budapest : *Le denier de César* – *Annonciation*, deux fois – *La Vierge* – Caen : *Mercure et Argus* – Cardiff : *Saint François* – Chalon-sur-Saône : *Vierge à la cuillère* – Cleveland : *Caritas* – *Minerve* – Cologne : *Reniement de Pierre* – Darmstadt : *Scène de Roland furieux* – Dijon : *Sainte Cécile* – Douai : *La Vierge et deux saints* – Dresde : *Bethsabée demande à David de laisser la couronne à son fils Salomon* – Rébecca et le serviteur d'Abraham au puits* – *David avec la tête de Goliath* – *La joueuse de violoncelle* – Florence : *Le pharisien présentant la monnaie à Jésus* – *Buste d'une sainte* – *Saint Antoine* – *Les disciples d'Emmaüs* – *Vanitas* – Gênes : *Sainte Thérèse* – *Sainte Cécile*, deux fois – *Deux saints martyrs* – *Le Christ mort* – *Jésus et la Samaritaine* – *Saint François*, deux fois – *La Charité* – *Une cuisinière* – *Pastoureau jouant du fifre* – *Saint Thomas* – *L'apôtre saint Paul* – *La Vierge et l'enfant Jésus* – *Saint François et le crucifix* – *Vierge, enfant Jésus et saint Jean-Baptiste* – *Madone et saint Laurent* – *L'Annonciation* – *Les disciples d'Emmaüs* – *Reniement de saint Pierre* – *Joseph expliquant aux prisonniers leurs songes* – *La bénédiction de Jacob* – *Tête de prophète* – Pifferaro – *Saint Thomas incrédule* – *Saint Laurent distribuant ses aumônes* – *La Sainte Famille* – Graz : *David* – Grenoble : *Les disciples d'Emmaüs* – Hanovre : *Saint Jean l'Évangéliste* – Innsbruck (Ferdinand) : *Tobie guérit son père* – Lille : *Moïse sauvé des eaux* – Madrid (Prado) : *Le saint suaire* – Maisons-Laffitte (Château) : *Saint Antoine* – *Madone avec l'enfant et un ange* – Milan (Brera) : *Un commandeur de l'ordre de Malte* – Milan (Mus. del Cast.) : *Bérénice* – *Buste de saint Paul* – Munich : *Le Christ et le pharisien* – *Bérénice* – *Saint Mathieu appelé par Jésus* – Nantes : *Guérison du paralytique* – *Conversion de Zachée le publicain* – Naples : *Portrait d'un moine* – New York (Metropolitan Mus.) : *David vainqueur* – Oslo : *Le Christ et les Pharisiens* – Paris (Mus. du Louvre) : *La Vierge et l'Enfant* – *Saint Antoine de Padoue avec l'Enfant Jésus dans un bras* – Parme : *Un capucin* – Pise : *Bénédiction de Jacob* – Posen : *Enlèvement d'Europe* – Rome (Gal. Nat.) : *Saint Laurent distribuant des aumônes* – Rome (Colonna) : *La charité romaine* – Rome (Doria Pamphily) : *Portrait d'homme* – Chilon – *Tête de vieillard représentant Lycurgue* – *Vieillards* – *Archimède* – *Pythagore* – Saint-Pétersbourg (Mus. de l'Ermitage) : *Le jeune Tobie guérit son père* – *Saint Maurice* – Schleissheim : *Laisser venir à moi les petits enfants* – Sienne : *Saint François* – Stock-

Holm : *Le denier de César* – Stuttgart : *Saint Jean-Baptiste et les quatre scribes* – *Loth et ses filles* – *Sainte Catherine* – *Nymphe et Diane* – *Portrait d'homme* – Trévise : *Portrait* – Trieste : *Le professeur Castiglioni* – Turin : *Portrait d'un prélat* – Venise (Gal. roy.) : *Saint Jérôme* – Venise (Acad.) : *Festin dans la maison du pharisien* – *Portrait du doge Erizzo* – *Saint Jérôme* – Venise (Stampalia) : *Madone et l'Enfant* – Venise (Mus. Civique) : *Portrait de prélat* – *Deux saints* – *Madone, l'Enfant Jésus et saint Jean* – *Saint Laurent, distribuant ses aumônes* – Venise (Librera Secchia) : *La Vigilance et la Patience, la Renommée et le Bonheur*, plafond de la grande salle – Vérone : *Portrait d'un géographe* – Vicence : *Artémise* – Vienne : *Moïse enfant conduit devant Pharaon* – *Le doge Francesco Erizzo* – *Jean-Baptiste explique sa mission aux lettrés* – *Portrait d'homme* – *Le joueur de luth* – *La pauvre veuve de Sarepta* – *Judith* – *Salomé* avec la tête de Jean-Baptiste.

Ventes Publiques : Amsterdam, 1703 : *Le siècle d'or* : **FRF 1 000** – Paris, 1843 : *Le jugement de Salomon* : **FRF 195** ; *Le Pharaon et Moïse* : **FRF 115** – Paris, 1859 : *Portrait de Jules Strozzi* : **FRF 980** – Venise, 1894 : *Portrait d'un procureur de la famille Grimani* : **FRF 8 100** ; *Portrait d'un évêque tenant un livre d'heures* : **FRF 500** ; *Vieillard à barbe blanche* : **FRF 450** – Paris, 26-27 mai 1896 : *Moïse sauvé des eaux* : **FRF 1 600** – Paris, 1899 : *Portrait de dame en riche costume* : **FRF 5 900** – Londres, 23 juin 1922 : *Femme en robe noire* : **GBP 173** – Londres, 28 juil. 1922 : *Bellona* : **GBP 54** – Londres, 11 mai 1934 : *Joyeuse réunion* : **GBP 126** – Londres, 8 juil. 1938 : *Musiciens* : **GBP 199** – Paris, 30 juin et 1er juil. 1941 : *Portrait de jeune femme* : **FRF 32 000** – Londres, 1er fév. 1946 : *Gentilhomme* : **GBP 183** – Milan, jan. 1950 : *Saint Jérôme* : **ITL 520 000** – Paris, 24 mars 1952 : *Sainte Apolline* : **FRF 250 000** – Londres, 2 juil. 1958 : *Sainte Anne avec la Vierge enfant* : **GBP 2 400** – Londres, 26 juin 1959 : *Moïse sauvé des eaux* : **GBP 1 155** – Londres, 23 mars 1960 : *L'extase de saint François* : **GBP 1 200** – New York, 19 oct. 1960 : *Architecture* : **USD 14 000** – Londres, 29 juin 1962 : *Buste d'un vieil homme barbu* : **GNS 1 100** – Londres, 27 mars 1963 : *L'éducation de la Vierge* : **GBP 2 500** – Londres, 20 mars 1964 : *Deux musiciens* : **GNS 2 500** – New York, 8 déc. 1966 : *Vierge à l'Enfant avec saint Jean-Baptiste enfant* : **USD 13 500** – Londres, 29 nov. 1968 : *Femme donnant à boire à un vieillard* : **GNS 7 200** – Londres, 30 juin 1971 : *Saint Sébastien et les saintes femmes* : **GBP 26 000** – Londres, 29 juin 1973 : *Homme âgé jouant du luth et jeune homme au violon* : **GNS 20 000** – Londres, 29 nov. 1974 : *Portrait d'un homme et deux femmes* : **GNS 9 500** – Londres, 26 nov. 1976 : *Le Christ à Bethesda*, h/t (138,5x122) : **GBP 15 000** – Londres, 23 mars 1982 : *Saint François*, pierre noire (28x23) : **GBP 4 000** – Milan, 4 nov. 1986 : *David et Goliath*, h/t (100x115) : **ITL 39 000 000** – Monte-Carlo, 20 juin 1987 : *Tête de saint Jean l'Évangéliste*, pierre noire (29,2x21,5) : **FRF 200 000** – Londres, 8 juil. 1987 : *Allégorie de la Charité*, h/t (129x111) : **GBP 430 000** – Londres, 8 juil. 1988 : *David avec la tête de Goliath*, h/t (100x114) : **GBP 28 600** – Milan, 12 déc. 1988 : *Saint François*, h/t (125x86,5) : **ITL 19 000 000** – Rome, 13 avr. 1989 : *La Sainte Famille*, h/t (66x106) : **ITL 80 000 000** – Paris, 14 avr. 1989 : *Alexandre fait rendre par un de ses ambassadeurs à Abdolominus sa couronne usurpée*, h/t (123x175) : **FRF 1 750 000** – Londres, 5 juil. 1989 : *Une allégorie de la Charité*, h/cart. (31,5x27) : **GBP 35 200** – New York, 10 jan. 1990 : *La Vierge avec l'Enfant et saint Jean Baptiste*, h/t (163,2x118,1) : **USD 88 000** – Paris, 14 fév. 1990 : *Saint Pierre*, h/t (49,5x41) : **FRF 95 000** – New York, 8 jan. 1991 : *Tête de Saint Jean l'Évangéliste (recto)* ; *Nu masculin de dos avec la jambe droite pliée et les bras écartés (verso)*, craie noire (29,2x21,5) : **USD 39 600** – New York, 19 mai 1993 : *La cuisinière : intérieur de cuisine avec une servante plumant une oie*, h/t (174,6x160,3) : **USD 376 500** – Monaco, 2 juil. 1993 : *Saint François tenant un crucifix dans ses bras*, craies noire, rouge et blanche/pap. beige (31x26,2) : **FRF 377 400** – New York, 24 avr. 1995 : *Portrait d'un architecte*, h/t (84,5x67,3) : **USD 8 625** – Milan, 8 juin 1995 : *Sainte Catherine d'Alexandrie*, h/t (63,5x46,5) : **ITL 103 500 000** – Londres, 19 avr. 1996 : *Fleurs dans des vases d'argent avec des citrons et un artichaut sur un entablement* ; *Fleurs dans des vases de céramique avec des pommes et des cerises dans un plat et des oranges sur une table*, h/t (101,6x147) : **GBP 243 500**.

STROZZI Gio. Batt.
XVIIe siècle. Actif à Bologne. Italien.
Peintre.

STROZZI Zanobi di Benedetto
Né le 17 novembre 1412 à Florence, d'origine patricienne. Mort le 6 décembre 1468. XVe siècle. Italien.

Peintre et enlumineur amateur.
Élève de fra Angelico. Il s'est également consacré à l'enluminure.
Musées : ALTENBURG : *Épreuve du feu subie par saint François devant le sultan* – BERLIN (Kaiser-Friedrich Mus.) : *Rencontre de saint Dominique avec saint François* – *Apparition de saint François à Arles* – CHANTILLY (Mus. Condé) : *Saint Marc* – *Saint Mathieu* – *Vision de saint Jérôme* – FLORENCE (Mus. des Offices) : *Saint Laurent et le Christ* – FLORENCE (Mus. de Saint-Marc) : *Portes avec scènes de la vie du Christ* – *Mariage et mort de Marie* – *Saint Zacharie* – *Le jugement dernier* – *Couronnement de Marie* – LONDRES (Nat. Gal.) : *Adoration des rois mages* – *Le jugement dernier* – MADRID (Prado) : *Annonciation* – MINNEAPOLIS : *Saint Jacques* – PARIS (Mus. du Louvre) : *Danse de Salomé et décollation de saint Jean-Baptiste* – PHILADELPHIE : *Mort de Marie* – ROME (Vatican) : *Stigmatisation de saint François.*

STRÜB Hans
XVIe siècle. Actif à Sigmaringen. Allemand.
Peintre.
A signé également les œuvres de ses deux frères Jakob et Hans le Jeune.
Musées : DONAUESCHINGEN : *Tableau d'autel d'Inzigkofen* – *Saints debout* – KARLSRUHE : *Mort de Marie* – SIGMARINGEN : *Annonciation* – *Naissance du Christ* – *Adoration des mages* – *Scènes de la vie de Marie* – *Le Christ ressuscité devant les apôtres.*

STRUB Oswald
XVIe siècle. Actif à Schaffhouse. Suisse.
Peintre verrier.

STRUBBERG Louise
Née en 1818 à Ribeauvillé. XIXe siècle. Française.
Paysagiste.
Elle étudia à Munich chez Christ. Morgenstern et plus tard à Paris avec Horace Vernet. Elle exposa au Salon de 1843 à 1845. On lui doit notamment des vues d'Alsace et des Vosges.

STRUBE Adolf
Né le 7 décembre 1881 à Maulbourg (Bade). XXe siècle. Allemand.
Peintre, sculpteur.
Il étudia à l'École des Beaux-Arts et à l'Académie des Beaux-Arts de Karlsruhe. À partir de 1909, il travailla à Berlin où il fut professeur aux Arts Décoratifs.
Musées : FRIBOURG-EN-BRISGAU : *Le Pont rouge* – KARLSRUHE : *Portrait de l'artiste* – *Eucalyptus* – MANNHEIM : *Anémones.*

STRUBEL Hieronymus
XVIIIe siècle. Allemand.
Graveur au burin.

STRUBEL René
Né le 8 novembre 1943 à Strasbourg (Bas-Rhin). XXe siècle. Français.
Peintre, écrivain, poète. Groupe Art-Cloche.
Autodidacte. Il a fait des rencontres importantes avec J. Genet, Francis Bacon, M. A. Asturias. Poète, il a commencé à peindre en 1980. Libertaire, il a fréquenté les « squatt artistiques » et autres lieux en marge. Il a montré ses œuvres dans une exposition à Paris en 1990 à la Galerie 16. Il fit partie du groupe alternatif Art cloche.
BIBLIOGR. : In : *Art Cloche. Élément pour une rétrospective. Squatt artistique*, catalogue de ventes, Me Pierre Cornette de Saint-Cyr, lundi 30 janvier 1989, Paris.
VENTES PUBLIQUES : PARIS, 8 oct. 1989 : *Personnes aux bêtes*, techn. mixte/t. (155x148) : **FRF 6 200** – PARIS, 28 oct. 1990 : *Voyeur*, techn. mixte (126x97) : **FRF 4 600.**

STRÜBIN Robert
Né le 23 février 1897 à Bâle. Mort le 15 août 1965 à Bâle. XXe siècle. Suisse.
Peintre, musicien.
La vie de Strübin est exemplaire et semble se limiter aux quatre murs de sa chambre où il a vécu de nombreuses années en totale réclusion. Né dans une famille aisée, il montre très jeune goût et dispositions pour la musique et reçoit encouragement et aides. Il travaille néanmoins comme employé de banque, consacrant ses loisirs au piano. À la mort de son père, il vit avec sa mère et enseigne le piano à l'Académie de Bâle. Brusquement, il cesse de travailler, vivant des revenus de sa mère malade qu'il soigne. Il se consacre alors de plus en plus à la peinture. À la mort de sa mère, peu après la guerre, il se trouve totalement démuni, s'enferme dans sa maison, vivant dans la poussière et le désordre.

Strübin a vécu en ermite et, mise à part une petite exposition organisée par ses amis à Bâle un an et demi avant sa mort, il n'a jamais montré ses peintures. Des expositions au musée de Lucerne et au musée de Bâle en 1970, ainsi que sa participation à Documenta V à Kassel en 1972 l'ont en revanche révélé.
Il a commencé par peindre des rosaces au compas, des compositions architectoniques, étranges paysages réalisés vers 1936 par petites touches de carrés colorés, découvrant ainsi des formes inédites, utopiques, presque de science-fiction. Néanmoins, personne ne regarde sa peinture. Selon des principes qu'il a élaborés et qui rappellent les études optophoniques de Baranoff-Rossiné, il a ensuite introduit dans sa peinture des connotations musicales, transposant la musique en des visions kaléidoscopiques, poursuivant ainsi tout au long de son œuvre les recherches de traduction visuelle de la musique qu'il a entreprises dès 1930. Exigeant vis-à-vis de sa propre production, il détruit beaucoup. Ayant rompu tout contact avec l'extérieur, ses voisins croyaient sa maison inhabitée, Strübin vécut dans un état de misère permanent. Seul le hasard a néanmoins voulu qu'un musicien reprenne contact avec lui, découvre et aime ses peintures. Stimulé, Strübin noue alors quelques amitiés, surtout avec des jeunes, et continue de plus belle à peindre, jusqu'à la petite exposition de 1963 qui lui redonna, disait-il, une seconde jeunesse. Une jeunesse bien éphémère, il est vrai.
VENTES PUBLIQUES : ZURICH, 21 mai 1977 : *Improvisations dièzes et bémol* 1938, aquar. et encre de Chine (29x20) : **CHF 2 400** – BERNE, 21 juin 1980 : *Musikbild* vers 1957, gche (49x68,5) : **CHF 9 500** – ZURICH, 3 déc. 1993 : *Robert Scgumann – E-Moll-Symphonie, Opus 13 n° IX* 1958, temp. (39x63) : **CHF 10 000** – ZURICH, 26 mars 1996 : *Composition musicale – J. Brahms : Requiem allemand pad. 57/10 mesures* 1963, gche/pap. vert (61,7x66,2) : **CHF 8 000.**

STRUBLE Joh.
XVIe siècle. Travaillait vers 1579. Allemand.
Sculpteur.

STRUCK Hermann
Né le 6 mars 1876 à Berlin. Mort en 1944. XXe siècle. Allemand.
Peintre, graveur, illustrateur, critique d'art.
Il fut élève de l'Académie des Beaux-Arts de Berlin. Il étudia la gravure chez Hans Meyer. Il fit des voyages d'études en Hollande (1898-1899), au Danemark (1902), en Palestine (1903), en Suisse (1905), en Suède et en Angleterre. Il s'installa après la Première Guerre mondiale en Palestine et s'est consacré surtout à la gravure et à l'illustration.

Hermann Struck

VENTES PUBLIQUES : TEL-AVIV, 3 mai 1980 : *Haïfa* 1927, aquar. (12,5x18,5) : **ILS 8 000** – TEL-AVIV, 16 mai 1983 : *Paysage* 1921, h/pan. (34x48,5) : **ILS 86 010** – TEL-AVIV, 1er jan. 1991 : *Wady Salib à Haïfa* 1927, h/cart. (45,5x39) : **USD 1 760** – TEL-AVIV, 26 avr. 1997 : *Jérusalem* vers 1923, h/t (50x35) : **USD 4 830.**

STRUCK Hugo
Né le 22 décembre 1860 à Lubeck (Schleswig-Holstein). XIXe-XXe siècles. Allemand.
Graveur de portraits, peintre.
Il fut élève de Thedy à l'École des Beaux-Arts de Weimar de 1881 à 1884 et de W. Unger à Vienne de 1885 à 1887. Il alla à Saint-Pétersbourg et revint à Berlin en 1890. Il vécut et travailla à Berlin.
Il figura aux expositions de Paris, où il obtint notamment une médaille de bronze à l'Exposition universelle en 1900.

STRUCKE Willy
Né le 21 février 1880 à Clève (Rhénanie-Westphalie). XXe siècle. Allemand.
Peintre de sujets religieux, portraits.
Il vécut et travailla à Bonn. Il fut élève de l'Académie des Beaux-Arts de Munich. Il voyagea en Hollande, en Italie et se fixa à Bonn en 1907.
Il a composé presque exclusivement des œuvres d'inspiration religieuse.

STRUCKER Jacobus. Voir **STRYCKER**

STRUCKMANN Erick
Né le 15 août 1875 à Copenhague. XXe siècle. Danois.
Peintre d'architectures, paysages.
Il fut élève de l'Académie des Beaux-Arts de Copenhague et de Kr. Zahrtmann. Il vécut et travailla à Hellerup.

STRUDEL Dominik von, baron ou **Strudl von Vochburg**
Né vers 1667 à Cles. Mort en 1715 à Vienne. XVIIᵉ-XVIIIᵉ siècles.
Autrichien.
Peintre, architecte, ingénieur.
Il était le frère de Paul et de Peter. Il travailla à la cour de Léopold
Iᵉʳ et de Joseph Iᵉʳ.

STRUDEL Jakob ou **Strudl**
XVIIᵉ siècle. Autrichien.
Sculpteur.
Il était le père de Paul, de Peter et de Dominik et travailla à Val di
Non dans le Tyrol méridional.

STRUDEL Paul von, baron ou **Strudl von Vochburg**
Né en 1648 dans le Tyrol du Sud. Mort en 1708 à Vienne. XVIIᵉ
siècle. Autrichien.
Sculpteur, architecte, ingénieur.
Fils de Jakob et frère de Peter et de Dominik, il fut l'élève de son
père et de J. C. Loth à Venise. Il a collaboré à l'exécution de la
colonne de la Trinité à Vienne en 1687 et a remis d'autre part à
l'empereur seize statues représentant les aïeux de celui-ci.
Musées : Vienne (Mus. de l'hist. de l'art) : *Buste de l'empereur
Léopold Iᵉʳ* – *Eléonore* – *Charles II d'Espagne* – *Joseph Iᵉʳ enfant* –
Charles VI enfant.

STRUDEL Peter von, baron
Né en 1660 à Cles (Tyrol). Mort en 1714 à Vienne. XVIIᵉ-XVIIIᵉ
siècles. Autrichien.
Peintre d'histoire et de fleurs et sculpteur.
Élève de Carl Loth à Venise. Peintre de la cour de Vienne en
1689, il fonda l'Académie de Vienne en 1692. Il passe pour être le
représentant le plus éminent de la peinture baroque à Vienne.
Musées : Brunswick : *Agar et Ismaël* – Dessau (Château) : *Jeune
fille avec fruits* – Dresde : *Suzanne et les vieillards* – *Jupiter et Anti-
ope* – Düsseldorf : *Naissance du Christ* – *Bacchanale des enfants*
– Ebenfurth : *Allégorie* – Heiligenkreuz : *Jeune fille avec enfant* –
Kirchschonbach (Château) : *Trois enfants nus avec fleurs et fruits*
– *Deux enfants nus avec des canards* – Pommersfelden (Château) :
Enfants qui pêchent – *Enfants jouant avec des chèvres* – *Enfants
jouant avec des moutons* – Schleissheim : *Bain de Diane* – Sibiu :
Le temps dévoile la vérité – *Tarquin et Lucrèce* – Vienne (Mus.
d'Hist. de l'Art) : *Allégories* – *Têtes d'anges avec fleurs et fruits* –
Ensevelissement du Christ – *Ange* – *Joueuse de luth* – *Amours* –
Vienne (Belvédère) : *Crucifixion* – quatre panneaux décoratifs.
Ventes Publiques : Londres, 24 mars 1911 : *Paysage avec bes-
tiaux* : GBP 2.

STRUDL. Voir STRUDEL

STRUDT Johann Jakob ou **Strütt**
Né en 1773 à Tegernau (Bade). Mort le 7 août 1807 à Frie-
delsheim. XVIIIᵉ-XIXᵉ siècles. Allemand.
Peintre, paysagiste et de vues de villes, graveur au burin.
Élève de Mechel à Bâle. Il travailla à Heidelberg, à Mannheim, et
publia des gravures de Salzbourg et des Grisons.

STRUDWICK John Melluish
Né le 6 mai 1849. Mort en 1937. XIXᵉ siècle. Britannique.
Peintre de compositions mythologiques, sujets religieux,
sujets allégoriques, scènes de genre, aquarelliste.
Élève des écoles de la Royal Academy et de South Kensington à
Londres. Il exposa à Londres notamment à la Royal Academy et
à Suffolk Street à partir de 1865.

JMS

JMS 1871

Musées : Londres (Tate Gal.) : *Un fil d'or* – Manchester : *Quand
les pommes étaient d'or* – Sydney : *Un livre d'histoires.*
Ventes Publiques : New York, 9-10 avr. 1908 : *Joueur de luth* :
USD 225 – Londres, 21 jan. 1911 : *Apollon et Marsyas 1879* :
GBP 157 – Londres, 18 mars 1911 : *La jolie musique d'un jour
passé* : GBP 120 ; *Histoire d'amour* : GBP 168 ; *Aspasie* :
GBP 189 – Londres, 14 mai 1923 : *Acrasia* : GBP 75 – Londres, 13
avr. 1934 : *Chants d'été* : GBP 84 – Londres, 19 nov. 1969 : *Even-
song* : GBP 1 000 – Londres, 23 juin 1971 : *Summer hours* :
GBP 4 200 – Rome, 25-26 mai 1972 : *Acrasia*, aquar. :
ITL 5 800 000 – Londres, 27 mars 1973 : *Allégorie de la Nuit* :
GBP 2 800 – Londres, 9 avr. 1974 : *Sainte Cécile* : GBP 15 000 –

Londres, 29 juil. 1977 : *Passing days*, h/pap. mar./pan. (37,7x113) :
GBP 24 000 – Londres, 2 févr. 1979 : *Le bon Samaritain 1871*, h/t
(99,6x125,1) : GBP 750 – Londres, 10 nov. 1981 : *Passing Days*,
h/pan. (37x113) : GBP 40 000 – Londres, 22 nov. 1983 : *When
sorrow comes in summer days*, h/t (89x54) : GBP 15 500 –
Londres, 29 nov. 1985 : *The ramparts of God's House*, h/t
(61x85,1) : GBP 180 000 – Londres, 20 juin 1986 : *Un ange ; Un
ange jouant de la harpe*, h/t, une paire (72,4x26,7) : GBP 60 000 –
Londres, 27 nov. 1987 : *In the Golden Days*, h/t (65,4x44,5) :
GBP 110 000 – Londres, 8-9 juin 1993 : *Mélodie sans parole 1875*,
h/t (74,5x99,5) : GBP 67 500 – Londres, 11 juin 1993 : *La douce
musique des jours anciens*, h/t (80,2x63,8) : GBP 276 500 – New
York, 16 fév. 1994 : *Isabelle et le pot de basilic*, h/pan. (25,4x17,5) :
USD 134 500 – Londres, 4 nov. 1994 : *Les Remparts de la maison
de Dieu*, h/t (61x85,1) : GBP 199 500.

STRUDWICK William
XIXᵉ siècle. Actif à Londres. Britannique.
Paysagiste.
Il exposa à Londres, entre 1863 et 1879.

STRUIVING Dominicus Jansz
Né en 1755 à Leeuwarden. XVIIIᵉ siècle. Hollandais.
Peintre.

STRUKOFF Dmitri Michailovitch
Né en 1828. XIXᵉ siècle. Russe.
Peintre.

STRUMPF Jobst. Voir **STUMPF**

STRUMPFF Johan Heinrich ou **Strumph**
XVIIIᵉ siècle. Actif à Amsterdam vers 1748. Hollandais.
Peintre de portraits.

STRUNCK W. J.
XVIIIᵉ-XIXᵉ siècles. Allemand.
Graveur au burin.
Il travailla à Amsterdam et à Düsseldorf. Il grava une estampe
représentant l'exécution de Louis XVI, et le portrait de Louis
Napoléon, roi de Hollande.

STRUNGE Johannes
Né en 1788 à Röszel (Prusse). Mort le 1ᵉʳ février 1861 à Röszel
(Prusse orientale). XIXᵉ siècle. Allemand.
Peintre.
Élève de Feurabend et de Moser. Il a surtout peint pour les
églises.

STRUNK Nikolaus
XVIᵉ siècle. Actif à Coblence. Allemand.
Stucateur.

STRUNKE Niklàvs
Né le 6 octobre 1894 à Gostinin. XXᵉ siècle. Letton.
Illustrateur, peintre de décors de théâtre.
Entre 1911 et 1917, il étudia à Saint-Pétersbourg avec I. Bilibin et
N. Roerich, M. Bernstein et W. Maté, également en 1913 chez J.
Madernieks à Riga. De 1923 à 1927, il travailla en Italie. Il a collaboré aux décors des théâtres de Riga et a illustré des livres d'enfants. Il obtint le Prix du Fonds de Culture en 1926, 1930, 1932 et
1934. En 1925, il avait obtenu une médaille d'or à Paris, où il fut
encore représenté, en 1939, lors de l'exposition consacrée à l'art
de la Lettonie.

STRUPP J.
XVIIIᵉ siècle. Travaillant probablement dans la seconde moitié
du XVIIIᵉ siècle. Allemand.
Peintre de fleurs.
Le Musée de Breslau conserve de lui deux *Bouquets de fleurs.*

Strupp Pinxit.

STRUPPI-WOLKENSPERG Jelka
Née le 13 juin 1875 à Krizevci (actuellement en Croatie). XXᵉ
siècle. Autrichienne.
Peintre de portraits, fleurs.
Elle étudia à Munich.

STRUS M. Josefa
Née en 1805 à Ljubljana. Morte en 1880. XIXᵉ siècle. Active à
Ljubljana. Autrichienne.
Peintre.
Religieuse ursuline.

STRUS Niclas
XVIIe siècle. Actif à Meldorf vers 1620. Allemand.
Dessinateur.

STRUSS Rudolf et **Rochus**, père et fils
XVIe siècle. Suisses.
Peintres verriers.
Il travaillèrent à Schaffhouse. Le père fut actif entre 1551 et 1582 et le fils entre 1577 et 1589.

STRUTT Alfred William
Né en 1856 à Tanaraki. Mort le 8 mars 1924. XIXe-XXe siècles. Britannique.
Peintre de genre, portraits, animaux.
Il fut associé de la Cambrian Academy et de la Royal Society of Painter-Etchers. Il vécut surtout aux environs de Londres, à Croydon, à Wadhurst (Sussex).
Il fit un moment partie de la Society of British Artists. Il exposa à Londres, notamment à la Royal Academy et à Suffolk Street à partir de 1877.

Alfred Strutt

VENTES PUBLIQUES : NEW YORK, 12-14 mars 1906 : *L'enlèvement* : USD 475 – LONDRES, 18 avr. 1910 : *Watched Pots never boil* : GBP 29 – LONDRES, 29 avr. 1911 : *In a fix* ; GBP 178 ; *Attaque* ; *Défaite*, deux pendants : GBP 361 – LONDRES, 16 mai 1930 : *Port dans la tempête* : GBP 52 – LONDRES, 25 mai 1979 : *Something in the wind*, h/t (86x171,1) : GBP 2 600 – CHESTER, 14 oct. 1982 : *Taming the shrew*, h/t (89x152) : GBP 11 200 – LONDRES, 7 déc. 1983 : *In a Fix*, h/t (95,5x145) : GBP 10 000 – LONDRES, 24 sep. 1987 : *Enfants de cavalier, Penshurst Place, Vient*, aquar. reh. de gche (57x95) : GBP 72 000 – LONDRES, 12 juin 1992 : *Une marmite que l'on surveille ne bout jamais*, h/t (82x115,6) : GBP 37 400 – NEW YORK, 4 juin 1993 : *Attaque* ; *Défaite*, h/t, une paire (chaque 45,7x62,2) : USD 10 063 – LONDRES, 7 juin 1996 : *La Pause du pêcheur*, h/t (71,2x55,8) : GBP 4 600 – LONDRES, 7 nov. 1997 : *Une marmite que l'on surveille ne bout jamais*, h/t (82x115,6) : GBP 21 850 – LONDRES, 5 nov. 1997 : *Chassez le chausson !*, aquar. et gche (34,5x53) : GBP 5 750.

STRUTT Arthur John
Né en 1819 à Chelmsford. Mort en juin 1888 à Rome. XIXe siècle. Britannique.
Peintre d'histoire, animaux, paysages, dessinateur, graveur, illustrateur.
Fils et élève de Jacob George. Il accompagna son père dans différents voyages en France, en Suisse et en Italie et se fixa à Rome. En 1838 il visita la Calabre et la Sicile et faillit être tué par des brigands calabrais. Il publia un récit de ce voyage avec une illustration de jolies eaux-fortes.
Il a surtout peint la campagne de Rome et excellé dans la représentation des animaux.

A. I. Strutt

VENTES PUBLIQUES : LONDRES, 18 avr. 1910 : *Chienne de chasse et ses petits* : GBP 13 – LOS ANGELES, 8 avr. 1973 : *Paysage aux environs de Rome* : USD 2 200 – LONDRES, 15 mai 1979 : *Rome, 1875*, h/t (60x151) : GBP 2 500 – LONDRES, 5 nov. 1982 : *Vue de Rome* 1860, h/t (55,9x110,5) : GBP 1 700 – CHESTER, 6 juil. : *Paysage des environs de Rome* 1860, h/t (87,5x131) : GBP 2 400 – LONDRES, 2 oct. 1985 : *Vue de Tivoli près de Rome* 1860, h/t (86x128) : GBP 7 800 – ROME, 8 mars 1994 : *Pie IX bénissant l'armée*, encre de Chine (13,3x42) : ITL 4 140 000 – LONDRES, 8 nov. 1996 : *Ruines dans la Campanie* 1882, h/t (148,5x50,8) : GBP 7 000.

STRUTT Jacob George
Né en 1790. Mort en 1864 à Rome. XIXe siècle. Britannique.
Peintre de portraits, paysages, peintre à la gouache, graveur.
Disciple, sinon élève de Constable. Il exposa avec succès à Londres de 1819 à 1858. En 1830, il partit pour la Suisse et après un séjour assez long à Lausanne, il alla se fixer à Rome. Ce fut aussi un habile graveur et un écrivain.
On cite notamment parmi ses ouvrages littéraires *Bury Saint Edmunds*, trois volumes dont deux de planches, *Sylva Britannica*, suite d'eaux-fortes (1825) et *Delicial Sylvarum*, suite d'eaux-fortes (1828).

VENTES PUBLIQUES : LONDRES, 28 juil. 1974 : *Le château de Chillon* 1836 : GNS 700 – LONDRES, 8 fév. 1991 : *Le palais du Podesta vu du Forum à Rome* 1849, h/t (30,5x46) : GBP 6 600 – PARIS, 6 avr. 1994 : *Vues de Rome* 1840, gche, une paire (chaque 17x13) : FRF 34 000 – ROME, 13 déc. 1995 : *Ponte Nomentano*, h/pan. (17x24,5) : ITL 4 600 000.

STRÜTT Johann Jakob. Voir **STRUDT**

STRUTT Joseph
Né le 27 octobre 1749 à Springfield. Mort le 16 octobre 1802 à Londres. XVIIIe siècle. Britannique.
Peintre, graveur au burin et écrivain.
Il était le père de William Thomas et suivit les cours de la Royal Académy de Londres. Il publia *Manners, Customs, Arms, etc. of the people of England*, en trois volumes, et *Chronicle of England*, en deux volumes.

STRUTT William
Né en 1826. Mort le 3 janvier 1915. XIXe-XXe siècles. Britannique.
Peintre de genre, de portraits et aquarelliste.
Il fut élève à Paris de l'École des Beaux-Arts chez Drolling, Ingres, P. Delaroche et H. Vernet. Il vécut à Londres, devint membre de la British Artists, et exposa notamment à la Royal Academy et à Suffolk Street à partir de 1865.

MUSÉES : LONDRES (Nat. Gal. of Portraits) : *L'Expédition d'exploration de Burke et Wille*, aquar. – LUCERNE : *La Paix*.
VENTES PUBLIQUES : LONDRES, 5 mars 1910 : *Né pour les méfaits* : GBP 10 – LONDRES, 24 avr. 1911 : *Pot Luck* : GBP 31 – LONDRES, 22 fév. 1972 : *La peur des lions avant l'orage* : GBP 500 – MELBOURNE, 14 mars 1974 : *Cavalier volant un jeune lionceau* : AUD 7 500 – LONDRES, 14 mai 1976 : *La dispute*, h/t (231x171,4) : GBP 1 800 – LONDRES, 6 mai 1977 : *Sherila dans un paysage*, h/t (43x75 : GBP 850 – LONDRES, 3 oct. 1984 : *La famille des lions*, h/t (33x43,2) : GBP 3 800 – LONDRES, 10 oct. 1985 : *Homeward bound Souvenir of the Cameo*, aquar./trait de cr. reh. de gche (24,5x34,5) : GBP 4 200 – LONDRES, 12 juin 1985 : *The coming race*, h/t (47x76) : GBP 12 000 – LONDRES, 27 sep. 1989 : *La balançoire pleine de tendresse*, h/pan. (43,5x34) : GBP 19 250 – LONDRES, 9 juin 1994 : *Sentinelles du désert*, aquar. (68x90) : GBP 6 900.

STRUTT William Thomas
Né en 1777. Mort le 22 février 1850. XIXe siècle. Britannique.
Miniaturiste amateur.
Fils de Joseph Strutt. Banquier, il occupa une position importante à la Banque d'Angleterre et fit de l'art seulement à ses moments perdus. De 1795 à 1822, il exposa trente miniatures à la Royal Academy. Ses œuvres possèdent de remarquables qualités de charme, d'exécution et de couleur.

STRÜTZEL Otto Leopold
Né le 2 septembre 1855 à Dessau (Halle). Mort le 25 décembre 1930 à Munich (Bavière). XIXe-XXe siècles. Allemand.
Peintre animalier, de paysages, graveur, illustrateur.
Il fut élève de l'Académie des Beaux-Arts de Leipzig. Il travailla à Leipzig, Munich et Düsseldorf. Il figura aux Expositions de Paris, mention honorable en 1891.

Otto Strutzel
Stützel

MUSÉES : CHEMNITZ : *Erding* – DESSAU : *Dans les champs* – LEIPZIG : *A. Wisby* – MUNICH : *Prairies de l'Isar* – *Le fossé du moulin*.
VENTES PUBLIQUES : NEW YORK, 1er-2 mars 1906 : *Conversation sur le chemin* : USD 170 – COLOGNE, 13 juin 1969 : *Paysage alpestre* : DEM 4 800 – MUNICH, 17 nov. 1971 : *Travaux des champs* : DEM 6 400 – MUNICH, 13 mars 1974 : *Scène champêtre* 1885 : DEM 20 000 – COLOGNE, 14 juin 1976 : *L'Étang*, h/t (51x72) : DEM 2 900 – MUNICH, oct. déc 1979 : *Paysage fluvial* 1905, h/t (31,5x38) : DEM 4 500 – VERSAILLES, 25 oct. 1981 : *Moutons au pacage*, h/t (51x78) : FRF 53 500 – DÜSSELDORF, 6 juin 1984 : *Le repos des laboureurs* 1914, h/t (88x138) : DEM 36 000 – NEW

York, 31 oct. 1985 : *Pommiers en fleurs* 1914, h/t (108x151) : **USD 13 500** – Amsterdam, 2 mai 1990 : *Charretier avec son attelage sur une route bordée d'arbres, berger et son troupeau dans un champ*, h/t (70x100) : **NLG 27 600** – New York, 17 oct. 1991 : *Pommiers en fleurs* 1914, h/t (108x151,1) : **USD 8 800** – Munich, 22 juin 1993 : *Bouvier ramenant ses bêtes*, h/t (99x74,5) : **DEM 13 800** – New York, 26 mai 1994 : *L'Époque des labours*, h/t (75,6x99,7) : **USD 12 650** – Munich, 25 juin 1996 : *Paysage des contreforts alpins* 1928, h/t (35x52) : **DEM 7 800** – Munich, 3 déc. 1996 : *L'Isar*, h/t (52x35) : **DEM 7 998**.

STRUTZKY Christoph. Voir STRITZKI

STRÜWER Ardy
Né en 1939. xxᵉ siècle. Actif aussi en France. Hollandais.
Peintre. Surréaliste.
Il participé au Salon des Bataves à l'Institut néerlandais de Paris en 1995.
Ventes Publiques : Göteborg, 17 oct. 1989 : *Baiser à la fleur papillon* 1978, acryl./t. (48x64) : **SEK 8 000** – Stockholm, 13 avr. 1992 : *Fata Morgana VIII* 1968, h/t (40x32) : **SEK 3 400**.

STRUYCKEN Peter
Né en 1939 à La Haye. xxᵉ siècle. Hollandais.
Peintre. Abstrait, tendance géométrique.
Il a étudié à l'Académie des Beaux-Arts de La Haye. Il vit et travaille à Arnhem où il a été professeur à l'Académie entre 1964 et 1976.
Il participe à des expositions collectives, dont : 1977, *Aspects historiques du constructivisme et de l'art concret*, Musée d'Art Moderne de la Ville de Paris. Il montre ses œuvres dans des expositions personnelles, dont : 1966, Stedelijk Museum, Amsterdam ; 1980, Rotterdam.
Il a commencé par peindre des paysages et des natures mortes. Il travaille depuis 1962 à des tableaux abstraits géométriques, systématiques dans la méthode appliquée, et, depuis 1969, aux structures essentielles du tableau à l'aide de l'ordinateur. Il utilise souvent comme matériaux de la laque de résine sur perspex.
Bibliogr. : In : *Dictionnaire de la peinture*, Le Robert, Paris, 1975 – in : *L'Art du xxᵉ siècle*, Larousse, Paris, 1991.
Musées : Amsterdam (Stedelijk Mus.) : *Structure ordinateur* 1969.
Ventes Publiques : Amsterdam, 29 oct. 1980 : *Composition* 1965, h/pan. (100x100) : **NLG 5 000** – Amsterdam, 5 juin 1984 : *Mouvement obéissant à une loi* 1963, techn. mixte (99,5x99,5) : **NLG 5 800** – Amsterdam, 9 déc. 1988 : *Argent avec noir*, laque/cart. (100x100) : **NLG 18 400** – Amsterdam, 24 mai 1989 : *Cloître II* 1973, autocollant/rés. synth. (200x133) : **NLG 29 900** – Amsterdam, 22 mai 1991 : *Composition*, laque/cart. en forme de diamant (50x50) : **NLG 9 200** – Amsterdam, 19 mai 1992 : *Structure I* 1967, h/cart. plastifié en forme de diamant (140x140) : **NLG 11 500** – Amsterdam, 26 mai 1993 : *Wetmatige Bewegung*, acryl./cart. (100x100) : **NLG 10 925** – Amsterdam, 6 déc. 1995 : *Structure XVI* 1967, peint. cellul./perspex (100x100) : **NLG 11 500** – Amsterdam, 10 déc. 1996 : *Structure XXXVI-67* 1967, peint. cellul./perspex (100x100) : **NLG 13 838** – Amsterdam, 2 déc. 1997 : *Agglomération 7*, acryl./perpex (200x133) : **NLG 23 064** – Amsterdam, 2-3 juin 1997 : *Structure XXIII* 1967, laque/plexiglas (100x100) : **NLG 9 440**.

STRUYF Cornelis
xviiᵉ-xviiiᵉ siècles. Actif à Anvers. Belge.
Sculpteur.
Il devint en 1733 doyen de la Gilde Saint-Luc.

STRUYS Alexander Théodore Honoré
Né le 24 janvier 1852 à Berchem (près d'Anvers). Mort en 1941 à Bruxelles. xixᵉ-xxᵉ siècles. Belge.
Peintre d'histoire, scènes de genre, portraits, intérieurs, graveur. Réaliste, naturaliste.
Il fut élève de Johan Rutten et Joseph Van Lerius à l'Académie des Beaux-Arts d'Anvers et de Jan Van Beers, Van Kuystr, Verhaert Joors et Jef Lambeaux. Il passa plusieurs années à Weimar, où il devint professeur de 1877 à 1882, puis directeur de l'Académie des Beaux-Arts, et se fixa à Malines. Il fut également nommé membre de l'Académie des Beaux-Arts d'Anvers, en 1897.
Il exposa au Salon de Gand, à partir de 1871 ; au Salon de Paris, puis Salon des Artistes Français. Il obtint une médaille d'or à l'Exposition Universelle de 1889 et un Grand Prix à l'Exposition Universelle de 1900.
Il fut l'un des principaux représentants de la peinture naturaliste à tendance sociale belge. Toute sa peinture est empreinte d'un

certain pathétisme qui s'exprime par des tonalités sombres faites de bruns étouffés.

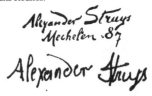

Bibliogr. : Gérald Schurr, in : *Les Petits Maîtres de la peinture 1820-1920, valeur de demain*, Les Éditions de l'Amateur, t. VI, Paris, 1985 – in : *Dictionnaire biographique illustré des artistes en Belgique depuis 1830*, Arto, Bruxelles, 1987.
Musées : Anvers : *Le gagne-pain* – Bruxelles (Mus. des Beaux-Arts) : *La visite du malade* – Dordrecht : *L'abandon* – Gand : *Le désespoir* – Liège : *Un art qui se meurt* – Philadelphie : *L'abandon* – Tournai : *Le repos* – *La confiance en Dieu* – *Sans pain* – Wartbourg : *Luther sur son lit de mort* – Weimar : *Portrait de Mme Mathilde Arnemann.*
Ventes Publiques : Londres, 10 fév. 1978 : *Voiliers par mer calme* 1872, h/t (101,5x145) : **GBP 850** – Amsterdam, 21 avr. 1994 : *La dame au perroquet*, h/t (84x65) : **NLG 3 220**.

STRUYS Jan Jansz
Né en 1630 à Wormer. Mort probablement en 1694. xviiᵉ siècle. Hollandais.
Dessinateur.
Fit entre 1647 et 1673 plusieurs voyages en Asie, dont il nous a laissé le témoignage dans ses dessins.

STRVELY Edward. Voir STRÖHLING Peter Eduard

STRY Abraham Van I, l'Aîné ou Strij
Né le 31 décembre 1753 à Dordrecht. Mort le 7 mars 1826 à Dordrecht. xviiiᵉ-xixᵉ siècles. Hollandais.
Peintre d'histoire, scènes de genre, portraits, animaux, paysages, intérieurs, fleurs et fruits, peintre à la gouache, aquarelliste, graveur, dessinateur.
Frère de Jacob Van Stry, il fut élève de son père et de Joris Pouse. En 1774, il fonda la société la « Pictura » de Dordrecht.
Il peignit d'abord des fleurs et des fruits, mais obligé d'aider son père, il fit aussi de la peinture d'histoire et des paysages. Par la suite, il privilégia le portrait, le paysage et les animaux, dans la manière de Cuyp. Il excella dans le clair-obscur.
Musées : Amsterdam : *Jeune dessinateur* – *La mère près du berceau* – *La fille de cuisine* – *La leçon de dessin* – Dordrecht : *Intérieur* – *Portrait d'une dame Sophie Catherine Vermeulen* – *Fleurs et fruits avec chien* – *Portrait d'Hermann Boet* – *Intérieur avec une femme assise à la fenêtre* – La Haye : *Tapis* – Minneapolis : *Paysage avec troupeau* – Philadelphie : *Le savant.*
Ventes Publiques : Paris, 1842 : *Intérieur de chambre à coucher* : **FRF 340** – Paris, 1852 : *Repos d'animaux* : **FRF 350** – Paris, 1858 : *Vue sur la Meuse*, aquar. : **FRF 30** – Paris, 1860 : *Paysage avec animaux* : **FRF 1 534** – Paris, 1861 : *Deux vaches* : **FRF 460** – Paris, 1885 : *Pâturage de Hollande* : **FRF 500** – Paris, 21 mars 1921 : *Vase de fleurs, fruits et faisan* : **FRF 420** – Paris, 29 avr. 1921 : *Scène d'hiver*, lav. : **FRF 1 550** – Paris, 26 juin 1926 : *Paysage avec rochers et étang*, gche : **FRF 225** – Londres, 25 juin 1928 : *La vieille, vieille histoire* : **GBP 65** – Paris, 3 mai 1929 : *Vaches au pâturage* : **FRF 1 650** – Paris, 17 juil. 1941 : *Les négociants*, aquar. reh. de gche : **FRF 4 180** – Paris, 27 oct. 1942 : *Le coin du feu*, pierre noire : **FRF 6 500** – Paris, 13 fév. 1950 : *Les enfants au chat*, lav. d'encre de Chine : **FRF 5 000** – Londres, 21 jan. 1966 : *Couple devant une maison* : **GNS 700** – Amsterdam, 15 nov. 1976 : *Scène d'intérieur*, h/t (66x83) : **NLG 8 600** – Londres, 2 déc. 1977 : *Un homme écrivant une lettre dans un intérieur*, h/pan. (66x56,4) : **GBP 16 000** – Londres, 30 mars 1979 : *Enfants dans un escalier* 1816, h/pan. (69,8x61,6) : **GBP 14 000** – Amsterdam, 29 mai 1986 : *Chasseur et son chien dans une cour*, h/pan. (67,3x63,5) : **NLG 60 000** – New York, 25 oct. 1989 : *La préparation du repas* 1820, h/t (62,2x53,3) : **USD 1 100** – Paris, 27 juin 1989 : *Bergère et son troupeau dans un paysage de rivière*, h/t (101,5x85,5) : **FRF 40 000** – New York, 9 jan. 1991 : *Un homme en buste et de profil*, craie noire et lav. brun roux (16,5x11,1) : **USD 4 180** – Amsterdam, 7 mai 1993 : *Personnages chez le tisserand*, h/pan. (62x57) : **NLG 35 650** – New York, 24 mai 1995 : *Le prêteur sur gages*, h/pan. (67,3x59,1) : **USD 12 650** – Amsterdam, 11 nov. 1997 : *Une domestique, debout près d'une table dans une*

cuisine, portant un plateau avec des poissons, h/pan. (21,8x18) : **NLG 16 144** ; *Un peintre au travail dans son atelier* 1825, h/pan. (16,3x13) : **NLG 21 910.**

STRY Abraham Van II, le Jeune ou Strij
Né le 11 octobre 1790 à Dordrecht. Mort le 6 novembre 1840 à Dordrecht. XIXᵉ siècle. Hollandais.
Peintre de genre.
Il fut élève d'Abraham Van Stry I.
VENTES PUBLIQUES : AMSTERDAM, 27 avr. 1976 : *Jour de lessive* 1825, h/pan. (38x31) : **NLG 16 500** – AMSTERDAM, 18 nov. 1980 : *Étude de tête*, aquar./craie noire et sanguine (22,8x16,8) : **NLG 2 600.**

STRY Hendrik Van
XVIIIᵉ-XIXᵉ siècles. Hollandais.
Peintre.
Fils de Jacob Van Stry. Le Musée de Gouda garde de lui : *Enfants faisant de la musique.*

STRY Jacob Van ou Strij
Né le 2 octobre 1756 à Dordrecht. Mort le 4 février 1815 à Dordrecht. XVIIIᵉ-XIXᵉ siècles. Hollandais.
Peintre d'animaux, paysages animés, paysages d'eau, aquarelliste, graveur, dessinateur.
Frère d'Abraham Van Stry, il fut l'élève de André C. Lens à Anvers. Son fils Hendrik fut également peintre.
Bien que travaillant volontiers d'après nature, il s'inspira souvent de la manière des grands maîtres hollandais tels que Paul Potter, Hobbema et surtout Cuyp.
MUSÉES : AMIENS : *Paysage avec chaumière et animaux* – *Paysage avec animaux* – AMSTERDAM : *L'heure de traire* – *Crépuscule* – *En route pour le marché* – *Paysage* – *Prairie avec bétail* – BOSTON : *Paysage avec bétail* – DORDRECHT : *Paysage hollandais avec bouquet d'arbres et troupeau* – *Paysage montagneux* – *Paysage boisé* – *Les environs de Dordrecht en été* – *Région du Devel en hiver* – GLASGOW : *Paysage avec bétail* – *Paysage pastoral* – LA HAYE : *L'hiver* – LEIPZIG : *Vaches et moutons près de l'eau* – LILLE : *Paysage avec figures et animaux* – LISBONNE : *Paysage* – LIVERPOOL : *Bestiaux dans un paysage hollandais* – LONDRES (Wallace) : *Bestiaux* – OXFORD : *Paysage avec figures et moutons* – PÉRIGUEUX : *Vaches à l'abreuvoir* – RENNES : *Vaches au repos* – TOURS : *Paysage* – VARSOVIE : *Paysage avec troupeau* – VIENNE (Czernin) : *Vaches au repos* – WÜRZBURG : *Paysage avec bestiaux.*
VENTES PUBLIQUES : PARIS, 1838 : *Jeune paysan tirant un traîneau chargé de bois sur lequel est une jeune fille* : **FRF 1 150** ; *Prairie où paissent des moutons, des chèvres et des vaches* : **FRF 1 500** ; *Intérieur* : **FRF 1 600** – BRUXELLES, 1851 : *Pâturage de Hollande* : **FRF 1 900** – PARIS, 1855 : *Paysage animé avec ruines*, pl. lavé en coul. : **FRF 91** – PARIS, 1872 : *Paysage et animaux* : **FRF 2 000** – PARIS, 1881 : *Bords de la Meuse* : **FRF 1 350** – PARIS, 27 mars 1884 : *Paysage montagneux* : **FRF 700** – LONDRES, 1893 : *Rivière au soleil* : **FRF 6 190** – PARIS, 21 mars 1898 : *Bergère et son troupeau* : **FRF 150** – PARIS, 26 mars 1900 : *Pâturage* : **FRF 325** – LONDRES, 27 nov. 1909 : *Bétail au pâturage* : **GBP 4** – LONDRES, 5 fév. 1910 : *Près de Dordrecht* : **GBP 10** – LONDRES, 18 avr. 1910 : *Paysage* : **GBP 15** – LONDRES, 25-26 mai 1911 : *Paysage animé* : **GBP 357** – LONDRES, 20 mai 1927 : *Paysage avec troupeau* : **GBP 157** – PARIS, 21 nov. 1927 : *Vaches et bergers au bord d'une rivière* : **FRF 2 050** – PARIS, 20-21 fév. 1929 : *Marine avec barques et pêcheurs*, aquar. : **FRF 18 000** – PARIS, 13-15 mai 1929 : *L'Hiver en Hollande*, dess. : **FRF 9 500** – LONDRES, 8 juil. 1929 : *Traite des vaches* : **GBP 157** – PARIS, 22 avr. 1936 : *Les pêcheurs* : **FRF 1 000** – PARIS, 5 mai 1937 : *Un pâturage* : **FRF 580** – PARIS, 4 mai 1942 : *Marchandes de poissons*, cr. noir : **FRF 420** – LONDRES, 14 août 1942 : *Connaisseurs* : **GBP 105** – PARIS, 10 fév. 1943 : *Bergers et leur troupeau au bord d'un torrent*, attr. : **FRF 3 000** – PARIS, oct. 1945-juil. 1946 : *Bétail au bord d'une rivière* : **FRF 2 400** ; *Paysage avec animaux* : **FRF 7 800** – PARIS, 8 déc. 1948 : *Scène d'hiver*, dess. reh. : **FRF 19 500** – PARIS, 20 fév. 1950 : *Troupeau*, attr. : **FRF 5 500** – PARIS, 20 mars 1950 : *Le taureau*, attr. : **FRF 8 600** – PARIS, 20 avr. 1951 : *Le taureau*, attr. : **FRF 5 500** – PARIS, 6 juin 1951 : *La marchande de poisson*, pierre noire : **FRF 1 000** – LONDRES, 4 oct. 1967 : *Paysage fluvial* : **GNS 320** – LONDRES, 29 nov. 1968 : *Paysage d'hiver* : **GNS 1 600** – LONDRES, 06 mars 1974 : *Paysans et troupeau près d'un aqueduc en ruine* : **GNS 2 400** – AMSTERDAM, 27 avr. 1976 : *Paysage d'été*, h/pan. (55x75) : **USD** – NEW YORK, 7 oct. 1977 : *Troupeau dans un paysage*, h/pan. (63,5x84) : **USD 4 500** – AMSTERDAM, 24 avr 1979 : *Bord de rivière animé de personnages*, h/pan. (60x89) : **NLG 70 000** – AMSTERDAM, 17 nov. 1980 : *Paysage d'hiver animé*

de personnages, pl. et lav. (6,9x9,1) : **NLG 5 000** – COLOGNE, 12 juin 1980 : *Paysage au grand arbre*, h/pan. (68x90) : **DEM 24 000** – AMSTERDAM, 2 juin 1981 : *Scène de rivière*, h/pan. (57x72) : **NLG 25 000** – AMSTERDAM, 11 mai 1982 : *Paysage fluvial*, h/pan. (58x78,2) : **NLG 9 200** – AMSTERDAM, 14 nov. 1983 : *Paysage d'hiver avec une chaumière*, pl. et lav. de coul. (24,1x37,4) : **NLG 6 600** – AMSTERDAM, 15 mars 1983 : *Vachère et troupeau dans un paysage boisé*, h/pan. (81x93) : **NLG 17 500** – MUNICH, 29 oct. 1985 : *Le repos du voyageur*, lav. de sépia/trait de cr. (26,5x23) : **DEM 1 700** – PARIS, 22 nov. 1988 : *Animaux devant une ferme*, lav. brun et gris (36x50) : **FRF 9 500** – AMSTERDAM, 14 nov. 1988 : *Paysans sur les berges d'une rivière gelée*, encre et craie (27,1x24,3) : **NLG 8 050** – LONDRES, 19 mai 1989 : *Paysage fluvial avec un voyageur conversant avec un batelier et du bétail et des embarcations à l'arrière-plan*, h/t (94,5x117,5) : **GBP 5 000** – AMSTERDAM, 14 nov. 1990 : *Paysans avec leur bétail au bord d'une rivière*, h/t (63x94) : **NLG 11 500** – NEW YORK, 11 avr. 1991 : *Vaste paysage avec un berger et son troupeau et une église à distance*, h/pan. (64x79) : **USD 5 225** – MONACO, 5-6 déc. 1991 : *Paysan vu de dos*, pierre noire (36x23) : **FRF 11 100** ; *Scène pastorale dans un paysage*, h/pan. (77x108) : **FRF 53 280** – NEW YORK, 15 jan. 1992 : *Vieillard assis*, craie, lav. et aquar. (24,8x20,9) : **USD 1 980** – AMSTERDAM, 25 nov. 1992 : *Paysage d'hiver avec de nombreux patineurs et des traîneaux sur la glace près d'un pont et d'un moulin*, craie noire, encre et lav. (36,5x47,9) : **NLG 5 750** – LOKEREN, 15 mai 1993 : *Le Gardien de vaches*, aquar. (42,5x55) : **BEF 260 000** – LOKEREN, 28 mai 1994 : *Le Gardien de troupeau*, aquar. (42,5x55) : **BEF 180 000** – PARIS, 28 oct. 1994 : *Paysage boisé avec un paysan et son âne*, encre et lav. (22x18) : **FRF 12 000** – AMSTERDAM, 14 nov. 1995 : *Navigation sur la Meuse près de Dordrecht*, h/pan. (57x73,5) : **NLG 23 600** – AMSTERDAM, 16 avr. 1996 : *Paysage fluvial avec un cavalier et une famille de paysans sous un arbre*, h/pan. (65x84) : **NLG 11 800** – AMSTERDAM, 3 sep. 1996 : *Vaches près d'une rivière*, h/pan. (37x45) : **NLG 12 685** – AMSTERDAM, 12 nov. 1996 : *Le Forgeron*, lav. gris (25x17,5) : **NLG 4 720.**

STRYCHYRZ Josef
Né à Kozolup près de Pilsen. XIXᵉ siècle. Tchécoslovaque.
Dessinateur.
Il fut en 1802 élève de l'Académie de Prague.

STRYCKER Dirck
XVIIᵉ siècle. Actif à Amsterdam. Hollandais.
Médailleur.
Il était le père de Willem Brassemary (voir notice correspondante).

STRYCKER Jacobus Gerritsen ou Strucker
Né en 1617 à Ruinen en Hollande. Mort en 1687. XVIIᵉ siècle. Américain.
Peintre.
Il partit en 1651 pour le nouveau monde et devint en 1653 bourgeois de Neu-Amsterdam, maintenant New York. Il a fait là-bas le portrait de colons hollandais.

STRYCKER Willem. Voir BRASSEMARY Willem

STRYCZKO Piotr
Né en 1435. Mort en 1465. XVᵉ siècle. Polonais.
Peintre.
De l'école de Cracovie.

STRYDONCK Guillaume Van ou Strijdonck
Né le 10 décembre 1861 à Namos (Norvège), de parents belges. Mort en 1937 à Saint-Gilles (Brabant). XIXᵉ-XXᵉ siècles. Actif aussi en France. Belge.
Peintre de sujets religieux, scènes de genre, nus, portraits, paysages, marines, natures mortes, pastelliste. Tendance impressionniste.
Il fut élève de Jean Portaels à l'Académie de Bruxelles, puis de Jean Léon Gérôme à l'École des Beaux-Arts de Paris. Il voyagea en Floride et en Inde en 1891. Il fut membre fondateur, en 1884, du *Groupe des XX* et participa à ses manifestations.
Il figura aux expositions collectives, parmi lesquelles : 1883, Salon de l'Essor ; 1883, Salon de la Société Nationale des Beaux-Arts, Paris ; 1887, 1888, Salon des 33, Paris ; 1890, Salon des XX, Bruxelles.
Il exposa à la galerie Georges Petit à Paris, en 1888 et 1889. Il remporta en 1883 le prix Godecharles avec un triptyque, transposition de la vieille scène biblique *Tobie.*
Au fil des années, l'exécution de ses œuvres se fit de plus en plus serrée, la couleur s'éclaircissant d'autant. Parmi ses œuvres : *Femme couchée* ; *Malade* ; *Lassitude* ; *La sieste* ; *Procession dans*

l'église de Machelen ; *Les Canotiers* ; *Danseuse*, peinture exécutée en Inde ; *Boy hindou*, peinture exécutée en Inde ; *Salomé*, triptyque ; de nombreux paysages peints à Machelen et Weert ; des portraits : *Portrait de ma mère* ; *Portrait de ma femme* ; *Portrait de Mme Van Opstal* ; *Portrait de Camille Lemonnier* ; *Portrait du Maharajah de Mysore* ; *Portrait de M. Narayanaswamy-Naïdu* (artiste indien qui fut élève de Van Strydonck et qui devint professeur à l'Académie des Arts de Madras) ; *Portrait de mon fils Willy* ; *Portrait de ma fille jouant à la poupée.*

G S . Van Strydonck

Musées : Anvers – Bruges : *Tobie* – Bruxelles (Mus. des Beaux-Arts) : *Le sculpteur Ch. Van der Stappen* – Ixelles : *La fenêtre* 1887 – *Chia richa* 1894 – Louvain : *Portrait de M. Vanderkeelen* 1884 – *Lassitude* 1886 – Paris (Mus. d'Orsay) : *Fèves de Marais en bottes* 1921 – Tournai : *Le vieillard et les trois jeunes hommes* 1887 – *Les rameurs* – *Déjeuner à Blankenberghe* – *Portrait de Mme Van Cussem mère* – *L'Ayah* 1895.
Ventes Publiques : New York, 13 fév. 1985 : *Jeune élégante dans un intérieur* 1883, h/t (117,5x96,5) : **USD 4 250** – New York, 24 mai 1989 : *Jeune Femme dans une élégante robe rose* 1883, h/t (123,2x100) : **USD 24 200** – Bruxelles, 27 mars 1990 : *Paysage* 1931, h/t (50x60) : **BEF 40 000** – Paris, 29 juin 1990 : *Jeunes Femmes du monde dans une loge de théâtre* 1915, h/t (72x91,5) : **FRF 10 000** – Lokeren, 21 mars 1992 : *Nu à sa toilette*, h/t/cart. (43x48,5) : **BEF 30 000** – Lokeren, 4 déc. 1993 : *Nature morte* 1915, h/t (75x100) : **BEF 130 000** – Lokeren, 10 déc. 1994 : *Peintres dans un atelier* 1914, h/t (64x40) : **BEF 48 000** – New York, 23 mai 1996 : *Fillette jouant avec des cubes* 1889, past. (62,2x47,6) : **USD 5 750** – Londres, 21 nov. 1996 : *Au bord de la rivière* 1898, h/t (69x100,5) : **GBP 13 225** – Lokeren, 18 mai 1996 : *Coucher de soleil à Weert* 1923, h/t (99x150) : **BEF 170 000.**

STRYGEL Hans
Né en 1916 à Vienne. xxᵉ siècle. Autrichien.
Peintre de portraits, paysages.
Il a été dessinateur en menuiserie. Au chômage, il dessina des silhouettes qu'il découpait et peignait pour les vendre dans la rue. Prisonnier en 1943, il peignit un peu pour se distraire. Il s'établit ensuite comme menuisier, à Baden, puis près de Vienne, en 1947. en 1958, il reçut le prix de l'organisation ouvrière pour l'encouragement aux arts « Talents suscités Talents découverts », pour un autoportrait.
La naïveté de la facture de ses œuvres ne compromet en rien l'acuité psychologique et l'intensité d'expression.
Bibliogr. : Oto Bihalji-Merin : *Les peintres naïfs*, Delpire, Paris, s.d.

STRYJENSKI Edmée
Née en 1848 à Carouge dans le canton de Genève. xixᵉ siècle. Suisse.
Dessinateur.
Elle était sœur de Karolina et de l'architecte Tadeusz. Elle fut élève de l'École des Beaux-Arts de Genève et étudia la peinture sur émail chez J. Crossier.

STRYJENSKI Karolina, épouse Cingria
Née le 29 décembre 1846 à Carouge près de Genève. Morte le 5 février 1912 à Carouge. xixᵉ-xxᵉ siècles. Suisse.
Peintre.
Elle était d'origine polonaise, sœur de l'architecte Tadeusz et mère du peintre Alex. Cingria. Élève de B. Menn vers 1870. Elle étudia aussi la peinture sur émail et travailla à partir de 1869 chez Carolus Duran et J. Henner à Paris pour se fixer à Genève en 1878.
Musées : Genève (Mus. d'Art et d'Hist.) : *Espagnole* – *Rivage de la mer* – *Portrait de l'artiste par elle-même.*

STRYJENSKI Zofia ou Sophie ou Stryjenska, née Lubanska
Née en 1894 à Cracovie. xxᵉ siècle. Polonaise.
Peintre, illustrateur, graveur.
Elle fut mariée de 1916 à 1930 à Karol Stryjenski. Elle étudia à Cracovie chez L. Stroynowski et J. Bukowski de 1909 à 1911, et à l'Académie des Beaux-Arts de Munich. Elle revint à Cracovie de 1912 à 1919 et travailla à Paris en 1919 et à partir de 1920 à Varsovie, Cracovie et Zakopane.
Son tempérament heureux et dynamique lui a permis de rendre

admirablement l'âme de son peuple et en a fait un des représentants les plus caractéristiques de la peinture polonaise moderne.
Ventes Publiques : Paris, 15 juin 1945 : *Femme au perroquet*, aquar. : **FRF 400.**

STRYMANS Alphonse Joseph
Né le 24 juillet 1866 à Turnhout (Anvers). Mort en 1959 à Anvers. xixᵉ-xxᵉ siècles. Belge.
Sculpteur, sculpteur de monuments.
Il a suivi les cours du soir de l'Académie d'Anvers de 1890 à 1892, ainsi que ceux de l'Institut supérieur des Beaux-Arts de cette ville. Il vécut et travailla à Anvers.
Bibliogr. : In : *Dictionnaire biographique illustré des artistes en Belgique depuis 1830*, Arto, Bruxelles, 1987.
Musées : Anvers : *Le vin* – *Béatrice* – Tervueren : *Le charmeur de serpents.*

STRYNKIEWICZ Franciszek
Né le 6 juillet 1893 à Moglielnica. xxᵉ siècle. Polonais.
Sculpteur.
Il fit partie de 1915 à 1917 de la Légion polonaise et étudia à l'École des Beaux-Arts de Varsovie de 1923 à 1927. Il a sculpté des *Têtes d'enfants* à la légation de Pologne à Budapest.

STRYOWSKI Wilhelm August
Né le 23 décembre 1834 à Dantzig (aujourd'hui Gdansk en Pologne). Mort le 3 février 1917 à Essen. xixᵉ-xxᵉ siècles. Allemand.
Peintre de genre, paysages.
Élève de l'Académie de Düsseldorf et de Schadow. Il visita la Galicie, la Hollande, Paris et revint se fixer dans sa ville natale où il devint professeur à l'École des Beaux-Arts.
Musées : Breslau, nom all. de Wroclaw : *Le potier* – Budapest : *Mariage juif* – Cologne : *Jeune fille aux fleurs* – Erfurt : *Sur la Vistule* – Gdansk, ancien. Dantzig : *La peintre Franz.*
Ventes Publiques : New York, 14 mai 1969 : *La première communion* : **USD 1 200** – Cologne, 30 mars 1979 : *Polonais au bord d'une rivière*, h/t (45x53) : **DEM 5 000.**

STRZALECKI Wandalin
Né en 1855 à Varsovie. Mort le 14 février 1917 à Varsovie. xixᵉ-xxᵉ siècles. Polonais.
Peintre.
Il étudia à l'École de dessin de Varsovie chez W. Gerson de 1871 à 1877 et aux académies de Saint-Pétersbourg et de Munich. Il se fixa à Varsovie en 1882.
Musées : Cracovie – Varsovie.

STRZEGOCKI Mikolaï ou Michel
Né le 4 mai 1826 à Gromnik. Mort le 29 juin 1891 à Brody. xixᵉ siècle. Polonais.
Peintre et graveur.
Il étudia à l'Académie de Vienne, où il subit l'influence de Führich et a peint surtout des portraits et des compositions religieuses.

STRZELBICKI Jan
xviiiᵉ siècle. Polonais.
Graveur au burin.

STRZEMINSKI Kozimierz
Né le 11 novembre 1888 à Lowicz. Mort le 7 janvier 1938 à Varsovie. xxᵉ siècle. Polonais.
Peintre de paysages.
Il a étudié à l'Académie des Beaux-Arts de Cracovie chez J. Stanislawski, Ruszczye, W. Weiss et Pankiewicz, à Paris à l'Académie Julian de 1908 à 1911. Il alla en Italie en 1911.
Musées : Sofia – Varna – Varsovie.

STRZEMINSKI Wladyslaw
Né le 21 novembre 1893 à Minsk (Biélorussie). Mort le 26 décembre 1952 à Lodz. xxᵉ siècle. Polonais.
Peintre, créateur d'assemblages, dessinateur, aquarelliste, graphiste, designer. Constructiviste, uniste. Groupe Blok, groupe Praesens, groupe a.r., groupe Abstraction-Création.
Wladyslaw Strzeminski est né dans une famille d'origine polonaise. Son père était officier dans l'armée du Tsar. La Première Guerre mondiale débuta peu de temps après qu'il ait terminé, en 1914, ses études supérieures à l'École militaire polytechnique de Saint-Pétersbourg. Envoyé sur la ligne de front, il fut sérieusement blessé en 1916. Cette même année, durant sa longue convalescence à Moscou, il rencontra Katarzyna Kobro (1898-1951), qui allait devenir sa femme en 1922 et une sculpteur polo-

naise de renom. L'année suivante, il se découvrit un intérêt particulier pour l'art grâce à la fréquentation de la collection privée Shuchukin. Dès 1918, il participa au mouvement d'avant-garde en Russie dans les institutions fréquentées ou dirigées par Tatlin, Malevitch et Pevsner. Il étudia notamment dans les ateliers libres SVOMAS (Svobodniye Masterskiye). Deux de ses toiles furent même achetées en 1918 par la Section des Beaux-Arts du Comité populaire d'éducation pour le futur musée de la culture artistique à Pétersbourg qui ouvrit en 1921. À partir de 1919, Strzeminski participa à des activités « agitprop » de décorateur, notamment pour le premier anniversaire de l'Armée Rouge, puis se fixa à Smolensk où il devint directeur de la Section des arts du Département de l'Éducation populaire du District de la ville. Là, avec Kobro, ils supervisèrent l'atelier d'art de la ville affilié au groupe suprématiste Unovis de Malevitch, jusqu'en 1922, date à laquelle ils s'établirent en Pologne, d'abord à Vilnius, puis dans de nombreuses autres villes provinciales, et enfin à Lodz. Pour sa participation à l'exposition de l'Art soviétique à Berlin en 1923, Strzeminski publia un article À propos de l'art russe, le premier, d'une très longue série sur tous les sujets se rapportant à l'avant-garde plastique et architecturale du moment et à l'éducation artistique. Il organisa, également en 1923, avec Vytautas Kairiukstis la première exposition en Pologne, à Vilnius, d'art constructiviste, et en dessinèrent le catalogue. Parmi les participants à cette exposition trois artistes allaient devenir des représentants majeurs du constructivisme polonais : Stazewski, Mieczyslaw Szszuka et Teresa Zarnower. Strzeminski fut cofondateur, avec Berlewi, Kobro, Stazewski, et Zarnower, en 1924, de l'Association des constructivistes polonais Blok, également éditeur d'un magazine du même nom. Il y publia un article intitulé B=2 considéré comme la première formulation de sa théorie de l'unisme. Peu de temps après la dislocation du groupe en 1925, il devint membre, avec sa femme, du groupe Praensens qui réunissait des peintres, sculpteurs et architectes, dont Szymon Syrkus. En 1927 se déroula une importante exposition de Malevitch à Varsovie. En 1927 encore, fut publié son fameux texte L'Unisme et le Dualisme dans l'art. Il quitta cependant le groupe en 1929 alors dominé par les « fonctionnalistes ». Il devint membre de a.r. (réelle avant-garde ou artistes révolutionnaires), aux côtés de Kobro, Stazewinski, Berlewi, Zarnowerowna, Szezuka, Krynski et des poètes Jan Brzekowski et Julian Przybos. Ce groupe avait pour ambition de coopérer avec les différentes avant-gardes européennes, d'étendre les conquêtes et les idées de la créativité et de la modernité. Le couple se fixa en 1931 à Lodz. Après plusieurs années de négociations, s'ouvre, en 1931, à Lodz les salles d'art contemporain du musée, dont celle, néoplasticiste, qui fut spécialement aménagée par Strzeminski après la guerre en 1948. Le fonds de la « Collection Internationale d'Art Moderne », avait été constitué par Strzeminski, ses amis du groupe a.r. et à leurs contacts étrangers. Il publia en 1931 La composition de l'espace. Les calculs du rythme spatio-temporel avec K. Kobro. En 1932, Strzeminski devint membre du groupe basé à Paris Abstraction-Création. En 1933, publication de La typographie fonctionnelle. Durant la guerre et l'occupation de leur pays par les nazis, le couple Strzeminski-Kobro fut obligé de cacher certaines de leurs œuvres jugées décadentes. Après la guerre, Strzeminski se sépara de sa femme, et reprit ses nombreuses activités, notamment d'enseignement à l'École supérieure des Arts de Lodz en 1945, dont il fut à l'origine de la création, et qui formait au design et aux arts appliqués. En contradiction permanente avec les principes du réalisme socialiste qui condamnait le « cosmopolitisme artistique », une directive du ministère de l'Éducation nationale lui enjoignit de démissionner de l'institution en 1950. La même année le fonds d'art contemporain du Musée de Lodz fut fermé au public, et la salle néoplasticiste fermée. Elle ne sera réaménagée qu'en 1960. La collection du Musée d'Art de Lodz, est devenue une exposition permanente de l'art abstrait – la deuxième dans le monde après Hanovre. L'expérience de pédagogue de Strzeminski trouva son expression dans un ouvrage posthume (1957) intitulé Une théorie de la vision, qui était une tentative de présenter le développement historique des formes conçues sous l'aspect d'évolution de la conscience de l'homme. Strzeminski effectua ses premiers travaux appliqués à partir de 1926, de nombreuses esquisses typographiques et couvertures de livres ainsi que des architectures d'intérieur. Il ne cessa d'enseigner les arts appliqués jusqu'à sa mort.

Il participa à des expositions collectives, parmi lesquelles : 1920, avec le groupe Unovis, Moscou ; 1921, avec le groupe Unovis,

Vitebsk ; 1922, Art Soviétique, Berlin ; 1924, avec le groupe Blok ; 1925, Galerie Tretiakov, Moscou ; 1926, International Theatre Exhibition, New York ; 1925, avec le groupe Praensens, galerie Zacheta, Varsovie ; 1927, Machine Age, New York ; 1927, Nouvelles Tendances en Art, Leningrad ; 1928, Salon Moderniste, Varsovie ; 1928, Union des Artistes Polonais, Varsovie ; 1928, avec le groupe Praensens au Salon d'Automne, Paris ; 1928-1929, L'Art polonais, Palais des Beaux-Arts, Bruxelles ; 1929, Exposition nationale, Varsovie ; 1930, Salon d'Automne, Varsovie ; 1930, Le livre polonais contemporain et l'illustration, Lodz ; 1931, Salon d'Hiver, Varsovie ; 1932, Association des Artistes Polonais (Zap) ; 1932, Salon Ziwowy, Varsovie ; 1933, Groupe des Artistes Modernes, association créée pour la circonstance entre le Groupe de Cracovie et les artistes de L'Art Contemporain de Paris, Cracovie ; 1935, avec sa femme Kobro, Maison des Artistes, Cracovie ; 1937, Konstruktivisten, Bâle ; 1944, Konkrete Kunst, Bâle ; 1946, Salon de l'Union des artistes polonais (Zzap), Varsovie ; 1948, Peintres modernes, Katowice ; 1948, Salon des Réalités Nouvelles, Paris. Après sa mort : 1957, 50 ans de peinture abstraite, Galerie Greuze, Paris ; 1957, Précurseurs de l'art abstrait en Pologne, Galerie Denise René, Paris ; 1960, Construction and Geometry in Painting, New York ; 1965, Espace intérieur et extérieur, Moderna Museet, Stockholm ; 1969, Peinture moderne polonaise. Sources et recherches, Musée Galliera, Paris ; 1973, Constructivism in Poland 1923-1936, Museum Folkwang, Essen ; 1977, Naissance du constructivisme et de l'art concret, Musée d'Art Moderne de la Ville de Paris ; 1978, Abstraction Création 1931-1936, Musée d'Art Moderne de la Ville de Paris ; 1983, Présences polonaises, Centre Georges Pompidou, Paris ; 1988, La couleur seule, l'expérience monochrome, Musée Saint-Pierre Art Contemporain, Lyon ; 1992, Die Grosse Utopie. Die russische Avantgarde 1915-1932, Schirn Kunsthalle de Francfort, Stedelijk Museum à Amsterdam, Solomon R. Guggenheim Museum de New York ; 1993, L'Avant-garde russe. Chefs-d'œuvre des Musées de Russie, Musée des Beaux-Arts, Nantes.

Il montra ses œuvres dans des expositions personnelles, dont : 1920, Smolensk ; 1926, galerie Zacheta, Varsovie ; 1927, Club polonais d'art, Varsovie ; 1933, Institut Krzewienia Sztuki, Poznan ; 1934, Lwow (aujourd'hui Lvov en Ukraine) ; 1947, Salon Piotrkowska, Lodz ; 1948, Club des Jeunes Artistes et Etudiants, Lodz. Après sa mort : avec Katarzyna Kobro, 1956, Lodz ; 1957, Varsovie ; 1968, Museum Sztuki, Lodz ; 1977-1978, rétrospective, Lodz ; 1980, rétrospective, Kunsthalle, Düsseldorf ; 1985, 1988, Lodz.

Avec sa femme, il reçut en 1928 un prix pour le design d'un bureau de tabac ; en 1929 il reçut un Second prix de l'Union artistique Zzpap ; en 1930, un prix pour la composition d'une publicité dans un magazine ; en 1932 un prix décerné par la ville de Lodz.

Les premières œuvres de Strzeminski, vers 1918-1919, sont des Natures mortes. Dérivant du cubisme, elles sont caractérisées par une composition plate. D'autres prennent la forme d'assemblages : Mètre ; Outils et produits de l'industrie comprennent des éléments de réalité divers : feuilles de métal, liège, ficelles... Strzeminski combat le constructivisme sa version productiviste, qu'il qualifie de compréhension limitative et statique de l'art. Il est par contre profondément intéressé par le suprématisme de Malevitch – cependant ses travaux réalisés lors de son séjour à Smolensk ne sont pas connus, sauf le modèle d'une station de chemin de fer. Mais c'est aussi en réaction au suprématisme qu'il propose sa version théorique de l'art : l'unisme. Le suprématisme est un processus artistique dynamique, évolutif, qui appréhende l'art comme un tout unique en une harmonie universelle dans sa formulation géométrique. Selon Strzeminski, la pratique de l'art, cette recherche des formes aussi naturelles que la nature, est un tout organique visuel dépendant d'un système de perfection objective. Son programme posait le principe d'une renonciation complète à un dualisme appelé par lui « baroque » – dualisme des formes opposées, du dynamisme et d'un système géométrique perceptible, au profit de l'idée d'une « unité » organique de la surface, de la couleur et de la facture du tableau et qui tendait dans ses œuvres vers le monochrome. « Le tableau uniste », disait Strzminski, « s'oppose au principe du contraste des formes et des couleurs, en tant que bases de la composition ». À la différence de Malevitch, point de dynamisme interne dans les œuvres de Strzeminski, ni de références transcendantales ou cosmologiques. L'homogénéité recherchée se définit par la couleur et la forme. C'est en 1923, qu'il produit plusieurs œuvres qualifiées de post-suprématistes, ou, s'il on veut, de préunistes : *Compositions Synthétiques, Compositions postsuprématistes* ou *Compositions postcubistes* de 1924. Des œuvres dans lesquelles l'intégration conçue par l'artiste est en voie de progression : cercles sur un fond contrasté, lignes irrégulières flottant dans l'espace, formes vertes et jaunes au contour irrégulier, cercle bleu sur un fond blanc. La première *Composition uniste* date de 1925. Les œuvres de ce type sont généralement caractérisées par leur homogénéité formelle : une surface plate colorée et transparente, les couleurs parfois de tonalité égale sont délimitées par des lignes, les formes sont parfois jointes, ou flottantes, la composition n'a pas de structure centrifuge. Strzeminski peint des compositions unistes jusqu'en 1934. Parallèlement, dans les années 1926-1932, il avait créé une série de tableaux dits « architecturaux » représentant de simples systèmes des formes géométriques élémentaires liées par des relations d'ordre mathématique. Entre 1931 et 1934, il peint des vues de mer et des paysages urbains de Lodz. Ces œuvres incluent l'élément du temps dans l'espace de la vision et participent à « ce rythme du tout ». D'autres incluent la dimension psycho-physiologique des images liée à nos émotions, tels les dessins réalisés pendant la guerre : *Déportations* (1940), *Les Visages* (1942), ou le cycle de dessins *À mes amis les juifs* (1945). Entre 1945 et 1948, il réalisa de nombreux autres dessins de paysages de montagne et de forêt caractérisés par une ligne ondulante ou verticale, et, entre 1945 et 1950, dessina et peignit des études de travailleurs et de femmes dans les usines textiles de Lodz. Infatigable expérimentateur, il se voua en 1948-1949, à la peinture qui saisissait le phénomène de « post-vue » - de la trace laissée dans l'œil humain après un contact direct avec une source de lumière.

Strzeminski compte parmi les propagateurs les plus féconds et les plus radicaux de l'art moderne en Pologne.

■ Christophe Dorny, J. B.

Bibliogr. : Michel Seuphor : *Dictionnaire de la peinture abstraite*, Hazan, Paris, 1957 - Mieczyslaw Porebski : *Peinture moderne polonaise, sources et recherches*, Musée Galliera, Paris, 1969 - in : *L'Art du xxᵉ s.*, Larousse, Paris, 1991 - in : *Dictionnaire de l'art moderne et contemporain*, Hazan, Paris, 1992 - in : *Les Années trente en Europe. Le temps menaçant*, Musée d'Art moderne de la ville, Paris Musées, Flammarion, Paris, 1997.

Musées : Jérusalem (Yad Vashem Inst.) : *À mes amis les juifs*, cycle de dessins - Lodz (Mus. Szutki) : *Composition architecturale I* 1926 - *Composition architecturale II* 1926 - *Composition architecturale III* vers 1929 - *Composition architecturale IV* vers 1929 - *Composition architecturale V* vers 1929 - *Composition uniste I* avant 1930 - *Composition uniste II* avant 1930 - *Composition uniste III* avant 1930 - *Composition uniste IV* avant 1930 - *Composition uniste V* avant 1930 - *Composition uniste VI* avant 1930 - *Composition architecturale 13.c* 1929 - *Composition uniste 13* 1934 - *Composition uniste 14* 1934 - Otterlo (Rijksmuseum Kröller-Müller).

Ventes publiques : Amsterdam, 31 mai 1994 : *Composition 1940*, cr./pap. (27,5x21,5) : **NLG 2 300** - Amsterdam, 4 juin 1996 : *Sans titre 1946-1948*, gche/pap. (33,5x49) : **NLG 3 304**.

STRZODKA Jacek
Né en 1953. xxᵉ siècle. Polonais.
Peintre de figures.
Diplômé de l'Université des Beaux-Arts de Poznan. Il a participé à des expositions collectives à Londres et Budapest, et a exposé individuellement au Danemark, en Belgique, en R.F.A. et au Canada.
Musées : Poznan – Varsovie.

STUARDI Antonio Giov.
Né en 1862 à Poirino (Turin). xixᵉ-xxᵉ siècles. Italien.
Sculpteur.

STUART Charles
xixᵉ siècle. Britannique.
Peintre animalier, paysages, natures mortes, fruits.
Exposa à Londres, notamment à la Royal Academy, à la British Institution et à Suffolk Street à partir de 1854, puis entre 1880 et 1904. Membre de la Society of antiquaries.
Musées : Sunderland : *Nid d'aigle*.
Ventes publiques : Londres, 22 avr. 1911 : *Août dans les Highlands* : **GBP 19** - Londres, 23 juil. 1923 : *La forêt du Perthshire* : **GBP 37** - Paris, 7-8 mars 1924 : *Harde de cerfs* : **FRF 410** - New York, 24 jan. 1980 : *Le roi de la forêt*, h/t (59,7x90,2) : **USD 3 200** - Londres, 29 mars 1984 : *Nature morte aux fruits 1860-1862*, h/t,

coins supérieur arrondis (119,5x180) : **GBP 7 500** - Londres, 3 nov. 1989 : *Cerfs dans un paysage des Highlands*, h/t (76x127) : **GBP 2 200** - Londres, 13 déc. 1989 : *Récompenses de la nature 1866*, h/t (63,5x76,5) : **GBP 3 850** - Londres, 15 juin 1990 : *Cerf au bord d'un lac des Highlands*, h/t (76x128) : **GBP 7 700** - Londres, 3 juin 1992 : *Grande composition de fruits*, h/t (76x63,5) : **GBP 3 520** - Londres, 5 mars 1993 : *Nature morte avec un ananas, des pêches, du raisin et des groseilles sur une table drapée, une citrouille*, h/t (63,5x76,3) : **GBP 1 840** - Londres, 12 mai 1993 : *Nant Francon ensoleillé (Galles du Nord) 1887*, h/t (46x61) : **GBP 1 322** - New York, 17 fév. 1994 : *Bovins des Highlands sur le bord d'un lac de montagne*, h/t (91,5x71) : **USD 3 450** - Perth, 30 août 1994 : *Au cœur des Highlands*, h/t (122,5x183) : **GBP 3 680** - Londres, 6 nov. 1995 : *Traversée de la rivière au clair de lune*, h/t (122x183) : **GBP 5 520** - Glasgow, 11 déc. 1996 : *L'Amont du loch*, h/t (51x76) : **GBP 2 185** - Londres, 15 avr. 1997 : *Paysage voilé de brouillard*, h/t (76x127) : **GBP 8 625**.

STUART Gilbert
Né le 3 décembre 1755 à North Kingston (États-Unis). Mort le 9 juillet 1828 à Boston. xviiiᵉ-xixᵉ siècles. Américain.
Peintre de portraits.
Il vint à Londres, jeune, y fut l'élève de Benjamin West et se fit une rapide réputation d'excellent peintre de portraits. Il se fit un grand nom en Angleterre, mais après des difficultés financières dues à sa vie dispendieuse, il quitta Londres pour Dublin en 1787, puis il préféra retourner en Amérique en 1793. D'abord il résida principalement à New York où il fit ses premiers portraits, dont celui de *Madame Richard Yates*, puis à Philadelphie en 1795, où il réalisa le rêve de sa vie : faire le portrait de Washington et en réaliser ensuite de nombreuses copies vendues un bon prix. En 1803, il s'installa à Washington et fit encore de nombreux portraits d'hommes politiques. En 1805, il vint s'établir à Boston et y acheva sa carrière. Il dut lutter à la fin de sa vie contre les défaillances de sa santé, mais ces faiblesses ne se traduisent en rien dans ses œuvres et ses dernières productions ne le cèdent en rien comme exécution aux travaux de ses meilleurs jours.

Le plus sensible des portraits de Washington est celui qui reste inachevé et est connu sous le nom de *Washington Athenaeum*, dont on peut dire, selon la formule de Stuart lui-même, qu'il a « accroché à la toile la tête du modèle ». Il préférait peindre des têtes, saisissant la personnalité du sujet et n'étant pas intéressé par la finition de son travail. Il était pourtant parfaitement capable de réaliser des portraits en pied achevés, comme le démontre le *Patineur*, aux riches harmonies de gris, œuvre attribuée à un moment donné à Gainsborough, puis à Romney et Raeburn.

Bibliogr. : L. Park : *Gilbert Stuart, an illustrated Descriptive List of his Works*, 4 vol., New York, 1926 - W. T. Whitley : *Gilbert Stuart*, Cambridge, 1932 - J. H. Morgan : *Gilbert Stuart and his pupils*, New York, 1939 - J. T. Flexner : *Gilbert Stuart*, New York, 1955 - C. M. Mount : *Gilbert Stuart : a Biography*, New York, 1964 - J. D. Prown et B. Rose : *La peinture américaine, de la période coloniale à nos jours*, Skira, Genève, 1969.

Musées : Bordeaux : *Mrs Arden* - Boston : *Mrs Smith Colburn* - *Councillor Dunn* - *Major general Henry Knox* - *Governor James Sullivan* - *Portrait de Hepzibah lord Waterston* - *Portrait de Robert Waterston* - *Portrait de Josiah Quincy* - *Lydia Pickering* - *Mrs Mary Summer Williams Panel* - *Jane Bethune Hunt* - *Miss Sally Patten* - *Mrs Anna Stow Panel* - *Edward Storw* - *Washington sur la hauteur de Dorchester* - *Portrait de l'artiste* - *Martha Washington*, deux fois - *Mrs Richard Yates* - Chicago : *Major General Henry Dearborn* - Cleveland : *John, lord Fitzgibbon* - *Mrs John Thomson* - Dublin : *Robert Schaw* - Londres (Nat. Gal.) : *John Hall* - *Benjamin West* - *William Woollet* - *L'artiste* - Londres (Victoria et Albert) : *John Henderson dans le rôle de Iago* - Londres (Nat. Portrait Gal.) : *Isaac Barré* - *John Singleton Copley* - *John Phil. Kemble* - *Mrs Siddons* - *George Washington* - *Benjamin West* - New Haven : *Capitaine Charles Knapp* - New York : *Mrs Robert Nicolas Auchmuty* - *Le juge Anthony* - *Mrs Antony* - *Albert Gallatin* - *Charles Lee* - *Joseph de Jaudenes of Nebot et sa femme* - *Le capitaine Henry Rice* - *David Sears* - *Le général Peter Gansewoort* - *Leonard Gansewoort* - *Le général Stephen von Ranselaer* - *Portrait de l'artiste* - *Portrait d'homme* - *George Washington* - *Charles Wilkes* - *Mrs Sam. Hall* - Philadelphie : *Sir Henry Lorraine Baker* - *Mrs Samuel Blodgett* - *Elizabeth Bordley* - *Susan Wheeler Decatur* - *Dr John Fothergill* - Tolède : *Sir Ashley Cooper* - Washington D. C. (Nat. Gal.) : *John Head* - *Portrait de dame* - Washington D. C. (Corcor.) : *Samuel Miles* -

John Randolph – Edward Shippen – Washington – Worscester : Mrs Perez Morton – Samuel Salisbury – Stephen Salisbury I – Russel Sturgis – Mrs Elizabeth Zuckermann Salisbury.
Ventes Publiques : New York, 12-14 avr. 1909 : Portrait : **USD 170** – Londres, 12 mars 1910 : Portrait de Benjamin West : **GBP 84** – Londres, 13 mars 1911 : Portrait de James Boswell : **GBP 9** – Londres, 1er juil. 1925 : John Shaw : **GBP 420** – Londres, 12 fév. 1926 : Matthew Smith : **GBP 136** – Londres, 16 avr. 1926 : James MacDonald : **GBP 168** – Londres, 9 juil. 1926 : Sir William Molesworth : **GBP 1 050** – Londres, 14 juil. 1926 : Dr Johnson, d'après Reynolds : **GBP 240** – Londres, 4 fév. 1927 : Miss Ann Barry : **GBP 1 365** ; Miss Mary Barry : **GBP 1 050** – Londres, 6 mai 1927 : Alexander Hamilton : **GBP 105** – Londres, 8 juil. 1927 : John Cookson Gilpin Sawrey : **GBP 252** – Londres, 16 mai 1928 : Sir John Clavering : **GBP 310** – Londres, 1er juin 1928 : Femme et enfant : **GBP 1 207** – Londres, 27 nov. 1929 : Helen, lady Strange : **GBP 640** – New York, 20 fév. 1930 : Mr William Seton : **USD 400** – New York, 2 avr. 1931 : Mrs John Bartlett : **USD 8 200** – Londres, 12 juin 1931 : Lord North : **GBP 367** – Londres, 12 juin 1931 : Mrs William Abercromby : **GBP 787** ; William Abercromby : **GBP 462** – Londres, 13 juil. 1931 : Portrait de gentilhomme : **GBP 892** ; Mr Matcham : **GBP 1 575** – New York, 20 nov. 1931 : Le Colonel Timothey Pickering : **USD 1 000** – Philadelphie, 22 av. 1932 : Samuel Eason : **USD 2 500** – Londres, 6 juin 1932 : Daniel McCormick : **GBP 378** – Londres, 29 juin 1932 : George Washington : **GBP 250** – New York, 18 et 19 avr. 1934 : Charles Burroughs : **USD 3 600** – Londres, 20 avr. 1934 : Sir Brooke Boothby : **GBP 241** – Londres, 1er juin 1934 : John Forbes : **GBP 220** – New York, 4 jan. 1935 : William Miller : **USD 950** – New York, 25 jan. 1935 : George Washington : **USD 1 400** – Londres, 4 juin 1937 : Le comte St. Vincent : **GBP 399** – Londres, 23 juin 1937 : George Washington : **GBP 400** – New York, 12 fév. 1942 : George de la Poer Beresford : **USD 2 100** ; Elizabeth Moucke : **USD 1 500** – New York, 19 fév. 1942 : George Washington : **USD 19 000** – New York, 21 fév. 1945 : Sir Robert Liston : **USD 5 500** – New York, 12 jan. 1946 : Josiah Quincy : **USD 3 000** ; Mrs Josiah Quincy : **USD 2 500** – New York, 24-26 oct. 1946 : John Shaw : **USD 5 100** ; Mrs William Bayard : **USD 2 000** – New York, 9 jan. 1947 : Lady Temple : **USD 1 700** – Londres, 20 juin 1947 : Le marquis de Lansdowne : **GBP 210** – New York, mai 1950 : George Washington : **USD 17 500** – Londres, 6 nov. 1959 : Portrait de Sir John Dick of Braid, Bart : **GBP 504** – Londres, 23 mars 1960 : Portrait du second duc de Leinster : **GBP 1 200** – Londres, 19 avr. 1961 : Portrait de Mrs Charlotte Stuart : **GBP 350** – New York, 10 mai 1961 : Mr. John Logan : **USD 1 000** – New York, 1er mai 1963 : Portrait de John Shaw : **USD 19 500** – New York, 11 mai 1966 : Ozias Humphrey : **USD 9 000** – Londres, 26 juin 1968 : Portrait de Miss Eleanor Stuart : **GBP 9 500** – Londres, 12 mars 1969 : Portrait d'un gentilhomme : **GBP 4 800** – New York, 10 déc. 1970 : Portrait de George Washington : **USD 205 000** – New York, 28 sep. 1973 : The Hon. John Heard, judge of probate : **USD 6 750** – New York, 10 mai 1974 : Portrait of the earl of St. Vincent : **USD 4 100** – Paris, 8 nov. 1976 : Portrait en buste de George Washington, h/pan. (80x64) : **FRF 30 000** – Washington D. C., 4 déc. 1977 : Portrait du capitaine James Thompson, h/t (69x58,5) : **USD 30 000** – New York, 22 mai 1980 : George Washington, h/t (73,6x61) : **USD 150 000** – New York, 23 avr. 1981 : Portrait de George Washington, h/t (70,5x59) : **USD 35 000** – New York, 3 juin 1983 : Portrait de Miss Clementina Beach 1824, h/pan. (66,1x53,3) : **USD 26 000** – Londres, 22 nov. 1985 : Portrait of Master Day, h/t (167,6x97,8) : **GBP 380 000** – New York, 25 jan. 1986 : John Jay, h/t (127,8x105,7) : **USD 900 000** – Londres, 18 nov. 1988 : Portrait de William George Digges La Touche, en buste, vêtu d'un habit brun et jabot blanc, h/t (76,2x63,5) : **GBP 11 000** – New York, 1er Déc. 1988 : Portrait du Commodore Isaac Chauncey, h/pan. (66x54,6) : **USD 28 600** – New York, 25 mai 1989 : Portrait de George Washington, h/t (76x63,5) : **USD 242 000** – Londres, 14 juil. 1989 : Portrait d'un gentilhomme en buste, vêtu d'un habit vert sur une chemise blanche, h/t, de forme ovale (76x63,5) : **GBP 3 850** – New York, 10 mai 1990 : Portrait de John Hamilton et de sa femme Isabella dans un intérieur, h/t (124,5x124,5) : **GBP 55 000** – New York, 14 mars 1991 : Mrs William Le Conte (née Elizabeth Lawrence), h/t (73x58,4) : **USD 28 600** – Londres, 12 juil. 1991 : Portrait de Sir John Lees, en buste, vêtu d'un habit brun sur une chemise à jabot blanche, de forme ovale (76,2x63,5) : **GBP 3 850** – Londres, 17 juil. 1992 : Portrait de John Gell en uniforme de Capitaine de Marine, h/t (240x148,6) : **GBP 55 000** – New York, 10 mars 1993 : Portrait de

Sir Edward Thornton (1766-1853), h/pan. (73,7x59,7) : **USD 11 500** – Londres, 7 avr. 1993 : Portrait du Général Robert Cinninghame en uniforme, h/t, de forme ovale (75,6x62,9) : **GBP 13 225** – New York, 27 mai 1993 : Portrait de George Washington, h/t (73,7x61) : **USD 310 500** – New York, 21 sep. 1994 : Portrait de Mrs Alexander James Dallas (née Arabella Maria Smith) 1800, h/t (73,7x61) : **USD 18 400** – New York, 1er déc. 1994 : Portrait de George Washington, h/t (73,7x61) : **USD 123 500** – Londres, 3 avr. 1996 : Portrait de Alexander William Walker portant une jaquette noire et une chemise blanche, en buste, h/t (71,5x59,5) : **GBP 8 050** – Londres, 13 nov. 1996 : Portrait en buste de Richard Atkinson, h/t (75x61,5) : **GBP 13 800** – Londres, 12 nov. 1997 : Portrait du Docteur John Collins Warren, h/t (81x65) : **GBP 74 100** – Londres, 9 juil. 1997 : Portrait d'une dame et de sa fille, h/t (73,5x61) : **GBP 13 800** – New York, 25 mars 1997 : Portrait d'une dame d'élégance, h/t (76,2x63,5) : **USD 6 900** – New York, 5 juin 1997 : Portrait du Docteur James Lloyd, h/t/pan. (83,8x67,3) : **USD 27 600**.

STUART J.
xviiie-xixe siècles. Actif à Chester de 1780 à 1810. Britannique.
Graveur au burin.

STUART James, dit **Athenian Stuart**
Né en 1713 à Londres. Mort le 2 février 1788 à Londres. xviiie siècle. Britannique.
Peintre, dessinateur et architecte, médailleur et graveur au burin.
Il fut d'abord peintre d'éventails puis étudia l'architecture. Bien qu'il ne disposât pas de ressources, il partit pour l'Italie, faisant la route à pied, et peignant en cours de route des portraits pour gagner sa vie. Ce fut ainsi qu'il arriva à Rome. Après une sérieuse étude de ses antiquités, il alla à Athènes, soutenu par la Dilettant's Society et y dessina les plus intéressants vestiges de l'art grec. Son ouvrage The Antiquities of Athens, en trois volumes dont le premier fut publié en 1762, établit sa réputation. Il exposa à la Free Society de 1765 à 1783.

STUART James, Sir
Né en 1779 à Rome. Mort le 27 janvier 1849 à Édimbourg. xixe siècle. Britannique.
Peintre de batailles et graveur amateur.

STUART James Everett
Né le 24 mars 1852. Mort en 1941. xixe-xxe siècles. Américain.
Peintre de paysages.
Membre de la Ligue américaine des Artistes Professeurs.
Ventes Publiques : New York, 20 avr. 1972 : Camp indien au bord de la rivière : **USD 4 000** – New York, 2 févr 1979 : Les Chutes des Yosemites 1886, h/t (76,2x61) : **USD 1 500** – San Francisco, 21 jan. 1981 : Vue sur le canyon des Yellowstone 1887, h/t (91,5x137) : **USD 3 750** – New York, 30 mai 1985 : The Devil's Punch Bowl 1885, h/t (45,8x76,5) : **USD 3 200** – Los Angeles-San Francisco, 12 juil. 1990 : Les environs de Cypress Point à Monterey en Californie 1886, h/t (46x76) : **USD 1 430** – New York, 21 mai 1991 : Coucher de soleil sur le Mont McLaughlin dans l'Oregon 1916, h/t (45,7x76,2) : **USD 1 760**.

STUART James R.
Né en 1834. Mort en décembre 1915 à Madison (Wisconsin). xixe-xxe siècles. Américain.
Peintre de portraits.
Beaucoup de ses portraits se trouvent au Capitole et à l'Université de Wisconsin.

STUART Jane
Née vers 1816 à Boston. Morte en 1888 à Newport. xixe siècle. Américaine.
Peintre de portraits.
Probablement fille de Gilbert Stuart.
Ventes Publiques : New York, jan. 1945 : George Washington, d'après Gilbert Stuart : **USD 3 100** ; George Washington à Dorchester Heights, d'après Gilbert Stuart : **USD 1 200** – Londres, 3 juil. 1964 : Portrait de George Washington, œuvre inachevée : **GNS 600** – New York, 22 oct. 1969 : Portrait de Mrs William Young Purvianc : **USD 2 100** – New York, 26 juin 1981 : Portrait du commandant Oliver Hazard Perry, h/t (127,3x102) : **USD 4 200** – New York, 28 sep. 1989 : Portraits de George et de Martha Washington, h/t, une paire (chaque 43,5x36,8) : **USD 12 100**.

STUART Michelle
Née en 1940 en Californie. xxe siècle. Américaine.
Peintre, technique mixte.
Elle a étudié au Chouinard Art Institute à Los Angeles et à la

New School of Social Research à New York. Elle a poursuivi ses études à Mexico et à Paris. Elle vit et travaille à New York.

Elle montre ses œuvres dans des expositions personnelles, dont : 1974, 1975, Max Hutchinson Gallery, New York ; 1976, 1977, 1979, Galerie Alfred Schmela, Düsseldorf ; 1976, 1978, galerie Farideh Cadot, Paris ; 1976, PS1, Institute of Art and Urban Resources, Queens (New York) ; 1979, Institute of Contemporary Arts, Londres ; 1982, The Saint Louis Art Museum, Saint Louis ; 1983, Haags Gemeentemuseum, La Haye.

Elle réalise des œuvres composées de strates de papier chiffon superposées à la surface desquelles elle étend et fixe de la terre.

Musées : MARSEILLE (Mus. Cantini) : *Jocotan Strate* 1979.

Ventes Publiques : MUNICH, 3 juin 1973 : *Ledges Series painted Desert Arizona* 1977, sédiment de terre/pap. toilé (66,5x98,5) : **DEM 2 300** – STOCKHOLM, 5-6 déc. 1990 : *Une mare au printemps*, techn. mixte/t. (140x168) : **SEK 42 000**.

STUART W. E. D.
XIXe siècle. Britannique.

Peintre de natures mortes, fruits.

Exposa à Londres de 1846 à 1858.

Ventes Publiques : LONDRES, 23 sep. 1988 : *Nature morte de citrons pelés et autres fruits*, h/t (76x62) : **GBP 2 530**.

STUART William
XIXe siècle. Britannique.

Peintre d'histoire, batailles, marines.

Exposa à Londres entre 1848 et 1867. L'Hôpital des Enfants trouvés à Londres possède de lui une *Bataille de Trafalgar*.

Ventes Publiques : LONDRES, 22 mars 1972 : *La bataille de Camperdow* : **GBP 1 000** – LONDRES, 22 mai 1991 : *Troupes s'embarquant pour la Crimée* 1855, h/t (96,5x136) : **GBP 9 900** – NEW YORK, 13 oct. 1993 : *La Bataille de Trafalgar*, h/t (121,9x211,5) : **USD 42 550** – LONDRES, 13 nov. 1996 : *Le Glorieux 1er juin*, h/t (69x90) : **GBP 8 050**.

STUART BROWN Henry James. Voir BROWN Henry James Stuart

STUART COSTELLO Louisa. Voir COSTELLO

STUART SINDICI Francesca, épouse Sindici
Née en mars 1858 à Madrid. XIXe-XXe siècles. Espagnole.

Peintre de genre, portraits, animalier.

Il a principalement peint des chevaux.

Musées : ROME (Mus. du Resorgimento) : *Épisode de la bataille de Custozza*.

STUART WILSON H.
XIXe-XXe siècles. Australien.

Peintre de paysages.

Musées : SYDNEY : *Vieilles maisons de Sydney*, deux toiles.

STUB Christian Gottlieb. Voir KRATZENSTEIN-STUB Christian Gottlieb

STUB Hans
XVIIe siècle. Actif à Nästved entre 1636 et 1649. Danois.

Sculpteur sur bois de portraits.

STUB Kield Lauridsen
Né en 1607 à Varberg. Mort en 1663 à Romerike. XVIIe siècle. Norvégien.

Peintre, ingénieur et officier.

Il fit son éducation artistique en Allemagne, en Angleterre, dans les Pays-Bas et à Paris.

STUB Mariane Frederikke
Née en 1790 à Copenhague. Morte le 2 septembre 1842 à Callundborg. XIXe siècle. Danoise.

Peintre de figures, paysagiste et peintre de portraits.

Elle était la sœur de C. G. Kratzenstein-Stub. Le Musée de Copenhague a conservé d'elle *La Tentation du Christ*.

STUBA Dionizy
XVIe siècle. Polonais.

Peintre.

STUBBE
XIXe siècle. Allemand.

Peintre.

A peint en 1805 l'*Ascension du Christ* dans l'église de Neuruppin.

STUBBE Johann ou Stube
Mort après 1610. XVIIe siècle. Actif à Lübeck. Allemand.

Peintre et enlumineur.

STUBBLE Henry
XVIIIe siècle. Actif à Londres. Britannique.

Peintre de miniatures.

Il exposa de 1785 à 1791 à la Royal Academy. Il a laissé un portrait de *R. Cosway* à la Galerie Huntington de San Marino en Californie.

STUBBS George
Né le 24 août 1724 à Liverpool. Mort le 10 juillet 1806 à Londres. XVIIIe siècle. Britannique.

Peintre de portraits, animalier, paysages animés, graveur, illustrateur.

Ce curieux artiste, après avoir reçu quelques leçons de Winstanley, à Liverpool, décida qu'il n'aurait pas d'autre maître que la nature. Il aurait pu penser moins bien. Il travailla seul. À vingt ans, il s'établit à Leeds comme peintre de portraits, puis à York, où il eut la facilité de poursuivre près d'un chirurgien de la ville ses études anatomiques, enfin à Hull. En 1754, il partit pour l'Italie, afin, dit-on, de vérifier si l'art peut l'emporter sur la nature. Il résida à Rome et ses investigations dans la ville éternelle ne modifièrent pas son opinion à ce sujet. Son sentiment parut, à l'époque où il se produisit, une monstrueuse absurdité. On pourrait voir en Stubbs simplement un précurseur : toute l'école moderne partage aujourd'hui sa manière de voir. Après avoir recueilli la succession de sa mère, qui lui assurait une honnête aisance, et passé quatre années dans une ferme isolée, uniquement occupé de ses études anatomiques du cheval, Stubbs vint, en 1756, se fixer définitivement à Londres.

Il exposa à la Society of Artists à partir de 1761, en fut président en 1773, et y envoya soixante ouvrages. Bien que grand ami de Joshua Reynolds, il ne fut pas des fondateurs de la Royal Academy. Peut-être refusa-t-il l'honneur vu sa situation à la Society of Artists, dont il fut président en 1773. Il appartint à la Royal Academy, comme associé en 1780, fut élu académicien l'année suivante, mais par suite d'une querelle au sujet de tableaux mal placés, la qualité d'académicien lui fut retirée le 11 février 1783, et il parut aux expositions avec le seul titre d'associé.

Stubbs apportait dans la métropole anglaise l'œuvre qui devait lui valoir une réputation mondiale : son *Anatomie du cheval*. N'ayant pas trouvé les graveurs voulus, il fit lui-même ses planches, et l'ouvrage n'en fut pas plus mal. Il fut publié en 1766. Stubbs peignit les chevaux avec une exactitude extraordinaire, ses reproductions des premiers arabes d'où sortirent les actuels pur-sang, sont fort curieuses. Il avait préparé un second ouvrage anatomique sous le titre : *A comparative Anatomical Exposition of the Structure of the Human Body with that of a Tiger and a Common Pow*. La mort l'empêcha de voir la fin de sa publication.

Bibliogr. : Tim Clayton, Rob Dixon, Christopher Lennox-Boyd : *George Stubbs. The complete engraved works*, P. Wilson, Londres, 1989.

Musées : BALTIMORE : *Cheval anglais de race* – DUBLIN : *Sportifs au repos* – LIVERPOOL : *Le cheval effrayé* – *Cheval et lionne* – *Chevaux de course du roi George III* – LONDRES (Nat. Gal.) : *Un couple en phaéton* – *Paysage avec cavalier tenant son cheval* – LONDRES (Victoria and Albert) : *Lions et lionne* – *Oie* – MANCHESTER : *Cheval et chien* – *Guépard avec deux serviteurs indiens* – MELBOURNE : *Lion attaquant un cheval* – PHILADELPHIE : *Paysage*.

Ventes Publiques : LONDRES, 1891 : *Portrait d'un jockey à cheval* : **FRF 9 445** – LONDRES, 5 fév. 1910 : *Groom et cheval* 1781 : **GBP 2** – LONDRES, 26 fév. 1910 : *Paysage boisé* : **GBP 22** – LONDRES, 12 mars 1910 : *La femme de fermier et le corbeau* 1786 : **GBP 39** ; *Lion attaquant un cheval* 1770 : **GBP 23** ; *Portrait de Molly LongLegs et groom* : **GBP 25** – LONDRES, 12 déc. 1910 : *Paysage boisé, chasseurs, chiens et gibier mort* : **GBP 12** – LONDRES, 11 fév. 1911 : *Waldershare Park. Kent* : **GBP 220** – LONDRES, 31 mars 1922 : *Chasseur et son chien* : **GBP 84** – LONDRES, 19 jan. 1923 : *Gentilhomme à cheval* : **GBP 388** – LONDRES, 15 juin 1923 : *Le premier zèbre vu en Angleterre* : **GBP 220** – LONDRES, 23 juil. 1928 : *Gentilhomme sur un cheval blanc* : **GBP 1 050** – LONDRES, 30 juil. 1928 : *Chasseur* : **GBP 152** – NEW YORK, 10 avr. 1929 : *L'intrus* : **USD 300** – LONDRES, 3 mai 1929 : *Deux chevaux dans un paysage* : **GBP 420** – LONDRES, 19 juil. 1929 : *Chasseur sortant* : **GBP 4 410** – LONDRES, 27-30 mai 1932 : *Le chasseur favori de sir J. Ramsden et son groom* : **GBP 787** – LONDRES, 22 juil. 1937 : *Deux chasseurs dans un parc* : **GBP 820** – LONDRES, 10 mars 1939 : *Chasseur* : **GBP 162** – LONDRES, 25 avr. 1940 : *Chasse à la perdrix* : **GBP 420** – LONDRES, 13 mars 1942 : *Moissonneurs* : **GBP 577** – LONDRES, 13 mars 1943 : *Cheval bai* : **GBP 409** – NEW YORK, 8-10 avr. 1943 : *Sweet Briar* : **USD 775** – NEW YORK, 29 avr. 1943 : *Thomas Fox Bricknell, sa femme et son cheval* : **USD 800** – LONDRES, 10 déc. 1943 : *The Gimerack Stakes* : **GBP 4 410** – *Turf et son joc-*

key : **GBP 4 410** – Paris, oct. 1945-juil. 1946 : *Renard poursuivi par des chiens* : **FRF 3 000** – Londres, 28 nov. 1945 : *Deux vieux chevaux favoris* : **GBP 460** – Londres, 13 fév. 1946 : *Paysage avec chevaux ; Cheval noir dans un paysage*, ensemble : **GBP 1 850** – Paris, 29 jan. 1947 : *Études de chevaux*, trois dess. : **FRF 1 600** – Londres, 30 mai 1947 : *Molly Longlegs* : **GBP 1 942** ; *La femme du fermier et le corbeau* : **GBP 525** – Londres, 20 juil. 1951 : *Portrait du cheval Gimcrack* : **GBP 12 600** ; *Portrait du cheval Molly Longlegs* : **GBP 1 050** ; *Portrait du cheval Turf* : **GBP 5 250** ; *Cheval et deux chiens dans un pré* 1791 : **GBP 2 100** – Londres, 2 juil. 1958 : *Henry, le chasseur préféré du vicomte Bolingbroke* : **GBP 1 800** – Londres, 18 nov. 1959 : *Les moissonneurs* : **GBP 13 500** – Londres, 7 déc. 1960 : *Le baron de Robeck* : **GBP 20 000** – Londres, 14 juin 1961 : *Un faucon du Groenland sur un perchoir* : **GBP 11 500** – Londres, 14 mars 1962 : *Tristan Shandy* : **GBP 1 700** – Londres, 20 mars 1963 : *Le révérend Robert Carter avec sa femme et sa fille, ces deux dernières assises dans une carriole*, gche : **GBP 6 000** – Londres, 15 juil. 1964 : *Cheval bai dans un paysage* : **GBP 5 000** – Londres, 17 juin 1966 : *Le cheval bai Goldfinger, une jument et un poulain dans un paysage* : **GNS 72 000** – Londres, 26 juin 1968 : *Chasseur et son cheval dans un paysage boisé* : **GBP 37 000** – Londres, 19 nov. 1969 : *John Crewe à cheval* : **GBP 36 000** – Londres, 18 mars 1970 : *Guépard et deux Indiens* : **GBP 220 000** – Londres, 13 déc. 1972 : *Le baron de Robeck* : **GBP 130 000** – Londres, 31 oct. 1973 : *Le cheval Goldfinger* : **GBP 225 000** – Londres, 26 juin 1974 : *Chevaux dans un paysage* 1774 : **GBP 90 000** – Londres, 28 avr. 1976 : *Étalon, jument et poulains dans un paysage*, h/t (198x274) : **GBP 170 000** – Londres, 25 nov. 1977 : *Pur-sang arabe dans un paysage boisé*, h/t (87,6x111,7) : **GBP 15 000** – Londres, 15 fév. 1977 : *Les Moissonneurs*, grav. du 1er état (48,8x69) : **GBP 5 500** – Londres, 20 mai 1980 : *Cheval attaqué par un lion*, grav. (24,7x33,4 ; 36,6x34,2) : **GBP 2 800** – Londres, 21 nov. 1980 : *Tristram Shandy avec son groom dans un paysage*, h/t (101,6x128,2) : **GBP 280 000** – Londres, 19 nov. 1981 : *Le Pur-sang Freeman avec un chien* 1804, mezzotinte (39,5x49,3) : **GBP 9 500** – Londres, 26 juin 1981 : *Portrait de Warren Hastings sur son célèbre pur-sang* 1791, peint. émaillée/biscuit Wedgwood, de forme ovale (92,1x71,1) : **GBP 160 000** – Londres, 17 mars 1982 : *Léopard couché sous un arbre* 1788, grav. (25,5x33) : **GBP 5 800** – Londres, 7 juin 1983 : *Leopards at play*, eau-forte et grav./cuivre (37,7x48) : **GBP 7 000** – New York, 18 jan. 1984 : *Chien de chasse attaquant un cerf* 1769, h/t (100,2x127) : **GBP 550 000** – Londres, 5 mars 1985 : *A horse frightened by a lion* 1788, grav./cuivre (25,2x32,8) : **GBP 2 600** – New York, 7 juin 1985 : *Lion et lionne dans une grotte*, h/t (90,2x135,8) : **USD 300 000** – New York, 5 juin 1986 : *Un cheval gris pommelé dans un paysage*, h/t (59,5x69) : **USD 380 000** – Londres, 4 déc. 1987 : *A tiger and a sleeping leopard*, grav. (25,2x32,6) : **USD 8 000** – New York, 4 juin 1987 : *Baron de Robeck riding a bay cob* 1791, h/t (101,5x127) : **USD 2 200 000** – Londres, 12 juil. 1989 : *Palefrenier apportant sa pitance à un trotteur alezan dans un paysage* 1789, h/pan. (57x73,5) : **GBP 42 000** – Londres, 14 juil. 1989 : *Un épagneul dans un paysage* 1784, h/pan. (69,5x93) : **GBP 264 000** – Londres, 14 mars 1990 : *Gentilhomme avec un hunter alezan dans un paysage fluvial* 1768, h/t (61x71) : **GBP 104 500** – New York, 7 juin 1991 : *Hunter bai brun tenu à la bride par son groom – propriété de George, 4e Duc de Marlborough*, h/t (101,6x127) : **USD 990 000** – New York, 5 juin 1992 : *Le pur-sang bai Trentham appartenant à Mr. Ogilvy monté par un jockey à Newmarket* 1771, h/t (101,6x132,1) : **USD 385 000** – Londres, 20 nov. 1992 : *Hunter bai avec deux épagneuls dans un paysage boisé et fluvial* 1782, h/t (57,8x73,7) : **GBP 121 000** – Londres, 10 nov. 1993 : *Ballerina, jument bai appartenant au comte de Clarendon dans un paysage* 1801, h/t (63,5x76) : **GBP 78 500** – New York, 3 juin 1994 : *Gentilhomme se promenant sur son cheval alezan dans un paysage fluvial* 1771, h/pan. : **USD 129 000**.

STUBBS George Townley
Né en 1756 à Liverpool. Mort en 1815. XVIIIe-XIXe siècles. Britannique.
Graveur au burin.
Il était le fils de George. Il exposa à Londres en 1771 et dans les années qui suivirent.
Ventes Publiques : Londres, 13 nov. 1997 : *Deux Chevaux de louage ; Deux Chevaux de chasse* 1792, grav. au point, une paire (chaque 4x5,05) : **GBP 3 910**.

STUBBS Georges
XIXe siècle. Actif à Boulogne-sur-Mer. Français.

Peintre de paysages, de marines, de genre et aquarelliste.
Exposa au Salon de Paris de 1838 à 1848, et à Londres notamment à la Royal Academy, à la British Institution et à Suffolk Street, de 1837 à 1860. Le Musée de Cambrai conserve de lui : *Embarquement*.

STUBBS J.
XIXe siècle. Actif à Londres. Britannique.
Graveur au burin.

STUBBS James Henry Phillipson
Né le 9 mai 1810 à Marylebone. Mort le 23 août 1864 à Londres. XIXe siècle. Britannique.
Peintre de figures, paysages, graveur, illustrateur.
Il grava d'abord des estampes pour l'illustration de livres, puis s'adonna à l'estampe décorative. Il y obtint des succès. Lorsque la photographie se substitua à la gravure sur acier, il essaya de faire de la peinture, mais ne paraît pas y avoir réussi.
Ventes Publiques : Paris, 25 oct. 1994 : *Artiste peignant dans la plaine de la Mitidja* 1850, h/t (33x49) : **FRF 13 000**.

STUBBS Woodhouse J.
Mort avant 1908. XIXe-XXe siècles. Britannique.
Peintre de paysages, fleurs, aquarelliste.
Il vécut et travailla à Sunderland entre 1893 et 1904.
Ventes Publiques : Londres, 25 jan. 1988 : *Dans une forêt fleurie : la forêt d'Ashdown près de Crowborough*, aquar. (53x68,5) : **GBP 2 090**.

STUBE Johann. Voir STUBBE

STÜBEL Alphons
Né le 26 juillet 1835 à Leipzig. Mort le 10 novembre 1904 à Dresde. XIXe siècle. Allemand.
Dessinateur de panoramas.
Explorateur et dessinateur, il a laissé de nombreux dessins au Musée de géographie de Leipzig.

STUBEN-RAUCH Hans
Né le 11 avril 1875 à Aschau. XXe siècle. Allemand.
Peintre, illustrateur.
Il fut élève de l'École des Beaux-Arts de Nuremberg et de l'Académie des Beaux-Arts de Munich. Il vécut et travailla à Munich. Il a collaboré à la *Jugend* et aux *Fliegende Blätter*.

STUBENRAUCH Elias Benedikt
XVIIe siècle. Actif à Ljubliana vers 1679. Autrichien.
Peintre.

STUBENRAUCH Karl
XIXe siècle. Allemand.
Graveur et médailleur.
Il se rendit en Amérique et s'installa à Saint Louis.

STUBENRAUCH Philipp von
Né le 16 juillet 1784 à Vienne. Mort le 5 octobre 1848 à Vienne. XIXe siècle. Autrichien.
Dessinateur, peintre, graveur au burin et lithographe.
Il entra en 1803 à l'Académie de Vienne. Il a représenté des scènes populaires viennoises en costumes et des caricatures.

STUBENVOLL Anton
XIXe siècle. Actif au début du XIXe siècle. Allemand.
Peintre.

STUBER Christian
Originaire de Weiszenhorn. Mort en 1675. XVIIe siècle. Allemand.
Peintre.

STUBER Clemens August Alois
Né le 21 juin 1735 à Munich. Mort avant le 20 mars 1774. XVIIIe siècle. Allemand.
Peintre.

STUBER Franz Lorenz
Né le 28 juillet 1691 à Munich. Mort le 23 février 1728 à Munich. XVIIIe siècle. Allemand.
Peintre.

STUBER Georg
XVIᵉ siècle. Actif à la fin du XVIᵉ siècle. Allemand.
Peintre.

STUBER Hanny
Née le 20 juillet 1870 à Elberfeld. XXᵉ siècle. Allemande.
Peintre de paysages.
Elle étudia à l'École des Beaux-Arts de Berlin, ensuite à Munich,
Düsseldorf et Paris. Elle vécut et travailla à Düsseldorf.
Musées : CREFELD : *Paysage.*

STUBER Jakob
Né le 23 janvier 1680 à Munich. XVIIIᵉ siècle. Allemand.
Peintre.

STUBER Jakob
XVIIIᵉ siècle. Actif à Munich. Allemand.
Peintre.

STUBER Josef
XVIIᵉ siècle. Allemand.
Sculpteur.

STUBER Joseph Anton
Né le 17 avril 1684 à Munich. Mort le 16 avril 1741 à Munich.
XVIIIᵉ siècle. Allemand.
Peintre.
Il travaillait à la cour de Munich.

STUBER Joseph Damian
Né en 1718 à Munich. Mort le 19 mars 1787 à Munich. XVIIIᵉ
siècle. Allemand.
Peintre de décors de théâtre.
Peintre à la cour de Munich, il a décoré en particulier le théâtre
de la Résidence.

STUBER Kaspar Gottfried
Né entre 1650 et 1651 à Weiszenhorn. Mort le 24 mars 1724 à
Munich. XVIIᵉ-XVIIIᵉ siècles. Allemand.
Peintre.
Élève à Munich de Nicolas Pruckes, dont il épousa la fille en
1674. Il a décoré plusieurs salles des palais de Munich.

STUBER M.
Né le 9 mai 1873 à La Haye. XXᵉ siècle. Hollandais.
Peintre de paysages, natures mortes.
Élève de l'Académie.

STUBER Marx
Mort en 1669 à Weiszenhorn. XVIIᵉ siècle. Allemand.
Peintre.

STUBER Nikolaus Gottfried
Né le 15 janvier 1688 à Munich. Mort le 23 avril 1749 à
Munich. XVIIIᵉ siècle. Allemand.
Peintre de sujets religieux, compositions murales,
décors de théâtre, décorateur. Baroque.
Il fut élève de son père Kaspar Gottfried Stuber. Nommé peintre
de cour en 1723, il fut avec Cosmas Damien Asam et Christian
Thomas Scheffer l'un des peintres de décorations les plus répu-
tés de son époque.
Il a contribué à la décoration de palais à Munich, et aux environs.
Il a réalisé notamment à Nymphenburg des compositions
murales et une vingtaine de peintures de plafond. Il a peint de
nombreux tableaux d'autel, et décoré diverses églises telles que
Sainte-Madeleine 1726, *Saint-Gaëtan* 1730-1735. Il a également
imaginé des décorations pour des pièces de théâtre, des cérémonies princières, qui sont dans le style du décorateur italien
Andrea Pozzo ; ce dernier ayant exercé une forte influence sur
l'art baroque bavarois.
BIBLIOGR. : In : *Diction. de la peint. allemande et d'Europe centrale*, coll. Essentiels, Larousse, Paris, 1990.

STUBER Wolfgang ou **Stiber, Stüber**
XVIᵉ siècle. Actif à Nuremberg entre 1587 et 1597. Allemand.
Graveur au burin.

STUBERGER Anton. Voir **STIPPERGER**

STUBINITZKI
XIXᵉ siècle. Français.
Sculpteur.
Il travailla à Paris entre 1812 et 1824. Il fit pour la maison du Roi
en 1818 un buste de *Racine* qui se trouve au Musée de Laon, et en
1820 un buste du *Duc de Berry* (au Musée de Châteauroux).

STUBLE Hans Wilhelm. Voir **STIPLE**

STUBLY T.
XVIIIᵉ siècle. Actif à Londres au début du XVIIIᵉ siècle. Britan-
nique.
Peintre de portraits.
J. Faber grava d'après lui.

STÜBNER Hans
Né le 21 août 1900 à Berlin. XXᵉ siècle. Allemand.
Peintre.
Il vécut et travailla à Neubadelsberg près de Potsdam.
Musées : DUISBOURG – NORDHAUSEN.

STÜBNER Robert Emil
Né le 13 février 1874 à Forst (Brandebourg). Mort en mars
1931 à Berlin. XXᵉ siècle. Allemand.
Peintre de genre, portraits, peintre de décors de théâtre
et de ballets.
Il fut élève de l'École des Beaux-Arts de Breslau et de l'Académie
des Beaux-Arts de Berlin.
Musées : BERLIN – MUNSTER.
VENTES PUBLIQUES : NEW YORK, 26 fév. 1982 : *L'Opéra*, h/t
(108,5x91,5) : USD 4 000 – COPENHAGUE, 21 fév. 1990 : *Arlequin et
Colombine*, h/t (75x60) : DKK 19 000 – AMSTERDAM, 19 oct. 1993 :
La table pour le thé de l'après-midi, h/t (95x85) : NLG 4 025 –
COPENHAGUE, 27 avr. 1995 : *Scène de danse*, h/t (61x71) :
DKK 16 000.

STUCCHI
Né vers 1780 à Milan. XIXᵉ siècle. Italien.
Peintre et graveur au burin.
Élève de l'Académie Brera à Milan.

STUCCHI Agostino
XVIIᵉ siècle. Actif à Turin. Italien.
Peintre.

STUCCHI Cristoforo ou **de Stuchis**
XVᵉ siècle. Actif à Milan entre 1485 et 1490. Italien.
Sculpteur.

STUCHLIK Camill
Né le 15 novembre 1863 à Tetschen. XIXᵉ-XXᵉ siècles. Tchéco-
lovaque.
Peintre, illustrateur.
Il fut élève des Académies des Beaux-Arts de Prague et de
Munich.
Musées : PRAGUE (Mus. mun.) : *Nu devant le miroir.*

STUCHLIK Konstanttin
Né le 21 juillet 1877 à Prague. XXᵉ siècle. Tchécoslovaque.
Peintre.
Il fut élève de A. Slavicek et de l'Académie des Beaux-Arts de
Prague chez H. Schwaiger, ville où il vécut et travailla.
Musées : PRAGUE : *Intérieur.*

STUCK Franz von
Né le 23 février 1863 à Tettenweis (Bavière). Mort le 30 août
1928 à Tetschen. XIXᵉ-XXᵉ siècles. Allemand.
Peintre de sujets mythologiques, scènes allégoriques,
figures, nus, paysages, pastelliste, sculpteur, graveur,
illustrateur. Symboliste.
Fils de meunier bavarois, il suivit les cours de la Kunstgewerbe
Schule (école des arts décoratifs) de 1878 à 1881, puis fut élève de
l'Académie des Beaux-Arts de Munich de 1882 à 1884, où il
devint par la suite professeur. Kandinsky fut élève dans son atelier de l'Académie, peu avant 1900, puis Paul Klee, peu après
1900, de même que Joseph Albers. Il fit de l'illustration notamment aux *Fliegende Blätter*, à *Jugend* et à *Pan*. Il est un des fondateurs de la Sécession de Munich en 1892.
Il participa à des expositions collectives, dont celle de Munich en
1889 qui lui valut une médaille, à l'Exposition universelle de Paris
en 1900 où il obtint une médaille d'or. Une première rétrospective de son œuvre eut lieu au Van Gogh Museum d'Amsterdam en 1995.
Il s'inspira de Diaz, de Böcklin avec qui il travailla et de Lenbach.
Il eut un grand rôle dans la propagation du « Jugenstyl », appelé
en France « Art nouveau » et qui n'est rien d'autre que le style
1900. Le symbolisme, inspiré de Böcklin et Lenbach, qui fit le
succès public d'œuvres comme *Batailles de Faunes* de 1889 ou
Batailles d'Amazones de 1897 ou *La Guerre* de 1894, au cavalier
écrasant les cadavres ou *Le Sphinx*, de 1895, est un symbolisme
noir et parfois pesant. Sa maison, dite villa Stuck, construite en
1890, est restée un modèle d'essai d'art total « à l'antique ».

Parmi ses œuvres sculptées que l'on a pu redécouvrir lors de l'exposition au Van Gogh Museum en 1995 : *Centaure et Amazone*.

BIBLIOGR. : Ostini : *Franz von Stuck. Das Gesamtwerk*, Munich, 1909 – Heinrich Voss : *Franz von Stuck : 1863-1928. Werkkatalog der Gemälde*, Prestel Verlag, Munich, 1973 – in : *Dictionnaire des illustrateurs 1800-1914*, Ides et Callendes, Neuchâtel, 1989 – in : *L'Art du XXᵉ siècle*, Larousse, Paris, 1991.
MUSÉES : BAUTZEN : *Tête de femme* – BERLIN : *Athlète* – BRÊME : *L'Athlète*, sculpt. – *L'amazone*, sculpt. – *Le Centaure blessé*, sculpt. – *La Danseuse*, sculpt. – *Ronde de printemps* – BRUXELLES (Mus. roy.) : *Portrait de l'artiste avec sa femme et sa fille* – COLOGNE : *L'artiste et sa femme* – DARMSTADT : *Portrait de femme* – *Salomé* – *Salomé*, sculpt. – *Buste de femme*, sculpt. – DRESDE (Gal. Mod.) : *Le Paradis perdu* – *Centaure et Nymphe* – FRANCFORT-SUR-LE-MAIN (Mus. Stadel) : *Combat de centaures* – HAMBOURG : *Athlète*, sculpt. – LEIPZIG : *L'artiste par lui-même* – *Crucifixion* – HM : *Amazone* – LUCERNE : *La Guerre* – MUNICH : *Le péché* – *La Guerre* – *Le compliment* – *Le dîner* – *Combat de faunes* – *Rencontre* – *Chasse à l'autruche* – *Portrait du Professeur Brentano* – *Paysage d'automne le soir* – *Aux aguets* – *La chasse sauvage* – NUREMBERG : *Rapt de nymphes* – *Portrait du prince régent Luispold* – PARIS (Mus. d'Orsay) : *Beethoven 1900*, plâtre polychrome – ROME (Gal. d'art Mod.) : *Oreste et les Furies* – SAINT-GALL : *Suzanne au bain* – SCHLEISSHEIM : *Chevaux occupés à paître* – *Combat d'amazones* – SPIRE : *Portrait du prince régent Luispold* – STUTTGART : *Crucifixion* – *Tête de femme* – *L'artiste en 1900* – TRIESTE : *Scherzo* – VENISE (Gal. d'Art Mod.) : *Méduse* – WUPPERTAL-ELBERFELD : *Combat de faunes* – ZURICH : *Le Vin*.
VENTES PUBLIQUES : COLOGNE, 1899 : *Amoureux dans un paysage* : **FRF 3 262** ; *Paysage*, étude : **FRF 1 250** ; *Tête de femme*, past., étude : **FRF 1 962** – COLOGNE, 27 avr. 1950 : *Portrait de femme*, dess. reh. de past. : **FRF 6 000** ; *Portrait de femme* : **FRF 4 000** – COLOGNE, 14 oct. 1950 : *Tête de femme brune*, past. : **FRF 14 000** – MUNICH, 28-30 juin 1967 : *Le chevalier de l'Apocalypse* : **DEM 5 000** – LUCERNE, 29 nov. 1969 : *Portrait de jeune fille* : **CHF 17 000** – COLOGNE, 4 déc. 1970 : *Salomé* : **DEM 11 000** – DÜSSELDORF, 20 juin 1973 : *Femme au parapluie* : **DEM 5 000** – PARIS, 28 mars 1974 : *Amazone blessée*, aquar. : **FRF 42 000** – MUNICH, 29 mai 1974 : *Amazone*, bronze : **DEM 6 000** – MUNICH, 29 av. 1976 : *Coucher de soleil 1891*, h/t (54,5x64) : **DEM 45 000** – MUNICH, 29 nov. 1977 : *Portrait de la fille de l'artiste, Mary* vers 1916, past. (54,5x48) : **DEM 6 800** – MUNICH, 24 mai 1977 : *Nymphe et faune*, bronze, patine vert-foncé (H. 48,5) : **DEM 12 500** – MUNICH, 21 sep. 1978 : *Portrait de femme 1918*, h/t (140,5x100,5) : **DEM 3 750** – NEW YORK, 12 oct 1979 : *Idylle champêtre*, past., forme ovale (28x40,5) : **USD 7 750** – NEW YORK, 2 mai 1979 : *Scène de chasse 1899*, h/t (94x66) : **USD 8 500** – COLOGNE, 22 juin 1979 : *Danseuse 1897*, bronze (H. 62) : **DEM 19 000** – LONDRES, 19 juin 1981 : *Les Deux Sœurs*, h/pan. (40x60) : **GBP 4 250** – NEW YORK, 13 mars 1982 : *Exposition internationale d'hygiène, Dresde 1911*, litho. en coul. (90x69) : **USD 1 000** – MUNICH, 29 juin 1982 : *La balançoire de l'amour 1902*, pl./trait de cr. (11x16) : **DEM 3 000** – LONDRES, 28 avr. 1982 : *Centaure* vers 1900, bronze patine brun-foncé (H. 128) : **GBP 4 800** – MUNICH, 24 nov. 1983 : *Portrait de Frau Batschari* vers 1918, craies de coul. reh. de blanc (50x28) : **DEM 16 500** – LONDRES, 16 mars 1983 : *Athlète nu tenant un ballon* vers 1895, bronze (H. 66) : **GBP 2 800** – MUNICH, 29 mai 1984 : *Tilla Durieux in Circé 1913*, past. (58x72) : **DEM 35 000** – MUNICH, 29 mai 1984 : *Portrait de jeune fille (Printemps)* vers 1912, h/pan. (63,5x59) : **DEM 69 000** – LONDRES, 19 juin 1985 : *Portrait de la fille de l'artiste, Mary* vers 1906, h/pan. (40x35,5) : **GBP 6 000** – COLOGNE, 4 déc. 1985 : *Amazone, bronze,*

patine noire (H. 63,5) : **DEM 8 800** – LONDRES, 17 juin 1986 : *Masque de Beethoven 1900*, plâtre peint (47,5x47,5) : **GBP 9 500** – ZURICH, 25 sep. 1986 : *Athena*, h/t (91x56,5) : **CHF 26 000** – LONDRES, 27 nov. 1987 : *Mary, la fille de l'artiste, en Espagnole*, past. (53,5x46,5) : **GBP 5 000** – LONDRES, 27 juin 1988 : *Tristan et Isolde*, encre/pap. (44x28) : **GBP 2 640** – LONDRES, 21 oct. 1988 : *La danseuse*, aquar./pap. (92,1x33,7) : **GBP 2 750** – NEW YORK, 23 fév. 1989 : *La ronde des Nymphes*, h/pan. (85,7x92,1) : **USD 24 200** – LONDRES, 5 mai 1989 : *Portrait de Mary*, h/pan. hexagonal (31x30,5) : **GBP 12 100** – MUNICH, 10 mai 1989 : *Portrait de Franzl 1912*, h/pan., de forme octogonale (52x43,5) : **DEM 13 200** – LONDRES, 21 juin 1989 : *Procession pendant une bacchanale*, h/t (109x208) : **GBP 29 700** – MUNICH, 29 nov. 1989 : *Portrait de la fille de l'artiste Mary*, h/t (30x28) : **DEM 34 100** – LONDRES, 1ᵉʳ déc. 1989 : *Danaé et la pluie d'or 1909*, h/t (61x73) : **GBP 9 900** – MUNICH, 31 mai 1990 : *Amazone blessée*, h/t (64,5x75) : **DEM 132 000** – NEW YORK, 24 oct. 1990 : *Combat de faunes*, relief de plâtre polychrome (61x90,8) : **USD 20 900** – LONDRES, 28 nov. 1990 : *Sous-bois*, h/t (81x76) : **GBP 11 000** – MUNICH, 12 déc. 1990 : *Portrait de Ludwig Van Beethoven*, h/pan. (62x49,5) : **DEM 41 800** – NEW YORK, 22 mai 1991 : *Sphinx 1901*, h/pan., dans un cadre original (78,7x152,4) : **USD 242 000** – MUNICH, 10 déc. 1991 : *La fille du peintre Mary en Espagnole*, past. (53x46) : **DEM 10 350** ; *Amazone*, bronze (H. 64) : **DEM 26 450** – LONDRES, 20 mars 1992 : *Portrait d'une dame portant un grand chapeau à plumes 1910*, past./cart. (90,2x52) : **GBP 6 820** – NEW YORK, 28 mai 1992 : *Visage idéal 1902*, cr. et h/pan. (52,7x46,4) : **USD 27 500** – LONDRES, 19 juin 1992 : *Salomé dansant*, h/pan. (45,7x24,7) : **GBP 28 600** – NEW YORK, 29 oct. 1992 : *Amazone, groupe équestre*, bronze patine brune (H. 64,8, L. 39,4) : **USD 16 500** – NEW YORK, 17 fév. 1993 : *Portrait de femme*, h/pan. (57,2x49,5) : **USD 9 200** – LONDRES, 20 mai 1993 : *Amour masqué*, techn. mixte/cart. (54,7x44,8) : **GBP 25 300** – HEIDELBERG, 15-16 oct. 1993 : *La fille d'Hérodias 1906*, fus. et reh. de blanc (46,9x41,7) : **DEM 10 500** – NEW YORK, 26 mai 1994 : *Beethoven*, plâtre peint/fond carré, relief (48,3x48,3) : **USD 13 800** – LONDRES, 13 oct. 1994 : *Cendrillon 1899*, h/pan. (48,9x42,5) : **GBP 48 800** – PARIS, 19 juin 1995 : *Homme à la boule*, bronze (H. 64) : **FRF 45 000** – MUNICH, 27 juin 1995 : *Gemma Bierbaum*, cr., fus. et past./pap. (55x47) : **DEM 8 050** – LONDRES, 11 oct. 1995 : *Hélène 1924*, h/t/pan. (82x52) : **GBP 84 000** – NEW YORK, 23-24 mai 1996 : *Salomé 1920*, h/t (90,2x66) : **USD 79 500** – VIENNE, 29-30 oct. 1996 : *La Balance des amoureux 1902*, h/t/pan. (56x78) : **ATS 1 070 000** – MUNICH, 3 déc. 1996 : *Le Gardien de la Victoire 1889*, techn. mixte/pap. (55x58) : **DEM 54 000** ; *La Danseuse*, bronze (H. 63) : **DEM 32 400** – MUNICH, 23 juin 1997 : *La Tentation de saint Antoine*, h/cart. (32x38) : **DEM 16 800**.

STUCK Nickels
XVIIIᵉ siècle. Allemand.
Sculpteur de portraits.

STUCKART
XIXᵉ siècle. Actif à Schweidnitz entre 1804 et 1827. Allemand.
Graveur au burin, lithographe et illustrateur.

STÜCKELBERG Ernst
Né le 21 février 1831 à Bâle. Mort le 14 septembre 1903 à Bâle. XIXᵉ siècle. Suisse.
Peintre d'histoire, scènes de genre, portraits, paysages, marines, compositions murales, copiste, dessinateur.
Il est le père de Gertrud et de Marie Stückelberg. Il étudia à Berne en 1849 et à l'Académie des Beaux-Arts d'Anvers, chez Gustave Wappers, de 1849 à 1852. Il travailla à Paris en 1852, où il réalisa des copies au Musée du Louvre, puis alla de 1853 à 1856 à l'Académie des Beaux-Arts de Munich. En 1856, il passa cinq mois à Florence et se rendit à Rome en 1857. Il fit plus tard de nouveaux voyages en Italie, Paris et Madrid, en 1868 et 1869. Il exposa à Munich, obtenant une médaille d'or en 1869. Il devint, en 1883, docteur en philosophie de l'Université de Zurich.
Il est connu pour avoir décoré la chapelle de Guillaume Tell, qui comprend quatre fresques : *Le serment du Rutli – La scène de la pomme – Tell sautant sur la rive – La mort de Gessler*.

ESTÜCKELBERG

MUSÉES : BÂLE : *Messe pour enfants – Marionnettes – Les enfants de Stückelberg – Portrait de l'artiste – Le Jardin d'amour – Le colonel Merian Iselin – Les peintres Ostermann et Th. v. Deschwanden* – BERNE : *Narcisse* – BERNE (Gal. Dobiaschofsky) : *Portrait de jeune femme* – COIRE : *Le dernier chevalier de Hohen – Rätien –*

COLOGNE (Mus. Wall. Rich.) : *Amour de jeunesse* – FLORENCE (Gal. des Mus. des Offices) : *Portrait de l'artiste* – GENÈVE (Mus. Rath) : *Sœur enseignante* – GLARIS : *Le chaperon rouge* – MULHOUSE : *Portrait du pasteur Seb. Spörlein* – WINTERTHUR : *Diseuse de bonne aventure* – *Marine* – ZURICH : *Charbonnier dans le Jura* – *Pèlerins dans les Abruzzes* – *Parricide* – *Jeune fille à la pomme* – *Marchand d'amourettes* – *Portrait du fils de Rud. Koller.*

VENTES PUBLIQUES : LUCERNE, 28 nov. 1969 : *Fillette et garçon dans un paysage* – BERNE, 27 oct. 1978 : *Esope racontant une fable*, h/t (58x44) : **CHF 6 000** – BERNE, 3 mai 1979 : *Der Landvogt 1879*, h/t (59x45) : **CHF 5 300** – BERNE, 7 mai 1981 : *Saint Augustin sur la tombe d'Alypius*, h/t (80x100) : **CHF 12 000** – ZURICH, 14 mai 1983 : *Les Enfants de chœur*, h/t (58x51) : **CHF 3 400** – ZURICH, 29 nov. 1985 : *La croisée des chemins*, h/t (96x74) : **CHF 10 000** – ZURICH, 22 juin 1990 : *Portrait de femme*, h/cart. (18,8x14,8) : **CHF 850** – ZURICH, 4 juin 1992 : *Portrait d'Elisabeth Sengenwald-Burckhardt 1874*, h/t (45x33) : **CHF 14 690** – ZURICH, 24 nov. 1993 : *Le roi des grenouilles*, cr. et h/pap. (15,5x17) : **CHF 1 035.**

STÜCKELBERG Gertrud
Née le 13 décembre 1871 à Bâle. XXe siècle. Suisse.
Peintre de genre, portraits.
Elle fut élève de Fritz Burger. Elle fit un voyage d'études à Paris où elle travailla avec J. Blanche, L.-O. Merson et R. X. Prinet.

STÜCKELBERG Marie
Née le 12 mai 1869 à Bâle. Morte en 1917. XIXe-XXe siècles. Suisse.
Peintre de paysages.
Elle étudia à Bâle avec Burger, à Heimhausen avec Buttersack, à Munich avec Haider et à Paris avec J. Blanche Menard, Prinet, L. Simon et Catellucho.

STÜCKELBERGER Lukas Joh.
Né le 26 juin 1869 à Bâle. XIXe-XXe siècles. Suisse.
Peintre de paysages.
Il a également peint des études de portraits.

STÜCKELBERGER Wilhelm
Né en 1890. Mort en 1915. XXe siècle. Suisse.
Graveur, peintre.
Il vécut et travailla à Bâle.

STUCKEN Ferdinand
Mort en 1878. XXe siècle. Allemand.
Peintre de genre, portraits.
Originaire de Minden, il travailla d'abord à Düsseldorf en 1848, puis aux États-Unis. Il revint en Allemagne en 1865 après l'assassinat de son ami Abr. Lincoln.

STUCKENBERG Börge Fol.
Né le 2 septembre 1867 à Vridslöselille. XIXe-XXe siècles. Danois.
Peintre d'intérieurs, portraits, paysages.
Il fut élève de l'Académie des Beaux-Arts de Copenhague.

STUCKENBERG Fritz
Né le 16 août 1881. Mort en 1944. XXe siècle. Allemand.
Peintre, graveur.
Il fut peintre de décors de théâtre à Leipzig de 1901 à 1903, élève à l'École des Beaux-Arts de Weimar de 1903 à 1905. Il travailla à Munich de 1905 à 1907, à Paris de 1907 à 1912 et à Berlin de 1912 à 1919. Il vécut et travailla ensuite à Delmenhorst. Il subit l'influence de Cézanne et de Léger.

Stuckenberg

VENTES PUBLIQUES : MUNICH, 29 mai 1979 : *Wogen 1920*, pl. (18,7x24,8) : **DEM 1 800** – MUNICH, 27 nov 1979 : *Composition n° 3 1918*, aquar. (31,4x24) : **DEM 3 800** – HAMBOURG, 10 juin 1983 : *Composition géométrique 23 1918*, aquar. (36,5x26,8) : **DEM 6 600** – MUNICH, 14 juin 1985 : *Composition géométrique 1918*, aquar. (22,5x18) : **DEM 4 000** – COLOGNE, 10 déc. 1986 : *Midi 1919*, aquar. (33,5x24,5) : **DEM 5 000** – COLOGNE, 30 mai 1987 : *Composition*, aquar. (51,2x67,3) : **DEM 4 600.**

STÜCKGOLD Stanislaus
Né en 1868 en Pologne. Mort en janvier 1933. XIXe-XXe siècles. Polonais.
Peintre de portraits, natures mortes, sculpteur, lithographe.
Il travailla en Hongrie en 1911 et 1912, à Munich en 1913 et à

Paris. Parmi ses portraits, il y a celui d'Einstein. Il utilisa également le pastel dans des compositions inspirées par les sciences occultes.

STUCKHART Ferenc ou Franz
Né à Nagyszombat (Hongrie). Mort le 5 décembre 1857 à Vienne. XIXe-XXe siècles. Autrichien.
Graveur de monnaies.
Il travailla de 1799 à 1806 à la Monnaie de Prague et de 1809 à 1815 à celle de Vienne. On lui doit un médaillon représentant *Napoléon et Marie-Louise*, daté de 1810.

STUCKI Alois
Né le 8 décembre 1854 à Oberurnen. Mort le 24 août 1894 à Oberurnen. XIXe siècle. Suisse.
Illustrateur.
Élève de Vikt. Schneider et de l'École des Beaux-Arts de Munich.

STUCKI Marinus Jacobus
Né le 15 octobre 1809 à Utrecht. Mort le 1er juin 1899 à Alkmaar. XIXe siècle. Hollandais.
Peintre, miniaturiste, dessinateur.
Il fut élève de l'Académie d'Utrecht et de Bruno von Straaten.

STUCKI Paul Émile
Né le 20 janvier 1865 à Fleurier. Mort en 1913. XIXe-XXe siècles. Suisse.
Peintre de paysages.
Élève de l'École d'Art à la Chaux-de-Fonds où il devint plus tard professeur.

STUCKRAD Martha von
Née le 13 mars 1854 à Düsseldorf (Rhénanie-Westphalie). XIXe-XXe siècles. Allemande.
Peintre de genre, portraits.
Elle étudia à Berlin, à Munich et à Paris avec R. Collin. Elle vécut et travailla à Berlin.

STUDD Arthur
Né le 19 novembre 1863 à Hallerton Hall (Leicestershire). Mort le 2 janvier 1919 à Londres. XIXe-XXe siècles. Britannique.
Peintre de paysages, pastelliste.
Il fit ses études artistiques avec Legros à la Slade School de 1888 à 1890, et à l'Académie Julian à Paris en 1889. Il habita Le Pouldu (Bretagne) en 1890, et rencontra Gauguin et De Haan. Très influencé par Gauguin, son style changea après qu'il eut travaillé avec Whistler en 1894 et en 1895. Il voyagea à Samoa et Tahiti vers 1898. Il fut pendant plusieurs années le voisin de Whistler à Cheyne Walk (Chelsea).
MUSÉES : LONDRES (Tate Gal.) : *A venitian Lyric 1900-1910* – *Femme et enfant bretons 1890* – *Pacific Island subject 1898.*
VENTES PUBLIQUES : LONDRES, 29 juil. 1988 : *Portrait d'une dame de profil, debout*, h/cart. (53,8x38,8) : **GBP 440.**

STUDDY George Ernest
Né en 1878. Mort en 1948. XXe siècle. Britannique.
Illustrateur.
Il est le créateur, dans l'hebdomadaire *Sketch*, des aventures du célèbre chien « Bonzo », qui furent reprises ou continuèrent dans des séries d'albums, dont : *Bonzo and us*, 1925 ; *Bonzo Book*, 1925 ; *New Bonzo Book*, 1927 ; *Bonzooloo Book*, 1929. Les aventures de « Bonzo » furent publiées en France par Les éditions Hachette : *Bonzo*, 1932 ; *Bonzo II, le farceur*, 1933 ; *Bonzo s'amuse*, 1934 ; *Bonzo et les saucisses*, 1935 ; *Bonzo va à la chasse*, 1936 ; *Bonzo alpiniste*, 1937...
BIBLIOGR. : In : *Dictionnaire des illustrateurs 1800-1914*, Ides et Callendes, Neuchâtel, 1989.

STÜDEMAN Gunther
Né le 13 juin 1890 à Berlin. XXe siècle. Allemand.
Peintre, graveur, céramiste.
Il fut élève de l'École des Beaux-Arts de Hambourg.
MUSÉES : FAENZA (Mus. de Céramique) : série d'assiettes avec des scènes de genre.

STUDENY Frederic
Né le 4 juillet 1935 à Agen (Lot-et-Garonne). XXe siècle. Français.
Peintre.
Dans le cadre du Lettrisme, qu'il a rejoint en 1963, Studeny a élaboré un vocabulaire de signes zoomorphiques.

STUDER. Voir aussi STAUDER

STUDER Bernhard
Né en 1832 à Gunzgen. Mort en 1868 à Munich. XIXe siècle. Allemand.

Peintre de paysages.
Il étudia de 1861 à 1864 à l'Académie de Karlsruhe avec Schirmer et se fixa ensuite à Munich. Le Musée de Soleure conserve deux de ses œuvres.

STUDER Hans
xvᵉ siècle. Actif à Zurich entre 1453 et 1498. Suisse.
Peintre.

STUDER Jakob Christoph. Voir STAUDER

STUDER Johann Rudolf
Né en juin 1700 à Winterthur. Mort après 1769. xvɪɪɪᵉ siècle. Suisse.
Peintre de portraits.
Il travailla dix ans à Bâle, puis quatre ans à Paris avec J. Fr. de Troy.
Musées : Berne : Bergère – Portrait du sculpteur J. A. Nahl – Portrait de femme – Winterthur : Autoportrait.

STUDER Karl. Voir STAUDER

STUDER Peter
xvᵉ-xvɪᵉ siècles. Suisse.
Peintre.
Il vivait en 1534 à Aarau et à Zurich où il séjourna de 1484 à 1522.

STUDER Samuel Gottlieb
Né le 5 mai 1804 à Langnau. Mort le 14 décembre 1890 à Berne. xɪxᵉ siècle. Suisse.
Dessinateur de panoramas amateur.
Il dessina plus de 700 panoramas de la région des Alpes.

STUDER Sigmund Gottlieb
Né le 8 février 1761 à Berne. Mort le 7 septembre 1808 à Langnau. xvɪɪɪᵉ siècle. Suisse.
Dessinateur de panoramas amateur.
Il était le père de Samuel. Il publia, entre autres panoramas, la Chaîne des Alpes vue des environs de Berne (1788).

STUDERUS
xɪxᵉ siècle. Actif entre 1844 et 1848 en France. Suisse.
Peintre de paysages.
Il vécut à Mörschwil (canton de Saint-Gall), travaillant à Besançon de 1844 à 1848.

STUDHALTER Eligius
Né en 1819 à Horw (près de Zurich). Mort en 1859 à Lucerne. xɪxᵉ siècle. Suisse.
Sculpteur et lithographe.

STUDIN Marin
Né le 28 novembre 1895 à Novice Kastelima (Dalmatie). xxᵉ siècle. Slovène.
Sculpteur.
Il étudia à Spalato, Agram, Vienne et à Paris chez Bourdelle et à la Grande Chaumière. Il vécut et travailla à Spalato en Dalmatie. Ses œuvres sont : La Tour de la joie, La Tour de la Douleur, La Tour du prophète.

STUDIO. Voir LINT Hendrik Van

STUDLIN Heinrich
xvɪᵉ siècle. Actif à Schlettstadt. Éc. alsacienne.
Peintre.
Il a peint en 1572 un tableau d'autel pour le tour du chœur de la cathédrale et il aurait reçu de nombreuses commandes jusqu'en 1576 au moins.

STUDNICKI
Né en Pologne. xxᵉ siècle. Polonais.
Peintre.

STUDNITZ Joh. Albert von
Né vers 1770 à Gotha. Mort vers 1795 à Göttingen. xvɪɪɪᵉ siècle. Allemand.
Peintre d'oiseaux.
Il était le fils du ministre et du chancelier Johann Adam von Studnitz.

STUDY Heinrich
xvɪɪɪᵉ-xɪxᵉ siècles. Actif à Leipzig à la fin du xvɪɪɪᵉ siècle et au début du xɪxᵉ siècle. Allemand.
Dessinateur.
Il travailla de 1798 à 1808 à l'Académie des Beaux-Arts de Berlin.

STUECHSTALER Hans Heinrich
xvɪɪᵉ siècle. Actif à Imst (Tyrol) en 1666. Autrichien.
Peintre.
Élève de H. G. Pixner.

STUEMPFIG Walter J. ou Stumpfig
Né en 1914. Mort en 1970. xxᵉ siècle. Américain.
Peintre de scènes animées, figures, paysages.
Ventes Publiques : Londres, 6 avr 1979 : Figure et maisons, h/t (28x38) : GBP 650 – New York, 18 mars 1983 : Paresse, h/t (55,9x68,4) : USD 2 400 – New York, 31 jan. 1985 : Collegeville, Pennsylvania 1938, h/t (58,4x104,1) : USD 6 250 – New York, 5 déc. 1986 : Baigneurs, h/t (64x89) : USD 4 800 – New York, 30 sep. 1988 : Sous le pont-promenade, h/t (66,2x50,8) : USD 7 150 – New York, 14 fév. 1990 : Jeunes baigneurs, h/t (53,5x31) : USD 8 580 – New York, 14 nov. 1991 : Près des docks, h/t (30,5x45,8) : USD 2 200 – New York, 25 sep. 1992 : Deux garçons, h/t (20,3x25,4) : USD 1 650 – New York, 4 mai 1993 : Un homme dans une porte, h/t (76,2x64,8) : USD 2 530 – New York, 22 sep. 1993 : Un abri précaire, h/t (76,2x91,5) : USD 3 450 – New York, 12 sep. 1994 : Les garçons se baignant 1951, h/t (45,7x35,6) : USD 4 312 – New York, 28 sep. 1995 : Vieux papiers déroulés sur un tapis, h/t (64,1x87) : USD 5 175.

STUERBOUT Hubert, l'Ancien
Mort entre le 23 novembre 1483 et le 9 janvier 1484 à Louvain. xvᵉ siècle. Actif à Louvain. Éc. flamande.
Peintre imagier.
Contemporain de Dirck Bouts, à Louvain. De 1449 à 1451 il fit l'ébauche de deux cent cinquante bas-reliefs de l'Hôtel de Ville de Louvain. Ses fils Hubert le Jeune, Gielys (1481) et Friessen (1487-1524) furent peintres.

STUERHELT F. ou Sturhold
Mort le 17 mai 1652 à Altona. xvɪɪᵉ siècle. Actif à Amsterdam et à Hambourg. Hollandais.
Graveur au burin.
Il alla en Angleterre de 1650 à 1660. Il a gravé des copies d'Albert Dürer et des portraits d'hommes célèbres de l'Anjou pour un ouvrage projeté par C. Ménard : Rerum Andegarensium Pandectae.

STUERHOFER Claus ou Stürhofer
xvᵉ-xvɪᵉ siècles. Actif à Brixen entre 1460 et 1500. Autrichien.
Peintre.

STUERS Jhr. Ch. H. de
Né le 10 décembre 1894 à Pasoeroean (Java). xxᵉ siècle. Hollandais.
Peintre de portraits, natures mortes.
Il fut élève de l'Académie des Beaux-Arts de La Haye.

STUERS Victor E. L. Ridder de
Né le 20 octobre 1843 à Maastricht. Mort le 21 mars 1916 à La Haye. xɪxᵉ-xxᵉ siècles. Hollandais.
Peintre, dessinateur, graveur.
Il a fondé le Musée Ryck à La Haye, a éveillé l'intérêt du public hollandais pour son passé artistique et s'est distingué comme caricaturiste.

STUEWARTS, Mme. Voir HOFFMANN Magdalena

STUFLESSER Ferdinand
Né le 19 décembre 1855 à Saint-Ulrich. Mort le 9 octobre 1926. xɪxᵉ-xxᵉ siècles. Allemand.
Sculpteur.
Il fut élève de Knabl à Munich en 1880.

STUGNILLO Giovanni
xvɪɪᵉ siècle. Italien.
Sculpteur sur bois.

STUHL
xvɪɪɪᵉ siècle. Allemand.
Sculpteur.

STUHL Marie P. M.
xxᵉ siècle. Français.
Peintre.
Il a régulièrement exposé, à Paris, au Salon des Artistes Français. Il obtint une mention en 1932, une médaille d'argent en 1933, une médaille d'or en 1939. Il reçut également une médaille de bronze lors de l'Exposition internationale en 1937.

STÜHLER Ursel
Née en 1951 à Munich (Bavière). xxᵉ siècle. Allemande.
Sculpteur. Abstrait.
Elle fut élève de Robert Jacobsen. Elle a séjourné en 1981 à New York et Toronto et obtint en 1982 une bourse pour Paris.
Elle expose principalement à Munich. Le Goethe-Institut Centre culturel allemand à Paris a montré une exposition de ses œuvres en 1983.

Les formes qu'elle emploie dans ses sculptures sont géométriques, notamment des triangles, fabriquées en fibre de verre et cernées de métal.

STUHLHOFF Sebestyen ou Sebastian
Né vers 1723. Mort le 14 juillet 1779 à Tihany. XVIIIe siècle. Hongrois.
Sculpteur sur bois.
Il a parcouru l'Italie et l'Allemagne aux frais de l'abbaye de Tihany.

STUHLMANN Heinrich
Né le 28 décembre 1803 à Hambourg. Mort le 23 octobre 1886 à Hambourg. XIXe siècle. Allemand.
Peintre (surtout paysagiste) et graveur.
Il étudia à l'Académie de Copenhague et à Dresde avec J. Chr. Cl. Dahl. Il travailla à Hambourg. Le Musée de cette ville conserve de lui : *Cime de montagne, Vue de Dresde, Paysage de l'Alster, Inondation au bord de la mer du Nord.*

STUHLMÜLLER Karl
Né en 1851 ou 1858 à Munich (Bavière). Mort en 1930 à Munich. XIXe-XXe siècles. Allemand.
Peintre de paysages, paysages animés, scènes typiques.
Il a été cité dans l'annuaire des ventes publiques de Francis Spar.

[signature : K. Stuhlmüller]

Musées : BUCAREST (Mus. Simu) : *Marché aux bestiaux.*
Ventes Publiques : PARIS, 18 oct. 1950 : *La Charrette* : **FRF 14 000** – COLOGNE, 15 mars 1968 : *Rue de village* : **DEM 3 700** – COLOGNE, 24 mars 1972 : *Scène de villageoise* : **DEM 6 000** – LONDRES, 15 mars 1974 : *Paysage* : **GNS 2 400** – NEW YORK, 14 mai 1976 : *Jour de marché à Ingoldstadt, en hiver,* h/t (37x58) : **USD 14 000** – LONDRES, 4 nov. 1977 : *La rencontre* 1889, h/t (40,5x66) : **GBP 5 000** – LONDRES, 9 mai 1979 : *Scène de marché dans une ville de Bavière,* h/t (35x56,5) : **GBP 16 000** – COLOGNE, 21 mai 1981 : *Le Marché au bétail,* h/cart. (40x64) : **DEM 58 000** – NEW YORK, 29 fév. 1984 : *Scène de marché en hiver,* h/t (36x57) : **USD 26 000** – MUNICH, 5 déc. 1985 : *Marché au bétail à Dachau,* h/pan. (34,5x57) : **DEM 65 000** – LONDRES, 30 mai 1986 : *Paysages d'automne et d'hiver,* h/t, une paire (18x38,5) : **GBP 14 000** – MUNICH, 10 mai 1989 : *Jour de marché sous la pluie à Landsberg,* h/t (25,5x45,5) : **DEM 48 400** – NEW YORK, 24 mai 1989 : *Le Marché aux bestiaux à Dachau,* h/cart. (34,9x56,5) : **USD 8 800** – MUNICH, 29 nov. 1989 : *Marché campagnard en hiver,* h/cart. (35x56,5) : **DEM 60 500** – MUNICH, 31 mai 1990 : *Jour de marché en hiver,* h/t (33x56) : **DEM 55 000** – MUNICH, 12 déc. 1990 : *Jour de marché à Garching,* h/cart. (14,5x28) : **DEM 27 500** – NEW YORK, 19 fév. 1992 : *Le marché aux bestiaux,* h/pan. (34,3x58,4) : **USD 37 400** – MUNICH, 10 déc. 1992 : *Village en Bavière,* h/t (35x55) : **DEM 35 030** – NEW YORK, 17 fév. 1993 : *Village rural,* h/pan. (34,3x56,5) : **USD 13 800** – LONDRES, 15 juin 1994 : *Repos à l'auberge,* h/t (37x48,5) : **GBP 13 225** – MUNICH, 21 juin 1994 : *Le marché aux bestiaux,* h/t (24x38) : **DEM 39 100** – NEW YORK, 20 juil. 1994 : *Le retour des vaches vers leur étable,* h. et gche/t. (17,8x26,4) : **USD 14 950** – ZURICH, 7 avr. 1995 : *Marché aux bestiaux en Bavière,* h/t (35x57) : **CHF 20 000** – LONDRES, 21 nov. 1996 : *Dans la cour de la ferme,* h/t (14,5x31) : **GBP 8 280** – MUNICH, 3 déc. 1996 : *Marché aux bestiaux en hiver,* h/t (26x46) : **DEM 24 000.**

STUHR Heinrich
Né le 2 septembre 1833 à Brunshaupten. Mort le 7 avril 1919 à Schwerin (Mecklembourg-Poméranie). XIXe-XXe siècles. Allemand.
Dessinateur, sculpteur, modeleur.

STUHR Hermann
Né le 7 avril 1870 à Schönberg. XXe siècle. Allemand.
Peintre de fleurs, paysages, dessinateur.
Il fut élève de l'École des Beaux-Arts et de l'Académie des Beaux-Arts de Berlin.
Musées : ALTONA : *Paysage.*

STUHR Johann Georg
Né vers 1640 à Hambourg. Mort le 8 mai 1721 à Hambourg. XVIIe-XVIIIe siècles. Allemand.
Peintre.
Il a peint surtout des vues de ports et des batailles navales. Le Musée de Hambourg possède de lui trois marines.
Ventes Publiques : VIENNE, 14 mars 1984 : *Voiliers au large d'une côte escarpée,* h/t (49,5x67,5) : **ATS 200 000** – COLOGNE, 14

mars 1986 : *La Chasse à la baleine,* h/pan. (41x57,5) : **DEM 33 000.**

STUHR Johann Heinrich
Mort le 6 septembre 1693 à Hambourg. XVIIe siècle. Actif à Hambourg. Allemand.
Peintre de marines.
Peut-être le père de Johann Georg.

STUHR William
Né le 10 février 1882 à Aalborg. XXe siècle. Danois.
Peintre de figures, paysages, fleurs.
Il étudia chez Joh. Rohde, L. Tuxen et à l'Académie des Beaux-Arts de Copenhague. Il alla de 1907 à 1908 en Espagne, en 1907 et en 1912 à Paris, en 1926 en Floride et aux Îles Bahamas.
Musées : COPENHAGUE.
Ventes Publiques : LONDRES, 19 mars 1980 : *Vue de Copenhague* 1911, h/t (85x107) : **GBP 450** – HEIDELBERG, 14 oct. 1988 : *Deux jeunes filles blondes regardant un livre* 1932, h/cart. (80x69) : **DEM 1 300** – STOCKHOLM, 5-6 déc. 1990 : *Paysage urbain en hiver,* h/t (68x74) : **SEK 6 700.**

STUIVELING Van Essen
Née le 29 avril 1870 à La Haye. XXe siècle. Hollandaise.
Peintre.
Elle fut élève de Van Scheurleer à Hattem.

STUIVESANT Hendrik Jansz Van ou Stuyvesandt
XVIIe siècle. Actif à Haarlem entre 1642 et 1670. Hollandais.
Peintre.

STUKELEY William
Né le 7 novembre 1687 à Holbeach (Lincolnshire). Mort le 3 mars 1765 à Londres. XVIIIe siècle. Britannique.
Dessinateur et archéologue.
Il dessina les projets des gravures qui devaient figurer dans ses œuvres scientifiques.

STÜLER Friedrich
Né le 5 juin 1837 à Lissen près de Naumbourg sur la Saale. XIXe siècle. Allemand.
Peintre de panoramas.
Il travailla à Breslau.

STULER-WALDE Marie
Née le 27 décembre 1868 à Eherswalde. Morte le 22 février 1904. XIXe-XXe siècles. Allemande.
Peintre, illustrateur.

STULINGH Abraham
XVIIe siècle. Hollandais.
Peintre.
Il fut en 1626 maître à Delft et de 1628 à 1636 à Bommel.

STULL Henry
Né en 1851 au Canada. Mort le 18 mars 1913 à New-Rochelle (New York). XIXe-XXe siècles. Américain.
Peintre de chevaux.
Le Jockey Club de New York conserve plusieurs de ses œuvres.

[signature : Henry Stull]

Ventes Publiques : NEW YORK, 23 nov. 1934 : *Courses de chevaux* : **USD 425** ; *Le grand match de 1890* : **USD 425** – PARIS, 31 mai 1943 : *Cheval de course* : **FRF 310** – NEW YORK, 24 jan. 1973 : *Cheval* : **USD 1 000** – NEW YORK, 29 avr. 1977 : *Ludwig 1896,* h/t (63,5x76,2) : **USD 1 700** – NEW YORK, 5 juin 1980 : *Course entre Bonnibert and Gold Heels* 1901, h/t (50,8x76,2) : **USD 7 500** – SAN FRANCISCO, 24 juin 1981 : *Ferrier, W. S. Hobart, up* 1895, h/t (62x76) : **USD 4 250** – NEW YORK, 10 juin 1983 : *A match race,* h/cart. (20,2x35,6) : **USD 7 500** – NEW YORK, 7 juin 1985 : *« Tammany » vs. « Lamplight », entering the last furlong* 1893-1894, h/t (76,2x143,6) : **USD 70 000** – NEW YORK, 6 juin 1986 : *The celebrated race horses Henry of Navarre, Monitor and Dominoe,* h/t, de forme ovale (40,6x61) : **USD 9 000** – NEW YORK, 9 juin 1988 : *L'arrivée* 1891, h/t (61x91,4) : **USD 20 900** – NEW YORK, 7 juin 1991 : *« Sarable » vainqueur du prix du futur le 30 août 1902* ; *« Lord of the Vale » le second* 1902, h/t (61,6x74,3) : **USD 9 350** – NEW YORK, 5 juin 1992 : *Cheval de course et son jockey* 1902, h/t (62,2x74,3) : **USD 2 200** – NEW YORK, 22 sept. 1993 : *Cheval de course monté par son jockey,* h/t (42,4x52,7) : **USD 7 475** – NEW YORK, 3 juin 1994 : *En tête sur une longueur* 1910, h/t (61x91,4) : **USD 28 750** – NEW YORK, 9 juin 1995 : *La jument bai de J. G. Follansbee « Her-*

manita » *galopant sur la pelouse* 1895, h/t (63,5x76,2) : **USD 24 150** – New York, 12 avr. 1996 : *Cheval de course monté par son jockey*, h/t (58,4x71,1) : **USD 10 925** – New York, 11 avr. 1997 : *Florida, mère de Firenze et Salina, mère de Salvator* 1895, h/t (38,1x55,9) : **USD 6 612** – New York, 23 avr. 1997 : *Crickmore*, h/t (40,6x50,8) : **USD 6 325**.

STULMYLER
xixe siècle. Actif vers 1820. Allemand.
Miniaturiste de portraits.

STÜLP Friedrich. Voir STILPP

STULTJES Jan
Né en 1898 à Pretoria. Mort en 1934 à North-Wersten. xxe siècle. Sud-Africain.
Peintre.
Il fut également chanteur.
Bibliogr. : In : *Dictionnaire biographique illustré des artistes en Belgique depuis 1830,* Arto, Bruxelles, 1987.

STUMBECK
Originaire du Tyrol. xviiie siècle. Autrichien.
Sculpteur.

STUMM Johann
xviie siècle. Actif à Hambourg vers 1647. Allemand.
Peintre de portraits.

STUMM Richard
Né le 26 septembre 1900 à Worms (Bade-Wurtemberg). xxe siècle. Allemand.
Peintre, graveur.
Il étudia à Francfort-sur-le-Main et à Munich. Il vécut et travailla à Worms.

STUMM Rudolf Johann. Voir STORN

STUMME Absolon
xve siècle. Actif à Hambourg. Danois.
Peintre.
Il posséda l'atelier le mieux achalandé de Hambourg, où furent exécutés plusieurs tableaux d'autels. On ne peut lui attribuer personnellement aucune œuvre avec certitude.

STUMMEL Friedrich Franz Maria
Né le 20 mars 1850 à Münster (Rhénanie-Westphalie). Mort le 16 septembre 1919 à Kevelaer (Rhénanie-Westphalie). xixe-xxe siècles. Allemand.
Peintre d'histoire, sujets religieux, décorateur d'églises.
Élève de l'Académie de Düsseldorf il fit un voyage d'études à Rome, et s'installa à Berlin, et plus tard en 1881 à Kevelaer. Son œuvre est exclusivement d'inspiration religieuse.

STUMP Samuel John
Mort en 1863. xixe siècle. Actif à Londres. Britannique.
Portraitiste, miniaturiste et graveur au burin.
Il fut élève des Écoles de l'Académie et se fit une place marquante parmi les meilleurs miniaturistes anglais. De 1802 à 1849 il exposa deux cent trente-six miniatures à la Royal Academy ; cinquante-cinq à la British Institution, quarante-sept à Suffolk Street et vingt et une à la Old Water-Colours Society. Il était membre de la Sketching Society. Il a peint des portraits à l'huile et quelques paysages suisses. La National Portrait Gallery, à Londres, conserve de lui *Portrait de l'acteur Edmund Kean* et *Portrait de Mary Shelley*, et la Galerie du Guidhall, *Madame Gurlia Grisi, Madame Guidetta Pasta, Maria Foote comtesse de Harrington, Edm. Kean en Brutus, Ch. Kean,* et *Portrait de l'artiste.*
Ventes Publiques : Paris, 18 déc. 1946 : *Jeune officier anglais*, miniature. Attr. : **FRF 3 100**.

STUMPF Christoph Joseph
Né le 3 août 1754 à Höchberg (près de Würzburg). Mort le 23 juillet 1809 à Würzburg. xviiie siècle. Allemand.
Graveur au burin.
Il était autodidacte.

STUMPF Georg
xvie siècle. Actif à Munich. Allemand.
Peintre.
Élève de Thomas Zechetmair, il fut maître en 1581. Il a peint des vues de châteaux et des paysages avec des animaux.

STUMPF Hans
Mort avant 1510. xve-xvie siècles. Vivant à Berne en 1494. Suisse.
Peintre verrier.

STUMPF Jobst ou Strumpf
xvie siècle. Allemand.

Sculpteur de portraits.
Il fut maître en 1522, et bourgeois de Nuremberg en 1530.

STUMPF Josef
Mort en 1887 à Kufstein. xixe siècle. Allemand.
Sculpteur, peintre.
Il fut également restaurateur de tableaux.

STUMPF Matthias
Né le 22 avril 1755 à Zurich. Mort en 1806 à Zurich. xviiie siècle. Suisse.
Peintre et graveur au burin.
Élève de J. C. Fuszli. Il a peint un portrait et des tableaux religieux.

STUMPF Rudolf Eugen
Né le 8 juin 1881. xxe siècle. Allemand.
Peintre de portraits, graveur.
Il fut élève de l'Académie des Beaux-Arts de Stuttgart, de l'Académie Julian à Paris et de l'École des Beaux-Arts de Weimar.

STUMPF Wilhelm
Né le 30 mars 1873 à Weimar (Thuringe). Mort le 27 août 1928 à Oberstaufen (Bavière). xxe siècle. Allemand.
Peintre de paysages, natures mortes.
Il fut élève des Académies des Beaux-Arts de Leipzig et de Munich.
Ventes Publiques : Hanovre, 20 sep. 1980 : *Paysage d'hiver* 1908-1909, h/t (79x119) : **DEM 2 700**.

STUMPFELD Caroline Johanne Amalie, née Conradi
Née le 22 janvier 1751 à Rinteln. Morte le 26 avril 1829 à Eiterhagen. xviiie-xixe siècles. Allemande.
Peintre.

STUMPFF Jules
xixe siècle. Actif vers 1850. Éc. alsacienne.
Dessinateur.
Le Cabinet des estampes de Strasbourg conserve deux dessins de cet artiste qui représentent le *Haut-Kœnigsbourg.*

STUMPFIG Walter J. Voir STUEMPFIG

STUMPP Émil
Né en 1886 à Neckarzimmern. xxe siècle. Allemand.
Peintre de portraits, paysages, natures mortes, graveur.
Il fut pendant quelques temps élève de l'École des Beaux-Arts de Carlsruhe. C'est surtout un autodidacte. Il vécut et travailla à Königsberg en Prusse.

STUMPP Michael
xviie siècle. Actif à Munich. Allemand.
Peintre.

STUNDER Johann Jakob ou Jean Jacques
Né le 5 novembre 1759 à Copenhague. Mort le 13 août 1811 à Neusohl. xviiie-xixe siècles. Danois.
Peintre de figures et de portraits.
Élève de l'Académie de Copenhague, il voyagea en 1784 en Italie et passa quelques années à Vienne et à Budapest entre 1791 et 1797. Le Musée de Kaschau en Slovaquie orientale possède de lui *Autoportrait.*

STUNDL Theodor
Né le 28 juin 1875 à Marbourg (Styrie). Mort le 12 août 1934 à Hohenberg. xxe siècle. Autrichien.
Sculpteur de monuments.
Il fut élève de l'École des Beaux-Arts de Graz et de l'Académie des Beaux-Arts de Vienne. Il a érigé le monument à la mémoire de l'*Empereur François Joseph* à Cernowitz en 1910 et la *Fontaine Schubert* à Vienne.
Musées : Vienne : *Lied de Schubert.*
Ventes Publiques : Vienne, 16 sep. 1981 : *Nu accroupi* 1909, marbre blanc (H. 43) : **ATS 18 000** – New York, 21 mai 1983 : *Nu debout à la draperie* vers 1930, bronze patine verte (H. totale 48) : **USD 900**.

STÜNKEL Hinrich
Mort en 1657. xviie siècle. Allemand.
Sculpteur sur bois.
Il fut entre 1623 et 1627 bourgeois de Hanovre ; Didrich, sculpteur sur bois, fut sans doute son fils.

STUNTZ Hermione
Née en 1830 à Munich. Morte le 9 octobre 1879. xixe siècle. Allemande.
Peintre.
Elle a peint des paysages, des intérieurs et des scènes de genre.

STUNTZ Johann Baptist ou **Stunz**
Né en 1753 à Arlesheim (Suisse). Mort en 1836 à Munich.
XVIIIe-XIXe siècles. Suisse.
Lithographe, dessinateur et peintre de paysages.
Il fit de nombreux paysages à l'aquarelle et publia en collaboration avec J. Hartmuum une série de vues suisses. En 1802, il alla s'établir à Strasbourg comme marchand d'œuvres d'art. Il se rendit ensuite à Munich et s'adonna particulièrement à la lithographie. Les Musées de Strasbourg et de Munich possèdent chacun de lui une gouache.
VENTES PUBLIQUES : LONDRES, 5 nov. 1970 : *Paysages fluviaux,* deux gches : USD 380.

STUNTZ Maria Electrina. Voir **FREYBERG Maria Electrina von**

STUOSZ Vit. Voir **STOSS Vit** ou **Veit,** l'Ancien

STUPAN Simon Judas
Mort en 1693 à Konjice. XVIIe siècle. Actif à Konjice (Slovénie). Slovène.
Peintre.

STUPAR Marco
Né en 1936. XXe siècle. Actif en France. Yougoslave.
Peintre de compositions animées, paysages urbains. Postimpressionniste.
Il a montré une exposition personnelle de ses œuvres à la galerie Francis Barlier à Paris en 1989. Il peint le Paris animé des rues populaires et des jardins publics.

Stupar

VENTES PUBLIQUES : NEUILLY, 27 mars 1990 : *Jardin du Luxembourg,* h/t (65x81) : FRF 35 000 – PARIS, 18 juil. 1990 : *La plage,* gche (38,5x49) : FRF 4 200 – PARIS, 21 déc. 1992 : *Le jardin du Luxembourg,* h/t (27x46) : FRF 8 500 – NEUILLY, 19 mars 1994 : *Angle de rue,* h/t (35x27) : FRF 5 000 – PARIS, 30 sep. 1994 : *Les Tuileries,* h/t (50x65) : FRF 12 500.

STUPFLER Henri
Né à Mulhouse. XIXe siècle. Éc. alsacienne.
Peintre de portraits et de genre.
Débuta au Salon de Paris en 1876.

STUPICA Gabriel
Né en 1913 à Drazgosse (Slovénie). XXe siècle. Yougoslave.
Peintre de figures. Tendance surréaliste, fantastique.
Il a été élève de l'Académie des Beaux-Arts de Zagreb, jusqu'en 1936. Il vit et travaille à Ljubljana depuis 1946, ville où il a été professeur et doyen de l'Académie des Beaux-Arts. Il a voyagé en Italie, en France et à Genève, à Prague et à Budapest. Il a obtenu le Prix National Guggenheim en 1960, la médaille d'or de la Ire Triennale d'Art Yougoslave à Belgrade en 1961.
Il participe à des expositions collectives depuis 1938, parmi lesquelles : 1952, 1958, Biennale de Venise ; 1956, Guggenheim International Award, Paris ; 1957, 1960, New York ; 1957, Biennale de Tokyo ; 1959, Documenta II, Kassel ; 1969, Salon de Mai, Paris ; 1970, 3e Salon International des Galeries Pilotes, Musée Cantonal, Lausanne ; 1970, Musée d'Art Moderne de la Ville de Paris ; 1985, Nouvelle Biennale de Paris.
Il montre ses œuvres dans des expositions personnelles, dont : 1962, Belgrade ; 1963, Rim, Attico (Yougoslavie) ; 1968, Ljubljana, Belgrade ; 1984, Rim, Attico, Ljubljana.
Usant de techniques mixtes, détrempe sur toile, collage, crayons de couleur, il s'inspire essentiellement des dessins d'enfants pour recréer un univers de maisons ou de paysages familiers, dans le climat nostalgique du souvenir ou du rêve, ce qu'accentuent parfois des juxtapositions insolites, héritées du surréalisme. Peu à peu il simplifia les moyens de sa peinture qui rendirent à partir de camaïeux de blanc une impression étrange de tâtonnement, d'imperfection et de non achèvement. Son iconographie se réduisit également à deux thèmes principaux : l'autoportrait et la figure de la mariée ou la figure féminine au voile.
BIBLIOGR. : B. Dorival, sous la direction de... : *Peintres contemporains,* Mazenod, Paris, 1964 – *3e Salon International des Galeries Pilotes,* catalogue de l'exposition, Musée Cantonal, Lausanne, 1970 – *La Nouvelle Biennale de Paris,* catalogue de l'exposition, Paris, 1985 – in : *L'Art du xxe siècle,* Larousse, Paris, 1991.

MUSÉES : FIUME (Gal. d'Art Mod.) : *Le peintre et son modèle* 1965 – LJUBLJANA : *Autoportrait avec un ami* 1941 – *Jeune fille à la lampe* 1948 – *Portrait de l'artiste avec sa fille* 1956 – LJUBLJANA (Mus. d'Art Mod.) : *Jeune fille à la lampe* 1948.
VENTES PUBLIQUES : ANVERS, 7 avr. 1976 : *Jeunes mariés,* h/t (100x94) : BEF 19 000.

STUPIN Alexander Vassilievitch
Né le 13 février 1775 à Arsamass. Mort le 31 juillet 1861 à Arsamass. XIXe siècle. Russe.
Peintre.
Élève de l'Académie de Saint-Pétersbourg de 1799 à 1802.

STUPIN Raffaïl
Né le 12 avril 1798 à Arsamass. XIXe siècle. Russe.
Peintre de portraits.
Il était le fils et fut l'élève d'Alexander Vassiliévitch.

STUPINI
XIXe siècle. Actif à Aix-en-Provence vers 1830. Français.
Sculpteur.
La façade de l'église Saint-Sauveur à Aix nous présente deux statues de pierre de ce sculpteur.

STUPKA-EISENLOHR Louise von. Voir **EISENLOHR**

STUPPELER Wolfgang
Actif à Trèves. Allemand.
Sculpteur et architecte.
A sculpté le portail de saint Mathieu à Trèves.

STUPPI G.
XIXe siècle. Actif à Milan. Italien.
Graveur au burin.
A gravé des portraits.

STUR Carl Edler von
Né le 10 février 1840 à Wolfsberg. Mort le 2 juin 1905 à Lainz. XIXe siècle. Autrichien.
Peintre de portraits, dessinateur de caricatures et lithographe.
Il étudia de 1857 à 1858 à l'Académie de Vienne. Il fut acteur pendant une courte période et a peint plusieurs portraits de l'acteur *Ernesto Rossi* dans ses meilleurs rôles. Le Musée d'histoire de Vienne conserve de cet artiste un portrait de l'actrice *Josefine Gallmeyer.*

STURBELLE Camille Marc
Né le 29 septembre 1873 à Bruxelles. XXe siècle. Belge.
Sculpteur, décorateur.
Il a étudié à l'Académie des Beaux-Arts de Bruxelles et à l'École des Arts Décoratifs à Paris avec Hector Lemaire. Il eut en 1899 le Grand Prix de l'Institut des Arts Décoratifs à Paris, en 1901 le Grand Prix de l'Académie de Bruxelles et en 1904 une médaille d'argent à l'Exposition universelle de Saint-Louis.
Parmi ses œuvres : le monument de l'Indépendance Nationale et de Ch. Rogier à Liège ; *Bouledogue anglais* ; les bustes en bronze du peintre *von Holder* et du pianiste aveugle *Van Oromphout* ; un *Bouc* dans les allées de l'Exposition universelle de Bruxelles ; le portail du Palais du Cinquantenaire à Bruxelles.
MUSÉES : ANVERS : *Bouledogue anglais.*

STURCK Jan ou **Jacobus.** Voir **STORCK**

STURCK Johannes et **Jannis.** Voir **STORCK**

STURCKENBURG Jan ou **Johannes**
Né en 1630. Mort après 1663. XVIIe siècle. Hollandais.
Peintre de marines.
Il devint en 1659 bourgeois d'Amsterdam.
VENTES PUBLIQUES : LONDRES, 13 avr. 1983 : *Scène de port méditerranéen,* h/t (78x104) : GBP 1 800.

STURDEVANT Austa
Née au XIXe siècle à Meadville. XIXe siècle. Américaine.
Peintre.
Exposa à Paris ; mention honorable en 1895.

STUREL Marie Octavie. Voir **PAIGNÉ Marie Octavie**

STURGES Dwight C.
Né à Boston (Massachusetts). XXe siècle. Américain.
Peintre, graveur.
Il fut élève de l'École d'Art Cowles à Boston. Il fut membre de la Fédération Américaine des Arts.

STURGES Lee
Né le 13 août 1865 à Chicago (Illinois). XIXe-XXe siècles. Américain.

Graveur.
Il fut élève de l'Art Institute de Chicago et de l'Académie des Beaux-Arts de Philadelphie. Il fut membre de la Fédération Américaine des Arts.

STURGIS Mabel Russell
Née le 17 juillet 1865. XIX°-XX° siècles. Américaine.
Peintre, graveur.
Elle fut élève à l'École des Beaux-Arts de Boston. Elle fut membre de la Fédération américaine des Arts.

STURGKH Mélanie de, comtesse
Née le 22 février 1898 à Graz (Styrie). XX° siècle. Autrichienne.
Peintre de portraits, fleurs, miniaturiste.
Elle fit les portraits en miniatures des huit enfants de l'empereur Charles d'Autriche.

STÜRHOFER Claus. Voir **STUERHOFER**

STURHOLD F. Voir **STUERHELT**

STURINO Gerardo. Voir **STORINO**

STURK Abraham. Voir **STORCK**

STURKI Maximus Jacobus. Voir **STUCKI Marinus Jacobus**

STURLA Alfredo F.
Né en 1905 dans la province de Buenos Aires. XX° siècle. Argentin.
Sculpteur de figures, nus.
Ses grands nus sont issus d'une plastique robuste, non sans affinités avec l'art d'un Maillol.

STURLA M.
XIX°-XX° siècles.
Peintre de scènes typiques, marines. Orientaliste.
Musées : ALGER : Marine – Le Magenta.
Ventes Publiques : PARIS, 22 juin 1992 : L'Amirauté d'Alger, h/t (70,5x92) : FRF 10 000 – PARIS, 9 déc. 1996 : Vue d'Alger de la villa Suzini, h/t (19x26) : FRF 10 000.

STÜRLER Franz Adolf von ou **Sturler**
Né le 28 février 1802 à Paris. Mort en 1881 à Versailles. XIX° siècle. Français.
Peintre de genre et d'histoire.
Élève d'Ingres. Entré à l'École des Beaux-Arts le 19 novembre 1825. Exposa au Salon entre 1835 et 1859 et obtint une médaille de troisième classe en 1842.
Musées : BERNE : L'artiste à vingt-huit ans – F. Liszt à vingt-huit ans – Ange et peintre – Tête de saint Bernard – Tête de Christ, faite à Rome – Juif algérien – Femme en noir – Portrait d'homme – Le comte Franchetti – Lutteurs romains – Aréthuse avant sa transformation en source – Ève tentée – Cimabue trouve Giotto dessinant un mouton – Jésus chez Simon – Ma mère, premier portrait de l'artiste – MADRID : Dame florentine – MONTAUBAN : Procession de la Madone de Cimabue.

STURM Anton
XVII° siècle. Actif à Prague entre 1641 et 1652. Éc. de Bohême.
Peintre.

STURM Anton
Né en 1686 à Augsbourg. Mort le 16 avril 1752 à Francfort-sur-le-Main. XVIII° siècle. Allemand.
Peintre et dessinateur.
Avant 1720 il passa quelques années à Rome.

STURM Anton
Né entre 1690 et 1695. Mort le 25 octobre 1757 à Fussen. XVIII° siècle. Allemand.
Sculpteur sur pierre et sur bois.

STURM C.
XVIII° siècle. Actif à la fin du XVIII° siècle. Allemand.
Peintre, aquarelliste.

STURM Christian
XVIII° siècle. Actif à Nuremberg. Allemand.
Graveur au burin.

STURM Christoph
XVIII° siècle. Actif à Prague. Autrichien.
Sculpteur.

STURM Dominik
Né en 1780 à Vienne. Mort le 8 décembre 1808 à Vienne. XVIII° siècle. Autrichien.

Peintre sur porcelaine.
Fils de Johann. Doreur à la fabrique de porcelaine de Vienne.

STURM Filippe
XVIII° siècle. Portugais.
Dessinateur.
Il participa en 1754 à une expédition portugaise en Amérique. Les Archives de Rio de Janeiro possèdent plusieurs de ses travaux.

STURM Friedrich
Né en 1822 à Vienne. Mort le 1er novembre 1898 à Weiszenbach. XIX° siècle. Autrichien.
Peintre de décorations et de fleurs.
Il était le père de Georg. Il fut élève de son père qui était peintre sur porcelaine et sur émail. Il fit un voyage d'études en Hongrie et en Serbie. Il exposa à Vienne de 1853 à 1859.
Ventes Publiques : VIENNE, 19 sep. 1972 : Scène d'intérieur : ATS 30 000.

STURM Fritz Ludwig Christian
Né le 17 mai 1834 à Rostock. Mort le 19 avril 1906 à Berlin. XIX° siècle. Allemand.
Peintre de marines et graveur.
Élève d'Eschke, de l'Académie de Berlin, et de Gude à Karlsruhe. Il voyagea en Suède, en Norvège, en Rhénanie, en Hollande, en Suisse, à Rome, à Düsseldorf et se fixa en 1876 à Berlin.
Musées : BERLIN (Gal. Nat.) : Mer Baltique – La Méditerranée – LEIPZIG : Entrée dans le port – SCHWERIN : La baie de Wismar.
Ventes Publiques : COLOGNE, 18 mars 1977 : Helgoland 1891, h/t (68x120) : DEM 6 000.

STURM George
Né le 12 août 1855 à Vienne. Mort le 16 mars 1923 à Wageningen (Hollande). XIX°-XX° siècles. Actif en Hollande. Autrichien.
Peintre.
Il fut élève de l'École des Beaux-Arts de Vienne chez son père et F. Laufberger. Il alla en 1882 à l'École des Beaux-Arts d'Amsterdam. On voit plusieurs de ses œuvres dans la salle des mariages de l'Hôtel de Ville et à l'Université d'Utrecht.
Ventes Publiques : AMSTERDAM, 22 avr. 1992 : Le mariage de Pélée et de Thétis, h/t, décoration de plafond, de forme ovale (333x493) : NLG 25 300.

STURM Helmut
Né en 1932 à Furth-im-Wald. XX° siècle. Allemand.
Peintre. Expressionniste-abstrait. Groupe Spur, groupe Geflecht.
Il fut élève de l'Académie des Beaux-Arts de Munich. Il vit et travaille à Munich. Il appartint, en 1957, avec Hans Peter Zimmer et Heimrad Prem, au groupe Spur, inspiré du groupe Cobra et des positions révolutionnaires d'Asger Jorn. En 1965, le groupe fusionna avec le groupe Wir, pour aboutir, en 1966, à la création du groupe Geflecht, dont les buts demeurent sensiblement les mêmes, le point de vue collectiviste étant toutefois assoupli et les travaux étant souvent présentés individuellement.
Il a participé aux manifestations collectives du groupe Spur puis du groupe Geflecht : 1966, Munich ; 1967, Kunsthalle, Kiel ; 1967, Kunstverein, Fribourg ; 1968, Munich ; etc., et a figuré en 1966 au Salon d'Automne de Munich au Künstlerbund de Essen, puis à d'autres expositions à Munich, Berlin, Baden-Baden, Nuremberg en 1967, à la Foire d'Art de Cologne en 1968, etc.
Influencé par Asger Jorn et Cobra, il ne s'est pas embarrassé de passer indifféremment de l'abstraction à la figuration expressionniste. Il créa des « environnements » totaux, dans un langage expressionniste tenant à la fois de Cobra, des Nouveaux Réalistes et du pop'art.

H. Sturm

H-Sturne

BIBLIOGR. : I°ʳ Salon International des Galeries Pilotes, Musée Cantonal, Lausanne, 1963 – B. Dorival, sous la direction de... : Peintres Contemporains, Mazenod, Paris, 1964.
Ventes Publiques : LONDRES, 28 mai 1986 : Composition, h/t (90x121) : GBP 4 300 – COPENHAGUE, 8 fév. 1989 : Tous en forme 1961, h/t (75x80) : DKK 69 000 – STOCKHOLM, 5-6 déc. 1990 : Composition, h/pan. (53x33) : SEK 29 000 – MUNICH, 26-27 nov.

1991 : *Grande composition* 1963, techn. mixte (90,5x100) : **DEM 33 580** – MUNICH, 26 mai 1992 : *Composition aux visages grotesques* 1959, h/t (119,5x153,5) : **DEM 78 200** – MUNICH, 1er-2 déc. 1992 : *Composition (tête)* 1958, aquar. et encre (34,5x26) : **DEM 7 475** – COPENHAGUE, 6 déc. 1994 : *Composition* 1961, h/t (100x120) : **DKK 140 000** – COPENHAGUE, 8-9 mars 1995 : *Nous trouvons mélodieux* 1961, h/t (120x100) : **DKK 130 000**.

STURM Jacobus ou Jacques
Né en 1808 à Luxembourg. Mort le 10 janvier 1844 à Rome. XIXe siècle. Éc. flamande.
Peintre et lithographe.
Élève de Fresez. Il travailla dans un établissement lithographique de Bruxelles, vint à Paris en 1841, et partit ensuite pour l'Italie, dans cette ville.
MUSÉES : BRUXELLES : *L'eau bénite – Portrait d'homme* – LUXEMBOURG (Hôtel de Ville) : *Roméo et Juliette.*

STURM Jakob
Né le 21 mars 1771 à Nuremberg. Mort le 28 novembre 1848 à Nuremberg. XVIIIe-XIXe siècles. Allemand.
Peintre, graveur au burin.
Il était le fils et fut l'élève de Johann Georg. Entomologiste, il a représenté surtout des animaux et des plantes.

STURM Johann
XVIIIe siècle. Actif à Libochowitz. Éc. de Bohême.
Sculpteur sur bois.

STURM Johann
Né vers 1751 à Bayreuth. Mort le 22 décembre 1789 à Vienne. XVIIIe siècle. Autrichien.
Peintre sur porcelaine.
Il était le père de Dominik et il travailla à la Manufacture de porcelaine de Vienne.

STURM Johann Georg
Né en 1742 à Nuremberg. Mort le 9 avril 1793 à Nuremberg. XVIIIe siècle. Allemand.
Graveur au burin.
Père de Jakob. Il a gravé les portraits de *Voltaire, E. Lessing* et *J. Ph. Rameau.*

STURM Johann Heinr. Christian Friedrich
Né le 6 février 1805 à Nuremberg. Mort en 1862 à Nuremberg. XIXe siècle. Allemand.
Graveur au burin.
Il était le fils de Jakob.

STURM Johann Wilhelm
Né le 19 juillet 1808 à Nuremberg. Mort le 7 janvier 1865 à Nuremberg. XIXe siècle. Allemand.
Graveur au burin.
Il était le frère de Johann Heinrich. Il privilégia la représentation de sujets d'histoire naturelle.

STURM Josef
Né le 20 avril 1858 à Vienne. XIXe siècle. Autrichien.
Peintre de genre, paysages.
Élève de l'École des Beaux-Arts et de l'Académie de Vienne.
VENTES PUBLIQUES : PARIS, 24 jan. 1990 : *Le Colporteur* 1885, h/t (42,5x34,5) : **FRF 10 000** – PARIS, 7 déc. 1990 : *Le Colporteur* 1885, h/t (42,5x34,5) : **FRF 4 000**.

STURM Karl
Né en 1774. Mort le 22 août 1804 à Vienne. XVIIIe siècle. Autrichien.
Graveur au burin.
Il travailla à Munich et à Vienne.

STURM L.
XVIIIe siècle. Actif à Augsbourg. Allemand.
Graveur au burin.

STURM Leonhard
Né le 24 octobre 1856 à Muhlau. Mort le 14 octobre 1929 à Clausen (sud du Tyrol). XIXe-XXe siècles. Autrichien.
Peintre.
Il étudia à l'École des Beaux-Arts d'Innsbruck, puis travailla dans un atelier à Munich.

STURM Leonhard Johann
Né le 10 février 1854 à Bamberg. XIXe siècle. Actif à Munich et à Dresde. Allemand.
Peintre de portraits.

STURM Ludwig
Né le 18 novembre 1844 à Bamberg (Bavière). Mort le 23 mars 1926 à Dresde (Saxe). XIXe-XXe siècles. Allemand.
Peintre de portraits.
Élève de l'Institut de peinture sur porcelaine à Bamberg et de l'Académie de Munich et de Dresde.

STURM Ludwig
Né le 21 mars 1878 à Innsbruck (Tyrol). XXe siècle. Autrichien.
Peintre, décorateur.
Il vécut et travailla Munich et à Innsbruck et participa à la décoration de plusieurs églises du Tyrol du nord.

STURM Marie
Née le 21 janvier 1854 à Nuremberg. Morte à Nuremberg. XIXe siècle. Allemande.
Peintre.
Élève de l'École des Beaux-Arts de Nuremberg. Elle a peint des portraits et des natures mortes. Le Cabinet des Estampes du Musée Germanique à Nuremberg conserve trois aquarelles de fleurs dues à cette artiste.

STURM Michael
XVIIe siècle. Allemand.
Stucateur.

STURM Michael, l'Ancien
Né vers 1756. Mort vers 1811 à Vienne. XVIIIe-XIXe siècles. Autrichien.
Peintre sur porcelaine.

STURM Michael, le Jeune
Né en 1779 à Vienne. Mort le 28 avril 1810 à Vienne. XIXe siècle. Autrichien.
Peintre sur porcelaine et paysagiste.

STURM Paul
Né le 1er avril 1859. XIXe-XXe siècles. Allemand.
Sculpteur, médailleur.
Il fut élève des Académies des Beaux-Arts de Lyon et de Leipzig.
MUSÉES : BRÊME – CHEMNITZ : *Tête de femme.*

STURM Pierre Henri
Né en 1785 à Genève, de parents français. Mort le 26 octobre 1869 à Paris. XIXe siècle. Français.
Peintre d'histoire, sujets typiques, portraits, peintre sur émail.
Élève de A. Constantin. Exposa au Salon entre 1842 et 1867. Il obtint une médaille de troisième classe en 1842.
VENTES PUBLIQUES : PARIS, 12 déc. 1994 : *Scène de harem*, h/pan. (62,5x39) : **FRF 56 000**.

STURM Rudolf Heinrich
Né le 18 septembre 1749 à Bayreuth. Mort le 4 février 1794 à Vienne. XVIIIe siècle. Autrichien.
Peintre sur porcelaine.

STURM Ulrich
Né en 1596. Mort en 1630. XVIIe siècle. Actif à Gmund. Allemand.
Peintre.

STURM Wolfgang
Né vers 1742. Mort le 17 avril 1784 à Vienne. XVIIIe siècle. Autrichien.
Peintre sur porcelaine.

STURM-SKRLA Egge ou Eugen
Né le 9 avril 1894 à Komorn (Hongrie). XXe siècle. Autrichien.
Peintre, lithographe.
Il étudia à l'Académie des Beaux-Arts de Vienne, voyagea avec le peintre Gustav Schutt dans le sud du Tyrol et en Italie où il étudia avec Murr et Belatti la technique de la fresque.
MUSÉES : VIENNE (Gal. d'État) : *Paysage de Kaisersbersdorf* – VIENNE (Mus. mun.) : *Prairie dans le parc de la ville – Portrait du compositeur Guido Pelers – Dans le jardin suisse.*

STURMBERG Johann Adam ou Sturmberger
Né en 1683. Mort en 1741 à Copenhague. XVIIIe siècle. Danois.
Sculpteur.
Il était le frère de Johann Christoph.

STURMBERG Johann Christoph ou Sturmberger
Né entre 1675 et 1680. Mort entre le 18 août 1722 et le 19 mai 1723. XVIIIe siècle. Danois.
Sculpteur.
Il était le frère de Johann Adam. Il travailla à Copenhague, où il participa à la décoration de plusieurs châteaux.

STURMBERGER Anton
XVIIIe siècle. Actif à Linz. Autrichien.
Sculpteur.

STURMBERGER Matthias
XVIIe siècle. Actif à Horn dans la seconde moitié du XVIIe siècle. Autrichien.
Sculpteur sur bois.

STÜRMER Hans I et II
XVe siècle. Actifs à Ulm. Allemands.
Peintres.
Hans Stürmer I fut maître en 1477.

STURMER Helmut
Né le 7 février 1942 à Timisoara (Banat). XXe siècle. Actif depuis 1977 en Allemagne. Roumain.
Peintre, dessinateur, auteur de performances, peintre de décors et costumes de théâtre.
Il a étudié à l'Institut d'Arts Plastiques Ion Andrescu de Cluj et a suivi les cours de scénographie de Paul Bortnovski à l'Institut d'Arts Plastiques N. Grigorescu de Bucarest. Depuis 1977, il vit et travaille en Allemagne à Munich. Il a été directeur artistique du Théâtre d'Ulm.
Il montre ses œuvres dans des expositions personnelles, la première en 1969 à Bucarest, puis : 1977, Sydney ; 1978, Cologne ; 1983, Munich ; 1986, Ulm.
Il a une importante activité de scénographe, a signé nombre de décors et a souvent collaboré à des mises en scène où il cherche à conjuguer arts plastiques et spectacle. Il réalise des performances et des happenings qui mêlent toujours réalité, fantasme et mystification propre selon lui au spectacle de la vie.
BIBLIOGR. : Ionel Jianou et autres : Les Artistes roumains en Occident, American Romanian Academy of Arts and Sciences, Los Angeles, 1986.

STÜRMER Joh. Christoph P. von
XIXe siècle. Actif à Nuremberg. Allemand.
Graveur.
Astronome, il pratiqua la gravure. La Bibliothèque de Nuremberg conserve de lui : Éclipse de soleil et de lune en 1804, Éclipse partielle de lune en 1806, Carte de la comète de 1807, L'église des Dominicains.

STÜRMER Johann Heinrich
Né en 1774 à Kirchberg. Mort en 1855 à Berlin. XVIIIe-XIXe siècles. Allemand.
Peintre et graveur.
Il fit ses études à Œhringen, Augsbourg, Göttingen, et se fixa à Berlin, où il devint membre de l'Académie. Il a peint des tableaux de genre, des paysages et des portraits.

MUSÉES : BERLIN : Portrait de la sœur de l'artiste – BRUNSWICK : Portrait – MANNHEIM : Portrait d'un jeune garçon – WIESBADEN : Portrait de la femme de l'artiste avec ses deux fils.
VENTES PUBLIQUES : LONDRES, 25 juin 1982 : La descente en ballon de Mr. Robertson près de Moscou en 1808 1810, h/t (50,2x61) : GBP 2 400.

STURMER Johann Wenzel
Né vers 1675 à Königsberg, en Prusse. Mort le 14 novembre 1729 à Olmutz. XVIIIe siècle. Allemand.
Sculpteur sur bois et sur pierre.
Il devint en 1713 bourgeois d'Olmutz et maître.

STÜRMER Karl
Né en 1803 à Berlin. Mort le 29 mars 1881. XIXe siècle. Allemand.
Peintre d'histoire.
Fils et élève de Johann Henrich Stürmer. Il étudia ensuite avec Cornelius et se consacra particulièrement à la peinture à fresques. Il accompagna Cornelius à Düsseldorf et fut employé avec son maître à la décoration des arcades du Hofgarten. En 1842, il alla encore à Berlin avec Cornelius et peignit plusieurs fresques sous le portique du Museum. On cite encore de lui deux figures de prophètes à la Schloss Capell. On lui doit de nombreux tableaux de batailles, des paysages et des sujets de genre.

STÜRMER Michael
XVIIe siècle. Actif à Dresde. Allemand.
Peintre.
Il devint bourgeois en 1611.

STÜRMER Wilhelm Ludwig
Né en 1812 à Berlin. XIXe siècle. Actif à Berlin. Allemand.
Sculpteur.
Élève de l'Académie de Berlin avec Ludwig Wichmann et de Munich en 1838 avec Schwanthaler. Il commença alors une série de statuettes représentant les princes de Prusse. On lui doit également quelques statues colossales qui figuraient aux portes de Königsberg.

STÜRMER Wolfgang
XVIe siècle. Actif à Leipzig. Allemand.
Graveur sur bois, enlumineur.
Il devint bourgeois de Leipzig en 1543.

STURMES Hernando de. Voir **ESTURMES**

STURMHOEFEL Bernhard Maximilian
Né le 12 octobre 1853 à Dantzig (aujourd'hui Gdansk en Pologne). Mort le 6 mai 1913 à Dantzig. XIXe-XXe siècles. Allemand.
Peintre d'histoire, genre, portraits, paysages.
Il fut élève de l'Académie de Berlin avec Jul. Schrader de 1871 à 1874. Il a surtout peint des coins de la vieille ville de Dantzig.
MUSÉES : GDANSK, ancien. Dantzig (Mus. mun.) : L'Arrestation du bourgmestre de Dantzig Conrad Letzkau.

STURMIO Hernando. Voir **ESTURMES**

STURMLE Viktor
Né le 13 mai 1865 à Hochhausen (Bade). Mort le 4 juin 1927. XIXe-XXe siècles. Allemand.
Peintre, architecte.
Il fit partie de l'ordre des Bénédictins.

STURMLI Hans
Mort en 1439 à Constance. XVe siècle. Suisse.
Peintre.

STURN H.
XIXe siècle. Allemand.
Lithographe.

STURN Rudolf Johann. Voir **STORN**

STURNE Émile Hyacinthe
Né à Saint-Omer. XIXe siècle. Français.
Sculpteur.
Élève de M. Clovis-Normand. Débuta au Salon de 1874.

STURRINI Marco
XVIIe siècle. Actif à Florence, en 1654. Italien.
Peintre d'histoire.
La Galerie Royale de Florence conserve de lui La Madeleine à genoux dans une grotte.

STURROCK Alick Riddell
Né le 10 juin 1885 à Édimbourg (Écosse). XXe siècle. Britannique.
Peintre de paysages.
D'origine écossaise, il étudia à l'École des Beaux-Arts et à la Royal Academy d'Édimbourg. Il séjourna à Paris, en Italie, à Munich et en Hollande. On vit encore de ses œuvres à l'exposition annuelle d'Édimbourg, en 1951. Son art traditionaliste met en valeur de solides qualités constructives.
VENTES PUBLIQUES : PERTH, 29 août 1989 : En sautant le mur, h/t (51x61) : GBP 990 – SOUTH QUEENSFERRY, 23 avr. 1991 : Une rivière sinueuse, h/t (40,5x61) : GBP 715.

STURSA Jan
Né le 15 mai 1880 à Neustadtl ou Nove Mesto. Mort le 2 mai 1925 à Prague. XXe siècle. Tchécoslovaque.
Sculpteur de sujets allégoriques, figures, bustes. Groupe Manes.
Il fut élève de l'École des Beaux-Arts de Horice (1894-1898) et de l'Académie de Prague (1899-1903). Il poursuivit ses études en Europe. En 1916, il devint professeur à l'Académie de Prague et, de 1923 à 1924, recteur. Il a appartenu à la Société Manes.
Il a obtenu le Grand Prix de Sculpture à l'Exposition internationale des Arts Décoratifs de Paris en 1925.
Il appartient avec Gutfreund, Dvoralz, Landa et Kosti, à cette jeune école de sculpture tchécoslovaque, influencée par les recherches plastiques dont le cycle s'ouvre à la mort de Rodin. Il passe pour être le sculpteur tchèque qui a eu le plus de talent. On cite ses bustes et une Ève, en bronze, actuellement à Munich, ses figures de genre, ses danseurs et sujets allégoriques.
BIBLIOGR. : In : Dictionnaire de l'art moderne et contemporain, Hazan, Paris, 1992.

Musées : Munich : *Primavera – Ève –* Prague (Mod. Gal.) : *Jeune fille mélancolique – La femme à la toilette – La danseuse Sulamith Rahu – Messaline – Danseuse au repos –* Venise : *La danseuse Sulamith Rahu –* Vienne (Mus. Mod. Gal.) : *Puberté – Le blessé – Don du ciel et de la terre.*
Ventes Publiques : New York, 7 nov. 1991 : *Danseur,* bronze à patine verte (H. 48,9) : **USD 4 675.**

STURT John
Né le 6 avril 1658 à Londres. Mort en août 1730. xviie-xviiie siècles. Britannique.
Dessinateur et graveur au burin.
Élève de R. White. Il a illustré de très nombreux livres.

STURTEVANT Elaine
Née en 1926. xxe siècle. Américaine.
Peintre.
Elle participe à des expositions collectives, dont : 1969, Salon de Mai, Paris. Elle montre des expositions personnelles de ses œuvres, en 1970, à Paris, notamment des copies d'œuvres de Martial Raysse.
Devant l'un des mécanismes des artistes pop ou des nouveaux réalistes, qui copient parfois exactement des objets de la réalité quotidienne ou s'en emparent, elle a eu l'idée de copier exactement les œuvres des autres. Après avoir copié, aux États-Unis, Jasper Johns, Warhol, Oldenburg, Rauschenberg, Lichtenstein, elle a copié, en France, Tinguely et Martial Raysse.
Ventes Publiques : New York, 7 mai 1990 : *Étude de fleurs par Warhol* 1967, acryl./t. (55,9x55,9) : **USD 8 250 –** Paris, 15 mars 1991 : *Peinture à haute tension* 1970, techn. mixte et néon/t. (162x97) : **FRF 28 000 –** New York, 19 nov. 1992 : *Étude pour « Larmes de bonheur » de Lichtenstein* 1968, h./ et graphite/t. (137,2x133,4) : **USD 18 700 –** New York, 22 fév. 1993 : *Étude pour Fleurs de Warhol* 1965, sérig. et synth./t. (55,8x55,8) : **USD 4 400 –** New York, 16 nov. 1995 : *Étude pour les Larmes de joie de Lichtenstein,* h. et cr./t. (137,2x132,1) : **USD 11 500 –** New York, 10 oct. 1996 : *Étude pour Fleurs de Warhol,* acryl./t. (27,9x27,9) : **USD 1 725.**

STURTEVANT Erich
Né le 15 octobre 1869 à Francfort-sur-l'Oder (Brandebourg). xixe-xxe siècles. Allemand.
Peintre d'histoire, paysages, illustrateur.
Il était le fils du peintre Hans Sturtevant. Il fut élève de l'Académie des Beaux-Arts de Berlin de 1889 à 1892. Il exposa à partir de 1892.

STURTEVANT Helena
Née le 9 août 1872 à Middeltown (Rhode-Island). xxe siècle. Américaine.
Peintre.
Elle fut élève de l'École d'Art de Boston sous la direction de Tarbell et de l'Académie Colarossi sous la direction de Lucien Simon. Membre de la Fédération américaine des arts.

STURTEVANT Louisa Clark
Née le 2 février 1870 à Paris. xxe siècle. Américaine.
Peintre de paysages, dessinateur.
Elle fut élève de l'École d'Art de Boston sous la direction de Tarbell, de Collin et Simon à Paris. Elle fut membre de la Fédération américaine des arts.

STURTZ Helfrich Peter. Voir STURZ

STÜRTZ Ludwig
Né le 20 janvier 1843 à Darmstadt. Mort le 20 juillet 1903 à Marquartstein. xixe siècle. Allemand.
Peintre de genre.
Élève de Lindenschmit, dont il adopta les méthodes tout en conservant sa personnalité. Son tableau *Ahasuerus* obtint un grand succès à l'Exposition de Munich en 1900. Il est conservé au Musée de Würzburg, tandis que celui de Riga nous offre *Le sceptique.*

STURTZKOPF Carl ou Charly
Né le 10 mai 1896 à Berlin. xxe siècle. Allemand.
Peintre, graveur.
Il était le fils de Walther Sturtzkopf. Il étudia aux Académies des Beaux-Arts de Königsberg et de Munich. Il vécut et travailla à Berlin.

STURTZKOPF Franz
Né le 3 septembre 1852 à Hanovre (Basse-Saxe). Mort le 27 novembre 1927 à Weimar (Thuringe). xixe-xxe siècles. Allemand.
Peintre de genre.
Il fut élève de l'École des Beaux-Arts de Weimar.
Musées : Dresde : *Forge en Westphalie –* Hanovre : *Atelier d'artiste –* Weimar : *Intérieur.*
Ventes Publiques : Munich, 21 juin 1994 : *Les lingères* 1891, h/pan. (53x66) : **DEM 9 200.**

STURTZKOPF Karl
Né le 20 novembre 1825 à Hanovre (Basse-Saxe). Mort le 25 avril 1910 à Bückeburg (Basse-Saxe). xixe-xxe siècles. Allemand.
Peintre d'architectures, architecte.
Il était le gendre du peintre Louis Blanc et le père de Richard et de Walther Sturtzkopf. Il fit de nombreux décors de théâtre.

STURTZKOPF Walther Wilfried
Né le 10 mai 1871 à Hanovre. Mort le 5 octobre 1898 à Constance. xixe siècle. Allemand.
Peintre de sujets de sport et d'animaux.
Il étudia à l'Académie de Düsseldorf, puis à Munich et vécut à Berlin et à Constance.

STURY Max
Né le 23 septembre 1869 à Munich (Bavière). xixe-xxe siècles. Allemand.
Peintre d'architectures, paysages.
Il travailla de 1912 à 1936 à Cobourg.

STURZ Helfrich Peter ou Stürz, Sturtz
Né le 16 février 1736 à Darmstadt. Mort le 12 novembre 1779 à Brême. xviiie siècle. Allemand.
Dessinateur de portraits et peintre.
Il étudia à Iéna, Göttingen et Giessen. Il a visité, à la suite du roi Christian VII, l'Angleterre et la France. Peintre, il fut aussi écrivain et diplomate.

STURZA Jan. Voir STURSA

STURZENEGGER Hans
Né le 2 mai 1875 à Zurich. Mort en 1943 à Zurich. xxe siècle. Suisse.
Peintre de paysages, portraits, aquarelliste, dessinateur, graveur.
Il étudia en 1892 à l'Académie des Beaux-Arts de Carlsruhe, de 1898 à 1903 à Schaffhouse, en 1904 à Carlsruhe avec Hans Thomas et à partir de 1905 il revint à Schaffhouse. Il voyagea en Hollande et en Orient. Ses aquarelles et dessins sont particulièrement estimés.
Musées : Aarau (Aargauer Kunsthaus) : *Femme au châle,* h/pap. – *Dans le Valsi,* temp. – *Dans le Haut-Rhin,* pl. – Schaffouse – Zurich.

STÜRZER Cajetan
xviiie siècle. Hollandais.
Graveur au burin.

STUTEN Johann Moriz
Originaire de Korbach. xviiie siècle. Allemand.
Peintre.
Il a peint des miniatures à l'huile et au pastel.

STUTERHEIM Louis
Né en 1873 à Rotterdam. Mort en 1943. xxe siècle. Hollandais.
Peintre de paysages.
Il vécut et travailla à Amsterdam.
Musées : Bucarest (Mus. Simu).
Ventes Publiques : Amsterdam, 19 sep. 1989 : *Paysage fluvial avec des barques amarrées,* h/t (30x39,5) : **NLG 2 300 –** Amsterdam, 11 sep. 1990 : *Pêcheur dans sa barque dans un paysage de polder,* h/t (40x59,5) : **NLG 1 380 –** Amsterdam, 5-6 fév. 1991 : *Nature morte avec des fleurs roses dans un vase de pierre,* h/t (37x30) : **NLG 1 725 –** Amsterdam, 18 fév. 1992 : *Vue de Kortenhoef avec des paysans sur un chemin près du canal,* h/t (40x60,5) : **NLG 3 220 –** Amsterdam, 3 nov. 1992 : *L'heure de la traite,* h/t (48,5x69) : **NLG 2 530 –** Amsterdam, 14 sep. 1993 : *Paysage avec un pêcheur à la ligne dans une barque sur un canal et une paysanne sur le chemin avec des moulins à vent au fond,* h/t (46,5x60,5) : **NLG 4 830 –** Amsterdam, 7 nov. 1995 : *Vue de Uithoorn près d'Amsterdam,* h/t (30,5x40,5) : **NLG 3 540.**

STUTTE Hans
xviie siècle. Actif à Lübeck vers 1610. Allemand.
Peintre.

STÜTTGEN Christian
Né le 4 mai 1876 à Eupen. xxᵉ siècle. Allemand.
Sculpteur.
Il étudia à l'Académie des Beaux-Arts de Berlin.

STUTTIG Frederic
Né le 29 août 1861 à Paris. xixᵉ-xxᵉ siècles. Britannique.
Sculpteur.
Il vécut et travailla à Londres. Il sculptait le bois.

STÜTTING Heinrich
Originaire de Belecke. xviiiᵉ siècle. Allemand.
Sculpteur.

STUTZ Arnold
Né le 6 novembre 1869 à Fischenthal. xixᵉ-xxᵉ siècles. Suisse.
Peintre de fleurs.
Il fut élève de l'École du Louvre à Paris.

STUTZ Conrad
xviiᵉ siècle. Actif à Furth-en-Bresse entre 1622 et 1654. Allemand.
Médailleur.

STÜTZ Friedrich
Né le 2 septembre 1803 à Ulm. Mort le 20 janvier 1876 à Ulm.
xixᵉ siècle. Allemand.
Graveur sur verre et sur pierres précieuses.

STUTZ Johann
xviiiᵉ siècle. Actif à Hoszkirch en Wurtemberg. Allemand.
Peintre.

STUTZ Ludwig
Né le 8 novembre 1865 à Hoheneck. Mort le 6 mars 1917 à Illenau. xixᵉ-xxᵉ siècles. Allemand.
Peintre de natures mortes, illustrateur.
Il fut élève de l'Académie des Beaux-Arts de Munich et de l'Académie Julian à Paris. Il cultiva surtout la caricature politique et fut pendant plus de vingt ans dessinateur au *Kladderadatsch*. À partir de 1908, il se remit à peindre des natures mortes.

STÜTZEL Eduard Carl Heinrich ou **Stietzel**
Né vers 1795. xixᵉ siècle. Actif à Berlin. Allemand.
Sculpteur.
Élève de l'Académie de Berlin. On lui doit une série de statuettes dont une, en bois, représente le roi *Frédéric Guillaume III*. Le Musée de Potsdam garde de lui deux bustes, ceux du conseiller *Persuis* et du médecin général *Puhlmann*.

STUTZER Alwin
Né le 24 juillet 1889 à Berlin-Charlottenbourg. xxᵉ siècle. Allemand.
Peintre de paysages.
Il a exposé pour la première fois à Munich en 1923.
Musées : Munich (Gal. mun.).

STUTZINGER Anton
Né en 1821 à Vienne. xixᵉ siècle. Autrichien.
Peintre.
Il étudia de 1838 à 1846 à l'Académie de Vienne. Plusieurs musées de cette ville conservent des aquarelles de cet artiste.

STUVEN Ernst ou **Stuvens**
Né en 1657 ou 1660 à Hambourg. Mort en 1712 à Rotterdam.
xviiᵉ-xviiiᵉ siècles. Allemand.
Peintre de natures mortes, fleurs et fruits, décorateur.
Élève de J. G. Hainz à Hambourg et après 1675 de J. Vorhout à Amsterdam. Son caractère irascible lui causa nombre de désagréments. Il eut pour élèves W. Grasdorp et H. Van Myn.
Il peignit des fleurs et des fruits dans la manière d'Abraham Mignon, dont il fut le disciple.

Ernst Stuven
E.S

Musées : Hanovre : *Fleurs* – Prague : *Fleurs* – Schwerin : *Fruits*, deux tableaux – Sibiu : *Fleurs – Fruits*.
Ventes Publiques : Paris, 1868 : *La Perdrix rouge* : FRF 290 ; *La Perdrix grise* : FRF 250 – Londres, 24 fév. 1971 : *Nature morte aux fruits* : GBP 380 – Cologne, 24 mars 1972 : *Nature morte* : DEM 4 400 – Amsterdam, 22 avr. 1980 : *Nature au fleurs*, h/t (115x88) : NLG 17 500 – Londres, 20 juil. 1984 : *Vase de fleurs sur un entablement*, h/t (61,6x49,9) : GBP 14 000 – Londres, 3 avr.

1985 : *Nature morte aux fruits sur un entablement*, h/t (65x56) : GBP 8 200 – Londres, 8 juil. 1988 : *Pêches dans un plat d'étain et figue sur un entablement drapé*, h/t (44,5x40,5) : GBP 14 300 – Milan, 12 déc. 1988 : *Nature morte de pêches dans un plat d'étain, raisin et figues*, h/t (44x40) : ITL 45 000 000 – New York, 12 jan. 1989 : *Grande composition florale dans un vase entouré de fruits sur un entablement drapé*, h/t (76x61,5) : USD 93 500 – Londres, 9 avr. 1990 : *Composition florale dans un vase de cristal avec un papillon sur l'entablement*, h/t (49x41) : GBP 28 600 – New York, 10 oct. 1990 : *Composition florale dans un vase sur une console de marbre*, h/t (72,4x87,9) : USD 71 500 – New York, 11 avr. 1991 : *Composition florale dans un vase de verre avec un papillon sur un entablement*, h/t (73,5x59) : USD 110 000 – Londres, 5 juil. 1991 : *Importante composition florale dans un vase avec un papillon posé sur une rose sur un entablement*, h/t (84,5x67,3) : GBP 22 000 – Londres, 11 déc. 1992 : *Importante composition florale dans une urne d'argent sur une table de marbre en partie recouverte d'une tapisserie*, h/t (91,5x70,5) : GBP 77 000 – Londres, 6 déc. 1995 : *Nature morte de fruits et épis de maïs devant des feuilles de vigne*, h/t (88x74) : GBP 20 125 – Londres, 3 juil. 1996 : *Nature morte de raisins, pêches, abricots, poires, noix et noisettes, avec un écureuil sur la margelle d'une niche drapée de velours rouge*, h/t (88x66) : GBP 47 700 – Londres, 30 oct. 1996 : *Nature morte de fleurs des bois*, h/t (64x53,5) : GBP 4 600 – New York, 30 jan. 1997 : *Nature morte de pêches, de raisins et autres fruits sur un entablement drapé*, h/t (64,1x54,3) : USD 79 500 – Londres, 3 juil. 1997 : *Nature morte de fleurs dans un vase en verre avec une montre-gousset attachée à un ruban bleu et un papillon, le tout sur un entablement de marbre partiellement couvert d'un tissu de velours marron*, h/t (55x42,5) : GBP 67 500.

STÜVER Friedrich Wilhelm
Né le 15 août 1799. Mort le 16 décembre 1840 à Buckebourg.
xixᵉ siècle. Allemand.
Peintre.
Élève de l'Académie de Dresde. Il fut à partir de 1829 professeur de dessin du lycée de Buckebourg. Le Musée d'histoire de cette ville conserve plusieurs de ses dessins.

STUWMAN W.
xviiᵉ siècle. Actif vers 1667.
Peintre.
Un de ses tableaux, *Héraclite et Démocrite*, fit partie d'une vente à Amsterdam, le 7 mai 1895.

STUYVAERT Victor
Né le 5 novembre 1897 à Gand (Flandre-Orientale). Mort le 2 avril 1974 à Gand. xxᵉ siècle. Belge.
Graveur, aquarelliste, peintre de cartons de tapisseries, illustrateur.
Il fut élève de l'Académie des Beaux-Arts de Gand avec J. Delvin et G. Minne. Il étudia la gravure sur bois avec K. de Cock. Il poursuivit ses études à l'Académie des Beaux-Arts de Gand où il devint par la suite professeur. Il a été professeur à l'Académie Royale des Beaux-Arts de Gand.
Il se détacha du groupe de Frans Masereel, par un trait moins rude et une grâce que l'on peut dire plus latine. Il a illustré plus de cents livres, parmi lesquels : *Le Nobiliaire des eaux-de-vie et liqueurs de France*, de Maurice des Ombiaux ; *Œuvres*, d'Iwan Gilkin ; *La Saga de Gunnlaug* ; *Treize chansons populaires du pays de France* ; *Treize proverbes français* et des *Dictons populaires*.
Bibliogr. : In : *Dictionnaire biographique illustré des artistes en Belgique depuis 1830*, Arto, Bruxelles, 1987.
Musées : Bruxelles (Cab. des Estampes) – Gand (Mus. A. Van der Haegen) – Liège.

STUYVENBURGH Bartholomaeus
xviiᵉ siècle. Hollandais.
Peintre.
Dans la gilde d'Amersfoort en 1667. L'église Saint-Joris d'Amersfoort conserve de lui *Saint Georges délivre la fille du roi*.

STUYVESANDT Hendrik Jansz Van. Voir **STUIVE-SANT**

STUYVESANT Johannes Van
xviiᵉ siècle. Actif à la fin du xviiᵉ siècle. Hollandais.
Peintre de portraits.

STUZ Franz
xviiiᵉ siècle. Actif à Kufstein. Autrichien.
Sculpteur.

STWOSZ Vit. Voir **STOSS Vit** ou **Veit**, l'Ancien

STYKA Adam

Né le 7 avril 1890 à Kielce (Pologne). Mort en 1959, 1970 d'après le Mayer. XXᵉ siècle. Français.

Peintre de sujets typiques, scènes de genre, paysages, dessinateur, illustrateur. Orientaliste.

Il fut élève de son père Jan Styka, naturalisé français, et de son frère Tadé Styka. Arrivé à Paris en 1918, il étudia à l'École des Beaux-Arts, dans l'atelier de Fernand Cormon, jusqu'en 1912. En 1914, durant la Première Guerre mondiale, il rejoignit la Légion étrangère, puis, à la fin de la guerre, voyagea en Afrique du Nord, visitant notamment le Maroc.

Il exposa, à Paris, au Salon de la Société Nationale des Beaux-Arts, à partir de 1911 ; au Salon des Orientalistes, en 1914. La galerie Georges Petit à Paris montra une exposition de ses œuvres en 1906.

Il peignit d'abord quelques tableaux de genre, puis des compositions inspirées par son séjour en Afrique du Nord, notamment plusieurs vues de Marrakech et d'Égypte. Très impressionné par la lumière de ces régions, il se consacra dès lors presque exclusivement à la reproduction des scènes et des paysages de ces pays du Maghreb : des *Souks à Biskkra* ; des *Chefs arabes tenant conseil* ; des *Enfants à dos d'âne sur les bords du Nil* et des *Amusements au sérail*. Des volumes solidement structurés par la lumière et des tons sobres mais contrastés définissent son style.

Il a également illustré le conte : *Théodora d'Alexandrie* dans *Les Perles éparpillées, contes et légendes arabes*, par Wacyf Boutros Ghali, publié en 1923 à Paris ; *Azyadé* de Pierre Loti ; *Le Pays des Jungles* et *Quo Vadis ?* de Sienkiewicz.

BIBLIOGR. : *Tableaux, pastels et dessins par Jan Styka et Tadé Stuka*, catalogue de l'exposition, galerie Georges Petit, Paris.
VENTES PUBLIQUES : PARIS, 30 juin 1925 : *Les amusements au sérail :* **FRF 920** – PARIS, 15 déc. 1944 : *Jeune pêcheur sur un âne :* **FRF 15 000** – PARIS, oct. 1946 : *Campement arabe :* **FRF 31 100** – PARIS, 25 juin 1947 : *Palabres : notables arabes tenant un conseil :* **FRF 17 000** – PARIS, 4 nov. 1950 : *Rue à Alger :* **FRF 10 300** – PARIS, 22 mars 1976 : *Le Nil*, h/t (73x92) : **FRF 3 200** – LONDRES, 12 oct. 1977 : *Ile de Philae*, h/t (131x194,5) : **GBP 1 800** – PARIS, 29 mars 1979 : *Scène de rue*, h/t (70x99,5) : **FRF 25 500** – LONDRES, 11 juin 1981 : *Les Guerriers arabes*, h/t (82x117) : **GBP 1 800** – ENGHIEN-LES-BAINS, 21 oct. 1984 : *Le Nil au pied des Colosses de Memnon*, h/t (89x116) : **FRF 192 000** – ENGHIEN-LES-BAINS, 28 avr. 1985 : *Couple s'amusant* 1929, sanguine et fus. (18x21,5) : **FRF 5 500** – L'ISLE-ADAM, 21 avr. 1985 : *Confidence*, h/t (86x64) : **FRF 70 000** – NEW YORK, 28 oct. 1986 : *Le Galant Entretien*, h/t (73,6x91,4) : **USD 10 000** – VERSAILLES, 5 mars 1989 : *Couple arabe*, h/t (90x72) : **FRF 15 000** – PARIS, 17 mars 1989 : *Les amoureux du désert*, h/t (64x54) : **FRF 52 000** – MONTRÉAL, 30 oct. 1989 : *Les enchantements du Maroc*, h/t (64x81) : **CAD 5 720** – VERSAILLES, 5 nov. 1989 : *Couple arabe*, h/t (81x65) : **FRF 14 000** – SCEAUX, 11 mars 1990 : *Le couple aux bijoux*, h/t (81x65) : **FRF 78 000** – NEW YORK, 19 juil. 1990 : *Bab Khamir à Marrakech*, h/t (73,1x92,2) : **USD 9 020** – NEW YORK, 27 mai 1992 : *Deux danseuses orientales*, h/t (55,8x68,9) : **USD 8 800** – NEW YORK, 20 jan. 1993 : *Le porteur d'eau*, h/t (73,7x88,9) : **USD 10 350** – NEW YORK, 17 fév. 1993 : *Soleil levant en Égypte*, h/cart. (45,4x54,9) : **USD 9 200** – PARIS, 5 avr. 1993 : *Porteuses d'eau à Assouan*, h/pan. (41x33) : **FRF 29 000** ; *Les deux amies au turban*, h/t (56x68) : **FRF 50 000** – LONDRES, 17 nov. 1994 : *La séduction*, h/t (81,3x65,8) : **GBP 9 775** – LONDRES, 14 juin 1995 : *Joyeux trio*, h/t (73,5x91,5) : **GBP 18 400** – PARIS, 18-19 mars 1996 : *Porteur d'eau près de l'île de Philae*, h/t (73x92) : **FRF 250 000** – PARIS, 10-11 juin 1997 : *Au point d'eau*, h/t (73x93) : **FRF 46 000** ; *Le Repos au désert*, h/t (66x85) : **FRF 30 000**.

STYKA Jan ou **Stuka**

Né le 8 avril 1858 à Lemberg. Mort le 28 avril 1925 à Rome. XIXᵉ-XXᵉ siècles. Actif puis naturalisé en France. Polonais.

Peintre d'histoire, sujets mythologiques, compositions religieuses, scènes de genre, portraits.

Il commença ses études à l'Académie des Beaux-Arts de Vienne, en 1877 ; il y obtint une médaille d'or et le Premier Prix de Rome. À son retour de la Villa Médicis, il suivit à Cracovie, les conseils de Jan Matejko, puis il se fixa en France. Écrivain et poète, il se lia d'amitié avec Tolstoï, il entretint avec le grand romancier russe une correspondance régulière et du plus vif intérêt.

Il exposa, à Paris, au Salon des Artistes Français, à partir de 1886 ; au Salon de la Société Nationale des Beaux-Arts, ainsi qu'à l'étranger. Il reçut une mention honorable en 1901.

Chargé de différentes décorations au Vatican, Jan Styka peignit quarante-cinq tableaux retraçant la vie du Christ. On cite encore de lui des œuvres telles que : *La Vierge bénissant le peuple polonais* – *Le Golgotha* – *Cirque de Néron*. Artiste consciencieux, ayant reçu la commande d'une illustration de l'Odyssée, il refit aussi intégralement que possible le chemin parcouru par Ulysse. Artiste de renommée internationale, il réalisa les portraits de Mickiewicz et Roosevelt.

VENTES PUBLIQUES : PARIS, 30 avr. 1919 : *Tête de vieillard :* **FRF 490** – PARIS, 3 juil. 1933 : *Le Modèle et la Statue :* **FRF 320** – PARIS, 11 déc. 1944 : *Personnages sur une terrasse :* **FRF 12 000** – PARIS, oct. 1945-juil. 1946 : *Portrait de Carmen Sylva :* **FRF 1 000** – PARIS, 22 sep. 1950 : *Le rabbin :* **FRF 21 000** ; *Portrait de Tolstoï :* **FRF 5 200** – PARIS, 19 mars 1951 : *Le chef arabe :* **FRF 13 500** – LOS ANGELES, 8 avr. 1973 : *La cavalerie sur le champ de bataille :* **USD 1 300** – LONDRES, 25 juin 1976 : *Ulysse couché dans le vestibule voit les prétendants*, h/t (92x109) : **GBP 190** – NEW YORK, 11 fév. 1981 : *Jeune femme à l'éventail japonais* 1889, h/t (75x56,5) : **USD 4 000** – PARIS, 7 déc. 1983 : *Portrait de femme arabe brodant*, h/t (82x65) : **FRF 13 000** – ROME, 14 déc. 1988 : *Scène de sacrifice*, h/t (76,5x111) : **ITL 6 500 000** – MONTRÉAL, 30 oct. 1989 : *Les prisonniers*, h/t (61x51) : **CAD 880**.

STYKA Tadé

Né en 1889 à Kielce (Pologne). Mort en 1954 à New York. XXᵉ siècle. Actif aussi aux États-Unis. Français.

Peintre de scènes de genre, portraits, nus, animaux, sculpteur, dessinateur.

Il est le fils de Jan Styka, naturalisé Français, et le frère d'Adam Styka. Il fut élève de son père, de Jean-Jacques Henner et d'Eugène Carrière qui lui prodigua ses conseils.

Il exposa, à Paris, au Salon des Artistes Français, où il reçut une mention honorable en 1904, ainsi qu'au Salon de la Société Nationale des Beaux-Arts. En 1906 la galerie Georges Petit à Paris montra une exposition de ses œuvres.

C'est en tant que portraitiste mondain qu'il se fit une renommée, à New York surtout. Il peignit, entre autres, les portraits de Caruso, Chaliapine, Tita Rufo et J. J. Henner. On cite encore de lui : *Lions au repos*.

BIBLIOGR. : *Tableaux, pastels et dessins par Jan Styka et Tadé Stuka*, catalogue de l'exposition, galerie Georges Petit, Paris.
MUSÉES : MULHOUSE : *Portrait de J. J. Henner – Prométhée*.
VENTES PUBLIQUES : PARIS, 6 juin 1921 : *La Force domptée par la douceur* : FRF 4 100 – PARIS, 28 juin 1923 : *Profil de blonde* : FRF 2 000 – PARIS, 10 mai 1926 : *Buste de jeune femme brune* : FRF 2 000 – PARIS, 25 mars 1935 : *Lion et lionne allant boire* : FRF 1 100 – PARIS, 15 déc. 1944 : *Femme au chien* : FRF 27 800 – NEW YORK, 1er mai 1946 : *Portrait de femme* : USD 1 150 – PARIS, 2 nov. 1948 : *Les deux sœurs* : FRF 16 000 – PARIS, 27 avr. 1951 : *Buste de jeune fille blonde* : FRF 21 000 – NEW YORK, 18 déc. 1968 : *La conversation dans la rue* : USD 900 – NEW YORK, 14 mai 1969 : *Le champ de bataille* : USD 1 500 – PARIS, 23 jan. 1974 : *Jeune femme à la coiffe* : FRF 4 800 – VERSAILLES, 25 oct. 1976 : *Nu couché lisant – Hommage à Henner*, h/pan. (32x40) : FRF 2 400 – LONDRES, 4 juil. 1980 : *Portrait de jeune fille* 1907, h/pan. (54,5x45,5) : GBP 1 500 – LIMOGES, 6 déc. 1981 : *Portrait de jeune fille*, h/t (73,5x56) : FRF 21 000 – PARIS, 27 fév. 1984 : *Portrait d'homme (Jean Cocteau ?)* 1913, h/pan. (61x51) : FRF 11 500 – CHESTER, 18 jan. 1985 : *La belle et la bête*, h/t (102x82,5) : GBP 3 000 – PARIS, 25 nov. 1991 : *Le lion amoureux*, h/isor. (62x49) : FRF 15 000 – SAINT-JEAN-CAP-FERRAT, 16 mars 1993 : *Le chien Fifi 2*, h/t (64x53) : FRF 16 000 – NEW YORK, 19 jan. 1995 : *Femme et son chien*, h/cart. (80,6x61) : USD 1 955.

STYPPAX
Ve siècle avant J.-C. Travaillait au temps de Périclès, au Ve siècle avant Jésus-Christ. Antiquité grecque.
Sculpteur.
La seule œuvre qu'on connaisse de lui est la statue d'un ouvrier qui tomba des Propylées, alors en cours de construction.

STYRSKY Jindrich
Né le 11 août 1899 à Cerma, près de Geiersberg (Bohême). Mort le 21 mars 1942 à Prague. XXe siècle. Tchécoslovaque.
Peintre de sujets oniriques, aquarelliste, peintre de collages, dessinateur, graveur, illustrateur, décorateur de théâtre. Surréaliste.
Il fut élève de l'Académie des Beaux-Arts de Prague, de 1920 à 1923. Il voyagea ensuite en Italie et en Yougoslavie, où en 1922 il fit la connaissance du peintre Toyen, dont il devint le compagnon, avec qui il séjourna à Paris de 1925 à 1928. À partir de 1923, il participa au groupe d'avant-garde tchèque Devestil. Vers 1929, il rencontra André Breton. En 1934, se constitua le groupe surréaliste de Prague, dont il fut l'un des animateurs. En 1935, il avait pu reprendre contact avec ses amis surréalistes, à Paris, où Toyen devait venir se fixer définitivement en 1947. Peintre, il fut aussi poète et photographe.
Il a figuré dans de nombreuses expositions, soit d'art tchécoslovaque moderne, soit consacrées au surréalisme, notamment en 1932 à l'Exposition internationale du Surréalisme *Poésie 32* ; en 1935 première exposition d'art surréaliste à Prague. Après sa mort, il fut représenté en 1946 à l'exposition d'art tchécoslovaque à l'Orangerie des Tuileries de Paris ; en 1964 *Peinture imaginative 1930-1950* organisée à Hlubokà (Bohème du Sud) interdite et présentée partiellement au musée des Arts décoratifs de Paris ; en 1968 à l'exposition de peinture tchécoslovaque, commémorant le cinquantième anniversaire de la République, dans divers musées du pays ; en 1983 à la galerie 1900-2000 à Paris ; en 1982 au centre Georges Pompidou de Paris avec Toyen et Heisler ; en 1997 *Les Années trente en Europe. Le temps menaçant* au musée d'Art moderne de la ville à Paris. Il organisa une rétrospective de ses œuvres en 1938 à Paris.
Dès 1919, il avait pratiqué une sorte de postcubisme, adapté à la mise en images d'une introspection continue, profitant des possibilités multiples de la technique des papiers collés. Membre du groupe « Devetsil », à partir de 1926, il donna, toujours avec Toyen, des interprétations plastiques des principes du « poétisme », tentative de synthèse entre cubisme et surréalisme définie et pratiquée par le poète Karel Teige. Il réalisa alors, influencé par Lautréamont notamment, des œuvres peuplées de formes organiques, d'objets inquiétants, difficilement identifiables. Si ses collages avaient toujours été porteurs de charges affectives, voire combatives, évidentes, dans ses peintures il évolua très régulièrement d'un cubisme à tendance abstraite, avec quelque chose du flou d'un Sima, à des mises en images et des techniques de plus en plus conformes à la lettre du surréalisme, débouchant sur un processus d'objectivation de tous les domaines de l'irrationnel. Autour de 1934, il peignit notamment *L'Homme et la Femme*, et toute la série des *Racines*. À partir de

1938, après la mainmise du régime nazi allemand sur le gouvernement de la Tchécoslovaquie, il ne put poursuivre son activité que clandestinement. Dans la dernière année de sa vie, il réalisa une série de collages à sujets anticléricaux. Dans le livre *Songes* réalisé de 1925 à 1940, il réunit dessins, collages, tableaux et textes, notamment le récit de ses rêves, qui permettent de mieux appréhender son processus de création. ■ J. B.
BIBLIOGR. : José Pierre : *Le Surréalisme*, in : *Hre Gle de la Peint.*, tome 21, Rencontre, Lausanne, 1966 – Catalogue de l'exposition *Cinquante ans de peinture tchécoslovaque, 1918-1968*, Musées tchécoslovaques, 1968 – in : *Dict. de l'art mod. et contemp.*, Hazan, Paris, 1992 – Frantisek Smejkal : *L'Œuvre onirique de Styrsky*, Opus International, n° 123-124, Paris, avr. mai 1991 – Catalogue de l'exposition : *Les Années trente en Europe. Le temps menaçant*, Musée d'Art Moderne de la ville, Paris Musées, Flammarion, Paris, 1997 – in : *L'Art du XXe s.*, Larousse, Paris, 1991 – in : *Dict. de l'art mod. et contemp.*, Hazan, Paris, 1992.
MUSÉES : OSTRAVA : *Cigarette à côté de la morte* 1931 – PARIS (Mus. Nat. d'Art Mod.) : *Paysage-échiquier* 1925 – PARIS (Mus. d'Art Mod. de la ville) : *Les Lunettes et les Asperges* vers 1934 – *L'Ange embrasse le torse* vers 1934 – *Les Yeux* 1936 – PRAGUE : *Pierre tombale* 1934.
VENTES PUBLIQUES : PARIS, 24 fév. 1980 : *L'écorché 1934*, h/t (100x73) : FRF 13 100 – PARIS, 21 juin 1982 : *Traumatisme de la naissance* 1936, h/t (100x250) : FRF 65 000 – LIMOGES, 4 déc. 1983 : *Maldoror*, h/t (40x59) : FRF 21 000 – PARIS, 10 mai 1985 : *Illustration pour les Chants de Maldoror*, dess. reh. (12x19) : FRF 9 000.

STYRTON Ricardus de. Voir **STRETTON**

STYX G.
XIXe siècle. Allemand.
Sculpteur.
Il exposa en 1844 et 1883 à Berlin.

SUA Raffaele ou **Soave**
Né en 1708 à Sagno. Mort en 1766 à Sagno. XVIIIe siècle. Italien.
Peintre d'architectures.
Il travailla avec Gius. Galli Bibiena à Vienne.

SUAN Charles
Né vers 1810 ou 1815 à Saumur. Mort vers 1879 ou 1892. XIXe siècle. Français.
Peintre de genre, portraits, paysages.
Élève de Picot, il débuta au Salon de 1836.
MUSÉES : LE MANS : *La cantinière – Vue de l'usine à gaz du Mans – Paysage du vieux Mans – Portrait du peintre Jolivard dans un parc.*

SUANNITZER Johannes
XVIIe siècle. Autrichien.
Peintre.

SUARD Pierre
XVIIIe siècle. Actif à Paris. Français.
Sculpteur.
Il devint le 17 octobre 1758 membre de l'Académie Saint-Luc. Il travailla en 1767 et 1768 à la décoration de la Salle de théâtre au Château de Chantilly.

SUARDI Bartolommeo. Voir **BRAMANTINO**

SUARDO Giov. Battista
XVIe siècle. Actif à Milan entre 1565 et 1590. Italien.
Sculpteur et médailleur.

SUAREZ Agostin Floriano. Voir **SOARES**

SUAREZ Antonio
Né en 1923 à Gijon. XXe siècle. Espagnol.
Peintre. Abstrait-informel.
Il vint travailler à Paris, entre 1950 et 1953, puis s'installa définitivement à Madrid.
Depuis 1956, il s'est défini dans une abstraction à caractère informel, d'où un important travail sur les pâtes, des intégrations de poudres métalliques, des effets de clair-obscur, une tendance à la monochromie au profit de la texture.

BIBLIOGR. : B. Dorival, sous la direction de... : *Peintres Contemporains*, Mazenod, Paris, 1964.

Musées : La Haye (Gemeente Mus.) – Madrid (Mus. d'Arte Contempor.).

SUAREZ Carlos
xviie siècle. Actif entre 1606 et 1634. Espagnol.
Peintre.
A peint plusieurs retables.

SUAREZ Gregorio
xviie siècle. Actif à Santiago. Espagnol.
Sculpteur.

SUAREZ José
Né en 1766. Mort en 1801. xviiie siècle. Actif à Séville. Espagnol.
Peintre.
C'était un excellent peintre de fresques. On a de lui une *Vierge*, peinte à l'huile, qui se trouve à Saint-Jacques-le-Majeur.

SUAREZ Lorenzo. Voir JUAREZ

SUAREZ Pedro
xviie siècle. Espagnol.
Sculpteur.
De 1618 à 1619 il travailla au grand retable de l'église Santa Maria del Camine de Saint-Jacques-de-Compostelle.

SUAREZ Pedro
xviie siècle. Espagnol.
Sculpteur.
Il travaillait à Séville en 1667.

SUAREZ DE OROZCO Martin
xviie siècle. Espagnol.
Peintre.
Il fut membre de l'Académie de Séville entre 1666 et 1672.

SUAREZ DE SOLIS Pedro
xviie siècle. Espagnol.
Peintre.

SUAREZ INCLAN Estanislao
xixe siècle. Espagnol.
Peintre de genre.
Musées : Séville (Mus. prov.) : *Le Bon Dieu passe (scène de carnaval)*.

SUAREZ LLANOS Ignacio
Né le 30 juin 1830 à Gijon. Mort le 25 décembre 1881 à Madrid. xixe siècle. Espagnol.
Peintre.
Élève de B. Montanes et de l'École supérieure de peinture à Madrid où il fut professeur à partir de 1868. À partir de 1881 il devint membre de l'Académie San Fernando. Le Musée du Prado à Madrid conserve de lui *Funérailles de Lope de Vega* et *Portrait du roi Athanagild*.

SUASSO Jhr. A. Lopes
Né le 3 février 1855 à Amsterdam. xixe siècle. Hollandais.
Peintre de paysages.
Élève de H. Texeira de Mattos, W. Maris et Gabriel.

SUAU Edmond Eugène
Né le 4 juin 1871 à Mulhouse (Haut-Rhin). Mort en octobre 1929 à Paris. xixe-xxe siècles. Français.
Peintre de scènes de genre, portraits, natures mortes, fleurs.
Il fut élève de Benjamin Constant, de J. Leblanc, Jules Lefebvre et de Tony Robert-Fleury. Il exposa, à partir de 1897, au Salon des Artistes Français de Paris, dont il devint sociétaire en 1901. Il reçut une mention honorable en 1899, une médaille de troisième classe en 1900, une deuxième classe en 1910.
Musées : Amiens (Mus. de Picardie) : *Portrait de Branly* – Narbonne : *Coin de table* – Perpignan : *Espagnoles*.
Ventes Publiques : Paris, 30 mai 1931 : *Roses dans un vase de cuivre*, *Roses dans un vase de cristal*, les deux : **FRF 105** – Paris, 28 nov. 1932 : *Roses dans un vase*, *Marguerites dans un vase*, les deux : **FRF 200** – Paris, 21 mars 1980 : « *La mélancolie des ruines inspire le poète* » 1899, h/t (210x286) : **FRF 7 500**.

SUAU Jean
Né en 1758 à Toulouse. Mort en 1856 à Toulouse. xviiie-xixe siècles. Français.
Peintre de compositions mythologiques, sujets religieux.
Élève du chevalier Rivalz. Il fut directeur du Musée de Toulouse et exposa au Salon en 1802. Il avait obtenu un premier prix à l'Académie de Toulouse.
Ventes Publiques : Paris, 23 oct. 1992 : *La crucifixion*, h/t

(72x94,5) : **FRF 16 000** – Paris, 15 déc. 1993 : *Allégorie de la France libérant l'Amérique*, h/t (135x186,5) : **FRF 120 000**.

SUAU Pierre Théodore
Né à Toulouse. Mort en 1856. xixe siècle. Français.
Peintre d'histoire.
Entré à l'École des Beaux-Arts le 22 août 1811. Élève de son père Jean Suau et de David. On lui doit de nombreuses œuvres conservées dans les églises de Toulouse et de la région.

SUAVIS Samuel de. Voir SWAEF

SUAVIUS Lambert. Voir SUSTRIS et ZUTMAN

SU BAOZHEN
Né en 1916 dans le district du Suqian (Jiangsu). xxe siècle. Chinois.
Peintre d'animaux, fleurs et fruits.
Il sort diplômé en 1944 du département artistique de l'université centrale nationale, puis enseigne au département des beaux-arts de l'école normale supérieure du sud-ouest de la Chine. Il est membre de l'Association des Peintres de Chine dans la province du Sichuan.
Il privilégie les fleurs, les oiseaux et surtout les raisins, dans une technique traditionnelle mais un style inspiré de la tradition occidentale.
Bibliogr. : In : catalogue de l'exposition *Peintres traditionnels de la République populaire de Chine*, galerie Daniel Malingue, Paris, 1980.

SUBBA Letterio
xixe siècle. Italien.
Peintre et sculpteur.
Il a exécuté pour l'Université de Messine la statue de bronze de *François Ier, roi des Deux-Siciles*.

SUBERCASEAUX ERRAZURIZ Pedro
Né en 1881 à Rome, de parents chiliens. xxe siècle. Chilien.
Peintre d'histoire.
Il étudia à Rome et à Berlin, puis fit des voyages d'études en Europe et en Amérique. Il alla en 1902 au Chili où il travailla ainsi qu'en Argentine. Une de ses œuvres les plus importantes, *Découverte du Chili par Almagro*, se trouve actuellement à la Salle du Congrès de Santiago.
Musées : Buenos Aires : *La Fondation de Saint-Martin* – Santiago : *La Bataille de Maipo*.

SUBERCAZE Léon
xixe siècle. Actif à Paris vers 1848. Français.
Peintre de genre et de portraits et graveur.
Exposa au Salon entre 1848 et 1849.

SÜBERLIN Wendel
xve siècle. Actif à Kaufbeuren entre 1479 et 1492. Allemand.
Peintre.

SUBIC Georg
Né le 15 avril 1855 à Poljane (Slovénie). Mort le 8 septembre 1890 à Raschwitz, près de Leipzig. xixe siècle. Éc. slovène.
Peintre.
Il était le frère de Johann. Il étudia à Vienne de 1873 à 1879 et travailla à Paris de 1880 à 1890 avec V. Hynais, V. Brozik et Munkacsy. Son œuvre principale, *Avant la chasse*, date de 1884. Il est le premier représentant du plein air dans la peinture slovène.

SUBIC Johann ou Janez
Né le 11 octobre 1850 à Poljane, en Slovénie. Mort le 25 avril 1889 à Kaiserslautern. xixe siècle. Éc. slovène.
Peintre.
Frère de Georg. Son œuvre principale, *Guérison d'un malade par saint Martin* (1876) se trouve à l'église Saint-Martin de Ljubljana. Il a surtout peint pour les églises de Slovénie.

SUBIRA-PUIG José
Né le 28 août 1926 à Barcelone (Catalogne). xxe siècle. Depuis 1955 actif en France. Espagnol.
Sculpteur de figures, animaux.
Il fut l'élève de l'École des Arts du Bois, à Barcelone, puis de l'École des Beaux-Arts Llotja. Pour apprendre la taille de pierre, du bois et le modelage, il effectua également des stages dans les ateliers de Monjo, Collet et Fenosa. Il vit et travaille à Paris depuis 1955.
Il exposa pour la première fois au Salon d'Octobre de Barcelone, en 1951. À Paris, il a participé au Salon de la Jeune Sculpture, depuis 1958 ; aux expositions internationales de sculpture du Musée Rodin, en 1959 et 1961 ; ainsi qu'à divers groupes. Il a

montré de nombreuses expositions personnelles de ses œuvres : 1961 Barcelone ; depuis 1967 régulièrement à Paris, notamment en 1990, 1993, 1995, 1998 à la galerie Ariel ; 1970, 1972 à Saint-Rémy-de-Provence ; 1992 musée de Brunoy. Il a eu l'occasion de réaliser une œuvre monumentale, lors du Symposium de Languedoc-Roussillon, à Port-Barcarès, en 1969.

Après des débuts figuratifs, il a évolué vers une interprétation libérée de la réalité, préservant lisiblement la référence à la réalité : *Crâne*, *Cogito ergo sum* (de nouveau un crâne), *Femme voilée*, *Sirène*, *El conquistador*, *Femme-piège*, *Serpent*, *Papillon-fleur*, *Masque pour une tête de mercenaire*, etc. Depuis 1962, il utilise de préférence le bois, et souvent des morceaux de bois de rebut comme des douves de tonneaux. Il s'est fait une technique très particulière, qui caractérise très spécialement toutes ses œuvres. Ses éléments de base sont, en gros, des planches et des barreaux. Il les découpe en sections appropriées et les assemble, les fragments de planches sur champ debout, les sections de barreaux fixées sur pointe, comme des clous, en sorte que tous ces fragments sont comme hérissés jusqu'à la forme visée, laissant cependant du vide entre eux. Les volumes et les formes ainsi obtenus ne remplissent donc pas leur surface extérieure, qui cependant suffisamment indiquée par les fragments affleurant pour que l'allusion aux réalités indiquées précédemment apparaisse aisément. Les objets ainsi obtenus par un procédé répété, ne vont pas toujours sans une certaine préciosité maniériste.

Bibliogr. : Denys Chevalier, in : *Nouveau diction. de la sculpt. mod.*, Hazan, Paris, 1970.

Musées : Collioure (Mus. du Château roy.) – Lille (Mus. des Beaux-Arts) – Madrid (Mus. Nat. d'Art Contemp.) – Paris (Mus. d'Art Mod. de la ville) – Paris (FNAC) – Saint-Omer – Villeneuve-sur-Lot.

Ventes Publiques : Paris, 17 nov. 1977 : *Tiare pour un imposteur*, bois (69x31x43) : **FRF 4 000** – Paris, 19 mars 1984 : *Tête*, bois (H. 41) : **FRF 10 000** – Paris, 21 avr. 1985 : *L'oiseau ascensionnel*, bois (H. 107) : **FRF 16 800** – Paris, 3 juil. 1986 : *Hérisson pointu* 1974, chêne (37x40) : **FRF 9 000** – Paris, 20 nov. 1994 : *Oiseau ascensionnel* 1975, bois tropical (108x60x38) : **FRF 17 500** – Paris, 30 jan. 1995 : « *Memina Majeure* » 1989, bois exotique ciré et teinté (H. 111, L. 38, prof. 34) : **FRF 19 000**.

SUBIRACHS José Maria
Né en 1927 à Barcelone (Catalogne). xxᵉ siècle. Actif en Belgique. Espagnol.

Sculpteur de monuments, intégrations architecturales.

Il fut élève de l'École Supérieure des Beaux-Arts de Barcelone, en 1945. Il se fixa ensuite quelque temps en Belgique, puis de retour en Espagne, s'établit à Barcelone.

En 1953, il participa à la Biennale de São Paulo, puis à Paris, au Salon des Réalités Nouvelles. Il montra une première exposition de ses œuvres, à Barcelone, en 1948 puis en Belgique, à Bruges, à Knokke-le-Zoute en 1954 ; à Bruxelles en 1956 ; à Madrid à partir de 1962 ; à Bilbao en 1966 ; à la Biennale de Venise en 1968 ; à Amsterdam en 1975, etc.

Il exécuta la décoration d'un jardin public de Barcelone. Il travaille le fer, le béton, la terre cuite, utilisant éventuellement la couleur. Son but est essentiellement d'ordre monumental, on pourrait dire « environnementiel ». Des formes amples, élégamment logiques, attendent d'être animées par les spectateurs, auxquels elles semblent s'ouvrir.

Bibliogr. : Michel Seuphor : *Le style et le cri*, Seuil, Paris, 1965 – In : *Nouveau diction. de la sculpt. mod.*, Hazan, Paris, 1970 – In : *Catalogue National d'Art Contemporain*, Éditions d'art Iberico 2000, Barcelone, 1990.

Ventes Publiques : Barcelone, 19 juin 1980 : *Ève* 1974, h/pan. (81x70) : **ESP 155 000** – Barcelone, 19 juin 1980 : *Théorie des corps* 1974, bronze et bois peint (48x36,5x14) : **ESP 280 000** – Barcelone, 15 mars 1983 : *El pendulo* 1976, bronze (H. 48) : **ESP 160 000** – Barcelone, 29 mai 1985 : *La plomada* 1977, bronze (48x14x13) : **ESP 330 000** – Barcelone, 16 déc. 1986 : *Figure métaphysique* 1968, bronze (H. 96) : **ESP 750 000** – Paris, 3 fév. 1992 : *Sans titre*, bronze et pierre (42,5x31x13) : **FRF 22 000**.

SUBIRAT Y CODORNIU Ramon
Né au xixᵉ siècle à Mora del Ebro. xixᵉ siècle. Actif à Madrid. Espagnol.

Sculpteur.

Élève de l'Académie des Beaux-Arts de Barcelone et de l'Académie San Fernando à Madrid. Il exposa entre 1856 et 1871.

SUBISSATI Sempronio ou Subisati
Né vers 1680 à Urbino. Mort le 19 août 1758 à Madrid. xviiiᵉ siècle. Espagnol.

Peintre et architecte.

Élève de Corradini, puis de Maratti à Rome, où l'appela Clément XI. En 1721, il entra au service de Philippe V d'Espagne. Il a exécuté le double tombeau de *Philippe V et de son épouse*.

SUBISSO. Voir PIETRO di Bernardino di Guido

SUBKOFF Luka
xviiiᵉ siècle. Actif à la fin du xviiiᵉ siècle. Russe.

Graveur au burin.

SUBLEO Michele de. Voir DESUBLEO

SUBLET Antoine
Né en 1821 à Lyon (Rhône). Mort en 1897. xixᵉ siècle. Français.

Peintre de sujets religieux, compositions murales.

Il a débuté au Salon de Paris, en 1864.

Il a décoré, à partir de 1857, les voûtes de l'église Saint-Théodore à Marseille ; elles sont animées de saints personnages, dont les expressions et la pureté des traits rappellent l'œuvre de Raphaël. On cite encore de lui : les *Martyrs de la ville de Lyon*.

Bibliogr. : Gérald Schurr, in : *Les Petits Maîtres de la peinture 1820-1920, valeur de demain*, Les Éditions de l'Amateur, t. VI, Paris, 1985.

SUBLEYRAS Pierre Hubert
Né en 1699 à Saint-Gilles-du-Gard. Mort le 28 mai 1749 à Rome. xviiiᵉ siècle. Depuis 1728 actif en Italie. Français.

Peintre d'histoire, scènes mythologiques, compositions religieuses, sujets de genre, nus, portraits, natures mortes, cartons de mosaïques, graveur, dessinateur.

Élève de son père Mathieu Subleyras, peintre à Uzès, et à partir de 1714, d'Antoine Rivalz à Toulouse, il vint dans la suite étudier à l'École de l'Académie Royale de Paris. Il obtint le Premier Grand Prix de peinture en 1727 avec *Le Serpent d'Airain*, il arriva à Rome en 1728. Wleughels, alors directeur de l'Académie, fait son éloge à différentes reprises dans sa correspondance avec le duc d'Antin. Ses études terminées, il s'établit définitivement à Rome. En 1739, il épousa Maria Felice Tibaldi, célèbre miniaturiste et sœur de la femme de Trémolière. Peu après il fut élu membre de l'Académie de Saint-Luc. Si Subleyras fut célèbre en Italie de son vivant, le vif succès en France que sous Louis XVI, au moment du retour à l'Antique où son œuvre fut cité en exemple. Une rétrospective de son œuvre fut organisée au Musée du Luxembourg à Paris, puis à la Villa Médicis à Rome, en 1987.

Il donna pour sa réception à l'Académie de Saint-Luc l'étude du *Repas de Jésus Christ chez Simon le Pharisien*, dont il avait peint le tableau pour les chanoines d'Asti (près de Turin) en 1737. Les commandes ne lui firent pas défaut. Il travailla pour le pape, les cardinaux, les princes romains. Le Cardinal Valenti Gonzague, secrétaire d'État, lui fit exécuter un grand tableau d'autel destiné à être reproduit en mosaïque. Cette œuvre représentant *La messe grecque dite par saint Basile et l'évanouissement de l'Empereur Valens à l'offrande des nains* fut terminée en 1745. On l'exposa pendant trois semaines, à la Basilique Saint-Pierre de Rome, après avoir été portée à l'atelier de mosaïque, elle décora l'église des Chartreux à Termini et est aujourd'hui à Santa Maria degli Angeli. La santé de Subleyras s'était profondément altérée ; il dut aller pendant quelque temps résider à Naples, où il peignit plusieurs portraits. De retour à Rome, après une absence de sept mois, il ne recouvra jamais la santé et succomba à une maladie de langueur. Subleyras a fait des tableaux pour les églises de Rome, d'Asti, de Milan, de Grasse, de Toulouse. Il a aussi exécuté des petits tableaux de genre. Il sut assimiler parfaitement le classicisme romain et, dans les limites de cette conception, l'exécution du *Caron passant les ombres sur le Styx*, est solide et la distribution de la lumière y est remarquable ; outre cette peinture que l'on peut voir au Louvre, on retrouve les mêmes qualités dans le *Saint Benoît ressuscitant l'enfant du jardinier*, de 1744, à Santa Francesca Romana, à Rome. On retrouve dans ses esquisses de moines, conservées à Orléans, les mêmes qualités de « toucher ». Coloriste, il s'attache à une palette raffinée : le rose tendre, le blanc et le noir. Ses portraits sont habiles, tel le *Benoît XIV*, de 1741, commande de portrait pour lequel Subleyras fut en concurrence avec Agostino Masucci, brillant élève de Carlo Maratta ; l'original de ce tableau est conservé à Chantilly. Il exécuta aussi quelques rares natures mortes, comme celle que l'on a intitulée *Fantaisie d'artiste*, à Toulouse.

■ E. B., S. D.

P. Subleyras.

Subleyras

P. SUBLEYRAS UTICIENSIS PINXIT
ROMÆ 1739

Subleyras fe

MUSÉES : AJACCIO : *Martyre de saint Laurent* – AMIENS : *Crucifiement de saint Pierre – Martyre d'une sainte – Apothéose d'un saint – La marchande de philtres* – AUCH : *Saint Pierre* – AVIGNON : *Esquisse – Saint Benoît ressuscitant un enfant* – BERLIN (Kaiser Friedrich Mus.) : *Vision de saint Ignace de Loyola* – BESANÇON : *Père de l'Église tenant un calice* – CARCASSONNE : *Mme Poulhariez avec sa fille* – CHANTILLY (Mus. Condé) : *Le pape Benoît XIV* – DRESDE : *Le Christ chez Simon* – DÜSSELDORF : *Judas Macchabée détruit l'autel d'une idole* – MILAN (Brera) : *Le crucifié, Madeleine, saint Eusèbe et saint Philippe de Néri – Saint Jérôme* – MONTAUBAN : *La flagellation du Christ* – MONTPELLIER : *Saint Étienne et saint François* – MOSCOU (Mus. des Beaux-Arts) : *Le bon Samaritain* – MUNICH : *Évêque sur un trône, bénissant un roi – Norbert, abbé des Prémontrés, ressuscitant un enfant – Évêque* – NANTES : *Théodose à genoux – Frère Luce* – NARBONNE : *La charité romaine* – NIORT : *Le bon Samaritain* – ORLÉANS : *Diacre tenant un calice – Autre diacre tenant un chandelier d'argent* – PARIS (Mus. du Louvre) : *Caron passant les ombres sur le Styx – Le serpent d'airain – La Madeleine aux pieds du Christ chez Simon le Pharisien – Esquisse de ce tableau – Martyre de saint Hippolyte – Martyre de saint Pierre – La messe de saint Basile – L'empereur Théodore recevant la bénédiction de saint Ambroise – Saint Benoît ressuscitant un enfant – Les oies du frère Philippe – Le faucon – L'ermite (contes de La Fontaine) – Traversée de Charon* – ROME (Gal. Nat.) : *Annonciation – Saint Camille de Lellis sauvant des malades* – ROME (Acad. de France) : *Amour et Psyché* – ROME (Gal. Spada) : *Portrait de Benoît XIV* – ROUEN : *Le cardinal Bentivoglio* – SAINT-PÉTERSBOURG (Mus. de l'Ermitage) : *La messe de saint Basile le Grand* – STOCKHOLM : *Portrait d'homme* – TOULOUSE (Mus. des Augustins) : *Sacre de Louis XV – Joseph expliquant les songes de Pharaon – Annonciation – Songe de saint Joseph – Circoncision – Saint Pierre guérissant un paralytique – Saint Joseph tenant l'Enfant Jésus – Le statuaire Pierre Lucas – Portrait d'homme – Fantaisie d'artiste* – TOURNAI : *Martyre d'un évêque* – TURIN : *L'empereur Théodose devant saint Ambroise – Portrait du peintre Camillo Tacchetti* – VERSAILLES : *Le pape Benoît XIV* – VIENNE (Czernin) : *Les Rois mages – Adoration des bergers* – VIENNE (Gal. Académique) : *Atelier de l'artiste – Messe de saint Basile* – VIRE : *Apparition de la Vierge à plusieurs saints – Communion – Saint Michel terrassant le dragon – Martyre de saint Sébastien* – WORCESTER : *Portrait de la femme de l'artiste* – ZURICH (Hôtel de Ville) : *Tentation de saint Antoine*.

VENTES PUBLIQUES : PARIS, 1776 : *La courtisane amoureuse ; Le frère Philippe*, deux tableaux : **FRF 1 500** – PARIS, 1777 : *L'empereur Valens tombant d'effroi à la vue de saint Basile disant la messe* : **FRF 6 800** – PARIS, 1778 : *Jésus-Christ à table chez Simon le Pharisien* : **FRF 8 106** ; *Saint Hippolyte traîné à la queue d'un cheval* : **FRF 2 301** – PARIS, 1784 : *La jument de compère Pierre* ; *Un bal*, deux pendants : **FRF 2 200** – PARIS, 1873 : *Le faucon* : **FRF 2 150** – PARIS, 1888 : *Sainte Madeleine dans le désert* : **FRF 28 000** – PARIS, 6 mai 1891 : *La messe de saint Basile* : **FRF 1 250** – PARIS, 17 et 18 juin 1925 : *La courtisane amoureuse* : **FRF 20 000** ; *L'Ermite (conte de La Fontaine)* : **FRF 7 000** – PARIS, 13 et 14 déc. 1926 : *Achille et Patrocle* : **FRF 2 000** – PARIS, 27 avr. 1928 : *Frère Luce* : **FRF 5 000** – PARIS, 16 juin 1932 : *Portrait du pape Benoît XIV* : **FRF 880** – PARIS, 19 juin 1934 : *Portrait du pape Benoît XIV* : **FRF 3 350** – PARIS, 31 mars 1938 : *Le Christ guérissant un aveugle* : **FRF 2 650** – PARIS, 7 avr. 1943 : *La Nativité* ; *L'Adoration des Rois mages*, deux pendants : **FRF 40 100** – LONDRES, 3 avr. 1946 : *Horatio Walpole* : **GBP 220** – PARIS, 4 mai 1951 : *La jeune femme aux colombes* : **FRF 38 000** – VIENNE, 30 nov. 1965 : *Le philosophe* : **ATS 30 000** – MILAN, 10 mai 1967 : *La Cène* : **ITL 800 000** – LONDRES, 29 nov. 1968 : *L'Obéissance* ; *La Chasteté*, deux pendants : **GNS 750** – PARIS, 7 nov 1979 : *Les présents au roi (projet de décoration)*, pierre noire, pl. et lav. d'encre de bistre, haut arrondi (24x44) : **FRF 23 200** – LONDRES, 10 déc. 1980 : *Les Oies de frère Philippe*, h/t (29x22) : **GBP 12 000** – LONDRES, 8 juil. 1981 : *L'Ermite, frère Luce*, h/t (29x22) : **GBP 9 500** – PARIS, 14 avr. 1988 : *Achille parmi les filles de Nicomède*, h/t

(98x134) : **FRF 800 000** – PARIS, 14 juin 1989 : *Étude d'homme nu*, h/t (98x72) : **FRF 80 000** – LONDRES, 7 juil. 1989 : *Satyre avec une pipe et bacchante avec un tambourin au pied de l'autel du dieu Terme*, h/t (40x31) : **GBP 17 600** – LONDRES, 9 avr. 1990 : *Portrait d'un jeune Prince hongrois portant un habit rouge brodé d'or et une épée, son chapeau à plume rouge près de lui et un chien et un chat face à face à ses pieds*, h/t (119,5x90) : **GBP 374 000** – LONDRES, 6 juil. 1990 : *Le Christ descendant de la Croix pour tendre les bras à S. Camille de Lellis*, h/t (74x59,3) : **GBP 41 800** – PARIS, 9 avr. 1991 : *Le martyre de saint Pierre*, h/t (41x31) : **FRF 220 000** – PARIS, 22 mai 1991 : *Un sacrifice*, pierre noire avec reh. de blanc/pap. bleu (22,5x32) : **FRF 29 000** – PARIS, 22 juin 1991 : *Apparition de la Vierge à saint Roch*, h/t (50x34) : **FRF 105 450** – TOULOUSE, 7 nov. 1992 : *Portrait de Jean-Baptiste Despax*, h/t (48,5x37,5) : **FRF 121 000** – PARIS, 26 avr. 1993 : *L'apparition de la Vierge à saint Roch*, h/t (52x35,5) : **FRF 35 000** – MONACO, 2 juil. 1993 : *Saint Camille de Lellis sauvant des malades lors d'une inondation*, craie/pap. vert (21,5x27,8) : **FRF 77 700** – PARIS, 29 mars 1994 : *Académie d'homme*, h/t, étude pour saint Jérôme (101x73,5) : **FRF 500 000** – NEW YORK, 30 jan. 1997 : *Ulysse découvrant Achille parmi les filles de Lycomède*, h/t (97,8x134) : **USD 156 500** – LONDRES, 4 juil. 1997 : *Portrait du Pape Benoît XIV, assis, de trois quarts, la main droite levée en bénédiction*, h/t (132,3x102) : **GBP 89 500**.

SUBLEYRAS-TIBALDI Clementina
XVIII⁰ siècle. Travaillant à Rome vers 1784. Italienne.
Miniaturiste.
Fille de Maria Felice Subleyras-Tibaldi.

SUBLEYRAS-TIBALDI Maria Felice ou Felicita
Née en 1707 à Rome. Morte en 1770. XVIII⁰ siècle. Italienne.
Peintre d'histoire et de portraits, pastelliste et miniaturiste.
Elle épousa Subleyras en 1739.

SUBOFF Alexei Feodorovitch
Né en 1699. Mort après 1741 à Moscou. XVIII⁰ siècle. Russe.
Graveur au burin.
Élève de Bernard Picard. Fut au début peintre d'icônes, puis, de 1711 à 1727, il travailla à l'Institut de typographie de Saint-Pétersbourg, où il produisit notamment une série de portraits des empereurs de Russie. Son effigie de Pierre le Grand est datée de 1729.

SUBOFF Ivan
XVII⁰-XVIII⁰ siècles. Actif à la fin du XVII⁰ et au début du XVIII⁰ siècle. Russe.
Graveur.
D'abord peintre d'icônes, il grava des portraits, des vues de villes et illustra des livres.

SUBOFF Nikita Afanassiévitch
Né en 1818. Mort en 1861. XIX⁰ siècle. Russe.
Peintre.
La Galerie Tretiakov de Moscou conserve de lui un *Portrait de femme*.

SUBRAMANYAN K. G.
Né en 1924 à Kerala. XX⁰ siècle. Indien.
Peintre de compositions animées, natures mortes, technique mixte, dessinateur, illustrateur, peintre de cartons de tapisseries.
Après avoir suivi un enseignement artistique à Kala Bhavan et Visva Bharati, il a étudié à la Slade School of Art de Londres.
Invité à la Biennale de São Paulo en 1961 et 1979, il est également présent à celle de Tokyo en 1964 ; à la Triennale de New Delhi de 1968 et 1975. En 1982, il a participé à diverses expositions d'art contemporain indien à la Royal Academy de Londres, à Oxford, Chester et New York ; en 1995, au Monde de l'Art, à Paris. Il a montré ses œuvres dans des expositions personnelles à Londres en 1982 ; Moscou et Genève 1987 ; Tokyo 1988 ; La Havane 1992 ; Calcutta 1994.
Après avoir subi l'influence de l'expressionnisme et du cubisme, il intègre dans ses compositions du sable, des fragments de marbre (...). Il découpe ses compositions en plusieurs plans, où des animaux fantastiques peuvent côtoyer des personnages, dont parfois la multiplicité des bras évoque des divinités indiennes. L'unité de ses œuvres est donnée par une couleur dominante : bleu, ocre ou brun. Ses tonalités intenses ont une qualité qui rappelle celle du pastel. Il a également illustré des livres pour enfants, réalisé des jouets, des reliefs muraux et des peintures sur verre.

BIBLIOGR. : In : *Dict. de l'art mod. et contemp.*, Hazan, Paris, 1992.

SUBREGUNDI Nicolo. Voir **SEBREGONDI**

SUBREVILLE Antoine
Né en 1638 à Montpellier. Mort le 17 mai 1712 à Montpellier. XVIIᵉ-XVIIIᵉ siècles. Français.
Sculpteur.
Il était le gendre du sculpteur Tim. Coula. On lui doit deux statues de *Saint Jean-Baptiste* et de *Madeleine* conservées aux Pénitents Blancs de Montpellier. Ses deux fils THIMOTHÉE et PIERRE furent également sculpteurs.

SUBRO Pierre
XVIIIᵉ siècle. Actif à Paris vers 1764. Français.
Peintre.

SUBRO Pierre Louis
Mort en novembre 1756 à Paris. XVIIIᵉ siècle. Français.
Peintre d'architectures.
Il fut à partir de 1749 professeur de géométrie à l'Académie Saint-Luc.

SUC Étienne Nicolas Édouard
Né le 22 juin 1807 à Lorient. Mort le 16 mars 1855 à Nantes. XIXᵉ siècle. Français.
Élève de Lemaire. Exposa aux Salons de 1834 et 1848. Médaille de troisième classe en 1838.
MUSÉES : ANGERS : *Guépin* – BREST : *Buste de Mme X* – NANTES : *Le général Dumoustier* – *Tête de Vierge* – *Le docteur Guépin* – *Cambronne* – NIORT : *Herschell* – RENNES : *Herschell* – *Poisson* – LA ROCHELLE : *Herschell* – *Bouffé* – SAUMUR : *Jeune mendiante bretonne* – *Pêcheur* – *Jeune pêcheur breton.*

SUCCA Giovanni
XVIᵉ siècle. Actif à Gênes. Italien.
Peintre.

SUCCA Jonker Anthonis de
Né vers 1577 à Anvers. Mort le 7 septembre 1620. XVIIᵉ siècle. Éc. flamande.
Peintre.
Maître à Anvers en 1598. Il épousa en 1599 Magdalena de Cocquiel, et fit les portraits des princes d'Autriche, de Bourgogne et de Flandres, ce qui lui valut le titre de *portret-stamboommaker* des archiducs ; il descendait d'une famille de grande noblesse italienne.
MUSÉES : ANVERS : *Jeune prince espagnol* – BRUXELLES : *Portrait d'homme et de femme* – MADRID : *Don Juan d'Autriche.*

SUCCA Pietro
XVIᵉ siècle. Actif à Gênes. Italien.
Peintre.
Il a travaillé à la Chapelle de la Dogana de Gênes.

SUCHARDA Adalbert
Né le 16 janvier 1884 à Nova Paka. XXᵉ siècle. Tchécoslovaque.
Sculpteur.
Il fut élève de son frère Stanislav Sucharda.

SUCHARDA Anna
Née le 23 octobre 1870 à Nova Paka. XIXᵉ-XXᵉ siècles. Tchécoslovaque.
Peintre de fleurs, illustrateur.
Elle était la sœur des sculpteurs Adalbert et Stanislav Sucharda. Elle vécut et travailla à Prague.

SUCHARDA Stanislav
Né le 12 novembre 1866 à Nova Paka. Mort le 5 mai 1916 à Prague. XIXᵉ-XXᵉ siècles. Tchécoslovaque.
Sculpteur de sujets allégoriques, monuments, médailleur.
Élève de l'École des Beaux-Arts de Prague, il y fut professeur de 1892 à 1915, ainsi qu'à l'Académie de 1915 à 1916.
Il est l'auteur du *Monument de Palacky*. Cette statue de l'historien est entourée de groupes allégoriques symbolisant les deux phases du passé de la nation. Les détails en sont pathétiques mais on peut reprocher à l'ensemble de manquer d'équilibre et de cohésion.

SUCHET Joseph François
Né le 28 juillet 1824 à Marseille (Bouches-du-Rhône). Mort le 7 janvier 1896 à Marseille. XIXᵉ siècle. Français.
Peintre de scènes de genre, paysages d'eau, marines.

Il fut élève d'Émile Loubon à Marseille.
On cite de lui : *Entrée du Port* pour le Palais de Longchamp, à Marseille.

MUSÉES : MARSEILLE : *Pêche du thon* – *Brick entrant dans le port de Marseille* – *Les naufragés.*
VENTES PUBLIQUES : PARIS, 1900 : *La pêche au thon* : FRF 210 ; *Le bassin de carénage à Marseille* : FRF 90 – PARIS, 5-7 déc. 1918 : *Pêche à la sardine* : FRF 280 – MARSEILLE, 8 avr. 1949 : *Marine* : FRF 6 500 ; *Madrague* : FRF 700 – MARSEILLE, 8 mai 1950 : *La crique* : FRF 1 000 – BERNE, 25 oct 1979 : *Marine*, h/t (50x61) : CHF 2 500 – LE TOUQUET, 8 nov. 1992 : *Voilier près de la plage*, h/t (45x64) : FRF 11 600.

SUCHETET Auguste Edme
Né le 3 décembre 1854 à Vandeuvre sur Barse (Aube). Mort en mai 1932. XIXᵉ-XXᵉ siècles. Français.
Sculpteur de monuments, sujets allégoriques, figures, bustes.
Il fut élève de Cavelier et de M. P. Dubois.
Il participa dès 1880 au Salon des Artistes Français à Paris, dont il fut membre sociétaire à partir de 1887. Il obtint le prix du Salon en 1880, une médaille de deuxième classe en 1880, une médaille d'or à l'Exposition universelle de Paris de 1889, une autre à celle de 1900. Il fut chevalier de la Légion d'honneur en 1895.
On lui doit à Lyon les monuments de *J. Soulary, P. Dupont* et les bustes de *Glénard, Rollet* et *Tripier*.
MUSÉES : TROYES : *Biblis changée en source* – *Maquette de ce sujet* – *Aux vendanges* – *Le Député Joffrin* – *L'Architecture* – *Enfant nu* – *Le Commerce maritime* – *Nid d'amour.*

SUCHODOLEZ Samuel von
Né vers 1649. Mort vers 1723. XVIIᵉ-XVIIIᵉ siècles. Allemand.
Dessinateur de cartes.

SUCHODOLSKA Lisbeth von, née **Brauer**
Née le 18 mars 1844 à Leipzig. XIXᵉ siècle. Allemande.
Peintre de genre.
Élève de Pauwels à Weimar, elle épousa plus tard Ldzislaw Suchodolski. Elle voyagea en Italie et travailla à Dresde et à Munich.

SUCHODOLSKI January ou **Janvier**
Né le 19 septembre 1797 à Grodno. Mort le 20 mars 1875. XIXᵉ siècle. Polonais.
Peintre d'histoire, batailles, portraits.
Il se rendit à Rome, en 1831 et y travailla avec Horace Vernet à la villa Médicis. Il resta à Rome jusqu'en 1836. En 1847, il se rendit avec Vernet à Saint-Pétersbourg et collabora à plusieurs tableaux commandés à son maître par le tzar Nicolas sur la guerre du Caucase.
MUSÉES : CRACOVIE : *La mort de Tcharnetk* – *La défense de Czestochova* – *Le lieutenant Bogulawski* – LEMBERG : *Uhlan et jeune fille* – *Passage de la Bérésina par Napoléon* – *Mohort* – *Piquet de cavaliers* – POSEN : *Conquête de Somosierra par les uhlans polonais* – *Bataille de Raszyn* – *Bonaparte en Égypte* – *Mort du général Czarniecki* – *Cavalier polonais* – *Farys* – *Paysage de Sorrente* – VARSOVIE : *Défense de Czestochova* – *Les généraux Chiopicki, et J. Skrzynecki à la tête de l'armée polonaise* – *Présentation de chevaux* – *Circassiens* – *Légionnaires polonais à Saint-Domingue* – *Mort du prince Joseph Poniatowski* – *Retraite de Moscou* – *Quatre tableaux de batailles des guerres de Napoléon en Espagne* – *Bivouac de uhlans polonais à Wagram en 1809* – *Cortège de noces à Cracovie* – *Chasse aux cerfs* – *Mort de Godebski à la bataille de Raszyn* – *Le maréchal Paskiewicz* – *Bivouac en Espagne* – *Deux paysages* – *Deux scènes de la guerre du Caucase* – *Deux scènes sur la guerre de Napoléon en Espagne* – *Combat de Tartares* – *Krasinski enfant* – *Le château de Radziejowich.*
VENTES PUBLIQUES : NEW YORK, 1ᵉʳ nov. 1995 : *Le prince Joseph-Antoine Poniatowski allié de Napoléon pendant la bataille de Leipzig en 1813* 1837, h/t (45,7x55,9) : USD 7 475.

SUCHODOLSKI Ldzislaw
Né le 11 mai 1835 à Rome. Mort le 28 février 1908 à Munich. XIXᵉ siècle. Polonais.
Peintre.
Fils de January. En 1853, il vint à Cracovie et y étudia le droit pendant deux ans. Ensuite, il alla à Düsseldorf et y fit ses études de peinture à l'Académie. En 1857, il travailla à Paris avec Gleyre, et de 1863 à 1865, il étudia, à Florence les maîtres Italiens du XVᵉ siècle ; il travailla aussi à Naples et à Rome. En 1874, le grand duc Charles Alexandre le nomma professeur à Weimar. Il demeura six ans dans cette ville. En 1880, il s'établit à Munich. Le Musée de Cracovie conserve de lui *La Sainte Famille* (1893), et celui de Varsovie, *Épisode du siège de Czestochova*.

SUCHODOLSKI P. A. Voir **SOUCHODOLSKY Piotr Alexandrovitch**

SUCHODOLSKI Piotr
Né en 1829 à Rury. XIXᵉ siècle. Polonais.
Graveur amateur.
Officier d'un régiment de Cosaques. Il fut élève de l'École des Beaux-Arts de Varsovie en 1846 et 1847.

SUCHOROVSKI Marceli
Né en 1840 en Galicie. Mort le 16 mars 1908. XIXᵉ siècle. Russe.
Peintre.
A peint surtout des nus et des portraits de femmes.

SUCHOW. Voir **SUCKOW**

SUCHTELEN Jacob Hendrik Van
Né le 1ᵉʳ juin 1722 à Nimègue. Mort le 31 mars 1787 à Nimègue. XVIIIᵉ siècle. Hollandais.
Peintre amateur et architecte.

SÜCHTEN Alexander von
XVIᵉ siècle. Actif à Heidelberg. Allemand.
Peintre.

SUCHY Adalbert
Né vers 1783 à Klattau. Mort le 25 août 1849 à Vienne. XIXᵉ siècle. Autrichien.
Peintre de portraits, miniaturiste, pastelliste.
Élève de l'Académie de Vienne. Il a peint de nombreux membres de la famille impériale, les empereurs *François* et *Ferdinand*, l'archiduc *Rodolphe*, l'archiduchesse *Caroline d'Autriche* et l'archiduc *François Charles*, ainsi que certaines personnalités du monde de la noblesse et des arts comme *Johann Strauss* et *Ad. Stifter.*
VENTES PUBLIQUES : PARIS, 13 nov. 1923 : *Portrait du comte Etvos*, miniature : FRF 400 – PARIS, 30 juin 1989 : *Portrait d'homme vu en buste drapé dans une houppelande 1822*, miniat. gchée sur vélin, de forme ovale (9,3x7,2) : FRF 14 500.

SUCKOW Alexander von
Né le 4 juillet 1855 à Ludwigslust (Meckl.). Mort à Dresde. XIXᵉ siècle. Allemand.
Peintre de scènes de genre, paysages animés.
Il étudia à l'Académie Julian à Paris et à l'Académie de Florence de 1895 à 1898. Il resta à Florence jusqu'en 1914 et se fixa à Dresde. Il subit l'influence de Böcklin.
VENTES PUBLIQUES : LONDRES, 19 mars 1980 : *La plage de Nervi*, h/t (98x199) : GBP 480 – LONDRES, 6 oct. 1989 : *Sur la plage après l'orage*, h/cart. (53x83) : GBP 2 750.

SUCKOW Christian ou **Suchow**
Mort en 1784 à Fjärdingen en Norvège. XVIIIᵉ siècle. Norvégien.
Sculpteur.

SUCKOW Irmengard von
Née le 19 septembre 1869 à Schwerin. XIXᵉ-XXᵉ siècles. Norvégienne.
Peintre de portraits.
Elle fut élève de Max Koner.

SUCQUET Jacobus ou **Suquet**
Mort le 3 juin 1713 à Anvers. XVIIIᵉ siècle. Belge.
Peintre.
De l'ordre des Dominicains. Il a peint des portraits en miniature.

SUCREDA
XIXᵉ siècle. Péruvien.
Peintre de genre.
Le Musée d'Alger conserve de lui : *Scène de marché arabe.*

SUDA Kunitaro
Né en 1891 à Kyoto. Mort le 16 décembre 1961 à Kyoto. XXᵉ siècle. Japonais.

Peintre d'animaux, paysages.
En 1916, il sort diplômé de l'École des Beaux-Arts de Kyoto et poursuit sa formation, jusqu'en 1918, au Kansai Bijutsu-in Art Studio. Il part alors en Espagne où, jusqu'en 1923, il étudie l'art du Greco, de Goya et du Tintoret. En 1947, il entre à l'Académie Japonaise des Beaux-Arts.
Il participe à d'importantes manifestations internationales : 1956 Biennale de Venise ; 1964 Biennale de Tokyo et *Chefs-d'œuvre de l'art japonais contemporain* au Musée national d'Art Moderne à Tokyo, pour les Jeux Olympiques. En 1959, il remporte le Grand Prix du journal Mainichi.
De son propre aveu, il est très marqué par son séjour en Espagne, mais ses compositions figuratives, à l'huile très souvent, restent très orientales dans leur esprit, que ce soit les paysages ou les animaux, particulièrement les aigles dans des tons sourds.

SUDARISMAN
Né en 1946 à Yogyakarta. XXᵉ siècle. Indonésien.
Peintre de compositions animées, figures.
Diplômé en 1980 de l'Académie des Beaux-Arts d'Indonésie, il poursuivit ses études à la Vrij Academie Voor Beldende Kunsten Psychopolis de La Haye.
Il participe à des expositions collectives nationales et dans le sud-est asiatique. Sa première exposition personnelle eut lieu en 1992 à Jakarta.
Sa peinture allie les thèmes ethniques indonésiens au réalisme occidental.
VENTES PUBLIQUES : SINGAPOUR, 5 oct. 1996 : *Danseuse Legong*, h/t (60,5x50) : SGD 6 670.

SUDDABY Roland ou **Rowland**
Né en 1912. Mort en 1973. XXᵉ siècle. Britannique.
Peintre de paysages, natures mortes, fleurs.
Il participa aux expositions de la Royal Academy de Londres de 1946 à 1967.

R-Suddaby

VENTES PUBLIQUES : LONDRES, 3 mai 1990 : *Maisons rustiques 1944*, h/t (47x65) : GBP 660 – LONDRES, 20 sep. 1990 : *La mare de la ferme 1938*, h/t (62,5x76) : GBP 1 210.

SUDEIKIN Sergei Yurievich
Né en 1882. Mort en 1946. XXᵉ siècle. Russe (?).
Peintre de compositions animées, peintre à la gouache, peintre de décors de théâtre.
VENTES PUBLIQUES : LONDRES, 15 juin 1995 : *Projet de décor pour Eugène Onéguine*, gche et cr. de coul. (20x30) : GBP 713 – LONDRES, 14 déc. 1995 : *Mascarade vénitienne*, gche (60x94,5) : GBP 8 280 – LONDRES, 17 juil. 1996 : *Idylle en Géorgie 1919*, gche (68,5x99) : GBP 11 500 – LONDRES, 19 déc. 1996 : *La foire au beurre*, h/t (83x112) : GBP 25 300.

SUDFELD Franz von
XVᵉ-XVIᵉ siècles. Allemand.
Peintre.

SUDHIR KHASTAGIR
Né en Inde. XXᵉ siècle. Indien.
Peintre de compositions religieuses, genre, scènes typiques.
Il figurait en 1946 à l'Exposition ouverte à Paris, au Musée d'Art Moderne, par l'Organisation des Nations unies, où il présentait : *Charkha, symbole de prospérité.*
Il a traité des sujets nationaux et religieux. À comparer avec Khastagir (Sefhir).

SUDHOFF Joh. Christian
Né le 18 septembre 1730 à Friedrichstadt (près de Dresde). Mort le 3 février 1799 à Friedrichstadt. XVIIIᵉ siècle. Allemand.
Peintre.
Il fit chez Chr. Benj. Muller à Dresde son apprentissage de peintre d'histoire.

SUDJOJONO S.
Né en 1914 à Kisaran (Sumatra). Mort en 1986. XXᵉ siècle. Indonésien.
Peintre de compositions animées, sujets typiques.
Il étudia avec Pringadi et le peintre japonais Jasaki. Il fonda en 1937 l'Association des artistes indonésiens Persagi. Le gouvernement indonésien lui décerna une décoration au titre des

Beaux-Arts en 1970. Il a participé à des expositions en Hollande, au Musée d'Art Fukuoka au Japon (1980), à Jakarta, Yogyakarta, Denpasar et Bandung.

Ventes Publiques : Singapour, 5 oct. 1996 : *Orchestre et danseuse*, h/t (62x93,5) : **SGD 46 000** – Singapour, 29 mars 1997 : *Villa di Cibulan 1979*, h/t (75x95) : **SGD 97 250**.

SUDMALIS Janis
Né le 28 novembre 1887 à Kurzem (Courlande). xxᵉ siècle. Russe-Letton.
Peintre.
Il fut élève de Janis Rozental en 1909 à Riga et de 1911 à 1914 de l'École des Beaux-Arts de Saint-Pétersbourg.
Musées : Libau.

SU DONGPO. Voir SU SHI

SUDOT Ernest
xixᵉ siècle. Actif à Bruxelles vers 1845. Éc. flamande.
Peintre d'histoire.
Élève de F. J. Navez.

SUDRE Jean Pierre
Né le 19 septembre 1783 à Albi. Mort en juillet 1866 à Paris. xixᵉ siècle. Français.
Peintre et lithographe.
Élève de Sudre à l'Académie de Toulouse et de David. Exposa au Salon entre 1824 et 1866, et obtint une médaille de deuxième classe en 1827 et une de première classe en 1834. Sudre fut surtout un lithographe ; Ingres le choisit pour la reproduction de plusieurs de ses ouvrages. Son œuvre est considérable et contient nombre de pièces intéressantes (*L'Odalisque, La Chapelle Sixtine, Le Christ et la Vierge, Portrait de Chérubini, Mme Sudre avec son enfant, Delille sur son lit de mort, Deux baigneuses*).

SUDRE Raymond
Né le 29 octobre 1870 à Perpignan (Pyrénées-Orientales). xixᵉ-xxᵉ siècles. Français.
Sculpteur de compositions religieuses, bustes, médailleur, peintre.
Il fut élève de Falguière et de Mercié.
Il participa à des expositions collectives à Paris : à partir de 1894 Salon des Artistes Français, dont il fut membre sociétaire Hors Concours en 1896 ; Salon d'Hiver, dont il fut président ; et à Montpellier. Il reçut le Prix de Rome en 1900 ; médaille de deuxième classe en 1902, une bourse de voyage la même année, une médaille d'or en 1926. Chevalier de la Légion d'honneur depuis 1914, il fut nommé Officier en 1938.
Il faut signaler de lui le monument *Montanyas Regaladas*, à Perpignan.
Musées : Paris (Mus. de Bagatelle) – Paris (Mus. du Petit Palais) – Perpignan.
Ventes Publiques : Chester, 9 mars 1983 : *Mercure*, bronze (H. 97) : **GBP 550** – Lokeren, 12 mars 1994 : *Mercure*, bronze à patine verte (H. 38, l. 39) : **BEF 60 000** – Paris, 5 juil. 1994 : *Buste*, bronze (H. 38) : **FRF 4 500** – Lokeren, 8 oct. 1994 : *Mercure*, bronze (H. 38) : **BEF 60 000**.

SUDTMEIER Gertt ou Sudtmeiger. Voir SUTTMEIER

SUE Gabriel
Né le 1ᵉʳ juin 1867 à Marseille (Bouches-du-Rhône). xixᵉ-xxᵉ siècles. Français.
Peintre d'animaux, paysages, sculpteur d'animaux.
Il fut élève des Écoles Nationales des Beaux-Arts de Bordeaux et de Paris. Il expose à Paris, aux Salons de la Société Nationale des Beaux-Arts, des Indépendants, d'Automne, des Animaliers Français.
Il réalisa des affiches pour la Société Canine et le Salon des Animaliers Français.
Ventes Publiques : Paris, 25 juin 1937 : *Dindons* : **FRF 35** – Paris, 9 juin 1947 : *Scène de moisson* : **FRF 320**.

SUE Louis. Voir SUE Marie Louis

SUE Marie Joseph, dit Eugène
Né le 10 décembre 1804 à Paris. Mort le 3 août 1859 à Annecy. xixᵉ siècle. Français.
Peintre de marines amateur.
Eugène Sue a eu comme romancier populaire une réputation presque universelle. Il fut aussi homme politique. On le connaît moins comme peintre. Pourtant, Eugène Sue peignit et dessina surtout, autant qu'il écrivit. Étudiant, aide-chirurgien, marin, dandy, écrivain, député, il brûla les étapes de sa courte vie mou-

vementée, le crayon et le carnet de croquis à la main. Il est certain qu'il a dessiné avant de les décrire, les personnages des « Mystères de Paris » et du « Juif Errant » pour ne citer que ses romans les plus connus. Ce romantique dépeignit en réaliste, le tapis franc des « Mystères de Paris » tel qu'il existait dans la Cité. Il y a vu le Chourineur, le Maître d'École, la Chouette, les habitués de ce repaire. Rodin, Dagobert, les Étrangleurs et tous les pittoresques personnages du « Juif Errant », il les a rencontrés et croqués au cours de ses promenades et de ses voyages, utilisant aussi pour cet ouvrage, les peintures exécutées pendant ses croisières. Il puisa, de même, dans ses souvenirs de sous-aide-chirurgien de l'hôpital de la Maison du roi pour nous décrire l'opération de Rodin. Il appartenait cependant à d'autres artistes d'illustrer ses œuvres, et, de tous les romans populaires, les feuilletons des romantiques, les productions d'Eugène Sue comptent d'abord parmi celles qui excitèrent singulièrement le talent, le génie même des peintres, dessinateurs, graveurs et lithographes du xixᵉ siècle. Le Musée de Montpellier conserve de lui une *Marine*. ■ Edmond Duguet
Musées : Montpellier : *Marine 1832*.

SUE Marie Louis
Né en 1875 à Bordeaux (Gironde). Mort en 1968. xxᵉ siècle. Français.
Peintre de nus, portraits, figures, paysages, natures mortes, fleurs, décorateur.
Il exposa à Paris, au Salon des Indépendants, à partir de 1901. Également architecte et ornemaniste, il s'orienta vers l'art décoratif et collabora souvent dans ce sens avec André Mare.
Sa peinture, à la fois robuste et délicate, porte la marque de son temps, et si quelques-unes de ses œuvres reflètent l'influence du cubisme en tant que méthode de construction et de composition, la plupart de ses peintures laissent libre cours à sa prédilection pour les couleurs chatoyantes. La couleur est alors la seule armature de ses tableaux.

Musées : Bordeaux : *Femme couchée*.
Ventes Publiques : Paris, 21 nov. 1919 : *Nature morte* : **FRF 250** – Paris, 30 mai 1923 : *Daphnis et Chloé* : **FRF 70** – Paris, 12 déc. 1927 : *Nature morte* : **FRF 210** ; *Le compotier d'oranges* : **FRF 170** – Paris, 18 mars 1931 : *Capucines dans un petit pot à anse* : **FRF 1 050** – Paris, 23 mars 1951 : *Nu assis sur un divan* : **FRF 380** – Paris, 13 mars 1968 : *Diane* : **FRF 5 000** – Paris, 16 déc. 1987 : *Bouquet de fleurs*, h/cart. (40x26,5) : **FRF 2 400** – Paris, 3 mars 1989 : *Nu allongé*, h/t (55x91) : **FRF 6 000** – Paris, 23 nov. 1990 : *Intérieur japonisant*, h/t (65,5x81) : **FRF 25 000** – Paris, 2 déc. 1992 : *Intérieur japonisant*, h/t (65,5x81) : **FRF 29 000**.

SUÈDE Eugen de, prince. Voir EUGEN de SUÈDE

SUEHS Philipp. Voir SÜSZ

SUEIRO Jérôme. Voir SUEYRO

SUEL Peter ou Suuel, Suwel
Mort en 1604 à Lübeck. xviᵉ siècle. Allemand.
Sculpteur sur bois.

SUELL Frans
Né en 1795 à Landskrona. Mort en 1829 à Ramlösa. xixᵉ siècle. Suédois.
Peintre de miniatures.
Il étudia à Lund en 1813 et fut de 1816 à 1818 élève de l'Académie de Stockholm.

SUERO José de
xviiᵉ siècle. Espagnol.
Peintre.
Il fut en 1620 bourgeois de Séville. Il a peint le retable de la chapelle Gabriel Diaz au cloître S. Pablo à Séville.

SUERUS Carel. Voir SWERIUS

SUÈS Jean Jacques
Né le 3 juin 1726 à Deux-Ponts. Mort le 30 août 1802 à Genève. XVIIIᵉ siècle. Suisse.
Peintre sur émail.
Élève, à Strasbourg, de Conrad Mannlich. Il se fixa à Genève à partir de 1755. Il a peint des fleurs et des scènes de genre.

SUESS von Kulmbach Hans. Voir **KULMBACH Hans S. von**

SUESZ Johann
Né en 1762. Mort le 4 octobre 1802 à Vienne. XVIIIᵉ siècle. Autrichien.
Sculpteur.

SUET. Voir **SÉHEULT**

SUETENS Jean Louis
Né le 23 juin 1748 à Malines. Mort le 14 août 1826 à Malines. XVIIIᵉ-XIXᵉ siècles. Belge.
Peintre d'histoire.

SUETIN Nikolaï
Né le 25 octobre 1897 à Miatlevskaïa (région de Kalouga). Mort le 22 janvier 1954 à Leningrad (Saint-Pétersbourg). XXᵉ siècle. Russe.
Peintre, peintre de figures, peintre à la gouache, dessinateur, céramiste, décorateur. Suprématiste.
En 1915, il fit son service militaire à Vitebsk. De 1918 à 1922, il fut élève de l'École d'Art de Vitebsk, où il connut Ivan Puni (plus tard Jean Pougny). En 1920, il fit partie du groupe Unovis, créé par Malevitch. En 1922, il s'établit à Petrograd-Leningrad (Saint-Pétersbourg), où, en 1923 et 1924, il a travaillé, avec Ilia Tchachnik, à l'usine d'État de céramique M. Lomonossov ; et en 1924 et 1925, irrégulièrement, dans une manufacture de céramique de la province de Novgorod. À partir de 1923, il participa aux travaux de l'Institut de Culture artistique de Petrograd ; en 1925, il dirigea un des départements de l'Institut où l'on travaillait à une architecture suprématiste. En 1928, il put commencer à travailler plus régulièrement à ses propres œuvres. En 1932, il fut nommé chef artistique de la Manufacture de Céramique de Leningrad. En 1935, il organisa l'enterrement de Malévitch et créa un monument pour sa tombe à Nemtchinovka, près de Moscou.
Il participait aux expositions collectives ; pour ses projets de décoration et architecture, avec le groupe Ounovis : 1920, 1921 Vitebsk ; 1920, 1921, 1922 Moscou ; pour ses propres peintures : 1923 Petrograd, avec le groupe Ounovis, exposition de peintures d'artistes de toutes tendances ; pour les céramiques de Souiétine et Tchachnik : 1925 Paris, Exposition Universelle des Arts Décoratifs ; 1926 Moscou, exposition de la céramique soviétique ; 1927 à Monza-Milan ; 1926 Leningrad, avec Tchachnik, exposition Affiche et publicité après Octobre. En 1937, en tant que décorateur du Pavillon Soviétique de l'Exposition Universelle de Paris, il reçut le Grand Prix, ainsi qu'en 1939, pour la décoration du Pavillon Soviétique de l'Exposition de New York. Après sa mort son travail a été présenté dans des expositions : 1977 Aspects du constructivisme et de l'art concret au musée d'Art moderne de la ville de Paris ; 1992 Malévitch, Souiétine, Tchachnik à la galerie Gmurzynska de Cologne ; 1995 Malévitch, Tchachnik, Souiétine. Dessins suprématistes à la galerie Pierre Brullé de Paris.
Il adopta totalement les principes du suprématisme de Malévitch, avec lequel, et avec Tchachnik, il lui arriva de collaborer. Comme lui, il dut se plier à la réquisition productiviste. Il créa donc des projets d'objets utilitaires, de meubles, d'architectures.
■ J. B.

Н Суетин

BIBLIOGR. : In : catalogue de l'exposition Paris-Moscou, Centre Beaubourg, Paris, 1979 – in : catalogue de l'exposition Malévitch, Souiétine, Tchachnik, gal. Gmurzynska, Cologne, 1992.
VENTES PUBLIQUES : LONDRES, 27 juin 1984 : Pot suprématiste 1923, porcelaine peinte à la main (H. 16) : **GBP 4 500** – LONDRES, 2 avr. 1987 : Composition suprématiste 1923, aquar., gche et cr. (25x19,5) : **GBP 11 000** – LONDRES, 6 oct. 1988 : Femme se promenant avec une canne 1929, gche/pap. (37,5x23,8) : **GBP 3 080** – LONDRES, 19 oct. 1988 : Composition 1920, aquar. (24,5x15) : **GBP 1 100** – LONDRES, 5 oct. 1989 : Composition suprématiste 1922, cr. et aquar./cart. (19,8x12,6) : **GBP 5 500** – LONDRES, 23 mai 1990 : Projet décoratif, dess. et lav. d'encre de Chine (36,2x21) : **GBP 4 400** – MILAN, 10 nov. 1992 : Composition suprématiste 1920, temp./pap. (25,2x18) : **ITL 10 000 000**.

SUEYRO Jérôme ou **Sueiro**
XVIIᵉ siècle. Actif à Tours entre 1624 et 1653. Français.
Peintre décorateur.
Il était peintre à la cour de la Reine Mère.

SUFFARDO Simone
Originaire de Savone. XVIIᵉ siècle. Italienne.
Peintre.
Elle fut en 1646 élève de Baccio Ciarpi à Rome.

SÜFFERT Eduard Karl
Né le 15 juin 1818 à Bâle. Mort le 11 mars 1876 à Bâle. XIXᵉ siècle. Suisse.
Peintre de portraits.
Élève de Hier. Hess. Il se rendit à Munich (1837-1841) et à Paris (1844-1848). À Munich il a fait de nombreux portraits et en particulier celui de Gottfried Keller, fumant sa pipe.

SÜFFERT Hans
Né le 3 janvier 1868 à Bâle. XIXᵉ-XXᵉ siècles. Suisse.
Peintre.
Il fut élève de l'École des Beaux-Arts à Bâle et de l'École des Arts Décoratifs à Paris. Il travailla quelques années à la Manufacture de Sèvres. Il vécut et travailla à Bâle.

SUFFIELD J.
XIXᵉ siècle. Actif à Evesham entre 1800 et 1840. Britannique.
Graveur au burin et médailleur.

SUFFREN Amélia de
XVIIIᵉ-XIXᵉ siècles. Active à la fin du XVIIIᵉ et au début du XIXᵉ siècle. Britannique.
Peintre de paysages et graveur.
Elle a gravé l'illustration du Voyage pittoresque dans le midi et le nord du pays de Galles (Paris, 1802).

SUGAÏ Kumi
Né le 13 mars 1919 à Kobé. Mort en 1996. XXᵉ siècle. Depuis 1952 actif en France. Japonais.
Peintre de compositions animées, figures, animaux, paysages, peintre à la gouache, graveur, lithographe, sculpteur. Figuratif puis abstrait.
Ses parents étaient des musiciens d'origine malaise. Il fut élève de l'École des Beaux-Arts d'Osaka, où il fut familiarisé avec les techniques picturales occidentales, en même temps qu'initié à la calligraphie traditionnelle. Il réalisa alors des affiches publicitaires. En 1952, il vint se fixer à Paris, où il fut aussitôt remarqué par le critique Charles Estienne.
Il participa à des expositions collectives : dès 1953 sous l'instigation de Charles Estienne au Salon d'Octobre à Paris ; 1955, 1958 Pittsburgh International de la Fondation Carnegie ; à partir de 1956 Salon des Réalités Nouvelles à Paris ; à partir de 1957 Salon de Mai à Paris ; 1959 Biennale de São Paulo et Documenta de Kassel ; puis à la Biennale de Venise, etc. Il montra ses œuvres dans des expositions personnelles : 1954 galerie Craven à Paris et Palais des Beaux-Arts de Bruxelles ; 1955 exposition de gouaches à Londres ; 1956 nouvelle exposition de gouaches à Cannes ; 1957 Paris et Bâle ; 1958 exposition de gouaches à Zurich et surtout importante exposition à Paris, qui marqua le début de son succès et à partir de laquelle il l'exposa très régulièrement à Londres ; 1954 Palais des Beaux-Arts de Bruxelles ; 1959, 1960, 1961, 1962 New York ; 1960 Musée Municipal de Leverkusen ; 1960 Ljubljana ; 1961 Hanovre, Düsseldorf, Brême, Klagenfurt ; 1962 Oslo, Francfort-sur-le-Main ; 1963 première rétrospective à la Kestner Gesellschaft de Hanovre ; 1984 Ohara Museum of Art de Kurashiki. En 1959, il a obtenu le prix du Musée d'Art Moderne de Zagreb pour l'Exposition internationale de gravures de Ljubljana, en 1960 celui du Musée National d'Art Moderne de Tokyo, en 1961 le grand prix de la Triennale internationale de gravure de Grenchen (Suisse).
Dans ses premières peintures européennes, en technique de graffiti sur des fonds à peu près sans couleurs, il dessinait des évocations de paysages urbains et d'êtres vivants, hommes ou animaux, à la limite de l'abstraction, avec quelque chose de l'amenuisement des personnages de Giacometti. Dans une seconde période, autour de 1953, il évoquait, plus colorés et tendant de plus en plus aux signes graphiques abstraits, des personnages-insectes, animaux emblématiques, et de nombreux petits diables cornus. Ce fut en 1958 qu'il aboutit logiquement à renoncer à toute évocation, pour la seule force plastique du signe occupant désormais à lui seul la surface de la toile. À comparer Sugaï à un Schneider japonais, la gestualité s'infléchissant selon un ésotérique vocabulaire de signes extrême-

orientaux rappelant ceux qui s'affirment sur les poteries ou les lanternes de pierre que l'on voit dans les jardins du vieux Japon. Cette nouvelle écriture trouva son épanouissement dans ce que l'on a appelé les grandes compositions emblématiques. Puis, à partir de 1960, environ, Sugaï, en une évolution assez brutale, adopta une manière très proche des différentes possibilités de l'abstraction géométrique, remplaçant des signes emblématiques d'un graphisme raffiné et sensible, jouant du jeu des différences de matières, du grumeleux à la transparence, par des agencements de formes tracées à la règle et colorées en aplats bariolés. Ces lignes, rubans sinueux, évoquent sa passion pour l'automobile et la vitesse, révélée dans la série *Autoroute*. À partir de 1962, il a traduit certaines de ses formes en sculptures en bronze. Il a réalisé de très nombreuses lithographies illustrant notamment deux recueils de poèmes de Jean-Clarence Lambert, et une fresque pour le hall d'entrée du Musée National d'Art Moderne de Tokyo. ■ Jacques Busse

BIBLIOGR. : Michel Ragon : *Sugaï*, Cimaise, Paris, oct. 1956 – Hubert Juin, Jean-Clarence Lambert : *Seize peintres de la jeune École de Paris*, Musée de Poche, Paris, 1956 – Michel Seuphor : *Diction. de la peint. abstr.*, Hazan, Paris, 1957 – Jacques Lassaigne : catalogue de l'exposition *Sugaï*, Gal. Creuzevault, Paris, 1958 – André Pieyre de Mandiargues : *Sugaï*, Musée de Poche, Paris, 1960 – Thomas M. Messer : *Modern Art. An introductory Commentary, Mondrian, Kandinsky, Sugaï, Hélion, Picasso*, Solomon Guggenheim Foundat., New York, 1962 – Jean-Clarence Lambert : *Le voir-dit*, Édit. de Beaune, Paris, 1963 – Bernard Gheerbrant, in : *Diction. des Artistes Contemporains*, Libraires Associés, Paris, 1964 – Jean-Clarence Lambert : *La peinture abstraite*, in : *Hre Gle de la peint.*, t. XXIII, Rencontre, Lausanne, 1966 – Sarane Alexandrian, in : *Diction. Univers. de l'Art et des Artistes*, Hazan, Paris, 1967 – Jean-Clarence Lambert : *Sugaï*, Cercle d'Art, Paris, 1990 – in : *Dict. de l'art mod. et contemp.*, Hazan, Paris, 1992 – Lydia Harambourg : *L'École de Paris 1945-1965. Dict. des peintres*, Ides et Calendes, Neuchâtel, 1993.

MUSÉES : NEW YORK (Mus. of Mod. Art) – NEW YORK (Solomon R. Guggenheim Mus.) : *Shiro (White)* 1957 – PARIS (Mus. Nat. d'Art Mod.) – PARIS (BN) : *Bronze* 1963, litho. – RIO DE JANEIRO (Mus. d'Art Mod.) – TOKYO (Mus. Nat. d'Art Mod.) : *Autoroute de matin*.

VENTES PUBLIQUES : GENÈVE, 18 nov. 1961 : *L'hiver* : **CHF 6 000** – LONDRES, 1er juil. 1964 : *L'oiseau* : **GBP 450** – GENÈVE, 12 juin 1970 : *Le Lutin* : **CHF 5 800** – MILAN, 25 mars 1971 : *Ike* : **ITL 1 100 000** – GÖTEBORG, 22 nov. 1973 : *Forêt du matin* : **SEK 12 000** – MUNICH, 29 mai 1974 : *Composition* : **DEM 13 500** – LOS ANGELES, 6 oct. 1981 : *La Porte de l'Enfer* 1962, h/t (161,5x129,5) : **USD 4 500** – NEW YORK, 7 nov. 1985 : *Chambre du diable* 1963, h/t (162,5x129,5) : **USD 15 000** – NEW YORK, 11 nov. 1986 : *Ten* 1960, h/t (162x130) : **USD 31 000** – LONDRES, 3 déc. 1987 : *Animal* 1954, h/t (103x80) : **GBP 40 000** – LONDRES, 25 fév. 1988 : *Composition*, gche/cart. (53,5x38,2) : **GBP 8 250** – PARIS, 17 juin 1988 : *Composition* 1956, h/t (8x44) : **FRF 10 800** – LONDRES, 30 juin 1988 : *Tsuki* 1956, h/t (115x100) : **GBP 30 800** – LONDRES, 20 oct. 1988 : *Oni* 1957, h/t (58x44,5) : **GBP 14 300** – NEW YORK, 14 fév. 1989 : *Paysage de nuit* 1955, h/t (77x195,5) : **USD 71 500** – LONDRES, 29 juin 1989 : *Yorokobi* 1959, h/t (127x101,5) : **GBP 88 000** – NEW YORK, 5 oct. 1989 : *Oki* 1960, h/t (161,2x129,5) : **USD 132 000** – LONDRES, 22 fév. 1990 : *Sans titre* 1954, h/t (55,2x45,7) : **GBP 44 000** – NEW YORK, 7 mai 1990 : *Animal* 1958, encre/pap. (52x43,8) : **USD 6 600** – NEW YORK, 9 mai 1990 : « *Eiyu* » 1959, h/t (129,5x96,5) : **USD 99 000** – AMSTERDAM, 22 mai 1990 : *Composition abstraite* 1957, aquar./pap. (26x35) : **NLG 8 050** – PARIS, 10 juin 1990 : *Festival G2* 1972, h/t (140x75,5) : **FRF 180 000** – LONDRES, 28 juin 1990 : *Oni (démon)* 1957, h/t (92x73) : **GBP 110 000** – LONDRES, 18 oct. 1990 : *Matin de l'autoroute n° 2* 1966, h/t (129,8x96,8) : **USD 15 400** – PARIS, 28 oct. 1990 : *La place* 1953, h/t (59x73) : **FRF 240 000** – NEW YORK, 7 nov. 1990 : *Hibiki* 1958, h/t (161,6x129,5) : **USD 374 000** – NEW YORK, 1er mai 1991 : *Sana titre* 1959, gche/pap. (76x57) : **USD 7 700** – AMSTERDAM, 22 mai 1991 : *Composition*, h. et past. à l'eau/pap. (21,5x14,5) : **NLG 7 475** – NEW YORK, 27 fév. 1992 : *Sans titre* 1954, h/t (114,9x26) : **USD 33 000** – LONDRES, 26 mars 1992 : *Hare* 1960, h/t (92,7x73) : **GBP 16 500** – MUNICH, 26 mai 1992 : *Composition* 1964, litho. en coul. (64,5x43) : **DEM 1 380** – LONDRES, 3 déc. 1992 : *Kagura* 1958, h/t (138x114) : **GBP 85 800** – NEW YORK, 8 nov. 1993 : *Sans titre* 1953, bois, ficelle, close, acryl. et ruban sur éléments de pb (112x59,6x2) : **USD 4 600** – LONDRES, 2 déc. 1993 : *Oiseaux* 1954, h/t (130x97) : **GBP 49 900** – PARIS, 6 déc. 1993 : *Composition* 1958, gche/pap. (67,5x52) : **FRF 45 000** – NEW YORK, 5 mai 1994 :

Lune noire 1961, h/t (161,3x129,5) : **USD 36 800** – AMSTERDAM, 31 mai 1994 : *Sans titre*, tapisserie de mohair tissé à la main (220x170) : **NLG 2 300** – PARIS, 23 nov. 1994 : *Jardin Japon* 1955, h/t (128,5x35) : **FRF 60 000** – NEW YORK, 16 nov. 1995 : *Un sur une variation oblique vers le bas II* 1974, acier inox. (96,5x61x76) : **USD 20 700** – LONDRES, 30 nov. 1995 : *Murasaki* 1960, h/t (61x50) : **GBP 17 250** – AMSTERDAM, 6 déc. 1995 : *Étude pour un monument* 1992, bois, pap. et plastique (H. 38) : **NLG 3 220** – LONDRES, 24 oct. 1996 : *Sans titre* 1956, temp. et gche/pap. (87x23) : **GBP 4 025** – AMSTERDAM, 10 déc. 1996 : *Sans titre* 1959, encre et brosse/pap. (32,5x25) : **NLG 2 537** – NEW YORK, 20 nov. 1996 : *Karasu* 1958, h/t (73x50,2) : **USD 14 375** – PARIS, 23 fév. 1997 : *Composition verte*, h/t (73x50) : **FRF 69 000** – PARIS, 24 mars 1997 : *Sans titre*, eau-forte et aquat. (8,3x17,8) : **FRF 12 000** – NEW YORK, 19 fév. 1997 : *Nagare* 1961, h/t (129,5x97,8) : **USD 43 125** – AMSTERDAM, 4 juin 1997 : *7 secondes avant* 1968, h/t (147x114) : **NLG 32 289** – LONDRES, 23 oct. 1997 : *Oni* 1957, h/t (92x72,5) : **GBP 40 000**.

SUGA Kishio
Né le 19 février 1944 à Morioka (préfecture d'Iwate). XXe siècle. Japonais.

Sculpteur, créateur d'installations, auteur de performances, vidéaste. Conceptuel, tendance Mono-ha.

Il est d'abord élève du Tama Art College de Tokyo, dont il sort diplômé en 1968, puis étudie avec Saito. Il a séjourné en Europe, notamment en France en 1973, et aux États-Unis en 1970. Il vit et travaille à Kawasaki.

Il participe à des expositions collectives : 1966 Exposition internationale de jeunes artistes à Tokyo ; 1970 National Museum of Modern Art de Kyoto pour l'exposition *Tendances de la peinture et de la sculpture japonaises contemporaines* ; 1970 la Ve JAFA (Japan Art Festival Association), où il reçoit le Grand Prix ; 1972 Institute of Contemporary Arts de Londres ; 1973 Biennale de Paris ; 1974 Städtisches Kunsthalle de Düsseldorf ; 1975 Stedelijl Van Abbemuseum d'Eindheven ; 1976 Biennale de Kyoto ; 1996 Musée d'Art Moderne de Saint-Étienne pour une exposition de la mouvance *Mono-ha* (l'école des choses). Il montre ses œuvres dans des expositions personnelles depuis 1968 très régulièrement à Tokyo.

Il dispose de manière aléatoire des matériaux élémentaires, bruts, dans le lieu d'exposition, soucieux néanmoins du rapport entre les choses, et par conséquent, dans une vision taoïste, de l'énergie véhiculée par la matière.

BIBLIOGR. : In : *Dict. de l'art mod. et contemp.*, Hazan, Paris, 1992.

SUGANO Yô
Né en 1919 à Taipei. XXe siècle. Actif au Japon. Taïwanais.
Graveur.

En 1943, il sort diplômé de peinture traditionnelle japonaise de l'Université des Beaux-Arts de Tokyo.

Depuis 1947, il participe aux expositions de la Société d'Art D'Avant-garde et de l'Exposition Nippon, au Salon de l'Association Japonaise de Gravure à partir de 1955, à la Biennale Internationale de l'Estampe de Tokyo, ainsi qu'à des expositions en Argentine, en Pologne et ailleurs.

SUGAR-KONKOLY Jozsef
Né le 23 janvier 1887 à Pusztafokuru. XXe siècle. Hongrois.
Peintre, sculpteur, médailleur.

SUGARMAN George
Né en 1912 à New York. XXe siècle. Américain.
Sculpteur, auteur d'environnements, peintre de collages.

Il commença par peindre, puis, à Paris en 1951, il étudia la sculpture avec Ossip Zadkine et travailla intensément à son œuvre. Il séjourna à cette époque en Italie, où il est frappé par l'art baroque. De retour à New York en 1955, il se consacra à la sculpture sur bois. Il montra sa première exposition personnelle à New York en 1960, puis régulièrement à New York notamment à la galerie Zabriskie, ainsi qu'à Amsterdam, Berlin, en 1969-1970 à la Kunsthalle de Bâle, en 1981 Joslyn Art Museum de Omaha.

Son travail alliait à ses débuts la fantaisie aux principes de l'expressionnisme abstrait. Les compositions suivantes, en bois laminé et torsadé, atteignent une très grande complexité, accrue par l'emploi de la couleur à partir de 1959, et associent formes géométriques et couleur. Il a été l'un des premiers sculpteurs américains à considérer l'espace qui entoure la sculpture comme partie intégrante de celle-ci et à privilégier le rapport de l'œuvre et du grand public. Ses sculptures sur bois polychromes lui ont valu un renom international lorsque, après 1969, il en simplifia progressivement les formes et les développa davantage dans l'espace.

BIBLIOGR. : In : *Dict. de l'art mod. et contemp.*, Hazan, Paris, 1992.

SUGART
XVIIIe siècle. Travaillant probablement au XVIIIe siècle. Allemand.
Peintre de paysages.

SUGA Toshio
Né en 1910 à Kochi. XXe siècle. Japonais.
Peintre. Tendance cinétique.
Il est diplômé de l'École des Beaux-Arts de Tokyo. De 1961 à 1963, il résida à New York. Il vit et travaille à Ikeda.
Il participe à de nombreuses expositions d'art japonais contemporain, notamment : 1964 Museum of Modern Art de New York ; 1968 San Francisco ; 1969 en Californie ; 1970 IIIe Salon International des Galeries Pilotes au Musée Cantonal de Lausanne, etc.
Son œuvre comporta sans doute une période préliminaire. Depuis, il pratique une peinture aux effets optiques très proches de ceux que Vasarely tenait des Josef Albers et Johannes Itten dans leurs cours du Bauhaus.
BIBLIOGR. : *Catalogue du 3e Salon Intern. des Gal. Pilotes*, Mus. Canton., Lausanne, 1970.

SUGHI Alberto
Né en 1928 à Cesena. XXe siècle. Italien.
Peintre de scènes animées, intérieurs, figures, portraits, natures mortes.
Surtout peintre de la femme, il la situe souvent dans les bars.
VENTES PUBLIQUES : ROME, 9 déc. 1976 : *Sur l'escalier* 1960, h/t (70x55,5) : **ITL 550 000** – MILAN, 25 oct. 1977 : *Homem assis*, h/t (150x120) : **ITL 1 700 000** – MILAN, 18 déc 1979 : *In una camera 1966*, h/t (60x60) : **ITL 900 000** – MILAN, 14 déc. 1988 : *Grand café 1988*, h/t (80x100) : **ITL 13 500 000** – MILAN, 20 mars 1989 : *Intérieur 1964*, h/t (100x100) : **ITL 6 000 000** – ROME, 17 avr. 1989 : *Café romain*, h/t (50x70) : **ITL 10 000 000** – ROME, 10 avr. 1990 : *Marie-Louise 1967*, h/t (100x120) : **ITL 10 500 000** – ROME, 30 oct. 1990 : *Portrait de fillette*, techn. mixte/t. (70x50) : **ITL 3 800 000** – MILAN, 19 juin 1991 : *Nature morte 1967*, h/t (60x80) : **ITL 5 500 000** ; *Portrait 1959*, h/t (90x65) : **ITL 7 500 000** – ROME, 3 déc. 1991 : *Femme au café*, h/cart. entoilé (37x24,5) : **ITL 4 600 000** – ROME, 14 déc. 1992 : *Portrait de dame 1966*, h/t (80x60) : **ITL 6 325 000** – ROME, 30 nov. 1993 : *Satisfaction béate*, h/t (70x80) : **ITL 7 820 000** – ROME, 1er mars 1994 : *Marie-Louise 1967*, h/t (100x120) : **ITL 18 400 000** – ROME, 28 mars 1995 : *Attente*, h/t (100x70) : **ITL 7 130 000** – MILAN, 12 déc. 1995 : *Jeune fille dans un bar*, temp./pap. entoilé (100x70) : **ITL 8 050 000** – MILAN, 20 mai 1996 : *Repos 1967*, h/t (35,5x45,5) : **ITL 4 715 000** – ROME, 12 juin 1996 : *Visage au miroir*, h/t (80x60) : **ITL 1 265 000** – MILAN, 18 juin 1996 : *Personnages au bar*, h/t (70x50) : **ITL 5 175 000** – MILAN, 25 nov. 1996 : *Au dîner*, h/t (70x50) : **ITL 5 175 000**.

SUGIMATA Tadashi
Né en 1914 à Himeji. XXe siècle. Japonais.
Peintre.
Il fut élève de l'École des Beaux-Arts de Tokyo, où il vit et travaille. En 1949, il fut l'un des co-fondateurs de la Société Culturelle des Beaux-Arts, qu'il quitta en 1952.
Il participe à des expositions collectives : régulièrement au groupe des Indépendants, 1962 Biennale de Venise.
Il représente la peinture officielle japonaise.
BIBLIOGR. : B. Dorival, sous la direction de... : *Peintres Contemporains*, Mazenod, Paris, 1964.

SUGIMURA Jihei
XVIIe-XVIIIe siècles. Actif entre 1680 et 1700. Japonais.
Peintre.
Auteur d'illustrations de livres en *sumuzuri-e* (estampe à l'encre de Chine, premier type d'estampe de l'*ukiyo-e*), parfois coloriées à la main et souvent érotiques, on a souvent attribué ses œuvres à celles de Moronobu avec lequel il a des ressemblances de style. La raison de cette confusion est que la signature *Sugimura* se dissimule souvent dans les motifs des costumes comme chez Moronobu.

SUGIYAMA-YU
Né en 1933 à Shizuoka. XXe siècle. Japonais.
Peintre.

Il participe à des expositions collectives : 1992 *De Bonnard à Baselitz – Dix Ans d'enrichissements du cabinet des estampes*, à la Bibliothèque nationale à Paris.
MUSÉES : PARIS (BN) : *Bouquet japonais*.

SUGLIANI Claudio
XXe siècle. Italien.
Graveur de paysages.
Il fut élève de l'académie Carrare de Bergame, puis dans diverses académies du Brésil, d'Argentine et de Suisse.
Un ensemble de ses œuvres a été présenté en 1996 au Centre culturel Don Giovanni Ramanzoni à Calcio (Bergame).
On cite comme œuvre de ses débuts un paysage de 1958. Sa technique privilégiée fut la pointe sèche.

SUGTELEN Jacob Hendrik Van. Voir SUCHTELEN

SUGUIYAMA Yasushi
Né en 1909 à Tokyo. XXe siècle. Japonais.
Peintre.
Il fut élève de l'École des Beaux-Arts de Tokyo, où il vit et travaille. Il fit un séjour en Chine du Nord, en 1942. En 1963, il voyagea en Égypte et en Europe.
Depuis 1931, il expose dans les Salons annuels officiels du Japon. En 1956, il a reçu la consécration du très officiel Prix de l'Institut National d'Art.
BIBLIOGR. : B. Dorival, sous la direction de... : *Peintres Contemporains*, Mazenod, Paris, 1964.

SU GUO ou Sou Kouo ou Su Kuo, surnom : Shudang, nom de pinceau : Xiechuan Jushi
Né en 1072. Mort en 1123. XIe-XIIe siècles. Chinois.
Peintre.
Peintre de bambous et de rochers, fils du peintre lettré Su Shi (1036-1101).

SU HANCHEN ou Sou Han-Tch'en ou Su Hanch'ên
Originaire de Kaifeng, province du Henan. XIIe siècle. Actif sous le règne de l'empereur Song Huizong (1101-1125). Chinois.
Peintre.
Tout d'abord membre de l'Académie Impériale de Peinture des Song du Nord, à Kaifeng, sous le règne de l'empereur Huizong, il continue d'être peintre officiel à la cour des Song du Sud à Hangzhou, sous le règne de l'empereur Gaozong, voire sous celui de Xiaozong, après 1163. Il est connu comme peintre de figures, dans le style de Liu Zonggu et est particulièrement célèbre pour ses représentations d'enfants.
MUSÉES : BOSTON (Fine Arts Mus.) : *Femme à la toilette*, couleurs sur soie, éventail – PÉKIN (Mus. du Palais) : *Colporteur et enfants*, rouleau en longueur signé – *Deux garçons jouant avec un crabe*, éventail, attribution – STOCKHOLM (Nat. Mus.) : *Colporteur de jouets entouré de six enfants*, cachet de Zhao Mengfu, œuvre tardive – TAIPEI (Nat. Palace Mus.) : *Deux enfants jouant*, encre et coul. sur soie, rouleau en hauteur – *Colporteur avec une brouette et six enfants jouant*, attribution – *Festival du bateau-dragon et enfants masqués jouant – Festival du bateau-dragon, vingt-cinq enfants jouant – Huit enfants jouant avec des jouets et des masques devant un pavillon*, cachet de Tang Yin et poème de Qing Qianlong – TOKYO (Nezu Mus.) : *Colporteur de jouets entouré d'enfants jouant*, quatre rouleaux en hauteur, coul. sur soie, attribution – WASHINGTON D. C. (Freer Gal. of Art) : *Amithabha accueillant des âmes au paradis de l'ouest*, inscription portant le nom du peintre et une date : 1164.

SUH JUNG-TAE
Né en 1952. XXe siècle. Coréen.
Peintre.
Il participe à des expositions collectives, depuis 1980 régulièrement à Séoul, notamment à la Foire de cette ville ; en 1986, 1989, 1991 National Art Museum of Modern Art de Kwan-Chun. Il montre ses œuvres dans des expositions personnelles à Séoul. Il a reçu de nombreux prix, notamment du musée national d'Art moderne de Séoul.
Usant d'encre et couleurs sur papier de Chine, il réalise des peintures teintées de mystère, dans un esprit marqué par le Chamanisme, au fort contraste coloré. Bleu, rouge, noir se confrontent dans un monde peuplé d'animaux, de fleurs, du soleil et de la lune, de formes biomorphiques, où les forces de la nature cohabitent.

SUHLING Walter
Né le 13 février 1891 à Brême. XXe siècle. Allemand.
Peintre, graveur.
Il fut élève de Alfred Kolb. Il vécut et travailla à Brême.

SUHR Christoph

Né le 29 mai 1771 à Hambourg. Mort le 13 mai 1842 à Hambourg. XVIIIe-XIXe siècles. Allemand.
Peintre de portraits et de genre, dessinateur et lithographe.
Étudia à Salzdahlum et poursuivit son éducation par un séjour de trois années en Italie. En 1798, il revint à Hambourg, et s'y établit comme peintre de portraits et de sujets humoristiques. Il collabora avec son frère Cornelius à un « Cosmorama optique ».
MUSÉES : ALTONA : *Deux vues de Blankenese*, aquar. – HAMBOURG : *Autoportrait – Deux portraits d'hommes et deux portraits de femmes* – STETTIN : *Fillette avec une corbeille de roses.*

SUHR Cornelius

Né le 8 janvier 1781 à Hambourg. Mort le 3 juillet 1857 à Hambourg. XIXe siècle. Actif à Hambourg. Allemand.
Peintre, graveur et lithographe.
Frère de Christoph. On le cite comme gravant les sujets humoristiques peints par son frère. Il peignit avec lui le « Cosmorama optique » et l'exhiba dans un grand nombre de contrées d'Europe.
VENTES PUBLIQUES : PARIS, 6 déc. 1923 : *La visite pendant la toilette*, aquar. : FRF 6 000.

SUHR Frederic J.

Né le 15 février 1885 à Brooklyn (État de New York). XXe siècle. Américain.
Peintre, illustrateur.
Il fut élève de l'Art Students' League de New York, de l'Institut Pratt, de Frederick A. Bridgman, Thomas Forgarty et Edward Dufner. Il fut membre du Salmagundi Club.

SUHR Peter

Né le 25 mars 1682 à Hambourg. XVIIIe siècle. Allemand.
Peintre.

SUHR Peter

Né le 17 juin 1788 à Hambourg. Mort le 20 septembre 1857 à Hambourg. XIXe siècle. Allemand.
Peintre à la gouache, aquarelliste, graveur, dessinateur, lithographe.
Collaborateur de ses frères Christoph et Cornelius, il a composé de nombreuses lithographies évoquant les aspects les plus caractéristiques du Vieil Hambourg.
VENTES PUBLIQUES : HAMBOURG, 8 juin 1983 : *Vue panoramique de Hambourg* 1827, gche (39,1x101) : DEM 9 000 – AMSTERDAM, 19 oct. 1993 : *La tour neuve du port de Hambourg sur la nouvelle digue* 1845, encre, aquar. et gche/pap. (22x34,5) : NLG 1 840.

SUHRLANDT Carl

Né le 10 juillet 1828 à Ludwigslust. Mort le 11 février 1919 à Kochel. XIXe-XXe siècles. Allemand.
Peintre d'animaux.
Fils de R. F. C. Suhrlandt. Élève de Ary Scheffer à Paris, il travailla de 1859 à 1860 à Copenhague, en 1861 à Saint-Pétersbourg où il fut nommé membre de l'Académie. Il se fixa à Schwerin où il devint professeur. Il a peint surtout des chiens et des chevaux. Il travailla quelque temps en Angleterre où il fut le peintre des chevaux de l'aristocratie.
MUSÉES : SCHWERIN : *Galilée en prison.*
VENTES PUBLIQUES : NEW YORK, 5 juin 1992 : *Dans le chenil* 1885, h/t (49,5x67,3) : USD 7 700.

SUHRLANDT Johann Heinrich

Né le 30 mars 1742 à Schwerin. Mort le 1er janvier 1827 à Ludwigslust. XVIIIe-XIXe siècles. Allemand.
Peintre de portraits et d'histoire.
Il était le père de Rudolph et fut au début l'élève du peintre Lehmann et du sculpteur J. J. Busch, pour devenir en 1784 peintre de la cour à Ludwigslust. Le Musée de Schwerin conserve de cet artiste *Nature morte* et *Portrait de Findorff.*

SUHRLANDT Ludovika, épouse Lantner

Née le 24 juillet 1855 à Vienne. Morte le 13 octobre 1928 à Innsbruck. XIXe-XXe siècles. Autrichienne.
Peintre.
Elle était la nièce du peintre Rudolf Suhrlandt.

SUHRLANDT Pauline. Voir SOLTAU Pauline

SUHRLANDT Rudolf Friedrich Carl

Né le 19 décembre 1771 ou 1781 à Ludwigslust. Mort le 2 février 1862 à Schwerin. XIXe siècle. Allemand.
Peintre de portraits et lithographe.

Élève des Académies de Dresde et de Vienne. Il fit des études à Rome et à Naples. Il fut peintre à la cour de Mecklembourg et travailla pour les églises de Ludwigslust et des environs. Le Musée de Brême conserve de lui les portraits de *Johannes Heinrich Albers* et du couple *Quentel.*
VENTES PUBLIQUES : ZURICH, 16 mai 1980 : *Portrait de Gottlieb May von Thierachern* 1841, h./pan. (30,5x23,5) : CHF 2 000.

SUHRLANDT Wilhelmine, née Skoglund

Née le 28 juin 1803 à Ludwigslust. Morte le 16 décembre 1863 à Schwerin. XIXe siècle. Allemande.
Peintre.
Elle avait épousé Rudolf Suhrlandt.

SUH SE-OK

Né en 1929 à Séoul. XXe siècle. Coréen.
Peintre. Abstrait.
Il participe à des expositions collectives : 1949-1977 Salon national de Séoul ; 1963 Biennale de São Paulo ; 1981 *Dessin contemporain coréen* au musée de Brooklyn (New York) ; 1988 musée national d'Art moderne de Séoul ; 1992 Pékin ; 1995 Couvent des Cordeliers à Paris. Il montre ses œuvres dans des expositions personnelles : depuis 1976 régulièrement à Séoul ; 1985 New York.
Il s'est libéré des conventions de la calligraphie, pour en retenir le jeu graphique, la dynamique, dans des œuvres abstraites, libres, spontanées.
MUSÉES : LONDRES (British Mus.) – SÉOUL (Mus. Nat. d'Art Contemp.).

SUHY Branko

Né en 1950 à Maribor. XXe siècle. Yougoslave.
Peintre, sculpteur, graveur.
Il vit et travaille à Novomesto. Il participe à des expositions collectives : 1992 *De Bonnard à Baselitz – Dix Ans d'enrichissements du cabinet des estampes*, à la Bibliothèque nationale à Paris.
En tant que graveur, il a privilégié la technique de l'eau-forte et de l'aquatinte.
MUSÉES : PARIS (BN).

SU I. Voir SU YI

SUIAN, de son vrai nom : Hirafuku Un, nom familier : Junzô, noms de pinceau : Bunchi et Suian

Né en 1844. Mort en 1890. XIXe siècle. Actif à Tokyo et Akita. Japonais.
Peintre.
Peintre d'animaux, élève de Takemura Bunkai, il travaille dans un style japonais traditionnel.

SUIAN. Voir aussi SHUNKIN

SUIBOKU-SANJIN. Voir KÔYÔ

SUIBOKUSAI, de son vrai nom : An-ei, surnom : Tôrin, nom de pinceau : Suibokusai

XVe siècle. Actif à Kyoto. Japonais.
Peintre.
Peintre de peinture à l'encre *(suiboku)* de l'époque Muromachi.

SUIDERHOEF Jonas. Voir SUYDERHOFF

SUINO Nicolo

XVIe siècle. Actif à Modène vers 1576. Français.
Sculpteur sur bois.

SUINTUS Cornelius ou Schwind

Né le 9 juin 1566 à Francfort-sur-le-Main. Mort en 1632 à Francfort-sur-le-Main. XVIe-XVIIe siècles. Allemand.
Graveur sur bois et peintre.

SUIÔ Tamura

XVIIIe siècle. Actif dans la première moitié du XVIIIe siècle. Japonais.
Peintre.
Peintre de figures féminines de l'école *ukiyo-e.*

SUIRE Louis

Né le 29 octobre 1899 à Cognac (Charente). Mort en 1987. XXe siècle. Français.
Peintre de paysages, marines, illustrateur.
Il fut ami de Signac et de Marquet.
Il participa à Paris aux Salons de la Société Nationale des Beaux-Arts ; des Indépendants.
Il peignit les paysages de l'Ouest-Atlantique, et en particulier de l'île de Ré. Il a également illustré *Recuerdos* de Philippe Chabaneix, *Le Vent du Destin* de Gaston Chérau, *Aventures du Rochelais Nicolas Gargot* de Charles Millon, *La Chasse infernale*

d'Emma Pellerin et Joseph Bollery, *Le Musicien du cœur* de Noël Ruet, *Réflexions morales sur la Mode, l'Amour et l'Épiderme des Femmes* d'Hector Talvart, *Le Pays d'Aunis et de Saintonge* d'H. Talvart, F. de Vaux-de-Foletier et R. Bourriau, *Le Souper interrompu* de Paul Jean Toulet, *Dominique* de Fromentin.
MUSÉES : FONTENAY-LE-COMTE – LIMOGES – LA ROCHELLE.
VENTES PUBLIQUES : PARIS, 21 sep. 1988 : *Île de Ré, Marais à Ars*, h/pan. (60x80) : FRF 6 500 ; *Île d'Oléron, Ors*, h/pan. (38x46) : FRF 4 000.

SUIROT Jacques
XVIIᵉ siècle. Français.
Sculpteur.
Il a fait une statue de *Louis XIV* en pierre à Issoire.

SUISAÔ. Voir ITCHO

SUISSE Charles Alexandre
Né à Paris. XIXᵉ siècle. Français.
Peintre de portraits.
Élève de Gros. Exposa au Salon de 1883 à 1847.

SUISSE Charles Louis
Né le 1ᵉʳ juin 1846 à Paris. Mort le 9 août 1906 à Chenove (près de Dijon, Côte-d'Or). XIXᵉ siècle. Français.
Peintre de portraits, architectures, paysages, paysages d'eau.
Il fut élève de l'École des Beaux-Arts de Dijon. Il fut nommé architecte en chef des Monuments Historiques. Il exposa régulièrement au Salon de Paris.
Il a peint principalement des portraits et des paysages de la côte Normande. En tant qu'architecte, il a restauré plusieurs monuments de la région de la Bourgogne. Il a publié, en 1876, *Architecture militaire bourguignonne.*
BIBLIOGR. : Gérald Schurr, in : *Les Petits Maîtres de la peinture 1820-1920, valeur de demain*, Les Éditions de l'Amateur, t. IV, Paris, 1979.
MUSÉES : CAHORS.

SUISSE Gaston
Né en 1896. Mort en 1988. XXᵉ siècle. Français.
Peintre animalier, technique mixte, pastelliste, peintre à la gouache, dessinateur. Art Déco.
Il fut élève de l'école des Arts décoratifs à Paris en 1913, puis après la Première Guerre, en 1920, où il eut pour professeurs Paul Renouard, David, Albert Ys et Kruber. Il fut ami des décorateurs Dunand, Jouve et Trémont.
Il a participé à des expositions collectives, notamment aux Salons parisiens : d'Automne, dont il fut membre sociétaire à partir de 1926 ; de la Société Nationale des Beaux-Arts, dont il fut membre sociétaire ; des Artistes Français ; des Artistes Décorateurs, ainsi qu'à l'Exposition coloniale de Paris en 1931, l'Exposition internationale de Paris en 1937, où il a reçu une médaille d'or, à l'Exposition universelle de Bruxelles en 1958 et à divers Salons en province. Il a montré ses œuvres régulièrement à Paris dans des expositions personnelles.
Il a réalisé de nombreuses décorations, pour l'Alhambra d'Alger en 1925, pour la salle de réception du Conseil municipal de Paris. Il a réalisé de très nombreux dessins au crayon, fusain, pastel, d'animaux d'après nature qui révèlent une grande connaissance de la faune, exécuté ensuite en laque.

MUSÉES : BOSTON – DINARD – LE HAVRE – PARIS (Mus. d'Art Mod. de la ville) – PARIS (Mus. des Arts déco.) – PARIS (Mus. de l'Armée) – SÃO PAULO.
VENTES PUBLIQUES : PARIS, 25 nov. 1991 : *Maquis de Madagascar*, cr. fus. et craie (33x55) : FRF 4 000 – PARIS, 17 nov. 1992 : *Furet*, cr. et past. gras (54x36) : FRF 6 500 – PARIS, 10 mars 1994 : *Faisans Elliot*, cr. et past. gras/pap. (100x46,5) : FRF 5 500 – PARIS, 14 mars 1994 : *Les écureuils*, pan. laqué et feuilles d'or : FRF 11 200 – PARIS, 28 mars 1995 : *Hérons*, dess. (148x85) : FRF 16 500 – PARIS, 16 fév. 1996 : *Les Oiseaux*, laque : FRF 11 000.

SUITER Johann Balthasar
Mort en 1754 à Dillingen. XVIIIᵉ siècle. Allemand.
Stucateur.

SUIZER Peter. Voir SCHWITZER

SUJAN Pal ou Paul
Né le 5 mai 1880 à Budapest. XXᵉ siècle. Hongrois.
Peintre de figures, portraits.

SU JÊN-SHAN. Voir SU RENSHAN

SUKENOBU. Voir NISHIKAWA SUKENOBU

SUKER Arthur
XIXᵉ siècle. Britannique.
Peintre de paysages, marines, aquarelliste.
Il travailla à Merton. Il exposa une marine à la Royal Academy, à Londres, en 1866.
MUSÉES : SYDNEY : *Trevose Head (Cornouailles)* – *Le soir à Dart-Mee.*
VENTES PUBLIQUES : LONDRES, 20 juil. 1994 : *Boulogne*, aquar. avec reh. de blanc (35,5x56,5) : GBP 747.

SUKER Frederick Harrison. Voir NEWCOME

SUKEYASU Kaida, nom familier : Unemenosuke
XVIᵉ siècle. Actif vers 1500. Japonais.
Peintre.
Peintre de l'école Tosa, connu pour un rouleau aujourd'hui disparu, le *Saigyô monogatari* (les errances du moine Saigyô dans la campagne japonaise).

SUKIA Y. K.
XXᵉ siècle. Indien.
Dessinateur.

SUKKERT Adolf
Né en 1830. Mort en 1870. XIXᵉ siècle. Allemand.
Peintre de scènes de genre, paysages animés, paysages.
Il vécut à Berlin, entre 1846 et 1870. Il peignit des paysages de Suisse et de l'Italie du Nord.
VENTES PUBLIQUES : LONDRES, 17 nov. 1993 : *Jour de procession sur la place Saint-Marc à Venise*, h/t (67x94,5) : GBP 16 675 – NEW YORK, 5 oct. 1995 : *Le pont du Rialto sur le Grand Canal à Venise*, h/t (53,5x91) : USD 12 650.

SÛKOKU, de son vrai nom : Kô Kazuo, surnom : Shiei, noms de pinceau : Sûkoku, Toryûô, Suiundô, Korensha et Rakushisai
Né en 1730. Mort en 1804. XVIIIᵉ siècle. Actif à Edo (actuelle Tokyo). Japonais.
Peintre.
Peintre de genre et de sujets historiques, il est élève de l'école de Hanabusa Itchô. Il se tourne, par la suite, vers les techniques de l'école Tosa.

SU KUO. Voir SU GUO

SUL-ABADIE Jean
Né à Toulouse. Mort le 15 avril 1890, jeune. XIXᵉ siècle. Français.
Sculpteur.
Élève de Jouffroy et Falguière. Débuta au Salon de 1872. le Musée de Toulouse conserve de lui un groupe : *Idylle.*

SULAIMAN TSCHELEBI
XVIIᵉ siècle. Actif à Istanbul dans la première moitié du XVIIᵉ siècle. Turc.
Enlumineur.
A orné des corans écrits par Abdallah.

SULENTIC Zlatko
Né le 16 mars 1893 à Glina (Slovaquie). XXᵉ siècle. Yougoslave.
Peintre de portraits, paysages.
Il étudia à l'académie des beaux-arts de Munich. Il voyagea en Espagne, au Portugal, en Tunisie, au Maroc, en Algérie, en Grèce, en Turquie, en Italie, au Brésil et en Argentine. Il vit et travaille à Zagreb.

SULER Oswald ou Süler
Originaire de Zurich. Mort entre 1552 et 1554. XVIᵉ siècle. Suisse.
Peintre verrier.
Il devint en 1522 bourgeois de Lucerne.

SULERO
XVIIIᵉ siècle. Français.
Peintre.
Professeur de géométrie à l'Académie de Saint-Luc le 9 décembre 1749, il exposa à cette Société en 1751.

SULGER Albertina
Née le 14 mai 1876 à Stein-sur-le-Rhin. XXᵉ siècle. Suissesse.
Peintre de paysages, aquarelliste.
Elle fut professeur de peinture à Zurich, où elle vit et travaille. Elle réalisa principalement des paysages.

SÜLI Andras
Né en 1896. Mort en 1969. xxᵉ siècle. Hongrois.
Peintre. Naïf.
Entre 1933 et 1938, il envoya ses peintures à la *Galerie des Talents Innés* à Budapest. N'en ayant jamais reçu paiement, il entassa toutes les peintures non expédiées dans sa cour et les brûla. Il ne peignit jamais plus. Il a dépeint le monde paysan dans lequel il vivait, en le magnifiant héroïquement, ne voulant y voir que beauté et sérénité. Domokos Moldovan organisa une exposition des œuvres subsistantes au Musée Mora Ferenc de Szeged en 1968, et, un an plus tard, lui était attribué le Grand Prix de la Triennale de l'Art Naïf de Bratislava, honneur et largesses dont la mort ne le laissa profiter.
Bibliogr. : Domokos Moldovan, in : *Artistes naïfs hongrois*, Le livre hongrois, Budapest, 1988.
Musées : Kecskemét (Mus. de l'Art Naïf Hongrois).

SU LIUPENG
Né en 1821. Mort en 1861. xixᵉ siècle. Chinois.
Peintre de scènes et paysages animés. Traditionnel.
Ventes Publiques : New York, 31 mai 1989 : *Contemplation sous les pins*, encre et pigments/pap., kakémono (117,2x29,5) : USD 770 – New York, 31 mai 1990 : *Réflexions d'automne*, encre et pigments/pap., kakémono (136,5x36,9) : USD 880 – New York, 26 nov. 1990 : *Lettré dans un paysage* 1836, encre et pigments dilués/pap., kakémono (155,5x60,3) : USD 2 860.

SULIVAN Luke. Voir SULLIVAN

SULKOWSKA Eva, née Comtesse Kicka
Née le 28 juin 1786. Morte le 24 mai 1824. xixᵉ siècle. Polonaise.
Dessinateur amateur.

SULLIN P. V.
xviiiᵉ siècle. Actif à Paris. Français.
Graveur au burin.

SULLIVAN D. Frank
Né le 17 octobre 1892. xxᵉ siècle. Américain.
Peintre, graveur.
Élève de Vesper George, Ernest L. Major et Richard Andrew, il fut membre de la Fédération Américaine des Arts.

SULLIVAN Edmund Joseph
Né en 1869 à Londres. Mort le 17 avril 1933 à Londres. xixᵉ-xxᵉ siècles. Britannique.
Peintre, aquarelliste, dessinateur, lithographe, graveur, illustrateur.
Frère du dessinateur James Frank Sullivan, il fut élève de son père le peintre Michael Sullivan. Il fut professeur d'illustration au College Goldsmith de Londres. Il fut aussi critique d'art. Associé de la Old Water Colour Society et de la Royal Society of Painters and Etchers, il participa à leurs expositions.
Il a collaboré à l'illustration de nombreuses revues, notamment le *Daily Graphic*.

Edmund. J. Sullivan

Bibliogr. : In : *Dict. des illustrateurs*, Ides et Calendes, Neuchâtel, 1989.
Musées : Melbourne : Illustrations pour *Rubaiyat* de Omar Khayyam, deux dess. à la pl.
Ventes Publiques : Barbizon, 24 juil. 1983 : *Jeune femme et ses enfants au jardin des Tuileries*, h/t (55x38,5) : FRF 11 500.

SULLIVAN Francis
Né sans doute en 1862. Mort au début de 1925 à New York. xixᵉ-xxᵉ siècles. Américain.
Peintre de portraits.

SULLIVAN Françoise
Née en 1925 à Montréal (Québec). xxᵉ siècle. Canadienne.
Peintre, sculpteur. Automatiste puis tendance conceptuelle.
Elle fut élève de l'école des beaux-arts de Montréal de 1941 à 1945 et rencontre à cette époque Paul Émile Borduas. Elle vit et travaille à Montréal.
Elle montre ses œuvres dans des expositions personnelles : 1993 musée du Québec à Québec. Elle a reçu le prix Borduas en 1987.
D'abord peintre fauve de 1940 à 1945, elle suit la voie « automatiste » à partir de 1946 avec des danses et chorégraphies. En 1960, elle commence à appliquer la démarche automatiste à la sculpture sur métal soudé et polychromé. Puis elle utilise un langage à partir d'éléments géométriques, cercles, carrés, spirales, en acier, Plexiglas, lumineux ou transparents. Vers 1970 son attitude a été plus proche de l'art conceptuel : elle expose des télégrammes, des mensurations d'enfants qui grandissent, des photocopies de rues. Elle s'est également intéressé à la mythologie et l'archéologie qui ont inspirée grand nombre de ses tableaux.
Bibliogr. : Catalogue : *Les Vingt Ans du Musée à travers sa collection*, Musée d'Art contemporain, Montréal, 1985.
Musées : Montréal (Mus. d'Art Contemp.) : *Chute en rouge* 1966, acier peint – *Aeris Ludus* 1967, acier peint et plastique – *Tondo* 1981, acryl./t. et plastique.

SULLIVAN James Frank
Né en 1853 à Londres. Mort le 5 mai 1936 à Londres. xixᵉ-xxᵉ siècles. Britannique.
Dessinateur de compositions animées, illustrateur.
Comme son frère Edmund J. Sullivan, il apprit le dessin avec son père le peintre Michael Sullivan, puis étudia à l'école de South Kensington à Londres.
Il participa aux expositions de la Fine Art Society et de la Royal Society of British Artists.
Il collabora à plusieurs revues, notamment à *Fun* pour qui il dessina une série satirique.
Bibliogr. : In : *Dict. des illustrateurs 1800-1914*, Ides et Calendes, Neuchâtel, 1989.

SULLIVAN Louise Karrer
Née le 15 mars 1876 à Port Huron (Michigan). xxᵉ siècle. Américaine.
Peintre.
Élève de Philip. L. Hale et de l'École des Beaux-Arts de Boston, elle fut membre de la Fédération Américaine des Arts.

SULLIVAN Luke
Né en 1705 en Irlande. Mort en avril 1771 à Londres. xviiiᵉ siècle. Britannique.
Peintre de portraits, miniaturiste et graveur au burin.
Tout jeune, il alla à Londres, où il fut élève de Thomas Major, il grava beaucoup d'après Hogarth. De 1764 à 1770 il exposa quatorze miniatures à la Society of Artists. La National Portrait Gallery, à Londres, conserve de lui *David Garrick*.

SULLIVAN Patrick J.
Né en 1894 à Braddock (Pennsylvanie). Mort en 1967. xxᵉ siècle. Américain.
Peintre de sujets allégoriques, sujets oniriques. Naïf, tendance surréaliste.
Il s'engagea dans l'armée, en 1916 et devint officier. S'étant marié en 1919, il quitta la carrière militaire. Dès 1937, il fut remarqué et, en 1938, des œuvres de lui furent exposées au Museum of Modern Art de New York.
Profondément troublé par la guerre italienne en Éthiopie, il commença à peindre pour fixer les visions qu'il en retirait. Depuis, son inspiration est demeurée dans des représentations allégoriques de réflexion ou d'imagination, frôlant suffisamment l'étrange pour qu'on ait pu évoquer le surréalisme à son propos, ce que laissent entrevoir les titres de certaines de ses œuvres : *Le Divertissement de l'homme sera pour plus tard* en 1936, ou *Le Roman d'amour du roi Edouard et de Mrs Simpson* en 1937 ou *La Quatrième Dimension* en 1938, etc. La naïveté enfantine de ses représentations symboliques lui fait parfois manquer son but ambitieux, pour des effets de comique involontaire non dénués de charme.
Bibliogr. : Oto Bihalji-Merin : *Les peintres naïfs*, Delpire, Paris, s. d.

SULLIVAN Thomas S.
Né en 1854 à Columbus (Ohio). Mort en 1926. xixᵉ-xxᵉ siècles. Américain.
Dessinateur, illustrateur.
Il fut élève de l'académie des beaux-arts de Pennsylvanie. Il publia de nombreux dessins humoristiques dans divers journaux.
Bibliogr. : In : *Dict. des illustrateurs 1800-1914*, Ides et Calendes, Neuchâtel, 1989.

SULLIVAN William Holmes
Mort en 1908. xixᵉ siècle. Britannique.
Peintre de sujets allégoriques, scènes de genre, paysages, aquarelliste.
Il vécut à Liverpool. Membre de la Royal Cambrian Academy.

Exposa à Londres à partir de 1870 notamment à la Royal Academy.

Musées : Liverpool : *Le temps de la moisson* – *César et Calpurnia* – Norwich : *« Viens, repose-toi sur cette poitrine »* et *Un mousquetaire,* deux aquar.

Ventes Publiques : Londres, 14 fév. 1978 : *Veritas* 1891, h/t (38,5x66,5) : GBP 650 – Londres, 31 juil. 1981 : *Le Bivouac, soldats anglais avant la bataille de Waterloo – Londres, 18 juil. 1984 : In the garden,* h/t (61x43) : GBP 1 100 – Stockholm, 14 nov. 1990 : *« Les hommes sont toujours trompeurs »,* h/t (45x30) : SEK 22 000 – Londres, 5 mars 1993 : *La prise du drapeau à l'aigle impérial à Waterloo* 1898, h/t (61x92) : GBP 8 970 – Londres, 3 nov. 1993 : *L'attente ; La harpe,* deux h/t (chaque 61,5x46) : GBP 5 175 – New York, 20 juil. 1994 : *Veritas* 1891, h/t (40,6x67,9) : USD 4 312 – Londres, 17 avr. 1996 : *La servante du temple* 1884, aquar. (103x69,2) : GBP 3 220.

SULLY Alfred
Né en 1820. Mort en 1879. xixe siècle. Britannique.
Peintre de paysages et aquarelliste.
Il était le fils de Thomas et travailla aux États-Unis.
Ventes Publiques : New York, 4 avr. 1984 : *Indian squaw with papoose* 1860, h/t (77,8x45,7) : USD 2 750.

SULLY Jane
Née en 1807. Morte en 1877. xixe siècle. Britannique.
Peintre.
Elle était la fille de Thomas et épousa en 1833 un frère de l'illustrateur F.O.C. Darlay. Le Metropolitan Museum de New York conserve d'elle : *Mère et fils.*

SULLY Lawrence
Né en 1769 en Irlande. Mort en 1803. xviiie siècle. Irlandais.
Peintre de miniatures.
Il vint en Amérique en 1792 et s'établit à Charleston.

SULLY Robert Matthew
Né le 17 juillet 1803 à Petersburgh. Mort en 1855 à Buffalo, (État de New York). xixe siècle. Américain.
Peintre de portraits, dessinateur.
Il était le fils de l'acteur et aquarelliste Matthew S. Il fut l'élève de son oncle Thomas.
Musées : Washington D. C. (Gal. Corcoran) : *Portrait du Juge John Marshall.*
Ventes Publiques : New York, 14 nov. 1991 : *Portrait du chef de la Justice John Marshall* 1832, cr. et encre/pap. (30,5x19,7) : USD 4 290.

SULLY Rosalie Kemble
Née en 1818 à Philadelphie. Morte en 1847 à Philadelphie. xixe siècle. Américaine.
Peintre.
Elle était la fille de Thomas.

SULLY Thomas
Né en 1783 à Horneastle (Angleterre). Mort le 5 novembre 1872 à Philadelphie. xixe siècle. Britannique.
Peintre d'histoire, scènes de genre, portraits, paysages, aquarelliste, dessinateur, illustrateur.
Ses parents étaient acteurs. Il les suivit en Amérique en 1789. Il étudia la peinture à Charleston et, en 1813, s'établit à Richmond comme peintre de portraits. Il revint en Europe et fut élève de Benjamin West et de sir Thomas Lawrence. En 1838, de retour en Amérique il se fixa à Philadelphie. Il peignit un grand nombre de portraits de personnages célèbres notamment ceux de *La Fayette,* de *Jefferson,* de *Washington,* de *Longfellow,* d'*Edgar Poe,* de *Fanny Kemble.*
C'est dans un style toujours idéalisé qu'il traitait ses portraits, style aisé rehaussé d'un jeu dramatique de l'ombre et de la lumière. On cite encore de lui des dessins pour l'illustration de Shakespeare, et un tableau d'histoire : *Washington passant la Delaware* (au Musée de Boston). Il exposa à Londres de 1820 à 1840, deux tableaux de figures à la Royal Academy et trois à la British Institution.
Musées : Albany : *Femme lisant* – Boston : *Isabella Zod. Stewart* – *Le chapeau déchiré* – *Fanny Kemble* – *Miss Kemble* – Chicago : *Junius Brutus Booth* – *Mrs George Lingen* – Cincinnati : *Mrs Dr. Mecaw* – Concord : *Thomas Ashe* – Detroit : *Dr. Edward Hudson* – *Mrs Edward Hudson* – Kansas City : *Portrait d'homme* – Londres (Nat. Portrait Gal.) : *Mary Anne Paton* – Londres (Wallace) : *La Reine Victoria en costume de cérémonie* – New York (Brooklyn Mus.) : *Anne Waln* – New York (City Hall) : *J. Williams-Stephen Decatur* – New York (Metropolitan Mus.) : *William*

Gwynn – *Portrait de l'artiste* – *John Finlay* – *La Reine Victoria d'Angleterre* – *Portrait d'un homme* – *Rosalie S.* – *Mère et fils* – *La Femme de l'artiste* – *Catherine Matthews* – *Musidora* – *La major John Biddle* – *La Fille de l'artiste* – *Mrs John Biddle* – Philadelphie : *Portrait de La Fayette* – vingt-sept autres portraits – Tolède : *Mrs Burnett* – Washington D. C. (Corc. Gal.) : *Andrew Jackson* – *Autoportrait* – *James Madison* – *Tête idéale de femme* – *Fanny Yates Levy* – Washington D. C. (Nat. Gal. of Art) : *Mrs Oliver Walcott* – West Point (Milit. Acad.) : *Portraits* – Winston-Salem (hist. Soc. Mus.) : *Autoportrait* – Worcester : *Mrs Margaret Siddons* – *Miss Pearce.*

Ventes Publiques : New York, 12 nov. 1908 : *Portrait de Longfellow :* USD 85 – New York, 13 nov. 1909 : *Portrait d'Edgar Poe :* USD 90 – New York, 25-26 jan. 1911 : *Portrait de l'artiste :* USD 75 – New York, 7 mars 1911 : *Dame en blanc :* USD 240 – New York, 20 fév. 1930 : *Miss Rosalie Blair :* USD 230 – New York, 1er mai 1930 : *John Chapman :* USD 350 – New York, 20 nov. 1931 : *Walter Price :* USD 375 – New York, 15 fév. 1934 : *Thomas Fitzgerald :* USD 360 – New York, 16 mars 1934 : *Edgar Allan Poe :* USD 275 – New York, 17-18 mai 1934 : *Mrs Phineas Jeuks :* USD 375 – New York, 15 jan. 1937 : *Portrait de femme :* USD 1 125 – New York, 11-14 nov. 1942 : *Enfant au bord de la mer :* USD 800 – New York, 17 jan. 1944 : *George Washington,* d'après Stuart : USD 2 000 – New York, 28 fév. 1945 : *Mrs Henry Middleton Smith :* USD 325 – New York, 18 oct. 1945 : *Rosalie Kemble Sully :* USD 625 – New York, 5-7 juin 1946 : *Les Filles de l'artiste :* USD 475 – New York, 9 avr. 1960 : *Portrait en buste d'une jeune fille :* USD 1 350 – New York, 30 nov. 1960 : *Portrait de Fanny Kemble :* GBP 2 500 – New York, 1er mai 1963 : *Portrait en buste de George Washington,* d'après Stuart : USD 8 000 – Londres, 22 fév. 1966 : *Paysages, suite de 66 aquar. :* GNS 2 800 – New York, 22 oct. 1969 : *Portrait de Matthew Ralston Jr. :* USD 4 500 – Londres, 19 juil. 1972 : *Portrait de Captain Thomas Jefferson Leslie :* GBP 2 000 – Londres, 17 juil. 1974 : *Portrait du Capitaine Thomas Jefferson Leslie :* GBP 2 200 – Washington D. C., 6 juin 1976 : *Portrait d'Emma Leiper Campbell* 1843, h/t (76,5x63,5) : USD 10 000 – New York, 28 oct. 1977 : *Portrait of William Griffin* 1830, h/t (76,7x64,1) : USD 6 000 – New York, 2 févr 1979 : *Portrait de Jane Cooper Sully* vers 1858, fus. et reh. de blanc/pap. brun (44,5x42,5) : USD 1 500 – New York, 23 mai 1979 : *Portrait de Mr. Paul Beck Jr.,* h/t (91,5x71) : USD 35 000 – New York, 24 avr. 1981 : *Le Passage du Delaware,* pl., lav. et cr. (56x75,7) : USD 14 000 – New York, 29 jan. 1981 : *Autoportrait,* aquar./pap. mar./cart. (33,6x26) : USD 2 400 – New York, 3 déc. 1982 : *Portrait de Miss Todd* 1845, h/t (51,4x43,5) : USD 10 000 – New York, 1er juin 1984 : *Victoria, Queen of England* 1838, pinceau et encre (23x16,2) : USD 5 500 – New York, 30 mai 1984 : *Jeune fille en rose,* h/t (127x101,6) : USD 11 000 – New York, 30 sep. 1984 : *Androclès et le lion ; Saint Georges et le dragon,* pl., deux dessins (17,7x17,3 et 16,2x20,3) : USD 800 – New York, 31 jan. 1985 : *Don Juan Didios Sebastian de Kanedo e Samarano de la Vega et sa femme* 1831-1832, h/t, une paire (76,2x63,5) : USD 12 000 – New York, 5 déc. 1986 : *La Liseuse,* h/t (76,2x63,5) : USD 26 000 – New York, 30 sep. 1988 : *Contemplation,* h/t (61x50,7) : USD 6 050 – New York, 1er déc. 1988 : *Groupe de la famille Alexander* 1851, h/t (106x129,5) : USD 39 600 – Copenhague, 1er mai 1991 : *Occupations journalières dans un camp grec,* h/t (42x35) : DKK 30 000 – New York, 22 mai 1991 : *Le Petit Chaperon rouge,* h/t (51x40,8) : USD 11 000 – New York, 6 déc. 1991 : *Étude pour le portrait du marquis de La Fayette,* h/t (55,8x48,7) : USD 121 000 – New York, 12 mars 1992 : *Mère et enfant,* h/t (91x71) : USD 35 200 – New York, 28 mai 1992 : *Mère espagnole,* h/t (51x43) : USD 5 500 – New York, 25 sep. 1992 : *Portrait d'une jeune femme,* h/t (36,8x31,8) : USD 7 150 – New York, 3 déc. 1992 : *Mère et enfants* 1831, aquar./pap. (27,9x27,9) : USD 8 250 – New York, 27 mai 1993 : *Intérieur de la chapelle des Capucins, Piazza Barberini* 1821, h/t (174x128,3) : USD 37 950 – New York, 25 mai 1994 : *Portrait de Mrs James Robb et de ses trois enfants,* h/t (143,5x114,9) : USD 57 500 – New York, 14 mars 1996 : *Cendrillon près de la cheminée de la cuisine* 1843, h/t (130,2x148) : USD 46 000 – New York, 30 oct. 1996 : *Portrait de femme* 1864, h/t (54x43,2) : USD 4 600 – New York, 27 sep. 1996 : *Portrait de Jonathan Williams,* aquar. et encre/pap. (24,7x16,5) : USD 6 325 – New York, 25 mars 1997 : *Portrait de William Blackburne* 1829, h/t (48,3x38,1) : USD 8 337 – New York, 23 avr. 1997 : *Femme au chapeau rouge* 1831, h/t (45,7x38,2) : USD 9 200.

SULLY Thomas Wicocks
Né en 1811 à Philadelphie. Mort en 1847 à Philadelphie. xixe siècle. Américain.

Peintre de portraits.

Il était le fils et l'élève de Thomas Sully. Il a peint une série de portraits d'acteurs.

VENTES PUBLIQUES : NEW YORK, 21 sep. 1984 : *Portrait of William Wheatley Esquire* 1843, h/t (66,9x56,5) : **USD 3 000.**

SULMON Pierre

XXe siècle. Français.

Sculpteur d'intégrations architecturales, peintre.

Il vit et travaille à Nancy, où il est professeur. Il obtient le Prix Antoine Bourdelle, en 1967.

Il a réalisé une structure lumineuse de neuf mètres de hauteur, en métal et polyester, pour une société technique d'éclairage de Nancy. Il s'intéresse aux éclairages de jardins publics.

SULMONT

XIXe siècle. Français.

Peintre de genre et paysagiste.

Exposa au Salon entre 1804 et 1814.

SULPICE André. Voir SUPPLICE

SULPICIO

XVIe siècle. Actif à Tomar. Portugais.

Sculpteur.

SULPIS Émile Jean

Né le 22 mai 1856 à Paris. Mort en 1943. XIXe-XXe siècles. Français.

Graveur.

Il fut élève de Cabanel, Henriquel-Dupont. Il exposa à Paris, à partir de 1880 au Salon des Artistes Français à Paris, dont il fut membre sociétaire hors concours en 1890. Il reçut le prix de Rome en 1884 ; une mention honorable en 1890 ; une médaille de troisième classe en 1892 ; une médaille de première classe en 1894 ; un Grand Prix à l'Exposition universelle de 1900 ; une médaille d'honneur en 1905. Chevalier de la Légion d'honneur en 1900, il fut membre de l'Académie des Beaux-Arts à partir de 1911.

SULPIS Jean Joseph

Né en 1826 à Paris. Mort le 7 février 1911 à Ouistreham (Calvados). XIXe-XXe siècles. Français.

Graveur d'architectures.

Il fut élève de Jean-Baptiste Bury et de Hyacinthe Traversier.

SULPIS-BRUNET Georgette

Née au XIXe siècle à Paris. XIXe siècle. Française.

Graveur au burin.

Figura au Salon des Artistes Français ; mention honorable en 1899.

SULTAN Donald

Né en 1951 ou 1957 à Asheville (Caroline du Nord). XXe siècle. Américain.

Peintre de paysages urbains, natures mortes, fleurs et fruits, graveur, sculpteur.

Après avoir étudié le théâtre, il fut élève à l'université de Caroline du Nord à Chaple Hill puis de l'école de l'Art Institute de Chicago. Il vit et travaille à New York.

Il participe à des expositions collectives : 1972, 1973 Ackland Art Museum de Chapel Hill ; 1973 Mint Museum of Art de Charlotte ; 1973 Gallery of Contemporary Art de Winston ; 1975 Art Institute of Chicago ; 1977 Institute of Contemporary Art de Tokyo ; 1978 New Museum of New York ; 1979 Albright Knox Art Gallery de Buffalo, Whitney Museum of American Art de New York ; 1981 Museum of Fine Arts de Dallas, Contemporary Art Museum de Houston ; 1981, 1983, 1984 Museum of Modern Art de New York ; 1983, 1986 Brooklyn Museum de New York ; Palacio de Velasquez de Madrid ; 1984 Museum of Fine Arts de Boston, Museum of Contemporary Art de Chicago, musée d'Art contemporain de Montréal ; 1986 Bibliothèque nationale à Paris.

Il montre ses œuvres dans des expositions personnelles depuis 1976 : 1977 Institute for Art and Urban Resources, PS 1 à New York ; depuis 1984 régulièrement à la Blum Helman Gallery ; 1986 galerie Montenay Delsol à Paris ; 1987 Museum of Contemporary Art de Chicago ; 1988 Museum of Modern Art de New York ; 1997 galerie Daniel Templon à Paris. Il a reçu en 1980-1981 le State National Endowment for the Arts.

Peintre et graveur, Sultan adopte des matériaux inhabituels, plaques de vinyle, toiles cirées, masonite, feuilles mortes, qui constituent le fond de ses toiles et développe une technique complexe. Sur ces supports, il utilise comme médium du goudron, du caoutchouc fondu, qu'il étend, puis peint, creuse,

gratte, traite à la flamme ou au couteau, pour créer des images. Il travaille fréquemment à partir de plusieurs pièces généralement carrées (fréquemment format de 30x30) qu'il assemble ensuite sur un contreplaqué, pour obtenir la figure finale, fruit d'une lente élaboration qui se montre. Sultan dans son travail refuse l'illusion, il met en scène le processus d'élaboration, la technique, indissociables des effets obtenus. Ainsi lorsqu'il y a impression de profondeur, ce n'est pas une illusion, la toile découpée, en plusieurs parties, se détache du fond, possède un réel volume. On distingue, à partir de ces mêmes techniques, deux types de peintures. Les premières représentent des sujets simples, idéogrammes du quotidien : citrons, devenus figures emblématiques du travail de Sultan, et autres fruits, fleurs (tulipes), papillons, œufs, tasses, cartes à jouer, placés frontalement, hors contexte sur fond neutre. Ces séries, lumineuses, jouent sur le contraste des couleurs, le noir du goudron s'opposant au jaune du citron, au rouge des fleurs, renforcé par la découpe nette du sujet adopté, silhouettes géométriques, pleines, dynamiques, retenues pour leurs qualités formelles et comme imprimées en négatif. L'autre pôle consiste en des paysages urbains, des vues d'usines, des rues bordées de réverbères, scènes de bataille, plus difficiles à déchiffrer, inspirés de photographies de désastres puisées dans la presse. Dans une tonalité dominante, la couleur est ici exploitée pour des effets de transparence, des variations d'ombres et de lumière. Un enchevêtrement complexe de lignes, et non plus un contour précis, rend compte du monde contemporain, industrialisé, où l'homme n'a pas sa place.

Donald Sultan, à partir de sujets familiers, propose une peinture en apparence d'une grande simplicité, aux formes évidentes, mais qui résulte d'un principe d'élaboration complexe et interroge le processus d'apparition de l'œuvre. Usant de formes traditionnelles, notamment la nature morte, et se référant à l'histoire de la peinture – des *Citrons* de Manet ou Zurbaran aux sujets triviaux du pop'art, du *Trois Mai 1808* de Goya à la grille minimaliste, mais aussi de matériaux industriels actuels, pauvres, et de polaroïds ou images empruntées à la presse à sensations, il bâtit son travail autour du décalage, contraste entre la figure et le fond, entre les sujets et moyens employés, entre le négatif et le positif (opposant fortement le noir à la couleur). Figuratives ses œuvres sont perçues comme des abstractions sensuelles, élégantes, qui frôlent parfois avec un certain maniérisme, qui invitent à poser un regard autre sur le quotidien, qui échappent aux préjugés. ■ L. L.

BIBLIOGR. : P. Sergeant : *Donald Sultan – Appogiatures*, deux vol., coll. *La Vue, Le Texte*, La Différence, Paris, 1982 – Daniel Wheeler : *L'Art du XXe siècle*, Flammarion, Paris, 1991 – in : *L'Art du XXe siècle*, Larousse, Paris, 1991.

MUSÉES : ATLANTA (High Mus. of Art) – BOSTON (Mus. of Fine Arts) – BUFFALO (Albright-Knox Art Gal.) – CANBERRA (Australian Nat. Gal.) – DALLAS (Mus. of Fine Arts) – DES MOINES (Art Center) – FORT WORTH (Art Mus.) – LA JOLLA (Mus. of Contemp. Art) – KITAKYUSHU (Mus. d'Art de la ville) – MINNEAPOLIS (Walker Art Center) – NEW YORK (Metrop. Mus. of Art) – NEW YORK (Solomon R. Guggenheim Mus.) – PARIS (BN) : *French Iris 2* 1982, linogravure – *Citron noir* 1984, aquat. – RICHMOND (Virginia Mus. of Fine Arts) – SAINT-LOUIS (Art Mus.) – SAN FRANCISCO (Mus. of Art) – TOLEDO (Mus. of Art) – WASHINGTON D. C. (Hirshhorn Mus. and Sculpture Garden).

VENTES PUBLIQUES : NEW YORK, 8 mai 1984 : *October 17* 1979, pb/linoléum monté/pan. (122,5x153,6x12,7) : **USD 19 000** – NEW YORK, 2 mai 1985 : *Black tulips* 1983, fus./pap., quatre dessins (127x96,5) : **USD 55 000** – NEW YORK, 5 nov. 1985 : *Leon, Nov. 28* 1983, h. plâtre et goudron sur une plaque de vinyl. montée/isor. (247x250,3) : **USD 60 000** – NEW YORK, 6 mai 1986 : *October 6* 1978, h/isor. (152,5x124,2) : **USD 15 000** – NEW YORK, 8 mai 1986 : *8 février 1979* 1979, cr. et h./masonite, toile pliée (152,4x121,8) : **USD 27 500** – NEW YORK, 3 mai 1989 : *Poires – 2 avril 1984*, goudron et h. sur dalle de vinyl. (30,5x30,5) : **USD 93 500** – NEW YORK, 8 nov. 1989 : *Pont* 1986, h., bitume et goudron sur tuiles sur quatre pan. de rés. synth. (244x244) : **USD 297 000** – NEW YORK, 8 mai 1990 : *Roses du 13 août 1986*, h. et goudron/carreau/bois (244x244) : **USD 440 000** – NEW YORK, 9 mai 1990 : *Deux pommes, une poire et un citron* 1985, h., plâtre et goudron sur une plaque de vinyle sur du bois (33x33) : **USD 110 000** – NEW YORK, 14 fév. 1991 : *Les œufs noirs – 22 juin 1989* 1989, fus./pap. (153x120,2) : **USD 22 000** – NEW YORK, 1er mai 1991 : *Centre de maintenance – 9 août 1989*, h., goudron, plaques de linoléum et plâtre/rés. synth. (245x245) : **USD 71 500** – NEW YORK, 25-26 fév. 1992 : *Citrons noirs – 3 juin 1985*, fus./pap. (152,4x121,9) :

USD 16 500 – New York, 7 mai 1992 : *Quatre pommes, trois poires et un citron – 21 mars 1986*, h. et goudron sur tuile sur bois (31,8x32,1) : **USD 27 500** – New York, 18 nov. 1992 : *Coings 1989*, latex et goudron sur plaque de vinyl./rés. synth. (143,8x143) : **USD 71 500** – New York, 19 nov. 1992 : *Tulipe noire – Nov. 8 1983*, fus./pap. (127x96) : **USD 11 000** – New York, 24 fév. 1993 : *Éclairage urbain – le lampadaire bleu 11 mars 1982*, h., cray., plâtre et goudron/rés. synth. (247x123,5) : **USD 38 500** – New York, 10 nov. 1993 : *Roses dans un vase de cuivre – 24 juil. 1987*, goudron, h./plaque de vinyl./rés. synth. (243,9x243,9) : **USD 85 000** – New York, 5 mai 1994 : *Roses – 13 aout 1986*, h. et goudron/tuile/rés. synth. (243,8x243,8) : **USD 90 500** – New York, 15 nov. 1995 : *Fleurs et vase jan. 10. 1986*, techn. mixte, h. et goudron sur plaques de vinyl./rés. synth. (243,8x243,8) : **USD 96 000** – New York, 8 mai 1996 : *Citron noir et œuf 1986*, fus./pap. (153x123,2) : **USD 10 925** – New York, 19 nov. 1996 : *Œuf noir 1988*, fus./pap. (152,4x101,6) : **USD 6 900** – New York, 20 nov. 1996 : *Derailed, March 21 1989* 1989, goudron et latex/t. (243,8x243,8) : **USD 20 700** – New York, 8 mai 1997 : *Pêche, pomme, poires, citron 1987*, h., goudron/tuile/contre-plaqué (32,4x32,4) : USD 14 950.

SULTAN MOHAMMED
xve-xvie siècles. Actif à Täbriz. Éc. persane.
Peintre de miniatures.
Il vécut à Täbriz ainsi qu'Aga Mirek et Behzad, maître et réformateur de la miniature persane. D'après les gravures qui lui sont attribuées, il semble que l'on puisse lui accorder une excellente habileté. Son savoir-faire lui a permis d'apprendre la peinture à l'empereur Tahmasp. Deux miniatures du Dîwân de Hâfiz (1534), conservées au Fogg Art Institute de Cambridge, sont certainement de lui, ainsi que quelques images du Khamseh de Nizani (1539-1545), conservées au British Museum. Le Louvre conserve un dessin de l'un des meilleurs élèves de Sultan Mohammed ; c'est une scène de labourage, d'un charmant réalisme. Ce dessin est signé : Ustad Mohammed et daté de 986 (1578).

SULTINCK Olifier
xviie siècle. Actif à Breda vers 1667. Hollandais.
Sculpteur.

SULTZER. Voir SULZER

SULYOK Gabriella
xxe siècle. Hongroise.
Peintre.
Elle participe à des expositions collectives : 1992 *De Bonnard à Baselitz – Dix Ans d'enrichissements du cabinet des estampes*, à la Bibliothèque nationale à Paris.
Musées : Paris (BN) : *Rêve au lieu du rêve*.

SULZBERGER Adolf
Né le 10 mai 1865 à Winterthur. xixe-xxe siècles. Suisse.
Dessinateur, peintre, graveur.
Fils du peintre décorateur Otto S., il fut l'élève du graveur Heinrich Bachmann à Zurich. Il pratiqua la gravure sur bois.

SULZBERGER Konrad
Né le 17 octobre 1771 à Winterthur. Mort le 11 décembre 1822 à Zurich. xviiie-xixe siècles. Suisse.
Graveur au burin.
Élève de Fr. Kirschner à Augsbourg.

SULZBÖTH Gregorius
xviie siècle. Actif à Wasserbourg. Allemand.
Peintre.

SULZER David
Né le 26 novembre 1685 à Winterthur. Mort le 31 octobre 1762 à Winterthur. xviiie siècle. Suisse.
Peintre.
Il peignit des poêles.

SULZER David
Né le 9 septembre 1784 à Winterthur. Mort le 14 septembre 1864 à Weinfelden. xixe siècle. Suisse.
Peintre de portraits.
Il fut à partir de 1803 l'élève de J. Ch. David à Paris.
Bibliogr. : Fritz Frey : *Le Bürgenstock*, Zurich-Stuttgart, 1967.
Musées : Berne : *Le Peintre verrier Ludwig Stantz – Le Peintre Joh. Weber* – Francfort-sur-le-Main : *Ludwig Börne* – Winterthur : *Le Prince Schwarzenberg – Le Peintre Julius Sulzer – Une Bernoise – Autoportrait – Portrait de l'artiste et de son fils – Anton Künzli* – Zurich : *Joh. Martin Usteri – Heinr. Kramer*.
Ventes Publiques : Zurich, 15 mai 1981 : *Portrait d'une dame de qualité*, h/cart. mar./t. (37x30,5) : **CHF 12 500** – Zurich, 10 déc. 1996 : *Trois jeune filles en costume traditionnel de Lucerne 1822*, h/t (183x119) : CHF 20 700.

SULZER Elias
Né en 1685 à Winterthur. Mort en 1746 à Winterthur. xviiie siècle. Suisse.
Peintre.

SULZER Jakob
xviiie siècle. Actif à Winterthur. Suisse.
Peintre de portraits.

SULZER Johann
xviiie siècle. Actif à Winterthur dans la deuxième moitié du xviiie siècle. Suisse.
Peintre de miniatures et graveur.

SULZER Johann Jakob ou Sultzer
Né en 1636 à Winterthur. Mort le 20 août 1665 à Winterthur. xviie siècle. Suisse.
Peintre de portraits, graveur.
Peintre, il pratiqua également la gravure au burin.

SULZER Johann Jakob
Né le 24 juillet 1781 à Winterthur. Mort le 12 mars 1828 à Winterthur. xviiie-xixe siècles. Suisse.
Peintre de portraits.
Élève de Joh. Rud. Schellenberg, qu'il suivit à Berne.
Musées : Winterthur : *Portraits des dames Catherine Stenier et Ernst-Sulzer*.

SULZER Johannes H.
Né en 1652 à Winterthur. Mort en 1717 à Winterthur. xviie-xviiie siècles. Suisse.
Peintre et graveur au burin.
Il fut le professeur d'Anna Waser. Le Musée de Winterthur conserve de lui le portrait de Joh. Heinr. Hegner.

SULZER Julius Karl Emil, dit von Kahlenberg
Né le 11 février 1818 à Winterthur. Mort en 1889 à Munich. xixe siècle. Suisse.
Peintre d'histoire et de portraits.
Élève de Horace Vernet. Le Musée de Winterthur conserve de lui *La Famille Sulzer*, et celui de Zurich, *Le bourgmestre J. J. Hess*.

SULZER Klara
Née le 2 janvier 1852. xixe siècle. Allemande.
Peintre.
Elle vécut à Berlin.

SULZER Marie Louise, épouse Herr
Née le 3 juin 1880 à Winterthur. xxe siècle. Suissesse.
Peintre de paysages, natures mortes, aquarelliste.
Elle fut élève de Hermann Gattiker, de l'Académie de femmes de Karlsruhe et de l'École des Beaux-Arts de Zurich.

SULZER Matthias
xviiie siècle. Actif à Passau. Allemand.
Peintre.

SULZER-FORRER Emma Élise
Née le 28 mai 1882 à Winterthur. xxe siècle. Suissesse.
Sculpteur de nus, bustes.
Il vécut et travailla à Winterthur.
Musées : Winterthur : *Garçon*, bronze – *Nus – Bustes*.

SUMAN Ferdinando
Né en 1801 à Conselve. Mort en 1877 à Padoue. xixe siècle. Italien.
Peintre.
Il étudia à Bologne avec Fr. Albieri et de 1812 à 1820 à l'Académie de Venise avec Teod. Matteini. Il a travaillé pour les églises et les palais de Padoue et des environs de cette ville.

SUMAN NUSRET
Né en 1907. xxe siècle. Turc.
Sculpteur.
Dans un style demeuré classique, il a produit un grand nombre d'œuvres d'inspirations diverses.

SUMANOVIC Sava
Né le 22 janvier 1896 à Vinkovci. Mort en 1942. xxe siècle. Depuis 1925 actif en France. Yougoslave.
Peintre de paysages. Tendance cubiste puis tendance fauve.
Il étudia à l'Académie des Beaux-Arts de Zagreb et à Paris, où il vit depuis 1925, dans l'atelier de André Lhote.

Il débuta avec des œuvres proches de Cézanne, aux formes solides, simplifiées, aux couleurs sobres, puis a évolué avec une touche plus nerveuse et un registre de couleurs soutenues, vers le fauvisme.

Bibliogr. : In : *Dict. univers. de la peinture*, vol. 6, Le Robert, Paris, 1975.

Musées : Belgrade (Mus. Nat.) : *Le Pont et la Ville* 1921 – *Paysage de Srem* 1941.

SUMERE Hilde Van
Née en 1932 à Beersel (Brabant). xxᵉ siècle. Belge.
Sculpteur. Abstrait.
Élève de Jacques Moeschal à l'Académie Royale des Beaux-Arts de Bruxelles, elle a certainement été influencée par son professeur. Elle vit et travaille à Beersel.
Elle participe à des expositions collectives. Elle montre ses œuvres dans des expositions personnelles, régulièrement en Belgique. Elle a reçu divers prix.
Elle manie des formes purement abstraites, proches de la géométrie. Mais, loin d'atteindre à une abstraction froide, comme dans le Minimal Art par exemple, elle confère légèreté et sensibilité à ses compositions. On voit de ses œuvres dans les parcs d'Ettenbeek et de Lommel.
Musées : Anvers (Mus. Mod. Kunst) – Bruxelles (Mus. roy. d'Art Mod.).

SUMERSTAIN Caspar. Voir SOMMERSTEIN

SUMI Yasuo
xxᵉ siècle. Japonais.
Artiste.
Il a été membre du groupe d'avant-garde *Gutaï*.

SUMM Anton
Né en 1811 à Prague. Mort avant 1859. xixᵉ siècle. Autrichien.
Peintre.
Élève de l'Académie de Vienne.

SUMMER Andreas
xviᵉ siècle. Actif à Nuremberg entre 1567 et 1569. Allemand.
Graveur au burin.

SUMMER Michael. Voir SOMMER

SUMMERFIELD John
Mort en mars 1817. xixᵉ siècle. Actif à Londres. Britannique.
Graveur au burin.
Un des meilleurs élèves de Bartolozzi. Il grava avec succès *Rubens et sa femme*, d'après Rubens et *Le jeune garçon dormant*, d'après S. Joshua Reynolds. Son talent semblait lui prédire une carrière honorable mais on ignore pourquoi il paraît avoir été toujours très pauvre. Redgrave donne 1817 comme année de sa mort. Le rédacteur du *Bryan's Dictionary* croit qu'il vécut plus tard.

SUMMERS Charles
Né le 27 juillet 1827 à West Charlton. Mort le 30 novembre 1878 à Rome. xixᵉ siècle. Britannique.
Sculpteur de figures, portraits.
Exposa à la Royal Academy à Londres quarante-quatre œuvres de 1849 à 1876. Membre de la Royal Hibernian Academy en 1871.
Musées : Melbourne : *La reine Alexandra* – *Gustavus Vaughan Brook, acteur* – *Sir Francis Murphy* – *Sir Henry Barteley, gouverneur de Victoria* – *Le duc d'Édimbourg* – *Charles Perry, évêque de Melbourne* – *Le vicomte Canterbury, gouverneur de Victoria* – *Affection maternelle* – *La Sunamite* – *Paysan romain* – *Paysanne romaine* – *Sir Charles Sladen* – *John Pascoc Fawkner, fondateur de Melbourne* – *Cap. Charles Sturt, explorateur australien* – *Sir Charles Gavan Duffy* – *Sir G. Macleay, membre de l'Assemblée législative* – *Sir James Mac Culloch* – *La reine Victoria* – *Le prince Albert* – *Édouard VII, prince de Galles*.
Ventes Publiques : New York, 24 mai 1995 : *Danse parmi les fleurs* 1871, marbre (H. 158,8) : USD 33 350 – New York, 1ᵉʳ nov. 1995 : *Ruth assise*, marbre (H. 188) : USD 23 000.

SUMMERS Ivan F.
Né à Mount Vernon (Illinois). xxᵉ siècle. Américain.
Peintre de paysages, graveur.
Élève de l'Art Students' League de New York et de l'École des Beaux-Arts de Saint Louis, il fut membre du Salmagundi Club.

SUMMERS S. N.
xviiiᵉ-xixᵉ siècles. Actif à Londres entre 1764 et 1806. Britannique.
Peintre de portraits et d'architectures.

SUMMERSTEIN Andreas
xviiᵉ siècle. Actif à Ratisbonne. Allemand.
Peintre.

SUMMERSTEIN Johann Benedikt
xviᵉ siècle. Allemand.
Peintre.

SUMNER George Heywood Maunoir
Né en 1853. Mort en 1940. xixᵉ-xxᵉ siècles. Britannique.
Graveur de compositions animées, illustrateur.
Il fut aussi archéologue. Il vit et travaille à Londres, où il tint une place distinguée parmi les graveurs anglais. Il appartint à la Fitzroy Picture Society, qui lui permet de diffuser des reproductions de ses gravures. Il exposa à Londres à partir de 1878, notamment à la Royal Academy.
Il s'est spécialisé dans la technique de l'eau-forte. Il fut proche du dessinateur William Morris.
Bibliogr. : In : *Dict. des illustrateurs 1800-1914*, Ides et Calendes, Neuchâtel, 1989.

SUMNER L. W. Y.
Né à Middletown (Connecticut). xxᵉ siècle. Américain.
Peintre.
Élève de Van Dearing Perrine, il fut membre du Pen and Brush Club.

SUMNER Maud
Née en Afrique du Sud, de parents anglais. xxᵉ siècle. Active en France. Britannique.
Peintre de paysages.
Elle arrive à Paris en 1926, et habite chez Maria Blanchard. Elle devient l'élève de Maurice Denis et de Georges Desvallières aux Ateliers de l'Art Sacré. Puis elle travaille ensuite avec Othon Friesz et Bissière. En 1938 elle rentre en Angleterre où elle devient ambulancière. Elle vient à Paris après la guerre.
Elle participe à des expositions collectives : régulièrement aux Salons d'Automne et aux Tuileries ; 1948 Biennale de Venise, Tate Gallery à Londres ; au Brésil, en Irlande et aux États-Unis. Elle montre ses œuvres dans de nombreuses expositions personnelles : 1932, 1948, 1955, 1958, 1963 Paris ; 1939, 1947, 1956, 1965 Londres ; régulièrement en Afrique du Sud. Elle expose en 1942 à Johannesbourg.
Elle peint les eaux, les déserts et les ciels, obsédée par la profondeur du monde, des grands espaces et leur luminosité. Elle se rend au Moyen-Orient et en Afrique, subit l'influence de ces paysages et s'éprend des déserts, immensités montrant l'insignifiance de l'homme, suggérant une autre dimension, que Maud Sumner tente de peindre dans ses toiles.
Bibliogr. : Catalogue de l'exposition : *Maud Sumner*, Gal. Massol, Paris, 1975.
Musées : Le Cap – Durban – La Haye – Johannesburg – Oxford – Paris – Pretoria.
Ventes Publiques : Londres, 30 avr. 1976 : *La salle de bain*, h/t (72x53,5) : GBP 500 – Londres, 22 oct. 1980 : *The tide marker*, h/t (65x49,5) : GBP 580.

SUMNER Rodger
xxᵉ siècle. Britannique.
Peintre.
Il exposa, en 1948, avec le Manchester Group, réunion d'artistes du Lancashire.

SUMPTER H.
xixᵉ siècle. Actif à Londres au début du xixᵉ siècle. Britannique.
Peintre de natures mortes.
Exposa à la Royal Academy, à la British Institution, et à la Society of British Artists, de 1816 à 1847.

SUN I. Voir SUN YI

SUNAERT Adolphe
Né en 1825 à Gand. Mort le 18 avril 1876 à Gand. xixᵉ siècle. Belge.
Peintre.

SUNAGAWA Haruhiko
Né en 1946 à Fukuoka. xxᵉ siècle. Actif en France. Japonais.
Sculpteur, auteur d'assemblages, dessinateur. Abstrait, tendance cinétique.

Il fit des études de physique à l'université des sciences de Tokyo, puis en 1973 de dessin et de peinture au Hammersmith College of Arts de Londres. Il vit et travaille à Paris.

Il participe à des expositions collectives : 1976-1978 Biennale internationale d'Amiens au musée de Picardie ; 1978 prix international de dessin à la fondation Miro de Barcelone ; 1981, 1982, 1984, 1985, 1988 CAC (Centre d'art contemporain) de Lyon ; 1983 Biennale internationale du dessin au musée de Cleveland ; 1987 musée de Maubeuge. Il montre ses œuvres dans des expositions personnelles : 1978 Kyoto ; 1979, 1981, 1982 Tokyo ; 1981 Osaka ; 1982 CAC de Lyon ; depuis 1989 régulièrement à Paris à la galerie Franka Berndt Bastille ; 1990 Foire d'art contemporain à Nagoya ; 1993 rétrospective au musée Bourdelle à Paris.

Il réalise des structures légères en apparence, qui associent la solidité de la pierre et du bois à la fragilité du verre, la rigueur de la géométrie aux effets « mouvants » de lumière.

Musées : Lyon (Centre d'Art Contemp.) – Paris (FNAC).

SUN AI ou **Souen Ngai**, surnom : **Shijie**, nom de pinceau : **Xichuanweng**
Originaire de Changshu, province de Jiangsu. XVe-XVIe siècles. Actif à la fin du XVe et au début du XVIe siècle. Chinois. Peintre.
Disciple de Shen Zhou (1427-1509), dont il fait un jour le portrait, il fait des paysages dans les styles de Huang Gongwang (1269-1354), et Wang Meng (1309-1385). Le Musée du Palais de Pékin conserve une de ses œuvres qui porte une inscription de Shen Zhou : Branche de buisson en fleurs, en couleurs sur papier.

SUN BOZHUN ou **Souen Po-Tchouen** ou **Sun Po-Chun**
Né en 1891. Mort en 1973. XXe siècle. Chinois.
Peintre d'animaux, paysages. Tendance expressionniste.
Poète, calligraphe et peintre d'animaux et de paysages dans un style teinté d'expressionnisme, il est professeur de civilisation chinoise à l'Université des Langues Étrangères de Tokyo.

SUN CH'ÊNG-TSUNG. Voir **SUN CHENGZONG**

SUN CHENGZONG ou **Souen Tch'eng-Tsong** ou **Sun Ch'êng-Tsung**
Né en 1563, originaire de Gaoyang (aujourd'hui Baoding), province du Hebei. Mort en 1638. XVIe-XVIIe siècles. Chinois. Peintre.
Président du Bureau de la Guerre, il n'est pas mentionné dans les biographies officielles d'artistes. Il se pendra quand les Mandchous envahiront la ville de Gaoyang.

SUN CH'I. Voir **SUN QI**

SUN CHIH. Voir **SUN ZHI**

SUN CHIH-WEI. Voir **SUN ZHIWEI**

SUN CHÜN-TSÊ. Voir **SUN JUNZE**

SÜNCKSEN Jens ou **Sönnicks, Sonnicks, Süngsen**
Né en 1703 ou 1704 à Langenhorn. Mort en 1758 à Langenhorn. XVIIIe siècle. Allemand.
Sculpteur.

SUNDAHL Julius von
Né en 1805 à Amberg. XIXe siècle. Allemand.
Peintre de genre et paysagiste, et officier.

SUNDARA
Né en 1950 à Vientiane. XXe siècle. Depuis 1974 actif en France. Laotien.
Dessinateur, graveur d'architectures, paysages.
Il participe à des expositions collectives : 1992 De Bonnard à Baselitz – Dix Ans d'enrichissements du cabinet des estampes, à la Bibliothèque nationale à Paris.
Musées : Paris (BN) : Monastères bouddhiques du Nord du Laos 1984, deux eaux-fortes.

SUNDBERG Alan Frederick
Né en 1948 à New York. XXe siècle. Américain.
Peintre, aquarelliste, peintre de collages, dessinateur, technique mixte.
Il montre ses œuvres dans des expositions personnelles : en 1980-1981 bibliothèque municipale à Berlin ; bibliothèque nationale autrichienne à Vienne ; musée Gutenberg de Mainz.
Ventes Publiques : Lucerne, 25 mai 1991 : Travail A-143 1979, aquar. et gche/pap. (24x16) : CHF 1 100.

SUNDBERG Christine Margareta
Née le 5 février 1837 à Kalmar. Morte le 20 janvier 1892 à Paris. XIXe siècle. Suédoise.

Peintre de portraits, paysages, intérieurs.
Elle étudia à l'Académie de Stockholm à Düsseldorf et à Paris chez Collin et Courtois.
Ventes Publiques : Stockholm, 16 mai 1990 : Intérieur avec une jeune femme vêtue de noir et une cage à oiseau, h/t (59x52) : SEK 28 000.

SUNDBERG Per
Né en 1887. Mort en 1968. XXe siècle. Suédois.
Peintre de compositions animées, paysages.
Ventes Publiques : Stockholm, 23 avr. 1980 : Paysage 1922, h/t (97x120) : SEK 6 000 – Stockholm, 19 avr. 1989 : Printemps en forêt, h/t (45x54) : SEK 5 000 – Stockholm, 15 nov. 1989 : Le passeur d'une rivière bordée de bouleaux sous un ciel nuageux, h/t (41x51) : SEK 5 700.

SUNDBLAD Gustav
Né en 1835 à Augsbourg. Mort en 1891 à Leipzig probablement. XIXe siècle. Allemand.
Peintre, aquarelliste et lithographe.
Élève de J. M. Veit. Il travailla à Munich et vers 1886 à Leipzig.

SUNDBLOM Haddon Hubbard
Né en 1899 dans le Michigan. Mort en 1976. XXe siècle. Américain.
Peintre de compositions animées, paysages, illustrateur.
Il étudia à l'Institut d'Art de Chicago et à l'Academie américaine d'Art. Il fréquenta également l'atelier de Charles Everett Johnson et en 1925, avec Howard Stevens et Edwin Henry, créa son propre atelier qui sera connu comme « le Cercle de Sundblom ». Il travailla aussi comme illustrateur et ses peintures furent reproduites dans de nombreux magazines dont Collier's Magazine et The Ladies'Home Journal.
Ventes Publiques : New York, 4 déc. 1980 : Things go better with coke 1937, h/t (102,3x68,6) : USD 12 000 – New York, 25 oct. 1985 : The man next door, h/t (76,2x58,5) : USD 2 100 – New York, 27 sep. 1990 : Les poupées de papier, h/t (76,5x96,5) : USD 5 500 – New York, 5 déc. 1991 : Un après-midi ensoleillé, h/t (76,2x106,7) : USD 27 500.

SUNDE Hans Nikolai
Né en 1823 à Husum. Mort le 8 janvier 1864 à Kiel. XIXe siècle. Allemand.
Peintre de genre et de portraits.
Il étudia à partir de 1852 à Anvers, ensuite à Düsseldorf.

SUNDELL Thure
Peintre de paysages.
Le Musée d'Helsinki conserve de lui un Paysage d'automne.

SÜNDER Kaspar ou **Sünter** ou **Sunder** ou **Sunter**
Mort entre 1439 et 1440. XVe siècle. Actif à Constance. Suisse.
Peintre.
Ses frères Balthasar et Thomas furent également peintres.

SUNDERLAND Frances, née **Watson**
Née le 7 septembre 1866 à Keighley. XIXe-XXe siècles. Britannique.
Peintre.
Elle vécut et travailla à Keighley.

SUNDERLAND Thomas
XVIIIe siècle. Actif vers 1798. Britannique.
Peintre et aquarelliste.
Ventes Publiques : Londres, 14 déc 1979 : In the Lake District, cr., pl. et lav. (37,5x52) : GBP 700.

SUN DI ou **Souen Ti** ou **Sun Ti**, surnom : **Zizhou**, nom de pinceau : **Zhuchi**
Originaire de Qiantang, province du Zhejiang. XVIIe siècle. Actif dans la seconde moitié du XVIIe siècle. Chinois. Peintre.
Peintre de fleurs, de bambous et de rochers, dont le National Palace Museum de Taipei conserve des œuvres signées et datées : Narcisse et prunier en fleurs près d'un jardin de rocailles, signé et daté 1679, Études de fleurs sur neuf feuilles d'album, toutes signées, avec deux feuilles datées 1650 et deux autres 1651.
Ventes Publiques : New York, 22 sep. 1997 : Pivoines et rocher 1643, encre et pigments/soie, kakémono (179,1x95,9) : USD 34 500.

SUNDIN Göran
Né en 1798. XIXe siècle. Suédois.
Peintre.
Il était le fils de Pehr. Il envoya aux expositions de Stockholm des paysages et des tableaux de genre.

SUNDIN Pehr
Né au XVIIIᵉ siècle à Sunne. XVIIIᵉ siècle. Suédois.
Peintre.
Il étudia chez Erik Nordlander et à l'Académie de Stockholm.
Son œuvre est presque uniquement d'inspiration religieuse.

SUNDSTRÖM Harriet
Née le 23 décembre 1872 à Stockholm. XIXᵉ-XXᵉ siècles. Suédoise.
Peintre d'animaux, paysages, sculpteur, graveur.
Elle étudia à Munich de 1891 à 1894 chez Franz Roubaud et Charles R. Tooby, à Ulm et à Paris à l'Académie Colarossi.
MUSÉES : STOCKHOLM : *Cheval*, bronze.

SUNDT-HANSEN Carl Frederik. Voir **HANSEN Carl Frederik Sundt**

SUNEI. Voir **BUSON**

SUNER Joaquin. Voir **SUNYER**

SUNER Juan Bautista
XVIIIᵉ siècle. Espagnol.
Peintre.
Il naquit à Valence. Il fut élève en 1753 de l'Académie San Carlos, dont il devint membre en 1797.

SUNG CH'U. Voir **SONG CHU**

SUNG-CH'ÜAN. Voir **PU QUAN**

SUNG CHÜEH. Voir **SONG JUE**

SUNG CHÜN-YEH. Voir **SONG JUNYE**

SUNG HSÜ. Voir **SONG XU**

SUNG HY SHIN. Voir **SHIN SUNG-HY**

SUNG JU-CHIH. Voir **SONG RUZHI**

SUNG K'O. Voir **SONG KE**

SUNG KU. Voir **SONG JUE**

SUNG LIANG-CH'ÊN. Voir **SONG LIANGCHEN**

SUNG LIEN. Voir **SONG LIAN**

SUNG LIN. Voir **SONG LIN**

SUNG LO. Voir **SONG LUO**

SUNG MOU-CHIN. Voir **SONG MAOJIN**

SUNG NIEN. Voir **SONG NIAN**

SUNG PAO-SHUN. Voir **SONG BAOSHUN**

SÜNGSEN Jens. Voir **SÜNCKSEN**

SUNG TI. Voir **SONG DI**

SUNG-T'IEN. Voir **SONGTIAN**

SUN HU ou **Souen Hou**
Originaire de la province du Jiangsu. XVIIIᵉ siècle. Actif vers 1745. Chinois.
Peintre.
Peintre de cour, il fait des paysages dans le style de Wang Shimin (1592-1680). Le National Palace Museum de Taipei conserve deux de ses œuvres signées et datées : *Paysage*, daté de 1744 et *Voyageurs dans la montagne*, d'après Wang Wei, daté 1745.

SUN Jingpo
Né en 1945 dans la province de Shandong. XXᵉ siècle. Chinois.
Peintre de compositions animées, scènes de genre, scènes typiques.
Il fit ses études à l'École des Beaux-Arts de l'Académie Centrale, diplômé en 1964, il commença à travailler dans le cadre de l'Association des Artistes de la Province de Yunan. Après la Révolution culturelle, en 1978, il retourna à l'Académie Centrale afin de reprendre le cours normal de ses études, obtenant le diplôme d'études supérieures en 1980. En 1985-1986 il approfondit ses connaissances en peinture à l'huile à Paris. Aujourd'hui il est professeur à l'Académie Centrale.
Il tire l'essentiel de son inspiration des croquis réalisés à l'époque où il vivait dans les provinces de l'ouest de la Chine, s'étant attaché aux minorités ethniques et à leurs modes de vie.
BIBLIOGR. : In : *Catalogue de la vente Christie's*, Hong Kong, 30 mars 1992.

SUN JUNLIANG
Né en 1941 à Suzhou (province du Jiangsu). XXᵉ siècle. Chinois.
Peintre de paysages. Traditionnel.

Il est peintre au musée de la peinture traditionnelle de Suzhou.
Il s'est spécialisé dans la peinture de paysages et de jardins qu'il accompagne de calligraphies. Il ne paraît pas probable de l'identifier avec SOU KIUN-LIANG.
BIBLIOGR. : In : Catalogue de l'exposition *Peintres traditionnels de la République populaire de Chine*, galerie Daniel Malingue, Paris, 1980.

SUN JUNZE ou **Souen Kiun-Tsö** ou **Sun Chün-Tsê**
Originaire de Hangzhou, province du Zhejiang. XIVᵉ siècle. Actif au début du XIVᵉ siècle. Chinois.
Peintre.
Peintre de figures, de paysages et de *jiai hua* (peinture des limites), il suit le style de Ma Yuan (actif vers 1190-1230) et la tradition académique. Le Musée Guimet de Paris conserve un rouleau qui lui est attribué : *Maison dans un bosquet de bambous*, avec une longue inscription du moine Litian.

SUN KEHONG ou **Souen K'o-Hong** ou **Sun K'o-Hung**, surnom : **Yunzhi**, nom de pinceau : **Xueju**
Né en 1532, originaire de Huating, province du Jiangsu. Mort en 1610. XVIᵉ-XVIIᵉ siècles. Chinois.
Peintre.
Lettré, collectionneur, amateur de choses anciennes, Sun Kehong fait partie des peintres que l'on regroupe dans l'école de Huating, sa ville natale, et qui travaillent dans un style plus doux et plus lyrique que Shen Zhou (1427-1509) et l'école de Wu. Sun peint des fleurs et des paysages mais aussi des figures bouddhistes et taoïstes et aura, vers la fin de sa vie, une prédilection pour les fleurs de prunier à l'encre. Son rouleau en longueur, *Élégantes distractions pour les heures de loisir* (Taipei, National Palace Museum), où se suivent une vingtaine de scènes, montre combien la sensibilité poétique compense parfois l'absence de facilité technique. Et s'il ne se lance pas dans les recherches picturales qui sont celles des grands individualistes de son époque, il n'en crée pas moins une manière personnelle qui n'est pas sans rappeler les estampes en couleurs sur bois, combinant un trait épais et des lavis plats de couleurs pâles dans des compositions qui évitent les sentiers battus et un dessin sans artifice. Il obtient ainsi une étonnante fraîcheur.
BIBLIOGR. : J. Cahill : *La peinture chinoise*, Genève, 1960.
MUSÉES : COLOGNE (Mus. für Ostasiatische Kunst) : *Oiseau sur la branche d'un arbre Wutong*, encre et coul. légères sur pap. tacheté d'or, éventail signé – PÉKIN (Mus. du Palais) : *Magnolia en fleurs* daté 1609, coul. sur pap., signé – TAIPEI (Nat. Palace Mus.) : *Élégantes distractions pour les heures de loisir*, rouleau en longueur, encre et coul. légères sur pap. – *Bambou rouge*, rouleau en hauteur, encre et coul. sur pap. – *Fleurs du cinquième mois*, signé – *Narcisses et prunier en fleurs*, rouleau en longueur signé, encre sur pap.
VENTES PUBLIQUES : NEW YORK, 25 nov. 1991 : *Fleurs des quatre saisons (magnolia, lis, chrysanthèmes et prunus)*, encre et pigments/soie, makémono (24x102,9) : USD 7 150.

SUNKEL Eduard
XIXᵉ siècle. Actif à Berlin. Allemand.
Peintre de portraits et de genre.
Il alla à Calcutta en 1862. Il exposa à Berlin entre 1844 et 1878.

SUNKO Hans
Né vers 1822 à Radkersbourg. Mort le 17 février 1890 à Klagenfurt. XIXᵉ siècle. Actif à Klagenfurt. Autrichien.
Peintre.
L'Hôtel de Ville de Klagenfurt conserve de lui le portrait de *Joseph II*.

SUN K'O-HUNG. Voir **SUN KEHONG**

SUN LONG ou **Souen Long** ou **Sun Lung**, surnom : **Congji**, nom de pinceau : **Duchi**
Originaire de Piling, province du Jiangsu. XVᵉ siècle. Actif au début de la dynastie Ming (1368-1644). Chinois.
Peintre.
Le personnage de Sun Long est difficile à cerner car il pourrait correspondre à trois personnes différentes qui pourraient, en revanche, n'être qu'un même et seul homme. En effet, le premier Sun Long (Long dans ce cas, signifiant, Éminent), portant le surnom de Duchi et le nom de pinceau de Tingzhen, est natif de Wujin (Piling ou Changzhou) au Jiangsu et est le petit-fils de Sun Xingzi, un ministre de mérite à la fondation de la dynastie Ming. Il est connu comme peintre de plumes, d'herbes et d'insectes dans le style *sans os*. A en juger par ses relations avec Yao Shou, il vit sous les règnes des empereurs Tianshun, Chenghua et

Hongzhi, de 1457 à 1505. Le second est natif de Ruian, au Zhejiang et sous le règne de l'empereur Yongle (1403-1424), il serait célèbre comme peintre de fleurs de prunier. On l'appelle Sun Congji et dans ses écrits, le lettré Ming, Yang Shiji (1365-1444) donne les mêmes informations à propos de Sun Long (l'Éminent). Congji ne serait alors que le surnom de Sun Long. Le troisième Sun Long (Long signifiant, dans ce cas, Dragon) est contemporain du peintre Lin Liang (actif fin xve-début xvie siècle) qui rentre à l'Académie de Peinture sous le règne de Hongzhi (1488-1505) et se spécialise dans les représentations d'oiseaux et de plumes. Or, un album conservé au Musée de Shanghai se constitue d'une feuille portant le cachet Tingzhen, soit celui de Sun Long (l'Éminent) tandis que les autres ont celui de Sun Long (le Dragon). Non seulement toutes les peintures de fleurs, d'oiseaux et d'insectes sont presque certainement du même artiste, mais en outre l'album contient des poèmes de Yao Shou, de même qu'un autre album conservé au National Palace Museum de Taipei, qui est signé Sun Long (le Dragon) et qui s'intitule, Un album de peintures d'après la vie par Sun Long. Ce sont les raisons pour lesquelles on pense que ces trois Sun Long ne forment en réalité qu'un seul Sun Long. L'album de Shanghai, Fleurs, oiseaux et insectes, en couleurs sur soie, présente une composition académique dans un style sans os d'une touche délicate mais vigoureuse. On y retrouve l'influence du fameux style de plantes et d'insectes de Changzhou, manière locale différant quelque peu de la tradition académique Ming et cela constitue une base pour l'étude du style de Changzhou qui touchera un peintre comme Yun Shouping (1633-1690) natif de cette même ville, au début de la dynastie Qing. ■ M. M.

Bibliogr. : Yoshiho Yonezawa et Michiaki Kawakita : *Arts of China : Paintings in Chinese Museums New Collections*, Tokyo 1970.

SUN LUNG. Voir **SUN LONG**

SUNMAN Wilhelm ou **William**. Voir **SONMANS**

SUÑOL Jeronimo
Né le 13 décembre 1839 à Barcelone. Mort le 16 octobre 1902. xixe siècle. Espagnol.
Sculpteur.
Figura aux expositions de Paris ; médaille de troisième classe en 1867 (Exposition Universelle). Le Musée de Madrid conserve de lui *Dante* (plâtre), et dans le Parc central de Santander se trouve une statue de *Christophe Colomb* de cet artiste.

SUN PO-CHUN. Voir **SUN BOZHUN**

SUN QI ou **Souen K'i** ou **Sun Ch'i**, surnom : **Shilun**, nom de pinceau : **Xuexian**
Actif pendant la dynastie Ming (1368-1644). Chinois.
Peintre.
Peintre de fleurs de prunier qui n'est pas mentionné dans les biographies officielles d'artistes mais dont le National Palace Museum de Taipei conserve une œuvre signée, *Fleurs de prunier.*

SUNTACH Antonio
Né en 1744 à Bassano. Mort en 1828. xviiie-xixe siècles. Italien.
Graveur, surtout de reproductions.
Élève de Gio. Volpato. Il travailla à Paris et à Vienne.

SUNTACH Giovanni
Né en 1776. Mort en 1842 à Bassano. xixe siècle. Italien.
Graveur au burin.
Il était le fils d'Antonio. Il fut l'élève de Schiavonetti à Londres en 1796.

SUNTER Jakob
xve siècle. Actif à Brixen dans le Tyrol du sud. Autrichien.
Peintre.
Il a libéré la peinture du Tyrol des influences allemandes et italiennes qu'elle avait subies jusque-là. Il a presque exclusivement travaillé pour les églises de Brixen et de la région.

SÜNTER Kaspar ou **Sunter**. Voir **SÜNDER**

SUN TI. Voir **SUN DI**

SUN TSUNG-WEI. Voir **SUN ZONGWEI**

SUN WEI ou **Souen Wei** ou **Yu**
Originaire de Kuaiji, province du Zhejiang. xe siècle. Actif pendant la période des Cinq Dynasties (906-960). Chinois.
Peintre.
Après avoir travaillé quelque temps à la capitale, il se réfugie avec la cour impériale, au pays de Shu, en 880. Il s'installe alors à

Chengdu (province du Sichuan) où il décore de nombreux temples de peintures murales et devient célèbre pour ses représentations de dragons et d'eaux. Le Musée de Shanghai conserve un grand rouleau en longueur, à l'encre et couleurs légères sur soie, qui porte le nom du peintre, un colophon signé Sima Tongbo, daté 1489, et dont le titre est calligraphié par l'empereur Song Huizong (règne 1101-1126). Il s'intitule *Gaoyi tu*, Les Quatre Grands Lettrés ; les personnages sont représentés séparément, chacun assis sur une natte près d'un arbre ou d'un jardin de rocailles, servi par un jeune domestique qui leur apporte des rouleaux de peinture ou des rafraîchissements.

SUN Weimin
Né en 1946 à Heilongjiang. xxe siècle. Chinois.
Peintre de compositions animées, figures, animaux.
De 1963 à 1967 il travailla à Pékin sous la direction de Ai Xuan et de Li Kai dans les classes préparatoires à l'Académie Centrale des Beaux-Arts. Après la Révolution Culturelle, il reprit ses études à l'Académie jusqu'en 1987, puis devint professeur. Marié à l'artiste NIE Ou, ils vivent et travaillent à Pékin.
Il expose régulièrement en Chine et a remporté en 1984 la médaille de bronze à la VIe Exposition des Beaux-Arts. À l'étranger, il participa à l'exposition itinérante : *La Peinture à l'huile du Peuple de la République de Chine* à Hong Kong, Singapour, au Japon et aux États-Unis en 1987.
Ventes Publiques : Hong Kong, 30 mars 1992 : *Affection campagnarde* 1991, h/t (70x80,2) : **HKD 88 000** – Hong Kong, 28 sep. 1992 : *Jeunes ânes devant une grange* 1986, h/t (72,4x90,8) : **HKD 132 000** – Hong Kong, 4 mai 1995 : *Petit garçon dans une étable* 1987, h/t (48,2x64,1) : **HKD 46 000** – Hong Kong, 30 oct. 1995 : *Pendant la pause*, h/t (80x80) : **HKD 57 500.**

SUN Xiangyang
Né en 1956 à Jinan (province de Shandong). xxe siècle. Chinois.
Peintre de compositions animées, genre, scènes typiques.
Il obtint le diplôme de l'Académie d'Art PLA en 1983. Depuis cette époque, il enseigne à cette même Académie.
Il trouve souvent son inspiration dans les traditions populaires des habitants du plateau de Shaanxi où il a vécu, et aussi dans les sujets populaires de films et de la littérature contemporaine chinoise.
Musées : Pékin (Gal. Nat.).
Ventes Publiques : Hong Kong, 28 sep. 1992 : *Célébration de la fête du printemps* 1991, h/t (72x100,5) : **HKD 71 500** – Hong Kong, 22 mars 1993 : *L'automne doré*, h/t (90,3x100,2) : **HKD 69 000** – Hong Kong, 30 oct. 1995 : *Le marché aux lanternes de Xian* 1995, h/t (59,7x159,7) : **HKD 63 250** – Hong Kong, 30 avr. 1996 : *Défilé de mariage* 1995, h/t (69,8x161,9) : **HKD 51 750.**

SUNYER Y MIRO Joaquin ou **Sunyer Miro** ou **Sunyer**
Né à Vilenova y Gestru (Sitges, Catalogne), en 1874 ou décembre 1875. Mort en 1956. xixe-xxe siècles. Actif aussi en France. Espagnol.
Peintre de compositions à personnages, figures, nus, portraits, intérieurs, paysages animés, paysages urbains, natures mortes, fleurs, aquarelliste, pastelliste, graveur, dessinateur, illustrateur. Intimiste.
Il fut élève de l'École des Beaux-Arts de Barcelone, puis il séjourna à Paris, de 1893 à 1911. À cette époque, il était fort répandu parmi les peintres montmartrois, d'abord ami de Steinlen et de A. Willette puis s'approchant de Picasso et Utrillo. Il s'établit ensuite à Sitges, près de Barcelone. Il séjourna en Italie en 1913, où il étudia l'œuvre de Luca Signorelli. Également critique d'art, il a écrit diverses études sur des peintres catalans.
Il prit part à diverses expositions collectives : à partir de 1903 Salon d'Automne de Paris ; 1908, 1909 Liège ; 1924, 1930 Madrid. Il exposa personnellement à Barcelone à partir de 1904 ; à Munich en 1918.
Dans sa période parisienne, il s'est fait connaître pour ses petites scènes inspirées par le cadre et la vie quotidienne des rues de Paris. Il pratiquait alors une technique très nettement postimpressionniste. Il a alors illustré *Les soliloques du pauvre*, de Jehan Rictus.
Ensuite, son œuvre est très varié, dans le style comme dans les sujets. Stylistiquement, il peut adopter une manière naturaliste, quasi ingresque, comme allusive, comme juste esquissée, ou encore chaleureuse et sensuelle, évoquant Renoir ou le Derain de la maturité. Quant aux sujets, quelques paysages animés, en général de bétail, sont remarquables par leur composition à la fois

pleine et aisée, aérée, le traitement des figures et des portraits, parfois en groupe, déjà essentiellement féminins, semble soucieux de s'adapter à la psychologie du modèle, mais le thème principal de tout l'œuvre, c'est le nu féminin, alangui, dans son intimité, en baigneuse. Dans tout l'œuvre de Sunyer Miro, les tons chauds dominent, toutes les nuances des ocres dorés jusqu'aux bruns roux, façon « pain brûlé », pour exprimer un évident bonheur de vivre.

BIBLIOGR. : Rafael Benet : *Sunyer*, Ediciones Poligrafa, Barcelone, 1975 – in : *Catalogue National d'Art Contemporain*, Éditions d'art Iberico 2000, Barcelone, 1996 – in : *Cien Anos de pintura en Espana y Portugal, 1830-1930*, Antiqvaria, t. X, Madrid, 1993.
MUSÉES : BARCELONE (Mus. d'Art contem.) – BILBAO – MADRID.
VENTES PUBLIQUES : PARIS, 26 fév. 1931 : *Le Quai des Grands-Augustins* : **FRF 50** ; *La marchande au panier, La blanchisseuse, L'ouvrière*, les trois : **FRF 240** ; *Au café-concert, Guignol*, deux past. : **FRF 220** – PARIS, oct. 1945-juil. 1946 : *Élégante au Jardin du Luxembourg* 1899, aquar. : **FRF 1 800** – PARIS, 24 nov. 1950 : *Scènes de la rue*, deux past., formant pendants : **FRF 4 300** – PARIS, 3 déc. 1969 : *La fenêtre* : **FRF 7 200** – MADRID, 13 déc. 1973 : *Paysage de Catalogne* : **ESP 400 000** – PARIS, 20 fév. 1974 : *Femme au chien sur un divan* : **FRF 18 000** – LONDRES, 4 avr 1979 : *Au cabaret*, fus., lav. et cr. de coul. (24x27) : **GBP 1 250** – BARCELONE, 13 nov 1979 : *Miralpeix, Sitges* 1927, aquar. (45x60) : **ESP 145 000** – PARIS, 21 juin 1979 : *Paysage de Ceret* 1911, h/pan. (57x66) : **ESP 1 750 000** – PARIS, 15 juin 1980 : *Élégantes au café-concert*, eau-forte (40x30) : **FRF 4 800** – BARCELONE, 31 jan. 1982 : *La Famille du pêcheur*, h/t (125x150) : **ESP 1 850 000** – VERSAILLES, 3 juin 1981 : *Portrait de jeune femme* 1898, past. (53x41) : **FRF 23 000** – PARIS, 25 mars 1982 : *Femme allongée avec un chien* 1919, dess. aquar. (32x45) : **FRF 19 000** – BARCELONE, 2 juin 1982 : *Rue de Paris*, h/t (39x30) : **ESP 1 450 000** – PARIS, 19 mars 1983 : *Promenade des élégantes*, aquar. (24x15) : **FRF 18 000** – PARIS, 8 juin 1984 : *Femmes*, cr. de coul. (24x16) : **FRF 11 000** – BARCELONE, 19 déc. 1984 : *Tonina* 1929, h/t (71x55) : **ESP 750 000** – MADRID, 27 fév. 1985 : *Paysage animé*, h/t (62x55) : **ESP 1 725 000** – MONTEVIDEO, 14 août 1986 : *Nu couché*, h/t (90x70) : **UYU 1 431 000** – NEW YORK, 8 oct. 1987 : *Soir de fête*, past./pap. (35,2x47,5) : **USD 13 000** – PARIS, 1er juil. 1988 : *Vieille femme en noir*, cr. de coul. (31x19) : **FRF 26 000** – PARIS, 27 avr. 1989 : *La fenêtre*, h/t (55x46) : **FRF 200 000** – PARIS, 27 mars 1990 : *Le ramassage des foins*, h/t (60x73) : **FRF 140 000** – PARIS, 10 juin 1990 : *Les trois mauvais garçons*, cr. noir (28,5x19) : **FRF 16 500** – LOUVIERS, 25 nov. 1990 : *Les commères*, cr. (14,5x24) : **FRF 23 500** – NEW YORK, 26 oct. 1990 : *Au café*, past./pap. (24,1x29,2) : **USD 5 500** – PARIS, 7 juin 1991 : *Élégante dans le parc* 1899, aquar. (32x24) : **FRF 62 000** – MADRID, 27 juin 1991 : *Le petit marché*, encre et cr. de coul./pap. (23x29) : **ESP 448 000** – PARIS, 12 déc. 1991 : *Les grands boulevards*, h/pan. (16x22) : **FRF 9 500** – PARIS, 3 fév. 1992 : *Au café concert*, eau-forte et aquat. en coul. : **FRF 3 500** – PARIS, 24 fév. 1993 : *La rue Lepic* 1901, eau-forte et aquat. en coul. : **FRF 6 500** – NEW YORK, 30 juin 1993 : *Sur le balcon*, h/t (45,7x38,1) : **USD 7 475** – PARIS, 6 oct. 1993 : *Maternité* 1920, encre et lav. (15,5x11) : **FRF 6 000** – PARIS, 17 juin 1996 : *Paysage d'Espagne : Sitges*, h/t mar./pan. (65x80) : **FRF 70 000**.

SUN YI ou Souen I ou Sun I, surnom : Wuyi, nom de pinceau : Sulin
Originaire de Huizhou. XVIIe siècle. Chinois.
Peintre.
Actif à la fin de la dynastie Ming à Wuhu (province du Anhui) vers 1655.
Peintre de paysages dans le style de Huang Gongwang (1269-1354), il fait partie des « Quatre Maîtres » (du Anhui), avec Hongren, Cha Shibiao et Wang Zhirui.
MUSÉES : STOCKHOLM (Mus. Nat.) : *Paysage de rivière avec des montagnes*, d'après Ma Yuan.)

SUN YUNTAI ou Suan Yuntai
Né en 1913 à Shandong. XXe siècle. Chinois.
Peintre de paysages.
Il vint en 1931 à Moscou pour étudier la peinture. De 1930 à 1950, il a participé à des expositions collectives à Moscou ou à Tokyo. L'Association Diaoyutai de Pékin a rassemblé plus de vingt œuvres entre 1950 et 1970. Il fut invité avec d'autres grands artistes contemporains à participer à une œuvre colossale *Forêt* destinée au Grand Palais du Peuple de Pékin. Sa carrière fut mise en sommeil durant la période de la Révolution culturelle et n'est qu'en 1992 qu'une nouvelle exposition personnelle eut lieu à Taipei, suivie d'une autre à Hong Kong.

VENTES PUBLIQUES : TAIPEI, 15 oct. 1995 : *Paysage de printemps* 1992, h/t (48,7x64,5) : **TWD 230 000**.

SUN ZHI ou Souen Tche ou Sun Chih
XIVe-XVIIe siècles. Actif pendant la dynastie Ming (1368-1644). Chinois.
Peintre.
Il n'est pas mentionné dans les biographies officielles d'artistes et serait peut-être identique à un autre peintre nommé Shu Yinzhi. On conserve néanmoins une de ses œuvres, une feuille d'album signée et datée de l'année Guiyu, *Lettré dans une maison à l'embouchure de la vallée*.

SUN ZHIWEI ou Souen Tche-Wei ou Sun Chih-Wei, surnom : Taigu
Originaire de Pengshan, province du Sichuan. XIe siècle. Chinois.
Peintre.
Peintre de figures bouddhiques.

SUN ZONGWEI ou Souen Tsong-Wei ou Sun Tsung-Wei
Né en 1912 dans la province de Jiangsu. XXe siècle. Chinois.
Peintre de compositions religieuses. Traditionnel.
Disciple de Xu Beihong, il passe dix ans en Europe et devient assistant dans le département des beaux-arts de l'Université Nationale Centrale de Nankin. Comme d'autres élèves de Xu Beihong, il commence par tomber dans la virtuosité technique, qui est le propre de l'école de Nankin. Il fait toutefois exception car il retournera vers un style plus traditionnellement chinois et se spécialisera dans les sujets bouddhiques. En 1940, il participera aux copies des fresques de Dunhuang.

SUPAN J. F. Voir l'article SUPPAN Franz

SUPANCHICH Konrad von
Né en 1858 à Ofen. Mort le 3 décembre 1935 à Graz. XIXe-XXe siècles. Allemand.
Peintre de marines, illustrateur.
Il fit ses études à Graz, à Munich et en Italie.
MUSÉES : GRAZ : *Port de Lovrano par le sirocco*.

SUPANITSCH Michael
XVIIe siècle. Actif à Klagenfurt. Autrichien.
Peintre.

SUPER. Voir SUPPER

SUPERCHI Stefano ou Superchy
Né en 1756. Mort en 1788. XVIIIe siècle. Italien.
Graveur au burin.
Il était le frère d'Antonio Supperchi.

SUPERI. Voir JOACHIM Joseph

SUPERTI Francesco
XVIIe siècle. Actif à Crémone. Italien.
Peintre.
Élève de G. B. Trotti.

SUPERVILLE David Pierre Giottino Humbert de. Voir HUMBERT DE SUPERVILLE

SUPINO Igino Benvenuto
Né le 29 septembre 1858 à Pise. XIXe siècle. Actif à Bologne. Italien.
Peintre de genre et paysagiste.
Il a exposé à Florence, Bologne, Pise. Il fonda le Musée Municipal de Pise.

SUPLIGEAU Jan Barthelemy
XVIIIe siècle. Actif à Nantes vers 1734. Français.
Sculpteur.

SUPPA Andrea
Né en 1628 à Messine. Mort en 1671. XVIIe siècle. Italien.
Peintre.
Élève de B. Tricomi et de Casembrot. Il peignit à l'huile et à fresques. On cite notamment dans sa ville natale une *Trinité*, dans la chapelle de Saint-Grégoire, *Les Actes de saint Paul* à S. Paolo della Monacha et une *Annonciation*, à l'Annunziata de Teatini.

SUPPAN Franz
XVIIe siècle. Actif probablement à Munich dans la première moitié du XVIIe siècle. Allemand.
Peintre.
Il est sans doute identique avec un certain J. F. Supan.

SUPPANTSCHITSCH Johann
XVIIIe siècle. Actif à Ljubljana entre 1717 et 1728. Éc. slovène.
Peintre.

SUPPANTSCHITSCH Max
Né le 13 avril 1865 à Vienne. Mort en 1953. XIXᵉ-XXᵉ siècles. Autrichien.
Peintre de paysages, graveur.
Il étudia à l'Académie de Vienne avec Ed. Van Lichtenfels. Il vit et travaille à Vienne.
Il figura aux Expositions de Paris, notamment à l'Exposition Universelle, où il reçut une mention honorable en 1900.
VENTES PUBLIQUES : VIENNE, 20 mars 1973 : *Vue de Durnstein :* **ATS 40 000** – VIENNE, 17 jan. 1978 : *Les abords du village,* h/cart. (19x27) : **ATS 20 000** – VIENNE, 12 fév. 1980 : *Vue de Dürnstein,* h/t mar./cart. (26x39) : **ATS 38 000** – VIENNE, 17 mars 1981 : *Vue du monastère de Dürnstein,* h/pap. mar./t. (57x40,5) : **ATS 45 000** – VIENNE, 6 déc. 1984 : *Emmersdorf-an-Wachau,* aquar. et craie reh. de blanc (19x26) : **ATS 25 000** – NEW YORK, 25 mai 1984 : *Entrée d'un parc,* h/t mar./cart. (64,8x46) : **USD 2 500** – VIENNE, 21 mars 1985 : *Scéne de rue, Aggsbach,* aquar. reh. de blanc (19x25) : **ATS 20 000** – NEW YORK, 22-23 juil. 1993 : *Promenade dans le jardin,* h/pan. (17,8x28,6) : **USD 1 725.**

SUPPARO Ange Jacques
Né le 21 mai 1870 à Marseille (Bouches-du-Rhône). XIXᵉ-XXᵉ siècles. Actif à Madagascar. Français.
Peintre de paysages, paysages d'eau, marines.
Il fut nommé peintre du Ministère des Colonies. Il vécut à Madagascar et fonda en 1913 l'École des Beaux-Arts de Tananarive. Il exposa à Paris, aux Salons des Artistes Français et de la Société Nationale des Beaux-Arts, et à Marseille.
VENTES PUBLIQUES : PARIS, 19 mars 1945 : *Les Tartanes au mouillage :* **FRF 3 500.**

SUPPE Johann Gottlob
XVIIIᵉ siècle. Actif à Dresde entre 1758 et 1780. Allemand.
Sculpteur.

SUPPER Franz Karl Silvester
Né le 31 décembre 1742 à Mährisch-Trübau. XVIIIᵉ siècle. Actif à Mährisch-Trübau. Autrichien.
Peintre.

SUPPER Thaddaeus Judas Josephus
Né le 29 mars 1712 à Muglitz. Mort le 1ᵉʳ mai 1771 à Mährisch-Trübau. XVIIIᵉ siècle. Autrichien.
Peintre.
Il fut un peintre estimé de fresques destinées aux églises.

SUPPERCHI Antonio ou Superchy
Né en 1770. Mort en 1807. XVIIIᵉ siècle. Actif à Parme. Italien.
Miniaturiste.

SUPPIOTI CERONI Maria. Voir CERONI

SUPPLICE André ou Sulpice
Né à Bourges. Mort entre 1489 et 1490. XVᵉ siècle. Français.
Sculpteur sur bois.
Il travailla entre 1462 et 1469 à Mende, où il termina en 1468 les stalles du chœur de la cathédrale et il exécuta en 1486 les stalles destinées à la cathédrale de Rodez.

SUPREMATISME. Voir par ex. Lissitzky el, Malevitch Casimir

SUQUET Jacobus. Voir SUCQUET

SUR Hans ou Surren
Originaire de Strasbourg. XVIᵉ-XVIIᵉ siècles. Actif à Bâle entre 1578 et 1609. Suisse.
Peintre verrier.

SURAND Émile
XIXᵉ-XXᵉ siècles.
Peintre de fleurs.
VENTES PUBLIQUES : PARIS, 12 oct. 1990 : *Vase de fleurs* 1894, h/t (46x38) : **FRF 13 500.**

SURAND Gustave
Né le 25 avril 1860. Mort en 1937. XIXᵉ-XXᵉ siècles. Français.
Peintre de sujets religieux, scènes de genre, portraits, intérieurs, animaux, paysages, marines, natures mortes, aquarelliste, pastelliste, sculpteur.
Il fut élève de Jean-Paul Laurens. Il reçut une bourse de voyage en 1884.
Il exposa, depuis 1881, au Salon des Artistes Français de Paris, dont il fut sociétaire hors concours en 1906. Il obtint diverses récompenses : 1884 mention honorable, 1889 médaille de bronze pour l'Exposition Universelle, médaille de deuxième classe, 1900 médaille d'argent pour l'exposition Universelle. Il fut promu chevalier de la Légion d'honneur en 1910.
Il a traité les sujets les plus divers : les grands fauves, qu'il restitue après études sur nature, des paysages et des marines, des scènes d'intérieurs campagnards, des natures mortes soucieuses du détail jusqu'au trompe-l'œil.

MUSÉES : CHAMBÉRY : *L'éléphant,* past. – NANTES (Mus. des Beaux-Arts) : *Voiles jaunes.*
VENTES PUBLIQUES : PARIS, 20 nov. 1925 : *Tigre royal :* **FRF 400 ;** *Le roi du désert :* **FRF 300 ;** *Tigre dans un fourré :* **FRF 360** – PARIS, 12 nov. 1943 : *Jeune femme peignant :* **FRF 2 000** – PARIS, 4 déc. 1944 : *Le buveur :* **FRF 4 900 ;** *Lion :* **FRF 2 000 ;** *Tigre :* **FRF 1 600** – PARIS, 5 avr. 1950 : *Danseuse gitane* 1899 : **FRF 1 800** – PARIS, 28 fév. 1973 : *Saint Georges terrassant le dragon :* **FRF 4 600** – LOS ANGELES, 8 mars 1976 : *Matteo et Salambo,* h/t (65x54) : **USD 600** – NEW YORK, 12 juin 1980 : *La Tentation* 1892, h/t (130x89) : **USD 2 400** – ZURICH, 7 nov. 1981 : *Femme au rouet* 1889, h/t (46x38) : **CHF 3 400** – PARIS, 17 fév. 1988 : *Nature morte* 1860, h/t : **FRF 60 000** – VERSAILLES, 18 mars 1990 : *Le tigre,* h/t (24,5x32,5) : **FRF 4 000** – LONDRES, 16 juil. 1991 : *Tigre de l'Annam,* h/t (90,1x116,8) : **GBP 19 800** – CALAIS, 26 mai 1991 : *Caligula et le massacre des Chrétiens,* h/t (73x99) : **FRF 11 000** – PARIS, 30 mars 1992 : *L'éléphant,* aquar./pap. (30,5x47,5) : **FRF 4 000** – NEW YORK, 16 fév. 1994 : *Les gros chats (Lion et tigre)* 1914, h/t, une paire (chaque 38,1x55,9) : **USD 7 475** – NEW YORK, 2 avr. 1996 : *Marché en Turquie,* h/t (50,2x61) : **USD 8 050.**

SURAULT Gilbert
XVIIᵉ siècle. Français.
Sculpteur et architecte.
Il travailla en 1685 au grand autel, orné de cinq statues, de l'église des Bénédictins de Saint-Pierre de Montreuil-Bellay.

SURAYYA
XXᵉ siècle. Indien.
Peintre.
Ses œuvres sont d'un caractère national et décoratif. Il a pris part à l'Exposition organisée à Paris, en 1946, par l'U.N.E.S.C.O.

SURBECK, Mme. Voir FREY Marguerite

SURBEK Victor ou Viktor ou Surbeck
Né le 1ᵉʳ novembre 1885 à Zäziwil. Mort en 1975 à Berne. XXᵉ siècle. Suisse.
Peintre de portraits, paysages, natures mortes, graveur, dessinateur, peintre de compositions murales.
Il étudia à l'École des Beaux-Arts de Munich, à Karlsruhe et à Paris. Il a voyagé en Europe et séjourné à plusieurs reprises aux États-Unis. Il vit et travaille à Berne. Il montre ses œuvres dans des expositions personnelles : 1957 Kunsthalle de Berne.
Artiste d'un violent modernisme, dans la lignée de Fernand Hodler, il contribue au renouveau artistique bernois. Peintre de paysages (*Lac de Brienz, Paysage d'Inseltwald*), et de portraits (*Portrait du père de l'artiste, Autoportrait*), il réalisa des fresques, notamment pour l'hôpital Tiefenau de Berne (*Les Années* 1951).

MUSÉES : AARAU (Aargauer Kunsthaus) : *À Faulhorn – Femme artiste* – BÂLE : *Ulysse* – BERNE : *Lac de Brienz à Iseltwald – Fleurs en pot – Portrait de garçon – Le jeune homme – Portrait d'homme – Portrait du père de l'artiste* – WINTERTHUR : *Portrait de l'auteur – Portrait de jeune fille.*
VENTES PUBLIQUES : BERNE, 18 nov. 1972 : *Paysage d'hiver :* **CHF 4 300** – LUCERNE, 19 nov. 1977 : *Nature morte aux fruits,* h/t (54x73) : **CHF 2 800** – BERNE, 3 mai 1979 : *Jeune Fille en costume bernois,* h/t (100x72) : **CHF 2 800** – BERNE, 7 mai 1981 : *Vue du lac de Brienz* 1920, h/t (69x99) : **CHF 7 500** – BERNE, 27 oct. 1984 : *Jeune Bernoise en coustume folklorique,* h/t (100x72) : **CHF 11 000** – BERNE, 26 oct. 1985 : *Paysage d'automne, lac de Brienz,* h/t (50x72) : **CHF 4 500** – BERNE, 12 mai 1990 : *Nature morte de fleurs,* h/t (70x60) : **CHF 5 500** – ZURICH, 13 oct. 1993 : *Arbre sous la neige,* h/t (73x92) : **CHF 5 000** – ZURICH, 2 déc. 1994 : *Paysage d'hiver,* h/t (80,5x99,5) : **CHF 8 000** – ZURICH, 25 mars 1996 : *Berne,* h/t (97x130) : **CHF 6 900.**

SURBONE Mario
XXᵉ siècle. Italien.
Peintre. Abstrait.

Il montre ses œuvres depuis sa première exposition en 1962 à Venise, très régulièrement en Italie.

Il a réalisé une série composée de formes découpées dans la toile.

Bibliogr. : Francesco De Bartolomeis : *Mario Surbone*, Fratelli Pozzo, Turin, 1996.

SÜRCH Joseph

Né en 1811 à Vienne. Mort en juillet 1877 à Vienne. xixe siècle. Autrichien.

Graveur au burin.

Élève de l'Académie de Vienne.

SURCHI Giovanni Francesco, dit il Dielai

Né à Ferrare. Mort en 1590. xvie siècle. Actif vers 1543. Italien.

Peintre de sujets religieux, paysages, grotesques.

Élève des Dossi qu'il aida dans leurs principaux ouvrages dans les palais de Giovecca, de Capario, de Belriguardo, à Ferrare.

Il se montra particulièrement habile dans la peinture des grotesques et des paysages.

Ventes Publiques : Rome, 8 mai 1990 : *Le Christ et la Samaritaine*, h/t (100x111) : **ITL 16 000 000**.

SURCHI Lorenzo

Italien.

Peintre d'histoire, compositions religieuses.

Le Musée de Dijon conserve de lui une *Descente de Croix*.

SURDI Luigi

Né le 29 novembre 1897 à Naples. Mort en 1959 à Rome. xxe siècle. Italien.

Peintre de paysages, natures mortes.

Ventes Publiques : Rome, 15 nov. 1988 : *Panorama depuis Capo le Case* 1949, h/t (67x40) : **ITL 1 400 000** ; *Nature morte avec raisin et pastèque* 1938, h/t (60x87) : **ITL 2 400 000** – Rome, 17 avr. 1989 : *Vue du Quirinal* 1947, h/rés. synth. (38x48) : **ITL 1 800 000** – Rome, 28 nov. 1989 : *Vue d'un village* 1936, h/pan. (61x74) : **ITL 2 400 000** – Rome, 10 avr. 1990 : *Barques* 1923, h/pan. (29x38) : **ITL 2 400 000** – Rome, 30 oct. 1990 : *Nature morte au drap blanc*, h/t (46x59) : **ITL 2 400 000** – Rome, 9 avr. 1991 : *Vue d'une chapelle*, h/pan. (28x33) : **ITL 1 200 000** – Rome, 13 juin 1995 : *Nature morte automnale* 1930, h/pan. (40x50) : **ITL 1 495 000**

SURDIACOURT Léon

Né le 1er mai 1949 à Lessines (Hainaut). xxe siècle. Belge.

Peintre de figures, aquarelliste, peintre de collages, sculpteur, céramiste, dessinateur.

Il étudia les arts plastiques à Mons, puis à Tournai. Il participe à des expositions collectives régulièrement en Belgique, notamment au Palais des Beaux-Arts de Charleroi, en 1980 et 1981 à Paris. Il montre ses œuvres dans des expositions personnelles depuis 1978 en Belgique.

Il travaille sur plusieurs épaisseurs de papier, selon une technique de montage, de collage, associant à la figure de Diane ou de Minerve un espace géométrique, graphique. Ses œuvres dominées par une couleur évoquent la sérigraphie.

Musées : Mouscron (Mus. de la ville) – Tournai (Mus. des Beaux-Arts).

SUREAU

Mort en 1772. xviiie siècle. Français.

Sculpteur de portraits.

Il vécut et travailla à Guéret. Cité en 1736.

SUREAU

xixe-xxe siècles. Français.

Peintre de paysages, natures mortes.

Cité dans les annuaires de ventes publiques.

Ventes Publiques : Paris, 5 déc. 1949 : *Natures mortes*, deux pendants : **FRF 1 700** – Paris, 9 déc. 1949 : *Fruits*, deux pendants : **FRF 2 100** – Paris, 9 déc. 1949 : *Corbeille de fruits* ; *Gibier pendu*, deux pendants : **FRF 2 800** – Rouen, 24 mars 1985 : *Bouquets de roses*, h/t, deux formant pendants (55x46) : **FRF 14 000** – Paris, 12 déc. 1990 : *Nature morte aux fruits*, h/t (38x46) : **FRF 10 000** – Calais, 7 juil. 1991 : *Cour de ferme animée*, h/pan. (21x41) : **FRF 9 800**.

SURÉDA André

Né le 5 juin 1872 à Versailles (Yvelines). Mort en janvier 1930 à Versailles. xixe-xxe siècles. Français.

Peintre de genre, sujets typiques, portraits, paysages, paysages d'eau, pastelliste, graveur, dessinateur, illustrateur. Orientaliste.

Il fut élève de William Adolphe Bouguereau, de Tony-Robert Fleury et de Jules Lefebvre. Il reçut une bourse de voyage en 1904. Il séjourna à plusieurs reprises en Algérie, en Tunisie et en Espagne, ainsi qu'en Belgique, Hollande, Angleterre.

Il figura à divers salons parisiens : Salon des Artistes Français ; Salon de la Société Nationale des Beaux-Arts, dont il fut sociétaire ; Salon d'Automne et Salon des Tuileries, où il prit part à la fondation. Il exposa également à Gand, en 1913 ; à Lyon ; à San Francisco, en 1914 ; à Venise. Une exposition rétrospective, à titre posthume, lui fut consacrée au Musée Rolin à Autun en 1972. Il fut promu chevalier de la Légion d'honneur.

Il a peint de nombreux tableaux orientalistes, ses paysages et personnages évoluant vers une stylisation de plus en plus poussée, tandis que sa palette s'épure. Il a illustré *Un jardin sur l'Oronte*, de Maurice Barrès ; *La Fête arabe, Marrakech*, de J. et J. Tharaud ; *Les Sirénéennes*, d'Albert Tustes.

Bibliogr. : Gérald Schurr, in : *Les Petits Maîtres de la peinture 1820-1920, valeur de demain*, Les Éditions de l'Amateur, t. II, Paris, 1982.

Musées : Alger – Autun (Mus. Rolin) : soixante-cinq toiles – Bordeaux (Mus. des Beaux-Arts) : *Passage de femmes à Djara* – Paris (Mus. d'Orsay) : *Femmes dans un cimetière juif du Maroc* – *Femmes marocaines* – Paris (BN, Cab. des Estampes) – Valenciennes : *Un marché flamand* – Versailles (Mus. Lambinet).

Ventes Publiques : Paris, 29 oct. 1919 : *La Tamise à Londres*, aquar. gchée : **FRF 170** – Paris, 13 fév. 1924 : *Une rue de Paris*, aquar. : **FRF 170** – Paris, 11 déc. 1925 : *Farniente*, pap. sur la détrempe : **FRF 1 050** – Paris, 1er juil. 1943 : *Femme indigène* 1911, gche : **FRF 520** – Paris, 12 nov. 1948 : *Dans le patio* : **FRF 2 300** – Paris, 25 oct. 1950 : *Orientales*, deux pendants : **FRF 800** – Versailles, 25 avr 1979 : *Bergères et moutons* 1905, gche et h/cart. (37x46) : **FRF 4 000** – Paris, 18 fév. 1980 : *Joueur de flûte*, pap. collé/cart. (64,5x48) : **FRF 3 900** – Enghien-les-Bains, 21 oct. 1984 : *La tireuse de cartes*, cr. de coul./pap. crème (20x25) : **FRF 6 000** – Paris, 17 juin 1988 : *Portrait de jeune Kabyle*, fus., sanguine et cr. coul. (46x30) : **FRF 6 600** – Versailles, 5 nov. 1989 : *Femme arabe* 1912, h/pan. (41x32,5) : **FRF 8 000** – Sceaux, 11 mars 1990 : *Femme assise*, dess. avec reh. de gche (20x30,5) : **FRF 12 900** – Paris, 10 juin 1990 : *Les deux amies*, h/cart. (47x59) : **FRF 24 000** – Paris, 8 avr. 1991 : *La Lecture*, fus., cr. et past. (46x62) : **FRF 5 500** ; *Femme juive au voile tendu*, h/t (73x92) : **FRF 9 000** – Paris, 13 avr. 1992 : *Scène d'intérieur*, h/pan. (66x71) : **FRF 24 000** – Paris, 18 juin 1993 : *Femme aux boucles d'oreilles*, h/t (61x50) : **FRF 6 000** – Paris, 6 oct. 1993 : *Mauresque d'Alger* 1912, fus. et gche (66x50) : **FRF 15 000** – Paris, 22 mars 1994 : *Mauresque à la khamsa*, techn. mixte/pap. (46x59) : **FRF 22 000** – Paris, 9 déc. 1996 : *Deux Jeunes Femmes arabes*, past. et fus. (56x38) : **FRF 7 500** – Paris, 17 nov. 1997 : *Personnages*, huit dess., fus., cr. et past. : **FRF 9 500** ; *Détente en musique*, h/pan. : **FRF 44 000**.

SUREDA Bartolomé

Né en 1765 à Palma de Majorque. Mort après 1850. xviiie-xixe siècles. Espagnol.

Peintre (surtout de paysages), graveur au burin, lithographe.

Il alla à Madrid à dix-huit ans et étudia à Paris. Ses filles Julia et Carlota S. se consacrèrent à la peinture aux Baléares.

SU RENSHAN ou Sou Jen-Chan ou Su Jên-Shan, surnom : Changchun, noms de pinceau : Jingfu, Qizu Renshan, Changchun Daoren, Lingnan Daojen, Shouzhuang, Daiyue, Qixia, Liuhuo et Aqing

Né en 1814, originaire de Xingtan, province du Guangdong. Mort peut-être en 1849. xixe siècle. Chinois.

Peintre.

Issu d'une famille de mandarins locaux, conservateurs et provinciaux, Su Renshan est initié très jeune aux grands classiques, à la calligraphie et la peinture, et dès l'âge de seize ans, commence à préparer les examens de la carrière administrative. Il y échoue par deux fois, en 1832 et en 1835, et dès lors, décide de se consacrer à la peinture. La vie, pourtant bien obscure, de cet artiste cantonais, qui se situe donc d'emblée à l'écart des grands courants académiques, nous sont connues grâce à l'étude, en tous points remarquable, de P. Ryckmans, à qui nous empruntons l'essentiel de nos remarques puisque nous lui devons la révélation de cet œuvre d'une saisissante originalité. Su semble avoir été pris précocement d'une passion impérieuse et exclusive pour la peinture. Son père était d'ailleurs un amateur d'une relative compétence. On ne lui connaît pas de maîtres, mais la copie ayant toujours constitué le principal mode d'apprentissage des peintres chinois, Su n'a pas dû faire exception à cette règle. Toutefois, sa connaissance de la peinture ancienne n'aura-t-elle pu rester que largement théorique.

La vie de Su est elle aussi placée sous le sceau de l'originalité, voire de la folie, aux yeux de ses contemporains en tout cas, affolés peut-être par sa rébellion contre l'ordre social et politique de l'époque, révolte qui se traduit par un non-conformisme agressif et par la manifestation d'opinions séditieuses à l'égard du pouvoir mandchou. Autant de facteurs qui auraient pu provoquer sa propre catastrophe, mais aussi celle des siens et de son clan. En conflit direct avec sa famille, il se voit condamné à la solitude et, finalement, c'est son propre père, en bon factotum de l'ordre en place, qui le fera jeter en prison, vers 1849, sous des prétextes pour le moins obscurs, comme tout ce qui concerne les activités réelles de Su. Accusé « d'impiété filiale » ou de « rébellion contre l'ordre familial », Su meurt donc dans sa geôle, à l'âge où la plupart des peintres commencent seulement de produire.

De son vivant, ses œuvres semblent néanmoins avoir joui d'une popularité certaine, dans sa région, et lui-même de l'appui et de l'estime de divers notables. Ses inscriptions témoignent de sa vaste culture classique et plus encore de son intérêt majeur pour la politique ; on note l'obsédante récurrence de la philosophie politique dans ses inscriptions, fait exceptionnel chez un artiste chinois, car aussi bien, il paraît intensément conscient de l'état d'humiliation, de décadence et de corruption dans lequel s'enfonce la Chine sous le joug d'une dynastie étrangère. Génie solitaire, voguant à contre-courant des conventions de son âge, en vérité l'originalité et l'audace créatrice de son œuvre sont directement fonction de son isolement provincial et de sa relative ignorance des peintures classiques, et donc du moindre degré de pression auquel il se trouve soumis de la part de la tradition. Ce phénomène du « provincialisme », à une époque où les centres artistiques ploient sous le joug d'un académisme exsangue, est particulièrement bénéfique et s'accompagne de traits spécifiques, tels la crudité fruste, la spontanéité, l'invention, que l'on retrouve, au reste, dans différentes écoles isolées. Su et ses semblables, incontestablement moins bien dotés techniquement que les académistes, ne s'en trouvent pas moins dans un état de liberté candide à partir duquel toutes les audaces créatrices sont possibles. La peinture traditionnelle cantonaise lui fournit ses premières bases techniques, mais c'est la gravure, qui avait été son principal instrument de connaissance de la peinture ancienne par l'intermédiaire de manuels, qui joue un rôle décisif dans l'élaboration de son style personnel. Il s'intéresse, très tôt, aux possibilités plastiques d'une peinture réduite au trait pur, où le graphisme se substituerait tout à fait aux valeurs tonales du lavis. Dans un paysage daté de 1840, *Paysage sur un poème de Jia Dao*, l'ensemble de l'exécution est ramené à une stricte linéarité et les valeurs tonales sont exprimées à l'intérieur de la ligne par l'alternance d'encre grasse et d'encre pâle, selon un procédé de modulation d'intensité dans le trait qui lui est propre. L'univers gravé semble avoir eu pour lui tout à la fois une fonction éducatrice d'initiation à l'univers plastique, libératrice, en l'aidant à se dégager des lourdeurs de la peinture cantonaise, régulatrice enfin, en lui permettant de brider les violences de son tempérament. C'est d'ailleurs le mariage de ces deux éléments contradictoires, les forces de dislocation auxquelles il est sujet et la rigueur du métier linéaire qu'il s'impose, qui engendreront ses créations les plus parfaites, où les impulsions violentes de son génie se trouvent récupérées pour assurer la tention intérieure.

Dans l'espace d'une carrière fort courte, Su Renshan accumule une œuvre assez considérable, dont il ne subsiste aujourd'hui qu'une petite partie, compte tenu de l'oubli dans lequel il tombera. Si un dixième de l'ensemble a néanmoins survécu, nous le devons à quelques connaisseurs, collectionneurs éclairés, qui ont su discerner l'accomplissement remarquable d'un artiste qui, en dépit de son milieu et de son temps, ne soit plus comptable des critères traditionnels. Seuls trois musées conservent certaines de ses peintures. ■ Marie Mathelin

BIBLIOGR. : P. Ryckmans : *La vie et l'œuvre de Su Rensham, rebelle, peintre et fou*, Paris, Hong Kong, 1970.

MUSÉES : CANTON (Mus.) – HONG KONG (Mus. de l'Hôtel de Ville) – MACAO (Mus. Camoens).

VENTES PUBLIQUES : HONG KONG, 19 mai 1988 : *Lohan*, encre noire/pap. (82x35) : **HKD 104 500** – NEW YORK, 31 mai 1989 : *Per-*

sonnages dans un paysage, encre et pigments/pap., kakémono (102,8x41) : **USD 1 320** – NEW YORK, 4 déc. 1989 : *Personnages*, encre/pap. (30x22,3) : **USD 3 960** – NEW YORK, 31 mai 1990 : *Paysage*, encre/soie, kakémono (117,3x50,4) : **USD 2 200** – NEW YORK, 29 mai 1991 : *Femme et enfant*, encre/pap., kakémono (106,7x49,1) : **USD 2 200** – HONG KONG, 31 oct. 1991 : *Paysage*, encre/pap., kakémono (131,5x32) : **HKD 57 200** – HONG KONG, 28 sep. 1992 : *Figures*, encre/pap., kakémono (136,5x43) : **HKD 49 500** – HONG KONG, 29 oct. 1992 : *Paysage avec des maisons*, encre/pap., kakémono (117,5x47,5) : **HKD 104 500** – NEW YORK, 16 juin 1993 : *Lettré et étudiant* ; *Mengzi pressé d'étudier par sa mère*, encre/pap., deux feuilles d'album (chaque 30,2x22,5) : **USD 920** – HONG KONG, 28 avr. 1997 : *Coucher de soleil à Changjiang* 1845, encre/pap., makémono (32x246,4) : **HKD 97 750**.

SURER Daniel Gottlieb
Né en décembre 1811 à Ringoldsvril. Mort le 2 septembre 1855 à Berne. XIXᵉ siècle. Suisse.
Peintre de portraits et de genre.
Le Musée de Berne conserve trois portraits peints par lui.

SURER Hans. Voir SYRRER

SURFARELLO Andrea
XVIIᵉ siècle. Italien.
Stucateur.

SURGE Henri Michel
Né à Paris. XIXᵉ siècle. Français.
Sculpteur, médailleur et graveur.
Élève de Jouannin et de Levasseur. Débuta au Salon de Paris en 1878.

SURGELOOSE Constant de
XIXᵉ siècle. Belge.
Peintre d'histoire, compositions religieuses, scènes de genre, portraits.
Il fut élève de P. Van Hanselaer. Il travailla à Gand vers 1840.
On cite de lui : *Fuite de Marie Stuart, Autoportrait, Portrait de sa femme*, et un maître autel pour l'église de Sas-Van-Gent (Zélande).
MUSÉES : YPRES : *Étude de vieillard*, détruite pendant la guerre de 1914-1918.
VENTES PUBLIQUES : AMSTERDAM, 16 avr. 1996 : *Portrait de Joseph Josse de Weweirne* 1840, h/t (158x120) : **NLG 2 596**.

SURGEY J. B.
XIXᵉ siècle. Britannique.
Peintre d'architectures, de figures et paysagiste.
Il exposa à Londres entre 1851 et 1883.
VENTES PUBLIQUES : LONDRES, 2 févr 1979 : *Une église*, h/t (31x38,6) : **GBP 500**.

SURIA Francisco
XIXᵉ siècle. Espagnol.
Graveur au burin.
Il grava des portraits.

SURIA Tomas
Né en 1761. XVIIIᵉ siècle. Actif à Mexico. Espagnol.
Médailleur et graveur.
Il fut attaché à partir de 1778 à la Monnaie de Mexico.

SURIAN Jean-Jacques
Né en 1942 à Marseille (Bouches-du-Rhône). XXᵉ siècle. Français.
Peintre de compositions à personnages, peintre de décors de théâtre, sculpteur. Expressionniste.
Il fut élève de l'École des Beaux-Arts de Marseille, puis de celle de Paris. Il vit et travaille à Marseille.
Il participe à des expositions collectives, surtout dans le Midi, notamment : 1970, 1880 Musée Cantini de Marseille 1980, mais aussi en région parisienne 1967 Maison des Beaux-Arts de Paris ; 1989 : *Couleur Sud* à la Fondation Cartier de Jouy-en-Josas ; 1995 École des Beaux-Arts de Paris. Il montre son travail dans des expositions personnelles depuis 1965 régulièrement à Marseille, 1972 Saint-Rémy-de-Provence ; 1977 Lille ; 1987 Amsterdam ; 1996 *Espace 13, Art Contemporain* d'Aix-en-Provence, etc. Il a créé les décors pour *La Survivante* de B. Mazéas, *Quelqu'un* de Robert Pinget, les deux au Théâtre de l'Avant-scène à Marseille, et les décors et costumes pour *Anouch* d'Armen Tigranian à l'Opéra de Marseille.
Il peint techniquement par touches divisées, héritées du néo-impressionnisme revu par les futuristes, surtout lorsqu'il doit

distribuer des éclairages artificiels sur les scènes décrites. Il aime décrire un monde également artificiel : escalier d'honneur de quelqu'Opéra, arrivée des invités à une réception mondaine, conversations de salon, etc. Il recourt volontiers à une certaine solennité que confère la répartition du sujet en diptyque ou triptyque. Mais, ce qui caratérise surtout sa peinture, ce sont les sortes d'effets de perspective très appuyés, appliqués aussi bien aux décors urbains qu'aux personnages, qu'il emprunte peut-être aux plans en plongée ou en contre-plongée du cinéma, mais dont, à y regarder de plus près, les allongements vertigineux, avec grossissement des premiers plans et rétrécissement des extrémités inverses, semblent plutôt dérivés des procédures productrices d'anamorphoses. Ainsi surpasse-t-il la banalité voulue des sujets traités, en nous forçant à les percevoir, décors et personnages, soit d'au-dessus des têtes, soit à partir des pieds, introduisant ainsi, par une sorte d'humour grinçant, dans une peinture qui aurait pu n'être qu'agréable, une inquiétude désta-bilisante. ■ Jacques Busse

BIBLIOGR. : Anne Richard : *Jean-Jacques Surian : Sur le vif*, Opus International, Paris, 1988 – Anne Richard : *Jean Jacques Surian perspectives*, n° 120, juil.-août 1990 – divers : *Jean Jacques Surian*, Athanor et Muntaner, Marseille, 1993.
MUSÉES : MARSEILLE (Mus. Cantini).

SURIE Jacoba, dite Coba
Née le 5 septembre 1879 à Amsterdam. Morte en 1970. XXᵉ siècle. Hollandaise.
Peintre de figures, portraits, natures mortes, fleurs, graveur.
Elle étudia de 1901 à 1904 à l'Académie des Beaux-Arts d'Amsterdam.
MUSÉES : LA HAYE (Mus. mun.) : *La jeune fille malade*.
VENTES PUBLIQUES : AMSTERDAM, 19 mai 1976 : *Nature morte*, h/t (50x70) : **NLG 3 300** – AMSTERDAM, 28 oct. 1980 : *Nature morte*, past. (74x62) : **NLG 2 600** – AMSTERDAM, 23 avr. 1980 : *Nature morte*, h/t (63,5x74) : **NLG 3 400** – AMSTERDAM, 19 sep. 1989 : *Nature morte avec des prunes dans une assiette et un pot à gingembre sur une table*, h/cart. (25x35,5) : **NLG 1 840** – AMSTERDAM, 2 mai 1990 : *Nature morte avec une bouteille*, h/t, une coupe de céramique et des tubes de peinture et un pinceau (50,5x46,5) : **NLG 3 220** – AMSTERDAM, 6 nov. 1990 : *Portrait de Arie* 1913, h/pan. (45x35,5) : **NLG 18 400** – AMSTERDAM, 5-6 fév. 1991 : *Portrait d'une petite fille en buste avec un ruban dans ses cheveux*, h/t (24,5x36) : **NLG 1 035** – AMSTERDAM, 23 avr. 1991 : *Nature morte avec un panier*, h/t (38,5x49) : **NLG 2 875** – AMSTERDAM, 24 avr. 1991 : *Nature morte avec des oignons, des pommes et un vase de pierre* 1904, encre et aquar. avec reh. de blanc/pap. (34x49) : **NLG 1 265** – AMSTERDAM, 19 oct. 1993 : *Nature morte avec des ustensiles de cuisine, des pêches et du raisin dans une assiette d'étain et des récipients de terre*, craies de coul., aquar. et gche/pap. (75x63,5) : **NLG 6 900**.

SURIKOV Vassili Ivanovitch ou Sourikoff, Ssurikoff
Né le 12 janvier 1848 à Krassnojarsk (Sibérie). Mort en 1916 à Moscou. XIXᵉ-XXᵉ siècles. Russe.
Peintre d'histoire, scènes de genre, portraits, paysages.
Fils d'un cosaque de Sibérie, il fut élève, en 1869, de M. Diakonov (?), à l'École de Dessin de la Société d'Encouragement des Beaux-Arts et, de 1870 à 1875, de Pavel Tchistiakov à l'Académie des Beaux-Arts de Saint-Pétersbourg. De 1881 à 1907, il est membre de cette Association des Expositions Itinérantes ou encore des Artistes Itinérants ou Ambulants, dont les artistes propageaient à travers tout le pays des œuvres de caractère historique ou didactique, dans le but louable d'instruire les populations. Ces artistes, bien que contemporains, et se voulant les équivalents des impressionnistes de France, pratiquaient encore un art parfaitement académique, grandiloquent. Surikov a beaucoup voyagé à travers la Russie et à l'étranger, en 1883-1884 en France, en 1897 en Allemagne, Italie, Autriche, Suisse, en 1900 en Italie, en 1910 en Espagne. Il est considéré comme l'un des plus grands peintres d'histoire de Russie.
Après la Société des Ambulants, de 1908 à 1915, Sourikov a participé aux expositions de l'Union des Artistes Russes. Il a pris part au Salon des Artistes Français de Paris, obtenant une médaille de bronze à l'Exposition Universelle de 1900. Plusieurs de ses tableaux ont figuré à l'exposition rétrospective des œuvres russes qui a eu lieu au Salon d'Automne de Paris, en 1972. En 1979, au Centre Georges Pompidou, il était représenté à l'exposition *Paris-Moscou*.
Avec Répine, Surikov était le plus célèbre du groupe des Artistes

Ambulants. Après eux, Mikaïl Vroubel et Vladimir Serov vont se libérer de ce lyrisme emphatique et se rapprocher de l'expression de la réalité. Enfin, ils seront suivis du groupe *Mir Izkousstva* (Monde des Arts), avec Alexandre Benois, Léon Bakst, d'où découleront les divers groupes réunissant tous les artistes qui vont créer, de 1905 à 1920, la peinture d'avant-garde russe, dont l'influence sera mondialement effective. En 1877, 1878, Sourikov travailla à la décoration de la cathédrale du Christ Sauveur de Moscou. En dehors de ses tableaux historiques, il a réalisé aussi des portraits et des paysages, certainement la partie la plus authentique de son œuvre. À l'encontre du luminisme de Répine, relativement influencé par les plein-airistes français, Surikov a peint dans une manière grise et sobre. Il a souvent évoqué, dans ses ouvrages officiels, les principaux épisodes de l'histoire de Russie, d'Ivan le Terrible à Paul Iᵉʳ.
BIBLIOGR. : In : Catalogue de l'exposition *Paris-Moscou*, Centre Georges Pompidou, Paris, 1979.
MUSÉES : MOSCOU (Gal. Tretiakov) : *Le matin de l'exécution – Menchikoff à Berjosow – La conquête de la Sibérie par Yermak – L'hiver à Moscou – La femme du boyard Morosof – Une tablette de village pour les icônes – Portrait de fillette – Portrait du docteur Ezerski* 1911 – Études – SAINT-PÉTERSBOURG (Mus. Russe) : *Ermach* – Trois études.
VENTES PUBLIQUES : LONDRES, 14 mai 1980 : *Etude de deux personnages* 1894, h/t (41x30,5) : **GBP 1 000** – PARIS, 18 mars 1983 : *Portrait d'homme coiffé d'une toque de fourrure*, h/t (33,5x25,3) : **FRF 27 500** – LONDRES, 5 oct. 1989 : *Le fumeur*, h/t (44x37) : **GBP 12 100** – PARIS, 21 jan. 1994 : *La femme du Boyard*, h/t (184x85) : **FRF 4 000** – LONDRES, 14 déc. 1995 : *Pêcheur endormi dans sa barque*, h/t (28,5x50) : **GBP 17 250**.

SURINX Eugeen
Né en 1850 à Gorsum. Mort en 1936 à Oud-Turnhout. XXᵉ siècle. Belge.
Peintre de genre, paysages urbains, paysages.
Il fut professeur à l'école de dessin de Turnhout, qu'il dirigea par la suite.
BIBLIOGR. : In : *Dict. illustré des artistes en Belgique depuis 1830*, Arto, Bruxelles, 1976.

SURINY J. Doucet de, Mme. Voir DOUCET DE SURINY

SURLS James
Né en 1943. XXᵉ siècle. Américain.
Sculpteur.
VENTES PUBLIQUES : NEW YORK, 8 oct. 1988 : *Danse de nuit* 1986, sculpt. suspendue de bois (177,8x127x101,6) : **USD 16 500** – NEW YORK, 25-26 fév. 1994 : *Danse de nuit*, sculpt. suspendue de bois (177,8x127x101,6) : **USD 6 440**.

SURMACKI Jan et Michal
XVIIIᵉ siècle. Polonais.
Graveurs.

SURMONT DE VOLSBERGHE Paul Joseph Guislain
Né le 25 avril 1802 à Gand. Mort le 14 avril 1850 à Gand. XIXᵉ siècle. Belge.
Paysagiste.
Élève de P. F. de Noter. Le Musée de Courtrai conserve de lui un *Paysage italien*.
VENTES PUBLIQUES : PARIS, 7 mai 1947 : *Roses*, aquar. : **FRF 1 600**.

SURNICK Jeronimus
XVIᵉ siècle. Actif à Brême entre 1527 et 1558. Allemand.
Peintre.

SUROMO D. S.
Né en 1919 à Solo (Java). XXᵉ siècle. Indonésien.
Peintre, dessinateur.
Il commença ses études avec un artiste local, puis entra au MULO de Solo et obtint le diplôme de cette école, partit pour Jakarta. Il travailla dans un cabinet d'architecture. Il rencontra S. Sudjojono qui le persuada de devenir membre de l'Association Indonésienne de dessin.
VENTES PUBLIQUES : SINGAPOUR, 5 oct. 1996 : *Panam Tami* 1990, h/t (62x105) : **SGD 8 050**.

SURQUET Jehan
XVᵉ siècle. Actif à Noyon. Français.
Peintre.
Il a peint une *Cène* pour la cathédrale de Noyon.

SURRÉALISME. Voir Dada et, par exemple, BRAUNER Victor, DALI Salvador, DOMINGUEZ Oscar, GIA-

COMETTI Alberto, GORKY Arshile, LAM Wifredo, MAGRITTE Roger, MASSON André, MATTA Roberto, MIRÓ Joan, SVANBERG Max Walter, TANGUY Yves

SURREN Hans. Voir **Sur**

SURREY Philip Henry Howard
Né en 1910 à Calgary (Alberta). XX⁰ siècle. Canadien.
Peintre de portraits, paysages urbains.
Il eut une enfance itinérante : Java, Malaisie, Indes, U.S.A., Angleterre, Suisse, Australie. Revenu au Canada, il entre à l'école des Beaux-Arts de Winnipeg dans l'atelier de Lemoine Fitzgerald, puis à Vancouver avec Frederic Varley. Il étudie aussi à l'Art Students' League à New York, où il apprend en particulier la technique de la détrempe. Il travaille comme photographe pour un magazine. Il est membre fondateur de la Société d'Art contemporain de Montréal, où il vit et expose.
Peintre figuratif, il utilise la technique de la détrempe. Ses toiles ont souvent un caractère déprimant. Il peint la ville, la promiscuité, la lassitude des passants, la course au tramway, la tristesse de la mort et réalise aussi des portraits.
Bibliogr. : In : *Dict. de l'art mod. et contemp.*, Hazan, Paris, 1992.
Ventes Publiques : Toronto, 5 nov 1979 : *Étude de ciel, près Bedford, Quebec*, h/pan. (19,4x27) : **CAD 1 100** – Toronto, 2 nov. 1982 : *Street flares* vers 1960, h/t (60x45) : **CAD 4 000** – Toronto, 27 mai 1985 : *Tempête de neige* 1982, craies de coul. (26,3x35) : **CAD 1 500** – Montréal, 25 nov. 1986 : *Place Ville-Marie I* 1964, h/pan. (61x91) : **CAD 29 000** – Montréal, 17 oct. 1988 : *St Jacques à Coin St Remi* 1976, h/pan. (31x51) : **CAD 8 500**.

SURSO Baldino de. Voir **BALDINO di Surso**

SURSO Urbano de
XV⁰ siècle. Italien.
Sculpteur sur bois.
Il travailla en 1427 à la Chartreuse de Pavie.

SURTEES John
Né en 1817 ou 1819. Mort en 1915. XIX⁰ siècle. Britannique.
Peintre de paysages animés, paysages, paysages d'eau.
Il travailla à Newcastle. Il exposa à Londres, particulièrement à la Royal Academy à partir de 1846.
Musées : Cardiff : *Dans la vallée de Hedr. Galles du Nord* – Sunderland : *Rivière près de Capel Curig, Galles du Nord* – Slugwy, *près de Capel Curig*.
Ventes Publiques : Londres, 4 déc. 1909 : *Matin d'été près de Capel Curig* : **GBP 9** ; *Rivière galloise* 1887 : **GBP 4** – Zurich, 9 nov. 1973 : *Troupeau dans un paysage au lac* : **CHF 10 000** – Londres, 13 fév. 1976 : *Paysage fluvial escarpé* 1857, h/t (40,5x60) : **GBP 300** – Londres, 3 fév. 1993 : *Le coin des pêcheurs*, h/t (40,5x66) : **GBP 1 322** – Londres, 25 mars 1994 : *Le moulin à eau de Iffley*, h/t (76,5x121,9) : **GBP 1 840**.

SURTEL Paul
Né en 1893. Mort en 1985. XX⁰ siècle. Français.
Peintre de paysages, fleurs, sculpteur.
Il fut également écrivain. Il n'exposa dans les galeries parisiennes qu'après de longues années de recherche exigeante. Peintre de paysages provençaux aux harmonies de couleurs subtiles, aux compositions équilibrées et rythmées : « Paul Surtel sait se souvenir des leçons de Corot qui définissait un site en fonction de sa lumière particulière mais aussi de son atmosphère, et il possède à fond le sens des valeurs et des harmonies colorées » (M. Serullaz).

Paul Surtel

Bibliogr. : *Paul Surtel*, Papyvore, Galerie Guigné, Paris.
Ventes Publiques : Paris, 7 avr. 1989 : *Paysage du Midi*, h/isor. (33x41) : **FRF 9 000** – Strasbourg, 29 nov. 1989 : *Vase de fleurs*, h/t (40,5x33) : **FRF 10 200** – Paris, 20 fév. 1990 : *Landes* 1953, h/isor. (38x46) : **FRF 8 000** – Paris, 26 avr. 1990 : *Le marché*, h/cart. (26x33,5) : **FRF 7 500** ; *Le grand champs sous le Barroux*, h/pan. (33x41) : **FRF 10 500** – Neuilly, 3 fév. 1991 : *Réveil bleu* 1966, h/pan. (46x55) : **FRF 23 500** – Paris, 8 avr. 1991 : *Landes*, h/pan. (40x46) : **FRF 13 000** – Neuilly, 17 juin 1992 : *Chapelle à Volonne*, h/cart. (32,5x41) : **FRF 6 000** – Paris, 17 fév. 1995 : *Environs de Peipin (Basses Alpes)* 1946, h/cart. (33x41) : **FRF 6 800**.

SURUGUE Pierre
Né en 1728 à Paris. Mort le 30 avril 1786 à Paris. XVIII⁰ siècle. Français.

Peintre et sculpteur.
Fils de Pierre Étienne Surugue et son élève. Il travailla aussi à l'École de l'Académie Royale et y obtint le deuxième prix de sculpture en 1759. Exposa au Salon de la Correspondance en 1779 deux bas-reliefs de cire (*La mort d'Adonis* et *Hercule aux pieds d'Omphale*).
Ventes Publiques : Paris, 23 juin 1976 : *Groupe de deux satyres*, terre cuite (H. 52) : **FRF 7 800**.

SURUGUE Pierre Étienne
Né vers 1698. Mort le 4 mars 1772 à Paris. XVIII⁰ siècle. Français.
Sculpteur.
Conseiller de l'Académie de Saint-Luc. Père de Pierre Surugue et oncle de Pierre Louis Surugue. Il était marié à Élisabeth Meunier. Les deux époux moururent le même jour, à trois heures d'intervalle. Il exposa au Colysée en 1776.

SURUGUE Pierre Louis de
Né le 10 février 1710 à Paris. Mort le 29 avril 1772 à Paris. XVIII⁰ siècle. Français.
Graveur.
Fils et élève de Louis de Surugue. Académicien le 29 juillet 1747. Exposa au Salon de 1742 à 1761. Chevalier de l'ordre de l'Éperon d'Or. Comte de Latran. Il eut treize enfants de son mariage avec Marie Élisabeth Sageon. La famille Surugue était riche et bien apparentée. Pierre Louis Surugue compte parmi les meilleurs graveurs du XVIII⁰ siècle. Comme son père, il fut un des meilleurs traducteurs des œuvres de Chardin ; il eut de plus la bonne fortune de reproduire Quentin de la Tour. Son œuvre est important.

SURUGUE, l'Aînée
XVIII⁰ siècle. Française.
Peintre de fleurs et d'histoire.
Fille et élève de Pierre Étienne Surugue. Exposa en 1776. Elle prit part également au Salon de la Correspondance en 1779 avec des gouaches d'après nature, représentant des papillons et des fleurs.

SURUGUE, la Cadette
XVIII⁰ siècle. Active à Paris. Française.
Peintre.
Fille et élève de Pierre Étienne Surugue. Exposa une gouache au Colysée en 1776 (*Origine de la Peinture*).

SURUGUE DE SURGIS Louis de
Né vers 1686 à Paris. Mort le 6 octobre 1762 à Grand Vaux (près de Savigny). XVIII⁰ siècle. Français.
Graveur.
Son acte de décès indiquant soixante-seize ans, il faut conclure que la date de naissance, 1695 fournie par un grand nombre de biographes, est aussi inexacte que celle de 1769, qu'ils donnent pour sa mort. Louis Surugue, frère aîné du sculpteur Pierre Étienne Surugue fut élève de Bernard Picart, dont il adopta la manière. Il prit une place honorable parmi les graveurs de son temps et produisit une œuvre notable. Il fut académicien le 30 juillet 1735. Il exposa au Salon un grand nombre d'estampes de 1738 à 1761. La vente de ces estampes composant sa collection fut faite le 20 novembre 1769 par Basan.

SURVAGE Léopold ou **Sturzvage**
Né le 31 juillet ou 12 août 1879, à Moscou selon certains documents, selon d'autres à Wilmanstrand (Finlande), ou bien encore à Paris. Mort le 1ᵉʳ novembre 1968 à Paris. XX⁰ siècle. Depuis 1908 actif et depuis 1927 naturalisé en France. Français.
Peintre de figures, paysages urbains, aquarelliste, peintre à la gouache, graveur, peintre de décors de théâtre, illustrateur. Figuratif puis abstrait.
Son père, qui se nommait Sturzwage, était d'origine finlandaise, sa mère d'origine danoise. Son père regrettait de ne pas avoir pu se livrer à la peinture, il était fabricant de pianos. Léopold, enfant, apprit le métier d'ébéniste, songeant à devenir architecte. La connaissance d'œuvres de Gauguin et de Cézanne, vues dans les collections Chtchoukine et Morosov, décida autrement de son orientation. À l'École des Beaux-Arts de Moscou, il rencontre Larionov, Robert Falk, Soudéikine, Archipenko, Pevsner et ensemble ils constituèrent le groupe de *La Rose bleue*. Tous rêvant de Paris, pour sa part Léopold y débarque en 1908, y suivant pendant deux mois les cours de Matisse. Il ne s'éloignera plus guère que pour de brefs séjours en Italie et en Catalogne. En 1919, il fonde la Section d'Or avec Gleizes et Archi-

penko. En 1921, s'étant marié avec la pianiste Germaine Meyer, il se lia avec les musiciens du groupe des Six, ainsi qu'avec Éric Satie. La même année, il publia *Essai sur la synthèse plastique de l'espace et son rôle dans la peinture* dans la revue *Action*.

Avant 1908, à Moscou, il commença d'exposer, avec le groupe de *La Rose Bleue*, au hasard de locaux accueillants. Il participe ensuite régulièrement à des expositions collectives à Paris : 1911 Salon des Indépendants dans la salle des Cubistes ; 1914 trois « phases » de son film *Rythmes colorés* au Salon des Indépendants ; de 1919 à 1925 Salon de la Section d'Or ; 1928 *Exposiiton de peinture française contemporaine* à Moscou ; et à titre posthume : 1971 Riverside Art Gallery à l'université de Californie ; 1977 *Paris New York* au Centre Georges Pompidou à Paris, Neue Nationalgalerie à Berlin, Centre culturel du Marais à Paris ; 1979 *Paris Moscou* au Centre Georges Pompidou à Paris, Musée d'Art et d'Industrie de Saint-Étienne ; 1981 Musée Pouchkine de Moscou ; 1986 *Futurismo & Futurismi* au Palazzo Grassi à Venise ; 1987 Musée d'Art Moderne de la Ville de Paris ; 1992 Fondation Maeght à Saint-Paul-de-Vence. Il a montré ses œuvres dans des expositions personnelles à Paris : 1917 première manifestation organisée par Apollinaire qui réalise une préface en forme de calligramme ; 1920, 1921 et 1922 manifestations organisées par Léonce Rosenberg ; 1966 Musée Galliera ; à la fin des années vingt à Chicago, New York. Après sa mort, une exposition rétrospective lui fut consacrée par le Musée des Beaux-Arts de Lyon, qui circula ensuite dans plusieurs centres culturels à travers la France, puis : 1966 musée Galliera à Paris ; 1970 galerie Isy Brachot à Bruxelles ; 1973 Musée d'Art et d'Industrie à Saint-Étienne, Musée de l'Abbaye Sainte-Croix aux Sables-d'Olonne ; 1975 Musée Chéret à Nice, Genève ; 1989, 1992 galerie La Pochade à Paris. Il reçut une médaille d'or à la Triennale de Milan en 1928, à l'Exposition internationale de Paris en 1937 et obtint en 1960 le prix Guggenheim.

Survage réfléchit, dans une ligne platonicienne, il est convaincu du pouvoir révélateur de l'art. L'artiste est un « voyant » qui a mission d'interpréter en symboles déchiffrables la réalité profonde des choses. On ne s'étonnera pas de ce que sur le plan purement technique, étant donné l'époque à laquelle il accède à la vie artistique parisienne, il prit tout naturellement une part active aux recherches cubistes, toutefois chez lui orientées dans le sens d'un symbolisme rythmique plus particulier à sa propre sensibilité et à une conception du monde. La physique et la chimie de la couleur retiennent son attention, il redécouvre le procédé à l'émulsion de caséine qui conserve encore si fraîches les raires peintures antiques qui nous soient parvenues et d'où il tire des transparences inégalées. En 1912, il entreprit un projet de film : *Rythmes colorés*, pour lequel il exécuta deux cents compositions totalement abstraites, qui le placent historiquement parmi les créateurs de l'abstraction, Delaunay, auquel ces rythmes colorés s'apparentent le plus, Kupka, Kandinsky, Malevitch et Mondrian. Du fait de la guerre, ce film ne fut jamais réalisé, mais son projet passe, auprès des spécialistes, pour une date importante dans la conception du cinéma en couleurs et du cinétisme abstrait. En 1914, Apollinaire y consacra un article très élogieux ; Cendrars en donnera, en 1919, une transcription poétique. Son cubisme n'avait jamais été orthodoxe. Il pratiquait ce qu'il appelait une « synthèse plastique de l'espace », traduction de l'espace en deux dimensions qu'il préférait à l'analyse volumétrique du cubisme analytique. De cette synthèse plastique de l'espace découlèrent notamment les portraits de villes, peints surtout dans le Midi pendant les années de guerre, dont Apollinaire écrivait : « Nul, avant lui, n'a su mettre dans une seule toile une ville entière avec l'intérieur de ses maisons ». Il pratiqua ensuite des « métaphores plastiques », associant plusieurs images se rapportant à une même idée : la silhouette d'un paysan s'inscrivant dans une feuille de figuier, par exemple. En 1922, Diaghilev lui commanda les décors et costumes pour le ballet *Mavra* de Stravinsky. En 1937, il peint, pour le Palais des Chemins de Fer à l'Exposition Internationale de Paris, trois panneaux : *Liaisons postales et Télécommunications*, *L'Optique-Horlogerie*, *La précision mécanique*, chacun de vingt mètres de long, qui lui valurent une médaille d'or. Malheureusement il ne reste de ces panneaux que les maquettes. D'entre les mille peintures que Survage estime avoir produites, on peut tenter d'en dégager quelques titres sans trop espérer réussir à donner une idée du long et complexe cheminement de l'artiste : *Le Cheval* de 1910 d'une belle arabesque déjà lourde de spirituel ; certains *Rythmes colorés* de 1912 témoins de sa contribution particulière à la recherche cubiste ; *Usines* de 1914 composition chargée de

sens, rythmique et simultanéiste, c'est-à-dire que la juxtaposition et l'enchaînement de points de vue différents, permet de traduire le déroulement de la pensée. De même pour les *Villefranche-sur-Mer* de 1915 – ou bien, de la même année, *Le Chat*, *Le Paysan*, où les éléments symboliques se superposent plus qu'ils ne se succèdent. *Nice* de 1916, des paysages jusqu'en 1921, répondent aux mêmes préoccupations. Dès lors, le besoin d'exprimer un message plus humain, plus pressant, lui fait rechercher la représentation de l'homme même, sans se départir pour autant des lois constructives qu'il s'est élaborées à son propre usage. Ce sont : *Les Pêcheurs* de 1925, *Le Taureau évadé* de 1927, d'autres *Pêcheurs* de 1930 à 1936, *La rencontre* de 1937, *La Chute d'Icare* vaste composition dans laquelle il plaça, durant l'occupation de la France par les armées allemandes, la représentation symbolique de ses convictions spirituelles en même temps que la somme de ses recherches plastiques et techniques, *La Discorde* de 1943, où se montrent avec évidence ses spéculations cosmiques ; *La Charité* de la même année ; *L'Homme* de 1950, composition d'environ quatre mètres sur plus de deux, *Les Bâtisseurs* de 1952. Guillaume Apollinaire écrivait, en 1917, dans un calligramme composé en manière de préface à la première exposition particulière de Survage : « Ce peintre est le fils de cette guerre calme et touffue. Son œuvre est un pont chatoyant entre ce que fut l'art d'avant la guerre et l'essor magnifique qui emportera les nouveaux peintres. Admirateur de Goethe, spiritualiste, il pratiqua la lecture du théosophe Rudolph Steiner. Tout en poursuivant la mise en application de ses principes concernant le rythme et la traduction de l'espace, il donna de plus en plus un contenu symbolique à ses peintures. Il illustra des poètes amis : Éluard, Cocteau, Pierre-Albert Birot, Franz Hellens. En dépit de sa place historique aux côtés de créateurs des principaux mouvements picturaux de la première moitié du siècle, sa discrétion naturelle l'empêcha de connaître une très grande notoriété. »
■ Jacques Busse

BIBLIOGR. : Paul Fierens : *Survage*, Quatre Chemins, Paris, 1931 – *Catalogue de l'exposition Survage*, Musée Galliéra, Paris, 1966 – José Pierre : *Le Cubisme*, in : *Hre Gle de la peint.*, tome 19, Rencontre, Lausanne, 1966 – Sarane Alexandrian, in : *Diction. Univers. de l'Art et des Artistes*, Hazan, Paris, 1967 – Daniel Abadie et divers : *Dossier Survage*, Galerie des Arts, Paris, 1970 – Daniel Abadie : Catalogue de l'exposition : *Survage*, Galerie Saint-Germain, Paris, 1974 – Léopold Survage : *Divertissement*, Cahiers de l'Abbaye Sainte-Croix, Les Sables d'Olonne, 1975 – in : *Dict. univers. de la peinture*, vol. 6, Le Robert, Paris, 1975 – Jeanine Warnod : *Léopold Survage*, André de Rache, Bruxelles, 1983 – *Écrits sur la peinture – Survage au regard de la critique*, L'Archipel, Paris, 1992 – Daniel Abadie : *Léopold Survage. Les Années héroïques*, Musée d'Art moderne, Troyes, Musée Matisse, Le Cateau-Cambrésis, 1993.

MUSÉES : ATHÈNES – CHICAGO (Arts Club Mus.) – GÊNES – GENÈVE (Mus. du Petit Palais) : *Composition aux poissons* 1917 – JÉRUSALEM (Mus. Bezalel) – LYON (Mus. des Beaux-Arts) : *Les Usines* 1914 – MOSCOU – PARIS (Mus. Nat. d'Art Mod.) : *Rythme coloré* 1913, encres/pap. – *Villefranche-sur-Mer* 1915 – *Le Mont Terron* 1916, h/t – *La Marchande de poissons* 1927, h/t – SAN FRANCISCO.

VENTES PUBLIQUES : PARIS, 3 juil. 1924 : *Le Village* : **FRF 400** ; *Les Citrons* : **FRF 250** – PARIS, 27 déc. 1926 : *Paysage* : **FRF 300** – PARIS, 26 mars 1928 : *Paysage* : **FRF 400** – PARIS, 2 mars 1929 : *Maisons* : **FRF 280** – PARIS, 24 fév. 1934 : *Femme à la hotte* : **FRF 450** – PARIS, 27 nov. 1935 : *Tête de femme* : **FRF 390** – PARIS, 2 avr. 1943 : *Le Port* : **FRF 1 100** – PARIS, 8 déc. 1944 : *Paysage* : **FRF 4 000** – PARIS, 23 fév. 1945 : *L'Oiseau sur le* : **FRF 2 600** ; *L'Homme dans le village* : **FRF 3 100** – PARIS, 18 nov. 1946 : *Coup de vent* : **FRF 4 500** ; *Maison au bord de la route* : **FRF 4 100** – PARIS, 12 déc. 1946 : *Composition* : **FRF 5 500** – PARIS, 23 mai

1949 : *Paysage* : **FRF 3 200** – Paris, 17 juin 1949 : *Les Maisons blanches* : **FRF 3 100** – Paris, 1er fév. 1950 : *Nature morte 1934* : **FRF 3 000** – Paris, 3 juil. 1951 : *Plage*, aquar. gchée : **FRF 2 800** – Paris, 5 juil. 1951 : *Composition*, gche : **FRF 3 000** – Paris, 22 nov. 1954 : *Mains de femme* : **FRF 12 000** – Paris, 18 mars 1959 : *Paysage urbain* : **FRF 350 000** – Paris, 21 juin 1960 : *Maisons* : **FRF 3 400** – Paris, 10 mars 1961 : *Le Jardinier* : **FRF 2 000** – New York, 8 avr. 1964 : *Paysage à la feuille* : **USD 2 250** – Versailles, 26 nov. 1967 : *L'Entrée de la ville* : **FRF 13 000** – Genève, 28 juin 1968 : *Composition* : **CHF 25 000** – Versailles, 7 déc. 1969 : *Silhouette sur les maisons*, gche : **FRF 10 100** – Paris, 5 déc. 1969 : *La Discorde* : **FRF 22 000** – Genève, 9 déc. 1970 : *Composition* : **CHF 22 000** – Londres, 7 juil. 1971 : *Le Cantique des Cantiques*, huit gches : **GBP 2 700** ; *L'Entrée dans la ville* : **GBP 3 200** – Versailles, 26 nov. 1972 : *L'Air* : **FRF 24 000** – Londres, 20 mars 1973 : *La Porteuse d'eau* : **FRF 30 000** – Genève, 1er juil. 1973 : *Rythme coloré*, gche : **CHF 21 000** – Paris, 12 juin 1974 : *Les Danseurs*, gche : **FRF 18 000** – Londres, 2 juil. 1974 : *L'Entrée de la ville 1918* : **GNS 5 700** – Versailles, 2 juin 1976 : *La Chute d'Icare 1940-1941*, peint. à la caséine/pan. (202x155) : **FRF 80 000** – Milan, 15 juin 1976 : *Paysage 1930*, aquar. (49,5x64,5) : **ITL 500 000** – Versailles, 8 juin 1977 : *Dynamisme 1938*, h/t (97x130) : **FRF 15 500** – Versailles, 18 mars 1979 : *L'homme dans la ville 1917*, aquar./pap. mar./t. (64,5x49,5) : **FRF 21 000** – Paris, 12 déc 1979 : *L'Homme dans la ville 1917*, gche : **FRF 46 500** – Londres, 2 déc. 1980 : *Sic vers 1917/18*, pl., projet de couverture (37,5x31) : **GBP 1 500** – Paris, 10 déc. 1981 : *Tendances et Coïncidences 1949*, h/pan. (100x81) : **FRF 18 000** – L'Isle-Adam, 7 nov. 1982 : *Femme à la pomme*, h/t (81x65) : **FRF 40 000** – Paris, 31 mai 1983 : *L'Arbre de vie (La Chute d'Icare)*, caséine et feuille d'or/pan. (130x97) : **FRF 82 000** – New York, 12 nov. 1984 : *Composition 1913*, gche et aquar. (30,5x22,8) : **USD 2 600** – Paris, 27 oct. 1985 : *Jeune fille à la cruche vers 1920*, lav. d'encre de Chine (19x12) : **FRF 5 200** – Paris, 21 mars 1986 : *Jeune mère et deux enfants 1923*, h/t (92x72,5) : **FRF 180 000** – Paris, 25 nov. 1987 : *Maison et arbre 1930*, h/t (80x65) : **FRF 136 000** – New York, 18 fév. 1988 : *Feuille et main 1930*, h/t (54,5x65,3) : **USD 10 450** – Paris, 22 avr. 1988 : *Le Funambule 1953*, projet d'affiche pour le cirque de Kirkoff (20x11) : **FRF 11 000** – La Varenne-Saint-Hilaire, 29 mai 1988 : *La Femme au verre 1923*, h/pan. (40x25) : **FRF 16 000** – Neuilly, 20 juin 1988 : *Baigneurs 1950*, aquar. et cr. noir (26x20) : **FRF 9 500** – New York, 6 oct. 1988 : *Composition 1913*, encre/pap. (48,8x45,4) : **USD 3 520** – Paris, 27 oct. 1988 : *Ville de Tossa 1930*, caséine (33x41) : **FRF 17 500** – Calais, 13 nov. 1988 : *Vue de Tossa 1930*, h/pan. (38x46) : **FRF 35 000** – Paris, 20 nov. 1988 : *Vol d'oiseaux 1956*, h/t (55x46) : **FRF 72 000** – Paris, 21 nov. 1988 : *Coïncidence 1938*, h/t (114x162) : **FRF 350 000** – Paris, 16 déc. 1988 : *Composition*, aquar. (45x57) : **FRF 35 000** – L'Isle-Adam, 29 jan. 1989 : *Le voyage dans l'infini 1959*, aquar. gchée (43x55) : **FRF 47 500** – Londres, 22 fév. 1989 : *L'arbre*, h/t (72,7x49,8) : **GBP 33 000** – Londres, 6 avr. 1989 : *Rythmes colorés 1913*, aquar. et cr. (33x32) : **GBP 5 280** – Paris, 9 avr. 1989 : *Les Baigneuses 1912*, h/t (100x81) : **FRF 950 000** – Saint-Dié, 23 juil. 1989 : *Les Éléments*, h/t (46,5x38) : **FRF 75 500** – Paris, 8 oct. 1989 : *Trois Visages 1949*, gche/bois (9x11) : **FRF 14 000** – Paris, 23 nov. 1989 : *Les éléments 1965*, h/t (46,5x38) : **FRF 120 000** – Paris, 9 déc. 1989 : *Germaine et ses neveux*, h/t (90x71) : **FRF 350 000** – Paris, 11 déc. 1989 : *La Ville*, h/pan. (158x166) : **FRF 235 000** – Auch, 16 déc. 1989 : *Maternité 58 1958*, h/t (146x114) : **FRF 395 000** – Paris, 26 jan. 1990 : *La Femme dans la ville 1967*, cr. violet (45x32) : **FRF 6 500** – Paris, 18 fév. 1990 : *Le Promeneur dans la ville*, cr./pap. (61x47) : **FRF 17 000** – Paris, 30 mars 1990 : *Le Cheval fou*, h/t (81x65) : **FRF 310 000** – Paris, 31 mars 1990 : *L'Homme dans la ville vers 1915-1918*, h/t (70x73) : **FRF 650 000** – Paris, 8 avr. 1990 : *Nice 1916*, h/t (100x81) : **FRF 810 000** – Londres, 23 mai 1990 : *Rythme coloré 1913*, gche et aquar./pap. (30x26) : **GBP 6 050** – Gien, 24 juin 1990 : *Un homme dans la ville vers 1919*, h/t (28x61) : **FRF 292 000** – New York, 2 oct. 1990 : *Femme dans un paysage 1925*, h/t (65,5x80) : **USD 28 600** – Paris, 27 nov. 1990 : *Femme aux oiseaux 1959*, h/t (108x183,5) : **FRF 212 000** – Londres, 19 mars 1991 : *Homme tourné vers le ciel 1928*, h/t (65,1x92) : **GBP 17 600** – Rome, 13 mai 1991 : *Composition 1943*, h/pan. (16,5x20) : **ITL 8 625 000** – Amsterdam, 23 mai 1991 : *Femme portant un pichet 1934*, h/t (41x32,5) : **NLG 16 100** – Paris, 28 nov. 1991 : *L'Homme dans la ville*, h/t (81x100) : **FRF 280 000** – Londres, 3 déc. 1991 : *Le couple aux feuilles 1935*, gche/pap. (24,5x19) : **GBP 6 050** – Londres, 24 mars 1992 : *Paysage cubiste*, h/t (55x50,2) : **GBP 8 800** – Milan,

14 avr. 1992 : *Composition 1956*, caséine/pan. (55x55) : **ITL 5 000 000** – Lokeren, 23 mai 1992 : *La Mer 1949*, aquar. (24x34,5) : **BEF 150 000** – Paris, 24 mai 1992 : *Baigneuses 1924*, h/t (65x54) : **FRF 140 000** – Lokeren, 10 oct. 1992 : *Ville animée*, h/t (96x33) : **BEF 330 000** – New York, 12 nov. 1992 : *Homme dans la ville*, h/cart. (27,3x34,6) : **USD 10 450** – Le Touquet, 30 mai 1993 : *Composition surréaliste 1931*, gche (47x60) : **FRF 32 000** – Londres, 23 juin 1993 : *Le Mont Agel 1915*, h/t (100,5x64,7) : **GBP 29 900** – Paris, 21 oct. 1993 : *L'Homme dans la ville*, h/pan. (45x37) : **FRF 190 000** – Lokeren, 8 oct. 1994 : *Composition 1949*, h/pan. (21x15) : **BEF 100 000** – New York, 24 fév. 1995 : *Figure, maison et arbres*, h/t (64,8x91,4) : **USD 10 350** – Londres, 28 juin 1995 : *Nature morte*, h/t (60x74) : **GBP 13 800** – Paris, 21 nov. 1995 : *Institut de beauté*, aquar. (65x80) : **FRF 16 500** – New York, 2 mai 1996 : *Nice*, h/t (92,1x73,7) : **USD 19 550** – Paris, 19 juin 1996 : *Buffles au clair de lune*, h/t (38x55) : **FRF 13 000** ; *L'Homme dans la ville, Nice vers 1915-1918*, h/t (46x55) : **FRF 90 000** – Calais, 7 juil. 1996 : *Le Combat de coqs 1950*, aquar. et gche (35x54) : **FRF 12 000** – Paris, 20 oct. 1996 : *Pêcheuses 1934*, h/t (65,5x81) : **FRF 32 500** – Le Touquet, 10 nov. 1996 : *Propriété dans les arbres 1934*, aquar. (50x64) : **FRF 9 000** – Paris, 19 déc. 1996 : *L'Envol 1941*, h/t (37x48) : **FRF 29 000** – Calais, 23 mars 1997 : *Femme dans la ville 1928*, h/t (50x61) : **FRF 40 000** – Paris, 11 juin 1997 : *Sirène 1928*, h/pap. mar. (90x100,5) : **FRF 120 000** – Paris, 6 juin 1997 : *Le Cheval blanc 1941*, temp./t. (27x19) : **FRF 20 000** – Calais, 6 juil. 1997 : *Portrait à la colombe 1951*, h/t (65x81) : **FRF 30 000** – Paris, 19 oct. 1997 : *Femme nue de dos 1910*, encre/pap. crème (33,8x22,7) : **FRF 4 000**.

SURVILLE Peter
XVIIe siècle. Actif à Dublin. Irlandais.
Peintre.

Il fut membre depuis 1684 de la Corporation of Painters Stayners and Cutlers.

SURY Gilbert
Né en 1818 à Lyon (Rhône). Mort en 1904. XIXe siècle. Français.
Peintre d'histoire.

Élève de Gleyre. Exposa au Salon de Paris en 1847. Membre de la Société des Artistes Français.

Musées : Lyon : *Les bergers d'Arcadie 1850*.

SURY Max Joseph von
Né le 11 août 1842 à Soleure. Mort le 9 septembre 1920 à Kreuzlingen. XIXe-XXe siècles. Allemand.
Peintre de paysages.

Il étudia à Munich, Karlsruhe, Weimar et Paris. Il travailla à Dresde, et à partir de 1887 à Kreuzlingen.

Musées : Soleure : *Après l'orage*.

SUS Gustav Konrad
Né le 10 juin 1823 à Rumbeck. Mort le 24 décembre 1881 à Düsseldorf. XIXe siècle. Allemand.
Peintre d'animaux, de genre, illustrateur et écrivain.

Élève de Sohn à l'Académie de Düsseldorf. Le Musée de Cologne conserve de lui *Renard dans une basse-cour*, et celui de Breslau, *Volailles*.

Ventes Publiques : Cologne, 7 juin 1972 : *Le renard dans la basse-cour* – Cologne, 18 mars 1977 : *Quatre poussins 1869*, h/t (27,5x34,5) : **DEM 5 500** – Munich, 29 mai 1980 : *La petite bergère 1859*, aquar./trait de pl. (23,5x31) : **DEM 2 400** – Londres, 19 juin 1981 : *Gänseliesel 1869*, h/t (62,2x53,2) : **GBP 4 000** – Cologne, 26 oct. 1984 : *Scène de basse-cour*, h/t (63x49) : **DEM 38 000**.

SÜS Wilhelm
Né le 30 juin 1861 à Düsseldorf. Mort le 6 décembre 1933 à Mannheim. XIXe-XXe siècles. Allemand.
Peintre de portraits, paysages, graveur, sculpteur, céramiste.

Élève de l'académie des beaux-arts de Düsseldorf et de Dresde, il subit l'influence de Hans Thoma et s'installa à Francfort-sur-le-Main. Il fut en 1901 le fondateur et le directeur de l'École de céramique de Karlsruhe et devint en 1917 directeur de la Galerie de tableaux de Mannheim.

Musées : Karlsruhe : *Automne de la vie* – Mannheim (Gal.) : *Portrait d'enfant*.

Ventes Publiques : Heidelberg, 5 mai 1979 : *Les Trois Grâces*, h/cart. (78x73) : **DEM 2 100**.

SUSALI Gaetano
XVIIIe siècle. Italien.

Sculpteur.

Il fut en 1775 membre de l'Académie des peintres et sculpteurs de Venise.

SUSAN Johannes Daniel

Né le 4 juillet 1823 à La Haye. Mort le 14 mars 1843 à La Haye. XIXe siècle. Hollandais.

Peintre.

Le Musée d'histoire de La Haye conserve de lui : *Portrait de Jan Dekker.*

SUSANNE Jean. Voir SUZANNE

SUSEMIHL Henrich

Né le 28 mars 1862 à Harbourg. XIXe-XXe siècles. Allemand.

Peintre de portraits, illustrateur.

Il étudia à Dresde entre 1886 et 1890 chez Léon Pohle. Il vécut et travailla à Bad Sachsa.

SUSEMIHL Johann Konrad

Né en 1767 à Rainrod. XVIIIe siècle. Allemand.

Dessinateur et graveur.

Élève de l'Académie de Düsseldorf. Il s'établit à Darmstadt et s'y créa une rapide réputation comme graveur d'oiseaux et d'architectures. On lui doit notamment les planches pour la *Zoologie des provinces baltiques.* Son fils et sa fille l'aidèrent dans ses travaux, particulièrement pour l'illustration de *Monuments de l'architecture allemande de Moller.* En 1839, il publia un ouvrage *Les oiseaux d'Europe.* Depuis 1800, il fut graveur de la cour de Darmstadt.

SUSEMIHL Johann Theodor

Né en 1772 à Rainrod. XVIIIe-XIXe siècles. Allemand.

Peintre animalier, graveur, dessinateur, lithographe.

Frère cadet de Johann Konrad. Élève de Pforr. Peignit et grava des animaux, particulièrement comme son frère aîné des oiseaux. Il travailla longtemps à Paris et exposa au Salon de 1840 à 1848.

Musées : PONTOISE : *Renard et Chien,* dess.

Ventes Publiques : PARIS, 21 janv. 1928 : *Combat d'ours :* FRF 280 – PARIS, 15 fév. 1934 : *Zèbre sur fond de paysage exotique et maritime,* aquar. : **FRF 13 000** – MONTE-CARLO, 8 déc. 1984 : *La chasse au faisan, au canard, au perdreau, à la bécasse,* h/t, quatre toiles (16,5x22) : **FRF 130 000** – NEW YORK, 4 juin 1993 : *Scènes de chasse,* h/t, ensemble de quatre peintures (chaque 16,5x22,2) : **USD 8 050.**

SUSENBETH Hermann Anton

Né le 10 décembre 1857 à Francfort-sur-le-Main. XIXe siècle. Allemand.

Sculpteur.

Il travailla à Vienne entre 1881 et 1884. On lui doit les bustes ou médaillons de *Louis IV, grand duc de Hesse,* du *Professeur Heermann,* du *Pasteur Munzenberger,* etc.

SUSENBETH Johann

XIXe siècle. Actif à Francfort. Allemand.

Lithographe.

SUSENBETH Karl Heinrich

Né le 24 août 1860 à Francfort-sur-le-Main. XIXe-XXe siècles. Allemand.

Peintre de portraits, figures.

Il était le fils de Kaspar Susenbeth et devint l'élève de Johann Hasselhorst.

SUSENBETH Kaspar Johann

Né le 29 mai 1821 à Francfort-sur-le-Main. Mort le 14 décembre 1873 à Francfort-sur-le-Main. XIXe siècle. Allemand.

Sculpteur, peintre animalier et lithographe.

Il était le père de Karl Heinrich. Il étudia de 1835 à 1844 à l'Institut Städel, puis chez Schmidt von der Launitz.

SUSENIER Abraham

Né vers 1620 à Dordrecht ou à Leyde. Mort après 1664. XVIIe siècle. Hollandais.

Peintre de paysages, natures mortes.

Il se maria et entra dans la gilde en 1646.

A.S.f.
1647

Musées : BERLIN (Kaiser Fr. Mus.) : *Nature morte avec des poissons* – DORDRECHT : *Nature morte avec fruits* – EMDEN : *Nature morte avec une Bible ouverte, un globe et une tête de mort* – GAND : *Nature morte avec du pain, des crabes et des raisins* – GOTHA : *Nature morte avec un globe, une Bible ouverte et une tête de mort* – MAGDEBOURG : *Table de déjeuner* – VIENNE : *Table de déjeuner.*

Ventes Publiques : AMSTERDAM, 18 avr. 1950 : *Nature morte :* NLG 1 650 – AMSTERDAM, 27 avr. 1965 : *Nature morte :* NLG 5 200 – LONDRES, 20 juil. 1973 : *Nature morte :* GNS 8 000 – LONDRES, 9 juil. 1976 : *Nature morte,* h/t (82,5x109) : GBP 4 500 – LUCERNE, 19 mai 1983 : *Nature morte,* h/pan. (65,5x59,5) : **CHF 22 000** – NEW YORK, 3 juin 1988 : *Nature morte avec une coupe de fruits, de l'argenterie, un crabe et un petit pain* 1640, h/t (70,5x98) : **USD 81 400** – NEW YORK, 10 jan. 1991 : *Nature morte avec un homard dans une assiette Wang Li près d'un candelabre d'argent et un verre à vin du Rhin* 1666, h/t (83x111) : **USD 130 000** – LONDRES, 5 avr. 1995 : *Nature morte d'une langouste avec un roemer, une assiette de porcelaine bleue et blanche et un citron pelé sur une table,* h/pan. (26x25) : **GBP 16 100** – LONDRES, 30 oct. 1997 : *Nature morte avec un roemer, des raisins et un citron pelé sur une assiette en étain, le tout sur une table drapée de rouge,* h/pan. (33,5x52,2) : **GBP 19 555.**

SU SHI ou Sou Che ou Su Shih, appelé aussi Su Dongpo ou Sou Tong-P'o ou Su Tung-P'o, surnom : Zizhan, nom de pinceau : Dongpo Jushi

Né en 1036, originaire de Meishan, province du Sichuan. Mort en 1101. XIe siècle. Chinois.

Calligraphe, poète et peintre.

Il n'est pas un domaine de l'activité culturelle de son époque, littérature, politique, poésie, calligraphie et peinture, auquel ne soit liée cette prestigieuse figure, l'une des plus humaines et des plus séduisantes de l'humanisme chinois. Type même du lettré, c'est un homme politique engagé dans les luttes qui partagent ses contemporains, haut fonctionnaire mais aussi esthète raffiné cultivant tous les arts, la conversation avec des lettrés, des moines ou des courtisanes, la musique, tous les genres littéraires, la calligraphie et la peinture où il passe pour maître. Né dans l'ouest chinois, terroir de vieille culture, il est issu d'une famille paysanne récemment passée au mandarinat. Son père, Su Xun (1009-1066) est un lettré de talent, ainsi que son frère Su Che (1039-1112) ; ils forment d'ailleurs un trio littéraire appelé « les trois Su ». En 1057, il passe les examens impériaux à la capitale et devient « jinshi » (lettré présenté) ; il fréquente les éminents lettrés du moment, Ouyang Xiu (1007-1072) et Wang Anshi (1021-1086), se trouvant dans les rangs du parti conservateur, ce qui l'empêche de faire carrière à la capitale. Il est donc nommé vice-gouverneur de Hangzhou (province du Zhejiang), charmante cité au bord du lac de l'Ouest, ceinte de collines boisées de bambous, puis gouverneur de plusieurs villes du nord et du centre de la Chine, de 1074 à 1079, date à laquelle il est brusquement arrêté et emprisonné pour avoir calomnié l'empereur, dans ses écrits. Il est exilé sur les bords du Yangzi où, jusqu'en 1086, il cultive la terre pour vivre. Rappelé à la cour, il est nommé Premier Ministre, ce qu'il sera quelques années, avec la protection de l'impératrice douairière et malgré les vives attaques dont il est l'objet. Il quitte sa charge en mars 1089 et, en 1094, est de nouveau exilé en politique, d'abord dans la région de Canton puis dans l'île tropicale de Hainan. En 1100, la mort de l'empereur Song Daozong lui permet de quitter son lointain exil, mais il meurt avant d'avoir regagné la capitale. Son caractère franc, spontané et tolérant explique sans doute cette vie mouvementée dont il y a peu d'exemples dans l'histoire chinoise. Dans le domaine de l'esthétique, ses jugements et ses attitudes exerceront une influence considérable : une grande part du bagage fondamental et anonyme de l'esthétique chinoise, jusqu'à nos jours, tire en fait son origine de ses écrits et c'est à lui que revient l'honneur d'avoir énoncé les principes du « werren hua », la peinture de lettré. Il contribue, en effet, à dégager la notion d'un art pictural affranchi des exigences de la figuration formelle mais qui s'attache à correspondre avant tout à celles de l'esprit, en exprimant l'élan intérieur du peintre. Cette théorie porte la marque de sa formation confucéenne, selon laquelle, les diverses manifestations artistiques, poésie, musique, calligraphie et peinture sont les véhicules de l'être profond de leurs auteurs. Il décrit admirablement les processus spirituels de la création picturale, laquelle, à son acmé, doit être le fruit d'une véritable identification du peintre à l'objet de sa peinture. Celui-ci élabore un langage à partir de son modèle : le mode de cette transformation, la nature de son tracé et des formes nées sous sa brosse sont révélateurs de son état d'esprit à ce moment précis. « Toute personne qui parle de ressemblance en peinture », dit Su Shi, « est bonne à renvoyer chez les enfants ». Nous sommes en présence d'une formulation infiniment précoce d'idée et de concepts qui attendront la seconde moitié du XIXe siècle pour faire leur chemin en Occident. On ignore s'il subsiste encore des œuvres de Su Shi mais l'on sait, par contre, qu'il affectionne particulièrement les bambous et les vieux arbres, thème qu'à sa suite ses nombreux disciples adopteront presque tous. En réalité, le sujet traité a moins d'importance que les qualités formelles liées au pinceau dont toutes les ressources sont mises en jeu, à l'encre, de la plus pâle à la plus foncée, de la plus sèche à la plus humide, qui doit assurer un large éventail des textures, et au papier, partie prenante dans la richesse de la surface picturale. « Pour peindre le bambou, il faut l'avoir entièrement en soi », écrit-il. « Saisissez le bambou, regardez intensément (le papier), puis évoquez ce que vous allez peindre. Suivez votre vision, levez votre pinceau et poursuivez immédiatement ce que vous voyez. » Car, ajoute-t-il encore, « la poésie et la peinture naissent de la même loi, de l'œuvre du ciel et de la spontanéité. » Et enfin, « l'honnête homme promène son attention sur les choses, mais il ne s'y attache point. » Ces conceptions picturales ne feront jamais l'objet d'un traité systématique de la part de leur auteur ; elles sont éparses dans une masse considérable d'écrits divers, courts essais, écrits de circonstance et surtout, innombrables inscriptions de peintures.

BIBLIOGR. : O. Siren : *The Chinese on the Art of Painting*, Peiping, 1936 – Lin Yutang : *The Gay Genius, the Life and Times of Su Tungpo*, Londres, 1948 – J. Cahill : *La peinture chinoise*, Genève, 1960 – P. Ryckmans : *Les Propos sur la peinture de Shitao*, Bruxelles, 1970 – Y. Hervouet : *Sou Che*, in : *Encyclopaedia Universalis*, vol. 15, Paris, 1973.

SUSHIL SARKAR
Né en 1917 à Delhi. XXe siècle. Indien.
Peintre.
Il a figuré en 1946 à l'Exposition ouverte à Paris, au Musée d'Art Moderne, par l'Organisation des Nations unies, où il présentait *Danse manipuri*.

SUSI Lodewik ou Susio
XVIIe siècle. Éc. flamande.
Peintre.
Il travaillait en 1616 probablement à Amsterdam, peut-être à Leyde.
VENTES PUBLIQUES : NEW YORK, 11 janv 1979 : *Nature morte aux poires, prunes et rose*, h/pan. (24x33) : USD 16 000.

SUSILLO Y FERNANDEZ D. Antonio
XIXe siècle. Espagnol.
Sculpteur.
Le Musée de Séville conserve de lui : *La première querelle*, groupe en plâtre. Cette œuvre valut à son auteur une médaille de deuxième classe à l'Exposition Nationale de 1887.
VENTES PUBLIQUES : MADRID, 9 oct. 1974 : *El Lazarillo de Tormes*, terre cuite : ESP 125 000.

SUSINI Antonio ou del Susina
Mort le 9 juin 1624 à Florence, très âgé. XVIe-XVIIe siècles. Italien.
Sculpteur sur bronze.
Il était actif à Florence. Élève de Traballesi et de Giov. Bologna. Il a exécuté des réductions d'œuvres célèbres, comme celle du *Taureau de Farnèse* dont un exemplaire se trouve à la Galerie Borghèse à Rome. On peut encore citer de petits bronzes signés de lui au Musée Victoria and Albert de Londres et à l'Institut des Beaux-Arts de Detroit. Il a enfin décoré le portail sud de la cathédrale de Pise.
MUSÉES : DETROIT (Inst. des Beaux-Arts) : petits bronzes – LONDRES (Mus. Victoria and Albert) : petits bronzes – ROME (Gal. Borghèse) : *Taureau de Farnèse*, réduction.
VENTES PUBLIQUES : LONDRES, 25 juin 1980 : *L'enlèvement d'une Sabine*, bronze (H. 59) : GBP 20 000 – LONDRES, 10 déc. 1987 : *Taureau*, bronze patine brun clair, d'après Giambologna (H. 24,8) : GBP 120 000.

SUSINI Francesco Giovanni ou Susina
Mort en 1646. XVIIe siècle. Italien.
Sculpteur sur bronze.
Neveu et élève de Susini (Antonio). Il travailla à Florence, et réalisa notamment *Dissimulanza*, dans le vestibule du premier étage du Palais Pitti.
MUSÉES : DRESDE : *Pâris enlève Hélène* – FLORENCE : *Gladiateur*

mourant – FRANCFORT-SUR-LE-MAIN (Stadel) : *Vénus sortant du bain* – VIENNE : *Hermaphrodite dormant* – VIENNE (Liechtenst.) : *Vénus brûle les flèches de Cupidon* – *Vénus corrige Cupidon*.
VENTES PUBLIQUES : LONDRES, 3 mai 1977 : *Vénus et Cupidon*, bronze, patine brune (H. 13,5) : GBP 2 800 – PARIS, 15 avr. 1989 : *Enlèvement d'Hélène par Pâris* 1627, bronze (70x41x38) : FRF 21 000 000.

SUSINNO Francesco ou Susino
XVIIIe siècle. Actif à Messine. Italien.
Peintre et critique d'art.

SUSIO Lodovico de. Voir SUSI Lodewik

SUSKE Anton
XVIIIe-XIXe siècles. Actif à Niemes (Bohême) entre 1750 et 1808. Éc. de Bohême.
Sculpteur.
Il a surtout travaillé pour les églises.

SÜSMAYR Tobias ou Süszmayer
Né le 7 juillet 1714 à Merching. XVIIIe siècle. Autrichien.
Stucateur et sculpteur.
Il était membre de la Compagnie de Jésus.

SÜSS von Kulmbach Hans. Voir KULMBACH Hans S. von

SÜSSEMANN Johannes ou Süszmann
XVIIIe siècle. Actif à Hildesheim entre 1742 et 1766. Allemand.
Sculpteur d'ornementations.
Il sculpta surtout des ornementations.

SÜSSENBACH Christian
XVIIe siècle. Actif à Ichweidnitz. Polonais.
Peintre.

SUSSENER Jeremias. Voir SÜSZNER

SUSSI Anton Giulio
Né en 1858 à Venise. XIXe siècle. Italien.
Peintre.
Élève de l'Académie de Venise. Il a fait le portrait du pape *Pie X* au séminaire de Venise.

SUSSMANN Carl Friedrich
Né en 1820 à Manchester. XIXe siècle. Britannique.
Peintre de portraits et de genre.
Il étudia à Berlin, Düsseldorf, Munich et de 1844 à 1847 à Rome.

SUSSMANN S. L.
XIXe siècle. Actif à Halberstadt. Allemand.
Lithographe.

SUSSMANN-HELLBORN Ludwig
Né le 20 mars 1828 à Berlin. Mort le 15 août 1908 à Berlin. XIXe siècle. Allemand.
Sculpteur.
D'après le catalogue du Musée de Berlin, il fit ses études à l'Académie et dans l'atelier de Wredow, visita l'Italie, la France où il exposa (médaille à Paris en 1864), la Hollande et retourna dans sa ville natale.
MUSÉES : BERLIN (Gal. Nat.) : *La belle au bois dormant* – *Faune ivre* – BERLIN (Mus. des Arts Décoratifs) : *Hans Holbein* – *Peter Vischer* – COLOGNE : *Roméo et Juliette au village* – *Statues de Frédéric II et de Fred. Guillaume III*.

SÜSSMER Jeremias. Voir SÜSZNER

SÜSSNAPP Carl
Né en 1828 à Cöslin en Poméranie. Mort le 26 janvier 1891 à Berlin. XIXe siècle. Allemand.
Peintre de portraits, graveur au burin et lithographe.

SUSTARSIC Marko
Né le 13 novembre 1927 à Cerknic. XXe siècle. Yougoslave.
Peintre de compositions animées, figures.
Il fut élève de l'Académie des Beaux-Arts de Ljubljana, de 1947 à 1953. Il poursuivit ses études à Paris, en 1956-1957.
Il expose dans de nombreux groupements, en Yougoslavie et à l'étranger. Il a montré une exposition personnelle de ses œuvres à Ljubljana, en 1962.
Dans une manière faussement naïve, rappelant les arts décoratifs populaires, il dispose, sur des fonds à peu près unis, personnages et objets très écartés les uns des autres, mais qui se répondent cependant à travers des espaces vides. Il raconte ainsi, d'une façon assez allégorique, des histoires tristes ou gaies, rassemblant sur une même toile les différents épisodes. Ses sortes de devantures d'objets, de personnages comme épinglés sur le

fond, ressemblent un peu à certains tirs forains d'autrefois, où étaient proposés à l'habileté des tireurs, fleurs, pipes, petites poupées, et toutes sortes de petits objets éparpillés sur le fond du tir.

Bibliogr. : *Catalogue de l'exposition Sustarsic, Mala Galrija, Ljubljana, 1962.*

SUSTER Frederik ou Susterus. Voir SUSTRIS

SUSTER Giuseppe
xviiᵉ siècle. Italien.
Graveur au burin.
Il grava le portrait de la famille de *Charles Patin.*

SUSTER Lambert ou Susterus. Voir SUSTRIS

SUSTERMAN Cornelis ou Sutterman
Né vers 1600 à Anvers. Mort vers 1670. xviiᵉ siècle. Éc. flamande.
Peintre de portraits et d'histoire.
Frère de Justus Susterman. Maître à Anvers en 1629 ; peintre de la chambre impériale en 1652. Il épousa Louise Lauch en 1659.

SUSTERMAN Jan ou Sutterman
xviiᵉ siècle. Actif à Anvers. Éc. flamande.
Peintre.
Frère de Justus Susterman. Il fut peintre de la chambre impériale à Vienne en 1631 et épousa la même année Régina Ostermeyer.

SUSTERMAN Justus, Joest, Josse, Jodocus, Giusto ou Sustermans, Sutterman, Soetermans, Citermans, Giusto
Né le 28 septembre 1597 à Anvers. Mort le 23 avril 1681 à Florence. xviiᵉ siècle. Éc. flamande.
Peintre de portraits.
Élève de Willem de Vos en 1610, et de F. Pourbus II, à Paris. Il alla en Italie, fut peintre de la cour du duc Cosme II à Florence en 1620. En 1624, il fut envoyé à Vienne et fut anobli ainsi que ses cinq frères. En 1645, il alla à Rome, puis à Gênes, Modène, Parme, Plaisance, Milan, etc., et en 1653 à Innsbruck. Il épousa en 1628 Déjanira Fabbretti, en 1635, Maddalena di Cosimo Mazochi, et en 1664 Maddalena Artimini. Il prolongea très longtemps le courant cosmopolite illustré par Van Dyck.
Musées : Berlin : *Portrait de jeune femme,* incertain – Bologne : *Portrait d'inconnu* – Boston : *Le marquis Guadagni avec son fils* – *A young commander* – Bruxelles : *Christine de Lorraine, grande duchesse de Toscane* – *Portrait d'homme* – Chambéry (Mus. des Beaux-Arts) : *Portrait d'inconnu* – *Portrait de dame avec des fleurs* – Dublin : *Ferdinand II, duc de Toscane et sa femme Vittoria della Rovere* – Édimbourg : *Marquis de Spinola* – Florence (Mus. des Offices) : *Hommage du Sénat de Florence au grand duc Ferdinand II* – *Charles de Lorraine* – *François de Lorraine, prince de Joinville* – *Un fou de la cour* – *Sainte Marie-Madeleine* – *Galilée* – *Portrait d'homme* – *Sainte Marguerite* – *Gentilhomme de la famille Médicis* – *Portrait de femme* – *La princesse Claude, femme de l'archiduc Léopold d'Autriche* – *L'artiste* – Florence (Palais Pitti) : *Vittoria della Rovere dans le costume de la vestale Tuccia* – *Elie, commandant d'une galère toscane* – *Éléonore de Gonzague, femme de l'empereur Ferdinand II* – *Le fils de Frédéric III de Danemark* – *L'empereur Ferdinand II* – *Le prince Mathias de Médicis* – *Portrait de femme* – *Sainte Famille* – *Marguerite, duchesse de Parme, fille de Cosimo II de Médicis* – *Le chanoine Pandolfo Ricasoli* – *Portrait d'homme* – *Ferdinand II de Médicis* – *Le duc Cosimo III enfant* – *Le cardinal Gian Carlo de Médicis, frère de Ferdinand II* – *François de Médicis, frère de Ferdinand II* – *Anne-Marie de Médicis, sœur de Ferdinand II* – *Le cardinal Léopold de Médicis, frère de Ferdinand II* – *François Marie de Médicis, frère de Cosimo III* – *Simone Paganucci* – *Waldemar Christian, fils de Christian IV de Danemark* – *Christine de Lorraine* – *Le cardinal Charles de Médicis* – *Claude Médicis, sœur de Cosimo II* – Florence (Gal. Corsini) : *La Vierge et l'Enfant* – *Cosimo II* – *Marie Madeleine d'Autriche* – *Marie-Madeleine Machiavelli Corsini* – *Marquis Geri della Rena* – *Pierre Fevre, chef des tisseurs parisiens à la cour de Cosimo II* – Forli : *Buonamento Augustini* – Gotha : *Le prince Georges de Danemark* – Londres (Nat. Gal.) : *Ferdinand II de Toscane* – *Vittoria della Rovere* – *Noble florentin* – *Portrait d'un inconnu* – Lucques : *Le cardinal Léopold de Médicis* – Moscou (Roumianzeff) : *Ferdinand de Médicis* – Padoue : *Portrait d'un inconnu* – Paris (Mus. du Louvre) : *Ferdinand II de*

Médicis – *Le jeune Léopold de Médicis* – Parme : *Marguerite de Savoie, cousine de Cosimo III* – *Don Pedro Porto Carrero* – Rome (Colonna) : *Frédéric Colonna, vice-roi de Valence* – Rome (Gal. d'Art Ant.) : *Sainte Hélène* – *Portrait d'un inconnu* – Stockholm : *Le général Ottavio Piccolomini* – Turin : *Vittoria della Rovere et son fils Cosimo III* – Vienne (Mus. d'Hist.) : *L'archiduchesse Claudia* – *François de Médicis.*

Ventes Publiques : Paris, 17 fév. 1896 : *Le duc d'Alcantara :* **FRF 3 000** – Paris, 21 mars 1898 : *Portrait de femme :* **FRF 705** – Londres, 2 avr. 1910 : *Portrait d'un gentilhomme :* **GBP 50** – Londres, 10 déc. 1910 : *Portrait du prince Ferdinand, fils de Cosme II de Médicis :* **GBP 15** – New York, 6 et 7 avr. 1911 : *Portrait d'une princesse de Médicis :* **USD 1 350** – Londres, 25 et 26 mai 1911 : *Portrait d'un chevalier français :* **GBP 598** – Paris, 3 juin 1920 : *Les trois anges :* **FRF 2 805** – Londres, 15 juin 1923 : *Claudia de Médicis :* **GBP 57** – Londres, 4 juil. 1924 : *Femme tenant une rose :* **GBP 131** – Londres, 20 mai 1927 : *Portrait de femme ; Portrait de gentilhomme, ensemble :* **GBP 231** – Londres, 17 et 18 mai 1928 : *Portrait de seigneur :* **GBP 13 125** ; *Portrait de Dame :* **GBP 7 560** ; *Femme de la cour des Médicis :* **GBP 483** ; *Prince royal :* **GBP 231** ; *Portrait de petit garçon :* **GBP 819** – Londres, 15 juin 1928 : *Femme en robe noire :* **GBP 304** – Londres, 28 juin 1929 : *La grande duchesse de Toscane :* **GBP 189** – Berlin, 30 sep. 1930 : *Vittoria della Rovere :* **DEM 4 300** – New York, 7 et 8 déc. 1933 : *Philippe IV d'Espagne :* **USD 325** – Londres, 20 déc. 1934 : *Portrait de jeune fille ; Portrait de petit garçon, les deux :* **GBP 325** – New York, 4 jan. 1935 : *Un chevalier de Malte :* **USD 225** – Londres, 9 juin 1944 : *Portrait de petit garçon :* **GBP 367** – Marseille, 18 fév. 1950 : *Portrait de Ferdinand II, empereur d'Allemagne :* **FRF 38 000** – Paris, 23 fév. 1951 : *Étude à mi-corps pour un portrait de l'empereur Ferdinand II :* **FRF 42 000** – Londres, 25 juin 1964 : *Portrait d'une dame de qualité :* **GNS 650** – Lucerne, 25 juin 1965 : *Portrait de jeune fille :* **CHF 6 500** – Cologne, 20 oct. 1967 : *Portrait d'une dame de qualité en robe rouge :* **DEM 7 000** – Versailles, 4 juin 1970 : *La jeune fille à la perle :* **FRF 7 000** – Bruxelles, 26 mars 1974 : *Portrait d'homme 1937 :* **BEF 80 000** – New York, 30 mai 1979 : *Portrait de femme au collier de perles,* h/t (53x44) : **USD 8 750** – New York, 17 jan. 1986 : *Groupe de chiens,* h/t (102,5x145,5) : **USD 26 000** – New York, 15 jan. 1988 : *Femme portant Cupidon avec un personnage de bacchanale,* h/t (73,6x56) : **USD 19 800** – Londres, 31 mars 1989 : *Portrait d'une dame portant une robe noire et des perles avec des chaines d'or,* h/t (69,9x55,9) : **GBP 4 400** – Londres, 11 avr. 1990 : *Portrait d'un jeune gentilhomme,* h/t (200x115) : **GBP 42 900** – Londres, 10 juil. 1992 : *Portrait de Matthias de Médicis en buste portant une armure et une écharpe bleue et tenant un bâton de commandement,* h/t (70,5x56,8) : **GBP 11 000.**

SUSTERMAN Lambert. Voir LOMBARD Lambert et ZUTMAN Lambert

SUSTERMANS. Voir SUSTERMAN et SUTTERMANS

SUSTRAC Noël Auguste
Né à Bordeaux. xixᵉ siècle. Français.
Paysagiste.
Débuta au Salon en 1866.

SUSTRIS Frederik ou Zustris, Suster, Susterus, Sustrich, Federico di Lamberto, ou Federigo Fiammingo
Né vers 1540 peut-être en Italie. Mort en 1599 à Munich. xviᵉ siècle. Hollandais.
Peintre de compositions religieuses, sujets allégoriques, dessinateur, architecte.
Élève de son père, Lambert Sustris. Il alla jeune en Italie, où il fut élève et aide de Vasari entre 1563 et 1567, il travailla en 1564 au catafalque de Michel-Ange, puis pour le duc de Lorraine. A partir de 1573, il alla à la cour du duc Guillaume V, d'abord au château de Trausnitz, puis à Munich où il éleva l'église des Jésuites, Saint-Michel, œuvre typique de la Contre-Réforme. En 1588 un Lamberto di Federigo Sustri Tedescho, qui doit être son fils est mentionné.

F.S. INV

Musées : Florence (Palais Pitti) : *Chambre d'accouchée* – Göttingen : *Annonciation* – Munich : *Son portrait avec saint Luc peignant la Vierge* – Prague (Strahow) : *Madone* – Schleissheim (Staatl. Gal.) : *Circoncision du Christ* – *Darius repousse les conseils de Charideme* – *Triomphe de Darius sur Jugurtha.*
Ventes Publiques : Paris, 31 mars et 1ᵉʳ avr. 1924 : *Motif de fon-*

taine, pl. et lav. : **FRF 150** – LONDRES, 30 nov 1979 : *Le choix d'Hercule (Maximilien I de Bavière en Hercule)*, h/t (115,5x172) : **GBP 8 000** – LONDRES, 12 déc. 1985 : *L'Adoration des bergers*, craie noire, pl. et lav. (23,1x17,7) : **GBP 4 800** – LONDRES, 3 juil. 1989 : *Albrecht de Bavière avec le lion de Bavière dans un écoinçon avec des angelots soutenant les emblèmes de la Justice, la Religion et la Paix*, encre et lav. (16,3x30,5) : **GBP 6 600** – NEW YORK, 12 jan. 1994 : *La présentation de la Vierge*, encre et lav. (21,3x36,3) : **USD 13 225**.

SUSTRIS Lambert ou Zustris, Suster, Susterus, appelé parfois Lambert von Amsterdam

Né entre 1515 et 1520 à Amsterdam. Mort après 1568. XVIe siècle. Allemand.
Peintre de compositions mythologiques, sujets religieux, scènes de genre, portraits.
Père de Frederik Sustris. On le situe mal. Parfois confondu avec LOMBARD (Lambert). Élève de Christopher Schwartz à Munich. Il voyagea en Italie et fortement impressionné par les œuvres de Titien, il chercha à s'en inspirer. Il accompagna son maître, Titien, à Augsbourg en 1548.
MUSÉES : AUGSBOURG : *Portrait de Guillaume IV* – BERLIN : *Vénus et l'Amour* – CAEN : *Baptême du Christ* – COLOGNE (Wall. Rich. Mus.) : *Portrait d'Erhard Vöhlin von Frickenhausen* – KASSEL : *Didon endormie* – LILLE : *Noli me tangere* – *Judith avec la tête d'Holopherne* – MILAN : *Le comte Melzi* – *Chambre vénitienne d'accouchée* – MUNICH : *Portrait de Hans Christoph Vöhlin von Frickenhausen* – *Portrait de Véronique Vöhlin von Frickenhausen* – *L'épouse de Darius devant Alexandre le Grand* – PARIS (Mus. du Louvre) : *Vénus et l'Amour* – ROME (Gal. Borghèse) : *Vénus sur son lit de repos* – SAINT-PÉTERSBOURG (Mus. de l'Ermitage) : *Jupiter et Io* – SCHLEISSHEIM : *Vulcain et Vénus* – VICENCE : *Repos au cours de la fuite en Égypte* – VIENNE (Mus. d'Hist.) : *Tobie et l'Ange* – *Femme au bain* – *Portrait d'un gentilhomme*.
VENTES PUBLIQUES : PARIS, 5 juin 1950 : *Portrait d'un peintre exécutant le portrait d'une jeune femme* : **FRF 13 000** – LONDRES, 8 déc. 1967 : *Allégorie de l'Abondance* : **GNS 650** – LONDRES, 26 juin 1970 : *Portrait de Barbara Kressin* : **GNS 1 100** – FLORENCE, 10 avr. 1974 : *Le banquet des dieux* : **ITL 7 500 000** – LONDRES, 30 mars 1979 : *Vulcain, Mars et Vénus*, h/t (97,8x201) : **GBP 8 500** – LONDRES, 9 déc. 1981 : *Portrait de femme*, h/t (96,5x70) : **GBP 8 000** – LONDRES, 11 déc. 1985 : *Judith avec la tête d'Holopherne*, h/pan. transposé/t. (121x101) : **GBP 10 000** – MILAN, 25 oct. 1988 : *Vénus et Adonis*, h/t (55x65,5) : **ITL 28 000 000** – MILAN, 29 nov. 1990 : *Courtisane*, h/t (90x72) : **ITL 25 000 000** – AMSTERDAM, 7 mai 1992 : *La résurrection de Lazare*, h/pan. (82x87,5) : **NLG 6 900** – NEW YORK, 22 mai 1992 : *La naissance de la Vierge*, h/t (75,6x104,1) : **USD 66 000**.

SÜSZ

XIXe siècle. Actif à Botzen sans doute dans la première moitié du XIXe siècle. Autrichien.
Peintre.
SÜSZ. Voir aussi **SIES** et **SIESS**

SÜSZ Philipp ou Suehs

Né le 23 avril 1772 à Vienne. Mort le 28 décembre 1803 à Vienne. XVIIIe siècle. Autrichien.
Sculpteur.

SUSZ von Kulmbach Hans. Voir KULMBACH Hans von

SÜSZ-ROCHEL Erhardt

Né le 11 avril 1879 à Mohrungen (Prusse). XXe siècle. Allemand.
Peintre de portraits, paysages.
Il étudia d'abord la peinture de paysages chez Dettmann, puis se consacra à partir de 1900 au portrait.

SÜSZMANN Johannes. Voir SÜSSEMANN

SÜSZMAYER Tobias. Voir SÜSMAYR

SUSZMAYR Alois

Né le 15 janvier 1825 à Landsberg. Mort le 8 décembre 1885 à Eichstätt. XIXe siècle. Allemand.
Peintre.
Élève à l'Académie de Munich. Il a peint des portraits, des paysages, et des scènes de genre et s'intéressa surtout aux problèmes de la couleur et de la lumière.

SUSZNER Jeremias ou Süszmer ou Süssmer ou Sussener

Mort en 1690. XVIIe siècle. Actif sans doute à Berlin. Allemand.
Sculpteur.

SUTA Romans

Né le 26 avril 1896 dans le district de Cesis. XXe siècle. Russe-Letton.
Peintre, sculpteur, céramiste, peintre décorateur.
Il travailla d'abord à Riga avec J. Maderniek et ensuite à l'école des Beaux-Arts de la ville. Il fut l'initiateur du public letton au cubisme.
MUSÉES : MOSCOU (Mus. Mod.) – SÈVRES (Mus. de la Manufacture) – VIENNE (Gal. Jellinek).

SUTAINE Henry Maxime

Né en 1803 à Reims. Mort en 1864. XIXe siècle. Français.
Peintre de paysages et écrivain d'art.
Auteur de nombreuses notices sur les artistes rémois. Expose au Salon de Paris entre 1847 et 1857. Le Musée de Reims conserve de lui : *Entre deux pluies (vue prise à Saint-Germain)*.

SU TAO

XXe siècle. Active en Belgique. Taïwanaise.
Peintre. Abstrait.
Elle a montré ses œuvres dans une exposition personnelle en 1991 à Waterloo.
Dans une veine traditionnelle, elle réalise des peintures sensibles, hermétiques, empreintes de philosophie bouddhiste et zen, traits de pinceau traversés de croix sur papier de riz.

SUTAT Auguste Jean Ferdinand

Né le 17 février 1814 à Paris. XIXe siècle. Français.
Peintre d'histoire et de portraits.
Élève de David. Entré à l'École des Beaux-Arts le 3 avril 1833. Débuta au Salon de Paris en 1840.

SUTCLIFFE Elizabeth

Née à Ellesmere. XIXe siècle. Britannique.
Paysagiste.
Élève de W. Rattigens à Manchester, elle alla à Paris et en Italie. Elle exposa pour la première fois au Walker Art Gallery, à Liverpool, vers 1884. Le Musée de Leeds conserve d'elle : *Le jour des primevères*.

SUTCLIFFE Harriette

XIXe-XXe siècles. Britannique.
Peintre de scènes de genre, portraits.
Elle travailla à Londres entre 1881 et 1907.
VENTES PUBLIQUES : LONDRES, 18 juin 1974 : *Honesty* : **GBP 470** – LONDRES, 10 mai 1985 : *La cueilleuse de prunes*, h/t (95,5x70) : **GBP 9 000** – LONDRES, 3 fév. 1993 : *La lettre*, h/t (76,5x51) : **GBP 2 070**.

SUTCLIFFE Irene

Née le 6 mars 1883 à Stakesby près de Whitby. XXe siècle. Britannique.
Peintre de miniatures, graveur.
Elle vit et travaille à Sleights Yorks.

SUTCLIFFE John

XIXe siècle. Britannique.
Peintre de scènes de genre.
Il travailla à Londres où il exposa entre 1853 et 1856.

SUTCLIFFE John E.

Né en 1876 à Accrington. Mort en mars 1922. XXe siècle. Britannique.
Peintre de paysages, illustrateur.
Il vit et travaille à Bushey. Il participa aux expositions de la Royal Academy de Londres de 1908 à 1921.

SUTCLIFFE Lester

Né à Leeds. XIXe-XXe siècles. Britannique.
Peintre de paysages.
Après avoir reçu les premiers principes de dessin dans sa ville natale, il vint à Birmingham et y fut peintre de décors de théâtre. Il exerça en même temps, et pendant dix ans, le même métier à Liverpool. Il fit un voyage d'études en France et en Italie. Mais son véritable maître fut toujours la nature. Il commença à exposer à Leeds et prit part aux Expositions londoniennes, notamment à Suffolk Street et à la Royal Academy à partir de 1880. Membre de la Royal Cambrian Academy. Le Musée de Leeds conserve de lui : *De grand matin*.

P. Sutcliffe [signature]

VENTES PUBLIQUES : LONDRES, 17 sep. 1980 : *Scène de port,* h/t mar./cart. (39,5x32) : **GBP 380** – PARIS, 21 avr. 1985 : *Auvers-sur-Oise* 1885, aquar. (50x72) : **FRF 9 000**.

SUTCLIFFE Thomas
Né le 5 avril 1828 à Leeds. Mort le 11 décembre 1871 à Ewecote (Whitby). XIXe siècle. Britannique.
Paysagiste.
Élève de la Royal Academy. Élu associé de l'Institut of Painters in Water-Colours en 1856, il exposa jusqu'à sa mort. Il exposa également à la Royal Academy. Le Musée de Leeds et le Victoria and Albert Museum, à Londres, conservent des aquarelles de lui.

SUTEANO Pierre
XXe siècle. Roumain.
Peintre de paysages.

SUTEJ Miróslav
Né en 1936 à Duga Resa. XXe siècle. Yougoslave.
Peintre, graveur.
Il fait ses études à l'Académie des Beaux-Arts de Zagreb.
Il particpe à de nombreuses expositions collectives en Yougoslavie, Italie, aux U.S.A., en Allemagne, au Canada, au Japon, aux VIe et VIIe Biennales des Arts Graphiques en Suisse, en France à la IIe Biennale des Arts Graphiques. Il montre ses œuvres dans des expositions personnelles depuis 1962, notamment en Italie, en Yougoslavie, en Suisse, en Allemagne.
L'activité artistique de Sutej ne commence qu'en 1962 : *Onde de probabilité, Caractéristiques des ondes, Onde matière, Bombardement du nerf optique* (...) où il accroche une trentaine de dessins en noir et blanc titrés. Affinité de l'auteur pour le « paysage scientifique ». Sutej est surtout attiré par les données visuelles du domaine de l'électromagnétisme et de l'optique. Avec le *Bombardement optique* de 1963, Sutej introduit des effets de dilatation et de rétrécissement de surfaces géométriques bicolores, dispersées ou loin d'un axe, donnant ainsi la vision sphérique d'une surface plane à partir d'artifices de la construction, évoquant les surfaces dilatées de Vasarely. Les contrastes colorés succèdent aux unités blanc-noir. Désormais la couleur aura un rôle important, puisque c'est par elle que Sutej fait valoir les rapports et les délimitations spatiales de formes sphériques identiques dans des groupements répétitifs. Il donne parfois une certaine mobilité aux éléments géométriques de ses tableaux.

SUTEL Jeremias
Né en 1587 à Northeim (Hanovre). Mort le 11 avril 1631 à Hanovre. XVIIe siècle. Allemand.
Sculpteur.

SUTER. Voir aussi SUTTER

SUTER August
Né le 19 juillet 1887 à Eptingen. Mort le 28 novembre 1965. XXe siècle. Actif en France. Suisse.
Sculpteur de bustes.
Il travailla à Bâle en 1908 avec Hermann Meyer et de 1910 à 1914 à Paris avec Rodin, Émile Bourdelle et Auguste de Niederhäusern. Il s'installa à Paris.
MUSÉES : AARAU (Aargauer Kunsthaus) : *Buste du professeur Fritz Fleiner* 1935, bronze – BÂLE : *Buste de Hermann Mayer,* bronze – *Buste de la cantatrice H. S* – GAND : *Torse d'homme.*

SUTER Cornelius. Voir SUTER Johann Cornelius

SUTER Ernst
Né en 1904. Mort en 1987. XXe siècle. Suisse.
Sculpteur de bustes.
MUSÉES : AARAU (Aargauer Kunsthaus) : *Personnage mâchant* 1936 – *Buste d'Ernest Bolens* vers 1937-1944 – *Personnage féminin* 1940-1943 – *Promotheus* vers 1947, fer – *Femme assise* 1967, bronze.
VENTES PUBLIQUES : ZURICH, 17-18 juin 1996 : *Debout* 1977, bronze (73x27x16) : **CHF 4 600.**

SUTER Hugo
Né en 1943 à Aarau. XXe siècle. Suisse.
Sculpteur, peintre, aquarelliste, dessinateur.
De 1964 à 1966, il fut élève de l'école des beaux-arts de Zurich. Il vit et travaille à Seengen.
Il participe à des expositions collectives : 1971 *L'Avant-Garde suisse* à New York ; 1972 *Art : 28 Suisses* à Lucerne.
BIBLIOGR. : Theo Kneubühler, in : *Art : 28 Suisses,* Édit. Gal. Raeber, Lucerne, 1972.
MUSÉES : AARAU (Aargauer Kunsthaus) : *Jardin à l'automne* 1965 – *À côté de la gare* 1966 – *Montagne et Vallée* 1972.

SUTER Jakob
Né en 1793 à Riedikon-Uster. Mort en 1874 à Thun. XIXe siècle. Suisse.
Peintre de genre, portraits, figures, aquarelliste, graveur au burin, lithographe.
Il étudia à Zurich, Munich et en Italie. A partir de sa cinquantième année, il se fixa à Thun. Il a peint une série de costumes nationaux.
VENTES PUBLIQUES : PARIS, 9 et 10 mars 1927 : *Jeune Suissesse du canton d'Appenzell,* aquar. : **FRF 200** – BERNE, 5 déc. 1978 : *Vue du glacier de Grindelwald* 1871, aquar. (65x92,5) : **CHF 6 700** – LONDRES, 28 nov. 1985 : *Vue des bords de l'Aar et d'Interlaken,* aquar. et r.eh. de blanc (54,5x75) : **GBP 2 800** – NEW YORK, 25 fév. 1987 : *Vue de la côte d'Amalfi* 1872, aquar./traits de cr./pap. mar./t. (66,3x92,5) : **USD 3 500.**

SUTER Jakob
Né le 13 janvier 1805 à Zurich. Mort en 1874 à Sarnen. XIXe siècle.
Peintre de paysages, paysages d'eau, aquarelliste, dessinateur, graveur.
Il fut élève de J. J. Wetzel. Il pratiqua la gravure au burin et l'aquarelle.
MUSÉES : BERNE : aquar. – WINTERTHUR (Bibl.) : aquar. – ZURICH : *Pont de la Via Mala,* aquar. – *Le Mont Blanc avec le Lac de Chède,* aquar. – *Moulin à Meiringen,* aquar. – *Côte italienne,* aquar. – *Palerme,* aquar. – *Scherzlingen,* aquar. – deux sépias.
VENTES PUBLIQUES : BERNE, 25 nov. 1976 : *Vue de Thoun,* deux h/cart. (36x54 et 37x53) : **CHF 3 200** – LUCERNE, 21 juin 1977 : *Paysage de l'Oberland Bernois* 1870, aquar. (64x92) : **CHF 3 700** – BERNE, 23 oct. 1980 : *Vue du lac de Thune* 1840, cart. deux pendant (37x53,5) – LONDRES, 24 juin 1988 : *Vue de la rivière Aare avec Interlaken au lointain,* cr. et aquar. (55,9x76) : **GBP 4 620** – ZURICH, 24 nov. 1993 : *Vue de Zürich vers la chaîne des Alpes,* aquat. en coul. (31x43) : **CHF 2 875.**

SUTER Johann ou Sutor ou Sutter
Né le 29 septembre 1705 à Beromunster. Mort le 19 mai 1782 à Beromunster. XVIIIe siècle. Suisse.
Peintre.

SUTER Johann Cornelius et Cornelius, père et fils
Johan Cornelius né en 1733, Cornelius en 1757. Johann Cornelius mort en 1818 et Cornelius en 1845. XVIIIe-XIXe siècles. Suisses.
Peintres verriers.

SUTER Johann Georg
Né à Arlon. Mort en 1800. XVIIIe siècle. Allemand.
Graveur de portraits.
Élève de Preissler à Nuremberg.

SUTER Wilhelm
Né en 1806 à Zofingen. Mort le 6 novembre 1882 à Zurich. XIXe siècle. Suisse.
Dessinateur, graveur et lithographe.
Il étudia à Zurich avec Heinr. Lips et à Munich avec P. Cornelius. Il travailla aussi à Dresde et à Prague.

SUTER Willy
Né en 1918. XXe siècle. Suisse.
Peintre de fleurs, natures mortes.

[signature]

MUSÉES : AARAU (Aargauer Kunsthaus) : *Nature morte d'automne* 1955, h/t.
VENTES PUBLIQUES : ZURICH, 18 nov. 1976 : *Bouquet de fleurs* 1951, h/t (65x43) : **CHF 1 000** – LUCERNE, 15 mai 1993 : *Nature morte aux trois fruits* 1951, h/t (42x55) : **CHF 1 800.**

SUTERA Giuseppe
Né le 17 octobre 1878 à Castrogiovanni. XXe siècle. Italien.
Sculpteur.
Il fut élève d'Achille d'Orsi et de Luigi de Luca. Il vécut et travailla à Naples. Ses œuvres sont la propriété de l'ex-roi d'Italie et de la ville de Naples.
MUSÉES : NAPLES (Mus. de la ville).

SUTERMAN Lambert. Voir ZUTMAN

SUTERMEISTER Arnold
Né le 11 juillet 1830 à Zofingen. Mort le 3 mai 1907 à Kansas City. XIXe siècle. Suisse.
Sculpteur et architecte.

SUTERMEISTER Carl Jakob
Né le 4 janvier 1809 à Zofingen. Mort le 6 janvier 1853 à Zofingen. XIXe siècle. Suisse.
Peintre de fleurs, de portraits et d'animaux.
Il étudia à Munich.

SUTERMEISTER Johann Rudolf
Né en 1819 à Zofingen. XIXe siècle. Suisse.
Peintre, graveur au burin et sur verre.

SUTHER Jean Michel
Né en 1741 à Haguenau (Haut-Rhin). XVIIIe siècle. Français.
Peintre sur porcelaine.

SUTHERLAND Elisabeth de, duchesse
Née le 24 mai 1765. Morte le 29 janvier 1839. XVIIIe-XIXe siècles. Britannique.
Peintre de paysages et graveur amateur.
Elle publia en 1807 : *Views on the Northern and Western Coasts of Sutherland.*

SUTHERLAND Fanny
XIXe siècle. Active à Londres. Britannique.
Peintre de portraits, d'intérieurs et paysagiste.
Elle exposait entre 1876 et 1886.

SUTHERLAND Graham Vivian
Né le 24 août 1903 à Londres. Mort le 17 février 1980 à Londres. XXe siècle. Britannique.
Peintre de compositions religieuses, portraits, animalier, paysages, technique mixte, peintre à la gouache, dessinateur, graveur, illustrateur, peintre de cartons de tapisserie, sculpteur.

Graham Sutherland est le fils d'un avocat, fonctionnaire du gouvernement. Il commença ses études au collège d'Epsom, puis travailla dans les ateliers d'une compagnie de chemins de fer, tout en dessinant pendant ses moments libres. En 1921, à l'âge de dix-huit ans, il se décide à suivre les cours de dessin et de gravure du Goldsmith's College School of Art. Il se marie, quitte l'École d'Art et va vivre dans le Kent. En 1926, il se convertit au catholicisme. De 1930 à 1939, il est professeur de gravure à l'École d'Art de Chelsea. En 1949, il est nommé membre du Comité de la Tate Gallery. À partir de 1947, il partage son temps entre le Kent et Menton dans les Alpes-Maritimes.
Il participe à des expositions collectives : dès 1923 à la Royal Academy de Londres, dont il est élu membre ; 1936 Exposition internationale surréaliste à Londres ; 1948 *La Jeune Peinture en Grande-Bretagne* à la Galerie Drouin à Paris, manifestation ensuite présentée au Musée d'Art Moderne de Bruxelles.
Il montre ses œuvres dans des expositions personnelles : 1925 pour la première fois des dessins et des gravures dans une galerie de Londres, puis de nouveau en 1928 ; 1938, à la veille de la Seconde Guerre mondiale, première exposition de peintures, qui sera suivie d'une autre en 1940 à la Leicester Gallery de Londres ; 1945-1946 reprise d'expositions de ses œuvres à Londres et New York ; 1947 présentation de la série *La Tête couronnée d'épines* à la Reid and Lefevre Gallery à Londres ; 1948 de nouveau à Londres, et une présentation à Paris ; 1951 très importante exposition rétrospective de l'ensemble de son œuvre à l'Institut d'Art Contemporain de Londres ; 1952 Biennale de Venise, où il représente la Grande-Bretagne, dont il obtient l'un des prix, et Musée d'Art moderne de Paris ; 1953, 1982 Tate Gallery de Londres ; 1955 Biennale de São Paulo. Après sa mort, des expositions rétrospectives sont consacrées à son œuvre, notamment, en 1998, au Musée Picasso d'Antibes, avec plus de cent cinquante peintures et dessins de 1934 à 1979.
En 1930, il tente ses premiers essais de peinture et surtout s'initie à la gravure. Il faudra attendre 1935 pour que, au cours d'un voyage dans le Pembrokshire (au sud du Pays de Galles), il découvre, à propos de paysages qu'il réduit à leur origine géologique, les formes minérales et végétales qui vont déterminer l'évolution décisive de sa vision et de la transcription de celle-ci plastiquement. En 1941, il est nommé peintre de guerre, chargé de dessiner les ruines de Londres, d'évoquer l'effort de guerre industriel et minier.
En 1945-1946, il reçoit la commande d'une *Crucifixion*, pour l'église de Saint-Matthew à Northampton. Haussant sa palette, il découvre, à ce propos, le thème de la *Tête couronnée d'épines*, qui va provoquer d'infinies variantes, qui constituent une importante période de son œuvre, dans laquelle il développe le graphisme heurté, hérissé, qui marquera définitivement son style,

dont des couleurs acidulées, roses fuchsia, verts amandine, comme bonbons anglais, accentueront l'agressivité. En 1951, l'Arts Council lui commande une vaste peinture murale ; depuis il a reçu diverses commandes officielles : en 1955, une tapisserie pour la cathédrale de Coventry reconstruite ; en 1960, un *Noli me tangere* pour la cathédrale de Chichester.
Graham Sutherland, qui s'explique volontiers sur son art, tant oralement que par la plume, écrit : « mon esprit était tout entier préoccupé par l'idée des épines et des blessures d'épines. À la campagne, je commençais à remarquer les buissons d'épines et la structure des épines, perçant l'air dans toutes les directions, leurs pointes établissant les limites de l'espace aérien ». Dans ce témoignage, il ne faut pas hésiter à voir une magistrale description intentionnelle de sa propre vision, comme, des lignes qui vont suivre, il faut dégager la démarche spirituelle de son symbolisme plastique si caractéristique : « Je fis quelques dessins et, ce faisant, un étrange changement s'opéra. Tout en conservant leur propre vie dans l'espace créé par leurs piquants, les épines se réordonnaient et devenaient autre chose – une sorte de paraphrase de la Crucifixion et de la Tête Crucifiée – *L'Essence de la cruauté* ». On pense bien que les racines d'olivier, ou les ceps de vigne qu'ossifie l'implacable soleil de Provence, les étoiles de mer fossilisées ou les épaves torturées que rejette à la grève la vague, ne pouvaient que fournir de nouveaux thèmes à cet inventeur insatiable de symboles formels. Pratiquant l'art des métamorphoses, il invente des cactus-sauterelles, des arbres-pieuvres, des animaux-machines, des hommes-crabes ou oiseaux.
Bien souvent ses peintures « se dressent » comme des sculptures qui s'ignorent, mais s'ignorent-elles à ce point ? Dans tel *Buisson d'épines* ou dans telle *Forme debout*, il est très évident que Sutherland a isolé, de la réalité diffuse, un élément signifiant, qu'il hybride, totémise ensuite en une forme synthétique. N'est-ce point là l'une des démarches mêmes du statuaire ? C'est dans le même sens, mais en se référant plutôt au message émotionnel de l'art de Sutherland qu'à sa genèse plastique, que Herbert Read évoque : « la menace de plus en plus terrifiante des symboles ». Le même, continuant à s'attacher à la qualité sensorielle de l'œuvre de Sutherland, cite à son tour Henri Michaux : « Tout ce qui est tortueux dans la nature lui est une douce caresse. » Sir Philip Hendy le dit s'attacher à « reproduire non pas tellement ce qu'il a vu mais plutôt ce qu'il a ressenti au moment où il a vu. Il nous communique sa propre exaltation dans la forme la plus intense qu'il puisse concevoir ». On peut voir dans cette phrase une parfaite définition de tout processus artistique et rien d'autre qui caractérise Sutherland en particulier. En 1949 on lui demande des cartons de tapisserie. 1951 est l'année de sa consécration officielle. C'est le moment aussi qu'il commence, comme une conséquence naturelle et logique de sa pratique picturale, ses premiers essais de sculpture.
Dans son œuvre peint, tout en restant fidèle aux caractéristiques de son langage de formes hérissées, dressées sur fond d'évocation de paysages, ces fonds de paysages se sont progressivement humanisés, devenus plus accueillants, comme apaisés. D'ailleurs l'apparition de la trace de l'homme dans ses paysages a été parallèle à une nouvelle carrière, qui le rend de nouveau insaisissable, inclassable, de portraitiste, qu'il entreprit à partir du *Portrait de Somerset Maugham* de 1947, qui fut suivi du *Portrait de Lord Beaverbrook* en 1951 ; du *Portrait de Winston Churchill* en 1954, commande nationale officielle, qui fut très diversement accueilli ; du *Portrait du prince Fürstenberg* en 1958-1959. Si l'on remarque le retour au classicisme pour la figuration de ces portraits, leur acuité psychologique n'en est pas moins évidente.
Ce ne fut qu'en 1948 que le public français put découvrir officiellement cet artiste, d'ailleurs tardif, aussi étrange qu'isolé. Il est étrange comme tous les grands artistes originaux le sont, mais s'il apparaît comme un cas tellement isolé, c'est parce que, ni figuratif, ni surréaliste, ni abstrait, il ne se situe dans aucun courant identifiable, bien que les traversant épisodiquement.

■ Jacques Busse

BIBLIOGR. : Frank Mc Ewen, in : *Diction. de la peint. mod.*, Hazan, Paris, 1954 – Douglas Cooper : *The Work of Graham Sutherland*, Lund & Humphries, Londres, 1962 – Douglas Cooper, in : *Peintres Contemporains*, Mazenod, Paris, 1964 – Sarane Alexandrian, in : *Diction. Univers. de l'Art et des Artistes*, Hazan, Paris, 1967 – John Hayes : *G. Sutherland*, National Portrait Gallery, Londres, 1977 – Roberto Tassi : *Tout l'Œuvre gravé de Sutherland*, Société Française du Livre, 1980 – Roberto Tassi :

Sutherland, dessins de guerre, Electa, Milan, 1979 – John Hayes : *The Art of G. Sutherland*, Phaidon, Londres, 1980 – Roger Berthoud : *Sutherland : a biography*, Faber and Faber, Londres, 1982 – in : *L'Art du xxᵉ siècle*, Larousse, Paris, 1991 – in : *Dict. de l'art mod. et contemp.*, Hazan, Paris, 1992 – Catalogue de l'exposition *Graham Sutherland*, Mus. Picasso, Antibes, 1998.

Musées : BÂLE (Kunstmus.) – BERLIN – BRUXELLES (Mus. roy. des Beaux-Arts) – BUFFALO (Albright-Knox Art Gal.) – LONDRES (Tate Gal.) : *Entrée d'un sentier 1939* – *Portrait de Somerset Maugham 1949* – PARIS (Mus. Nat. d'Art Mod.) : *Standing Form 1952.*

Ventes Publiques : LONDRES, 4 nov. 1959 : *Tonnerre grondant* : **GBP 420** – LONDRES, 6 avr. 1960 : *Pergola de vigne*, gche : **GBP 460** – LONDRES, 26 avr. 1961 : *Formes de paysage*, dess. : **GBP 220** – LONDRES, 10 avr. 1962 : *Thorn forms* : **GBP 4 000** – LONDRES, 3 avr. 1963 : *Twisted tree forms against rocks*, aquar. et gche : **GBP 420** – LONDRES, 17 juil. 1963 : *Visage devant un feuillage* : **GBP 2 000** – LONDRES, 24 avr. 1964 : *Étude pour figures debout*, gche et aquar. : **GNS 380** – LONDRES, 13 nov. 1964 : *Tête de bélier* : **GNS 1 500** – LONDRES, 14 déc. 1966 : *Roses*, aquar. reh. de gche et craie noire : **GBP 650** – LONDRES, 14 juil. 1967 : *Le palmier* : **GNS 3 800** – LONDRES, 1ᵉʳ mai 1968 : *Deux figures debout*, aquar. et gche, sur trait de pl. : **GBP 1 200** – NEW YORK, 25 sep. 1968 : *Christ assis* : **USD 13 000** – LONDRES, 21 nov. 1969 : *Étude pour une tête*, past. et gche : **GNS 700** – LONDRES, 8 juil. 1970 : *Oiseaux dans un paysage*, gche : **GBP 3 400** – LONDRES, 30 oct. 1970 : *Paysage* : **GNS 4 200** – PARIS, 4 déc. 1971 : *Deux pommiers*, aquar. gchée : **FRF 21 000** – LONDRES, 15 déc. 1971 : *Blue vine* : **GBP 4 600** – LONDRES, 22 nov. 1972 : *Minéralogique* : **GBP 1 600** – MILAN, 15 mars 1973 : *Horned form* : **ITL 7 200 000** – LONDRES, 13 juil. 1973 : *Étude pour The origins of the land*, gche : **GNS 5 800** – MILAN, 4 juin 1974 : *Fleurs de datura 1956* : **ITL 29 000 000** – LONDRES, 19 juin 1974 : *Vine Pergola 1948* : **GBP 11 000** – LONDRES, 11 oct. 1974 : *Étude pour Vine and pergola*, gche : **GNS 4 000** – MILAN, 8 juin 1976 : *The Toad II 1958-1959*, h/t (128x96) : **ITL 25 000 000** – NEW YORK, 9 oct. 1976 : *Organic forms 1945*, gche et encre de Chine (28x18,5) : **USD 2 400** – NEW YORK, 20 oct. 1977 : *Étude de tête 1953*, aquar. et fus. (31,5x27,5) : **USD 1 900** – LONDRES, 8 mars 1978 : *Insecte 1963*, h/t (142,5x120,5) : **GBP 14 000** – LONDRES, 27 juin 1979 : *Les collines vertes 1944*, cr., pl., craie noire et gche (30x38) : **GBP 2 800** – LONDRES, 27 juin 1979 : *Tin mine – a declivity 1942*, aquar., pl., craie noire et gche (48x94) : **GBP 9 000** – LONDRES, 3 avr 1979 : *Poised form over rock 1973*, h/t (178x173) : **GBP 14 000** – LONDRES, 29 juin 1981 : *Hommage à Picasso 1947*, h/t (30,5x51) : **GBP 10 000** – LONDRES, 30 juin 1982 : *Portrait study of Somerset Maugham*, craie noire et encre bleue (25,5x18,5) : **GBP 4 600** – LONDRES, 29 juin 1983 : *Fine Vine Pergola 1947*, temp. et gche (25,5x32,5) : **GBP 7 000** – LONDRES, 23 mars 1983 : *Thorn head 1947*, h/t (112x79) : **GBP 18 000** – LONDRES, 28 mars 1984 : *Devastation-East end factory ventilation shaft*, pl. et encre de Chine/cr. coul., aquar. et fus. (66,4x46,1) : **GBP 8 000** – LONDRES, 27 mars 1985 : *Rock face 1978*, pl./aquar. et craie (27x43) : **GBP 4 200** – MILAN, 19 juin 1986 : *Composition 1972*, h/t (100x81) : **ITL 40 000 000** – LONDRES, 1ᵉʳ avr. 1987 : *Standing forms II 1952*, h/t (181x141,6) : **GBP 100 000** – LONDRES, 24 fév. 1988 : *Composition*, gche, aquar. et encre de Chine/pap. (15x24,5) : **GBP 770** – LONDRES, 9 juin 1988 : *Chemin d'accès 1946*, gche et encre (18,1x17,8) : **GBP 6 820** – MILAN, 8 juin 1988 : *Palissade de palmiers 1947*, h/cart. (27,5x47,5) : **ITL 21 500 000** – LONDRES, 9 juin 1989 : *La plage de l'estuaire*, aquar., gche et encre (28x48,1) : **GBP 18 700** – LONDRES, 28 juin 1989 : *Etude pour Forme sur une terrasse 1967-68*, h/t (143x65) : **GBP 66 000** – LONDRES, 10 nov. 1989 : *Estuaire de rivière 1978*, h/t (58,4x66,1) : **GBP 26 400** – LONDRES, 9 mars 1990 : *La Sainte Face 1964*, past. et craie blanche/pap. noir (21,7x17,1) : **GBP 8 580** – LONDRES, 24 mai 1990 : *Blé et pierre 1945*, gche et h/pap./cart. (53,5x52) : **USD 28 600** – LONDRES, 8 juin 1990 : *Etude pour Les Origines de la terre*, gche, encre et cr. (43x84) : **GBP 40 700** – LONDRES, 9 nov. 1990 : *Composition*, encre et lav./cr. (41x33) : **GBP 3 080** – NEW YORK, 7 nov. 1990 : *Crucifixion 1964*, cr., past. et gche/cart. (21x16,5) : **USD 3 300** – ROME, 3 déc. 1990 : *Éléphant*, gche/pap. (48,5x37,5) : **ITL 27 600 000** – STOCKHOLM, 30 mai 1991 : *Forme debout sur un fond rose*, temp. (40,5x19) : **SEK 65 000** – LONDRES, 7 juin 1991 : *10 Nye Bevan Street dans l'East End 1920*, encre, aquar. et gche (12,5x20,5) : **GBP 6 600** – LONDRES, 8 nov. 1991 : *Tonnelle sous une treille 1947*, cr. et h/pan. (51x97) : **GBP 66 000** – LONDRES, 25 mars 1992 : *Paysage de Gower (Pays de Galles) 1941*, aquar., craie grasse et encre (37,7x47) : **GBP 8 250** – NEW YORK, 11 mai 1992 : *Portrait de Douglas Cooper 1967*, h/t (130,2x80,9) : **USD 46 200** – LONDRES, 11 juin 1992 : *Formes articulées 1948*, cr. noir et coul., aquar. et gche (22,5x28) : **GBP 6 050** – LONDRES, 24-25 mars 1993 : *Forme debout devant un fond rose 1950*, temp., craies de coul. encre et fus. (39x18) : **GBP 8 050** – LONDRES, 26 mars 1993 : *Le palmier 1959*, h/t (130x97) : **GBP 63 100** – MILAN, 20 mai 1993 : *Trois formes debout 1952*, fus./pap. (53,5x42) : **ITL 9 200 000** – LONDRES, 25 nov. 1993 : *Le bout du chemin*, h/cart. (93,5x72,5) : **GBP 69 700** – NEW YORK, 24 fév. 1994 : *Crucifixion I 1964*, gche et past./pap. noir (20,3x15,2) : **USD 2 070** – MILAN, 21 juin 1994 : *Sans titre*, techn. mixte/pap. entoilé (65x50) : **ITL 16 675 000** – LONDRES, 26 oct. 1994 : *Forme debout devant un rideau rouge 1949*, h/t (147x67) : **GBP 8 050** – MILAN, 22 juin 1995 : *Écrevisses 1978*, gche/pap. (47,5x34) : **ITL 7 130 000** – LONDRES, 25 oct. 1995 : *Feuilles de bananier, bleu et orange 1948*, gche et craie de coul. (25,5x25) : **GBP 3 220** – LONDRES, 22 mai 1996 : *Palmier 1957*, h/t (65x55) : **GBP 23 000** – LONDRES, 23 oct. 1996 : *Oiseaux pour les Origines du monde 1952*, pl., cr. noir et coul., gche, brosse et encre noire (57,2x54,5) : **GBP 14 375** – LONDRES, 23 oct. 1996 : *Métamorphose 1977*, cr., pl., encre de Chine, craies grasses, past. et aquar./pap. (39x31) : **GBP 4 370** – LONDRES, 30 mai 1997 : *Littoral aux collines 1947*, h/t (50,8x59,7) : **GBP 35 600.**

SUTHERLAND Jane

Née en 1855. Morte en 1928. XIXᵉ-XXᵉ siècles. Australienne.

Peintre de portraits, paysages. Impressionniste.

Bibliogr. : In : *Creating Australia 200 years of Art 1788-1988*, Art Gallery of South Australia, Adelaïde, 1988.

Ventes Publiques : SYDNEY, 6 oct. 1976 : *Portrait of Brenda Sutherland*, h/t (56x43,3) : **AUD 550.**

SUTHERLAND Thomas

Né vers 1785. XIXᵉ siècle. Britannique.

Graveur à l'aquatinte.

Il a surtout gravé à l'aquatinte des scènes de chasse, des chevaux, des départs de diligences, etc. On lui doit les portraits du *Duc de Wellington*, et du *Maréchal Blucher* et la reproduction de la *Tombe de Bonaparte.*

SUTHERS Leghe

XIXᵉ-XXᵉ siècles. Britannique.

Peintre de genre.

Il exposa à Londres entre 1885 et 1905, notamment à la Royal Scottish Academy en 1905, et participa aux expositions de la Royal Academy en 1901.

Ventes Publiques : LONDRES, 15 mai 1985 : *Companions*, h/t (76x60) : **GBP 11 000** – LONDRES, 13 nov. 1986 : *An indulgent critic*, h/t (79x63) : **GBP 22 000** – LONDRES, 5 juin 1991 : *Une pause du chasseur*, h/t (56x46) : **GBP 2 200** – LONDRES, 7 juin 1996 : *Musiciens devant une auberge*, h/t (107x191) : **GBP 14 950.**

SUTHERS W.

XIXᵉ siècle. Britannique.

Peintre de fleurs et paysagiste.

Il exposait à Londres entre 1878 et 1887.

SU TINGYU ou Sou T'ing-Yu ou Su T'ing-Yü, surnom : Xugu

Originaire de Mengcheng, province du Anhui. XVIIIᵉ siècle. Actif vers 1780. Chinois.

Peintre.

Peintre de fleurs de prunier, d'épidendrons, de chrysanthèmes et de bambous, il pratique la peinture au doigt.

SUTKOWSKI Walter

Né le 4 octobre 1890 à Dantzig. XXᵉ siècle. Allemand.

Sculpteur de groupes, céramiste.

Il vit et travaille à Berlin.

On lui doit trois groupes représentant *La Musique*, *Le Théâtre* et *La Danse* dans le parc de la Wuhlheide à Berlin.

SUTNAR Ladislav

Né le 9 novembre 1897 à Pilsen (Bohême). Mort en 1976 à New York. XXᵉ siècle. Actif aux États-Unis. Tchécoslovaque.

Peintre, dessinateur, graveur.

Il étudia à Prague, où il enseigna le graphisme et la typographie à l'école des arts appliqués, dont il devint directeur de 1932 à 1939. Pour la Foire universelle de 1939 de New York, il est chargé de la réalisation du pavillon tchécoslovaque. Il s'installera alors à New York. Il a obtenu le grand prix à Paris en 1937.

Influencé par le constructivisme et l'esthétique du Bauhaus, il privilégie un art fonctionnel, réalisant des maquettes. On cite *La Maison minimum* de 1931.

Bibliogr. : In : *L'Art du xxᵉ siècle*, Larousse, Paris, 1991.

SUTOR Emil
Né le 19 juin 1888 à Offenbourg (Bade-Wurtemberg). xxe siècle. Allemand.
Sculpteur de figures.
Il fut de 1907 à 1909 élève de l'Académie de Karlsruhe chez Volz, étudia à Berlin en 1910-1911 chez Faierlein, et plus tard à Leipzig chez Bruno Wollstätter. Il vécut et travailla à Karlsruhe.
On lui doit plusieurs figures à la gare centrale de Leipzig.

SUTOR F. S.
xviiie siècle. Allemand.
Peintre.

SUTOR Georg. Voir SUTTAR
SUTOR Johann. Voir SUTER
SUTOR Johann Heinrich
xviie siècle. Allemand.
Sculpteur.

SUTORIS Hermann. Voir SCHAUERTE
SUTRE Ernest
Né le 16 juin 1904 à Bâle. xxe siècle. Suisse.
Sculpteur.
Il travailla avec Aristide Maillol. Il exposa à Paris au Salon d'Automne.

SUTRO Esther, dite Stella, née Isaacs
Née à Londres. xxe siècle. Britannique.
Peintre de genre.
Elle participa à des expositions collectives à Liverpool, notamment en 1909, et à Paris, à la Société Nationale des Beaux-Arts en 1910.
Musées : Bradford : *La Parisienne*, past.

SUTTAR Georg ou Sutor
xviiie siècle. Actif vers 1600. Autrichien.
Peintre.

SUTTER. Voir aussi SUTER
SUTTER Albert
Né en 1862 à Saint-Gall. Mort le 26 août 1923 à Saint-Gall. xixe-xxe siècles. Suisse.
Peintre de paysages, illustrateur.
Il étudia à l'École des Beaux-Arts de Zurich. Il a publié en 1897 à Zurich un album, sous le titre *Paysages suisses*.

SUTTER Conrad
Né le 13 septembre 1856 à Karlsruhe. Mort le 22 octobre 1927 à Bethel près de Bielefeld. xixe-xxe siècles. Allemand.
Peintre de genre, sujets militaires, graveur.
Il fut aussi architecte. Il vécut et travailla à Mayence.
Il a également publié en 1918 trente-deux gravures du *Front de l'Ouest*.
Musées : Mayence : *L'Éplucheuse de pommes de terre – Au ruisseau* – une esquisse de plafond, aq.

SUTTER Daniel
Né en 1811. Mort en 1880. xixe siècle. Actif à Munich. Autrichien.
Peintre d'histoire, paysages, fresquiste.
Fils et probablement élève de Joseph Sutter II. Il peignit une des fresques de la basilique de Munich, d'après les dessins de son père.
Musées : Sceaux : *Vue de Bagnolet*.

SUTTER David
Né le 12 janvier 1811 à Genève. Mort le 3 mars 1880 à Paris. xixe siècle. Actif puis naturalisé en France. Suisse.
Peintre de scènes de genre, paysages animés, paysages, aquarelliste, graveur.
Il fut élève de Camille Flers. Il se lia d'amitié avec Millet et Théodore Rousseau. Il vécut à Lyon en 1843-1844, puis se fixa à Paris, obtenant la naturalisation française en 1872. Il fut nommé professeur d'esthétique à l'École des Beaux-Arts de Paris, de 1865 à 1870. Il fut également musicien et écrivain. Il exposa au Salon de Paris, entre 1842 et 1864.
Il a peint surtout des paysages de la région normande et des environs de Genève. Fidèle de Barbizon, ses peintures ne présentent pourtant aucune parenté avec l'école qui s'y est créée. Il a gravé la *Maison de Michel-Ange* et *Motif de Bretagne*.
Ventes Publiques : Paris, 27 juin 1945 : *Le vieux pont*, aquar. : FRF 350 – Amsterdam, 28 oct. 1992 : *Labourage au crépuscule* 1861, h/t (19,5x39,5) : NLG 1 840.

SUTTER Emmanuel Joseph ou Sautter ou Soutter
Né en 1777 à Fribourg. Mort le 7 février 1853 à Fribourg en Suisse. xixe siècle. Suisse.
Dessinateur, aquarelliste et graveur au burin.

SUTTER Hans
Né le 16 avril 1887 à Mayence. Mort le 31 août 1916 près de Maurepas (Somme), tué au front. xxe siècle. Allemand.
Peintre de portraits, paysages, natures mortes.
Il étudia à Karlsruhe, à Paris et à Saint-Tropez avec P. Bonnard. Peintre, il réalisa aussi des lithographies.
Musées : Darmstadt : *Nature morte* – Francfort-sur-le-Main (Stadel) : *Portrait de l'artiste* – Karlsruhe : *Paysage* – Mayence : *Portrait d'une vieille dame.*

SUTTER Johann. Voir SUTER
SUTTER Joseph I ou Sautter ou Soutter
Né à Mengen (Wurtemberg). Mort le 5 février 1781 à Fribourg. xviiie siècle. Suisse.
Peintre de compositions religieuses, portraits.
Musées : Fribourg (Mus. cant.) : Deux tableaux d'autels peints pour Saint-Nicolas de Fribourg – *Portraits de l'artiste avec sa femme.*

SUTTER Joseph II
Né le 28 novembre 1781 à Linz. Mort le 12 mai 1866 à Linz. xixe siècle. Autrichien.
Peintre d'histoire, compositions religieuses, peintre de compositions murales.
Il fut élève de Füger à l'Académie de Vienne. Il alla à Rome. Il fit plusieurs dessins pour les fresques de la basilique de Munich ; en exécuta deux et son fils Daniel une.
Musées : Linz : *Judith* – *Portrait de Karl von Binzer.*

SUTTER Jules
xixe siècle. Français.
Peintre de paysages.
Il travailla à Lyon et exposa au Salon en 1844 et en 1845.

SUTTER Jules de
Né le 18 octobre 1895 à Gand. Mort le 11 février 1970 à Saint-Martens-Laethem. xxe siècle. Belge.
Peintre de genre, paysages, natures mortes. Tendance expressionniste.
Il fut élève de l'Académie des beaux-arts de Gand, où il deviendra professeur, et disciple de Gustave De Smet. Il travailla aussi avec Permeke. Il résida à Waregem de 1930 à 1939, puis se fixa à Laethem. Il participa à plusieurs expositions d'ensemble à l'étranger et exposa régulièrement à Bruxelles, Anvers et Gand, ainsi qu'à Stockholm, Budapest, en Amérique du Sud et au Congo Belge.
Peintre de genre, natures mortes et paysages, il est surtout connu comme peintre expressionniste de la vie paysanne. On cite : *Meules de foin, Moissons, Paysannes au bain.*

Bibliogr. : In : *Diction. Biogr. Ill. des Artistes en Belgique depuis 1830*, Arto, 1987.
Ventes Publiques : Anvers, 13 et 15 oct. 1964 : *Le veau noir* : BEF 54 000 – Anvers, 21 avr. 1970 : *Moissons* : BEF 130 000 – Anvers, 27 avr. 1971 : *Jeune paysanne se baignant* : BEF 120 000 – Lokeren, 9 nov. 1974 : *Les meules de foin* : BEF 60 000 – Anvers, 4 avr. 1976 : *Vision* 1928, h/t (99x80) : BEF 180 000 – Lokeren, 5 nov. 1977 : *Baigneuse sur la plage d'Ostende* 1957, h/t (65x75) : BEF 100 000 – Anvers, 22 avr. 1980 : *Nu assis au chapeau vert*, h/t (117x102) : BEF 270 000 – Lokeren, 21 fév. 1981 : *Nu dans un paysage*, h/t (90x70) : BEF 150 000 – Anvers, 26 avr. 1983 : *Travail au champ à Latem*, h/t (80x100) : BEF 170 000 – Lokeren, 19 oct. 1985 : *Scène champêtre* 1930, h/t (68x82) : BEF 180 000 – Lokeren, 8 oct. 1988 : *Nu*, past. (35,5x26) : BEF 18 000 – Lokeren, 9 oct. 1993 : *Autoportrait* 1937, h/t (100x80) : BEF 170 000 – Lokeren, 10 déc. 1994 : *Une famille dans les champs*, h/t (80x90) : BEF 480 000 – Lokeren, 11 mars 1995 : *Paysage avec une charrette*, h/cart. (27x35) : BEF 48 000 – Lokeren, 11 oct. 1997 : *La Moisson*, h/t (50x61) : BEF 160 000.

SUTTER Pieter de ou Suttere ou Zuttere
Né le 19 juillet 1647 à Gand. Mort en 1723 à Gand. xviie-xviiie siècles. Belge.
Sculpteur.
Il fut en 1669 maître dans la gilde des peintres et des sculpteurs de Gand. Il se maria en 1679 avec Catherine Casteels. Sa fille Liévine, née en 1688, fut la mère du sculpteur Peter Verschaffelt. Son fils Pieter II fut aussi sculpteur.

SUTTER Raymond, dit **Ray**
Né en 1920 à Paris. Mort en 1988. xxᵉ siècle. Français.
Peintre de compositions animées, natures mortes, compositions murales, cartons de vitraux, cartons de tapisseries. Tendance abstraite.
Il exposa pour la première fois à Paris, au Salon d'Automne en 1944, dont il fut membre sociétaire, et au Salon de Mai en 1943, 1947, 1953, à Paris.
Il travailla souvent avec son ami et voisin A. Calder dans la propriété de Saché. Il eut aussi des commandes officielles de fresques, vitraux, cartons de tapisseries. Les recherches abstraites le séduisent, sans qu'il abandonne pour autant les ressources d'une belle palette colorée.
VENTES PUBLIQUES : VERSAILLES, 10 déc. 1989 : *Composition 1950*, past. gras (46,5x62) : **FRF 4 800** – VERSAILLES, 8 juil. 1990 : *Nature morte au comptoir 1942*, h/cart. (44x55) : **FRF 11 000** – PARIS, 18 fév. 1992 : *Nuage géométrique* (32x25) : **FRF 3 200** ; *Torrent*, h/t (62,5x115,5) : **FRF 8 500**.

SÜTTERLIN Johann
Né en 1823 à Oberwill. Mort en 1872 à Soleure. xIXᵉ siècle. Suisse.
Peintre de paysages.
Le Musée de Soleure possède un tableau de cet artiste.

SÜTTERLIN Ludwig
Né le 23 juillet 1865 à Lahr. Mort le 20 novembre 1917 à Berlin. xIXᵉ-xxᵉ siècles. Allemand.
Peintre, graveur.
Il fut élève de Emil Dœpler et Max Koch. Il fut aussi écrivain.

SUTTERMAN. Voir aussi **ZUTTERMAN**

SUTTERMAN Cornelis. Voir **SUSTERMAN**

SUTTERMAN Henri. Voir **ZUTTERMAN**

SUTTERMAN Jan. Voir **SUSTERMAN**

SUTTERMAN Justus. Voir **SUSTERMAN**

SUTTERMANS Franz
Mort avant 1642. xVIIᵉ siècle. Éc. flamande.
Peintre.
Il travailla à la cour de Vienne vers 1637.

SUTTINGER Christian
Né en 1652 à Penig. Mort en 1730 à Chemnitz. xVIIᵉ-xVIIIᵉ siècles. Travaillait à Chemnitz depuis 1680. Allemand.
Sculpteur.
Il était le frère de Daniel. Il s'est spécialisé dans les autels et les tombeaux. Le Musée de Chemnitz possède plusieurs de ses œuvres.

SUTTINGER Daniel
Né le 5 décembre 1640 à Penig. Mort en 1690 probablement à Dresde. xVIIᵉ siècle. Allemand.
Dessinateur et graveur au burin.
Il a laissé plusieurs dessins de Vienne à la plume.

SUTTMEIER Gertt ou **Sudtmeier, Sudtmeiger**
Mort en 1568. xVIᵉ siècle. Actif à Lunebourg. Allemand.
Sculpteur sur bois.
Il fut bourgeois en 1534.

SUTTNER Dionys
xVIIIᵉ siècle. Actif à Munich vers 1760. Allemand.
Sculpteur.

SUTTNER Franz Anton
xVIIIᵉ siècle. Actif à Villach. Allemand.
Peintre.

SUTTNER Philipp
Né en 1814 à Munich. Mort le 15 juin 1852 à Munich. xIXᵉ siècle. Allemand.
Peintre d'histoire.
Élève de l'Académie de Munich. Il a travaillé avec H. von Hess à décorer la basilique de Saint-Boniface à Munich.

SUTTON Baptista
xVIIᵉ siècle. Actif entre 1630 et 1640. Britannique.
Peintre verrier.

SUTTON Harry, Jr.
Né le 21 avril 1897 à Salem (Massachusetts). xxᵉ siècle. Américain.
Peintre de fleurs, peintre à la gouache, aquarelliste.
Élève de l'École des Beaux-Arts de Boston et de l'Académie Julian à Paris, il fut membre de la Fédération Américaine des Arts.

VENTES PUBLIQUES : NEW YORK, 16 mars 1990 : *Pivoines*, aquar. et gche/pap. (46,7x56,4) : **USD 6 600**.

SUTTON J.
xVIIIᵉ-xIXᵉ siècles. Actif à Cockermouth entre 1798 et 1824. Britannique.
Peintre de portraits.
VENTES PUBLIQUES : LONDRES, 10 mai 1978 : *Voilier en mer*, h/t (59,5x90) : **GBP 620** – LONDRES, 17 oct. 1980 : « *Catch me if you can* », h/t (61x91,5) : **GBP 500**.

SUTTON John
xIVᵉ siècle. Britannique.
Sculpteur.

SUTTON John
xIXᵉ-xxᵉ siècles. Britannique.
Peintre.
Il a participé en 1880, 1886 et 1891 aux expositions de la Royal Scottish Academy.
VENTES PUBLIQUES : LONDRES, 11 mai 1994 : *La Witch of the wave* 1911, h/t (52x76) : **GBP 1 495**.

SUTTON Philip
Né le 20 octobre 1928 à Poole (Dorset). xxᵉ siècle. Britannique.
Peintre de figures, portraits, intérieurs, paysages, natures mortes, fleurs, dessinateur, graveur, sculpteur.
Il fit ses études, de 1949 à 1953, sous la direction de William Coldstream à la Slade School, où il enseigna de 1955 à 1975. Il fut membre du London Group. Il séjourna aux Îles Fidji. Il vit et travaille à Londres.
Il participe à des expositions collectives : à partir de 1956 aux manifestations du London Group ; 1956 Tate Gallery de Londres ; 1957 Guggenheim International à New York ; 1969 Camden Art Centre de Londres ; 1980 Israel Museum de Jérusalem. Il montre ses œuvres dans des expositions personnelles à partir de 1956 très régulièrement à Londres notamment en 1977 à la Royal Academy of Art, ainsi que : 1960 City Art Gallery de Leeds ; 1963, 1966, 1967, 1973 Sydney ; 1967 London Arts Gallery à Detroit ; 1976 Johannesburg...
Il peint des portraits simplifiés de femmes à grands chapeaux. Quand il traite le paysage, notamment des Îles Fidji, il accentue encore le côté enfantin de son dessin et de sa gamme de couleurs pures.
MUSÉES : ADELAIDE (Nat. Gal. of South Australian) – BIRMINGHAM (City Art Gal.) – DURBAN, Afrique du Sud – LEEDS (City Art Gal.) – LONDRES (Tate Gal.) : *Fleurs d'automne* 1955 – *L'Arbre* 1958 – MELBOURNE (Nat. Gal. of Victoria) – PERTH, Australie (Art Gal.).
VENTES PUBLIQUES : LONDRES, 14 mai 1992 : *Christina en blouse noire et rouge*, h/t (105,5x105,5) : **GBP 880**.

SUTTON Richard
xVIIᵉ siècle. Britannique.
Peintre verrier.
Sans doute le fils de Baptista.

SUTTON William
xVIIIᵉ siècle. Actif à Liverpool vers 1763. Britannique.
Graveur au burin.

SUTTON PALMER. Voir **PALMER Harold** ou **Harry Sutton**

SU TUNG-P'O. Voir **SU SHI**

SUUEL Peter. Voir **SUEL**

SUVÉE Bernard
xVIIIᵉ siècle. Belge.
Peintre.
Travaillait à Bruges, s'exila en France, où il fut très honoré. Membre de l'Académie des Beaux-Arts. Peut-être parent de Joseph.

SUVÉE Charlotte Louise, née **Rameau**
Née vers 1746. xVIIIᵉ siècle. Française.
Peintre de genre et de portraits, miniaturiste.
Elle prit part aux Expositions de la Jeunesse, sur la place Dauphine, en 1768 et 1773. Elle devint la femme de Joseph Benoît Suvée et exposa au Salon de la Correspondance en 1782.

SUVÉE Joseph Benoît
Né le 3 janvier 1743 à Bruges. Mort le 9 février 1807 à Rome. xVIIIᵉ siècle. Éc. flamande.
Peintre de compositions religieuses, scènes mythologiques, sujets allégoriques, portraits, dessinateur.

D'abord élève de Mathias de Visch. Il vint en France à l'âge de dix-neuf ans et fut l'élève de Bachelier. Il entra à l'Académie de Saint-Luc et fut nommé professeur à l'école gratuite de dessin en 1766. En même temps il continuait ses études. En 1771 il obtint le prix de Rome. A Rome, en 1772, il alla ensuite à Naples, visita la Sicile, Malte, différant son retour à Paris jusqu'en 1778. L'exposition qu'il fit des ouvrages exécutés pendant son séjour en Italie, lui valut de nombreux suffrages et, en 1780, il fut nommé académicien. Il obtint un logement au Louvre et y ouvrit une école de dessin pour les demoiselles. Très intrigant, très ambitieux, il parvint à se faire nommer, en 1792, directeur de l'Académie de Rome, en remplacement de Menageot. Les difficultés politiques et financières retardèrent son départ. Il fut incarcéré comme suspect jusqu'au 9 thermidor. Ce ne fut qu'en 1801 qu'il put rejoindre son poste. Il réorganisa l'école, dispersée par l'insurrection romaine en 1793, et présida à son transfert du Palazzo Mangini, à la Villa Médicis qu'elle occupe encore. Une mort subite l'enleva à ses fonctions après six années de séjour à Rome. Suvée dessinait agréablement, mais sans grande originalité. Ses tableaux sont nombreux et il reste comme un des seuls peintres flamands du XVIIIe siècle qui furent sauvés de l'oubli.

J B Suvée.

Musées : AMIENS : *Tancrède blessé reconnaît Clorinde* – BESANÇON : *Cornélie mère des Gracques* – L. A. Trouard – *Cornélie mère des Gracques* – BRUGES : *L'artiste* – *Saint Sébastien* – *Son beau-père Louis Du Rameau* – *Portrait d'homme* – *Paul Joseph de Cockq, directeur de l'Académie* – *L'invention du dessin* – COURTRAI : *Allégorie de la Terre* – *Allégorie de l'Eau* – DUON : *Mort de Coligny* – DOUAI : *Adieux d'Esther* – GAND : *Scène mythologique* – LILLE : *Combat de Minerve contre Mars* – NANTES : *Tancrède secouru par Clorinde* – ROUEN : *Fête à Palès ou l'Été* – TOURS : *La vestale Tuccia portant le crible* – YPRES : *Nativité* – Plusieurs études – YPRES (église Saint-Martin) : *Descente du Saint-Esprit.*

Ventes Publiques : PARIS, 1807 : *Cornélie* : **FRF 80** ; *La Naissance de la Vierge*, esquisse : **FRF 56** ; *La Nativité* : **FRF 120** ; *L'Ange Raphaël* ; *La Famille de Tobie*, deux dess. : **FRF 56** – PARIS, 27 et 28 mai 1922 : *La Nativité* : **FRF 140** – PARIS, 21 fév. 1919 : *Jésus prêchant dans le Temple* : **FRF 52** – PARIS, 28 nov. 1928 : *La naissance de la Vierge*, dess. : **FRF 1 550** – PARIS, 9 mai 1940 : *Ruines à l'intérieur d'un amphithéâtre*, dess. à la sanguine : **FRF 600** – GAND, 1944 : *L'Eau (allégorie)* : **FRF 175** – PARIS, 31 mars 1971 : *L'Amour et la Fidélité* : **FRF 10 500** – PARIS, 24 jan. 1980 : *Ruines romaines*, sanguine (42x28) : **FRF 6 800** – MONTE-CARLO, 13 juin 1982 : *La Vestale Tuccia portant le crible rempli d'eau*, h/t (73x92) : **FRF 60 000** – PARIS, 6 mai 1987 : *Fontaine dans un parc*, sanguine (23,5x35,5) : **FRF 19 000** – PARIS, 20 mars 1992 : *Vue d'une tour en ruines et de personnages*, sanguine (45x33) : **FRF 6 000** – PARIS, 7 avr. 1995 : *Personnages sous un arc antique*, pierre noire (45,4x31,6) : **FRF 6 000.**

SUVERO Mark di
Né le 18 septembre 1933 à Shanghai, de parents italiens. XXe siècle. Actif aussi en France. Américain.
Sculpteur, peintre, dessinateur, lithographe, peintre de collages. Abstrait.
Sa famille était d'origine vénitienne. Aux États-Unis depuis 1941, il a fait ses études à l'Université de Berkeley (Californie), où il enseignera en 1968. Il s'établit à New York en 1957. En 1960, un terrible accident, où il eut la colonne vertébrale brisée, le laissa presque totalement paralysé. Au cours d'une dizaine d'années, il recouvra une relative mobilité et s'initia à l'usage des appareils de levage, grues et portiques, à la soudure et à l'assemblage par boulons. En 1968, à Chicago, au cours d'une manifestation contre la guerre au Viet-Nam, il fut arrêté et emprisonné. En 1971, il quitta New York par conviction politique, vint en Hollande, en Italie et s'établit en France, de 1972 à 1974 à Chalon-sur-Saône. Rentré aux États-Unis après la fin de la guerre du Viet-Nam, il a conservé des liens avec la France et la Bourgogne, partageant son temps entre les ateliers de New York, San Francisco et le chantier naval de Chalon.
Il a participé à de nombreuses expositions de groupe, dont la Documenta de Kassel en 1968. Personnellement il a exposé à partir de 1960, présentant notamment ses œuvres : en 1960 à New York, Green gallery ; en 1974, la ville de Chalon-sur-Saône implanta dans la ville une de la dizaine de sculptures monu-

mentales qu'il avait construites, entre 1972 et 1974, avec l'aide des ouvriers et du matériel des chantiers navals ; en 1975 à Paris, en plein air dans le Jardin des Tuileries ; en 1990, dans la ville de Valence, investissant jardins, parcs et musée ; en 1991 à Nice, l'exposition *Mark di Suvero : rétrospective, 1959-1991*, au Musée d'Art Moderne et d'Art Contemporain ; en 1993, la ville de Brest a érigé sa sculpture monumentale *Extase* au Technopôle, et une exposition de l'ensemble de ses œuvres a été dispersée en plusieurs lieux de la ville ; à Paris, en 1990 la galerie de France, et en 1996 la galerie Jeanne-Bucher, ont présenté des ensembles de ses sculptures, peintures et dessins, en 1997 des sculptures monumentales ont été présentées dans divers lieux de la capitale.
Entre 1950 et 1960, ses premières réalisations étaient en bronze pour la série des mains, puis en bois de récupération. Depuis son accident, il n'utilise plus que le métal, pendant quelques années des déchets métalliques, pour la même raison également de récupération. Pour les sculptures suivantes, souvent de tailles monumentales, il utilise des poutrelles, tubes et tôles, parfois peints, mais aussi, en général en suspens, des éléments métalliques identifiables, objets trouvés, usinés, hélices, sièges, échelles, haches, qui apportent la note d'humour très caractéristique de la manière d'être et de créer de di Suvero. Il réalise ainsi des constructions complexes, véritables architectures, assemblages de matériaux divers, prolongement des sculptures constructivistes russes, apparentés à ce qu'on appelle dans les années soixante-dix des « environnements », constructions dont les entrecroisements dans l'espace évoquent pour certains l'abstraction lyrique gestuelle des peintres de la tendance de Franz Kline. Ces sculptures, qu'il nomme des « structures architectoniques », sont constituées de pièces métalliques, pesant souvent plusieurs tonnes, qui, se développant à partir d'un noyau central, noyau de la gravité de l'ensemble, semblent en l'air défier les lois de la pesanteur et de l'équilibre pour y inscrire des idéogrammes élégants et expressifs, dont quelque pression sur une partie mobile, souvent des éléments suspendus, ainsi que le déplacement du spectateur, peuvent modifier les intersections. D'ailleurs, ce noyau central est aussi le nœud à partir duquel sont montées, boulonnées, s'articulent et s'assemblent toutes les pièces de la sculpture, qui reste donc démontable, transportable et remontable selon les circonstances. Pour ces sculptures, di Suvero réfute la qualification de monumentales pour préciser qu'il crée dans le « spatial », insistant sur la présence, presque la densité, des espaces de vide qu'enserrent et définissent les membres et articulations de la structure métallique.
Les opportunités ne lui permettent pas de ne créer que ces œuvres imposantes. Il réalise aussi des sculptures d'envergures plus modestes, on pourrait dire à destinations individuelles ou privées, dont l'exécution technique est la même que pour les monumentales, utilisant des matériaux métalliques de base à une autre échelle, ouvragés peut-être en découpes et arabesques plus ludiques, développant des variations sans fin, ce qui leur confère un caractère baroque plus familier. De grands dessins à l'encre de Chine, plus libres d'être allégés du métal, d'ailleurs souvent exécutés après et d'après les sculptures, en prolongent en deux dimensions les élans et leurs rythmes. Ses peintures se veulent indépendantes de la rythmique des sculptures et dessins, uniquement célébration de la couleur. Dans tous les cas de la production de di Suvero, l'esprit consentant se laisse prendre aux rets d'une fascination heureuse, en vertu de ce que, comme il le dit lui-même, « Une structure architectonique peut véhiculer des émotions humaines du domaine de l'infini. »

■ Jacques Busse

BIBLIOGR. : In : *Nouveau Diction. de la Sculpture Mod.*, Hazan, Paris, 1970 – Caroline Smulders : *Mark di Suvero*, in : Art Press, Paris, automne 1990 – Catalogue de l'exposition *Mark di Suvero : rétrospective, 1959-1991*, Musée d'Art Moderne et d'Art Contemporain, Nice, 1991 – Jean Clareboudt : *Entretien avec Mark di Suvero*, in : Opus International, N° 126, Paris, automne 1991 – Jean-François Jaeger : Catalogue de l'exposition *Mark di Suvero – sculptures en acier, dessins*, gal. Jeanne-Bucher, Paris, 1996.

VENTES PUBLIQUES : NEW YORK, 3 nov. 1978 : *Sans titre* 1961, fer forgé (H. 28) : **USD 7 000** – NEW YORK, 22 mars 1979 : *Sans titre* 1966, fer forgé (38x48x53) : **USD 7 000** – NEW YORK, 10 nov. 1982 : *Queen's rock* 1962-1963, acier et bois (95,5x100,5x56) : **USD 38 000** – NEW YORK, 10 mai 1983 : *Untitled (spinner France)* 1973, fer forgé (53x49,5x40) : **USD 19 000** – NEW YORK, 10 mai

1984 : *Cuba* 1965, cr. (32,5x25,5) : **USD 1 300** – New York, 5 nov. 1985 : *Main* 1962, bronze, bois et métal (77,5x132,2x56) : **USD 31 000** – New York, 11 nov. 1986 : *Che faro senza Eurydice* 1959, bois, cordes et clous (213,4x264,2x231,2) : **USD 290 000** – New York, 20 fév. 1988 : *Crochet-Chalon*, acier en deux parties (66x67,9x71,2) : **USD 41 800** – New York, 3 mai 1989 : *Rouet* 1967, métal soudé en deux parties (109,4x61x73,7) : **USD 88 000** – New York, 4 oct. 1989 : *Blason*, acier soudé (26x42x25,4) : **USD 38 500** – New York, 5 oct. 1989 : *Apache* 1976, acier soudé en deux parties (137x162,5x134,5) : **USD 165 000** – New York, 8 nov. 1989 : *Sans titre*, acier peint et bois (333x207,2) : **USD 275 000** – New York, 27 fév. 1990 : *Sans titre*, acier soudé (51,5x73,6x45,7) : **USD 60 500** – New York, 4 oct. 1990 : *Sans titre* 1967, acier soudé (22,8x33x26,7) : **USD 35 750** – New York, 14 fév. 1991 : *Blason* 1973, acier soudé (26x42x25,4) : **USD 14 300** – New York, 13 nov. 1991 : *Sans titre* 1967, sculpt. d'acier soudé sur base d'acier inox. (73,6x91,4x91,4) : **USD 17 600** – New York, 6 mai 1992 : *Sans titre* 1988, acier soudé en deux parties (54,6x46,3x44,8) : **USD 38 500** – New York, 3 mai 1993 : *Que faire sans Eurydice*, corde et clous, bois de charpente récupéré (213,4x264,2x231,2) : **USD 470 000** – New York, 22 fév. 1995 : *Hozizi*, acier (1300,2x184x113) : **USD 57 500** – New York, 9 mai 1996 : *Le nœud de la fortune* 1990, acier (88,9x104,1x76,2) : **USD 85 000** – New York, 10 oct. 1996 : *Chien lune* 1981, alu. plaqué nickel en cinq morceaux (H. 50,8) : **USD 1 840** – New York, 7-8 mai 1997 : *Anneau* 1985, acier rouillé et acier inox. (264,8x210,8x134,7) : **USD 222 500** – New York, 8 mai 1997 : *Sans titre* vers 1980, fer (57,2x68,6x25,4) : **USD 57 500**.

SU Wangshen
Né en 1956 à Chiayi. xxe siècle. Taiwanais.
Peintre.
Il fut diplômé de l'Université chinoise de la Culture en 1979. Il a participé à de nombreuses expositions collectives, notamment en 1985 au Centre culturel Américain de Taipei. Il montre ses œuvres dans des expositions personnelles : 1988 Musée des Beaux Arts de Taipei.

SUWEL Peter. Voir SUEL

SUWEYNS Antoni
xviiie siècle. Actif à Bruges vers 1777. Éc. flamande.
Peintre.

SU XINYI ou Hsin Yi
Né en 1948 à Jiayi (Taiwan). xxe siècle. Taiwanais.
Peintre.
Il est diplomé de l'Université Nationale Normale de Taiwan depuis 1973. Il participe à de nombreuses expositions en Chine et à des échanges sino-japonais depuis 1976.
Ventes Publiques : Hong Kong, 28 sep. 1992 : *Barque* 1992, h/t (53x65) : **HKD 17 600.**

SUY Édouard
Né en 1841 à Gand. Mort en 1918 à Auderghem. xixe-xxe siècles. Belge.
Peintre de paysages, aquarelliste. Impressionniste.
Il pratiqua la peinture en plein-air, s'inspirant du Brabant et des Ardennes.
Bibliogr. : In : *Dict. biogr. des artistes en Belgique*, Arto, Bruxelles, 1987.

SUYANANCE DEBI
xxe siècle. Indien.
Peintre de figures.
Il a figuré en 1946 à l'exposition ouverte à Paris, au Musée d'Art Moderne, par l'Organisation des Nations unies, où il présentait : *La Fille à la fleur.*

SUYCKER Arent Cornelis
xviie siècle. Actif à Haarlem vers 1642. Hollandais.
Peintre.
Un Claes Suycker fut peintre à Haarlem en 1596. Voir aussi l'article Reyer Claes Suycker.

SUYDAM James Augustus
Né en 1817 ou 1819 à New York. Mort le 15 septembre 1865 à North Conwey. xixe siècle. Américain.
Peintre de paysages, paysages de montagne, paysages d'eau.
Élève de M. C. Kellogg, avec lequel il voyagea en Grèce, en Turquie et dans diverses contrées de l'Orient. Suydam, à son retour en Amérique, s'établit comme peintre de paysages, se plaisant particulièrement à représenter des sites de montagnes, les bords de la mer. Il contribua puissamment à la fondation de la National Academy de New York ; il en fut le trésorier jusqu'à sa mort. Ce fut un des créateurs de l'école américaine de paysage. A sa mort il légua sa fortune et sa collection de tableaux à l'Académie de New York.
Ventes Publiques : New York, 21 juin 1979 : *Paysage fluvial*, h/t mar./cart. (14x26) : **USD 6 250** – New York, 3 déc. 1982 : *Voiliers sur l'Hudson en été*, h/t (19,8x36,6) : **USD 6 000** – New York, 30 nov. 1989 : *Le littoral* 1863, h/t (45,7x76,2) : **USD 88 000.**

SUYDERHOFF Jonas
Né vers 1613 à Leyde. Mort en mai 1686 à Haarlem. xviie siècle. Hollandais.
Graveur.
Élève de Soutman. Il fut commissaire de la gilde de Haarlem en 1677. Il a gravé un grand nombre de portraits.

Bibliogr. : J. Wussin : *Jonas Suyderhoef, son œuvre gravé, classé et décrit*, Impr. de Labroue, Bruxelles, 1862.

SUYDRET Adrian de
xve siècle. Hollandais.
Sculpteur sur bois.

SU YI, surnom : **Zhongzhan**
Originaire de Hangzhou, province du Zhejiang. xviie siècle. Actif vers 1660. Chinois.
Peintre.
Peintre de paysages dans le style de Lan Ying (1585-après 1660).

SUYKENS Henri
xixe siècle. Actif à Düsseldorf. Allemand.
Peintre de genre.
Ventes Publiques : Paris, 21 déc. 1923 : *Scène arabe* : **FRF 150** ; *La caravane qui passe* : **FRF 75** – Londres, 21 mars 1980 : *La caravane qui passe*, h/t (70,5x113) : **GBP 1 200**.

SUYS M.
xviie siècle. Actif à Gouda vers 1658. Hollandais.
Graveur au burin.

SUYTHOF Cornelis ou **Suythoff**
Né vers 1646. Mort après 1692. xviie siècle. Hollandais.
Peintre.
Il épousa en 1670 Cornelia Van Ryn, la fille de Rembrandt et se rendit plus tard à Batavia.

SUZAN, dit Rey
xviie-xviiie siècles. Actif entre 1698 et 1710. Français.
Graveur sur pierre, médailleur.
Il travailla à Rome et à Paris. Graveur de gemmes, il fit une médaille à l'effigie du cardinal de Bouillon, neveu de Turenne.

SUZANNE Claude ou peut-être **Charles Louis**
xviie siècle. Actif à Paris. Français.
Sculpteur.
En 1749, il fut membre de l'Académie Saint-Luc où il devint professeur en 1763. Il a modelé en 1755 pour la manufacture de Sèvres des groupes et des personnages d'après les dessins de Boucher.

SUZANNE François Marie
Né vers 1750 à Paris. xviiie siècle. Français.
Sculpteur.
Élève d'Huez. Membre de l'Académie de Saint-Luc. Adjoint à professeurs. Il prit part aux expositions de cette société de 1751 à 1764. A partir de 1793 et jusqu'en 1802, il envoya des œuvres aux Salons officiels. On cite, notamment, une statue en bronze de *Bonaparte* exposée en 1799, des statuettes de *Rousseau*, de *Voltaire* et de *Mirabeau*. Il travailla au Panthéon en 1792.

SUZANNE Jean ou Susanne
xive siècle. Français.
Enlumineur.
Il travailla au service du roi Jean II vers 1350.

SUZANNE Léon
Né en 1870. Mort en 1923. xixe-xxe siècles. Français.
Peintre de paysages, paysages urbains, paysages d'eau, pastelliste.
Il eut pour maître Joseph Delattre. Membre de l'École de Rouen, il peignit quelques vues des bords de Seine et de la région rouennaise, ses œuvres restent cependant rares.

Ventes Publiques : Rouen, 15 nov. 1971 : *Vue sur les jardins*, h/t (44x56) : **FRF 2 000** – Enghien-les-Bains, 19 déc. 1976 : *Le tramway jaune* 1913, h/t : **FRF 5 500** – Paris, 25 nov. 1987 : *Paysage*, h/t (54x73) : **FRF 11 500** – Paris, 20 nov. 1989 : *Paysage des bords de Seine*, h/t (54x73) : **FRF 15 000** – Paris, 13 juin 1990 : *Pont à Rouen*, h/t (43x61) : **FRF 50 000** – Paris, 2 juin 1993 : *Maison dans la campagne*, h/t (33x46) : **FRF 36 000** ; *Le village de Léry dans l'Eure*, past. (41x58) : **FRF 20 000**.

SUZEAU-VILLENEUVE Gérard
Né le 17 mai 1938 à Étang-sur-Arroux (Saône-et-Loire). XXe siècle. Français.
Peintre de compositions animées, paysages, dessinateur, sculpteur, médailleur. Polymorphe.
Il fréquenta de 1961 à 1967 l'académie de la Grande-Chaumière à Paris. Il vit et travaille à Versailles, où il a exposé à diverses reprises. Il a également participé à des expositions collectives en Belgique.
Il a réalisé des médailles pour la Monnaie de Paris et exécuté des bronzes. Ses peintures tourmentées, entre figuration et abstraction, représentent un monde onirique, touffu, où formes biomorphiques et êtres humains sont intimement liés. Il privilégie régulièrement l'utilisation de la mine de plomb et de la sanguine. Il a réalisé par la suite des œuvres plus classiques.

SUZENIER Abraham. Voir SUSENIER

SUZOR-COTÉ Marc-Aurèle de Foy ou Suzor-Coti
Né en 1869 à Arthabaska. Mort en 1937 à Daytona Beach (Floride). XIXe-XXe siècles. Canadien.
Peintre d'histoire, scènes de genre, portraits, nus, paysages, sculpteur, dessinateur.
Il commença à étudier avec Chabert en 1886, puis en 1891, s'en alla à Paris où il fut élève de Bonnat, Jules Lefebvre et Cormon à l'École des Beaux-Arts.
Il figura dès 1894, au Salon de Paris, obtenant une médaille de bronze en 1900 (Exposition Universelle) ; une mention honorable en 1901.
Il est considéré comme l'un des meilleurs peintres canadiens de la fin du XIXe siècle, bien que son art soit plutôt éclectique. Quoiqu'il soit intéressé par le paysage, il reste très attaché aux traditions académiques et, même en 1902, il peint encore une composition historique : *La mort de Montcalm*. Par contre, son tableau : *La Jeunesse en plein soleil* de 1913, est traité à grands coups de brosse, dans des couleurs claires, montrant sa connaissance de l'impressionnisme. Il fut également sculpteur ; parmi ses sculptures, citons *Le Vieux Pionnier canadien*, *La Campagne du vieux pionnier*, toutes deux de 1912.
Bibliogr. : Dennis Reid : *A concise history of Canadian Painting*, Oxford University Press, Ottawa, 1988.
Musées : Ottawa (Nat. Gal. of Canada) : *La Jeunesse en plein soleil* – *Settlement on the hillside* – Québec : Bronzes – Québec (Mus. du Québec) : *La mort de Montcalm*.
Ventes Publiques : Toronto, 17 mai 1976 : *Le faisan*, h/t (35x27) : **CAD 1 900** – Toronto, 9 mai 1977 : *Paysage, Arthabaska, Quebec*, h/t (35x45) : **CAD 2 800** – Toronto, 5 nov 1979 : *Le topographe*, bronze (H. 51,3) : **CAD 4 800** – Toronto, 11 nov. 1980 : *L'Amateur* 1899, h/t (80x93,8) : **CAD 50 000** – Toronto, 27 mai 1981 : *Nu assis*, fus. (60x41,9) : **CAD 1 400** – New York, 3 déc. 1982 : *Le fermier à la retraite* 1925, h/t (71,1x59,5) : **USD 12 000** – Toronto, 2 mars 1982 : *Femmes de Caughnawaga* 1924, bronze (H. 43,1) : **CAD 9 000** – Montréal, 13 sep. 1983 : *Portrait de femme*, fus. (40,5x33) : **CAD 3 000** – Toronto, 28 mai 1985 : *Nature morte aux pommes et plat d'étain* vers 1910, h/t (26,3x34,4) : **CAD 15 000** – Montréal, 27 avr. 1986 : *Bretonne à son bréviaire*, h/t : **CAD 30 000** – Montréal, 17 oct. 1988 : *Paysage d'automne* 1916, h/pan. (5x8) : **CAD 1 100** ; *Le trappeur*, bronze (L. 64) : **CAD 4 800** – Montréal, 1er mai 1989 : *Paysage de forêt* 1894, h/t (69x37) : **CAD 10 000** ; *Le Portageur* 1922, bronze (H. 41) : **CAD 15 000** – Montréal, 30 oct. 1989 : *Sous-bois en automne* 1895, h/pan. (16x23) : **CAD 7 150** – Montréal, 5 nov. 1990 : *Paysage d'été*, h/pan. (16x24) : **CAD 1 760** – Amsterdam, 5-6 fév. 1991 : *Portrait de Joséphine*, h/t (56x34,5) : **NLG 8 050** – Montréal, 4 juin 1991 : *Maria Chapdelaine* 1925, bronze (H. 38,7) : **CAD 4 000** – Montréal, 19 nov. 1991 : *Le fumeur*, bronze (H. 47) : **CAD 4 250** – Montréal, 23-24 nov. 1993 : *Le modèle* 1925, bronze (H. 39,3) : **CAD 8 500** – Montréal, 21 juin 1994 : *Le halage du bois*, bronze (H. 36,8, L. 152,4) : **CAD 12 000** – Montréal, 3 déc. 1996 : *Le Vieux Pionnier canadien* 1912, bronze patiné (H. 41,2) : **CAD 6 000**.

SUZUKI HARUNOBU. Voir HARUNOBU

SUZUKI Kanji
Né en 1921 à Séoul. XXe siècle. Actif et naturalisé au Japon. Coréen.
Graveur.
Ayant quitté ses études générales avant leur terme, il fréquente plusieurs instituts d'art à Tokyo et apprend la gravure sur bois. Il participe à des expositions collectives : depuis 1958 avec l'Association Japonaise de Gravure, dont il est membre, ainsi qu'aux Salons de l'Académie Nationale de Peinture ; à plusieurs manifestations internationales, notamment à New York et en Pologne. Il reçoit d'ailleurs, en 1958, le Prix du Nouveau Venu de cette même Académie *Kokugakai*.
Musées : New York (Mus. d'Art Mod.).

SUZUKI Keisko
XXe siècle. Japonais.
Peintre.
Il semble y avoir confusion entre Suzuki Keisko et Suzuki Shonen.
Il vit et travaille à Tokyo. Il participa à Paris à des expositions collectives, notamment en 1900 à l'Exposition Universelle où il reçut une médaille de bronze.
Il pratiqua la peinture sur soie.

SUZUKI Kenji
Né en 1906 dans la préfecture de Tochigi. XXe siècle. Japonais.
Sculpteur, graveur.
Après avoir quitté le département de sculpture de l'Université des Beaux-Arts de Tokyo en cours d'études, il rejoint les rangs de la Ligue Prolétarienne Japonaise, en 1926. Il est présentement membre du Groupe *Han* et de la Société de Céramique et de Sculpture.

SUZUKI Shonen
XXe siècle. Japonais.
Peintre.
Il semble y avoir confusion entre Suzuki Keisko et Suzuki Shonen.
Il vit et travaille à Tokyo. Il participa à Paris à des expositions collectives, notamment en 1900 à l'Exposition Universelle où il reçut une médaille de bronze.
Il pratiqua la peinture sur soie.

SUZUKI Toshiyuki
Né en 1935 à Ibaragi. XXe siècle. Japonais.
Peintre. Tendance cinétique.
En 1959, il obtint sa licence en art de l'Université d'Ibaragi. Il vit et travaille à Mito.
Il participe à des expositions collectives : 1968 manifestation d'art contemporain japonais au Musée de la Ville de Tokyo, à Oakland (U.S.A.) ; 1970 3e Exposition Internationale des Jeunes Artistes à Paris, 3e Salon International des Galeries Pilotes au Musée Cantonal de Lausanne, et Musée d'Art Moderne de la Ville de Paris. Il a également montré des expositions personnelles de ses œuvres, au Japon.
Son travail se situe exactement dans la ligne des recherches d'effets optiques, issues des exercices pratiqués au Bauhaus, et exploitées ensuite par Vasarely.
Bibliogr. : *Catalogue du 3e Salon International des Galeries Pilotes*, Musée Cantonal, Lausanne, 1970.

SUZZI Filippo
Né à Bologne. Mort vers 1752 à Ferrare. XVIIIe siècle. Italien.
Stucateur et modeleur.
Il travailla avec Andrea Ferrari à la décoration de l'escalier du Palais archiépiscopal et de la cathédrale de Ferrare.

SUZZONI Romain
Né en 1950 à Paris. XXe siècle. Français.
Peintre de figures, sculpteur, graveur.
Il vit et travaille à Paris.
Il participe à des expositions collectives : 1992 *De Bonnard à Baselitz – Dix Ans d'enrichissements du cabinet des estampes*, à la Bibliothèque nationale à Paris. Il a montré ses œuvres en 1994 dans une exposition personnelle à Paris.
Ses peintures, teintées de mysticisme, évoquent la solitude, la descente aux enfers, interrogent la quête de l'homme, dans de vastes compositions sur papier en camaïeu de bleu, de roux.
Musées : Paris (BN) : *Portrait d'homme*, pointe-sèche.

SVABINSKY Max ou Maximilien
Né le 17 septembre 1873 à Kremsier. Mort en 1962. XIXe-XXe siècles. Tchécoslovaque.

Peintre de scènes de genre, portraits, natures mortes, fleurs, aquarelliste, graveur.

Il fut élève de l'Académie des Beaux-Arts de Prague, de 1891 à 1897, il en deviendra professeur en 1910. Il fut docteur honoris causa de l'Université de Brunn. Il fit, en 1897, un voyage d'études à Paris, à travers l'Allemagne, en Hollande et en Belgique. Il figura au Salon des Artistes Français de Paris, où il obtint une mention honorable en 1900, pour l'Exposition Universelle.
Il portraitura de nombreuses personnalités praguoises. Il fut influencé par Max Klinger, mais son œuvre se rapproche plus de Manet et des débuts de l'impressionnisme que du symbolisme germanique.
Musées : Prague (Mus. d'Art Mod.) : *Bouquet de fleurs – Au pays de la faim – Moisson – Portrait de famille.*

SVAN C. J.
XVIIIe siècle. Suédois.
Peintre de portraits.

SVANAJORD Karl Jonson
Né en 1757. Mort en 1799. XVIIIe siècle. Norvégien.
Sculpteur sur bois et architecte.

SVANASCINO
XVIIIe-XIXe siècles. Italien.
Stucateur.

SVANBERG Max Walter
Né le 20 février 1912 à Malmö. Mort en 1994. XXe siècle. Suédois.
Peintre de figures, sujets oniriques, peintre de collages, graveur, dessinateur, illustrateur, peintre de cartons de tapisserie. Surréaliste.
Peintre suédois, il occupe une place importante dans la peinture surréaliste mondiale. À l'âge de dix-sept ans, il peignait des panneaux publicitaires dans sa ville natale. En 1933-1934, il fut élève de Otte Sköld. Une attaque de poliomyélite l'immobilisa à l'âge de vingt-deux ans pendant une année. En 1945, il se fixa à Stockholm. En 1946, il fut l'un des fondateurs du groupe des Imaginistes, qu'il quitta en 1953. Entre 1946 et 1948, il fut aussi membre du groupe Minotaure.
Il participe à quantité d'expositions de groupe, parmi lesquelles, à Paris : régulièrement au Salon de Mai ; 1959 Exposition Internationale du Surréalisme à la galerie Daniel Cordier où il présentait *Portrait d'une Étoile 3* ; 1965 *L'Écart absolu* où il présentait *Portrait d'une Étoile 4* ; ainsi qu'à Tokyo, Londres, Milan, etc. Il montre ses œuvres dans des expositions personnelles : en 1945 pour la première fois à Stockholm, en 1955 pour la première fois à Paris présentée par André Breton, puis de nouveau à Paris en 1959 et 1961 (...) ; 1962 rétrospective à la Galerie d'Art de Lund.
Ce fut en 1943-1944, qu'il réalisa ses premiers dessins imaginaires, qui allaient le mener au surréalisme. Il reçut un accueil hostile de la part du public et de la critique, probablement en partie à cause du contenu érotique non dissimulé de ses imaginations. Ce fut en 1953, à l'occasion d'une exposition, à Paris, de peintures des membres du groupe des Imaginistes qu'André Breton et les surréalistes le découvrirent : « Je compte parmi les grandes rencontres de ma vie celle de l'œuvre de Max Walter Svanberg, qui m'a permis d'appréhender *du dedans*, en me la faisant subir dans toute sa force, ce qui peut être la fascination » (André Breton). En 1957-1958, il a illustré une traduction suédoise des *Illuminations* de Rimbaud. Il peint dans des registres différents, mais tous fondés sur une volonté d'étrangeté, recourant à l'imagerie surréaliste. Il traite des thèmes discrètement érotiques. Certaines de ses peintures, en tout cas dans les années quarante-cinquante, sont inspirées du monde de Chagall, à la limite du démarquage. Il crée une sorte d'univers-bestiaire, confondant en un même espace indéterminé, femmes, oiseaux, étoiles, etc., se transforment les uns les autres, s'assemblant dans des copulations héraldiques, décrits minutieusement dans tous les détails de leur ornementation aussi chargée en parures et en parfums évoqués que les personnages imaginés par Gustave Moreau. Certaines de ses œuvres sont des « mosaïques ou broderies de perles », dont *Portrait d'une Étoile 3* et *Portrait d'une Étoile 4.* Les titres qu'il donne à ses œuvres éclairent, ou complètent, leur lecture : *Grossesse imaginaire*, de 1954, ou bien *Les Oiseaux rieurs de la déraison*, de 1961. ■ J. B.
Bibliogr. : B. Dorival, sous la direction de... : *Peintres Contemporains*, Mazenod, Paris, 1964 – José Pierre : *Le Surréalisme*, in : *Hre Gle de la peint.* tome 21, Rencontre, Lausanne, 1966 – Sarane Alexandrian, in : *Diction. Univers. de l'Art et des Artistes*, Hazan, Paris, 1967 – José Pierre et divers : *Max Walter Svanberg et le règne féminin*, Musée de Poche, Paris, 1975.

Musées : Norköping : *Événement pendant que le soleil est le cœur de mon amour* 1959 – Stockholm (Mod. Mus.) : *Hommage fait à G. par l'Étoile étrange* 1963.
Ventes Publiques : Paris, 13 juin 1971 : *Femme-oiseau*, aquar. : FRF 16 000 – Stockholm, 19 avr. 1972 : *Femme fantastique*, gche : SEK 14 000 – Göteborg, 22 nov. 1973 : *Deux Figures*, gche : SEK 22 000 – Göteborg, 26 mars 1974 : *Figures hybrides*, gche : SEK 22 000 – Göteborg, 5 mai 1977 : *Le baiser II* 1958, litho. en 5 coul. (52x40) : SEK 5 800 – Stockholm, 23 avr. 1980 : *Portrait imaginaire* 1959, cr. (42x32,5) : SEK 17 600 – Stockholm, 23 avr. 1981 : *Femme imaginaire* 1956, dess. (45x37,5) : SEK 13 000 – Stockholm, 26 avr. 1982 : *Deux figures* 1956, gche (45x36) : SEK 14 000 – Stockholm, 16 mai 1984 : *Jeunes filles de fantaisie* 1959, aquar. et gche (37x45) : SEK 27 000 – Paris, 27 avr. 1989 : *Vision surréaliste* 1948, gche (45x57) : FRF 60 000 – Stockholm, 5-6 déc. 1990 : *Le Rêve lumineux*, aquar. (45x37) : SEK 32 000 – Stockholm, 30 mai 1991 : *Composition animée sur fond jaune*, aquar. (26x18) : SEK 5 500 – Stockholm, 21 mai 1992 : *Figure féminine imaginaire*, aquar. (69x29) : SEK 26 000 – Stockholm, 10-12 mai 1993 : *Composition aux personnages féminins* 1948, techn. mixte/pap. (64x51) : SEK 39 000 – Stockholm, 30 nov. 1993 : *Les Étranges désirs des jours transparents*, gche et collage (46x37) : SEK 33 000 – Paris, 24 mai 1996 : *Femme-oiseau* 1960, gche (45x37) : FRF 17 000.

SVANLUND Olle
Né le 28 février 1909. XXe siècle. Suédois.
Peintre, peintre à la gouache, aquarelliste, peintre de cartons de vitraux, peintre de compositions murales. Expressionniste-abstrait.
En 1928, il étudia la publicité à Berlin ; en 1930, il fut élève de Fernand Léger, à Paris ; en 1932, il fit un séjour au Brésil ; de 1939 à 1943, il fut élève de l'Académie des Beaux-Arts de Copenhague. En 1974, il obtient une bourse de l'état suédois.
Il participe depuis de nombreuses expositions de groupe, parmi lesquelles : 1955 exposition itinérante d'art graphique suédois en Amérique Latine ; 1956 exposition itinérante d'art graphique suédois à Moscou ; 1964, *Art suédois contemporain 1900-1964 – Collection de l'Institut Tessin à Paris* au Musée Galliéra de Paris ; 1966 Maison de la Culture du Havre ; 1968 Musée de Saint-Étienne ; « Artistes Suédois » au Musée de Rönne, Danemark, etc. Il a montré aussi de nombreuses expositions personnelles ; 1941, 1948 (Musée de la ville), 1951, 1958 Malmö ; 1942, Stockholm ; 1949, Musée de Ystad ; 1963, Paris et Copenhague ; 1965, Paris ; 1968, Göteborg, etc.
Il a réalisé diverses décorations importantes : 1955 pour une école de Malmö ; 1960 une façade à Malmö ; 1961 une décoration en dalles de verre pour une agence de publicité de Malmö ; 1962 vitraux pour l'église de Lammhult ; 1966 décoration extérieure d'un supermarché de Malmö. Haute en couleur, librement écrite dans la suite de Léger, sa peinture est apparentée à un expressionnisme abstrait dans la tradition du groupe Cobra.
Musées : Göteborg – Lund (Arkiv Mus.) – Malmö – Paris (Inst. Tessin) – Paris (BN) – Stockholm (Mod. Mus.).
Ventes Publiques : Göteborg, 18 mai 1989 : *Composition* 1968, h/t (73x60) : SEK 5 000.

SVARSTAD Anders Castus
Né le 22 mai 1869 à Hole. XIXe-XXe siècles. Norvégien.
Peintre de portraits, paysages, graveur.
Il travailla à Chicago, étudia à Paris à l'Académie Colarossi, ensuite à Copenhague et à Oslo. Il voyagea encore à Londres, en Belgique, à Dresde, à Rome, en Italie, à Berlin et Copenhague ; en 1920, il alla en Amérique, en France, et en Suisse. Il fonda en 1926 une école privée de peinture à Oslo.
Ses paysages révèlent l'influence de Gauguin et de Cézanne.
Musées : Bergen : *Aux bords de la Tamise – Marché à Bruges – Palonetto – Santa Lucia – Via Bocca di Leone à Rome – Oslo : Portrait de la femme peintre Tora Holmström – La place de Charles III à Naples – Ruines d'un cloître à Hovedöya – Usine à gaz.*

SVEC Otakar
Né le 23 novembre 1892 à Prague. XXe siècle. Tchécoslovaque.
Sculpteur.
Il fut élève de Josef V. Myslbek et Jan Stursa.
Musées : Prague (Gal. Mod.) : *Le Motocycliste.*

SVECHNIKOFF Boris Petrovitch
Né en 1927 à Moscou. XXe siècle. Russe.
Peintre, dessinateur, illustrateur.
Il fut élève de l'Institut des arts décoratifs de Moscou en 1945,

1946. Il est arrêté en 1946 avec la quasi-totalité de sa promotion, et déporté. Il sera libéré en 1954. Il est membre de l'Union des Artistes en tant qu'illustrateur. Il vit et travaille à Moscou.

Il participe à des expositions collectives en URSS et à l'étranger : États-Unis, Suisse, France, Allemagne, Autriche, Grande-Bretagne, Italie, Japon. Il est mentionné dans une publication du Centre Georges Pompidou de Paris, dans l'hiver 1988, avec la mention « Joue un rôle important ». Il montre ses œuvres dans des expositions personnelles depuis 1970 : 1991 Museum of Contemporary Russian Art de Jersey City.

Ces années de déportation lui inspireront de nombreux dessins. Il se dit attiré par le monde fantastique des Flamands, de Breughel et de Jérôme Bosch ainsi que de James Ensor. Il a produit un œuvre graphique très abondant. Il y a une facture pointilliste dans son œuvre qui relaie le trait minutieux qui caractérise ses dessins à la plume.

BIBLIOGR. : I. Golomshtok, in : *L'Art Soviétique*, Moscou – Eric A. Peschler – in : *La nouvelle avant-garde* – in : *La Peinture Russe Contemporaine*, Palais des Congrès, Paris, 1976.

VENTES PUBLIQUES : PARIS, 10 fév. 1991 : *Paysage minier*, dess. (25x32) : FRF 4 800.

SVECHNIKOV Dmitri
Né en 1912 à Arkhangelsk. XXᵉ siècle. Russe.
Peintre de compositions animées, genre, portraits, paysages.
Il fut élève de l'École des Beaux-Arts de Leningrad. En dehors de ses portraits, strictement réalistes, ses paysages animés évoquent la vie dans les steppes.
BIBLIOGR. : B. Dorival, sous la direction de... : *Peintres Contemporains*, Mazenod, Paris, 1964.

SVEDBERG Janne
XIXᵉ siècle. Actif à Stockholm en 1818. Suédois.
Silhouettiste.

SVEDIN Berndt Hakonson
XVIIIᵉ siècle. Actif à Falun. Suédois.
Peintre.

SVEDIN Lars
XVIIIᵉ siècle. Suédois.
Peintre.

SVEDIN Per Ersson
Né en 1830. XIXᵉ siècle. Actif à Knätten. Suédois.
Peintre.
Il émigra en 1884.

SVEDLUND Pelle. Voir SWEDLUND

SVEDMAN Karl Wilhelm
Né en 1762. Mort en 1840. XVIIIᵉ-XIXᵉ siècles. Suédois.
Peintre.
Élève de l'Académie de Stockholm. Il a représenté des sujets bibliques ou des scènes empruntées à l'histoire de Suède.

SVEDOMSKY A. A. Voir SVIEDOMSKI Alexandre Alexandrovitch

SVEDOMSKY Paul A. ou Svedonsky ou Swedomsky
Né en 1849. Mort en 1904. XIXᵉ siècle. Russe.
Peintre d'histoire.
Le Musée Roumianzeff, à Moscou, conserve de lui : *Épisode de la Révolution française.*
VENTES PUBLIQUES : PARIS, 15 juin 1945 : *Scène de la Révolution française : femme implorant un sans-culotte* : FRF 20 100 – LONDRES, 20 oct. 1978 : *Danse païenne* 1903, h/t (141,2x261,6) : GBP 620.

SVEICS Erasts
Né le 12 février 1895 à Riga. XXᵉ siècle. Russe-Letton.
Peintre.
Il étudia à l'École des Beaux-Arts de Riga de 1911 à 1913, où il fut élève du sculpteur Foltz. Il obtint le prix du Fonds de Culture en 1933 et 1935. Il était représenté à l'Exposition de l'art de la Lettonie, à Paris, en 1939.
MUSÉES : BUDAPEST – REVAL – RIGA.

SVEINSDOTTIR Juliana
Née le 31 juillet 1889 à Vestmannaeyjar. Morte en 1966. XXᵉ siècle. Active au Danemark. Islandaise.
Peintre de portraits, paysages, natures mortes.
Elle fut élève de Thorarinn Thorlaksson à Reykjavik et de l'Académie des Beaux-Arts de Copenhague, où elle vit et travaille.
MUSÉES : COPENHAGUE – REYKJAVIK.

VENTES PUBLIQUES : COPENHAGUE, 6 avr. 1976 : *Paysage d'Islande*, h/t (48x55) : **DKK 4 200** – COPENHAGUE, 12 mai 1977 : *Nature morte* 1944, h/t (76x66) : **DKK 16 000** – COPENHAGUE, 30 mai 1979 : *Nature morte aux fruits* 1943, h/t (80x66) : **DKK 14 000** – COPENHAGUE, 2 juin 1983 : *Paysage d'Islande* 1957, h/t (68x90) : **DKK 20 000** – COPENHAGUE, 25 avr. 1985 : *Paysage de l'île de Hekla* 1928, h/t (84x100) : **DKK 44 000** – COPENHAGUE, 20 sep. 1989 : *Paysage de fjord en Islande*, h/t (75x86) : **DKK 27 500** ; *Nature morte*, h/t (55x65) : **DKK 29 000** – COPENHAGUE, 31 oct. 1990 : *Fjord islandais*, h/t (75x86) : **DKK 35 000** – COPENHAGUE, 30 mai 1991 : *Nature morte* 1953, h/t (59x60) : **DKK 25 000** – COPENHAGUE, 21 oct. 1992 : *Nature morte* 1953, h/t (59x60) : **DKK 19 000** – COPENHAGUE, 15 juin 1994 : *Nature morte*, h/t (52x44) : **DKK 5 500** – COPENHAGUE, 17 avr. 1997 : *Homme lisant*, h/t (100x82) : **DKK 16 000**.

SVEINSSON Asmundur
Né en 1893. Mort en 1982. XXᵉ siècle. Islandais.
Sculpteur.

SVEINSSON Ben
Né en 1945 à Vestmannaeyjar. XXᵉ siècle. Depuis 1970 actif en Allemagne. Islandais.
Peintre, sculpteur, technique mixte, auteur de performances, créateur d'installations. Tendance conceptuelle.
Il fut élève du College of Art de Reykjavik. Depuis 1970, il vit et travaille à Düsseldorf, où il enseigne au Matare Gymnasium.
Il participe à des expositions collectives : Biennale scandinave au Louisiana Museum de Copenhague ; 1967, 1975 Biennale de Paris ; 1968 *Artistes islandais* à Reykjavik ; 1970 Museum Fodor à Amsterdam, Folkwang Museum d'Essen. Il a réalisé des performances, notamment en 1971 au Stedelijk Museum d'Amsterdam.

SVEJSTRUP-MADSEN Charles
Né le 9 mai 1883 à Copenhague. XXᵉ siècle. Danois.
Sculpteur.
Il fut élève de Ludvig Brandstrup et Herman V. Bissen. Il vit et travaille à Copenhague.
MUSÉES : COPENHAGUE (Hôtel de Ville).

SVEMPS Leo
Né le 20 juillet 1897 en Vidzeme. XXᵉ siècle. Russe-Letton.
Peintre.
Il fut élève d'Osin à Riga, de Bolschakoff et Maschkoff, à Moscou. Il voyagea en Allemagne, en France, en Belgique et en Italie. Il obtint le prix du Fonds de Culture en 1932 et 1936. Il était représenté à l'exposition d'art letton, à Paris, en 1939.
MUSÉES : BRUXELLES – MOSCOU – RIGA.

SVEN
XVIIᵉ siècle. Norvégien.
Peintre, décorateur.
Il travailla à Oslo vers 1623.

SVENDSEN Charles C.
Né le 7 décembre 1871 à Cincinnati (Ohio). XIXᵉ-XXᵉ siècles. Américain.
Peintre de figures, compositions animées, paysages.
Élève de Bouguereau, Ferrier et de l'Académie Colarossi à Paris, il obtint une médaille de bronze à l'Exposition de Saint Louis, en 1904.

SVENDSEN Georg Anton
Né le 29 mai 1846 à Copenhague. Mort le 28 septembre 1882 à Copenhague. XIXᵉ siècle. Danois.
Peintre de fleurs.

SVENDSEN Munthe
Né le 27 février 1869 à Volda. XIXᵉ-XXᵉ siècles. Norvégien.
Sculpteur.
Il travailla à Chicago et à Oslo, ainsi qu'à Paris chez Injalbert. Il fit un voyage d'études en Italie, de 1897 à 1898, puis s'installa à Trondhjem.
MUSÉES : OSLO.

SVENDSEN-ENGEL Kathrine Amalie
Née le 9 février 1777 à Middelfart. XIXᵉ siècle. Active à Bikkeröd. Danoise.
Peintre de fleurs et d'intérieurs.
Élève de E. Mundt et M. Luplau ainsi que de l'Académie de Copenhague. Les Musées de Maribo et de Tondern conservent plusieurs de ses œuvres.

SVENDSON Svend
Né en 1864 à Christiania (Oslo). Mort en 1934. XIXᵉ siècle. Norvégien.

Peintre.
Il travailla à Chicago.

[signature: Svend Svendsen]

MUSÉES : TOLEDO, Ohio.
VENTES PUBLIQUES : NEW YORK, 1er mars 1984 : *Paysage fluvial en hiver*, h/t (35x45,7) : USD 2 100.

SVENNEN Walter ou Swennen
Né en 1946 à Bruxelles. XXe siècle. Belge.
Peintre.
À l'âge de quarante ans, autodidacte, il décide d'abandonner la poésie pour la peinture : « Je suis venu à la peinture un peu par hasard, pour affermir le penser poétique ». Il vit et travaille à Anvers.
Il participe à des expositions collectives : 1982 ICC d'Anvers ; 1985 *Made in Belgium* à Knokke-le-Zoute ; 1988 Casa Frollo à Venise ; 1990 Bruges. Il montre ses œuvres dans des expositions personnelles depuis 1980 : 1986 palais des beaux-arts de Bruxelles ; 1991 palais des beaux-arts de Charleroi.
Il aborde diverses techniques, peintures sur bois, sur métal, crayons, gouaches, fusains, encres, dans des œuvres colorées, aussitôt accessibles. Sur des fonds abstraits à tendance informelle dominés par les couleurs et traînées de couleurs, il inscrit des motifs simples du quotidien, vélo, personnages, boîtes de conserve, ressort à spirale, à la facture schématique. Son univers bâclé évoque le monde de la bande dessinée et de l'enfance, mais aussi les recherches néo-expressionnistes.
BIBLIOGR. : Baert de Baers : *Entretien avec Walter Swennen*, Anvers, janv. 1990 – Pierre Sterckx : *La Peinture, les images selon René Magritte et Walter Swennen*, Artstudio, n° 18, Paris, aut. 1990 – Bernard Marcelis : *Walter Swennen*, Artpress, n° 157, Paris, avr. 1991.
VENTES PUBLIQUES : AMSTERDAM, 10 avr. 1989 : *Chapeaux de sorcières 1986*, h/t (122x100) : NLG 4 370.

SVENSEN Albert
Né le 19 octobre 1889 à Vejlö. XXe siècle. Danois.
Peintre d'animaux.
Élève de l'Académie des beaux-arts de Copenhague, il vit et travaille à Appenäs, près de Nästved.

SVENSON Gunnar Ernst Andreas
Né le 21 août 1892 à Stockholm. Mort en 1977. XXe siècle. Suédois.
Peintre de paysages, intérieurs.
Il étudia à l'École de peinture et à l'Académie de Stockholm. Il fit en 1926 un voyage d'études en France. De 1930 à 1932, il travailla à Paris.
MUSÉES : BORAS – GÖTEBORG – KRISTIANSTAD – MALMÖ – STOCKHOLM – VASTERAS.
VENTES PUBLIQUES : STOCKHOLM, 23 avr. 1980 : *Vue de Paris*, h/pan. (44,5x54,5) : SEK 5 900 – STOCKHOLM, 19 nov. 1983 : *Paysage d'été*, h/t (68x85) : SEK 11 500 – STOCKHOLM, 5-6 déc. 1990 : *Paysage hollandais avec une ferme et un moulin à vent*, h/t (72x92) : SEK 7 500 – STOCKHOLM, 29 mai 1991 : *Paysage de plaine avec une maison et un moulin à vent l'été en Hollande*, h/t (72x92) : SEK 13 000 – STOCKHOLM, 13 avr. 1992 : *Intérieur avec des tulipes et un bol de fruits sur une table*, h/t (99x59) : SEK 8 200.

SVENSSON Bertil Herlov
XXe siècle. Suédois.
Sculpteur. Néoconstructiviste.
Il a participé en 1976 à l'exposition *L'Art dans la rue* qui réunissaient divers sculpteurs contemporains suédois à Borlänge.

SVENSSON Christian Fred. Voir SWENSSON

SVENSSON Gustaf
Né en 1893. Mort en 1957. XXe siècle. Suédois.
Peintre de paysages.
VENTES PUBLIQUES : STOCKHOLM, 14 juin 1990 : *Panorama depuis Atlasgatan – Stockholm en hiver 1935*, h/t (57x72) : SEK 11 000 – STOCKHOLM, 28 oct. 1991 : *Vue du Musée National à Stockholm 1942*, h/t (55x72) : SEK 7 200.

SVENSSON Sophus Clod
Né le 10 mai 1867 à Kolding. XIXe-XXe siècles. Danois.
Peintre de paysages, graveur.
Élève de A. Hou et de l'Académie des Beaux-Arts de Copenhague, il fut ensuite professeur de cette même académie. Il travailla à Lyngby, près de Copenhague.

SVENSSON Uno
Né en 1929 à Malmö. XXe siècle. Depuis 1973 actif aussi en France. Suédois.
Peintre. Tendance fantastique.
Il vit et travaille à Malmö et Paris. Il participe à des expositions collectives à Paris, à la VIIIe Biennale de Menton en 1970, en Suède, en Argentine, à Londres, en 1992 à la Bibliothèque nationale à Paris. Il montre ses œuvres dans de nombreuses expositions particulières dès 1957, en Suède, à Paris.
Sa peinture est figurative, d'inspiration fantastique morbide.

[signature: Uno Svensson]

MUSÉES : PARIS (BN) : *Poupée II* 1978, litho. – STOCKHOLM.
VENTES PUBLIQUES : STOCKHOLM, 6 déc. 1989 : *Image humaine* 1986, acryl. et collage /pan. (79x55) : SEK 6 200.

SVENSSON Wiking
Né en 1915 à Olme (Värmland). Mort en 1979. XXe siècle. Suédois.
Peintre. Abstrait puis figuratif.
Il fit ses études artistiques à Paris, dans les ateliers de Lhote, Friesz, Mac-Avoy, Léger, entre 1946 et 1956. Il vit à Kahög, près de Göteborg.
Il participe à des expositions de groupe, notamment à Paris au Salon des Réalités Nouvelles, en 1952 et 1953 ; également en Suède, au Danemark, en Norvège, Allemagne, etc. Il montre ses œuvres dans des expositions personnelles, notamment à Stockholm, en 1959 et 1962.
Il a évolué d'une abstraction postcubiste à un retour à la figuration.
BIBLIOGR. : B. Dorival, sous la direction de... : *Peintres Contemporains*, Mazenod, Paris, 1964.
MUSÉES : GÖTEBORG – PAU – STOCKHOLM.
VENTES PUBLIQUES : GÖTEBORG, 22 nov. 1973 : *Composition* : SEK 6 500 – GÖTEBORG, 18 mai 1989 : *Composition*, h/t (46x54) : SEK 9 000 – STOCKHOLM, 22 mai 1989 : *Composition*, h/t (22x25) : SEK 4 000.

SVERCHKOV Nikolai Egorovich. Voir SVERTSCH-KOFF Nicolas Gregorovitch

SVERDRUP Inger
Né en 1876 à Sogn. XXe siècle. Norvégien.
Graveur de paysages.
Il étudia à Oslo, où il vit et travaille, et à Paris. Il fit un voyage d'études au Danemark, en France et en Italie.
Ses gravures les plus connues sont : *Paysage d'Assise*, *Vieux jardin de cloître*, *Le Bon Pasteur*, *Cirque en Bretagne* (d'après Lucien Simon).

SVERDRUP Otto
Né en 1898 à Oslo. XXe siècle. Norvégien.
Peintre.
Il étudia à Paris et chez Axel Revold.
MUSÉES : OSLO (Gal.) : *Cavalier*.

SVERTSCHKOFF Nicolas Gregorovitch
Né le 6 mars 1817 à Saint-Pétersbourg. Mort le 25 juin 1898 à Tsarkoié-Selo. XIXe siècle. Russe.
Peintre d'histoire, scènes de genre, sujets de chasse, paysages, pastelliste, dessinateur.
Il se forma sans maître, étudiant dans les musées au cours de ses voyages en France, en Allemagne, en Hollande. En 1852, il fut nommé membre de l'Académie des Beaux-Arts de Saint-Pétersbourg. Il commença à exposer à Paris en 1859. En 1863, un *Retour de la chasse à l'ours* fut acheté par Napoléon III, qui décora l'artiste. Ses sujets de chasse furent très appréciés.
MUSÉES : MOSCOU (Gal. Tretiakov) : *Cheval de somme* – *Cheval pie* – *Attelage de trois chevaux de front* – *Étude* – SAINT-PÉTERSBOURG (Mus. Russe) : *L'empereur Nicolas Ier en traîneau*.
VENTES PUBLIQUES : PARIS, 25 oct. 1920 : *Paysage de neige en Russie avec un cheval attelé à un tronc d'arbre* : FRF 900 – PARIS, 5 déc. 1928 : *Costumes militaires de cavalerie, deux dess.* : FRF 520 – PARIS, 30 juin et 1er juil. 1941 : *Deux amis, past.* : FRF 180 – PARIS, 30 oct. 1942 : *Retour de la chasse à l'ours 1853* : FRF 17 000 – NEW YORK, 2 déc. 1969 : *Le traîneau impérial* : USD 2 300 – LONDRES, 16 oct. 1974 : *Le chasseur de loups* : GBP 1 100 – COPENHAGUE, 7 déc. 1976 : *Troïka dans une tempête de neige 1870*, h/t (51x69) : DKK 5 500 – LONDRES, 15 fév. 1984 : *Scène de chasse 1885*, h/t, trois toiles (115,5x46,5) : GBP 6 500 – LONDRES, 20 fév. 1985 : *Une chasse impériale 1857*, dess. au cr.

reh. de gche (34x43) : **GBP 1 100** – LONDRES, 20 fév. 1985 : *Chasseur dans un paysage de neige* 1840, aquar. (53,5x72) : **GBP 1 200** – PARIS, 11 oct. 1988 : *Troïka* 1878, h/t (80x139) : **FRF 17 300** – STOCKHOLM, 15 nov. 1988 : *Troïka dans la tempête de neige*, h. (28x37) : **SEK 10 000** – LONDRES, 6 oct. 1988 : *Chasseur auprès de sa monture et d'un loup abattu*, h/t (93x128,5) : **GBP 4 950** – LONDRES, 14 nov. 1988 : *Une jument alezane* 1883, h/t (56x70) : **GBP 2 200** – LONDRES, 14 nov. 1988 : *Troïka poursuivie par des loups*, h/t (35,5x53) : **GBP 1 320** – LONDRES, 5 oct. 1989 : *Retour du marché* 1872, h/t (78,2x120) : **GBP 26 400** – MONACO, 16 juin 1990 : *La calèche* 1854, h/t (72,5x91,5) : **FRF 83 250** – STOCKHOLM, 14 nov. 1990 : *Cheval noir*, h/t (56x71) : **SEK 25 000** – NEW YORK, 16 fév. 1994 : *Le voyageur fatigué*, h/t (92,7x130,2) : **USD 8 050** – LONDRES, 14 déc. 1995 : *Troïka en hiver au soleil couchant*, h/t (95x145,5) : **GBP 2 100** – LONDRES, 17 juil. 1996 : *Le Tsar Alexandre III dans son traineau* 1891, h/t (67x103) : **GBP 19 550** – LONDRES, 19 déc. 1996 : *La course* 1857, h/t (109x165) : **GBP 21 850**.

SVERTSCHKOFF Vladimir Dimitriévitch
Né le 14 juillet 1888. XXᵉ siècle. Russe.
Peintre de cartons de vitraux.
Il fut élève de l'Académie des Beaux-Arts de Saint-Pétersbourg. Il travailla aussi à Munich et à Schleissheim et s'établit à Florence en 1873.

SVETLOV Sergei
Né en 1903. Mort en 1964. XXᵉ siècle. Russe.
Peintre de compositions animées, peintre à la gouache, dessinateur, technique mixte.
Il fut l'un des membres fondateurs de La Société des Jeunes Artistes en 1919. Il fut également un poète reconnu. Il participa avec de nombreux autres artistes à la Première Exposition d'Art Russe à la galerie Van Diemen à Berlin en 1922 bien que son nom ne soit pas mentionné dans le catalogue.
VENTES PUBLIQUES : LONDRES, 23 mai 1990 : *Danse dynamique et un œil*, gche et feuilles de contre-plaqué sur contre-plaqué (39,8x53) : **GBP 1 760** – MILAN, 10 nov. 1992 : *Parade militaire* 1940, cr. et aquar./pap. (45x138) : **ITL 2 000 000**.

SVETZER Erhart. Voir SCHWATZER

SVIDERCOSCHI Giambattista, pseudonyme de Gru ou le Gru
Né en novembre 1754 à Vérone (Vénétie). Mort le 24 juin 1811 à Vérone. XVIIIᵉ-XIXᵉ siècles. Italien.
Peintre, décorateur, ornemaniste.
Il s'agit probablement d'un descendant des LE GRU, dont le premier LE GRU Jean ou Giovanni, né à Paris vers 1620, immigra à Vérone où il mourut en 1686 ; son petit-fils Giuseppe pourrait être le père de Giambattista, qui, pour des raisons inconnues, adopta un patronyme italien.

SVIECHEVSKI Alexandre Peters ou Swieszewski
Né le 4 mai 1839 à Varsovie. Mort le 5 décembre 1895 à Munich. XIXᵉ siècle. Polonais.
Peintre de paysages, marines.
De 1858 à 1863, il étudia à l'École des Beaux-Arts de Varsovie avec Chritian Breslauer, et en 1864 à Munich avec Friedrich Bamberger. En 1870, il voyagea en Italie et en 1871 il rentra à Munich. En 1872, il obtint une médaille d'argent à l'exposition de Saint-Pétersbourg.
MUSÉES : CRACOVIE : *Le Village de Maslowice – La Campagne à Maslowice* – LEMBERG : *Coucher de soleil* – PRAGUE : *Le lac d'Auronzo* – VARSOVIE : *Paysages – Marine*.
VENTES PUBLIQUES : LONDRES, 11 fév. 1976 : *Paysage de Pologne*, h/t (51x86,5) : **GBP 1 500** – COLOGNE, 15 juin 1989 : *Paysage d'une vallée de haute montagne* 1873, h/t (108x151) : **DEM 5 500**.

SVIEDOMSKI Alexandre Alexandrovitch
Né en 1848 à Saint-Pétersbourg. Mort en 1911. XIXᵉ-XXᵉ siècles. Russe.
Peintre d'histoire, de genre.
Il est le frère du peintre Pavel.
MUSÉES : MOSCOU (Gal. Tretiakov) : *Rue à Pompéi – Au bord du Tibre*.

SVIEDOMSKI Pavel Alexandrovich
Né à Saint-Pétersbourg. Mort en 1904. XIXᵉ siècle. Russe.
Peintre d'histoire et de genre.
Appartenant à une riche famille de propriétaires miniers de la Sibérie, il fit, avec son frère Alexandre, ses études à l'École des Mines de Pétrograd. Les deux jeunes gens allèrent ensuite à Munich où ils décidèrent de s'adonner à la peinture. Après avoir

travaillé à l'Académie de Düsseldorf, ils furent élèves de Munkacsy, passèrent à Kassel et enfin se rendirent à Rome. L'étude de ses trésors artistiques influa puissamment sur les jeunes artistes. Pavel peignit à Rome plusieurs tableaux qui, exposés à l'Académie de Saint-Pétersbourg, y furent accueillis avec succès. Le Musée Russe, à Leningrad, la Galerie Tretiakov, à Moscou, conservent de ses ouvrages. Il a décoré des églises de Kief et de Gluchow.

SVIETOSLAVSKI Sergéi Ivanovitch ou Svetoslavsky
Né en 1857 à Moscou. XIXᵉ siècle. Russe.
Peintre de genre, paysages.
MUSÉES : MOSCOU (Gal. Tretiakov) : *De la fenêtre de l'école de peinture – A la campagne – Vers le printemps – Une auberge à Moscou – Rue de ville de province – Le commencement du printemps – Étude d'automne* – SAINT-PÉTERSBOURG (Mus. Russe) : *L'automne*.

SVINHUFVUD Andreas Johan Quist
Né sans doute 1777 en Suède. Mort le 17 juin 1807 à Copenhague. XVIIIᵉ siècle. Danois.
Peintre de paysages.
Il fut professeur de dessin.

SVINJIN Pavel Pétrovitch
Né en 1787. Mort le 9 avril 1839. XIXᵉ siècle. Russe.
Peintre.
Il dessina des vues de Saint-Pétersbourg.

SVINZOFF Piotr Vassiliévitch
XIXᵉ siècle. Actif dans la première moitié du XIXᵉ siècle. Russe.
Sculpteur.
Élève de l'Académie de Saint-Pétersbourg. Il travailla dans cette ville.

SVISTOUNOFF Pavel Pétrovitch
Né en 1825. XIXᵉ siècle. Russe.
Peintre.
Élève de l'Académie de Saint-Pétersbourg.

SVITZER Peter. Voir SCHWITZER

SVOBODA. Voir SWOBODA

SVOBODA Alison
Née en 1950 à Londres. XXᵉ siècle. Active en France. Britannique.
Peintre. Tendance abstraite.
Elle vit et travaille à Paris. Elle montre ses œuvres dans des expositions personnelles à Paris et Londres.
VENTES PUBLIQUES : PARIS, 14 avr. 1991 : *Traversée vers le blanc* 1981, h/t (115x88) : **FRF 8 500**.

SVOLGI Giov. Andrea
Originaire de Castel Durante. XVIᵉ siècle. Italien.
Stucateur.

SVOLINSKY Karel
Né le 14 janvier 1896 près d'Olmutz. XXᵉ siècle. Tchécoslovaque.
Graveur, illustrateur.
Il fut élève de Bohumil Kafka et Frantisek Kysela à l'École des Beaux-Arts de Prague, de 1919 à 1927. Il a toujours beaucoup voyagé à travers tous les pays d'Europe et aux États-Unis, participant à des expositions de groupe. Il a fréquemment exposé à Prague, ainsi qu'à Brno et dans quelques autres villes de Tchécoslovaquie. Il a un dessin illustratif, habile, empreint d'un certain modernisme.
BIBLIOGR. : *Catalogue de l'exposition Cinquante ans de peinture tchécoslovaque, 1918-1968*, Musées tchécoslovaques, 1968.

SVOR Anders Rasmussen
Né le 14 décembre 1864 à Hornindal. Mort le 6 mai 1929 à Oslo. XIXᵉ-XXᵉ siècles. Norvégien.
Sculpteur de compositions religieuses, figures, bustes.
Il étudia à l'École des Beaux-Arts de Christiania (Oslo) et à l'Académie des Beaux-Arts de Copenhague. Il fit un voyage d'études à Paris de 1888 à 1892.
MUSÉES : OSLO : *Jeune fille – Deuil – Buste de F. Nansen* – TRONDHJEM : *Le Christ à Gethsémani*.

SVRAKIC Todor
Né le 10 mars 1882 à Prijedor. XXᵉ siècle. Yougoslave.
Peintre de figures, portraits.
Il étudia aux Écoles des Beaux-Arts de Belgrade, de Vienne et de Prague. Il vécut et travailla à Sarajevo.
Il a peint des figures et des portraits de la Serbie méridionale et de la Bosnie.

SWAAF Samuel de. Voir **SWAEF**

SWAAN Cornelis Cornelissen. Voir **SWAN**

SWAAN Nicolaes
XVIIe siècle. Hollandais.
Peintre.
Deux intérieurs peints par Swaan se trouvaient en 1661 dans une collection d'Amsterdam.

SWAANENBURG Wilhelm Van
Né en 1678. Mort en 1728 à Amsterdam. XVIIIe siècle. Hollandais.
Peintre de paysages et poète.

SWACH Adam ou **Szwach**
Né en 1668 en Bohême. Mort le 13 janvier 1747 à Posen. XVIIe-XVIIIe siècles. Polonais.
Peintre.
Franciscain comme son frère Antoni, il fit pendant trois ans son apprentissage chez Jersy Semiginowski à Cracovie.

SWACH Antoni ou **Szwach**
Né en 1656 en Bohême. Mort le 26 août 1711 à Posen. XVIIe-XVIIIe siècles. Polonais.
Graveur au burin, sculpteur de portraits et stucateur.
De l'ordre des Franciscains.

SWAEF Samuel de ou **Swaaf** ou **Suavis**
Né en 1597. XVIIe siècle. Actif à Middelbourg. Hollandais.
Graveur, imprimeur et calligraphe.
En 1634, il était à Berg-op-Zoom.

SWAEN Cornelis Cornelissen. Voir **SWAN**

SWAEN D. Van der
XVIIIe siècle. Actif à Rotterdam au début du XVIIIe siècle. Hollandais.
Graveur au burin.
Il a gravé le portrait du roi George Ier d'Angleterre.

SWAENENBURGH Willem. Voir **SWANENBURGH Willem**

SWAERDECROON. Voir **ZWAERDECROON**

SWAGEMAKERS Theo
Né en 1898. Mort en 1994. XXe siècle. Hollandais.
Peintre de natures mortes.
VENTES PUBLIQUES : AMSTERDAM, 8 déc. 1994 : *Nature morte 1977*, h/cart. (28x35) : **NLG 1 150** – AMSTERDAM, 6 déc. 1995 : *Jouet cheval 1974*, h/t (40x30) : **NLG 1 092.**

SWAGERS Caroline
Née le 28 août 1808 à Paris. XIXe siècle. Française.
Peintre de genre et miniaturiste.
Élève de sa mère, Mme Frans Swagers. Elle exposa au Salon de Paris entre 1831 et 1848.

SWAGERS Charles
Né en 1792. XIXe siècle. Français.
Peintre d'histoire.
Élève de son père Franz Swagers, il fut professeur de dessin à Dieppe en 1840. Il exposa au Salon de Paris en 1833 une grisaille, *Le tombeau de Marie-Christine d'Autriche*, épouse du prince Albert de Saxe. L'église Saint-Louis de Gien conserve de lui un *Saint Nicolas*.

SWAGERS Édouard
Né en avril 1811 à Paris. XIXe siècle. Français.
Peintre et lithographe.
Fils de Charles Swagers.

SWAGERS Élisabeth, née **Méri**
Née à Paris. Morte le 11 juin 1837 à Paris. XIXe siècle. Française.
Peintre et miniaturiste.
Femme de Frans Swagers. Élève de Pajou, de Girard Vincent et de M. Augustin. Débuta au Salon de Paris en 1878. Mme Swagers fut professeur de dessin à Écouen. La Galerie Gatschina de Leningrad conserve d'elle une miniature.
VENTES PUBLIQUES : PARIS, 13 nov. 1922 : *Jeune villageoise*, cr. : **FRF 350** – PARIS, 10 et 11 juin 1925 : *Portrait d'une jeune femme, en buste, décolletée*, cr. : **FRF 1 900.**

SWAGERS Frans ou **Zwagers**
Né en août 1756 à Utrecht. Mort le 24 juin 1836 à Paris. XVIIIe-XIXe siècles. Hollandais.
Peintre de paysages animés, paysages, paysages d'eau, marines.

Swagers exposa au Salon de Paris de 1791 à 1824.
MUSÉES : BLOIS : *Paysage* – TOURS : *Paysages au soleil couchant*, deux œuvres – UTRECHT : *Paysage brabançon*.
VENTES PUBLIQUES : PARIS, 1814 : *Vue d'une prairie où serpente une rivière*, dess. à la pierre noire et à l'encre : **FRF 12** – PARIS, 1817 : *Bergers et leurs troupeaux* : **FRF 146** – PARIS, 5 mai 1900 : *Bergers et animaux*, deux pendants : **FRF 160** – PARIS, 10 nov. 1919 : *Berger et animaux* ; *Le bac*, les deux : **FRF 1 100** – PARIS, 12 mai 1920 : *Troupeau au pâturage* ; *L'heure de la traite*, les deux : **FRF 510** – PARIS, 28 juin 1926 : *Pêcheurs au clair de lune* : **FRF 150** – PARIS, 18 mars 1929 : *Le moulin au bord de la rivière* : **FRF 1 250** – PARIS, 12 juin 1931 : *Paysage de Hollande animé de personnages* : **FRF 1 300** – PARIS, oct. 1945-juillet 1946 : *La rivière 1789* : **FRF 4 900** – PARIS, 22 nov. 1946 : *Le passage du bac à l'embouchure d'une rivière sillonnée de voiliers* : **FRF 8 500** – PARIS, 4 déc. 1946 : *Paysage* : **FRF 5 800** – AMILLY, 16 mars 1947 : *Fleurs* ; *Fruits*, deux dessus de porte : **FRF 33 000** – PARIS, 9 mars 1950 : *Le passeur* : **FRF 7 500** – PARIS, 1er déc. 1950 : *La forêt sur la dune* : **FRF 20 000** ; *Le passeur* : **FRF 9**, 8 et 10 nov. 1953 : *Le passage du gué* ; *Sentier bordant une rivière*, deux pend. : **FRF 50 000** – LONDRES, 12 mars 1969 : *Scène d'estuaire* : **GBP 400** – PARIS, 19 juil. 1973 : *Bateaux dans un estuaire* ; *Bateaux par grosse mer* : **GNS 4 000** – BRUXELLES, 28 mai 1974 : *Paysage fluvial* : **BEF 140 000** – PARIS, 27 oct. 1977 : *Paysage fluvial 1787*, h/pan. (33,5x26,5) : **FRF 7 200** – VERSAILLES, 29 oct. 1978 : *Troupeau dans un paysage au moulin à vent*, h/t (65,5x84,5) : **FRF 20 000** – REIMS, 26 oct. 1980 : *Paysage fluvial animé de personnages*, h/t (65x83) : **FRF 4 000** – AMSTERDAM, 15 mai 1984 : *Paysages 1789*, h/pan., une paire (34,7x45) : **NLG 9 600** – PARIS, 8 fév. 1985 : *Paysage hollandais animé de bergers*, h/t (65x84) : **FRF 26 000** – PARIS, 13 juin 1988 : *Paysage animé de personnages et d'un troupeau*, h/t (64x80) : **FRF 15 000** – VERSAILLES, 19 mars 1989 : *Paysages animés*, deux h/t (65,5x84) : **FRF 48 000** – PARIS, 4 avr. 1990 : *Paire de paysages et troupeaux au bord d'une rivière*, h/t (64,5x84 et 65x84) : **FRF 44 000** – PARIS, 12 oct. 1990 : *Paysage aux pêcheurs*, h/pan. (64x98) : **FRF 23 000** – CALAIS, 9 déc. 1990 : *La traversée du fleuve*, h/t (46x61) : **FRF 21 000** – CALAIS, 10 mars 1991 : *Scène pastorale*, h/t (46x55) : **FRF 30 000** – LONDRES, 16 mars 1994 : *Promenade dans le parc*, h/t (48x66) : **GBP 8 625** – SAINT-GERMAIN-EN-LAYE, 1er mai 1994 : *Scènes de chasse à courre*, h/t, une paire (chaque 68x86) : **FRF 160 000** – CALAIS, 3 juil. 1994 : *Scène animée en bordure d'un estuaire*, h/t (21x27) : **FRF 13 000** – PARIS, 16 juin 1995 : *Paysage de rivière près d'une ville hollandaise avec un pâtre gardant son troupeau*, h/pan. (27,5x41,5) : **FRF 20 000** – LONDRES, 30 oct. 1997 : *Paysage fluvial avec un bateau de pêche et des vaches, un voilier et une ville dans le lointain*, h/pan. (45,4x56,1) : **GBP 3 450.**

SWAIN Charles
Né en 1801 à Manchester. Mort en 1874. XIXe siècle. Britannique.
Graveur et lithographe amateur.
Il fut surtout connu comme poète et compositeur de musique.

SWAIN Edward
Né en 1847. Mort en 1902. XIXe siècle. Britannique.
Peintre de paysages et graveur.

SWAIN Joseph
Né le 29 février 1820 à Oxford. Mort le 25 février 1909 à Ealing. XIXe siècle. Britannique.
Graveur sur bois.
Il fut avec les frères Dalziel le graveur sur bois le plus fameux du XIXe siècle anglais. Il gravait surtout des reproductions.

SWAIN Robert
Né en 1940 à Austin (Texas). XXe siècle. Américain.
Peintre. Minimal art.
Il vit et travaille à New York. Il expose avec les protagonistes du minimal art. Pour sa part, dans cette recherche des sensations primitives à partir de « structures primaires », tant quant à la forme que quant à la couleur, il travaille sur des carrés uniformes, dont les tonalités, par l'ordre de leurs juxtapositions, font ressortir les notions de dégradations ou au contraire d'oppositions.
BIBLIOGR. : *Catalogue de l'exposition L'art du réel, U.S.A. 1948-1968*, Grand Palais, Paris, 1968.

SWAIN William
Mort en 1847. XIXe siècle. Actif à New York. Américain.
Peintre.
Il devint, en 1836, membre de l'Académie de dessin.

SWAINE Francis
Né vers 1740. Mort en 1782 ou 1783 à Londres. XVIIIᵉ siècle.
Britannique.
Peintre de scènes de genre, paysages, paysages d'eau, marines, aquarelliste.
Membre de la Free Society. Il exposa à Londres, de 1762 à 1783, quarante-huit ouvrages à la Society of Artists et soixante-seize à la Free Society.
Il travailla surtout pour les marchands, peignant de petites marines dans la manière de Willem Vandevelde et des clairs de lune.
Musées : LONDRES (Victoria and Albert) : *Navire quittant Douvres, au loin la ville et le château – Marine –* MANCHESTER : Aquarelle.
Ventes Publiques : LONDRES, 28 nov. 1927 : *Flotte à l'ancre :* **GBP 204** – LONDRES, 10 fév. 1928 : *Scène de port :* **GBP 147** – LONDRES, 15 mars 1929 : *Vaisseaux en vue de Douvres :* **GBP 105** – LONDRES, 4 juil. 1930 : *Scène de rivière ; Ruisseau boisé ; Scène de rivière,* les trois : **GBP 504** – LONDRES, 12 mars 1937 : *Vue de Québec,* dess. : **GBP 48** – LONDRES, 17 mai 1946 : *Vaisseaux à l'estuaire d'une rivière :* **GBP 273** – LONDRES, 11 oct. 1946 : *Vaisseaux de guerre :* **GBP 178** – LONDRES, 8 nov. 1950 : *Vue du golfe de Saint-Laurent 1764 :* **GBP 800** – LONDRES, 2 avr. 1965 : *Marine :* **GNS 400** – LONDRES, 18 nov. 1970 : *Bateaux de guerre anglais :* **GBP 4 000** – LONDRES, 24 nov. 1972 : *Bateau de guerre anglais et autres en pleine mer :* **GNS 550** – LONDRES, 23 nov. 1973 : *La Tamise à Limehouse :* **GNS 3 500** – LONDRES, 19 nov. 1976 : *The marning sun,* h/t (61x72,5) : **GBP 1 800** – LONDRES, 18 mars 1977 : *Voyageurs dans un paysage boisé,* h/t (34,3x49,6) : **GBP 800** – LONDRES, 22 juin 1979 : *Bateaux au large d'un fort au crépuscule,* h/t (76,2x101,5) : **GBP 5 500** – LONDRES, 27 juin 1980 : *Scène de bord de mer,* h/t (52x73,6) : **GBP 900** – LONDRES, 18 mars 1981 : *The morning gun,* h/t (60x72,5) : **GBP 4 000** – LONDRES, 7 juil. 1983 : *Voiliers à l'ancre dans une baie ; Bateaux de guerre anglais au large de la côte hollandaise 1781,* gche (18,5x23) : **GBP 1 300** – LONDRES, 21 nov. 1984 : *Frégate et autres bâtiments en Méditerranée,* h/t (104x164) : **GBP 13 000** – LONDRES, 13 mars 1985 : *The morning gun,* h/t (68x88,5) : **GBP 10 000** – NEW YORK, 21 oct. 1988 : *Frégates naviguant près des côtes par mer houleuse,* h/cuivre (16x21) : **USD 10 450** – LONDRES, 17 nov. 1989 : *Deux-mâts doublant une forteresse à l'entrée d'un port,* h/t (31,5x36,2) : **GBP 4 400** – NEW YORK, 4 avr. 1990 : *Navigation par mer houleuse ; Navigation par mer calme,* h/cuivre, une paire (chaque 15,2x20,4) : **USD 6 600** – LONDRES, 20 avr. 1990 : *Bâtiment de la Compagnie des Indes dans une mer houleuse,* h/t (100x162) : **GBP 19 800** – LONDRES, 12 juil. 1990 : *Le trois-mâts Amiral et un yacht de la Marine Royale tirant une salve dans l'estuaire de la Tamise,* h/t (59,5x112) : **GBP 12 100** – LONDRES, 22 mai 1991 : *Le yacht Royal escape,* h/t (62x77,5) : **GBP 7 150** – LONDRES, 18 nov. 1992 : *La salve du soir,* h/t (49x59) : **GBP 5 720** – LONDRES, 6 avr. 1993 : *La Tamise à Battersea,* h/t (43x67,5) : **GBP 4 600** – LONDRES, 16 juil. 1993 : *Navigation au large des côtes de Hollande,* h/t (87x105) : **GBP 7 820** – LONDRES, 9 nov. 1994 : *La salve du soir,* h/t (96x89,5) : **GBP 5 980**.

SWAINE John
Né le 26 juin 1775 à Stanwell. Mort le 25 novembre 1860 à Londres. XIXᵉ siècle. Britannique.
Graveur et dessinateur.
Élève de Jacob Schnebellie, puis de Barak Langmate. Il a surtout gravé des antiquités. On cite aussi de lui des copies de portraits anciens.

SWAINE Monamy. Voir **SWAINE Francis**

SWAISH Frederick George
Né à Bristol. Mort en avril 1931 à Cologne. XXᵉ siècle. Britannique.
Peintre de figures, fleurs.
Musées : LIVERPOOL : *Primevères et jacinthes – Déesse de miséricorde.*
Ventes Publiques : PARIS, 7 avr. 1995 : *Camargo 1912,* h/t (153,5x104) : **FRF 68 000**.

SWAISON William
XIXᵉ siècle. Actif à Londres. Britannique.
Miniaturiste.
Exposa à Londres, notamment à la Royal Academy et à la New-Water Colour Society, à partir de 1884.

SWALEN Marten Van der
XVIIᵉ siècle. Actif à Vlissingen. Hollandais.
Peintre de marines.

SWALF Willy
Mort le 8 mai 1964 à Woluwe-Saint-Lambert. XXᵉ siècle. Belge.
Peintre.

SWALUE Albartus Otto
Mort vers 1768. XVIIIᵉ siècle. Actif à Leeuwarden. Hollandais.
Peintre.

SWALUE E.
XVIIIᵉ siècle. Actif à Leeuwarden. Hollandais.
Sculpteur sur bois.

SWALUWEN Chrétien. Voir l'article **WAEYER Math. de**

SWAMINATHAN Jagdish
Né le 21 juin 1928 à Simla. XXᵉ siècle. Indien.
Peintre, dessinateur, sculpteur. Figuratif puis tendance abstraite.
Après avoir été agitateur politique, auteur de livres pour enfants et journaliste, il s'est consacré au dessin et à la peinture, étudiant au département d'art de la Dehli Polytechnic puis, grâce à une bourse, à l'académie des beaux-arts de Varsovie en 1958. Il a beaucoup milité en son pays en faveur d'un art indien original. Il a participé à de nombreuses expositions collectives dans son pays, notamment à celle du groupe *1990,* dont il fut membre fondateur, et à l'étranger. Il montre ses œuvres dans des expositions personnelles : 1990 Centre for contemporary Art de New Dehli.
Il réalise des peintures, à tendance primitive, composées de signes, de graffitis, sur fonds de coulures, de traînées de peinture. Il évolue ensuite avec des œuvres influencées par la culture indienne populaire, dont il retient l'usage des symboles et les rituels, et tend, avec des « diagrammes » vers l'abstraction. En 1985-1986, il a réalisé un monument en hommage au poète Iqbal et à partir de cette date a pratiqué la sculpture, notamment sur pierre.
BIBLIOGR. : Plaquette de l'exposition : *J. Swaminathan,* Centre for contemporary Art, New Dehli, 1990.

SWAN Alice Macallan
Née au XIXᵉ siècle à Worcester. XIXᵉ siècle. Britannique.
Peintre.
Elle fut l'élève de son frère John. Elle a peint des fleurs, des paysages et des tableaux de genre.

SWAN Cornelis Cornelissen ou **Swaan** ou **Swaen**
XVIᵉ siècle. Actif à Haarlem. Hollandais.
Peintre.
Élève de Pieter Aertsen. Le Musée national d'Amsterdam conserve de lui *Le Jugement dernier.*

SWAN Cuthbert Edmund
Né en 1870. Mort en 1931. XIXᵉ-XXᵉ siècles. Britannique.
Peintre d'animaux.
Il a participé aux expositions de la Royal Academy de Londres, de 1905 à 1925.
Il s'est spécialisé dans la peinture de félins.

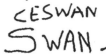

Ventes Publiques : LONDRES, 15 mai 1984 : *Tigre au bord d'une mare,* aquar. (35x50,8) : **GBP 600** – LONDRES, 10 mai 1985 : *Lionne avec ses petits* 1905, h/t (61x124,5) : **GBP 1 700** – LONDRES, 3 nov. 1989 : *Jeunes Léopards,* h/t (76x107) : **GBP 3 080** – NEW YORK, 15 fév. 1994 : *Deux Tigres à un point d'eau,* aquar./pap. cartonné (40,7x74,3) : **USD 4 370** – NEW YORK, 9 juin 1995 : *Éloigné de sa tanière* 1900, h/t (101,6x64,8) : **USD 10 350** – LONDRES, 17 oct. 1996 : *Tigre près d'un point d'eau* 1914, h/t/cart. (19x29,2) : **GBP 1 955**.

SWAN Douglas
Né en 1935. XXᵉ siècle. Britannique.
Auteur d'assemblages, peintre de collages, technique mixte.
Ventes Publiques : ZURICH, 22 juin 1990 : *Fragment de valise* 1975, objet techn. mixte et collage (92x62) : **CHF 2 200** – ROME, 25 mai 1992 : *La vague noire* 1960, h/t (100x80) : **ITL 1 840 000** – ROME, 14 déc. 1992 : *Orange suspendue* 1960, h/t (120x60) : **ITL 1 150 000** – LUCERNE, 20 nov. 1993 : *« Air Pallete nº 5 »* 1980, h/t (51x71x5) : **CHF 3 300**.

SWAN John Macallan

Né le 9 décembre 1847 à Old Brentford. Mort le 14 février 1910 dans l'île de Wight. XIXe-XXe siècles. Britannique.
Peintre de genre, animaux, paysages, sculpteur, dessinateur.

Il commença ses études à Worcester, travailla ensuite avec John Sparkes à la Lambert Art School et vint enfin à Paris, où il fut élève de Gérôme, Bastien-Lepage, Dagnan-Bouveret pour la peinture et de Fremiet pour la sculpture. Il commença à exposer à Londres, notamment à la Royal Academy à partir de 1878, dont il fut membre associé à partir de 1894. Il prit part également aux expositions parisiennes comme peintre et comme sculpteur. Il reçut une mention honorable en 1885 ; une médaille d'argent en 1889 à l'Exposition Universelle de Paris, deux médailles d'or en 1900 de nouveau à l'Exposition Universelle de Paris, une pour la peinture, une pour la sculpture. Il fut académicien en 1905 et membre du Royal Institute.

MUSÉES : ABERDEEN : *Ours polaires à la dérive* – AMSTERDAM (Mus. Nat.) : *Amour maternel* – AMSTERDAM (Sted. Mus.) : *Panthères à la chasse* – BATH : *Étude de tigre* – BRADFORD : *Léopards indiens* – DUBLIN : Huit dessins au crayon – ÉDIMBOURG : un pastel et huit dessins – GLASGOW : *Sur le qui vive* – *Tigres dormant* – GRONINGEN : *Crépuscule* – LONDRES (Tate Gal.) : *Le fils prodigue* – LONDRES (Victoria and Albert Mus.) : *Tigre* – *Ours polaire* – LONDRES (Dipl. Gal.) : *Tigres buvant* – LONDRES (Corporation Art Gal.) : *Dix-huit études* – MELBOURNE : *Panthères africaines* – MONTRÉAL (Learmont) : *Aquarelle* – NOTTINGHAM : *Dix dessins* – PHILADELPHIE : *Tigres au clair de lune* – PRESTON : *Lionne au repos* – ROTTERDAM (Mus. Boymans) : *Trois dessins* – STUTTGART : *Tigre royal* – SYDNEY : *Léopards de l'Est africain* – Un pastel.
VENTES PUBLIQUES : PARIS, 27 et 28 mai 1892 : *La pâtée* : **FRF 150** – LONDRES, 1899 : *Un lion*, dess. : **FRF 1 625** – NEW YORK, 15 et 16 fév. 1906 : *Lionne et chiens de chasse* : **USD 260** – NEW YORK, 26-28 fév. 1912 : *Lions se désaltérant* : **USD 355** – LONDRES, 17 mars 1922 : *Tête de lionne*, pierres blanche et noire : **GBP 15** – LONDRES, 19 mai 1922 : *Lion et lionne dans le désert*, dess. : **GBP 126** – LONDRES, 28 mai 1923 : *Lionne et ses petits* : **GBP 84** – LONDRES, 20 juil. 1923 : *Tigresse et ses petits buvant* : **GBP 105** – LONDRES, 2 mai 1924 : *Orphée* : **GBP 1 522** – LONDRES, 19 fév. 1926 : *Jaguars*, dess. : **GBP 26** – LONDRES, 29 avr. 1927 : *Trois ours à la dérive sur un iceberg* : **GBP 1 260** – LONDRES, 30 mars 1928 : *Le troupeau de chèvres* : **GBP 220** – PARIS, 14 fév. 1947 : *Tigres s'abreuvant*, aquar. : **FRF 1 600** – LONDRES, 10 oct. 1980 : *Lion et lionne*, h/t (52,2x73,6) : **GBP 850** – LONDRES, 25 nov. 1982 : *Panthère accroupie* vers 1891, bronze, patine brune (H. 22) : **GBP 750** – LONDRES, 22 jan. 1986 : *Chat sauvage accroupi*, bronze (H. 23,5) : **GBP 1 600** – NEW YORK, 1er mars 1990 : *Bergère et son troupeau* 1879, h/t (64,1x99) : **USD 11 000** – LONDRES, 2 nov. 1994 : *Jaguar au repos*, craies de coul./pap. gris (25,5x37) : **GBP 552**.

SWAN Joseph

XIXe siècle. Actif à Glasgow entre 1820 et 1840. Britannique.
Graveur.
Il grava des ex-libris.

SWAN Robert John

Né le 21 juillet 1888 à Londres. XXe siècle. Britannique.
Peintre de portraits.
Il vécut et travailla à Londres.
VENTES PUBLIQUES : LONDRES, 18 juil. 1984 : *Jeune femme au châle* 1926, h/t (76x56) : **GBP 2 800**.

SWANDALE G.

XIXe siècle. Actif à Londres entre 1824 et 1844. Britannique.
Peintre.

SWANE Christine, née Larsen

Née le 29 mai 1876 à Kerteminde. Morte en 1960. XXe siècle. Danoise.
Peintre de portraits, paysages, natures mortes.
Élève de l'Académie de Copenhague et de Fritz Syberg, elle vécut et travailla à Birkeröd. Elle a surtout peint des natures mortes.

MUSÉES : COPENHAGUE.
VENTES PUBLIQUES : COPENHAGUE, 2 nov. 1972 : *Nature morte* : **DKK 10 500** – COPENHAGUE, 29 mars 1973 : *Nature morte* : **DKK 7 400** – COPENHAGUE, 28 nov. 1974 : *Nature morte* : **DKK 7 000** – COPENHAGUE, 29 avr. 1976 : *Nature morte 1940*, h/t (55x42) : **DKK 4 300** – COPENHAGUE, 15 mars 1978 : *Vase de fleurs*, h/t (75x67) : **DKK 8 700** – COPENHAGUE, 8 mars 1979 : *Nature morte aux fleurs 1950*, h/t (75x60) : **DKK 6 400** – COPENHAGUE, 9 avr. 1981 : *Nature morte à la fenêtre 1951* : **DKK 17 000** – COPENHAGUE, 28 nov. 1985 : *Composition 1952*, h/t (111x91) : **DKK 24 000** – COPENHAGUE, 4 mai 1988 : *Nature morte au verre bleu 1956* (50x40) : **DKK 15 000** – COPENHAGUE, 30 nov. 1988 : *Tomates dans un plat 1909*, h/t (52x69) : **DKK 6 000** – COPENHAGUE, 20 sep. 1989 : *Forêt 1942*, h/t (74x90) : **DKK 7 000** – COPENHAGUE, 22 nov. 1989 : *Automne précoce 1946*, h/t (75x90) : **DKK 7 000** – COPENHAGUE, 9 mai 1990 : *Nature morte avec des jonquilles, un fruit et une carafe 1944*, h/t (65x38) : **DKK 14 000** – COPENHAGUE, 31 oct. 1990 : *Nature morte avec une bouteille bleue et des plantes devant une fenêtre 1946*, h/t (110x70) : **DKK 32 000** – COPENHAGUE, 21 oct. 1992 : *Nature morte 1960*, h/t (70x50) : **DKK 15 000** – COPENHAGUE, 21 avr. 1993 : *Nature morte aux bouteilles bleues et au flacon de verre sur une table 1959*, h/t (75x63) : **DKK 22 000** – COPENHAGUE, 13 avr. 1994 : *Nature morte aux cages à oiseaux posées sur une table 1948*, h/t (130x97) : **DKK 29 000** – COPENHAGUE, 26 avr. 1995 : *Nature morte sur le rebord intérieur d'une fenêtre 1950*, h/t (96x64) : **DKK 21 000**.

SWANE Sigurd

Né le 16 juin 1879 à Copenhague. Mort en 1973. XXe siècle.
Actif en France. Danois.
Peintre de portraits, paysages, natures mortes, fleurs.
Élève de H. Grönvold et de l'Académie des beaux-arts de Copenhague, il fut aussi critique d'art et poète lyrique. Il travailla à Paris en 1907, puis s'installa définitivement à Plejerup, près de Grevinge.
À Paris, il fit partie de l'École impressionniste réalisant notamment de nombreux bouquets de tulipes.
MUSÉES : COPENHAGUE – OSLO – STOCKHOLM.
VENTES PUBLIQUES : COPENHAGUE, 15 mars 1972 : *Vase de tulipes* : **DKK 18 000** – COPENHAGUE, 20 nov. 1974 : *Les peupliers* : **DKK 9 000** – COPENHAGUE, 29 avr. 1976 : *Porte ouverte*, h/t (93x100) : **DKK 13 000** – COPENHAGUE, 6 oct. 1977 : *Le jardin devant la maison 1933*, h/t (125x97) : **DKK 13 000** – COPENHAGUE, 15 mars 1978 : *Paysage d'Espagne 1962*, h/t (74x91) : **DKK 7 000** – COPENHAGUE, 6 mars 1980 : *Tulipes rouges 1926*, h/t (77x60) : **DKK 20 000** – COPENHAGUE, 26 nov. 1981 : *Vase de fleurs*, (57x48) : **DKK 4 800** – COPENHAGUE, 4 mai 1988 : *Rayons de soleil dans la clairière 1933* (122x105) : **DKK 35 000** – COPENHAGUE, 30 nov. 1988 : *Paysage estival*, h/t (76x90) : **DKK 7 000** – COPENHAGUE, 22 nov. 1989 : *Moisson par une matinée ensoleillée 1926*, h/t (78x69) : **DKK 6 000** – COPENHAGUE, 21-22 mars 1990 : *Paysage estival 1936*, h/t (52x63) : **DKK 4 000** – COPENHAGUE, 9 mai 1990 : *Bouquet dans un vase 1927*, h/t (57x47) : **DKK 10 000** – COPENHAGUE, 2 avr. 1992 : *Paysage estival 1955*, h/t (44x60) : **DKK 4 000** – COPENHAGUE, 21 oct. 1992 : *Fleurs d'été dans un pot 1937*, h/t (75x66) : **DKK 8 500** – COPENHAGUE, 20 oct. 1993 : *Paysage estival à Hornsherred*, h/t (77x88) : **DKK 7 000** – COPENHAGUE, 19 oct. 1994 : *La moisson 1935*, h/t (100x120) : **DKK 11 500** – COPENHAGUE, 19 oct. 1994 : *Paysage montagneux en Espagne*, h/t (1077x122) : **DKK 14 000** – COPENHAGUE, 27 avr. 1995 : *Paysage estival en Espagne*, h/t (70x80) : **DKK 5 000** – COPENHAGUE, 12-14 nov. 1997 : *Forêt 1910*, h/t (95x82) : **DKK 16 000**.

SWANEFELD. Voir SWANEVELT

SWANENBORCH Willem. Voir SWANENBURGH Willem

SWANENBURG. Voir SWANENBURGH

SWANENBURG Willem Van. Voir SWAANENBURG

SWANENBURGH Claes Isaakz

Mort après 1650. XVIIe siècle. Actif à Leyde. Hollandais.
Peintre.
Élève de son père Isaak Nicolai. Il vécut à La Haye et se maria en 1607.

SWANENBURGH Cornelis Nicolai Van

Mort le 10 novembre 1710. XVIIe-XVIIIe siècles. Actif à Utrecht. Hollandais.
Peintre.
Inspecteur de la gilde d'Utrecht de 1655 à 1666.
VENTES PUBLIQUES : LONDRES, 15 juil. 1977 : *Paysage d'Italie animé de personnages*, h/t (58,4x72,4) : **GBP 2 800**.

SWANENBURGH Isaak Nicolai ou **Isaak Claesz**
Né vers 1538. Mort le 10 mars 1614 à Leyde. XVIᵉ-XVIIᵉ siècles.
Actif à Leyde. Hollandais.
Peintre.
Membre du Conseil de Leyde en 1582, échevin en 1586, bourgmestre en 1596. Il eut pour élèves ses fils Jakob, Claes et Willem, Otto Van Veen et Jan Van Goyen.
Musées : Amsterdam : *Parabole du Semeur* – Leyde : *Le lainage des toisons – Séchage et tonte des toisons – Dévidage du fil – Rinçage et teinture des pièces – Deux allégories.*

SWANENBURGH Jakob Isaaksz Van
Né vers 1571 à Leyde. Mort le 17 octobre 1638 à Leyde. XVIᵉ-XVIIᵉ siècles. Hollandais.
Peintre de compositions mythologiques, paysages, intérieurs.
Élève de son père Isaak Claesz. Il alla en Italie, travailla à Venise, vécut à Naples et fut accusé en 1608 dans le tribunal archiépiscopal à cause d'un tableau représentant le Sabbat. L'année suivante il épousa Margarita Cordona et resta encore huit ans à Naples. Il revint à Leyde en 1617.
Musées : Ausgbourg : *Place devant Saint-Pierre de Rome* – Copenhague : *Procession sur la place Saint-Pierre de Rome* – Leyde : *Pharaon traversant la mer Rouge.*
Ventes Publiques : Paris, 30 juin et 1ᵉʳ juil. 1941 : *Intérieur de cuisine* : FRF 2 500 – Versailles, 1ᵉʳ juin 1969 : *Scène mythologique* : FRF 6 000 – Amsterdam, 22 nov. 1977 : *L'Enfer*, h/pan. (36x49,5) : NLG 17 000 – Londres, 2 déc. 1983 : *La Tentation de Saint Antoine*, h/pan. (56,5x99,5) : GBP 38 000 – Milan, 4 avr. 1989 : *Proserpine conduite en enfer*, h/t (78,5x123,5) : ITL 70 000 000.

SWANENBURGH Willem ou **Swaenenburgh** ou **Swanenborch**
Mort le 20 juillet 1674 à Utrecht. XVIIᵉ siècle. Actif à Utrecht. Hollandais.
Peintre de portraits et graveur.
Inspecteur de la gilde d'Utrecht en 1667. On cite de lui *Portrait du professeur J. de Bruyn*, à l'Université d'Utrecht, et au Musée central d'Utrecht, *Vue du castel Vredenburg*, *Les bourgmestres et conseillers d'Utrecht* et la *Bannière d'Utrecht.*

SWANENBURGH Willem Isaaksz
Né en 1581 à Leyde. Mort le 15 août 1612 à Leyde. XVIIᵉ siècle. Hollandais.
Peintre et graveur au burin.
Élève de son père Isaak Swanenburgh et de Jan Saenredam. Il fut capitaine d'arquebusiers. Il a gravé des sujets d'histoire dans la manière de H. Goltzius et de nombreux portraits.

SWANEVELT Herman Van, dit **Herman d'Italie** et **l'Ermite** ou **il Eremita**
Né vers 1600 à Woerden. Mort en 1655 à Paris. XVIIᵉ siècle. Hollandais.
Peintre de sujets religieux, scènes de genre, paysages animés, paysages, marines, graveur, dessinateur.
Il était à Paris en 1623, il alla à Rome de 1629 à 1638. Il fut élève de Claude Lorrain et prit le nom de *Eremita*. En 1646, il était à Paris, en 1649 à Woerden, en 1652 à Paris, où il fut membre de l'Académie des Beaux-Arts l'année suivante.
Ce charmant artiste marcha sur les traces de son illustre maître et certains de ses ouvrages ont été attribués à Claude Gellée, tandis que d'autres l'étaient à Poussin. Il a produit un grand nombre d'estampes d'une facture des plus intéressantes et facilement reconnaissable.

Musées : Amiens : *Paysage d'Italie – Soleil couchant en Italie* – Avignon : *Paysage* – Bâle : *Joseph raconte son rêve à ses frères* – Bordeaux : *Vue d'Italie – Paysage avec figures* – Brême : *Paysage avec la Sainte Famille – Paysage d'Arcadie* – Brunswick : *Trois paysages italiens* – Budapest : *Trois paysages italiens – Paysage italien – Ville incendiée – Paysage au bord d'un fleuve* – Chambéry (Mus. des Beaux-Arts) : *Paysage* – Cherbourg : *Deux paysages* – Copenhague : *Calme soir d'été au bord d'un lac* – Douai : *Paysage* – Dresde : *Paysage boisé* – Dulwich : *L'arc de triomphe de Constantin* – La Fère : *Paysage – Paysage accidenté* – Florence (Gal. Nat.) : *Petit paysage* – Florence (Palais Pitti) : *Deux paysages* – Francfort-sur-le-Main : *Deux paysages montueux* – Glasgow : *Paysage italien – Paysage classique – Paysage avec bétail* – Hambourg : *Paysage – Jacob et l'ange* – Hanovre : *Paysage italien* – La Haye : *Paysage italien* – Lyon : *Fuite en Égypte* – Madrid (Prado) : *Paysage avec rivière et personnage – Paysage, terrain montueux* – Mayence : *Paysage italien* – Milan (Ambrosiana) : *Figures dans un paysage* – Montpellier : *Paysages* – Nantes : *Paysages* – Naples : *Diane et Endymion* – Paris (Mus. du Louvre) : *Trois paysages* – Rennes : *Paysage avec figures* – Rome (Colonna) : *Deux paysages* – Rome (Doria Pamphili) : *Paysage avec pont – Naissance d'Adonis – Enlèvement d'Adonis*, fig. de Poussin – Toulouse : *Paysage italien, soleil couchant* – Vienne (coll. Czernin et Harrach) : *Paysages.*
Ventes Publiques : Paris, 1737 : *Paysage* : FRF 130 ; *Un tableau, sans désignation de sujet* : FRF 160 – Paris, 1767 : *Paysages avec figures, deux dess. à la pl., lavés à l'encre, chacun* : FRF 200 – Paris, 1773 : *Paysage sous un coup de vent, dess. à la pl. et à l'encre de Chine* : FRF 144 – Paris, 1776 : *Vestiges de l'Arc de Triomphe de Constantin, dess. à l'encre de Chine* : FRF 180 – Paris, 1777 : *Paysage avec chute d'eau ; Paysage avec rivière*, ensemble : FRF 523 ; *Paysage avec personnages et chute d'eau, dess. à la pl.* : FRF 200 – Paris, 1778 : *Paysage avec figures et chute d'eau* : FRF 450 – Paris, 1831 : *Paysage* : FRF 1 500 – Paris, 1838 : *Site d'Italie* : FRF 1 350 – Paris, 1851 : *Site montagneux* : FRF 300 ; *Route au bord d'un ravin* : FRF 400 – Paris, 1859 : *Paysage boisé* : FRF 300 – Paris, 1865 : *La fuite en Égypte* : FRF 650 – Londres, 1882 : *La fuite en Égypte* : FRF 1 102 – Londres, 1889 : *Paysage d'Italie* : FRF 1 200 – Paris, 1890 : *Paysage* : FRF 780 – Amsterdam, 23 juin 1910 : *La porte des femmes blanches à Utrecht* : NLG 210 – Londres, 11 fév. 1911 : *Paysage* : GBP 10 – Paris, 29 déc. : *Marine* : FRF 500 – Paris, 21 nov. 1922 : *La Cascade* : FRF 15 000 – Paris, 30 mars 1925 : *Paysage maritime italien avec monuments animés de personnages* : FRF 920 – Paris, 17 mars 1927 : *Sous-bois*, pl. et lav. : FRF 550 – Paris, 23 jan. 1928 : *Paysage* : FRF 800 – Paris, 30 oct. 1928 : *Paysage avec figures* : FRF 2 000 – Paris, 16 fév. 1944 : *Le repos du berger*, attr. : FRF 3 100 – Paris, 4 avr. 1949 : *Pasteurs et troupeaux, école de H. V. S.* : FRF 11 000 – Paris, 10 juin 1949 : *Port de mer, encre de Chine* : FRF 2 400 – Paris, 3 avr. 1950 : *Personnages dans des ruines*, pl. : FRF 650 – Paris, 5 déc. 1962 : *Paysage au petit pont* : FRF 600 – Londres, 30 nov. 1966 : *Paysage boisé* : GBP 550 – Londres, 5 mars 1969 : *Paysage fluvial* : GBP 3 100 – Paris, 16 mars 1972 : *Le chemin au bord de la rivière* : FRF 13 200 – Amsterdam, 20 nov. 1973 : *Paysage* : NLG 16 000 – Londres, 28 juin 1974 : *Paysage d'Italie* 1601 : GNS 3 800 – Londres, 24 mars 1976 : *Paysage boisé animé de personnages* 1643, h/t (50x61) : GBP 6 000 – Londres, 13 juil. 1977 : *Voyageurs dans un paysage avec pont*, h/t (67,5x97) : GBP 9 000 – Londres, 3 mai 1979 : *Deux voyageurs dans un paysage fluvial boisé*, pl. et lav. (17x27,8) : GBP 4 000 – Londres, 4 mai 1979 : *Voyageurs dans un paysage orageux*, h/t (48,8x55,8) : GBP 3 000 – Amsterdam, 15 nov. 1983 : *Voyageurs dans un paysage d'Italie*, pl. et lav. gris (15,4x24,6) : NLG 9 500 – Rome, 20 nov. 1984 : *La vision de saint-Eustache*, h/t (102x136) : ITL 13 500 000 – Monte-Carlo, 23 juin 1985 : *Paysage à la cascade aux environs de Rome*, h/cuivre (27x19,5) : FRF 26 000 – Milan, 21 avr. 1986 : *Herminie parmi les bergers*, h/t (121x161) : ITL 40 000 000 – Amsterdam, 14 nov. 1988 : *Colline boisée longeant la rivière*, encre (27x41,5) : NLG 5 290 – Ams-

TERDAM, 22 nov. 1989 : *Ruines dans un paysage italien*, h/t (63x88) : **NLG 115 000** – COLOGNE, 23 mars 1990 : *Paysage*, h/pan. (40x31) : **DEM 3 800** – AMSTERDAM, 25 nov. 1991 : *Ruines romaines près de la Palatine*, encre et lav. (12,6x19) : **NLG 6 900** – NEW YORK, 15 jan. 1992 : *Paysage fluvial avec Vénus et Adonis*, craie noire et lav./vélin (20,1x22,8) : **USD 4 950** – LUGANO, 16 mai 1992 : *Paysage animé*, h/t (50x74) : **CHF 8 000** – AMSTERDAM, 25 nov. 1992 : *Paysage boisé avec un rocher*, lav. brun (26x39,8) : **NLG 82 800** – AMSTERDAM, 17 nov. 1993 : *Moine cultivant son potager de choux et de courges avec un paysage vallonné au fond*, encre et craie (25,9x38,9) : **NLG 13 800** – LONDRES, 27 oct. 1993 : *Paysage classique avec la fuite en Égypte*, h/cuivre (18,7x26,2) : **GBP 6 670** – NEW YORK, 18 mai 1994 : *Paysage forestier avec Atalante et Meleagre*, h/t (128,3x152,7) : **USD 17 250** – PARIS, 28 oct. 1994 : *Famille de satyres dans un sous-bois* 1656, cr. noir et encre (19,2x26,2) – PARIS, 20 juin 1995 : *Satyres dans un paysage*, pl. et lav. gris (11,5x16) : **FRF 7 500** – NEW YORK, 6 oct. 1995 : *Paysage italien avec des voyageurs sur une route*, h/t (50,8x66) : **USD 14 950** – NEW YORK, 15 mai 1996 : *Vaste paysage italien avec des paysans sur un chemin et une ville fortifiée sur un promontoire au lointain* 1648, h/t (76,2x108,3) : **USD 35 650** – NEW YORK, 3 oct. 1996 : *Vaste paysage avec bergers* 1649, h/t (74,3x103,5) : **USD 12 650** – AMSTERDAM, 11 nov. 1997 : *Paysage de rivière avec Céphale et Procris*, craies noire et grise/vélin (18,8x22,9) : **NLG 16 520.**

SWANN George William
Mort en 1871. XIXᵉ siècle. Actif à Cambridge. Britannique.
Dessinateur de portraits.

SWANSON John August
Né en 1938 à Los Angeles (Californie). XXᵉ siècle. Américain.
Peintre, graveur.
Il participe à des expositions collectives : 1992 *De Bonnard à Baselitz – Dix Ans d'enrichissements du cabinet des estampes*, à la Bibliothèque nationale à Paris.
MUSÉES : PARIS (BN) : *Jonah* 1983, litho.

SWANSON Jonathan M.
Né en 1888 à Chicago. XXᵉ siècle. Américain.
Sculpteur, médailleur.

SWANWICK Anna
Née le 22 juin 1813 à Liverpool. Morte le 2 novembre 1899 à Tunbridge Wells. XIXᵉ siècle. Britannique.
Peintre et écrivain.
Élève de Sam. Austin.

SWANWICK Joseph Harold
Né en 1866. Mort le 13 avril 1929. XIXᵉ-XXᵉ siècles. Britannique.
Peintre de genre, paysages, aquarelliste.
Il vécut et travailla à Winsford. Il fut associé de la Royal Cambrian Academy, membre du Royal Institute. Il exposa à Londres, notamment à la Royal Academy, à Suffolk Street, au Royal Institute à partir de 1889.

HAROLD SWANWICK

MUSÉES : LIVERPOOL : *Matinée d'été.*
VENTES PUBLIQUES : LONDRES, 25 mai 1979 : *Retour à la maison* 1876, h/t (100,2x133,2) : **GBP 1 100** – LONDRES, 19 mai 1982 : *Soirée après une chaude journée* 1896, h/t (100x134) : **GBP 3 500** – LONDRES, 28 avr. 1987 : *Carting the corn*, aquar. (10,6x16) : **GBP 950** – LONDRES, 31 jan. 1990 : *Cottage dans le Devonshire*, aquar. (20x26) : **GBP 1 320** – LONDRES, 8 mars 1990 : *Retour des champs*, h/t (36,9x54,7) : **GBP 1 760** – LONDRES, 7 juin 1990 : *La herse* 1897, h/t (73x52) : **GBP 4 730** – LONDRES, 3 mars 1993 : *Labourage près de la côte du Yorkshire* 1897, h/t (71x51) : **GBP 6 325** – NEW YORK, 14 oct. 1993 : *Berger sur un chemin menant à la mer*, aquar. avec reh. de blanc/pap. (48,2x88,8) : **USD 5 750** – LONDRES, 9 juin 1994 : *Fenaison*, aquar. avec reh. de blanc (17,5x24,5) : **GBP 2 760** – LONDRES, 2 nov. 1994 : *La Cueillette des primevères* 1906, aquar. (29,5x20,5) : **GBP 2 800.**

SWANWICK P.
XIXᵉ siècle. Britannique.
Paysagiste.
Le Musée de Sunderland conserve de lui : *Ruines de l'île de Philoe, sur le Nil.*

SWANZY Mary
Née en 1882. Morte en 1978. XXᵉ siècle. Irlandaise.

Peintre de figures, paysages. Cubiste.
De 1905 à 1914, elle vécut à Paris, fréquentant l'atelier de Delacluse, puis l'académie Colarossi, et rencontra Gertrude Stein, Picasso. Elle retourna à Dublin en 1914, après avoir séjourné en Italie.
Une exposition posthume a été présentée en 1986 à Londres.
Elle subit l'influence du cubisme, et plus particulièrement l'orphisme de Delaunay, Villon et Gleizes, mais aussi du futurisme.
VENTES PUBLIQUES : BELFAST, 30 mai 1990 : *La forêt à Samoa*, h/t (50,8x61) : **GBP 3 520** – DUBLIN, 12 déc. 1990 : *Paysage cubiste avec des arbres*, h/t (41,9x63,5) : **IEP 3 500** – DUBLIN, 26 mai 1993 : *Saint-tropez et le massif des Maures à l'arrière plan*, h/t (41,3x64,7) : **IEP 7 700** – LONDRES, 2 juin 1995 : *Soleil levant sur la riviera italienne* 1929, h/t (56x76) : **GBP 10 350** – LONDRES, 9 mai 1996 : *Paysage ensoleillé près de St Tropez*, h/t (43x46,5) : **GBP 8 050** – LONDRES, 16 mai 1996 : *Femme au chapeau blanc*, h/t (99x80) : **GBP 69 700** – LONDRES, 21 mai 1997 : *Les Pigeons* 1961, h/t (48,3x63,5) : **GBP 6 900.**

SWARBRECK Samuel Dunkinfield
XIXᵉ siècle. Britannique.
Peintre de paysages, architectures, intérieurs, aquarelliste, dessinateur.
Il travailla à partir de 1830. Il exposa de 1852 à 1863.
MUSÉES : MANCHESTER : *Abbaye de Whitby.*
VENTES PUBLIQUES : LONDRES, 23 avr. 1974 : *Scène de rue* 1853 : **GBP 480** – LONDRES, 14 fév. 1996 : *Paysage de Prince Albert* 1847, cr. et aquar. (45,7x34,9) : **GBP 29 900** – ÉDIMBOURG, 15 mai 1997 : *Le Pont du Nord et autres vues d'Édimbourg* 1839, litho. coul., douze pièces (29,7x40,6) : **GBP 2 070.**

SWARDT Hendrick de
XVIIᵉ siècle. Actif à Delft vers 1662. Hollandais.
Peintre.

SWART Albert Gerrits ou Zwart
Né à Buitenpost. Mort en 1833 à Leeuwarden. XIXᵉ siècle. Hollandais.
Peintre de portraits.
Élève de W. P. Ruwersma et de W. B. Van den Kool.

SWART Arent ou Arnoldus ou Schwartz
Né en 1648 à Amsterdam. XVIIᵉ siècle. Hollandais.
Peintre.
Il s'est marié en 1676 à Amsterdam.

SWART Cristiaen de, ou Cristianus Hendricus
Né le 16 octobre 1818 à Arnhem. Mort le 8 décembre 1897 à Arnhem. XIXᵉ siècle. Hollandais.
Peintre de paysages animés, paysages.
VENTES PUBLIQUES : COLOGNE, 21 mai 1984 : *Paysage escarpé animé de personnages* 1848, h/t (81x65) : **DEM 8 000** – AMSTERDAM, 30 oct. 1991 : *Paysage hivernal avec une femme rapportant un fagot et des patineurs* 1837, h/t (77x100) : **NLG 12 650.**

SWART Daniel de
Mort en 1680 à Delft. XVIIᵉ siècle. Actif à Delft. Hollandais.
Sculpteur.
Il fut maître en 1642.

SWART Dirck Cornelisz
Né vers 1600. XVIIᵉ siècle. Hollandais.
Graveur au burin.
Il se maria à Amsterdam en 1622.

SWART F.
XVIIIᵉ siècle. Actif vers 1780. Hollandais.
Peintre.

SWART Frans Jurjen
Né en 1752 à Leeuwarden. Mort le 11 février 1839 à Leeuwarden. XVIIIᵉ-XIXᵉ siècles. Hollandais.
Peintre.
Le Musée de Leeuwarden conserve une *Vue de Schranso.*

SWART Frans Willems
Né le 7 septembre 1764 à Leeuwarden. XVIIIᵉ-XIXᵉ siècles. Hollandais.
Peintre.
Il se maria le 19 juin 1791.

SWART Jan
Né vers 1753 à Amsterdam. Mort en 1793 à Amsterdam. XVIIIᵉ siècle. Hollandais.
Sculpteur.

SWART Pieter
Né vers 1621. XVIIe siècle. Hollandais.
Peintre.
Élève de Govert Camphuysen à Amsterdam.

SWART VAN GRONINGEN Jan ou **Schwartz**, appelé aussi **Giovanni de Frisia** ou **da Groningia**, dit également **Jean le Noir**
Né vers 1495 à Groningue. Mort vers 1560 probablement à Anvers. XVIe siècle. Hollandais.
Peintre de compositions religieuses, figures, portraits, paysages. Maniériste.
On sait peu de choses sur sa vie ; certains biographes, cependant, le disent élève de Jan Van Scorel, bien qu'ils soient tous les deux sensiblement du même âge. Il alla à Venise, puis vint se fixer à Gouda, où il travailla vers 1522 et eut pour élève Adrian Pietersz Crabeth I. Son art présente un savoureux mélange de naïveté paysanne et de culture italienne. Dans ses compositions, il donne une place importante au paysage, aux architectures, aux riches costumes et aux bijoux précieux, montrant aussi l'influence du maniérisme d'Anvers. Il est l'auteur de gravures représentant des *Cavaliers turcs*, éditées vers 1526 à Anvers.

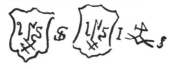

BIBLIOGR. : In : *Diction. de la peinture flamande et hollandaise*, coll. Essentiels, Larousse, Paris, 1989.
MUSÉES : ANVERS : *Adoration des mages* – BERLIN (Kaiser Friedrich Mus.) : *Baptême du Christ – Les Noces de Cana* – BRUXELLES : *Triptyque de l'Adoration des mages* – COLOGNE (Wallace Rich. Mus.) : *Bethsabée au bain* – GRONINGEN : *Portrait de la famille de Daniel de Hertoghe* – INDIANAPOLIS (Mus. of Art) : *Baptême du Christ* – LIMBOURG : *Mer* – LONDRES (Corshamhouse) : *Adoration des mages* – MUNICH (Alte Pina.) : *Prédication de saint Jean* – PARIS (Mus. du Louvre) : *Portrait d'homme à l'œillet* – SAINT-PÉTERSBOURG (Mus. de l'Ermitage) : *Paysage accidenté* – STUTTGART : *Saint Jérôme*.
VENTES PUBLIQUES : AMSTERDAM, 13 mai 1705 : *Une chambre avec personnage* : FRF 125 – PARIS, 10-11 mai 1926 : *La femme de Putiphar venant accuser Joseph*, pl. et sépia : FRF 1 000 – PARIS, 7 juin 1955 : *Saint Jérôme dans le désert* : FRF 260 000 – LONDRES, 17 juin 1981 : *Le Christ prêchant dans une barque*, grav./bois (23,7x36,2) : GBP 1 100 – LONDRES, 6 juil. 1983 : *Saint Jean-Baptiste dans un paysage fantastique*, h/pan. (122x84) : GBP 14 000 – NEW YORK, 16 jan. 1985 : *Un roi assistant au siège d'une ville*, pl. et encre brune/trait de craie noire (21,5x17,2) : USD 1 500 – AMSTERDAM, 14 nov. 1988 : *Le retour du fils prodigue*, encre (diam. 26,6) : NLG 43 700 – LONDRES, 4 juil. 1994 : *Les apôtre réveillant le Christ pendant la tempête sur la mer de Galilée*, encre et lav. (17,3x27,1) : GBP 4 830.

SWARTENBROEK G.
XIXe siècle. Belge.
Peintre de compositions religieuses, scènes de genre.
Il fut élève de Navez. Il vit et travaille à Bruxelles. Il exposa en 1839, 1842 et 1845 : *Le Prophète Nathan devant le roi David, Les Juifs prisonniers à Babylone, Le bon Samaritain, Les Mendiants, L'Éducation de la petite Marie.*

SWARTHOUT Floris
Mort en 1697. XVIIe siècle. Actif à Amsterdam. Hollandais.
Sculpteur.
Il se maria en 1673.

SWARTZ Johann David ou **Schwartz**
Né le 12 septembre 1678 à Stockholm. Mort sans doute en 1740. XVIIIe siècle. Suédois.
Peintre de portraits.
La famille est d'origine allemande. Swartz fit son apprentissage dans l'atelier de David v. Krafftet ; il séjourna à Berlin et à Paris où il subit l'influence de Rigaud et de Largillière. Il peint de nombreux portraits de membres de l'aristocratie suédoise. Celui du roi *Charles XII* mérite d'être particulièrement remarqué.
VENTES PUBLIQUES : STOCKHOLM, 1er nov. 1983 : *Portrait du roi Karl XII*, h/t, de forme ovale (80x63) : SEK 20 500 – STOCKHOLM, 16 mai 1990 : *Portrait de Karl XII en buste vêtu d'un uniforme*, h/t, de forme ovale (70x55) : SEK 85 000 – STOCKHOLM, 30 nov. 1993 :

Portrait d'un officier en uniforme bleu et tenant un tricorne sous son bras gauche, en buste, h/t (82x67) : SEK 7 200.

SWARTZE Johan Hinrich. Voir l'article **SCWHARTZ Johann Heinrich**

SWARTZER Erhard. Voir **SCHWATZER**

SWEBACH Bernard Édouard, ou **Édouard**
Né le 21 août 1800 à Paris. Mort le 2 mars 1870 à Versailles.
XIXe siècle. Français.
Peintre d'histoire, sujets militaires, scènes de chasse, sujets de genre, paysages, aquarelliste, graveur, dessinateur.
Fils et élève de Jacques Swebach dit Fontaine, entré à l'École des Beaux-Arts le 28 février 1814. Séjourna en Russie de 1818 à 1820. Exposa au Salon de Paris de 1822 à 1838.
Il traita les mêmes sujets que son père, notamment les chevaux : courses, chasses à courre, scènes de vie militaire.

MUSÉES : BESANÇON : *L'espion 1822 – Retraite de Russie* – CHERBOURG : *Chasseurs franchissant une palissade* – RIOM : *Repos de chasse sous bois 1827* – YPRES : *La grille de Fleury, bois de Meudon.*
VENTES PUBLIQUES : PARIS, 1860 : *La diligence anglaise* : FRF 460 – PARIS, 24 jan. 1881 : *Bataille de Castel Nuovo* : FRF 78 – PARIS, 1898 : *Halte de hussards* : FRF 210 – PARIS, 8 mai 1919 : *Chasse à courre*, dess. lav. de bistre : FRF 370 – PARIS, 10 juin 1921 : *La course* : FRF 3 900 – PARIS, 26-28 déc. 1922 : *Napoléon à Moscou*, lav. : FRF 920 – PARIS, 4 fév. 1924 : *La présentation du cheval* : FRF 1 220 – PARIS, 10 et 11 juin 1925 : *Course de chevaux ; Amazones*, deux pl. et lav. : FRF 7 120 – PARIS, 12 mai 1926 : *La promenade en calèche* : FRF 3 000 – PARIS, 4 mai 1927 : *La chasse au faucon* : FRF 1 560 – PARIS, 5 mai 1927 : *La baignade des chevaux* : FRF 2 000 – PARIS, 14 déc. 1927 : *Scène de chasse* : FRF 7 000 – PARIS, 9 fév. 1928 : *Halte de cavaliers orientaux* : FRF 2 850 – PARIS, 4 mai 1928 : *La perquisition*, pl. et aquar. : FRF 2 500 – PARIS, 26 déc. 1928 : *Halte militaire dans un village* : FRF 9 500 – NEW YORK, 9 avr. 1929 : *Hurdling* : USD 230 – PARIS, 25 mai 1932 : *Une ferme* : FRF 2 100 ; *Le renseignement* : FRF 1 900 – PARIS, 29 nov. 1937 : *La course hippique, saut d'obstacle* : FRF 1 300 – PARIS, 24 mars 1941 : *Marché conclu* : FRF 5 100 – PARIS, 15 juin 1942 : *La chasse à courre* : FRF 28 500 – PARIS, 20 déc. 1946 : *L'abreuvoir 1823*, aquar. : FRF 29 500 – PARIS, 14 fév. 1951 : *Napoléon Ier dirigeant des batailles*, lav. de sanguine, deux pendants : FRF 19 000 – PARIS, 10 juin 1971 : *Le départ des courses* : FRF 21 500 – PARIS, 30 mai 1973 : *La chasse à courre* : FRF 48 000 – PARIS, 7 déc. 1973 : *Cavalier*, gche : FRF 20 000 – VIENNE, 14 sep. 1976 : *La chasse à courre 1838*, h/t (32,5x39,5) : ATS 120 000 – LONDRES, 19 avr. 1978 : *Le saut de l'obstacle*, h/t (18x23) : GBP 1 200 – PARIS, 29 mai 1979 : *Cavaliers en habits rouges*, deux aquar., formant pendants (8,3x17) : FRF 3 900 – VIENNE, 13 mars 1979 : *Chevaux à l'entraînement*, h/t (19,5x25) : ATS 35 000 – ROUBAIX, 23 oct. 1983 : *Le Retour des chevaux ; Halte des cavaliers 1822*, h/t, deux pendants (chaque 24x32) : FRF 34 000 – MONACO, 20 fév. 1988 : *Intérieur d'écurie 1832*, aquar. (13,5x19,5) : FRF 13 320 – PARIS, 19 avr. 1989 : *Trois cavaliers dans un paysage*, t. (40x55) : FRF 140 000 – PARIS, 10 avr. 1992 : *L'arrivée des courses 1824*, h/t (33x41) : FRF 144 000 – PARIS, 19 juin 1992 : *L'écurie de la maison du Roi Louis XVIII avec son écuyer 1819*, h/t (24,5x32,8) : FRF 225 000 – MONACO, 18-19 juin 1992 : *Scène de course*, h/pan. (30x61) : FRF 83 250 – MONACO, 19 juin 1994 : *La diligence 1824*, h/t (32,5x39,5) : FRF 77 700 – PARIS, 8 déc. 1994 : *Intérieur d'écurie 1832*, aquar. (13,5x19,5) : FRF 10 000 – PARIS, 31 mai 1995 : *Chasse au renard 1839*, h/t (41x65) : FRF 75 000 – NEW YORK, 11 avr. 1997 : *Halte sur le trajet 1829*, h/pan. (34,3x45,7) : USD 11 500.

SWEBACH H.
XIXe siècle. Actif dans la première moitié du XIXe siècle. Français.
Graveur et dessinateur de portraits.

Il grava à l'aquatinte et à la mezzotinte surtout des reproductions, notamment d'après A. Deveria, P. E. Destouches, Fragonard, Th. Lawrence et Massé.

SWEBACH Jacques François José ou **Joseph**, dit **Fontaine** ou **Swebach-Desfontaines**
Né le 19 mars 1769 à Metz (Meurthe-et-Moselle). Mort le 10 décembre 1823 à Paris. XVIIIᵉ-XIXᵉ siècles. Français.
Peintre d'histoire, batailles, scènes de genre, paysages, paysages de montagne, aquarelliste, graveur, dessinateur.
Il reçut les conseils de son frère, François Louis Swebach, peintre, sculpteur et graveur autodidacte, déjà nommé Fontaine.
Il fut ensuite, à Paris, élève de Michel H. Duplessis. De 1802 à 1813, il fut premier peintre de la Manufacture de Sèvres.
Il débuta, sous le pseudonyme de Fountein, à l'âge de quatorze ans, au Salon de la Correspondance de 1783 et envoya, la même année, puis en 1788 et 1789, à l'Exposition de la Jeunesse. À partir de 1791, il exposa au Salon de Paris ; à celui de 1810, il mérite le grand Prix du Salon, pour son *Napoléon franchissant le Danube* ; et son dernier envoi est de 1824.
Il donna des dessins pour les *Tableaux historiques de la Révolution Française* et pour les Campagnes des Français sous le Consulat et l'Empire. En 1800, il obtint la commande d'un portrait équestre de *Joséphine Bonaparte*, pour le château de la Malmaison. Ce fut un producteur très prolifique de sujets militaires, peints, dessinés, gravés, souvent dans une forme dont la correction laisserait prise à la critique, mais dont l'entrain, le brio, amusent par un certain ragoût. Il est, dans ce genre, très supérieur aux Levachez et autres petits peintres de la fin de la République et du début de l'Empire.

J. Swebach

MUSÉES : ABBEVILLE : *Deux charges de cavalerie* – CHERBOURG : *Course de chevaux* – DIJON : *Port de mer* – *Escarmouche de cavalerie* – LA FÈRE : *La promenade au bois* – *Trois scènes militaires* – *Un camp* – *Paysage* – LYON : *Vue des montagnes du Tyrol* – *Charge de hussards sous le Premier Empire* – MARSEILLE (Mus. des Beaux-Arts) : *Chasse au cerf* 1822 – MONTPELLIER : *Une course dans les environs de Longchamp* – *Cavalcade et promenade en calèche* – *Rue du Quai de l'École à Paris* – MOSCOU (Roumianzeff) : *Cavalier et lavandières* – *Comédiens ambulants* – *Cavaliers au repos* – *Chasse turque* – *A la chasse* – *Départ pour la chasse* – *Voyage en troïka* – PARIS (Carnavalet) : *Profanation d'une église pendant la Révolution* – TOULOUSE : *Le coche* 1820 – VERSAILLES : *Le camp de Saint-Omer sous le commandement du prince de Condé*.

VENTES PUBLIQUES : PARIS, 1806 : *Vue d'un camp* : **FRF 432** – PARIS, 1812 : *Paysage* : **FRF 1 050** ; *Camp dans un paysage* : **FRF 720** – PARIS, 1813 : *Vue d'un camp* : **FRF 660** – PARIS, 1814 : *Halte de voyageurs à la porte d'un cabaret de village*, dess. à la pierre noire lavé à l'encre : **FRF 78** – PARIS, 1852 : *Fête de village* : **FRF 325** – PARIS, 1852 : *Marche militaire au milieu d'un camp* : **FRF 500** – PARIS, 1861 : *Convoi militaire, marche d'artillerie* : **FRF 570** ; *Bataille* : **FRF 670** ; *L'auberge* : **FRF 260** ; *L'hôtellerie* : **FRF 750** – PARIS, 1871 : *Marche d'armée* 1812 : **FRF 1 500** ; *Chasse au cerf* : **FRF 820** – PARIS, 1881 : *Fête à Saint-Germain* : **FRF 1 700** – PARIS, 1885 : *L'auberge* : **FRF 1 300** – DIJON, 1894 : *Bataille* : **FRF 520** – PARIS, 1897 : *Vue d'un camp* : **FRF 630** ; *Entrée d'un café* : **FRF 515** – PARIS, 1898 : *La plaine des Sablons* : **FRF 13 700** ; *La halte* 1791 : **FRF 1 050** ; *Revue passée par Napoléon Iᵉʳ*, dess. : **FRF 800** ; *Le rendez-vous*, aquar. : **FRF 480** – PARIS, 1898 : *Armée en marche* 1788, aquar. : **FRF 1 550** – PARIS, 11-15 mai 1903 : *Foire de village* : **FRF 12 500** – PARIS, 17 mars 1905 : *Le bal de la Bastille* : **FRF 2 200** – PARIS, 12 juin 1919 : *Cavalier et bohémiens* : **FRF 500** – PARIS, 6 mai 1920 : *Convoi d'armée* : **FRF 21 500** – PARIS, 8-10 juin 1920 : *Un camp*, pl. : **FRF 1 230** – PARIS, 29 et 30 nov. 1920 : *Personnages civils et militaires*, trois sépias : **FRF 9 000** – LONDRES, 24 nov. 1922 : *Arrivée de la diligence*, dess. : **GBP 63** – PARIS, 3 et 4 mai 1923 : *L'amazone* ; *Le piqueur*, les deux : **FRF 6 200** – PARIS, 24 mai 1923 : *Une bataille de la campagne d'Italie* : **FRF 5 200** – PARIS, 22 jan. 1927 : *Colonne de troupes en marche* : **FRF 5 150** – PARIS, 27 mars 1931 : *La halte au bord d'une cascade* : **FRF 3 100** – PARIS, 7 mars 1932 : *Le général Bonaparte à la bataille de Marengo*, pl. et lav. d'encre de Chine : **FRF 600** – PARIS, 14 déc. 1933 : *Le bivouac du matin* : **FRF 13 800** – PARIS, 7 déc. 1934 : *Chasse à courre*, dess. au cr., lav. de sépia et d'encre de Chine sur trait de pl. : **FRF 3 100** –

PARIS, 12 et 31 déc. 1940 : *La halte des cavaliers devant l'auberge* ; *Le départ des cavaliers* datés de 1788, deux dess. à la pl. et à l'aquar. : **FRF 9 500** – PARIS, 27 juin 1941 : *Convoi militaire*, pl. et lav., reh. de blanc gouaché : **FRF 10 200** – PARIS, 19 déc. 1941 : *Épisode tiré de l'histoire de Don Quichotte* : **FRF 9 000** – PARIS, 30 mars 1942 : *La rentrée des foins* : **FRF 16 000** – PARIS, 15 juin 1942 : *La leçon d'équitation*, attr. : **FRF 26 500** – PARIS, 29 juin 1942 : *Le passage de la rivière* : **FRF 32 000** – PARIS, 17 mars 1943 : *L'hallali* 1821 : **FRF 51 000** – NEW YORK, 30 nov. 1943 : *Foire à la campagne*, gche et aquar. : **USD 550** – PARIS, 6 déc. 1943 : *Scène champêtre* : **FRF 103 400** – PARIS, 23 fév. 1944 : *Camp de soldats au repos* : **FRF 6 500** – PARIS, 21 juin 1944 : *La calèche* : **FRF 100 000** – PARIS, 26 déc. 1944 : *Le coup de l'étrier* 1804 : **FRF 42 100** – PARIS, 30 juin 1947 : *La halte* : **FRF 112 000** – LONDRES, 30 juil. 1947 : *Femme et homme à cheval* : **GBP 135** – PARIS, 17 nov. 1948 : *Cavaliers à l'orée d'une forêt* : **FRF 160 000** ; *Le marché aux bestiaux*, esquisse : **FRF 100 000** ; *La chasse aux cerfs* 1803, pl. et lav. de bistre : **FRF 32 000** – PARIS, 17 déc. 1948 : *Halte de cavaliers* 1787, aquar. : **FRF 43 000** – PARIS, 17 déc. 1949 : *Le coup de l'étrier*, pl. et lav. de bistre, attr. : **FRF 83 500** – PARIS, 22 mars 1950 : *Le passeur du gué*, pl. et lav. : **FRF 40 000** – PARIS, 12 mai 1950 : *Marche d'armée* 1801 : **FRF 38 500** – PARIS, 14 fév. 1951 : *Scènes de cavaliers*, deux pendants, attr. : **FRF 60 000** – PARIS, 22 fév. 1951 : *Parade foraine, avec spectateurs, cavaliers et piétons*, fixé sous verre : **FRF 6 000** – PARIS, 7 mars 1951 : *Un avant-poste* 1787, aquar. : **FRF 40 000** – PARIS, 14 juin 1951 : *Scènes militaires*, pl. et lav. d'aquar., deux pendants : **FRF 27 000** – PARIS, 28 mars 1955 : *Les cavaliers* : **FRF 252 000** – PARIS, 15 déc. 1958 : *La chasse à courre* : **FRF 210 000** – PARIS, 2 juin 1960 : *Halte de cavaliers* : **FRF 3 900** – PARIS, 13 juin 1961 : *Le convoi militaire* : **FRF 12 000** – PARIS, 5 juin 1961 : *Le marché aux chevaux* : **FRF 25 000** – PARIS, 5 déc. 1962 : *Halte des cavaliers* : **FRF 12 700** – PARIS, 29 nov. 1965 : *La laitière* : **FRF 13 500** – PARIS, 7 déc. 1967 : *La laitière* : **FRF 15 000** – PARIS, 24 oct. 1968 : *La bataille de Marengo* : **FRF 90 000** – PARIS, 2 juin 1970 : *Le prince de Condé au camp de Saint-Omer* : **FRF 35 000** – PARIS, 9 juin 1971 : *Entrée dans Paris des prisonniers des armées alliées*, aquar. : **FRF 7 500** – LOS ANGELES, 28 fév. 1972 : *Retour de la guerre* : **USD 4 000** – PARIS, 6 avr. 1976 : *Cavaliers faisant route le long d'une rivière* – *Cavalier demandant son chemin*, deux h/pan. (20x32) : **FRF 38 000** – ENGHIEN-LES-BAINS, 20 nov. 1977 : *Intérieur d'écurie*, aquar./ trait de pl. (17,6x22,2) : **FRF 3 800** – VIENNE, 13 mars 1979 : *Chevaux à l'entraînement*, h/t (19,5x25) : **ATS 35 000** – ENGHIEN-LES-BAINS, 26 oct. 1980 : *Bergers et attelage dans un paysage de falaises* 1793, h/t (37,5x43,5) : **FRF 20 700** – PARIS, 8 avr. 1981 : *Le marché aux chevaux* 1793, h/p (55,5x81) : **FRF 200 000** – VERSAILLES, 27 nov. 1983 : *Convoi de troupes en marche* 1791, aquar. et gche (36x62) : **FRF 75 000** – PARIS, 19 mars 1984 : *Le passage du bac* 1823, h/t (75x99) : **FRF 290 000** – VERSAILLES, 22 juin 1986 : *Le tsar Alexandre Iᵉʳ passant ses troupes en revue sur son cheval Éclipse* 1818, h/t (127x105,5) : **FRF 105 000** – PARIS, 4 déc. 1987 : *Le départ pour la course de chevaux* 1818, h/t (25x41) : **FRF 142 000** – MONTE-CARLO, 6 déc. 1987 : *La calèche dans un paysage*, h/t (59x72) : **FRF 460 000** – NEW YORK, 12 jan. 1988 : *La halte et Cavaliers suivant le régiment*, deux pendants : **USD 4 950** – PARIS, 15 juin 1988 : *Officier à la charge*, h/t (72x69) : **FRF 56 000** – MONACO, 17 juin 1988 : *Le passage d'un pont*, h/t (32x40,5) : **FRF 72 510** – NEW YORK, 12 oct. 1989 : *Cavalier conversant avec un gentilhomme sur un chemin de campagne avec une colonne de soldats à l'arrière plan*, h/t (24,7x32,3) : **USD 8 800** – PARIS, 4 avr. 1990 : *Cavaliers passant au gué*, h/t (24,5x32,8) : **FRF 54 000** – MONACO, 16 juin 1990 : *Le rendez-vous*, h/t (26x37) : **FRF 66 600** – LONDRES, 14 déc. 1990 : *Soldats français dans une auberge de campagne*, h/t (24,7x32,7) : **GBP 8 800** – PARIS, 24 mai 1991 : *Le relais de poste*, aquar. (25,5x46) : **FRF 26 000** – PARIS, 13 déc. 1991 : *Scène romantique*, h/t (40x32) : **FRF 20 000** – PARIS, 27 mars 1992 : *Caravane* 1786, pierre noire, pl. et lav. (23,5x35,5) : **FRF 6 000** – PARIS, 26 avr. 1993 : *François 1ᵉʳ fait prisonnier à la bataille de Pavie*, h/pan. de noyer (20,5x27) : **FRF 37 000** – PARIS, 22 mars 1995 : *Assaut d'une fortification ottomane*, encre brune et lav. (32x47,5) : **FRF 6 000** – PARIS, 3 avr. 1995 : *La bataille de Marengo* ; *La bataille de Zurich* 1802, h/t, une paire (chaque 42x65,5) : **FRF 270 000** – LONDRES, 3 juil. 1996 : *Foire de campagne avec des tréteaux de comédiens ambulants* 1819, h/pan. (24,5x42,2) : **GBP 33 350** – PARIS, 16 déc. 1996 : *Paysage de collines avec un régiment passant une rivière*, h/t (42x58) : **FRF 36 000** – PARIS, 17 déc. 1996 : *Dragons et fantassins en chemin* ; *Dragons et villageoises*, h/pan., une paire (16x21,5 et

16x22,7) : **FRF 20 000** – Paris, 21 mars 1997 : *Huit études de chevaux*, dess. cr. noir (34x22) : **FRF 6 800**.

SWEBACH Johann Jakob ou Schwebach, dit Fontaine
xviiie siècle. Allemand.
Peintre.
Gendre de Joseph Jakob Kingler, il est certainement apparenté à Jacques François José Swebach. Il travailla sur porcelaine à la Manufacture de Ludwigsbourg entre 1783 et 1788.

SWEDLUND Pelle ou Per Adolf
Né le 6 octobre 1865. Mort en 1947. xixe-xxe siècles. Suédois.
Peintre de paysages urbains, marines.
Il étudia à l'Académie des beaux-arts de Stockholm, à Paris, à Bruges et en Italie. Il se fit une véritable spécialité de peintre des canaux de Bruges.
Musées : Stockholm : *Nuit d'été près d'un canal à Bruges*.
Ventes Publiques : Londres, 24 mars 1988 : *L'Église Jakobs – Stockholm*, h/t (108x87,8) : **GBP 7 480** – Londres, 16 mars 1989 : *Job*, h/t (85,2x66) : **GBP 2 200** – Stockholm, 19 avr. 1989 : *Place Karl XII à Stockholm le soir* 1914, h/t (65x54) : **SEK 20 000** – Paris, 18 juin 1989 : *La lettre*, h/t (75x83) : **FRF 115 000** – Londres, 29 mars 1990 : *Soirée d'été dans un paysage montagneux* 1911, h/t (99x80) : **GBP 3 520** – Paris, 22 nov. 1996 : *La Lettre*, h/t (75x83) : **FRF 95 000**.

SWEDMAN Carl Wilhelm
Né en 1762 à Stockholm. Mort le 22 octobre 1840 à Stockholm. xviiie-xixe siècles. Suédois.
Peintre d'histoire.
Élève de l'Académie de Stockholm et de L. A. Masreliez. Il fut membre de l'Académie en 1800.
Ventes Publiques : Stockholm, 30 oct. 1984 : *Couple dans un intérieur*, aquar. (23x30) : **SEK 106 000**.

SWEDOMSKY ou Swedonsky. Voir SVEDOMSKY

SWEEL Jan Van
xviie siècle. Éc. flamande.
Peintre.
Élève de son oncle Jan de Baan, qui l'envoya à Berlin, en 1676, et où il fut peintre de la Cour.

SWEELDEN Aerdt ou Arnold
xve siècle. Actif à Tongres. Éc. flamande.
Peintre et écrivain.

SWEELINCK Gerrit Pietersz ou Gerhard ou Sweeling.
Voir PIETERSZ Gerrit

SWEER Cornelis ou Zweer
xvie siècle. Hollandais.
Peintre verrier.

SWEERMAN Jan
Né en 1628. xviie siècle. Hollandais.
Peintre.
Il vivait encore à Amsterdam, où il travaillait, en 1672.

SWEERTS Emanuel
Né en 1552 à Zevenbergen. Mort en 1612 à Amsterdam. xvie-xviie siècles. Hollandais.
Dessinateur de fleurs.
Il était botaniste.

SWEERTS Jan. Voir SWERTS

SWEERTS Jeronimus
Né en 1603 à Amsterdam. Mort en 1636 à Amsterdam. xviie siècle. Hollandais.
Peintre de fleurs et paysagiste.
Il se maria en 1627 à Amsterdam avec la fille du peintre de fleurs Ambrosius Bosschaert. Il eut un fils en 1629 de même prénom.
Ventes Publiques : Londres, 11 juil. 1973 : *Panier de fleurs* : **GBP 15 000** – New York, 13 jan. 1978 : *Nature morte aux fleurs*, h/pan. (20,5x16,5) : **USD 15 000** – New York, 8 jan. 1981 : *Nature morte aux fleurs*, h/pan. (20x16,5) : **USD 12 500**.

SWEERTS Michael ou Michele ou Swarts ou Swerts ou Suars
Né en 1618 ou 1624 ou 1627 à Bruxelles. Mort en 1664 à Goa (Indes). xviie siècle. Hollandais.
Peintre de genre, portraits, intérieurs, graveur.
Il était à Rome de 1648 à 1652 environ, y fut membre de l'Académie Saint-Luc, revint en 1652 aux Pays-Bas et en 1656 était à Bruxelles. Il a gravé à l'eau-forte des sujets d'histoire d'après ses compositions.

BIBLIOGR. : V. Bloch et J. Guennou : *Michael Sweerts, 1624-1664*, et : *Sweerts et les missions étrangères*, Boucher, La Haye, 1968.
Musées : Amsterdam : *Atelier de peintres – Compagnie villageoise – Joueurs de dames* – Augsbourg : *Le concert* – Haarlem : *Atelier de peintres* – La Haye : *L'enfant prodigue – Soldats jouant aux cartes* – Londres (Nat. Gal.) : *Groupe de famille* – Munich : *Intérieur d'auberge* – Paris (Mus. du Louvre) : *Intérieur d'un corps de garde – Artistes* – Richmond : *La peste à Athènes* – Riga : *Bergers dans une grotte* – Saint-Pétersbourg (Gal. Acad.) : *Portrait* – Stuttgart : *Le goût – L'ouïe* – Vienne (Harrach) : *Trois jeunes garçons*.
Ventes Publiques : Londres, 28 jan. 1911 : *Personnage tenant un poignard* : **GBP 1** – Londres, 6 déc. 1926 : *Portrait de femme* : **GBP 241** – Paris, 30 juin 1937 : *Vieillard au travail* : **FRF 5 100** – Londres, 31 jan. 1951 : *Marché dans un paysage de la campagne romaine* – Londres, 27 mars 1963 : *L'Atelier de l'artiste* : **GBP 90** – Londres, 3 mars 1965 : *Portrait d'un jeune garçon* : **GBP 2 300** – Londres, 25 nov. 1966 : *Le Jeune Copiste* : **GNS 27 000** – Londres, 6 déc. 1967 : *La Visite au monastère* : **GBP 6 200** – Londres, 10 juil. 1968 : *Garçon au bouquet de fleurs* : **GBP 12 000** – Londres, 10 avr. 1970 : *Fête de jeune fille* : **GNS 21 000** – Londres, 1er déc. 1978 : *La partie de cartes*, h/t (71,2x95,3) : **GBP 11 000** – Londres, 1er juil. 1980 : *Portrait d'homme*, grav./cuivre (20,5x16,2) : **GBP 450** – Londres, 10 avr. 1981 : *L'Odorat*, h/t (76,2x61,6) : **GBP 150 000** – Londres, 6 juil. 1984 : *Les pestiférés à Athènes*, h/t (120x172,7) : **GBP 900 000** – New York, 6 juin 1985 : *La consolation des prisonniers, un des sept actes de miséricorde*, h/t (73,5x96,5) : **USD 85 000** – Londres, 2 juil. 1986 : *Portrait de vieille femme ; Le Guerrier à l'épée*, h/t, une paire (40x31) : **GBP 105 000** – New York, 11 jan. 1990 : *Femme brodant dans un intérieur*, h/t (48,5x38) : **USD 88 000** – Londres, 8 déc. 1995 : *Jeune homme avec un turban tenant un roemer*, h/t (74x60) : **GBP 221 500** – New York, 16 mai 1996 : *Femme peignant une fillette avec un autre enfant par terre à l'intérieur d'une cuisine*, h/t (43,8x33) : **USD 173 000** – Milan, 11 juin 1996 : *Scène d'intérieur avec les seigneurs du lieu au jeu de trictrac*, h/t (74x100) : **ITL 380 650 000** – Londres, 11 déc. 1996 : *Portrait d'une jeune servante* 1661, h/t (61x53,5) : **GBP 210 500** – New York, 31 jan. 1997 : *Jeune Homme au veston gris*, h/t (47,5x39,2) : **USD 310 500** – New York, 30 jan. 1997 : *La Peste dans une ville antique*, h/t (118,7x170,8) : **USD 3 852 500** – Londres, 3 juil. 1997 : *Héraclite*, h/t (79,1x65,3) : **GBP 78 500**.

SWEERTS-SPORCK Joseph Franz de Paula
Né le 9 janvier 1756. Mort vers 1816. xviiie-xixe siècles. Éc. de Bohême.
Dessinateur de vues de villes, et graveur au burin amateur.

SWEETING R. G.
xixe siècle. Britannique.
Peintre de genre et paysagiste.
Exposa à Londres entre 1845 et 1865.

SWEETLOVE William
Né en 1949 à Ostende. xxe siècle. Belge.
Sculpteur, auteur d'assemblages, technique mixte. Abstrait.
Il participe à des expositions collectives, notamment en 1988 à Ostende.

SWEETMAN Thomas H.
Mort avant 1835. xixe siècle. Actif à Dublin entre 1812 et 1831. Irlandais.
Peintre de portraits, paysages, architectures.

SWEIDEL Gabriel Gotthard
Né en 1744. Mort en 1813. xviiie-xixe siècles. Actif à Abo (Finlande). Finlandais.
Peintre.
Un portrait peint par lui se trouve à l'Ateneum d'Helsinki.

SWEIJD Irène
xxe siècle. Belge.
Peintre.
Elle fut élève de l'académie des beaux-arts de Bruxelles.

Elle montre ses œuvres dans des expositions personnelles en Belgique.
Ses peintures entre abstraction et figuration laissent entrevoir des corps qui émergent de la matière colorée, généralement une gamme de tons bleus.

SWEINEN Evert Van ou **Sweynen**
XVIIᵉ-XVIIIᵉ siècles. Actif à Amsterdam. Hollandais.
Graveur au burin et éditeur.
Il travailla entre 1686 et 1710. Il a gravé des portraits.

SWEINHEIM Conrad. Voir **SCHWEINHEIM**

SWELANDER Jon
Originaire d'Oviken. XIXᵉ siècle. Suédois.
Peintre.

SWELINCK Jan Gerrits
Né vers 1601. XVIIᵉ siècle. Actif à Amsterdam. Hollandais.
Graveur au burin et dessinateur.
Il se maria à Amsterdam en 1645. Il a gravé des portraits dans la manière de Wierix. Il signait souvent ses planches J. S.

J.S. JS . JS.

SWELUWEN Chrétien. Voir l'article **WAEYER Math. de**

SWENSSON Christian Fredrik
Né le 13 mars 1834 à Stockholm. Mort le 30 janvier 1909 à Stockholm. Suédois.
Peintre de paysages, paysages d'eau, marines.
Il fut officier de marine et étudia à Stockholm chez J. Hägg, et à Copenhague chez C. F. Sörensen. Il fut en 1883 agréé à l'Académie des Beaux-Arts de Stockholm.
VENTES PUBLIQUES : STOCKHOLM, 30 oct 1979 : *Marine*, h/t (100x154,5) : **SEK 16 000** – STOCKHOLM, 22 avr. 1981 : *Bord de mer*, h/t (64x100) : **SEK 10 000** – STOCKHOLM, 24 avr. 1984 : *Marine*, h/t (86x147) : **SEK 23 500** – STOCKHOLM, 27 avr. 1988 : *Marine : Caravelle par mer houleuse*, h/t (45x85) : **SEK 16 500** – GÖTEBORG, 18 mai 1989 : *Prairies surplombant la côte*, h/t (37x61) : **SEK 7 500** – STOCKHOLM, 15 nov. 1989 : *Marne avec des voiliers 1890*, h/t (60x95) : **SEK 31 000** – STOCKHOLM, 16 mai 1990 : *Marine avec un bateau à vapeur près de voiliers amarrés à une jetée de pierre*, h/t (24x39) : **SEK 8 200** – STOCKHOLM, 14 nov. 1990 : *Marine avec des bâtiments français*, h/t (84x146) : **SEK 24 000** – LONDRES, 11 mai 1994 : *Vaisseaux français et suédois au large de la côte*, h/t (58,5x106) : **GBP 977** – NEW YORK, 17 jan. 1996 : *Le passage des bateaux*, h/t (85,1x134,6) : **USD 2 875**.

SWERIUS Carel ou **Suerus**
XVIIᵉ siècle. Hollandais.
Peintre de portraits.
A partir de 1614 il fut membre de la gilde de La Haye.

SWERTNER Georg Peter
Né à Amsterdam. Mort le 5 juillet 1762 à Haarlem. XVIIIᵉ siècle. Hollandais.
Dessinateur.
Il devint en 1733 membre de la gilde de Haarlem.

SWERTNER Johannes
Né en 1746 à Haarlem. Mort le 9 mars 1813 en Angleterre, à Bristol. XVIIIᵉ-XIXᵉ siècles. Hollandais.
Dessinateur et aquafortiste de marines.
Peut-être fils de G. P. Swertner et élève de Tako Hajo Jelgersma. Il fut évêque de la confrérie de Fulnek (Angleterre). On lui doit des vues de Haarlem, de Londres et de Westminster.

SWERTS. Voir aussi **SWEERTS**

SWERTS Jan
Né le 25 décembre 1820 à Anvers. Mort le 11 août 1879 à Marienbad. XIXᵉ siècle. Belge.
Peintre d'histoire et de genre.
Élève de Nicolas de Keyser à l'Académie d'Anvers, il s'y lia avec Godfried Guffens. Associant leurs travaux pendant toute leur carrière, ils contribuèrent à réimplanter dès 1855 la peinture à fresque en Belgique. Guffens en effet était un fervent admirateur d'Overbeck qui entendait raviver l'art religieux par cette technique. Ils décorèrent ensemble l'église Notre-Dame du Bon Secours à Saint-Nicholas, l'église Saint-Georges d'Anvers, Saint-Joseph de Louvain, Saint-Quentin de Hasselt. Il a également peint à l'Hôtel de Ville d'Ypres (*Publication de l'ordonnance de 1515 par le Magistrat d'Ypres sur l'entretien de la généralité des pauvres* et *Visite du magistrat à l'une des écoles libres en 1253*). Il décora également l'Hôtel de Ville de Courtrai. Il est

devenu directeur de l'Académie de Prague de 1857 à sa mort. Le Musée d'Anvers conserve plusieurs esquisses de lui.

SWERTS Jozef ou **Jof de**
Né le 28 mars 1890 à Anvers. Mort en 1939 à Merksem. XXᵉ siècle. Belge.
Peintre de sujets divers, dessinateur, illustrateur.
Il fut élève de l'Académie et de l'Institut Supérieur d'Anvers. Il exposa à Calais et à Vernon.
Il a illustré plusieurs ouvrages et réalisé de nombreuses caricatures politiques.

SWERTSCHKOFF Nicolas Gregorovitch ou **Swertsch-kow**. Voir **SVERTSCHKOFF**

SWETE A. J.
XVIIIᵉ siècle. Travaillant en 1746. Britannique.
Peintre d'architectures et de perspectives.
Le Victoria and Albert Museum, à Londres, conserve deux dessins de cet artiste.

SWETE Joh., R. P., pseudonyme de **Tripe**
Né vers 1752. Mort en 1821. XVIIIᵉ-XIXᵉ siècles. Britannique.
Dessinateur.
Il étudia depuis 1770 à Oxford et dessina des vues de la région où il résidait.

SWETT William Otis, Jr.
Né le 5 mai 1859 à Worcester (Massachusetts). XIXᵉ siècle. Américain.
Peintre de paysages.
Élève de Whistler et H. G. Dearth, il étudia à Munich, Paris, en Belgique et en Hollande. Membre du Salmagundi Club et de la Société des Artistes Indépendants.

SWEYNEN Evert Van. Voir **SWEINEN**

SWIAEOSLAVSKI Serguei
XIXᵉ siècle. Actif à Kiev. Russe.
Peintre de genre.
Exposa à Paris ; médaille de bronze en 1900 (Exposition Universelle).

SWIDDE DE JONGE Willem
Né en 1661. Mort en juin 1697 à Stockholm. XVIIᵉ siècle. Actif à Amsterdam. Hollandais.
Dessinateur et graveur.
Il se maria en 1687 puis travailla à Stockholm. Il y grava les planches pour la *Vie de Charles Gustave* de Puffendorf. Il a gravé des paysages, des marines. Certaines de ses planches portent la date de 1680.

SWIECINSKI Georges Clement de
Né en mai 1878 à Radautz (Bukovine). XXᵉ siècle. Actif et naturalisé en France. Roumain.
Sculpteur, céramiste.
Il participa à Paris aux Salons des Indépendants, d'Automne.
Étudiant en médecine, il est attaché aux laboratoires d'anatomie, pour préparer, dessiner, modeler et mouler des écorchés et divers fragments anatomiques ; de là naît son goût pour la sculpture. Il exécuta, à Guétary, le tombeau de Paul Jean Toulet, avec qui il s'était lié d'amitié au pays basque et celui qui lui fut érigé dans l'Ile Maurice.
MUSÉES : BAYONNE : *Buste de Lesca* – PAU : *Buste de Francis Jammes* – PAU (Monastère du Bon Pasteur).

SWIECKI Wojciech
Né vers 1825. Mort le 27 mars 1873 à Paris. XIXᵉ siècle. Polonais.
Sculpteur.
Il étudia à l'École des Beaux-Arts de Varsovie. Il travailla à Varsovie, Londres, Rio de Janeiro (quatre ans), puis revint de nouveau à Paris. Il a sculpté les bustes et les médaillons de nombreuses célébrités polonaises.

SWIERCZYNSKI Saturnin ou **Swierzynski**
Né en 1820 à Cracovie. Mort en 1883 ou 1885 à Cracovie. XIXᵉ siècle. Polonais.
Peintre et graveur.
Il étudia et travailla à Cracovie et a peint des architectures russo-byzantines et des intérieurs.
MUSÉES : CRACOVIE : *Intérieur de la cathédrale de Wawel* – LEMBERG : *Portrait de l'artiste* – POSEN : *Vue du monastère de Zuwerzyniec à Cracovie* – VARSOVIE : *Vue de l'intérieur de Saint-Pierre à Cracovie*.

SWIETEN Cornelis Van ou Zwieten
XVIIe siècle. Hollandais.
Peintre paysagiste.
Il présidait en 1648 la gilde de Leyde. Il imita Van Goyen et P. Molijn. Son œuvre est représenté au Musée national d'Amsterdam et à l'Ermitage de Saint-Pétersbourg.
VENTES PUBLIQUES : PARIS, 10 nov. 1928 : *Le marchand de volailles* : FRF 910 – VIENNE, 13 juin 1978 : *Cavaliers dans une rue de village* 1662, h/pan. (48x61) : ATS 180 000.

SWIETEN Hugo Van
Mort le 7 août 1606 à Rome. XVIe siècle. Éc. flamande.
Peintre.

SWIETEN Jan Van
Mort en 1661. XVIIe siècle. Hollandais.
Peintre.
En 1653 dans la gilde de Leyde.

SWIEYKOWSKI Alfred
Né le 21 septembre 1869 à Paris, de père russo-polonais, de mère belge. Mort en mai 1953 à Paris. XIXe-XXe siècles. Russe.
Peintre de scènes de genre, portraits, paysages.
Il fut élève de Fernand Cormon à l'École des Beaux-Arts de Paris. De 1894 à 1921, il figura au Salon des Artistes Français de Paris, obtenant une mention honorable en 1896, une autre en 1900 pour l'Exposition Universelle ; de 1926 à 1943, il figura au Salon de la Société Nationale des Beaux-Arts, sociétaire et membre du jury en 1927, médaille d'argent en 1937 pour l'Exposition Internationale.
MUSÉES : PHOENIX (Art Mus.) : *L'Homme au panier.*
VENTES PUBLIQUES : PARIS, 5 juil. 1924 : *Portrait d'homme* : FRF 28 ; *Péniches sur la Seine* : FRF 150 – PARIS, 29 mars 1943 : *Le col de Morsin* : FRF 2 650 – LOS ANGELES, 28 fév. 1972 : *Le marchand d'oignons* : USD 850 – NEUILLY, 11 juin 1991 : *Paysage de neige*, h/cart. (56x72) : FRF 10 000.

SWIFT E. H.
XIXe siècle. Britannique.
Peintre de scènes de genre, portraits.
Il travailla à Londres entre 1835 et 1859.
VENTES PUBLIQUES : LONDRES, 30 mars 1994 : *Deux enfants nourrissant un oisillon* 1866, h/t (66x52) : GBP 6 670 – LONDRES, 11 oct. 1995 : *Un foyer heureux* 1858, h/t (47x59) : GBP 920.

SWIFT Georgina et Louise
XIXe siècle. Britanniques.
Peintres de portraits.
Elles exposèrent à Londres, la première, de 1859 à 1874, la seconde, de 1868 à 1873.

SWIFT Ivan
Né le 24 juin 1873 à Wayne. XIXe-XXe siècles. Américain.
Peintre, graveur.
Il fut élève de l'École des Beaux-Arts de Chicago. Il vécut et travailla à Harbor Springs (Michigan).

SWIFT John Warkup
Né en 1815. Mort le 7 mai 1869 à Newcastle-on-Tyne. XIXe siècle. Britannique.
Peintre de paysages, marines.
Il fut élève à Hull et commença sa vie comme marin. Il abandonna la marine pour devenir peintre de décors de théâtre. Il s'établit ensuite à Newcastle-on-Tyne. Plusieurs de ses tableaux furent reproduits en chromolithographie.
MUSÉES : DETROIT.
VENTES PUBLIQUES : LONDRES, 25 jan. 1974 : *Les régates* 1866 : GNS 420 – LONDRES, 16 nov. 1976 : *Bateaux en mer* 1850, h/t (50x73) : GBP 1 000 – LONDRES, 3 fév. 1978 : *Bateaux au large de Whitby* 1845, h/t (54,5x79,5) : GBP 800 – LONDRES, 18 oct. 1985 : *Pêcheurs tirant les filets par forte mer* 1856, h/t (43,8x64,8) : GBP 2 200 – COPENHAGUE, 29 août 1991 : *Marine avec des voiliers navigant au large des côtes* 1854, h/t, une paire (45x63) : DKK 21 000 – LONDRES, 22 nov. 1991 : *Arrivée au port* ; *Barques de pêche sur une côte rocheuse* 1854, h/t (45,7x62,8) : GBP 4 620 – LONDRES, 20 mai 1992 : *Sauvetage*, h/t (35,5x53) : GBP 1 540 – LONDRES, 12 mai 1993 : *Une côte dangereuse* 1858, h/t (30,5x45,5) : GBP 805.

SWIFT Louise. Voir SWIFT Georgina

SWIGGERS Pierre François
Né le 6 juin 1816 à Anvers. Mort le 5 mars 1872 à Bruxelles. XIXe siècle. Actif à Bruxelles. Belge.
Sculpteur.

Élève de Willem Geefs. Il exposa entre 1837 et 1857 à Anvers et à Bruxelles.

SWILLENS P. M. J.
XIXe siècle. Hollandais.
Sculpteur.
Le Musée d'Utrecht conserve de lui les bustes de *J. Lorette* et du professeur *Schroeder.*

SWILLENS Petrus Theodorus Arnoldus
Né le 8 avril 1890 à Utrecht. XXe siècle. Hollandais.
Graveur.
Il vécut et travailla à Utrecht.

SWIMBERGHE Gilbert
Né le 14 mai 1927 à Sint-Andries (Brugge). XXe siècle. Belge.
Peintre de natures mortes, sérigraphe, mosaïste, sculpteur. Figuratif puis tendance abstrait-géométrique.
Il fut élève des Académies des Beaux-Arts de Saint-Josse-ten-Noode et de Brugge.
Figurative au début, sa peinture, le plus souvent des natures mortes, était sévèrement stylisée, jusqu'à ne plus qu'évoquer le thème. Son passage à l'abstraction s'est donc opéré naturellement et il a effectivement évolué du post-expressionnisme de ces compositions un peu lourdes à une non-figuration structurée, proche de la géométrie. Il utilise des effets de rythmes, de superpositions de plans qui se déploient en éventails, et joue sur les nuances de couleurs qui pâlissent ou s'approfondissent. Les formes simples, épurées, renvoient certes à l'abstraction géométrique mais restent néanmoins très éloignées d'une abstraction froide, encore plus du « hard edge ». Mosaïste, il utilise les ressources de formes et de couleurs de petits galets naturels et propose ainsi des œuvres assez délicatement nuancées. Il réalise également des bas-reliefs.
BIBLIOGR. : Michel Seuphor : *Peinture abstraite en Flandre,* Arcade, Bruxelles, 1963.
MUSÉES : BRUGES – BRUXELLES (Cab. des Estampes) – GAND.
VENTES PUBLIQUES : LOKEREN, 21 mars 1992 : *Composition noir-gris* 1988, lav. (121x88) : BEF 26 000 – LOKEREN, 23 mai 1992 : *Composition* 1958, h/t (80x70) : BEF 75 000.

SWINBURNE Edward
XIXe siècle. Travaillant vers 1843. Britannique.
Peintre de marines et paysagiste, aquarelliste.
Le Victoria and Albert Museum de Londres conserve une aquarelle de lui.
VENTES PUBLIQUES : PARIS, 6 mars 1951 : *Fontaine de Vaucluse,* aquar. : FRF 4 200 – LONDRES, 22 nov 1979 : *Voilier devant un glacier,* aquar./trait de cr. (35,5x50,5) : GBP 400.

SWINBURNE Enrique
XIXe siècle. Chilien (?).
Peintre.
Figura aux expositions de Paris ; mention honorable en 1889 (Exposition Universelle).

SWINBURNE Henry
Né le 8 juillet 1743 à Bristol. Mort le 1er avril 1803 dans les Antilles. XVIIIe siècle. Britannique.
Dessinateur et écrivain.

SWINDEREN B. Van
XVIIe siècle. Actif vers 1695. Hollandais.
Graveur au burin.

SWINDEREN Johannes Van
XVIIIe siècle. Hollandais.
Peintre.
En 1725 il fut membre de la gilde de La Haye.

SWINDEREN Niklaas Van
XVIIIe siècle. Travaillait entre 1730 et 1760 à La Haye. Hollandais.
Médailleur.

SWINDERSWYK Willem Willemsz ou Swinders Wijk
Né vers 1621 sans doute à Haarlem. Mort en 1664 à Amsterdam. XVIIe siècle. Hollandais.
Peintre de paysages.
Il était en 1642 dans la gilde d'Haarlem et de 1653 à 1658 à Middelbourg.

SWINGEDAU Igor
Né en 1939 à Bruxelles. XXe siècle. Belge.
Peintre, graveur.
Il fut élève de l'académie des beaux-arts de Bruxelles, où il ensei-

gna par la suite. Il fut également professeur à l'académie d'Ixelles.

Bibliogr. : In : *Dict. biogr. des artistes en Belgique*, Arto, Bruxelles, 1987.

Musées : Bruxelles (Cab. des Estampes) – Bruxelles (BN) – Etterbeek – Uccle.

SWINNERTON James Guilford
Né en 1875. Mort en 1974. xxe siècle. Américain.
Peintre de paysages.

Ventes Publiques : Los Angeles, 17 mars 1980 : *Paysage boisé*, h/cart. entoilé (33x43,2) : **USD 2 600** – Portland, 7 nov. 1981 : *En Utah du Sud*, h/t (76,2x76,2) : **USD 4 000** – Portland, 5 nov. 1983 : *Agathalos Needle*, h/t (76,2x101,6) : **USD 4 000** – Los Angeles-San Francisco, 7 fév. 1990 : *Paysage de canyon*, h/t (76x102) : **USD 6 600** – Londres, 20 sep. 1990 : *Les histoires du vieux pêcheur*, h/t (76x101) : **GBP 2 860** – New York, 17 déc. 1990 : *Paysage désertique*, h/t (76,3x76,3) : **USD 3 575** – New York, 14 nov. 1991 : *L'approche de l'orage*, h/pan. (35,5x45,7) : **USD 2 200** – New York, 20 mars 1996 : *Monument Valley 1928*, h/t (76,2x101,6) : **USD 2 875**.

SWINSON Edward S.
Né à Mickleton. xixe-xxe siècles. Britannique.
Peintre de portraits.

Il fut élève de l'école de la Royal Academy à Londres, où il vécut et travailla. Il exposa à Londres six portraits à la Royal Academy entre 1893 et 1902 et à Paris. Il reçut une médaille de troisième classe en 1908.

SWINSTEAD Alfred Hillyard
xixe siècle. Britannique.
Peintre.

Il était le frère de George Hillyard Swinstead. Il exposa entre 1874 et 1897 à la Royal Academy.

SWINSTEAD George Hillyard
Né en 1860. Mort le 16 janvier 1926 à Londres. xixe-xxe siècles. Britannique.
Peintre de genre, compositions animées, figures, animaux, graveur.

Il exposa à la Royal Academy à Londres, de 1905 à 1919.

G. Hillyard Swinstead

Musées : Sheffield : *Quand la trompette sonne, il faut quitter les siens.*

Ventes Publiques : Londres, 9 nov. 1976 : *Le port de Polpero*, h/t (44,5x75) : **GBP 250** – New York, 21 jan. 1978 : *Enfant lavant son chat*, h/t (84x64,5) : **USD 6 000** – Londres, 3 juil 1979 : *Fillettes et leurs chiens*, h/t (101x89) : **GBP 5 500** – Auchterarder (Écosse), 31 août 1982 : *The early days of golf*, h/t (108x200) : **GBP 5 500** – Londres, 14 juil. 1983 : *Des rats, Toby !*, h/t (106,5x130) : **GBP 4 200** – Londres, 21 mars 1990 : *Un épagneul Clumber 1904*, h/t. cartonnée (35x25,5) : **GBP 1 870** – Londres, 25-26 avr. 1990 : *faneurs*, aquar. (65x49,5) : **GBP 6 050** – New York, 17 oct. 1991 : *Petite fille regardant une cane et sa couvée sur un ruisselet*, h/t (61x50,8) : **USD 4 950** – Londres, 7 juin 1995 : *La première marche 1885*, h/t (113,5x89,5) : **GBP 14 950**.

SWINTON Alfred
Né en 1826. Mort le 3 octobre 1920 à Hackensack (New Jersey). xixe-xxe siècles. Britannique.
Peintre, illustrateur.

SWINTON James Rannie
Né le 11 avril 1816. Mort le 18 décembre 1888. xixe siècle. Britannique.
Portraitiste.

Cet artiste, très connu pour ses nombreux portraits au crayon, exposa pour la première fois à la Royal Academy en 1844 et continua ses envois jusqu'en 1874. Il épousa la fille de Lord de Ros. On cite de lui : les portraits de *Lady Dufferin* et de *La duchesse de Cambridge* exécutés en 1861. On lui a reproché d'avoir exagéré la joliesse anglaise.

Musées : Dublin : *Portrait de lady Claude Hamilton* – Édimbourg : *Le Dr John Brown* – Londres : *Mary Somerville*.

SWITIL Joseph
xviiie siècle. Actif à Brunn vers 1780. Autrichien.
Peintre.

Il a peint des décors et des tableaux d'autel.

SWITSER Joseph, dit le Suisse
xvie siècle. Suisse ou Allemand.

Peintre.

Élève de Johann von Aachum. Il travailla pour l'empereur vers 1580.

SWITZER Christoph
Né en Allemagne. xviie siècle. Travaillant en Angleterre vers 1614. Allemand.
Graveur sur bois.

Il grava les bois des monnaies et des sceaux pour l'*Histoire de la Grande-Bretagne* de Speed. Il eut un fils, Christopher Switzer qui grava dans sa manière.

SWOBODA Edward
Né le 14 novembre 1814 à Vienne. Mort le 13 septembre 1902 à Hallstatt. xixe siècle. Autrichien.
Peintre de scènes de genre, portraits.

Élève de l'Académie des Beaux-Arts de Vienne, il y obtint un premier prix. Il fut aussi élève de Schileher.
Il a peint une partie de la décoration intérieure de l'église de Schemnitz (Autriche).

Musées : Vienne : *La banque.*

Ventes Publiques : Londres, 23 nov. 1983 : *Centaure s'approchant d'une Vénus endormie*, h/pan. (45x58) : **GBP 2 800** – Vienne, 23 fév. 1989 : *Jeune femme élégante au chapeau de paille*, h/t (123,5x92,2) : **ATS 242 000** – New York, 16 fév. 1995 : *Le vol d'une flèche de Cupidon*, h/pan. (47x59,7) : **USD 8 050**.

SWOBODA Gerhard
Né en 1923. Mort en 1975. xxe siècle. Autrichien.
Peintre, dessinateur, graveur. Tendance fantastique.

Il se rapproche de l'école fantastique viennoise assez caractéristique de la peinture en Autriche dans la deuxième moitié du xxe siècle.

Ventes Publiques : Vienne, 4 déc. 1984 : *Composition*, h/isor. (40x57) : **ATS 30 000** – Vienne, 19 mai 1987 : *Sans titre*, techn. mixte (25x31,5) : **ATS 11 000**.

SWOBODA Johann
Né en 1816. Mort le 15 avril 1847 à Vienne. xixe siècle. Actif à Vienne. Autrichien.
Peintre de paysages.

SWOBODA Johann ou Jan ou Svoboda
Né en 1737 à Turnau, en Bohême. xviiie siècle. Éc. de Bohême.
Peintre.

SWOBODA Josef Cestmir
Né le 28 juillet 1889. xxe siècle. Actif et naturalisé aux États-Unis. Tchécoslovaque.
Peintre de paysages, illustrateur.

Élève d'Antonin Sterba, Ralph Clarkson et Hans Larwin, il fut membre de la Fédération Américaine des Arts.

Ventes Publiques : Amsterdam, 30 oct. 1991 : *Ruisseau dans la forêt enneigée 1933*, h/t (90x90) : **NLG 3 450**.

SWOBODA Josefine
Née le 29 janvier 1861 à Vienne. Morte le 27 octobre 1924 à Vienne. xixe-xxe siècles. Autrichienne.
Peintre de portraits.

Elle était la fille d'Edward et la sœur de Rudolph Swoboda, tous deux peintres. Elle a séjourné de 1890 à 1893 au château de Windsor, où elle a fait les portraits de la reine et de plusieurs membres de la famille royale.

Ventes Publiques : Paris, 7 mars 1989 : *Portrait d'une femme de qualité*, past./cart. (100x70) : **FRF 27 000**.

SWOBODA Karl ou Svoboda
Né le 14 juin 1824 à Planic. Mort le 12 septembre 1870 à Vienne. xixe siècle. Autrichien.
Peintre d'histoire, illustrateur et graveur.

Élève de l'Académie de Prague, et de Christian Ruben. Il se fixa à Vienne en 1851. Le Musée de cette ville conserve de lui douze cartons représentant des scènes de la *Vie d'Iphigénie* (esquisses pour les fresques de l'escalier de l'Opéra de Vienne). On trouve également au Rudolfinum de Prague : *Les Milanais vaincus devant l'empereur Barberousse et ses alliés.*

SWOBODA Rudolph, l'Ancien
Né en 1819 à Vienne. Mort le 24 avril 1859. xixe siècle. Autrichien.
Peintre de paysages, animaux. Orientaliste.

Il fut nommé membre de l'Académie des Beaux-Arts de Vienne en 1848.

Ventes Publiques : Vienne, 15 mars 1977 : *Paysage d'Autriche*

1858, h/t (94x142) : **ATS 40 000** – Vienne, 10 juin 1980 : *Scène champêtre*, h/t (57,5x70,5) : **ATS 50 000** – Vienne, 14 sep. 1983 : *Troupeau dans un paysage montagneux*, h/t (79x101) : **ATS 50 000** – Londres, 15 mars 1996 : *La mosquée Rafaï au Caire* 1885, h/pan. (55,2x38) : **GBP 67 500**.

SWOBODA Rudolph, le Jeune
Né le 4 octobre 1859 à Vienne. Mort le 26 janvier 1914 à Vienne. xix\u1d49-xx\u1d49 siècles. Autrichien.
Peintre de scènes de genre, sujets typiques, portraits. Orientaliste.
Élève de E. A. Donadini et de son oncle Léopold Karl Muller avec qui il fit un voyage au Caire en 1879. Il voyagea en Égypte et travailla à Londres entre 1885 et 1892. Il devint peintre à la Cour de la reine Victoria et se rendit, entre 1886 et 1888, aux Indes, où il a peint toute une série de types hindous.
Ventes Publiques : Londres, 3 nov. 1977 : *Le marchand de tapis*, h/t (94x53,2) : **GBP 2 200** – Londres, 3 fév. 1984 : *Le gorgeron arabe*, h/t (86,4x67,2) : **GBP 8 500** – Londres, 5 oct. 1990 : *Arabes palabrant dans une rue de village* 1894, h/t (110x85,5) : **GBP 9 900** – New York, 27 mai 1993 : *Le marchand de tapis*, h/t (94,6x54,9) : **USD 19 550** – Londres, 17 juin 1994 : *Jeune femme de Damas*, h/cart. (55x36) : **GBP 3 450** – Londres, 17 nov. 1994 : *Le scribe*, h/pan. (25,5x16) : **GBP 9 430** – New York, 16 fév. 1995 : *Portrait d'un fellah égyptien*, h/pan. (27,7x15,9) : **USD 3 450**.

SWOBODA Sandor Alexander
Né à Bagdad. xix\u1d49 siècle. Hongrois.
Peintre.
Il étudia à Budapest chez Barabas, ensuite à Venise.

SWOBODA Wenzeslaus
Originaire de Leipniz. xvii\u1d49 siècle. Allemand.
Peintre.

SWOBODA VON WIKINGEN Emmerich Alexius
Né le 17 juillet 1849 à Wörth, près de Glöggnitz. Mort le 1\u1d49\u02b3 février 1920 à Vienne. xix\u1d49-xx\u1d49 siècles. Autrichien.
Sculpteur, peintre de genre.
Il fut élève à l'Académie des Beaux-Arts de Vienne chez Franz Bauer. Il eut le prix de Rome et travailla deux ans en Italie.
Ventes Publiques : Paris, 21 avr. 1996 : *Favorite et sa servante*, h/t (112x87) : **FRF 390 000**.

SWOLL Joachim. Voir SCHWOLL

SWOLLE Evert
Né vers 1602. Mort après 1671. xvii\u1d49 siècle. Actif à Hambourg. Allemand.
Peintre verrier.

SWOLLE Zacharias
xvi\u1d49 siècle. Actif à Hambourg vers 1592. Allemand.
Peintre verrier.

SWORD James Brade
Né en 1839 à Philadelphie. Mort le 1\u1d49\u02b3 décembre 1915 à Philadelphie. xix\u1d49-xx\u1d49 siècles. Américain.
Peintre de portraits, paysages animés, paysages.
Il a peint des portraits et des paysages et fut pendant de longues années président de la Société des Beaux-Arts de Philadelphie.
Ventes Publiques : New York, 16 fév. 1977 : *Au bord de l'eau* 1879, h/t (63,5x127) : **USD 1 300** – New York, 2 fév 1979 : *Paysage boisé au lac* 1873, h/t (92,6x152,4) : **USD 5 000** – New York, 29 jan. 1981 : *A peep into Lake George* 1873, h/t (45,8x76,2) : **USD 4 750** – New York, 4 avr. 1984 : *Winter silence*, h/t (40,5x65,4) : **USD 5 500** – New York, 23 jan. 1985 : *Scène de patinage* 1872, h/t mar./cart. (51,5x91,8) : **USD 9 800** – New York, 17 mars 1989 : *Halte de forains*, h/t (50x90) : **USD 6 325** – New York, 21 mai 1991 : *Setters dans un paysage boisé* 1877, h/t/rés. synth. (62,3x92) : **USD 4 620** – New York, 31 mars 1993 : *Campement de gitans*, h/t (50,8x91,4) : **USD 5 635** – New York, 23 sep. 1993 : *Un aperçu de Lake George* 1873, h/t (92,1x152,4) : **USD 18 975** – New York, 9 mars 1996 : *Après-midi d'hiver* 1874, h/t (30,5x50,8) : **USD 12 650**.

SWYN Hinr. ou Schwien
xvii\u1d49 siècle. Actif à Lübeck. Hollandais.
Peintre.
Il fut bourgeois en 1601 et vivait encore en 1620.

SWYNCOP Charles
Né en 1895 à Bruxelles. Mort en 1970. xx\u1d49 siècle. Belge.
Peintre de figures, portraits, paysages, marines, natures mortes, dessinateur, graveur. Impressionniste.
Il fut élève de son frère Philippe Swyncop et étudia à l'académie des beaux-arts de Bruxelles.

Il a visité à plusieurs reprises l'Espagne et a peint des paysages, des figures, des marines et des natures mortes.
Bibliogr. : In : *Dict. biogr. des artistes en Belgique*, Arto, Bruxelles, 1987.
Ventes Publiques : Bruxelles, 3 oct. 1984 : *La marchande de fleurs*, h/t (59x49) : **BEF 80 000** – Bruxelles, 27 mars 1990 : *Enfant et fleurs*, h/t (61x41) : **BEF 55 000** – Bruxelles, 7 oct. 1991 : *Portrait fleuri*, h/t (47x39) : **BEF 75 000** – Lokeren, 21 mars 1992 : *La bouquetière*, h/t (46x38) : **BEF 110 000** – Lokeren, 23 mai 1992 : *Nature morte avec des fleurs*, h/t (78x67,5) : **BEF 55 000** – Lokeren, 5 déc. 1992 : *Nature morte avec des fleurs* 1925, h/t (60x80) : **BEF 40 000** – Amsterdam, 9 nov. 1993 : *Nature morte avec des immortelles*, h/pan. (80x60) : **NLG 2 990** – Lokeren, 9 déc. 1995 : *La Bourse de Paris*, h/t (80x100) : **BEF 60 000**.

SWYNCOP Philippe
Né le 16 juin 1878 à Bruxelles. Mort en 1949. xx\u1d49 siècle. Belge.
Peintre de portraits, paysages, natures mortes, illustrateur, graveur. Impressionniste.
Élève de l'Académie des Beaux-Arts de Bruxelles avec C. Montald, il reçut une bourse de voyage en 1900. Il vécut et travailla en France, Italie et en Espagne, notamment à Grenade.
Il a peint les portraits du *Baron de Favereau* et de l'*Ambassadeur des États-Unis, M. Brand Whitlock*. On cite, d'entre les ouvrages qu'il a illustrés, *La Femme nue de Goya* de Blasco-Ibanez et *La Femme et le pantin* de P. Louys.

Swyncop

Ventes Publiques : Bruxelles, 25 mars 1938 : *Fillette en rouge* : **BEF 1 300** – Bruxelles, 17 mars 1939 : *Recueillement* : **BEF 6 000** – Bruxelles, 13 mars 1951 : *Petite fille au parasol* 1916 : **BEF 5 000** – Lokeren, 5 mars 1988 : *Femme avec un ruban autour du cou*, h/t (44,5x36,5) : **BEF 36 000** – Amsterdam, 13 déc. 1990 : *Jeune fille dans les dunes* 1922, h/t (44x61,5) : **NLG 5 980** – Lokeren, 9 oct. 1993 : *Gitane* 1937, h/t (100x80) : **BEF 48 000** – Lokeren, 28 mai 1994 : *Gitane* 1937, h/t (100x80) : **BEF 36 000**.

SWYNDREGT A. Van ou Swyndrecht
xvii\u1d49 siècle. Hollandais.
Peintre de marines et de paysages.
Ventes Publiques : Paris, 1776 : *Paysages mêlés d'architectures*, deux dess. à l'encre de Chine et à l'indigo : **FRF 22**.

SWYNDREGT François Montauban Van
Né le 29 avril 1784 à Rotterdam. Mort après 1840. xix\u1d49 siècle. Hollandais.
Peintre de scènes de genre, portraits, intérieurs, lithographe.
Il eut pour maîtres C. Bekker, W. Van Leen et A. de Lelie.
Ventes Publiques : Amsterdam, 22 avr. 1980 : *Le Galant Entretien* 1840, h/pan. (69x57,5) : **NLG 6 200** – Londres, 11 mai 1990 : *La Leçon de lecture* 1837, h/pan. (61x50) : **GBP 3 520**.

SWYNDREGT Nicolaus Montauban ou Swingdrecht
Né le 4 mars 1810 à Rotterdam. Mort en 1846. xix\u1d49 siècle. Hollandais.
Peintre.
Ventes Publiques : Londres, 25 nov. 1981 : *Le Cadeau à Grand-père*, h/pan. (58x66,5) : **GBP 3 600**.

SWYNGHEDAUW Édouard François Pierre
Né à Brouckerque. xix\u1d49 siècle. Français.
Peintre de portraits.
Débuta au Salon en 1865.

SWYNNERTON Annie Louisa, Mrs Joseph William Robinson
Née en 1844 près de Manchester. Morte le 24 octobre 1933. xix\u1d49-xx\u1d49 siècles. Britannique.
Peintre de portraits, figures, paysages.
Femme de Joseph William Swynnerton, elle vécut et travailla à Londres. Elle exposa à Londres, notamment à la Grosvenor Gallery à partir de 1887, aux expositions de la Royal Academy de 1906 à 1934, et à celle du New Art Club.
Musées : Bradford : *Océanide* – Liverpool : *Le sens de la vue* – Melbourne : *Nouvelle Espérance* – New York (Metropolitan Mus.) : *Rêve d'Italie*.
Ventes Publiques : Paris, 24-27 juil. 1925 : *Garçonnets se baignant* : **GBP 68** – Paris, 9 fév. 1934 : *Mrs Charles Hunter* : **GBP 89** – Londres, 22 fév. 1980 : *Gipsy girl*, h/t (76,2x79) : **GBP 3 000** – Londres, 2 nov. 1989 : *L'ange de l'Annonciation* 1898, h/t

(89x103) : **GBP 7 150** – Londres, 15 juin 1990 : *Portrait d'un jeune garçon, en buste*, h. et feuille d'or/pan. (43,2x28,9) : **GBP 4 400** – Londres, 7 juin 1995 : *Portrait de George Lewis enfant* 1914, h/t (103x79) : **GBP 1 495**.

SWYNNERTON Joseph William
Né en 1848 à Douglas. Mort le 8 août 1910 à Port-St-Mary. xixᵉ-xxᵉ siècles. Actif en Italie. Britannique.
Sculpteur de compositions mythologiques, figures.
Il exposa à Londres, notamment à la Royal Academy à partir de 1873. Il vécut et travailla à Rome.
Musées : Salford : *Caïn et Abel – Olivier Heywood – Victoire.*

SY Gerhard
Né le 13 mars 1886 à Berlin. Mort le 13 novembre 1936 à Fribourg-en-Brisgau. xxᵉ siècle. Allemand.
Peintre de portraits, paysages, graveur. Tendance impressionniste.
De 1907 à 1915 il fut élève de l'Académie de Dresde, de Carlsruhe, de Kassel, chez Robert Muller, Oskar Zwintscher, Hermann Knackfuss et Hans Olde. Il fut un portraitiste estimé, et affirma, comme paysagiste, des prédilections pour l'impressionnisme. Il a laissé une cinquantaine de toiles.
Musées : Kassel.

SY Louis Friedrich Rudolph
Né en 1818 à Berlin. Mort le 3 novembre 1887 à Dantzig. xixᵉ siècle. Allemand.
Peintre.
Élève de Rémy à l'Académie de Berlin. Il s'installa en 1845 à Dantzig. Il a peint des sujets d'histoire et des portraits des rois de Prusse.

SYADRAS
v1ᵉ siècle avant J.-C. Antiquité grecque.
Sculpteur.

SYAMOUR Marguerite, née **Gegout-Gagneur**
Née en août 1861 à Brery (Jura). xixᵉ siècle. Française.
Sculpteur.
Élève de Antonin Mercié, elle participa au Salon des Artistes Français à Paris. Elle reçut une mention honorable en 1887, médaille de troisième classe et une mention honorable en 1900 à l'Exposition Universelle de Paris.
Musées : Amiens : *Diane* – Issoudun : *La France nouvelle.*

SYBAUD François
xvᵉ siècle. Actif à Avignon vers 1492. Français.
Peintre et peintre verrier.

SYBER
xviiiᵉ siècle. Éc. alsacienne.
Peintre.

SYBER Johann. Voir **SIBMACHER**

SYBERG Anna Louise Brigitte, née **Hansen**
Née le 7 janvier 1870 à Faaborg. Morte le 4 juillet 1914 à Copenhague. xixᵉ-xxᵉ siècles. Danoise.
Peintre de fleurs, aquarelliste.
Elle fut élève de l'École technique à Faaborg, de Karl Jensen et Ludvig Brandstrup à Copenhague. Elle a travaillé à la Manufacture de porcelaine de Copenhague.
Musées : Copenhague – Faaborg – Odense.
Ventes Publiques : Copenhague, 5 avr. 1989 : *Pot de fleurs sur un rebord de fenêtre*, h/t (46x40) : **DKK 6 700**.

SYBERG Fritz Christian Wilhelm Heinrich
Né le 28 juillet 1862 à Faaborg. Mort en 1939. xixᵉ-xxᵉ siècles. Danois.
Peintre de figures, portraits, paysages, illustrateur, graveur.
Il fut élève de Syrak Hanseu à Faaborg et de Holger Grönvald et P. H. Kristian Zahrtmann à Copenhague. Il voyagea en Hollande et à Paris en 1908 et en Italie, de 1910 à 1913, où il séjourna à Pise.
Il vécut et travailla à Kerteminde.
Il exposa à Paris, où il reçut une mention honorable en 1900 à l'Exposition Universelle.
Musées : Copenhague : *Mère et fille – La première neige – Jour d'hiver, plage de Taarby.*
Ventes Publiques : Copenhague, 2 mars 1950 : *Paysage d'hiver* : **DKK 1 600** – Copenhague, 22 mai 1951 : *Paysage nordique* 1931 : **DKK 1 950** – Copenhague, 9 fév. 1972 : *Bord de mer* : **DKK 6 600** – Copenhague, 29 avr. 1976 : *Paysage* 1899-1906, h/t (103x132) : **DKK 13 000** – Copenhague, 18 oct. 1977 : *Les meules de foin* 1924-1932, h/t (137x200) : **DKK 26 000** – Copenhague, 22 mai

1979 : *Paysage* 1931, h/t (103x136) : **DKK 15 000** – Copenhague, 10 mars 1981 : *Paysage d'hiver* 1899/1900, h/t (100x145) : **DKK 13 000** – Copenhague, 27 sep. 1983 : *Après la moisson* 1928, h/t (135x207) : **DKK 16 000** – Copenhague, 25 sep. 1985 : *Paysage aux meules de foin* 1938, h/t (135x135) : **DKK 21 000** – Copenhague, 23 mars 1988 : *Retour des chalutiers dans le pont de Kerteminde* 1907, h/t (55x68) : **DKK 15 5000** – Copenhague, 25 oct. 1989 : *Jardin au mois d'Aout* 1921, h/t (78x99) : **DKK 4 500** – Copenhague, 9 mai 1990 : *Les champs à l'époque des moissons* 1914, aquar. (47x61) : **DKK 6 000** – Copenhague, 31 oct. 1990 : *Paysage d'été*, h/t (70x97) : **DKK 16 000** – Copenhague, 6 mars 1991 : *Le coucher* 1889, h/t (74x97) : **DKK 30 000** – Copenhague, 2 avr. 1992 : *Vue des champs en hiver* 1917, aquar. (50x65) : **DKK 5 400** ; *Travailleurs dans les champs* 1931, h/t (135x175) : **DKK 19 000** – Copenhague, 21 oct. 1992 : *Prairies au printemps* 1909, h/t (60x80) : **DKK 8 500** ; *Paysage estival* 1937, h/t (56x67) : **DKK 14 000** – Copenhague, 20 oct. 1993 : *Cour de ferme en hiver* 1923, h/t (64x88) : **DKK 7 200** – Copenhague, 19 oct. 1994 : *Maison au bord du fleuve* 1910, aquar. (50x69) : **DKK 5 900** – Copenhague, 27 avr. 1995 : *Jardin zoologique* 1915, aquar. (55x70) : **DKK 4 100** – Copenhague, 17 avr. 1996 : *Paysage campagnard* 1937, h/t (67x96) : **DKK 8 500** – Copenhague, 17 avr. 1997 : *Korntraver* 1927, h/t (74x106) : **DKK 10 500** – Copenhague, 12-14 nov. 1997 : *Pilehegn* 1917, aquar. (45x63) : **DKK 9 000**.

SYBERG Hans
Né le 21 février 1895 à Svanninge. xxᵉ siècle. Danois.
Sculpteur.
Il était le fils de Fritz Syberg et fut l'élève de Kaj Nielsen. Il vit et travaille à Valby près de Copenhague.
Musées : Paris (Maison des étudiants danois).

SYBOLD Abraham
Né en 1592. Mort en 1646 à Berne. xviiᵉ siècle. Actif à Berne. Suisse.
Peintre verrier.
Il était le fils et l'élève de Samuel.

SYBOLD Samuel
Mort en 1615. xviᵉ-xviiᵉ siècles. Suisse.
Peintre verrier.
Père d'Abraham, il travailla à Berne à partir de 1568.
Musées : Zurich : *Jugement de Salomon.*

SYBRANDS Wilfried
Né le 15 avril 1912 à Gand. xxᵉ siècle. Belge.
Peintre de portraits, nus, paysages, marines, natures mortes, graveur, dessinateur.
Il fut élève de l'académie des beaux-arts de Gand, où il enseignera de 1936 à 1974. Il reçut le prix Jeanne Pipyn en 1933. Il voyagea en France, Italie et Espagne.
Musées : Gand.

SYBRANDSZ Diederik
Originaire de Malines. xviᵉ siècle. Belge.
Sculpteur.

SYBRANTSZ Pieter
xviᵉ siècle. Hollandais.
Peintre de marines.
Il devint en 1599 bourgeois d'Amsterdam.

SYCHKOV Fedor Vasil'evich, ou **Vasilievich**
Né en 1870. Mort en 1958. xixᵉ-xxᵉ siècles. Russe.
Peintre de compositions animées.
Ventes Publiques : Londres, 6 oct. 1988 : *Jeunes paysannes s'amusant dans la neige* 1932, h/t (53x68,5) : **GBP 6 380** – Londres, 14 nov. 1988 : *Fillette debout dans les tournesols* 1906, h/t (52,5x44,5) : **GBP 1 650** – New York, 20 fév. 1992 : *Amies* 1930, h/t (81,9x59,7) : **USD 6 600** – Londres, 17 juil. 1996 : *La traversée du ruisseau*, h/t (81,5x99) : **GBP 6 900** – Londres, 19 déc. 1996 : *Jeune femme le jour de son mariage* 1912, h/t (38,5x24) : **GBP 3 680**.

SYCHRA Franz
Né en 1863 à Aussig-sur-l'Elbe. Mort le 12 novembre 1926 à Prague. xixᵉ-xxᵉ siècles. Tchécoslovaque.
Peintre.

SYCHRA Vladimir
Né le 28 janvier 1903 à Prague. Mort en 1963 à Prague. xxᵉ siècle. Tchécoslovaque.
Peintre de genre, nus, natures mortes, graveur, peintre de décorations murales, peintre de cartons de mosaïques, peintre de cartons de tapisseries. Tendance surréaliste puis tendance réaliste.

Il fut élève de l'École des Arts Appliqués de Prague, en 1921-1923, puis de l'Académie des Beaux-Arts, de 1923 à 1927, où il deviendra professeur lui-même. Il a effectué des voyages d'étude en France, en Italie, à Londres, en Hollande.
Il a exposé à plusieurs reprises, surtout à Prague, en 1933, 1939, 1942, 1943 ; à Ostrava, 1938 ; à Brno, 1946.
Dans sa période des années 30, il peignait des visions fantastiques, apparentées à l'art courant surréaliste, très actif dans les milieux artistiques pragois, dans lesquels imaginaire et réel se conjuguaient comme en une prémonition des horreurs de la guerre prochaine. Après une longue maladie, il se remit à peindre en 1945, avec des scènes de café, des natures mortes, de nombreux nus robustes et sensuels, tous sujets plus proches de la réalité, encore souvent traités dans l'éclairage dramatisant du clair-obscur. Parmi les travaux de décoration : une mosaïque pour la salle de l'Armée soviétique, dans le Mausolée National de Prague : une tapisserie pour la salle des actes et fêtes de l'Université Charles IV, également à Prague.
Bibliogr. : B. Dorival, sous la direction de... : *Peintres Contemporains*, Mazenod, Paris, 1964 – *Catalogue de l'exposition* – *Cinquante ans de peinture tchécoslovaque, 1918-1968*, Musées tchécoslovaques, 1968.

SYDAU Christian. Voir **SIDAW**

SYDER Daniel. Voir **SEITER**

SYDER Johann Gottfried. Voir **SEUTTER**

SYDNEY PRIOR HALL Mary, Mrs. Voir **GOW**

SYDNEY URE SMITH O. B. E.
Né en 1887 à Londres. xxe siècle. Australien.
Peintre de paysages, aquarelliste.
Il est vice-président de l'Académie d'Art d'Australie et président de la Société des Artistes australiens. La baie de Rusccutter (Sydney) a été plusieurs fois le thème de son inspiration.

SYDOW Christian. Voir **SIDAW**

SYDOW F. G. Voir **SIDEAU**

SYDOW Johanna von, née **Nohren**
Morte en 1792. xviiie siècle. Allemande.
Peintre.
Elle devint en 1784 membre de l'Académie de Berlin à la demande de Frédéric Guillaume II, dont elle fit le portrait avec ceux d'autres membres de la famille royale. Le nouveau Palais de Potsdam conserve d'elle un portrait au pastel de l'acteur *Le Kain* (1781).

SYDU Michael. Voir **ZITTOZ**

SYER John, le Jeune
Né le 17 mai 1815 à Atherstone. Mort le 25 juin 1885 à Exeter.
xixe siècle. Britannique.
Peintre de scènes de genre, paysages d'eau, paysages, aquarelliste, dessinateur.
Il fut élève à Bristol et commença ses études artistiques avec le peintre en miniature Fisher. Il s'inspira à la fois de David Cox et de William Muller. Il fut membre du Royal Institute de Londres, et fit partie de la Society of British Artists jusqu'en 1875. Il exposa aussi à la Royal Academy de 1852 à 1857.
Musées : Birmingham : *Un naufrage sur la côte du pays de Galles* – Bristol : *Le wagon de bois* – *Tantallan Castle* – *Sur la rivière Lyd* – *Sur la route de Harlech* – *Navires au large de Clovelly* – *Une aquarelle* – Leeds : *La vallée de Liedr* – Leicester : *Paysage* – Sheffield : *Parmi les joncs* – *Paysage du North Wales*.
Ventes Publiques : Londres, 1894 : *Près de Bormouth*, aquar. : **FRF 1 825** ; *Sur la Cornway : la première neige*, aquar. : **FRF 5 250** – Londres, 1898 : *Bettws-y-Coed* : **FRF 4 325** – Londres, 1898 : *Bords de rivière au pays de Galles* : **FRF 3 525** – Londres, 1899 : *Vue d'Exeter* : **FRF 4 975** – Londres, 29 jan. 1910 : *Champ de blé dans le Devonshire* 1873 : **GBP 5** – Londres, 18 avr. 1910 : *Vallée à Bettws-y-Coed* : **GBP 6** – Londres, 23 mai 1910 : *Clifton Bristol* : **GBP 23** – Londres, 17 juin 1910 : *Bormouth* 1875 : **GBP 73** – Londres, 29 avr. 1911 : *Près de Bormouth* 1874 : **GBP 68** ; *Près de Snowdon* : **GBP 27** – Londres, 9 déc. 1921 : *Bettws-y-Coed*, dess. : **GBP 23** ; *Clovelly* : **GBP 52** ; *Le Ruisseau Ffestiniog* : **GBP 46** – Londres, 3 avr. 1922 : *Sur la Lyd*, dess. : **GBP 14** – Londres, 4 avr. 1924 : *Rivière du Devonshire*, dess. : **GBP 46** – Londres, 14 nov. 1924 : *Près de Harlech*, dess. : **GBP 24** – Londres, 31 juil. 1968 : *Le sauvetage* : **GBP 500** – Londres, 15 déc. 1972 : *Paysage fluvial* : **GNS 500** – Londres, 9 avr. 1974 : *Llyn Idwal, North Wales* : **GBP 900** – Londres, 14 mai 1976 : *Bettws-y-*

Coed, North Wales 1872, h/t (91,5x152,3) : **GBP 2 200** – Londres, 13 oct. 1978 : *Le Romulus sous la brise*, h/t (43,5x74) : **GBP 1 900** – Londres, 3 juil 1979 : *La Côte aux environs de Barmouth* 1875, h/t (83x135) : **GBP 3 200** – Londres, 20 oct. 1981 : *Le Naufrage* 1865, h/t (101,5x142) : **GBP 3 100** – New York, 11 avr. 1984 : *Windsor from Eton* 1881, h/t (103,5x137) : **USD 14 000** – Londres, 3 juin 1988 : *Près de la barrière* 1862, h/t (26,5x46) : **GBP 1 980** – Édimbourg, 30 août 1988 : *Un pêcheur dans les Highlands* 1884, h/t (102x151) : **GBP 1 430** – Londres, 22 sep. 1988 : *La côte de Minehead*, h/t (38x54,5) : **GBP 770** – Londres, 2 juin 1989 : *Troupeau de moutons arrivant au ruisseau*, h/t (71x91) : **GBP 1 045** – Londres, 3 nov. 1989 : *Paysage de montagnes animé* 1876, h/t (52x77,5) : **GBP 1 650** – New York, 19 juil. 1990 : *Un bassin à saumons sur la Lledr* 1881, h/t (91,6x122) : **USD 1 870** – Londres, 18 oct. 1990 : *Le port de Peel dans l'île de Man* 1886, h/t (76x127) : **GBP 2 640** – Édimbourg, 28 avr. 1992 : *Un pêcheur dans un torrent des Highlands* 1884, h/t (102x151) : **GBP 1 430** – Stockholm, 19 mai 1992 : *Promenade familiale dans la forêt en été*, h/t (127x107) : **SEK 21 000** – Londres, 12 nov. 1992 : *Un sentier sous les pins* 1865, h/t (127x107) : **GBP 7 700** – New York, 22-23 juil. 1993 : *Pêche à la ligne dans les Highlands* 1884, h/t (104,1x152,4) : **USD 2 588** – Paris, 8 déc. 1993 : *Scène de village*, h/t (30x38,5) : **FRF 8 900** – New York, 20 juil. 1994 : *Paysage* 1839, h/t (40x52,7) : **USD 2 070** – Londres, 2 nov. 1994 : *Vue de Douglas dans l'île de Man* 1868, h/t (75,5x127) : **GBP 3 220** – Londres, 11 oct. 1995 : *Personnages sur un chemin forestier* 1859, h/cart. (23,5x32,5) : **GBP 805** – Londres, 30 mai 1996 : *Après la tempête* 1898, h/t (85x135,5) : **GBP 1 955** – Londres, 7 juin 1996 : *Façade ouest de la cathédrale de Wells, église de Saint-Cuthbert au premier plan* 1846, h/t (66x91,4) : **GBP 4 600** – Londres, 15 avr. 1997 : *Ruisseau dans les rochers* 1864, h/t (104x132,5) : **GBP 5 750**.

SYFER Conrad. Voir **SEYFER**

SYFER Hans. Voir **SEYFER**

SYFREWAS Johannes. Voir **SIFIRWAS**

SYKES
Mort vers 1733. xviiie siècle. Actif à Londres. Britannique.
Peintre de portraits, miniaturiste et amateur d'art.
Il eut de son temps une réputation considérable. Il était grand amateur d'œuvres d'art. Sa collection fut vendue en 1733, après sa mort.

SYKES, Mrs
xixe siècle. Active à Londres. Britannique.
Miniaturiste.
De 1840 à 1859 cette artiste exposa sept miniatures à la Royal Academy.

SYKES Charles
Né en 1875. Mort en 1950. xxe siècle. Britannique.
Sculpteur de sujets allégoriques. Art-Nouveau.
On lui doit *The Spirit of Ecstasy*, cette *Dame d'Argent* emblème de Rolls Royce. Il est représentatif de l'Art Nouveau de la Belle époque.
Ventes Publiques : Londres, 23 juin 1976 : *L'esprit de l'extase* 1911, bronze (H. 16) : **GBP 180** – New York, 22 nov. 1977 : *The spirit of Ecstasy* vers 1911, bronze (H. avec socle 77,5) : **USD 6 500** – Washington D. C., 24 avr. 1978 : *The Spirit of Ecstasy* 1910, bronze (H. 62,5) : **USD 5 000** – Washington D. C., 25 févr 1979 : *The Spirit of Ecstasy*, bronze, emblème de Rolls Royce (H. 62,5) : **USD 6 300** – Montréal, 19 nov. 1991 : *Allégorie de « l'Extase »*, bronze (H. 53,3) : **CAD 7 000**.

SYKES F. ou **Sikes**
xviiie siècle. Actif à York. Britannique.
Portraitiste.
Il exposa en 1776.

SYKES Frans ou **Sikes**
xviiie siècle. Britannique.
Miniaturiste.
Il rédigea son testament à La Haye le 27 août 1743.

SYKES George ou **Sikes**
xviiie siècle. Britannique.
Miniaturiste.
Il travailla à Paris de 1752 à 1755 et fut peintre à la cour du prince d'Orléans. Il exposa à Londres en 1761, 1770, 1773 et 1774.

SYKES Godfrey
Né en 1825 à Malton. Mort le 28 février 1866 à Londres. xixe siècle. Britannique.
Peintre de genre, dessinateur d'ornements et décorateur.

Il fut d'abord élève de l'École d'Art de Sheffield, puis d'Alfred Stevens. Il peignit des intérieurs, des forges, etc. Il fut employé à Londres à la décoration du South Kensington Museum, actuel Victoria and Albert Museum. On voit de lui dans ce musée une *Forge*, une *Adoration des bergers* et un grand nombre de dessins.

SYKES Henry
XIXᵉ siècle. Actif à Londres. Britannique.
Peintre de paysages.
Membre de la Society of British Artists. Exposa à Londres, notamment à la Royal Academy et à Suffolk Street, à partir de 1877. Le Musée de Cardiff conserve de lui : *L'attelage du garçon laboureur*.

SYKES Mariane
XIXᵉ siècle. Active à Londres. Britannique.
Miniaturiste.
Elle exposa à Londres, à partir de 1876, notamment à la Royal Academy et à Suffolk Street.

SYKOBA Zdenek. Voir SYKORA

SYKORA Eduard
Né le 5 juillet 1835 à Morawetz. Mort le 25 août 1897 à Brunn. XIXᵉ siècle. Autrichien.
Peintre et sculpteur.
Élève de Franz Richter et de Fr. Stiasny. Le Musée de Brunn conserve de lui un *Portrait de femme*.

SYKORA Ivo
Né le 14 avril 1948. XXᵉ siècle. Tchécoslovaque.
Peintre de compositions animées, paysages, sculpteur.
Tendance expressionniste.
Il participe à des expositions collectives, dans son pays et à l'étranger. Il montre ses œuvres dans des expositions personnelles régulièrement en Tchécoslovaquie depuis 1977.
Il peint des paysages de Moravie, en particulier les monts Beskydy, des vues de village, dans un style poétique, primitif, décomposant le réel selon des formes et structures, simplifiant le dessin. Il réalise aussi des sculptures sur bois.
VENTES PUBLIQUES : PARIS, 31 jan. 1993 : *La tour de Streinberg* 1990, h/pan. (100x100) : FRF 6 000.

SYKORA Wenzel ou Vaclav. Voir SEYKORA

SYKORA Zdenek
Né en 1920 à Louny. XXᵉ siècle. Tchécoslovaque.
Peintre, sculpteur, auteur de performances, graveur.
Abstrait-constructiviste.
Il représente avec Demartini, Kubicek et Malich, le constructivisme en Tchécoslovaquie dans les années soixante-dix.
Depuis 1949, il participe à des expositions collectives : régulièrement à Prague ; 1965 Städtische Kunstgalerie de Bochum ; 1966 académie des beaux-arts de Berlin ; 1968 Documenta de Kassel, Biennale de gravure à Tokyo ; 1969, 1971 Biennale de Nuremberg ; 1971 musée d'Art moderne de São Paulo ; 1977 Stedelijk Van Abbemuseum d'Eindhoven ; *Aspects historiques du constructivisme et de l'art concret* au musée d'Art moderne de la Ville de Paris ; *Les Pragois – Les Années de silence*, à Paris et Angers organisée par PACA présences de l'art contemporain. Il montre ses œuvres dans des expositions personnelles : 1952, 1970 Prague ; 1983 musée de Chambéry ; 1986 Josef Albers Museum de Bottrop.
De 1961 à 1963, il a réalisé des tableaux à partir d'un ordinateur, développant notamment, à partir du blanc et du noir et de formes géométriques élémentaires, des compositions systématiques. Il a ensuite évolué avec des œuvres plus libres, enchevêtrements aériens de lignes.
BIBLIOGR. : Catalogue de l'exposition : *Aspects historiques du constructivisme et de l'art concret*, Musée d'Art moderne de la Ville, Paris, 1977 – Catalogue de l'exposition : *Les Pragois – Les Années de silence*, PACA, Angers, 1990.

SYL. Voir ZYL

SYLEVELT Antony Van. Voir ZYLVELT

SYLL Reyer Van
XVIᵉ-XVIIᵉ siècles. Actif à Utrecht entre 1597 et 1600. Hollandais.
Peintre verrier.

SYLOE Diego et Gil de. Voir SILOE

SYLVA. Voir aussi SILVA

SYLVA Charles Émile de
Né le 13 février 1818 à Douai. XIXᵉ siècle. Français.

Peintre de portraits.
Élève d'Abel de Pujol et de Picot. Entré à l'École des Beaux-Arts le 19 septembre 1842.
Exposa au Salon en 1865 et 1868.
MUSÉES : DOUAI : *Portrait du président J. M. de Warenghien de Flory*.

SYLVAIN Christian
Né le 6 mars 1950 à Eupen. XXᵉ siècle. Belge.
Peintre de compositions animées, technique mixte, peintre à la gouache, peintre de collages, sculpteur, graveur, lithographe, sérigraphe, dessinateur. Art-brut.
Il est autodidacte de formation, mais eut des contacts avec Paul Delvaux. Au cours de plusieurs périodes, sa technique a évolué. Dans la manière qui semble définitive, il a mis au point une technique qui lui permet de réaliser des multiples à cinquante exemplaires différents les uns des autres : à partir d'un dessin sérigraphié, les étapes de la mise en couleurs de tous les éléments sont les mêmes, mais avec des couleurs différentes pour chaque exemplaire.
Il participe à d'innombrables expositions collectives, dont : 1972 Bruxelles, Festival d'Art Fantastique ; 1982, Foires Internationales de Bâle et Stockholm ; 1985 Londres, Art Fair ; 1985, 1986 Gand, Linéart ; 1986, Foires Internationales de Los Angeles et Gand ; 1990 Stockholm, Barcelone, New York, Art Fair ; etc.
Il montre surtout ses réalisations dans de non moins nombreuses expositions personnelles, d'entre lesquelles : 1988 Anvers et Bruxelles, Fondation BP ; 1990 Aix-en-Provence, Fondation Vasarely ; 1990, 1992 Paris, galerie du Centre ; 1992 Aix-la-Chapelle, Forum Ludwig ; 1993 Knokke-le-Zoute, galerie Guy Pieters ; etc.
Ses débuts, dans les premières années soixante-dix, furent marqués par la tradition surréaliste, toujours très présente en Belgique. En 1976, il aborda la sculpture, puis la musique. En 1979, rompant avec l'esthétique surréaliste qu'il jugeait périmée ou usée, il eut une période hyperréaliste, dont il appliquait la technique à la reproduction minutieuse de façades de maisons délabrées, couvertes de graffitis et d'affiches lacérées. Enfin, depuis les dernières années quatre-vingt, il prête son savoir-faire et son habileté à des malades mentaux, vrais ou supposés, pour exprimer symboliquement leur mal d'être, accumulant dans l'esprit du collage, mais dans une élégante ordonnance, des sortes d'idéogrammes signifiant bonshommes (l'ennemi), animaux divers, oiseaux (la liberté), avions (ailleurs), arbres (dehors), cages, barreaux (dedans), pages d'écritures enfantines (expliquer), croix rouges (interdit), inscriptions de mots (crier), et photo du malade inspirateur comme un semblant d'authentification du document. À force de feintes maladresses, il s'est créé un, paradoxalement très habile, style « art brut », pour des peintures-collages et des sculptures-assemblages, dont on peut suspecter le primitivisme forcé. ■ J. B.
BIBLIOGR. : Catalogue de l'exposition *Christian Sylvain*, BP gallery, Anvers, Bruxelles, 1988 – Catalogue de l'exposition *Christian Sylvain*, gal. du Centre, Paris, 1990 – Catalogue de l'exposition *Christian Sylvain*, Ludwig Forum, Aix-la-Chapelle, 1991-92 – Catalogue de l'exposition *Christian Sylvain*, gal. du Centre, Paris, 1992 – Catalogue de l'exposition *Sylvain « Paroles d'Autiste »*, Knokke-le-Zoute, 1993, bonne documentation.
MUSÉES : AIX-LA-CHAPELLE (Ludwig Forum) – BARCELONE (Mus. d'Art Mod.) – BERNE (Kunstmus.) – BRUXELLES (Mus. roy. des Beaux-Arts) – CHARLEROI (Mus. des Beaux-Arts) – COURTRAI (Mus. des Beaux-Arts) – HAÏFA (Mus. d'Art Mod.) – LAUSANNE (Mus. canton.) – LIÈGE (Mus. d'Art Wallon) – LA LOUVIÈRE (Mus. Ianchelevici) – LA LOUVIÈRE (Mus. de la Gravure) – MONS (Mus. des Beaux-Arts) – OSTENDE (Mus. prov. pour l'Art Mod.) – PRAGUE (Gal. Nat.) – STUTTGART (Neue Stadtgal.) – TOURNAI (Mus. des Beaux-Arts) – TROYES (Mus. d'Art Mod.) – VERVIERS (Mus. des Beaux-Arts) – VIENNE (Mus. Mod. Kunst).
VENTES PUBLIQUES : PARIS, 31 oct. 1990 : *Mathieu et l'oiseau noir* 1989, techn. mixte et collage (100x120) : FRF 18 000.

SYLVAIN Edme ou Jean Edme. Voir SILVAIN

SYLVAIN Marcel
XXᵉ siècle. Français.
Peintre.
Il reçut une médaille d'argent au Salon des Artistes Français, en 1935.

SYLVELT. Voir ZYLVELT

SYLVESTER. Voir aussi SILVESTER

SYLVESTER Frederik Oakes
Né le 8 octobre 1869 à Brockton (Mass.). Mort le 2 mars 1915 à Saint Louis. XIXᵉ-XXᵉ siècles. Américain.
Peintre de paysages.
Musées : SAINT LOUIS : *deux œuvres.*
Ventes Publiques : NEW YORK, 30 nov. 1990 : *Reflets au jour finissant*, h/t (45x59) : **USD 11 000.**

SYLVESTER Harry Elliott
Né en 1860 à North Easton. Mort le 22 février 1921 à Boston. XIXᵉ-XXᵉ siècles. Américain.
Peintre, graveur.
Il fut élève de John A. Fraser, Childe Hassam et G. E. Johnson. Il pratiqua la gravure sur bois.
Musées : PITTSBURGH (Inst. Carnegie).

SYLVESTER Joh. Gustaf
XVIIIᵉ-XIXᵉ siècles. Suédois.
Sculpteur.
Il exposa à l'Académie des Beaux-Arts de Stockholm de 1791 à 1805.

SYLVESTER John
XVIᵉ siècle. Actif à Londres. Britannique.
Peintre.

SYLVESTRE. Voir aussi **SILVESTRE**

SYLVESTRE Joseph Noël
Né le 24 juin 1847 à Béziers (Hérault). Mort le 8 novembre 1926 à Paris. XIXᵉ-XXᵉ siècles. Français.
Peintre d'histoire, sujets religieux, batailles, scènes de genre, portraits, dessinateur.
Il fut élève d'Alexandre Cabanel. Il obtint le troisième prix de Rome en 1869. Il exposa au Salon de Paris, à partir de 1873, puis Salon des Artistes Français, dont il devint sociétaire en 1883. Il reçut une médaille de deuxième classe en 1876, une médaille de première classe en 1876 et le prix du Salon la même année.
Il réalisa des tableaux historiques, puis, pour répondre à la demande qui venait de l'étranger, il se mit à peindre des scènes de genre des XVIIᵉ et XVIIIᵉ siècles et des mousquetaires.

SYLVESTRE Pinx
SYLVESTRE

Musées : AMIENS (Mus. de Picardie) : *Locuste essayant des poisons sur un esclave en présence de Néron* – AUXERRE : *Le soldat de Marathon* – BÉZIERS : *Mort de Sénèque* – *Bataille de Trasimène* – *Assassinat de Trencavel* – SÈTE : *Sac de Rome par les Vandales en 410.*
Ventes Publiques : PARIS, 6 avr. 1949 : *Mousquetaire et servante* : **FRF 9 000** – PARIS, 28 oct. 1949 : *L'apparition de Tobie*, sanguine : **FRF 4 500** – LONDRES, 11 oct. 1995 : *Les trois mousquetaires*, h/t (92x73) : **GBP 1 725.**

SYLVESTRE Jules Ernest
Né au XIXᵉ siècle à Paris. XIXᵉ siècle. Français.
Graveur à l'eau-forte et lithographe.
Figurant au Salon des Artistes Français, il obtint une mention honorable en 1889.

SYLVIANE. Voir **JOUENNE Sylviane**

SYLVIUS. Voir aussi **BOS, BOSCH, BOSCHE, BOSSCHE**

SYLVIUS Antonius ou **Silvius** ou **Bosch** ou **Bosche.** Voir l'article **ANTONIANO Silvio**

SYLVIUS Balthazar. Voir **BOS**

SYLVIUS Cornelis. Voir **BOSCH**

SYLVIUS Johan
Mort en 1695. XVIIᵉ siècle. Suédois.
Peintre.
Il a peint des fresques à Londres ainsi qu'au château de Drottningholm.

SYMAO. Voir **SIMAO**

SYMAR. Voir **SIMAR**

SYMBOLISME. Voir entre autres : **NABIS** ; et notamment : **ENSOR James, GAUGUIN Paul, HODLER Ferdinand, MOREAU Gustave, MUNCH Edvard, PUVIS DE CHAVANNES Pierre, REDON Odilon,** etc.

SYME John
Né en 1794 ou 1795 à Édimbourg. Mort en 1861 à Édimbourg. XIXᵉ siècle. Britannique.
Peintre de portraits.
Neveu de Patrick Syme. Il commença ses études à la Trustees Academy, à Edimbourg, puis fut élève de Raeburn. Il fut un des fondateurs de la Royal Scottish Academy. Après la mort de Raeburn, dont il termina plusieurs œuvres inachevées, il fut connu comme un des meilleurs portraitistes d'Edimbourg.
Musées : ÉDIMBOURG : *Autoportrait – Portrait du révérend John Barclay.*
Ventes Publiques : LONDRES, 9 nov. 1994 : *Portrait de Lionel et George Bonar, vêtus de costumes de velours brun avec leur chien assis près d'eux*, h/t (156,5x117) : **GBP 4 140** – LONDRES, 12 nov. 1997 : *Portrait de Hugh Stewart*, h/t (144x108) : **GBP 5 980.**

SYME Patrick
Né le 17 septembre 1774 à Edimbourg. Mort en juillet 1845 à Dollar. XVIIIᵉ-XIXᵉ siècles. Britannique.
Peintre de fleurs.
En 1803, à la mort de son frère, professeur de dessin à Edimbourg, il recueillit sa clientèle. Patrick était un savant en même temps qu'un artiste, versé dans la botanique et dans l'entomologie. Il publia plusieurs ouvrages : *Pratical direction for Larsaing Flower Drowing, Treatise on British Song Bird* (1823). Il exposa à Londres, à la Royal Academy en 1817.

SYMEN Petrus. Voir **SIMONS Peeter**

SYMENOS I
IVᵉ siècle avant J.-C. Antiquité grecque.
Sculpteur.
Pline le nomme au nombre des artistes qui représentaient des athlètes et des chasseurs.

SYMENOS II
Antiquité grecque.
Sculpteur.
Il était le fils de Damstratos.

SYMENS Johann ou **Simens**
XVᵉ siècle. Actif à Hambourg entre 1466 et 1478. Allemand.
Peintre verrier.

SYMIAN Victor Étienne
Né le 19 septembre 1826 à Saint-Gengoux-le-Royal. XIXᵉ siècle. Français.
Sculpteur.
Élève de Jouffroy ; très jeune, il alla à Tournus, où il travailla avec l'abbé Garnier. Il dut partir pour l'Angleterre, où il fonda une fabrique de poteries artistiques. Le Musée de Tournus conserve de lui deux portraits de *Greuze* (statuette et buste), *Velléda* et *Le Souvenir.*

SYMMERS Agnes Louise
Née le 23 juin 1889 en Virginie. XXᵉ siècle. Américaine.
Peintre.
Elle fut élève de Frank V. Du Mond, Charles W. Hawthorne et André Lhote puis membre du Pen and Brush Club.

SYMOENS Hans. Voir **SIMOENS**

SYMOENS Liévin. Voir **SIMOENS**

SYMONDS. Voir aussi **SIMON**

SYMONDS Abraham. Voir **SIMON**

SYMONDS Symon
XVIᵉ siècle. Britannique.
Peintre verrier.

SYMONDS Thomas. Voir **SIMON**

SYMONDS William Robert
Né en 1851 à Oxford. Mort le 7 novembre 1934. XIXᵉ-XXᵉ siècles. Britannique.
Peintre de genre, portraits.
Il vécut et travailla à Ipswich. Il exposa à Londres à partir de 1876, notamment à la Royal Academy de 1905 à 1926. Il reçut une mention honorable en 1899 à Paris.
Musées : BRADFORD : *La Princesse et la Grenouille* – LONDRES (coll. Wallace) : *Portrait de sir Richard Wallace.*
Ventes Publiques : LONDRES, 3 juil 1979 : *Miranda* 1905, h/t (90x70) : **GBP 1 300** – LONDRES, 24 mars 1981 : *Fillette et son chien* 1904, h/t (110,5x91,5) : **GBP 6 000** – LONDRES, 24 juin 1983 : *Heather* 1904, h/t (111x93,3) : **GBP 7 000.**

SYMONET. Voir **SIMONET**

SYMONS. Voir aussi **SIMON** et **SIMONS**

SYMONS Abraham. Voir **SIMON**

SYMONS D.
XVIIe siècle. Actif à Groningue. Hollandais.
Peintre.

SYMONS Gardner Georg
Né en 1863 à Chicago (Illinois). Mort le 13 janvier 1930 à Hillside (New Jersey). XIXe-XXe siècles. Américain.
Peintre de paysages.
Il fut élève de l'Institut des Beaux-Arts de Chicago. Il voyagea à Paris, Munich et Londres. Il travailla à New York.

Gardner Symons

MUSÉES : NEW YORK (Metropolitan Mus.) : *Rivière d'opale.*
VENTES PUBLIQUES : NEW YORK, 14 oct. 1943 : *Trois ombres* : **USD 375** – NEW YORK, 4 mai 1944 : *Sommet de la colline* : **USD 375** – PARIS, 23 déc. 1949 : *Récifs* : **FRF 1 400** – LOS ANGELES, 28 fév. 1972 : *Paysage de neige* : **USD 1 200** – NEW YORK, 28 oct. 1976 : *Paysage d'hiver, Pennsylvanie*, h/t (76,2x96,5) : **USD 3 200** – NEW YORK, 27 oct. 1977 : *Paysage de neige*, h/t (128,3x153) : **USD 9 000** – NEW YORK, 4 déc. 1980 : *Bords de rivière sous la neige*, h/t (127x152,4) : **USD 20 000** – PORTLAND, 7 nov. 1981 : *Silence et lumière du soir*, h/t (127x152,5) : **USD 11 000** – NEW YORK, 18 mars 1983 : *Early spring landscape*, h/t (127,1x153,3) : **USD 11 000** – NEW YORK, 30 mai 1985 : *Paysage fluvial en hiver*, h/t (63,5x76,8) : **USD 8 000** – NEW YORK, 4 déc. 1986 : *Première neige*, h/t (64,1x76,8) : **USD 19 000** – NEW YORK, 30 sep. 1988 : *Forêt en hiver*, h/t cartonnée (37,4x45,1) : **USD 2 750** – NEW YORK, 28 sep. 1989 : *Chemin à flanc de colline*, h/t (63,4x76,2) : **USD 20 900** – NEW YORK, 1er déc. 1989 : *Sapins en hiver*, h/t (76,2x91,4) : **USD 22 000** – LOS ANGELES-SAN FRANCISCO, 7 fév. 1990 : *Maison parmi les arbres*, h/cart. (38x28) : **USD 5 225** – NEW YORK, 16 mars 1990 : *Les nuances du coucher de soleil*, h/t (101,8x127,8) : **USD 33 000** – NEW YORK, 24 mai 1990 : *« Four Mile Creek »*, h/t (101,6x137,1) : **USD 52 250** – LOS ANGELES-SAN FRANCISCO, 12 juil. 1990 : *Cour de ferme*, h/pan. (15x21) : **USD 2 200** : *Les falaises dans l'ouest*, h/t, une paire (chaque 25,5x20) : **USD 6 050** – LOS ANGELES-SAN FRANCISCO, 10 oct. 1990 : *La grange rouge*, h/cart. (25,5x30) : **USD 3 850** – NEW YORK, 26 sep. 1991 : *Lumière de fin du jour sur un paysage enneigé*, h/t (64x76,5) : **USD 17 600** – NEW YORK, 27 mai 1993 : *Les environs de Springfield dans le Massachusetts*, h/t (63,5x76,2) : **USD 28 750** – NEW YORK, 28 nov. 1995 : *Neige précoce*, h/t (63,8x76,3) : **USD 8 625** – NEW YORK, 5 juin 1997 : *Scène d'hiver, canal près de New Hope, Pennsylvanie*, h/t (76,2x96,5) : **USD 36 800**.

SYMONS Jan. Voir **SIMOENS Hans**

SYMONS Peeter. Voir **SIMONS**

SYMONS Thomas. Voir **SIMON**

SYMONS William Christian
Né le 28 novembre 1845 à Londres. Mort le 4 septembre 1911 à Londres. XIXe-XXe siècles. Britannique.
Peintre d'histoire, scènes de genre, paysages.
Membre de la Society of British Artists, il exposa à Londres à partir de 1863, notamment à la Royal Academy et à Suffolk Street.
MUSÉES : SHEFFIELD : *A l'heure de la mort – Revenant de la guerre.*
VENTES PUBLIQUES : LONDRES, 20 juin 1972 : *Les jeunes électriciens* : **GBP 550** – LONDRES, 3 juil. 1979 : *Enfants jouant aux soldats*, h/t (110x84) : **GBP 2 200** – LONDRES, 12 nov. 1992 : *Une histoire de pêcheur 1882*, h/t (112x86,5) : **GBP 4 950**.

SYMONSZ Claes. Voir **WATERLAND Claes Symonsz**

SYMONSZ Jan
XVIIe siècle. Actif à Amsterdam. Hollandais.
Peintre.

SYMONSZ Lieven
XVIIe siècle. Hollandais.
Peintre.

SYMPSON Joseph, l'Ancien. Voir **SIMPSON**

SYNACHER Abraham ou **Sinnacher**
Né en 1663. Mort en 1735 à Augsbourg. XVIIe-XVIIIe siècles. Allemand.
Peintre.

SYNAVE Tancrède
Né le 6 février 1860 à Paris. XIXe-XXe siècles. Français.

Peintre de sujets allégoriques, scènes de genre, portraits, dessinateur.
Il fut élève de Benjamin Constant, de Jules Lefebvre et de Gabriel Ferrier. Il figura, à Paris, au Salon des Artistes Français ; au Salon des Indépendants, depuis 1911. Il obtint une mention honorable en 1894, une médaille de troisième classe en 1901.
Il a peint surtout des jeux d'enfants, des scènes de théâtre et des portraits féminins, dont la violence colorée rappelle l'œuvre d'Henri Lebasque et de Louis Valtat.

Tancrède Synave

BIBLIOGR. : Gérald Schurr, in : *Les Petits Maîtres de la peinture 1820-1920, valeur de demain*, Les Éditions de l'Amateur, t. II, Paris, 1982.
VENTES PUBLIQUES : PARIS, 14-15 déc. 1925 : *La femme au chat*, pl. reh. : **FRF 405** – PARIS, 20 fév. 1926 : *Enfants au Parc Monceau* : **FRF 270** – NICE, 11 mai 1943 : *Au piano* : **FRF 2 100** – PARIS, 12 fév. 1947 : *Jeune femme prenant une tasse de thé dans un jardin* : **FRF 500** – PARIS, 24 nov. 1950 : *Jeunesse* : **FRF 1 300** – NEW YORK, 28 oct. 1986 : *Un coin de café, le soir*, h/t (130x142) : **USD 29 000** – PARIS, 24 mars 1988 : *Tancrède 1929*, h/pan. (26,5x35) : **FRF 5 000** – PARIS, 5 nov. 1993 : *Jeune femme 1933*, h/t (38x55) : **FRF 11 000** – PARIS, 27 juin 1994 : *Baigneuses et petits satyres*, h/t (125,5x181) : **FRF 58 000** – NEW YORK, 20 juil. 1994 : *Enfants jouant sur une terrasse*, h/t (146,4x107,3) : **USD 5 750** – NEW YORK, 16 fév. 1995 : *Jeune femme avec un éventail blanc 1921*, h/t (97,8x97,8) : **USD 17 250**.

SYNCHROMISME. Voir entre autres : **MACDONALD-WRIGHT Stanton, RUSSEL Morgan**

SYNDON Jean
Né au XIXe siècle à Cahors. XIXe siècle. Français.
Peintre.
Figura au Salon des Artistes Français ; mention honorable en 1901.

SYNEROS L. Atinius
Antiquité romaine.
Sculpteur.
Il travailla du temps des empereurs romains.

SYNGE Edward Millington
Né le 17 avril 1860 à Great Malvern (Irlande). Mort le 18 juin 1913 à Londres. XIXe-XXe siècles. Britannique.
Peintre de portraits, paysages, graveur d'architectures.
Il fut élève de Frank Short et Seymour Haden. À partir de 1899, il se fixa à Londres. Il voyagea en France, en Belgique, au Tyrol, en Italie et en Espagne. Il participa aux expositions de la Royal Academy de Londres de 1906 à 1911.

SYNNOON
Originaire d'Égine. Ve siècle avant J.-C. Actif au début du Ve siècle avant J.-C. Antiquité grecque.
Sculpteur.

SYNTERMANS Olivier
Originaire de Louvain. Mort le 6 février 1592 à Rome. XVIe siècle. Éc. flamande.
Peintre.

SYNTHÉTISME. Voir **GAUGUIN** et **NABIS**

SYPE Ge. Jo. Van
XVIIe siècle. Allemand.
Graveur au burin.

SYPE Lorenz Van de ou **Syppa**, dit **Desipi**
Mort le 18 avril 1634 à Graz. XVIIe siècle. Autrichien.
Graveur au burin et architecte.

SYPEN Jean-Baptiste Van der ou **Vandersypen**
Né le 1er décembre 1817 à Bruxelles. Mort le 2 mars 1881 à Bruxelles. XIXe siècle. Belge.
Graveur au burin, graveur de reproductions.
Élève de Luigi Calamatta à l'Académie des Beaux-Arts de Bruxelles.
Il était spécialisé dans la reproduction de peintures anciennes et contemporaines, Louis Gallait, Jean-François Portaels.
BIBLIOGR. : In : *Dict. biogr. illustré des artistes en Belgique depuis 1830*, Arto, Bruxelles, 1987.

SYPESTEYN Maria Van. Voir **SCHUYLENBURCH Maria Machteld Van**

SYPIORSKI Antoine Élysée Henri de
Né le 8 juin 1890 à Saint-Dizier (Haute-Marne). xxᵉ siècle.
Français.
Peintre de nus, portraits, paysages.
Docteur en médecine, il fut également peintre. Il fut chevalier de
la Légion d'honneur.
Il exposa à Paris, aux Salons de la Société Nationale des Beaux-
Arts, des Indépendants, d'Automne à partir de 1927 et des Tuile-
ries à partir de 1930.
MUSÉES : CHÂLONS-SUR-MARNE : *Le Port après la pluie.*

SYPKENS Ferdinand Hendrik
Né le 22 juillet 1813 à Amsterdam. Mort en 1860. xixᵉ siècle.
Hollandais.
**Peintre de paysages animés, paysages, paysages de
montagne.**
Il fut élève de C. Steffelaer et de J. de Ryk. Il travailla à Haarlem.
VENTES PUBLIQUES : COLOGNE, 22 mai 1951 : *Paysage hollandais*
1840 : DEM 600 – AMSTERDAM, 16 nov. 1988 : *Paysanne et son âne
sur un sentier tandis qu'une autre remplit ses seaux à la rivière,*
h/pan. (25x34) : NLG 3 680 – AMSTERDAM, 23 avr. 1991 : *Personnages dans un paysage* 1841, h/t (45x59) : NLG 5 175 – AMSTER-
DAM, 2-3 nov. 1992 : *Paysage de montagnes avec des figures sur
un sentier,* h/pan. (24x32) : NLG 2 760.

SYPNIEWSKI Feliks
Né en 1830 à Varsovie. Mort le 5 janvier 1902 à Varsovie. xixᵉ
siècle. Polonais.
Peintre.
Il étudia de 1850 à 1852 à l'École des Beaux-Arts de Varsovie et
vint travailler à Paris vers 1857. Son œuvre est représenté dans
les Musées de Varsovie et de Cracovie.

SYPPA Lorenz Van de. Voir **SYPE**

SYRE Hugonin. Voir **SIRE**

SYRE Jean
xviiᵉ siècle. Actif à Morteau. Français.
Sculpteur sur bois.

SYRE Paulus le. Voir **LESIRE**

SYRER Hans. Voir **SYRRER**

SYREWICZ Boleslaw
Né le 21 mai 1835 à Varsovie. Mort le 10 février 1899 à Varsovie. xixᵉ siècle. Polonais.
Sculpteur.
Élève de Jan F. Piwarski et de l'École des Beaux-Arts de Varsovie. Il étudia aux Académies de Berlin, de Munich et de Rome. Il
se fixa à Varsovie à partir de 1866. Le Musée de Varsovie possède de lui des bustes en marbre de *Chopin,* de *Moniuszko* et de
Gerson.

SYRI Sixtus ou **Siri** ou **Siry,** appelé aussi **Sisto di Enrico**
ou **Sisto Tedesco**
xvᵉ siècle. Actif à Nuremberg. Italien.
Sculpteur sur bois.
Il a exécuté avec Leonardo de 1493 à 1500 la statue équestre de
Bartolomeo Colleoni à Bergame.

SYRLIN Hans. Voir **SCHÜCHLIN**

SYRLIN Jörg, l'Ancien
Né vers 1425 à Ulm. Mort en 1491 à Ulm. xvᵉ siècle. Alle-
mand.
Sculpteur de compositions religieuses, figures.
Il sculpta les stalles de la cathédrale d'Ulm, entre 1469 et 1474,
dans un style réaliste, vigoureux, proche de celui de Nicolas de
Leyde.

SYRLIN Jörg, le Jeune
Né vers 1455 à Ulm. Mort après 1521 à Ulm. xvᵉ-xviᵉ siècles.
Allemand.
Sculpteur.
Fils de Jörg, dit l'Ancien, il exécuta les stalles du monastère de
Blaubeuren, dans la lignée de celles d'Ulm.

SYROKA Lidia
Née en 1957. xxᵉ siècle. Polonaise.
Auteur d'assemblages.
Elle montre ses œuvres dans des expositions personnelles :
1990, 1992 galerie Françoise Palluel à Paris.
Elle assemble des métaux, capsules écrasées, clous usagés, plas-
tiques troués, réalisant des panneaux élégants, qui redonnent à
ces matériaux un éclat.

SYROVY Joseph
Né à Prerov-sur-Elbe. xxᵉ siècle. Tchécoslovaque.

Peintre.
Il a exposé à Paris, au Salon des Indépendants à partir de 1911 et
au Salon des Tuileries.

SYRRER Hans ou **Surer, Syrer**
xviᵉ siècle. Allemand.
Peintre.
A peint les voûtes de l'église Sainte-Marie à Reutlingen.

SYRUS Johannes
xviiiᵉ siècle. Allemand.
Peintre décorateur.

SYRUTSCHOCK Walter
Né le 26 avril 1863 à Leipzig. xixᵉ-xxᵉ siècles. Allemand.
Peintre d'histoire.
Il exposa au Salon de Paris et reçut une mention honorable en
1907.

SYS Maurice. Voir **SIJS**

SYSANG Johann Christoph
Né en 1703 à Leipzig. Mort le 12 juillet 1757 à Leipzig. xviiiᵉ
siècle. Allemand.
Graveur au burin.
Il exécuta les planches pour les *Portraits historiques des
hommes illustres de Danemark,* publiés en 1746. Il a gravé plusieurs centaines de portraits.

SYSANG Johanna Dorothea
Née le 7 avril 1729 à Dresde. Morte le 2 mars 1791 à Leipzig.
xviiiᵉ siècle. Allemande.
Graveur au burin.
Elle était la fille de Johann Christoph et a gravé de petits portraits de princes, de savants et d'officiers. Elle a également orné
de dix planches l'édition du *Messie* de Klopstock de 1756. En
1755 elle épousa G. Philipp et signa désormais J. D. Philippin,
née Sysangin.

SYSOEV Nicolaï Alexandrovitch
Né en 1918 à Slanskoye près de Riazan. xxᵉ siècle. Russe.
**Peintre de genre, compositions animées. Réaliste-socia-
liste.**
Il fit ses études à l'Institut Sourikov des Beaux-Arts de Moscou.
Il participa à diverses expositions à Moscou : 1943 *XXVᵉ anniver-
saire de l'Armée Rouge* ; 1949-1951 *Artistes de l'URSS* ; 1954-
1975 *Peintres de Moscou* ; 1957, 1967, 1977 *Anniversaire de la
Révolution d'octobre* ; 1960 *La Russie soviétique* ; 1970 *Centième
anniversaire de Lénine.* Il montre ses œuvres dans des exposi-
tions personnelles : 1980 à Moscou.
MUSÉES : KALININ – KAZAN – KYSLOVODSK – MOSCOU (Mus. Lénine) –
TULA.

SYTHOFF Peter ou **Pjotr Sixtovitch.** Voir **SEITGOFF
Petr Sikstovitch**

SYTICUS. Voir **SOYE Philipp de**

SYTTOW Michael. Voir **ZITTOZ**

SYX. Voir l'article **SIX Nicolaus**

SZABADOS Arpad
xxᵉ siècle. Hongrois.
Peintre.
Il participe à des expositions collectives : 1992 *De Bonnard à
Baselitz – Dix Ans d'enrichissements du cabinet des estampes,* à
la Bibliothèque nationale à Paris.
MUSÉES : PARIS (BN) : *Variation Bartok 1971-1978 – Hommage à
Bartok* 1979.

SZABADOS Béla
Né le 20 juillet 1894 à Budapest. xxᵉ siècle. Hongrois.
Sculpteur.
Il étudia à Budapest et à Rome.

SZABLYA-FRISCHAUF Ernestine, née Lohwag
Née le 9 janvier 1878 à Vienne. xxᵉ siècle. Active en Hongrie.
Autrichienne.
Peintre de paysages.
Elle était la femme du peintre Ferenc Szablya-Frischauf. Son
père était l'écrivain Ernst Lohwag. Elle étudia à Vienne, à Nagy-
banya et chez son mari. Elle fonda une école de peinture à Buda-
pest, où elle vécut et travailla.
Elle a peint des tableaux de plein air et des miniatures.

SZABLYA-FRISCHAUF Ferenc ou **François**
Né le 9 avril 1876 à Budapest. xxᵉ siècle. Hongrois.
Peintre de paysages. Impressionniste.

Élève de Simon Hollosy, il fut professeur à l'École des Beaux-Arts de Budapest, où il vécut et travailla. Il appartenait à l'École impressionniste.
Musées : Budapest.

SZABO Akos
Né en 1936 à Budapest. xxᵉ siècle. Depuis 1965 actif en France. Hongrois.
Peintre de compositions animées. Tendance surréaliste.
Après douze années d'études musicales, il passa six années à l'Académie des Beaux-Arts de Budapest. En 1965, il se fixa à Paris. De 1960 à 1965, il a figuré dans des expositions de groupe, à Budapest et dans diverses villes de Hongrie, en 1967 à Rennes. Il a montré des expositions personnelles de ses œuvres : 1965 à Rakosliget ; 1967 à Paris.
Hanté par une inspiration fantastique, par des visions oniriques surréalistes, il peint des scènes très compliquées, où des personnages ont des attitudes non sans rapport avec la sexualité, au milieu d'un invraisemblable fouillis de détails d'objets, de meubles, d'accessoires, décrits avec une minutie incroyable. Par le fouillis de la mise en scène, il se rapprocherait des environnements de Kienholz. Par la minutie dans le rendu du détail, il préparait à l'hyperréalisme.
Bibliogr. : Catalogue de l'exposition : *Akos Szabo*, Gal. Lambert, Paris, 1967.

SZABO Alajos ou Alois
Né le 6 juin 1892 à Györszentjanos. xxᵉ siècle. Hongrois.
Peintre de figures, paysages.
Il vécut et travailla à Györ (Raab).

SZABO André
xxᵉ siècle. Actif en Belgique. Hongrois.
Peintre. Fantastique.
Il travailla durant la deuxième moitié du xxᵉ siècle. Pratiquant une figuration entre fantastique et cosmique, en marge du surréalisme, il semble qu'il s'agisse de Akos Szabo, qui se serait fixé en Belgique.

SZABO Antal ou Antoine
Né le 13 juin 1853 à Budapest. xixᵉ siècle. Actif à Budapest. Hongrois.
Sculpteur.
Il étudia à Munich et à Berlin.

SZABO Antal ou Antoine
Né le 22 février 1875 à Kecskemet. xxᵉ siècle. Hongrois.
Peintre de paysages.
Il vit et travaille à Kecskemet.

SZABO Aurel
Né en 1888 à Györ. xxᵉ siècle. Hongrois.
Peintre, graveur.

SZABO Béla
Né en 1905 à Gyulafehervar. xxᵉ siècle. Hongrois.
Peintre, graveur.
Il étudia à Budapest.

SZABO Dezsö ou Didier
Né le 12 décembre 1888. xxᵉ siècle. Hongrois.
Peintre de figures, paysages.
Il vécut et travailla à Budapest.

SZABO Istvan ou Étienne
Né le 29 octobre 1899 à Oravicabanya. xxᵉ siècle. Hongrois.
Peintre.
Il étudia à Budapest, où il vécut et travailla.

SZABO Ivan
Né en 1913. xxᵉ siècle. Hongrois.
Sculpteur d'animaux, statues.
Il fut membre du groupe des Artistes Socialistes. Il a obtenu le prix Munkacsy. Il sculpte souvent des chevaux et des statues équestres.

SZABO Janos ou Jean
Né en 1794. Mort le 27 janvier 1851 à Marosvasarhely. xixᵉ siècle. Hongrois.
Peintre et lithographe.
Il est représenté au Musée de Budapest.

SZABO Laszlo
Né en 1917 à Debrecen. xxᵉ siècle. Actif en France. Hongrois.
Sculpteur, créateur d'environnements.
Il fit des études à l'Université de Debrecen, qu'il poursuivit à Genève et Lausanne. Il se fixa à Paris, où il se forma en autodidacte à la sculpture. En 1954, il fonda le groupe Quinze Sculpteurs, dont les membres se situent entre abstraction et surréalisme.
Depuis 1949, il participe à de nombreuses expositions de groupe, notamment à Paris : au Salon des Réalités Nouvelles, à partir de 1954 et durant quelques années avec le groupe Quinze Sculpteurs. Il montra une exposition personnelle de ses sculptures, à Paris, en 1953. En 1968, lui furent consacrées des expositions personnelles, à Budapest, Berlin et Copenhague.
Dans une première période, il sculptait des bas-reliefs animaliers, influencés d'arts indigènes du Proche-Orient. Ensuite, il fonda un langage formel abstrait, jouant, toutefois sur des correspondances avec des éléments naturels, rochers, grottes, arbres, animaux mythologiques. De longtemps, il s'est occupé à créer, par des sculptures en plusieurs éléments dispersés, ce que l'on devait bientôt nommer des « environnements ». Il s'applique aussi à créer des espaces sculptés en creux, en forme de grottes, non loin du propos des sculptures habitables, des « demeures » d'Étienne-Martin, tel le *Château de rêve*, de 1955. A Paris, il dirige une « Académie du Feu ». Il travaille la terre cuite, mais aussi les pierres calcaires, l'acier, le granit, le bronze.
Bibliogr. : Herta Wescher, in : *Nouveau diction. de la sculpt. mod.*, Hazan, Paris, 1970.

SZABO Sandor ou Alexandre
xviiiᵉ siècle. Hongrois.
Sculpteur.

SZABO V. GABORJAN Kalman ou Koloman
Né le 18 septembre 1897 à Debrecen. xxᵉ siècle. Hongrois.
Peintre, graveur.
Il étudia à Budapest, à Rome et à Paris.
Musées : Budapest (Cab. des Estampes) – Paris (Cab. des Estampes) – Rome (Cab. des Estampes).

SZABO V. HIND Katalin ou Catherine, épouse Czépay
Née en 1889 à Brasso. Morte le 25 octobre 1929 à Budapest. xxᵉ siècle. Hongroise.
Peintre, graveur.
Elle étudia à Paris chez Rodin.
Musées : Budapest.

SZABO V. KAKA Giorgy ou Georges
Né le 31 janvier 1903 à Tenke. xxᵉ siècle. Hongrois.
Peintre de compositions religieuses.
Il étudia à Budapest, où il vécut et travailla, et à Rome. Il a représenté des sujets bibliques.

SZADEBERG Tadeusz
Né le 24 janvier 1901 à Vloclawek. xxᵉ siècle. Polonais.
Sculpteur de compositions religieuses, bustes.
Il étudia à l'École de dessin de Varsovie de 1916 à 1917, à l'École de peinture et à l'École des Beaux-Arts de cette ville. On lui doit le buste de *Saint Batory*.

SZAFRAN Sam ou Safran
Né en 1934 à Paris. xxᵉ siècle. Français.
Peintre de portraits, intérieurs, natures mortes, aquarelliste, pastelliste, graveur, dessinateur.
Il fut élève de l'Académie de la Grande-Chaumière à Paris, vers 1955, s'enseignant plutôt lui-même au contact des camarades d'atelier ou des aînés de passage, pratiquant une sorte de « Gai Savoir ». Il vit et travaille à Paris.
Il figura dans des expositions de groupe, à Paris notamment : 1957 Salon des Indépendants ; 1958 Carnegie Institute de Pittsburgh ; 1959 Salon des Réalités Nouvelles avec des œuvres encore disparates ; 1964 galerie Claude Bernard ; 1982 Galerie-Musée de la Seita ; 1983 Centre Georges Pompidou ; ainsi que : 1968 musée de Saint-Étienne ; 1972, 1978, 1979 château d'Anzy-le-Franc ; 1979 musée des Beaux-Arts de Bruxelles ; 1980 Espace lyonnais d'art contemporain à Lyon, Maison de la culture de Montpellier, Neue Galerie de Graz ; 1982 Kunstlerhaus de Vienne ; 1984 musée Cantini de Marseille. Il montre ses œuvres dans des expositions personnelles à Paris : à partir de 1970 régulièrement à la galerie Claude Bernard ; 1992 aquarelles à la galerie Vallois ; ainsi que : 1986 centre d'Art de Flaine ; 1987 New York ; 1989 centre d'Art contemporain du château de Tanlay avec Jean Paul Riopelle.
Après des débuts très modestes abstraits, à partir de 1970, il se fit connaître dans le langage qu'il s'était patiemment formé, et qui trouvait soudainement un contexte d'opinion favorable : l'utilisation, devenue rare, des pastels secs, la représentation d'escaliers en perspective plongeante. Préférant le fusain et le

pastel, puis l'aquarelle, il dessine, avec une habileté et une précision étonnantes, son propre atelier de pastelliste, avec épars sur la table les imposantes quantités de pastels qui se sont représentés eux-mêmes, des ateliers d'artisans, d'imprimeurs, des intérieurs, des serres, accumulant les détails les plus infimes, arrivant à des effets de fantastique et d'angoisse à partir d'un excès de réalisme, dont le dessin aigu, les perspectives accentuées ne sont pas sans rappeler Francis Grüber. Ses dessins ont été souvent publiés dans la revue *La Délirante*.

Zafran

BIBLIOGR. : Jean Clair : *Szafran, Skira*, Genève, 1996.
MUSÉES : MARSEILLE (Mus. Cantini) : *L'Atelier* 1972, fus. – PARIS (Mus. Nat. d'Art Mod.) – PARIS (BN) : *Escalier V et VI* 1980, deux eaux-fortes – SAINT-ÉTIENNE (Mus. d'Art et d'Industrie).
VENTES PUBLIQUES : PARIS, 17 nov. 1972 : *La Reconnaissance chassée du Paradis terrestre* : FRF 20 000 – PARIS, 28 juin 1973 : *Personnages*, past. : FRF 6 300 – PARIS, 26 juin 1974 : *Choux*, past. : FRF 9 000 – PARIS, 6 déc 1979 : *Chou* 1963, past. (52x60) : FRF 3 800 – ENGHIEN-LES-BAINS, 25 nov. 1984 : *Le chou*, past. (72x101) : FRF 30 000 – ENGHIEN-LES-BAINS, 25 nov. 1984 : *Atelier* 1971, fus. (103x75) : FRF 55 000 – PARIS, 7 juin 1985 : *Le jardin d'hiver*, past. et fus. (103x74,5) : FRF 48 500 – PARIS, 5 avr. 1987 : *Les Saisons* 1975, fus. (78x58) : FRF 54 000 – PARIS, 24 mars 1988 : *Choux* 1962, past. (63x74) : FRF 14 800 – PARIS, 12 fév. 1989 : *Petite écriture céleste* 1960, h/t (41x33) : FRF 20 000 – PARIS, 31 jan. 1990 : *Femme assise* 1955, dess. au fus. (118x60) : FRF 11 000 – PARIS, 2 juil. 1990 : *Face à face*, gche (62x45) : FRF 14 800 – PARIS, 2 juin 1991 : *L'imprimerie*, litho. (86x66) : FRF 15 000 ; *Portrait* 1978, fus. (78x58) : FRF 25 000 – PARIS, 16 fév. 1992 : *Plantes* 1981, mine de pb (73x47,5) : FRF 12 000 – PARIS, 10 fév. 1993 : *Cage d'escalier*, aquar. sur fond d'eau-forte (24,5x18,5) : FRF 13 500 – PARIS, 23 juin 1993 : *Atelier*, fus. et estompe (102x73,5) : FRF 26 000 – PARIS, 10 mars 1994 : *Plantes*, past./pap. en deux morceaux réunis par l'artiste (119x78) : FRF 410 000 – PARIS, 5 oct. 1996 : *L'Atelier* 1972, past./cart. (118x80) : FRF 650 000 – PARIS, 28 avr. 1997 : *Personnage assis* 1965, h/t (56x38) : FRF 18 500 – PARIS, 29 avr. 1997 : *L'Atelier*, past. (78x60) : FRF 82 000 – PARIS, 18 juin 1997 : *Composition à l'escalier*, encre et aquar./soie (9x14) : FRF 17 500.

SZAFRANSKI Kurt
Né en 1890 à Berlin. XXᵉ siècle. Allemand.
Peintre d'affiches, illustrateur.
Il fut élève de Lucien Bernhard.

SZAJNA Josef
Né en 1922 à Rezszow. XXᵉ siècle. Polonais.
Peintre.
Lauréat de l'académie des Arts Plastiques, il fait des études d'Art scénique à la faculté de Cracovie et s'intéresse au cinéma. Depuis 1964, il est professeur à l'académie des Arts Plastiques de Cracovie. Il expose en Pologne ainsi qu'à l'étranger : Paris en 1955 et 1958, Bruxelles en 1955, au Japon en 1961, en Suisse, en Turquie et en Bulgarie en 1962. Il fait de nombreuses expositions particulières à Cracovie en 1958 et Rezszow en 1964.

SZALAY Jeno ou Eugène
Né le 3 mai 1864 à Szentkiralyszabddja. XIXᵉ siècle. Hongrois.
Peintre de paysages.

SZALAY Karoly ou Charles
Né le 4 décembre 1863 à Budapest. XIXᵉ siècle. Hongrois.
Peintre de paysages.
Il vécut et travailla à Budapest.

SZALE Istvan Janos
Né en décembre 1811 à Losonc en Hongrie. Mort le 13 avril 1870 à Magyarovar. XIXᵉ siècle. Hongrois.
Peintre d'histoire, de portraits et paysagiste.
Il étudia à Vienne chez C. Rahl. Son œuvre est représenté au Musée historique de Budapest.

SZALIT Rachel, née Marcus
Née le 3 juillet 1896 à Ischgenty. XXᵉ siècle. Allemande.
Peintre, graveur, illustrateur.
Elle étudia à Munich, à Paris et à Londres. Elle vécut et travailla à Berlin. Elle a illustré Dickens, Dostoïevski et Tolstoï.

SZALKAY Gusztav von
Né le 14 février 1874 à Budapest. Mort le 27 avril 1933 à Budapest. XIXᵉ-XXᵉ siècles. Hongrois.
Peintre de figures, portraits.

SZAMOSI Imre ou Emeric
Né le 30 décembre 1887 à Marosujvar. XXᵉ siècle. Hongrois.
Sculpteur.
Il étudia à Budapest et à Paris. De 1908 à 1918, il travailla à Johannesbourg (Afrique du Sud).

SZAMOSI SOOS Vilmos ou Guillaume
Né le 22 septembre 1885 à Kolozsvar. XXᵉ siècle. Hongrois.
Sculpteur, médailleur.
Il vit et travaille à Budapest.

SZAMOSSY Elek ou Alexis
Né le 28 juin 1826 à Deva. Mort le 21 avril 1888 à Budapest. XIXᵉ siècle. Hongrois.
Peintre et lithographe.
Il était le père de Laszlo. Il étudia à Vienne avec Charles Rahl et à Venise et a peint de nombreux portraits dont quelques-uns sont conservés aux Musées de Budapest et de Temesvar.

SZAMOSSY Laszlo ou Ladislas
Né le 27 avril 1866 à Budapest. Mort le 2 janvier 1909 à Vienne. XIXᵉ siècle. Hongrois.
Peintre de portraits.
Élève de M. von Munkacsy à Paris, il travailla à Rome et à Budapest.
VENTES PUBLIQUES : BERNE, 12 mai 1990 : *Flachsernte*, h/cart. (25x37) : CHF 1 100.

SZAMOVOLSZKY Odön ou Edmond
Né le 26 décembre 1878 à Nagyberezna. Mort le 28 décembre 1914 à Budapest. XXᵉ siècle. Hongrois.
Sculpteur.
Il étudia à Budapest, à Paris et à Rome.
MUSÉES : BUDAPEST (Mus. mun.).

SZANCER Jan Martin
XXᵉ siècle. Polonais.
Illustrateur.
Il s'est consacré à l'illustration du livre pour enfants.

SZANDHAZ Ferenc ou François
Né en 1827 à Eger en Hongrie. Mort en 1902 à Budapest. XIXᵉ siècle. Hongrois.
Sculpteur.

SZANDHAZ Karoly ou Charles
Né le 9 janvier 1824 à Eger en Hongrie. Mort le 16 décembre 1892 à Budapest. XIXᵉ siècle. Hongrois.
Sculpteur.
Il fut le collaborateur de son frère Ferenc et professeur à l'École polytechnique de Budapest.

SZANKOWSKI Boleslaw von
Né le 19 ou 23 octobre 1873 à Varsovie. XIXᵉ-XXᵉ siècles. Polonais.
Peintre de portraits.
Il fut élève des Académies de Cracovie et de Munich avec Ludwig Herterich, et à Paris de B. Constant, Gaudara et J. P. Laurens. Il travailla à Munich, où il fut le collaborateur de la *Jugend* et du *Simplicissimus*.

SZANTHO Maria
Née en 1898. Morte en 1984. XXᵉ siècle. Hongroise.
Peintre de figures, nus, portraits.
Elle s'est spécialisée dans la représentation de la femme.

Szánthó Mária

VENTES PUBLIQUES : VIENNE, 14 sep. 1976 : *Jeune femme à son miroir*, h/t (82x69) : ATS 9 000 – VIENNE, 11 mars 1980 : *Nu endormi*, h/t (65x108) : ATS 50 000 – LONDRES, 19 juin 1991 : *Modèle prenant la pose* 1943, h/cart. (78x58) : GBP 5 720 – NEW YORK, 5 nov. 1991 : *Gitane* ; *Deux ballerines*, h/t (76,2x61,2 et 58,8x79,4) : USD 2 420 – LONDRES, 18 mars 1992 : *Jeune beauté*, h/t (76,5x56) : GBP 2 090 – PARIS, 22 avr. 1992 : *Jeune femme au masque*, h/t (60x80) : FRF 6 000 – LONDRES, 28 oct. 1992 : *Suzanne et les vieillards*, h/t (98x68) : GBP 2 420 – AMSTERDAM, 3 nov. 1992 : *Jeune femme aux seins nus jouant du ukulele*, h/t (81x66) : NLG 6 900 – LONDRES, 27 oct. 1993 : *Nu assis*, h/t (48x38) : GBP 805 ; *Jeune fille aux roses roses*, h/t (78,5x58) : GBP 1 035 – LONDRES, 22 fév. 1995 : *Nu allongé*, h/t (58,5x79) : GBP 1 035 – LONDRES, 22 fév. 1995 : *La ballerine*, h/t (84x69) : GBP 1 840 –

LONDRES, 13 mars 1996 : *Portrait d'une jeune femme*, h/t (108x88) : **GBP 2 300** – LONDRES, 13 juin 1996 : *Nu féminin allongé*, h/t (50,2x71,2) : **GBP 862** ; *Trois ballerines*, h/t (72,3x120,7) : **GBP 1 092** – LONDRES, 22 nov. 1996 : *Diane et ses nymphes*, h/t (111,7x184,2) : **GBP 1 495** – LONDRES, 13 mars 1997 : *La Fille au tambourin*, h/t (85,1x70,5) : **GBP 3 220.**

SZANTO Gergely ou Grégoire
Né le 6 décembre 1886 à Velence. XXᵉ siècle. Hongrois.
Sculpteur, médailleur.
Il vécut et travailla à Budapest.

SZANTO Lajos ou Louis
Né le 8 octobre 1889 à Vac. XXᵉ siècle. Actif aussi aux États-Unis. Hongrois.
Peintre de figures.
Il travailla à New York et à Budapest.

SZANTO Piroska
Née en 1913. XXᵉ siècle. Hongroise.
Peintre, illustrateur.
Elle commença ses études à l'École des Arts Décoratifs à Budapest puis elle fréquenta diverses écoles d'art. Elle fut membre actif du groupe des artistes socialistes.
Elle participa en 1942 à l'exposition du groupe *Liberté et Peuple*. Sa première exposition personnelle date de 1938.
Actuellement elle se consacre surtout à l'illustration.

SZANTO Vilmos ou Guillaume
Né le 9 avril 1887 à Temesvar. XXᵉ siècle. Hongrois.
Peintre de paysages.
Il travailla en Hongrie, au Japon et en Allemagne.

SZANTRUCSEK Jenõ ou Eugène
Né le 24 août 1903 à Munich. XXᵉ siècle. Hongrois.
Peintre de figures.
Il vit et travaille à Budapest.

SZAPOCZNIKOW Alina
Née le 16 mai 1926 à Kalisz. Morte le 2 mars 1973 à Praz-Coutant (Haute-Savoie). XXᵉ siècle. Depuis 1965 active en France. Polonaise.
Sculpteur de figures.
Après avoir, au sortir de l'enfance, connu l'occupation de son pays par les armées allemandes, puis la déportation, elle fut élève de l'École des Arts et Métiers de Prague, dès 1946, puis de l'École des Beaux-Arts de Paris, en 1947. Elle fréquenta l'École des Beaux-Arts de Paris jusqu'en 1951, y étant entre autres condisciple de César, puis regagna la Pologne, en 1952. Elle revint en France en 1965, pour s'y fixer définitivement avec le célèbre graphiste Roman Cieslewiecz, peut-être en raison d'espérances socialistes déçues en partie.
De 1952 à 1965, elle avait participé à toutes les manifestations de la sculpture polonaise contemporaine, en Pologne même, en en Inde, Allemagne, Yougoslavie, France, Angleterre, Suisse, notamment : 1956 Exposition Internationale de la Sculpture Contemporaine au Musée Rodin à Paris ; 1958 Biennale de Sculpture à Sonsbeek (Hollande) ; 1959 Biennale de Paris, Exposition Internationale de Sculpture, Dublin et Belfast ; 1961 symposium de sculpteurs à St-Margareth (Autriche) ; 1962 XXXIᵉ Biennale de Venise et Biennale de Carrare ; 1963 symposium de sculpteurs *Forma Viva* à Portoroz (Yougoslavie), exposition pour la troisième fois à Bronzetto (Italie) ; 1964, *Profile IV* à Bochum et Kassel, Salon de la Jeune Sculpture de Paris. Après son installation à Paris, elle a exposé aux Salons de Mai et des Réalités Nouvelles, à partir de 1965, continuant de participer à la Biennale de Carrare, au Salon de la Jeune Sculpture de Paris, ainsi qu'à divers groupements ; 1966 symposium de sculpteurs à Vrnjacka Banja (Yougoslavie) ; 1970 Rencontre Internationale de Vela Luka (Yougoslavie), où elle réalisa un projet pour une sculpture habitable.
Elle montre ses œuvres dans des expositions personnelles : 1957, 1960, 1961 Varsovie ; 1960 Prato-Italie ; 1961 Poznan, Sopot, Rijeka (Yougoslavie) ; 1967 Paris, rétrospective au Palais Zacheta à Varsovie ; 1968 Bruxelles ; 1971 Genève ; 1973 *Tumeurs, herbier* au musée d'Art moderne de la ville de Paris. En 1965, elle obtint le Prix de la Fondation W. et N. Copley.
Bien que dans son époque polonaise, Alina Szapocznikow ait déjà joué un rôle important en tant que ferment dans l'expérimentation de langages artistiques nouveaux, ce fut surtout à partir de son établissement en France qu'elle se libéra complètement de tout lien avec la tradition des formes et des matériaux. À

l'âge de vingt-quatre ans, elle fut chargée de réaliser, à Varsovie, le *Monument de l'Amitié Soviéto-Polonaise*. Sur l'esprit de sa période polonaise, Pierre Restany, qui préfaça plusieurs de ses expositions, écrit : « Elle s'imposa par la puissance expressionniste de son style ainsi que par son sens de la forme monumentale, qui la porteront aux tout premiers rangs de la sculpture contemporaine de son pays. » Dès 1962, elle dépassait le stade de l'expressionnisme au premier degré, pour une accentuation symbolique du contenu dramatique de ses créations, y intégrant, dans la masse de ciment, de véritables armes, des débris de voitures accidentées, etc., dans une synthèse d'une forme conçue et modelée et d'objets récupérés dans la réalité quotidienne, synthèse qui allait devenir l'une des caractéristiques de sa poétique, toute tournée vers l'expression des terreurs et des angoisses accumulées. Après 1965, dans une remise en question quasi totale de son expérience, elle renonça au travail et aux matériaux traditionnels, pour une large utilisation des résines synthétiques avec lesquelles elle opérait surtout par moulage de parties du corps humain, du sien très souvent, en prise directe donc sur le réel. Toutefois, poursuivant la technique « assembliste » caractéristique de son travail, elle ne livrait pas, comme le fait parfois César, ces moulages tels quels en tant qu'œuvres, mais, au contraire, selon son humeur, en composait des bouquets de moulages de bouches, ou des imbroglios de moulages de seins. Mêlant les techniques et les matériaux, elle continuait de réunir en une seule œuvre, un élément de marbre – en 1966 elle travailla dans les carrières de marbre de Carrare-, et un de bronze, ou du plâtre et de la matière plastique, etc. Au comble du baroquisme, elle colorait dans la masse de tonalités suaves, les parties en matières plastiques de ces assemblages relevant souvent de l'érotisme, n'hésitant pas éventuellement à les éclairer de l'intérieur, voire à les proposer en tant que luminaires. À partir de 1968, elle continua de mouler des parties du corps humain, empreintes de ventres, de poitrines, mais se limitant à la technique la plus sobre, puis leur faisait subir des déformations par pression avant de les juxtaposer plusieurs, comme entremêlées, en tirant des effets tragiques de conséquences de cataclysmes, évoquant des sortes de moulages de morts violentes. Parallèlement à ces moulages, à partir de 1970, atteinte d'un cancer, elle réalisa toute une série de ce qu'elle appelait les *Tumeurs*, qui consistaient en journaux ou photos froissés et plongés dans le polyester, devenant, une fois solidifiés, d'assez informes agglomérats dont la translucidité laisse entrevoir, déformés par pliage et froissage, des visages flous, tels qu'ils doivent défiler du fond de la mémoire au moment de les quitter. ■ J. B.

BIBLIOGR. : Pierre Restany : *Catalogue de l'exposition « Alina Szapocznikow »*, Gal. Florence Houston-Brown, Paris, 1967 – Pierre Restany et Giuseppe Marchiori : *Catalogue de l'exposition « Alina Szapocznikow »*, Gal. Cogeime, Bruxelles, 1968 – Raoul-Jean Moulin, in : *Nouveau diction. de la sculpt. mod.*, Hazan, Paris, 1970 – Gérald Gassiot-Talabot : *Les Rolls d'Alina*, Opus International, Paris, 1970 – Pierre Restany : *Catalogue de l'exposition « Alina Szapocznikow »*, Musée d'Art Moderne de la Ville de Paris, 1973 – Pierre Restany : *Alina Szapocznikow*, Combat, Paris, 12 mars 1973 – in : *Dict. de l'art mod. et contemp.*, Hazan, Paris, 1992.
MUSÉES : LODZ – PARIS (Mus. d'Art Mod. de la Ville) – POZNAN – TORUN – VARSOVIE.

SZARICS Imre ou Eméric
Né le 10 janvier 1858 à Lugos en Hongrie. Mort le 28 juillet 1899 à Budapest. XIXᵉ siècle. Hongrois.
Peintre de figures et paysagiste.

SZARNOVSZKY Ferenc ou François
Né le 23 décembre 1863 à Budapest. Mort le 29 avril 1903 à Budapest. XIXᵉ siècle. Hongrois.
Médailleur et sculpteur.
Il étudia à Vienne et à Paris avec Chapu et Falguière et travailla à Londres et à Budapest. Il est le principal représentant de ce qui fut la jeune école hongroise de médailleurs et se trouve représenté au Musée de Budapest.

SZASZ Endre
Né en 1926 à Csikszereda. XXᵉ siècle. Hongrois.
Peintre de compositions oniriques. Tendance surréaliste.
Avec une grande maîtrise, Szasz décrit un monde de fantasmes inquiétants. Proche du surréalisme et de l'art fantastique, cette

peinture se caractérise par son lyrisme et son exubérance, renvoyant aux portes de l'irréel et de l'imaginaire.

SZASZ Gyula ou Jules
Né en 1850 à Szekesfehervar en Hongrie. Mort le 24 juin 1904 à Budapest. XIXe siècle. Hongrois.
Sculpteur.
Il étudia à Vienne et décora l'Opéra et le Parlement de Budapest.

SZASZ Istvan ou Étienne
Né en 1878 à Kolozsvar. XXe siècle. Hongrois.
Peintre de figures, paysages.
Il vit et travaille à Budapest.

SZASZ Jenö ou Eugène
Né en 1888 à Budapest. XXe siècle. Hongrois.
Peintre de paysages.
Il vit et travaille à Budapest.

SZASZ Lia
Née en 1927 à Constantza. XXe siècle. Roumaine.
Peintre de portraits, peintre de compositions murales.
En 1961, elle a participé à la IIe Biennale de Paris, en réalisant, en collaboration avec Sabin Balasa, Constantin Blendea et Ion Nicodim, une composition intitulée *Les Brigadières*.
Surtout peintre de portraits, elle peint aussi de grandes compositions monumentales.
BIBLIOGR. : B. Dorival, sous la direction de... : *Peintres Contemporains*, Mazenod, Paris, 1964.
MUSÉES : BRAZOV : *Les Brigadières*.

SZASZ Paul
Né le 1er juin 1927 à Budapest. Mort le 1er octobre 1969 à Budapest. XXe siècle. Actif en France. Hongrois.
Peintre, dessinateur, illustrateur, graveur. Figuratif puis abstrait.
Élève de l'École des Beaux-Arts de sa ville natale, il reçut les conseils de Aurel Bernath et Robert Berény, deux des principaux maîtres de l'expressionnisme d'Europe Centrale. En 1948, il parcourt l'Italie visitant les musées et s'installe à Paris.
Il participe à diverses expositions de groupe, notamment avec des œuvres de sa période abstraite à Paris ; en 1962 *Quatre Peintres* à Genève ; en 1963 à Annecy ; en 1964 des gravures à Lisbonne. Il montra une première exposition à Budapest en 1947, puis il exposa ses dessins à différentes reprises dans les galeries parisiennes. Il montra les œuvres de cette période dans deux expositions personnelles à Paris, en 1960 et 1963. Pendant deux ans, à son arrivée à Paris, il se consacre au « noir et blanc ». Revenu à la peinture, il montre ensuite des compositions très abouties, peintes dans une gamme comme méditerranéenne, et décelant la parfaite connaissance de Matisse, Rouault ou Chagall, mais repensés à son propre usage et selon sa propre sensibilité. En 1956 il évolua à l'abstraction, une abstraction fondée cependant sur une sensibilité colorée qui s'est développée au contact de la nature, au cours de séjours fréquents dans les îles Baléares.
MUSÉES : BUDAPEST – LUXEMBOURG.
VENTES PUBLIQUES : NEW YORK, 15 nov. 1990 : *Composition abstraite* 1963, h/t (33x47,5) : **USD 3 575.**

SZASZ Vilmos ou Guillaume
Né le 9 septembre 1884 à Budapest. XXe siècle. Hongrois.
Sculpteur, médailleur.
Il pratiqua la sculpture sur ivoire.

SZATHMARI Carol
Né en 1812 à Satu-Mare (Transylvanie). Mort le 3 juin 1887 à Bucarest. XIXe siècle. Roumain.
Peintre de genre, portraitiste et lithographe.
Travailla en Roumanie. Le Musée Simu, à Bucarest, conserve de lui un *Portrait de dame* (miniature) et quatre aquarelles.

SZATHMARY Istvan ou Étienne
Né le 21 août 1896. XXe siècle. Hongrois.
Peintre de miniatures.
Il vit et travaille à Budapest.

SZAUTNER Lajos ou Louis
Né le 6 mai 1896 à Budapest. XXe siècle. Hongrois.
Peintre, graveur.
Il vit et travaille à Budapest.

SZCZEPANSKI Stanislas
Né en 1867 à Sokolow. XIXe-XXe siècles. Polonais.
Peintre de paysages.
Il se fixa à Lemberg. Il étudia à Munich avec Anton Azbé et à l'Académie de Cracovie avec Jan G. Stanislavski.

SZCZEPANSKI Stanislas
Né le 2 mars 1895 à Ropczyce. XXe siècle. Polonais.
Peintre.
Il étudia à l'Académie de Cracovie chez Jozef Pankiewicz de 1919 à 1925 et à Paris de 1929 à 1932.
MUSÉES : VARSOVIE.

SZCZEPKOVSKI Jean ou Szczepkowski
Né le 8 mars 1878 à Stanislavov. XXe siècle. Polonais.
Sculpteur de bustes, figures.
Il fit ses études à l'Académie des Beaux-Arts de Cracovie avec Daun et Laszczka. À partir de 1905, il s'installe à Dembniki près de Cracovie.
Ses bustes de femmes sont d'un charme prenant. Il a montré ses aptitudes à l'art monumental, avec le *Sarcophage d'André Potocki*. En 1902, il fit des décorations en Finlande.
MUSÉES : DEMBNIKI (Mus. de la ville) : *Les paysannes*, plâtre.

SZCZERBA Stanislas ou Sczerba, Sczirba ou Sczyrba
XVIe siècle. Actif à Cracovie entre 1512 et 1546. Polonais.
Peintre.

SZCZERBIC Stanislav ou Sczerbic
XVIIe siècle. Actif à Lublin. Polonais.
Peintre.
Il travailla à Cracovie entre 1605 et 1618.

SZCZESNY Stefan
Né le 9 avril 1951 à Munich. XXe siècle. Actif aussi aux États-Unis, en France et aux Caraïbes. Allemand.
Peintre de compositions animées, sculpteur.
Il vit et travaille à Cologne, New York, sur la Côte d'Azur.
Il participe à des expositions collectives : 1968 à 1970 Salon d'Automne de Munich ; 1971 Kunsthalle de Baden-Baden ; 1976 Salon Grands et Jeunes d'Aujourd'hui à Paris ; 1980 Kunstverein de Hanovre ; 1982 Kunstmuseum de Düsseldorf, Kunstverein de Kassel ; 1983 Moderna Galerija de Ljubljana ; 1984 Neue Galerie am Landesmuseum de Graz, Salon de la Société Nationale des Beaux-Arts de Lisbonne ; 1987 Kunstverein de Mannheim ; 1988 Kunsthalle de Cologne, Biennale de dessin européen à Heidelberg... Il montre ses œuvres dans des expositions personnelles : 1969 Académie des Beaux-Arts de Munich ; 1974, 1975 Contemporary Art Gallery de Munich ; 1976 Goethe Institute à Paris ; 1979 Galerie im Lenbachhaus à Munich ; 1983 Villa Massimo à Rome ; 1984 Staatliche Antikensammlung und Glyptothek de Munich ; 1988 Rheinisches Landesmuseum de Bonn ; 1990 Kunstverin de Augsbourg et Kunstverien de Uelzen ; 1991, 1992 Kunstverein d'Heidelberg ; 1992 Kunsthalle de Cologne, Kunsthalle de Brême ; 1994, 1995 Kunstkabinett de Francfort-sur-le-Main ; 1994 Kunstverein de Francfort-sur-le-Main.
Il réalise une peinture dans la lignée de Matisse, privilégiant les motifs décoratifs, le jeu de la ligne et le pouvoir de la couleur.
BIBLIOGR. : Daniel Kuspit : *Szczesny*, Dumont, Cologne, 1995.
VENTES PUBLIQUES : ZURICH, 7-8 déc. 1990 : *Nuit tombante*, h/t (79x79) : **CHF 2 800.**

SZCZUKA Mieczyslaw
Né le 17 octobre 1898 à Varsovie. Mort le 13 juillet 1927 à Orla Perc (Monts Tatras). XXe siècle. Polonais.
Peintre. Constructiviste.
Il étudia à l'École des Beaux-Arts de Varsovie et fonda l'Association d'Artistes Blok qui vécut de 1924 à 1926. Il fut aussi écrivain. La galerie der Sturm présenta à Berlin son travail en 1923.
Il est reconnu comme l'un des principaux représentants du modernisme polonais, en particulier du constructivisme. Il prôné la fin de la peinture traditionnelle pour un art nouveau, fonctionnel. Il a réalisé des maquettes dans l'esprit constructiviste, rythmée par le rapport dynamique des verticales et horizontales, s'est intéressé à la typographie et au photomontage. Communiste, il adhéra au principe du productivisme qui en gros voulait subordonner totalement la création artistique à la production rationnelle de tout ce qui pouvait être nécessaire au bonheur du peuple ; la fonction devait définir la forme, quelle que fût la forme artistique retenue.
BIBLIOGR. : Catalogue de l'exposition : *Présences polonaises*, Centre Georges Pompidou, Paris, 1983 – in : *L'Art du XXe siècle*, Larousse, Paris, 1991 – in : *Dict. de l'art mod. et contemp.*, Hazan, Paris, 1992.
MUSÉES : LODZ.

SZCZYGLINSKI Henryk ou Henri
Né le 19 janvier 1881 à Lodz. XXe siècle. Polonais.
Peintre de paysages, fleurs.

Il étudia à Munich chez Groholski et Anton Azbé et à l'Académie de Cracovie chez Stanislawski. Après avoir combattu dans les légions polonaises de 1914 à 1917, il s'installa à Varsovie en 1917. Il a envoyé : *Parc de Lazienki en hiver, L'église des Dominicains à Cracovie* (lithographie) et *Roses fanées* à l'exposition d'Art Polonais ouverte, en 1921, au Salon de la Société Nationale des Beaux-Arts à Paris.
Musées : Cracovie – Varsovie – Vienne.

SZCZYRBA Stanislas. Voir **SZCZERBA**

SZCZYTT-LEDNICKA Maria
Née le 23 mars 1895 à Moscou. xxᵉ siècle. Active en Italie. Polonaise.
Sculpteur de compositions religieuses.
Elle étudia chez Bourdelle à Paris de 1913 à 1914. Elle vit et travaille à Milan.
Elle montre une nette influence de l'imagerie religieuse cracovienne des xiiiᵉ et xivᵉ siècles.
Musées : Forli – Turin – Venise.

SZÉCSI Antal ou **Antoine**
Né le 29 mai 1856 à Budapest. Mort le 15 juin 1904 à Budapest. xixᵉ siècle. Hongrois.
Sculpteur.
Il étudia à Vienne.

SZEDER Fabian
Né le 24 juin 1784 à Ersekujvar. Mort le 13 décembre 1869 à Fuss en Hongrie. xixᵉ siècle. Hongrois.
Écrivain et peintre amateur.
Membre de l'ordre des Bénédictins.

SZEGE Sandor ou **Alexandre**
Né le 24 novembre 1883 à Nagyszollos. xxᵉ siècle. Hongrois.
Sculpteur, médailleur.
Il vit et travaille à Budapest.

SZEGEDI Caroline
xixᵉ siècle. Hongroise.
Peintre.
Elle travailla à Vienne.

SZEGEDI SZUTS Istvan ou **Étienne**
Né le 7 décembre 1893 à Budapest. xxᵉ siècle. Hongrois.
Peintre de portraits, graveur.
Il vit et travaille à Csongrad.

SZEGEDY-MASZAK Hugo
Né le 10 août 1831 à Nagyenyed. Mort le 28 août 1916 à Budapest. xixᵉ-xxᵉ siècles. Hongrois.
Peintre de portraits.
Il pratiqua surtout la lithographie.

SZEGFI Elisabeth
xixᵉ-xxᵉ siècles. Hongroise.
Peintre de genre.
Elle participa aux expositions de Paris et reçut une médaille de bronze en 1900 à l'Exposition Universelle.

SZEKACS Iren
Morte le 15 avril 1925 à Budapest. xxᵉ siècle. Hongroise.
Peintre.
Elle vécut et travailla à Budapest.

SZÉKELY Bertalan. Voir **SZÉKELY VON ADAMOS**

SZÉKELY Géza
Né le 8 janvier 1884 à Keszthely. xxᵉ siècle. Hongrois.
Peintre de paysages.

SZÉKELY Karoly ou **Charles**
Né le 22 janvier 1880 à Marosvasarhely. xxᵉ siècle. Hongrois.
Sculpteur.
Il étudia à Budapest, où il vit et travaille, et à Bruxelles.

SZÉKELY Moric
Né le 14 novembre 1893 à Szolnok. xxᵉ siècle. Hongrois.
Sculpteur, médailleur.
Il vit et travaille à Budapest.

SZEKELY Pierre
Né en 1923 à Budapest. xxᵉ siècle. Depuis 1946 actif en France. Hongrois.
Sculpteur de figures, animaux, sculpteur d'intégrations architecturales, graveur, médailleur.
Il fit des études artistiques dans son pays, où il eut pour professeur Hanna Dallos, morte en camp de concentration. Fuyant l'extermination nazie, il s'installa à Paris en 1946.

Il participe à des expositions collectives, notamment à partir de 1954 avec le groupe Espace et aux salons parisiens : de Mai, des Réalités Nouvelles, Art sacré, Grands et Jeunes d'Aujourd'hui, Comparaisons, de la Jeune Sculpture, d'Automne et FIAC (Foire internationale d'Art contemporain) ; ainsi que : 1963 Symposium de sculpteurs à Berlin ; 1964 Symposium de sculpteurs à Montréal ; 1967 Symposium de sculpteurs de Grenoble ; 1984 IIᵉ Biennale Européenne de Sculpture de Normandie au Centre d'Art Contemporain de Jouy-sur-Eure. Il a montré des expositions personnelles de ses travaux : depuis les années cinquante très régulièrement à Paris ; 1964, 1968 La Haye ; 1967 Paris ; 1969 Padoue ; puis au Palais des Beaux-Arts de Bruxelles, à l'Institut français d'Athènes ; 1981-1982 musée de la Monnaie à Paris ; 1990 Institut hongrois à Paris ; 1992 château de Buda à Budapest.
Ses premiers ouvrages étaient influencés de l'artisanat folklorique hongrois, et réalisés en argile. Il travailla ensuite le bois et la pierre, de 1950 à 1954, dans des œuvres plus ambitieuses. L'année 1955 le vit frôler une inspiration surréaliste, dans des formes contournées et baroques. Au contraire, dans la suite, Szekely revint à une conception purement plastique de la sculpture, posant surtout des problèmes d'animation de l'espace, d'intégration architecturale. De 1957 à 1959, il expérimenta le métal, puis il revint à la pierre, notamment le granit rose travaillant également le béton non coffré. Ni abstrait, ni figuratif, il bâtit dans l'espace comme des idéogrammes de pierre, recueillis de civilisations disparues, rappelant certains graphismes des Indiens d'Amérique ou de l'Extrême-Orient. Il est l'auteur de nombreuses réalisations monumentales : les plans d'une chapelle pour le Carmel de Valenciennes, à Saint-Saulve, en 1965 ; un « village-sculpture », en 1969, à Beig-Meil, sur la côte du Finistère-Sud.
Bibliogr. : Denys Chevalier, in : *Nouveau diction. de la sculpt. mod.*, Hazan, Paris, 1970 – in : *Catalogue de la IIᵉ Biennale Européenne de Sculpture de Normandie*, Centre d'Art Contemporain, Jouy-sur-Eure, 1984 – Catalogue de l'exposition : *Szekely*, Musée de la Monnaie, Paris, 1981 – Pierre Souchaud : *Entretien avec Pierre Szekely*, Artension, nᵒ 18, Rouen, 1990 – in : *L'Art du xxᵉ siècle*, Larousse, Paris, 1991.
Musées : Paris (Mus. Nat. d'Art Mod.) : *Verbe* 1964.

SZEKELY Véra
xxᵉ siècle. Française (?).
Sculpteur d'intégrations architecturales.
D'origine Hongroise, elle vit et travaille en France. Elle montre ses œuvres dans des expositions personnelles : 1985-1986 musée d'Art moderne de la ville de Paris.
Elle conçoit ses sculptures en fonction d'un lieu.
Musées : Paris (FNAC) : ensemble d'œuvres diverses (donation).
Ventes publiques : Paris, 10 juil. 1995 : *Le fondateur* 1985, albâtre sur socle d'ardoise (H. 40, l. 20, prof. 25) : **FRF 3 800.**

SZÉKELY VON ADAMOS Arpad
Né le 28 février 1861 à Marchendorf (Bohême). Mort le 10 mai 1914 à Budapest. xixᵉ-xxᵉ siècles. Hongrois.
Graveur, peintre.
Il était le fils de Bertalan Székely. Il étudia à Budapest et à Munich.

SZÉKELY VON ADAMOS Bertalan ou **Barthélémy**
Né le 8 mai 1835 à Kolozsvar. Mort le 21 août 1910 à Matyasföld, près de Budapest. xixᵉ siècle. Hongrois.
Peintre d'histoire, sujets mythologiques, scènes de genre, portraits, compositions murales, dessinateur, illustrateur.
Il fut élève de Carl Rahl à Vienne, puis de Carl Theodor Piloty à Munich. Il séjourna à Paris, où il découvrit les maîtres français. Il a choisi comme thèmes de ses œuvres majeures des sujets mythologiques et les évènements les plus tragiques de l'histoire nationale ; on cite notamment : *Le roi Louis II est retrouvé mort au champ de bataille de Mohacs*. Dans ses œuvres plus spontanées, il montre un sentiment romantique qui évoque Delacroix, parfois les peintres de Barbizon ou Courbet. Il a également réalisé des fresques dans la cathédrale de Pécs et dans l'église du Roi Matthias de Budapest.
Bibliogr. : In : *Diction. de la peint. allemande et d'Europe centrale*, coll. Essentiels, Larousse, Paris, 1990.
Musées : Budapest (Mus).

SZÉKELY VON DOBA Andor
Né le 16 avril 1877 à Löcse. xxᵉ siècle. Hongrois.
Peintre de compositions animées.

Il étudia à Budapest et à Paris.

Musées : Budapest – Nantes.

Ventes Publiques : Versailles, 16 mars 1969 : *Quatre jeunes femmes, un jour de neige* : FRF 6 000.

SZÉKELY-KOVACS Olga
Née le 19 février 1900 à Szeged. Morte le 28 décembre 1971. xxᵉ siècle. Depuis 1938 active puis vers 1945 naturalisée en France. Hongroise.
Peintre de nus, portraits, paysages, natures mortes, aquarelliste, graveur, illustrateur. Postimpressionniste.
Elle débute sa carrière de peintre en Hongrie, qu'elle quitte en 1938 pour s'installer à Paris. À partir de 1960, elle réside chaque année aux États-Unis.
Elle a abordé diverses techniques et divers genres. Elle a notamment illustré *Le Silence de la mer* de Vercors. Elle signe de ses initiales « Szko ».

SZEKER Mihaly. Voir TIHAMÉRI

SZEKERES Bela
Né le 18 février 1890 à Budapest. xxᵉ siècle. Hongrois.
Peintre.
Il étudia à Budapest, où il vécut et travailla. Il séjourna à Rio de Janeiro, où il réalisa des œuvres.

SZÉKESSY Zoltan
Né le 7 mars 1899 à Dombiratos. xxᵉ siècle. Depuis environ 1920 actif aussi en Allemagne. Hongrois.
Sculpteur de figures, animalier.
Il fut élève de l'académie des beaux-arts de Düsseldorf. Il a participé en 1962, à l'exposition *Artistes de Düsseldorf* au musée des Beaux-Arts d'Ostende et expose régulièrement en Hongrie, à Budapest, et en Allemagne notamment.
Il travaille le bronze et a réalisé de nombreuses sculptures d'enfants.

SZEKULAY Moric ou Szekulla
Né en 1839 à Moholy en Hongrie. xixᵉ siècle. Hongrois.
Peintre.

SZEKULICS Amadeus
Né le 26 novembre 1847 à Nagy-Becskerck. xixᵉ siècle. Hongrois.
Peintre de portraits et de paysages.
D'abord élève de Rostagni puis de P. J. N. Geiger. Il voyagea en Italie, séjourna à Venise, à Rome, à Paris. Il subit l'influence des maîtres espagnols modernes. Il s'établit à Vienne. Le Musée Moderne de cette ville conserve de lui : *Portrait du peintre Geiger* et *Portrait du sculpteur Vinzenz Pils*.

SZEKULLA Moric. Voir SZEKULAY

SZÉKY Maria
xixᵉ siècle. Active à Budapest. Hongroise.
Peintre.
Elle a peint entre 1830 et 1840 dans le style des Nazaréens.

SZELECZKY Tobias
Mort le 27 juillet 1836 à Presbourg. xixᵉ siècle. Actif à Presbourg. Hongrois.
Peintre.
Élève à Presbourg de Ferd. von Lutgendorff.

SZELEPCSÉNYI György ou Georges ou Szelepchényi
Né vers 1595 à Szelepcsény en Hongrie. Mort le 14 janvier 1685 à Litovica. xviiᵉ siècle. Hongrois.
Graveur au burin.

SZEMBEK Stanislas
Né le 2 août 1849 à Siemianice. Mort le 28 mai 1891 à Wysocko. xixᵉ siècle. Hongrois.
Il étudia à l'Académie de Munich de 1869 à 1871 et à partir de 1872 à Cracovie. En 1879 il se fixa à Wysocko.
Musées : Cracovie : *Le peintre Benedyktowicz – Paysans de Cracovie* – Posen : *Deux paysages.*

SZEMERE Miklos ou Nicolas
Né le 17 juin 1804 à Lasztoc. Mort le 20 août 1881 à Lasztoc. xixᵉ siècle. Hongrois.
Peintre, aquarelliste.
Il fut aussi poète.

SZEMERE Miklos ou Nicolas
Né en 1889 à Budapest. xxᵉ siècle. Hongrois.
Peintre de figures, paysages.
Il vit et travaille à Budapest.

SZEMESZ Adam
Né en 1808 à Kreis Stuck. Mort en 1864 à Vilno. xixᵉ siècle. Polonais.
Peintre et écrivain d'art.
Il étudia à l'École des Beaux-Arts de Vilno et a peint des sujets religieux et des portraits.

SZEMLER Mihaly ou Michel
Né le 4 juillet 1833 à Budapest. Mort le 28 février 1904 à Budapest. xixᵉ siècle. Hongrois.
Peintre et graveur.
Il étudia à Budapest et à Vienne et a peint des histoires, des types populaires et des scènes de genre. Son œuvre est représenté au Musée de Budapest.

SZEMPLENYI Tivadar. Voir ZEMPLENYI

SZENDE Dezso ou Didier
Né le 6 décembre 1887 à Budapest. xxᵉ siècle. Hongrois.
Peintre de paysages.

SZENES Andras ou André, dit Dugo
Né le 4 mai 1895 à Szolnok. xxᵉ siècle. Hongrois.
Peintre de portraits, illustrateur. Tendance expressionniste.
Il a exposé à Paris, Budapest, Berlin, Munich.
Il a peint des portraits qui tout en donnant l'impression d'une volonté de ne pas trahir la ressemblance ne sont pas sans parenté avec les œuvres de l'expressionnisme germanique. Caricaturiste à ses heures, Szenes a collaboré, sous le nom de Dugo, au *Simplicissimus*, au *Jugend* et au *Rire*.

SZENES Arpad
Né le 6 mai 1897 à Budapest, et non 1900 comme l'indiquent diverses sources. Mort le 16 janvier 1985 à Paris. xxᵉ siècle. Depuis 1925 actif et depuis 1956 naturalisé en France. Hongrois.
Peintre de paysages, marines, peintre à la gouache, graveur, illustrateur. Abstrait.
Il commença à dessiner et peindre en 1918, étudiant à l'Académie libre de Budapest, où il étudie avec Rippl Ronaï. Après avoir parcouru plusieurs pays d'Europe, l'Allemagne, où il fut impressionné par le groupe expressionniste Der Sturm, l'Italie, où il fut muséologiquement saturé, il se fixa à Paris en 1925. Il y travailla à l'académie de la Grande Chaumière, dans les ateliers d'André Lhote, de Fernand Léger, de Bissière. Il se maria avec le peintre Helena Vieira da Silva. En 1931, il travailla la gravure avec Hayter à l'Atelier 17. De 1939 à 1947, il se réfugia avec Vieira da Silva, au Brésil, à Rio de Janeiro, où ils furent liés avec Torrès-Garcia, qui aura eu une importance capitale dans l'évolution artistique des pays d'Amérique Latine, avant la Deuxième Guerre mondiale. En 1962, il est fait Chevalier de l'Ordre des Arts et des Lettres. En 1964, il voyage en Italie, en 1966 aux États-Unis, en 1968 en Suisse et à Venise.
Il participa à des expositions collectives : de 1932 à 1938 Salon des Surindépendants, régulièrement aux Salons de Mai et des Réalités Nouvelles.
Il montre ses œuvres dans des expositions personnelles : 1922 musée Ernst à Budapest ; 1936 avec Vieira da Silva dans son atelier à Lisbonne ; 1939, 1949, 1952, 1955, 1963 galerie Jeanne Bucher à Paris ; 1941 Maison des Artistes à Rio de Janeiro ; 1960, 1965, 1969 galerie Cahiers d'Art à Paris ; 1972 fondation C. Gulbenkian à Lisbonne ; 1974 musée d'art moderne de la ville de Paris ; 1978 musée national des Beaux-Arts de Budapest, Varisi Tannaacs Kiallitoteme de Pecs ; 1982-1983 musée Ingres de Montauban ; 1983 œuvre gravé au musée des Beaux-Arts de Dijon ; 1985 galerie Jeanne Bucher et galerie Jacob à Paris ; 1986 Centre culturel portugais de la fondation C. Gulbenkian à Paris ; 1989 Casa de Serralves à Lisbonne. Il a reçu en 1978 le Grand Prix national des Arts et Lettres.
Dès 1932, ses peintures, à force de se satisfaire d'un substrat allusif à la réalité, se rapprochaient de l'abstraction. Il réalisa à Rio de Janeiro dix-sept portraits de savants pour l'Université d'Agronomie de 1943 à 1945 ; il y peignit une décoration murale pour l'Hôtel de Ville dans l'Ile du Gouverneur en 1946. Sa peinture avait longtemps présenté quelques affinités avec le surréalisme. Il n'est pas impossible que les contacts avec Torrès-Garcia l'aient incité à s'écarter de l'apparence signifiante pour revenir à un langage où dominent les raisons plastiques. Alors au Brésil, il dessine beaucoup Vieira da Silva. À son retour en France, il était en possession des moyens picturaux qui allaient caractériser désormais toute sa production, Sans rechercher l'abstraction à

tout prix, puisque, au contraire, fondant sa peinture sur des sensations réelles de lumière, de climat psychologique, la réalité des choses, qui ne lui sert que de prétexte, de tremplin, y est tellement subordonnée à l'organisation lumineuse et rythmique de la surface de la toile, qu'elle n'apparaît plus en tant que telle. Aussi peu tapageuse que possible, sa peinture ne se livre qu'aux regards patients et rêveurs. Non dessinée, elle s'est constituée de plans de lumière, tendrement teintés, qui se sont peu à peu juxtaposés, jusqu'à couvrir la surface, puis ensuite superposés, jusqu'à avoir atteint à la justesse d'accord poursuivie, uniquement à fleur de sensibilité, sans possibilité de recours à aucun raisonnement. Alors, on y pénètre, comme Michel Seuphor, dans « un monde enneigé ou qui décante son histoire dans des blancheurs fondantes. Ces pâleurs affirmées, ces tracés dans le blanc à peine perceptibles, sont le vocabulaire d'un peintre très sûr de ce qu'il dit, mais qui s'exprime à voix basse ». Sarane Alexandrian évoque : « sa peinture, de plus en plus fluide, immatérielle », qui traduit « ses formes impalpables de l'univers... par plans étalés en largeur, suggérant des horizons brumeux indéfinissables... Des mouchetures de couleurs parsèment ses fonds gris, comme des points lumineux guidant le regard à travers une vapeur opaque ». ■ J. B.
Bibliogr. : Michel Seuphor : *Diction. de la peint. abstr.*, Hazan, Paris, 1957 – Jean Grenier : *Entretiens avec dix-sept peintres non figuratifs*, Calmann-Lévy, Paris, 1963 – B. Dorival, sous la direction de... : *Peintres Contemporains*, Mazenod, Paris, 1964 – Sarane Alexandrian, in : *Diction. Univers. de l'Art et des Artistes*, Hazan, Paris, 1967 – Anne Philipe : *L'Éclat de la lumière*, Gallimard, Paris, 1978 – Guy Weelen : *Le Banquet d'Arpad Szenes*, La Différence, Paris, 1981 – *Vieira da Siva, Arpad Szenes dans les collections portugaises*, Casa de Serralves, Lisbonne, 1989 – Anne Philipe, Guy Weelen : *Arpad Szenes*, Cercle d'Art, Paris, 1991 – Lydia Harambourg : *L'École de Paris 1945-1965. Dict. des peintres*, Ides et Calendes, Neuchâtel, 1993.
Musées : Dijon (Mus. des Beaux-Arts) : *Les Coureurs cyclistes* – *La Course cycliste* – *Portrait de Vieira* 1947 – *Trois Parques* 1952 – Jérusalem (Bezalel Mus.) – Lisbonne (Centro de Arte Mod., fondation C. Gulbenkian) : *Marie Helena V* 1939 – *Marie Helena VI* 1939 – *Marie Helena VII* 1939 – *Marie Helena XV* 1945 – *En peignant* 1946 – *Maria Helena* 1948 – *L'Éclipse* 1962 – *Les Sirènes* 1964 – Marseille (Mus. Cantini) : *L'Épave* 1971, h/pap. – New York (Solomon R. Guggenheim Mus.) : *Composition* 1953 – Paris (Mus. Nat. d'Art Mod.) – Paris (Mus. d'Art Mod. de la ville) – Rio de Janeiro.
Ventes Publiques : Paris, 2 déc. 1980 : *Composition grise*, gche (40x62) : **FRF 6 000** – Paris, 2 déc. 1980 : *« Le Grand Canon »* 1960, h/t (65x81) : **FRF 9 000** – Paris, 26 juin 1986 : *Composition* 1965, gche (9,5x29) : **FRF 11 000** – Paris, 20 nov. 1988 : *Rhapsodie* 1974, h/pap. : **FRF 25 000** – Paris, 25 avr. 1989 : *Lagon* 1964, h/t (33x55) : **FRF 150 000** – Paris, 25 juin 1991 : *Vieira da Silva*, encre/pap. (20x35) : **FRF 10 000** – Paris, 20 nov. 1991 : *Composition cubiste*, h/t (40x80) : **FRF 41 000** – Paris, 11 déc. 1992 : *Le Modèle bleu* 1930, h/t (41x33) : **FRF 14 500** – Paris, 26 nov. 1994 : *Variation*, gche, aquar. et pl./pap. contrecollé (10x10,3) : **FRF 8 000** – Paris, 20 juin 1996 : *Le Fief*, gche/pap. (66x66) : **FRF 41 000** – Paris, 23 fév. 1997 : *Paysage* 1957, temp. et gche/ pap. (24x69) : **FRF 25 000** – Paris, 18 juin 1997 : *Composition*, h/t (50x147) : **FRF 180 000** – Paris, 20 juin 1997 : *Les Cimes* 1969, h/cart. (21,5x27) : **FRF 28 000** – Paris, 27 juin 1997 : *Les Trois Barques* 1952, gche/pap. (15x25) : **FRF 13 500** – Paris, 4 oct. 1997 : *L'Obstacle* 1935, h/cart. (26x33) : **FRF 41 000**.

SZENES Fülop ou Philipp
Né en 1863 à Török-Sanzt-Miklos. XIXᵉ-XXᵉ siècles. Hongrois.
Peintre de genre.
Il vécut et travailla à Budapest et exposa à Paris, où il reçut une médaille de bronze en 1900 à l'Exposition Universelle.
Musées : Bucarest (Mus. Simu) : *Juge de village en Transylvanie.*

SZENT-ANTAL, Maître de. Voir MAÎTRES ANONYMES

SZENT-ISTVANY Gyula ou Jules
Né le 6 novembre 1881 à Vihnye. Mort le 15 octobre 1930 à Budapest. XXᵉ siècle. Hongrois.
Peintre.
Il étudia à Budapest et à Munich et fut professeur à l'École des Beaux-Arts de Budapest.
Musées : Budapest : *Saint Gérard.*

SZENTGYÖRGYI Istvan ou Étienne
Né le 20 juin 1881 à Begaszentgiörgy. XXᵉ siècle. Hongrois.
Sculpteur de nus, monuments.

Professeur à l'Académie des Beaux-Arts de Budapest, il avait fait ses études à Budapest et à Bruxelles. Il a sculpté des nus et il est l'auteur de nombreux monuments publics.
Musées : Budapest – Rome (Gal. d'Art Mod.).
Ventes Publiques : Enghien-les-Bains, 27 avr. 1980 : *Le jeu du bâtonnet* 1920, bronze patine brune (H. 78) : **FRF 22 600**.

SZENTGYÖRGYI Janos ou Jean
Né en 1794 à Magyar-Izsep en Hongrie. Mort en 1860. XIXᵉ siècle. Hongrois.
Peintre.
Il étudia à Vienne. Il a peint de nombreux portraits, des fleurs, des fruits et des vues de Budapest. Le Musée de cette dernière ville possède plusieurs de ses œuvres.

SZENTGYÖRGYI Jozsef
Né à Balatonaracs. XXᵉ siècle.
Peintre, pastelliste, technique mixte.
Il fut élève de l'école des beaux-arts de Budapest.
Il a reçu le prix Munkacsy en 1981 et réalisé de nombreuses commandes publiques.

SZENTIVANYI Jozsef
Né le 8 mai 1883 à Budapest. XXᵉ siècle. Hongrois.
Sculpteur, médailleur.
Il vécut et travailla à Budapest.

SZENTIVANYI Lajos
Né en 1909 à Déva. XXᵉ siècle. Hongrois.
Peintre de paysages, aquarelliste, peintre de compositions murales, illustrateur.
Il fut élève de l'École des Beaux-Arts de Budapest, de 1930 à 1937. En 1937, il fit un voyage d'étude en Europe Occidentale et notamment en France, où il fut marqué par les œuvres des impressionnistes. Lauréat du Prix Kossuth, il enseigne au Conservatoire d'Art Dramatique et Cinématographique de Budapest.
Il expose fréquemment en Hongrie et à l'étranger, notamment à la Biennale de Venise, en 1960.
Essentiellement paysagiste, il entreprend parfois des compositions plus ambitieuses, telle *La Construction du Pont Kossuth*. Il a peint aussi des compositions murales pour la papeterie de Csepel, l'Hôtel Tisza à Szeged, le Siège du Parti à Papa.
Bibliogr. : B. Dorival, sous la direction de... : *Peintres Contemporains*, Mazenod, Paris, 1964 – *Hongrie 68*, Pannonia, Budapest, 1968.
Musées : Budapest (Gal. Nat. Hongroise).

SZENTMIKLOSSY Zoltan
Né le 16 mars 1878 à Komarom. Mort en 1916 à Budapest. XXᵉ siècle. Hongrois.
Peintre de paysages.

SZEPESSY Zoltan. Voir SEPHESHY

SZEPS Augustin. Voir SCHÖPS

SZEPTYCKA Konstancja, née comtesse Czacka
Morte en 1855. XIXᵉ siècle. Polonaise.
Peintre amateur.

SZEPTYCKA Zofia, née comtesse Fredo
Née le 21 mai 1837 à Lemberg. Morte le 17 avril 1904 à Przylbice. XIXᵉ siècle. Polonaise.
Peintre amateur et écrivain.

SZERELMEY Miklos ou Nicolas, de son nom d'origine Liebe
Né en 1803 à Györ en Hongrie. Mort le 5 août 1875 à Budapest. XIXᵉ siècle. Hongrois.
Peintre de portraits, lithographe.
Élève de l'École des Ingénieurs à Vienne, puis officier, il partit en Italie et en Égypte. Il assista à la Révolution de 1830 à Paris et alla ensuite en Amérique du Nord, en Scandinavie et à partir de 1840 en Hongrie. Il participa à la guerre contre les Habsbourg en 1848-49.

SZERENCSI Zoltan
Né le 20 septembre 1897. XXᵉ siècle. Hongrois.
Peintre de nus, paysages.
Il étudia à Budapest, où il vécut et travailla, à Munich et à Rome.

SZERMENTOVSKI Jozef ou Joseph ou Szermentowski
Né le 16 février 1833. Mort le 6 septembre 1876 à Paris. XIXᵉ siècle. Polonais.
Peintre paysagiste et de genre.

Il étudia le dessin, d'abord chez Kostrzewski, puis à l'École des Beaux-Arts de Varsovie, en même temps il travailla avec Jules Kossak. En 1858 il se rendit à Paris comme boursier et y demeura jusqu'à sa mort. Les artistes de l'École de Fontainebleau exercèrent une grande influence sur sa formation artistique, mais ses sujets furent surtout des paysages polonais.

Musées : Cracovie : *La campagne polonaise – Vaches dans la forêt – Village polonais – Pins –* Lemberg : *Dans le parc –* Varsovie : *Halte du laboureur – Lisière de forêt – Paysage avec église.*

Ventes Publiques : Londres, 13 jan. 1971 : *Le retour au monastère :* GBP 300.

SZERNER Vladyslav
Né le 3 juin 1836 à Varsovie. Mort le 4 janvier 1915 à Unter-Haching près de Munich. XIXe-XXe siècles. Polonais.
Peintre de genre, compositions animées, sujets typiques.
Il était le père de Vladyslav Karol Szerner. Il étudia à l'École des Beaux-Arts de Varsovie, à Olmutz et à partir de 1865 à l'Académie de Munich. Il subit l'influence de Joseph Brandt, dans l'atelier de qui il travailla.
Musées : Cracovie : *Cavalier – Cosaque –* Lemberg : *Chasseurs –* Posen : *Chevalier et paysan –* Varsovie : *Cosaque à cheval parlant à une paysanne – Glaneuse – Voiture et paysans devant l'auberge.*

SZERNER Vladyslav Karol
Né le 19 avril 1870 à Przybenice. Mort en décembre 1936 à Wosniki. XIXe-XXe siècles. Polonais.
Peintre.
Il étudia à l'Académie de Munich. Il travailla en Pologne.

SZERVATIUSZ Jeno ou Eugène
Né le 4 juillet 1903 à Kolozsvar. XXe siècle. Polonais.
Sculpteur.
Il vit et travaille à Kolozsvar.

SZEYMECLER Jan
XVIIIe siècle. Polonais.
Dessinateur.
Officier d'artillerie, il travailla de 1781 à 1783 pour le roi Stanislas Auguste à Varsovie. Le Musée de Cracovie contient vingt-trois portraits dessinés par cet artiste.

SZIGETHY Istvan ou Étienne
Né en 1891 à Erzsebetvaros. XXe siècle. Polonais.
Peintre, graveur.
Il étudia à Budapest chez Karoly Ferenczy.

SZIGETI Jeno ou Eugène
Né le 30 janvier 1881 à Budapest. XXe siècle. Hongrois.
Peintre de paysages.
Il vit et travaille à Budapest.

SZIKORA György ou Georges
XVIIIe siècle. Hongrois.
Peintre.
Il travailla assez longtemps à Eger et se livra surtout à des travaux de restauration.

SZIKSZAY Ferenc ou François
Né le 16 février 1871 à Budapest. Mort le 18 juillet 1908 à Orsay (Essonnes). XIXe-XXe siècles. Hongrois.
Peintre de paysages.
Il participa à Paris à des expositions collectives, notamment au Salon des Artistes Français, et reçut une médaille de bronze en 1900 à l'Exposition Universelle.
Musées : Budapest.

SZILAGYI Ilona ou Hélène, épouse A. Berkes
Née en 1883 à Budapest. XXe siècle. Hongroise.
Peintre de figures, paysages.
Elle vit et travaille à Budapest.

SZILAGYI Margit ou Marguerite
Née le 3 avril 1894. XXe siècle. Hongroise.
Sculpteur.
Elle vit et travaille à Budapest.

SZILAGYI Piroska ou Prisca
Née le 9 août 1889 à Kolozsvar. Morte le 28 octobre 1931 à Budapest. XXe siècle. Hongroise.
Peintre de figures.

SZILAGYI Szilard
Né en 1959. XXe siècle. Hongrois.
Peintre de compositions animées.
Autodidacte, il fut membre du Studio des Jeunes Artistes à partir de 1986. Il participe à des expositions nationales depuis 1984

ainsi qu'à l'étranger : 1987 Francfort-sur-le-Main. Il montre ses œuvres dans des expositions personnelles : 1984 Pecs.
Il réalise des compositions à tendance primitive, des motifs se côtoyent sur un fond uni, animaux, fragments du corps humain (bouche, yeux), figures abstraites.
Ventes Publiques : Paris, 14 oct. 1991 : *Le jardin de Casanova*, h/t (70x60) : FRF 3 500.

SZILASSY Géza
Né en 1821 en Hongrie. Mort le 22 juillet 1859 à Florence. XIXe siècle. Hongrois.
Peintre.
A partir de 1854 il fut élève de K. Marko à Florence. Le Musée de Budapest conserve de lui *Dryope et Apollon.*

SZILASSY Janos ou Jean
XVIIIe siècle. Hongrois.
Peintre.
On lui doit un portrait de *Charlotte Amalie de Hesse* au Musée de Krasznahorka.

SZILASSY Laura von, baronne I. Fejervary
Née le 28 septembre 1873 à Bex. Morte le 20 septembre 1929 à Lausanne. XIXe-XXe siècles. Hongroise.
Peintre de paysages.

SZILVITZKY Krisztina
Née le 2 janvier 1888. XXe siècle. Hongroise.
Peintre de figures.
Elle vit et travaille à Budapest.

SZILY Adolf
Né le 14 août 1842 à Vienne. XIXe siècle. Travailla à Vienne. Autrichien.
Sculpteur d'ornements.

SZINAGEL Emil. Voir SCHINAGEL

SZINAY Jozsef
Né le 26 novembre 1881. XXe siècle. Hongrois.
Peintre de paysages.
Il vit et travaille à Budapest.

SZINES Elemer
Né en 1886. XXe siècle. Hongrois.
Peintre de figures, paysages.
Il vit et travaille à Budapest.

SZINI Zoltan
Né le 2 août 1891 à Beregardo. XXe siècle. Hongrois.
Peintre de figures, paysages.

SZINTE Gabor
Né en 1929. XXe siècle. Hongrois.
Peintre de natures mortes.
Possédant un métier accompli, il compose de savantes natures mortes placées devant des échappées de paysages, jouant à la fois sur la minutie d'un rendu réaliste et sur un soupçon de surréalité.
Bibliogr. : Lajos Németh : *Moderne ungarische Kunst*, Corvina, Budapest, 1969.

SZINTE Gabor ou Gabriel
Né le 21 mars 1855 à Septiköröspatak. Mort le 24 mars 1914 à Budapest. XIXe-XXe siècles. Hongrois.
Illustrateur.
Peintre, il fut également professeur d'histoire de l'art.

SZINYEI MERSE Pal ou Paul von
Né le 4 juillet 1845 à Szinye-Uyfalu. Mort le 2 février 1920 à Jernye. XIXe-XXe siècles. Hongrois.
Peintre de genre, figures, compositions animées, paysages. Impressionniste.
Il commença ses études artistiques à Munich, en 1864, et les y poursuivit pendant neuf ans. S'il fut élève de Piloty, il reçut en fait surtout les influences de Böcklin, et encore plus des peintres de l'école de Barbizon et de Courbet, desquels il avait pu voir des œuvres aux expositions de Munich. Il fit un voyage d'étude en Italie, revint en Hongrie, de 1870 à 1872, et retourna se fixer à Munich. Par la suite, il fut nommé directeur de l'École des Beaux-Arts de Budapest.
Il exposa au Salon de Paris, et obtint une médaille d'argent en 1900, à l'Exposition Universelle de Paris.
Il fut à la peinture hongroise ce que Manet fut en France. Précurseur, il introduisit le sens du plein air dans la peinture de son temps, permettant du même coup à l'impressionnisme de pénétrer en Hongrie. En 1873, donc âgé de vingt-huit ans, au bout

d'une formation parfaite dans les expositions visitées et les voyages, il peignit son grand chef-d'œuvre : *Le Déjeuner sur l'herbe*. Depuis quelques années déjà, ses études et compositions montraient un évident épanouissement dans le domaine de la sensation des couleurs, de la lumière, du mouvement et de la vie, dans une façon de rendre les impressions fugitives, alors unique en Europe Centrale et que l'on n'y retrouvera qu'avec la pénétration de l'impressionnisme. Avec *Le Déjeuner sur l'herbe*, il introduisait pour la première fois le plein air dans la peinture d'Europe Centrale, à un tel point qu'il souleva avec cette œuvre, une tempête de protestations et de railleries. Ulcéré, il n'eut pas le courage de mépriser les critiques. Il se retira dans son domaine de Jernye, où, pendant une vingtaine d'années, il abandonna presque complètement la peinture, peignant encore parfois quelques tableaux, dans lesquels il restait d'ailleurs complètement fidèle à son intuition première, telle *La Balançoire*. Cependant, pendant ce temps, les idées et les esthétiques nouvelles faisaient leur chemin. Manet, école de Barbizon, Courbet, impressionnistes, bien que lentement, se faisaient connaître hors de France. En Hongrie même, à l'exemple de l'école de Barbizon, se constituait le groupe de Nagybanya. Le talent, la précocité de Szinyei Merse, furent enfin reconnus. Il se remit à peindre avec continuité, mais bien que toujours dans l'esprit de ses peintures d'avant 1873, ses nouvelles œuvres n'égalèrent plus l'intensité de sensation et la vivacité de facture des paysages, des figures et des compositions à personnages de l'époque du *Déjeuner sur l'herbe*. ■ J. B.

Paul Szinyei (signature)

BIBLIOGR. : Lajos Németh : *Moderne ungarische Kunst*, Corvina, Budapest, 1969.
MUSÉES : BUDAPEST (Gal. Nat. hongroise) : *Pique-nique de mai*.
VENTES PUBLIQUES : FLORENCE, 7 juin 1976 : *Le déjeuner sur l'herbe*, h/t (50x42) : ITL **1 600 000** – LONDRES, 23 juin 1981 : *Mère et deux enfants dans une prairie* 1870, h/t (137x94) : GBP **25 000** – LONDRES, 22 nov. 1989 : *Le rendez-vous sous un arbre* 1870, h/t (71,5x46) : GBP **17 600** – LONDRES, 10 juin 1992 : *Buisson d'églantine à l'orée d'un champ* 1904, h/t (58x73) : GBP **8 800** – LONDRES, 14 juin 1995 : *Mère et ses enfants* 1870, h/t (137x94) : GBP **106 000**.

SZINYEI MERSE Rozsi ou **Rose von**
Née le 13 mai 1881. xxᵉ siècle. Hongroise.
Peintre de figures.
Elle était la sœur du peintre Paul Szinyei Merse. Elle vécut et travailla à Budapest.

SZIRMAI Antal ou **Antoine**
Né le 11 juin 1860 à Szabadka. Mort le 27 avril 1927 à Kiskundorozsma. xixᵉ-xxᵉ siècles. Hongrois.
Peintre de genre, compositions religieuses, animaux.
Élève de Karl Lotz et Gyula Benczur, il a peint des animaux, des tableaux de genre et des fresques d'inspiration religieuse.
VENTES PUBLIQUES : NEW YORK, 28 mai 1980 : *Soldat, au bord d'une rivière, préparant le poisson*, h/t (70,2x55) : USD **1 200** – PARIS, 13 avr. 1989 : *Scènes de canotage* 1885, h/t (150x200) : FRF **140 000** – PARIS, 22 mars 1990 : *La Promenade au bois de Boulogne*, h/t (105,5x200) : FRF **140 000**.

SZIRMAI Antal ou **Tony**
Né en 1871 à Budapest. xixᵉ-xxᵉ siècles. Hongrois.
Sculpteur, médailleur.
Il se fixa à Paris.

SZIRMAI Kornel ou **Corneille**
Né en 1897 à Pecs. xxᵉ siècle. Hongrois.
Peintre de figures, décorateur.
Il travailla à Budapest et à Paris.

SZIRT Oszkar
Né en 1889 à Budapest. Mort le 21 juin 1915, tué au front. xxᵉ siècle. Hongrois.
Peintre de figures.

SZIRTES Henrik
Né le 15 janvier 1876 à Lengyeltoti. xxᵉ siècle. Hongrois.
Peintre de paysages.

SZIRTES Janos
Né en 1954 à Budapest. xxᵉ siècle. Hongrois.

Peintre, auteur de performances. Abstrait.
Il obtint la bourse d'études Derkovits et fit ses études à l'École des Beaux-Arts de Budapest. Titulaire d'une autre bourse il put partir pour l'Académie hongroise de Rome. De retour en Hongrie, il devint directeur du Cercle Lajos Vajda de Szentendre. Il participe à de nombreuses expositions nationales et internationales, notamment à la Documenta 8 de Kassel où, représentant du courant post-moderne, il présente des performances.
Il a également réalisé des temperas.
VENTES PUBLIQUES : PARIS, 14 oct. 1991 : *Sans titre I* 1983, temp./ pap. (50x70) : FRF **3 500**.

SZITNIK Marta
Née le 29 octobre 1875 à Neuhof (Prusse). xxᵉ siècle. Allemande.
Peintre de portraits, paysages, natures mortes.
Elle fut élève de Heinrich Hubner, Lovis Corinth, Walter Thor et Otto Modersohn. Elle vécut et travailla à Tilsit.

SZKICSAK Istvan ou **Étienne**
Né vers 1820. Mort après 1880 à Budapest. xixᵉ siècle. Actif à Pest. Hongrois.
Peintre.
Il étudia à Pest et, durant six années, à Rome.

SZLANYI Lajos ou **Louis**
Né le 4 août 1869 à Budapest. xixᵉ siècle. Hongrois.
Peintre de paysages.
Il étudia à Budapest, Karlsruhe et Paris. Il travailla à Budapest et à Szolnok.
MUSÉES : BUDAPEST.

SZLAVIK Dezsö ou **Didier**
Né le 14 juin 1887 à Jaszapati. xxᵉ siècle. Hongrois.
Peintre d'animaux, paysages.

SZLEGEL Korneli ou **Cornelius** ou **Szlegiel, Szlegl**
Né le 29 mars 1819 à Stanislawow. Mort le 23 juillet 1870 à Lemberg. xixᵉ siècle. Polonais.
Peintre d'histoire, scènes de genre, portraits.
Il fut élève de K. G. Schweikarts à Lemberg et entra à l'Académie de Vienne en 1836. Il fit un voyage d'études en Bohême, à Munich, en Italie, à Paris, à Londres et à Copenhague. A partir de 1847 il travailla à Lemberg. En 1851, il voyagea en Moldavie et en Orient. Il était également critique d'art.
MUSÉES : LEMBERG (Gal. mun.) : *Sobieski reçoit les députés impériaux* – *Sobieski danse avec la femme du forgeron de Javorav* – *Maison vue au petit jour* – *Mme Smolka* – *Duchenski et sa femme* – *K. Werner et sa femme* – *Paysage italien* – LEMBERG (Lubomirski) : *Le Christ et la Samaritaine* – *Apothéose de la libération de Vienne* – *Portrait de femme*.

SZMRECSANYI Odön ou **Edmond von** ou **Pajtas Odön**
Né en 1874 à Kassa. xixᵉ-xxᵉ siècles. Hongrois.
Peintre de paysages, aquarelliste, dessinateur.
Il vécut et travailla à Budapest. Il dessina des caricatures et des sujets de sport, réalisa des paysages à l'aquarelle.

SZMUSZKOWICZ Nechama
Née le 3 janvier 1895 à Mir (département de Minsk). Morte le 7 mars 1977 à Paris. xxᵉ siècle. Depuis 1925 active en France. Russe.
Peintre de natures mortes. Tendance puriste.
Elle étudie à l'école des Beaux-Arts d'Odessa, de 1915 à 1920, avec l'assistante d'Alexandra Exter, du groupe cubiste-futuriste russe. En 1925 elle vient à Paris et travaille à l'Académie Moderne, de 1926 à 1930, avec Fernand Léger et Amédée Ozenfant. Elle expose, en 1931, une série de peintures inspirées par les idées puristes d'Ozenfant. Durant l'occupation allemande son atelier parisien est saccagé et beaucoup de ses toiles disparaissent.
VENTES PUBLIQUES : VERSAILLES, 12 mai 1976 : *Nature morte grise* 1916, h/t (54x65) : FRF **4 500**.

SZNARBACH Antoni ou **Schnarbach**
xixᵉ siècle. Polonais.
Peintre.
Il travailla à Munich et exposa à Varsovie en 1891 et 1892. Le Musée Mielzynski à Posen conserve de lui : *Femme turque*.

SZNIADECKI Franciszek. Voir **SMIADECKI**

SZOBEL Geza
Né en 1905 à Komarno. Mort le 12 juin 1963. xxᵉ siècle. Depuis 1934 actif et naturalisé en France. Tchécoslovaque.
Peintre de compositions animées, figures, graveur, aquarelliste. Figuratif puis abstrait.

Il fut successivement élève des Écoles des Beaux-Arts de Budapest, Berlin et Prague, où il obtint une bourse, qui lui permit de visiter l'Italie. Il se fixa définitivement à Paris, en 1934, après y avoir fait quelques séjours. Il s'était lié avec Ubac, Chagall, Mané-Katz, Le Corbusier, Aragon. Il collabora même avec Delaunay. Pendant la Deuxième Guerre mondiale, il s'engagea comme volontaire, d'abord en France, puis en Angleterre.

Il semble qu'il ait déjà exposé des peintures, alors qu'il était encore enfant. Il participa à des expositions personnelles à Paris : de 1934 à 1939 au Salon des Surindépendants ; régulièrement au Salon de Mai ; en Europe et aux États-Unis. Il montre à partir de 1937 des expositions personnelles de ses œuvres, en Angleterre, à Rotterdam, et à plusieurs reprises à Paris.

De son arrivée à Paris datent ses premières œuvres abstraites. La plupart de ses peintures se situaient alors entre abstraction et figuration surréaliste. Il peignait beaucoup à l'aquarelle, aimant déjà les effets de transparence, les coloris vifs et acides. On retrouve souvent dans ses peintures, les personnages articulés comme des marionnettes, selon une géométrie sans rigueur excessive. Autour de 1940, de grandes aquarelles, hautes en couleur bien que toutes de transparences, mettaient en scène des compositions intimistes avec personnages, ou bien, au contraire, noyaient les personnages figurés dans des fluidités tendant à l'irréel. Au lendemain de la guerre, il reprit son travail, revenant aux grands rythmes géométriques de ses premières peintures abstraites, ayant gagné en liberté, en aisance, usant souvent d'une technique en hachures, qui caractérise les œuvres de cette période. Dans ses dernières années, ayant atteint à la plénitude de son langage et de sa technique, il se fixa à une abstraction à support géométrique, mais corrigée par l'émotion de la technique, toujours en effets de transparence, noyant les contours des surfaces dans des effets de flou ou de dégradé, dans des harmonies hautes en couleurs aigres-douces, de verts acides, de jaunes, d'orangés irritants, avec des éclats de rouges, surgissant de fonds glauques et transparents de bleus profonds et de verts aquatiques. ■ J. B.

Bibliogr. : Yvon Taillandier : *Géza-Szobel*, Paris, vers 1952 – B. Dorival, sous la direction de... : *Peintres Contemporains*, Mazenod, Paris, 1964 – *Catalogue de la vente Géza-Szobel*, Étude Cl. Robert, Paris 18 mai 1971.

Musées : Luxembourg (Mus. d'Art Mod.) – Paris (Mus. Nat. d'Art Mod.).

Ventes Publiques : Paris, 13 déc. 1974 : *Quatorze Juillet* : FRF 4 000 – Versailles, 12 mai 1976 : *Composition aux personnages* 1945, h/pan. (54x75) : FRF 3 900 – Paris, 29 avr. 1988 : *Composition*, past. (63,5x50) : FRF 6 000 – Neuilly, 20 juin 1988 : *Sans titre*, h/pan. (51x37,5) : FRF 8 000 – Versailles, 6 nov. 1988 : *Femme au chat noir* 1946, h/pan. (43,5x61) : FRF 18 000 – New York, 10 oct. 1990 : *Les buveurs* 1951, h/pan. (81,4x100,4) : USD 1 760 – Paris, 20 mai 1992 : *Composition* 1951, h/pan. (58x73) : FRF 3 200 – Paris, 16 mars 1997 : *Maternité*, h/pan. (69x44) : FRF 6 500.

SZOBONYA Mihaly ou Michel
Né en 1855 à Nemes Oroszi en Hongrie. Mort le 7 décembre 1898 à Budapest. XIXᵉ siècle. Hongrois.
Peintre de genre et de portraits.
Le Musée de Budapest conserve plusieurs de ses œuvres.

SZOBOTKA Imre ou Éméric
Né le 30 mars 1890 à Zalaegerszeg. Mort en 1961. XXᵉ siècle. Hongrois.
Peintre de portraits, paysages, graveur. Cubiste.
Il fut élève en 1910 à Paris, de l'académie La Palette. Après la Première Guerre mondiale, où il est interné en Bretagne, il revint en Hongrie et y introduit le cubisme. Il fut proche de l'esthétique de la revue MA dirigée par Lajos Kassak qui fit connaître la peinture d'avant-garde européenne. Il vécut et travailla à Budapest. Il peignit surtout des paysages, adoptant le principe de décomposition des plans du cubisme. Après 1919, il évolua vers un postimpressionnisme.
Bibliogr. : Catalogue de l'exposition : *L'Art en Hongrie 1905-1930 - art et révolution*, Musée d'Art et d'Industrie, Saint-Étienne, Musée d'Art moderne de la Ville, Paris, 1980-1981.
Musées : Budapest – Pécs (Mus. Janus Pannonius) : *Homme à la pipe* 1919.
Ventes Publiques : Londres, 4 juil. 1974 : *Portrait cubiste* : GBP 1 800.

SZÖDY Szilard Konstantin
Né le 27 avril 1878 à Nagykata. XXᵉ siècle. Hongrois.

Sculpteur.
Il vécut et travailla à Budapest.

SZOKOL Willibad
Né le 7 juillet 1888. XXᵉ siècle. Hongrois.
Peintre de portraits.
Il vécut et travailla à Budapest.

SZOLC Kazimierz ou Scholz
Né le 22 novembre 1846 à Gostyn. Mort le 13 juillet 1883 à Jezupol. XIXᵉ siècle. Polonais.
Peintre de paysages.
Il étudia à l'Académie de Munich et à l'Académie de Dresde. Il travailla à Florence en 1871 et à Rome de 1872 à 1879.

SZOLC WOLFOWICZ. Voir WOLFOWICZ

SZOLDATITS Ferenc ou François ou Szoldatics
Né le 29 novembre 1820 à Vörösberény. Mort le 25 janvier 1916 à Rome. XIXᵉ-XXᵉ siècles. Hongrois.
Peintre.
Il étudia à partir de 1840 à l'Académie de Vienne. Il travailla à Rome à partir de 1853 et il est ordinairement considéré comme un épigone des Nazaréens.

SZÖLGYÉNY Endre ou André
Mort en décembre 1918 à Szatmar-Németi. XIXᵉ-XXᵉ siècles. Hongrois.
Peintre de portraits.

SZÖLLÖSI Janos
Né le 31 mars 1884 à Csongrad. XXᵉ siècle. Hongrois.
Peintre de figures, paysages.
Il vécut et travailla à Budapest.

SZOLNAY Sandor ou Alexandre
Né le 4 novembre 1893 à Klausenbourg. XXᵉ siècle. Hongrois.
Peintre.
Il étudia à Budapest et à Nagybanya. Il vécut et travailla à Klausenbourg.

SZOLNOKI-CZINOBER Miklos ou Nicolas
Né le 15 octobre 1898 à Szolnok. XXᵉ siècle. Hongrois.
Peintre de figures, paysages.
Il vécut et travailla à Szolnok.

SZOMOR Laszlo ou Ladislas
Né le 8 avril 1908 à Budapest. XXᵉ siècle. Hongrois.
Sculpteur.
Il vécut et travailla à Budapest.
Musées : Budapest (Gal. mun.).

SZONGOTT Jakab
Né le 18 juin 1876 à Szamosujvar. XXᵉ siècle. Hongrois.
Peintre de paysages.
Ventes Publiques : Amsterdam, 30 oct. 1991 : *Gitans devant une grange*, h/t (90x125) : NLG 4 370.

SZONTAGH Diego Geza
Né le 18 septembre 1841 à Lipto-Szentmiklos en Hongrie. Mort en 1891 à Budapest. XIXᵉ siècle. Hongrois.
Peintre de portraits et de natures mortes.
Il étudia à Budapest, Vienne et Munich et il est représenté au Musée de Budapest.

SZONTAGH Tibor ou Tibère
Né le 29 avril 1873 à Maramarossziget. Mort le 19 novembre 1930 à Miskolc. XIXᵉ-XXᵉ siècles. Hongrois.
Peintre de paysages.
Ventes Publiques : Vienne, 18 sep. 1973 : *Paysage d'été* : ATS 20 000 – Vienne, 11 nov. 1980 : *Paysanne assise au bord d'un ruisseau*, h/t (43x63) : ATS 14 000.

SZÖNYI Istvan ou Étienne
Né le 17 janvier 1894 à Ujpest. Mort en 1960. XXᵉ siècle. Hongrois.
Peintre de genre, nus, paysages, graveur.
Il ouvrit une école, où il exerça une influence considérable sur les jeunes peintres. En 1923, il se fixa dans un village du Danube, Zebegény.
Ses dons furent immédiatement reconnus et consacrés. En effet, dès 1921, le musée Ernst de Budapest lui consacrait sa première exposition, à l'occasion de laquelle lui fut décerné le Prix de la Société Szinyei.
Après Robert Berény, Szönyi fut le deuxième continuateur de la génération de l'école de Nagybanya, qui fut en Hongrie l'équivalent tardif de l'école de Barbizon en France. Après l'école de Nagybanya, le principe de la peinture en plein air était définitive-

ment acquis, et l'impressionnisme avait pénétré l'Europe Centrale ; Courbet exerçait aussi un attrait puissant sur les peintres attachés à la réalité. Mais, dans les premières années du siècle, Cézanne, les Fauves, les Expressionnistes, les Cubistes, avaient encore bouleversé les données de la création et du langage de la peinture. Szönyi fit ses études artistiques à Budapest, très imprégné de la leçon de Nagybanya. Il peignait alors surtout des nus puissants, correspondant à la notion d'« Activisme », par laquelle on désignait un art construit, aux ambitions monumentales, issu de la synthèse du plein-airisme, de l'impressionnisme, du réalisme de Courbet et peut-être déjà d'un certain constructivisme cézannien. Zebegény, son village, resta jusqu'à sa mort le cadre principal de sa vie et la source d'inspiration de la plus grande part de son œuvre. Dans ces années, en accord avec le mouvement général des idées, il s'orienta vers un néo-classicisme, fondé sur l'exaltation d'une sorte de surhomme révolutionnaire. On peut lier ce néo-classicisme et cette glorification de l'homme révolutionnaire avec la lente mais sûre progression du réalisme socialiste, à partir de l'U.R.S.S. S'étant aperçu que cette voie correspondait pour lui à une impasse, Szönyi revint à sa synthèse post-cézannienne, et se consacra de nouveau à décrire la vie du petit village où il s'était fixé, et ses habitants qui l'avaient adopté. Après la composition *Au sommet*, de 1923, correspondant à sa période néo-classique, furent peintes quelques-unes de ses œuvres capitales : *Traversée du Danube* de 1928, *Enterrement à Zebegény* de 1928, *Le Soir* de 1934, *Le Remorqueur* de 1939, etc.

BIBLIOGR. : Lajos Németh : *Moderne ungarische Kunst*, Corvina, Budapest, 1969.

MUSÉES : BUDAPEST (Galeries Nat.) : *nombreuses œuvres*.

SZÖNYI Stefan
Né en 1913 à Banloc, près de Banat. XXᵉ siècle. Roumain.
Peintre de genre, compositions animées.
Il fut élève à l'École des Beaux-Arts de Timisoara. Dans les années qui précédèrent la Deuxième Guerre mondiale, il séjourna à Paris. Il participa à de nombreuses expositions de groupe, notamment à la Biennale de Venise, en 1958.
Il pratique un réalisme puissant, qui se donne avant tout pour but de glorifier la force et l'effort, comme dans *Les Conducteurs de radeaux* de 1948, ou *L'Imprimerie clandestine* de 1949.
BIBLIOGR. : B. Dorival, sous la direction de... : *Peintres Contemporains*, Mazenod, Paris, 1964.

SZOPOS Sandor ou Alexandre
Né le 8 septembre 1881 à Csikszereda. XXᵉ siècle. Hongrois.
Peintre de portraits, illustrateur.
Il vécut et travailla à Dés. Il a illustré des livres.

SZÖRI Jozsef
Né en 1879 à Szeged. Mort le 1ᵉʳ octobre 1914 à Uzsoker Pasz, au front. XXᵉ siècle. Hongrois.
Peintre, graveur.
Il vécut et travailla à Szeged.

SZOSTAK Lucja
Née le 10 avril 1949 à Jezyce (rive de la Baltique). XXᵉ siècle. Depuis 1968 active et naturalisée en France. Polonaise.
Peintre de paysages, fleurs, pastelliste.
Elle fut élève de l'école des arts appliqués de Paris, où elle vit et travaille.
Elle participe à des expositions collectives à Paris : 1989, 1990, 1991 Salon des Indépendants ; 1990 Salon des Artistes Français où elle reçut une mention honorable.
Elle privilégie la technique du pastel et le travail sur la couleur, qu'elle préfère vive, dans des œuvres qui évoquent le réel.

SZPADKOWSKI Ludomir
Né en 1855 dans le Caucase. Mort en 1908 à Varsovie. XIXᵉ siècle. Polonais.
Peintre.
Il étudia à l'École des Beaux-Arts de Cracovie, à Vienne et à Munich. Il a surtout traité des sujets religieux.

SZPINGER Alexander von
Né le 21 décembre 1889 à Weimar. XXᵉ siècle. Allemand.
Peintre de paysages.
Il étudia à l'École des Beaux-Arts de Weimar, où il vécut et travailla.
MUSÉES : WEIMAR.

SZRENIAWA-RZECKI Stanislav. Voir RZECKI

SZRETER Zygmunt. Voir SCHRETER

SZRETTER Antoni Lech
Né vers 1830. XIXᵉ siècle. Polonais.
Graveur au burin.
Après la révolution de 1848 il émigra en France et s'installa d'abord à Orléans. Il a fourni les planches du livre de Reitzenheim, les *Monuments polonais à Paris* (1860-62).

SZROENER Jan
XVIIᵉ siècle. Vivant au commencement du XVIIᵉ siècle. Polonais.
Portraitiste.
Il fut peintre à la cour du prince Radzivill à Nieswier où se trouvèrent quelques portraits de polonais célèbres.

SZTANKO Gyula ou Jules
Né le 2 mars 1900 à Ungvar. XXᵉ siècle. Hongrois.
Sculpteur.

SZTEHLO Lily
XXᵉ siècle. Tchécoslovaque.
Peintre de cartons de vitraux.
Elle étudia à Paris et à Rome.

SZTEHLO Lujza
Née le 7 novembre 1897 à Budapest. XXᵉ siècle. Hongroise.
Peintre de figures.

SZTELEK Dénes
Né en 1893. XXᵉ siècle. Hongrois.
Peintre de figures, paysages.
Il vit et travaille à Budapest.

SZTRIHA Sandor
Né le 21 janvier 1883. XXᵉ siècle. Hongrois.
Peintre de figures, paysages.

SZUBERT Awit
XIXᵉ siècle. Hongrois.
Peintre.
Frère de Léon. Le Musée de Cracovie conserve de lui un *Paysage*.

SZUBERT Léon
Né en 1829 à Oswiaim. Mort le 18 septembre 1859 à Oswiaim. XIXᵉ siècle. Actif en Pologne. Hongrois.
Sculpteur.
Il fut élève de l'École des Beaux-Arts de Cracovie et des Académies de Vienne et de Munich.
MUSÉES : CRACOVIE : *Madame Skobel*, buste.

SZUCHODOVSZKY Mihaly
Né le 22 septembre 1885 à Budapest. XXᵉ siècle. Hongrois.
Sculpteur.
Il vit et travaille à Budapest.

SZUHANEK Oszkar
Né le 29 octobre 1887 à Tasnad. XXᵉ siècle. Hongrois.
Peintre de portraits.
Il a étudié à Budapest et à Paris.

SZUK Endre
Né en 1865 à Budapest. XIXᵉ-XXᵉ siècles. Hongrois.
Peintre de paysages.
Il vécut et travailla à Budapest.

SZUKALSKI Albert ou Szukalsky
Né le 4 avril 1945 à Furt-im-Wald. XXᵉ siècle. Actif en Belgique. Belge.
Peintre, sculpteur de figures, auteur d'assemblages.
Il fut élève de l'Académie Royale d'Anvers, où il vit et travaille. Il fréquenta également les ateliers de Vic Gentils et de Paul Van Hœydonck, où il acquit vraisemblablement la maîtrise de l'art de l'assemblage. Il expose en Belgique.
Il pratique une sculpture à partir d'objets de récupération proche de la technique de Vic Gentils. À partir de linges durcis en plâtre, il réalise des personnages ascétiques, dérisoires, fantomatiques, fantômes dont il n'aurait conservé que le suaire traditionnel.
BIBLIOGR. : In : *Dict. illustré des artistes en Belgique depuis 1830*, Arto, Bruxelles, 1976.
VENTES PUBLIQUES : ANVERS, 6 avr. 1976 : *Mal de tête*, objet (H. 25) : **BEF 17 000** – LOKEREN, 21 mars 1992 : *Fantôme 1990*, sculpt. de polyester enduit de plâtre (H. 35, l. 48) : **BEF 28 000**.

SZUKALSKI Stanislaw
Né après 1890 à Warta. XXᵉ siècle. Actif aux États-Unis, à partir de 1936 actif en Pologne. Hongrois.
Sculpteur, dessinateur.

Il étudia à l'Académie des Beaux-Arts de Cracovie et séjourna longtemps aux États-Unis, puis depuis 1936 en Pologne. Il subit successivement l'influence de Rodin et du cubisme.

SZÜLE Peter
Né le 25 juin 1886 à Cegled. Mort en 1944. xxᵉ siècle. Hongrois.

Peintre de genre, nus, portraits.
Il vit et travaille à Budapest.
Musées : Budapest (Gal. mun.).
Ventes Publiques : Vienne, 22 juin 1976 : *La soupe* 1930, h/t (107x66) : ATS 32 000 – New York, 20 jan. 1993 : *La lettre*, h/t (80x60,3) : USD 3 738.

SZULMAN François
Né le 5 juin 1931 à Paris. xxᵉ siècle. Français.

Peintre de figures, paysages, natures mortes. Naïf.
Il fut élève de l'école des arts appliqués de Paris. Il participe à divers Salons parisiens depuis 1950. Il montre ses œuvres dans des expositions personnelles à Paris (1967, 1970, 1971, 1973, 1974, 1975), New York, Bruxelles, Rome, Venise, Stockholm.
Peintre de paysages, figures, natures mortes, il puise ses thèmes dans la vie, la joie et la peine de notre monde. Avec une pâte épaisse, qui peut aller jusqu'à évoquer les émaux, il traduit un monde scintillant, de guingois, bon-enfant.
Bibliogr. : Plaquette de l'exposition : *Sur le chemin des primitifs*, Galerie d'Art de la place Beauvau, Paris, 1992.
Musées : Paris (Mus. d'Art Mod.).
Ventes Publiques : Paris, 17 juin 1991 : *Synagogue à Safed*, h/t (73x60) : FRF 10 000.

SZULY Angela
Née le 6 septembre 1893. xxᵉ siècle. Hongroise.

Peintre.
Elle étudia à Budapest, où elle vécut et travailla.
Musées : Budapest.

SZUNYOGHY Farkas
Né le 13 novembre 1877 à Erszentkiraly. xxᵉ siècle. Hongrois.

Peintre de paysages.
Il vécut et travailla à Kecskemet.

SZURCSIK Jozsef
Né à Budapest. xxᵉ siècle. Hongrois.

Peintre de sujets divers, pastelliste, technique mixte, sculpteur.
Il fit ses études à l'École Expérimentale de Szeged où il obtint son diplôme de sculpture. Il obtint la bourse d'études Derbovits. Il est membre du Studio des Jeunes Artistes.
Ventes Publiques : Paris, 14 oct. 1991 : *Mégalomanie*, past. (70x100) : FRF 6 000.

SZUSTER Jan ou Schuster
Né vers 1800 à Varsovie. xixᵉ siècle. Polonais.

Peintre.
A étudié à l'École des Beaux-Arts de Varsovie.

SZÜTS Sandor
Né en 1887 à Cece. xxᵉ siècle. Hongrois.

Peintre de paysages.
Il vécut et travailla à Budapest.

SZÜTS Zoltan
Né le 23 mars 1891 à Eger. Mort le 21 septembre 1926 à Budapest. xxᵉ siècle. Hongrois.

Peintre de paysages.

SZWACH Adam et Antoni. Voir SWACH

SZWAJCER Jerzy
Né le 13 mai 1892 à Varsovie. xxᵉ siècle. Polonais.

Dessinateur caricaturiste.
Il étudia à l'Académie libre de Bruxelles.

SZWANER Schwaner
xviiᵉ siècle. Polonais.

Sculpteur.
A exécuté plusieurs statuettes pour l'église des Carmélites de Lemberg.

SZWANKOWSKI Jan
xviᵉ siècle. Actif à Lemberg. Polonais.

Peintre.

SZWARC Marek
Né le 9 mai 1892 à Zgierz. Mort en 1958 à Zgierz. xxᵉ siècle. Depuis 1919 actif en France. Français.

Sculpteur, peintre de compositions religieuses, peintre de cartons de tapisserie et de cartons de mosaïques.
Il fut élève de Marius Jean A. Mercié à l'École Nationale des Beaux-Arts de Paris, où il résida de 1910 à 1914. Il retourna ensuite en Pologne, où il se maria et se convertit au catholicisme. À partir de 1919, il s'établit définitivement à Paris.
Il participe régulièrement à Paris, aux Salons d'Automne, des Indépendants et des Tuileries, en 1937 à l'Exposition Universelle ; en Europe, notamment à Berlin, et aux États-Unis, notamment en 1939 à l'Exposition internationale de New York. On dit que Picasso fut à l'origine de sa première exposition personnelle, à Paris, en 1925. Une exposition rétrospective lui fut consacrée, à Paris, en 1960.
Il se consacra essentiellement à des œuvres religieuses. Modeste, il se voulait « ymaigier », à la façon des sculpteurs des cathédrales du Moyen Age. Il mit au point une technique de bas-reliefs, en cuivre repoussé. À l'Exposition Universelle de 1937 à Paris, il décora de bas-reliefs en cuivre battu, le Pavillon pontifical. Il décora deux pavillons à l'Exposition internationale de New York de 1939. Volontaire dans l'armée polonaise en France, en 1939, il est chargé de la direction des ateliers de céramique et tapisserie du centre de rééducation d'invalides ouvert à Londres par le gouvernement français. Il y exécute un tapis pour le général de Gaulle. Pendant son activité à Londres, il avait repris la pratique de la ronde-bosse, dans divers matériaux, bois, pierre, bronze, montrant l'influence néo-classique des œuvres de Maillol. À partir de 1950, il pratiqua le modelage direct avec du plomb. Il mourut, alors qu'il achevait un *Libera me*.
Bibliogr. : Denys Chevalier, in : *Diction. de la sculpt. mod.*, Hazan, Paris, 1960.
Musées : Cincinatti (Hebrew Union College Mus.) – Cracovie (Gal. Nat.) – Jérusalem (Mus. de la Bibl.).

SZWEDKOWSKI Jan Kanty
Né en 1809 à Powidz. xixᵉ siècle. Polonais.

Peintre.
Il étudia de 1822 à 1828 à l'École des Beaux-Arts de Varsovie. Après la révolte de la Pologne en 1831 il se réfugia en France et exposa au Salon de Paris de 1837.

SZWOCH Franziszek
Né le 29 janvier 1883 à Plonsk. xxᵉ siècle. Polonais.

Peintre de sujets militaires, marines, sujets typiques.
Il étudia à l'École de dessin de Varsovie et s'établit dans cette ville. Il a peint des scènes de la Première Guerre mondiale, des marines et des types exotiques.

SZWOJNICKI Roman
Né en 1845 à Rady. xixᵉ siècle. Éc. balte.

Peintre de genre.
Il fut en 1865 banni en Sibérie, pour avoir participé à la révolte de la Pologne et étudia plus tard à Varsovie. Le Musée National de cette ville possède plusieurs de ses œuvres.

SZYBAL Kacher
xviiiᵉ siècle. Actif dans la première moitié du xviiiᵉ siècle. Polonais.

Peintre.
Il était moine.

SZYK Arthur
Né en 1894 à Lodz. Mort en 1951 ou 1956. xxᵉ siècle. Depuis 1941 actif aux États-Unis. Polonais.

Peintre de genre, compositions religieuses, peintre à la gouache, dessinateur, illustrateur.
Depuis environ 1910 jusqu'à 1914, il fut élève de l'École des Beaux-Arts de Paris. Ayant quitté au début de la guerre, il s'engagea dans l'armée russe, puis en 1919-20 dans l'armée polonaise contre les bolcheviks. De 1921 à 1931, il revint vivre à Paris. Lors de son séjour parisien, il a participé à des expositions collectives, notamment à la Bibliothèque Nationale. Après un retour en Pologne, en 1940 Szyk émigra au Canada, puis en 1941, définitivement aux États-Unis, se fixant à New York.
D'une façon générale, il a participé à une tentative de renouvellement de l'art de l'enluminure. Avant 1930, il commença une série de dessins sur la vie de Bolivar, sans doute abandonnée, en 1925 il illustra *Le Livre d'Esther*, en 1926 *La Tentation de saint Antoine* de Gustave Flaubert, en 1927 *Le Puits de Jacob* de Pierre Benoît, et surtout, en 1929, il publia, calligraphié et enluminé par lui, *Statut de Kalish*, décret de 1264 sur les droits accordés aux Juifs par Boleslav le Pieux, Grand Duc de Pologne. En 1931, il

commença une décoration pour la Société des Nations à Genève, œuvre demeurée inachevée. Puis, il réalisa, pendant deux années, une série de trente-huit miniatures sur la Révolution américaine, Washington et son temps, qui fut présentée à la Librairie du Congrès à Washington, actuellement propriété de la Maison Blanche. Lors de son retour en Pologne, pendant trois années il illustra le *Haggadah of Pessah*, histoire des Juifs en Égypte et de leur fuite vers la Terre promise, qu'il dédia au roi d'Angleterre. Six mois après le début de la guerre, une exposition d'ensemble de son œuvre eut lieu à Londres. En 1940, au Canada, il consacra des illustrations à ce pays. Depuis cette date, il publie ses dessins à Londres, au Canada et aux États-Unis.

Très à part de son travail d'illustrateur en manière d'enluminures pour livres de demi-luxe, en 1942, aux États-Unis pendant la Seconde Guerre mondiale, Szyk a dessiné l'album *The New Order*, recueil de caricatures, dans l'esprit redoutable et dans la forme percutante de celles de George Grosz ou d'Otto Dix, contre le régime et la soldatesque nazis et contre leurs alliés objectivement fascistes.

ARTHUR SZYK

BIBLIOGR. : Luc Monod, in : *Manuel de l'amateur de Livres Illustrés Modernes 1875-1975*, Ides et Calendes, Neuchâtel, 1992.
VENTES PUBLIQUES : PARIS, 29 oct. 1926 : *Les bateaux du roi Salomon*, miniature : FRF 2 400 – NEW YORK, 27 nov. 1963 : *Les patriotes juifs de Lodz*, gche et aquar. : USD 1 500 – NEW YORK, 13 oct. 1976 : *Hagada*, gche, encre et reh. d'or (28x16,5) : USD 1 100 – LONDRES, 1er avr. 1977 : *Prisonniers juifs escortés par des S.S. 1940*, aquar., cr. et pl. (23,5x17) : GBP 950 – NEW YORK, 21 oct. 1980 : *La réponse des Polonais aux propositions de l'Allemagne 1939*, cr. de coul. et pl. (27,8x25,5) : USD 1 000 – NEW YORK, 7 avr. 1982 : *Ils assassinèrent les Juifs en firent du savon pour se laver les mains et avoir la conscience tranquille 1945*, gche (24,4x15,3) : USD 1 400 – NEW YORK, 18 mars 1983 : *Herkimer at the battle of Oriskany 1931*, aquar. (18x14) : USD 2 400 – NEW YORK, 27 mars 1985 : *Ballade des Juifs martyrs d'Europe 1943* (35,5x24) : USD 1 100 – PARIS, 14 avr. 1991 : *Le seder*, gche (23x39) : FRF 12 000 – NEW YORK, 4 mai 1993 : *À la synagogue*, gche/pap. (21,6x17,2) : USD 805 – TEL-AVIV, 14 jan. 1996 : *Sur le Mont Sinaï*, gche (25,5x20) : USD 2 530.

SZYKIER Ksawery
Né en 1860 à Lodz. Mort en 1895 à Munich. XIXe siècle. Polonais.
Peintre et illustrateur.
VENTES PUBLIQUES : COLOGNE, 24 mars 1972 : *Le chariot dans la steppe* : DEM 4 300.

SZYMANOVSKI Marian
Né le 21 novembre 1879 à Varsovie. XXe siècle. Polonais.
Peintre de paysages.
Il fut élève de l'Académie de Cracovie et de l'École des Beaux-Arts de Varsovie.
Sous l'influence de l'art japonais, il stylisa ses paysages.
MUSÉES : VARSOVIE.

SZYMANOVSKI Waclaw ou **Venceslas**
Né le 23 septembre 1859 à Varsovie. Mort le 22 juillet 1930 à Varsovie. XIXe-XXe siècles. Polonais.
Sculpteur, peintre de genre, scènes typiques.
Il fit ses études de sculpture à Paris avec Cyprian Godebsky. En 1880, il alla à Munich, et travailla à l'Académie des Beaux-Arts, comme peintre, avec Löfftz. Il obtint une médaille d'or à Cracovie en 1887, à Munich en 1888 et à Paris en 1889 à l'Exposition Universelle ; il reçut une mention honorable en 1902.
Son œuvre peint est consacré à la glorification du paysan polonais.

W. Szymanowski

MUSÉES : CRACOVIE : *Une Prière*, peint. – *Les Cariatides*, plâtre – Mickievitch, bronze.
VENTES PUBLIQUES : PARIS, 24-26 avr. 1929 : *Polonais priant dans une église* : FRF 900.

SZYMANOWSKA Zofia. Voir **LENARTOWICZ Sophie**
SZYMANSKI Rolf
Né en 1928. XXe siècle. Allemand.

Sculpteur. Tendance abstraite.
Il travailla au milieu du XXe siècle. On a vu de lui, aux Foires d'Art de Cologne, des sculptures, en bronze ou bronze doré, d'un élan tout romantique, bien que presque abstraites par rapport à une réalité tout au plus allusive.
VENTES PUBLIQUES : MUNICH, 24 mai 1977 : *Serpentina*, bronze (H. 84, larg. 29) : DEM 10 600 – COLOGNE, 19 mai 1979 : *Petite figure No III 1969*, bronze (H. 26,5) : DEM 1 800 – MUNICH, 31 mai 1983 : *Rose*, bronze (48x31x27) : DEM 8 800.

SZYMKOWICZ Charles
Né le 17 janvier 1948 à Charleroi. XXe siècle. Belge.
Peintre de portraits, graveur. Tendance expressionniste.
Élève de l'Académie Royale des Beaux-Arts de Mons, il expose en Belgique. Également écrivain, il a publié des poèmes-manifestes : *Mai 1969*.
Sa peinture, figurative et d'inspiration politique, se veut avant tout contestataire, voire anarchiste. Il use de couleurs vives, d'empâtements pour dire sa violence, sa haine de la guerre, l'angoisse de la mort. Il a réalisé une série de portraits d'artistes maudits.
VENTES PUBLIQUES : LOKEREN, 16 fév. 1980 : *Visage*, h/pan. (98x68) : BEF 33 000 – LOKEREN, 10 oct. 1992 : *Portrait d'Edvard Munch*, h/t (121x121) : BEF 85 000 – LOKEREN, 15 mai 1993 : *Composition 1975*, acryl. (100x70) : BEF 48 000.

SZYMONOWICZ Jersy. Voir **SEMIGINOWSKI**
SZYNALEVSKI Félix
Né en 1825 à Cracovie. Mort en mars 1892 à Cracovie. XIXe siècle. Polonais.
Il fit ses études à l'École des Beaux-Arts de Cracovie avec Stassler. Il alla ensuite comme boursier d'État à l'Académie de Vienne et travailla avec Fuhrich. Pendant trente-cinq ans, il fut professeur de l'École des Beaux-Arts de Cracovie. Le Musée de cette ville conserve de lui : *Portrait de l'auteur* et *Le Christ sortant du Temple*.

SZYNDLER Pantaléon
Né le 26 juillet 1856 à Varsovie. Mort en février 1905 à Varsovie. XIXe siècle. Polonais.
Peintre.
En 1866, il étudia à l'École de dessin de Varsovie puis se rendit à Munich où il obtint une médaille pour les plâtres. Il entra dans l'atelier de peinture Scitz. De 1872 à 1874 il fit ses études à Rome à l'Académie de San Luca avec Coquetti. En 1875, il travailla à Paris avec Cabanel et obtint une mention honorable en 1889 (Exposition Universelle). Dans les années suivantes, il fit un grand voyage en Espagne, en Belgique et en Hollande. En 1902, il ouvrit un atelier à Varsovie.
MUSÉES : AMSTERDAM : *Portrait de J. W. Kaiser* – CRACOVIE : *Odalisque au bain* – *Portrait de dame* – VARSOVIE : *Le poète Norwid* – P. S. Lewental – A. Garbinska – *Scène d'une Nuit d'été* – *Portrait de l'artiste* – *Ève* – *Tête de vieillard*.
VENTES PUBLIQUES : ENGHIEN-LES-BAINS, 8 avr 1979 : *La tentative d'Eve*, h/t (80x44) : FRF 13 500.

SZYSZLO Fernando de
Né en 1925 à Lima. XXe siècle. Depuis 1965 actif aux États-Unis. Péruvien.
Peintre. Abstrait.
Il fut élève de l'École des Arts Plastiques de l'Université Catholique de Lima, où il est devenu lui-même professeur par la suite, travaillant sous la direction de Adolfo Winternitz de 1944 à 1946. De 1948 à 1955 il travailla à Paris et à Florence puis retourna à Lima, voyageant de nouveau. En 1958, il vint par un consultant à la division des Arts visuels de l'Union Pan Américaine, et en 1962 à l'Université Cornell d'Ithaca (N.Y.). Il s'installa à New York et en 1965 donna des conférences à l'Université de Yale.
Il participa à des expositions collectives en Suède et aux États-Unis, en 1958 au Salon d'Art Abstrait de Lima où il eut remporta un considérable succès, régulièrement aux Biennales de São Paulo. Il montre ses œuvres dans des expositions personnelles depuis 1947 : 1988 museo Rufino Tamayo à Mexico, musée de Monterrey ; 1989 Bogota ; 1992 musée national des Beaux-Arts de Santiago ; 1992 Associated American Artists de New York.
Suite à son séjour en Europe, il se détermina totalement pour l'abstraction, à partir de 1951, dont il devint le principal représentant au Pérou. Il évite la généralisation de la géométrie dans son abstraction, préservant une marge d'incertitude, d'où

naissent des impressions de mystère et de cosmique, cherchant à évoquer son pays, sa culture. Lors de la première exposition de ses peintures abstraites en 1951, il rencontra l'hostilité de ses concitoyens alors qu'aujourd'hui il est tout à fait apprécié. Les thèmes pré-hispaniques ont inspirés les sujets et les titres de sa peinture.

BIBLIOGR. : B. Dorival, sous la direction de... : *Peintres Contemporains*, Mazenod, Paris, 1964.

MUSÉES : CARACAS (Mus. des Beaux-Arts).

VENTES PUBLIQUES : NEW YORK, 17 oct 1979 : *Sans titre*, gche/pap. (63,5x48,5) : **USD 2 000** – NEW YORK, 17 oct 1979 : *Nuit étoilée* 1978, acryl. (119,4x119,4) : **USD 3 250** – NEW YORK, 2 déc. 1981 : *Abolition de la mort II* vers 1968, acryl./t. (162,5x129,5) : **USD 5 000** – NEW YORK, 28 nov. 1984 : *Sans titre*, gche/pap. d'Arches (76,2x56,5) : **USD 2 400** – NEW YORK, 29 mai 1984 : *Waman Wasi XXXV* 1975, h/t (120x149,2) : **USD 10 500** – NEW YORK, 26 nov. 1985 : *Paclla pampa (campo desolado)* 1969, acryl./t. d'emballage (193x284,5) : **USD 16 000** – NEW YORK, 21 nov. 1988 : *Villac Umu* 1986, acryl. fus. et past./pap. (150x120) : **USD 8 800** ; *Autel rituel* 1986, acryl./t. (188x137) : **USD 16 500** – NEW YORK, 17 mai 1989 : *Traversée* 1973, h/t (148x117) : **USD 17 600** – NEW YORK, 21 nov. 1989 : *Mer de Lurin* 1988, h/t (149,2x150,5) : **USD 14 300** – NEW YORK, 1ᵉʳ mai 1990 : *Camino a mendiete* 1982, h/t (99,5x81,5) : **USD 8 800** – NEW YORK, 2 mai 1990 : *Runa Macii* 1971, h/t (150,8x120,8) : **USD 19 800** – NEW YORK, 19-20 nov. 1990 : *Yurak* 1971, acryl./t. (148,8x120) : **USD 16 500** ; *Mer de Lurin* 1988, acryl./t. (149x150) : **USD 19 800** – NEW YORK, 15-16 mai 1991 : *Messe rituelle* 1988, acryl./t. (190x140) : **USD 22 000** – NEW YORK, 20 nov. 1991 : *Mur d'enceinte* 1990, acryl./t. (150x150) : **USD 19 800** – NEW YORK, 18-19 mai 1992 : *Mer de Lurin* 1988, acryl./t. (149,7x120) : **USD 26 400** – NEW YORK, 24 nov. 1992 : *Soleil noir* 1991, acryl./t. (200x200) : **USD 28 600** – NEW YORK, 18 mai 1993 : *Autel rituel* 1986, acryl./t. (120x150) : **USD 19 550** – NEW YORK, 18-19 mai 1993 : *Yawar Mayus (un fleuve de sang)* 1963, acryl./t. (161,9x113,7) : **USD 20 700** – NEW YORK, 22-23 nov. 1993 : *Camino a mendieta V* 1978, acryl./t. (160,3x200,7) : **USD 24 150** – NEW YORK, 17 nov. 1994 : *Soleil noir* 1992, acryl./t. (120x120) : **USD 13 800** – NEW YORK, 17 mai 1995 : *Vent obscur (Paraca)* 1992, acryl./t. (120x120) : **USD 25 300** – NEW YORK, 28 mai 1997 : *Mar de Lurin* 1989, acryl./t. (96,7x147,2) : **USD 23 000** – NEW YORK, 24-25 nov. 1997 : *Soleil noir* 1991, acryl./t. (115x146) : **USD 19 250**.

Maîtres anonymes connus par un monogramme ou des initiales commençant par **S**

S.
Monogramme d'un graveur.
Cité d'après Ris-Paquot.

S.
Monogramme d'un peintre.
Cité d'après Ris-Paquot.

S.
Allemand.
Monogramme d'un graveur.
Ce monogramme a été relevé sur des estampes représentant *Adam et Ève* ; des *Soldats faisant boire Jésus-Christ avant de le crucifier* ; *Jésus-Christ à la Croix* ; la *Décollation de saint Jean* ; la *Tentation de saint Antoine* ; *Saint Georges* ; un *Saint debout* ; *L'homme et la femme marchant ensemble* ; l'*Écrimeur* ; *Gaine de couteau*. Cité d'après Ris-Paquot.

S., Maître S.
XVIᵉ siècle. Français.
Graveur.
Il travailla dans la région du Bas-Rhin, au début du XVIᵉ siècle. Le nombre des gravures signées S. est si considérable qu'on a supposé que cette lettre ne désignait pas seulement un artiste, mais son atelier. La plupart des planches portant cette initiale sont destinées à illustrer des livres et des prières. On cite en particulier de cet artiste, qui s'est beaucoup inspiré de Dürer et de Lucas von Leyden, deux séries, d'une cinquantaine de planches chacune, représentant la *Vie du Christ*.

S. A. D.
XVᵉ-XVIᵉ siècles. Éc. flamande.
Monogramme d'un peintre.
Cité par Ris-Paquot ; actif à la fin du XVᵉ siècle ou au début du XVIᵉ siècle.
MUSÉES : ANVERS.

S. A. V. H.
Allemand.
Monogramme d'un graveur.
Ce monogramme a été relevé sur des estampes représentant : le *Crucifix* ; la *Vierge au singe* (copies d'Albert Dürer). Il est cité par Ris-Paquot.

S. B.
XVIᵉ siècle.
Monogramme d'un graveur.
On cite de lui : *Vue de plusieurs bâtiments*.

S. C.
Allemand.
Monogramme d'un graveur.
Cité par Ris-Paquot ; ce monogramme a été relevé sur une estampe représentant *Adam et Ève*.

S. C.
XVIᵉ siècle. Allemand.
Monogramme d'un graveur.
Cité par Ris-Paquot ; ce monogramme a été relevé sur : *Les Paysans au marché* (1584), copie d'une estampe de Hans-Sebald Beham.

S. C., Maître aux initiales
XVIᵉ siècle. Allemand.
Graveur.
Il travailla à Augsbourg pendant la première moitié du XVIᵉ siècle. Cet artiste de talent a gravé les planches suivantes : *Saint Jean à Patmos* (1517), *Le couple sauvage* et le *Porte-étendard*.

S. E. V.
xvıᵉ siècle. Éc. flamande.
Monogramme d'un graveur.
Cité par Ris-Paquot. Ce monogramme a été relevé sur des eaux-fortes dans la manière de Birck Van Stâren et datées de 1540 et 1543.

S. F.
Allemand.
Monogramme d'un graveur sur bois.
Cité par Ris-Paquot. Il a travaillé d'après Virgile Solès, Tobie Stimmer, Josse Amman et autres.

S. F.
xvıᵉ siècle. Allemand.
Monogramme d'un dessinateur.
Cité par Ris-Paquot. Il était actif vers 1580. On a de lui deux sujets bibliques gravés par un artiste inconnu et figurant dans une bible allemande de Martin Luther, imprimée à Francfort en 1565.

S. G.
Italien.
Monogramme d'un graveur.
Cité par Ris-Paquot.

S. H. G.
Allemand.
Monogramme d'un graveur.
Cité par Ris-Paquot. Ce monogramme a été relevé sur un panneau d'ornements représentant des grotesques.

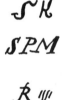

S. I.
Allemand.
Monogramme d'un graveur.
Ce monogramme a été relevé sur un bois représentant, au centre, un groupe de trois orientaux dont un fait un signe à un saint apôtre posé dans un vaisseau et prêchant des paysans sur le bord de la mer. Cité d'après Ris-Paquot.

S. K.
Monogramme d'un sculpteur sur ivoire.
Cité par Ris-Paquot.

S. P. M.
Monogramme.
Initiales relevées sur certaines gravures et signifiant Sanctus Petrus, martyr, notamment sur des gravures ou imitation de Marc Antoine. Cité d'après Ris-Paquot.

S. R.
xvıᵉ siècle.
Monogramme d'un sculpteur sur ivoire.
Ce monogramme, cité par Ris-Paquot, a été relevé sur un diptyque. Le style de cet artiste est de type gothique.

S. W.
Allemand.
Monogramme d'un graveur.
Ce monogramme a été relevé sur différentes pièces, dont l'une représente *La Passion de Jésus-Christ*, suite de douze estampes copiées d'après Schongauer. Cité d'après Ris-Paquot.

TAAFFE Philip
Né en 1955 dans le New Jersey. xxe siècle. Américain.
Peintre, technique mixte.
Il fut un grand admirateur du peintre Ross Bleckner. Il travaille à partir du processus d'appropriation, empruntant par exemple ses motifs à *Brest* de Bridget Riley dont le titre renvoie à une œuvre de Jean Genêt, à Barnett Newman, ou à d'autres cultures, arts primitifs, mosaïques byzantines, baroque espagnol.
Bibliogr. : Daniel Wheeler : *L'Art du xxe s.*, Flammarion, Paris, 1991 – in : *L'Art du xxe s.*, Larousse, Paris, 1991.
Ventes Publiques : New York, 10 nov. 1988 : *Sans titre* 1986, acryl./pap. (55,9x86,5) : **USD 3 520** – New York, 31 oct. 1989 : *Forest lantern* 1982, h/rés. synth. et ruban (134x121,6) : **USD 49 500** – New York, 27 fév. 1992 : *Sans titre* 1987, h. et vernis/pap. (55,9x86,3) : **USD 2 860** ; *Forme verte*, acryl. et collage de pap./t. (60,6x50,8) : **USD 11 000** – New York, 5 mai 1992 : *Nativité (rouge, blanc)* 1986, acryl. et collage de sérig./t. (165x228,5) : **USD 93 500** – New York, 18 nov. 1992 : *Brest* 1985, acryl., encre et collage de pap./pap./tissu (281,3x281,3) : **USD 41 800** – New York, 24 fév. 1993 : *Sans titre* 1984, acryl., encre noire et collage de pap./pap./tissu (106,7x118,8) : **USD 26 400** – New York, 10 nov. 1993 : *Métamorphose (Le chat d'or)* 1990, h. et collage de pap./t. (167x129,5) : **USD 90 500** – New York, 7 mai 1996 : *Sans titre* 1995, h. et encre de coul./pap. (33x25) : **USD 2 300** ; *Fleurs de Ginostra* 1993, h. et collage de pap./t. (155x211) : **USD 101 500**.

TAANMANN Jacob ou **Taanman**
Né le 9 octobre 1836 à Zaandam. Mort le 2 avril 1923 à Amsterdam. xixe-xxe siècles. Hollandais.
Peintre de genre, natures mortes, fleurs, aquafortiste.
Élève de P. J. Greive.
Musées : La Haye (Mus. comm.) : *Vieille Femme*.
Ventes Publiques : Londres, 19 mars 1980 : *Une famille hollandaise dans un intérieur* 1880, h/pan. (30,5x40) : **GBP 3 600** – Amsterdam, 10 fév. 1988 : *Vieille femme filant dans une pièce* 1902, h/pan. (34x27) : **NLG 1 092** – Amsterdam, 25 avr. 1990 : *Nature morte avec des pivoines* 1896, h/t (37,5x44,5) : **NLG 2 185** – Amsterdam, 24 sep. 1992 : *Le petit déjeuner des plus jeunes* 1907, h/pan. (30,5x23) : **NLG 1 380** – Amsterdam, 9 nov. 1994 : *Fleurs dans une coupe* 1914, h/pan. (32x24) : **NLG 1 725**.

TAATS Rutger Moens ou **Taets**
Né à Middelbourg. xviiie siècle. Hollandais.
Peintre d'histoire, de paysages et de portraits.
Élève à La Haye, de A. Schouman, en 1756. Il revint à Middelbourg en 1761.

TABACCHETTI. Voir **WESPIN**

TABACCHI Odoardo. Voir **TABBACCHI**

TABACCO Bernardo
Mort le 15 février 1729 à Bassano. xviiie siècle. Italien.
Sculpteur et architecte.
Il sculpta un autel pour la cathédrale de Bassano ainsi que des statues et un portail pour l'Église Notre-Dame de la même ville.

TABACCO Demetrio
Né le 7 mai 1886 à Turin. xxe siècle. Italien.
Peintre de figures, paysages.
Élève de Tommaso Ruffo, il travailla à Tripoli de 1916 à 1918.

TABACZYNSKI Jozef Ferdynand
Né en 1803. xixe siècle. Polonais.

Dessinateur, aquarelliste et lithographe.
Élève de l'Académie de Vienne. Le Musée Lubomirski de Lemberg conserve de lui deux miniatures et une *Vue de Zarzecze*.

TABAGUET ou **Tabaget**. Voir **WESPIN**

TABAKOV. Voir **KABAKOV**

TABAKOVA Elena
Née en 1919. xxe siècle. Russe.
Peintre de compositions à personnages, paysages animés, natures mortes.
Ancienne élève de l'Institut Répine à l'Académie des Beaux-Arts de Leningrad, elle travailla sous la direction de Boris Ioganson. Elle est membre de l'Association des Peintres de Leningrad et Artiste émérite d'URSS.
Musées : Briansk (Mus. d'Art russe) – Saint-Pétersbourg (Mus. Russe) – Saint-Pétersbourg (Mus. des Beaux-Arts de l'Inst. Répine) – Tchita (Mus. des Beaux-Arts).
Ventes Publiques : Paris, 25 nov. 1991 : *La sieste* 1958, h/t (85x95) : **FRF 9 000** – Paris, 27 jan. 1992 : *Les coquelicots* 1957, h/t (80,2x70,5) : **FRF 9 000** – Paris, 5 avr. 1992 : *Vassilsourk* 1948, h/t (47x66,5) : **FRF 5 700**.

TABAKOVIC Ivan
Né le 10 décembre 1898 à Arad. xxe siècle. Yougoslave.
Peintre, graveur, céramiste.
Il fut élève des académies des beaux-arts de Budapest, de Zagreb, de Munich et de Paris. Il vécut et travailla à Zagreb.

TABALION Desiderio
D'origine flamande. Mort en 1553. xvie siècle. Travaillant à Séville. Éc. flamande.
Peintre verrier.

TABANINE Vladimir
Né en 1935. xxe siècle. Russe.
Peintre. Réaliste-socialiste.
Il a fait ses études à l'Académie des Beaux-Arts de Leningrad. Il est membre de l'Union des Artistes et vit des commandes de l'État.
C'est un peintre « réaliste-socialiste », d'une culture académique. Au-delà du thème classique, presque banal, les toiles de Tabanine ont quelque chose d'impalpable, d'angoissant, de pesant.

TABANOU Michel
Né le 11 juin 1953. xxe siècle. Français.
Peintre, peintre de collages.
Ayant figuré au Salon de la Jeune Peinture, Michel Tabanou est plus à l'aise à exposer seul, à Paris, galerie Graphes, en 1995, 1996.
Qu'il le veuille ou qu'il en soit inconscient, il est bien rare qu'un artiste ne soit pas marqué par son cadre de vie. Michel Tabanou n'échappe pas au syndrome. Vivant au cœur d'amoncellements de livres, ses peintures ressortissent à la catégorie de l'amoncellement. Il en accumule les éléments constitutifs jusqu'au ras-bord, tant pour les éléments constitutifs de la technique, que pour ceux de l'image constituée. Sa technique, sa méthode, procèdent de l'art du collage et sans doute aussi du bricolage, tant il y associe de procédés insolites et rusés, décalcomanies, reports mécaniques, superposition de transparences, interventions manuelles, que malin serait celui qui en débrouillerait l'écheveau. Quant à l'image, il est sûr que celles qu'il crée sont dès l'abord d'intention abstraite, générées de hasards soigneusement provoqués. Tant qu'abstraites d'origine, elles ne tardent

guère à suggérer emmêlement de mâtures et gréements dans un port déserté, enchevêtrement de poutrelles dans un chantier de démolition ou le heurt des lances de San Romano. Puis bientôt, l'image suscitée par le caprice du hasard contamine la vocation abstraite première, jusqu'à appeler à la rescousse quelques thèmes récurrents, depuis la rangée de militaires menaçants (les Hussards sabre au clair de Hegel ?), jusqu'à la narquoise tête du dromadaire qui blatère dans le silence figé de l'imaginaire. À la fin, et comme on ne s'échappe pas, pourquoi ne pas y adjoindre la lettre et le mot et la ligne et le paragraphe, après quoi il ne reste plus qu'à réunir, ivres de la polysémie des signes vacants et de la polyphonie des phonèmes en suspens, les peintures comme des pages, et de les lier ensemble comme un livre. Alors, comblé, sur ses pages de tapages Tabanou referme son livre d'images. ■ J. B.

TABAR
XVIIIe siècle. Actif à Lille en 1787. Français.
Miniaturiste.

TABAR Alexina, née Goury
Née à Paris. XIXe siècle. Française.
Peintre de paysages.
Femme et élève de François Tabar. Elle exposa au Salon de 1865 et à celui de 1868.

TABAR François Germain Léopold ou Tabart
Né en 1818 à Paris. Mort le 29 mars 1869 à Argenteuil (Val-d'Oise). XIXe siècle. Français.
Peintre d'histoire, batailles, portraits, paysages, natures mortes.
Il fut élève de Paul Delaroche. Il exposa au Salon de Paris, à partir de 1842. Il fut médaillé en 1867.
Il peignit d'abord exclusivement des tableaux historiques, notamment quelques épisodes de la campagne d'Italie, puis il se diversifia en réalisant des paysages : des vues de Venise et de Constantinople, où il brossa le *Portrait du Sultan*. Il fit aussi des natures mortes qui se détachent sur des fonds de paysages largement ébauchés. Ses œuvres sont souvent attribuées à des maîtres plus en vue de l'École de 1830.

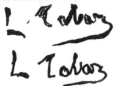

MUSÉES : ALGER : *Mosquée de Sylymanée à Constantinople* – AURILLAC : *Retour de l'Enfant prodigue* – BÉZIERS : *Soir à Venise* – BORDEAUX (Mus. des Beaux-Arts) : *Épisode de la campagne d'Égypte* – CHÂLONS-SUR-MARNE : *Josué arrêtant le soleil* – LOUVIERS : *Attila faisant massacrer les prisonniers* – REIMS : *Bataille de Solférino* – ROUEN (Mus. des Beaux-Arts) : *Supplice de Brunehaut* – SAUMUR : *Convoi de blessés* – SENS : *Portrait de Jean Cousin* – TARBES : *L'aumônier blessé.*
VENTES PUBLIQUES : PARIS, 17-18 nov. 1943 : *Le tambour* : FRF 160 – PARIS, 23 fév. 1945 : *Le passage du gué* : FRF 950 – NEW YORK, 25 oct. 1977 : *Cavaliers arabes*, h/t (90x117) : USD 2 000 – LONDRES, 5 mai 1989 : *Argenteuil* ; *Montigny*, h/cart. et h/pan., une paire (29x43 et 21,5x33,5) : GBP 2 420 – PARIS, 23 nov. 1994 : *Importante nature morte d'un panier de poissons et langouste renversé sur une plage*, h/t (92x174,5) : FRF 38 000.

TABARA Enrique
Né en 1930. XXe siècle. Équatorien.
Peintre, peintre à la gouache, technique mixte. Figuratif puis tendance abstrait.
Il a montré ses œuvres dans une exposition personnelle en 1963 à Barcelone, Lisbonne et Madrid.
De la figuration, il évolua avec des œuvres abstraites à tendance informelle, privilégiant les effets de matière, de textures. Il introduit notamment des plumes, des tambourins, des objets en métal, qui évoquent ses origines indigènes.
BIBLIOGR. : Damian Bayon, Roberto Pontual : *La Peinture de l'Amérique latine au XXe s.*, Mengès, Paris, 1990.
VENTES PUBLIQUES : NEW YORK, 28 nov. 1984 : *Sacerdote con plumas*, techn. mixte (109,9x109,9) : USD 1 000.

TABARIÈS DE GRANSAIGNE Adolphe
Né vers 1785 au Petit Andely. XIXe siècle. Français.

Peintre d'animaux, lithographe et dessinateur.
On lui doit des paysages, des sujets d'histoire et de genre. Il exposa aux Salons de 1819 à 1824, particulièrement des chiens.

TABARON Lazaro. Voir TAVARONE Lazzaro

TABARS Jean
XIVe siècle. Travaillant à Tournai en 1351. Éc. flamande.
Peintre verrier.

TABARSKY Jan ou Tabasky ou Taborinus
XVIe-XVIIe siècles. Vivant à Prague de 1552 à 1600. Tchécoslovaque.
Peintre et écrivain d'art.
En dehors des travaux tels que la construction de l'horloge astronomique de la Chambre du Conseil, dans la vieille ville de Prague, il cultiva l'art de la miniature. Il orna de sa peinture un grand livre d'hymnes destiné à l'église de Laun, et d'autres ouvrages semblables, entre autres le livre de chœur de Teplitz et celui de l'église des frères Moraves.

TABART François Germain Léopold. Voir TABAR

TABARY
Né en 1711. XVIIIe siècle. Français.
Peintre sur porcelaine.
Il peignit surtout des oiseaux pour la Manufacture de Sèvres à partir de 1754.

TABARY
XIXe siècle. Français.
Peintre de paysages.
Il vécut et travailla à Paris au début du XIXe siècle. Il exposa au Salon de 1808, plusieurs vues d'Italie.

TABARY Jacques
XVIIe siècle. Français.
Sculpteur sur bois.
Il travailla aussi en Irlande où il exécuta des sculptures dans la chapelle de l'Hôpital de Kilmainham en 1686.

TABBACCHI Odoardo ou Tabacchi
Né en 1831 à Valsugana. Mort le 23 mars 1905 à Milan. XIXe siècle. Italien.
Sculpteur.
Il fit ses études à la Brera puis à Rome, et ne tarda pas à prendre une place marquante parmi les artistes de son époque. On cite de lui, notamment la statue d'*Arnold de Brescia*, à Rome, le monument de *Cavour* à Milan, quatre statues pour le monument de *Leonardo*, le monument de *Garibaldi* à Turin, celui de *Victor-Emmanuel* à Asti. Tabbacchi forma de nombreux élèves et eut une influence considérable sur les jeunes sculpteurs italiens. Il figura aux expositions de Paris. Chevalier de la Légion d'honneur en 1878.
VENTES PUBLIQUES : PARIS, 10 nov. 1978 : *Baigneuse vêtue d'un maillot*, bronze patiné (H. 72) : FRF 6 700 – MILAN, 6 nov. 1980 : *Les amoureux*, bronze (H. 58,5) : ITL 1 000 000 – LONDRES, 10 nov. 1983 : *Tuffolina* vers 1895, marbre (H. 132) : GBP 9 500 – TOULOUSE, 13 mars 1985 : *Sculpture*, bronze (H. 80) : FRF 15 500 – PARIS, 15 mars 1988 : *Plongeuse* 1878, marbre blanc : FRF 29 000.

TABBERT Lucas ou Tabert
Mort en 1670. XVIIe siècle. Actif à Stettin. Allemand.
Médailleur et graveur au burin.
Il travailla pour le Grand Électeur de Brandebourg.

TABENKIN Ilya
Né en 1914 à Mozyr (Biélorussie). XXe siècle. Russe.
Peintre de compositions allégoriques.
Il fut élève de l'Institut d'Art Surikov à Moscou jusqu'en 1949. Il fut membre de l'Union des Artistes Soviétiques. Il vit et travaille à Moscou.
Il pratique une technique et un dessin assez sommaires sur des thèmes allégoriques ou imaginaires, présentant sur fonds unis de rares éléments : petits personnages, bateaux de papier plié ou drapé de tissu. Son travail évoque la sobriété de Morandi.
VENTES PUBLIQUES : MOSCOU, 7 juil. 1988 : *Composition* 1982, h/t (54x74) : GBP 4 180.

TABENKIN Lev
Né en 1952 à Moscou. XXe siècle. Russe.
Peintre de figures.
Il fut élève de l'Institut Polygraphique de Moscou jusqu'en 1975. Il fut membre de l'Union des Artistes Soviétiques. Il vit et travaille à Moscou.

Dans une pâte épaisse, il met en scène des personnages comme figés et muets, dans des camaïeux de bleu-vert.

VENTES PUBLIQUES : MOSCOU, 7 juil. 1988 : *Le choix* 1987, h/t (140x125) : **GBP 8 250**.

TABER Edward Martin
Né en 1863 à Staten Island. Mort en 1896 à Washington. XIXᵉ siècle. Américain.
Paysagiste.
Élève d'A. Thayer. Le Métropolitan Museum de New York conserve de cet artiste *Le Mont de Mansfield en hiver*.

TABER I. W.
XXᵉ siècle. Américain.
Dessinateur, illustrateur.
Il a illustré des œuvres de Rudyard Kipling.
BIBLIOGR. : In : *Dict. des illustrateurs 1800-1914*, Ides et Calendes, Neuchâtel, 1987.

TABER Sarah. Voir COFFIN Sarah Taber

TABERITH Jan ou Johann ou Hans ou Taberit ou Taborit ou Taborith ou Thaberit
XVIᵉ siècle. Travaillant à Augsbourg de 1516 à 1518. Allemand.
Graveur sur bois.
Il exécuta des gravures pour illustrer les œuvres de l'empereur Maximilien Iᵉʳ et pour des livres héraldiques.

TABERNIER Jacinto
XVIIᵉ siècle. Travaillant à Salamanque en 1638. Espagnol.
Graveur au burin.
On cite de lui des frontispices.

TABERT Lucas. Voir TABBERT

TABET Claude
Né le 6 février 1924 à Paris. Mort le 7 mars 1979 à Paris. XXᵉ siècle. Français.
Peintre de compositions animées, paysages, paysages urbains, céramiste, illustrateur. Tendance naïve.
Après la Seconde Guerre mondiale, il fréquente, à Paris, l'Académie de la Grande Chaumière et l'atelier de Souverbie. Il vit et travaille à Paris.
Il participe à des expositions collectives, à Paris : Salons des Indépendants, Comparaisons et Terres Latines. Il montre ses œuvres dans des expositions personnelles à Paris, Monte-Carlo, Francfort, Vichy, Lyon, New York, Londres, Osaka.
Sans cesser de peindre, il s'adonne à la céramique jusqu'en 1959, puis se consacre ensuite exclusivement à la peinture. Sans être « naïve », sa peinture a la fraîcheur souvent caractéristique des naïfs. Il décrit un Paris d'opérette, où arlequins et dames en crinolines se croisent aimablement. Becs de gaz, calèches et marchandes de quatre saisons situent ce Paris hors du temps.
MUSÉES : PARIS (BN) : *La Péniche* 1978, litho.
VENTES PUBLIQUES : VERSAILLES, 10 juin 1979 : *La contre-allée*, h/t (46x55) : **FRF 5 500** – VERSAILLES, 10 déc. 1989 : *Le long du lac*, h/t (46x55) : **FRF 11 000** – VERSAILLES, 22 avr. 1990 : *Le sentier de la ferme*, h/t (20,5x60) : **FRF 4 500**.

TABLEAUX D'ARGONAUTES, Maître des. Voir MAÎTRES ANONYMES

TABLEY John Fleming Leicester de, baron
Né le 4 avril 1762. Mort le 18 juin 1827. XVIIIᵉ-XIXᵉ siècles. Britannique.
Peintre amateur, lithographe et collectionneur.
Ne se confond pas avec John Fleming.

TABLIN ou Cablan
XVIᵉ siècle. Actif à Nevers en 1538. Français.
Sculpteur.

TABOADA Pedro
XVIIᵉ siècle. Actif dans la seconde moitié du XVIIᵉ siècle. Espagnol.
Sculpteur.
Il sculpta des chapiteaux pour la cathédrale de Saint-Jacques de Compostelle et un retable pour l'église Saint-Dominique de la même ville.

TABOADA Tristan de
XVIᵉ siècle. Actif dans la première moitié du XVIᵉ siècle. Espagnol.
Peintre.
Il travailla pour la cathédrale de Saint-Jacques de Compostelle et pour l'église de la Sainte-Croix de la même ville.

TABOLD Anton. Voir TABOTA

TABOR George Hugh
Né vers 1857. Mort le 22 février 1920. XIXᵉ-XXᵉ siècles. Britannique.
Peintre, dessinateur.
Il fut élève de l'Académie Julian de Paris et fondateur du Thames Valley Club. Il dessina pour la Manufacture de faïence de Burslem.
VENTES PUBLIQUES : LONDRES, 29 juil. 1988 : *Barques à marée basse*, h/t (50x60) : **GBP 1 045**.

TABOR Stefan
XVIIᵉ siècle. Actif à Schärding dans la seconde moitié du XVIIᵉ siècle. Autrichien.
Sculpteur sur bois et ébéniste.
Il exécuta des sculptures pour les églises de Brunnenthal et de Ranshofen.

TABORDA José. Voir CUNHA Taborda José

TABORDA Raoul Damonte
Né le 24 juin 1914 à Entrerio. XXᵉ siècle. Actif aussi en France. Argentin.
Peintre de compositions animées.
Il se forma seul à la peinture, travailla en Uruguay et souvent à Paris.
Il montre ses œuvres dans des expositions personnelles : 1951 et 1952 importantes manifestations à Montevideo, Paris, puis Amsterdam.
Le tragique qui se dégage avec force de ses personnages expressifs s'accroît encore de la violence du heurt des rouges feu et des jaunes de soufre.
MUSÉES : MONTEVIDEO (Mus. d'Art Mod.) – PARIS (Mus. d'Art Mod.).

TABORIN Jean. Voir TABOURIN

TABORINUS. Voir TABARSKY Jan

TABORITH Jan ou Taborit. Voir TABERITH

TABORSKY Jan. Voir TABARSKY

TABORSZKY Ferdinand
Né en 1836 à Budapest. XIXᵉ siècle. Hongrois.
Peintre.

TABOTA Anton ou Tabotta ou Tabold
Né en 1724. Mort le 12 septembre 1776. XVIIIᵉ siècle. Actif à Vienne. Autrichien.
Sculpteur.
Élève de M. Donner et de l'Académie de Vienne. Il sculpta des autels pour des églises de Vienne.

TABOTA Lorenz
XVIIIᵉ siècle. Actif à Vienne. Autrichien.
Sculpteur.
Frère d'Anton Tabota et élève de l'Académie de Vienne.

TABOUÉ Cot. Voir l'article AUDRIC Antoine

TABOUILLET Pierre Georges
Né le 14 juillet 1936 à Bordeaux (Gironde). XXᵉ siècle. Depuis 1966 actif, depuis 1972 naturalisé au Canada. Français.
Peintre. Tendance art optique.
Après des études techniques à Bordeaux, artistiques et de décoration à Paris, établi au Québec, il y mène une carrière de peintre, participant à des expositions régionales et exposant individuellement.

TABOUNZOFF Féodor
Mort vers 1865. XIXᵉ siècle. Russe.
Portraitiste.
Élève de l'Académie de Saint-Pétersbourg. Il fut restaurateur de tableaux au Musée de l'Ermitage.

TABOURET Antoine
Mort en 1613 à Avon. XVIIᵉ siècle. Français.
Peintre.

TABOURET Émile
Né à Lyon (Rhône). Mort le 26 mai 1927 à Paris. XXᵉ siècle. Français.
Peintre de figures, aquarelliste.
Il exposa à Paris au Salon des Indépendants. Il a consacré plusieurs de ses œuvres à la peinture de musiciens.
VENTES PUBLIQUES : PARIS, 9 fév. 1929 : *La mandoliniste* : **FRF 980** – PARIS, 24 nov. 1950 : *Le pianiste* : **FRF 900**.

TABOURET Jean
XVIIᵉ siècle. Actif à Paris de 1602 à 1616. Français.
Peintre.

TABOURIN Jean ou **Taborin**, dit **Jean le Lorrain** et **Jean de Lorraine**
xve siècle. Actif en 1491 à Commercy. Français.
Sculpteur.
Il travailla à Lyon et pour la cathédrale de Toul.

TABUCHI Yasse, ou **Yasukazu**
Né en 1921 à Kita Kyûshu (Japon-Sud). xxe siècle. Depuis 1951 actif en France. Japonais.
Peintre, aquarelliste, lithographe, céramiste.
Après avoir été mobilisé dans la marine et l'aviation, pendant les dernières années de la Seconde Guerre mondiale, il fut étudiant en histoire de l'art, à l'université de Tokyo de 1946 à 1951, tout en ayant commencé à peindre. Il se met alors à voyager. Il s'installa à Paris en 1951, puis à la campagne, à vingt-cinq kilomètres de Paris.
Il participe à des expositions collectives depuis 1947 très régulièrement à Paris : depuis 1953 Salons de Mai et des Réalités Nouvelles, 1958 musée d'Art moderne, 1990 FIAC (Foire Internationale d'Art Contemporain) et : 1954 musée Leverkusen ; 1955 International Carnegie Institute de Pittsburgh ; 1956 Exposition internationale d'art expérimental d'Anvers ; 1957 Stedelijk Museum d'Amsterdam ; 1958 musée d'Art moderne de Tokyo ; 1959 IIe Prix Lissone, où il obtient un prix d'acquisition du Musée ; 1961 6e Biennale de São Paulo, avec dix peintures de grands formats ; 1961, 1963, 1965, 1967 Biennale de Tokyo, où il obtint un prix national en 1966 ; 1965 Prix Marzotto ; 1969 L'œil écoute au Festival d'Avignon ; 1970 Wiener Secession à Vienne ; 1971 Lumières de la main au Musée de Bayeux ; 1972 à Milan ; 1973 Académie royale de Copenhague ; 1975 Seïbu Museum de Tokyo ; 1981 musées nationaux d'art moderne de Tokyo et Kyoto ; 1985 musée d'Art contemporain de Dunkerque ; 1986 musée municipal de Taipei ; 1987 Foire artistique de Los Angeles, etc. En 1949, il obtint le Prix Okada.
De nombreuses expositions personnelles lui ont été consacrées : 1955, 1958 Palais des Beaux-Arts de Bruxelles ; 1956, 1957, 1960 galerie Lucien Durand à Paris ; 1960 galleria del Naviglio à Milan ; 1961 Tokyo ; 1961, 1964, 1970 Copenhague ; 1963, 1964, 1970 Malmö ; 1964 Aarhus ; 1965, 1969, 1973, 1977, 1982, 1984, 1985, 1988, 1992 galerie Ariel à Paris ; 1966 Oslo ; 1967 Musée municipal de Verviers ; 1969 City Museum of Yawata ; 1970, 1982 La Haye ; 1971 Netsu-Seibu International, à Tokyo et dans plusieurs musées du Japon, Zurich ; 1973 Toulouse ; 1979 National Museum of Art d'Osaka ; 1982 rétrospective au musée municipal de Kitakyushu ; 1984 Maison des arts de Sochaux ; 1985, 1988 Galerie moderne de Silkeborg ; 1987 Centre d'art contemporain de Rouen ; 1990 rétrospective au musée de Tokyo ; 1991 rétrospective à l'abbaye des Cordeliers de Châteauroux, Centre culturel de Brest.
On ne connaît pas, en Europe, les œuvres de sa première période. Dans les premières années de son installation à Paris, et notamment avec la série autour des Femmes volantes, de 1953-1954, les différents éléments de ses propositions plastiques, qu'il se soit agi d'espace, de plans, voire de personnages, étaient réduits respectivement à leur signe symbolique minimum, constituant finalement des faits picturaux purement abstraits, aux masses orthogonalement équilibrées, aux harmonies des rouges les plus diversement travaillés en matière. Si les signes graphiques symboliques qui s'y tracent et s'inscrivent, peuvent justifier l'influence surréaliste qu'allègue Tabuchi, ce ne peut être que par une certaine parenté avec l'écriture elliptique d'un Matta. Dans une seconde période, qui durera environ de 1956 à peu après 1960, Tabuchi se rapprocha de l'abstraction lyrique, ce qui n'était guère étonnant quand on pense à ce que l'abstraction lyrique devait à la calligraphie et aux idéogrammes extrême-orientaux. Entretenant des rapports variables avec la réalité, jouant avec des évocations de ciels, d'eau, de vent, de collines, de vastes graphismes impétueux, travaillés dans des matières recherchées, volontiers en contre-jour sombre sur fond clair, ou au contraire en clair-obscur de blancs violents sur fond sombre, envahissent la surface de la toile, s'enroulant sur eux-mêmes jusqu'à occupation totale ; ainsi du Ruisseau, de 1960, ou de Le Nuage noir surgit, de 1961. Après cette période aux clairs-obscurs romantiques, dans un retournement total, Yasse Tabuchi est reparti de Matisse, ou plus précisément de ce que Matisse tenait lui-même des Japonais du xixe siècle, pour peindre, après la violence des éléments, la joie de vivre, d'être au monde et de regarder tout ce qui vit autour de soi, dans des

toiles dont les titres sont révélateurs de ce changement radical de climat psychologique : Porte des femmes de 1962, La Fleur bleue de 1965, Coin intime de 1965, L'Érotique des choses de 1966, La Table abondante de 1966, La Mer et la table encore de 1966, A la mémoire des fleurs mortes de 1967. Avec Fleurs et volcans de 1969, il divise la toile en deux associant motifs figuratifs et abstraits. Il reprendra cette structure en deux parties, l'une au dessus de l'autre dans les séries de 1992 Émergence nocturne, Empreinte stellaire. Entre temps, il a réalisé les séries des Arbres (1977) où il réserve souvent une bande chromatique en bas, des Chinese Dream et de L'Errance des nomades. D'entre les décorations architecturales que Tabuchi a exécutées, il faut citer l'important ensemble du hall du Centre Culturel Philips, à Eindhoven, Hollande, le mur en céramique (66 mètres carrés) au 20th Century Art Museum d'Ikeda. ∎ J. B.
Bibliogr. : Michel Seuphor : Diction. de la peint. abstr., Hazan, Paris, 1957 – Georges Boudaille : Yasse Tabuchi, Cimaise, Paris, mars 1961 – Catalogue de l'exposition « Yasse Tabuchi », Gal. Léger, Malmö, 1966 – Catalogue de l'exposition « Yasse Tabuchi », Ariel 15, Gal. Ariel, Paris, mars 1969 – Catalogue de l'exposition « Yasse Tabuchi », Gal. At Home, Toulouse, 1973 – Catalogue de l'exposition : Yasse Tabuchi, Ariel 45, Galerie Ariel, Paris, 1977 – Catalogue de l'exposition : Yasse Tabuchi, Galerie Ariel, Paris, 1984 – Catalogue de l'exposition : Yasse Tabuchi - Territoires de l'image 1964-1983, Maison des Arts et Loisirs, Hôtel de Ville, Sochaux, 1984 – Catalogue de l'exposition : Yasse Tabuchi, Galerie Ariel, Paris, 1992 – Lydia Harambourg, in : L'École de Paris 1945-1965. Diction. des Peintres, Ides et Calendes, Neuchâtel, 1993.
Musées : Bruxelles (Mus. roy. des Beaux-Arts) – Fukuoka (City Mus.) – Hakone (Open Air Mus.) – Ikeda (Mus. of 20th Century Art Mus.) – Kyoto (Mus. Nat. d'Art Mod.) – Leverkusen (Städt. Mus.) – Nigata (City Art Mus.) – Osaka (Mus. Nat. d'Art) – Paris (Mus. Nat. d'Art Mod.) – Paris (Mus. d'Art Mod. de la ville) – Paris (BN) – Silkeborg (Mus. d'Art Mod.) – Takamatsu (City Mus.) – Tokyo (Mus. Nat. d'Art Mod.) – Tokyo (Metrop. Mus.) – Tokyo (Mus. Bridgeton) – Toulouse (Mus. des Augustins) – Toyama (Mus. of Mod. Art) – Verviers (Mus. mun.).
Ventes Publiques : Copenhague, 25 nov. 1976 : En se fondant dans le feu 1960, h/t (73x93) : DKK 2 900 – Paris, 26 oct. 1988 : Roue bleue 1955, h/t (57x70) : FRF 23 000 – Paris, 12 déc. 1988 : Il est printemps dehors 1964, h/t (73x92) : FRF 14 500 – Paris, 12 juin 1989 : La Nuit de givre 1959, h/t (100x75) : FRF 20 000 – Paris, 14 mars 1990 : L'Ombre des fleurs 1959, h/t (99,5x80,5) : FRF 33 000 – Amsterdam, 12 déc. 1990 : Le Décor manqué d'une pièce 1964, acryl./t. (61x50) : NLG 5 750 – Amsterdam, 13 déc. 1990 : Le Vent de mai 1959, h/t (100x72,5) : NLG 9 775 – Copenhague, 13-14 fév. 1991 : La Nuit orageuse 1961, h/t (165x105) : DKK 38 000 – Amsterdam, 26 mai 1993 : Les Nomades 1964, h/t (148x302) : NLG 34 500 – Copenhague, 6 sep. 1993 : Le Ciel fuyant 1976, h/t (81x65) : DKK 5 000 – Copenhague, 14 juin 1994 : La Mer et les Rochers 1961, h/t (50x61) : DKK 6 500 – Copenhague, 8-9 mars 1995 : Ma Maison tapissée 1964, h/t (81x100) : DKK 18 000 – Paris, 19 nov. 1996 : Aux îles d'If, rivage noir 1987, h/t (81x54) : FRF 6 500 – Copenhague, 29 jan. 1997 : J'ai une fenêtre 1963, h/t (47x55) : DKK 14 500 – Copenhague, 22-24 oct. 1997 : La Fenêtre étroite 1964, h/t (65x81) : DKK 4 200.

TABURET Jean François
Né en 1939 à Bois-Guillaume (Seine-Maritime). xxe siècle. Français.
Peintre. Abstrait.
Il vit et travaille à Montreuil-sous-Bois.
Il participe à des expositions collectives, notamment à Paris : 1977, 1978 Salon des Réalités Nouvelles ; 1983, 1984 Salon de la Jeune Peinture d'Aujourd'hui ; 1981, 1984, 1987, 1990 galerie Alix Lemarchand ; ainsi qu'au musée d'art moderne de Budapest, musée de Fréjus, maison populaire de la ville de Montreuil.

TABUSSO Francesco
Né le 27 juin 1930 à Sesto-San-Giovanni. xxe siècle. Italien.
Peintre de figures, paysages. Tendance expressionniste.
Il vit et travaille à Turin. Il expose depuis 1956 à Milan, Florence, Rome et Turin. Il a participé à la Biennale de Venise en 1954, 1956 et 1958.
Sa peinture est figurative, volontiers expressionniste.
Ventes Publiques : Milan, 5 mars 1974 : Alta Langa (Bossolasco) 1970 : ITL 2 100 000 – Milan, 13 déc. 1977 : Nature morte 1961, h/t (70x100) : ITL 3 000 000 – Milan, 13 oct. 1987 : Village en hiver, h/t (49x67,5) : ITL 6 500 000 – Milan, 7 juin 1989 : Cro-

quis de décor théatral, détrempe/cart. (35,5x50) : **ITL 950 000** – MILAN, 22 juin 1995 : *Paysage*, h.et collage/t. (80x100) : **ITL 7 130 000** – MILAN, 18 juin 1996 : *Voyageur allemand 1975*, h/t (70x100) : **ITL 8 625 000.**

TABUTIN Achille
Né en 1812 à Paris. Mort en octobre 1874 à Paris. XIXe siècle. Français.
Peintre de paysages, de fleurs et de décors, et aquarelliste.
Il débuta au Salon de 1834 avec des vues du Morvan et continua à exposer jusqu'en 1850. Il a peint aussi des sites du Pas-de-Calais, et des environs de Paris.

TACA Antonio
XVIe siècle. Portugais.
Peintre verrier.
Il travailla pour le monastère de Batalha de 1532 à 1536.

TACA Antonio
XVIe siècle. Portugais.
Peintre verrier.
Il travailla pour le monastère de Batalha de 1569 à 1596.

TACA Antonio
XVIIe siècle. Portugais.
Peintre verrier.
Il travailla pour le monastère de Batalha en 1608.

TACA Francisco
XVIe siècle. Portugais.
Peintre.
Il travailla pour le monastère de Batalha en 1566.

TACA Pero
XVIe siècle. Portugais.
Sculpteur sur bois.
Il travailla pour le monastère de Batalha de 1549 à 1561.

TACCA Bernardo, l'Ancien
Mort vers 1825 à Carrare. XIXe siècle. Italien.
Sculpteur de sujets mythologiques, statues.
Il fut élève de l'Académie de Carrare, où l'on peut voir des statues de cet artiste : *Hercule, Narcisse*, et une *Bacchante*.

TACCA Bernardo
Né en 1844. Mort le 10 juin 1867. XIXe siècle. Italien.
Sculpteur de statues.
Neveu de Bernardo Tacca l'Ancien, il fut élève de l'Académie de Carrare qui possède de lui la statue d'*Elbaro Gaspari*.

TACCA Carlo
XVIIIe siècle. Actif à Carrare. Italien.
Sculpteur.
Élève de Collini à Turin.

TACCA Ferdinando
Né le 8 octobre 1619 à Florence. Mort le 24 février 1686 à Florence. XVIIe siècle. Italien.
Sculpteur, fondeur et architecte.
Fils de Pietro Tacca. Il travailla à Madrid et surtout à Florence. La Galerie Municipale de Prato conserve de lui une *Fontaine avec amours*.
VENTES PUBLIQUES : LONDRES, 25 juin 1980 : *Diane chasseresse*, bronze (H. 40) : **GBP 11 000** – LONDRES, 11 déc. 1984 : *Deux jeunes lutteuses*, bronze (H. 34,5) : **GBP 11 000** – LONDRES, 2 avr. 1985 : *Hercule et Omphale* vers 1680, bronze (H. 40,7) : **GBP 44 000** – LONDRES, 11 déc. 1986 : *Hercule et Eole* vers 1680, bronze laqué rouge or et patine noire (H. 42,2) : **GBP 22 000** – PARIS, 3 déc. 1987 : *Hercule et Eole ; Roger et Angélique*, bronze patine noire, deux groupes (H. 51 et 48) : **FRF 2 600 000.**

TACCA Pietro
Né le 6 septembre 1577 à Carrare. Mort le 26 octobre 1640 près de Florence. XVIIe siècle. Italien.
Sculpteur, fondeur et architecte.
Élève et collaborateur de Giambologna, il est amené à achever les sculptures de celui-ci. Ainsi termine-t-il la statue du *Grand Duc Ferdinand Ier* à Florence en 1608, celle de *Philippe III* à Madrid entre 1606 et 1613 et celle de *Henry IV* sur le Pont-Neuf de Paris en 1613 (détruite en 1792). De son œuvre propre, on retient les quatre *Maures enchaînés*, placés au pied de la statue de *Ferdinand Ier* à Livourne (1615-1624), les fontaines ornées de monstres marins, sur la place de l'Annunziata à Florence (1629), une *Justice* qui couronne le sommet de la colonne de la place S. Trinita à Florence, et surtout le monument à la gloire de *Philippe IV* à Madrid (1634-1640).

Pietro Tacca est un sculpteur de transition entre le maniérisme et le baroque. S'il laisse transparaître l'influence de Michel Ange et des bronzes hellénistiques, il y ajoute un goût pour le réalisme. L'œuvre de Tacca, étant le fruit de ces deux tendances, ne peut éviter une certaine froideur d'exécution contrastant avec une figuration de type baroque. Le Musée de Bruxelles conserve de lui le *Buste de Jean Bologne*.
VENTES PUBLIQUES : LONDRES, 9 mai 1929 : *Étude d'un sujet pour une fontaine*, pl. : **GBP 70** – LONDRES, 10 avr. 1964 : *Lion*, bronze sur socle marbre : **GBP 620** – LONDRES, 16 mai 1968 : *Buste du Duc Cosimo II*, terre cuite : **GBP 2 400** – LONDRES, 4 déc. 1973 : *Christ crucifié*, bronze : **GNS 1 700.**

TACCA Simone
Né vers 1597. Mort après le 6 mai 1649. XVIIe siècle. Actif à Naples. Italien.
Sculpteur.
Il travailla pour des églises de Naples.

TACCANI Luciano
Né en 1835 à Milan. Mort le 15 avril 1864 à Milan. XIXe siècle. Italien.
Peintre et dessinateur.

TACCANI Remo
Né le 26 février 1891 à Milan. Mort en 1973. XXe siècle. Italien.
Peintre de figures, portraits, paysages.
Élève de Luigi N. Gradi.
VENTES PUBLIQUES : MILAN, 29 mars 1995 : *Ile de San Giulio sur le lac d'Orta 1939*, h/t (55x79,5) : **ITL 3 450 000** – MILAN, 26 mars 1996 : *Paysage avec des cabanes*, h/t (80x120,5) : **ITL 5 175 000.**

TACCHETTO Camillo ou Camillius, don ou Tacchetti
Né en 1703 à Vérone. Mort en 1772. XVIIIe siècle. Italien.
Miniaturiste.
Élève de F. Ramelli. Il exposa à Londres en 1768.
VENTES PUBLIQUES : PARIS, 13 oct. 1995 : *Vierge à l'Enfant*, gche (11x13,5) : **FRF 4 600.**

TACCHI Cesare
XXe siècle. Italien.
Peintre de figures, nus, animaux, technique mixte.
VENTES PUBLIQUES : ROME, 15 nov. 1988 : *Fauteuil jaune 1964*, techn. mixte/t. (160x120) : **ITL 7 500 000** – ROME, 9 avr. 1991 : *Homme qui regarde*, techn. mixte/tissu et t. mise en forme (150x100) : **ITL 20 000 000** – ROME, 14 nov. 1995 : *Le chat de Monica 1966*, peint. sur tissu en relief (115x110) : **ITL 10 350 000** – MILAN, 23 mai 1996 : *Nu allongé 1964*, encre et temp./cart. coul. (41x82,5) : **ITL 1 725 000.**

TACCHI Girolamo
XVIIe siècle. Italien.
Sculpteur sur bois.
Il sculpta des reliquaires pour la cathédrale de Pise et des stalles pour l'église Saint-Jean de la même ville en 1626.

TACCONE Innocenzio ou Tacconi
Né à Bologne. Mort entre 1623 et 1644 à Rome, très jeune. XVIIe siècle. Italien.
Peintre.
Il était proche parent des Carracci et fut élève d'Annibale qu'il accompagna à Rome et qu'il assista dans nombre de travaux. On cite notamment trois importantes fresques décorant la voûte de l'église de Santa Maria del Popolo : *Le couronnement de la Vierge, Le Christ apparaissant à saint Pierre et Saint Paul, transporté au ciel*, qu'il exécuta d'après les dessins de son maître. On mentionne encore de lui plusieurs compositions originales à l'église San Angelo in Pescheria représentant des *Épisodes de la vie de saint André*. Sa mort, dont on ne connaît pas la date exacte, se produisit sous le pontificat d'Urbain VIII.

TACCONE Paolo, appelé aussi Paolo di Mariano, ou Paolo Mariani, ou Paolo Romano
Mort en 1477 (?) à Rome. XVe siècle. Italien.
Sculpteur.
Il travailla à Rome pour le pape Pie II et sculpta des statues colossales d'apôtres et de saints. Ne paraît pas identique à Paolo Romano.

TACCONI Filippo
XVe siècle. Italien. Actif à Crémone dans la seconde moitié du XVe siècle. Italien.
Peintre.
Frère de Francesco Tacconi qu'il aida dans ses travaux au Palais public. Il fut comme lui exempté de toutes taxes à la suite de cette décoration.

TACCONI Francesco di Giacomo
xve-xvie siècles. Actif à Crémone de 1458 à 1500. Italien.
Peintre.

Cet artiste occupa une situation importante dans sa ville natale où, associé à son frère Filippo, il exécuta plusieurs fresques pour le Palais public. Francesco Tacconi travailla également à Venise, notamment à l'église Saint-Marc et il paraît y avoir subi l'influence des Bellini. La National Gallery de Londres conserve de lui un *Couronnement de la Vierge*, daté de 1489, interprétation libre d'une peinture de Giovanni Bellini.

·op· FRANCISI·
·TACHONI· 1489
·OCTV·.

TACHA-SPEAR Athena
xxe siècle. Américaine.
Sculpteur, peintre. Cinétique.

Depuis 1964, elle a entrepris des recherches cinétiques, à partir d'une gamme étendue de rayons lumineux, jusqu'aux ultra-violets, relayés par des transparences et réflexions. Dans *Wave Box* et *Ocean Box*, le spectateur est mis à contribution, devant actionner des boules de verre contenues à l'intérieur de l'œuvre. La participation du spectateur est également requise dans la série des *Galaxies*. En 1967, elle a publié *Sculptured Light*.
Bibliogr. : Frank Popper : *L'Art cinétique*, Gauthier-Villars, Paris, 1970.

TA-CHAN. Voir DASHAN

TA-CHEOU. Voir DASHOU

TACHERON Pierre
xviie siècle. Actif à Soissons. Français.
Peintre verrier.

En 1622, il peignit pour « l'Arquebuse » de Soissons, dix grandes verrières dont le Musée de cette ville conserve les restes. Les vitraux de l'Arquebuse jouissaient d'une grande renommée. Une tradition locale rapporte que Louis XIV passant à Soissons le 20 octobre 1673 alla voir les célèbres verrières et manifesta le désir d'en avoir quatre pour la décoration de son Cabinet. On ne dit pas pourquoi ce désir ne se réalisa pas.

TACHISME. Voir ABSTRACTION LYRIQUE, ACTION PAINTING, INFORMEL

TACHKER Geneviève
Née le 2 septembre 1939 à Voirons (Isère). xxe siècle. Française.
Sculpteur, peintre de cartons de tapisserie.

Elle fait ses études artistiques à Grenoble, puis elle suit un stage à l'École Nationale des Arts Décoratifs d'Aubusson. Elle enseigne l'art dans les lycées classiques et techniques depuis 1963.
Surtout connue pour ses tapisseries, elle utilise à partir de 1968 le plastique, matériau qui semble convenir le mieux à ses grandes compositions murales.

TACHMANN Friedrich. Voir JACHMANN

TÄCHTERMANN Rudolf ou Techtermann
xvie siècle. Actif à Fribourg (Suisse) en 1560. Suisse.
Peintre verrier.

TÄCHTERMANN Sebastian ou Techtermann
xvie siècle. Actif à Fribourg (Suisse) de 1517 à 1562. Suisse.
Peintre verrier.

Il subit l'influence de Hans Funk à Berne et exécuta surtout des armoiries sur verre.
Musées : Berne (Mus. historique) : *Blason de Dietrich von Englisberg* – Fribourg : *Blasons de Mayor de Wallenried, des États de Fribourg, du comte von Greyerz et de M. de Willersee* – Genève (Mus. Ariana) : *Saint André*.

TA CHUNG-KUANG. Voir DA CHONGGUANG

TACK Augustus Vincent
Né le 9 novembre 1870 à Pittsburgh. Mort en 1949. xixe-xxe siècles. Américain.
Peintre de figures, portraits, paysages, décorateur, peintre de compositions murales.

Élève de H. Siddons Mowbray et John La Farge à New York, et de L. O. Merson à Paris. Il a également enseigné.
Il a participé à des expositions collectives : University of Maryland Art Gallery. Il a montré ses œuvres dans des expositions personnelles à l'University of Texas d'Austin ; en 1986 à New York.

Il a réalisé, des années vingt aux années quarante, des œuvres qui annoncent l'expressionnisme abstrait, notamment les compositions de C. Still. Dans ses paysages sauvages, vues de gratte-ciels, il privilégie une vision cosmique, monumentale. Il juxtapose les surfaces sans contours nets, comme déchiquetés, travaille la matière, recherchant des accords colorés sourds.
Bibliogr. : Catalogue de l'exposition : *The Natural Paradise painting in America 1800-1950*, Museum of Modern Art, New York, 1976.
Musées : New York (Metropolitan Mus.) : *Dans la maison de Mathieu* – Washington D. C. (Phillips coll.) : *Aspiration* 1931 – *Nuit, désert Armargosa* 1937 – *Canyon* vers 1924.
Ventes Publiques : New York, 25 et 26 mars 1909 : *Printemps* : USD 130 – New York, 29 mai 1987 : *Sans titre*, h/t mar./cart. (173x11,7) : **USD 200 000** – New York, 24 mai 1990 : *Au bord de la mer*, h/t (33x40,6) : **USD 28 600** – New York, 26 sep. 1990 : *Panneau décoratif*, h/t et rés. synth. (79,4x88,9) : **USD 33 000** – New York, 28 mai 1992 : *Portrait d'une femme avec une rose rouge*, h/t (101,6x73,8) : **USD 9 900** – New York, 25 sep. 1992 : *Esquisse pour « Haut commandement »*, gche/cart. (121,9x121,9) : **USD 7 150** – New York, 27 mai 1993 : *Sans titre*, h. et peint. or/t. (111,8x90,2) : **USD 33 350** – New York, 25 mai 1995 : *Sans titre*, h/cart. (175,3x109,9) : **USD 37 375**.

TACK Elias
xviiie siècle. Hollandais.
Peintre.

Il peignit des paysages.

TACK Friedrich
Né vers 1805. xixe siècle. Actif à Berlin. Allemand.
Peintre de genre et paysagiste.

Élève de l'Académie de Berlin. Il exposa dans cette ville en 1832.

TACK Jean ou Tac
xvie siècle. Actif à Anvers au milieu du xvie siècle. Éc. flamande.
Sculpteur ou peintre (?).

Fils de Pierre Tack.

TACK Johann Hermann Josef
Mort le 28 juillet 1771. xviiie siècle. Actif à Cologne. Allemand.
Peintre.

Fils de Josef Tack.

TACK Josef
xviiie siècle. Allemand.
Peintre.

Père de Johann Hermann Josef Tack. Il fut membre de la gilde de Cologne en 1736.

TACK Luc
Né le 22 avril 1939. xxe siècle. Belge.
Peintre. Tendance abstraite.

Il montre ses œuvres dans des expositions personnelles, en Belgique.
Ses peintures, riches en matières, empâtements, tendent vers l'abstraction.

TACK Pierre ou Tacx
Né probablement à Anvers. xve-xvie siècles. Éc. flamande.
Sculpteur.

Père de Jean Tack. Il travailla pour l'église Notre-Dame d'Anvers.

TACKE Andreas Christian Ludwig
Né le 6 décembre 1823 à Brunswick. Mort le 23 juillet 1899 à Brunswick. xixe siècle. Allemand.
Peintre d'architectures, de décors et d'histoire.

Élève de Brandes à Kassel et de Piloty à Munich. Il fit un voyage d'études et se fixa à Düsseldorf. Il a exposé à Munich en 1854, à Vienne en 1877. On cite parmi ses œuvres, des peintures murales dans la bibliothèque de Wolfenbüttel, un plafond au théâtre de Brunswick et d'autres travaux dans la cathédrale de la même ville. Le Musée de Hanovre conserve de lui *Au dôme de Cologne*, et celui de Kœnigsberg, *La défenestration de Prague*.
Ventes Publiques : Brême, 21 juin 1980 : *Le cimetière* 1863, h/t (84x104) : **DEM 9 500**.

TACLA Jorge
Né en 1958 à Santiago du Chili. xxe siècle. Actif aussi aux États-Unis. Chilien.
Peintre.

Il fit ses études à l'École des Beaux-Arts de l'université du Chili. Il est maître de conférences tant au Chili qu'aux États-Unis. Il a vécu jusqu'en 1981 à New York.

Il a reçu plusieurs récompenses à la suite d'expositions en Amérique du Nord et du Sud aussi bien qu'en Europe ou au Japon.

VENTES PUBLIQUES : PARIS, 8 avr. 1990 : *On* 1988 (60x60) : **FRF 86 000** – NEW YORK, 17 mai 1994 : *Temple centralisé* 1991, h/toile de jute (167,3x154,9) : **USD 20 700**.

TACONET Charles
XVIIIe siècle. Actif à Londres de 1790 à 1792. Britannique.

Il fut élève des écoles de la Royal Academy. En 1790 il exposa à la Royal Academy *Mort de Milon* et *Vénus instruisant l'Amour*. La même année il obtint une médaille d'or pour son modèle de *Samson*. En 1791 il exposa un dessin de médaille et en 1792 un *Atlas*.

TACONET Louis Charles
XIXe siècle. Actif à Paris. Français.
Peintre de paysages et de vues.

Il exposa au Salon de 1848 à 1850, des vues de villes et de châteaux de France.

TACOUL Pierre
XVIe siècle. Actif à Lille en 1596. Français.
Sculpteur.

TACQUESI Vicente
Né en Suisse. XIXe siècle. Travaillant au début du XIXe siècle. Suisse.
Sculpteur et stucateur.

Élève de Canova à Rome ; il subit aussi l'influence de Giovanni da Udine. Il travailla au Portugal.

TACQUET Jean ou Taquet
XVIe siècle. Actif de 1566 à 1568. Français.
Sculpteur sur bois.

Il exécuta des sculptures pour le Louvre de Paris.

TACQUOY Maurice. Voir TAQUOY

TADAMA Fokko
Né en 1871 à Bandar (Sumatra). XIXe-XXe siècles. Hollandais.
Peintre de paysages, marines, graveur.

Il fut élève de George Hitchcock et de l'Académie des Beaux-Arts d'Amsterdam. Il prit part à diverses expositions à Paris, où il reçut notamment une mention honorable en 1901.

Il peint surtout les pêcheurs de son pays.

TADAMA-GROENEVELD Thamine
Née en 1871 à Utrecht. Morte en 1938. XIXe-XXe siècles. Hollandaise.
Peintre de genre, paysages, marines.

Femme de Fokko Tadama, elle fut élève, comme lui, de George Hitchcock et de l'Académie des Beaux-Arts d'Amsterdam. Elle figura à diverses expositions à Paris, où elle reçut notamment une mention honorable en 1908, participa en 1911 à une exposition de la Royal Academy of Arts de Londres.

Elle occupe une place distinguée parmi les peintres hollandais modernes. Elle peint particulièrement la mer et le monde des pêcheurs.

VENTES PUBLIQUES : NEW YORK, 8 au 10 avr. 1908 : *Ramasseur de coquilles* : **USD 150** – LONDRES, 10 mars 1910 : *Ramenant les vaches* : **GBP 1** – LONDRES, 21 juil. 1911 : *Sur la côte de Kalwyk* : **GBP 44** – AMSTERDAM, 17 sep. 1991 : *Chercheurs de coquillages sur une plage*, h/t (21x27,5) : **NLG 1 495**.

TADAMOTO. Voir HÔITSU

TADASKY, de son vrai nom : Kuwayama Tadasuke
Né en 1935 à Nagoya (préfecture d'Aichi). XXe siècle. Depuis 1961 actif aux États-Unis. Japonais.
Peintre. Abstrait.

Il se forme en autodidacte et depuis 1961 vit à New York. Il participe à des expositions de groupe : 1965 *The Responsive Eye* au Musée d'Art Moderne de New York. En 1965, il montre ses œuvres dans des expositions personnelles.

MUSÉES : NEW YORK (Mus. of Mod. Art) – RIDGEFIELD (Connecticut) – RIDGEFIELD (Mus. Larry Aldrich).

TADDA. Voir FERRUCCI Francesco, Giovanni Battista et Romolo di Francesco

TADDEI Agostino ou Tadei ou Taddey ou Tadey
Né à Gandria (près de Lugano). Mort le 21 août 1818 à Copenhague. XIXe siècle. Danois.
Stucateur.

Il travailla d'abord à Ludwigslust, puis pour le château royal de Copenhague.

TADDEI Angelo ou Michel Angelo
Né vers 1755 à Gandria ou à Lugano. Mort en 1831 à Gandria. XVIIIe-XIXe siècles. Suisse.
Stucateur.

Frère aîné d'Agostino Taddei. Il s'établit à Slesvig vers 1775 et travailla pour des châteaux de cette province.

TADDEI Antonio
XVIIe siècle. Actif à Florence à la fin du XVIIe siècle. Italien.
Graveur au burin.

Il grava à la manière noire des portraits, des sujets religieux et des illustrations de livres.

TADDEI Francesco Antonio
Né vers 1767 à Gandria. Mort en 1827 au Slesvig. XVIIIe-XIXe siècles. Allemand.
Stucateur.

Il exécuta des stucatures pour de nombreux châteaux du Slesvig.

TADDEI Taddeo
XVIIIe siècle. Actif à Vérone dans la première moitié du XVIIIe siècle. Italien.
Peintre.

Il peignit pour des églises de Vérone, de Legnago et de Vicence.

TADDEO
XIIIe siècle. Italien.
Sculpteur de sujets religieux, statues.

Il a sculpté une partie des bas-reliefs des verrières du chœur dans la cathédrale de Sessa Aurunca.

TADDEO
XVe siècle. Italien.
Sculpteur de sujets religieux, statues.

Il décora de sculptures l'église Saint-Michel sur l'Isle de Venise.

TADDEO Giovanni di. Voir FERRUCCI

TADDEO da ...ona
XVIe siècle. Italien.
Peintre.

On ne connait que son nom tronqué. Travaillant en 1507, il a peint une fresque représentant la *Madone dans la gloire* dans l'abside de l'église Saint-Laurent à Borgo Cerreto.

TADDEO di Bartolo ou Taddeo di Bartoli
Né en 1362 ou 1363 à Sienne. Mort en 1422. XIVe-XVe siècles. Italien.
Peintre de compositions religieuses, fresquiste.

Élève de Bartoli di Maestro di Fredi, il fut formé dans les traditions des maîtres de l'École siennoise.

Il vécut successivement à Pérouse et à Pise où il peignit en 1390 un tableau de la *Vierge* pour l'église San Paolo all'orto. Cette toile est aujourd'hui au Musée de Grenoble. Il est aussi l'auteur de quelques fresques dans une chapelle de l'église San Francesco de Pise, d'un tableau de la *Vierge montant au Temple*, à la chapelle de la Nanziata, et d'une toile représentant la *Vierge couronnée par le Christ*, au cimetière de cette ville. En 1393, il ouvre un atelier à Gênes et après un séjour en Toscane, il revient à Gênes où il peint le panneau de Triora, daté de 1397, non sans être retourné plusieurs fois dans sa ville natale. Au Museo Civico de Pise, on admire de lui un *San Donnino*, bannière de procession qui appartenait à la Compagnie de ce saint et dont le revers représentait un *Crucifiement*.

Taddeo di Bartolo est un véritable peintre siennois et s'il a fait figure de novateur, c'est surtout en raison du choix de quelques-uns de ses sujets, représentant parfois des dieux et héros antiques.

MUSÉES : BAYEUX : *Saint Jean Baptiste* – GRENOBLE : *Vierge et Saints* – NANCY : *La Vierge et l'Enfant* – PARIS (Mus. du Louvre) : *Saint Pierre* – PISE (Mus. Civico) : *Saint Donnino assis sur un trône* – *Saint Pierre et Saint Paul*, mi-figure.

VENTES PUBLIQUES : PARIS, 1862 : *La Vierge et l'Enfant Jésus entourés de saints et de saintes* : **FRF 169** – PARIS, 4 fév. 1924 : *La Vierge, l'Enfant Jésus, deux saintes et deux anges*, triptyque à fond d'or, éc. de T. di B. : **FRF 10 100** – NEW YORK, 4 avr. 1925 : *La légende dominicaine* : **USD 950** – LONDRES, 18 déc. 1931 : *La Vierge et les Saints*, triptyque : **GBP 152** – LONDRES, 26 juin 1970 : *Vierge à l'Enfant* : **GNS 14 000** – LONDRES, 8 déc. 1971 : *Vierge à l'Enfant avec saint Jean Baptiste et saint Jérôme*, triptyque : **GBP 38 000** – LONDRES, 1er nov. 1978 : *La Vierge et l'Enfant*, h/pan. 6 fond or, frontron cintré (75,5x53,5) : **GBP 55 000** –

LONDRES, 3 avr. 1985 : *La descente du Christ aux Limbes*, temp./ pan., fond or (33,3x35,5) : **GBP 32 000** – NEW YORK, 4 juin 1987 : *Saint Pierre*, temp./pan., fond or, haut cintré (50,5x30) : **USD 115 000** – LONDRES, 12 déc. 1990 : *Le Baptême du Christ*, temp./pan. à fond or (31x33,5) : **GBP 30 800** – MILAN, 5 déc. 1991 : *Saint Jean Baptiste*, temp./pan. à fond d'or (52x30) : **ITL 75 000 000** – LONDRES, 3-4 déc. 1997 : *Saint Sébastien et Saint Paul* ; *La Vierge et l'Enfant sur un trône* ; *Saint Jean Baptiste et Saint Nicolas*, temp./pan. fond or, polyptyque (133,5x74 et 151x59,5 et 133,5x74) : **GBP 397 500**.

TADDEO da Ferrara. Voir CRIVELLI Taddeo

TADDEO di Giovanni
XVᵉ siècle. Actif à Rome au milieu du XVᵉ siècle. Italien.
Peintre.
Il peignit pour le Vatican des étendards et des blasons.

TADDEO da Lodi
XVIᵉ siècle. Italien.
Peintre.
Il travailla à Padoue, à Lodi et à Bologne.

TADDEO di Michele
XVIIᵉ siècle. Actif à Carrare dans la première moitié du XVIIᵉ siècle. Italien.
Sculpteur et fondeur.
Élève de P. Tacca.

TADE Giovanni Pietro
Né en 1658 à Gandria. XVIIᵉ siècle. Suisse.
Sculpteur.
Il fut chargé de l'exécution de huit statues pour l'église de Chiavenna en 1700.

TADEMA Alma. Voir ALMA-TADEMA Anna, Laura Teresa et Sir Lawrence

TADEO
XVIᵉ siècle. Italien.
Miniaturiste.
Il fut employé par Léon X pour lequel il exécuta les initiales, les ornements et les huit miniatures du *Lectionarum et Sequentiæ cum antiphonario et orationibus pro festis ecclesiæ Romanae*, offert par le pontife au cardinal Bembo.

TADEUSZ Norbert
Né le 12 février 1940 à Dortmund. XXᵉ siècle. Allemand.
Peintre.
Il fut élève de 1959 à 1960 de l'École des Beaux-Arts de Dortmund, puis de 1961 à 1966 de l'Académie des Beaux-Arts de Düsseldorf, où il étudie avec Gerhart Hoehme, Joseph Fassbender et Joseph Beuys.
Il participe à de nombreuses expositions de groupes. Il montre ses œuvres de nombreuses expositions personnelles dès 1966 à Düsseldorf et à Darmstadt.
Il peint surtout des personnages allongés sur les lits, ou faisant des exercices de gymnastique aux anneaux, personnages très proches de ceux de Francis Bacon.
VENTES PUBLIQUES : LONDRES, 25 juin 1986 : *Nu couché* 1965, gche/pap. (50x72) : **GBP 1 100**.

TADEY Agostino. Voir TADDEI

TADEY Angel
XVIIIᵉ-XIXᵉ siècles. Actif en Castille. Espagnol.
Peintre de décors.
Professeur de peinture dont les travaux n'ont pu être identifiés avec assez de certitude pour que nous les citions. Nommé expert dans l'œuvre exécutée au portail de la cathédrale de Tolède en l'honneur du cardinal de Bourbon vers 1801.

TADEY Antonio
XIXᵉ siècle. Actif à Madrid au début du XIXᵉ siècle. Espagnol.
Peintre de décors.

TADINI Emilio
Né en 1927 à Milan. XXᵉ siècle. Italien.
Peintre de compositions animées. Nouvelles Figurations.
Il fut l'un des fondateurs du groupe d'avant-garde Gruppo 63, avec U. Ecco notamment. Il est l'auteur de divers romans (*Les Armes, L'Amour, La Longua Notte*). Il vit et travaille à Milan.
Il participe à de nombreuses expositions de groupe : 1967 Paris, *Art Contemporain de l'Italie* à La Haye ; 1968 Salon de Mai à Paris ; 1969 *Aspects d'Italie* à Vienne et Innsbruck ; 1979, 1982

Biennale de Venise, etc. Il montre ses œuvres dans des exposi tions personnelles : 1961 Venise ; 1967, 1970 Milan ; 1970 Gand ; etc.
Sa peinture, issue du courant européen du pop art, a la rigueur technique de celle d'Adami, et use de sortes de rébus ésotériques comparables à ceux de Télémaque. Les formes (personnages, objets) destructurées apparaissent fragmentées, le temps, les actions se télescopent au sein de la même image.
BIBLIOGR. : *Catalogue du 3ᵉ Salon International des Galeries Pilotes*, Musée Cantonal, Lausanne, 1970 – Pierre Souchaud : *Emilio Tadini. L'Allégorie du bleu outremer*, Artension, n° 31, Rouen, févr. mars 1992 – in *Dict. de l'art mod et contemp.*, Hazan, Paris, 1992.
VENTES PUBLIQUES : MILAN, 11 déc. 1973 : *Peinture* : **ITL 550 000** – ROME, 4 avr. 1974 : *La camera afona* : **ITL 700 000** – MILAN, 6 avr. 1976 : *Composition* 1966, h/t (80x100) : **ITL 800 000** – MILAN, 25 oct. 1977 : *La camerao afona, n° 1* 1969, acryl./t. (80x100) : **ITL 1 000 000** – MILAN, 22 mai 1980 : *Figures*, h/t (54x65) : **ITL 950 000** – ROME, 3 déc. 1985 : *Figure 1978*, acryl./t. (73x92) : **ITL 3 000 000** – MILAN, 16 déc. 1987 : *Vita di Voltaire*, acryl./t. (130x161) : **ITL 12 000 000** – MILAN, 8 juin 1988 : *La pièce des petits trésors*, acryl./t. (146x114) : **ITL 13 500 000** – MILAN, 6 juin 1989 : *Le figure le cose 1978*, acryl./t. (54x65) : **ITL 7 500 000** – MILAN, 19 déc. 1989 : *Nature morte avec le mot «fin»* 1979, acryl./t. (38x46) : **ITL 6 000 000** – MILAN, 27 mars 1990 : *Milan le jour, Milan la nuit, une paire*, temp./cart. réunis dans un seul cadre (chaque 50x70) : **ITL 15 000 000** – MILAN, 13 juin 1990 : *Exilé*, h/t (81x100) : **ITL 14 000 000** – MILAN, 23 oct. 1990 : *La hune 1965*, h/t (130x162) : **ITL 20 000 000** – MILAN, 20 juin 1991 : *Portrait d'artiste 1977*, acryl./t. (73x60) : **ITL 7 800 000** – MILAN, 14 nov. 1991 : *Film 1977*, acryl./t. (200x290) : **ITL 20 000 000** – LUGANO, 28 mars 1992 : *Trophée de touriste 1983*, acryl./t. (80x100) : **CHF 6 000** – MILAN, 14 avr. 1992 : *Musée de l'Homme*, acryl./t. (100x81) : **ITL 9 000 000** – MILAN, 6 avr. 1993 : *Archéologie 1972*, acryl./t. (100x81) : **ITL 7 500 000** – MILAN, 14 déc. 1993 : *Le repas 1986*, acryl./t. (114x146) : **ITL 13 800 000** – MILAN, 24 mai 1994 : *Nature morte avec un éclair*, h/t (46x55) : **ITL 3 910 000** – ROME, 8 nov. 1994 : *La chandelle*, techn. mixte/ pap. (50x35) : **ITL 2 070 000** – MILAN, 26 oct. 1995 : *Les vacances turbulentes 1965*, h/t (81x120) : **ITL 8 050 000** – MILAN, 27 mai 1996 : *Trasloco 1985*, h/t (60x73) : **ITL 5 175 000**.

TADL Anton ou Detl ou Dötl ou Tetl
XVIIIᵉ siècle. Actif à Wolfsberg dans la première moitié du XVIIIᵉ siècle. Autrichien.
Sculpteur.
Il peignit des tableaux d'autel pour l'église de Wolfsberg.

TADLOCK Thomas
XXᵉ siècle. Américain.
Sculpteur. Cinétique.
Il travailla durant la deuxième moitié du XXᵉ siècle.
Après des expériences sur la lumière et le mouvement, il a entrepris ses « Kinetic Light Constructions », comprenant des surfaces mobiles autour d'axes, en relation le plus souvent avec un accompagnement musical, programmé ou aléatoire. Dans *Archetron*, l'électronique est mis en œuvre pour fragmenter une image recueillie sur écran de télévision.
BIBLIOGR. : Frank Popper : *L'Art cinétique*, Gauthier-Villars, Paris, 1970.

TADOLINI Adamo
Né le 21 décembre 1788 à Bologne. Mort le 23 février 1868 à Rome. XIXᵉ siècle. Italien.
Sculpteur.
Père de Scipione Tadolini. Élève de De Maria à l'Académie de Bologne. Il suivit son maître à Ferrare pour travailler à la statue de Napoléon Iᵉʳ. Il entra ensuite dans l'atelier de Canova et l'aida dans différents travaux. On considère Adamo Tadolini comme le meilleur élève et le véritable continuateur du célèbre statuaire. On cite de lui notamment la statue de *Charles III*, à Naples, celles de *Washington* et de *Pie VI*, les deux statues colossales de *Saint Paul* et du *Roi David* pour le monument de la Piazza Spagna. Il exposa une statue à la Royal Academy à Londres, en 1830.
MUSÉES : ROME (Mus. Borghèse) : *Bacchante* – VALENCIENNES : *Esclave*.

TADOLINI Enrico
Né en 1888 à Rome. XXᵉ siècle. Italien.
Sculpteur de monuments.
Fils et élève de Giulio Tadolini, il sculpta surtout des monuments et des tombeaux.

TADOLINI Francesco

Né en 1723. Mort en 1805. XVIIIᵉ siècle. Actif à Bologne. Italien.
Dessinateur et architecte.
Frère de Petronio Tadolini et élève de Giuseppe Givoli et de Carlo Fr. Dotti.

TADOLINI Giulio

Né le 22 octobre 1849 à Rome. Mort le 18 avril 1918 à Rome. XIXᵉ-XXᵉ siècles. Italien.
Sculpteur de monuments, figures.
Fils de Scipione Tadolini, il fut élève de l'académie des Beaux-Arts de Rome et du sculpteur Fracassini.
Dans une œuvre d'une importance considérable, on cite notamment le *Monument de Victor Emmanuel* à Pérouse et le *Monument de Léon XIII* à Saint-Jean de Latran.
VENTES PUBLIQUES : MONTE-CARLO, 15 juin 1982 : *Vénus au bain*, marbre blanc (H. 104) : **FRF 46 000** – LONDRES, 7 nov. 1985 : *Avant le bain* vers 1875, marbre blanc (H. 92) : **GBP 8 000** – NEW YORK, 22 mai 1990 : *Jeune Egyptienne* 1884, marbre (H. 110,5) : **USD 14 300** – NEW YORK, 12 fév. 1997 : *Buste d'un Arabe*, bronze patine brune (H. 73,7) : **USD 10 350** – NEW YORK, 23 mai 1997 : *Vierge égyptienne* 1887, marbre (H. 106,7) : **USD 26 450**.

TADOLINI Luigi

Né en 1758. Mort en 1823. XVIIIᵉ-XIXᵉ siècles. Actif à Bologne. Italien.
Peintre.
Fils de Petronio Tadolini et imitateur de Gandolfi.

TADOLINI Petronio

Né en 1727. Mort en 1813. XVIIIᵉ-XIXᵉ siècles. Actif à Bologne. Italien.
Sculpteur et médailleur.
Frère de Francesco Tadolini et élève de Bolognini. Il sculpta de nombreuses statues à Bologne, et pour les cathédrales de Faenza et de Mirandola.

TADOLINI Scipione

Né en 1822 à Rome. Mort en 1892 ou 1893. XIXᵉ siècle. Italien.
Sculpteur de bustes, statues, monuments.
Fils d'Adamo Tadolini. Il continua la tradition paternelle.
Il exposa à la Royal Academy à Londres en 1853.
On cite parmi ses meilleurs ouvrages une statue de *Sainte Lucie* à la Chiesa del Gonfalone, le *Monument de Bolivar* à Lima, un *Saint Michel*, à Boston et un buste de *Victor Emmanuel*, au Sénat de Rome.
MUSÉES : GLASGOW : *L'esclave* – MADRID : *L'esclave* – SYDNEY : *Esclave grecque*.
VENTES PUBLIQUES : LONDRES, 27 sep. 1966 : *Vénus et Cupidon*, marbre : **GNS 600** – NEW YORK, 1ᵉʳ nov. 1995 : *Ève*, marbre (H. 182,9) : **USD 28 750**.

TADOLINI Serafina, née Passamonti

XIXᵉ siècle. Active à Rome de 1816 à 1851. Italienne.
Tailleur de camées et miniaturiste.
Élève de Canova. Femme d'Adamo Tadolini.

TADOLINI Tito

Né en 1825 à Bologne. Mort vers 1900. XIXᵉ siècle. Italien.
Sculpteur.
On cite de lui un *Buste de Beethoven, Narcisse* et *Sieste*.
VENTES PUBLIQUES : LONDRES, 20 mars 1986 : *Jeune femme assise sur un rocher* vers 1863, marbre blanc (H. 103) : **GBP 9 500**.

TADSCH-ED-DIN GIRIH-BEND

XVIᵉ siècle. Turc.
Peintre et enlumineur.

TAECKENS André

Né en 1906 à Torhout. Mort en 1962. XXᵉ siècle. Belge.
Sculpteur de figures.
Il fut élève de l'académie des beaux-arts de Gand.
Il a surtout représenté des femmes ou des portraits.
BIBLIOGR. : In : *Dict. biogr. illustré des artistes en Belgique depuis 1830*, Arto, Bruxelles, 1981.

TAEGER Karl Hanns

Né le 7 avril 1856 à Neustadt près Stolpen. Mort le 1ᵉʳ mai 1937 à Langebrück près de Dresde. XIXᵉ-XXᵉ siècles. Allemand.
Peintre d'animaux, paysages, dessinateur.
Il fut élève de l'académie des beaux-arts de Dresde et de Heinrich Zügel. Il peignit et dessina au fusain des scènes de forêt et des vues de Liegnitz.

VENTES PUBLIQUES : HANOVRE, 7 juin 1980 : *Fleurs alpestres*, h/cart. (58,5x43) : **DEM 1 600**.

TAEGINGER Nikolaus

XVᵉ siècle. Actif à Presbourg. Autrichien.
Peintre verrier.
Il exécuta des vitraux pour l'Hôtel de Ville et d'autres édifices municipaux de Presbourg.

TAELEMANS Jean François ou Taelemens

Né le 8 août 1851 à Bruxelles. Mort en 1931. XIXᵉ siècle. Belge.
Peintre de genre, paysages, peintre de compositions murales, décorateur.
Il fit d'abord des études d'architecture. Il fut élève de l'académie des beaux-arts de Bruxelles, où il enseigna par la suite. Il séjourna à Paris deux ans. Il fut membre fondateur du groupe L'Essor. Il exposa en Angleterre, notamment à Liverpool.
Il a peint de nombreux paysages de neige, ainsi que des vues de villes.

F. Taelemans

BIBLIOGR. : In : *Dict. biogr. illustré des artistes en Belgique depuis 1830*, Arto, Bruxelles, 1987.
MUSÉES : ANVERS : *Village brabançon sous la neige* – BRUXELLES : *L'Hiver au village* – IXELLES.
VENTES PUBLIQUES : BRUXELLES, 24 fév. 1951 : *Hiver en Brabant* : **BEF 3 800**.

TAELEN Van der. Voir VANDERTAELEN J.

TAER H.

XVIIᵉ siècle. Travaillant en 1678. Hollandais.
Peintre.
Le Musée National de Spire possède de lui les portraits d'un prince et d'une princesse.

TAERLINGH J. Van

Hollandais.
Graveur à la manière noire.
Élève de V. Verkoye. Il a gravé des sujets de genre.

TAETS Rutger Moens. Voir TAATS

TAEUBER-ARP Sophie Henriette ou Täuber-Arp

Née le 19 janvier 1889 à Davos. Morte le 13 janvier 1943 à Zurich. XXᵉ siècle. Depuis 1928 active en France. Suisse.
Peintre, dessinatrice, aquarelliste, peintre à la gouache, peintre de collages, sculpteur, décoratrice, peintre de cartons de vitraux. Abstrait.
Après ses études à l'École des Arts Appliqués de Saint-Gall, puis à Munich et à l'École des Arts décoratifs de Hambourg, elle devint professeur de dessin sur textile, à l'École des Arts et Métiers de Zurich, poste qu'elle garda de 1915 à 1929. Elle rencontra Hans Arp, en 1915, avec lequel elle participa aux activités du groupe Dada de Zurich, surtout par des danses au Cabaret Voltaire, et qu'elle épousa en 1921. Elle a très souvent travaillé à des œuvres en collaboration avec Arp. En 1926, elle séjourna en Italie. De 1928 à 1940, elle résida à Meudon, près de Paris. Elle fonda la revue *Plastique*, qui parut de 1937 à 1939 et fut membre en 1937 de l'Association des Artistes *Allianz* de Zurich. La Deuxième Guerre mondiale la vit se réfugier à Neyrac (Dordogne), à Veyrier, puis en 1941 à Grasse, où elle retrouva Sophie Delaunay, Magnelli, avec lesquels Arp et elle composèrent des lithographies.
Elle a participé à de nombreuses expositions collectives : 1918 Zurich ; 1920 Bâle, puis Wiesbaden, Mannheim, Toledo (États-Unis) ; 1925 Salon des Arts Décoratifs de Paris, où elle était membre du jury ; 1930 Salon des Indépendants de Paris ; 1930 exposition du groupe Cercle et Carré à la galerie 23 à Paris ; 1932 Berne ; 1933 Abstraction-Création à Paris, Tokyo ; 1977 *Aspects du constructivisme et de l'art concret* au musée d'Art moderne de la Ville de Paris ; 1978 *Abstraction-Création 1931-1936* au Westfälisches Landesmuseum für Kunst und Kulturgeschichte de Münster et Musée d'Art moderne de la Ville de Paris ; etc. Une exposition rétrospective a été présentée en 1989 pour le centenaire de sa mort au Kunsthaus d'Aarau, au musée d'Art moderne de la ville de Paris et à la fondation Arp de Clamart.
Dès 1916, elle composa des motifs non figuratifs, il est vrai à destination décorative, dont on pense qu'ils influencèrent Arp, l'encourageant dans l'idée que l'honnêteté, la pureté morale et la simplicité peuvent être exprimées par des métaphores visuelles.

À Strasbourg, en 1926-1927, elle prit part à la décoration historique, mais aujourd'hui détruite, du restaurant de l'Aubette, avec Arp et Van Doesburg. Elle demeura attachée dans l'ensemble de son œuvre, à une abstraction de caractère géométrique, qui s'avéra très proche du néoplasticisme de Mondrian, quand même elle usait librement de la diagonale et de la courbe. Influencée par son expérience des textiles, elle avait pourtant une prédilection pour les formes rectilignes. « En 1915 Sophie Taeuber divisait toujours la surface d'une aquarelle en carrés et rectangles qu'elle juxtaposait horizontalement et perpendiculairement. Elle construisait ses peintures comme des ouvrages de maçonnerie. Ses couleurs sont lumineuses allant du jaune cru aux rouge ou bleu profonds. » confiait Jean Arp. Avant sa mort accidentelle, ses œuvres montraient une liberté croissante, annonciatrice de nouvelles possibilités. ■ Jacques Busse

Arp

BIBLIOGR. : Georg Schmidt et divers : *Sophie Taeuber-Arp*, Bâle, 1948 – Michel Seuphor : *L'art abstrait, ses origines, ses premiers maîtres*, Maeght, Paris, 1949 – Hans Arp : *On my Way*, New York, 1949 – Hans Arp : *Onze peintres vus par Arp*, Zurich, 1949 – Jean Arp : *Jalons*, chez l'auteur, Meudon, 1951 – Michel Seuphor, in : *Diction. de la peint. mod.*, Hazan, Paris, 1954 – Michel Seuphor : *Diction. de la peint. abstr.*, Hazan, Paris, 1957 – Michel Seuphor : *Le style et le cri*, Seuil, Paris, 1965 – José Pierre : *Le Futurisme et le Dadaïsme*, in : *Hre Gle de la Peint.*, t. XX, Rencontre. Lausanne, 1966 – Herta Wescher, in : *Diction. Univers. de l'Art et des Artistes*, Hazan, Paris, 1967 – M. Staber : *S. Taeuber-Arp*, Paris, 1970 – Michel Seuphor, Michel Ragon : *L'Art Abstrait*, Maeght, Paris, 1972-1974 – in : Catalogue de l'exposition *Abstraction-Création 1931-1936*, Westfälisches Landesmus. für Kunst and Kulturgeschichte, Münster, Musée d'Art moderne de la Ville, Paris, 1978 – J. Hancock and S. Poley : *Arp 1886-1966*, Cambridge, 1987 – Gérard Georges Lemaire : *Sophie Taeuber*, n° 118, Opus International, Paris, mars-avr. 1990.
MUSÉES : BÂLE (Kunstmus.) : *Montant-Tombant* – BERNE (Kunstmus.) : *Six Espaces à quatre croix 1934* – *Relief rectangulaire 1938*, cercles découpés, carrés peints et découpés, cubes et cylindres surgissant – GRENOBLE : *Échelonnement* – LODZ – ÖTTERLO (Rijksmus.) – PARIS (Mus. Nat. d'Art Mod.) : *Le Bateau* vers 1917-1918, gche et aquar. – *Tête* vers 1918, bois peint. – *Composition à cercles et bras angulaires 1930* – *Quatre Espaces à croix brisés 1932* – PARIS (BN) – PHILADELPHIE (Mus. of Art) – WIESBADEN – WINTERTHUR – ZURICH (Kunsthaus) : Série de marionnettes en bois tourné – *Triptyque 1918*.
VENTES PUBLIQUES : BERNE, 24 mai 1962 : *Composition à 22 rectangles et 21 cercles*, gche : **CHF 6 400** ; *Composition verticale à rectangles, cercles barrés* : **CHF 10 000** – BERNE, 13 juin 1969 : *Équilibre* : **CHF 14 000** – NEW YORK, 6 nov 1979 : *Taches quadrangulaires 1930*, aquar. (28x41) : **USD 5 250** – HAMBOURG, 13 juin 1981 : *Composition*, gche (15,5x15,5) : **DEM 5 400** – LONDRES, 30 juin 1982 : *Composition pour l'Aubette 1927-1928*, h./pavatex et relief (63x60,5) : **GBP 27 000** – ZURICH, 26 mai 1984 : *Porteuse de vase*, aquar. (18x16) : **CHF 2 800** – NEW YORK, 13 nov. 1985 : *Petit triangle, composition verticale horizontale 1916*, mine de pb et cr. cires de coul. (19,2x23,5) : **USD 6 500** – NEW YORK, 20 nov. 1986 : *Composition pour l'Aubette* vers 1926, relief peint./cart. (50,2x30,5) : **USD 28 000** – LONDRES, 25 fév. 1987 : *Composition verticale-horizontale* vers 1928-1929, gche (37x27,5) : **GBP 5 600** – PARIS, 6 avr. 1989 : *Composition 1916*, aquar. (7,5x5,5) : **FRF 41 000** – PARIS, 3 mai 1990 : *Composition verticale et horizontale 1918*, gche /pap. (22x19) : **FRF 260 000** – NEW YORK, 5 nov. 1991 : *N° 10*, gche et cr./pap. (image 15,9x7,6) : **USD 39 600** – LONDRES, 1er juil. 1992 : *Composition à motifs d'oiseaux 1927*, gche et aquar. (en tout 39x28) : **GBP 38 500** – PARIS, 5 nov. 1992 : *Coquille 1937*, maquette en linoléum (29,3x23) : **FRF 15 000** – LONDRES, 23 juin 1993 : *Équilibre 1932*, cr./ et h/t (41,5x34) : **GBP 47 700** – ZURICH, 25 mars 1996 : *Composition schématique*, gche/pap. (27,5x36,5) : **CHF 103 100**.

TAEYE Camille De. Voir **TAYE**

TAEYE Lodewijk Jan De
Né le 23 septembre 1822 à Gand. Mort le 30 décembre 1890 à Anvers. XIXᵉ siècle. Belge.
Peintre.
Élève de P. Van Hanselaer et de H. J. Dillens. Il exposa à Gand de 1841 à 1859. Le Musée de Gand conserve de lui *La bataille de Poitiers*.

TAEYMANS Louis
Né le 17 juillet 1874 à Turnhout. Mort le 5 mars 1937 à Alken. XIXᵉ-XXᵉ siècles. Belge.
Peintre de compositions religieuses, paysages.
Il fut aussi architecte et écrivain. Appartenant à la Compagnie de Jésus, il peignit surtout des paysages flamands et des sujets religieux.

TAF, pseudonyme de **Tavernier Francine**
Née en 1942 à Gand. XXᵉ siècle. Belge.
Peintre de portraits, nus, paysages, fleurs.

TAFEL Hermann
Né le 19 juillet 1861 à Ohringen. Mort le 23 juin 1914 à Stuttgart. XIXᵉ-XXᵉ siècles. Allemand.
Graveur sur bois, peintre.
Il fut aussi écrivain d'art. Il grava d'après Adolf Menzel, Franz Lenbach et Max Liebermann.

TAFERNER Antal ou **Anton**
Né en 1730 à Budapest. Mort après 1770 à Budapest. XVIIIᵉ siècle. Hongrois.
Peintre.
Élève de l'Académie de Vienne.

TAFFIJN Jan
XVIIᵉ siècle. Travaillant à Gand en 1691. Éc. flamande.
Peintre.
Probablement identique à Jean Taffin.

TAFFIN Emmanuel
XVIIIᵉ siècle. Actif à Courtrai dans la seconde moitié du XVIIIᵉ siècle. Éc. flamande.
Peintre.
Élève de l'Académie d'Anvers. Il exposa des allégories à Gand en 1792.

TAFFIN Jean
XVIIᵉ siècle. Travaillant à Cambrai en 1671. Français.
Peintre.
Probablement identique à Jan Taffijn.

TAFI Andrea. Voir **ANDREA Tafi**

TAFISH Hassan
Né en 1944 à Esdoude. XXᵉ siècle. Palestinien.
Peintre.
Il fut élève de la faculté des beaux-arts du Caire en 1967-1968, puis étudia l'histoire de l'art islamique à l'université de Budapest en 1975. Il est membre de la Ligue des Artistes Arabes.
Il montre ses œuvres dans des expositions personnelles : 1968-1969 Ryad ; 1971 Damas ; 1972 Bâle ; 1973, 1974 Vienne ; 1975 Aman ; 1980, 1981 Genève.

TAFT Lorado
Né le 29 avril 1860 à Elmwood (Illinois). Mort en 1936. XIXᵉ-XXᵉ siècles. Américain.
Sculpteur de figures.
Il fut élève à l'École des Beaux-Arts de Paris, d'Augustin Dumont, Jean Marie Bonnassieux et Émile Thomas. Il fut aussi écrivain d'art. Il fut académicien à partir de 1911. Il vécut et travailla à Chicago.
Il participa aux expositions de la National Academy, dont il fut membre associé à partir de 1909. Il reçut une médaille d'argent à Buffalo en 1901, une médaille d'or à Saint Louis en 1904.
MUSÉES : CHICAGO : *Solitude de l'âme* – SPRINGFIELD : *Statue de Lincoln*.
VENTES PUBLIQUES : LONDRES, 30 jan. 1969 : *Indien debout*, bronze : **GBP 350**.

TAFURI Clemente
Né en 1903 à Salerne. Mort en 1971 à Pegli. XXᵉ siècle. Italien.
Peintre de portraits.

Tafuri

VENTES PUBLIQUES : MILAN, 15 déc. 1981 : *Symphonie de la nature 1966*, h/t (160x400) : **ITL 11 500 000** – NEW YORK, 17 mai 1984 : *Jeune homme réparant des filets*, h/t (145x91,5) : **USD 3 500** – MILAN, 6 juin 1985 : *Pêcheurs réparant leur filets*, h/t (45x55) : **ITL 3 500 000** – MILAN, 19 oct. 1989 : *Portrait d'une gitane avec un tambourin*, h/t (150x60) : **ITL 15 000 000** – MILAN, 6 juin 1991 : *Profil d'une gamine de Capri*, h/t/cart. (24x30) : **ITL 2 400 000** – ROME, déc. 1994 : *Dans la prairie*, h/bois (27x32) : **ITL 4 478 000**.

TAFURI Raffaele
Né le 27 janvier 1857 à Salerne. Mort en 1929 à Venise. XIXᵉ-XXᵉ siècles. Italien.

Peintre de genre, compositions animées, portraits, intérieurs, paysages, marines.

On le cite comme possédant beaucoup de verve et de remarquables qualités d'exécution. Il exposa à partir de 1880 dans plusieurs villes italiennes. Il a réalisé de nombreuses vues de Venise.

VENTES PUBLIQUES : NEW YORK, 12 nov. 1908 : *Canal à Venise* : USD 165 – LONDRES, 28 juil. 1972 : *La couseuse sur la terrasse* : GNS 300 – LONDRES, 28 fév. 1973 : *Deux jeunes paysannes cousant* : GBP 900 – LONDRES, 19 juin 1981 : *Venise, le Grand Canal* 1894, h/t (60,2x99,6) : GBP 4 000 – LONDRES, 23 juin 1983 : *Scène de marché à Venise*, aquar. reh. de blanc (30x59,5) : GBP 1 300 – NEW YORK, 29 juin 1983 : *Canal à Venise*, h/t (77,5x53,5) : USD 2 400 – MILAN, 7 nov. 1985 : *Le départ du navire*, h/t (88x62) : ITL 7 000 000 – NEW YORK, 17 oct. 1991 : *Le jeune chasseur*, h/t (96,5x70,5) : USD 31 900 – MILAN, 16 mars 1993 : *Deux dames en conversation ; Une jeune artiste dans un jardin*, h/t, une paire (chaque 59x36,5) : ITL 72 000 000 – MILAN, 8 juin 1993 : *Dame dans une roseraie*, h/t (140x190) : ITL 32 000 000 – NEW YORK, 16 fév. 1994 : *Sur le Grand Canal*, h/t (69,2x55,9) : USD 28 750 – ROME, 13 déc. 1994 : *Marché à Venise*, h/t (82x118) : ITL 12 650 000 – MILAN, 14 juin 1995 : *Soirée à Venise*, h/t (106x183) : ITL 27 600 000 – ROME, 23 mai-4 juin 1996 : *Bain de Tibère. Ile de Naples*, h/t (40x57) : GBP 4 600 000.

TAG Willy
Né le 30 septembre 1886 à Auerbach. XXe siècle. Allemand.
Peintre d'animaux, paysages.
Il vécut et travailla à Dresde.
MUSÉES : PLAUEN (Mus. mun.) : Une peinture.
VENTES PUBLIQUES : PARIS, 11 déc. 1987 : *La Chambre* 1876, h/pan. (18x22,5) : FRF 2 000 – LONDRES, 25 mars 1988 : *Chevaux et bovins à l'abreuvoir*, h/t (82x118) : GBP 4 400 – NEW YORK, 16 juil. 1992 : *Charrette à chevaux dans un paysage*, h/t (48,3x67,9) : USD 3 520.

TAGA SHINKÔ. Voir ITCHÔ Hanabusa

TAGAYA Itoku
Né en 1918. XXe siècle. Japonais.
Peintre. Abstrait.
Dès 1932, il prit part à l'Exposition Internationale de Tokyo avec des œuvres faisant référence à la peinture moderne occidentale. Depuis 1950, il figure à de nombreuses expositions de groupe, notamment à plusieurs reprises au Musée d'Art Moderne de Tokyo, depuis 1950 régulièrement à la Biennale de Tokyo ; ainsi qu'à Paris : 1954 et 1955 Salon des Réalités Nouvelles, 1960 Salon Comparaisons. Il a montré de nombreuses expositions personnelles de ses œuvres, surtout à Tokyo depuis 1952, ainsi que : 1953 New York ; 1953, 1954, 1966, 1970 Paris.
Il pratique une abstraction de caractère désormais international.

TAGBRECHT Peter ou Tagpret ou Tagpreth
XVe-XVIe siècles. Allemand.
Peintre.
Il travailla pour les villes de Ravensbourg, de Constance, de 1471 à 1506. Il peignit des portraits et des sujets religieux.

TAGE-FERREIRA
Né en 1906. Mort en juillet 1973. XXe siècle. Français.
Peintre de paysages, marines, dessinateur.
D'un père portugais et d'une mère française. Ingénieur agronome de profession, il fit de nombreux séjours à l'étranger, en Égypte, au Mozambique, au Chili, en Espagne et Grande-Bretagne.
Il a participé à des expositions collectives : 1962, 1963, 1967, 1968, 1970 Salon des Indépendants à Paris. Il a montré ses œuvres dans des expositions personnelles régulièrement à Paris à partir de 1957.
Peintre, il a réalisé surtout des paysages, désertés par l'homme, à tendance surréaliste puis, dans la lignée de Chirico, métaphysique, pour évoluer avec des peintures blanches en relief. Il est également l'auteur de dessins au crayon à bille.

TAGELBERG Kornelis. Voir TEGELBERG Cornelis ou Kornelis

TÄGER
XIXe siècle. Actif au début du XIXe siècle. Allemand.
Peintre de portraits.

TAGESEN Niels. Voir TAGSEN

TAGG Thomas
Né en novembre 1809 à Kennington. XIXe siècle. Britannique.
Aquafortiste et graveur au pointillé.

TAGGART George Henry
Né le 12 mars 1865 à Watertown (État de New York). XIXe-XXe siècles. Américain.
Peintre de portraits.
Élève de William Bouguereau, Gabriel Ferrier et Jules Lefebvre à Paris, il fut membre de la Société Internationale des Beaux-Arts et des Lettres et de la Société des Artistes Indépendants.

TAGGART Lucy M.
Née à Indianapolis (Indiana). XXe siècle. Américaine.
Peintre.
Élève de William Forsyth, William M. Chase et Charles W. Hawthorne, elle étudia également en Europe. Elle fut membre de la Fédération Américaine des Arts.

TAGGER Sionah. Voir TAJAR Ziona

TAGLANG Hermann
Né le 1er juin 1877 à Ueberlingen. XXe siècle. Allemand.
Sculpteur de monuments, bustes, compositions religieuses.
Il fut élève de Josef Eberle et des académies des beaux-arts de Karlsruhe et de Munich. Il sculpta des monuments aux morts, des bustes et des sujets religieux.

TAGLANG Hugo
Né le 14 mai 1874 à Vienne. XIXe-XXe siècles. Autrichien.
Sculpteur de figures, médailleur.
Il fut élève d'Edmund Hellmer à l'académie des beaux-arts de Vienne.
MUSÉES : VIENNE (Mus. mun.) : *Buste du maire Karl Lueger.*

TAGLIABUE Andrea
XIXe siècle. Italien.
Peintre d'histoire, genre.
Il fut élève de l'Académie Brera à Milan, où il vécut et travailla au milieu du XIXe siècle.

TAGLIABUE Carlo Costantino
Né en 1880 à Affori. Mort en 1960 à Milan. XXe siècle. Italien.
Peintre de paysages, marines.
Il n'eut aucun maître. Il peignit de nombreuses vues de Rapallo.
VENTES PUBLIQUES : MILAN, 6 nov. 1980 : *Paysage montagneux* 1925, h/t (40x60) : ITL 800 000 – VERSAILLES, 29 oct. 1989 : *Santa Maria del Campo près de Rapallo* 1921, h/pan. (40x35) : FRF 8 500 – MILAN, 6 déc. 1989 : *Les alentours de Rapallo*, h/t (70x99) : ITL 4 500 000 – MILAN, 16 juin 1992 : *La nuit à Santa Maria del Campo à Rapallo* 1927, h/t (110x100) : ITL 2 200 000 – LUGANO, 1er déc. 1992 : *Le Cervin sur le versant suisse* 1937, h/pan. (49,5x61) : CHF 4 500 – MILAN, 14 juin 1995 : *Le Mont Rose dans les Alpes depuis Pedriola Macugnaga* 1932, h/pan. (70x100) : ITL 12 075 000 – MILAN, 12 juin 1996 : *Pleine lune à Cortina d'Ampezzo* 1928, h/t/cart. (49x60) : ITL 5 750 000.

TAGLIACARNE Giacomo
XVIe siècle. Travaillant à Gênes au début du XVIe siècle. Italien.
Tailleur de camées.

TAGLIACARNE Pietro ou Pier Maria. Voir SERBALDI della Pescia Pietro

TAGLIACCI Niccolo di ser Sozzo. Voir TEGLIACCI

TAGLIAFERRI Gaetano
XIXe siècle. Actif à Plaisance de 1803 à 1830. Italien.
Peintre de décors.

TAGLIAFERRI Pier Augusto
Né le 28 mars 1872 à Porotto. Mort en août 1909 à Rimini. XIXe-XXe siècles. Italien.
Peintre de décorations, portraits.

TAGLIAFERRO Aldo
Né le 15 février 1936 à Legnano. XXe siècle. Italien.
Peintre. Nouvelles Figurations.
Il vit et travaille à Milan. Il montre ses œuvres dans des expositions personnelles à Rome en 1969, à Gênes en 1970 et à Turin en 1971.
Tagliaferro part d'images déjà existantes, les manipule et, par report photographique, les imprime sur toile. Il joue surtout sur des effets de symétrie et de décomposition. Par son propos il se rapproche de ce qu'on a nommé la Nouvelle Figuration. La technique qu'il utilise le fait également assimiler au mec art.
VENTES PUBLIQUES : MILAN, 6 nov. 1973 : *Natura morta con retino piu donna* 1969 : ITL 320 000 – ROME, 4 avr. 1974 : *Ragazzi piu occhio* 1970 : ITL 700 000 – MILAN, 8 juin 1976 : *Variante di un ruolo operativo* 1970, 4 pan. de report photographique/t.

(chaque 120x23) : **ITL 500 000** – Milan, 27 sep. 1990 : *Nature morte, version II* 1969, émulsion/t. (45x90) : **ITL 800 000**.

TAGLIAFERRO Domenico
xvIIe siècle. Travaillant à Naples en 1665. Italien.
Peintre.
Il a peint un tableau d'autel représentant *Sainte Anne et saint Luc* pour l'église de Jésus de Naples.

TAGLIAFICHI Emmanuele
xvIIIe siècle. Actif à Gênes dans la seconde moitié du xvIIIe siècle. Italien.
Peintre d'histoire, compositions religieuses.

TAGLIAFICHI Santino
Né le 12 avril 1746 à Gênes. Mort le 13 décembre 1829 à Gênes. xvIIIe-xixe siècles. Italien.
Peintre.
Élève de Grondona à l'Académie de Gênes. Il peignit des tableaux d'autel et des fresques pour des églises de Gênes et de Rapallo.

TAGLIANI Domenico
xvIIIe siècle. Travaillant à Bologne en 1729. Italien.
Peintre d'architectures.

TAGLIANI Luigi ou Tagliano
Né vers 1800 à Capolago. xixe siècle. Suisse.
Peintre de genre.
Élève de l'Académie de Florence. Le Musée de Liverpool conserve de lui *La découverte d'Esculape*, et celui de Parme, *Ovide partant en exil.*

TAGLIAPIETRA. Voir aussi CATAJAPIERA

TAGLIAPIETRA Ambrogio ou Foscardi
xve-xvie siècles. Actif à Modène. Italien.
Sculpteur.
Il exécuta des sculptures à la façade du Palais Gianandrea Valentini.

TAGLIAPIETRA Giovanni Battista
xvIIe siècle. Italien.
Sculpteur.
Il sculpta le maître-autel de l'église Saint-Nicolas de Trévise de 1666 à 1670.

TAGLIAPIETRA Lorenzo
xvIIe siècle. Actif au milieu du xvIIe siècle. Italien.
Sculpteur.
Il sculpta un autel pour l'église Saint-Nicolas de Trévise et un tabernacle pour l'église de Montebelluna.

TAGLIAPIETRA Lorenzo
xvIIe siècle. Actif à Venise vers 1680. Italien.
Peintre.

TAGLIAPIETRA Maffeo. Voir l'article PIGHETTI Antonio

TAGLIAPIETRA Marcantonio
xvie siècle. Travaillant à Trévise en 1597. Italien.
Sculpteur.

TAGLIASACCHI Giovanni Battista
Né en 1697 à Borgho S. Dennino près de Plaisance. Mort en 1737 à Castel Benopialentino. xvIIIe siècle. Italien.
Peintre d'histoire et portraitiste.
Élève et imitateur de Giuseppe dal Sole, tout au moins au début de sa carrière. Dans la suite, l'étude de Corréggio, du Parmigianino, de Guido Reni lui permirent de se former une expression artistique plus élevée. Ses œuvres principales sont à Plaisance. La Galerie de Parme conserve de lui *Madone en majesté avec l'Enfant et des saints.*
Ventes Publiques : Paris, 25 mars 1935 : *La présentation des fiancés*, cr. et lav. de sépia : FRF 100.

TAGLIAVINI Domenico
xvIIIe siècle. Actif à Bologne dans la première moitié du xvIIIe siècle. Italien.
Peintre d'intérieurs.

TAGLICH Franz ou Michael
xvIIe siècle. Actif à Reichenau de 1601 à 1621. Autrichien.
Peintre.
Il travailla pour l'abbaye de Neuberg en Styrie où il peignit un autel.

TAGLIEB Johann Georg
xvIIIe siècle. Actif dans la première moitié du xvIIIe siècle. Allemand.

Peintre sur faïence.
Il travailla pour la Manufacture de Rörstrand en Suède. Le Musée Germanique de Nuremberg et celui de Würzburg conservent des œuvres de cet artiste.

TAGLIENTE Giovanni Antonio
xvie siècle. Actif à Venise dans la première moitié du xvie siècle. Italien.
Graveur sur bois, calligraphe et écrivain.
Il grava des illustrations pour ses ouvrages de calligraphie et de poésie.

TAGLIONI Alfonso
Né à Novare. xixe siècle. Italien.
Sculpteur.
Il exposa à Turin, Milan, Rome et Venise.

TAGLIORETTI Luigi
Né à Milan. Mort le 10 juin 1901 à Milan. xixe siècle. Italien.
Peintre de genre et portraitiste.
Il exposa à Milan et Turin à partir de 1867.

TAGLIORETTI Pietro
xvIIIe-xixe siècles. Actif à Lugano. Suisse.
Peintre et architecte.
Élève de l'Académie de la Brera. Il travailla pour la cathédrale de Milan.

TAGLIPIETRA Tranquille
Né à Venise. xixe siècle. Italien.
Peintre d'architectures.
Il exposa à Milan et Venise.

TAGNARD Louise
Née le 21 décembre 1879 à Grenoble (Isère). Morte le 2 mai 1970 à La Tronche (Isère). xxe siècle. Française.
Peintre de paysages, aquarelliste, dessinatrice de nus, peintre de cartons de tapisserie.
Elle fut élève de Jacques Gay, Auguste Félix, Ernest Hareux, Tancrède Bastet, puis à Paris étudia à l'école des beaux-arts et à l'académie de la Grande Chaumière. Elle a participé au Salon de Lyon et à Paris au Salon d'Automne.
Elle réalise des paysages, aux formes solides, dans des tons gais. D'abord classique, elle évolua, privilégiant la relation entre masse et couleur.
Bibliogr. : Maurice Wantellet : *Deux Siècles et plus de peinture dauphinoise*, Maurice Wantellet, Grenoble, 1987.

TAGORE Abanindranath ou Abanindra Nath
Né en 1871 à Jorasanko. Mort en 1951 à Calcutta. xixe-xxe siècles. Indien.
Peintre de compositions animées, compositions mythologiques, portraits, animaux, paysages, natures mortes, fleurs, illustrateur.
Neveu de l'illustre Rabindranath Tagore et frère du peintre Gaganandranath, il reçut une formation occidentale et fut notamment élève du peintre britannique Sutton Palmer. Il fonda l'école du Bengale, avec la volonté de libérer l'art traditionnel indien des influences occidentales. Il fut professeur à l'école gouvernementale de Calcutta puis à l'Indian Society of Oriental Art. Il a participé à des expositions collectives : 1918 galeries nationales du Grand Palais à Paris, avec ses élèves ; 1946 Musée d'Art Moderne à Paris, exposition organisée par l'U.N.E.S.C.O, où il présentait : *La Dame au sac, Personnage du Théâtre de Rabindranath, Portrait de jeune fille* et *Le Paon.*
Unissant la technique européenne et orientale – il utilise fréquemment le lavis – aux motifs traditionnels de l'Inde, il utilise lumière de manière à suggérer un climat mystérieux, dans des scènes de la vie quotidienne, paysages, épopées inspirées des légendes indiennes, natures mortes. Il a illustré des ouvrages de son oncle et d'autres légendes hindoues.
Bibliogr. : In : *Les Muses*, t. XIII, Grange Batelière, Paris, 1969 – in *Dict. de l'art mod et contemp.*, Hazan, Paris, 1992.
Musées : New Delhi (Nat. Gal. of Mod. Art) : *Stormy Night.*

TAGORE Gaganandra ou Gaganandranath ou Gogonendranath
Né en 1867. Mort en 1938 à Calcutta. xixe-xxe siècles. Indien.
Peintre de compositions animées, compositions mythologiques, compositions religieuses, figures, portraits, paysages, intérieurs, aquarelliste.
Neveu de l'illustre Rabindranath Tagore et frère du peintre Abanindranath, il fut l'un des fondateurs de l'Indian Society of Oriental Art et dirigea nombre de ses cadets. Il fut aussi écrivain.

En 1946 on vit de lui *La Rencontre dans l'escalier*, à l'Exposition ouverte à Paris, au Musée d'Art Moderne, par l'U.N.E.S.C.O.

Sa peinture subit l'influence de diverses cultures, notamment japonaise et occidentale et il s'intéressa au rôle de la lumière dans la peinture. Certaines de ses œuvres sont fortement marquées par la composition cubiste, puis par la suite par les mouvements futuristes et le Blau Reiter. Il privilégia aux thèmes traditionnels indiens les sujets réalistes mettant en scène la ville au quotidien et la misère du peuple, mais aussi une critique de la société bengali et coloniale ; il réalisa également des aquarelles de paysages.

Bibliogr. : In : *Les Muses*, t. XIII, Grange Batelière, Paris, 1969 – in *Dict. de l'art mod et contemp.*, Hazan, Paris, 1992.

TAGORE Rabindranath

Né le 6 mai 1861 à Calcutta. Mort le 7 août 1941 à Calcutta. XIXᵉ-XXᵉ siècles. Indien.

Peintre de compositions allégoriques, figures, portraits, animaux, paysages, fleurs, aquarelliste, peintre à la gouache, dessinateur, pastelliste, graveur.

Cet artiste, dont l'Occident connaît surtout l'œuvre poétique et les essais qui lui valurent le Prix Nobel de la Paix en 1913, vécut en étroite communion de pensée avec Gandhi. Poète, musicien et philosophe, c'est en 1946 que des peintures de ce maître de la spiritualité hindoue, qui peignait cependant depuis 1922, furent présentées à Paris, au Musée d'Art Moderne, lors de l'Exposition organisée par l'U.N.E.S.C.O, où il présentait : *Paysage, Fleurs blanches, Personnages* et un *Motif décoratif*. Après sa mort, ses œuvres ont été présentées dans une exposition personnelle : 1965 National Gallery of Modern Art de New Dehli.

Peintre de nombreux sujets, il aborde des techniques diverses. Il développe une œuvre originale, d'une grande liberté, composée d'impulsions et de revirements, à l'écart de toute école, avec une volonté « d'exprimer, non d'expliquer ». On cite ses compositions allégoriques sur fond noir.

Bibliogr. : Rabindranath Tagore : *Œuvres poétiques*, Paris, Club du meilleur livre, 1961 – *Catalogue de l'exposition Tagore*, Paris, Bibliothèque Nationale, 1961 – in *Dict. de l'art mod et contemp.*, Hazan, Paris, 1992.

TAGPRET Peter ou Tagpreth. Voir TAGBRECHT

TAGSEN Niels ou Tagesen ou Taxsen

Mort en 1640 à Sönderbourg. XVIIᵉ siècle. Danois.

Sculpteur sur bois.

Probablement élève de H. Ringering à Flensbourg. Il travailla pour l'église de la chapelle du Château de Sönderbourg.

TÄGTSTRÖM David

Né le 16 août 1894 à Saint-Tuna. Mort en 1981. XXᵉ siècle. Suédois.

Peintre de portraits.

Élève de l'académie des beaux-arts de Stockholm, il travailla dans cette ville.

Ventes Publiques : STOCKHOLM, 6 juin 1988 : *Autoportrait dans l'atelier* 1916, h. (51x37) : SEK 13 000.

TAHAN Jean

XVIIIᵉ siècle. Actif à Spa. Éc. flamande.

Peintre de fleurs.

TAHAN Jean Hubert

Né en 1777 à Spa. Mort le 23 mai 1843 à Niort (Deux-Sèvres). XIXᵉ siècle. Français.

Peintre de compositions religieuses, paysages.

Élève de N. H. J. Fassin et de J. L. David à Paris.

Il peignit des tableaux d'autel pour la cathédrale de Liège et l'église du Saint-Esprit de Bayonne.

Musées : AURILLAC : *Vue panoramique d'Aurillac en 1815* – *Le château de Saint-Étienne et la vallée de Jordanne en 1815*.

TAHAN Pierre T.

XVIIIᵉ siècle. Actif à Spa. Éc. flamande.

Paysagiste.

Élève d'Ommeganck.

TAHARA Keiichi

XXᵉ siècle. Japonais.

Auteur d'installations.

Il montre ses œuvres dans des expositions personnelles, en France notamment à la fin des années quatre-vingt au centre d'art contemporain de Montbéliard, au musée des Vosges d'Épinal. Photographe, il travaille également avec des architectes,

réalisant de nombreuses installations lumineuses placées en extérieur, notamment sur l'eau.

TAHER Mohi

Né en 1928 au Caire. XXᵉ siècle. Égyptien.

Sculpteur de figures.

Il fut élève de la faculté des beaux-arts du Caire, puis reçut une bourse d'étude de la ville de Louqsor, puis du ministère de la culture. Il a reçu le prix d'encouragement.

Il participe à des expositions collectives notamment : 1971 *Visages de l'art contemporain égyptien* au Musée Galliera de Paris. Il montre ses œuvres dans des expositions personnelles en Égypte et à l'étranger.

Il réalise des sculptures en plâtre à tendance primitive.

Bibliogr. : In : Catalogue de l'exposition *Visages de l'art contemporain égyptien*, Mus. Galliera, Paris, 1971.

Musées : LE CAIRE (Mus. d'Art Mod.).

TAHER Salah

Né en 1911 au Caire. XXᵉ siècle. Égyptien.

Peintre, peintre de collages, graveur. Figuratif puis abstrait informel.

Il fut élève de l'École des Beaux-Arts du Caire, où il vit et travaille. Président de l'Association des Beaux-Arts, en 1960 et 1961, il est devenu conservateur du Musée d'Art Moderne du Caire, puis Directeur Général des Beaux-Arts. Il a voyagé en France, Italie, en U.R.S.S., aux États-Unis.

Il participe à des expositions collectives : depuis 1934 en Égypte, notamment à la biennale d'Alexandrie, en 1952 et 1960 à la Biennale de Venise, ainsi qu'aux États-Unis. En 1960, il obtient le Prix de l'État, ainsi que le Prix National du Prix Guggenheim.

Longtemps, il a peint des formes dociles et des reflets apprivoisés. Puis à dater de 1956, une évolution significative se précise. En 1959, il abandonne l'expression figurative et adopte une nouvelle manière que l'on peut qualifier de peinture informelle, nuancée d'une certaine nostalgie pour le réel en mouvement.

Bibliogr. : B. Dorival, sous la direction de... : *Peintres Contemporains*, Mazenod, Paris, 1964 – in : Catalogue de l'exposition *Visages de l'art contemporain égyptien*, Mus. Galliera, Paris, 1971.

Musées : ALEXANDRIE (Mus. d'Art Mod.) – LE CAIRE (Mus. d'Art Mod.).

TAHI Antal ou Antoine

Né le 2 septembre 1855. Mort le 31 août 1902 à Budapest. XIXᵉ siècle. Hongrois.

Peintre, aquarelliste et aquafortiste.

Il fit ses études à Budapest et à Paris. Il peignit des scènes de genre et des paysages d'Espagne et d'Italie. Les Musées de Budapest conservent des peintures de cet artiste. Le Musée de Fiume conserve de lui *Partie de Pirano*.

TAHON André

Né le 11 mars 1907 à Oudenarde. XXᵉ siècle. Belge.

Peintre de portraits, paysages, natures mortes.

Il fit ses études aux beaux-arts d'Oudenarde et de Gand où il fut élève d'Oscar Coddron et de J. F. de Bœver.

Ventes Publiques : LOKEREN, 23 mai 1992 : *Nature morte avec un vase vénitien*, h/t (50x60) : BEF 80 000.

TAHON Corneille

Né en 1655 à Saint-Omer. Mort en 1695. XVIIᵉ siècle. Français.

Peintre.

Il travailla pour les églises de Saint-Omer.

TAHON Hermant Joseph

Né en 1701 à Saint-Omer. Mort en 1785. XVIIIᵉ siècle. Français.

Peintre.

Il travailla pour les églises de Saint-Omer.

TAHON Isidore

Né à Saint-Omer. XVIIᵉ siècle. Actif au début du XVIIᵉ siècle. Français.

Peintre de batailles.

Musées : AIX : *Victoire d'Alexandre sur les Perses* – deux œuvres – DUNKERQUE : *Choc de cavalerie*.

TAHON Jacques Joseph

XVIIIᵉ siècle. Travaillant à Saint-Omer en 1749. Français.

Peintre.

TAHON Jacques Louis

Né en 1662 à Saint-Omer. Mort en 1727. XVIIᵉ-XVIIIᵉ siècles. Français.

Peintre.
Il travailla pour les églises de Saint-Omer.

TAHON Jehan
xive siècle. Actif à Tournai en 1391. Éc. flamande.
Sculpteur.
Il exécuta une pierre tombale dans l'église Saint-Brice de Tournai.

TAHON Willem
xve siècle. Actif à Tournai en 1400. Éc. flamande.
Sculpteur.
Il orna la pierre tombale de Jehenne de la Rocque à Tournai.

TA-HSIEN. Voir DAXIAN

TAHULL, Maître de. Voir MAÎTRES ANONYMES

TAHY Antal. Voir TAHI

TAHY György ou Georges
Né le 27 novembre 1887 à Paris. xxe siècle. Hongrois.
Peintre.
Il vécut et travailla à Budapest.

TAHY Janos ou Jean
Né vers 1865. Mort en 1928 à New York. xixe-xxe siècles. Actif et naturalisé aux États-Unis. Hongrois.
Peintre.
Il fit ses études à Budapest et à Munich et s'établit à New York.

TAI I. Voir DAI YI

TAIB Salomon
Né le 27 mars 1877 à Bône (Algérie). xxe siècle. Français.
Peintre de genre, sujets orientaux, illustrateur.
Élève de Léon Bonnat, il exposa à Paris au Salon des Artistes Français à partir de 1906, où il reçut une mention en 1932 ; au Salon des Peintres Orientalistes, où il obtint une médaille.
MUSÉES : ALGER : *Rue du diable à Alger*.

TAIBO GONZALEZ German
Né le 27 janvier 1889 à La Corogne (Galice). Mort le 14 février 1919. xixe-xxe siècles. Espagnol (?).
Peintre de figures, nus, portraits, paysages. Postimpressionniste.
Il étudia à l'Académie Julian de Paris. Il prit part à diverses expositions collectives, dont : 1912 La Corogne ; 1913 Paris, recevant une seconde médaille ; 1916 Madrid.
Il pratique une technique directe, inspirée de Manet, par larges touches grasses à partir d'une mise en place et d'un dessin simples et évidents.
BIBLIOGR. : In : *Cien Anos de pintura en Espana y Portugal, 1830-1930*, Antiqvaria, t. X, Madrid, 1993.

TAI BUHUA ou T'ai Pou-Houa ou T'ai Pu-Hua, surnom : Jianshan
Né en 1304, originaire de Taizhou, province du Zhejiang. Mort en 1352. xive siècle. Chinois.
Peintre.
Fils du Mongol naturalisé chinois, il deviendra ministre du Bureau des Rites.

TAI CHIN. Voir DAI JIN

TAI CHOUEN. Voir DAI SHUN

TAI CH'Ü-HÊNG. Voir DAI QUHENG

TAIEE Alfred ou Jean Alfred
Né le 21 janvier 1820 à Paris. xixe siècle. Français.
Graveur à l'eau-forte et sculpteur.
Cet artiste a produit de nombreuses eaux-fortes originales, notamment des vues de Paris et de ses environs. Il exposa au Salon de 1868 à 1880. On lui doit aussi des reproductions de Corot, Daubigny, Diaz, J. Dupré, Jonking, Chintreuil, J. P. Laurens Pelouse, Desbrosse, Ch. Leroux et Vollon.

TAIG Sébastian. Voir DAYG

TAIGA. Voir IKE NO TAIGA

TAIGAN, surnoms : Unge, Unge-in, Kôsetsu et Senkôjin
Né en 1773 à Bizen (préfecture d'Okayama). Mort en 1850. xviiie-xixe siècles. Japonais.
Peintre.
De formation monastique, il va à Kyoto pour étudier le confucianisme ; il deviendra professeur au collège confucianiste Takakura-gakuryô de Kyoto. Appartenant à l'école Nanga, il évolua dans le cercle de peintres lettrés de Chikuden, Kaioku et Shôchiku ; il se spécialise dans les représentations de bambous et d'orchidées.

TAIGNY Edmond
Né à Paris. xixe siècle. Français.
Peintre de paysages et aquarelliste.
Élève d'Harpignies. Il exposa au Salon en 1868 et en 1870, notamment des vues de Genève.

TAI Guekko
xxe siècle. Japonais.
Peintre sur soie.
Il vécut et travailla à Tokyo. Il figura à diverses expositions collectives à Paris, notamment à l'Exposition Universelle de 1900 où il reçut une médaille de bronze.

TAI HSI. Voir DAI XI

TAI I-HENG. Voir DAI YIHENG

TAIKAN. Voir YOKOYAMA TAIKAN

TAIKEI. Voir SHIZAN SO

TAI K'IU-HENG. Voir DAI QUHENG

TAIKÔ JOSETSU. Voir JOSETSU TAIKÔ

TAILHARDAT Vincent
Né le 23 mars 1970. xxe siècle. Français.
Peintre de figures, groupes, nus, paysages, paysages urbains, natures mortes, fleurs, aquarelliste, pastelliste, dessinateur, illustrateur.
Il ne reçut pas de formation artistique. Il montre ses œuvres dans des expositions personnelles à Paris, depuis 1989 régulièrement à la galerie Vendôme.
Privilégiant la figure, il pratique une peinture franche, dans l'esprit de l'École de Paris de l'entre-deux-guerres, dans une gamme de tons gris ou sourds.
VENTES PUBLIQUES : PARIS, 24 mai 1995 : *Les trois âges*, h/t (72x60) : FRF 14 000.

TAILLAND Édouard
Né en 1819. xixe siècle. Français.
Graveur de vignettes, figures.
Élève de Sixdeniers. Il grava d'après Jules David et les sœurs Leloir. réalisant notamment des figurines de mode.

TAILLANDEAU Jean
Né au xviie siècle à Melay (?). xviie siècle. Français.
Peintre de sujets religieux.
De l'Ordre des Bénédictins, il décora l'abbaye de Bellefontaine de peintures murales très remarquables dans leur naïveté. On cite notamment un tableau représentant *L'assaut de l'abbaye de Bellefontaine par les ligueurs*.

TAILLANDIER
Morte en 1790. xviiie siècle. Française.
Peintre de fleurs.
Elle travailla à la Manufacture de Sèvres jusqu'en 1798. En collaboration avec Barre, en 1778, elle réalisa la décoration du service destiné à l'Impératrice Catherine.
MUSÉES : LONDRES (coll. Wallace) : Quatre brûle-parfums du service de l'impératrice Catherine.

TAILLANDIER Jean-Charles
Né le 28 février 1951 à Longué-Jumelles (Maine-et-Loire). xxe siècle. Français.
Graveur, dessinateur.
Autodidacte, il a travaillé à l'école des arts graphiques de Venise et de Luxembourg. Il participe à des expositions collectives en France et à l'étranger, depuis 1982, notamment : 1989 *10 Graveurs sélectionnés* par la fondation Grav 'X à la galerie Michèle Broutta à Paris. Il montre ses œuvres dans des expositions personnelles à Nancy, Metz, Luxembourg, Thionville, Paris, Strasbourg...
MUSÉES : PARIS (BN) : *La Petite Sonate*, eau-forte et aquat.

TAILLANDIER Yvon
Né en 1926 à Paris. xxe siècle. Français.
Peintre de compositions animées, dessinateur, sculpteur. Nouvelles Figurations.
Il a séjourné en 1968 à Cuba et en 1973-1974 à New Dehli. Critique d'art, il a collaboré pendant quatorze ans à la revue *Connaissance des Arts*, rédigé divers ouvrages sur la peinture et monographies. À partir de 1968, il se consacre à la peinture. Il vit et travaille à Paris.
Il participe à des expositions collectives, notamment régulièrement à Paris : Salons de Mai, des Réalités Nouvelles, de la Jeune Peinture, Comparaisons, Grands et Jeunes d'Aujourd'hui, d'Art Sacré, Figuration critique, 1988 *Singuliers, bruts ou naïfs ?* au

Musée d'Art Moderne de la Ville ; ainsi que : 1973 Maison de La Culture et des Loisirs de Saint-Étienne ; 1978 Alliance française de New Delhi, Club de l'UNESCO de l'université Nehru à New Delhi. Il montre ses œuvres dans des expositions personnelles, régulièrement à Paris : 1974, 1977, 1980, 1983, 1987 galerie L'Œil de Bœuf ; 1986, 1990-1991 galerie Lavignes Bastille ; ainsi que : 1988 Galerie municipale de Vitry-sur-Seine.

Il crée un monde fantastique, moins angoissant que drôlatique, fait d'êtres indéfiniment déformables, aux pieds directement vissés à la tête, qui parcourent l'espace du tableau comme un conte à lire dans tous les sens. Narrative, cette peinture accompagnée de brèves légendes est à l'image des histoires à tiroirs qu'elle raconte : elle s'inscrit en couleurs vives sur des cartons ondulés qui s'enroulent, se déroulent, se croisent et envahissent l'espace. Il a également réalisé des œuvres monumentales : une fresque pour une salle d'école à Paris, une décoration de la façade de la mairie d'Ivry ; un monument pour le gymnase Balzac à Vitry.

Musées : Dunkerque – Paris (Mus. Nat. d'Art Mod.) – Paris (Mus. d'Art Mod. de la ville) – Tokyo (Mus. Hara).

Ventes Publiques : Paris, 9 avr. 1989 : *Janusien aéroporté*, acryl./t. (130x160) : FRF 7 200 – Paris, 18 juin 1989 : *Drapeau prophétique*, acryl./t. (130x161) : FRF 6 500 – Paris, 8 oct. 1989 : *Scissipartie n° 2*, acryl./t. (65x100) : FRF 4 200 – Paris, 26 avr. 1990 : *Autour d'un Capititède*, acryl./t. (65x81) : FRF 8 000 – Paris, 10 juin 1990 : *Une échelle tombée du ciel*, acryl./pan. (115x113) : FRF 18 000 – Douai, 24 mars 1991 : *Composition*, aquar. (48x63) : FRF 7 000 – Paris, 15 avr. 1991 : *Les origines du sang 1990*, acryl./t. (81x65) : FRF 13 000 – Paris, 17 nov. 1991 : *Grande centauresse améliorée*, acryl./t. (92x65) : FRF 8 500 – Rome, 14 déc. 1992 : *Ibiza 1985*, acryl./pap./t. (51x64,5) : ITL 1 955 000 – Paris, 18 mars 1992 : *Admirateurs de l'unique automobile d'Auricilia*, acryl./pap. (202x200) : FRF 8 000 – Paris, 5 avr. 1992 : *Voyage à Laval*, acryl./pap./t. (51x65) : FRF 5 200 – Paris, 8 déc. 1993 : *Totem 1975*, bois peint (210x52x52) : FRF 8 000.

TAILLARD
xviiie siècle. Actif à Nantes. Français.
Sculpteur.
Cité entre 1777 et 1781.

TAILLARD Eusèbe
Né le 19 février 1858 aux Pommerats. Mort le 27 août 1933 à Délémont. xixe-xxe siècles. Suisse.
Peintre de portraits.
Il travailla à Paris et à Besançon.

TAILLASSON Jean Joseph
Né le 6 juillet 1745 à Bordeaux. Mort le 21 novembre 1809 à Paris. xviiie siècle. Français.
Peintre d'histoire, compositions religieuses, sujets mythologiques, portraits.
Il fut élève de Joseph Marie Vien. Il obtint le Troisième Grand Prix de Rome en peinture en 1769, puis partit étudier à Rome jusqu'en 1775. Agréé à l'Académie en 1782, il devint académicien en 1784. Il jouit de son vivant d'une renommée importante et on le vit en 1798 remporter le prix d'encouragement de la République. Il fut également l'auteur de plusieurs ouvrages de littérature d'esthétique, notamment *Le Danger des règles dans les arts* et les *Observations sur quelques grands peintres*. Il exposa au Salon à partir de 1783.
Taillasson fut un des plus fermes soutiens de la conception artistique de son maître Vien. Ses œuvres sont froides et conventionnelles.

Taillasson JJ.

Musées : Bordeaux : *Le tombeau d'Élysée* – Montauban : *Homère* – Nantes : *Pauline, femme de Sénèque, rappelée à la vie* – Paris (Mus. du Louvre) : *Héro et Léandre 1798* – Pau (Mus. du château) : *La Naissance de Louis XIII* – Stockholm : *Psyché* – Versailles : *Comte de Saint-Germain*.

Ventes Publiques : Gand, 1815 : *Buste d'un vieillard à longue barbe* : FRF 48 – Gand, 26 mai 1924 : *Bacchante et faune*, dess. : FRF 145 – Copenhague, 25 mai 1973 : *Virgile lisant l'Énéide* : DKK 13 000 – Monte-Carlo, 5 mars 1984 : *Une danse grecque*, h/pan. (93,5x102) : FRF 40 000 – Monaco, 16 juin 1990 : *Héro et Léandre*, h/t (45x55) : FRF 11 000 – Paris, 16 juin 1993 : *Tête de jeune femme 1788*, h/t (55x45,5) : FRF 12 000 – Londres, 8 déc. 1993 : *Étude d'une jeune femme 1783*, h/t (55x46) : GBP 2 875 –

Monaco, 2 déc. 1994 : *Rhadamiste et Zénobie*, h/t (145,5x184) : FRF 333 000 – Paris, 22 nov. 1995 : *Portrait de jeune homme (recto), Académie d'homme (verso) 1776*, pierre noire et craie blanche (47,5x36) : FRF 5 100.

TAILLEBERT
Né à Béthune. xvie-xviie siècles. Travaillant de 1586 à 1626. Éc. flamande.
Sculpteur sur bois et sur marbre.
Il sculpta les stalles Renaissance de l'église Saint-Martin d'Ypres qui furent placées en 1598. On cite encore de lui un *Salvator mundi*, bel arc de triomphe, dans la même église. Il sculpta aussi des stalles dans des églises de Dixmude, de Furnes et de Nieuport.

TAILLEBOU Guillaume
xive siècle. Actif à Dijon en 1390. Français.
Sculpteur.
Peut-être identique à Gilles Tailleleu.

TAILLEFER Fanny. Voir GAMBOGI Fanny

TAILLEFÉRIÉ Jeanne
Née au xixe siècle à Paris. xixe siècle. Française.
Peintre de genre et de portraits.
Élève de Jules Lefebvre et Benjamin-Constant. Elle figura au Salon des Artistes Français ; mention honorable en 1897.

TAILLELEU Gilles ou Gillet ou Gillequin ou Gilleken
xive siècle. Actif à Staden près d'Ypres. Éc. flamande.
Sculpteur.
Il fut un des plus importants collaborateurs de l'atelier de la Chartreuse de Champmo et y collabora au tombeau de Philippe le Téméraire, de 1385 à 1388.

TAILLET Jean ou Tallet ou Talliet
xvie siècle. Français.
Peintre.
Il travailla à Troyes aux préparatifs de l'entrée de Henri II et aux décorations du service funèbre en l'honneur du duc de Guise de 1548 à 1572.

TAILLEUR Claude Baptiste
Né le 5 août 1823 à Besançon. xixe siècle. Français.
Peintre.
Élève de Janmot à Lyon.

TAILLEUR Germaine Mélanie Marie
Née le 22 décembre 1881 à Besançon (Doubs). xxe siècle. Française.
Peintre de paysages, fleurs, aquarelliste.
Elle fut élève de Madeleine Lemaire. Elle vécut et travailla à Fontainebleau. Elle expose à Paris au Salon des Artistes Français à partir de 1909.

TAILLEUR Jehannin le. Voir LE TAILLEUR

TAILLEUX Francis
Né le 18 mars 1913 à Paris. Mort le 6 juillet 1981, accidentellement, enterré à Dieppe. xxe siècle. Français.
Peintre de figures, paysages, natures mortes, fleurs, peintre de compositions murales.
Bien que né à Paris, il passa son enfance, et fit ses premières études à Dieppe. Remarqué de bonne heure par Jacques Émile Blanche, il peignit ses premières toiles sous son influence. Puis, il reçut d'autres conseils à l'Académie Scandinave, à Paris, où il se lie définitivement avec Gruber. Il étudie également au Royal College of Art, à Londres, en 1932. Il fut tout d'abord lié avec les anciens élèves de l'Atelier Lucien Simon : Humblot, Jannot et Rohner, dans le groupe Forces Nouvelles. De 1940 à 1945, il se réfugie à Aix-en-Provence.
Dès 1926 dissimulant son âge, il expose une toile au Salon de la Société Nationale des Beaux-Arts à Paris. Il participe ensuite à diverses expositions collectives, notamment régulièrement à Paris : 1935 Salons d'Automne et des Tuileries, puis Salon de Mai, 1936 *Nouvelle Génération* à la galerie Billiet-Pierre Vorms ; 1944 *Dix Peintres subjectifs* à la galerie de France ; 1946 galerie de France ; 1939 *Art français* à New York. Il montre ses œuvres dans des expositions personnelles : 1937 Leicester Galleries à Londres ; 1945 galerie de France à Paris ; 1954 galerie Furstenberg à Paris ; 1963 Chicago ; 1964 Londres ; 1971 rétrospective au Château-Musée de Dieppe... Il fut consacré en 1948 par le Prix National des Arts pour la peinture.
Ses renouvellements sont fréquents, son évolution saccadée, entre Gruber, André Marchand ou Tal Coat, tend à l'expression par le métier, au dessin par la couleur. De 1941 à 1944, il séjourne

au Château Noir, demeure de Cézanne, près d'Aix-en-Provence, avec Tal Coat, aux recherches duquel il saura participer. Maintenant que Tailleux, apaisé, consacré même en 1948, s'est dégagé d'influences diverses, et a affirmé son propre style, on peut risquer de dire qu'il a allié le dessin hérissé de Gruber à une palette précieuse. Il a exécuté des peintures murales, en 1937, à l'Institution des sourds-muets de Paris, et à l'exposition de Liège en 1939.

Tai Keuux

BIBLIOGR. : *Catalogue de la Rétrospective Tailleux*, présentations de Marius David et Pierre Bazin, Dieppe, Château-Musée, 1971 – Lydia Harambourg, in : *L'École de Paris 1945-1965. Diction. des Peintres*, Ides et Calendes, Neuchâtel, 1993.
MUSÉES : BALTIMORE (Maryland) – BALTIMORE – DIEPPE – PARIS (Mus. d'Art Mod.) – ROUEN : *La Plage de Dieppe*.
VENTES PUBLIQUES : GENÈVE, 10 déc. 1970 : *Poisson et journal* : **CHF 5 000** – LONDRES, 20 oct. 1976 : *Paysage de Provence* 1963, h/t (72x58,5) : **GBP 270** – PARIS, 10 juin 1988 : *Portrait de Jacques Gruber* 1935, encre de Chine et cr. (42x31) : **FRF 4 100** – PARIS, 12 déc. 1990 : *Coupe de fruits et verre*, h/t (55x46) : **FRF 4 600**.

TAILLEVENT François ou Talleven ou Talven
XVIIᵉ siècle. Actif à Béthune dans la première moitié du XVIIᵉ siècle. Français.
Peintre.
Il peignit pour la ville de Béthune les portraits des *Ducs de Bourgogne et de l'empereur Maximilien II et de sa femme*, en 1622.

TAILLIET Jean Marie
Né le 25 février 1888 à Reims (Marne). XXᵉ siècle. Français.
Peintre, peintre à la gouache, aquarelliste, sculpteur.
Il vit et travaille à Nice. Il poursuit ses études à Paris. Il fut nommé conservateur du musée des Beaux-Arts de la ville d'Oran, en 1935. Il montre sa première exposition de sculptures, à l'âge de quinze ans, à Reims. Il expose des gouaches et huiles de tendance impressionniste.

TAILLIEZ Anne
Née en 1963. XXᵉ siècle. Française.
Peintre. Tendance expressionniste.
Elle fréquenta l'école Duperré, puis l'École Nationale Supérieure des Beaux-Arts de Paris. Elle participe à des expositions de groupe : Salon de Montrouge, Horizon Jeunesse au Grand Palais à Paris, Centre National Culturel de Koweit City au Koweit, Centre Culturel Albert-Camus à Madagascar. Elle montre ses œuvres dans des expositions personnelles : à Grenoble, à la Foire de Bâle.

TAI MING-CHOUO ou Tai Ming-Shuo. Voir DAI MING-SHUO

TAIN Michael
Né en 1927 en Écosse. XXᵉ siècle. Britannique.
Peintre de nus, paysages.
Ses paysages soigneusement travaillés à la manière des anciens maîtres présentent une profonde étude de la nature. Ses nus sont intensément étudiés dans la forme. Son œuvre est presque toujours une expression monochrome, surtout révélée dans une série de lithographies de la campagne du sud de l'Angleterre.

TAIN Y HAN
Né en 1904 à Jinxiang. XXᵉ siècle. Chinois.
Peintre.
Il fut fondateur, en 1927, d'une association artistique, à Pékin et travailla comme critique d'art. Il vient en France en 1928, et exposa à Paris au Salon d'Automne.

TAI PÊN-HSIAO. Voir DAI BENXIAO

T'AI POU-HOUA ou T'ai Pu-Hua. Voir TAI BUHUA

TAIRÔ, de son vrai nom : Ishikawa Tairô, surnom : Shichizaemon, nom de pinceau : Kunshôken
XIXᵉ siècle. Actif au début du XIXᵉ siècle. Japonais.
Peintre.
Peintre de l'école Kanô, vivant à Edo (actuelle Tokyo).

TAIS Giacomo
XVIIIᵉ siècle. Italien.
Peintre.
Actif à Trente, il travailla à Pistoie en 1717.

TAISEIKEN. Voir SÔTATSU Nonomara

TAI SHUN. Voir DAI SHUN
TAI SI. Voir DAI XI
TAI SONG ou Tai Sung. Voir DAI SONG
TAISZER Janos ou Jean
Né le 17 juillet 1878 à Törökbalint. XXᵉ siècle. Hongrois.
Sculpteur, médailleur.
Il fit ses études à Budapest.

TAIT Arthur Fitzwilliam
Né le 5 août 1819 à Livesy Hall (près de Liverpool). Mort le 28 avril 1905 à Youkers. XIXᵉ siècle. Américain.
Peintre animalier, paysages.
Élève du Royal Institute de Manchester. Il vint en Amérique en 1850 et s'établit à New York. Associé de la National Academy en 1853, il fut académicien en 1858.
Ses sujets favoris, scènes des montagnes de l'Adirondack et de l'Ouest, le rendirent très populaire de son temps. La chasse le retint particulièrement, dans le cadre rude des montagnes où il séjournait chaque été. A l'occasion de ses voyages, il décrivit la vie des Indiens de la « frontière » en une série de tableaux, *American Frontier Life* (1852), dont un bon nombre fut alors reproduit par les célèbres lithographes Currier et Ives. Il peignit également des natures mortes.
BIBLIOGR. : Warder H. Cadbury : *A. Fitzwilliam Tait. Artist in the Adironck*, Delaware, Newark, 1986.
MUSÉES : BROOKLYN : *Chasseur avec chiens* – WASHINGTON D. C. : *Caille avec ses petits* – YALE : *American Frontier Life*.
VENTES PUBLIQUES : NEW YORK, 1ᵉʳ et 2 mars 1906 : *Inquiétude maternelle* : **USD 170** ; *Moutons et chiens* : **USD 300** – NEW YORK, 9 mars 1906 : *Les jumeaux* : **USD 130** – NEW YORK, 8 avr. 1908 : *Moutons* : **USD 150** – NEW YORK, 17 jan. 1911 : *Contentement* : **USD 255** – NEW YORK, 4 mars 1937 : *La fuite* : **USD 600** – NEW YORK, 27 jan. 1938 : *Chasse au buffle* : **USD 1 200** – NEW YORK, 18 et 19 avr. 1945 : *Dans les bois* : **USD 3 000** – NEW YORK, 26 et 27 fév. 1947 : *Chasse aux canards* : **USD 3 600** – NEW YORK, 13-15 mars 1947 : *Chasse au daim* : **USD 3 750** ; *Trappeurs attendant la diligence* : **USD 2 200** – NEW YORK, 29 mai 1959 : *Un éclaireur à cheval poursuivi par des Indiens d'Amérique du Nord* : **GBP 441** – LONDRES, 15 déc. 1966 : *Le coq de bruyère* : **GNS 2 000** – NEW YORK, 19 nov. 1967 : *Cerf et canards sauvages dans un sous-bois* : **USD 6 500** – NEW YORK, 10 déc. 1970 : *Cerf et biche dans un paysage* : **USD 12 000** – NEW YORK, 19 avr. 1972 : *Faisans* : **USD 7 500** – NEW YORK, 11 avr. 1973 : *Poules et poussins* : **USD 16 000** – NEW YORK, 26 jan. 1974 : *Troupeau dans un paysage* : **USD 2 800** – NEW YORK, 29 avr. 1976 : *Trophée de chasse* 1853, h/t (40,5x30,5) : **USD 2 900** – NEW YORK, 28 jan. 1977 : *Canards et chèvre dans un paysage* 1865, carr. (25,4x30,5) : **USD 3 750** – LOS ANGELES, 24 juin 1980 : *The chech keep your distance* 1852, h/t (76,2x111,7) : **USD 200 000** – NEW YORK, 23 avr. 1981 : *Doe and Fawn* 1867, h/carr. (25,4x35,6) : **USD 27 000** – NEW YORK, 2 juin 1983 : *Deer driving* 1862, h/t (35,5x55,9) : **USD 115 000** – NEW YORK, 7 juin 1985 : *Un setter à l'arrêt*, h/pan., de forme ovale (15,5x20,3) : **USD 13 000** – NEW YORK, 5 déc. 1986 : *Bringing home game : winter shanty at Ragged Lake* 1856, h/t (43,2x61) : **USD 200 000** – NEW YORK, 9 juin 1988 : *Cannetons et libellule ; Poussins et papillon*, h/t, deux pendants : **USD 9 900** – NEW YORK, 1ᵉʳ déc. 1988 : *Un coin tranquille* 1889, h/t (25,4x35,6) : **USD 14 300** – NEW YORK, 30 nov. 1989 : *La chasse en plaine : « Cherche... »* 1878, h/t (36,8x55,9) : **USD 68 750** – NEW YORK, 16 mars 1990 : *Trompe-l'œil de canards sauvages suspendus par les pattes* 1853, h/carr. (43x35,5) : **USD 18 700** – NEW YORK, 24 mai 1990 : *Sur une piste* 1859, h/t (38,1x66) : **USD 57 750** – NEW YORK, 29 nov. 1990 : *Setter et bécasses* 1865, h/t (36,2x56,5) : **USD 22 000** – NEW YORK, 22 mai 1991 : *La contre-attaque – gardez vos distances* 1852, h/t (75x111,8) : **USD 242 000** – NEW YORK, 6 déc. 1991 : *Octobre en forêt* 1877, h/t (36x56,2) : **USD 46 200** – NEW YORK, 18 déc. 1991 : *Épagneul rapportant une poule d'eau* 1892, h/t (31,1x41,3) : **USD 6 875** – NEW YORK, 15 avr. 1992 : *Une nichée de poussins* 1863, h/carr. (20,3x25,4) : **USD 8 800** – NEW YORK, 28 mai 1992 : *Trappeurs recherchant la piste égarée* 1851, h/t (91,5x127) : **USD 605 000** – NEW YORK, 23 sep. 1993 : *Trois grouses et un setter en forêt*, h/t (45,7x35,6) : **USD 21 850** – NEW YORK, 3 déc. 1993 : *Amos F. Adams chassant avec les épagneuls Gus Bondher et son fils Count Bondher* 1887, h/t (50,7x76) : **USD 134 500** – NEW YORK, 9 juin 1995 : *Été, amour maternel* 1889, h/pan. (25,4x30,5) : **USD 16 100** – NEW YORK, 27 sep. 1996 : *Des poussins et une coccinelle* 1864, h/pan. (25,5x35,6) : **USD 9 200**.

TAIT Bess, née Norriss
Née le 17 mai 1878 à Melbourne. XXᵉ siècle. Australienne.

Peintre, aquarelliste.
Elle fit ses études à l'académie des beaux-arts de Melbourne et à Londres.
Musées : LONDRES – MELBOURNE – SYDNEY – TORONTO.

TAIT John Robinson
Né le 14 janvier 1834 à Cincinnati (Ohio). Mort le 29 juillet 1909 à Baltimore. XIX⁰ siècle. Américain.
Peintre de paysages et poète.
Élève de A. Weber à Düsseldorf et de Alier et H. Baisch à Munich. Médaille à Cincinnati en 1871 et 1872. Le Musée Municipal de Baltimore et la Galerie de Cincinnati possèdent des œuvres de cet artiste.

TAIT Katherine. Voir LAMB Katherine Stymetz

TAIT M. A.
XIX⁰ siècle. Active à Londres au milieu du XIX⁰ siècle. Britannique.
Paysagiste.
Elle exposa à Londres de 1839 à 1846.

TAIT Robert S.
XIX⁰ siècle. Actif à Londres au milieu du XIX⁰ siècle. Britannique.
Peintre de genre et portraitiste.
Il exposa à Londres de 1845 à 1875.

TAITE Alice, Mrs. Voir FANNER

TAITEL. Voir TEITL

TAI T'IEN-JOUEI. Voir DAI TIANRUI

TAI T'IEN-JUI. Voir DAI TIANRUI

TAITO II, premier nom : Toenrô Hokusen jusqu'en 1819 ; surnoms : Fujiwara, Kondô et Katsushika, noms personnels : Fumio et Ban'emon, noms de pinceau : Shôzan, Genryûsai, Beikadôjin et Beikasai
Originaire d'Edo, aujourd'hui Tokyo. XIX⁰ siècle. Actif à Osaka entre 1810 et 1850. Japonais.
Maître de l'estampe.
Disciple de Hokusai (1760-1849), il fait des estampes et des illustrations de livre, à Osaka. Il est aussi maître du thé.

TAI TSIN. Voir DAI JIN

TAITT Donald
Né vers 1930. XX⁰ siècle. Actif en France. Américain.
Peintre. Abstrait-lyrique.
Il vit et travaille à Paris.
Il participe à des expositions de groupe, parmi lesquelles à Paris : 1961 Salon des Réalités Nouvelles ; 1961, 1962, 1963 Salon de la Jeune Peinture ; 1962, 1963, 1964, 1965 Salon Comparaisons ; 1962 Multiples exposition de polyptyques à New York ; 1963 Michigan Artists à Detroit États-Unis ; 1964 Schèmes à Paris ; etc. Il a montré des expositions personnelles de ses œuvres, à Paris, en 1961, 1963, 1965.
Après une longue période préliminaire figurative, il évolua à l'abstraction lyrique et gestuelle, peu avant 1960. Dans une formule assez personnelle de polyptyques (la surface totale de la toile étant divisée en compartiments de différentes dimensions), il développe des grands signes graphiques sur des champs diversement teintés, dont la délicatesse de toucher et de coloris est d'inspiration toute extrême-orientale.
Bibliogr. : Catalogue de l'exposition « Taitt », Gal. La Roue, Paris, 1965.

TAITT G. W.
XVIII⁰-XIX⁰ siècles. Actif à Londres. Britannique.
Portraitiste et animalier.
Il exposa à Londres en 1797 et en 1810.

TAI YUAN. Voir DAI YUAN

TAIZAN, de son vrai nom : Hine Morinaga, surnom : Shônen, nom de pinceau : Taizan
Né en 1814. Mort en 1869. XIX⁰ siècle. Actif à Kyoto. Japonais.
Peintre.
Il fait des paysages dans le style japonais traditionnel mais aussi dans le style lettré de l'école Nanga.

TAJAN Michèle
Née en 1942. XX⁰ siècle.
Peintre. Abstrait.
Elle montre ses œuvres dans des expositions personnelles : 1981 centre culturel Le Parvis à Pau ; 1984, 1988 musée des Beaux-Arts de Paris. Dans ses premières peintures, elle peignait des corps tout juste identifiables, puis elle réalisa une série à partir de vues aériennes. Se détachant progressivement du réel, elle représente des « seuils » (série des portes et fenêtres), champs abstraits, riches en matière, griffures, traces.
Bibliogr. : Jean-Luc Chalumeau : Tajan, peindre au seuil de la peinture, n⁰ 117, Opus International, Paris, janv.-févr. 1990.
Ventes Publiques : CALAIS, 8 juil. 1990 : Porte de cendres numéro 17, acryl./t. (100x100) : FRF 8 000.

TAJANA André
XX⁰ siècle. Français (?).
Sculpteur de figures.
Il participa en 1958 à une exposition de la Royal Academy de Londres.
Ventes Publiques : PARIS, 30 jan. 1989 : La rencontre, béton cellulaire insolite ou forme s'appuyant sur elle-même 1959, bronze à patine bleu noir peint (22x26x8) : FRF 4 000 – PARIS, 17 avr. 1989 : Le travail, bronze patiné, trois statuettes accolées (H. 69) : FRF 12 000.

TAJAPIERA. Voir TAGLIAPIETRA

TAJAR Ziona ou Tagger Sionah
Née en 1900 à Jaffa. Morte en 1988. XX⁰ siècle. Israélienne.
Peintre de compositions animées, figures, portraits, paysages, natures mortes.
Elle étudia à l'Académie Bezalel de Jérusalem, puis à Paris dans les années vingt. Elle fut bien représentée à l'exposition Tour de David à Jérusalem vers 1920.
Ventes Publiques : TEL-AVIV, 2 jan. 1989 : Ruelle à Safed, aquar. (48,5x34) : USD 880 – TEL-AVIV, 3 jan. 1990 : La montée vers la montagne à Ein Karem 1966, h/t (55x74) : USD 3 520 – TEL-AVIV, 19 juin 1990 : La synagogue Haari à Safed 1954, aquar. (68,5x49) : USD 2 200 – TEL-AVIV, 20 juin 1990 : Personnages à l'ombre des arbres 1966, aquar. (34x48) : USD 1 650 – TEL-AVIV, 1er jan. 1991 : Maison arabe à Haïfa 1966, h/t (55x38) : USD 2 640 – TEL-AVIV, 12 juin 1991 : Personnages dans une allée sous les grands arbres, aquar. (63x47,5) : USD 1 760 – TEL-AVIV, 6 jan. 1992 : Jérusalem - la montée vers Sion 1927, h/t (38,5x55) : USD 13 200 – TEL-AVIV, 20 oct. 1992 : Nature morte près d'une fenêtre 1934, h/t (73x49,9) : USD 8 140 – TEL-AVIV, 4 avr. 1994 : Paysage avec des oliviers 1922, h/t (31,2x43,5) : USD 13 225 – TEL-AVIV, 14 avr. 1996 : Portrait d'un jeune yéménite, h/t (48x36,5) : USD 5 750 – TEL-AVIV, 12 jan. 1997 : Fleurs et télévision dans ma chambre 1974, h/t (51x66) : USD 3 220 ; Des grenades et une bouteille à Safed 1982, h/t (55,5x39) : USD 2 300.

TAJIMA Hiroyuki
Né en 1911 à Tokyo. XX⁰ siècle. Japonais.
Graveur.
En 1932, il sort diplômé du département Beaux-Arts de l'Université Nihon de Tokyo. En 1962, il reçoit le prix du Nouveau Venu de l'Association d'Art Moderne, dont il est membre comme de l'Association Japonaise de Gravure. La même année il est représenté à l'Exposition d'Art Japonais Contemporain à Tokyo et en 1962, 1963 et 1964 à la Northwest International Print Exhibition. Depuis 1961, il fait une exposition annuelle à Tokyo et en 1964 ses gravures sur bois figurent à la Biennale Internationale de l'Estampe à Tokyo.

TAJIRI Shinkichi
Né en décembre 1923 à Los Angeles (Californie), de parents japonais. XX⁰ siècle. Actif en Hollande. Américain.
Sculpteur de compositions d'imagination, animaux.
Il étudia à l'Art Institute de Chicago. Dans les années qui suivirent la Seconde Guerre mondiale, il vint travailler à Paris, fréquentant les ateliers de Zadkine, de Fernand Léger et de l'Académie de la Grande Chaumière. Il participe dès 1949 aux activités du groupe Cobra et séjourne en Allemagne et aux Pays-Bas, où il se fixe à partir de 1956.
Tajiri a participé à de très nombreuses expositions de groupe, notamment : 1949 Exposition internationale d'art expérimental d'Amsterdam ; 1951 Exposition internationale d'art expérimental de Liège ; 1959, 1964, 1968 Documenta de Kassel.
Sans qu'il soit question de japonaiseries dans ses œuvres, on y retrouve, à travers des formulations purement occidentales, des traces culturelles des arts de l'Extrême-Orient. Dans une période, après des Guerriers composés de matières métalliques de rebut, puis des silhouettes agressives en plâtre et fer, il réalisa des sculptures, en bronze ou en métal, évoquant des éléments végétaux issus de germinations étrangement inquiétantes. À partir de 1966, utilisant encore le métal, acier, aluminium, ou le

polyester, il a conçu des sortes d'insectes géants, ressemblant aux machines de guerre imaginées par Vinci, ou bien aux robots des histoires de science-fiction. Dans ces mêmes années, il a réalisé parallèlement une série de sculptures plus sereines, en polyester, fondées sur la matérialisation de nœuds, clairement expliqués dans leurs circonvolutions spatiales, dont certains ont pu lui être suggérés par les tuyaux d'échappement des anciennes voitures de course.

BIBLIOGR. : Edouard Jaguer : *Poétique de la sculpture*, coll. Le Musée de Poche, Georges Fall, Paris, 1960 – Dolf Welling, in : *Nouveau diction. de la sculpt. mod.*, Hazan, Paris, 1970 – in *Dict. de l'art mod et contemp.*, Hazan, Paris, 1992.

VENTES PUBLIQUES : NEW YORK, le 19 mai 1966 : *Seed no 3* : **USD 1 700** – AMSTERDAM, 5 juin 1984 : *Figure à la main levée* 1957, bronze (H. 73,5) : **NLG 3 600** – AMSTERDAM, 24 mars 1986 : *Forteresse 8* 1964, bronze (H. 98) : **NLG 6 600** – COPENHAGUE, 30 nov. 1988 : *Composition au personnage* 1960, encre (49x63) : **DKK 4 400** – AMSTERDAM, 22 mai 1990 : *Chair zen, os zen* 1974, techn. mixte/pap. (48,5x57) : **NLG 2 530 ;** *Nid d'aigle*, bronze (H. 51) : **NLG 27 600** – COPENHAGUE, 30 mai 1990 : *Composition*, acryl., aquar. et gche (46x59) : **DKK 12 500** – AMSTERDAM, 12 déc. 1990 : *Guerrier* 1964, cr. feutre/pap. (28,5x37) : **NLG 3 450** – COPENHAGUE, 29 mai 1991 : *Composition* 1960, stylo-bille et craies coul. (49x64) : **DKK 6 000** – COPENHAGUE, 20 mai 1992 : *Forteresse 11* 1964, bronze (H. 76) : **DKK 38 000** – PARIS, 21 mars 1994 : *Torse* 1959, feuilles de bronze soudées (H. 101) : **FRF 56 000** – AMSTERDAM, 31 mai 1994 : *Composition abstraite*, bronze (H. 101) : **NLG 10 350** – AMSTERDAM, 31 mai 1995 : *Personnage* 1958, laiton soudé (H. 33) : **NLG 40 120** – AMSTERDAM, 10 déc. 1996 : *Sans titre* vers 1953-1955, fer soudé (H. 94) : **NLG 13 838** – COPENHAGUE, 29 jan. 1997 : *Sculpture*, bronze (H. 27) : **DKK 34 000** – AMSTERDAM, 4 juin 1997 : *Guerrier* vers 1959, bronze (H. 119) : **NLG 57 660** – COPENHAGUE, 22-24 oct. 1997 : *Figure* 1954, alu. (H. 41) : **DKK 8 000.**

TAKACH von Gyöngyöshalasz Béla
Né le 5 août 1874 à Munkacs. XIXᵉ-XXᵉ siècles. Hongrois.
Peintre, aquarelliste, décorateur.
Il fit ses études à Budapest et à Paris. Il travailla longtemps à New York. Il fut aussi architecte.

TAKACHIKA. Voir FUJIWARA TAKACHIKA

TAKAGI Shirô
Né en 1934 dans la préfecture d'Aomori. XXᵉ siècle. Japonais.
Graveur.
En 1958, il quitte l'Université des Beaux-Arts de Musashino, à Tokyo, avant la fin de ses études et dès 1957, il est représenté à la Biennale Internationale de l'Estampe de Tokyo ainsi qu'en 1964. En 1958, il reçoit un prix à la Triennale de la Gravure en couleurs de Grenchen. Il est souvent représenté dans des manifestations de groupe à l'étranger et notamment à la Biennale de São Paulo en 1967.

TAKAHASHI Guiokuyen
XXᵉ siècle. Japonais.
Peintre sur soie.
Il vit et travaille à Tokyo. Il participa aux expositions collectives de Paris ; notamment à l'Exposition Universelle de 1900 où il reçut une médaille de bronze.

TAKAHASHI Issao
XXᵉ siècle. Actif en France. Japonais.
Peintre. Abstrait.
Il vit et travaille à Besançon.
Ses peintures ascétiques s'inspirent de la culture zen et créent un espace de méditation.

TAKAHASHI Junko
Née en 1927 dans la préfecture de Saitama. XXᵉ siècle. Japonaise.
Graveur.
Après avoir participé quelque temps aux Salons de l'Association des Artistes Indépendants, elle reçoit en 1958 un prix de l'Association Japonaise de Gravure et, dès lors, devient membre de ce groupe. Ses gravures sur cuivre figurent aux expositions de femmes artistes-graveurs et en 1960, 1962 et 1964 à la Biennale Internationale de l'Estampe à Tokyo.

TAKAHASHI O. Shin
XXᵉ siècle. Japonais.
Peintre sur soie.
Il vécut et travailla à Tokyo. Il participa aux expositions de Paris ; notamment en 1900 à l'Exposition Universelle, où il obtint une mention honorable.

TAKAHASHI Rikio
Né en 1917 à Tokyo. XXᵉ siècle. Japonais.
Graveur. Tendance abstraite.
Après avoir quitté le cycle secondaire en cours d'études, il étudie la gravure sur bois avec Kôshirô Onchi, le plus célèbre des artistes du mouvement Sôsaku Hanga (impression originale), dont il poursuivra le style, puis peu de temps à l'Institute of Art de Californie. Il est membre de l'Association Japonaise de Gravure. Il vit et travaille à Tokyo.
Il participe à de nombreuses expositions de groupe, tant au Japon qu'à l'étranger, notamment à la Biennale Internationale de l'Estampe de Tokyo en 1962. Il montre ses œuvres dans des expositions personnelles.
Il utilise pour ses gravures plusieurs planches de contre-plaqué, sur lesquelles il grave les formes, puis applique les couleurs. Il imprime ensuite sur le papier chaque plaque successivement avec le *baren* instrument traditionnel de gravure au Japon. Ses compositions, jeu de formes abstraites, puisent leur inspiration dans la nature, notamment la sérénité des jardins japonais.
MUSÉES : GENÈVE (Mus. d'Art et d'Hist.) – PHILADELPHIE – TOKYO (Mus. of Mod. Art).

TAKAHASHI Shu
Né en 1930 dans la préfecture de Fukushima. XXᵉ siècle.
Depuis 1963 actif en Italie. Japonais.
Peintre.
Il interrompt ses études à l'Université des Beaux-Arts de Musashino, à Tokyo en cours de cursus. Il est membre de l'Association des Artistes Indépendants (Dokuritsu Bijutsu Kyokai). En 1963 il s'installe à Rome où il vit depuis.
Il participe, dès 1960, à diverses manifestations de groupe à l'étranger et au Japon : 1964-1965 exposition itinérante d'art japonais contemporain aux États-Unis ; 1965 et 1968 Vᵉ et VIᵉ Biennales de Rome ; 1968 et 1969 *Art Japonais Contemporain* à Tokyo ; 1973 *Artistes Japonais à l'Étranger* aux musées d'Art moderne de Tokyo et de Kyoto. En 1966 il fait une exposition personnelle à Venise, en 1968 à Milan et ultérieurement à Rome et au Japon. En 1961, il reçoit le Prix Yasui au musée d'Art moderne de Tokyo.

TAKAHASHI Yuichi, noms de pinceau : **Ransen** et **Kain-Itsujin**
Né en 1829 à Tokyo. Mort en 1894 à Tokyo. XIXᵉ siècle. Japonais.
Peintre.
Peintre de style occidental, il est élève de Kawakami Tôgai et de Charles Wirgman. Professeur à l'Université Impériale, il fonde parallèlement une école, la Tenkaigakusha, où il forme des disciples. On lui doit des natures mortes et des figures.

TAKAKANE. Voir TAKASHINA TAKAKANE

TAKAMITSU Awataguchi
XVᵉ siècle. Actif au début du XVᵉ siècle. Japonais.
Peintre.
Spécialiste de sujets bouddhiques, de l'école yamato-e, il aurait participé aux rouleaux du *Yûzû-nembutsu-engi* (Origine et développement de la secte Yûzû) conservés au temple Seiryô-ji de Kyoto.

TAKAMURA Kotaro
Né en 1883. Mort en 1956. XXᵉ siècle. Japonais.
Sculpteur.
Fils du sculpteur traditionnel Koun Takamura, il étudia l'art contemporain aux États-Unis puis à Paris, où il travaille avec Rodin. Il fut membre du groupe Shirakaba, qui révèle au Japon les tendances internationales de l'art moderne et contemporain mais aussi les jeunes artistes japonais encore inconnus et organise des expositions. Il fut l'un des représentants de l'art moderne de son pays. Après la Seconde Guerre mondiale, il se retire à la campagne.
BIBLIOGR. : In : *Dict. de l'art mod. et contemp.*, Hazan, Paris, 1992.

TAKAMURA Koun ou **Ko Oun**
XIXᵉ-XXᵉ siècles. Japonais.
Sculpteur.
Il figura aux expositions de Paris ; notamment à l'Exposition Universelle en 1900, où il obtint une médaille de bronze.
Il fut respectueux de la tradition.

TAKANEN Johannes
Né le 8 décembre 1849 à Vederlak. Mort le 30 septembre 1885 à Rome. XIXᵉ siècle. Finlandais.

Sculpteur.
Le Musée d'Helsinki conserve un nombre important d'ouvrages de cet artiste : plâtres, bronzes, cires, marbres, bronzes verts, bois, terres cuites.
Musées : Abo : *Buste de Mme Rundgren* – Helsinki (Ateneum) : *Jeune garçon, jouant avec un chien* – *Aino contemplant la mer,* deux fois – *Victor Hoving* – *Rébecca près du puits* – *Amour blessant les cœurs* – *Andromède enchaîné* – *Le nouveau modèle,* deux fois – *Vénus et Amour* – *Ange en prière,* deux fois – *Buste colossal de J. W. Snellman* – *Le ministre C. G. Estlander* – *P. Wahl* – *Le sculpteur Abr. Carlson* – *Le peintre Pietro Krohn* – *Mme Tommassi Crudeli* – *Mme Olga Lydecken* – *L'adolescent Kolström* – *Jeune fille de 11 ans* – deux œuvres – *Garçon de 3 ans* – *Mariette* – *Beppino* – *Mme Rundgren* – *Mlle Gurei von H. Cartuan* – *Le poète J. H. Erkko* – *Cavalier* – *L'architecte J. Ahren* – Douze esquisses.

TAKANOBU. Voir FUJIWARA TAKANOBU

TAKANOBU. Voir KANÔ TAKANOBU

TAKAO Matsumoto
Né en 1931 à Osaka. xxᵉ siècle. Japonais.
Peintre de paysages.
Il montre ses œuvres dans de nombreuses expositions à Tokyo et Osaka, ainsi qu'à Londres, Munich et, en 1974, Paris.
Il dessine et colorie finement des formes de rochers et d'arbres.

TAKASHINA TAKAKANE
xiiiᵉ-xivᵉ siècles. Actif à la fin du xiiiᵉ et au début du xivᵉ siècle. Japonais.
Peintre. Yamato-e.
Chef de l'atelier de la cour *(e-dokoro),* il est spécialiste de sujets historiques et est l'auteur d'une importante série de vingt rouleaux conservée dans la collection impériale, le *Kasuga-gongenkenki* (Miracles des divinités shintoïstes de Kasuga). L'exécution lui en est confiée par le ministre Fujiwara Kinshira, qui, pour témoigner sa fidélité et sa reconnaissance aux divinités protectrices de sa famille, offre cette œuvre en 1309 au sanctuaire Kasuga de Nara.

TAKASUKE. Voir FUJIWARA TAKASUKE

TAKATA Rikizo
xxᵉ siècle. Japonais.
Peintre de paysages, illustrateur.
Il se forme et travaille assez longtemps en France.
Peintre de paysages, dans un style proche de celui de l'école de Paris, il n'en réussit pas moins à traduire l'essence même de la nature et des villes japonaises et élabore, par le seul jeu de la description naturaliste, une peinture japonaise de style occidental. Il met son talent au service des très beaux sites de son pays, dans l'île de Kyûshu notamment, et la ville de Kyoto, ses temples, ses jardins et ses palais, particulièrement dans une série de 1974, *Les Saisons à Kyoto,* qui tient lieu d'illustration au roman *Koto* *(l'Ancienne Capitale),* l'un des plus connu de Yasunari Kawabata, prix Nobel de Littérature.

TAKATA-YENJO
Originaire d'Edo, aujourd'hui Tokyo. Mort en 1801. xviiiᵉ siècle. Japonais.
Peintre.
Il fut élève de Kato Bunrei, maître de Yosai. Il peignit des kakemonos, représentant des sujets de la vie familière des dames, annonçant le style des dessinateurs du xixᵉ siècle.

TAKAYAMA Tatsuo
Né en 1912 à'ita. xxᵉ siècle. Japonais.
Peintre de figures, paysages, fleurs, compositions murales, graveur, illustrateur. Traditionnel, tendance occidentale.
En 1931, il entre à l'École des Beaux-Arts de Tokyo, dans la section peinture japonaise traditionnelle ou *nihon-ga,* et en sort diplômé en 1936. En 1944, il est nommé maître de conférence à l'Université féminine de Tokyo ; en 1971, il est chargé de cours à l'École nationale des Beaux-Arts de Tokyo ; l'année suivante, il est nommé membre de l'Académie des arts. À partir de 1975, il fait plusieurs séjours en Chine, voyage dans le sud de la France et en Italie du nord. Il reçoit la médaille de l'ordre du mérite en 1979 et est nommé chevalier des arts et lettres en 1982.
À partir de 1934, il participe régulièrement au salon officiel, appelé Teiten de 1919 à 1935, nouveau salon Bunten de 1936 à 1946, Nitten de 1946 à 1958, date à laquelle il devient Nouveau Nitten jusqu'en 1968, puis Nitten réorganisé à partir de 1969, et

se déroule toujours au Musée des Beaux-Arts de Tokyo. En dehors de ce salon officiel, Takayama participe à plusieurs expositions collectives de divers groupes artistiques japonais, de 1937 à 1990. Personnellement, il expose ses œuvres à partir de 1957, essentiellement dans des galeries et grands magasins de Tokyo, mais aussi au grand magasin Tokiwa à'ita en 1976 et 1981 ; au musée d'art moderne de la préfecture de Kanagawa en 1980 ; musée d'art Yamatane de Tokyo en 1983 ; musée national d'art moderne de Tokyo et au musée d'art moderne de Toyama en 1989 ; au musée départemental des arts à'ita en 1991 et 1994 ; au musée Chido à Yamagata en 1994. Il expose, pour la première fois à l'étranger, en 1995, à l'Espace des Arts Mitsukishi-Étoile à Paris. En 1959, il a obtenu le très officiel Prix de l'Académie des Beaux-Arts du Japon.
Il commence, en 1939, par réaliser des illustrations pour des livres et des jeux d'enfants, pour gagner sa vie. À la suite de la lecture d'une biographie sur Gauguin, il est très impressionné par cette personnalité et son art en subit l'influence : il produit alors des œuvres aux formes simplifiées traitées en aplats de couleur. Il s'intéresse ensuite au paysage, avant de s'orienter, en 1960, vers l'étude de la figure humaine, qui devient le thème principal de son œuvre. Il dessine au pastel les illustrations du roman *Ryôsai Shii tel que je le vois,* de Mori Atsushi. En 1984, il reçoit la commande de quarante-huit peintures pour le pavillon Okudono du temple bouddhiste Kongôbu-ji. Takayama offre, en 1987, des peintures murales pour le temple Nittai-ji du mont Kakuô à Nagoya, il peint également un paravent : *La région d'Ôita aux quatre saisons,* pour le pavillon Hômeiden du palais impérial à l'occasion des fêtes d'investiture du nouvel empereur. S'il se veut peintre de la tradition, du *nihon-ga,* utilisant les pigments naturels et l'encre de Chine, il recherche toujours des directions nouvelles et son art donne naissance à une sorte de nouveau *nihon-ga,* qui se rapproche de l'art occidental, surtout dans ses représentations de personnages noyés dans une sorte de halo brumeux. ■ A. P.
Bibliogr. : B. Dorival, sous la direction de... : *Peintres Contemporains,* Mazenod, Paris, 1964 – Catalogue de l'exposition : *Vie intérieure et tentation visionnaire, œuvres du peintre traditionnel nihon-ga Takayama Tatsuo,* Espace des Arts Mitsukoshi-Étoile, Paris, 1995.
Musées : Ôita (Prefect. Art Hall) : *Intérieur de pièce* 1982 – *L'Étoile du berger* 1985 – *Une maison* 1988 – *La ville* 1988 – *Ruisseau dans la ville* 1990 – *Quand vient la fin de l'hiver* 1994 – Tokyo (Mus. de Setagaya) : *Créature céleste* 1983.

TAKAYOSHI. Voir FUJIWARA TAKAYOSHI

TAKEDA Shingo
Né en 1944. xxᵉ siècle. Japonais.
Dessinateur.
Musées : Montréal (Mus. d'Art Contemp.) : *À travers les ténèbres I* 1973, cr./pap.

TAKEI Masahiko
Né en 1946 dans la préfecture de Yamanashi. xxᵉ siècle. Japonais.
Sculpteur. Cinétique.
En 1969, il sort diplômé de l'Université des Beaux-Arts de Tama à Tokyo et dès lors participe à des expositions de groupe, parmi lesquelles, la Vᵉ Exposition Internationale des Jeunes Artistes en 1969 et la IXᵉ Exposition d'Art Japonais Contemporain à Tokyo la même année.

TAKEI Takeo
Né en 1894 dans la préfecture de Nagano. xxᵉ siècle. Japonais.
Graveur, illustrateur.
En 1919, il sort diplômé du département de peinture occidentale de l'Université des Beaux-Arts de Tokyo. En 1924, il fait une exposition de peintures pour enfants. Il est membre de l'Association Japonaise de Gravure et de la Société d'Illustrations pour Enfants, produisant de nombreuses gravures, illustrations ainsi que divers écrits. En 1957, il est représenté à la Iʳᵉ Biennale de l'Estampe de Tokyo et en 1959 il est décoré du Ruban Pourpre pour services culturels notoires.
Depuis 1924, il ne cesse d'être actif dans le domaine de l'illustration pour enfants et plus encore dans celui de la gravure sur bois, et sur cuivre. Il fait grand cas et grand usage d'une nouvelle technique qu'il appelle *baritype.*

TAKENO-OUTI Seihô
xxᵉ siècle. Japonais.

Peintre sur soie.

Il vit et travaille à Tokyo. Il figura aux expositions de Paris ; notamment en 1900 à l'Exposition Universelle où il reçut une médaille de bronze.

TAKEOKA Yuji

Né en 1946. XXᵉ siècle. Actif en Allemagne. Japonais.
Sculpteur. Tendance abstrait-minimaliste.
Il vit et travaille à Düsseldorf.

Il montre ses œuvres dans des expositions personnelles : 1980 Kunstverein de Heidelberg ; 1981 Städtische Galerie im Lenbachhaus à Munich ; 1991 galerie Philippe Casini à Paris.
Sculpteur, il présente des socles... sans sculpture. Dès lors, ses pièces, parallélépipèdes de terre cuite, d'aggloméré, évoquent l'art minimal, sans toutefois en posséder la froideur.
BIBLIOGR. : Anne Dagbert : *Yuji Takeoka*, Artpress, nᵒ 163, Paris, nov. 1991.

TAKEUCHI Seiho

Né en 1864 à Kyoto. Mort en 1942 à Kyoto. XIXᵉ-XXᵉ siècles. Japonais.
Peintre d'animaux, paysages, graveur. Traditionnel.
C'est dans sa ville natale qu'il poursuivit sa carrière. Les écoles Maruyama-Shijo y étaient les plus représentatives de la période Edo et c'est à celle de Shijo sous la direction de Kono Barei qu'il commença ses études en 1881. En 1882, il commença à concourir dans des expositions d'État et à se faire connaître pour atteindre finalement la place prépondérante dans l'art de Kyoto. En 1900-1901, il partit étudier en Europe et fut impressionné par les travaux de Corot et de Turner. En 1920-1921 il voyagea en Chine. Il enseigna à Kyoto dans son propre atelier et fut également professeur à l'École municipale supérieure des Arts Appliqués et au Collège municipal de peinture de Kyoto. Il fut membre du jury des concours de Bunten et Teiten et soutint l'Institut d'Art japonais contre le ministère de l'Éducation. Élu artiste de la cour en 1913, il fut l'un des premiers à être décoré de l'Ordre du Mérite Culturel en 1937.
Peintre traditionnel, il privilégia l'encre. Son séjour en Europe l'amena à moderniser sa peinture.
BIBLIOGR. : In *Dict. de l'art mod et contemp.*, Hazan, Paris, 1992.
VENTES PUBLIQUES : NEW YORK, 12 oct. 1989 : *Un ours en hiver*, estampe en coul. (39,6x50,2) : USD 1 870 – NEW YORK, 27 avr. 1994 : *La fin de la période froide*, kakémono, encre/pap. (40,6x43,2) : USD 6 900.

TAKIDAIRA Jirô

Né en 1921 dans la préfecture d'Ibaragi. XXᵉ siècle. Japonais.
Graveur.
Il est membre de l'Association japonaise de Gravure.
Il participe à des expositions collectives : 1941 *Exposition de Gravures Formatives*, depuis 1945 Salon des Indépendants à Tokyo et diverses manifestations d'avant-garde ; 1953 *Exposition de Gravures du Peuple Japonais* à Pékin et exposition de gravures japonaises au Danemark ; 1959 Leipzig.

TAKIS, pseudonyme de Vassilakis Panyiotis

Né le 29 octobre 1925 à Athènes. XXᵉ siècle. Depuis 1955 actif en France, depuis 1969 actif aux États-Unis. Grec.
Sculpteur, auteur d'installations. Cinétique.
Il ne reçut pas de formation artistique. Agé de vingt-neuf ans, il séjourne pendant une année à Londres, en 1955, avant de se fixer à Paris, où il se lie avec les membres du Nouveau Réalisme et leurs défenseurs, Yves Klein, César, Iris Clerc. En 1961, il publie un récit autobiographique : *Estafilades*. À la même époque, il fréquente les écrivains de la Beat Generation. En 1968, il reçoit une bourse du MIT (Massachusetts Institute of Technology). Depuis 1968-1969, il est membre du Centre pour les Études Visuelles Avancées, à Cambridge, États-Unis.
Au début de son installation à Paris, il exposa dans les principaux Salons annuels, de Mai, des Réalités Nouvelles, etc. Ensuite, il a participé aux expositions les plus importantes consacrées dans le monde au cinétisme et au lumino-cinétisme : 1964 Houston, Buenos Aires ; 1964-1965 Glasgow ; 1965 New York, Chicago, Düsseldorf ; 1968 Le Havre, Grenoble ; 1982 *Choix pour aujourd'hui* au musée national d'Art moderne de Paris ; 1983 *Electra* au musée d'Art moderne de la ville de Paris ; 1984 *IIᵉ Biennale Européenne de Sculpture de Normandie*, Centre d'Art Contemporain de Jouy-sur-Eure ; 1985 Nouvelle Biennale de Paris. De très nombreuses expositions personnelles lui ont été consacrées : 1955 galerie Furstemberg à Paris ; 1957 Londres ; 1958 Hannover Gallery à Londres ; 1959 sculptures télé-magnétiques, ou *Télésculptures* à Paris ; 1960 New York ;

1961 Essen, Hanovre, Stockholm ; 1962 Milan ; 1967, 1969, 1970 New York ; 1972 Centre national d'art contemporain à Paris ; 1981 grand Espace musical au Centre Georges Pompidou à Paris, galerie Maeght à Paris ; 1985 La Serre, école régionale des beaux-arts de Saint-Étienne ; 1993 galerie nationale du Jeu de Paume à Paris.
Sculptant depuis 1946, il utilisait l'argile, puis le bois, façonnant des figures humaines influencées par les sculptures la Grèce antique et des Cyclades (*Sphinx, Œdipe, Antigone*), proche dans leurs silhouettes élancées, frêles, de Giacometti, et, à force de synthèse, s'orientant vers la non-figuration. À partir de 1954, en délaissa la figure humaine et, totalement acquis à l'abstraction, commença la réalisation de ses premiers *Signaux* vers 1956, tiges métalliques terminées par des pièces métalliques oscillant à la moindre incitation, objets aux mouvements vibratoires fondés sur les déplacements du centre de gravité des divers éléments.
En même temps qu'il poursuivait cette recherche, il se livrait à des manifestations mettant en cause les rapports de l'artiste avec le public, au cours d'« interventions » publiques : *L'Homme dans l'espace* où Takis fait flotter dans l'espace quelques secondes le poète Sinclair Beiles. Puis, en 1957, la série des *Feux d'artifices*, dans divers lieux de Paris. Il fit alors également exploser à la dynamite des œuvres existantes, récupérées chez les brocanteurs, démarche de « modification » radicale expérimentée aussi par César. En 1958-1959, il eut l'idée qui devait donner son orientation majeure à l'ensemble de sa création : l'utilisation des champs magnétiques qui lui permettait de rendre visible l'énergie dégagée par les éléments par des éléments magnétiques. Sa première réalisation dans cette catégorie était aussi simple que possible : un clou au bout d'un fil et maintenu horizontalement dans le vide, attiré par un électroaimant placé à distance convenable. Depuis, il n'a cessé, tout en imaginant d'autres expérimentations, d'exploiter ce principe dans des objets de plus en plus complexes et inventés, volontairement indépendants de toute perspective esthétique, où la technologie tient une place de plus en plus grande. Ensuite, il combina aux mouvements de base des vibrations des objets (cerfs-volants, cônes de métal) maintenus en équilibre instable dans les champs magnétiques, l'animation de lampes en scintillation permanente, pouvant éventuellement créer des effets stroboscopiques. Certaines de ses créations magnétiques, matérialisant le vieux rêve de la lévitation, ont été éditées industriellement. En 1965, il associe aimants et gong dans des *Sculptures musicales*, puis des *Espaces musicaux*. Avec les *Télélumières*, il exploite les qualités des tubes cathodiques qui produisent une lumière bleue. Certaines de ses œuvres en appellent à la participation du spectateur, celui-ci créant une sculpture unique et éphémère, lorsqu'il lance de la limaille de fer ou les clous mis à sa disposition sur des panneaux aimantés (*Antigravity* de 1970). Avec les figures naturistes, il revient à une figuration naturaliste provocante : « L'Érection très figurative de Sébastien (1974) n'est pas une simple manifestation de la force d'attraction de l'érotisme mais l'indication d'un *même* de plus élémentaire au plus figuratif, du ceci qui transparaît dans la confrontation des énergies. » (F. Migayrou) La nature avait déjà surgi dans ce monde « industriel » composé de radars et de signaux avec la série des *Fleurs magnétiques*, dans *Le Siècle de Kafka*, environnement réalisé en 1984 au Centre Georges Pompidou à Paris, Takis met ses moyens habituels en œuvre pour illustrer une scène du *Procès*, la vision prémonitoire de l'auteur d'un monde déshumanisé, régi par la machine.
Takis, dans ses sculptures, usent de moyens très simples, « de la physique très primaire alors que dans le même temps l'électronique a tout transformé » (Takis), mais dont le pouvoir poétique est indéniable, malgré le reproche parfois formulé de ressortir à la physique amusante, au spectacle. Matériaux, technologies et sciences modernes, matière, sous et lumière, sont prétexte à des créations dynamiques variées, fruits d'une imagination riche qui échappe à la technologie tout en en respectant les lois. Soulignant le caractère insaisissable de toutes choses, ces œuvres avec des moyens contemporains, réactivent une scène primitive, celle de l'homme face aux forces naturelles. ■ J.B., L. L.
BIBLIOGR. : *Catalogue du Iᵉʳ Salon International des Galeries Pilotes*, Musée Cantonal, Lausanne, 1963 – Denys Chevalier, in : *Nouveau diction. de la sculpt. mod.*, Hazan, Paris, 1970 – *Catalogue du 3ᵉ Salon International des Galeries Pilotes*, Musée Cantonal, Lausanne, 1970 – Frank Popper : *L'Art Cinétique*, Gauthier-Villars, Paris, 1970 – Takis et Catherine Millet : *Interview*, Chroniques de l'Art Vivant, Paris, 1971 – in : Catalogue de la IIᵉ *Biennale Européenne de Sculpture de Normandie*, Centre d'Art

Contemporain, Jouy-sur-Eure, 1984 – Frédéric Migayrou : *Takis*, La Serre, École régionale des beaux-arts, Saint-Étienne, 1985 – in : Catalogue de le Nouvelle Biennale, Paris, 1985 – in : Catalogue de l'exposition *L'Art Moderne à Marseille : La Collection du Musée Cantini*, Mus. Cantini, Marseille, 1984 – Jean Marc Prévost : *Takis : la sculpture comme révélation de l'invisible*, Artstudio, n° 22, Paris, aut. 1991.

Musées : CHICAGO (Art Inst.) – HOUSTON – MARSEILLE (Mus. Cantini) : *Champ magnétique* 1972 – NEW YORK (Mus. of Mod. Art) – NEW YORK (Solomon R. Guggenheim Mus.) – PARIS (Mus. Nat. d'Art Mod.) : *Le Grand Signal* 1964 – PARIS (BN) : *Cadran* 1984 – TORONTO (Art Gal.) : *Sculpture électromagnétique en deux parties* 1960.

VENTES PUBLIQUES : NEW YORK, 18 mai 1972 : *Animal and rocket*, fer et fil de fer peint : **USD 1 200** – PARIS, 27 nov. 1973 : *Animal and rocket*, fer peint : **FRF 28 000** – LONDRES, 5 déc. 1974 : *Signal*, construction métal : **GBP 1 050** – PARIS, 2 déc. 1976 : *Sculpture magnétique à trois éléments* 1960 (24x27x21) : **FRF 3 100** – NEW YORK, 9 nov. 1983 : *Signal* vers 1958, bronze (H. 123) : **USD 4 200** – PARIS, 21 juin 1985 : *Sculpture électromagnétique* 1966 (diam. de la table 55) : **FRF 21 500** – PARIS, 14 mai 1986 : *Forme* 1957, bronze doré : **FRF 22 000** – PARIS, 4 déc. 1987 : *Magnétisme double face*, cadran circulaire gradué, aimant (diam. 34 et H. 45) : **FRF 11 000** – PARIS, 20 mars 1988 : *Grenn Dials* – *Time-to-go*, *Column Dials n° 8* 1968, métal, moteur électrique (H. 130x34x28) : **FRF 40 000** – PARIS, 3 oct. 1988 : *Electromagnétique* 1972, fer, aimants, plaques de matière platique, cadran circulaire et fils de Nylon (diam. 35) : **FRF 25 000** – PARIS, 22 mars 1989 : *Time-to-go* 1969, disque blanc sur fond noir, composition en matière plastique, mécanisme rotatif à mouvements aléatoires (27,5x27,4x10) : **FRF 8 500** – PARIS, 30 jan. 1989 : *Magnetic Nowhert* 1966, boussole et poids (diam. 34,5) : **FRF 58 000** – PARIS, 12 fév. 1989 : *Télésculpture musicale*, bois et matière électronique (100x31) : **FRF 23 000** – PARIS, 6 mars 1989 : *N° A2 6/12-100*, aiguilles magnétiques, aimant, aiguilles, Plexiglas, étiquette à la base (x25) : **FRF 10 000** – PARIS, 24 avr. 1989 : *Signal lumineux* 1966, acier, fer et verre avec un moteur électrique (H. 257) : **GBP 26 400** – PARIS, 4 juin 1989 : *Signal* 1964 (2,60 m) : **FRF 160 000** – PARIS, 12 juin 1989 : *Dial 6* 1972, techn. mixte (108x125) : **FRF 160 000** – PARIS, 9 oct. 1989 : *Signal* 1957, sculpt. métal (H. 118) : **FRF 250 000** – PARIS, 11 oct. 1989 : *Musical* 1967, Plexiglas, aiguille, aimant, sytème sonore (100x31) : **FRF 36 000** – LONDRES, 26 oct. 1989 : *Fleur cosmique dans une cage bleue* 1972, peint. à l'eau/t. avec aimant et métal (100x129) : **GBP 11 000** – PARIS, 17 déc. 1989 : *Signal*, sculpt. en fer et acier, pièce unique (H. 40) : **FRF 250 000** – PARIS, 18 fév. 1990 : *Signal* vers 1957, sculpt. en fer : **FRF 250 000** – PARIS, 10 oct. 1990 : *Signal* 1970, fer (H 109) : **FRF 100 000** – LONDRES, 17 oct. 1991 : *Figure debout*, bronze à patine verte (H. 90,5) : **GBP 5 940** – PARIS, 19 mars 1992 : *Socle rouge*, relief avec aimant et quatre aiguilles (80x59) : **FRF 40 000** – LONDRES, 26 mars 1992 : *Espace intérieur* 1957, bronze à patine dorée (H. 40,1) : **GBP 4 180** – PARIS, 24 avr. 1992 : *Signal* 1955, bronze et acier (H. 118) : **FRF 54 000** – LONDRES, 2 juil. 1992 : *Sans titre*, métal cuivre et ciment (H. 210) : **GBP 17 600** – NEW YORK, 4 mai 1993 : *Signal lumineux* 1976, acier, fer et verre avec un moteur électrique (H. 233) : **USD 28 750** – PARIS, 14 oct. 1993 : *Signal*, sculpt. de fer (H. 129, enverg. 108) : **FRF 90 000** – LONDRES, 2 déc. 1993 : *Signal lumineux* 1958, métal, moteur électrique et deux lampes flash (244,5x30,5x24) : **GBP 13 800** – PARIS, 17 oct. 1994 : *Télépeinture*, assemblage avec peint. et acryl. noir sur t., aimant, fil de Nylon, châssis en bois et deux cônes métalliques peints en blanc (25x30x34) : **FRF 14 000** – PARIS, 27 nov. 1994 : *Signal* 1957, acier et fer (H. 150) : **FRF 65 000** – NEW YORK, 14 juin 1995 : *Tête*, bronze (H. 16,5) : **USD 747** – PARIS, 15 déc. 1995 : *Signal* 1956, mobile en acier (122x112x40) : **FRF 58 000** – LONDRES, 23 mai 1996 : *Signaux* 1970, fer et acier (H. 222) : **GBP 11 500** – LONDRES, 24 oct. 1996 : *Sans titre*, acier et bois peint (H. 105,5 ; envergure : 99) : **GBP 2 990** – PARIS, 29 nov. 1996 : *Télélumière colonne* 1966, métal et matériel électrique (75,5x25,5x21,5) : **FRF 70 000** – PARIS, 16 juin 1997 : *Signal n° 8023* 1978 (112x91) : **FRF 35 500**.

TAKUBO Kyoji

Né en 1949 à Ehime. XXe siècle. Japonais.
Auteur de performances.
Il fut élève de l'école des beaux-arts Tama de Tokyo. Il vit et travaille à Kawasaki.
Il participe à des expositions collectives : 1969, 1970, 1971 Salon de la Société d'Art moderne au Metropolitan Museum de Tokyo ; 1974 Biennale de Tokyo ; 1975 Biennale de Paris. Il

montre ses œuvres dans des expositions personnelles à partir de 1971 régulièrement à Tokyo.

TAKUHÔ

Né en 1652. Mort en 1714. XVIIe-XVIIIe siècles. Actif à Kyoto. Japonais.
Peintre.
Élève de Kanô Tannyû (1622-1674), il est aussi supérieur du monastère zen Bukkoku-ji, à Kyoto.

TAKUMA EIGA, de son vrai nom : **Yûshin**

XIVe siècle. Actif entre 1350 et 1395. Japonais.
Peintre. École Takuma.
Peintre bouddhique, il obtient le titre honorifique de « hôgen ».
Il aurait peint, avant 1351, le *Portrait du prince Shotoku*, œuvre qui a disparu, tandis que son *Portrait de Hitomaro*, datant de 1395, est conservé aux Archives Tokiwayama de Kanagawa. Ses autres œuvres connues ne sont pas datées. Citons, entre autres, *La Triade de Cakyamuni*, les *Seize arhats*, *Acala et deux acolytes*, *La Triade d'Amida franchissant les monts* et *Le Nirvana*.
Le style d'Eiga se caractérise par la combinaison de méthodes traditionnelles de la peinture bouddhique postérieure à l'époque Heian et du goût Song introduit à l'époque Kamakura.
BIBLIOGR. : Taki Sei-ichi : *Les peintures de Takuma Eiga*, Kokka, 465, 1929 – Shirabatake Yoshi : *À propos du portrait de Hitomaro de Takuma Eiga*, Kokka, 664, 1947 – Toyooka Masuto : *Le Nirvana de Eiga*, Aichi kenritsu geijutsudaigaku kiyô, 1, 1971.
Musées : KYOTO (Mus. Nat.) : *La Triade de Cakyamuni* – *Les seize arhats* – OSAKA (Mus. Fujita) : *Seize arhats* – TOKYO (Mus. Idemitsu) : *La Triade d'Amida franchissant les monts* – WASHINGTON D. C. (Freer Mus.) : *Samantabhadra*.

TAKUMA SHÔGA. Voir **SHÔGA**

TAL COAT. Voir **TAL-COAT**

TALAGA Maria

XXe siècle. Active en Belgique. Polonaise.
Sculpteur de figures, peintre, dessinatrice. Polymorphe.
Elle fut élève de l'Institut national des beaux-arts d'Anvers. Elle enseigne la sculpture à l'académie des beaux-arts d'Anvers, où elle vit et travaille.
Elle montre ses œuvres dans des expositions personnelles en Belgique.
Sculpteur, elle réalise en bronze des corps enveloppés de draperies, peintre et dessinateur, elle privilégie l'abstraction et propose à partir d'un réseau de trait des perspectives multiples.

TALAKTIONOFF S. F.

Né en 1779. Mort en 1854. XIXe siècle. Russe.
Peintre d'architectures.
Le Musée Russe, à Leningrad, conserve de lui *Vue de la fabrique de facettes de Peterhof*.

TALAMI Orazio

Né en 1625. Mort le 15 septembre 1705. XVIIe siècle. Actif à Reggio Emilia. Italien.
Peintre.
Élève de P. Desani ; il subit l'influence des Carracci. Il peignit des tableaux d'autel pour les églises de Reggio Emilia. Le Musée de Parme possède de lui *Samson entre les bras de Dalila*.

TALAMINI Guglielmo

Né le 25 décembre 1868 à Vado di Cadore. Mort le 28 février 1917 à Faenza. XIXe-XXe siècles. Italien.
Peintre de portraits, paysages.
Il fut élève des académies des beaux-arts de Venise, de Munich et de Florence. Il subit l'influence de Franz Lenbach.
Musées : ASOLO (Mus. mun.).

TALAMON Bruno

Né le 9 avril 1915 à Mulazzo (Toscane), de père italien et de mère française. XXe siècle. Actif en France. Italien.
Peintre de paysages, marines.
Il s'installe dès son plus jeune âge en France. Il vit et travaille dans le Sud-Ouest.
Il participe à des expositions collectives : Salon de la Société Nationale des Beaux-Arts à Paris. Il montre ses œuvres dans de nombreuses expositions régionales, et à partir de 1963 à Paris. Il a peint de nombreux paysages de la Provence et de la Méditerranée, privilégiant une palette lumineuse.
Musées : TOULOUSE.

TALAMON Isabelle

XXe siècle. Française.
Peintre de figures, nus, intérieurs, paysages, fleurs.

Elle fut élève de l'école des beaux-arts de Paris, dans l'atelier de Brianchon.

Elle participe à des expositions collectives, régulièrement à Paris : Salons d'Automne, des Artistes Français, de la Société Nationale des Beaux-Arts, Comparaisons. Elle montre ses œuvres dans des expositions personnelles : 1970 musée international de Saint-Cloud ; 1977 château de Blois ; 1978 Maison de la culture de Tours...

Privilégiant le dessin et la lumière, elle pratique une peinture conventionnelle, à tendance intimiste.

TALAMONA Antoine
XVIIIᵉ siècle. Actif dans la seconde moitié du XVIIIᵉ siècle. Français.
Sculpteur.
Membre de l'Académie Saint-Luc de Paris en 1767.

TALAMONI Giuseppe
Né le 9 mai 1886 à Monza. XXᵉ siècle. Italien.
Peintre de portraits, paysages, graveur sur bois, céramiste.
Il fut élève de l'académie des beaux arts Brera de Milan.

TALAN Marian
Né en 1921. XXᵉ siècle. Français.
Peintre.
Artiste dans la lignée de Villon à Manessier, il procède par circonscription patiente de l'objet, qu'il capture dans les mailles resserrées d'un dessin essentiellement rythmique. La toile ainsi sillonnée de traits entrecroisés, est divisée en facettes où la couleur, stridente et émaillée, fait jouer les différents plans.

TALANDIER Mélanie
Née à Londres, de parents français. XIXᵉ siècle. Française.
Peintre sur porcelaine.
Élève de Mme de Cool. Elle exposa au Salon en 1879 et 1880 des portraits et des sujets de genre.

TALANI Teresa ou la Talani
XVIIIᵉ siècle. Travaillant à Naples en 1797. Italienne.
Tailleur de camées.
Elle exécuta des camées à l'effigie de *Napoléon Iᵉʳ*, de *Joséphine* et de *Lady Hamilton*.

TALANOVA Milena
Née le 15 juin 1923 à Cervenem Hradku Dacic. XXᵉ siècle. Yougoslave.
Peintre de figures, paysages, dessinatrice.
Elle fait ses études artistiques de 1940 à 1947 avec Frantisek Kysela (et non Kysely ?) et Josef Kaplicky (et non Kaplicketto ?). Elle montre ses œuvres dans des expositions à partir de 1949. Son graphisme est torturé ; elle représente de nombreux torses et paysages.

TALARICO Achille
Né le 21 janvier 1837 à Catanzaro. Mort le 24 mars 1902 à Naples. XIXᵉ siècle. Italien.
Peintre de genre et portraitiste.
Élève de Mancinelli. Il exposa à Salerne, Milan, Naples et Rome. La Pinacothèque du Capodimonte de Naples conserve de lui *Portrait de l'architecte D'Amora*.

TALARN Domingo
XIXᵉ siècle. Travaillant à Barcelone, de 1838 à 1891. Espagnol.
Sculpteur.
Il travailla pour la cathédrale et les églises de Barcelone.

TALARN Gabriel
XVᵉ siècle. Travaillant en Aragon de 1402 à 1407. Espagnol.
Peintre.

TALARN Guillermo
XVᵉ siècle. Travaillant à Barcelone en 1449. Espagnol.
Peintre verrier.

TALAVERA. Voir aussi au prénom

TALAVERA Alonso de
XVIᵉ siècle. Actif dans la première moitié du XVIᵉ siècle. Espagnol.
Sculpteur sur bois.
Il travailla en 1533 pour la cathédrale de Tolède.

TALAVERA Cristobal
XVIIIᵉ siècle. Actif dans la première moitié du XVIIIᵉ siècle. Mexicain.
Peintre.
Frère de Pablo Talavera. Il peignit des tableaux dans le cloître de Saint-François à Puebla.

TALAVERA Gaspar de
XVIIᵉ siècle. Actif à Séville. Espagnol.
Graveur d'armoiries.

TALAVERA Leoncio
Né en 1853. XIXᵉ siècle. Espagnol.
Peintre de genre.
Élève de Bernardo Farrandiz, il vécut et travailla à Malaga.

TALAVERA Pablo
XVIIIᵉ siècle. Actif dans la première moitié du XVIIIᵉ siècle. Mexicain.
Peintre.
Frère de Cristobal Talavera. Il peignit des tableaux pour l'église Saint-Augustin de Puebla.

TALBERG Zelma
Née en 1900. XXᵉ siècle. Russe.
Peintre de compositions animées, paysages, paysages urbains, dessinatrice, graveur.
Elle fait ses études à Petrograd. Surtout paysagiste, elle réalise des scènes champêtres ou urbaines.

TALBIS J.
XVIIᵉ siècle. Travaillant en 1624. Britannique.
Peintre.
Le Musée de Reading conserve de lui un portrait.

TALBOOM Philipp
Né à Saint-Nicolas-en-Waesland. XVIIᵉ siècle. Éc. flamande.
Sculpteur sur bois.
Il exécuta les autels, les chaires et les statues de saints dans l'église de Verrebroeck de 1664 à 1671.

TALBOR Egmont, appellation erronée. Voir **SOMOS DE TALBOR** Arpad

TALBOT Chantal
Née en 1958 à Ixelles. XXᵉ siècle. Belge.
Sculpteur, céramiste.
Elle travailla avec le sculpteur Michel Solders.

TALBOT Chris
XXᵉ siècle. Française.
Sculpteur, peintre de compositions murales.
Elle fait ses études à Paris à l'École des Métiers d'Art et à l'École Nationale Supérieure des Arts Décoratifs. Elle est lauréate de la Fondation de la Vocation en 1968. Elle travaille la plupart du temps avec son mari Jack Drouin.

Elle s'intéresse à tous les domaines de la création et de l'art contemporain, depuis la sculpture jusqu'au vêtement. Ses créations murales relèvent de plusieurs techniques, soit l'animation du plan par sa déformation, le travail du mur lui-même, par des reliefs et la recherche de la matière, soit par l'apport d'autres matériaux : métaux et plastiques. Elle utilise aussi les résines acryliques transparentes et colorées qui donnent à ses formes quelque chose d'immatériel.

TALBOT Cornelia Brackenridge
Née le 30 décembre 1888 à Natrona. Morte le 24 mars 1925 à Natrona. XXᵉ siècle. Américaine.
Peintre.
Elle fut élève de l'académie des beaux-arts de Philadelphie.

TALBOT George Quartus Pine
Né en 1853 à Bridgewater. Mort en 1888 à Grasmere. XIXᵉ siècle. Britannique.
Peintre.
Il exposa à la Royal Academy de Londres de 1881 à 1885. La Walker Art Gallery conserve une aquarelle de cet artiste.

TALBOT Grace Helen
Née en 1901. XXᵉ siècle. Américaine.
Sculpteur de figures.
VENTES PUBLIQUES : NEW YORK, 16 mars 1990 : *Nymphe sur un rocher*, bronze (H. 43,1) : USD 3 520 – NEW YORK, 17 déc. 1990 : *Jeune fille dansant* 1925, bronze (H. 34,4) : USD 3 575 – NEW YORK, 15 mai 1991 : *Coupe supportée par quatre figures agenouillées* 1922, bronze (en tout 14x50,8) : USD 4 125 – NEW YORK, 4 déc. 1996 : *Fille-huître*, bronze (H. 89) : USD 10 350.

TALBOT Henri
Né en 1916 à Ouffet. XXᵉ siècle. Belge.
Peintre de paysages.
Il fut élève de l'académie des beaux-arts de Liège.
BIBLIOGR. : In : *Dict. biogr. illustré des artistes en Belgique depuis 1830*, Arto, Bruxelles, 1987.

TALBOT Hugh
Né en 1799 à Belfast. XIXe siècle. Irlandais.
Peintre.
Il exposa à Dublin de 1821 à 1847 des paysages, des miniatures et des scènes de genre.

TALBOT Jean
Né le 26 août 1894 à Bordeaux (Gironde). XXe siècle. Français.
Peintre de portraits, paysages, marines, fleurs, dessinateur, illustrateur.
Il travailla, en 1917, avec Maurice Utrillo, puis étudia la sculpture avec Landowsky. Il faisait partie, avec Leprin, du groupe des « Peintres des Batignolles », animé par Tabarant. Il participa à Paris au Salon d'Automne, à partir de 1921.
Il a donné des dessins dans les journaux de Paris.
Musées : Paris (Mus. d'Art Mod. de la ville).

TALBOT Jessé
Né en 1806. Mort en 1879 à Brooklyn. XIXe siècle. Américain.
Peintre de genre, paysages.
Membre de la National Academy de New York.
Ventes Publiques : New York, 24 avr. 1981 : *Le Dernier Brave*, h/t, de forme ronde (diam. 51,4) : USD 9 000 – New York, 24 juin 1988 : *Erastus dans la vallée heureuse*, h/t (121,5x182,5) : USD 6 600 – New York, 23 sep. 1993 : *Vaste paysage fluvial avec une montagne à distance*, h/t (91,4x142,2) : USD 11 500 – New York, 23 avr. 1997 : *La Vallée Joyeuse de Rasselas, le Prince méditant son évasion*, h/t (122x182,8) : USD 5 175.

TALBOT Michel
XVIe siècle. Français.
Peintre verrier.
Il exécuta des vitraux pour la cathédrale de Rennes en 1565.

TALBOT Thomas
XVIe-XVIIe siècles. Actif à Londres (?). Britannique.
Dessinateur d'armoiries et de portraits.

TALBOT William Henry Fea
Mort en 1877. XIXe siècle. Britannique.
Dessinateur et photographe.
Il est surtout connu pour ses inventions photographiques. Il eut en Angleterre le rôle de Daguerre en France. La photographie n'ayant aucune place dans cet ouvrage, Talbot n'y est cité que parce qu'on affirme qu'il fut habile dessinateur.

TALBOT-KELLY Richard Barret. Voir **KELLY Robert Georges Talbot**

TALBOT-KELLY Robert. Voir **KELLY**

TALBOYS Agnes Augusta
XIXe-XXe siècles. Britannique.
Peintre de genre et d'animaux.
Le Musée de Bristol conserve d'elle : *La première leçon*.
Ventes Publiques : Londres, 20 mars 1979 : *En famille* 1919, h/t (49,5x64) : GBP 1 000 – Londres, 14 juil. 1983 : *Le Nouveau Venu*, h/t (51x76) : GBP 880.

TAL-COAT Pierre, pseudonyme de **Jacob Pierre Louis Corentin**
Né le 12 décembre 1905 à Clohars-Carnoët (Finistère). Mort le 11 juin 1985 à Saint-Pierre-de-Bailleul (Eure). XXe siècle. Français.
Peintre de compositions animées, figures, paysages, natures mortes, aquarelliste, pastelliste, dessinateur, graveur, illustrateur, peintre de cartons de mosaïques, décorateur de théâtre. Figuratif, puis abstrait.
Pupille de la nation, Pierre Louis Corentin Jacob obtint une bourse et entra à l'École primaire supérieure de Quimperlé. En 1923, il occupa une place de clerc de notaire à Arzano. Il fut ensuite peintre céramiste et mouleur à la faïencerie de Quimper. Pendant son adolescence dans son pays natal, il avait déjà exécuté quelques dessins, peintures et sculptures. En 1924, il vint à Paris. En 1926, il quitta Paris et s'installa à Doëlan, petit port breton, proche de Clohars-Carnoët et du Pouldu. Dès 1926, son œuvre s'affirme et il décide de signer du pseudonyme Tal-Coat, qui signifie « Front de bois » en breton, afin d'éviter l'homonymie avec le poète et peintre quimpérois, Max Jacob. Dès 1938, lors de ses fréquents passages par Paris, il se lia d'amitié, par affinités, avec quelques artistes comme le sculpteur et peintre Alberto Giacometti, le peintre Francis Gruber. Il fut mobilisé à la même époque dans le service de camouflage cantonné à Saint-Germain-en-Laye, puis à Ermenonville.
L'automne 1940 le vit se fixer à Aix-en-Provence et, à partir de

1943 et durant deux années, il travailla dans un atelier installé au Château-Noir, souvent peint par Cézanne. En 1945 et 1946, il séjourna à Paris. Vers 1948, Tal-Coat rencontrait Georges et Marguerite Duthuit qui était la fille de Matisse, Henri Maldiney, André Masson et le poète André du Bouchet, avec lesquels il eut de très nombreux échanges de vues sur l'art et des sujets divers. On sait qu'il fut particulièrement impressionné par l'intelligence, la culture et le brio d'André Masson. En 1951, il résidait à Forges-les-Bains, puis en 1953 au Breuil près de Chevreuse. En 1955, il voyagea en Dordogne, à Lascaux et aux Eyzies. En 1961, il s'installa à Saint-Pierre-de-Bailleul (Eure) dans la « Chartreuse » de Dormont.
Depuis 1932, il participait à des expositions collectives nombreuses, régulièrement à Paris, notamment : depuis 1945, au Salon de Mai ; 1946, Galerie de France ; 1951 et 1954, galerie Charpentier ; 1953, galerie L'Étoile scellée ; 1960, Musée des Arts Décoratifs ; etc. ; ainsi que : en 1945, *Jeune Peinture française*, au Palais des Beaux-Arts à Bruxelles ; 1951, Kunsthalle de Berne et Kunsthaus de Zurich ; 1955, 1959, Documenta I et II à Kassel ; 1956, Pavillon français à la Biennale de Venise ; 1959, Corcoran Gallery de Washington ; 1961, 1964, Carnegie Institute de Pittsburgh ; 1962, *Cent ans de peinture en France*, au Pavillon français à l'Exposition Internationale de Mexico ; 1963, Biennale de Menton ; etc.
Il montrait surtout ses œuvres dans des expositions particulières, régulièrement en France : à Paris depuis 1927 notamment : 1927, 1929, 1930, galerie Fabre ; de 1943 à 1950, galerie de France ; depuis 1954, régulièrement à la galerie Maeght ; 1976 importante rétrospective aux Galeries nationales du Grand Palais ; 1982, et après sa mort 1986, 1988, 1991, galerie Clivages ; 1992, 1995, 1995, 1997, 1998, galerie Berthet-Aittouares ; ainsi qu'en province : en 1969, Maison de la Culture et Nouveau Musée du Havre, Maison de la Culture d'Amiens ; 1974, Musée de Metz ; 1981, Centre d'art contemporain de Jouy-sur-Eure ; 1983, Musée d'Évreux ; 1984, Centre Noroît d'Arras ; 1985, Musée des Beaux-Arts de Quimper ; 1987, Musée et École des Beaux-Arts de Valence ; 1988, Bibliothèque Municipale et Musée des Beaux-Arts de Rennes ; 1991, Musée Matisse au Cateau-Cambrésis et Musée d'Orléans ; 1996, *Pierre Tal-Coat « Les années Provence »*, à l'Espace 13 d'Aix-en-Provence ; 1997, Musée d'Unterlinden de Colmar et Musée Picasso d'Antibes ; et à l'étranger : 1957, Kunsthalle de Berne ; 1970-1972, Kunsthalle de Genève avec Hajdu ; 1973, Lausanne ; 1976, galerie de France et du Bénélux à Bruxelles ; 1975, Ueno Royal Museum à Tokyo, Open Air Museum à Hakone ; 1982, 1986, 1995, Lausanne ; 1985, New Museum of Contemporary Art de New York, Musée d'Art et d'Histoire de Genève ; 1986, Tokyo ; 1990, Prague ; 1990, 1992, 1995, Genève ; 1991, Milan, Bologne ; 1994, Centre Nicolas de Staël à Braine (Belgique) et Biennale de São Paulo, à titre d'hommage ; 1997, Musée Rath de Genève ; 1999, Bibliothèque Nationale de Paris, rétrospective de l'œuvre gravé et dessiné. Il fut honoré, en 1936, par le Prix Paul Guillaume pour son portrait de Gertrude Stein et en 1968. du Grand Prix National des Arts en 1968. Il fait chevalier de la Légion d'honneur en 1960, officier des Arts et Lettres à partir de 1963, officier de la Légion d'honneur en 1970. Dans ses tout débuts, il peignait des figures, portraits et paysages, des scènes de la vie quotidienne en Bretagne. Des collectionneurs s'intéressaient à lui, lui achetant peintures, dessins et pastels (le pastel étant un procédé que l'artiste affectionne tout particulièrement à cette époque). En 1931, Paris, qu'il avait quitté en 1926, l'attira à nouveau ; il y devint un des éléments actifs, du groupe *Forces Nouvelles*, intéressé par le retour à une réalité humaniste, la référence à la vision synthétique et grave chez Georges de La Tour et les frères Le Nain. De caractère très indépendant, parfois rude, il n'était pas tenté d'adhérer à une option collective. Il se faisait pourtant des amitiés et peignit les portraits de Francis Gruber, d'Alberto Giacometti, celui de Gertrude Stein qui eut un retentissement certain et, en 1936, celui de Picasso *La pastèque de Picasso*.
En 1936, les événements de la guerre d'Espagne ont eu sur lui une influence créatrice. Il y trouve le thème des *Massacres*, couvrant une époque considérée comme l'une des plus importantes dans son œuvre. Son graphisme devient acéré, agressif, tragique : sa palette s'affirme jusqu'aux heurts les plus violents, fondés sur le choc sang sur herbe, rouge sur vert. Au cours des années 1938 et 1939, dans l'écriture hachée des *Massacres*, qu'on est tenté de dire gothique, il peignit des paysages de Bretagne, de Bourgogne et d'Île-de-France.
L'année suivante, l'ambiance de la Provence, où il s'est installé, le

souvenir de Cézanne, allaient lui apporter son nouveau but : la traduction picturale de la lumière. Après de savoureux paysages, scènes animées, autoportraits, encore redevables du sentiment réaliste antérieur, toutefois d'une écriture plus sensuelle, il y peint bientôt de nombreuses toiles, paysages, natures mortes où figure souvent un miroir, dont la composition n'est guère plus prétexte qu'à poser ce problème de la lumière transposée. Son évolution continuait d'aller dans le sens d'une synthétisation de la ligne et des plans, à partir de sujets divers. En 1943 et durant deux années, il poursuivait la même quête dans son atelier du Château-Noir. En 1945 et 1946, pendant un séjour à Paris, dépassant les influences conjuguées de Picasso et Matisse qui avaient fondé sa réflexion des premières années quarante, il s'orienta vers la recherche d'une transposition des éléments dans leur mobilité, ou de tout déplacement en eux. Après son interrogation sur la lumière (Cézanne), la forme (Picasso), la couleur (Matisse), Tal-Coat se confrontait à la notion et à la sensation du mouvant, du temps qui passe sur toutes choses. Il se rendait souvent à l'Aquarium du Trocadéro et au Jardin des Plantes : les compositions des *Poissons* sont typiquement représentatives de cette période. Puis ces questions sur la lumière, le mouvement, les éléments, l'air, l'eau, la terre, le mènent, dès son retour à Aix-en-Provence, au concept de l'espace sans limitation, qui aboutit, en 1948, à sa « période glauque » : *Mouvements d'eau*. La simplification synthétique des apparences l'avait conduit à la mouvance perpétuelle des choses, à une perception participatrice des phénomènes de la nature.

Comme beaucoup d'autres artistes, tant en France qu'à l'étranger, Tal-Coat fut profondément marqué par André Breton. À sa suite, il s'intéressa aux grands courants mystiques de l'histoire de l'esprit humain et tout spécialement aux modes de fusion extrême-orientaux de l'être de l'homme dans la totalité de la nature. Il établit alors des parallèles entre les aquarelles de la dernière période de l'œuvre de Cézanne et les paysagistes Song. Vers 1949 et, dans les années cinquante, il exécutait de grandes encres de Chine, où seul l'épais trait noir provoque l'éclat du papier blanc, et des peintures – la série des *Rochers* – où il renonçait aux derniers éléments graphiques quelque peu prononcés qui les structuraient encore. Son long séjour à Aix et alentour, de 1940 à 1954 environ, le mena dans la continuité de Cézanne, pour aboutir à une transcription quasi abstraite des lignes de force, ou strates géologiques, du paysage.

Le voyage en Dordogne en 1955-56, aux grottes magdaléniennes des Eyzies, lui fit emprunter à ces premiers hommes graphistes, non l'incroyable et évidente élégance de leur dessin, mais au contraire les hésitations de leurs premières tentatives de langage écrit, signes ésotériques, traces effleurées, empreintes, probablement tentatives pour conjurer les éléments ennemis par le saut, la course, la nage, le rêve du vol. Ce séjour fit naître une suite de thèmes : *Sauts*, et *Courses* ; ceux-ci, renouvelés en 1958, par des *Lignes de pierre et de silex*, des *Troupeaux* et des *Vols*.

S'il a toujours beaucoup dessiné, c'est peut-être dans les deux périodes de Provence et des Eyzies que la réflexion de Tal-Coat sur le dessin est devenue un des fondements de son œuvre. Son œuvre dessiné et gravé peut se définir par cet extrait d'un texte écrit par lui en 1972 : « ...Le dessin est cheminement ! Regard conduit dans l'apparaître de la lumière, l'ombre l'accompagnant ; non pas contour ; idéalité : fermeture et complaisance. Le dessin est d'intériorité, toujours changeant dans l'apparaître, le disparaître, conduisant le regard en cette errance de la rencontre, dans la mouvance... Il n'est pas un quelconque trait en lequel enclose serait l'image. Il est partout, le cheminement du regard, il n'est pas seulement trait, car en ce trait, aussi ténu qu'il fût, est l'espace en toutes ses parties, subissant, devenant lumière, ombre, lumière, cheminement. Apparaissant disparaissant, s'abîmant puis venant au jour dans la résurgence... »

Depuis son installation à Saint-Pierre-de-Bailleul, à la Chartreuse de Dormont, en 1961, Tal-Coat a élaboré une des parties importantes de son œuvre, la dernière, l'aboutissement sans doute. Dès 1961 les *Colzas* et les *Coquelicots* ont marqué un retour à l'intensité de la couleur. La même année, Charles Estienne écrit : « ... Je dirais volontiers que Tal-Coat est un seigneur de la terre et de l'espace, lui qui les arpente, l'argile et la poussière aux pieds, mais attentif à cette lueur au loin, métallique et pure comme un chant d'alouette, à ce reflet de la flaque d'eau dans le sillon qui hésite entre la terre-ombre et le violet-de-mars ; lui qui sait voir naître dans la poussière beige du terrain en friche le vert fabuleux des premières pousses du printemps... » En

1964, il réalisa une mosaïque pour un des murs d'enceinte de la Fondation Maeght. L'année suivante, Tal-Coat a 60 ans et Henri Maldiney, qui présente une exposition organisée à Paris, s'exprime ainsi : « ...Labour, moisson, falaise, ronds de sorcières dans un pré, passage d'un homme, vieux foyer, l'éclat d'un ruisseau, un silex, ou l'ombre d'un vol sur un champ, s'y présentent dans l'universalité concrète de la terre – et avec toute la terre, tout le ciel. Pas de métaphores. Le réel de l'espace. Mais pour dire comment, dans ces dernières œuvres, de lui-même il se fonde, il faut une parole neuve. Parce qu'aujourd'hui l'espace de Tal-Coat a la structure du temps... » Au cours de l'année 1973, il réalisa pour le *Ballet-Théâtre Contemporain* la scénographie de *Kill What I Love*, chorégraphie de John Butler sur une musique d'Igor Stravinsky. Dans les années quatre-vingt, alors dans la période la plus abstraite de son œuvre, il est revenu une fois encore à un thème jusqu'alors très épisodiquement : les autoportraits, « c'est-à-dire qu'il cherche comment par la couleur, le geste et la tache – ses moyens –, inscrire une présence humaine sur la toile », selon Philippe Dagen, ou ne serait-ce plutôt inscrire la trace d'une présence humaine sur l'énigme du monde.

Depuis les années d'Aix-en-Provence, la période des Eyzies, l'installation définitive dans l'Eure, Pierre Tal-Coat s'est défini tel qu'en lui-même il s'est installé dans une abstraction particulièrement austère. L'ascèse de moyens à laquelle a aspiré le plus ésotérique des peintres de sa génération, aurait pu le rendre inaccessible. Pressenties auparavant, développées depuis les années soixante, souvent de petites dimensions, des peintures vont aux limites de l'indicible pour ne plus recourir qu'à la seule matière picturale en elle-même, reliant ainsi les abstraits-informels d'Europe et les praticiens américains de la peinture de champ, Fautrier et Wols à Rothko et Tobey. Exaltant par des manipulations de mixtures assez secrètes des pâtes peu chromatiques mais riches en textures et en transparences, il tendait désormais à traduire les sensations premières de l'homme originel devant les manifestations élémentaires de la nature, surtout les plus humbles. Ses peintures se sont repliées sur les primitives ou infimes traces de la vie, inspirées d'abord par les incisions magiques pariétales, les empreintes animales sur le sable, l'avancée de la mousse sur les pierres, le souvenir de l'affleurement d'un vol à la surface de l'eau, la faille dans les roches éclatées, l'érosion inéluctable du paysage géologique et, avec lui, de toutes choses.

■ Jacques Busse

BIBLIOGR. : Waldemar-George : *Œuvres de Tal-Coat*, Paris, 1929 – Jacques Lassaigne : *Unité de Tal-Coat*, in « Quadrum », nº 12, Bruxelles, 1936 – Raymond Cogniat : *Tal-Coat*, « Formes et Couleurs », Lausanne, 1945, nº 3-4 – Raymond Cogniat : *Tal-Coat*, « Le Point », XXXVI, Paris, 1947 – René Huyghe : *Les Contemporains*, Paris, Tisné, 1949 – Henri Maldiney et André du Bouchet, in *Derrière le miroir*, Paris, Maeght, 1954 – Georges Duthuit, in *Derrière le miroir*, Paris, Maeght, janvier-février-mars 1956 – Roger Ginderthal : *Tal-Coat*, in « Cimaise », no 6, Paris, 1956 – Michel Seuphor : *Dictionnaire de la peinture abstraite*, Paris, Hazan, 1957 – Bernard Dorival : *Les peintres du xxᵉ siècle*, Paris, Tisné, 1957 – Henri Maldiney, in *Derrière le miroir*, Paris, Maeght, 1959 – Pierre Schneider, in *Derrière le miroir*, Paris, Maeght, 1960 – Charles Estienne, in *Derrière le miroir*, Paris, Maeght, 1961 – J.-P. Crespelle : *Montparnasse vivant*, Paris, Hachette, 1962 – Georges Duthuit, in *Peintres contemporains*, Paris, Mazenod, 1964 – Henri Maldiney, in *Derrière le miroir*, Paris, Maeght, 1965 – J.-C. Lambert : *La peinture abstraite*, in *Histoire Générale de la Peinture*, t. XXIII, Lausanne, Rencontre, 1966 – Joseph-Émile Muller, in *Dictionnaire Universel de l'Art et des Artistes*, Paris, Hazan, 1967 – *Textes de Tal-Coat*, in *Derrière le miroir*, nº 199, Paris, Maeght, 1972 – Raoul Jean Moulin : *Pierre Tal-Coat peintures, point d'émergence*, in « Lettres Françaises »,

Paris, n° 1455, octobre 1972 – Raoul Jean Moulin : Introduction au Catalogue de l'exposition *Tal-Coat*, Paris, Galeries Nationales du Grand Palais – Centre National d'Art et de Culture Georges Pompidou, février-avril 1976 – Pierre Lévy : *Des artistes et un collectionneur*, Paris, Flammarion, 1976 – in : Catalogue de l'exposition *L'Art Moderne à Marseille : La Collection du Musée Cantini*, Mus. Cantini, Marseille, 1988 – Françoise Simeeck, sous la direction de : *Le Libre Regard*, coll. Écrits d'artistes, Maeght, Paris, 1991 – Jean Leymarie : *Tal-Coat*, Skira, Genève, 1992 – Interview de Jean Pascal Léger : *Un Phare, Pierre Tal-Coat*, L'Âne, Le Magazine freudien, Paris, avr. juin 1992 – Textes de Pierre Tal-Coat, Pierre Schneider, Henri Maldiney, André du Bouchet, Charles Estienne : *Tal-Coat*, coll. *Carnets de voyage*, Maeght éditeur, 1993 – Lydia Harambourg, in : *L'École de Paris 1945-1965. Diction. des Peintres*, Ides et Calendes, Neuchâtel, 1993 – Philippe Dagen : *Tal-Coat, peintre de la présence condensée*, Le Monde, Paris, 28 mars 1997.
Musées : Alès – Cincinnati (Mus. of Mod. Art) – Grenoble (Mus. des Beaux-Arts) – Marseille (Mus. Cantini) : *Foyer* 1972 – *Sans Titre* – Menton – Nantes (Mus. des Beaux-Arts) – New York (Carnegie Inst.) – New York (Solomon R. Guggenheim Mus.) – New York (Mus. of Mod. Art) – Paris (Mus. Nat. d'Art Mod.) : *Suspendu II* 1975 – Paris (Mus. d'Art Mod. de la Ville) – Saint-Paul-de-Vence (Fond. Maeght).
Ventes Publiques : Paris, 20 mars 1959 : *La table aux fruits*, peint. : **FRF 400 000** – New York, 27 avr. 1960 : *Au-delà de la ligne droite* : **USD 3 750** – Paris, 14 juin 1961 : *Nature morte 1942* : **FRF 6 200** – Paris, 28 mai 1970 : *Trois athlètes*, past. et fus. : **FRF 1 900** – Versailles, 3 juin 1970 : *Composition en vert et jaune*, aquar. : **FRF 3 400** – Paris, 16 oct. 1970 : *L'homme à la blouse rouge*, peint. : **FRF 6 600** – Paris, 27 oct. 1970 : *Abstraction*, lav. d'encre de Chine : **FRF 1 650** – Paris, 8 déc. 1970 : *Accent vert 1969*, peint. : **FRF 20 000** – Versailles, 14 mars 1971 : *Mouvement*, peint. : **FRF 6 000** – Paris, 24 mai 1972 : *Remous vers 1948*, peint. : **FRF 6 500** – Paris, 10 juin 1972 : *Composition sur fond blanc*, peint. : **FRF 11 000** – Londres, 1er déc. 1972 : *Nature morte*, sur pap. mar. : **GNS 600** – Paris, 28 juin 1973 : *Composition*, peint. : **FRF 10 000** – Paris, 31 oct. 1973 : *Composition*, gche : **FRF 1 250** – Paris, 14 nov. 1973 : *La plage 1966*, aquar. : **FRF 2 500** – Genève, 7 juin 1974 : *Terres rouges*, peint. : **CHF 18 500** – Versailles, 25 juin 1974 : *Deux vases de fleurs sur une table* : **FRF 7 600** – Paris, 10 oct. 1974 : *Le jardin*, encre de Chine : **FRF 3 200** – Versailles, 16 mars 1975 : *Les forts des Halles*, gche et past. : **FRF 4 000** – Paris, 27 mai 1975 : *Autoportrait*, peint. sur cart. : **FRF 5 500** – Paris, 6 déc. 1975 : *La ligne de pierre 1959*, peint. : **FRF 28 000** – Milan, 6 avr. 1976 : *Composition 1958*, h/t (24x32) : **ITL 950 000** – Versailles, 27 nov. 1977 : *Nature morte aux fruits*, aquar. gchée (38x46) : **FRF 5 800** – Versailles, 27 nov. 1977 : *Nature morte aux citrons*, h/t (81x60) : **FRF 9 500** – Paris, 2 déc 1979 : *Personnages*, past. (31x21) : **FRF 6 100** – Paris, 2 déc 1979 : *Buste de femme*, h/t (126x83,5) : **FRF 50 000** – Paris, 15 juin 1981 : *Personnage à la chemise bleue*, h/t (74x59) : **FRF 15 000** – Paris, 18 mai 1984 : *Lutteurs*, aquar. gchée (27x16) : **FRF 8 800** – Paris, 22 juin 1984 : *Jeune garçon devant une table*, h/t (100x81) : **FRF 60 000** – Rome, 23 avr. 1985 : *Les fous 1926*, aquar. (35x22,5) : **ITL 3 000 000** – Paris, 8 déc. 1986 : *La Veine 1959*, h/t de pute (130x195) : **FRF 110 000** – Paris, 21 avr. 1988 : *Les arbres*, dess. pl. (38x25) : **FRF 2 600** – Paris, 29 avr. 1988 : *Période des aquariums*, h/t (46x55) : **FRF 46 000** – Paris, 1er juin 1988 : *Sans titre vers 1983*, aquar. (10x23,5) : **FRF 3 000** – Neuilly, 20 juin 1988 : *Autoportrait*, dess. cr. noir (29x20) : **FRF 7 800** – Paris, 28 oct. 1988 : *Le couple 1941*, dess. à l'encre de Chine (22,5x29) : **FRF 13 000** ; *Paysage*, h/cart. (16x22) : **FRF 21 000** – Paris, 14 déc. 1988 : *Forêt de Fontainebleau*, aquar. (24x31,5) : **FRF 10 500** – Paris, 7 avr. 1989 : *Composition*, h/t (46x116) : **FRF 50 000** – Paris, 8 oct. 1989 : *Sans titre*, lav./pap. (50x65) : **FRF 200 000** – Paris, 8 nov. 1989 : *Portrait d'homme 1932*, h/cart. (65x49) : **FRF 38 000** – Paris, 11 mars 1990 : *L'homme attablé 1933*, h/t/cart. (54x64,5) : **FRF 190 000** – Paris, 10 juin 1990 : *Traversant 1972*, h/t (89x116) : **FRF 240 000** – Paris, 18 juin 1990 : *Sur le tracé noir 1959*, h/t (54x73) : **FRF 200 000** – Paris, 7 déc. 1990 : *Villageois*, h/t (46x55) : **FRF 32 000** – Calais, 9 déc. 1990 : *Portrait de femme*, h/t (73x60) : **FRF 55 000** – Paris, 2 juin 1991 : *En Bretagne à Doëlan, la bolée de cidre vers 1926-1930*, h/t (96x69) : **FRF 98 000** – Paris, 25 nov. 1992 : *Ponctué 1968*, h/t (114x146) : **FRF 90 000** – New York, 26 fév. 1993 : *Sans titre*, h/t (89,5x130,2) : **USD 24 150** – Paris, 14 juin 1993 : *Courbe dans le Lubéron 1954*, h/t (97x130) : **FRF 125 000** – Paris, 14 oct. 1993 : *Minéral 1959*, h/t (113x149) : **FRF 160 000** –

Paris, 18 nov. 1993 : *Personnage au pull rouge*, aquar. (29x15,5) : **FRF 24 000** – Lokeren, 12 mars 1994 : *Composition 1982*, aquar. (49x69) : **BEF 30 000** – Paris, 21 mars 1994 : *En l'argile*, h/t (60x73) : **FRF 44 000** – Amsterdam, 14 juin 1994 : *Sans titre 1963*, encre/pap. gris (65x50) : **NLG 1 265** – Paris, 26 nov. 1994 : *À même le sol*, h/t (46x61) : **FRF 58 000** – Londres, 14 mars 1995 : *Taureau*, h/t (19x27) : **GBP 2 875** – Paris, 19 juin 1995 : *Sans titre*, h/t (78x78) : **FRF 90 000** – Paris, 1er juil. 1996 : *Silex 1959*, h/t (60x100) : **FRF 51 000** – Paris, 28 avr. 1997 : *Composition 1964*, aquar./pap. (20x26,5) : **FRF 6 000** – Paris, 19 juin 1997 : *Sans titre vers 1956-1957*, h/t (72x72) : **FRF 82 000**.

TALCOTT A., Sir
Peintre de genre.
Le Musée Learmont, à Montréal, conserve de lui : *Milton dictant le Paradis perdu*.

TALCOTT Allen Butler
Né le 8 avril 1867 à Hartford. Mort le 1er juin 1908 à Lyme. XIXe siècle. Américain.
Peintre de paysages.
Après avoir obtenu le diplôme d'études classiques au Trinity College à Hartford, il fut élève de l'Art Students' League, à New York et de J. P. Laurens et Benjamin-Constant, à Paris. Son atelier était à New York. Il était membre du Salmagundi Club, de cette ville. Il obtint une médaille d'argent à Saint Louis en 1904.
Musées : New York (Metropolitan Mus.) : *Retour du Printemps*.
Ventes Publiques : New York, 14 au 17 mars 1911 : *Pâturage dans le Connecticut* : **USD 225**.

TALCOTT Sarah Whiting
Née le 21 avril 1852 à West Hartford. XIXe siècle. Active à Elmwood. Américaine.
Peintre.
Élève de Chase et de Cox à New York, de Bouguereau et de Robert-Fleury à Paris.

TALCOURT Antoine
Né le 17 septembre 1638 à Beaufort. Mort le 18 août 1685 à Beaufort. XVIIe siècle. Français.
Peintre de sujets religieux.
On cite de lui une *Annonciation* à l'église de Beaufort, dans laquelle la Vierge est représentée avec les traits de Mme de Montespan.

TALDI. Voir VASARI Lazzaro

TALEC François
XIXe siècle. Actif à Paris. Français.
Peintre d'histoire, scènes de genre, paysages.
Il exposa au Salon, de 1845 à 1848, des sujets d'histoire, des tableaux de genre et des paysages bretons.
Musées : Quimper (Mus. des Beaux-Arts) : *Gaulois blessé* 1845 – *L'aumône* 1847 – *Portrait de Galilée*.
Ventes Publiques : Versailles, 26 fév. 1984 : *Portrait d'une jeune fille romantique 1847*, h/t (81x64) : **FRF 12 000**.

TALEC Nathalie
Née le 9 août 1960 à Paris. XXe siècle. Française.
Peintre, dessinatrice, sculpteur, auteur d'installations, auteur de performances, multimédia.
Elle a séjourné au Groënland en 1986. Elle vit et travaille à Paris. Elle participe à des expositions collectives depuis 1980 : 1983 Hôtel de ville de Cologne ; 1984 Salon de la Jeune Sculpture à Paris ; 1986 Kunstmuseum de Düsseldorf, Nexus Center d'Atlanta, Renaissance Society de Chicago et musée de l'Abbaye Sainte-Croix des Sables-d'Olonne, Bronx Museum de New York ; 1987 Centre d'Histoire de l'Art contemporain, galerie d'Art et d'Essai à Rennes ; 1994 *Comme rien d'autre que des rencontres* au Mukha d'Anvers. Elle montre ses œuvres dans des expositions personnelles depuis 1981 : 1981 Manheim ; 1989 galerie de la Villa Arson à Nice ; 1991 galerie Laage-Salomon à Paris ; 1997 La Ferme du Buisson à Marne-la-Vallée.
Elle s'attache à reproduire selon des approches variées, avec des matériaux ordinaires (parpaing, paraffine, givre, matières isolantes...) mais aussi des textes (d'Épicure à Joseph Fourier, de Platon à Edgar Morin), des phénomènes naturels, comme le froid, l'humidité, le feu, les météores, impropres par leur essence à être représentés, dans le désir d'en rendre compte et non de les décrire.
Bibliogr. : Catalogue de l'exposition *Nathalie Talec*, Villa Arson, Nice, 1989 – Jean Yves Jouannais : *Nathalie Talec*, Art Press, n° 163, Paris, nov. 1991.
Musées : Paris (FNAC) : *Surface de ruissellement*.

TALENS Bernardo
xvᵉ siècle. Actif à Valence en 1421. Espagnol.
Peintre.

TALENTI Francesco
Né vers 1300. Mort après le 31 juillet 1369 à Florence. xivᵉ siècle. Italien.
Sculpteur et architecte.
Père de Simone Talens. Il travailla à la construction de la cathédrale de Florence et de ses ornements architecturaux.

TALENTI Simone
Né entre 1340 et 1345. Mort après le 23 mars 1381 à Florence. xivᵉ siècle. Italien.
Sculpteur et architecte.
Fils de Francesco Talenti. Il travailla pour les Loges et plusieurs églises à Florence.

TALER Ulrich
xviᵉ siècle. Actif à Augsbourg vers 1513. Allemand.
Enlumineur.
Il enlumina des œuvres pour les évêques de Constance et d'Eichstätt et subit l'influence de Holbein l'Ancien.

TALESTAS
iiiᵉ siècle avant J.-C. Antiquité grecque.
Sculpteur.
Il exécuta à Halicarnasse les statues des fils d'Aineas.

TALFOURD Field
Né en 1815 à Reading. Mort en 1874 à Londres. xixᵉ siècle.
Britannique.
Peintre de paysages et de portraits.
Il débuta à la Royal Academy comme peintre de portraits, en 1845 et pendant vingt ans se consacra à ce genre. De 1865 à 1873, on le remarque aux expositions anglaises avec des paysages à côté de ses portraits. La National Portrait Gallery, à Londres, conserve de lui les portraits à la craie de *Robert Browning et de sa femme* (faits à Rome en 1859).

TALIENTO Gennaro
Né à Naples. xviiiᵉ siècle. Travaillant au Mont Cassin en 1749. Italien.
Peintre de décorations.

TALIN. Voir **MEILHAC Henri**

TALLAL M.
Né en 1946 à Casablanca. xxᵉ siècle. Marocain.
Peintre.
Il participe à des expositions collectives : 1965 *Panorama de la peinture marocaine* à Rabat, Salon d'Hiver de Marrakech ; 1967 Salon des Surindépendants à Paris ; 1969 Copenhague. Il montre ses œuvres dans des expositions personnelles : 1967 Paris ; 1971 Casablanca ; 1974 Salon de Mai à Paris ; 1980 fondation Juan Miro à Barcelone ; 1981 Centre culturel français à Casablanca... Il a reçu en 1965 le grand Prix du Salon d'Hiver du Maroc.

TALLAN M. A.
xxᵉ siècle. Britannique.
Peintre d'intérieurs, dessinateur.
Il fut actif de 1890 à 1930.
Ventes Publiques : Londres, 17 nov. 1995 : *Intérieur d'un salon avec une vitrine de faïences de Delft*, cr. et aquar. avec reh. de blanc (24,5x17) : GBP 1 380.

TALLBERG Axel
Né le 23 septembre 1860 à Gävle. Mort le 8 janvier 1928 à Stockholm. xixᵉ-xxᵉ siècles. Suédois.
Graveur de scènes de genre, portraits, paysages.
Il fut élève des académies des beaux-arts de Stockholm et de Düsseldorf. Il fut aussi écrivain d'art.

TALLEMACH Richard
xixᵉ siècle. Actif à Londres dans la première moitié du xixᵉ siècle. Britannique.
Paysagiste.
Il exposa de 1808 à 1818.

TALLEMACH William ou **Tallemache**
xixᵉ siècle. Actif à Londres dans la première moitié du xixᵉ siècle. Britannique.
Sculpteur.
Il exposa à Londres des sujets antiques et un buste du roi d'Angleterre.

TALLENT J.
xviiiᵉ siècle. Actif à Londres. Britannique.
Peintre.
Il exposa à la Royal Academy à Londres, une miniature *(Portrait du duc d'York)* en 1797.
Ventes Publiques : Paris, 17 déc. 1928 : *Église de village*, dess. : FRF 3 900 ; *Une chaumière sous bois*, aquar. : FRF 350.

TALLET Jean ou **TAILLET**. Voir **TAILLET**

TALLEV Halvorsen Espetveit
Né en 1708. Mort en 1787. xviiiᵉ siècle. Actif à Telemark. Norvégien.
Peintre de fleurs.
Il peignit surtout des roses.

TALLEVEN François. Voir **TAILLEVENT**

TALLMANN Joseph
Né à Vienne. xviiiᵉ siècle. Autrichien.
Peintre.
Il travailla pour les églises de Tulln et d'Ollern.

TALLONE Anna Nascimbene
Née en 1901 à Casteggio (Pavie). xxᵉ siècle. Italienne.
Peintre.
Elle étudia à Pavie. Elle vit et travaille à Milan.

TALLONE Cesare
Né le 26 août 1853 à Savone (Italie). Mort le 21 juin 1919 à Milan. xixᵉ-xxᵉ siècles. Italien.
Peintre d'histoire, portraits, paysages, fleurs.
Père de Guido, il fut élève de l'Académie Brera, à Milan, de 1872 à 1880. En 1885, il est nommé professeur à l'Académie Carrara, à Bergame. En 1889, il est nommé, par décret royal, professeur à l'Académie Brera, à Milan ; il assumera ce dernier poste jusqu'en mars 1919.
En 1883, à l'Exposition Nationale des Beaux-Arts de Rome, il expose sa fameuse toile, *Un triomphe du Christianisme au temps d'Alaric*, le prince Marc-Antoine Borghèse la lui achète. Il prit part à diverses expositions : de 1883 à 1885 à Rome, Turin, Milan, Venise ; 1889 Exposition Universelle de Paris, où il obtint une médaille d'honneur.
Sa vie durant, Tallone chercha à allier à un métier très classique, la grâce et la légèreté des couleurs claires. S'il commence par la peinture historique, il délaisse bien vite ce genre pour s'adonner au portrait. Là, il excelle, ses visages sont toujours éclairés par des jeux subtils de lumière qui les animent et les font littéralement sortir de leur cadre et se matérialiser. La troisième manière de cet artiste, est la plus attachante de son œuvre ; il a reçu la leçon des peintres impressionnistes, certes, mais il peint par larges touches, il fait vibrer la lumière, il pare ses paysages ou ses bouquets de fleurs de quelques touches imperceptibles, qui les rendent d'une fraîcheur aérienne. Dans cette manière, il est très près de Boudin, avec une empreinte moderne plus prononcée encore que chez le maître d'Honfleur, nous pensons à Dufy.
■ P.-A. T.

Tallone

Bibliogr. : V. Bignami et C. Caversazzi : *Cesare Tallone. Monographie*, s. l., s. d.
Musées : Bergame (Acad.) : Œuvre – Florence (Gal. Mod.) : *Portrait d'homme* – Milan (Acad. Brera) : *Une pieuse jeune fille protège des objets sacrés contre la cupidité d'un Goth* – *Portrait de Luigi Bernasconi* – Milan (Gal. Mod.) : *Académie* – *Paysanne* – *Trois portraits* – Rome (Gal. d'Art Mod.) : *Portraits de Luigi Bernasconi et de sa petite-fille*.
Ventes Publiques : Milan, 16 mars 1965 : *Portrait de femme assise, de profil, à gauche* : ITL 1 000 000 – Milan, 10 avr. 1969 : *Portrait de femme* : ITL 1 300 000 – Milan, 10 nov. 1970 : *Portrait de femme* : ITL 1 400 000 – Rome, 11 juin 1973 : *Paysage escarpé* : ITL 1 000 000 – Milan, 28 oct. 1976 : *Le Forum romain*, h/pan. (51x76) : ITL 3 600 000 – Milan, 29 avr. 1977 : *Portrait de femme*, h/t (91x67,5) : ITL 1 400 000 – Milan, 10 juin 1987 : *Saint Jérôme*, h/t (75x88) : ITL 3 600 000 – Rome, 25 mai 1988 : *Haute montagne*, h/pan. (36x50,5) : ITL 7 500 000 – Milan, 1ᵉʳ juin 1988 : *Jeune femme en costume de saltimbanque*, h/t (218x130) : ITL 35 000 000 – Londres, 13 juin 1989 : *Un jeune Pierrot*, h/t (157x80) : GBP 22 000 – Milan, 8 juin 1993 : *Paysage de montagne dans la région de Bergame*, h/t (42x65) : ITL 10 000 000 – Rome, 13 déc. 1994 : *Campagne boueuse*, h/pan. (22x36) : ITL 5 405 000 – Milan, 26 mars 1996 : *Jeune Fille*, h/t (67x48) : ITL 8 625 000.

TALLONE Filippo
Né en 1902 à Turin. xxᵉ siècle. Italien.
Sculpteur.
Il étudia à Pavie. Il vit et travaille à Milan.
Musées : Rome (Gal. d'Art Mod.).

TALLONE Guido
Né le 11 mai 1894 à Bergame. Mort en 1967 à Alpignano. xxᵉ siècle. Italien.
Peintre de portraits, nus, paysages.
Fils de Cesare, il fut élève de l'Académie de Milan ; il subit l'influence de Magnasco et du Greco.
Musées : Milan (Gal. d'Art Mod.) : *La Mère de l'artiste*.
Ventes Publiques : Milan, 4 déc. 1969 : *Les cyclamens*, temp. : **ITL 950 000** – Milan, 25 nov. 1971 : *Paysage* : **ITL 900 000** – Milan, 16 nov. 1972 : *Paysage* : **ITL 800 000** – Milan, 28 mars 1974 : *La casa à Torcello* : **ITL 850 000** – Milan, 14 déc. 1976 : *Portrait de Marina Arrivabene*, h/t (107x90) : **ITL 850 000** – Milan, 10 nov. 1977 : *Nature morte* 1950, h/t (70x100) : **ITL 1 200 000** – Milan, 5 avr 1979 : *Les hameaux*, h/t (40x60) : **ITL 950 000** – Milan, 20 mars 1989 : *Nu féminin allongé*, h./contre-plaqué (65,5x49,5) : **ITL 3 500 000** – Milan, 19 déc. 1991 : *Le rio della Croce à Venise* 1956, h/t (69x90) : **ITL 6 500 000** – Milan, 14 avr. 1992 : *Paysage de Granvigna* 1950, h/t (50x60) : **ITL 5 000 000** – Milan, 6 avr. 1993 : *La serre*, h/t (73x57,5) : **ITL 3 500 000**.

TALMA Auguste François
xixᵉ siècle. Actif au début du xixᵉ siècle. Français.
Peintre de marines.
Il était le neveu de l'acteur Talma.

TALMAGE Algernon M.
Né le 23 février 1871 à Oxford, ou 1869. Mort le 14 septembre 1939 à Sherfield English (près de Romsey, Hampshire). xixᵉ-xxᵉ siècles. Britannique.
Peintre de paysages, graveur.
Il fut membre de la Society of British Artists et du Royal Institute of Oil Painters. Il vécut et travailla à Londres.
Il participa à des expositions collectives : à partir de 1893 à Londres, notamment à Suffolk Street et à la Royal Academy de Londres de 1917 à 1930 ; 1909 Liverpool ; à partir de 1913 à Paris au Salon des Artistes Français, où il obtint une médaille d'argent en 1913 ; d'or en 1922.

a. Talmage

Musées : Adelaïde – Blackpool – Bristol – Buenos Aires – Manchester – Newcastle, Angleterre – Newport – Perth – Pittsburgh – Preston – Sidney – Yarmouth.
Ventes Publiques : Londres, 7 nov. 1973 : *Scène de plage* : **GBP 520** – Londres, 1 fév. 1978 : *Chevaux dans un paysage* 1934, h/t (67,5x88) : **GBP 600** – Londres, 6 nov. 1981 : *Pluie le matin, paysans dans la forêt à Avon* 1935, h/t (91,5x122) : **GBP 4 500** – Londres, 20 juin 1983 : *Le Retour des champs* 1914, h/t (63,5x76) : **GBP 2 200** – Londres, 7 nov. 1985 : *Edith Talmage and Hetty at a window, Butley Abbey, Suffolk*, h/t (76,2x63,5) : **GBP 3 800** – Londres, 12 nov. 1986 : *The Terminus, Cannon Street*, h/t (76x101,5) : **GBP 14 000** – New York, 4 juin 1987 : *Chasseurs et chiens sur un chemin de campagne*, h/t (50,8x61) : **USD 15 000** – Londres, 21 sep. 1989 : *La laitière et ses vaches à l'orée d'un pré un matin d'été* 1919, h/t (63,5x76,3) : **GBP 2 750** – Londres, 8 mars 1990 : *La fraîcheur du matin* 1920, h/t (91,6x114,3) : **GBP 6 600**.

TALMAGE-WHITE G.
xixᵉ siècle. Britannique.
Peintre.
Cité dans des catalogues de ventes.
Ventes Publiques : Paris, 12 au 15 avr. 1899 : *Le monastère de Davalon, près de Brousse* : **FRF 180** ; *Les rochers de Capri dits les Faraglione* : **FRF 330**.

TALMANN Paul
Né en 1932 à Zurich. Mort en 1987 à Uëbrstors. xxᵉ siècle. Suisse.
Peintre. Abstrait, puis cinétique, puis de nouveau abstrait.
Après avoir étudié la lithographie, il poursuit parallèlement la peinture une activité de designer, graphiste et directeur artistique. Il vit et travaille à Bâle de 1956 à 1972.

Peintre abstrait austère dans les années cinquante, il travaille à partir de la figure du carré et du noir et du blanc, il évolue avec des œuvres cinétiques en 1960 (*Kugelbilder*) à partir d'une structure mobile de billes réunies en cellules. En 1985, il réalise de nouveau des œuvres abstraites à caractère géométrique.
Bibliogr. : In : *L'Art du xxᵉ s.*, Larousse, Paris, 1991.

TALMAR Jacques
xxᵉ siècle. Belge.
Sculpteur de figures.
Il montre ses œuvres dans des expositions personnelles : 1990 Bruxelles.
Il prend pour sujet l'homme qu'il réduit à l'état de larves, évoquant la misère, la faiblesse humaine dans une société où la valeur de consommation prime.

TALMON John
Né en 1677. Mort en décembre 1726. xviiiᵉ siècle. Britannique.
Dessinateur.
Il était fils du célèbre architecte William Talmon. En 1710, il accompagna Kent à Rome et y exécuta de nombreux dessins à l'encre et à la sépia, d'après les églises et les monuments de la ville éternelle. Ce fut également un collectionneur et un explorateur.
Ventes Publiques : Londres, 16 déc. 1942 : *Vue d'une ville*, pl. : **GBP 20**.

TALON Henri Alexandre
Né au xixᵉ siècle à Paris. xixᵉ siècle. Français.
Sculpteur.
Élève de G. Leroux et L. Steiner. Il figura au Salon des Artistes Français ; mention honorable en 1889, avec *Botteleur* (statue plâtre) et *Type nègre* (buste plâtre).

TALON Jacques. Voir NOLLAT

TALON Pierre Zacharie ou Tallon
Né vers 1760 à Paris. xviiiᵉ siècle. Français.
Peintre de portraits.
Élève de Hallé. Il entra à l'École de l'Académie Royale, le 26 juillet 1779 et y travaillait encore à la fin de 1781. On le cite comme peintre de portraits.

TALONI Pietro
xviiᵉ-xviiiᵉ siècles. Actif à Terni, travaillant aussi à Todi. Italien.
Peintre.
Il exécuta des peintures pour le Palais Épiscopal de Todi.

TALONS Bernardo
xvᵉ siècle. Actif à Valence en 1421. Espagnol.
Peintre.

TALOUARN Patrick
Né en 1956 à Pont-l'Abbé (Finistère). xxᵉ siècle. Français.
Peintre, sculpteur.
Il vit et travaille à Plomeur (Finistère). Il participe à des expositions collectives : 1992 *De Bonnard à Baselitz. Dix Ans d'enrichissement du cabinet des estampes 1978-1988* à la Bibliothèque nationale à Paris.
Musées : Paris (BN).

TALPA Bartolo
xvᵉ siècle. Travaillant à Mantoue en 1495. Italien.
Médailleur.
Il a gravé des médailles à l'effigie de *Frédéric III de Gonzague* et de *François II de Gonzague*.

TALPINO Chiara, dite la Talpina, et aussi Salmeggia ou Salmezza
xviᵉ-xviiᵉ siècles. Italienne.
Peintre.
Fille d'Enea Talpino. Elle peint des fresques pour des églises de Bergame.

TALPINO Elisabetta
xviiᵉ siècle. Travaillant en 1628. Italienne.
Peintre.
Fille d'Enea Talpino. Elle peignit un *Baptême du Christ*, à Bergame.

TALPINO Enea, dit il Salmezza ou Salmeggia
Né vers 1558 à Salmezza, près de Bergame. Mort le 23 février 1626 à Bergame. xviᵉ-xviiᵉ siècles. Italien.
Peintre.
Père de Chiara et d'Elisabetta Talpino. Élève des Campi à Cré-

mone. Il imita à Rome Raphaël. Il orna les églises de Bergame de nombreuses fresques et peintures.

Musées : BERGAME (Acad.) : *Saint Pierre avec ses clés – Martyre de saint Alexandre – Saint Domnéon – Deux têtes de femmes – Saint Alexandre renverse les idoles – Couronnement de la Vierge – La Vierge remet le scapulaire à saint Siméon – Madone avec des saints –* CHIARI (Pina.) : *Madone et sainte Anne –* HAMBOURG (Kunsthalle) : *Saint Sébastien –* MILAN (Brera) : *La Vierge, Jésus et trois saints –* MONTPELLIER : *Femme debout –* ROME (Gal. Collonna) : *Martyre de sainte Catherine.*

Ventes Publiques : LONDRES, 4 juil. 1997 : *La Madone (?) et les fidèles en procession,* h/t (97,8x134,6) : **GBP 16 100.**

TALPINO Francesco, dit Salmezza ou Salmeggia
XVIIe siècle. Actif de 1619 à 1628. Italien.
Peintre.
Fils d'Enea Talpino. Il travailla pour des églises de Bergame et de Martinengo.

TALPINO Lorenzo de'Gerardi
XVIe siècle. Actif à Salmezza. Italien.
Peintre.
Père d'Enea Talpino.

TALRICH Jules V. J.
Mort en 1904. XIXe siècle. Français.
Sculpteur.
Sociétaire des Artistes Français. Il figura au Salon de ce groupement.

TALUET Ferdinand, père
Né le 15 novembre 1821 à Angers (Maine-et-Loire). Mort en 1904 à Paris. XIXe siècle. Français.
Sculpteur.
Élève de Mercier et de David d'Angers, il entra à l'École des Beaux-Arts en 1842 et exposa au Salon, à partir de 1848, particulièrement des bustes. Médaille en 1865. On cite parmi ses ouvrages, d'un caractère public : *Le Génie de l'Art Romain,* au Palais du Louvre ; *Saint Charles Borromée et saint Vincent de Paul,* statues pour la maison des jeunes ouvrières, fondée par l'impératrice Eugénie ; *Saint André,* statue de pierre pour le portail central de Notre-Dame de Paris ; *Saint Quentin,* statue pour la tour Saint-Jacques la Boucherie ; deux bas-reliefs bronze, pour le maître-autel de l'église de Chalon-sur-Saône ; *Saint Pierre,* statue pour l'église de Vincennes ; le fronton de la façade principale du théâtre d'Angers.
Musées : ANGERS : *L'Histoire – Dante – Le Génie de l'art romain – La République française – Vierge – Joachim du Bellay – L'abbé Coquereau – Paul de Vigny – Pierre Lachambeaudie – Victor Jacquemont – Paulin Limayrac – Alfred François Nettemont – Henri Louis Tolain – Tête de femme – David d'Angers –* BAGNOLS : *Vierge en terre cuite –* BEAUFORT : *Saint Julien, évêque du Mans – Le philosophe Empédocle – Auguste Bibard, architecte –* PÉRIGUEUX : *Lachambeaudie –* SAINTES : Fronton en plâtre pour le théâtre d'Angers *– Tête de Bernard de Palissy,* étude pour la statue érigée à Saintes *– La loi,* esquisse pour la statue du Palais de Justice d'Angers.

TALVEN François. Voir TAILLEVENT

TÂMAGAMI Tsuneo
Né en 1923 à Tokyo. XXe siècle. Japonais.
Peintre, graveur.
Diplômé de l'École d'Arts Appliqués de Tokyo en 1942, il reçoit en 1949 et 1956, un prix de l'Académie Nationale de Peinture Kokugakai. Il est membre de l'Académie Nationale de Peinture et de l'Association Japonaise de Gravure.
Il participe aux manifestations consacrées à la gravure : 1957 Ire Biennale Internationale de l'Estampe de Tokyo avec des gravures sur bois et sur cuivre, où il figurera régulièrement par la suite ; 1958 Triennale de Gravure en couleurs de Grenchen en Suisse.

TAMAGNI Vincenzo di Benedetto di Chele, ou Michele, dit Vincenzo da San Gemignano
Né le 10 avril 1492 à San Gemignano. Mort vers 1530. XVIe siècle. Italien.
Peintre de sujets religieux, portraits.
Élève de Raphaël, qu'il aida dans la décoration des loges, d'après Vasari. Certains critiques émettent des doutes sur les affirmations de l'auteur de la *Vie des peintres* et classent Tamagni dans l'école siennoise. On signale ses premières œuvres à Montaleine, petite ville voisine de Sienne, lesquelles sont datées de 1510. Il travailla aussi à Santa Maria d'Arrone, avec la collaboration de Lo Spagna.

Ventes Publiques : LONDRES, 26 juin 1970 : *Portrait d'une dame de qualité :* GNS 4 200 – MILAN, 20 mai 1982 : *La Vierge et l'Enfant avec saint Jean enfant,* h/pan. (78,5x57,5) : ITL **7 000 000 –** MONTE-CARLO, 20 juin 1987 : *Vierge à l'Enfant et deux saints (recto), Personnages et niche (verso),* pl. et encre brune, coins coupés (18,5x17,5) : FRF 60 000 – MILAN, 13 déc. 1989 : *Portrait d'une noble dame,* h/pan./t. (64x46,5) : ITL 40 000 000.

TAMAGNINO. Voir PORTA Antonio della

TAMAGNON Jean Joseph Auguste Émeric de
Né à Hyères (Var). XIXe siècle. Français.
Peintre.
Élève de Rémond, de Granet et d'Isabey. Il exposa au Salon de 1859 à 1870, des vues de ville et d'églises de Rome, à l'huile et à l'aquarelle.

TAMALZAN Bernard
XXe siècle. Belge.
Peintre de paysages. Tendance symboliste.
Il montre ses œuvres dans des expositions personnelles en Belgique.

TAMAN Jonas
XVIIIe siècle. Travaillant de 1741 à 1769. Suédois.
Peintre sur porcelaine.
Il fut peintre à la Manufacture de porcelaine de Stockholm. Les Musées de Göteborg et de Stockholm conservent des œuvres de cet artiste.

TAMANTI Giovanni
D'origine italienne. XVIIIe siècle. Travaillant à Ludwigsbourg en 1766. Italien.
Peintre de décors.

TAMARA
Née vers 1900. XXe siècle. Active en Suisse. Française.
Peintre de genre, compositions animées, paysages, paysages urbains. Tendance naïve.
Actrice du cinéma muet, elle se forma seule à la peinture et décrit, avec un soin et un charme naïfs, le paysage qui l'entoure, des scènes de la rue, mais surtout des souvenirs de réceptions mondaines dans les restaurants à la mode de son temps.

Bibliogr. : Anatole Jakovsky : *Catalogue de l'exposition « Tamara »,* Gal. M. Bénézit, Paris, 1965.

TAMARAL José
XVIIe siècle. Espagnol.
Sculpteur sur bois.
Il sculpta un retable pour la Confrérie de la Piété de Séville en 1692. Il était aussi architecte.

TAMARI Olive. Voir OLIVE-TAMARI

TAMARI S.
Né à Bakou. XXe siècle. Russe.
Sculpteur d'animaux.
Après un bref séjour en Palestine, il s'installe à Paris, où il suit les cours de l'école des beaux-arts dans l'atelier de Jean Boucher, puis à l'école des Arts décoratifs dans la section architecture. Il fréquenta les artistes de Montparnasse.
Il participe à des expositions collectives, notamment à Paris, régulièrement aux Salons d'Automne et des Indépendants, dont il est membre sociétaire ; 1946 Salon des Tuileries ; 1958 Jeune Sculpture ; de 1964 à 1970 Formes Humaines ; 1965 Comparaisons. Il montre ses œuvres dans des expositions personnelles : 1955 galerie Breteau à Paris ; 1963 New York ; 1964 Pittsburgh...
Il réalise d'abord en pierre ou bronze, des sculptures grossières, inspirées de sa jeunesse, puis des animaux en bois, par la suite il évolue vers des assemblages, réunion d'objets hétéroclites coulés dans le bronze.
Musées : BOULOGNE-BILLANCOURT – MEUDON – MONT-DE-MARSAN – ROUBAIX – SAINT-DENIS.

TAMARO Antonio. Voir TAMMARO Antonio

TAMAROZZO Cesare ou Tamaroccio
Né au XVIe siècle à Bologne. XVIe siècle. Italien.
Peintre.
Élève de Francia. On cite deux de ses fresques, à l'oratoire de Sainte-Cécile de Bologne.
Musées : BERGAME : *Madone avec l'Enfant et des saints –* MILAN (Mus. Poldi Pezzoli) : *Madone avec l'Enfant et le petit saint Jean.*

TAMASCH Andreas ou **Tamaschg** ou **Damasch**
Né le 4 novembre 1639 à See. Mort le 9 décembre 1697 à Stams. xviie siècle. Autrichien.
Sculpteur.
Il a sculpté huit statues de souverains du Tyrol se trouvant dans la crypte de l'abbaye de Stams. On cite de lui des statues religieuses et des crucifix.

TAMASSY Miklos
Né le 20 mars 1881 à Debrecen. xxe siècle. Hongrois.
Peintre de portraits.
Il vécut et travailla à Budapest.

TAMAYO Daniel
Né en 1951 à Bilbao (Pays basque). xxe siècle. Espagnol.
Peintre, technique mixte.
Il vit et travaille à Bilbao.
Il participe à des expositions collectives : depuis 1971 régulièrement à Bilbao, notamment en 1980 et 1990 au musée des Beaux-Arts ; 1982 Madrid ; 1987 ARCO à Madrid ; 1987 musée San Telmo de San Sebastian. Il montre ses œuvres dans des expositions personnelles depuis 1983 régulièrement en Espagne.
Il poursuit sur le papier un travail formaliste, où il explore les perspectives selon des angles inhabituels. Ses œuvres colorées évoquent quelque plan d'architecture, machine mystérieuse, espace imaginaire, obéissant à un ordre intrinsèque, hantés de silhouettes humaines.
Bibliogr. : In : *Catalogo nacional de arte contemporaneo*, Iberico 2 mil, Barcelone, 1990.

TAMAYO Rufino
Né en 1899 à Oaxaca. Mort le 24 juin 1991 à Mexico. xxe siècle. Mexicain.
Peintre de compositions animées, figures, paysages, natures mortes, fruits, peintre à la gouache, aquarelliste, dessinateur, peintre de décorations murales, graveur sur bois, lithographe.
Par ses parents, Tamayo est un pur Indien zapotèque. Orphelin, il émigra en 1911 à Mexico. En 1915-1916, Tamayo étudia la peinture dans un cours du soir. Il entra à l'Académie des Beaux-Arts de Mexico en 1917, mais la quitta à la fin de l'année, pour travailler seul. En 1921, il fut nommé chef de la section de dessin ethnographique au Musée National d'Archéologie de Mexico, ce qui fut déterminant pour sa prise de conscience des sources de l'art mexicain. En 1926, il s'installe à New York, où il vivra une vingtaine d'années en plusieurs séjours. En 1928-1929, il enseigna la peinture à l'École Nationale des Beaux-Arts de Mexico. En 1932, il fut nommé Directeur du Département des Arts Plastiques, auprès du Secrétariat de l'Éducation Nationale de Mexico. En 1936, nommé délégué au Congrès des Artistes, à New York, il s'y fixa durablement et y fut nommé professeur de peinture au Dalton School. En 1946, il fut nommé professeur au Brooklyn Museum de New York, en 1959 membre correspondant de l'Académie des Arts de Buenos Aires, en 1961 fut élu membre de l'Académie des Arts et Lettres des États-Unis.
Depuis ses premières manifestations publiques, Tamayo a participé à de très nombreuses expositions nationales et internationales, parmi lesquelles : 1940 *20 Siècles d'Art Mexicain* au Musée d'Art Moderne de New York ; 1952 *L'Art Mexicain du Précolombien à nos jours* au Musée National d'Art Moderne de Paris ; 1959, 1990 Documenta II à Kassel, etc.
Il montre ses œuvres dans des expositions personnelles, pour la première fois, en 1926 à Mexico puis, la même année, à New York ; 1931, 1937, 1939, 1940, 1942, 1943, 1946, 1947, 1951, 1953, 1956, 1959, 1962 puis très régulièrement à New York ; 1937 San Francisco ; 1938, 1944, 1947, 1949, 1951, 1953, 1956, 1962 Galerie d'Art Mexicain à Mexico ; 1938 Chicago ; 1945 Arts Club de Chicago ; 1947 Art Museum de Cincinnati ; 1948 exposition rétrospective en hommage pour ses vingt-cinq ans de peinture au Musée des Beaux-Arts de Mexico ; 1951 Institut d'Art Moderne de Buenos Aires ; 1951, 1953, 1959 Los Angeles ; 1952 Washington ; 1953 Museum of Arts de Santa Barbara, Museum of Art de San Francisco ; 1956 Museum of Fine Arts de Houston ; 1959 Kunsternes Hus d'Oslo ; 1960 Paris ; 1962-1963 divers musées en Israël ; 1963 Tokyo ; 1965 Zurich ; 1967-1968 nouvel hommage pour ses cinquante ans de peinture au Musée des Beaux-Arts de Mexico ; 1968 *124 œuvres des collections américaines* au Art Museum de Phœnix ; 1950 Biennale de Venise où une salle entière lui est consacrée ; 1978 Phillips Collection à Washington ; 1975 musée d'Art moderne de la ville de Paris ; 1979 Solomon R. Guggenheim Museum de New York ; 1988

Museo Nacional Centro de Arte Reina Sofia à Madrid ; 1990 Staatliche Kunsthalle de Berlin. En 1952, il obtint le 3e Prix du Carnegie International Exhibition, à Pittsburgh. En 1953, il remporta, avec Manessier, le Grand Prix de Peinture de la Biennale de São Paulo. En 1955, il obtint le Second Prix du Carnegie International Exhibition, à Pittsburgh. En 1957, il fut fait chevalier de la Légion d'Honneur, en France. En 1964, il reçut le Prix National du Président de la République Mexicaine. En 1969, il remporta le Prix Ibico Reggino de Reggio de Calabre.
Il a exécuté de nombreuses fresques : 1933 pour le Conservatoire National de Mexico, 1938 pour le Musée National d'Anthropologie de Mexico, en 1943 pour le Smith College de Northampton (Massachusetts), 1952 une première fresque pour le Palais des Beaux-Arts de Mexico, 1953 *El Hombre* pour le Dallas Museum of Fine Arts, 1955 *America*, à Houston, 1957 *Prometeo* pour la Bibliothèque de l'Université de Puerto Rico, 1958 pour le Palais de l'UNESCO à Paris, 1964 *Dualité* pour le Musée National d'Anthropologie de Mexico, 1966 *San Cristobal* à Mexico, 1967 pour le Pavillon du Mexique à l'Exposition 67 de Montréal, 1968 pour le Pavillon du Mexique à la Foire Internationale de San Antonio (Texas), 1969 fresque de soixante-quinze mètres carrés pour le Club des Industriels de Mexico. En 1963, il a réalisé *Israël d'Hier* et *Israël d'Aujourd'hui*, deux peintures murales pour le paquebot *Shalom*. En 1964, il a exécuté vingt-six lithographies, éditées chacune à vingt exemplaires, pour la Fondation Ford. En 1968-1969, il a exécuté vingt lithographies, à Paris, pour un éditeur de New York.
Contrairement aux muralistes mexicains de sa génération, il n'a pas pris les apparences les plus folkloriques de la culture de son pays, mais, par des voies plus secrètes, s'est attaché à en trouver des équivalences poétiques. Dans la plupart des cas, dans ses peintures, l'anecdote représentée n'a guère de signification particulière ; il n'emprunte pas la voie épique. Dans les années quarante, le peintre entame une période « cosmique » d'où ressortent principalement des thèmes de somnambules, et qui projette une vision existentielle de l'homme dans l'infini. Cette période cruciale pour le développement de l'artiste intervient après des peintures figuratives influencées par l'École de Paris dans les années trente, et des œuvres d'une noirceur voulue durant la guerre, mais toutes aux sujets lisibles. Fasciné – et terrifié tout autant – par les avancées de la technologie, Tamayo tentait ensuite de les concilier avec la figure humaine, pour parvenir finalement à l'écartèlement de celle-ci dans ses toiles, tel le somnambule. Il devait ensuite évoluer vers un expressionnisme toujours demeuré figuratif, et où la sexualité féminine – thème obsessionnel chez Tamayo – a la plus large place.
Il est l'un des seuls artistes d'Amérique latine de ce temps à avoir peint des natures mortes, dont il faut se rappeler que l'apparition dans l'histoire de la peinture marque le début de la peinture pour la peinture, le renoncement au sujet. Des expositions européennes, il a emprunté au Picasso cubiste, mais surtout au Picasso expressionniste, aux surréalistes, fondant ces emprunts formels au creuset de son sentiment profond de la chose mexicaine. S'il peint des objets, des fruits exotiques, des figures et des personnages pittoresques, des paysages dépaysants, c'est au travers d'une telle transmutation des formes et des apparences qu'il est souvent difficile de les identifier sous le symbole. Dans sa peinture, la chose représentée ne parle pas. Ceux qui le connaissent savent que Tamayo lui-même ne parle pas ; il préserve de silence ce qu'il sait et surtout ce qu'il sent. Dans ses peintures, ce qui parle, c'est l'agencement des signes et des surfaces qui se partagent la toile, la matière des pâtes colorées lentement élaborées par couches superposées, et surtout les étranges et somptueuses couleurs qui n'appartiennent qu'à lui et dont les juxtapositions les plus inattendues composent une musique inouïe ; des rouges de toute qualité et des bleus vraiment de nuit, mais aussi des mauves pâles, des pourpres, des orangés saumonés, des roses et des vert pistache, couleurs de la nuit des civilisations, porteuses de symboles ironiquement indéchiffrables, qui fascinent au même titre que les temples inaccessibles.
Il aura été l'un des premiers peintres de dimension internationale de l'Amérique latine. S'il joua un rôle dans l'important mouvement des « muralistes » mexicains qui créèrent, entre les deux guerres mondiales, un art spécifiquement national, il se distingue cependant nettement des Diego Rivera, Siqueiros ou Orozco. Comme le Brésilien Portinari, Tamayo va travailler dans le sens d'une intégration de l'art des civilisations précolombiennes et de l'art populaire à la révolution plastique qui s'est

opérée dans l'Europe du début du siècle, et dont précisément les fresquistes mexicains tiennent à se tenir à l'écart pour conserver sa pureté originelle à leur esthétique qu'ils veulent résolument mexicaine, et dans ses sources et dans son programme de glorification de la révolution de libération sociale de 1910. ■ Jacques Busse

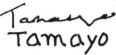

BIBLIOGR. : Paul Westheim : *Rufino Tamayo* – Maurice Raynal : *Peinture Moderne*, Skira, Genève, 1953 – Jean Cassou, in : *Peintres Contemporains*, Mazenod, Paris, 1964 – Frank Elgar, in : *Diction. Univers. de l'Art et des Artistes*, Hazan, Paris, 1967 – Catalogue de l'exposition : *Rufino Tamayo : Transmutation*, Musée d'Art moderne de la ville, Paris, 1975 – Catalogue de l'exposition : *Tamayo : Myth and Magic*, Solomon R. Guggenheim Museum, New York, 1979 – Octavio Paz, Jacques Lassaigne : *Rufino Tamayo*, Barcelone, 1982 – José Corredor-Matheos : *Tamayo*, New York, 1987 – Catalogue de l'exposition : *Rufino Tamayo : 70 ans de création*, Musée d'Art contemporain, Mexico, 1987-1988 – Damian Bayon, Roberto Pontual : *La Peinture de l'Amérique latine au xxᵉ s.*, Mengès, Paris, 1990.
MUSÉES : BRUXELLES (Mus. roy.) – BUFFALO (Albright Knox Art Gal.) : *Femme de Tehuantepec* 1939 – CAMBRIDGE (Fogg Art Mus., Harvard Univer.) : *Éclipse totale* 1946 – CARACAS (Mus. de Arte Mod.) : *Danseur dans la nuit* 1946 – *La Fontaine* 1951 – *Hommage à la race* 1952 – CHICAGO (Art Inst.) : *Femme avec cage d'oiseaux* 1941 – CINCINNATI (Art Mus.) : *Danseurs sur la mer* 1945 – CLEVELAND (Mus. of Art) : *Femme et oiseau* 1944 – *Femmes cherchant à atteindre la lune* 1946 – DALLAS (Mus. of Fine Arts) : *La Chair bleue* 1931 – *Nu* 1931 – HOUSTON (Mus. of Mod. Art) – JÉRUSALEM (Mus. of Fine Arts) – LAYTON-MILWAUKEE (Art Gal.) – MEXICO (Mus. de Arte Mod.) : *Femme en gris* 1931 – *Hommage à Juárez* 1932 – *Venus photogenic* 1935 – *Terreur cosmique* 1954 – *Olga, dynamique portrait* 1958 – MINNEAPOLIS (Inst. of Arts) : *La Famille* 1936 – NEW YORK (Mus. of Mod. Art) : *Femme avec orange* – *Animaux* 1941 – *Femme avec ananas* 1941 – *Nature morte avec verres* 1972 – NEW YORK (Solomon R. Guggenheim) : *Femme en gris* 1959 – *Danseur* 1977 – OSLO (Nasjonalgall.) : *Mystère de la nuit* 1957 – PARIS (Mus. Nat. d'Art Mod.) : *Chanteur* – *Homme avec guitare* 1950 – *Composition* 1960 – *Rencontre* 1961 – *Homme avec chapeau rouge* 1963 – *Autoportrait* 1967 – PHILADELPHIE (Mus. of Art) – PHOENIX (Arizona) – PHOENIX (Nat. Mus.) : *Deux Figures en rouge* 1973 – PROVIDENCE (Mus. of Art) – RIO DE JANEIRO (Mus. de Arte Mod.) – ROME (Gal. Nat. d'Arte Mod.) : *Le Cri* 1947 – SAINT LOUIS (Missouri) – SAINT LOUIS (Nat. Mus.) – SAN FRANCISCO (Mus. of Art) – WASHINGTON D. C. (University) – WASHINGTON D. C. (Phillips Memorial Gal.).
VENTES PUBLIQUES : NEW YORK, 9 déc. 1959 : *Homme avec oiseau* : **USD 4 500** – NEW YORK, 27 avr. 1960 : *Constellation*, h. et sable sur t. : **USD 5 750** – NEW YORK, 26 avr. 1961 : *Glorification de Zapata* : **USD 1 700** – NEW YORK, 11 avr. 1962 : *Clown*, gche : **USD 1 750** – MILAN, 21 et 23 nov. 1962 : *Les amoureux* : **GBP 2 800 000** – NEW YORK, 9 oct. 1963 : *La perla* : **USD 7 000** – NEW YORK, 12 mai 1965 : *La perle* : **USD 9 250** – NEW YORK, 19 oct. 1967 : *Le marchand de pommes*, aquar. : **USD 3 000** – NEW YORK, 15 mai 1969 : *Los obreros*, aquar. : **USD 2 700** – NEW YORK, 25 fév. 1970 : *Rythme ouvrier* : **USD 15 000** – LOS ANGELES, 8 mai 1972 : *La perla* : **USD 17 000** – NEW YORK, 14 mars 1973 : *La mascara roja* : **USD 50 000** – NEW YORK, 3 mai 1973 : *Mujer de Oaxaca*, aquar. : **USD 3 950** – NEW YORK, 23 oct. 1974 : *Reencuentro* : **USD 25 000** – LOS ANGELES, 11 nov. 1974 : *Les marchandes de fruits*, temp. : **USD 10 500** – NEW YORK, 27 mai 1976 : *Paysanne assise* 1939, aquar. (42x35) : **USD 4 500** – NEW YORK, 26 mai 1977 : *Jeune fille* 1938, gche/t. (60x45) : **USD 12 000** – NEW YORK, 11 mai 1977 : *Tres personajes* 1970, h/t (97x130) : **USD 55 000** – NEW YORK, 5 avr. 1978 : *Enfant dansant* 1974, mixograph. en coul. (74,5x54) : **USD 700** – NEW YORK, 1ᵉʳ nov. 1978 : *Ange*, past. (26x21,5) : **USD 1 600** – NEW YORK, 11 mai 1979 : *Femme aux fruits*, cr. de coul. (33,6x23,8) : **USD 3 000** – NEW YORK, 11 mai 1979 : *Nature morte aux pastèques* 1934, gche, aquar. et cr./pap. gris (33x49,5) : **USD 24 000** – NEW YORK, 9 mai 1980 : *Les cavaliers de l'Apocalypse* 1961, litho. en coul. (33x51) : **USD 900** – NEW YORK, 9 mai 1980 : *Le Mangeur de pastèques* 1949, h/t (99,7x80,3) : **USD 125 000** – NEW YORK, 7 mai 1981 : *La Perle* 1950, cr. (45,2x30,5) : **USD 8 750** – NEW YORK, 10 juin 1982 : *Por-*

trait de femme 1940, past./pap. mar./cart. (104,2x92,5) : **USD 4 750** – NEW YORK, 13 mai 1983 : *Ombre con pipa* 1979, mixographie en coul. (92,5x76) : **USD 2 000** – NEW YORK, 28 nov. 1984 : *Homme et flammes* 1944, gche/pap. mar./cart. (74x59) : **USD 26 000** – NEW YORK, 30 mai 1984 : *Le fumeur de pipe* 1950, cr. (77,5x57,1) : **USD 8 000** – NEW YORK, 28 nov. 1984 : *Les chanteurs* 1981, h. et sable/t. (96x129,8) : **USD 80 000** – NEW YORK, 29 mai 1985 : *Femme dans un intérieur* 1964, fus. et cr. (30,5x23) : **USD 6 000** – NEW YORK, 20 mai 1986 : *Mujeres cantando* 1940, h/t (129,8x182,8) : **USD 300 000** – NEW YORK, 21 nov. 1988 : *Paysage aride* 1973, h. et sable/t. (96,5x130) : **USD 165 000** ; *Femme adossée au mur*, aquar. et cr./pap. (60,9x46,4) : **USD 17 600** ; *Portrait d'Olga* 1948, h/rés. synth. (122x91,5) : **USD 330 000** – NEW YORK, 17 mai 1988 : *Jeux d'enfants* 1934, gche/pap. (32,4x49,5) : **USD 120** – PARIS, 13 avr. 1989 : *Fumeur inexpérimenté* 1953, h/pan. (40x50) : **FRF 620 000** – NEW YORK, 17 mai 1989 : *Intérieur avec un réveil* 1928, h/t (53,3x53) : **USD 148 500** – NEW YORK, 20 nov. 1989 : *Famille jouant* 1971, h/t (130x195) : **USD 605 000** – NEW YORK, 13 nov. 1989 : *Nu couché* 1941, cr./pap. (38x56) : **USD 22 000** – NEW YORK, 21 nov. 1989 : *La petite fille athlète* 1981, h/t (130x95) : **USD 385 000** – NEW YORK, 1ᵉʳ mai 1990 : *Avions dans la lumière* 1947, h. et sable/t. (101,6x76) : **USD 462 000** – NEW YORK, 2 mai 1990 : *Femmes chantant* 1940, h/t (129,8x182,8) : **USD 770 000** – NEW YORK, 19-20 nov. 1990 : *Cataclysme* 1946, h/t (61x50,6) : **USD 330 000** ; *Israël contemporain* 1963, h. et sable/t. (67,3x200) : **USD 550 000** – NEW YORK, 7 mai 1991 : *Femme au travers d'une persienne* 1976, h/t (130x97) : **USD 330 000** – NEW YORK, 20 nov. 1991 : *Visage* 1967, cr./pap. (25x33,5) : **USD 18 700** – NEW YORK, 19-20 mai 1992 : *Homme aux bras croisés* 1978, h/t (97,2x130,2) : **USD 407 000** – NEW YORK, 23 nov. 1992 : *Femme en extase* 1973, h. et sable/t. (130,5x194,6) : **USD 1 485 000** ; *La terre promise (Israël aujourd'hui)* 1963, h. et sable/t. (200x633,7) : **USD 825 000** – NEW YORK, 17 mai 1993 : *America* 1955, h/t (404x1.392) : **USD 2 587 500** ; *Femme au masque rouge* 1940, h/t (121x85) : **USD 1 542 500** – NEW YORK, 22-23 nov. 1993 : *Danseuses* 1942, h/t (114,5x88,9) : **USD 497 500** – NEW YORK, 10 mai 1994 : *Portrait d'Olga* 1941, h/t (120,7x85,7) : **USD 1 267 500** – NEW YORK, 18 mai 1994 : *Enfants jouant avec du feu* 1947, h/t (127x172,5) : **USD 2 202 500** – NEW YORK, 16 nov. 1994 : *Homme dans l'espace*, h. et sable/t. (1300,2x97,2) : **USD 332 500** – NEW YORK, 17 mai 1995 : *Le Flûtiste* 1944, h/t (114,6x94,6) : **USD 855 000** – NEW YORK, 14-15 mai 1996 : *Oiseaux* 1941, h/t (101,6x76,2) : **USD 288 500** – NEW YORK, 25-26 nov. 1996 : *Le Masque rouge* 1940, h/t (121x85,7) : **USD 992 500** – NEW YORK, 28 mai 1997 : *Homme dans un intérieur* 1960, h/t (196x129,6) : **USD 310 000** – NEW YORK, 29-30 mai 1997 : *Pastèques* 1951, h/t (120x179,7) : **USD 2 367 500** – NEW YORK, 24-25 nov. 1997 : *Pastèques et orange* 1957, h/t (100x81) : **USD 497 500**.

TAMBAY Simon
xviiiᵉ siècle. Actif au Mans en 1731. Français.
Peintre.

TAMBI. Voir **KANÔ TAMBI**

TAMBI Pietro. Voir **TANBI**

TAMBOUR. Voir **DOES Jacob Van der**, l'Ancien

TAMBURCH Cornelis
xviᵉ siècle. Éc. flamande.
Peintre verrier.
Il travailla en 1521 pour l'église Sainte-Élisabeth de Grave.

TAMBURI Orfeo
Né à Jesi (Marche), en 1910 et non en 1907 comme indiqué par diverses sources. Mort en 1994 à Paris. xxᵉ siècle. Depuis 1935 actif aussi en France. Italien.
Peintre de paysages, aquarelliste, dessinateur, illustrateur, graveur.
Il vécut et travailla à Rome, où il collabora à diverses revues consacrées à l'art, et à Paris.
Il a participé à des expositions collectives : 1964 IIᵉ Exposition du groupe Corrente à Milan ; 1992 *De Bonnard à Baselitz. Dix Ans d'enrichissement du cabinet des estampes 1978-1988* à la Bibliothèque nationale à Paris. Il montre ses œuvres dans des expositions personnelles : 1974 Galleria Civica d'Arte moderna, Palazzo dei Diamanti à Ferrare.
La critique italienne précise que cet artiste n'est pas venu en France, en 1935-1936, dans le dessein de conquérir un brevet de parisianisme. Au contraire, il est venu chercher, au contact des réalités picturales françaises, une confirmation de sa propre italianité. C'est un peintre, surtout un aquarelliste, occasionnelle-

ment du paysage parisien. Privilégiant les recherches sur la couleur et ses tonalités, il évolua vers un art réaliste. Il a également réalisé des lithographies. Il a illustré des poèmes d'Ungaretti.

BIBLIOGR. : In *Dict. de l'art mod et contemp.*, Hazan, Paris, 1992.

MUSÉES : PARIS (BN) : *Métro Mabillon* 1977.

VENTES PUBLIQUES : MILAN, 27 oct. 1970 : *Paris, la fenêtre ouverte* : **ITL 500 000** – MILAN, 23 mars 1971 : *La Sarrazine* : **ITL 550 000** – MILAN, 9 mars 1972 : *Paysage urbain* : **ITL 850 000** – ROME, 29 mars 1976 : *Rue Duphot à Paris*, h/t (33x45) : **ITL 930 000** – ROME, 17 nov. 1977 : *Maisons de Paris*, h/t (65x101) : **ITL 3 000 000** – ROME, 13 nov 1979 : *Isola Tiberina* 1945, h/t (53x68,5) : **ITL 3 600 000** – ROME, 16 nov. 1982 : *Le forum Romanum* 1943, h/t (100x180) : **ITL 15 000 000** – MILAN, 18 déc. 1984 : *Paysage de banlieu*, gche (28x21,5) : **ITL 1 400 000** – SAINT-VINCENT (Italie), 6 mai 1984 : *Trois personnages assis sur un banc, Paris*, h/t (29x43) : **ITL 5 900 000** – MILAN, 8 juin 1988 : *Fleurs* 1950, aquar. (44x30,5) : **ITL 1 200 000** – MILAN, 20 mars 1989 : *Murs de Paris*, h/t (65x55) : **ITL 6 700 000** – ROME, 17 avr. 1989 : *L'argile de Montaperti* 1963, h/t (53x70) : **ITL 10 500 000** – MILAN, 7 nov. 1989 : *Paris*, h/t/rés. synth. (64x50) : **ITL 11 500 000** – ROME, 28 nov. 1989 : *Maisons* 1970, h/t (55x42,5) : **ITL 8 500 000** – MILAN, 27 mars 1990 : *Maisons*, h/t/rés. synth. (70x50) : **ITL 13 000 000** – MILAN, 12 juin 1990 : *Maisons de Paris*, h/rés. synth. (69,5x50) : **ITL 14 000 000** – ROME, 30 oct. 1990 : *Le pêcheur* 1937, temp./pap. (30x20) : **ITL 3 000 000** – ROME, 9 avr. 1991 : *Les communs de la Villa Borghèse* 1942, h/t (35x45) : **ITL 7 500 000** – MILAN, 19 déc. 1991 : *La maison d'Apollinaire* 1957, h/t (77x158) : **ITL 26 000 000** – MILAN, 14 avr. 1992 : *Roses fanées* 1941, h/t (45x40) : **ITL 7 800 000** – ROME, 12 mai 1992 : *Paysage urbain* 1948, h/t (54,8x45,3) : **ITL 10 000 000** – MILAN, 9 nov. 1992 : *Maisons de Paris*, h/t (30x40) : **ITL 5 600 000** – ROME, 19 nov. 1992 : *Vue du Palatino* 1942, h/t (60x69,5) : **ITL 10 000 000** – ROME, 27 mai 1993 : *Sablières*, h/t (40x50) : **ITL 6 000 000** – MILAN, 21 juin 1994 : *Paris, la Seine*, h/t/rés. synth. (40x50) : **ITL 10 925 000** – ROME, 13 juin 1995 : *Les toits de Paris* 1960, h/t (65x49) : **ITL 14 950 000** – MILAN, 20 mai 1996 : *Vue de Rome* 1967, h/t (55x120) : **ITL 27 600 000** – MILAN, 18 juin 1996 : *Toits de Paris*, h/t (46x58) : **ITL 14 375 000** – MILAN, 28 mai 1996 : *Londres, une ruelle*, h/rés. synth. (34,5x42,5) : **ITL 10 925 000** – MILAN, 25 nov. 1996 : *Palais du sport* 1948, h/t (34x46) : **ITL 5 750 000** – MILAN, 18 mars 1997 : *Brasserie* 1954, h/t (61x50) : **ITL 23 300 000**.

TAMBURINI Arnoldo ou Arnaldo

Né en 1843 ou 1853 à Florence. Mort en 1908. XIXe siècle. Italien.

Peintre de genre, portraits.

Il exposa à Florence et Venise.

a. Tamburini

MUSÉES : PISE (Mus. mun.) : *Portraits de Victor-Emmanuel II et de Humbert Ier*.

VENTES PUBLIQUES : NEW YORK, 1899 : *Un vieux moine* : **FRF 6 000** – NEW YORK, 15 et 16 fév. 1906 : *Tirant l'aiguille* : **USD 200** – NEW YORK, 6 au 8 avr. 1908 : *Sujet de genre* : **USD 150** – NEW YORK, 14-17 mars 1911 : *Le Sommelier* : **USD 220** – PARIS, 14-16 jan. 1926 : *La Lecture de la gazette* : **FRF 1 800** – PARIS, 9 déc. 1931 : *Un cardinal à table* : **FRF 520** – NEW YORK, 10 oct. 1968 : *Cardinal lisant le journal* : **USD 900** – LONDRES, 10 oct. 1969 : *Moines jouant aux cartes*, deux pendants : **GNS 620** – NEW YORK, 3 juin 1971 : *Le Cellier* : **USD 1 050** – NEW YORK, 17 avr. 1974 : *Un bon verre de vin* : **USD 2 000** – NEW YORK, 15 oct. 1976 : *Le Vieux Guitariste*, h/pan. (22x16,5) : **USD 1 200** – NEW YORK, 7 oct. 1977 : *La réparation du parapluie*, h/t (31x26) : **USD 1 200** – NEW YORK, 11 oct 1979 : *La Sérénade* 1881, h/t (39,5x51) : **USD 5 000** – NEW YORK, 13 fév. 1981 : *La Déclaration* 1882, h/t (50,7x38,3) : **USD 4 000** – LONDRES, 5 oct. 1983 : *Le Gardien du cellier*, h/t (31x25) : **GBP 2 800** – LONDRES, 26 fév. 1985 : *Les joueurs de cartes* 1880, h/t (41x51) : **GBP 880** – MILAN, 14 juin 1989 : *Le Frère forgeron*, h/t (37x30) : **ITL 1 900 000** – LONDRES, 15 fév. 1991 : *Le Vin nouveau*, h/t (51x39,5) : **GBP 1 980** – LONDRES, 18 mars 1992 : *Moine goûtant une crème ; Le Caviste*, h/t, une paire (chaque 30x24,5) : **GBP 2 200** – BOLOGNE, 8-9 juin 1992 : *Militaire et moine ivre* 1877, h/t (46x34) : **ITL 4 830 000** – NEW YORK, 20 jan. 1993 : *Moine tenant une soupière*, h/t (31,8x25,4) : **USD 2 300** – NEW YORK, 20 juil. 1994 : *Moines à leurs occupations journalières*, h/t, une paire (63,5x33 et 40,6x26) : **USD 7 187** – NEW YORK, 19 jan.

1995 : *Débouchage d'une bonne bouteille ; Retour du marché*, h/t, une paire (29,2x24,1) : **USD 5 750** – MILAN, 23 oct. 1996 : *Une bonne bouteille de vin*, h/t (46,5x57) : **ITL 10 000 000** – LONDRES, 10 oct. 1996 : *La Déclaration* 1880, h/t (50,8x39,4) : **GBP 3 800**.

TAMBURINI Giovanni Maria

Né à Bologne. Mort après 1660. XVIIe siècle. Italien.

Peintre d'histoire, dessinateur et graveur.

Élève de Pietro Facini, puis de Guido Reni. Les églises de Padoue, contiennent plusieurs de ses ouvrages, notamment son chef-d'œuvre, *Saint Antoine de Padoue*, à l'église de La Mort.

MUSÉES : SIBIU (Mus. Bruckenthal) : *Saint Jérôme.*

VENTES PUBLIQUES : LONDRES, 2 juil. 1984 : *Les marchands de Bologne*, pl. et encre brune//trait de craie rouge (14,1x23,6) : **GBP 2 600** – MONTE-CARLO, 8 déc. 1984 : *Les Dieux protégeant les commerçant d'une ville baroque*, h/t (132x189) : **FRF 100 000**.

TAMBURINI Y DALMAU José Maria ou Tamurini

Né en 1856 à Barcelone (Catalogne). Mort en 1932. XIXe-xxe siècles. Espagnol.

Peintre de compositions religieuses, sujets de genre, figures, portraits, aquarelliste, dessinateur, illustrateur. Symboliste, Art nouveau.

Il est issu d'une famille d'orfèvres d'origine italienne, qui s'est établie à Barcelone ; dès l'âge de treize ans, il fut élève d'Antoni Caba à l'Académie des Beaux-Arts de cette ville. Il séjourna ensuite à Paris, travaillant dans l'atelier du portraitiste Léon Bonnat ; à Naples, pour revenir enfin vivre à Barcelone, à partir de 1885. Il enseigna le dessin.

Il figura à Munich de 1883 à 1897 ; régulièrement à Barcelone : au Salon Parés de 1884 à 1925, et à l'occasion de l'exposition universelle de 1888.

Il a collaboré au magazine *L'illustration, L'illustration Artistique.* Influencé par les préraphaélites et les symbolistes « fin de siècle », il a souvent peint des personnages féminins dans des attitudes de songerie.

BIBLIOGR. : In : *Cien Anos de pintura en Espana y Portugal, 1830-1930*, Antiqvaria, t. X, Madrid, 1993.

MUSÉES : BARCELONE (Mus. d'Art Mod.) : *Harmonies de la forêt.*

VENTES PUBLIQUES : BARCELONE, 5 mars 1981 : *Jeune Fille en robe blanche*, h/t (32x46) : **ESP 200 000**.

TAMBURLINI Achille

Né le 8 décembre 1873 à Trieste. XIXe-xxe siècles. Italien.

Sculpteur de compositions religieuses, monuments, peintre, décorateur.

Il fut élève des Académies de Milan et de Munich. Il sculpta plusieurs monuments.

MUSÉES : GÊNES (Mus. d'Art Mod.) : *Christ.*

TAMBUSCIO Giuseppe

Né en 1848 à Palerme. XIXe siècle. Italien.

Peintre, aquarelliste et illustrateur.

Élève de Meli et Laforte.

TAMBUYSER Bartholomé

XIXe siècle. Actif à Malines. Belge.

Sculpteur.

Fils de Pierre Jean Tambuyser.

TAMBUYSER Égide Corneille

Né le 16 septembre 1822 à Malines. Mort le 6 mai 1889 à Malines. XIXe siècle. Belge.

Sculpteur.

Élève de son père Pierre Jean Tambuyser. Il sculpta un confessionnal pour la cathédrale de Malines et des statues pour l'église des Béguines (?) de la même ville.

TAMBUYSER Joseph

XIXe siècle. Actif à Malines. Belge.

Sculpteur.

Fils de Pierre Jean Tambuyser.

TAMBUYSER Pierre Jean

Né le 5 septembre 1796 à Malines. Mort le 16 avril 1859 à Malines. XIXe siècle. Belge.

Sculpteur.

Père d'Égide Corneille Tambuyser. et élève de Pierre Valckx. Il sculpta de nombreuses statues religieuses pour les églises, les couvents et le cimetière de Malines.

TAMECHIKA Reizei, nom familier : Saburô, nom de pinceau : Matsudono

Né en 1823. Mort en 1864. XIXe siècle. Actif à Kyoto. Japonais.

Peintre.

Peintre de figures et de sujets bouddhiques, il étudie d'abord le style de l'école Kanô puis le *yamato-e* classique. Il est influencé par Ukita Ikkei. Il mourra tué par un samurai errant à Tambaichi dans le Yamato.

TAMENARI Takuma
XIe siècle. Actif à Kyoto. Japonais.
Peintre.
Peintre de l'école *yamato-e*, il aurait participé aux peintures murales du Hôôdô (Pavillon du Phénix) du Byôdô-in à Uji en 1053.

TAMENOBU. Voir FUJIWARA TAMENOBU

TAMETÔ Takuma
XIIe siècle. Actif à Kyoto. Japonais.
Peintre.
Peintre de l'école *yamato-e*, spécialiste de sujets bouddhiques, il travaille à la cour de l'empereur Konoe.

TAMETSUGU. Voir FUJIWARA TAMETSUGU

TAMEZA
XXe siècle. Français.
Peintre, sculpteur. Tendance naïf.
Artiste d'inspiration populaire, il a participé à des expositions d'artistes « naïfs ».

TAMI Fortunato
Né le 16 juillet 1875 à Ovaro. XXe siècle. Italien.
Peintre de paysages, graveur.
Il n'eut aucun maître. Peintre, il réalisa aussi des eaux-fortes et des lithographies.

TAMIETTI Carlo
Mort en 1796. XVIIIe siècle. Italien.
Modeleur, graveur au burin et dessinateur.
Il travailla pour la Manufacture de porcelaine de Vinovo et exécuta surtout des animaux.

TAMINE Laurent Joseph ou Taminne
Né le 20 mai 1736 à Nivelles. Mort le 7 octobre 1813 à Nivelles. XVIIIe-XIXe siècles. Éc. flamande.
Sculpteur.
Élève de Delvaux à Bruxelles. Il travailla pour les châteaux du prince Arenberg et pour des églises de Bruxelles.

TAMISIER Charles
Né à Neuilly-sur-Seine (Hauts-de-Seine). XIXe siècle. Français.
Graveur sur bois.
Il exposa trois gravures sur bois, d'après Tony Johannot, au Salon de 1855.

TAMISIER Claude Auguste ou Tamizier
Né en 1818 à la Forie (Puy-de-Dôme). XIXe siècle. Travaillant à Paris. Français.
Peintre de paysages.
Ce paysagiste exposa des vues d'Auvergne, au Salon, à partir de 1848. Plus tard (1869), Paris et ses environs lui fournirent les sites de ses toiles.
VENTES PUBLIQUES : PARIS, 10 mars 1943 : *Rivière dans un site montagneux et boisé* 1857 : FRF 2 200.

TAMM Frans Werner von, dit Dapper
Né le 6 mars 1658 à Hambourg. Mort le 10 juillet 1724 à Vienne. XVIIe-XVIIIe siècles. Allemand.
Peintre d'histoire, sujets religieux, scènes de chasse, portraits, paysages animés, natures mortes, fleurs et fruits, compositions murales.
Il fut élève de Diedrich von Sosten et de Hans Pfeiffer. Il poursuivit ses études à Rome, puis à Vienne, où il fut nommé peintre de la cour et travailla pour le prince de Liechtenstein.
Il commença par peindre des tableaux historiques, des portraits, puis il se spécialisa dans la nature morte, avec une prédilection pour le gibier de chasse, les fleurs et fruits se détachant sur un fond de paysage. Il a peint des guirlandes de fleurs dans les œuvres de Carlo Maratta, notamment dans un dessus-de-porte au Louvre, à Paris. Il a réalisé aussi une *Décollation de saint Paul*, pour l'église Saint-Paul à Passau. Ses œuvres d'une grande sûreté de dessin sont colorées harmonieusement. Sa dernière manière, dans laquelle disparaît une certaine lourdeur du début, est de beaucoup la meilleure.
BIBLIOGR. : In : *Diction. de la peint. allemande et d'Europe centrale*, coll. Essentiels, Larousse, Paris, 1990.
MUSÉES : DRESDE : *Deux pigeons devant un rocher – Oiseaux morts, faisan et coq de bruyère – Faisans et autres oiseaux –* GOTHA, Thuringe : *Oiseaux*, quatre œuvres – HAMBOURG (Kunsthalle) : *Fleurs et fruits*, quatre œuvres – MILAN (Ambrosiana) : *Gibier mort – Gibier –* PRAGUE : *Oiseaux et fruits –* ROME (Gal. Pallavicini) : *Fleurs, fruits et paon – Fleurs, champignons et gibier –* VIENNE : *Volailles – Fleurs et fruits*, trois œuvres – *Butin de chasse – Fleurs – Gibier mort.*
VENTES PUBLIQUES : PARIS, 1868 : *Fleurs et Fruits*, deux pendants : FRF 710 – LUCERNE, 21 juin 1968 : *Scène de chasse* : CHF 4 000 – LONDRES, 20 juil. 1973 : *Nature morte aux fruits* : GNS 3 800 – ZURICH, 12 nov. 1976 : *Nature morte aux fleurs et aux fruits*, h/t (75x64,5) : CHF 15 000 – VIENNE, 20 sep. 1977 : *Vase de fleurs*, h/t (75,5x60) : ATS 120 000 – NEW YORK, 14 mars 1980 : *Nature morte aux fleurs et aux fruits*, h/t (70x58) : USD 9 000 – ZURICH, 15 mai 1981 : *Nature morte aux fleurs*, h/t (43x57,5) : CHF 19 000 – STOCKHOLM, 31 oct. 1984 : *Nature morte aux fruits et aux fleurs*, h/t (67x82) : SEK 130 000 – LONDRES, 13 fév. 1985 : *Nature morte aux fruits et aux fleurs*, h/t (76x125,5) : GBP 5 800 – LONDRES, 2 juil. 1986 : *Nature morte aux fruits*, h/t (73x95,5) : GBP 13 500 – NEW YORK, 14 jan. 1988 : *Nature morte de fruits et fleurs dans un paysage*, h/t (76x60,5) : USD 29 700 – MILAN, 12 déc. 1988 : *Nature morte avec des fruits et du gibier*, h/t (96x135) : ITL 15 000 000 – PARIS, 9 avr. 1990 : *Raisins, figues, pêches, grenade et prunes sur un entablement*, h/t (35,5x46,5) : FRF 75 000 – NEW YORK, 10 jan. 1991 : *Nature morte de fleurs dans un vase avec des personnages*, h/t, une paire (chaque 173x120,5) : USD 93 500 – PARIS, 27 mars 1991 : *Chiens et trophées de chasse*, h/t, une paire (100x137) : FRF 1 300 000 – NEW YORK, 10 oct. 1991 : *Nature morte de compositions florales, l'une avec des fruits et un cochon d'Inde, l'autre avec des oiseaux morts*, h/t, une paire (69x56,5) : USD 46 750 – ROME, 19 nov. 1991 : *Vase de fleurs avec des roses ; Vase de fleurs avec des boules-de-neige*, h/t, une paire (50x65) : ITL 67 000 000 – PARIS, 26 mars 1992 : *Bouquet de fleurs dans une urne devant un paysage*, h/t (94x117) : FRF 320 000 – PARIS, 13 déc. 1992 : *Nature morte aux fleurs et au lapin blanc*, h/t (63x74,5) : FRF 185 000 – NEW YORK, 15 jan. 1993 : *Grande composition florale dans un paysage avec une pastèque, des fruits et un lapin au premier plan*, h/t (170,2x122,6) : USD 31 625 – LONDRES, 9 juil. 1993 : *Enfants se battant pour un nid dans un paysage*, h/t (146,6x169,2) : GBP 14 950 – PARIS, 12 juin 1995 : *Nature morte aux paniers de fleurs et fruits*, h/t, une paire (chaque 119x108,5) : FRF 350 000 – PARIS, 30 oct. 1996 : *Citrouille, poires, raisins et grenades dans un paysage avec des ruines*, h/t (88x128) : ATS 850 000 – LONDRES, 3-4 déc. 1997 : *Nature morte d'un tournesol, de tulipes, chrysanthèmes et autres fleurs dans une urne* 1719, h/t (92,5x74) : GBP 20 700.

TAMMARO Antonio ou par erreur Tamaro
Né le 5 juin 1937 à Castiglione del Lago (Pérouse). XXe siècle. Actif et naturalisé en France. Italien.
Sculpteur. Abstrait.
Il fait ses études à l'Institut d'Art Duccio di Boninsegna à Sienne. Il participe à de nombreuses expositions collectives, notamment : V[e] et VIe Biennales d'Arte Sacra « Antoniano » à Bologne, VIe Biennale d'Arte Sacra « Angelicum » de Milan, Ire Biennale d'Arte Sacra de Carrare. Il expose également à Paris.
Ses sculptures abstraites sont aussi bien en ciment qu'en bronze.

TAMMARO Giuseppe
XVIIIe siècle. Actif à Naples vers 1787. Italien.
Peintre et restaurateur de tableaux.
Élève de Fr. Solimena. Il peignit des sujets religieux.

TAMMARO Nicola
XVIIe-XVIIIe siècles. Travaillant à Naples de 1680 à 1701. Italien.
Sculpteur sur marbre.
Il exécuta des sculptures pour les églises Saint-Antoine et Saint-Paul Majeur de Naples.

TAMONE Giovanni
XIXe siècle. Actif à Turin dans la seconde moitié du XIXe siècle. Italien.
Sculpteur sur bois et médailleur.
Il sculpta des statues pour la cathédrale et des églises de Turin et de Verceil.

TAMSON G. M.
Né le 20 septembre 1873 à Middelbourg. XIXe-XXe siècles. Hollandais.
Peintre de paysages, architectures, graveur sur bois.

TAMURA SÔRITSU
Né en 1844 dans la préfecture de Kyoto. Mort en 1918. XIXe-XXe siècles. Japonais.

Peintre.
Peintre de style occidental, il part jeune à Tokyo pour travailler dans l'atelier de Takahashi Yuichi. Il sera par la suite l'un des pionniers du style occidental à Kyoto pendant l'ère Meiji et deviendra professeur à l'École des Beaux-Arts de cette ville.

TAMURINI Jose Maria. Voir **TAMBURINI Y DALMAU**

TAMURINI Nicolo
XVIIᵉ siècle. Actif à Rome à la fin du XVIIᵉ siècle. Italien.
Peintre.
Il peignit dans l'église Sta-Maria-sopra-Minerva de Rome en 1693.

TAMURINI Pietro Paolo
Né en 1594. XVIIᵉ siècle. Actif à Gubbio. Italien.
Peintre.
Élève de Fed. Barocci. Les églises de Gubbio conservent des peintures de cet artiste.

TANA Carlo
XVIIIᵉ siècle. Actif dans la première moitié du XVIIIᵉ siècle. Italien.
Peintre.
Il peignit le portrait de *Pietro Crusa* pour la cathédrale de Suse en 1733.

TANA Pietro
XVIIIᵉ siècle. Actif à Rovigo en 1703. Italien.
Sculpteur sur bois.
Il sculpta pour l'église Notre-Dame du Bon-Secours de Rovigo.

TANABE Takao
Né en 1926 à Prince-Rupert. XXᵉ siècle. Canadien.
Peintre de paysages, technique mixte.
Il a étudié à New York avec Hans Hofmann. Il dirigea le département consacré à l'art du Banff Centre de 1973 à 1980 à Calgary. Ses paysages tendent vers l'abstraction.
BIBLIOGR. : Dennis Reid : *A Concise History of Canadian Painting*, Oxford University Press, Don Mills, Ontario, 1988.
MUSÉES : MONTRÉAL (Mus. d'Art Contemp.) : *Souvenir* 1962, pap. collé et h./masonite.

TANABE Itaru
Né en 1886. Mort en 1968. XXᵉ siècle. Japonais.
Peintre de paysages.
En 1910, il sortit diplômé de l'école des beaux-arts de Tokyo. De 1922 à 1924, il étudia en Europe. Il enseigna par la suite à l'école des beaux-arts de Tokyo et fut membre du jury du Bunten et du Teiten.
VENTES PUBLIQUES : NEW YORK, 12 oct. 1989 : *Barque sur un lac vue au travers des branches*, h/t (53,3x45,8) : **USD 3 300** ; *Paysage côtier*, h/pan. (31x42) : **USD 2 200**.

TANABE Kazuro
Né en 1937 à Tokyo. XXᵉ siècle. Japonais.
Peintre, graveur.
Il participe à des expositions collectives : 1992 *De Bonnard à Baselitz. Dix Ans d'enrichissement du cabinet des estampes 1978-1988* à la Bibliothèque nationale à Paris.
MUSÉES : PARIS (BN) : *78 Y* 1978, sérig.

TANADEI Francesco
Né le 11 février 1770 à Locarno. Mort en 1828 à Turin. XVIIIᵉ-XIXᵉ siècles. Suisse.
Sculpteur sur bois et sur ivoire.
Il travailla pour le Palais Royal de Turin. Il exposa à Paris en 1819.

TANAGLIA Giacomo. Voir **TENAGLIA**

TANAKA Akira Yasushi
Né en 1918 à Osaka. XXᵉ siècle. Actif en France. Japonais.
Peintre de figures, nus, portraits, paysages. Expressionniste.
Il sort diplômé de l'École des Arts et Métiers de Kyoto en 1943.
Il participe à de nombreuses expositions collectives : à partir de 1948 Kôdô Bijutsuten, où il obtient un prix en 1957 ; depuis 1959 Salon d'Automne à Paris dont il devient membre sociétaire ; 1961 *Exposition de l'École de Paris* au musée national d'Art moderne de Paris et au Salon Comparaisons ; 1965 et 1973 *Artistes Japonais à l'étranger* aux musées d'Art moderne de Tokyo et de Kyoto. Il fait de nombreuses expositions particulières à Paris, Milan, Tokyo et Nagoya. En 1948 il reçoit le Prix Shell à Tokyo, en 1960 le Grand Prix de Peinture de l'Exposition Internationale de Monaco.
Il participe d'un mouvement figuratif expressionniste.

VENTES PUBLIQUES : VERSAILLES, 28 oct 1979 : *Dans le métro*, h/t (89,5x116,5) : **FRF 5 000** – TOKYO, 23 fév. 1982 : *In the Metro*, h/t (89x116) : **JPY 990 000** – PARIS, 26 nov. 1984 : *Femme et deux enfants*, h/t (60x73) : **FRF 53 000** – PARIS, 28 nov. 1985 : *À la fenêtre*, h/t (38x46) : **FRF 17 500** – VERSAILLES, 13 déc. 1987 : *Nu à sa toilette*, h/cart. (56x37) : **FRF 17 000** – PARIS, 24 juin 1987 : *Joueur de billard*, h/t (92x73) : **FRF 41 000** – VERSAILLES, 6 mai 1988 : *Baigneuse en forêt*, h/t (65x54) : **FRF 6 500** – VERSAILLES, 21 jan. 1990 : *Sur la colline*, h/t (33x41) : **FRF 5 000** – PARIS, 24 jan. 1990 : *La Seine et Notre-Dame*, h/t (27x22) : **FRF 5 000** – PARIS, 18 mars 1992 : *Le couple assis*, h/t (89x130) : **FRF 24 000** – NEW YORK, 30 juin 1993 : *Deux femmes avec du muguet*, h/t (73,7x100,3) : **USD 6 038** – PARIS, 19 nov. 1993 : *Portrait de femme*, h/t (104x73) : **FRF 15 000** – NEW YORK, 9 mai 1994 : *Dans le métro*, h/t (114x162,3) : **USD 15 525** – PARIS, 18 nov. 1994 : *Les vieux à la lecture*, h/t (130x160) : **FRF 45 000** – PARIS, 25 fév. 1996 : *Le marché de Villeneuve-sur-Lot* 1960, h/t (50x61) : **FRF 24 000**.

TANAKA Atsuko
Née en 1932 à Osaka. XXᵉ siècle. Japonaise.
Peintre, auteur de performances. Abstrait. Groupe Gutaï.
Après ses études à l'École des Beaux-Arts de Kyoto jusqu'en 1951, elle étudie sous la direction de Jiro Yoshihara et, en 1955, devient membre du groupe Gutaï à Osaka, où elle vit. La venue à Tokyo et l'influence du critique Michel Tapié contribua au rayonnement du groupe en Europe et aux États-Unis.
Elle participe à toutes les activités du groupe Gutaï et, depuis 1965, ses œuvres abstraites figurent dans de nombreuses expositions de groupe, tant au Japon qu'à l'étranger : 1960 et 1964 Exposition Internationale du Prix Guggenheim à New York, 1961 Exposition Internationale Carnegie à Pittsburgh et la même année *Aventure dans l'Art Japonais Contemporain* au Musée d'Art Moderne de Tokyo ; 1964 exposition du Prix du Musée de Nagaoka au Musée d'Art Contemporain de cette ville. En 1964, elle reçoit le Prix d'Art Japonais Contemporain à Tokyo ainsi que la charge de la décoration murale de plusieurs immeubles de Tokyo.
Elle réalisa dans les années cinquante des actions, faisant intervenir des figures comme éclairées de l'intérieur, vêtues de costumes électriques de sa conception. Par la suite, elle tempéra les excès démonstratifs du groupe Gutaï, créé en 1954 par Yoshihara Jiro dans le but d'ouvrir l'art japonais à toutes les formes d'expression possibles, à tous les matériaux, toutes les attitudes, aussi bien dans des manifestations en plein air que dans des lieux institutionnels et des galeries d'art, et en orienta l'activité sur la peinture abstraite, dont elle était alors un des principaux défenseurs. À la fin des années cinquante, elle développe une peinture lyrique à partir de cercles, à résonance mystique, qui évoquent les mandalas.
BIBLIOGR. : Michel Tapié, in : *Continuité et avant-garde au Japon*, Turin, 1961 – in : *Dict. univers. de la peinture*, Le Robert, Paris, 1975 – in : catalogue de l'exposition *L'Art Moderne à Marseille : La Collection du Musée Cantini*, Mus. Cantini, Marseille, 1988 – Françoise Levaillant : *Au Japon dans les années cinquante : Les Costumes électriques de Tanaka*, Bulletin de l'histoire de l'électricité, n° 19-20, juin-déc. 1992.
MUSÉES : MARSEILLE (Mus. Cantini) : *Peinture 1962* – NAGAOKA (Mus. d'Art Contemp.) – NEW YORK (Mus. d'Art Mod.).

TANAKA Shu
Né en 1908 à Tokyo. XXᵉ siècle. Japonais.
Peintre de paysages.
Il fut élève de l'École Normale Supérieure. Il fit de nombreux voyages en Europe et un long séjour à Paris.
Il participe à des expositions de groupe, au Japon et à Paris, notamment au Salon des Réalités Nouvelles en 1959. Un Flavio Shiro Tanaka a également figuré au Salon des Réalités Nouvelles, en 1957 et 1961. Il a montré ses œuvres dans des expositions personnelles à la galerie Yoshii à Tokyo et Paris.
Il réalise des paysages typiques de son pays, *L'Automne du riz mûr*, *Mûrier*, *Mont de Koma*, dans une facture spontanée, libérée des règles académiques, transcrivant des sensations fugitives. Privilégiant les effets de matière et de lumière, son travail tend vers un paysagisme abstrait.
BIBLIOGR. : Michel Seuphor : *Diction. de la peint. abstr.*, Hazan, Paris, 1957.
VENTES PUBLIQUES : PARIS, 10 avr. 1989 : *Marécage* 1962, h/t (81x60) : **FRF 12 000** – PARIS, 22 déc. 1989 : *La clairière*, h/cart. (33x41) : **FRF 3 500** – NEW YORK, 10 oct. 1990 : *Vieille maison* 1958, h/t (45,5x53,3) : **USD 1 320**.

TANAKA Yasushi

Né le 13 mai 1886 à Saitama. xxᵉ siècle. Japonais.

Peintre de portraits, nus, architectures, paysages, fleurs.

Il se fixe à Paris en 1920 et expose, dès lors, à la Société Nationale des Beaux-Arts ainsi qu'aux Salons d'Automne, des Indépendants et des Tuileries.

Ses compositions porteront toujours la trace de la première émotion artistique qu'il éprouve en se rendant aux États-Unis, en 1904, devant les vastes paysages américains, en si grand contraste avec le cadre de son enfance. S'il préfère les techniques de l'École Française aux pratiques japonaises traditionnelles, il échappe malgré tout à toute influence d'école et se met à l'étude directe de la nature, dans de très pures harmonies colorées.

Musées : Tokyo : *Dos nu.*

Ventes Publiques : Paris, 21 avr. 1943 : *Nu assis* : FRF 800 – Clermont-Ferrand, 20 déc. 1950 : *Le bain de soleil* : FRF 3 000 – Los Angeles, 22 sep. 1976 : *Nu aux fleurs*, h/cart. (103x37) : USD 2 000 – Versailles, 27 juin 1979 : *Femme nue assise à la draperie rose*, h/pan. (40,5x32) : FRF 4 800 – Paris, 13 déc. 1982 : *Femme en blanc, assise* 1930, h/cart. (91x65) : FRF 16 000 – Versailles, 2 déc. 1984 : *Nu étendu devant la fenêtre*, h/t (103x101,5) : FRF 10 000 – Paris, 25 juin 1990 : *Autoportrait*, h/cart. (65x38) : FRF 18 000.

TANAOUER

Né en 1680. Mort en 1737. xviiiᵉ siècle. Russe.

Peintre.

Le Musée Russe, à Saint-Pétersbourg, conserve de lui : *L'empereur Pierre le Grand.*

TANARI Antonio

xviiᵉ siècle. Travaillant à Rome de 1634 à 1635. Italien.

Peintre de fruits.

TANARI Brigida, marchesa. Voir FAVA

TANASESCU-DUSTERBEHN Silvia

Née le 9 juin 1948 à Sibiu. xxᵉ siècle. Depuis 1977 active en Allemagne. Roumaine.

Peintre de figures. Figuratif puis abstrait.

Elle fut élève de la faculté des Arts Plastiques de Bucarest puis enseigna le dessin de 1970 à 1976 en Roumanie, séjournant à Paris. Elle vit et travaille à Oldenburg (Allemagne) depuis 1977. Elle participe à des expositions collectives, en Roumanie puis à l'étranger. Elle montre ses œuvres dans des expositions personnelles : en Roumanie, Allemagne et Grande-Bretagne.

Elle décompose dans ses premières œuvres la réalité selon les principes cubistes, avec des portraits, des paysages, puis évolue progressivement vers l'abstraction géométrique.

Bibliogr. : Ionel Jianou et autres : *Les Artistes roumains en Occident*, American Romanian Academy of Arts and Sciences, Los Angeles, 1986.

TANAUER Marx. Voir DONAUER Marx

TANBI Pietro ou Tambi

xviiᵉ siècle. Suisse.

Sculpteur.

Actif à Lugano, il travailla à Rome en 1613.

TANC Gaston

Né le 27 novembre 1861 à Gap (Hautes-Alpes). xixᵉ-xxᵉ siècles. Français.

Peintre de paysages, marines, natures mortes, aquarelliste.

Il fut, de 1883 à 1889, élève de l'école des beaux-arts à Paris, où il eut pour professeurs Collin, Courtois, Puvis de Chavannes.

Il a peint de très nombreux paysages de la région de Gap, du Queyras, d'Antibes et Nice.

Musées : Gap.

TANCHÉ Nicolas

Né vers 1740. xviiiᵉ siècle. Français.

Peintre de genre et aquafortiste.

P. A. Le Beau grava d'après cet artiste.

Ventes Publiques : Paris, 21 et 22 nov. 1922 : *La jeune fille au chat* ; *La jeune fille au chien*, pl. et lav., deux pendants : FRF 550 ; *Un frontispice*, pl. et lav. : FRF 340 – Paris, 22 nov. 1923 : *Les désirs naissants* : FRF 3 000 – Paris, 29 mai 1928 : *Les désirs naissants* : FRF 8 000.

TANCHETTE Eugène

Né à Nancy (Meurthe-et-Moselle). xixᵉ siècle. Français.

Sculpteur.

Élève de Jouffroy et Mercié. Il exposa assez régulièrement à partir de 1869, des bustes et des médaillons.

T'AN CHIH-JUI. Voir TAN ZHIRUI

TAN CHUNG-KUANG. Voir DA CHONGGUANG

TANCINI Lorenzo

Né le 16 août 1802 à Caroso. Mort en 1893 à Parme. xixᵉ siècle. Italien.

Peintre d'histoire et de portraits.

Élève de Girardi à Plaisance et de Landi à Rome. Il peignit avec succès des portraits et des tableaux d'histoire et fut professeur à l'Académie de Parme.

TANCIO di Benedetto da Perugia

xvᵉ siècle. Actif à Pérouse de 1418 à 1446. Italien.

Peintre.

A rapprocher de BETTOLO di Tancio et de COSTANZO di Francesco di Tancio.

TANCK Heinrich Friedrich. Voir TANK

TANCK Walter

Né le 31 janvier 1894 à Hambourg. xxᵉ siècle. Actif aussi en France. Allemand.

Peintre de portraits, nus, paysages, marines, natures mortes, graveur.

Il travailla à Hambourg et à Paris et y subit l'influence de Cézanne.

Graveur, il pratiqua l'eau-forte et la gravure sur bois.

Musées : Hambourg (Kunsthalle) : *Nu féminin* – Kiel (Kunsthalle) : *Femme assise* – *Près de Hambourg* – *Orage sur l'Elbe* – *Fiesole.*

TANCRÈDE Robert

Né le 16 août 1906 à Paris. xxᵉ siècle. Depuis 1957 actif au Canada. Français.

Peintre de paysages, paysages urbains.

Il a exposé à Paris, aux Salons des Peintres de Montagne, des Artistes Français, où il a reçu une mention honorable en 1943, d'Automne, en 1978, 1980 Salon de la Marine. Il montre ses œuvres dans des expositions personnelles à Paris : depuis 1937 régulièrement à Paris, notamment depuis 1969 à la galerie des Orfèvres, et à l'étranger : 1937, 1954 Montréal ; 1971 Florence.

Il peint, sur le motif, surtout les côtes normandes, le Maroc, Venise, le Canada, des vues typiques de Paris, dans une technique large et aisée.

TANCREDI Filippo

Né en 1655 à Messine. Mort en 1726 à Palerme. xviiᵉ-xviiiᵉ siècles. Italien.

Peintre.

Après avoir étudié à Naples, puis à Rome avec Carlo Maratti, il s'établit à Palerme. On cite de lui dans cette ville le plafond des églises des Théatins et d'Il Gesu Nuovo.

TANCREDI Michele

Né en 1957 à San Marco in Larris (Foggia). xxᵉ siècle. Italien.

Peintre, graveur.

Il vit et travaille dans sa ville natale. Il participe à des expositions collectives : 1992 *De Bonnard à Baselitz. Dix Ans d'enrichissement du cabinet des estampes 1978-1988* à la Bibliothèque nationale à Paris.

Il a réalisé des pointes sèches rehaussées en or notamment.

Musées : Paris (BN).

TANCREDI Raffaello

Né le 2 octobre 1837 à Resina ou Naples. xixᵉ siècle. Italien.

Peintre d'histoire, genre.

Élève de l'Académie de Naples, il a exposé en 1870 à la Royal Academy.

Musées : Prato (Gal. Antique et Mod.) : *Cimarosa délivré de prison.*

Ventes Publiques : Milan, 14 mars 1989 : *Révolutionnaires à la fenêtre*, h/t (104x77) : ITL 10 000 000.

TANCREDI T. Parmeggiani

Né en 1927 à Feltre. Mort en 1964 à Rome, par suicide. xxᵉ siècle. Italien.

Peintre, peintre de collages. Abstrait.

Il fut élève à l'Académie des Beaux-Arts de Venise.

Il a commencé à exposer à Venise, en 1948, figurant ensuite dans de nombreuses expositions de groupe : 1959 Quadriennale de Rome ; 1955, 1958 Pittsburgh International Exhibition de la Fondation Carnegie, etc. Dans d'autres manifestations, il a obtenu un Prix Gianni à Milan en 1952 ; le Prix de la Municipalité à Venise en 1952. Il montre ses œuvres dans des expositions personnelles : 1961, 1964, 1968, 1973 (...) Milan ; 1981 Galleria Civica d'Arte moderna, Palazzo dei Diamanti à Ferrare. D'abord attiré par le surréalisme, il pratiqua une peinture « automatique », par tachages raffinés. Il a ensuite adhéré au mouvement « Pittori spaziali », regroupant une génération d'artistes apparentés à l'abstraction lyrique et à l'art informel. Cependant, dans ses peintures, une organisation sous-jacente des taches rectangulaires leur confère une construction structurelle en opposition avec la rigueur de l'informel, rapprochant sa poétique de celle de Camille Bryen. Il pratiqua également la technique du collage.

BIBLIOGR. : Michel Seuphor : *Diction. de la peint. abstr.*, Hazan, Paris, 1957 – B. Dorival, sous la direction de... : *Peintres Contemporains*, Mazenod, Paris, 1964.

VENTES PUBLIQUES : MILAN, 25 mai 1971 : *Colombe*, temp. : ITL 900 000 – MILAN, 24 oct. 1972 : *Composition* : ITL 1 800 000 – ROME, 27 nov. 1973 : *Composition*, temp. : ITL 4 400 000 – MILAN, 19 déc. 1974 : *Composition*, temp. : ITL 5 000 000 – MILAN, 6 avr. 1976 : *Printemps* 1959, h/t (70x100) : ITL 2 200 000 – MILAN, 14 juin 1977 : *Composition*, past./cart. entoilé (69x98) : ITL 750 000 – MILAN, 26 avr 1979 : *Printemps*, techn. mixte/cart. entoilé (64,5x95) : ITL 1 300 000 – MILAN, 8 juin 1982 : *Paysage* 1959, h/t (100x70) : ITL 4 200 000 – MILAN, 24 oct. 1983 : *Metafisica* 1958, h/t (131x163) : ITL 9 500 000 – MILAN, 26 mars 1985 : *Composition* vers 1952, techn. mixte (50x70) : ITL 2 500 000 – MILAN, 18 mars 1986 : *Papaveri* 1953, h. et techn. mixte/pan. (100x150) : ITL 24 500 000 – MILAN, 14 mai 1988 : *Faceties* 1960, gche (37x28,5) : ITL 4 500 000 – MILAN, 8 juin 1988 : *Composition* 1956, h/pan. (70x100) : ITL 15 500 000 ; *Nature morte* – Fenaroli 1961, techn. mixte/t. (98x146) : ITL 26 500 000 – MILAN, 26 oct. 1988 : *Composition* vers 1954, gche et past. (38x53) : FRF 10 500 – MILAN, 8 nov. 1989 : *Composition*, techn. mixte/pap. entoilé (70x100) : ITL 25 000 000 – MILAN, 19 déc. 1989 : *Transparence*, techn. mixte/pap. entoilé/rés. synth. (70x100) : ITL 40 000 000 – MILAN, 27 mars 1990 : *Composition*, h/pan. (100x120) : ITL 50 000 000 – MILAN, 13 déc. 1990 : *Composition* 1954, h/rés. synth. (85x125) : ITL 49 000 000 – PARIS, 16 déc. 1990 : *Sans titre*, past. et gche/pap. (70x100) : FRF 90 000 – MILAN, 26 mars 1991 : *Sans titre* 1955, h/rés. synth. (125x170) : ITL 76 000 000 – ROME, 3 déc. 1991 : *Composition* 1954, h/rés. synth. (126x170) : ITL 73 000 000 – ROME, 9 déc. 1991 : *Composition*, techn. mixte/pap. entoilé (70x100) : ITL 21 850 000 – LUGANO, 28 mars 1992 : *Poussière d'herbe* 1957, h/t (90x115) : CHF 46 000 – MILAN, 14 avr. 1992 : *Sans titre*, collage et techn. mixte/t. (68x50) : ITL 20 000 000 – ROME, 12 mai 1992 : *Composition* 1954, h/rés. synth. (91x123) : ITL 44 000 000 – ROME, 25 mai 1992 : *Composition abstraite* 1958, h/t (90x115) : ITL 51 750 000 – MILAN, 9 nov. 1992 : *Sans titre*, cr. et aquar. (32x22,5) : ITL 2 000 000 – MILAN, 6 avr. 1993 : *Composition*, techn. mixte/pap. (70x100) : ITL 6 000 000 – ROME, 30 nov. 1993 : *Sans titre*, techn. mixte/pap./t. (70x100) : ITL 18 400 000 – MILAN, 24 mai 1994 : *Sans titre*, techn. mixte/rés. synth. (125x170) : ITL 56 350 000 – MILAN, 26 oct. 1995 : *Jeu de balle*, temp./rés. synth. (100x150) : ITL 69 000 000 – MILAN, 28 mai 1996 : *Coquelicots*, temp. et techn. mixte/rés. synth. (100,5x119,5) : ITL 34 500 000 – MILAN, 25 nov. 1996 : *Sans titre* 1954, h./masonite (54x72) : ITL 29 900 000 – MILAN, 18 mars 1997 : *Sans titre* 1955, techn. mixte (125x170) : ITL 58 250 000.

TANCREDI di Pentima ou **de Pentoma**
Né à Pentima. XIIIe siècle. Italien.
Sculpteur et architecte.
Il a sculpté en 1272 la *Fontaine della Rivera*, à Aquila.

TANCREDUCCIO di Tancredi
XIVe siècle. Actif dans la première moitié du XIVe siècle. Italien.
Enlumineur.
Il fut membre de la corporation des enlumineurs de Pérouse en 1310.

TANDARDINI. Voir **TANTARDINI**

TANDART Charles
Né en 1736. XVIIIe siècle. Français.
Peintre de fleurs.
Il travailla à la Manufacture de porcelaine de Sèvres à partir de 1755.

TANDART Jean-Baptiste
Né en 1729. XVIIIe siècle. Français.
Peintre de fleurs.
Il travailla à la Manufacture de porcelaine de Sèvres à partir de 1756.

TANDINO, appellation erronée. Voir **SPACCA**

TANDLER Rudolph Frederich
Né le 22 mars 1887 à Grand Rapids (Michigan). XXe siècle. Américain.
Peintre, illustrateur.
Il fut élève de George Bellows, John Sloan et Andrew Dasburg et fut membre de la Société des Artistes Indépendants.

TANDON Charles, le Jeune
Né le 13 mars 1636 à Durtal. Mort après 1682. XVIIe siècle. Français.
Peintre.

TANERA, Melle
XIXe siècle. Active à Paris. Française.
Peintre de portraits et de genre.
Elle a exposé au Salon en 1835 et 1839.

TANG José
Né en 1941 à Lima. XXe siècle. Péruvien.
Peintre, graveur.
En 1960, il est entré à l'École des Beaux-Arts de Lima, où il est resté trois ans. À Rio de Janeiro, il étudia la gravure. De retour à Lima en 1966, il entre dans le groupe Señal et il expose avec le groupe Art Nouveau.

T'ANG CHE-CHENG. Voir **TANG SHISHENG**

T'ANG CHÊNG-CHUNG. Voir **TANG ZHENGZHONG**

T'ANG CHIH-CH'I. Voir **TANG ZHIQI**

T'ANG CHIH-YIN. Voir **TANG ZHIYIN**

TANG DAI ou **T'ang Tai**, surnom : **Yudong,** noms de pinceau : **Jingyan** et **Mozhuang**
D'origine mandchoue. XVIIIe siècle. Actif durant le premier tiers du XVIIIe siècle. Chinois.
Peintre.
Peintre de paysages, il est disciple de Wang Yuanqi (1642-1715) et est très apprécié de l'empereur Qing Kangxi, dont il supervise les collections. Il est l'auteur d'un traité intitulé le *Huishi Fawei* (1717), ouvrage clair et facile, de présentation didactique et méthodique. Les matières sont réparties en vingt-quatre rubriques critiques, esthétiques et techniques et l'organisation générale reprend celle du traité de Han Zhuo ; la pensée esthétique est celle de Wang Yuanqi, faite de préjugés d'école et de la condamnation de l'école de Zhe. Mais il s'agit néanmoins d'un ouvrage solide et important, qui constitue une très bonne documentation sur les grands courants de la peinture Qing, dans la lignée de Wang Yuanqi. Le National Palace Museum de Taipei conserve deux œuvres de Tang Dai : *Vie dans une retraite isolée* et *Paysage dans le style Fan Kuan*, deux rouleaux en hauteur à l'encre et couleurs sur soie.

BIBLIOGR. : P. Ryckmans : *Les « Propos sur la peinture » de Shitao*, Bruxelles, 1970.

TANG DI ou **T'ang Ti**, surnom : **Zihua**
Né en 1296, originaire de Wuxing, province du Zhejiang. Mort vers 1364. XIVe siècle. Chinois.
Peintre.
Fonctionnaire et lettré confucéen de quelque renommée, comme peintre il est disciple de Zhao Mengfu (1254-1364) mais travaille aussi dans le style de Guo Xi (vers 1020-1100). Il est connu pour avoir exécuté certaines peintures murales dans des palais impériaux, mais il excelle dans les représentations de paysages où l'influence de Guo Xi se fait particulièrement sentir dans la composition, l'expression de l'espace et la présence d'arbres décharnés et griffus. Il participe, en fait, au mouvement de renaissance de la peinture des Song du Nord lancé par Zhao Mengfu.

MUSÉES : NEW YORK (Metropolitan Mus.) : *Vallée de rivière et pins* signé et daté 1362, colophon de Wen Peng – PARIS (Mus. Guimet) : *Ferme au bord d'un ruisseau tortueux*, feuille d'album accompagnée d'un texte de Dong Qichang – PÉKIN (Mus. du Palais) : *Pêche dans une crique enneigée* 1352, rouleau en hauteur, coul. légères sur pap. – TAIPEI (Nat. Palace Mus.) : *Retour des pêcheurs sur la rive gelée* daté 1338, encre et coul. sur soie, rouleau en hauteur.

TANGENA Johannes
XVIᵉ siècle. Actif à Leyde dans la seconde moitié du XVIᵉ siècle. Hollandais.
Graveur au burin et éditeur.
Il grava des portraits.

TANGEN Kimura
Né en 1679 à Satsuma. Mort le 2 mars 1767 à Kagoshima. XVIIIᵉ siècle. Japonais.
Peintre de paysages.
Un des plus importants peintres de l'École Kano. Il travailla à la cour du prince Shimazu. Il peignit surtout des paysages.

TANGER Susanna
Née en 1942 à Boston (Massachusetts). XXᵉ siècle. Américaine.
Peintre.
Elle fut élève de la Museum School de Boston et de l'Université de Californie à Berkeley. Elle expose principalement aux U.S.A. depuis 1972. Consécutive à la leçon du Minimal Art, la peinture de Susanna Tanger se réduit aux éléments fondamentaux de la peinture : la surface, la ligne, le format. Elle participe à cette redéfinition de l'alphabet pictural, phénomène qui s'est considérablement généralisé au début des années soixante-dix, tant aux U.S.A. que, sous d'autres formes, en Europe. Sa réflexion semble plus particulièrement s'appliquer aux limites de la peinture, limites à la fois extérieures et intérieures du tableau.
Ventes Publiques : New York, 9 mai 1984 : *Sans titre* 1979, h. mine de pb et cr. de coul./t. (183x213,3) : **USD 3 000.**

TANGERMANN Christian
Né vers 1760 en Westphalie. Mort le 24 mai 1830. XVIIIᵉ-XIXᵉ siècles. Allemand.
Portraitiste.
Il travailla à Berlin, à Saint-Pétersbourg et à Vienne. Le Musée Provincial de Munster conserve de lui deux portraits de l'artiste.

TANGETSU ou **Tangetsusai**
XIXᵉ siècle. Actif à Osaka au début du XIXᵉ siècle. Japonais.
Maître de l'estampe.

TANGGAARD Mads Jensen
Né le 19 septembre 1836 à Seest, près de Kolding. Mort le 17 juillet 1918 à Copenhague. XIXᵉ-XXᵉ siècles. Danois.
Peintre de décorations.

TANG HAIWEN
Né en 1929 à Amoy. Mort en 1991. XXᵉ siècle. Chinois.
Peintre de figures, aquarelliste. Polymorphe.
Pendant la guerre Sino-Japonaise, sa famille se réfugia au Vietnam où il fréquenta l'école chinoise. En 1948 il partit poursuivre ses études en France et décida d'être peintre. Autodidacte, il se forma par la fréquentation assidue des musées et galeries. Il exposa pour la première fois en 1955 et depuis lors a participé à un grand nombre d'expositions dans une douzaine de pays.
Ventes Publiques : Hong Kong, 31 oct. 1991 : *Album de figures*, aquar./pap. huit feuilles : **HKD 57 200** – Hong Kong, 30 avr. 1992 : *Portraits*, ensemble de quatre encre et acryl. (chaque 17,5x18,5) : **HKD 44 000** – Taipei, 18 oct. 1992 : *Peinture abstraite*, acryl./pap. (67,2x99,5) : **TWD 220 000** – Hong Kong, 5 mai 1994 : *Sujets variés, ensemble de quatre peintures*, aquar./pap. (chaque 19x18) : **HKD 43 700.**

T'ANG HEOU. Voir **TANG HOU**

T'ANG HIEN-K'O. Voir **TANG XIANKE**

TANG HOU ou **T'ang Heou** ou **T'ang Hou**
XIVᵉ siècle. Actif dans le premier tiers du XIVᵉ siècle. Chinois.
Historien de l'art, théoricien, critique pictural.
Il fut l'auteur du *Gujin Huajian*, où il donne un jugement critique sur l'œuvre d'une soixantaine d'artistes, depuis l'époque des Trois Royaumes (1221) jusqu'à la fin de la dynastie Song (1279), en quelques analyses remarquables. Son court ouvrage *Hua Lun* rassemble, quant à lui, ses expériences et réflexions de connaisseur en divers propos discontinus.

T'ANG HSIEN-K'O. Voir **TANG XIANKE**

T'ANG I-FEN. Voir **TANG YIFENG**

T'ANG I-HO. Voir **TANG YIHE**

T'ANG LI-HSÜEH. Voir **TANG LIXUE**

T'ANG LI-SIUE. Voir **TANG LIXUE**

TANG LIXUE ou **T'ang Li-Hsüeh** ou **T'ang Lisiue**
XVIIIᵉ siècle. Actif probablement au XVIIIᵉ siècle. Chinois.
Peintre.

T'ANG LOU-MING. Voir **TANG LUMING**

TANG LUMING ou **T'ang Lou-Ming** ou **T'ang Lu-Ming**, surnom : **Lemin**
Né en 1804. Mort en 1874. XIXᵉ siècle. Chinois.
Peintre de figures, animaux, fleurs.
Fils du peintre Tang Yifen (1778-1853), il est spécialiste de figures dans la technique *bai-miao* (peinture au trait sans rehaut de lavis ni couleurs).
Ventes Publiques : New York, 2 juin 1988 : *Fleurs de prunier*, encre/pap., kakémono (239x110,5) : **USD 3 300** – New York, 28 nov. 1994 : *Album de fleurs*, encre et pigments/soie, 12 feuilles (chaque 24,8x21,9) : **USD 2 300** – Hong Kong, 29 avr. 1996 : *Chat* 1846, kakémono, encre/pap. (136x32,4) : **HKD 9 200.**

TANG MI ou **T'ang Mi**, surnom : **Rulin,** nom de pinceau : **Gezhongren**
Originaire de Tong-zhou, province du Jiangsu. XVIIᵉ siècle. Actif dans la seconde moitié du XVIIᵉ siècle. Chinois.
Peintre.
Peintre de fleurs.

TANG Muli
Né en 1947 à Shanghai. XXᵉ siècle. Chinois.
Peintre de paysages.
Il s'initia seul au dessin, étudiant dans des livres et réalisant des portraits de ses compagnons de travail. Il réussit à entrer à l'Académie centrale des Beaux-Arts de Pékin et à la fin de ses études en 1980 obtint une bourse pour partir à l'étranger. Il choisit l'Académie Royale d'Art de Londres et obtint le diplôme d'études supérieures en 1984. Souhaitant diversifier sa connaissance des paysages, il entreprit de voyager dans de nombreux pays puis passa trois années à New York en tant qu'artiste résident à l'Université Cornell. Il expose souvent aux États-Unis.
Ventes Publiques : Hong Kong, 28 sep. 1992 : *Après une nuit pluvieuse dans les montagnes* 1986, h/t (97,2x127,2) : **HKD 82 500** – Hong Kong, 22 mars 1993 : *Dunhuang, série de La Route de la Soie* 1991, h/t (107x162,5) : **HKD 138 000** – Hong Kong, 4 mai 1995 : *Les chutes d'eau de Huangguoshu* 1994, h/t (175,3x88,9) : **HKD 126 500.**

TANGO Giuseppe
Né le 6 avril 1839 à Naples. XIXᵉ siècle. Italien.
Peintre et architecte.

TANG SHISHENG ou **T'ang Che-Cheng** ou **T'ang Shih-Shêng**, surnom : **Shuda**
Originaire de Jiading. Actif pendant la dynastie Ming (1368-1644). Chinois.
Peintre.
Poète, antiquaire et peintre, il n'est pas mentionné dans les biographies officielles d'artistes, mais laisse des représentations de fleurs.

TANG Shishu
Né en 1831. Mort en 1902. XIXᵉ siècle. Chinois.
Peintre de fleurs. Traditionnel.
Ventes Publiques : New York, 25 nov. 1991 : *Fleurs*, encre et pigments/soie, kakémono (77,5x33) : **USD 1 760** – New York, 1ᵉʳ juin 1992 : *Narcisses et myrtilles*, encre et pigments/soie, d'après Wang Yuan, kakémono (150,5x40) : **USD 1 320** – New York, 21 mars 1995 : *Coquelicots*, encre et pigments/soie, kakémono (85,7x40,6) : **USD 1 725.**

TANG SU ou **T'ang Sou** ou **T'ang Su**
Originaire de Jiaxing, province du Zhejiang. Xᵉ-XIIᵉ siècles. Actif pendant la dynastie des Song du Nord (960-1127). Chinois.
Peintre.
Peintre de fleurs et d'oiseaux dont la Freer Gallery de Washington conserve un rouleau à l'encre et couleurs sur soie, qui lui est attribué, mais qui date probablement de l'époque Yuan (1279-1368), *Bambous et Moineaux*.

T'ANG TAI. Voir **TANG DAI**

T'ANG TCHE-K'I. Voir **TANG ZHIQI**

T'ANG TCHENG-TCHONG. Voir **TANG ZHENGZHONG**

T'ANG TCHE-YIN. Voir **TANG ZHIYIN**

T'ANG TI. Voir **TANG DI**

TANGUY Eugène
Né en 1830 à Vannes (Morbihan). Mort en 1899. XIXᵉ siècle. Français.

Peintre de paysages.
Élève de Gleyre. Il exposa au Salon à partir de 1864. Sociétaire des Artistes Français, Tanguy s'inspira souvent des sites bretons.
Musées : NANTES : *Paysage des environs d'Elven – Paysage –* TROYES : *Ponceau sur une rivière –* VANNES : *En forêt dans les Vosges – Mer sauvage – Vue de Saint-Pierre-Quiberon.*
Ventes Publiques : LINDAU (B.), 9 mai 1979 : *Paysage d'automne*, h/pan. (13,5x22) : DEM 1 700 – AMSTERDAM, 9 nov. 1994 : *Paysage estival*, h/pan. (13,5x22,5) : NLG 6 900.

TANGUY Marc
XXe siècle. Français.
Peintre, technique mixte.
Entre 1978 et 1983 il fut élève de Georges Rohner et de Zao Wou-Ki à l'École des Arts Décoratifs de Paris. Il a participé à des expositions collectives : 1983 école des Beaux Arts de Paris, Salon Paul Louis Weiller à Paris ; 1984 *Format déraisonnable* au Centre culturel de Rosny sous bois ; 1986 Salon de Vitry.
Ventes Publiques : PARIS, 13 avr. 1988 : *La Constellation*, techn. mixte (25x25) : FRF 3 000 – PARIS, 12 fév. 1989 : *Poisson*, techn. mixte (50x50) : FRF 4 700.

TANGUY Yves
Né le 5 janvier 1900 à Paris. Mort le 15 janvier 1955 à Woodbury (Connecticut). XXe siècle. Depuis 1939 actif et depuis 1948 naturalisé aux États-Unis. Français.
Peintre de figures, animaux, paysages, peintre à la gouache, peintre de collages, aquarelliste, dessinateur, illustrateur. Surréaliste.
De parents bretons, son père était officier de marine, lui-même s'engagea comme pilotin dans la marine marchande, parcourant l'Angleterre, le Portugal, l'Espagne, l'Afrique, l'Amérique du Sud. Au cours de son service militaire, à Lunéville, au 37e Régiment d'Infanterie (d'autres sources indiquent Avignon), il connut Jacques Prévert. Revenu à Paris, en 1922, il vint habiter rue du Château, chez Marcel Duhamel, breton comme lui et dont le domicile fut l'un de lieux célèbres de l'histoire des clans du surréalisme. En 1925, probablement par Prévert, il rencontra les surréalistes, adhérant au groupe la même année. Dès 1925, il avait collaboré à *La Révolution Surréaliste*, où ses œuvres étaient reproduites. Il collabora aussi à diverses publications surréalistes : *Le Surréalisme au service de la Révolution*, *Variétés* ; il en signa les manifestes. En 1939, Tanguy, qui était militairement réformé, partit pour New York, en compagnie de sa seconde femme, Kay Sage, peintre américain, qu'il avait connue en 1938. En 1940, ils séjournèrent à Reno, San Francisco, Los Angeles. En 1942, ils allèrent au Canada, à Washington, puis se fixèrent définitivement à Woodbury. Malgré l'isolement relatif de Woodbury, il conserva des liens et avec les surréalistes qui avaient gagné les États-Unis pendant la guerre, y rejoignant Duchamp, et avec les jeunes peintres américains, sur lesquels son influence fut déterminante, au même titre que celles de Duchamp ou d'André Masson.
Il participa à partir de 1925 à des expositions collectives, notamment aux expositions du groupe surréaliste : à partir de 1925 régulièrement à Paris, en 1947 à la galerie Maeght, 1977, 1979 musée national d'art moderne ; 1934, 1937, 1958, 1967 Palais des Beaux-Arts de Bruxelles ; 1936, 1939, 1944, 1945, 1946, 1949, 1968 Museum of Modern Art de New York ; 1937 Exposition internationale du surréalisme au Salon Nippon à Tokyo ; 1940 galerie d'art mexicain à Mexico ; 1949, 1968 Art Institute de Chicago ; 1950 Museum of Fine Arts de Richmond ; 1952 Kunsthalle de Bâle ; 1958 Contemporary Arts Museum de Houston ; 1959 Documenta à Cassel ; 1978 Hayward Gallery de Londres ; 1962 musée des beaux-arts de Montréal, musée de Rennes ; 1967 Louisiana Museum de Humlebaek ; 1968 galerie d'art municipale de Turin ; 1969 Kunsteverein de Hambourg ; 1975 Kunsthalle de Düsseldorf, Staatliche Kunsthalle de Baden Baden, National Museum of modern Art de Tokyo.
Il a montré ses œuvres dans des expositions personnelles : à partir de 1927 à Paris ; 1940, 1954 Wadsworth Atheneum Museum à Hartford ; 1940 Museum of Art de San Francisco ; à partir de 1952 régulièrement à la galerie Pierre Matisse à New York ; 1955 Museum of Modern Art de New York ; 1982 rétrospective au Centre Georges Pompidou, musée national d'art moderne de Paris.
En 1923, alors que l'idée de peindre ne lui avait jamais traversé l'esprit, le choc qu'il reçut en voyant une peinture de Chirico : *Le Cerveau de l'enfant*, à la vitrine du marchand Paul Guillaume, lui

en imposa la nécessité. Ses premières œuvres se ressentaient par leur facture naïve de cette formation totalement autodidacte, d'autant que d'inspiration populaire : des paysages parisiens comme *La Rue de la Santé* de 1925, ou des scènes pittoresques comme *Les Forains* de 1926. En 1926, pratiquement par ses propres moyens, il découvrit les possibilités de création d'univers insolites, à partir des rêves et des rêveries inconscientes. Dans une première manière, à laquelle appartient *L'Orage* de 1926, le dessin était nerveux, issu d'une écriture spasmodique. Cette représentation des formes issues de l'inconscient, devait exercer une influence considérable sur le développement du surréalisme en peinture, et notamment chez Dali. Cette fébrilité du trait se tempéra ensuite durablement pour faire place à la technique qui a caractérisé l'ensemble de l'œuvre de Tanguy, une technique de la représentation la plus fidèle possible, par des moyens strictement académiques, d'un monde d'objets inouïs dans une nature n'ayant jamais existé et nécessitant donc une objectivation scrupuleuse. Il a parfois illustré ses amis poètes : *Dormir, dormir dans les pierres* de Benjamin Péret. De son langage plastique, Jacques Lassaigne a écrit : « Son œuvre épouse à l'avance les buts profonds du mouvement *surréaliste* et épuise les retentissements possibles du psychique sur le physique. Elle ne recourt à aucun procédé d'écriture... À propos de cette œuvre, on a parlé d'évocations sous-marines ou extra-planétaires. Il s'agit en vérité d'une vision purement subjective, peuplée de formes sans équivalences ». José Pierre écrit que « l'univers de Tanguy tend à se présenter comme celui de la sérénité intérieure, au-delà des vicissitudes du quotidien », ce qui est discutable si l'on prend garde à la flore et à la faune qui le constituent, embryons larvaires entre le minéral et l'organique, hantant la limite de l'eau et des grèves telle qu'elle devait apparaître à l'aube de l'histoire géologique, quand les grands coquillages commencèrent à se traîner sur le sable. C'est ce que Frank Elgar indique en d'autres termes : « Nul autre surréaliste n'a eu autant l'intuition d'une réalité indépendante de la réalité sensible, d'un monde vierge, limpide, antérieur à toute vision. S'il a recouru... aux moyens les plus traditionnels, il trouble par sa façon d'introduire dans un espace indéfini et dans une lumière d'aurore boréale, des formes larvaires, qu'on croirait soustraites aux profondeurs sous-marines ou aux arides étendues de quelque astre lointain », ou bien encore René Huyghe : « Il semble réaccomplir la genèse du réel rappelé à la vie : d'un métier aux contours et aux modelés précis et évocateurs, il suscite un monde encore inorganique, aux formes élémentaires d'amibes, nés dans les brumes légères d'une planète en formation ». Cependant, si cette création d'un monde inouï est indéniable dans l'œuvre de Tanguy et s'il est naturel que ses commentateurs s'y soient attachés, cet aspect, le plus immédiat, le plus littéraire et donc le plus facile à saisir, ne doit pas en faire oublier les qualités purement plastiques et, dans ce sens, Jacques Lassaigne a raison d'insister : *Si ces formes paraissent parfois surgir des fumées du rêve ou naître des accidents mêmes de la matière (périodes 1927-1929, 1930-1931), elles possèdent cependant une structure précise ; elles obéissent à une logique intérieure et des rapports rigoureux s'établissent entre elles. De remarquables dessins, qui constituent une part importante de l'œuvre de Tanguy en font foi.* Si le côté « expédition lointaine » qu'évoquait Breton à propos de l'œuvre de Tanguy, a été l'un des éléments qui influencèrent Arshile Gorky et Matta, l'un également dans la prospection du paysage des débuts du monde que chacun porte en soi, l'autre dans la science-fiction, tous deux furent également sensibles, et ceci est singulièrement visible chez Matta, à la construction spatiale (essentiellement par les vides et les lignes non tracées qui réunissent les objets à travers l'espace) de l'univers recréé dans la peinture de Tanguy. Si la technique demeura inchangée, à quelques effets de flou et de bavures près, dans l'ensemble de son œuvre, on peut cependant distinguer une évolution des thèmes ou du climat poétique. Aux plages désertées de la première période, *On sonne* de 1927, *Maman ! Papa est blessé* de 1927 également, succédèrent, en 1930-1931, des paysages, intérieurs, hérissés de falaises envahissant l'horizon, *L'Armoire de Protée*. Ensuite régna de nouveau le silence des grèves à marée basse, peuplées de formes de cailloux mous, en quantité croissante, comme dans *Jour de lenteur*, de 1937. À Woodbury, il put réaliser une part importante de son œuvre, qui demeurait assez rare, avec, dans un premier temps des peintures au climat apaisé : *Divisibilité indéfinie*, *Le Palais aux rochers de fenêtres* ; puis, dans les dernières années de sa vie, des peintures de grands formats exprimant de nouveau une angoisse métaphysique, matérialisée dans des paysages de grèves, symbolisant toujours sans doute l'espace mental, envahis soit d'amoncellements de pierres, soit des falaises de la période 1930-1931, où il n'est pas interdit de lire la hantise d'une minéralisation généralisée de la vie et avec un maximum d'intensité dans les deux dernières : *La Multiplication des arcs* et *Nombres imaginaires* de 1954. Curieusement, alors que la valeur marchande de ses œuvres est considérable, la renommée d'Yves Tanguy est restée discrète. Créateur de l'une des directions principales du surréalisme en peinture, que Dali sut au contraire exploiter avec tintamarre, ses amis surréalistes, reconnaissant les attaches celtiques des désespérances de ses déserts mentaux, l'avaient surnommé le « Guide du temps des druides du gui ». ■ Jacques Busse

Yves Tanguy

YVES TANGUY

Bibliogr. : A. Breton : *Le Surréalisme et la peinture*, Paris, 1928 – A.-H. Barr : *Fantastic Art, Dada, Surrealism*, New York, 1936 – Divers : *Yves Tanguy*, View, Numéro Spécial, New York, 1942 – Chr. Zervos : *Histoire de l'Art Contemporain*, Zervos, Paris, 1938 – P. Guggenheim : *Art of this Century*, New York, 1942 – René Huyghe : *La peinture actuelle*, Paris, 1945 – J.-J. Sweeney : *Eleven European Artists in America*, New York, 1946 – René Huyghe : *Les Contemporains*, Tisné, Paris, 1949 – Maurice Raynal : *Peinture Moderne*, Skira, Genève, 1953 – Jacques Lassaigne, in : *Diction. de la peint. mod.*, Hazan, Paris, 1954 – Bernard Dorival : *Les peintres du xxᵉ siècle*, Tisné, Paris, 1957 – José Pierre : *Le Surréalisme*, in : *Hre Gle de la peint.* t. XXI, Rencontre, Lausanne, 1966 – Frank Elgar, in : *Diction. Univers. de l'Art et des Artistes*, Hazan, Paris, 1967 – Wolfgang Wittrock : *Yves Tanguy. Das Druckgraphische Werk*, Düsseldorf, 1976 – Patrick Waldberg : *Tanguy*, De Rache, 1977 – Catalogue de l'exposition *Yves Tanguy. Rétrospective 1925-1955*, Centre Georges Pompidou, Paris, 1982 – Geneviève Morgane Tanguy : *Yves Tanguy, druide surréaliste d'Armorique en Amérique*, Lanore, Paris, 1995.

Musées : Bâle (Kunstmus.) : *La Splendeur semblable* 1930 – *Le Rendez-Vous des parallèles* 1935 – Baltimore (Mus. of Art) – Buffalo (Albright-Knox Art Gal.) : *Divisibilité indéfinie* 1942 – Chicago (Art Inst.) : *La Rapidité du sommeil* 1945 – Detroit (Inst. of Art) : *Terre d'ombre* – Düsseldorf (Kunstsammlung Nordrhein-Westfalen) : *Le Jardin sombre* 1928 – *Dame à l'absence* 1942 – Grenoble (Mus. de Peinture et de Sculp.) : *Nid de l'Amphioxus* 1936 – New Haven (Yale University Art Gal.) : *De Mains pâles aux cieux lassés* 1950 – New York (Mus. of Mod. Art) : *Extinction des lumières inutiles* 1927 – *Maman ! Papa est blessé* 1927 – *Multiplication des Arcs* 1954 – New York (Metrop. Mus. of Art) : *Mirage le temps* 1954 – New York (Whitney Mus. of American Art) : *La Peur II* – Northampton (Smith College Mus. of Art) : *Les Mouvements et les actes* 1937 – Paris (Mus. Nat. d'Art Mod.) : *À Quatre heures d'été, l'espoir* 1929 – *Jours de lenteur* 1937 – *Le Palais aux rochers de fenêtres* 1942 – Philadelphie (Mus. of Art) : *L'Orage* 1926 – San Francisco (Fine Arts Mus.) : *D'une nuit à l'autre* 1947 – San Francisco (Mus. of Mod. Art) : *Arrières pensées* 1939 – Venise (P. Guggenheim coll. Mus.) : *Palais-promontoire* 1931.

Ventes Publiques : Bruxelles, 21 oct. 1950 : *Confrontation au crépuscule* : BEF 5 600 – Paris, 22 mars 1955 : *Composition* : FRF 190 000 – New York, 9 déc. 1959 : *La lumière, la solitude* : USD 6 000 – Londres, 7 nov. 1962 : *Demain* : GBP 3 000 – New York, 11 déc. 1963 : *Formes*, gche : USD 3 000 – Londres, 29 avr. 1964 : *Les transparents* : GBP 8 000 – Londres, 31 mars 1965 : *Toilette de l'air* : GBP 7 000 – Londres, 9 juil. 1965 : *Sans titre*, gche : GNS 1 500 – New York, 24 mars 1966 : *Composition*, temp. : GBP 6 500 – Londres, 30 mars 1966 : *Je vous attends* : GBP 13 200 – Paris, 14 juin 1967 : *Composition*, temp. : FRF 58 000 – Paris, 18 juin 1971 : *Composition : nuage* : FRF 350 000 – New York, 15 déc. 1971 : *Sans titre*, gche : USD 5 500 – Berne, 17 juin 1972 : *Composition en noir*, gche sur pap. noir : CHF 66 000 – Londres, 4 juil. 1973 : *Le regard d'ambre* : GBP 80 000 – New York, 17 oct. 1973 : *Hekla*, gche : USD 42 500 – New York, 2 mai 1974 : *Sans titre*, gche : USD 24 000 – Hambourg, 4 juin 1976 : *Composition* 1946, gche collée/pap. noir (36,1x28,3) : DEM 60 000 – Berne, 10 juin 1976 : *Composition* 1951, pl. (49,3x64) : CHF 32 000 – New York, 20 oct. 1977 : *Composition* 1943, pl. (43,7x29,5) : USD 5 000 – Berne, 9 juin 1977 : *Objets dans l'espace* 1936, gche (24x15,9) : CHF 37 000 – Paris, 15 juin 1977 : *Composition surréaliste* 1927, h/t (87x72) : FRF 240 000 – Londres, 14 déc. 1978 : *Rhabdomancie* 1947, eau-forte en coul. (29,6x22,3) : GBP 1 600 – Berne, 22 juin 1979 : *Le Grand Passage* 1953, eau-forte en coul. : CHF 1 800 – New York, 17 mai 1979 : *Composition*, pl. (25,4x8,9) : USD 1 900 – New York, 5 nov 1979 : *Il y a* 1947, h/t (127x101) : USD 270 000 – Londres, 3 déc. 1980 : *Avec le noir* 1951, gche (47x31) : GBP 11 000 – New York, 21 mai 1981 : *L'Arche du soleil* 1947, h/t (46x38) : USD 110 000 – Londres, 23 mars 1983 : *Composition surréaliste* 1933, mine de pb et cr. de coul., reh. de gche/traits pl. (26,5x19,7) : GBP 5 600 – New York, 17 nov. 1983 : *Sans titre* 1945, gche et encre de Chine/pap. noir (36x28,2) : USD 43 000 – New York, 2 mai 1984 : *Rhabdomancie* 1947, eau-forte et aquat. de coul. (29,9x22,6) : USD 4 500 – New York, 12 nov. 1984 : *Vers d'anciens appels* 1946, h/t (71x58,4) : USD 170 000 – Londres, 26 juin 1985 : *Composition surréaliste* 1933, cr. et cr. de coul. reh. de gche/trait d'encre de Chine (26,5x19,7) : GBP 16 000 – Paris, 17 déc. 1986 : *A côté des sables*, gche (115x170) : FRF 170 000 – New York, 13 mai 1986 : *S'éveiller* 1934, h/t (71,1x58,4) : USD 240 000 – Paris, 24 juin 1987 : *Chimillices*, gche /pap. (11x23) : FRF 310 000 – Londres, 1ᵉʳ déc. 1987 : *Mémoire du matin* 1944, h/t (50x40) : GBP 160 000 – Paris, 12 juin 1988 : *Composition surréaliste*, dess. à la pl. (49x29) : FRF 80 000 – Paris, 24 juin 1988 : *Chimillico* 1939, gche/pap. (11x23) : FRF 310 000 – New York, 12 nov. 1988 : *Composition* 1947, gche et aquar./pap. noir (35,5x28) : USD 74 250 – Paris, 20 nov. 1988 : *Composition* 1934, dess. encre de Chine (33,5x25,5) : FRF 65 000 – Paris, 21 nov. 1988 : *Le col de l'hirondelle* 1934, h/pan. (44,5x36,5) : FRF 2 150 000 – Paris, 8 avr. 1989 : *Composition surréaliste* 1938, aquar. gche (19,5x24) : FRF 320 000 – Paris, 12 juin 1989 : *Apollinaire* 1930, encre/pap. (28x19) : FRF 80 000 – Londres, 29 nov. 1989 : *Sans titre* 1927, h/t (100,3x80,6) : GBP 352 000 – Paris, 31 mars 1990 : *Composition surréaliste* 1938, gche et encre de Chine (11x23) : FRF 660 000 – New York, 17 mai 1990 : *Sans titre*, gche et encre/pap., double face (35,6x29,2) : USD 209 000 – Paris, 17 juin 1990 : *Composition* 1930, h/t (92x73) : FRF 4 000 000 – Londres, 20 mars 1991 : *Paysage surréaliste* 1938, h/t (27x35) : GBP 132 000 – New York, 8 mai 1991 : *Sans titre* 1947, gche/pap. noir (35,5x28) : USD 99 000 ; *Parure d'insomnie* 1947, h/t (45,5x38) : USD 330 000 – New York, 6 nov. 1991 : *Le prodigue ne revient jamais I* 1943, h/t (28x23) : USD 247 500 – Paris, 13 nov. 1991 : *Titre inconnu* 1943, h/t (50,5x71) : FRF 1 380 000 – Paris, 23 mars 1992 : *Composition surréaliste* 1926, aquar. et encre (20,3x16) : FRF 58 000 – New York, 13-14 mai 1992 : *Bacchanale*, gche et aquar./pap. (20x11,4) : USD 2 750 – New York, 12 nov. 1992 : *Sans titre* 1937, gche/pap. (7,3x24,4) : USD 68 200 – Paris, 23 nov. 1992 : *Composition* 1947, gche/pap. noir (46x30) : FRF 150 000 – Monaco, 6 déc. 1992 : *Sans titre* 1931, h/pan. (13,5x10,4) : FRF 477 300 – New York, 12 mai 1993 : *Composition* 1939, h/t (54x45,5) : USD 387 500 – Londres, 22 juin 1993 : *Feu couleur*, h/t (30x40) : GBP 166 500 – Londres, 23 juin 1993 : *Composition* 1936, gche/pap./cart. (9,5x28) : GBP 37 000 – Paris, 21 jan. 1994 : *Composition sans titre* 1926, encre de Chine (33,5x26) : FRF 33 000 – Paris, 20 mai 1994 : *Sans titre*, eau-forte en coul. (10x7,5) : FRF 13 500 ; *Feu volant*, gche/pap./t. (43x32,5) : FRF 513 000 – Londres, 27 juin 1994 : *Le prodigue* 1943, h/t (28,5x22,9) : GBP 84 000 – New York, 9 nov. 1994 : *Le géomètre des rêves* 1935, h/t (56x46) : USD 310 500 – Paris, 13 oct. 1995 : *Composition*, encre de Chine (40x27) : FRF 52 000 – New York, 7 nov. 1995 : « *Un grand tableau qui représente un paysage* » 1927, h/t (116,5x90,8) : USD 904 500 – Marseille, 16 déc. 1995 : *Sans titre* 1937, h/cart. (19x24) : FRF 300 000 – New York, 1ᵉʳ mai 1996 : *Sans titre (Les profondeurs tacites)* 1928, h/t (100,3x73) : USD 921 000 – Londres, 25 juin 1996 : *Composition sans titre* 1944, gche/pap. (20x26) : GBP 12 650 – Londres, 4 déc. 1996 : *Sans titre* 1926, pl., encre et gche/pap. (32,8x25,4) : GBP 7 130 – Paris, 17 juin 1997 : *Le Fond de la tour* 1933, h/t (65x54) : FRF 2 300 000 – Londres, 23 juin 1997 : *Sans titre* 1927, h/t (115x81) : GBP 529 500 – Londres, 25 juin 1997 : *Sans titre* 1947, gche/pap. noir (35,5x28) : GBP 43 300.

TANG XIANKE ou T'ang Hien-K'o ou T'ang Hsien-K'o, surnom : **Junyu**

Originaire de Changzhou. xviiᵉ siècle. Actif dans la première moitié du xviiᵉ siècle. Chinois.
Peintre.

Calligraphe et peintre, il suit le style de Mi Fu (1051-1107).

TANG YIFENG ou **T'ang I-Fen**, surnom : **Ruoyi**, nom de pinceau : **Yusheng**
Né en 1778, originaire de Wujin, province du Jiangsu. Mort en 1853 à Nankin. XIXᵉ siècle. Chinois.
Peintre de paysages, fleurs, dessinateur, calligraphe.
Poète, calligraphe et peintre de paysages, de pins et de fleurs de prunier, il est aussi connu pour ses études d'astronomie, de géographie et de musique et pour ses écrits littéraires.
Musées : Londres (British Mus.) : *Vue de jardin* 1826.
Ventes Publiques : New York, 4 déc. 1989 : *Huit vues des rivières Xiao et Xiang*, encre, et pigments/pap., album de huit feuilles (chaque 13,3x12,7) : **USD 3 850** – New York, 31 mai 1990 : *Paysage*, encre et pigments/pap., kakémono (19,8x134,6) : **USD 2 750** – New York, 26 nov. 1990 : *Paysage fluvial*, encre et pigments/pap., makémono (30,5x280,4) : **USD 4 400** – New York, 25 nov. 1991 : *Album de paysages* 1846, neuf feuilles à l'encre et pigments/pap., et trois à l'encre/pap., douze feuilles au total (chaque 25,4x17,7) : **USD 7 150** – New York, 29 nov. 1993 : *Pin*, encre sur pap. moucheté d'or, kakémono (91,1x30,5) : **USD 1 150** – New York, 21 mars 1995 : *Album de paysages en douze feuilles*, encre et pigments/pap. (chaque 20,3x25,4) : **USD 3 220**.

TANG YIHE ou **T'ang I-Ho**
XXᵉ siècle. Chinois.
Peintre.
Il a été pendant un temps professeur à l'Académie des Beaux-Arts de Hangzhou.
Il fut un représentant de l'école moderne.

TANG YIN ou **T'ang Yin**, surnoms : **Bohu** et **Ziwei,** noms de pinceau : **Liuru Jushi** et **Taohua Anzhu**
Né en 1470, originaire de Suzhou, province du Jiangsu. Mort en 1523. XVᵉ-XVIᵉ siècles. Chinois.
Peintre de genre, figures, paysages, fleurs, dessinateur.
Né à Suzhou dans un milieu de commerçants modestes, Tang Yin passe brillamment à quinze ans les examens de la préfecture, puis en 1497, ceux de la province, où il reçoit le titre de *jieyuan* réservé aux candidats les plus éminents. Considéré comme un jeune génie, il est admiré et protégé par des hommes aussi en vue que les peintres Shen Zhou, Wu Kuan et Wen Zhengming dont il est l'ami. Son tempérament, ses dons aussi, le poussent à l'extroversion ; sa réputation de jeune talent des plus prometteurs le précède à Pékin, la capitale, où il part à vingt-huit ans pour passer les examens d'État qui lui ouvriront les portes d'une grande carrière gouvernementale. En compagnie d'un ami riche, il mène grand train et son ami, peu doué, soudoie un serviteur de l'examinateur en chef qui lui communique les sujets. L'affaire est ébruitée et les deux jeunes gens sont emprisonnés ; Tang Yin qui ne peut prouver son innocence voit ainsi son avenir brisé : il est privé de tous ses titres académiques et rentre à Suzhou, courbé sous le poids de l'humiliation. Il écrit à Wen Zhengming : *Je suis un objet de honte... Ceux qui me connaissent, comme ceux qui ne me connaissent pas me montrent du doigt et crachent... que celui qui j'ai vécu est cruel au-delà de toute limite. Cela a changé ma contenance.* Rejeté par sa femme, renié par de nombreux amis, il devient cynique, se met à boire, aime à choquer par son langage et ses manières et oublie l'amertume dans la débauche. Exclu du monde lettré, il vend ses peintures pour vivre ; ce foudre de vertu qu'est Wen Zhengming lui conserve néanmoins son amitié, sa vie durant, non sans l'admonester, en pure perte. En 1501, Tang voyage pendant presque un an et jusqu'à l'épuisement de ses forces pour visiter les paysages du Zhejiang, du Fujian, du Hunan et du Sichuan et ce n'est qu'à la fin de sa vie qu'il trouve quelque consolation dans la méditation du bouddhisme *chan* (zen).
Parmi les nombreux peintres de Suzhou au XVIᵉ siècle, où fleurit notamment l'école de Wu, Tang Yin et Qiu Ying se situent marginalement mais n'en comptent pas moins parmi les quelques grands artistes de la dynastie Ming. L'art qu'ils pratiquent se caractérise en effet par un raffinement d'expression rare chez des professionnels et des connaissances techniques peu fréquentes chez les amateurs. En fait, à côté des influences de l'école de Wu et des maîtres Yuan, ils ne renient pas certaines formules académiques et développent à partir de ces sources éclectiques un style tout à fait personnel. Pour vivre, Tang Yin œuvre comme peintre quasi professionnel, dans un genre populaire et décoratif pour les bourgeois de Suzhou et ce sont ses études de personnages en couleurs, particulièrement de jolies femmes dans le style Tang et ses peintures érotiques, qui lui valent, comme à Qiu Ying, sa réputation. Dans ce domaine toutefois, ils savent l'un et l'autre rendre au genre de la mesure dans la

technique et dans le goût ; les copies et les nombreuses gravures qui seront faites de leurs œuvres influenceront l'art de l'*ukiyo-e* japonais.
Artiste isolé et de génie, Tang représente et l'école de Wu et la tradition académique de Li Tang (vers 1050-après 1130) à travers Zhou Chen (vers 1450-vers 1535) ; il semble travailler avec une extrême facilité et ne créera ni principes nouveaux ni école. Ses plus anciennes œuvres datées, vers 1506, sont des paysages dans le style de Li Tang, avec des rochers aigus et des rides au pinceau appuyé, manière qui lui apparaîtra vite trop schématique et trop restrictive : il en donnera bientôt une représentation plus libre. Le rouleau horizontal, *Pêcheurs sur une rivière automnale* (National Palace Museum de Taipei) est une de ses meilleures réussites dans ce genre : deux lettrés se reposent dans leur barque, l'un jouant de la flûte, l'autre lui donnant le rythme en claquant dans ses mains. Les notes mélancoliques de la flûte se mêlent au murmure d'une petite cascade et rendent particulièrement prenante l'atmosphère de l'automne ; l'harmonie des tons est admirable avec ces feuilles mortes qui rougissent le cours d'eau et se rassemblent au pied des rochers. C'est là une attitude caractéristique de Tang vis-à-vis de la couleur, et très différente de celle de nombreux peintres lettrés pour qui elle ne vient que rehausser l'encre. Tang Yin utilise souvent une technique impressionniste du pinceau pour rendre la résonance de la vie (*qiyun*, le rythme spirituel), dans ses paysages comme dans ses représentations de fleurs et d'oiseaux. Les études de fleurs se partagent entre des branches de pruniers dénudées, ou d'abricotiers en fleurs d'une part, des études très fines de fleurs de culture, lis, pivoines, hibiscus, narcisses... d'autre part, œuvres fréquemment accompagnées de courts poèmes et qui sont des souvenirs d'impressions fugitives recueillies dans les jardins de Suzhou. Le pinceau s'avère souvent doux et léger, émoussé parfois, et conserve sa fraîcheur à une vision notée spontanément lui conférant un charme intime, tant par la composition que par la technique non conventionnelle du rendu de l'atmosphère. Le rouleau horizontal du Musée National de Stockholm, *Préparation du thé*, daté 1521, met l'accent sur les deux personnages dans un paysage qui leur tient lieu de cadre ; l'un d'eux surveille le brasero qui porte la bouilloire, tandis que l'autre attend, quelques livres à côté de lui ; à cela s'ajoutent des objets simples, brûle-parfum, jarre, vase avec une branche fleurie ; des montagnes s'évanouissent dans le lointain et c'est ainsi que Tang Yin évoque l'atmosphère d'une soirée détendue de deux lettrés écoutant le bruit de l'eau dans la bouilloire et la paix de la nature. L'œuvre de Tang Yin est inégal, variable, fascinant par les surprises qu'il réserve dans la suggestion d'un moment privilégié ou l'expression d'une impalpable impression. Il est aussi le maître de la lumière, des variations sur des thèmes différents, avec une grande versatilité technique. Signalons enfin qu'on lui attribue, indûment semble-t-il, un traité sur la peinture, le *Lun Hua*, et une anthologie de textes classiques de l'esthétique, le *Liuru Jushi Huapu*. ■ M. M.
Bibliogr. : J. Cahill : *La peinture chinoise*, Genève, 1960 – M. Pirazzoli-t'Sterstevens : *T'ang Yin et K'ieou Ying*, in : *Encyclopaedia Universalis* vol. 15, Paris, 1973.
Musées : Boston (Fine Arts Mus.) : *Lettré assis sous un arbre et serviteur préparant le thé*, rouleau en longueur signé – Chicago (Art Inst.) : *Boire du thé avec un fourneau en bambou sous un arbre wutong* signé et daté 1509, encre et coul. légères, rouleau en longueur, poème de Zhu Yunming – *Pins sur une colline*, rouleau en longueur signé et dédicacé à quelques amis, plusieurs colophons – Honolulu (Acad. of Arts) : *Homme méditant dans un pavillon couvert de chaume*, signé – Indianapolis (Art Mus.) : *Paysage aux pics étranges et retraite de lettré isolé*, encre et coul. légères sur soie, colophon de l'artiste – New York (Metropolitan Mus.) : *Paysage de neige et deux hommes sur un pont*, éventail signé – *Beauté dormant sur une feuille de bananier*, rouleau en longueur signé, poèmes de Wen Peng et de Wen Chong – Pékin (Mus. du Palais) : *Plantes grasses dans un pot et petit rocher* poème du peintre daté 1523, colophon de Wen Zhengming – *Deux courtisanes en costume Tang prenant des rafraîchissements* inscription du peintre datée 1523, coul. sur soie – *Homme pleurant entre deux arbres secoués par l'orage*, encre sur pap., rouleau en longueur, poème du peintre – *Wang Gong voyageant en charrette dans la montagne*, encre et coul. légères, rouleau en longueur signé – *Vue du Dongshan*, encre et coul. légères sur pap., rouleau en longueur signé, inscription du peintre – *Montagne avec arbres et chaumières dans un bosquet de bambous sous la neige*, encre sur pap., poème du peintre – Shangai : *Compagnons dans les monts printaniers*, coul. légères sur pap.,

rouleau en hauteur, poème du peintre – *Éventail de soie dans le vent de l'automne*, encre sur pap., rouleau en hauteur – *Grenades*, coul. sur pap., rouleau en hauteur – *Vieux arbres et bambous*, encre sur soie – STOCKHOLM (Nat. Mus.) : *Préparation du thé* signé et daté 1521, rouleau en longueur – TAIPEI (Nat. Palace Mus.) : *Pêcheurs sur une rivière automnale* inscription d'un ami de l'artiste datée 1523, encre et coul. sur soie, rouleau en longueur – *Personnages dans le style Tang*, encre et coul. sur pap., rouleau en hauteur, inscription de l'artiste – *En écoutant les pins sur un sentier de montagne*, encre et coul. sur soie, rouleau en hauteur – *La cueillette des graines de lotus* daté 1520, rouleau en longueur – *Parlant de l'ancien temps avec Xizhou*, rouleau en hauteur – *Gaoshi tu (Les grands lettrés)*, rouleau en longueur, inscription de Wen Zhengming – *Voyageurs dans un paysage d'hiver*, encre et coul. légères sur soie, rouleau en hauteur – *Village du Jiangnan*, encre et coul. légères sur pap., rouleau en hauteur – *Échange de souvenirs*, encre sur pap., rouleau en hauteur – *Tao Gu composant un morceau lyrique*, encre et coul. sur soie, rouleau en hauteur – *Paysage avec personnages dans un pavillon sous un arbre*, encre et coul. sur soie, rouleau en hauteur – Album de dix feuilles d'études de paysages, signé – *Pêcheur dans les montagnes et les ruisseaux*, coul. sur soie, rouleau en longueur, poème du peintre, plusieurs inscriptions – *Adieu à Zheng Chuzhi à la porte Jincheng de Suzhou*, encre sur soie, rouleau en longueur, inscription du peintre, colophons de Wang Zhideng et Zhou Tianqiu – *Dame Ban Zhao des Han debout sous deux palmiers*, inscriptions de Zhu Yunming, Wen Zhengming et Wang Guxiang – WASHINGTON D. C. (Freer Gal.) : *Le rêve du lettré*, rouleau en longueur, poème du peintre et six colophons – *Gorge de rivière*, rouleau en longueur signé.

VENTES PUBLIQUES : NEW YORK, 31 mai 1989 : *Flânerie dans une résidence d'été en montagne*, encre et légers pigments/soie, kakémono (186,7x107,3) : **USD 24 200** – NEW YORK, 31 mai 1990 : *Ruisseau au clair de lune*, encre/pap., makémono (30,5x111,8) : **USD 561 000** – NEW YORK, 25 nov. 1991 : *Paysage*, encre/pap., kakémono, d'après Guo Xi (122,5x61,3) : **USD 60 500** – NEW YORK, 18 sep. 1995 : *Paysage*, encre et pigments/pap., kakémono (96,5x34,3) : **USD 13 800** – NEW YORK, 22 sep. 1997 : *Cabane de chaume sous un arbre wutong*, encre et pigments/pap., kakémono avec colophon de Zhu Yunming (25x105) : **USD 222 500**.

TANG YING ou **T'ang Ying**, surnoms : **Jungong** et **Shuzi,** nom de pinceau : **Woji Laoren**
Originaire de Moukden, aujourd'hui Shenyang, province du Liaoning. XVIIIe siècle. Actif sous le règne de l'empereur Quing Qianlong (1736-1796). Chinois.
Peintre.
Inspecteur des douanes à Jiujiang, dans la province du Jiangxi, puis directeur des fours impériaux de la même province, il est connu comme peintre de paysages et de figures.

TANG Yun
Né en 1910. Mort en 1993. XXe siècle. Chinois.
Peintre de paysages animés, animalier, fleurs. Traditionnel.

VENTES PUBLIQUES : HONG KONG, 28 mai 1980 : *Zhong Kui* 1956, encre (71,5x44,5) : **HKD 17 000** – NEW YORK, 2 juin 1988 : *Bambous, orchidées et rochers*, encre/pap., kakémono (132x53,3) : **USD 1 100** – HONG KONG, 17 nov. 1988 : *Lotus* 1943, kakémono, encre/pap. (132,6x67,6) : **HKD 38 500** – HONG KONG, 15 nov. 1989 : *Paysage* 1945, makémono, encre et pigments/pap. (26,5x135) : **HKD 66 000** – NEW YORK, 26 nov. 1990 : *Paysage fluvial* 1943, makémono, encre et pigments/pap. (27,3x92,4) : **USD 1 430** – HONG KONG, 2 mai 1991 : *Poissons dans une mare* 1941, kakémono, encre et pigments/pap. (131,5x68,3) : **HKD 46 200** – HONG KONG, 31 oct. 1991 : *Liu Hai* 1945, kakémono, encre et pigments/pap. (118,8x44,9) : **HKD 22 000** – NEW YORK, 25 nov. 1991 : *Hirondelles*, kakémono, encre et pigments/pap. (91,7x36,5) : **USD 1 430** – HONG KONG, 30 avr. 1992 : *Paysages* 1984, album de huit feuilles, encre et pigments/pap. (chaque 19x38,4) : **HKD 60 500** – HONG KONG, 29 avr. 1993 : *Criquet et cafard* 1941, kakémono, encre et pigments/pap. (110,5x39,5) : **HKD 17 250** – NEW YORK, 29 nov. 1993 : *Grenouilles et calebasses*, encre et pigments/pap., kakémono (121,9x57,2) : **USD 1 840** – HONG KONG, 3 nov. 1994 : *Poussins et orchidées* 1982, encre/pap. (95x43,5) : **HKD 23 000** – NEW YORK, 28 nov. 1994 : *Paysage de printemps* 1947, kakémono, encre et pigments/pap. (136,2x67) : **USD 4 887** – NEW YORK, 21 mars 1995 : *Lotus* 1979, encre et pigments/pap., kakémono (114,3x52,7) : **USD 1 150** – HONG KONG, 4 mai 1995 : *Repos sous un arbre* 1941,

kakémono, encre et pigments/pap. (77,5x26,7) : **HKD 32 200** – HONG KONG, 29 avr. 1996 : *Contemplation d'une cascade* 1942, kakémono, encre et pigments/pap. (130x65) : **HKD 66 700**.

TANG ZHENGZHONG ou **T'ang Chêng-Chung** ou **T'ang Tcheng-Tchong**, surnom : **Shuya,** nom de pinceau : **Xianan**
XIe-XIIe siècles. Actif à la fin du XIe et au début du XIIe siècle. Chinois.
Peintre.
Neveu du peintre Yang Buzhi, il pratique le même style de fleurs de prunier mais sur des fonds plus foncés.

TANG ZHIQI ou **T'ang Chih-Ch'i** ou **T'ang Tchek'i**, surnom : **Xuansheng,** nom de pinceau : **Fuwu**
Originaire de Hailing, province du Jiangsu. XVIe siècle. Actif vers 1560-1570. Chinois.
Peintre.
Peintre de paysages, il est l'auteur d'un traité intitulé le *Huishi Weiyan* (vers 1620, ouvrage relativement important, qui se divise en deux parties : tout d'abord, une cinquantaine de brèves rubriques où l'auteur traite de diverses questions esthétiques et critiques et de quelques points techniques, avec certains jugements tout à fait intéressants ; puis un recueil de propos d'artistes célèbres, classés sans ordre particulier mais présentant un intérêt documentaire.
BIBLIOGR. : P. Ryckmans : *Les « Propos sur la peinture » de Shitao*, Bruxelles, 1970.

TANG ZHIYIN ou **T'ang Chih-Yin** ou **T'ang Tche-Yin**, surnom : **Pingsan**
XVIe siècle. Actif dans la seconde moitié du XVIe siècle. Chinois.
Peintre.
Frère cadet de Tang Zhiqi, on les surnomme *Les deux Tang* ; il est spécialiste de fleurs et d'oiseaux dans le style de Lu Ji (actif vers 1500), et le National Palace Museum de Taipei conserve une de ses œuvres signée : *Oiseaux picorant du grain*.

T'AN HOUA-MOU. Voir **TAN HUAMU**

T'AN HSIANG-LU. Voir **TAN XIANGLU**

TAN HUAMU ou **T'an Houa-Mou** ou **T'an Huamu**
XXe siècle. Chinois.
Peintre.
Il fit ses études au Japon. Il appartint au mouvement de peinture *Lingnanpai*, à Canton.

TANI Andrea
XVIe siècle. Travaillant à Ferrare vers 1528. Italien.
Sculpteur.

TANI Girolamo, dit **il Frillo**
XVIIIe siècle. Actif à Pistoie dans la première moitié du XVIIIe siècle. Italien.
Peintre.
Il travailla pour l'église Saint-Philippe et le théâtre de Pistoie en 1730.

TANI Tommaso di
XVIe siècle. Travaillant à Ferrare vers 1528. Italien.
Sculpteur.

TANIA Chaya
Née en 1938. XXe siècle.
Sculpteur de figures.

VENTES PUBLIQUES : PARIS, 30 jan. 1989 : *L'épouvantail*, bronze à patine verte (38x11x8,5) : **FRF 7 500** – PARIS, 22 mai 1989 : *Torse en fusion* 1973, bronze à patine brune (57x20x12) : **FRF 9 000** – PARIS, 21 mai 1990 : *Le flûtiste* 1989, bronze à patine brune (45,5x8x13) : **FRF 9 000** – NEUILLY-SUR-SEINE, 3 fév. 1991 : *La marche en avant* 1990, bronze (65x15x25) : **FRF 12 000**.

TANIBATA Tsutomu
Né en 1953 à Wakayama. XXe siècle. Japonais.
Peintre, graveur.
Il séjourna à Paris de 1980 à 1982. Il participe à des expositions collectives : 1992 *De Bonnard à Baselitz. Dix Ans d'enrichissement du cabinet des estampes 1978-1988* à la Bibliothèque nationale à Paris.
MUSÉES : PARIS (BN) : *Fleur* 1981.

TANI BUNCHÔ. Voir **BUNCHÔ**

TANIGUCHI. Voir **BUSON**

TANIGUTE Kokio
XXe siècle. Japonais.

Peintre sur soie.

Il vécut et travailla à Tokyo. Il figura aux Expositions de Paris, notamment en 1900 à l'Exposition Universelle, où il reçut une mention honorable.

TANJE Pierre ou Pieter

Né le 15 février 1706 à Bolsward. Mort en juin 1761 à Amsterdam. XVIIIe siècle. Hollandais.

Dessinateur et graveur au burin et à l'eau-forte.

Élève de Jakob Folhema. Il a gravé des portraits, des sujets d'histoire et de genre. Il a notamment collaboré à la gravure de la Galerie de Dresde.

TANK Heinrich Friedrich ou Fridrich ou Tanck

Né en 1808 à Hambourg. Mort le 15 juin 1872 à Munich. XIXe siècle. Allemand.

Peintre de genre, marines.

Il passa sa jeunesse à Copenhague, ce qui fait qu'on le prend souvent pour un Danois. On cite de lui : *Le port de Gênes*.

Musées : HAMBOURG (Kunsthalle) : *Pêcheur sur la plage* – *Mer en fureur* – MUNICH (Mus. mun.) : *Batelier*.

Ventes Publiques : PARIS, 27 avr. 1950 : *Barques de pêche en mer* 1842 : **FRF 17 100** – COPENHAGUE, 8 juin 1977 : *Pêcheurs sur la plage* 1833, h/t (37x48) : **DKK 10 000** – COPENHAGUE, 12 août 1985 : *Femme et enfants sur la plage*, h/t (58x45) : **DKK 18 000** – LONDRES, 25 mars 1987 : *Pêcheurs sur la plage* 1841, h/t (83x114) : **GBP 9 000** – COPENHAGUE, 14 fév. 1996 : *Famille de pêcheurs sur le rivage en Alsgarde*, h/t (27x39) : **DKK 38 000**.

TANKAI, de son vrai nom : Hôzan Tankai Risshi

Né en 1629. Mort en 1716. XVIIe-XVIIIe siècles. Japonais.

Sculpteur.

Fondateur du temple Hôzan-ji de Nara, il sculpte de nombreuses statues bouddhiques, parmi lesquelles le Fudô Myôô (sansc. : Acala ou Acalanatha, l'Immuable) conservé au temple Tôshôdai-ji de Nara est un exemple représentatif. Ses œuvres sont remarquables de puissance, due à n'en pas douter à sa profonde piété religieuse. Elles contrastent par là avec la plupart des œuvres qui leur sont contemporaines et sortent des mains de professionnels qui pallient un talent défaillant par une excessive habileté technique.

TANKE Peter ou Hans

XVIIIe siècle. Travaillant de 1738 à 1763. Danois.

Peintre.

Il peignit un tableau d'autel pour l'église Notre-Dame de Copenhague vers 1738.

TANKEI

Né en 1178. Mort en 1256. XIIIe siècle. Japonais.

Sculpteur.

Fils du sculpteur Unkei (mort en 1223), il hérite du style de son père et le développe dans le cadre de l'école Kei, à Nara, et Kyoto. Chef de l'atelier Shichijô Bussho, il travaille à de nombreuses œuvres qui révèlent généralement l'influence de l'art de la Chine des Song, caractéristique nouvelle par rapport à l'époque d'Unkei. Mais son style est par ailleurs moins vigoureux, comme le prouvent certaines statues parvenues jusqu'à nous telles la *Senju Kannon* (sansc. : Sahasrabhyja) du Sanjûsangen-dô du Myôhô-in à Nara, et une partie des Mille Kannons du même pavillon, la Triade de Bishamon (sansc. : Vaisravana) du Sekkei-ji de Kôchi, etc.

Bibliogr. : Takeshi Kuno : *A guide to Japanese sculpture*, Tokyo 1963.

TANKOFF Ivan Michailovitch

Né en 1739. Mort en 1799. XVIIIe siècle. Russe.

Peintre de paysages et de genre.

Musées : MOSCOU (Roumianzeff) : *Paysage russe* – MOSCOU (Gal. Tretiakov) : *Le baptême mystérieux* – SAINT-PÉTERSBOURG (Mus. Russe) : *Fête à la campagne*.

TANNAES Marie Katharine Helene

Née le 19 mars 1854 à Oslo. Morte en 1939. XIXe-XXe siècles. Norvégienne.

Peintre de paysages.

Elle fit ses études à Oslo, puis chez Courtois et chez Puvis de Chavannes à Paris.

Marie Tannaes 97

Musées : OSLO – TRONDHEM.

Ventes Publiques : COPENHAGUE, 26 fév. 1976 : *Paysage aux envi-*

rons d'Oslo, h/t (58x85) : **DKK 3 800** – STOCKHOLM, 21 oct. 1987 : *Mère et enfant dans un intérieur*, h/pan. (44x35) : **SEK 70 000**.

TANNARD John

Né à Sandy (Bedfordshire). XXe siècle. Britannique.

Peintre, dessinateur, décorateur. Abstrait.

Il a dessiné des motifs d'étoffes.

TANNAUER Gottfried. Voir DANHAUER Gottfried

TANNER A. H.

XVIIe siècle. Actif à Nuremberg dans la seconde moitié du XVIIe siècle. Allemand.

Aquafortiste.

Le Musée Germanique de Nuremberg conserve un portrait de cet artiste (*David Dothe à Nuremberg*).

TANNER A. Wilson

XIXe siècle.

Peintre de paysages et de marines.

Il exposa au Salon des sites de Fontainebleau, de Normandie et d'Auvergne de 1833 à 1842. Peut-être le même artiste que le paysagiste A. Tanner qui exposa à Suffolk Street de 1844 à 1850.

TANNER Benjamin

Né le 27 mars 1775 à New York. Mort le 14 novembre 1848 à Baltimore. XIXe siècle. Américain.

Graveur au burin.

Frère de Henry Ossawa T. et élève de P. C. Verger. Il grava des portraits et des scènes de guerre.

TANNER Heinrich

Né en 1617. Mort en 1670. XVIIe siècle. Actif à Saint-Gall. Suisse.

Peintre et miniaturiste (?).

TANNER Henri Ossawa

Né le 21 juin 1859 à Pittsburgh (Pennsylvanie). Mort en 1937. XIXe-XXe siècles. Depuis 1891 actif en France. Américain.

Peintre de compositions religieuses, animaux, paysages, paysages urbains, marines.

Son père était pasteur de l'Église épiscopale méthodiste noire, à Washington, et Baltimore. En 1888, il devint évêque de son Église. Henry Ossawa reçut une première formation à Philadelphie, puis, en 1879, fut élève de Thomas Eakins à l'Académie des Beaux-Arts de Pennsylvanie. Il fut le premier artiste afro-américain à s'expatrier en France. Il vint une première fois en 1881, puis revint définitivement en 1891, d'abord à Paris, où il fut élève de Benjamin-Constant à l'Académie Julian. Il visita Pont-Aven, Concarneau. En 1893, il devint membre de l'American Art Club en France, en 1909 fut membre associé de la National Academy. Il retourna parfois aux États-Unis, voyagea en Afrique du Nord et au Proche-Orient. Il acheta une maison d'été en Picardie.

Il figura à Paris au Salon des Artistes Français, de 1894 à 1899. Il reçut une mention honorable en 1896, une médaille de deuxième classe en 1897, une d'argent en 1900 à l'Exposition Universelle à Paris, une médaille de deuxième classe en 1906, une médaille d'argent à Buffalo en 1901 et Saint Louis en 1904.

Il traita particulièrement les sujets bibliques. Les premières peintures de Tanner reflètent le réalisme consciencieux et le clair-obscur de Eakins. Mais, après 1890, son style se dégage de ce cadre strictement réaliste et, quoique fondé sur un dessin académique, laisse se développer, par l'effet conjugué des couches de peinture aux tonalités souvent bleutées et des glacis, une poésie suggestive, vaguement abstraite, qui rappelle parfois l'œuvre d'Albert Ryder.

Bibliogr. : Matthews Marcia : *Henry O. Tanner : American Artist*, University of Chicago, Chicago et Londres, 1969 – Catalogue de l'exposition : *The Natural Paradise painting in America 1800-1950*, Museum of Modern Art, New York, 1976 – William H. Gerdts, D. Scott Atkinson, Carole L. Shelby, Jochen Wierich : *Impressions de toujours – Les Peintres américains en France 1865-1915*, Musée Américain de Giverny, Terra Foundation for the Arts, Evanston, 1992.

Musées : CHICAGO : *Les Trois Marie – Les Disciples auprès de la tombe du Christ* – GIVERNY (Mus. Américain Terra Foundation for the Arts) : *Les Invalides, Paris* 1896 – LOS ANGELES : *Clair de lune à Tanger – Daniel dans la fosse aux lions* – NEW YORK (Metrop. Mus.) : *Sodome et Gomorrhe* – PARIS (Mus. du Louvre) : *Résurrection de Lazare* – PHILADELPHIE : *Nicodème* – PITTSBURGH : *Le Christ chez Marie et Marthe – Judas* – WASHINGTON D. C. (Mus. of African Art) : *Le Chêne d'Abraham* vers 1897.

Ventes Publiques : LOS ANGELES, 8 mars 1976 : *La Fuite en*

Égypte, n° 2, h/pan. (33x23,5) : **USD 1 100** – New York, 10 nov. 1978 : *Paysage aux six arbres*, monotype en brun-olive (17,5x20,3) : **USD 2 400** – New York, 25 oct 1979 : *Meules de foin*, h/t (66,7x53,4) : **USD 4 500** – New York, 22 juin 1984 : *Tête de lion*, h/t mar./pan. (20,3x15,2) : **USD 3 300** – New York, 5 déc. 1985 : *Scène de la vie de Job*, h/t (104,1x126,4) : **USD 25 000** – New York, 26 mai 1988 : *Le Bon Berger*, h/t (64,3x79,9) : **USD 15 400** – New York, 24 jan. 1989 : *Paysage animé*, h/cart. (22,5x25) : **USD 4 125** – New York, 28 sep. 1995 : *Le pauvre qui est toujours en vous*, h/pan. (91,4x70,5) : **USD 23 000** – New York, 5 juin 1997 : *Scène de rue à Tanger*, h/t (66x53,6) : **USD 52 900**.

TANNER Henry S.
Né en 1786 à New York. Mort en 1858 à New York. xixe siècle. Américain.
Graveur au burin.
Frère de Benjamin. Il travailla à Philadelphie et à New York.

TANNER Johann. Voir DANNER Johann

TANNER Johann Jakob, l'Ancien
Né vers 1770. Mort en 1822 à Herisau. xviiie-xixe siècles. Suisse.
Peintre de portraits, aquarelliste.
Il vécut et travailla à Richterswil. Il peignit des portraits et des aquarelles.
Musées : Zurich (Mus. Nat.) : *Portrait du Commandant Ruppert* – *Portrait du Colonel Hausheer von Wipkingen*.

TANNER Johann Jakob, le Jeune
Né en 1807 à Herisau (canton d'Appenzell). xixe siècle. Suisse.
Peintre de paysages, aquarelliste, dessinateur.
On cite de lui vingt-quatre vues du Rhin de Mayence à Cologne.

TANNER Johann Sigismund et parfois par erreur Johann Christoph
Né en Thuringe. Mort le 14 mars 1775 à Londres. xviiie siècle. Actif en Grande-Bretagne. Allemand.
Médailleur.
Il s'établit en Angleterre en 1728. Il travailla pour la Monnaie et grava des médailles à l'effigie de *George II*.

TANNER Leonhard
Né le 12 mai 1812 à Hottingen. Mort le 2 mars 1871 à Saint-Gall. xixe siècle. Suisse.
Portraitiste et lithographe.
Élève de Georg Volmar à Berne. Il peignit des miniatures sur ivoire ou à l'huile. Le Musée de Lausanne conserve des œuvres de cet artiste.

TANNER Paul
Né le 7 novembre 1882 à Herisau (canton d'Appenzell). Mort le 13 juillet 1934 à Herisau. xxe siècle. Suisse.
Peintre de compositions animées, genre, figures, portraits, graveur.
Il fit ses études à Munich et à Stuttgart. Il grava des scènes de danses populaires.
Musées : Herisau : *Trois portraits de baillis* – Saint-Gall : *Pierrot* – *Bethsabée*.

TANNER Robert
xxe siècle. Suisse.
Sculpteur.
Il travailla dans la deuxième moitié du xxe siècle. Il forma, avec Angel Duarte et Walter Fischer, le groupe « Y », concepteur d'« environnements », fondés sur des spéculations mathématiques élaborées, telle que la topologie des déformations subies dans la perception de mouvements.

TANNER Robin
Né le 17 avril 1904 à Bristol. xxe siècle. Britannique.
Peintre de paysages, fleurs, graveur.
Il travailla à Kington Langley. Il participa aux expositions de la Royal Academy de 1929 à 1936.
Graveur, il pratiqua l'eau-forte.
Musées : Bury (Gal.) : *Paysage près de Langley*.

TANNER Rudolf
Né le 1er octobre 1781 à Richterswil, et non en 1775 comme l'indiquait Nagler. Mort le 24 juillet 1853 à Richterswil, et non en 1830 à Munich comme l'affirmait Nagler. xixe siècle. Suisse et Non allemand.
Peintre de genre, histoire, compositions religieuses, portraits, paysages, aquarelliste.

Tanner, armurier de son métier, fit sans maître sa première éducation artistique. Ce ne fut qu'à l'âge de trente-neuf ans qu'il alla à Munich faire des études sérieuses.
Musées : Zurich : *Le pont du Diable au Saint-Gotthard*.

TANNERON Jean Baptiste Pierre
Né le 21 juillet 1807 à Toulon (Var). Mort vers 1852 à Paris. xixe siècle. Français.
Sculpteur sur bois.

TANNERON Jean Pierre
Né le 22 mars 1778 à Toulon (Var). Mort le 28 juillet 1831. xixe siècle. Français.
Sculpteur sur bois.

TANNERON Marcelin
Né en 1818 à Toulon (Var). Mort en 1869. xixe siècle. Français.
Peintre de natures mortes.
Fils de Jean Pierre T.

TANNERON Pierre Louis
Né le 19 novembre 1814 à Toulon (Var). xixe siècle. Français.
Peintre.
Élève de V. de Clinchamp.

TANNERT Louis
xixe siècle. Actif à Düsseldorf. Allemand.
Peintre de genre.
Il exposa à Düsseldorf et à Berlin de 1870 à 1880. On cite de lui : *Invitation à la danse* et *Bonheur maternel*.
Ventes Publiques : New York, 21-22 jan. 1909 : *Le marchand de jouets* : **USD 40** – Cologne, 21 mars 1980 : *Soir d'été 1901*, h/t (50x70) : **DEM 3 000** – New York, 28 fév. 1991 : *Sottises dans la cuisine*, h/t (68,6x55,8) : **USD 13 200**.

TANNERT Volker ou par erreur Taunert
Né en 1955 à Recklinghausen (Ruhr). xxe siècle. Actif aussi en Italie. Allemand.
Peintre de figures, paysages. Néoromantique.
Il fut élève de l'école des beaux-arts de Düsseldorf, où il eut pour professeur Klaus Rinke et Gerhard Richter. De 1979 à 1980, il séjourne à New York et Paris. Il vit et travaille à Cologne et en Italie.
Il participe à des expositions collectives : 1981 Kunsthalle de Düsseldorf, Neue Sammlung Museum de Krefeld ; 1982 Kunsthalle de Bâle, Museum Boymans-Van-Beuningen de Rotterdam, Documenta de Kassel ; 1983 Goethe Institut de Paris. Il montre ses œuvres dans des expositions personnelles : 1981, 1982 galerie Rolf Ricke à Cologne ; 1982 Neue Gesellschaft für Bildende Künste de Berlin ; 1986 et 1997 galerie Daniel Templon à Paris.
Il a remplacé les figures ornementales de ses peintures par des paysages riches en empâtements. Ces compositions, tourmentées, évoquent le romantisme allemand, en particulier les paysages de David Carl Friedrich, et s'inscrivent dans la lignée des Nouveaux Fauves : « Mon travail utilise un schéma historique pour aborder de manière critique la situation culturelle contemporaine » (Tannert). Lors de son exposition parisienne de 1997, la résurgence, dans et par une galerie vouée aux avant-gardes, de paysages apocalyptiques, de ruines romantiques, même géométrisés, a surpris à l'époque de tous les concepts.
Bibliogr. : Philippe Dagen ; *Tannert, doublement allemand*, Le Monde, Paris, 2 avr. 1986 – Ramon Tio Bellido : *Volker Tannert. « Le Bon, Le Vrai, Le Beau »*, n° 2, Artstudio, Paris, aut. 1986.
Ventes Publiques : Londres, 22 fév. 1990 : *Sans titre 1985*, h/pap./cart. (101x75) : **GBP 1 980** – New York, 23 fév. 1990 : *Prier et travailler 1985*, h. et gche/pap. (104,8x78,7) : **USD 3 300** – New York, 7 nov. 1990 : *Sans titre 1984*, h/t (220,3x161,3) : **USD 4 950** – Londres, 20 mai 1993 : *Sans titre 1984*, h/t (208x100) : **GBP 1 150** – New York, 3 mai 1994 : *Sans titre 1985*, h. et composition/t. (129,5x180,5) : **USD 1 495**.

TANNEUR Jules François
Né à Paris. xixe siècle. Français.
Graveur sur bois.
Élève de Pannemaker. Il exposa deux gravures sur bois, d'après L. Loir et G. Lorin, au Salon de 1878.

TANNEUR Philippe
Né le 20 février 1795 à Marseille (Bouches-du-Rhône). Mort le 19 janvier 1878 à Marseille. xixe siècle. Français.
Peintre de portraits, paysages, marines, lithographe.
Élève d'Horace Vernet.

Il débuta au Salon de 1827, avec trois tableaux de combats navals. Il exposa quatre marines à la Royal Academy en 1841.

MUSÉES : AIX-EN-PROVENCE : *Marine, vue prise en Hollande* – CALAIS : *Marine* – COMPIÈGNE : *Marine* – DRAGUIGNAN : *La rade de Toulon au soleil levant* 1831 – DUNKERQUE : *Marine* – LE HAVRE : *Marine* – LIÈGE : *Intérieur de ville* – MARSEILLE (Mus. des Beaux-Arts) : *Autoportrait* – MONTPELLIER : *Marine* – NANTES : *Mer calme* – NARBONNE : *Vue prise à Bordeaux* – NICE (Mus. Chéret) : *Marine, clair de lune, intérieur d'une rade* – LA ROCHELLE : *La frégate Belle Poule* – *Naufrage* – SAINTES : *Paysage de montagne* – *Marine*.

VENTES PUBLIQUES : PARIS, 16-18 nov. 1926 : *Marine* : **FRF 340** – MUNICH, 29 nov 1979 : *Bateaux au large de la côte* 1850, h/t (56x77,5) : **DEM 4 000** – VIENNE, 14 mars 1984 : *Bord de mer*, h/t (27,5x38) : **ATS 25 000** – PARIS, 21 juin 1995 : *Scène de bataille navale au clair de lune*, h/t (53x73) : **FRF 12 500.**

TÄNNICH Johann Samuel Friedrich ou Tönnich, Tönnies, Tönniges, Tönnius
Né en 1728 à Zschochau. XVIIIe siècle. Allemand.
Peintre sur porcelaine.
Il travailla pour les Manufactures de porcelaine de Meissen et de Strasbourg ainsi que de Frankenthal. Les Musées des Arts Décoratifs de Dresde, de Hambourg et de Trondhem conservent des œuvres de cet artiste.

TANNING Dorothea
Née en 1910 ou 1912 à Galesburg (Illinois). XXe siècle. Active de 1942 à 1980 en France. Américaine.
Peintre de compositions animées, figures, nus, intérieurs, lithographe, sculpteur, auteur d'assemblages, décorateur de théâtre. Tendance surréaliste.
Peignant sans formation depuis l'enfance, elle suivit quelques cours de technique académique, à Chicago, séjourna un temps à la Nouvelle-Orléans, arriva en 1935 à New York, y découvrit le surréalisme, à l'occasion de la célèbre exposition du Museum of Modern Art *Fantastic Art, Dada and Surrealism*, en 1936. Elle connut en 1942, Max Ernst, avec qui elle se mariera en 1946, partageant sa vie à Long Island, en Arizona, puis en France.
Elle participe à de nombreuses expositions de groupe : 1944 New York ; 1945 Washington ; Paris, régulièrement au Salon de Mai, en 1947 à l'exposition *Le Surréalisme*, etc. Elle montre ses œuvres dans des expositions personnelles : 1948 Californie ; 1948, 1953 New York ; depuis 1954 à Paris notamment à partir de 1961 régulièrement à la galerie du Point Cardinal, en 1974 rétrospective au musée national d'Art moderne.
Avec *Birthday*, *Jeux d'enfants*, commencèrent les premières œuvres importantes dans l'esprit surréaliste : scènes d'extases équivoques de jeunes corps dans des décors d'intérieurs surannés, peintes avec une virtuosité certaine dans la technique académique. À la fin des années quarante, ses sujets continuaient de tourner autour des mêmes obsessions de torture devant les plaisirs coupables, ainsi dans *Scène d'intérieur accompagnée de joie subite* de 1952. À partir de 1952, restant fidèle à ses sujets, les étendant à des célébrations rituelles auxquelles se mêlent des animaux, elle adopta une technique beaucoup moins précise qu'auparavant, empruntant des flous allusifs à l'abstraction, plongeant le détail anecdotique dans une ombre propice, ainsi de *Éperdument* de 1961. Décrivant les figures dans ses œuvres des années 1965, André Pieyre de Mandiargues écrit : « Ces filles un peu fragiles ont éclaté comme des grenades mures, sinon comme des bombes, leurs fragments ont des morceaux de corps de femmes, qui n'ont de cesse qu'ils n'aient bâti puis rebâti le grand théâtre ou le palais du plaisir charnel de la femme. » Elle réalisa aussi des installations à partir de 1965 peuplées de sculptures molles en tissu dans un décor de mobilier comme ces formes étranges mi-homme mi-animal de *Chambre 202, Hôtel du Pavot* de 1974 : « ces corps sont plutôt affirmation symbolique peut-être de la volupté mais aussi de la férocité des contacts, de cette merveilleuse volonté de l'être de prouver son ancienneté sur les formes dites civilisées » (D. Tanning). Elle a également publié un album de lithographies en couleurs, *Les Sept Périls spectraux* à Paris en 1950 et créé des décors d'un ballet de Balanchine *Night Shadow* pour les ballets russes de Monte-Carlo en 1946, de *The Witch* pour le New York City Ballet à Londres en 1950, d'un autre ballet de Balanchine *Bayou* à New York en 1952, de *Will-o-the-Wisp* pour le New York City Ballet en 1953, et publié son autobiographie *Birthday* en 1986.

BIBLIOGR. : Sidney Janis : *Dorothea Tanning*, New York, 1947 – Robert Lebel : *Dorothea Tanning*, Paris, 1953 – Alain Bosquet : *La peinture de Dorothea Tanning*, J.-J. Pauvert, Paris, 1966 – José Pierre : *Le Surréalisme*, in : *Hre Gle de la peint.*, t. XXI, Rencontre, Lausanne, 1966 – Sarane Alexandrian, in : *Diction. Univers. de l'Art et des Artistes*, Hazan, Paris, 1967 – Catalogue de l'exposition : *Dorothea Tanning*, Centre National d'Art Contemporain, Paris, 1974 – *Dorothea Tanning*, numéro spécial, XXe siècle, 1977 – *Catalogue de la collection du musée national d'art moderne*, Centre Georges Pompidou, Paris, 1986 – Alain Jouffroy : *Dorothae Tanning et ses gouffres*, n° 123-124, Opus International, Paris, avr.-mai 1991 – in : *L'Art du XXe s.*, Larousse, Paris, 1991 – in : *Dict. de l'art mod. et contemp.*, Hazan, Paris, 1992.

MUSÉES : CHICAGO (Art. Inst.) – NEW YORK (Mus. of Mod. Art) – PARIS (Mus. Nat. d'Art Mod.) : *Chambre 202, Hôtel du Pavot* 1974 – TONGODOO, Georgie (University Mus.) : *Fatala* 1946.

VENTES PUBLIQUES : NEW YORK, 17 déc. 1968 : *Les fleurs magiques* : **USD 1 800** – NEW YORK, 16 déc. 1970 : *The magic flower game* : **USD 1 900** – ANVERS, 19 avr. 1972 : *Fête champêtre* : **BEF 85 000** – PARIS, 27 nov. 1973 : *Tirage au sort* : **FRF 12 000** – PARIS, 13 déc. 1974 : *Tournesols* : **FRF 10 000** – NEW YORK, 26 mai 1976 : *Civilizing influence* 1944, h/t (30,7x46) : **USD 6 000** – NEW YORK, 15 déc. 1977 : *Ballet Russe de Monte-Carlo* 1945/46, aquar. (50,8x38,2) : **USD 1 100** – NEW YORK, 6 déc. 1977 : *La Mort et la jeune fille* 1953, h/t (130x81) : **GBP 7 500** – NEW YORK, 6 nov 1979 : *On fire*, cr. et mine de pb (32,5x23) : **USD 1 600** – PARIS, 11 juin 1979 : *Épave* 1967, h/t (130x97) : **FRF 6 000** – NEW YORK, 5 nov. 1981 : *Le Jeu d'échecs* 1947, h/t (43,2x43,2) : **USD 15 000** – LONDRES, 24 mars 1983 : *Midi et demi* 1936, h/t (130x161) : **GBP 4 200** – LONDRES, 28 mars 1984 : *Tour de Villebon*, cr. et de coul. (47x63) : **GBP 1 100** – NEW YORK, 6 oct. 1988 : *La vérité au sujet des comètes et des petites filles* 1945, h/t (61x61) : **USD 33 000** – PARIS, 15 fév. 1989 : *Composition* 1962, collage et lav. (34,5x48) : **FRF 8 500** – PARIS, 23 jan. 1989 : *Jeudi au Jeudi* 1968, gche et collage (40,2x9) : **FRF 7 500** – LONDRES, 22 fév. 1989 : *Deux mots* 1963, h/t (130,4x96,6) : **GBP 9 900** – PARIS, 18 fév. 1990 : *Inutile* 1969, h/t (89x116) : **FRF 68 000** – PARIS, 19 juin 1990 : *The philosophers* 1952, h/t (76x92) : **FRF 400 000** – LONDRES, 25 juin 1991 : *La lumière du foyer*, h/t (74x30,4) : **GBP 26 400** – LONDRES, 15 oct. 1992 : *Un pont jeté* 1965, h/t (22x33) : **GBP 1 760** – MONACO, 6 déc. 1992 : *Roses sur un guéridon* 1953, h/t (24x14) : **FRF 11 100** – NEW YORK, 26 fév. 1993 : *Pose dans l'atelier* 1979, h/t (130,2x96,5) : **USD 6 900** – PARIS, 16 mars 1993 : *Femmes*, eau-forte en coul. (14x41) : **FRF 4 200** – NEW YORK, 24 fév. 1995 : *L'amour est la forêt* 1965, h/t (45,7x38,1) : **USD 5 060** – LONDRES, 22-23 mars 1995 : *Maternité*, aquar., gche et encre de Chine/pap./cart. (12,3x8) : **GBP 575** – PARIS, 29 mars 1995 : *Idole* 1964, h/t (33x41) : **FRF 15 000** – PARIS, 8 mars 1996 : *Composition*, techn. mixte/pan. (51x74) : **FRF 38 000** – PARIS, 8 mars 1996 : *Quelques rencontres qui finissent plus ou moins bien*, fus., aquar. et gche/pap. (52x68) : **FRF 28 000.**

TANNOCK James
Né en 1789 à Kilmarnock. Mort en 1862 à Londres. XIXe siècle. Britannique.
Peintre de portraits.
Il fut d'abord cordonnier, puis peintre en bâtiments, mais ses goûts artistiques l'incitèrent à des essais de peinture de portraits qui obtinrent grand succès. Après avoir reçu quelques conseils d'Alexandre Nasmyth, il s'établit peintre de portraits à Grenock, puis à Glasgow et enfin, en 1810, à Londres, où il se fit une place honorable. Il prit part de 1813 à 1841 aux Expositions de la Royal Academy de Londres. La Galerie d'Édimbourg conserve de lui les portraits de l'écrivain *Mrs Grant of Laggan*, des juristes *George Chalmers* et *Geo Jos. Bell* et de l'armateur *Henry Bell*.

TANNOCK William
Né à Kilmarnock. XIXe siècle. Actif à Londres. Britannique.
Peintre de genre, portraits.
Frère et élève de James Tannock. Il exposa à Londres, de 1818 à 1831, des sujets de genre à la Royal Academy et à Suffolk Street.

TANNYÛ. Voir **KANÔ TANNYÛ**

TANO Eugenio
Né au XIXe siècle à Rogliano. XIXe siècle. Italien.
Peintre de genre, de paysages et de portraits.
Il exposa à Naples, Milan, Florence, Livourne. On cite notamment de lui un portrait de *Garibaldi*.

TANOMURA CHIKUDEN. Voir **CHIKUDEN**

TANOUARN Michel, pseudonyme parfois : **Tano Michel**
Né en 1926. XXᵉ siècle. Français.
Peintre, sculpteur. Abstrait-informel.
Après une enfance en Bretagne, puis à Chartres, il s'établit à Paris en 1937. En 1944, il fut élève de l'École des Beaux-Arts et des Académies libres. Parallèlement à ses premiers essais de peinture et volume, il réussit des licences de lettres et philosophie. À partir de 1948, il entreprend de grands voyages à travers le monde entier, d'où il semble attendre des expériences de type initiatique, (Vaudou en Haïti, Serpent à plumes chez les Indiens d'Amérique). Il se fixe parfois au cours de ses voyages, et travaille à des séries de peintures, qu'il reprend à des périodes écartées : *Points OMEGA – Grandes roues – Monochromes – Toiles effacées – Toiles grattées – Planètes – Jardin tropical*, etc. Il écrit aussi des nouvelles. Il participe à des manifestations collectives et montre des expositions personnelles en Belgique, à New York, à Paris et notamment en 1989.
Avec des exceptions éparses, l'ensemble de ses peintures se rattache au courant abstrait-informel, où domine le principe de la tache, dont l'anarchie originelle est tempérée chez lui par des réseaux de lignes. En contradiction avec ce tachisme abstrait, issu de l'immédiat après-guerre, il confère souvent à ses peintures des titres extrêmement descriptifs : *Dans la cascade – Brume sur la rade – Clémence s'éveille*, etc. ■ Jacques Busse
Bibliogr. : José Pierre et divers : *Michel Tanouarn ou la sérénité conquise*, S. M. I., Paris, 1989.

TANOUX Adrien Henri
Né le 10 octobre 1865 à Marseille (Bouches-du-Rhône). Mort en 1923 à Paris. XIXᵉ-XXᵉ siècles. Français.
Peintre de scènes de genre, sujets typiques, figures, nus, portraits, intérieurs, pastelliste. Orientaliste.
Il fut élève de Léon Bonnat à l'École des Beaux-Arts de Paris. Il obtient une bourse de voyage en 1895. Il figura au Salon des Artistes Français de Paris, dont il devint sociétaire en 1905. Il reçut plusieurs récompenses : 1889 mention honorable, pour l'Exposition Universelle ; 1894 médaille de troisième classe ; 1895 médaille de deuxième classe.
Il peignit surtout les femmes dénudées des harems.

[signature: Tanoux]

Musées : Chambéry : *L'Oiseau bleu* – Marseille : *Cuisiniers* – Paris (Mus. du Petit Palais) : *Le chaudronnier – Trois hommes de l'asile des vieillards.*
Ventes Publiques : Paris, 18 juin 1901 : *La nuit* : FRF 560 – New York, 8-10 jan. 1908 : *Un idéal* : USD 120 – Paris, 14 avr. 1923 : *Le Harem* : FRF 1 000 – Paris, 17 déc. 1931 : *Danaé* : FRF 750 – Paris, 13 nov. 1942 : *Buste de femme nue* : FRF 14 000 – Paris, oct. 1945-juil. 1946 : *Le goûter* 1911 : FRF 4 000 – Paris, 3 avr. 1950 : *Nu au divan* 1901 : FRF 8 000 – Nice, 16 mai 1955 : *Thaïs* : FRF 17 000 – Los Angeles, 9 avr. 1973 : *La fille à l'éventail* : USD 1 600 – Londres, 14 mars 1974 : *La favorite du sultan* 1912 : GNS 750 – Paris, 9 déc. 1976 : *Le Corset bleu*, h/t : FRF 4 600 – Paris, 27 avr 1979 : *Une beauté orientale*, h/t (54x37) : GBP 1 000 – New York, 27 mai 1983 : *La Cantatrice* 1898, h/t (64,5x54,6) : USD 2 200 – New York, 30 oct. 1985 : *Intérieur de cuisine*, h/t (55,8x38,1) : USD 1 300 – New York, 24 juin 1989 : *Les semeurs* 1910, h/t (61x73,7) : USD 7 150 – Paris, 8 nov. 1989 : *Femme à la robe rose*, h/pan. (46x37) : FRF 13 500 – Paris, 22 juin 1990 : *Jeune femme à la jarre* 1916, h/t (46x55) : FRF 23 000 – Stockholm, 14 nov. 1990 : *Deux femmes assises avec un bébé endormi*, h/t (117x80) : SEK 47 000 – Paris, 14 déc. 1990 : *Jeune Mauresque*, h/pap. mar./t. (55x38) : FRF 12 000 – Londres, 17 mai 1991 : *Femme d'Orient* 1919, h/t (64,7x53,2) : GBP 6 380 – New York, 22 mai 1991 : *Déshabillée* 1902, h/t (81,3x54,6) : USD 9 350 – New York, 15 oct. 1991 : *Un pique-nique dans les champs* 1909, h/t (100x73,5) : USD 5 500 – New York, 20 jan. 1993 : *Les moissonneurs* 1907, h/t (73,7x59,7) : USD 8 625 – Paris, 8 nov. 1993 : *Les femmes du harem*, h/t (74x50) : FRF 102 000 – Montréal, 23-24 nov. 1993 : *La table du petit déjeuner*, h/t (73,6x54) : CAD 2 600 – Londres, 11 fév. 1994 : *Odalisque* 1913, h/t (59,3x77,6) : GBP 13 225 – New York, 15 fév. 1994 : *Couple de paysans devant une ferme* 1889, h/t (255,3x332,7) : USD 9 200 – Paris, 29 mars 1994 : *Portrait du sculpteur Auguste Paris* 1888, h/t (100x81) : FRF 17 000 – Amsterdam, 9 nov. 1994 : *Intérieur de cuisine*, h/t (53,5x72) : NLG 4 600 – Argentan, 22 jan. 1995 : *Les dentellières*, h/t (73x55) : FRF 43 000 – New York, 24 mai 1995 :

L'heure du thé 1904, h/t (59,7x73) : USD 23 000 – Paris, 6 nov. 1995 : *Deux femmes au harem* 1922, past. (86x60) : FRF 15 000 – Londres, 15 mars 1996 : *Une odalisque* 1905, h/t (39,5x55,2) : GBP 6 325 – New York, 18-19 juil. 1996 : *Jour de lessive* 1906, h/t (60,3x73) : USD 7 475 – Londres, 21 nov. 1996 : *Beauté de harem*, h/t (59,7x44,5) : GBP 17 825 – Paris, 23 juin 1997 : *Jeune fille aux chats*, h/t (73x46) : FRF 30 000.

TAN Quanshu
Né en 1936. XXᵉ siècle. Chinois.
Graveur de paysages.
Il participe à des expositions collectives : 1992 *De Bonnard à Baselitz*. *Dix Ans d'enrichissement du cabinet des estampes 1978-1988* à la Bibliothèque nationale à Paris. Il pratique la gravure sur bois.
Musées : Paris (BN) : *École primaire de la Grande Muraille* 1960.

TANQUERAY Achille Emmanuel
Né à Hambye (Manche). XIXᵉ siècle. Français.
Peintre de figures.
Élève de Quesnel, Gérôme et Armand-Dumaresq. Il débuta au Salon de Paris en 1877. Le Musée de Coutances conserve un dessin de lui.

TANSEY Mark
Né en 1949. XXᵉ siècle. Américain.
Peintre de compositions animées, paysages. Hyper-réaliste.
À partir d'images de brochures de voyage, de journaux et magazines d'art, il mêle réalité et fantasmagorie dans des œuvres monochromes, selon des perspectives photographiques, au style descriptif, neutre.
Bibliogr. : Arthur C. Danto : *Mark Tansey : Visions and revisions*, New York, 1992.
Ventes Publiques : New York, 12 nov. 1991 : *Étude pour « Action Painting II »* 1985, h/t (101,6x147,3) : USD 77 000 – New York, 5 mai 1992 : *Le mythe des profondeurs* 1984, h/t (99,4x226,1) : USD 242 000 – New York, 17 nov. 1992 : *Quatre sens interdits (gout, ouïe, odorat et toucher)* 1982, h/t, quatre panneaux (en tout 147,3x406,4) : USD 165 000 – New York, 18 nov. 1992 : *L'acte de peindre* 1981, h/t (91,5x198,2) : USD 110 000 – New York, 4 mai 1993 : *Iconographe I* 1984, h/t (183x183) : USD 90 500.

T'AN SIANG-LOU. Voir TAN XIANGLU

TANSKI Czeslaw
Né en 1863 à Pieczyska. XIXᵉ-XXᵉ siècles. Polonais.
Peintre d'histoire, sujets typiques, genre, illustrateur.
Il fut élève de l'académie des beaux-arts de Munich et de l'Académie Julian de Paris. Il peignit des scènes populaires et des batailles.
Musées : Varsovie.

TAN SWEE HIAN
Né en 1943. XXᵉ siècle. Actif aussi en France. Indonésien.
Peintre.
Il est diplômé de l'Université Nanyang de Singapour. Il est très actif en France où il expose régulièrement et fut lauréat en 1985 de la médaille d'or du Salon des Artistes Français. Dans le domaine littéraire, il a traduit plus de vingt ouvrages français en Mandarin depuis 1970, et fut fait Chevalier des Arts et Lettres par le gouvernement français en 1978, puis en 1985, chevalier de l'Ordre National du Mérite.
Il a étudié la peinture traditionnelle chinoise et la calligraphie.
Ventes Publiques : Singapour, 5 oct. 1996 : *Jeu d'échecs chinois*, bronze, bois et rés. synth. (table : 69,5x69,5x30) : SGD 18 400.

TANSYKBAÏEV Oural
Né en 1904 à Tachkent. XXᵉ siècle. Russe.
Peintre de paysages, peintre de décorations murales, décorateur de théâtre.
Il a surtout décoré des édifices publics de sa région natale. Dans ses peintures de chevalet, on retrouve les paysages typiques de cette même région, par exemple : *Soir sur le lac Issyk-Koul* de 1951.
Bibliogr. : B. Dorival, sous la direction de... : *Peintres Contemporains*, Mazenod, Paris, 1964.

TANSZKY David Anthony
Né en 1878. XXᵉ siècle. Américain.
Peintre de portraits.
Il a sans doute vécu à New York. Il a peint un *Portrait du général Geo W. Wingate*. Voir aussi TAUSZKY.

TANTARDINI Antonio
Né le 12 juin 1829 à Milan. Mort le 7 janvier 1879 à Milan. XIXe siècle. Italien.
Sculpteur.
Élève de Bartolini. On lui doit, notamment le *Monument de Cavour*, à Milan, la statue d'*Arnold de Brescia* et le *Monument de l'Indépendance*, érigé à Vienne en 1871. Le Musée de Madrid conserve de lui *Deux enfants*, la Pinacothèque de Brescia, *Baigneuse*, et la Bibliothèque de Bergame, un *Buste du Cardinal Mai*.

TANTARDINI Carlo Antonio ou **Tandardini**
Né le 20 mai 1677 à Introbio. Mort en 1748 à Rome. XVIIIe siècle. Italien.
Sculpteur.
Il sculpta de nombreuses statues pour les églises de Turin. Il exécuta aussi des stucatures et des amours.

TANTARDINI Francesco
Né à Introbio. XVIIIe siècle. Actif dans la première moitié du XVIIe siècle. Italien.
Stucateur et sculpteur sur bois.
Il sculpta des anges dans l'église de Barsio et une Vierge des douleurs pour l'église Saint-Jean près de Lecco.

TANTARDINI Mario
Né le 6 mars 1887 à Tarcellasco. XXe siècle. Italien.
Peintre de compositions religieuses, peintre de compositions murales.
Il fut prêtre et n'eut aucun maître. Il peignit des fresques pour des églises de Monza, Moiana et Bari.

T'AN TCHE-JOUEI. Voir **TAN ZHIRUI**

TAN TCHONG-KOUANG. Voir **DA CHONGGUANG**

TANTERI Valerio
XVIe-XVIIe siècles. Actif à Florence. Italien.
Peintre.
Élève de Cristofano Allori. Il peignit une *Visitation* pour l'église Saint-Antoine de Pise en 1606.

TANTET Valentine
Née au XIXe siècle à Paris. XIXe siècle. Française.
Peintre de genre et aquarelliste.
Elle débuta au Salon en 1880.

TANTI Domenico
XVIIIe siècle. Actif à Rome. Italien.
Graveur au burin.
Il grava pour le Musée Clementino Pio.

TANTIBATTE Francesco
XVIIe siècle. Actif dans la première moitié du XVIIe siècle. Italien.
Peintre.
Il copia à l'huile *La Mort d'Ananias* de Raphaël en 1638.

TANTIN Pietro
XVIIIe siècle. Actif à Venise dans la seconde moitié du XVIIIe siècle. Italien.
Peintre.
Élève de Lodovico Gallina. Il a peint une *Visitation* pour l'église Saint-Thomas de Venise en 1792.

TANTY E. Louis
XIXe siècle. Français.
Portraitiste.
Il exposa au Salon de 1848 et de 1850.

TAN XIANGLU ou **T'an Hsiang-Lu, T'an Siang-Lou**
XVIIe siècle. Actif à la fin du XVIIe siècle. Chinois.
Peintre.
Noble de la cour, sa vie nous est inconnue, mais il laisse des peintures de paysages dans le style de Dong Yuan (mort en 962).

TANY Josef, dit **Yos**
Né en 1950 à Tel-Aviv. XXe siècle. Israélien.
Il participe à des expositions collectives à Haïffa, Jaffa et Tel-Aviv. Il montre ses œuvres dans des expositions personnelles en Israël, en 1990 à la Galerie Byblos à Paris.
Il a réalisé des décors de cinéma pendant les années 1970.
VENTES PUBLIQUES : PARIS, 18 oct. 1990 : *Rendez-vous II* 1990, h/t (97x83) : **FRF 9 500.**

TANZAN, de son vrai nom : **Tsuruzawa Kanenobu,** noms de pinceau : **Tanzan** et **Yûsen**
Né en 1655. Mort en 1729. XVIIe-XVIIIe siècles. Actif à Kyoto. Japonais.
Peintre.
Élève de Kanô Tannyû (1602-1674), il fait partie de l'école Kanô de Kyoto.

TÄNZEL Michael. Voir **DAENZEL**

TANZER Bruno
Né le 14 février 1887 à Saaz. XXe siècle. Autrichien.
Peintre, graveur, illustrateur.
Il fut élève de l'Académie de Prague. Il exécuta des restaurations d'églises et grava des ex-libris et des illustrations de livres.

TAN ZHIRUI ou **T'an Chih-Jui, T'an Tche-Jouei**
XIVe siècle. Actif au début du XIVe siècle. Chinois.
Peintre.
Il n'est pas mentionné dans les biographies d'artistes chinois, mais dans l'ouvrage japonais *Kundaikan Sayuchôki*, comme peintre de bambous. La Freer Gallery de Washington conserve une feuille d'album qui lui est attribuée, *Bambou poussant dans la neige près d'une pierre*, accompagnée d'un poème de Yishan.

TANZI François
Né à Lucques. XVIIIe siècle. Travaillant à Grenoble de 1736 à 1747. Italien.
Sculpteur.
Marié à Claire Sauze en 1736, le 7 avril 1740, il eut un fils qu'il nomma Louis. En 1747, il se chargea de sculpter un autel en marbre pour les religieuses de Sainte-Marie-d'en-Haut. Cet autel existe encore aujourd'hui.

TANZI Léon Louis Antoine
Né le 24 mai 1846 à Paris. Mort en 1913 à Blida. XIXe-XXe siècles. Français.
Peintre de genre, portraits, paysages, paysages d'eau.
Il fut élève de Benjamin Constant, de William Adolphe Bouguereau et de Jules Lefebvre. Il exposa au Salon de Paris, à partir de 1877, puis au Salon des Artistes Français, dont il devint sociétaire en 1883. Il obtint diverses récompenses : une mention honorable en 1886, une médaille de troisième classe en 1887, une médaille d'argent pour l'Exposition Universelle de 1889, une autre pour l'Exposition Universelle de 1900. Il fut fait chevalier de la Légion d'honneur en 1901.
Il peignit surtout des paysages, de la Provence principalement, et quelques œuvres de tendance symboliste, telles que : *Femme à la Rose, Le Printemps*.

L. Fanzi 1884

TANZI Michael Arcangelo
XVIIIe siècle. Actif dans la seconde moitié du XVIIIe siècle. Italien.
Sculpteur.
Il exposa à Stockholm de 1781 à 1787.

TANZIN Louis
Né à Barsac (Drôme). XIXe siècle. Français.
Paysagiste.
Élève de M. O. Gué. Il débuta au Salon de 1867.

TANZIO, il. Voir **TANZIO da Varallo**

TANZIO da Varallo Antonio, pseudonyme de **Antonio d'Enrico**, ou **d'Errico**
Né vers 1575 à Alagna in Valsesia. Mort vers 1635 à Varallo. XVIe-XVIIe siècles. Italien.
Peintre d'histoire, compositions religieuses, portraits, dessinateur.
Il était le frère, probablement l'aîné, de Giovanni et Melchiorre d'Enrico, au moment où le patronyme commun s'est formé. Il est établi que Tanzio d'Enrico arriva à Rome au début du XVIIe siècle et qu'il y rencontra le Caravage, ainsi peut-être que Borgianni. De retour de son Piémont natal, il peignit, en 1616, une série de fresques pour le Sacro Monte de Varallo. Il travailla ensuite à la chapelle de l'Ange Gardien de l'église San Gaudenzio, à Novare ; puis à Milan, à l'église San Antonio Abate ; et à Borgosesia. En 1631, il peignit un saint Roch à l'église paroissiale de Camasco. On considère comme l'un de ses chefs-d'œuvre *La bataille de Sennachérib*, qui fait partie de l'ensemble de San Gaudenzio de Novare, qu'il peignit à la fin de sa vie, vers 1627-1629 et dont il existe une esquisse en grisaille au Musée de Novare.
On y trouve les deux constantes de la manière de Tanzio d'Enrico : un éclairage et une dramatisation de la scène spécifiquement caravagesques et, d'autre part, comme chez de nombreux caravagesques s'éloignant de la rigueur du modèle, des indices de maniérisme, qui « stylisent » les personnages, leur ôtant de leur mordant, rappelant les Lombards, Cerano, Morazzone, Procaccini. Pour revenir à la *Bataille de Sennachérib*, c'est une œuvre qui a beaucoup contribué à faire resurgir Tanzio d'Enrico d'un oubli relatif. Le mouvement des soldats épuisés et chancelants s'avançant vers le spectateur est impressionnant et Testori évoqua à ce propos, en 1960, le romantisme du mouvement de Géricault. En 1958, Wittkover en donna une description suggestive : « *Un réalisme sans compromis est traduit en un drame fantomatique, où des figures effrayées et déformées semblent pétrifiées dans l'éternité.* ».

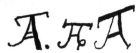

BIBLIOGR. : Catalogue de l'exposition *Tanzio da Varallo*, Musée de Turin, 1959-1960 – Catalogue de l'exposition *Le Caravage et la peinture italienne du XVIIe siècle*, Musée du Louvre, Paris, 1965.
MUSÉES : MILAN (Brera) : *Portrait d'une dame – Portrait d'une jeune femme – Portrait d'un jeune homme – Martyre des Franciscains à Nagasaki* – MILAN (Pina.) : *Les Martyrs* – TURIN (Pina.) : *La conception de sainte Anne* – VARALLO (Pina.) : *Madone avec saint Charles Borromée – Saint Charles Borromée – David*, deux œuvres – *Deux anges – Saint Antoine de Padoue jeune – Salomé*.
VENTES PUBLIQUES : MILAN, 3 nov. 1982 : *Saint Jean Baptiste*, h/t (60x45,5) : **ITL 32 000 000** – MILAN, 27 nov. 1984 : *Saint Jean Baptiste*, h/t (60x45,5) : **ITL 40 000 000** – NEW YORK, 15 jan. 1985 : *Saint Jean Baptiste*, h/t (88,4x63,5) : **USD 45 000** – MILAN, 4 nov. 1986 : *Études de draperie, torse, bras et jambes*, sanguine (20x16,9) : **ITL 2 800 000** – LONDRES, 1er avr. 1987 : *La Vierge, draperie et la main de saint Jean tenant un coquillage*, craie rouge reh. de blanc/préparation rose, études (19x14,4) : **GBP 38 000** – NEW YORK, 14 jan. 1992 : *Feuille d'études de la partie inférieure du corps d'une figure drapée*, sanguine/pap. (20x15) : **USD 4 400** – MILAN, 13 mai 1993 : *Visage féminin*, sanguine (diam. 11,1) : **ITL 4 500 000** – PARIS, 3 juin 1996 : *Étude pour un ange avec croquis de bras et jambe*, sanguine (33x25) : **FRF 320 000**.

TAO CHENG ou **T'ao Ch'êng, T'ao Tcheng**, surnom : **Mengxue** ou **Mouxue**, nom de pinceau : **Yunhu Xianren**
XVe-XVIe siècles. Actif à Baoying (province du Jiangsu) vers 1480-1532. Chinois.
Peintre de portraits, animaux, paysages, fleurs, dessinateur.
Poète, calligraphe et peintre, il semble un personnage étrange, qui n'en trouve pas moins quelques patrons opulents pour le protéger. En 1471, il passe les examens à la capitale provinciale et reçoit le titre de *juren* (licencié).
Sa gamme de sujets est étendue, mais il excelle particulièrement dans les représentations de fleurs et d'oiseaux, les portraits et les paysages en bleu et vert, de petit format.
MUSÉES : PÉKIN (Mus. du Palais) : *Départ de Yunzhong*, rouleau horizontal à l'encre sur pap.

VENTES PUBLIQUES : NEW YORK, 29 nov. 1993 : *Oiseau sur une branche de camélia*, encre et pigments/soie, éventail (25,1x27) : **USD 16 100**.

TAO-CHÊNG. Voir aussi **DAOZHENG**

TAO-CHI. Voir **DAOJI**

T'AO CH'I. Voir **TAO QI**

TAO FUCHU ou **T'ao Fu-Ch'u, T'ao Fou-Tch'ou**, surnom : **Mingben**, nom de pinceau : **Jiexuan Laoren**
Originaire de Tiantai, province du Zhejiang. XIVe siècle. Actif dans la première moitié du XIVe siècle. Chinois.
Peintre.
Calligraphe et graveur de sceaux bien connu, il est aussi peintre, particulièrement de bambous, dans le style de Li Kan (1245-vers 1320) et de Li Shixing (1282-1328). Ses peintures de bambous sont rares, mais il reste quelques paysages, dont un au National Palace Museum de Taipei, *Dans la retraite automnale*, rouleau vertical à l'encre et couleurs légères sur papier.

T'AO HIUAN. Voir **TAO XUAN**

TAO-HONG. Voir **DAOHONG**

T'AO HSÜAN. Voir **TAO XUAN**

TAO-HUNG. Voir **DAOHONG**

T'AO I. Voir **TAO YI**

TAO QI ou **T'ao Ch'i, T'ao K'i, Tao Shaoyuan**, surnom : **Zhuian**
Né en 1814, originaire de Xiushui, province du Zhejiang. Mort en 1865. XIXe siècle. Chinois.
Peintre.
Peintre de paysages dans le style de Wang Hui (1632-1717).

T'AO TCH'ENG. Voir **TAO CHENG**

TAO-TCHENG. Voir aussi **DAOZHENG**

TAO TCHONG-KOUANG. Voir **DA CHONGGUANG**

TAO-TSI. Voir **DAOJI**

TAO XUAN ou **T'Ao Hiuan, T'ao Hsüan**, nom de pinceau : **Jucun**
Né vers 1280, originaire de Nankin. XIVe siècle. Chinois.
Peintre.
Poète et peintre, il fait des paysages dans le style de Li Cheng (actif vers 960-990).

TAO YI ou **T'ao I**, nom de pinceau : **Yishan**
XVIe siècle. Actif vers 1530. Chinois.
Peintre.
Il n'est pas mentionné dans les biographies de peintres, mais le British Museum de Londres conserve une de ses œuvres signée, *Dragons et nuages*.

TAPARELLI. Voir **AZEGLIO**

TA-P'ENG. Voir **DAPENG**

TAPIA Isidore de, don ou **Tapio**
Né en 1720 à Valence. Mort en 1755 à Madrid. XVIIIe siècle. Espagnol.
Peintre d'histoire.
Élève d'Evaristo Munoz, il était à Madrid en 1743, il alla de là au Portugal. L'Académie de S. Fernando, dont il était membre, conserve de lui : *Sacrifice d'Abraham*.

TAPIA Juan B.
Né en 1891 à Baradero (Province de Buenos Aires). XXe siècle. Argentin.
Peintre de portraits, paysages, natures mortes.
Il fut élève de l'Académie Vitti à Paris. Il voyagea beaucoup en Europe.

TAPIA Pedro Juan de
XVIe siècle. Actif à Valence de 1580 à 1586. Espagnol.
Peintre.

TAPIÉ Michel
XXe siècle. Français.
Peintre, sculpteur.
Il fut écrivain d'art. Il appartient à la descendance de Toulouse-Lautrec, par la branche Tapié de Céleyran.
Surréaliste, auteur d'un *Hommage à Raymond Roussel*, le dramaturge précurseur de l'art anti-naturaliste ; peintre, il fut élève d'Ozenfant ; sculpteur, il fut à l'école des féticheurs africains. Il fut organisateur du mouvement artistique l'Art Brut. Son action, en tant que critique et organisateur, fut capitale dans les débuts du développement de l'abstraction dite « informelle ».

TAPIÈS Antoni
Né le 13 décembre 1923 à Barcelone (Catalogne). XXᵉ siècle.
Espagnol.
Peintre, peintre de collages, graveur, illustrateur, peintre de compositions murales, sculpteur, auteur d'assemblages, céramiste, sculpteur d'intégrations architecturales, peintre de cartons de mosaïques, décorateur de théâtre, technique mixte. Groupe Dau al Set.

Après le long laps de temps depuis le début de la guerre civile jusqu'à la fin de la Seconde Guerre mondiale, pendant lequel les manifestations artistiques d'avant-garde étaient pratiquement interdites en Espagne, Tàpies fut le premier peintre espagnol à prendre une place internationale dans l'art vivant et, ainsi, à redonner aux jeunes artistes espagnols l'impulsion qui allait leur faire prendre la suite de la génération des Picasso, Gris, Miró. Pendant ses études, il avait commencé à s'intéresser à l'art moderne, s'essayant sans formation au dessin et à la peinture. Ayant commencé des études de droit en 1943, il continue à peindre et abandonne le droit en 1946. En 1948, il participe, avec un groupe d'écrivains et de peintres de Barcelone, à la revue *Dau al Set* et fait la connaissance de Miró, dont il visite l'atelier. Ayant obtenu une bourse du gouvernement français, il vient à Paris en 1950, où il fera ensuite de fréquents et longs séjours. En 1953 il séjourne pour la première fois à New York, à l'occasion d'une exposition personnelle. Il est l'auteur de divers ouvrages et articles consacrés à la peinture. Il vit et travaille à Barcelone.

En 1948, il expose pour la première fois au Salon d'Octobre de Barcelone, dès lors il participe à de nombreuses expositions collectives : 1950, 1952 Exposition Internationale de la Fondation Carnegie à Pittsburgh ; 1952, 1954, 1958 Biennale de Venise ; 1954 (prix de la Jeune Peinture), 1957 Biennale de São Paulo ; 1954, 1967 Exposition Internationale Carnegie de Pittsburgh ; 1955 *Phases* à Paris organisée par Édouard Jaguer ; IIIᵉ Biennale Hispano-Américaine à Barcelone où il reçoit le Prix de la République de Colombie ; 1962 Tate Gallery de Londres ; 1964 Guggenheim Museum de New York où il obtient un des prix de la Fondation Guggenheim, Documenta III de Kassel où une salle entière lui est consacrée ; 1967 Biennale de gravure de Ljubljana ; 1969 *Quatre-vingt cinq artistes en quête de spectateur* au Colegio de Arquitectos à Barcelone ; 1985 Nouvelle Biennale de Paris...

Il montre ses œuvres dans de très nombreuses expositions personnelles : 1949 Institut français de Barcelone ; 1953 Musée Municipal de Mataro ; à partir de 1953 régulièrement à la galerie Martha Jackson à New York ; depuis 1955 régulièrement à la Sala Gaspar de Barcelone ; 1956 première exposition personnelle à Paris à la galerie Stadler suivie de nombreuses autres notamment à partir de 1967 régulièrement à la galerie Maeght ; 1960 Museo de Arte de Bilbao ; 1961 Musée National, Institut Di Tella de Buenos Aires ; 1962 Musée des Beaux-Arts de Caracas, Kestner-Gesellschaft de Hanovre, Guggenheim Museum de New York ; 1965 Institute of Contemporary Arts de Londres ; 1967 Kunstmuseum de Saint-Gall ; 1968 Museum des 20 Jahrhunderts à Vienne, Kunstverein de Hambourg ; 1973 première rétrospective en France au Musée d'Art Moderne de la ville de Paris ; 1974 Hayward Gallery de Londres ; 1976 fondation Maeght à Saint-Paul-de Vence puis fondation Miro de Barcelone ; 1977 Albright-Knox Museum de Buffalo ; 1980 Kunsthalle de Kiel, première rétrospective en Espagne au Musée d'Art Contemporain de Madrid, Stedelijk Museum d'Amsterdam ; 1981 Musée des Beaux-Arts de Mexico ; 1983 Abbaye de Sénanque à Gordes ; 1985 Palazzo Reale de Milan ; 1986 Künstlerhaus de Vienne puis Van Abbemuseum d'Eindhoven ; 1989 *Tapiès de Tapiès* au Musée Cantini à Marseille, Kunstsammlung Nordrhein-Westfalen de Düsseldorf ; 1990 Centro d'Arte Reina Sofia à Madrid ; 1992 Museum of Modern Art de New York, Serpentine Gallery de Londres ; 1994 Kunsthalle de Lund et Musée Prins Eugens Waldemarsudde de Stockholm, Galerie Nationale du Jeu de Paume à Paris ; 1998 *Esprit de papier*, galerie Daniel Lelong à Paris.

Il obtint de très nombreux prix et distinctions : 1957 Prix Lissone ; 1960 Prix de la Biennale Internationale de Gravure de Tokyo ; 1967 Grand Prix de la Biennale d'Arts Graphiques de Ljubljana ; 1981 médaille d'or des beaux-arts remis par le roi d'Espagne ; 1985 Grand Prix national de peinture à Paris. En 1979, il est nommé membre de l'académie de Berlin, en 1981 docteur « honoris causa » du Royal College of Art de Grande-Bretagne, en 1983 officier de l'ordre des arts et des lettres à Paris, en 1988 docteur « honoris causa » de l'université de Barce-

lone et Commandeur de l'ordre des Arts et Lettres, en 1989 membre de l'académie San Fernando.

De ses premières peintures, présentées à Paris en 1957 à la galerie Stadler, Jean-Luc Chalumeau écrit : « d'élégants signes imprimés dans une épaisse pâte sableuse ». Dès 1945, il avait réalisé bon nombre d'œuvres dont la technique annonçait déjà son évolution future : pâtes épaisses et grossières, faites de terre et d'ingrédients divers, de débris ramassés, parfois griffés de graffiti rappelant la forme de têtes. Il commença à graver en 1949. À ce moment, ayant délaissé les intuitions de ses débuts, il est marqué par le surréalisme. De 1949 à 1951, il peint des évocations de personnages, d'animaux, d'objets, de paysages, dans un climat complètement onirique, les formes se confondant par des effets de transparence, de halos flous, de dégradés des couleurs vives les unes sur les autres, composant une imagerie poétique évidemment influencée de celle de Klee.

En 1952, ses œuvres évoluent par rapport aux précédentes, vers une certaine géométrisation des formes et en 1953, il revient aux techniques d'empâtements et de collages des ses premières réalisations. Quant à la technique à base d'empâtements avec laquelle il vient de renouer, mais lui donnant d'un coup son épanouissement et laissant présager ses prolongements, autant se reporter à J. E. Cirlot, l'un de ses principaux biographes : « Dans les derniers mois de cette année 1953, il simplifie extraordinairement la forme, en même temps qu'il donne pour assise à l'image la magnification de l'espace-matière obtenu par un mélange d'huile et de poudre de marbre. Début 1954, il substitue la peinture-latex à l'huile qu'il réserve au tracé de grands signes informels sur le relief de ses lourds empâtements... évolution de sa ligne créatrice principale vers la simplicité, le monumental et l'hermétique ». En 1957, conception et technique s'affirment dans la simplicité accrue d'un champ pictural d'une matière à peu près uniforme, brisé d'une seule rayure profonde, qui en révèle la véritable nature, comme pour disperser les illusions d'assimilation à de vieux murs ou de vieux bois rongés. Il réalise ses premières lithographies en 1958, et en septembre 1962 une grande peinture murale à la Bibliothèque de l'École Supérieure de Commerce de Saint-Gall en Suisse.

En 1967, une exposition personnelle à Paris révèle l'apparition, discrète et quasi humoristique, d'éléments de réalité dans ses peintures : *Matière plissée en forme de noix, Matière en forme de pied, Trois Chaises* ; on y trouve encore comme les empreintes de lunettes, d'un chapeau, de nus, peut-être en écho assourdi à l'irruption du réel dans le pop art et avec les Nouveaux Réalistes français. À la suite d'expositions, après 1969, où Tapiès introduit dans ses œuvres des matériaux misérables : journaux froissés, vieux sacs, vieilles couvertures, paquets de paille, on a voulu de plusieurs parts, et surtout son biographe Alexandre Cirici, faire de Tapiès le précurseur de l'Art Pauvre, parce qu'il aurait « compris, avec un sens tout spécial de l'histoire, avant les autres, la grandeur des choses pauvres, en quoi l'image de la pauvreté peut refléter ce qui est le moins aliéné chez l'homme... » Tapiès n'avait peut-être pas besoin de ce surcroît de mérites. Son œuvre est là dans son ensemble, avec ses dates, solidement ancrée dans l'abstraction informelle, prémonitrice quant à l'importance accordée à l'apparence tactile de la matière même de la peinture, importante dans l'appréhension de la monochromie, dans le développement de la peinture « de champ », apparentée aux tendances « zen » de l'école du Pacifique ainsi qu'au Minimal Art. Daniel Abadie, qui a souvent écrit sur lui, évoque à propos de ses peintures « la richesse émotionnelle que nous entrevoyons parfois dans la trace d'un pied sur une plage lavée de mer, dans la zébrure insolente ou rageuse qui s'inscrit sur un vieux mur de plâtre, dans l'érosion lente des pierres ». À l'opposé, en ce qui concerne ses œuvres « pauvres » des années soixante-dix, comme *Grand Paquet de paille* ou *Journaux entassés*, Michel Conil Lacoste, après avoir remarqué que le style de Tapiès y demeure fidèle à sa spécialité : la séduction dans le fruste, donne une analyse intéressante du cas de Tapiès de cette période « très représentatif de la situation actuelle : c'est celui d'un peintre qui, après avoir devancé les autres dans un radicalisme purement esthétique (avec des implications psycho-métaphysiques à ne pas négliger) mais toujours dans un circuit économique défini, se trouve aujourd'hui dépassé, ou mieux débordé, par une contestation globale qui le distance notamment, sans même y prendre garde, sur la voie où, à partir de motivations plus spécifiques, il avait été le pionnier ».

Dans les années quatre-vingt, il privilégie un nouveau matériau, le vernis, qui servait auparavant de base et liant à ses peintures (notamment à la poudre de marbre), comme une couleur, et dont il exploite sur carton, sur papier, la fluidité, la transparence dans des œuvres d'une grande sobriété que Jacques Dupin rapproche du lavis chinois. Ces œuvres, légères, immatérielles, semblent en rupture avec les toiles antérieures, riches, lourdes en matière, incisées, gravées. Parallèlement dans une autre série, il travaille sur le relief, projetant de la peinture à l'aérographe sur des toiles fines mouillées et déposées sur un corps ou un objet.

À partir de 1970, il réalise de nombreuses sculptures, en particulier des assemblages à partir d'objets du quotidien (chaises, pile d'assiettes, grand drap en jean noué...) ; dans le cadre d'une commande publique, il exécute le monument dédié à Picasso à Barcelone inauguré en 1983 : un cube en plastique contenant du mobilier typique de la bourgeoisie catalane, traversé de barres d'acier, enrubanné de draps, sur lesquels viennent s'inscrire en lettres rouges la phrase de Picasso : « La peinture n'est pas faite pour servir d'ornement aux salons, elle est un moyen pour combattre l'obscurantisme et la violence ». Il travaille à partir de 1981 dans l'atelier de Hans Spinner, des œuvres en terre chamottée (*Crâne* 1988, *Pied* 1991), modelant, sculptant, incisant, émiettant, enduisant d'émail noir ces sculptures qui semblent marquées par le temps, formes primitives.

Croix (adoptée comme initiale de son nom), lettres (et mots), chiffres, graffitis, empreintes notamment de pieds (et chaussures), ces images récurrentes inscrivent le travail de Tapiès dans un monde primitif, au cœur des signes, où le figuratif et l'abstrait cohabitent. Sur des surfaces qui évoquent des murs anciens, lacérés, incisés par le temps, dans de la terre calcinée, malmenée, dans une gamme de tons réduits, du noir à l'ocre, du brun au gris, parfois un rouge éclatant, à forte portée symbolique, il explore inlassablement la matière, sable, poussière, poudre de marbre ou de velours, la texture soucieux « d'offrir un thème cosmique de méditation et de réflexion sur la beauté des combinaisons infinies des formes, des couleurs et des matériaux de la nature (...) » (*Mémoire, Autobiographie,* Tapiès).

■ Jacques Busse

BIBLIOGR. : Julien Alvard : *Tapiès,* Cimaise, Paris, n° 6, 1957 – Michel Tapié : *Antoni Tapiès,* R. M., Barcelone, 1959 – divers : *Numéro spécial de Papeles de son Armadans,* n° LVII, Madrid, 1960 – J. E. Cirlot : *Tàpies,* Omega, Barcelone, 1960 – Lawrence Alloway : *Antoni Tapiès,* Solomon Guggenheim Museum, New York, 1962 – Eduard Hüttinger : *Antoni Tapiès,* Kunsthaus, Zurich, 1962 – Joan Teixidor : *Tapiès, boiseries, papiers, cartons et collages,* Sala Gaspar, Barcelone, 1965 – Blai Bonet : *Tàpies,* La Poligrafa, Barcelone, 1964 – Francesco Vicens et Joan Brossa : *Antoni Tapiès o l'Escarnidor de Diademes,* Poligrafa, Barcelone, 1967 – Michel Conil Lacoste : *Antoni Tapiès. D'une gravité à l'autre,* Le Monde, Paris, 30 octobre 1969 – Alexandre Cirici : *Tapiès, Poligrafia,* Achille Weber, Paris, 1972 – Antoni Tapiès : *La Pratique de l'art,* coll. Idées, Gallimard, Paris, 1974 – Georges Raillard : *Tàpies,* Paris, Maeght, 1976 – Antoni Tapiès : *L'Art contre l'esthétique,* Galilée, Paris, 1978 – Antoni Tapiès : *Mémoire, Autobiographie,* Galilée, Paris, 1981 – Jean Frémon : *Tapiès,* Repères, n° 7, Galerie Lelong, Paris, 1983 – V. Combalia : *Tapiès,* Albin Michel, Paris, 1984 – Gilbert Lascault : *Tapiès,* Repères, n° 18, Galerie Lelong, Paris, 1984 – Antoni Tapiès : *Tapiès,* Repères, n° 32, Galerie Lelong, Paris, 1986 – Georges Raillard : *Tapiès,* Repères, n° 44, Galerie Lelong, Paris, 1988 – Georges Raillard *Fictions de Tapiès,* n° 9, Artstudio, Paris, été 1988 – Antoni Tapiès : *La Réalité comme art,* Daniel Lelong, Paris, 1988 – Dan Cameron : *Tapiès,* Repères, n° 55, Galerie Lelong, Paris, 1989 – Michel Butor, J.-M. Baron, Antoni Tapiès : *Tapiès - Gravures,* Maeght, Paris, 1989 – Claire Stoullig *Tapiès : ceci est bien une pipe ou une peinture d'autoportrait,* n° 14, Artstudio, Paris, aut. 1989 – Anna Agusti, Georges Raillard, Miquel Tapiès : *Tapiès. Œuvres complètes,* Poligrafa, 3 vol., Barcelone, 1989-1990 – Mariuccia Galfetti : *Tapiès. L'Œuvre graphique,* Erker, Saint-Gall, 1974-1984 – in : *Écritures dans la peinture,* t. I, Villa Arson, Nice, 1984 – in : Catalogue de l'exposition *L'Art Moderne à Marseille : La Collection du Musée Cantini,* Mus. Cantini, Marseille, 1988 – M. Malet, Miquel Tapiès : *Affiches,* Cercle d'Art, Paris, 1988 – Catalogue de l'exposition : *Antoni Tapiès :*

figures et signes. Peintures et œuvres sur papier récents, Galerie Brusberg, Berlin, 1988 – Catalogue de l'exposition : *Les Tapiès de Tapiès,* Musée Cantini, Marseille, 1989 – John Yau, Georges Raillard : *Tapiès,* Repères, n° 64, Galerie Lelong, Paris, 1990 – *Catalogue raisonné de l'œuvre,* deux vol., Cercle d'Art, Paris, 1989-1990 – in : *Catalogue National d'Art Contemporain,* Éditions d'art Iberico 2000, Barcelone, 1990 – Lydia Harambourg, in : *L'École de Paris 1945-1965. Diction. des Peintres,* Ides et Calendes, Neuchâtel, 1993 – Andréas Franske : *Tapiès,* Cercle d'Art, Paris, 1993.

MUSÉES : AMSTERDAM (Stedelijk Mus.) : *Deux Couvertures remplies de paille* 1968-1969 – BARCELONE (Fond. A. Tapiès) : *Boîte aux ficelles* 1946 – *Croix de papier journal* 1946-1947 – *Rideau de fer au violon* 1956 – *L'Assiette cassée. Hommage au Gaudi* 1956 – *Grande Matière aux papiers latéraux* 1963 – *Relief aux cordes* 1963 – *Matière en forme de pied* 1965 – *Pile d'assiettes* 1970 – *Diptyque de vernis* 1984 – BARCELONE (Mus. Nat. d'art de Catalogne) : *Quatre Carrés gris sur marron* 1959 – BARCELONE (Fond. La Caixa) : *Noir et ocre en forme de tableau noir* 1966 – BUFFALO (Albright-Knox Art Gal.) : *Triptyque aux empreintes de pieds* 1970 – COLOGNE (Ludwig Mus.) : *Relief en quatre parties* 1963 – COLOGNE (Mus. du Diocèse épiscopal) : *Traces de pas sur fond blanc* 1965 – DUISBURG (Wilhelm Lehmbruck Mus. der Stadt) : *Chaise recouverte* 1970 – DÜSSELDORF (Kunstsammlung Nordrhein-Westfalen) : *Grande Peinture grise n° III* 1955 – *Grand Diptyque de raies* 1988 – LONDRES (Tate Gal.) : *Ocre-gris n° LXX* 1958 – LOS ANGELES (Mus. of Contemp. Art) : *Relief gris perforé au signe noir n° X* 1955 – *Peinture grise au signe rougeâtre* 1958 – MARSEILLE (Mus. Cantini) : *Châssis et chiffon mauve* 1968 – *Paille pressée* 1969 – *Rectangles* 1976 – *A et T à l'envers* 1982 – MONTRÉAL (Mus. d'Art Contemp.) : *Vellut Granate* 1963 – *Deux Taches symétriques* – NEW YORK (Solomon R. Guggenheim) : *Grande Peinture* 1948 – NEW YORK (Albright Knox Art Gal.) – PARIS (Mus. Nat. d'Art Mod.) : *Les Jambes* 1975 – *Grand blanc horizontal* 1962 – *Chapeau renversé* 1967 – PARIS (BN) : *Variation sur un thème musical* 1987 – SAINT GALL (Kunstmus.) : *Peinture avec croix rouge* 1954 – SAINT-PAUL-DE-VENCE (Fond. Maeght) – SÃO PAULO – STUTTGART (Staatsgal.) : *Composition noire sur fond rouge* 1962 – VALENCE (IVAM, Centro Julio Gonzalez) : *La Ligne rouge* 1963 – VENISE (Mus. d'Art Mod.) – ZURICH (Kunsthaus) : *Pyramidal* 1959.

VENTES PUBLIQUES : PARIS, 2 déc. 1963 : *Sable blanc :* **FRF 13 100** – GENÈVE, 5 déc. 1964 : *Superposition de matière grise :* **CHF 28 500** – NEW YORK, le 24 mars 1966 : *Composition n° IX :* **USD 4 000** – NEW YORK, 15 mai 1968 : *Grand relief avec X latéral :* **USD 10 000** – PARIS, 18 nov. 1972 : *Composition,* pap. froissé et gche : **FRF 10 000** / *Composition :* **FRF 30 000** – PARIS, 12 mars 1973 : *Composition,* gche : **FRF 9 500** – LONDRES, 5 juil. 1973 : *Petit miroir sur fond carré :* **GBP 5 000** – LONDRES, 3 avr. 1974 : *Le lit bleu* 1969 : **GBP 21 800** – ROME, 9 déc. 1976 : *Ocre avec traces supérieures de noir* 1962, h/t 1962 : **ITL 7 300 000** – LONDRES, 30 juin 1977 : *Brossa,* gche, sable et cr./pap. (75,5x56,5) : **GBP 1 100** – LONDRES, 30 juin 1977 : *Noir perforé ocre* vers 1959, sable et techn. mixte/t. (60x92) : **GBP 3 600** – ZURICH, 30 mai 1979 : *Composition,* gche (59x76) : **CHF 9 000** – MILAN, 26 avr 1979 : *Cercle et ciseaux* 1974, techn. mixte/t. (114x147) : **ITL 34 000 000** – LONDRES, 1er déc. 1982 : *Bianco et Ocra* 1956, techn. mixte/t. (162x130) : **GBP 22 000** – ZURICH, 29 oct. 1983 : *Composition,* encre de Chine (39,5x32,5) : **CHF 3 600** – MILAN, 5 avr. 1984 : *Velour rose et cercle noir* 1981, techn. mixte/cart. (75x105) : **ITL 9 000 000** – LONDRES, 6 déc. 1984 : *Grande enveloppe* 1968, h. et sable/t. (130x162,5) : **GBP 28 000** – LONDRES, déc. 1985 : *Deux toiles noires et graphisme,* encre noire, fus. et sable/t. (46x55,5) : **GBP 4 200** – LONDRES, 26 juin 1986 : *Croix sur brun* 1960, h/t (195x169) : **GBP 41 500** – PARIS, 24 nov. 1987 : *Blanco y Escrito* 1974, h., corde et cr. (81x66) : **FRF 220 000** – MILAN, 8 jui 1988 : *Peinture* 1964, collage (33,5x55) : **ITL 65 000 000** – LONDRES, 30 juin 1988 : *Peinture noire* 1956, techn. mixte (108x144,7) : **GBP 57 200** – PARIS, 28 oct. 1988 : *Xiffra 8* 1974, acryl./pap. (48x61) : **FRF 110 000** – NEW YORK, 9 nov. 1988 : *Composition* 1971, h/t (162,5x97) : **USD 176 000** – PARIS, 22 nov. 1988 : *Profil de femme à la voilette,* h/pap. (32x25) : **FRF 171 000** – LONDRES, 1er déc. 1988 : *Relief lacéré* 1966, techn. mixte/t. (116x89) : **GBP 159 500** – MILAN, 20 mars 1989 : *Ombre sur Gray* 1962, techn. mixte/t. (74x92) : **ITL 140 000 000** – LONDRES, 6 avr. 1989 : *Grand gris signe noir* 1961, h/t/cart. (200x175) : **GBP 374 000** – PARIS, 9 avr. 1989 : *Matière sur bois et ovale* 1979, mixed media /pan. (270x220) : **FRF 1 700 000** – PARIS, 9 oct. 1989 : *Empreintes de pied,* techn. mixte/pap. (90x65) : **FRF 650 000** – PARIS, 23 nov. 1989 : *Sans titre,* lavis, fus. et encre de Chine (75,5x46,5) : **FRF 285 000** – PARIS, 26 nov. 1989 : *Composition*, encre et projection/pap. froissé (36x50) : **FRF 410 000** – CASTRES, 3 déc. 1989 : *Deux Creux*, acryl./pap. (50,8x66) : **FRF 375 000** – PARIS, 18 fév. 1990 : *Bois et marron troué* 1969, techn. mixte et sable/bois (330x275) : **FRF 4 300 000** – PARIS, 19 mars 1990 : *Blanc carré* 1964, techn. mixte (80x80) : **FRF 2 200 000** – LONDRES, 5 avr. 1990 : *Cantonades nègres* 1962, techn. mixte/t. (196x175) : **GBP 363 000** ; *Impressions noires* 1966, craie et mélange/cart. (146x114) : **GBP 396 000** – ROME, 10 avr. 1990 : *1 2 3 4* 1980, techn. mixte/cart. (32x43) : **ITL 82 000 000** – NEW YORK, 9 mai 1990 : *Toi* 1982, h/bois (64,8x81) : **USD 110 000** – PARIS, 30 mai 1990 : *Ovale avec le A incliné* 1982, techn. mixte (70x50) : **FRF 400 000** – PARIS, 10 juin 1990 : *Manta i bambu*, h./couverture et assemblage (116x130) : **FRF 480 000** – PARIS, 18 juin 1990 : *Composition*, techn. mixte/pap. (38,5x28,5) : **FRF 110 000** – LONDRES, 28 juin 1990 : *Vert olive* 1962, h. et sable/t. (195,5x130,5) : **GBP 330 000** – LONDRES, 18 oct. 1990 : *Sans titre* 1953, h/t (40x48) : **GBP 46 200** – MILAN, 23 oct. 1990 : *Calendriers et cordage* 1970, techn. mixte et collage/t. (57x76) : **ITL 94 000 000** – PARIS, 28 oct. 1990 : *Marron sur papiers* 1969-70, pap. journal, sable, paille, vernis et peint. sur isor. (126x157) : **FRF 800 000** – LONDRES, 6 déc. 1990 : *Sans titre*, collage de matériau en forme de plateau, h. composition et assiette/t. (75,5x55,5) : **GBP 121 000** ; *Peinture grise* 1956, sable, techn. mixte et h/t (64x99,5) : **GBP 198 000** – MADRID, 13 déc. 1990 : *Vaixell*, encre de Chine, encre rouge et sépia/pap./t. (37x51,5) : **ESP 8 960 000** – LONDRES, 21 mars 1991 : *Entailles et trous*, sable et techn. mixte/t./bois (130x89) : **GBP 236 500** – STOCKHOLM, 30 mai 1991 : *Composition*, techn. mixte/pan. (65x89) : **SEK 170 000** – ZURICH, 21 juin 1991 : *Écriture sur collage* 1976, cr. de coul./collage (33,5x52) : **CHF 3 200** – PARIS, 8 oct. 1991 : *Marron foncé* 1961, techn. mixte/t. (50x61) : **FRF 380 000** – LONDRES, 26 mars 1992 : *Blanc, cordelette et triangle* 1973, acryl. cr. et cordelette/t. (130x195) : **GBP 59 400** – NEW YORK, 6 mai 1992 : *Figure 8* 1963, h. et sable/t. (46,4x38,7) : **USD 70 400** – AMSTERDAM, 19 mai 1992 : *Petite corde* 1970, cire et corde collée sur t. (55x33) : **NLG 14 950** – LONDRES, 29 mai 1992 : *Bois sur terre* 1971, sable, pigment et bois sur cart. (162x195) : **GBP 107 800** – LUCERNE, 23 mai 1992 : *Jambe*, craie et encre (61x43) : **CHF 21 000** – LONDRES, 2 juil. 1992 : *Trois taches sur un espace gris* 1957, h. et sable/t. (146x89) : **GBP 121 000** – NEW YORK, 18 nov. 1992 : *Sans titre* 1967, h. et collage de pap./pap. (50,2x62,9) : **USD 16 500** – LUCERNE, 21 nov. 1992 : *Sans titre* 1978, sérig. (65x50) : **CHF 1 208** – LONDRES, 3 déc. 1992 : *Grand ocre et empreintes de pieds* 1972, techn. mixte/pan. (200x276) : **GBP 214 500** – NEW YORK, 4 mai 1993 : *Matière et noir sur carton rose* 1979, techn. mixte/cart. (105,1x75,6) : **USD 23 000** – PARIS, 11 juin 1993 : *Deux mains* 1974, monotype (93,5x140) : **FRF 70 000** – PARIS, 16 oct. 1993 : *Matière et noir sur carton rose* 1979, techn. mixte/cart. (105x75) : **FRF 165 000** – PARIS, 11 nov. 1993 : *Tissu aux taches rouges* 1975, techn. mixte/tissu (88,9x88,9) : **USD 33 350** – PARIS, 22 nov. 1993 : *Mains* 1988, h. et grattage/cart./t. (102x150) : **FRF 235 000** – LONDRES, 29 juin 1994 : *La gran paraula* 1951, h/t (81x130) : **GBP 148 500** ; *Construction avec une ligne diagonale*, h., sable et rés./t. (195x130) : **GBP 221 500** – PARIS, 14 déc. 1994 : *Noir sur rouge*, graphite et h/pap. feutre (38x53) : **FRF 55 000** – LUCERNE, 20 mai 1995 : *Sans titre*, gche, encre, lav. et temp./pap. (35,5x50) : **CHF 8 000** – PARIS, 21 juin 1995 : *Composition* 1968, techn. mixte/pap. (36,5x25,5) : **FRF 50 000** – LONDRES, 30 nov. 1995 : *Tout noir avec des craquelures* 1962, techn. mixte/t. (130x162) : **GBP 166 500** – MILAN, 2 avr. 1996 : *Souvenir de Campins*, litho. (76,4x55,5) : **ITL 1 725 000** – ZURICH, 26 mars 1996 : *Angle et croix* 1974, pinceau noir et blanc, craie (56,6x55,5) : **CHF 21 000** – LONDRES, 27 juin 1996 : *Chaise blanche craquelée* 1988, techn. mixte/bois (162x130,2) : **GBP 144 500** – VENISE, 12 mai 1996 : *Composition*, graffiti et h/t (25x50) : **ITL 42 000 000** – LONDRES, 24 oct. 1996 : *Feuilles sur gris* 1987, h/t (46,5x55) : **GBP 29 900** – LONDRES, 6 déc. 1996 : *Cercle E jambe* 1992, sable et h/t (114,5x146) : **GBP 67 500** ; *Effet de relief rectangulaire* 1979, past. argent et h/tarpaulin (116,5x155,5) : **GBP 51 000** – PARIS, 24 mars 1997 : *Sans titre*, aquat. en coul. (107,7x34,5) : **FRF 4 500** – LONDRES, 26 juin 1997 : *Trois Paniers* 1974, sable et h/bois (162x260) : **GBP 183 000** – PARIS, 18 juin 1997 : *Monotype aux quatre papiers* 1974, techn. mixte/cart. (80x105) : **FRF 70 000** – LONDRES, 25 juin 1997 : *Noir avec des formes* 1964, sable et epoxy/masonite (81,2x100) : **GBP 93 900** – LONDRES, 26 juin 1997 : *Noir avec quatre coins gris* 1960, sable et pigment/t. (54x73) : **GBP 40 000** – LONDRES, 27 juin 1997 : *Tissu blanc sur marron* 1975, h., cr. et tissu/pap. (79x55,5) : **GBP 17 250** – LONDRES, 23

oct. 1997 : *Brun noirâtre* 1958, h., sable et rés./t. (160x129,5) : **GBP 96 100** – MILAN, 24 nov. 1997 : *Composition* 1968, h. et past./pap. (62x43,5) : **ITL 24 150 000**.

TAPINOIS

XIXᵉ siècle. Travaillant à Paris vers 1800. Français.
Graveur au burin.
Il grava les portraits de Bonaparte et de Ch. Pichegru.

TAPIRO Y BARO José

Né le 7 février 1830 à Reus. Mort en 1913 à Tanger. XIXᵉ-XXᵉ siècles. Espagnol.
Peintre de genre, scènes animées, sujets et figures typiques, peintre de lavis, aquarelliste, dessinateur. Orientaliste.

Il fut élève de Domingo Soberano, premier maître de Mariano Fortuny, puis de l'École des Beaux-Arts de Barcelone. Il résida longtemps à Rome et, de 1865 à 1889, envoya de cette ville des tableaux à Londres. Il s'établit à Tanger en 1876, et séjourna aussi à Paris, puis à Madrid en 1907 et 1908.
Il figura au Salon de la Société Nationale des Beaux-Arts de Barcelone, recevant une mention honorable en 1866, une seconde médaille en 1896. Il exposa également à Madrid en 1866, obtenant une troisième médaille ; l'année suivante, il exposa diverses aquarelles au Cercle International Artistique de Rome. On le vit prendre part, à Paris, aux Expositions universelles de 1889 (médaille d'argent) et de 1900 (même récompense).
Dans des scènes orientales, des figures simplement pittoresques, mauresques ou africaines, il paraît s'être surtout inspiré de Fortuny et des peintres de genre italiens modernes. Il a couvert des feuilles entières de lavis représentant des scènes quotidiennes de l'Afrique du Proche-Orient, qu'il transfère aussi en scènes bibliques.

J Tapira

BIBLIOGR. : In : *Cien Años de pintura en España y Portugal, 1830-1930*, Antiqvaria, t. X, Madrid, 1993.

MUSÉES : BARCELONE (Mus. d'Art Mod.) – HAARLEM : *Adoration* – MADRID : *L'amour et le jeu* – MONTRÉAL : *Jeune fille italienne* – NORWICH : *Le premier né*, une aquarelle.

VENTES PUBLIQUES : PARIS, 2-3 avr. 1897 : *Religieuse* : **FRF 25** – PARIS, 12 au 15 avr. 1899 : *Un gentilhomme écrivant* : **FRF 100** ; *La Lecture interrompue* : **FRF 125** – NEW YORK, 18-19 avr. 1945 : *Harem turc*, aquar. : **USD 175** – MADRID, 24 oct. 1983 : *La Négresse*, aquar. (45x31) : **ESP 325 000** – NEW YORK, 25 mai 1988 : *La Fileuse au harem*, aquar. (69,3x48,3) : **USD 9 350** – LONDRES, 4 oct. 1991 : *La marchande d'herbes sauvages*, aquar./pap. (39,1x26) : **GBP 3 080** – NEW YORK, 26 mai 1992 : *Jeune femme tenant un tambourin*, aquar./pap. (38,1x28,2) : **USD 3 080** – NEW YORK, 29 oct. 1992 : *Le fleuve vers la ville de Rome à distance*, h/t (26x40) : **USD 1 320** – NEW YORK, 14 oct. 1993 : *Guerriers arabes montant la garde*, aquar./pap./cart. (52,1x38,1) : **USD 34 500** – LUDLOW (Shropshire), 29 sep. 1994 : *Une mariée marocaine*, aquar. et gche (67x47,5) : **GBP 12 650** – LONDRES, 14 juin 1995 : *Musiciens africains*, aquar. (68,5x47,5) : **GBP 25 300** – NEW YORK, 23-24 mai 1996 : *Un ami plein de joie*, aquar./traits de cr./pap. (45,1x31,8) : **USD 9 200** – NEW YORK, 9 jan. 1997 : *Un repas chaud*, gche et cr./pap. (35,6x48,3) : **USD 17 250**.

TAPISSIER Edmond Anne Antoine

Né le 2 juin 1861 à Lyon (Rhône). Mort le 27 avril 1943 à Treignac (Corrèze). XIXᵉ-XXᵉ siècles. Français.
Peintre de compositions religieuses, sujets allégoriques, scènes de genre, figures, portraits, paysages, paysages d'eau, marines, aquarelliste, peintre de compositions murales, cartons de tapisseries, illustrateur, lithographe.

Il fut élève de Jean-Baptiste Chatigny, à Lyon, d'Alexandre Cabanel et de Fernand Cormon, à l'École des Beaux-Arts de Paris. Il effectua un séjour à Saint-Pétersbourg, puis il visita l'Italie, la Grèce et le Proche Orient. Il fut nommé peintre de la marine, en 1918. Il fut promu chevalier de la Légion d'honneur en 1927.
Il participa à des expositions collectives, notamment à Paris : au Salon des Artistes Français, où il reçut une mention honorable en 1890, une médaille de troisième classe en 1908 et dont il devint sociétaire en 1909 ; 1909, 1913, 1914 Salon d'Hiver ; 1935 Salon des Arts Décoratifs. Une rétrospective de son œuvre a été présentée en 1964 à la galerie Le Griffon à Lyon. Il reçut une médaille d'argent à Seattle en 1902.

On cite de lui : *Les Sirènes*, une série de cartons de tapisseries pour les Manufactures des Gobelins, de Beauvais et d'Aubusson, qui laissent parfois transparaître des échos du Modern Style, ainsi qu'une suite de décorations murales : un chemin de croix pour l'église Sainte-Bernadette d'Auteuil, une *Annonciation* pour l'église Sainte-Croix de Malakoff. Il a peint aussi de nombreuses aquarelles rapportées de son voyage en Orient ou de ses navigations, et des paysages, surtout des vues du Limousin. Il a réalisé quelques illustrations pour Marcel Prévost, Lamartine, Albert Samain.

BIBLIOGR. : Anne Tapissier : *Edmond Tapissier*, s. l., s. d.

MUSÉES : BRIVE-LA-GAILLARDE : *Paysage de Treignac – Le Limousin*, esq. pour un cart. de tapisserie – LYON : *Pasiphaé – Neige en Corrèze* – TULLE : *Cheval se désaltérant dans un étang à Treignac – Soir d'automne dans les Monédières*.

VENTES PUBLIQUES : PARIS, 2 déc. 1993 : *Rose Chatain avec une cape rose tenant un panier de pommes à Auliac*, h/t (73x92) : **FRF 19 000**.

TAPP Hans Heinrich
XVIIᵉ siècle. Travaillant à Graz, en 1652. Autrichien.
Peintre.

TAPPAN W. H.
XIXᵉ siècle. Travaillant à Boston vers 1840. Américain.
Graveur de portraits à la manière noire.

TAPPARELLI D'AZEGLIO Massimo et Roberto. Voir AZEGLIO M. et R. Tapparelli d'

TAPPEO Armande
XIXᵉ siècle. Active à Paris. Française.
Portraitiste.
Elle exposa au Salon en 1845 et en 1850.

TAPPER Josef von
Né le 12 janvier 1854 à Zellerndorf. Mort le 8 novembre 1906 à Innsbruck. XIXᵉ siècle. Autrichien.
Peintre et décorateur.
Il peignit des sujets populaires du Tyrol.

TAPPERT Georg
Né le 20 octobre 1880 à Berlin. Mort en 1957 à Berlin. XXᵉ siècle. Allemand.
Peintre de figures, portraits, nus, paysages, graveur, décorateur. Expressionniste.
Il fut élève de l'académie des beaux-arts de Karlsruhe, de 1900 à 1903. De 1905 à 1906, il étudia librement à Berlin, et de 1907 à 1909 à Worpswede. En 1910, il fut l'un des cofondateurs de la Nouvelle Sécession de Berlin. Après avoir servi pendant la guerre, il fut, en 1918, membre du *November Gruppe* à Berlin. De 1919 à 1937, il fut professeur à l'École Nationale des Beaux-Arts de Berlin. Il en fut révoqué par les nazis en 1937. De 1945 à 1954, il fut nommé directeur de l'École Supérieure d'Éducation Artistique de Berlin. En 1912, il prit part à la deuxième exposition du groupe du Blaue Reiter à Munich.
Typiquement expressionniste allemand, il mettait alors une technique volontairement rudimentaire jusqu'à la grossièreté, au service de l'illustration de scènes de maisons closes ou de cabarets moins marqués.

Tappert
Tappert

BIBLIOGR. : Catalogue de l'exposition *Le Fauvisme français et les débuts de l'Expressionnisme allemand*, Musée National d'Art Moderne, 1966 – Gerhard Wietek : *Der Aufenthalt Malers Georg Tappert in Worpswede*, Niederdeutsche – Berträge zur Kunstgeschichte 6, 1967 – Gerhard Wietek : *Georg Tappert 1880-1957*, K. Thiemig, Munich, 1980.

MUSÉES : BRÊME – COLOGNE – ESSEN – KIEL – MAGDEBOURG – STETTIN – WEIMAR.

VENTES PUBLIQUES : NEW YORK, 11 déc. 1963 : *La loge :* **USD 2 600** – NEW YORK, 9 nov. 1969 : *Betty assise avec éventail :* **USD 8 000** – NEW YORK, 21 oct. 1977 : *Vaudeville*, h/t (142,5x119,5) : **USD 10 500** – MUNICH, 28 nov. 1980 : *Nu de dos* 1913, monotype (33x18) : **DEM 2 800** – MUNICH, 3 juin 1980 : *Nu assis, vu de dos* vers 1904, pl. (16x23,5) : **DEM 1 700** – MUNICH, 2 déc. 1980 : *L'Opera des Quatr'Sous*, aquar. (31x23,8) : **DEM 5 600** – NEW YORK, 4 nov. 1981 : *Rêverie* 1904, h/t (100x70,7) : **USD 11 000** –

MUNICH, 7 déc. 1982 : *Nu couché*, gche et cr. (24x37) : **DEM 3 000** – NEW YORK, 18 mai 1983 : *Deux nus dans un paysage (recto) : Deux danseuses (verso)* 1910, h/t (149,5x123) : **USD 170 000** – NEW YORK, 7 nov. 1984 : *Tête (Les amies)* 1909, monotype en coul. (45,3x34,6) : **USD 7 200** – MUNICH, 30 nov. 1984 : *Pianiste et deux chanteuses créoles* vers 1919, craie de coul. (34x43) : **DEM 2 200** – LONDRES, 3 déc. 1985 : *Maria Taré, la chanteuse de cabaret*, fus. et lav. (34x27) : **GBP 2 400** – LONDRES, 2 déc. 1986 : *Tête de femme*, aquar. et fus. (44x35,5) : **GBP 1 900** – LONDRES, 30 nov. 1987 : *Die Loge I* 1910, h/t (54x86) : **GBP 160 000** – MUNICH, 8 juin 1988 : *Femme assise en robe rouge*, h/cart. (74x65) : **DEM 55 000** – L'ISLE-ADAM, 11 juin 1988 : *Paysage expressionniste* vers 1919, h/t (53x58) : **FRF 300 000** – LONDRES, 29 nov. 1988 : *Deux nus féminins dans les bois*, h/t (189,5x118,2) : **GBP 7 700** – PARIS, 21 sep. 1989 : *Les artistes*, aquar. (43x35) : **FRF 14 000** – NEW YORK, 13 nov. 1989 : *Les bas noirs* 1910, h/t (92x89) : **USD 638 000** – LONDRES, 28 nov. 1989 : *Deux habituées d'Alexanderplatz*, h/t (58,5x45,5) : **GBP 30 800** – NEW YORK, 16 mai 1990 : *Chanteuse (recto) et Paysage (verso)*, h/t (75,8x67) : **USD 187 000** – LONDRES, 2 déc. 1991 : *Au vestiaire* 1911, h/t (53,3x49,8) : **GBP 88 000** – BERLIN, 29 mai 1992 : *Deux femmes d'Alexanderplatz*, h/t (59x53) : **DEM 101 700** – NEW YORK, 12 mai 1994 : *Variétés* 1913, h/t (119,4x110,2) : **USD 222 500** – LONDRES, 29 juin 1994 : *Deux têtes de femme avec une décoration de feuille* 1960, h/t (54x54x) : **GBP 17 825** – LONDRES, 11 oct. 1995 : *Variétés* 1913, h/t (120,7x109,9) : **GBP 89 500** – LONDRES, 9 oct. 1996 : *Betty assise avec un éventail* 1913, h/t (109,3x91,5) : **GBP 78 500**.

TAPTA, pseudonyme de Wierusz-Kowalski, Tapta étant peut-être le prénom
Née en 1926 à Koscian. XXᵉ siècle. Active en Belgique. Polonaise.
Créateur de tapisseries.
Elle fut élève de l'École d'Art de La Cambre, à Bruxelles. Elle obtint le Prix Alphonse Muller. Elle crée des tapisseries en technique mêlant laine, sisal, raphia.

BIBLIOGR. : In : *Diction. Biogr. illustré des Artistes en Belgique depuis 1830*, Arto, Bruxelles, 1987.

TAQUET Jean. Voir TACQUET

TAQUETTI Padre
XVIIIᵉ siècle.
Miniaturiste.
Il exposa cinq miniatures à la Free Society à Londres, en 1768.

TAQUOY Maurice
Né en 1878 à Mareuil-sur-Ay (Marne). Mort en 1952. XXᵉ siècle. Français.
Peintre de sujets de sport, animalier, peintre à la gouache, aquarelliste, graveur, illustrateur.
Il exposa à Paris au Salon des Indépendants à partir de 1905, puis au Salon d'Automne.
Il a réalisé des peintures de chevaux et de nombreuses scènes de courses hippiques. Comme graveur, il pratiqua surtout l'eauforte. Il a illustré : *Le Pesage* de Jean Trarieux.

MUSÉES : VINCENNES (Mus. de la Guerre) : *La Main de Massiges*.

VENTES PUBLIQUES : PARIS, 6 déc. 1924 : *Paddock d'Auteuil :* **FRF 1 035** – PARIS, oct. 1945-Juillet 1946 : *Au paddock*, aquar. : **FRF 1 700** – PARIS, 18 nov. 1946 : *Scène de courses* 1925 : **FRF 1 800** – PARIS, 3 fév. 1947 : *Scène de courses ; Jockey en course*, quatre aquarelles : **FRF 4 500** – PARIS, 20 déc. 1996 : *Aux courses, 1927, chevaux au départ*, gche (29,5x38,5) : **FRF 6 100** – PARIS, 21 avr. 1997 : *Les Courses* 1929, aquar. (39,5x32,5) : **FRF 5 200**.

TAR Istvan
Né le 24 août 1910. Mort le 3 octobre 1971. XXᵉ siècle. Hongrois.
Sculpteur de nus, figures, monuments.
Il présenta ses œuvres en 1943 au Salon National. Il montra ses œuvres dans de nombreuses expositions personnelles dès 1937 en Hongrie et en Italie.
Il fut l'un des maîtres les plus doués, les plus populaires de la renaissance de l'art hongrois après la libération du pays. Il donnait à ses nus, à ses thèmes banals des formes lourdes, ramassées, employant de préférence des motifs pesants, rustiques, prêtant un élan hardi à ses figures trapues. Le nombre de ses statuettes s'élève à environ 150. Il fit aussi quelques œuvres monumentales, compositions architecturales, sur le fronton des édifices, ou destinées à des espaces verts. Dans les dix dernières

années de sa vie, ses formes devinrent cubistes, donnant aussi à ses figures des formes cylindriques comme *Bavardage* érigée à Salgotarjan.

TARABELLA Viliano

Né le 1er janvier 1937 à Giustagnana (près de Carrare). XXe siècle. Depuis 1957 actif en France. Italien.

Sculpteur.

D'une famille d'ouvriers du marbre, il fut élève du sculpteur Alessandrini, dès l'âge de treize ans. Il se fixa à Paris, en 1957.

Il participe à de nombreux Salons : Jeune Sculpture ; Réalités Nouvelles ; 1970-1971 Salon de Mai ; Salon d'Automne ; 1972 Grands et Jeunes d'Aujourd'hui ; etc. ; ainsi qu'à des expositions de groupe : 1970 Biennale de Mannheim, *Depuis Rodin* au Musée de Saint-Germain-en-Laye ; etc. Il a montré une exposition personnelle de ses œuvres, à Paris, en 1972.

Tout en poursuivant sa propre recherche, il mit ses connaissances techniques de la taille directe du marbre au service de nombreux artistes, exécutant leurs œuvres d'après maquettes, notamment pour Dideron et surtout Jean Arp, qui l'appréciait. Dans la lignée de Brancusi et de Arp, il travaille dans la concision elliptique, sachant donner de la « tension » à la ligne du marbre, matériau réputé « mou », jouant, à l'exemple de Arp, de l'ambiguïté entre forme abstraite et suggestion corporelle, comme le laissent bien entendre les titres de ses créations : *Sein-poisson, Femme-fleur, Sein-spirale, Couple, Sein-oiseau, Femme-oiseau.*

Bibliogr. : Catalogue de l'exposition *Tarabella*, Gal. Kriegel, Paris, 1972.

Ventes Publiques : Paris, 7 juin 1985 : *Tête de femme*, marbre (H. 52) : FRF 10 000 – Paris, 12 oct. 1986 : *Deux formes pour une base*, marbre noir (H. 43) : FRF 12 000 – Versailles, 13 déc. 1987 : *Tête* 1962, bronze (H. 41) : FRF 16 500 – Paris, 3 oct. 1988 : *Femme fleur* 1970, bronze poli (45x30x17) : FRF 40 000 – Paris, 30 jan. 1989 : *Sein spirale* 1970, bronze poli (35x30x30) : FRF 35 000 – Paris, 16 déc. 1990 : *Tête abstraite, retour du guerrier* 1962, bronze poli (H. 44) : FRF 15 000.

TARABOSCO Francesco

XVe siècle. Actif à Pavie. Italien.

Sculpteur sur bois, peintre et doreur.

Il a sculpté en 1457 un cadre pour le portrait de l'évêque Pallavicino, se trouvant dans une chapelle de l'église de Polcevera.

TARABOTTI Caterina ou Catarina ou Taraboti

Née à Vienne. XVIIe siècle. Vivant encore en 1659. Italienne.

Peintre.

Élève d'Alessandro Varotari et de sa sœur Chiara. Elle peignit surtout des sujets d'histoire.

TARABUSI Andrea

Mort le 24 juin 1776. XVIIIe siècle. Actif à Reggio Emilia. Italien.

Peintre de perspectives et architecte.

Il peignit, avec Gasp. Bazzani, les décorations du théâtre de Reggio Emilia.

TARABUSI Tommaso

Né à Valverde. XVIe siècle. Actif au début du XVIe siècle. Italien.

Sculpteur.

TARACINI Girolamo

XVIIe siècle. Actif à Florence vers 1610. Italien.

Graveur au burin.

Il grava d'après Giulio Parigi.

TARACOLE Alban

XXe siècle. Français.

Peintre.

Il exposa à Paris au Salon des Artistes Français, où il obtint une mention en 1935, une médaille d'argent en 1937.

TARAGNOLA G.

D'origine italienne. XIXe siècle. Actif de 1806 à 1820. Italien.

Peintre et sculpteur.

Il exécuta des vues de Hambourg et exposa à la Royal Academy de Londres de 1815 à 1820.

TARAGNOLI Vincenzo

XVIe siècle. Travaillant en 1593. Italien.

Peintre de perspectives.

Il travailla pour les comédies représentées pendant le Carnaval de Mantoue.

TARALLO Domenico

XVIIIe siècle. Actif à la fin du XVIIIe siècle. Italien.

Sculpteur sur bois.

Il a sculpté, en 1792, les stalles du monastère des Camaldoli di Napoli.

TARANCZEWSKI Waclaw

Né le 4 mars 1903 à Czarnkow. XXe siècle. Polonais.

Peintre de figures, natures mortes, peintre de décorations murales.

Après avoir commencé ses études à Poznan, il fut élève de l'Académie des Beaux-Arts de Cracovie, de 1922 à 1929. Il reçut également les conseils de F. Kowarski et poursuivit sa formation à Varsovie jusqu'en 1931. De 1935 à 1937, il voyagea en France, en Italie et en Grèce, se montrant sensible à l'exemple de Matisse, alliant un dessin en arabesques simplifiées à une couleur employée pour elle-même. À Poznan, il organisa le Salon 35, puis il y fonda, en 1945, l'École Supérieure d'Arts Plastiques, dont il assuma la direction. Ensuite, à partir de 1947, il a été professeur d'art mural à l'Académie des Beaux-Arts de Cracovie, ayant eu lui-même l'occasion de plusieurs décorations importantes, notamment dans les églises Notre-Dame et Saint-Martin, à Poznan.

Il participe depuis longtemps aux expositions d'art polonais à l'étranger, notamment à la Biennale de Venise en 1958. En cette même année 1958, il obtint le Prix National S. Guggenheim. Il a montré ses œuvres dans plusieurs expositions personnelles, en Pologne, depuis 1933, et notamment dans une grande exposition rétrospective qui fut présentée successivement à Poznan, Varsovie et Cracovie, en 1958.

Dans ses œuvres de chevalet, on remarque quelques thèmes de prédilection repris dans des séries qui leur sont consacrées : *Nature morte à l'image sainte, Nature morte au coquillage, Trio, La Jeune Fille peintre.*

Bibliogr. : B. Dorival, sous la direction de... : *Peintres Contemporains*, Mazenod, Paris, 1964.

Musées : Cracovie – Poznan – Varsovie.

TARASCHI Giovanni

XVIe siècle. Actif à Modène. Italien.

Peintre.

Frère de Giulio T. Il collabora avec son frère.

TARASCHI Giulio

XVIe siècle. Actif à Modène. Italien.

Peintre.

Frère de Giovanni T. Il subit l'influence de Jules Romain. Il peignit des fresques dans l'église Saint-Pierre de Modène. La Galerie de Modène possède de lui *Le Christ sur le Mont des Oliviers.*

TARASIDO Elena, pseudonyme : Sydo

Née en 1920 à Buenos Aires. XXe siècle.

Peintre de paysages, aquarelliste, graveur, dessinateur, illustrateur. Polymorphe.

Après avoir fréquenté divers ateliers en Argentine, elle séjourna à Paris, où elle étudia à l'académie de la Grande Chaumière.

Elle participe à des expositions collectives très régulièrement à Buenos Aires : de 1951 à 1972 au Salon national ; 1955, 1961 musée d'Art moderne (...) ; 1961 musée d'Art moderne de Rio de Janeiro ; 1966 musée provincial E. A. Caraffa de Cordoba ; 1975 Osaka... Elle montre ses œuvres dans des expositions personnelles : 1954 Zurich, Paris et Lausanne ; depuis 1959 régulièrement à Buenos Aires, notamment en 1975 au musée d'Art moderne ; 1960 Rio de Janeiro ; 1961 Tokyo ; 1967 Berlin ; 1968 San Salvador ; 1972 Casa Argentina à La Paz ; 1975 Casa Argentina à Bonn ; 1987 Genève. Elle a reçu de nombreux prix et médailles.

Alternant périodes figuratives et abstraites, dessins épurés et compositions oniriques, luxuriantes, elle s'inspire de la nature et du chaos dans des œuvres où le graphisme, la spontanéité et le geste instaurent une place primordiale.

Bibliogr. : Rafael Squirru : *Tarasido*, Editart, Genève, 1988.

Musées : Baya Blanca (Mus. de la ville) – Bonn (Landesmus.) – Buenos Aires (Mus. nat. des Beaux-Arts) – Buenos Aires (Mus. d'Art Mod) – Florianapolis (Mus. d'Art Mod.) – Tandil (Mus. mun. des Beaux-Arts).

TARASIN Jan

Né en 1926 à Kalisz. XXe siècle. Polonais.

Peintre, graveur. Expressionniste puis abstrait.

Il fut élève de l'Académie des Beaux-Arts de Cracovie jusqu'en 1951. Il vit et travaille à Cracovie.

Il participe à des expositions collectives, notamment aux manifestations d'art polonais contemporain à l'étranger : 1956 *Junge Generation* à Berlin, *Art Polonais* à New Delhi ; 1959 *Art Polonais*

Contemporain à Bagdad, Exposition Internationale de Gravure à Ljubljana, *Pologne, 50 ans de peinture* à Genève, 1ʳᵉ Biennale de Paris, etc. Il montre ses œuvres dans de nombreuses expositions personnelles en Pologne ; 1962 à Paris... Il a obtenu des prix à l'Exposition Nationale des Arts Plastiques et à l'Exposition de l'Affiche.

Il a évolué d'une figuration expressionniste à une abstraction fondée sur la différentiation des formes par des matières travaillées très différemment, rappelant les bois flottés et vermoulus, les vieux murs délités et souillés, les anciennes portes cloutées.

BIBLIOGR. : Catalogue de l'exposition *Tarasin*, Gal. Lambert, Paris, 1962 – B. Dorival, sous la direction de... : *Peintres Contemporains*, Mazenod, Paris, 1964.

TARASOV Youri
Né en 1948. xxᵉ siècle. Russe.
Peintre de compositions à personnages, paysages.
Il fut élève de l'École des Beaux Arts V. I. Moukhina de Leningrad (aujourd'hui Saint-Pétersbourg). Il commence à exposer dans son pays en 1978. Quasiment à la même époque l'ouverture se fait vers l'étranger et après une première exposition *L'Art de Leningrad* en 1978 à Helsinki, il participe à de multiples manifestations en Virginie, à Berlin, à New York, Helsinki, Bruxelles.
VENTES PUBLIQUES : PARIS, 11 juin 1990 : *Campagne maritime*, h/t (46x56) : FRF 6 500.

TARASOVICI Hélène
Née en 1912 à Ixelles (Bruxelles). xxᵉ siècle. Belge.
Peintre de figures, paysages, aquarelliste, graveur, dessinateur. Polymorphe.
Elle aborde parfois l'abstraction.
BIBLIOGR. : In : *Diction. Biogr. illustré des Artistes en Belgique depuis 1830*, Arto, Bruxelles, 1987.

TARASOWICZ Aleksander ou Tarasewicz
xviiᵉ siècle. Actif dans la seconde moitié du xviiᵉ siècle. Polonais.
Graveur au burin.
Élève des frères Kilian à Augsbourg. Il grava des portraits, des sujets religieux et des armoiries.

TARASOWICZ Leonti
xviiiᵉ siècle. Travaillant vers 1700. Russe.
Graveur au burin.
Élève des frères Kilian à Augsbourg, travaillant à Moscou et à Kiev. Il grava des portraits, des scènes contemporaines et des sujets religieux.

TARASSOV Lev
Né en 1915 à Tambov. xxᵉ siècle. Russe.
Peintre de portraits, natures mortes, fleurs.
Il ne fréquenta aucune école connue.
VENTES PUBLIQUES : PARIS, 29 nov. 1990 : *Nature morte aux fleurs* 1956, h/t (86x62) : FRF 3 800.

TARAVAL François
Né en 1665. Mort en 1715. xviiᵉ-xviiiᵉ siècles. Français.
Peintre.
Père de Guillaume Thomas Raphaël T.

TARAVAL Guillaume Thomas Raphaël
Né le 21 décembre 1701 à Paris. Mort en 1750 à Stockholm.
xviiiᵉ siècle. Actif en Suède. Français.
Peintre de compositions religieuses, compositions mythologiques, sujets allégoriques, sujets de genre, animalier, natures mortes.
Il fut élève de François Lemoine. Sur la demande de l'ambassadeur de Suède à Paris, il partit pour Stockholm, vers 1732, avec un groupe d'artistes embauchés pour la décoration de palais royal. En 1735, il ouvrit une école de dessin qui devint, plus tard, l'Académie Royale des Beaux-Arts de Stockholm.
BIBLIOGR. : Michel et Fabrice Faré : *La vie silencieuse en France : la nature morte au xviiiᵉ s.*, 1976.
MUSÉES : STOCKHOLM : *Campagnard conduisant des ânes* – Berger avec bétail – Oiseau mort – Ange.
VENTES PUBLIQUES : PARIS, 1870 : *Une naïade* : FRF 1 030 – PARIS, 4 juin 1878 : *Le retour de l'enfant prodigue* : FRF 700 – PARIS, 1897 : *La danse au village* : FRF 650 – PARIS, 4 avr. 1928 : *Projet de plafonds à sujets allégoriques* : FRF 2 100 – LILLE, 27 oct. 1979 : *Chien gardant du gibier*, h/t (61x76) : FRF 22 000 – STOCKHOLM, 27 oct. 1981 : *Putti* 1949, h/t, de forme contournée (94x116) : SEK 22 500 – NEW YORK, 11 jan. 1990 : *Nature morte avec des tulipes panachées dans un pot de terre*, h/t (44,5x31,5) : USD 38 500 – STOCKHOLM, 19 mai 1992 : *Aphrodite sur un dau-*

phin et Eros avec un coquillage, h/t (115x160) : SEK 55 000 – LONDRES, 3 avr. 1995 : *Tritons et Néréides*, encre et lav. (13,5x38) : GBP 1 150.

TARAVAL Gustave ou Louis Gustave
Né en 1738 à Stockholm. Mort le 15 octobre 1794 à Paris.
xviiiᵉ siècle. Français.
Graveur au burin et architecte.
Père de Jean Gustave T. Il grava des portraits, des architectures et des plans.
VENTES PUBLIQUES : PARIS, 1896 : *Projet d'Hôtel de Ville à construire à Paris*, dess. à la pl. et à l'aquar. : FRF 161 – PARIS, 31 mai 1920 : *Lit à trois faces*, pl. : FRF 1 550 – PARIS, 22 mars 1928 : *Décoration d'un côté de galerie*, pl. et aquar. : FRF 600 – PARIS, 10 et 11 avr. 1929 : *Projet de décoration de galerie*, pl. : FRF 2 600 – PARIS, 13 et 14 fév. 1941 : *Les Grands Boulevards, 1785, angle de la rue Taitbout*, pl., lav. d'encre de Chine et d'aquar. : FRF 12 000 – PARIS, 2 juin 1982 : *Projet de boiserie*, pl., lav. et gche (35x56) : FRF 7 500.

TARAVAL Hugues ou Jean Hugues
Né le 27 février 1729 à Paris. Mort le 19 octobre 1785 à Paris.
xviiiᵉ siècle. Français.
Peintre de compositions religieuses, sujets mythologiques, scènes de genre, portraits, paysages, graveur à l'eau-forte.
Fils et élève de Th. Raph. Taraval, grand prix de l'Académie de 1756, pensionnaire à Rome en 1759 ; reçu à l'Académie en 1769, avec : *Triomphe de Bacchus*. Il fut nommé, l'année de sa mort, professeur et inspecteur en chef à la Manufacture des Gobelins. Il exposa au Salon de 1765 à 1785.
Il a gravé des sujets de genre.
MUSÉES : BIRMINGHAM : *La crue du Rhin* – GUÉRET : *Portrait de femme* – LILLE : *Sacrifice d'Abraham* – PARIS (Mus. du Louvre) : *Triomphe d'Amphitrite* – *L'automne, peinture encadrée dans la voûte de la Galerie d'Apollon* – STOCKHOLM : *Vénus et Adonis* – TOURS : *Femme couchée*.
VENTES PUBLIQUES : PARIS, 22 et 23 mai 1896 : *Le triomphe d'Amphitrite* : FRF 1 500 – PARIS, 19 mars 1897 : *La danse au village* : FRF 650 – PARIS, 1897 : *Académie de femme*, dess. estompé aux trois cr. : FRF 215 – NEW YORK, 14 et 15 jan. 1909 : *Vénus et l'Amour* : GBP 295 – LONDRES, 23 juil. 1909 : *Triomphe d'Amphitrite* : GBP 31 – PARIS, 14 mars 1910 : *Diane surprise au bain* : FRF 3 310 – PARIS, 6 et 7 mai 1920 : *Triomphe d'Amphitrite*, esq. : FRF 11 500 – PARIS, 21 et 22 mars 1927 : *Vénus sur les eaux*, pl. et lav. reh. : FRF 4 300 – PARIS, 26 mai 1933 : *Musique païenne* ; *Jeux païens*, ensemble : FRF 9 500 – PARIS, 12 et 13 juin 1933 : *Le Rhône, l'Ain et la Saône*, composition allégorique : FRF 5 500 – PARIS, 17 et 18 déc. 1942 : *Les Amours au dauphin* ; *Les Amours à la torche*, deux pendants, attr. : FRF 27 000 – NEW YORK, 16-18 sep. 1943 : *Vénus* : USD 250 – PARIS, 7 mai 1947 : *Nymphes et satyres*, deux pendants, attr. : FRF 70 000 – PARIS, 4 juin 1947 : *La naissance de Vénus*, pl. et lav. : FRF 2 600 – PARIS, 7 déc. 1949 : *Mars et Vénus*, attr. : FRF 25 000 – PARIS, 30 mai 1951 : *Jupiter sous les traits de Diane séduisant Callisto* ; *Jupiter et Antiope*, deux pendants, attr. : FRF 250 000 – PARIS, 24 mars 1955 : *Le triomphe d'Amphitrite* : FRF 18 000 – MONTE-CARLO, 8 déc. 1984 : *Nu couché, h. esq. (24x31,5)* : FRF 130 000 – NEW YORK, 16 jan. 1986 : *Homme nu assis*, sanguine (54,3x39,7) : USD 2 200 – PARIS, 30 mai 1986 : *La Chaste Suzanne et les deux vieillards*, h/t (98x131) : FRF 125 000 – PARIS, 26 juin 1987 : *Hercule enfant étouffant les serpents*, cr. noir, sanguine et pl. (14x20) : FRF 27 500 – NEW YORK, 4 nov. 1990 : *Vénus et Cupidon*, h/t (33x24,3) : USD 7 700 – NEW YORK, 31 mai 1991 : *Le triomphe de Galatée*, h/t (45,1x36,8) : USD 25 300 – MONACO, 22 juin 1991 : *La Sainte Famille*, h/t (60x48,5) : FRF 111 000 – PARIS, 11 avr. 1992 : *La mère comblée*, h/bois (16,5x21) : FRF 23 000 – NEW YORK, 21 mai 1992 : *Portrait d'un jeune garçon avec un gilet vert, une veste brune et un chapeau*, h/t (43,2x36,2) : USD 8 250 – STOCKHOLM, 30 nov. 1993 : *Deux putti avec une statue*, h/t (55x93) : SEK 56 000 – PARIS, 22 mai 1994 : *Projet de fontaine derrière l'église Saint-Eustache*, pl. et lav. (23,5x35) : FRF 20 000 – PARIS, 11 mars 1997 : *Le Peintre et son modèle*, h/t (40x32) : FFR 30 000.

TARAVAL Jean Gustave
Né le 11 novembre 1765 à Paris. Mort en 1784 à Rome. xviiiᵉ siècle. Français.
Peintre et graveur à l'eau-forte.
Élève de son oncle Hugues Taraval. Premier prix de peinture à l'Académie royale. Il a gravé des sujets de genre.

TARAVAL Miguel
xvᵉ siècle. Travaillant à Valence. Espagnol.
Sculpteur.
Il exécuta des sculptures dans le Palais Royal de Valence en 1465.

TARAVANT Joseph
Né en 1850 à Laqueuille (Puy-de-Dôme). xixᵉ siècle. Français.
Peintre.
Élève de l'École des Beaux-Arts de Paris. Il exposa au Salon à partir de 1880. Il peignit des paysages d'Auvergne et des nus en plein air.

TARAY
xviiᵉ siècle. Actif à Tolède. Espagnol.
Sculpteur.
Il sculpta, avec Fernandez, la fontaine des harpies dans le Palais d'Aranjuez, de 1615 à 1617.

TARAZI Solange
Née en 1923 à Beyrouth. Morte en 1985 à Paris. xxᵉ siècle.
Active en France. Libanaise.
Peintre de paysages, fleurs, aquarelliste, graveur, lithographe, illustrateur. Postimpressionniste.
Ayant quitté le Liban pour Paris, elle y fut élève d'Yves Brayer à l'Académie de la Grande-Chaumière. En 1971, elle fit un séjour en Iran.
Elle participe à des expositions collectives ; en 1969 à Paris, Salons des Femmes peintres et sculpteurs, Comparaisons, Terres Latines, des Artistes Français où elle obtient une mention honorable, d'Automne, plus quelques groupes régionaux ; Salons auxquels elle expose de nouveau un 1970, nommée sociétaire du Salon des Femmes peintres et sculpteurs, ainsi qu'au Salon de la Société Nationale des Beaux-Arts ; puis ensuite régulièrement.
Elle expose aussi individuellement, en 1968 à Paris, galerie Katia Granoff ; 1971 Téhéran, Institut France-Iran ; 1971 Beyrouth, galerie Vendôme ; 1972 ou 1974 Paris, Salons du décorateur Leleu-Deshays ; 1973 Rabat, Théâtre National Mohammed V ; 1977 Paris, Salons du décorateur Jansen, et New York, Palais des Nations Unies ; 1980 Washington, Salons du Fonds monétaire international ; 1980 Beyrouth, galerie Elcir ; 1983 Paris, Maison de l'UNESCO, où elle reçut la Médaille de la Ville de Paris. En 1970 à Paris, lui fut attribué le Prix de la Critique ; au Liban, le Prix Saïd Akl. Elle a obtenu d'autres distinctions, notamment des décorations nationales libanaises et iraniennes.
Techniquement, elle privilégie une matière fluide, le liquide, l'impalpable, le transparent, lui conviennent, et donc l'aquarelle aussi. Sa peinture est nourrie des souvenirs et de la nostalgie de son Orient natal. Un dessin elliptique, allusif, lui suffit à situer un décor qui ne lui est guère que prétexte, jardin intime ou vaste horizon, frôlant parfois le non-dit de l'abstraction, puisque ce qui lui importe surtout c'est de pouvoir libérer toutes les harmonies chromatiques possibles, songeuses à partir d'une dominante bleue, superbement solaires lorsqu'elle fait éclater les rouges et les orangés.
Bibliogr. : Divers : *Tarazi*, Pierre Cailler, Genève, 1970 – Tarazi, divers : *Visions d'Iran*, chez l'auteur, Paris, 1975 – in : Catalogue de l'exposition *Liban – Le regard des peintres, 200 ans de peinture libanaise*, Paris, 1989.
Musées : Beyrouth (Mus. Sursock) : *L'Envol* – Paris (Mus. d'Art Mod. de la Ville) : *La cathédrale engloutie* – Paris (Fonds Nat.) : *L'église verte* – Rabat : *La lune mystique* – Téhéran : *Damavand*.

TARAZONA Manolo
Né en 1937 à Barcelone (Catalogne). xxᵉ siècle. Espagnol.
Peintre de paysages.
Il vit et travaille à Madrid. Il participe à des expositions collectives : 1992 *De Bonnard à Baselitz. Dix Ans d'enrichissement du cabinet des estampes 1978-1988* à la Bibliothèque nationale à Paris.
Musées : Paris (BN) : *Place Furstenberg* 1978.

TARBELL Edmond Charles
Né le 26 avril 1862 à West Groton (Massachusetts). Mort en 1938. xixᵉ-xxᵉ siècles. Américain.
Peintre de genre, figures, portraits, dessinateur.
Élève de l'École du Musée de Boston et de Boulanger et de Jules Lefebvre à Paris.
Prix Clarke, National Academy en 1890, médaille de bronze à Chicago en 1893, premier prix Hallgarten, National Academy en 1894, médaille de bronze, Paris en 1900 (Exposition Universelle), Membre du jury des récompenses, à Saint Louis en 1904, associé

de la National Academy en 1904, académicien en 1906, professeur de peinture et de dessin au Boston Museum.
Il fut considéré comme chef de file « impressionniste » au moment où il peignit *Dans le verger* (1891), aujourd'hui conservé à la Smithsonian Institution de Washington. Mais il revint vite à une manière plus classique, s'attachant aux intérieurs paisibles de la bonne bourgeoisie américaine. À la fin de sa carrière, des portraits, appréciés pour la sobre habileté et la parfaite finition, lui furent commandés en grand nombre.

Tarbell

Musées : Boston : *Portraits de Greely Loring et d'Edward Robinson* – *Jeune fille lisant* – *Mes enfants dans la forêt* – Cincinnati : *Femme en rose et vert* – *Jeune fille lisant* – Worcester : *L'aveugle vénitien*.
Ventes Publiques : New York, 20 jan. 1911 : *À travers la chambre* : **USD 360** – New York, 1ᵉʳ nov. 1935 : *Jeune femme étudiant* : **USD 650** ; *Jeune fille faisant du crochet* : **USD 1 800** – New York, 11-14 déc. 1947 : *Mary à la harpe* : **USD 350** – New York, 15 nov. 1967 : *La famille de l'artiste dans un intérieur* : **USD 3 500** – New York, 19 mars 1969 : *Jeune fille lisant* : **USD 4 250** – New York, 21 mai 1970 : *Jeune femme à l'ombrelle* : **USD 12 000** – New York, 13 déc. 1972 : *L'attente*, past. sur pap. gris : **USD 1 600** – Hyannis (Massachusetts), 7 août 1973 : *Nature morte* : **USD 2 750** – Portland, 7 juil 1979 : *On Bos'n's Hill 1901*, past. (58,5x43) : **USD 4 500** – New York, 25 oct 1979 : *L'heure du thé*, h/t (114,3x101,5) : **USD 52 500** – New York, 4 déc. 1980 : *Enfant au bateau*, h/t (101,6x76,2) : **USD 185 000** – New York, 29 mai 1981 : *La Bague de turquoise 1894*, h/t (76,2x63,5) : **USD 45 000** – New York, 15 oct. 1983 : *Le steeplechase 1911*, past. (16,5x34,9) : **USD 5 000** – New York, 30 mai 1984 : *Cutting origami, C. 1908*, h/t (63,5x76,2) : **USD 145 000** – New York, 5 déc. 1985 : *New Castle Poppy*, h/t (45,7x63,5) : **USD 37 000** – New York, 30 mai 1986 : *Portrait de famille 1901*, h/t (227,7x176) : **USD 95 000** – New York, 3 déc. 1987 : *Mary reading*, h/t (100,9x125,1) : **USD 300 000** – New York, 26 mai 1988 : *Romary 1897*, h/t (68,6x50,8) : **USD 28 600** – New York, 23 mai 1990 : *Femme assise près d'un bassin*, h/t (60,9x71,1) : **USD 165 000** – New York, 29 nov. 1990 : *Jeune femme au chapeau rose assise dans un fauteuil*, h/pan. (30,4x24,8) : **USD 17 600** – New York, 27 mai 1993 : *Étude pour « sur Bosn's hill »*, h/t (63,5x53,3) : **USD 13 800** – New York, 26 mai 1993 : *Mère et enfant dans une pinède*, h/t (63,2x76,2) : **USD 442 500** – New York, 2 déc. 1993 : *Portrait d'une femme en blanc*, h/t (73,7x61) : **USD 68 500** – New York, 30 nov. 1995 : *Mary lisant*, h/t (127,5x102,2) : **USD 310 500** – New York, 22 mai 1996 : *Garçon dans les dunes 1885*, h/t (61x50,8) : **USD 90 500** – New York, 26 sep. 1996 : *La grand-mère de l'artiste tricotant*, h/t (38,1x45,7) : **USD 16 100** – New York, 23 avr. 1997 : *Pull and Be Damned Point, New Castle, New Hampshire* vers 1910, h/t (28x22,8) : **USD 4 830**.

TARBET J. A. Henderson
Né en Écosse. Mort en 1938. xixᵉ-xxᵉ siècles. Britannique.
Peintre de paysages.
Il participa aux expositions de la Royal Scottish Academy of Arts à Édimbourg annuellement de 1883 à 1938 et à la Royal Academy of Arts de Londres de 1918 à 1926.
Ventes Publiques : Glasgow, 7 fév. 1989 : *La pêche dans un ruisseau*, aquar., h/t (61x92) : **GBP 880** – Glasgow, 4 déc. 1991 : *Le loch Achray avec le Ben Venue*, h/t (51x68,5) : **GBP 770** – Édimbourg, 28 avr. 1992 : *Édimbourg depuis le terrain de golf*, aquar. (36,5x48) : **GBP 1 980** – Édimbourg, 23 mars 1993 : *Cour de ferme 1893*, h/t (61,5x46) : **GBP 862**.

TARBOTONS John
xviᵉ siècle. Travaillant en 1560. Britannique.
Sculpteur.
Il a sculpté le tombeau de Henri V, comte de Westmorland, à Staindrop.

TARCHI Vincenzo
xviiiᵉ siècle. Travaillant à Florence probablement dans la seconde moitié du xviiiᵉ siècle. Italien.
Dessinateur et graveur au burin.

TARCHIANI Filippo
xviiᵉ siècle. Italien.
Peintre.
Élève d'Agostino Ciampelli. Il peignit des tableaux d'autel pour des églises de Florence. Le musée Buonarroti de Florence

conserve de lui *Le pape Paul III visite avec dix cardinaux l'atelier de Michel-Ange.*

TARCHIONI Ermogene
Né en 1809 à Milan. Mort en mars 1861 à Paris. xixe siècle. Italien.
Peintre d'architectures et de perspectives.
Il fit ses études à Parme, à Milan et à Rome. La Galerie de Parme conserve de lui *Ruines d'un temple romain.*

TARCISIO José
Né en 1941. xxe siècle. Brésilien.
Peintre.
Il participe à la Biennale de Paris en 1971.
Il apporte à son travail, qui vit de l'intervention du spectateur (ambiance funèbre) et est également lié à l'art conceptuel (réflexion sur la mort de l'art), la forte empreinte de son origine du « sertao ». Son origine du Nord-Est est présente dans ses travaux où sont mis en œuvre couleurs et rythmes de la naïve production populaire des foires de l'arrière-pays.

TARD Émile
Né au xixe siècle à Paris. xixe siècle. Français.
Peintre.
Élève de M. M. Levasseur et F. de Courcy. Il débuta au Salon en 1881.

TARDI Claude Antoine ou Tardy
Né en 1733. Mort en 1795. xviiie siècle. Actif à Sèvres. Français.
Peintre de fleurs.

TARDI Jacques
Né le 30 août 1946 à Valence. xxe siècle. Français.
Peintre, aquarelliste, dessinateur.
Il fut élève de l'école des beaux-arts de Lyon, puis de l'école des arts décoratifs de Paris. Il collabore ensuite à la revue de bandes-dessinées *À Suivre.*
Il montre ses œuvres dans des expositions personnelles : 1990 ses peintures galerie Escale à Paris. Il a reçu en 1985 le prix d'Angoulême.
Dessinateur, il travaille aux encres de couleur et à l'aquarelle. Il est principalement connu pour ses albums de bandes-dessinées, notamment *Brouillard sur le pont de Tolbiac, 120, Rue de la Gare, Voyage au bout de la nuit...* Il a également réalisé des peintures.
VENTES PUBLIQUES : PARIS, 6 avr. 1991 : « *Uranus* » 1990, dess. encre, cr. de coul. et acryl./pap. (54x42) : FRF 45 000 – PARIS, 20 jan. 1996 : *Café de la République* 1991, mine de pb (23x41) : FRF 8 000.

TARDIEU Alexandre. Voir TARDIEU Pierre Alexandre

TARDIEU Ambroise
Né le 2 mars 1788 à Paris. Mort le 17 janvier 1841 à Paris. xixe siècle. Français.
Graveur et marchand d'estampes.
Fils d'Antoine François Tardieu l'Estrapade, élève de son oncle, Pierre Alexandre Tardieu. Il fut graveur géographe du dépôt de la marine, du dépôt des fortifications et de l'administration des ports. Il fut aussi marchand d'estampes, de cartes géographiques et de livres. Il produisit de nombreux portraits et édita une collection de 800 effigies précieuses à consulter de personnages célèbres (1820-1828). Il a publié plusieurs bons atlas. On lui doit aussi une *Galerie des Uniformes des Gardes Nationaux de France* (vingt-sept planches, 1817). Le célèbre médecin Ambroise Tardieu était son fils.

TARDIEU Antoine François, dit Tardieu l'Estrapade
Né le 17 février 1757 à Paris. Mort le 14 janvier 1822. xviiie-xixe siècles. Français.
Graveur.
Ce géographe était le fils du maître planeur Pierre Joseph Tardieu, le petit-neveu de Nicolas Henri et le père de Pierre Ambroise et d'Ambroise Tardieu.

TARDIEU Élisabeth Claire, née Tournay
Née en 1731 à Paris. Morte le 3 mai 1773 à Paris. xviiie siècle. Française.
Graveur.
Seconde femme de Jacques Nicolas Tardieu. Elle a gravé d'après de Troy, Dumesnil, Jeaurat, Hutin.

TARDIEU Jacques Nicolas
Né le 27 septembre 1716 à Paris. Mort le 9 juillet 1791 à Paris. xviiie siècle. Français.
Graveur.

Fils de Nicolas Henri et de Marie Anne Hortemels. Élève de son père. Reçu académicien le 24 octobre 1749. Graveur du roi et de l'Électeur de Cologne. Il exposa aux salons de 1743, 1745, 1746, 1748, 1750, 1753, 1755, 1757, 1759, 1765, 1769, 1775, 1777. Il a gravé un grand nombre de portraits et des sujets d'histoire, notamment pour les *Galeries de Versailles* d'après Le Brun. Il fut marié deux fois : à Jeanne Louise Françoise Duvivier, et à Élisabeth Claire Tournay, l'une et l'autre graveurs. Père du peintre Jean Charles dit Tardieu-Cochin.

TARDIEU Jean Baptiste
Né en 1768 à Paris. Mort le 24 décembre 1837 à Paris. xviiie-xixe siècles. Français.
Graveur.
Frère d'Antoine François Tardieu. Il prit le titre de graveur-géographe comme ce dernier.

TARDIEU Jean Baptiste Pierre
Né en 1746 à Paris. Mort le 18 septembre 1816. xviiie-xixe siècles. Français.
Graveur.
Fils du maître planeur Pierre Joseph Tardieu. Les biographes ont commis de nombreuses erreurs sur cet artiste, le disant neveu et élève de Nicolas Henri. Il était son petit-neveu et ne put être son élève, Nicolas étant mort en 1749. Jean-Baptiste Pierre fut probablement élève de son cousin Jacques Nicolas. Il fut le premier de la famille Tardieu qui prit le titre de graveur-géographe, adopté plus tard par ses frères Antoine François et Jean-Baptiste.

TARDIEU Jean Charles, dit Tardieu-Cochin
Né le 3 septembre 1765 à Paris. Mort le 3 avril 1830 à Paris. xviiie-xixe siècles. Français.
Peintre d'histoire, sujets mythologiques, nus, portraits.
Il était le fils de Jacques Nicolas Tardieu et de sa seconde femme Élisabeth Tournay. Il fut élève de Regnault. Il obtint le deuxième grand prix de Rome en 1790.
Il fut employé par l'administration et peignit pour le Luxembourg, Versailles, Saint-Cloud, Fontainebleau et la cathédrale de Rouen, durant les règnes de Napoléon, Louis XVIII et Charles X.

$C. \mathcal{T}ardieu$

MUSÉES : BESANÇON : *Traphenius et Agamide* – COMPIÈGNE (Palais) : *L'homme entre le vice et la vertu* – CONDON : *Clio inspirée par le buste de Louis XVIII* – DIEPPE : *Henri IV à Ivry* – LE HAVRE : *Suzanne au bain* – MARSEILLE : *Ulysse reconnu par Euryclée 1817* – MEAUX : *Conversion du duc de Joyeuse* – NEUCHÂTEL-EN-BRAY (Mus. Chéret) : *Le retour des centaures de la chasse* – ORBEC : *Saint Louis lavant les pieds aux pauvres le jeudi saint 1823* – PRIVAS : *Saint Louis à Damiette s'élançant sur le rivage contre les Sarrasins* – SAINT-MALO : *L'homme entre le Vice et la Vertu* – VERSAILLES : *Henri IV devant Paris* – *Napoléon reçoit la reine de Prusse à Tilsitt* – *Halte de l'armée française à Syène.*
VENTES PUBLIQUES : PARIS, 3 avr. 1944 : *Nu* : FRF 1 900 – LONDRES, 19 jan. 1973 : *L'artiste et son modèle* : GNS 420 – VERSAILLES, 27 mars 1977 : *Le vieillard présentant l'Amour à un jeune couple,* h/t (54x44) : FRF 6 500 – PARIS, 14 juin 1979 : *Joseph reconnu par ses frères* 1788, h/t (114,5x145,5) : FRF 27 500 – NEW YORK, 21 oct. 1997 : *Joseph reconnu par ses frères,* h/t (113,6x146) : USD 13 800.

TARDIEU Jeanne Louise Françoise, née Duvivier
Née en 1719 à Paris. Morte le 6 avril 1762 à Paris. xviiie siècle. Française.
Graveur.
Elle fut la première femme du graveur Jacques Nicolas Tardieu. Elle a produit des estampes estimées.

TARDIEU Marie Anne. Voir HORTEMELS Marie Anne Hyacinthe et ROUSSELET

TARDIEU Nicolas Henri
Né le 18 janvier 1674 à Paris. Mort le 27 janvier 1749 à Paris. xviie-xviiie siècles. Français.
Graveur à l'eau-forte et au burin.
Un des plus beaux graveurs du xviiie siècle et le plus remarquable de la nombreuse et célèbre famille Tardieu. Il était fils du maître chaudronnier Nicolas Tardieu, dont nous connaissons quatre enfants : Jean, Claude, maître chaudronnier, cité dans l'acte de

décès de Nicolas Henri, Pierre Joseph, maître planeur d'où sortira la lignée des graveurs-géographes et notre artiste. Nicolas Henri fut élève de Lepautre puis de Gérard et Bernard Audran. Il fut agréé à l'Académie le 29 octobre 1712 et académicien le 29 novembre 1720, avec le *Portrait du duc d'Antin*, d'après Rigaud. Il exposa au Salon de 1741 à 1748. Il grava plusieurs planches pour le « Cabinet Crozat » et pour la Galerie de Versailles. Son œuvre est important et très estimé, notamment *L'Embarquement pour Cythère* (d'après Watteau).

TARDIEU Pierre Alexandre
Né le 2 mars 1756 à Paris. Mort le 3 août 1844 à Paris. XVIIIe-XIXe siècles. Français.

Graveur.

Fils du planeur Pierre Joseph. Cousin et non neveu de Jacques Nicolas Tardieu comme le disent la plupart des biographes. Élève de J. G. Wille et de Jacques Nicolas Tardieu. Il a surtout gravé le portrait et montre dans ce genre un remarquable talent. Il obtint une médaille au Salon de 1808 et fut décoré de la Légion d'honneur en 1822. La même année, il fut nommé membre de l'Institut en remplacement de Bervic. Il forma de nombreux élèves parmi lesquels Desnoyers, Bertonnier et Aubert. Le Musée de Valence (Drôme), conserve de lui *La Vérité* et *L'Abondance*.

TARDIEU Pierre Antoine
Né vers 1784 à Paris. XIXe siècle. Français.

Graveur.

Fils d'Antoine François. Il signa souvent Pierre François, et prit le titre de graveur-géographe.

TARDIEU Pierre François
Né le 24 décembre 1711 à Paris. Mort le 15 janvier 1771 à Paris. XVIIIe siècle. Français.

Graveur.

Fils de Jean Tardieu, dont nous ignorons la profession. Neveu et élève de Nicolas Henri Tardieu. Il a gravé d'après Oudry, notamment une suite pour les *Fables de la Fontaine* et des estampes pour l'*Histoire Naturelle* de Buffon. Il était marié à Marie Rousselet.

TARDIEU Victor François
Né le 30 avril 1870 à Lyon (Rhône). Mort le 12 juin 1937 à Hanoï. XIXe-XXe siècles. Depuis 1921 actif en Indochine. Français.

Peintre de compositions animées, scènes de genre, figures, portraits, intérieurs, paysages urbains, marines, peintre de compositions murales, cartons de vitraux.

D'une famille de négociants en soierie, son père avait d'abord été dessinateur de tissus, peignant quelques tableaux de fleurs. Victor Tardieu fut, très jeune, élève de l'École des Beaux-Arts de Lyon. Vers 1889, il vint à Paris, où il fut élève de Bonnat et de A. Maignan. En 1914, ayant dépassé l'âge d'être mobilisé, il s'engagea comme simple soldat, se retrouvant durant quatre années à diverses affectations, notamment à Verdun. En 1921, lui fut décerné le Prix de l'Indochine : le séjour, prévu six mois, allait se prolonger pour le reste de sa vie. Victor Tardieu fut chargé de la création, puis de la direction à partir de son ouverture en 1925, de l'École des Beaux-Arts de l'Indochine, à Hanoï, charge qui le passionna, mais l'absorba au point de compromettre prématurément la suite de son activité de création.

Il exposait au Salon des Artistes Français, y obtenant les distinctions d'usage.

Depuis 1960, l'œuvre de Victor Tardieu est redécouvert, en même temps que nombre de ses contemporains, au titre de ce que l'on appelle les « petits maîtres ». La redécouverte est juste en soi, cependant un examen plus attentif du cas de Victor Tardieu le différencie des autres. S'il avait jusque-là échappé à l'attention, c'est parce qu'on le situait mal dans son temps. À cela deux causes : son œuvre se scinde en plusieurs périodes et plusieurs manières, parfois très différentes les unes des autres, ce qui n'est jamais bon pour le renom et la carrière, favorisés pour les artistes les plus typés ; ensuite, les séries les plus spontanées et les plus audacieuses n'avaient presque pas été montrées, le peintre lui-même les ayant souvent considérées comme des études préparatoires, ne les signant que rarement, comme hésitant à assumer ses propres hardiesses.

Vers 1889, il réalisa des cartons de vitraux pour des églises et des monuments publics, notamment le vitrail de la salle des fêtes de l'Hôtel de Ville de Dunkerque (détruit pendant la bataille de 1940), représentant *Le Retour de Jean Bart dans sa ville natale*. Pendant ce temps, il s'était détaché de l'enseignement acadé-

mique, avait été attiré par les idées sociales répandues par les romanciers naturalistes et propagées chez les artistes depuis Millet, Daumier, jusqu'à Constantin Meunier, et peignit, entre 1898 et 1905, l'activité de nombreux ports européens : Londres, Liverpool, Gênes, y mettant en valeur l'effort des hommes, silhouettes brossées d'un trait en premier plan de l'enchevêtrement des navires et de leurs mâtures, indiqués en touches amples au travers du brouillard et des fumées, avec une technique intermédiaire entre les impressions de Monet et la prestesse synthétique de Marquet, éclaircissant sa palette, à l'occasion du séjour à Gênes, et sous l'influence des impressionnistes, desquels il retenait plus la leçon de « plein air » que la touche divisée. En 1902, lui fut décerné le Prix National, pour une composition de plus de dix-huit mètres carrés, représentant, dans un jeu contrasté et très animé des ombres, de la lumière et des fumées, l'effort d'une équipe d'ouvriers d'un chantier de construction, répartis selon une remarquable composition en diagonale. À peu près dans le même temps, il bénéficiait de commandes officielles, par exemple le plafond de la salle des fêtes de la mairie des Lilas, qui commençaient à constituer la partie policée de son œuvre et la plus vue ; d'autant qu'il envoyait également au Salon des scènes de genre ou d'intérieur, d'une facture respectueuse de la tradition, ou des portraits, notamment celui du poète symboliste *Jô Pâle*, ou le *Portrait de Madame Rozier et de ses enfants*. Entre 1907 et 1913, parallèlement à son travail décoratif, il peignit, surtout pendant les étés, un grand nombre d'œuvres, généralement de très petit format, consacrées à la vie familiale dans le jardin d'une maison de la campagne lyonnaise, où l'on reconnaît souvent sa femme et leur jeune fils (qui deviendra le poète Jean Tardieu), scènes intimistes dans le jeu alterné des taches du soleil et de l'ombre selon les diverses heures de la journée, dans la confidence desquelles il osait être, au-delà du postimpressionnisme et du nabisme, tenté par le fauvisme à quoi il se refusait la partie officielle de son œuvre. Puis, du champ de bataille il rapporta de nombreuses pochades qui réussissent à concilier la qualité picturale d'une facture exceptionnellement pressée, avec un intérêt documentaire rare sur les paysages du Nord dévastés, les villes bombardées, des cantonnements de soldats, des ambulances, etc. Après la guerre, il reçut de nouveau une commande pour un plafond pour la mairie de Montrouge. En 1921, à Hanoï, Victor Tardieu accepta la commande de la décoration du grand amphithéâtre de l'École de Médecine d'Hanoï, qui, avec une composition serrée, de soixante-dix-sept mètres carrés, allait l'accaparer de 1922 à 1924. Heureusement, comme toujours, parallèlement à la commande officielle, il consignait sur quantité de petits panneaux tout l'intérêt passionné qu'il ressentait devant les paysages mélancoliques des montagnes d'Annam, les rues animées de Saïgon ou d'Hanoï, l'activité intense des pêcheurs et des petits artisans qui peuplent les jonques du bord du Fleuve Rouge, ayant eu l'instinct profond d'éviter les bariolages d'un orientalisme de surface pour l'intériorité d'une gamme sobre de bruns et d'ocres.

Des travaux semblables à celui d'un Gérald Schurr ont permis de remettre à la place qui leur est due quelques artistes d'une période charnière, de l'œuvre desquels la seule facette publiquement osée avait dissimulé les confidentielles richesses, pour les quatre grandes séries parallèles aux travaux officiels de Victor Tardieu : les ports, les scènes intimistes au jardin, les instantanés de la guerre, les impressions d'Indochine, dans lesquelles il s'exprima alternativement, sans oser se le dire, parallèlement au postimpressionnisme, au nabisme, au fauvisme, tel qu'en lui-même. ■ Jacques Busse

BIBLIOGR. : Gérald Schurr : *1820-1920. Les petits maîtres, valeur de demain*, Éd. de la Gazette, Paris, 1969 – Jean Tardieu : Catalogue de l'exposition *Victor Tardieu*, Gal. G. Barry, Saint-Tropez, 1972 – in : Catalogue de l'exposition *Paris-Hanoï-Saigon, l'aventure de l'art au Viêt Nam*, Pavillon des Arts, Paris, 1998.
MUSÉES : LYON (Mus. des Beaux-Arts) : *Rêverie* – PARIS (Mus.

d'Orsay) : *Activité portuaire* – PARIS (Mus. de l'Armée) – RENNES : *Travail* – TOURCOING : *Liverpool, le port.*
VENTES PUBLIQUES : LONDRES, 2 oct. 1981 : *Famille assise au pied d'un arbre*, h/t, de forme octogonale (125,7x125,7) : **GBP 1 100** – PARIS, 15 déc. 1995 : *Le modèle alangui* 1913, h/t (94,5x184) : **FRF 62 000** – PARIS, 10 juin 1996 : *La Confidence* 1906, h/t (58x61) : **FRF 6 800.**

TARDIF
XVIIIᵉ siècle. Travaillant à Paris en 1761. Français.
Peintre de décorations.

TARDIF Charles
XVIIᵉ siècle. Français.
Dessinateur et peintre.
Le Musée de Pontoise conserve un dessin de cet artiste *Pont de Pontoise*, dessiné en 1688.

TARDIF Henri
XIXᵉ siècle. Français.
Peintre de paysages.
Il exposa de 1836 à 1845.

TARDIF Jean
XVIIIᵉ siècle. Actif à Nantes vers 1721 et 1744. Français.
Peintre.

TARDIF Michel
Mort avant le 27 mars 1729 à Paris. XVIIIᵉ siècle. Français.
Peintre.
Héraldiste.

TARDIF Noël
XVIᵉ siècle. Actif dans la seconde moitié du XVIᵉ siècle. Français.
Peintre verrier.
Il travailla de 1562 à 1569 pour la cathédrale de Rouen.

TARDIF Olivier
XVIᵉ siècle. Actif à Rouen. Français.
Peintre verrier.
Il travailla à la cathédrale de Rouen de 1534 à 1555.

TARDIF DE PETIVILLE Henri
Né en 1849 à Saint-Sever (Calvados). Mort en 1896 ou 1897 à Vire (Calvados). XIXᵉ siècle. Français.
Paysagiste.
Élève de Carolus Duran et de Damoye. Il débuta au Salon de 1880. Le Musée de Vire conserve de lui *Les Monts de Vandry*.

TARDITI Lucia
Née le 23 octobre 1893 à Turin, ou en 1890 à Livourne selon d'autres sources. XXᵉ siècle. Italienne.
Peintre de paysages.
Elle fut élève de Giacomo Balla.
VENTES PUBLIQUES : ROME, 17 avr. 1989 : *Sur la terrasse* 1912, h/t (161x94) : **ITL 6 500 000.**

TARDIVO Jean Claude
Né en 1935 à Villedomer (Indre-et-Loire). XXᵉ siècle. Français.
Peintre. Expressionniste-abstrait.
Il vit et travaille à Paris.
Il participe à des expositions collectives, notamment à Paris : Salons des Réalités Nouvelles, Comparaisons, de Mai, Grands et Jeunes d'Aujourd'hui. Il montre ses œuvres dans des expositions personnelles : 1970 Tours ; 1980 château de Livry-Gargan ; 1980, 1982, 1984, 1987, 1989 galerie Alix Lemarchand à Paris ; 1981, 1987 Kleve (Allemagne) ; 1982 Bochum ; 1989 galerie Kleinz à Coblence.
Il pratique une peinture gestuelle à tendance abstraite, dans la lignée de la série des *Femmes* de Kooning.
BIBLIOGR. : Catalogue de l'exposition : *Rimbaud, Vingt Peintres, Vingt Auteurs contemporains*, 1991, Paris.

TARDIVOT ou Tartivot
XVIIIᵉ siècle. Actif dans la seconde moitié du XVIIIᵉ siècle. Français.
Sculpteur.
Élève de l'Académie Royale de Paris.

TARDOS-KRENNER Viktor
Né le 12 août 1866 à Budapest. Mort le 28 décembre 1927 à Budapest. XIXᵉ-XXᵉ siècles. Hongrois.
Peintre de compositions religieuses.
Il fut élève des Académies de Budapest et de Munich. Il fut aussi écrivain dramatique.
Il peignit des fresques dans la cathédrale d'Erlau et l'église de Gyöngyös.

TARDOS-TAUSSIG Armin
Né le 8 mai 1874 à Temesvar. XIXᵉ-XXᵉ siècles. Hongrois.
Graveur.
Il pratiqua l'eau-forte.

TARDY
XVIIIᵉ siècle. Travaillant à Lausanne en 1782. Suisse.
Graveur de vignettes.

TARDY Claude Antoine. Voir TARDI

TARE
XVIIIᵉ siècle. Actif à Paris. Français.
Peintre de genre.
Il exposa de 1731 à 1739.

TARENGHI Enrico
Né le 14 avril 1848 à Rome. XIXᵉ siècle. Italien.
Peintre de genre, sujets typiques, architectures, paysages, aquarelliste. Orientaliste.
Inscrit à l'Académie romaine de San Luca en 1863, il fut élève d'Alessandro Cappalti, remporta le premier prix de dessin en 1866.
Il participa à l'exposition internationale d'aquarelles à Bruxelles en 1882 et exposa également à Milan, Rome, Turin, Livourne. En 1896, il était présent à l'exposition internationale de Berlin et il fut l'un des premiers participants à la Biennale de Venise.
Son art est très proche de celui de Filippo Bartolini, au point que l'on retrouve des détails similaires chez les deux artistes. Il semble avoir décrit, avec une précision extrême, un Orient qu'il n'aurait connu qu'à travers des cartes postales ou des tableaux d'autres orientalistes.

BIBLIOGR. : Caroline Juler : *Les orientalistes de l'école italienne*, ACR Édition, Paris, 1994.
MUSÉES : BRUXELLES : *Partie d'échecs* – ROME (Gal. d'Art Mod.) : *Intérieur d'église* – TURIN (Gal. d'Art Mod.).
VENTES PUBLIQUES : NEW YORK, 29 mai 1980 : *Intérieur de mosquée*, aquar. (74x55) : **USD 4 000** – NEW YORK, 25 oct. 1984 : *Arabes priant dans une mosquée*, aquar. sur trait de cr. (54,3x36,8) : **USD 7 500** – NEW YORK, 24 mai 1985 : *Arabes jouant au kalaha*, aquar./trait de cr. (75x50) : **USD 10 000** – LONDRES, 22 oct. 1986 : *Musiciens arabes*, aquar./traces de cr. (38x54) : **GBP 1 500** – LONDRES, 24 juin 1987 : *Les Marchands de tapis*, aquar./traces de cr. (36x52) : **GBP 2 900** – NEW YORK, 25 fév. 1988 : *Au café maure*, aquar. (53,2x36,7) : **USD 2 860** – NEW YORK, 25 mai 1988 : *Le jardin du couvent*, h/t (40,6x70) : **USD 2 200** – NEW YORK, 21 mai 1991 : *Prière à la mosquée*, aquar./pap. (55,3x36,9) : **USD 4 400** – NEW YORK, 29 oct. 1992 : *Partie d'échecs*, aquar./pap. (75,5x55,2) : **USD 3 850** – NEW YORK, 14 oct. 1993 : *Sentinelle avec un fusil*, aquar./pap. fort (51x34,2) : **USD 1 840** – LONDRES, 27 oct. 1993 : *La sortie de la mosquée*, aquar. et cr. (75x53) : **GBP 12 075** – LONDRES, 18 mars 1994 : *Prière à la mosquée*, aquar./cart. (74,9x54,6) : **GBP 8 280** – NEW YORK, 12 oct. 1994 : *Dans le harem*, aquar./pap. (35,6x52,1) : **USD 3 162** – NEW YORK, 24 mai 1995 : *Sortie de la mosquée*, aquar. et cr./cart. (75,6x55,2) : **USD 6 900** – MILAN, 14 juin 1995 : *Concert espagnol*, aquar./pap. (55,5x76,5) : **ITL 4 025 000** – NEW YORK, 18-19 juil. 1996 : *La taverne*, h/t (58,4x77,5) : **USD 1 955.**

TARGA Giovanni ou Caregari Targa
Né vers 1690 à Vérone. XVIIIᵉ siècle. Italien.
Peintre.
Élève de D. Rossetti et d'A. Bâlestra. Il travailla en 1729 dans l'abbaye du Mont Cassin.

TARGE Victor
Né en 1812 à Lyon (Rhône). XIXᵉ siècle. Français.
Peintre de paysages, paysages d'eau.
Il a figuré régulièrement au Salon de Lyon, entre 1846 et 1889. Il a peint des vues des bords du Rhône et de la région de l'Ardèche.

BIBLIOGR. : Gérald Schurr, in : *Les Petits Maîtres de la peinture 1820-1920, valeur de demain,* Les Éditions de l'Amateur, t. III, Paris, 1976.

TARGETT Thomas

XIXᵉ siècle. Actif à Salisbury dans la seconde moitié du XIXᵉ siècle. Britannique.

Peintre d'animaux, natures mortes.

Il exposa à Londres en 1869 et peignit surtout des natures mortes au gibier.

TARGIONI Domenico

XVIIᵉ siècle. Italien.

Peintre.

Il peignit un tableau d'autel dans l'église S. M. del Carmine de Florence.

TARGONI Cesare

XVIᵉ siècle. Italien.

Sculpteur et architecte.

Il était actif à Rome, au XVIᵉ siècle.

TARGUINI, appellation erronée. Voir **TARQUINI**

TARICCO Domenica ou Giovanni Battista

Née vers 1680 à Cherasco. XVIIIᵉ siècle. Italienne.

Peintre.

Fille de Sebastiano T. Elle était religieuse et peignit le tableau du maître-autel de l'église Saint-Pierre de Monzano.

TARICCO Giovanni

Né à Cherasco. Mort en 1748 à Cherasco. XVIIIᵉ siècle. Italien.

Peintre.

Il peignit cinq tableaux pour l'église de l'abbaye Saint-Pierre de Monzona dont il fut le prieur.

TARICCO Michele

Né en 1927. XXᵉ siècle. Italien.

Peintre.

Actif à Bologne.

VENTES PUBLIQUES : LUCERNE, 4 juin 1994 : *Affiche V/Homo Sapiens* 1975, h/t (73x92) : CHF 3 200.

TARICCO Sebastiano

Né le 26 septembre 1641 à Cherasco. Mort le 23 septembre 1710 à Turin. XVIIᵉ-XVIIIᵉ siècles. Italien.

Peintre et architecte.

Père de Domenica T. Imitateur de Guido Reni et de Domenichino. Il travailla pour les églises de Brà, de Cherasco, de Chieri, de Mondovi et de Turin. La Pinacothèque de Cherasco conserve de lui des fresques traitant des sujets de l'histoire sainte.

TARILLI Giovanni Battista

Né en 1549 à Cureglia près de Lugano. XVIᵉ siècle. Italien.

Peintre.

Il peignit des fresques pour les églises de Rho près de Milan, de Saint-Donatien à Sesto Calende, de S. Pellegrino près de Gionico et de S. Maria del Sasso à Morcote.

TARJAN Oszkar

Né le 5 mars 1875 à Budapest. XXᵉ siècle. Hongrois.

Sculpteur, médailleur.

Il fit ses études à Budapest et à Paris. Il a sculpté le tabernacle de la cathédrale de Szeged et réalisé des travaux d'orfèvrerie.

TARKHOFF Nicolas Alexandrovitch ou Tarchoff, Tarkoff

Né le 20 janvier 1871 à Moscou (Russie). Mort le 5 juin 1920 à Orsay (Essonne). XIXᵉ-XXᵉ siècles. Russe.

Peintre de compositions animées, figures, intérieurs, animaux, paysages, paysages urbains, natures mortes, aquarelliste.

À l'âge de dix-huit ans, il fut enrôlé comme soldat de réserve dans la milice. En 1894, il fut jugé indigne d'entrer à l'École des Beaux-Arts de Moscou, par les jurys officiels, à cause de ses idées révolutionnaires. Durant un voyage en Crimée en 1897, il rencontre Constantin A. Korovine et fait partie du groupe des jeunes peintres moscovites, puis il parcourt la Volga, le Caucase et le Lamarkhande. En 1898, il fait un voyage à Paris, puis rentre à Moscou, où il commence à avoir un début de renommée. Il fit partie du mouvement de la *Mirizkoustva* (Le Monde de l'Art), fondé par Leon Bakst, et également de l'Union des Artistes Russes. Il décide de revenir en France et s'y installe ; il prend place alors dans l'École de Paris. En 1899, il suit les cours de J.-P. Laurens à l'Académie Julian, puis aux Beaux-Arts avec L.-O. Merson, ainsi que dans d'autres ateliers.

Il exposa régulièrement à Paris, dès 1903 et 1904 au Salon des Indépendants et au Salon d'Automne, en 1937 à l'Exposition Internationale ; en 1913 à New York à l'Armory Show. Il montra ses œuvres dans des expositions personnelles, notamment à la galerie Druet à Paris.

Paris en fête, à son arrivée en France pour l'Exposition universelle de 1900, suscita son enthousiasme et il fit un grand nombre de toiles sur les fêtes foraines, carnavals et mouvements de foule. Il fut remarqué par la richesse de ses coloris. La grande liberté de facture des œuvres de cette période fait penser à certaines œuvres impressionnistes. Après s'être marié en 1905, mariage dont il eut quatre enfants, il découvrit les joies de la vie familiale et devint peintre de maternités. Il apparaît alors dans son œuvre une tendresse intérieure et une spiritualité profondes. Il est aussi connu pour ses peintures d'animaux.

Nic Tarkoff

BIBLIOGR. : Gaston Diehl : *Catalogue raisonné Nicolas Tarkhoff,* Petit Palais, Genève, s. d.

MUSÉES : BELFORT – GENÈVE (Petit Palais) – GRENOBLE – LUXEMBOURG – SAINT-PÉTERSBOURG – TANANARIVE – LA TOUR-DU-PIN.

VENTES PUBLIQUES : VERSAILLES, 15 juin 1976 : *Scène de plage,* h/pap. mar./t. (35,5x41,5) : FRF 6 000 – VERSAILLES, 22 juin 1977 : *Maternité,* h/carl. (34,5x27) : FRF 7 800 – VERSAILLES, 25 nov 1979 : *Nature morte aux fruits,* pap. mar./t. (36,5x42) : FRF 41 000 – ZURICH, 15 mai 1982 : *Soleil rayonnant sur la campagne,* gche/pap. mar./t. : CHF 2 800 – ZURICH, 9 nov. 1983 : *Cerisiers en fleurs,* gche (50x38) : CHF 8 000 – ZURICH, 1ᵉʳ juin 1983 : *Maternité,* h/t (85,5x110,5) : CHF 55 000 – ZURICH, 10 nov. 1984 : *Paysage d'automne,* gche (30x50) : CHF 6 000 – MUNICH, 29 oct. 1985 : *Paysage sous la pluie,* aquar. (24,5x31) : DEM 8 000 – PARIS, 27 oct. 1988 : *Les iris* 1924, aquar. (29x46) : FRF 16 000 – VERSAILLES, 6 nov. 1988 : *La Seine au Pont-neuf,* h/pan. (34x38,5) : FRF 17 000 – LONDRES, 21 fév. 1989 : *Coucher de soleil,* h/pap./t. (32x49) : GBP 8 800 – PARIS, 3 mars 1989 : *Nature morte aux fleurs,* h/t (73x60) : FRF 21 000 – PARIS, 11 avr. 1989 : *Maternité* 1902, h/t (63x60) : FRF 170 000 – PARIS, 27 avr. 1989 : *Bébé sur le tapis* 1902, h/t (65x81) : FRF 180 000 – NEUILLY-SUR-SEINE, 16 mars 1989 : *Le fleuve,* h/t (20x27) : FRF 17 000 – LONDRES, 5 oct. 1989 : *Vue de la Seine,* h/t (65,5x81) : GBP 6 600 – LONDRES, 20 oct. 1989 : *Le chat noir sur la barre d'appui de la fenêtre,* aquar./pap. (64x48) : GBP 9 900 – PARIS, 22 nov. 1989 : *Marché au coin du faubourg,* h/t (100x65,5) : FRF 250 000 – PARIS, 7 nov. 1990 : *Le pont derrière les arbres* 1905, h/t (66x81) : FRF 130 000 – BERNE, 12 mai 1990 : *Pont d'Orsay,* h/t (65,5x81) : CHF 35 000 – CALAIS, 8 juil. 1990 : *Meule près de la ferme,* h/cart./t. (25x34) : FRF 31 000 – PARIS, 15 mars 1991 : *Arbres en fleurs à Orsay,* h/cart. (76x104,5) : FRF 90 000 – PARIS, 8 déc. 1994 : *Enfants à la fenêtre en hiver,* h/cart. (72x54) : FRF 60 000 – PARIS, 13 juin 1996 : *Le Pont derrière les arbres* vers 1905, h/t (66x81) : FRF 130 000 – PARIS, 25 oct. 1996 : *Nature morte aux fruits,* h/t (81x65) : FRF 6 000 – PARIS, 13 nov. 1996 : *Neige dans la vallée,* h/t (89x130) : FRF 70 000 – PARIS, 12 mars 1997 : *Bouquet de tournesols* vers 1915, h/t (81x65) : FFR 30 000.

TARKIELTAUB Jacqueline

Née le 15 décembre 1945 à Paris. XXᵉ siècle. Française.

Peintre. Groupe lettriste.

Elle fait partie du groupe lettriste depuis 1965. À partir de signes sténographiques déformés et modifiés, elle réalise des compositions rythmées, accumulant ces écritures en faisceaux mouvants.

TARLÉ Claude Félix ou Tarlay, Tarlet

Né en 1666. Mort le 5 juin 1735 à Paris. XVIIᵉ-XVIIIᵉ siècles. Français.

Sculpteur.

Il travailla pour les châteaux de Versailles, de Marly et de Meudon. Il exécuta la balustrade du chœur de Notre-Dame de Paris.

TARNOCZY Bertha von ou Tarnoczy-Sprinzenberg

Née le 1ᵉʳ avril 1846 à Innsbruck. Morte le 6 mars 1936 à Vienne. XIXᵉ-XXᵉ siècles. Autrichienne.

Peintre de paysages, natures mortes, portraits.

Elle fit ses études à Munich et à Vienne.

MUSÉES : BRUNN : *Paysage près de Schleissheim.*

TARNOCZY Eugen von

Né le 17 avril 1886 à Munich. XXᵉ siècle. Allemand.

Peintre de paysages.
Il vécut et travailla à Traunstein. Il peignit des vues des Alpes et des sujets d'aviation.

TARNOGROCKI Otto
Né le 6 juin 1875 à Lobsens. XXᵉ siècle. Allemand.
Peintre de paysages. Impressionniste.
Il fit ses études à Weimar, à Stuttgart et à Paris. Il vécut et travailla à Stettin.
Il peignit des vues de Stettin à la manière impressionniste.
Musées : Dessau (Mus. mun.).

TARNOT François
Né en 1753 à Paris. XVIIIᵉ siècle. Français.
Sculpteur.

TARNOWSKA Walerya, née Comtesse Stroynowska
Née le 9 décembre 1782 à Horochov. Morte le 23 novembre 1849 à Dzihov. XIXᵉ siècle. Polonaise.
Miniaturiste.
Elle fit surtout des miniatures. Elle étudia quelque temps à Paris. Elle peignit des portraits et des sujets religieux.

TARNOWSKI Stanislav de, comte
Né en 1836 à Wroblewice. Mort en 1909. XIXᵉ siècle. Polonais.
Peintre de paysages.
Il fut élève de Maszkovski à Lemberg et de Dembowski à Cracovie. Il fut peintre amateur.

TARNOWSKY Michel de ou Tarnowski
Né le 20 avril 1870 à Nice (Alpes-Maritimes). Mort le 28 mai 1946 à Nice. XIXᵉ-XXᵉ siècles. Français.
Sculpteur de portraits, monuments, groupes, bustes, médailleur.
Il fut élève de l'école des arts décoratifs de Nice, puis de Falguière à l'école des arts décoratifs de Paris. Il fut décoré de la Légion d'honneur.
Il participa à des expositions collectives à Paris : de 1894 à 1902 régulièrement au Salon des Artistes Français, dont il fut membre sociétaire ; à l'Exposition Universelle de 1900 où il reçut une mention honorable ; 1910, 1912, 1918, 1925 L'Artistique à Nice ; 1993 musée du Palais Lascaris de Nice.
Il travailla la pierre, le marbre, le bronze ou le plâtre. Portraitiste, il a exécuté de nombreux monuments aux morts à Nice, Moirans, Saint-Marcellin, des groupes, des cariatides et des décorations d'architecture, notamment de façades d'immeubles (Nice : hôtel Négresco, Chambre de Commerce). Il reçut de très nombreuses commandes de personnalités du monde politique, des arts et des lettres.
Bibliogr. : Catalogue de l'exposition : *Michel de Tarnowsky*, Palais Lascaris, Nice, 1993.
Musées : Amiens : *Buste d'enfant* – Boulogne-Billancourt (Mus. mun.) : *Profil d'enfant* 1891, médaillon en plâtre – *Joseph Durandy* 1896, bronze – *Lucien Pallez* 1899, plâtre – *Ivan, fils de l'artiste* 1906, marbre de Carrare – *La Vague* 1913, plâtre – *Capitaine Amah Singhe-Sahib* 1915, médaillon en plâtre – *Commandant d'Acher de Montgascon* 1917, médaillon en bronze – *Tête d'enfant, Max de Foras* vers 1920-1925, terre cuite – Malmaison (Mus. Nat.) : *Napoléon à Sainte-Hélène, pierre* – *Gérardot de Sermoise* 1930, bronze – Nice (Mus. des beaux-arts) : *Le Révérend Père Didon* 1901, bronze – *Marie Bashkirtseff* 1914, étude en plâtre – *Nietzche*, bronze – *Brown-Sequard*, bronze – Paris (Mus. du Petit-Palais) : *Orang-Outang ou Le Philosophe* 1927, bronze – *Napoléon à Sainte-Hélène* 1932, pierre – Tarbes (Mus. Foch).

TAROCCHI Mattia
XVIIIᵉ siècle. Italien.
Peintre d'architectures, dessinateur.
Il travailla pour le Palais Franceschi de Pise dans la seconde moitié du XVIIIᵉ siècle. Il fut aussi architecte.
Musées : Florence (Gal. des Offices) : *Intérieur de l'église Saint-Michel de Pise*, dessin.

TARON, pseudonyme de Taron Garibian
Né en 1940 à Tchimkent. XXᵉ siècle. Russe.
Peintre, dessinateur, sculpteur.
Il étudia d'abord la sculpture, puis le dessin et en 1963 la peinture. Il vit et travaille à Moscou. Il participa à des expositions collectives à Florence, Lugano, Moscou, Palerme.

TARON Jacquemart
XVIᵉ siècle. Actif au début du XVIᵉ siècle. Français.
Sculpteur.
Il travailla à Valenciennes et à Saint-Omer de 1506 à 1509.

TARONE Francesco
XVIIᵉ siècle. Italien.
Sculpteur.
Il travailla pour le château de Feldsberg en Basse-Autriche en 1660.

TARONI Roberto Lucca
XXᵉ siècle. Italien.
Auteur d'installations.
Il vit et travaille à Milan.
À partir de modes d'expression propre à la modernité, l'installation, il entend « restituer à l'œuvre d'art sa fonction antérieure qui consiste à condenser un réseau dense d'interprétation » (G. G. Lemaire).
Bibliogr. : Gérard Georges Lemaire : *Neuf Artistes à Milan aujourd'hui*, nº 119, Opus International, Paris, mai-juin 1990.

TARONI Tertulliano ou Tarroni
XVIIIᵉ siècle. Actif à Bologne de 1750 à 1784. Italien.
Peintre de perspectives et de décorations.
Il exécuta des peintures dans l'église de Madonna di S. Luca à Bologne.

TAROTS, Maître aux. Voir MAÎTRE P. W., (liste des monogrammes, à la fin de la lettre P)

TARQUINI Emilia
Née en 1816 à Fermo. Morte en 1899 à Fermo. XIXᵉ siècle. Italienne.
Peintre.
Le Palais archiépiscopal conserve quatre-vingt-deux portraits d'évêques de Fermo peints par cette artiste.

TARQUINI Federico
XIXᵉ siècle. Actif à Florence dans la première moitié du XIXᵉ siècle. Italien.
Peintre.
Il travailla pour les théâtres de Lucques.

TARQUINIO Orlando
Né le 8 août 1894 à São Paulo. Mort le 22 octobre 1970 à São Paulo. XXᵉ siècle. Brésilien.
Peintre de paysages, peintre de décors de théâtre.
Il a enseigné le dessin dans des collèges et lycées de São Paulo.
Il participa à partir de 1922 à des expositions collectives : à partir de 1925 Salon National des Beaux-Arts de Rio ; 1934 Salon des Beaux-arts de São Paulo. Il obtint de nombreux prix et distinctions dans son pays : 1952 et 1961 premier prix du gouvernement de l'état de São Paulo ; 1959 grande médaille d'or ; 1970 premier prix du conseil d'état de la culture.
Il fut surtout apprécié pour ses paysages.
Musées : Rio de Janeiro (Mus. Nat. des Beaux-Arts) – São Paulo (Pina.).

TARQUINIO Sergio
Né en 1925 à Crémone. XXᵉ siècle. Italien.
Graveur de compositions animées, figures, paysages.
Il participe à des expositions collectives, dont : 1995 *Attraverso l'Immagine*, au Centre Culturel de Crémone.
Graveur, il privilégie la technique de l'eau-forte, avec des paysages de villes ou de campagne, parfois difficilement lisibles à cause d'un jeu d'imbrication de forme.
Bibliogr. : In : Catalogue de l'exposition *Attraverso l'Immagine*, Centre Culturel Santa Maria della Pietà, Crémone, 1995.

TARQUINO
XVIᵉ siècle. Actif à Bevagna. Italien.
Peintre.
Il exécuta des blasons à l'église Saint-Léonard de Fano en 1567.

TARR James C.
Né en 1905. XXᵉ siècle. Britannique.
Peintre de compositions animées, paysages, paysages urbains.
Il participa aux expositions de la Royal Academy de Londres de 1939 à 1962.
Ventes Publiques : Londres, 29 juil. 1988 : *Paysage de Chiltern* 1944, h/pan. : GBP 1 210 – Londres, 9 juin 1989 : *Lundi*, nº 1 1950, h/t (53,3x73,7) : GBP 8 800 – Londres, 14 mai 1992 : *Les joueurs d'échecs* 1921, h/t (56x76) : GBP 770 – Londres, 5 juin 1992 : *Déchets et rhubarbe*, h/t (63,5x76) : GBP 2 200.

TARRA Luigi
Né le 4 décembre 1882 à Luino. XXᵉ siècle. Italien.
Peintre d'architectures. Impressionniste.
Il vécut et travailla à Rome.

TARRAGO Bernardo
XIVᵉ siècle. Travaillant en Aragon en 1389. Espagnol.
Sculpteur sur bois.

TARRAGO Fernando
Né dans la seconde moitié du XIXᵉ siècle à Lerida. XIXᵉ siècle.
Espagnol.
Sculpteur.
Élève de José Piquer. Il exécuta des restaurations à la cathédrale d'Avila.

TARRANT Margaret Winifred
Née en 1888. Morte en 1959. XXᵉ siècle. Britannique.
Peintre de paysages.
Elle participa aux expositions de la Royal Academy de Londres de 1914 à 1927.

VENTES PUBLIQUES : LONDRES, 18 déc. 1984 : *Rock-a-bye Baby ; Pussy Cat, Pussy Cat, where have you been ?*, aquar. et cr. reh. de blanc, une paire (32,3x25) : **GBP 1 200** – LONDRES, 26 juin 1986 : *The daisy chain*, aquar. et cr. reh. de blanc (17,8x12,7) : **GBP 1 100** – LONDRES, 5 mars 1993 : *« Les saisons vont et viennent, révélant la gloire de la Nature pendant leur passage »*, cr. et aquar. (20,5x47,5) : **GBP 5 290.**

TARRANT Percy
Mort après 1930. XIXᵉ-XXᵉ siècles. Britannique.
Peintre de compositions animées, genre, figures, paysages, illustrateur.
Il participa aux expositions de la Royal Academy de Londres de 1905 à 1919.

PT

VENTES PUBLIQUES : LONDRES, 20 oct. 1981 : *Une fille d'Ève*, h/t (56x43) : **GBP 4 000** – LONDRES, 16 juin 1982 : *Kittens* 1914, h/t (91,5x66) : **GBP 7 200** – LONDRES, 19 oct. 1983 : *An upland song* 1916, h/t (56x74) : **GBP 11 000** – LONDRES, 1ᵉʳ oct. 1986 : *Les Chatons* 1914, h/t (91,5x66) : **GBP 16 000** – LONDRES, 13 déc. 1989 : *Le saltimbanque*, h/t (31x21) : **GBP 5 280** – LONDRES, 26 sep. 1990 : *Le départ pour l'école ; Après dîner*, h/t, une paire (chaque 43x61) : **GBP 2 750** – NEW YORK, 1ᵉʳ nov. 1995 : *Le concert*, h/t (99,7x80) : **USD 4 600** – LONDRES, 6 nov. 1995 : *9 illustrations pour Une collégienne mécontente*, h/cart. (8) : **GBP 1 380.**

TARRIÈRE Cécile
Née le 28 mars 1959 à Paris. XXᵉ siècle. Française.
Peintre, graveur.
Elle fut élève de l'école des Arts décoratifs de Paris. Elle montre ses œuvres dans des expositions personnelles : 1989 Privas ; à Moscou, Leningrad (aujourd'hui Saint-Pétersboug), Paris. Elle réalise des gravures et des encres.

TARRINGER Peter
XVᵉ siècle. Autrichien.
Peintre.
Actif à Laufen-sur-la-Salzach, il travailla à Salzbourg en 1481.

TARRINI Cesare
Né en 1885 à Chianni. XXᵉ siècle. Italien.
Sculpteur de compositions religieuses, bustes.
Il exposa à Venise en 1912. Il pratiqua la sculpture sur bois et sur pierre avec des statues religieuses et des bustes.

TARRIT Jean
Né le 1ᵉʳ janvier 1866 à Châtillon-sur-Chaloronne (Ain). Mort en 1950. XIXᵉ-XXᵉ siècles. Français.
Sculpteur de figures.
Il fut élève de Thomas et Moreau-Vauthier. Il exposa à Paris, au Salon des Artistes Français, dont il fut membre sociétaire à partir de 1899 ; il reçut une mention honorable en 1898, médaille de troisième classe en 1907, médaille de deuxième classe en 1911, médaille d'or en 1913. Il fut fait chevalier de la Légion d'honneur en 1938.
VENTES PUBLIQUES : ENGHIEN-LES-BAINS, 2 mars 1980 : *Chat attrapant une souris*, ébène (H. 60) : **FRF 4 000** – ENGHIEN-LES-BAINS, 26 juin 1983 : *Dromadaire allaitant son petit*, bronze patine brun nuancé (H. 38) : **FRF 30 500** – PARIS, 22 mars 1994 : *Porteur d'eau au Maroc*, régule à patine brune (H. 27) : **FRF 4 000** – PARIS, 10-11 avr. 1997 : *Dromadaire allaitant son petit*, bronze, épreuve (H. 37,5) : **FRF 20 000.**

TARRONI Tertulliano. Voir **TARONI**

TARRY Alice. Voir **GOODALL**

TARRY-LAJEAT Suzanne
Née le 9 mai 1892 à Paris. XXᵉ siècle. Française.
Peintre de natures mortes, fleurs, décoratrice.
Elle fut élève d'A. Laurens, de Bompard et de Schommer.
VENTES PUBLIQUES : PARIS, 7 mai 1943 : *Les pavots* : **FRF 500.**

TARSIA Antonio ou **Tersia**
Né en 1655. Mort en 1730. XVIIᵉ-XVIIIᵉ siècles. Actif à Venise.
Italien.
Sculpteur.
Père de Bartolomeo T. Il sculpta des statues pour des églises de Venise et des tombeaux. Le musée Correr de cette ville conserve de lui une *Statue du doge Silvestro Valier*.
VENTES PUBLIQUES : VENISE, 25 mai 1997 : *Divinité des eaux*, marbre (47x25) : **ITL 8 500 000.**

TARSIA Bartolomeo ou **Tersia**
Mort en 1765. XVIIIᵉ siècle. Actif à Saint-Pétersbourg, et à Venise. Italien.
Peintre de décorations.
Fils d'Antonio T. Il travailla pour le Palais d'Hiver et le Palais de Peterhof à Saint-Pétersbourg.

TARSILA DO AMARAL. Voir **AMARAL Tarsila do**

TARTAGLIA Giovanni Battista
XVIᵉ siècle. Actif à Ferrare. Italien.
Peintre.
Il peignit pour l'église Saint-Paul de Ferrare.

TARTAGLIA Marin ou **Tartalja**
Né le 4 août 1904 à Split. XXᵉ siècle. Yougoslave.
Peintre de portraits, nus, intérieurs, paysages.
Il fit ses études à Zagreb, à Florence et à Rome. Peintre figuratif, sa peinture tend à s'épurer vers 1955, les formes, nettes auparavant, ne sont plus qu'à deviner, silhouettées, noyées dans le fond du tableau.

TARTAGLIOZZI Francesco
Né le 30 novembre 1851 à Isola del Gran Sasso. Mort le 4 août 1924 à Isola del Gran Sasso. XIXᵉ-XXᵉ siècles. Italien.
Peintre de compositions religieuses, portraits, figures, paysages.
Il fut élève de Francesco Scandi à Rome. Il a peint dans l'église Notre-Dame de Grâce de Teramo *Mort de saint Joseph*.

TARTAGNINI Francesco
Mort au début du XIXᵉ siècle. XVIIIᵉ-XIXᵉ siècles. Actif à Mantoue. Italien.
Peintre d'ornements.
Élève de Giovanni Bellavite. Il travailla pour des églises et des édifices publics de Mantoue.

TARTAKOVSKY Isaac Josephovitch
Né en 1912 à Volochinsk (Ukraine). XXᵉ siècle. Russe.
Peintre de paysages. Postimpressionniste.
Il fit ses études à l'Institut d'Art de Kiev sous la direction de A. Shivkunenko et obtint son diplôme en 1951. Il est membre de l'Union des Artistes d'URSS et fut nommé en 1976 Artiste d'Ukraine. Depuis 1949 il participe à de nombreuses expositions.
MUSÉES : KIEV (Mus. hist.) – MOSCOU (Mus. Centr. Lénine).
VENTES PUBLIQUES : PARIS, 18 mars 1991 : *Rives du sud* 1982, h/t (60x80) : **FRF 4 000** – PARIS, 16 nov. 1992 : *Les bois*, h/cart. (34x24) : **FRF 3 300.**

TARTARAT Georges Emmanuel Oscar
Né au XIXᵉ siècle à Sainville (Eure-et-Loir). XIXᵉ siècle. Français.
Peintre de scènes de chasse.
Élève de Vassor. Il exposa au Salon de 1863 à 1880.
VENTES PUBLIQUES : PARIS, 18 nov. 1946 : *L'hallali* : **FRF 9 500** – PARIS, 9 déc. 1949 : *Chiens* : **FRF 450.**

TARTARINI Alfredo
Né en 1854 à Bologne. Mort en 1905. XIXᵉ siècle. Italien.
Dessinateur, peintre d'ornements et enlumineur.
Il peignit des fresques pour des églises de Bologne.

TARTARIUS Cornelis Cornelisz
XVIIᵉ siècle. Travaillant à Amsterdam et à Haarlem, au milieu du XVIIᵉ siècle. Hollandais.
Paysagiste.
Il peignit des paysages et des combats.

TARTELLO Giambattista
XVIIIᵉ siècle. Actif à Brescia. Italien.

Sculpteur sur bois.
On lui attribue des statues dans l'église de l'Assomption de Clusone.

TARTIVOT. Voir **TARDIVOT**

TARTOUÉ Pierre
XXᵉ siècle. Actif aux États-Unis. Français.
Peintre de portraits.
Il fut élève à l'École des Beaux-Arts de Nantes, puis à celle de Rennes sous la direction d'Emmanuel Fougerat, enfin à celle de Paris, sous la direction de Fernand Cormon, où il se spécialisa dans l'art du portrait. Installé à New York, dans un appartement avec un atelier typiquement fin de siècle, il a surtout brossé les portraits des membres de la haute société américaine de l'époque, parmi lesquels sont cités : le cardinal John Farley en 1915, Mrs Alfred I. Du Pont de Nemours en 1916, le Major-Général John F. O'Ryan en 1920, de nombreuses élégantes jeunes filles et jeunes femmes, et quelques portraits d'hommes probablement éminents en tenues sévères.

TARUFFI Emilio
Né en 1633 à Bologne. Mort le 17 juin 1696, assassiné. XVIIᵉ siècle. Italien.
Peintre d'histoire et graveur.
Élève de Francesco Albano. Il s'associa avec son camarade d'atelier Carlo Cignani, pour la décoration d'une partie du Palazzo Publico, à Bologne. Il accompagna Cignani à Rome et continua à s'associer à ses travaux, notamment aux fresques de S. Andrea della Valle. Il peignit aussi le paysage dans le style de Albano. On connaît de lui une gravure datée du 8 mai 1651. La Galerie royale de Florence conserve son portrait par lui-même.

TASCA Bartolommeo. Voir **BARTOLOMMEO da Ferrare**

TASCA Christoforo
Né en 1667 à Bergame. Mort vers 1737 à Venise. XVIIᵉ-XVIIIᵉ siècles. Italien.
Peintre.
On ne nomme pas son maître, mais on sait qu'il étudia les œuvres d'Antonio Bellucci et de Carlo Loti à Venise. Il s'établit dans cette ville où l'on trouve plusieurs de ses ouvrages dans plusieurs églises. Le Musée des Offices de Florence conserve trois dessins de cet artiste.

TASCA Gaetano
Né en 1751. Mort en 1836. XVIIIᵉ-XIXᵉ siècles. Actif à Palerme. Italien.
Peintre de décors.

TASCA Luigi
Né à Padoue (?). XVIIIᵉ-XIXᵉ siècles. Italien.
Peintre.
Il exécuta des décors pour les théâtres de Pérouse et de Livourne.

TASCHETTI, appellation erronée. Voir **TACCHETTO Camillo,** don

TASCHNER Ignatius
Né le 9 avril 1871 à Lohr-sur-le-Main. Mort le 25 novembre 1913 à Mitterndorf près de Dachau. XIXᵉ-XXᵉ siècles. Allemand.
Sculpteur, peintre décorateur, dessinateur, illustrateur, graveur.
Élève de l'Académie de Munich, il eut pour professeurs Syrius Eberle et Jakob Brade. Il travailla à Breslau, Vienne, Berlin.
Il fut membre de la Sécession de Berlin. Il a illustré de nombreux livres pour enfant chez l'éditeur Gerlach.
BIBLIOGR. : In : *Dict. des illustrateurs 1800-1914*, Ides et Calendes, Neuchâtel, 1989.
MUSÉES : BERLIN : *Parsifal à cheval*.

TASCUCCI
XIXᵉ siècle. Italien.
Portraitiste.
Probablement niçois, il travaillait en 1800.
MUSÉES : NICE : *Portrait de Mme Garnier, née Rocca, an X – Portrait du général Garnier*.

TASELLI Domenico ou **Tasselli**
XVIIᵉ siècle. Travaillant à Rome en 1605. Italien.
Dessinateur.
La Bibliothèque du Vatican de Rome conserve de lui *La façade de l'ancienne basilique Saint-Pierre avant la démolition*.

TA-SHAN. Voir **DASHAN**

TASHIRO Ayako
Née en 1943 à Chuseihokudo (Corée), d'origine japonaise. XXᵉ siècle. Active de 1970 à 1985 en France. Japonaise.
Peintre, graveur.
Elle participe à des expositions collectives : 1992 *De Bonnard à Baselitz. Dix Ans d'enrichissement du cabinet des estampes 1978-1988* à la Bibliothèque nationale à Paris.
MUSÉES : PARIS (BN) : *Le Matin d'hiver* 1976.

TA-SHOU. Voir **DASHOU**

TASI Giuseppe. Voir **ASTASI Giuseppe**

TASKER Edward
XIXᵉ siècle. Actif à Chester en 1840. Britannique.
Dessinateur de décorations.
Frère de William T.

TASKER William
Né le 16 avril 1808 à Londres. Mort le 1ᵉʳ septembre 1852 à Chester. XIXᵉ siècle. Britannique.
Peintre et dessinateur.
Frère d'Edward T. Élève de Robert Lorris à Chester. Il exécuta des peintures et des dessins représentant les plus fameux chevaux de courses de Chester. Il peignit aussi les motifs de Chester.
VENTES PUBLIQUES : LONDRES, 4 avr. 1973 : *Le cheval Cardinal Puff* : GBP 1 500 – LONDRES, 19 juil. 1978 : *Le cheval de course Pantaloon 1842*, h/t (58,5x74) : GBP 1 000 – LONDRES, 13 sept 1979 : *Millepede avec son jockey à Chester 1834*, h/t (63,5x78) : GBP 6 500 – LONDRES, 27 mars 1981 : *Sir Rubens, pur-sang gris avec Jos. Hawkins devant l'écurie 1835*, h/t (47x59,6) : GBP 2 000 – NEW YORK, 7 juin 1985 : *Deux pur-sang dans un paysage 1837*, h/t (45,5x61) : USD 2 000 – NEW YORK, 6 juin 1986 : *The Bey of Algiers monté par Nat Flatman gagnant le Chester Cup en 1840*, peint. (64,2x91,4) : USD 30 000.

TASKOVSKI Vasko
Né le 31 août 1937 à Nizo-Pole (Macédoine). XXᵉ siècle.
Peintre de compositions oniriques, aquarelliste, dessinateur. Fantastique.
Il fut élève de l'école des arts appliqués de Belgrade. Il est membre de l'Association des Artistes Macédoniens.
Il montre ses œuvres dans des expositions personnelles en Yougoslavie, et à l'étranger : New York, Moscou, Londres, Prague, Athènes, Le Caire, Paris...
Il peint des paysages organiques, des espaces en métamorphose, des plages dévastées où se développe une végétation de lianes, mousses, racines, champignons, des rochers et ruines.
VENTES PUBLIQUES : PARIS, 9 nov. 1992 : *Massacres*, h/t (100x125) : FRF 12 000 ; *Confrontation*, h/t (80x100) : FRF 6 000 ; *Les traces du temps*, h/t (130x160) : FRF 10 000.

TASLITZKY Boris
Né en 1911 à Paris, de parents russes. XXᵉ siècle. Français.
Peintre de compositions animées, portraits, peintre de compositions murales.
Il fut élève de Lipchitz et, pour la tapisserie, de J. Lurçat. Artiste militant, il adhéra au parti communiste dans les années trente et s'engagea dans la guerre d'Espagne. Interné après 1941 au camp de Saint-Sulpice-la-Pointe, il fut ensuite déporté en Allemagne.
Il exposa régulièrement à Paris aux Salons des Indépendants et d'Automne.
On cite ses portraits, dont celui de M. J. Cain. Durant son internement, il a décoré les baraques du camp de vastes fresques. Après la guerre, il s'est consacré à la peinture, dans un style réaliste, volontairement populaire, à des problèmes sociaux. Il a également mis en scène la guerre d'Algérie et les événements au Chili.
BIBLIOGR. : In : *Dict. de l'art mod. et contemp.*, Hazan, Paris, 1992 – Catalogue de l'exposition : *Les Années trente en Europe. Le temps menaçant*, Musée d'Art moderne de la ville, Paris Musées, Flammarion, Paris, 1997.
MUSÉES : MONTREUIL (Mus. d'Hist. vivante) : *Mort de D. Casanova 1950* – PARIS (Mus. d'Art Mod.) : *Le Camp de Buchenwald en 1945*.

TASNIÈRE Georges ou **Giorgio**
Né vers 1632 à Besançon. Mort le 2 octobre 1704 à Turin. XVIIᵉ siècle. Français.
Graveur au burin.

Il travailla à Turin et à Vienne, vers 1674. On cite de lui plusieurs sujets de chasse gravés d'après Jan Miel, et des portraits. Il grava aussi d'après Domenico Piola. Sa forme est dure et désagréable.

TASNIÈRE Giuseppe Bartolomeo
Né vers 1675. Mort le 14 août 1752, enterré à Turin. XVIII siècle. Italien.
Graveur au burin.
Fils de Georges T. Il grava des scènes religieuses et des vues.

TASQUIN Jules
Né en 1872 à Liège. Mort en 1912. XIX-XX siècles.
Peintre de paysages.
Il a essentiellement peint le paysage liégeois.
BIBLIOGR. : In : *Diction. Biogr. illustré des Artistes en Belgique depuis 1830,* Arto, Bruxelles, 1987.

TASSAERT Antonia ou Antoinette ou Toinette, Mme Beer
XVIII-XIX siècles. Allemande.
Graveur et miniaturiste.
Fille du sculpteur Jean Pierre Antoine. Elle exposa à Berlin de 1787 à 1820.

TASSAERT Henriette Felicitas. Voir ROBERT Henriette Felicitas

TASSAERT Jean Joseph François
Né en 1765 à Paris. Mort vers 1835 à Paris. XVIII-XIX siècles. Français.
Graveur d'histoire, sujets allégoriques, scènes de genre, portraits, fleurs, peintre.
Fils et élève du sculpteur anversois Jean Pierre Antoine Tassaert. Ses parents l'emmenèrent très jeune à Berlin, où il se maria. Il grava notamment dans cette ville un portrait de Frédéric II, d'après sa sœur Henriette Félicité. En 1792, il vint se fixer à Paris. De cette époque datent de nombreux portraits au pointillé, *Camille Desmoulins, Charlotte Corday, Carteaux, Brun,* des morceaux d'actualité, tels que *Le 9 Thermidor* et *La journée du 31 mai.* On note ensuite des pièces en l'honneur de Bonaparte, consul et empereur, *Portrait de Marie-Louise,* suivies, en 1814, d'une allégorie sur la *Chute du Tyran.* Il grava aussi des fleurs d'après Redouté. Il eut quatre fils et une fille, qu'il éleva avec une grande dureté.
VENTES PUBLIQUES : VERSAILLES, 18 mars 1990 : *Le réconfort* 1811, h/t (32,5x25) : FRF 12 000.

TASSAERT Jean Pierre
Né le 7 mars 1651 à Anvers. Mort le 29 septembre 1725 à Anvers. XVII-XVIII siècles. Éc. flamande.
Peintre.
Fils du peintre anversois Pierre Tassaert. Maître en 1690 il alla à Munich en 1711. Il peignit des intérieurs, des sujets d'histoire. Il avait huit grandes compositions dans la salle de la Compagnie des polisseurs de diamants, représentant des scènes de la vie de saint Paul et de saint Pierre. Le Musée d'Anvers conserve de lui *Les philosophes.*

TASSAERT Jean Pierre Antoine ou Tassart
Né le 9 août 1729 à Anvers. Mort le 21 janvier 1788 à Berlin. XVIII siècle. Éc. flamande.
Sculpteur de bustes, statues, groupes.
Neveu de Jean Pierre Tassaert. Il alla en Angleterre en 1752, où il rencontra William Hogarth, puis se rendit à Paris, où il passa trente ans et travailla, à partir de 1774, à Berlin pour Frédéric le Grand.
Sculpteur à la cour de France, il réalisa une statue de Louis XV en marbre et, une fois à la cour de Frédéric le Grand, il sculpta des bustes en marbre de celui-ci, du Grand Électeur, de Mendelssohn, de G. Th. François Raynal et de bien d'autres personnalités. Il exécuta également des groupes de marbre, dont : *Vénus allaitant Amour* et *Vénus brûlant les armes de l'Amour.*
MUSÉES : BERLIN : *Bustes de Zieten et de Moïse Mendelssohn* – HAMBOURG : *Bustes du vieux Zieten et de Moïse Mendelssohn* – PARIS (Mus. du Louvre) : *L'Amour prêt à lancer un trait.*

TASSAERT Octave ou Nicolas François Octave
Né le 26 juillet 1800 à Paris. Mort le 24 avril 1874 à Paris. XIX siècle. Français.
Peintre d'histoire, compositions religieuses, sujets mythologiques, scènes de genre, portraits, lithographe.
Fils de Jean Joseph François Tassaert. Élève de Pierre Girard, de Guillon Lethière. Il entra à l'École des Beaux-Arts le 1er février

1817. Octave Tassaert, comme ses quatre frères et sa sœur, eut une enfance malheureuse. Son biographe, M. Bernard Prost, dit que le père Tassaert « avait pour principe de mettre ses fils à la porte de chez lui le jour même qu'ils atteignaient douze ans ». Octave dut pour gagner son pain travailler à la gravure encore enfant, chez son frère Paul. Il travailla aussi quelque temps dans l'atelier de François Girard, mais en 1817, il s'orienta vers la peinture. Cette entrée dans la vie influa fâcheusement sur toute la carrière de notre artiste. Peut-être faut-il attribuer à son manque d'éducation première son éloignement du monde des artistes, les tristes habitudes d'ivrognerie solitaire qui désolèrent la fin de sa vie. Il finit en s'asphyxiant à l'aide d'un réchaud de charbon, mode de suicide des pauvres gens.
Il débuta au Salon vers 1831. Il obtint une médaille de première classe en 1849.
Tout l'œuvre d'Octave Tassaert décèle un sentimental, un tendre et il vécut en misanthrope. Avant de vendre de la peinture, Tassaert tira parti de la lithographie. Les cent et quelques planches qu'il produisit de 1825 à 1838 nous paraissent d'un mérite artistique très contestable. On a appelé Octave Tassaert le « Corrège de la mansarde » le « Prud'hon des pauvres ». Nous dirions plutôt de cette part de son œuvre que c'est du « Paul de Kock peu mieux écrit ». Dans tous les cas, c'est « du commerce » et rien de plus. Son œuvre peint est autrement intéressant et l'on y trouve des qualités de sentiment et de facture qui sauveront Tassaert de l'oubli. Vivant au milieu du peuple il en a exprimé les sentiments particuliers pour l'enfance, en témoin sensible et ému. Il a peint la femme avec élégance, alliant au souci de la forme un réalisme charnel tout flamand. ■ E. B.

MUSÉES : BAYEUX : *Nativité* – BAYONNE (Bonnat) : *La grande sœur* – *Jeune fille malheureuse* – *Jeune fille au cimetière* – BÉZIERS : *Le règne de Jésus* – BORDEAUX : *Communion des premiers chrétiens* – BREST : *La Sainte Vierge allaitant l'Enfant Jésus* – CAEN : *Ramassage des fagots* – CALAIS : *Portrait d'une jeune femme* – GRENOBLE : *Une famille malheureuse* – LYON (Mus. des Beaux-Arts) : *Nymphe couchée* – MONTPELLIER : *Ciel et enfer* – *La famille malheureuse 1848* – *L'artiste* – *Ariane* – *Suicides* – *La mère convalescente* – *La jeune femme au verre de vin* – *Ma chambre en 1825* – *L'atelier du peintre* – *Jeune fille évanouie dans une église* – *Le retour de l'enfant prodigue* – *M. Ch. Burgos* – *Chrétiens dans les catacombes* – *Clovis à la bataille de Tolbiac* – *M. A. Bruyas,* deux œuvres – PARIS (Mus. du Louvre) : *Une famille malheureuse* – REIMS (Mus. des Beaux-Arts) : *La Tentation* – VERSAILLES : *Philippe de Commines* – *Créquy* – *Gaspard Tavannes* – *Louis X le Hutin* – *Funérailles de Dagobert à Saint-Denis.*

VENTES PUBLIQUES : PARIS, 1855 : *La jeune fille au lapin :* FRF 2 000 – PARIS, 16 mars 1874 : *La Tentation de saint Hilarion :* FRF 7 100 ; *Mort de la Madeleine :* FRF 6 000 – PARIS, 1878 : *Bacchante :* FRF 7 150 – PARIS, 1883 : *La Jeunesse,* dess. au cr. noir : FRF 1 100 – PARIS, 1884 : *L'anxiété :* FRF 5 600 – PARIS, 1886 : *La Tentation de saint Hilarion :* FRF 14 900 – PARIS, 16-17 mai 1892 : *La jeune ménagère :* FRF 2 000 – PARIS, 18-19 mai 1897 : *La Fontaine d'amour :* FRF 4 000 – PARIS, 29-30 mars 1898 : *Portrait de femme :* FRF 2 700 ; *Paysage avec personnages :* FRF 6 400 – PARIS, 1899 : *Les deux sœurs de charité :* FRF 5 000 – PARIS, 26-27 mai 1902 : *L'enfant malade :* FRF 3 800 ; *L'anxiété :* FRF 2 250 – PARIS, 1er juin 1908 : *David et Bethsabée :* FRF 3 950 – PARIS, 7 mars 1910 : *La jeune fille au lapin :* FRF 10 500 – PARIS, 9-11 déc. 1912 : *Le retour du bal :* FRF 10 000 ; *La Tentation de saint Antoine :* FRF 5 300 – PARIS, 13-14 mars 1919 : *Femmes aux bijoux :* FRF 6 600 – PARIS, 4-5 mars 1920 : *Sarah la baigneuse :* FRF 17 200 – PARIS, 17-19 juin 1925 : *La maison déserte :* FRF 6 500 – PARIS, 26 juin 1928 : *La poule au pot :* FRF 8 250 – PARIS, 24 mai 1929 : *Petite fille à la chèvre blanche :* FRF 50 000 ;

Le calendrier des vieillards : FRF 26 000 – Paris, 3 déc. 1934 :
Léda : FRF 20 100 ; *Baigneuses* : FRF 23 100 – Paris, 5 déc.
1940 : *L'escarpolette* : FRF 44 000 ; *La petite fille à la chèvre
blanche* 1841 : FRF 66 100 ; *Diane surprise par Actéon* 1845 :
FRF 47 000 – Paris, 30 oct. 1942 : *La Bacchante aux Amours* :
FRF 44 000 – Paris, 17 mai 1944 : *Madeleine expirant* 1857 :
FRF 30 100 – Paris, 28 mars 1949 : *Orientale sur la terrasse* :
FRF 23 000 – Paris, 2 juin 1950 : *L'enfant au chien* 1855 :
FRF 26 500 – Paris, 31 déc. 1950 : *Le retour de l'enfant prodigue*
1857 : FRF 10 000 – Paris, 23 juin 1954 : *Les baigneuses au che-
valier croisé* : FRF 60 000 – Paris, 4 déc. 1972 : *Sarah la bai-
gneuse* : FRF 13 000 – Versailles, 27 jan. 1974 : *Scène familiale* :
FRF 5 600 – Londres, 9 avr. 1976 : *Femme pensive*, h/t (27x21) :
GBP 2 550 – Paris, 4 nov. 1977 : *L'amour endormi* 1841, h/pan.
(40x32) : FRF 6 100 – Zurich, 25 mai 1979 : *Jeune fille endormie*
1854, h/t (40,5x32,5) : CHF 6 500 – Versailles, 8 mars 1981 :
Petite fille endormie au coin de la cheminée 1844, h/t (41x32) :
FRF 16 500 – Londres, 26 nov. 1982 : *La Tentation de saint
Antoine*, h/t (113x144,8) : GBP 2 500 – New York, 26 oct. 1983 :
Les Baigneuses, h/t (73,5x60) : USD 4 250 – Paris, 20 avr. 1988 :
Jeune femme observée par deux faunes, h/pan. (33x23,5) :
FRF 3 000 – Versailles, 19 nov. 1989 : *Sur le chemin*, h/t
(32,5x24) : FRF 8 500 – Versailles, 10 déc. 1989 : *Le port du Croi-
sic*, h/t (46x55) : FRF 5 500 – Versailles, 18 mars 1990 : *La
buveuse*, h/t (13,5x16,5) : FRF 9 000 – Amsterdam, 2 mai 1990 :
Réveillées par un rayon de soleil 1857, h/t (76,5x59,5) :
NLG 14 950 – Paris, 12 juin 1990 : *Le Pardon*, h/t (32x24) :
FRF 8 500 – Paris, 26 avr. 1991 : *Psyché*, h/t (58x47) : FRF 14 000
– Monaco, 19-20 juin 1992 : *Le Dénicheur d'oiseaux endormi au
recto, le Rêve du pacha au verso*, encre et lav. : FRF 10 545 –
Paris, 5 nov. 1993 : *Les amours*, h/pan. (41x32) : FRF 9 000 –
Paris, 16 mars 1997 : *L'Ancienne Abbaye de Jumièges* 1836, h. et
cr./pap. mar./t. (40x32) : FRF 14 000 – New York, 23 mai 1997 :
Jeune fille avec un lapin, h/t (56,5x46,4) : USD 48 300.

TASSAERT Paul
Mort en 1855 à Paris. xixᵉ siècle. Français.
Graveur au pointillé et éditeur.
Fils aîné de Jean Joseph François. Ce fut surtout un producteur
d'imagerie religieuse, de portraits et de sujets de genre de la
moindre qualité artistique.

TASSAERT Philippe Joseph ou Joseph Philippe
Né le 18 mars 1732 à Anvers. Mort le 6 octobre 1803 à
Londres. xviiiᵉ siècle. Éc. flamande.
**Peintre de portraits, de paysages et graveur à la manière
noire et à l'eau-forte.**
Comme la majeure partie des membres de la famille Tassaert ce
fut plutôt un habile artisan tirant parti commercialement de ses
dispositions naturelles et de son savoir, qu'un véritable artiste.
Certains biographes le disent frère du sculpteur Jean Pierre
Antoine Tassaert. Il vint à Londres très jeune et fut pendant un
certain temps aide chez le peintre de portraits Hudson. En 1769
il était membre de la Society of Artists, et prenait part à ses expositions jusqu'en 1785. Il en fut président en 1775. Tassaert exposa
aussi à la Royal Academy et à la Free Society. Il produisit surtout, des pastiches de maîtres ou des copies. Il fut restaurateur
de tableaux et marchand. Comme graveur, il a reproduit un certain nombre de sujets d'histoire et mythologiques d'après
Rubens à l'eau-forte et à la manière noire, et des portraits et
sujets de genre d'après Maratti, C. Dolce, Van Dyck, Nicolas
Poussin, etc. L'Albertina de Vienne conserve deux dessins de cet
artiste.

TASSAERT Pierre
Mort en 1692 ou 1693 à Anvers. xviiᵉ siècle. Actif à Anvers.
Éc. flamande.
Peintre.
Reçu maître dans la gilde d'Anvers en 1635.

TASSARA Giovanni Battista
Mort en 1637. xviiᵉ siècle. Italien.
Peintre.
Élève de G. A. de Ferrari et G. Assereto.

TASSARA Giovanni Battista
Né le 23 juin 1841 à Gênes. Mort le 15 novembre 1916 à
Gênes. xixᵉ-xxᵉ siècles. Italien.
Sculpteur de statues.
Il fut élève de Giovanni Battista Cevasco. Il exécuta des statues
pour le cimetière de Staglieno, près de Gênes, ainsi que les
cathédrales de Catania et de Florence.

TASSART
xviiiᵉ siècle. Travaillant à Paris en 1777. Français.
Peintre de décorations.

TASSART Jules Edmond
Né à Vez (Oise). Mort en 1895. xixᵉ siècle. Français.
Peintre de genre, paysages.
Il fut élève de Brissot de Warville. Il débuta à Paris au Salon de
1877 et participa régulièrement des Artistes Français, dont il fut
membre sociétaire.

TASSEL Jean ou Tasset
Né le 20 mars 1608 à Langres (Haute-Marne). Mort le 6 avril
1667 à Langres. xviiᵉ siècle. Français.
**Peintre de compositions religieuses, compositions
mythologiques, scènes de genre, portraits. Classique.**
Il était sans doute petit-fils de Pierre et fils de Richard Tassel,
avec lequel il fut longtemps confondu, la réputation de l'Atelier
Richard Tassel occultant la personnalité de Jean, jusqu'aux
recherches de Henry Ronot. Son père fut son premier maître ; il
fut ensuite élève de Jean Leclerc. En 1634, il fit le voyage de
Rome, où il passa quelques années, étant de retour avant 1647. Il
se maria en 1647 et eut deux enfants. À son retour en France, sa
réputation s'établit entre Langres, Troyes et Dijon. Jusqu'à la
mort de Richard Tassel en 1660, les peintures seraient des peintures de l'Atelier Richard Tassel, Jean en étant le principal artisan, tandis que son père était occupé à de nombreuses fonctions
honorifiques et civiques.
En Italie, il fut sensible avec un grand éclectisme à diverses
influences, de Raphaël ou des Bolonais, comme Guido Reni, aux
Vénitiens, dont Véronèse dans les *Adoration des rois mages* du
Louvre et de Dijon, mais surtout aux caravagesques et aux
peintres de « bambochades » qui constituaient l'avatar scabreux
du caravagisme. En outre, dans les minces visages de femmes, si
caractéristiques, au nez aigu et aux colorations rose vif, comme
fardées, de l'extrémité du nez, des pommettes et des lèvres, on
peut supposer qu'il s'est référé à Federico Barocci di Fiori. Ses
références aux maîtres qu'il admirait allaient parfois jusqu'à
l'imitation non dissimulée ; même alors, il gardait un accent personnel dans le traitement brutal des contrastes : ombres contre
lumières ; noirs contre couleurs ; ligne pure d'un visage contre
plis heurtés d'une tunique. Formant des élèves, son atelier produisit des scènes de genre déjà mentionnées, avec parfois de
jolis fonds de paysages, mais aussi des portraits, des scènes
mythologiques et bibliques, jusqu'à de grands retables ; production dont la diversité explique le recours aux sources multiples et
diverses.   ■ J. B.

Bibliogr. : Henry Ronot : *Les Tasset, de Langres*, in : Annales de
Bourgogne, t. XXVI, p. 225, 1954 – Henry Ronot : *Les Tasset de
Langres : Pierre, son fils Richard, son petit-fils Jean – du milieu
xviᵉ au milieu xviiᵉ*, in : Bulletin de la Société d'Histoire de l'Art
Français, p. 89, 1955 – Henry Ronot et Charles Sterling : Catalogue de l'exposition *Tassel*, Musée des Beaux-Arts de Dijon,
1955 – Catalogue de l'exposition : *Le xviiᵉ siècle français*, Musée
du Petit Palais, Paris, 1958 – Michel Laclotte, in : *Diction. Univers.
de l'Art et des Artistes*, Hazan, Paris, 1967 – in : *Diction. de la
peinture française*, coll. Essentiels, Larousse, Paris, 1989.

Musées : Dijon (Mus. des Beaux-Arts) : *Saint Jacques, ou
Richard Tassel en pèlerin – Couronnement de la Vierge par l'En-
fant Jésus – Adoration des bergers – Présentation de la Vierge au
temple – La Madeleine – Portrait de Catherine de Montholon –
Thérèse Marie Josèphe de Sauzette, fondatrice des Ursulines de
Dijon – Tobie et l'ange – L'ange gardien – Le retour de Tobie –
Descente de Croix – Têtes du Christ*, plusieurs œuvres – *Têtes de
Vierges*, plusieurs – *Jeunes filles* – Dole : *Saint Bernard donnant
la communion – Le Christ et les pèlerins* – La Haye (Mus. Bredius) : *Le maréchal ferrant – Le corps de garde* – Kassel : *Concert
dans une osteria romaine* – Langres : *Le retour du marché – Les
marauders – Mort de saint Joseph*, attr. – *Martyre de sainte Mar-
tine*, attr. – *Moïse frappant le rocher*, attr. – *Saint Michel terrassant le dragon*, attr. – Lyon : *Vierge à l'Enfant* – Paris (Mus. du
Louvre) : *Enlèvement d'Hélène – Adoration des rois mages* – San
Sebastian : *Adoration des mages* – Sarasota (Ringling Mus.) :
Jugement de Salomon – Sète : *Diane et Vénus* – Strasbourg : *Les
scieurs de long* – Troyes : *L'arbre de Jessé – Le juste Horace –
Sainte Famille – Repos de la Sainte Famille – Saint Jean au désert*,
deux œuvres – *Résurrection – Tête de Vierge – Les pèlerins d'Emmaüs*.

Ventes Publiques : Londres, 5 juin 1959 : *Un charpentier au travail* : GBP 609 – Paris, 9 nov 1979 : *Le jugement de Salomon*, h/t

(93x74) : **FRF 20 000** – Paris, 19 juin 1981 : *La Sainte Famille*, h/bois (64x45,5) : **FRF 20 000** – Paris, 1er avr. 1987 : *La diseuse de bonne aventure*, h/t (97x140) : **FRF 1 390 000** – Paris, 14 avr. 1988 : *L'Adoration des bergers*, h/t (97,5x75,5) : **FRF 120 000** – Paris, 16 déc. 1988 : *La Sainte Famille*, h/t (120x99) : **FRF 62 000** – Paris, 18 déc. 1991 : *Adam et Ève*, h/t (100x81) : **FRF 60 000** – Paris, 11 avr. 1992 : *Tobie et l'ange*, h/t (65x81) : **FRF 33 000** – Paris, 16 juin 1993 : *Bacchanale*, h/t (86x107) : **FRF 51 000** – Londres, 9 juil. 1993 : *Dispute de soldats après une partie de cartes* ; *Musiciens jouant pour des soldats près d'une table*, h/cuivre, une paire (25,3x31,1 et 24,7x31,1) : **GBP 13 800.**

TASSEL Pierre ou Tasset
Né le 12 avril 1521 à Langres. xvie siècle. Français.
Peintre d'histoire.
Il était le père de Richard Tassel et le grand-père de Jean. On ne sait guère plus de lui. La peinture du musée de Troyes et surtout *La Cène* du musée de Langres sont à considérer comme des attributions issues de la tradition. ■ J. B.
Bibliogr. : Henry Ronot : *Les Tasset, de Langres*, in : *Annales de Bourgogne*, t. XXVI, p. 225, 1954 – Henry Ronot : *Les Tasset de Langres : Pierre, son fils Richard, son petit-fils Jean – du milieu xvie au milieu du xviie*, in : Bulletin de la Société d'Histoire de l'Art Français, p. 89, 1955 – Henry Ronot et Charles Sterling : Catalogue de l'exposition *Tassel*, Musée des Beaux-Arts de Dijon, 1955 – Catalogue de l'exposition : *Le xviie siècle français*, Musée du Petit Palais, Paris, 1958 – Michel Laclotte, in : *Diction. Univers. de l'Art et des Artistes*, Hazan, Paris, 1967 – in : *Diction. de la peinture française*, coll. Essentiels, Larousse, Paris, 1989.
Musées : Langres : *La Cène* – Troyes (Mus.) : *Énée sauvant son père Anchise.*

TASSEL Richard, ou Pierre Richard ou Tasset
Né le 20 mars 1583 à Langres. Mort le 12 octobre 1666, ou 1668 à Langres. xviie siècle. Français.
Peintre, sculpteur, architecte.
On le croit fils de Pierre Tassel, dont il aurait été l'élève ; il était le père de Jean. À dix-huit ans, il alla en Italie et entra dans l'atelier de Guido Reni à Bologne. On le cite ensuite à Rome, où il aurait fréquenté l'atelier du Caravage ; la cathédrale de Langres conserve une copie de *La Madone des pèlerins*, signée de R. Tassel. Il aurait été sculpteur à Venise. Il fit le pèlerinage de Lorette. À son retour en France dans les premières années du xviie siècle, il obtint un emploi dans sa ville natale. Il se maria en 1607 et eut, au moins, huit enfants ; son fils Jean naquit à Langres le 20 mars 1608. L'Atelier Richard Tassel fut florissant ; il semble avoir peint et sculpté un nombre assez important d'ouvrages, notamment beaucoup de travaux éphémères pour la ville de Langres. Toutefois, il était occupé à de nombreuses charges honorifiques et civiques. Il aurait été architecte à Lyon, ambassadeur à Paris.
Ses œuvres personnelles se seraient situées dans la tradition du Moyen-Âge tardif et de la Renaissance. Jusqu'à sa mort en 1660, les œuvres étaient des œuvres d'atelier et son fils Jean en fut le principal artisan. La confusion de ses œuvres avec celles de son fils fut longtemps totale, comme en témoigne encore le catalogue de l'exposition *Les peintres de la réalité*, à l'Orangerie des Tuileries, en 1934. La seule peinture qui s'est avérée être de lui est le *Triomphe de la Vierge* du musée de Dijon, datée de 1617. Les figures allégoriques des lambris du Palais de Justice de Dijon, auraient été peintes par lui vers 1619, mais ont été mal conservées et repeintes. ■ J.B.
Bibliogr. : Varney : *Notice historique sur Richard Tassel*, an XI, 1803 – Luquet : *Notice sur Richard Tassel*, Langres, 1839 – Henry Ronot : *Les Tasset, de Langres*, in : Annales de Bourgogne, t. XXVI, p. 225, 1954 – Henry Ronot : *Les Tasset de Langres : Pierre, son fils Richard, son petit-fils Jean – du milieu xvie au milieu xviie*, in : Bulletin de la Société d'Histoire de l'Art Français, p. 89, 1955 – Henry Ronot et Charles Sterling : Catalogue de l'exposition *Tassel*, Musée des Beaux-Arts de Dijon, 1955 – Catalogue de l'exposition : *Le xviie siècle français*, Musée du Petit Palais, Paris, 1958 – Michel Laclotte, in : *Diction. Univers. de l'Art et des Artistes*, Hazan, Paris, 1967 – in : *Diction. de la peinture française*, coll. Essentiels, Larousse, Paris, 1989.
Musées : Dijon (Mus. des Beaux-Arts) : *Le Triomphe de la Vierge.*

TASSELLI Domenico. Voir TASELLI

TASSENCOURT Jules Auguste, dit Maurice. Voir MAURICE

TASSET Émile, ou Philippe Joseph Émile
Né le 1er mai 1838 à Liège. Mort le 15 novembre 1879 à Liège. xixe siècle. Belge.

Graveur de portraits, ciseleur, médailleur, caricaturiste.
Il a publié des articles sur la gravure, la numismatique, et, en 1876, le *Catalogue raisonné de l'Œuvre du graveur Richard Collin.*
Bibliogr. : In : *Diction. Biogr. illustré des Artistes en Belgique depuis 1830*, Arto, Bruxelles, 1987.
Musées : Liège.

TASSET Guillaume Charles
Né au xixe siècle à Lima. xixe siècle. Français.
Peintre de paysages.
Élève de Gérome. Il débuta au Salon de Paris en 1865.

TASSET Louis Nicolas André
Né le 21 février 1800 à Paris. Mort le 27 octobre 1884 à Chartres (Eure-et-Loir). xixe siècle. Français.
Aquarelliste, poète.
Le Musée de Chartres conserve de lui : *Vue de Chartres.* Il était également banquier.

TASSET Paulin ou Ernest Paulin
Né le 15 novembre 1839 à Paris. xixe siècle. Français.
Sculpteur et graveur en médailles.
Élève de Oudiné. Il figura au Salon des Artistes Français. Membre de ce groupement depuis 1883. Mention honorable en 1876, médaille de troisième classe en 1883, mention honorable en 1889 (Exposition Universelle), chevalier de la Légion d'honneur en 1895, médaille de bronze en 1900 (Exposition Universelle).

TASSET Tony
Né en 1960. xxe siècle. Américain.
Sculpteur.
Il vit et travaille à Chicago.
Il participe à des expositions collectives : 1992 Shedhalle de Zurich, où il présentait le « revers » d'une manifestation artistique, les rebuts d'une exposition à partir des éléments ayant servis à transporter les œuvres d'art, à les présenter, cartons d'emballages, pinçon...
Bibliogr. : Gabrielle Boller : *Olafur Gislason, Tony Tasset, Dieter Wymann*, Art press, n° 169, Paris, mai 1992.
Ventes Publiques : New York, 9 mai 1992 : *Abstraction domestique 1987*, morceau de peau de vache/pan. encadré (81,3x88,9) : **USD 825.**

TASSI. Voir aussi TASSO

TASSI Agostino ou Tassy, pseudonyme : Buonamico Agostino
Né en 1566 à Pérouse, ou en 1580 à Rome selon d'autres sources. Mort en 1644 à Rome. xvie-xviie siècles. Italien.
Peintre de paysages, marines, graveur au burin.
Ce peintre fut l'élève de Paul Bril, quoiqu'il se prétendit disciple des Carrac. Lanzi dit que ce fut un méchant homme et que, ayant commis un crime, il fut envoyé aux galères à Livourne. Ce fut peut-être là qu'il étudia les scènes maritimes qu'il exécuta plus tard avec tant de succès. Dans ses décorations au Palais Quirinal et au Palais Lancellotti, il fit preuve de beaucoup d'originalité. Tassi travailla aussi à Gênes, en collaboration avec Salimbeni et Gentilleschi et aidé quelquefois par un de ses élèves, Giovanni-Battista Primi. Claude Lorrain aurait aussi été son élève. Comme graveur, il laissa quelques planches, principalement des marines.
Ventes Publiques : Paris, 1788 : *La Forêt enchantée* : **FRF 200** – Paris, 1811 : *Paysage avec figures* : **FRF 425** – Paris, 1846 : *Paysage* : **FRF 315** – Paris, 1863 : *Soleil couchant* : **FRF 615** – Paris, 15 déc. 1924 : *Quai d'un port italien avec nombreux groupes de personnages* : **FRF 380** – Rome, 28 avr. 1981 : *Chantier naval*, h/t (97x135) : **ITL 25 000 000** – Milan, 29 mars 1983 : *Chantier naval*, h/t (97x135) : **ITL 30 000 000** – Milan, 26 nov. 1985 : *La fuite en Égypte*, h/t (85,5x115,5) : **ITL 20 000 000** – Londres, 19 fév. 1986 : *Paysage fluvial* ; *Junon et Ulysse*, h/t, une paire de forme octogonale (48x65) : **GBP 10 000** – Londres, 19 fév. 1987 : *L'Appel de Pierre*, pl./traces de craie rouge (20,5x26) : **GBP 2 200** – Londres, 10 juil. 1987 : *Paysans, pêcheurs et baigneurs dans un paysage fluvial boisé*, h/t (100,3x131,5) : **GBP 15 000** – New York, 21 oct. 1988 : *Port méditerranéen avec des paysans et pêcheurs sur la grève*, h/t (40,5x63,5) : **USD 4 125** – Milan, 19 oct. 1993 : *Débarquement en terre arabe*, h/t (68x118) : **ITL 26 450 000** – Rome, 22 nov. 1994 : *Colonnade d'un palais avec des personnages et des militaires*, h/t (72x97) : **ITL 58 650 000** – Paris, 8 mars 1995 : *Port méditerranéen*, h/t (73x90) : **FRF 60 000** – Milan, 4 avr. 1995 : *Paysage animé*, h/t (26x45,5) : **ITL 9 200 000** – New

YORK, 10 jan. 1996 : *Femme debout parmi des fragments d'architectures classiques*, encre et lav. (15,3x21) : **USD 2 070**.

TASSI Antonio
XVIIIe siècle. Actif à Milan dans la première moitié du XVIIIe siècle. Italien.
Peintre d'ornements et de fresques.
Il peignit des fresques dans plusieurs salles de l'abbaye Saint-Florian (Autriche) et dans des églises de Saint-Pölten et Vienne.

TASSI Luigi
Né en 1845 à Plaisance. XIXe siècle. Actif à Rome. Italien.
Sculpteur et graveur sur bois.
Élève de Toncini à Plaisance. Il exposa à Rome en 1880.

TASSI Matteo
Né le 5 septembre 1840 à Pérouse. Mort le 9 juin 1895 à Pérouse. XIXe siècle. Italien.
Peintre de genre, paysages, compositions murales.
Élève de l'Académie de Pérouse.
Il travailla pour le Vatican de Rome, pour des églises, palais et théâtres de Pérouse, d'Aquila, Civitavecchia, Monaco, Pesaro et Todi.
VENTES PUBLIQUES : PARIS, 14 déc. 1990 : *Le conteur*, h/t (90x114) : **FRF 18 000**.

TASSI Vincenzo
Né en 1631. Mort en 1698. XVIIe siècle. Italien.
Miniaturiste.
Il était prêtre à Terra del Sole, en Toscane.

TASSIE James
Né le 15 juillet 1735 à Pollokshaws près de Glasgow. Mort le 1er juin 1799 à Londres. XVIIIe siècle. Britannique.
Sculpteur-modeleur de cire, émailleur et dessinateur.
Il se fit une réputation considérable avec des médaillons modelés en cire d'après nature et terminés ensuite en émail blanc. On cite aussi ses remarquables dessins d'après des joyaux. On voit de lui à la National Portrait Gallery un médaillon d'*Adam Smith*. De 1767 à 1791 il exposa deux œuvres à la Society of Artists et cinquante à la Royal Academy. La Galerie Nationale de Portraits d'Édimbourg conserve de lui les médailles à l'effigie de *Rud, Erich Raspe, Sir William Hamilton, David Allan, Robert Adam, Robert Foulis, Adam Smith* et de l'*Amiral Lord Duncan*.

TASSIE William
Né en 1777 à Londres. Mort le 26 octobre 1860 à Londres. XIXe siècle. Britannique.
Sculpteur-modeleur de cire, dessinateur.
Neveu et élève de James Tassie, dont il continua l'œuvre. Plusieurs de ses œuvres sont conservées à la National Gallery of portraits d'Édimbourg, parmi lesquelles, les médailles à l'effigie de *James Tassie*, de *Robert Burns* et d'*Edmund Burke*. Il exposa à la Royal Academy de 1798 à 1804.

TASSIN
Né au XVIIIe siècle à Langres. XVIIIe siècle. Français.
Sculpteur.
Sa naissance à Langres incite à rapprocher son nom de celui des Tassel. Il travailla la terre cuite.
MUSÉES : TROYES : une série de terres cuites.

TASSIN Adolphe
Né en 1852 à Liège. Mort en 1923 à Wasseiges. XIXe-XXe siècles. Belge.
Peintre de sujets religieux.
Il fut élève de l'Académie des Beaux-Arts de Liège.
Il a travaillé pour les églises de la région liégeoise, notamment à Ans, Pepinster.
BIBLIOGR. : In : *Diction. Biogr. illustré des Artistes en Belgique depuis 1830*, Arto, Bruxelles, 1987.

TASSIN Claude
XVIe siècle. Actif à Troyes dans la première moitié du XVIe siècle. Français.
Sculpteur.
Il exécuta, avec Jean Gailde, des sculptures à la tribune de l'église Sainte-Madeleine de Troyes.

TASSIN Étienne
XVIIe siècle. Français.
Sculpteur sur bois.
Il sculpta en 1632 un tabernacle pour le maître-autel de l'église de la chartreuse de Dijon et on perd ses traces en 1646.

TASSIN Jean
XVIIe siècle. Français.

Sculpteur sur bois.
Il a sculpté une balustrade pour la chartreuse de Dijon en 1626.

TASSIN Pierre
XVIIe siècle. Français.
Peintre.
Il a peint pour la cathédrale de Bourges *Mariage de la Vierge*, et pour l'église de Coulions, *Fondation du Rosaire*, en 1645.

TASSINA Antonio, dit Borezzo
Né en 1751. XVIIIe siècle. Actif à Rovigo. Italien.
Sculpteur.
Il sculpta des autels dans les églises des Capucins et de Saint-Roch de Rovigo.

TASSINARI Giovanni Battista
XVIe-XVIIe siècles. Actif à Pavie. Italien.
Peintre et architecte.
Il peignit des tableaux d'autel pour plusieurs églises de Pavie.

TASSINI Marco
XVe siècle. Actif à Florence, à la fin du XVe siècle. Italien.
Tailleur de camées.

TASSISTRO P. Alessandro
Né à Novi. XVIIIe siècle. Travaillant en 1767. Italien.
Peintre.
Il peignit un chemin de croix pour l'église Saint-Michel de Novi.

TASSO Battista ou Giovanni-Battista ou, par erreur, Bernardo
Né en 1500 à Florence. Mort en 1555. XVIe siècle. Italien.
Sculpteur sur bois.
Il travailla à Florence, à Prato et à Pise. Il sculpta des figures de proue et des statues.

TASSO Chimenti di Domenico
Mort en 1525. XVIe siècle. Actif à Florence. Italien.
Sculpteur sur bois.
Il travailla pour des églises et des palais de Florence.

TASSO Chimenti di Francesco
Né en 1430. Mort en 1516. XVe-XVIe siècles. Actif à Florence. Italien.
Sculpteur sur bois.
Il sculpta des stalles pour les églises Saint-Ambroise et Saint-Pancrace de Florence.

TASSO Domenico di Francesco
Né en 1440 à Florence. Mort en 1508. XVe-XVIe siècles. Italien.
Sculpteur sur bois.
Il sculpta des stalles, des fauteuils et des armoires pour des églises et des sacristies de Pérouse et le Cambio de cette ville.

TASSO Francesco di Domenico
Né en 1463 à Florence. Mort en 1519. XVe-XVIe siècles. Italien.
Sculpteur sur bois.
Il travailla pour le Cambio et la cathédrale de Pérouse et sculpta avec son frère Marco les stalles de la Badia de Florence.

TASSO Leonardo di Chimenti
Né en 1466 à Florence. Mort en 1500 ? XVe siècle. Italien.
Sculpteur.
Élève de Benedetto di Maiano. Il travailla à Florence. Le Victoria and Albert Museum de Londres, conserve de lui des statues qui se trouvaient autrefois sur le maître-autel de l'église Sainte-Claire de Florence.

TASSO Marco di Domenico
Né en 1465 à Florence. XVe siècle. Italien.
Sculpteur sur bois.
Il travailla pour les stalles du Cambio de Pérouse et exécuta des stalles pour la Badia de Florence.

TASSO Michele di Cervagio
Né en 1473 à Florence. Mort en 1527. XVe-XVIe siècles. Italien.
Il travailla pour l'église Saint-Ambroise et S. Salvi de Florence.

TASSO Simone, appellation erronée. Voir TACCA Simone

TASSO Zanobi di Chimenti
Né en 1469 à Florence. Mort en 1511. XVe-XVIe siècles. Italien.
Sculpteur sur bois.
Frère de Leonardo et élève de Benedetto da Maiano. Il travailla pour le plafond du Vieux Palais de Florence.

TASSO Y NADAL Torcuato
Né à Barcelone. XIXe siècle. Travaillant à Rome, dans la seconde moitié du XIXe siècle. Espagnol.

Sculpteur.
Élève de l'École des Beaux-Arts de Barcelone. Il exposa à Barcelone de 1876 à 1894.

TASSON François, ou **Balthasar François**, dit **Tasson-Snel**
Né le 6 octobre 1811 à Bruxelles. Mort le 28 mars 1890 à Saint-Gilles. XIXᵉ siècle. Belge.
Peintre d'histoire, sujets religieux, mythologiques, peintre de décorations murales. Académique.
Il fut élève de Joseph Paelinck, sans doute à l'Académie des Beaux-Arts de Bruxelles. Il en imita la manière.
BIBLIOGR. : In : *Diction. Biogr. illustré des Artistes en Belgique depuis 1830*, Arto, Bruxelles, 1987.
MUSÉES : BRUXELLES.

TASSONE Carlo
Né à Crémone. Mort vers 1740 à Milan. XVIIIᵉ siècle. Italien.
Peintre de portraits.
Élève de G.-B. Batali I. Il peignit les portraits de l'impératrice Elisabeth Christine, du duc Victor Amédée de Savoie et de sa femme Anne d'Orléans.

TASSONI, en religion **Suor Ippolita**
XVIᵉ siècle. Italienne.
Peintre.
Elle peignit *Le Christ portant sa croix* pour le couvent Saint-Roch de Ferrare vers 1540.

TASSONI
XVIᵉ-XVIIᵉ siècles. Actif à Modène. Italien.
Peintre.
Élève de Denys Calvaert.

TASSONI Giuseppe ou **Tassone**
Né vers 1653 à Rome. Mort en 1737 à Naples. XVIIᵉ-XVIIIᵉ siècles. Italien.
Animalier et collectionneur d'art.
Le Musée Saint-Martin de Naples conserve de lui *Bergers avec bergère et troupeau*.

TASSOS
XXᵉ siècle. Grec.
Graveur.
Artiste et critique d'art, il a écrit, dans les revues athéniennes, sur l'art moderne français dont il souligne l'apport constructif.

TASSOUL Raymond
Né en 1887. XXᵉ siècle. Belge.
Peintre de paysages, natures mortes, fleurs.
Il fut élève de l'Académie de Bruxelles. Il exposa à Bruxelles à partir de 1927. Il peignit des paysages de France.

TASSY, pseudonyme de **Robert Charles**
Né le 8 février 1882 à Paris. XXᵉ siècle. Français.
Peintre de figures, natures mortes.
Il expose à Paris aux Salons des Indépendants et d'Automne ; en outre, il participa en 1928, à l'exposition de l'Œuvre d'Expansion et d'Échange Artistique, organisée à Boston.

TASSY Agostino. Voir **TASSI Agostino**

TASSY Jean de. Voir **LYOT Jean**

TASSY Joseph
XVIIIᵉ siècle. Français.
Portraitiste et miniaturiste.
Élève de Domier. Il exposa au Salon de 1791.

TASTAVIN Hippolyte
Né le 24 août 1827 à Roquebrun (Hérault). XIXᵉ siècle. Français.
Peintre de genre.
Élève de l'Académie de Paris. Il a peint *Le Christ en croix* et *Sainte-Madeleine* dans l'église de Vias (Hérault).

TASTEMAIN Pierre Maurice Eugène
Né le 6 septembre 1878 à Caen (Calvados). XXᵉ siècle. Français.
Peintre de portraits, natures mortes.
Il fut fait chevalier de la Légion d'honneur en 1938.
Il expose à Paris, au Salon des Artistes Français depuis 1906, au Salon des Indépendants depuis 1921. Il reçut une mention en 1927, une médaille de bronze en 1937 à l'Exposition Internationale.
MUSÉES : ARLES – CAEN : *Pommes et pichet d'étain*.

TASTL Franz Josef
Né en 1808 à Jaromeritz. Mort le 9 juillet 1856 à Vienne. XIXᵉ siècle. Autrichien.

Portraitiste.
Élève de l'Académie de Vienne.

TATAFIORE Ernesto
Né en 1943 à Naples. XXᵉ siècle. Italien.
Auteur d'assemblages, peintre, peintre de collages, dessinateur, technique mixte.
Il vit et travaille à Naples.
Il participe à des expositions collectives : 1980 Biennale de Venise. Il montre ses œuvres dans des expositions personnelles : 1969 Milan ; 1989 galerie Christine et Isy Brachot à Paris.
Depuis une quinzaine d'années, il travaille sur le thème de la Révolution française et en particulier la figure emblématique de Robespierre, réalisant des assemblages à partir de fragments de dessins arrachés ou découpés puis collés sur du carton. La technique utilisée se révèle symbole de l'ambiguïté de l'histoire et des amalgames qu'elle suscite, de l'interprétation, et de la réorganisation opérée par l'artiste. Il fut l'un des précurseurs de la Trans-avant-garde italienne, en réaction à l'Arte Povera.
BIBLIOGR. : In : *L'Art du XXᵉ s.*, Larousse, Paris, 1991.
MUSÉES : PARIS (BN) : *David Marat Strumento* 1984.
VENTES PUBLIQUES : LUCERNE, 24 nov. 1990 : *Robespierre*, dess. au cr./pap. Japon (15x34) : **CHF 1 800** – STOCKHOLM, 30 mai 1991 : *La vertu*, techn. mixte/pap. de riz (26x24) : **SEK 12 000** – LUCERNE, 23 mai 1992 : *Les souvenirs*, cr., gche et collage (56,5x76) : **CHF 3 500** – STOCKHOLM, 21 mai 1992 : *Déesse raison*, techn. mixte/pap. de riz (35x22) : **SEK 5 200** – LUCERNE, 15 mai 1993 : *La déesse raison*, cr. et détrempe/pap. Japon (33x14) : **CHF 2 800**.

TATAFIORE Guido
Né en 1919 à Naples. XXᵉ siècle. Italien.
Peintre. Abstrait-géométrique.
Il fut élève de l'Institut d'Art de Naples, où il vit et travaille.
Il a participé à l'importante exposition *Art Abstrait et Concret en Italie*, au Musée d'Art Moderne de Rome, en 1951. Il a montré plusieurs expositions personnelles de ses œuvres à Naples.
Il s'apparente au courant de l'abstraction géométrique.
BIBLIOGR. : Michel Seuphor : *Diction. de l'art abstr.*, Hazan, Paris, 1957.

TATAH Djamel
Né en 1959 à Saint-Chamond (Loire). XXᵉ siècle. Français.
Peintre de figures, portraits.
Il vit et travaille à Montreuil. Il fut lauréat du prix Gras Savoye et du prix de peinture du Salon de Montrouge en 1992.
Il participe à des expositions collectives, parmi lesquelles : 1997, exposition consacrée à la jeune création, Cité internationale des arts à Paris ; 1997, *Transit – 60 artistes nés après 60 – Œuvres du Fonds national d'Art contemporain*, École des Beaux-Arts, Paris.
Il montre ses œuvres dans des expositions personnelles, dont : 1993, *Figures et portraits*, Centre lotois d'art contemporain, Cahors ; 1994, galerie Éric Dupont, Paris ; 1996, *Les femmes d'Alger*, Chapelle Saint-Jacques de Saint-Gaudens, musée de Bastia, Palais des Gouverneurs.
Il ne peint que des portraits, souvent des autoportraits ou des figures de ses proches, sur des fonds monochromes, dans un univers vide, aux tons sourds. Ses personnages semblent figés dans leur action, le visage blafard, le regard vide.
BIBLIOGR. : Jean Luc Chalumeau : *Djamel Tatah*, n° 129, Opus International, Paris, aut. 1992 – Yves Michaud : *Djamel Tatah*, préface d'exposition, galerie Éric Dupont, Paris, 1994.
MUSÉES : MARSEILLE (FRAC Alpes-Côtes d'Azur) : *Sans Titre* – PARIS (FNAC) : *Sans titre* 1994, triptyque.

TATAR PETER. Voir **MEDVE Imre Emerich**

TATARASCU George ou **Georgiu** ou **Tattarescu**
Né en 1818 à Buzau. Mort en 1894 à Bucarest. XIXᵉ siècle. Roumain.
Peintre de figures.
Il travailla en Italie, en Roumanie, et à Paris. Mention honorable en 1889 (Exposition Universelle). Le Musée Simu, à Bucarest, conserve de lui : *Tête de vieille femme*.

TATARENKO Alexandre
Né en 1925 à Odessa. XXᵉ siècle. Russe.
Peintre de genre, figures, portraits, paysages, natures mortes.
Il fut élève de l'école des Beaux Arts V. I. Moukhina de Leningrad et devint membre de l'Association des Peintres de Leningrad. À partir de 1955, il participe à de nombreuses expositions, dans un premier temps à Moscou et à Leningrad puis à partir de 1982 assez régulièrement à l'étranger : Tokyo (1982), Budapest (1985),

Montréal (1987), Washington (1988). Il montre ses œuvres dans des expositions personnelles : 1981 Leningrad, 1986 Odessa.
Bibliogr. : In : Catalogue de la vente *L'École de Leningrad*, Drouot, Paris, 19 nov. 1990.
Musées : Montréal (Gal. d'Art) – Moscou (Gal. Tretiakov) – Saint-Pétersbourg (Mus. de l'école V. I. Moukhina) – Saint-Pétersbourg (Mus. d'Hist.) – Tokyo (Gal. d'Art Contemp.).
Ventes Publiques : Paris, 11 juin 1990 : *La manteline verte* 1954, h/t (46x31) : **FRF 3 500** – Paris, 19 nov. 1990 : *Masques de carnaval* 1954, h/t (65x47) : **FRF 8 500** – Paris, 29 nov. 1990 : *Le chemin de fer* 1959, h/t (58,5x77) : **FRF 4 500** – Paris, 6 fév. 1993 : *Le disque préféré*, h/t (119,5x110) : **FRF 5 000**.

TATARINOV Guerman
Né en 1925. xxᵉ siècle. Russe.
Peintre.
Il fut élève de l'Institut Répine à Saint-Pétersbourg. Il devint membre de l'Association des Peintres de Saint-Pétersbourg.
Ventes Publiques : Paris, 5 oct. 1992 : *Un jour d'été*, h/cart. (50,5x70,3) : **FRF 3 500**.

TATARKIEWICZ Jakob
Né le 31 mars 1798 à Varsovie. Mort le 3 septembre 1854 à Varsovie. xixᵉ siècle. Polonais.
Sculpteur.
Élève de P. Malinski à Varsovie. Il subit l'influence de Thorwaldsen. Il sculpta des tombeaux et des bustes. Il a surtout valu pour l'influence qu'il exerça, comme professeur.
Musées : Cracovie (Mus. Nat.) : *Psyché* – *Le prince J. Poniatowski* – *La pianiste M. Szymanowska* – Varsovie (Mus. Nat.) : *W. Walcz* – *A. Mickiewicz* – *O. Kopczynski*.

TATARNIKOV Georgui
Né en 1914. Mort en 1971. xxᵉ siècle. Russe.
Peintre de paysages animés, paysages urbains.
Il fut membre de l'Union des Artistes Soviétiques et fut nommé Artiste du Peuple. Depuis les années 1930, il expose dans son pays.
Musées : Kiev (Mus. de l'Art Russe) – Moscou (Gal. Tretiakov) – Moscou (min. de la Culture) – Moscou (Mus. Pouchkine) – Saint-Pétersbourg (Mus. Russe).
Ventes Publiques : Paris, 11 juin 1990 : *Au bord de la mer* 1956, h/cart. (20x40) : **FRF 11 000**.

TATARNIKOV Oleg
Né en 1937. xxᵉ siècle. Russe.
Peintre de portraits, paysages.
Il fut élève de l'école des beaux-arts de Leningrad (Institut Répine) et fut membre de l'Association des peintres.
Musées : Saint-Pétersbourg (Mus. d'Hist.).

TATCHEFF Jelio
Né le 28 janvier 1892 à Stara Zagora. xxᵉ siècle. Bulgare.
Peintre de portraits.
Il fut élève de l'Académie des Beaux-Arts de Sofia. Il expose à Paris au Salon de la Nationale des Beaux-Arts et en Bulgarie.

TATE Barba
Née en 1927 dans le Middlesex. xxᵉ siècle. Britannique.
Peintre de genre, natures mortes, fleurs.
Elle la femme du peintre James Tate. Elle vit et travaille à Londres. Elle participe à des expositions collectives, notamment au Salon des Artistes Français, dont elle est membre associé depuis 1970. Elle montre ses œuvres dans des expositions personnelles à Londres, Paris et Rome. Elle a obtenu une médaille d'argent en 1968, une médaille d'or en 1969, et reçut le Prix Marie Puisoye en 1971.
On cite particulièrement *Le Châle vert, La Fille dorée*, et des *Études de fleurs*.

TATE D. B.
xixᵉ siècle. Actif en Angleterre. Britannique.
Peintre de paysages.
Le Musée de Sunderland conserve de lui : *La pelouse, Sunderland*.

TATE Gayle Blair
Né en 1944. xxᵉ siècle. Américain.
Peintre de natures mortes. Trompe-l'œil.
Ventes Publiques : New York, 11 mars 1993 : *Time is money*, h/pan., trompe-l'œil (25,4x35,5) : **USD 4 600** – New York, 22 sep. 1993 : *Porte-lettres avec une image de Song-Win*, h/pan. (57,8x52,5) : **USD 8 625** – New York, 31 mars 1994 : *Nature morte au cordon rose*, h/pan. (55,9x40) : **USD 2 070** – New York, 20

mars 1996 : *Billets de banque séchant*, h/cart. (33x53,3) : **USD 5 750** – New York, 30 oct. 1996 : *Dansant en différents tons*, h/pan. (35,6x27,9) : **USD 4 887** – New York, 23 avr. 1997 : *La Ballade de Joe-Bob McCray*, h./masonite (40,5x50,8) : **USD 5 750**.

TATE James
Né en 1914 à Chatham (Kent). xxᵉ siècle. Britannique.
Peintre de miniatures, illustrateur. Tendance abstraite.
Élève de l'École Centrale des Arts et Métiers de Londres, il a obtenu des récompenses pour des études d'architecture. Il vit et travaille à Londres.
Il participe à des expositions collectives, notamment au Salon des Artistes Français, dont il est membre associé depuis 1970, et dans divers Salons britanniques. Il montre ses œuvres dans des expositions personnelles à Londres, Paris, Rome et au Caire.
On cite ses peintures de tendance abstraite et ses miniatures.

TATE T. M.
Britannique.
Aquarelliste.
Musées : Londres (Victoria and Albert Mus.) : *Sta. Constanza, à Rome*, aquar.

TATE William
Né vers le milieu du xviiiᵉ siècle. Mort le 2 juin 1806 à Bath. xviiiᵉ-xixᵉ siècles. Britannique.
Peintre d'histoire, scènes de genre, portraits.
Élève de Wright à Derby. Il travailla avec succès à Liverpool, Manchester, Bath, Londres. Membre de la Incorporated Society, il prit part à ses expositions ainsi qu'à celles de la Royal Academy de 1771 à 1804.
Ventes Publiques : Londres, 13 fév. 1925 : *Mary Woodycare* : **GBP 141** ; *Francis Woodycare* : **GBP 162** – Londres, 9 avr. 1934 : *Mr. William Tomkinson* : **GBP 89**.

TATE William Christopher
xixᵉ siècle. Actif à Londres dans la première moitié du xixᵉ siècle. Britannique.
Sculpteur.
Il exposa à Londres des bustes, de 1828 à 1833.

TATEBAULT Antoine
Né en 1616. xviiᵉ siècle. Actif à Saint-Quentin. Français.
Sculpteur.

TATEBAYASHI KAGEI. Voir **KAGEI**

TATEHATA Kakuzo
Né en 1919 à Tokyo. xxᵉ siècle. Japonais.
Sculpteur de figures. Figuratif puis abstrait.
En 1941, il reçoit son diplôme du département de sculpture de l'Université des Beaux-Arts de Tokyo. De 1944 à 1946, il est à Saigon à l'Institut Culturel Japonais, puis de 1953 à 1955, il voyage en Europe et vit surtout à Paris. Depuis 1959, il enseigne la sculpture à l'Université des Beaux-Arts de Tokyo.
Depuis 1940, il participe à de nombreuses expositions de groupe chez lui et à l'étranger : 1954 Salon de Mai et des Réalités Nouvelles à Paris ; 1955 exposition des Artistes Abstraits Japonais et Américains au Musée National d'Art Moderne de Tokyo. Il est titulaire de plusieurs prix, notamment le prix du Ministère de l'Éducation *Bunten* en 1941.
Il a réalisé des portraits de sculpteurs notamment celui d'Étienne-Martin. Puis il s'est tourné vers l'abstraction dans les années soixante, avec des œuvres en bois, plastique ou ciment. Il revient à des sujets figuratifs, notamment moulages d'objets quotidiens (parapluie, vélo). Dans les années quatre-vingt, il décore plusieurs immeubles de Tokyo parmi lesquels l'Université des Beaux-Arts, de reliefs abstraits.
Bibliogr. : In *Dict. de l'art mod et contemp.*, Hazan, Paris, 1992.

TATEISHI Tiger
Né en 1941 à Fukuoka. xxᵉ siècle. Japonais.
Peintre de compositions animées.
En 1962 il reçoit son diplôme de l'Institut d'Art Musashino. Jusqu'en 1969 il vit à Tokyo. Il travaille comme dessinateur humoristique pour des magazines. En 1969 il s'installe à Milan, publie des illustrations et travaille comme designer chez Olivetti.
Il participe à des expositions collectives. Il fait sa première exposition personnelle en 1973 à Genève, puis en 1974 à Beyrouth, en 1975 à New York, en 1976 à Paris.
Il se sert beaucoup dans ses peintures de son expérience d'illustrateur, et présente des séquences peintes, petits contes un peu fantastiques, pleins de charme et d'irréalisme. Son art doit aussi à la bande dessinée.

TATEVOSSIAN Oganes
Né en 1899. xxᵉ siècle. Russe.
Peintre, graphiste, décorateur.
Il dirigeait des travaux effectués dans les ateliers de céramique des Vhutemas, notamment, en 1921, des porcelaines commémoratives du IIIᵉ Congrès du Komintern.

TATHAM Agnes
Née le 18 janvier 1893 à Abingdon. xxᵉ siècle. Britannique.
Peintre de figures, paysages, fleurs, illustrateur.
Elle vécut et travailla à Londres. Elle participa aux expositions de la Royal Academy de Londres de 1916 à 1961.

TATHAM Charles Heathcote
Né le 8 février 1772 à Londres. Mort le 10 avril 1842 à Greenwich. xviiiᵉ-xixᵉ siècles. Britannique.
Architecte, dessinateur et graveur à l'eau-forte.
Père de Frederick T. Il étudia à Rome et fut membre de l'Académie de Rome et de Bologne. On cite de lui plusieurs volumes d'eaux-fortes, des ornements d'architecture ancienne dessinés d'après nature.

TATHAM Frederick
Né en 1805 à Londres. Mort en 1878. xixᵉ siècle. Britannique.
Miniaturiste et sculpteur.
Il exposa à Londres de 1825 à 1854 des miniatures et des sculptures notamment à la Royal Academy, à la British Institution et à Suffolk Street.
Musées : Dublin : *Le jeune organiste fatigué*, aquar. – Hanovre : *Lord Eldon*, sculpt. – Londres (Mus. Britannique) : *Mrs John Rogers Herbert*, sculpt. – *Mrs Blake*, sculpt. – *Tête de vieille femme*, aquar. – Londres (Nat. Portrait Gal.) : *Lord Eldon*, marbre.
Ventes Publiques : Londres, 13 juin 1984 : *Tête d'homme portant un casque* 1830, marbre blanc (H. 58,5) : **GBP 900.**

TATIN Émile
xxᵉ siècle. Français.
Peintre de paysages, illustrateur.
Il a illustré : *Lendemains de guerre*, dont il écrivit également le texte.
Ventes Publiques : Paris, 22 juin 1950 : *Paysage* : **FRF 950** – Paris, 13 fév. 1984 : *Week-end à Paris*, h/t (81x100) : **FRF 24 500** – Paris, 7 juin 1996 : *Bords de rivière*, h/t (60x73) : **FRF 4 000.**

TATIN Robert
Né le 9 janvier 1902 à Laval-Épine-d'Avesnières (Sarthe). Mort en décembre 1983 à Cossé-le-Vivien (Mayenne). xxᵉ siècle. Français.
Peintre de compositions oniriques, sculpteur de figures, céramiste. Tendance naïf, art-brut.
Il était ami de Benjamin Péret, de Paul Éluard, de Jacques Prévert. S'étant formé à la peinture en autodidacte, ses acquisitions culturelles l'ont cependant amené à évoluer dans sa peinture entre naïveté et surréalisme. Il a voyagé en Amérique du Nord en 1938, en Amérique du Sud de 1948 à 1955. En 1955, il se lie avec Breton et Dubuffet. Il vit et travaille à Cossé-le-Vivien, près de Laval.
Il participe à des expositions de groupe, notamment : 1959 Londres ; 1965 Nantes ; 1965 et 1966 Salon Comparaisons à Paris, en Autriche, au Brésil, au Japon ; 1967 à l'exposition d'Art Naïf, au Musée de Laval ; etc. Il a surtout montré des expositions personnelles de ses œuvres : au Brésil, notamment en 1950 au Musée d'Art Moderne de São Paulo ; 1953 à la 2ᵉ Biennale de São Paulo ; 1955 en Argentine au Chili ; 1956, 1957, 1959, 1960, 1961, 1963, 1965, 1966 à Paris ; 1966 à Vence ; 1967 Rennes, Genève, etc. Il a obtenu divers prix de peinture : 1951 Biennale de São Paulo ; 1961 Prix de la Critique à Paris.
Il dessinait des architectures d'usines du futur, des villes oniriques, et surtout, dans la maison et le temple qu'il construisit lui-même, il a sculpté, dans un style d'imagerie populaire, des statues de personnages historiques, mythologiques, symboliques. Ses compositions sont constituées par une accumulation de visages et de masques, d'astres, d'emblèmes mystérieux, de figures géométriques, minutieusement dessinés, distribués dans un espace sans limites, sigles d'un message poétique concernant l'angoisse de l'homme perdu dans le cosmos.
Musées : Laval (Mus. Henri Rousseau) – Paris (Mus. Nat. d'Art. Mod.) – Paris (Mus. d'Art Mod. de la Ville) – Rennes.
Ventes Publiques : Paris, 18 juin 1974 : *Les dix mille fleurs* : **FRF 13 000** – Paris, 11 oct. 1990 : *La parole nº 419*, h/t (131x195) : **FRF 60 000** – Paris, 2 juin 1994 : *La voie lactée*, techn. mixte/t.

(60x73) : **FRF 45 000** – Paris, 18 oct. 1994 : *Autoportrait* 1973, h/t (130x195) : **FRF 40 000.**

TATKELEFF Vogiany
Né en 1813 dans le département de Boressof (Russie). Mort sans doute en 1880. xixᵉ siècle. Russe.
Peintre de batailles et dessinateur.
D'après le Bryan's Dictionary, il était fils d'un serf. Son maître l'envoya fort jeune étudier la peinture à Moscou. A dix-neuf ans, Tatkeleff ayant perdu son protecteur dut entrer dans l'armée, où il servit durant quinze années. A Tiflis son colonel lui fit peindre des fresques dans sa salle à manger. Libéré du service militaire en 1849, il revint dans son village, trouva sa famille disparue. Protégé par la veuve de son maître, il exécuta des travaux pour elle, et accompagna son fils durant la campagne de Crimée, en 1854. Tatkeleff entra ensuite au service d'un éditeur de Kiev et exécuta pour lui des dessins d'illustration. En 1870, sur les conseils d'une personne qui lui en fournit les moyens matériels, Tatkeleff s'adonna à la peinture. Il exécuta notamment deux importantes *Scènes de la Guerre de Crimée*, qui, exposées à Moscou en 1873, obtinrent un grand succès. Le tzar Alexandre III les acheta et les fit placer au Palais d'hiver. On ne dit rien de la fin de sa carrière. Il paraît avoir surtout travaillé à Moscou, où se trouve la majeure partie de ses œuvres.

TATLINE Vladimir Levgrafovitch ou Tatlin
Né en 1885 à Kharkov. Mort en 1953 à Novo-Devitch. xxᵉ siècle. Russe.
Peintre, sculpteur, auteur d'assemblages, peintre de décors de théâtre. Abstrait-constructiviste.
Il était fils d'un ingénieur et d'une poétesse. Il interrompit ses études pour s'engager dans la marine, visitant l'Égypte et l'Orient. Ensuite, il donna des leçons particulières, poursuivant ses études à l'Institut de Peinture, Sculpture et Architecture de Moscou, puis à l'Institut d'art de Penza. Il connaissait Larionov depuis un certain temps et avait passé l'été avec lui à Tiraspol, notamment en 1909 ou 1910, où le besoin d'argent le fit s'engager dans un cirque comme lutteur. En 1913, il séjourna à Paris, au Maroc, en Syrie, Turquie et à Berlin, où il était engagé à l'exposition d'art folklorique russe, pour chanter des airs populaires russes, s'accompagnant de la « bandoura » (instrument à cordes d'origine tartare) ; Paul Mansourov racontait en 1962 à Michel Seuphor que le célèbre chanteur Chaliapine avait les larmes aux yeux en l'écoutant. Avec l'argent gagné à Berlin, Tatline fit le voyage de Paris, pour voir les cubistes et surtout Picasso de qui il avait vu des œuvres exposées à Moscou. Tatline revint ensuite à Moscou, qu'il quitta bientôt les années vingt pour Leningrad, où il devint membre du Valet de Carreau (1912-1913), de l'Union de la Jeunesse (1913-1914). Après la révolution d'Octobre (1917), dans un premier temps, le peintre Maïakovski ayant une influence certaine sur Lounatcharsky, chargé des Affaires Culturelles, l'art révolutionnaire fut considéré comme étant l'art de la révolution sociale, puisqu'il s'agissait dans les deux cas de « changer l'homme ». Aussi tous ces artistes d'avant-garde, dont certains que la guerre mondiale avait refoulés de Paris ou de Munich, furent-ils nommés aux postes de responsabilité : écoles d'art, musées. Ils se retrouvaient aux Vkhoutemas, qui, à Moscou, tenaient lieu à la fois d'École d'Art et de Lieu de Réflexion, et dont la destination était assez semblable à celle du Bauhaus, fondé à Weimar en 1919. Cependant, là, la dissension entre Tatline et Malevitch ne cessa de s'aggraver, d'autant que concrétisée dans une divergence fondamentale de doctrine. Tatline eut une importante carrière d'enseignant : de 1918 à 1921 aux Ateliers libres de Moscou ; de 1921 à 1925 aux Ateliers d'art libre, aux Vhutein de Leningrad ; à partir de 1922 à l'Inchouk (Institut de Recherche pour la Culture Artistique) à Leningrad, promulgant des expérimentations sur les matériaux (dont on se rappelle la diversité dans ses contre-reliefs), parallèles à certaines démarches pédagogiques pratiquées au même moment au Bauhaus par Itten dans son Cours Préparatoire ; de 1925 à 1927 à l'Institut d'Art de Kiev ; de 1927 à 1930 dans les ateliers d'État, aux Vhutemas, où il dirigea la section de céramique, à Moscou. À la fin de sa vie, il dut travailler comme ouvrier pour subvenir à ses besoins.
À ses débuts, il participa à Moscou aux expositions de l'Union de la Jeunesse. Il semble que Tatline montra ses premiers tableaux-reliefs à Moscou, dès 1913-1914. En tout cas, en 1915, il participa aux deux expositions qui sont demeurées légendaires dans la brève histoire du constructivisme russe : *Tramway W* en mars, qui était organisée par Pougny et sa femme Bogouslavska ; puis

O, 10, en décembre, où ces contre-reliefs occupèrent une salle entière ; les deux expositions ayant eu lieu à Pétrograd. Guy Habasque, avec les *Documents inédits sur les débuts du suprématisme*, précise que quinze mille personnes auraient assisté au vernissage de l'exposition *Tramway W*, et que l'un des tableaux-reliefs de Tatline fut vendu la somme importante de trois mille roubles. Il participa par la suite à diverses manifestations : 1917 exposition d'avant-garde *Magasin* à Moscou qu'il organisa ; 1922 *Erste russische Austellung* de Berlin ; 1925 Exposition internationale à Paris où figura son *Monument pour la IIIe Internationale* ; puis après sa mort : 1988 *Dada and Constructivism* au Seibu Museum de Tokyo. La première exposition à l'ouest ne fut organisée qu'en 1960 au Moderna Museet à Stockholm ; puis : 1993-1994 pour la première fois œuvre complet présenté à la Kunsthalle de Düsseldorf puis de Baden-Baden.

Jusqu'à son premier séjour à Paris, en 1914, Tatline avait peint sous la double influence des icônes russes et de Cézanne. Dans l'atelier de Picasso, à Paris, il vit d'une part des collages recourant à des matières diversifiées et à des matériaux hétérogènes, d'autre part un curieux assemblage de morceaux de carton, de bois, peints ou enduits de sable, à partir duquel Picasso s'aidait pour peindre ses natures mortes. Tatline s'étonna que Picasso ne considérât cette construction que comme une sorte de brouillon, d'aide-mémoire, alors que lui y trouvait plus d'invention que dans les natures mortes qui en étaient issues, d'autant qu'il était surpris que Picasso tirât de cette construction spatiale des natures mortes à la ressemblance de divers objets ou instruments de musique, quand la façon dont la construction, qui ne représentait rien, occupait l'espace, lui semblait se suffire à elle-même.

De retour à Moscou, Tatline prit place d'emblée dans l'avant-garde russe, et du même coup parmi les premiers créateurs de l'abstraction, avec ses tableaux-reliefs, assemblages éliminant toute référence figurative, utilisant les matériaux les plus divers, bois, métal, carton, plâtre, mastic, goudron, enduits de terre ou de verre pilé, ouvrant une voie nouvelle qui deviendra le constructivisme de Gabo et Pevsner, en 1920, quand Tatline lui-même aura pris ses distances d'avec tout projet ressortant à l'esthétique. En conséquence d'une conférence qu'avait prononcée Marinetti, à Moscou en 1910, et qui avait eu un énorme retentissement, toutes ces œuvres d'avant-garde de Tatline étaient alors indistinctement dites futuristes. C'était exactement le moment où Malevitch créait le suprématisme, exposant le *Carré noir sur fond blanc*, éviction radicale de la ressemblance et recours aux structures primaires de la sensation visuelle. Le succès personnel obtenu par Tatline porta quelque ombre au renom jusqu'ici incontesté de Malevitch et les relations des deux hommes en furent détériorées. Ce fut en 1915 que Tatline passa des tableaux-reliefs à ce qu'il appela les contre-reliefs, constructions similaires aux précédentes, sauf qu'elles n'étaient plus fixées sur un fond que l'on accrochait au mur et que, ne reposant pas non plus sur un socle, elles devaient être suspendues par un fil dans l'angle des murs, constituant en quelque sorte les premiers « environnements ». À cette époque des débuts des machines modernes, ces constructions spatiales furent souvent comparées à des aéroplanes, avec des ailes courbes et des plans multipliés. Ce que l'on a pu appeler un « art de la machine », auquel Tatline venait d'apporter d'un coup une contribution importante, s'il glorifiait sans conteste le travail des ingénieurs, ne laissait pas de traduire également l'angoisse de l'inconnu dont il était porteur. En 1917, Tatline en développa encore les possibilités dans la décoration du Café Pittoresque, à Moscou, qu'il exécuta avec Rodchenko et l'architecte-peintre Yakoulov, qui s'était décrété son disciple.

Autour de Tatline et Rodchenko se groupèrent les artistes qui devaient bientôt définir le « productivisme », mouvement qui voulait mettre l'art au service du peuple dans des affectations utilitaires ou de propagande. Contre eux, les frères Gabo et Pevsner, Malevitch, sans parler des Kandinsky, Lissitzky, Chagall, etc., revendiquaient l'autonomie de l'art qui, révolutionnaire en soi, trouvait en lui-même sa propre fin, ferment pour le changement du monde et pour l'évolution de l'humanité, sans avoir besoin de se trouver en quelque sorte une seconde utilité. Il convient de remarquer que, bien que s'étant alors manifesté dans des réalisations d'avant-garde, aussi bien en architecture que dans le mobilier ou les arts graphiques et la mise en scène, le productivisme contenait en intention ce qui allait se dévoyer dans les préceptes du réalisme socialiste. Dans les débuts de sa période productiviste, Tatline conçut le plan et la maquette du *Monument pour la IIIe Internationale*, qui est historiquement l'une des premières réalisations architecturales conçues comme une sculpture abstraite : des cylindres, une pyramide de verre, tournent sur eux-mêmes à des vitesses différentes à l'intérieur d'une structure métallique tubulaire spiraloïde. La maquette n'avait que vingt-cinq mètres de hauteur ; le monument devait atteindre quatre cents mètres. À l'intérieur, auraient été aménagées des salles de réunion, de concerts, d'expositions. Le projet ne fut jamais réalisé, la maquette perdue. Au soviet de 1919, Kamenev s'en prenait aux artistes d'avant-garde : « Tous ces pitres ne sont pas des artistes prolétaires et leur art n'est pas le nôtre », bientôt suivi par Lénine lui-même, puis par le gouvernement de Staline. Leurs ateliers fermés, Kandinsky, Pevsner, Gabo, Lissitzky, s'exilèrent. Malevitch sembla rallier le productivisme de Tatline et Rodchenko, qui, sous le couvert du fonctionnalisme, restait admis. Pourtant, malgré l'Exposition du productivisme de 1921, malgré la proclamation, en 1923 dans la revue *LEV*, par Tatline et Rodtchenko de la fin de l'art pour l'art, de la subordination de l'art à la construction pratique et à l'utilisation quotidienne, ces artistes furent progressivement confinés dans des activités soit graphiques, soit d'art industriel. De même que Malevitch continuait en secret de peindre des toiles suprématistes, Tatline s'occupa, outre ses fonctions d'enseignement, encore à la construction d'une sorte de planeur, le « vélocipède de l'air » qu'il appelait le *Letatline*. À partir des années trente, il revint à la peinture de chevalet. Enfin, il échoua à l'hospice des artistes nécessiteux, en ignorant probablement qu'il serait considéré après sa mort comme l'un des créateurs de l'abstraction. ■ Jacques Busse

BIBLIOGR. : Michel Seuphor : *Le Style et le Cri*, Seuil, Paris, 1965 – Herta Wescher, in : *Diction. Univers. de l'Art et des Artistes*, Hazan, Paris, 1967 – Catalogue de l'exposition *Tatline*, Moderna Museet, Stockholm, 1968 – Pierre Cabanne, Pierre Restany : *L'avant-garde au XXe siècle*, Balland, Paris, 1969 – Frank Popper : *L'art cinétique*, Gauthier-Villars, Paris, 1970 – Catalogue de l'exposition *Art in Revolution*, British Art Council, Londres, 1971 – Catalogue de l'exposition *Le Rêve de Tatlin – Suprématisme russe et art constructiviste*, Fisher Fine Art Gallery, Londres, 1973 – Larisa A. Zdova : *Tatline*, P. Sers, Paris, 1990 – Karen Rudolph : *Vladimir Tatline de A à Z*, Beaux-Arts, n° 119, Paris, janv. 1994.

MUSÉES : BERLIN – MONTRÉAL (Mus. d'Art Contemp.) : *Collection de matériaux* 1914, plâtre, bois, métal, plastique, fil de fer – MOSCOU (Gal. Tretiakov) : *Le Marchand de poisson* 1911 – *Nu* 1913 – SAINT-PÉTERSBOURG (Mus. Russe) : *Autoportrait en marin* 1911 – *Nu* 1913 – STOCKHOLM.

VENTES PUBLIQUES : HAMBOURG, 6 juin 1980 : *Construction* vers 1916, encre de Chine (24x19) : **DEM 40 000** – LONDRES, 31 mars 1982 : *Costume de paysanne russe*, cr., aquar. et encres coul. (43,5x31,5) : **GBP 2 200** – LONDRES, 2 avr. 1987 : *Projet de construction*, pl., pinceau et encre de Chine (27x17) : **GBP 18 000** – LUGANO, 28 mars 1992 : *Projet de costume pour une comédie du XVIIIe siècle* 1935, cr. et aquar./pap. (61x44) : **CHF 11 000** – MILAN, 10 nov. 1992 : *Samovar*, cr. rouge et noir/pap. (26x19,5) : **ITL 2 000 000**.

TATNALL Henry Lee
Né en à Brandywine Village. Mort en 1865 à Wilmington. XIXe siècle. Américain.
Peintre de marines et de paysages.

TATO, pseudonyme de : Sansoni Guglielmo
Né en 1896 à Bologne. Mort en 1968 ou 1974 à Rome. XXe siècle. Italien.
Peintre de genre, intérieurs, figures, paysages, natures mortes, peintre de décorations murales, de décors de théâtre, peintre de photomontages. Tendance abstraite, futuriste.

Il était autodidacte en art. Il fut mobilisé en 1915, pour la durée de la guerre. Il partageait sa vie entre Bologne et Rome. En 1919, il participa à la création du second groupe futuriste de Bologne. En 1925 à Bologne, il ouvrit une Maison d'art futuriste, puis dirigea une agence photographique.

Après des débuts figuratifs, il découvrit le futurisme à la fin de la guerre. Il s'initia à la photographie, s'impliqua dans les arts décoratifs, conçut de nombreuses scénographies, décors, costumes, un char pour un carnaval. En parallèle avec la création de photomontages, il développa une théorie de la photographie futuriste. Jusque vers 1940, il produisit des « portraits emblématiques » des personnalités du futurisme. Conjointement à l'élaboration de ses productions futuristes, à tendance abstraite, il réalisait les peintures figuratives d'une célébration de l'aviation.

TATO

BIBLIOGR. : In : *Diction. de l'Art Mod. et Contemp.*, Hazan, Paris, 1992.

VENTES PUBLIQUES : ROME, 16 nov. 1982 : *Aeromarina* vers 1935, h/pan. (58x74,5) : **ITL 3 600 000** – LYON, 23 oct. 1984 : *Paysage aérien* 1933, h./contreplaqué (45x63,5) : **FRF 33 000** – ROME, 3 déc. 1985 : *Le timonier* 1931, temp./t., forme ronde (diam. 27) : **ITL 2 000 000** – ROME, 7 avr. 1988 : *NM n° 1*, h/t (85x70) : **ITL 6 800 000** – ROME, 15 nov. 1988 : *Vue aérienne d'une montagne*, h/rés. synth. (30x50) : **ITL 3 400 000** ; *Camogli*, h/t (80x120) : **ITL 11 000 000** – MILAN, 20 mars 1989 : *La chatte Silvana*, h/t (77x69) : **ITL 2 800 000** – ROME, 17 avr. 1989 : *Intérieur avec une femme cousant à la machine près d'une lampe* 1926, h/t (76x70) : **ITL 25 000 000** – ROME, 28 nov. 1989 : *Jeudi gras*, h/t (100x80) : **ITL 31 000 000** – ROME, 6 déc. 1989 : *Sport*, h/t (168x190) : **ITL 35 650 000** – ROME, 10 avr. 1990 : *Bombardement aérien* 1940, h/t (79,5x60) : **ITL 11 500 000** – ROME, 3 déc. 1990 : *Femme au miroir* 1927, h./contre plaqué (40x30) : **ITL 9 200 000** – MILAN, 20 juin 1991 : *Paysage*, h./contre plaqué (25x30,5) : **ITL 5 200 000** – PARIS, 17 nov. 1991 : *Nature morte à la tasse de café*, peint. à l'essence/t. (20,5x27,5) : **FRF 8 500** – ROME, 9 déc. 1991 : *Petit bois*, h/t (104x80) : **ITL 3 450 000** – MILAN, 14 avr. 1992 : *Les aiguilles de Brenta*, h/pan. (18x23,5) : **ITL 1 300 000** – ROME, 25 mars 1993 : *Joueurs de guitare au gratte-ciel* 1920, h/t (60x60) : **ITL 13 000 000** – ROME, 30 nov. 1993 : *Trois commères*, techn. mixte/pap. (40,5x35) : **ITL 4 025 000** – ROME, 8 nov. 1994 : *Paysage en vélocité – rythme de rapidité + lumière* 1926, h/t (100x140) : **ITL 43 700 000**.

TATON Marcel
XXᵉ siècle. Belge.
Sculpteur de figures. Expressionniste.
En 1991 à Paris, la galerie Josette Meyer a présenté une exposition d'ensemble de ses œuvres.
Outre le bronze, il travaille et assemble des matériaux divers, béton, quartz, poudre de pierre, argent, pâte de verre. Il sculpte des visages émouvants, des torses, des fragments de corps déchiquetés, comme rongés par le temps.

TATORAC V.
XVIᵉ siècle. Français.
Graveur sur bois.
On lui doit une série de cent cinquante bois pour une illustration des *Métamorphoses d'Ovide* publiée en 1537 ainsi qu'une estampe pour un livre de prières daté de 1530.

TATOSSIAN Armand
Né en 1948 en Égypte. XXᵉ siècle. Depuis 1960 actif au Canada.
Peintre.
De 1960 à 1969, il a été élève de Adam Sheriff-Scott. Il a séjourné à Paris et en Italie en 1970-1971. Membre de l'Académie Royale Canadienne en 1973 et, la même année, est nommé professeur au collège Concordia.
VENTES PUBLIQUES : MONTRÉAL, 30 oct. 1989 : *Arbres près de la rivière*, h/t (61x51) : **CAD 770** – MONTRÉAL, 5 nov. 1990 : *Cowansville*, h/t (76x104) : **CAD 2 640** – MONTRÉAL, 1ᵉʳ déc. 1992 : *Sainte Agathe en hiver* 1989, h/t (50,5x61) : **CAD 1 300** – MONTRÉAL, 5 déc. 1995 : *Pot de fleurs*, h/t (61x50,8) : **CAD 750**.

TA-TS'IEN TCHANG. Voir **ZHANG DAQIAN**

TATSUNO TOEKO
Née en 1950 à Nagano. XXᵉ siècle. Japonaise.
Peintre, sérigraphe, dessinateur. Abstrait.
Elle s'investit en général dans des recherches abstraites de type formaliste, fond/forme, clair/sombre, cercle/carré ou rectangle. En 1980, elle a créé des motifs décoratifs d'esprit matisséen. Est revenue à ses recherches initiales, notamment sur les contrastes colorés.
BIBLIOGR. : In : *Diction. de l'Art Mod. et Contemp.*, Hazan, Paris, 1992.

TATTARESCU Georgiu. Voir **TATARASCU George**

TATTEGRAIN André George
Né le 20 décembre 1906 à Devise (Somme). XXᵉ siècle. Français.
Sculpteur et écrivain.

Petit-fils et filleul de George Tattegrain. Élève de Albert Roze. Sociétaire des Artistes Français. Lauréat de l'Institut (1936), de l'Académie Française (1940), de l'Académie des Beaux-Arts (1950), de l'Académie des Sciences morales et politiques (1952). Première Médaille au Salon (1953). André Tattegrain est aussi connu par divers travaux utilisés dans les musées. Officier de la Légion d'honneur.
Créateur et sculpteur de l'*Insigne officiel des Maires de France*.

TATTEGRAIN Francis
Né le 11 octobre 1852 à Péronne (Somme). Mort le 1ᵉʳ janvier 1915 à Arras (Pas-de-Calais). XIXᵉ-XXᵉ siècles. Français.
Peintre d'histoire, de portraits, marines, aquafortiste.
Frère cadet de George, issu de la même lignée de magistrats, leur bisaïeul était le président Fursy Tattegrain, Mayeur de Péronne en 1781. Le jeune Francis ne reçoit l'approbation paternelle de s'adonner à la peinture que s'il fait ses études de droit : mais Francis ne se décourage point, il devient docteur en droit. Élève de Jules Lefebvre et de Lepic, il expose au Salon des Artistes Français de 1875 à 1914. Hors-concours à 31 ans (1883), chevalier de la Légion d'honneur à 37 ans (1889), il illustrera la peinture d'histoire et de marine de l'École française du XIXᵉ siècle. Édouard Herriot dira de lui « le crayon d'Ingres, la palette de Delacroix ». Historien, voire « metteur en scène » remarquable remporte la médaille d'or en 1889 et la médaille d'honneur du Salon en 1899, ainsi que la médaille d'or de l'Exposition Universelle de 1900. Il fut Président du Jury au Salon des Artistes Français.
Tattegrain marque une préférence pour les sujets dramatiques, tragiques, voire sinistres, et il les traite avec une simplicité qui n'exclut pas l'émotion. Ses compositions sont souvent d'un réalisme hardi, mais toujours harmonieuses ; sa peinture franche, son coloris juste soulignent ces drames d'ordinaire rendus très voyants par leurs grandes dimensions. Pris d'un intense amour pour la mer et pour la population côtière, ses marines même aujourd'hui, ne datent pas. « Le 1ᵉʳ janvier 1915, la palette à la main, l'illustre peintre Francis Tattegrain mourait à 63 ans, au champ d'honneur, alors qu'il reconstituait, sous les obus, l'esquisse du beffroi d'Arras » (citation du général Boichut). La mort l'a frappé avant son fils tué aussi à l'ennemi.

F. TATTEGRAIN

MUSÉES : AMIENS : *Les deuillants – Pêcheur à la foëne – Vieux musicien – Abbé Gosselin – Portrait de femme* – ARRAS : *Entrée de Louis XI à Paris*, réplique (Hôtel de Ville) – BEAUVAIS : *Ruines de l'église Saint-Barthélemy* – BERCK (Asile Maritime) : *quarante-cinq portraits de ses pensionnaires* – BOULOGNE-SUR-MER : *La femme aux épaves – Tiot frère Nanaux* – BOULOGNE-SUR-MER (Cathédrale) : *Arrivée miraculeuse de la statue de la Vierge à Boulogne en l'an 633* – BOULOGNE-SUR-MER (Hôtel de Ville) : *Le gué d'Étaples* – CAEN : *Marine* – CALAIS : *Les quêteuses de l'asile des vieux matelots de Berck – Débarquement d'un bateau de voyageurs venant d'Angleterre*, et deux panneaux latéraux – CALAIS (Chambre de Commerce) – DIEPPE : *Tête de paysan picard* – DUNKERQUE : *Louis XIV au champ de bataille des Dunes* – ÉVREUX : *Sur la côte à noyés* – L'Oremus – FLORENCE (Palais Pitti) : *Portrait de l'artiste peint par lui-même* 1901 – HAM (Hôtel de Ville) : *Verrotières au petit jour* – HONFLEUR : *Verrotières au petit jour* – LILLE : *Les Casselois dans les marais de Saint-Omer se rendant à merci au duc Philippe le Bon en 1430* – MELBOURNE (Australie) : *La convalescente* – MONACO (Mus. Océanographique) : *Chalutier à vapeur pêchant des harengs la nuit – Bouquet de moules sur un bouchot* – NANTES : *Les bouches inutiles* – PARIS (Mus. du Louvre) : *Sur la côte à noyés* – PARIS (Cercle Volney) : *Le galochier* – PARIS (Palais du Luxembourg) : *Débarquement des Verrotiers dans la baie d'Authie* – PARIS (Petit Palais) : *Sauvetage en pleine mer* – PARIS (Hôtel de Ville) : *Entrée de Louis XI à Paris* – PÉRONNE : *Portrait de l'auteur, debout* 1881 – PÉRONNE (Hôtel de Ville) : *Les débris du trois-mâts Majestas*, réplique – QUIMPER : *Débarquement de harengs* – SAINT-QUENTIN : *Tableau de l'Exode*, volé par les Allemands en 1914 – SAINT-QUENTIN (Hôtel de Ville) : *Saint-Quentin pris d'assaut, l'Exode de 1557*, réplique – SENLIS : *Au large, pendant la pêche du hareng* – SENLIS (Institution Saint-Vincent) : *Portrait de l'abbé Poulet* – LE TOUQUET (Casino mun.) : *Marine* – TOURCOING : *Les filets volés* – VALENCIENNES : *Nos hommes sont perdus* – VERSAILLES (Château) : *La cérémonie des récompenses de l'Exposition Universelle de 1900.*

VENTES PUBLIQUES : PARIS, 1894 : *Marine* : FRF 155 – PARIS, 1898 : *Château-Gaillard en hiver* : FRF 175 – PARIS, 12-13 mai 1908 : *Le corps de garde* : FRF 850 – NEW YORK, 27 jan. 1911 : *Sur les dunes de Berck* : USD 190 – PARIS, 22-23 oct. 1919 : *Batterie de côte engagée* : FRF 5 000 – PARIS, 24 fév. 1928 : *Le vieux pêcheur* : FRF 1 400 – PARIS, 22 juin 1942 : *L'homme à la pipe* : FRF 2 450 – PARIS, 5 déc. 1946 : *Tête de pêcheuse* : FRF 3 000 – PARIS, 25 avr. 1949 : *Navire sous la tempête* : FRF 4 000 – PARIS, 9 mars 1951 : *Le chasseur sur la dune* : FRF 2 100 – PARIS, 29 oct 1979 : *Le retour de la pêche*, past./t. (45x69) : FRF 6 100 – PARIS, 17 oct 1979 : *Paysage*, h/t (36x56) : FRF 4 500 – MONTREUIL-SUR-MER, 21 mai 1995 : *Pêcheur berckois*, h/t (68x87) : FRF 32 500 – NEW YORK, 23 mai 1997 : *En attendant la marée basse*, h/t (118,1x217,2) : USD 23 000.

TATTEGRAIN George Gabriel
Né le 5 novembre 1845 à Péronne (Somme). Mort le 16 décembre 1916. XIXᵉ-XXᵉ siècles. Français.
Sculpteur et poète.
Né de Thérèse Voillemier, fille d'un médecin, et de Jules Tattegrain, conseiller à la cour. Licencié en droit, avocat, il fit, comme lieutenant de mobiles, la guerre de 1870. Président des Amis des Arts, l'Académie d'Amiens l'appela en ses rangs. De 1880 à 1906, maire de Devise, où Camille Saint-Saëns composa de nombreuses pages de *Samson et Dalila* et de la *Timbale d'Argent*. Poète, il est, entre autres œuvres, l'auteur de *L'Éducation de l'Œil et l'art de voir*. Artiste, il expose au Salon à partir de 1877 une soixantaine de sculptures.
MUSÉES : AMIENS : *Crinon* – BERCK : *Le Docteur Perrochaud, place Francis-Tattegrain* – PARIS (Mus. du Louvre) : *Escholier florentin* – PARIS (Mus. Tattegrain) : *Jacques-Roger à cinq ans* – *Carlina* – *Renée* – *Escholier* – *Jeune Italienne* – *Crinon* – *Le Mistral picard* – *Sidonie* – *Vieille femme picarde* – *Le menuisier Houbron à Devise* – *Le docteur Perrochaud* – *M. Vion* – *La Moissonneuse* – *Le travailleur* – *Mme George Tattegrain* – *Le comte Lepic, etc* – VRAIGNES : *Buste du poète Crinon*.

TATTEGRAIN Henry
Né le 29 août 1874 à Paris. XIXᵉ-XXᵉ siècles. Français.
Peintre et graveur à l'eau-forte.
Élève de Jobbé-Duval, G. Debrie et Mayeux. Expose au Salon des Artistes Français depuis 1899 ; sociétaire hors-concours en 1900 ; mention honorable en 1905 ; médaille de troisième classe en 1912 ; expose également aux Salons des Amis des Arts d'Amiens, des Arts du Livre. Il fut secrétaire général de la Société des Aquafortistes français.

TATTERSALL George, dit aussi **Wildrake**
Mort en 1849. XIXᵉ siècle. Britannique.
Architecte et dessinateur.
Architecte et fils du fondateur des célèbres salles de ventes de chevaux. Son guide de la région des lacs d'Écosse est célèbre. Il fit aussi des sujets de chasse sous le pseudonyme de Wildrake. On lui doit beaucoup d'aquarelles et de sépias.
VENTES PUBLIQUES : LONDRES, 28 avr. 1944 : *Goodwood Stakes*, dess. : GBP 44 – LONDRES, 7 juil. 1977 : *Tie Goodwood Cup 1845*, aquar. (29,5x51) : GBP 1 000.

TATTI Carlo ou **Tatt**
Né à Bellinzona. XVIᵉ siècle. Suisse.
Peintre de blasons.
Il travailla à Coire.

TATTI Francesco de' ou **De'Tatti**
Né à Varese. XVIᵉ siècle. Travaillant à Venise au début du XVIᵉ siècle. Italien.
Peintre.
MUSÉES : NANCY : *Madone dans la gloire avec des anges* – VENISE (Acad.) : *Madone sur le croissant de lune*, dess.
VENTES PUBLIQUES : LONDRES, 26 nov. 1971 : *La Vierge et l'Enfant et de saints personnages*, Autel de sept pan., : GNS 8 000.

TATTI Giovanni di Matteo de' ou **De'Tatti**
XVᵉ siècle. Italien.
Sculpteur sur bois et ébéniste.
Il fut chargé de sculpter la tribune dans l'église Saint-Julien de Pérouse en 1483.

TATTI Jacopo d'Antonio, dit **Jacopo Sansovino**. Voir **SANSOVINO**

TATTO
Né vers 1900. XXᵉ siècle. Italien.
Peintre.

Il faisait partie de l'entourage de Marinetti, dans la période politique du poète. Il avait peint *La marche sur Rome des Chemises noires*, composition qui décora le bureau de réception de Mussolini.
BIBLIOGR. : Michel Seuphor, in : *Le Style et le cri*, Seuil, Paris, 1965.

TATZ Christof, l'Ancien
XVIIᵉ siècle. Actif à Berchtesgaden. Allemand.
Sculpteur sur bois.
Probablement grand-père de Christof T. le Jeune. Il sculpta l'autel et les orgues de Schellenberg et de Saint-Léonard, près de Salzbourg.

TATZ Christof, le Jeune
XVIIIᵉ siècle. Actif à Berchtesgaden. Allemand.
Sculpteur sur bois.
Probablement petit-fils de Christof T. l'Ancien. Il sculpta un tabernacle dans l'église de Berchtesgaden et des autels dans celles de Saint-Bartlmä et de Maria Kunterweg.

TATZ Laszlo, ou **Ladislas**
Né le 4 juin 1888 à Mariapocs. XXᵉ siècle. Hongrois.
Peintre de portraits.
Il fit ses études à Budapest et à Paris.
MUSÉES : BUDAPEST (Gal. Nat.).

TATZE Melchior
Né en 1541. XVIᵉ siècle. Actif à Strehla. Allemand.
Céramiste et sculpteur sur bois.
Il sculpta la chaire ainsi que plusieurs statues dans l'église de Strehla.

TAU Rasset
XVᵉ siècle. Actif à Troyes dans la première moitié du XVᵉ siècle. Français.
Peintre.
Il travailla de 1408 à 1420 pour la cathédrale et l'église Sainte-Madeleine de Troyes.

TAUBE Richard Oswald Karl
Né le 27 mars 1876 à Leipzig. XXᵉ siècle. Allemand.
Peintre et sculpteur.
Élève des académies de Leipzig et de Düsseldorf.

TAUBER Georg Michael
Né en 1700 à Nuremberg. Mort le 3 ou 5 juin 1735 à Nuremberg. XVIIIᵉ siècle. Allemand.
Peintre sur faïence.
Les Musées de Berlin, de Francfort, de Hambourg et de Nuremberg possèdent de nombreuses œuvres de cet artiste qui fut le plus important peintre sur faïence de son temps en Allemagne.

TAUBER Gustave Friedrich Amalius. Voir **TAUBERT**

TAUBER J. D.
XVIIIᵉ siècle. Actif à Schweinfurt dans la seconde moitié du XVIIIᵉ siècle. Allemand.
Dessinateur.
Le Musée Municipal de Schweinfurt conserve de lui un *Plan de la ville de Schweinfurt*, daté de 1780.

TAUBER James
Né en 1876. Mort le 18 février 1912 à New York. XXᵉ siècle. Américain.
Dessinateur.

TAÜBER Sophie. Voir **TAEUBER-ARP**

TAUBER Theodor
Né le 20 juin 1887 à Lappitzfeld. XXᵉ siècle. Autrichien.
Peintre de portraits, paysages urbains, dessinateur.
Il peignit des portraits et des vues de villes.

TAÜBER-ARP Sophie. Voir **TAEUBER-ARP**

TAUBERT Bertoldo
Né le 19 août 1915 à Leopoli (Italie). Mort le 8 octobre 1974 à Paris. XXᵉ siècle. Actif et naturalisé en France. Italien.
Peintre de portraits, figures et paysages, graveur.
Fils de Guglielmo Tauberti, de qui il reçut les conseils ainsi que de Marinetti. Études universitaires en Italie et en France. Voyages d'études en Orient, Amérique du Sud, Scandinavie. Expose régulièrement à Paris, aux Salons des Indépendants, d'Automne et des Tuileries. Expositions particulières à Paris, Grenoble, Toulouse, Strasbourg, Nice, Anvers, Milan, Londres, Buenos Aires.

B. Taubert

Musées : ALBI : *Paysage de Toulouse* – BUENOS AIRES : *Les gitanes* – GRENOBLE : *Les toits rouges* – *Paysage de l'Isère* – PARIS : *Le lac du bois de Boulogne* – STRASBOURG : *Paysage de Strasbourg* – TOULOUSE : *Paysage*.
Ventes Publiques : LOS ANGELES, 19 juin 1979 : *Jeune fille à la mandoline*, h/t (64,8x53,3) : **USD 1 100**.

TAUBERT Gustave Friedrich Amalius ou Tauber
Né le 24 juillet 1755 à Berlin. Mort le 29 avril 1839 à Berlin. XVIIIᵉ-XIXᵉ siècles. Allemand.
Peintre et dessinateur.
Il fit ses études à Berlin, puis alla se perfectionner à Dresde. Il y fit plusieurs copies à la Galerie. En 1785, il vint à Varsovie et y demeura jusqu'en 1794. Il y fit plusieurs portraits, des tableaux d'histoire et de genre. Après un séjour à Vienne, il retourna à Berlin en 1801. Il y fut nommé directeur de la Manufacture de porcelaine. Membre de l'Académie de Berlin. En 1836, il exposa à Berlin.
Musées : BERLIN (Cab. d'Estampes) : *Les neuf Muses* – CRACOVIE (Mus. Nat.) : *Portrait d'une dame* – DRESDE : *Portrait de l'artiste* – POSEN (Mus. Miensznski) : miniature – VARSOVIE (Mus. Nat.) : deux dessins.

TAUBERT Roberto
XXᵉ siècle. Actif à Strasbourg. Français.
Peintre.
Fils de Guglielmo Tauberti. Il exposa à Paris.

TAUBERTI Guglielmo
Né le 13 septembre 1876 à Florence. Mort le 10 juin 1949 à Reims (Marne). XXᵉ siècle. Actif aussi en France. Italien.
Peintre et graveur à l'eau-forte et sur bois.
Élève de Bianchi et de Zandomeneghi. Il a travaillé à Strasbourg. Il a peint les *Portraits de Pie XI* – *Victor Emmanuel III* – *Romain Rolland*.
Musées : AMSTERDAM – FLORENCE – LA HAYE – MILAN.

TAUBES Frederick
Né en 1900. Mort en 1981. XXᵉ siècle. Américain.
Peintre de sujets allégoriques, scènes de genre, figures, natures mortes.
Figure régulièrement aux Expositions Internationales de la Fondation Carnegie de Pittsburgh.
Ventes Publiques : NEW YORK, 17 et 18 jan. 1945 : *Le modèle*, dess. : **USD 240** – NEW YORK, 11 avr. 1946 : *Nature morte* : **USD 250** – NEW YORK, 5 oct. 1983 : *Venus Callypigos*, h/t (91,5x51,1) : **USD 1 900** – NEW YORK, 15 mars 1985 : *A huge valve*, h/t (66,2x51) : **USD 2 200** – NEW YORK, 24 jan. 1989 : *Figures allégoriques dans un paysage*, h/t (35x50) : **USD 1 760** – NEW YORK, 30 mai 1990 : *Étude de nature morte*, h/t (90,3x51,4) : **USD 3 740** – NEW YORK, 18 déc. 1991 : *Femmes mettant le couvert*, h/t (88,3x127) : **USD 5 225** – NEW YORK, 12 sep. 1994 : *Nature morte florale*, h/t (107,3x68,6) : **USD 1 265**.

TAUBMANN Frank Mowbray
Né le 13 juin 1868 à Londres. XIXᵉ-XXᵉ siècles. Britannique.
Sculpteur, peintre et graveur.
Il fit ses études à Londres, Paris et Bruxelles. Il était actif à Kemerton. Il exposa à Londres des paysages du Canada.

TAUCH Waldine Amanda
Née le 28 janvier 1894 à Schulenburg (Texas). XXᵉ siècle. Américaine.
Sculpteur de monuments.
Élève de Pompeo Cappini. Membre de la Ligue Américaine des Artistes Professeurs. Elle est l'auteur de monuments commémoratifs et de fontaines.

TAUCHER Friedrich
XVᵉ siècle. Actif à Wimpfen. Allemand.
Sculpteur sur bois.
Il a sculpté les stalles dans l'église Sainte-Croix de Wimpfen en 1462.

TAUCHER Konrad
Né le 24 octobre 1874 à Nuremberg. XIXᵉ-XXᵉ siècles. Allemand.
Sculpteur.
Élève de Hermann Volz. Établi à Karlsruhe, il sculpta des fontaines à Karlsruhe, à Fribourg et à Achern, ainsi que des monuments aux Morts.

TAUHER. Voir DAUHER Adolf

TAULÉ Antoni
Né en août 1945 à Sabadell (Barcelone). XXᵉ siècle. Actif en France. Espagnol.
Peintre de figures. Figuratif, puis tendance abstraite.
Après des études à l'Université de Barcelone il voyage et réside en France et en Hollande en 1964 et 1965. En Espagne de nouveau, il expose à Sabadell et Sitges et participe au Salon de Mayo à Barcelone. Il va ensuite à Londres et y séjourne en 1971 et 1972. Arrivé à Paris en 1974, il y expose à divers Salons : Grands et Jeunes d'Aujourd'hui, Comparaisons, Jeune Peinture, Salon de Montrouge et y fait des expositions particulières en 1975 et en 1991 à la galerie du Centre. En 1983, il a obtenu le Prix de la Ville de Montrouge.
Au moyen d'une figuration très poussée, apparemment fidèle, Taulé pose un regard insolite sur un univers à priori banal. Les lieux sont néanmoins étrangement désertés, vides, porteurs d'angoisse et de mort. Il a évolué ensuite à un paysagisme abstrait matiériste.
Ventes Publiques : PARIS, 26 avr. 1982 : *Les chercheurs d'or 1978*, acryl./t. (97,5x130) : **FRF 11 000** – PARIS, 24 avr. 1988 : *Orgueilleusement impeccable*, h/t (85x100,5) : **FRF 9 000** – PARIS, 19 juin 1996 : *L'Écart 1977*, acryl./t. (81x100) : **FRF 5 000**.

TAULIER Jean ou Johannes ou Tauler
Né avant 1590 à Bruxelles. Mort après 1642 à Liège. XVIIᵉ siècle. Éc. flamande.
Peintre, aquafortiste et peut-être graveur sur bois.
Il épousa Catharina Damery. Il eut pour élèves Gérard Douffet et Reinier Lairesse. Il a peint plusieurs tableaux d'autels pour les églises de Liège.

TAULLE Jacques ou Taules
XVIIIᵉ siècle. Actif à Châteaudun. Français.
Sculpteur.
Il travailla entre 1718 et 1738 à l'église de Saint-Calais.

TAUNAY Adrien Aimé
Né en 1803 à Paris. Mort en 1828 au Brésil. XIXᵉ siècle. Français.
Peintre.
Fils d'Auguste Taunay. Il fut second dessinateur de la corvette Uranie. Plusieurs de ses dessins d'histoire naturelle furent gravés en 1824.

TAUNAY Auguste Marie ou Charles Auguste
Né le 26 mai 1768 à Paris. Mort le 24 avril 1824 à Rio de Janeiro. XVIIIᵉ-XIXᵉ siècles. Français.
Sculpteur.
Élève de Moitte. Il exposa au Salon de 1808 à 1814.
Musées : VERSAILLES : *Général Lasalle* – *Jean Muiron, chef de bataillon* – *Grétry*.

TAUNAY Félix Émile
Né le 1ᵉʳ mars 1795 à Montmorency. Mort le 14 avril 1881 au Brésil. XIXᵉ siècle. Français.
Peintre de genre.
Fils et élève de Nicolas Antoine Taunay, qu'il accompagna au Brésil. Il revint en France, mais retourna au Brésil pour occuper le poste de directeur de l'Académie de Rio de Janeiro, fondée par son père. Le Musée de Rio de Janeiro conserve de lui *La mort de Turenne*.

TAUNAY Nicolas Antoine ou Tonay, Tonnay, Tounay
Né le 10 février 1755, baptisé à Paris. Mort le 20 mars 1830 à Paris. XVIIIᵉ-XIXᵉ siècles. Français.
Peintre d'histoire, compositions religieuses, sujets militaires, scènes de genre, paysages, peintre à la gouache, peintre de miniatures.
Nicolas Antoine Taunay était issu d'une famille de vieille bourgeoisie parisienne ; les parents et grands-parents étaient orfèvres à Paris depuis le début du XVIIIᵉ siècle. Notre peintre était fils de Pierre Antoine Henry Taunay, chimiste émailleur à la Manufacture de Sèvres, qualifié « pensionnaire du Roy », ce qui suppose une certaine habileté dans sa profession. Le père du chimiste (Louis François Auguste Taunay) était orfèvre. Nicolas Antoine Taunay travailla d'abord chez le peintre d'histoire Brenet ; il quitta ce maître pour devenir l'élève de François Casanova, peintre de batailles, qui lui-même, avait reçu l'enseignement de Guardi à Venise. Il resta peu de temps près de lui, Casanova ayant été appelé en Russie par Catherine II. Au travail de l'atelier, un jeune maître d'une puissante originalité, Taunay voulut ajouter une étude plus directe de la nature, et perfectionner son éducation de paysagiste. Dans ce but, il partit pour la Suisse, accompagné de De Marne et quelques camarades, il y séjourna un certain temps et s'y livra avec ardeur à l'étude du paysage et des animaux. La campagne dans ce pays donna au

peintre un sentiment plus poétique, Taunay brillait surtout avant ce voyage fécond, par l'habileté du pinceau et par son talent de compositeur pittoresque. Le travail matériel de ses œuvres est d'ailleurs plus suave, plus harmonieux que chez son camarade De Marne : les figures ont plus d'élégance, les poses plus de naturel ; l'ensemble et les détails portent le caractère d'une nature distinguée. A son retour à Paris, en 1784, il se présenta à l'Académie Royale de peinture, qui l'admit comme agréé. M. d'Angevilliers le fit nommer pensionnaire du roi à Rome afin qu'il put jouir des mêmes privilèges que les grands prix. Il y séjourna trois années, mit des titres italiens à certaines de ses toiles, mais ne subit aucunement l'influence des grands maîtres. Au milieu des éléments sans nombre que lui offrait ce pays, il sut choisir ceux qui convenaient le mieux à son talent. De 1784 à 1787, date de son retour à Paris, il exécuta un nombre considérable de travaux les plus variés : Paysages, vues diverses, monuments, sujets d'histoire ou de la fable, mœurs anciennes ou contemporaines. Cette variété dans le choix des sujets caractérise l'œuvre du peintre. Taunay avait une grande facilité de travail et sa production est considérable ; son art l'eût certainement enrichi s'il n'avait eu à entretenir une nombreuse famille. Comme beaucoup d'artistes du XVIIIe il subit de graves revers de fortune durant la période révolutionnaire. Il se retira à Montmorency et vivait modestement au Petit-Montlouis, dans l'habitation occupée jadis par Jean-Jacques Rousseau. Ce qui l'avait engagé à préférer ce lieu, c'était le souvenir d'avoir reçu, quand il était enfant, des mains mêmes du philosophe, un fruit cueilli dans le petit jardin. Désireux de rétablir sa fortune, et en même temps tenté par le prestige d'horizons nouveaux, il agréa les sollicitations qui lui étaient faites et partit pour le Brésil, choisissant comme résidence Rio de Janeiro. Il s'y prit d'une manière habile pour profiter de l'occasion qui s'offrait à lui d'une activité soutenue dans un milieu si différent de celui d'où il venait. Il envoya au Salon de Paris des œuvres exécutées au Brésil et qui firent une profonde sensation et lui valurent la Légion d'honneur. Cependant il quitta ce pays en 1824 par suite du chagrin éprouvé de la mort de son frère le sculpteur.

Il exposa au Salon pour la première fois en 1787 ; il n'avait donc rien envoyé durant son séjour à Rome. Il a pris part au Salon de 1787 : Naufrage d'une chaloupe, Le Contempleur, Marche de troupe dans un défilé, La bénédiction des troupeaux à Rome, La Rosière, Marche d'animaux, Le retour de Tobie et de l'Ange, L'Ermite ; au Salon de 1789 : Tableau représentant une messe célébrée dans une chapelle dédiée à saint Roch pour obtenir la guérison des maladies épidémiques, Rencontre de Henry IV et de Sully après la bataille d'Ivry (Musée de Nantes), Un paysage d'Italie orné de fabriques et de figures, Paysages et animaux, Fabriques de Rome, ornées de figures, Vue des environs de la Suisse avec animaux et figures, Paysage avec animaux et figures, Une foire, Un port de mer ; au Salon de 1791 : Vue d'Italie, La Cananéenne, Vue et site d'Italie, Paysage, Vue d'un camp ; au Salon de 1793 : La prise d'une ville, Jésus au milieu des docteurs, Paysage avec figures, Booz et Ruth, Abraham et les trois Anges, Une nourrice ramenant un enfant à ses parents, Enlèvement des blessés après une bataille, Lecture de la famille villageoise ; au Salon de 1796 : Les événements contradictoires qui arrivent après un combat, Vente de tableaux, Femme guérie par l'attouchement de la robe de Jésus-Christ, Marine, Vue d'un port de mer par un temps de brouillard ; au Salon de 1798 : Extérieur d'un hôpital militaire provisoire ; au Salon de 1801 : Le général Bonaparte recevant des prisonniers sur le champ de bataille, Des chartreux portent à leur monastère un homme qu'ils ont trouvé nu et blessé, Passage des Alpes par le général Bonaparte, attaque du fort de Bard ; au Salon de 1802 : Vue du port Léon, un enfant de douze ans sauvant de la mer deux de ses camarades qui allaient périr, historique, Une jeune fille effrayée d'une ourse qui venait de mettre bas deux petits, Le voyage du musicien interrompu, Le cheval échappé ; au Salon de 1804 : Des bergers se disputent sur la flûte l'honneur d'être couronné par une bergère, Un guerrier élevé sur un pavois (esquisse), Extérieur d'un hôpital militaire, Henri IV et le paysan, Un charlatan arrachant une dent, Une scène de carnaval ; au Salon de 1806 : Un ermite prêchant, Vue de la grande Chartreuse de Grenoble, Présents de noces, Le départ de l'enfant prodigue ; au Salon de 1808 : S. M. l'Empereur des Français dans la ville de Munich, Le Cimabué et Giotto, Les jarretières de la mariée, Salle de billard où figurent différents personnages, Vue d'un port de la Méditerranée, S. M. l'Impératrice recueillant les ouvrages des artistes modernes, S. M. en voyage reçoit un courrier qui lui apprend une victoire ; au Salon de 1810 : Bataille d'Ebersberg livrée le 4 mai 1809, Entrée de la garde impériale sous l'arc de triomphe érigé en son honneur sur l'emplacement de la barrière de Pantin, Bataille au passage du pont de Lodi, Hommage à Virgile, Halte de chariots militaires, Marche de troupes françaises, Un concert, Port de mer, Un père lisant le journal à sa famille, Paysage, Vue de la ville et du lac de Nemy, Des bergers jouant de la flûte en gardant leurs troupeaux, Herminie parmi les bergers ; au Salon de 1812 : Passage de la Cuadarama, Combat à la baïonnette à Cassario, près Millesimo, Des ermites donnant l'hospitalité à des militaires français, Une procession, Un petit port de mer, Une foire ; au Salon de 1814 : Un ermite arrache son élève aux séductions de la ville, Œuvre de charité, Halte d'un convoi militaire, Lendemain de noce villageoise, Vafrin écuyer de Tancrède, Jacob, Samson, Retour de bestiaux, Marche d'animaux, Scène pastorale, Incendie d'un port de mer ; au Salon de 1819 : Paysage, site du Brésil. - 1822. Sujet tiré de l'histoire de Henri IV, Site du Brésil pris dans les montagnes des Orgues, Vue d'un des principaux quartiers de Rio de Janeiro, nommé Matta-Cavallo, Vue de l'entrée de la baie de Rio de Janeiro, prise du couvent de Saint-Antoine, Vue d'un autre quartier de Rio de Janeiro prise du même couvent, Vue de l'habitation de l'auteur à cinq lieues environ de Rio de Janeiro, La cascade vue sous un autre aspect, Des bergers de Théocrite ou de Virgile ramènent leurs troupeaux du pâturage, La Fortune et le jeune enfant, Le vieillard et ses enfants, Une bergère offre les prémices du lait qu'elle vient de traire au saint ermite du Rocher ; au Salon de 1824 : Eliézer, Le frappement du rocher, La bergère des Alpes, Vue de l'église de la Gloire à Rio-Janeiro prise du palais de S. Exc. le marquis de Bellas, Henri IV et le paysan, Le sacrifice de l'agneau chéri, Vue prise dans la Franche-Comté, Suzanne au bain surprise par les vieillards ; au Salon de 1827 : Moïse sauvé des eaux, Eliézer et Rébecca, Les oies du frère Philippe. Cet artiste prit aussi part aux expositions de la Jeunesse, sur la place Dauphine en 1777 avec des paysages, en 1779 avec des paysages (gouaches) ; Exposition du Salon de la Correspondance en 1782 avec un tableau représentant des travailleurs qui ouvrent un chemin dans une montagne. Il prit part à une exposition collective posthume en 1831 avec La Saltarella.

Tout le monde connaît les quatre charmantes compositions gravées en couleurs par Descourtis ; ces estampes sont dans les meilleures collections de gravures du XVIIIe siècle. On peut dire qu'elles ont popularisé le nom de Taunay. Ces quatre sujets : La Noce de village, La Foire de village, La Rixe, Les baladins, sont d'excellents spécimens de la première manière du peintre. Plus tard sous l'influence davidienne, il se rapprocha davantage d'une réalité moins fardée, mais il n'abandonna jamais la peinture claire et transparente du XVIIIe. Il y a dans ces œuvres de jeunesse les qualités anecdotiques qui caractérisent presque toutes ses peintures. Le succès légitime qu'elles obtinrent tient beaucoup à l'esprit nouveau qui commençait à se faire jour. Après les voluptés, les fards et les poudres, on prêchait la simplicité. Taunay d'une intelligence vive et d'une ambitieuse volonté, saisit l'occasion d'attirer l'attention sur lui en s'appliquant à satisfaire ce goût des aimables pastorales. L'expérience lui donna rapidement l'impression bien nette que ses aptitudes le destinaient à la peinture plaisante. Dès lors, il dirigea ses efforts dans une direction qui lui assurait le succès. Se mettant à l'œuvre avec activité, il devait ainsi atteindre très tôt une parfaite maîtrise. Il ne tarda pas à justifier les espérances que ses premières œuvres avaient fait naître et prouva dès ses débuts qu'il possédait des dons vraiment supérieurs. Ces brillants succès étaient la meilleure sanction du choix qu'il avait fait. Ils faisaient en même temps l'éloge des amateurs qui surent reconnaître son mérite. C'était de plus la récompense naturelle de l'appui qu'on lui avait assuré. De tous ses tableaux se dégage une impression de réelle originalité ; son point de vue artistique parfaitement évident, résulte, on le sent bien, à la fois des dons innés et de l'expérience acquise. L'influence que l'on pourrait plus nettement déceler serait celle des peintres de genre de la fin du XVIIIe siècle : Boilly (Louis) ; Moreau le Jeune (1741-1814) ; Duplessis-Bertaux (1747-1819), Swebach-Desfontaines (1769-1823) ; Debucourt (1755-1832). Sans oublier son camarade De Marne (1769-1823). Tous ces artistes sont ses contemporains ; ils ont traité des sujets très voisins d'inspiration, chacun à sa manière propre, mais ils sont bien de leur temps et se sont plu à retracer les événements d'actualité en témoins fidèles.

La manière de Taunay est toujours savante, mais sans éclats superficiels : une technique difficile, longue, minutieuse, et maintenant abandonnée, mais exigée du public d'alors pour ce genre d'ouvrages ; l'ensemble est plein de grâce et de charme. Taunay a pris tous les tons comme la nature ; il reproduit la blanche lumière du matin et la lumière dorée du soir, les tons chauds de l'automne et les nuances claires du printemps, les teintes sombres des jours d'orages, et les blêmes couleurs de l'hiver. Il ne néglige aucun rayon de soleil. Ce bon peintre est sans doute un des représentants raffiné d'un réalisme gracieux si en faveur à la fin du XVIIIe siècle. Son esprit tranquille avait l'impartialité d'un miroir et ses tableaux sont à leur tour le reflet de son esprit. Les objets s'emparaient de son intelligence et son talent n'offre rien de subjectif. La vente de son atelier se fit dans des conditions particulièrement dramatiques, puisqu'elle dût être interrompue par suite des combats de guerre civile qui se livraient à ce moment dans Paris. Il est probable que quantité de documents précieux touchant l'artiste eurent à en souffrir et s'égarèrent un peu au hasard. On voudrait pas terminer cette notice sans signaler que durant le milieu du XIXe siècle des personnalités portant le nom illustre de Taunay, occupèrent des situations éminentes à Rio de Janeiro.

Taunay.

MUSÉES : ABBEVILLE : *Entrée des Français à Naples 1802* – AIX : *Paysage* – ANGERS : *Ourse* – *Vue de la Villa Médicis* – ARRAS : *Pierre l'Ermite prêchant la première croisade* – CHERBOURG : *Les bergers d'Arcadie* – DÔLE : *La statue animée* – DOUAI : *Messe dans la chapelle Saint-Roch* – ÉVREUX : *Sully blessé et Henri IV* – LA FÈRE : *Noce de village* – GRENOBLE : *La femme adultère* – LONDRES (Victoria and Albert Mus.) : *La baie de Rio de Janeiro* – MONTPELLIER : *Le jeu de boules* – *Le jeu de cartes* – *Fête de village* – *Les bergers au repos* – MOSCOU (Mus. des Beaux-Arts) : *Les jarretières* – *Paysage classique* – NANTES : *Henri IV et Sully après la bataille d'Ivry* – PARIS (Mus. du Louvre) : *Pierre l'ermite prêchant la première croisade* – PARIS (Mus. Carnavalet) : *La Clinique du docteur Dubois* – PARIS (Mus. Marmottan) : *Vue de l'ancienne barrière Montparnasse* – QUIMPER : *Moïse frappant le rocher* – *Attaque des bandits* – RENNES : *Enlèvement* – RIO DE JANEIRO : *Théâtre de la Folie* – *Erminie et les bergers* – *Le messager de la paix* – trois vues du Brésil – onze portraits de famille – *Les quatre évangélistes* – SAINTES : *Le jeune Guillot sauve deux enfants* – SAINT-LÔ : *La cascade de Tijuca* – SAINT-PÉTERSBOURG (Mus. de l'Ermitage) : *Le camp* – *Paysage et danse* – *Départ du soldat* – *Retour du soldat* – VALENCE : *Paysage avec des bœufs* – VERSAILLES : *Combat de Nazareth* – *Entrée de l'armée française à Munich* – *Entrée de la garde impériale à Paris après la campagne de Russie* – *L'armée française traverse les défilés de la Sierra Guadarrama* – *Le peintre Gérard Van Spaendonck* – *L'armée française descend le mont Saint-Bernard* – *Bonaparte reçoit les prisonniers sur le champ de bataille 1797* – *Attaque du château de Cossaria* – *Combat d'Ebersberg*.

VENTES PUBLIQUES : PARIS, 1784 : *Deux religieux distribuant des aumônes :* **FRF 800** – PARIS, 1834 : *Baladins sur un théâtre :* **FRF 2 500** – PARIS, 1872 : *La fiancée de village :* **FRF 1 500** – PARIS, 1885 : *Le café des arts :* **FRF 4 400** ; *La sortie des troupeaux ; La rentrée des troupeaux, ensemble :* **FRF 4 200** – PARIS, 15-17 fév. 1897 : *Ouverture d'un chemin dans la campagne,* gche/vélin : **FRF 3 400** – PARIS, 10-15 fév. 1898 : *La rixe :* **FRF 7 800** – PARIS, 1899 : *La parade,* gche : **FRF 18 100** – LONDRES, 3 juil. 1899 : *Le théâtre de Guignol,* gche, miniature : **FRF 4 325** – PARIS, 24 avr. 1907 : *Les chiens savants :* **FRF 4 100** – PARIS, 9 juin 1909 : *Les troupes à la frontière d'Espagne 1823 :* **FRF 1 850** – LONDRES, 28 jan. 1911 : *L'Amour et la Folie ; Hylas et une nymphe,* ensemble : **GBP 44** – PARIS, 30 mai 1911 : *La fête de village :* **FRF 6 050** – PARIS, 13 mars 1920 : *Le défilé d'une armée orientale :* **FRF 6 500** – PARIS, 25-26 fév. 1924 : *Les chiens savants :* **FRF 4 600** – LONDRES, 22 mai 1925 : *Polichinelle,* dess. : **GBP 210** – PARIS, 8 juin 1925 : *Un concert :* **FRF 28 000** ; *Un concert :* **FRF 22 000** ; *La lecture de la gazette :* **FRF 7 600** – PARIS, 28 nov. 1927 : *La surprise,* lav. de sépia : **FRF 4 300** – PARIS, 13-15 mai 1929 : *Le bal de Sceaux,* gche : **FRF 151 000** – PARIS, 22 déc. 1930 : *Le passage de la chasse ; La fontaine, ensemble :* **FRF 64 500** – PARIS, 18 mars 1937 : *Scène de Carnaval :* **FRF 23 000** ; *Le chanteur de complaintes :* **FRF 15 000** – NEW YORK, 8-9 jan. 1942 : *Quartier populaire :* **USD 1 900** – PARIS, 29 jan. 1943 : *La lecture de la gazette :* **FRF 85 000** – PARIS, 17 mars 1943 : *La promenade matinale :* **FRF 51 000** – PARIS, oct. 1945-juil. 1946 : *Le concert :* **FRF 327 000** – PARIS, 18 déc. 1946 : *La dégustation improvisée :* **FRF 44 500** – PARIS, 6 juin 1947 : *La cour de ferme :* **FRF 48 000** – PARIS, 8 déc. 1948 : *Le retour du troupeau :* **FRF 151 000** – PARIS, 30 mai 1949 : *Une armée en marche :* **FRF 140 000** – PARIS, 15 déc. 1949 : *Le passage de la Guadarrama :* **FRF 35 000** – NEW YORK, 2 mars 1950 : *Le menuet :* **USD 1 325** – MONTPELLIER, 14 mars 1950 : *Bateleurs, deux gches formant pendants :* **FRF 63 000** – PARIS, 9 mars 1951 : *La partie de billard :* **FRF 500 000** ; *Port de la Méditerranée 1782 :* **FRF 96 000** – PARIS, 27 avr. 1951 : *Le chemin dans la montagne :* **FRF 180 000** – PARIS, 14 juin 1951 : *Les bergers :* **FRF 62 000** – PARIS, 10 juin 1954 : *Le charlatan :* **FRF 700 000** – PARIS, 13 mai 1959 : *Le repos des bergers :* **FRF 201 000** – PARIS, 24 mai 1961 : *La parade foraine :* **FRF 5 000** – LONDRES, 26 juin 1963 : *La foire au village :* **GBP 400** – PARIS, 29 nov. 1965 : *Le violoniste :* **FRF 20 000** – PARIS, 7 déc. 1967 : *Le violoniste :* **FRF 22 000** – DEAUVILLE, 29 août 1969 : *Bacchanale :* **FRF 19 500** – PARIS, 10 juin 1971 : *Un concert au Palais Royal :* **FRF 25 000** – PARIS, 15 mars 1973 : *Les adieux du navigateur :* **FRF 30 000** – COPENHAGUE, 7 juin 1977 : *La promenade sur la terrasse,* h/t (100x116) : **DKK 100 000** – LONDRES, 29 juin 1979 : *Scène de rue en Italie avec marchands et amateurs d'art 1826,* h/t (31,7x39,3) : **GBP 6 500** – LONDRES, 9 déc. 1982 : *Le montreur d'ours à la foire,* craie noire et lav. (8,7x15,4) : **GBP 800** – NEW YORK, 25 fév. 1982 : *Scène de moisson,* h/t (48,5x60) : **USD 36 000** – MONTE-CARLO, 25 juin 1984 : *Le retour de Tobie et l'Ange,* h/t (176x242) : **FRF 200 000** – PARIS, 8 juin 1984 : *Scène bucolique près d'une rivière,* h/t (34x48) : **FRF 48 000** – PARIS, 23 oct. 1985 : *Bateleur de foire, entouré de nombreux personnages,* gche (13,5x9) : **FRF 20 000** – NEW YORK, 31 mai 1989 : *Moines distribuant des aumônes sur la place d'une cité,* h/pan. (62,1x81,2) : **USD 22 000** – NEW YORK, 12 oct. 1989 : *Jeune couple à l'orée d'un bois avec un enfant dans un arbre dénichant des oiseaux,* h/t (45,8x38) : **USD 74 800** – MONACO, 21 juin 1991 : *Départ des militaires,* h/t (33,5x41) : **FRF 244 200** – PARIS, 3 déc. 1991 : *L'aurore – départ pour les champs ; Le crépuscule – danse de paysans,* h/t, une paire (chaque 24x32) : **FRF 70 000** – MONACO, 7 déc. 1991 : *Le charlatan,* h/pan. (37x43,5) : **FRF 333 000** – PARIS, 11 avr. 1992 : *Paysage rocheux à la cascade 1806,* h/t (32,5x41) : **FRF 28 000** – NEW YORK, 15 oct. 1992 : *Le départ du fils prodigue,* h/pan. (30,1x43,8) : **USD 33 000** – PARIS, 14 déc. 1992 : *Le départ du troupeau,* h/pan. (23x29,5) : **FRF 41 000** – PARIS, 1er juin 1994 : *Scène de bivouac en Italie,* h/pan. (56x81,5) : **FRF 65 000** – LONDRES, 6 juil. 1994 : *Régiment d'infanterie faisant halte près d'une rivière dans un paysage italien,* h/t (45,5x61) : **GBP 18 400** – PARIS, 19 déc. 1994 : *Paysage avec galop de cavaliers,* h/pan. (11,5x21,5) : **FRF 13 000** – PARIS, 12 déc. 1995 : *Le général Bonaparte reçoit le sabre d'un officier autrichien,* h/t (38,5x60) : **FRF 50 000** – NEW YORK, 12 jan. 1996 : *L'oiseau mort,* h/pan. (20,3x29,2) : **USD 8 050** – MONACO, 14 juin 1996 : *Le Chanteur de complaintes,* h/t (33,2x41,5) : **FRF 56 160** – PARIS, 16 déc. 1996 : *Abraham et les trois anges,* h/t (24x33) : **FRF 22 000**.

TAUNAY Pierre Antoine Henry
Né le 19 août 1728 à Paris. Mort après 1781 à Paris. XVIIIe siècle. Français.
Peintre sur émail et sur porcelaine.
Père d'Auguste Marie T. et de Nicolas Antoine T. Il travailla dans les Manufactures de porcelaine de Vincennes et de Sèvres.
MUSÉES : LONDRES (Mus. Britannique) : *Bourdaloue* – SÈVRES : *Tasse.*

TAUNAY R. F., Mlle
XVIIIe siècle. Travaillant à Paris vers 1770. Française.
Graveur au burin et à l'eau-forte.
Élève de N. G. Dupuis. Elle grava des vues de ville et des arabesques.

TAUNAY Thomas Marie Hippolyte
Né le 17 août 1793 à Paris. Mort le 25 avril 1847 à Paris. XIXe siècle. Français.
Dessinateur et poète.
Fils de Nicolas Antoine T. Il dessina des architectures.

TAUNERT Volker. Voir TANNERT

TAUNTON Donald Battershill
Né le 14 novembre 1885 à Birmingham. XXe siècle. Britannique.
Peintre verrier.
Il fut élève de Edward R. Taylor à la Birmingham municipal School of Art. Il était actif à Londres.
Il exécuta des vitraux pour l'Université de Detroit.

TAUPIER Edmond
XIXe siècle. Français.

Peintre de natures mortes.
Il travaillait au début du XIXe siècle. Connu par une œuvre passée en vente publique.
Ventes Publiques : Paris, 10 déc. 1948 : *Fleurs et fruits* 1810 : FRF 4 000.

TAUPIN André Louis
Né en 1922 à Vanves (Hauts-de-Seine). XXe siècle. Français.
Peintre de compositions animées, figures, nus, paysages, marines, natures mortes, fleurs, graveur, dessinateur. Polymorphe.
À Paris, il fut élève de l'École Boulle, en gravure taille douce et bijoux. Après la guerre de 1939-1945, il reprit ses études artistiques et devint professeur de dessin de la Ville de Paris.
Ses thèmes favoris sont : les paysages de Bretagne ponctués des clochers de granit, les grèves où se disloquent des épaves de bateaux, les fleurs pour leur perfection. En outre, André Taupin s'aventure dans d'ambitieuses compositions : *Pietà aux deux Christs*, ou aux confins de l'art fantastique : *Méditation cosmique.*

TAUPIN Denis
Mort avant 1692. XVIIe siècle. Actif à Paris. Français.
Graveur.
Son nom est cité dans l'acte de mariage de son fils, le sculpteur Pierre Taupin.

TAUPIN Jean
XVIIe siècle. Actif à Paris vers 1692. Français.
Graveur.
Fils du graveur Denis Taupin et frère du sculpteur Pierre Taupin.

TAUPIN Jules Charles Clément
Né le 8 août 1863 à Paris. Mort le 2 septembre 1932. XIXe-XXe siècles. Français.
Peintre de scènes de genre, sujets typiques, paysages animés. Orientaliste.
Il fut élève de Benjamin Constant et de Jules Lefebvre à l'École des Beaux-Arts de Paris. Il exposa au Salon des Artistes Français de Paris jusqu'en 1931, il en devint sociétaire en 1907. Il reçut diverses récompenses : une mention honorable en 1895, une médaille de bronze à l'Exposition Universelle de 1900, une médaille de troisième classe en 1906.
Il a peint sur nature des sujets de la vie quotidienne des villes du Sud-Algérien, Laghouat, El-Kantara, Boussaâda, où il a privilégié les tons ocres, les blancs et les verts.
Musées : Alger (Mus. des Beaux-Arts) : *La prière du soir.*
Ventes Publiques : Paris, 3 mars 1943 : *Marché oriental* : FRF 2 800 – Paris, 21 jan. 1944 : *Vue de Laghouat* : FRF 2 700 – Paris, 8 nov. 1993 : *La danseuse au voile vert*, h/t (60x71) : FRF 10 000 – Londres, 17 nov. 1994 : *La lessive dans la rivière Wadi*, h/t (46x55,2) : GBP 6 210 – Paris, 12 juin 1995 : *Fileuse du Sud-Algérien*, h/t (46x38) : FRF 28 000 – New York, 1er nov. 1995 : *Les lignes de la main*, h/t (94x76,2) : USD 19 550 – Paris, 18-19 mars 1996 : *Garde au grand chapeau de paille*, h/t (62x69) : FRF 16 000.

TAUPIN Maurice Hippolyte Édouard
Né en 1795. XIXe siècle. Français.
Peintre de fleurs et de paysages et restaurateur de tableaux.
Élève de Ph. Budelot et de Van Spaendonck.
Ventes Publiques : Paris, 30 avr. 1945 : *Fleurs et fruits* : FRF 1 600 – Nice, 25 et 26 avr. 1962 : *Tulipes et pivoines* : FRF 4 840.

TAUPIN Pierre
Né probablement vers 1662 à Paris. Mort après le 19 janvier 1734 à Paris. XVIIe-XVIIIe siècles. Français.
Sculpteur sur bois et d'ornements.
Fils du graveur Denis Taupin. Il épousa Marie Françoise Desnoelles le 14 avril 1692. On voit des œuvres de lui au château de Versailles.

TAUREAU Bernard. Voir TURREAU

TAUREL André Benoît Barreau
Né le 6 septembre 1794 à Paris. Mort le 21 février 1859 à Amsterdam. XIXe siècle. Français.
Graveur au burin et à l'eau-forte.
Père d'André Symphorien Barreau T. et de Charles Édouard T. Élève de Guérin et Bervic. Il exposa au Salon de 1844 à 1854. Prix de Rome en 1818. Il grava presque uniquement des portraits.

TAUREL André Symphorien Barreau
Né le 26 juin 1833 à Amsterdam. Mort le 16 octobre 1866 à Leyde. XIXe siècle. Hollandais.

Dessinateur, graveur au burin et lithographe.
Fils d'André Benoît Barreau T. Élève de son père et de l'Académie d'Amsterdam. Il travailla à Leyde.

TAUREL Charles Édouard
Né le 15 mars 1824 à Paris. Mort le 7 novembre 1892 à Amsterdam. XIXe siècle. Français.
Graveur au burin et à l'eau-forte, graveur sur bois et écrivain d'art.
Fils d'André Benoît Barreau T. Il grava des portraits et d'après d'anciens maîtres.

TAUREL Henri
Né le 30 juillet 1843 à Maignelay. Mort en 1927. XIXe-XXe siècles. Français.
Peintre de scènes de genre, paysages animés, paysages.
Il fut élève de Villa. Il débuta au Salon de Paris en 1865.

H. Taurel

Ventes Publiques : Monte-Carlo, 6 mars 1984 : *Petits cultivateurs à la sortie d'un village*, h/t (50x100) : FRF 190 000 – Paris, 8 mars 1985 : *Terrasse sur la Côte d'Azur*, h/t (54x35) : FRF 25 500 – Paris, 2 mars 1988 : *Les Lavandières* 1894, h/t (35x53) : FRF 25 000 – Paris, 6 juil. 1990 : *Les moissons* 1912, h/t (37,5x65) – FRF 42 000 – Paris, 30 juin 1993 : *Paysage au chien*, h/t (28x46) : FRF 6 500.

TAUREL Jean Jacques François
Né en 1757 à Toulon (Var). Mort le 30 novembre 1832 à Paris. XVIIIe-XIXe siècles. Français.
Peintre d'histoire, paysages, architectures, marines.
Il fut élève de Doyen. Il exposa au Salon de Paris, de 1787 à 1817, et célébra surtout les exploits des armées françaises. Un grand nombre de ses ouvrages ont été reproduits par la lithographie.
Musées : Bernay : *Incendie à Toulon* – Versailles : *L'Entrée de l'armée française à Naples le 21 janvier 1799.*
Ventes Publiques : Paris, 4 déc. 1984 : *Marine au clair de lune* ; *Scène de naufrage* 1782, h/t, deux pendants (21x27) : FRF 32 000 – Paris, 11 déc. 1989 : *Vue des temples de Paestrum depuis la mer* 1793, h/t (34x52,5) : FRF 240 000 – Londres, 13 déc. 1996 : *Caprice de port méditerranéen avec navires de guerre et autre bateau avec des personnages sur un quai près d'un temple ionique* ; *Caprice de paysage marin napolitain avec le phare de Naples et le château Sant'Elmo*, h/t, une paire (97,8x135,6 et 98,4x136,5) : GBP 133 500.

TAURELLA Giovanni Andrea
XVIe-XVIIe siècles. Actif à Naples de 1590 à 1600. Italien.
Peintre.
Il peignit des tableaux d'autels pour plusieurs églises et chapelles de Naples.

TAURIEN Léonie ou Taurin, née Mauduit
Née vers 1816. XIXe siècle. Française.
Peintre de genre, portraitiste et aquarelliste.
Elle exposa au Salon de 1838 à 1849.
Ventes Publiques : Paris, 1818 : *La mère infortunée*, dess., esq. : FRF 33,50 – Paris, 7 nov. 1949 : *Gerbe de fleurs*, aquar. gchée : FRF 450.

TAURIGNY Giacomo ou Taurini, Taurino
XVIe siècle. Travaillant à Milan de 1592 à 1598. Italien.
Sculpteur sur bois.
Frère de Giovanni T. Il sculpta des statues et des stalles dans la cathédrale de Milan.

TAURIGNY Giovanni ou Taurin, Taurini, Taurino, Taorino
XVIe siècle. Actif de 1558 à 1566. Italien.
Sculpteur sur bois.
Il travailla pour la cathédrale et pour diverses églises de Milan ainsi que pour la Chartreuse de Pavie.

TAURIGNY Richard ou Taurin, Taurini, Taurino
XVIe siècle. Actif à Rouen au milieu du XVIe siècle. Français.
Sculpteur sur bois.
On cite de lui les stalles de la cathédrale de Milan et les stalles de l'église Sainte-Justine de Padoue.

TAURIN. Voir TAURIGNY
TAURIN Léonie. Voir TAURIEN
TAURINI ou Taurino. Voir aussi TAURIGNY
TAURINO Riccardo ou Taurini
XVIe siècle. Italien.

Peintre.

Il travailla pour la cathédrale de Milan de 1578 à 1591.

TAURISKOS

IIe ou Ier siècle avant J.-C. Actif à Tralles. Antiquité grecque.

Sculpteur.

Il a sculpté le prototype du Taureau Farnésien, qui se trouvait autrefois à Rhodes.

TAUSCH Christoph

Né le 25 décembre 1673 à Innsbruck. Mort le 4 novembre 1731 à Neisse. XVIIe-XVIIIe siècles. Allemand.

Peintre, décorateur et architecte.

Élève d'Andrea del Pozzo. Il a exécuté plusieurs colonnes dédiées à la Vierge et à saint Népomucène.

TAUSCHEK Otto

Né le 9 juin 1881 à Vienne. XXe siècle. Autrichien.

Peintre et aquafortiste.

Élève de Delug et d'Unger à l'Académie de Vienne et de Habermann à l'Académie de Munich, ville où il s'établit.

TAUSENDSCHÖN. Voir SCHARPF Franz

TAUSMANN Lukas. Voir TAUSSMANN

TAUSS Ferdinand

Né le 13 janvier 1881 à Bruck-an-der-Mur. Mort le 29 mars 1925 à Graz. XXe siècle. Autrichien.

Sculpteur de figures.

Élève de l'Académie de Vienne.

Musées : Graz (Mus. prov.) : Jeune fille couchée.

TAUSSIG Franz

Né le 19 octobre 1906 à Karininenthal. XXe siècle. Autrichien.

Peintre et graveur.

Il grava des ex-libris, des illustrations de livres, des impressions de voyages et des costumes populaires.

TAUSSMANN Lukas ou Tausmann

XVe-XVIe siècles. Actif à Villach. Autrichien.

Sculpteur sur bois.

Il a sculpté un autel pour l'abbaye de Saint-Lambrecht en Styrie en 1497.

TAUSZKY David Anthony

Né le 4 septembre 1878 à Cincinnati (Ohio). XXe siècle. Américain.

Peintre de portraits.

Élève de l'Art Students' League de New York, sous la direction de Blum et de l'Académie Julian à Paris, avec Jean-Paul Laurens et Benjamin-Constant. Membre du Salmagundi Club. Il obtint plusieurs prix dont un décerné par le Salmagundi Club en 1929. On cite de lui un buste de l'empereur François-Joseph, à Vienne.

TAUTENHAHN Paul E.

Né le 28 avril 1879 à Härtensdorf. XXe siècle. Allemand.

Peintre et graveur.

Il fit ses études à Berlin. Il était actif à Augsbourg. Il peignit des motifs empruntés à la ville d'Augsbourg.

TAUTENHAYN Josef ou Tautenhayen

Né le 5 mai 1837 à Vienne. Mort le 1er avril 1911 à Vienne. XIXe-XXe siècles. Autrichien.

Sculpteur et médailleur.

Il figura aux Expositions de Paris ; médaille de deuxième classe en 1878 (Exposition Universelle), médaille d'or en 1900 (Exposition Universelle).

Musées : Berlin (Gal. Nat.) : Deux boucliers ornés de bas-reliefs, représentant les allégories de la Guerre et la Paix.

TAUTENHAYN Josef, ou Johann Josef

Né le 10 septembre 1868 à Vienne. XIXe-XXe siècles. Autrichien.

Sculpteur et médailleur.

Fils de Joseph T. et élève de l'Académie de Vienne.

Il grava des médailles à l'effigie de l'empereur François-Joseph, d'Anton Bruckner et de Franz Schubert.

TAUTENHAYN Richard

Né le 29 mars 1865 à Vienne. XIXe-XXe siècles. Autrichien.

Sculpteur et céramiste.

Il travailla en Autriche.

Musées : Bucarest (Mus. Simu) : Jésus-Christ, bronze.

TAUTSCHOLD Wilhelm

Né en 1815 à Berlin. Mort en 1876. XIXe siècle. Allemand.

Peintre.

Il étudia à l'Académie de Düsseldorf. Il peignit quelques tableaux de genre et fut surtout portraitiste. On cite notamment celui du baron Liebig. Il vécut principalement à Berlin.

Ventes Publiques : Londres, 21 sep. 1908 : Berger romain, Rome ; Dame romaine 1851, ensemble : GBP 4.

TAUXIER Alphonse Louis Félix

Né au XIXe siècle à Villers-Cotterets (Aisne). XIXe siècle. Français.

Graveur.

Il débuta au Salon de Paris en 1873.

TAUZIN Louis

Né vers 1845 à Barsac (Gironde). XIXe-XXe siècles. Français.

Peintre de scènes de genre, architectures, paysages, paysages urbains, paysages d'eau.

Il figura, de 1867 à 1914, au Salon des Artistes Français de Paris, dont il devint sociétaire en 1883. Il reçut une mention honorable en 1884, une médaille de troisième classe en 1904.

Musées : Bordeaux (Mus. des Beaux-Arts) : Paris en 1889, vue prise de la terrasse de Meudon.

Ventes Publiques : Paris, 22 fév. 1943 : La Seine à Bougival : FRF 4 000 – Paris, 3 nov. 1949 : Paysage : FRF 1 700 – Paris, 16 nov. 1973 : La plage de Pontaillac : FRF 9 500 – Versailles, 5 mars 1989 : Bord de mer 1891, h/t (50x92,5) : FRF 16 500 – Paris, 22 mars 1990 : La Pointe du pigeonnier à Royan, h/t (38x55) : FRF 19 000 – New York, 20 jan. 1993 : Parc boisé, h/t (60,3x45,1) : USD 2 588 – New York, 22 oct. 1997 : Péniches sur les bords de Marne, h/t (43,5x61) : USD 9 775.

TAUZIN Mario

Né vers 1910. XXe siècle. Français.

Peintre de compositions animées.

Il expose dans les principaux Salons annuels parisiens.

TAVAGLINO Francesco

XVIIe siècle. Actif dans la première moitié du XVIIe siècle. Italien.

Sculpteur.

Il exécuta des sculptures dans l'église Notre-Dame de la Sagesse à Naples.

TAVANNE Ignace ou François Ignace

Né le 3 juin 1728 à Delémont. Mort le 10 avril 1811 à Delémont. XVIIIe-XIXe siècles. Suisse.

Peintre.

Fils et élève de Jean François T. Il peignit des tableaux d'autel et des fresques pour des églises du Jura bernois. Le Musée de Delémont conserve de lui Vieille femme de Courroux.

TAVANNE Jean François

Né le 1er juin 1681. Mort le 21 mai 1761 à Delémont. XVIIIe siècle. Suisse.

Peintre et doreur.

Père d'Ignace T. Il peignit et dora de nombreux tabernacles pour des églises du Jura bernois.

TAVARA Fernando, don

Mort en 1577. XVIe siècle. Espagnol.

Peintre.

Il est cité par Louis Lampe.

TAVARONE Lazzaro ou Tabaron

Né en 1556 à Gênes (Ligurie). Mort en 1641 à Gênes. XVIe-XVIIe siècles. Italien.

Peintre de sujets religieux, compositions murales.

On le cite comme l'élève favori de Luca Combiaso qu'il accompagna en Espagne en 1585, comme aide. Après la mort de Luca, Tavarone termina seul les travaux laissés inachevés par son maître. Il revint à Gênes fort riche. On cite dans cette ville parmi ses meilleurs ouvrages les fresques de la cathédrale représentant des scènes de la vie de saint Laurent.

Musées : Florence (Gal. Nat.) : Autoportrait – Savona : Saint Thomas de Villanueva.

Ventes Publiques : Milan, 18 juin 1981 : Le Massacre des Innocents, pl. (43x68,5) : ITL 2 200 000 – Milan, 18 mars 1982 : Christophe Colomb débarquant en Amérique, pl. (23,3x33,5) : ITL 2 700 000 – New York, 16 nov. 1984 : La Sainte Famille et saint Jean Baptiste, pl. et lav. (16,5x14,6) : FRF 7 800 – Londres, 2 juil. 1996 : La Cène, craie noire, encre et lav. (19,5x41,7) : GBP 3 450.

TAVCAR Seka

Née le 20 mai 1946 à Ljubljana. XXe siècle. Yougoslave.

Peintre.

Elle fait ses études de peinture à l'Académie des Beaux-Arts de Ljubljana avec Gabriel Stupica.

Sa peinture qui dénonce la « société d'abondance », a un contenu engagé, conçu comme problème et traité avec un zèle personnel. La satisfaction des besoins créés laisse une multitude de déchets de toutes sortes qui s'amoncellent sans cesse, engloutissant des surfaces nouvelles et asphyxiant l'environnement, d'où la peinture de Tavcar annonçant l'approche de la catastrophe ; masses de papier broyé, de boîtes de conserves rouillées et de pain moisi, dont l'apparente modeste échelle de couleurs surprend avec sa variété de nuances définissant la valeur des différents détails.

TAVÉ Georgette
Née le 31 mai 1925 à Elbeuf (Seine-Maritime). XXᵉ siècle. Française.

Peintre de figures, nus, portraits, natures mortes.

À partir de 1950 environ, elle a travaillé à l'École des Beaux-Arts de Paris avec Jean Souverbie, ainsi, vers 1955, que dans les ateliers de Fernand Léger, André Lhote, et à l'Académie Julian. À partir de 1970, elle va le plus souvent peindre dans le Midi.

Elle participe à de nombreuses expositions de groupe, en Angleterre, Suisse, Allemagne, et en France, notamment à Paris aux Salons des Artistes Français, de la Société Nationale des Beaux-Arts, d'Automne, des Peintres Témoins de leur Temps. Nombreuses expositions particulières dès 1958 en France et en 1975 à Tokyo, notamment des rétrospectives : en 1983 à Vichy, en 1989 au Marimura Art Museum de Tokyo, en 1990 à la Fondation Émile Hugues de Vence *Tavé, quarante ans de peinture*, en 1991 au Palais de l'Europe de Menton, en 1996 une double exposition à Paris, rétrospective à la Mairie du XVIᵉ et peintures récentes galerie Nichido.

Peinture expressionniste, aux coloris bleus, orangés et laques rouges. Peintre de personnages et de natures mortes. Vers 1963 elle peignit une série de toiles sur le Jazz. Elle fait le portrait de Coco Chanel en 1966 et celui de Frédéric Castet en 1980. À partir de 1970, elle va souvent peindre dans le Midi ; sous cette influence sa palette s'éclaircit ; des gris elle passe aux couleurs plus montées. En 1974 elle reprend le thème du nu. Dans une mise en place ferme, ayant libéré son dessin du modelé et de la perspective, elle travaille par aplats de couleurs dont les rapports réciproques recréent le jeu des valeurs, dans un esprit matissien.

BIBLIOGR. : René Barotte : *Tavé, trente années de peinture*, Édit. J.M. Place, Paris, 1982 – Lydia Harambourg, in : *L'École de Paris 1945-1965. Diction. des Peintres*, Ides et Calendes, Neuchâtel, 1993.

MUSÉES : TOURS (Mus. du Gémail) : *Portrait de Mlle Chanel* 1966, reproduit en 1994.

TAVEAU Pierre ou Tavau ou Tavost
Né en 1753 à Rennes. XVIIIᵉ siècle. Français.

Sculpteur.

Élève de l'Académie Royale de Paris. Il sculpta des bustes.

TAVEIRA
XVIᵉ siècle. Travaillant en 1573. Portugais.

Peintre.

Il a peint un tableau d'autel dans l'église de Santa Valha.

TAVEL Auguste
Né le 14 mai 1859 à Payerne. XIXᵉ siècle. Suisse.

Paysagiste et portraitiste.

Élève de l'Académie Julian de Paris. Il séjourna plusieurs années en Algérie.

TAVEL Colars
XVᵉ siècle. Actif à Arras. Français.

Enlumineur.

Il enlumina l'Anticlaudianus d'Alain de Lille en 1407.

TAVEL Richard
Né le 20 mars 1588 à Langres (Haute-Marne). Mort en 1668. XVIIᵉ siècle. Français.

Peintre et architecte.

TAVELIO Antonio. Voir TAVELLIO

TAVELIS Andrieu de
Né à Tavel. XVIᵉ siècle. Actif au début du XVIᵉ siècle. Français.

Peintre.

Il a peint des tableaux d'autel pour des chapelles de Caderousse.

TAVELLA Angiola
Née en 1698 à Gênes. Morte en 1747 à Gênes. XVIIIᵉ siècle. Italienne.

Peintre de paysages.

Fille et élève de Carlo Tavella ; elle réussit fort bien dans le paysage.

TAVELLA Antonio
XIXᵉ siècle. Actif à Milan dans la seconde moitié du XIXᵉ siècle. Italien.

Peintre.

Élève de l'Académie de Brera de Milan ; il y exposa de 1851 à 1861. On y conserve de lui *Torquato Tasso sur le chemin de Rome*.

TAVELLA Carlo Antonio, dit il Solfarola
Né en janvier 1668 à Milan (Lombardie). Mort en décembre 1738 à Gênes (Ligurie). XVIIᵉ-XVIIIᵉ siècles. Italien.

Peintre de sujets religieux, paysages animés, paysages, paysages urbains, dessinateur.

Élève de Peter Molyn dit Tempesta, dont il imita le style au début de sa carrière. Plus tard, il modifia sa forme et devint le plus illustre paysagiste de la ville.

MUSÉES : BORDEAUX : *Madeleine dans une grotte – Madeleine et deux chérubins* – ÉDIMBOURG : *Paysage* – GENÈVE (Rath) : *Paysage historique avec figures* – SAVONA (Pina.) : *Paysages*.

VENTES PUBLIQUES : MILAN, 28 fév. 1951 : *Bergère et moutons* : **ITL 100 000** – VIENNE, 1ᵉʳ déc. 1970 : *Le repos des voyageurs* : **ATS 55 000** – MILAN, 25 nov. 1976 : *Paysage fluvial animé de personnages*, h/t (102x154) : **ITL 2 400 000** – MILAN, 27 avr. 1978 : *Paysage fluvial avec cavaliers*, h/t (155x129) : **ITL 7 500 000** – LONDRES, 9 déc. 1980 : *Bergers et troupeau dans un paysage*, craie rouge et pl. (12,1x48,5) : **GBP 55** – ROME, 28 avr. 1981 : *Paysage au torrent animé de personnages*, h/t (99x117) : **ITL 8 000 000** – MILAN, 24 nov. 1983 : *Paysage au clair de lune animé de personnages*, h/t (93x122) : **ITL 36 000 000** – NEW YORK, 16 jan. 1985 : *Le repos pendant la fuite en Égypte*, pl. et encre brune/trait de craie noire (37,5x27,5) : **USD 1 900** – NEW YORK, 27 mars 1987 : *Éliézer offrant des présent à Rébecca au puits*, h/t (91,5x122,5) : **USD 18 000** – MILAN, 25 oct. 1988 : *Bergers et troupeaux dans un paysage*, h/t (124x175) : **ITL 19 000 000** – NEW YORK, 2 juin 1989 : *Saint Jean Baptiste remplissant sa coupe à la source avec un vaste paysage derrière lui*, h/t (70,5x60,5) : **USD 10 450** – LONDRES, 2 juil. 1990 : *Repos pendant la fuite en Égypte*, encre/craie noire (37,3x27,4) : **GBP 2 530** – MILAN, 21 mai 1991 : *Vue d'un port au clair de lune*, h/t (73x133,5) : **ITL 23 730 000** – LONDRES, 5 juil. 1991 : *L'ange apparaissant à Agar dans un paysage fluvial boisé*, h/t (146,5x193,5) : **GBP 27 500** – NEW YORK, 15 jan. 1992 : *Cour de ferme avec des paysans et des animaux*, craie noire et encre (38,7x27,7) : **USD 3 520** – ROME, 29 avr. 1993 : *Paysage avec le retour d'Égypte de la Sainte Famille*, h/t (124x170) : **ITL 20 000 000** – MILAN, 10 oct. 1995 : *Paysage arcadien*, h/t. (68x126) : **ITL 32 200 000** – LONDRES, 18 avr. 1996 : *Deux personnages conversant sous un arbre hors des murs d'un jardin 1707*, encre/craie noire (19x25,8) : **GBP 1 610**.

TAVELLA Franz
Né le 10 octobre 1844 à Wengen. Mort le 18 décembre 1931 à Brixen. XIXᵉ-XXᵉ siècles. Autrichien.

Sculpteur de sujets religieux, statues, bas-reliefs.

Il sculpta des statues d'églises, des crucifix et des bas-reliefs pour des églises du Tyrol.

TAVELLA Giovanni Antonio
XVIᵉ siècle. Actif dans la seconde moitié du XVIᵉ siècle. Italien.

Peintre.

Il peignit pour l'église S. Vitale de Ravenne de 1573 à 1574.

TAVELLA Teresa
XVIIIᵉ siècle. Active au milieu du XVIIIᵉ siècle. Italienne.

Peintre de paysages.

Fille et élève de Carlo Tavella et sœur d'Angiola.

TAVELLIO Antonio ou Tavelio
XVIIIᵉ siècle. Vivant à Lemberg vers 1770. Italien.

Peintre.

En 1771, il vint à Lemberg, invité par l'archevêque Sieracovski. Il décora l'autel de la cathédrale et le palais de l'archevêché à Dunajov. Le Musée Municipal de Lemberg conserve de lui *Le Christ devant Pilate*.

TAVENER William. Voir TAVERNER

TAVENIER Hendrik
Né en 1734 à Haarlem. Mort en 1807 à Haarlem. XVIIIᵉ-XIXᵉ siècles. Hollandais.

Peintre de paysages, paysages d'eau, marines, architectures, aquarelliste, dessinateur.

Musées : Bruxelles : *Vue de Moordrecht – Paysage avec église au bord d'une rivière – Vue de Schoonhoven – L'hôtel de ville de Schoonhoven – Doelen à Schoonhoven*, à l'encre de Chine, cinq dessins – *Kermesse au village*, aquar. – *Maison à Overveen*, aquar.

Ventes Publiques : Paris, 21 et 22 nov. 1927 : *Navires par mer houleuse*, aquar. : **FRF 450** – Amsterdam, 17 nov. 1993 : *Vue de Amersfoort*, aquar. (27,5x38,8) : **NLG 6 900.**

TAVENRAET Johannes ou Jan ou Tavenraat
Né le 20 mars 1809 à Rotterdam. Mort en 1881 à Rotterdam. xixe siècle. Hollandais.
Peintre de scènes de genre, paysages animés, paysages, animaux, aquarelliste, graveur, dessinateur.
Élève de Willem Hendrik Schmidt à l'Académie des Beaux-Arts de Delft.
Il gravait à l'eau-forte. Il peignit des sujets de genre et des paysages, attentif à la végétation, peuplés de chasseurs et d'animaux forestiers.
Ventes Publiques : Amsterdam, 10 fév. 1988 : *Cerfs dans un paysage montagneux et boisé*, h/t (26x46) : **NLG 1 150** – Amsterdam, 2 mai 1990 : *Chasseurs et leurs chiens faisant une pause sous un arbre*, h/pap./pan. (15,5x12,5) : **NLG 2 300** – Amsterdam, 24 avr. 1991 : *Cerf dans une forêt de Bohème* 1858, cr. et sépia/pap. (34x25) : **NLG 1 840** – Amsterdam, 7 nov. 1995 : *Plantes, herbe et papillon dans un paysage*, h/cart. (24,5x21) : **NLG 1 770.**

TAVERA F. P. de. Voir PARDO-TAVERA Felix

TAVERNA Gaudenz
Né en 1814 à Coire. Mort en 1878 à Soleure. xixe siècle. Suisse.
Peintre et graveur.
Il fit ses études à Rome et à Munich. Le Musée Municipal de Coire conserve de lui les portraits de *Salomon Wolf-Sprecher*, de *Johann Wolf*, de *Madame Elisabeth Sprecher, née Alder*, de *M. Lareida* et un *Portrait héraldique de la famille von Jenatsch*, et le Musée de Soleure un *Portrait de l'artiste*, un *Portrait du peintre Otto Fröhlicher*, un *Oracle de fleurs*, le portrait d'un prêtre et une *Vieille paysanne*.

TAVERNA Giuliano
xvie siècle. Actif à Milan. Italien.
Tailleur de camées.

TAVERNE Abraham
Mort avant 1637 à Tournai. xviie siècle. Éc. flamande.
Sculpteur.
Il a sculpté les stations d'un chemin de croix sur les remparts de Tournai en 1630.

TAVERNE Amédée Jean Nicolas de
Né le 14 juillet 1816 à Dunkerque (Nord). xixe siècle. Français.
Peintre de genre et d'histoire.
Élève de L. Cogniet. Il exposa au Salon de 1840 à 1850. Le Musée de Dunkerque conserve de lui : *Débarquement de Jean Bart à Dunkerque, après la bataille de Texel*.

TAVERNE Édouard
xixe siècle. Actif à Paris. Français.
Portraitiste.
Il exposa au Salon en 1849 et en 1850.

TAVERNE Louis
Né en 1859 à Bruxelles. Mort le 31 janvier 1934 à Saint-Gilles (Brabant). xixe-xxe siècles. Belge.
Peintre d'architectures, de paysages et de marines.

L. Taverne

Bibliogr. : In : *Diction. Biogr. illustré des Artistes en Belgique depuis 1830*, Arto, Bruxelles, 1987.
Musées : Bucarest (Mus. Simu) : *Vieille maison paysanne à Neerpède*.

TAVERNE Michel
xviie siècle. Actif à Tournai en 1625. Éc. flamande.
Sculpteur.
Il sculpta un blason sur une porte de la ville de Tournai.

TAVERNE Pierre
xviiie siècle. Éc. flamande.
Sculpteur de monuments, statues.
Il était actif à Tournai, de 1600 à 1628. Il y sculpta des statues, des tombeaux et des blasons.

TAVERNE Pierre Gustave
Né le 10 août 1861 à Bordeaux (Gironde). xixe-xxe siècles. Français.
Graveur à l'eau-forte et dessinateur de portraits.
Élève de Cormon, Frédéric Laguillermie et Bracquemond. Sociétaire des Artistes Français depuis 1906, il figura au Salon de ce groupement : mention honorable en 1891, médaille de troisième classe en 1899, médaille de bronze en 1900 (Exposition Universelle), médaille de deuxième classe en 1906.

TAVERNER Jeremiah
xviiie siècle. Actif dans la première moitié du xviiie siècle. Britannique.
Peintre de portraits.
On cite de lui un portrait de *Daniel Defoe*, gravé par Vanderguelit et le sien propre gravé par John Smith.

TAVERNER William ou Tavener
Né en 1703 à Canterbury. Mort le 20 octobre 1772 à Londres. xviiie siècle. Britannique.
Paysagiste amateur et auteur dramatique.
Cet artiste amateur occupait de hautes fonctions dans l'administration anglaise. Il s'inspira particulièrement des maîtres italiens dans ses paysages à l'aquarelle. Il eut l'honneur d'être considéré avec Paul Sandby, comme l'un des fondateurs de l'école d'aquarelle anglaise moderne. On voit de lui au Musée de Liverpool *Paysage avec figures*, British Museum de Londres *Paysage avec figures, Aglauros découvre le petit Erichthonios, Paysage de forêt, Sablières près de Woolwich*, au Victoria and Albert Museum à Londres, deux paysages, au Musée de Manchester, *Vue de Richmond*, et à celui de Nottingham, *Ganymède porté par l'aigle de Jupiter*. On cite de lui deux pièces de théâtre : *The Maid and the Mistress* (1732) et *The Artfull thesland* (1735).
Ventes Publiques : Londres, 8 juil. 1982 : *Paysage boisé animé de personnages*, aquar., cr. reh. de gche (20x30,5) : **GBP 1 700.**

TAVERNERY Armand ou Arnaud
Né à Lyon. xve siècle. Travaillant à Avignon au milieu du xve siècle. Français.
Peintre.

TAVERNIER Andrea
Né le 23 décembre 1858 à Turin. Mort le 15 novembre 1932 à Grottaferrata. xixe-xxe siècles. Italien.
Peintre de genre, figures, paysages animés, paysages, pastelliste.
Il fut élève d'Andrea Gastaldi et de Pier Celestino Gilardi à l'École des Beaux-Arts de Turin. Il figura au Salon de Paris, 1900 médaille d'argent pour l'Exposition Universelle.
Le paysage tient une part importante dans son œuvre, notamment des vues de Grottaferrata.
Musées : Trieste (Mus. Revoltella) : *Printemps et Automne*.
Ventes Publiques : Anvers, 15 oct. 1969 : *Paysage d'hiver* : **BEF 70 000** – Rome, 15 nov. 1973 : *Paysage boisé* : **ITL 750 000** – Milan, 20 mars 1980 : *Paysanne dans un paysage*, h/t (64x47) : **ITL 8 000 000** – Milan, 24 mars 1982 : *La cava di quarzo*, h/cart. mar./pan. (180,5x89) : **ITL 24 000 000** – Milan, 8 nov. 1983 : *Paysage alpestre*, h/t (48x52) : **ITL 8 000 000** – Rome, 29 oct. 1985 : *Baigneuses dans un paysage montagneux* 1906, h/t (146x176) : **ITL 24 000 000** – Londres, 24 juin 1988 : *Belle Italienne* 1892, past. (62,2x31,7) : **GBP 2 200** – Milan, 14 mars 1989 : *Bourgade dans les Alpes* 1885, h/t (50x74,5) : **ITL 19 000 000** – Milan, 14 juin 1989 : *En allant à la messe*, h/pan. (27,5x37,5) : **ITL 7 000 000** – Rome, 14 déc. 1989 : *Grottaferrata, fontaine dans un parc*, h./contre plaqué (28x36) : **ITL 2 300 000** – Milan, 5 déc. 1990 : *Paysage montagneux*, h/t (48x52) : **ITL 30 000 000** – Rome, 16 avr. 1991 : *Paysage automnal animé*, h/pan. (29x38) : **ITL 27 600 000** – Rome, 10 déc. 1991 : *Petit Bois*, h/pan. (29x37) : **ITL 14 500 000** – Milan, 19 mars 1992 : *Val Savaranche*, h/pan. (33,5x23,5) : **ITL 6 500 000** – Rome, 5 déc. 1995 : *Le Jardin de Grottaferrata*, h/bois (29x36) : **ITL 7 660 000** – Rome, 23 mai-4 juin 1996 : *Paysage avec cabanes de berger*, h/t (27x37) : **ITL 16 100 000** ; *Haie en fleurs*, h/t (27x37) : **ITL 8 625 000** – Milan, 12 juin 1996 : *Petite église de campagne*, h/t (26,5x37) : **ITL 7 475 000** – Rome, 2 déc. 1997 : *Donna dell'Espada* 1885, h/t (100x73) : **ITL 25 300 000.**

TAVERNIER Armand
Né en 1899. Mort en 1991. xxe siècle. Belge.
Peintre de paysages.
Dans la postérité postimpressionniste, il est très sensible aux variations saisonnières de la lumière sur les choses et de leurs propres métamorphoses.

Ventes Publiques : Breda, 26 avr. 1977 : *Paysage d'hiver*, h/t (33x28) : **NLG 7 000** – Anvers, 8 mai 1979 : *Paysage d'hiver*, h/t (40x40) : **BEF 150 000** – Lokeren, 17 oct. 1981 : *Paysage de neige* 1955, h/t (30x24) : **BEF 100 000** – Anvers, 25 oct. 1983 : *Paysage d'hiver*, h/t (24x19) : **BEF 120 000** – Lokeren, 21 mars 1992 : *Paysage hivernal*, h/t (38x25) : **BEF 70 000** – Lokeren, 23 mai 1992 : *Vue de Lisseweghe 1937*, h/t (101x131) : **BEF 110 000** – Lokeren, 4 déc. 1993 : *Paysage d'hiver 1952*, h/t (40x45) : **BEF 90 000** – Lokeren, 11 mars 1995 : *Paysage estival avec des gerbes de blé 1955*, h/t (30x24) : **BEF 95 000** – Lokeren, 7 oct. 1995 : *L'Heurne en hiver*, h/t (40x50) : **BEF 75 000** – Lokeren, 6 déc. 1997 : *Pajotte-land*, h/t (29,5x24) : **BEF 65 000** ; *Paysage d'hiver*, h/t (80x100) : **BEF 640 000**.

TAVERNIER Ernest Louis
Né au xixe siècle à Paris. xixe siècle. Français.
Graveur à l'eau-forte.
Élève de Lemaître. Il débuta au Salon en 1861 avec des architectures.

TAVERNIER Francine. Voir TAF

TAVERNIER François
Né en 1659 à Paris. Mort le 10 septembre 1725 à Paris. xviie-xviiie siècles. Français.
Peintre d'histoire.
Reçu académicien le 5 avril 1704, adjoint à professeur en 1715 et professeur en 1724. Il peignit des scènes mythologiques et religieuses.

[signature : F. Tavernier.]

TAVERNIER Gabriel
Né à Bailleul. xvie-xviie siècles. Français.
Graveur et éditeur.
Père de Melchior T. Il se fixa à Paris en 1573.

TAVERNIER Hendrik. Voir TAVERNIER

TAVERNIER Hippolyte Jean
Né le 26 août 1884 à Francheville (Rhône). xxe siècle. Français.
Peintre de figures, paysages, natures mortes, sculpteur.
À Paris, il exposait aux Salons des Indépendants, d'Automne et des Tuileries.
Ventes Publiques : Paris, 30 nov.-1er déc. 1942 : *Mimosa et iris* : **FRF 1 050** – Paris, 31 jan. 1944 : *Tête de femme* : **FRF 2 000** – Paris, 24 fév. 1947 : *Fleurs, statue, mappemonde* : **FRF 5 300**.

TAVERNIER Jean. Voir LE TAVERNIER Jean

TAVERNIER Jean Baptiste Brice
xviiie siècle. Actif à Nancy. Français.
Peintre et architecte.

TAVERNIER Joseph
Né à Vannes (Morbihan). Mort le 24 juillet 1859 à Saint-Josse-ten-Noode près de Bruxelles. xixe siècle. Français.
Paysagiste, peintre de marines et de paysages, aquarelliste et aquafortiste.
Il vécut à Bruxelles à partir de 1836.

TAVERNIER Joseph
xixe siècle. Actif à Chalon-sur-Saône (Saône-et-Loire). Français.
Peintre de marines et de paysages.
Il débuta au Salon de 1831.

TAVERNIER Jules
Né en 1844 à Paris. Mort en 1889. xixe siècle. Français.
Peintre de scènes de genre, paysages, pastelliste.
Il fut élève de Barrias. Il exposa au Salon de Paris de 1865 à 1870.
Ventes Publiques : Londres, 13 mai 1927 : *Le soir* : **GBP 126** – Londres, 3 mars 1943 : *Marché oriental* : **FRF 2 800** – Londres, 16 oct. 1974 : *Élégante compagnie festoyant dans un intérieur 1869* : **GBP 800** – New York, 17 oct. 1980 : *Nature morte aux paniers indiens*, h/t (59,7x106,7) : **USD 11 000** – New York, 22 oct. 1982 : *Le village indien d'Acoma 1879*, h/t (162,5x74,9) : **USD 16 000** – New York, 24 mai 1989 : *Campement d'Indiens*, h/t (45,5x78,7) : **USD 57 750** – New York, 23 mai 1991 : *Campement indien dans le désert 1880*, h/t (61x127,6) : **USD 22 000** – New York, 31 mars 1993 : *Red Cloud's Cup 1881*, past./pap./cart. (63,5x120) : **USD 2 300** – New York, 24 mai 1995 : *Le toast 1869*, h/t (130,8x194,9) : **USD 40 250**.

TAVERNIER Julien Louis
Né le 22 août 1879 à Paris. xxe siècle. Français.

Peintre de scènes animées, figures, nus, paysages, marines.
Élève de Léon Bonnat. Sociétaire des Artistes Français depuis 1909. Il figura au Salon de ce groupement ; mention honorable en 1909, médaille d'argent et Prix Marie Bashkirtseff en 1925 ; médaille d'or en 1928. Il peignait de nombreuses scènes de plage et de baigneuses.
Ventes Publiques : Paris, 2 juin 1943 : *Sur la plage* : **FRF 1 000** – Paris, oct.1945-juil. 1946 : *Nu de femme blonde à mi-corps* : **FRF 800** – Paris, 31 jan. 1947 : *Buste de femme couchée, les cheveux déployés* : **FRF 1 300** – Paris, 8 oct. 1948 : *La Seine à Nogent* : **FRF 5 500** – Paris, 6 déc. 1954 : *Les apprêts du bain* : **FRF 7 000** – Saint-Dié, 12 fév. 1989 : *La clairière 1935* (54x66) : **FRF 14 000** – Versailles, 26 nov. 1989 : *Femme endormie*, h/t (73x92) : **FRF 21 000** – Paris, 13 déc. 1989 : *Goélette sous la tempête*, h/t (38x46) : **FRF 7 200** – Londres, 14 fév. 1990 : *Journée d'été sur la plage de Royan 1921*, h/cart., une paire (chaque 27x35) : **GBP 4 620** – Paris, 22 mars 1990 : *Scène de plage*, h/cart. (27x35) : **FRF 25 000** – Londres, 31 oct. 1996 : *La Plage*, h/cart. (46x54) : **GBP 1 495**.

TAVERNIER Melchior
Né en 1564 (?) à Anvers. Mort en 1641 à Paris. xvie-xviie siècles. Belge.
Graveur et marchand d'estampes.
Fils de Gabriel Tavernier. Il fut graveur du roi en 1614. Il a gravé des sujets d'histoire et des plans.

TAVERNIER Paul
Né le 31 janvier 1852 à Paris. xixe-xxe siècles. Français.
Peintre de scènes animées, scènes de genre, portraits, paysages, aquarelliste, graveur.
Il eut pour maîtres Cabanel et Guillaumet, puis il travailla à Fontainebleau. Il débuta au Salon de Paris en 1876. Sociétaire des Artistes Français depuis 1883, il figura au Salon de ce groupement, obtenant une médaille de troisième classe en 1883, une médaille de bronze en 1900, pour l'Exposition Universelle, et une médaille de deuxième classe en 1905.
Il peignit de nombreuses scènes de chasse. On mentionne de lui des gravures à l'eau-forte.

[signature : Paul Tavernier. P Tavernier Paul Tavernier]

Ventes Publiques : Paris, 1898 : *Brouillard en forêt de Fontainebleau* : **FRF 200** – Paris, 16 jan. 1924 : *La chasse à courre* : **FRF 1 050** – Paris, 2 mars 1950 : *La meute* : **FRF 7 500** – Toulouse, 14 juin 1976 : *La Chasse à courre*, h/t (50x73) : **FRF 1 500** – New York, 26 mai 1983 : *Meute traversant une rivière*, h/t (124,5x150) : **USD 8 500** – New York, 4 juin 1987 : *Hallali*, h/t (150x200) : **USD 13 000** – Londres, 7 juin 1989 : *La chasse*, h/t (60x43) : **GBP 1 980** – Le Touquet, 11 nov. 1990 : *Chasse à courre dans la forêt de Fontainebleau*, h/t (92x65) : **FRF 38 000** – New York, 7 juin 1991 : *Scène de chasse*, h/pan. (92,7x65,4) : **USD 8 250** – Paris, 22 avr. 1992 : *Diane chasseresse*, h/pap. (27,5x22) : **FRF 3 500** – Paris, 25 mars 1993 : *Chiens courants au repos*, aquar. (43,5x59,5) : **FRF 6 500** – Paris, 6 avr. 1993 : *Chasse au sanglier*, h/t (46x61) : **FRF 11 000** – New York, 13 oct. 1993 : *Après la chasse*, h/t (149,9x200) : **USD 57 500** – New York, 15 fév. 1994 : *Piqueur et la meute*, h/t (81,3x54) : **USD 8 625** – Paris, 5 juin 1996 : *Scène de chasse à courre 1918*, past. et reh. de gche blanche/pap. (53x69,5) : **FRF 18 000** – Paris, 10 mars 1997 : *Chien de chasse*, h/t (33x46) : **FRF 7 000**.

TAVERNIER Pierre Joseph
Né en 1787 dans les Ardennes. xixe siècle. Français.
Graveur au burin et à la manière noire.
Il exposa au Salon de 1819 à 1845. Il a gravé des portraits et des sujets de genre.

TAVERNIER Robert
Né en 1785 à Paris. Mort le 29 juin 1832 à Metz (Moselle). xixe siècle. Français.
Lithographe.
Il travailla à Metz où il fonda un atelier de lithographie.

TAVERNIER Roger
Né en 1934. xxe siècle. Belge.
Peintre, graveur.
Bibliogr. : In : *Diction. Biogr. illustré des Artistes en Belgique depuis 1830*, Arto, Bruxelles, 1987.

TAVERNIER DE JUNQUIÈRES
Né en 1742 à Paris. XVIIIe siècle. Français.
Peintre de paysages animés, architectures, graveur, aquarelliste, dessinateur.
Il fut élève de J.-B. Le Prince, puis il travailla à Paris. Il dessina le tombeau de Jean-Jacques Rousseau à Ermenonville et grava à l'eau-forte.
VENTES PUBLIQUES : PARIS, 27 mars 1919 : *Vues du Laonnais et du Beauvaisis*, huit aquar. et trois dess. : **FRF 1 120** – PARIS, 13-15 mai 1929 : *Vue du château de Pinon, en Laonnais*, dess. : **FRF 6 900** ; *Vue du château d'Anisy*, dess. : **FRF 3 200** – PARIS, 22 mars 1995 : *Promeneurs dans le péristyle de l'église Saint-Pierre*, encre et aquar. (21,5x13,5) : **FRF 9 000.**

TAVIANO di Niccolo del Balgiano. Voir **BALGIANO**

TAVIRA Juan Caro de. Voir **CARO de Tavira Juan**

TAVO Emanuele. Voir **TOVO**

TAVOLI Ruggiero
XVIIIe siècle. Italien.
Peintre.
Il travailla à Padoue en 1704.

TAVOLINI. Voir **TADOLINI**

TAVOLINO Giacomo dal
XVIIe siècle. Italien.
Sculpteur sur bois et sur ivoire.
Père de Riccardo dal T. Il travailla pour les stalles de la cathédrale de Milan vers 1620.

TAVOLINO de Tavolinis Riccardo dal
Né à Milan. Mort à Milan. XVIe-XVIIe siècles. Italien.
Peintre.
Élève de Cam. Procaccini. Il travailla à Vienne à la cour de l'empereur Ferdinand II.

TAVOLUCCI Gherardino
Né à Reggio. XIVe siècle. Travaillant à Padoue en 1379. Italien.
Peintre.

TAVOST Pierre. Voir **TAVEAU**

TAWARA-YA SÔTATSU. Voir **SÔTATSU**

TAWNEY Lenore
Née à Lorain (Ohio). XXe siècle. Américaine.
Sculpteur d'assemblages.
Elle étudia la sculpture, mais se tourna vers le tissage dès 1948. Ses tentures combinent de nombreuses techniques assez éloignées de la tradition et atteignent souvent une échelle monumentale. Ainsi, celle qui fut exposée à la Seattle World's Fair de 1962 mesurait 27 pieds de hauteur. Après 1969, ses œuvres tendent de plus en plus vers la sculpture : constructions dans des boîtes où sont incorporés des dessins, des objets, des collages de papier construits comme des bas-reliefs. De l'équilibre obtenu entre les différents matériaux se dégage un style saisissant, poétique.
MUSÉES : CHICAGO (Art Inst.) – NEW YORK (Mus. of Mod. Art).

TAX. Voir **DAX**

TAXEM François Van
XVIe siècle. Actif au milieu du XVIe siècle. Éc. flamande.
Sculpteur.
Il sculpta une fontaine à Condé.

TAXIS Thaddäus de, comte
Mort en 1799 à Innsbruck. XVIIIe siècle. Autrichien.
Peintre amateur.
Il peignit des vues d'Innsbruck et des environs.

TAXON Amélie
Née au XIXe siècle à Bordeaux (Gironde). XIXe siècle. Française.
Peintre de genre.
Élève de Steuben. Elle exposa en 1864.

TAXON Richard
Né au XIXe siècle à Bordeaux (Gironde). XIXe siècle. Français.
Peintre de marines.
Élève de Durand Brayer. Il exposa en 1864.

TAXSEN Niels. Voir **TAGSEN**

TAY Simone M. G.
XXe siècle. Française.
Peintre.
Expose au Salon des Artistes Français ; mention en 1930 ; médaille d'argent en 1937.

TAYAPREDA Alberto. Voir **ALBERTO TAYAPREDA**

TAYARDA Dany
Née le 18 octobre 1944 à Neuilly-sur-Seine (Hauts-de-Seine). XXe siècle. Française.
Peintre. Abstrait, Lettres et Signes. Groupe lettriste.
Elle fait partie du groupe lettriste depuis 1966.
Après avoir eu recours à des silhouettes issues des civilisations africaines et orientales et qu'elle utilisait comme un nouvel alphabet, elle s'est tournée vers une abstraction de signes imaginaires qu'elle assemble en compositions enchevêtrées.

TAYAS Louis
Né au XIXe siècle à Paris. XIXe-XXe siècles. Français.
Graveur.
Il figura au Salon des Artistes Français de Paris ; mention honorable en 1908.

TAYE Camille De ou **Taeye**
Né en 1938 à Uccle. XXe siècle. Belge.
Peintre. Tendance pop art, puis surréaliste.
Il fut élève de l'Académie Saint-Luc à Bruxelles où il est devenu professeur. En 1992, la galerie Ipso a exposé un ensemble de ses œuvres.
Dès le début, ses œuvres très colorées mettent en scène un monde étrange. Plus tard, ses peintures associent, à la façon des collages surréalistes, des images qui constituent son vocabulaire personnel : talon aiguille, ciseaux, veste de cuir, cage, etc., dont l'assemblage pose l'énigme d'un rébus.
BIBLIOGR. : In : *Dictionnaire Biographique Illustré des Artistes en Belgique depuis 1830*, Arto, 1987 – Danièle Gillemon : *Camille De Taye*, Bruxelles, 1992.

TAYES Michel. Voir **THAYS**

TAYG Sebastian. Voir **DAYG**

TAYLER. Voir aussi **TAYLOR**

TAYLER Albert Chevallier
Né le 5 avril 1862 à Leytonstone. Mort le 10 décembre 1925 à Londres. XIXe-XXe siècles. Britannique.
Peintre d'histoire, de genre, d'intérieurs, portraits, paysages, marines.
Élève à partir de 1879, de la Slade School de Londres. Il y obtint une bourse de voyage et plusieurs prix. Il vint à Paris et y fut élève de Jean Paul Laurens, pendant un an et de Carolus Duran pendant le même laps de temps. Il exposa fréquemment au Salon de Paris et dans les grandes expositions parisiennes. Membre de la Society of British Artists.
MUSÉES : BIRMINGHAM : *Départ de la flotille de pêche – Boulogne* – LIVERPOOL : *Ecce Agnus Dei*.
VENTES PUBLIQUES : LONDRES, 11 déc. 1909 : *Vigile 1908* : **GBP 4** – LONDRES, 25 juil. 1974 : *Le mois de Marie 1907* : **GNS 250** – LONDRES, 30 mars 1976 : *Intérieur d'une pharmacie de campagne 1884*, h/t (112x169,5) : **GBP 420** – LONDRES, 6 déc. 1977 : *L'arbre de Noël 1911*, h/t (100,5x125,5) : **GBP 2 600** – LONDRES, 3 juil 1979 : *Portrait of Mrs Bell 1918*, h/t (98x69) : **GBP 500** – LONDRES, 22 nov. 1983 : *Dinners and Diners 1902*, h/t (101,5x127) : **GBP 18 000** – LONDRES, 13 nov. 1985 : *Hanging the mistletoe 1887*, h/t (39x27) : **GBP 7 500** – LONDRES, 6 mars 1986 : *A teatime rest 1892*, h/t (59x89,5) : **GBP 25 000** – LONDRES, 2 mars 1989 : *Tendre réveil*, h/t (105x150) : **GBP 13 200** – NEW YORK, 17 jan. 1990 : *Convalescence 1889*, h/t (61x76,3) : **USD 18 700** – LONDRES, 7 juin 1990 : *Calmes moments 1889*, h/t (60x75) : **GBP 12 100** – LONDRES, 5 juin 1992 : *Les sœurs 1905*, h/t (106,2x169) : **GBP 19 800.**

TAYLER Charles Foot
XIXe siècle. Actif à l'Ile de Wight. Britannique.
Miniaturiste et portraitiste.
De 1820 à 1853, il exposa trente-neuf miniatures à la Royal Academy. Le Victoria and Albert Museum de Londres conserve de lui *Portrait d'homme*.

TAYLER E.
XVIIIe-XIXe siècles. Britannique.
Peintre de portraits, miniaturiste.
De 1802 à 1830, il exposa vingt-quatre miniatures à la Royal Academy de Londres. Peut-être à rapprocher de E. Taylor.

TAYLER Edward
Né en 1828 à Orbe. Mort le 14 février 1906 à Londres. XIXe siècle. Britannique.
Peintre de portraits, miniatures, aquarelliste, dessinateur.

Il exposa à Londres de 1849 à 1904 un nombre considérable de miniatures, notamment à la Royal Academy, à Suffolk Street, au Royal Institute, etc.

MUSÉES : NOTTINGHAM : *Portrait de l'artiste – Romola – Portrait en miniature d'une dame.*

VENTES PUBLIQUES : CHESTER, 19 avr. 1985 : *Confidences*, reh. de gche (44,5x56) : **GBP 2 800** – LONDRES, 21 jan. 1986 : *Jeux d'enfants 1868*, aquar. gchée (19x26,5) : **GBP 1 050** – LONDRES, 26 jan. 1987 : *Été*, aquar. reh. de gche, de forme ovale (34x26,5) : **GBP 1 800** – LONDRES, 5 nov. 1993 : *Portrait de jeune fille 1868*, aquar. (45,7x36,8) : **GBP 828.**

TAYLER Frederick ou John Frederick

Né le 30 avril 1802 à Boreham Wood. Mort le 20 juin 1889 à Londres. XIXᵉ siècle. Britannique.

Peintre de scènes de chasse, sujets de genre, portraits, animaux, paysages, peintre à la gouache, aquarelliste, dessinateur, lithographe.

Élève de la Royal Academy de Londres, il étudia ensuite à Paris et en Italie. Il débuta aux Expositions de la Royal Academy en 1830, et continua à se produire dans les diverses expositions londoniennes, jusqu'à la fin de sa vie, à la British Institution, et, à partir de 1865, à la Royal Society of Painters in Water-Colour, où il figurait régulièrement depuis 1834, et dont il devint président en 1858. Il prit également part au Salon des Artistes Français de Paris, en 1855, où il obtint une médaille d'or et y fut fait chevalier de la Légion d'honneur. Les livrets du Salon des Artistes Français le comprennent à tort dans leur liste des peintres étrangers récompensés, comme titulaire d'une médaille d'argent en 1900. Il fut aussi médaillé à Munich en 1859, à Vienne en 1873, et fut créé chevalier de l'ordre de Léopold de Belgique.

Ses aquarelles et des dessins étaient particulièrement remarqués par les amateurs et Ruskin en parla de la façon la plus favorable. On lui doit aussi une suite de lithographies intitulées *Frederick Tayler's Portfolio.*

MUSÉES : BLAENBURN : *Giroflées des Highlands* – LONDRES (Victoria and Albert Mus.) : *Chien chassant la loutre – Chasse au faisan – Bestiaux près d'un étang – L'attente du page – Bestiaux des Highlands – Jeune garçon et chevaux – Bergère écossaise et moutons – Pesant un daim* – MANCHESTER : *Nourrissant les poulets – Chasseurs de la chasse impériale.*

VENTES PUBLIQUES : LONDRES, 13 déc. 1909 : *Ramasseurs de fougères ; Chiens de chasse 1868* : **GBP 13** – LONDRES, 7 mars 1910 : *Retour de la chasse 1875* : **GBP 17** ; *Jour de marché, près de Quimper 1876* : **GBP 16** – LONDRES, 12 mars 1910 : *Accouplant les chiens de chasse* : **GBP 60** ; *Bestiaux dans un bac 1871* : **GBP 46** ; *Chasse au faucon* : **GBP 105** ; *La Fille du garde-chasse* : **GBP 75** ; *La Fille du pêcheur 1866* : **GBP 75** ; *Ramasseur de fougères 1862* : **GBP 35** – LONDRES, 9 avr. 1910 : *Sur la route du marché de Quimper 1880* : **GBP 44** – LONDRES, 13 juin 1910 : *Chasseur et chiens 1851* : **GBP 6** – PARIS, 20-22 mai 1920 : *Spaniels et bécassine*, aquar. : **FRF 320** – LONDRES, 16 juin 1922 : *Dans les Highlands*, dess. : **GBP 26** – LONDRES, 2 fév. 1923 : *Le chant de Gillie*, dess. : **GBP 65** – LONDRES, 24 juin 1927 : *Highland Drowers*, dess. : **GBP 36** – GLASGOW, 23 juin 1936 : *Le seigneur de Beaufort*, dess. : **GBP 40** – LONDRES, 30 mai 1947 : *Hawking party*, dess. : **GBP 23** – LONDRES, 13 nov 1979 : *Scène de chasse*, aquar. et cr. reh. de blanc (30x40,8) : **GBP 480** – LONDRES, 18 mars 1981 : *Cavalier tirant son cheval tombé dans un ruisseau*, aquar./trait de cr. avec reh. de blanc (18,5x27,5) : **GBP 850** – CHESTER, 17 mars 1983 : *Gathering heather* 1880, gchée (46x65,6) : **GBP 680** – PERTH, 27 août 1985 : *Après la chasse*, aquar. et fus. reh. de gche (95x126) : **GBP 2 400** – ÉDIMBOURG, 30 août 1988 : *Les chiens de chasse*, aquar. (46x60) : **GBP 1 155** – GLASGOW, 27 avr. 1989 : *Le jeune porte-carnier 1858*, aquar. et gche (47,5x64,5) : **GBP 3 080** – ÉDIMBOURG, 28 avr. 1992 : *Jeunes paysans chargés de fourrage redescendant dans la vallée avec le troupeau*, aquar. (48x73,5) : **GBP 1 100** – PERTH, 1ᵉʳ sep. 1992 : *Bovins des Highlands*, aquar. avec reh. de blanc (30,5x53) : **GBP 1 045** – LONDRES, 12 mai 1993 : *Partie de chasse 1849*, aquar. et gche (20,5x27) : **GBP 747** – GLASGOW, 1ᵉʳ nov. 1994 : *Le Baron Bradwardine et Waverley à la chasse*, aquar. (30x37) : **GBP 1 725** – PARIS, 25 oct. 1994 : *Le cheval fou*, aquar. (11,5x16,5) : **FRF 4 500** – LONDRES, 29 mars 1996 : *Un bon fusil 1854*, cr. et aquar. avec reh. de blanc (54x74) : **GBP 1 150** – PERTH, 30 août 1996 : *Un porte-carnier dans les Highlands*, aquar. (37x30) : **GBP 2 875.**

TAYLER Harry

XIXᵉ siècle. Actif à Londres. Britannique.

Miniaturiste et portraitiste.

Fils d'Edward Tayler. Il exposa à la Royal Academy à Londres à partir de 1882.

TAYLER Ida

XIXᵉ siècle. Britannique.

Peintre de genre, portraits, paysages, fleurs.

Sœur de Minna Tayler. Elle était active à Londres, où elle exposa de 1885 à 1893.

TAYLER J. M.

XIXᵉ siècle. Actif dans la première moitié du XIXᵉ siècle. Britannique.

Paysagiste.

Il fit ses études à Londres et exposa à Paris en 1837.

TAYLER John Frederick. Voir TAYLER Frederick

TAYLER Minna

XIXᵉ-XXᵉ siècles. Britannique.

Peintre de genre, portraits, paysages, fleurs.

Sœur d'Ida Tayler. Elle exposa à Londres de 1884 à 1905.

TAYLER Norman E.

XIXᵉ siècle. Britannique.

Peintre-aquarelliste.

Il était actif dans la seconde moitié du XIXᵉ siècle.

MUSÉES : LONDRES (Victoria and Albert Mus.) : *Scène de genre.*

TAYLER T.

XIXᵉ siècle. Travaillant vers 1830. Britannique.

Sculpteur-modeleur de cire.

TAYLER William

Né le 8 avril 1808 à Boreham Wood. Mort le 8 mars 1892 à Saint-Leonards. XIXᵉ siècle. Britannique.

Dessinateur de portraits, caricaturiste.

Frère de Frederick T. Il était avocat. Il séjourna longtemps aux Indes et illustra ses mémoires.

TAYLEURE William

XVIIIᵉ siècle. Actif à la fin du XVIIIᵉ siècle. Britannique.

Dessinateur.

Élève de Francis Nicholson.

TAYLOR. Voir aussi TAYLER

TAYLOR

XVIIIᵉ siècle. Américain.

Peintre-miniaturiste.

Il travaillait à Philadelphie en 1760.

TAYLOR Alexander

XVIIIᵉ siècle. Actif à Londres. Britannique.

Miniaturiste et portraitiste.

De 1774 à 1796, il exposa douze miniatures à la Society of Artists et vingt-deux à la Royal Academy.

TAYLOR Alfred

XIXᵉ siècle. Britannique.

Peintre de genre.

Il était actif à Londres où il exposa de 1879 à 1898.

TAYLOR Alfred Henry

Mort en 1868. XIXᵉ siècle. Actif à Londres. Britannique.

Peintre.

Il exposa des portraits et des peintures de genre à partir de 1832.

TAYLOR Anna Heyward

Née le 13 novembre 1879 à Columbia (Caroline du Sud). XXᵉ siècle. Américaine.

Peintre et graveur.

Élève de William Chase, Francis (?) Lathrop, Charles W. (?) Hawthorne. Membre de la Société des Artistes Indépendants.

TAYLOR B.

XIXᵉ siècle. Britannique.

Dessinateur et graveur de portraits.

Il travaillait en 1812.

TAYLOR Berthe Fanning

Née le 30 juillet 1883 à New York. XXᵉ siècle. Américaine.

Peintre, graveur.

Élève de Maurice Denis, Georges Desvallières, René Xavier Prinet, Pierre Henri Vaillant. Expose à la Nationale des Beaux-Arts depuis 1927 ; aux Salons des Indépendants, d'Automne, depuis 1930 ; au Salon des Tuileries depuis 1932. Elle était aussi critique d'art et prononça des conférences au Musée du Louvre et au Musée du Luxembourg.

TAYLOR C. S.

XIXᵉ siècle. Actif dans la première moitié du XIXᵉ siècle. Britannique.

Dessinateur et graveur de portraits.
Il travailla de 1823 à 1827.

TAYLOR Campbell, ou Leonard Campbell
Né le 12 décembre 1874 ou 1879 à Oxford. Mort en 1969.
XIXe-XXe siècles. Britannique.
Peintre de genre, figures, paysages.
Il était établi à Odiham. Membre du Royal Institute of oil Painters. Il prit une part active aux expositions londonniennes, notamment à la Royal Academy. *Voir aussi CAMPBELL-TAYLOR Leonard.*
MUSÉES : BIRKENHEAD : *Le premier-né* – LONDRES (Tate Gal.) : *La répartition* – MANCHESTER : *Battlerdoor* – ROME (Gal. d'Art Mod.) : *Le coucher* – SYDNEY : *Piquet.*
VENTES PUBLIQUES : LONDRES, 30 jan. 1909 : *La pluie* 1906 : GBP 63 – LONDRES, 30 mars 1928 : *Sur la colline* : GBP 78 – LONDRES, 3 août 1945 : *Réminiscences* : GBP 131 – LONDRES, 27 juin 1947 : *Après-midi d'été*, dess. : GBP 57 – LONDRES, 20 mars 1979 : *Réminiscences*, h/pan. (32x23) : GBP 2 200 – LONDRES, 23 mars 1981 : *Le Portfolio*, h/t (28,5x16,5) : GBP 11 500 – LONDRES, 9 nov. 1984 : *Le salon ensoleillé* 1928, h/t (50,8x61) : GBP 4 000 – LONDRES, 7 juin 1985 : *The rain it raineth every day* 1906, h/pan. (35,5x25,2) : GBP 4 500 – LONDRES, 2 mars 1989 : *Village espagnol à flanc de colline*, h/t (60x50) : GBP 1 430 – LONDRES, 13 fév. 1991 : *La pluie de tous les jours* 1906, h/pan. (25,5x37) : GBP 11 550 – LONDRES, 6 nov. 1995 : *Le jongleur*, h/pan. (27x37) : GBP 6 670.

TAYLOR Charles
Né le 1er février 1756 à Shenfield. Mort le 13 novembre 1823 à Halton Garden. XVIIIe-XIXe siècles. Britannique.
Peintre de portraits, graveur, lithographe.
Élève de Bartolozzi. Il a exposé à la Incorporated Society de 1776 à 1782. Il a gravé au burin plusieurs planches d'après Angelica Kauffmann.

TAYLOR Charles, l'Ancien
XIXe siècle. Britannique.
Peintre d'histoire, paysages d'eau, marines, peintre à la gouache, aquarelliste.
Actif à Londres. Il exposa dans cette ville, de 1836 à 1871, dix-sept peintures à la Royal Academy et quatre à Suffolk Street.
VENTES PUBLIQUES : LONDRES, 25 mars 1980 : *Voiliers sur la Tamise* 1866, reh. de gche (26,5x53) : GBP 420 – LONDRES, 26 oct. 1982 : *Bateaux à l'entrée du port de Portsmouth*, aquar. reh. de blanc (52,5x99) : GBP 2 400 – LONDRES, 17 oct. 1984 : *L'arrivée au port*, aquar. reh. de blanc (45,1x90,2) : GBP 1 900 – LONDRES, 23 juil. 1985 : *Voiliers dans la Manche par forte mer*, aquar. (38,3x58,8) : GBP 1 300 – LONDRES, 29 avr. 1986 : *Bateaux au large de la côte*, aquar. et cr. reh. de blanc (37,7x71,5) : GBP 2 600 – LONDRES, 3 mai 1995 : *Au large de Headland*, aquar. (47x71) : GBP 805 – LONDRES, 11 oct. 1995 : *Course de Yachts en vue de la côte à l'approche de l'orage*, aquar. et gche (38x73,5) : GBP 1 035 – LONDRES, 30 mai 1995 : *Yachts du Royal London et du Royal Thames Clubs* 1869, h/pan. (28,5x45,5) : GBP 4 140.

TAYLOR Charles, le Jeune
XIXe siècle. Britannique.
Peintre de paysages d'eau, marines, aquarelliste, dessinateur.
Il exposa à Londres de 1841 à 1883 notamment à la Royal Academy, à la British Institution, à Suffolk Street et à la New Water-Colour Society.
MUSÉES : LE CAP : *Marine.*
VENTES PUBLIQUES : PARIS, 4 déc. 1944 : *Barques échouées*, mine de pb : FRF 420 – LONDRES, 12 oct. 1976 : *Bateaux en mer*, aquar. reh. de blanc (39x76,5) : GBP 280 – LONDRES, 22 sep. 1988 : *Bateau-pilote guidant un voilier hors de S. Foreland*, aquar./pap. (30x47,5) : GBP 605 – LONDRES, 30 mai 1990 : *Un coup de vent inattendu*, aquar. (18x54) : GBP 660 – LONDRES, 22 mai 1991 : *Schooner au large de la côte*, aquar. (35x58,5) : GBP 990 – LONDRES, 7 oct. 1992 : *Voilier prenant le large*, aquar. (31x51,5) : GBP 935 – LONDRES, 11 mai 1994 : *Navigation au large d'une jetée*, aquar. (35x72,5) : GBP 1 092 – LONDRES, 3 mai 1995 : *Navigation par mer houleuse* 1885, aquar. avec reh. de blanc (29x52,5) : GBP 782 – LONDRES, 29 mai 1997 : *Caboteurs dans le Swine ouest ; Le Feu de Maplin dans le lointain* 1879, aquar. reh. de blanc, une paire (chaque 38,5x76) : GBP 2 300.

TAYLOR Charles Jay
Né le 11 août 1855 à New York. XIXe siècle. Américain.
Peintre et illustrateur.
Élève de l'Académie de New York et d'E. Johnson. Il continua ses études à Londres et à Paris.

TAYLOR Charles William
Né le 29 avril 1878 à Wolverhampton. XXe siècle. Britannique.
Peintre-aquarelliste, graveur de scènes de genre, paysages.
Élève du College Royal d'Art à Londres. Il s'établit à Southend-on-Sea.
Il était graveur au burin et sur bois. Il grava des paysages et des scènes de genre.

TAYLOR E.
XIXe siècle. Britannique.
Peintre-miniaturiste.
Il était actif à Londres. En 1825, Il exposa deux miniatures à la Royal Academy.

TAYLOR Edgar J.
Né le 22 août 1862 à Brooklyn (État de New York). XIXe-XXe siècles. Américain.
Peintre et illustrateur.
Élève de l'Académie Nationale de dessin et de l'Art Students' League de New York sous la direction de Carroll Beckwith. Membre de la Société des Artistes Indépendants et de la Ligue Américaine des Artistes Professeurs.

TAYLOR Edward Clough
Né en 1786 à Kirkham Abbey. Mort en 1851. XIXe siècle. Britannique.
Aquafortiste amateur.

TAYLOR Edward R.
Né le 14 juin 1838 à Hanley. Mort le 11 janvier 1911 à Birmingham. XIXe-XXe siècles. Britannique.
Peintre de scènes de genre, paysages animés, paysages, décorateur, céramiste.
Cet artiste, indépendamment du rôle qu'il joua dans l'enseignement artistique en Angleterre, prit une part fréquente aux grandes expositions londonniennes : Royal Academy, British Institution, Suffolk Street, New Water-Colour Society, Grosvenor Gallery, New Gallery, etc., à partir de 1861. À la fondation de la Lincoln School of art, il en fut nommé directeur, poste qu'il abandonna en 1876 pour prendre le même poste à la tête de la Birmingham municipal School of art. Il conserva cette situation jusqu'en 1903.
MUSÉES : BIRMINGHAM : *La Bibliothèque de Birmingham.*
VENTES PUBLIQUES : LONDRES, 27 fév. 1985 : *Portrait de fillette en robe blanche* 1887, craie de coul. (42,5x33,5) : GBP 700 – LONDRES, 2 nov. 1989 : *La cueillette des fleurs des champs* 1887, h/t (68,5x112) : GBP 6 600 – NEW YORK, 22 mai 1990 : *Dames élégantes près d'un bassin*, h/t (112,3x76,8) : USD 8 800 – LONDRES, 11 juin 1993 : *L'étang aux nénuphars à Shudbrook près de Lincoln* 1873, h/t (50,8x76,2) : GBP 5 980 – LONDRES, 4 juin 1997 : *À la recherche de son bateau*, h/t (110x67,5) : GBP 124 700.

TAYLOR Elizabeth
XXe siècle. Américaine.
Peintre de fleurs.
Membre de la Société des Artistes Indépendants.

TAYLOR Emily Heyward Drayton
Née le 14 avril 1860 à Philadelphie (Pennsylvanie). XIXe-XXe siècles. Américaine.
Peintre de portraits, miniaturiste.
Élève de Cécile Ferrère-Guérin à Paris et de l'Académie des Beaux-Arts de Philadelphie. Membre de la Fédération Américaine des Arts. Elle obtint de nombreuses médailles d'or et d'argent, dont une à Londres, en 1900.

TAYLOR Ernest Archibald
Né en 1874. Mort en 1952. XIXe-XXe siècles. Britannique.
Peintre de paysages, aquafortiste, peintre de cartons de vitraux, décorateur.
Cet architecte d'intérieur et décorateur exécuta des vitraux pour les églises de Liverpool, de Manchester et de Pendleton. Il réalisa aussi des gravures et peintures. Il exposa à Glasgow en 1925.
VENTES PUBLIQUES : NEW YORK, 13 juin 1980 : *Étude pour un vitrail Rose leaves for the world*, aquar. et pl. (41x18,4) : USD 1 100 – ÉDIMBOURG, 26 avr. 1990 : *La route de Brodick*, h/t (61x81,3) : GBP 1 540.

TAYLOR Ernest E.
Né en 1863 à Bournemouth. Mort le 31 janvier 1907 à Greenock. XIXe-XXe siècles. Britannique.
Peintre.
Il travailla à Belfast et y exposa de 1890 à 1903.

TAYLOR Frank Walter
Né le 9 mars 1874 à Philadelphie. Mort le 27 juillet 1921 à Philadelphie. xixe-xxe siècles. Américain.
Peintre de genre, figures, nus, aquarelliste, illustrateur.
Il fit ses études à Philadelphie et à Paris. Il était aussi écrivain.
Musées : New York (Metropolitan Mus.) : *Nu féminin* – Pittsburgh : *Le jour des noces.*

TAYLOR Fraser
Né en 1960 à Glasgow. xxe siècle. Britannique.
Peintre.
Il fut élève de l'École des Beaux-Arts de Glasgow, et, jusqu'en 1983, du Royal College of Arts de Londres. Il participe à des expositions collectives aux États-Unis, au Japon, à Madrid, à Paris au Salon Découvertes 1991, 1993. Depuis 1984, la galerie Jill George de Londres lui consacre des expositions personnelles.

TAYLOR Fred
Né le 22 mars 1875 à Londres. Mort en 1963. xxe siècle. Britannique.
Peintre, illustrateur, affichiste.
Musées : Bristol – Liverpool – Toronto.
Ventes Publiques : Londres, 22 fév. 1980 : *Bord de mer* 1921, gche et aquar./cr. gras (61x99) : **GBP 850.**

TAYLOR Frederick B.
Né en 1906 à Ottawa (Ontario). Mort en 1987. xxe siècle. Canadien.
Peintre de paysages urbains, natures mortes, graveur et architecte.
Un des fondateurs de la Federation of Canadian Artists, dont il devint vice-président.
Ventes Publiques : Montréal, 1er mai 1989 : *Nature morte de fruits et légumes sur une table à côté d'une bouteille et d'un pichet* 1979, h/t (46x61) : **CAD 1 000** – Montréal, 19 nov. 1991 : *Rue Belmont à Montréal* 1953, h/t (61x76,2) : **CAD 2 500.**

TAYLOR Gage
Né en 1942 à Fort Worth (Texas). xxe siècle. Américain.
Peintre de paysages.
Taylor vit à San Francisco (Californie). Taylor a exposé à San Francisco en 1970 et 1971, au Pérou et au Chili en 1972. Il a participé, aux États-Unis, à plusieurs expositions collectives ayant pour thème le paysagisme fantastique. Invité à la Biennale de Paris en 1975. Il peint des paysages imaginaires, idylliques, sortes de paradis terrestres, tels que la *Beat Generation* éprise d'écologie a pu la rêver. « Je pense des paysages car la nature vierge est si belle », dit Taylor. Sa peinture, très attrayante, est symptomatique d'un courant qui, après l'art psychédélique, s'est manifesté en Californie et a idéalisé la nature végétale et animale en des lieux de paix profonde.

TAYLOR George Ledwell
Né le 31 mars 1788 à Bromley (?). Mort le 1er mai 1873 à Broadstairs. xixe siècle. Britannique.
Peintre d'architectures, architecte et écrivain d'art.
Élève de Joseph Parkinson. Il exposa à Londres de 1820 à 1822. Le Victoria and Albert Museum à Londres conserve de lui dix-sept *Vues de Rome* et trois *Vues de Tivoli* ainsi que quatre *Vues de l'Acropole d'Athènes.*

TAYLOR Henry Fitch
Né le 15 septembre 1853 à Cincinnati (Ohio). Mort le 10 septembre 1925 à Plainfield. xixe-xxe siècles. Américain.
Peintre.
Il fut élève de l'Académie Julian, à Paris.
Ventes Publiques : New York, 21 juin 1979 : *Souvenir de Normandie* 1888, h/t (50,8x61) : **USD 1 400.**

TAYLOR Henry King
xixe siècle. Britannique.
Peintre de paysages, paysages d'eau, marines.
Il exposa fréquemment entre 1857 et 1869.
Musées : Bristol : *Bateaux de pêche* – Montréal : *Bateaux de pêche en vue de Douvres.*
Ventes Publiques : Londres, 9 mai 1969 : *Bateaux au large de Yarmouth ; Bateaux au large de Calais,* deux pendants : **GNS 950** – Chester, 20 mai 1983 : *Voiliers sous la brise,* h/t (59x89) : **GBP 1 300** – Londres, 12 mars 1985 : *Bateaux de pêche* 1857, h/t (76x122) : **GBP 1 500** – Londres, 20 mai 1992 : *Navigation au large d'un port français,* h/t (61x106) : **GBP 1 980** – Londres, 30 mai 1996 : *Bateaux de pêche français quittant le port,* h/t (76x127) : **GBP 4 600.**

TAYLOR Horace
Né en 1864. Mort le 18 septembre 1921 à Swamp Lake. xixe-xxe siècles. Américain.
Peintre-aquarelliste, illustrateur.
Il travailla à Chicago.

TAYLOR Horace C.
Né le 10 janvier 1881 à Londres. xxe siècle. Britannique.
Peintre de portraits, illustrateur.
Élève des Académies de Londres et de Munich.
Musées : Londres (Victoria and Albert Mus.).

TAYLOR Howard
Né en 1918. xxe siècle. Australien.
Peintre de figures.
Bibliogr. : In : *Creating Australia 200 years of Art 1788-1988,* Art Gallery of South Australia, Adelaïde, 1988.
Musées : Perth (Art Gal. of Western Australia) : *Double Self Portrait* 1949-1950.

TAYLOR Ida C.
Née à Le Roy (État de New York). xixe-xxe siècles. Américaine.
Peintre de portraits.
Elle fut élève de William Morris Hunt et de l'Académie Julian à Paris. Elle fit partie de la Ligue Américaine des Artistes Professeurs et de la Fédération Américaine des Arts.
Elle réalisa les portraits de nombreux membres du clergé.

TAYLOR Isaac, l'Ancien
Né le 13 décembre 1730 à Worcester. Mort le 17 octobre 1807 à Edmonton. xviiie-xixe siècles. Britannique.
Graveur au burin et à l'eau-forte.
Il fut d'abord fondeur en cuivre et orfèvre, puis s'adonna à la gravure, notamment l'illustration. Il fut secrétaire de la Incorporated society of artists et prit part à ses expositions. Le British Museum à Londres conserve de lui trois dessins *Garrick dans le rôle de Tancrède, Garrick en Osmyn* et *L'acteur Shuter.*

TAYLOR Isaac, le Jeune
Né le 30 janvier 1759 à Londres. Mort le 12 décembre 1829 à Oggar. xviiie-xixe siècles. Britannique.
Graveur au burin, aquarelliste et dessinateur.
Fils d'Isaac Taylor l'Ancien et élève de Bartolozzi. Il travailla beaucoup pour Boydell et fournit notamment plusieurs compositions gravées d'après les dessins pour la Bible de ce célèbre éditeur. Taylor abandonna l'art et se retira à la campagne comme ministre dissident. La National Portrait Gallery de Londres conserve de lui *Ann et Jane Taylor, filles de l'artiste* et *Portrait de l'artiste.*
Ventes Publiques : Londres, 25 avr. 1927 : *Femme avec ses deux enfants assis au bord d'une rivière* : **GBP 94.**

TAYLOR Isaac
Né le 17 août 1787 à Lavenham. Mort le 28 juin 1865 à Stanford Rivers. xixe siècle. Britannique.
Illustrateur, graveur au burin, miniaturiste, silhouettiste et écrivain.
Il dessina et grava des illustrations de la Bible.

TAYLOR Isidore Justin Severin, baron
Né le 15 août 1789 à Bruxelles, de parents anglais. Mort le 6 septembre 1879 à Paris. xixe siècle. Naturalisé en France. Britannique.
Dessinateur, graveur, littérateur.
Plutôt fonctionnaire, militaire, économiste, sociologue qu'artiste, le baron Taylor n'en mérite pas moins une place dans cet ouvrage. Ce fut un précieux ami des arts. Il mit à leur service sa remarquable activité, sa rare intelligence. Tous ceux qui de près ou de loin s'intéressent aux artistes lui doivent leur reconnaissance. Après l'École Polytechnique, il fut aide de camp du général d'Orsay, pendant la campagne d'Espagne, en 1823, s'étant fait mettre en disponibilité, il voyagea en Espagne et en Algérie. Nommé commissaire royal près le Théâtre Français, il favorisa les romantiques et leurs œuvres. En 1838, il fut appelé aux fonctions d'inspecteur des Beaux-Arts. Il créa plusieurs sociétés philanthropiques en faveur des artistes et fut un des fondateurs de la Société des gens de lettres. Membre libre de l'Académie des Beaux-Arts. Inspecteur des Musées il fit partie des sénateurs nommés en 1869, par le Ministère libéral. Outre un certain nombre de pièces de théâtre, on lui doit l'admirable publication où collaborèrent les plus beaux peintres lithographes. *Voyages pittoresques et romantiques dans l'ancienne France* (1820-1863). On lui doit encore : *Voyage pittoresque en*

Espagne, en Portugal et sur la côte d'Afrique, de Tanger à Tetouan (1826-1832) : *la Syrie, l'Égypte, la Palestine et la Judée* (1835-1839). En collaboration avec Louis Beybaud il fit encore : *Pèlerinage à Jérusalem* (1841), *Voyage en Suisse, en Italie, en Grèce, en Angleterre, en Allemagne, etc.* (1843) et *Les Pyrénées* (1843). Jusqu'à la fin de sa vie, il prit une part active aux œuvres de solidarité artistique et son influence s'exerça dans un sens très libéral. ■ Geneviève Bénézit

TAYLOR James
Né en 1745 à Worcester. Mort le 21 décembre 1797 à Londres. XVIIIᵉ siècle. Britannique.
Peintre sur porcelaine, illustrateur, graveur.
Frère et élève d'Isaac Taylor l'Ancien qu'il aida pendant de longues années. Anker Smith fut son élève. Il exposa à l'Incorporated Society de 1770 à 1776.

TAYLOR James, major
Né en 1785. Mort en 1829. XIXᵉ siècle. Britannique.
Peintre de paysages animés, paysages, paysages d'eau, aquarelliste, dessinateur.
Capitaine de marine, il séjourna à Sydney à partir de 1817 ; promu Major en 1822, il retourna vivre peu après en Angleterre. Entre 1819 et 1823, il a réalisé une vue panoramique du port Jackson, sur la côte du Sydney. Cette œuvre, composée d'une série de quatre aquarelles, fut par la suite gravée par Robert Havell & Sons. La technique très précise de James Taylor, grâce à laquelle il a su traduire les menus détails de la ville portuaire, le rapproche de la manière de Joseph Lycett.
BIBLIOGR. : In : *Creating Australia 200 years of Art 1788-1988*, Art Gallery of South Australia, Adelaïde, 1988.

TAYLOR James
Né en 1930. XXᵉ siècle. Britannique (?).
Peintre de paysages animés, paysages.
Il semble avoir travaillé en France.
VENTES PUBLIQUES : PARIS, 18 nov. 1994 : *Le hameau*, h/pan. (47x65) : **FRF 4 200** – PARIS, 10 avr. 1995 : *Trains en gare*, h/pan. (90x64) : **FRF 3 800**.

TAYLOR James E.
Né le 12 décembre 1839 à Cincinnati. Mort le 22 juin 1901 à New York. XIXᵉ siècle. Américain.
Peintre et illustrateur.

TAYLOR John
XVIᵉ siècle. Britannique.
Peintre de portraits.
Peintre, peut-être amateur, il travailla à Londres. La National Gallery of Portraits de Londres conserve un *Portrait de Shakespeare*, ayant appartenu à Lord Chandon attribué à John Taylor, qui aurait été le frère de Joseph Taylor, l'acteur qui créa le rôle d'Hamlet. Ce portrait est aussi attribué à l'acteur Burbage.
MUSÉES : LONDRES (Nat. Gal. of Portraits) : *Portrait de Shakespeare*, attr.

TAYLOR John
Né vers 1630 à Oxford. Mort en 1714. XVIIᵉ-XVIIIᵉ siècles. Britannique.
Peintre de portraits, paysages.
On cite de lui le portrait de son oncle, le poète Taylor daté de 1655 et le sien propre.

TAYLOR John
XVIIIᵉ siècle. Britannique.
Peintre de miniatures.
Membre de la Society of Artists, il travailla à Londres. Il exposa, de 1764 à 1786, soixante-neuf tableaux à la Society of Artists, deux à la Free Society et onze à la Royal Academy.

TAYLOR John, dit Taylor of Bath
Né en 1735 à Bath. Mort le 8 novembre 1806 à Bath. XVIIIᵉ siècle. Britannique.
Peintre de scènes de genre, paysages animés, paysages, graveur.
Il fit ses études à Londres. Il peignit des vues d'Italie et des paysages allégoriques. On mentionne de lui des eaux-fortes.
VENTES PUBLIQUES : LONDRES, 23 juin 1972 : *Paysage fluvial avec ruines* : **GNS 1 200** – LONDRES, 25 nov. 1977 : *Matinée de septembre 1793*, h/t (92,7x104,7) : **GBP 850** – LONDRES, 15 juil. 1988 : *Paysage boisé avec une rivière et une abbaye à l'arrière-plan*, h/t (101,6x126,3) : **GBP 17 600** – NEW YORK, 13 oct. 1989 : *Voyageurs dans une charrette couverte* ; *Paysans charriant du bois se reposant sous un arbre*, h/t, une paire (15x19 et 15x19,5) : **USD 5 500**.

TAYLOR John, dit Old Taylor
Né en 1739 à Londres. Mort le 21 novembre 1838 à Londres. XVIIIᵉ-XIXᵉ siècles. Britannique.
Peintre de scènes de genre, portraits, aquarelliste, graveur, dessinateur.
Élève de Francis Hayman. Il s'adonna surtout au professorat, étant maître de dessin. Il exposa à Londres de 1764 à 1838.
Il grava beaucoup à la manière noire.
VENTES PUBLIQUES : PARIS, 19 juin 1950 : *L'enfant au cerceau 1808*, aquar. : **FRF 2 200** – LONDRES, 21 nov. 1984 : *Portrait de jeune fille dessinant 1774*, aquar., forme ovale (19,5x16,5) : **GBP 1 400** – LONDRES, 16 juil. 1987 : *Portrait de Thomas Sedwick Whalley, poète 1771* ; *Portrait d'un gentilhomme 1772*, cr., deux dess. de forme ovale (18x12,5) : **GBP 1 500**.

TAYLOR John D.
XIXᵉ siècle. Britannique.
Peintre de marines et de paysages.
Il exposa à Glasgow de 1884 à 1888.

TAYLOR John W.
Né en 1897. Mort en 1983. XXᵉ siècle. Américain.
Peintre de paysages.
Mention honorable au Jury Carnegie, 1947.
VENTES PUBLIQUES : NEW YORK, 26 sep. 1996 : *Canal à Yamacraw 1941*, h/t (68,6x101,6) : **USD 4 887**.

TAYLOR Joseph
XVIIIᵉ siècle. Travaillant de 1763 à 1780. Britannique.
Graveur d'ex-libris.

TAYLOR Joseph
XIXᵉ siècle. Actif à Oxford, Londres et Manchester de 1847 à 1867. Britannique.
Peintre de paysages et d'architectures.

TAYLOR Joseph H.
XIXᵉ siècle. Actif à Londres dans la première moitié du XIXᵉ siècle. Britannique.
Peintre et architecte.
Il exposa à Londres de 1827 à 1841.

TAYLOR Joshua ou Josiah
XIXᵉ siècle. Actif à Londres de 1846 à 1877. Britannique.
Peintre de genre, de portraits et de marines.
Le Musée de Greenwich conserve de lui plusieurs scènes avec des bateaux.
VENTES PUBLIQUES : LONDRES, 5 août 1983 : *Bateaux au large de la côte 1869*, aquar. (44,5x87,5) : **GBP 1 900** – LONDRES, 5 nov. 1985 : *Fiona, in the Royal Thames Yacht Club Match, June 17th 1868*, litho. en teinte, imprimé en coul. (34,6x60,6) : **GBP 700**.

TAYLOR Julian
XXᵉ siècle. Britannique (?).
Peintre de sujets divers.
À Paris, il expose ses peintures à la galerie 26 de la Place des Vosges.
Prenant pour thèmes paysages, vues de rues de ville, ports, il les traite avec préciosité, comme s'il s'agissait d'objets de natures mortes.

TAYLOR Leonard Campbell. Voir TAYLOR Campbell

TAYLOR Luke
Né le 20 septembre 1876. Mort le 3 juin 1916. XXᵉ siècle. Britannique.
Graveur.
Il était aquafortiste.

TAYLOR Maria, Mrs. Voir SPILSBURY Maria ou Mary

TAYLOR Markus
Né en 1964. XXᵉ siècle. Irlandais.
Sculpteur d'assemblages. Tendance minimaliste.
En 1992 à Londres, la galerie Jay Joplin a montré un ensemble de ses *Abstract Elevations* ; en 1994 à Paris, la galerie Samia Saouma lui a consacré une exposition personnelle.
Ses sculptures, de dimensions respectables, associent des formes primaires de la tradition du minimalisme et des objets manufacturés de formes relativement géométrique, réfrigérateurs, ascenseurs.
MUSÉES : PARIS (FNAC) : *Sans titre (Silver elevator Distortion) 1994*, sculpt. acier.
VENTES PUBLIQUES : LONDRES, 6 déc. 1996 : *Sans titre 1992*, acryl. transparente (84x54x54) : **GBP 4 025**.

TAYLOR Mary Smyth. Voir PERKINS Mary Smith

TAYLOR Meadows ou Philip Meadows
Né le 25 septembre 1808 à Liverpool. Mort le 13 mai 1876 à Mentone. xixᵉ siècle. Britannique.
Peintre et dessinateur amateur et écrivain.
Il peignit des portraits et dessina des vues.

TAYLOR Michael
Né à York. xviiiᵉ-xixᵉ siècles. Travaillant de 1793 à 1835. Britannique.
Sculpteur.
Il sculpta de nombreux tombeaux dans des églises d'York.

TAYLOR P.
xixᵉ siècle. Travaillant en 1819. Britannique.
Médailleur.

TAYLOR Peter ou Patrick
Né en 1756 à Édimbourg. Mort le 20 décembre 1788 à Marseille. xviiiᵉ siècle. Britannique.
Peintre de portraits et de décorations.
Connu surtout comme artiste pour son portrait du poète *Burns* à la Scottish National Gallery of Portraits. Ce fut un des inventeurs des tentures en linoleum et les efforts qu'il fit pour établir une Manufacture de ce produit provoquèrent sa mort prématurée.

TAYLOR Prentiss
xxᵉ siècle. Américain.
Peintre.
Il a figuré aux Expositions internationales de la Fondation Carnegie de Pittsburgh.

TAYLOR R.
xixᵉ-xxᵉ siècles. Actif à Londres de 1870 à 1900. Britannique.
Graveur sur bois.

TAYLOR Ralph
Né le 18 janvier 1896 en Russie. xxᵉ siècle. Américain.
Peintre de compositions animées.
Élève de l'Académie des Beaux-Arts de Philadelphie. Membre de la Ligue Américaine des Artistes Professeurs. Plusieurs de ses œuvres figurent à l'Académie des Beaux-Arts de Philadelphie.

TAYLOR Ray
xxᵉ siècle. Britannique.
Peintre.
Membre du Manchester Group, fondé en 1946.

TAYLOR Richard
xviiiᵉ siècle. Britannique.
Peintre de genre, portraits, paysages.
Il travaillait à Londres de 1743 à 1796.

TAYLOR Richard
xxᵉ siècle. Américain.
Peintre. Surréaliste.
A figuré à la Fondation Carnegie de Pittsburgh.

TAYLOR Robert, l'Ancien
Mort en 1744. xviiiᵉ siècle. Britannique.
Sculpteur de monuments, ornemaniste.
Il est le père de Robert Taylor le Jeune.
Il travailla à Londres et sculpta des tombeaux et des ornements d'architecture.

TAYLOR Robert, le Jeune
Né en 1714. Mort le 28 septembre 1788 à Londres. xviiiᵉ siècle. Britannique.
Sculpteur de monuments, ornemaniste.
Fils de Robert Taylor l'Ancien, il fut élève de sir Henry Cheere. Comme son père, il sculpta des tombeaux et des éléments ornementaux d'architectures.

TAYLOR Rolla S.
Née à Galveston (Texas). xxᵉ siècle. Américaine.
Peintre.
Élève de José Arpa y Perea, sans doute à San Antonio et de A. W. Best, sans doute à San Francisco. Membre de la Fédération Américaine des Arts.

TAYLOR S.
xixᵉ siècle. Actif dans la première moitié du xixᵉ siècle. Britannique.
Miniaturiste.
Il exposa à Londres de 1837 à 1839 et en 1849.

TAYLOR Samuel
xviiiᵉ siècle. Travaillant en 1736. Britannique.
Graveur à la manière noire.
Il grava des portraits.

TAYLOR Simon
Mort en 1772. xviiiᵉ siècle. Britannique.
Aquarelliste, dessinateur de fleurs et fruits.
Il travailla surtout pour le docteur Fothergill et la collection qu'il produisit pour cet amateur fut vendue à l'impératrice de Russie. Il fit aussi un grand nombre de dessins et d'aquarelles pour lord Bute et privilégia les sujets d'ordre botanique.
VENTES PUBLIQUES : HADSPEN, 31 mai 1996 : *Pivoine*, aquar. (44,5x29) : **GBP 1 150.**

TAYLOR Stephen
xixᵉ siècle. Britannique.
Peintre de scènes de chasse, portraits, animaux.
Il travailla à Winchester, à Oxford et à Londres, dans la première moitié du xixᵉ siècle.
VENTES PUBLIQUES : GLASGOW, 30 nov. 1976 : *Perdrix dans un paysage* 1818, h/t (63x74) : **GBP 330** – LONDRES, 21 nov 1979 : *Après la chasse* 1825, h/t (41,5x57) : **GBP 2 300** – LONDRES, 31 juil. 1981 : *Chiots jouant* 1828, h/t, une paire (44,5x58,5) : **GBP 1 200** – NEW YORK, 10 juin 1983 : *Renard dans un paysage boisé* 1830, h/t (36,8x50,8) : **USD 7 500** – LONDRES, 16 mai 1990 : *Nature morte de poissons avec des harengs, un homard et une sole* 1833, h/t (43,5x59) : **GBP 1 320.**

TAYLOR T.
xviiiᵉ-xixᵉ siècles. Travaillant à Londres de 1792 à 1811. Britannique.
Peintre d'architectures et de paysages.
Le British Museum à Londres conserve de lui *Vue de Malmesbury*, *La maison d'Oliver Cromwell* et *Clerkenwell House à Londres*.

TAYLOR Thomas
xviiiᵉ siècle. Travaillant à Londres de 1760 à 1790. Britannique.
Graveur au burin.
Il travailla beaucoup pour Boydell.

TAYLOR Thomas
xixᵉ siècle. Actif à Paris. Français.
Graveur au burin.
Il exposa une vue de Paris en 1848.

TAYLOR Thomas
Né le 4 mars 1844 à Paris. xixᵉ siècle. Français.
Peintre de genre, paysagiste et graveur.
Élève de Gleyre et de Gérôme, il entra à l'école des Beaux-Arts le 13 mars 1863 et exposa au Salon de 1865 à 1881.
VENTES PUBLIQUES : LONDRES, 16 mars 1979 : *Famille chinoise sur une terrasse* 1865, h/t (95,2x127,7) : **GBP 2 200.**

TAYLOR Tom
xixᵉ siècle. Travaillant à Londres de 1883 à 1898. Britannique.
Peintre de genre.

TAYLOR W. James
xixᵉ siècle. Travaillant dans la première moitié du xixᵉ siècle. Britannique.
Graveur.

TAYLOR W. John
xviiiᵉ-xixᵉ siècles. Actif à Londres de 1790 à 1810. Britannique.
Graveur.
Il a gravé d'après A. Both, W. Sharp ; A. Cuyp ; P. Potter ; Ward, etc.

TAYLOR Walter
Né le 16 février 1860 à Leeds. Mort le 15 juin 1943 à Londres. xixᵉ-xxᵉ siècles. Britannique.
Peintre, aquarelliste.
Il reçut une éducation privée, due à une santé déficiente, puis il commença des études d'architecture, mais fit un voyage à Paris et se consacra à la peinture. Il voyagea dans le sud de la France et en Italie, quelquefois en compagnie de Sickert. Il vécut principalement à Londres et à Brighton. Il collectionna les tableaux de peintres français et anglais, tels que Matisse, Bonnard, Vuillard, Dufy, Matthew Smith, Spencer et Gerther. Il fut membre fondateur du London Group en 1913. Il fit sa première exposition particulière en 1911.
MUSÉES : LONDRES (Tate Gal.) : *Boodle's Club* 1914.

TAYLOR Weld
xixᵉ siècle. Actif à Londres. Britannique.
Peintre, dessinateur de portraits et lithographe.

Élève de la Royal Academy de Londres où il exposa de 1836 à 1852. Il exécuta les portraits de plusieurs acteurs et actrices anglais.

TAYLOR Will S.
XXᵉ siècle. Américain.
Peintre de compositions animées, scènes typiques, peintre de décorations murales.
Membre du Salmagundi Club.
Il est l'auteur des seize panneaux retraçant la vie des Indiens en Alaska et Colombie Anglaise, qui figurent au Musée d'Histoire Naturelle de New York.
MUSÉES : NEW YORK (Mus. d'Hist. Nat.) : seize panneaux retraçant la vie des Indiens.

TAYLOR William
Né en 1693. XVIIIᵉ siècle. Britannique.
Graveur.
Père d'Isaac Taylor l'Ancien. Il travailla à Worcester et grava surtout des ex-libris.

TAYLOR William
XVIIIᵉ siècle. Britannique.
Peintre sur porcelaine, doreur.
Actif dans la seconde moitié du XVIIIᵉ siècle. Il travailla à la Manufacture de porcelaine de Derby vers 1787.

TAYLOR William
XIXᵉ siècle. Britannique.
Peintre de portraits, paysages, natures mortes.
Il travailla à Londres de 1812 à 1859.

TAYLOR William
XXᵉ siècle. Américain (?).
Sculpteur animalier.
VENTES PUBLIQUES : NEW YORK, 6 nov. 1990 : *Oiseau* 1961, sculpt. de pierre/base de bois (27,9x26,7x19,1) : USD 770.

TAYLOR William Benjamin Sarsfield
Né en 1781 à Dublin. Mort le 23 décembre 1850 à Londres.
XIXᵉ siècle. Irlandais.
Peintre de paysages et de batailles, aquafortiste et écrivain d'art.
D'abord soldat, il se consacra à l'art et exposa sans grand succès, à la Royal Academy et à la British Institution de 1820 à 1847. Il a aussi écrit des ouvrages de critique d'art.

TAYLOR William Deane
Né en 1794 en Angleterre. Mort en 1857. XIXᵉ siècle. Britannique.
Graveur au burin.
On cite de lui, notamment *Portrait de Wellington* d'après sir T. Lawrence (au British Museum à Londres), *Sunrice* d'après H. Howars (1833), *Sunday* d'après W. Collins (1837). Il obtint une grande réputation.

TAYLOR William F., Mrs. Voir PERKINS Mary Smyth

TAYLOR William Francis
Né le 26 mars 1883 à Hamilton (Ontario). XXᵉ siècle. Actif aux États-Unis. Canadien.
Peintre et illustrateur.
Élève de William Langsar Lathrop et d'Albert Edward Sterner sans doute dans son atelier de New York. Membre du Salmagundi Club où il obtint une mention honorable en 1924.

TAYLOR William George
XIXᵉ siècle. Actif à Londres dans la seconde moitié du XIXᵉ siècle. Britannique.
Peintre verrier.
Il exécuta des vitraux pour la cathédrale Saint-Paul de Londres et celle de Salisbury.

TAYLOR William Joseph
Né en 1802 à Birmingham. Mort en mars 1885 à Londres.
XIXᵉ siècle. Britannique.
Médailleur.
Il travailla longtemps en Australie et grava des médailles commémoratives.

TAYLOR William Ladd
Né le 10 décembre 1854 à Grafton (Massachusetts). Mort le 26 décembre 1926. XIXᵉ-XXᵉ siècles. Américain.
Peintre, aquarelliste, illustrateur.
Il fut élève de l'École des Beaux-Arts de Boston, de l'Art Students' League de New York ; il continua ses études à Paris, élève de Gustave Boulanger et Jules Lefebvre. Il s'établit à Wellesley.

Dans la presse, il a collaboré au *Ladie's Home Journal*. Il illustra des œuvres religieuses et historiques : en 1906 *Suite de psaumes* ; 1908 *Votre maison et votre pays* ; 1910 *Tableaux de la littérature américaine* ; 1925 la *Bible* ; ainsi que les *Poésies* de Longfellow ; une suite de *Chants d'autrefois*.
Peintre, dans un style très réaliste, étonnamment à la limite du photographique, il rendait compte de scènes de la vie quotidienne de l'époque, plutôt dans les milieux aisés.
BIBLIOGR. : Marcus Osterwalder, in : *Dictionnaire des Illustrateurs 1800-1914*, Ides et Calendes, Neuchâtel, 1989.

TAYLOR Zachary
XVIIᵉ siècle. Travaillant à Londres dans la première moitié du XVIIᵉ siècle. Britannique.
Sculpteur.
Il était attaché à la maison de Charles Iᵉʳ d'Angleterre comme surveillant et sculpteur. Il fut employé à la sculpture des marbres décorant la grande porte de l'ancienne cathédrale de Saint-Paul, lors de sa restauration par Issigo John.

TAYLOR-WOOD Sam
Né en 1967 à Londres. XXᵉ siècle. Britannique.
Artiste, créateur d'installations, vidéaste.
Il vit et travaille à Londres.
Il participe à des expositions de groupe, dont : 1995, Biennale de Venise, 1996, *Life/Live. La scène artistique au Royaume-Uni en 1996* au Musée d'Art Moderne de la Ville de Paris. Il expose personnellement depuis 1994, principalement à Londres.
Lors de l'exposition *Life/Live* au Musée d'Art Moderne de la Ville de Paris, il avait exposé une photographie, sorte de montage en très grand angle, représentant une pièce d'un appartement où se distribuaient plusieurs scènes avec des personnages. Une bande sonore semblait illustrer de propos parfois véhéments cette réalisation visuelle.

TAYMANS Louis Joseph
Né le 18 octobre 1826 à Bruxelles. Mort le 16 juillet 1877 à Ixelles (Brabant). XIXᵉ siècle. Belge.
Peintre de scènes de genre, figures, portraits.
Il fut élève de l'Académie des Beaux-Arts de Bruxelles.
Dans l'église de Gheluwe on conserve de lui un *Saint Denis*.
BIBLIOGR. : In : *Diction. Biogr. illustré des Artistes en Belgique depuis 1830*, Arto, Bruxelles, 1987.
VENTES PUBLIQUES : AMSTERDAM, 11 sep. 1990 : *Rêverie d'une jeune couturière* 1862, h/t (56,3x45,5) : NLG 1 495.

TAYOU Pascale Marthine
Né en 1967. XXᵉ siècle. Camerounais.
Créateur d'installations, dessinateur.
Il vit et travaille à Yaoundé, et à Douala lors de projets avec l'association Doual'Art. Il a figuré à diverses expositions collectives, dont : 1994 Biennale de Kwangju, Corée ; 1994, 1995 Setegaya Art Museum, Japon ; 1995 Goethe Institute, Berlin ; 1996 Museum Van Hedendaagse Kunst, Gand ; Galerie Civique d'Art Moderne et Contemporain de Turin ; 1997 Museum de Maastricht, Bonnefanten ; exposition *Suites Africaines* au couvent des Cordeliers, Paris. Il a exposé personnellement à la Biennale des Arts de Dakar en 1996. Il utilise des objets de rebut récupérés dans les poubelles de la société et crée des installations où il rejette à l'extrême les effets de la personnalisation de l'œuvre, de même qu'il nie radicalement toute personnalité d'artiste quelle qu'elle soit. ■ S. D.

TAYS Peter. Voir THYS

TAYTAUD Alphonse
Né à Lubersac (Corrèze). XIXᵉ siècle. Français.
Peintre d'histoire et de paysages.
Élève de Picot en 1843. Le Musée de Poitiers conserve de lui : *Nymphes au bain*.

TAZBIROWNA Agnieska
Née le 21 juin 1958 à Varsovie. XXᵉ siècle. Polonaise.
Peintre. Abstrait.
Elle étudie sous la direction du professeur L. Maciag à l'Académie des Beaux Arts de Varsovie et obtient son diplôme avec la mention « excellent » en 1986. Elle a de nombreuses expositions personnelles tant sur le plan intérieur qu'à l'étranger : Suède, Angleterre, Japon, Allemagne, États-Unis. et France.

TAZON Josef
XVIIᵉ siècle. Actif à Madrid en 1673. Espagnol.
Sculpteur.

TAZON Jusepe

XVIIᵉ siècle. Actif à Séville dans la première moitié du XVIIᵉ siècle. Espagnol.

Peintre.

Il collabora aux retables des églises Notre-Dame d'Utrera et Notre-Dame de Cortegana.

TAZZINI Louis Léon François

Né à Paris. XIXᵉ siècle. Travaillant de 1840 à 1870. Français.

Graveur.

Élève de M. A. Bethalte. Il débuta au Salon de 1870.

TCH. Pour les patronymes commençant par ces lettres, voir aussi **CH, SCH, SH, TSCH**

TCH'A CHE-PEAO. Voir **CHA SHIBIAO**

TCHACHNIK Ilia Grigorievitch

Né le 25 juin 1902 à Lioutsin (Lettonie-orientale), ou à Vitebsk. Mort le 4 mars 1929 à Leningrad (Saint-Pétersbourg). XXᵉ siècle. Letton-Russe.

Peintre, décorateur. Abstrait, tendance géométrique, suprématiste.

Il passa son enfance à Vitebsk. De 1917 à 1919, il y fut élève en art de Youri (ou Lehuda) Pen. En 1919, il fit un séjour à Moscou et tenta de s'inscrire à la faculté d'architecture du 2ᵉ Svomas ; d'autres sources indiquent qu'il y suivit les cours des ateliers populaires Vhutemas. Revenu à Vitebsk, il fut élève de l'Institut d'Art dirigé par Marc Chagall, puis, dans l'hiver 1919-1920, peut-être jusqu'en 1922, par Kasimir Malevitch. Il se forme alors le groupe Posnovis, avec Chagall, El Lissitzky, Malevitch et Tchachnik. En 1920, Tchachnik devient membre du groupe Unovis, dont il écrit l'éditorial du premier almanach. Il collabore aux publications de l'Unovis, et publie la modeste revue *Aero*. Malevitch et lui tentèrent de publier une revue suprématiste. En 1922 à Vitebsk, Unovis fut interdit par les instances du parti. À la fin de l'année 1922, Tchachnik alla à Pétrograd, avec Malevitch, et entra avec lui comme décorateur à la manufacture de céramique ou porcelaine *Leningrasky*, en accord avec les directives du programme productiviste. En 1923, il devint collaborateur scientifique à l'Institut de Culture Artistique, qui s'appela ensuite le Ghinkhuk, où, à partir de 1924, il fut assistant de Malevitch dans ses recherches sur l'intégration architecturale de l'art, collaboration qui se poursuivit, de 1927 à 1929, à l'Institut d'Histoire de l'Art. Dans ces mêmes années, Tchachnik dirigeait des cercles d'artistes-ouvriers. En 1929, il mourait des suites d'une opération en principe bénigne.

Il participait à des expositions collectives : avec le groupe Unovis, en 1920 et 1921 à Vitebsk, en 1920, 1921 et 1922 à Moscou. En 1923 à Pétrograd, il participait, avec ses œuvres suprématistes aux expositions toutes tendances confondues. En 1925 à Paris, avec des céramiques, il participa à l'Exposition des Arts Décoratifs ; en 1926 à Leningrad, avec Nikolaï Souïetine, à l'exposition *Affiche et Publicité après Octobre*. En 1992 à Cologne, il était représenté à l'exposition *Malevitch, Souïétine, Tchachnik*, galerie Gmurzynska ; en 1995 à Paris, il était représenté à l'exposition *Malevitch, Tchachnik, Souïétine – Dessins suprématistes*, galerie Pierre Brullé. En 1920, Tchachnik participa à la décoration pour la célébration du 1ᵉʳ Mai de Vitebsk. Il élabora un projet de tribune pour Smolensk. Acquis au suprématisme, il créait alors des peintures en conformité avec les principes de Malevitch : *Croix suprématiste* de 1923, *Suprématisme* de 1924-1925, cette dernière œuvre témoignant de la répercussion de ses expérimentations architecturales. De 1925 à 1927, ses activités se diversifièrent, toujours dans le domaine de la décoration fonctionnelle, architecture, décor de céramique, publicité. En 1928, il travaillait à un projet de décoration des stands de l'Académie des Sciences à l'Exposition de la Presse à Cologne ; il participait à la décoration de la Maison de la Culture de Wyborg à Leningrad, ainsi que de maisons ouvrières.

Le cas de Tchachnik est très caractéristique de la collaboration qui s'établit dans les années vingt en U.R.S.S., peut-être sous la pression de la censure officielle contre les expressions d'avant-garde et en tout cas sous le couvert du productivisme, entre le suprématisme et les arts décoratifs et architecturaux.

■ Jacques Busse

BIBLIOGR. : Wassili Rakitin : *Le monde comme suprématisme*, in : Catalogue de l'exposition *Malevitch, Souïétine, Tchachnik*, galerie Gmurzynska, Cologne, 1992 – in : *L'Art du XXᵉ siècle*, Larousse, Paris, 1992.

MUSÉES : MOSCOU (Gal. Tretiakov) : *Suprématisme* 1924-25.

VENTES PUBLIQUES : LA VARENNE-SAINT-HILAIRE, 10 mai 1987 : *Relief suprématiste* vers 1925-1927, gche, étude (19x14,5) : FRF 88 500.

TCHAI KI-TCH'ANG. Voir **ZHAI JICHANG**

TCHAIKOV Iossif Moisseevitch, ou Joseph

Né en 1888 à Kiev. Mort en 1986. XXᵉ siècle. Russe-Ukrainien.

Sculpteur, graveur, illustrateur. Constructiviste, puis réaliste-socialiste.

À Paris de 1910 à 1914, il fut élève dans l'atelier du sculpteur russe Naoum Aronson, ainsi qu'à l'École des Arts Décoratifs, puis, en 1912-1913, à l'École des Beaux-Arts. Après la guerre de 1914-1918, il revint à Kiev, où il connut El Lissitzky et Alexander Exter. En 1922, il séjourna à Berlin. À partir de 1923, il s'établit à Moscou. En 1926, il fut membre et à partir de 1929 président de l'Association des Sculpteurs Russes. Il connut une carrière officielle heureuse.

En 1913 à Paris, il exposait au Salon d'Automne ; en 1922-1923 à Berlin, aux expositions des jeunes peintres ; en 1920, 1921, 1924 à 1931 à Moscou, aux Vhutemas et aux Vhutein ; ainsi qu'aux expositions internationales en 1925 de Paris et, à Berlin, à la première exposition russe de la galerie Van Diemen ; en 1927 de Milan et, en 1928, 1930 de Venise. Il exposa fréquemment hors de Russie jusqu'à sa mort.

Pendant son séjour à Paris, il reçut l'influence de Rodin, puis celles des Archipenko, Lipchitz, Picasso. Il fonda alors la revue *Makhmadim*, qui eut cinq numéros, par laquelle il développait la recherche d'une alliance du patrimoine juif à l'art universel. À son retour à Kiev, il était très actif dans le milieu artistique, enseignant la sculpture dans les ateliers populaires des Vhutemas, publiant un ouvrage sur la sculpture, illustrant de nombreux livres en yiddish, surtout des livres pour enfants. Sur des thèmes illustrant le travail, le sport, le cirque, il appliqua longtemps une plastique purement constructiviste. Autour de 1930, il se rallia aux directives du réalisme-socialiste. ■ J. B.

BIBLIOGR. : In : Catalogue de l'exposition *Paris-Moscou*, Centre Georges Pompidou, Paris, 1979 – in : *Diction. de l'Art Mod. et Contemp.*, Hazan, Paris, 1992.

MUSÉES : MOSCOU (min. de la Culture) : *Le forgeron* 1927.

TCHAI TA-K'OUEN. Voir **ZHAI DAKUN**

TCH'AI TCHEN. Voir **CHAI ZHEN**

TCH'A KI-TSO. Voir **CHA JIZUO**

TCHAN-FOU. Voir **ZHANFU**

TCHANG AN-TCHE. Voir **ZHANG ANZHI**

TCHANG CHAN-TSEU. Voir **ZHANG SHANZI**

TCHANG CHAO-KIEOU. Voir **ZHANG SHAOJIU**

TCHANG CHEN. Voir **ZHANG SHEN**

TCHANG CHENG. Voir **ZHANG SHENG**

TCHANG CHENG-WEN. Voir **ZHANG SHENGWEN**

TCHANG CHEOU-TCHONG. Voir **ZHANG SHOUZHONG**

TCHANG CHE-TCHANG. Voir **ZHANG SHIZHANG**

TCHANG CHOU-CH'I. Voir **ZHANG SHUQI**

TCHANG CHOUEN-TSEU. Voir **ZHANG SHUNZI**

TCH'ANG CHOU-HONG. Voir **CHANG SHUHONG**

TCHANG FANG-JOU. Voir **ZHANG FANGRU**

TCHANG FENG. Voir **ZHANG FENG**

TCHANG FOU. Voir **ZHANG FU**

TCHANG HAO. Voir **ZHANG HAO**

TCHANG HIA. Voir **ZHANG XIA**

TCHANG HIONG. Voir **ZHANG XIONG**

TCHANG HIUN-LI. Voir **ZHANG DUNLI**

TCHANG HO. Voir **ZHANG HE**

TCHANG HONG. Voir **ZHANG HONG**

TCHANG HONG-WEI. Voir **ZHANG HONGWEI**

TCHANG HOUEI. Voir **ZHANG HUI**

TCHANG HSIUE-TSENG. Voir **ZHANG XUEZENG**

TCHANG HSIUN. Voir **ZHANG XUN**

TCHANG I. Voir **ZHANG YI**

TCHANG JEN-CHAN. Voir **ZHANG RENSHAN**

TCHANG JO-NGAI. Voir **ZHANG RUOAI**

TCHANG JO-TCH'ENG. Voir **ZHANG RUOCHENG**

TCHANG JOUEI-T'OU. Voir **ZHANG RUITU**

TCHANG K'AI-KI. Voir **ZHANG KAIJI**

TCHANG K'AN. Voir **ZHANG KAN**

TCHANG KENG. Voir **ZHANG GENG**

TCHANG K'I-TSOU. Voir **ZHANG QIZU**

TCHANG K'ONG-SOUEN. Voir **ZHANG KONGSUN**

TCHANG KOU. Voir **ZHANG GU**

TCHANG KOUANG-YU. Voir **ZHANG GUANGYU**

TCHANG K'OUEN-I. Voir **ZHANG KUNYI**

TCHANG KOU-TCH'OU. Voir **ZHANG GUCHU**

TCHANG LING. Voir **ZHANG LING**

TCHANG LI-YING. Voir **ZHANG LIYING**

TCHANG LONG-TCHONG. Voir **ZHANG LONGZHANG**

TCHANG LO-P'ING. Voir **ZHANG LEPING**

TCHANG LOU. Voir **ZHANG LU**

TCHANG MAO. Voir **ZHANG MAO**

TCHANG MENG-K'OUEI. Voir **ZHANG MENGKUI**

TCHANG MOU. Voir **ZHANG MU**

TCHANG NAI-KI. Voir **ZHANG NAIJI**

TCHANG NING. Voir **ZHANG NING**

TCHANG P'EI-TOUEN. Voir **ZHANG PEIDUN**

TCHANG P'ENG-TCH'ONG. Voir **ZHANG PENGCHONG**

TCHANG P'IN MAI
XVIIe siècle. Actif pendant la dynastie des Qing. Chinois.
Peintre.
Des *Canards sauvages* de cet artiste figuraient dans la collection Langweil.

TCHANG SENG-YEOU. Voir **ZHANG SENGYOU**

TCHANG SENG-YU. Voir **ZHANG SENGYOU**

TCHANG SIN. Voir **ZHANG XIN**

TCHANG SI-NGAI. Voir **ZHANG XIAI**

TCHANG SIUAN. Voir **ZHANG XUAN**

TCHANG SOU. Voir **ZHANG SU**

TCHANG SSEU-KONG. Voir **ZHANG SIGONG**

TCHANG TAO-WOU. Voir **ZHANG DAOWU**

TCHANG TA-TS'IEN. Voir **ZHANG DAQIAN**

TCHANG TCHAO. Voir **ZHANG ZHAO**

TCHANG TCH'ENG-LONG. Voir **ZHANG CHENGLONG**

TCHANG TCHO. Voir **ZHANG ZHUO**

TCHANG TCH'ONG. Voir **ZHANG CHONG**

TCHANG TCHONG. Voir **ZHANG CHONG**

TCHANG TCH'ONG-JEN. Voir **ZHANG CHONGREN**

TCHANG T'IEN-K'I. Voir **ZHANG TIANQI**

TCHANG T'ING-TSI. Voir **ZHANG TINGJI**

TCHANG T'ING-YEN. Voir **ZHANG TINGYAN**

TCHANG TONG. Voir **ZHANG DONG**

TCHANG TOUEN-LI. Voir **ZHANG DUNLI**

TCHANG TS'AI. Voir **ZHANG CAI**

TCHANG TS'EU-NING. Voir **ZHANG CINING**

TCHANG TSEU-WEN. Voir **ZHANG ZIWEN**

TCHANG TSEU-YU. Voir **ZHANG ZIYU**

TCHANG TSE-YU. Voir **ZHANG ZIYU**

TCHANG TSING-YING. Voir **ZHANG JINGYING**

TCHANG TSO. Voir **ZHANG ZE**

TCHANG-TSONG. Voir **ZHANGZONG JIN**

TCHANG TSONG-TS'ANG. Voir **ZHANG ZONGCANG**

TCHANG TSÖ-TCHE. Voir **ZHANG ZEZHI**

TCHANG TSÖ-TOUAN. Voir **ZHANG ZEDUAN**

TCHANG WEN-T'AO. Voir **ZHANG WENTAO**

TCHANG WOU. Voir **ZHANG WO**

TCHANG YANG-HI. Voir **ZHANG YANGXI**

TCHANG YEN. Voir **ZHANG YAN**

TCHANG YEN-FOU. Voir **ZHANG YANFU**

TCHANG YEN-TCH'ANG. Voir **ZHANG YANCHANG**

TCHANG YEN-YUAN. Voir **ZHANG YANYUAN**

TCHANG YEOU. Voir **ZHANG YOU**

TCHANG YIN. Voir **ZHANG YIN**

TCH'ANG-YING. Voir **CHANGYING**

TCHANG-YU. Voir **ZHANG YU**

TCHANG YÜAN. Voir **ZHANG YUAN**

TCHANG YUAN-CHE. Voir **ZHANG YUANSHI**

TCHANG YUAN-TSIU. Voir **ZHANG YUANJU**

TCHANG YUE-GOUANG. Voir **ZHANG YUGUANG**

TCHANG YUE-HOU. Voir **ZHANG YUEHU**

TCHANG YU-SEN. Voir **ZHANG YUSEN**

TCHANG YU-SSEU. Voir **ZHANG YUSI**

TCHANG YU-TS'AI. Voir **ZHANG YUCAI**

TCHAN HO. Voir **ZHAN HE**

TCHAN KING-FENG. Voir **ZHAN JINGFEN**

TCHAN TSEU-K'IEN. Voir **ZHAN ZIQIAN**

TCHAO CHAO-ANG. Voir **ZHAO SHAOANG**

TCHAO CHE-LEI. Voir **ZHAO SHILEI**

TCHAO CHE-TCH'EN. Voir **ZHAO SHICHEN**

TCHAO CHOU-JOU. Voir **ZHAO SHURU**

TCH'AO CHOUO-TCHE. Voir **CHAO SHUOZHI**

TCHAO FOU. Voir **ZHAO FU**

TCHAO HI-KOU. Voir **ZHAO XIGU**

TCHAO HI-YUAN. Voir **ZHAO XIYUAN**

TCHAO-I. Voir **ZHAOYI**

TCHAO-JAN FONG. Voir **FENG CHAORAN**

TCHAO JOU-YIN. Voir **ZHAO RUYIN**

TCHAO KAN. Voir **ZHAO GAN**

TCHAO KIU. Voir **ZHAO JU**

TCHAO K'O-HIONG. Voir **ZHAO KEXIONG**

TCHAO KONG-FU. Voir **ZHAO GONGYU**

TCHAO KOUANG-FOU. Voir **ZHAO GUANGFU**

TCH'AO-K'OUEI. Voir **CHAOKUI**

TCHAO K'OUEI. Voir **ZHAO KUI**

TCHAO LIN. Voir **ZHAO LIN**

TCHAO LING-JANG. Voir **ZHAO LINGRANG**

TCHAO LING-KIUN. Voir **ZHAO LINGJUN**

TCHAO LING-SONG. Voir **ZHAO LINGSONG**

TCHAO MENG-KIEN. Voir **ZHAO MENGJIAN**

TCHAO MING-CHAN. Voir **ZHAO MINGSHAN**

TCHAO MONG-FOU. Voir **ZHAO MENGFU**

TCHAO MONG-YU. Voir **ZHAO MENGYU**

TCHAO PEI. Voir **ZHAO BEI**

TCHAO PING-TCH'ONG. Voir **ZHAO BINGHONG**

TCHAO PO-KIU. Voir **ZHAO BOJU**

TCHAO PO-SOU. Voir **ZHAO BOSU**

TCH'AO POU-TCHE. Voir **CHAO BUZHI**

TCHAO SIUN. Voir **ZHAO XUN**

TCHAO TA-HENG. Voir **ZHAO DAHENG**

TCHAO TCH'ANG. Voir **ZHAO CHANG**

TCHAO TCHE-K'IEN. Voir **ZHAO ZHIQIAN**

TCHAO TCH'ENG. Voir **ZHAO CHENG**

TCHAO TCHE-TCH'EN. Voir **ZHAO ZHICHEN**

TCHAO TCHO. Voir **ZHAO ZHE**

TCHAO TCHONG. Voir **ZHAO ZHONG**

TCHAO TSO. Voir **ZHAO ZUO**

TCHAO TSONG-HAN. Voir **ZHAO ZONGHAN**

TCHAO TSOUO. Voir **ZHAO ZUO**

TCHAO WANG-YUN. Voir **ZHAO WANGYUN**

TCH'AO WOU-KI. Voir **ZAO WOU KI**

TCHAO YEN. Voir **ZHAO YAN**

TCHAO YONG. Voir **ZHAO YONG**

TCHAO YUAN. Voir **ZHAO YUAN**

TCH'A P'OU. Voir **CHA PU**

TCHASSOVSKIKH Vadim
Né en 1960 à Lipetsk. xxᵉ siècle. Russe.
Peintre de compositions.
Il fit ses études à l'Institut Sourikov de Moscou dans la classe de Salakhov. Il vit et travaille à moscou.
Ventes Publiques : Paris, 17 nov. 1990 : *Grand Diptyque* 1988, h/t (260x190) : **FRF 5 000**.

TCHEBAKOV Nikita
Né en 1914. Mort en 1968. xxᵉ siècle. Russe.
Peintre de compositions animées.
Il fut élève de l'École des Beaux-Arts de Moscou (V.G.I.K.). Il travailla sous la direction de L. Piminov. Il eut le titre de Peintre émérite d'URSS.
Ventes Publiques : Paris, 13 avr. 1992 : *Le journal illustré* 1946, h/t (49x70) : **FRF 10 000**.

TCHEDRINE Silvestr Fédosséevitch
Né en 1791. Mort en 1830. xixᵉ siècle. Russe.
Peintre de paysages, paysages urbains, paysages d'eau.
De toute évidence, il a surtout vécu et peint en Italie.
Musées : Moscou (Roumianzeff) : *Castel Saint-Ange à Rome – Clair de lune à Naples – Terrasse au bord de la mer – Vue de Sorrente – Une terrasse – Vue de Rome – Près du golfe de Naples –* Moscou (Gal. Tretiakov) : *Ponto del Rosso, à Naples – L'artiste – Cascade à Tivoli – La vieille Rome – Terrasse tapissée de vigne – Petit port à Sorrente – La grotte à Sorrente – Grand port à Sorrente – Clair de lune – La véranda –* deux études – Saint-Pétersbourg (Mus. Russe) : *Environs de Naples – Amalfi –* deux vues de Rome – *Tivoli – Le lac Nemi – Sorrente*.

TCHE-FOU TCHEN. Voir CHEN ZHIFU

TCHEKHONINE Serguéi Vassiliévitch
Né en 1878 à Likochino (région de Kalinine), ou à Novgorod. Mort en 1936 à Lörrach (Allemagne). xxᵉ siècle. Depuis 1928 actif en France. Russe.
Peintre de portraits, graveur, aquarelliste, illustrateur, miniaturiste, peintre de décors de théâtre.
En 1896-1897, il fut élève de l'École de Dessin pour l'Encouragement des Arts à Saint-Pétersbourg ; de 1897 à 1900 de Répine à l'École de Tenicheva. Il fut membre du groupe du Monde de l'Art. En 1904, il travailla à l'atelier de poterie d'Abramtsevo ; de 1913 à 1917, il dirigea une école de dessin sur émail à Rostov-Jaroslavsky ; de 1918 à 1923 et de 1925 à 1927, il dirigea l'usine de porcelaine de Leningrad. À partir de 1928, il se fixa à Paris.
Expose en 1912 avec le groupe du Monde de l'Art ; à Leipzig en 1913-1914, à l'Exposition Internationale d'Art Graphique et du Livre ; à New York en 1923 ; à l'Exposition des Arts décoratifs en 1925 à Paris, où il reçoit une médaille d'or ; au Salon d'Automne, à Paris, en 1928 ; à Berlin ; au Danemark et en Yougoslavie. En 1928 à Paris, il fit une exposition personnelle de ses œuvres.
Entre autres ouvrages illustrés par cet artiste : *Œuvres*, de Tolstoï ; *Œuvres* de Dostoïevski ; *Œuvres*, de Pouchkine ; *Œuvres*, de Lermontov. Il a exécuté des décors pour le théâtre Artistique de Moscou et pour le Théâtre des Champs-Élysées à Paris.
Bibliogr. : In : Catalogue de l'exposition *Paris-Moscou*, Centre Georges Pompidou, Paris, 1979.
Ventes Publiques : Londres, 13 mars 1980 : *Costume de danseuse espagnole* 1926, aquar. et pl. (28,5x20,5) : **GBP 380**.

TCHEKO-POTOCKA Alexandra
Née le 18 mai 1893 à Zaporojie (Ukraine). xxᵉ siècle. Russe-Ukrainienne.
Peintre, décorateur.
Elle exposait à Paris, aux Salons des Indépendants, d'Automne, des Tuileries et à Milan.
Musées : Saint-Pétersbourg (Mus. des Porcelaines).

TCHEKRYGUINE Vassili Nicolaiévitch ou Tschekrygin
Né en 1897 à Jizdra ou Shisdra (région de Kalouga). Mort en 1922 à Moscou. xxᵉ siècle. Russe.
Peintre, dessinateur.
De 1906 à 1910, il fut élève de l'École de l'Art de l'Icône, au monastère de Kiev-Petchersky ; de 1910 à 1913, de l'Institut de Peinture, Sculpture et Architecture de Moscou. En 1913-1914, il fit des voyages d'études à Munich, Londres et à Paris. De 1921 à 1926, il fut membre-fondateur du groupe *Makovets*.
Il participa à des expositions collectives, notamment à Paris ; en 1922, il fit une exposition personnelle à Moscou.
Bibliogr. : In : Catalogue de l'exposition *Paris-Moscou*, Centre Georges Pompidou, Paris, 1979.
Musées : Moscou (Gal. Tretiakov) – Saint-Pétersbourg (Mus. Russe) : *Composition à la lumière céleste 1921 – Composition 1921-1922 – Le destin 1922*.

TCHELEBONOVIC
Né vers 1900. xxᵉ siècle. Yougoslave.
Peintre.
Dans les années trente, il était remarqué au nombre des artistes qui pratiquaient un néoréalisme, distinct de l'académisme officiel, sans atteindre non plus à la revendication sociale des réalistes influencés par la « Neue Sachlichkeit » (Nouvelle Objectivité), Otto Dix ou Georg Grosz.
Bibliogr. : In : Catalogue de l'exposition *L'art en Yougoslavie de la Préhistoire à nos jours*, Gal. du Grand Palais, Paris, 1971.

TCHELIC
Né vers 1920. xxᵉ siècle. Yougoslave.
Peintre. Abstrait-paysagiste.
Il fait partie des peintres yougoslaves qui aboutirent, après la seconde guerre mondiale, à un paysagisme abstrait, par des processus de sublimation analytique et poétique de la réalité.
Bibliogr. : In : Catalogue de l'exposition *L'art yougoslave de la Préhistoire à nos jours*, Gal. Nat. du Grand Palais, Paris, 1971.

TCHE-LIEOU SIE. Voir XIE ZHILIU

TCHELITCHEW Pavel, ou Paul ou Tchelitchew
Né le 21 septembre 1898 à Kaluga, près Moscou. Mort en 1957 à Frascati (Italie). xxᵉ siècle. Depuis 1923 actif en France, de 1934 à 1945 aux États-Unis. Russe.
Peintre de figures, nus, portraits, paysages, natures mortes, fleurs et fruits, technique mixte, peintre à la gouache, aquarelliste, pastelliste, décorateur de théâtre, illustrateur.
Il n'eut aucun maître, sauf à avoir reçu les conseils d'Alexander Exter qui était professeur à l'École des Beaux-Arts de Kiev. En 1920-1921, il travailla un an à Istanbul, puis gagna Berlin, où, jusqu'en 1923, il fut décorateur de plusieurs théâtres. Périodiquement, il venait à Paris pour travailler avec les Ballets russes de Diaghilev. Il s'établit en France en 1923, après avoir voyagé aussi en Autriche et Bulgarie. À Paris, bien qu'ami de René Crevel, duquel il a illustré : *L'esprit contre la raison*, il ne fit pas partie du groupe surréaliste. En 1934, il vint pour la première fois aux États-Unis pour préparer son exposition de New York. L'année suivante, il travailla pour l'American Ballet de George Balanchine. À cette époque, il décida de s'établir aux États-Unis et prit la nationalité américaine. Pendant la guerre de 1939-1945, il se rapprocha des artistes du groupe surréaliste qui y étaient aussi exilés.
À Paris, il participa à des expositions collectives : 1925 au Salon d'Automne ; 1926, galerie Druet. En 1928 à Londres, il fit sa première exposition personnelle, galerie Claridge ; d'autres suivirent : 1929 Paris, galerie Pierre (Loeb) ; 1934 New York, Julian Levy Gallery. En 1966 à Paris, la galerie Weill organisa une exposition *Hommage à Tchelitchew 1898-1957*. En 1976 à Londres, le Alpine Club organisa l'exposition de ses dessins de décors de théâtre 1919-1923.
À Paris, Gertrude Stein s'intéressa à son travail. Il travailla pour les Ballets russes de Diaghilev, notamment en 1928 pour *Ode* de Nabokov-Massine, plus tard en 1938 pour les Ballets de Monte-Carlo. Jusqu'à son exil aux États-Unis, il semble que sa peinture ne se démarquait guère de ce certain brillant facile qui caractérisait l'École de Paris d'alors. À New York, de 1936 à 1938, il travailla à son œuvre la plus importante, *Phenomena*, prenant pour modèles ses amis de la société new-yorkaise. Il est rapporté que sa peinture *Cache-cache* de 1940-1942, était la plus populaire du

Museum of Modern Art de New York, avant l'arrivée de *Guernica*. Son art, matérialisant des formes indéterminées, viscérales et plutôt fantastiques, situées dans des perspectives étranges, angoissantes dans leurs profondeurs, s'orienta de plus en plus vers le surréalisme et sa technique minutieuse et lisse, surréalisme d'images plus que d'esprit. Les documents disponibles ne donnent plus d'informations après 1945. De toute façon, il est clair qu'il est mieux connu aux États-Unis qu'en France. ■ J. B.

P. Tchelitchew.

BIBLIOGR. : Maurice Raynal, in : *Anthologie de la peinture en France de 1906 à nos jours*, Montaigne, Paris, 1927 – Lincoln Kirstein : *Pavel Tchelitchew drawings*, H. Bittner, New York, 1947 – René Huyghe, in : *Les Contemporains*, Tisné, Paris, 1949 – in : Catalogue de l'exposition *Hommage à Tchelitchew 1898-1957*, Paris, galerie Weill, 1966 – in : *Diction. Univers. de la Peint.*, Le Robert, Paris, 1975 – in : Catalogue de l'exposition *Paris-Moscou*, Centre Georges Pompidou, Paris, 1979 – in : *Diction. de l'Art Mod. et Contemp.*, Hazan, Paris, 1992.
MUSÉES : BOSTON – GRENOBLE (Mus. des Beaux-Arts) – LONDRES (Inst. d'Art Courtauld) : *Nature morte avec des poires* – NEW YORK (Mus. d'Art Mod.) : *Cache-cache 1940-1942* – PHILADELPHIE.
VENTES PUBLIQUES : PARIS, 27 nov. 1926 : *Étude de femme*, gche : **FRF 700** – PARIS, 27 fév. 1928 : *Hommage à Cézanne*, gche : **FRF 900** – PARIS, 14 juin 1929 : *Compotier de fruits* : **FRF 1 060** – NEW YORK, 26-27 jan. 1944 : *Clown*, gche : **USD 350** – NEW YORK, 1er mai 1946 : *Fish Gawl* : **USD 450** – PARIS, 29 jan. 1947 : *Buste de femme* : **FRF 800** – LONDRES, 5 juil. 1962 : *Dos nu* : **GBP 450** – NEW YORK, 21 nov. 1963 : *Tête de jeune garçon*, past. : **USD 950** – NEW YORK, les 20-27 avr. 1966 : *Toréador dans la forêt*, gche : **USD 3 250** – PARIS, avec trois poires : **USD 4 000** – NEW YORK, 13 déc. 1967 : *Le joueur de tennis*, gche : **USD 3 750** – LONDRES, 6 déc. 1968 : *Autoportrait* : **GNS 1 600** – NEW YORK, 17 déc. 1969 : *La forêt enchantée*, aquar. et gche : **USD 3 000** – LONDRES, 30 nov. 1972 : *L'acrobate nu* : **GBP 2 000** – LONDRES, 28 mars 1973 : *Toréador*, gche : **GBP 2 000** – LONDRES, 6 juil. 1973 : *Main en relief*, techn. mixte avec sable : **GNS 850** – LONDRES, 5 déc. 1974 : *Trois acrobates*, gche et sable : **GBP 850** – *Nu s'exerçant* 1926, h. et sable : **GBP 1 900** – NEW YORK, 27 fév. 1976 : *Paysage surréaliste*, aquar. (35,3x28) : **USD 1 400** – NEW YORK, 28 mai 1976 : *Tête*, h/t (64,8x50,2) : **USD 5 500** – NEW YORK, 21 oct. 1977 : *The childhood of Orson* 1940, h/t (72x59) : **USD 15 000** – NEW YORK, 18 mai 1978 : *Les dahlias de Guermantes* 1927, aquar./pap. (64,5x49,5) : **USD 1 200** – LONDRES, 6 juin 1979 : *Portrait de Serge Lifar* 1931, pl. et lav. (25,5x21) : **GBP 2 700** – LONDRES, 5 juil. 1979 : *Le clown bleu* 1929, aquar. et gche (68,5x48) : **GBP 1 600** – HAMBOURG, 6 juin 1980 : *Main en relief* 1928, h. et techn. mixte/t. (45,4x36,3) : **DEM 23 000** – NEW YORK, 5 nov. 1982 : *Les acrobates*, pl. (41,5x25,5) : **USD 1 800** – NEW YORK, 23 juin 1982 : *Clown endormi et chien* 1929, h/t (50x61) : **USD 4 500** – NEW YORK, 19 mai 1983 : *Paysage intérieur aux spirales avec cheveux* 1952, craies coul./pap. bleu (50x32,2) : **USD 8 500** – NEW YORK, 17 nov. 1983 : *Clown couché* 1930, gche (40,5x80) : **USD 17 000** – NEW YORK, 17 mai 1984 : *Théâtre français* 1931, h/t (101,5x75) : **USD 13 000** – NEW YORK, 18 oct. 1985 : *Homme couché* 1931, encre de Chine (17x26,6) : **USD 3 700** – LONDRES, 27 sep. 1985 : *Nature morte aux œufs et coupe*, h/t, en grisaille (36,8x44,5) : **GBP 3 600** – NEW YORK, 15 mai 1986 : *Portrait de Gertrude Stein* 1931, pl., pinceau et encre sépia (45x27,5) : **USD 8 000** – LONDRES, 2 déc. 1987 : *Spirales et cheveux* 1952, craies coul./pap. bleu (50x32,2) : **GBP 5 000** – LONDRES, 6 oct. 1988 : *Croquis de costume pour Savonarole* 1922, gche et peint. rehaut. (49,5x35) : **GBP 5 500** – NEW YORK, 6 oct. 1988 : *Le berger* 1930, h/t (100x73) : **USD 17 600** ; *Études de nu masculin*, poinçon (50x31) : **USD 3 850** ; *Trois générations réunies* 1933, h/t. (75x105) : **USD 14 300** – LONDRES, 22 fév. 1989 : *Vase de fleurs* 1927, h/t (73,5x54) : **GBP 4 400** – LONDRES, 20 oct. 1989 : *Les amants*, h. sable et café/t. (99,5x59,7) : **GBP 4 180** – PARIS, 21 nov. 1989 : *Costume de théâtre L'Oiseau bleu*, aquar. (28x21) : **FRF 11 000** – NEW YORK, 21 fév. 1990 : *À l'Opéra* 1929, h/t (53,9x81,4) : **USD 14 300** – NEW YORK, 26 fév. 1990 : *Toréador* 1934, gche/cart. (73,6x102,5) : **USD 34 100** – LONDRES, 26 juin 1990 : *Portrait de Ruth Ford* 1937, h/t (100x73,8) : **GBP 30 800** – LONDRES, 16 oct. 1991 : *Portrait (recto)* ; *Nu (verso)*, encre, aquar. et gche (33,2x24) : **GBP 6 050** – NEW YORK, 7 nov. 1991 : *Les artistes de cirque* 1932, encre et lav./pap. (26x21) : **USD 3 300** – LONDRES, 25 mars 1992 : *Portrait d'un spahi tenant un éventail* 1931, h/t (100,5x81) : **GBP 12 100** – NEW YORK, 9 mai 1992 : *Nature morte de poires*, h/t (64,6x54) :

USD 17 600 – LONDRES, 15 oct. 1992 : *Crâne – paysage intérieur* 1946, craies de coul. et encre (35x25) : **GBP 2 970** – NEW YORK, 11 nov. 1992 : *Crâne* 1944, gche/pap./cart. (35,6x27,9) : **USD 6 050** – NEW YORK, 30 juin 1993 : *Portrait d'un danseur* 1931, lav. sépia/pap. (30,5x20,3) : **USD 2 300** – LONDRES, 13 oct. 1993 : *Portrait d'un Pierrot*, h. et sable/t. (90x72) : **GBP 7 475** – PARIS, 4 mars 1994 : *Dessin pour Vogue*, past. (40x55) : **FRF 5 500** – NEW YORK, 9 mai 1994 : *Femme en rouge*, gche/pap./cart. (50x40,5) : **USD 3 450** – LONDRES, 26 oct. 1994 : *Le collier de roses* 1931, h/cart. (74,5x53) : **GBP 43 300** – PARIS, 14 juin 1995 : *Jeune homme assis*, h. et sable/t. (73x49,5) : **FRF 37 000** – LONDRES, 25 oct. 1995 : *Tête d'or* 1947, h/t, de la série Paysages intérieurs (64x46) : **GBP 21 850** – LONDRES, 23 oct. 1996 : *Tête élémentaire* 1944, brosse, encre et past. reh. de blanc (35x28) : **GBP 5 750** – NEW YORK, 10 oct. 1996 : *Nature morte à la main plâtrée*, h/t (81,3x60,3) : **USD 7 475** – LONDRES, 19 mars 1997 : *Excelsior* 1934, h/t (81x116) : **GBP 26 450** ; *Étude pour Cache-cache* 1934, pl. et brosse et encre brune/pap. (29,7x38,7) : **GBP 1 150** – PARIS, 19 oct. 1997 : *Le Soleil* 1945, temp./cart. (60,5x76) : **FRF 26 000**.

TCHÉMERSKY Gligor. Voir **CEMERSKI**

TCHEMESOFF Levyraf Petrovitch ou **Tchemessoff**
Né en 1737 à Saint-Pétersbourg. Mort le 30 août 1765 à Saint-Pétersbourg. XVIIIe siècle. Russe.
Graveur au burin et peintre.
Élève de G. F. Schmidt. Il a gravé des portraits. La Galerie Tretiakov, à Moscou, conserve de lui : *Portrait de Catherine II en deuil*.

TCH'EN CHAN. Voir **CHEN SHAN**

TCH'EN CHAO-YING. Voir **CHEN SHAOYING**

TCH'EN CHE-WEN. Voir **CHEN SHIWEN**

TCH'EN CHOU. Voir **CHEN SHU**

TCH'EN CHOUEN. Voir **CHEN SHUN**

TCH'EN CHOU-JEN. Voir **CHEN SHUREN**

TCHENG CHE. Voir **ZHENG SHI**

TCHENG HI. Voir **ZHENG XI**

TCH'ENG-I. Voir **CHENGYI**

TCH'ENG K'I. Voir **CHENG QI**

TCH'ENG KI. Voir **CHENG JI**

TCHENG KI. Voir **ZHENG JI**

TCH'ENG KIA-SOUEI. Voir **CHENG JIASUI**

TCHENG K'IEN. Voir **ZHENG QIAN**

TCHENG K'O. Voir **ZHENG KE**

TCHENG LEI-TS'IUAN. Voir **ZHENG LEIQUAN**

TCHENG MIN. Voir **ZHENG MIN**

TCH'ENG MING. Voir **CHENG MING**

TCH'ENG PAN-K'IAO. Voir **ZHENG XIE**

TCHENG SENG YEOU. Voir **ZHANG SENGYOU**

TCH'ENG SIE. Voir **ZHENG XIE**

TCH'ENG SOUEI. Voir **CHENG SUI**

TCH'ENG SSEU-HIAO. Voir **ZHENG SIXIAO**

TCH'ENG TCHENG-K'OUEI. Voir **CHENG ZHENGKUI**

TCHENG TCHE-YEN. Voir **ZHENG ZHIYAN**

TCHENG TCHONG. Voir **ZHENG ZHONG**

TCHENG TIEN-SIEN. Voir **ZHENG DIANXIAN**

TCHENG T'IE-YAI. Voir **ZHENG TIEYAI**

TCH'ENG T'ING-LOU. Voir **CHENG TINGLU**

TCHENG TSE-FOU
Né en Chine. XXe siècle. Chinois.
Peintre. Traditionnel.
Il a présenté *Aigle blanc sur Fleurs de Mei* à l'Exposition Internationale d'Art moderne ouverte en 1946 à Paris, au Musée d'Art Moderne, par l'Organisation des Nations Unies.

TCH'ENG TSENG-HOUANG. Voir **CHENG ZENG-HUANG**

TCHENG WOU-TCH'ANG. Voir **ZHENG WUCHANG**

TCHENG YAO-NIEN. Voir **ZHENG YAONIAN**

TCH'ENG YUN. Voir **CHENG YUN**

TCH'EN HAO. Voir **CHEN HAO**

TCH'EN HENG-KO. Voir **CHEN HENGKE**

TCH'EN HIEN. Voir **CHEN XIAN**

TCH'EN HIEN-TCHANG. Voir **CHEN XIANZHANG**

TCH'EN HONG. Voir **CHEN HONG**

TCH'EN HONG-CHEOU. Voir **CHEN HONGSHOU**

TCH'EN HOUAN. Voir **CHEN HUAN**

TCH'EN HOUEI. Voir **CHEN HUI**

TCH'EN I. Voir **CHEN YI**

TCH'EN JONG. Voir **CHEN RONG**

TCH'EN JOU-YEN. Voir **CHEN RUYAN**

TCH'EN KIA-YEN. Voir **CHEN JIAYAN**

TCH'EN KI-JOU. Voir **CHEN JIRU**

TCH-EN K'I-K'OUAN. Voir **CHEN QIKUAN**

TCH'EN K'O. Voir **CHEN KE**

TCH'EN KOUA. Voir **CHEN GUA**

TCH'EN K'OUEN. Voir **CHEN KUN**

TCH'EN KU-TCHONG. Voir **CHEN JUZHONG**

TCH'EN LI-CHAN. Voir **CHEN LISHAN**

TCH'EN LIEN. Voir **CHEN LIAN**

TCH'EN LIN. Voir **CHEN LIN**

TCH'EN LO. Voir **CHEN LUO**

TCH'EN LOU. Voir **CHEN LU**

TCH'EN MAN. Voir **CHEN MAN**

TCH'EN MEI. Voir **CHEN MEI**

TCH'EN MIN. Voir **CHEN MIN**

TCH'EN NIEN. Voir **CHEN NIAN**

TCH'EN SIEN-TCHANG. Voir **CHEN XIANZHANG**

TCH'EN SING. Voir **CHEN XING**

TCH'EN SONG. Voir **CHEN SONG**

TCH'EN TAN-TCHOUANG. Voir **CHEN DANCHONG**

TCH'EN TAO-FOU. Voir **CHEN DAOFU**

TCH'EN TCHE. Voir **CHEN ZHI**

TCH'EN TCHE-FOU. Voir **CHEN ZHIFO**

TCH'EN TCHEN. Voir **CHEN ZHEN**

TCH'EN TCHENG. Voir **CHEN ZHENG**

TCH'EN TCHEN-HOUEI. Voir **CHEN ZHENHUI**

TCH'EN TCHONG-JEN. Voir **CHEN ZHONGREN**

TCH'EN TCHOUAN. Voir **CHEN ZHUAN**

TCH'EN TING. Voir **CHEN DING**

TCHEN TING-CHE. Voir **SHEN DINGSHI**

TCH-EN T'ONG. Voir **CHEN TONG**

TCH'EN TSEU. Voir **CHEN ZI**

TCH'EN TSEU-HO. Voir **CHEN ZIHE**

TCH'EN TSIEN-JOU. Voir **CHEN JIANRU**

TCH'EN TS'IEOU-TS'AO. Voir **CHEN QIUCAO**

TCH'EN TS'ING. Voir **CHEN QING**

TCH'EN TS'ING-PO. Voir **CHEN QINGBO**

TCH'EN-TSO. Voir **CHEN ZI**

TCH'EN TSONG-HIUN. Voir **CHEN ZONGXUN**

TCH'EN TSONG-JOUEI. Voir **CHEN ZONGRUI**

TCH'EN TSOUEN. Voir **CHEN ZUN**

TCH'EN WEN-HI. Voir **CHEN WENXI**

TCH'EN YO. Voir **CHEN YUE**

TCH'EN YONG. Voir **CHEN RONG**

TCH'EN YONG-TCHE. Voir **CHEN YONGZHI**

TCH'EN YU. Voir **CHEN YU**

TCH'EN YUAN. Voir **CHEN YUAN**

TCH'EN YUAN-SOU. Voir **CHEN YUANSU**

TCHEOU CHANG-WEN. Voir **ZHOU SHANGWEN**

TCHEOU CHAO-YUAN. Voir **ZHOU SHAOYUAN**

TCHEOU CHEN-T'AI. Voir **ZHOU SHENTAI**

TCHEOU CHE-TCH'EN. Voir **ZHOU SHICHEN**

TCHEOU FAN. Voir **ZHOU FAN**

TCHEOU FANG. Voir **ZHOU FANG**

TCHEOU HAO. Voir **ZHOU HAO**

TCHEOU HI. Voir **ZHOU XI**

TCHEOU-HIEN WANG. Voir **ZHOUXIAN WANG**

TCHEOU HING-T'ONG. Voir **ZHOU XINGTONG**

TCHEOU HOUAI-MIN. Voir **ZHOU HUAIMIN**

TCHEOU I. Voir **ZHOU YI**

TCHEOU I-FENG. Voir **ZHOU YIFENG**

TCHEOU JI-JOU. Voir **ZHOU JIRU**

TCHEOU K'AI. Voir **ZHOU KAI**

TCHEOU K'ING-TING. Voir **ZHOU QINGDING**

TCHEOU KI-TCH'ANG. Voir **ZHOU JICHANG**

TCHEOU KOU. Voir **ZHOU GU**

TCHEOU KOUAN. Voir **ZHOU GUAN**

TCHEOU KOUEI. Voir **ZHOU GUI**

TCHEOU LEANG-KONG. Voir **ZHOU LIANGGONG**

TCHEOU LI. Voir **ZHOU LI**

TCHEOU LONG. Voir **ZHOU LONG**

TCHEOU LOUEN. Voir **ZHOU LUN**

TCHEOU NAI. Voir **ZHOU NAI**

TCHEOU PA. Voir **ZHOU BA**

TCHEOU SIANG. Voir **ZHOU XIANG**

TCHEOU SIEN. Voir **ZHOU XIAN**

TCHEOU SIN. Voir **ZHOU XIN**

TCHEOU SIUN. Voir **ZHOU XUN**

TCHEOU TCHE. Voir **ZHOU ZHI**

TCHEOU TCHE-K'OUEI. Voir **ZHOU ZHIKUI**

TCHEOU TCHE-MIEN. Voir **ZHOU ZHIMIAN**

TCHEOU TCH'EN. Voir **ZHOU CHEN**

TCHEOU T'IEN-TS'IEOU. Voir **ZHOU TIANQIU**

TCHEOU TONG-K'ING. Voir **ZHOU DONGQING**

TCHEOU TS'IEN-TS'IOU. Voir **ZHOU QIANQIU**

TCHEOU TS'IUAN. Voir **ZHOU QUAN**

TCHEOU TSONG-LIEN. Voir **ZHOU ZONGLIAN**

TCHEOU TS'OUEN-PO. Voir **ZHOU CUNBO**

TCHEOU WEI. Voir **ZHOU WEI**

TCHEOU WEN-KING. Voir **ZHOU WENJING**

TCHEOU WEN-KIU. Voir **ZHOU WENJU**

TCHEOU YONG. Voir **ZHOU YONG**

TCHEOU YUAN. Voir **ZHOU YUAN**

TCHEOU YUAN-LEANG. Voir **ZHOU YUANLIANG**

TCHEPIKOVA Tatiana
Née en 1948. XXᵉ siècle. Russe.
Peintre de natures mortes, fleurs.
Elle fut élève de l'Académie des Beaux-Arts de Leningrad, de l'Institut Répine. Elle participe à de nombreuses expositions à Leningrad et sur le plan national.
Elle met une technique sommaire au service de thèmes aimables.
Ventes Publiques : Paris, 18 fév. 1991 : *Nature morte aux cerises*, h/t (48x40) : FRF 4 500.

TCHERBATOFF
XIXᵉ siècle. Russe.
Peintre de portraits.
Musées : Moscou (Mus. Roumianzeff) : *Portrait du comte D.-N. Blondoff*, collection Dachkoff.

TCHEREMNYKH Mikhail Mikhailovitch
Né en 1890 à Tomsk. Mort en 1962 à Moscou. XXᵉ siècle. Russe.

Peintre, dessinateur, illustrateur.
De 1911 à 1917, il fut élève de Konstantin Korovine et Serguei Malioutine à l'Institut de Peinture, Sculpture, Architecture de Moscou. Il fut membre de l'Académie des Arts d'URSS.
À partir de 1919, il créa une forme originale d'œuvres plastiques à fins de propagande, les *Fenêtres de la Satire Rosta*, Rosta étant l'Agence télégraphique russe. Il produisit ces *Fenêtres* jusqu'en 1922. En 1922, il fut l'organisateur de la célèbre revue satirique *Krokodil* dont il fut un collaborateur permanent. Il collabora aussi à des journaux politiques (*La Pauvreté, Le Communard*) et à des revues satiriques.
Bɪʙʟɪᴏɢʀ. : In : Catalogue de l'exposition *Paris-Moscou*, Centre Georges Pompidou, Paris, 1979.

TCHERHASSOFF Nicolaï Sergiévitch ou Tscherkassoff
Né en 1819. Mort en 1891. xɪxᵉ siècle. Russe.
Peintre d'architectures et aquarelliste.
La Galerie Tretiakov, à Moscou, conserve de lui : *Dans la cathédrale de l'Assomption à Moscou.*

TCHERKESSOF Georges
Né en 1900 à Saint-Pétersbourg. Mort en 1943 à Paris. xxᵉ siècle. Depuis 1925 actif en France. Russe.
Peintre de paysages, paysages urbains, illustrateur, peintre de décors de théâtre.
Il fut élève de l'Académie des Beaux-Arts de Saint-Pétersbourg, il commença sa carrière par l'illustration et le décor de théâtre. Fixé à Paris depuis 1925, il se fit connaître par des xylographies illustrant Stendhal, Henri de Régnier, Giraudoux, Shakespeare, et par des envois de paysages aux Salons d'Automne, des Tuileries, des Indépendants. De 1930 à 1940, il peignit surtout en Provence, dont il a tiré également des gravures à l'aquatinte. De 1940 à 1943, il exécuta une remarquable série de paysages de la banlieue parisienne, transcrivant les divers moments des saisons. Sa technique de gouache est également très particulière.
Mᴜsᴇ́ᴇs : Lᴀ Hᴀʏᴇ – Lᴏɴᴅʀᴇs (British Mus.) – Pʀᴀɢᴜᴇ (Gal. Nat.).

TCHERLOFF P. E.
Né en 1865. xɪxᵉ-xxᵉ siècles. Russe.
Peintre de genre, de portraits.
Mᴜsᴇ́ᴇs : Mᴏsᴄᴏᴜ (Roumianzeff) : *Le prince M. A. Dondock-Korsakoff – Perspective de la Néva par un temps pluvieux* – Mᴏsᴄᴏᴜ (Gal. Tretiakov) : *Le marché du xxᵉ siècle.*

TCHERMAK
Né au xɪxᵉ siècle en Bohême. xɪxᵉ siècle. Tchécoslovaque.
Peintre.
On considère ce maître comme l'un des révélateurs de l'esprit moderne reçu des exemples français.

TCHERNIAWSKY Charles
Né à Bobroïsk (Russie). xxᵉ siècle. Russe.
Peintre de scènes animées, paysages, marines, graveur.
Exposait à Paris, aux Salons des Indépendants, d'Automne, des Tuileries.
Vᴇɴᴛᴇs Pᴜʙʟɪǫᴜᴇs : Pᴀʀɪs, 12 déc. 1946 : *Marine* : FRF 8 000 – Pᴀʀɪs, 16 avr. 1989 : *Le cirque*, h/t (73x92) : FRF 12 000 – Pᴀʀɪs, 8 avr. 1990 : *Jardin d'enfants*, h/t (91x73) : FRF 25 000 – Pᴀʀɪs, 14 avr. 1991 : *Les baigneuses – hommage à François Quelvée*, h/t (50x73) : FRF 9 000.

TCHERNICHEFF Alexeï Filipovitch ou Tschernyscheff
Né en 1827. Mort le 7 mai 1863. xɪxᵉ siècle. Russe.
Peintre de genre.
Mᴜsᴇ́ᴇs : Mᴏsᴄᴏᴜ (Roumianzeff) : *Joueur d'orgue de Barbarie* – Mᴏsᴄᴏᴜ (Gal. Tretiakov) : *Pêcheur vénitien – Musiciens des rues – Le marché à Saint-Pétersbourg* – Sᴀɪɴᴛ-Pᴇ́ᴛᴇʀsʙᴏᴜʀɢ (Mus. Russe) : *Départ – Bénédiction nuptiale – Portrait d'un officier.*

TCHERNORITSKY Valéry
Né en 1961. xxᵉ siècle. Russe.
Peintre de scènes d'intérieurs, nus.
Il fut élève de l'École des Beaux-Arts de V. Sourikov à Moscou et travailla sous la direction de Youri Koroliov. À partir de 1989 il participe à de nombreuses expositions nationales et internationales.
Mᴜsᴇ́ᴇs : Mᴏsᴄᴏᴜ (min. de la Culture d'URSS) – Sᴀɪɴᴛ-Pᴇ́ᴛᴇʀsʙᴏᴜʀɢ (Mus. Acad. des Beaux-Arts).
Vᴇɴᴛᴇs Pᴜʙʟɪǫᴜᴇs : Pᴀʀɪs, 25 nov. 1991 : *Le modèle préféré*, h/t (73x60) : FRF 9 000 – Pᴀʀɪs, 06 déc. 1991 : *Lumière du matin*, h/t (60x72) : FRF 12 500 – Pᴀʀɪs, 23 mars 1992 : *Le chapeau à fleurs*, h/t (65x54) : FRF 55 000 ; *Rêverie*, h/t (73x60) : FRF 36 500 – Pᴀʀɪs, 13 avr. 1992 : *Au salon*, h/t (100x73) : FRF 12 500 – Pᴀʀɪs,

20 mai 1992 : *Jeune femme au chapeau noir*, h/t (81x60) : FRF 28 000 – Pᴀʀɪs, 7 oct. 1992 : *La jeune jardinière*, h/t/cart. (50x65) : FRF 18 000 – Pᴀʀɪs, 12 oct. 1992 : *À midi en été*, h/t (81x54) : FRF 19 000.

TCHERNYCHEV Mikhail
Né en 1908 à Saint-Pétersbourg. xxᵉ siècle. Russe.
Peintre de natures mortes.
Il fit ses études à l'institut Supérieur Technique des Arts où il fut élève de A. Kalinov. Il fut nommé Membre de l'Union des Peintres d'URSS. Il fut professeur à l'Institut Répine de Leningrad.
Mᴜsᴇ́ᴇs : Mᴏsᴄᴏᴜ (min. de la Culture) – Pᴇᴛᴏᴢᴀᴠᴏᴅsᴋ (Mus. des Beaux-Arts) – Sᴀɪɴᴛ-Pᴇ́ᴛᴇʀsʙᴏᴜʀɢ (Mus. Russe).
Vᴇɴᴛᴇs Pᴜʙʟɪǫᴜᴇs : Pᴀʀɪs, 26 avr. 1991 : *Le coin des jouets*, h/t (80x112) : FRF 4 100 – Pᴀʀɪs, 24 sep. 1991 : *Nature morte sur le buffet*, h/t (79x100) : FRF 5 500.

TCHERTER Louise. Voir KÜHN Louise

TCHESLIAR. Voir ILLITS Theodor

TCH'E T'OUAN. Voir CHI TUAN

TCHICOFF M. A. Voir TSCHISHOFF

TCHINE YU-YEUNG
Née en 1946 à Kaiseung. xxᵉ siècle. Depuis environ 1965 active en France. Coréenne.
Peintre, dessinateur. Abstrait.
À son arrivée en France, elle fut élève de Busse, Claude Viallat, Joël Kermarrec, à l'École des Beaux-Arts de Marseille-Luminy. Elle se maria avec le fils du peintre coréen Seund Ja Rhee, architecte, et se fixa à Paris.
Elle participe à des expositions collectives, dont : 1975, 1978, 1980, 1981 Paris, Salon de Mai ; 1976 Paris, Salon Grands et Jeunes d'Aujourd'hui ; 1977 Paris, Salon des Réalités Nouvelles ; 1981 Séoul, Musée National d'Art Moderne ; 1983 Musée de Tokyo et autres Musées au Japon, *Peinture Contemporaine en Corée* ; etc. Elle expose individuellement : 1981 Marseille, galerie Athanor ; 1983 Paris, galerie Au Fond de la Cour ; 1984 Villaparisis, Espace Arts Plastiques ; 1989 Paris, galerie Fabien Boulakia ; etc.
Elle se situa pratiquement d'emblée du côté de l'abstraction. Si, depuis ses débuts l'écriture s'est modifiée, telle une graphologie avec le temps qui passe, dans l'abstraction elle s'est maintenue dans le secteur des signes graphiques sur des fonds. Ces fonds purent être nuagistes, pointillistes, vermiculés, ces signes participer d'une averse de grêlons, d'une douce chute de flocons, une cohérence compositionnelle était conférée à ce champ de signes sur signes par une partition entre quelques droites tout juste suggérées. Dans les années quatre-vingt-dix, comme par une conséquence naturelle, le cours de l'évolution, jusque là stylistique, a conduit à une synthèse des variations antérieures : les anciennes lignes orthogonales ont pris des libertés et sectionnent la surface peinte en quelques surfaces d'une géométrie absolument pas régulière, et, à l'intérieur de chacun et de tous ces segments, s'épanouissent d'infinies propositions de textures différentes. De bout en bout, la peinture de Yu Yeung Tchine s'adresse à la sensualité réceptive, est une peinture de luxe et de charme. ∎ J. B.
Bɪʙʟɪᴏɢʀ. : Gilbert Lascault : Catalogue de l'exposition *Tchine Yu Yeung*, gal. Athanor, Marseille, 1981 – Olivier Kaeppelin : Catalogue de l'exposition *Tchine Yu Yeung*, Espace Arts Plastiques, Villeparisis, 1984.

TCHIRINE Prokope. Voir TSCHIRIN Prokopi

TCHIRKOFF Alexander Innocentiévitch
Né en 1867. xɪxᵉ-xxᵉ siècles. Russe.
Peintre de paysages.
Mᴜsᴇ́ᴇs : Mᴏsᴄᴏᴜ (Gal. Tretiakov) : *Corbeaux sous la pluie.*

TCHISTIAKOV Pavel Petrovitch ou Tchistiakoff
Né le 23 juin 1832 dans le gouvernement de Tver. xɪxᵉ siècle. Russe.
Peintre d'histoire, sujets de genre, portraits.
Mᴜsᴇ́ᴇs : Mᴏsᴄᴏᴜ (Roumianzeff) : *Mendiant italien* – Mᴏsᴄᴏᴜ (Gal. Tretiakov) : *Vieillard lisant – Un boyard – Étude de pierres italien* – Sᴀɪɴᴛ-Pᴇ́ᴛᴇʀsʙᴏᴜʀɢ (Acad.) : *La grande-duchesse Sofia Vitovtovna au mariage de Vassili II.*

TCHIURLIONIS Mykolas Kostantas ou Nikolaï Konstantinovitch ou Ciurlianis
Né le 10 septembre 1875 à Varena ou Orany. Mort le 28 mars 1911 à Varsovie ou Cervony Dvor. xxᵉ siècle. Actif en Pologne. Lituanien.

Peintre, pastelliste. Symboliste, tendance abstraite.

Il fit tout d'abord des études musicales à Leipzig et à Varsovie. À partir de 1902, il s'orienta vers la peinture, commençant avec des pastels. En 1905, il s'inscrivit à l'Académie des Beaux-Arts de Varsovie et fut élève de Casimir Stabrovski. Une aspiration mystique le fit entrer en contact avec les Rose-Croix, alors très en faveur dans les milieux symbolistes internationaux. Autour de 1910, il fut hospitalisé pour des crises de démence qui entraînèrent sa mort. Il n'avait eu que peu de temps pour produire. La plus grande partie des œuvres a été perdue.

Musicien avant d'avoir été peintre, son idée directrice fut d'établir des « correspondances » (pour reprendre le mot de Baudelaire) entre les sons musicaux et les formes colorées. Il marquait fortement les créations plastiques de l'emprise de sa recherche synesthésique en les intitulant *Sonates* ou *Fugues*. Mort en 1911, au moment où Kupka ou Delaunay créent ce qu'Apollinaire nomme l'Orphisme, Tchiurlionis peut être considéré comme le très précoce précurseur du Musicalisme qui se développera autour de Valensi. En effet, si ses première œuvres s'inspiraient d'une figuration symboliste, si elles continuèrent à être nourries des formes décoratives florales du Jugendstil, mais orientées vers une vision cosmique, surtout elles évoluaient comme fatalement en direction d'une abstraction rythmique et lyrique. ■ J. B.

Bibliogr. : In : *Diction. Univers. de la Peint.*, Le Robert, Paris, 1975.

Musées : Varena (Mus. Tchiurlionis) : *Sonate des étoiles, andante* 1908 – autres œuvres.

TCHMOUTOFF Ivan Ivanovitch
Né le 5 octobre 1817. Mort en 1865. xixe siècle. Russe.
Peintre de genre.
La Galerie Tretiakov, à Moscou, conserve de lui : *Scène populaire à Pékin.*

TCHONG-JEN. Voir ZHONGREN

TCHONG LI. Voir ZHONG LI

TCHONG SING. Voir ZHONG XING

TCHONG SSEU-PIN. Voir ZHONG SIBIN

TCHORNY Daniel
xve siècle. Travaillant au début du xve siècle. Russe.
Peintre.
Il collabora, avec André Roublev, aux fresques de la cathédrale de la Dormition à Vladimir.

TCHORZEWSKI Jerzy
Né en 1928 à Siedlce. xxe siècle. Polonais.
Peintre, peintre de monotypes, illustrateur.
Il fut élève de l'Académie des Beaux-Arts de Cracovie, de 1946 à 1951. Il vit à Varsovie, où il est membre du *Groupe de Varsovie*. Il participe au Salon de Mars de Zakopane. À l'étranger, on l'a vu exposer avec le groupe *Phases*, d'inspiration néosurréaliste. Il participe à de nombreuses expositions d'art polonais contemporain : Lugano, 1954 ; Bruges, 1958 ; Biennale de São Paulo, 1959 ; etc. Il montre des expositions personnelles de ses peintures : Lodz, 1957 ; Varsovie, 1957, 1960 ; Paris, 1960 ; Bruxelles, 1961. Il fut, avec Brzozowski, au lendemain de la seconde guerre mondiale, l'un des premiers peintres polonais à pratiquer un art en connection directe avec les mouvements d'avant-garde occidentaux, prenant leurs distances d'avec les préceptes du réalisme-socialiste. Comme Brzozowski, il fut d'abord influencé par le surréalisme, composant d'étranges paysages de rêve, noyés dans des ombres souterraines traversées d'éclairs. Il évolua ensuite dans le sens de la non-figuration, y amenant l'essentiel de son langage antérieur. On parle alors à son propos de surréalisme informel. Depuis 1968 Tchorzewski a peint une série de personnages démesurés, à la fois réels et dématérialisés, silhouettes consumées dont le système nerveux transparaît dans une matière picturale étonnante de richesse. Sa thématique est le plus souvent dédiée à Tantale, Prométhée ou Icare, à l'esprit de conquête ou à la fatalité de l'échec. ■J. B.

Bibliogr. : B. Dorival, sous la direction de..., in : *Peintres Contemporains*, Mazenod, Paris, 1964 – Jean-Clarence Lambert, in : *La peint. abstr.*, in : *Hre Gle de la peint.*, tome 23, Rencontre, Lausanne, 1966 – in : *Diction. Univers. de la Peint.*, Le Robert, Paris, 1975.

TCHO TS'ONG. Voir ZHUO CONG

TCHOUANGLIN. Voir ZHUANG LIN

TCHOUANG TSIONG-CHENG. Voir ZHUANG JIONG-SHENG

TCH'OUAN-K'I. Voir CHUANQI

TCHOUBANOV Boris ou Tchoubanoff
Né en 1946. xxe siècle. Actif en France depuis 1990. Russe.
Peintre de compositions animées, intérieurs, figures, nus, paysages animés, pastelliste.
Il fréquenta les Écoles des Beaux-Arts V. I. Moukhina de Leningrad. Il devint membre de l'Association des Peintres de Leningrad. Depuis 1989, il est membre de l'Association des Artistes Russes de Paris (Fondation internationale de la Culture Russe). Il vit en France depuis 1990.

Dès 1974, il participe à des expositions nationales à Moscou et Leningrad. À partir de 1987, il expose surtout dans les pays occidentaux : Toronto, Allemagne, Paris, Bruxelles, Madrid, Tokyo, Helsinki et, en 1990, de nouveau à Leningrad. Il avait obtenu en 1977 à Moscou, le premier prix à l'exposition *La jeunesse du pays.*

Il varie d'une technique encore très académique à un post-impressionnisme caractérisé par une gamme colorée de tons pastel très clairs dans les roses et les bleutés, qui rappelle les harmonies de Maurice Denis. D'entre quantité de sujets familiers, femme à sa toilette, partie de campagne, il traite volontiers le monde de la danse.

Bibliogr. : In : Catalogue de la vente *L'École de Leningrad*, Drouot, Paris, 19 nov. 1990.

Musées : Ivanovo (Mus. des Beaux-Arts) – Kaliningrad (Mus. des Beaux-Arts) – Moscou (min. de la Culture) – Saint-Pétersbourg (Mus. des Beaux-Arts Moukhina) – Saint-Pétersbourg (Mus. d'Hist.) – Saint-Pétersbourg (Mus. Théâtral) – Tokyo (Gal Art Guekoso).

Ventes Publiques : Paris, 11 juin 1990 : *Femme à sa coiffure*, h/t (92×73) : FRF 14 000 – Paris, 19 nov. 1990 : *Les jeunes filles sur le pont*, h/t (61×50) : FRF 25 000 – Paris, 4 mars 1991 : *Un matin au bord de la mer*, h/t (61×50) : FRF 52 000 – Paris, 25 mars 1991 : *Sur le sable chaud*, h/t (55×46) : FRF 40 500 – Paris, 15 mai 1991 : *Face à la mer*, h/t (81×60) : FRF 30 000 – Paris, 25 nov. 1991 : *Dans le jardin du Luxembourg*, h/t (49×61) : FRF 25 500 – Paris, 9 déc. 1991 : *La Promenade en mer*, h/t (81×65) : FRF 56 000 – Paris, 23 mars 1992 : *Après la baignade*, h/t (81×65) : FRF 32 500 ; *La Terrasse du parc*, h/t (64×54) : FRF 26 000 – Paris, 13 avr. 1992 : *Dans le jardin des Tuileries*, h/t (54×65) : FRF 50 000 ; *Le Matin sur la véranda*, h/t (81×60) : FRF 31 500 – Paris, 20 mai 1992 : *En croisière*, h/t (92×73) : FRF 52 000 – Reims, 13 mars 1994 : *Enfants sur le pont d'un navire*, h/t (81×65) : FRF 23 000 – Le Touquet, 22 mai 1994 : *Enfants jouant au bord de la mer*, h/t (46×38) : FRF 14 000 – Paris, 17 juin 1994 : *Venise, fillettes à l'embarcadère*, h/t (80,5x65) : FRF 26 000 – Reims, 18 déc. 1994 : *Deux Jeunes Filles en bateau*, h/t (65×54) : FRF 18 500 – Paris, 10 avr. 1995 : *Trois Sœurs*, h/t (65×54) : FRF 20 000 – Le Touquet, 10 nov. 1996 : *Après-midi sur la plage*, h/t (61×50) : FRF 15 000 – Calais, 23 mars 1997 : *La Lecture devant la mer*, h/t (46×38) : FRF 9 500 – Reims, 26 oct. 1997 : *Jeune peintre au jardin*, h/t (46×38) : FRF 11 000.

TCHOU CHENG. Voir ZHU SHENG

TCHOU CHOU-TCHONG. Voir ZHU SHUZHONG

TCHOU FEI. Voir ZHU FEI

TCHOU HANG. Voir ZHU HANG

TCHOU HAN-TCHE. Voir ZHU HANZHI

TCHOU HAO-NIEN. Voir ZHU HAONIAN

TCHOU HIANG-SIEN. Voir ZHU XIANGXIAN

TCHOU HOUAI-KIN. Voir ZHU HUAIJIN

TCHOU I-CHE. Voir ZHU YISHI

TCHOUÏKOV Ivan Semenovitch
Né le 22 mai 1935 à Moscou. xxe siècle. Russe.
Peintre. Polymorphe.
Né en 1935, Tchouïkov appartient à la génération des Pivovarov et Gorokhovsky qui commença à peindre dans les années qui suivirent la mort de Staline, en un temps où les courants artistiques d'avant-garde, jusque là clandestins, tentaient de se manifester publiquement. Pour cette génération, tous les moyens étaient bons du moment que destinés à se démarquer du répertoire et du style du réalisme-socialiste.

La peinture de Tchouïkov est assimilable au mouvement post-moderne. Il se réfère à des sources culturelles diverses, art dit « noble » ou populaire, notamment à des affiches de propagande, ainsi qu'à ses propres œuvres, n'hésitant pas à mêler les

styles. Ces emprunts, qui peuvent aller jusqu'à de franches citations, sont vidés, par le traitement subi qui n'en retient que les supports de forme et de couleur, de leur éventuel contenu idéologique au seul crédit de leur potentiel artistique, stratégie qui s'intègre dans le grand courant général de l'art « sots », dont le recours aux objets de la réalité quotidienne forme comme un écho russe au pop'art américain. *Voir aussi CHUIKOV.* ■ J. B.
BIBLIOGR. : In : *L'Art au pays des soviets, 1963-1988,* in : *Les Cahiers du musée national d'Art moderne,* n° 26, Paris, hiver 1988.

TCHOUÏKOV Simon
Né en 1902 à Moscou. xxᵉ siècle. Russe.
Peintre de scènes de genre, paysages.
Il fut élève de l'École des Beaux-Arts de Tachkent, en 1920, puis de la Faculté Ouvrière des Artistes de Moscou, de 1921 à 1924, enfin de la Faculté de Peinture de l'École des Arts et Métiers, de 1924 à 1930. Il a voyagé à deux reprises en Inde.
Il fut invité à la XXVIIᵉ Biennale de Venise, ainsi qu'à l'Exposition Universelle de Bruxelles en 1958. Nombreuses expositions en U.R.S.S. et à l'étranger. Il peint surtout des scènes et des paysages des régions de montagnes, dans une technique correspondant à l'académisme de la fin du xixᵉ siècle.
BIBLIOGR. : B. Dorival, sous la direction de..., in : *Peintres Contemporains,* Mazenod, Paris, 1964 – in : Catalogue de l'exposition *L'art russe des Scythes à nos jours,* Gal. du Grand Palais, Paris, 1967.
MUSÉES : KHARKOV (Mus. d'Arts Plastiques) : *Chanson* 1957 – MOSCOU (Gal. Tretiakov) : *Fille de la Kirghizie soviétique* 1948.

TCHOUIKOV Yevgueni
Né en 1924 dans la région de Koursk. xxᵉ siècle. Russe.
Peintre de paysages animés.
De 1950 à 1957, il fréquenta le Studio artistique de Zaporojié et devint membre de l'Union des Peintres d'Ukraine pour cette même ville en 1957. Il a participé à de nombreuses expositions dont : Kiev en 1970, Zaporojié en 1975 et Kiev en 1985.
Peintre de sujets « d'ameublement » dans une technique aussi peu compromettante que les thèmes traités.
VENTES PUBLIQUES : PARIS, 13 mars 1992 : *Les jeunes pêcheurs,* h/t (33x57) : FRF 5 200.

TCHOU JOUEI. Voir ZHU RUI

TCHOU JOU-LIN. Voir ZHU RULIN

TCHOUKIN S. S.
Né en 1754 ou 1758. Mort en 1828. XVIIIᵉ-XIXᵉ siècles. Russe.
Peintre de portraits et de genre.
Voir aussi CHTCHOUKINE.
MUSÉES : MOSCOU (Roumianzeff) : *Un prêtre* – MOSCOU (Gal. Tretiakov) : *Portrait de femme* – SAINT-PÉTERSBOURG (Mus. Russe) : *Paul Iᵉʳ – L'impératrice Maria Theodorovna, femme de Paul Iᵉʳ.*

TCHOU K'ING-YUN. Voir ZHU QINGYUN

TCHOUKOV Nikolai
Né en 1923 à Toula. xxᵉ siècle. Russe.
Peintre de compositions à personnages, figures, portraits, paysages.
Il fréquenta l'École des Arts de Stroganov. Il est membre de l'Union des Peintres d'URSS. Essentiellement peintre de figures, il est attentif à traduire les expressions psychologiques des visages. Si sa technique respecte la figuration traditionnelle, elle est toutefois confortée d'un goût marqué pour la couleur et la clarté, qui l'apparente au postimpressionnisme.
VENTES PUBLIQUES : PARIS, 18 fév. 1991 : *Le conteur,* h/t (50x67) : FRF 7 500 – PARIS, 24 sep. 1991 : *Chez grand-père,* h/t (110x140) : FRF 26 000 – PARIS, 5 avr. 1992 : *La rivière Snov,* h/t (40,5x59,5) : FRF 5 000.

TCHOU LANG. Voir ZHU LANG

TCHOU LING. Voir ZHU LING

TCHOU LO-SAN. Voir ZHU LESAN

TCHOU LOU. Voir ZHU LU

TCHOU LOUEN-HAN. Voir ZHU LUNHAN

TCHOUMAKOFF Féodor Pétrovitch, ou Théodore
Né en 1823 à Saint-Pétersbourg. Mort le 22 janvier 1911 à Paris. XIXᵉ-xxᵉ siècles. Russe.
Peintre de genre, figures, portraits, paysages.
Élève de l'Académie de Saint-Pétersbourg. Il prit part à des Expositions françaises, notamment à Reims, en 1876.

Il peignit surtout des figures féminines.
MUSÉES : COLOGNE : *Étude* – MOSCOU (Roumianzeff) : *Tête de vieille femme – L'artiste – Baigneuse* – MULHOUSE : *Tête de femme* – REIMS : *Deux têtes de femmes* – SAINT-PÉTERSBOURG (Mus. de l'Ermitage) : *Côte méridionale de Crimée* – SAINT-PÉTERSBOURG (Acad.) : *Portrait du peintre A. T. Markoff.*
VENTES PUBLIQUES : PARIS, 11 mai 1886 : *Tête de jeune fille :* FRF 500 – PARIS, 1894 : *Rêverie :* FRF 220 – PARIS, 18 nov. 1920 : *Tête de jeune femme blonde :* FRF 260 – PARIS, 12 avr. 1943 : *Portrait de femme :* FRF 2 800 – PARIS, 26 avr. 1944 : *Portrait de femme :* FRF 4 200 – PARIS, 29 jan. 1947 : *Tête de femme :* FRF 6 500 – PARIS, 20 nov. 1950 : *Le rabbin :* FRF 4 200 – CALAIS, 5 avr. 1992 : *Portrait de jeune fille,* h/pan. (36x27) : FRF 13 000 – PARIS, 22 nov. 1996 : *Tête d'orientale,* h/pan. (26x21) : FRF 14 500.

TCHOUMAKOFF Léonie. Voir LOGHADES

TCHOU MING. Voir ZHU MING

TCHOU MING-KANG. Voir ZHU MINGGANG

TCHOU NAN-YONG. Voir ZHU NANYONG

TCHOU NGANG-TCHE. Voir ZHU ANGZHI

TCHOU PANG. Voir ZHU BANG

TCHOUPIATOV Leonid Terentievitch
Né en 1890 à Saint-Pétersbourg. Mort en 1942 à Leningrad. xxᵉ siècle. Russe.
Peintre, décorateur.
En 1909, il fut élève de l'École pour l'Encouragement des Arts, puis de différents ateliers, et de 1918 à 1921 de Kuzma Petrov-Vodkine aux Ateliers d'Art Libre de l'Académie des Beaux-Arts de Leningrad. De 1926 à 1928, il enseigna à l'Institut d'Art de Kiev.
Il a surtout eu une activité de décorateur.
BIBLIOGR. : In : Catalogue de l'exposition *Paris-Moscou,* Centre Beaubourg, Paris, 1979.

TCHOU PO. Voir ZHU BO

TCHOUPOV Boris
Né en 1947 à Oraninbaum. xxᵉ siècle. Depuis 1989 actif en France. Russe.
Peintre, graphiste, affichiste, illustrateur. Polymorphe.
De 1969 à 1975, il fut élève de l'atelier de peinture et graphisme à l'Académie des Beaux-Arts de Leningrad. De 1965 à 1988, il expose à Leningrad, Moscou, Kiev. Depuis 1981, il expose en France, entre autres à Paris, ainsi qu'à Bruxelles.
Il s'est fait connaître en tant qu'affichiste, notamment pour la télévision, et illustrateur de journaux, de livres. Dans ses peintures, le graphiste intervient aussi, dans l'éventuelle mise en page, mais surtout dans sa capacité à changer de style selon le sujet.

TCHOUPRINA Nikolaï
Né en 1928. xxᵉ siècle. Russe.
Peintre de portraits, paysages animés, natures mortes.
Il fut élève de l'École des Beaux-Arts de Kharkov et travailla sous la direction de Mikhaïl Chapochnikov. Il devint membre de l'Union des Artistes d'URSS et reçut le titre de Peintre Émérite de l'URSS.
MUSÉES : DONETSK (Gal. Art Contemp.) – KHERSON (Mus. des Beaux-Arts) – KIROVOGRAD (Mus. des B.A.) – MOSCOU (min. de la Culture) – MOSCOU (Gal. Trétiakov) – SIMFEROL (Mus. Art Soviétique).
VENTES PUBLIQUES : PARIS, 25 nov. 1991 : *Jour de canicule,* h/t (60x43) : FRF 8 200 – PARIS, 6 déc. 1991 : *Les bouquets composés,* h/t (66x87) : FRF 10 000 – PARIS, 23 mars 1992 : *Les mineurs de Crimée,* h/t (174x250) : FRF 20 500 – PARIS, 5 nov. 1992 : *Natacha,* h/t (55x56) : FRF 5 000 – PARIS, 3 oct. 1994 : *Dans le port,* h/cart. (45x68,5) : FRF 5 000.

TCHOUPROUN Yevgueni
Né en 1927 à Donestsk. xxᵉ siècle. Russe.
Peintre de marines.
Il fut élève de Sokolov à l'Académie des Beaux-Arts de Leningrad. Il devint Membre de l'Union des Peintres d'URSS.
MUSÉES : MOSCOU (min. de la Culture) – NOVGOROD (Mus. des Beaux-Arts) – SAINT-PÉTERSBOURG (Mus. d'Hist.).
VENTES PUBLIQUES : PARIS, 26 avr. 1991 : *Remorqueur sur la Néva,* h/t (73x53,5) : FRF 6 200.

TCHOURIGUINE A. A.
XIXᵉ siècle. Russe.

Peintre de genre.
Le Musée Roumianzeff, à Moscou, conserve de lui : *Le thé.*

TCHOU SI. Voir **ZHU XI**

TCHOU SIEN. Voir **ZHU XIAN**

TCHOU SIUAN. Voir **ZHU XUAN**

TCHOU SIUN. Voir **ZHU XUN**

TCHOU TA. Voir **ZHU DA**

TCHOU TCH'ANG. Voir **ZHU CHANG**

TCHOU TCHE-FAN. Voir **ZHU ZHIFAN**

TCHOU TCH'EN. Voir **ZHU CHEN**

TCHOU TCHO. Voir **ZHU ZHE**

TCHOU TCHOU. Voir **ZHU ZHU**

TCHOU TÖ-JOUEN. Voir **ZHU DERUN**

TCHOU TONG. Voir **ZHU DONG**

TCHOU TOUAN. Voir **ZHU DUAN**

TCHOU TSIUN. Voir **ZHU JUN**

TCHOU WEI. Voir **ZHU WEI**

TCHOU WEI-PI. Voir **ZHU WEIBI**

TCHOU YO-KI. Voir **ZHU YUEJI**

TCHOU YU. Voir **ZHU YU**

TCHUBANOV Boris. Voir **TCHOUBANOV**

TCHUJKOV. Voir **TCHOUÏKOV**

TCVETKOV Viktor
Né en 1920 à Léningrad. xxe siècle. Russe.
Peintre de compositions à personnages, scènes animées, intérieurs, portraits, paysages, paysages urbains.
Il fut élève de l'Académie des Beaux Arts de Leningrad (Institut Répine). Membre de l'Union des Artistes Soviétiques, Artiste du Peuple. À partir de 1952, il expose régulièrement à Moscou et à Leningrad collectivement. Il figure de 1975 à 1982 à Tokyo, dans les expositions *L'Art Soviétique* ; en 1978 à Prague *50 Chefs-d'œuvre des musées et galeries soviétiques* ; en 1982 à Helsinki et à nouveau à Tokyo en 1990. Individuellement, Leningrad lui consacre deux expositions en 1986 et 1990.
Son métier, descriptif et narratif, lui permet d'illustrer la vie quotidienne russe dans tous ses aspects.
BIBLIOGR. : In : Catalogue de la vente *L'École de Leningrad*, Drouot, Paris, 19 nov. 1990.
MUSÉES : BRATISLAVA (Gal. Nat.) – BRUXELLES (Gal. d'Art Contemp.) – DRESDE (Gal. Nat.) – KIEV (Mus. des Beaux-Arts) – MOSCOU (Gal. Tretiakov) – MOSCOU (min. de la Culture) – MOSCOU (Mus. des Beaux-Arts) – SAINT-PÉTERSBOURG (Mus. Russe) – SAINT-PÉTERSBOURG (Mus. des Beaux-Arts) – TOKYO (Gal. d'Art Guekosso).
VENTES PUBLIQUES : PARIS, 11 juin 1990 : *Le chef d'orchestre 1978*, h/t (130x104) : FRF 40 000 – PARIS, 19 nov. 1990 : *Le chef d'orchestre Evgueni Mravvinsky 1971*, h/cart. (37x25) : FRF 13 000 – PARIS, 18 fév. 1991 : *Datcha dans les pins*, h/t (61x61) : FRF 6 000 – PARIS, 19 juin 1991 : *L'arrivée 1952*, h/t (143x104) : FRF 15 000 – PARIS, 24 sep. 1991 : *L'Ermitage*, h/t (130x130) : FRF 9 000 – PARIS, 17 juin 1992 : *Le chef d'orchestre (E. Mravinsky) 1971*, h/t (124x100) : FRF 19 000 – PARIS, 4 mai 1994 : *Finish*, h/t (91x143) : FRF 7 500.

TCVETKOVA Valentina
Née en 1917. xxe siècle. Russe.
Peintre de paysages, natures mortes.
Elle fit ses études à l'École des Beaux-Arts d'Astrakhan et travailla sous la direction de Pavel Vlassov. Membre de l'Union des artistes d'URSS elle reçut le titre de Peintre Émérite d'URSS.
MUSÉES : KHARKOV (Mus. des Beaux-Arts) – KIEV (Gal. Nat.) – MOSCOU (Gal. Tretiakov) – SAINT-PÉTERSBOURG (Mus. Russe).
VENTES PUBLIQUES : PARIS, 25 nov. 1991 : *Au bord de la mer 1983*, h/t (70x100) : FRF 15 500.

TE SIMON Wilhelm
xviie siècle. Allemand.
Peintre.
Il a peint les quinze panneaux de l'autel de l'église de Celle représentant la *Passion du Christ*, vers 1613.

TEAGUE Donald
Né le 27 novembre 1897 à Brooklyn. Mort en 1991. xxe siècle. Américain.

Peintre, illustrateur.
Élève de l'Art Students' League de New York. Membre de la Ligue Américaine des Artistes Professeurs.
MUSÉES : OKLAHOMA CITY (Nat. Hall of Fame) : *Avant les ennuis* 1972.
VENTES PUBLIQUES : LOS ANGELES-SAN FRANCISCO, 12 juil. 1990 : *L'heure de la sieste*, aquar./pap. (37,5x55) : **USD 4 400** – NEW YORK, 21 mai 1991 : *Le tireur dérangé* 1936, encre/pap. (39,4x73,9) : **USD 2 860** – NEW YORK, 23 sep. 1992 : *La pause des rangers*, aquar. et cr./pap. (43,5x57,5) : **USD 9 350** – NEW YORK, 22 sep. 1993 : *Gondoles à Venise*, aquar./pap./cart. (16x23,5) : USD 6 325.

TEALTI Giacomo Filippo. Voir **DITRALDI Giacomo Filippo di Paolo**

TEANA Marino di, pseudonyme de **Marino Francesco**
Né le 8 août 1920 à Teana (province de Potenza). xxe siècle. Depuis 1936 actif en Argentine puis, depuis 1953, en France. Italien.
Sculpteur d'intégrations architecturales, d'environnements. Abstrait-géométrique.
En 1935-1936, il quitte l'Italie pour rejoindre ses parents en Argentine, où il travaille comme maçon, après avoir dû, tout jeune enfant, exercer plusieurs activités professionnelles en Italie. Chef de chantier à vingt-deux ans, il dirige d'importants travaux, suit des cours de mécanique à l'École Polytechnique Industrielle de Buenos Aires et, parallèlement, des cours de peinture et de sculpture pour entrer à l'École supérieure des Beaux-Arts de Buenos Aires, d'où, après un cycle de quatre ans d'études de la sculpture, il sort professeur, obtenant le prix Fin de Curso. Après avoir participé à plusieurs Salons artistiques en Argentine, il retourne en Europe en 1952, travaillant en Espagne avec le sculpteur Jorge de Oleiza. En 1953, il se fixe à Paris et expose aux Salons de Jeune Sculpture, Comparaisons et des Réalités Nouvelles. Il était présent à l'importante exposition de sculpture de l'École de Paris à Francfort-sur-le-Main en 1966 et représentait l'Argentine à la Biennale de Venise en 1982. Il a personnellement exposé à Paris en 1960, 1975, 1976, 1988, à La Chaux-de-Fonds 1967, Orléans 1969, au Val-d'Yerres 1972, Saint-Étienne et Reims 1975, Montbéliard 1976, Nancy 1978, Dreux 1980, Pau 1981, Sarrelouis 1982, Saarbrücken 1987, Paris 1991 à la galerie Artcurial.
Petites ou grandes, ses sculptures sont toujours monumentales, ce sont des structures architecturales ou des sculptures structures. À partir de 1957, il se définit nettement dans l'abstraction géométrique à des fins architecturales, notamment avec les *Hommages à Nervi, à Mondrian, à Le Corbusier.* À partir de matériaux généralement métalliques, il édifie des sculptures abstraites monumentales, d'une exécution pure et précise. Il réalise aussi des murs-vitraux, des murs-reliefs transparents à rabattement de lumière et des murs vitraux à rabattement de lumière. Ses œuvres sont des occupations de l'espace qui définissent, plus qu'une forme, un espace intérieur distinct de l'espace extérieur, les deux s'interpénétrant. Martino Di Teana est avant tout un visionnaire qui rêve d'ensembles urbanistiques gigantesques qui pourraient mesurer 300 mètres de haut sur 900 mètres de large.   ■ Annie Pagès
BIBLIOGR. : Catalogue de l'exposition de *Sculptures de l'École de Paris*, Appel et Fertsch, Francfort-sur-le-Main, 1966 – Michel Ragon : *Vingt-cinq ans d'art vivant*, Casterman, Paris, 1969 – Denys Chevalier, in : *Nouveau Diction. de la sculpture mod.*, Hazan, Paris, 1970 – Catalogue de l'exposition : *Marino di Teana*, Saarbrücken, 1987 – divers : Catalogue de l'exposition *Marino Di Teana : Sculptures 1960-1987*, Artcurial, Paris, 1988.
MUSÉES : AARHUS – CHOLET – LA-CHAUX-DE-FONDS (Mus. des Beaux-Arts) – LOS ANGELES – MONTBÉLIARD – MÜNSTER – PADOUE (Mus. civique) – PARIS (Mus. mun. d'Art Mod.) : *Hommage aux États-Unis du Monde* – PARIS (Mus. de l'Assistance publique) – PARIS (Mus. en Plein Air de la Sculpture Contemporaine) – PARIS (FRAC d'Île-de-Fr.) : *Développement architectural à Troyes 1961 – Cercle désintégré 1963-1973 – Montferrand 1971-1976* – SAINT-ÉTIENNE (Mus. d'Art et Industrie) – SARREBRUCK.
VENTES PUBLIQUES : BREDA, 25 avr. 1977 : *Sculpture* (H. 74) : NLG 3 000 – PARIS, 20 nov. 1988 : *Sans titre 1959*, acier, pièce unique (122x70x56) : FRF 60 000 – PARIS, 12 fév. 1989 : *Sans titre 1959*, sculpt. en acier soudé, pièce unique (94x58x30) : FRF 59 000 – PARIS, 2 juin 1991 : *Sans titre 1957*, acier (H. 63, l. 60) : FRF 65 000 – PARIS, 16 déc. 1996 : *Parcours sans fin 1967-1988*, sculpt. en acier Corten (120x80x50) : FRF 48 000 – COPEN-

HAGUE, 22-24 oct. 1997 : *Construction* 1960, acier, sculpture (H. 51) : **DKK 23 000**.

TEAR V. J.
XVIIIe siècle. Travaillant vers 1780. Britannique.
Graveur au burin.

TEASDALE Percy Morton
Né en 1870. XIXe-XXe siècles. Britannique.
Peintre.
Il était actif à Bushey. Il exposa de 1894 à 1915.
VENTES PUBLIQUES : LONDRES, 26 sep. 1984 : *Jeune paysanne dans un paysage*, h/t (72,5x56) : **GBP 1 200**.

TEBALDI Giovanni
Né en 1787 à Parme. Mort en 1852. XIXe siècle. Italien.
Peintre.
Élève de G. Martini. L'Académie de Parme possède de lui *La mort d'Adam*.

TEBALDI da S. Maria alla Fratta
Mort entre 1508 et 1515. XVe-XVIe siècles. Actif à Vérone. Italien.
Peintre.
Il a peint une fresque représentant la *Madone* dans le Palais Chiusole de Rovereto.

TECHMEIER Wilhelm
Né le 2 janvier 1895 à Plau. XXe siècle. Allemand.
Peintre de genre et portraitiste.
Élève de K. F. Eduard von Gebhardt à l'Académie des Beaux-Arts de Düsseldorf. Il séjourna longtemps au Brésil.
MUSÉES : DÜSSELDORF (Mus. mun.).

TECHOW Hans ou Techouwe ou Techgouw
XVIIIe siècle. Travaillant à Lübeck dans la seconde moitié du XVIIIe siècle. Allemand.
Sculpteur sur bois.
Il sculpta des stalles pour la cathédrale et l'église Saint-Égide de Lübeck.

TECHTERMANN Bastian
XVIe siècle. Actif à Fribourg de 1518 à 1529. Allemand.
Peintre verrier.

TECHTERMANN Rudolf et Sebastian. Voir TÄCHTERMANN

TECLER F. C.
XVIIIe siècle. Allemand.
Miniaturiste.
Le Musée de la Résidence de Munich conserve de lui deux *Paysages avec rivière*.

TECSY Laszlo ou Ladislaus
Né le 11 août 1892 à Gyula. XXe siècle. Hongrois.
Sculpteur de portraits.

TEDALDO, di. Voir au prénom

TEDDE Giovanni
XVIIIe siècle. Actif à Sassari en 1707. Italien.
Peintre.
Il a peint deux tableaux d'autel dans l'église del Carmine de Sassari.

TEDESCHI Giovanni
Né en 1595 à Borgo Panicale. Mort le 20 septembre 1645 à Borgo Panicale. XVIIe siècle. Italien.
Sculpteur.
Il sculpta surtout des statues en terre cuite pour des églises de Bologne.

TEDESCHI Giovanni
Mort en 1725 à Villa dei Conti Torri. XVIIIe siècle. Italien.
Peintre.
Il peignit une vingtaine de tableaux d'autel pour les églises de Vérone et des environs.

TEDESCHI Gregorio
XVIIe siècle. Italien.
Sculpteur.
Il travailla pour des palais de Florence en 1609 et le Monte Pellegrino près de Palerme.

TEDESCHI Pietro
Né vers 1750 à Pesaro. Mort après 1805 à Rome. XVIIIe siècle. Italien.
Peintre.
Élève d'A. Lazzarini à Pesaro. Il peignit pour les cathédrales d'Imola et d'Urbino.

MUSÉES : ASCOLI PICENO : *Saint Emidius* – FANO : *Martyre d'un saint moine* – URBINO (Gal. nat.) : *Saint Pierre*.

TÉDESCHI Sophie
Née vers 1965. XXe siècle. Française.
Peintre. Figurative, tendance fantastique.
En 1994, à la suite de démarches rocambolesques, le Palais des Beaux-Arts de Pékin lui a accordé, à ses frais, une exposition personnelle.

TEDESCHI Vinzenzo
XVIIe siècle. Actif dans la première moitié du XVIIe siècle. Italien.
Sculpteur et architecte.
Il sculpta des statues pour la cathédrale de Messine.

TEDESCO. Voir aussi au prénom

TEDESCO. Voir aussi TODESCO

TEDESCO Adamo. Voir ELSHEIMER Adam

TEDESCO Ansi. Voir REICHLE Hans

TEDESCO Giorgio. Voir GIORGIO d'Alemagna

TEDESCO Gismondo. Voir LAIRE Sigmund

TEDESCO Lorenzo. Voir LORENZO Tedesco

TEDESCO Marco, dit il Cremonese
XVIIe siècle. Travaillant vers 1624. Italien.
Sculpteur sur pierre et sur bois.
Il a sculpté un tabernacle pour l'église de la Miséricorde de Bologne.

TEDESCO Michele
Mort avant le 19 avril 1516. XVe-XVIe siècles. Italien.
Sculpteur sur ivoire.
Il travailla à Venise.

TEDESCO Michele
Né le 24 août 1834 à Moliterno. Mort le 3 février 1917 à Naples. XIXe-XXe siècles. Italien.
Peintre d'histoire, de genre.
Mari de Giulia Tedesco-Hoffmann. Il exposa à Milan, Venise et Palerme.
MUSÉES : BOLOGNE (Acad.) : *Fête dans les Cascines* – FLORENCE (Gal. Mod.) : *A. Volterra* – FLORENCE (Palais Pitti) : *Léon X prenant son repas* – LONDRES (Guildhall Gal.) : *Les Sybarites* – LONDRES (Victoria and Albert Mus.) : *Les amis de Dante* – MILAN (Gal. d'Art Mod.) : *Les vainqueurs de la bataille de Lépante*.
VENTES PUBLIQUES : MILAN, 13 oct. 1987 : *La joie d'une mère*, h/t (53x35) : **ITL 26 000 000** – ROME, 14 déc. 1988 : *L'Harmonie*, h/t (163x96) : **ITL 13 500 000**.

TEDESCO-HOFFMANN Julia ou Giulia ou Hoffmann-Tedesco
Née le 30 octobre 1843 à Würzburg. XIXe siècle. Italienne.
Peintre de genre ? portraits.
Elle figura aux Expositions de Paris ; reçut une mention honorable en 1889 à l'Exposition universelle. Elle exposa à Munich en 1883.
MUSÉES : FLORENCE (Mus. des Offices) : *Portrait de l'artiste*.

TEDICE Enrico di. Voir ENRICO di Tedice

TEE Gerard Metter. Voir METTERTEE Gerard

TEE Viviane
Née au Havre (Seine-Maritime). XXe siècle. Française.
Sculpteur.
Élève de Félix Févola. Expose à la Nationale des Beaux-Arts depuis 1933 et au Salon des Tuileries depuis 1934.

TEED Douglas Arthur
Né en 1864. Mort en 1929. XIXe-XXe siècles. Américain.
Peintre de genre, scènes animées, paysages. Orientaliste.

Douglas Arthur Teed (signature)

VENTES PUBLIQUES : NEW YORK, 2 avr. 1976 : *Scène de rue, Maroc* 1929, h/t (108x92) : **USD 550** – DETROIT, 30 sep. 1984 : *Marchands arabes* 1928, h/t (61x91,5) : **USD 2 000** – DETROIT, 28 fév. 1985 : *Scène de rue arabe* 1926, h/t (73,3x97) : **USD 2 000** – NEW YORK, 24 jan. 1989 : *Paysage animé au crépuscule*, h/t (37,5x73,8) : **USD 1 540** – NEW YORK, 31 mars 1993 : *Littoral rocheux*, h/t (85,1x181,6) : **USD 3 450** – NEW YORK, 14 oct. 1993 : *Gardien à la porte d'un vieux palais* 1911, h/t (76,2x101,6) : **USD 9 200** – NEW

York, 28 nov. 1995 : *Scène arabe* 1893, h/t (32x27) : **USD 690** – Paris, 30 nov. 1995 : *Marchand oriental* 1928, h/t (59x92) : **FRF 28 000** – New York, 14 mars 1996 : *Un arbre dans la tempête* 1930, h/t (101,6x127) : **USD 4 312**.

TEED H. Samuel
Né en 1883 à Londres. Mort le 25 juillet 1916, tombé près de Pozières (Somme). xxe siècle. Britannique.
Peintre de paysages.
Neveu et élève de Daniel Alexander Williamson.
Musées : Liverpool (Walker Art Gal.).

TEEDS
xviiie siècle. Britannique.
Peintre de portraits.
Les portraits peints par cet artiste se trouvent à Oxford.

TEEL E.
Né vers 1830. Mort vers 1860 à Hoboken. xixe siècle. Américain.
Graveur au burin.
Il grava des portraits et des paysages.

TEELS Peter
Né en 1467. Mort après 1543. xve-xvie siècles. Actif à Anvers. Éc. flamande.
Sculpteur.
Il était charpentier.

TEERLING Arend Samuelsz ou Samuelz Arend, appelé Sinceer ou Cinseer
xviie siècle. Hollandais.
Peintre.
Il entra en 1632 dans la gilde d'Alkmaar. Il eut pour élève Jan Temisz Blankof et Joh. Bulot.

TEERLING Lievine ou Teerlincx. Voir BENING Lievine

TEERLINK Abraham, pseudonyme : Alexandre
Né le 1er novembre 1776 à Dordrecht. Mort le 26 mai 1857 à Rome. xixe siècle. Hollandais.
Peintre de paysages animés, paysages, aquarelliste.
Il eut pour maîtres M. Versteegh, J. Kelderman, Arie Lamme et David. Il alla en 1808 à Paris et en Italie.
Musées : Amsterdam (Mus. nat.) : *Paysage italien – Cascade de Tivoli* – Dordrecht : *La Grotte de Neptune à Tivoli* – Munich (Pina.) : *Le Palais Chigi*.
Ventes Publiques : Dordrecht, 12 déc. 1972 : *Paysage d'Italie* : **NLG 5 500** – Londres, 21 fév. 1978 : *Paysage d'hiver avec patineurs* 1806, aquar. (41,9x55,7) : **GBP 3 000** – Copenhague, 18 avr. 1978 : *Berger et troupeau dans la campagne romaine*, h/t (55x77) : **DKK 9 500** – Londres, 9 déc. 1980 : *Village en hiver avec enfants patinant sous un pont* 1803, cr. et lav. gris (31,9x42,7) : **GBP 1 000** – Amsterdam, 15 avr. 1985 : *La côte italienne au crépuscule* 1836, h/t (59,5x76,5) : **NLG 6 600** – Londres, 28 nov. 1990 : *Chèvres dans un paysage montagneux*, h/pan. (40x30) : **GBP 3 300** – Amsterdam, 11 avr. 1995 : *Cavalier sur un chemin boisé*, aquar. (52x65,5) : **NLG 5 310** – Vienne, 29-30 oct. 1996 : *Tivoli*, h/t (74x98) : **ATS 241 500**.

TEESDALE Christopher H.
Né le 6 avril 1886 à Eltham (Angleterre). xxe siècle. Actif aux États-Unis. Britannique.
Peintre de portraits et de paysages.
Membre de la Ligue Américaine des Artistes Professeurs.

TEESDALE Gladys Mary, née Rees
Née le 5 juin 1898 à Londres. xxe siècle. Britannique.
Peintre, dessinateur, illustrateur, affichiste.
Elle était active à Peterborough. Elle exécuta des illustrations pour des livres d'enfants et des affiches.

TEETZMANN Johann Christian ou Tetzmann ou Tätzmann
xviiie-xixe siècles. Allemand.
Peintre-aquarelliste de paysages animés, architectures, dessinateur, graveur.
Il travailla à Dresde de 1814 à 1841.
Musées : Dresde : *La porte de Wilsdruff à Dresde*, dess. à l'encre de Chine.
Ventes Publiques : Heidelberg, 14 oct. 1988 : *Paysans prenant leur repas près d'un troupeau de bovins dans un paysage montagneux*, aquar. et encre (21,5x32,5) : **DEM 1 200**.

TEEUNISSE Arie
Né en 1919. xxe siècle. Belge.

Sculpteur animalier.
Il fut élève du sculpteur animalier Jaap Kaas, bien qu'ayant le même âge.
Bibliogr. : In : *Diction. Biogr. illustré des Artistes en Belgique depuis 1830*, Arto, Bruxelles, 1987.

TEFFERIE Bonaventure de. Voir THIEFFERIES

TEFRAZER Franz
Né à Schlanders. xviiie siècle. Actif dans la seconde moitié du xviiie siècle. Autrichien.
Peintre.
Élève de l'Académie de Munich. Il peignit à Schlanders des scènes de genre.

TEGAZZO Franciszek
Né le 10 septembre 1829 à Varsovie. Mort le 26 février 1879 à Varsovie. xixe siècle. Polonais.
Peintre de genre, de sujets religieux et de portraits, dessinateur, lithographe et écrivain d'art.
Élève de l'Académie de Saint-Pétersbourg. Il a peint environ trois cent cinquante portraits et a dessiné des vignettes et des ornements.

TEGELBERG Cornelis ou Kornélis ou Tegeberch
xviie siècle. Actif à Dordrecht. Hollandais.
Peintre de paysages.
Houbraken le cite comme le maître de Jacob Gerrits Cuyp. Dans un inventaire dressé à Dordrecht en 1666, on mentionne un « grand paysage par Kornélis Tagelberg ».

TEGELBERG Dirk T.
xviie siècle. Travaillant à Dordrecht de 1650 à 1660. Hollandais.
Peintre de batailles.

TEGELE Paul ou Degele
Né vers 1595 à Grossenkötz (près de Günzbourg). Mort en 1668 à Hallein. xviie siècle. Autrichien.
Sculpteur.
Il sculpta de nombreux autels dans les églises de Salzbourg et des environs.
Musées : Hallein : épitaphe.

TEGELER Wilhelm ou Friedrich Bernhard W. ou Tegler
Né le 23 septembre 1793 à Detmold. Mort le 18 novembre 1864 à Detmold. xixe siècle. Allemand.
Peintre.
Élève de l'Académie de Kassel et d'A. Range. Le Musée provincial de Detmold conserve de lui : *Les Rochers d'Extern avec un étang* ; *Paysage avec le monument d'Arminius* ; *Vue du palais de Detmold*.

TEGELGAARD Rasmus Jacobsen. Voir TEILGAARD

TEGENHART
Né à Garsten. xviie siècle. Travaillant à Seitenstetten de 1651 à 1678. Autrichien.
Peintre et sculpteur.
Il sculpta huit autels et peignit cinq tableaux d'autel pour l'abbatiale de Seitenstetten.

TEGEO Rafael. Voir TEJEO DIAZ Rafael

TEGERNSEE Ellinger de, abbé. Voir ELLINGER

TEGLER Wilhelm. Voir TEGELER Wilhelm

TEGLIACCI Angelo di Niccolo
Né en 1608 à Sienne. xviie siècle. Italien.
Peintre.

TEGLIACCI Niccolo di ser Sozzo ou Tagliacci
Mort en 1363. xive siècle. Actif à Sienne. Italien.
Miniaturiste et peintre.
Il exécuta plusieurs miniatures dans différents manuscrits de la ville de Sienne, entre autres dans l'ouvrage désigné sous le nom de *Codex Caleffo*. Peu de miniaturistes de cette époque ont atteint à une semblable habileté.
Musées : Berlin (Cab. des Estampes) : *L'Ascension, le miracle de la Pentecôte, le Vierge et l'Enfant, la Vierge protectrice* – *Plusieurs saints – Jeune frère lai*, miniatures – Cleveland : *Deux anges* – Florence (Mus. des Offices) : *La Madone et l'Enfant* – Sienne (Pina.) : *Polyptyque représentant la Vierge avec l'Enfant et des saints*.

TEGLIO MILLA Ismaele
xixe siècle. Actif à Milan. Italien.
Peintre d'histoire, sculpteur.

Élève de la Brera de Milan, où il exposa en 1852. Il participa à de nombreuses expositions en Europe et aux États-Unis entre 1892 et 1918.

Il est considéré comme le plus talentueux des sculpteur néoclassiques Danois. Il sculpta une *Allégorie des vertus de saint Charles Borromée* pour la cathédrale de Milan en 1854.

TEGNER Christian Martin
Né le 28 novembre 1803 à Helsingör. Mort le 18 juillet 1881 à Copenhague. xixe siècle. Danois.
Peintre de portraits et de paysages et lithographe.
Il grava des illustrations de livres.

TEGNER Hans Christian Harold
Né le 30 novembre 1853 à Copenhague. Mort le 2 avril 1932 à Fredensborg. xixe-xxe siècles. Danois.
Peintre de décorations murales, dessinateur, illustrateur, caricaturiste, miniaturiste et décorateur.
Il était fils du lithographe portraitiste Isaac Wilhelm Tegner, et neveu de Christian Martin. Il fut élève de Jörgen Roed à l'Académie des Beaux-Arts de Copenhague. Il fut directeur de l'École des Métiers du Musée de Copenhague et d'une manufacture de porcelaine.
Il figura aux Expositions de Paris, reçut une médaille d'or en 1889 à l'Exposition universelle.
Il fut collaborateur de plusieurs illustrés internationaux, dont le *Punch* et le *Figaro*. Artiste extrêmement fertile, il dessina des timbres-poste, des ex-libris, des médailles, des couvertures. Il a illustré des ouvrages : en 1881 de Asbjörnsen ; en 1888 les *Comédies* de Holberg ; en 1900 des *Œuvres dramatiques* de Shakespeare ; en 1912 de Pontoppidan ; en 1916 de Heiberg ; en 1929 les *Contes d'Andersen*. Il a réalisé des décorations intérieures du château de Christiansborg.
Bibliogr. : Marcus Osterwalder, in : *Dictionnaire des Illustrateurs 1800-1914*, Ides et Calendes, Neuchâtel, 1989.
Musées : Copenhague – Kolding.

TEGNER Isaac Wilhelm
Né le 23 juin 1815 à Helsingör. Mort le 21 décembre 1893 à Copenhague. xixe siècle. Danois.
Lithographe.
Frère de Christian Martin Tegner et élève de l'Académie de Copenhague. Il a gravé environ mille cinq cents portraits.

TEGNER Rudolf Christopher Puggard
Né le 12 juillet 1873 à Copenhague. Mort en 1950. xixe-xxe siècles. Danois.
Sculpteur de monuments, groupes, sujets mythologiques, figures, bustes.
Il figura aux Expositions de Paris ; reçut une médaille de bronze en 1900 à l'Exposition universelle.
Musées : Copenhague : *Monument funéraire – Portrait-buste –* Maribo : *Scène du déluge.*
Ventes Publiques : Paris, 7 déc. 1983 : *Hercule tuant l'Hydre de Lerne*, bronze (90x86x28) : FRF 85 000 – Paris, 13 mars 1985 : *Le gladiateur vaincu*, bronze, patine médaille (H. 86 et l. 34) : FRF 115 000 – Paris, 10 déc. 1986 : *Léda et le cygne*, bronze patine dorée (H. 43) : FRF 8 600 – Saint-Étienne, 19 déc. 1989 : *Femme au javelot*, bronze (H. 97) : FRF 162 000 – Paris, 27-28 mars 1990 : *Aphrodite guidant la flèche d'Éros*, bronze cire perdue à patine verte (H. 103) : GBP 17 600 – Copenhague, 9 mai 1990 : *Jeune fille*, bronze (H. 25) : DKK 6 500 – Copenhague, 13 avr. 1994 : *Fillette assise*, bronze (H. 25) : DKK 6 500 – Le Touquet, 22 mai 1994 : *Le gladiateur vaincu*, bronze (H. 88) : FRF 142 000 – New York, 26 mai 1994 : *Deux gladiateurs ou La victoire*, bronze (H. 87,6) : USD 23 000.

TEGNIZA
xvie siècle. Actif à Crémone. Italien.
Médailleur.
On cite de lui deux médailles à l'effigie de *Girolamo Vida de Crémone*, gravées entre 1533 et 1566.

TEGNIZZI Jacopo Maria
xive siècle. Italien.
Sculpteur.
Il a sculpté en 1378 la *Statue de Saint Égide* et celle de *Saint Omobona* pour la façade de l'église Saint-Omobona de Crémone.

TEGYEY Lajos ou Ludwig
Né le 27 février 1872 à Felsömesteri. xixe-xxe siècles. Hongrois.
Peintre de figures.
Il était actif à Munich et à Budapest.

TEH-CHUN CHU. Voir CHU Teh-Chun

TEIBLER Georg
Né le 4 décembre 1854 à Perchteldsdorf (près de Vienne). Mort le 18 décembre 1911 à Perchteldsdorf. xixe-xxe siècles. Autrichien.
Peintre d'histoire, de genre, portraits.
Fils de Karl Teibler. Élève de Carl Wurzinger, Eduard Engerth, Peter J. N. Geiger à l'Académie des Beaux-Arts de Vienne. Il obtint, en 1882, une bourse de voyage qui lui permit d'aller à Rome. Il visita en outre l'Autriche-Hongrie, la Suède, l'Italie, l'Allemagne du nord et du sud.
Musées : Vienne (Mus. du Belvédère) : *Portrait du père de l'artiste.*
Ventes Publiques : Vienne, 20 mai 1987 : *La présentation de la nouvelle servante* 1903, h/t (77x104) : ATS 100 000.

TEIBLER Karl
Né le 13 décembre 1821 à Vienne. Mort le 25 décembre 1895 à Perchtelsdorf (près de Vienne). xixe siècle. Autrichien.
Peintre de portraits et d'histoire.
Père de Georg Teibler Il fut d'abord élève, à partir de 1835 de Joseph Kiesling puis de Gsellhofer, John Euder et Leop. Kupelwieser. Il s'établit à Vienne comme peintre de portraits. Le Musée du Belvédère de cette ville conserve de lui : *Portrait du Dr Franz Russ* (1844) et *Portrait de Georg, fils de l'artiste*, et le musée Municipal de Vienne, *Portrait de l'artiste.*
Ventes Publiques : Londres, 13 juin 1996 : *Portrait d'une lady en buste portant une robe noire à col blanc et camée* 1874, h/t (73,6x59) : GBP 2 185.

TEICHEL Albert
Né le 1er avril 1822 à Berlin. Mort le 17 novembre 1873 à Berlin. xixe siècle. Allemand.
Graveur au burin.
Élève de Gustave Leideritz à Berlin. Il reproduisit surtout les modernes (Daege, F. E. Meyerheim, L. Robert C. Roqueplan). On cite de lui : *Portrait du prince de Prusse.* Il a gravé des portraits et des sujets de genre.

TEICHEL Franz
Né vers 1816 à Berlin. xixe siècle. Allemand.
Peintre de genre.
Il vécut plusieurs années à Saint-Pétersbourg et à Paris. On cite de lui : *Le petit Italien et son singe.*

TEICHER Louis
Né le 21 avril 1916 à Strasbourg (Bas-Rhin). xxe siècle. Français.
Peintre de compositions à personnages, scènes animées et typiques, figures, portraits, paysages, paysages urbains, marines, natures mortes, fleurs.
Il fut élève de l'École des Arts Décoratifs de Strasbourg. Il suivit le cursus du professorat de dessin de l'Éducation Nationale à l'École Normale Supérieure de l'Enseignement Technique (ENSET) et un enseignement d'esthétique et histoire de l'art à la Sorbonne.
Il participe à des expositions collectives, nombreuses en banlieue parisienne et province, recevant des distinctions locales ; ainsi qu'à Paris, depuis 1949 : Salons des Indépendants, de la Jeune Peinture, d'Automne, de la Société Nationale des Beaux-Arts, des Artistes Français où il obtient une mention honorable en 1989. Depuis 1958, il expose individuellement, à Strasbourg, Colmar, Mulhouse, et Paris en 1962 et 1968, galerie des Orfèvres.
Dans ses compositions, il traite des sujets graves, éventuellement sous forme symbolique. En général, il a sur le monde une vision directe et heureuse. Dans ses scènes animées ou paysages, il utilise pour les plans éloignés un dessin en perspective cavalière et une technique délavée qui créent des effets d'espace et de profondeur.
Musées : Colmar (Fonds mun.) – Montreuil (Mus. d'Hist.) : *Le vieux jardinier* – Mulhouse (Fonds mun.) – Strasbourg (Mus. des Beaux-Arts) : *La Ville, la nuit.*
Ventes Publiques : Paris, 17 juin 1991 : *Le mont Sion à Jérusalem*, h/t (38x61) : FRF 11 000 – Paris, 6 juil. 1992 : *Café dans les souks de Jérusalem*, h/t (38x46) : FRF 8 000.

TEICHERT Wilhelm
xixe siècle. Actif au début du xixe siècle. Allemand.
Peintre.
Élève de l'Académie de Berlin où il exposa de 1822 à 1830 des scènes mythologiques et historiques, des portraits et des paysages.

TEICHGRÄBER Heinrich Wilhelm
Né le 3 avril 1809 à Oschatz. Mort le 2 avril 1848 à Dresde. XIXᵉ siècle. Allemand.
Lithographe.
Il grava des illustrations de livres d'histoire et des portraits.

TEICHLEIN Anton
Né le 28 janvier 1820 à Munich. Mort le 8 décembre 1879 à Schleissheim. XIXᵉ siècle. Allemand.
Paysagiste et écrivain d'art.
Il travailla à Munich, en Italie, à Paris.
MUSÉES : AUGSBOURG (Mus. mun.) : *Portrait de l'artiste* – BRESLAU, nom all. de Wroclaw : *Paysage* – COPENHAGUE : *Soirée dans la forêt de Fontainebleau* – MUNICH (Pina.) : *Paysage*.

TEICHMANN Iga ou **Idi**, née **Fries**
Née le 18 novembre 1874 à Francfort-sur-le-Main. XIXᵉ-XXᵉ siècles. Allemande.
Peintre de figures, nus, portraits, graveur.
Elle fut élève de Johann Friedrich Welsch (?), auquel cas à l'École de Dessin de Münster. Elle peignit des nus, des figures et des portraits.
MUSÉES : BRESLAU, nom all. de Wroclaw – DRESDE – MAYENCE – MUNICH.

TEICHMEISTER
Né à Saint-Georgen (Styrie). Mort le 15 août 1876 à Marbourg. XIXᵉ siècle. Autrichien.
Sculpteur de bustes, bas-reliefs.
Il sculpta des bustes et le chemin de croix de Windischgrätz.

TEICHS Adolf Friedrich ou **Friedrich Adolf**
Né en 1812 à Brunswick. Mort en 1860 à Dresde. XIXᵉ siècle. Allemand.
Peintre d'histoire et de genre, aquafortiste et lithographe.
Il fit ses études à Düsseldorf. Il travailla à Dresde et exposa à Cologne en 1861. On cite de lui : *La puissance de la musique, Marie Stuart et le chanteur Riccio.*
MUSÉES : MUNSTER : *Grecs prisonniers gardés par des mamelouks* – STETTIN : *Dernier repas des Girondins.*

TEICZEK Martin. Voir **TEJCEK**

TEIDE Francisco de
XVIᵉ siècle. Actif à Porto en 1581. Portugais.
Peintre.
Il fut chargé des peintures du retable de la chapelle Notre-Dame de la Miséricorde de Pontevedra.

TEIGE Karel
Né en 1900 à Prague. Mort en 1951 à Prague. XXᵉ siècle. Tchécoslovaque.
Peintre, peintre de collages, graphiste, poète. Surréaliste. Groupe surréaliste de Prague.
À Prague, il fit des études d'histoire de l'art à l'Université et fut élève de l'École des Beaux-Arts. En 1922 et 1924, il séjourna à Paris ; en 1925 à Moscou et Léningrad. Jeune journaliste, il était mêlé aux milieux d'avant-garde à Prague, communiquant des articles pour *Der Sturm* et *Die Aktion.* Co-fondateur de l'association pluridisciplinaire *Devetsil,* il en fut l'animateur de la tendance « poétiste » jusqu'en 1931. À ce titre, de 1927 à 1931, il publia la revue *Red.* En 1930, il fut enseignant pour la sociologie de l'architecture au Bauhaus de Dessau. Rallié au surréalisme en 1934, il fut des premiers animateurs du *Groupe de Prague* et jusqu'en 1947. Il se suicida au moment de son arrestation par la police politique.
Surtout théoricien et animateur, en tant que plasticien, travaillant dans le design et la typographie, il fut d'abord influencé par le constructivisme russe et le néo-plasticisme. Après son ralliement au surréalisme, il a réalisé des tableaux-poèmes, des poèmes typographiques et surtout des collages photographiques (photomontages) énigmatiques ou inquiétants.
BIBLIOGR. : In : *Diction. Univers. de la Peint.,* Le Robert, Paris, 1975 – in : '*Art du* XXᵉ *siècle,* Larousse, Paris, 1991 – in : *Diction. de l'Art mod. et contemp.,* Hazan, Paris, 1992.
VENTES PUBLIQUES : PARIS, 21 juin 1982 : *Album inédit,* recueil de quinze collages : FRF 52 000.

TEIGEN Peter
XXᵉ siècle. Américain.
Peintre et architecte.
Élève, pour la peinture, de Alexandre (?) Iacovleff et de Vassili (?) Choukhaïeff.

TEILGAARD Rasmus Jacobsen ou **Tegelgaard**
Né en 1685. Mort en 1754. XVIIIᵉ siècle. Norvégien.
Peintre.
Élève de Povel Melhorn à Trondhem. Il peignit des scènes religieuses et des portraits.

TEILLIET Jean Cyprien
Né au XIXᵉ siècle à Saint-Junien (Haute-Vienne). XIXᵉ-XXᵉ siècles. Français.
Peintre de paysages.
Élève de Gérome, Benjamin Constant et Jean-Paul Laurens. Sociétaire des Artistes Français depuis 1901, il figura au Salon de ce groupement ; reçut une mention honorable en 1898.

TEIMIAS
Actif en Phrygie à l'époque impériale romaine. Antiquité romaine.
Sculpteur.
Il sculpta des figures sur une stèle de tombeaux à Kotiaion près d'Aizani.

TEINTURIER Jean Frédéric
XIXᵉ siècle. Français.
Dessinateur et portraitiste.
Actif à Rouen (Seine-Inférieure), il travailla à Châlons-sur-Marne en 1809.

TEINTURIER Jules Laurent
Né au XIXᵉ siècle à Paris. XIXᵉ-XXᵉ siècles. Français.
Sculpteur animalier.
Il exposa au Salon de Paris à partir de 1880. Il a surtout reproduit des animaux.

TEINTURIER Louis Ferdinand Victor
Né le 25 mars 1825 à Valenciennes (Nord). XIXᵉ siècle. Français.
Paysagiste.
Élève de Decamps. Il exposa au Salon de 1852 à 1878. Le Musée de Calais conserve de lui *Intérieur de forêt,* et celui de Valenciennes, *Vue de la forêt de Fontainebleau.*
VENTES PUBLIQUES : PARIS, 20 oct. 1948 : *Sentier sous bois* : FRF 4 600.

TEISAGORAS. Voir **TISAGORAS**

TEISAI HOKUBA. Voir **HOKUBA**

TEISANDROS. Voir **TISANDROS**

TEISIAS. Voir **TISIAS**

TEISIKRATES. Voir **TISICRATES**

TEISSIER
XVIIᵉ siècle. Français.
Peintre de décorations.
Il a exécuté des fleurs dans les tapisseries des Gobelins de Paris.

TEISSIER Jean
XVIIIᵉ siècle. Actif à Paris vers 1770. Français.
Graveur au burin.
Élève de Philippe Le Bas. On cite de lui, notamment, *Les mangeurs d'huîtres* et *Le marchand de poisson de Dieppe,* d'après Bénard.

TEISSIER Jean George ou **Teisier** ou **Tessier**
Né en 1750 à La Haye. Mort en 1821 à La Haye. XVIIIᵉ-XIXᵉ siècles. Hollandais.
Peintre de portraits, paysages, restaurateur de tableaux.
Élève de B. Bolomey. Directeur du Musée et de l'Académie de La Haye.

TEISSIER Louis Emmanuel. Voir **SOULANGE-TEISSIER**

TEISSIER Michel Anne ou **Teyssier**
Né le 26 juillet 1780 à Marseille. Mort le 11 décembre 1823 à Aix-en-Provence (Bouches-du-Rhône). XIXᵉ siècle. Français.
Peintre d'histoire et portraits.
Élève de I. L. Goubaud. Il peignit les portraits de *Napoléon Iᵉʳ* et du pape *Pie VII.* Il travailla pour les églises des environs d'Aix.

TEITL ou **Taitel**
Né à Linz. XVIIIᵉ siècle. Actif à la fin du XVIIIᵉ siècle. Autrichien.
Sculpteur.
Il exécuta des sculptures dans des églises de Kefermarkt, de Linz et de Peilstein.

TEIXEIRA Diogo
XVIᵉ siècle. Portugais.

Peintre de sujets religieux.
Il exécuta des peintures dans l'église Notre-Dame de la Lumière de Lisbonne en 1565 et en 1577.

TEIXEIRA Manoel, frey
Mort à la fin du XVIIIe siècle. XVIIIe siècle. Portugais.
Sculpteur de statues.
Il a sculpté, sur argile (?), des statues pour le maître-autel de l'abbatiale de la Trinité à Santarem.

TEIXEIRA DE MATTOS Henri
Né le 21 décembre 1856 à Amsterdam. Mort le 23 décembre 1908 à La Haye. XIXe-XXe siècles. Hollandais.
Sculpteur de figures, portraits, animaux, peintre d'intérieurs.
Élève de l'Académie d'Amsterdam. Il figura aux Expositions de Paris ; reçut une mention honorable en 1900 (Exposition Universelle).
MUSÉES : AMSTERDAM (Stedelijk Mus.) : *Une négresse*.

TEIXEIRA DE MATTOS Joseph
Né en 1892. XXe siècle. Hollandais.
Peintre de figures, dessinateur.
Il n'eut aucun maître.
MUSÉES : LA HAYE (Stedelijk Mus.) : *Portrait de l'artiste* – plusieurs dessins.

TEIXEIRA DE MATTOS Sara
Née en 1814. Morte en 1893. XIXe siècle. Portugaise (?).
Peintre de genre.
VENTES PUBLIQUES : AMSTERDAM, 24 sep. 1992 : *Tu viens avec moi ?*, h/t (79x59) : NLG 5 175.

TEIXEIRA LOPES Antonio
Né en 1866 à Villa Nova de Gaya. XIXe-XXe siècles. Portugais.
Sculpteur de monuments, statues.
Élève de Antonio Soares dos Reis et de l'École des Beaux-Arts de Paris.
Il sculpta de nombreux monuments et statues à Lisbonne et dans d'autres villes du Portugal. On considère comme son chef-d'œuvre le *Monument d'Eça de Queiros*.
MUSÉES : LISBONNE (Mus. nat) : *Saint Isidore*, bois.

TEIXEIRA LOPES José Joaquin
Né à Villa Nova de Gaya. XIXe-XXe siècles. Portugais.
Sculpteur.
Probablement proche parent de Antonio Teixeira Lopes. Élève de François Jouffroy à l'École des Beaux-Arts de Paris. Il travailla à Villa Nova de Gaya. Il figura aux Expositions de Paris ; reçut une mention honorable en 1889 à l'Exposition universelle, une médaille de troisième classe en 1890. Un Grand Prix en 1900 (Exposition universelle) ; fut chevalier de la Légion d'honneur en 1900.

TEIXEIRA PINTO Joao
Né à Lisbonne. XIXe siècle. Portugais.
Peintre et sculpteur.
Actif dans la première moitié du XIXe siècle. Il travailla pour la cour de Lisbonne.

TEIXIDOR José ou Texidor
Né en 1826 à Barcelone (Catalogne). Mort en 1927 à Caldas de Estrach. XIXe siècle. Actif dans la seconde moitié du XIXe siècle. Espagnol.
Peintre de portraits, paysages animés, paysages, marines.
Il fut élève de Ramon Marti y Alsina. Il figura au Salon de la Société Nationale des Beaux-Arts de Barcelone, en 1864 et 1890. Il se spécialisa surtout dans le portrait.
BIBLIOGR. : In : *Cien Anos de pintura en Espana y Portugal, 1830-1930*, Antiqvaria, t. X, Madrid, 1993.
MUSÉES : BARCELONE (Acad. des Beaux-Arts) – BARCELONE : *Méditation* – *Autoportrait* – GÉRONE (Mus. prov.).

TEIXIDOR Y TORRES Modesto
Né en 1854 à Barcelone (Catalogne). Mort en 1928. XIXe-XXe siècles.
Peintre de compositions à personnages, scènes de genre, figures, portraits, nus, paysages urbains animés.
Il était fils de José Teixidor et fut son élève. Il étudia ensuite à l'École des Beaux-Arts de Barcelone, et à Paris, avec les peintres Carolus Duran et Bastien-Lepage.
Il figura au Salon de la Société Nationale des Beaux-Arts de Barcelone, recevant une troisième médaille en 1897 ; ainsi qu'au Salon des Artistes Français de Paris, obtenant une médaille de bronze en 1900 à l'occasion de l'Exposition universelle.

Phénomène assez fréquent dans les périodes de transition, Modesto Teixidor Torres changeait facilement de style selon les sujets traités, encore tributaire du XIXe siècle pour les figures et portraits, il approchait l'impressionnisme dans les personnages féminins et surtout les nus, enfin il avait une manière très personnelle de peindre les larges promenades animées de Barcelone.
BIBLIOGR. : In : *Cien Anos de pintura en Espana y Portugal, 1830-1930*, Antiqvaria, t. X, Madrid, 1993.
MUSÉES : MADRID (Mus. d'Art mod.) : *Vue de Barcelone*.

TEJA Casimiro
Né en 1830 à Turin. Mort le 22 octobre 1897 à Turin. XIXe siècle. Italien.
Dessinateur, caricaturiste.
Il fit ses études à l'Académie Albertine.
Un des caricaturistes italiens renommés en son temps. Il collabora à la *Mosca*, au *Pasquino*, au *Fischietto*.

TEJADA Hernando
Né à Pereira. XXe siècle. Colombien.
Peintre de décorations murales.
Il a fait des fresques et des mosaïques murales dans des édifices publics.

TEJADA Juan Moreno. Voir **MORENO TEJADA Juan**

TEJADA Leonardo
Né en Équateur. XXe siècle. Equatorien.
Peintre.
Il travaillait en Équateur. Il appartient au groupe de ces artistes du sud du Nouveau-Monde soucieux de tradition indienne. On cite : *Festival indien* et *Mère indienne*.

TEJARES Blas de
XVIIe siècle. Actif à Valladolid. Espagnol.
Sculpteur.
Il travailla avec Francisco Giralte et Juan Manzano.

TEJCEK Martin ou Taicek ou Teiszek
Né en 1780 à Prague. Mort en 1847 à Prague. XIXe siècle. Autrichien.
Peintre et lithographe.
Élève de L. Kohl et de Jos. Bergler. Il se fixa à Vienne, puis à Prague. Il grava des paysages et des portraits.

TEJEDA Antonio de
XVIe siècle. Actif à Séville en 1536. Espagnol.
Peintre.

TEJEDA Juan de
XVIe siècle. Travaillant à Séville. Espagnol.
Peintre.
Cet artiste exécuta divers sujets et des armes pour la prison royale, il peignit un retable pour la chapelle de la Vierge en 1570, mais comme il négligea de peindre la couronne, on lui en retint le prix. C'est Anton Velasquez qui termina le travail le 15 septembre 1572 et fut payé de la partie retenue à Tejeda.

TEJEO DIAZ Rafael ou Tejeo ou Tegeo
Né le 27 novembre 1798 à Caravaca de la Cruz (prov. de Murcie). Mort le 3 octobre 1856 à Madrid. XIXe siècle. Espagnol.
Peintre d'histoire, compositions mythologiques, sujets religieux, portraits.
Élève de l'Académie des Beaux-Arts de Madrid. Il est connu pour ses magnifiques portraits d'une grande habileté technique.
MUSÉES : MADRID (Mus. mod.) : *Sainte Madeleine – Hercule et Antée* – *M. P. Benitez et sa femme – Dona Maria de la Cruz Benitez – Dona Angela Tejeo*.
VENTES PUBLIQUES : PARIS, 21-22 jan. 1926 : *Saint Louis recevant la couronne d'épines* : FRF 600 – PARIS, 12 juin 1992 : *Le combat des Centaures et des Lapithes*, h/t (88x119) : FRF 410 000 – MADRID, 20 fév. 1992 : *Portrait d'une fillette assise dans un jardin 1842*, h/t (80x119,5) : ESP 1 904 000.

TEJERINA Marcos. Voir **TIJERINA**

TEJON Francisco
XVIIe siècle. Actif à Séville au milieu du XVIIe siècle. Espagnol.
Peintre.
Il peignit un ange dans la chapelle du gouverneur en 1651.

TEKTAIOS
VIe siècle avant J.-C. Antiquité grecque.
Sculpteur.
Élève de Dipoinos et de Scyllis. Il sculpta une statue colossale d'*Apollon* pour le temple de Délos.

TEKUSCH Margaret
Née vers 1820. Morte après 1888 à Londres. XIXe siècle. Britannique.
Miniaturiste et portraitiste.
Membre de la Society of Ladies Artist. Elle exposa à Londres, de 1845 à 1888, quatre-vingt-cinq miniatures à la Royal Academy et onze à la British Institution.

TELA Pio
XVIIIe siècle. Actif à Turin. Italien.
Graveur au burin.
Élève de G. Rami.

TELBIN William
Né le 18 juin 1815. Mort le 25 décembre 1873 à Londres. XIXe siècle. Britannique.
Peintre de décors de théâtre, aquarelliste.
Un des meilleurs décorateurs de la scène anglaise de l'époque. Membre de l'Institute of Painters in Water-Colours ; il prit part à ses Expositions ainsi qu'à quelques-unes de la Royal Academy. Il a surtout travaillé pour Drury Lane.

TELBIN William Lewis
Né en 1846 à Londres. Mort en décembre 1931 à Londres. XIXe-XXe siècles. Britannique.
Peintre de décors de théâtre et écrivain.
Fils de William Telbin. Il peignit des décors pour des drames de Shakespeare et pour *Faust*.
Musées : LONDRES (Victoria and Albert Mus.) : douze dessins.

TELCS Édouard ou Ede ou Teles
Né le 12 mai 1872 à Baja. XIXe-XXe siècles. Hongrois.
Sculpteur de statues.
Il figura aux Expositions de Paris, reçut une médaille de bronze en 1900 pour l'Exposition universelle. Il sculpta de nombreuses statues à Budapest et d'autres villes de Hongrie.

TELCS-STRICKER Gina ou Tcles-Stricker
Née le 2 octobre 1880 à Budapest. XXe siècle. Hongroise.
Sculpteur.
Femme du peintre Karoly Kernstock.

TELEGDY Arpad
Né le 8 novembre 1871 à Kolozsvar. Mort le 4 octobre 1931 à Magyarokerek. XIXe-XXe siècles. Hongrois.
Peintre de paysages.
Il se spécialisa dans la peinture de sujets ethnographiques.

TELEGDY Laszlo, ou Ladislaus
Né le 15 janvier 1861 à Budapest. Mort en 1904 à Budapest. XIXe-XXe siècles. Hongrois.
Peintre de paysages, illustrateur.

TELEK Antal, ou Anton
Né le 28 décembre 1881 à Ipolytarnoc. XXe siècle. Hongrois.
Paysagiste.

TELEKES
VIe siècle avant J.-C. Antiquité grecque.
Sculpteur.
Il exécuta à Samos avec son frère Theodoros, une statue d'*Apollon Phythios*.

TELEKI André
Né en 1928 à Bruxelles, de père hongrois et de mère suisse. XXe siècle. Actif en Suisse. Hongrois.
Peintre de décorations murales. Figuratif.
Autodidacte, il vit et travaille à Genève. Nombreuses expositions, à partir de 1955, à Melbourne, en Suisse, notamment en 1972 au Musée Rath de Genève ; en 1975 au Salon international d'Art de Bâle ; à Paris.
Il a réalisé, pour la Ville de Genève, une fresque de 125 m2. De tendance figurative, sa peinture est chaudement lumineuse.
Musées : GENÈVE (Mus. d'Art et d'Hist.).

TELEKI Bella de, comtesse
Née en 1857. XIXe siècle. Hongroise.
Peintre.
Sans doute apparentée à Blanka, comtesse de Teleki. Elle fit ses études à Paris.

TELEKI Blanka de, comtesse
Née en 1806 à Hosszufalu. Morte le 23 octobre 1862 à Paris. XIXe siècle. Hongroise.
Peintre et sculpteur.
Élève de Léon Cogniet.
Musées : BUDAPEST (Gal. nat.).

TELEKI Géza
Né le 13 février 1881 à Gernyeszeg. XXe siècle. Hongrois.
Peintre de figures, paysages.

TELEKI Ralf
Né en 1890 à Brasso. XXe siècle. Hongrois.
Peintre et graveur.
Il fit ses études à Paris.

TELEKI Sandor ou Alexander
Né le 26 janvier 1821 à Kolozsvar. Mort le 19 mai 1892 à Nagybanya. XIXe siècle. Hongrois.
Caricaturiste.

TÉLÉMAQUE Hervé
Né le 5 novembre 1937 à Port-au-Prince. XXe siècle. Depuis 1961 actif et depuis 1985 naturalisé en France. Haïtien.
Peintre, sculpteur, dessinateur, illustrateur. Pop art.
Hervé Télémaque est né haïtien, métis, d'une famille aisée et cultivée. Il vint terminer ses études secondaires en France, en pension à la très réputée École des Roches. Retourné en Haïti, il fréquenta l'école de peinture naïve de Port-au-Prince. Puis, il fut élève de Julian Levi, à l'Art Students' League de New York, de 1957 à 1960. Fils de bourgeois en Haïti, si, à New York, il s'était découvert un nègre, jeune artiste arrivé à Paris depuis 1961, c'était lui, au début, qui imposait sa négritude plus qu'il ne la subissait en réalité, avant d'être bien obligé de constater la vérité de son assimilation dans un milieu peu enclin au racisme et dans le pays de sa langue d'origine. On aurait pu éviter dans une biographie factuelle de mentionner qu'il avait été l'objet d'un traitement analytique ; ce fait n'est cependant pas sans relation avec sa perception de son appartenance raciale et surtout d'avoir été obligé de vivre avec son être inconscient marquera tout son œuvre.
Il participe à de très nombreuses expositions collectives internationales, notamment : depuis 1964 Salon de Mai et Salon de la Jeune Peinture ; *Mythologies Quotidiennes*, Musée d'Art moderne de la ville de Paris, 1964 ; Documenta 3 et 4 de Kassel, 1964, 1968 ; *Nouveau Réalisme, Pop, etc.*, Palais des Beaux-Arts, Bruxelles, 1965 ; *Figuration Narrative*, Paris, 1965 ; Expositions du Surréalisme, Paris, 1965, et São Paulo, 1967 ; Biennale de Venise, 1968 ; *Distances*, Musée d'Art Moderne de la ville de Paris, 1969 ; Biennale de Paris, 1969 ; IIIe Salon International des Galeries Pilotes, Musée cantonal, Lausanne, 1970 ; *Pop Art*, Knokke-le-Zoute, 1970 ; *Paris-New York*, Centre Groeges Pompidou, Paris, 1977 ; *Biennale de La Havane*, 1986 ; Exposition universelle de Séville, Pavillon de la France, 1992 ; etc.
Depuis 1964, à Paris, Télémaque a montré de nombreuses expositions personnelles de ses œuvres ; ainsi qu'à Londres, 1964 ; Rome, 1965 ; Turin, 1966 ; Milan, 1967 ; Brescia et Bologne, 1968 ; Hanovre et Ulm, 1969 ; puis d'entre nombreuses autres : Paris, galerie Mathias Fels, 1971 ; Washington, 1972 ; Milan, 1973 ; Paris, Musée d'Art moderne de la Ville (ARC), 1976 ; Barcelone, 1977 ; Paris, *Haut Lieu Selle*, galerie Maeght, 1979 ; Paris, galerie Adrien Maeght, 1981 ; Paris, galerie Maeght, 1982 ; Barcelone, galerie Maeght, 1983 ; Paris, galerie Jacqueline Moussion, 1989 ; Paris, *Rétrospective de Collages*, galerie Jacqueline Moussion, 1991 ; Paris, galerie Louis Carré *Fusain et marc de café*, 1994 ; Paris, rétrospective à l'Espace Electra, 1995 ; Valence (Espagne), Centre Julio Gonzalez, Guillem de Castro, et Paris, galerie Louis Carré, 1998 ;...
En Haïti, son passé pictural, c'était : « ... une admiration pour Braque. Tout en étant émoustillé par la peinture naïve haïtienne, je veux préférant la peinture occidentale. Avec New York, c'est la visite des grands musées et la découverte de l'expressionnisme abstrait. » À l'époque de sa formation à New York, il fut surtout sensible aux influences des œuvres de Arshile Gorky, mon esprit de synthèse totalisante, et de De Kooning, pour sa violence expressionniste. Ce qui n'est apparu qu'« a posteriori », il participait alors, de l'intérieur, à l'invention du pop art, dans des peintures encore très informelles, gorgées de couleurs jubilatoires et de signes ou signaux non décryptés : « Je vais vers des signes rapides pour savoir qui je suis ». Dans ces premières peintures, il se livrait à une célébration profanatoire de la femme, au travers d'une technique alliant expressionnisme et l'écriture automatique du surréalisme. Toutefois, déjà très clair dans ses idées, il voyait bientôt l'expressionnisme abstrait américain comme ayant « échoué dans le stéréotype gestuel, alors qu'il voulait ouvrir sur l'inconscient ». Son intérêt pour le surréalisme, l'attirance pour son propre univers souterrain où l'image règne sans partage, devaient lui rendre nécessaire le retour et le recours à la représentation.

Dès 1962-1963, modifiant définitivement les apparences techniques de son vocabulaire formel, il réunissait les divers éléments qui allaient constituer le nouveau matériel de sa poétique. D'une part, optant résolument pour l'image figurative, il se « jette de manière boulimique sur des figures que je prends n'importe où... », découvrant « le pouvoir des images, le mot n'étant que la transcription hasardeuse de ce qui se passe avec les images ». D'autre part, il exploitait toutes les ressources du collage, soit avec des adjonctions intégrales d'objets extérieurs, soit avec des inscriptions le plus souvent insolites, soit avec des emprunts avoués à des bandes dessinées ou à des placards publicitaires, tout en continuant d'expérimenter les matériaux et techniques de la peinture même. Tout au long des années et des pratiques diverses, de l'huile à l'acrylique, de la peinture à la sculpture, Télémaque respecte un principe d'intégrité du travail matériel : « L'activité artistique vaut ce qu'elle vaut, on doit la faire avec noblesse ».
À l'intérieur de l'évolution du pop art vers l'image figurante et la narration de bande dessinée, très tôt la peinture de Télémaque prit des allures de rébus, sur lesquels le regardeur s'évertue en vain. C'est que ces rébus sont constitués selon la règle d'images isolées, sans liens apparents entre elles, distribuées à la surface de la peinture, dont le décryptage global ne concerne que lui et, parfaitement autobiographiques, représentent, « d'après nature » dit-il, des détails de son quotidien au jour le jour, un petit événement familial, la lecture du journal, ou d'autres épisodes issus de sa mémoire, souvent des souvenirs de l'enfance en Haïti, ce qui les rend encore plus personnels et lointains. Un titre, une inscription, directement tracés sur l'œuvre, semblent indiquer une piste, sans doute pour mieux égarer. De ce monologue intérieur, au public il n'en livre que l'écho des images résultantes, son travail de plasticien perfectionniste. Hors toute confidence, pour que ces images éclatées soient parfaitement lisibles en tant qu'images plastiques, il reconnaît utiliser la « ligne claire » des dessins d'Hergé, découverts vers 1960 dans un magazine féminin ; mais quant au non-dit, dissimulé derrière les figures du rébus, c'est au symbolisme de De Chirico qu'il se réfère : « Ils m'ont tous deux influencé, et ma façon de peindre s'est radicalement modifiée quand j'ai exploré leurs œuvres respectives. »
Les biographies de Télémaque les plus complètes distinguent à juste titre plusieurs périodes dans son œuvre : soit des périodes théoriques : 1961-1963 période surréaliste ; 1963-1965 période pop art ; 1966-67 Combine painting ; 1968 période des objets inventés ; 1969-1973 période des Suites à Magritte ; etc. ; soit des périodes techniques, définies par leurs constituants figurés et intégrés : objets réels, rubans, chaussures, pièces de lingerie, confrontés à leur représentation sur la toile ; les objets sans utilisation plausible ; puis le retour aux moyens apparemment traditionnels de la peinture. Dans les années 1985 à 1990, il aura pu réaliser quelques peintures murales, en 1985 Maman à l'Hôpital Pitié-Salpétrière, en 1986 la Vallée de l'Omo à la Cité des Sciences de La Villette, en 1986 Eh, ne dites pas ; tout l'or du monde ! à la gare d'Orsay du R.E.R. Enfin, depuis 1968, et surtout à partir des années quatre-vingt-dix, il devint inévitable que les pratiques diverses du collage amènent Télémaque à la sculpture proprement dite. D'ailleurs, la sculpture étant pour lui une sculpture d'assemblage, sa pratique n'avait aucune raison de changer quoi que ce soit aux mécanismes de sa poétique.
Pourtant, derrière ces références stylistiques et sous ces moyens techniques différents, le processus poétique semble s'être durablement affirmé, aussi évident dans son apparence que résolument ésotérique dans son contenu, à tel point que c'est cet ésotérisme même qui constitue le fonds auquel s'attachent les commentaires. Se situant dans le contexte du nouvel essor de la réflexion du langage sur lui-même chez les structuralistes, la peinture de Télémaque qui s'attache également à la relation signifiant-signifié dans les images et les signes, suscite un intérêt général et des exégèses diverses : « un rébus qui n'aurait pas de réponse » ; « la grande inconnue des objets et l'énigme de leur alphabet » (Gérald Gassiot-Talabot) ; « la relation entre les éléments s'avère cependant le plus souvent trop subtile pour avoir été conçue a priori » (J. Patrice Marandel) ; etc. Devant la quasi-impénétrabilité des rébus proposés par Télémaque, abrité derrière l'ingénuité avec laquelle il « représente » les objets sous leur aspect le plus commun, celui des bandes dessinées ou des publicités, on arrive à la conclusion qu'il n'a pu nourrir délibérément le noir dessein de contraindre le spectateur à un décryptage insoluble et que ses propositions d'images doivent être

appréhendées comme des excitants de l'imagination justement, des sortes de débuts de mots croisés dont l'achèvement est laissé à la subjectivité de chacun : « Télémaque nous conduit jusqu'à la frontière où il nous abandonne, sachant que nous nous entendrons comme nous pourrons avec ses toiles, en faisant nôtre, pour un autre message, la riche ambiguïté des objets à travers lesquels il nous dit inlassablement quelque chose de très simple et de très secret » (Gérald Gassiot-Talabot) ; et surtout, en divers écrits, J. Patrice Marandel : « Comme une langue morte, ses peintures nous ouvrent les portes d'un monde inconnu ; au moment où nous croyons les posséder, elles conservent une opacité, celle même de la pensée » et « Ne donnons pas de réponse, car la réponse n'existe pas. Ou bien serait-elle trop évidente ? » ; Bernard Lamarche-Vadel : « Télémaque ne pose aucune question, a fortiori la réponse est toujours du domaine de l'autre » et « Le sens n'est pas dans les images, ou si l'on préfère, ces images n'ont aucun sens » ; enfin de nouveau J. Patrice Marandel : « Il est désormais bien connu qu'un parapluie et une machine à coudre auront toujours quelque chose à se dire, lorsqu'ils se rencontreront sur une table d'opération ».
On le constate ainsi, dans la peinture de Télémaque, l'omniprésence de l'image, de la réalité présente ou du souvenir, a d'emblée, et comme à l'accoutumée, excité le commentaire. À cette réserve près, mais qui active encore la glose, que cette image de la réalité, qu'on voudrait tant rassurante, avec lui se dérobe dans l'énigme de quelque chose, qui livrerait son message non dans ses icônes, mais au contraire dans ce qui les sépare. Chez Télémaque, l'énigme réside dans ce qui sépare l'objet de sa représentation, sa représentation de son nom, et le tout de son titre, ici donné en lieu et place de la solution du rébus, mais qui ne fait que l'obscurcir. Il n'est pas triste de parcourir les analyses qui suivirent, par exemple, l'exposition de 1979 Haut Lieu Selle, alors qu'à l'évidence Télémaque, exhibant dans l'exposition tous les matériaux et préparatifs intermédiaires à chacune des œuvres, ses « déchets », signifiait que son propos était l'œuvre concrète dans l'aboutissement son processus, et non l'image représentée, indifférente dans sa multiplication : « Une image sert à écarter les autres ». Pourtant, et si les choses étaient un peu plus simples qu'il n'y paraît, comme est finalement simple l'homme Télémaque, touchant par son insistance maïeutique à aller jusqu'au bout d'une discussion, malicieux dans son goût pour les à-peu-près, jeux de mots et énigmes, qui lui fait retrouver dans le mot qui lui est familier « rébus » le nom de son interlocuteur éventuel. Bien sûr qu'Hervé Télémaque ne cesse de poursuivre une quête de ses propres profondeurs, qu'il s'interroge sur les relations et leur fragilité entre le sens caché et l'image possible, sur « le passage du monde aveugle au monde visible » et sur la vertu expiatoire de la production de cette image, bien sûr qu'il s'amuse à jouer sur les nerfs du public, ne livrant des bribes de ses affects personnels que sous des apparences visuelles indécryptables, sauf pour son propre usage. Si cette attitude était avérée, elle pourrait signifier deux choses : d'abord que ce qui le concerne ne concerne que lui, ensuite qu'il n'est pas tenu de justifier les raisons qui le poussent à utiliser justement en tant que matériau rudimentaire de base de ses constructions objectives, ce donné quotidien subjectif, insaisissable comme le courant de pensée du Bloom de Joyce (Ulysse avec lequel Télémaque, dans son fonctionnement mental, offrirait un possible parallélisme). Et si, précisément, indifférent ou même étranger aux images qu'il prodigue, les vraies raisons d'être des réalisations plastiques de Télémaque c'était d'être, avant tout le reste et pleinement, des réalisations plastiques affirmées dans leur matérialité de choses peintes, collées ou assemblées, et pour lesquelles il aura donné tout ce qu'il sait dans le dire et montré tout ce qu'il sait faire. ■ Jacques Busse

BIBLIOGR. : José Pierre, in : Quadrum, n° 15, Paris, 1963-1964 – Gérald Gassiot-Talabot, in : Trois peintres leaders de la jeune école de Paris, Art International, n° 3, Paris, 1965 – Alberto Boatno et José Pierre : Préfaces de l'exposition Télémaque, Galerie L'Attico, Rome, 1965 – José Pierre, in : Le Surréalisme, in : Hre Gle de la peint., t. XXI, Rencontre, Lausanne, 1966 – José Pierre, in : La fureur poétique, L'Arc, Paris, 1967 – Christopher Finch et José Pierre : Préfaces du catalogue de l'exposition Télémaque, Galerie Mathias Fels, Paris, 1967 – Gérald Gassiot-Talabot : Télémaque et le langage de l'objet, in : Opus International, Paris, avril 1970 – J. Patrice Marandel : Préface de l'exposition Télémaque, Galerie Mathias Fels, Paris, 1971 – J. Patrice Marandel : Système de la parodie, Chroniques de l'Art Vivant, Paris, 1971 – Bernard Lamarche-Vadel : Un point de suspension : Télémaque, in : Figurations *1960-1973*, collection *10/18*, Christian Bourgeois, Paris, 1973 – in : *Le Pop art*, diction. de poche, Hazan, Paris, 1975 – in : *Diction. Univers. de la Peint.*, Le Robert, Paris, 1975 – Marc Le Bott, in : *Figures de l'art contemp.*, collection *10/18*, Christian Bourgois, Paris, 1977 – Jean Frémon : *Ce que l'image cèle*, in : Catalogue de l'exposition *Télémaque*, galerie Maeght, Paris, Zurich, 1979 – Hervé Télémaque, Bernard Noël, Catherine Thieck : Catalogue de l'exposition *Hervé Télémaque « maisons rurales »*, Galerie Adrien Maeght, Paris, 1981 – in : Catalogue de l'exposition *Écritures dans la peinture*, Villa Arson, Nice, 1984 – Anne Tronche : *Hervé Télémaque. Les espaces rhétoriques de l'objet*, in : Cimaise, n° 200, Paris, juin-août 1989 – in : *L'Art du xxᵉ siècle*, Larousse, Paris, 1991 – Dossier Télémaque : Gérald Gassiot-Talabot, Hervé Télémaque : Entretien : *L'Objet et la Question* ; Philippe Dagen : *À Télémaque : Série Noire* ; in : Opus International, n° 128, Paris, été 1992 – in : *Diction. de l'Art Mod. et Contemp.*, Hazan, Paris, 1992 – Philippe Curval : Catalogue de l'exposition *Hervé Télémaque : Œuvres d'après nature*, Espace Electra, Paris, 1995.

Musées : Aalborg – Berkeley (University Art Mus.) : *Othello* 1960 – Bordeaux (FRAC Aquitaine) – Brunswick – Caracas (Mus. de Bellas Artes) – Chartres (Mus. des Beaux-Arts) – Dunkerque – Glasgow (Hunterian Art Gal.) – Göteborg – Grenoble – La Havane (Casa de las Americas) – Lille (FRAC Nord Pas-de-Calais) – Lyon (FRAC Rhône Alpes) – Marseille (Mus. Cantini) : *Les vacances de Hegel, suite à Magritte n° 1* 1971, peint. – *Selles comme montagne* 1979, collage et dess. – Metz (FRAC Lorraine) – Ostende : deux peintures – Paris (Mus. nat. d'Art mod.) : *Error* 1966 – *Le Propre et le Figuré* 1982, collage – Paris (FNAC) : *Le beau Danube* 1987 – Paris (Mus. des Arts décoratifs) – Paris (BN, Cab. des Estampes) – Paris (Mus. d'Art mod. de la Ville) – Port-au-Prince (Mus. d'Art haïtien) – Saint Domingue (Mus. d'Art mod.) – Saint-Étienne (Mus. d'Art mod.) – Saint-Paul-de-Vence (Fond. Maeght) – Stockholm (Mod. Mus.) : *Le jour se lève* 1965 – Toulon (Mus. d'Art et d'Archéologie) – Tourcoing – Villeneuve-d'Ascq (Mus. d'Art mod. du Nord) – Vitry-sur-Seine (Mus. du Dessin).

Ventes Publiques : Paris, 4 nov. 1971 : *Allégorie* : FRF 4 800 – Milan, 19 déc. 1974 : *Banania no 3* 1965 : ITL 900 000 – Paris, 8 nov. 1978 : *Le poète rêve sa mort, n° 2*, h/t (272x125) : FRF 8 500 – Paris, 29 mars 1979 : *Horizon* 1967, acryl./deux t. articulées (142,5x60x24) : FRF 4 000 – Paris, 23 oct. 1981 : *La Girouette* 1969, h/t (98x260) : FRF 10 000 – Paris, 24 mars 1984 : *Blow up* 1978, techn. mixte et collage (105x112) : FRF 24 000 – Paris, 20-21 juin 1988 : *La parade des objets* 1977, h/t (65x81) : FRF 15 500 – Paris, 26 oct. 1988 : *Un thé*, techn. mixte (100x150) : FRF 42 000 – Paris, 9 oct. 1989 : *L'étoile proche*, h/t (175x200) : FRF 160 000 – Paris, 23 juin 1989 : *Bretagne/Amériques* 1980, acryl., collage et cr. (120x160) : FRF 45 000 – Paris, 13 oct. 1989 : *Le rouleau avec cornettes*, h/t (diam. 100) : FRF 91 000 – Paris, 15 déc. 1989 : *La terre est un fromage et la mer une chaîne*, acryl./t. (120x60) : FRF 85 000 – Milan, 19 déc. 1989 : *Un homme en raccourci lent* 1966, acryl./t (88x130) : ITL 10 000 000 – Paris, 30 mars 1990 : *Nocturne* 1971, acryl. (73x60) : FRF 110 000 – Paris, 25 avr. 1990 : *H. comme hôtel* juillet 1976 (diam. 100) : FRF 150 000 – Paris, 18 juin 1990 : *La Girouette* 1969, acryl./t (96x260) : FRF 110 000 – Paris, 15 mars 1991 : *Le gouffre* 1977, h/t (162x129) : FRF 150 000 – Paris, 5 déc. 1991 : *Il se demande si les gens...* 1968, h/t (97x130) : FRF 70 000 – Londres, 26 mars 1992 : *Contamination verte* 1970, h/t (60x60) : GBP 2 200 – Paris, 26 juin 1992 : *Le rouleau (avec cornette)* 1974, acryl./t (diam. 99) : FRF 45 000 – Paris, 11 juin 1993 : *Nouvelles de France* 1985, techn. mixte et collage (75x109) : FRF 7 000 – Paris, 14 oct. 1993 : *Où est la vache ?* 1972, h/t (150x150) : FRF 63 000 – Paris, 24 fév. 1994 : *Des fleurs pour la très douce*, h/t (66x101,6) : USD 2 588 – Paris, 29 juin 1994 : *Port-au-Prince, la rose* 1988, acryl./t (200x310) : FRF 80 000 – Paris, 7 oct. 1995 : *Haut lieu axe, cravache-parole* 1975, bois et collage/cart./Plexiglas (93x160) : FRF 26 000 – Paris, 29 nov. 1996 : *Elle tourne* 1967, techn. mixte/t (97x150) : FRF 50 500.

TELEPHANES
viiᵉ-viᵉ siècles avant J.-C. Actif à Sicyone à l'époque archaïque. Antiquité grecque.
Peintre.
Pline l'Ancien mentionne des dessins exécutés par cet artiste.

TELEPHANES
vᵉ siècle avant J.-C. Actif à Phokis. Antiquité grecque.
Sculpteur.

Il travailla en Thessalie où il exécuta des statues de dieux et d'athlètes.

TELEPOV Nikolai
Né en 1916 à Rostov. xxᵉ siècle. Russe.
Peintre de portraits, de natures mortes.
Il fréquenta l'École Artistique de Krasnodar avant d'entrer à l'institut Répine de Léningrad et de travailler sous la direction de Ioganson. Il devint membre de l'Union des Peintres d'URSS.
Musées : Moscou (min. de la Culture) – Novosibirsk (Mus. des Beaux-Arts) – Saint-Pétersbourg (Mus. acad. des Beaux-Arts) – Saint-Pétersbourg (Mus. d'Hist.) – Saint-Pétersbourg (Mus. de la Révol.).
Ventes Publiques : Paris, 26 avr. 1991 : *Les fleurs roses*, h/cart. (51x45,4) : FRF 5 000.

TELEPY György ou **Georg**
Né en 1797 à Kisleta. Mort le 10 août 1885 à Tard. xixᵉ siècle. Hongrois.
Peintre de décors et de paysages.

TELEPY Karoly ou **Karl**
Né le 25 décembre 1828 à Debrecen. Mort le 30 décembre 1906 à Budapest. xixᵉ siècle. Hongrois.
Peintre. Romantique.
Il fit ses études artistiques à Munich, à Venise et à Rome.
Il peignit des portraits, des sujets religieux et surtout des paysages. Il est considéré comme un des représentants du romantisme hongrois.
Musées : Budapest (Mus. nat.).

TELESARCHIDES
iiiᵉ siècle avant J.-C. Antiquité grecque.
Sculpteur.
Il a sculpté un Hermès à Athènes.

TELESIAS
iiiᵉ siècle avant J.-C. Athénien, travaillant probablement au iiiᵉ siècle avant J.-C. Antiquité grecque.
Sculpteur.
Il a sculpté à Ténos un groupe de *Poséidon et Amphitrite*.

TELESINOS
iiiᵉ siècle avant J.-C. Actif au début du iiiᵉ siècle avant J.-C. Antiquité grecque.
Sculpteur.
Il travailla sur l'île de Délos. Il sculpta des statues d'*Esculape* et une statue de *Pyrrhus*.

TELESON
Né à Rhodes. iiᵉ siècle avant J.-C. Travaillant probablement au iiᵉ siècle avant J.-C. Antiquité grecque.
Sculpteur.
Il sculpta deux statues sur l'acropole de Lindos.

TELESTAS
Probablement originaire de Laconie. viᵉ-vᵉ siècles avant J.-C. Travaillant vers 500 avant J.-C. Antiquité grecque.
Sculpteur.
Il a sculpté, avec son frère Ariston I, une statue de *Zeus*, qui se trouvait à Olympie.

TELFENBACHER Wolf
xviiiᵉ siècle. Autrichien.
Peintre.
Il a peint une *Crucifixion*, qui se trouve dans l'église de Kirchberg en Carinthie.

TELFNER Josef
Né le 23 août 1874 à Meran. Mort en 1948. xixᵉ-xxᵉ siècles. Autrichien.
Peintre.
Il était actif à Gufidaun près de Klausen. Il peignit surtout des paysages de la vallée de l'Eisack.
Musées : Innsbruck (Mus. Ferdinandeum) : *Vallée de l'Eisack* – *L'atelier de l'artiste avec vue sur un paysage* – *Intérieur avec vue sur un paysage*.
Ventes Publiques : Vienne, 11 sep. 1984 : *Nature morte aux légumes*, h/t mar./cart. (46x66) : ATS 65 000 – Vienne, 10 sep. 1985 : *Paysage montagneux*, h/t mar./cart. (33,2x47,5) : ATS 65 000.

TELGHUYS Isabelle ou **Telghuis**. Voir **KEYSER Marie Isabelle de**

TELHELIN. Voir **HELE Abraham** et **Isaak del**

TELINGATER Salomon Benediktovitch
Né en 1903 à Tiflis. Mort en 1969 à Moscou. xxᵉ siècle. Russe.

Graphiste, affichiste.

Jusqu'en 1920, il fut élève des Ateliers d'Art d'Azerbaïdjian, puis des ateliers populaires (Vhutemas) de Moscou.

Il a participé à des expositions collectives internationales : 1927, *Exposition polygraphique d'Union Soviétique* ; 1927 Leipzig, *Exposition internationale de l'Art du Livre* ; 1928, *Exposition internationale de la Presse*.

De 1921 à 1925, il a travaillé pour les journaux politiques de Bakou ; de 1925 à 1927, pour des éditions de Moscou ; de 1928 à 1932, il travaillait avec la section d'art polygraphique de l'Association *Octobre*.

Bibliogr. : In : Catalogue de l'exposition *Paris-Moscou*, Centre Georges Pompidou, Paris, 1979.

Ventes Publiques : Londres, 6 oct. 1988 : *Photomontage avec une montre*, collage/pap. (41,5x30) : **GBP 6 600** ; *Photomontage*, collage/pap. (32,2x24,9) : **GBP 4 400**.

TELINGE Louis Julien
Né à Paris. Mort en 1899. xix⁵ siècle. Français.
Peintre de paysages.
Élève de Lansyer et Pelouse. Il débuta au Salon de 1877.

TELINO Pietro ou Telini
Né à Cormons. Mort en 1621 à Udine. xvii⁵ siècle. Italien.
Sculpteur sur pierre et sur bois et doreur.
Il travailla de 1518 à 1619 à Udine où il exécuta des autels et des fonts baptismaux.

TELKESSY Valeria
Née le 2 mai 1870 à Jaszbereny. xix⁵-xx⁵ siècles. Hongroise.
Peintre de figures, nus, portraits, paysages, natures mortes, fleurs.
Ventes Publiques : New York, 21 mai 1991 : *Fin d'après-midi* 1911, h/t (100,4x114,3) : **USD 2 750** – Londres, 22 fév. 1995 : *Nature morte de marguerites et de pétunias*, h/t (59x79) : **GBP 920**.

TELLA José Garcia Alvarez
Né le 8 mai 1906 à Madrid. Mort le 20 octobre 1983 à Draveil (Essonne). xx⁵ siècle. Depuis 1939 actif en France. Espagnol.
Peintre de scènes animées, paysages, peintre de collages, aquarelliste. Tendance naïve.
Il eut d'abord une activité de réalisateur de films, auteur de pièces de théâtre. Républicain, ayant participé à la guerre civile, il dut se réfugier en France en 1939. Au cours d'une existence difficile, il dut souvent exercer tous les petits métiers qui se présentaient. Il ne commença à peindre qu'en 1948. Henri-Pierre Roché le conseilla.

Il participe à des expositions de groupe à Paris, dont : en 1948 exposition du *Foyer de l'Art Brut* ; en 1941 le premier Salon d'Art Sacré ; 1955 *École de Paris*, galerie Charpentier ; depuis 1959 les Salons des Artistes Français, des Surindépendants, de Mai, etc. Il montrait ses œuvres dans plusieurs expositions personnelles, à Paris : en 1951 galerie Jeanne Bucher, en 1963 galerie de l'Atelier Maître Albert, en 1979 galerie Jean-Claude Riedel, ainsi qu'au Havre, à Cherbourg, etc. Après sa mort, la galerie Jean-Claude Riedel a organisé à deux reprises, en 1984 et en 1993, un *Hommage à Garcia Tella*.

Parfois considéré comme un peintre naïf, peut-être plus justement considéré dans le contexte de l'Art Brut, il pratique des techniques diverses, y compris le collage, dans des expressions également très différenciées, beaucoup de scènes symboliques, paysages interprétés. Cette disparité des techniques et des thèmes, si elle nuit évidemment à la cohérence de l'œuvre, garantit l'authenticité de ce qu'on peut considérer comme le témoignage d'une vie.

Bibliogr. : René-Jean Clot : *Hommage à Garcia Tella*, in : Catalogue de l'exposition posthume, Galerie Jean-Claude Riedel, Paris, 1984 – Michel Migraine : *Catalogue raisonné*.

Ventes Publiques : Versailles, 5 déc. 1976 : *Pygmalion* 1967, h/pan. (100x81) : **FRF 2 500** – Neuilly, 22 nov. 1988 : *La pluie* – *Paris VII* 1953, h/pan. (92,5x63,5) : **FRF 15 000** – Neuilly-sur-Seine, 16 mars 1989 : *Nature morte*, h/t (100x50) : **FRF 32 000** – Neuilly, 6 juin 1989 : *Nu allongé*, h/t (69x62) : **FRF 12 000** – Paris, 19 juin 1989 : *Ecce Homo* 1948, h/t (41x33) : **FRF 23 000** – Versailles, 26 nov. 1989 : *Rue Lepic* 1953, h/isor. (93x63,5) : **FRF 70 000** – Paris, 18 fév. 1990 : *Le manteau de St-Martin* (126x92) : **FRF 130 000** – Neuilly, 10 mai 1990 : *Le Camp de naturistes*, h/pan. (75x116) : **FRF 80 000** – Paris, 16 mai 1990 : *Torero muerto* 1973, h/pan. (73x92) : **FRF 160 000** – Reims, 21 avr. 1991 : *Le port de La Rochelle*, aquar. (37x52) : **FRF 13 000** – Paris, 16 nov. 1995 : *La pensée du Bateau Lavoir* 1956, h/cart.

(91,5x125) : **FRF 11 000** – Paris, 25 mai 1997 : *Procession des pénitents* 1969, h/pan. (81x100) : **FRF 12 000**.

TELLAECHE Y ALDASORO Julian de
Né le 30 novembre 1884 à Vergara, (près de Guipuzcoa, Pays Basque). Mort le 24 décembre 1957 à Lima (Pérou). xx⁵ siècle. Espagnol.
Peintre de compositions à personnages, figures, paysages, paysages d'eau, marines. Réaliste.
Il fut d'abord marin, avant de se consacrer totalement à la peinture. Il étudia alors dans l'atelier d'Eduardo Chicharro, puis à l'Académie Julian à Paris. Entre 1939 et 1952, il vécut à Paris, puis il s'établit définitivement à Lima.

Il prit part à diverses expositions collectives, dont : 1910, 1912 Bilbao ; 1913 Salon des Artistes Français de Paris, Toulouse ; 1925 Madrid ; 1927 Barcelone. Il exposa personnellement à Saint-Sébastien en 1920, Bilbao en 1922. Des rétrospectives de son œuvre furent organisées, à titre posthume, à Saint-Sébastien en 1958, à Vergara en 1967 et à Bilbao en 1980.

Pour servir ses thèmes réalistes, groupes familiaux populaires, maternités, marins pêcheurs, leurs maisons sur le port, les barques à quai, il s'est créé une écriture très personnelle, à grands traits simplificateurs et tonalités sobres, découpant et modelant des images bien lisibles, comme par une volonté didactique.

Bibliogr. : In : *Catalogue national d'Art contemporain*, Éditions d'art Iberico 2000, Barcelone, 1990 – in : *Cien Anos de pintura en Espana y Portugal, 1830-1930*, Antiqvaria, t. X, Madrid, 1993.

Musées : Saint-Sébastien (Mus. prov.).

Ventes Publiques : Madrid, 27 oct. 1983 : *Les Familles des pêcheurs*, h/cart. (26x32) : **ESP 190 000**.

TELLER Christine Francine Pieternella
Née le 20 décembre 1943 à Mol. xx⁵ siècle. Belge.
Peintre. Tendance Pop art.
Elle fut élève des Académies des Beaux-Arts de Turnhout et Mol, puis de l'Institut des Beaux-Arts d'Anvers. Prix Godecharle en 1960 ou 1969.
Sa peinture se rapproche du pop art.
Bibliogr. : In : *Diction. biogr. illustré des Artistes en Belgique depuis 1830*, Arto, Bruxelles, 1987.

TELLES Sergio
Né en 1936 à Rio de Janeiro. xx⁵ siècle. Actif en France. Portugais.
Peintre de scènes animées, figures, nus, paysages, paysages urbains, marines, natures mortes, fleurs et fruits, graveur. Expressionniste.
Il travaille surtout à Paris. Il participe à des expositions collectives et montre des ensembles de ses peintures et gravures dans des expositions personnelles nombreuses, au Portugal, en France et à l'étranger, notamment en 1982 : *Sergio Telles. Le Japon*, à la galerie La Cave de Paris, et galerie du Perron à Genève.

Il est clair que Telles sait choisir les thèmes qui plairont. Ce qui le distingue sans doute de peintres œuvrant sur des thèmes similaires, c'est ce que Bernard Dorival nomme sa facture « enlevée », en fait une facture spontanée, rapide, grasse et sensuelle.

Bibliogr. : Bernard Dorival : Catalogue de l'exposition *Sergio Telles. Le Japon*, Galerie La Cave, Paris, Galerie du Perron, Genève, 1982.

Musées : Lisbonne (Fond. Calouste Gulbenkian) – Porto (Mus. nat. Soares dos Reis).

Ventes Publiques : Zurich, 7 juin 1980 : *Le pont de l'Alma, à Paris* 1977, h/t (73x92) : **CHF 4 600** – Paris, 19 juin 1989 : *Notre-Dame et les quais*, h/t (60x73) : **FRF 25 000** – Paris, 11 oct. 1989 : *Animation sur le pont*, h/t (35,5x41) : **FRF 23 000** – Paris, 22 oct. 1989 : *La Repasseuse* 1977, h/pap. (49,5x73) : **FRF 43 000** – Versailles, 26 nov. 1989 : *Paris, Saint-Michel et Notre Dame*, h/t (70x100) : **FRF 37 000** – La Varenne-Saint-Hilaire, 3 déc. 1989 : *Sur les quais à Paris*, h/t (35,5x41) : **FRF 7 200** – Paris, 11 mars 1990 : *Animation sur le pont Saint Michel à Paris* 1988, h/t (72x92) : **FRF 41 000** – La Varenne-Saint-Hilaire, 20 mai 1990 : *Les quais de la Seine* 1977, h/t (38x61,5) : **FRF 13 000** – Paris, 20 juin 1990 : *Nature morte aux orchidées*, h/t (54x73) : **FRF 37 500** – Calais, 9 déc. 1990 : *Le port*, h/t (38x45) : **FRF 22 000** – Le Touquet, 10 nov. 1991 : *Paris, rue animée*, h/pan. (21x30) : **FRF 10 000** – Paris, 26 oct. 1993 : *Composition à la coupe de fruits*, h/t (65x91) : **FRF 29 000** – Le Touquet, 21 mai 1995 : *Le port de Saint Tropez* 1990, h/t (27x41) : **FRF 10 500**.

TELLEZ Juan
xvii⁵ siècle. Travaillant à Séville en 1632. Espagnol.
Peintre.

TELLEZ GIRON Luis

Mort le 20 avril 1868 peut-être à Valence. XIXᵉ siècle. Actif à Valence. Espagnol.

Peintre de sujets religieux, scènes de genre.

Il a peint un Christ pour le couvent de Jérusalem de Valence.

Musées : Valence : *Allégorie des arts – Entrée de Wamba – Adoration des bergers.*

TELLEZ GIRON Pedro, duc

XIXᵉ siècle. Actif à Madrid dans la première moitié du XIXᵉ siècle. Espagnol.

Peintre de scènes de genre, portraits.

Il fut duc d'Osuna.

Musées : Madrid (École des Beaux-Arts) : *Tête de vieillard.*

Ventes Publiques : Paris, 13 mars 1995 : *Enfants turcs dans un parc,* h/t (40,5x33) : **FRF 13 000.**

TELLGMANN Ferdinand, ou Otto Carl

Né le 24 septembre 1811 à Bischhausen. Mort le 8 avril 1897 à Mühlhausen (Thuringe). XIXᵉ siècle. Allemand.

Portraitiste et photographe.

Élève de l'Académie de Kassel. La Galerie municipale de cette ville conserve de lui *Intérieur d'un atelier* et la Galerie nationale *Nature morte.* Il était sourd-muet.

TELLI Giuseppe

XVIIIᵉ siècle. Travaillant à Venise en 1736. Italien.

Miniaturiste.

TELLI Véronica. Voir STERN Véronica

TELLIER

XVIIIᵉ siècle. Actif à Paris. Français.

Peintre de genre.

Il exposa au Salon de 1793 : deux têtes ; même numéro : un Crispin et un jeune paysan. Il habitait rue des Bons-Enfants, numéro 8. Peut-être s'agit-il de Benoît Benjamin Tellier, né à Dunkerque vers 1766 et qui entre à l'École des Beaux-Arts, âgé de 37 ans, le 29 Thermidor an XI, admis par Julien. Le Musée de Versailles conserve de lui *Boissy d'Anglas, président de la Convention Nationale.*

TELLIER

XIXᵉ siècle. Actif à Paris de 1830 à 1840. Français.

Graveur sur bois et lithographe.

Il grava des vignettes, des scènes historiques et des illustrations de livres.

TELLIER Claude Charles

XVIIIᵉ siècle. Actif à Nantes entre 1767 et 1770. Français.

Sculpteur.

TELLIER Johannes

XVIIᵉ siècle. Actif à La Haye vers 1673. Hollandais.

Sculpteur.

TELLIER Joseph Auguste

XIXᵉ siècle. Français.

Peintre.

Il exposa au Salon de 1841 à 1843. Le Musée d'Alençon conserve de lui une *Scène dramatique intitulée « Joconde ».*

TELLIER Raymond

Né le 9 août 1897 à Paris. Mort en 1985. XXᵉ siècle. Français.

Peintre de scènes animées et figures typiques, portraits, paysages industriels, miniaturiste et enlumineur. Orientaliste.

Il fut d'abord élève des Écoles des Beaux-Arts de Douai, puis de Lille. Enfin à Paris, il fut élève de Fernand Cormon, Émile Renard et P. (?) Laurens.

Il exposait au Salon des Artistes Français depuis 1920 ; médaille d'argent en 1921 ; Prix Théodore Rally la même année ; Prix Bernheim de Villers en 1928 ; il expose également à Douai et à Lille. De 1926 à 1930, il obtient plusieurs fois le Prix Roux de l'Institut, pour l'enluminure, la miniature et la peinture. Il exécute alors les vastes décorations de la B.N.C.I. d'Amiens, qui lui valent la médaille d'or au Salon de 1931 et le Grand Prix de la Ville de Paris, pour voyager un an en Afrique du Nord, d'où il rapportera d'importants travaux. Il décore le palais du gouverneur à Dakar. En 1936, il effectue un séjour en Angleterre. Il reçoit une Médaille d'or à l'Exposition internationale de Paris, en 1937, pour sa fresque sur le Soudan français. En 1938, il exécute des fresques dans les lycées de Douai. Obtient le Prix de l'Afrique Équatoriale Française et y part. En 1948, il obtient le Prix du portrait Gustave Courtois, décerné par l'Institut. Au total, Il fut neuf fois lauréat de l'Institut de France ; obtenant des nombreux prix et bourses, il aura pu voyager en Tunisie, en Afrique équatoriale et occidentale et à Madagascar. Il reçut le prix du Maroc en 1953.

Portraitiste recherché, s'il traita des thèmes divers, c'est peut-être dans ses scènes typiques animées qu'il développe des qualités narratives pleines de charme et d'humour.

Musées : Arras : *Vieille Flamande – Retour des mineurs –* Calais : *Portrait de l'artiste –* Cambrai : *une peinture –* Douai : *Portrait du peintre Adrien Demont-Breton – Fort-Lamy –* Paris (min. des colonies) : *Fez – Paysage marocain –* Péronne : *L'Adieu,* esquisse pour le Prix de Rome – Saint-Quentin : *Tête de Bambara.*

Ventes Publiques : Versailles, 19 nov. 1989 : *Hercule entre le vice et la vertu,* h/t (147x116) : **FRF 15 000 –** Paris, 27 avr. 1990 : *Portrait d'une jeune Bambara,* h/t cartonnée (40,5x33) : **FRF 10 000 –** Paris, 22 juin 1992 : *Deux petites Malgaches* 1966, h/contre-plaqué (55x45,5) : **FRF 12 000 –** Paris, 11 déc. 1995 : *Rue dans la casbah de Tanger,* h/cart. (40,5x32,5) : **FRF 9 500.**

TELLIER Thomas Nicolas Prosper

Né en 1804 à Dieppe (Seine-Maritime). Mort en 1860. XIXᵉ siècle. Français.

Graveur sur ivoire.

Il fut à Paris vers 1836.

TELLING Elisabeth

Née le 14 juillet 1881 à Milwaukee. XXᵉ siècle. Américaine.

Graveur.

Élève de William Penhallow Henderson, de George Senseney et d'Hamilton Easter Field. Elle était active à Chicago. Elle gravait à l'eau-forte.

TELLOS

XVIIIᵉ siècle. Actif à la fin du XVIIIᵉ siècle. Français.

Portraitiste et miniaturiste.

Il exposa au Colisée de Paris en 1796.

TELMAN ou Teleman von Wesel

XVᵉ-XVIᵉ siècles. Actif de 1490 à 1510. Allemand.

Graveur.

Il était graveur d'orfèvrerie à Wesel, au début du XVIᵉ siècle. Le British Museum à Londres, possède un jeu de cartes gravé par lui ainsi que trois planches sur des sujets religieux.

TELMANS S.

XVIIᵉ siècle. Travaillant en 1637. Britannique.

Peintre.

On cite de lui *Portrait d'une dame.*

TELMANYI Anne Marie Frederikke

Née le 4 mars 1893 à Copenhague. XXᵉ siècle. Danoise.

Peintre de figures, portraits, paysages, peintre de décorations murales.

Élève de P. Rostrup Böyesen, de Valdemar Irminger et de Sigurd Wandel. Elle a peint quatre grandes fresques murales au Conservatoire de Copenhague.

TELORAC Alexander

Né en décembre 1749 à Ansbach. Mort le 21 février 1792 à Ansbach. XVIIIᵉ siècle. Actif à Ansbach-Bruckberg. Allemand.

Peintre sur porcelaine.

Il peignit des fruits et des guirlandes.

TELORY Armand Louis Henri. Voir EMY Henry

TELSCHOW Édith

Née à Berlin. XXᵉ siècle. Allemande.

Peintre, graveur, lithographe.

Élève de l'Académie de Lewin-Funke, à Berlin. Expose au Salon d'Automne, à Paris ; à Berlin ; à Düsseldorf ; à Stuttgart ; à Padoue et à Venise.

TELSINI QUATRO

XVIIIᵉ siècle. Allemand.

Dessinateur.

Le Musée de Louviers conserve de lui : *Le Colisée,* dessin à la sépia.

TELTSCHER Josef Eduard

Né le 15 janvier 1801 à Prague. Mort le 7 juillet 1837 à Athènes. XIXᵉ siècle. Autrichien.

Dessinateur de portraits, peintre et lithographe.

Il fut surtout portraitiste. L'Albertina de Vienne ainsi que les Musées de Graz, d'Innsbruck et de Prague conservent des œuvres de cet artiste. Le Musée municipal de Vienne possède de lui : *Portrait de l'artiste* ; *La femme du peintre Kellermann* ; *L'actrice Julie Rettich* ; *Marie Manner, née Schickh* ; *La baronne J. C. Seiller* ; *Madame Karris et sa fille* ; *Madame Steinmetz-Mayer*.

TELTSCHER-ADAMS George. Voir ADAMS-TELTSCHER

TEMES Martin. Voir TYMANS

TEMINES Giulio Cesare
Né vers 1660. Mort en 1734 à Lisbonne. xviie-xviiie siècles. Actif à Gênes. Portugais.
Peintre.
Il se fixa à Lisbonne, où il travailla pour le Palais Royal et pour des églises.

TEMINI Alessandro
xviie siècle. Actif à Venise vers 1630. Italien.
Dessinateur, décorateur et graveur à l'eau-forte.
Il a gravé des sujets d'histoire et de mythologie.

TEMINI Giovanni
xviie siècle. Travaillant à Mantoue et à Venise vers 1622. Italien.
Graveur au burin et à l'eau-forte.
On cite de lui un *Portrait du duc de Mantoue Carlo Gonzalès*, daté de 1622. Un Giovanni Teminni graveur est cité à Venise vers 1643, probablement le même que notre artiste.

TEMLER Adolph Friedrich Rudolf
Né le 20 décembre 1766 à Weimar. Mort le 10 février 1835. xviiie-xixe siècles. Allemand.
Dessinateur.
Il dessina des paysages. Les Musées de Weimar conservent des œuvres de cet artiste.

TEMMEL Auguste ou Tommel
Né vers 1800 à Ratibor. Mort le 21 décembre 1840 à Rome. xixe siècle. Allemand.
Peintre.
Il fit ses études à l'Académie de Munich, puis alla à Rome, où il s'appliqua à copier les grands maîtres.

TEMMERMAN Daneel
xviiie siècle. Actif à Gand en 1759. Éc. flamande.
Peintre.

TEMMERMAN Everaert
xviie siècle. Actif à Gand à la fin du xviie siècle. Éc. flamande.
Peintre.

TEMMERMAN Franz
Né en 1724 à Gand. xviiie siècle. Éc. flamande.
Sculpteur.

TEMMERMAN Vic
Né le 13 août 1924 à Overmere. xxe siècle. Belge.
Sculpteur, graphiste. Expressionniste.
Il fut élève des Écoles Saint-Luc de Gand et de Schaerbeek. Sa sculpture est expressionniste. Il enseigne à l'École Saint-Luc de Gand.
BIBLIOGR. : In : *Diction. biogr. illustré des Artistes en Belgique depuis 1830*, Arto, Bruxelles, 1987.

TEMMINCK H. C. ou Temminsk, Mme Winkelaer Temminck
Née en 1813. Morte en 1886. xixe siècle. Hollandaise.
Peintre de genre.
Élève de L. H. de Fontenay. Le Musée d'Amsterdam conserve d'elle *Fruitière*.

TEMMINCK Leonard
Né en 1753 à La Haye. Mort le 4 avril 1813 à Amsterdam. xviiie-xixe siècles. Hollandais.
Peintre de portraits.
Le Musée municipal de Haarlem conserve de lui : *Portrait du prédicateur Willem Mobachius Quaet*.

TEMOR Leonhard. Voir THEMOR

TEMPEL Abraham Lambertsz Jacobsz ou Van den Tempel
Né en 1622 ou 1623 à Leeuwarden. Mort le 4 octobre 1672 à Amsterdam. xviie siècle. Hollandais.
Peintre de scènes de genre, portraits, dessinateur.
Élève de son père L. Joz Tempel, il épousa en 1648, à Leyde

Katharina Van Hoogemade, fut membre de la gilde Saint-Luc la même année et de l'Académie des Beaux-Arts en 1653. Il partit à Amsterdam en 1660. Il eut pour élèves A. de Vois, M. Van Musscher, K. de Moor, F. Van Mieris et I. Palingh. Un Olivier Tempel peintre fut élève à La Haye en 1607 et un David Van den Tempel, dessinateur, mourut à Rotterdam en 1660.
Ses tableaux de chevalet, généralement de petites dimensions, représentent des conversations, des allégories, peintes avec soin et très poussées. Dans ses portraits, il paraît s'être inspiré de Van der Helst.

MUSÉES : AMSTERDAM : *Abraham de Visscher – Machteld Bas – Groupe de famille – Pieter de la Court – Catherine van der Voort* – BERLIN : *Henri van Westerhout – Un noble et sa femme au parc* – BUDAPEST : *Portrait d'un couple* – CAEN : *Portrait de femme* – HAMBOURG : *Portrait de famille* – LA HAYE : *Jan Antonides van der Linden – Sa femme Hélène Grondt* – LA HAYE (Mus. comm.) : *Corneille van Groenendyk* – KASSEL : *Portrait présumé de la femme de l'amiral van Baalen* – LEEUWARDEN : *Portrait d'une femme* – LEYDE : *La Vierge protectrice de Leyde – Le Génie entrave la liberté et fait reculer l'Art, la Science et le Commerce – La Paix donnant la main à la Science* – MONTPELLIER : *Portrait de dame* – PARIS (Mus. du Louvre) : *Portrait de femme* – ROTTERDAM : *Un vice-amiral et sa femme* – SAINT-PÉTERSBOURG : *Portrait d'une dame*.

VENTES PUBLIQUES : PARIS, 1876 : *Portrait du professeur Linden* : FRF 780 – AMSTERDAM, 1897 : *Portrait en buste d'un seigneur* : FRF 798 – PARIS, 13-14 mars 1908 : *Le retour du chasseur* : FRF 150 – LONDRES, 19 mai 1911 : *Portrait de dame* : GBP 89 – LONDRES, 7 avr. 1922 : *Le concert* : GBP 126 – LONDRES, 15 déc. 1922 : *Deux jeunes filles* : GBP 141 – PARIS, 16 oct. 1940 : *Jeune femme dans un paysage* : FRF 2 600 – NEW YORK, 14-15 nov. 1941 : *Portrait de femme* : USD 200 – PARIS, 28 avr. 1944 : *Portrait de femme* : FRF 20 200 – DÜSSELDORF, 25 oct. 1965 : *Portrait d'une dame de qualité* : DEM 7 800 – LONDRES, 4 oct. 1967 : *Angélique et son soupirant* : GNS 450 – LONDRES, 8 avr. 1981 : *Portrait d'une dame de qualité*, h/t (114x90) : GBP 1 300 – LONDRES, 24 fév. 1984 : *Portrait présumé de Lord Hamilton* 1666, h/t (119,4x91,5) : GBP 2 400 – PARIS, 17 mars 1989 : *La première chasse*, h/t (150x182,5) : FRF 850 000 – LONDRES, 3 juil. 1991 : *Portrait d'une dame assise vêtue d'une robe blanche et noire et tenant un éventail*, h/t (100,5x91,5) : GBP 7 920 – PARIS, 14 oct. 1992 : *Portrait d'homme accoudé à une chaise* 1666, h/t (70x60) : FRF 15 000 – AMSTERDAM, 10 mai 1994 : *Étude d'une femme debout de profil*, craie noire/pap. bleu (28x20,2) : NLG 13 800 – AMSTERDAM, 9 mai 1995 : *Bergère et son soupirant* 1654, h/t (104x154) : NLG 35 400 – AMSTERDAM, 10 nov. 1997 : *Portrait d'une famille en Volumnia et Coriolanus*, h/t (158,4x194) : NLG 48 434 – NEW YORK, 30 jan. 1997 : *Portrait de deux enfants en chasseurs*, h/t (149,9x182,6) : USD 123 500.

TEMPEL David Van den
Mort en 1660. xviie siècle. Actif à Rotterdam. Hollandais.
Peintre.

TEMPEL Sigi
xxe siècle. Brésilien.
Peintre, graphiste. Polymorphe.

Depuis 1980, il participe à des expositions collectives, notamment au Salon des Beaux-Arts de São Paulo, en 1981 au Salon d'Automne de Paris. Il montre des ensembles de ses œuvres dans des expositions personnelles, surtout à São Paulo.

L'artiste se réfère volontiers à la contemplation des textures minérales et végétales qui le mettent en relation avec le processus même de la création universelle. Toutefois, il n'hésite pas à emprunter des options esthétiques différentes en fonction de l'œuvre à réaliser. En 1981, il a réalisé un timbre commémoratif pour les Postes brésiliennes.

TEMPELTEY Julius ou **Friedrich Julius** ou **Tempeltei**
Né le 2 juillet 1802 à Berlin. Mort le 31 juillet 1870 à Berlin. XIXᵉ siècle. Allemand.
Paysagiste et lithographe.
Élève de l'Académie de Berlin. Il publia des livres d'horticulture et des vues de Berlin.

TEMPERELLI Cristoforo de ou **de'Temperelli,** ou **le Temperello**. Voir **CASELLI Cristoforo**

TEMPEST Pierce ou **Parce**
Né vers 1650. Mort en 1717 à Londres. XVIIᵉ-XVIIIᵉ siècles. Britannique.
Graveur au burin et à l'aquatinte, éditeur d'estampes.
Élève, puis aide de Hollar. On le connaît surtout pour son recueil des *Cris et usages de Londres*, cinquante planches d'après Larvon, publiées en 1688 et par un certain nombre de portraits de personnages célèbres. Il fut aussi marchand d'estampes.

TEMPESTA, cavaliere. Voir **MULIER Pieter**, le Jeune

TEMPESTA Antonio
Né en 1555 à Florence (Toscane). Mort le 5 août 1630 à Rome. XVIᵉ-XVIIᵉ siècles. Italien.
Peintre de compositions mythologiques, sujets religieux, batailles, scènes de chasse, sujets de genre, portraits, paysages, compositions murales, cartons de tapisseries, graveur, dessinateur.
Il fut élève de Jan Van der Sraet puis de Santi di Tito.

Il traita surtout des sujets de chasse, des batailles, des cavalcades, des processions dans lesquels il montra de brio de dessin que de facilité d'exécution. Le nombre de ses gravures dépasse 1800. Il peignit aussi à Rome pour le pape Grégoire XIII dans la Galerie des Loges et contribua à la décoration du palais du marquis Giustiniani. On lui doit aussi des dessins pour tapisseries. Son intarissable facilité échappe à tout classement. Il produisit presque sans effort aussi bien d'importantes compositions que des portraits ou ce nombre prodigieux de gravures. Parmi ses travaux les plus remarquables on citait l'énorme fresque qu'il peignit au palais Bentivoglio où il représenta deux magnifiques *Cavalcades* ; l'une, celle du *Pape quand il sort en cortège solennel* ; l'autre, celle du *Grand-Turc*. Il a gravé lui-même ces deux compositions. Sa passion débordante pour l'eau-forte rappelle celle qu'on retrouve chez Rembrandt. La gravure fut pour Tempesti peut-être le plus parfait moyen d'expression. Ce n'était pas une à une qu'il faisait paraître ses planches, mais par suites de 20, 50, 100 et même 200 estampes ; traitant ainsi l'*Ancien* ou le *Nouveau Testament*, des suites de Saints, de Saintes, de Martyrs ou des sujets tirés de l'Histoire ou de la Mythologie. Il se plaisait à représenter les chevaux, et les artistes qui vinrent après lui puisèrent abondamment dans son œuvre. On retrouve souvent des ses motifs dans les dessins des céramiques anciennes.

ℳ A T𝔸

Musées : AUGSBOURG : *Décollation de saint Jean-Baptiste* – BORDEAUX : *Vue d'Italie, deux œuvres* – LA FÈRE : *Bataille des Amazones : 1ᵉʳ l'attaque, 2ᵉ la fuite* – MUNICH : *Retour au pays* – NANTES : *Grande chasse à courre* – *Apprêts d'une chasse à l'oiseau* – ROME (Borghèse) : *La sainte crèche* – *Scène de chasse, trois œuvres* – *Jésus dans la barque, appelant Saint Pierre* – ROME (Doria Pamphily) : *Les Hébreux persécutés par les Égyptiens* – SCHLEISSHEIM : *Chasse à courre* – *Bataille contre les Turcs* – *Martyre de saint Pierre* – STOCKHOLM : *Enlèvement des Sabines* – TOULOUSE : *Combat de cavalerie* – TURIN (Pina.) : *Tournoi à Turin* – *Mort d'Adonis*.

Ventes Publiques : AMSTERDAM, 1707 : *Paysage avec animaux* : FRF 150 – PARIS, 1715 : *Paysage par temps orageux* : FRF 700 – PARIS, 1868 : *Une tempête* : FRF 320 – PARIS, 1873 : *Paysage au soleil couchant* : FRF 745 – PARIS, 8 déc. 1938 : *Le martyre de saint*

Barthélemy, dess. à la pl. : **FRF 160** – PARIS, 10 juin 1949 : *Armée groupée devant une forteresse*, pl. et lav. : **FRF 2 000** – LONDRES, 20 nov. 1980 : *Le bain de Diane*, eau-forte (23,9x32,2) : **GBP 300** – NEW YORK, 3 juin 1980 : *Scène des guerres puniques*, pl. et lav./ trait de craie noire (33x47,2) : **USD 1 000** – MILAN, 30 nov. 1982 : *Scène de bataille*, pl. et lav. de bistre (25,7x43,9) : **ITL 3 300 000** – PARIS, 10 oct. 1983 : *Bataille de cavaliers*, pl. et lav. brun/esq. à la pierre noire (39,5x51,5) : **FRF 22 000** – LONDRES, 1ᵉʳ juil. 1986 : *Bataille de cavalerie*, pl. et lav. reh. d'or/préparation brune (35,8x51,5) : **GBP 14 000** – MILAN, 21 avr. 1986 : *La Chasse à courre* ; *La Chasse au lion*, h/cart., une paire de forme ovale (32x43) : **ITL 20 000 000** – PARIS, 8 juin 1988 : *Paysage rocheux*, pl. et lav. (21,2x17,2) : **FRF 23 000** – NEW YORK, 8 jan. 1991 : *Scène de bataille*, encre brune et lav. avec reh. d'or/pap. brun (35,1x51,5) : **USD 17 600** – LONDRES, 2 juil. 1991 : *La montée au calvaire*, craie noire et encre et lav. (35,3x25,6) : **GBP 5 500** – PARIS, 29 sep. 1993 : *La chasse au cerf*, encre et lav. sur pierre noire (22x38) : **FRF 15 500** – PARIS, 8 déc. 1994 : *Rencontre de deux hommes faisant la paix*, pl. et lav. brun (18,5x26,5) : **FRF 16 000**.

TEMPESTA Domenico. Voir **MARCHI**

TEMPESTI Giovanni Baptista
Né en 1729 ou 1732 à Volterra (ou à Pise). Mort en 1802 ou 1804 à Pise. XVIIIᵉ siècle. Italien.
Peintre, surtout à fresque.
Le très complet et très intéressant catalogue du Musée de Pise le fait naître dans cette ville en 1732. Tempesti étudia à Pise avec Cenli et Commasi et à Rome, avec Balloni. Il imita surtout la manière de Placido Costanzi et termina un tableau laissé inachevé par ce maître dans la cathédrale de Pise. Il décora plusieurs églises de sa ville natale et de Pise, ainsi que la salle de spectacle du Palais Pitti et le Palais archiépiscopal de Pise. On cite comme son chef-d'œuvre *La Cène* à la cathédrale de Pise.
Musées : PISE (Mus. mun.) : *Ferdinand III, grand-duc de Toscane* – *Un grand-duc de Toscane* – *Le chanoine Zucchetti* – *Blason de Ferdinand II de Médicis* – *Ferdinand II, grand-duc de Toscane* – *L'artiste* – *Sa femme et sa fille* – *Mort de saint René ?* – *Le pape Eugène III célébrant la messe pour les évêques orientaux*.
Ventes Publiques : LONDRES, 8 avr. 1986 : *Le Sacrifice d'Isaac*, craies rouge et blanche/pap. bis (26,5x38,4) : **GBP 1 600**.

TEMPESTINO. Voir **MARCHI Domenico**

TEMPI Agostina ou **Caterina**
Morte le 25 janvier 1635 à Prato. XVIIᵉ siècle. Italienne.
Peintre.
Élève de Lodovico Buti. Elle fut religieuse de l'ordre des Dominicaines.

TEMPKE J. G.
XVIIIᵉ siècle. Autrichien.
Peintre.
Il peint huit tableaux représentant des *Scènes de l'Ancien Testament* se trouvant au château de Lengenfeld, et conçues dans le style de P. Troger.

TEMPLA
XVIIᵉ siècle. Actif à Mortigliengo à la fin du XVIIᵉ siècle. Italien.
Sculpteur sur bois.
Il sculpta pour l'église de Bianzè une chaire et des stalles en 1696.

TEMPLE Grenville
XVIIIᵉ-XIXᵉ siècles. Britannique.
Dessinateur de paysages.
Il travaillait en 1804. Il dessina des paysages.

TEMPLE Hans
Né le 7 juillet 1857 à Littau. Mort en 1931 à Vienne. XIXᵉ-XXᵉ siècles. Actif à Vienne. Autrichien.
Peintre de portraits.
Élève de Hans Canon à l'Académie de Vienne. Il peignit surtout des portraits d'artistes de son époque.
Musées : VIENNE (Mus. mun.) : *Le sculpteur V. Tilgner travaillant au monument de Mozart* – *Le médailleur A. Scharf dans son atelier*.
Ventes Publiques : VIENNE, 10 fév. 1976 : *Intérieur*, h/pan. (46x37,5) : **ATS 7 500** – LONDRES, 4 mai 1977 : *En attendant la réponse*, h/pan. (33,5x46) : **GBP 1 100** – LONDRES, 9 mai 1979 : *L'attente de la réponse*, h/pan. (33,5x46) : **GBP 1 700** – VIENNE, 16 mai 1984 : *Roses*, h/cart. (49x66) : **ATS 30 000** – VIENNE, 11 déc. 1985 : *Visite impériale à Klosterneuburg*, h/pan. (90x117) : **ATS 70 000** – COLOGNE, 15 oct. 1988 : *Fête à l'académie 1924*, h/t (108x81) : **DEM 8 500**.

TEMPLE W. W.
XVIIIe siècle. Actif en Angleterre à la fin du XVIIIe siècle. Britannique.
Graveur sur bois, illustrateur.
Élève et aide du graveur sur bois Bewick. Il collabora à l'illustration de *British Birds*. Il abandonna bientôt l'art pour l'industrie.

TEMPLETON John Samuelson
Né à Dublin. XIXe siècle. Britannique.
Peintre de portraits, paysages, lithographe.
Il exposa à Londres de 1830 à 1857.

TEMPLETOWN Elisabeth, Lady, née Boughton
Née vers 1750. Morte en septembre 1823. XVIIIe-XIXe siècles. Britannique.
Dessinateur, aquarelliste, modeleur.
Ses dessins, très élégants, sont souvent signés au verso de son monogramme. Elle modela avec goût et excella surtout dans les dessins en papier découpé. Elle alla à Rome vers la fin de sa vie.
Le Victoria and Albert Museum, à Londres, conserve d'elle : *Scène dans un bois* (aquarelle).

TEMPLEUX Emmanuel Jean
Né le 13 juillet 1871 à Arbois (Jura). Mort le 10 avril 1957 à Arbois. XIXe-XXe siècles. Français.
Peintre de paysages.
Il exposa au Salon des Artistes Français de Paris et au Salon de la Société Lyonnaise des Beaux-Arts.
MUSÉES : LYON (Mus. des Beaux-Arts).

TEMPLIER Geneviève
Née le 21 août 1911 à Angers (Maine-et-Loire). XXe siècle. Française.
Peintre. Figuratif, puis abstrait.
À Paris, elle a été élève d'André Lhote ; elle expose depuis 1937 aux Salons d'Automne, des Tuileries et des Indépendants.
Elle a peint des paysages maritimes, des portraits et des nus, cherchant l'expression des volumes par l'analyse des plans lumineux. Ayant évolué à l'abstraction, elle figura au Salon des Réalités Nouvelles, en 1953.

TEMPLIER Jean
XVIIIe siècle. Actif au Mans, entre 1705 et 1721. Français.
Sculpteur.

TEMPORITI Francesco ou Jo Franc
Né en 1634 à Milan. Mort le 18 février 1674 à Paris. XVIIe siècle. Français.
Sculpteur d'ornements.
Il travailla pour le musée du Louvre, l'Observatoire de Paris et les châteaux de Versailles et de Trianon de 1667 à 1673.

TEMPRA Antonio
XIXe siècle. Italien.
Sculpteur.
Il travaillait dans la seconde moitié du XIXe siècle. Il exposa à Berlin en 1888.

TEMPRA Quirino
Né en 1849 à Rome. XIXe-XXe siècles. Italien.
Sculpteur de statuettes.
Il exposa à Londres en 1884 et à Berlin en 1888 des statuettes de marbre.
VENTES PUBLIQUES : LONDRES, 21 mars 1985 : *Jeune fille en buste* vers 1890, marbre (H. 106) : **GBP 1 000.**

TEN, pseudonyme de Fougeron Étienne
Né le 8 mai 1933 à Orléans (Loiret). XXe siècle. Français.
Peintre de paysages animés, paysages, peintre à la gouache, aquarelliste, lithographe.
Bien qu'ayant entrepris des études littéraires, puis intégré l'École des Chartes, il fut élève du graveur Louis Joseph Soulas à l'École des Beaux-Arts d'Orléans et finit par se destiner à la peinture. Il vit à Versailles et dans la demeure familiale en Beauce.
Il participe à des expositions collectives, dont, à Paris : en 1978 le Salon d'Automne, en 1979 le Salon des Artistes Français ; ainsi que de nombreux groupes en province et à l'étranger. Depuis 1976, il expose individuellement, en France, à l'étranger.
À Paris, il a exposé longtemps à la galerie Médicis, et, depuis 1992, galerie Marie-Jane Garoche.
Pour ses paysages, il pratique ce flou généralisé, que favorise la technique fluide de l'aquarelle qu'il privilégie et que confirment ses thèmes de temps « brouillés », de bruines, de brumes et de neiges.

TEN Joaquin
XVIIIe siècle. Espagnol.
Peintre sur porcelaine.
Il travailla à la Manufacture de porcelaine d'Alcora, de 1732 à 1750.

TENAGLIA Francesco
XVIIe siècle. Italien.
Sculpteur.
Il exécuta des travaux « pietre dure » dans l'église Saint-Laurent de Naples en 1647.

TENAGLIA Giacomo
Né à Trente. Mort en 1802 à Venise. XVIIIe siècle. Italien.
Peintre.
Il peignit des tableaux d'autel pour des églises de Trente et de Rovereto.

TENAILLE Louis
Né le 24 mars 1851 à Marcilly. Mort le 12 février 1899 à Langres (Haute-Marne). XIXe siècle. Français.
Peintre de genre.
Le Musée de Langres conserve de lui : *Les lutteurs.*

TENAS Y HOSTENCH Ramon
Né à Olot. Mort en 1883 à Barcelone. XIXe siècle. Espagnol.
Peintre et décorateur.

TENAS Y LLAMAREN Francisco
Né en 1814 à Olot. Mort le 14 novembre 1886 à Gerona. XIXe siècle. Espagnol.
Peintre, illustrateur, dessinateur.
Il exécuta des illustrations pour des manuels de dessin.

TEN BERGE Bernardus-Gerardus
Né le 10 septembre 1825 à Alkmaar. Mort le 24 novembre 1875. XIXe siècle. Hollandais.
Peintre, paysagiste et animalier.
Peignit des paysages, des pâturages, des villes. On cite six vues d'Alkmaar lithographiées par lui-même.
VENTES PUBLIQUES : AMSTERDAM, 22 avr. 1992 : *Paysan conversant avec un artiste dans un paysage boisé avec un troupeau de moutons à distance* 1860, h/t (78x110) : **NLG 6 325.**

TEN BERGH C.
XVIIe siècle. Hollandais.
Peintre.
On connaît de cet artiste un tableau : *Portrait de la famille Heereman,* peint vers 1675.

TEN BOS A.
XVIIe siècle. Hollandais.
Peintre de portraits.
Ce peintre inconnu est mentionné comme auteur d'un *Portrait d'un homme à longs cheveux en manteau* dans le catalogue de portraits de Frédéric Muller « A ten Bos pinx. J. Van Munnickhuysen sculp. »

TEN BOS Schalkius
Né vers 1650. XVIIe siècle. Hollandais.
Peintre.
Il fut, en 1671, disciple de Dou, et se trouve mentionné sur le registre des peintres du docteur Sysmus.

TEN BOSCH Lena Cornelia
Née en 1890 à Rotterdam. Morte en 1945 à Delft. XXe siècle. Hollandaise.
Peintre de paysages, natures mortes.
VENTES PUBLIQUES : AMSTERDAM, 3 nov. 1992 : *Nature morte de fleurs dans un vase,* h/t/pan. (23,5x17) : **NLG 2 185.**

TEN BROECK Sander
XVIIIe siècle. Actif à Amsterdam. Hollandais.
Peintre.

TEN BROEK Jacobus
Né à Amsterdam. XVIIIe siècle. Hollandais.
Peintre.
Il reçut, le 14 novembre 1710, le droit de cité à Amsterdam.

TENCALLA Carpoforo ou Tencala
Né en 1623 à Bissone, probablement. Mort en 1685 à Passau. XVIIe siècle. Suisse.
Peintre.
Il peignit des fresques et des plafonds dans les abbayes de Lambach et de Heiligenkreuz, dans les Palais épiscopaux d'Olmutz et de Kremsier, ainsi que dans la cathédrale de Passau.

TENCALLA Costantino
XVIe siècle. Actif dans la première moitié du XVIe siècle. Italien.

Sculpteur.
Il travailla en 1613 pour la basilique Saint-Pierre de Rome.

TENCALLA Giovanni
XVIIe siècle. Actif à Turin en 1674. Italien.
Sculpteur.
Il travailla à l'intérieur du Palais Royal de Turin.

TENCALLA Giovanni Antonio
XVIIIe siècle. Travaillant à Vienne en 1735. Italien.
Stucateur.

TENCALLA Giulio ou Tencala
Né à Bissone. XVIIIe siècle. Actif dans la seconde moitié du XVIIIe siècle. Suisse.
Sculpteur.
Il travailla pour la cathédrale de Côme en 1666 et sculpta un autel dans l'église des Dominicains de Bosco.

TENCALLA Giuseppe
Né en 1813 à Bissone. Mort le 6 décembre 1892 à Milan. XIXe siècle. Suisse.
Peintre de décors.

TEN CATE Hendrik Gerrit
Né le 22 février 1803 à Amsterdam. Mort le 6 mars 1856 à Amsterdam. XIXe siècle. Hollandais.
Peintre.
Élève de Pieter Georg Westenberg. Il a peint des portraits, des paysages, des fleurs, des vues de villes au clair de lune. Le Rijksmuseum, à Amsterdam, conserve de lui : *La tour dite de Jan Roodenspoortatorem à Amsterdam* et *Coin de ville au clair de lune* ; au Musée Teyler, à Haarlem, figurent des dessins de sa main.
VENTES PUBLIQUES : BRUXELLES, 25 fév. 1969 : *Foire nocturne à Amsterdam* : **BEF 48 000** – LONDRES, 27 juil. 1973 : *Paysage d'hiver* : **GNS 1 300** – LONDRES, 14 juin 1974 : *Paysage d'hiver* : **GNS 950** – VIENNE, 12 déc. 1978 : *Les joies de l'hiver* 1832, h/t (38x51,5) : **ATS 130 000** – LONDRES, 20 juin 1979 : *Paysage d'hiver avec patineurs* 1825, h/t (36x44,5) : **GBP 1 000** – COLOGNE, 21 mai 1981 : *Les Joies du patinage* 1850, h/t (31x46) : **DEM 10 000** – PARIS, 6 juin 1986 : *Vue de la Seine et du Panthéon, effet de neige* 1925, past. (54x82) : **FRF 26 500** – PARIS, 14 juin 1988 : *Vue du Carrousel avec les Tuileries incendiées dans le fond, h/pan.* (27x65,5) : **FRF 18 000** – PARIS, 13 déc. 1989 : *Bateaux, canaux, moulins en Hollande* 1904, past. reh. de gche blanche (40x50) : **FRF 27 000** – AMSTERDAM, 2 mai 1990 : *Scène de naufrage d'un trois-mâts au clair de lune* 1845, h/pan. (35x48) : **NLG 2 990** – MONACO, 16 juin 1990 : *La fête foraine* 1851, h/pan. (33x43,5) : **FRF 26 640** – AMSTERDAM, 11 sep. 1990 : *Marché au poisson au clair de lune,* h/t (37x29) : **NLG 4 370** – AMSTERDAM, 23 avr. 1991 : *Paysage montagneux avec vue du bois près d'une cascade au clair de lune* 1850, h/pan. (30x24) : **NLG 4 025** – AMSTERDAM, 17 sep. 1991 : *Paysage de polder avec un bac près d'un moulin à vent* 1836, encre et aquar./pap. (16,5x23,5) : **NLG 1 150** – AMSTERDAM, 14-15 avr. 1992 : *Paysage avec des personnages sur une rivière gelée* 1839, h/pan. (28x36) : **NLG 21 850** – AMSTERDAM, 2 nov. 1992 : *Paysage fluvial au clair de lune avec une ville au lointain* 1859, h/t (28x35) : **NLG 4 600** – PARIS, 24 juin 1996 : *Études de patineurs* 1844, pl. et lav. : **FRF 4 000.**

TEN CATE Johannes. Voir TEN CATE Siebe Johannes

TEN CATE Johannes Marinus. Voir TEN KATE

TEN CATE Siebe Johannes
Né le 27 février 1858 à Sneek (Frise). Mort le 9 décembre 1908 à Paris. XIXe siècle. Hollandais.
Peintre de genre, portraits, paysages, paysages urbains, paysages d'eau, peintre à la gouache, aquarelliste, pastelliste, dessinateur. Tendance impressionniste.
Il fut élève de J. Schmidt Crans et de l'Académie d'Anvers. Il travailla à Paris et fit une série de voyages d'étude en Europe, en Amérique du Nord et en Égypte. À Paris, il se lia avec Sisley.
Il prit part à diverses expositions collectives : 1885 Salon des Artistes Français de Paris ; 1892 Salon de la Société Nationale des Beaux-Arts de Paris ; 1894 Vienne ; 1895, 1899, 1901 Munich ; 1900 Exposition universelle de Paris ; 1907 Venise. À Paris, en 1906, la galerie Tempelaere lui consacra une exposition, préfacée par Arsène Alexandre ; en 1979, la galerie La Cave a organisé l'exposition *Johannes Ten Cate (1858-1908). Pastels, gouaches, huiles.*
Il a peint des scènes populaires, ainsi que des paysages et des vues de villes, dont les motifs sont le plus souvent empruntés aux

environs de Dordrecht et de Paris, Parc Monceau, Tuileries, Montmartre, la Seine.

ten Cate

BIBLIOGR. : In : *Le Guide des antiquités*, ABC décor, août 1968.
MUSÉES : AMSTERDAM (Rijksmuseum) : *Zwijndrecht près de Dordrecht*, past. – PARIS (Mus. Carnavalet) : *Paris vu de Montmartre*, past.
VENTES PUBLIQUES : PARIS, 1899 : *Vue de Landerneau*, past. : **FRF 510** ; *La ferme*, past. : **FRF 310** – LONDRES, 24 sep. 1943 : *Mauvaises nouvelles* : **GBP 10** – BERNE, 9 mai 1969 : *Après le bal*, past. : **CHF 950** – VERSAILLES, 16 mars 1969 : *La Tamise* : **FRF 6 700** – LONDRES, 1er déc. 1972 : *Le pont de Westminster et le Parlement, Londres* : **GNS 580** – VERSAILLES, 26 mai 1974 : *Port de Londres* : **FRF 6 000** – VERSAILLES, 27 juin 1976 : *Les Toits de Paris,* h/bois (60x81) : **FRF 3 000** – LONDRES, 29 nov 1979 : *Une rue de Paris*, past. (39,5x31) : **GBP 900** – VERSAILLES, 27 nov. 1983 : *Le Port de Londres* 1883, h/t (68x112) : **FRF 27 000** – LA VARENNE-SAINT-HILAIRE, 7 déc. 1986 : *Pêcheurs sur l'Yonne* 1905, past. (25x33) : **FRF 10 100** – PARIS, 22 avr. 1988 : *Le pont sur l'Yonne* 1907, past. (52,5x80) : **FRF 11 100** – PARIS, 7 nov. 1988 : *Chat blanc buvant du lait* 1902, cr. noir et gche/pap. (38x55) : **FRF 20 000** – PARIS, 7-12 déc. 1988 : *L'église de Chatou, vue de la Seine*, past. (35x27) : **FRF 10 600** – VERSAILLES, 11 jan. 1989 : *Bord de rivière* 1906, past. (33x40) : **FRF 10 600** – STRASBOURG, 18 mars 1989 : *Paris sous la neige*, h/t (27x35) : **FRF 18 800** – PARIS, 11 avr. 1989 : *Impression crépusculaire* 1898, aquar. (27x40,5) : **FRF 20 000** – STOCKHOLM, 16 mai 1989 : *Embarcations sur un canal avec une église à l'arrière-plan* 1902, h/t (38,5x46) : **SEK 14 000** – LA VARENNE-SAINT-HILAIRE, 21 mai 1989 : *Boulevard à Paris* 1907, past. (27x40) : **FRF 6 000** – PARIS, 8 déc. 1989 : *Mosquée de la pêcherie, Alger*, past. (26x34) : **FRF 35 000** – PARIS, 19 jan. 1990 : *Paysage enneigé* 1908, aquar. (59x79) : **FRF 45 000** – PARIS, 13 juin 1990 : *Paysage de Hollande* 1879, aquar. (22x23) : **FRF 5 200** – AMSTERDAM, 5-6 fév. 1991 : *Embarcations sur la Tamise à Londres* 1891, h/t (44,5x84,5) : **NLG 4 830** – PARIS, 22 nov. 1991 : *Overschee* 1905, past. (33,5x25,5) : **FRF 10 500** – PARIS, 13 mai 1992 : *L'Entrée du port du Havre*, past. et gche (30x38,5) : **FRF 9 800** – AMSTERDAM, 2-3 nov. 1992 : *Vue de la Tamise* 1891, h/t (42,5x83) : **NLG 8 625** – PARIS, 25 mars 1993 : *Un marché*, h/t (34x54) : **FRF 17 600** – PARIS, 25 juin 1993 : *Paris, la nuit* 1900, past., aquar. et reh. de gche (24x32) : **FRF 20 000** – PARIS, 15 juin 1994 : *Saint-Germain-des-Prés* 1889, past./pap./t (33x41) : **FRF 12 500** – PARIS, 30 nov. 1995 : *Vue de Notre-Dame de Paris* 1902, h/t (69x102,5) : **FRF 43 000** – PARIS, 29 mai 1996 : *Hollande, un canal* 1901, h/t (55x38) : **FRF 20 000** – PARIS, 8 déc. 1996 : *Rue de village* 1886, past./pap. (70x90) : **FRF 15 000** – PARIS, 10 déc. 1996 : *Vue de Paris sous la neige* 1904, h/t (60x73) : **FRF 87 000** – PARIS, 4 nov. 1997 : *L'Hiver*, h/t (46x74) : **FRF 60 000.**

TEN CATE HOEDEMAKER Geertruida Catharina Gorter
Née en 1828. Morte en 1907. XIXe siècle. Hollandaise.
Peintre de natures mortes de fleurs, aquarelliste.
VENTES PUBLIQUES : AMSTERDAM, 24 avr. 1991 : *Nature morte de roses dans un vase de verre,* aquar. avec reh. de blanc/pap. (53x38) : **NLG 1 265.**

TENCHER Daniel
XVIIIe siècle. Suisse.
Dessinateur.
Il a peint une *Vue de l'église Saint-Laurent* de Frauenfeld en 1734.

TEN COMPE Jan ou Ten Kompe
Né le 14 février 1713 à Amsterdam. Mort le 11 novembre 1761. XVIIIe siècle. Hollandais.
Peintre.
Élève de D. Dalens le Jeune ; il fut bourgeois d'Amsterdam en 1736 ; il travailla longtemps pour le collectionneur Van de Velde, pour Ryneveld et Braamcamp.
Il développa sa technique en copiant les œuvres de ses contemporains, tels que Gerrit Berckheyde et Jan Van der Heyden. Il peignit des vues de villes. Il peignit le pavillon des festivités de La Haye en l'honneur de la Paix d'Aix-La-Chapelle, on en conclut qu'il fut actif dans la région de cette ville vers 1749.

J. ten Compe

MUSÉES : AMSTERDAM : *Vue de la Kaisergracht – Ruines de Ber-*

kenrode, deux œuvres – COPENHAGUE : *Le marché de Haarlem* – GOTHA : *Maison de campagne au bord de l'eau* – *Route hollandaise près d'un canal* – HAMBOURG : *Paysage plat* – LA HAYE : *La place Plein à La Haye* – SAINT-PÉTERSBOURG (Mus. de l'Ermitage) : *Vue de ville,* deux œuvres – *Hôpital de l'église wallone à La Haye* – SCHWERIN : *Vue* – *Rempart d'une ville hollandaise.*

VENTES PUBLIQUES : PARIS, 1771 : *Vue de la tour de la Monnaie à Amsterdam* : FRF 2 572 – LONDRES, 28 fév. 1901 : *Vue des environs d'une ville* : GBP 18 – LONDRES, 28 nov. 1908 : *Vues de La Haye,* deux tableaux : GBP 24 – LONDRES, 10 juin 1966 : *Vue d'Utrecht* : GNS 400 – AMSTERDAM, 26 avr. 1976 : *Les Abords d'Amsterdam* 1753, h/pan. : NLG 23 000 – NEW YORK, 21 jan. 1982 : *Bords de canal avec barque et voilier ; Troupeau au pâturage,* h/pan., une paire (40x58) : GBP 38 000 – MONTE-CARLO, 14 fév. 1983 : *Paysage de ville hollandaise sur une rivière,* h/pan. (38,5x53) : FRF 20 000 – AMSTERDAM, 3 déc. 1985 : *Vue d'Amsterdam,* h/pan. (38,2x51,5) : NLG 120 000 – NEW YORK, 10 oct. 1991 : *Vue du château de Persijn près de Wassenaar en Hollande* 1749, h/pan. (27,3x36,8) : USD 34 100.

TENCY Jean Baptiste L.
Né en 1741 à Bruxelles. Mort en 1811 à Gand. XVIIIᵉ-XIXᵉ siècles. Éc. flamande.
Peintre de scènes de genre, paysages, paysages d'eau, marines.
On possède quatre quittances, en néerlandais, d'œuvres livrées par lui au baron Baut-de-Rasmou.
Peintre de marines, il privilégiait les effets de tempêtes.

LBL Tencÿ. f.

BIBLIOGR. : In : *Diction. Biogr. illustré des Artistes en Belgique depuis 1830,* Arto, Bruxelles, 1987.
MUSÉES : ANVERS : *Naufragés dans la tempête.*
VENTES PUBLIQUES : NEW YORK, 15 jan. 1988 : *Hommes construisant une barque et un vaisseau échoué,* h/pan. (49,5x72,3) : USD 9 350.

TENDER Jean Baptiste de
Né le 4 juillet 1792 à Saint-Nicolas. Mort le 26 octobre 1847 à Bruxelles. XIXᵉ siècle. Belge.
Sculpteur.
Il travailla dans l'atelier de Godescharle. Il sculpta pour le château royal, pour des églises et les cimetières de Bruxelles.

TENDERINI Francesco de, comte
Né vers 1800 à Fivizzano. Mort en 1850 en Corse. XIXᵉ siècle. Italien.
Peintre et miniaturiste.
Membre de l'Académie Saint-Luc de Rome.

TENDLAU Ludwig
Né à Wiesbaden. Mort après 1880 à Berlin. XIXᵉ siècle. Allemand.
Sculpteur.
Élève de l'Académie de Karlsruhe. Il exposa à Berlin de 1868 à 1880.

TENDLER Caspar
Né en 1784 à Krieglach. Mort le 24 décembre 1841 à Kindberg. XIXᵉ siècle. Autrichien.
Peintre.
Élève de l'Académie de Vienne. Il a peint des tableaux d'autel pour des églises de Styrie ainsi que des portraits.

TENDLER Johann
Né en 1777 à Vorau. Mort le 27 juin 1849 à Eisenerz. XIXᵉ siècle. Autrichien.
Peintre et sculpteur sur bois.
Fils de Mathias Tendler. Le Musée d'Eisenerz conserve de lui huit tableaux représentant des scènes historiques ainsi que des paysages et des vues d'Eisenerz et des environs, et le Musée Joanneum de Graz, une statue de la Vierge.

TENDLER Johann Max
Né le 23 août 1811 à Eisenerz. Mort le 14 avril 1870 à Leoben. XIXᵉ siècle. Autrichien.
Peintre.
Fils de Johann Tendler et élève de Jos. Führich à l'Académie de Vienne. Il peignit des sujets religieux et des scènes mythologiques dans des villes de Styrie. Le Musée d'Eisenerz conserve de lui des paysages, des portraits et des intérieurs.

TENDLER Josef
Né le 21 mars 1821 à Eisenerz. Mort le 30 janvier 1868 à Eisenerz. XIXᵉ siècle. Autrichien.

Peintre de natures mortes.
Fils de Johann Tendler. Le Musée d'Eisenerz conserve des aquarelles de cet artiste.

TENDLER Mathias
Né le 15 février 1753 à Krieglach. Mort le 28 juin 1825 à Linz. XVIIIᵉ-XIXᵉ siècles. Autrichien.
Sculpteur sur bois.
Il sculpta des figurines en bois dont le Musée d'Eisenerz conserve quelques exemplaires.

TENDLER Matthäus
Né le 18 septembre 1806 à Eisenerz. Mort le 17 février 1881 à Eisenerz. XIXᵉ siècle. Autrichien.
Peintre.
Fils de Johann Tendler. Il a exécuté quatre peintures à la gouache représentant des scènes historiques.

TENECKI Georg
XVIIIᵉ siècle. Yougoslave.
Peintre.
Il travailla à Veliki Beckerek et peignit des portraits.

TENECKI Stephan
Né à Arad. XVIIIᵉ siècle. Actif dans la seconde moitié du XVIIIᵉ siècle. Yougoslave.
Peintre.
Il travailla pour l'abbaye de Bezdin et des églises des environs.

TENER René ou Ernest Louis Ferdinand ou Renet-Tener
Né le 11 octobre 1846 à Cherbourg (Manche). Mort à l'Isle-Adam (Val d'Oise). XIXᵉ siècle. Français.
Peintre de scènes de genre, paysages, paysages d'eau.
Il eut pour maître Jules Dupré. Il fut maire de l'Isle-Adam en 1904. Il exposa au Salon de Paris, à partir de 1874. Il peignit surtout des vues des bords de l'Oise et de la Normandie.
MUSÉES : CHERBOURG : *Les Fureteurs* – LA HAYE (Mus. Mesdag) : *Matin brumeux* – L'ISLE-ADAM (Mus. Senlecq) : *L'Île de Champagne.*
VENTES PUBLIQUES : BERNE, 6 mai 1972 : *Paysage à la chaumière* : CHF 10 000 – BERNE, 3 mai 1979 : *Paysage fluvial,* h/pan. (23,5x40) : CHF 3 400 – BERNE, 4 mai 1985 : *Bord de rivière escarpé,* h/pan. (26,5x44,5) : CHF 5 500 – VERSAILLES, 19 nov. 1989 : *L'Oise à Noisy, pêcheur devant la chaumière,* h/t (33,5x41) : FRF 7 000 – PARIS, 27 juin 1990 : *L'Oise aux environs de l'Isle-Adam,* h/t (65x81) : FRF 25 000.

TENERANI Pietro
Né le 11 novembre 1789 à Torano. Mort le 14 décembre 1869 à Rome. XIXᵉ siècle. Italien.
Sculpteur de monuments, figures mythologiques, bustes.
Il sculpta de nombreux bustes, tombeaux et monuments à Rome et pour des villes du monde entier.
MUSÉES : ASCOLI PICENO : *Buste de l'artiste* – *L'Amour,* haut-relief – COPENHAGUE : *Buste de l'artiste* – *Le sculpteur Thorwaldsen* – *Vénus et l'Amour* – *Les génies de la Vie et de la Mort* – FLORENCE (Gal. mod.) : *Buste de Francesco Forti* – LEIPZIG (Mus. des Beaux-Arts) : *Psyché* – MADRID : *Vénus et Cupidon* – MUNICH (Mus. de la Résidence) : *Statue de Vesta* – RIGA : *Vénus accroupie* – ROME (Gal. d'Art mod.) : *Buste de l'artiste* – *P. Rossi* – *Buste de Mme Workonska* – *Psyché abandonnée* – ROME (Gal. nat. d'Art antique) : *Statue de Vesta* – *Le Génie de la chasse* – *Le Génie de la pêche* – SAINT-PÉTERSBOURG : *Buste de la grande-duchesse Maria Nicolaïévna* – VIENNE (Acad.) : *Psyché abandonnée* – VITERBO : *Statue de Pie IX* – WEIMAR : *Psyché abandonnée.*
VENTES PUBLIQUES : ROME, 20 nov. 1985 : *Domenico Fabricoli di Carrara,* marbre blanc (H. 70) : ITL 3 200 000 – MILAN, 14 nov. 1990 : *Le Génie de la chasse,* marbre de Carrare (H. 90) : ITL 60 000 000 – NEW YORK, 18-19 mai 1993 : *Maquette pour le tombe de Simon Bolivar,* bronze (H. 59,7) : USD 16 100.

TENERELLO Antonio ou Giovanni Antonio
XVIᵉ siècle. Actif dans la seconde moitié du XVIᵉ siècle. Italien.
Sculpteur.
Il sculpta des tombeaux pour des églises de Naples.

TEN EYCK John Adams
Né le 28 octobre 1893 à Bridgeport (Connecticut). XXᵉ siècle. Américain.
Peintre et graveur.

Élève de l'Art Students' League de New York, de F. L. Mora et de K. H. Miller. Membre de la Société des Artistes Indépendants de Paris et de la même Société dans son propre pays.

TENG BAIYE ou T'Eng Pai-Ye ou T'eng Pai-Yeh
XXᵉ siècle. Chinois.
Sculpteur et peintre. Traditionnel.
Il était actif à Shanghai vers 1920-1930. Artiste de l'école traditionnelle.

TENGBERG Violet
Née à Munktorp. XXᵉ siècle. Suédoise.
Peintre.
Après des études à l'École des Beaux-Arts de Gothenbourg entre 1958 et 1963, elle participa à de nombreuses expositions collectives, surtout en Grande-Bretagne. Elle fit des expositions particulières, entre autres, à Stockholm (1965, 1968, 1971), Helsinki (1966), Londres (1967, 1970), Bruxelles (1968), Paris (1970). Son art se rapproche d'un certain expressionnisme abstrait.
MUSÉES : STOCKHOLM (Mus. nat.) – STOCKHOLM (Mus. d'Art mod.).

TENG CHANGYU ou T'eng Ch'ang-Yu ou T'eng Tch'ang-Yu, surnom : Shenghua
Né en 845, originaire de la province du Jiangsu. Mort après 930. IXᵉ-Xᵉ siècles. Actif dans la seconde moitié du IXᵉ siècle. Chinois.
Peintre.
En 880, il suit l'empereur Tang Xizong au Pays de Shu, où il s'installe. Il est spécialiste de fleurs et d'oiseaux et ses œuvres serviront de modèles à celles de Huang Quan (vers 900-965). Le Musée du Palais de Pékin conserve un de ses rouleaux horizontaux signé et portant des sceaux de la période Song, *Papillons au printemps*, et le National Palace Museum de Taipei, une œuvre en rouge et blanc sur soie, qui date vraisemblablement de la dynastie Song, *Fleurs de pivoines*.

TÊNG CH'UN. Voir DENG CHUN

TENGELER Johannes Willem
Né vers 1746. Mort vers 1811. XVIIIᵉ-XIXᵉ siècles. Hollandais.
Peintre de paysages animés.
Il travaillait à La Haye dans la seconde moitié du XVIIIᵉ siècle.
VENTES PUBLIQUES : AMSTERDAM, 18 mai 1981 : *Scène champêtre* 1781, h/cuivre (28,5x33,5) : NLG 4 600 – LONDRES, 24 fév. 1995 : *Vaste paysage d'hiver avec des patineurs et des villageois sur la glace près d'un hameau avec un moulin à vent* 1788, h/pan. (49x70,5) : GBP 16 100.

TENGMARK
XVIIIᵉ siècle. Actif à Pitea en 1765. Suédois.
Sculpteur.
Il fut également architecte.

TENGNAGEL Frederik Michael Ernst Fabritius de. Voir FABRITIUS de Tengnagel

TENGNAGEL Jan ou Tynagel
Né en 1584 à Amsterdam. Mort en 1635 à Amsterdam. XVIIᵉ siècle. Hollandais.
Peintre.
Il se maria en 1611 à Amsterdam. On cite de lui : *Banquet de la Cie du Capitaine Geurt Dirksz Van Benningen* à Amsterdam. Le Musée national d'Amsterdam conserve de lui *Groupe d'arbalétriers d'Amsterdam*.
VENTES PUBLIQUES : LONDRES, 29 nov. 1968 : *La course d'Atalante* : GNS 1 700 – AMSTERDAM, 14 nov. 1972 : *Scène biblique* : NLG 5 400 – LONDRES, 5 juil. 1984 : *Le Roi David jouant de la harpe*, h/pan. (46,5x72,5) : GBP 2 700.

TENGOBORSKAJA Ievfimia ou Euphémie, comtesse Esterhazy
Née le 3 mai 1825 à Vienne. XIXᵉ siècle. Russe.
Peintre de portraits.

TENGOBORSKAJA Olga Juliévna, plus tard Mme Doué
XIXᵉ siècle. Active dans la seconde moitié du XIXᵉ siècle. Russe.
Peintre et lithographe.

T'ENG PAI-YEH. Voir TENG BAIYE

TENG-PEI
Né en Chine. XXᵉ siècle. Chinois.
Peintre de paysages animés. Traditionnel.
Cet artiste d'inspiration classique chinoise, sinon parfait traditionaliste, a présenté à Paris, en 1946 : *Gazouillements au Matin printanier* à l'Exposition internationale d'Art moderne ouverte au Musée d'Art moderne par l'Organisation des Nations unies.

T'ENG TCH'ANG-YU. Voir TENG CHANGYU

TENG TCH'OUEN. Voir DENG CHUN

TEN HAEFF
Né en 1915 à Düsseldorf. XXᵉ siècle. Depuis 1940 actif au Brésil, puis aux États-Unis. Allemand.
Peintre.
Il vécut de 1940 à 1948 à Rio de Janeiro, puis aux U.S.A.

TEN HOET G. W., Mlle
XXᵉ siècle. Hollandaise.
Graveur à l'eau-forte.
Elle travaille à Hilversum et prit part à l'Exposition de Bruxelles en 1910.

TEN HOLT Friso
Né en 1921 à Argelès-Gazost (Hautes-Pyrénées). XXᵉ siècle. Hollandais.
Peintre de compositions animées, nus, marines.
Il fut élève de l'Académie d'Amsterdam, où il vit.
Il a montré une première exposition personnelle de ses œuvres, à Amsterdam, en 1952. Il a également exposé à Rotterdam, en 1959 ; à Londres, en 1962.
Dans l'héritage de Cézanne et des cubistes Ten Holt peint en accord avec l'école de Paris, ayant subi principalement les influences de Bazaine et de De Staël, qu'il met en œuvre dans des marines, des nus évoqués synthétiquement sur des espaces de plages à la façon des dernières peintures de De Staël, ou des compositions de nageurs ou de danseurs.
BIBLIOGR. : B. Dorival, sous la direction de... : *Peintres Contemporains*, Mazenod, Paris, 1964.
VENTES PUBLIQUES : AMSTERDAM, 23 mai 1991 : *Nature morte* 1979, h/t (45x65) : NLG 2 185 – AMSTERDAM, 2-3 juin 1997 : *La Rive* 1977, h/t (80x100) : NLG 4 484.

TEN HOMPEL Ludwig
Né le 31 juillet 1887 à Duisbourg. XXᵉ siècle. Allemand.
Peintre de sujets religieux, graveur.
Il travailla surtout à Düsseldorf. On cite ses peintures religieuses.

TENICHEFF Marie de, princesse
Morte en 1928 à Paris. XIXᵉ-XXᵉ siècles. Russe.
Peintre et décorateur.
Élève de l'Académie Julian de Paris.

TÉNIÈRE
XIXᵉ siècle (?). Français.
Peintre d'animaux.

teniere

MUSÉES : NANCY : *Chien de garde*, signée de ce nom.

TÉNIERS Abraham
Baptisé le 1ᵉʳ mars 1629 à Anvers. Mort le 26 septembre 1670 à Anvers. XVIIᵉ siècle. Éc. flamande.
Peintre de sujets religieux, scènes de genre, paysages d'eau.
Fils et élève de David Téniers l'Ancien. Il étudia aussi avec son frère David Téniers le Jeune, dont il imita la manière. Maître à Anvers en 1646, il épousa en 1664 Isabelle de Roore. Abraham Téniers eut également une importante activité de marchand.
Il traita les mêmes sujets que son aîné et, bien que ses œuvres n'en possèdent pas la maîtrise, un grand nombre d'entre elles sont depuis longtemps attribuées par les marchands à David Téniers le Jeune.

Téniers f

MUSÉES : ANVERS : *Scène de fête campagnarde* – DRESDE : *Dans la cuisine* – GÊNES : *Hommes dînant dans une auberge* – *Hommes dans la taverne* – HANOVRE : *Kermesse* – LYON : *Le repos d'un buveur* – MADRID (Prado) : *Dépôt d'armes et harnais de guerre* – *Corps de garde* – MANNHEIM : quatre tableaux – NANTES : *Kermesse* – TROYES : *Paysage maritime* – VIENNE (Harrach) : *Singes cordonniers* – *Singes menuisiers*.
VENTES PUBLIQUES : PARIS, 23 mars 1897 : *Fumeurs se chauffant devant l'âtre* : FRF 325 – PARIS, 1898 : *Tentation de saint Antoine* : FRF 330 – BRUXELLES, 4 avr. 1938 : *Tentation de saint Antoine* : BEF 1 274 – LUCERNE, 17 juin 1950 : *Paysans buvant et fumant devant une auberge* : CHF 1 800 – PARIS, 5 déc. 1951 : *Le déjeuner* : FRF 330 000 – VERSAILLES, 3 juin 1965 : *Réjouissances villageoises* : FRF 14 000 – VIENNE, 9 juin 1970 : *Scène villageoise* :

ATS 60 000 – Vienne, 22 mai 1973 : *Fête villageoise* : ATS 500 000 – Cologne, 11 mai 1977 : *Scène de taverne*, h/pan. (27,5x39) : DEM 18 000 – New York, 13 jan. 1978 : *Paysans réunis devant une auberge*, h/pan. (25,5x35,5) : USD 11 000 – Genève, 12 déc. 1983 : *Intérieur d'une boutique de barbier*, h/cuivre (28x37) : CHF 29 500 – Aatsleaard, Belgique, 13 oct. 1987 : *Campement de singes*, h/cuivre (33x41,5) : BEF 1 900 000 – Stockholm, 14 nov. 1990 : *Réjouissances paysannes devant une maison*, h/pan. (40x55) : SEK 23 000 – Paris, 30 jan. 1991 : *La diseuse de bonne aventure*, h/pan. (24,5x34,5) : FRF 70 000 – Paris, 26 juin 1992 : *Les singes pâtissiers* ; *Les singes cuisiniers*, h/t, une paire (17x24) : FRF 158 000 – Paris, 19 nov. 1993 : *Le banquet de la mariée*, h/pan. de chêne (57x84) : FRF 130 000 – Londres, 20 avr. 1994 : *Paysans jouant aux boules devant une auberge*, h/pan. (24,2x33,8) : GBP 8 050 – Paris, 16 fév. 1996 : *Paysans jouant aux cartes dans une cour de ferme*, h/pan. (66x86) : FRF 110 000 – Paris, 5 mars 1997 : *Jeu de quilles*, h/t (26,5x34) : FRF 35 000 – New York, 23 mai 1997 : *Une singerie, des singes jouant aux cartes, fumant et buvant dans une salle de garde*, h/t (23,5x31,7) : USD 19 550.

TÉNIERS David I, l'Ancien

Né en 1582 à Anvers. Mort le 29 juillet 1649 à Anvers. XVIIe siècle. Éc. flamande.

Peintre d'histoire, compositions mythologiques, sujets religieux, scènes de genre, paysages animés, paysages, paysages d'eau, graveur.

Fils du mercier Julian Téniers ou Taisner qui, venant d'Ath, s'établit à Anvers en 1558. David Téniers Ier, ou l'Ancien, avait quatre ans lors de la mort de son père. Il fut élève de son frère Julian vers 1594, puis de Lisebetten et enfin de Rubens. Il alla en Italie, vécut à Rome pendant six ans chez Adam Elzheimer. Il revint à Anvers en 1606 et entra dans la gilde d'Anvers. Il épousa le 21 octobre 1608 Dymphna Cornelissen de Wilde, dont il eut cinq enfants, David II, Julian II, Theodor, Abraham, et une fille. Malgré la richesse de sa femme, il manqua toujours d'argent.

David Téniers contracta probablement chez son maître italien, Adam Elzheimer, son goût pour le paysage. Il avait d'abord peint l'histoire. Il peignit quelques grandes compositions religieuses, sans doute parce qu'elles lui furent commandées, car il préférait les compositions plaisantes, assemblées de paysans, fêtes de village, genre dans lequel son fils David Téniers le Jeune l'éclipsa. Il a gravé un certain nombre d'estampes.

Bibliogr. : E. Duverger, H. Vlieghe : *David Téniers der ältere*, 1971.

Musées : Abbeville : *Fumeurs* – Aix : *Saint Paul et saint Antoine ermites* – Amiens : *Le vieux berger* – *Le berger* – *Le docteur de village* – Anvers : *Paysage* – Bergame (Acad. Carrara) : *Fête champêtre* – Berlin : *Tentation de saint Antoine* – Besançon : *Vallée en Belgique, avec Lucas Van Ulden* – Bordeaux : *Paysage* – Bourg : *Un buveur* – Brunswick : *Paysage* – Budapest : *Tentation de saint Antoine* – *Le berger* – Cambridge : *Deux musiciens* – Dijon : *Paysage avec figures* – *Effet de neige* – Dolwich : *Incendie au village* – *Les joueurs de cartes* – *Les mangeurs de moules* – *Bohémiens* – *Paysans en conversation* – *Saint Pierre priant* – *Hiver* – *Paysan tenant un verre* – *Vieille femme* – *Paysage d'hiver* – Dresde : *Village près d'un fleuve* – *Route de village* – Dunkerque : *Tentation de saint Antoine* – La Fère : *Scène flamande* – Florence : *Un médecin* – *Vieux chimiste* – *Paysage avec petites figures* – *Paysage* – Genève (Ariana) : *Paysage et animaux divers* – Glasgow : *Paysage boisé* – *Paysage flamand* – Grenoble : *Joueurs de quilles* – Leipzig : *Famille de Bohémiens* – *Saint Jérôme* – Liège : *Tentation de saint Antoine* – Lille : *Scène de sabbat* – Londres (Nat. Gal.) : *Paysage rocheux* – *La conversation* – *Joueurs de boules* – Mayence : *Réunion à l'auberge* – Montpellier : *L'alchimiste* – Munich : *Abîme rocheux* – *Paysan* – Nantes : *Jeunes bergers jouant aux cartes* – New York (Metropolitan Mus.) : *Cuisine hollandaise* – Nice : *La sorcière* – *Les fumeurs* – Orléans : *Paysan assis sur une pierre et tenant une flûte* – Rouen : *Pâtre gardant ses moutons* – Saint-Pétersbourg (Mus. de l'Ermitage) : *Un peintre dans son atelier* – *Paysage*, deux œuvres – Schwerin : *Tentation de saint Antoine* – *Bohémienne* – Sens : *Retour de la fête* – Stockholm : *Brasserie*, deux œuvres – *Tentation de saint Antoine* – *Repentir de saint Pierre* – Vienne : *Mercure et Argus* – *Junon demande à Jupiter Io changée en vache* – *Pan, nymphes et satyres* – *Vertumne et Pomone* – *Paysage avec paysan* – *Paysage avec Tobie* – *Paysage avec cavaliers*, deux œuvres – Vienne (Czernin) : *Deux bohémiennes disant la bonne aventure*.

Ventes Publiques : Paris, 1777 : *Vénus sortant du bain* ; *Femmes à cheval et en marche*, ensemble : FRF 1 199 – Paris, 1842 : *La foire de Gand* : FRF 750 – Cologne, 1862 : *Le jeu de quilles dans une taverne de village* : FRF 487 – Paris, 25 fév. 1893 : *Sorcière entrant aux régions infernales* : FRF 2 750 – Paris, 13 juin 1894 : *La leçon de flûte* : FRF 1 780 – Paris, 20 déc. 1897 : *Le chasseur au faucon* : FRF 530 – Paris, 10 juin 1904 : *La fille de ferme* : FRF 500 – New York, 9 fév. 1906 : *Première aide* : USD 600 – Paris, 15-16 jan. 1907 : *Le troupeau* : FRF 3 000 – New York, 14-15 jan. 1909 : *Paysage et scène villageoise* : USD 325 – Londres, 26 mai 1922 : *L'état de poissons* : GBP 116 – Paris, 8 déc. 1924 : *La distribution du grain aux poules* : FRF 1 800 – Paris, 24 fév. 1926 : *Berger et troupeau* : FRF 6 300 – Stockholm, 13-15 déc. 1935 : *Paysage côtier* : SEK 780 – Londres, 13 déc. 1935 : *Joueurs de tric-trac* : GBP 357 – Paris, 10 fév. 1943 : *L'alchimiste* : FRF 47 000 – New York, 15 nov. 1945 : *Paysage avec personnages* : USD 375 – Paris, 22 nov. 1946 : *L'hiver* : FRF 18 000 – Paris, 11 déc. 1950 : *La tentation de saint Antoine* : FRF 32 000 – Londres, 4 avr. 1962 : *Paysage fluvial avec vue du château « Drij Toren »* : GBP 4 200 – Londres, 27 nov. 1963 : *La partie de quilles, près de la chaumière* : GBP 7 000 – Amsterdam, 26 nov. 1974 : *La tentation de Saint Jérôme* : NLG 37 000 – Londres, 12 juil. 1978 : *Minerve et les neuf muses*, h/pan. (49,5x77) : GBP 6 500 – Londres, 11 juil 1979 : *Paysans dans un paysage montagneux*, h/t (130x172) : GBP 11 000 – Londres, 4 avr. 1984 : *le jugement*, h/pan. (41x56) : GBP 13 000 – Londres, 8 avr. 1987 : *Pastorale*, h/pan. (38x51) : GBP 34 000 – Rome, 19 nov. 1990 : *Rencontre de deux convois de paysans et du bétail escortés de soldats*, h/t (121x183) : GBP 46 000 000 – Paris, 20 déc. 1994 : *Allégorie du bon gouvernement*, h/cuivre (33x41,5) : FRF 85 000 – New York, 5 oct. 1995 : *Dignitaires présentant une pétition à un seigneur assis près d'une table couverte de pièces d'orfèvrerie devant un jardin ornemental*, h/pan. (27,7x37,2) : USD 4 830 – New York, 16 mai 1996 : *Saint Jérôme dans une forêt au bord d'un ruisseau*, h/cuivre (35,9x43,8) : USD 37 375.

TÉNIERS David II, le Jeune

Né en 1610 à Anvers, baptisé le 15 décembre 1610. Mort le 25 avril 1690 à Bruxelles. XVIIe siècle. Éc. flamande.

Peintre d'histoire, compositions religieuses, scènes de genre, figures, portraits, paysages, graveur.

L'aîné des quatre fils de David Téniers l'Ancien et de Dymphna de Wilde. Il fut élève de son père. La tradition le fait aussi élève de Rubens et de Brouwer mais rien ne le prouve jusqu'à présent. On représente également les débuts de cet artiste comme difficiles. Peut-être faut-il y voir la conséquence des embarras d'argent dont souffrit son père. Quoi qu'il en soit si ce peintre dut lutter pour conquérir sa place, la lutte fut de courte durée. Il fut reçu maître dans la gilde d'Anvers en 1633. Le 4 juillet 1637 il épousa Anne Brueghel, la fille de Jean Brueghel de Velours qui lui apporta une dot, une rente et surtout l'intimité de P. P. Rubens. De ce mariage naquirent cinq enfants, deux garçons et trois filles. Le premier fils, David Téniers III, naquit le 10 juillet 1638 et eut pour parrain David Téniers l'Ancien et pour marraine Hélène Fourment, la deuxième femme de Rubens. En 1644, David Téniers II fut doyen de la Gilde de Saint Luc à Anvers. L'archiduc Léopold Guillaume, nommé gouverneur des Pays-Bas, en 1647, fut pour Téniers un puissant protecteur, il le nomma peintre de sa cour, chambellan, conservateur de sa galerie. Le prince fit plus encore, il envoya des ouvrages de Téniers à plusieurs souverains en recommandant l'artiste. Le résultat fut des plus satisfaisants, de nombreuses commandes parvinrent à l'artiste, particulièrement de Philippe IV d'Espagne, qui acheta un si grand nombre d'ouvrages à Téniers qu'une galerie dut être construite pour leur placement. Guillaume II d'Orange, Christine de Suède, se montrèrent également grands amateurs de ses toiles. Don Juan d'Autriche, le fils naturel de Philippe IV, qui succéda en 1656 à Léopold Guillaume dans le gouvernement des Pays-Bas, se montra encore plus enthousiaste, il le confirma dans ses charges et fut même son élève, d'après la tradition. Téniers en 1650, peu après la mort de son père, quitta Anvers pour Bruxelles. Le 11 mai 1656 Anne Brueghel mourait. Téniers le Jeune s'accommoda mal du veuvage, car le 21 octobre de la même année, il épousa Isabelle de Fren, fille d'André de Fren, secrétaire du Conseil du Brabant. En 1662 il acheta à Jan-Baptist Brœkoven et à Hélène Fourment la deuxième femme de Rubens, le château de Dry Torens, près de Vilvoorde, et en fit sa résidence d'été. En 1663 Téniers le Jeune prit une part active à la fondation de l'Académie des Beaux-Arts d'Anvers. Il fut nommé le premier directeur. La même année il demanda à être admis dans les rangs de la noblesse se réclamant de ses ancêtres d'Ath. Cette requête paraît avoir été acquise mais à condition qu'il ne produirait plus de peintures pour de l'argent. Il semble aussi que Téniers le Jeune n'ait pas insisté. La fin de sa vie fut triste, troublée par la maladie et des chagrins de famille. Sa deuxième femme mourut en 1683 ; les enfants de son premier mariage lui firent un procès non terminé à sa mort, et qui se poursuivit jusqu'en 1692. L'œuvre de Téniers est considérable. Plus de mille de ses peintures sont cataloguées et combien ont échappé aux investigations. Le fait n'a rien d'extraordinaire si l'on considère que Téniers, mort à 80 ans, ayant commencé à peindre très jeune possédait une telle facilité d'exécution qu'il lui suffisait souvent d'une journée pour faire un tableau.

Dans ses premières œuvres, il poursuit la manière traditionnelle des Francken. C'est sous l'influence de Brouwer qu'il s'oriente, à partir de 1632, vers la peinture de genre et qu'il peint aussi des paysages aux plans simplifiés où dominent les bruns et les gris. Dans une période intermédiaire, qui est considérée comme le sommet de sa carrière, de 1640 à 1650, il adopte une palette plus claire et représente les petites scènes de la vie bourgeoise et populaire et des paysages animés, sous l'influence de Rubens. Enfin, dans sa dernière décennie, sa palette s'assombrit à nouveau et sa touche devient plus lourde. Peut-être peut-on admettre, en se basant sur des œuvres de lui, datées du début de sa carrière, les deux petits paysages aux sujets bibliques (1634) conservés au Musée de Dulwich qui rappellent les anciennes formules de Monper et de Paul Bril, qu'il n'eut pas tout d'abord la verve qui lui valut une si brillante fortune. David Téniers le Jeune exécuta plus de deux cents copies d'après les peintres les plus remarquables de la galerie de l'Archiduc et les fit graver. À côté de cet œuvre original immense, viennent s'ajouter de très nombreux pastiches, copies truquées, depuis les excellentes faites de son temps par ses élèves, tels que : David Ryckaert III, Thomas Apstchoven, Gillis Van Tilborch, Mathieus Van Helmont, François Duchatel, Abraham et David Téniers III, Matheus Milese, Gillis Van Bolder, Jan de Froey ou par ses imitateurs tels que Balthasar Beschey, P. de Bloot, A. Diepraam, Cornelis Saftleven, H. M. Sorgh, A. de Waes, jusqu'aux productions informes de vagues fumeurs, d'étranges Kermesses, de singulières tabagies sans couleur et sans dessin, mais suffisamment salies et craquelées, que des gens peu scrupuleux continuent à fabriquer encore en y apposant la signature du maître. l'artiste signa d'abord Ténier, notamment un tableau du Musée de Berlin daté de 1634, puis avec T minuscule et D majuscule, et encore D. téniers et David Téniers, souvent encore du monogramme D avec un petit T à l'intérieur. ■ E. Bénézit, S. Delcluze

Bibliogr. : L. Bocquet : *David Téniers*, 1924 – P. Bauter : *Les tableaux de singeries attribués à David Téniers*, 1926 – R. Peyre : *Téniers*, Laurens, Paris, 1930.

Musées : Aix : *Homme bourrant sa pipe – La robe de Joseph est présentée à Jacob – Jeune homme – Tentation de saint Antoine – Paysage – Le buveur – Paysage flamand –* Amiens : *Le château de Téniers –* Amsterdam : *Le corps de garde – Un moment de repos – Auberge de village – Tentation de saint Antoine – Kermesse de village – Vie paysanne – Joueurs – Hiéronymus Van Weert – La boucherie – Entretien d'amis – Cour de ferme –* Angers : *Le tête à tête – La mère difficile –* Anvers : *Panorama de Valenciennes – La tentation de saint Antoine – Buveurs flamands – Le matin – L'après-dîner – La vieille Duo – Paysage – Le chanteur – A la chasse –* Arras : *Un fumeur – Intérieur de cabaret – Intérieur flamand –* Autun : *Paysage – Les deux ermites – Saint Jérôme –* Avignon : *Intérieur de cabaret –* Bagnères-de-Bigorre : *Intérieur d'auberge flamande –* Bâle : *Chambre de paysans hollandais – Paysans devant une auberge de village – Joueur de luth et joueur de flûte dans un cabaret –* Bayonne : *Intérieur d'auberge –* Bergame (Acad. Carrare) : *Taverne avec joueurs – Taverne avec buveurs –* Berlin : *Joueurs – L'artiste et sa famille – Tentation de saint Antoine – Paysage – Les miracles du sacrement de sainte Gudule – Paysage avec pêcheurs – Brigands dépouillant un homme assassiné – Compagnie à table – Kermesse flamande – Les maux du riche au purgatoire – Neptune et Amphitrite – Salle de garde avec soldats jouant aux dés – Libération de saint Pierre –* Bernay : *Paysage avec personnage – Intérieur hollandais –* Besançon : *Tentation de saint Antoine – Bordeaux : L'évocation – Fête de village en Hollande – Brunswick : Jeune homme – Vieillard – Vieille femme – Les singes barbiers – Un alchimiste –* Bruxelles : *Les cinq sens – Le médecin de village – Paysage flamand – Kermesse – Intérieur de la galerie de l'archiduc Léopold-Guillaume – Tentation de saint Antoine – Portrait d'homme – La métairie – Étude d'accessoires –* Budapest : *Le palais royal à Bruxelles – La fuite en Égypte – Le chirurgien – Paysans buvant –* Carcassonne : *Bûcherons –* Châlons-sur-Marne : *Pauvre vieillard mangeant –* Chantilly : *Le grand Condé –* Château-Gontier : *Les fumeurs –* Château-Thierry : *L'alchimiste –* Cherbourg : *Les singes au cabaret –* Cologne : *Tentation de saint Antoine – Saint Antoine – Paysans dans un cabaret – Les fileurs –* Copenhague : *Tentation de saint Antoine –* Darmstadt : *Danses villageoises – Vieux savant travaillant – Portrait d'un officier –* Detroit : *À l'auberge – Paysage avec château –* Dijon : *Vision de saint Jérôme – Intérieur de tabagie – Buveur tenant un pot – Fumeur les bras croisés –* Draguignan : *Fumeurs – Médecin de village saignant un malade –* Dresde : *Paysage de lune avec bergers près du feu – Paysage fluvial avec berger et troupeau – Paysans fumant à l'auberge – La blanchisserie – Auberge près d'un fleuve devant la ville – Pêcheurs près des dunes – Kermesse à l'auberge de la demi-lune – Le collège où l'on fume – L'alchimiste – A l'auberge – Paysans jouant aux dés – L'artiste – Paysans au repos – Libération de saint Pierre – Un page dans la salle de garde – Tentation de saint Antoine – Dentiste – Kermesse de village et deux couples dansant – Tentation de saint Antoine – Réunion de village et couple dansant – Vieux savant – Tric-trac – Paysans jouant aux cartes – Joueur de luth et joueur de flûte, avec Nik Van Veerundael et Carstian Lucker – Devant la cuisine – Cuisine de Téniers, fleurs de Veerundael, nature morte de Lucker –* Dublin : *Hustle cap – Paysans en gaieté – Intérieur de ferme – Une résurrection –* Dulwich : *Fabrication de briques dans un paysage – La salle des gardes – Un pèlerin – Une pèlerine – Un château et son propriétaire – La truie et ses petits – Une pèlerine – Femme jouant de la mandoline –* Édimbourg : *Une promenade – Paysans hollandais buvant – Paysans jouant aux quilles –* La Fère : *Scène d'intérieur – Intérieur de cabaret –* Florence : *Saint Pierre pleurant – Homme et vieille femme dans un cabaret –* Francfort-sur-le-Main : *Les bestiaux – Saint Jérôme – Saint Antoine ermite – Le fumeur – Auberge de village – La hutte du journalier – Deux paysans à une cheminée – Consultation du médecin – Atelier d'alchimiste – Bal champêtre –* Gênes : *Soldats jouant aux dés au corps de garde –* Genève (Ariana) : *Femme lavant la vaisselle devant sa chaumière – Paysans devant une auberge –* Genève (Rath) : *Les cinq sens – Fumeur –* Glasgow : *On trait la vache – Partie de chasse – Les misères de la guerre – Latone et les paysans cariens avec Jupiter – Jalousie – Un cas chirurgical – Saint Jérôme – Paysans devant le feu – Paysage avec figures – L'enfant Jésus et saint Jean – Tentation de saint Antoine –* Graz : *Paysans devant une auberge –* Guéret : *L'arracheur de dents –* Hambourg : *Villageois – Vestibule de paysans –*

Clair de lune – LE HAVRE : *Joueurs de cartes* – LA HAYE : *La bonne cuisine* – *L'alchimiste* – HELSINKI : *Scène devant un cabaret hollandais* – *Petit paysage avec cabane* – *Paysans dansant* – *Kermesse* – KARLSRUHE : *Couple de paysans* – *Scène de sorcières* – *Le docteur* – KASSEL : *Tentation de saint Antoine* – *Paysans jouant aux cartes* – *Paysans buvant* – *Pilate montre aux Juifs le Sauveur* – *Le paysan avec la brouette* – *Paysans avec le jeu de quilles* – *L'arracheur de dents* – *Entrée de l'archiduchesse Isabelle à Vilvoorde* – *Entrée de l'archiduchesse Isabelle à Bruxelles* – *La salle de bains* – *Danse de paysans devant une auberge* – KŒNIGSBERG : *Paysage* – LANGRES : *Scène de foire* – LEIPZIG : *Cour de ferme* – *Paysage* – *Singes barbiers* – *Tentation de saint Antoine* – LILLE : *Tentation de saint Antoine* – *Intérieur rustique* – *Les bohémiens* – LIVERPOOL : *Paysans hollandais*, deux œuvres – LONDRES (Nat. Gal.) : *Réunion musicale* – *Les avares ou les changeurs* – *Paysans se régalant* – *Joueurs de tric-trac* – *Vieille femme pelant une poire* – *Le château de l'artiste à Perk* – *Les quatre saisons* – *Scène de rivière* – *La surprise* – *Le riche en enfer* (St Luc), *ou le mauvais riche* – *La fête au village, ou la fête aux chaudrons* – *Le buveur* – LONDRES (Wallace) : *Entrée d'un prince dans une ville flamande* – *Auberge au bord d'une rivière* – *Délivrance de saint Pierre* – *La chemise blanche* – *Joueurs dans une auberge* – LYON : *Délivrance de saint Pierre* – MADRID (Prado) : *Fête de campagnards* – *Fête champêtre* – *Bal de villageois* – *Fête et repas de villageois* – *Jeu de boules devant une maison rustique* – *Tir à l'arbalète* – *Soldat buvant et fumant* – *Groupe de fumeurs* – *Fumeurs dans une taverne* – *Fumeurs et buveurs*, deux œuvres – *Les fumeurs* – *Le roi boit* – *La cuisine* – *Le vieillard caressant sa servante* – *La gentille frotteuse* – *Goûter de villageois* – *Opération chirurgicale*, deux œuvres – *L'alchimiste* – *Le singe peintre* – *Le singe sculpteur* – *Singes dans un débit de vin* – *École de singes* – *Singes fumant et buvant* – *Singes fumeurs et buveurs* – *Banquet de singes* – *Le bivouac* – *Un corps de garde* – *Galerie des tableaux de l'archiduc Léopold Guillaume à Bruxelles* – *Colloque pastoral* – *Conversation de villageois près d'une table rustique* – *La maison rustique* – *Paysage avec grottes et ermites* – *Paysage* – *Paysage avec passant et moine lisant* – *Tentations de saint Antoine abbé*, trois œuvres – *Saint Paul premier ermite* – *Christ à la colonne* – *Armide en présence de Godefroy de Bouillon* – *Délibération de Godefroy sur le secours demandé par Armide* – *Carlos et Ubalde à la recherche de Renaud* – *Renaud dans l'île d'Oronte* – *Renaud dans le char d'Armide* – *Carlos et Ubalde aux Iles Fortunées* – *Le jardin d'Armide* – *Séparation d'Armide et de Renaud* – *Renaud et ses compagnons fuient les Iles Fortunées* – *Prouesses de Renaud dans la bataille contre les Égyptiens* – *Armide dans la bataille* – *Réconciliation de Renaud et d'Armide* – MAYENCE : *Paysans buvant devant une auberge* – *Paysage* – *Vieille femme* – *Salle de garde* – MONTPELLIER : *Le grand château de Téniers* – *L'homme à la cruche de bière* – *L'homme au chapeau* – *Un fumeur* – *Un mendiant* – *Le bohémien blessé* – *Kermesse* – *Le concert champêtre* – *Noce de village* – *Paysans jouant aux boules* – *Paysage*, deux œuvres – *Intérieur d'une grotte* – *La prompte obéissance* – MONTRÉAL (Learmont) : *Les deux paysans* – *La vieille grand-mère* – MOREZ : *Saint Pierre délivré de ses liens* – *Scène flamande* – *La danse* – MOSCOU (Roumianzeff) : *Séduction de saint Antoine* – *La foire* – *Un cabaret* – *Le blanchissage de la toile* – *Un fumeur* – *La Paix* – *La guerre* – MUNICH : *Buveurs flamands* – *Salle d'auberge* – *Fumeur assis au cabaret* – *Noce de paysans* – *Alchimiste* – *Salle d'auberge* – *Huit paysans dans un cabaret* – *Paysan assis devant un tonneau* – *Intérieur d'une guinguette flamande* – *Paysan fumant* – *Trois paysans faisant de la musique* – *Trois paysans* – *Homme assis* – *Deux buveurs chantant* – *Corps de garde* – *Loth et ses filles* – *Orgie de l'enfant prodigue* – *Sorcière et panthère* – *Concert de chats et de singes* – *Singes costumés buvant et fumant* – *Repas de singes masqués* – *Château de Téniers* – *Paysage, village avec clocher* – *Grande foire près de Florence* – *Galerie de l'archiduc Albert à Bruxelles*, quatre œuvres – NANCY : *Diseuse de bonne aventure* – *Coin de village* – NANTES : *Sainte Thérèse en prière devant un autel dans une caverne de rochers* – NAPLES : *Joueurs et spectateurs dans un cabaret* – NARBONNE : *Jeu de boules* – *Le tir à l'arc* – *Conversation* – NEW YORK (Metropolitan Mus.) : *Le bon Samaritain* – *Paysage* – *Judith avec la tête d'Holopherne* – *Tentation de saint Antoine* – *Noces* – NOTTINGHAM : *Passe-temps flamand* – *Scène de village avec quatre paysans* – *Paysan portant un bâton* – *Le sens du toucher* – ORLÉANS : *Sainte Famille* – OSLO : *Site forestier près d'un lac* – *Paysage avec rochers* – *Marine* – PARIS (Mus. du Louvre) : *Saint Pierre renie Jésus* – *L'enfant prodigue à table avec des courtisanes* – *Les œuvres de miséricorde* – *Tentation de saint Antoine* – *Fête de village* – *Cabaret près d'une rivière* – *Danse de paysans à la*

porte d'un cabaret – *Intérieur de cabaret*, deux œuvres – *Paysage avec intérieur de ferme* – *Chasse au héron* – *Le fumeur* – *Le rémouleur* – *Le joueur de cornemuse* – *Portrait de vieillard* – *Les bulles de savon* – *Kermesse* – *Le duo* – *Intérieur de tabagie*, deux œuvres – *Intérieur* – *Fête villageoise* – *Tentation de saint Antoine* – *Tabagie* – *Le joueur de guitare* – *Le quêteur* – *Les joueurs de boules* – *Buveur et fumeur* – *L'été* – *L'hiver* – *Le remonueur* – *Paysage et animaux* – *Paysage*, trois œuvres – LE PUY-EN-VELAY : *Concert champêtre* – *Portrait de femme* – REIMS : *Fête de village* – RENNES : *Joueurs de cartes et fumeurs dans un cabaret* – ROME (Borghèse) : *Buveurs* – ROME (Doria-Pamphily) : *Banquet en plein air* – *Intérieur* – ROUEN : *Paysage avec buveur* – SAINT-PÉTERSBOURG (Mus. de l'Ermitage) : *Tentation de saint Antoine* – *Arquebusiers et membres de la corporation d'Anvers* – *Corps de garde* – *Fête de village*, deux œuvres – *Fête flamande* – *Le repas de noce* – *Les joueurs de cartes*, trois œuvres – *Scène de cabaret* – *Scène de village* – *Le marché conclu*, deux œuvres – *Le jeu de boules* – *Kermesse flamande* – *Le fumeur* – *Les deux joueurs* – *Le musicien villageois* – *Les buveurs* – *Les fumeurs* – *Le fumeur villageois* – *Le vieux paysan amoureux* – *Intérieur de cuisine* – *Cuisine envahie par des singes* – *Paysage*, trois œuvres – *Deux châteaux* – *Environs de Bruxelles* – *Bohémiennes* – *Troupeau* – *Le cabaret* – *Port de mer* – *Antoine Triest, évêque de Gand, et son frère le capucin Eugène* – SCHLEISSHEIM : *La vie de Marie*, quinze œuvres – SCHWERIN : *Fumeurs à l'auberge* – *Famille du peintre* – *Joueur de guitare* – *Daniel dans la fosse aux lions* – *Pêcheurs* – *Fumeur à l'auberge* – STRASBOURG : *Partie de cartes* – *Pèlerin* – STUTTGART : *Paysan à l'auberge* – *L'alchimiste* – TOULON : *Joueurs de mandoline* – TOURNAI : *Scène de chasse* – VALENCIENNES : *Joueurs de quilles* – *Intérieur d'une grotte* – VIENNE : *Chambre de paysans* – *La charcutière* – *L'étable aux chèvres* – *Jeune paysan avec chien* – *Le vieillard et la servante* – *Sacrifice d'Abraham* – *Paysans dansant* – *Voleurs pillant un village* – *Le tir aux oiseaux à Bruxelles* – *Paysans tirant de l'arc* – *Mariage de paysans* – *Une salle de la galerie de tableaux de l'archiduc Léopold Guillaume à Bruxelles* – *Kermesse* – *L'étable aux vaches* – *Le liseur de journaux* – *L'ouïe* – *Scène d'auberge* – VIENNE (Czernin) : *Circoncision* – *Géôliers* – *Soldats à l'auberge* – VIENNE (Harrach) : *Paysans* – VIENNE (Schonborn Buchkein) : *Tentation du Christ dans le désert*.

VENTES PUBLIQUES : PARIS, 1737 : *Achille découvert par Ulysse* : **FRF 1 550** ; *Noce de village* : **FRF 2 400** – BRUXELLES, 1765 : *Un corps de garde* : **FRF 3 234** ; *Danse de paysans* : **FRF 8 673** – PARIS, 1768 : *Une Kermesse* : **FRF 18 030** ; *Paysage animé* : **FRF 13 030** – PARIS, 1777 : *Le lendemain des noces* : **FRF 11 000** – HAARLEM, 1780 : *La grande Kermesse* : **FRF 16 250** – PARIS, 1783 : *L'enfant prodigue* : **FRF 25 000** – PARIS, 1793 : *Fêtes villageoises*, deux pendants : **FRF 29 250** – PARIS, 1801 : *Le déjeuner au jambon* : **FRF 17 000** – LONDRES, 1807 : *Fête flamande* : **FRF 44 300** – PARIS, 1817 : *La tentation de saint Antoine* : **FRF 8 750** ; *Corps de garde* : **FRF 11 999** – PARIS, 1831 : *L'enfant prodigue* : **FRF 17 100** – PARIS, 1837 : *La foire de Gand* : **FRF 15 900** ; *L'homme à la chemise blanche* : **FRF 18 000** – LONDRES, 1844 : *Pair ou impair* : **FRF 21 250** – PARIS, 1845 : *Le couronnement d'épines* : **FRF 24 750** – PARIS, 1850 : *Fête flamande* : **FRF 12 300** – PARIS, 1852 : *Intérieur de corps de garde* : **FRF 18 600** – LONDRES, 1864 : *Kermesse* : **FRF 38 060** – PARIS, 1867 : *Kermesse flamande* : **FRF 24 000** – PARIS, 18 avr. 1868 : *Le déjeuner de jambon* : **FRF 77 000** ; *Tentation de saint Antoine* : **FRF 16 500** – PARIS, 1872 : *La partie de tric-trac* : **FRF 17 500** ; *Les joueurs de boules* : **FRF 6 000** ; *Tabagie* : **FRF 9 100** – LONDRES, 1872 : *La diseuse de bonne aventure* : **FRF 15 740** – LONDRES, 1872 : *Les Francs-maçons* : **FRF 39 400** – PARIS, 1875 : *Un tableau sans désignation de sujet* : **FRF 60 000** ; *L'enfant prodigue* : **FRF 130 000** – PARIS, 1881 : *Une Kermesse* : **FRF 28 000** ; *La partie de cartes* : **FRF 35 000** – LONDRES, 1886 : *La chambrée de veille* : **FRF 21 525** – LONDRES, 1893 : *Le laboratoire d'un pharmacien* : **FRF 17 070** ; *Les joueurs de cartes* : **FRF 19 950** – PARIS, 26-29 avr. 1904 : *Les joueurs de boules* : **FRF 19 500** ; *Le festin des singes* : **FRF 9 000** – NEW YORK, 1er-2 mars 1906 : *Le fils prodigue* : **USD 1 350** – NEW YORK, 21 mars 1906 : *Kermesse* : **USD 1 400** ; *Paysage*, en collaboration avec A. Brueghel : **USD 700** – PARIS, 16 avr. 1907 : *Intérieur d'estaminet* : **FRF 17 000** – PARIS, 4-5 juin 1907 : *Intérieur de boucherie* : **FRF 12 800** ; *La tentation de saint Antoine* : **FRF 10 000** – LONDRES, 20 fév. 1909 : *Intérieur* : **GBP 210** – LONDRES, 6 mai 1910 : *Mariage villageois* : **GBP 325** ; *Chirurgien de village* : **GBP 199** ; *Alchimiste dans son laboratoire* : **GBP 126** – LONDRES, 13 mars 1911 : *Intérieur de cuisine* : **GBP 141** – LONDRES, 19 mai 1911 : *Fumeur et trois paysans* : **GBP 220** – PARIS, 9 juin 1911 : *Le couronnement d'épines* :

FRF 62 500 ; *Le collier* : **FRF 19 000** – Paris, 16-19 juin 1919 : *Fête de village* : **FRF 27 100** ; *Kermesse* : **FRF 13 200** – Paris, 28 fév. 1921 : *La diseuse de bonne aventure* : **FRF 18 500** – Londres, 2 mars 1923 : *Fête au village* : **GBP 399** ; *Le manchot* : **GBP 315** – Londres, 6 juil. 1923 : *La salle de garde* : **GBP 840** ; *Skitte players* : **GBP 630** – Paris, 2 juin 1924 : *La Galerie de l'archiduc Léopold* : **FRF 48 000** ; *L'entretien galant* : **FRF 30 500** – Paris, 12-13 juin 1925 : *Réjouissances villageoises* : **FRF 30 500** – Paris, 27-28 mai 1926 : *Coin de village* : **FRF 36 000** – Londres, 6 mai 1927 : *Le fils prodigue* : **GBP 1 785** – Londres, 17-8 mai 1928 : *Le bonnet blanc* : **GBP 3 360** – New York, 27-28 mars 1930 : *Fête villageoise* : **USD 525** – Paris, 14 déc. 1933 : *Le cabaret* : **FRF 29 100** – Bruxelles, 5 mai 1934 : *Le repas devant l'auberge*, en collaboration avec Jacques Van Artois : **BEF 15 000** – Paris, 25-26 juin 1934 : *L'espion* : **DEM 2 150** – Paris, 11 déc. 1934 : *Intérieur de cabaret* : **FRF 72 000** – Genève, 7 déc. 1935 : *Danse paysanne* : **CHF 26 625** – Paris, 20 mai 1942 : *L'été* : **FRF 285 000** – Paris, 19 mars 1943 : *Le festin des singes* 1651 : **FRF 121 000** – Londres, 9 juin 1944 : *Extérieur d'un cabaret* : **GBP 577** – New York, 24-25 nov. 1944 : *Le fils prodigue* : **USD 7 000** – Rotterdam, 12 mars 1947 : *Fête de village* : **NLG 1 400** – Paris, 8 déc. 1948 : *Le repas* : **FRF 235 000** – Paris, 25 mai 1949 : *Les joueurs de cartes* : **FRF 1 300 000** – Paris, 30 mai 1949 : *Le retour du troupeau* : **FRF 400 000** – Paris, 7 déc. 1949 : *La coquette de village* : **FRF 250 000** ; *L'odorat* : **FRF 200 000** – Londres, 17 fév. 1950 : *Fête villageoise* : **GBP 2 100** – Brunswick, 21 avr. 1950 : *Intérieur d'une auberge villageoise* : **DEM 6 500** – Brunswick, 25 mai 1950 : *Intérieur de ferme* : **DEM 4 000** – Londres, 29 nov. 1950 : *Fête villageoise* : **GBP 680** – New York, 30 nov. 1950 : *Intérieur avec joueuse de luth et deux jeunes enfants faisant des bulles de savon* : **USD 1 700** – Paris, 7 déc. 1950 : *Kermesse dans la cour d'une ferme* : **FRF 1 100 000** ; *Le buveur* : **FRF 750 000** – Londres, 19 jan. 1951 : *Le mariage* : **GBP 630** – Amsterdam, 13 mars 1951 : *Intérieur avec trois paysans* : **NLG 5 200** – Paris, 25 avr. 1951 : *La chaumière* : **FRF 460 000** – Londres, 4 mai 1951 : *Intérieur d'alchimiste* : **GBP 787** – Bruxelles, 21 mai 1951 : *Peinture* : **BEF 40 000** – Paris, 23 mai 1951 : *Les joueurs de boules* : **FRF 920 000** – Paris, 12 juin 1953 : *La kermesse* : **FRF 860 000** – Paris, 24 mars 1954 : *La tentation de saint Antoine* : **FRF 3 100 000** – Berne, 22 nov. 1956 : *Paysans jouant aux cartes et bourrant leurs pipes dans une auberge*, cr. : **CHF 950** – Paris, 6 avr. 1957 : *Intérieur d'une auberge avec des paysans jouant au tric-trac* : **FRF 400 000** – Londres, 26 fév. 1958 : *Le chirurgien* : **GBP 880** – Londres, 9 déc. 1959 : *La découverte de Paris* : **GBP 2 600** – Londres, 1ᵉʳ avr. 1960 : *L'intérieur de la galerie de l'archiduc Léopold-Guillaume* : **GBP 1 890** – Paris, 14 juin 1960 : *L'alchimiste* : **FRF 37 000** – Londres, 27 nov. 1963 : *Le joueur de vielle* : **GBP 3 000** – Londres, 24 mars 1965 : *Le fendeur de bois* : **GBP 5 000** – Lucerne, 22 juin 1968 : *Scène de cabaret* : **CHF 64 000** – Londres, 26 mars 1969 : *La noce villageoise* : **GBP 6 500** – Londres, 24 juin 1970 : *Le chapeau rouge* : **GBP 6 800** – New York, 2 déc. 1971 : *Kermesse villageoise* : **USD 14 000** – Paris, 28 nov. 1972 : *Les cinq sens* : **FRF 190 000** – Londres, 29 juin 1973 : *Scène de taverne* : **GNS 42 000** – Londres, 28 juin 1974 : *Les joueurs de cartes* : **GNS 50 000** – Londres, 7 juil. 1976 : *Paysans jouant aux boules devant une auberge*, h/pan. (27x37) : **GBP 23 000** – Amsterdam, 15 nov. 1976 : *Le bonnet blanc* 1644, h/pan. (49x68) : **NLG 470 000** – Amsterdam, 9 juin 1977 : *Le médecin du village avec son patient* 1675, h/pan. (28,5x38,5) : **NLG 78 000** – Londres, 20 juin 1978 : *Dessin pour une tapisserie*, pl. et lav. de coul. reh. d'or (24,6x24,7) : **GBP 12 000** – Paris, 24 oct 1979 : *Le joueur de vielle*, h/pan. (16,5x10,5) : **FRF 50 000** – Londres, 7 avr. 1981 : *Scène de taverne (recto), Paysans dansant devant une auberge (verso)*, craie rouge et craie noire (13,7x18,3) : **GBP 800** – Londres, 21 avr. 1982 : *Scène de taverne* 1661, h/pan. (40x58) : **GBP 38 000** – Amsterdam, 25 avr. 1983 : *Danse grotesque*, pierre noire (29,6x40,5) : **NLG 5 800** – Londres, 6 avr. 1984 : *Alchimiste à son travail*, h/t (71x87,5) : **GBP 190 000** – New York, 14 juin 1985 : *Intérieur d'une galerie de tableaux*, h/cuivre (38,7x49,5) : **USD 140 000** – Londres, 10 déc. 1986 : *Vieillard tenant un bâton et trois paysans derrière lui*, h/pan. (33x24,5) : **GBP 85 000** – New York, 1988 : *Alchimiste dans son laboratoire avec un iguane naturalisé accroché à une poutre*, h/t (71x87,5) : **USD 572 000** – Paris, 28 juin 1988 : *Le retour de guinguette*, h/t (27,5x37) : **FRF 680 000** – Stockholm, 15 nov. 1988 : *Intérieur de taverne avec des paysans attablés*, h. (53x41) : **SEK 21 000** – New York, 11 jan. 1989 : *Paysans buvant et fumant à la taverne*, h/pan. (38,1x55,9) : **USD 110 000** – Cologne, 18 mars 1989 : *Intérieur d'auberge*,

h/pan. (22x35) : **DEM 2 000** – Stockholm, 19 avr. 1989 : *Jeu de quilles près de la taverne*, h/t (46x56) : **SEK 27 000** – Londres, 19 mai 1989 : *Paysans autour d'un feu derrière la taverne au clair de lune*, h/pan. (37x26,7) : **GBP 13 200** – New York, 31 mai 1989 : *Vanité – Femme assise près d'une table entourée de multiples objets et deux enfants soufflant des bulles de savon*, h/pan. (46,5x70) : **USD 126 500** – Amsterdam, 20 juin 1989 : *Intérieur paysan avec une carcasse de porc et un groupe d'enfants au premier plan l'un d'eux soufflant dans la vessie* 1646, h/t (48,8x69,1) : **NLG 132 250** – Paris, 27 juin. 1989 : *Trois pêcheurs relevant leurs filets*, h/t (59x45) : **FRF 1 450 000** – Paris, 11 juin. 1989 : *Ivrogne flattant une jeune femme sous le menton dans une auberge* 1634, h/pan. (32x42) : **GBP 39 600** – Copenhague, 25 oct. 1989 : *Distractions paysannes autour d'une maison*, peint./bois (65x86) : **DKK 160 000** – Stockholm, 15 nov. 1989 : *Scène de moisson avec un homme et sa faux au premier plan*, h. (25x18) : **SEK 150 000** – Amsterdam, 28 nov. 1989 : *Une kermesse au village*, h/t (49,5x97,6) : **NLG 805 000** – Londres, 8 déc. 1989 : *Trois paysans bavardant sur le chemin au bord de l'eau avec une barque abordant et une église à l'arrière-plan*, h/pan. (12x19,7) : **GBP 46 200** – New York, 5 avr. 1990 : *Voyageurs faisant halte dans une grotte dans un paysage italien*, h/pan. (24x32) : **USD 25 300** – Amsterdam, 22 mai 1990 : *Les quatre saisons*, h/pan., ensemble de quatre panneaux (chaque 15,5x12) : **NLG 207 000** – New York, 31 mai 1990 : *L'Alchimiste* 1652, h/t/pan. (34,9x47,6) : **USD 231 000** – Amsterdam, 12 juin 1990 : *Paysans concluant la vente d'un cochon aux alentours d'Anvers*, h/pan. (38,7x55,3) : **NLG 230 000** – Paris, 22 juin 1990 : *Intérieur de taverne*, h/t (38,5x53) : **FRF 350 000** – Amsterdam, 14 nov. 1990 : *Intérieur de taverne avec un vieil homme fumant sa pipe entouré de paysans*, h/pan. (34x24,5) : **NLG 201 250** – Londres, 12 déc. 1990 : *Alchimiste dans son laboratoire*, h/t (27,4x37) : **GBP 49 500** – New York, 10 jan. 1991 : *Paysage avec le Christ sur le chemin d'Emmaüs*, h/t (114x167,5) : **USD 49 500** – New York, 11 jan. 1991 : *Messe célébrée dans une grotte dans un vaste paysage*, h/t (163,8x228,8) : **USD 132 000** – Paris, 24 avr. 1991 : *Joueurs de cartes dans une taverne*, h/pan. de chêne (27,5x37,5) : **FRF 950 000** – Londres, 19 avr. 1991 : *Alchimiste dans son laboratoire avec deux assistants préparant des potions au fond*, h/t (68,5x53,5) : **GBP 55 000** – New York, 30 mai 1991 : *Intérieur de cuisine avec une carcasse de porc et des enfants soufflant dans la vessie au premier plan et des paysans cuisinant au fond* 1646, h/t (46x67,5) : **USD 99 000** – Stockholm, 29 mai 1991 : *Réjouissances paysannes devant une auberge*, h/pan. (65x93) : **SEK 50 000** – Cologne, 28 juin 1991 : *Intérieur de taverne avec des musiciens et des paysans*, h/bois (22x16) : **DEM 3 300** – Londres, 15 avr. 1992 : *Paysan fumant la pipe dans un intérieur à côté d'une vieille femme près d'un brasero*, h/t (29x21) : **GBP 11 000** – Toulouse, 23 fév. 1993 : *Intérieur avec des singes habillés*, h/t (27,5x37,5) : **FRF 200 000** – Amsterdam, 7 mai 1993 : *Paysans dans une taverne*, h/pan. (34,5x50,5) : **NLG 69 000** – Stockholm, 10-12 mai 1993 : *Paysage de montagne animé*, h/t (96x130) : **SEK 40 000** – Paris, 30 juin 1993 : *Femme endormie dans un intérieur rustique*, h/t (45,3x66,5) : **FRF 700 000** – New York, 14 jan. 1994 : *Paysan assis essayant de remettre sa chaussure*, h/pan. (17,8x24,1) : **USD 25 300** – Londres, 6 juil. 1994 : *Trois paysans fumant autour d'une table devant une ferme*, h/pan. (21x31) : **GBP 29 900** – Paris, 21 déc. 1994 : *L'Atelier de l'alchimiste*, h/t (43,5x69) : **FRF 1 450 000** – New York, 1994 : *Paysan parant un agneau dans une cuisine tandis qu'en gamin tourne la broche dans la cheminée* 1668, h/pan. (47,6x61) : **USD 79 500** – Londres, 5 juil. 1995 : *Autoportrait de l'artiste avec sa famille* : **GBP 441 500** – Amsterdam, 13 nov. 1995 : *Paysans auprès d'une tombe dans une grotte avec un village à flanc de colline dans un paysage*, h/pan. (29,1x41,8) : **NLG 74 750** – Milan, 28 nov. 1995 : *Le jeu de quilles*, h/pan. (42x64) : **ITL 92 000 000** – Amsterdam, 6 mai 1996 : *Saint Antoine visitant saint Paul dans le désert*, h/t (83,8x118) : **NLG 141 600** – Londres, 3 juil. 1996 : *La Foire aux poteries à Gand*, h/pan. de chêne (83,3x113,5) : **GBP 661 500** – Londres, 13 déc. 1996 : *Combat naval entre don Juan d'Autriche et la flotte turque dans un cadre en trompe l'œil*, h/t (67x81) : **GBP 43 300** – Londres, 16-17 avr. 1997 : *La Tentation de saint Antoine*, mine de pb (14,5x19) : **GBP 1 265** – Paris, 18 juin 1997 : *Paysage animé de bohémiens disant la bonne aventure*, h/t (171x238) : **FRF 620 000** – Londres, 30 oct. 1997 : *Intérieur de taverne avec un paysan et une vieille femme à table, deux personnages près d'un feu en arrière-plan*, h/pan. (26,3x22,4) : **GBP 28 750** – Londres, 3 déc. 1997 : *Rustre fumant avec une pipe en terre dans un intérieur*, h/pan. (24x30) : **GBP 67 500** – New York, 30 jan. 1997 : *Une gale-*

rie de peinture avec deux hommes examinant un sceau et un dessin en présence d'un chien et d'un singe, h/t (61x76,2) : **USD 992 500** – PARIS, 13 juin 1997 : *La Tentation de saint Antoine* vers 1640, t. (60x83,5) : **FRF 700 000** – PARIS, 13 juin 1997 : *Vue de l'intérieur d'un cabinet de médecine avec le pédicure et le dentiste* vers 1670, pan. chêne (26,5x37,5) : **FRF 550 000** – LONDRES, 3-4 déc. 1997 : *Élégante assemblée devant un pavillon dans un jardin d'agrément* 1651, h/cuivre (70x87,6) : **GBP 1 101 500**.

TÉNIERS David III
Né à Anvers, baptisé le 10 juillet 1638. Mort le 10 février 1685 à Bruxelles. XVIIᵉ siècle. Éc. flamande.
Peintre de sujets religieux, scènes de genre, portraits, cartons de tapisseries.
Il est le fils de David Téniers le Jeune et d'Anna Breughel. Il fut d'abord élève de son père, puis alla en Espagne compléter son éducation. Il épousa le 4 août 1671, Anna Maria Bonnarens et fut maître à Bruxelles en 1675. Il travailla longtemps aux côtés de son père et le l'avis de certains critiques les productions des deux artistes sont difficilement distinguées. D'après M. Alp. Wauters ce serait David Téniers III qui aurait signé ses œuvres *David Téniers Junior*. Il travailla aussi pour des fabriques de tapisseries. Ses meubles et tableaux furent vendus aux enchères publiques le 4 juin 1685. Il eut pour élèves Fr. Jochin, Louis Van den Venne, Gascarillo, Jan Van Diest et un peintre appelé seulement Denis.
On cite de lui une *Tentation de saint Antoine* (église de Boorst-Meesbeck) et *Saint Dominique devant la Vierge* (église de Persk).
VENTES PUBLIQUES : NEW YORK, 15-18 juin 1943 : *La fuite en Égypte* : **USD 200** – LUCERNE, nov. 1950 : *Fête paysanne dans un intérieur de cuisine* : **CHF 820** – VIENNE, 30 nov. 1965 : *L'alchimiste* : **ATS 50 000** – PARIS, 19 juin 1979 : *Le jeune flûtiste*, h/bois (23x31) : **FRF 20 000** – NEW YORK, 11 jan. 1996 : *Portrait de la femme de l'artiste Anna Maria Bonnarens assise devant le château de Perk, résidence du peintre près de Bruxelles*, h/t (158,8x160) : **USD 26 450**.

TÉNIERS David IV
Né en 1672. Mort en 1771 à Lisbonne. XVIIᵉ-XVIIIᵉ siècles. Actif aussi au Portugal. Éc. flamande.
Peintre.
Fils de David Téniers III. Il travailla au Portugal.

TÉNIERS Heinderick
XVIIᵉ siècle. Travaillant à Anvers et à Middelbourg en 1655. Éc. flamande.
Peintre.

TÉNIERS Juliaen
Né en 1572 à Anvers. Mort le 11 mars 1615. XVIᵉ-XVIIᵉ siècles. Éc. flamande.
Peintre de figures, fleurs.
Il était fils du mercier passementier Juliaen Téniers, et frère aîné de David Téniers l'Ancien. Maître en 1594. Il épousa en 1595 Suzanne Congnet. Il eut pour élèves son frère David Téniers l'Ancien et Kaspar van den Hyecke. Il peignit des figures et des fleurs. Il peignit souvent des figures dans les paysages de Josse de Monper.

TÉNIERS Juliaen
Baptisé le 12 mai 1616 à Anvers. Mort en 1679 à Anvers. XVIIᵉ siècle. Éc. flamande.
Peintre et marchand de tableaux.
Fils de David Téniers l'Ancien. Maître en 1636.
MUSÉES : COPENHAGUE.
VENTES PUBLIQUES : VIENNE, 16 mars 1971 : *Fête villageoise* : **ATS 220 000**.

TÉNIERS Théodor
Baptisé à Anvers le 3 janvier 1619. Mort le 21 décembre 1697 à Bruxelles. XVIIᵉ siècle. Éc. flamande.
Peintre.
Fils de David Téniers l'Ancien.

TENINE TUTHINES
IIIᵉ-IIᵉ siècles avant J.-C. Éc. etrusque.
Sculpteur, et fondeur.
Le Musée archéologique de Florence conserve de lui la statue d'*Aulus Metilius*, dit l'*Arringatore*.

TENISWOOD George F.
XIXᵉ siècle. Actif à Londres. Britannique.
Peintre de paysages, paysages d'eau, marines.
Il exposa de 1856 à 1876.

VENTES PUBLIQUES : NEW YORK, 26 oct. 1990 : *Une plage solitaire après le coucher du soleil ; Marée basse au clair de lune* 1869, h/cart., une paire (chaque 30,5x45,7) : **USD 4 675**.

TENKACS Janos, ou Johann
Né le 30 mai 1883 à Monkacs. XXᵉ siècle. Actif à Budapest. Hongrois.
Sculpteur.

TEN KATE Herman Frederik Carel ou Ten Cate
Né le 16 février 1822 à La Haye. Mort le 26 mars 1891 à La Haye. XIXᵉ siècle. Hollandais.
Peintre de scènes de genre, intérieurs, paysages, paysages urbains, aquarelliste, dessinateur.
Il est le frère de Johan Marie Henri Ten Kate. Il fut élève de C. Kruseman à Amsterdam (à Scheveningue, pour certains biographes). Il séjourna à Paris, en 1841, où il suivit les conseils de Meissonier. Il s'établit à Amsterdam, entre 1849 et 1869, puis à La Haye.
MUSÉES : AMSTERDAM : *Corps de garde au XVIIᵉ siècle* – AMSTERDAM (Mus. mun.) : *Soldats dans la neige* – GLASGOW : deux aquarelles – LA HAYE (Mus. comm.) : *Le renouvellement des baux* – ROTTERDAM : *Conseil de guerre au XVIIᵉ siècle* – SHEFFIELD : *Joueurs de cartes*.
VENTES PUBLIQUES : LONDRES, 20 mars 1909 : *Soldats et paysans dans une taverne* : **GBP 26** – LONDRES, 18 fév. 1911 : *Van Dyck peignant Charles Iᵉʳ* : **GBP 52** – LONDRES, 18 nov. 1921 : *Intérieur avec personnages*, dess. : **GBP 65** – PARIS, 2 déc. 1925 : *Réunion mondaine*, aquar. : **FRF 4 700** – PARIS, 22 juin 1934 : *Un conseil de guerre* : **GBP 110** – NICE, 16-17 nov. 1942 : *La danse ; Le festin* 1864, deux pendants : **FRF 30 000** – NEW YORK, 26 fév. 1947 : *Le verdict* : **USD 200** – PARIS, 7 fév. 1951 : *Rixe dans une taverne* : **FRF 36 000** – PARIS, 9-10 nov. 1953 : *Scène d'intérieur, l'inventaire du coffret* : **FRF 90 000** – LONDRES, 1ᵉʳ mai 1959 : *Intérieur avec une femme, un homme et des soldats* : **GBP 682** – LONDRES, 8 juil. 1966 : *L'accusation* : **GNS 1 350** – BERLIN, 26-27 jan. 1967 : *Scène de cabaret* : **DEM 10 500** – LONDRES, 14 juin 1972 : *L'appel du drapeau* : **GBP 4 100** – COPENHAGUE, 30 avr. 1974 : *Les joueurs de cartes* : **DKK 32 000** – LONDRES, 7 mai 1976 : *Chevaliers dans un intérieur*, h/pan. (63,5x91,5) : **GBP 6 800** – NEW YORK, 14 jan. 1977 : *Les joueurs dans une taverne* 1864, aquar. (25x41) : **USD 2 700** – LONDRES, 4 nov. 1977 : *Souvenirs militaires* 1859, h/pan. (49,5x81) : **GBP 7 000** – LONDRES, 10 mai 1979 : *Le conseil*, aquar. et reh. de blanc (28x44,5) : **GBP 1 000** – COLOGNE, 22 nov 1979 : *Scène d'auberge*, h/pan. (46,5x67) : **DEM 66 000** – LONDRES, 20 mars 1981 : *L'Interrogatoire*, h/pan. (63,5x94) : **GBP 6 000** – LONDRES, 18 avr. 1983 : *La Visite chez l'avocat* 1864, aquar. et cr. reh. de blanc (22x30,5) : **GBP 850** – AMSTERDAM, 15 mars 1983 : *Personnages dans une auberge* 1856, h/pan. (56x80) : **NLG 38 000** – LONDRES, 11 oct. 1985 : *Scène de pillage*, (61,5x92) : **GBP 7 500** – LONDRES, 27 nov. 1986 : *Jeunes pêcheurs sur la plage* 1845, aquar. et cr. reh. de blanc (20,2x29,8) : **GBP 1 600** – LONDRES, 18 juin 1986 : *Personnages dans un intérieur à Volendam* 1862, h/t (64x97) : **GBP 10 000** – LONDRES, 24 juin 1988 : *La visite du médecin* 1863, cr. et aquar. (22,9x33) : **GBP 715** – AMSTERDAM, 30 août 1988 : *Famille de pêcheurs et son chien luttant contre la bourrasque*, h/t (20x30) : **NLG 1 150** – LUCERNE, 30 sep. 1988 : *Bûcheron dans sa cabane éclairée par la lumière du jour*, h/t (50x72) : **CHF 1 600** – AMSTERDAM, 16 nov. 1988 : *Après le combat* 1860, h/pan. (25x35,5) : **NLG 9 200** – *Mousquetaires se disputant au cours d'une partie de cartes dans un intérieur*, h/pan. (15,5x24) : **NLG 14 950** – AMSTERDAM, 28 fév. 1989 : *Enfants taquinant un ivrogne et lui jetant des pierres*, aquar./pap. (11x14) : **NLG 1 092** – LONDRES, 5 mai 1989 : *Les navigateurs commerçants*, h/pan. (35,6x55,9) : **GBP 1 320** – NEW YORK, 25 oct. 1989 : *La salle de garde* 1864, h/pan. (31,8x41,9) : **USD 7 150** – AMSTERDAM, 6 nov. 1990 : *Personnages dans une taverne* 1850, h/pan. (17x23) : **NLG 8 970** – AMSTERDAM, 24 avr. 1991 : *La grâce* 1867, encre et aquar./pap. (18,5x30) : **NLG 3 910** – AMSTERDAM, 5-6 nov. 1991 : *Voyageurs dans une taverne*, aquar. (22,5x33,5) : **NLG 5 520** – AMSTERDAM, 14-15 avr. 1992 : *L'atelier de l'artiste* 1874, h/pan. (24x33,5) : **NLG 17 135** – NEW YORK, 30 oct. 1992 : *Le toast aux mariés*, h/pan. (61,2x94) : **USD 16 500** – AMSTERDAM, 2-3 nov. 1992 : *La partie de cartes*, aquar. (17x23,5) : **NLG 5 980** – AMSTERDAM, 20 avr. 1993 : *Cavaliers buvant dans une salle de garde*, aquar. (21x29,5) : **NLG 3 680** – AMSTERDAM, 20 avr. 1993 : *Réunion d'officiers dans une salle*, h/t (65,5x106,5) : **NLG 23 000** – NEW YORK, 12 oct. 1993 : *Pêcheurs sur la grève*, h/t (43,8x64,1) : **USD 17 250** – LONDRES, 18 mars 1994 : *Une partie de cartes*, h/pan. (64,8x94,3) : **GBP 17 250** – LONDRES, 11 avr. 1995 : *Intérieur hollandais avec un cacatoès dans*

une cage, h/pan. (32x54) : **GBP 5 520** – New York, 24 mai 1995 : *Le Coffre au trésor*, h/pan. (61x92,7) : **USD 20 700** – Amsterdam, 7 nov. 1995 : *L'Appel aux couleurs*, h/pan. (69x100) : **NLG 37 760** – Londres, 13 juin 1996 : *Intérieur avec des cavaliers*, h/pan. (44,4x64,8) : **GBP 8 050** ; *L'Atelier de l'artiste* 1851, h/pan. (26,7x34,3) : **GBP 5 980** – Londres, 20 nov. 1996 : *Le Traité de paix*, h/pan. (63x94) : **GBP 10 925** – New York, 23 mai 1997 : *Le Cavalier valeureux*, h/pan. (61x94) : **USD 28 750** – Amsterdam, 27 oct. 1997 : *L'Accusation*, aquar. (40x61,5) : **NLG 14 160**.

TEN KATE Jan Jacob Lodewijk

Né en 1850. Mort en 1929. xixe-xxe siècles. Hollandais.

Peintre de paysages et marines animés. Postromantique.

Ventes Publiques : Copenhague, 28 avr. 1981 : *Pêcheurs sur la plage*, h/t (123x95) : **DKK 26 000** – Amsterdam, 10 fév. 1988 : *Vaisseaux sur une rivière avec de nombreux personnages sur le chemin de halage*, h/t : **NLG 3 220** – Amsterdam, 30 oct. 1990 : *Personnages près des bâtiments de ferme en hiver au crépuscule*, h/t (46x77) : **NLG 1 265** – Londres, 20 mars 1992 : *Pêcheurs sur un plage près de leur canot jeté sur les rochers par les vagues*, h/t (99x226) : **USD 6 600** – Amsterdam, 20 avr. 1993 : *Une famille au bord d'un lac*, h/t (80x130) : **NLG 1 380** – Amsterdam, 30 oct. 1996 : *Nourrissant les lapins*, h/pan. (51x38,5) : **NLG 27 676**.

TEN KATE Johan Marie Henri ou Ten Cate

Né le 4 mars 1831 à La Haye. Mort en 1910 à Paris. xixe-xxe siècles. Actif aussi en Angleterre. Hollandais.

Peintre d'histoire, scènes de chasse, sujets de genre, portraits, paysages animés, paysages, peintre à la gouache, aquarelliste, dessinateur.

Il est le frère d'Herman Frederik Carel Ten Kate et le père de Johannes Marinus Ten Kate. Il étudia à l'École des Beaux-Arts de La Haye. Il travailla en Angleterre, de 1880 à 1890, en Italie et aux Indes.

Mari Ten Kate)

Musées : Carlsruhe – Haarlem (Mus. Tyler) : dessins – La Haye (Mus. comm.) : *Vue d'un bois – Halte de chasse* – Lucerne : *La garde à la mort – Guerre à la Guerre – Paix sur la Terre – Tableau de l'Avenir – Après la guerre – Route de guerre* – Sydney : *L'Hiver*, aquar.

Ventes Publiques : New York, 15-16 fév. 1906 : *Enfants jouant* : **USD 185** – Londres, 4 juin 1909 : *Le savetier du village 1872* : **GBP 7** – New York, 18 jan. 1911 : *Curiosité* : **USD 57** – Paris, 28 nov. 1924 : *Enfants jouant avec une chienne* : **FRF 3 600** – Glasgow, 25 oct. 1934 : *Pêcheurs* : **GBP 64** – Amsterdam, 18 oct. 1965 : *Le peintre et son public* : **NLG 5 600** – Londres, 20 fév. 1970 : *Enfants jouant dans une cour* : **GBP 850** – Amsterdam, 27 avr. 1976 : *Le marché du village 1851*, h/pan. (41x58) : **NLG 32 000** – New York, 7 oct. 1977 : *Enfants sous un pommier*, h/t (52x72,5) : **USD 21 000** – Zurich, 22 nov. 1978 : *Église St-Etorbain, Troyes 1905*, past. (65x96) : **CHF 4 800** – Cologne, 11 juin 1979 : *Enfants jouant sur la plage 1857*, h/pan. (49,5x71) : **DEM 42 000** – Chester, 29 oct. 1981 : *Paysanne et ses trois enfants*, h/pan. (26x34) : **GBP 6 200** – Londres, 23 juin 1983 : *Enfants attrapant un chat*, aquar. (34,5x47) : **GBP 2 200** – Londres, 25 nov. 1983 : *En l'absence du peintre*, h/t (64,6x94) : **GBP 11 000** – Londres, 19 juin 1985 : *Le repos des moissonneurs*, h/pan. (52,5x69,5) : **GBP 10 000** – Chester, 9 oct. 1986 : *Le Jeu de boules*, aquar. (36x46) : **GBP 3 000** – New York, 28 oct. 1986 : *Enfants à la balançoire 1885*, h/pan. (40,6x56) : **USD 20 000** – New York, 15 oct. 1987 : *Le Pique-nique*, aquar. (40,5x65,5) : **USD 5 000** – Toronto, 29 mai 1987 : *Enfants avec une chèvre près d'une chaumière*, h/pan. (39,5x53,5) : **CAD 29 000** – Amsterdam, 3 mai 1988 : *Enfants taquinant un chien*, h/t (51x72,5) : **NLG 74 750** – Amsterdam, 16 nov. 1988 : *Charlemagne visitant l'école St Martin à Utrecht*, h/t (64,5x85) : **NLG 8 625** ; *Petit enfant avec un chevreau près d'un puits dans le jardin de la ferme*, aquar./pap. (38x50) : **NLG 9 775** – Toronto, 30 nov. 1988 : *Le petit artiste*, h/t (37x49,5) : **CAD 12 000** – Londres, 21 juin 1989 : *Sur la grève*, h/pan. (50,5x73) : **GBP 13 200** – Chester, 20 juil. 1989 : *Une main secourable*, aquar. (59x49,5) : **GBP 2 090** – New York, 25 oct. 1989 : *Familles de pêcheurs rentrant à la maison*, h/t (77,5x109,8) : **USD 36 300** – New York, 24 oct. 1990 : *Enfants jouant dans la neige*, h/t (65,4x102,8) : **USD 63 800** – Londres, 28 nov. 1990 :

Petites Filles près d'un ruisseau dans la forêt 1859, h/pan. (55x69) : **GBP 11 550** – Amsterdam, 23 avr. 1991 : *Chasseurs dans un paysage*, h/pan. (28x41) : **NLG 19 550** – New York, 23 mai 1991 : *Journée à la plage*, aquar./pap./cart. (39,3x54,5) : **USD 4 950** – Amsterdam, 5-6 nov. 1991 : *Cour de ferme*, h/pan. (39x52) : **NLG 4 025** – Londres, 18 mars 1992 : *Le jeu avec le cerf-volant*, aquar. (43x58) : **GBP 3 740** – Amsterdam, 14-15 avr. 1992 : *Les petits pêcheurs*, h/t (35x50) : **NLG 18 975** – Londres, 22 mai 1992 : *La chasse du jour*, aquar./cart. (25,7x36) : **GBP 3 080** – Amsterdam, 28 oct. 1992 : *Le Prince Maurits accueillant une délégation du Sultan de Atjeh, en 1602*, h/t (84,5x127,5) : **NLG 14 950** – Amsterdam, 20 avr. 1993 : *Enfants jouant au cerf-volant*, aquar. (31x48) : **NLG 13 800** – Amsterdam, 19 oct. 1993 : *Le jeune chasseur*, h/t (58,5x79) : **NLG 75 900** – New York, 20 juil. 1994 : *À la taverne 1864*, aquar./cart. (27,3x44,8) : **USD 4 025** – Amsterdam, 8 nov. 1994 : *Jeux sur la glace*, aquar. (24,5x34,5) : **NLG 19 550** – New York, 19 jan. 1995 : *Après la chasse 1854*, h/pan. (24,8x34,3) : **USD 4 887** – Londres, 14 juin 1995 : *La chasse au lièvre*, aquar. (24x35) : **GBP 1 380** – Amsterdam, 7 nov. 1995 : *À l'aide*, aquar. (32x40,5) : **NLG 16 520** ; *Paysage estival avec un enfant installé dans une brouette et surveillant les oies*, h/t (77x96) : **NLG 61 360** – Amsterdam, 23 avr. 1996 : *Vue de l'État de Geesink à Merapi à Java*, h/t (48,71) : **NLG 33 040** – Amsterdam, 30 oct. 1996 : *Koek-en-Zopie près de Marken*, h/t : **NLG 115 320** – Amsterdam, 5 nov. 1996 : *Enfants devant un chevalet de peintre*, h/t (49x65) : **NLG 35 400** – Londres, 20 nov. 1996 : *Le Pique-nique 1852*, h/pan. (48x63) : **GBP 5 175** – Amsterdam, 30 oct. 1996 : *Koek-en-zopie près de Marken*, h/t : **NLG 115 320** – Paris, 16 déc. 1997 : *Away to sea*, h/t (46x66,5) : **FFR 44 000** – Édimbourg, 15 mai 1997 : *Le Jeune Ghillie*, aquar. (33x48,2) : **GBP 2 760** – Amsterdam, 27 oct. 1997 : *À l'auberge*, h/pan. (52,5x74) : **NLG 11 800**.

TEN KATE Johannes Marinus ou Ten Cate

Né le 26 décembre 1859 à Amsterdam. Mort le 15 octobre 1896 à La Haye. xixe siècle. Hollandais.

Peintre de scènes animées, paysages.

Fils de Johan Marie Ten Cate.

Musées : Cherbourg : *Pêcheurs de l'île de Mouken* – La Haye (Mus. comm.) : *Sur le marché aux poissons*.

Ventes Publiques : Paris, 18 nov. 1936 : *Rue de village*, gche : **FRF 200** – Paris, 30 nov. 1966 : *Marché à Bruxelles* : **FRF 5 800** – Stuttgart, 2 déc. 1977 : *Idylle sur la plage*, h/t (50x73,5) : **DEM 3 400** – New York, 13 oct. 1978 : *La Place de la République, Paris 1888*, past. (35x27) : **USD 1 600** – Paris, 26 nov. 1979 : *La Tamise*, h/t (39x61) : **FRF 8 500** – Amsterdam, 11 mai 1982 : *Trois jeunes paysannes à la barrière*, h/pan. (39x46) : **NLG 17 500** – Amsterdam, 11 sep. 1990 : *Plaisir de la plage*, h/t (32x38) : **NLG 46 000** – Amsterdam, 24 avr. 1991 : *Jeux de plage*, h/t (50x75,5) : **NLG 74 750** – Amsterdam, 14-15 avr. 1992 : *Deux femmes travaillant dans les champs*, h/t (45,5x38) : **NLG 8 050** – Amsterdam, 24 sep. 1992 : *Paysannes dans un champ*, h/t/pan. (30x52) : **NLG 1 265** – Amsterdam, 28 oct. 1992 : *Le déchargement de la pêche*, h/pan. (18x27) : **NLG 5 520** – New York, 18 fév. 1993 : *Le débarquement de la pêche*, h/t (60x79,7) : **USD 11 000** – Amsterdam, 19 oct. 1993 : *Débarquement de la pêche sur la grève*, cr. et aquar. avec reh. de blanc/pap. (24x35) : **NLG 13 800** – Paris, 13 juin 1996 : *L'hiver 1906*, h/t (46x74) : **FRF 71 000** – Le Touquet, 10 nov. 1996 : *Élégante au marché*, h/t (45x30) : **FRF 6 000** – Amsterdam, 16 avr. 1996 : *L'heure du thé dans les champs*, h/t (82x68) : **NLG 21 240** – Londres, 21 mars 1997 : *L'heure du thé*, h/t (82x68,3) : **GBP 8 280**.

TEN KLOSTER J. F. E.

Né le 7 août 1873 à Koedoes (Java). xixe-xxe siècles. Hollandais.

Peintre, graveur, écrivain.

Officier dans l'armée coloniale hollandaise, il fut influencé par la technique artistique japonaise.

TENKOVIC Milos

Né le 8 avril 1849 à Belgrade. Mort en 1890 à Belgrade. xixe siècle. Yougoslave.

Peintre de portraits, de natures mortes et de genre.

Élève de Stefan Todorovic et de l'Académie de Vienne. Le Musée national de Belgrade conserve de lui *Portrait du métropolite Michael* et *Vendeuse de fleurs*.

TENLER J. L.

xixe siècle. Travaillant vers 1800. Suédois.

Silhouettiste, sculpteur-modeleur de cire.

Le Musée nordique de Stockholm conserve de lui la silhouette du roi *Gustave Adolphe IV*.

TENNANT Dorothy, Miss. Voir **STANLEY Dorothy**

TENNANT John Frederick
Né en septembre 1796 à Londres. Mort en 1872. XIXe siècle.
Britannique.
Peintre de scènes de genre, paysages animés, paysages, paysages d'eau.
Membre de la Society of British Artists. Il exposa à la Royal Academy de Londres, de 1820 à 1847, ayant présenté en 1924 *Bords de la Tamise*.
Il peignit d'abord des sujets de genre dont plusieurs empruntés aux romanciers de son époque, puis s'adonna exclusivement au paysage.

J Tennant

MUSÉES : MONTRÉAL : *Eyott, sur la Tamise, près de Henley*.
VENTES PUBLIQUES : LONDRES, 18 avr. 1910 : *Le vieux pont à Llangattock 1862* : **GBP 10** – LONDRES, 11 mars 1911 : *Bords de la Tamise* : **GBP 21** – LONDRES, 9 juin 1967 : *Bord de mer animé de pêcheurs* : **GNS 420** – LONDRES, 20 nov. 1973 : *Paysage d'été* : **GBP 4 800** – LONDRES, 9 avr. 1974 : *Une vallée du Derbyshire 1856* : **GBP 1 600** – LONDRES, 16 nov. 1976 : *Pêcheurs au bord d'une rivière 1870*, h/t (74x63,5) : **GBP 1 600** – NEW YORK, 7 oct. 1977 : *Le bac 1870*, h/t (66x107) : **USD 9 000** – LONDRES, 3 fév. 1978 : *Pêcheurs sur la plage 1830*, h/t (67,3x99,6) : **GBP 2 600** – LONDRES, 25 mai 1979 : *Le chemin en forêt 1862-1863*, h/t (89x138,4) : **GBP 4 500** – LONDRES, 15 juin 1982 : *Symonds Yat 1846*, h/t (66x107) : **GBP 2 200** – LONDRES, 16 mai 1984 : *Pêcheurs déchargeant leur barque sur la plage 1834*, h/t (47x70) : **GBP 1 500** – NEW YORK, 31 oct. 1985 : *A welsh border county 1858*, h/t (66x106,6) : **USD 6 500** – LONDRES, 23 oct. 1987 : *Berger et troupeau au bord d'un ruisseau 1863*, h/t (71x104) : **GBP 5 200** – LONDRES, 14 juil. 1989 : *L'estuaire d'une rivière, peut-être les gorges de l'Avon 1846*, h/t (66,1x107,3) : **GBP 4 400** – LONDRES, 13 déc. 1989 : *Le vieux pont de Putney vu de l'est*, h/t (55,5x91,5) : **GBP 8 800** – LONDRES, 13 juin 1990 : *Bétail au bord de la rivière à l'approche de l'orage 1868*, h/t (61x91,5) : **GBP 3 960** – LONDRES, 11 juil. 1990 : *Paysage fluvial avec du bétail se désaltérant 1823*, h/t (44,5x58,5) : **GBP 2 750** – PARIS, 10 oct. 1990 : *La pêche 1841*, h/t (51,5x80) : **FRF 9 200** – LONDRES, 1er nov. 1990 : *Bétail dans une prairie boisée au bord d'une rivière 1845*, h/t (40,6x66,1) : **GBP 3 300** – LONDRES, 17 juil. 1992 : *Pêcheurs réparant leurs filets 1830*, h/t (48x71,2) : **GBP 5 610** – LONDRES, 13 nov. 1992 : *Pêcheurs préparant leurs nasses 1841*, h/t (54x81,2) : **GBP 1 320** – LONDRES, 12 nov. 1992 : *Le passeur à Burnham sur Crouch dans l'Essex 1876*, h/t (65,5x106,5) : **GBP 6 820** – NEW YORK, 27 mai 1993 : *La Tamise à Richmond en automne au coucher du soleil*, h/t (66x106,7) : **USD 18 400** – STOCKHOLM, 10-12 mai 1993 : *Paysage vallonné avec une charrette à cheval sur le chemin*, h/t (66x107) : **SEK 21 000** – LUDLOW, Shropshire, 29 sep. 1994 : *Pluie et soleil dans les environs de Godalming dans le Surrey 1861*, h/cart. (46x76) : **GBP 8 625** – LONDRES, 29 mars 1996 : *Les environs de Wateringbury dans le Kent 1870*, h/t (61,4x92,1) : **GBP 6 670**.

TENNANT W.
XVIIIe siècle. Travaillant en 1799. Britannique.
Aquarelliste.
Le British Museum de Londres conserve de lui *Frégate entrant dans un port*.

TENNER Edward ou **Eduard**
Né le 24 avril 1830 à Deux-Ponts. Mort le 23 avril 1901 à Karlsruhe. XIXe siècle. Allemand.
Peintre de genre et de paysages.
Professeur à l'Académie de Karlsruhe ; il exposa à Vienne en 1871 et 1873. Le Musée de Karlsruhe conserve une marine de cet artiste.
VENTES PUBLIQUES : MUNICH, 30 nov. 1978 : *Paysage 1893*, h/t (51x74) : **DEM 2 600**.

TENNIEL John, Sir
Né le 27 février 1820 à Londres. Mort le 25 février 1914 à Londres. XIXe-XXe siècles. Britannique.
Peintre de genre, portraits, aquarelliste, illustrateur, dessinateur, caricaturiste.
À Londres, il fut élève de la Royal Academy et de la Clipstone Street Life Academy.
Membre du Royal Institute of painters in Water Colour. Il exposa à Londres de 1835 à 1880, notamment à la Fine Art Society, à la Royal Academy, à Suffolk Street, au Royal Institute, à la Royal Society of British Artists. Il fut anobli en 1893.

Le peintre de genre qu'il fut avec succès est aujourd'hui oublié au profit de l'illustrateur. En 1851, il fut engagé comme caricaturiste à la célèbre revue satirique illustrée *Punch* et, jusqu'en 1901, y fit paraître plus de 2.500 dessins. Plusieurs sont demeurés classiques, notamment celui qui remonte à 1889 et intitulé *Le Débarquement du Pilote*, représente Bismarck, habillé en loup de mer, descendant, le visage attristé, l'échelle de coupée d'un bâtiment, tandis que Guillaume II accoudé sur le bastingage suit ce départ avec un sourire. Bismarck fut, paraît-il, si frappé de ce dessin, qu'il demanda à l'auteur de lui faire don de l'original. Il a aussi collaboré à l'*Illustrated London News, Once a Week, Good Words*.
Illustrateur, son nom reste attaché à la première édition illustrée anglaise, en 1866, de : *Alice au pays des merveilles* de Lewis Carroll. Outre de nombreuses participations à des ouvrages de Dickens, aux poésies d'Edgar Poe, et autres, il a illustré : 1845 *Ondine* de Lamotte-Fouqué ; 1848 les *Fables* d'Ésope ; 1871 *À travers le miroir et ce qu'Alice y trouva* ; édité en 1931, le *Livre de Lewis Carroll* ; etc.

BIBLIOGR. : Marcus Osterwalder, in : *Dictionnaire des Illustrateurs 1800-1914*, Ides et Calendes, Neuchâtel, 1989.
MUSÉES : ABERDEEN : *Portrait de l'artiste* – LONDRES (Victoria and Albert Mus.) : *Pygmalion et sa statue*, aquar.
VENTES PUBLIQUES : LONDRES, 5 juin 1984 : *Hard Lines : Disraeli « oulled up » 1877*, cr. (21x16) : **GBP 1 100** – LONDRES, 20 juin 1986 : *Alice*, aquar. et cr. (13,1x9,6) : **GBP 34 000**.

TENNOB, anagramme de **Bonnet**. Voir **BONNET Louis Marin**

TEN OEVER Alberta, Mme, née **Roelfsema**
XIXe siècle. Active à Groningue vers 1818. Hollandaise.
Peintre de paysages.

TEN OEVER Hendrik
Né en 1639 à Zwolle. Mort en 1716 à Zwolle. XVIIe-XVIIIe siècles. Hollandais.
Peintre de figures, portraits, paysages, natures mortes.
Il travailla à Amsterdam et à Zwolle. Il étudia à Amsterdam chez Cornelis de Bie en 1659, puis retourna à Zwolle, où il se maria en 1675.
Peintre de portraits, il est aussi l'auteur de paysages dont la similitude avec ceux d'Aelbert Cuyp ou de Paulus Potter l'a fait parfois confondre avec ces maîtres. On cite de lui, également, une *Carcasse de porc*, sans doute inspirée du *Bœuf écorché* de Rembrandt.

MUSÉES : AMSTERDAM : *Portrait de famille* – *Portrait d'un pasteur* – *Nature morte* – DÉTROIT (Inst. of Arts) : *Paysage*, plusieurs œuvres – ÉDIMBOURG : *Paysage avec la ville de Campen* – *Paysage aux environs de Zwolle* – LA HAYE (Mus. Bredius) : *Coin de bois avec ruine* – TWENTHE – ZWOLLE : *Scène de chasse* – *Prédicants de Zwolle* – *Carcasse de porc*.
VENTES PUBLIQUES : CHÂTEAU DE HEESWIJK, 1900 : *Une famille hollandaise* : **FRF 987** – PARIS, 2 avr. 1941 : *La Fileuse* : **FRF 6 000** – PARIS, 25 avr. 1951 : *Vaches au pâturage* : **FRF 100 000**.

TEN OEVER J.
XVIIe siècle. Hollandais.
Peintre de genre et de vues.
Cité par Siret.

TENORIO José
XVIIIe siècle. Portugais.
Dessinateur d'architectures.
Élève à Rome de Giovanni Grossi.

TEN-Ô SÔKEI
XVe siècle. Actif à la fin du XVe siècle. Japonais.
Peintre.
Fils du peintre Ten-ô Sôtan (1413-1481), il pratique à Kyoto la peinture monochrome à l'encre, dans la lignée de Sesshû (1420-1506). On lui a récemment attribué avec certitude l'achèvement

des portes à glissière du Yotoku-in du monastère Daitoku-ji de Kyoto, en 1490.

TEN-Ô SÔTAN ou **Oguri Sôtan**, nom de pinceau : **Jiboku**
Né en 1413. Mort en 1481. xvᵉ siècle. Japonais.
Peintre.
Il succède à son maître Shûbun (actif 1425-1450) à la tête de l'Académie shôgunale et développe à Kyoto le style de peinture à l'encre de ce dernier, suivant le goût des mécènes nobles et militaires. Son art, hautement apprécié de son vivant, est mal connu aujourd'hui, étant donné la rareté des œuvres authentiques. Toutefois, on peut s'en faire une idée grâce à une importante série de portes à glissière provenant du Yotoku-in du Daitoku-ji de Kyoto, que Sôtan aurait commencées et que son fils Sôkei aurait achevées en 1490. Moins dynamique que le style de Sesshû (1420-1506), il exprime néanmoins, dans l'adaptation assez fidèle des styles chinois, un sentiment lyrique très japonais.
Bibliogr. : T. Akiyama, in : *La peinture japonaise*, Genève, 1961.

TEN POLLA Michiel
Né en 1628 à Steenwijk. xvɪɪᵉ siècle. Hollandais.
Peintre.
Il était actif à Amsterdam.

TENRÉ Charles Henry
Né en 1864 à Saint-Germain-en-Laye (Yvelines). Mort en 1926 à Paris. xɪxᵉ-xxᵉ siècles. Français.
Peintre de scènes de genre, portraits, intérieurs, paysages animés, aquarelliste, dessinateur, illustrateur, décorateur.
Il fut élève d'Edmond Yon, de Gustave Boulanger et de Jules Lefebvre à l'École des Beaux-Arts de Paris. Il figura au Salon des Artistes Français de Paris, dont il devint sociétaire en 1883. Il reçut une mention honorable en 1891, une médaille de troisième classe à l'Exposition universelle de 1900, une médaille de deuxième classe en 1911. Il fut promu chevalier de la Légion d'honneur en 1900. Il s'occupa particulièrement de décoration.

HENRY TENRÉ

HENRY TENRÉ

Musées : Paris (Mus. d'Orsay) : *Le Carrosse du Saint Sacrement* – Paris (Mus. Carnavalet) : *La chambre de Mme de Sévigné aux Rochers* – Paris (Mus. des Arts décoratifs) : *Le grand salon de l'hôtel de M. Jacques Doucet.*
Ventes Publiques : Paris, 27 déc. 1901 : *La Déclaration* : FRF 125 – Paris, 21-22 juin 1923 : *La jeune fille aux chiens* : FRF 250 – Paris, 7 oct. 1946 : *Intérieur*, aquar. : FRF 1 500 – Paris, 28 mars 1949 : *La montgolfière* : FRF 6 200 – Paris, 20 fév. 1950 : *Intérieur* : FRF 11 500 – Londres, 28 nov. 1984 : *La sortie du théâtre* 1900, h/t (44,5x60,5) : GBP 3 600 – Londres, 25 mars 1987 : *Les nouveaux amis*, h/t (73x105) : GBP 13 000 – New York, 22-23 juil. 1993 : *Promenade dans un parc* 1901, aquar. et encre de Chine (49,5x68,6) : USD 1 265 – Paris, 13 oct. 1995 : *Manège de l'Étrier décoré le 11 mai 1900 en l'honneur des ducs de Chartres*, aquar. (60x80) : FRF 34 000.

TENREIRO Joaquim
Né en 1906. xxᵉ siècle. Brésilien.
Peintre. Néoconstructiviste.
Comme assez souvent dans la continuité du constructivisme, Tenreiro introduit dans ses peintures la notion de relief. Les couleurs de ses réalisations ont la vivacité et la fraîcheur communes à l'art optique.
Bibliogr. : Damian Bayon, Roberto Pontual, in : *La peinture de l'Amérique latine au xxᵉ siècle*, Mengès, Paris, 1990.

TENSHÔ SHÛBUN, nom de pinceau : **Ekkei**
xvᵉ siècle. Actif à Kyoto dans le deuxième quart du xvᵉ siècle. Japonais.
Peintre.
A partir du xɪvᵉ siècle, le bouddhisme zen, qui avait joué jusque-là un rôle principalement religieux au Japon, commence à assurer une influence sur la culture et sur l'art, inspirant des moines peintres comme Tenshô Shûbun, qui seront à l'origine

de la peinture moderne de ce pays. Ainsi s'élabore la culture des cinq grands monastères zen de Kyoto, notamment le Shôkoku-ji, fondé en 1384 par Ashikaga Yoshimitsu. Peintures et objets d'art viennent de Chine, et l'art académique des Song du Sud apparaît alors dans ces centres religieux avec les paysages monochromes de Li Tang (vers 1050-après 1130), de Ma Yuan et de Xia Gui (tous deux actifs vers 1190-1230). Si les moines peintres se font à la technique du lavis *(suiboku)*, ils ont quelques difficultés à traduire l'impression de profondeur et créent ainsi des paysages assez artificiels d'aspect, tout d'abord sur des portes à glissière et des paravents, et, à partir du début du xvᵉ siècle, sur des rouleaux en hauteur desquels les moines calligraphient des poèmes de leur composition. Ces premiers *shigajiku* sont anonymes, mais avec le temps, un grand nombre d'entre eux seront attribués à Shûbun. Sans doute lui dont-on l'assimilation de ce nouveau style de paysage. Doué de talents très variés, il est chargé des comptes et de l'administration du Shôkoku-ji et est hautement apprécié aussi pour ses talents de peintre et de sculpteur. Après avoir été envoyé en Corée, en 1423, en quête d'écritures saintes, on lui demande d'orner de rehauts colorés des sculptures du Shôkoku-ji et de sculpter quelques statues. En 1438, un prince impérial admire les portes à glissière qu'il avait décorées, enfin il devient maître de l'Académie shôgunale, à la tête de laquelle lui succédera son disciple Ten-ô Sôtan, en 1465. Bien qu'il ne subsiste aujourd'hui aucune œuvre authentique de cet artiste (les attributions de Kanô Tannyû et de Kanô Tsunenobu au xvɪɪᵉ siècle ont été récemment révisées), on a lieu de penser qu'il excelle surtout à rendre la qualité d'une atmosphère grâce à de délicats traits noirs, rehaussés de lavis et de couleurs légères. Dans le *Kôten en-i* (Lointains sur le ciel et le fleuve) du Musée Nezu de Tokyo le mode de composition est emprunté à Ma Yuan (montagnes lointaines baignées de brumes que balance dans un coin un premier plan plus solide), mais il règne ici une sérénité très éloignée de l'atmosphère lyrique des Song du Sud. Certains historiens d'art attachent beaucoup d'importance au séjour de Shûbun en Corée et supposent une influence de la peinture coréenne sur son art. Il est difficile de déterminer ce que Shûbun voit en Corée, peintures du début de l'époque Li, peintures de l'école de Zhi chinoise qui perpétue le style des Song du Sud ? Force est donc de constater le rayonnement de Shûbun sur son époque, qui, avec Josetsu son prédécesseur au Shôkoku-ji, donne ses lettres de noblesse au paysage à l'encre, ce style nouveau que Sesshû (1420-1506) immortalisera. ■ M. M.
Bibliogr. : T. Akiyama : *La peinture japonaise*, Genève, 1961 – Ichimatsu Tanaka : *Japanese ink painting : Shûbun to Sesshû*, Tokyo 1969 – Madeleine Paul-David : *Shûbun, Tenshô*, in : *Encyclopaedia Universalis*, vol. 14, Paris, 1972.

TENSTAL Johann
xvɪɪɪᵉ siècle. Actif à Utrecht dans la première moitié du xvɪɪɪᵉ siècle. Hollandais.
Sculpteur sur bois.
Le Musée d'Antiquités d'Utrecht conserve de lui un *Bâton de bourgmestre*, daté de 1728.

TENTENIER Pieter
Né en 1614 à Utrecht. xvɪɪᵉ siècle. Hollandais.
Peintre.
Maître en 1638 dans la gilde d'Utrecht.

TENTHEM
xɪxᵉ siècle. Travaillant en 1808. Britannique.
Peintre de marines.

TENTI Pedro
Né en 1811 en Lombardie (Italie). xɪxᵉ siècle. Naturalisé en Argentine. Italien.
Sculpteur.
Il a sculpté de nombreux bustes. Plusieurs récompenses au Salon de Buenos Aires.

TENTINI Giovanni Battista
xvᵉ siècle. Actif à Modène. Italien.
Peintre.
Peut-être identique à Battista Zantini.

TENTORI Antonio
xvɪɪɪᵉ siècle. Actif dans la seconde moitié du xvɪɪɪᵉ siècle. Italien.
Peintre d'ornements.
Il restaura avec Fr. Zanoni les fresques du Campo Santo de Padoue en 1771.

TENTSCHERT Heinrich
Né en 1846 (?) à Jägerndorf. Mort le 4 décembre 1925 à Vienne. xɪxᵉ-xxᵉ siècles. Autrichien.

Peintre de décorations murales, portraits.
Élève d'Anselme Feuerbach et de Christian Griepenkerl à l'Académie des Beaux-Arts de Vienne.
Il exécuta des fresques dans l'Académie des Beaux-Arts de Vienne.
Musées : Rome (Mus. du Vatican) : *Portrait du pape Léon XIII.*

TENYÛ SHÔKEI. Voir SHÔKEI

TEODINO
xiiie siècle. Actif dans la seconde moitié du xiiie siècle. Italien.
Peintre et mosaïste.
Il peignit des fresques et exécuta un dallage de mosaïque pour le monastère du Mont Cassin en 1275.

TEODON ou Teodone. Voir THEODON

TEODORICO di Alemagna
D'origine allemande. xive siècle. Travaillant à Naples en 1319. Allemand.
Sculpteur.
Il exécuta une statue du roi *Charles II* à Naples.

TEODORO
xie siècle. Actif à Ortona dans la seconde moitié du ixe siècle. Italien.
Enlumineur.
Il enlumina un missel de la cathédrale de Chieti entre 1056 et 1071. Il était prêtre.

TEODORO
xve siècle. Actif à Milan et à Pérouse vers 1450. Italien.
Miniaturiste.

TEODORO
xve siècle. Actif à Spolète dans la seconde moitié du xve siècle. Italien.
Peintre.
Il orna de peintures le tabernacle et le buffet d'orgues de la cathédrale de Spolète en 1470 et 1471.

TEODORO Donato
Mort le 21 janvier 1779 à Chieti. xviiie siècle. Italien.
Peintre.
Il a exécuté deux peintures dans la cathédrale d'Aquila représentant *Le martyre de saint Maxime.*

TEODORO Mantovano. Voir GHISI Teodoro

TEODORO Milanese
xve siècle. Italien.
Enlumineur.
Il enlumina un bréviaire pour le monastère Saint-François de Pérouse.

TEODOROVIC Arsa
Né vers 1768 à Pancevo. Mort le 13 février 1826 à Novi Sad. xviiie-xixe siècles. Yougoslave.
Peintre.
Élève de l'Académie de Vienne. Il représente le style Louis-Philippe dans la peinture serbe. Il peignit des sujets religieux. Le Musée national de Belgrade conserve de lui *Portrait du général Duka.*

TEODOSIO da Bologna. Voir ROSSI Teodosio

TEOFANE. Voir THEOPHANES

TEOFILO di Jacopo da Cesena
xve siècle. Actif à Ferrare en 1486. Italien.
Peintre.

TEÖKE Andor ou Andreas
Né le 6 novembre 1872 à Löcse. xixe-xxe siècles. Hongrois.
Peintre de figures.
Il était actif à Budapest.

TEOSA Giovanni Battista
xviiie siècle. Italien.
Peintre de compositions religieuses.
Père et maître de Giuseppe Teosa. Il a peint après 1750 une *Madone avec l'Enfant et des anges* pour l'église Notre-Dame de Chiari.

TEOSA Giuseppe
Né le 17 février 1758 à Chiari. Mort le 23 juillet 1848. xviiie-xixe siècles. Italien.
Peintre.
Il exécuta de nombreux tableaux pour la cathédrale de Chiari et les églises de Gorzone, d'Iseo et de Pelalepre. La Pinacothèque de Chiari conserve de lui *Saint Louis* et *Sacrifice de Pomone.*

TEPA Bruno
Né le 6 octobre 1865 à Lemberg. Mort le 29 juin 1898 à Lemberg. xixe siècle. Polonais.
Peintre et dessinateur de caricatures.
Élève des Académies de Cracovie et de Munich. Il a exécuté des types populaires et peint des aquarelles.

TEPA Franz
Né le 17 septembre 1828 à Lemberg. Mort le 23 décembre 1889 à Lemberg. xixe siècle. Polonais.
Peintre de genre et de portraits.
Élève de Maszkovsky à Lemberg, de Waldmuller à Vienne, de Kaulbach à Munich, d'Ary Scheffer et Cogniet à Paris. Il se fixa à Lemberg en 1858. Excella autant à l'aquarelle, par les transparences, qu'à l'huile, par la vigueur de ses pâtes.
Musées : Cracovie (Mus. Nat.) : *Le père de l'artiste – Portrait de l'artiste – LEMBERG (Mus. mun.) : Portrait de l'artiste, de sa mère et de son père – LEMBERG (Mus. Lubomirski) : 50 motifs d'Orient et de genre – VARSOVIE (Mus. Nat.) : Soulèvement en Macédoine – Orientale – Le général J. Zaluski.*

TEPADA Moreno, appellation erronée de Tejada. Voir MORENO TEJADA Juan

TEPE Theodor Joseph
xixe siècle. Actif à Osnabruck dans la première moitié du xixe siècle. Allemand.
Peintre et lithographe.
Élève de l'Académie de Berlin. Le Musée d'Osnabruck conserve de lui *Portrait de l'architecte Georg Heinrich Hollenberg* et plusieurs vues de villes.

TEPERELLI Francesco Mario
xvie siècle. Actif dans la première moitié du xvie siècle. Italien.
Médailleur.
On cite de lui une médaille à l'effigie de *Ludovico da Ponte.*

TEPLANSZKY Sandor
Né le 18 décembre 1886 à Arad. xxe siècle. Hongrois.
Peintre de genre.
Il était actif à Budapest.

TEPLAR Anton. Voir TEPPLAR

TEPLAR Stanislav ou Theplar
Mort vers 1552. xvie siècle. Actif à Cracovie. Polonais.
Peintre.
Il se fixa à Cracovie en 1526 et a probablement exécuté les peintures de l'église de la Sainte-Croix.

TEPLER Samuel
Né en 1918 à Hrubieszow. xxe siècle. Actif en Israël. Polonais.
Peintre de figures, intérieurs.
Il a étudié à l'école des Beaux-Arts de Wilno et à l'Académie Brera à Milan. Il a eu plusieurs expositions personnelles en Italie, Autriche et en Israël, où il vit à Tel-Aviv. Membre de l'Académie de Rome, il reçut le prix Italie en 1975, et le prix « Légion d'Or ». Figuratif, il décrit en masses colorées solidement construites un monde volontiers intimiste, parfois lyrique.
Ventes Publiques : Tel-Aviv, 3 mai 1980 : *Éléments de plage 1971,* h/t (30x50) : **ILS 15 500** – Tel-Aviv, 1er jan. 1991 : *Intérieur 1970,* h/t (92x73,5) : **USD 1 760** – Tel-Aviv, 6 jan. 1992 : *L'adolescent assis 1956,* h/t (80,5x65) : **USD 1 210.**

TEPLY Jacob
xviiie siècle. Travaillant à Pardubitz dans la seconde moitié du xviiie siècle. Tchécoslovaque.
Sculpteur et stucateur.
Il décora la façade de l'Hôtel de Ville de Pardubitz et sculpta plusieurs monuments.

TEPLY Josef
xixe siècle. Travaillant vers 1840. Allemand.
Lithographe.
Le Musée Germanique de Nuremberg conserve de lui *Le monument d'Albert Durer,* gravure.

TEPORINO. Voir TOPORINO

TEPPER. Voir aussi TÖPPER

TEPPER Ernst
Né le 27 février 1843 à Berlin. Mort le 1er mai 1890 à Berlin. xixe siècle. Allemand.
Peintre de portraits et pastelliste.
Il fit ses études à Berlin et y passa sa vie ; il a inventé un procédé de peinture incombustible.

TEPPING Jean Marc Benjamin
Né en 1803 à Etoy. Mort le 8 mai 1871 à Genève. xixe siècle. Suisse.

Peintre de paysages, paysages d'eau, aquarelliste.
Il fut aussi marchand de tableaux. Il prit part aux expositions de Genève de 1839 à 1863 et à celle de Zurich en 1840.
Il peignit, souvent sur cuivre, de nombreuses vues de Suisse, destinées aux étrangers.
MUSÉES : GENÈVE (Mus. Ariana) : *Vue de la place Saint-Marc à Venise.*
VENTES PUBLIQUES : PARIS, 28 avr. 1944 : *Les Dolomites* : FRF 550 – BERNE, 25 nov. 1976 : *Paysage de Suisse au soir couchant,* h/pan. (36,5x47) : CHF 1 450 – ZURICH, 19 juil. 1984 : *Crépuscule,* h/pan. (28,5x35) : CHF 3 000 – BERNE, 12 mai 1990 : *Tombée de la nuit sur le lac de Genève,* h/pan. (28x34) : CHF 1 500.

TEPPLAR Anton ou Teplar
Né en 1804 à Vienne. XIXᵉ siècle. Autrichien.
Graveur au burin.
Élève de B. Höfel. Il travailla à Cracovie et à Vienne. Le Musée de Lemberg conserve plusieurs gravures de cet artiste.

TEPSL Johann Paul
XVIIᵉ siècle. Autrichien.
Stucateur.
Il exécuta le plafond de l'église Notre-Dame de Säben (Tyrol), en 1658.

TERAKADO Akira
Né en 1935 à Ibaraki. XXᵉ siècle. Japonais.
Peintre.
Il participe à de nombreuses expositions de groupe depuis 1956. En 1967, il obtient l'un des prix de la IVᵉ Biennale des Jeunes Artistes de Tokyo. En 1968, il figura à la IIIᵉ Exposition d'Art Japonais Contemporain, au Mexique ; à l'Exposition d'Art Japonais Contemporain à Tokyo et à l'Exposition *Orientation d'Art Moderne,* à Kyoto. En 1969, il obtint le Grand Prix de la Vᵉ Biennale des Jeunes Artistes de Tokyo ; il participa aussi à l'Exposition d'Art Japonais Contemporain de Tokyo. En 1970, il participa à la IVᵉ Exposition d'Art Japonais Contemporain, en France. Il a montré plusieurs expositions personnelles au Japon depuis 1957. On a vu une exposition personnelle de ses œuvres, à Paris, en 1970.
Dans une technique apparentée au dessin géométrique industriel, il construit dans des tonalités célestes des cubes, souvent aux perspectives aberrantes, qui s'élancent à l'assaut du ciel.
BIBLIOGR. : Constantin Jelenski : Catalogue de l'exposition *Akira Terakado,* Galerie Lambert, Paris, 1970.

TERAN José
XVIIIᵉ siècle. Espagnol.
Peintre.
Il a peint les grandes fresques du plafond du chœur de la cathédrale de Lugo.

TERAN Juan Antonio
XVIIᵉ siècle. Actif à Séville vers 1673. Espagnol.
Peintre.

TERASSON H.
XVIIIᵉ siècle. Actif à Londres. Britannique.
Graveur au burin.
Il grava surtout des sujets entomologiques. On cite aussi une vue de White Hall, datée de 1713, d'après un dessin de lui.

TER BAK Willem
Né à Amsterdam. XVIIIᵉ siècle. Hollandais.
Peintre.
Il travaillait à Amsterdam, où il acheta le droit de cité le 20 mai 1732.

TERBAUD M. A.
XVIIIᵉ siècle. Français.
Graveur au burin.
Il grava *Les dangers de la mer,* d'après J. Vernet.

TERBEEST Julien Joos de ou Terbeerst
Né vers 1806 à Bruges. XIXᵉ siècle. Belge.
Peintre de genre, histoire, portraits.
Élève de Navez.

TER BORCH Gérard, l'Aîné
Né en 1584 à Zwolle. Mort le 20 avril 1662 à Zwolle. XVIIᵉ siècle. Hollandais.
Peintre, graveur et dessinateur.

TER BORCH Gérard, le Jeune ou Ter Burg
Né en 1617 à Zwolle. Mort le 8 décembre 1681 à Deventer. XVIIᵉ siècle. Hollandais.

Peintre de genre, portraits, intérieurs, paysages animés.
Il fut élève de son père, puis fut envoyé à Haarlem auprès de Pieter Molyn avec lequel il travailla de 1632 à 1635. Après un court séjour en Angleterre, il partit pour l'Italie. Vers 1641, il revint à Amsterdam et s'y fit une rapide réputation avec des portraits de petite dimension, qu'il traitait avec un brio extraordinaire et une expression pleine de vie. S'il n'y avait probablement pas fait fortune, du moins son goût des voyages n'était pas diminué, car en 1646 il était à Munster, où il demeura pendant deux ans. L'ambassadeur d'Espagne se déclara son protecteur et lui fit exécuter divers travaux et, après la conclusion du traité de paix, il emmena l'artiste en Espagne. Philippe IV lui fit le meilleur accueil et lui donna des lettres de noblesse. Ter Borch revint en Hollande en passant par la France, vers 1650, et après avoir séjourné à Zwolle, il s'établit à Deventer, où il se maria avec une cousine. Il ne tarda pas à prendre place dans le Conseil de la ville et il en devint bourgmestre. Pendant plus de vingt ans, il vécut considéré comme un des premiers de la cité. Il eut pour élève Caspar Netscher et Roelof Koets.
Ses premiers tableaux sacrifient à la mode populaire du moment : ce sont des groupes de soldats, d'officiers, des joueurs de cartes. Mais bientôt il trouve sa voie dans la représentation de la vie bourgeoise, il montre alors des femmes filant, lisant, écrivant, des mères et enfants. Dans ses scènes d'intérieur, l'art de Vermeer, qui lui est contemporain, ne peut être étranger à Ter Borch, non seulement à travers les thèmes de la vie intime de la bourgeoisie hollandaise, mais dans la sobriété des intérieurs où dominent les gris tout à coup réveillés par un jaune doré ou un bleu. La lumière vient éclairer le visage de la jeune femme ou de l'enfant, mais jamais chez Ter Borch, à la différence de Vermeer, on ne voit la source de lumière. L'art de Ter Borch n'atteint sans doute pas la pureté quasi surnaturelle de Vermeer, mais c'est un art fait de raffinement, de distinction, de suggestion qui repose sur des gradations subtiles. Le portrait est certainement le genre qui lui permet de mieux mettre ces qualités en valeur. Il lui arrive alors de montrer un métier qui serait non étranger à l'Espagne et en particulier à Velasquez : le portrait de *Helena Van der Schalcke, enfant* (1641) en est un exemple frappant, par le jeu des gris argentés et la façon dont la lumière vibre sur la petite fille. Ter Borch présente ses portraits avec la plus grande simplicité de moyens, ce qui lui permet de s'attarder au rendu des étoffes. Le portrait le plus complexe et le plus riche sur le plan psychologique est sans doute le portrait de groupe exécuté à l'occasion de la *Paix de Munster.* A propos de Ter Borch, on évoque les plus grands noms de la peinture, et s'il n'atteint pas leur niveau, il faut bien lui reconnaître des qualités personnelles qui lui ont permis de se faire une place finalement indépendante.

BIBLIOGR. : Michel : *Gerard Ter Burg,* Paris, 1887 – F. Hellens : *G. Ter Borch,* Van Oest, Bruxelles, 1911 – P. C. Sutton : *Guide de l'art hollandais en Amérique,* 1986 – A. M. Kettering – *Dessins de la succession de l'atelier des Ter Borch au Rijksmuseum,* 1988.
MUSÉES : AMSTERDAM : *Tableau de famille – Portrait du peintre Geertyn Matthyssen – Conseil paternel – Portrait de la femme de H. Van der Schalke – Hendrick Van der Schalke – Helena Van der Schalke enfant – Jan Van Duren – Margaretha Van Haexbergen – Prestation de serment lors de la paix de Munster, le 15 mai 1648* – BERLIN : *Les remontrances paternelles – Le concert – Le fumeur – Jeune couple buvant du vin – La famille de l'aiguiseur – Portrait de Gertrude Van Marienberg* – BUDAPEST : *Soldats au cabaret* – COLOGNE : *Portrait d'homme* – COPENHAGUE : *Portrait d'homme – Portrait de femme – Portrait de femme* – DRESDE (Pina.) : *Trompette attendant la dépêche qu'écrit un officier – Jeune femme se lavant les mains – Dame en robe de satin blanc* – GENÈVE : *Une dame faisant sa toilette* – HAARLEM : *Portrait de M. et Mme Colenbergh Van Braebeel et leur fils* – HAMBOURG : *Le Bourgmestre J. Röver* – LA HAYE : *La Dépêche – Portrait du peintre* – KASSEL : *Musique de famille – Joueuse de luth* – LONDRES (Nat. Gal.) : *Ratification du Traité de Münster, 15 mai 1648 – Portrait d'un jeune homme* – MUNICH (Pina.) : *La lettre – Portrait d'homme – Jeune garçon épuçant son chien* – PARIS (Mus. du Louvre) : *La leçon de lecture – L'Assemblée d'ecclésiastiques – La leçon de musique – Le galant militaire offrant des pièces d'or à une jeune femme – Le concert* – ROTTERDAM (Mus. Boymans Van Beuningen) : *Procession* – SAINT-PÉTERSBOURG : *Un verre de limonade – Un violoniste – Le message – Le messager rustique – Une leçon de musique –*

Scène de cabaret – Tours : *Portrait d'homme* – Vienne (Kunsthistorisches Mus.) : *La peleuse de pommes* – *Personnages dans un jardin.*

Ventes Publiques : Paris, 1705 : *Un homme tirant les puces à son chien* : FRF 290 – Paris, 1762 : *La Curiosité ou Le Testament* : FRF 3 600 – Paris, 1772 : *La leçon de musique* : FRF 3 600 ; *Une Ferme* : FRF 4 600 – Paris, 1793 : *Un cavalier présente à une dame un verre de citronnade* : FRF 15 501 – Vienne, 1823 : *Une dame en négligé, vue à mi-corps*, dess. à la pierre noire, reh. de blanc : FRF 35 – Paris, 1837 : *Le Congrès de Munster* : FRF 45 000 – Paris, 1846 : *Jeune fille, vêtue d'une robe de satin rose, à sa toilette* : FRF 3 550 – Paris, 1859 : *Portrait d'homme* : FRF 3 100 – Paris, 1865 : *Le cavalier en visite* : FRF 41 000 – Paris, 1868 : *Le Congrès de Munster* : FRF 182 000 ; *La Curiosité ou Le Testament* : FRF 71 000 – Paris, 1872 : *Portrait d'homme* : FRF 31 500 – Londres, 1878 : *Le verre de limonade* : FRF 48 560 – Paris, 1881 : *Intérieur de cuisine* : FRF 23 000 ; *Le Festin des singes* : FRF 6 200 – Paris, 1889 : *La Dépêche* : FRF 11 500 – Paris, 1890 : *Portrait de Van Goyen* : FRF 7 200 – Amsterdam, 1892 : *La lecture interrompue* : FRF 9 030 – Londres, 1894 : *Portraits d'une dame et d'un abbé* : FRF 4 471 – Londres, 1895 : *Dame et cavalier* : FRF 50 700 – Londres, 1896 : *Portrait de femme* : FRF 28 870 – Paris, 1896 : *Portrait d'homme* : FRF 6 500 – Paris, 1898 : *Les Amoureux* : FRF 21 000 ; *Portrait d'un prince d'Orange* : FRF 3 300 – Paris, 1898 : *Portrait de femme, deux pendants de forme ronde* : FRF 16 600 – Paris, 16-19 juin 1919 : *Jeune femme à sa toilette* : FRF 43 000 – Paris, 8-10 mai 1922 : *Portrait de jeune femme* : FRF 40 100 ; *Portrait d'homme* : FRF 58 000 – Londres, 22 juil. 1937 : *Le message* : GBP 1 900 – New York, 19 oct. 1960 : *La Partie de musique* : USD 2 000 – Londres, 28 juil. 1961 : *Portrait de Pieter de Graeff* : GBP 1 155 – New York, 15 nov. 1961 : *Aelbert Nilant* : USD 22 000 – Londres, 27 mars 1963 : *Soldat endormi sur une chaise et deux autres personnages* : GBP 5 000 – Londres, 24 mai 1963 : *Portrait d'un homme habillé en noir* : GNS 3 500 – Munich, 30 sept.-1er oct. 1964 : *Portrait d'un gentilhomme* ; *Portrait d'une dame de qualité*, deux pendants : DEM 70 000 – Cologne, 28 avr. 1965 : *Portrait d'homme* : DEM 61 400 – Cologne, 26 nov. 1970 : *Portrait de femme debout* : DEM 44 000 – Londres, 8 déc. 1971 : *Portrait d'une dame de qualité* : GBP 4 000 – Londres, 29 juin 1973 : *Portrait de Aelbert Nilant* : GNS 321 500 – Londres, 26 nov. 1976 : *Portrait d'une dame de qualité*, h/t (37x28) : GBP 9 000 – Londres, 6 avr. 1977 : *Gesina Terborch et sa sœur (?) en bergère* vers 1650, h/t (49x33) : GBP 26 000 – New York, 5 juin 1979 : *Femme vue de dos, pierre noire* (17x12) : USD 2 600 – New York, 9 oct. 1980 : *Portrait de Jan van Duren 1681*, h/t (78,5x64) : USD 47 500 – Londres, 2 déc. 1983 : *Portrait d'homme*, (39,4x33,6) : GBP 88 000 – Amsterdam, 18 nov. 1985 : *Joueurs de golf sur la glace 1634*, pl. et lav. (13,9x10,3) : NLG 48 000 – Londres, 3 avr. 1985 : *Portrait de femme en robe noire*, h/t (57x46,5) : GBP 6 200 – Londres, 10 déc. 1986 : *L'Heure de musique*, h/pan. (32,9x41) : GBP 330 000 – New York, 15 jan. 1988 : *Dame à sa toilette aidée par une servante*, h/t (67x52,4) : USD 13 200 – New York, Jans 8 juin 1988 : *Portrait de Johanna Quadacker Bannier*, h/t (71x51) : USD 478 500 – Paris, 13 déc. 1988 : *Jeune femme tenant une boite à bijoux*, h/pan. (25,5x23,3) : FRF 1 100 000 – Londres, 23 avr. 1993 : *Portrait d'un gentilhomme drapé dans une cape brune bordée de rouge avec un col blanc et des gants, son chapeau posé sur une table*, h/t (72,5x59,7) : GBP 45 500 – New York, 8 oct. 1993 : *Une dame à sa toilette*, h/pan. (49,4x34,9) : USD 321 500 – Amsterdam, 10 mai 1994 : *Les marchandes de lait sur une place de village*, craie noire (16x20,1) : NLG 59 800 – New York, 12 jan. 1995 : *Portrait posthume de Moses Ter Bosch*, h/t, en collaboration avec Gesina Terborch (76,2x56,5) : USD 343 500 – Londres, 13 déc. 1996 : *Portrait d'un gentilhomme de 39 ans* ; *Portrait de sa femme âgée de 39 ans 1654*, h/pan., une paire (chaque 39,7x28) : GBP 67 500 – Londres, 3 juil. 1997 : *La Leçon de musique vers 1668*, h/t (66x53,5) : GBP 2 751 500.

TER BORCH Gesina

Née en 1663 à Zwolle. Morte le 16 avril 1690 à Deventer. XVIIe siècle. Hollandaise.

Peintre de portraits, peintre à la gouache, aquarelliste, dessinatrice.

Fille et élève de Gérard Ter Borch le Jeune, elle peignait surtout des aquarelles et des gouaches mais occasionnellement quelques huiles.

Bibliogr. : P. C. Sutton : *Guide de l'art hollandais en Amérique*, 1986 – A. M. Kettering : *Dessins de la succession de l'atelier des Ter Borch au Rijksmuseum*, 1988.

Ventes Publiques : Paris, 1864 : *Portrait de jeune homme* : FRF 140 – New York, 12 jan. 1995 : *Portrait posthume de Moses Ter Bosch*, h/t, en collaboration avec Gérard Ter Borch le Jeune (76,2x56,5) : USD 343 500.

TER BORCH Herman

Baptisé le 11 novembre 1638 à Zwolle. Mort avant 1677. XVIIe siècle. Hollandais.

Peintre et graveur.

Fils et élève de Gérard Ter Borch l'Aîné.

TER BORCH Jan

XVIIe siècle. Hollandais.

Peintre.

Actif au commencement du XVIIe siècle.

Musées : Amsterdam (Rijksmus.) : *La leçon de dessin.*

Ventes Publiques : Londres, 2 déc. 1977 : *Jeune artiste dessinant à la lumière d'une bougie 1634*, h/t (94x125,7) : GBP 20 000.

TER BORCH Moses

Baptisé le 19 juin 1645 à Zwolle. Mort le 12 juillet 1667 à Harwich, tué. XVIIe siècle. Hollandais.

Peintre et dessinateur.

Frère de Gérard Ter Borch le Jeune.

Musées : Amsterdam (Rijksmus.) : *Portrait de Jan Fabus* – deux portraits.

TERBRÜGGEN Hans

XVIIe siècle. Travaillant à Frederiksborg en 1615. Danois.

Sculpteur sur bois.

TER BRUGGHEN Hendrick

Né en 1588 à Deventer. Mort le 1er novembre 1629 à Utrecht. XVIIe siècle. Hollandais.

Peintre d'histoire, sujets religieux, mythologiques, scènes de genre, figures, fleurs.

Élève d'Abraham Bloemaert, il fit un séjour en Italie entre 1604 et 1614, qui lui laissa une influence durable à travers l'œuvre du Caravage. De cette période il ne subsiste rien de certain, en effet on commence à connaître l'œuvre de Ter Brugghen qu'à partir de 1620. S'il reprend très souvent les mêmes thèmes, il ne les sclérose pas mais au contraire les améliore. Le peu que l'on connaisse de sa première manière montre une peinture aux forts contrastes de lumière qui accentuent la qualité plastique des figures. Peu à peu, il s'égare moins dans l'agitation de certains effets linéaires pour atteindre une simplicité géométrique qui mène à la sérénité. L'étude de Saraceni et surtout de Gentileschi n'est peut-être pas étrangère à cette évolution qui caractérise son art à partir de 1621. De cette époque datent la *Vocation de Saint Mathieu* (Utrecht), les *Quatre Évangélistes* (Deventer), *Les flûtistes* (Kassel). La touche devient fluide, la pâte légère, les couleurs s'unifient jusqu'à devenir presque monochromes, comme le montre le *Saint Sébastien* (1625) du Musée d'Oberlin. Après 1627, ses dernières œuvres, *Le Buveur* (Augsbourg), la *Chanteuse* (Bâle), le *Concert* (Paris), sont des scènes d'intérieur, lumineuses, dont les natures mortes enrichissent les compositions. A cette époque, Ter Brugghen est très proche de La Tour, non seulement par ses thèmes, mais surtout par l'intériorité, la sensibilité de certains de ses tableaux. Il n'est d'ailleurs pas exclu, pour certains critiques, que La Tour ait été en contact avec Ter Brugghen.

Bibliogr. : F. Baumgart : *Bietrage zu Heindrick Ter Brugghen*, Oud Holland, 1929 – J. Leymarie : *La peinture hollandaise*, Skira, Genève, 1956.

Musées : Augsbourg (Mus. Schazlerpalais) : *Buveur* – Bâle : *Chanteuse* – Cologne : *Tobie et l'ange* – *Reproches de Jacob à Saban* – Deventer : *Saint Matthieu* – *Les Évangélistes* – Diest : *Annonciation* – Édimbourg (Nat. Gal. of Scotland) : *Décapitation de Saint Jean-Baptiste* – Gotha : *Joueur de flûte* – Le Havre : *Les Quatre Évangélistes* – *Vocation de Saint Matthieu* – Kassel : *Joueur de flûte*, deux versions – Londres : *Jacob et Laban* – Oberlin (Mus. of Love) : *Saint Sébastien* – Paris (Mus. du Louvre) : *Le concert* – Rome (Gal. Borghèse) : *Duo* – Utrecht : *Mars endormi* – *Vocation de Saint Mathieu.*

Ventes Publiques : Paris, 18 oct. 1907 : *Bouquet de fleurs dans un vase de fleurs* : FRF 585 – Paris, 20 mai 1929 : *Jeunes femmes avec fleurs et Amours*, deux toiles : FRF 1 200 – Londres, 26 juin 1957 : *La bergère endormie* : GBP 1 400 – Londres, 24 mars 1965 : *Garçon jouant du violon et chantant* : GBP 3 800 – Londres, 10 juil. 1968 : *L'Adoration des Rois Mages* : GBP 40 000 – Milan, 16 déc. 1971 : *Le joueur de luth* : ITL 8 000 000 – Londres, 8 déc. 1972 : *Les joueurs de jacquet* : GNS 190 000 –

LONDRES, 21 mars 1973 : *Le violoniste au verre de vin* : **GBP 10 000** – LONDRES, 11 juil. 1980 : *Le jeune violoniste* 1626, h/t (101,3x79,1) : **GBP 190 000** – LONDRES, 9 juil. 1982 : *Le joueur de luth*, h/t (100,3x83,2) : **GBP 22 000** – LONDRES, 8 juil. 1983 : *Amour vénal* vers 1625-1628, h/t (74,3x89,2) : **GBP 80 000** – NEW YORK, 30 jan. 1997 : *Le Jeune Violoniste* 1626, h/t (102,1x80) : **USD 882 500**.

TERCHI Bartolomeo
XVIIIe siècle. Travaillant à Rome dans la première moitié du XVIIIe siècle. Italien.
Peintre sur majolique.
Le Musée du Château de Berlin, le Musée national de Florence, le musée du Louvre de Paris et le Victoria and Albert Museum de Londres conservent des œuvres de cet artiste.

TERCIO de
XIVe siècle. Travaillant en 1336. Italien.
Sculpteur.
Il sculpta un sarcophage pour le *Mausolée de Frédéric*, près de l'église Saint-Ambroise de Gorzone.

TEREBENEFF Alexander Ivanovitch
Né le 9 janvier 1812 à Saint-Pétersbourg. Mort le 31 juillet 1859 à Saint-Pétersbourg. XIXe siècle. Russe.
Sculpteur.
Élève de l'Académie de Saint-Pétersbourg. Il exécuta de nombreuses statues de saints, des anges et des bas-reliefs pour les églises de Saint-Pétersbourg.

TEREBENEFF Ivan Ivanovitch
Né le 10 mai 1780 à Saint-Pétersbourg. Mort le 16 janvier 1815 à Saint-Pétersbourg. XIXe siècle. Russe.
Sculpteur et graveur au burin.
Père d'Alexander Ivanovitch Terebeneff et élève de l'Académie de Saint-Pétersbourg. Il grava des sujets historiques et sculpta des bas-reliefs.

TEREBENEFF Michail Ivanovitch
Né le 6 septembre 1795 à Saint-Pétersbourg. Mort en 1864 à Saint-Pétersbourg. XIXe siècle. Russe.
Portraitiste et miniaturiste.
L'Académie de Leningrad possède de lui *Portrait du peintre F. J. Alexéïeff* et la Galerie Tretiakov, à Moscou, *Portrait du compositeur M. J. Glinka*.

TERECHKOVITCH Constantin, Konstantin ou Kostia ou Tereschkovitch
Né le 1er mai 1902 dans la banlieue de Moscou. Mort le 12 juin 1978 à Roquebrune Cap-Martin (Alpes-Maritimes), ou à Monaco. XXe siècle. Depuis 1920 actif et depuis 1942 naturalisé en France. Russe.
Peintre de scènes animées, intérieurs, figures, portraits, paysages, natures mortes, aquarelliste, peintre de cartons de tapisseries, lithographe. Réalité poétique.
Il arriva avec sa famille en 1907 à Moscou, où il fit ses études, et où, en 1917, il fit un bref passage à l'École des Beaux-Arts. C'est après la Première Guerre mondiale en 1920, après deux années d'errance, pendant lesquelles il aurait peut-être été un soldat rouge dans la campagne contre les blancs, que Térechkovitch put atteindre Paris où il avait, dès son adolescence, rêvé de venir peindre dans le climat de l'art vivant. Il trouva pour l'accueillir le Larionov du temps des Ballets russes et Soutine riche des traditions de « la Ruche », où lui-même s'installa, cité artistique où vécurent maints autres dont Chagall et Modigliani. Gagnant sa vie comme il pouvait, il allait dessiner à l'Académie de la Grande-Chaumière. À Montparnasse, il se liait avec Kisling, Krémègne, Lanskoy ; puis, avec Roland Oudot, Brianchon, Legueult, avec lesquels allait se constituer le groupe d'abord spontané des peintres de la « Réalité poétique », qui ne sera officiellement constitué qu'en 1948. En 1939, il s'engagea dans la Légion étrangère et fut démobilisé en 1940. En 1944, il se réfugia, avec sa famille, près d'Avallon, où il avait souvent peint. À partir de 1950, il séjourna et travailla régulièrement à Menton, tout en entreprenant de fréquents voyages d'agrément et de recherche de motifs, et, tous les quatre ans, à travers le monde, pour assister aux Jeux Olympiques et alimenter sa passion du sport. Il fut créé chevalier de la Légion d'honneur en 1951.
Il participait à des expositions collectives, dont : depuis 1925 à Paris, au Salon d'Automne ; 1929 Moscou, groupe d'artistes russes travaillant en France avec Chagall, Soutine, Zadkine, Pougny, à la Galerie Tretiakov ; puis nombreuses à travers le monde, dont : 1951 Menton, Ire Biennale dont il fut le lauréat du

Grand Prix ; de 1954 à 1958 et en 1963 à *L'École de Paris*, galerie Charpentier ; régulièrement au Salon des Peintres Témoins de leur Temps ; 1972 Genève, *Les Maîtres de la Réalité Poétique*, galerie des Granges.
Il montrait des ensembles de ses œuvres dans des expositions personnelles, d'entre lesquelles : 1927 Paris, galerie Ch. Aug. Girard ; 1934 Genève, Musée de l'Athénée ; 1937 Chicago, New York ; 1938 Paris, galerie de l'Élysée ; 1942 Paris, galerie Pétridès ; 1946 Paris, galerie Dubourg ; 1948, 1951 Paris, galerie Bernier ; 1953 Paris, galerie Pétridès ; et Nice, aquarelles et lithographies, galerie Matarasso ; 1957 Paris, natures mortes, galerie Bernier ; 1958 Paris, galerie Pétridès ; 1959 château de Cagnes, première rétrospective et Londres, galerie O'Hara ; 1961 New York, galerie Acquavella ; 1964 Paris, galerie Pétridès ; 1965 Tokyo, galerie Yoshii ; 1969 Tokyo, galerie Taménaga ; 1969, 1971, 1976 Tokyo, galerie Pétridès ; et après sa mort : 1980 Paris, *Hommage à Térechkovitch*, galerie Étienne de Sassi ; 1986 Menton, rétrospective, Musée municipal ; 1989 Paris, œuvres sur papier, galeries J.P. Joubert et France T.
Paris l'a profondément pénétré. Il a pu, d'abord, se laisser émouvoir, comme un touriste, de spectacles tels que le *french-cancan*, dont les jeunes danseuses, sur scène et dans les coulisses, firent le succès des peintures qu'il leur consacra. En 1933, il réalisa les décors et costumes pour un spectacle des *Ballets Russes de Monte-Carlo*. Puis, à partir de son mariage en 1933, sa femme devint son principal modèle, ensuite rejointe par leurs deux filles dans les scènes familiales nombreuses, témoignant d'un bonheur évident au long des années. Il a traité des thèmes très divers, des figures : *Portrait de Frédéric Lefèvre* – *L'Espagnole* – *La Belle Danoise* – *Le Tambour d'Avallon* – très caractéristiques de sa manière ; des natures mortes et des paysages dont : *Église près d'Avallon* – *Paysage de Villeneuve* ; les scènes familiales déjà évoquées ; de très nombreuses vues de courses de chevaux, passion où il conciliait le spectacle pour le sport, le jeu excitant et le motif à peindre. Conjointement à la peinture, Térechkovitch est aussi l'auteur de nombreuses lithographies, dont certaines pour des illustrations notamment pour des ouvrages de Colette, de Tchékov, de cartons de tapisseries, de céramiques. Dans ses paysages des environs de Paris ou des campagnes proches, il sut tirer quelque chose de tout à fait concret des brumes de la Seine soudain percées d'un rayon d'extrême intensité. Puis, au cours de voyages délibérés, il alla à la rencontre de paysages plus lointains, en France et à l'étranger.
Au cours des années et selon les rencontres, il a peint de très nombreux portraits de ses contemporains peintres. Pour certains, on comprend les affinités, pour Bonnard on sait qu'il lui vouait une admiration totale, pour d'autres les rencontres peuvent surprendre : *Soutine* – *Bonnard* – *Matisse* – *Utrillo* – *Vlaminck* – *Dunoyer de Segonzac* – *Rouault* – *Derain* – *Friesz* – *Van Dongen* – *Braque*. André Salmon a écrit : « La palette de ce peintre, son traitement de la couleur, affirment sa personnalité. S'il n'a pu se dépasser, au moins s'est-il heureusement situé. »

■ J. B.

Terechkovtch

BIBLIOGR. : Maurice Raynal : *Anthologie de la peinture en France de 1906 à nos jours*, Montaigne, Paris, 1927 – Florent Fels : *Terechkovitch*, Triangle, Paris, 1928 – Maximilien Gauthier : *Terechkovitch*, Cailler, Genève, 1948 – René Huyghe : *Les Contemporains*, Tisné, Paris, 1949 – Gisèle d'Assailly, in : *Avec les peintres de la Réalité Poétique*, Julliard, Paris, 1949 – Jean-Paul Crespelle : *Terechkovitch*, Cailler, Genève, 1958 – Georges Vigne : *Terechkovitch. Les maîtres de la peinture mod.*, Flammarion, Paris, 1972 – Lydia Harambourg, in : *L'École de Paris 1945-1965. Diction. des Peintres*, Ides et Calendes, Neuchâtel, 1993.
MUSÉES : ALBI : *Portrait de Matisse* 1941 – BELGRADE – GRENOBLE – MENTON : *Portrait de Soutine* 1933 – *Portrait de Vlaminck* 1938 – *Portrait de Bonnard* 1941 – *Portrait de Matisse* 1941-1942 – *Portrait de Derain* 1942 – *Portrait de Friesz* 1942 – *Portrait de Van Dongen* 1942 – *Portrait d'Utrillo* 1943 – *Portrait de Braque* 1943-1944 – *Portrait de Dufy* 1948-1949 – MOSCOU (Mus. nat. d'Art mod.) : *L'enfant endormi* – PHILADELPHIE – STRASBOURG.
VENTES PUBLIQUES : PARIS, 25 juin 1927 : *Tête de femme* : **FRF 920** – PARIS, 24 avr. 1929 : *Paysage de l'Avallonnais* : **FRF 1 510** – PARIS, 28 fév. 1933 : *L'agent de ville d'Avallon* : **FRF 2 900** ; *Femme au collier* : **FRF 2 310** – PARIS, 8 mai 1942 : *Nina de Tabarin* : **FRF 8 800** – PARIS, 2 juil. 1943 : *Portrait de Georges Braque* :

FRF 15 000 – Paris, 20 juin 1944 : *Portrait de la fille de l'artiste, France* : FRF 25 000 – Paris, 30 nov. 1945 : *Sur la terrasse* : FRF 20 000 – Paris, 27 fév. 1946 : *Danseuse de french-cancan* : FRF 22 000 – Paris, 21 déc. 1946 : *Tête de femme* : FRF 25 000 – Paris, 20 déc. 1948 : *Environs de Montreux sous la neige* : FRF 56 500 ; *Nature morte* : FRF 52 500 – Paris, 17 juin 1949 : *Fillette au chapeau 1946* : FRF 62 000 – Paris, 7 déc. 1949 : *Jeune fille 1949* : FRF 48 000 – Paris, 20 déc. 1950 : *Buste de jeune femme*, aquar. : FRF 41 000 – Zurich, 15 mars 1951 : *Le jardin des plantes* : CHF 700 – Paris, 27 juin 1951 : *Jeune femme* : FRF 40 000 – Paris, 25 mai 1955 : *Noël à Menton* : FRF 172 000 – Paris, 23 mai 1957 : *La fillette blonde*, aquar. : FRF 280 000 – Paris, 1er déc. 1959 : *La table* : FRF 720 000 – Paris, 23 juin 1960 : *La terrasse* : FRF 7 500 – New York, 30 nov. 1960 : *Chicago* : USD 750 – Paris, 24 fév. 1961 : *Bords du lac* : FRF 4 100 – Genève, 10 nov. 1962 : *Le buffet* : CHF 9 000 – Paris, 7 juin 1963 : *Femme au chapeau* : FRF 21 000 – Genève, 10 juin 1967 : *Sidi Bou Saïd*, aquar. : CHF 4 200 – Genève, 29 juin 1968 : *Nature morte au buffet* : CHF 12 000 – Genève, 27 juin 1969 : *Petite Fille à table* : CHF 15 000 – Versailles, 30 nov. 1969 : *Jeune femme au chapeau rose*, aquar. : FRF 5 300 – Paris, 9 juin 1970 : *La Fille de l'artiste* : FRF 17 000 – Genève, 13 juin 1970 : *Scène d'intérieur*, aquar. : CHF 4 500 – Paris, 5 mars 1972 : *Femme au chapeau à plumes*, aquar. et gche : FRF 6 000 – Versailles, 3 déc. 1972 : *Le Traîneau* : FRF 14 500 – Paris, 15 mai 1973 : *La Ballerine* : FRF 25 500 – Genève, 30 juin 1973 : *Montreux sous la neige* : CHF 9 800 – Los Angeles, 26 fév. 1974 : *Nature morte en bleu* : USD 4 750 – Monte-Carlo, 18 oct. 1974 : *Jeunes Femmes dans un paysage de neige*, gche : FRF 14 000 – Paris, 22 juin 1976 : *Saint-Malo*, h/t (65x92) : FRF 13 500 – Versailles, 16 oct. 1977 : *Scène galante 1971-1972*, aquar. et gche, d'après Rembrandt (61x49) : FRF 4 000 – Zurich, 23 nov. 1977 : *La paysanne au foulard rouge*, h/t (62x50) : CHF 16 000 – New York, 18 oct 1979 : *Jeune fille au grand chapeau*, aquar. et cr. (63,5x48,9) : USD 2 400 – Paris, 26 juin 1979 : *Grande nature morte espagnole 1958*, h/t (117x119) : FRF 65 000 – Versailles, 10 déc. 1980 : *La femme de l'artiste, ses deux enfants et le caniche noir*, terre cuite polychrome (H. 27,5) : FRF 6 200 – Paris, 26 nov. 1981 : *Danseuse assise dans l'atelier 1944*, h/pap. (65x50,5) : FRF 63 500 – Enghien-les-Bains, 4 mars 1983 : *Repas de fête*, dess. aquarellé (39x27) : FRF 6 500 – New York, 22 juin 1983 : *Trois jeunes filles 1970*, aquar. et gche (55,7x46) : USD 3 000 – New York, 22 juin 1983 : *Portrait de jeune femme assise 1972*, h/t, mar./pan. parqueté (82,5x57,8) : USD 10 000 – New York, 21 fév. 1985 : *Portrait de jeune femme*, aquar. et cr./pap. mar./cart. (59x43,2) : USD 3 000 – New York, 9 oct. 1986 : *Jeune fille à la corbeille de fleurs*, h/isor. (144x55) : USD 16 000 – Paris, 9 mai 1988 : *Portrait de Vlaminck 1939*, aquar. (46x29,5) : FRF 36 000 ; *L'Accordéoniste 1929*, h/t (130x96) : FRF 45 000 ; *Paysage d'hiver 1929*, h/t (81x60) : FRF 22 000 – Paris, 16 mai 1988 : *Modèle posant 1939*, aquar. (63x46) : FRF 14 000 – Paris, 23 juin 1988 : *Le Casino*, h/cart. (53,5x70) : FRF 41 000 – Paris, 16 oct. 1988 : *Terrasse à Belle-Ile 1946*, h/t (72x50) : FRF 110 000 – Paris, 22 nov. 1988 : *Jeune Femme au canotier*, techn. mixte (57x43) : FRF 66 000 – Amsterdam, 8 déc. 1988 : *Élégante Jeune Femme assise portant un chapeau garni de fleurs*, encre et gche/pap. gris (62x47) : NLG 18 400 – Paris, 9 déc. 1988 : *Fillette au balcon*, aquar. (60x47) : FRF 38 000 – Paris, 25 jan. 1989 : *Nature morte aux fruits (51x65)* : FRF 78 000 – Paris, 3 mars 1989 : *Les Poissons*, h/t (38x55) : FRF 13 000 – Paris, 20 mars 1989 : *Jeune femme prenant le thé*, h/t (64x50) : FRF 160 000 – Reims, 11 juin 1989 : *Terrasse près d'une maison animée de personnages*, h/t (54x65) : FRF 70 000 – Paris, 14 juin 1989 : *La terrasse*, h/t (50x73) : FRF 190 000 – Paris, 21 juin 1989 : *Le jardin sous la neige*, h/t (80x60) : FRF 130 000 – New York, 5 oct. 1989 : *Femme assise au chapeau 1966*, h/t (92,1x65,4) : USD 79 200 – Londres, 25 oct. 1989 : *La Plage*, h/t (27,8x46,5) : GBP 15 400 – Paris, 22 nov. 1989 : *Vases de fleurs*, h/t (73x54) : FRF 80 000 – Bordeaux, 8 fév. 1990 : *Guinguette au bord de la Marne*, h/t (53x73) : FRF 152 000 – New York, 21 fév. 1990 : *Femme assise sur un balcon 1964*, h/t (80,7x54,7) : USD 66 000 – Paris, 11 mars 1990 : *Portrait de jeune femme*, aquar. (47x40) : FRF 142 000 – Paris, 27 nov. 1990 : *Le Kiosque à musique*, h/t (49,5x72) : FRF 106 000 – Paris, 25 mars 1991 : *Portrait de la fille de l'artiste*, h/t (63x48) : FRF 80 000 – Amsterdam, 23 mai 1991 : *Jeune Femme assise au chapeau fleuri 1954*, aquar. et cr./pap. (55,5x39) : NLG 17 250 – New York, 12 juin 1991 : *Vue du grand parc et du musée de Chicago 1937*, h/t (56,2x71,1) : USD 10 450 – Paris, 4 mars 1992 : *Femme au chapeau fleuri 1943*, h/pan. (56x33,5) : FRF 70 000 – New York, 9 mai

1992 : *La Danseuse*, h/t (80,7x54) : USD 11 000 – Monaco, 6 déc. 1992 : *Portrait d'Hubert de Saint-Senoch*, aquar. et mine de pb (23,3x16,7) : FRF 6 660 – Saint-Jean-Cap-Ferrat, 16 mars 1993 : *Nature morte au bouquet 1962*, h/t (95x66) : FRF 90 000 – Londres, 13 oct. 1993 : *Petite Fille assise*, h/t (92x73) : GBP 9 200 – New York, 3 nov. 1993 : *Au jardin*, h/t (54x64,8) : USD 16 100 – Tel-Aviv, 30 juin 1994 : *Une rue au bord d'une rivière*, aquar. (41x53) : USD 2 760 – Paris, 8 avr. 1994 : *Portrait de femme au chapeau*, h/pan. (32,5x24) : FRF 25 000 – Paris, 16 oct. 1994 : *Portrait de Madame Terechkovitch*, h/t (54x35) : FRF 42 000 – Londres, 14 mars 1995 : *La Valaisane 1929*, h/t (78x60) : GBP 8 625 – Paris, 24 nov. 1995 : *En souvenir de la Victoire*, h/t (65x93) : FRF 62 000 – Paris, 1er avr. 1996 : *Femme de l'artiste avec ses deux filles*, h/cart. (49x60) : FRF 33 000 – Paris, 23 avr. 1996 : *Baigneuses*, past. (44x29) : FRF 5 000 – New York, 30 avr. 1996 : *Jeune Fille*, h/t (65x42) : USD 6 325 – Paris, 10 juin 1996 : *Élégante au bibi jaune 1930-1931*, h/t (73x53,5) : FRF 25 000 – Paris, 14 juin 1996 : *Corsage fleuri 1929*, h/t (60x50) : FRF 8 000 – Paris, 20 juin 1996 : *Maison à Montmartre*, h/pan. (50x64) : FRF 20 000 – Calais, 7 juil. 1996 : *Portrait de la jeune princesse Jasmina 1955*, aquar. (59x41) : FRF 19 000 – New York, 12 nov. 1996 : *Les Fruits 1957*, h/t (60x81) : USD 5 750 – Amsterdam, 10 déc. 1996 : *Jardin vu d'une fenêtre*, h/t (80x63) : NLG 43 000 ; *Élégante lady*, h/pap. (62x47) : NLG 13 838 – Paris, 23 fév. 1997 : *La Petite Fille sur la terrasse*, aquar./pap. (60x35) : FRF 16 000 – Paris, 16 mars 1997 : *Jardin vu d'une fenêtre*, h/t (80x63) : FRF 43 000 – Paris, 25 mai 1997 : *Les Fruits d'été 1957*, h/t (60x81) : FRF 28 000.

TÉRENCE de…, Maître du. Voir **MAÎTRES ANONYMES**

TERENI Giovenale
xvie siècle. Actif à Montelupo. Italien.
Peintre sur majolique.
Le Musée de Sèvres possède une coupe exécutée par cet artiste.

TERENZI da Urbino ou **Terenzio di Francesco Maria**, dit **Rondolino**
Né à Pesaro. Mort entre 1619 et 1625. xviie siècle. Actif vers 1600. Italien.
Peintre.
Élève de Barocci. Il fut surtout un extraordinaire copiste des grands maîtres. A Rome, où il avait obtenu la protection du Cardinal Montalto il présenta à son patron une copie de lui comme une œuvre originale de Raphaël, ce qui, la fraude reconnue, causa sa disgrâce. On cite comme son meilleur ouvrage une *Vierge et l'Enfant Jésus entourés de plusieurs saints* (à l'église de S.-Silvestro, à Rome).

TERENZIO di M. Matteo Boccolaro da Pesaro
xvie siècle. Italien.
Peintre sur majolique.

TERESA del Nino Jesus
Née en 1662. Morte en 1742 à Valladolid. xviie-xviiie siècles. Espagnole.
Peintre et sculpteur amateur.
Elle orna le couvent Sainte-Brigitte de Valladolid de peintures et de sculptures.

TERESCHKOVITCH Konstantin. Voir **TERECHKO-VITCH**

TERETTI, appellation erronée. Voir **FERRETTI**

TER HELL Willy
Né le 3 décembre 1883 à Norden. xxe siècle. Allemand.
Peintre de paysages, de décors de théâtre.
Il travailla surtout à Berlin où il peignit des décors de théâtre avant de se spécialiser dans la peinture de paysage, notamment de montagne.
Ventes Publiques : Amsterdam, 19 sep. 1989 : *Torrent de montagne dans le Sauerland 1927*, h/cart. (59,5x70) : NLG 1 495 – Berne, 12 mai 1990 : *Surlej dans l'Oberengadin*, h/pan. (59x66) : CHF 3 000.

TER HEYDEN Dietrich
xviie siècle. Français.
Sculpteur sur bois.
Il était actif à Wesel, vers 1604.

TER HIMPEL Aarnout ou **Aernout** ou **Anthonis** ou **Abraham**
Né en 1634 à Amsterdam. Mort en 1686. xviie siècle. Hollandais.
Peintre de genre, paysages, dessinateur.

Peu connu comme peintre, il a laissé des dessins de paysages qui semblent très inspirés par la technique de Rembrandt.

VENTES PUBLIQUES : PARIS, 17 nov. 1924 : *Cavaliers à la porte d'un cabaret*, pl., encre de Chine : **FRF 360** – PARIS, 4 fév. 1925 : *Le prisonnier récalcitrant ; Le maniement d'armes*, deux plumes et lavis : **FRF 190** – PARIS, 7 juin 1928 : *Paysage*, dess. : **FRF 1 800** – LONDRES, 9 déc. 1980 : *L'Hôtel de Ville de Calcar* 1656, craie noire, lav. et touches de pl. (19,6x25,7) : **GBP 1 800** – AMSTERDAM, 25 avr. 1983 : *Deux paysans avec un chien dans un paysage boisé*, pinceau et encre grise et lav., de forme ovale (17,8x24) : **NLG 2 800** – AMSTERDAM, 18 nov. 1985 : *Patineurs sur une rivière gelée*, pl. et lav./trait de craie noire (11,3x16) : **NLG 36 000** – PARIS, 24 juin 1985 : *La kermesse au village*, h/t (66x81,5) : **FRF 28 000** – AMSTERDAM, 14 nov. 1988 : *Paysage avec des personnages près d'une auberge*, encre (diam. 12,9) : **NLG 3 450** – ROME, 27 nov. 1989 : *Campement de la cavalerie*, h/t (57,5x79) : **ITL 18 400 000** – PARIS, 16 mars 1990 : *Paysage animé*, pl. et lav. gris (17x23) : **FRF 11 500** – AMSTERDAM, 17 nov. 1993 : *Personnages se promenant dans un paysage boisé* 1654, craie noire et lav. (diam. 17,1) : **NLG 2 300** – PARIS, 28 oct. 1994 : *Paysage*, encre brune et lav. gris (14x15) : **FRF 11 000**.

TERILLI Francesco
XVIIe siècle. Italien.
Sculpteur.
Actif à Feltre, il travailla aussi à Venise au début du XVIIe siècle. Il exécuta des sculptures pour des églises de Venise. Le Musée des Beaux-Arts de Vienne conserve de lui *Statuette en ivoire de la Vierge*.

TERINEULEN François Pieter
Né le 9 mars 1834 à Bodegraven. XIXe siècle. Hollandais.
Peintre.
Élève de Julius Van de Sande Backhuyzen.

TERK Sonia. Voir DELAUNAY-TERK Sonia

TERKATZ Peter
Né le 7 février 1880 à Viersen. XXe siècle. Allemand.
Sculpteur de monuments, sujets religieux.
Il fut élève des Académies des Beaux-Arts de Düsseldorf et de Berlin. Il sculpta de nombreux monuments aux morts et des statues religieuses.

TERKEN Albert
Né en 1919 à Sydney, de père hollandais et de mère belge. Mort en 1992. XXe siècle. Depuis 1930 actif en Belgique. Australien.
Peintre de portraits, figures, paysages, chevaux, natures mortes, dessinateur, graveur, lithographe.
Il a étudié à l'Académie Saint-Luc à Schaerbeek puis à l'Académie de Bruxelles où il a obtenu le premier prix de dessin. Il a ensuite appris la technique de la gravure chez Apol et la sculpture avec Daeloos. Il a effectué des séjours en France (Normandie), en Tunisie et en Espagne. Il reçut en 1979 un hommage de la ville de Bruxelles.
Il a montré ses œuvres dans des expositions personnelles, la première en 1947, galerie la Meuse, Namur, puis : 1950, 1953, 1954, Petite Galerie, Bruxelles ; 1978, 1980, Cercle d'art d'Anderlecht ; 1994, rétrospective, Centre culturel, Bruxelles.
Habile dessinateur, il a peint, parfois dans une pâte généreuse, des portraits d'enfants, des chevaux, des compositions religieuses, des clowns, des sujets de sport, des paysages et des natures mortes.
BIBLIOGR. : *Albert Terken. Croquis, études, dessins*, Centre culturel, Bruxelles, 1994.

TERLAAK G.
XIXe siècle. Hollandais.
Peintre.
On voit de lui au musée d'Amsterdam : *Dame visitant les pauvres* (signé : G. Terlaak, 1853).

TERLECKI Alfred
Né le 10 octobre 1885 à Varsovie. XXe siècle. Polonais.
Peintre de portraits, nus, paysages.
Il fut élève de l'Académie des Beaux-Arts de Cracovie. Il peignit des paysages de la Haute Tatra, des portraits et des nus.
MUSÉES : VARSOVIE (Mus. nat.) : plusieurs peintures.

TERLEE Van
Né en 1636 à Dordrecht. Mort en 1687 à Dordrecht. XVIIe siècle. Hollandais.
Peintre.
Il aurait été élève de Rembrandt. Un *Antony Rutgers Van Terlouw* était peintre en 1633.

TERLIKOWSKI Stefan ou Stéphane de
Né le 2 avril 1883 à Ostrowy. Mort le 15 mai 1915 à Douai. XXe siècle. Polonais.
Peintre.

TERLIKOWSKI Vlodsimierz ou Vladimir de
Né le 24 avril 1873 à Poraj. Mort en 1951 à Paris. XIXe-XXe siècles. Actif en France. Polonais.
Peintre de paysages, natures mortes, fleurs.
Il exposa régulièrement à Paris de 1913 à 1929, à l'hôtel Charpentier de Venise en 1927. Une rétrospective de son œuvre eut lieu au Centre culturel Thibaud de Champagne à Troyes.
Tel un graveur, il inscrivait en creux dans une matière épaisse les traits essentiels de l'élaboration de l'œuvre. Le Midi de la France l'inspira abondamment.
BIBLIOGR. : Alain de La Hode : *Mémoires d'outre-tubes*, Mont Pagnote, Paris, 1978 – *Vladimir de Terlikowski*, catalogue de l'exposition, Centre culturel Thibaud de Champagne, Troyes.
MUSÉES : BORDEAUX – LYON – MARSEILLE – PARIS.
VENTES PUBLIQUES : PARIS, 17-18 juin 1927 : *Paysage : bords de rivière* : **FRF 420** – PARIS, 26-27 avr. 1929 : *Fleurs et éventail* : **FRF 1 100** – PARIS, 5 mars 1945 : *Roses fanées dans un vase* : **FRF 3 000** – PARIS, 15 mai 1950 : *Paysages*, deux pendants : **FRF 5 000** – PARIS, 2 avr. 1954 : *Le Palais du Luxembourg sous la neige* : **FRF 11 000** – GENÈVE, 8 déc. 1973 : *Le pont* : **CHF 2 900** – VERSAILLES, 6 déc. 1976 : *Paysage* 1919, h/t (54x65) : **FRF 3 800** – VERSAILLES, 3 déc. 1978 : *Fleurs* 1929, h/t, à vue ovale (81x65) : **FRF 5 600** – BOURG-EN-BRESSE, 27 avr. 1980 : *Fleurs dans un vase* 1922, h/t (65x92) : **FRF 5 500** – PARIS, 17 déc. 1985 : *Chemin aux environs des Martigues*, h/t (54x65) : **FRF 25 500** – PARIS, 3 oct. 1989 : *Le porteur d'eau*, h/t (89x75) : **FRF 4 500** – PARIS, 26 fév. 1990 : *Paysage méditerranéen*, h/t (50x65) : **FRF 4 000** – CALAIS, 7 juil. 1991 : *Vase de fleurs*, h/t (54x65) : **FRF 10 000** – PARIS, 14 avr. 1992 : *Bouquet de fleurs rouges*, h/t (55x38) : **FRF 11 000** – CALAIS, 13 déc. 1992 : *Vase de fleurs sur un entablement* 1915, h/t (81x60) : **FRF 15 000** – PARIS, 23 juin 1993 : *Nature morte au bouquet* 1932, h/t (50x73) : **FRF 10 500** – CALAIS, 12 déc. 1993 : *Vase de fleurs* 1919, h/t (53x65) : **FRF 12 700** – PARIS, 8 déc. 1994 : *Nature morte* 1947, h/t (55x46) : **FRF 40 500** – PARIS, 10 avr. 1995 : *Bouquet de fleurs* 1922, h/t (95x162) : **FRF 40 500** – LE TOUQUET, 10 nov. 1996 : *Vase de roses*, h/t (60x92) : **FRF 11 500** – PARIS, 13 déc. 1996 : *Paysage d'Auvergne*, h/t (60,5x73) : **FRF 12 000** – PARIS, 25 juin 1997 : *La Ville orientale* 1930, h/t (81x60) : **FRF 19 000**.

TERLINCK Aerd
XVe-XVIe siècles. Actif à Anvers. Éc. flamande.
Peintre.
Élève de H. Van Wueluve.

TERLINDEN Félix
Né le 12 août 1836 à Lodelinsart. Mort le 4 mai 1912 à Bruxelles. XIXe-XXe siècles. Belge.
Peintre de genre, portraits, paysages.
Il a subi l'influence de Courbet. Il a séjourné en Égypte comme portraitiste officiel.
BIBLIOGR. : In : *Dictionnaire biographique illustré des artistes en Belgique depuis 1830*, Arto, Bruxelles, 1987.
MUSÉES : BRUXELLES : *Les captives* – OSTENDE.

TERLINK Abraham
Né en 1777 à Dordrecht. Mort en 1857 à Rome. XIXe siècle. Hollandais.
Peintre d'architectures.
Il travailla en Hollande, à Paris et à Rome. La Pinacothèque de Munich conserve de lui : *Le palais Chigi*.

TERLOUW Antony Rutgers Van. Voir l'article TERLÉE Van

TERLOUW Kees. Voir TERLOW

TERLOW Kees ou Terlouw
Né en 1890 à Rotterdam. Mort en 1948 à Saint-Maur (Indre). XXe siècle. Actif en France. Hollandais.
Peintre de figures, paysages, marines fleurs.

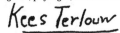

VENTES PUBLIQUES : PARIS, 25 nov. 1946 : *Paysage* : **FRF 12 800** –

PARIS, 12 fév. 1951 : *Fleurs*, deux pendants : **FRF 2 000** – LA VARENNE-SAINT-HILAIRE, 29 mai 1988 : *Voiliers amarrés au port*, h/t (53x80) : **FRF 13 000** – PARIS, 17 juin 1988 : *Canal en hiver*, h/t (50x61) : **FRF 10 000** – BERNE, 26 oct. 1988 : *Hollandaise et son enfant auprès du feu dans la cheminée*, h/cart. (41x33) : **CHF 1 000** – LA VARENNE-SAINT-HILAIRE, 21 mai 1989 : *Voiliers amarrés*, h/t (60x92) : **FRF 11 500** ; *Paysage hivernal*, h/t (73x92) : **FRF 37 000** ; *Port de pêche*, h/pan. (51x93) : **FRF 16 000** – DOUAI, 2 juil. 1989 : *La Meuse près de Vlaardingen*, h/t (50x80) : **FRF 16 500** – LE TOUQUET, 12 nov. 1989 : *Port de pêche*, h/pan. (51x93) : **FRF 16 000** – PARIS, 1ᵉʳ déc. 1989 : *La barque*, h/t (55x100) : **FRF 10 000** – BRUXELLES, 19 déc. 1989 : *Paysage au canal*, h/t (27x35) : **BEF 28 000** – PARIS, 4 mai 1990 : *Chaumière à l'automne*, h/t (35x46) : **FRF 11 000** – AMSTERDAM, 5 juin 1990 : *Nature morte d'un vase de roses devant un rideau*, h/t (60,5x40,5) : **NLG 1 725** – REIMS, 17 juin 1990 : *Maison sous la neige*, h/pan. (46x61) : **FRF 19 500** – PARIS, 9 nov. 1990 : *Paysage à la rivière*, h/t (54x73) : **FRF 20 000** – PARIS, 22 mars 1991 : *Port de Hollande*, h/t (46x38) : **FRF 10 000** – AMSTERDAM, 3 nov. 1992 : *Paysans dans un intérieur*, h/t (51x68) : **NLG 1 610** – LOKEREN, 15 mai 1993 : *Vue de Nootdorp*, h/t (65x80,5) : **BEF 70 000** – PARIS, 6 déc. 1993 : *Vase de fleurs*, h/t (60,5x49,5) : **FRF 3 900** – LOKEREN, 28 mai 1994 : *Roses*, h/t (51x40,5) : **BEF 36 000**.

TER MEER Adrian
XVIIᵉ siècle. Allemand.
Peintre de portraits.
MUSÉES : KREFELD : *Portraits d'Anton et de Maria Ter Schmitten* 1635.

TER MEER Herman Hendricus
Né le 16 décembre 1871 à Leyde. Mort le 9 mars 1934 à Leipzig. XIXᵉ-XXᵉ siècles. Hollandais.
Sculpteur d'animaux.
Il sculpta de nombreuses œuvres pour les Musées d'Histoire Naturelle d'Europe.
MUSÉES : LEIPZIG (Mus. ethnographique) : *Groupe de lamas*.

TERMES Antoine de
XVᵉ siècle. Actif en Franche-Comté. Français.
Peintre.
En 1467, il décora l'église des Cordeliers de Salins pour le service funèbre de Philippe le Bon.

TER MEULEN Frans Pieter, ou François Pieter
Né le 9 mars 1843 à Bodegraven. Mort en 1927. XIXᵉ-XXᵉ siècles. Hollandais.
Peintre de paysages, animalier.
D'abord destiné aux belles lettres, il commença par prendre des leçons de dessin avec H. et J. J. Van de Sande Bakhuyzen. N'ayant pas réussi, il continua sa carrière et ce n'est qu'en 1874, lorsqu'il alla se fixer à La Haye, qu'il subit l'influence des œuvres d'Israëls, de Marissen, de Bosboom et de Mauve. Il figura aux expositions de Paris ; médaille de bronze en 1889 (Exposition Universelle).
À partir de ce jour-là, il produisit de nombreuses œuvres, peut-être inspirées par celles de Mauve, mais marquées d'une note très personnelle.

MUSÉES : AMSTERDAM : *Au bois* – AMSTERDAM (Mus. mun.) : *Moutons* – ANVERS : *Aquarelle* – GLASGOW : *La bergerie* – GRONINGEN : *Troupeau de moutons* – LA HAYE (Mus. comm.) : *Moutons au repos* – LA HAYE (Mus. Mesdag) : *Soir* – STUTTGART : *Jeune pâtre et moutons*.

VENTES PUBLIQUES : PARIS, 12-15 avr. 1899 : *Clairière sous-bois* : **FRF 290** ; *La Charrette* : **FRF 320** – NEW YORK, 15 fév. 1907 : *Berger et troupeau* : **USD 1 000** – NEW YORK, 8-10 avr. 1909 : *Berger et son troupeau* : **USD 700** – NEW YORK, 11 mars 1909 : *Berger et son troupeau sur la dune* : **USD 1 000** – NEW YORK, 14-17 mars 1911 : *Retour du troupeau* : **USD 625** – LONDRES, 11 nov. 1921 : *Moutons dans les dunes* : **GBP 73** – LONDRES, 22 mars 1922 : *Le retour du troupeau*, aquar. : **GBP 22** – LONDRES, 22 juin 1923 : *Le troupeau* : **GBP 105** – NEW YORK, 1ᵉʳ mai 1930 : *Une allée au printemps* : **USD 1 150** – NEW YORK, 24 jan. 1980 : *Moutons au pâturage*, h/t (76,2x105,4) : **USD 2 500** – AMSTERDAM, 19 sep. 1989 :

Fermier avec un troupeau de moutons près de l'étable, h/pan. (31,5x43,5) : **NLG 1 150** – MONTRÉAL, 19 nov. 1991 : *Chargement d'une crarrette de sable*, aquar. (38x61) : **CAD 1 600** – AMSTERDAM, 18 fév. 1992 : *Mouton*, h/t/pan. (46,5x31,5) : **NLG 1 380** – AMSTERDAM, 14-15 avr. 1992 : *Paysanne et son bétail sur un sentier*, aquar. (38,5x59) : **NLG 3 450** – AMSTERDAM, 21 avr. 1993 : *Berger et son troupeau*, craies de coul. et aquar./pap. (42x78,5) : **NLG 3 680** – AMSTERDAM, 8 fév. 1994 : *Moutons dans une prairie*, h/t (79x61) : **NLG 3 450** – LONDRES, 16 mars 1994 : *La provende des poulets*, aquar. (63x51) : **GBP 920**.

TERMINE Bartolomeo
XVIIᵉ-XVIIIᵉ siècles. Actif à Zumaglia. Italien.
Sculpteur sur bois.
Il sculpta des panneaux et en collaboration avec Carlo Francesco T., la chaire et les stalles de l'église de Salussola.

TERMINE Carlo Francesco
XVIIᵉ-XVIIIᵉ siècles. Actif à Biella. Italien.
Sculpteur sur bois.
Il travailla pour l'église de Salussola.

TERMINE Pietro Giuseppe Auregio
XVIIIᵉ siècle. Travaillant à Biella et les environs au début du XVIIIᵉ siècle. Italien.
Sculpteur sur bois.
Il sculpta de nombreux autels, portails, chaires et statues pour des églises de Biella de Bioglio, de Cossato et de Pettinengo.

TERMISANO Decio
Né en 1565 à Naples. Mort en 1600. XVIᵉ siècle. Italien.
Peintre.
Élève de Giovanni Filippo Criscuelo et de Pittone et Marco de Sécune Dominici. On cite de lui à S. Maria detta à Chiazza, à Naples, une *Cène* signée et datée de 1597.

TERMONIA Martin Benoît
XVIIIᵉ siècle. Actif à Liège dans la première moitié du XVIIIᵉ siècle. Éc. flamande.
Sculpteur.
Il travailla pour les évêques de Liège et sculpta pour des églises de cette ville, de Tongres et d'Aix-la-Chapelle.

TERMOTE Albert
Né le 30 mars 1887 à Lichtervelde. Mort en 1971. XXᵉ siècle. Hollandais.
Sculpteur de statues, bustes.
Il fut élève de l'Académie d'Amsterdam. Il sculpta de nombreuses statues et des bustes.
VENTES PUBLIQUES : AMSTERDAM, 8 déc. 1988 : *Saint Martin et le mendiant* 1938, bronze (H. 32) : **NLG 1 265** – AMSTERDAM, 11 déc. 1991 : *Un homme infirme*, bronze (H. 20,5) : **NLG 2 875** – AMSTERDAM, 11 fév. 1993 : *Buste de Lucie* 1958, plâtre (H. 43) : **NLG 1 150**.

TERNAND Marthe
Née le 30 juin 1888 à Paris. XXᵉ siècle. Française.
Peintre.
Elle fut élève de Ch. Dufresne. Elle a participé à des expositions collectives, à Paris, parmi lesquelles : le Salon des Artistes Indépendants dont elle devint sociétaire en 1925, le Salon d'Automne dont elle devint sociétaire en 1935, le Salon des Tuileries à partir de 1934, a exposé en 1938 au musée du Petit Palais avec un groupe des « Artistes de ce temps ». Elle a également figuré au Salon de Mai à Paris.
Des toiles de ce peintre ont été acquises par l'État en 1937, et la Ville de Paris en 1939.

TERNANTE-LEMAIRE Amédée de
Né au XIXᵉ siècle à Châtillon-sur-Seine (Côte-d'Or). XIXᵉ siècle. Français.
Peintre d'histoire, scènes de genre, portraits, paysages.
Élève de Alaux. Il débuta en 1849.
MUSÉES : PARIS (Mus. du Louvre) : *Portrait en pied de Marie de Médicis* – VERSAILLES : *Portrait de Jeanne d'Autriche* – *Portrait de Marie de Rohan*.
VENTES PUBLIQUES : PARIS, 11 juil. 1941 : *Deux baigneuses et un enfant* : **FRF 580** – PARIS, 14 déc. 1990 : *Le village de Pravady (Bulgarie)*, h/t (47x78) : **FRF 28 000** – PARIS, 2 nov. 1992 : *Jeux d'enfants*, h/pap./pan. et h/pan., une paire (chaque 33,5x24) : **FRF 25 000**.

TERNE Christian Heinrich
Né le 13 mars 1806 à Benndorf. Mort le 26 mars 1877 à Dresde. XIXᵉ siècle. Allemand.

Peintre de genre et dessinateur.

Il fit ses études à Mulhouse et à Paris. Le Musée de Chemnitz conserve de lui *Le chanteur des rues*.

TERNER C. J. ou Toerner

Né en 1740 à Brunswick. Mort vers 1790. XVIIIe siècle. Allemand.

Peintre et graveur à l'eau-forte.

Il a gravé des paysages, des sujets d'histoire et des portraits.

TERNES August

Né le 30 mars 1872 à Düsseldorf (Rhénanie-Westphalie). Mort en 1938. XIXe-XXe siècles. Allemand.

Peintre de compositions religieuses, autels, animaux.

Il fut élève de l'Académie de Düsseldorf.

VENTES PUBLIQUES : LONDRES, 19 nov. 1993 : *Tigres dans une clairière de la jungle*, h/t (100x117,5) : **GBP 13 800.**

TERNES Marie Gaston de

Né au XIXe siècle à Angers (Maine-et-Loire). XIXe siècle. Français.

Paysagiste.

Il débuta au Salon en 1869.

TERNISIEN Anatole

Né au XIXe siècle à Vigny. XIXe siècle. Français.

Peintre de genre.

Élève de Pils, Gleyre et Franceschi. Il débuta au Salon en 1868.

VENTES PUBLIQUES : PARIS, 13 juin 1980 : *Une visite à l'atelier* 1868, h/t (100,5x80,5) : **FRF 44 000.**

TERNISIEN André Victor

Né à Torcy (Seine-et-Marne). XXe siècle. Français.

Peintre de paysages.

Il fut élève de Seguin-Bertault. Il exposa des paysages et des natures mortes, à Paris, aux Salons des Indépendants et des Artistes Français, dont il devint sociétaire. Il obtint une médaille de bronze à la Société Lorraine des Beaux-Arts.

TERNITE Wilhelm ou Friedrich Wilhelm

Né le 5 septembre 1786 à Neustrelitz. Mort le 22 octobre 1871 à Potsdam. XIXe siècle. Allemand.

Peintre d'histoire, portraits et lithographe.

Élève de Gros à Paris. Il poursuivit ses études en Italie, séjournant à Rome, à Naples, où il fit de nombreux dessins d'après des antiquités pompéiennes qu'il reproduisit plus tard en lithographie. A son retour en Allemagne il s'établit comme peintre de portrait.

MUSÉES : BERLIN : *La reine Louise – La comtesse Voss – Carl Leopold von Köckeritz – NEUSTRELITZ* (Mus. prov.) : *Johann Friedrich Bahrdt – François II d'Autriche – La reine Louise de Prusse – Le grand duc de Mecklembourg Strelitz – SCHWERIN* (Mus. nat.) : *Johann Heinrich von Thünen.*

TERNOIS Jacques

Né le 18 décembre 1861 à Semur (Côte-d'Or). XIXe siècle. Français.

Sculpteur.

Élève de Thomas et de Dampt. Sociétaire des Artistes Français depuis 1891 ; mention honorable en 1907 ; médaille de bronze en 1913. Le Musée de La Rochelle conserve de lui : *Buste en plâtre de Fromentin.*

TERNOIS Jean

XVIe siècle. Actif à Tournai dans la seconde moitié du XVIe siècle. Éc. flamande.

Sculpteur.

Il sculpta des figures pour la fontaine du marché de Tournai, en 1565.

TERNOUTH John

Mort en 1849. XIXe siècle. Actif à Londres. Britannique.

Sculpteur.

De 1819 à 1849, il exposa à Londres, principalement à la Royal Academy. Il fit surtout des bustes et un ou deux monuments funéraires. On lui connaît un seul ouvrage poétique, *Musidora*, qui parut au Salon de 1847.

TERNUS Jean

Né vers 1795 en Italie. Mort en 1826. XIXe siècle. Français.

Peintre.

Le Musée de Bordeaux conserve de lui : *Vase de fleurs.*

TEROL Jayme ou Jaime

Mort le 13 novembre 1627. XVIIe siècle. Actif à Valence. Espagnol.

Peintre.

Il travailla avec Rodriguez Espinosa au maître-autel de l'église de Saint-Jean-Baptiste, à Valence.

TERON Jean Marie

XVIIIe siècle. Travaillant à Grenoble de 1786 à 1790. Français.

Graveur de sceaux et de perspectives.

TEROUANNE Magdelaine

Née au XIXe siècle à Southampton. XIXe siècle. Française.

Peintre de genre.

Élève de Bouguereau et Gabriel Ferrier. A figuré également au Salon des Tuileries. Sociétaire des Artistes Français depuis 1897 ; il reçut une mention honorable en 1898, médaille de bronze en 1900 (Exposition universelle), médaille de troisième classe en 1909.

TER PLEGT A

XVIIIe siècle. Hollandais.

Portraitiste.

Il a peint le *Portrait de J. Burmannus*, conservé à l'Université d'Amsterdam.

TERPSIKHOROV Nikolai Borissovitch

Né en 1890 à Saint-Pétersbourg. Mort en 1960 à Moscou. XXe siècle. Russe.

Peintre.

Il a étudié à l'École de peinture et de dessin de Moscou sous la direction de K. Youon et I. Doudine et, entre 1907 et 1917, à l'Institut de peinture, de sculpture et d'architecture de Moscou sous la direction de N. Kassatkine, A. Vasnetsov, et K. Korovine. Il fut membre, à partir de 1922, de l'Association des artistes de la Russie Révolutionnaire.

Il a figuré à l'exposition *Paris Moscou* au Centre Georges Pompidou en 1979 à Paris.

MUSÉES : MOSCOU (Gal. Tretiakov) : *Le Premier Slogan* 1924, h/t.

TERPSIKLES

Né probablement à Milete. VIe siècle avant J.-C. Actif au début du VIe siècle av. J.-C. Antiquité grecque.

Sculpteur.

Il a sculpté une statue d'*Anaximandre* dont le socle se trouve au British Museum de Londres.

TERRADE Benjamin

XVIIe-XVIIIe siècles. Français.

Sculpteur sur bois.

Il a sculpté une statue et un retable de *Saint Roch* dans l'église de Fleurs.

TERRAIRE Clovis Frédérick

Né en 1858, à Marseille (Bouches-du-Rhône) ou à Lyon (Rhône) selon certains biographes. Mort en 1931. XIXe siècle. Français.

Peintre de scènes de genre, paysages animés, paysages, paysages d'eau.

Il exposa au Salon des Artistes Français de Paris, dont il devint sociétaire en 1905. Il reçut une mention honorable en 1905, une médaille de troisième classe en 1908.

Il peignit de nombreux paysages, notamment des vues du Dauphiné.

C. Terraire

VENTES PUBLIQUES : PARIS, oct. 1945-juil. 1946 : *Bords de rivière* 1889 : FRF 2 400 – PARIS, 13 déc. 1989 : *La baie de Sanary*, h/t (94x124) : FRF 8 000 – NEW YORK, 17 oct. 1991 : *Le vacher dans la région lyonnaise* 1905, h/t (123,8x229,9) : USD 8 800 – PARIS, 2 juin 1997 : *Bergère et son troupeau près de l'étang*, h/t (46x65) : FRF 5 000.

TERRAL Pierre Louis Alexandre Abel

Né au XIXe siècle à Amiens (Somme). XIXe siècle. Français.

Peintre d'histoire, de genre, portraits.

Élève de Paul Delaroche. Il exposa de 1839 à 1859.

VENTES PUBLIQUES : PARIS, 2 mars 1928 : *Le repos du chasseur* : FRF 220 – ENGHIEN-LES-BAINS, 28 avr. 1985 : *Prisoniers et gardiens*, h/t (105x162) : FRF 50 000.

TERRANOVA, da. Voir aussi au prénom

TERRANOVA Guglielmo. Voir NIEULANDT Willem Van

TERRANOVA Matteo da

XVIe siècle. Actif dans la première moitié du XVIe siècle. Italien.

Miniaturiste.
Il fut l'un des artistes employés à la décoration des livres de chœur du Mont-Cassin et exécuta les superbes miniatures des graduels de Pérouse. Il travaillait à Florence en 1525.

TERRAS Alexandre
Originaire de Grenoble (Isère). XIXᵉ siècle. Français.
Peintre.
Ancien élève de Gérome, mort à vingt-cinq ans. Jacques Gay peignit son portrait.

TERRASSE Édouard
Né en 1856 au Puy (Haute-Loire). Mort en juin 1924 au Puy. XIXᵉ-XXᵉ siècles. Français.
Aquarelliste de paysages urbains.

É Terrasse

MUSÉES : LE PUY-EN-VELAY : quatre vues de rues et de monuments de la ville du Puy.

TERRASSON Pierre, dit Berchod
XVIᵉ siècle. Français.
Sculpteur sur bois.
Il collabora aux stalles de l'église de Brou à Bourg de 1530 à 1532.

TERRAZZI Luigi
Né en 1850. Mort en 1897 à Venise. XIXᵉ siècle. Italien.
Peintre de genre.
Il peignit des scènes de la vie populaire vénitienne. Il travailla à Vienne plusieurs années.

TERRENCHO Pedro
XVᵉ siècle. Actif à Valence. Espagnol.
Peintre.
Il a peint un *Martyre de saint Sébastien* dans la cathédrale de Burgos en 1488.

TERRENI Antonio
XVIIIᵉ siècle. Actif à Livourne dans la seconde moitié du XVIIIᵉ siècle. Italien.
Dessinateur et graveur au burin.
Il exécuta plus de deux cents illustrations d'un *Voyage à travers la Toscane*. Le Musée des Offices de Florence conserve trente-cinq dessins de cet artiste.

TERRENI Giuseppe Maria
Né le 19 juin 1739 à Livourne. Mort le 9 novembre 1811 à Livourne. XVIIIᵉ-XIXᵉ siècles. Italien.
Dessinateur, graveur au burin et aquarelliste.
Il exécuta des peintures dans le Palais Pitti de Florence. La Galerie des Offices de Florence possède des œuvres de cet artiste. Le Musée de Perpignan conserve de cet artiste une gouache représentant une *Joute sur le pont de la Pise, 6 mars 1767, en commémoration de la défense de Pise par Chunzica Ghismondi en l'an 1000.*

TERRENI Jacopo
Né le 2 novembre 1762 à Livourne. Mort le 10 septembre 1825 à Florence. XVIIIᵉ-XIXᵉ siècles. Italien.
Dessinateur et graveur au burin.
Élève d'I. Hugford à Florence. Il travailla à Florence et à Scagliola.

TERRÈS Henri Lopez
Né en 1948 à Oran (Algérie). XXᵉ siècle. Français.
Peintre, dessinateur, sculpteur.
Médecin, radiologiste, il a fréquenté l'École des Beaux-Arts de Toulouse. Il a montré une exposition personnelle de ses œuvres, en 1995, *Les Souliers costumés*, au Musée de la chaussure de Romans.
Il a commencé à peindre et dessiner en 1970, surtout des figures féminines, puis à constituer en sculpture des sortes de mannequins en ferraille récupérée d'instruments et machines agricoles, qu'il expose parfois à Toulouse ou dans sa région. Pour l'exposition *Les Souliers costumés*, au Musée de la Chaussure de Romans en 1995, il avait exécuté des bas-reliefs monochromes ou polychromes sur le thème de la chaussure mais en relation avec des préoccupations de la vie, par exemple les *Sept péchés capitaux*.
VENTES PUBLIQUES : AUXERRE, 25 nov. 1990 : *Le Cyclope*, fer et acier (H 47) : **FRF 5 000.**

TERRES Mateo
Né en 1340 à Manises. XIVᵉ siècle. Espagnol.
Enlumineur.
Il travailla à Valence en 1381.

TERRIEN Gérard
Né le 22 décembre 1933 à Chartres (Eure-et-Loir). XXᵉ siècle. Français.
Peintre. Tendance expressionniste, puis abstrait.
Il participe à des expositions collectives, dont : 1957, 1958, 1959, 1960, Salon des Indépendants, Paris ; 1961, Salon d'Hiver, Paris. Il montre ses œuvres dans des expositions personnelles, parmi lesquelles : 1957, Chartres ; 1959, 1961, 1966, Dreux ; 1977, 1981, Rodez ; 1981, Alès, Toulouse.
Peintre figuratif à tendance expressionniste à ses débuts, il a évolué vers la non figuration sous l'influence de Bissière, Manessier et Le Moal, puis vers le néo-plasticisme.
MUSÉES : CHARTRES – DREUX.

TERRIEN Jan
Né à La-Chapelle-Basse-Mer (Loire-Atlantique). XVIIᵉ-XVIIIᵉ siècles. Français.
Peintre.
Il habitait Nantes au début du XVIIIᵉ siècle.

TERRIEN Louis Pierre Alphonse
Né au XIXᵉ siècle à Épinay-sur-Seine (Seine). XIXᵉ siècle. Français.
Sculpteur.
Élève de Lequien. Il exposa au Salon de 1864 à 1866.

TERRIER François-Léon
Né en 1830 à Miribel (Ain). Mort en 1882 à Lyon (Rhône). XIXᵉ siècle. Français.
Peintre de scènes de genre.
Il fut élève de Claude Bonnefond à l'École des Beaux-Arts de Lyon. Il exposa au Salon de Lyon, entre 1853 et 1879. On cite de lui : *Le Troubadour – La Cartomancienne – Scène d'auberge.*
BIBLIOGR. : Gérald Schurr, in : *Les Petits Maîtres de la peinture 1820-1920, valeur de demain,* Les Éditions de l'Amateur, t. IV, Paris, 1979.

TERRIER Jean-Claude
Né en 1949 à Paris. XXᵉ siècle. Français.
Peintre. Abstrait.
Il vit et travaille en France. Il montre ses œuvres dans des expositions personnelles, notamment en 1989 à la galerie Zurcher à Paris. À Thonon-les-Bains, il est représenté par la galerie Galise Petersen.
Sa peinture qui ressortit à un expressionnisme informel et gestuel, donne également à voir la part « objective » de l'œuvre en ajoutant du métal, du verre et du bois au tableau.

TERRIER Jules Laurent
Né au XIXᵉ siècle à Paris. XIXᵉ siècle. Français.
Sculpteur.
Élève de Frémiet. Il figura au Salon des Artistes Français ; reçut une mention honorables en 1881, 1883 et 1884.

TERRIERE Louis Charles, dit Charly
Né en 1870. Mort en 1913 à Paris. XIXᵉ-XXᵉ siècles. Français.
Artiste.

TERRIS John
Né en 1865 à Glasgow (Écosse). Mort le 16 mars 1914 à Glasgow. XIXᵉ-XXᵉ siècles. Britannique.
Peintre de paysages.
Il fit ses études à la Birmingham School of Landscape Painting, avec un élève de David Cox. Il commença à exposer à Birmingham, à peine âgé de quinze ans. On le cite exposant à Londres, notamment à la Royal Academy à partir de 1890. Membre de la Royal Scottish Society of Painters in Water-Colours. En 1909 on le cite exposant à Liverpool, à Glasgow, et à Birmingham.

John Terris.

MUSÉES : BRUNSWICK : *Le port de Whitby* – LEEDS : *Coucher de soleil* – *Un coin du vieil Édimbourg* – VENISE (Gal. d'Art) : *Matin brumeux* – VIENNE (Gal. Liechtenstein). *Scène de marché.*
VENTES PUBLIQUES : LONDRES, 6 déc. 1909 : *Cour de ferme le soir*, aquar. : **GBP 77** – GLASGOW, 7 fév. 1989 : *Barques*, aquar. (49x74,5) : **GBP 825** – ÉDIMBOURG, 23 mars 1993 : *Sur la côte*

d'Écosse, aquar. (38,5x54) : **GBP 690** – PERTH, 30 août 1994 : *Terres découvertes à marée basse*, h/t (61,5x92) : **GBP 805**.

TERROIR Alphonse Camille
Né le 12 novembre 1875 à Marly (Nord). Mort le 15 octobre 1955. XXe siècle. Français.
Sculpteur, peintre.
Il fut élève de Maugendre aux Académies de Valenciennes, de Barrias et de Coutan. Il devint professeur à l'École des Beaux-Arts de Paris.
Il a participé à des expositions collectives, parmi lesquelles le Salon des Artistes Français à partir de 1902. Il obtint plusieurs récompenses et distinctions : médaille de deuxième classe en 1902 ; prix de Rome en 1902 ; médaille de première classe en 1909 ; médaille d'honneur en 1929 ; diplôme d'honneur en 1937 (Exposition Internationale) ; Chevalier de la Légion d'honneur. Parmi les œuvres de cet artiste : *Vision antique*, à Metz ; *La Prière*, à Montevideo ; *Mater Dolorosa*, à Oran ; *Monument aux Morts*, à Périgueux ; *Le Sacré-Cœur*, à Valenciennes.
Musées : VALENCIENNES : important ensemble d'œuvres.

TERRON Francisco
XVIIe siècle. Actif dans la première moitié du XVIIe siècle. Espagnol.
Peintre.
Il travailla à Séville.

TERROSSIAN Jean ou Jan
Né en 1931 à Paris. XXe siècle. Français.
Peintre, sculpteur.
Il ne commença à peindre qu'à partir de 1960, sous l'influence des œuvres de Arshile Gorky. Il participa à des expositions collectives, notamment à l'Exposition Internationale du Surréalisme *L'Écart Absolu*, où il montrait un « objet mobile » : *L'Objet du Délit*.
BIBLIOGR. : José Pierre : *Le Surréalisme*, in : *Hre Gle de la Peint.*, t. XXI, Rencontre, Lausanne, 1966.
VENTES PUBLIQUES : PARIS, 31 oct. 1990 : *Pli et repli de la mémoire*, acryl./t. (92x64,5) : **FRF 11 000** – LUCERNE, 24 nov. 1990 : *Sans titre des années 60*, h/t (31x39) : **CHF 5 300**.

TERROUX Élisabeth
Née le 25 juillet 1759 à Genève. XVIIIe siècle. Suisse.
Miniaturiste.
Élève de J. F. Favre. Le Musée de Genève conserve d'elle *Portrait de l'artiste*.
VENTES PUBLIQUES : PARIS, 18 au 22 avr. 1910 : *Portrait de femme*, miniat./boîte écaille : **FRF 2 750**.

TERRUELLA MATILLA Joaquin
Né en 1891 à Barcelone (Catalogne). Mort en 1956. XXe siècle.
Peintre de figures, portraits, paysages, paysages urbains, marines, illustrateur. Tendance impressionniste.
Il fut élève de son oncle le peintre Segundo Matilla, puis de Santiago Rusinol avec qui il voyagea en Italie. Il séjourna à Paris, à Palma de Majorque. Il exposa à Barcelone, à partir de 1916, ainsi qu'à Madrid, Palma, Saragosse, Biarritz, Bordeaux et Paris.
Au service de thèmes diversifiés, il a pratiqué une technique franche, libérée de toute minutie académique, qui de l'époque impressionniste ne retient que la notion de peinture claire sur le motif. Il a également collaboré à l'illustration de diverses revues, dont : *Le Jour Graphique* et *La Nuit* ; pour lesquelles il a dessiné surtout des scènes de tauromachie.
BIBLIOGR. : In : *Cien Años de pintura en España y Portugal, 1830-1930*, Antiqvaria, t. X, Madrid, 1993.
MUSÉES : BARCELONE (Mus. d'Art Mod.) – MADRID (Mus. d'Art Mod.).
VENTES PUBLIQUES : BARCELONE, 13 nov 1979 : *Danseurs de flamenco*, h/t (50x60) : **ESP 155 000** – BARCELONE, 15 juin 1981 : *Paysage*, h/t (90x100) : **ESP 250 000** – BARCELONE, 17 mars 1983 : *Barques sur la plage* 1941, h/t (79x78) : **ESP 280 000** – BARCELONE, 17 juin 1987 : *La réparation des filets sur la plage* 1945, h/t (80x100) : **ESP 1 900 000**.

TERRUSO Saverio
Né en 1939 à Monreale. XXe siècle. Italien.
Peintre de genre, portraits, paysages, architectures, natures mortes.
VENTES PUBLIQUES : MILAN, 6 avr. 1982 : *Femme assise*, h/isor. (100x70) : **ITL 2 600 000** – MILAN, 14 juin 1983 : *Table et figure*, h/pan. (70x70) : **ITL 2 400 000** – MILAN, 20 mars 1989 : *Procession*, h/pan. (50x69) : **ITL 2 000 000** – ROME, 17 avr. 1989 : *Per-*

sonnage 1978, h/t (70x50) : **ITL 850 000** – MILAN, 19 déc. 1989 : *Arbre*, h/t (50x70) : **ITL 2 600 000** – MILAN, 27 mars 1990 : *Nature morte*, h/t (40x50) : **ITL 2 200 000** – MILAN, 27 sep. 1990 : *Procession*, h/pan. (30x40) : **ITL 2 000 000** – PARIS, 10 juin 1991 : *Paysage de Sicile*, h/pan. (29x40) : **FRF 10 000** – MILAN, 20 juin 1991 : *Procession à Monreale* 1974, h/t (50x70) : **ITL 1 600 000** – MILAN, 14 nov. 1991 : *Anna* 1979, h/t (70x50) : **ITL 4 200 000** – ROME, 30 nov. 1993 : *Arènes* 1979, h/t (70x100) : **ITL 5 750 000** – MILAN, 21 juin 1994 : *Composition*, h/t (50x50) : **ITL 4 830 000** – MILAN, 18 juin 1996 : *Récolte*, h. et or/t. (40x60) : **ITL 6 900 000**.

TERRY
XVIIIe siècle. Britannique.
Graveur en médailles.
Il était actif à Londres. Il a gravé une médaille à l'effigie du *Lord Heathfield* en 1782.

TERRY C. E. T.
XIXe siècle. Britannique.
Aquarelliste.
Le Musée de Cardiff conserve une aquarelle de lui : *Céramiques de Swanzea et de Nantgarw*.

TERRY E., Mrs. Voir NASMYTH Elizabeth

TERRY Frederick Cusemero
Mort vers 1870. XIXe siècle. Australien.
Peintre de genre.
Le Musée de Sydney conserve de lui : *Scène de cabaret* (aquarelle).
VENTES PUBLIQUES : SYDNEY, 29 oct. 1987 : *Le Port de Sydney*, aquar. (31x45,7) : **AUD 15 000**.

TERRY Garnet
XVIIIe siècle. Britannique.
Graveur au burin.
Il était actif à Londres à la fin du XVIIIe siècle. On cite de lui un dictionnaire de monogrammes et *A book of new and allegorical devices particulary for Jewellers, enamel Painters, Pattern subjects drawers, etc.*

TERRY Henry John
Né le 2 juin 1818 à Great Marlow. Mort le 8 octobre 1880 à Lausanne. XIXe siècle. Britannique.
Peintre, aquarelliste et lithographe.
Il étudia avec Calame à Genève. Il se consacra tout d'abord à la reproduction des œuvres de son maître par la lithographie, puis s'adonna au paysage à l'aquarelle. Il prit part à un grand nombre d'expositions suisses. Le Musée de Lausanne possède deux aquarelles représentant des architectures et le Victoria and Albert Museum, à Londres, conserve une aquarelle de lui.

TERRY Herbert Stanley
Né le 13 mars 1890 à Birmingham (West Midlands). XXe siècle. Britannique.
Dessinateur.
Il vécut et travailla à Thorpe Bay. Il exécuta des dessins humoristiques pour plusieurs revues.

TERRY José Antonio
Né en Argentine. XXe siècle. Argentin.
Peintre de sujets religieux, sujets typiques.
Il fit ses études en France et en Espagne. Il peignit des types populaires d'Argentine et des sujets religieux.
MUSÉES : BUENOS AIRES (Mus. Nat.) – PARIS (Mus. Nat. d'Art Mod.).

TERRY Joseph Alfred
Né le 24 avril 1872 à York (North Yorkshire). Mort en 1949. XIXe-XXe siècles. Britannique.
Peintre de figures.
Il vécut et travailla à Sleights.

J. A. Terry [signature]

VENTES PUBLIQUES : LONDRES, 29 juil. 1988 : *Femmes orientales dans un jardin près d'un lac au clair de lune*, h/cart. (26,8x20,7) : **GBP 396** – LONDRES, 6 juin 1991 : *Personnages dans un salon de thé*, aquar. et gche avec reh. de blanc (28x21) : **GBP 1 485**.

TERRY Luther
Né en 1813 à Enfield. Mort en 1869. XIXe siècle. Américain.
Portraitiste et paysagiste.
Il fit ses études à Hartford et séjourna en Italie. Le Musée Historique de New York conserve de lui *Le rêve de Jacob*.

TERRY Robert
XVIIIe siècle. Britannique.
Peintre de paysages.
Il travaillait de 1762 à 1770.

TERRY Sarah
XIXe siècle. Travaillant de 1862 à 1879. Britannique.
Sculpteur.

TERRY William D.
XIXe siècle. Actif dans la première moitié du XIXe siècle. Américain.
Graveur.
Il grava des vignettes et des billets de banque.

TERRY Y VILLA Andrés
Né le 25 mars 1876 à Cadix (Andalousie). XXe siècle. Espagnol.
Peintre de portraits.

TERSI Filippo
XVIe siècle. Italien.
Sculpteur.
Il sculpta le tabernacle de la cathédrale de Pesaro en 1567.

TERSIA Antonio et **Bartolomeo**. Voir **TARSIA**

TERSONNIER. Voir **TIERSONNIER**

TERSTEEG Jan
Né le 10 janvier 1750 à Amsterdam. Mort en 1807 à Amsterdam. XVIIIe siècle. Hollandais.
Dessinateur et aquafortiste.
Le Musée National d'Amsterdam conserve de lui des nus.

TERUEL DE LA ESTER Mariano
Mort le 23 décembre 1877 à Madrid. XIXe siècle. Espagnol.
Peintre et illustrateur.

TERUKATA, de son vrai nom : **Ikeda Shintarô**
Né en 1883. Mort en 1917. XXe siècle. Japonais.
Peintre de figures.
Il fut élève de Mizuno Toshikata et de Kawai Gyokudô, il est connu comme peintre de figures féminines. Il vécut et travailla à Tokyo.

TERVERS Geneviève
Née le 26 décembre 1934 à Mogador (Maroc). XXe siècle. Française.
Peintre. Naïf.
Enseignante, elle ne commença à peindre qu'en 1980. Elle participe à des expositions, notamment à Paris au Salon International d'art naïf, ainsi que dans la région de Metz, où elle vit.

TER WEEME B. H.
Née le 28 avril 1880 à Amsterdam. XXe siècle. Hollandaise.
Peintre.
Elle fut élève de l'Académie d'Amsterdam.

TER WEEME Th.
Né le 27 juillet 1868 à Nieuwer Amstel. XIXe siècle. Hollandais.
Peintre.
Élève de Visser et de l'Académie d'Amsterdam.

TERWEN Jan Aerts, dit **Jeannin de Teruenne**
Né en 1511 à Dordrecht. Mort en 1589 à Dordrecht. XVIe siècle. Hollandais.
Sculpteur.
Il sculpta les célèbres stalles de la Groetekerk, à Dordrecht, de 1538 à 1542.

TERWESTEN Augustin I, l'Ancien, dit **Snip**
Né le 4 mai 1649 à Ouwerkerk. Mort le 21 janvier 1711 à Berlin. XVIIe-XVIIIe siècles. Hollandais.
Peintre de compositions mythologiques, sujets allégoriques, portraits, graveur, dessinateur.
D'abord ciseleur jusqu'à vingt ans, puis élève de Wieling pendant deux ans, et enfin de W. Doudyns. Il alla en Italie en 1672, demeura trois ans à Rome, puis en France, trois ans en Angleterre. Il revint en Hollande en 1678, et participa à la fondation de l'Académie. En 1690 il fut appelé à Berlin, y fonda l'Académie des Beaux-Arts, en 1694 et en fut directeur jusqu'à sa mort. On lui doit quelques estampes.

MUSÉES : ANSBACH : *Cinq amours avec fleurs et fruits* – BERLIN (Mus. du château) : *Vénus et Psyché* – *Diseuse de bonne aventure et jeune fille* – *Les quatre parties du monde* – BRUNSWICK : *Vénus et Amour* – LA HAYE (Acad.) : *Portrait de l'artiste* – TARBES : *Le printemps*.
VENTES PUBLIQUES : PARIS, 13 mai 1893 : *Plafond* : FRF 2 000 – LONDRES, 10 avr. 1985 : *Le Colisée, Rome (recto)* ; *Édifices romains (verso)* 1674, craie rouge, pl. et lav. (30,5x38,4) : GBP 1 400 – NEW YORK, 11 jan. 1994 : *Allégories de quatre continents : Europe, Afrique, Amérique et Asie* 1698, craie noire, encre et lav. : USD 7 475.

TERWESTEN Augustinus II, le Jeune
Né en 1711 à La Haye. Mort en 1781 à La Haye. XVIIIe siècle. Hollandais.
Peintre de sujets allégoriques.
Élève de son père Matthäus Terwesten, il était en 1737 dans la Pictura. Il vécut à La Haye et à Delft.
MUSÉES : LEYDE (Mus. de Lakenhal) : *La Justice (allégorie)*.

TERWESTEN Elias ou **Ezaias**, dit **Paradys Vogel**
Né en 1651 à Ouwerkerk. Mort en 1724 ou 1729 à Rome. XVIIe-XVIIIe siècles. Hollandais.
Peintre d'animaux, de fleurs et de fruits et graveur à l'eau-forte.
Élève de son frère Augustin l'Ancien. Il alla à Rome, s'y maria et mourut dans la misère. Il a gravé des sujets de genre et des fleurs.

TERWESTEN Matthäus, dit **Arents** ou **Arend**
Né le 23 février 1670 à La Haye. Mort le 11 juin 1757 à La Haye. XVIIe-XVIIIe siècles. Hollandais.
Peintre de compositions mythologiques, sujets allégoriques.
Élève de son frère Augustin I, de W. Doudyns et de Daniel Mytens II. Il alla à Berlin en 1696 puis en Italie et vécut trois ans à Rome. Il fut directeur de l'Académie des Beaux-Arts de La Haye. On cite notamment de lui un *Christ au jardin des Oliviers*, à l'église janséniste de La Haye.

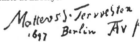

MUSÉES : AMSTERDAM : *Princesse Anna, femme de Guillaume IV* – BRUNSWICK : *Délivrance d'Andromède* – LA HAYE : *Portrait de l'artiste* – VALENCIENNES : *Nature morte*.
VENTES PUBLIQUES : PARIS, 16 mars 1951 : *Suzanne et les vieillards* 1719 : FRF 15 500 – LONDRES, 29 nov. 1968 : *Vénus et Pâris dans un paysage* : GNS 400 – LONDRES, 25 juil. 1969 : *Vénus et Pâris* : GNS 420 – NEW YORK, 11 juin 1981 : *Le Jugement de Pâris* 1710, h/t (165x168,5) : USD 4 750 – NEW YORK, 9 juin 1983 : *Zéphyr et Flore*, h/t (84x66) : USD 1 500 – LONDRES, 19 mai 1989 : *Le triomphe de Vénus*, h/t (148,9x125,1) : GBP 6 050 – NEW YORK, 31 mai 1991 : *Cupidon*, h/t (121x94,6) : USD 8 800 – NEW YORK, 17 jan. 1992 : *Le Temps révélant la Vérité*, h/t (125x100) : USD 11 000 – AMSTERDAM, 10 nov. 1997 : *Autoportrait de l'artiste, en buste* 1719, h/t (37,5x29,8) : NLG 11 532.

TERWESTEN Pieter
Né le 24 septembre 1714 à La Haye. Mort en 1798 à La Haye. XVIIIe siècle. Hollandais.
Peintre de fleurs et de fruits, littérateur.
Fils de Matthäus Terwesten, élève de C. Roepel, membre de la Confrérie de La Haye en 1751 ; il en fut secrétaire en 1762. Il écrivit de nombreuses notices sur les artistes hollandais.

TERWEY Jan Pieter
Né le 11 novembre 1883 à Amsterdam. Mort en 1965. XXe siècle. Actif en Suisse. Hollandais.
Peintre de sujets religieux, paysages, graveur.
Élève de l'Académie d'Amsterdam. Il se fixa en Suisse. Il peignit des sujets religieux et des paysages.
VENTES PUBLIQUES : AMSTERDAM, 2 mai 1990 : *Une cathédrale dans la vallée*, h/t (94x73) : NLG 4 025.

TERWOORT Leonard
XVIe siècle. Actif à Anvers à la fin du XVIe siècle. Hollandais.
Graveur de cartes géographiques.

TERZA Graziano della
XVIe siècle. Italien.
Enlumineur.
Il travailla à Palerme. Il était moine.

TERZANO Giovanni Giacomo
XVIIe siècle. Actif à Côme et en Styrie de 1604 à 1647. Autrichien.
Peintre.
Il peignit des tableaux d'autel pour les églises de Neuberg et de Bruck-an-der-Mur.

TERZI Aleardo
Né le 12 juin 1870 à Palerme. XIXe siècle. Italien.
Peintre et illustrateur.
Élève de l'Académie de Palerme.

TERZI Andrea
XVIIe siècle. Actif à Brescia. Italien.
Peintre.
Il a peint le *Martyre de saint Barthélémy* dans l'église de Trescorre Balneario en 1624.

TERZI Andrea
Né le 10 novembre 1842 à Montréale, près de Palerme. Mort en 1918 à Rome. XIXe-XXe siècles. Italien.
Peintre d'architectures.
Il fut élève de Domenico Benedetto Gravina. Il a participé à tous les Salons italiens et a exposé fréquemment à l'étranger notamment à Vienne et à Paris.

TERZI Cristoforo
Né en 1692 à Bologne. Mort en 1743. XVIIIe siècle. Italien.
Peintre d'histoire.
Élève de Giuseppe Maria Crespi, il acquit très vite une grande renommée. On trouve plusieurs de ses ouvrages dans les églises de Bologne.

TERZI Enrico
Né en 1855 à Parme. XIXe siècle. Italien.
Peintre.
La Galerie de Parme conserve de lui une *Vue de Parme*.

TERZI Francesco ou Terzio ou Terzo
Né vers 1523 à Bergame. Mort le 20 août 1591 à Rome. XVIe siècle. Italien.
Peintre d'histoire et graveur sur bois et à l'eau-forte.
Élève de Giovanni-Battista Muroni. Travailla d'abord à Bergame où l'on trouve de lui deux peintures à l'église San-Francesco, une *Nativité de la Vierge*, et une *Assomption*. L'empereur Maximilien II l'appela près de lui et le nomma peintre de sa cour ; Terzi exécuta un grand nombre de portraits de la famille régnante d'Allemagne. Il revint s'établir à Rome dans un âge avancé. Le Musée des Beaux-Arts de Vienne conserve de lui les portraits des empereurs *Charles Quint* et *Ferdinand Ier*.

TERZI Giacomo
XVIe siècle. Italien.
Sculpteur.
Il sculpta une piscine pour ablutions dans le réfectoire du monastère Saint-Jean du Mont à Bologne en 1570.

TERZI Giuseppe
XVIIIe siècle. Travaillant à Bologne de 1733 à 1786. Italien.
Peintre d'ornements, décorateur et dessinateur.
Élève de l'Académie de Bologne. Il orna l'intérieur de l'église de la Trinité de Bologne.

TERZI Giuseppe
Né en 1785 (?) à Bergame. Mort le 9 avril 1819 à Bergame. XIXe siècle. Italien.
Peintre.
Il peignit des sujets religieux et des portraits. Il séjourna longtemps à Saint-Pétersbourg et à Vilno. Il exposa à Milan en 1819.

TERZI Luigi
Né en 1848 à Bergame. Mort en 1888 à Bergame. XIXe siècle. Italien.
Peintre de marines.
L'Académie de Bergame conserve une peinture de cet artiste.

TERZIC Mario
XXe siècle. Autrichien.
Peintre de collages, sculpteur d'assemblages, dessinateur. Néodadaïste.
Il a exposé à plusieurs reprises à Francfort-sur-le-Main, galerie Appel et Fertsch, et notamment au Musée Historique en 1978.

TERZIEF Jean
Né en 1894 à Bucarest. Mort en 1978 à Paris. XXe siècle. Actif à partir de 1919, et en 1956 naturalisé en France. Roumain.
Sculpteur de figures, nus.

Il fut élève d'Antoine Bourdelle et d'Ossip Zadkine, et ami de Brancusi, Despiau et Wlérick. Il participa aux grands salons parisiens : Salon des Artistes Français, des Tuileries, des Indépendants, d'Automne, de Mai, des Peintres Témoins de leur Temps... En 1963, la Galerie Bernheim Jeune à Paris lui consacra une importante exposition personnelle. Il obtint la médaille d'or des Artistes Français, le Prix de la Sculpture de la Ville de Paris en 1959, le Prix de l'Institut de France, et fut fait Commandeur des Arts et Lettres.
De grands nus, le plus souvent féminins, des maternités ou des athlètes ponctuent un parcours créatif qui respire une certaine plénitude. Le modelé et le style général de ces œuvres marquent chez cet artiste confronté aux drames de deux guerres mondiales une affirmation du bonheur possible et une confiance indéfectible en la nature humaine.
MUSÉES : MENTON – MONT-DE-MARSAN : *Baigneuse*, bronze – VALOGNE.

TERZIEFF Alexis
XXe siècle. Français.
Peintre, dessinateur.
Il participe à des expositions collectives, dont : 1982, Salon d'Automne, Paris ; 1985, 1986, 1989, Salon Figuration Critique, Paris. Il montre ses œuvres dans des expositions personnelles, notamment à la galerie Liliane François à Paris en 1989.
VENTES PUBLIQUES : PARIS, 31 oct. 1990 : *Cinq cent cinquante francs* 1990, dess. au cr. de coul. (62x71) : FRF 7 000.

TERZIEV Brigitte
Née en 1943 à Paris. XXe siècle. Française.
Sculpteur, technique mixte. Composite.
Elle fut élève d'Henri Georges Adam et de Robert Couturier à l'École des Beaux-Arts de Paris. En 1997, elle obtint le Prix Bourdelle, qui lui a valu une exposition personnelle, l'année suivante au Musée Bourdelle.
Elle travaille la terre, dans un contact rude qu'elle renforce encore par de nombreux implants de clous, lames, haches rouillés.

TERZIO Francesco. Voir TERZI Francesco

TERZO Ascanio
XVIe siècle. Actif à Naples. Italien.
Sculpteur sur bois.
Il sculpta la chaire de l'église de l'Annonciation de Naples en 1573.

TERZO Cosimoda
XVIe siècle. Actif dans la seconde moitié du XVIe siècle. Espagnol.
Tailleur de camées.
Il fut au service du roi Philippe II.

TERZOLI Luigi
Né le 6 octobre 1872 à Trucazzano. XIXe-XXe siècles. Italien.
Peintre.
Il n'eut aucun maître.
MUSÉES : MILAN (Gal. d'Art Mod.) : une peinture.

TESAURO Augusto de Gifono ou le Tesauro
Mort après le 15 août 1546. XVIe siècle. Actif à Naples. Italien.
Peintre.
Il travailla pour les religieuses de S. Liguoro de Naples.

TESAURO Bernard ou Andrea ou Filippo
Né vers 1440 à Naples. Mort vers 1500 à Naples. XVe siècle. Italien.
Peintre.
Descendant de Filippo Tesauro et élève de Silvestro dei Buoni, aurait joui de son vivant d'une grande renommée. On lui attribue des fresques conservées dans la cathédrale de Naples et à la Chiesa dei Pappacodi. Cet artiste a peut-être été inventé par De Dominici.

TESAURO Filippo ou Pippo
Né vers 1260 à Naples. Mort vers 1320. XIIIe-XIVe siècles. Italien.
Peintre.
On cite de ce primitif napolitain des fresques dans l'église de S.-Restituta, à Naples. On lui attribue, également un tableau au Musée de la même ville (*La Vierge avec l'Enfant Jésus tenant un panier de cerises et plusieurs saints*, avec dans le bout de la peinture, le *Martyre de saint Laurent*).

TESAURO Raimo Epifanio
Né vers 1480 à Naples. Mort en 1511 à Naples. XVIe siècle. Italien.

Peintre.

Cet artiste, parent et élève de Bernardo Tesauro (on ignore si c'était son fils ou son neveu), produisit un nombre considérable de fresques, durant sa courte carrière, dans les églises et les monuments publics.

TESCA Giuseppe
Né vers 1750. Mort vers 1805 à Palerme. XVIIIe siècle. Actif à Palerme. Italien.
Peintre.
Il a peint des tableaux et des fresques dans l'oratoire d. Comp. dei Bianchi de Palerme.

TESCHAN J. Rudolf
Né en 1848 à Fluen. XIXe siècle. Actif à Gunten. Suisse.
Peintre.
Le Musée de Berne conserve de lui : *Portrait de vieille femme.*

TESCHEMACHER Erich
Né le 23 juillet 1886 à Berlin. XXe siècle. Allemand.
Graveur, peintre, architecte.
Il fut élève de l'Académie des Beaux-Arts de Berlin.
Musées : SCHLESVIG : une peinture.

TESCHENDORFF Emil
Né le 15 mai 1833 à Stettin. Mort le 4 juin 1894 à Berlin. XIXe siècle. Allemand.
Peintre de genre, d'histoire et portraitiste.
Élève de l'Académie de Berlin puis de Piloty à Munich. En 1888, il fut professeur à l'Académie de Berlin. Il exposa à Munich en 1883. Il a peint notamment de nombreux sujets empruntés à la vie de Luther.
Musées : BERLIN : *Paysage au bord de la mer* – COIRE : *Cléopâtre* – STETTIN : plusieurs paysages et intérieurs.
Ventes Publiques : NEW YORK, 26 mai 1977 : *Jeune femme et rouge-gorge*, h/t (58,5x46) : **USD 1 800**.

TESCHNER Alexander
Né en 1816 à Berlin. Mort le 9 août 1878 à Berlin. XIXe siècle. Allemand.
Peintre d'histoire.
Élève de l'Académie de Berlin, de Herbig, puis de Wach. En 1857 il vint à Rome. Il se consacra à la peinture de sujets religieux et exécuta notamment les cartons pour les vitraux du chœur de la cathédrale de Magdebourg et pour les cathédrales de Stralsund et d'Aix-la-Chapelle. Il peignit aussi une *Madeleine et le Christ* pour l'église de la Madeleine à Breslau, un *Ecce Homo*, à l'église de Perleberg et un *Christ et les Quatre Évangélistes.* Sa rencontre avec les Cornéliens influa grandement sur la conception artistique de la fin de sa carrière.

TESCHNER Richard
Né le 22 mars 1879 à Karlsbad (ancien nom allemand de Karlovy Vary, Tchécoslovaquie). Mort en 1948. XXe siècle. Autrichien.
Peintre, sculpteur, graveur, dessinateur, illustrateur.
Il fut élève de l'Académie de Prague. Il fut également metteur en scène. Il doit sa renommée aux marionnettes qu'il sculpta et habilla à partir de 1925.
Musées : PRAGUE (Gal. Mod.) : *L'Ondin* – *Allegretto* – *Triomphe.*
Ventes Publiques : VIENNE, 19 mai 1976 : *Nu à son miroir 1926,* h/pan. (46,5x33) : **ATS 10 000.**

TESEO. Voir aussi **TESIO**

TESEO di Bartolino. Voir **BARTOLINO Teseo**

TESEO di Francesco
XVe siècle. Travaillant à Pérouse de 1443 à 1480. Italien.
Enlumineur.

TESHIGAHARA Hiroshi
Né le 28 janvier 1927 à Tokyo. XXe siècle. Japonais.
Sculpteur d'environnements.
Il est à la fois engagé dans l'avant-garde des années soixante et attaché à la tradition japonaise, invitant, par exemple, Rauschenberg et Cage à Tokyo tout en étant maître de l'École d'Ikebana où l'on apprend l'art de disposer les fleurs. Il crée des environnements dont la conception répond aux recherches les plus contemporaines, mais dont les éléments naturels, comme le bambou vert, sont utilisés dans l'esprit de la tradition japonaise.
Bibliogr. : Michel Tapié et Tôre Haga, in : *Continuité et avant-garde au Japon*, Ed. F. Pozzo, Turin, 1961 – in : catalogue de l'Exposition *Magiciens de la terre,* Centre Georges Pompidou et Grande Halle La Villette, Paris, 1989.
Ventes Publiques : MILAN, 27 mars 1990 : *Sans titre*, structure de bois et métal (110x77x77) : **ITL 7 500 000.**

TESHIGAHARA Sofu
Né en 1900 à Tokyo. XXe siècle. Japonais.
Peintre, sculpteur.
Il a vécu et travaillé à Tokyo. Il est le fondateur de l'Institut Sogetsu, la plus célèbre école moderne d'enseignement de l'art floral « ikebana ».
Il a montré des expositions personnelles de ses œuvres, au Japon, mais aussi à Neuchâtel (Suisse), en 1969, et au Musée Galliera de Paris, en 1971.
En prolongement des symboliques mises en œuvre dans l'art de l'arrangement floral, Teshigahara crée des peintures et des sculptures. Il réinvestit dans l'art de son pays ce que les arts occidentaux en avaient emprunté, singulièrement depuis les graphismes de l'abstraction lyrique.
Bibliogr. : Catalogue de l'exposition *Sofu Teshigahara*, Musée Galliera, Paris, 1971 – Jean-Jacques Lévêque : *Sofu Teshigahara,* Gal. des Arts, Paris, octobre 1971.
Ventes Publiques : PARIS, 6 déc. 1974 : *Composition*, bois recouvert de cuivre : **FRF 28 000** – PARIS, 11 mai 1977 : *Papiers collés,* paravent à 6 feuilles (chaque feuille 177x65) : **FRF 7 100** – PARIS, 31 mai 1983 : *Enroulement*, bois sculpté et noirci (140x50) : **FRF 9 000** – PARIS, 30 juin 1986 : *Racines*, feuilles de cuivre cloutées et martelées/support en bois (70x70) : **FRF 15 000** – PARIS, 17 juin 1988 : *Sculpture*, feuilles de cuivre sculptées et martelées sur bois (310x80x90) : **FRF 53 000** – NEW YORK, 6 mai 1992 : *Sans titre*, feuille de métal et clous sur bois (52x42,5x43,8) : **USD 14 300.**

TESI Fortunato
XVIIIe siècle. Actif à Bologne. Italien.
Peintre d'intérieurs.
Frère de Mauro Antonio F.

TESI Mauro Antonio, dit **Maurino**
Né le 15 janvier 1730 à Montalbano près de Modène (Émilie-Romagne). Mort le 18 juillet 1766 à Bologne (Émilie-Romagne). XVIIIe siècle. Italien.
Peintre de portraits, architectures, intérieurs, graveur, dessinateur.
Élève du peintre héraldique Morreltini, il se perfectionna par l'étude des maîtres. Ses œuvres sont généralement des intérieurs agrémentés de brillantes décorations architecturales. On lui doit aussi un certain nombre de planches d'ornement et des portraits.
Musées : BERLIN (Cab. d'Estampes) – LONDRES (Cab. d'Estampes) – ROME (Cab. d'Estampes).
Ventes Publiques : LONDRES, 3 avr. 1984 : *Projet de plafond,* pl. et aquar. (45,7x38,2) : **GBP 1 700** – NEW YORK, 11 jan. 1994 : *Projet de façade d'un palais,* craie noire, encre et lav. (16x22,6) : **USD 1 840** – LONDRES, 3 juil. 1995 : *Projet pour le tombeau du Comte Francesco Algarotti,* encre et lav. (31,9x19,9) : **GBP 1 955.**

TESI Teresa ou **Maria Teresa** ou **Costanza**
XVIIIe siècle. Italienne.
Portraitiste amateur.
Fille de Fortunato T., elle fut active à Modène, travaillant vers 1785. Élève de l'Académie Clémentine de Bologne. Elle travailla selon la technique à l'encaustique et exécuta aussi des miniatures.

TESIO Giacinto
Né en 1849 à Turin (Piémont). Mort en 1927 à Turin. XIXe-XXe siècles. Italien.
Peintre de genre et paysagiste.
Il fut élève d'A. Gastaldi et d'A. Fontanesi.
Musées : TURIN (Mus. mun.) : une peinture.

TESIO Lodovico ou **Teseo**
Né en 1731 à Turin. Mort le 10 mai 1782 à Turin. XVIIIe siècle. Italien.
Peintre et dessinateur.
Élève et imitateur de Batoni. Il travailla pour la cour de Turin et peignit des motifs de l'Ancien Testament.

TESIO Michelangelo ou **Teseo, Theseo, Thesio**
Né en 1677 à Turin. XVIIIe siècle. Italien.
Peintre.

TESKE Paulus Jacobus
Né en 1879 à Leyde. XXe siècle. Hollandais.
Peintre.
Il fut élève de F. H. Verster.
Musées : LEYDE (Mus. mun.) : une nature morte.

TESNIERE Victor Théophile
Né en 1820 ou 1821 au Havre (Seine-Maritime). Mort le 19 mars 1904 à Caen (Calvados). XIXe siècle. Français.

Peintre de marines et graveur.

Élève de Julien et Le Poitevin. Il exposa au Salon de 1864 à 1868. Le Musée de Bayeux conserve de lui *L'ancien pont de Caen*, celui de Caen, *Marine* et *Le lavoir du moulin Saint-Pierre de Caen*, et celui de Vire une *Marine*.

TESSAI, de son vrai nom : **Tomioka Hyakuren**, nom de pinceau : **Tessai**

Né en 1836 à Kyoto. Mort en 1924 à Kyoto. XIXe-XXe siècles. Japonais.

Peintre.

En 1858, le brusque passage du Japon au rang des pays modernes, après trois siècles d'isolement, provoque, entre autres phénomènes, un engouement certain pour les arts occidentaux, et une sorte de désintérêt pour la tradition japonaise. Deux courants principaux se dessinent alors dans le monde pictural : l'un occidental, l'autre japonais (le *yamato-e* qui reprend ses droits dès la fin du XIXe siècle). Cette dernière tendance plus traditionnelle est elle-même touchée par l'occidentalisation et donne naissance à Kyoto au néoclassicisme ou orientalisme qui allie le *yamato-e* à la perspective venue de l'ouest. Telle est la dominante de la peinture de style japonais pendant la première moitié du XXe siècle. Réagissant contre ce courant, plusieurs artistes d'une indéniable originalité adoptent de nouveaux thèmes et une nouvelle utilisation du pinceau : parmi eux se situe Tessai Tomioka. Bien qu'il soit considéré comme l'un des grands peintres du Japon moderne, cet art n'est pour lui qu'un divertissement qu'il exerce à l'écart des milieux artistiques, dans un style profondément individualiste : il se considère avant tout comme un lettré.

Né à Kyoto dans une famille de confectionneurs aisés, il manifeste dès son jeune âge, un goût marqué pour l'étude et cet amour des livres se trouve accentué par une grave maladie d'enfance qui lui laisse une légère surdité. Aussi est-il initié très tôt aux classiques confucéens, au taoïsme, au bouddhisme, à l'histoire et à la littérature nippones. Adolescent érudit, il rencontre alors la nonne poétesse Otagaki Rengetsu, événement déterminant pour son avenir ; tandis qu'il calligraphie les poèmes de la religieuse sur des poteries, elle l'initie à l'art poétique chinois et japonais, ce qui explique la haute spiritualité dont ses œuvres seront imprégnées. Dès ce moment il commence d'ailleurs à peindre, pour passer le temps car il s'adonne surtout à ses deux passions : la lecture et les voyages. Il parcourt le Japon en tous sens, frayant avec de nombreuses personnalités politiques et littéraires, curiosité et contacts qui se refléteront dans ses peintures tardives. De 1873 à 1881, il est chargé par le gouvernement de restaurer différents sanctuaires *shintô* laissés à l'abandon, puis il regagne Kyoto où son œuvre commence à être connu et apprécié. S'il ne participe à aucune exposition, il n'en est pas moins considéré comme une personnalité éminente du monde des arts et, en 1917, est élu membre de l'Académie Impériale de Peinture.

Mais il vit toujours à l'écart et, ne pouvant plus avec l'âge satisfaire sa passion des voyages, il comble ce besoin en créant tout un univers pictural empreint d'un certain mysticisme qui révèle la vigueur de sa vie intérieure. Il meurt à l'âge de quatre-vingt-huit ans, le pinceau à la main. La subtilité de ses valeurs encrées, souvent combinées à des couleurs brillantes s'explique non seulement par sa remarquable technique, mais encore par sa conception de l'art. Le papier japonais, très absorbant, lui permet de rendre une large gamme de tons d'encre, depuis les effets voilés d'une brosse humide, jusqu'aux touches beaucoup plus rudes d'un pinceau presque sec qui attaque la surface du papier avec vélocité et exactitude. Cette longue pratique de l'encre est à l'origine de son talent de coloriste. Les pigments orientaux, en effet, minéraux pour la plupart, exigent d'être appliqués sur leur support absorbant avec une rapidité et une habileté extrêmes, pour se voir conférer pureté et limpidité. C'est ce que Tessai réussit admirablement. Peintre lettré, il s'inspire souvent de poèmes anciens ou d'écrits bouddhiques qu'il calligraphie sur la peinture. Ces textes ne sont en fait que le point de départ d'une œuvre imaginaire : ses paysages, ses fleurs, ses oiseaux, ou bien encore ses portraits de moines éminents, de poètes passés, de simples pêcheurs, de buveurs, ne sont jamais des images figées, simples représentations de la réalité, mais la traduction de ses visions intérieures, fruits de longues années de méditation et de concentration. Personnalité isolée et excentrique, il n'eut pas de maître et ne formera aucun disciple, mais s'affirme néanmoins comme une puissance artistique incontestée. ■ M. M.

BIBLIOGR. : N. Sakamoto : *Tessai dans le monde*, Osaka, 1965 – *Les Œuvres de Tomioka Tessai, catalogue de l'exposition au Musée Cernuschi*, Paris, 1967 – M. Mathelin : *Tessai, Tomioka*, in : *Encyclopaedia Universalis*, vol. 15, Paris, 1973 – in : *Dictionnaire de l'art moderne et contemporain*, Hazan, Paris, 1992.

TESSAN. Voir **TETSUZAN**

TESSARA Domenico, ou **Giovanni Domenico** ou **Tessari, Tessaro**

XVIIIe siècle. Italien.

Dessinateur et graveur au burin.

Le Musée Britannnique de Londres conserve de lui *Dame avec perroquet*.

TESSARI Antonio

Né le 25 avril 1788 à Moirago près de Trévise. Mort le 11 janvier 1867 à Belluno. XIXe siècle. Italien.

Peintre.

TESSARI Romolo

Né en 1868 à Castelfranco Veneto. XIXe siècle. Italien.

Peintre de paysages.

Il fit ses études à Milan.

VENTES PUBLIQUES : MILAN, 29 oct. 1992 : *La place Saint-Marc à Venise*, h/t (59x73) : ITL 8 000 000.

TESSARI Vittorio

Né le 7 octobre 1860 à Castelfranco Veneto. XIXe siècle. Italien.

Peintre de scènes de genre, portraits, aquarelliste.

Élève d'Eugène von Blaas.

VENTES PUBLIQUES : LONDRES, 28 mars 1990 : *Deux fillettes jouant avec un chaton*, h/t (96x66,5) : GBP 12 100 – NEW YORK, 28 mai 1993 : *Buste de paysanne*, aquar./pap. (24x20,2) : USD 1 150.

TESSAROLO Lucien

Né le 11 avril 1938 à Toulouse (Haute-Garonne). XXe siècle. Français.

Peintre.

Il a étudié à l'École des Arts décoratifs de Nice à partir de 1955. Pour Tessarolo la peinture est un incessant dialogue avec le symbole, sans pour autant verser dans l'allégorie. Mise à part une série de Papes, les *Papes-Menton* de 1965, l'œuvre entière semble partir de l'observation et de l'interprétation en termes plastiques de la gent animale. L'écriture, la mise en page, s'accompagnent toujours d'une étude zoomorphique très précise et Tessarolo se réfère à cette approche presque scientifique d'une réalité qu'il restitue dans les formes, les détails et les rythmes. Conservant à chaque espèce sa spécificité, il travaille par séries : les *Insectes-Nice* (1968), les *Chats-Reims* (1973), les *Oiseaux-Musées d'Antibes* (1974), les *Papillons-Musées de Saint-Paul* (1974) et la série de *Nautiles* exposée au Palais de la Méditerranée de Nice en 1976.

TESSE Paul

Né au XIXe siècle à Douai (Nord). XIXe siècle. Français.

Paysagiste.

Il débuta au Salon en 1879.

TESSEKI, de son vrai nom : **Fujimoto Makane,** surnoms : **Chûkô** et **Tsunosuke**, noms de pinceau : **Tesseki, Tekkanshi, Baisaiô** et **Tomon**

Né en 1817. Mort en 1863. XIXe siècle. Actif à Kyoto. Japonais.

Peintre.

Calligraphe et adepte des arts martiaux, il est aussi peintre de paysages et fait partie de l'école Nanga (peinture de lettré).

TESSELSCHADE Anna et **Maria**. Voir **VISSCHER**

TESSERA

Mort peu avant 1820. XIXe siècle. Actif à Gênes. Italien.

Graveur.

Élève de L. Gismondo.

TESSIER

XVIIIe siècle. Français.

Sculpteur de bustes.

Il était actif à Paris, à la fin du XVIIIe siècle.

MUSÉES : PARIS (Mus. Carnavalet) : *Buste de Mirabeau*.

TESSIER Charles

XVIIIe siècle. Actif à Paris au milieu du XVIIIe siècle. Français.

Peintre.

Il travailla à la Manufacture des Gobelins.

TESSIER Florent

Né au XIXe siècle à Fontenay-le-Comte (Vendée). XIXe siècle. Français.

Peintre de genre et portraitiste.
Élève de H. Flandrin. Il débuta au Salon en 1859.
VENTES PUBLIQUES : PARIS, 25 juin 1997 : *La Soupe aux choux dans un intérieur de chaumière* 1868, h/t (72x58) : **FRF 17 000.**

TESSIER Isabelle Émilie de. Voir DUVAL Marie

TESSIER Jean George. Voir TEISSIER Jean George

TESSIER Louis
Né vers 1719. Mort le 14 décembre 1781. XVIIIᵉ siècle. Actif à Paris. Français.
Dessinateur et peintre de fleurs.
Il travailla à la Manufacture des Gobelins de Paris. Il grava des fleurs et des illustrations de livres de sciences naturelles.
VENTES PUBLIQUES : PARIS, 3 mars 1984 : *Nature morte aux asperges* 1768, h/t (83x110) : **FRF 14 200** – MONTE-CARLO, 22 juin 1985 : *Corbeille de fleurs*, h/t (42,5x55) : **FRF 25 000.**

TESSIER Louis Adolphe
Né à Anvers. XIXᵉ-XXᵉ siècles. Français.
Peintre de scènes de genre.
Il fut élève de Gérôme. Il exposa au Salon des Artistes Français de Paris, dont il devint sociétaire en 1905, obtenant une mention honorable en 1886, une médaille de troisième classe en 1909.

L. A. TESSIER

MUSÉES : ANGERS : *Chômage* – LA ROCHELLE : *Tête d'homme riant.*
VENTES PUBLIQUES : PARIS, 14 juin 1954 : *La corbeille de lettres* : **FRF 240 000** – LONDRES, 28 nov. 1984 : *Attrapé !* 1903, h/t (120x84) : **GBP 9 000** – NEW YORK, 23 fév. 1989 : *Les goûteurs de vin*, h/t (111,8x76,8) : **USD 6 600** – LONDRES, 18 nov. 1994 : *La danse des poupées* 1905, h/t (100x81) : **GBP 8 050** – PARIS, 4 déc. 1995 : *Le peintre et son modèle* 1882, h/t (41x33) : **FRF 20 000.**

TESSIER Pierre Léon
Né au XIXᵉ siècle à Paris. XIXᵉ siècle. Actif à Sens. Français.
Portraitiste, aquafortiste et peintre de genre.
Élève de Hanoteau, Pils, Leloir et Dumont. Il exposa au Salon de 1856 à 1881.

TESSIER DU CROS Lucienne
XXᵉ siècle. Française.
Peintre de compositions animées, figures, dessinateur, aquarelliste. Tendance symboliste.
Essentiellement peintre de figures, elle campe ses personnages, souvent typés (des enfants japonais, des marchandes de poissons africaines...) dans une atmosphère sobre, presque irréelle.
VENTES PUBLIQUES : VERSAILLES, 10 déc. 1989 : *L'enfant au berceau*, h/t (71x50) : **FRF 9 500.**

TESSITORE Francesco
Né le 18 juillet 1845 à Massalubrense. XIXᵉ siècle. Italien.
Peintre et graveur au burin.
Élève de Domenico Morelli et d'A. Carillo.

TESSITORE Fulvio
Né le 15 mars 1870 à Naples. XIXᵉ siècle. Italien.
Peintre de genre, paysages.
Fils de Francesco Tessitore.
VENTES PUBLIQUES : ROME, 11 déc. 1990 : *Moine dans un potager avec des légumes* 1886, h/t (39x60) : **ITL 5 750 000** – LONDRES, 15 fév. 1991 : *Paysanne ramassant du petit bois* 1901, h/t (28x40,7) : **GBP 4 400** – MILAN, 3 déc. 1992 : *Vue de la baie de Naples*, h/pan. (23,5x15) : **ITL 2 260 000.**

TESSITORE Giovanni
Né à l'île de Capri (Campanie). XXᵉ siècle. Italien.
Peintre de scènes animées. Naïf.
Il tient un petit restaurant à Capri. Il participe à Paris, au Salon International d'art naïf. Les thèmes qu'il traite, inspirés de la vie quotidienne, sont imprégnés de la lumière et des couleurs de fête de son île, dont il décrit les paysages de collines et les villages éclatant de blancheur.

TESSITORE Giuseppe Raffaele
Né le 21 février 1861 à Frignano Maggiore. XIXᵉ siècle. Actif à Naples. Italien.
Peintre.

TESSITORE-GELANZE Amelia
Née le 17 novembre 1866 à Messine. XIXᵉ siècle. Active à Naples. Italienne.
Paysagiste.

Fille de Francesco T. Le Musée Municipal de Naples possède des peintures de cette artiste.

TESSNER Heinrich Arthur ou Genrich Genrichovitch
Né en 1872. XIXᵉ-XXᵉ siècles. Russe.
Peintre de paysages.
Il fut élève de l'Académie de Saint-Pétersbourg.
MUSÉES : SAINT-PÉTERSBOURG (ancienne Acad. des Beaux-Arts) : une peinture.

TESSON G.
XXᵉ siècle. Français.
Peintre, peintre à la gouache. Postcubiste, abstrait.
Il vivrait près de Paris. On voit sur le marché, notamment en Hollande, des peintures signées G. Tesson ou monogrammées G. T., d'une facture rigoureuse et professionnelle, à tendance géométrique, dont certaines, colorées, accusent un esprit postcubiste, rappelant Léger, Metzinger ou Hayden, et d'autres, abstraites, dans des tonalités de gris colorés, d'ocres et de bruns, très construites, sont proches de l'ordonnance austère de Ben Nicholson.
VENTES PUBLIQUES : AMSTERDAM, 9 déc. 1988 : *Figure cubiste*, cr. de coul./pap. (49x36,5) : **NLG 1 955.**

TESSON Louis
Né en 1820 à Calais (Pas-de-Calais). Mort en 1870. XIXᵉ siècle. Français.
Peintre de scènes de genre, sujets typiques, nus, paysages, paysages urbains, paysages d'eau, marines, aquarelliste, pastelliste. Orientaliste.
Il fut élève d'Alexandre Gabriel Decamps. Il exposa au Salon de Paris, de 1841 à 1867.
Il peignit quelques paysages de la Normandie et de la Provence, mais surtout des vues des pays du Maghreb.

L. Tesson.

MUSÉES : CALAIS : *Vue des côtes de Barbarie, haute mer* – GUÉRET : *Marine* – MULHOUSE : *Un marché*, aquar. – SHEFFIELD : *Marché à Alger*, aquar.
VENTES PUBLIQUES : PARIS, 26-29 avr. 1904 : *Paysage arabe* : **FRF 1 120** – LONDRES, 23 fév. 1909 : *The Water Gate* : **GBP 4** – PARIS, 8 fév. 1919 : *Vieille rue en Normandie*, aquar. : **FRF 175** – PARIS, 16 mars 1931 : *Une ville orientale* : **FRF 350** – PARIS, 14 juin 1944 : *Les souks* : **FRF 3 500** – PARIS, 14 mars 1951 : *Paysage arabe* : **FRF 5 600** – NEW YORK, 1ᵉʳ mars 1984 : *Marché arabe*, h/t (63,5x76,2) : **USD 4 500** – NEW YORK, 13 fév. 1985 : *Scène de rue au Caire*, h/t (45x34,2) : **USD 2 500** – LONDRES, 4 déc. 1987 : *La Foule*, gche et fus. (57,2x40) : **GBP 2 800** – LONDRES, 21 fév. 1989 : *Femme nue*, past./pap. teinté (58,4x48,2) : **GBP 990** – PARIS, 17 mars 1989 : *Caravansérail*, aquar. (19,5x25) : **FRF 6 500** – AMSTERDAM, 24 mai 1989 : *Joueur de football*, fus. et gche/pap. (62x45) : **NLG 1 725** – PARIS, 19 mars 1990 : *Fontaine et musiciens aux portes de la ville*, h/t (34,5x45) : **FRF 16 000** – LA VARENNE-SAINT-HILAIRE, 20 mai 1990 : *Lavandière et cavaliers à l'entrée de la ville*, aquar. (20x31) : **FRF 9 500** – PARIS, 23 avr. 1993 : *Paysans arabes*, aquar. (27x37) : **FRF 5 200** – PARIS, 18 juin 1993 : *Ville d'Afrique du Nord*, h/t (30x40) : **FRF 6 500** – PARIS, 22 mars 1994 : *Le marché sous les arcades*, h/t (30x23) : **FRF 14 000** – AMSTERDAM, 19 avr. 1994 : *Rue du Diable à Alger*, h/t (39,5x30) : **NLG 13 800** – PARIS, 7 nov. 1994 : *Chameliers aux abords de la ville*, aquar. et techn. mixte (28x44,5) : **FRF 14 000** – PARIS, 13 mars 1995 : *Campement à Parga*, aquar. et gche (27x21) : **FRF 16 000** – PARIS, 22 avr. 1996 : *La Charité arabe*, h/t (40x30) : **FRF 30 000** – REIMS, 29 juin 1997 : *Les Lavandières*, h/t (32x24) : **FRF 10 300.**

TESSON Stéphane
XXᵉ siècle. Français.
Sculpteur, dessinateur.
Il a montré une exposition personnelle de ses œuvres, *Pièces/Outils*, à La Passerelle à Saint-Brieux en 1994. Il réalise, en sculpture, des pièces aux formes étroites et aux lignes brisées, des dessins comportant graphisme, objets et photographies.

TESSYN Jacobus Philippus
XVIIᵉ siècle. Actif à Gand en 1697. Éc. flamande.
Peintre.
Paraît identique à Jacobus Tyssens.

TESTA Angelo
Né vers 1775. XIXᵉ siècle. Travaillant à Rome. Italien.
Graveur au burin.
Il a gravé des sujets d'histoire et de mythologie et des portraits.

TESTA Clorindo
Né en 1923 à Naples (Campanie). xxᵉ siècle. Depuis 1924 actif en Argentine. Italien.
Peintre. Abstrait, puis tendance pop art.
Il est diplômé en architecture de la Faculté de Buenos Aires. De 1949 à 1951, il voyagea en Europe. Il vit et travaille à Buenos Aires.
Il participe à de nombreuses expositions collectives, parmi lesquelles : 1953, Musée d'Art Moderne, Rio de Janeiro ; 1953, *Huit Argentins Abstraits*, Stedelijk Museum, Amsterdam ; 1955, National Gallery, Washington ; 1956, Biennale de Venise ; 1958, Exposition Internationale de Bruxelles, Pavillon de l'Argentine ; 1961, *50 Ans d'Art Argentin* ; etc. Il a été également sélectionné pour le Prix Guggenheim, en 1960 ; et obtint le 1ᵉʳ Prix International de Punta del Este, ainsi que le Prix Di Tella, en 1961.
Ayant longtemps figuré parmi les représentants de la peinture abstraite en Argentine, il évolua sous l'influence du pop art, dans les années 60, y ayant été amené par la commande d'un travail de publicité.
Bibliogr. : B. Dorival, sous la direction de... : *Peintres Contemporains*, Mazenod, Paris, 1964 – Otto Hahn : *L'homme moderne*, L'Express, Paris, 29 août 1964.

TESTA Felice. Voir **FESTA Felice**

TESTA Francesco
Né vers 1650 à Naples. Mort vers 1738. xviiᵉ-xviiiᵉ siècles. Italien.
Peintre.
Élève de L. Giordano.

TESTA Gérard
Né en 1951. xxᵉ siècle. Français.
Peintre. Tendance abstraite.
Il vit et travaille en Provence. En 1991, il fut présenté au Salon Découvertes à Paris par la galerie de la Gare.
Il peint des formes non identifiables, comme autant de signes dans l'espace de la toile.

TESTA Gian Giacomo
xviiᵉ siècle. Italien.
Peintre.
On lui attribue les fresques du Mont Sacré de Varallo.

TESTA Giovanni
Né en 1804 à Colma. Mort en 1834. xixᵉ siècle. Italien.
Peintre.
Élève de la Brera de Milan. Dans l'église de Colma se trouve de lui une *Madone*.

TESTA Giovanni Cesare
Né en 1655. xviiᵉ siècle. Italien.
Graveur à l'eau-forte.
On croit qu'il fut élève de son oncle Pietro Testa dont il reproduisit plusieurs dessins à l'eau-forte.

TESTA Giovanni Francesco
Né en 1506. Mort en 1590. xviᵉ siècle. Actif à Parme. Italien.
Sculpteur, architecte et marqueteur.
Frère de Pasquale T.

TESTA Pasquale
Né en 1524 ? Mort en 1587. xviᵉ siècle. Actif à Parme. Italien.
Sculpteur, architecte et marqueteur.
Il exécuta des sculptures dans la cathédrale de Parme.

TESTA Pietro, dit **il Lucchesino**
Né en 1611 à Lucques. Mort en 1650 à Rome. xviiᵉ siècle. Italien.
Peintre de scènes mythologiques, compositions religieuses, sujets allégoriques, graveur, dessinateur.
Certaines sources indiquent qu'il fut d'abord élève de Pietro Paolini. Il fut en tout cas élève du Dominiquin, à Rome, avant 1630 ; ensuite, élève de Pietro Berretini, dit Pierre de Cortone. On a écrit qu'il fut assassiné et jeté dans le Tibre. Il semble plutôt qu'il se donna lui-même la mort.
Il est certain que Pietro Testa quitta rapidement Pierre de Cortone à la suite de mésententes ; on rapporte qu'il avait émis des critiques sur les œuvres de son maître. Il est possible, en effet, qu'il n'en ait pas approuvé le climat édénique, car ses propres œuvres à venir le montreront d'un caractère inquiet et d'une religion dramatique. Il fréquentait alors chez un collectionneur connu : Cassiano dal Pozzo, pour lequel il illustrait ce que l'on appelait des « livres d'antiquités ». Dans l'entourage de celui-ci, il

rencontra des tenants de ce système de canons et de critères qui allaient définir le classicisme. Lui qui, jusque-là, s'était montré d'une part marqué par les compositions sous des angles inattendus et les éclairages dramatiques du Caravage, d'autre part, et ceci surtout dans ses gravures à l'eau-forte, doué d'une imagination inquiétante par la bizarrerie de son sens de la poésie, sembla mal s'accommoder de la discipline classique. Il commença la rédaction d'un « Traité de la Peinture », qu'il n'acheva pas. Il avait été chargé de travaux dans l'église de San-Martino à Monti, et dans le Palais Spada à Rome. Mal situé entre le Caravage, le classicisme de Poussin et allant jusqu'à montrer parfois des influences vénitiennes, c'est dans ses œuvres où règne l'étrangeté qu'il attire.

P. Testa

Bibliogr. : L. Lopresti : *Pietro Testa, incisore e pittore*, L'Arte, Nᵒ XXIV, 1921 – A. Marabottini : *Novita sul Lucchesino*, Commentari, Nᵒ V, 1954 – A. Marabottini : *Il « Trattato di Pittura » e i'disegni del Lucchesino*, Commentari, nᵒ V, 1954 – Catalogue de l'exposition *Le Caravage et la peinture italienne du xviiᵉ siècle*, Louvre, Paris, 1965 – Adam von Bartsch : *Le Peintre Graveur*, 21 vol., 1800-1808, Nieukoop, 1970.
Musées : Bamberg : *Deux allégories* – Florence : *L'artiste – Mort de Didon* – Graz : *Adoration des mages* – Lucques (Pina.) : *Triomphe de Galathée* – Montpellier : *Adoration des mages – Annonciation* – Rome (Mus. Capitolin) : *Joseph vendu par ses frères* – Rome (Gal. Spada) : *Allégorie du massacre des Innocents* – Saint-Pétersbourg (Mus. de l'Ermitage) : *Présentation de la Vierge au temple* – Vienne (Mus. des Beaux-Arts) : *Vénus et Adonis*.
Ventes Publiques : Paris, 1777 : *Vénus assise près d'une fontaine et entourée d'amours* : FRF 265 ; *Vénus donnant des armes à Énée*, dess. à la pl. : FRF 70 – Paris, 1785 : *Le Christ mort*, dess. à la pl. : FRF 80 – Paris, 1813 : *Saint Jérôme dans le désert* : FRF 75 – Paris, 25 fév. 1924 : *La Sainte Famille et les anges*, pl. : FRF 1 100 – Paris, 2 déc. 1948 : *Sujet mythologique*, pl. et lav. : FRF 11 000 ; *Christ mort gardé par des anges*, pl. : FRF 4 800 – Vienne, 17 juin 1969 : *Le repos pendant la fuite en Égypte* : ATS 60 000 – Londres, 11 déc. 1980 : *Un saint et un moine dans un paysage*, pl. (47x38,5) : GBP 8 000 – Paris, 20 nov. 1981 : *Composition allégorique avec saint Pierre et la résurrection du Christ*, pl. et encre brune/c. à la pierre noire (47x34) : FRF 4 200 – Londres, 5 juil. 1984 : *Deux personnages et deux chiens dans un paysage*, pl. encre brune et lav. (27,1x21,1) : GBP 17 000 – Londres, 26 juin 1985 : *Le sacrifice d'Abraham*, eau-forte (29,4x23,9) : GBP 650 – Londres, 4 juil. 1985 : *L'enlèvement de Ganymède*, pl. et lav./trait de craie noire, forme ovale (12,2x16,8) : GBP 3 200 – Milan, 21 avr. 1986 : *Étude de Putti et anges*, pl. (9,5x13,8) : ITL 1 000 000 – Londres, 20 avr. 1988 : *Dieu des rivières se reposant près d'une cascade*, h/t (45,5x62) : GBP 11 000 – Londres, 5 juil. 1989 : *La naissance et l'enfance d'Achille*, h/t (93,5x136,5) : GBP 25 300 – Troyes, 19 nov. 1989 : *Le Christ mort adoré par les anges*, pl. et encre (41x30) : FRF 82 000 – New York, 12 jan. 1990 : *Personnage féminin assis, de profil, le menton appuyé sur la main gauche*, craie noire (17,3x15,3) : USD 55 000 – Londres, 2 juil. 1991 : *Nu assis replié sur lui-même avec un personnage aux bras levés dessiné au verso et vu par transparence*, mine de pb, encre (20,6x14,9) : GBP 6 050 – New York, 14 jan. 1993 : *La naissance et l'enfance d'Achille*, h/t (99,1x136,5) : USD 55 000 – Londres, 3 juil. 1995 : *Vierge à l'Enfant entourée de saints (recto), Personnages agenouillés devant le pape (verso)* : GBP 5 750 – Londres, 2 juil. 1996 : *Jupiter chevauchant un aigle*, sanguine (25,6x19) : GBP 6 900.

TESTANA Gioseffo ou **Giuseppe Maria**
Né en 1648 à Gênes. Mort en 1679 ? à Rome. xviiᵉ siècle. Italien.
Graveur.
Parent et probablement élève de Giovanni-Battista Testana. En 1680, on le trouve établi à Rome et y publiant une suite de plus de quarante portraits des cardinaux vivant alors. On connaît aussi de lui plusieurs gravures d'histoire.

TESTANA Giovanni Battista
Né en 1645 à Gênes. Mort en 1699 ? à Rome. xviiᵉ siècle. Italien.

Graveur au burin.

On le cite notamment pour sa collection avec Guillaume Vallet et Bernard Picart dans la gravure de médailles, de monnaies et de bijoux anciens pour l'ouvrage de Canissi. On lui doit également quelques estampes d'après les maîtres.

TESTARD, Mme
XIXᵉ siècle. Française.
Portraitiste.
Elle exposa au Salon de Paris en 1810 et en 1812.

TESTARD François Martin
Né au XVIIIᵉ siècle à Paris. XVIIIᵉ siècle. Français.
Graveur en taille-douce et peintre.
Élève de Suvée. Il grava des vues de villes et des sujets religieux.

TESTARD Jacques Alphonse
Né le 7 juillet 1810 à Montargis (Loiret). XIXᵉ siècle. Français.
Peintre de paysages et de natures mortes, graveur au burin.
Élève de Van der Burch. Il exposa au Salon de Paris de 1843 et 1870 des paysages, des natures mortes. On lui doit aussi quelques estampes.
VENTES PUBLIQUES : PARIS, 12 et 13 mars 1926 : *Vues de Paris*, cinquante-six aquatintes et aquarelles : FRF 20 100 – PARIS, 15 nov. 1948 : *Panorama de Paris* ; *Porte de Cunette à Paris*, deux pendants : FRF 4 500.

TESTARD Jean
XVIᵉ siècle. Actif à Paris en 1558. Français.
Peintre.

TESTARD Jean
Né vers 1740. XVIIIᵉ siècle. Actif à Paris. Français.
Dessinateur et graveur au burin.
Il grava des architectures de Paris.

TESTARD Louis
Né au XIXᵉ siècle à Plouescat (Finistère). XIXᵉ siècle. Français.
Peintre.
Élève de Jacques Alphonse Testard et de J. Condamin, il débuta au Salon en 1878. Il exposa notamment des paysages au fusain.

TESTARD Pierre ou Testart
Mort en novembre 1749. XVIIIᵉ siècle. Actif à Paris. Français.
Peintre.
Il fut membre de l'Académie Saint-Luc.

TESTARD-BIDET Pauline
Née au XIXᵉ siècle à Paris. XIXᵉ siècle. Française.
Sculpteur.
Elle figura au Salon des Artistes Français ; mention honorable en 1895.

TESTART Robinet
XVᵉ-XVIᵉ siècles. Français.
Enlumineur.
Il travailla au service de Louise de Sanaré, duchesse d'Angoulème et de François Iᵉʳ.

TESTAS W.
XIXᵉ siècle. Hollandais.
Peintre, graveur à l'eau-forte.
Il a gravé des sujets de genre. Peut-être identique à Willem de Famars Testas (voir ce nom).

TESTAS Willem de Famars. Voir FAMARS TESTAS Willem de

TESTAULT Georg
XVIᵉ siècle. Travaillant à Tours en 1596. Français.
Sculpteur.

TESTE Alfred
XIXᵉ siècle. Français.
Paysagiste.
Il exposa au Salon de Paris en 1848.

TESTE Jean Auguste
Né vers 1807 à Nantes (Loire-Atlantique). Mort en 1886. XIXᵉ siècle. Actif à Nantes dans la première moitié du XIXᵉ siècle. Français.
Peintre de scènes de genre, portraits.
Il exposa au Salon de Paris de 1835 à 1869.
VENTES PUBLIQUES : MONACO, 2 déc. 1989 : *Un prêteur sur gage comptant son argent*, h/pan. (21,3x24) : FRF 44 400.

TESTE Valentine
Née au XIXᵉ siècle à Ornans (Doubs). XIXᵉ siècle. Française.

Peintre de genre.
Elle débuta au Salon de 1870 à Paris.

TESTEBLANCHE
XVIIᵉ siècle. Actif à Arles. Français.
Graveur au burin.
Il grava la *Vénus d'Arles* en 1656.

TESTEFORT Jehan
XVIᵉ siècle. Actif au début du XVIᵉ siècle. Français.
Peintre d'ornements.
Il travailla au château de Gaillon en 1508.

TESTELIN Gilles
Né entre le 4 septembre 1589 et le 6 février 1592. Mort avant le 10 octobre 1632. XVIIᵉ siècle. Actif à Paris. Français.
Peintre.
Fils de Pasquier et père de Louis et de Henri T. Peintre du roi, il travailla pour le château de Saint-Germain de 1618 à 1624.

TESTELIN Henri
Né en 1616 à Paris. Mort le 17 avril 1695 à La Haye. XVIIᵉ siècle. Français.
Peintre et graveur à l'eau-forte et écrivain d'art.
Fils de Gilles et frère de Louis Testelin. Élève de Simon Vouet. Il fut, le 1ᵉʳ février 1648, un des fondateurs de l'Académie Royale et donna pour morceau de réception le Portrait du Roi Louis XIV enfant (Musée de Versailles). Secrétaire le 2 juillet 1650, professeur le 7 octobre 1656, il fut exclu comme protestant le 10 octobre 1681. Il exposa au Salon de 1673 : *Portrait du roi et de la reine* et *Le temps arrachant les ailes de l'Amour*. Il fut aussi écrivain. On cite de lui, notamment *Sentiments des plus habiles peintres sur la pratique de la peinture et de la sculpture, mis en tables de préceptes*, avec plusieurs discours académiques et conférences tenues en présence de M. Colbert, Paris, 1680. On lui attribue également *Mémoires pour servir à l'histoire de l'Académie de peinture, depuis 1648 jusqu'en 1664*. Mais Montaiglon et Paul Lacroix lui contestent la paternité de cet ouvrage. Il fut essentiellement portraitiste. Son sens de l'apparat le différencie radicalement de l'art intérieur d'un Philippe de Champaigne, tandis qu'il n'atteint pas non plus à l'élégance démonstrative d'un Simon Vouet. Le Musée de Versailles conserve de lui les portraits de *Louis XIV* et du *Chancelier Séguier*.
VENTES PUBLIQUES : PARIS, 13 mai 1904 : *Le Roi Louis XIV à dix ans* : FRF 7 500.

TESTELIN Louis
Né en 1615 à Paris. Mort le 19 août 1665 à Paris. XVIIᵉ siècle. Français.
Peintre et graveur.
Fils et élève de Gilles Testelin puis de Simon Vouet. Ce fut un artiste distingué. Il peignit agréablement en grisaille et se plaisait à représenter les jeux de l'enfance. Il fut employé à la décoration de plusieurs châteaux. On cite notamment à Fontainebleau, l'appartement de la Reine mère, à l'Hôtel d'Avaux, à l'Hôtel de Guémené, au Luxembourg, au Château de Conflans, près de Charenton, au couvent de l'Assomption, au Collège des Jésuites de la rue Saint-Jacques. Il peignit deux Mais pour l'église Notre-Dame de Paris, en 1652, *La Résurrection de la veuve Chabite* (au Musée de Rouen) et en 1655, *La Flagellation de saint Paul et de saint Silas*. Ami de Sébastien Bourdon et de Le Brun, il fut l'un des bons décorateurs de son temps. Comme Le Sueur, il montra toujours une certaine solennité qui nuisit à la crédibilité de ses compositions, d'autant qu'il ne possédait pas l'élégance de Le Sueur. Il est très oublié de nos jours. Il a gravé quatre estampes. Il fut avec son frère cadet Henri un des membres fondateurs de l'Académie Royale le 1ᵉʳ février 1648, professeur le 2 juillet 1650. Il mourut en pleine force et sa fin fut une perte pour l'art français. Le Musée de Grenoble conserve de lui *Madeleine repentante*.

Testelin L.

TESTELIN Pasquier
XVIᵉ-XVIIᵉ siècles. Actif à Paris. Français.
Peintre.
Père de Gilles T.

TESTER Peter
Né en 1811 à Coire. Mort en 1882 à Indiana. XIXᵉ siècle. Américain.
Portraitiste.
Il se fixa en Amérique. Le Musée de Coire conserve des peintures de cet artiste.

TESTEVUIDE Jehan, pseudonyme de Saurel Jean

Né en 1873 à Nîmes (Gard). Mort en 1922 à Paris. XIXᵉ-XXᵉ siècles. Français.

Dessinateur, illustrateur, caricaturiste.

Il collabora à des revues humoristiques, dont *Le Monde illustré*, *Sourire*, *Rire*. Il publia, en 1901, *Quand et quels malades doit-on*. Il est l'auteur et l'illustrateur de : *Aimer*, A. Michel, 1920 ; *Quand, et quels malades doit-on envoyer à Bourdonne-les-bains*, Daix, 1901.

BIBLIOGR. : In : *Dictionnaire des illustrateurs 1800-1914*, Ides et Calendes, Neuchâtel, 1989.

MUSÉES : MULHOUSE : *Deux vaincues* 1892.

TESTI Alfonso

Né en 1842. Mort en 1919. XIXᵉ-XXᵉ siècles. Italien.

Peintre.

Il fut élève de Pollastrini à l'Académie des Beaux-Arts de Florence, ville où il vécut et travailla par la suite.

MUSÉES : FLORENCE (Gal. Mod.) : trois peintures.

TESTI Davide

Né à Plaisance. Mort en 1882 à Florence. XIXᵉ siècle. Italien.

Graveur.

Élève de Paolo Toschi.

TESTI Giovanni Francesco, fra

Né à Crémone. XVIᵉ siècle. Italien.

Sculpteur sur bois et marqueteur.

Il sculpta les stalles de l'abbaye Saint-Pierre de Modène de 1545 à 1548.

TESTI Paolo

XIXᵉ-XXᵉ siècles. Italien.

Sculpteur, médailleur.

Il fut élève d'A. Rivalta. Il vécut et travailla à Florence.

TESTINA Natalja ou Natacha

Née en 1959 à Moscou. XXᵉ siècle. Russe.

Peintre de compositions animées, paysages urbains, figures.

Elle semble puiser les sources de sa figuration dans un symbolisme mesuré.

VENTES PUBLIQUES : PARIS, 23 mars 1991 : *Toast à l'amour*, h/t (97x97) : FRF 3 500 – NEUILLY, 7 avr. 1991 : *Photographie de famille*, h/t. (100x113) : FRF 3 800.

TESTOLINI Gaetano

XVIIIᵉ-XIXᵉ siècles. Travaillant à Paris et à Londres de 1760 à 1811. Britannique.

Graveur.

Il grava le portrait de *George III d'Angleterre* ainsi que des manuels de dessin.

TESTONE Giulio

XVIIIᵉ siècle. Actif à Rome vers 1770. Italien.

Graveur au burin.

Il a gravé un plan de Rome d'après Lievin Cruyl.

TESTORINO Bartolino

Mort avant 1430. XVᵉ siècle. Actif à Brescia. Italien.

Peintre.

Il a peint les fresques dans la crypte de l'église Sainte-Faustine Majeure de Brescia.

TESTU François

XVIᵉ siècle. Actif à Fontainebleau en 1560. Français.

Sculpteur.

TESTU Gilles

XVIᵉ siècle. Actif à Fontainebleau en 1540. Français.

Sculpteur.

TESTU Mathurin

XVIIᵉ siècle. Actif dans la première moitié du XVIIᵉ siècle. Français.

Sculpteur.

Il exécuta pour le château de Fontainebleau des vases et des armoires.

TESTU P.

XIXᵉ-XXᵉ siècles. Français.

Peintre de marines.

VENTES PUBLIQUES : PARIS, 19 fév. 1945 : *Pêcheurs en mer*, deux toiles : FRF 6 900 – PARIS, 29 oct. 1948 : *Pêcheur et son fils* : FRF 7 000 – PARIS, 25 mai 1951 : *Le bassin d'huîtres* : FRF 2 000 – VIENNE, 12 mars 1974 : *Les ramasseurs de coquillages* : ATS 20 000 – PARIS, 19 juin 1979 : *Ramassage de coquillages*, h/t

(67x92) : FRF 6 200 – VERSAILLES, 4 oct. 1981 : *La Moisson* 1896, h/t (65x92,5) : FRF 14 000 – VERSAILLES, 5 mars 1989 : *Paysans en barque*, h/t (49x65,5) : FRF 10 600 – COPENHAGUE, 25-26 avr. 1990 : *Sur le chemin du retour*, h/t (+65x91) : DKK 27 000 – PARIS, 25 juin 1990 : *Ramasseuse de coquillages*, h/t (41x33) : FRF 3 600.

TESZLAK Albert

Né le 16 juillet 1921 à Budapest. XXᵉ siècle. Actif en Belgique. Hongrois.

Peintre. Tendance expressionniste.

Il a d'abord étudié à l'École des Arts Décoratifs de Budapest, a poursuivi sa formation à l'Académie Royale des Beaux-Arts de Bruxelles. Il vit et travaille à Bruxelles.

On parle à propos de sa peinture d'« expressionnisme cosmique ».

BIBLIOGR. : In : *Dictionnaire biographique illustré des artistes en Belgique depuis 1830*, Arto, Bruxelles, 1987.

TETAR Pierre Henri Théodore ou Petruq Henricus Theodorus ou Tetart Van Elven

Né le 30 août 1828 ou 1831 à Molenbeek (Bruxelles). Mort le 5 janvier 1908 à Milan (Lombardie). XIXᵉ siècle. Hollandais.

Peintre de scènes de genre, paysages, paysages urbains, aquarelliste.

Fils et élève de Jean-Baptiste Tetar Van Elven. En 1846 il est élève de l'Académie des Beaux-Arts d'Amsterdam, puis de l'Académie de dessin de La Haye. Après un premier séjour à Paris en 1856, il part pour l'Italie en 1858. Il vit à Rome et aurait été peintre de la cour de Victor-Emmanuel II. Vers 1861 il revient vivre en France, y expose jusqu'en 1865 et y reste vraisemblablement jusque vers 1880. Vers 1868 il vend une toile : *La soirée aux Tuileries*, à l'Empereur, mais ce premier succès est sans suite.

P. Tetar Van Elven

MUSÉES : ALGER : *La place Saint-Marc à Venise* – AMSTERDAM : *La maisonnette de Pierre le Grand à Zaandam* – BERLIN (Gal. Nat.) : *Vue sur Mayence* – BERNAY : *Vue d'Orient* – BRUXELLES : *Vieilles maisons au bord du canal* – FLORENCE (Gal. antique et Mod.) : *Intérieur de l'église Saint-Jean de Liège* – HAARLEM (Mus. Tayler) : *Vue de Venise* – ISIGNY : *Siège de Paris en 1870* – LIGNORETTO : *Rue à Amsterdam* – MILAN : *Visite aux victimes du choléra à Naples* – NICE : *Un palais à Venise* – PARME (Gal.) : *Golfe de Naples* – ROSTOCK : *Réunion en plein air* – ROUEN : *Malaga* – TURIN : *Le premier parlement italien*.

VENTES PUBLIQUES : PARIS, 28 et 29 nov. 1923 : *La cueillette du raisin* : FRF 500 – AMSTERDAM, 5 juin 1973 : *Ville au bord d'une rivière* : NLG 25 000 – MILAN, 28 mai 1974 : *Marché arabe*, aquar. et temp. : ITL 1 400 000 – LONDRES, 14 avr. 1976 : *Vue d'une ville d'Orient*, h/t (51x76) : GBP 700 – NEW YORK, 11 fév. 1981 : *Scène de marché au Caire*, h/t (79x53) : USD 5 500 – NEW YORK, 25 fév. 1982 : *Une place de marché à Amsterdam*, h/pan. (35,5x46) : USD 13 000 – VIENNE, 14 mars 1984 : *Scène rustique napolitaine* 1855, h/pan. (44,5x59,5) : ATS 100 000 – PARIS, 18-19 nov. 1991 : *La prière sur l'île de Philae*, h/t (97x133) : FRF 45 000 – LOKEREN, 10 déc. 1994 : *L'allée d'un parc avec un carrosse* 1886, h/t (51x81) : BEF 190 000 – PARIS, 26 mars 1995 : *Rue animée derrière l'église de Saint-Jean de Liège*, h/t (56x38) : FRF 14 500 – TEL-AVIV, 22 avr. 1995 : *Vue de Jérusalem* 1874, h/t (45,1x98,4) : USD 90 500 – LONDRES, 13 mars 1997 : *Réunion dans les Alpes*, h/t (58,5x92,7) : GBP 3 220 – PARIS, 10-11 juin 1997 : *Scène de rue à Beyrouth* 1900, h/t (83x50) : FRF 250 000.

TETAR Van Elven Jan Baptiste

Né le 11 février 1805 à Amsterdam. Mort en 1879 ou 1889 à Voorschoten. XIXᵉ siècle. Hollandais.

Peintre de genre, portraits, intérieurs d'églises, peintre à la gouache, graveur.

Il fut élève de Herreyns, de Van Bree, de Meulemeester et de François. Il se fit d'abord connaître comme graveur et un *Portrait du Prince d'Orange* fut gravé sur acier par lui en 1833. En 1834, il fut nommé directeur de l'École des Beaux-Arts d'Amsterdam et membre de l'Académie en 1835. Il pratiqua également la lithographie.

Il a surtout peint des portraits, et illustré des ouvrages.

J.B. En.E

MUSÉES : BRUXELLES : *Deux peintures à la gouache* – HAMBOURG

(Kunsthalle) : *Vieux marin – Ruines de l'église del Carmen de Lisbonne* – LA HAYE (Mus. mun.) : *Intérieur d'église*.

VENTES PUBLIQUES : PARIS, 9 mars 1897 : *Une rue au Caire* : FRF 155 – NEW YORK, 14 juin 1973 : *Intérieur de cathédrale* : USD 1 900 – AMSTERDAM, 22 oct. 1974 : *Intérieur d'église* : NLG 5 500 – LONDRES, 20 juin 1980 : *Intérieur d'église*, h/t (31x41,2) : GBP 480 – AMSTERDAM, 10 fév. 1988 : *Intérieur d'église*, h/pan. (50x39,5) : NLG 2 530 – LONDRES, 21 juin 1989 : *Une rue commerçante*, h/t (91x77) : GBP 11 000 – COLOGNE, 23 mars 1990 : *Paysage d'hiver hollandais*, h/pan. (27,5x42) : DEM 4 000 – AMSTERDAM, 30 oct. 1990 : *Personnages dans une église*, h/pan. (50x35,5) : NLG 3 680 – AMSTERDAM, 6 nov. 1990 : *Personnages dans une église gothique*, h/pan. (58,5x72) : NLG 6 900 – AMSTERDAM, 17 sep. 1991 : *Personnages dans une église*, h/pan. (50x35,5) : NLG 2 185 – AMSTERDAM, 24 sep. 1992 : *Intérieur d'église avec des fidèles marchant dans la nef*, h/pan. (29,5x40) : NLG 1 380 – AMSTERDAM, 21 avr. 1993 : *Fidèles à l'intérieur d'une église*, h/t (61x51) : NLG 8 050 – AMSTERDAM, 19 avr. 1994 : *Intérieur d'une église gothique*, h/pan. (30,5x23,5) : NLG 3 565 – AMSTERDAM, 27 oct. 1997 : *Intérieur d'église 1888*, h/t (60x71) : NLG 7 080.

TETAR Van Elven Paul Constantin Dominique
Né le 13 septembre 1823 à Anvers. Mort en 1908 à Schenevingen. XIXᵉ siècle. Belge.
Peintre de scènes typiques, paysages animés, vues de villes, graveur, dessinateur.
Frère de Jan-Baptiste Tetar. Élève de Taurel, de Maré et J. E. J. Van den Berg. Il fut maître de dessin à partir de 1853.
MUSÉES : BRUXELLES : *Vue de Milan* – trois autres vues de villes.
VENTES PUBLIQUES : LONDRES, 26 nov. 1980 : *Personnages devant une église*, h/t (40,5x62,5) : GBP 2 400 – AMSTERDAM, 19 mai 1981 : *Vue d'Amsterdam*, h/pan. (40,5x50) : NLG 12 500 – PARIS, 1ᵉʳ déc. 1989 : *Marché d'Afrique du Nord*, aquar./pap. (42,1x29,2) : FRF 10 500 – AMSTERDAM, 25 avr. 1990 : *Beauté orientale dans une loggia avec une mosquée au lointain 1855*, h/pan. (30x35) : NLG 5 750 – NEW YORK, 22 mai 1990 : *Vue de Jérusalem*, h/t (100x50) : USD 49 500 – AMSTERDAM, 5 juin 1990 : *Marché aux fruits et aux légumes en France*, h/t (60x80) : NLG 12 650 – AMSTERDAM, 6 nov. 1990 : *Le Malade imaginaire 1852*, h/t (45x57) : NLG 7 475 – LONDRES, 28 nov. 1990 : *Une rue près de la cathédrale d'Anvers*, h/t (121,5x92) : GBP 9 350 – AMSTERDAM, 17 sep. 1991 : *L'Hôtel des postes d'Amsterdam avec des personnages sur le quai d'un canal 1850*, h/pan. (22x29) : NLG 5 750 – AMSTERDAM, 2-3 nov. 1992 : *Vue du lac de Côme*, h/t (51x67) : NLG 6 900 – PARIS, 16 nov. 1992 : *Campement dans les ruines*, h/t (38x54) : FRF 13 000 – PARIS, 22 juin 1992 : *Les lavandières*, h/pan. (30,5x54) : FRF 20 000 – AMSTERDAM, 21 avr. 1993 : *Place Saint-Marc animée avec Santa Maria della Salute à distance*, encre et aquar./pap. (42,5x62) : NLG 9 775 – AMSTERDAM, 7 nov. 1995 : *Villageois sur la place d'une ville*, h/t (43,5x34) : NLG 10 856 – ROME, 5 déc. 1995 : *Marché dans une ville*, h/t (104x77) : ITL 5 657 000 – PARIS, 8 déc. 1996 : *Scène de rue à Beyrouth 1900*, h/t (83x50) : FRF 30 000.

TÊTE Maurice Louis
Né en 1880 à Roanne (Loire). Mort en 1948. XXᵉ siècle. Français.
Peintre, pastelliste. Néo-impressionniste, puis cubiste.
Il fut élève de William Adolphe Bouguereau. Logiste pour le Prix de Rome, il répudia l'enseignement, se vouant à un art plus libre, intellectuel et constructif. Il exposa au Salon de la Société Nationale des Beaux-Arts de Paris, dont il fut associé.
Il fut convaincu au néo-impressionnisme, puis séduit par le cubisme. Ses œuvres figurent en de nombreuses collections forésiennes.

TÊTE DE GRIFFON, Maître à la. Voir **MAÎTRE H. B.**, dans la liste des monogrammes à la fin de la lettre **H**

TETENS Vilhelm
Né le 21 novembre 1872 à Copenhague. XIXᵉ-XXᵉ siècles. Danois.
Peintre de genre, portraits, figures, architectures.
MUSÉES : COPENHAGUE : *Un jeune homme*.

TETERINE Victor
Né en 1922 à Leningrad (aujourd'hui Saint-Pétersbourg). Mort en 1991 à Leningrad. XXᵉ siècle. Russe.
Peintre de paysages urbains, de natures mortes.
Il fut élève, à Leningrad, de l'institut Répine de 1940 à 1949. Dans un style qui se rapproche du postimpressionnisme, il décline principalement des vues de ville.

VENTES PUBLIQUES : PARIS, 13 mars 1992 : *Le paysage urbain 1950*, h/t (67,5x82) : FRF 6 000 – PARIS, 3 juin 1992 : *Les oliviers de Foros*, h/t (69,5x90) : FRF 19 000 – PARIS, 23 nov. 1992 : *La maison rose*, h/t (99x79) : FRF 9 000 – PARIS, 23 avr. 1993 : *Le parc de Prioutino*, h/t (62,5x100) : FRF 3 600 – PARIS, 31 jan. 1994 : *Une rue à Gourzouf*, h/t (78x92,5) : FRF 5 500.

TÊTES DE ROIS, Maître des. Voir **MAÎTRES ANONYMES**

TETI
XXVᵉ siècle avant J.-C. Actif à l'époque de la Vᵉ dynastie. Antiquité égyptienne.
Sculpteur.
Une inscription portant ce nom a pu laisser croire qu'il s'agissait du nom de l'artiste qui travailla au tombeau de Douanré à Sakkara.

TETL Anton. Voir **TADL**

TETLEY William Birchell
XVIIIᵉ siècle. Actif à New York vers 1774. Américain.
Portraitiste.

TETLOW
Né en Angleterre. XVIIIᵉ siècle. Britannique.
Miniaturiste.
Il exposa à Londres de 1767 à 1775, sept miniatures à la Society of Artists et à la Royal Academy.

TETLOW
XVIIIᵉ siècle. Actif à Londres dans la seconde moitié du XVIIIᵉ siècle. Britannique.
Tailleur de camées.
Il exposa à la Royal Academy en 1775. Peut-être identique au précédent.

TETMAYER Vlodimierz, Wlodzimierz ou Valdemar ou Przerwa-Tetmayer
Né le 1ᵉʳ janvier 1862 à Harklova. Mort le 26 décembre 1923 à Cracovie. XIXᵉ-XXᵉ siècles. Polonais.
Peintre.
Il fit ses études à l'Académie de Vienne, puis il vint à Cracovie, où il travailla à l'École des Beaux-Arts, jusqu'en 1886 avec Lonszcrvievitch, Cynx et Loffler. De 1886 à 1889, il compléta ses études à Munich avec Alexandre Wagner. En 1889, il revint à Cracovie et reçut des conseils de Jan Mateïko. Il exposa à Paris en 1900 (Exposition Universelle) et obtint une médaille d'argent.
MUSÉES : CATOVICE – CRACOVIE – VARSOVIE.
VENTES PUBLIQUES : WASHINGTON D. C., 1ᵉʳ mars 1981 : *Le Bal du mariage*, h/t (123,5x182) : USD 4 800.

TÉTREAULT Pierre-Léon
Né en 1947 à Grandy (Québec). XXᵉ siècle. Canadien.
Peintre, graveur, pastelliste.
Il n'a étudié que peu de temps à l'École des Beaux-Arts de Montréal en 1968-1969, puis complété sa formation aux techniques graphiques dans différents ateliers privés, dont ceux de Ronald Perreault en 1972 et de Gaston Petit à Tokyo en 1975-1976.
Jusqu'en 1976, Tétreault s'exprime par le moyen d'une figuration proche de la bande dessinée dans un esprit psychédélique, voire ésotérique. Il évolue ensuite à une abstraction basée sur l'écriture et le geste calligraphique. Ses compositions, pastels et bois gravés, évoquent des représentations géométriques et symboliques de l'univers : mandala, yantra, hexagramme. Elles peuvent être savamment et minutieusement recouvertes d'une multitude de signes colorés.
MUSÉES : MONTRÉAL (Mus. d'art Contemp.) : *Planche d'essai calligraphique 1978*.

TETRODE Adriaen Van
XVIIᵉ siècle. Actif à Leyde. Hollandais.
Peintre.
Ce fut un des fondateurs de la gilde de Leyde en 1610.

TETRODE Leendert Van
Né en 1629. XVIIᵉ siècle. Travaillant à Gorkum en 1681. Hollandais.
Paysagiste.

TETRODE Wilhelm ou Willem Danielsz Van ou Tetrodius, Tetrho, Tetroede, Tetterode
XVIᵉ siècle. Actif à Delft. Hollandais.
Sculpteur et architecte.
Il travailla en Italie, puis à Cologne pour l'archevêque Salentin Van Isenburg en 1570. Il fit aussi le maître autel de la Oude Kerk à Delft. Identique au peintre Guglielmo Fiamingo mentionné par

Vasari. Il est aussi connu sous les appellations erronées : Tetterdil, Tetterode et Tettesdet.

TETSU
Né en 1913 à Bourges (Cher). XXe siècle. Français.

Peintre, dessinateur, illustrateur.

Après avoir obtenu une licence à l'Université, il entre comme élève dans l'atelier de peinture de Maurice Denis et de Georges Desvallières de 1931 à 1933. Il exerce plusieurs métiers après la guerre, puis, sur les conseils de sa femme, se remet au dessin. Il a obtenu le Grand Prix de l'humour Noir en 1964. En 1981, la Monnaie de Paris édite une médaille à son effigie.

Il publie, avec succès, ses premiers dessins dans *Noir et Blanc* et *Samedi Soir*. Il se consacre, depuis 1953, principalement au dessin humoristique. Il a collaboré à divers titres nationaux et régionaux, tels que : *France Dimanche* ; *Télé magazine* ; *France Soir* ; *Paris Match*. Il dessine encore pour le *Figaro Magazine*. Par ailleurs, il réalise des couvertures de livres. Il a continué à peindre et a exposé à plusieurs reprises entre 1969 et 1971.

VENTES PUBLIQUES : PARIS, 27 nov. 1993 : *Sans parole (Jours de France)* 1958, encre noire et de coul. et past./pap. (24x31) : FRF 4 200.

TETSUÔ, de son vrai nom : **Hidaka,** surnom : **Tetsuô,** nom de pinceau : **Somon**
Né en 1791. Mort en 1871. XIXe siècle. Actif à Nagasaki. Japonais.

Peintre.

Moine peintre du monastère Shuntoku-ji de Nagasaki, il est élève de Ishizaki Yûshi mais est influencé par le peintre chinois Jiang Jiabu (Kô Kaho). Il fait des fleurs et des oiseaux dans le style japonais traditionnel.

TETSUZAN, de son vrai nom : **Mori Shushin,** surnom : **Shigen,** noms de pinceau : **Tetsuzan** et **Tessen**
Né en 1775. Mort en 1841. XIXe siècle. Actif à Kyoto. Japonais.

Peintre.

Gendre du peintre Mori Sosen (1749-1821), il est disciple de Maruyama'kyo (1733-1795) et par la suite se tourne vers le style occidental. Il est connu pour ses peintures de figures et de fleurs et d'oiseaux.

TETTELBACH Augusta ou **Julia Augusta Tugendreich**
Née le 8 octobre 1785 à Dresde. Morte après 1828. XIXe siècle. Allemande.

Peintre de fleurs et de fruits.

Fille de Gottfried Benjamin T. Elle exposa à Dresde deux *Fruits* en 1827.

TETTELBACH Clemens ou **Paul Clemens Alexander**
Né le 17 octobre 1776 à Dresde. Mort le 28 janvier 1851 à Dresde. XIXe siècle. Allemand.

Tailleur de camées.

Fils de Gottfried Benjamin T., élève et assistant de son père. Il tailla de nombreux portraits et des sujets antiques sur onyx et cornaline.

TETTELBACH Felix ou **Constantin Felix Christian**
Né le 14 janvier 1788 à Dresde. Mort le 30 novembre 1857 à Dresde. XIXe siècle. Allemand.

Tailleur de camées.

Fils de Gottfried Benjamin T. Il exposa à Dresde, de 1817 à 1827, des têtes et des figures d'après des modèles antiques.

TETTELBACH Gottfried Benjamin
Né le 1er octobre 1750 à Dresde. Mort le 18 juillet 1813 à Dresde. XVIIIe-XIXe siècles. Allemand.

Tailleur de camées.

Père d'Augusta, de Clemens, de Felix et de Moritz T. Il fut l'un des plus célèbres tailleurs de camées de son époque. On cite de lui *Sacrifice de Flore, Sacrifice de Vesta* et le *Sceau de Michel-Ange.*

TETTELBACH Moritz ou **Ernst Moritz Gustav**
Né le 14 mars 1794 à Dresde. Mort le 12 décembre 1870 à Dresde. XIXe siècle. Allemand.

Peintre de fruits et de fleurs.

Fils de Gottfried Benjamin T. Il peignit un millier d'aquarelles représentant des plantes pour le roi Frédéric Auguste II de Saxe. Le Musée de Dresde conserve de cet artiste.

TETTENBORN Bartolomäus
XVIIe siècle. Allemand.

Sculpteur.

Il exécuta des sculptures pour des églises et des maisons d'Halberstadt.

TETTERDIL ou **Tetterode, Tettesdet**. Voir **TETRODE Wilhelm Danielsz**

TETZNER Edmund
Né le 20 novembre 1845 à Langensalza. Mort le 21 mai 1881 à Weimar. XIXe siècle. Allemand.

Peintre de genre.

Élève de Baur à Weimar. Il travailla aussi en Italie de 1880 à 1881.

TEUBEL Friedrich
Né le 23 février 1884 à Stuhlweissenbourg. XXe siècle. Autrichien.

Graveur de paysages urbains, peintre, aquarelliste.

Il vécut et travailla à Vienne. Il grava et peignit des vues de Salzbourg, de Varsovie et de Vienne, ainsi que des ex-libris.

F. TEUBEL

TEUCHER Johann Christoph
Né vers 1716 à Dresde. Mort vers 1750 à Paris. XVIIIe siècle. Allemand.

Graveur.

Il collabora à l'ouvrage intitulé *La Galerie de Dresde* avec *La Vierge à la Rose* d'après Parmigianino.

TEUCHERT Karoly ou **Karl**
Né le 25 octobre 1886 à Teschen. Mort le 17 juillet 1926 à Budapest. XXe siècle. Hongrois.

Peintre, graveur.

TEUFEL Conrad
XVIIe siècle. Travaillant à Stockholm vers 1670. Suédois.

Sculpteur.

TEUFEL Gottlieb
Né à Willstadt. Mort le 7 juin 1925 à Hogschür. XXe siècle. Allemand.

Peintre de sujets allégoriques, graveur.

Il fut élève de F. von Stuck à l'Académie des Beaux-Arts de Munich. Il peignit et grava des suites allégoriques.

TEUFEL Heinrich ou **Teufl**
Mort en 1570. XVIe siècle. Actif à Innsbruck. Autrichien.

Peintre de portraits et d'ornements.

Il travailla pour l'ancien château d'Innsbruck et celui d'Ambras.

TEUFENBRUNN Ulrich ou **Utz.** Voir **TIEFENBRUNN**

TEUFFEL. Voir **TÜFEL**

TEUFFENBECK Bernhart
XVIe siècle. Actif à Salzbourg de 1505 à 1506. Autrichien.

Peintre.

Il exécuta des peintures pour l'église Saint-Pierre de Salzbourg et pour l'abbaye de Saint-Lambrecht.

TEUKROS
Ier siècle avant J.-C. Antiquité grecque.

Tailleur de camées.

Le Musée de Florence conserve de lui une améthyste représentant *Hercule et une nymphe.*

TEULET Jacques
Né le 20 février 1949 à Alles-sur-Dordogne (Dordogne). XXe siècle. Français.

Peintre de sujets fantastiques. Postsurréaliste.

Artiste autodidacte, il expose depuis 1979 dans divers salons, galeries, lieux alternatifs à Paris et en province.

Ses tableaux et ses lithographies sont des visions oniriques rassemblant autour de la figure humaine des éléments hétéroclites. Il les baptise « motifs à rêves ».

TEULIE Marie Mireille
Née le 29 avril 1905 à Rome. XXe siècle. Française.

Peintre, décoratrice.

Elle fut élève de l'École des Beaux-Arts de Bordeaux, où elle obtint, en 1928, un premier prix de peinture décorative et un premier prix de peinture de portraits. Elle termina ses études sous la direction de R. X. Prinet. Elle fut secrétaire du groupe des Beaux-Arts de la Cité Universitaire, pour lequel elle exécuta des panneaux décoratifs et des affiches.

TEULON Jacques
Né le 23 mai 1729 à Genève. XVIIIe siècle. Suisse.

Peintre sur émail.

Maître de Fr. Soiron.

TEUNISSEN Cornelis ou **Teunisz, Theunissen**. Voir **ANTHONISZ**

TEUNISSEN Jan
XVIIᵉ siècle. Actif à Amsterdam en 1613. Hollandais.
Peintre.

TEUNISZ Barent, dit **Drent**
Né en 1578. Mort le 19 octobre 1629. XVIIᵉ siècle. Hollandais.
Peintre.
Il était actif à Amsterdam.

TEUPKEN Dirk Antoon, Jr
XIXᵉ siècle. Actif entre 1830 et 1870. Hollandais.
Aquarelliste.
VENTES PUBLIQUES : COPENHAGUE, 17 mars 1982 : *Voiliers*, aquar. (51,5x70) : **DKK 20 000** – LONDRES, 30 mai 1990 : *Le shooner « Bedlington » au large de Blyth vu sous deux angles différents* 1839, aquar. avec reh. de blanc (49x67) : **GBP 2 420** – LONDRES, 20 mai 1992 : *« Courier » Van Noord Holland* 1845, aquar. et encre (52x70) : **GBP 2 200** – COPENHAGUE, 2 fév. 1994 : *Le trois-mâts « Javan Van Amsterdam »* 1843, aquar. (55x80) : **DKK 23 000**.

TEUTENBERG Reibold
Né le 22 juillet 1864 à Werl. XIXᵉ siècle. Allemand.
Sculpteur.
Élève de Ruemann à l'Académie de Munich. Il fut bénédictin à Maria Laach, et sculpta pour cette abbaye des statues de saints et des bas-reliefs.

TEUTONICO ou **Teutonicus**. Voir au prénom ou au nom

TEUTSCH Janos. Voir **MATTIS-TEUTSCH Janos**

TEUTSCH Kaspar
Né le 31 mai 1931 à Brasov (Transylvanie). XXᵉ siècle. Depuis 1980 actif en Allemagne. Roumain.
Peintre, graveur, illustrateur, peintre de cartons de tapisseries, poète.
Après avoir travaillé dans l'industrie chimique, il devient lithographe à l'École Polytechnique de Brasov entre 1954 et 1956. Il obtient le diplôme de l'Institut d'Arts Plastiques de Cluj. Il enseigne de 1963 à 1980 les arts textiles, la céramique et le dessin à l'École d'Art de Brasov, est nommé en 1982 professeur à l'École de dessinateurs de mode de Munich. Il vit et travaille à Munich.
Il participe à des expositions collectives en Roumanie, en Allemagne, en France, Italie... Il montre ses œuvres dans des expositions personnelles, la première en 1970 à Brasov, suivi de nombreuses autres dans cette ville ; 1979, galerie Apollo, Bucarest ; 1981, 1982, 1984, Munich.
Il avoue avoir été influencé par l'expressionnisme lorsqu'il réalisait des travaux en rapport avec la tapisserie, et le surréalisme depuis 1977 dans ses gravures, dessins et assemblages d'objets. Ces deux tendances sont modulées, toutefois, par un souci d'équilibre que traduit la double passion de l'artiste pour la vie organique et le progrès technique.
BIBLIOGR. : Ionel Jianou et autres : *Les Artistes roumains en Occident*, American Romanian Academy of Arts and Sciences, Los Angeles, 1986.

TEUTSCH Sigmund Wohler
Né en 1668. XVIIᵉ siècle. Actif à Ulm. Allemand.
Dessinateur.
Le Musée Municipal d'Ulm possède deux *Vues d'Ulm* exécutées par cet artiste.

TEUTSCH Walter
Né le 25 mars 1883 à Kronstadt. XXᵉ siècle. Actif en Allemagne. Russe.
Peintre, graveur, illustrateur.
Il fit ses études à Munich, où il vécut et travailla. Il grava des illustrations pour les sonnets de Shakespeare et la *Lucinde* de Schlegel.
MUSÉES : MUNICH (Gal. mun.) : *Vaches à l'abreuvoir*.

TEUTSCHOLD
XVIᵉ siècle. Actif pendant la première moitié du XVIᵉ siècle. Allemand.
Enlumineur.
Il était peintre héraldique et miniaturiste sous le règne de Charles Quint. La Bibliothèque ducale de Gotha conserve de lui un manuscrit intitulé *« Ueber die Vornehmsten Reichstande »*.

TEUZONE
XIIᵉ siècle. Travaillant à Arezzo en 1140. Allemand.
Peintre.

TEVET Nahum
Né en 1946 dans le kibboutz de Messilot (Israël). XXᵉ siècle. Israélien.

Sculpteur d'assemblages.
Il vit et travaille à Tel-Aviv. Il a été sélectionné comme artiste « invité », en 1991, par la Fondation Cartier à Jouy-en-Josas.
Il montre ses œuvres dans des expositions personnelles, dont : 1979, Bertha Urdang Gallery, New York ; 1980, galerie Schmela, Düsseldorf ; 1981, Hillel Gallery, Jérusalem ; 1984, Israël Museum, Jérusalem ; 1986, Kunsthalle, Mannheim ; 1991, Artifact Gallery, Tel-Aviv.
Depuis 1971, les assemblages de Nahum Tevet possèdent les mêmes caractéristiques. Ils sont composés d'éléments divers, difficilement identifiables, mais en général s'apparentant à des pièces de mobilier en bois récupérés. Avoir grandi et vécu dans les kibboutz à l'époque des années cinquante a certainement marqué son travail où le recyclage de tout objet était, par nécessité, une façon de vivre. L'agencement des éléments s'effectue en un désordre savamment orchestré, la géométrie des pièces assemblées, savamment rompue par une idée de démembrement des structures minimalistes. L'ensemble pourrait être interprété en termes de postminimalisme baroque. Joshua Decter qui a préfacé le catalogue de l'une des expositions de l'artiste écrit à son propos : « Ce type d'aménagement nous amène à étudier la relation entre l'ordre et le chaos, le rationnel et l'irrationnel, la structure logique et la déconstruction systématique de cette logique ».
BIBLIOGR. Eviatar Stern : *Nahum Tevet. Leçon de peinture*, in : *Art Press* n° 164, Paris, déc. 1991.

TEVINI Alessandro
Né en 1783 à Trente. XIXᵉ siècle. Allemand.
Peintre, lithographe et graveur au burin.
Il se fixa en 1805 à Munich, où il travailla pour la cour. Il grava des sujets mythologiques et des vues.

TEVINI Matteo
Né le 11 décembre 1872 à Trente (Trentin-Haut-Adige). XIXᵉ-XXᵉ siècles. Italien.
Peintre.
Il fit ses études à Florence et à Rome.

TEW Marguerite R.
Née le 6 janvier 1886 à Magdalena (Nouveau-Mexique). XXᵉ siècle. Américaine.
Sculpteur.
Elle fut élève de l'Académie de Philadelphie. Elle vécut et travailla à Los Angeles.
MUSÉES : LOS ANGELES : plusieurs peintures.

TEWELE Ferdinand
Né le 2 mai 1807 à Prague. Mort le 4 juin 1893 à Vienne. XIXᵉ siècle. Autrichien.
Lithographe amateur.
Il grava des sujets historiques, des vies d'artistes et des scènes contemporaines.

TEWES Rudolf
Né le 3 septembre 1878 à Brême. XXᵉ siècle. Actif en France. Allemand.
Peintre.
Élève de Knirr à Munich. Il vécut et travailla à Paris. Il subit à Paris l'influence de Van Gogh.
MUSÉES : BRÊME (Kunsthalle) : *Pivoines – Portrait de l'artiste – Paysage sicilien* – MANNHEIM (Kunsthalle) : *Nature morte*.
VENTES PUBLIQUES : MUNICH, 29 juin 1983 : *Madrid, calle Alcala* 1922, h/t (65,5x82) : **DEM 4 500**.

TEWFIK EFENDI
XIXᵉ siècle. Actif à Istanbul. Turc.
Enlumineur et calligraphe.
Il exposa à Paris en 1867.

TEXADA Geronimo de
XVIIᵉ siècle. Actif à Séville dans la seconde moitié du XVIIᵉ siècle. Espagnol.
Peintre et dessinateur amateur.

TEXADA Moreno
XVIIIᵉ siècle. Actif à la fin du XVIIIᵉ siècle. Espagnol.
Graveur au burin.
Il grava des illustrations de l'histoire de la conquête du Mexique, en 1798.

TEXCIER Jean
XXᵉ siècle. Français.
Peintre, illustrateur.
Il a exposé, à Paris, au Salon des Indépendants. Il a également

illustré, *Visite au Musicien* d'Allin ; *Trois introductions à Paul Valéry*, de Raymond Clauzel ; *Entretiens avec Paul Valéry, Georges Bernanos* ; *Visite à Charles Silvestre*, de Frédéric Lefèvre ; *Prodige du cœur*, de Charles Silvestre.

TEXEIRA. Voir **TEIXEIRA**

TEXERA DE MATHOS. Voir **TEIXEIRA DE MATTOS**

TEXERA LOPES José Joaquin. Voir **TEIXEIRA-LOPES**

TEXIDOR José. Voir **TEIXIDOR**

TEXIER
XVIIIe siècle. Actif à la fin du XVIIIe siècle. Français.
Dessinateur d'ornements.
Il dessina des arabesques.

TEXIER Barthélémy, dit **Pénicaille**
XVIe siècle. Français.
Peintre sur émail et orfèvre.
Il était actif à Limoges, dans la première moitié du XVIe siècle.

Musées : Poitiers : *un plateau représentant le Massacre des Innocents.*

TEXIER Charles Félix Marie
Né le 29 août 1802 à Versailles (Yvelines). Mort le 1er juillet 1871 à Paris. XIXe siècle. Français.
Architecte, dessinateur d'architectures.
Il dessina des architectures des anciennes civilisations d'Asie Mineure.

TEXIER François
XVIIe siècle. Actif au Mans. Français.
Peintre.

TEXIER G.
Né vers 1750 à Paris. XVIIIe-XIXe siècles. Vivait encore en 1824. Français.
Graveur à l'eau-forte.
Élève de Ph. Le Bas. Il a gravé des sujets de genre et des événements contemporains.
Ventes Publiques : Paris, 1879 : *Jeune femme assise entourée d'amours*, dess. au lav. d'encre de Chine : FRF 50.

TEXIER J., dit **Pénicaille**
XVIe siècle. Français.
Peintre sur émail.
Frère de Barthélémy Texier. Il était actif à Limoges, dans la première moitié du XVIe siècle.

TEXIER Jean Ernest
Né le 29 avril 1829 à Paris. Mort en 1900. XIXe siècle. Français.
Sculpteur et paysagiste.
Élève de Guitton et Mazerolle. Il exposa au Salon de 1861 à 1881 ; mention honorable en 1861.

TEXIER Léon
XXe siècle. Français.
Peintre. Abstrait.
Il a exposé des compositions abstraites, dans l'esprit de Delaunay, au Salon des Réalités Nouvelles, à Paris, en 1947 et 1950.

TEXIER Richard
Né le 28 juin 1955 à Niort (Deux-Sèvres). XXe siècle. Français.
Peintre, sculpteur. Abstrait.
C'est à partir de 1976 que Richard Texier, qui s'est installé à Paris en 1973, commence véritablement à peindre. Après s'être passionné pour Victor Ségalen et Raymond Roussel, il découvre l'art brut, les écrits de Jean Dubuffet, les œuvres de Gaston Chaissac, Richard Long et Paul-Armand Gette. Il se lie avec Jean Degottex. En 1977, il aménage un atelier dans un village poitevin. Il rédige en 1978 sa thèse d'architecture : *Construction d'après nature*. L'année suivante, il séjourne à New York où il rencontre Nam June Paik, Donald Judd et Joseph Beuys. En 1981, il soutient à la Sorbonne une thèse de doctorat d'arts plastiques intitulée : *Lune, l'autre le paysage*. De nouveau à New York en 1982, il rencontre Keith Haring et Jean-Michel Basquiat. Il installe son atelier à Paris en 1983. C'est en 1987, qu'il réalise ses premières gravures dans l'atelier de Pincemin. L'État français lui a passé commande en 1988 d'une tapisserie monumentale sur le thème des droits de l'homme.
Richard Texier a illustré plusieurs livres : *Les chambres de l'œil*, texte de Franck-André Jamme, 1989 ; *Pas japonais*, texte de

Jean-Louis Giovannoni, 1991 ; *L'Horizon est plus grand*, texte de Patrick Deville, 1996.
Il montre ses œuvres dans de nombreuses expositions personnelles, dont : 1979, Rochefort-sur-Mer, Musée Municipal ; 1980, Centre d'art contemporain, Orléans ; 1982, galerie Claudine Bréguet, Paris ; 1983, Espace 351, New York ; 1984, Simon Chaput Space, New York ; 1985, galerie Kouros, New York ; 1985, Musée du Donjon, Niort ; 1987, Musée de Gijon ; 1988, galerie Léa Gredt, Luxembourg ; 1989, Musée de la Tapisserie, Aubusson ; 1990, 1991, galerie Bernard-Davignon, Paris ; 1991, Musée des Beaux-Arts, Angers ; 1992, Pavillon de la Culture et Centre d'art contemporain, Moscou ; 1992, galerie Hadrien-Thomas, Paris ; 1993, Château Royal, Amboise ; 1995, galerie Daniel Duchoze, Rouen ; 1996, Ivry, Manufacture des Œillets ; 1996, Musée National, Taïwan ; 1997, galerie Thessa Herold, Paris.
Il commence en 1977 à travailler à une série intitulée *Paysages* composée de traces, d'indices et de morceaux trouvés dans les paysages de son enfance. Il poursuit cette recherche avec *Relevé de lune, Relevé en place, Lieu bleu, Enregistrement lunaire*, œuvres auxquelles il associe des commentaires. En 1978, il réalise la série *Œuvres tautologiques*, en 1980 l'ensemble *Calendrier lunaire* marquant, selon lui, le véritable point de départ de son œuvre. C'est à cette époque qu'il se fait connaître sur la scène artistique française. Les travaux des premiers astronomes Apianus, Tycho Brahé et Galilée vont ainsi constituer le thème de ses recherches en peinture pendant une dizaine d'années. Il continue cependant de ramasser des objets sur le littoral atlantique, zinc, bois, ferraille, et autres débris, qu'il incorpore à ses œuvres. En 1991, il change de technique en peignant sur de l'isorel calciné et du papier bitumé.
L'œuvre de Richard Texier se divise en peintures et sculptures. Ces deux moyens d'expression participent d'une même cartographie de l'imaginaire, d'une même cosmogonie – un mot qui est souvent associé à son travail – exprimant le monde sans le figurer. Signes énigmatiques, couleurs ocres et formes non définies en suspens, s'inscrivent dans la matière de la peinture, se déploient dans l'espace du support, où rien ne semble figé ou décidé *a priori*. Ses sculptures, faites en partie avec des objets de récupération, laissent entrevoir une approche plus ludique et surréaliste de l'univers. Dans les deux cas, il ne s'agit pas d'intellectualiser le monde car tous les flux énergétiques vitaux y sont convoqués, mais de trouver, comme avec à l'aide de ses objets qu'il qualifie de « viseurs d'étoile », « une route mentale secrète ». ∎ C. D.
Bibliogr. : Michel Butor, Jan-Laurens Siesling : *Richard Texier, peintures sur Ingres*, Rotor, Paris, 1982 – Dominique Clément, Richard Texier : *Richard Texier, Jardin de lune*, Projet, Poitiers, 1986 – Christine Buci-Glucksmann, Philippe Carteron, Michel Cassé et Michel Enrici : *Richard Texier, Episod*, Aaltus Cassendi, Paris, 1990 – Jean-Marie del Moral : *Richard Texier*, Altus Cassendi, Paris, 1991 – Jean-Marie Laclavetine : *Richard Texier de 1982 à 1993*, Ed. du Cygne, Amboise, 1993 – Patrick Grainville : *Richard Texier*, La Différence, Paris, 1995.
Musées : Paris (FNAC).
Ventes Publiques : Paris, 26 mai 1989 : *La cabane du lorgneur* 1989, techn. mixte et collage/isor. (52x41,5) : FRF 5 500 – Paris, 8 oct. 1989 : *Le Bon Chemin* 1989, h. et collage/isor. (52x42) : FRF 6 500 – Paris, 13 déc. 1989 : *Le temps*, techn. mixte (80x80) : FRF 22 000 – Paris, 5 mars 1990 : *Sans titre* 1989, techn. mixte/ pan. (74x60) : FRF 16 000 – Paris, 3 mai 1990 : *Épisode 89* 1989, h/t (130x130) : FRF 50 000 – Paris, 8 oct. 1991 : *Ré*, techn. mixte/t. (114x146) : FRF 28 000 – Neuilly, 1er déc. 1991 : *Les deux axes de la tourmente* 1985, h. et techn. mixte/t. (130x130) : FRF 20 000 – Paris, 15 déc. 1991 : *S.T.E.L.L.A.* 1989, techn. mixte (52x41,1) : FRF 5 500 – Paris, 2 fév. 1992 : *Petite mécanique céleste* 1989, techn. mixte/pap./t. (65x80) : FRF 22 500 – Paris, 21 mars 1994 : *Épisode* 1990, acryl. et collage/t. (195x195) : FRF 45 000 – Paris, 20 nov. 1994 : *Ré* 1990, h. et techn. mixte/t. (98x130) : FRF 15 000 – Paris, 13 mars 1995 : *Sans titre* 1988, techn. mixte (38x27) : FRF 4 500 – Paris, 24 mars 1996 : *Rebours* 1990, peint. et techn. mixte (92x73) : FRF 20 500 – Paris, 4 oct. 1997 : *La Terre rouge de Vasco* 1990, h. et poudre de pierre/t. (120x120) : FRF 12 000.

TEXIER Victor André Louis
Né en 1777 à La Rochelle. Mort le 24 décembre 1864 à Paris. XIXe siècle. Français.
Peintre d'architectures, dessinateur et graveur à l'eau-forte.
Élève de Laurent et de Piranesi, il débuta au Salon en 1810 et

obtint une médaille de deuxième classe en 1824. Il fournit des planches pour le *Musée Français* (*Vues de l'Alhambra et de Cordoue*, tableau de la *Compagnie des gardes à pied ordinaires du Roi*, 1815). Son principal ouvrage fut les estampes pour le *Musée de Sculpture*, du Comte de Clarac, dont il était le conseil et l'âme.

TEXTE-GUGNON, Mme. Voir GUGNON Louise

TEXTOR Charles
Né en 1835 à Lyon (Rhône). Mort en septembre 1905 à Lyon. XIXᵉ siècle. Français.
Sculpteur.
Le Musée de Lyon conserve de lui les bustes du peintre *Antoine Berjon*, du littérateur *Fulchiron* et du poète *Joséphin Soulary*.

TEXTOR Franz Josef ou Weber
Né le 9 novembre 1741 à Innsbruck. XVIIIᵉ siècle. Actif à Kempten. Autrichien.
Peintre et graveur au burin.
Élève de l'Académie de Vienne. Il peignit des scènes populaires, des fleurs, des animaux et des portraits à la manière hollandaise. Le Musée du Ferdinandeum d'Innsbruck conserve quinze peintures de cet artiste.
VENTES PUBLIQUES : VIENNE, 19 juin 1979 : *Nature morte aux fleurs*, h/t (32,5x20,5) : **ATS 90 000** – VIENNE, 5 déc. 1984 : *Scène de marché*, h/cuivre (37,5x68,5) : **ATS 280 000**.

TEXTOR Julie
Née le 19 avril 1848 à Ellwangen. XIXᵉ siècle. Allemande.
Paysagiste.
Élève des Académies de Stuttgart et de Munich. Le Musée d'Esslingen conserve d'elle *Le vieil Esslingen*.
VENTES PUBLIQUES : COLOGNE, 11 mai 1977 : *Nature morte*, h/t (56x73) : **DEM 2 400**.

TEYECK. Voir TEJCEK

TEYGEMAN Gustave
Né en 1874 à Ostende (Flandre-Occidentale). Mort en 1960 à Ostende. XXᵉ siècle. Belge.
Peintre de paysages, décorateur.
BIBLIOGR. : In : *Dictionnaire biographique illustré des artistes en Belgique depuis 1830*, Arto, Bruxelles, 1987.

TEYLER Johannes ou Johan, dit Spéculatie
Né en 1648 à Nimègue. Mort après 1697. XVIIᵉ siècle. Hollandais.
Peintre, graveur au burin et ingénieur.
Professeur de perspective à Nimègue. Il s'occupa de l'impression des gravures en couleurs. Il a gravé des vues et des portraits. Le Cabinet d'Estampes d'Amsterdam conserve cent quarante-deux gravures de cet artiste.

TEYLINGEN Jan Van
Né à Emden. Mort en 1654 à Hoorn. XVIIᵉ siècle. Hollandais.
Peintre de portraits.
En 1624 dans la gilde de Dordrecht. Il vécut aussi à Hoorn et à Leyde. Le Musée de Hoorn conserve de lui vingt-huit portraits de membres de la maison de Nassau.

TEYMAN Caspar ou Theymann
XVIIᵉ siècle. Actif dans la seconde moitié du XVIIᵉ siècle. Hollandais.
Graveur au burin.
Il grava des portraits et des vues de Cologne.

TEYMAUUS Louis
XIXᵉ siècle. Actif à Bruxelles vers 1840. Belge.
Portraitiste.

TEYSONNIÈRE Mathilde ou Teyssonnières
Née au XIXᵉ siècle à Toulouse (Haute-Garonne). XIXᵉ siècle. Française.
Graveur à l'eau-forte.
Fille de Pierre Salvy Frédéric T. Elle débuta au Salon de Paris en 1881. Mention honorable en 1888.

TEYSONNIÈRE Pierre Salvy Frédéric ou Teyssonnières
Né le 6 juin 1834 à Albi (Tarn). XIXᵉ siècle. Français.
Paysagiste et graveur à l'eau-forte.
Élève de Lalanne et de Drouyn. Il débuta au Salon de Paris en 1868 et obtint une mention honorable en 1877, médaille de troisième classe en 1878. Il a surtout peint des vues de Bordeaux et de la Gironde. Comme graveur il mérite une mention spéciale. Ce fut un chercheur. S'il fit des gravures de reproduction notamment d'après Géricault, Hobbema, Jean-Paul Laurens, Th. Rousseau, il chercha des procédés nouveaux. On lui doit aussi des gravures originales, notamment des vues de Bordeaux et du Bordelais. Son œuvre dépasse quatre cents pièces.

TEYSSIER Michel Anne. Voir TEISSIER

TEYTAUD Alphonse
Né vers 1815 à Lubersac (Corrèze). XIXᵉ siècle. Français.
Peintre d'histoire, compositions religieuses, scènes de genre, paysages.
Il exposa de 1839 à 1850 et obtint une médaille de troisième classe en 1850.
MUSÉES : LIMOGES : *L'idylle* – *L'Élégie* – SAINT-ÉTIENNE : *Jésus au bord du Jourdain*.

THAANING Christian
XVIIIᵉ siècle. Actif dans la seconde moitié du XVIIIᵉ siècle. Norvégien.
Peintre.
Il exécuta vingt-cinq peintures pour l'église de Kongberg à partir de 1760. Le Musée de Drammen possède de lui les portraits de *Karen Collett* et d'*Alma Müller*.

THAANING Nils
Mort le 5 janvier 1779 à Oslo. XVIIIᵉ siècle. Norvégien.
Peintre.
Il peignit des fresques et des portraits à Oslo.

THABART Adolphe Martial ou Thabard
Né le 13 novembre 1831 à Limoges (Haute-Vienne). Mort le 2 décembre 1905 à Clamart (Hauts-de-Seine). XIXᵉ siècle. Français.
Sculpteur.
Élève de Duret. Il débuta au Salon en 1863. Membre de la Société des Artistes Français. Il obtint une troisième médaille en 1868, une deuxième médaille en 1872, une médaille d'argent en 1889 (Exposition Universelle) ; chevalier de la Légion d'honneur depuis 1884.
MUSÉES : LIMOGES : *Le charmeur* – *Jeune homme à l'émerillon* – *L'enfant au cygne* – *Le colonel Pietri* – PARIS (Mus. du Louvre) : *Laïs* – PAU : *Le poète et la Muse* – VERSAILLES : *Buste du général baron Delzons*, buste.
VENTES PUBLIQUES : LONDRES, 6 nov. 1986 : *Pan* vers 1870, bronze patine brun foncé (H. 68) : **GBP 1 200**.

THABERIT Jan. Voir TABERITH

THACHE Nathaniel ou Tach
Né en 1617 à Barrow. XVIIᵉ siècle. Britannique.
Miniaturiste.

THACKARA James
Né le 12 mars 1767 à Philadelphie. Mort le 15 août 1848 à Philadelphie. XVIIIᵉ-XIXᵉ siècles. Américain.
Graveur au burin.

THACKER Robert
XVIIᵉ siècle. Travaillant vers 1670. Britannique.
Graveur au burin et dessinateur.
On cite de cet artiste, graveur du roi, une importante estampe en quatre planches de la cathédrale de Salisbury.

THACKERAY Lance
Mort le 11 août 1916 à Brighton (East Sussex). XIXᵉ-XXᵉ siècles. Britannique.
Peintre de genre, scènes de sport, illustrateur, écrivain.
Il exposa à Londres de 1908 à 1913.

THACKERAY William Makepeace
Né le 18 juillet 1811 à Calcutta. Mort le 24 décembre 1863 à Kensington. XIXᵉ siècle. Britannique.
Littérateur, illustrateur et dessinateur.
L'immortel auteur de *La Foire aux vanités*, mérite d'être cité ici en raison des illustrations qu'il fit pour certains de ses ouvrages et de ses nombreux croquis. Parmi les premiers, on cite notamment : *Comic tales and sketches*, *The Irish sketches book*, *The Paris sketches book*, *Memoirs of mr Charles Yellowplush*, *The book of snobs*, *Catherine litte travels and the Fitz boodle papers*, *Christmas books*, *Vanity Fair*, etc. Le Musée Britannique et le Musée Victoria et Albert de Londres possèdent de nombreux dessins de lui.

THADDEUS Henry Jones, de son vrai nom : Henry Thaddeus Jones
Né en 1860. Mort en 1929. XIXᵉ-XXᵉ siècles. Actif en Angleterre. Irlandais.
Peintre de genre, portraits.
Originaire de Cork. Il décida de changer son nom vers le milieu

des années 1880 lorsqu'il commença à être connu comme portraitiste.

Entré à dix ans à l'école d'art de Cork, dans les années 1879-80, il étudia à Heatherley, à Londres, puis rejoignit l'Académie Julian à Paris. En France, il peignit à Pont-Aven et à Concarneau. En 1882, il séjourna en Italie où il fit la connaissance du duc et de la duchesse de Teck qui lui commandèrent des portraits. Il se spécialisa dans le portrait des membres de l'aristocratie européenne. Il fut membre de la Royal Hibernian Academy. Il vécut et travailla à Londres, mais voyagea beaucoup.

En 1881, il présenta au Salon des Artistes Français une œuvre réaliste *Le braconnier blessé*. Il exposa à Londres, notamment à Suffolk Street à partir de 1885.

Bibliogr. : Autobiographie : *Souvenirs d'un peintre de cour*, 1912 – in : catalogue de l'exposition *Les impressionnistes irlandais – Artistes irlandais en France et en Belgique 1850-1914*, National Gallery d'Irlande, Dublin, et Ulster Museum, Belfast, 1984-85.

Musées : Dublin (Gal.) : *Portrait de John Edward Redmond*.

Ventes Publiques : Londres, 4 juil. 1910 : *Pêcheurs* : GBP 22 – Londres, 28 fév. 1978 : *La virtuose*, h/t (114,5x152) : GBP 1 600 – Londres, 2 fév 1979 : *Portrait de la Grande Duchesse Olga, âgée de quatre ans* 1886, h/t, forme contournée (91,4x61) : GBP 1 600 – Londres, 8 nov. 1984 : *Un guerrier arabe* 1889, h/pan. (21,5x16,5) : GBP 2 800 – Londres, 14 avr. 1985 : *An eviction Ireland, Co. Galway* 1889, h/t (122x152) : GBP 2 800 – Londres, 14 juin 1991 : *Fête chez des pêcheurs méditerranéens*, h/t (43x61) : GBP 3 080 – Londres, 9 oct. 1996 : *Sur la plage* 1821, h/pan. (35x53) : GBP 7 475.

THADEN Barbara
XXe siècle. Allemande.
Peintre, peintre animalier.
Sa peinture vivement colorée relève d'une figuration à tendance expressionniste avec une touche surréaliste. Dans les années quatre-vingts, des thèmes animaliers, chevaux et poissons, s'y reconnaissent.
Ventes Publiques : Paris, 17 mai 1987 : *Toter Kopf*, h/t (79x53) : FRF 40 000 – Paris, 26 oct. 1988 : *Sans titre* 1986, acryl./t. : FRF 9 500 – Paris, 12 fév. 1989 : *Découpage au ciseau*, acryl./t. (150x150) : FRF 14 000 – Paris, 2 déc. 1991 : *Ciel étoilé* 1985, acryl./t. (130x140) : FRF 6 000.

THADEO Milanese. Voir MILANESE

THADONNE Eugène Jules
Né à Paris. Mort en 1900. XIXe siècle. Français.
Portraitiste et peintre de genre.
Élève de Pils. Il débuta au Salon en 1880. Sociétaire des Artistes Français.

THAEB, appellation erronée. Voir THACHE

THAETER Julius Caesar ou Thater
Né le 7 janvier 1804 à Dresde. Mort le 17 novembre 1870 à Munich. XIXe siècle. Allemand.
Graveur.
Élève de l'Académie de Dresde, d'Albr. Reindel à Nuremberg et de Sam Amsler à Munich. Il travailla à Nuremberg, à Berlin, Weimar, Dresde et Munich. Il a gravé des portraits, des sujets de genre et d'histoire, et à collaboré notamment à l'*Histoire de l'Art* du comte Raezynski. Il fut professeur à l'Académie à partir de 1846.

THAILHAUD Mérignac, dit Manceau
XVIe siècle. Actif à Toulouse. Français.
Sculpteur.
Il sculpta le portail ouest de la façade de l'église de la Dalbade en 1537.

THAIN Howard A.
Né le 16 novembre 1891 à Dallas (Texas). XXe siècle. Américain.
Peintre.
Il fut élève de Samuel Ostrowsky, Antonin Sterba, F. V. Du Mond et Robert Henri. Il fut membre de la Société des Artistes Indépendants.

THAKE Eric
Né en 1904. Mort en 1982. XXe siècle. Australien.
Graveur.
Il a gravé des bois, notamment une *Crucifixion* (1936) en noir et blanc. À la place du corps habituellement représenté, on distingue des objets divers, comme vues à contre-jour.

Bibliogr. : In : *Creating Australia 200 years of Art 1788-1988*, Art Gallery of South Australia, Adelaïde, 1988.

THALAXI ?
Peintre.
Cité par miss Florence Levy.
Ventes Publiques : New York, 25 et 26 jan. 1911 : *La Sentinelle* : USD 90.

THALBITZER Anna
Née le 31 janvier 1884 à Helsingör. XXe siècle. Danoise.
Peintre de paysages.
Elle fut élève de M. Ancher et de C. Wilhelmson. Elle vécut et travailla à Charlottenlund.

THALBITZER Ella, née Grave
Née le 5 février 1883 à Copenhague. XXe siècle. Danoise.
Peintre de paysages et de fleurs.
Elle fut élève de J. H. Brandt et de Gerhard Blom. Elle vécut et travailla à Holte.

THALBITZER Ellen, née Locher
Née le 18 février 1883. XXe siècle. Danoise.
Sculpteur.
Elle était la sœur de Carl Ludvig Thilson Locher. Exposa de 1903 à 1908 à Charlottenborg.

THALBITZER Mathilde Émilie
Née le 20 avril 1874 à Skovsgaard près de Viborg. Morte le 12 juillet 1931 à Viborg. XIXe-XXe siècles. Danoise.
Peintre de paysages.
Elle fut élève de l'Académie de Copenhague.
Musées : Kolding : une peinture.

THALER Franz
Né en 1819 à Landeck. XIXe siècle. Autrichien.
Peintre.
Élève de l'Académie de Vienne.

THALER Franz Christian ou Thaller
Né le 8 juillet 1759 à Wörgl. Mort le 25 avril 1817 à Vienne. XVIIIe-XIXe siècles. Autrichien.
Sculpteur sur pierre, sur bois, sculpteur-modeleur de cire.
Élève de Jos. Prötzner à l'Académie de Munich. Il travailla à Vienne où il sculpta de nombreux bustes de personnalités de son temps. Le Musée Municipal de cette ville conserve de lui le portrait en cire de *Josef Haydn*.

THÄLER Johann Barth
XIXe siècle. Actif à Herisau dans la première moitié du XIXe siècle. Suisse.
Peintre sur faïence.
Le Musée National de Zurich conserve de lui cinq assiettes.

THALER Raphael
Né le 1er septembre 1870 à Innsbruck. XIXe siècle. Autrichien.
Peintre et restaurateur de tableaux.
Élève de l'Académie de Venise. Il peignit des fresques dans de nombreuses églises du Tyrol.

THALER Willy
Né le 25 avril 1899 à Saint-Gall. XXe siècle. Suisse.
Peintre, graveur.
Il fut élève de l'Académie de Milan.

THALER Wolf
Né le 29 décembre 1895 à Saint-Ulrich (Tyrol). XXe siècle. Allemand.
Peintre, graveur.
Il fut élève de Marr et de Gröber à Munich, où il vécut et travailla par la suite.
Musées : Munich (Mus. mun.) : *Coucher du soleil après l'orage* – un carton avec les blasons de cinquante vieilles familles de Munich.
Ventes Publiques : Paris, 2 déc. 1977 : *Fleurs dans un vase de cristal*, h/pan. (45x37) : FRF 15 500.

THALES de Sicyone
VIIe-VIe siècles avant J.-C. Actif à l'époque archaïque. Antiquité grecque.
Peintre.

THALHEIMER Arbogast
Né vers 1664. Mort le 14 juillet 1746 à Ottobeuren. XVIIe-XVIIIe siècles. Allemand.
Peintre.

Père de Karl Joseph T. Il exécuta de nombreuses peintures murales dans l'abbaye d'Ottobeuren et diverses églises des environs.

THALHEIMER Franz Andreas
Né en 1724 à Ottobeuren. XVIIIᵉ siècle. Allemand.
Peintre.
Il peignit des fresques dans les églises de Würzburg et des environs.

THALHEIMER Karl Joseph
Né en 1712 probablement à Ottobeuren. Mort en 1799 à Landsberg. XVIIIᵉ siècle. Allemand.
Peintre.
Il exécuta des peintures dans la chapelle Saint-Jean de Landsberg et dans la chapelle du cimetière de Spötting vers 1765.

THALHEIMER Paul
Né le 25 mai 1884 à Heilbronn (Bade-Wurtemberg). XXᵉ siècle. Allemand.
Peintre.
Il fut élève de Herterich à Munich, où il vécut et travailla par la suite.
Il exécuta des peintures murales et des vitraux pour plusieurs églises de Bavière et de Wurtemberg.
Musées : MUNICH (Gal. mun.) : *Tentation de saint Antoine*.

THALLEN Bernhrad von. Voir DAHLEN Bernhard von

THALLER. Voir THALER

THALLMAIER Franz Xaver
XIXᵉ siècle. Travaillant à Munich dans la seconde moitié du XIXᵉ siècle. Allemand.
Peintre sur porcelaine.
La nouvelle Pinacothèque de Munich conserve de lui deux portraits sur porcelaine.

THALMANN Gérard
Né en 1944 à Chavannes (Suisse). XXᵉ siècle. Suisse.
Peintre.
Il participe à des expositions collectives, parmi lesquelles : 1981, 1984, 1988, Salon de Montrouge (près de Paris). Il montre ses œuvres dans des expositions personnelles, à partir de 1979 à la galerie Anton Meier à Genève, à partir de 1981 à la galerie Karl Flinker à Paris, puis chez Pascal Gabert en 1993.
Il a présenté en 1979 une série de « fenêtres/peintures » imageant un lieu de passage entre lui et le monde social, en 1982 une autre série de peintures sur le thème de « La mort d'Eschyle », en 1984 des paysages nocturnes et des « ateliers ». Les compositions de Gérard Thalmann sont caractérisées par des structures à tendance géométrique ou non, parfois transparentes, qui se superposent, et sont autant d'ouvertures au sens dans les tableaux où se distinguent des éléments de réalité autres, extérieurs, petits animaux, figurines, fruits...
Bibliogr. : Jean-Luc Chalumeau : *L'atelier de Gérard Thalmann*, in : *Opus international* nᵒ 95, Paris, 1984.

THALMANN Max
Né en 1890 en Thuringe. XXᵉ siècle. Allemand.
Peintre de sujets religieux, graveur, illustrateur.
Il fut élève de l'Académie de Leipzig. Il vécut et travailla à Weimar. Il grava des sujets religieux et des illustrations de livres.

THAM Otto
Né en 1903. XXᵉ siècle. Autrichien.
Peintre. Naïf.
Il a vécu et travaillé à Vienne. Télégraphiste de son métier, il a peint de charmantes compositions, dont la précision du détail crée une fois de plus cette poésie simple si caractéristique du fait naïf.
Bibliogr. : Dr. L. Gans : *catalogue de la Collection de Peinture Naïve Albert Dorne*, Pays-Bas, s. d.

THAMAS Franz
XIXᵉ siècle. Travaillant à Vienne en 1820. Autrichien.
Portraitiste.

THAMASCH. Voir TAMASCH

THÄMER Otto
Né le 1ᵉʳ février 1892 à Altona (Hambourg). XXᵉ siècle. Allemand.
Peintre, peintre de compositions murales, graveur.
Il fut élève des Académies de Berlin et de Munich. Il peignit des fresques décoratives.
Musées : FLENSBOURG : *Samaritain* – KIEL (Kunsthalle) : *Port italien*.

THAMM Adolf Gustav
Né le 18 juillet 1859 à Dresde (Saxe). Mort le 21 octobre 1925 à Dresde. XIXᵉ-XXᵉ siècles. Allemand.
Peintre de paysages.
Il fut élève de l'Académie de Dresde et de l'École d'art à Weimar avec Paul Mohn et Th. Hagen. Il travailla à Weimar et à Dresde. Mention honorable à Berlin en 1891.

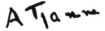

Musées : DRESDE (Gal. Mod.).
Ventes Publiques : COLOGNE, 9 juin 1971 : *Petite ville au bord d'une rivière* : DEM 4 300 – HEIDELBERG, 3 avr. 1993 : *Vue de Besigheim, h/t (70x56,5)* : DEM 2 300.

THAMM Albrecht
Né le 10 avril 1839 à Habelschwerdt. Mort le 5 mai 1882 à Habelschwerdt. XIXᵉ siècle. Allemand.
Sculpteur.
Élève de l'Académie de Berlin. Il sculpta des autels, des fonts baptismaux et des chaires pour des églises de Silésie et onze statues de saints pour l'église de Liegnitz.

THAN Mor ou Moritz, appelé aussi Apati
Né le 19 juin 1828 à Alt-Becse. Mort le 11 mars 1899 à Trieste. XIXᵉ siècle. Hongrois.
Peintre d'histoire, sujets mythologiques, portraits.
Élève de l'Académie de Vienne, de Carl Rahl et de Fuhrich. Il travailla à Paris, parcourut l'Italie, la Belgique, l'Allemagne. Il fut directeur de la Galerie hongroise de Budapest. Un portrait de *François-Joseph* peint par lui, se trouve à l'Hôtel de Ville de Budapest. Le Musée National de Budapest conserve de lui *Départ d'Ulysse* et *Retour d'Ulysse*.
Ventes Publiques : PARIS, 27 juin 1947 : *Léda* : FRF 4 100.

THANE John
XVIIIᵉ siècle. Britannique.
Aquafortiste.
Il grava des portraits et des fac-similés.

THANE W.
XIXᵉ siècle. Travaillant à Londres de 1807 à 1818. Britannique.
Paysagiste.

THANER Klara
Née le 3 juillet 1872 à Innsbruck (Tyrol). Morte le 14 octobre 1936 à Graz (Styrie). XIXᵉ-XXᵉ siècles. Autrichienne.
Peintre.
Elle fut élève de W. Thor et de W. Püttner à Munich.
Musées : GRAZ (Gal. mun.) : *La manutention de Graz*.

THANER Leonhard ou Thanna, Thoner
Mort en 1500 à Cividale (?). XVᵉ siècle. Allemand.
Sculpteur sur bois et peintre.
Il travailla en Frioul. Il sculpta plusieurs statues de saints pour l'église Saint-Daniel d'Udine.

THANGO François
Né vers 1938 à Brazzaville. Mort en 1981 à Brazzaville. XXᵉ siècle. Congolais.
Peintre.
Il peint des figures stylisées aux têtes ovales, aux yeux carrés, aux bouches proéminentes, aux cheveux hérissés, par aplats de couleurs vives, bordés de cernes noires.
Bibliogr. : In : *Dictionnaire de l'art moderne et contemporain*, Hazan, Paris, 1992.

THANLORD Fritz
Né en 1847 à Christiania (aujourd'hui Oslo). XIXᵉ siècle. Norvégien.
Peintre.
Il a étudié principalement à Paris. Pendant ses dernières années seulement, a habité sa patrie.

THANN Moritz. Voir THAN Mor

THANNA Leonhard. Voir THANER

THANS Willem
Né le 20 juillet 1816 à Rotterdam. Mort en 1849. XIXᵉ siècle. Hollandais.
Peintre d'histoire, genre, portraits.
Il n'eut aucun maître.

VENTES PUBLIQUES : LONDRES, 26 nov. 1980 : *Scène de taverne*, h/pan. (39,5x26) : **GBP 1 100**.

THAON Cornille
Né vers 1655 à Saint-Omer. Mort en 1695. XVIIᵉ siècle. Français.
Peintre.

THAON Jacques Louis
Né le 23 janvier 1662 à Saint-Omer. XVIIᵉ siècle. Français.
Peintre.
Frère de Cornille T. Il peignit le tableau du maître-autel de l'église de Clermarais en 1684.

THARARD Adolphe
Né au XIXᵉ siècle à Limoges (Haute-Vienne). XIXᵉ siècle. Français.
Sculpteur.
Il figura au Salon des Artistes Français ; médaille en 1868, médaille de deuxième classe en 1872 ; chevalier de la Légion d'honneur en 1884, médaille d'argent en 1889 (Exposition Universelle).

THARAUD Camille
Né le 20 avril 1878 à Limoges (Haute-Vienne). XXᵉ siècle. Français.
Céramiste.
Il a exposé, à Paris, aux Salons d'Automne, des Artistes Décorateurs. Chevalier de la Légion d'honneur.
MUSÉES : LIMOGES – MARSEILLE – SÈVRES.

THAREL Léon
Né vers 1858 à Tôtes (Seine-Maritime). Mort en 1902. XIXᵉ siècle. Français.
Sculpteur.
Élève d'Ath. Fossé. Il exposa à Paris de 1882 à 1899.
VENTES PUBLIQUES : COLOGNE, 26 oct. 1984 : *Jeune homme assis, tenant un violon*, bronze (H. 27,5) : **DEM 3 000** – PARIS, 20 déc. 1996 : *Sans soucis ou Le Jeune Violoniste assoupi*, bronze (H. 27, l. 28, prof. 17) : **FRF 6 000**.

THARONOT Guillaume
XVIᵉ siècle. Actif à Troyes. Français.
Peintre.
Fils de Jean Tharonot.

THARONOT Jacques
XVIᵉ siècle. Actif à Troyes entre 1512 et 1557. Français.
Peintre d'histoire.
Il était fils du premier Jean Tharonot. Il a été parfois confondu avec son frère Jean Tharonot. Il peignit pour l'église Saint-Jean à Troyes un *Baptême du Christ* et une *Décollation de saint Jean Baptiste*. Il travailla également aux préparatifs de l'entrée de la reine Éléonore à Troyes avec les peintres Jacques Bossot, Pierre Cotelle, Guyot Cotelle et Jacques Cotelle, en 1534.

THARONOT Jean I
XVᵉ siècle. Actif à Troyes de 1484 à 1485. Français.
Peintre.

THARONOT Jean II
Né vers 1512. Mort après 1548. XVIᵉ siècle. Actif à Troyes. Français.
Peintre.
Fils de Jean Tharonot, cité à Troyes en 1485. Il travailla en 1534 à la décoration de Troyes pour l'entrée de la reine Éléonore.

THARONOT Jean III
Mort avant 1547. XVIᵉ siècle. Actif à Troyes. Français.
Peintre.

THARONOT Michel
XVIᵉ siècle. Actif à Troyes de 1548 à 1572. Français.
Peintre.

THARP Charles Julian Théodore
Né le 24 mai 1878 à Denston. XXᵉ siècle. Britannique.
Peintre de paysages, portraits, sculpteur.
Il vécut et travailla à Londres.

THARRATS Juan José
Né en 1918 à Gérone (Catalogne). XXᵉ siècle. Espagnol.
Peintre, peintre de compositions murales. Abstrait, tendance informelle. Groupe Dau al Set.
Ayant commencé à peindre en 1940, à Barcelone, il y fonda, avec Antonio Tapies, Juan Ponç et Modesto Cuixart, le groupe *Dau al Set* en 1948, qui allait réintroduire l'art espagnol dans le mouvement contemporain. Le groupe éditait également une revue. Il

vit et travaille à Barcelone. Il voyage souvent en Europe et aux États-Unis.
Avec les autres fondateurs du groupe du *Dau al Set*, il avait été remarqué à la Biennale de Venise de 1948, comme devait se faire connaître à la même Biennale de Venise, mais en 1958, le groupe *El Paso*, avec notamment Saura, Feito, etc. Tharrats figure dans les expositions importantes, nationales et internationales, d'art espagnol contemporain. Bien que n'exposant que depuis 1950, il a fêté sa centième exposition particulière par une vaste rétrospective de ses trente ans de peinture à Barcelone en 1976. Il a obtenu le Prix Hallmark, en 1952, le Prix de l'Hôtel de Ville de Barcelone, en 1957.
La technique de Tharrats consiste en ce que l'on a nommé « la maculature », une surimpression de tachages successifs qu'il accumule à partir de matériaux très divers : encres d'impression ou de lithographie, émaux, latex, et quand même peinture, notamment peinture à l'huile. Ses œuvres ont le charme commun à tout le courant que l'on a pu appeler « le tachisme », aboutissant à une poétique de l'indéfini, à un « paysagisme informel ». Il a exécuté plusieurs peintures murales pour des édifices publics et des églises de Barcelone.
BIBLIOGR. : B. Dorival, sous la direction de... : *Peintres Contemporains*, Mazenod, Paris, 1964 – Jean Clair : *Des libertés permises à l'artiste*, Chroniques de l'Art Vivant, Paris, février 1971 – in : *Dictionnaire universel de la peinture*, Le Robert, Paris, 1975 – in : *Catalogue National d'Art Contemporain*, Éditions d'art Iberico 2000, Barcelone, 1990 – in : *L'art du XXᵉ siècle*, Larousse, Paris, 1991.
MUSÉES : ATLANTA – BARCELONE – BILBAO (Mus. des Beaux-Arts) – BOSTON – DALLAS (Mus. of Fine Arts) – DENVER – HELSINKI – LONDRES (Tate Gal.) – MADRID (Mus. d'Arte Mod.) – MONTRÉAL (Mus. d'art Contemp.) : *Nullius in Verba* 1961 – NEW YORK (Mus. of Mod. Art) : *Lo que serrà* – NEW YORK (Solomon R. Guggenheim Mus.) – TAIPEI (Mus. Nat.) – TOKYO (Mus. d'Art Mod.) – TORONTO – ZURICH.
VENTES PUBLIQUES : PARIS, 12 fév. 1989 : *Composition*, techn. mixte (49x54) : **FRF 7 500** – PARIS, 16 déc. 1990 : *Juliol* 1969, h/t : **FRF 12 000** – NEW YORK, 9 mai 1992 : *Centre galactique* 1967, h/t (61x49,8) : **USD 1 650** – PARIS, 16 avr. 1992 : *Composition* 1960, techn. mixte/pap. froissé (50x65) : **FRF 7 500**.

THATCHER C. F.
XIXᵉ siècle. Actif à Londres dans la première moitié du XIXᵉ siècle. Britannique.
Peintre de genre et portraitiste.
Il exposa de 1816 à 1846.

THAU Balthasar
Né en 1660. XVIIᵉ siècle. Allemand.
Peintre sur faïence.
Il travailla à la Manufacture de faïence de Francfort. Le Musée Municipal de Francfort et le Musée Luitpold de Würzburg conservent des œuvres de cet artiste.

THAU M., appellation erronée. Voir THAN Mor

THAUER Carl, et non Christian
Mort le 24 juin 1658 à Berlin. XVIIᵉ siècle. Allemand.
Médailleur.
Il grava des médailles pour le Grand Électeur de Brandebourg.

THAULOW Fritz ou Frits ou Johan Fredrik
Né le 20 octobre 1847 à Oslo. Mort le 5 novembre 1906 à Volendam (Hollande). XIXᵉ siècle. Norvégien.
Peintre de scènes de genre, paysages, paysages d'eau, pastelliste, graveur. Tendance impressionniste.
Il était le frère de Mette, la femme de Paul Gauguin. Élève de l'École des Beaux-Arts d'Oslo puis de l'Académie des Beaux-Arts de Copenhague dans l'atelier de Sorensen, il quitta assez jeune les pays scandinaves, séjourna quelque temps à Karlsruhe où il fut élève de Hans Gude, puis vint en France où il se fixa. À Paris, il fut ami de Claude Monet et de Rodin, avec lequel s'échangèrent des œuvres ; grâce à Fritz Thaulow, Rodin fut présenté à ses artistes scandinaves de passage à Paris. Fritz Thaulow fut également écrivain ; et eut, durant de longues années un atelier à Dieppe ; la vente de son atelier eut lieu le 3 mai 1907.
Il figura dans des expositions collectives à Munich, Berlin et Paris : au Salon des Artistes Français ; au Salon du Champ de Mars, où il exposa à partir de 1890. En 1994, le Musée Rodin, à Paris, lui consacra une exposition. Il obtint diverses récompenses et distinctions, dont : une mention honorable à Berlin en 1886 ; une médaille à Munich en 1890 ; une autre à

Vienne en 1894 ; le Grand Prix à Paris en 1900, pour l'Exposition Universelle. Il fut nommé membre du Jury international des Beaux-Arts à l'Exposition Universelle de 1889, membre de l'Académie des Beaux-Arts de Munich en 1890 ; promu chevalier de la Légion d'honneur en 1889, puis officier de la Légion d'honneur en 1901.

Ses premiers envois consistaient en des souvenirs de son pays natal. À dater de 1892, il peignit exclusivement des paysages de France. Thaulow excelle dans la reproduction des vues de canaux, de bords de rivière et des petits villages éclairés par la lune ou enfouis sous la neige. Thaulow trouva sa direction dans le milieu impressionniste. Dès 1882 il montra beaucoup de clairvoyance en comprenant et faisant sien l'apport capital de la nouvelle école de peinture encore très discutée. Il ne lui emprunta pas ses procédés, mais son étude scrupuleuse de l'atmosphère et tant à Paris qu'en Normandie, dans l'Artois, en Hollande ou en Italie, ses paysages de soleil ou de neige ont toujours cette qualité rare : un réalisme parfaitement observé. L'influence de Claude Monet se fait sentir dans son choix presque exclusif de peindre l'eau ; il y réussit pleinement : mer calme ou démontée, ruisseau ou torrent, lac, rivière ou fleuve, vieux moulins ou fabriques, il s'en est établi le narrateur fidèle. Sa vision est neuve et d'une étonnante variété. Il s'était parfaitement uni aux milieux artistiques français aussi fut-il avec ses amis : J.-C. Cazin, Roll, Lhermitte, Carolus-Duran, un des fondateurs du *Salon du Champ de Mars* – qui devait par la suite prendre le nom de la *Nationale*. Jacques-Émile Blanche fit un magnifique tableau de Thaudow peignant, et de sa famille.

Musées : Bergen : *Paysage d'hiver – La plage de Jaederen* – Berlin : *Jour de novembre en Normandie* – Bordeaux : *Paysage* – Boston : *Paysage* – Bruxelles : *Le vieux pont* – Buffalo : *Nuit sur un canal hollandais* – Chicago : *Paysage* – Copenhague : *Le moulin d'Amérique* – Dieppe : *La rivière à Manéhouville près de Dieppe* – Göteborg : *À Kragerö – Montagne de Norvège – Deux paysages d'hiver* – Halle : *Moulin en Normandie* – Hambourg : *Le canal de la douane gelé – Banc dans la neige* – Leipzig : *L'usine bleue* – Munich : *Minuit en février en Norvège* – Oslo : *Rue à Kragerö – Cascade de Houg à Modum – Nuit sur Amiens – Place à Cordoue* – Vingt et une études – Paris (Petit Palais) : *Village norvégien* – Paris (Mus. Rodin) : *Vue de petite ville* – Philadelphie : *Soleil norvégien* – Rouen : *La vieille fabrique* – Saint-Louis : *Derrière les moulins* – En mars – San Francisco : *Au bord de l'Arques* – Stockholm : *Journée de janvier en Norvège – Paysage français au clair de lune* – Strasbourg : *Canal dans une vieille ville* – Stuttgart : *Clair de lune en Normandie* – Tronhem : *Paysage* – Venise : *Petite rivière en Normandie* – Worcester : *Hiver en Norvège*.

Ventes Publiques : New York, 1895 : *La première neige* : FRF 2 075 ; *Maisons de paysans au clair de lune* : FRF 1 555 – Paris, 1er juin 1899 : *Lavoir à Issoudun* : FRF 2 250 – Paris, 1899 : *Chant du soir* : FRF 4 500 – Paris, 1900 : *Le ruisseau dans la prairie* : FRF 6 200 ; *Le passeur* : FRF 8 200 – Paris, 17 mai 1900 : *Fabrique au bord d'une rivière* : FRF 3 000 ; *Port de Dieppe à marée basse* : FRF 3 150 – New York, 1900 : *L'hiver*, past. : FRF 4 500 – New York, 26-28 fév. 1902 : *La rivière* : USD 1 800 ; *L'entrée du village* : USD 1 850 – Paris, 19 déc. 1903 : *Vieilles usines en Norvège* : FRF 4 420 – Paris, 5-10 juin 1905 : *La Somme* : FRF 6 900 – New York, 17 et 18 avr. 1907 : *Scène d'hiver en Norvège* : USD 3 500 – Paris, 6-7 mai 1907 : *Paysage de montagne* : FRF 5 550 ; *Soleil d'hiver en Norvège* : FRF 8 000 – New York, 1er-3 avr. 1908 : *Scène en Hollande* : USD 1 350 ; *L'hiver près de Copenhague* : USD 5 750 – New York, 17-18 mars 1909 : *Rue de village* : USD 2 500 – Londres, 10 juin 1909 : *Clair*

de lune : GBP 199 – Londres, 30 juin 1910 : *Souvenir d'Issoudun* : GBP 57 – Londres, 1er juil. 1910 : *Paris sous la neige* : GBP 89 ; *Partant pour la pêche* 1895 : GBP 50 – Londres, 18 fév. 1911 : *Rivière en Normandie* : GBP 109 – Paris, 8 mai 1919 : *Audenarde : effet de nuit* : FRF 11 000 – Paris, 19 juin 1920 : *Faubourg de Christiania, neige* : FRF 8 010 – Paris, 4-5 mars 1921 : *Soleil d'hiver en Norvège* : FRF 33 000 – Londres, 1er juin 1923 : *Fabriques au clair de lune* : GBP 199 – Paris, 28 nov. 1924 : *Les bords de la Laïta en automne* : FRF 10 400 – Paris, 6-7 mai 1929 : *Chant du soir* : FRF 19 500 – Paris, 14 fév. 1931 : *Les maisons au bord du canal* : FRF 8 150 – New York, 5 mai 1932 : *Sur le chemin de l'église à Quimperlé* : USD 625 – New York, 26 oct. 1933 : *Cygnes*, past. : USD 525 – New York, 4 mars 1937 : *La lune se lève* : USD 900 – Paris, 25 nov. 1940 : *Bord de rivière* : FRF 25 000 – New York, 29 avr. 1943 : *Le pont* : USD 700 – Paris, 23 juin 1943 : *Maisons du village : effet de nuit* : FRF 75 000 – New York, 4 mai 1944 : *Scène d'hiver* : USD 1 650 – Paris, 10 mai 1944 : *Les moulins : ciel pluvieux* : FRF 116 000 – Paris, 23 fév. 1945 : *Paysage d'hiver* : FRF 54 500 – Paris, oct. 1945-juil. 1946 : *Le pont sous la neige* : FRF 180 000 – New York, 20 fév. 1946 : *Le Tibre à Rome* : USD 1 350 – Stockholm, 30 oct. 1946 : *Paysage* : SEK 2 160 – New York, 26-27 fév. 1947 : *Soleil en Norvège* : USD 1 500 – Le Caire, 14-23 mars 1947 : *Paysage* : EGP 10 000 – Paris, 31 jan. 1949 : *Bords de canal* : FRF 69 000 – Paris, 14 nov. 1949 : *La maison sous la neige, nocturne* : FRF 128 000 – Paris, 27 avr. 1951 : *L'hiver en Norvège* : FRF 300 000 – Vienne, 31 mai 1951 : *Soir sur Dieppe* : ATS 1 300 – Paris, 10 juin 1955 : *Rivière en Norvège, l'hiver*, past. : FRF 255 000 – New York, 12 déc. 1956 : *Hiver en Normandie* : USD 1 050 – New York, 13 fév. 1958 : *Rivière en hiver* : USD 1 100 – Copenhague, 30 avr. 1958 : *Vue d'une rivière* : DKK 16 500 – Londres, 3 juin 1959 : *Paysage d'hiver*, past. : GBP 180 – Londres, 3 juin 1959 : *Le moulin à eau* : USD 175 – New York, 6 avr. 1960 : *La rivière du village* : USD 1 000 – New York, 10 mai 1961 : *Paysage de rivière* : USD 3 600 – New York, 29 nov. 1961 : *Rivers arques in automn* : USD 2 250 – Lucerne, 15 et 16 juin 1967 : *Paysage d'hiver* : CHF 14 000 – Londres, 4 déc. 1968 : *Village au bord d'une rivière* : GBP 1 350 – Copenhague, 7 nov. 1969 : *Les eaux bleues* : DKK 29 000 – Londres, 1er déc. 1970 : *Paysage d'hiver, Norvège* : GNS 1 600 – New York, 4 juin 1971 : *Bords de canal, le soir* : USD 3 900 – Londres, 30 nov. 1972 : *Canal dans un village de Hollande* : GBP 1 700 – Copenhague, 10 mai 1973 : *Le jardin en fleurs* : DKK 42 000 – New York, 9 oct. 1974 : *Paysage de printemps* : USD 7 000 – Londres, 1er juil. 1976 : *La rivière* 1894, h/t (65,5x92) : GBP 1 300 – Copenhague, 24 nov. 1977 : *Paysage d'été* 1888, h/t (58x78) : DKK 25 700 – Stockholm, 10 oct. 1979 : *Paysage à la rivière*, h/t (72,5x91) : SEK 78 000 – New York, 25 jan. 1980 : *Le dégel*, past. (53x94) : USD 4 500 – New York, 28 oct. 1981 : *Paysage d'automne*, h/t (58,4x72) : USD 19 000 – Londres, 29 nov. 1984 : *La fonte des neiges, bords de la lysaker*, past. et gche/t. (58x79,5) : GBP 10 500 – Londres, 29 nov. 1984 : *Lavandière au bord de la rivière* 1889, fus. et reh. de blanc (38,5x53) : GBP 3 600 – Londres, 30 nov. 1984 : *La Laïta à Quimperlé*, h/t (73x93) : GBP 140 000 – Paris, 7 nov. 1985 : *Paysage de neige*, aquat. en coul. : FRF 17 000 – Stockholm, 17 avr. 1985 : *Bords de rivière en hiver* 1892, past. (52x69) : SEK 260 000 – Stockholm, 10 avr. 1985 : *Bords de rivière*, h/t (65x80) : SEK 1 070 000 – New York, 26 fév. 1986 : *Paysage à la rivière, France*, h/t (73,7x92,4) : USD 115 000 – Los Angeles, 9 juin 1988 : *Un ruisseau l'hiver*, h/pan. (41x32) : USD 15 400 – New York, 23 fév. 1989 : *La rivière Mesna en hiver près de Lillehammer*, h/t (65,4x81,3) : USD 101 200 – Paris, 13 avr. 1989 : *Place de marché, la nuit*, h/t (66x82) : FRF 390 000 – Londres, 20 juin 1989 : *Une rivière*, h/t (61x76) : GBP 35 200 – Biarritz, 23 juil. 1989 : *Soleil de mai sur la Somme*, h/t (65x81) : FRF 730 000 – New York, 24 oct. 1989 : *Rivière en hiver* 1891, h/t (65,4x92,1) : USD 77 000 – Stockholm, 15 nov. 1989 : *Littoral avec des barques et des cabanes de pêcheurs au soleil couchant*, h. (25x37) : SEK 42 000 – Londres, 21 nov. 1989 : *Sur le Grand Canal à Venise* 1885, h/pan. (52x36) : GBP 44 000 – Calais, 10 déc. 1989 : *Lavoirs au bord de la rivière*, h/t (67x82) : FRF 500 000 – Paris, 15 déc. 1989 : *Sous-bois enneigé*, t. (77x61) : FRF 295 000 – Londres, 27-28 mars 1990 : *Paysage d'hiver*, h/t (80x100) : GBP 88 000 – Paris, 22 mai 1990 : *Pont de pierre sur un ruisseau en hiver*, h/pan. (30,5x45,8) : USD 33 000 – Paris, 19 juin 1990 : *Moulin au bord d'un canal*, aquat. (73x56) : FRF 6 000 – Bruxelles, 9 oct. 1990 : *Paysage avec rivière*, h/t (38x48) : BEF 190 000 – New York, 23 oct. 1990 : *Paysage avec une rivière en France*, past./pap. (63,5x76,2) : USD 33 000 – Stockholm, 14 nov. 1990 : *Quartier populaire au bord d'un canal*, h/t (60x90) : **SEK 130 000** – Londres, 15 fév. 1991 : *Enfants jouant sur une plage* 1893, h/t (56x87,5) : **GBP 9 350** – New York, 28 fév. 1991 : *Dans l'Elbpark de Hambourg* 1893, past./pap. (38x55,3) : **USD 12 100** – New York, 23 mai 1991 : *Le vieux pont de pierre*, h/t (73,7x92,7) : **USD 52 800** – Stockholm, 29 mai 1991 : *Village français au bord d'une rivière*, h/t (60x72) : **SEK 135 000** – Copenhague, 29 août 1991 : *Vaches dans une cour de ferme en Bretagne*, h/t (36x46) : **DKK 38 000** – Paris, 29 nov. 1991 : *Rue de village sous la neige*, aquat. en coul. : **FRF 11 000** – Londres, 29 nov. 1991 : *Paysage fluvial avec une barque amarrée*, past./pap./t. (64,8x58,4) : **GBP 7 480** – New York, 19 fév. 1992 : *Train de marchandises à l'aube*, h/t/cart. (64,5x81,3) : **USD 31 900** – Londres, 22 mai 1992 : *Dieppe*, h/t (64,7x92,4) : **GBP 12 100** – Paris, 24 sep. 1992 : *Chaumières au crépuscule*, h/cuir (62x49) : **FRF 39 000** – Paris, 16 nov. 1992 : *La grange rouge et la rivière en hiver*, aquat. reh. au past. (52x72) : **FRF 13 500** – Copenhague, 18 nov. 1992 : *Maisons au bord de l'eau*, h/t (55x47) : **DKK 22 500** – Paris, 3 déc. 1993 : *Escalier de marbre à Venise*, aquat. imprimée en coul. : **FRF 14 500** – Londres, 16 mars 1994 : *Le village de Manéoville en Normandie*, h/t (60x72,5) : **GBP 23 000** – New York, 26 mai 1994 : *Gelée blanche et corbeaux*, h/t (60,3x73) : **USD 60 250** – Paris, 7 déc. 1994 : *Une rue au clair de lune à Boulogne-sur-Mer*, h/t (65x81) : **FRF 80 000** – New York, 1er nov. 1995 : *Pêcheur au bord d'un ruisseau*, h/t (60x73) : **USD 43 125** – New York, 1er nov. 1995 : *Soir*, h/t (45,7x53,3) : **USD 10 350** – New York, 23-24 mai 1996 : *Paysage d'hiver avec une rivière*, h/t (73,7x92,7) : **USD 107 000** – Calais, 23 mars 1997 : *Maison près de la rivière*, h/t (51x62) : **FRF 104 000** – Paris, 24 mars 1997 : *Paysage de neige avec un banc*, techn. mixte et past. (44x55) : **FRF 36 000** – Londres, 21 nov. 1997 : *Solitude, Fjord Christiana* 1892, past./pap. (69,2x137,8) : **GBP 12 075**.

THAW Florence
Née le 17 février 1864 à New York. xixe siècle. Américaine.
Peintre.
Élève d'Abbott Thayer, Birge Harrison et de l'Académie Julian à Paris. Membre de la Fédération Américaine des Arts.

THAXTER Edward R.
Né dans l'État de Maine. Mort le 29 juin 1881 à Naples. xixe siècle. Américain.
Sculpteur.
Il travailla à Boston et à Florence.

THAYAHT Ernesto Michehelles
Né le 21 août 1893 à Florence (Toscane). Mort en 1959 à Marina di Pietrasanta. xxe siècle. Italien.
Peintre, sculpteur, graveur au burin, médailleur, décorateur, orfèvre. Futuriste.
Il fut élève de L. Andreotti. Il fut le frère du peintre Ruggero Michaelles et fut membre, avec lui, du groupe toscan des futuristes avec Marinetti, rencontré en 1929. Il participa avec les futuristes aux Biennales de Venise, à la Quadriennale de Rome et aux Triennales de Milan. Il reçut le premier prix national de peinture Lorenzo Viani pour son œuvre *Matamoe*.
Comme quelques autres artistes, il adapta certains principes du futurisme à la célébration des fascismes mussolinien et hitlérien. Dans *Le Grand Nautonier, aéropeinture du Grand Timonier* de 1940, il représente le « Duce », stylisé, comme mécanisé, tenant fermement la barre de l'univers ou le « Führer » revêtu de l'armure de Jeanne-d'Arc.
Il travailla selon la manière futuriste, et exécuta des œuvres symbolistes. Il célébra le régime mussolinien, auquel il adhéra, dans ses peintures.
Bibliogr. : Catalogue de l'exposition : *Années trente en Europe – Le Temps menaçant*, Musée d'Art moderne de la Ville, Paris Musées, Flammarion, Paris, 1997.
Ventes Publiques : Rome, 3 déc. 1985 : *La bautta* 1921, métal, patine dorée (18x9x6) : **ITL 4 600 000** – Paris, 8 déc. 1995 : *Matamoe* 1932, h/pan. (56x78) : **FRF 6 500**.

THAYER Abbott Handerson
Né le 12 août 1849 à Boston (Massachusetts). Mort le 29 mai 1921 à Monadnock. xixe-xxe siècles. Américain.
Peintre de genre, portraits, paysages, natures mortes, fleurs.
Il fut élève de Wolmath, de H. D. Morse, puis il s'établit à Paris, où il eut pour maîtres Henri Lehmann et Jean Léon Gérome à l'École des Beaux-Arts. Il retourna aux États-Unis en 1879, il devint associé de la National Academy en 1898, académicien en 1901. Il fut membre de l'Académie de San Luca à Rome.

Il exposa au Salon des Artistes Français de Paris, obtenant une médaille de bronze à l'Exposition Universelle de 1889, une médaille d'or à celle de 1900.
Il a surtout peint des portraits. Il a également eu une activité d'écrivain.
Musées : Boston : *La Charité* – Buffalo : *L'enfant et l'ange* – Chicago : *Tête d'enfant* – Cincinnati : *Portrait d'une dame* – Indiana : *Portrait de Margareth Mackittrick* – New York (Brooklyn Mus.) : *Les sœurs* – *Portrait d'un jeune homme* – New York (Metropolitan Mus.) : *Jeune femme* – *La maison de l'artiste à Monadnock* – *Tête de l'enfant Raphaël Pumpelly* – *Mme William Milton* – Washington D. C. (Corcoran Gal.) : *Tête d'une jeune fille* – *Portrait de l'artiste* – Washington D. C. (Gal. Nat.) : *Le fils de l'artiste* – *La fille ainée de l'artiste* – *Madone* – *Diane* – *Capri* – *Monadnock en hiver* – Washington D. C. (Smithsonian Institution) : *Cornish Headlands* 1898 – Worcester : *Jeune fille* – *Le bouquet de roses*.
Ventes Publiques : New York, 15-16 mars 1906 : *La moisson* : **USD 85** – New York, 12 fév. 1942 : *Alice Rich* : **USD 400** – Washington D. C., 23 sep. 1978 : *Portrait of Alma Thayer* 1916, h/t (104x66) : **USD 4 100** – New York, 10 oct 1979 : *Portrait of Raphael Welles Pumpelly*, h/t (38x34,5) : **USD 2 500** – New York, 18 mars 1983 : *Tête de jeune homme*, aquar. (32,2x24) : **USD 1 200** – New York, 22 juin 1984 : *Portrait of Elizabeth Richardson French with her horse*, C. 1881, h/t monté/cart. (120,7x87,6) : **USD 7 000** – New York, 31 mai 1985 : *Pensive model*, h/t (47,5x35,5) : **USD 7 000** – New York, 26 sep. 1990 : *Le sommeil* 1877, h/t (45,7x55,9) : **USD 33 000** – New York, 12 sep. 1994 : *Coquelicots* 1893, aquar./pap. (17,8x14,9) : **USD 4 600** – New York, 25 mai 1995 : *Portrait de Alice Rich*, h/cart. (110,5x54,6) : **USD 107 000** – New York, 26 sep. 1996 : *Portrait d'Elizabeth Richardson French avec son cheval*, h/t (120,7x87,6) : **USD 18 400**.

THAYER Emma, née Beach
Née en 1850. Morte le 1er mars 1924. xixe-xxe siècles. Américaine.
Peintre de fleurs.
Femme d'Abbott Handerson Thayer.

THAYER Gérald Handerson
Né le 5 septembre 1883 à Cornwall-on-Hudson. xxe siècle. Américain.
Peintre, écrivain.
Fils d'Abbott Handerson Thayer.
Musées : Brooklyn – New York.

THAYER Gladys, plus tard Mme Reasoner
Née le 17 juillet 1886 à Woodstock (New York). xxe siècle. Américaine.
Peintre.
Fille d'Abbott Handerson Thayer.

THAYER Sanford
Mort à Syracuse. Travaillant à New York. Américain.
Peintre de genre et portraitiste.

THAYER Theodora W.
Née en 1868 à Milton (États-Unis). Morte le 6 août 1905 à New York. xixe siècle. Américaine.
Miniaturiste.
Cette artiste, une des plus remarquables miniaturistes américaines, fut élève de Joseph du Camp, à Boston, médaille de bronze à Buffalo en 1901. Elle était membre de l'American Society of miniature Painters, et de la Copley Society, à Boston. Elle fut durant de longues années professeur à la New York School of art Students' League.

THAYS Michel ou Tayes
xvie siècle. Actif à Troyes entre 1533 et 1572. Français.
Peintre.
Il travailla pour diverses églises de la ville, pour les préparatifs de l'entrée de la reine Éléonore et pour celle de Henri II.

THAYS Nicolas
xvie siècle. Actif à Troyes entre 1547 et 1550. Français.
Peintre.
Il travailla à l'église Saint-Étienne.

THAYSSES S.
xviie siècle. Actif dans la seconde moitié du xviie siècle. Hollandais.
Dessinateur et graveur au burin.
Il a gravé *Cromwell à cheval* et *Exécution de Charles Ier*, en 1672.

THEAKSTONE Joseph
Né en 1773 à York. Mort le 14 avril 1842 à Pimlico. xviiie-xixe siècles. Britannique.
Sculpteur.
Élève de Bacon l'aîné, dont plus tard il fut l'aide. Il fut aussi praticien chez Flaxman et chez Bailly. Il exposa à la Royal Academy de 1817 à 1837, des bustes ou des dessins de monuments funéraires. Vers 1818 il entra dans l'atelier de Chantrey et ne le quitta plus, spécialement employé à exécuter les draperies.

THÉÂTRE Henri
Né en 1913 à Hamoir (Ardennes). Mort en 1985 à Bagnols-en-Forêt (Var). xxe siècle. Actif aussi en France. Belge.
Peintre de nus, paysages, dessinateur, aquarelliste.
Il a commencé à peindre à l'âge de douze ans. Il fut lauréat de l'Académie des Beaux-Arts de Liège, puis de celle de Bruxelles. Il compléta sa formation aux Beaux-Arts de Paris.
Il a participé à de nombreuses expositions collectives en Belgique, en Hollande, aux États-Unis (galerie Lesnick, New York) et en France au Salon des Artistes Français.
Il a principalement peint, dans un style dépouillé et robuste, des vues de paysages des Ardennes belges près de Vieuxville-Logue où il résidait, des vues de la campagne varoise près de Bagnols-en-Forêt (Var) où il passait la moitié de l'année, et des vues de villages. Il travaillait sur le motif.
Bibliogr. : In : *Dictionnaire biographique illustré des artistes en Belgique depuis 1830*, Arto, Bruxelles, 1987.
Musées : Anderlecht – Bruxelles (Mus. mun.) – Marseille (Mus. Cantini) : *Panorama de Barvaux*.

THEAULON Étienne ou **Theolon**
Né le 28 juillet 1739 à Aigues-Mortes (Gard). Mort le 10 mai 1780 à Paris. xviiie siècle. Français.
Peintre de scènes de genre, portraits, paysages, dessinateur.
Élève de Vien. Agréé à l'Académie le 25 juin 1774. Cet artiste dont le talent donnait les plus belles espérances, mourut en pleine force. Il exposa au Salon de 1775, 1777 et, en 1783, les deux têtes d'expression qu'il achevait quand la mort le frappa parurent au Salon de la Correspondance.
Il fut chargé de la décoration des boudoirs de Bagatelle. Il travailla aussi pour le duc de Chartres. Theaulon mettait un soin extrême à exécuter ses tableaux et peignait d'après nature les figures et objets qu'il y introduisait. Ses œuvres, en petit nombre, se vendaient fort cher et ont presque toutes passé à l'étranger.

É Theaulon.

Musées : Aix : *Orientale* – Angers : *Offrande à l'amour – Jeune fille devant le miroir* – Montpellier : *Jeune fille sortant du bain* – Paris (Mus. du Louvre) : *Portrait d'une vieille femme*.
Ventes Publiques : Paris, 1777 : *Femme tenant un poêlon* ; *Femme savonnant le linge*, deux pendants : **FRF 1 390** – Paris, 1783 : *Intérieurs avec figures*, deux pendants : **FRF 900** – Paris, 1885 : *Femme âgée* : **FRF 920** – Paris, 26 nov. 1895 : *Étude*, dess. à la sanguine : **FRF 40** – Paris, 28 et 29 juin 1920 : *Portrait de vieille femme* : **FRF 1 000** – Paris, 27 et 28 mai 1926 : *Tête de jeune femme* : **FRF 18 000** – Paris, 18 mars 1937 : *Portrait de Mlle de Sénac* : **FRF 3 400** – Paris, 14 déc. 1989 : *Hommage à Vénus*, h/t (45x55,5) : **FRF 55 000** – Monaco, 5-6 déc. 1991 : *Offrande à Vénus*, h/t (46x55,2) : **FRF 49 950**.

THEAULT. Voir ERASME-THÉAULT

THEBADAS ou **Theibadas**
iiie siècle avant J.-C. Actif à Thèbe. Antiquité grecque.
Sculpteur.

THEBADES
vie siècle avant J.-C. Vivant probablement à la fin du vie siècle avant J.-C. Antiquité grecque.
Sculpteur.

THÉBAUD DE LAUNAY Jean François, dit aussi **Launay-Thébaud**
xviiie siècle. Actif à Nantes. Français.
Sculpteur.
Cité en 1765 et 1769.

THÉBAUD DE LAUNAY Toussaint, dit aussi **Launay-Thébaud**
xviiie siècle. Français.
Artiste.

Cité à Nantes en 1755. Probablement frère de Jean-François Thébaud de Launay.

THEBAULT Georges ou **Thiebault**
Mort avant 1658. xviie siècle. Actif à Nancy. Français.
Sculpteur.

THEBAULT Louis
Français.
Sculpteur de bustes.
Musées : Bourges : *Vieillard*, buste en bois.

THEBAULT Marie Joseph Henri
Né au xixe siècle à Mayenne (Mayenne). xixe siècle. Français.
Peintre de marines.
Élève de L. Raux. Il exposa au Salon en 1861.

THEDY Marc ou **Max**
Né le 16 octobre 1858 à Munich (Bavière). Mort le 13 août 1924 à Weimar (Thuringe). xixe-xxe siècles. Allemand.
Peintre d'histoire, genre, portraits, graveur.
Il fut élève de l'Académie de Munich, d'Alexandre Wagner, de Diez et de Lofflz. Professeur à l'École d'Art à Weimar. Médaillé à Berlin en 1886, à Munich en 1888, à Paris en 1889, médaille de bronze en 1900, médaille d'argent (Exposition Universelle) à Chicago en 1893. Il gravait à l'eau-forte.
Musées : Dresde : *Adoratio Crucis* – Leipzig : *Intérieur* – Mayence : *Intérieur hollandais* – Munich (Nouvelle Pina.) : *Chambre de pêcheurs hollandais – Paysan de Thuringe* – Stettin : *Tête de femme* – Weimar : *Porte-drapeau – Intérieur à Uberlingen*.
Ventes Publiques : Londres, 20 avr 1979 : *Un moine content* 1881, h/t (27x17,8) : **GBP 1 100** – Berne, 26 oct. 1988 : *Jeune femme de profil*, h/pan. (60x44) : **CHF 1 200**.

THEED William, l'Ancien
Né en 1764 en Shaffordshire. Mort en 1817. xviiie-xixe siècles. Britannique.
Peintre de portraits, sculpteur, dessinateur, décorateur.
Élève des Écoles de la Royal Academy de Londres.
Il débuta comme peintre de portraits, puis envoya son premier tableau d'histoire à la Royal Academy en 1789. On croit que l'amitié qui le liait à Flaxman fut la cause qui le détermina à s'occuper de sculpture, vers 1805. On lui doit aussi un grand nombre de dessins d'ornement pour la céramique et la bijouterie.
Musées : Londres (Nat. Portrait Gal.) : *Buste de sir Henry Holland* – Reading : *Buste de sir Francis H. Goldsmith*.

THEED William, le Jeune
Né en 1804 à Londres. Mort le 10 septembre 1891 à Londres. xixe siècle. Britannique.
Sculpteur de figures, bustes, monuments.
Fils de William T. l'Ancien et élève de Thorwaldsen à Rome.
Il sculpta des bustes et des statues de personnalités de son époque ainsi que des monuments et des tombeaux.
Ventes Publiques : Londres, 25 mars 1981 : *Nymphe ailée* vers 1842, marbre blanc (H. 105,5) : **GBP 3 400** – Londres, 21 mars 1985 : *Rebecca* ; *Ruth* vers 1868, marbres blancs, une paire (H. 102) : **GBP 4 500** – Perth, 30 août 1994 : *Le Prince Albert en costume de Highlander* 1864, bronze (H. 66) : **GBP 7 130**.

THEENS Jan
Né probablement au xve siècle à Malines. xve siècle. Éc. flamande.
Sculpteur.

THEER Adolf
Né le 1er novembre 1811 à Johannisberg. Mort en 1868 ou 1878 à Vienne. xixe siècle. Autrichien.
Peintre de portraits, miniatures, aquarelliste, lithographe.
Élève de l'Académie des Beaux-Arts de Vienne. Il exposa dans cette ville en 1852.
Musées : Brunn : *Portrait de Marie-Thérèse – Portrait de l'empereur François Ier – Portrait de l'empereur Ferdinand*, aquar., trois œuvres – Saint-Pétersbourg (Mus. de l'Ermitage) : *Portrait de la princesse A. P. Gagarine*.
Ventes Publiques : Vienne, 19 juin 1979 : *Portrait de jeune fille* 1851, aquar., forme ovale (65,5x50) : **ATS 11 000** – Vienne, 15 mars 1984 : *Portrait de jeune fille*, aquar. (21x16,5) : **ATS 20 000** – Vienne, 23 fév. 1989 : *Anna Plochl, femme de l'Archiduc Johann*, aquar./ivoire (10,5x8,6) : **ATS 91 300**.

THEER Albert
Né le 15 octobre 1815 à Johannisberg. Mort le 30 août 1902 à Vienne. xixe siècle. Autrichien.

Portraitiste et lithographe.
Frère d'Adolf et de Robert T. et élève de l'Académie de Vienne. Il subit l'influence de Daffinger et peignit surtout des portraits en miniature. La Galerie Liechtenstein de Vienne conserve de lui *Portrait d'un enfant.*

THEER Robert
Né le 5 novembre 1808 à Johannisberg. Mort le 15 juillet 1863 à Vienne. XIXᵉ siècle. Allemand.
Portraitiste, miniaturiste et lithographe.
Frère aîné du miniaturiste Adolf Theer. Élève de l'Académie de Vienne. Il exposa à Vienne en 1888. L'Albertina de Vienne possède de nombreuses gravures de cet artiste.
VENTES PUBLIQUES : PARIS, 13 nov. 1923 : *Portrait d'homme,* miniat. : FRF 720 ; *Portrait de femme,* miniat. : FRF 700.

THEGEN Carl Christian
Né en 1883 à Oldesloe, près de Lübeck. Mort en 1955 près de Bad Oldesloe. XXᵉ siècle. Allemand.
Peintre animalier. Naïf.
Il fut tueur aux abattoirs, puis entra dans le monde du cirque, comme clown, ensuite comme garçon de cage, avant d'acheter son propre chapiteau. Pendant la guerre de 1914-1918, il fut mobilisé pour accompagner les chevaux sur les différents fronts. Il poursuivit sa vie en faisant toutes sortes de métiers et commença à peindre en 1933, s'inspirant uniquement de ses propres souvenirs, peignant évidemment surtout des animaux, tant sauvages que domestiques, dans des compositions charmantes, dont l'interprétation va jusqu'à ne peindre les personnages et les animaux que de profil.
BIBLIOGR. : Oto Bihalji-Merin : *Les peintres naïfs,* Delpire, Paris, s. d.

THEGERSTRÖM Robert
Né le 6 janvier 1857 à Londres. Mort le 9 août 1919 à Stockholm. XIXᵉ-XXᵉ siècles. Suédois.
Peintre de portraits, nus, paysages, pastelliste, graveur.
Il vécut et travailla à Paris, où il visita l'Afrique séjournant à Alger, en Égypte et en Suède. Il subit l'influence d'Eugène Carrière.
Il figura au Salon des Artistes Français de Paris, obtenant une médaille de bronze à l'Exposition Universelle de 1889 et une médaille d'argent à celle de 1900.
Il grava à la manière noire et fut également compositeur.

R . Thegerström

MUSÉES : GÖTEBORG : *La femme de l'artiste* – MUNICH (Pina.) : *Soir d'été* – STOCKHOLM : *Portrait du compositeur Will. Stenhammar* – *Paysage.*
VENTES PUBLIQUES : STOCKHOLM, 24 avr. 1947 : *Le violoniste,* past. : DKK 3 025 – COPENHAGUE, 1ᵉʳ mai 1974 : *La côte bretonne* 1881 : KK 4 400 – STOCKHOLM, 28 oct. 1980 : *Jeune femme, dans un hamac, avec une ombrelle* 1887, h/t (54x42) : SEK 47 000 – LONDRES, 10 oct. 1984 : *Arabes dans une cour* 1887, h/t (91x66) : GBP 3 500 – STOCKHOLM, 4 nov. 1986 : *Soir d'été* 1890, h/t (115x162) : SEK 215 000 – LONDRES, 29 mars 1990 : *Vue du Caire* 1888, h/pan. (21,5x27) : GBP 3 520 – STOCKHOLM, 16 mai 1990 : *Nu féminin* 1879, h/t (90x71) : SEK 15 000 – STOCKHOLM, 14 nov. 1990 : *Retour de chasse au renne en Laponie au printemps,* h/t (124x166) : SEK 750 000.

THEIBADAS. Voir THEBADAS

THEIL Johann Gottfried Benedict
Né le 22 octobre 1745 à Friedrichstadt (Saxe). Mort le 3 mars 1797 à Dresde. XVIIIᵉ siècle. Allemand.
Peintre de décors, paysages, dessinateur.
Élève de l'Académie des Beaux-Arts de Bayreuth. Il fit des voyages en Italie et travailla pour la cour de Dresde.
MUSÉES : DRESDE.
VENTES PUBLIQUES : NEW YORK, 13 jan. 1993 : *Piazza de' Signori à Vérone* 1779, encre et lav. (32,5x43,3) : USD 3 163.

THEILER Franz
Né le 27 février 1810 à Einsiedeln (Zoug). Mort le 23 mars 1883 à Einsiedeln. XIXᵉ siècle. Suisse.
Médailleur et graveur.

THEILER Friedrich
Né le 29 décembre 1748 à Ebermannstadt. Mort le 25 février 1826 à Ebermannstadt. XVIIIᵉ-XIXᵉ siècles. Allemand.
Sculpteur.

Élève de Mutschele à Bamberg. Il travailla pour les églises du diocèse de Bamberg et sculpta des autels, des crucifix et des statues de saints.

THEILGAARD Sofus ou Carl Frederik Sofus
Né le 25 mars 1845 à Aarhus. Mort le 13 août 1923 à Copenhague. XIXᵉ-XXᵉ siècles. Danois.
Peintre de paysages, portraits.

THEIMER Ivan ou Yvan
Né le 18 septembre 1944 à Olomouc (Moravie). XXᵉ siècle. Actif en France. Tchécoslovaque.
Sculpteur de monuments à personnages, peintre de paysages, dessinateur, graveur, aquarelliste. Tendance surréaliste, néoclassique.
Il s'est d'abord formé à l'école de Uherske Hradiste, non loin de sa ville natale. Arrivé à Paris en 1968, il poursuit ses études à l'Académie des Beaux-Arts. Il vit et travaille à Paris, mais séjourne fréquemment à Lucques, en Toscane, et à Pietrasanta où se trouve la Fonderia Artistica Mariani avec laquelle il travaille.
Il participe à des expositions collectives, la première, en 1965, à Olomouc, sa ville natale, puis : 1965, Brno ; 1968, Biennale internationale, Bratislava ; 1969, Salon de la Jeune Sculpture, Paris, où il a reçu le prix I.A.T. ; 1969, 6ᵉ Biennale de Paris, Musée Galliera ; 1970, Salon Grands et Jeunes d'Aujourd'hui, Paris ; 1973, Biennale de Paris, Musée d'art moderne ; 1978, Biennale de Venise (pavillon français) ; 1978, exposition sur le dessin d'architecture, Centre de création industrielle, Centre Georges Pompidou, Paris ; 1982, Bibliothèque nationale, Paris ; 1982, Biennale de Venise (salle particulière) ; 1989, *France, Image of Woman and Ideas of Nation,* Londres.
Il montre ses œuvres dans des expositions particulières, dont : 1967, Belgrade Théâtre, Coventry ; 1970, galerie Le Point, Paris ; 1972, 1973, 1975, galerie Armand Zerbib, Paris ; 1973, 1976, 1981, 1989, 1991, galerie Le Lutrin, Lyon ; 1976, galerie Il Naviglio, Milan ; 1977, *Ateliers,* Centre Georges Pompidou, Paris ; 1978, Atelier Annick Lemoine, Paris ; 1982, galerie Documenta, Turin ; 1983, 1985, galerie Albert Loeb, Paris ; 1984, galerie Le Troisième Œil, Bordeaux ; 1987, *Réalité Irréalité,* Musée Ingres, Montauban ; 1988, Institut National d'art graphique (chalcographie), Rome ; 1991, 1993, galerie Le Point, Monte Carlo ; 1992, galerie Di Meo, Paris ; 1994, galerie Salamon, Milan ; 1995, *Sculptures, Peintures, Œuvres sur papier,* Centre international d'art et d'animation Raymond Du Puy, Le Vieux Poët Laval (Drôme).
Theimer a reçu de nombreuses commandes publiques, parmi lesquelles : 1984-1986, trois obélisques en bronze pour la façade sur jardin du Palais de l'Élysée, Paris ; 1987-1988, *Histoire des Quatre fils Aymon,* relief en bronze, pour la façade des Archives Nationales, Paris ; 1989, Monument aux Droits de l'Homme et du Citoyen, Champ de Mars, Paris ; 1991, monument à la mémoire du poète Heinrich Heine, Hambourg ; 1992, monument à Jan Amos Komensky (Comenius) 1592-1992, ville de Uhersky Brod (Moravie) ; 1995, *Les quatre saisons,* quatre sculptures en bronze, Place de la République, Ville de Poissy ; 1995, fontaine monumentale, Bulda (Allemagne).
Au sortir de l'école, en 1966, l'univers de Theimer est encore assez proche du surréalisme comme l'indique cette fontaine en béton réalisée dans sa ville natale en intégrant à des blocs géométriques des attributs sexuels. Il a également réalisé en 1967, à Hukvaldy, un relief de bois contenant une peinture en hommage à Janacek ; en 1968, pour la ville de Prerov, une sorte de présentoir supportant des feuilles et des fruits géants en ciment. Depuis, avec les séries de *Têtes,* ou de *Plateaux,* il crée des éléments de cauchemar, en relation avec les monstruosités qui se commettent par le monde, têtes d'où sortent des excroissances inquiétantes, ou bien opérées et mal raboutées, mains et sexes coupés, ex-votos expiatoires de la faute originelle d'être des humains. Mais si ses œuvres ultérieures conservent ce penchant pour l'insolite, ce n'est pourtant pas ce qui les définit. Bien plus caractéristiques en revanche sont ces références constantes au passé, références aussi bien littéraires que plastiques : romantisme, paysages de Saint-Hubert, jardins italiens, tombeaux étrusques, Bacchus, tortues... Theimer est-il un sculpteur qui sculpte ses peintures ou un peintre qui peint ses sculptures ? Pour lui, les deux techniques sont complémentaires et il maîtrise également les deux, ainsi la longue série de sculptures, dessins et peintures, exécutée d'après les *Rêveries du promeneur solitaire* de Rousseau. Dans les deux cas, il est totalement narratif, il

raconte et met en scène ; il raconte des histoires de personnages et les met en scène dans un décor. La mise en scène est conçue pour l'accession de l'œuvre à la globalité, la narration pour la jubilation du détail ; le monumental intègre la préciosité. Délibérément à contre-courant de toutes les modernités, si ses références sont diverses, l'essentielle est l'Antiquité, plus précisément la statuaire gréco-romaine pour les figures, les fresques pompéïennes pour la composition. Peintre, la technique plus souple, libre de toute contrainte matérielle, lui permet d'autres incursions, en particulier du côté des romantiques allemands. L'art de Theimer, plus spécifiquement que de sculpture, est d'abord un art de culture. ■ J. B.

BIBLIOGR. : Catalogue de l'exposition *Sept jeunes peintres tchécoslovaques*, Gal. Lambert, Paris, 1969 – Raoul-Jean Moulin : *Les paraboles concrètes d'Ivan Theimer*, Opus International, Paris, avril 1970 – Jean Clair, J. Montboron : *Paesaggi 1970-1980*, Editions Bora, Bologne, 1980 – Luigi Carluccio, Girogio Soavi : *Ivan Theimer, acquarelli e sculture*, catalogue de l'exposition, galleria Documenta, Turin, 1982 – *Theimer*, catalogue de l'exposition, Centre international d'art et d'animation Raymon Du Puy, Le Vieux Poët Laval, Drôme, 1995.

VENTES PUBLIQUES : PARIS, 7 juin 1985 : *Sans titre* 1973, bronze (H. 18) : FRF 13 500 – PARIS, 4 déc. 1986 : *Tête* 1971, bronze (24x14) : FRF 18 000.

THEIS Franz
Né en 1881 à Laas. XXe siècle. Autrichien.
Sculpteur de monuments.
Frère de Josef Theis. Il travailla à Innsbruck et sculpta des monuments aux morts, des tombeaux et des fontaines.

THEIS Heinz
Né le 1er septembre 1894 à Holz. XXe siècle. Allemand.
Peintre de sujets religieux, graveur.
Il fut élève de l'Académie de Munich.

VENTES PUBLIQUES : HANOVRE, 7 juin 1980 : *La cour de ferme*, h/t (70x95) : DEM 4 000 – COLOGNE, 18 mars 1989 : *Le passage du gué*, h/t (70x100) : DEM 2 600.

THEIS Josef
Né en 1875 à Laas. XXe siècle. Autrichien.
Sculpteur de monuments.
Frère de Franz Theis. Comme ce dernier, il travailla à Innsbruck et sculpta des monuments aux Morts, des tombeaux et des fontaines.

THEISINGER Lorenz. Voir DEISINGER

THEISS Guillaume
Né en Luxembourg. Mort le 3 octobre 1750 à Saint-Seine. XVIIIe siècle. Français.
Sculpteur sur bois.
Il sculpta les stalles de l'abbaye de Saint-Seine en 1749.

THEJLL-CLEMMENSEN Augusta
Née le 11 novembre 1884 à Charlottenlund. XXe siècle. Danoise.
Peintre de portraits.
Elle fut élève de l'Académie de Copenhague et de Viggo Johansen. Elle vécut et travailla à Copenhague.

THEK Paul
Né le 2 novembre 1933 à Brooklyn (New York). Mort en 1988. XXe siècle. Américain.
Sculpteur, peintre, créateur d'environnements.
Après avoir étudié à l'Art Students League à New York et à la Columbia University, il gagna Rome en 1962, puis revint à New York.
Il a participé à des expositions collectives, parmi lesquelles : 1968, *The Obsessive Image*, Londres ; 1968, Documenta IV, Kassel. En 1972 il participa à la célèbre Documenta V (*Quand les attitudes deviennent forme*) à Kassel.
Il a montré ses œuvres dans des expositions personnelles, dont : la première en 1963, à New York, puis de nouveau en 1964, 1966 et 1967. Une rétrospective de son œuvre a été présentée en 1997 au Musée d'Art Contemporain de Marseille.
Créateur de parcours, d'environnements, de constructions inachevées, d'abris, d'ensembles, Paul Thek, avec ses chemins de sable, ses pyramides, ses volcans, ses dinosaures, fait appel à toute une symbolique souvent ésotérique, aux résonances aussi bien religieuses que mythologiques, psychanalytiques, sexuelles, fantastiques, romantiques. C'est avec *La Tombe*, sa première œuvre monumentale exposée à New York en 1967, que la personnalité de Paul Thek s'affirme. Cette œuvre consistait en une réplique grandeur nature de l'artiste en cadavre, gisant enseveli dans une pyramide. Il exposera de nouveau cette œuvre, mais cette fois à Londres, sous le titre *Le tombeau d'un hippie*, à l'exposition *The Obsessive Image* en 1968. À la Documenta IV à Kassel en 1968, il y expose la série des *Technological Reliquaries*, des morceaux de chair réalistes façonnés dans de la cire et placés dans des caisses de sa fabrication. Cette approche de la mort revient comme un thème constant dans son œuvre, une approche qui s'effectue parfois en processions ou, comme ce fut le cas au Moderna Museet de Stockholm en 1971, dans un parcours en forme de Chemin de Croix. Réunis sous la bannière de la *Artist's Coop.*, au début des années soixante-dix, Paul Thek et ses amis proches, dont Franck Deckwitz, Edwin Klein, Sergio dei Veicchi et Ann Wilson, réalisent des environnements éphémères où chacun apporte sa contribution. À la Documenta V à Kassel, la *Artist's Coop.* présente une gigantesque *Pyramide* évoquant tout aussi bien un étrange lieu de culte qu'une tombe, associant dans un même temple, dans un même parcours d'initiation, art et liturgie. Notons que Paul Thek et Andy Warhol ont collaboré à la réalisation d'une œuvre : *Meat Piece with Warhol Brillo Box* (1965). Paul Thek a ensuite travaillé, à partir de la fin des années soixante-dix et du début des années quatre-vingts, à des peintures et des sculptures, en analysant dans un rapport intime le sens des images que le spectateur reçoit. Il a notamment étudié le thème de la légende de « L'enjôleur de rats de Hamelin ».
L'œuvre relativement méconnue de Paul Thek, au moins en Europe, force à une relecture de l'histoire de l'art des années soixante aux États-Unis qui, par simplification historique ou parti pris idéologique, selon certains, s'est trop souvent réduit uniquement à la floraison triomphante du pop art. Elle permet de comprendre l'émergence d'artistes des années quatre-vingt, tels que Robert Gobert, Kiki Smith, Charles Ray, Cathy Noland et Mike Kelley, qui ont contribué, à leur tour, à la redécouverte de la contre-culture de Paul Thek, de même que d'autres artistes de sa génération comme Lucas Samaras, Tetsumi Kudo, Ed Kienholz, Yayoi Kusama. ■ J. B.

BIBLIOGR. : Catalogue de l'exposition *Paul Thek*, Musée d'Art Contemporain, Marseille, 1997.

MUSÉES : AARAU (Aargauer Kunsthaus) : *Turm* 1973.

VENTES PUBLIQUES : NEW YORK, 27 fév. 1990 : *Gâteau d'anniversaire, cire d'abeilles, cheveux, bougies acier inox et Plexiglas* (48,2x62,2x62,2) : USD 8 800 – NEW YORK, 30 juin 1993 : *Foyer*, bronze (L. 30,5) : USD 9 200 – NEW YORK, 29 sep. 1993 : *Chute de neige sur la ville* 1978, aquar./pap. (61x45,7) : USD 1 380 – NEW YORK, 7 mai 1996 : *Le pain et les fesses*, h/t (22,9x30,5) : USD 1 955.

THELEN-RÜDEN Friedrich
Né en 1836 à Ljubljana. XIXe siècle. Autrichien.
Peintre de genre et portraitiste.
Élève de l'Académie de Vienne. Il exposa dans cette ville de 1859 à 1877.

THELENE Ambrosius Josephus ou Ambroise Joseph ou Thelen
Né en 1768 à Liège. Mort le 9 décembre 1819 à Bruxelles. XVIIIe-XIXe siècles. Belge.
Sculpteur.
Il travailla au château de Compiègne et à l'Arc de Triomphe de l'Étoile à Paris.

THELENE Léon Ambroise ou Thelen
Né le 12 mars 1811 à Paris. Mort le 26 mars 1881 à Bruxelles. XIXe siècle. Belge.
Sculpteur d'ornements.
Fils d'Ambroise Joseph T. Il travailla à Bruxelles.

THELINGE Marguerite
Née au XIXe siècle à Nevers (Nièvre). XIXe siècle. Française.
Peintre de genre et portraitiste.
Élève de Mme Delphine de Cool. Elle débuta au Salon en 1877.

THELNING Emanuel
Né en 1767 à Västergötland. Mort en 1831 à Saint-Pétersbourg. XVIIIe-XIXe siècles. Suédois.
Peintre.
Élève de l'Académie de Stockholm. Il travailla à Helsingfors et à Saint-Pétersbourg. Le Musée National de Helsinki conserve de lui *Portrait du colonel D. A. Gyllenbögel*.

THELOPPE Michel
XVe siècle. Actif à Tours à la fin du XVe siècle. Français.

Sculpteur sur bois.
Il travailla de 1490 à 1498 pour le monastère de Saint-Paul à Tours.

THELOT Antoine Charles
Né en 1798. Mort le 25 juillet 1853 à Rochefort (Charente-Maritime). xixe siècle. Français.
Peintre d'histoire, de portraits et de paysages.
Le Musée de Rochefort conserve de lui : *Portrait du chevalier Cleuzet de Saint Georges*, deux aquarelles et des dessins.

THELOTT Anna Maria
xviiie siècle. Active dans la première moitié du xviiie siècle. Suédoise.
Graveur au burin et sur bois.
Elle grava des frontispices, des vues de villes et des sujets généalogiques.

THELOTT Ernst Christoph
xviiie siècle. Actif à Augsbourg dans la seconde moitié du xviiie siècle. Allemand.
Dessinateur et graveur au burin.
Il dessina et grava des scènes populaires et des architectures.

THELOTT Ernst Joseph
Né le 6 octobre 1802 à Düsseldorf. Mort le 1er mai 1833 à Augsbourg. xixe siècle. Allemand.
Peintre de portraits.
Fils et élève d'Ernst Karl Thelott. Il étudia aussi aux Académies de Düsseldorf et de Munich.

THELOTT Ernst Karl Gottlieb
Né le 6 juin 1760 à Augsbourg. Mort le 24 septembre 1834 à Düsseldorf. xviiie-xixe siècles. Allemand.
Graveur au burin et peintre.
Après avoir étudié à Augsbourg et à Munich, il s'établit à Düsseldorf où il fut nommé professeur. On lui doit un certain nombre de gravures pour *La Galerie de Düsseldorf* et des estampes d'après les maîtres.

THELOTT Jakob Gottlieb
Né le 29 mai 1708 à Augsbourg. Mort en 1760 à Augsbourg. xviiie siècle. Allemand.
Graveur au burin.
Fils de Johann Andreas T. Il grava des allégories, des architectures, des autels, des grotesques et des illustrations de livres.

THELOTT Johann Andreas
Né le 10 avril 1655 à Augsbourg. Mort en 1734 à Augsbourg. xviie-xviiie siècles. Allemand.
Orfèvre, dessinateur et graveur au burin.
Père de Jakob Gottlieb et de Johann Gottfried Thelott. On cite de lui de bons dessins et des gravures intéressantes.

THELOTT Johann Gottfried
Né vers 1711 à Augsbourg. Mort en 1775 à Augsbourg. xviiie siècle. Allemand.
Graveur au burin.
Fils de Johan Andreas. On cite de lui quelques planches dans : *Représentation des animaux de la ménagerie du Prince Eugène* (1734), ainsi que de nombreux portraits.

THELOTT Johann Paul
Né vers 1758. Mort en 1840 à Augsbourg. xviiie-xixe siècles. Allemand.
Graveur au burin.
Fils de Johann Gottfried T. Il grava des paysages, des calendriers, des scènes de chasse et des portraits.

THELOTT Johann Philipp
xviie siècle. Actif à Augsbourg. Allemand.
Graveur au burin.
Il grava des portraits de personnalités de son temps.

THELOTT Karl Franz Joseph
Né le 3 octobre 1793 à Düsseldorf. Mort le 19 novembre 1830 à Augsbourg. xixe siècle. Allemand.
Peintre de portraits et lithographe.
Fils et élève d'Ernst Karl Thelott. Il étudia aussi à Munich. Le

prince Frederick de Prusse lui fit exécuter divers travaux en 1821 ce qui lui donna une certaine réputation. On cite de lui les portraits de personnages célèbres et de princes exécutés à Francfort, Berlin et autres villes d'Allemagne.

THELOTT Olof
xviiie siècle. Travaillant en 1723. Suédois.
Graveur de portraits et de cartes géographiques.
Fils de Philipp Jacob T. l'Ancien.

THELOTT Philipp ou Filip Jakob, l'Ancien
xviie-xviiie siècles. Actif à Uppsala de 1675 à 1702. Suédois.
Graveur sur bois.

THELOTT Philipp ou Filip Jakob, le Jeune
Mort le 10 juin 1750 à Uppsala. xviiie siècle. Suédois.
Peintre, peintre sur faïence, graveur au burin.
Il peignit des tableaux à la gouache. Le Musée Nordique de Stockholm conserve des faïences peintes par cet artiste.

THEMANN Carl ou Karl
xixe siècle. Actif à Berlin. Allemand.
Peintre d'histoire.
Élève de Franz Krüger, à Berlin en 1834. Il exposa à Berlin de 1828 à 1848. On cite de lui : *Vie du peuple à Halle*.

THEMER Wilhelm ou Willem
Né vers 1815 à Cologne. Mort le 11 septembre 1849 à Cologne. xixe siècle. Allemand.
Paysagiste.
Élève de l'Académie de Düsseldorf. Il travailla à Bruxelles en 1845.

THEMISTOCLES
iiie siècle avant J.-C. Antiquité grecque.
Sculpteur.
Il sculpta à Samos une statue votive pour Héra.

THEMON Paul
Né en 1854 à Namur. Mort en 1912 à Namur. xixe-xxe siècles. Belge.
Peintre de paysages, graveur.
Il vécut et travailla à Namur. Il gravait à l'eau-forte. Il a peint des paysages de la Meuse.
Bibliogr. : In : *Dictionnaire biographique illustré des artistes en Belgique depuis 1830*, Arto, Bruxelles, 1987.

THEMOR Leonhard ou Lienhard ou Temor
Mort avant 1608. xvie siècle. Actif à Salzbourg. Autrichien.
Peintre.
Il a peint un autel pour l'abbaye de Michealbeuren en 1604.

THENARD ou Tinard
xviiie siècle. Actif à Nantes. Français.
Peintre.
Cité entre 1745 et 1748.

THENIG Gabriel
Né à Imst. xviiie siècle. Actif à la fin du xviiie siècle. Autrichien.
Fresquiste.
Il peignit pour les églises d'Osten et de Sölden dans l'Oetztal.

THENIG Josef
Mort le 18 avril 1734 à Imst. xviiie siècle. Autrichien.
Peintre.

THENOT Jean Paul
Né en 1943. xxe siècle. Français.
Artiste. Groupe Collectif d'Art Sociologique.
Dans une optique d'interrogation de l'art, Thenot a choisi d'utiliser les ressources offertes par les sciences humaines. Il s'est d'abord servi de la voie postale pour réaliser une sorte de sondage sur la condition artistique en France de 1960 à 1972, sondage dont il a publié les résultats, les exposant ensuite. Il a ainsi orienté sa production vers une analyse sociologique de la peinture, et a fondé en 1973 avec Hervé Fisher et Fred Forest, le Collectif d'Art Sociologique.

THÉNOT Jean-Pierre
Né le 21 avril 1803 à Paris. Mort le 11 octobre 1857 à Paris. xixe siècle. Français.
Peintre d'architectures, paysages, aquarelliste, dessinateur, lithographe.
Il fut élève de Jean Thomas Thibault. Il exposa au Salon de Paris, de 1827 à 1857.
Peintre de perspectives, il eut aussi une activité d'écrivain, publiant notamment : *Cours de lithographie*, *Essai de perspective*.

Musées : Bagnères-de-Bigorre : *Coucher de soleil* – Semur-en-Auxois : *La vallée de Lauterbrunnen.*

THENOT Maurice R. G.
xx⁰ siècle. Français.
Sculpteur.
Il a exposé, à Paris, au Salon des Artistes Français. Il a obtenu des médailles, une de bronze en 1927, une autre d'argent en 1936.

THENOT Vincent Léopold
Né en 1835 à Bordeaux (Gironde). Mort en 1890 à Paris. xix⁰ siècle. Français.
Peintre de paysages.
Il débuta au Salon de 1880. Le Musée de Bordeaux conserve de lui : *Pivoines.*
Ventes Publiques : Paris, 1ᵉʳ juin 1950 : *Bords de mer :* FRF 700.

THENY Christian ou Denny, Thenni, Thenny
Né le 9 janvier 1669 à Burgeis. Mort le 28 août 1712 à Vienne. xvii⁰-xviii⁰ siècles. Autrichien.
Sculpteur.
Il travailla pour la cour de Vienne.

THENY Gregor
Né le 12 mars 1695 à Burgeis. Mort le 5 mai 1759 à Jaromer. xviii⁰ siècle. Autrichien.
Sculpteur.
Il sculpta quatre grandes statues de saints pour le maître-autel de la collégiale de Saar (Moravie) et plusieurs autres statues pour les églises des environs.

THENY Ignaz
xviii⁰ siècle. Travaillant à Vienne et à Aussee. Autrichien.
Sculpteur.
Il sculpta la chaire dans l'église de Spital-am-Pyhrn en 1748.

THENY Johann
Né le 4 mars 1695 à Burgeis. Mort après 1749. xviii⁰ siècle. Autrichien.
Sculpteur.
Il sculpta des statues pour des églises de Vienne et de Budapest.

THEO-SION. Voir SION Ion Theodoresco

THEOBALD
xx⁰ siècle. Français.
Peintre de paysages.
Il expose à Paris, New York, Bruxelles, Dallas et Tokyo. Il participe, à Paris, aux Salons Comparaisons, des Artistes Français, d'Automne, des Terres Latines.
Surtout paysagiste, il peint en juxtaposant de larges touches de couleurs.

THEOBALD Henry
Mort en 1849. xix⁰ siècle. Actif à Londres. Britannique.
Aquarelliste et peintre de genre.
Il prit part à l'Exposition des aquarellistes anglais en 1847.

THEOBALD von Lixheim
xvi⁰ siècle. Travaillant en 1504. Français.
Peintre verrier.
Il exécuta des vitraux dans la cathédrale de Metz.

THEODAT, Frère
Français.
Peintre de paysages, aquarelliste.
Le Musée d'Alais conserve de lui : *Bords du Gardon,* aquarelle.

THEODERICH de Prague
xiv⁰ siècle. Actif de 1359 à 1381. Autrichien.
Peintre.
Cet artiste fut peintre de la cour de l'Empereur Charles IV, qui lui accorda de nombreux privilèges en récompense des peintures de la chapelle royale de Karlstein qui existent encore. Il faisait partie de la Corporation des peintres de Prague en 1348. Theoderich est représenté à la Galerie de Prague par une *Vierge et l'Enfant Jésus adorés par Charles IV* et à Vienne par un *Christ en Croix, la Vierge et saint Jean, saint Ambroise et saint Augustin.*

THEODON
xvi⁰ siècle. Français.
Sculpteur.
On lui attribue les ornements plastiques et les statues du maître-autel de l'église de Plassy-Pacy.

THEODON Jean Baptiste
Né en 1646. Mort le 18 janvier 1713 à Paris. xvii⁰-xviii⁰ siècles. Français.
Sculpteur.
Theodon passa une partie de sa vie à Rome et ce fut dans cette ville qu'il remporta ses plus grands succès. Après un concours auquel avait pris part le cavaliere Bernini, notre artiste exécuta la *Statue de saint Jean de Latran.* Il fit aussi un groupe : *La Foi et l'Idôlatrie* pour l'autel de Saint-Ignace, à l'église des Jésuites. Il sculpta encore à Rome un bas-relief pour le mont de Piété et un bas-relief pour le tombeau de la reine Christine de Suède. De retour en France il travailla au Palais de Versailles. On lui doit notamment les statues de *Saint André* et de *Saint Jacques le majeur* à la chapelle, et dans le parc de l'*Été,* terme en marbre.

THEODORE
xviii⁰ siècle. Actif au début du xviii⁰ siècle. Français.
Peintre et graveur à l'eau-forte.
Élève de Fr. Millet. Il a gravé des sujets de genre et des paysages.
Ventes Publiques : Paris, 1777 : *Deux paysages avec personnages,* ensemble : FRF 242.

THEODORE
xviii⁰ siècle. Français.
Peintre sur porcelaine.
Il travailla à la manufacture de Sèvres, de 1765 à 1779.

THEODORE A.
xvii⁰ siècle. Français.
Graveur au burin.
Le Cabinet d'Estampes d'Amsterdam conserve de lui *Procession d'enfants avec l'étoile de l'Épiphanie,* datant de 1636.

THEODORE Henry Frank
Né le 29 avril 1892 à Bounds Green. xx⁰ siècle. Britannique.
Peintre de marines, paysages.
Il vécut et travailla à Londres.

THEODORI Carl
Né en 1788 à Landshut. Mort en 1857 à Munich. xix⁰ siècle. Allemand.
Paysagiste, aquafortiste et lithographe amateur.
Il peignit des vues de ville. Le Musée Municipal de Munich conserve cinq dessins de cet artiste.

THEODORIK, maître
xiv⁰ siècle. Allemand.
Peintre de compositions religieuses.
Cet artiste fut peintre de l'empereur Charles IV de 1348 à 1375. On le considère comme l'auteur du *Christ en Croix* et des *saint Ambroise et saint Augustin* peints dans la chapelle du château de Carlstein et transportés depuis à la Galerie du Belvédère. Pour ce château, il exécuta un cycle de cent vingt-sept panneaux. Il semble qu'il soit entré en relation avec l'Italie, peut-être par l'intermédiaire de Tomaso da Modena qui se serait installé à Prague.
Mais son style est bien personnel, même s'il reste sans influence immédiate. Il accuse les traits, marque fortement le relief, le modelé, de manière tout à fait originale et inhabituelle à l'époque. Ce n'est pas sans une certaine naïveté et une drôlerie fondées sur le réalisme de l'observation qu'il traite ses personnages.
Bibliogr. : M. Brion : *La peinture allemande,* Tisné, Paris, 1959.
Musées : Prague : *Vierge et l'Enfant Jésus adorés par Charles IV* – Vienne : *Christ en Croix – La Vierge et saint Jean – Saint Ambroise et saint Augustin.*

THEODORITO
xv⁰ siècle. Actif à León. Espagnol.
Sculpteur sur bois.
Il a sculpté les stalles de la cathédrale de León en 1481.

THEODOROS
Originaire de Samos. vi⁰ siècle avant J.-C. Antiquité grecque.
Sculpteur fondeur.
Probablement fils de Rhoicos. Il fut le premier artiste dont on sait qu'il fondit en bronze son propre portrait.

THEODOROS
Né à Athènes. iv⁰ siècle avant J.-C. Actif à la fin du iv⁰ siècle avant J.-C. Antiquité grecque.
Sculpteur.

THEODOROS
iᵉʳ siècle avant J.-C. Antiquité grecque.
Sculpteur.
Fils de Poros d'Argos. Il sculpta une *Statue de Nikis.*

THEODOROS
Actif à Thèbes. Antiquité grecque.

Sculpteur.

Il fut mentionné par Diogène Laërce comme onzième de vingt artistes du même nom.

THEODOROS

Actif à Athènes. Antiquité grecque.

Peintre.

Cet artiste jouit d'un grand renom dans l'Antiquité.

THEODOROS

XIᵉ siècle. Éc. byzantine.

Enlumineur et calligraphe.

Le Musée Britannique de Londres conserve un psautier enluminé par cet artiste.

THÉODOROS

Né en 1931 à Agrinion. XXᵉ siècle. Actif en France. Grec.

Sculpteur.

Il fut élève de l'École des Beaux-Arts d'Athènes, puis de celle de Paris en tant que boursier de l'État grec.

Il participe à des expositions collectives, parmi lesquelles : 1965, Biennale de Paris, y obtint le Prix Rodin ; 1965, Salon des Réalités Nouvelles, Paris. Il montre ses œuvres dans des expositions personnelles, dont : 1965, Centre Culturel d'Aix-en-Provence ; 1966, Maison de la Culture d'Amiens.

Jusqu'en 1960, il avait sculpté surtout le marbre selon une esthétique traditionnellement abstraite. À partir de 1960, il adopta le métal pour des œuvres mettant en évidence les relations entre l'artiste et le public, tenant parfois de l'« objet surréaliste ».

BIBLIOGR. : Denys Chevalier, in : *Nouveau diction. de la sculpt. mod.*, Hazan, Paris, 1970.

THEODOROVITS Arsa

Né vers 1768 à Pancsova. Mort le 13 février 1826 à Ujvidek. XVIIIᵉ-XIXᵉ siècles. Hongrois.

Peintre.

Il fit ses études à Vienne. Il peignit des icônes dans plusieurs églises du sud de la Hongrie.

THEODOSIOS

XIIᵉ siècle. Actif à Constantinople en 1115. Éc. byzantine.

Mosaïste.

On cite de lui une mosaïque *Madone avec l'Enfant* se trouvant dans la sacristie de l'église Sainte-Marie du Salut de Venise.

THEODOTOS

IVᵉ siècle avant J.-C. Actif à Clazomène en Ionie vers 350 av. J.-C. Antiquité grecque.

Médailleur.

On connaît de lui deux tétradrachmes à l'effigie d'Apollon et ornées d'un cygne.

THEODOTOS

IIIᵉ siècle avant J.-C. Antiquité grecque.

Peintre.

Il peignit des dieux Lares sur des autels.

THEODOULOS Grégoriou

XXᵉ siècle. Chypriote.

Sculpteur, créateur d'installations, multimédia.

Il a montré une exposition de ses œuvres au Centre régional d'art contemporain de Labège en 1992.

Il réalise des installations au sol ou sur les murs à partir d'objets coniques dans lesquels il insère des écrans de télévision montrant des images de signes divers ou de paysages, et associe souvent à ces artefacts un dessin au sol, des photographies, des mots et des sons.

THEOGÈNE. Voir CHAVAILLON Pierre

THEOKLES ou Theoclès

Vᵉ siècle avant J.-C. Actif à Sparte. Antiquité grecque.

Sculpteur.

Fils de Hégylos et élève de Dipoïnos et de Scyllis. Il sculpta avec son père *Hercule chez les Hespérides*, à Olympie.

THEOKOSMOS

Vᵉ siècle avant J.-C. Actif à Mégare dans la seconde moitié du Vᵉ siècle av. J.-C. Antiquité grecque.

Sculpteur.

Il sculpta une statue de Zeus et celle du timonier Hermon.

THEOKTISTOS

XIᵉ siècle. Éc. byzantine.

Enlumineur.

Il fut moine du monastère Saint-Jean-Baptiste à Constantinople où il exécuta ses enluminures.

THEOLON Étienne. Voir THEAULON

THEOMNESTES ou Theomnestos

IVᵉ siècle avant J.-C. Actif vers 331 avant Jésus-Christ. Antiquité grecque.

Peintre.

Pline parle de lui comme d'un rival d'Apelle.

THEOMNESTOS

IVᵉ siècle avant J.-C. Actif à Sardes. Antiquité grecque.

Sculpteur.

Il travailla à Chio. Il sculpta des vainqueurs aux Jeux Olympiques, des guerriers et des chasseurs.

THEON

IVᵉ siècle avant J.-C. Actif au début du IVᵉ siècle avant J.-C. Antiquité grecque.

Sculpteur.

Il travailla à Épidaure pour le temple d'Esculape.

THEON

IVᵉ siècle avant J.-C. Actif à Samos dans la seconde moitié du IVᵉ siècle avant J.-C. Antiquité grecque.

Peintre.

THEON

IIIᵉ siècle avant J.-C. Travaillant vers 200 avant Jésus-Christ. Antiquité grecque.

Sculpteur.

Il sculpta une statue de Charisios à Délos.

THEON

IIᵉ siècle avant J.-C. Actif à Antiochie en Cilicie vers 100 av. J.-C. Antiquité grecque.

Sculpteur.

Il sculpta à Rhodes des statues de vainqueurs aux Jeux Olympiques et des chefs de la flotte.

THEON de Magnésie

Antiquité grecque.

Peintre.

THEOPHANE le Grec

Mort entre 1405 et 1415. XIVᵉ siècle. Travaillant en Russie à partir de 1378. Éc. byzantine.

Peintre.

Il vient de Byzance et va vers la Russie en passant par la Crimée, puis par Feodosia, Nijni-Novgorod et Novgorod. Il travaille à la décoration de plusieurs églises et palais, souvent en collaboration avec Roublev. On le retrouve à la cathédrale de Novgorod en 1378, puis à Moscou et Vladimir. Il ne reste rien de la décoration du palais du prince Vassili Dmitrievitch à Moscou (après 1389), ni de la décoration de l'église de la Nativité de la Vierge (1395). En 1405 il travaille à la cathédrale de l'Annonciation au Kremlin, où il reste une icône de la *Vierge*. Cette *Vierge*, entourée d'une draperie bleue, a des traits d'une douceur qui diffère de l'esthétique byzantine, surtout avec ses effets de modelé obtenus par taches de lumière. Il a d'ailleurs l'habitude de rendre le modelé sans dégradé, mais par des rehauts de couleur posés sur fond monochrome. Si Theophane et Roublev ont travaillé ensemble, les styles des deux hommes sont très différents, et tandis que celui de Roublev est plus graphique, celui de Theophane est plus pittoresque, il est fait de mouvements, de contrastes.

THEOPHANES de Constantinople

XIIIᵉ siècle. Actif vers 1250. Éc. byzantine.

Peintre.

Il vint s'établir à Venise et y forma de nombreux disciples.

THEOPHANES de Crète

XVIᵉ siècle. Actif dans la première moitié du XVIᵉ siècle. Grec.

Peintre à fresque.

Il a commencé sa carrière aux Météores, en 1527, en décorant de fresques le couvent Saint-Nicolas Anapavsa. C'est en 1535 qu'il réalisa son chef-d'œuvre : les fresques du couvent de la Grande Laure au Mont Athos. Il a deux fils, peintres également : Symeon, avec lequel il décora le couvent de Stavronikita, et Neophyte. Theophane serait l'auteur de l'icône placée dans l'iconostase de l'église de Protaton (1542).

THEOPHILOS

Iᵉʳ-IIᵉ siècles. Antiquité grecque.

Sculpteur.

Il sculpta la statue d'un prêtre d'Esculape dans le temple de ce dieu à Epidaure.

THEOPHILOS, pseudonyme de **Hadzimichael Théophilos**
Né en 1866 ou 1873 à Mytilène (Île de Lesbos). Mort en 1934 à Mytilène. XXᵉ siècle. Grec.
Peintre de sujets mythologiques, portraits, paysages, paysages animés.
Petit-fils de peintres d'icônes, il pratiquait la détrempe sur des grands formats. Il gagna longtemps sa vie en peignant des enseignes et des portraits dans les villages de son île. L'éditeur d'art Tériade fut un grand collectionneur de ses œuvres.
Proche de la réalité, son art évoque des sujets divers avec une grande simplicité.
Bibliogr. : In : *Dictionnaire universel de la peinture*, Le Robert, Paris, 1975 – in : *Dictionnaire de l'art moderne et contemporain*, Hazan, Paris, 1992.
Musées : MYTILÈNE (Mus. Théophilos).

THEOPHILUS, monachus ou **Theophilus Presbyter**
XIIᵉ siècle. Actif en Lombardie dans la première moitié du XIIᵉ siècle. Italien.
Miniaturiste et écrivain.
Son ouvrage *Schedula diversa rerum artium* est un précieux document sur l'état des arts au Moyen Âge.

THEOPHYLACTOS
Xᵉ siècle. Italien.
Peintre.
Il a une fresque, *Le Christ sur le trône*, dans une petite chapelle près de Carpignano en 959.

THEOPHYLACTOS Julia
Née à Trébizonde. XXᵉ siècle. Grecque.
Peintre.
Elle expose dans les principaux Salons annuels parisiens.

THEOPROPOS
Vᵉ siècle avant J.-C. Actif à Egine au début du Vᵉ siècle avant J.-C. Antiquité grecque.
Sculpteur.
Il a sculpté des taureaux pour le temple de Delphes.

THEOROS
IVᵉ-IIIᵉ siècles avant J.-C. Antiquité grecque.
Peintre.
Pline mentionne de lui des sujets mythologiques et historiques.

THEORRHETOS
IIᵉ siècle avant J.-C. Antiquité grecque.
Sculpteur.
Un des sculpteurs de l'autel de Pergame.

THEOTIMOS
IIᵉ-Iᵉʳ siècles avant J.-C. Actif à Athènes. Antiquité grecque.
Sculpteur.
Il sculpta des statues de prêtres pour le temple de Poséidon à Tenos.

THEOTOCOPULI Domenikos ou **Domenico** ou **Theotocopulos, Theotokopoulos**. Voir **GRECO, el**

THEOTOCOPULI Jorge Manuel
Né en 1578 à Tolède (Castille-La Manche). Mort le 29 mars 1631 à Tolède. XVIIᵉ siècle. Espagnol.
Peintre de compositions religieuses, sculpteur.
Il est le fils de Domenico Theotocopuli (el Greco). Il fut architecte et peignit plusieurs retables. On cite de lui le maître-autel de l'église de Titulcia-Bayona, dont il a peint les quatre panneaux latéraux.
Ventes Publiques : NEW YORK, 30 jan. 1997 : *La Descente du Saint-Esprit (Pentecôte)*, h/t (103,5x51,4) : **USD 74 000.**

THEPASS Hermann ou **Hermanus**
Né le 25 mars 1785 à Anhalt. Mort le 30 décembre 1847 à Zaandam. XIXᵉ siècle. Hollandais.
Peintre et lithographe.
Il peignit des portraits et des paysages et exposa à Amsterdam de 1826 à 1836.

THÉPAUT Jules François Joseph
Né en 1818 à Arras (Pas-de-Calais). Mort en 1885 à Arras. XIXᵉ siècle. Français.
Peintre de paysages.
Il s'engagea d'abord dans l'Armée, puis il fut élève de Constant Dutilleux. Il exposa au Salon de Paris, à partir de 1868.
Inspiré par la Belgique et la région de Barbizon, il peignit de nombreux paysages qui évoquent Corot et surtout Charles Daubigny.

Bibliogr. : Gérald Schurr, in : *Les Petits Maîtres de la peinture 1820-1920, valeur de demain*, Les Éditions de l'Amateur, t. II, Paris, 1982.
Musées : ARRAS : *Moulin à Villiers-sur-Morin* 1877.

THEPLAR Stanislav. Voir **TEPLAR**

THÉPOT Roger François, dit **François**
Né le 18 février 1925 à Landeleau (Finistère). XXᵉ siècle. Depuis 1965 actif au Canada. Français.
Peintre. Abstrait-géométrique.
Se formant seul à la peinture, il commence à peindre en 1941 des paysages et des natures mortes. Il s'établit à Paris en 1947, arrête de peindre pour se consacrer à la céramique, puis reprend la peinture en 1950 pour réaliser sa première peinture abstraite en 1951. Il s'est fixé au Canada, à Toronto, à partir de 1965. Il enseigne au College of Art de Toronto.
Il participe à des expositions collectives depuis 1954, parmi lesquelles : à partir de 1954, les Salons Comparaisons et Réalités Nouvelles, Paris ; depuis 1958, École de Paris, Galerie Charpentier, Paris ; depuis 1961, Salon de l'Art Sacré, Paris ; depuis 1964, Salon de Mai, Paris ; 1960 et 1961, *Construction and Geometry in Painting*, New York, Cincinnati et Minneapolis ; 1962, *Constructivists*, Londres ; 1962, *Exposition Internationale du Constructivisme*, Musée de Céret ; etc.
Il montre ses œuvres dans des expositions personnelles, dont : 1952, 1954, 1961, Paris ; 1963, Bruges, Bruxelles ; 1965, 1966, Toronto ; 1990, galerie Lahumière, Paris.
L'abstraction vers laquelle il s'orienta en 1951, s'apparente à la tendance qu'il est convenu de dire de l'abstraction géométrique. Son art, de sobriété, d'équilibre et de mesure, se caractérise, dans des structures généralement strictement orthogonales, par la richesse et la solennité des accords de gris et de noirs profonds.
Bibliogr. : B. Dorival, sous la direction de... : *Peintres Contemporains*, Mazenod, Paris, 1964 – Catalogue de l'exposition *Thépot*, Gal. Moos, Toronto, 1967.
Musées : CÉRET (Mus. d'Art Mod.) – OTTAWA (Gal. Nat. du Canada) – PARIS (Mus. Nat. d'Art Mod.) – SAINT-ÉTIENNE (Mus. d'Art. et d'Industrie).
Ventes Publiques : PARIS, 19 mars 1993 : *Composition* 1962, gche/cart. (64x53) : **FRF 4 500.**

THER Karl
XIXᵉ siècle. Actif à Prague au début du XIXᵉ siècle. Autrichien.
Dessinateur.
Il dessina le château de Hohenelbe.

THER PORTTEN Johann Daniel
XVIIᵉ siècle. Actif à Tyrnau de 1659 à 1662. Hongrois.
Graveur au burin.
Il grava des sujets religieux.

THERASSE Victor
Né le 25 mars 1796 à Paris. Mort le 4 février 1864 à Auteuil (Paris). XIXᵉ siècle. Français.
Sculpteur.
Élève de Bridan et de Lemot, il exposa au Salon entre 1831 et 1848 et obtint une médaille de deuxième classe en 1834.
Musées : GRENOBLE : *Cydippe* – PARIS (du Louvre) : *Hyacinthe Rigaud* – VERSAILLES : *Vice-amiral La Touche-Tréville* – *Amiral Villars* – *Général Stengel*, deux œuvres – *Monbrun* – *L'architecte Claude Perrault* – VERSAILLES (Trianon) : *Louis XVI*.

THERBUSCH Anna Dorothea. Voir **LISZEWSKA Anna Dorothea**

THERIAT Charles James
Né en 1860 à New York City. Mort en 1937. XIXᵉ-XXᵉ siècles. Actif aussi en France. Américain.
Peintre de scènes de genre, portraits, paysages animés.
Né à New York, il vint en Europe avec sa famille à l'âge de douze ans. Il étudia avec Jules Lefebvre et Gustave Boulanger à l'Académie Julian à Paris et s'installa dans son atelier à Paris en 1880. Il travailla également à La Mec-par-Melun (Seine-et-Marne). À partir de 1887, pour des raisons de santé, il passa les hivers soit dans le sud de la France, soit en Afrique du Nord.
Il figura aux expositions du Salon des Artistes Français de Paris, obtenant une mention honorable à l'Exposition Universelle de 1889, une médaille d'argent à celle de 1900. Il reçut également une médaille de bronze à Buffalo en 1901.
Ventes Publiques : PARIS, 23 et 24 sep. 1943 : *Cavaliers arabes dans un paysage nord africain* : **FRF 350** – NEW YORK, 11 oct. 1979 : *Chasseur dans un paysage d'Afrique* 1892, h/t (109x54,5) :

USD 2 000 – Enghien-les-Bains, 24 oct. 1982 : *Caravane dans le désert* 1900, h/t (93,5x167,5) : **FRF 153 000** – Enghien-les-Bains, 17 avr. 1983 : *Caravane dans le désert*, h/t (40,5x84,5) : **FRF 90 000** – San Francisco, 20 juin 1985 : *Un canal vénitien* 1891, h/pan. (68,5x51) : **USD 4 750** – Londres, 15 juin 1994 : *Élégante jeune femme au bord de la rivière*, h/pan. (16x22) : **GBP 27 600** – New York, 12 oct. 1994 : *La place du marché à Biskra en Algérie* 1888, h/t (46,4x61) : **USD 9 200**.

THERIMACHOS
IVe siècle avant J.-C. Antiquité grecque.
Peintre.
Mentionné par Pline.

THERKILDSEN Agnete
XXe siècle. Danoise.
Peintre de compositions, paysages animés.
Ventes Publiques : Copenhague, 10 mai 1989 : *Deux oiseaux* 1982, h/t (71x75) : **DKK 5 400** – Copenhague, 20 sep. 1989 : *Personnages dans un paysage* 1974, h/t (63x70) : **DKK 5 000** – Copenhague, 4 mars 1992 : *Composition* 1986, h/t (48x57) : **DKK 4 200** – Copenhague, 20 mai 1992 : *Composition* 1986, h/t (76x80) : **DKK 7 000** – Copenhague, 10 mars 1993 : *Composition* 1986, h/t (70x62) : **DKK 4 500**.

THERKILDSEN Michael ou Hans Michael ou Therkelsen
Né le 3 novembre 1850 à Lystruys. Mort le 4 juin 1925 à Copenhague. XIXe-XXe siècles. Danois.
Peintre, animalier.
Il figura aux Expositions de Paris. Il obtint une médaille d'argent en 1889 lors de l'Exposition universelle de Paris.

Musées : Copenhague : *Chevaux récalcitrants* – *Veau* – *Vache détachée* – *Au bord de la forêt* – *Une famille* – *Chevaux dans le jardin zoologique* – Maribo : *Bétail à l'abreuvoir*.
Ventes Publiques : Copenhague, 7 oct. 1971 : *L'étalon* : **DKK 8 500** – Copenhague, 6 mai 1976 : *Chevaux dans un paysage* 1895, h/t (125x165) : **DKK 8 100** – Copenhague, 9 fév. 1977 : *Berger et troupeau*, h/t (50x65) : **DKK 15 500** – Londres, 21 mars 1980 : *Troupeau au pâturage*, h/t (42x63) : **GBP 1 200** – Londres, 12 oct. 1984 : *Juments et chèvres au pâturage*, h/t (61x82) : **GBP 1 400** – Copenhague, 27 fév. 1985 : *Jeune paysanne menant ses deux vaches*, h/t (47x65) : **DKK 37 000** – New York, 24 mai 1989 : *Une vache sur un sentier* 1894, h/t (45,7x63,5) : **USD 6 600** – Copenhague, 6 mars 1991 : *Intérieur avec une jeune fille lisant*, h/t (66x51) : **DKK 15 500** – Copenhague, 1er mai 1991 : *Maison dans les champs* 1901, h/t (52x72) : **DKK 4 500** – New York, 17 fév. 1993 : *La lettre*, h/t (66x50,8) : **USD 8 913** – Copenhague, 15 nov. 1993 : *Vaches à l'abreuvoir* 1888, h/t (48x79) : **DKK 23 000** – Copenhague, 16 nov. 1994 : *Vaches dans un pré* 1923, h/t (38x52) : **DKK 4 000** – Londres, 17 nov. 1995 : *Le critique dans l'atelier de l'artiste*, h/t (49,5x68) : **GBP 6 900**.

THERON
IVe-IIIe siècles avant J.-C. Actif en Béotie. Antiquité grecque.
Sculpteur.
Il sculpta les statues des vainqueurs aux Jeux Olympiques.

THERON Alexandre François Theodore
Né le 25 mai 1795 à Paris. XIXe siècle. Français.
Peintre de genre.
Élève de Charpentier et de Gros. Il exposa au Salon en 1831 et en 1835.

THERON Max Jules
Né le 29 mai 1873 à Saint-Félix-de-l'Hérus (Hérault). Mort en 1936 à Lodève (Hérault). XIXe-XXe siècles. Français.
Peintre de sujets religieux, portraits, paysages, graveur.
Il grava à l'eau-forte et peignit des sites du Languedoc, des scènes religieuses et rustiques et des portraits.

THÉRON Pierre
Né le 22 juillet 1918 à Nérac (Lot-et-Garonne). XXe siècle. Français.
Peintre, illustrateur.
Après une formation aux Beaux-Arts, il exposa et travailla surtout à Bordeaux ainsi que dans d'autres grandes villes du Sud-Ouest. À Paris, il a figuré aux Salons des Indépendants, d'Automne et des Tuileries. L'État s'est fréquemment rendu acquéreur de ses œuvres. Il a été invité à la Biennale de Menton, et à la Biennale de São Paulo, en 1951.

En 1944, il avait exécuté les illustrations pour une nouvelle édition de *La main enchantée* de Gérard de Nerval. En 1952-1953, il réalisa deux cents mètres carrés de décorations pour les bâtiments d'une Société de Bordeaux.

Ventes Publiques : Paris, 21 fév. 1955 : *Le bassin à flot* : **FRF 28 000**.

THEROND Émile Theodore
Né le 28 mars 1821 à Saint-Jean du Gard (Gard). XIXe siècle.
Français.
Dessinateur, graveur à l'eau-forte et lithographe.
Élève de Gérard Seguin et d'Armand. Il prit part au Salon de 1865. Le Musée de Versailles conserve de lui *Place d'une ville*.

THEROUDE Jacques
XVIIe siècle. Travaillant à Tours en 1694. Français.
Sculpteur sur bois.
Il exécuta des sculptures pour les statues de l'église Saint-Vivien de Tours.

THEROULDE Guérauldin
XVe siècle. Actif à Rouen vers 1460. Français.
Sculpteur.
Il exécuta le tombeau de la mère du cardinal d'Estouteville dans la cathédrale de Rouen.

THEROULDE Jacques
XVe-XVIe siècles. Actif à Rouen de 1460 à 1502. Français.
Sculpteur.
Il collabora avec Guérauldin S. dans la cathédrale de Rouen.

THEROULDE Jean
XVIe siècle. Travaillant à Rouen de 1510 à 1526. Français.
Sculpteur.
Il travailla pour la cathédrale de Rouen et l'église Saint-Laurent de cette ville.

THEROUYN Regnault. Voir l'article **LE FLAMENT André**

THERRIEN Robert
Né en 1947. XXe siècle. Américain.
Sculpteur, peintre d'assemblages, technique mixte.
Ventes Publiques : New York, 31 oct. 1989 : *Sans titre (peinture d'un angle rouge)*, h/t/bois (213,2x162,5) : **USD 30 800** – New York, 7 nov. 1990 : *Sans titre (ski)* 1984, bois peint (L. 370,8) : **USD 19 800** – New York, 18 nov. 1992 : *Sans titre (le plat du chien)*, h. et temp./t. (121,9x167,6) : **USD 13 200** – New York, 22 fév. 1993 : *Sans titre* 1989, temp./pap., écran métallique et verre monté sur cart. (50,2x43,2) : **USD 2 420** – New York, 5 mai 1993 : *Sans titre* 1981, bronze (13,4,5x1,5) : **USD 11 500** – New York, 10 nov. 1993 : *Sans titre* 1985, étain et bronze (H. 152, diam. 73,6) : **USD 40 250** – New York, 11 nov. 1993 : *Bonhomme de neige bleu* 1985, h/t/bois (243,8x162,6) : **USD 28 750** – New York, 3 nov. 1994 : *Sans titre* 1985, encaustique et h/bois (129,5x50,8x10,2) : **USD 40 250** – New York, 15 nov. 1994 : *Sans titre* 1990, pap. et vernis/bois (282x104,2x19,7) : **USD 42 550** – New York, 7-8 mai 1997 : *Pas de titre* 1976, vernis et céramique/bois (226,1x61x8,9) : **USD 68 500**.

THERSNER Ulrik
Né le 2 avril 1779 à Kyrrslätt. Mort le 2 septembre 1828 à Vesteras. XIXe siècle. Suédois.
Paysagiste et officier.
Il peignit des châteaux de la province de Schonen.

THERY Charles Emmanuel Raphael
Né au XIXe siècle à Paris. XIXe siècle. Français.
Peintre de marines.
Il débuta au Salon de 1873.

THERY Madeleine
Née à Paris. XXe siècle. Française.
Peintre.
Elle a exposé, à Paris, aux Salons des Indépendants et d'Automne.

THESEO. Voir **TESEO** et **TESIO**

THESING J.
XVIIIe siècle. Hollandais.

Aquafortiste.
Il grava des paysages et des marines.

THESING Paul
Né le 12 avril 1882 à Anhalt. xxᵉ siècle. Allemand.
Peintre, graveur.
Il travailla à Darmstadt.
Musées : Wiesbaden : *Fleurs.*

THESLEFF Ellen
Née en 1869 à Helsingfors (Helsinki). Morte en 1954. xixᵉ-xxᵉ siècles. Finlandaise.
Peintre de figures, portraits, paysages, fleurs.
Elle fut connue en Finlande. Elle exposa aussi à Paris, notamment au Salon des Artistes Français, et obtint une médaille de bronze à l'Exposition universelle de 1900.
La musique jouait un grand rôle dans sa vie, elle peignait en écoutant et disait la transcrire en peinture.
Musées : Cleveland – Helsinki (Atheneum) : *Portrait de l'artiste* – Londres (Tate Gal.) – New York.
Ventes Publiques : Londres, 16 mars 1989 : *Fleurs* 1944, h/t (48x39,5) : **GBP 44 000.**

THESMAR André Fernand
Né le 2 mars 1843 à Chalon-sur-Saône (Saône-et-Loire). Mort le 5 avril 1912 à Neuilly (Hauts-de-Seine). xixᵉ-xxᵉ siècles. Français.
Émailleur, peintre de paysages.
Il fut élève de Tournier et Cavelier, il débuta au Salon, à Paris, en 1875. Chevalier de la Légion d'honneur en 1893.
André Thesmar abandonna la peinture à l'huile pour les émaux cloisonnés. Il réalisa dans ce genre des œuvres tout à fait remarquables.
Ventes Publiques : Paris, 21 et 22 nov. 1927 : *Fleurs* : **FRF 405.**

THESONNIER Alfred
xxᵉ siècle. Français.
Peintre.
Il a exposé, à Paris, au Salon des Artistes Français. Il y obtint une mention en 1921, une médaille de bronze en 1927, une d'argent en 1935.

THESSEL Anton Moritz Fürchtegott
Né en 1830 à Wurzen. Mort le 4 septembre 1873 à Dresde. xixᵉ siècle. Allemand.
Paysagiste.
Il fit ses études à Dresde. Il visita la Bavière, le Tyrol, la Suisse.
Ventes Publiques : Cologne, 23 mars 1973 : *Paysage alpestre* : **DEM 4 500.**

THESSEL Georg
xviiᵉ siècle. Actif à Marbourg. Autrichien.
Sculpteur.
Il fut chargé de l'exécution d'un autel dans l'église de Saint-Paul en Carinthie, en 1622.

THEUBET Victor
Né le 10 novembre 1813 à Porrentruy. Mort le 10 mai 1848 à Porrentruy. xixᵉ siècle. Suisse.
Dessinateur et enlumineur.
Il n'eut aucun maître. Il dessina des architectures.

THEUDOROS
iiiᵉ siècle avant J.-C. Travaillant vers 200 avant Jésus-Christ. Antiquité grecque.
Sculpteur.

THEUERKAUF Gottlob ou Christian Gottlob Heinrich
Né le 21 janvier 1831 à Cassel (Hesse). Mort le 5 mars 1911 à Cassel. xixᵉ-xxᵉ siècles. Allemand.
Peintre de paysages, architectures, aquarelliste, dessinateur.
Il fut élève de l'Académie des Beaux-Arts de Cassel. Il se fixa à Charlottenbourg.
Musées : Leipzig : *Salle de concert dans la halle aux draps.*
Ventes Publiques : Heidelberg, 12 oct. 1991 : *Vue du château de Spangenberg* 1870, aquar. sur cr. (27x41,7) : **DEM 1 450.**

THEUERKAUFF Carl Rudolph
Né le 4 mai 1875 en Allemagne. Mort le 24 juin 1926 à Rochester (New York). xxᵉ siècle. Actif aux États-Unis. Allemand.
Peintre.
Il travailla à Rochester aux États-Unis.

THEUNIS Pierre
Né le 1ᵉʳ mai 1883 ou 1885 à Anvers. Mort en 1950 à Schaerbeek (Bruxelles). xxᵉ siècle. Belge.

Sculpteur de bustes, figures, monuments.
Il fut élève de l'Académie de Bruxelles et de Vinçotte. Il vécut et travailla à Bruxelles, voyagea en Italie et en Europe centrale. Il obtint le prix Godecharle en 1903 et le prix de Rome en 1906. Il fut membre de l'Académie royale de Belgique.
Bibliogr. : In : *Dictionnaire biographique illustré des artistes en Belgique depuis 1830,* Arto, Bruxelles, 1987.
Musées : Bruxelles : *Buste d'une jeune femme* – Gand : *Imploration.*
Ventes Publiques : Lokeren, 28 mai 1988 : *Torse de femme allongée,* bronze (H. 14,5) : **BEF 28 000.**

THEUNISSEN Charles
Né le 10 mai 1871 à Asch. xixᵉ-xxᵉ siècles. Belge.
Peintre de genre, portraitiste et paysagiste.
Il vécut et travailla à Liège. Il a exposé en Belgique, à Amsterdam, à Munich, à Berlin et, à Paris, au Salon d'Automne.
Musées : Liège : *La rue Saint-Pierre.*

THEUNISSEN Corneille Henri
Né le 6 novembre 1863 à Anzin (Nord). Mort en décembre 1918 à Paris. xixᵉ-xxᵉ siècles. Français.
Sculpteur.
Il fut élève de Fache et Cavelier. Sociétaire des Artistes Français à partir de 1909, il figura au Salon de ce groupement y obtenant une mention honorable en 1891, une médaille de deuxième classe en 1891, une médaille de deuxième classe en 1896, une mention honorable en 1900 (Exposition universelle de Paris). Chevalier de la Légion d'honneur en 1902.
Musées : Dieppe (Saint-Saens) : *Masque de Sébastien Bach* – Paris (ancien Mus. du Luxembourg) : *Buste du peintre Harpignies* – Tourcoing : *David,* marbre – *Édouard Sasselange,* bronze – Valenciennes : *Grève.*
Ventes Publiques : Lokeren, 7 oct. 1995 : *Moissonneuse au repos,* bronze (35x42) : **BEF 30 000.**

THEUNISSEN Cornelis. Voir ANTHONISZ Cornelis

THEUNISSEN Karel
Né en 1871 à As. Mort en 1948 à Bosvoorde. xxᵉ siècle. Belge.
Peintre de genre, figures, portraits, paysages. Réaliste, puis impressionniste.
Il a étudié à l'Académie des Beaux-Arts d'Anvers sous la direction de Coosemans, puis de Verlat.
Bibliogr. : In : *Dictionnaire biographique illustré des artistes en Belgique depuis 1830,* Arto, Bruxelles, 1987.
Musées : Liège.

THEUNISSEN Paul Louis ou Ludovic
Né le 3 août 1873 à Anzin (Nord). Mort en 1931 à Paris. xixᵉ-xxᵉ siècles. Français.
Sculpteur.
Il fut élève de Cavelier, de Barrias et de Maugendre. Il fut professeur de modelage de 1905 à 1930 pour la Ville de Paris. Sociétaire des Artistes Français depuis 1909, il figura, à Paris, au Salon de ce groupement, y obtenant une médaille de troisième classe en 1901, une bourse de voyage en 1901, une médaille de deuxième classe en 1909. Chevalier de la Légion d'honneur en 1926.
Il a travaillé à la Cour des Comptes à Paris en collaboration avec son frère, le sculpteur Corneille Theunissen, avec Léon Fagel et Henri Gauquié. Parmi ses œuvres : *Caïn jaloux,* un haut relief dans le jardin de la Rhonelle à Valenciennes ; *Idylle au pays noir* à Anzin.

THEUNISZ Barent. Voir TEUNISZ

THEUNYNCK Gaston
Né en 1900 à Essen-Dixmude. Mort en 1977 à Roulers. xxᵉ siècle. Belge.
Peintre. Expressionniste.
Paysan et peintre autodidacte.
Bibliogr. : In : *Dictionnaire biographique illustré des artistes en Belgique depuis 1830,* Arto, Bruxelles, 1987.
Ventes Publiques : Lokeren, 20 mai 1995 : *Jour de Noël* 1971, h/t (120x100) : **BEF 60 000.**

THEURILLAT Herbert
Né le 12 mars 1896 à Saint-Imier. xxᵉ siècle. Suisse.
Peintre de figures, portraits, paysages.
Il fit ses études à La Chaux-de-Fonds et à Genève. Il vécut et travailla à Genève.
Musées : Aarau (Argauer Kunsthaus) : *Grosse neige* 1939.

THEURING Johann
Né en 1784. Mort le 15 avril 1853. xixᵉ siècle. Actif à Vienne. Autrichien.
Médailleur.

THEUS Jeremiah
Né en 1719 en Suisse. Mort le 18 mai 1774 à Charleston. XVIIIe siècle. Américain.

Peintre de portraits et de paysages.

Il travailla à Charleston. Il s'est surtout fait connaître à travers des portraits de femmes aux lèvres boudeuses et aux attitudes pigeonnantes.

Musées : BROOKLYN : *Elisabeth Rothmahler* – MINNEAPOLIS : *Marcy Obney* – NEW YORK (Mus. Métropolitain) : *Gabriel Manigault et sa femme.*

Ventes Publiques : LONDRES, 25 fév. 1911 : *Portrait du général Atkins et de mrs Atkins* signés et datés 1762-1763, deux pendants : **GBP 8** – NEW YORK, 24-26 oct. 1946 : *Samuel Carne* : **USD 325** ; *Mrs Samuel Carne* : **USD 325** – LONDRES, 16 fév. 1973 : *Portrait d'une dame de qualité* : **GNS 1 500** – RALEIGH (North Carolina), 5 nov. 1985 : *Portrait of Humphrey Sommers of Charleston, South Carolina,* h/t (76,2x63,5) : **USD 22 000**.

THEUSS Carl Christian
Né le 18 mars 1817 à Weimar. Mort en 1842 à Munich. XIXe siècle. Allemand.

Peintre.

Élève de l'École de Dessin de Weimar. Il peignit des paysages et des décorations.

THEVART. Voir THIEVAERT

THEVENARD Marguerite
Née en 1710. Morte vers 1770. XVIIIe siècle. Active à Paris. Française.

Graveur au burin.

Elle grava des scènes contemporaines et des portraits.

THEVENAZ Paul
Né le 22 février 1891 à Genève. Mort le 6 juillet 1921 à New York. XXe siècle. Actif aux États-Unis. Suisse.

Peintre.

Il se fixa à New York en 1917.

THÉVENEAU André
Né en 1897 à Fontainebleau (Seine-et-Marne). Mort en 1977. XXe siècle. Français.

Peintre.

Il exposait à Paris, régulièrement et jusqu'à sa mort au Salon des Artistes Français, dont il était sociétaire.

THEVENET, père
XVIIIe siècle. Français.

Peintre de fleurs.

Il travailla à la manufacture de Sèvres, de 1741 à 1777.

THEVENET, fils
XVIIIe siècle. Français.

Peintre de fleurs.

Il travailla à la manufacture de Sèvres, de 1752 à 1758.

THEVENET Aimé
Né à Cluny (Saône-et-Loire). XXe siècle. Français.

Peintre.

Il a figuré, à Paris, au Salon d'Automne.

THEVENET Jacques
Né le 17 octobre 1891 à Montquin (Morvan). XXe siècle. Français.

Peintre, graveur, illustrateur.

Il vécut et travailla à Marseille. Il a exposé, à Paris, aux Salons des Indépendants et des Tuileries, à Amsterdam et à Tokyo.

Il exécuta des illustrations pour des œuvres de Maurois, de Roger Martin du Gard, et de Giono. Il subit l'influence de Dunoyer de Segonzac.

Musées : LA HAYE (Mus. mun.) : *Vase avec marguerites* – PARIS (ancien Mus. de Luxembourg) : *La vallée.*

Ventes Publiques : PARIS, 1er avr. 1942 : *Le port de Plymouth,* gche : **FRF 1 000** – PARIS, 20 juin 1944 : *L'automne en Berry* : **FRF 20 000** – PARIS, 12 déc. 1946 : *Paysage,* gche : **FRF 9 000** – PARIS, 8 déc. 1948 : *Nature morte* : **FRF 1 600** – PARIS, 16 mars 1955 : *Village de la Nièvre* : **FRF 30 000**.

THEVENET Jean Baptiste
Né le 11 septembre 1800 à La Rochelle (Charente-Maritime). Mort en 1867. XIXe siècle. Français.

Peintre de portraits en miniatures.

Élève de M. M. Rouget et L. Cogniet. Il exposa au Salon de Paris de 1831 à 1857.

Ventes Publiques : PARIS, 24 et 25 mai 1939 : *Portrait de vieillard,* miniat. : **FRF 200** – PARIS, 21 avr. 1996 : *Portrait du peintre Étienne Jeaurat,* miniat./ivoire (14,2x11,6) : **FRF 4 000**.

THÉVENET Louis
Né en 1874 à Bruges. Mort en 1930 à Hal (Bruxelles-Sud). XIXe-XXe siècles. Belge.

Peintre de genre, intérieurs, paysages, natures mortes.

D'abord marin au long cours entre 1893 et 1897, il exerça aussi de nombreux petits métiers avant de se tourner vers la peinture, suivant les conseils du peintre Oleffe. Il vécut à Nieuport (1897-1905) et Bruxelles (1905-1914) avant de se fixer définitivement dans le village de Hal en 1914, abandonnant sa vie quelque peu mondaine.

Il commença une carrière publique en exposant à partir de 1903 au Cercle d'art *Labeur* et participa au Salon de la Libre Esthétique en 1904 à Bruxelles.

Il porte presque tout son intérêt sur les intérieurs, les objets, les natures mortes, traités avec une grande simplicité. Il échafauda lentement un art intimiste, où le respect de la géométrie interne dicte l'agencement des plans, des couleurs et des formes modelées par la lumière. Cette œuvre, vide d'êtres humains, effleure parfois l'abstraction.

L . THEVENET

Bibliogr. : René Lyr : *Louis Thévenet,* de Sikkel, Anvers, 1954 – in : *Dictionnaire universel de la peinture,* Le Robert, Paris, 1975 – in : *Dictionnaire biographique illustré des artistes en Belgique depuis 1830,* Arto, Bruxelles, 1987.

Musées : BRUXELLES (Mus. des Beaux-Arts) : *Portemanteau* 1917 – IXELLES : *L'Harmonium* 1917.

Ventes Publiques : BRUXELLES, 19 oct. 1946 : *Fromage blanc* : **BEF 25 000** ; *Nature morte dans un miroir* : **BEF 10 500** – BRUXELLES, 7 déc. 1946 : *L'harmonium* : **BEF 26 000** – BRUXELLES, 21 oct. 1950 : *Fillette jouant* : **BEF 20 000** ; *Nature morte 1909* : **BEF 7 000** – BRUXELLES, 28 avr. 1951 : *Le buffet rouge 1908* : **BEF 20 000** ; *La femme en rose 1911* : **BEF 13 000** – BRUXELLES, 2-3-4 juin 1965 : *La ravaudeuse* : **BEF 60 000** – AMSTERDAM, 25 avr. 1966 : *La salle à manger* : **NLG 5 000** – BRUXELLES, 27-28-29 fév. 1968 : *Le violoncelle* : **BEF 70 000** – ANVERS, 15 oct. 1969 : *Le cabaret, intérieur* : **BEF 160 000** – ANVERS, 19 avr. 1972 : *Mon portrait à l'harmonium* : **BEF 90 000** – LOKEREN, 10 nov. 1973 : *Nature morte 1922* : **BEF 130 000** – ANVERS, 2 avr. 1974 : *Marianne 1926* : **BEF 130 000** – BRUXELLES, 26 oct. 1977 : *Nature morte au raisin 1915,* h/t (70x60) : **BEF 170 000** – ANVERS, 23 oct 1979 : *La Commode 1921,* h/t (70x59) : **BEF 200 000** – ANVERS, 28 avr. 1981 : *Intérieur d'auberge 1915,* h/t (47x57) : **BEF 220 000** – BRUXELLES, 23 mars 1983 : *Le Mois de Marie 1914,* h/t (61x107) : **BEF 190 000** – LOKEREN, 16 mai 1987 : *Nature morte au violon et palette 1922,* h/t (60,5x70) : **BEF 330 000** – LOKEREN, 28 mai 1988 : *Moules et boudins 1929,* h/t (50x60) : **BEF 280 000** – AMSTERDAM, 24 mai 1989 : *Intérieur avec un piano et sur la table un vase de fleurs, une tasse et une saucière,* h/pan. (20,5x25) : **NLG 4 600** – AMSTERDAM, 22 mai 1990 : *Nature morte avec une bouteille, un panier d'oranges et une théière sur une table,* h/t (32x40) : **NLG 18 400** – AMSTERDAM, 13 déc. 1990 : *Après le concert 1911,* h/t (110x110) : **NLG 80 500** – AMSTERDAM, 19 mai 1992 : *Un village le long d'une rivière 1915,* h/cart. (32x26,5) : **NLG 3 220** – LOKEREN, 20 mars 1993 : *Intérieur avec une commode et un violoncelle 1928,* h/t (50x60) : **BEF 330 000** – LOKEREN, 8 oct. 1994 : *Nature morte dans un intérieur avec un harmonium 1910,* h/t (62x80) : **BEF 380 000** – LOKEREN, 11 mars 1995 : *Femme à la fenêtre 1914,* h/t (87x86) : **BEF 400 000** – LOKEREN, 9 mars 1996 : *Vue d'un parc 1923,* h/t (50x60) : **BEF 180 000** – AMSTERDAM, 4 juin 1996 : *Intérieur au violoncelle 1918,* h/t (61,5x50,5) : **NLG 12 980** – LOKEREN, 18 mai 1996 : *Les Beaux Raisins 1915,* h/t (71x61) : **BEF 260 000**.

THEVENET Pierre
Né le 1er mars 1870 à Bruges. Mort le 30 mars 1937 à Bruxelles. XIXe-XXe siècles. Belge.

Peintre de paysages, paysages urbains, architectures, natures mortes. Postimpressionniste.

Il fit ses études à Paris, où il se fixa en 1918. Il travailla à Drogenbos et à Anseremme. Il peignait sur le motif.

P. THÉVENET

Bibliogr. : In : *Dictionnaire biographique illustré des artistes en Belgique depuis 1830,* Arto, Bruxelles, 1987.

Musées : Ixelles.

Ventes Publiques : Bruxelles, 14 déc. 1971 : *L'Estaminet :* BEF 110 000 – Bruxelles, 19 mars 1980 : *Place du Tertre à Montmartre,* aquar. (49x63) : **BEF 42 000** – Bruxelles, 29 oct. 1980 : *Les marguerites jaunes,* h/t (80x60) : **BEF 34 000** – Bruxelles, 27 mars 1990 : *Le Vert Galant,* h/t (46x55) : **BEF 165 000** – Lokeren, 15 mai 1993 : *Le jardin,* h/cart. (40x55) : **BEF 80 000** – Lokeren, 9 oct. 1993 : *Anseremme,* h/t (50x65) : **BEF 110 000** – Lokeren, 4 déc. 1993 : *Saint-Cloud* 1925, h/pan. (45x56) : **BEF 95 000** – Lokeren, 9 mars 1996 : *Rue des Norvins à Montmartre,* h/t (54x65) : **BEF 95 000.**

THEVENET Thérèse
Née le 16 septembre 1901 à Dijon (Côte-d'Or). xx⁰ siècle. Française.
Peintre.
Elle fut élève de Humbert et de S. Minier. Elle a exposé, à Paris, au Salon des Artistes Français à partir de 1932.

THEVENIER Antoine, dit Châlons
xvii⁰ siècle. Actif à Orléans dans la première moitié du xvii⁰ siècle. Français.
Sculpteur sur bois.
Il sculpta un autel dans l'église Saint-Nicolas de Beaugency en 1617.

THEVENIER Étienne, dit Châlons
xvi⁰ siècle. Actif à Orléans dans la seconde moitié du xvi⁰ siècle. Français.
Sculpteur sur bois.
Il a sculpté une épitaphe dans l'église Saint-Paul d'Orléans en 1578.

THEVENIN
xvi⁰ siècle. Français.
Peintre, enlumineur.
Il travailla pour le chapitre de la Sainte-Chapelle de Dijon en 1538. *Voir aussi REEZ Thévenin.*

THEVENIN. Voir aussi MERLEN Thévenin

THÉVENIN Catherine Caroline. Voir COGNIET Catherine Caroline

THEVENIN Charles
Né le 12 juillet 1764 à Paris. Mort le 21 février 1838 à Paris. xviii⁰-xix⁰ siècles. Français.
Peintre d'histoire, sujets religieux, portraits, paysages, graveur, dessinateur.
Père de Jean Charles T. et élève de Vincent, il reçut le prix de Rome en 1791. Il exposa au Salon de Paris de 1793 à 1833. Il fut nommé membre de l'Institut en 1825 et chevalier de la Légion d'honneur, puis conservateur des gravures à la Bibliothèque royale en 1829.
On cite de lui une estampe : *Prise de la Bastille.*
Musées : Angers : *Joseph reconnu par ses frères* – Douai : *Justification de Suzanne* – Versailles : *L'armée française traverse le grand Saint-Bernard au bourg Saint-Pierre – Attaque et prise de Ratisbonne – Augereau au pont d'Arcole – Passage du grand Saint-Bernard par l'armée française : Reddition d'Ulm* – Versailles (Mus. Lambinet) : *Saint Louis en prière.*
Ventes Publiques : Paris, 30 nov. 1927 : *La prise de la Bastille,* dess. : **FRF 175** – Paris, 19 mai 1989 : *Les gardes-françaises à l'assaut de la Bastille,* h/t (63x54) : **FRF 360 000** – Fontainebleau, 27 oct. 1991 : *Venise,* h/t (38x76) : **FRF 25 000** – Londres, 21 avr. 1993 : *Portrait de Anne Julie Houël* 1793, h/t (22,3x18,7) : **GBP 43 300.**

THEVENIN Charles René
Né le 31 octobre 1856 à Paris. xix⁰ siècle. Français.
Graveur à l'eau-forte.
Élève de Courtry et de Gery Bichard, Picard et Rodriguez. Sociétaire des Artistes Français depuis 1891, mention honorable en 1889, médaille de troisième classe en 1905, médaille de deuxième classe en 1907. Il a illustré *Une amazone sous le Premier Empire,* d'Henri Lachize.

THEVENIN Claude Joseph
xvii⁰ siècle. Actif à Besançon vers 1689. Français.
Sculpteur.

THEVENIN Claude Noël
Né le 20 avril 1800 à Crémieux (Isère). Mort le 30 novembre 1849 à Paris. xix⁰ siècle. Français.
Peintre de portraits.
Élève de Maricot et d'Abel de Pujol, il exposa au Salon de 1822 à

1849 et obtint une médaille de deuxième classe en 1836. Il eut plusieurs commandes de l'État, entre autres une *Sainte Marguerite en prison,* pour la chapelle de la Maternité. En 1848, il fonda le *Comité Central des artistes* dont il fut le premier président.
Musées : Versailles : *Le lieutenant général de Prez de Crassier – Augereau adjudant-major – Le poète Jean Chapelain – Louis XI.*
Ventes Publiques : Paris, 1871 : *La Joconde,* dess. : **FRF 130.**

THEVENIN Constance
xviii⁰ siècle. Actif au milieu du xviii⁰ siècle. Français.
Sculpteur sur bois.
Il a sculpté un retable pour les Tertiaires de Dôle en 1753.

THEVENIN Georges Auguste
Né au xix⁰ siècle à Paris. xix⁰ siècle. Français.
Graveur sur bois.
Élève de J. Robert. Sociétaire des Artistes Français depuis 1887, il figura au Salon de ce groupement ; mention honorable en 1887, médaille de troisième classe en 1889, médaille de deuxième classe en 1896, médaille d'argent en 1900 (Exposition Universelle).

THEVENIN Jean Charles Bienvenu Gaspard
Né le 19 mai 1819 à Rome, de parents français. Mort le 15 avril 1869 à Rome. xix⁰ siècle. Italien.
Graveur.
Fils de Charles Thevenin. Élève de M. M. Henriquel-Dupont Alamatta et Mercuri, il exposa au Salon entre 1843 et 1868 et obtint une médaille de troisième classe en 1852. Il a gravé des sujets religieux et d'histoire. Il mourut accidentellement en tombant du haut de Saint-Paul.
Ventes Publiques : Paris, 12 juin 1950 : *Les enfants du roi Charles Iᵉʳ d'après A. Van Dyck :* **FRF 10 000.**

THEVENIN Louis
Né le 29 septembre 1870 à La-Roche-sur-Yon (Vendée). xix⁰ siècle. Français.
Aquafortiste.
Élève de Penet et de Pesseaud. Expose au Salon des Artistes Français à Paris, depuis 1907.

THEVENIN Louis Victor
Né à Chavanoz (Isère). xix⁰ siècle. Français.
Peintre, portraitiste.
Élève de l'École des Beaux-Arts de Lyon et de Baron ; il débuta au Salon en 1869.

THEVENIN Marie Anne Rosalie
Née au xix⁰ siècle à Lyon. Morte le 15 février 1892 à Paris. xix⁰ siècle. Française.
Portraitiste.
Élève de M. L. Cogniet et J. Paris. Elle exposa au Salon de Paris entre 1842 et 1880 et obtint des médailles de troisième classe en 1849, 1859 et 1861.

THEVENIN Pierre
Né à Lyon (Rhône). xx⁰ siècle. Français.
Peintre.
Il vit et travaille à Lyon.

THEVENIN de Nevers
xiv⁰ siècle. Actif dans la seconde moitié du xiv⁰ siècle. Français.
Sculpteur.
Il exécuta des sculptures dans les châteaux de Riom et de Poitiers.

THEVENON Jean Louis
xviii⁰ siècle. Actif à Paris dans la seconde moitié du xviii⁰ siècle. Français.
Médailleur.
Il grava des médailles à l'effigie de Louis XVI et de J. J. Rousseau.

THEVENOT Adrien
Né à Rougemont-le-Château (territoire de Belfort). xx⁰ siècle. Français.
Peintre.
Il fut élève de P. A. Laurens. Il a exposé, à Paris, au Salon des Artistes Français à partir de 1929. Il y obtint une mention la même année, une médaille d'argent en 1931.

THEVENOT Alexandre Jean Baptiste ou Theuvenot
Né à Port-sur-Saône (Haute-Saône). xix⁰ siècle. Français.
Peintre de genre et d'oiseaux.
Élève de Gleyre et de Gérôme. Il exposa au Salon de 1864 à 1876.

A.THEUVENOT.

A THEUVENOT

Ventes Publiques : Paris, 26 nov. 1895 : *Vue de la terrasse à Nemours* : **FRF 400** ; *Vue prise à Saint-Malo* : **FRF 300** – Londres, 11 oct. 1985 : *Portrait d'un polytechnicien 1864, h/t* (123x75) : **GBP 1 900**.

THEVENOT Etiennes Hormides
Né à Clermont-Ferrand. XIXe siècle. Français.
Peintre verrier.
Élève d'Em. Thibaud. Il exposa au Salon de 1852.

THEVENOT François
XVIe siècle. Actif à Romans dans la première moitié du XVIe siècle. Français.
Peintre, médailleur.
Il a gravé des médailles à l'effigie de *François Ier* et du *Dauphin François*. Vers 1538, il a peint la chapelle de la Transfiguration dans l'église Notre-Dame à Grenoble.

THEVENOT François
Né le 29 décembre 1856 à Paris. XIXe siècle. Français.
Peintre, pastelliste, illustrateur.
Élève de Cabanel et Lequien. Expose au Salon des Artistes Français depuis 1880 ; mention honorable en 1883 ; médaille de troisième classe en 1885 ; médaille de deuxième classe en 1891 ; sociétaire hors concours ; chevalier de la Légion d'honneur en 1909. Il a illustré *La couronne de lierre, La légende de l'aigle*, de Georges d'Esparbes ; *Minnie Brandon*, de Léon Hennique ; *Une page d'amour*, de Zola.
Ventes Publiques : Paris, 1894 : *La prière*, past. : **FRF 430** – Paris, 26 nov. 1894 : *Le chagrin*, past. : **FRF 600** – Paris, 21 mars 1898 : *La lecture*, past. : **FRF 930** – Paris, 2 juin 1943 : *La tasse de thé* ; *Portrait de jeune femme*, deux pastels : **FRF 400** – Paris, 20 déc. 1943 : *Port de pêche* : **FRF 700** – Paris, 19 fév. 1951 : *Portrait de femme 1893*, past. : **FRF 1 800**.

THÉVENOT Gilbert
Né le 6 octobre 1921 à Auxerre (Yonne). XXe siècle. Français.
Peintre.
D'abord mousse, il se décida à peindre en 1940 et travailla sur le motif en Bourgogne, jusqu'en 1944. Il fréquenta alors l'atelier d'Othon Friesz, à l'Académie de la Grande Chaumière à Paris.
Depuis 1945, il a régulièrement figuré, à Paris, aux Salons des Indépendants et d'Automne, où ses envois furent remarqués. Il a été sélectionné pour le Prix Othon Friesz.

THEVENOT Jacques
XVIe siècle. Français.
Sculpteur.
Il exécuta des travaux au jubé de l'église Saint-Vivien de Rouen en 1580.

THEVENOT Jean
XVIIIe siècle. Actif à Paris en 1709. Français.
Sculpteur sur bois.
Il exécuta des sculptures dans la chapelle du château de Versailles.

THEVENOT-WAGNER Eva
Née en janvier 1877 à Paris. XXe siècle. Française.
Peintre.
Elle fut élève de Mme Faux-Froidure et de Rivière. Elle a exposé, à Paris, au Salon des Artistes Français à partir de 1901.

THEVET André
Né en 1504 à Angoulême. Mort le 23 novembre 1592 à Paris. XVIe siècle. Français.
Dessinateur.
Il dessina des paysages et des portraits. Il était également cosmographe.

THEW Robert
Né en 1758 à Patrington. Mort en août 1802 à Stevenage. XVIIIe siècle. Britannique.
Graveur.
Il fut soldat jusqu'à vingt-cinq ans. Il s'établit ensuite à Hull comme graveur de cartes de visites et d'adresses, puis copia les maîtres. Boydell l'employa souvent pour son *Shakespeare*. Thew fut nommé graveur du prince de Galles. Il pratiqua souvent la manière de crayon pour ses gravures.

THEWENETI L.
XIXe siècle. Actif à Cheltenham et à Bath. Britannique.

Miniaturiste.
De 1824 à 1831, il exposa huit miniatures à la Royal Academy de Londres.
Ventes Publiques : Paris, 4 nov. 1927 : *Femme décolletée jouant de la guitare*, miniat. : **FRF 345** – Paris, 5 déc. 1946 : *Portrait présumé de Paganini*, aquar. : **FRF 5 100**.

THEWES
XIXe siècle. Actif à Hambourg en 1830. Allemand.
Lithographe de portraits.

THEYMANN Caspar. Voir TEYMAN

THEYS Freddy
Né en 1937 à Hoboken. XXe siècle. Belge.
Dessinateur, graveur.
Il fut élève de l'Académie des Beaux-Arts d'Anvers. Il peint des vues de paysages en Écosse.
Bibliogr. : In : *Dictionnaire biographique illustré des artistes en Belgique depuis 1830*, Arto, Bruxelles, 1987.
Musées : Aberdeen – Anvers (Cab. des Estampes) – Bruxelles (Cab. des Estampes) – Glasgow.

THEYS Yvan
Né le 1er septembre 1936 à Marke (Courtrai). XXe siècle. Belge.
Peintre, sculpteur. Tendance expressionniste.
Il a étudié à l'Académie Saint-Luc de Tournai. L'État belge et la ville d'Utrecht conservent de ses œuvres.
Tributaire de l'avènement du pop'art et du renouveau de la figuration qui s'est affirmé dans les années soixante, Theys est également assez proche de cet art fantastique qui semble typiquement flamand. Il assume, sans complexe, les héritages de Goya, Courbet, Cézanne, Picasso, Kirchner, De Kooning, Dubuffet, développant une sensibilité expressionniste. Il réalise souvent des sortes de pastiches à l'encontre d'œuvres de maîtres anciens. Les pâtes sont généreuses, la manière de peindre, franche. Il réalise également des sculptures, des reliefs colorés sur les deux faces et des « bûches », au format cylindrique donc, attaquées à la gouge et au couteau, puis peintes.
Bibliogr. : In : *Dictionnaire biographique illustré des artistes en Belgique depuis 1830*, Arto, Bruxelles, 1987.
Musées : Tourcoing.
Ventes Publiques : Amsterdam, 23 avr. 1980 : *La cantatrice sentimentale 1974*, h/t (89x116) : **NLG 5 000** – Amsterdam, 24 oct. 1983 : *À la recherche du paradis perdu 1974*, h/t (200x162) : **NLG 10 500** – Lokeren, 28 mai 1988 : *Femme dansant avec des accessoires bleus*, h/t (180x120) : **BEF 150 000** – Amsterdam, 22 mai 1990 : *Tendre idylle 1973*, h/t (72x92,5) : **NLG 3 680** – Amsterdam, 26 déc. 1990 : *Homme et femme sur fond bleu 1975*, h/t (73x92) : **NLG 3 450** – Amsterdam, 11 déc. 1991 : *Un couple 1985*, h/t (81x100) : **NLG 4 370** – Lokeren, 21 mars 1992 : *Deux personnages 1970*, h/t (40x50) : **BEF 90 000** – Lokeren, 23 mai 1992 : *Danseurs 1985*, gche et collage (51x35) : **BEF 36 000** – Lokeren, 10 oct. 1992 : *Deux femmes assises 1986*, h/t (146x116,5) : **BEF 180 000** – Lokeren, 15 mai 1993 : *Le jardin au printemps 1977*, aquar. et gche (48,5x62) : **BEF 36 000** – Lokeren, 15 mai 1993 : *Un tendre sentiment 1991*, h/t (92x73) : **BEF 80 000** – Lokeren, 4 déc. 1993 : *Homme debout, femme debout 1986*, h/t (96x130) : **BEF 130 000** – Amsterdam, 31 mai 1994 : *Le printemps 1975*, acryl./t. (98x130) : **NLG 6 900** – Amsterdam, 31 mai 1995 : *Portrait mélancolique 1976*, acryl./t. (130x98) : **NLG 7 316** – Lokeren, 7 oct. 1995 : *Près de la pleine lune 1990*, h/t (130x200) : **BEF 240 000** – Amsterdam, 5 juin 1996 : *Homme et femme debout*, h/t (200x150) : **NLG 5 175**.

THEYSSENS S.
XVIIe siècle. Travaillant à Cologne vers la fin du XVIIe siècle. Allemand.
Dessinateur et graveur au burin.
Il grava des portraits, des allégories et des frontispices.

THÈZE
Né au XXe siècle. XXe siècle. Français.
Sculpteur.
Il fut élève de Bouchard. Il obtint le Grand Prix de Rome en 1945.

THEZE Marc d'Avach de
Né le 17 novembre 1880 à Toulouse (Haute-Garonne). XXe siècle. Français.
Peintre, sculpteur.
Il a exposé, à Paris, aux Salons des Artistes Français, d'Automne, et des Artistes Décorateurs. *Voir aussi DAVACH DE THEZE.*

THIBAUD. Voir aussi **THIBAULT** ou **THIBAUT**

THIBAUD Émile ou Thibaut

XIXe siècle. Français.
Peintre verrier.
Il a peint des vitraux pour les cathédrales de Clermont-Ferrand et de Rodez.

THIBAUD Henri

Né à Clermont-Ferrand (Puy-de-Dôme). XIXe siècle. Français.
Sculpteur.
Élève de M. Antoine Moine. Il débuta au Salon de 1849.

THIBAUD Honoré Edme Étienne ou Thibault

Né en 1749 à Nantes. XVIIIe siècle. Français.
Peintre.

THIBAUD Weiss

Né le 14 août 1910 à Bratislava (Slovaquie). XXe siècle. Depuis 1928 actif, puis naturalisé en France. Tchécoslovaque.
Sculpteur.
Il participe à des expositions collectives, dont les Salons, notamment, à Paris, le Salon des Grands et Jeunes d'Aujourd'hui, la Biennale de Menton en 1972 et 1974. Il a montré ses œuvres dans des expositions particulières à Paris, mais aussi au Luxembourg, en Australie, au Mexique, en Autriche, en Pologne et en Iran.
Ses sculptures se présentent comme des pièces soit de machines outils, soit au contraire usinées industriellement, de toute façon d'une extrême précision et qui s'emboîtent très exactement les unes dans les autres, créant des rythmes spécifiquement mécaniques, par le jeu net des lumières et des ombres. Son matériau de prédilection est l'aluminium. Il fait alterner les surfaces poncées et lisses avec des surfaces granuleuses où la lumière s'accroche, rendant plus mystérieuse la tension des volumes volontiers géométrisés. Son travail tend souvent à la monumentalité.
Musées : Paris (Mus. d'Art Mod.).

THIBAUDEAU Julien

Né le 14 février 1859 à Breloux-la-Crèche (Deux-Sèvres). XIXe-XXe siècles. Français.
Peintre de scènes de genre, portraits, intérieurs.
Élève de Gérôme et de Combe-Velluet. À partir de 1886, il exposa au Salon des Artistes Français de Paris, dont il devint sociétaire en 1889, obtenant une mention honorable en 1888 ; une médaille de bronze en 1900, pour l'Exposition Universelle ; une médaille de bronze en 1929.
Musées : Gray : *Petite bergère* – Louviers (Gal. Roussel) : *Au coin du feu.*
Ventes Publiques : Paris, 19 mars 1990 : *Femme assise* 1891, h/pan. (39,8x32) : FRF 5 000.

THIBAUDET Louis

Né le 19 avril 1901 à Simandre (Saône-et-Loire). Mort le 18 septembre 1980 à Cuisery (Saône-et-Loire). XXe siècle. Français.
Peintre de figures, nus, paysages, natures mortes, fleurs, dessinateur, pastelliste. Postimpressionniste.
Fils de forgeron, il réalise ses premiers dessins à partir de 1914, dessinant dans les musées et sur le motif. Il étudie également l'histoire de l'art. Il occupe successivement un emploi dans une étude de notaire à Dijon, puis assure le secrétariat de la commune d'Ozenay où il vit avec sa femme. La revue d'art de Dijon, *L'Essor* reproduit en 1928 deux de ses nus. En 1943, il est nommé professeur à l'École des Beaux-Arts et des Arts appliqués de Bourges, quittant son poste en 1964. Ses élèves, dont certains enseigneront par la suite, lorsqu'ils exposent sont désignés sous le nom d'*École de Bourges* (1958) ou *Groupe de Bourges* (1975). En 1965, il se fixe à Mâcon.
Il participe à des expositions collectives : régulièrement jusqu'en 1937 au Salon de l'Essor à Dijon ; de 1936 à 1938 et jusqu'en 1941 dans des expositions de groupe à la galerie Carmine de Paris ; de 1943 à 1947, au Salon d'Automne de Lyon et au Salon de Saint-Étienne ; en 1962, au Salon du dessin et de la Peinture à l'eau, au Musée d'Art Moderne de la Ville de Paris ; en 1970, au Salon d'Automne, au Grand Palais à Paris.
Il montre ses œuvres dans des expositions personnelles, dont : 1943, galerie Jacquet et galerie de l'Ours, Bourges ; 1954, galerie Bruno Bassano, Paris ; 1965, rétrospective, Maison de la Culture de Bourges ; 1972, rétrospective, Palais des Arts, Brest ; 1979, rétrospective, Musée des Ursulines, Mâcon.
Louis Thibaudet a commencé par peindre des paysages, un genre qu'il affectionna particulièrement, ceux de la Bresse (la montagne tournugeoise), puis les paysages du Berry. Il a peint également des nus dans les années vingt et des figures, notam-

ment sa série, entre 1951 et 1955, de peintures et de dessins au fusain représentant sa mère. Il se voulait avant tout dessinateur, et s'appliquera, sa vie durant, à la maîtrise de cette technique.
Bibliogr. : Catalogue de l'exposition *Louis Thibaudet, peintures et dessins, 1920-1980*, Mâcon, Musée des Ursulines, 1984.
Musées : Aups (Fond. Bruno Bassano) : *Le pain et la lampe* – Lyon (Ville de Lyon).

THIBAULT

XVIIIe siècle. Travaillant de 1705 à 1715. Français.
Sculpteur sur bois.
Il travailla pour les châteaux de Versailles et de Vincennes.

THIBAULT

XIXe siècle. Travaillant vers 1800. Français.
Sculpteur.
Il travailla pour le vieux palais Saint-Michel de Saint-Pétersbourg.

THIBAULT Aimée

Née en 1780 à Paris. Morte en 1868. XIXe siècle. Française.
Miniaturiste.
Élève de Saint et Leguay. Elle débuta au Salon de 1804 et y prit part jusqu'en 1810. Elle fit, d'après nature une grande miniature en pied du roi de Rome. Elle fit aussi des portraits de *Ferdinand VII d'Espagne* et de la reine *Marie Isabelle*, miniatures qui furent gravées par Dien, en 1817, avec un encadrement dessiné par Percier. Le Musée Rath, à Genève, conserve d'elle un *Portrait de femme.*
Ventes Publiques : Paris, 18 déc. 1946 : *Jeune femme assise*, miniat. : FRF 2 200 – Paris, 14 fév. 1951 : *Jeune femme en robe blanche*, miniat. : FRF 4 800.

THIBAULT Charles Eugène ou Thibaut

Né le 12 mars 1835 à Paris. XIXe siècle. Français.
Peintre et graveur à l'eau-forte.
Élève de Martinet et Gleyre. Il exposa au Salon de 1859 à 1880 ; médaille de troisième classe en 1880. Il a gravé des sujets de genre.

THIBAULT Élisa

Née à Paris. Morte en 1906. XIXe siècle. Française.
Peintre de natures mortes et portraitiste.
Élève de H. Scheffer. Elle exposa au Salon entre 1847 et 1864.

THIBAULT Jean

Né le 30 mai 1638 à Orléans. Mort en 1708 à Paris. XVIIe-XVIIIe siècles. Français.
Sculpteur.
Il a sculpté un bas-relief sur le tombeau de Jean Casimir de Pologne dans l'église Saint-Germain-des-Prés, à Paris, en 1672.

THIBAULT Jean Thomas ou Thibaut

Né le 20 novembre 1757 à Moutier-en-Der (Haute-Marne). Mort le 27 juin 1826 à Paris. XVIIIe-XIXe siècles. Français.
Peintre de paysages, architectures, intérieurs, aquarelliste, dessinateur.
Il s'est surtout fait connaître par ses dessins d'architecture.
Musées : Angers – Haarlem – Montpellier (Mus. Fabre).
Ventes Publiques : Paris, 1814 : *Vue intérieure de la basilique de Saint-Paul*, dess. à la pl. colorié : FRF 756 – Paris, 1822 : *Paysage des environs de Rome* : FRF 501 – *Vue prise des collines de Tivoli* : FRF 621 – Paris, 3 mars 1926 : *Lancement d'une frégate à l'arsenal de Toulon*, encre de Chine : FRF 750 – *Vue du port de Marseille*, encre de Chine : FRF 460 – Paris, 21 et 22 mai 1928 : *Dans le parc de la villa Albane*, aquar. : FRF 450 – Paris, 25 juin 1943 : *La villa Albane* 1790, aquar. : FRF 2 200 – New York, 18 jan. 1983 : *Paysage boisé avec un personnage au pied d'un arbre*, h/t (50,5x64) : USD 8 000 – Paris, 22 nov. 1985 : *Cascades à Tivoli* 1790, gche, pl. et lav. (48x64,5) : FRF 9 500 – New York, 29 oct. 1986 : *Vue d'une ville fortifiée*, craie marron (67x100) : USD 3 200 – Monaco, 20 fév. 1988 : *Vue de la colonnade de Saint-Pierre*, encre (27,1x50,7) : FRF 53 280 – Paris, 10 déc. 1990 : *Deux paysages*, aquar., une paire (8,7x19) : FRF 6 000 – Paris, 27 juin 1994 : *Vue de la villa Madama* ; *Vue intérieure d'une basilique* 1811, aquar./ pap. entoilé, une paire (chaque 62x84,5) : FRF 91 000.

THIBAULT L. Voir AMLEHN Salesia

THIBAULT Laurent

XVIe siècle. Actif à Beaufort vers 1597. Français.
Peintre et peintre verrier.
Il travailla aux vitraux de l'église de Sermaise.

THIBAULT Louis Edmond

Né au XIXe siècle à Paris. XIXe-XXe siècles. Français.

Graveur sur bois.
Élève de Vintraut. Sociétaire des Artistes Français depuis 1905, il figura au Salon de ce groupement ; mention honorable en 1905, médaille de troisième classe en 1906.

THIBAULT Louis Gustave
XIXe siècle. Actif à Paris. Français.
Graveur.
Il exposa au Salon entre 1836 et 1842.

THIBAULT Maria Marie
Née en 1836 à Saint-Dié (Vosges). XIXe siècle. Française.
Peintre de natures mortes et d'animaux.
Élève de Caignard. Elle exposa entre 1857 et 1861.

THIBAULT Michel
Mort le 11 juin 1694 à Paris. XVIIe siècle. Français.
Paysagiste.
Il exposa au Salon de la Jeunesse.

THIBAUT Didier
XXe siècle. Français.
Peintre.
La galerie Polaris à Paris a montré une exposition personnelle de ses œuvres.
Il peint sur verre et sous verre des petits formats. Des images simples, visage en silhouette noire, loupe, maison, bateau..., agencées et présentées en groupe.
VENTES PUBLIQUES : PARIS, 14 juin 1990 : *Hommage à Denis Joint*, techn. mixte (74x109) : **FRF 6 500**.

THIBAUT Jean
XVIIe siècle. Travaillant à Bordeaux de 1689 à 1692. Français.
Sculpteur.

THIBAUT Jean Baptiste
Mort le 8 avril 1735. XVIIIe siècle. Actif à Paris. Français.
Peintre.
Membre de l'Académie Saint-Luc.

THIBAUT Jonas
XVIIe siècle. Travaillant à Amsterdam en 1667. Hollandais.
Peintre.

THIBAUT Wilhelm Wilhemsz ou Thybaut, Thibout, Tibout, Tybouts
Né entre 1524 et 1526 à Haarlem. Mort le 27 juin 1597 à Haarlem. XVIe siècle. Hollandais.
Peintre verrier et aquafortiste.
Il travailla aux cathédrales de Delft en 1563, de Gouda en 1570 et 1597, au Doelen à Leyde en 1588. Il a gravé des sujets d'histoire. Il jouit de son temps d'une renommée considérable. On mentionne en même temps à Haarlem, plusieurs verriers de ce nom.

1587

Anno domini *Wilhelm Thybaut pinxit*

THIBAUTZ Dirck
XVIe siècle. Actif à Haarlem. Hollandais.
Sculpteur et peintre verrier.
Il travailla à l'église Saint-Bavon à Haarlem en 1502 et 1521.

THIBAUTZ Willem Diricksz
XVIe siècle. Actif dans la première moitié du XVIe siècle. Hollandais.
Sculpteur et peintre.
Il travailla pour les églises d'Enkhuysen et de Woudrichem. Paraît identique à Dirck Thibautz.

THIBEAU Jean Baptiste ou Thibaut
XVIIIe siècle. Actif à Bruxelles dans la première moitié du XVIIIe siècle. Éc. flamande.
Peintre et aquafortiste.
Il peignit et grava des scènes historiques et religieuses. Comparer avec Thibaut Jean Baptiste.

THIBEAU Jean-Paul
Né en mai 1950 à Cazaux (Gironde). XXe siècle. Français.
Sculpteur, créateur d'installations, dessinateur, multi-média.
Il fut élève de l'école des beaux-arts de Bordeaux, où il vit et travaille.

Il participe à des expositions collectives depuis 1972, notamment : 1982, Montréal ; 1983, Reinisches Landesmuseum de Bonn ; 1983, ELAC (Espace lyonnais d'Art contemporain), Lyon ; 1984, université du Mirail à Toulouse ; 1987, galerie des Beaux-Arts de Nantes ; 1990, Castelmoron d'Albret.
Il montre ses œuvres dans des expositions personnelles : 1981, Capc, musée de Bordeaux ; 1983, Le Consortium de Dijon ; 1985, musée de La Roche-sur-Yon ; 1988, Barcelone ; 1989, Fonds régional d'Art contemporain Aquitaine au musée de Périgueux ; 1990, galerie Keller à Paris.
Les installations de Jean-Paul Thibeau mettent relation et font dialoguer les objets entre eux, la table lui servant de structure de base. Il découpe et en agence de toutes sortes, les modifie, en les associant à des objets divers : tortue en bois, pierre, marteau...
BIBLIOGR. : Jean-Paul Thibeau : *Conversations des êtres, des choses, et des je-ne-sais-quoi*, Galerie Keller, Paris, 1990.
MUSÉES : BORDEAUX (Capc, Mus.) – BORDEAUX (FRAC Aquitaine) : *Le je-ne-sais-quoi de l'activité* 1995, performance – LA ROCHE-SUR-YON.

THIBEAUX Ludwig ou Louis
Né le 6 octobre 1815 à Vienne. Mort le 6 novembre 1871 à Vienne. XIXe siècle. Autrichien.
Portraitiste et paysagiste.
Élève de l'Académie de Vienne.

THIBERGE
XVIIIe-XIXe siècles. Actif à Louviers. Français.
Peintre de vues et de marines.
Les musées de Rochefort et de Saintes conservent de lui des dessins à l'encre de Chine datés de 1790, de l'an V (1798) et de l'an IX (1802).

THIBERT-BOUTOU Claude-Marie
Née à Périgueux (Dordogne). XXe siècle. Française.
Lissier-créateur, sculpteur en textile.
Après une formation à l'école des Beaux-Arts de Poitiers, elle entre en 1972 à l'Ecole Nationale des Arts Décoratifs d'Aubusson, où elle s'initie à l'art de la tapisserie en même temps qu'elle acquiert la maîtrise des techniques traditionnelles. A partir de 1975, elle commence à exposer dans des galeries et des lieux alternatifs, et reçoit de nombreux prix et distinctions, dont la médaille d'or du Meilleur Ouvrier de France en 1986.
Ses œuvres sont des tapisseries en volume, enchevêtrements d'une multitude de matériaux (laine, jute, cuir, sisal, fourrure, métal...) et de couleurs, dont le style est à la fois décoratif et résolument contemporain.

THIBESART Raymond
Né le 2 mai 1874 à Bar-sur-Aube (Aube). Mort en 1968. XIXe-XXe siècles. Français.
Peintre de figures, paysages.
Il fut élève de J. Lefebvre et T. Robert-Fleury. Il a exposé, à Paris, au Salon des Artistes Français à partir de 1897 où il obtint une médaille d'argent en 1922, au Salon des Indépendants à partir de 1905, et au Salon d'Automne.
VENTES PUBLIQUES : PARIS, oct. 1945-juil. 1946 : *Paysages d'hiver*, deux aquar. : **FRF 850** ; *Paysage de neige*, aquar. : **FRF 500** – NEUILLY, 11 juin 1991 : *Paysage d'hiver*, h/t (45,5x65) : **FRF 20 000** – CALAIS, 5 avr. 1992 : *Arbres en fleurs sur la colline*, h/t (33x46) : **FRF 9 500** – NEW YORK, 10 nov. 1992 : *Homme à cheval*, h/t (25x33) : **USD 880** – ÉDIMBOURG, 19 nov. 1992 : *Brume de printemps*, h/t (60,3x118) : **GBP 715** – PARIS, 9 juin 1993 : *L'Église 1910*, h/t (66x39) : **FRF 5 000** – PARIS, 1er avr. 1996 : *Vallée de la Seine, les pommiers en fleurs*, h/t (65x81) : **FRF 15 000** – AMSTERDAM, 5 juin 1996 : *Printemps*, h/t (65x81,5) : **NLG 4 025** – PARIS, 10 mars 1997 : *Pommiers en fleurs aux environs d'Auvers-sur-Oise*, h/t (49,5x121) : **FRF 10 000**.

THIBON Jean Maurice
Né au XIXe siècle à Aubenas (Ardèche). XIXe siècle. Français.
Peintre de paysages.
Il exposa au Salon entre 1864 et 1870.

THIBOUST Jean Pierre. Voir THIEBOUST

THIBOUT Benoît ou Benedetto ou Thieboust
Né vers 1660 à Chartres. XVIIe siècle. Français.
Graveur.
Il vécut plusieurs années à Rome et y grava trente-sept planches pour *Vita Beati Turribii, Archiscopi Limani in Indiis*, d'après Battisto Gaetano. Il grava seulement au burin dans la manière de Mellan. On lui doit aussi de nombreuses figures de saints.
VENTES PUBLIQUES : PARIS, 1898 : *Portrait du comte de Varoquier*, miniat. : **FRF 145**.

THIBOUT Wilhelm Wilhemsz. Voir **THIBAUT**

THICK Charlotte ou **Thicke**
XIXᵉ siècle. Active à Londres. Britannique.
Miniaturiste.
Sœur d'Eliza T. De 1802 à 1844, elle exposa quarante-quatre miniatures à la Royal Academy.

THICK Eliza ou **Thicke**
XIXᵉ siècle. Active à Londres. Britannique.
Miniaturiste.
Sœur de Charlotte T. De 1801 à 1836, elle exposa vingt-huit miniatures à la Royal Academy.

THICK W.
XVIIIᵉ-XIXᵉ siècles. Actif à Londres. Britannique.
Miniaturiste.
Il exposa, de 1787 à 1815, vingt-neuf miniatures à la Royal Academy.

THIEBAUD ou **Thiebault, Thiebaut**. Voir aussi **THIBAUD, THIBAULT, THIBAUT et THIBAUT**

THIEBAUD Jonas Pierre ou **Peter**
Né en 1727. Mort en 1812. XVIIIᵉ-XIXᵉ siècles. Suisse.
Peintre de genre.
Contrôleur de la monnaie à Neuchâtel à la fin du XVIIIᵉ siècle. Le Musée de Neuchâtel conserve de lui : *Jeune homme allumant une chandelle à celle que tient une vieille femme* (dessin).

THIEBAUD Wayne
Né en 1920 à Mesa (Arizona). XXᵉ siècle. Américain.
Peintre de natures mortes. Réaliste-photographique.
Dès l'âge de dix-huit ans, il travaille dans les studios de cinéma d'Hollywood et de New York à la réalisation de dessins animés. À près de trente ans il suit l'enseignement du California State College, de 1949 à 1951. Il vit et travaille à Sacramento (Californie).
Il expose très rapidement à Sacramento, dès 1952, puis à New York à partir de 1962. Il a été invité à la Biennale de São Paulo en 1967 et à Documenta V à Kassel en 1972.
La vogue du réalisme photographique qui s'est manifestée aux États-Unis au début des années soixante-dix a mis le travail de Thiebaud en lumière. Bien qu'il s'en défende, se considérant simplement comme un peintre traditionnel de natures mortes, il fut regardé à la fois comme un précurseur de ce réalisme aigu, mais également de pop art. Il est principalement connu pour avoir peint, sur des fonds neutres et en répétant plusieurs fois son sujet dans un même tableau, l'alimentation rapide des drugstores et cafétérias : pâtisseries, hot-dogs et glaces. Mise à part sa participation à Documenta, il n'a pas figuré aux grandes expositions consacrées à l'hyperréalisme dont il se démarque, il est vrai, notablement.

[signature: Thiebaud 1961]

BIBLIOGR. : In : *Dictionnaire de l'art moderne et contemporain*, Hazan, Paris, 1992 – in : *Dictionnaire universel de la peinture*, Le Robert, Paris, 1975.
VENTES PUBLIQUES : NEW YORK, 20 oct. 1977 : *Child's block* 1963, h/t (28x33) : **USD 7 500** – NEW YORK, 15 mai 1980 : *Ripley street ridge* 1976, h/t (71,1x50,8) : **USD 21 000** – NEW YORK, 13 mai 1981 : *Four Pintballs Machines* 1962, h/t (173x183) : **USD 130 000** – NEW YORK, 3 mai 1984 : *Recent et chings II : boxed balls* 1979, aquat. et pointe sèche en coul. (62,6x48,5) : **USD 750** – NEW YORK, 10 mai 1984 : *Cake slices* circa 1965, fus. et aquar. (17,1x36,2) : **USD 21 000** – NEW YORK, 10 mai 1984 : *Ice cream cone* 1964, cr. (35,5x28) : **USD 19 000** – NEW YORK, 8 mai 1984 : *Pieces of pumpkin* 1962, h/t (45,7x61) : **USD 47 000** – NEW YORK, 19 nov. 1984 : *Cakes* 1964, eau-forte (12,7x12,4) : **USD 700** – NEW YORK, 27 fév. 1985 : *Paysage aux arbres* 1966, encre de Chine (28x12) : **USD 800** – NEW YORK, 6 nov. 1985 : *Eye glasses* 1973, h/t (25,4x35,6) : **USD 60 000** – NEW YORK, 6 mai 1986 : *Cracker rows* 1963, h/t (33,3x35,9) : **USD 78 000** – NEW YORK, 5 mai 1987 : *Gâteaux* 1964, encre de Chine, dess. double face (18,5x27,7) : **USD 21 000** – NEW YORK, 5 mai 1987 : *Lollipop Tree* 1969, h./car. (34,3x27,6) : **USD 95 000** – NEW YORK, 9 nov. 1988 : *Étude pour un comptoir de jouets* 1962, h/t (25,5x30,9) : **USD 495 000** – NEW YORK, 5 oct. 1989 : *Rangées de boîtes* 1963, h/tissu (40x65,8) : **USD 418 000** – NEW YORK, 7 nov. 1989 : *Sirops de fruits* 1961, h/t (61,2x91,4) : **USD 330 000** – NEW YORK, 7 mai 1990 : *Neuf pommes au sucre rouge* 1964, h/t (35,5x40,6) : **USD 242 000** – NEW YORK, 4 oct. 1990 : *Sucettes*, encre/pap. (43x48,3) : **USD 8 800** – NEW YORK, 7 mai 1991 : *Sans titre* 1965, encre et gche/pap. (22,9x14,6) : **USD 4 180** – NEW YORK, 7 mai 1992 : *Le flanc de la colline* 1968, h/t (91,4x91,4) : **USD 66 000** – NEW YORK, 19 nov. 1992 : *Tranches de gâteau*, aquar. et fus./pap. (17,2x36,2) : **USD 19 800** – NEW YORK, 3 mai 1993 : *Hot-dog et moutarde* 1961, h/t (43,2x50,8) : **USD 68 500** – NEW YORK, 2 nov. 1994 : *Le gâteau au chocolat noir* 1983, h/tissu (41x51) : **USD 189 500** – NEW YORK, 15 nov. 1995 : *Chaussures noires* 1983, h/t (51,4x71,1) : **USD 244 500** – NEW YORK, 5 mai 1996 : *Crèmes Boston* 1970, linograv. (34,5x51,8) : **USD 9 200** – NEW YORK, 9 nov. 1996 : *Grosses Sucettes* 1971, aquat. coul. (55x75,7) : **USD 6 900** – NEW YORK, 21 nov. 1996 : *Trois malts* 1964, craies coul. et h/pan. (50,8x48,3) : **USD 101 500** ; *Perceuse électrique* 1971, fus./pap. (75,5x56,3) : **USD 6 900** – NEW YORK, 8 mai 1997 : *Arbre à nœuds papillon* 1968, craies coul./pap. cartonné (38x25,7) : **USD 107 000** – NEW YORK, 7 mai 1997 : *Comptoir de boulangerie* 1962, h/t (139,4x182,6) : **USD 1 707 500** – NEW YORK, 6 mai 1997 : *Autoroute de San Francisco* 1980, h/t (91,4x121,9) : **USD 332 500**.

THIEBAULT
XVᵉ siècle. Éc. flamande.
Enlumineur.
Il entra dans la gilde de Bruges en 1470.

THIEBAULT ou **Thibault de Salins**
XVIᵉ siècle. Actif de 1504 à 1511. Français.
Sculpteur.
Il exécuta plusieurs travaux dans l'église de Brou, surtout au tombeau de Philibert de Savoie.

THIEBAULT
XVIIIᵉ siècle. Français.
Peintre de paysages.
Il exposa à Paris de 1784 à 1789. Peut-être identique à Pierre Charles François Thiebault.

THIEBAULT Alfred
Né au XIXᵉ siècle à Paris. XIXᵉ siècle. Français.
Sculpteur.
Élève de Cavelier, Dantan aîné et Guillaume. Il exposa au Salon de 1875 à 1889.

THIEBAULT Georges. Voir **THEBAULT**

THIEBAULT Henri Léon ou **Thiébaut**
Né en 1855 à Paris. Mort le 12 janvier 1899 à Paris. XIXᵉ siècle. Français.
Peintre de scènes de genre, nus, pastelliste, sculpteur, fondeur.
Élève de Lequien. Il débuta au Salon de Paris en 1878.
VENTES PUBLIQUES : NEW YORK, 17 jan. 1990 : *Pique-nique en Bretagne* 1910, h/t (177,9x243,8) : **USD 5 500** – PARIS, 21 juin 1990 : *Jeune femme nue de dos*, past./pap. (34x26) : **FRF 3 800**.

THIEBAULT Pierre Charles François
XVIIIᵉ siècle. Actif à Paris en 1762. Français.
Peintre.
Il fut membre de l'Académie de Saint-Luc.

THIEBAUT Édouard
Né le 2 décembre 1878 à Schaerbeek (Bruxelles). Mort en 1953. XXᵉ siècle. Belge.
Peintre, sculpteur de monuments, illustrateur, écrivain, musicien.
Il fut élève de Stallaert à l'Académie des Beaux-Arts de Bruxelles. Il exposa à Bruxelles en 1919.
Il fit des illustrations de livres et il sculpta des monuments aux Morts.

[signature: Edouard Thiebaut]

MUSÉES : SCHAERBEEK : *Le garçon boucher*.
VENTES PUBLIQUES : LOKEREN, 21 mars 1992 : *La toilette* 1907, h/t (110x82) : **BEF 75 000**.

THIÉBAUT Marie-Pierre
Née en 1933 à Nancy (Meurthe-et-Moselle). XXᵉ siècle. Française.
Sculpteur. Abstrait.
Elle vit et travaille à Paris et à Gordes (Vaucluse). À Paris, elle fut élève d'Ossip Zadkine.

Elle participe à des expositions collectives, d'entre lesquelles : 1958 Paris *Les élèves de Zadkine*, galerie Simone Badinier ; 1962 Paris *Sculpteurs d'aujourd'hui*, galerie Blumenthal ; 1974 Paris, Salon de Mai ; 1982 Villeparisis *Travaux sur papier – Objets*, Centre culturel Jacques Prévert ; 1986 Paris *Distances*, Chapelle Saint-Louis de la Salpétrière ; 1992 L'Isle-sur-la-Sorgue, galerie La Tour des Cardinaux ; etc. Elle expose aussi individuellement : 1956 au Musée du Locle (Suisse) ; 1972 Paris, Espace Pierre Cardin ; 1983 Paris, Galerie des Femmes ; 1990 Paris, Espace Pierre Cardin ; 1995 Gordes, Aumônerie Saint-Jacques ; etc.

Elle réalise des commandes privées et publiques, dont : en 1965, des médaillons de bronze pour des portraits d'artistes ; de 1967 à 1969 à Alger, sculptures monumentales, fontaines, murs-claustras, volières, portes, en collaboration avec l'architecte Fernand Pouillon ; 1987 Paris, des *Paysages marins* en marbre, pour une société sucrière ; à Gordes une fontaine en verre sablé et un sol de patio en pierres et briques ; 1988 Courbevoie, des *Bambous-ciment* pour un hall d'immeuble. En outre, elle a une activité d'architecte depuis 1971, concevant des maisons d'habitation et ateliers d'artistes, notamment pour elle-même à Gordes, pour Jean Degottex à Gordes, etc.

Au cours de son évolution, on peut distinguer des périodes, correspondant d'ailleurs souvent à ses expositions personnelles : en 1956, des sculptures de petits formats, en terre cuite, plâtre, parfois bronze, aux courbes anthropomorphiques ; de 1967 à 1969, ses réalisations architecturales, en pierre, plâtre ; en 1972, des *Paysages* sculptés en bronze puis en marbre, *Paysage mouvant*, *La Forêt*, *Paysage vertical...*, dont les formes encore courbes sont de nature biologique, *Paysage mouvant* avait été exposé au Salon de Mai en 1972, évoquant un gros nuage reposant sur le sol par les franges inférieures de sa masse floue, et rappelant, en trois dimensions, la peinture de Jean Messagier ; en 1976, en ciment blanc, les séries des *Sacs*, *Boules* ; en 1978, en ciment et roseaux, les séries des *Lignes*, *Écritures* ; en 1981-1983, les *Plages-sculptures* étalent leur horizontalité de plâtre ou de marbre blancs ; en 1982, en argent des *Bijoux-sculptures* ; de 1983 à 1987, en ciment blanc puis en granit et marbre, les *Paysages debout*, *Tours*, *Arbres*, *Forêts*, *Bambous*, *Paysages bleus*, s'élancent au contraire verticalement. À partir de 1987, Marie-Pierre Thiébaut adopte un parti plus radical ; elle n'intervient plus ou si peu, sur la forme des matériaux constitutifs des sculptures de la série des *Alliages*, dont : *Arbres bleus*, *Végétal*, *Verticales*, *Cubes*, bambous, bois, granit, granit noir, marbre, terre cuite, les couvrant peut-être d'une couleur, en brisant un fragment à la fin d'un ajustage, soulignant une striure ; ses interventions consistant dans leur choix, leur assemblage, leur positionnement. Ainsi, comme l'écrit Renée Beslon-Degottex, ses sculptures ont « quelque chose d'un jaillissement végétal, dans la fraîcheur d'une croissance naturelle, s'élevant à la verticale vers l'espace et la lumière ». ■ J. B.

BIBLIOGR. : Ossip Zadkine, in : Catalogue de l'expos. *Marie-Pierre Thiébaut. Sculptures petits formats*, Mus. du Locle, 1956 – Marguerite Duras, in : Catalogue de l'expos. *Marie-Pierre Thiébaut. Paysages*, Espace Pierre Cardin, Paris, 1972 – Jérôme Peignot, in : *Opus International*, N° 35, Paris, mai 1972 – Renée Beslon-Degottex, in : Catalogue de l'expos. *Marie-Pierre Thiébaut. Plages-sculptures*, Gal. des Femmes, Paris, 1983 – Renée Beslon-Degottex, in : Catalogue de l'expos. *Marie-Pierre Thiébaut. Alliages*, Espace Pierre Cardin, Paris, 1990 – Brigitte Favresse, in : Catalogue de l'expos. de 3 artistes, gal. La Tour des Cardinaux, L'Isle-sur-la-Sorgue, 1992.

THIEBAUT Olivier
Né en 1963 à Caen (Calvados). XXe siècle. Français.
Peintre technique mixte.
Il vit et travaille à Caen. Il montre ses œuvres dans des expositions personnelles, dont : 1985, Maison de l'architecte, Caen ; 1986, chapelle de la Sorbonne, Paris ; 1987, galerie Gaela, Caen ; 1991, Hawaï Center, États-Unis ; 1992, galerie 1900-2000, Paris. Certains de ses tableaux, qui intègrent des objets insolites, relèvent plus de l'assemblage que de la simple peinture. Ils sont une lecture poétique de la réalité.

THIEBLEMONT Yvonne Marie. Voir FIOT THIEBLE-MONT

THIEBLIN Reine Joséphine
Née au XIXe siècle à Mery-sur-Seine (Aube). XIXe siècle. Française.
Peintre de fleurs et de fruits.
Élève de Royer. Elle débuta au Salon de 1878.

THIEBOUST Jean Pierre ou Thiboust
Né en 1763 à Paris. Mort vers 1824 à Paris. XVIIIe-XIXe siècles. Français.
Peintre de genre, portraits, peintre de miniatures.
Élève de Durameau Leguay. Il a exposé au Salon entre 1793 et 1819. Le Musée Carnavalet conserve de lui *Portrait de l'artiste*.
VENTES PUBLIQUES : PARIS, 18-22 avr. 1910 : *Maximilien Ier roi de Bavière*, miniat./boîte or ciselé : **FRF 1 700** – PARIS, 4 mai 1942 : *Portrait de M. Persuis* 1812, miniat. : **FRF 9 800**.

THIEDE Edwin Adolf
XIXe siècle. Actif à Lewisham. Britannique.
Miniaturiste.
Il exposa à Londres, notamment à la Royal Academy à partir de 1882.

THIEDE Oskar
Né le 13 février 1879 à Vienne. XXe siècle. Autrichien.
Sculpteur, médailleur.
Il fut élève de l'Académie des Beaux-Arts de Vienne. Il a sculpté une fontaine et le monument de Nestroy à Vienne.

THIEFFERIES Bonaventura de ou Thieffry, Tifferies
XVIe siècle. Éc. flamande.
Peintre.
Élève de Jaquemart Froidure. Il fut actif à Tournai de 1515 à 1541. Il y travailla pour l'hôpital de Marvis et pour l'église Saint-Jacques, où il peignit un panneau d'un retable en 1525.

THIEL August
XIXe siècle. Actif à Königsberg. Allemand.
Peintre de genre.
Élève de Rosenfelder ; il exposa de 1856 à 1866.

THIEL Carl
Né vers 1835. Mort le 25 janvier 1900 à Aix-la-Chapelle. XIXe siècle. Actif à Düsseldorf. Allemand.
Peintre de genre.
Il exposa à Düsseldorf en 1860 et à Berlin en 1862.

THIEL Ewald
Né le 12 août 1855 à Kamanten. XIXe siècle. Allemand.
Peintre et illustrateur.
Élève de l'Académie de Berlin et de celle de Munich. Il travailla à Berlin.

THIEL George
Mort avant 1646. XVIIe siècle. Actif à Breslau. Allemand.
Peintre.
Élève de D. Heidenreich et de G. Egling.

THIEL Jan
XVIIe siècle. Actif vers 1600. Hollandais.
Graveur et éditeur.
On lui attribue des feuillets représentant l'*Histoire du Riche et du pauvre Lazare*.

THIEL Johannes
Né le 11 septembre 1889 à Speicher. XXe siècle. Allemand.
Peintre, graveur, illustrateur.
Il fut élève des académies de Munich et de Stuttgart ainsi que de Peter Halm. Il vécut et travailla à Ebnet.
Il grava des illustrations de comédies de Molière. Il employait la technique de l'eau-forte.

THIEL Justus. Voir TIEL

THIEL Michael
Mort en 1722. XVIIIe siècle. Allemand.
Portraitiste.
En 1660, il fit plusieurs portraits à Dantzig. Le Cabinet d'Estampes de Berlin conserve de lui le portrait de *Johann von Brock*, celui d'une dame et d'un homme, et le British Museum, le portrait d'un homme.

THIELCKE H. ou Thielke
XIXe siècle. Actif à Londres dans la première moitié du XIXe siècle. Britannique.

Peintre d'histoire et de portraits.
Il exposa à Londres de 1805 à 1816.

THIELCKE H. D.
XVIIIᵉ-XIXᵉ siècles. Britannique.
Graveur de portraits et peintre de portraits, peintre de miniatures.
Peut-être identique à H. Thielcke.

THIELE Alexander Johann ou Johann Alexander
Né le 26 mars 1685 à Erfurt. Mort le 22 mai 1752 à Dresde. XVIIIᵉ siècle. Allemand.
Peintre de scènes de genre, paysages, paysages d'eau, paysages de montagne, peintre à la gouache, graveur.
Il fut d'abord soldat. Élève d'Agricola, mais ce fut surtout par l'étude de la nature qu'il forma son expression artistique. Il fut peintre de la cour de Saxe.
Thiele a produit de nombreuses estampes originales d'après des sites de la Saxe, datées de 1726 à 1743.
Musées : ASCHAFFENBOURG : *Paysage* – BAMBERG : *Châteaux en flammes* – CHEMNITZ : *Vue sur Meissen* – DRESDE (Gal. de Peintures) : *Le mont Kyffhäuser* – *Lilienstein* – *La mine Prince électeur Frédéric* – ERFURT : *Vue de Mersebourg* – GOTHA : *Paysage de Saxe* – GRAZ (Gal. prov.) : *Paysage avec bergers* – HAMBOURG (Kunsthalle) : *Paysage avec ruine* – LEIPZIG (Mus. mun.) : *Le jardin d'Apel à Leipzig* – MAGDEBOURG (Mus. Kaiser Friedrich) : *Site près de Dresde* – MUNICH (Nouvelle Pina.) : *Paysage avec berger à cheval* – WEIMAR : *Paysage* – ZITTAU : *Vue de Görlitz*.
Ventes Publiques : PARIS, 1811 : *Paysages, deux pendants :* **FRF 40** – PARIS, 28-29 nov. 1923 : *Un port :* **FRF 480** – PARIS, 7 mars 1955 : *La pièce d'eau du château :* **FRF 28 000** – COLOGNE, 25 oct. 1968 : *Paysage montagneux :* **DEM 4 500** – VIENNE, 14 sep. 1976 : *Paysans et bergers dans un paysage boisé,* h/t (51,5x71,5) : **ATS 130 000** – LONDRES, 12 déc 1979 : *Paysages boisés, deux h/t* (25,5x49) : **GBP 7 200** – COLOGNE, 20 mars 1981 : *Paysage montagneux 1745,* h/t (52x76) : **DEM 33 000** – LONDRES, 9 juil. 1993 : *Scène d'un port du levant avec des marchands et des débardeurs,* h/cuivre, une paire (12x15,5) : **GBP 5 750** – PARIS, 31 mars 1994 : *Promeneurs et leur chien dans un paysage avec une tour ; Promeneurs dans un paysage de rivière,* gche/vélin, une paire (37,5x52 et 37,5x53) : **FRF 83 000** – NEW YORK, 12 jan. 1995 : *Vue panoramique d'une vallée avec le château de Tiefenau,* h/t (69,9x100,3) : **USD 21 850.**

THIELE Alfred
Né le 21 septembre 1886 à Leipzig (Saxe). XXᵉ siècle. Allemand.
Sculpteur de bustes, animalier.
Il fut élève des académies de Leipzig et de Munich.
Musées : LEIPZIG (Mus. des Beaux-Arts) : *Buste d'une femme* – *Adorante.*

THIELE Anton ou Hans Anton
Né le 25 mars 1838 à Copenhague. Mort le 3 octobre 1902 à Refsnäs. XIXᵉ siècle. Danois.
Peintre de paysages et de figures.
Élève de l'Académie de Copenhague. Il séjourna en Italie de 1872 à 1880.
Ventes Publiques : COPENHAGUE, 3-5 déc. 1997 : *L'Essayage des fleurs au corsage 1886,* h/t (64,5x77,5) : **DKK 23 000.**

THIELE Arthur ou Julius Arthur
Né le 11 juin 1841 à Dresde. Mort en 1910 ou 1919 à Hokenschäftlarn. XIXᵉ-XXᵉ siècles. Allemand.
Peintre de scènes de chasse, paysages.
Élève de l'Académie des Beaux-Arts de Dresde, de Jules Hubner et de Ludwig Richter, il continua ses études à Munich et à Düsseldorf. Il fut médaillé à Dresde en 1864, à Sydenham London en 1887.
Musées : ALTENBURG : *Au combat !* – Brunswick : *Automne en montagne* – DRESDE : *Lièvre mort* – *Chasse d'hiver* – *Cerfs dans un paysage montagneux d'automne* – GOERLITZ : *Chamois dans la haute montagne* – NUREMBERG (Mus. mun.) : *Chevreuil avec faon* – VIENNE (Gal. Mod.) : *Chamois.*
Ventes Publiques : LONDRES, 4 mai 1977 : *Cerfs et biches dans un paysage de neige 1878,* h/t (112,5x180,5) : **GBP 1 300** – COPENHAGUE, 2 oct 1979 : *Portrait d'enfant 1877,* h/t (63x41) : **DKK 8 000** – VIENNE, 16 nov. 1983 : *Cerf dans un paysage boisé 1894,* h/t (101,5x85) : **ATS 35 000** – LONDRES, 24 nov. 1989 : *Troupeau de cerfs dans un paysage hivernal 1878,* h/t (112x180,2) : **GBP 4 950** – LONDRES, 21 nov. 1997 : *Cerf et biches dans un paysage hivernal 1884,* h/t (99,5x149) : **GBP 10 925.**

THIELE Carl Christoph
Né le 26 juin 1715 à Markersbach. Mort le 7 mars 1796 à Meissen. XVIIIᵉ siècle. Allemand.
Peintre sur porcelaine.
Il peignit, à la Manufacture de porcelaine de Meissen, des figures et des paysages.

THIELE Carl Gottlieb
Né le 7 septembre 1741 à Meissen (Saxe-Anhalt). Mort le 7 janvier 1811 à Meissen. XVIIIᵉ-XIXᵉ siècles. Allemand.
Peintre de fleurs, plantes.
Il travailla, comme son père Carl Christoph T., à la Manufacture de porcelaine de Meissen.

THIELE Carl Heinrich
Né vers 1780 à Meissen (Saxe-Anhalt). XIXᵉ siècle. Allemand.
Peintre de fleurs et d'histoire, aquarelliste.
Il travailla, comme son père Carl Gottlieb T., à la Manufacture de porcelaine de Meissen.

THIELE Christian Gottlieb
XVIIIᵉ siècle. Actif au milieu du XVIIIᵉ siècle. Allemand.
Sculpteur.
Fils de Johann Christoph T. Il travailla pour la ville de Dresde.

THIELE Emil
XIXᵉ siècle. Allemand.
Paysagiste.
Élève de Max Schmidt à Berlin et de Hugo Becker à Düsseldorf. Il exposa dans cette ville en 1863.

THIELE Franz
Né le 9 mars 1868 à Friedland. XIXᵉ siècle. Autrichien.
Peintre de genre, portraitiste et paysagiste.
Élève de Griepenkerl à l'Académie de Vienne. La Galerie Moderne de Prague conserve de lui : *Dame en vert, Enfants au bain, Moisson.*
Ventes Publiques : LINDAU, 4 mai 1983 : *Trois paysannes dans un paysage 1896,* h/cart. (46,5x71) : **DEM 3 500.**

THIELE Gustav Ludwig. Voir **THIELE Ludwig**

THIELE Hans
Né le 16 mai 1850 à Friedland. XIXᵉ siècle. Actif à Vienne. Autrichien.
Peintre.
Élève de Geiger et d'Eisenmenger à l'Académie de Vienne. Il peignit des paysages, des portraits ; il travailla aussi sur porcelaine et sur ivoire.

THIELE Hermann
Né le 5 août 1867 à Düsseldorf. XIXᵉ siècle. Actif à Berlin. Allemand.
Peintre et aquafortiste.

THIELE Ivan
Né le 15 avril 1877 à Saint-Pétersbourg. Mort en 1948. XXᵉ siècle. Actif puis naturalisé en France. Russe.
Peintre de scènes de genre, portraits, graveur.
Il fut élève de l'Académie des Beaux-Arts de Saint-Pétersbourg, puis il s'établit à Paris, où il eut pour maîtres Jean-Paul Laurens, Gustave Courtois et Raphaël Collin. Il exposa au Salon des Artistes Français de Paris, depuis 1910, obtenant une mention honorable la même année et une médaille d'argent en 1941.
Il a peint de nombreux portraits de musiciens, parmi lesquels : A. Roussel ; Vincent d'Indy ; C. Widor ; D. Milhaud ; Stravinsky ; Debussy, et de divers hommes illustres : Foch ; Joffre ; Pasteur. Il a signé des tableaux de genre, qui lui furent inspirés par la Bretagne, dont : *Les dentellières de Guilvinec ; Sardinières bretonnes.* Il a réalisé aussi des eaux-fortes.
Musées : MOSCOU – NANTES (Mus. des Beaux-Arts) – NICE : *Dentelles bretonnes* – ROUEN (Mus. des Beaux-Arts).

THIELE Johan Hermann
XVIIIᵉ siècle. Actif à Brême et à Copenhague de 1715 à 1750. Danois.
Graveur au burin.
Il grava des vues de châteaux danois.

THIELE Johann Alexander. Voir **THIELE Alexander Johann**

THIELE Johann Andreas. Voir **TILE Johann Andreas**

THIELE Johann Christoph
Né à Zscheila, près de Meissen. XVIIᵉ-XVIIIᵉ siècles. Travaillant à Dresde de 1695 à 1712. Allemand.
Sculpteur.
Père de Christian Gottlieb T.

THIELE Johann Friedrich Alexander ou **Friedrich Johann Alexander**
Né le 6 août 1747 à Dresde. Mort le 6 mars 1803 à Dresde. XVIIIe siècle. Allemand.
Peintre et graveur de paysages.
Élève de son père Alexander Thiele et de C. F. Hutin. Le Musée de Karlsruhe possède de lui *Paysage d'hiver*, celui d'Oslo : *Paysage*, et celui de Weimar, *Paysage fluvial.*

VENTES PUBLIQUES : VIENNE, 12 mars 1974 : *Paysage d'hiver* : ATS 60 000.

THIELE Julius
Né le 25 janvier 1816 à Meissen (Saxe-Anhalt). XIXe siècle. Allemand.
Peintre sur porcelaine.
Sans doute frère de Ludwig T. Il travailla à Dresde.

THIELE Julius Arthur. Voir **THIELE Arthur**

THIELE Karl Friedrich
Né vers 1780. Mort vers 1836 à Berlin. XIXe siècle. Allemand.
Graveur au burin.
Il grava des paysages de l'île de Rugen.

THIELE Ludwig ou **Gustav Ludwig** ou **Louis**
Né le 23 novembre 1814 à Meissen (Saxe-Anhalt). XIXe siècle. Allemand.
Peintre et graveur de paysages.
Élève de C. A. Richter et d'Ant. Krüger à l'Académie de Dresde. Il peignit des vues de Leipzig.

THIELE Otto
Né le 27 mars 1870 à Rackitt. XIXe siècle. Actif à Berlin. Allemand.
Peintre de paysages, fleurs.
Il peignit des paysages et des sites.
VENTES PUBLIQUES : LONDRES, 16 juin 1993 : *Le Marché aux fleurs couvert*, h/t (98x121) : **GBP 12 650** – LONDRES, 21 nov. 1996 : *Le Marché aux fleurs, Berlin*, h/pan. (35x29,8) : **GBP 4 830** – LONDRES, 13 mars 1997 : *Le Grand Canal, Venise*, h/t (80x65) : **GBP 4 600**.

THIELE Rudolf
Né en 1856 ? Mort en novembre 1930 à Munich (Bavière). XIXe-XXe siècles. Allemand.
Sculpteur.
VENTES PUBLIQUES : LONDRES, 21 mars 1985 : *Buste d'Arabe* ; *Buste de femme arabe* 1890, cuivre émaillé, une paire (H. 55) : **GBP 1 600**.

THIELE Wilhelm
Né le 18 janvier 1872 à Potsdam (Brandebourg). XIXe-XXe siècles. Allemand.
Peintre, illustrateur.
Il exécuta des illustrations de livres et peignit des châteaux, des églises, des fontaines et des cimetières.
VENTES PUBLIQUES : PARIS, 6 juin 1988 : *Lac de montagne*, h/t (70,5x100,5) : **FRF 10 000** – PARIS, 16 jan. 1989 : *Lac de montagne*, h/t (70,5x100,5) : **FRF 6 800**.

THIELEMANN Alfred
Né le 21 mars 1883 à Lemförde, près d'Osnabruck. XXe siècle. Allemand.
Peintre.
Il fut élève de Georg Koch à l'Académie de Berlin. Il vécut et travailla à Tutzing.
VENTES PUBLIQUES : MUNICH, 26 nov. 1976 : *Nature morte*, h/t (68x58) : **DEM 1 800**.

THIELEMANN Alfred Rudolph
Né le 8 août 1851 à Kjärsgaard, près de Nibe. Mort le 3 avril 1927 à Dianalund. XIXe-XXe siècles. Danois.
Peintre, sculpteur.
Fils de Christian Thielemann et élève de P. S. Kröyer et St. Sinding.
VENTES PUBLIQUES : LOS ANGELES, 16 mars 1981 : *Nature morte aux fruits et objets d'art dans un intérieur*, h/t (71x57) : **USD 2 400**.

THIELEMANN Carl Benjamin
Né le 21 novembre 1774. Mort le 13 décembre 1812. XVIIIe-XIXe siècles. Actif à Dresde. Allemand.

Peintre.
Élève de Fechhelm à l'Académie de Dresde. Il peignit des vues de cette ville. Le Musée Municipal de Dresde conserve de lui *Panorama de Dresde*, et celui de Meissen, *Vue de Meissen.*

THIELEMANN Christian
Né le 28 mai 1804 à Copenhague. Mort le 28 juillet 1870 à Kjärsgaard, près de Nibe. XIXe siècle. Danois.
Sculpteur.
Père d'Alfred T. Il était agriculteur. Il fut élève de l'Académie de Copenhague. Il sculpta des statues et des ornements.

THIELEMANN Theobald ou **Ove Theobald**
Né le 29 mars 1819 à Copenhague. Mort le 27 juillet 1903 à Copenhague. XIXe siècle. Danois.
Sculpteur.
Frère de Christian T. Élève de H. V. Bissen et de l'Académie de Copenhague. Il travailla pour Copenhague, Hilleröd et Ribe.
VENTES PUBLIQUES : NICE, 21-22 déc. 1977 : *Chasseur d'aigles*, bronze (H. 105) : **FRF 5 100**.

THIELEN A. F.
XVIIIe siècle. Travaillant à Spire en 1733. Allemand.
Dessinateur.

THIELEN Anna Maria Van
Née en 1641 à Anvers. XVIIe siècle. Éc. flamande.
Peintre de fleurs.
Fille de Jan Philips Van Thielen. Comme ses sœurs, elle peignit avec talent.

THIELEN Daniel ou **Thülens**
Né le 16 juillet 1623 à Francfort-sur-le-Main. Mort le 21 juillet 1711 à Francfort-sur-le-Main. XVIIe-XVIIIe siècles. Allemand.
Peintre.
Il exécuta des peintures dans l'église Sainte-Catherine de Francfort.

THIELEN Francisca Katharina Van
Née le 1er octobre 1645. XVIIe siècle. Éc. flamande.
Peintre de fleurs.
Fille et élève de Jan Philips Van Thielen. Elle fut une artiste distinguée.

THIELEN Jean Philips Van ou **Jan Philips Van**, dit **Righolz** ou **Van Rigoults** ou **Van Conwemberg**
Baptisé le 1er avril 1618 à Malines. Mort en 1667 à Malines. XVIIe siècle. Éc. flamande.
Peintre de sujets religieux, figures, natures mortes, fleurs.
Il était de famille noble et seigneur de Conwemberg. Il fut élève de son beau-frère Th. Rombouts et de Daniel Seghers. Il vint à Anvers en 1632 et y fut maître en 1642. Il épousa Francisca de Hemelaer et partit à Malines en 1660.
Il collabora, notamment avec Daniel Seghers à une peinture pour l'abbaye de Saint-Bernard, près d'Anvers. Il fut particulièrement remarquable dans sa représentation des insectes. Poelenberg peignit parfois des figures dans ses guirlandes de fleurs.

MUSÉES : AMSTERDAM : *Fleurs* – ANVERS : *Guirlande de fleurs*, deux fois – BRUXELLES : *Fleurs entourant une statuette du Christ* – DOUAI : *Fleurs* – *Guirlande de fleurs* – GRENOBLE : *Groupe de fruits* – LILLE : *Fleurs* – MADRID (Prado) : *Vase portant un médaillon* – MILAN (Brera) : *Vertumne et Pomone* – VIENNE : *Fleurs* – *Madone entourée de fleurs* – YPRES : *Fleurs.*
VENTES PUBLIQUES : AMSTERDAM, 15 mai 1708 : *Le Banquet des Dieux* : **FRF 50** – BRUXELLES, 1865 : *Fleurs* : **FRF 270** – PARIS, 7 fév. 1908 : *Fleurs* : **FRF 380** – PARIS, 6 fév. 1909 : *La Vierge et l'Enfant* : **FRF 250** – PARIS, 13 avr. 1923 : *Buste et Guirlande de fleurs* : **FRF 480** – LONDRES, 14 déc. 1938 : *Fleurs* : **GBP 62** – PARIS, 6 mars 1942 : *Fleurs dans des vases de cristal* : **FRF 15 000** – PARIS, 29 nov. 1948 : *Sainte Agathe et saint Edmond* 1663 et 1665, deux pendants : **FRF 50 000** – LONDRES, 20 mars 1959 : *Roses et autres fleurs dans un vase de verre vert* : **GBP 273** – COLOGNE, 2-6 nov. 1961 : *Bouquet de fleurs* : **DEM 8 000** – LONDRES, 20 mars 1964 : *Le Christ avec une guirlande de fleurs* ; *La résurrection*, deux pendants : **GNS 1 100** – VERSAILLES, 3 juin 1965 : *Roses, œillets et tulipes dans un vase* : **FRF 19 000** – LONDRES, 25 juin 1969 : *Guirlande de fleurs* : **GBP 1 100** – LONDRES, 8 déc. 1971 : *Vase de fleurs* : **GBP 16 500** – LONDRES, 9 mai 1973 : *Nature morte aux fleurs* : **GBP 12 500** – LONDRES, 28 juin 1974 :

Nature morte aux fleurs : **GNS 3 800** – LONDRES, 10 déc. 1976 : *Nature morte aux fleurs*, h/t (74x51) : **GBP 7 000** – NEW YORK, 16 juin 1977 : *La Sainte Famille avec Saint-Jean enfant dans un cartouche entouré de fleurs* 1655, h/t (149x120) : **USD 24 000** – PARIS, 7 juin 1979 : *Statue de Vierge à l'Enfant dans une niche à décor d'aigles et d'angelots agrémentée de trois bouquets de fleurs* 1645, h/t (86,5x61,5) : **FRF 41 000** – AMSTERDAM, 26 nov. 1984 : *Vases de fleurs*, h/pan., deux panneaux (27,5x39,5) : **NLG 76 000** – NEW YORK, 17 jan. 1985 : *Panier de fleurs et insectes sur une table*. (25,5x23) : **USD 19 000** – ROME, 10 mai 1988 : *Fleurs*, h/t (43x32) : **ITL 15 000 000** – NEW YORK, 3 juin 1988 : *Nature morte de fleurs dans un vase de verre*, h/pan. (62x43) : **USD 110 000** – LONDRES, 21 avr. 1989 : *Vase de roses, tulipes, iris, narcisses, fleurs de grenadier, et autres sur un entablement*, h/t/pan. (61x45,5) : **GBP 26 400** – MONACO, 2 déc. 1989 : *Vase de fleurs*, h/t/pan. (60,5x45,5) : **FRF 610 500** – BREST, 5 déc. 1989 : *Vase fleuri avec des tulipes, des roses et des insectes sur un entablement*, h/pan. (52,5x37,6) : **FRF 2 200 000** – NEW YORK, 11 jan. 1990 : *Guirlandes de fleurs dans un cartouche avec une allégorie de l'Abondance*, h/t (132x101,5) : **USD 74 250** – PARIS, 8 juin 1990 : *Bouquet de fleurs dans un vase de verre*, h/t (46x33) : **FRF 58 000** – LONDRES, 3 juil. 1991 : *Guirlande de fleurs encerclant un cartouche représentant la Vierge*, h/t (77x68) : **GBP 15 950** – NEW YORK, 14 jan. 1994 : *Guirlande de fleurs suspendue par des rubans* 1653, h/cuivre (69,9x56,5) : **USD 48 875** – LONDRES, 6 juil. 1994 : *Nature morte de roses, de tulipes et autres fleurs dans un vase de verre*, h/cuivre (38x28,9) : **GBP 34 500** – LONDRES, 8 déc. 1995 : *Tulipe, roses, jonquille, jacinthe et fleurs d'oranger dans un vase de verre sur une table avec une libellulle et un papillon blanc*, h/pan. (49,5x34,7) : **GBP 56 500** – PARIS, 16 mai 1997 : *La Sainte Famille, saint Jean Baptiste et sainte Anne entourés d'une guirlande de fleurs* 1653, h/t, en collaboration avec Erasmus Quellin II (145x106) : **FRF 210 000** – PARIS, 13 juin 1997 : *Vénus et Adonis dans un entourage de fleurs* 1653, t. (85x65) : **FRF 140 000** – PARIS, 17 juin 1997 : *Bouquet de tulipes et de roses dans un vase de verre sur un entablement*, pan. chêne parqueté (59,5x44,5) : **FRF 240 000**.

THIELEN Maria Theresia Van
Née le 17 mars 1640 à Anvers. Morte le 11 février 1706 à Anvers. XVIIᵉ siècle. Éc. flamande.
Peintre de fleurs et de portraits.
Fille et élève de Jan Philips Van Thielen. Ce fut une artiste de talent. On cite d'elle : *Bas-reliefs entourés de fleurs* (Musée de Malines).
VENTES PUBLIQUES : COLOGNE, 1862 : *Bouquet de fleurs sur une assiette en argent* : **FRF 220**.

THIELEN Rochus
XVIᵉ siècle. Éc. flamande.
Peintre, sculpteur.
Il exécuta des statues et un autel pour l'église de Heerenthals.

THIELENS. Voir aussi TILENS

THIELENS François
Né en 1648. Mort le 13 décembre 1724 à Termonde. XVIIᵉ-XVIIIᵉ siècles. Éc. flamande.
Peintre.
Il a peint des portraits, des vues et des événements contemporains.

THIELENS Jan
XVIIᵉ siècle. Actif à Anvers vers 1694. Éc. flamande.
Peintre de scènes de genre, intérieurs.
Il peignit des intérieurs de cabinets d'étude et de laboratoires dans la manière de Téniers.

THIELENS Jan ou Hans ou Johannes. Voir aussi TILENS

THIELER Fred
Né en 1916 à Königsberg (Kaliningrad, ancienne Prusse-Orientale). XXᵉ siècle. Allemand.
Peintre. Expressionniste-abstrait. Groupe Zen 49.
Après des études de médecine de 1937 à 1941, il commença en 1946 à peindre à l'Académie des Beaux-Arts de Munich. Il fit un séjour à Paris, en 1951-1952, dans l'atelier de Hayter. Il fut membre du groupe Zen 49. En 1959, il fut nommé professeur à l'Académie de Berlin. Il vit et travaille à Munich.
Il participe à de nombreuses expositions de groupe, nationales et internationales, parmi lesquelles : 1955, *Peintures et Sculptures non figuratives en Allemagne d'aujourd'hui*, Paris ; 1957, Prix Lissone, où il obtient le Prix des Jeunes ; 1958, Prix

Marzotto ; 1958, Biennales de Venise et de Tokyo ; 1959, Biennale de São Paulo et IIᵉ Documenta de Kassel ; 1960, Biennale de Tokyo ; etc.
Il montre ses œuvres dans des expositions personnelles, dont : 1951, Amsterdam ; 1953, Paris et Munich ; 1954, Oslo ; 1959, 1962, Milan ; 1962, Berlin.
Comme l'a écrit J. A. Thwaites : « Thieler est un des rares artistes de la génération d'après-guerre, qui soient parvenus à occuper une place importante dans la vie artistique de l'Allemagne contemporaine ». Il est en effet l'un des rares artistes allemands de l'après-guerre à avoir pratiqué un expressionnisme abstrait proche de l'« action painting ». Parfois, une certaine organisation dans la tachage technique confère à ses créations une parenté avec l'écriture « automatique-orientée » d'un Camille Bryen.

BIBLIOGR. : Michel Seuphor : *Diction. de la peint. abstr.*, Hazan, Paris, 1957 – B. Dorival, sous la direction de... : *Peintres Contemporains*, Mazenod, Paris, 1964 – in : *Dictionnaire universel de la peinture*, Le Robert, Paris, 1975.
VENTES PUBLIQUES : DÜSSELDORF, 14 nov. 1973 : *R.R.S./63* : **DEM 3 000** – COLOGNE, 6 mai 1978 : *O.C. 58* 1958, h/t (70x100) : **DEM 2 800** – MUNICH, 29 mai 1979 : *Accents en jaune* 1959, h/t (150x95,5) : **DEM 6 800** – HAMBOURG, 6 juin 1980 : *G – 14 – 56* 1956, techn. mixte/pap. (49,4x64,6) : **DEM 2 200** – MUNICH, 29 mai 1984 : *Composition* 1954, h/t (73x60) : **DEM 8 000** – AMSTERDAM, 29 sep. 1987 : *Composition en blanc et vert* 1955, gche (64,5x85) : **NLG 4 000** – AMSTERDAM, 23 mai 1991 : *Sans titre* 1955, h/t d'emballage (60x50) : **NLG 14 950** – LONDRES, 27 juin 1991 : *Elfe aplati* 1964, h., collage et gche/t. (130x92) : **GBP 22 000** – LONDRES, 5 déc. 1991 : *Sans titre* 1964, gche et aquar./pap. froissé (95x65) : **GBP 9 900** – MUNICH, 1ᵉʳ-2 déc. 1992 : *Composition V* 1949, aquar. et encre (29x38) : **DEM 2 300** – LONDRES, 20 mai 1993 : *Dans le champ visuel* 1958, h/t d'emballage (69,5x95) : **GBP 10 925** – AMSTERDAM, 9 déc. 1993 : *Sans titre* 1959, gche/pap. (25x32,5) : **NLG 2 415** – LONDRES, 21 mars 1996 : *Composition B-1-58* 1958, h/t (130x89) : **GBP 23 000**.

THIELLEMENT Georges
Mort pour la France durant la Première Guerre mondiale (1914-1918). XXᵉ siècle. Français.
Peintre.
Il exposait à la Nationale des Beaux-Arts.

THIELLEY Claude
Né le 20 mars 1811 à Rully. Mort en 1891. XIXᵉ siècle. Français.
Peintre et lithographe.
Il exposa au Salon de 1853 à 1880 des paysages et des caricatures. Sociétaire des Artistes Français.

THIELMANN Wilhelm
Né le 10 mars 1868 à Herborn. Mort le 19 novembre 1924 à Kassel (Hesse). XIXᵉ-XXᵉ siècles. Allemand.
Dessinateur de paysages, scènes typiques, graveur.
Il dessina surtout des paysages et des types populaires de Hesse.
MUSÉES : BERLIN (Gal. Nat.) : *Deuil* – DARMSTADT (Mus. provincial) : *Mère et enfant* – KASSEL (Gal. mun.) : *Jeune fille de Langgöns*.

THIELO Christian
XVIIIᵉ siècle. Travaillant à Copenhague dans la première moitié du XVIIIᵉ siècle. Danois.
Graveur sur bois.
Il grava des vignettes et des allégories pour la cour de Copenhague.

THIELO Johann Gerhard Wilhelm
Né le 10 octobre 1735 à Hanovre. Mort en 1796 à Hanovre. XVIIIᵉ siècle. Allemand.
Peintre.
Élève de l'Académie de Copenhague. Il travailla à Hanovre où il exécuta des portraits, des paysages, des batailles et des peintures de genre.

THIELT Guillaume de. Voir GUILLAUME de Thielt

THIELT Jean Van. Voir TIELT

THIELT Michael Van
XVIIe siècle. Éc. flamande.
Graveur de médailles.
Il était actif à Anvers de 1650 à 1672.

THIEM Conrad
Né le 2 février 1815 à Bayreuth. Mort le 24 mai 1898. XIXe siècle. Allemand.
Portraitiste.
Élève de l'Académie de Munich. Le Musée Municipal de Bayreuth conserve des portraits peints par cet artiste.

THIEM Paul
Né le 2 novembre 1858 à Berlin. Mort le 18 septembre 1922 à Starnberg. XIXe-XXe siècles. Allemand.
Peintre de portraits, paysages.
Il fut élève de l'Académie de Munich. Il peignit également des sujets fantastiques, humoristiques et grotesques.

Paul thiem

MUSÉES : HALLE.
VENTES PUBLIQUES : COLOGNE, 29 mars 1974 : *Vue d'une ville 1916* : DEM 2 200 – HEIDELBERG, 9 oct. 1992 : *Le port de Starnberg 1912*, h/t (67x115) : DEM 14 000 – LONDRES, 7 avr. 1993 : *Le salon à Elevenses*, h/pan. (51x61) : GBP 2 530.

THIEM Veit ou Thieme, Thim, Thym
XVIe siècle. Actif à Weimar dans la seconde moitié du XVIe siècle. Allemand.
Peintre.
Peut-être assistant de Lucas Cranach le Jeune. Il peignit un tableau d'autel dans l'église de Weimar et plusieurs épitaphes.

THIEMANN Carl Theodor
Né le 10 novembre 1881 à Karlsbad (ancien nom allemand de Karlovy Vary, Tchécoslovaquie). Mort en 1966 à Dachau (Bavière). XXe siècle. Allemand.
Graveur de paysages urbains, peintre.
Il fut élève de l'Académie de Prague et de Franz Thiele. Il grava des vues de villes.
MUSÉES : MUNICH – PRAGUE.
VENTES PUBLIQUES : MUNICH, 30 nov 1979 : *Paysage de Dachau*, h/pan. (29,5x52) : DEM 5 000 – MUNICH, 1er-2 déc. 1992 : *Voilier*, h/pan. (20x30) : DEM 4 025.

THIEMANN Hans
Né en 1910 à Langendreer, près de Bochum. XXe siècle. Allemand.
Peintre.
Il fut élève de Kandinsky et Klee, au Bauhaus, de 1929 à 1933. Il eut ensuite une carrière de dessinateur de revues. En 1952, il obtint une bourse du Sénat de Berlin. En 1954, un Prix d'Art de la Ville de Berlin, et fut nommé assistant à l'École des Beaux-Arts de Hambourg. En 1961, il obtint le Prix d'Honneur de la Villa Massimo, à Rome. Il vécut et travailla à Hambourg.
BIBLIOGR. : Catalogue de l'exposition *Bauhaus*, Musée Nat. d'Art Mod., Paris, 1969.

THIEME Anthony
Né le 20 février 1888 à Rotterdam (Hollande). Mort en 1954. XXe siècle. Actif aux États-Unis. Hollandais.
Peintre de paysages, marines, graveur.
Il fut élève de George Hacker, de l'Académie des Beaux-Arts de La Haye, puis de Garlobini, Guardaciona et Mancini en Italie. Il s'établit à Boston. Il fut membre du Salmagundi Club et de la Ligue américaine des artistes professeurs. Il obtint de très nombreuses récompenses.
Il peignit les villes côtières de la Nouvelle-Angleterre (Newport, Rockport) ainsi que les paysages variés de l'arrière-pays, notamment l'été indien dans le New Hampshire.
MUSÉES : BOSTON – PITTSFIELD.
VENTES PUBLIQUES : NEW YORK, 24 oct 1979 : *Scène de port*, h/t (76,5x91,5) : USD 2 600 – NEW YORK, 11 mars 1981 : *Newton Garden*, h/t (72x89,5) : USD 3 300 – NEW YORK, 26 oct. 1984 : *Winter, Jewett street, Rockport*, h/t (76,8x91,4) : USD 3 750 – PORTLAND, 28 sep. 1985 : *Scène de foire*, aquar. (28,5x38) : USD 1 400 – NEW YORK, 24 juin 1988 : *Matin ensoleillé*, h/t (75x90) : USD 12 100 – NEW YORK, 30 sep. 1988 : *Gloucester*, h/t (76,2x91,5) : USD 13 200 – NEW YORK, 24 jan. 1989 : *Une maison du village*, h/t (75x90) : USD 8 800 – NEW YORK, 28 sep. 1989 : *Cove Hill*, h/t (76,2x91,3) : USD 36 300 – AMSTERDAM, 13 déc. 1989 : *Rockport Wharf*, h/t

(50,5x61) : NLG 4 370 – NEW YORK, 16 mars 1990 : *Le nettoyage des filets*, h/t (76,8x91,5) : USD 12 100 – AMSTERDAM, 22 mai 1990 : *Marée basse*, h/t (75x91) : NLG 10 925 – NEW YORK, 30 mai 1990 : *Un port sur la côte du Maine*, h/t (63x75,6) : USD 7 700 – NEW YORK, 26 sep. 1990 : *Rue de Montmartre à Paris* 1950, h/t (50,8x61) : USD 7 150 – NEW YORK, 14 mars 1991 : *Cove Hill à Rockport*, h/t (63,5x76,2) : USD 9 900 – NEW YORK, 26 sep. 1991 : *Lumière matinale près de Charleston en Caroline du Sud*, h/t (76x91,5) : USD 16 500 – NEW YORK, 23 sep. 1992 : *Paysage de Rockport*, h/t (76x91,5) : USD 16 500 – NEW YORK, 4 déc. 1992 : *Par-dessus les toits de Gloucester*, h/t (77,6x92) : USD 22 000 – NEW YORK, 26 mai 1993 : *Le bassin à bateaux de la 79e rue à New York* 1935, h/t (76x91,5) : USD 43 700 – AMSTERDAM, 14 juin 1994 : *Éléphants de cirque*, h/t (51x61) : NLG 3 450 – NEW YORK, 3 déc. 1996 : *Maison de pêcheurs en Bretagne*, h/pan. (31,8x40) : USD 5 520 – NEW YORK, 7 oct. 1997 : *Port de Gloucester*, h/t (76,8x91,5) : USD 13 800.

THIEME Carl
Né le 26 février 1816 à Frohbourg, près de Leipzig. Mort le 28 novembre 1884 à Frohbourg, près de Leipzig. XIXe siècle. Allemand.
Peintre.
Le Musée Municipal de Chemnitz conserve de lui *Vue de Chemnitz* et le Musée Géographique de Leipzig, *Vue de Rome* et *Vue de l'Acropole d'Athènes*.
VENTES PUBLIQUES : MUNICH, 19 sept 1979 : *Lac de montagne* 1882, h/t (50x76) : DEM 2 000.

THIEME Hans Nicolaus
XVIIe siècle. Actif dans la seconde moitié du XVIIe siècle. Allemand.
Sculpteur.
Il a sculpté cinq portes en albâtre pour le château d'Eisenberg en Thuringe.

THIEME Leopold
Né le 15 juillet 1880 à Rochlitz. XXe siècle. Allemand.
Peintre, graveur.
Il fut élève de Lovis Corinth. Il poursuivit ses études à Paris. Il vécut et travailla à Lübeck.

THIEME Theodor ou Gotthold Theodor
Né le 16 août 1823 à Görlitz. Mort le 31 octobre 1901 à Dresde. XIXe siècle. Allemand.
Peintre de scènes de genre, portraits.
Il fut élève de l'Académie des Beaux-Arts de Dresde.
MUSÉES : GÖRLITZ : *Portrait de l'artiste – La femme de l'artiste – Dégoûté de la vie.*
VENTES PUBLIQUES : COLOGNE, 12 nov. 1976 : *Portrait de jeune fille*, h/t (73x62) : DEM 3 300.

THIEME Veit. Voir THIEM

THIEMET
XVIIIe siècle. Français.
Portraitiste, dessinateur et acteur.
Il exposa à Paris de 1781 à 1788.

THIEMO
XIe ou XVe siècle. Autrichien.
Peintre ou sculpteur (?).
Il fut évêque de Salzbourg et a peint et sculpté, dit-on, surtout des madones.

THIENEN Marcel Van
Né en 1922 à Paris. XXe siècle. Français.
Sculpteur.
Il fit des études de mécanique, d'électronique et de musique. Il expose dans différents groupes. Il a montré plusieurs expositions personnelles, notamment en 1969, à Paris.
De 1957 à 1963, il modela des formes, fondues ensuite en bronze. À partir de 1964, il adopta le fil d'acier et l'acier inoxydable pour construire des mécanismes mus par des moteurs, qui veulent évoquer la mécanique de l'univers, à la façon des astrolabes.
BIBLIOGR. : Denys Chevalier, in : *Nouveau diction. de la sculpt. mod.*, Hazan, Paris, 1970.

THIENEN Paul
Né en 1927 à Saint-Josse-ten-Noode. XXe siècle. Belge.
Peintre, dessinateur, graveur, peintre de cartons de tapisseries, peintre de cartons de vitraux. Abstrait.
Il s'initie d'abord à l'architecture et à l'histoire de l'art, puis entre à l'École d'Arts Visuels de la Cambre en 1945. Il y suit les cours de Charles Counhaye.

Il a participé à la Biennale de Paris. Il montre ses œuvres dans des expositions personnelles, dont : 1959, Bruxelles (première fois) ; 1966, Palais des Beaux-Arts de Bruxelles.
Il fait ses premières réalisations importantes vers 1957. Sa peinture est abstraite. Il pratique aussi le lavis.

THIENHAUS Rudolf
Né le 2 août 1873 à Engelskirchen. XIXe-XXe siècles. Allemand.
Peintre, lithographe.
Il fut élève de M. Koner et d'A. Kampf. Il vécut et travailla à Berlin.
Musées : BERLIN (Mus. mun.) : *Nature morte.*

THIENON Claude ou Anne Claude
Né le 27 décembre 1772 à Paris. Mort le 12 mars 1846 à Paris. XVIIIe-XIXe siècles. Français.
Peintre de scènes de genre, paysages, paysages urbains, aquarelliste, lithographe.
Il fut élève de Moreau et de Monterare. Il exposa au Salon de Paris, de 1798 à 1822.
Il a peint des scènes prises aux environs de Rome et dans les provinces françaises.
Musées : PARIS (Mus. du Louvre) : *Paysage italien.*
Ventes Publiques : PARIS, 1822 : *Paysage :* FRF 153 – PARIS, 31 mars-1er avr. 1924 : *Environs de Rome,* aquar. : FRF 610 – PARIS, 4 mai 1928 : *Personnages assis au pied d'un château fort,* aquar. : FRF 700 – PARIS, 10 fév. 1950 : *Paysage rocheux,* aquar. : FRF 2 200 – PARIS, 22 mars 1991 : *Promenade de l'Impératrice Joséphine et de sa famille dans le parc de la Malmaison,* aquar. et gche blanche (20x25) : FRF 62 000 – PARIS, 31 mars 1993 : *Vues de Sestri sur la côte gênoise,* cr. noir et lav., une paire (8,7x14) : FRF 13 000 – PARIS, 16 déc. 1994 : *Vue d'une ville italienne,* h/t (26,5x22) : FRF 26 000.

THIÉNON Louis Désiré
Né le 18 février 1812 à Paris. Mort en 1881. XIXe siècle. Français.
Peintre d'architectures, paysages, peintre à la gouache, aquarelliste, dessinateur, lithographe.
Il fut élève de son père Claude Thienon et d'Eugène Isabey. Il exposa, de 1831 à 1884, au Salon de Paris, puis Salon des Artistes Français. Il obtint une médaille de troisième classe pour la gravure en 1836 et une médaille de deuxième classe pour la peinture en 1846.
Musées : CLAMECY : *Entrée du Château de Gusino,* aquar. gchée – PÉRIGUEUX : *douze dessins de cette ville et du Périgord* – PONTOISE : *Portail de Notre-Dame, Cathédrale de Reims.*
Ventes Publiques : PARIS, 22 jan. 1919 : *La Fontaine,* aquar. : FRF 75 – PARIS, 10 déc. 1926 : *Vue de Saint-Valéry-sur-Somme,* pierre noire reh. : FRF 650 – LONDRES, 24 juil. 1929 : *Vue de Londres prise de Greenwich Park,* aquar. : GBP 20 – PARIS, 28 mai 1942 : *Église de Guérande 1874,* aquar. : FRF 500 – PARIS, 17 avr. 1944 : *Rue de la Fontaine des Quatre Dauphins, à Aix-en-Provence 1846 :* FRF 11 000 – PARIS, 2 mars 1951 : *Le château de Chambord 1839,* deux aquar., formant pendants : FRF 9 000 – PARIS, 20 mai 1955 : *Vue d'Oxford,* aquar. : FRF 5 500 – PARIS, 6 juin 1984 : *Place du petit souk, la mosquée des Derviches et la casbah à Tanger 1874,* h/pan. (65x49) : FRF 24 500 – ENGHIEN-LES-BAINS, 28 avr. 1985 : *La Mosquée des Derviches, casbah de Tanger 1874,* h/pan. (65x49) : FRF 60 000 – BRUXELLES, 19 déc. 1989 : *Cour de ferme animée 1832,* aquar. (26x34) : BEF 65 000 – PARIS, 7 avr. 1995 : *Intérieur animé de la cathédrale de Chartres 1879,* aquar. (58x44) : FRF 6 600.

THIENOT Édouard Eugène Olivier
Né au XIXe siècle à Dijon (Côte-d'Or). XIXe siècle. Français.
Peintre, portraitiste.
Il débuta au Salon en 1865.

THIENPONDT Carl Friedrich
Né le 5 mars 1720 ou 1730 à Berlin. Mort en 1796 à Varsovie. XVIIIe siècle. Allemand.
Peintre de miniatures et sur émail.
Élève d'A. Pesne. Il se fixa à Varsovie. Le Musée Kaiser Friedrich de Berlin conserve de lui trois miniatures sur émail : *Portrait de l'artiste* et *Portraits de Georg Friedrich Frienser et de sa femme.*

THIENPONT Suzanne
Née le 22 mars 1905 à Sint-Maria-Horebeke. XXe siècle. Belge.
Peintre.
Elle fut élève de l'Académie Royale de Bruxelles. Elle montre des expositions personnelles de ses œuvres, la première en 1934,

galerie Manteau à Bruxelles ; 1994, Fondation pour l'Art belge contemporain, Bruxelles.
À ses débuts, sa peinture relève du postexpressionnisme, déclinant une quête intérieure. Elle a évolué d'abord vers le cubisme dans les années cinquante, pour parvenir ensuite à un matiérisme abstrait, aux teintes sourdes, utilisant sable et cailloux, jouant sur les épaisseurs et les reliefs. Allant de la matière au signe, sa peinture est une sorte d'action incantatoire.
Bibliogr. : In : *Dictionnaire biographique illustré des artistes en Belgique depuis 1830,* Arto, Bruxelles, 1987.

THIEPERS Herman. Voir TIPPER

THIER Barend Hendrik ou Bernhard Heinrich
Né en 1751 à Lundinghausen, près Munster. Mort en 1814 à Leyde. XVIIIe-XIXe siècles. Hollandais.
Peintre de scènes de genre, paysages animés, aquarelliste, graveur, dessinateur.
Élève de son frère Evert. Il était en 1776 à Leyde et en 1777 à La Haye.

B Thier f 1773

Ventes Publiques : LONDRES, 20 déc. 1909 : *Taureau dans un paysage :* GBP 2 – PARIS, 13 nov. 1924 : *Jeune paysan menant boire son cheval ; Taureau au pâturage,* deux sépias : FRF 700 – PARIS, 19 mai 1927 : *Les bergers devant la cascade ; Le repos des bergers,* deux aquar. : FRF 1 780 – LONDRES, 10 nov. 1971 : *Cour de ferme,* h/pan. (38,5x49,5) : NLG 13 500 – LONDRES, 9 déc. 1980 : *Berger et bergère près d'une ferme 1776,* pl. et aquar. (24,2x32,8) : GBP 950 – LONDRES, 6 oct. 1982 : *Berger et troupeau dans un paysage,* h/pan. (43x56,5) : GBP 2 600 – VERSAILLES, 1er avr. 1984 : *Berger et son troupeau dans un paysage 1776,* h/bois (36x49) : FRF 46 000 – PARIS, 28 avr. 1994 : *Berger assoupi au milieu de son troupeau 1776,* pl. et lav. d'encre de Chine (24,3x32) : FRF 4 800 – PARIS, 21 mars 1996 : *Le gardien de troupeau 1792,* h/pan. (39x50) : FRF 25 000.

THIER Conrad
Né à Ottingen. Mort en 1708 à Francfort-sur-le-Main. XVIIe-XVIIIe siècles. Allemand.
Sculpteur.

THIER Evert
XVIIIe-XIXe siècles. Hollandais.
Peintre verrier.
Frère de Barend Hendrik T.

THIER Hendrik de. Voir DETHIER Hendrik

THIER Joséphine
Née au XIXe siècle à Chalon-sur-Saône (Saône-et-Loire). XIXe siècle. Française.
Peintre de genre et portraitiste.
Élève de Mme Delphine Cool. Elle débuta au Salon en 1877.

THIERARD Jean Baptiste
Né en 1746 à Rethel. Mort le 23 février 1822 à Paris. XVIIIe-XIXe siècles. Français.
Sculpteur.
Élève de Barthelemy. Il exposa au Salon de 1791 à 1810.

THIERAT Mélitine
Née au XIXe siècle à Paris. XIXe siècle. Française.
Miniaturiste.
Élève de son père. Elle figura au Salon des Artistes Français ; médaille de bronze en 1900 (Exposition Universelle).

THIERBACH Richard
Né le 9 juin 1860 à Stolberg. Mort en mars 1931 à Stolberg. XIXe-XXe siècles. Allemand.
Peintre de paysages.
Il fut élève de Th. Hagen à Weimar. Il travailla à Stolberg et à Berlin et exposa à Vienne en 1884 et à Munich en 1889. Les musées de Munich et de Weimar conservent de lui des paysages boisés.
Musées : MUNICH – WEIMAR.

THIERCY Mélanie Victorine
Née à Ancy. XIXe siècle. Française.
Peintre, portraitiste.
Elle débuta au salon de 1880.

THIÈRE Philippe, appellation erronée. Voir TRIÈRE Philippe

THIERGARTEN Hans
Né au Tyrol. XVIᵉ siècle. Autrichien.
Peintre.
Il peignit dans la ville de Presbourg, pour des églises et pour le cimetière de cette ville.

THIÉRION d'Avançon. Voir **AVANÇON**

THIERMANN Andreas
XVIᵉ-XVIIᵉ siècles. Allemand.
Graveur à l'eau-forte et doreur.
Il grava des armures.

THIEROT Amaury
Né le 24 mars 1881 à Prague (Bohême). XXᵉ siècle. Actif en France. Tchécoslovaque.
Peintre de paysages, de marines et d'églises, peintre verrier et graveur sur bois.
Il fut élève d'Humbert et de Meslé. Il vécut et travailla à Châlons-sur-Marne.
Il exposa, à Paris, au Salon des Artistes Français, à partir 1908, et à Gand.
MUSÉES : CHÂLONS-SUR-MARNE : plusieurs œuvres.

THIÉROT Henri Marie J. ou **Marie J. Henri**
Né le 4 juillet 1863 à Reims (Marne). Mort en novembre 1905 à Saint-Tierry (Marne). XIXᵉ-XXᵉ siècles. Français.
Peintre d'histoire, scènes de genre, portraits, paysages.
Il fut élève de Henri Lévy, de Jules Lefebvre et de Henri Bramtot à l'École des Beaux-Arts de Paris. Il se fixa à Paris. Il visita la Bretagne, la Belgique, la Hollande. Il exposa au Salon des Artistes Français de Paris, obtenant une mention honorable en 1895, une médaille de troisième classe en 1899, une médaille de bronze à l'Exposition Universelle de 1900, une médaille de deuxième classe en 1901.

H. Thierot.

MUSÉES : MUNICH : *La source* – REIMS : *Scylla et Glaucus* – *L'été* – *Victor Diancourt.*
VENTES PUBLIQUES : PARIS, 27 mars 1947 : *Les deux baigneuses* : FRF 2 000.

THIERRAT Augustin Alexandre ou **Thierriat**
Né le 10 mars 1789 à Lyon (Rhône). Mort le 13 avril 1870 à Lyon. XIXᵉ siècle. Français.
Peintre de scènes de genre, intérieurs, paysages, natures mortes, fleurs et fruits, aquarelliste, graveur, dessinateur, lithographe.
Il eut pour maîtres Alexis Grognard et Pierre Revoil à l'École des Beaux-Arts de Lyon, de 1808 à 1816. Il fut professeur de cette même école, entre 1823 et 1854. Il exposa au Salon de Paris, de 1817 à 1840, obtenant une médaille de deuxième classe la première année. Il dessina de nombreux paysages et réalisa aussi des eaux-fortes.

Thierriat

*Thierriat
Lyon*

Cachet de vente

MUSÉES : GRENOBLE – LYON (Mus. des Beaux-Arts) – ORLÉANS : *Intérieur d'un monastère* – LE PUY-EN-VELAY.
VENTES PUBLIQUES : PARIS, 17 mars 1924 : *Le vase de fleurs* : FRF 900 – NEW YORK, 15 nov. 1990 : *Nature morte de tulipes, volubilis, narcisses et autres fleurs dans un vase*, h/t (45,7x37,5) : USD 29 700 – NEW YORK, 22-23 mars 1991 : *Composition de fleurs de printemps dans un vase de pierre avec un bouquet de cerises sur un entablement 1853*, h/t (40,5x47,3) : USD 6 600 – PARIS, 1ᵉʳ déc. 1992 : *Bouquet de fleurs dans un vase sur un entablement de marbre 1824*, aquar. (67x45) : FRF 50 000 – ROUEN, 20 mars 1994 : *Fleurs dans un vase posé sur un coffret*, h/t (70,5x54,5) : FRF 220 000.

THIERRÉE Eugène Stanislas
Né le 29 mars 1810 à Paris. XIXᵉ siècle. Français.
Paysagiste.
Élève de Langres. Il exposa au Salon entre 1838 et 1879.

THIERRENS Jacques Favre de. Voir **FAVRE de Thierrens**

THIERRET
XIXᵉ siècle. Actif à Paris. Français.
Sculpteur et ciseleur.
Élève de Monnot. Il exposa au Salon en 1800.

THIERRIAT Augustin Alexandre. Voir **THIERRAT**

THIERRY, appelé **Tarrinus de Mes** ou **Metz**
XVᵉ siècle. Actif à Barcelone de 1449 à 1471. Espagnol.
Peintre verrier.

THIERRY Clémentine
XIXᵉ siècle. Française.
Peintre de fleurs et aquarelliste.
Elle exposa au salon entre 1844 et 1850.

THIERRY Étienne Jules
Né en 1787 à Paris. XIXᵉ siècle. Français.
Graveur d'architectures et architecte.
Élève de son père Jacques Étienne T., de Gaitte et Battard. Il exposa au Salon en 1831.

Th

THIERRY Eugenio
XIXᵉ siècle. Actif à Milan. Italien.
Sculpteur.
Il sculpta des bustes et des allégories. Il exposa à la Brera de Milan de 1839 à 1858.

THIERRY Gilles
XVIᵉ siècle. Actif à Troyes de 1525 à 1551. Français.
Enlumineur, calligraphe et relieur.

THIERRY Guillaume
Né en 1766 à Bruchsal. Mort en 1823. XVIIIᵉ-XIXᵉ siècles. Allemand.
Peintre, architecte et graveur à l'eau-forte.
Il a gravé des paysages et des vues. On voit de lui au Palais de Compiègne : *Le Pont Saint-Michel vers 1789.*

THIERRY Jacques Étienne
Né en 1750 à Paris. Mort en 1832 à Paris. XVIIIᵉ-XIXᵉ siècles. Français.
Graveur au burin et architecte.
Père d'Étienne Jules T. et élève de Blondel et de Radel. Il grava surtout des architectures.
VENTES PUBLIQUES : LONDRES, 30 nov. 1983 : *Projet d'un Panthéon 1783*, pl. et lav. reh. de blanc (37,7x50,8) : GBP 1 400.

THIERRY Jean
XVᵉ-XVIᵉ siècles. Actif à Troyes de 1468 à 1513. Français.
Enlumineur, calligraphe et relieur.

THIERRY Jean, l'Ancien
Né en 1609. Mort le 25 juin 1679. XVIIᵉ siècle. Actif à Lyon. Français.
Sculpteur.
Père de Jean T. le Jeune.

THIERRY Jean
XVIIᵉ siècle. Français.
Sculpteur sur bois.
Il a sculpté un tabernacle pour l'église Saint-Étienne de Bourges en 1657. Peut-être identique à Jean l'Ancien.

THIERRY Jean, le Jeune
Né le 4 juin 1669 à Lyon. Mort le 20 décembre 1739 à Lyon. XVIIᵉ-XVIIIᵉ siècles. Français.
Sculpteur.
Élève de Coysevox. Il travailla à l'intérieur de la chapelle du Palais de Versailles. Le Musée du Louvre de Paris conserve de lui *Léda*, et celui de Versailles de nombreuses statues.

THIERRY Jean
XVIIIᵉ siècle. Travaillant à Nancy en 1717. Français.
Sculpteur d'autels.
Peut-être s'agit-il de Jean le Jeune.

THIERRY Jean-Alexandre
XIXᵉ siècle. Français.
Peintre d'architectures, aquarelliste.
Architecte, il construisit entre autres l'hôtel de Rothchild, avenue Foch à Paris en 1859.
VENTES PUBLIQUES : NEW YORK, 16 fév. 1994 : *Culte à Minerve (étude sur l'architecture grecque)*, aquar./pap. (57,8x100) : USD 10 350.

THIERRY Joseph François Désiré
Né le 13 mars 1812 à Paris. Mort le 11 novembre 1866 à Paris. XIXᵉ siècle. Français.
Peintre de paysages, de genre et d'histoire, et décorateur.
Élève de Gros et de l'École des Beaux-Arts. Il exposa au Salon de 1833 à 1867 et obtint une médaille de troisième classe en 1844. Le Musée de Sens conserve de lui : *Conseil des Gaulois*. Il a peint de nombreux décors pour l'Opéra.
VENTES PUBLIQUES : PARIS, 1898 : *Le temple de l'amitié*, aquar. : FRF 160.

THIERRY Joséphine. Voir **FORTIN**

THIERRY Louis Roch
Né au XIXᵉ siècle à Mainbeville (Oise). XIXᵉ siècle. Français.
Portraitiste.
Il débuta au Salon de 1863.

THIERRY Thierry
Mort en 1653. XVIIᵉ siècle. Actif à Reims. Français.
Peintre.

THIERRY Wilhelm Adam
Né le 26 septembre 1761 à Bruchsal. Mort le 26 juillet 1823 à Rudolstadt. XVIIIᵉ-XIXᵉ siècles. Allemand.
Peintre de paysages, aquafortiste et architecte.
Il étudia le paysage à Mannheim avec Ferdinand Kobell, puis à Karlsruhe sous la direction de Weinbrenner, mais il abandonna la peinture pour l'architecture. On cite aussi de lui quelques eaux-fortes.

THIERRY de Calonne
XIIIᵉ siècle. Actif à Tournai en 1291. Éc. flamande.
Sculpteur.
Il fut chargé de l'exécution d'une pierre tombale pour la cathédrale de Cambrai.

THIERRY de Marboz ou **Malbroc, Merbruc**
Mort avant 1421. XIVᵉ-XVᵉ siècles. Travaillant à Chambéry de 1386 à 1414. Français.
Peintre et enlumineur.

THIERS de, baron
XVIIIᵉ siècle. Actif vers 1760. Français.
Graveur amateur.
Il grava des paysages et des sujets d'après Boucher.

THIERS Jean Baptiste Antoine. Voir **TIERCE**

THIERS RÉCAMIER Adolphe Louis
Né au XIXᵉ siècle à Lyon (Rhône). XIXᵉ siècle. Français.
Peintre.
Élève de M. F. Barrias. Il débuta au Salon de 1878.

THIERSCH Benedict
XVIIᵉ siècle. Allemand.
Sculpteur.
Il a sculpté des fonts baptismaux dans la chapelle Notre-Dame de Hanover-Neustadt en 1657.

THIERSCH F.
XIXᵉ siècle. Allemand.
Graveur.

THIERSCH Ludwig
Né le 12 avril 1825 à Munich. Mort le 10 mai 1909 à Munich. XIXᵉ-XXᵉ siècles. Allemand.
Peintre d'histoire, sujets religieux, compositions murales.
Il fut élève de Heinrich von Hess, de Jules Schnoor, de Carl Schorn. En 1852, il alla avec son père à Athènes d'où il revint en 1855. En 1856, il fut appelé pour une commande à Vienne. Il s'établit définitivement à Munich en 1857. Il fut membre de l'Académie de Saint-Pétersbourg, et en 1861 de l'Académie de Berlin. Il exposa au Salon de Munich en 1858.
Il peignit des fresques dans l'église grecque à Vienne.
MUSÉES : AIX-LA-CHAPELLE : *Gutenberg – Scène de la guerre de Trente Ans*.
VENTES PUBLIQUES : VIENNE, 19 juin 1979 : *L'artiste au bord du Königssee* 1874, h/t (105x150) : ATS 75 000 – NEW YORK, 29 mai 1981 : *La Grotte de l'amour* 1873, h/t (119,3x165,1) : USD 5 500 – NEW YORK, 23 oct. 1997 : *Le Rituel* 1878, h/t (100,3x149,9) : USD 27 600.

THIERSCH-PATZKI Luise, née **Patzki**
Née le 3 mars 1870 à Haynau. Morte le 2 janvier 1937 à Leipzig (Saxe). XIXᵉ-XXᵉ siècles. Allemande.

Peintre de figures, paysages, architectures.
Elle fut élève de R. Bossert et de Fritz Brändel.

THIERY Claude Émile
Né en 1828 à Nancy (Meurthe-et-Moselle). Mort en 1895 à Maxéville (Meurthe-et-Moselle). XIXᵉ siècle. Français.
Aquafortiste.
Il grava des ex-libris et des paysages. Le Musée de Mulhouse conserve plusieurs œuvres de cet artiste.

THIERY Eugène Edmond
Né le 18 août 1875 à Rethel (Ardennes). XXᵉ siècle. Français.
Peintre de genre, portraits, architectures.
Il fut élève de Gérôme, Blanc, Ferrier et Darvant. Il exposa, à Paris, au Salon des Artistes Français à partir de 1898. Il obtint plusieurs récompenses et distinctions : une mention honorable en 1904, sociétaire du Salon en 1904, une médaille de troisième classe en 1908, le prix A. Maignan en 1920, une médaille d'or en 1933, et reçut la Légion d'honneur en 1934.

THIERY Gaston
Né le 26 octobre 1922 à Lille (Nord). XXᵉ siècle. Français.
Peintre de paysages, dessinateur, peintre de cartons de tapisseries. Tendance néo-impressionniste.
Après des études de peinture et de décoration à l'École des Beaux-Arts de Lille (atelier Sornas) interrompues par la Seconde Guerre mondiale, il s'installe dans la Creuse en 1940. À Fresselines, il rencontre Léon Detroy qui l'initie à la peinture de chevalet, et qui lui cédera ensuite son atelier.
Il participe entre 1948 et 1962 à des expositions collectives, principalement en Limousin. Il montre ses œuvres dans des expositions personnelles, parmi lesquelles, la première en 1948, à Limoges, puis : 1951, 1952, 1957, 1961, Guéret ; 1951, 1952, Musée de Châteauroux ; 1953, Béziers ; 1962, 1968, galerie Ror Volmar, Paris ; 1963, 1964, 1966, 1974, Fresselines ; 1970, Clermont-Ferrand ; 1971, 1973, 1977, galerie André-Weil, Paris ; 1973, rétrospective, Château de Sainte-Feyre (Creuse) ; 1982, 1984, 1986, 1991, Galerie d'art de la place Beauvau, à Paris.
Il est surtout peintre de paysages, traités dans une pâte généreuse, selon un style qui reste attaché à une facture néo-impressionniste. Il est considéré comme le continuateur de l'école de Crozant. À partir de 1965, il exécute des cartons de tapisseries.

THIERY Hilaire
Né le 15 septembre 1796 à Paris. XIXᵉ siècle. Français.
Sculpteur.
Élève de Stouf.

THIÉRY DE SAINTE-COLOMBE Luc Vincent
Né en 1734 à Paris. Mort après 1811. XVIIIᵉ-XIXᵉ siècles. Français.
Dessinateur.
VENTES PUBLIQUES : PARIS, 7-8 mai 1923 : *La Colonnade*, aquar. et pl. : FRF 2 100 – PARIS, 6 déc. 1923 : *Allégorie nuptiale*, aquar. et gche : FRF 900 – VERSAILLES, 30 mai 1976 : *Le bouquet de famille* 1810, aquar. (23x31) : FRF 5 100 – MUNICH, 27 mai 1978 : *Allégorie du Mariage* 1808, aquar./trait de pl. (35,5x49) : DEM 2 500 – PARIS, 20 déc. 1988 : *Vue perspective de la maison et jardin de Messieurs Roettiers frères* 1787, pl. et aquar. (21,5x24) : FRF 46 000.

THIERY DE VERDUN Nicolas. Voir l'article **REDOUTÉ Charles Joseph**

THIES Johann
XVIᵉ-XVIIᵉ siècles. Allemand.
Sculpteur sur bois.
Il a sculpté les stalles de l'église de Celle en 1608.

THIES Piotr
D'origine polonaise. XIXᵉ siècle. Actif dans la seconde moitié du XIXᵉ siècle. Français.
Sculpteur.
Il sculpta des statues.

THIESEN Jacob
Né le 29 juillet 1884 à Rhöndorf. Mort en décembre 1914 en France, tué au front. XXᵉ siècle. Allemand.
Peintre de portraits, paysages.
Il fut élève de l'Académie de Düsseldorf, de W. Spatz et d'Ed. von Gebhardt.
MUSÉES : DÜSSELDORF (Mus. mun.) : *Les parents de l'artiste*.

THIESS Axel Holger
Né le 17 mai 1860 à Diernisse. Mort le 25 mars 1926 à Copenhague. XIXᵉ-XXᵉ siècles. Danois.

Dessinateur, caricaturiste, écrivain.
Il fut élève de l'Académie de Copenhague et de F. Hendriksen.

THIESSEN Henriette
Née vers 1792 à Lübeck, certaines sources donnent 1788. Morte en 1867 à Berne près de Brême. XIXᵉ siècle. Allemande.
Portraitiste.
Élève de l'Académie de Dresde.

THIESSON Gaston
Né en février 1882 à Paris. Mort le 2 février 1920 à Paris. XIXᵉ-XXᵉ siècles. Français.
Peintre de scènes de genre, figures, portraits, paysages, paysages d'eau.
Il exposa au Salon des Indépendants de Paris. Il subit d'abord l'influence de Sisley et de Pissarro, puis celle de Cézanne.
VENTES PUBLIQUES : PARIS, 18 nov. 1925 : *Fermière bretonne* : FRF 800 ; *L'arbre blanc* : FRF 850.

THIEULLIER Thomas. Voir **THUILLIER**

THIEULLIEUR. Voir **THUILLIERS**

THIEVAERT Daniel Jansz ou **Thevart, Tivaert**
Né avant 1613. Mort avant novembre 1657. XVIIᵉ siècle. Actif à Amsterdam. Hollandais.
Peintre de sujets religieux, scènes de genre.
Il peignit à la manière de Rembrandt des scènes de l'Ancien Testament.
VENTES PUBLIQUES : NEW YORK, 14 jan. 1988 : *Le paysan de Gibea offrant l'hospitalité au lévite et à son épouse*, h/t (162x188) : USD 110 000 – PARIS, 19 juin 1996 : *Jeune homme assis sur son lit*, pan. de chêne (34,5x26) : FRF 40 000.

THIEVENT Jules
Né le 26 février 1899 à Tramelan. XXᵉ siècle. Suisse.
Peintre.
Il exposa à Paris en 1929.

THIFERNATI Francesco
Travaillant à Pérouse. Italien.
Peintre de compositions religieuses.
On ne mentionne pas l'époque à laquelle a vécu cet artiste, dont on trouve une *Annonciation* à Saint-Domenico et à la cathédrale de Pérouse ainsi que d'autres œuvres à Citta di Castello.

THIJOFF M. A.
Né au XIXᵉ siècle en Russie. XIXᵉ siècle. Russe.
Sculpteur.
Il figura aux expositions de Paris ; médaille de troisième classe en 1878 (Exposition Universelle).

THIL Jeanne ou **Thill**
Née le 18 décembre 1887 à Calais (Pas-de-Calais). Morte en 1968. XXᵉ siècle. Française.
Peintre de figures, paysages, sujets orientaux.
Elle fut élève de Humbert et C. Fouqueray. Elle vécut et travailla à Paris.
Elle participa à des expositions de groupe à Paris, dont, depuis 1911, le Salon des Artistes Français, dont elle devint sociétaire. Elle obtint des récompenses et distinctions : une médaille d'argent en 1920, une bourse de voyage en 1921, une médaille d'or en 1924, une médaille d'argent en 1937 (Exposition Internationale), et reçut la Légion d'honneur en 1938.
Elle a peint des panneaux de Tunisie et de l'A.O.F. pour l'Exposition coloniale de Vincennes. Elle a décoré des paquebots français. On cite de ce peintre des scènes de la vie espagnole.
MUSÉES : BROOKLYN – CALAIS – NÎMES – STRASBOURG.
VENTES PUBLIQUES : PARIS, 24 fév. 1950 : *Scène arabe* : FRF 300 – PARIS, 16 mars 1951 : *Caravane* : FRF 600 – PARIS, 30 mai 1978 : *Charmeur de serpents à Kairouan*, h/t (200x240) : FRF 6 500 – PARIS, 10 juil. 1983 : *Marrakech*, aquar. (77x98) : FRF 20 000 – PARIS, 10 juil. 1983 : *Le Marché arabe*, h/pan. (90x130) : FRF 24 000 – PARIS, 6 avr. 1990 : *Algérie-Tunisie-Maroc, projet d'affiche pour la Transatlantique*, gche (34x25) : FRF 21 000 – PARIS, 22 juin 1990 : *Ancien palais des Beys du Bardo*, h/t (54,4x66) : FRF 15 000 – PARIS, 6 fév. 1991 : *La caravane*, h/pan. (84x84) : FRF 21 000 – PARIS, 28 mai 1991 : *Les nomades*, h/t (60x73) : FRF 15 000 – PARIS, 11 déc. 1991 : *Nomades dans le sud tunisien*, gche (70,5x51) : FRF 15 000 – PARIS, 23 juin 1993 : *Le flamenco*, h/t (61x46) : FRF 4 500 – PARIS, 29 mai 1996 : *Vaqueros*, h/t (54x65) : FRF 7 000.

THIL-SAINGERY Jeanne
Née le 9 février 1901 à Épernay (Marne). XXᵉ siècle. Française.

Peintre.
Elle exposé, à Paris, au Salon des Artistes Français à partir de 1922.

THILE Valten
XVIᵉ siècle. Travaillant à Leipzig en 1571. Allemand.
Peintre.
Il peignit des cartes à jouer.

THILL Germain. Voir **GERMAIN-THILL**

THILL Johann Carl von, ou **Jean Charles de** ou **Till**
Né le 20 janvier 1624 à Nuremberg. Mort le 7 décembre 1676 à Nuremberg. XVIIᵉ siècle. Allemand.
Peintre, dessinateur et graveur à l'eau-forte.
Élève de C. Rupert. Il a gravé des portraits et des vues.

THILL Philippe
Né en 1937 à Saint-Génis-Laval (Rhône). XXᵉ siècle. Français.
Sculpteur.
Il a étudié à l'École des Beaux-Arts de Marseille, ainsi qu'à l'École Nationale Supérieure des Beaux-Arts de Paris. Il obtint le Grand Prix de Rome de sculpture en 1963.
Il s'oriente dans le sens de la recherche d'une relation avec l'espace architectural. Toute son œuvre est faite en fonction de l'architecture. En 1967-1968, il construit à Toulon un groupe de sculptures fonctionnelles dans un ensemble immobilier : sculpture-fontaine, sculpture-lampadaire, sièges en béton. Il travaille l'acier, le béton, la terre cuite, les résines, les « plastiques » sous toutes leurs formes.

THILLARD Lucienne
XXᵉ siècle. Française.
Dessinateur. Abstrait.
Elle vit et travaille à Carcassonne. Elle a exposé des noir et blanc abstraits, au Salon des Réalités Nouvelles, de 1953 à 1955.

THILMANNUS de Are
XIVᵉ siècle. Allemand.
Enlumineur et calligraphe.
Il était actif à Cologne, vers 1324. Un manuscrit curieusement enluminé par lui est conservé dans la bibliothèque Saint-Bartholomé à Francfort-sur-le-Main : *Historia lombardica*.

THILO Gottfried August
Né le 7 mars 1766 à Löwen, en Silésie. Mort le 1ᵉʳ mars 1855 à Breslau. XVIIIᵉ-XIXᵉ siècles. Allemand.
Portraitiste, miniaturiste et graveur au burin.
Élève de Braband à Breslau et de l'Académie de Berlin. Le Musée Provincial de Breslau conserve de lui *Portrait de l'artiste, Frédéric-Guillaume II, Frédéric-Guillaume III, Le général von Taventzien*.

THIM. Voir aussi **THIEM, THYM** et **TIMM**

THIM Adriaen ou **Johann Adriaen**
Né le 11 octobre 1720 à Brême. Mort en 1783 à Brême. XVIIIᵉ siècle. Allemand.
Portraitiste.
Le Musée Focke de Brême possède de lui plusieurs portraits de personnalités de la ville de Brême.

THIM Cornelis, dit **Colonel Thim**
Né le 4 octobre 1755 à Rotterdam. Mort le 1ᵉʳ décembre 1813 à Utrecht. XVIIIᵉ-XIXᵉ siècles. Hollandais.
Dessinateur et peintre de marines et aquarelliste.
Il fut officier de marine en 1786. Le Musée de Bruxelles et l'Albertina de Vienne conservent des dessins de cet artiste.
VENTES PUBLIQUES : PARIS, 27 avr. 1927 : *Paysage maritime*, lav. de sépia : FRF 200 – PARIS, 13 mars 1931 : *Bateaux*, pl., reh. de sépia : FRF 350 – AMSTERDAM, 18 nov. 1980 : *Bateaux par forte mer* 1802, pl. et lav./craie noire (20,1x30,5) : NLG 3 400 – AMSTERDAM, 12 nov. 1996 : *Bateaux accalmiés* 1805, cr., encre brune et lav. gris (20,1x30,7) : NLG 6 844.

THIM Hermann Antoine Frédéric. Voir **TIMM**

THIM Johan ou **Timm**
Né vers 1615. Mort en juin 1674 à Copenhague. XVIIᵉ siècle. Danois.
Peintre de portraits.
On le connaît comme fils de Reinholdt Thim, ce qui semble impossible si l'on accepte leurs dates de naissances respectives. Il fut portraitiste à la cour de Copenhague.

THIM Johann Adriaen. Voir **THIM Adriaen**

THIM Moses
XVIIᵉ siècle. Allemand.

Peintre et graveur.
Il travailla à Wittenberg vers 1613, puis à Altenburg de 1613 à 1617. On mentionne de lui quelques gravures signées des initiales *M. T.* ou de son monogramme. Il grava d'après Johann Hauer.

THIM Reinholdt ou **Timm**
Né le 12 janvier 1639 à Sorö (?). XVIIᵉ siècle. Danois.
Peintre de scènes de genre, portraits.
Il est, peut-être par erreur, connu comme le père de Johan Thim. Il subit l'influence des maniéristes italiens.
VENTES PUBLIQUES : LONDRES, 9 juil. 1976 : *Musiciens dans un intérieur*, h/t (214,5x112) : **GBP 2 400**.

THIM Veit. Voir **THIEM**

THIMONNIER Bernard
XXᵉ siècle. Français.
Peintre, sculpteur.
Il a montré en 1996, à la galerie Christian Forestier, à Paris, une exposition personnelle de ses œuvres.
Les sculptures de Bernard Thimonnier articulent par superposition, deux formes coupées, taillées ou moulées, chacune de matière différente, orme et plomb, orme et terre. Le contraste de matières et de formes tend toutefois à s'effacer dans une simplicité presque brute.

THIOLAT Dominique
XXᵉ siècle. Français.
Peintre de figures, peintre de collages.
Il montre ses œuvres dans des expositions personnelles, parmi lesquelles : 1975, galerie Rencontres, Paris ; 1981, galerie Albrecht, Bolzano (Italie) ; 1982, galerie Daniel Templon, Paris ; 1982, 1984, 1986, galerie Jacques Girard, Toulouse ; 1987, galerie La Main, Bruxelles ; 1995, galerie Phal, Paris.
Vers 1975, Dominique Thiolat oriente sa peinture vers une abstraction radicale, se situant dans une relation à l'expressionnisme américain plus que par rapport à l'idéologie de Support-Surface avec les membres duquel il expose néanmoins collectivement. Le corps féminin lui sert de prétexte à peindre des fragments de formes et des courbes enchevêtrées aux couleurs chaudes et contrastées, avec ses deux mains, tel un corps à corps avec la toile. À partir des années quatre-vingt dix, la figure se fait de plus en plus perceptible et devient véritablement reconnaissable dans les œuvres de 1994. Toujours pourvues d'une « gestualité » ample, ses peintures et ses collages sont autant d'expériences existentielles qui en appellent à « visualiser » un nu emblématique. Mélomane averti, il peint également de grands pianos noirs.

THIOLET Pina
XIXᵉ siècle. Français.
Sculpteur.
Élève de Caudron. Débuta au Salon de 1861.

THIOLLET
XIXᵉ siècle. Français.
Peintre et graveur.
Il exposa au Salon de 1819 à 1831.

THIOLLET Alexandre
Né le 8 mai 1824 à Paris. Mort en 1895. XIXᵉ siècle. Français.
Peintre de scènes de genre, paysages, paysages d'eau, marines, peintre à la gouache, aquarelliste, dessinateur.
Il fut élève de Michel Drolling et de Tony Robert-Fleury. Il exposa au Salon de Paris, à partir de 1846, puis au Salon des Artistes Français.
MUSÉES : AUTUN (Mus. Rolin) : *Embouchure de la Seine à Honfleur* – BÉZIERS : *Bords de la Seine* – NIORT : *Plage à l'embouchure d'un fleuve* – TOURCOING : *Retour des moulières à Villerville*.
VENTES PUBLIQUES : PARIS, 30 mars 1898 : *Coq et poules* : **FRF 45** – PARIS, 22 mars 1944 : *Rue de village par la pluie* : **FRF 1 800** – PARIS, 7 nov. 1946 : *Pêcheuse à marée basse* : **FRF 1 000** – MARSEILLE, 8 mars 1949 : *Le Louvre et le bord de la Seine* 1869, aquar. gchée : **FRF 1 800** – PARIS, 2 juin 1989 : *Honfleur* 1870, h. et fus. (28x46) : **FRF 6 300**.

THIOLLIER Claude Emma
Née à Saint-Étienne (Loire). XXᵉ siècle. Française.
Sculpteur, médailleur et peintre.
Elle vécut et travailla à Paris. Elle exposa au Salon des Artistes

Français à partir de 1905. Elle obtint une mention en 1912, une médaille de bronze en 1937 à l'occasion de l'Exposition Internationale. Elle a aussi figuré au Salon des Indépendants à Paris.

THIOLLIER Éliane
Née le 5 juin 1926 à Saint-Germain-en-Laye (Yvelines). Morte durant l'été 1989 dans le Lot, accidentellement. XXᵉ siècle. Française.
Peintre de paysages, paysages animés.
Elle a étudié à l'École des Beaux-Arts de Paris. Elle fut Secrétaire générale du Salon de la Jeune Peinture de 1957 à 1964, date à laquelle elle démissionna pour cause de désaccord avec la politisation du Salon. Elle devint ensuite Secrétaire générale du Salon du Dessin et de la Peinture à l'eau.
Elle a exposé, à Paris, aux Salons des Indépendants, d'Automne, de la Société Nationale des Beaux-Arts, des Femmes peintres, Comparaisons, des Peintres Témoins de leur Temps, de la Marine, à la Biennale de l'Orangerie de Versailles.
Elle a montré ses œuvres dans des expositions personnelles, la première en 1952, à la galerie Suilleroit à Paris qui sera suivie d'autres en 1956, 1958 et 1960, puis à la galerie Vendôme en 1963 et Cardo-Matignon en 1969 et 1971. En 1985 et 1988, la galerie Denise Valtat à Paris a montré un ensemble de ses œuvres. Elle a obtenu en 1962 le prix du Salon international de Vichy et le prix de peinture taurine à Nîmes. Elle fut sélectionnée, en 1963, pour le prix de la Critique, galerie Saint-Placide à Paris.
Ses paysages, comme le note Mac-Avoy sont « vigoureux, construits » dans une palette reconnaissable aux nuances d'ocre, de gris, de rouges et de noirs. Elle a rapporté des impressions du Kenya, du Yucatan, de Thaïlande et de Camargue.
BIBLIOGR. : *Thiollier*, catalogue de l'exposition, galerie Denise Valtat, Paris, 1985 – Lydia Harambourg, in : *L'École de Paris 1945-1965. Diction. des Peintres*, Ides et Calendes, Neuchâtel, 1993.

THIOLLIERE Raymond
Né le 23 janvier 1881 à Roanne (Loire). Mort le 26 juillet 1929 à Saint-Leu-Taverny (Seine-et-Oise). XXᵉ siècle. Français.
Peintre de paysages, marines, portraits, natures mortes, graveur, illustrateur.
Il exposait, à Paris, au Salon des Indépendants. Il exécuta des illustrations de livres et fit des gravures pour des chansons anciennes. Aquafortiste, il gravait également sur bois.

THIONVILLE Jean
XVIIIᵉ siècle. Français.
Sculpteur et peintre (?).
Membre de l'Académie de Saint-Luc le 17 octobre 1753.

THIOUT Jacques
Né le 1ᵉʳ juillet 1913 à Martin-Église (Seine-Maritime). Mort le 6 août 1971 à Boulogne (Hauts-de-Seine). XXᵉ siècle. Français.
Peintre.
Il fut élève de l'École des Arts Appliqués à Paris, de 1929 à 1933, puis de l'École des Beaux-Arts dans l'Atelier de Lucien Simon.
Il a participé à de nombreux groupements, parmi lesquels : les Salons d'Automne, dont il était sociétaire, des Tuileries, Comparaisons, des Peintres Témoins de leur Temps, du Dessin et de la Peinture à l'eau, de la Nationale des Beaux-Arts, dont il était sociétaire, des Artistes Français, où il obtint une médaille d'or, des Indépendants, etc. Il obtint aussi des mentions aux Prix Hallmark, Eugène Carrière, etc.
Il a montré ses peintures dans plusieurs expositions personnelles, à Paris depuis 1948 ; à Toulouse en 1958, à New York en 1962.
Il pratique des techniques diverses : huile, aquarelle, fresque, vitrail. Son œuvre est très variée : portraits, nus, natures mortes, compositions murales. Il avait une facture preste, procédant par accents de lumière posés en clair-obscur sur des demi-teintes. Il a bénéficié de nombreux achats de l'État.
BIBLIOGR. : *Jacques Thiout*, Cailler, Genève, 1958.
MUSÉES : CAGNES-SUR-MER – MULHOUSE – RODEZ – SAINT-CLOUD – SAINT-DENIS : *Vue de la Place Furstemberg* 1941 – SCEAUX (Mus. de l'Île-de-France) – STRASBOURG.

THIRE Marie
Née à La Châtaigneraie (Vendée). XIXᵉ-XXᵉ siècles. Française.
Peintre, miniaturiste.
Elle a exposé, à Paris, au Salon des Artistes Français et au Salon de la Société Nationale des Beaux-Arts, à Douai, et à Tunis.

THIRIAR James
Né le 11 janvier 1889 à Bruxelles. Mort le 12 octobre 1965 à Bruxelles. XXᵉ siècle. Belge.

Peintre d'histoire, paysages, aquarelliste, dessinateur, illustrateur, caricaturiste, peintre de costumes de théâtre.

Il peignit des uniformes, des paysages d'Afrique et des scènes historiques.

BIBLIOGR. : In : *Dictionnaire biographique illustré des artistes en Belgique depuis 1830*, Arto, Bruxelles, 1987.

THIRIAT Henri
Né au XIXe siècle à Paris. XIXe siècle. Français.

Graveur sur bois.

Élève de Cosson et Burn Smeeton. Il débuta au Salon de 1874 ; médaille de troisième classe en 1877.

THIRIET Jean
XIXe-XXe siècles. Actif vers 1910. Français.

Dessinateur, illustrateur, affichiste.

Il a exécuté des affiches et des publicités pour différentes marques : les cycles Omega, l'absinthe Berthelot, La Belle Jardinière. Il est l'illustrateur de plusieurs ouvrages, dont : de Paul Adam, *Au Soleil de juillet*, Lafitte, 1913 ; *L'Enfant d'Austerlitz*, Lafitte, 1912 ; de Ernest Daudet, *Mlle de Fougères*, Juven, 1910 ; de François de Nion, *Les Façades* ; de Walter Scott, *Ivanhoé*. Il collabora dans le domaine de la presse au *Journal Rose*.

BIBLIOGR. : In : *Dictionnaire des illustrateurs 1800-1914*, Ides et Calendes, Neuchâtel, 1989.

THIRION Charles Victor
Né le 30 mars 1833 à Langres (Haute-Saône). Mort le 27 avril 1878 à Paris (?). XIXe siècle. Français.

Peintre de scènes de genre, graveur au burin.

Il fut élève de Bouguereau et de Gleyre. Il débuta au Salon de Paris, en 1861.

V. THIRION.

MUSÉES : LANGRES : *Après l'école* – LILLE : *Portrait d'enfant*.

VENTES PUBLIQUES : BRUXELLES, 15 mars 1978 : *Portrait de fillette* 1874, h/t (46x38) : **BEF 70 000** – FONTAINEBLEAU, 24 fév. 1980 : *Religieuse*, h/t : **FRF 13 000** – NEW YORK, 19 oct. 1984 : *Fillette à la fontaine* 1873, h/t (133,4x86,3) : **USD 12 000** – NEW YORK, 23 fév. 1989 : *La réprimande*, h/t (35,9x27,3) : **USD 5 500** – NEW YORK, 17 jan. 1990 : *La petite jardinière* 1873, h/t (55,9x45,5) : **USD 7 975** – NEW YORK, 28 fév. 1990 : *Jeune fille aux fleurs* 1877, h/t (76,2x114,2) : **USD 19 800** – NEW YORK, 23 oct. 1990 : *Au printemps* 1877 (104,1x77,5) : **USD 13 200** – AMSTERDAM, 5-6 nov. 1991 : *La petite bergère* 1878, h/t (137x75,5) : **NLG 14 950** – LONDRES, 17 mars 1995 : *La petite fille au panier de pommes*, h/t (117,5x75) : **GBP 12 075**.

THIRION Eugène Romain
Né le 19 mai 1839 à Paris. Mort le 19 janvier 1910 à Paris. XIXe-XXe siècles. Français.

Peintre d'histoire, sujets religieux, compositions mythologiques, scènes de genre, portraits.

Il fut élève de François-Édouard Picot et d'Alexandre Cabanel à l'École des Beaux-Arts de Paris. Il exposa au Salon de Paris, à partir de 1861, obtenant des médailles en 1866, 1868, 1869, ainsi qu'une médaille de deuxième classe en 1878, pour l'Exposition Universelle.

On cite de lui : *L'Histoire* réalisé pour l'Hôtel de Ville de Paris, *Homère Aveugle, Diogène*.

MUSÉES : ARRAS : *L'épave du Vengeur* – BORDEAUX (Mus. des Beaux-Arts) : *Saint Vincent martyr* – BOURGES : *Saint Paul ermite et saint Antoine* – CAEN : *Saint Séverin distribuant des aumônes* – LISIEUX : *Mort de Marie l'Égyptienne* – NANTES (Mus. des Beaux-Arts) : *L'Amour et Psyché* – PARIS (Mus. d'Orsay) : *Les nuits de Musset* – PERPIGNAN : *Le lévite d'Ephraïm maudissant Gabaa* – ROUEN (Mus. des Beaux-Arts) : *Œdipe et Antigone* – TOURNUS : *Homère dans l'île de Scyros* – TOURS : *Le corps de saint Sylvain martyr recueilli et conduit sur le Tibre dans une barque par un prêtre et trois saintes femmes* – *Judith rentrant à Béthulie avec la tête d'Holopherne*.

VENTES PUBLIQUES : PARIS, 1890 : *La Muse Euterpe* : **FRF 650** ; *Le poète et la source* : **FRF 1 000** – LONDRES, 18-20 avr. 1906 : *Le Déjeuner* : **GBP 125** – PARIS, 18 nov. 1910 : *Diogène* : **FRF 230** – PARIS, 4-5 déc. 1918 : *Diogène* : **FRF 500** – PARIS, 8 nov. 1974 : *Diogène* : **FRF 2 800** – PARIS, 20 oct. 1980 : *Rêve d'amour*, h/t (54x73) : **FRF 6 000** – PARIS, 7 déc. 1992 : *Le garde noir*, h/pan. (72x51) : **FRF 12 000**.

THIRION Jean
Né en 1783 près de Bruxelles. XIXe siècle. Belge.

Peintre.

Il alla à Paris et à Rome de 1803 à 1806.

THIRION Jean
Né à Paris. Mort en 1905. XIXe siècle. Français.

Peintre de genre.

Élève de Humbert. Mention honorable en 1903. Sociétaire des Artistes Français.

THIRION Victor. Voir **THIRION Charles Victor**

THIRIONET Mathieu
Né en 1860 à Namur. Mort en 1937 à Namur. XIXe-XXe siècles. Belge.

Peintre de paysages, aquarelliste, figures, portraits, décorateur.

Il fut élève de Portaels et de Stallaert à l'Académie des Beaux-Arts de Bruxelles. Il a principalement peint les paysages de la Meuse.

BIBLIOGR. : In : *Dictionnaire biographique illustré des artistes en Belgique depuis 1830*, Arto, Bruxelles, 1987.

THIRIOT Henri
Né en 1866 à Metz (Moselle). Mort en 1897 à Metz (Moselle). XIXe siècle. Français.

Sculpteur de portraits.

Élève de P. J. Cavelier et d'Aimé Millet. Il travailla à Paris et à Metz.

THIRIOT Pierre
Né le 20 juin 1904 à Étain (Meuse). XXe siècle. Français.

Peintre de figures, animalier, décorateur.

Il a exposé, à Paris, au Salon d'Automne et à Nancy. Il exécuta des peintures (décors et rideaux) pour les grands music-halls de Paris.

Pierre Thiriot

THIROUX Henri Victor
Né au XIXe siècle à Paris. XIXe siècle. Français.

Peintre.

Il figura au Salon des Artistes Français ; mention honorable en 1893.

THIRTLE John
Baptisé le 22 juin 1777 à Norwich. Mort le 30 septembre 1839 à Norwich. XIXe siècle. Britannique.

Peintre de portraits, paysages, aquarelliste, miniatures.

Cet artiste, qui épousa la sœur de J. S. Cotman, appartient à la brillante phalange que Old John Crome avait groupée autour de lui. Il prit part aux expositions de la société de Norwich ; en 1808, il exposa à la Royal Academy de Londres.

Il peignit des portraits et des paysages empruntés quelquefois au pays de Galles et aux bords de la Tamise.

MUSÉES : LONDRES (Victoria and Albert Mus.) : *London Bridge* – *Côté du quai, Norwich* – NORWICH : *Norwich vu de Mousehold*.

VENTES PUBLIQUES : LONDRES, 9 nov. 1976 : *Une femme à Hanworth*, aquar. (23,5x39,5) : **GBP 1 000** – LONDRES, 7 juil. 1977 : *Le bombardement de Fort Shinaas le 1er janvier 1800*, aquar. (33x51,5) : **GBP 7 000** – LONDRES, 19 juil 1979 : *Fye Bridge, Norwich*, aquar. et cr. (19x28) : **GBP 4 200** – LONDRES, 16 juil. 1981 : *Vue de Norwich* 1830, aquar./traces de cr. (40x72,5) : **GBP 4 000** – LONDRES, 17 nov. 1983 : *Duke's Palace bridge, Norwich*, lav. gris reh. de blanc/pap. bleu (26x38,5) : **GBP 950** – LONDRES, 10 juil. 1986 : *The tower of St. George's church, Norwich from Tombland*, aquar./traits cr. (23,5x17,5) : **GBP 1 500** – LONDRES, 9 avr. 1992 : *La Tour du Diable à Norwich*, aquar. (20,5x28,5) : **GBP 5 280**.

THIRY Leonard ou Diry, Leonardus Tyrius, Leonardo Fiamingo, Leo Daveat (ac Deventer), d'Averne, Daris, Davin, Deven
Né vers 1500 à Deventer. Mort vers 1550 à Anvers. XVIe siècle. Éc. flamande.

Peintre et graveur.
Il travailla à Fontainebleau à partir de 1535 avec Rosso et Primatice. Il a traité des sujets d'histoire, des scènes de genre et des paysages. Il participa à la décoration de la Galerie François Ier, puis, de 1537 à 1550, à la Porte Dorée. Il a donné de nombreux modèles aux graveurs, dont ceux de la *Légende de la Toison d'or* à Boyvin. Il a tout spécialement fourni des paysages qui furent ensuite gravés par le Maître connu sous les initiales L. D. et parfois confondu avec lui. Il s'ensuit également une confusion avec Leo Daris que l'on tente d'identifier avec le Maître L. D.

THIS Francesco ou Thisius
Né à Trente. XVIIe siècle. Actif dans la seconde moitié du XVIIe siècle. Italien.
Peintre.
Il peignit des sujets religieux.

THIS Joseph
XVIIIe siècle. Actif à Besançon entre 1781 et 1786. Français.
Peintre.

THISE Victor
Né en 1888 à Huy. XXe siècle. Belge.
Peintre de portraits, paysages.
Il a étudié à l'Académie des Beaux-Arts de Liège. Il obtint le prix A. Donnay en 1913.
BIBLIOGR. : In : *Dictionnaire biographique illustré des artistes en Belgique depuis 1830*, Arto, Bruxelles, 1987.

THISENS Robert
Né en 1921 à Liège. XXe siècle.
Peintre, céramiste, dessinateur. Tendance fantastique.
Il a étudié à l'Académie des Beaux-Arts de Liège.
MUSÉES : LIÈGE.

THISSEN Carolus Johannes
Né en 1807. XIXe siècle. Hollandais.
Peintre de genre.
Cité par miss Florence Levy.
VENTES PUBLIQUES : NEW YORK, 14-17 mars 1911 : *Bébé dormant* : USD 55.

THIVET Anne Catherine
XVIIIe siècle. Français.
Peintre.
Membre de l'Académie de Saint-Luc le 9 décembre 1749.

THIVET Antoine Auguste
Né en 1856 à Paris. Mort en 1927. XIXe-XXe siècles. Français.
Peintre de scènes de genre, nus, portraits.
Il eut pour maîtres Jean-Léon Gérôme, Millet, Adolphe Yvon, Louis Jules Étex. Il exposa au Salon de Paris, à partir de 1877, puis au Salon des Artistes Français. Il obtint une mention honorable en 1899.
VENTES PUBLIQUES : NEW YORK, 1er fév. 1906 : *Lucre* : USD 270 – PARIS, 4 oct. 1950 : *La lettre* : FRF 4 200 – NEW YORK, 12 nov. 1970 : *Nu à la cigarette* : USD 4 500 – NEW YORK, 15 fév. 1985 : *Le petit marchand des rues 1879*, h/t (116,8x87,9) : USD 10 000 – PARIS, 12 déc. 1990 : *Au jardin, lecture méditative*, h/t (41x32) : FRF 6 000 – LONDRES, 17 nov. 1993 : *Jeune femme en amazone*, h/pan. (40x32) : GBP 1 380 – LONDRES, 18 mars 1994 : *Un petit marchand oriental tenant une tortue 1879*, h/t (116,3x88,3) : GBP 13 800 – PARIS, 16 déc. 1996 : *Nature morte à la cythare*, h/t (95x73) : FRF 33 000.

THIVET Yvonne
Née en 1888. Morte en 1972. XXe siècle.
Peintre de scènes de genre, sujets typiques, peintre à la gouache. Orientaliste.
Au cours de la première moitié du XXe siècle elle parcourut les trois pays du maghreb et sa peinture témoigne des coutumes de ces pays. Elle appartient aux « peintres orientalistes-reporters » dans la lignée de Étienne Dinet.
VENTES PUBLIQUES : PARIS, 11 déc. 1942 : *Rue de Tunis* : FRF 350 – ENGHIEN-LES-BAINS, 28 avr. 1985 : *La halte des chameliers* h/t (81x116) : FRF 35 500 – PARIS, 22 juin 1990 : *La halte de la caravane*, h/t (82x100) : FRF 35 000 – POITIERS, 5 mai 1993 : *Les cavaliers berbères*, h/t (194x129) : FRF 49 000, 21 juin 1993 : *Rue de la casbah*, h/t (59x46) : FRF 5 500 – PARIS, 8 nov. 1993 : *Scène villageoise*, h/cart. (60x80) : FRF 12 000 – PARIS, 22 mars 1994 : *Le chargement du palanquin*, h/t (112x160) : FRF 46 000 – PARIS, 6 nov. 1995 : *Les touareg*, h/t (130x195) : FRF 100 000 – PARIS, 6 nov. 1995 : *Oujda*, h. et gche (37x28) : FRF 7 000 – PARIS, 18-19 mars 1996 : *Porteuse d'eau ; Porteuse d'eau à la fontaine*, h/t, une paire

(81x60) : FRF 40 000 – LE TOUQUET, 10 nov. 1996 : *Jeunes bergers berbères*, h/pan. (46x54) : FRF 13 000.

THIVIER Émile Louis
Né en 1858 à Paris. Mort en septembre 1922 aux « Cognées ». XIXe-XXe siècles. Français.
Peintre d'histoire.
Il fut élève de Lehmann et de Langée. Il débuta au Salon de 1880 à Paris. Il devint sociétaire des Artistes Français à partir de 1887, y obtenant une mention honorable en 1892, une médaille de troisième classe en 1896, une médaille de bronze en 1900 lors de l'Exposition universelle, une médaille de deuxième classe en 1901.
MUSÉES : ROUEN : *Les mercenaires au défilé de la Hache*.

THIVIER Eugène ou Siméon Eugène
Né le 11 octobre 1845 à Paris. Mort le 27 décembre 1920 à Paris. XIXe-XXe siècles. Français.
Sculpteur.
Il fut élève de Dumont, Loison et V. Dubray. Il débuta au Salon de 1865 à Paris. Il devint sociétaire des Artistes Français à partir de 1887, où il obtint une mention honorable en 1887, une médaille de troisième classe en 1892, une médaille de bronze en 1900 lors de l'Exposition universelle.
MUSÉES : ORLÉANS : *Amphitrite* – PONT-DE-VAUX : *Fantôme* – ROUEN : *La Fortune* – *L'Amour*.

THO
Né en Chine. XXe siècle. Actif en France. Chinois.
Peintre.
On a surtout remarqué ses laques exposées au Salon des Indépendants à Paris.

THOAS
Originaire de Sido. IIe-Ier siècles avant J.-C. Antiquité grecque.
Sculpteur.
Peut-être à rapprocher de Heracleitos de Thoas ? Il travailla sur l'Acropole de Lindos.

THOBENZ Johann Georg. Voir TOBENZ

THOENER Charles H.
Né en 1844. Mort le 22 mai 1924 à Yonkers. XIXe-XXe siècles. Américain.
Peintre de paysages.

THOENERT Medardus ou Martin Medardus
Né le 17 août 1754 à Leipzig. Mort le 21 mars 1814 à Leipzig. XVIIIe-XIXe siècles. Allemand.
Graveur au burin.
Élève de Bause d'Œser à Leipzig. Il grava des illustrations de livres scientifiques, des portraits, des vignettes et des paysages.

THOENY Wilhelm. Voir THÖNY

T'HOFF. Voir HOFF Izaak Van T' et Adriaan Van T'

THOGNIACHI Ambrosio ou Tognacchi
Né probablement à Roveredo (Tessin). XVIIIe siècle. Actif dans la première moitié du XVIIIe siècle. Suisse.
Stucateur.
Il exécuta des stucatures dans le couvent d'Ottobeuren, en 1724.

THOINET Benoît
Né au XIXe siècle à Haute-Rivoire (Rhône). XIXe siècle. Français.
Sculpteur.
Il figura au Salon des Artistes Français ; médaille de troisième classe en 1831.

THOINIAS
Né à Sicyone. IIIe siècle avant J.-C. Actif dans la seconde moitié du IIIe siècle avant Jésus-Christ. Antiquité grecque.
Sculpteur.
Il sculpta entre 221 et 216 la statue du roi Philippe de Macédoine ; il exécuta aussi des statues de vainqueurs aux Jeux Olympiques et de poètes.

THOIRY Jean de. Voir THURY

THOL Hendrik Otto Van
Né le 28 décembre 1859 à La Haye. Mort le 4 juillet 1902 à La Haye. XIXe siècle. Hollandais.
Peintre de paysages animés, paysages, paysages d'eau, lithographe.
Destiné d'abord à la lithographie, il reçut de Holswilder, le dessinateur bien connu, le conseil de faire de la peinture. L'amateur

d'art, Alaa appuyé par des artistes tels que Van de Sande Bakuyzen et W. Maris, parvint à décider les parents de l'artiste à placer leur fils à l'académie de dessin. Mais comme Hendrik Thol éprouvait le grand désir de peindre d'après nature, il s'improvisa un atelier dans une charmille abandonnée d'une maison de campagne de Rijswyk. Il devint membre de Pulcari en 1887 et reçut cette même année et en 1892 et 1893 des subsides royaux. Après son mariage avec Aletta Ruysch il travailla à Elspeet. À partir de 1895, il étudia les effets d'hiver.

Musées : La Haye (Mus. comm.) : *À travers la neige.*

Ventes Publiques : Amsterdam, 24 avr. 1991 : *Un canon dans les bois en hiver,* h/t (122x165) : **NLG 9 200** – Amsterdam, 21 avr. 1993 : *Vue du port d'amarrage à Amersfoort,* h/t (38,5x78) : **NLG 2 990** – Amsterdam, 16 avr. 1996 : *Une femme dans un paysage d'hiver,* h/pan. (19x24) : **NLG 1 298.**

THOL RUYSCH Aletta Van, Mme. Voir RUYSCH

THOLA Anton
XIXᵉ siècle. Actif à Prague au milieu du XIXᵉ siècle. Autrichien.
Peintre de genre.
Élève de Chr. Ruben.

THOLA Benedikt ou Tola
Originaire de Brixen. Mort le 1ᵉʳ février 1572. XVIᵉ siècle. Allemand.
Miniaturiste et musicien.
Il travailla au service des électeurs de Saxe (1550-1560) et peignit leurs portraits dans un psautier conservé à la Bibliothèque royale de Dresde. On connaît également de lui une *Résurrection de Lazare.*

THOLA Gabriel de ou Tola
Né à Reggio (?). Mort en 1569 ? XVIᵉ siècle. Allemand.
Miniaturiste et musicien.
Frère de Benedikt Thola, il fut, comme lui, employé par les électeurs de Saxe. Certaines œuvres des deux artistes se trouvaient à Dresde dans la Frauenkirche.

THOLANCE, les frères
XVIIIᵉ siècle. Actifs au Puy vers 1790. Français.
Sculpteurs.
Le Musée du Puy conserve d'eux deux bustes en plâtre.

THOLANDER August ou Carl August
Né le 16 juillet 1835 à Kristianstad. Mort le 19 octobre 1910. XIXᵉ-XXᵉ siècles. Suédois.
Peintre.
Il fut élève des académies de Stockholm et de Copenhague. Il fut professeur de dessin à Moscou pendant trente-deux ans.

THOLEDO. Voir TOLEDO

THOLEN Margo J.
Née en 1870 à Kampen. Morte le 19 juin 1911 à Apeldoorn (?). XIXᵉ-XXᵉ siècles. Hollandaise.
Peintre de paysages, natures mortes.
Fille de P. H. H. Tholen. Elle fut élève de P. J. C. Gabriel et de J. Voerman.
Musées : La Haye (Mus. mun.) : trois peintures.
Ventes Publiques : Amsterdam, 14 juin 1994 : *Paysans dans un champ de tulipes avec des bâtiments de ferme au fond,* h/t (24,5x30,5) : **NLG 1 035.**

THOLEN P. H. H.
Né en 1831 à Bodegraven. Mort le 8 décembre 1913 à Apeldoorn. XIXᵉ-XXᵉ siècles. Hollandais.
Peintre de natures mortes.
Père de Margo J. et de Willem Bastiaan Tholen. Il fut élève de H. J. Hein à Kampen.
Musées : La Haye (Mus. mun.).

THOLEN Willem Bastiaan
Né le 13 février 1860 à Amsterdam. Mort le 5 décembre 1931 à La Haye. XIXᵉ-XXᵉ siècles. Hollandais.
Peintre de compositions à personnages, portraits, animaux, paysages, graveur.
Il fut élève de P. J. C. Gabriel. Il habita Scheveningen et participa aux expositions de Paris. Il obtint une médaille de bronze en 1889 lors de l'Exposition universelle de Paris.

W· Tholen

Musées : Alkmaar (Mus. mun.) : *Vue du port de commerce –* Amsterdam (Mus. mun.) : *Le port d'Enkhuizen –* Dordrecht : *Paysage à Giethorn –* Gand : *Automne –* La Haye (Mus. mun.) : *Hiver*

dans le bois de La Haye – *La mère de l'artiste –* J. M. et W. Maris – *Portrait de A. Ch. A. Plasschaert –* Patineurs – *Le nivellement de la dune –* Le Zuidersee – *Boucherie –* deux aquarelles – Montréal : *Dunes de sable à Scheveningen –* Maisons – Montréal (Learmont) : *Bois près d'Utrecht –* Près d'Utrecht – Munich : *Sablière dans les dunes –* Rotterdam (Mus. Boymans) : *Après la pluie –* Utrecht (Mus. Central) : *Paysage du Zuidersee.*

Ventes Publiques : New York, fév. 1902 : *Chapelle :* **USD 85** – New York, 11 mars 1909 : *Temps gris sur le canal :* **USD 145** – Londres, 30 mai 1924 : *Chargement des bateaux,* dess. : **GBP 30** – Londres, 18 mai 1951 : *Petits chats jouant :* **GBP 68** – Amsterdam, 27 avr. 1976 : *Voilier sur la Zuidersee,* h/t (43x62) : **NLG 39 000** – Amsterdam, 26 avr. 1977 : *Paysanne et enfant,* h/t (51,5x78) : **NLG 16 000** – Amsterdam, 31 oct 1979 : *Canal à Scheveningen,* h/t (44,5x33,5) : **NLG 10 500** – Amsterdam, 19 mai 1981 : *Les Dunes,* h/t (26x46) : **NLG 4 400** – Amsterdam, 15 mars 1983 : *Paysage fluvial 1896,* h/t (41x64) : **NLG 13 500** – Amsterdam, 10 fév. 1988 : *Paysage de polder avec une ferme au bord de l'eau,* h/t (19x26,5) : **NLG 1 380** – Amsterdam, 30 août 1988 : *Vagues,* h/t (31x50) : **NLG 1 380** – Paris, 13 avr. 1989 : *Rue de village 1895,* aquar. (40x32) : **FRF 50 000** – Amsterdam, 19 sep. 1989 : *Village au bord du canal,* h/t/pan. (31,5x46) : **NLG 2 070** – Amsterdam, 30 oct. 1990 : *Circulation dans une rue de village,* h/t/pan. (33,5x30,5) : **NLG 2 530** – Amsterdam, 6 nov. 1990 : *Sentier dans un paysage boisé 1894,* h/t (31x54) : **NLG 4 600** – Amsterdam, 5-6 fév. 1991 : *Dunes sous un ciel d'orage,* h/t/pan. (38,5x46,5) : **NLG 1 610** – Amsterdam, 23 avr. 1991 : *Un chien gardant une porte 1896,* h/t (68,5x58,5) : **NLG 10 350** – Amsterdam, 24 avr. 1991 : *Embarcation par temps calme,* h/t (77x103) : **NLG 9 200** – Amsterdam, 17 sep. 1991 : *Vue de la tour Kampveersche à Veere 1908,* h/t (28x43) : **NLG 6 325** – Amsterdam, 30 oct. 1991 : *La jetée d'Enkhuisen avec des voiliers amarrés et des pêcheurs flânant sur le quai 1901,* h/t (64x93,5) : **NLG 43 700** – Amsterdam, 14-15 avr. 1992 : *Hommes halant une barque le long d'un canal,* h/t (46x51) : **NLG 33 350** – New York, 30 oct. 1992 : *Midi dans une rue animée 1894,* h/t (58,4x36,8) : **USD 13 200** – Amsterdam, 2-3 nov. 1992 : *Enfants dans une ruelle,* aquar. (43,5x28) : **NLG 12 650** – Amsterdam, 20 avr. 1993 : *Enfants et poulets dans une clairière,* h/t (36x106) : **NLG 32 200** – Amsterdam, 8 nov. 1994 : *Enfants jouant devant une maison à la campagne,* h/t (58x61) : **NLG 26 450** – Amsterdam, 18 juin 1996 : *Portrait d'une petite fille,* h/pan. (40x32) : **NLG 6 325** – Amsterdam, 19-20 fév. 1997 : *Chien blanc sur un pouf 1895,* h/t (70x60,5) : **NLG 34 596.**

THOLENAAR Theodore Ludwig
Né à Breda. XIXᵉ siècle. Naturalisé Français, au XIXᵉ siècle. Hollandais.
Sculpteur.
Il figura au Salon des Artistes Français ; mention honorable en 1890.

THOLER Raymond
Né le 19 novembre 1859 à Paris. XIXᵉ siècle. Français.
Peintre de natures mortes, fleurs.
Il fut élève de Bergeret. Il figura au Salon de Paris, à partir de 1877, puis Salon des Artistes Français ; obtenant une mention honorable en 1882, une autre en 1889, pour l'Exposition Universelle.
Musées : Niort : *Nature morte.*
Ventes Publiques : Paris, 1884 : *Fruits et accessoires :* **FRF 140** – Paris, 7 fév. 1891 : *Pêches et prunes :* **FRF 150** – Paris, 15-16 juin 1923 : *Pêches et cerises :* **FRF 95** – New York, 2 avr. 1976 : *Nature morte,* h/t (60x79) : **USD 550** – Berne, 26 oct. 1988 : *Nature morte avec des poires et du raisin près d'un verre,* h/t (46x55) : **CHF 3 400** – Berne, 12 mai 1990 : *Nature morte avec une corbeille de cerises,* h/t (27x35) : **CHF 2 500.**

THOLIN Olof
XVIIᵉ-XVIIIᵉ siècles. Actif à Lidköping. Suédois.
Sculpteur.
Il sculpta un autel et des fonts baptismaux pour l'église de Rada.

THOLLOT Benoît
Né le 1ᵉʳ novembre 1817 à Lyon (Rhône). XIXᵉ siècle. Français.
Peintre de genre et portraitiste.
Élève de Picot. Il exposa au Salon de 1848 à 1876.

THOLSON W.
XIXᵉ siècle. Actif à Londres. Britannique.
Miniaturiste.
Il exposa une miniature à la Royal Academy en 1810.

THOM F. E.
Peintre de paysages.
Le Musée de Montréal conserve un paysage de lui.

THOM James
Né en 1802 à Dumfries. Mort le 17 avril 1850 à New York. XIXe siècle. Britannique.
Sculpteur.
Il fut d'abord tailleur de pierre. Ses facultés artistiques s'étant manifestées dans des ébauches intéressantes, il se décida à aller tenter la fortune à Londres. Il sculpta le monument de Burns à Ayr.

THOM James C. ou **John**
Né vers 1785 à Édimbourg. XIXe siècle. Britannique.
Peintre de genre.
Il étudia à Édimbourg et à Londres où il s'établit. En 1815 il exposa deux œuvres à la British Institution. M. Sartor, dans son remarquable catalogue du Musée de Reims donne à James Thom un tableau signé J. C. Thom, représentant des *Enfants dans un bois* ; cette œuvre nous paraît être de James Crawford Thom (voir ce nom) qui, lui, signe bien *J. C. Thom*, alors que James Thom, dans tous les catalogues d'expositions anglaises et dans les dictionnaires où nous avons trouvé son nom, y figure avec le seul prénom de James, sauf dans le *Dictionary of artists of the British school* où Redgrave, généralement si bien informé, lui donne le prénom de John.

THOM James Crawford
Né entre 1835 et 1842 à Newark (New Jersey). Mort le 16 février 1898 à Atlantic Highlands. XIXe siècle. Américain.
Peintre de scènes de genre, animaux, paysages animés, natures mortes.
Fils du sculpteur écossais James Thom, il fut élève d'Edward Frère à Paris. Il travailla en Angleterre et aux États-Unis, exposant à Londres, notamment à la Royal Academy et à Suffolk Street, à partir de 1864. Il prit part également aux expositions de la National Academy de New York, et à l'Exposition de Boston en 1878.
VENTES PUBLIQUES : NEW YORK, 16 oct. 1908 : *Pauvre âme* : USD 50 – LONDRES, 4 juin 1909 : *Le retour du troupeau* 1864 : GBP 3 ; *Confection du pâté* : GBP 9 – LONDRES, 26 nov. 1910 : *Tirant l'aiguille* : GBP 8 – NEW YORK, 9-10 mars 1911 : *Tard, le soir* : USD 60 – NEW YORK, 21 juin 1979 : *Le bain de bébé* 1868, h/pan. (42x66) : USD 2 300 – NEW YORK, 1er mars 1984 : *Personnage dans un paysage fluvial boisé*, h/t (38,1x61) : USD 1 500 – NEW YORK, 31 jan. 1985 : *La bataille de boules de neige*, h/pan. (49,5x91,4) : USD 3 100 – NEW YORK, 14 fév. 1990 : *Mer agitée*, h/cart. (35,6x60,9) : USD 1 870 – NEW YORK, 17 déc. 1990 : *Enfants rassemblant des fagots* 1862, h/pan. (38,2x58,4) : USD 4 125 – NEW YORK, 14 nov. 1991 : *Roses blanches et roses*, h/cart. (30,5x24,2) : USD 2 420 – NEW YORK, 9 sep. 1993 : *Lecture d'une lettre aux enfants*, h/t (50,8x76,2) : USD 3 163 – NEW YORK, 15 nov. 1993 : *Enfants et canards dans un paysage*, h/t (26,7x48,2) : USD 575 – NEW YORK, 31 mars 1994 : *Cueillette de fleurs* 1884, h/t (30,5x40,6) : USD 2 530 – NEW YORK, 28 nov. 1995 : *Jeux dans une barque*, h/t (45,8x76,7) : USD 2 990 – NEW YORK, 21 mai 1996 : *La cueillette des pommes à Leonards orchard dans le New Jersey*, h/pan. (29x61) : USD 2 760.

THOMA Cella, née **Berteneder**
Née le 14 avril 1858 à Munich. Morte le 23 novembre 1901 à Constance. XIXe siècle. Allemande.
Peintre de natures mortes.
Femme et élève de Hans Thoma. La Kunsthalle de Karlsruhe possède d'elle *Roses*, *Troncs de bouleaux*, *Anémones*, et le Musée de Francfort, *Panier à anses*.

THOMA Emil
Né le 26 avril 1869 à Zurich. XIXe-XXe siècles. Suisse.
Peintre de paysages, portraits.
MUSÉES : CONSTANCE : *Portrait de jeune homme*.
VENTES PUBLIQUES : PARIS, 20 nov. 1989 : *Paysage des environs de Munich* 1906, h/cart. (45x59) : FRF 18 000.

THOMA Hans
Né le 2 octobre 1839 à Bernau (Duché de Bade). Mort le 7 novembre 1924 à Karlsruhe (Bade-Wurtemberg). XIXe-XXe siècles. Allemand.
Peintre d'histoire, sujets religieux, scènes de genre, nus, portraits, paysages, peintre à la gouache, aquarelliste, graveur. Réaliste, symboliste.
Fils d'un meunier, il avait appris les premiers rudiments de peinture d'un peintre d'horloges, il montra dès son jeune âge des dispositions très nettes pour l'art, et le grand-duc de Bade qui s'in-

téressait à l'enfant issu d'une très modeste famille lui assura une pension lui permettant de faire les études artistiques nécessaires. D'abord lithographe, il fut élève de Schirmer à Karlsruhe, puis travailla à Düsseldorf et enfin à Paris où il fut élève de Courbet en 1868. Il s'installa à Munich deux années plus tard où il se lia d'amitié avec Wilhelm Leibl, Arnold Böcklin et Wilhelm Trübner. Il visita l'Italie en 1874, se fixa à Francfort en 1876. Président de l'Association artistique de Francfort, il fut nommé en 1899 directeur du Musée et de l'Académie de Karlsruhe où il a également enseigné, et, en 1890, membre honoraire de l'Académie des Beaux-Arts de Munich. Il obtint une médaille à Munich en 1891 et à Berlin en 1892.
Il est l'auteur et l'illustrateur de plusieurs ouvrages, dont : *Abc-Bilderbuch*, Scholz, 1905 ; *Der Landschaftsmaler*, Scholz, 1904 ; *Malbuch mit Landschaften*, Scholz, 1906 ; *Thode Federspiele*, Keller, 1900.
Hans Thoma s'impose comme un des maîtres les plus originaux de l'école allemande de la deuxième moitié du XIXe siècle. Il s'oppose absolument à l'art de Böcklin. Son naturalisme calme et tranquille est l'expression d'un tempérament rêveur, un contemplateur paisible où l'imagination est laissée au repos, et se plaît dans un horizon très limité. Ses premières années qui se passèrent dans les forêts imprimèrent sur son esprit de puissantes sensations qui devaient s'extérioriser par la suite. L'influence de Courbet se fait nettement sentir dans ses œuvres. Il reste malgré cela absolument personnel ; il ne se libéra pourtant qu'assez lentement de disciplines un peu étroites bien que ses premières peintures soient déjà vigoureuses de facture. Au début, fortement discuté, c'est seulement vers la cinquantaine qu'ayant exposé en 1889 un important ensemble à Munich, il fut classé comme un peintre de valeur. Sa réputation ne fit que s'accroître par la suite et l'on sait la place très importante réservée à ses œuvres dans les musées allemands. La part de son œuvre où il a sacrifié au goût germanique pour la mythologie, n'est pas le mieux venue.

BIBLIOGR. : Marcel Brion : *La peinture allemande*, Tisné, Paris, 1959 – in : *Les Muses*, Grange Batelière, Paris, 1974 – in : *Dictionnaire universel de la peinture*, Le Robert, Paris, 1975 – in : *Dictionnaire des illustrateurs 1800-1914*, Ides et Calendes, Neuchâtel, 1989 – Josef August Beringer : *Hans Thoma. Radierungen. Vollständiges Verzeichnis*, Munich, 1923, Alan Wofsy Fine Arts, San Francisco, 1990-91.
MUSÉES : BÂLE : *Bernau – Vallée d'Albe près de Saint-Blaise* – BAUTZEN : *Le Christ – Automne* – BERLIN : *Saint avec animaux – Archers – Saint Georges – Le Rhin près de Sackingen – Paysage de Forêt Noire avec des Archers – Chute du Rhin* – BRESLAU, nom all. de Wroclaw : *Factionnaire à l'entrée du jardin d'amour – Anges – Dame dans un parc* – CHEMNITZ (Mus. mun.) : *L'ange gardien* – COLOGNE : *Plaisirs d'été* – CONSTANCE : aquarelle – DARMSTADT (Mus. prov.) : *Paysage* – DESSAU (Gal. mun.) : *Paysage près de La Spezia* – DRESDE (Gal. Mod.) : *Laufenbourg-sur-le-Rhin – Pâturage dans la forêt – L'artiste – L'idylle printanière* – ESSEN : *Vallée tranquille – La mère et la sœur de l'artiste – Archers* – FRANCFORT-SUR-LE-MAIN (Inst. Staedel) : *Vallée – Ève au paradis – L'artiste* – FRIBOURG (Mus. mun.) : *Vue paisible* – HAMBOURG (Kunsthalle) : *Le cousin de l'artiste – Le poète Martin Greif – Prairie dans la forêt – Saint Christophe – Début du printemps – La maison paternelle – La mère et l'oncle de l'artiste – L'artiste et sa femme – Vue de Kronberg – Chèvres à l'étable – Chat* – HANOVRE : *Chant dans la verdure – Mère et enfant – Le voyageur dans la Forêt Noire* – HEIDELBERG : *Maison de la Forêt Noire* – KARLSRUHE (Kunsthalle) : *Pierres dans l'herbe – Pierres au bord du chemin – Vue à travers des arbres et des branches – Tronc d'arbre servant de fontaine – Rochers avec un petit sapin – Hêtre au bord de la forêt – Vue sur les rochers et des montagnes – Coin d'une pièce de ferme – Sapins au bord du ruisseau – Ruisseau avec grands rochers – Pré traversé par un ruisseau – Saules au bord du ruisseau – Champ de blé avec des arbres – Cascade – Herbes entre des rochers – Arbre en automne et paysage – Rochers avec une jeune fille – Vieux tronc d'arbre – Rocher au bord de la forêt – Le feu dans l'âtre – Rochers entourés de sapins – Intérieur de la forêt avec deux souches d'arbre – Bœuf dans la forêt – Prairie avec une maison – Ruisseau traversant une prairie et un arbre – Entrée*

d'une maison dans la Forêt Noire – La palissade et la poule – Jardin aux choux et coin de la maison – Champ de blé avec un petit garçon – Chemin avec rochers et un homme se reposant – Jeune fille sur la véranda – Tronc d'arbre avec un enfant debout – Intérieur de la forêt avec un enfant lisant – Jardin avec arrosoirs et râteau – Tête de nègre – Paysage avec chevaux au pâturage – KASSEL : aquarelle – KIEL (Kunsthalle) : *Les sœurs de l'artiste* – KREFELD : *Luna et Endymion – Le calme avant l'orage –* LEIPZIG (Mus. des Beaux-Arts) : *Paysage du Mein – Allégorie –* MAGDEBOURG : *Fond de vallée – Luna et Endymion – Tulipes – La colline des sorcières près de Bernau –* MANNHEIM (Kunsthalle) : *Portrait d'une femme – La Villa Borghese – Troupeau de chèvres – Paysage avec nuage – Troupeau dans la campagne romaine – Paysage italien –* MUNICH (Nouvelle Pina.) : *Paysage de prairies – Portrait d'Adolf Bayersdorfer – Otto Fröhlicher – Paysage au bord du Main – Paysage du Taunus – Portrait d'une femme – Souvenirs d'Ombrie – La solitude –* NEW YORK (Metropolitan Mus.) : *Crépuscule du soir – Le Lac de Garde –* NUREMBERG (Mus. mun.) : *Devant la ferme – En mars – Motif de la campagne romaine – Portrait de M. Gerlach – Pente d'une prairie et ruisseau –* POSEN : *Paysage avec Orphée –* PRAGUE (Gal. Nat.) : *A l'abreuvoir –* STETTIN (Mus. mun.) : *La fenaison – Cascade avec enfants se baignant – Bouquet de fleurs – Pêcheur au bord du Rhin – Paysage du Rhin –* STOCKHOLM : *Paysage de la Forêt Noire –* STUTTGART (Gal. Nat.) : *Allégorie de la Musique – Paysage – Nymphe à la source –* TROPPAU : *Pièce d'eau –* ULM : *Le Rhin près de Säckingen –* VIENNE (Gal. du XIXᵉ siècle) : *Orage – Paysage au bord du Main – Sœur Agathe avec des fleurs –* VIENNE (Gal. Liechtenstein) : *Tête de jeune fille –* WIESBADEN (Gal. mun.) : *Enfants avec des poules – En labourant –* WUPPERTAL (Mus. mun.) : *Jeune homme auprès de la source –* ZURICH (Mus. des Beaux-Arts) : *La Tentation du Christ 1892.*

VENTES PUBLIQUES : PARIS, 18 mars 1897 : *Le flux et le reflux :* **FRF 4 187** – COLOGNE, 1899 : *Oliviers à Tivoli :* **FRF 7 937** ; *Un chevalier du Graal, dans un paysage, au bord d'un lac :* **FRF 18 763** ; *Dieu marin :* **FRF 10 563** – COLOGNE, 12 déc. 1934 : *Le Pommier :* **DEM 3 000** – STUTTGART, 26 oct. 1949 : *Berger jouant de la flûte 1880, aquar. gchée :* **DEM 1 750** – LUCERNE, 17 juin 1950 : *Paysage de montagne :* **CHF 1 500** – COLOGNE, 2-6 nov. 1961 : *Prairie au printemps avec enfants :* **DEM 34 000** – MUNICH, 15-16 oct. 1964 : *Jeune femme tenant son livre de prière, aquar. :* **DEM 7 000** – COLOGNE, 18 nov. 1965 : *Paysage suisse le soir :* **DEM 3 800** – HAMBOURG, 4 juin 1970 : *Paysage, gche :* **DEM 7 500** – COLOGNE, 26 nov. 1970 : *Paysage et eau :* **DEM 20 000** – MUNICH, 1ᵉʳ juin 1973 : *Paysage de neige :* **DEM 42 000** – LUCERNE, 16 nov. 1974 : *Paysage boisé :* **CHF 24 000** – MUNICH, 29 mai 1976 : *Wotan vers 1915, h/cart. (45,5x34) :* **DEM 2 300** – LONDRES, 30 nov. 1977 : *La Source 1895, h/t (111x86) :* **GBP 15 000** – MUNICH, 29 nov 1979 : *Troupeau dans un paysage 1898, craie (37,5x50) :* **DEM 2 100** – ZURICH, 24 oct 1979 : *Paysage 1911, h/t (100x120) :* **CHF 82 000** – MUNICH, 31 mai 1980 : *Vue de Kandersteg 1917, eau-forte :* **DEM 1 350** – ZURICH, 27 mai 1982 : *La ronde 1884, h/cart. (154x113) :* **CHF 170 000** – BRÊME, 19 mars 1983 : *Der Mondscheingeiger, litho. en coul. (37x46) :* **DEM 3 000** – HEIDELBERG, 23 avr. 1983 : *Pêcheur à la ligne au bord d'une rivière 1892, pl./traits cr. (14,5x18,2) :* **DEM 3 800** – COLOGNE, 25 nov. 1983 : *Paysage du Rhin 1885, h/cart. (63x75) :* **DEM 37 000** – HAMBOURG, 8 juin 1985 : *Schönenberg 1903, dess. au fus. reh. de blanc et aquar. (37,4x54,2) :* **DEM 3 200** – LUCERNE, 23 mai 1985 : *Femme et enfant dans un paysage champêtre 1885, h/t (51x61) :* **CHF 42 000** – HAMBOURG, 10 juin 1986 : *Le Pommier 1899, cr. et craie coul. (44,7x58,9) :* **DEM 2 200** – LONDRES, 28 nov. 1986 : *Apollon et Marsyas 1888, h/t (98,4x72) :* **GBP 25 000** – MUNICH, 11 mars 1987 : *Paysage de la Forêt Noire 1867, h/t (42x52) :* **DEM 60 000** – HEIDELBERG, 14 oct. 1988 : *Tendresse maternelle 1886, h/cart. (44x55) :* **DEM 25 000** – MUNICH, 10 mai 1989 : *Repos pendant la fuite 1882, h/t (110x87) :* **DEM 33 000** – MUNICH, 29 nov. 1989 : *Un vagabond dans un paysage montagneux, encre et h. avec reh. de gche blanche (43x28) :* **DEM 6 600** – MUNICH, 14 jan. 1990 : *Nymphes sur une plage, gche/pap. (34,4x30,5) :* **USD 2 200** – COLOGNE, 23 mars 1990 : *La Maison des horlogers à Berne, aquar. (20x18) :* **DEM 9 500** – MUNICH, 31 mai 1990 : *La source 1895, h/t (111x86) :* **DEM 187 000** – MUNICH, 12 déc. 1990 : *Allégorie du Printemps 1898, h/t (125x75) :* **DEM 165 000** – MUNICH, 12 juin 1991 : *Portrait de Cella Thoma, la femme de l'artiste 1892, h/cart. (68x57) :* **DEM 18 700** – HEIDELBERG, 12 oct. 1991 : *Nu allongé sur les rochers au bord de la mer 1891, aquar. et craies de coul. (23x31) :* **DEM 3 500** – MUNICH, 26-27 nov. 1991 : *Les filles de la mer 1897, aquar. et cr. (36,5x44) :* **DEM 1 150** – NEW YORK, 28 mai 1992 : *La*

Moisson 1878, h/t (88,9x120,7) : **USD 3 300** – MUNICH, 26 mai 1992 : *Chiots attendant leur pâtée 1885, h/t (62x74) :* **DEM 9 430** – MUNICH, 10 déc. 1992 : *Promenade dans une prairie en été 1909, h/t (99x113,5) :* **DEM 39 550** – MUNICH, 7 déc. 1993 : *L'Été, h/t (99x131) :* **DEM 114 600** – NEW YORK, 19 jan. 1994 : *Sentinelle en armure 1890, gche et encre/cart. (49,5x38,1) :* **USD 1 955** – MUNICH, 6 déc. 1994 : *Cerisiers en fleurs près de Gardone 1897, h/pap. (78,5x68,5) :* **DEM 92 000** – VIENNE, 29-30 oct. 1996 : *Nuages d'été 1915, h/pan. (91x62) :* **ATS 230 000** – LONDRES, 13 juin 1997 : *Paysage de printemps en Italie 1905, h/t (151x131) :* **GBP 20 700**.

THOMA Hans Jakob. Voir **DOMMA**

THOMA Hieronymus
XVIᵉ siècle. Actif dans la seconde moitié du XVIᵉ siècle. Allemand.
Stucateur.
Il exécuta des stucatures dans l'église Saint-Michel de Munich en 1589.

THOMA J. A.
XVIIIᵉ siècle. Actif à Stolberg (?). Allemand.
Peintre.
Il peignit des portraits.

THOMA Johann Jakob
Mort en 1655. XVIIᵉ siècle. Actif à Eichstätt. Allemand.
Peintre.

THOMA Josef
Né en 1800 à Vienne. XIXᵉ siècle. Autrichien.
Peintre.
Père de Josef T.

VENTES PUBLIQUES : NEW YORK, 7 mai 1909 : *Dans les Alpes :* USD 75 – PARIS, 21 jan. 1924 : *Les hauteurs à Hintersee en Bavière :* FRF 260.

THOMA Josef
Né le 28 septembre 1828 à Vienne. Mort le 15 décembre 1899 à Vienne. XIXᵉ siècle. Autrichien.
Peintre de scènes de chasse, paysages animés, paysages urbains, paysages de montagne, paysages d'eau.
Fils de Josef Thoma, il fut élève de l'Académie des Beaux-Arts de Vienne.
Il peignit principalement des scènes alpestres et des vues de villes.
MUSÉES : VIENNE (Mus. mun.).
VENTES PUBLIQUES : VIENNE, 19 sep. 1972 : *Paysage d'automne :* ATS 28 000 – HAMBOURG, 6 juin 1974 : *Le torrent :* DEM 3 600 – VIENNE, 14 sep. 1976 : *Paysage fluvial, h/t (67x103) :* ATS 75 000 – VIENNE, 15 mars 1977 : *Paysage au soir couchant, h/t (48x92) :* ATS 55 000 – LONDRES, 20 avr 1979 : *Paysage montagneux 1879, h/t (67,2x103) :* GBP 1 700 – VIENNE, 17 mars 1981 : *Chèvres dans un paysage montagneux, h/t (66x101) :* ATS 100 000 – VIENNE, 5 déc. 1984 : *Vue de Hallstatt, h/t (68x105,5) :* ATS 220 000 – VIENNE, 16 jan. 1985 : *Lac alpestre 1876, h/t (95x121) :* ATS 60 000 – STOCKHOLM, 15 nov. 1989 : *Paysage montagneux et boisé, h. (79x64) :* SEK 18 000 – BERNE, 22 mai 1990 : *Paysage alpestre rocheux avec un torrent 1859, h/t (45x55) :* CHF 1 500 – LONDRES, 28 nov. 1990 : *Chasse en montagne, h/t (66x103) :* GBP 2 860 – MILAN, 29 oct. 1992 : *Paysage lacustre avec des ruines, h/t (69x106) :* ITL 4 200 000 – NEW YORK, 26 mai 1994 : *Torrent dans un paysage alpin, h/t (94x137,2) :* USD 13 800 – LONDRES, 11 oct. 1995 : *Une ville sur la Moselle ; Vue de Danzig, h/t, une paire (chaque 47x79) :* GBP 3 680 – MUNICH, 3 déc. 1996 : *Brouillard en montagne, h/t (62,5x46) :* DEM 6 000 – PARIS, 23 juin 1997 : *Paysage au torrent, t. (69x105,5) :* FRF 14 500 – MUNICH, 23 juin 1997 : *Vue de Hallstadt 1876, h/t (73,5x100) :* DEM 10 800.

THOMA Leonhard
Né le 6 janvier 1864 à Fischbach. Mort le 30 août 1921 à Jettingen. XIXᵉ-XXᵉ siècles. Allemand.
Peintre de sujets religieux.
Il fut élève de l'Académie de Munich, d'O. Seite et de Liezen-Mayer. Il peignit de nombreux tableaux d'autels et des plafonds dans les églises de Bavière.

THOMA Sepp
Né le 5 août 1883 à Obdach. XXᵉ siècle. Autrichien.
Peintre de paysages, graveur, illustrateur, céramiste.
Il fut élève d'Alfred Jirasek à Vienne. Il vécut et travailla à Judenburg. Il peignit des fresques et exécuta des illustrations de livres.

THOMA T.
XIXᵉ siècle.

Paysagiste.
Cité par le Art. Prices Current 1911.
VENTES PUBLIQUES : LONDRES, 21 juil. 1911 : *Paysage boisé avec paysans* 1875 : **GBP 9**.

THOMA-HÖFELE Karl
Né le 10 septembre 1866 à Bâle. XIXe siècle. Actif à Munich.
Suisse.
Peintre.
Élève de l'Académie de Munich.
VENTES PUBLIQUES : NEW YORK, 30 oct. 1985 : *Nature morte aux fruits*, h/t (66x94,5) : **USD 8 000** – AMSTERDAM, 30 oct. 1991 : *Pivoines dans un vase de porcelaine*, h/t (77x89) : **NLG 6 900**.

THOMAE Benjamin ou Johann Benjamin
Né le 23 janvier 1682 à Oberpesterwitz. Mort le 8 mars 1751 à Dresde. XVIIIe siècle. Allemand.
Sculpteur.
Élève de Balthasar Permoser dont il subit l'influence. Il exécuta des sculptures pour des châteaux et des églises de Dresde et des environs. Le Musée Municipal de Dresde conserve de lui les statues de *Saint Boniface* et de *Saint Willibrord*.

THOMAES Dominique Jan
XVe siècle. Actif dans la seconde moitié du XVe siècle. Éc. flamande.
Sculpteur.
Il travailla en 1463 pour l'hôpital Notre-Dame d'Oudenarde.

THOMAN. Voir aussi THOMANN

THOMAN
Mort en 1473. XVe siècle. Actif à Innsbruck. Autrichien.
Peintre verrier.
Il travailla pour la cour d'Innsbruck et pour l'église de Saint-Wolfgang.

THOMAN ou Thoman Scheiter
XVe-XVIe siècles. Actif à Inzing (Tyrol). Autrichien.
Sculpteur.
Il exécuta un tabernacle et le tympan du portail sud de l'église de Sterzing.

THOMAN Ernst Philip
Né en 1760 à Stockholm. Mort en 1833 à Stockholm. XVIIIe-XIXe siècles. Suédois.
Dessinateur d'ornements et sculpteur.
Fils de Georg Gottlieb Thomann von Hagelstein et élève de Ljung. Il travailla pour des châteaux du roi de Suède et des églises de Stockholm.

THOMAN Hans
XVIe siècle. Actif à Memmingen dans la première moitié du XVIe siècle. Allemand.
Sculpteur.
Il sculpta surtout des autels. Le Musée Municipal de Feldkirch possède de lui le support d'un reliquaire.

THOMAN Ignaz. Voir TOMAN

THOMAN von Nördlingen
Mort en 1429. XVe siècle. Allemand.
Peintre.
Il travailla pour la ville et les églises de Reimlingen.

THOMANN Adolf ou Adolphe
Né le 11 mars 1874 à Zurich. Mort en 1961. XIXe-XXe siècles.
Suisse.
Peintre d'animaux, graveur.
Il fut élève de M. Rugel. Il participa aux Salons de Paris, obtenant une mention honorable en 1900 lors de l'Exposition universelle à Paris.
MUSÉES : AARAU (Argauer Kunsthaus) : *Reitende Bäuerin* – GENÈVE (Mus. Rath) : *Vaches au pâturage – Chevaux au labour – Chevaux de halage*.

THOMANN Clara
Née le 3 mai 1866 à Zurich. XIXe siècle. Suisse.
Peintre et sculpteur.

THOMANN Grosshans
Né le 20 avril 1525. Mort le 14 septembre 1567. XVIe siècle. Actif à Zurich. Suisse.
Peintre, verrier et dessinateur.
Il travailla pour la ville de Zurich. Le Musée du Louvre de Paris conserve de lui un vitrail représentant *Le Bon Samaritain* et *Les armoiries de trois chanoines de Zurich*, et le Musée National de Zurich, les vitraux *Saint Georges tuant le dragon*, *Le Christ et les Vierges Sages*, *Le moulin des curés*.

THOMANN Hans Heinrich
Né le 6 août 1612 à Zurich. Mort en 1655 à Zurich. XVIIe siècle.
Suisse.
Peintre et dessinateur.
Il travailla pour la ville et la corporation des peintres de Zurich.

THOMANN Heinrich
Né en février 1748 à Zollikon. Mort le 15 décembre 1794 à Zollikon. XVIIIe siècle. Suisse.
Paysagiste, aquarelliste et aquafortiste.
VENTES PUBLIQUES : BERNE, 25 juin 1982 : *Vue de Trogue et de ses environs* vers 1780, eau-forte coloriée (25,5x40,5) : **CHF 7 400**.

THOMANN Henri
Né en 1760 à Zurich. Mort vers 1820. XVIIIe-XIXe siècles.
Suisse.
Graveur à l'eau-forte.
Il a gravé des vues et des paysages.

THOMANN Johann
Né en 1778 à Zurich. Mort en 1836 à Zurich. XIXe siècle.
Suisse.
Portraitiste et aquafortiste.
Père de Johannes T.

THOMANN Johannes
Né en 1806 à Zurich. Mort vers 1870 à Zurich. XIXe siècle.
Suisse.
Lithographe.
Fils de Johann T.

THOMANN Noël
Né le 25 décembre 1940 à Arbois (Jura). XXe siècle. Français.
Sculpteur de figures, nus, bustes, graveur, lithographe.
Tendance abstraite.
Il fut élève de l'École des Beaux-Arts de Besançon, jusqu'à l'obtention du diplôme, et obtint en outre un certificat d'histoire de l'art. Il vit à Belfort et travaille à la périphérie. Il participe à de nombreuses expositions collectives, à Besançon, Belfort, Dijon, Lyon, Strasbourg, Nancy, Mulhouse, Langres, Paris, en Allemagne, Suisse, ainsi qu'aux Salons de Paris : des Artistes Français dont il obtint une médaille d'argent, d'Automne, des Peintres Témoins de leur Temps, Formes Humaines au Musée Rodin, etc.
Il travaille dans des techniques diversifiées : bronze, pierres, terre cuite, polyester. Ses sculptures ont pour thèmes principaux la femme, la maternité, le couple, des bustes. Toutefois, son expression est relativement détachée de la structure anatomique. Dans la transposition de la réalité, l'opposition des pleins et des vides, entre volumes denses et extrémités effilées, se manifeste ouvertement une belle compréhension de l'exemple d'Henri Laurens. Son sens du monumental lui a valu des commandes d'intégrations architecturales pour des bâtiments de Belfort : 1974 *La Liseuse* pour l'école Louis Pergaud, 1977 *Aurore* pour l'école Saint-Exupéry, 1981 *Heliosa* pour le collège Vauban, 1988 *Tout Flamme* pour le lycée Follereau, 1989 *L'Écureuil* pour la Caisse d'Épargne, 1989 *Éclosion* pour le Crédit Immobilier, 1992 *Renaissance* pour l'A.D.I.J.
VENTES PUBLIQUES : PARIS, 3 juin 1991 : *Fille aux couettes*, bronze/socle de grès rose (40x23x16) : **FRF 7 000**.

THOMANN VON HAGELSTEIN David Ernst
Né le 16 février 1698 à Augsbourg. Mort le 5 janvier 1768 à Augsbourg. XVIIIe siècle. Allemand.
Dessinateur amateur.
Fils d'Ernst Philipp T.

THOMANN VON HAGELSTEIN Ernst Philipp
Né en 1657 à Augsbourg. Mort le 10 juillet 1726 à Augsbourg. XVIIe-XVIIIe siècles. Allemand.
Peintre et graveur à la manière noire.
Petits-fils de Jakob Ernst Thomann. Il peignit plusieurs ouvrages pour les églises de sa région. Comme graveur on mentionne surtout ses portraits, notamment celui de Narcissus Rauner.

THOMANN VON HAGELSTEIN Jakob Ernst
Né en 1588 à Lindau. Mort le 2 octobre 1653 à Lindau. XVIIe siècle. Allemand.
Peintre.
Grand-père d'Ernst Philipp T. Après des premières études dans sa ville natale, il se rendit à Rome en 1605 et devint l'élève d'Adam Elsheimer. Jusqu'en 1620, il travailla en Italie, visitant Naples et Gênes et peignant des paysages dans la manière de son maître, qui étaient fort recherchés par les amateurs. Elshei-

mer étant mort, Thomann revint à Lindau où il travailla jusqu'à sa mort. Ses toiles, ses paysages ornés de fresques sont généralement de petites dimensions et d'une exécution très poussée. Le Musée de Spire conserve de lui *Paysage avec Tobie et l'ange.*
VENTES PUBLIQUES : PARIS, 1er juin 1928 : *Bataille de Tésin ; Épisode des guerres puniques,* deux t. : **FRF 1 250.**

THOMANN VON HAGELSTEIN Christoph Raymond
Né en 1696 à Augsbourg. Mort en 1778 à Meissen. XVIIIe siècle. Allemand.
Graveur au burin.
Fils d'Ernst Philip T. On cite de lui quelques estampes d'après les marbres antiques de Dresde.

THOMANN VON HAGELSTEIN Tobias Heinrich
Né en 1700. Mort en 1764 à Augsbourg. XVIIIe siècle. Allemand.
Peintre et graveur au burin à la manière noire.
Fils d'Ernst Philipp T. Il grava surtout des animaux et des chasses.

THOMANN-BUCHHOLZ Else
Née le 16 novembre 1875 à Vienne. Morte en 1918 à Zollikon. XXe siècle. Suisse.
Peintre.
Femme d'Adolf Thomann et élève de H. Knirr à Munich.
MUSÉES : ZURICH (Kunsthaus) : *Perce-neige – Femme du Valais – La place du village.*

THOMAS
VIIIe siècle. Actif dans la seconde moitié du VIIIe siècle. Allemand.
Enlumineur et calligraphe.
Il peignit les miniatures et les initiales d'un évangile de la cathédrale de Trèves en 775.

THOMAS
XIVe siècle. Français.
Sculpteur.
Il travailla pour l'hôtel du comte d'Artois à Arras ainsi que pour le monastère de Thieulloye.

THOMAS
XVe siècle. Autrichien.
Enlumineur et calligraphe.
Actif à Garsten, de 1419 à 1437.
Il peignit, en 1437, quarante-six initiales d'un évangile conservé à la Bibliothèque publique de Linz.

THOMAS
Mort en 1473. XVe siècle. Autrichien.
Peintre verrier.
Probablement identique au peintre-verrier Thoman.

THOMAS
XVe siècle. Allemand.
Sculpteur sur bois.
Il était actif à Osnabruck, travaillant en 1475.

THOMAS
XVIe siècle. Actif en Italie. Français.
Sculpteur sur bois.
Il était d'origine française, travaillant à Pérouse en 1535.

THOMAS, dit Snekker
XVIIe siècle. Norvégien.
Sculpteur sur bois.
De la première moitié du XVIIe siècle, il travailla à Stavanger et sculpta des stalles, des chaires, des autels et des grillages pour plusieurs églises de Norvège.

THOMAS
XVIIe siècle. Allemand.
Sculpteur.
Il sculpta trente statues pour l'église de Tussenhausen, en Souabe, de 1663 à 1664.

THOMAS
Né en 1667. Mort le 9 janvier 1733. XVIIe-XVIIIe siècles. Suisse.
Sculpteur.
Il était moine et travailla pour l'abbaye d'Einsiedeln en 1701.

THOMAS
XVIIIe siècle. Français.
Sculpteur sur bois.
Il était moine et sculpta des stalles pour l'église Notre-Dame de Bordeaux. À rapprocher du précédent.

THOMAS
Né à Mautern. XVIIIe siècle. Autrichien.

Sculpteur sur bois.
De l'ordre des Carmes, il travailla, en 1740, pour l'église des Carmes de Lintz. Un religieux de l'ordre des Carmes, portant le même nom, travailla dans l'abbaye de Reisach en Bavière.

THOMAS
XVIIIe siècle. Britannique.
Miniaturiste.
Il était actif à Londres. Il exposa une miniature à la Society of Artists en 1770.

THOMAS
XVIIIe siècle. Français.
Sculpteur.
Il travailla en 1783 à l'église Saint-Nicolas à Nancy.

THOMAS
XIXe siècle. Français.
Sculpteur.
Il exposa au Salon de Paris en 1831.

THOMAS
XIXe siècle. Allemand.
Miniaturiste.
Il était actif à Schweidnitz, milieu du XIXe siècle.
MUSÉES : BRESLAU, nom all. de Wroclaw (Mus. des Arts Décoratifs) : *Portrait du conseiller J. E. Hiller* 1841.

THOMAS A.
XVIIIe siècle. Actif à Londres en 1783. Britannique.
Peintre de fleurs.

THOMAS Adolph ou Carl Gustav Adolf
Né le 28 septembre 1834 à Zittau. Mort le 16 janvier 1887 à Dresde. XIXe siècle. Allemand.
Peintre de paysages.
Il fut élève de l'Académie de Dresde et de Ludwig Richter. Médaillé en 1863 ; en 1864, bourse de voyage, mention honorable en 1868 ; en 1884, professeur de paysage à l'Académie Simonson à Dresde.
MUSÉES : CHEMNITZ : *Paysage avec Diane et Actéon –* DRESDE : *Paysage montagneux de la Haute Bavière.*
VENTES PUBLIQUES : COLOGNE, 20 oct. 1989 : *Paysage fluvial animé,* h/cart. (23,5x30) : **DEM 1 100.**

THOMAS Adolph ou Christian Friedrich Adolph
Né en 1788. Mort le 28 août 1844. XIXe siècle. Allemand.
Médailleur.
Élève de G. Toscani et de C. A. Lindner à Dresde. Il grava des médailles pour le roi Frédéric-Auguste Ier de Saxe.

THOMAS Adolphe Jean Louis
Né à Paris. XIXe siècle. Français.
Peintre de paysages.
Élève de L. Français. Il exposa au Salon de 1864 à 1874.

THOMAS Albert
Né le 3 septembre 1892 à Strasbourg (Bas-Rhin). XXe siècle. Français.
Peintre de paysages, graveur.
Il vécut et travailla à Saverne. Il peignit et grava des paysages d'Alsace.
MUSÉES : STRASBOURG (Mus. mun.) : *Entrée des Français à Strasbourg en 1918.*

THOMAS Albert Gordon
Né le 17 novembre 1893 à Glasgow (Écosse). XXe siècle. Britannique.
Peintre.
Il vécut et travailla à Milngavie.

THOMAS Albert Valentin
Né au XIXe siècle à Paris. XIXe siècle. Français.
Peintre de genre.
Élève de L. Lefebvre et Alb. Maignan. Sociétaire des Artistes Français depuis 1893 ; mention honorable en 1896, médaille de troisième classe en 1898, de deuxième classe en 1903.

THOMAS Alexandre Joseph
Né le 13 mars 1810 à Malmédy. Mort le 9 août 1898 à Bruxelles. XIXe siècle. Allemand.
Peintre d'histoire.
Élève des académies de Düsseldorf et d'Anvers. Il s'établit à

Bruxelles, médaille de troisième classe en 1889 (Exposition Universelle).

MUSÉES : BRUXELLES : *Judas errant pendant la nuit de la condamnation du Christ – Barabbas au pied du Calvaire –* DUNKERQUE : *La Vierge au pied de la croix –* YPRES : *Henri Carton, bourgmestre d'Ypres.*

THOMAS Alexis François
Né en 1795 à Paris. Mort le 16 novembre 1875 à Paris. XIXe siècle. Français.
Sculpteur.
Élève de M. M. Deseine et Dupaty. Il exposa au Salon entre 1831 et 1859.

THOMAS Alexis Victor Guillaume
Né à Nevers (Nièvre). XIXe siècle. Français.
Peintre.
Élève d'Allongé. Il débuta au Salon de 1875.

THOMAS Alfred
Né le 26 décembre 1876 à Dresde (Saxe). XXe siècle. Allemand.
Peintre.
Il fut élève de Zwintscher et de Kuehl.
MUSÉES : CHEMNITZ (Mus. mun.) : une nature morte.

THOMAS André
XXe siècle. Français.
Peintre.
Il a exposé, à Paris, aux Salons des Indépendants à partir de 1920, d'Automne, des Tuileries.
MUSÉES : PARIS (ancien Mus. du Luxembourg).
VENTES PUBLIQUES : PARIS, 28 nov 1979 : *Baigneuses,* h/t (89x130) : **FRF 4 200** – PARIS, 27. nov. 1989 : *Portrait de femme* 1942, h/t (60x49) : **FRF 150 000** – PARIS, 25 mars 1994 : *Les baigneuses* 1926, h/t (98x163) : **FRF 58 000** – PARIS, 28 fév. 1996 : *Nu au perroquet* 1930, h/t (97,5x130) : **FRF 6 500.**

THOMAS André Félix
Né à Paris. XIXe-XXe siècles. Français.
Peintre de fruits, natures mortes.
Il fut élève de M. Starke. Il débuta au Salon de 1865 à Paris.

THOMAS Antal ou Anton
Né le 21 avril 1889 à Versec. XXe siècle. Hongrois.
Peintre de paysages, architecte.
Il vécut et travailla à Budapest.

THOMAS Antoine Jean-Baptiste
Né le 31 octobre 1791 à Paris. Mort en 1834 à Paris. XIXe siècle. Français.
Peintre d'histoire, compositions religieuses, aquarelliste, dessinateur, lithographe.
Il fut élève de François Vincent à l'École des Beaux-Arts de Paris. Il obtint le Prix de Rome en 1816. Il exposa au Salon de Paris, entre 1819 et 1831, recevant une médaille de deuxième classe en 1822.
Il décora, à Paris, l'église de la Trinité-des-Monts, il réalisa aussi *Les marchands chassés du Temple* pour l'église Saint-Roch. Il publia divers albums : *Recueil de dessins lithographiés représentant les costumes, les usages et les cérémonies civiles et religieuses des États romains* 1823 ; ainsi qu'un album satyrique : *Romantisme-Album, effet produit par les lectures romantiques sur un jeune homme.*
BIBLIOGR. : Gérald Schurr, in : *Les Petits Maîtres de la peinture 1820-1920, valeur de demain,* Les Éditions de l'Amateur, t. VI, Paris, 1985.
MUSÉES : AUXERRE : *L'arrestation du président de Harlay –* BOURGES : *Saint Louis recevant à Sens la couronne d'épines – Orphée pleurant Eurydice – Capucin traversant un bois, effet de neige – Les Trois Parques, allégorie –* PARIS (École des Beaux-Arts) : *Oenoné refusant de secourir Pâris au siège de Troie –* VERSAILLES (Mus. Lambinet) : *Procession de Saint-Janvier à Naples, pendant une éruption du Vésuve.*
VENTES PUBLIQUES : PARIS, 30 nov.-2 déc. 1920 : *Voiture de masques,* aquar. : **FRF 280.**

THOMAS Augusta Esther
Née au XIXe siècle à Paris. XIXe siècle. Française.
Peintre.
Élève de M. Loire. Elle débuta au Salon en 1880.

THOMAS Bernhard
Né le 28 décembre 1879 à Wunstorf. XXe siècle. Actif à Berlin. Allemand.

Peintre, graveur.
Il fut élève de Raupp et de C. von Marr à Munich. Il gravait à l'eau-forte.

THOMAS C. H.
XIXe siècle. Actif à New York en 1838 et 1839. Allemand.
Miniaturiste.

THOMAS Cecil
Né le 3 mars 1885 à Londres. XXe siècle. Britannique.
Sculpteur de bustes, médailleur et tailleur de camées.
Il fut élève de Roscoe Mullins, d'Onslow Whiting et de Richard Garbe.
VENTES PUBLIQUES : LONDRES, 16 avr. 1986 : *Wind* 1922, bronze patine brune (H. 26,5) : **GBP 500.**

THOMAS Charlemagne. Voir THOMAS Louis Charlemagne

THOMAS Charles
Né le 7 octobre 1883 à Birmingham (West Midlands). XXe siècle. Britannique.
Graveur, orfèvre.

THOMAS Charles Armand Étienne
Né en 1857 à Paris. Mort en avril 1892 à Paris. XIXe siècle. Français.
Peintre de scènes de genre, paysages, natures mortes, fleurs.
Il fut élève de Victor Leclair. Il figura au Salon de Paris, à partir de 1878, puis Salon des Artistes Français, obtenant une médaille de troisième classe en 1886. Cet artiste dont le talent donnait les plus belles espérances mourut au moment où sa renommée commençait à s'affirmer.
MUSÉES : LE HAVRE : *La veille de fête –* NANTES : *Dans un cellier –* REIMS : *Attelage de chiens.*

THOMAS Charles H.
Né en 1827 à Warneton. Mort le 8 septembre 1892 à Courtrai. XIXe siècle. Belge.
Peintre de scènes de genre, natures mortes, fleurs et fruits, graveur.
On lui doit également diverses gravures au burin.
MUSÉES : COURTRAI : *Fruits.*
VENTES PUBLIQUES : NEW YORK, 31 jan. 1985 : *Emigrants sailing to America 1838-1840,* aquar. et cr. (33x42,5) : **USD 5 500** – AMSTERDAM, 2-3 nov. 1992 : *Coin de jardin* 1877, h/t (74x45) : **NLG 9 200** – NEW YORK, 19 jan. 1995 : *Nature morte aux crevettes,* h/t (49,8x80) : **USD 2 300.**

THOMAS Christian Ludwig
Né le 30 décembre 1757 à Dornbourg. Mort le 28 juin 1817 à Francfort-sur-le-Main. XVIIIe-XIXe siècles. Allemand.
Dessinateur de cartes.

THOMAS Claire. Voir DUVIVIER Claire, Mme

THOMAS Claude
Peut-être d'origine française. XVIIIe siècle. Actif dans la première moitié du XVIIIe siècle.
Peintre.
Il travailla pour l'hôtel de ville de Deux-Ponts.

THOMAS Conrad Arthur
Né le 28 avril 1858 à Dresde (Allemagne). XIXe siècle. Actif à Pelham (États-Unis). Américain.
Peintre.
Élève de Heinrich Hofmann, de Grosse et de Schilling. Il exécuta des fresques allégoriques et historiques à Auburn, à Saint Louis et à Philadelphie. Membre de la Fédération Américaine des Arts.

THOMAS Élisée
Né à Lyon (Rhône). XIXe siècle. Actif dans la seconde moitié du XIXe siècle. Français.
Paysagiste.
Élève d'A. Ravier et de L. Carrand.

THOMAS Émile
Né à Vittel (Vosges). Mort en 1907. XIXe-XXe siècles. Français.
Graveur sur bois.
Élève de M. Gusman. Il débuta au Salon de 1863 ; mention honorable en 1882, médaille de troisième classe en 1886. Sociétaire des Artistes Français.

THOMAS Émile ou Eugène Émile
Né le 6 février 1817 à Paris. Mort le 2 janvier 1882 à Neuilly-sur-Seine (Seine). XIXe siècle. Français.
Sculpteur.

Élève de Pradier. Il débuta au Salon de 1843. Il obtint de nombreuses commandes de l'État : *Buste de Pie IX* archevêché de Paris, *Le Christ aux plaies*, pour le ministère d'État, Salon de 1853, *Vénus au Jugement de Pâris*, Salon de 1868, *Théophile Gautier*, ministère des Beaux-Arts, *Portrait de Mgr Parisis* pour l'évêché d'Arras, *Statue du général Daumesnil*, au Fort de Vincennes, *Statue du Cardinal Latour d'Auvergne* pour son tombeau dans la cathédrale d'Arras, *Saint Pierre et saint Paul* pour le portail de Saint-Sulpice à Paris, *Portrait de Mgr Massonnais, évêque de Périgueux* (Musée de Périgueux), *Buste de Mgr le Cardinal Donnet*, pour l'archevêché de Bordeaux, *Sainte Élisabeth* pour l'église de ce nom, *Saint Mathieu*, église de la Trinité, *Saint Joseph* pour la chapelle Saint-Joseph chez les Ursulines d'Arras.
Musées : Duon : *Louis Bonaparte, président de la République* – Melun : *Statuette de Bezout* – Moulins : *Vénus* – Paris (Mus. Carnavalet) : *Statuette de Virginie Déjazet* – Périgueux : *Buste de Mgr Massonnais* – Versailles : *Jean Champollion* – *Théophile Gautier* – *J. Pradier* – *Le président du tribunal de commerce Ambroise Aubé*.

THOMAS F.
Né en 1767 à Nancy. Mort vers 1820. XVIIIe-XIXe siècles. Français.
Paysagiste.
Il fut peintre de la princesse Stéphanie de Bade.

THOMAS Félix
Né le 29 septembre 1815 à Nantes (Loire-Atlantique). Mort le 5 avril 1875 à Nantes. XIXe siècle. Français.
Peintre de paysages, paysages d'eau, marines, sculpteur, graveur, dessinateur.
Il fut élève d'Hippolyte Lebas et de Charles Gleyre. Il reçut le premier prix de Rome, pour l'architecture, en 1845. Il séjourna à Constantinople, à Smyrne, puis il partit en expédition en Mésopotamie. Il exposa au Salon de Paris, puis Salon des Artistes Français, obtenant une médaille de deuxième classe en 1859, une autre en 1865, une médaille de troisième classe à l'Exposition Universelle de 1867. Il fut promu chevalier de la Légion d'honneur.
Il exécuta des paysages, dessins et aquarelles surtout, notamment des sites d'Italie et de Grèce. Il eut également une importante activité d'architecte. Il collabora à la publication de *Ninive et l'Assyrie avec des essais de restauration*, en 1865.
Bibliogr. : Gérald Schurr, in : *Les Petits Maîtres de la peinture 1820-1920, valeur de demain*, Les Éditions de l'Amateur, t. VI, Paris, 1985.
Musées : Châlons-sur-Marne : *Vue du port d'Ostie* – Chaumont : *Environ d'Alcano en Sicile* – Nantes (Mus. des Beaux-Arts) : *Bords du Tibre* – *Environs de Pornic* – deux paysages – deux marines.
Ventes Publiques : Paris, 18-19 nov. 1991 : *La sentinelle devant les ruines de Ninive*, h/t (28,5x45,5) : FRF 18 000.

THOMAS Ferdinand
Né le 15 octobre 1858 à Hasselfelde. XIXe siècle. Allemand.
Paysagiste.
Élève de Th. Hagen et de l'Académie de Weimar. Le Musée Provincial de cette ville conserve une peinture de cet artiste.

THOMAS Francis Inigo
XIXe-XXe siècles. Britannique.
Peintre, graveur, dessinateur.
Il exposa à Londres de 1893 à 1902. Il gravait à l'eau-forte. Il fut aussi horticulteur.
Musées : Londres (Nat. Portrait Gal.) : *Portrait d'Arthur G. Thomas*.

THOMAS François
XVIIIe siècle. Travaillant à Caen en 1741. Français.
Sculpteur.

THOMAS Franz
Né le 2 février 1813 à Warnsdorf. Mort en 1890 à Warnsdorf. XIXe siècle. Autrichien.
Peintre d'histoire et portraitiste.
Élève des Académies de Prague et de Vienne. Il peignit des sujets religieux.

THOMAS Franz Anton
Né vers 1710 à Böhmisch-Kamnitz. Mort le 24 mai 1773 à Bamberg. XVIIIe siècle. Allemand.
Sculpteur sur bois et ébéniste.
Il travailla à Bamberg où il exécuta la chaire dans l'église Saint-Michel. Il sculpta de nombreux autels et chaires dans les églises de cette ville et des environs.

THOMAS Frederick
XIXe siècle. Actif à Londres. Britannique.
Sculpteur.
Il exposa à Londres, de 1892 à 1901. La National Portrait Gallery à Londres, conserve de lui *Portrait de Philip Henry, comte Stanhope* (médaillon plâtre).

THOMAS Friedrich
Né le 7 mars 1806 à Aix-la-Chapelle. Mort le 7 juin 1879 à Aix-la-Chapelle. XIXe siècle. Allemand.
Peintre et aquafortiste.
Élève de l'Académie de Düsseldorf. Il travailla à Aix-la-Chapelle où il exécuta des portraits et des sujets religieux.

THOMAS Gabriel Jules
Né le 10 septembre 1824 à Paris. Mort le 8 mars 1905 à Paris. XIXe siècle. Français.
Sculpteur et peintre.
Élève de Ramey et A. Dumont. Il débuta au Salon de 1857 ; médaille de troisième classe en 1861, deux médailles de première classe aux Expositions Universelles de 1867 et 1878 et une médaille d'honneur en 1880.
Musées : Anvers : *Le sculpteur Aug. Alex. Dumont* – Chartres : *Général Marceau* – Nantes : *Attila* – étude – Paris (Mus. du Louvre) : *L'Industrie* – *Virgile* – *La Jeunesse* – Rennes : *La Pensée* – La Rochelle : *Mgr Landriot* – Semur-en-Auxois : *Aug. Dumont*.
Ventes Publiques : Paris, 9 déc. 1949 : *Moine en prière 1868*, peint. : FRF 3 000.

THOMAS Georg
Mort en 1578 ou 1579 à Marburg. XVIe siècle. Actif à Bâle. Allemand.
Peintre, sculpteur et graveur sur bois (?).
Il s'établit à Marburg en 1534 où il travailla pour les ducs de Hesse et la ville. Il sculpta des statues et des tombeaux.

THOMAS Georg Havard
Né le 9 mai 1893 à Sorrente. Mort le 1er décembre 1933 à Londres. XXe siècle. Britannique.
Sculpteur de monuments.
Fils de James Havard Thomas. Il sculpta des monuments aux Morts dans des villes anglaises.
Musées : Manchester (Gal. mun.) : *Tête d'un enfant*.

THOMAS George Housman
Né le 17 décembre 1824 à Londres. Mort le 21 juillet 1868 à Boulogne (Pas-de-Calais). XIXe siècle. Britannique.
Peintre, illustrateur et graveur.
Cet artiste fut surtout illustrateur. Après avoir travaillé avec le graveur sur bois Bonner, il vint à Paris d'où il partit pour New York chargé de fournir des illustrations pour un journal américain. La Révolution de 1849 le trouva à Rome, et il envoya à l'*Illustrated London news*, de très intéressants croquis de la défense de Garibaldi. Thomas ne cessa pas de collaborer à cet important journal. Très apprécié par la Reine Victoria il travailla pour cette souveraine notamment dans trois grands tableaux : *Le mariage du Prince de Galles* (depuis Édouard VII), *Le mariage de la Princesse Alice* et *Distribution par la reine de médailles aux soldats de Crimée*. Il a aussi illustré plusieurs ouvrages en outre, *La Case de l'oncle Tom*. Il mourut des suites d'une chute de cheval. Le Victoria and Albert Museum à Londres conserve de lui une aquarelle (*Glaneuse, effet de soir*).
Ventes Publiques : Londres, 23 juil. 1974 : *La reine Victoria et le prince consort à Aldershot*, aquar. : GNS 420.

THOMAS Gerard
Né le 20 mars 1663, baptisé à Anvers. Mort en 1720 à Anvers. XVIIe-XVIIIe siècles. Éc. flamande.
Peintre de genre.
Élève de Gottfried Maas, maître en 1688, il fut aussi alchimiste.

G THOMAS FE

Musées : Anvers : *Atelier de peintre* – *Atelier de sculpteur* – Gotha : *Atelier de peintre* – *Cabinet d'un médecin*.
Ventes Publiques : Amsterdam, 19 avr. 1966 : *L'atelier de l'artiste* : NLG 6 200 – Paris, 10 juin 1971 : *L'officier de l'alchimiste* : FRF 20 000 – Amsterdam, 15 nov. 1976 : *L'atelier du sculpteur*, h/t (64,5x82,5) : NLG 20 000 – Londres, 4 mai 1979 : *Le laboratoire de l'alchimiste*, h/t (68x83,3) : GBP 3 200 – Hanovre, 19 mars 1982 : *L'amateur d'art*, h/t (71x85) : DEM 12 000 – Londres, 27 mai 1983 : *Intérieur de l'atelier d'un sculpteur*, h/t (51,5x59,7) : GBP 1 900 – Cologne, 21 nov. 1985 : *L'atelier du sculpteur*, h/t (67x85,5) : DEM 24 000 – New York, 7 oct. 1993 :

Un atelier d'artiste, h/t (68,3x83,2) : **USD 4 370** – Paris, 6 déc. 1996 : *L'Intérieur du cabinet du médecin*, h/t (67,5x83,5) : **FRF 31 000** – Paris, 24 mars 1997 : *Fête musicale dans un palais*, h/t (69x87) : **FRF 30 000**.

THOMAS Germain
Né à Saint-Fargeau en Auxerrois. Mort le 8 avril 1687 à Grenoble. XVIIᵉ siècle. Français.
Sculpteur.
Il loua une boutique à Grenoble, se maria dans cette ville en 1669 avec Magdeleine Levenem, dont il eut deux enfants. Dès 1667, il collabora avec plusieurs de ses collègues, aux décorations de l'église du deuxième monastère de la Visitation, Sainte-Marie de Grenoble, à l'occasion des fêtes de la Canonisation de saint François de Sales. En septembre 1673, il exécuta en terre cuite, affectant la couleur de la pierre une Notre-Dame pour André Massart. En septembre 1675 il sculpta les armes d'un conseiller au Parlement, Antoine Copin, et fit ensuite d'importantes sculptures au château de Vizille, parmi lesquelles *Hercule qui égorge un lion*, *Jeune homme qui dompte un taureau* et deux bas-reliefs. A tort ces œuvres ont été considérées comme étant dues à Jacob Richier. Son dernier travail fut la sculpture du portail de l'église de Sainte-Ursule de Grenoble (1679).

THOMAS Glenn
XXᵉ siècle. Américain.
Sculpteur d'assemblages.
Il a montré une exposition personnelle de ses œuvres au Centre culturel américain de Paris à Paris en 1977. Il avait exposé une construction baroque en bois et plexiglas comprenant un train électrique circulant dans un cylindre et une tempête d'éponges provoquée par un ventilateur. Plus qu'un simple jouet, cette sculpture se révèle être un paysage témoignant d'une imagerie personnelle où se mêlent des références érotiques et culturelles. L'art de Glenn Thomas prend ses sources dans une forme d'art née en Californie au cours des années soixante caractérisée par une mise en cause, non sans humour, du bon goût.

THOMAS Grosvenor
Né en 1856 à Sydney. Mort le 5 février 1923 à Londres. XIXᵉ-XXᵉ siècles. Actif en Angleterre. Australien.
Peintre de paysages.
Il fut membre de la Royal Scottish Society of Painters in Water-Colours. Il vécut et travailla à Glasgow et à Londres.
Il exposa à Londres, notamment à la Royal Academy à partir de 1900. En 1909 nous le trouvons à Londres exposant à la New Gallery et à Liverpool.
Musées : Cardiff.
Ventes Publiques : Londres, 5 déc. 1910 : *Mare près d'un moulin* : **GBP 3** – Glasgow, 2 oct. 1980 : *Paysage fluvial au clair de lune*, h/t (43x33) : **GBP 440** – Londres, 12 mai 1989 : *Les bouleaux argentés* 1911, h/t (100x140) : **GBP 4 400** – Perth, 27 août 1990 : *Clair de lune*, h/t (46x36) : **GBP 1 760** – Copenhague, 1ᵉʳ mai 1991 : *Paysage aux peupliers*, h/t (60x40) : **DKK 9 000**.

THOMAS Hans
Mort en septembre 1656 à Breslau. XVIIᵉ siècle. Allemand.
Peintre.

THOMAS Havard. Voir THOMAS James Havard

THOMAS Henri Joseph
Né le 18 ou 22 juin 1878 à Molenbeck-Saint-Jean. Mort le 22 novembre 1972 à Bruxelles. XXᵉ siècle. Belge.
Peintre de sujets allégoriques, scènes de genre, nus, portraits, natures mortes, fleurs, sculpteur, graveur, illustrateur.
Il fut élève de l'Académie des Beaux-Arts de Bruxelles. Il prit part à diverses expositions collectives : 1906, 1909, 1921 Cercle Artistique de Bruxelles ; 1910 Salon de la Société Nationale des Beaux-Arts de Paris.
Il a illustré *Les Diaboliques*, de Barbey d'Aurevilly, et *La toison de Phryné*, de Théodore Hannon.

Henri Thomas

Henri Thomas

Bibliogr. : In : *Dictionnaire biographique illustré des artistes en Belgique depuis 1830*, Arto, Bruxelles, 1987.

Musées : Barcelone : *Vénus* – Bruges : *La table réservée* – Liège : *Danseuse de cabaret*.
Ventes Publiques : Bruxelles, 24 fév. 1951 : *Fleurs* : **BEF 4 000** – Bruxelles, 4 mai 1976 : *La robe jaune*, h/t (60x73) : **BEF 28 000** – Bruxelles, 4 mars 1977 : *Jeune femme assise*, h/t (152x116) : **BEF 55 000** – Bruxelles, 28 oct. 1981 : *L'Attente*, h/t (100x70) : **BEF 240 000** – Bruxelles, 12 déc. 1984 : *Nu de dos*, h/t (73x63) : **BEF 111 000** – Bruxelles, 18 fév. 1985 : *La beauté*, h/pan. (90x70) : **BEF 140 000** – Lokeren, 10 oct. 1987 : *Désemparés*, h/t (140x105) : **BEF 380 000** – Lokeren, 28 mai 1988 : *Coup d'œil dans le miroir*, h/t (102x70) : **BEF 190 000** – Bruxelles, 27 mars 1990 : *Portrait*, h/pan. (35x27) : **BEF 25 000** – Amsterdam, 2 mai 1990 : *Fleurs des champs*, h/pan. (46,5x39) : **NLG 2 300** – Paris, 4 mars 1991 : *Femme au turban*, h/t (46x38,5) : **BEF 4 500** – Calais, 20 oct. 1991 : *Jeune femme assise*, h/t (45x59) : **FRF 10 000** – Lokeren, 21 mars 1992 : *Nu à la draperie rouge* 1942, h/pan. (27x35) : **BEF 50 000** – Amsterdam, 20 avr. 1993 : *Dame assise vêtue d'une robe bleue*, h/t (102x70) : **NLG 2 875** – Lokeren, 15 mai 1993 : *Jeune femme au ruban noir* 1908, h/t (36x28) : **BEF 40 000** – Lokeren, 9 oct. 1993 : *Nature morte avec un vase de fleurs*, h/pan. (44x30) : **BEF 48 000** – Amsterdam, 19 avr. 1994 : *Dame assise vêtue d'une robe blanche*, h/t (59x49) : **NLG 3 450** – Lokeren, 9 mars 1996 : *Dame assise avec un chapeau à fleurs*, monotype (50,8x41) : **BEF 55 000** – Lokeren, 7 déc. 1996 : *Dame en robe de soirée*, h/t (61,5x52) : **BEF 260 000**.

THOMAS Henry
XIXᵉ siècle. Actif dans la seconde moitié du XIXᵉ siècle. Américain.
Paysagiste.
Élève de J. Neagle. Il travailla à Philadelphie où il exposa en 1887.

THOMAS Henry Atwell
Né en 1834 à New York. Mort le 12 novembre 1904 à Brooklyn. XIXᵉ siècle. Américain.
Peintre et lithographe.

THOMAS Inigo. Voir THOMAS Francis Inigo

THOMAS Isaiah
Né en 1749 à Boston. Mort en 1831 à Worcester (États-Unis). XVIIIᵉ-XIXᵉ siècles. Américain.
Graveur au burin, imprimeur et éditeur.
Élève de Zachar Fowle. Il grava une *Vie de Jésus*.

THOMAS J.
XIXᵉ siècle. Français.
Paysagiste.
Il exposa au Salon de 1831.

THOMAS J.
XIXᵉ siècle. Actif à Paris. Français.
Dessinateur et graveur.
Il a gravé des sujets de genre.

THOMAS J. P., dit de Thomon
Né en 1759. Mort le 22 août 1813 à Saint-Pétersbourg. XVIIIᵉ-XIXᵉ siècles. Français.
Architecte, peintre et graveur à l'eau-forte.
Cité à Nancy le 21 décembre 1754. Il a gravé des vues et des monuments.
Ventes Publiques : Paris, 30 mars 1925 : *Paysage des environs de Rome*, sanguine : **FRF 280** – Paris, oct. 1945-juil. 1946 : *La statue équestre* 1785, pl. et lav. d'encre de Chine : **FRF 6 100** – Paris, 16 nov. 1984 : *Vue de Rome (recto)* ; *Perspective de tête (verso)* 1809, pl. et lav. (15,5x22) : **FRF 6 500** – Monaco, 4 déc. 1992 : *L'Arc de Constantin* 1787, craie noire, encre, lav., aquar. avec reh. de blanc (50,3x73) : **FRF 77 700**.

THOMAS Jacques François
XXᵉ siècle. Français.
Peintre, illustrateur.
Il a illustré *Poèmes pour des fantômes*, de Marcel Ormoy.

THOMAS James Havard
Né le 22 décembre 1854 à Bristol (Avon). Mort le 6 juin 1921 à Londres. XIXᵉ-XXᵉ siècles. Britannique.
Sculpteur.
Il exposa à Londres, notamment à la Royal Academy et à Suffolk Street à partir de 1872. Il vint ensuite travailler à Paris et y fut élève de Cavelier. Il obtint une mention honorable au Salon de Paris de 1885. Nous le trouvons en 1909 exposant à Londres à la Royal Academy et à Suffolk Street.
Musées : Bradford : *Méditation* – Bristol : *R. S. Pope – Rev. Henry J. Roper* – Cardiff (Mus. mun.) : *Boadicée* – Johannesburg :

Thyrsis – LONDRES (Nat. Portrait Gal.) : *Samuel Morley* – LONDRES (Tate Gal.) : *Lycidas – Buste de Mrs Asher Wertheimer* – MANCHESTER (Gal. mun.) : *Castagnettes*.

THOMAS Jan, le Jeune
Baptisé le 5 février 1617 à Ypres. Mort le 6 septembre 1678 à Vienne. XVIIe siècle. Éc. flamande.
Peintre d'histoire, compositions religieuses, sujets de genre, portraits, graveur.
Il eut peut-être pour maître Rubens. Il alla en Italie avec Abr. Diepenbecke et fut maître dans la gilde d'Anvers en 1648. Il épousa en 1641 Maria Jacoba Cnobbart, quitta Anvers en 1654, fut peintre de la cour de l'évêque de Mayence, et était à Vienne en 1656. En 1658, il était peintre de la cour à Francfort et revint à Vienne en 1663. Il eut pour élèves Gerard Doonis et l'impératrice Éléonore.
Il a gravé principalement à l'eau-forte des sujets religieux, des scènes de genre et des paysages.

Joannes Thomas Fecit. 1663. T

MUSÉES : NANCY : *La reine de Saba chez Salomon* – OLMUTZ : *Triomphe de Bacchus – Trois enfants et un agneau* – VIENNE : *Bacchanale – L'empereur Léopold Ier* – VIENNE (Harrach) : *Vieillard et jeune femme – Vieille femme et jeune homme* – YPRES : *Les pêcheurs convertis – L'enfant prodigue*.
VENTES PUBLIQUES : LONDRES, 26 mai 1978 : *Réjouissances villageoises*, h/t (86,3x114) : **GBP 2 800** – LONDRES, 26 oct. 1994 : *La Sainte Famille avec saint Jean Baptiste enfant apportant une corbeille de fruits*, h/t (152,5x127,5) : **GBP 11 500**.

THOMAS Jean
XVe siècle. Actif à Tournai. Éc. flamande.
Sculpteur.
Maître de la chaire de Saint-Nicolas à Tournai en 1445. Il fit l'autel de l'église de Sainghin-en-Weppes en 1454.

THOMAS Jean Baptiste. Voir THOMAS Antoine Jean-Baptiste

THOMAS Jeanine
Née à Courbevoie (Hauts-de-Seine). XXe siècle. Française.
Peintre de scènes, paysages animés. Naïf.
Elle participe à Paris au Salon International d'art naïf.

THOMAS Johann, appellation erronée. Voir THOMANN Grosshans

THOMAS Johannes
Né le 2 septembre 1793 à Francfort-sur-le-Main. Mort le 28 février 1863 à Francfort-sur-le-Main. XIXe siècle. Allemand.
Peintre et lithographe.
Élève du baron Gros. Il alla à Rome. L'Institut Staedel de Francfort possède de lui *Oberreifenberg*, et le Musée Municipal de cette ville *Matin de Pâques* et *Château d'Eltz*.

THOMAS Johannes. Voir aussi THOMAS Jan

THOMAS John
XIXe siècle. Français.
Graveur.
Il exposa aux Salons de 1842 et de 1843.

THOMAS John
Né en 1813 à Chalford. Mort le 9 avril 1862 à Londres. XIXe siècle. Britannique.
Dessinateur et sculpteur.
De famille galloise. Il fut d'abord apprenti chez un maître maçon, puis employé chez un de ses frères, architecte à Birmingham. Il fut professeur de dessin à la Birmingham Grammar School. De 1842 à 1861, il exposa quarante et une sculptures à la British Institution. Il vint à Londres et collabora activement aux sculptures du Palais du Parlement. On lui doit une partie des sculptures d'Euston Station et les lions colossaux du Britania Bridge à Londres. Il fournit aussi le dessin pour la fontaine monumentale de l'Exposition de 1862. Le Musée de Birmingham conserve de lui un groupe bronze *La Reine Boadicée et ses filles*, celui de Dublin, *Buste de Daniel Maclise*, la Galerie Tate de Londres, *Buste de W. P. Thrith* et le Victoria and Albert Museum, *Statue de Rahel*.

THOMAS John Even
Né en 1809 à Brecon. Mort le 9 octobre 1873 à Londres. XIXe siècle. Britannique.
Sculpteur.
Il vint à Londres très jeune et y fut élève de sir Francis Chantrey.

Il exposa très fréquemment à Londres de 1838 à 1870. Cinquante-trois ouvrages à la Royal Academy et deux à la British Institution. Il produisit d'abord des bustes et, vers la fin de sa carrière, des ouvrages plus importants, tels que la statue colossale du *Marquis de Bute* à Cardiff, celle du *Duc de Wellington* à Brecon, du *Prince Albert* à Tenbay, du *Prince de Galles* (depuis Édouard VII), à Ashford. Vers 1857, il quitta les milieux actifs pour se retirer dans sa ville natale. Le Musée de Birmingham conserve de lui *Mort de Tewdric*.

THOMAS Joseph
XVIIIe siècle. Actif à Esneux. Éc. flamande.
Sculpteur.
Il sculpta des statues pour l'église de Momalle en 1744.

THOMAS Jules
Né au XIXe siècle à Mèze (Hérault). XIXe siècle. Français.
Peintre.
Élève de Valet. Il débuta au Salon de 1831.

THOMAS Jules. Voir THOMAS Gabriel Jules

THOMAS K. Tibor
Né le 21 avril 1919 à Fagaras. XXe siècle. Depuis 1969 actif au Canada. Roumain.
Peintre. Réaliste-socialiste, puis postimpressionniste.
Diplômé de l'Académie des Beaux-Arts de Bucarest en 1950, il enseigne la peinture de 1950 à 1969 à l'Institut d'Arts Plastiques N. Grigorescu de Bucarest.
Il participe à des expositions collectives en Europe. Il montre ses œuvres dans des expositions personnelles depuis 1967 en Roumanie, mais aussi en Italie, Suisse, au Mexique, aux États-Unis, et au Canada à partir de 1971.
Il a fidèlement pratiqué pendant une vingtaine d'années les codes picturaux du réalisme socialiste, avant de donner libre cours à un lyrisme de la couleur dans des compositions peintes sur le motif.
BIBLIOGR. : Ionel Jianou et autres : *Les Artistes roumains en Occident*, American Romanian Academy of Arts and Sciences, Los Angeles, 1986.

THOMAS Karl Gustav Adolph. Voir THOMAS Adolph ou Carl Gustav Adolph

THOMAS Kristoffer ou Thomson
Mort vers 1715 à Stockholm. XVIIIe siècle. Suédois.
Peintre de portraits.
Élève d'Ehrenstrahl. Le Musée de Stockholm conserve de lui : *Portrait du savant J. Peringer* et *Portrait d'homme*.

THOMAS Laura Estelle Owen
Née le 24 janvier 1897 à Londres. XXe siècle. Britannique.
Peintre.

THOMAS Louis
Né en 1710 à Rennes. XVIIIe siècle. Français.
Peintre.

THOMAS Louis
XIXe siècle. Français.
Peintre de paysages.
Il exposa au Salon à Paris de 1848.

THOMAS Louis
XXe siècle. Français.
Peintre de paysages, peintre à la gouache, aquarelliste.
Il fit partie, à Lyon, avec Jean Bertholle, Claude Idoux et Charles Lenormand, du groupe *Témoignage* qui usait d'une technique apparemment objective, comme celle de l'enluminure, ou qui retrouvait dans la fresque romane des simplifications plastiques.
VENTES PUBLIQUES : PARIS, 14 mai 1945 : *Moulin rustique* 1939 : **FRF 1 200** – PARIS, 2 déc. 1946 : *Vue de ville*, aquar. gchée : **FRF 1 200**.

THOMAS Louis Antoine Auguste
Né au XIXe siècle à Santiago de Cuba. XIXe siècle. Français.
Peintre de genre.
Élève de M. Ange Tissier. Il débuta au salon de 1867.

THOMAS Louis Charlemagne
Né à Abbeville. Mort le 1er mars 1793 à Aix-la-Chapelle. XVIIIe siècle. Français.
Graveur au burin.
Élève de J. F. Beauvarlet. Il grava des vignettes et des scènes mythologiques.

THOMAS Louis François
Né au XIXe siècle à Paris. XIXe siècle. Français.

Paysagiste.

Élève de Jules Dupré. Il exposa au Salon de 1861 à 1866.

THOMAS Marcel, dit Thoma's

Né le 30 avril 1913 à Paris. Mort le 31 décembre 1986 à Larnaud, ou Lons-le-Saunier (Jura). XXe siècle. Français.

Peintre de paysages, paysages animés. Postimpressionniste.

Coiffeur de profession, comme son père, Thoma's mena également une activité de peintre. En 1969, il quitta la coiffure et s'installa dans le Jura à Conliège.

Il figura à diverses expositions collectives en France, Allemagne, Suisse, Angleterre et aux États-Unis. Il participa en 1964 au prix Utrillo, en 1967 au prix de Deauville.

THOMAS Margaret

XIXe siècle. Britannique.

Peintre de portraits et sculpteur.

Cette artiste exposa des sujets de genre, à Londres, de 1868 à 1880 (onze à la Royal Academy, dix-sept à Suffolk Street). Nous croyons qu'il convient de lui donner l'œuvre du Musée de Melbourne : *Portrait du sculpteur Charles Summers*. La National Gallery de Londres conserve d'elle *Buste de Richard Jefferies*.

THOMAS Mathilde, appelée Mme Thomas-Soyer ou Mme Soyer

Née le 19 août 1860 à Troyes (Aube). XIXe siècle. Française.

Sculpteur d'animaux.

Élève de Chapu et de Caïn. Elle a exposé, à Paris, au Salon, puis au Salon des Artistes Français. Elle obtint une mention honorable en 1880, une médaille de troisième classe en 1881, une médaille de bronze en 1889 lors de l'Exposition universelle de Paris, une médaille de bronze en 1900 lors de l'Exposition universelle de Paris.

Musées : Bourges : *Chiens d'Auvergne* – Hérault d'armes *publiant un édit* – Nevers : *Vache terrassant un loup* – Semur-en-Auxois : *Chasseur et braconnier* – Troyes : *En vedette* – *Cerf poursuivi par un lévrier sloughi* – *Combat de chiens*.

Ventes Publiques : Rouen, 5 mars 1978 : *L'éclaireur*, bronze, patine rouge : FRF 6 000 – Londres, 14 mai 1980 : *Officier de cavalerie*, bronze (H. 57,5) : GBP 750 – Londres, 10 nov. 1983 : *Groupe équestre* vers 1880, bronze (H. 58) : GBP 2 800 – Londres, 7 juin 1984 : *La sentinelle à cheval*, bronze, patine brune (H. 58) : GBP 1 700.

THOMAS Matthew Edward

XIXe siècle. Actif à Londres. Britannique.

Peintre d'architectures.

Il exposa à Londres, de 1816 à 1853, notamment à la Royal Academy, à la British Institution et à Suffolk Street. Le Musée de Manchester conserve de lui une aquarelle *Cathédrale de Canterbury*.

Ventes Publiques : Londres, 21 juin 1978 : *Groupe équestre : la sentinelle* vers 1870, bronze (H. 57,8) : GBP 900.

THOMAS Maurizio

XVIe siècle. Actif à Naples à la fin du XVIe siècle. Italien.

Peintre.

THOMAS Mélina, dite Mademoiselle Thomas

XIXe siècle. Française.

Peintre d'histoire, scènes de genre, portraits, miniatures.

Elle exposa au Salon de Paris, de 1837 à 1840.

Musées : Valence : *La Femme du marin*.

Ventes Publiques : Paris, 22 mai 1992 : *Anne Boleyn prisonnière dans la tour de Londres se confesse à l'archevêque de Cantorbery*, h/t (80x64) : FRF 10 000 – New York, 29 oct. 1992 : *Petite fille jouant avec un cerceau dans un sentier forestier*, h/t (170,2x99) : USD 3 520.

THOMAS Michel. Voir MICHEL-THOMAS

THOMAS N.

Né vers 1750. Mort vers 1812 à Paris. XVIIIe-XIXe siècles. Français.

Graveur au burin.

Il grava des scènes de genre et des vignettes.

THOMAS Napoléon

XIXe siècle. Français.

Peintre de genre, portraitiste, dessinateur et lithographe.

Il exposa au Salon de 1831 à 1837. Le Musée de Pontoise conserve de lui un dessin.

THOMAS Olsson Blix

Né vers 1678 à Odal. Mort en 1727 à Odal. XVIIIe siècle. Norvégien.

Sculpteur et peintre.

Il sculpta des autels et des chaires dans les églises de Hunn, de Nes, de Nannestad, de Telemark et d'Odal.

THOMAS P. A.

Né vers 1820. XIXe siècle. Français.

Peintre de scènes de genre, architectures, intérieurs.

Musées : Aix-la-Chapelle : *Tempête sur la mer* – Semur-en-Auxois : *Intérieur d'une chapelle de couvent*.

THOMAS Paul

Né le 30 novembre 1859 à Paris. Mort en 1910. XIXe-XXe siècles. Français.

Peintre de scènes de genre, portraits, paysages, intérieurs, pastelliste, sculpteur.

Il fut élève de Jules Lefebvre et de Gustave Boulanger. Il figura au Salon des Artistes Français de Paris, dont il devint sociétaire en 1885, obtenant une médaille de troisième classe en 1892, une médaille de deuxième classe en 1893, une médaille d'argent en 1900, pour l'Exposition Universelle. Il fut promu chevalier de la Légion d'honneur en 1906.

Paul Thomas

Paul Thomas

Musées : Amiens : *La leçon de mandoline* – Boston : *Les femmes des vaincus* – Reims : *La lecture*.

Ventes Publiques : Paris, 28 jan. 1924 : *Portrait de jeune femme aux cheveux châtains*, past. : FRF 300 – Paris, 23 mars 1945 : *Notre Dame, vue du quai de la Tournelle* : FRF 3 000 – Paris, 22 déc. 1948 : *Les apprêts du repas* : FRF 2 500 – Paris, 5 juil. 1950 : *Intérieur de salon Louis XVI* : FRF 1 000 – Londres, 28 nov. 1973 : *Lion marchant*, bronze : GBP 440 – Londres, 24 fév. 1988 : *Rue de village*, h/t (53x64) : GBP 1 650 – Paris, 14 juin 1991 : *Les quais enneigés* 1908, h/t (38x54) : FRF 28 000 – New York, 19 jan. 1994 : *L'heure de la traite*, h/t (27,9x38,4) : USD 1 840 – New York, 17 fév. 1994 : *Scène d'intérieur*, h/t (49,5x62) : USD 1 725 – Paris, 8 juin 1994 : *Paris, Notre-Dame*, h/t (40x65) : FRF 10 000 – Londres, 17 nov. 1994 : *Intérieur de l'hôtel de Genlis, 13 quai Conti à Paris*, h/t (73x54,6) : GBP 3 680 – Paris, 1er fév. 1996 : *Intérieur d'un hôtel particulier*, h/t (60x50) : FRF 7 500.

THOMAS Paul

Né le 30 mars 1868 à Limoges (Haute-Vienne). Mort le 27 janvier 1910. XIXe-XXe siècles. Français.

Peintre de figures, paysages, paysages d'eau. Tendance impressionniste.

Il étudia à l'École des Arts Décoratifs de Limoges. Il s'établit ensuite à Paris, où il suivit des cours d'architecture, puis de peinture dans l'atelier de Jean Léon Gérôme ».

Il décora le café parisien « Le Procope », puis il subit l'influence des peintres impressionnistes, de Vincent Van Gogh et peignit les bords de la Seine et des vues de la Bretagne et du Limousin.

Bibliogr. : Gérald Schurr, in : *Les Petits Maîtres de la peinture 1820-1920, valeur de demain*, Les Éditions de l'Amateur, t. IV, Paris, 1979.

Musées : Limoges (Mus. des Beaux-Arts) : *Le Quai Malaquais* 1904.

Ventes Publiques : Paris, 19 oct. 1997 : *Cour de moulin, effet du soir* 1905, h/t (60x74) : FRF 9 000.

THOMAS Paul Kirk Middlebrook

Né le 31 janvier 1875 à Philadelphie. XXe siècle. Américain.

Peintre de portraits.

Il fut élève de l'Académie des Beaux-Arts de Philadelphie. Il obtint une médaille de bronze à l'Exposition de Saint Louis, en 1904. Il est l'auteur de nombreux portraits de ses contemporains.

THOMAS Peeter ou Pieter

Mort en 1675 à Anvers. XVIIe siècle. Éc. flamande.

Peintre.

Il entra dans la gilde d'Anvers en 1634 et fut nommé maître, dans la même ville, en 1646. Un autre peintre du même nom était en 1681 dans la gilde et maître en 1689.

THOMAS Percy

Né à Londres, en 1846 ou 1847 selon Lügt. Mort en juillet 1922 à Londres. XIXe-XXe siècles. Britannique.

Peintre, graveur.

Il fut élève de Whistler. Il exposa à la Royal Academy de 1867 à 1898. Il gravait à l'eau-forte.

THOMAS Philippe
Né en 1951. Mort le 2 septembre 1995. xxe siècle. Français.
Artiste. Conceptuel. Groupe IFP.

Après des études littéraires et des années d'enseignement, il était apparu sur la scène artistique en 1982. C'est à cette date qu'il fonde avec Dominique Pasqualini et Jean-François Brun le groupe *IFP* (Information, Fiction, Publicité).

Philippe Thomas a figuré à Documenta IX à Kassel en 1992. Il a montré ses œuvres dans des expositions personnelles, dont : 1990, Capc Musée d'Art Contemporain, Bordeaux ; 1993, New York ; 1994, Musée d'art contemporain de Genève ; 1994, galerie Claire Burrus, Paris.

La démarche artistique de Philippe Thomas et du groupe était critique, il s'agissait de mettre à jour les mécanismes sociologiques qui transforment un objet en œuvre d'art. Le médium employé pour cette entreprise d'actualité fut essentiellement la photographie, une agence fut d'ailleurs créée en 1987 : *Les Ready made appartiennent à tout le monde*, le titre faisant bien sûr référence à Duchamp, puis elle fut dissoute peu avant son décès. L'artiste, en tant que figure emblématique, voire mythique, du champ artistique, était au cœur de ses préoccupations : ainsi, collectionneurs ou conservateurs membres de l'agence devaient signer les produits édités par l'agence, en général photographies ou textes.

Bibliogr. : Catherine Millet : *Le Mobilier national et les Ready made appartiennent à tout le monde*, in : *Art Press* n° 192, juin 1994, Paris, article repris dans *De l'Objet à l'œuvre, les espaces utopiques de l'art*, in : *Art Press* hors-série n° 15, 1994, Paris.

THOMAS Pieter Hendrik
Né en 1814. Mort en 1866. xixe siècle. Ec. flamande.
Peintre de scènes de genre, paysages animés, paysages d'eau.

Ventes Publiques : Amsterdam, 27 avr. 1976 : *Scène d'estuaire*, h/pan. (19,5x27,5) : **NLG 2 700** – Londres, 5 juil. 1978 : *Bateaux par grosse mer 1845*, h/t (32,5x46) : **GBP 1 800** – Amsterdam, 18 fév. 1992 : *Navigation dans un estuaire au soleil couchant*, h/pan. (17,5x27) : **NLG 1 265** – Amsterdam, 16 avr. 1996 : *Voyageurs sur un chemin de campagne*, h/t (46x65) : **NLG 7 080**.

THOMAS Raffael. Voir TOMAS Rafael

THOMAS René
xviie siècle. Français.
Peintre.

Il était actif à Dreux, de 1660 à 1677.

THOMAS René William
Né le 15 juillet 1910 à Paris. xxe siècle. Français.
Peintre de portraits, paysages, marines, aquarelliste, illustrateur.

Ses paysages bretons ou de l'Île-de-France, ses marines méditerranéennes, à force de précision, dépassent la simple objectivité, la stricte réalité, comme il se produit parfois chez certains artistes dits naïfs. Mais ici la préciosité du métier en glacis atteste la claire volonté du peintre. Waldemar-George, qui présenta l'une de ses nombreuses expositions parisiennes, dit que : « son analyse rejoint successivement la botanique et la géologie ».

THOMAS Robert Kent
Né le 20 février 1816 à Londres. Mort le 12 avril 1884. xixe siècle. Britannique.
Peintre et graveur à l'eau-forte et lithographe.

Il débuta comme lithographe puis s'adonna à l'eau-forte. Plusieurs de ses planches parurent dans le *Port-folio* que dirigeait avec tant d'autorité l'excellent écrivain P. C. Hamerton, et il ne tarda pas à se placer au premier rang des aquafortistes anglais. Il exposa aussi quelques peintures à la Royal Academy. Il fit également un grand nombre de croquis.

Ventes Publiques : Londres, 17 juin 1970 : *Voilier au large de Portsmouth* : **GBP 950**.

THOMAS Robert Strickland
Né en 1787. Mort en 1853. xixe siècle. Britannique.
Peintre de marines.

Ventes Publiques : Londres, 18 mars 1981 : *H. M. S. Brittania à l'ancre dans le port de Portsmouth 1837*, h/t (48x69) : **GBP 5 600** – New York, 11 avr. 1984 : *Le port de Portsmouth 1835*, h/t (46x68,5) : **USD 6 000** – Londres, 14 mars 1990 : *Un yacht quittant Portsmouth 1832*, h/t (30x45,5) : **GBP 9 350** – Londres, 14 nov.

1990 : *La frégate britannique Fisgard sous le feu des canons français et espagnols au large de Brest*, h/t (74x102) : **GBP 10 450** – Londres, 10 nov. 1993 : *Vaisseau de guerre britannique et autres embarcations dans le port de Portsmouth*, h/t (46x66) : **GBP 4 600**.

THOMAS Roger
Né en 1912 à Angleur. Mort en 1978 à Tilff. xxe siècle. Belge.
Graveur de portraits, paysages, dessinateur.

Entre 1930 et 1935, il fut élève libre de la classe de gravure de J. Donnay à l'Académie royale des Beaux-Arts de Liège. Il compléta sa formation en 1943 à Uccle sous la direction de M. Broca. Il était secrétaire comptable au ministère de l'Éducation nationale. Il a figuré au Cercle royal des Beaux-Arts de Liège et a obtenu le prix Marie en gravure en 1935.

Bibliogr. : In : *Dictionnaire biographique illustré des artistes en Belgique depuis 1830*, Arto, Bruxelles, 1987 – Pierre Somville, in : *Le Cercle royal des Beaux-Arts de Liège 1892-1992*, Crédit Communal, Liège, s.d.

Musées : Liège (Cab. des Estampes) : *Printemps au château 1944* – *Souvenirs d'été 1948*.

THOMAS Roland
Né le 31 juillet 1883 à Kansas City (Kansas). xxe siècle. Américain.
Peintre de paysages.

Il fut élève de W. Chase, de R. Henry et de F. M. Du Mond.

THOMAS Rosalie
xviiie siècle. Active à Paris dans la seconde moitié du xviiie siècle. Française.
Graveur au burin.

THOMAS Rover
Né en 1926. xxe siècle. Australien.
Peintre. Tendance abstraite.

Il a représenté l'Australie à la Biennale de Venise en 1991. Aborigène, membre de la communauté de Turkey Creek, il a commencé à peindre à la suite d'un rêve qu'il a fait plusieurs fois après le décès de sa mère spirituelle, gardienne des sites cachés de la région, le jour même où le Cyclone Tracy a rasé la petite ville de Darwin dans le Nord-Ouest du continent australien. Le rêve l'incitait à organiser une procession portant le nom de *Krilkril* à travers plusieurs sites. Chaque fois, des peintures furent exécutées par l'oncle de Rover Thomas, mais sous la dictée du « rêveur ». Ces peintures dépeignent les sites et les figures mythologiques rencontrées. Elles furent remarquées par un couple de fonctionnaires blancs de l'État australien qui enseignèrent aux peintres de la communauté comment mieux fixer les ocres des pigments et les encouragèrent à présenter au public leurs œuvres. Outre celles du *Krilkril* qui sont dorénavant associées à la liturgie aborigène, plusieurs autres séries de peintures furent ainsi exécutées par Rover Thomas lui-même. Il s'agit de formes organiques transposées de la nature formant une structure souple et parfois décorative. Il a également peint en 1990 une série d'œuvres intitulée *Massacres*, thème plus contemporain sur la violence des colons blancs lorsqu'ils prirent possession du pays. L'école de Turkey Creek est désormais connue dans toute l'Australie et certains tiennent Rover Thomas pour le plus grand peintre d'Australie.

Bibliogr. : In : *Creating Australia 200 years of Art 1788-1988*, Art Gallery of South Australia, Adélaïde, 1988 – Sylvie Grossman : *Rover Thomas*, in : *Artension* n° 35, Rouen, mai 1992.

Musées : Canberra (Australian Nat. Gal.) : *Série des Massacres 1990* – Perth (State Library of Western Australia) : *Tjimpulan 1984*.

THOMAS Stephen Seymour
Né le 20 août 1868 à San Augustine (Texas). Mort en 1956. xixe-xxe siècles. Américain.
Peintre de portraits, paysages, pastelliste.

Il fut élève de Lefebvre, Constant et Alexander Harrison. Il travailla à Paris où il exposa et où il obtint une mention honorable en 1895, une médaille de bronze en 1900 (Exposition Universelle), une médaille de troisième classe en 1901, une médaille de deuxième classe en 1904. Chevalier de la Légion d'honneur en 1905. Il exposa également à Londres, à partir de 1890, notamment à la Royal Academy.

Musées : New York (Metropolitan Mus.) : *Portrait de mrs. S. Seymour Thomas*.

Ventes Publiques : Los Angeles, 8 nov. 1977 : *La perle noire 1902*, h/t (118x89) : **USD 2 300** – Los Angeles-San Francisco,

7 fév. 1990 : *Vaste paysage*, h/cart. (61x76) : **USD 2 200** – New York, 21 mai 1991 : *Jour de baptême* 1904, h/t (56,5x46,4) : **USD 1 320**.

THOMAS Sydney
XIXᵉ siècle. Britannique.
Aquarelliste.
Il exposa à Londres en 1867 et 1868. Le Victoria and Albert Museum, à Londres conserve de lui *Vue de Shanklin, île de Wight*.

THOMAS Théodule Auguste
Né le 30 mai 1856 à Nantes (Loire-Atlantique). XIXᵉ siècle. Français.
Aquafortiste.
Il travailla à Nantes.

THOMAS Théophile
Né vers 1846. Mort le 1ᵉʳ ? juin 1916 à Écouen (Val-d'Oise). XIXᵉ-XXᵉ siècles. Français.
Peintre.

THOMAS Theunes
XVIIIᵉ siècle. Actif à Bergum dans la seconde moitié du XVIIIᵉ siècle. Hollandais.
Sculpteur et architecte.
Il a sculpté la chaire dans l'église de Makkinga en 1775.

THOMAS Thomas Henry
Né le 31 mars 1839 à Penygarn. Mort en 1915. XIXᵉ-XXᵉ siècles. Britannique.
Peintre de portraits, illustrateur.
Élève de Fr. St. Cary à Londres. Il se fixa à Cardiff.

THOMAS V.
Né vers 1750 à Paris. Mort vers 1812. XVIIIᵉ-XIXᵉ siècles. Français.
Graveur.
Il a gravé des portraits et des sujets d'histoire.

THOMAS Victor
Né le 31 octobre 1854 à Marbourg-sur-la-Lahn. XIXᵉ siècle. Actif à Munich. Allemand.
Peintre et lithographe.
Élève d'August Löffler. La Galerie Municipale de Munich conserve de lui *Journée grise* et *Étude en blanc*.

THOMAS William
XIXᵉ siècle. Actif à Londres dans la première moitié du XIXᵉ siècle. Britannique.
Peintre de genre et portraitiste.
Il exposa de 1806 à 1838.

THOMAS William Cave
Né le 8 mai 1820 à Londres. Mort en 1884. XIXᵉ siècle. Britannique.
Peintre de compositions religieuses, sujets allégoriques, scènes de genre, aquarelliste, dessinateur.
Il fut élève des Écoles de la Royal Academy de Londres et de l'Académie des Beaux-Arts de Munich. Après avoir voyagé en Allemagne et en Italie, il revint à Londres en 1843. Il y exposa la même année et obtint un prix de 100 livres sterling au concours pour la décoration du Parlement. Il prit part aux expositions de Londres jusqu'en 1884.
Il eut une importante activité d'écrivain d'art.
Musées : Londres (Victoria and Albert Mus.) : *Tête de femme*, aquar. – Melbourne (Nat. Gal.) : *Canute écoutant chanter les moines d'Ely*.
Ventes Publiques : Londres, 13 fév. 1909 : *Le joueur de mandoline* : **GBP 16** – Londres, 20 nov. 1973 : *Pétrarque apercevant pour la première fois Laure* : **GBP 1 500** – Londres, 10 mars 1995 : *Le retour*, h/t (97,8x85,5) : **GBP 3 450** – Londres, 29 mars 1995 : *Eliezer offrant les boucles d'oreilles et le bracelet à Rebecca*, h/t (76x63,5) : **GBP 1 840** – Londres, 6 nov. 1995 : *L'argument*, cr. et aquar. (59,6x47) : **GBP 1 725**.

THOMAS William Luson
Né le 4 décembre 1830. Mort le 16 octobre 1900. XIXᵉ siècle. Britannique.
Peintre de paysages, paysages d'eau, aquarelliste, graveur, illustrateur.
Frère et élève de George Housman T., il travailla avec celui-ci à Paris puis à New York où il fut employé dans les journaux illustrés. L'insuccès de ceux-ci ramena les deux frères à Rome. Trois années plus tard William Thomas revenait à Londres et, après avoir travaillé la gravure sur bois, fondait une importante entre-

prise qui lui permit, en 1869, de créer le journal *Graphic*, dont le succès fut aussi considérable qu'immédiat. Nommé membre du Royal Institute, il prit part à ses expositions. Il fut aussi membre de la Société des aquarellistes anglais. En 1864, Thomas avait épousé la fille du peintre de marine Carmichael.
Ventes Publiques : Londres, 16 juil. 1976 : *La Tamise à Hampton Court*, h/t haut arrondi (37x59,5) : **GBP 480**.

THOMAS William Meredyth
Né vers 1819 à Brecon. Mort le 7 septembre 1877 à Londres. XIXᵉ siècle.
Sculpteur.
Élève de F. L. Chantrey. Assistant de son frère John Even. Thomas. Il exposa de 1848 à 1871 des bustes et des portraits médaillons.

THOMAS DE BARBARIN Emmanuel Henri François
Né le 16 juillet 1821 à Paris. Mort le 23 mars 1892 à Paris. XIXᵉ siècle. Français.
Peintre de portraits et peintre de genre.
Élève de P. Delaroche et Ary Scheffer. Il entra à l'École des Beaux-Arts le 8 avril 1841. Il exposa au Salon de 1848 à 1878.

THOMAS de Cochavia
XVIᵉ siècle. Roumain.
Peintre à fresque.
Il travailla à Suceava, où il peignit dans des églises et des monastères.

THOMAS de Cologne
XVIᵉ siècle. Allemand.
Peintre.
Élève de Frans Floris. Sa personnalité est incertaine.

THOMAS de Coloswar
XVᵉ siècle. Hongrois.
Peintre.
Peintre de la première moitié du XVᵉ siècle, son nom figurait sur la prédelle du retable de Garamszent-Benedek, daté de 1427. Cette œuvre avait été commandée par le chanoine Nicolas de Györ.

THOMAS of Daddyngton
XIVᵉ siècle. Britannique.
Peintre verrier.
Il travailla à Winchester et à Oxford, dans la seconde moitié du XIVᵉ siècle.

THOMAS de Hongrie. Voir **HONGRIE Thomas de**

THOMAS d'Hoste Louis
Né en 1932 à Paris. XXᵉ siècle. Français.
Sculpteur. Abstrait.
Il a été le fondateur de la galerie du Seuil Étroit à Paris. Louis Thomas d'Hoste expose régulièrement, à Paris, aux Salons de la Jeune Sculpture, de Mai, des Grands et Jeunes d'aujourd'hui, des Réalités Nouvelles, mais aussi en Italie, Belgique, Pologne, au Canada et en Hongrie. Il montre ses œuvres aux expositions personnelles, dont : 1985, Musée Bricard, Paris ; 1992, chapelle Saint-Léonard, Croissy-sur-Seine ; 1998 à Viroflay, galerie À l'Écu de France.
Il sculpte la pierre, le marbre, en des formes circulaires légèrement découpées ou rappelant celles des coquillages, polit les matières jusqu'à leur imprimer une finition d'exécution parfaite, une douceur tactile.

THOMAS de Klausenbourg
XVᵉ siècle. Hongrois.
Peintre.
Il travailla en Hongrie et en Transylvanie.

THOMAS de Thick ull
XIIIᵉ siècle. Britannique.
Peintre.
Il travaillait à Londres en 1292.

THOMAS of Westminster
XIIIᵉ-XIVᵉ siècles. Britannique.
Peintre.
Actif à Londres, il fut assistant de son père. Il exécuta plusieurs peintures dans l'abbaye de Westminster.

THOMAS von Wittingau. Voir **TREBOCHOWSKY**

THOMAS von Ypern. Voir **THOMAS Johannes,** dit **Jan le Jeune**

THOMAS de Zurickzee
XVIᵉ siècle. Hollandais.

Peintre.

Faut-il comprendre qu'il était originaire de la région du Lac de Zurich ? Il fut élève de Frans Floris. Il travaillait en Hollande.

THOMAS-JEAN

Né à Marseille (Bouches-du-Rhône). XXᵉ siècle. Français.
Peintre.

Il a exposé, à Paris, aux Salons d'Automne et des Tuileries.

MUSÉES : CHAMBÉRY (Mus. des Beaux-Arts) : *Portrait d'Emile Rey* – *Le petit déjeuner.*

THOMAS-MARANCOURT Edmond

Né au XIXᵉ siècle à Clamecy (Yonne). XIXᵉ siècle. Français.
Peintre de genre.

Élève de Yvon et S. Cornu. Il débuta au Salon en 1869.

THOMAS-ROUDEIX Bernard

Né le 14 septembre 1942 à Paris. XXᵉ siècle. Français.
Peintre.

Il a passé son enfance dans le Cantal à Aurillac. Il vit et travaille à Paris depuis 1961. Il a commencé à exécuter des céramiques émaillées en 1981 dans l'atelier Sylvia et Marcel Katuszewski.

Il participe à des expositions collectives, parmi lesquelles : 1978, Salon de Mai, Paris ; 1979, galerie L'Œil de Bœuf, Paris ; 1980, Salon de la Jeune Peinture, Paris ; 1986, *Réalité Seconde*, Musée de l'Art Contemporain, Chamalières. Il montre ses œuvres dans des expositions personnelles, dont : 1967, 1973, Cité universitaire, Paris ; 1976, galerie Messine, Paris ; 1985, galerie Peinture Fraîche, Paris.

Il peint par cycle, notamment la série de peintures *Roman noir* qui date des années quatre-vingt ; des œuvres dans lesquelles l'image figurative, identifiable mais malmenée, pénètre un univers proche du chaos.

BIBLIOGR. : In : Catalogue de l'exposition *Réalité Seconde*, Mus. de l'Art Contemp., Chamalières, 1986.

THOMAS-SOYER Mathilde. Voir THOMAS Mathilde

THOMASBERGER Augustin Johannes

Né en 1676 à Klein-Mohrau (?). Mort le 5 décembre 1734 à Olmütz. XVIIIᵉ siècle. Autrichien.
Sculpteur.

Il sculpta des autels et des stalles pour des églises d'Olmütz.

THOMASBERGER Franz

Né à Klein-Mohrau (?). XVIIIᵉ siècle. Actif dans la première moitié du XVIIIᵉ siècle. Autrichien.
Sculpteur.

Il travailla pour l'église Saint-Michel d'Olmütz et la collégiale de Neisse.

THOMASBERGER Johann Ignaz

Né le 6 mai 1709 à Olmutz (Moravie). XVIIIᵉ siècle. Autrichien.
Sculpteur.

Fils d'Augustin Johannes T. Il a sculpté une *Sainte Thècle* dans l'église d'Olmütz-Neustift.

THOMASBERGER Mathias

Né en 1694 à Klein-Mohrau (?). Mort en 1711 à Brunn. XVIIIᵉ siècle. Autrichien.
Sculpteur.

THOMASCHEFSKY Carl Friedrich

Mort en 1782 à Copenhague. XVIIIᵉ siècle. Danois.
Peintre sur porcelaine.

Il travailla pour la Manufacture de porcelaine de Berlin de 1765 à 1780, et dans celle de Copenhague de 1780 à 1782.

THOMASI Angelo. Voir TOMMASI Agniolo

THOMASON J.

XVIIIᵉ siècle. Travaillant de 1780 à 1790. Irlandais.
Silhouettiste.

Il exécuta des silhouettes à Londres et à Dublin.

THOMASSE Adolphe

Né le 26 mars 1850 au Havre (Seine-Maritime). Mort en 1930. XIXᵉ-XXᵉ siècles. Français.
Peintre de portraits, marines, paysages, animalier, aquarelliste.

Il fut élève de Pils et de Luc Olivier-Merson. Sociétaire des Artistes Français, il figura au Salon de ce groupement, à partir de 1877. Il y obtint une mention honorable en 1906, une médaille d'argent en 1928.

VENTES PUBLIQUES : PARIS, 23 avr. 1945 : *En chasse* : FRF 500 – PARIS, 28 mars 1949 : *Pêche à la ligne*, deux gches en forme d'éventail : FRF 4 000 – PARIS, 30 mars 1992 : *Les chiens de*

cirque, gche/moire, deux projets d'éventail (chaque 35x66) : FRF 15 000.

THOMASSEN F. J.

XIXᵉ siècle. Actif à Cologne au milieu du XIXᵉ siècle. Allemand.
Graveur au burin.

Il grava des portraits.

THOMASSET

XIXᵉ siècle. Français.
Peintre de portraits, miniatures.

Il exposa à Paris de 1812 à 1814.

THOMASSIN

XVIᵉ siècle. Français.
Peintre et graveur de sujets religieux.

Il était actif au milieu du XVIᵉ siècle. Il gravait au burin. On cite de lui *Le Christ mené au tribunal*, exécuté vers 1550.

THOMASSIN Crépin ou Crispin

D'origine lorraine. XVIIᵉ siècle. Français.
Peintre.

Il travaillait à Rome de 1619 à 1636.

THOMASSIN Désiré ou Thomassin-Renardt

Né en 1858 à Vienne. Mort en 1933 à Munich (Bavière). XIXᵉ-XXᵉ siècles. Actif en Allemagne. Autrichien.
Peintre de genre, scènes typiques, paysages, paysages animés, marines.

D Thomassin

VENTES PUBLIQUES : COLOGNE, 26 mars 1976 : *Scène de moisson*, h/t (70x100) : DEM 16 000 – COLOGNE, 18 mars 1977 : *Le retour des pêcheurs*, h/pan. (21x24) : DEM 12 000 – VIENNE, 15 mai 1979 : *Scène de moisson*, h/pan. (35,5x50) : ATS 140 000 – COPENHAGUE, 26 nov. 1981 : *Scène de moisson*, h/pan. (26x42) : DEM 21 000 – VIENNE, 16 nov. 1983 : *La Moisson*, h/t (67x90) : ATS 180 000 – MUNICH, 14 mars 1985 : *Barques de pêcheurs sur la plage*, h/t (70,5x101,5) : DEM 20 000 – LUCERNE, 3 juin 1987 : *Paysan et carriole sur un chemin de campagne*, h/t (45,5x70) : CHF 13 000 – COLOGNE, 15 oct. 1988 : *Paysage alpin*, h/t (84x133) : DEM 7 000 – COLOGNE, 20 mars 1990 : *Soirée d'hiver en Hollande* 1893, h/t (55,5x75,5) : DEM 6 000 – NEW YORK, 19 juil. 1990 : *Le chargement de la charrette de foin*, h/pan. (27,3x40,7) : USD 7 150 – AMSTERDAM, 6 nov. 1990 : *Le débarquement de la pêche* 1894, h/t (52x42) : NLG 8 750 – MUNICH, 10 déc. 1991 : *Berger et son troupeau*, h/bois (25x36) : DEM 9 775 – NEW YORK, 17 fév. 1993 : *Le chemin rural*, h/pan. (26x17,1) : USD 4 140 – AMSTERDAM, 21 avr. 1993 : *Fenaison*, h/cart. (25x40) : NLG 17 250 – NEW YORK, 27 mai 1993 : *La fin de la chasse*, h/t (56x75) : USD 9 200 – MUNICH, 7 déc. 1993 : *Chariot bâché attelé de chevaux devant une ferme*, h/pan. (20x25) : DEM 9 200 – LONDRES, 15 juin 1994 : *Charrette de foin attelée de chevaux sur un chemin*, h/pan. (32,5x47,5) : GBP 4 140 – MUNICH, 27 juin 1995 : *Lavandières au bord d'un ruisseau*, h/pan. (9x23,5) : DEM 4 830 – NEW YORK, 20 juil. 1995 : *Le halage d'un navire*, h/pan. (24,1x35,6) : USD 6 612.

THOMASSIN François

XVIIᵉ siècle. Français.
Peintre de sujets religieux.

Actif à Nancy vers 1620, il y peignit un tableau pour l'église Saint-Sébastien.

THOMASSIN Henri Simon, ou Simon Henri

Né le 25 février 1687 à Paris. Mort le 1ᵉʳ janvier 1741 à Paris. XVIIIᵉ siècle. Français.
Graveur d'histoire, compositions mythologiques, sujets de genre, portraits.

Il fut élève de son père Simon et de B. Picart. Il exposa au Salon de Paris, de 1737 à 1740. Il a surtout gravé au burin.

THOMASSIN Louis

XVIIIᵉ siècle. Actif à Paris. Français.
Peintre de genre et portraitiste.

Élève de Vincent. Il exposa au Salon de 1796 à 1810.

VENTES PUBLIQUES : NEW YORK, 5 mai 1984 : *Portrait en pied d'un homme d'affaires*, h/t (66x50) : USD 24 000.

THOMASSIN Nicolas François

Né le 29 août 1697 à Paris. Mort en août 1760 à Paris. XVIIIᵉ siècle. Français.
Peintre.

THOMASSIN Philippe ou **Tommasini Filippo**
Né en 1526 à Troyes. Mort en 1622 à Rome. XVIᵉ-XVIIᵉ siècles.
Actif en Italie. Français.
Graveur.
Il fut élève de Cort à Rome. Il se maria dans cette ville et s'y fixa. Il eut pour élèves Callot et Nicolas Cochin. Son œuvre comporte deux cents planches dont cinquante-deux reproductions de statues antiques.

THOMASSIN Philippe
Né en 1536 à Troyes. Mort en 1606. XVIᵉ siècle. Français.
Graveur.
Élève de C. Cort. Il a gravé des sujets religieux et des sujets de genre.

THOMASSIN Philippe
Né le 28 janvier 1562 (ou 1561) à Troyes. Mort le 12 mai 1622 à Rome. XVIᵉ-XVIIᵉ siècles. Français.
Graveur au burin.
Il s'établit à Rome en 1585. Il grava surtout des sujets religieux.

THOMASSIN Simeon, ou **Simon**
Né en 1655 à Troyes. Mort le 27 mai 1733 à Paris. XVIIᵉ-XVIIIᵉ siècles. Français.
Graveur de compositions religieuses, portraits, copiste.
Père d'Henri Simon Thomassin. Il fut graveur du roi et membre de l'Académie des Beaux-Arts de Paris.
Il a gravé au burin des portraits et des sujets religieux d'après le Poussin, Bon Boulogne, Lesueur et Philippe de Champaigne.

THOMASSIN Simon Henri. Voir **THOMASSIN Henri Simon**

THOMASSIN Sophie
XXᵉ siècle. Française.
Peintre, technique mixte.
Elle fut élève de la Parson School de New York, puis de l'École des Beaux-Arts de Paris.
Elle participe à des expositions collectives, dont : 1986,1988, *Novembre à Vitry* ; 1989, Foire internationale d'art contemporain de Bologne ; 1989, Art Jonction, Nice. Elle montre ses œuvres dans des expositions personnelles, dont : 1988, *L'Art en Marche*, Toulouse, présentée par la galerie Charley Chevalier (Paris).
Elle réalise des peintures et des tableaux-reliefs à l'aide de divers matériaux, terre, os, métal, et pigment, composant des figures presque magiques dont l'esprit relève de l'art brut.
VENTES PUBLIQUES : PARIS, 14 oct. 1991 : *Sans titre* 1991, terre, pigments, os, acryl./pan. (67x50) : FRF 5 500.

THOMASSIN Le Flament
XVᵉ siècle. Français.
Sculpteur sur bois.
Il travaillait à Troyes de 1440 à 1446.

THOMASSO P.
XVIᵉ siècle. Français.
Sculpteur.
Il a sculpté un saint Pierre pour l'église de Sancoins.

THOMASSON Jean Philippe
Né en 1944 en Dordogne. XXᵉ siècle. Français.
Peintre.
Il fait ses études à l'École des Beaux-Arts de Paris. Il expose collectivement depuis 1966. Il emploie des plastiques dans sa peinture.

THOMASZ Thomas. Voir **ESCH Thomas Thomasz Van**

THOMAYR Anton Ulrich ou **Thomayer**
Né le 3 janvier 1827 à Gross-Pöchlarn. Mort le 27 mars 1883 à Vienne. XIXᵉ siècle. Autrichien.
Graveur au burin et lithographe.
Élève de l'Académie de Vienne.

THOMBION Hieronymus. Voir **DAMIAN Hieronymus**

THOME Amalie ou **Thomä**, née **Langhaus**
XIXᵉ siècle. Active à Breslau dans la première moitié du XIXᵉ siècle. Allemande.
Peintre.
Femme de Friedrich Thome.

THOME Friedrich ou **Johann Friedrich Joseph** ou **Thomä**
Né le 15 juin 1794 à Dresde. Mort le 14 mars 1837 à Breslau. XIXᵉ siècle. Allemand.
Peintre d'histoire et portraitiste.
Élève de Toscani et de l'Académie de Dresde. Le Musée Provincial de cette ville conserve de lui *La Vierge avec l'Enfant Jésus et le petit saint Jean*.

THOME Luca
Né au XIVᵉ siècle à Sienne. XIVᵉ siècle. Italien.
Peintre.
On croit qu'il fut élève de Simone Martini et le condisciple de Lippo Memmi et de Barna. Il compta parmi les fondateurs de la Confrérie de Saint-Luc. Il restaura en 1357 la Madone peinte en 1333 au-dessus du portail de la cathédrale par Pietro Lorenzetti. Il peignit en 1373, par ordre du Conseil général un tableau d'autel en l'honneur de saint Paul pour célébrer la victoire des Siennois sur les Cappellucci. On cite encore parmi d'autres ouvrages un tableau d'autel qu'il peignit en collaboration de Bartolo di Maestro Fredi et de son fils Andrea dans la chapelle des Cordonniers à la cathédrale, ainsi qu'une Madone, datée de 1392 pour l'église de Saint-François de Sienne. On voit de lui au Musée de Pise : *Le Christ en Croix*.

THOMÉ Olivier
Né en 1949 à Toulon (Var). XXᵉ siècle. Français.
Peintre.
Il s'est formé aux écoles des Arts Appliqués et des Beaux-Arts de Paris. Il participe à des expositions collectives, notamment : 1975, 9ᵉ Biennale de Paris ; 1977, ARC Musée d'Art Moderne de la Ville de Paris ; 1978, Centre Georges Pompidou, Paris ; 1979, Musée de la Rochelle ; 1989, *Coup d'envois*, Musée de la Poste, Paris. Il montre ses œuvres dans des expositions particulières, dont : 1974, 1975, galerie Jean Chauvelin, Paris ; 1988, galerie Antoine Candau, Paris.
Comme d'autres artistes des années soixante-dix, Thomé a subi l'influence de l'approche matérialiste de la peinture. Il a d'abord voulu manifester la matière à l'état brut, exposant des surfaces de carton plus ou moins gratté ou tableaux de poussières, faits effectivement d'amalgames de poussières. Sa peinture relève du même esprit. Elle n'est qu'un simple balayage de peinture grise sur une toile, révélant à la fois les légers accidents de la texture (la peinture s'accroche en forme auréolée) et le geste quasi automatique du poignet et de l'avant-bras qui applique la peinture sans pour autant s'appliquer. Dans les séries *Pellicules*, *Absences*, *Taches* ou avec ses *Assemblages*, c'est toujours le questionnement de la surface peinte qui forme l'enjeu de sa pratique. Parfois, la trace laissée par le pinceau se continue en se superposant sur un élément ajouté tel un morceau de quille de bateau, et, insensiblement devient également forme peinte.
BIBLIOGR. : *Olivier Thomé*, monographie préfacée par Bernard Lamarche-Vadel, La Différence, Galerie Antoine Candau, Paris, 1980.
MUSÉES : PARIS (FNAC) – SAINT-ÉTIENNE (Mus. d'Art et d'Industrie).
VENTES PUBLIQUES : PARIS, 12 avr. 1989 : *Dessin étrange, objet et sculpture insolite* 1988, assemblage de bois peint (62x77) : FRF 10 500 – PARIS, 23 nov. 1989 : *La révolution* 1986, techn. mixte (172,5x177) : FRF 18 000 – PARIS, 28 nov. 1989 : *Absence*, h/t (65x100) : FRF 6 200 – PARIS, 12 fév. 1990 : *Collage* 1988, collage et peint./pan. (64x49,5) : FRF 6 000 – PARIS, 7 mars 1990 : *Sans titre* 1988, techn. mixte/pan. (78x82) : FRF 7 200 – PARIS, 14 juin 1990 : *Sac photo* 1971, collage (49x59) : FRF 4 500 – PARIS, 18 oct. 1992 : *Sans titre* 1986, palissade, peint., bois, zinc et t. (186x267) : FRF 5 500.

THOMÉ Sébastien
XVIIᵉ-XVIIIᵉ siècles. Actif à Lyon. Français.
Peintre.
Il peignit des portraits.

THOME Verner
Né le 4 juillet 1878 à Alajärvi. XXᵉ siècle. Finlandais.
Peintre de portraits, marines.
Il fit ses études à Helsinki, à Munich et à Paris. Il fut membre de l'Académie des Beaux-Arts de Finlande.
Il a exposé à Copenhague, Düsseldorf, Gothenburg, Helsinki, Leningrad, Malmö, Oslo, aux Salons des Indépendants et d'Automne de Paris, à Stockholm.

Sorti du postimpressionnisme, il fut le créateur d'une sorte de peinture spectrale.

MUSÉES : HELSINKI – SAINT-PÉTERSBOURG – STOCKHOLM.

THOMET Friedrich

XVIIIe siècle. Actif à Wohlen dans la seconde moitié du XVIIIe siècle. Suisse.

Peintre.

Il travailla à Berne en 1798.

THOMHILL John

XVIIIe siècle. Britannique.

Peintre de paysages et de marines.

Fils et élève de sir James Thomhill à qui il succéda comme « sergeant painter » du roi. Il abandonna cette charge en 1757.

THOMIERS

XVIIIe siècle. Actif à Paris de 1740 à 1765. Français.

Peintre de portraits.

THOMIN Friedrich ou Christian Friedrich Carl

Né à Kloster-Veilsdorf. XVIIIe-XIXe siècles. Allemand.

Peintre sur porcelaine.

Il travailla à Tettau et à Bruckberg. Le Musée Provincial de Stuttgart conserve des œuvres de cet artiste.

THOMINE DESMASURES Marie Jean Léon

Né au XIXe siècle à Caen (Calvados). XIXe siècle. Français.

Peintre.

Élève de Dubufe, Mazerolle et Defaux. Il débuta au Salon de 1879.

THÖMING Christian Friedrich Ferdinand ou Frederik ou Thöning

Né le 27 août 1802 à Eckernförde. Mort le 21 avril 1873 à Naples. XIXe siècle. Danois.

Peintre de marines, de paysages et lithographe.

Il étudia à l'Académie de Copenhague, à Munich et à Rome, où il s'établit. On lui doit surtout des marines avec figures, dans lesquelles il se plaît aux jeux de la lumière. Il a lithographié plusieurs vues de Suisse et deux tableaux de Cuyp.

THOMIRE

XVIIIe siècle. Actif dans la seconde moitié du XVIIIe siècle. Français.

Peintre de genre et portraitiste.

Membre de l'Académie de Bordeaux en 1784. Le Musée de cette ville conserve de lui : Portrait de l'avocat Douat. Peut-être identique au peintre du même nom travaillant en Russie en 1773.

VENTES PUBLIQUES : PARIS, 13 et 14 déc. 1926 : Portrait de jeune femme en corsage bleu : FRF 800.

THOMIRE

D'origine française. XVIIIe siècle. Travaillant en Russie en 1773. Français.

Peintre.

Il peignit pour Catherine II les portraits de Louis XV, du Comte et de la Comtesse de Provence qui se trouvent à l'Ermitage de Leningrad.

THOMIRE François

Français.

Peintre de portraits.

Le Musée de Béziers conserve de lui : Portrait d'André Chénier.

THOMIRE Louis

Né le 20 décembre 1757 à Paris. Mort le 10 juin 1838 à Paris. XVIIIe-XIXe siècles. Français.

Sculpteur en bronze et ciseleur.

Cousin germain de Pierre Philippe Thomire, il épousa Madeleine Morel, qui lui donna trois enfants : Pierre Louis-Philippe, né en 1783, Jacques Louis, né en 1787 et Julien, né en 1789. Il fut probablement un des nombreux collaborateurs de son cousin ; d'après l'acte de naissance de son second fils, il est qualifié de « sculpteur en bronze de la Manufacture de Sèvres », où il devait travailler pour le grand Thomire. Quand ce dernier travailla au ralenti, il est possible que Louis Thomire se soit établi à son compte. On cite de cet artiste, une pendule représentant Zéphyr couronnant Erigone, datée de 1801.

VENTES PUBLIQUES : PARIS, 9 nov. 1966 : Les Trois Grâces, bronze : FRF 5 000.

THOMIRE Luc Philippe, père

XVIIIe siècle. Actif à Paris au milieu du XVIIIe siècle. Français.

Sculpteur.

Père de Pierre Philippe Thomire.

THOMIRE Pierre Philippe, fils

Né le 5 décembre 1751 à Paris. Mort le 9 juin 1843 à Paris. XVIIIe-XIXe siècles. Français.

Sculpteur, bronzier et fondeur-ciseleur.

Issu d'une famille parisienne, sur laquelle nous sommes peu renseignés, il était le fils du ciseleur Luc Philippe Thomire, avec lequel on le confond parfois. Il étudia à l'Académie de Saint-Luc, avec Houdon et Pajou. Mais son véritable maître fut le ciseleur Gouthière, dont l'œuvre influença celle de Thomire, jusqu'au Premier Empire. Accablé par des soucis financiers, devenu irrégulier dans la livraison des commandes qui lui étaient confiées, Gouthière laissa le champ libre à son jeune élève. Déjà fort remarqué en 1775 pour sa collaboration aux décorations en bronze du carrosse du sacre de Louis XVI, de Louis Prieur, notre artiste fonda en 1776 la fabrique qui deviendra si célèbre. Il occupa, peu après, à la Manufacture de Sèvres, la place laissée vacante par la mort de Jean Claude Duplessis. Les comptes du Garde-Meuble le mentionnent comme fournisseur et collaborateur de Benneman, l'ébéniste de la reine Marie-Antoinette : ceci dément l'attribution presque systématique des œuvres de Thomire à Gouthière, qui ne signait presque jamais ses œuvres, tout comme son ancien élève, mais n'était plus cité à cette époque. Le succès sourit à ses débuts : fournisseur attitré de la Couronne, sculpteur en bronze de la Manufacture de Sèvres, réalisateur des commandes de la Ville de Paris ; il obtient d'emblée la réputation du meilleur bronzier du règne de Louis XVI, comme il sera celui du Premier Empire. A la Révolution, sa fabrique est transformée en Manufacture d'armes : en réalisant lui-même ce geste il échappe ainsi aux soupçons du Comité de sûreté générale et fait, contrairement à beaucoup d'artisans d'art de l'Ancien Régime, quelques affaires. La tourmente populaire éloignée, il s'agit de s'adapter au goût du jour, Percier et Fontaine sont les parangons de l'art nouveau, à la fois sévère et pompeux. Là encore, Thomire réussit, il retient surtout la leçon de David et servi par son incontestable métier, peut se mesurer avec les artistes décorateurs qui veulent trop vite l'oublier. Son goût inné pour la sculpture se donne libre cours en de nombreuses figures ornementales, si fort à la mode en ce temps. Ayant acheté la maison de Lignereux, le fameux associé de Daguerre, en l'an XIII de la République (1806), il s'associe peu après avec Duterme et est secondé par ses deux gendres : Beauvisage et Carbonelle. Le rôle de Duterme semble s'être borné aux questions de ventes et de rentrées d'argent, les deux gendres ne sont que des aides, c'est Thomire qui reste le maître. Sa fabrique se permet d'employer sept à huit cents ouvriers, chiffre énorme pour l'époque. En 1806, à l'Exposition, il reçoit une récompense enviée : la médaille d'or, décernée pour la première fois à l'industrie du bronze. Parmi ces envois, l'on remarque particulièrement une cheminée en malachite ornée de bronzes. Mais, malgré ces récompenses et de nombreuses commandes officielles, la fabrique de Thomire est en difficulté, il figure sur la fameuse liste des « prêts fis sur consignation des Manufactures en souffrance ». L'art sous Napoléon est subordonné à la guerre : celle-ci sévit sans cesse, on ne pense plus comme au siècle précédent à changer les objets et les sites, il faut maintenant des canons et des hommes ; tel officier qui commande entre deux campagnes un surtout de table, disparaît à Iéna, à Eylau ou à Wagram. Le second mariage de Napoléon Ier laisse à l'Europe une paix relative et provisoire, le contrecoup s'en fait sentir pour les arts. En 1809, Thomire a déjà fait quelques remboursements, s'il n'emploie plus que deux cent onze ouvriers, il faut voir dans ce fait non pas seulement un ralentissement des affaires, mais surtout la rigueur des conscriptions – une sorte de S.T.O. avant la lettre. Les fêtes du mariage permettent à Thomire d'exécuter avec Odiot « la toilette de Marie-Louise » (fondue par cette dernière en 1832) et seul, « le vase du mariage » (actuellement au Palais de Versailles). En 1811, il exécute le berceau du roi de Rome, d'abord avec Odiot (celui-ci faisait partie de l'Ancien Trésor impérial de Vienne), puis seul, un autre berceau (c'est la célèbre pièce conservée au Palais de Fontainebleau). Le retour des Bourbons s'accompagne de commandes pour notre artiste, là encore il n'est pas victime de son attachement au régime du « général Bonaparte », la cour lui commande un grand surtout de table. En 1823, il est âgé de soixante-douze ans, il se retire de l'affaire (Duterme a disparu depuis longtemps sans que nous ayons de détail sur son départ ou son abandon) et la confie à ses gendres ; la célèbre fabrique devient « Thomire et Cie ». Le roi Louis-Philippe, décerne en 1834, à ce bel artiste, la croix de la Légion d'honneur. A sa mort la presse est unanime à célébrer son talent, sa science consommée, et surtout sa grande bonté. Ce sont ses ouvriers qui lui élèvent une stèle funéraire au cimetière Montmartre. Malgré le renom dont il jouissait de son temps, Thomire est maintenant, non pas oublié, mais enfermé dans une gloire qui ne le sert pas : on l'admire, on ne l'aime pas. Son œuvre pourtant allie à une grâce toute du XVIIIe siècle une richesse ornementale qui tient plus de l'antique que du style Empire proprement dit, il reste un grand artisan d'art, mais c'est d'abord un parfait artiste (au sens où on l'entendait au temps des bâtisseurs français des cathédrales et au XVIIe siècle). C'était de plus un fin lettré. Une remarquable monographie suivie d'un catalogue excellent lui a été consacrée en 1947, par Juliette Niclausse, c'est à l'heure actuelle le meilleur guide sur Thomire et son temps. Les Musées du Louvre, des Arts Décoratifs, de Sèvres, Condé à Chantilly, Masséna, à Nice, de l'Ermitage, à Leningrad ; the Walters Art Gallery, à Baltimore, le Schlossmuseum, à Berlin ; le Victoria and Albert Museum, à Londres ; le Rijksmuseum à Amsterdam ; les châteaux de Versailles, du Grand Trianon, de Fontainebleau, de Compiègne, de la Malmaison, de Potsdam, de la Hofburg, à Vienne ; la Bibliothèque Paul Marmottan et les ministères de l'Armée et de l'Intérieur, conservent des œuvres de cet artiste.

■ P.-A. Touttain

BIBLIOGR. : J. Niclausse : *Thomire, fondeur-ciseleur, 1751-1843, sa vie, son œuvre*, Legueltel, Paris, 1947.

THOMISEN Daniel ou **Tomisen, Tommisen**, dit **Daniel Stenhugger**
Né à Malmö (?). Mort en 1693 à Malmö (?). XVIIe siècle. Suédois.
Sculpteur sur pierre et sur bois, architecte.
Il travailla à Malmö. Il exécuta les sculptures du château de Svenstorp et la chaire de l'église Saint-Pierre de Malmö.

THOMKINS André
Né en 1930 à Lucerne. Mort en 1985. XXe siècle. Depuis 1951 actif en Allemagne. Suisse.
Peintre, peintre de collages, aquarelliste, dessinateur, écrivain. Néodadaïste.
Il fréquente d'abord l'École des Arts et Métiers de Lucerne, puis vient à Paris compléter sa formation à l'Académie de la Grande Chaumière. Il vivait et travaillait à Essen (Allemagne).
Thomkins participait à de nombreuses expositions collectives, notamment : 1968, *Science-Fiction*, Düsseldorf ; 1969, *Figuration fantastique*, Zurich ; 1970, *Texte-Lettre-Image* en Allemagne ; 1970, *Poésie Concrète*, Amsterdam ; 1972, *Documenta V* à Kassel ; 1976, *Les machines célibataires*, à travers l'Europe.
Il montre ses œuvres dans des expositions particulières parmi lesquelles : 1960, Essen ; 1962, Londres ; 1967, Düsseldorf ; 1968, Karlsruhe ; 1969, Bâle ; 1971, Baden-Baden, Lucerne et Kunstmuseum de Bâle.
Son travail s'inscrit à la frontière de la peinture et de l'écriture. En fait, il peint, dessine et grave des jeux de mots, des palindromes, des configurations plus ou moins réalistes. Il confectionne des machines qui tentent de substituer à l'activité humaine de l'écriture une logique mécanique. Ainsi sa *Machine polyglotte* ou sa *Machine à écrire des phrases*.
BIBLIOGR. : *Catalogue de l'exposition de Thomkins Lucerne en recul*, Gal. Raeber, Lucerne, 1971 – Theo Kneubühler, in : *Art : 28 Suisses*, Édit. Gal. Raeber, Lucerne, 1972 – *André Thomkins. Die Druckgrafik und Mnonotypischen*, Galerie Stähli, Zurich, 1977.
MUSÉES : AARAU (Argauer Kunsthaus) : *Ohne Titel* 1973 – *Urs Graf Straat* 1975 – *Schwarzwälder Brieftaube* 1975 – *Frau wirft den Stein* 1976.
VENTES PUBLIQUES : ZURICH, 8 nov. 1980 : *Composition* 1959, techn. mixte (39,5x93,5) : **CHF 2 000** – LUCERNE, 24 nov. 1990 : *Parents responsables de leurs enfants*, litho. (30x40,5) : **CHF 650** – ZURICH, 16 oct. 1991 : *Halte à la vieillesse* 1974, cr. et encre (18x12) : **CHF 3 600** – ZURICH, 25 mars 1996 : *Avec une patte de Dalmatien* 1974, aquar. et encre/pap. (18,5x14,5) : **CHF 6 440** – LUCERNE, 23 nov. 1996 : *Sans titre* 1959, laque/pap. (17,5x38) : **CHF 3 000.**

THOMMEN Ernst
Né en 1891. XXe siècle. Suisse.
Peintre, peintre de compositions murales.
Il fit ses études à Munich et à Paris. Il exécuta surtout des fresques sur les façades de maisons.

THOMMESEN Erik
Né en 1910 ou 1916 à Copenhague. XXe siècle. Danois.
Sculpteur. Abstrait.

Autodidacte. Il fit ses débuts au Salon d'Automne en 1940. Il exposa avec les artistes groupés autour de la revue *Linien*. Il a figuré à la Biennale de Venise en 1956 et à l'exposition *Art Danois* aux Galeries Nationales du Grand Palais à Paris en 1973. Il a montré plusieurs expositions personnelles, dont deux rétrospectives en 1947 et 1957.
Certaines de ses figures, en bois ou granit, très étirées en hauteur à partir d'un large piètement, rappellent l'œuvre de Giacometti, qui a toujours été en grande estime chez ces artistes qui créeront le mouvement COBRA au lendemain de la guerre. Dans une forme simple et claire qui laisse s'exprimer la matière, le sculpteur cherche à concilier intimité et monumentalité.
BIBLIOGR. : In : *Catalogue de l'exposition Art Danois*, Gal. Nat. du Grand Palais, Paris, 1973 – in : *Dictionnaire de l'art moderne et contemporain*, Hazan, Paris, 1992.
MUSÉES : AALBORG (Nordjyllands Kunstmuseum) : *La mère et l'Enfant* 1946 – *Homme et Femme* 1955 – AARHUS – COPENHAGUE (Statens Mus. for Kunst) – ESBJERG – HOLSTEBRO – HUMLEBACK (Louisiana Mus.) : *Homme et Femme* 1955 – OSLO (Gal. Nat.).
VENTES PUBLIQUES : COPENHAGUE, 11 mai 1967 : *Femme debout* : **DKK 10 900** – COPENHAGUE, 24 mai 1974 : *Figure*, bois : **DKK 6 200** – COPENHAGUE, 18 oct. 1977 : *Figure* 1944, bois (H. 150) : **DKK 8 000** – COPENHAGUE, 25 sep. 1985 : *Figure vers 1945*, granite (H. 94 et l. 50) : **DKK 56 000** – COPENHAGUE, 26 fév. 1986 : *Figure* 1949, bois (H. 135) : **DKK 42 000** – AMSTERDAM, 24 mai 1989 : *Personnage* 1954, sculpt. de bois (H. 20,5) : **NLG 5 750** – COPENHAGUE, 2-3 déc. 1992 : *Buste de jeune fille* 1938, bronze cire perdue (H. 32) : **DKK 8 000** – COPENHAGUE, 1er déc. 1993 : *Figure* 1953, lames de bois (H. 17) : **DKK 26 000** – COPENHAGUE, 2 mars 1994 : *Sculpture de bronze* 1977 (H. 30) : **DKK 12 500** – COPENHAGUE, 14 juin 1994 : *Figure* 1948, relief de bois (34x21) : **DKK 16 000** – LOKEREN, 11 mars 1995 : *Forme* 1954, sculpt. de bois (H. 21, l. 18) : **BEF 70 000.**

THOMON Thomas de. Voir **THOMAS J. P.**, dit **de Thomon**

THOMOND Mary, née **Palmer**
Née en 1751. Morte en 1821. XVIIIe-XIXe siècles. Britannique.
Portraitiste amateur.
Nièce de J. Reynolds.

THOMOPOULOS Épaminondas
Né en 1878 à Patras. Mort en 1974 à Athènes. XIXe-XXe siècles. Grec.
Peintre de paysages, paysages animés. Postimpressionniste.
Il fut élève de Domenico Morelli, Filippo Palizi, à l'Académie des Beaux-Arts de Naples, puis fut élève de celle de Rome. Ce séjour en Italie lui fit connaître la peinture de Giovanni Segantini, qui avait adapté la touche pointilliste des néo-impressionnistes à un « tachisme » personnel, et qui fut l'instigateur de ce groupe des « macchiaioli » (tachistes, de macchia : tache). L'influence de l'impressionnisme sur Thomopoulos passa donc par ce « tachisme » italien. De retour à Athènes, il y devint professeur à l'École des Beaux-Arts, de 1915 à 1948. Il figura aux expositions de Paris du Salon des Artistes Français, obtenant une mention honorable en 1900, à l'occasion de l'Exposition Universelle. Son œuvre personnelle se caractérise par le traitement relativement divisionniste de la touche colorée.
MUSÉES : ATHÈNES (Pina. Nat.) – ATHÈNES (Pina. mun.) – RHODES (Gal. d'Art).
VENTES PUBLIQUES : LONDRES, 28 oct. 1992 : *Une dame se promenant avec son chien dans un parc* 1905, h/cart. (13x22) : **GBP 418** – LONDRES, 19 mars 1993 : *Retour vers la maison*, h/t (81,3x65,1) : **GBP 11 500** – ROME, 26 mai 1993 : *L'Acropole à Athènes ; Théâtre d'Hérode Atticus* 1933, h/t, une paire (chaque 34,5x47) : **ITL 3 200 000** – LONDRES, 18 juin 1993 : *Barque de pêche dans une baie de Poros*, h/t (35x75) : **GBP 5 980** – LONDRES, 17 nov. 1993 : *Bergère dans les montagnes*, h/t (43x63,5) : **GBP 5 175** – LONDRES, 12 juin 1996 : *Ferme dans les montagnes*, h/t (28x40) : **GBP 2 415.**

THOMPSON. Voir aussi **THOMSON**

THOMPSON Albert
Né en 1853 à Woburn. XIXe siècle. Américain.
Paysagiste et animalier.
Élève de W. E. Norton.

THOMPSON Alfred
XIXe siècle. Travaillant de 1862 à 1876. Français.
Peintre et dessinateur de caricatures.

Le Musée de Niort conserve de lui *Le sculpteur et sa fille*.
VENTES PUBLIQUES : LONDRES, 7 nov. 1997 : *Révolte au Japon*, h/t (114,4x76) : GBP 9 200.

THOMPSON Alfred Wordsworth
Né le 26 mai 1840 à Baltimore. Mort le 18 août 1896 à Summit. XIXᵉ siècle. Depuis 1861 actif aussi en France. Américain.
Peintre de scènes de genre, paysages animés, paysages, paysages d'eau, architectures.
Il vint à Paris en 1861. Il y fut élève de Gleyre à partir de 1862. Plus tard, il travailla avec Émile Lambinet puis avec Albert Pasini. En 1865, il exposa au Salon de Paris. En 1868 il vint s'établir à New York et y vécut, sauf quelques séjours à Paris. En 1873, son tableau *Désolation*, lui valut d'être associé à la National Academy et deux ans plus tard il était académicien. En 1878, il devint membre de la Society of American Artists et prit une part active à ses expositions ainsi qu'à celles de la National Academy.
MUSÉES : NEW YORK (Metropolitan Mus.) : *L'église de Old Bruton à l'époque de lord Dunmore*.
VENTES PUBLIQUES : NEW YORK, 1ᵉʳ-2 mars 1906 : *Auberge au bord de la route* : USD 330 – NEW YORK, 10-11 jan. 1907 : *À la fontaine* : USD 100 – NEW YORK, 15-16 avr. 1909 : *Port d'Alger* : USD 525 – NEW YORK, 14-17 mars 1911 : *Bohémiens au bord de la mer* : USD 130 – NEW YORK, 13 sep. 1972 : *Le maréchal-ferrant* : USD 1 300 – NEW YORK, 26 jan. 1974 : *Le retour du troupeau* : USD 1 500 – NEW YORK, 17 nov. 1978 : *Le général Washington à la bataille de Monmouth*, h/t (64x101,5) : USD 1 500 – NEW YORK, 1ᵉʳ juil. 1982 : *Washington à la bataille de Monmouth*, h/t (63,5x101,6) : USD 2 000 – NEW YORK, 21 oct. 1983 : *L'Heure de la prière*, h/t (55,9x92,7) : USD 9 250 – NEW YORK, 27 jan. 1984 : *Alger : le port*, h/t (55,3x91,5) : USD 23 000 – NEW YORK, 20 juin 1985 : *Panoplie de guerre*, h/t (127x76,3) : USD 1 900 – NEW YORK, 24 jan. 1989 : *Dans les champs*, h/t (26,2x48,2) : USD 7 425 – NEW YORK, 24 mai 1989 : *Dans le sud profond 1879*, h/t (42x52) : USD 24 200 – NEW YORK, 1ᵉʳ déc. 1989 : *Lecture au bord de la mer*, h/t (25,4x45,7) : USD 26 400 – NEW YORK, 15 nov. 1993 : *Retour vers la ferme 1880*, h/cart. (25,4x21,6) : USD 4 830.

THOMPSON Bob, ou Robert
Né en 1937. Mort en 1966. XXᵉ siècle. Américain.
Peintre de figures, scènes et paysages animés.
VENTES PUBLIQUES : NEW YORK, 20 oct. 1978 : *La Mise au Tombeau 1964*, h/t (51x40,5) : USD 1 500 – NEW YORK, 22 mars 1979 : *Cavalier et figures 1960*, techn. mixte (65x100,5) : USD 1 000 – NEW YORK, 16 oct. 1981 : *Le Vent 1963*, h/t (122x91,5) : USD 4 000 – NEW YORK, 16 fév. 1984 : *Sans titre 1963*, h/t (40,5x30,5) : USD 3 500 – NEW YORK, 4 nov. 1987 : *Sans titre 1962* h/t (91,4x64,8) : USD 15 000 – NEW YORK, 20 fév. 1988 : *Essai 1960*, h/pan. (11,4x41,7) : USD 4 180 – NEW YORK, 10 Nov. 1988 : *Sans titre 1961*, h/t (63,8x53,8) : USD 17 600 – NEW YORK, 4 mai 1989 : *Christ 1961*, h/t (12,1x17,8) : USD 5 280 – NEW YORK, 6 nov. 1990 : *La Cène 1962*, h/t (16,5x27) : USD 3 300 – NEW YORK, 22 fév. 1993 : *La plage de Provincetown 1960*, temp./pap. (66x101,6) : USD 4 400 – NEW YORK, 14 juin 1995 : *Amants 1959*, h/pan. (27x33,7) : USD 3 450 – NEW YORK, 22 fév. 1996 : *Personnages bleu et rose 1962*, h/t (77,5x97,8) : USD 16 100 – NEW YORK, 10 oct. 1996 : *Silhouettes dans une forêt*, h/pan. (50,8x59,7) : USD 14 950.

THOMPSON Cephas
XIXᵉ siècle. Actif à Middleborough au début du XIXᵉ siècle. Américain.
Peintre.
Père de Cephas G. et de Jérôme Thompson. Il peignit de nombreux ouvrages dans l'Italie du sud. On le cite à Middleborough vers 1809-1814.

THOMPSON Cephas Giovanni
Né le 3 août 1809 à Middleborough. Mort en 1888. XIXᵉ siècle. Américain.
Peintre de portraits et d'histoire.
Fils aîné du peintre Cephas Thomson. Il reçut quelques conseils de son père, mais se forma surtout seul par l'étude de la nature et celle des maîtres, dont il put analyser les œuvres en Amérique et en Europe. A dix-neuf ans, il s'établit comme peintre de portraits à Plymouth (Massachusetts). Il alla travailler ensuite à Boston, à Bristol, à Providence, à Philadelphie. De 1837 à 1847, il se fixa à New York et y fut très employé. En 1852, il vint en Europe, visitant Londres, Paris, Florence, Rome et vécut pendant sept ans dans cette dernière cité. En 1860, il était de retour à New York et y ouvrait un nouvel atelier. En 1861, il fut nommé associé de la National Academy de New York, mais il ne parvint pas à la

dignité d'académicien. Il a peint les portraits d'un grand nombre de notabilités artistiques, scientifiques et mondaines américaines de son époque. On lui doit aussi quelques tableaux d'histoire et de guerre et des copies faites durant son séjour en Italie.
VENTES PUBLIQUES : NEW YORK, 28 sep. 1983 : *Jeune paysan*, h/t (68,1x56,2) : USD 2 600.

THOMPSON Charles
XIXᵉ siècle. Actif à Londres au début du XIXᵉ siècle. Britannique.
Graveur.
Il grava surtout pour les Almanachs. On cite aussi ses illustrations pour *Ædes Althorpiana* (1822).

THOMPSON Charles
Né en 1791 à Londres. Mort le 19 mai 1843 à Bourg-la-Reine (Seine). XIXᵉ siècle. Britannique.
Graveur sur bois.
Frère du célèbre graveur sur bois John Thompson et élève de Bewick. Il vint s'établir à Paris en 1816 et y obtint un grand succès (médaille d'or au Salon de 1824). On cite parmi ses meilleurs ouvrages : *L'histoire de l'Ancien et du Nouveau Testament* (1835), *Fables de la Fontaine* (1836), *Conquête d'Angleterre*, d'Augustin Thierry (1841), *Corrine* (1841). Thompson obtint une pension du roi.

THOMPSON Charles Thurston
Né le 28 juillet 1818 à Peckham. Mort le 22 janvier 1868 à Paris. XIXᵉ siècle. Britannique.
Graveur sur bois.
Fils et probablement élève de John Thompson. Il se fit une rapide réputation comme illustrateur. Plus tard, il s'occupa plus spécialement de photographie documentaire.

THOMPSON D. George
Né en Angleterre. Mort vers 1870 à New York. XIXᵉ siècle. Américain.
Graveur au burin et aquarelliste.
Il grava des portraits et des paysages.

THOMPSON David
XIXᵉ siècle. Travailla en Écosse. Britannique.
Paysagiste.
Élève de John Graham à l'Académie d'Édimbourg.

THOMPSON E. W. ou Thomson
Né en 1770. Mort le 27 décembre 1847 à Lincoln. XIXᵉ siècle. Britannique.
Peintre de portraits, miniatures, aquarelliste.
Il vécut presque toujours à Paris, d'où il envoya neuf miniatures à la Royal Academy de Londres, de 1832 à 1839.
VENTES PUBLIQUES : NEW YORK, 20 jan. 1993 : *Portrait d'une dame portant un bonnet fleuri 1826*, aquar./cart./cart. (16,2x12,7) : USD 1 495.

THOMPSON Edith Blight. Voir BLIGHT-THOMPSON Edith

THOMPSON Elizabeth, plus tard lady Butler
Née en 1844 ou 1846 à Lausanne, de parents anglais. Morte en 1933. XIXᵉ-XXᵉ siècles. Britannique.
Peintre d'histoire, batailles, aquarelliste, dessinatrice.
Miss Elizabeth Thompson, plus tard mrs Butler et lady Butler est un peu pour la peinture anglaise ce qu'Horace Vernet fut pour la peinture française, avec la fécondité en moins : ce fut le peintre militaire populaire anglais. Elle fut également une femme de lettres. Dès son jeune âge elle montra de remarquables dispositions pour le dessin des chevaux et des soldats. Elle pratiqua d'abord la peinture en amateur. Puis, elle étudia à Cheltenham, à Florence et à Rome, chez Giuseppe Bellucce, et enfin à l'École d'Art de South Kensington à Londres. Miss Thompson signa sous ce nom de 1867 à 1875. Peu après son mariage avec M. Butler, qui eut lieu en 1876, elle reparut, à partir de 1879, sous son nom de dame.
Elle figura à la Royal Academy de Londres, à partir de 1867 ; ainsi qu'à l'Exposition Universelle de 1878 à Paris. Ses tableaux exposés à la Royal Academy produisirent une grande impression, notamment son envoi de 1874, *Roll Call*, qui fixa sa réputation. Le tableau fut acheté par la Reine Victoria, miss Thompson fut dès lors connue de toute l'Angleterre et de ses colonies. Avec *Le 28ᵉ Régiment aux Quatre Bras*, ce fut l'approbation de critiques tels que John Ruskin qui vint encourager l'artiste. Le célèbre écrivain dans ses *Notes sur l'exposition de l'Académie en 1876* n'avait rien vu de comparable depuis la mort de Turner

comme puissance de coloration et vérité de graduation. « C'est, disait-il, la première bonne peinture de bataille préraphaélite que nous ayons ». Depuis, des critiques ont reproché aux ouvrages de lady Butler de manquer d'ensemble, de simplicité. Malgré ces réserves, l'œuvre de l'artiste tient une place distinguée dans la peinture anglaise.

Musées : Leeds : *Scotland Forever !* – Londres (Tate Gal.) : *Les restes d'une armée* – Melbourne (Nat. Gal. of Victoria) : *Quatre bras* 1815.

Ventes Publiques : Londres, 19 juin 1908 : *La vedette* : **GBP 42** – Londres, 12 mai 1922 : *Artillerie française défilant* : **GBP 57** – Londres, 27 nov. 1922 : *Un matin sur la retraite de Mons*, dess. : **GBP 31** – Londres, 18 mars 1987 : *Une terrasse de Gênes*, h/pan. (12,5x22) : **GBP 2 600**.

THOMPSON Ellen Kendall Baker
Née à Fairfield (New York). Morte le 4 décembre 1913 à Saint-Giles (Angleterre). XIXᵉ-XXᵉ siècles. Américaine.
Peintre et graveur.
Femme de Harry Thompson. À Paris, elle fut élève de Charles L. L. Muller et de Paul C. Soyer et exposa à partir de 1879. Elle exposa aussi à la National Academy of design à New York, à Philadelphie et à Chicago.

THOMPSON Ernest Heber
Né le 20 janvier 1891 à Dunedin (Nouvelle-Zélande). XXᵉ siècle. Britannique.
Peintre et graveur à l'eau-forte.
Il fit ses études à Londres et à Manchester.

THOMPSON Ernest Thorne
Né le 8 novembre 1897 à Saint John (Canada). XXᵉ siècle. Américain.
Peintre d'histoire et de sujets religieux, graveur et illustrateur.
Élève de Hamilton (?), John Andrew et de l'École d'Art de Boston. Membre de la Fédération Américaine des Arts.
Musées : Paris (BN, Cab. des Estampes) : une gravure.

THOMPSON Gabriel
Né en 1861 à Bridgewater. XIXᵉ-XXᵉ siècles. Actif aussi en Allemagne. Britannique.
Peintre de genre, portraitiste et paysagiste.
Élève de l'Académie de Munich, ville où il travailla longtemps.

THOMPSON George Albert
Né le 1ᵉʳ juillet 1868 à New Haven (Connecticut). Mort en 1938. XIXᵉ-XXᵉ siècles. Américain.
Peintre.
Élève de l'École des Beaux-Arts de Yale, de John La Farge à New York, de L. O. Merson, Charles Alexandre Blanc (?), Gustave Courtois et L. A. Girardot (?) à Paris. Membre du Salmagundi Club.
Ventes Publiques : Washington D. C., 7 déc. 1985 : *voilier à quai* 1915, h/pan. (30,5x40,5) : **USD 1 900**.

THOMPSON Harry
Né à Londres. Mort en 1901. XIXᵉ siècle. Britannique.
Peintre de genre, de paysages et animalier.
Mari d'Ellen Kendall Baker. Il fit ses études à Paris avec Maréchal et Charles Busson. Il prit part aux Expositions de Paris ; mention honorable en 1882, médaille de troisième classe en 1884, médaille d'argent en 1889 (Exposition Universelle).
Musées : Chicago : *Un calvaire – Paysage avec moutons – Picardie* – Montréal : *Moutons – Jeune fille avec son veau préféré* – Sydney : *En dehors des fortifications de Paris*.
Ventes Publiques : Londres, 1878 : *Traversant le gué* : **FRF 20 475** – Paris, 1898 : *Moutons* : **FRF 230** – Paris, 27 avr. 1910 : *Moutons au pâturage* : **FRF 120**.

THOMPSON Harry Ives
Né en 1840 à West Haven. Mort en 1906 à West Haven. XIXᵉ siècle. Américain.
Peintre de genre, portraitiste et paysagiste.
Il exposa à New York en 1877.

THOMPSON Henry, Sir
Né le 6 août 1820 à Tramlingham. Mort le 18 avril 1904 à Londres. XIXᵉ siècle. Britannique.
Peintre de paysages, natures mortes amateur.
Ce médecin fut l'élève d'Elizabeth Elmore et d'Alma-Tadema. Il exposa à Londres des *Vues d'Italie* de 1865 à 1901.
Ventes Publiques : Paris, 6 mars 1979 : *Pierrot cuisinier*, h/pan. (39x31) : **FRF 5 200**.

THOMPSON Henry. Voir aussi THOMSON
THOMPSON Henry Raymond
XIXᵉ-XXᵉ siècles. Actif de 1892 à 1904. Britannique (?).
Peintre de compositions religieuses, aquarelliste.
Ventes Publiques : Londres, 16 fév. 1984 : *O Holy Night ! from thee I lean...* 1897-1898, aquar. (125x50,8) : **GBP 5 500** – Londres, 25 jan. 1988 : *Grèce immortelle* 1905, aquar. (66x132) : **GBP 1 540** – Londres, 11 juin 1993 : *O sainte nuit !...*, aquar. (127x50,8) : **GBP 11 270** – Londres, 6 nov. 1996 : *Vierge à l'Enfant*, aquar. (58x22,5) : **GBP 747**.

THOMPSON J.
XVIIIᵉ siècle. Travaillant vers 1767. Britannique.
Portraitiste et graveur à la manière noire au pointillé.

THOMPSON Jacob
Né le 28 août 1806 à Penrith. Mort le 27 décembre 1879 à Hackthorne. XIXᵉ siècle. Britannique.
Peintre de compositions mythologiques, scènes de genre, portraits, paysages.
D'influents protecteurs l'envoyèrent à Londres en 1829 près de sir Thomas Lawrence qui le fit admettre aux écoles de la Royal Academy. Il débuta à ses Expositions avec des sujets classiques qui furent peu appréciés. Possesseur d'une petite propriété, il abandonna la métropole anglaise, retourna dans sa province pour se consacrer au paysage.
Il y produisit des œuvres pleines de charme et du plus joli sentiment. Retraçant les sites du Westmorland et du Cumberland, il fut classé parmi les meilleurs paysagistes anglais.
Ventes Publiques : Londres, 11 juil. 1969 : *La déclaration* : **GNS 650** – Écosse, 30 août 1974 : *Le départ de la mariée* : **GBP 2 200** – Londres, 29 juil. 1977 : *Paysage montagneux* 1838, h/t (69x101,5) : **GBP 1 200** – Londres, 17 mars 1982 : *Acis and Galatea* 1849, h/t (92x71) : **GBP 1 050** – Londres, 2 oct. 1985 : *The heigh of Ambition* 1864, h/t (69x102) : **GBP 6 800** – Londres, 3 nov. 1993 : *Portrait de George et Ann Harvey* 1846, h/t (104x81,5) : **GBP 16 675** – Londres, 2 nov. 1994 : *Galatée* 1849, h/t (92x72,5) : **GBP 3 680**.

THOMPSON James. Voir THOMSON
THOMPSON James Robert
XIXᵉ siècle. Actif à Londres au début du XIXᵉ siècle. Britannique.
Dessinateur, aquarelliste et architecte.
Il travailla particulièrement pour des sujets d'architecture notamment pour les publications de Britton. Il exposa à la Royal Academy de 1808 à 1843.
Musées : Londres (Mus. Britannique) : *La Banque d'Angleterre – Projet pour le New London Bridge* – Londres (Mus. Victoria and Albert) : *Le Pont de West Gate*.

THOMPSON Jane, née Bourne
XIXᵉ siècle. Travaillant vers 1800. Britannique.
Graveur en manière noire.
Élève de J. R. Smith. Elle a gravé des portraits.

THOMPSON Jérome
Né le 30 janvier 1814 à Middleborough. Mort le 2 mai 1886 à Glen Gardner. XIXᵉ siècle. Américain.
Peintre de scènes de genre, portraits, paysages, illustrateur.
Fils de Cephas Thompson et frère cadet de Cephas G. Thompson, comme ce dernier il se forma sans maître. À l'âge de dix-sept ans, il vint s'établir à New York où, sauf un séjour de deux ans en Europe, il passa sa carrière. En 1851, il fut nommé associé de la National Academy, mais il cessa de prendre part aux Expositions de cet Institut vers 1864.
Il commença sa carrière fort jeune comme peintre d'enseignes, puis comme portraitiste et paysagiste. Il mit dans ses paysages une grande poésie et un sentiment qui font rechercher ses ouvrages. Il réalisa également une série d'illustrations pour des chansons populaires, *Pencil Ballads*, largement répandues sous forme de gravures et de lithographies.
Ventes Publiques : New York, 2 mai 1909 : *Home, sweet Home* : **USD 460** ; *Le vieux chêne* : **USD 460** – New York, 25 oct. 1973 : *Happy hours* : **USD 7 000** – New York, 23 mai 1974 : *Le jeune trappeur* : **USD 7 500** – New York, 5 déc. 1980 : *Pastorale* 1872, h/t mar./cart. (66,4x101,5) : **USD 55 000** – New York, 24 avr. 1981 : *Fleurs des champs* 1862, h/t (30,8x48,5) : **USD 36 000** – New York, 8 déc. 1983 : *Country home* 1864, h/t/alu. (59,1x92,1) : **USD 20 000** – New York, 30 mai 1985 : *Prairie flowers* 1862, h/t (30,5x43,2) : **USD 20 000** – New York, 1ᵉʳ déc. 1989 : *Travaux journaliers de la ferme* 1863, h/t (25,4x45,7) : **USD 22 000** – New

York, 22 mai 1991 : *Le petit braconnier*, h/t (66,1x101,7) : **USD 17 600** – New York, 27 mai 1993 : *La Jeunesse* 1874, h/t (90,2x132,1) : **USD 18 400** – New York, 17 mars 1994 : *La Terre de Beulah* 1880, h/t (102,9x77,5) : **USD 9 200**.

THOMPSON John, dit « The City Painter »

xvi⁵-xvii⁵ siècles. Travaillant à Londres de 1590 à 1610. Britannique.

Peintre de portraits.

Il était peintre de la Cité de Londres et membre de la Corporation des peintres. On possède plusieurs ouvrages de lui.

THOMPSON John

Né le 25 mai 1785 à Manchester. Mort le 20 février 1866 à Kensington. xix⁵ siècle. Britannique.

Graveur sur bois.

Élève de Bronston Aîné, John Thompson, à la suite de ses relations avec John Thurston, ne tarda pas à prendre une place marquante parmi les meilleurs graveurs sur bois anglais. Il travailla pour la banque d'Angleterre et pour les timbres-poste. Professeur de gravure à South Kensington dans un cours de femmes. Il obtint une médaille d'or à l'Exposition Universelle de Paris en 1855. Son œuvre est considérable.

THOMPSON Juliet

Née à New York. xx⁵ siècle. Américaine.

Peintre de portraits.

Élève de l'École d'Art Corcoran, de l'Art Students' League à Washington et de l'Académie Julian à Paris. Membre de la Société des Artistes Indépendants.

THOMPSON Kate, plus tard Mme Watkins

xix⁵ siècle. Active dans la seconde moitié du xix⁵ siècle. Britannique.

Peintre de genre et paysagiste.

Elle exposa à Londres de 1874 à 1888.

THOMPSON Launt

Né le 8 février 1833 à Abbeylein. Mort le 27 septembre 1894 à Middleton. xix⁵ siècle. Américain.

Sculpteur de figures, bustes.

Il vint en Amérique en 1847 et s'établit à Albany. Il fit d'abord des études médicales mais ses goûts artistiques l'entraînèrent ensuite vers le dessin, puis vers la sculpture et durant neuf ans fut à Albany élève du sculpteur Palmer. En 1858, il alla s'établir à New York, fut nommé en 1859 associé de la National Academy et académicien en 1862. En 1875, il prit un atelier à Florence. Il exposa au Salon de Paris, en 1867, une statue de Napoléon Iᵉʳ.

On lui doit un grand nombre de bustes de notabilités américaines.

Musées : New York (Metropolitan Mus.) : *Buste de William C. Bryant.*

THOMPSON Leslie, prince

Né le 2 mars 1880 à Medford. Mort en 1963. xx⁵ siècle. Américain.

Peintre.

Élève de l'École d'Art de Boston sous la direction de Tarbell. Il fut actif à Boston. Il obtint une médaille de bronze à l'Exposition de Saint-Louis, en 1904, une médaille d'argent à l'Exposition de San Francisco, en 1915, une médaille d'or à l'Académie des Beaux-Arts de Philadelphie, en 1919, ainsi que nombreuses autres récompenses.

Ventes Publiques : New York, 29 mai 1981 : *Jeune Femme dans un intérieur*, h/t (76,2x63,5) : **USD 12 000** – New York, 5 déc. 1985 : *Portrait de jeune femme lisant* 1916, h/t (87,5x76,2) : **USD 3 000** – New York, 30 mai 1986 : *Red and silver*, h/t (122,1x132,5) : **USD 24 000** – New York, 14 nov. 1991 : *Pique-nique d'été*, h/t (76,8x127,6) : **USD 3 300**.

THOMPSON Mark

Mort en 1875 à Sunderland. xix⁵ siècle. Britannique.

Peintre de scènes de genre, paysages, paysages d'eau, marines.

Il exposa à la British Institution, à Londres, en 1865.

Musées : Sunderland : *Ouverture des docks de Sunderland, 20 juin 1850.*

Ventes Publiques : Londres, déc. 1909 : *Paysage dans le Yorkshire* : **GBP 1** – Londres, 5 juin 1985 : *The opening of Sunderland dockyard* 1851, h/t (63x138) : **GBP 16 000** – Londres, 22 mai 1991 : *Vaisseaux hollandais par temps calme*, h/cart. (31,5x47,5) : **GBP 990**.

THOMPSON Martin E.

Né en 1786. Mort en 1877. xix⁵ siècle. Américain.

Peintre.

Il fut, en 1826, l'un des fondateurs de la National Academy de New York.

THOMPSON Michel

Né le 12 janvier 1921 à Fontenay-aux-Roses (Hauts-de-Seine). xx⁵ siècle. Français.

Peintre de compositions animées, figures, paysages, natures mortes. Groupe de L'Homme Témoin.

Il est autodidacte de formation en art. Dès 1946, il était remarqué. Il fit partie, en 1948-49, du groupe *L'Homme Témoin*, qui, sous l'égide de Jean Bouret, proclamait l'échec des mouvements d'avant-garde et la nécessité du retour aux réalités concrètes de l'existence, et qui était surtout animé par Lorjou et Rebeyrolle, que rejoindra Bernard Buffet. En 1950, il fut nommé au comité du Salon des Jeunes Peintres, qui devint en 1954 de la Jeune Peinture.

Il participe à des expositions collectives, d'entre lesquelles à Paris : 1946, *Le Noir est une Couleur*, galerie Maeght ; 1946, 1947, Salon des Moins de Trente Ans ; 1947, *Les mains éblouies*, galerie Maeght ; 1948, *L'Homme Témoin*, galerie du Bac ; 1949, *L'Homme Témoin*, galerie Claude ; depuis 1949, il participe aux principaux salons annuels, notamment : jusqu'en 1961, le Salon des Jeunes Peintres, puis de la Jeune Peinture ; de 1955 à 1960, Salon de Mai ; 1957, Biennale de la Jeune Peinture ; 1964 à 1966, Salon Grands et Jeunes d'Aujourd'hui ; et encore le Salon des Indépendants, le Salon des Peintres Témoins de leur Temps, en 1988 le Salon Comparaisons ; etc. En 1990, la galerie Expression a organisé une rétrospective de *L'Homme Témoin*.

Il montre des œuvres dans des expositions personnelles, dont : 1954, galerie Guénégaud ; 1957, galerie Monique De Groote ; 1958, 1960, 1962 New York, galerie Bianchini ; 1960, galerie Simone Badinier ; 1964, galerie Lahumière ; 1966 Amiens, Maison de la Culture ; 1988 Toulouse, galerie Artko ; etc. En 1952 lui fut décerné le Prix Fénéon.

Dès 1945, il avait alors à peine vingt-cinq ans, il se créa un style, un genre, doit-on même dire : un vrai plongeante, sur un espace aplati, deux fourchettes, un verre, des fruits peu tentants, perdus sur une immense table, ou bien les maigres attributs d'un billard, queues et boules sur le tapis vert, ou encore quelques portraits misérabilistes. Suivirent des paysages de banlieue, des scènes de foule. Ensuite, à partir de 1956, délaissant les succès de ce maniérisme, il revint à une observation plus authentique de la réalité. Il a continué à peindre, d'une pâte légère et par des notations rapides et comme transparentes, les scènes aimables de l'existence quotidienne, notamment plus colorées, après la découverte de la peinture de Bonnard autour de 1958. Après une longue période figurative, il inaugure une forme d'écriture proche de l'abstraction. Ses composition géométriques donnent un prolongement à la construction cubiste et traduisent une conception dynamique de l'espace. ■ J. B.

Bibliogr. : Bernard Dorival : *Les peintres du xx⁵ siècle*, Tisné, Paris, 1957 – Gérard Xuriguera, in : *Les années 50*, Arted, Paris, 1984 – Jeanine Warnod : *Les artistes de Montparnasse*, Ed. Mayer-Van Wilder, Paris 1988 – Christine Counord-Alan : *La réaction figurative 1958*, Ed. Galerie 1950, Paris, 1990 – in : Catalogue de l'exposition *L'Homme Témoin*, gal. Expression, Paris, 1990 – Lydia Harambourg, in : *L'École de Paris 1945-1965. Diction. des Peintres*, Ides et Calendes, Neuchâtel, 1993.

Musées : Blois – Paris (Mus. d'Art Mod. de la ville de Paris) – Saint-Denis – Villeneuve-sur-Lot.

Ventes Publiques : Neuilly, 3 fév. 1991 : *Composition aux cerises*, h/t (77x96) : **FRF 8 500** – Paris, 29 avr. 1991 : *Intérieur* 1947, h/t (36x48) : **FRF 4 800** – Paris, 6 oct. 1991 : *Nature morte* 1953, h/t (130x164) : **FRF 16 000** – Neuilly, 20 mai 1992 : *La foule*, acryl./t. (100x100) : **FRF 7 800** – Paris, 28 jan. 1994 : *Les musiciens*, acryl./t. (80x100) : **FRF 10 600** – Paris, 25 mars 1994 : *Nature morte* 1989, h/t (81x100) : **FRF 9 000**.

THOMPSON Mills

Né le 2 février 1875 à Washington. xx⁵ siècle. Américain.

Peintre de décorations.

Élève de l'Académie de Washington. Il était actif à Saranac Lake.

THOMPSON Richard. Voir TOMPSON

THOMPSON Robert. Voir THOMPSON Bob

THOMPSON Stanley

Né le 29 mars 1876 à Sunderland. xx⁵ siècle. Britannique.

Peintre de figures.

Élève du préraphaélite Walter Crane. Il se fixa à Middleton-in-Teesdale.

THOMPSON Sydney Lough
Né le 24 janvier 1877 à Oxford (Canterbury, Nouvelle-Zélande). Mort le 8 juin 1973 à Concarneau (Finistère Sud). xxᵉ siècle. Britannique.
Peintre de portraits, de paysages et de marines.
Il fut élève du peintre hollandais Paulus Van der Velden, à l'École des Beaux-Arts de Christchurch (Nouvelle-Zélande) ; de Heatherly (?), à Londres en 1900 ; de l'Académie Julian, à Paris en 1901. À Paris, il a figuré au Salon des Artistes Français, où il obtint une mention honorable en 1922. Il a exposé également en Nouvelle-Zélande et en Australie. Il fut fait officier du British Empire, en 1937.
Ventes Publiques : New York, 24 fév. 1994 : *Chevaux de trait sur les docks*, h/t (50,8x61) : **USD 20 700**.

THOMPSON T. H.
Britannique.
Peintre de genre.
Le Musée de Cape-Town conserve de lui : *Daniel*.
Ventes Publiques : Londres, 30 mai 1996 : *En royale compagnie : Sa Majesté la reine Victoria sur l'Alberta*, h/t (25,5x30,5) : **GBP 2 645**.

THOMPSON Thomas
xviiiᵉ-xixᵉ siècles. Travaillant à Londres de 1793 à 1810. Britannique.
Portraitiste, miniaturiste et peintre de marines.

THOMPSON Thomas
Né en 1775 en Angleterre. Mort en 1852 à Brooklyn. xixᵉ siècle. Américain.
Peintre de portraits.
Associé de la National Academy de New York en 1834. Le Musée de Brooklyn conserve de lui *Portrait d'Augustus Graham*.

THOMPSON Thomas Clement
Né vers 1778 à Belfast (?). Mort le 11 février 1857 à Londres. xixᵉ siècle. Irlandais.
Peintre de portraits.
Il travailla d'abord à Dublin puis, en 1818, alla s'établir à Londres. Il exposa à la Royal Academy et aux autres groupements artistiques de 1816 à 1857. Il déploya une grande activité pour arriver à la fondation d'une Académie Irlandaise et fut un des fondateurs de la Hibernian Academy.
Musées : Dublin : *L'artiste* – *Eliza O'Neill* – *L'archevêque de Dublin, Dr. Troy* – *Michael Banim* – LIVERPOOL : *Lord Saudon* – LONDRES (Victoria and Albert Mus.) : *Mrs Elrington*.
Ventes Publiques : Paris, 23 juin 1943 : *Portrait d'homme en manteau rouge* : **FRF 2 800** – Slane Castle (Irlande), 13 mai 1980 : *My wild Irish girl*, h/t (112x86) : **GBP 620**.

THOMPSON Tom
Né en 1923 à Narrabni (Nouvelle Galles du Sud). xxᵉ siècle. Australien.
Peintre de décorations murales.
Il fit ses études au Collège Technique de Sidney Est, de 1947 à 1950. Il alla à l'étranger en 1951 et étudia les travaux des artistes de la Renaissance en Italie.
Il est surtout connu pour ses peintures murales.

THOMPSON Walter W.
Né le 10 janvier 1881 à Newton (Massachusetts). xxᵉ siècle. Américain.
Peintre.
Élève de William S. Robinson, John Joseph Enneking et C. W. Reed (?). Membre de la Fédération Américaine des Arts.

THOMPSON William
xviiiᵉ siècle. Britannique.
Graveur de vignettes, de sceaux et d'armoiries.
Il travaillait à Londres de 1770 à 1784.

THOMPSON William ou **Thomson**, dit **Blarney Thompson**
Né à Dublin. Mort en 1800 à Londres. xviiiᵉ siècle. Irlandais.
Peintre de portraits.
Il s'était établi à Londres et son nom figure dans les grandes expositions de la ville, de 1761 à 1777. Thompson se maria trois fois, la dernière avec une femme assez riche pour lui permettre d'abandonner sa profession. Il profita mal de cette fortune puisqu'il fut incarcéré.
Il possédait le don de la ressemblance, mais sa technique laissait fort à désirer. Il publia : *Enquête sur les principes élémentaires de la Beauté dans les œuvres de la nature et celles de l'art*.

THOMPSON William John
Né en 1771 à Savannah. Mort le 24 mars 1845 à Edimbourg. xviiiᵉ-xixᵉ siècles. Britannique.
Peintre de portraits, peintre de miniatures.
Il fut amené en Angleterre par ses parents lors de la déclaration d'indépendance des États-Unis. Il s'établit d'abord à Londres fort jeune comme peintre de portraits, et devint en 1808 membre des Associated Artists in Water-Colours, puis à Edimbourg en 1812. Il exposa à Londres de 1796 à 1843. Il fut membre de la Royal Scottish Academy en 1829. Le Musée des Arts Décoratifs de Dresde conserve de lui *Portrait en miniature d'une dame*.

THOMPSON Wordsworth. Voir **THOMPSON Alfred Wordsworth**

THOMPSON-LALANDE Harry
Né en 1868 à Paris. Mort en 1940 à Besançon (Doubs). xixᵉ-xxᵉ siècles. Français.
Peintre de paysages, paysages d'eau.
D'abord décorateur, il s'inscrivit à l'Académie Julian à Paris. Il s'établit dans la Somme en 1905.
Il réalisa exclusivement des paysages, peints le plus souvent sur bois.
Bibliogr. : Gérald Schurr, in : *Les Petits Maîtres de la peinture 1820-1920, valeur de demain*, Les Éditions de l'Amateur, t. VI, Paris, 1985.
Musées : Amiens (Mus. de Picardie) – Berck : *Le ruisseau*.

THOMS Ernst
Né le 13 novembre 1896 à Nienbourg. Mort en 1983. xxᵉ siècle. Allemand.
Peintre de portraits, paysages, intérieurs.
C'est un représentant du réalisme magique.
Musées : Berlin – Düsseldorf – Hanovre – Hanovre (Mus. prov.) : *Un grenier* – Kassel – Magdebourg – Stettin.
Ventes Publiques : Bielefeld, 5 juin 1982 : *Portrait d'enfant*, h/t (38x29) : **DEM 8 000** – Düsseldorf, 27 juin 1987 : *Nu à sa toilette* 1933, aquar. (34x24,5) : **DEM 3 700**.

THOMSCHANSKY Johann George
Né vers 1671. Mort le 7 ou 13 juillet 1727 à Breslau. xviiᵉ-xviiiᵉ siècles. Allemand.
Portraitiste.

THOMSEN Arnoff
Né le 27 mars 1891 à Aarhus. xxᵉ siècle. Danois.
Sculpteur de sujets de genre et illustrateur.
Élève de Maurice Denis à Paris et de l'Académie des Beaux-Arts de Copenhague.
Musées : Aarhus : *Le poète en convalescence*.

THOMSEN August Carl Vilhelm
Né le 3 septembre 1813 à Glucksbourg. Mort le 5 septembre 1886 à Copenhague. xixᵉ siècle. Danois.
Peintre de sujets religieux, scènes de genre, portraits, paysages.
Il fut élève de l'Académie des Beaux-Arts de Copenhague.
Il peignit de nombreux tableaux d'autel pour des églises de Copenhague et de villages des environs.
Ventes Publiques : Londres, 7 juin 1989 : *Un portrait de Michael Wyller* 1837, h/t (90x71) : **GBP 14 300** – New York, 27 mai 1992 : *La promenade du dimanche après-midi* 1898, h/t (55,5x45) : **USD 7 700**.

THOMSEN Carl Christian
Né en 1847. Mort en 1912. xixᵉ-xxᵉ siècles. Danois.
Peintre de genre, d'intérieurs animés.

Ventes Publiques : New York, 31 oct. 1985 : *Jeune fille assise dans un intérieur* 1908, h/t (40,6x34,3) : **USD 2 700** – Londres, 29 mars 1990 : *Un intérieur* 1888, h/t (63,2x51,5) : **GBP 7 150** – Londres, 17 mai 1991 : *Jeune fille arrangeant un bouquet de jonquilles dans un intérieur* 1894, h/t (41x32) : **GBP 8 800** – Copenhague, 15 nov. 1993 : *Les jeunes épousés*, h/t (54x66) : **DKK 61 000**.

THOMSEN Christian
Né le 13 janvier 1860 à Kolding. Mort le 18 mai 1921 à Copenhague. xixᵉ-xxᵉ siècles. Danois.
Sculpteur de figures typiques et céramiste.

Il exécuta des types et des groupes d'après les contes d'Andersen, ainsi que des types populaires danois.

VENTES PUBLIQUES : COPENHAGUE, 12 avr. 1967 : *L'heure de piano* : DKK 13 000.

THOMSEN Emma Augusta
Née le 7 août 1822 à Copenhague, ou 1820. Morte le 6 novembre 1897 à Copenhague. XIXᵉ siècle. Danoise.
Peintre de natures mortes, fleurs.
Elle fut élève de J. J. Jensen.

E mma.Thomsen

MUSÉES : COPENHAGUE : *Couronne de fleurs.*
VENTES PUBLIQUES : LONDRES, 28 nov. 1984 : *Bouquet de fleurs*, gche (20,5x16,5) : GBP 2 300 – COPENHAGUE, 14 juin 1984 : *Nature morte aux fleurs 1861*, h/t (61x49) : DKK 45 000 – COPENHAGUE, 13 juin 1985 : *Bouquet de fleurs 1861*, h/t (61x49) : DKK 46 000 – LONDRES, 16 mars 1989 : *Panier de fleurs d'été sur une roche dans un chemin boisé 1861*, h/t (118x98) : GBP 26 400 – LONDRES, 13 mars 1996 : *Nature morte de fleurs 1855*, h/pan. (22,5x18) : GBP 5 060.

THOMSEN Friedrich
Né en 1842 à Husum. XIXᵉ siècle. Allemand.
Peintre.
Il fit ses études à Berlin. Il a peint des tableaux pour les églises de Hattstedt et de Pellworm.

THOMSEN Friedrich Heinrich
Né en 1814 à Rendsbourg. XIXᵉ siècle. Allemand.
Peintre.
Il fit ses études à Copenhague et à Munich. Il se fixa à Altona.

THOMSEN Fritz ou Frederik Gotfred
Né le 30 avril 1819 à Broager. Mort le 13 mai 1891 à Hellebæk. XIXᵉ siècle. Danois.
Peintre de genre, animalier et paysagiste.
Élève de l'Académie de Copenhague. Le Musée National de Frederiksborg conserve des œuvres de cet artiste.

THOMSEN Johanne. Voir DRECHSEL Johanne

THOMSEN Jörgen Christian Elle
Né le 2 octobre 1905 à Copenhague. XXᵉ siècle. Danois.
Peintre de figures et de natures mortes et graveur.
Élève de l'Académie de Copenhague et d'Ejnar Nielsen.

THOMSEN Pauline
Née le 17 juillet 1858 à Roskilde. Morte le 15 octobre 1931 à Ry. XIXᵉ-XXᵉ siècles. Danoise.
Peintre de paysages.
Élève de Vilhelm Kyhn.
VENTES PUBLIQUES : LONDRES, 16 mars 1989 : *Jour d'été à Thordager, Aarhus 1899*, h/t (93x127,5) : GBP 3 080 – NEW YORK, 28 fév. 1991 : *Jour d'été près de Thordager, Aarhus 1899*, h/t (93x127,5) : USD 22 000 – COPENHAGUE, 23 mai 1996 : *Contentement 1895*, h/t (70x98) : DKK 6 500.

THOMSEN René
Né en 1897 à Paris. Mort en 1976 à Paris. XXᵉ siècle. Français.
Peintre de figures, nus, portraits, paysages, natures mortes, fleurs.
Élève de Louis Anquetin, il fut encouragé, dès ses débuts en 1920, par les critiques et historiens de l'art Louis Vauxcelles, Élie Faure et Joaquim Gasquet. En 1921 il fut nommé sociétaire du Salon d'Automne et figura par la suite dans divers Salons parisiens où il obtint quelques succès. Expositions particulières à Paris dès 1926. En 1932 il fait un séjour à la Casa Velasquez à Madrid.
Peintre de portraits, de nus, de figures, on connaît aussi de lui des fleurs et des paysages, notamment : *Villeneuve-lès-Avignon.* Le Musée de Versailles lui fit la commande d'une peinture commémorant les funérailles du Président Painlevé.
MUSÉES : ALBI – LE HAVRE – PARIS (Mus. Nat. d'Art Mod.) : *Villeneuve-lès-Avignon* – PARIS (Mus. d'Art Mod. de la Ville) – VERSAILLES (Mus. du Château) : *Funérailles du Président Painlevé.*
VENTES PUBLIQUES : PARIS, 6 juin 1929 : *Bouquet dans un vase* : FRF 1 150 – PARIS, 2 mars 1942 : *Fillette assise* : FRF 1 800 – PARIS, 28 fév. 1944 : *Le corsage vert* : FRF 5 800 – PARIS, 19 fév. 1951 : *Nu assis, au fauteuil Louis-Philippe 1929* : FRF 4 100 – PARIS, 6 juin 1951 : *L'Île du Vert-Galant 1926* : FRF 5 000 – PARIS, 20 avr. 1955 : *Maternité* : FRF 8 000 – COMPIÈGNE, 6 juil. 1980 :

Paysage de Seine-et-Marne, h/t (65x54) : FRF 4 500 – NEUILLY, 5 déc. 1989 : *Nu assis au fauteuil Louis-Phillipe*, h/t (117x89) : FRF 11 000 – PARIS, 4 mars 1991 : *Femme nue sur un divan 1927*, h/t (60x81) : FRF 4 100 – PARIS, 4 avr. 1991 : *Nature morte sur fond rouge*, h/t (60x74) : FRF 4 000.

THOMSON. Voir aussi THOMPSON

THOMSON Adam Bruce
Né en 1885. XXᵉ siècle. Britannique.
Peintre de scènes animées, paysages, technique mixte, aquarelliste.
VENTES PUBLIQUES : GLASGOW, 6 fév. 1990 : *Le vieux pont de Dean*, h/t (76x91,5) : GBP 5 500 – SOUTH QUEENSFERRY (Écosse), 1ᵉʳ mai 1990 : *Moisson à Galloway*, h/t (56x76) : GBP 4 180 – GLASGOW, 5 fév. 1991 : *Sur les bords de la Tweed en automne*, h/t (56x76) : GBP 2 200 – PERTH, 31 août 1993 : *Pénombre de l'hiver*, techn. mixte (49x62,5) : GBP 2 530 – GLASGOW, 14 fév. 1995 : *Petite ferme à Wester Ross*, aquar. (27,5x37,5) : GBP 517.

THOMSON Alfred R.
Né en 1895 à Bangalore. XXᵉ siècle. Britannique.
Peintre de décorations murales, portraits, affichiste, caricaturiste et graveur.
Il était actif à Londres. Il grava des affiches et peignit des portraits et des fresques.
VENTES PUBLIQUES : LONDRES, 4 août 1944 : *Le roi George de Grèce* : GBP 99 – LONDRES, 11 juil. 1974 : *A coster and his dinah* : GNS 380.

THOMSON Arthur
Né le 15 mars 1858 à Chelmsford. Mort le 14 juin 1905 à Robertsbridge. XIXᵉ siècle. Britannique.
Peintre de paysages, animalier et écrivain d'art.
Il exposa à Londres, notamment à la Royal Academy, à la New-Gallery et au New English Art Club de 1883 à 1902. Il fut un des premiers membres du New English Art Club. Comme écrivain, on cite de lui un roman *Many Waters* et un ouvrage de critique *J. F. Millet and the Barbizon's school.*
MUSÉES : LIVERPOOL : *Paysage, moutons* – LONDRES (Mus. Victoria and Albert) : *La marnière* – MELBOURNE : *La toilette*, étude de chats au pastel.
VENTES PUBLIQUES : LONDRES, 24 avr. 1911 : *Labourage sur la côte de Cornouailles* : GBP 1.

THOMSON C.
XIXᵉ siècle. Travaillant à Edimbourg, de 1800 à 1830. Britannique.
Graveur au burin.

THOMSON Carl Christian Frederik Jakob
Né le 6 avril 1847 à Copenhague. Mort le 4 octobre 1912 à Copenhague. XIXᵉ-XXᵉ siècles. Danois.
Peintre de genre, d'histoire et de portraits.
Élève de F. Vermehren et de V. Marstrand. Le Musée de Copenhague conserve de lui : *Dîner après la visite de l'évêque Rahbek au lit de mort de sa femme* et *Jeune fille cousant.*
VENTES PUBLIQUES : COPENHAGUE, 4 oct. 1972 : *Couple dans un intérieur* : DKK 9 500 – COPENHAGUE, 26 mars 1974 : *Les fiancés* : DKK 11 000 – LONDRES, 28 nov. 1984 : *A Sunday afternoon 1888*, h/t (71,5x58) : GBP 15 000 – LONDRES, 25 mars 1987 : *Jeune fille arrangeant des fleurs 1896*, h/t (41x32) : GBP 11 000.

THOMSON E. W. Voir THOMPSON

THOMSON Frances Ingram Dalrymple
Morte en 1845. XIXᵉ siècle. Britannique.
Paysagiste.

THOMSON George
Né le 2 avril 1860 à Towie (Aberdunshire). Mort le 22 mars 1939 à Boulogne (Pas-de-Calais). XIXᵉ-XXᵉ siècles. Britannique.
Peintre d'architectures.
Il commence à travailler comme architecte à Glasgow. Puis il entre aux Écoles de la Royal Academy en 1882 et expose de 1886 à 1934 à la Royal Academy. Il devient membre du New English Art Club en 1891. Il est critique d'art à la *Pall Mall Gazette* et à la *Gazette de Westminster.* Conférencier-professeur de perspective à la Slade School de 1895 à 1914. Président du Département d'Art à Bedford College, à l'Université de Londres de 1899 à 1914. Il vint habiter ensuite à Samer (Pas-de-Calais).
MUSÉES : LONDRES (Tate Gal.) : *St Paul's 1897.*
VENTES PUBLIQUES : LONDRES, 5 juin 1992 : *Le monument 1897*, h/t (76x56) : GBP 3 850.

THOMSON H.
XIXe siècle. Britannique.
Peintre de portraits, miniatures, graveur.
Il était actif à Londres au début du XIXe siècle et exposa deux miniatures à la Royal Academy de Londres, en 1818.

THOMSON Henry ou **Thomson**
Né le 31 juillet 1773 à Portsea. Mort le 6 avril 1843 à Portsea. XIXe siècle. Actif aussi en France. Britannique.
Peintre d'histoire, sujets allégoriques, scènes de genre, figures, portraits, animalier.
Il travailla à Paris avant la Révolution puis fut élève d'Opie à Londres. Il voyagea en Italie et en Allemagne. Il débuta à la Royal Academy de Londres en 1800 et fut nommé associé en 1801. Il fournit plusieurs sujets pour le *Shakespeare* de Boydell.
Musées : MANCHESTER (Gal. mun.) : *Le rouge-gorge mort.*
Ventes Publiques : LONDRES, 26 jan. 1923 : *La petite paysanne* : **GBP 99** – LONDRES, 1er mai 1925 : *Sœurs* : **GBP 220** – LONDRES, 29 mai 1959 : *En traversant le ruisseau* : **GBP 3 780** – LONDRES, 24 nov. 1972 : *Jeune femme aidant un enfant à traverser un ruisseau* : **GNS 6 000** – LONDRES, 22 juin 1973 : *Jeune femme aidant un jeune enfant à traverser un cours d'eau* : **GNS 3 000** – NEW YORK, 1er juin 1989 : *Les premiers pas*, h/t (132x220,3) : **USD 14 300** – NEW YORK, 15 mai 1996 : *Portrait du Baron Williams en uniforme dans un vaste paysage*, h/t (236,2x146,1) : **USD 17 250** – HADSPEN, 31 mai 1996 : *Esclave indigène*, h/t (127x92,7) : **GBP 6 900.**

THOMSON Henry Grinnell
Né le 24 novembre 1850 à New York. Mort en 1939. XIXe-XXe siècles. Américain.
Peintre de paysages animés, paysages, dessinateur.
Élève de l'Académie Nationale de Dessin et de l'Art Students' League de New York sous la direction de William Chase. Membre de la Société des Artistes Indépendants, du Salmagundi Club et de la Fédération Américaine des Arts.
Ventes Publiques : NEW YORK, 15 nov. 1993 : *Une grange rouge près d'un ruisseau*, h/t (56,2x69,2) : **USD 2 070.**

THOMSON Hugh
Né le 1er juin 1860 à Coleraine (Londonderry). Mort le 7 mai 1920 à Wandworth Common. XIXe-XXe siècles. Britannique.
Peintre, aquarelliste, dessinateur et illustrateur.
Il arriva à Belfast dès 1877, trouva du travail chez un imprimeur. À l'École des Beaux-Arts de la ville, il fut élève d'un dessinateur, John Vinycomb.
Il exposa à la Fine Art Society en 1887 et 1893 ; en 1897, il fut élu au Royal Institute of Painters in Watercolours. Il participa aussi aux expositions de Paris ; mention honorable en 1900 (Exposition Universelle).
Ses premiers dessins parurent dans l'*English Illustrated Magazine*. Dans un premier temps, ses dessins se situaient dans la manière de Randolph Caldecott. Tôt remarqué, il illustra la plupart des humoristes classiques anglais, Chaucer, Dickens.

Bibliogr. : Marcus Osterwalder, in : *Dictionnaire des illustrateurs 1800-1914*, Ides et Calendes, Neuchâtel, 1989.
Ventes Publiques : NEW YORK, 23 fév. 1983 : *Peg Woffington leaving the Green Room at the Theatre Royal 1898*, cr., aquar. et pl. (32x26) : **USD 750** – LONDRES, 24 mai 1983 : *Young Braughton burst into a loud laugh 1903*, aquar. et pl. (31x24,3) : **GBP 780** – LONDRES, 10 déc. 1986 : *Miss Susan..., Act III, Quality Street 1913*, aquar. et pl. (30,5x25,5) : **GBP 2 300.**

THOMSON James ou **Thomson**
Né le 5 mai 1789 à Mitford (Northumberland). Mort le 27 septembre 1850 à Londres. XIXe siècle. Britannique.
Graveur au pointillé.
Artiste distingué de la brillante phalange de graveurs anglais du commencement du XIXe siècle, ses portraits au pointillé sont fort remarquables. Il fut d'abord élève de Cardon, mais il ne tarda pas à se créer une technique tout à fait personnelle. Il grava surtout des portraits. On cite parmi ses meilleures planches : *Les trois nièces de Wellington* d'après Lawrence, *La reine Victoria à cheval*, d'après sir F. Grant, *Le Prince Albert*, d'après W. Ross. On lui doit aussi plusieurs estampes pour les *Townley Marbles*.

THOMSON John, R. P., dit **Thomson of Duddingston** ou **The Scottish Claude**
Né le 1er septembre 1778 à Dailly. Mort le 20 octobre 1840 à Duddingston. XIXe siècle. Britannique.
Peintre de paysages.
Il était ministre protestant et travailla la peinture comme amateur particulièrement avec Nasmyth. Ses relations avec l'élite des artistes d'Edimbourg dont sa cure était voisine, l'amenèrent à prendre part à un grand nombre d'expositions écossaises. Il fut élu membre honoraire de la Scottish Academy. On sent dans ses ouvrages l'influence de Claude Lorrain et de Poussin. *Voir aussi DUDDINGSTON.*
Musées : ÉDIMBOURG : *Paysage – Le château de Bruce à Turnberry – Le château sur le rocher – Les Trossachs – Troncs d'arbres sur un banc de sable – Le château de Fast – Embouchure de la Clyde – Château de Ravensbrough – Baie d'Aberlady – Paysage forestier* – GLASGOW : *Esquisse – Paysage marin, effet du matin, peut-être de Ewelank – Scène de rivière – Paysage* – LIVERPOOL (Walker Art Gal.) : *Tantalon Castle* – LONDRES (Victoria and Albert) : *Aquarelle* – MONTRÉAL : *Château sur la Cliff.*
Ventes Publiques : LONDRES, 27 fév. 1909 : *Loch Katrine* : **GBP 4** – LONDRES, 28 jan. 1911 : *Château de Brehan le soir* : **GBP 1** – LONDRES, 22 mars 1972 : *Vue d'Edimbourg* : **GBP 1 300** – PERTH, 13 avr. 1976 : *Innerwick Castle*, h/t (91x132) : **GBP 500** – LONDRES, 12 juil. 1990 : *Vue de Bass Rocks*, h/t (98x152) : **GBP 7 150** – GLASGOW, 1er fév. 1994 : *Personnages au bord du Loch Achray*, h/pan. (30,5x40,5) : **GBP 1 322.**

THOMSON John Knighton ou **Kinghorn**
Né vers 1820. Mort en février 1888. XIXe siècle. Britannique.
Peintre de genre.
Il prit part, à partir de 1849, aux principales expositions londoniennes.

THOMSON John Murray
Né en 1885. Mort en 1974. XXe siècle.
Peintre animalier, aquarelliste.
Il fit ses études à Édimbourg et à Paris. Il s'établit à Édimbourg.

Murray Thomson

Ventes Publiques : ÉDIMBOURG, 30 août 1988 : *Ours pôlaires*, aquar. (18,5x29,5) : **GBP 935** – GLASGOW, 7 fév. 1989 : *Tigres du Bengale*, h/t (61x91,5) : **GBP 2 310** – SOUTH QUEENSFERRY (Écosse), 1er mai 1990 : *Poneys au pré*, h/t (51x76) : **GBP 1 870** – GLASGOW, 5 fév. 1991 : *Couple de canards*, aquar. (38x53) : **GBP 990** – PERTH, 26 août 1991 : *Chienne et sa portée*, h/t (61x91,5) : **GBP 1 430** – PERTH, 26 août 1996 : *Coq et poules dans un champ de blé*, h/t (50,5x61) : **GBP 1 725** – GLASGOW, 11 déc. 1996 : *Petites sœurs*, h/t (46x61) : **GBP 575.**

THOMSON Launt. Voir **THOMPSON Launt**
THOMSON Leslie
Né en 1851 à Édimbourg. Mort le 23 septembre 1929 à Londres (?). XIXe-XXe siècles. Britannique.
Peintre de paysages.
Après avoir fait des études à la Slade School, à Londres, il voyagea sur le continent. Il prit part aux expositions de Londres à partir de 1873, particulièrement à la Royal Academy. Il fut membre de la Society of British Artists, mais ne tarda pas à s'en séparer. En 1893, il fut nommé membre du Royal Institute et plus tard de la Society of oil Painters. Il fit également partie de la Société des six paysagistes qui envoyaient des œuvres à l'exposition de paysages de la Dudley Gallery. Il figura aussi aux expositions de Paris. Mention honorable en 1900 (Exposition Universelle).
Musées : LEEDS : *Marais de Conway* – LONDRES (Art Gal.) : *La montagne de Holyhead.*
Ventes Publiques : LONDRES, 20 fév. 1909 : *Hennant, Bretagne* : **GBP 11** – LONDRES, 1910 : *Le sentier dans le bois 1890* : **GBP 68** ; *Bords d'un lac et bestiaux* : **GBP 42** ; *Le naufrage* : **GBP 65** ; *Bords de rivière 1875* : **GBP 5** – LONDRES, 3 avr. 1925 : *Troupeau près d'un lac* : **GBP 44.**

THOMSON Louisa Emily, dite **Louise**
Née le 6 août 1883 à Kandy (Ceylan, aujourd'hui Sri-Lanska). XXe siècle. Britannique.
Peintre d'architectures, aquafortiste et lithographe.
Élève de Fernand Sabatté à Rome et de Francis Ernest Jackson. Elle grava des architectures.

THOMSON N.
XIXe siècle. Actif à Londres. Britannique.

Miniaturiste.
Il exposa cinq miniatures à la Royal Academy en 1809.

THOMSON Paton
Né vers 1750. Mort après 1821. XVIIIe-XIXe siècles. Actif à Londres. Britannique.
Graveur.
On doit surtout à cet artiste de talent des portraits d'acteurs dans leurs principaux rôles, notamment ceux de Kemble et de Kean.

THOMSON Peter
Né en 1962 à Glasgow (Écosse). XXe siècle. Britannique.
Peintre de paysages urbains.
Il a étudié à la Glasgow School of Art de 1980 à 1984. Il a exposé à plusieurs reprises en Écosse et à Londres. Il a reçu en 1990 une bourse du Scottish Arts Council.
Il peint des lieux déshumanisés, des personnages sans espoir errants dans la cité, dans un langage picturale moderne.

THOMSON Rodnay
Né le 2 octobre 1878 à San Francisco (Californie). XXe siècle. Américain.
Graveur et illustrateur.
Élève de l'École Partington. Membre de la Fédération Américaine des Arts.

THOMSON T.
XVIIIe siècle. Actif à Londres. Britannique.
Miniaturiste.
De 1793 à 1796, il exposa sept miniatures à la Royal Academy.

THOMSON Thomas John, dit Tom
Né en 1877 à Claremont (Ontario). Mort en 1917 dans le lac Canoe, par noyade. XIXe-XXe siècles. Canadien.
Peintre de paysages, graveur et dessinateur publicitaire.
Il passa sa jeunesse dans l'Ouest du Canada. Jusqu'en 1914, il était publicitaire. Il passait ses étés dans le Parc Algonquin, qui était alors encore une partie du Canada demeurée sauvage. En peinture, il n'eut aucun maître, mais il fut très impressionné par Alexander Young Jackson, avec lequel il partagea un atelier en 1914, et qui le conseilla. Il est considéré qu'il fut un animateur du *Groupe des Sept*, qui comprenait, entre autres, Jackson et Lismer, dont il ne faisait pourtant pas partie. En 1914, Thomson devint membre de l'Ontario Society of Artists.
Jackson et lui-même travaillèrent, notamment en 1914, à l'Algonquin Park. Thomson en rapportait des esquisses à l'huile, qu'il interprétait ensuite en atelier sur de grands formats. Peu à peu, Thomson contrôla ses compositions, sa couleur ; il apprit, notamment avec Arthur Lismer, à aller à l'essentiel. Ainsi, Thomson maîtrisa sa touche, large et grasse, qui dessine en peignant. Il peint essentiellement des paysages, encore marqués par le style ornemental du début de siècle, hauts en couleurs, très typiques du Nord de l'Ontario, qui, depuis, sont entrés dans le patrimoine de la mémoire collective du Canada anglophone.
■ J. B.
BIBLIOGR. : In : *Diction. de l'Art Mod. et Contemp.*, Hazan, Paris, 1992.
MUSÉES : OTTAWA (Gal. Nat.) : *Parry Sound Harbour* 1914 – *Northern River* 1914-1915 – *Petawawa Gorges* 1916 – *Autumn Foliage* 1916 – *The Jack Pine* 1916-17 – *Northern Lake* – TORONTO (Art Gal. of Ontario) : *Le vent d'Ouest.*
VENTES PUBLIQUES : TORONTO, 17 mai 1976 : *Paysage de printemps*, h/pan. (22x27) : CAD 35 000 – TORONTO, 11 nov. 1980 : *Rosedale ravine near studio building* 1916, h/t mar./cart. (16,9x25) : CAD 42 000 – TORONTO, 26 mai 1981 : *Winter thaw in the wodds*, h/cart. (21,3x26,3) : CAD 120 000 – TORONTO, 14 mai 1984 : *Vue de la fenêtre*, gche et aquar. (14,4x10) : CAD 4 000 – TORONTO, 14 mai 1984 : *Jeune femme sur la plage*, h/t (30x27,5) : CAD 20 000 – TORONTO, 28 mai 1985 : *Log jam*, h/cart. (21,3x26,3) : CAD 50 000 – TORONTO, 12 juin 1989 : *Paysage avec Sumac*, h/pan. (21,5x26,7) : CAD 7 500.

THOMSON William. Voir THOMPSON

THOMSON William George
Né en 1865 à Bellie, Fochabers (Moraryshire, Écosse). Mort en 1942 à Goring-by-Sea (Sussex, Angleterre). XIXe-XXe siècles. Britannique.
Peintre, aquarelliste, de paysages, fleurs.
Il étudia aux Beaux-Arts d'Aberdeen, de Londres et Paris. Intéressé par la tapisserie et les travaux de tissage de William Morris, il travailla sous la direction de ce dernier. Par la suite, en 1906 et 1914, il écrivit une *Histoire de la tapisserie* et la *Tapisserie en Angleterre.* Il fit des aquarelles reproduisant des tapis anciens, à

titre documentaire pour des musées anglais. Avec sa femme, il continua à faire des recherches sur les textiles anciens afin de restaurer certaines pièces de l'Antiquité. À la fin de sa vie, étant en partie paralysé, il se consacra à des études à l'huile et à l'aquarelle de paysages anglais, de fleurs, qui furent exposés en Écosse et en Angleterre.

THOMSON William Hill
Né le 13 mars 1882 à Édimbourg. XXe siècle. Britannique.
Peintre de portraits.

THOMSON Winifred Hope
XIXe siècle. Active à Londres. Britannique.
Miniaturiste.
Cette artiste exposa à Londres, notamment à la Royal Academy à partir de 1890.
VENTES PUBLIQUES : PARIS, 14 fév. 1951 : *Femme en manteau garni d'hermine*, miniat. : FRF 5 300.

THOMSON ORTIZ Manuel
Né en 1875 à Valparaiso. XIXe-XXe siècles. Chilien.
Peintre de genre, portraits, paysages.
Il se fixa à Paris.
MUSÉES : SANTIAGO.
VENTES PUBLIQUES : MILAN, 26 mars 1996 : *Portrait de dame* 1909, h/t (54x46) : ITL 1 495 000.

THÖMT Enevold, ou Martin Enevold
Né le 8 juin 1878 à Askim. XXe siècle. Norvégien.
Peintre de sujets religieux.
Il fit ses études à Oslo et à Vienne. Il peignit surtout pour des églises d'Oslo.

THON Alexander Andréiévitch
Né en 1790 à Saint-Pétersbourg. Mort en 1858 à Saint-Pétersbourg. XIXe siècle. Russe.
Lithographe et architecte.
Élève de l'Académie de Saint-Pétersbourg et de G. Engelmann à Paris. On cite de lui *Les tombeaux des Scipions à Rome.*

THON Hans von
XVIe siècle. Travaillant à Vienne en 1553. Autrichien.
Sculpteur sur bois.

THON Sixt Armin
Né le 10 novembre 1817 à Eisenach. Mort le 26 septembre 1901 à Weimar. XIXe siècle. Allemand.
Peintre de genre, paysagiste, lithographe et graveur à l'eau-forte.
En 1837, élève de l'Académie d'Art à Leipzig, puis de Preller à Weimar. Il continua ses études à Anvers. En 1853, il exposa à Hanovre en 1853. Le Musée d'Oslo possède de cet artiste *Enfant endormi* et le Musée de Weimar, *Scène du voyage en Norvège, que fit l'artiste en compagnie de Preller et de K. Hummel.*

THON William
XXe siècle. Américain.
Peintre de marines.
Il expose régulièrement à la Fondation Carnegie de Pittsburgh. On connaît de lui des marines bien enlevées.

THONARD
XVIIIe-XIXe siècles. Britannique.
Silhouettiste.
Il découpa des portraits et des groupes de famille entre 1790 et 1820.

THONAUER Hans. Voir DONAUER Hans

THÖNE Franz
Né le 4 février 1851 à Wewer. Mort le 22 juin 1906 à Düsseldorf. XIXe siècle. Allemand.
Peintre de sujets religieux, scènes de genre.
Il fut élève de J. Geertz.
Il commença par des peintures de genre et s'adonna finalement à la peinture religieuse.
VENTES PUBLIQUES : LONDRES, 17 mai 1991 : *Bulles* 1886, h/pan. (53,5x42) : GBP 8 580.

THONER Leonhard. Voir THANER

THONERT Medardus. Voir THOENERT

THONESSE
XIXe siècle. Français.
Peintre.
Il débuta au Salon de Paris en 1891.

THONESSE Jean Baptiste ou Thonnesse
XVIIIe-XIXe siècles. Travaillant à Paris de 1796 à 1818. Français.

Peintre.
Il peignit pour la cathédrale et l'évêché d'Angers.
VENTES PUBLIQUES : PARIS, 27 juin 1997 : *Portrait de Mathieu Louis, comte de Molé*, past. (45x37) : **FRF 17 000.**

THONET Victor
Né en 1885 à Anvers. Mort en 1952 à Kalmthout. xxᵉ siècle.
Peintre de paysages, natures mortes. Postimpressionniste.
Il fut élève de Frans Hens à l'Institut supérieur des Beaux-Arts d'Anvers. Il était membre des groupes *Als ik kan* et de *L'art contemporain*. De 1924 à 1950, il fut professeur à l'Académie d'Anvers.
Il travaillait au couteau à peindre. Il subit l'influence d'Auguste C.L. Oleffe.
BIBLIOGR. : In : *Dict. biogr. illustré des artistes en Belgique depuis 1830*, Arto, Bruxelles, 1987.
MUSÉES : ANVERS.
VENTES PUBLIQUES : LOKEREN, 11 mars 1995 : *Nature morte au lièvre*, h/t (62x92) : **BEF 24 000.**

THÖNI Christian
Né en 1836 à Saint-Valentin-an-der-Haide (Tyrol). Mort le 27 mars 1902 à Munich. xixᵉ siècle. Autrichien.
Sculpteur sur pierre et sur bois.
Élève de Pendl à Meran et de Raffl à Paris. Il sculpta pour les églises d'Enneberg et de Saint-Valentin.

THONIER LAROCHELLE Aymar
Né au xixᵉ siècle à Montluçon (Allier). xixᵉ siècle. Français.
Paysagiste.
Élève de Badiau. Il débuta au Salon de Paris en 1879 ; il a surtout fait des fusains.

THONISZ Huybrecht. Voir TONS Hubert ou Huybrecht

THONNER Tobias ou Donner
xviiᵉ siècle. Actif à Vienne dans la seconde moitié du xviiᵉ siècle. Autrichien.
Sculpteur.
Il a sculpté, en 1677, la statue de *Saint Jean de Dieu* dans l'église des Carmes de Vienne.

THONON Jean I
xviiᵉ siècle. Actif à Dinant de 1615 à 1629. Éc. flamande.
Sculpteur.
Il a sculpté le maître-autel de l'église Sainte-Gertrude de Nivelles.

THONON Jean II
Né le 11 juillet 1610 à Dinant. Mort le 18 octobre 1673 à Liège. xviiᵉ siècle. Éc. flamande.
Sculpteur.
Fils de Jean Thonon I. Il exécuta des tombeaux et d'autres sculptures pour la cathédrale de Liège.

THÖNY Eduard
Né le 9 février 1866 à Brixen. Mort en 1950 à Holzhausen. xixᵉ-xxᵉ siècles. Allemand.
Peintre, dessinateur, illustrateur, caricaturiste.
Son père, Christian Thöny, était sculpteur. Il fut élève du cours de dessin de Gabriel von Hackl à l'Académie des Beaux-Arts de Munich. Il s'établit à Holzhausen.
On lui attribue environ cinq mille dessins. Il collabora surtout au *Simplicissimus*, et aux *Münchner Humoristische Blätter*. Il publia des albums : *Le lieutenant ; L'habit de couleur ; Société mêlée ; Des cadets au général ; Cocottes, paysans et soldats*. Autant dans la presse que dans ses albums, il fut le spécialiste de la satire militaire. Surtout dessinateur, il est dit qu'il œuvrait debout, cherchant ses idées, synthétisant à grands traits ses personnages plus que les caricaturant, et travaillait au pinceau, opposant au blanc du papier de larges plages noires où se noient toutes les parties du sujet que l'esprit peut compléter, ne traitant le détail que pour d'infimes détails stylistiques, cravate, texture d'un vêtement, et pour les indications psychologiques des visages et des mains. ■ J. B.
BIBLIOGR. : Marcus Osterwalder, in : *Dictionnaire des illustrateurs 1800-1914*, Ides et Calendes, Neuchâtel, 1989.
MUSÉES : BERLIN – DRESDE – MUNICH.
VENTES PUBLIQUES : MUNICH, 17 mai 1966 : *Prisonniers polonais* : **DEM 4 000** – MUNICH, 29 mai 1979 : *French Oyster* 1899, gche (36,8x27,5) : **DEM 2 000** – MUNICH, 30 nov 1979 : *Soldats au repos* vers 1915, h/t (75x68) : **DEM 2 100** – MUNICH, 29 juin 1983 : *La Suffragette* vers 1909, pl. reh. de blanc (29x24) : **DEM 2 000** –

MUNICH, 29 nov. 1985 : *Avant la course*, craie de coul. et reh. de blanc (34x31) : **DEM 2 500** – ZURICH, 22 nov. 1986 : *Was fällt Ihnen denn ein mein Herr...*, dess. à l'encre de Chine/traits fus. reh. de gche blanche (22,2x31) : **CHF 1 500.**

THÖNY Wilhelm
Né le 10 février 1888 à Graz. Mort en 1949 à New York. xxᵉ siècle. De 1931 à 1938 actif en France, de 1938 à 1949 aux États-Unis. Autrichien.
Peintre de portraits, paysages, paysages urbains, aquarelliste, graveur, caricaturiste. Postcézannien.
À l'origine doué pour la musique et la peinture, il devint élève d'Anton Marussig à Graz et, à partir de 1908, de Gabriel von Hackl et d'Angelo Janck à l'Académie des Beaux-Arts de Munich. En 1913, il fut l'un des premiers membres de la Sécession de Munich. En 1923, il fut l'un des fondateurs de la *Sessezion* de Graz. En 1929, un voyage à Paris fut déterminant dans l'évolution de son style. Il a vécu à New York, à partir de 1938, où, en 1948, un millier de peintures, la plus grande part de son œuvre, furent détruites dans un incendie.
En 1954, un ensemble de son œuvre fut exposé à l'Österreichische Galerie de Vienne, en 1964 à l'Institut autrichien de Paris.
Il fut caricaturiste pour la revue munichoise *Jugend*, puis pour la revue berlinoise *Querschnitt*. Il a brossé un tableau plutôt pessimiste du genre humain. Son œuvre graphique comprend, en 1924, un cycle de dessins consacré à Beethoven, de 1932 à 1937, les trente sanguines destinées à la *French Revolution* de Carlyle. Ses portraits dépeignent les personnes en profondeur. À propos de ses paysages, on évoque Kokoschka. Il montre en général plus de tendresse et en conséquence moins d'acuité que celui-ci. Séjournant en France, il eut l'occasion de peindre le *Portrait du cardinal Verdier* ; il y peignit aussi des paysages dont les perspectives s'achèvent dans les lointains bleutés et des paysages parisiens, adoptant une technique pointilliste dans un chromatisme éclairci. Dans sa période new-yorkaise, il s'est appliqué à des recherches sur la bidimensionnalité et sur la translation de la forme, tout en restant attaché à l'ordonnance cézannienne. Il était le représentant d'un expressionnisme modéré, mais, plus il avança en âge, plus il s'écarta de son expressionnisme initial, gagné par un certain postcézannisme constructif.

W Thöny

BIBLIOGR. : Catalogue de l'exposition *Wilhelm Thöny*, Österreichische Galerie, Vienne, 1954 – Marcel Brion, in : *La peinture allemande*, Tisné, Paris, 1959 – Catalogue de l'exposition *Wilhelm Thöny*, Institut Autrichien, Paris, 1964.
MUSÉES : GRAZ : *Portrait de jeune fille* – MUNICH (Gal. Nat.) : *Paysage de printemps* – *Quatuor* – *Portrait de jeune fille* – PRAGUE (Gal. Nat.) : *Le jugement* – VENISE (Gal. Mod.) : *La Tour Eiffel à Paris* – VIENNE (Gal. Autrichienne) : *Une ville pendant la nuit*.
VENTES PUBLIQUES : VIENNE, 19 mars 1969 : *New York* : **ATS 75 000** – VIENNE, 29 nov. 1972 : *Vue d'un port* : **ATS 75 000** – VIENNE, 23 mai 1973 : *La Loge*, aquar. : **ATS 40 000** – VIENNE, 4 déc. 1974 : *Paysage du Midi* 1930 : **ATS 100 000** – VIENNE, 22 juin 1979 : *Deux hommes attablés*, pl. et lav. (22,5x28,5) : **ATS 18 000** – MUNICH, 2 déc. 1980 : *Le port de Marseille* 1935, h/t mar./cart. (48x55,5) : **DEM 22 000** – VIENNE, 18 mars 1981 : *Le Port de Sanary*, h/t (50x58) : **ATS 180 000** – VIENNE, 15 nov. 1983 : *La Conversation*, aquar. (35,3x43,5) : **ATS 100 000** – VIENNE, 19 nov. 1984 : *Les gros mangeurs*, pl. et lav. (22x28,5) : **ATS 35 000** – MUNICH, 30 nov. 1984 : *Vase de fleurs*, h/t (50x39) : **DEM 33 000** – MUNICH, 29 oct. 1985 : *Au cimetière*, pl. et lav. (25x31,5) : **DEM 3 000** – VIENNE, 3 déc. 1986 : *Portrait de femme* 1912, h/t (88x68) : **ATS 500 000** – LONDRES, 3 juil. 1987 : *Portrait d'homme*, h/t (46x35,5) : **GBP 4 000** – LONDRES, 22 fév. 1989 : *Femme au chapeau jaune*, h/t (35,7x44,3) : **GBP 23 100** – LONDRES, 20 mai 1993 : *Le Vignoble*, aquar. et cr./pap. (27,5x31) : **GBP 4 600** – NEW YORK, 23 fév. 1994 : *Paris*, aquar./pap. (49x65,4) : **USD 16 100** – MUNICH, 6 déc. 1994 : *Le Château*, h/t (35x46) : **DEM 78 200** ; *Le Port de Marseille*, h/t (30x48,5) : **DEM 69 000** – MUNICH, 27 juin 1995 : *Promenade*, encre noire et aquar./pap. (25x29,5) : **DEM 5 750** – MUNICH, 3 déc. 1996 : *New York*, cr. noir et coul./pap. (14x21) : **DEM 50 400.**

THONYS Hendrik
xviᵉ siècle. Actif à Anvers de 1513 à 1525. Éc. flamande.
Peintre.

THONYS Jacob
xve siècle. Actif à Anvers de 1457 à 1488. Éc. flamande.
Peintre.

THONYS Jacob
xvie siècle. Actif à Anvers en 1528. Éc. flamande.
Peintre.

THONYS Lucas
xve-xvie siècles. Actif à Anvers de 1499 à 1522. Éc. flamande.
Peintre.

THOPAS Johan ou **Topas**
Né vers 1630 à Assendelften. Mort vers 1700 à Assendelften.
xviie siècle. Hollandais.
Dessinateur et portraitiste.
En 1668, il fut dans la guide de Haarlem. Il grava des portraits.
Les Cabinets d'estampes d'Amsterdam, de Berlin, de Bruxelles,
d'Haarlem, de Leyde, de Rotterdam et d'Utrecht conservent des
planches de cet artiste.
Ventes Publiques : Londres, 27 et 28 juin 1922 : *Portrait d'un
gentilhomme et de sa femme*, dess. : **GBP 30** – Paris, 4 avr. 1925 :
Portrait d'homme en buste, pointe d'argent et encre de Chine :
FRF 500 – Amsterdam, 15 nov. 1983 : *Portrait d'un jeune homme
tenant un livre*, craie noire et encre reh. de blanc/ parchemin
(17,5x14,8) : **NLG 4 800**.

THOPPHER Hans. Voir **TÖPFER**

THOR Emil Nils. Voir **JOHANSSON-THOR Emil**

THOR Walter
Né le 13 février 1870 à Neusalz. Mort en janvier 1929 à
Munich. xixe-xxe siècles. Allemand.
Peintre de genre et de portraits.
Il travailla à Paris et figura au Salon des Artistes français, où il
obtint une médaille de troisième classe, puis se fixa à Munich.
Musées : Bucarest (Mus. Simu) : *Cuisine de paysans à Leutasch* –
Buenos Aires : *Portrait de l'artiste* – Munich (Pina.) : *Portraits de
l'artiste et de sa femme* – Munich (Mus. de la Résidence) : *Portrait
de Louis III, roi de Bavière* – *Portrait de Marie-Thérèse, reine de
Bavière*.

THOR MULLEN Jost
xvie siècle. Actif à la fin du xvie siècle. Allemand.
Peintre de cartons de vitraux.
Il exécuta de nombreux vitraux pour l'église Notre-Dame de
Munster.

THORAK Josef
Né le 7 février 1889 à Salzbourg. xxe siècle. Autrichien.
**Sculpteur de monuments, statues, nus, bustes. National-
socialiste.**
Élève de Ludwig Manzel à l'Académie des Beaux-Arts de Berlin.
Il adhéra au courant représenté, dès 1920, par la *Société Allemande pour l'Art*, qui prônait un art « conforme à la nature du
peuple allemand » et évidemment dirigé contre « le déclin de
l'art » provoqué par toutes les manifestations modernistes du
début de siècle. Ce courant anti-culturel trouva, en 1933, son terrain d'élection dans l'arrivée au pouvoir du nazisme et sa glorification dans l'exposition de la *Freie deutsche Kunst* (Libre art allemand) qui, en 1937, faisait pendant à la tristement célèbre
exposition de l'*Entartete Kunst* (Art dégénéré).
Il sculpta de nombreux monuments aux morts, des bustes, des
statues et des académies. Avec Arno Brecker, il représenta en
sculpture l'idéal artistique du nazisme, c'est à dire un style résolument décoratif, « stylisé », férocement antimoderne et académique sous prétexte de retour à l'Antique. Les thèmes sont
volontiers allégoriques et moralisateurs : femme gardienne des
valeurs ancestrales, protectrice du foyer et mère du soldat,
athlète modèle de la race pure. Le parallèle s'est imposé avec ce
qui s'est passé en Russie soviétique au nom du réalisme-
socialiste.   ■ J. B.
Musées : Berlin (Mus. mun.) : *La pieuse*.

THORAS Walther
Né le 20 janvier 1856 à Berlin. xixe-xxe siècles. Allemand.
Peintre de paysages.
Il fit ses études à Berlin et à Düsseldorf.

THORASILL Anton ou **Dorasil**
Né vers 1696 à Prague (?). Mort en 1759 à Grusau. xviii^e
siècle. Allemand.
Sculpteur.
Élève de Ferdinand Max Brokoff à Prague. Il travailla à partir de
1729 pour l'abbatiale de Grussau et les églises des environs.

THORAX Albert Charles
Né en 1926 peut-être à Saint-Romain (Jura). xxe siècle. Fran-
çais.
Peintre.
Il est actif dans le Jura.

THORBERG Trygve
Né le 19 mars 1884 à Kongsberg. xxe siècle. Américain.
Sculpteur de bustes.
Il fit ses études à New York.
Il sculpta surtout des bustes d'adultes et d'enfants.

THORBJÖRNSEN Simon
Né le 5 août 1879 à Skien. xxe siècle. Norvégien.
Peintre de paysages.
Élève de P. H. Kristian Zahrtmann à Copenhague et de l'Acadé-
mie Colarossi à Paris. Il se fixa à Oslo.
Musées : Barcelone (Mus. de l'Art Mod.) : *L'écueil* – Bergen :
Jeune tremble – Brighton : *Torschov* – Oslo : *Journée de soleil*.

THORBURN Archibald
Né le 31 mai 1860. Mort le 9 octobre 1935 à Godalming.
xixe-xxe siècles. Britannique.
**Peintre de paysages animés, animalier, peintre à la
gouache, aquarelliste, dessinateur, illustrateur.**
Il vint à Londres en 1885 et y resta jusqu'en 1902 où il s'installa
définitivement à Hascombe dans le Surrey. Chaque année il
séjourna dans les Highlands en Écosse pour étudier le gibier :
lièvre, perdrix rouges, grouse, coq de bruyère, etc.
Zoologue, il illustra des livres d'histoire naturelle et surtout d'ornithologie.

Ventes Publiques : Londres, 17 mars 1922 : *Chill hoar frost at
davon*, dess. : **GBP 65** – Londres, 21 mars 1924 : *Bullfinches*,
dess. : **GBP 44** – Londres, 11 déc. 1925 : *Domaine de l'Aigle*,
dess. : **GBP 194** – *Coq de bruyère*, dess. : **GBP 152** – Londres, 5
fév. 1926 : *Couvée de perdrix dans la neige*, dess. : **GBP 183** –
Londres, 26 mai 1944 : *Coqs de bruyère en fuite*, dess. : **GBP 73** –
Londres, 4 mai 1951 : *Le dernier voyage* 1892 : **GBP 190** – Paris,
25 juin 1951 : *Paysage*, aquar. : **FRF 9 500** – Écosse, 30 août
1968 : *Canards sauvages au bord de l'eau*, aquar. reh. de blanc :
GBP 550 – Écosse, 29 août 1969 : *Études de canards sauvages*,
aquar. : **GBP 720** – Écosse, 28 août 1970 : *Volatiles* : **GBP 850** –
Londres, 20 oct. 1970 : *Paysage de neige*, aquar. et gche :
GNS 1 300 – Écosse, 25 août 1972 : *Paysage de neige* : **GBP 800** ;
Le hibou, gche : **GBP 1 950** – Écosse, 30 août 1974 : *La bécasse*,
aquar. : **GBP 1 600** – Écosse, 24 juil. 1976 : *Coqs de bruyère et
perdrix* 1932 et 1933, deux gches, chaque (18,5x25,5) : **GBP 1 250**
– Auchterarder (Écosse), 30 août 1977 : *Oiseaux en vol* 1898,
gche (60x95) : **GBP 3 800** – Auchterarder (Écosse), 29 août 1978 :
Perdrix dans un paysage 1886, h/t (36x53) : **GBP 5 000** – Perth, 24
avr 1979 : *Rats*, cr. et lav. coul. (25x33) : **GBP 1 400** – Londres, 18
sept 1979 : *Perdrix dans un paysage* 1903, aquar. et gche
(18,5x26,8) : **GBP 4 500** – Londres, 26 oct. 1982 : *Blackgame pac-
king* 1910, aquar. reh. de blanc (28x38,5) : **GBP 9 500** – Londres,
11 oct. 1983 : *Coq de bruyère dans un paysage de neige* 1924,
aquar. touches de reh. de blanc (28,5x38) : **GBP 10 000** – Chester, 4 oct. 1985 : *Coq de bruyère* 1926, gche (38x60) : **GBP 13 000**
– Londres, 16 déc. 1986 : *Joie du printemps : faisans et coucou*
1914, aquar. reh. de gche (78x56,6) : **GBP 24 000** – Londres, 21
juil. 1987 : *Perdrix sur une colline* 1898, aquar. reh. de blanc
(53,5x73,8) : **GBP 26 000** – Édimbourg, 30 août 1988 : *Canards
sauvages et sarcelles dans la neige* 1906, aquar. (46x75) :
GBP 41 800 – Glasgow, 7 fév. 1989 : *La mort dans le vallon* 1907,
aquar. (106x70) : **GBP 35 200** – Perth, 28 août 1989 : *Faisans
dans une forêt* 1923, aquar. et gche (34x55) : **GBP 38 500** – New
York, 18 oct. 1989 : *Grouse dans la lande*, aquar./pap.
(55,9x78,7) : **USD 47 300** – Glasgow, 6 fév. 1990 : *Canards sif-
fleurs et sarcelles* 1931, aquar. et gche (28x38) : **GBP 12 100** –
Édimbourg, 26 avr. 1990 : *Une perdrix anglaise* 1922, aquar. avec
reh. de gche (38,1x27,9) : **GBP 17 050** – South Queensferry
(Écosse), 1er mai 1990 : *Milan attaquant un cul-blanc* 1923, aquar.
et gche (53x35,5) : **GBP 10 450** – Perth, 27 août 1990 : *Perdrix et
leurs poussins* 1903, aquar. (46x55) : **GBP 31 900** –
Londres, 1er nov. 1990 : *Éclaircie après l'orage – perdrix rouges
dans la lande* 1905, aquar. et gche (46,1x78,2) : **GBP 33 000** –

GLASGOW, 22 nov. 1990 : *Canard sauvages en hiver* 1890, aquar. avec reh. de gche/pap. gris (35,5x48,2) : **GBP 13 200** – GLASGOW, 5 fév. 1991 : *Tétras noir sur un bouleau argenté* 1931, aquar. et gche (19x27) : **GBP 8 800** – NEW YORK, 7 juin 1991 : *Faisans* 1901, aquar./pap. (29,2x38,7) : **USD 12 100** – LONDRES, 14 juin 1991 : *Le matin dans les collines d'Ecosse* 1910, aquar. avec reh. de blanc (54,6x76,3) : **GBP 63 800** – PERTH, 26 août 1991 : *Vol de perdrix* 1900, aquar. (43x77) : **GBP 13 200** – GLASGOW, 4 déc. 1991 : *Faucon blanc des neiges* 1899, aquar. avec reh. de blanc (75x54) : **GBP 22 000** – LONDRES, 25 fév. 1992 : *Tétras* 1928, aquar. avec reh. de blanc (35,6x54,6) : **GBP 27 500** – ÉDIMBOURG, 28 avr. 1992 : *Outardes au lever du soleil* 1894, aquar. (47x74,5) : **GBP 16 500** – NEW YORK, 5 juin 1992 : *Bécasse en novembre* 1907, aquar./pap. (59,7x52,1) : **USD 14 300** – LONDRES, 12 juin 1992 : *Une colonie de perdrix rouges* 1911, cr. et aquar. avec reh. de gche (56,5x76,8) : **GBP 33 000** – LONDRES, 5 mars 1993 : *Deux têtes de bovins blancs, les taureaux Chartley et Chillingham* 1919, cr. et aquar./pap. gris (26,7x42,5) : **GBP 9 430** – LONDRES, 16 mars 1993 : *Trois variétés de canards au bord d'un étang* 1924, aquar. et gche (34,3x48,9) : **GBP 18 400** ; *Grouse rouge dans la bruyère* 1897, aquar. et gche (53,3x73,6) : **GBP 23 000** – AMSTERDAM, 20 avr. 1993 : *Faucon des Greenlands* 1911, aquar. (27,5x21,5) : **NLG 8 970** – PERTH, 31 août 1993 : *Coq de bruyère* 1928, aquar. et gche (36,5x54,5) : **GBP 28 750** – NEW YORK, 17 fév. 1994 : *Un oiseau perché sur une branche* 1929, aquar./pap./cart. (28x19) : **USD 3 220** – LONDRES, 3 juin 1994 : *Coq de bruyère dans un paysage de landes* 1899, aquar. avec reh. de blanc (53,3x50) : **GBP 27 600** – PERTH, 29 août 1995 : *Grouse*, aquar. et gche (23,5x37) : **GBP 3 220** – LONDRES, 22 nov. 1995 : *Faisans dans la neige* 1897, aquar. et gche (38x55) : **GBP 20 700** – NEW YORK, 12 avr. 1996 : *Ptarmigan en vol* 1894, gche et aquar./cart. (52,1x74,9) : **USD 10 350** – GLASGOW, 16 avr. 1996 : *Coqs de bruyère à la parade* 1901, aquar. et gche (45,2x75,5) : **GBP 19 550** – LONDRES, 14 mai 1996 : *La fuite devant les rabatteurs* 1921, cr., aquar. et gche (52,1x72,4) : **GBP 40 000** – LONDRES, 5 juin 1996 : *Couvée de perdreaux* 1884, aquar. (47x66) : **GBP 2 990** – LONDRES, 26 août 1996 : *Danger repéré* 1909, aquar. et gche (48x78) : **GBP 26 450** – LONDRES, 14 mars 1997 : *Divers Oiseaux* 1913, cr. et aquar. reh. de blanc/pap. gris (46,4x37,8) : **GBP 7 130** – LONDRES, 15 avr. 1997 : *Faisans en vol* 1913, aquar. et gche (26x36) : **GBP 8 050** – LONDRES, 4 juin 1997 : *Bécasse faisant son nid près du rivage* 1928, aquar. reh. de gche et gomme arabique (37x55) : **GBP 20 700** – AUCHTERARDER (Écosse), 26 août 1997 : *Sarcelles* 1904, aquar. et gche (54x75) : **GBP 16 100** – LONDRES, 30 sep. 1997 : *Splendeur automnale : tétras rouges sur les landes écossaises*, cr., aquar. et gche, reh. de blanc et gomme arabique (50,7x69,8) : **GBP 47 700**.

THORBURN Robert
Né le 10 mars 1818 à Dumfries. Mort le 3 novembre 1885 à Tunbridge Wells. XIXᵉ siècle. Britannique.
Peintre et miniaturiste.
Il commença ses études en 1833 à l'Académie d'Edimbourg et les poursuivit à l'Académie de Londres en 1836. Il s'adonna à la miniature et aux portraits obtinrent un grand succès aux expositions de la Royal Academy. En 1846, le portrait qu'il fit de la reine Victoria affermit sa réputation et lui assura la clientèle de toute la grande société anglaise. Il fit aussi quelques tableaux à l'huile, mais ils n'ont pas la valeur artistique de ses miniatures. Associé de la Royal Academy. De 1837 à 1884, il y exposa deux cent soixante-cinq miniatures.
VENTES PUBLIQUES : LONDRES, 2 juil. 1898 : *La harde aux aguets*, aquar. : **FRF 1 950** ; *Festin inattendu*, aquar. : **FRF 1 575** – LONDRES, 4 et 5 mai 1922 : *Le duc de Wellington et ses petits-enfants*, dess. : **GBP 132** – LONDRES, 3 avr. 1987 : *Portrait of Lady Mary Parker*, peint./ivoire (24,8x17,5) : **GBP 850**.

THORBURN-ROSS. Voir ROSS Robert Thorburn

THOREL J. J. Voir THORELLE

THOREL Jacques
XVIIIᵉ siècle. Travaillant de 1717 à 1727. Français.
Sculpteur sur bois.
Il exécuta des sculptures pour l'église de Hautot-l'Auvray.

THOREL Jenny. Voir LARIVIÈRE Jenny, Mme

THOREL Marie Cécile ou Cécile Marie
Née au XIXᵉ siècle à Paris. XIXᵉ siècle. Française.
Portraitiste et peintre d'histoire.
Élève de Mlle Donnier et de Monjinot. Elle exposa au Salon de Paris de 1869 à 1900 ; mention honorable en 1898.

THORELL Hildegard Katarina, née Bergendahl
Née le 22 mai 1850. Morte le 2 janvier 1930 à Stockholm. XIXᵉ-XXᵉ siècles. Suédoise.
Peintre de genre, de portraits.
Élève de l'Académie de Stockholm, ainsi que de Gérôme et de Léon Bonnat à Paris.
Elle peignit surtout des scènes familiales d'intérieur et des portraits.
MUSÉES : GÖTEBORG : *Miss Gay* – *Maraîchère* – *Hedvig Adelborg* – *La violoniste Sigrid Lindberg* – HALSINGBORG : *Mme K. Ljungmann* – HARNOSAND : *L'écrivain O. Högberg* – LINKOPING : *Le peintre G. Werner* – MALMÖ : *Eva Béve* – OSTERSUND : *Mme J. Tramcourt* – STOCKHOLM (Mus. Nat.) : *Portrait d'une dame française* – *Joie maternelle* – *Les enfants Hildegard et Alfhild Tamm* – *Bessemer Bergendahl* – *Mme L. B. Bergendahl* – *Mlle Marie Colarossi* – *Dame rousse* – *Jeanne de la Croisette* – *Le juge R. Thorell* – *Dame en deuil* – *Dame âgée* – STOCKHOLM (Mus. Nordique) : *Portrait de l'artiste* – *L'artiste en deuil.*
VENTES PUBLIQUES : STOCKHOLM, 26 avr. 1983 : *Jeune fille aux fleurs* 1881, h/t (98x70) : **SEK 20 000**.

THORELLE J. J. ou Thorel
XIXᵉ siècle. Actif à Nancy de 1825 à 1849. Français.
Peintre d'architectures, lithographe et dessinateur.
Quelle est la véritable orthographe du nom de cet artiste ? Les livrets du salon de 1839 et de 1848 donnent *Thorelle*, le catalogue du Musée de Toul, *Thorel*. Il habitait Nancy 20, rue des Dominicains, et paraît y avoir été professeur de dessin. Le Musée de Toul, indépendamment du portrait du *Maréchal Chevert*, dessin aux deux crayons (1844), et d'une série de trente-six dessins religieux, conserve un dessin de la cathédrale de Toul en 1836. L'artiste envoya au Salon de Paris de 1839 un tableau sur le même sujet, et en 1848, un dessin à l'encre de Chine (*Arrivée en Égypte de Joseph et de sa famille).*
VENTES PUBLIQUES : PARIS, 18 déc. 1950 : *L'avant-garde* ; *La reconnaissance* 1852, deux pendants : **FRF 1 400** – PARIS, 21 avr. 1996 : *Vues de rues à Tivoli, près de Rome*, deux h/t formant pendant (32x24) : **FRF 10 000**.

THOREN Esaias
Né en 1901 à Halmstad. Mort en 1981. XXᵉ siècle. Suédois.
Peintre de sujets de sport, figures. Tendance puriste puis surréaliste.
Il fut élève de l'académie de peinture de Stockholm, puis travailla à Paris à la Maison Watteau.
Il participa à diverses expositions : 1930 *Art concret* à Stockholm ; 1935 *Cubisme-Surréalisme* à Copenhague ; 1937 expositions surréalistes de Lund, Londres ; 1937 exposition surréaliste de Paris.
Il évolua d'un style proche de Léger au surréalisme. On cite *Joueur de tennis* de 1928.

E Thorén

BIBLIOGR. : Catalogue de l'exposition : *Les Années trente en Europe. Le temps menaçant*, Musée d'Art moderne de la ville, Paris Musées, Flammarion, Paris, 1997.
VENTES PUBLIQUES : GÖTEBORG, 24 mars 1976 : *Madone*, h/t (45x39) : **SEK 6 200** – GÖTEBORG, 9 nov. 1977 : *Nature morte aux instruments de musique* 1954, h/t (61x50) : **SEK 18 500** – GÖTEBORG, 5 avr. 1978 : *Intérieur d'atelier surréaliste* 1949, h/t (113x153) : **SEK 57 500** – STOCKHOLM, 23 avr. 1980 : *Paysage surréaliste*, h/pan. (45x81,5) : **SEK 16 000** – STOCKHOLM, 22 avr. 1981 : *Paysage surréaliste* 1936, h/t (81,5x60) : **SEK 65 000** – STOCKHOLM, 29 nov. 1983 : *Marins dansant* 1929, h/t (80x60) : **SEK 138 000** – STOCKHOLM, 16 mai 1984 : *Scène de bord de mer*, gche (45x60) : **SEK 11 300** – STOCKHOLM, 20 avr. 1985 : *Composition* 1949, gche (25,5x33) : **SEK 10 500** – STOCKHOLM, 9 déc. 1986 : *Cage à oiseaux au bord de la mer*, h/t (80x64) : **SEK 115 000** – STOCKHOLM, 21 nov. 1988 : *Composition avec un violon* 1929, aquar. (8x6) : **SEK 4 000** – LONDRES, 16 mars 1989 : *Nature morte* 1925, h/t (45,5x35,7) : **GBP 7 150** – STOCKHOLM, 6 déc. 1989 : *Marine, composition avec plage et rochers*, h/pan. (37x45) : **SEK 20 000** – STOCKHOLM, 14 juin 1990 : *Jeux de plage* 1980, h/pan. (49x60) : **SEK 20 000** – STOCKHOLM, 5-6 déc. 1990 : *Isfageln paysage surréaliste*, h/t (72x91) : **SEK 45 000** – STOCKHOLM, 30 mai 1991 : *Table*, h/t (83x118) : **SEK 42 000** – STOCKHOLM, 1992 : *Le créateur et six réalisations* 1951, h/pan. (80x64) : **SEK 40 000** – STOCKHOLM, 10-12 mai 1993 : *Le discobole* 1929, h/t (44x34) : **SEK 105 000**.

THOREN Otto von, ou **Karl Kasimir Otto**
Né le 21 juillet 1828 à Vienne. Mort le 15 juillet 1889 à Paris.
XIXᵉ siècle. Autrichien.
Peintre de scènes de genre, portraits, animaux, paysages animés, paysages.
Il fit ses études à Bruxelles, Paris et Vienne. Il prit part à la guerre contre la Hongrie en 1848. Il séjourna plusieurs fois en Italie, travailla quelques temps à Vienne, puis se fixa à Paris.
Il exposa au Salon de Bruxelles en 1857 ; au Salon de Paris en 1864, où il fut médaillé ; ainsi qu'à Munich. Il obtint diverses distinctions : décoré de l'ordre de Vladimir et de l'ordre de François Joseph ; membre des Académies d'Amsterdam en 1865, de Vienne en 1868, de Saint-Pétersbourg en 1870.
Il a fait un portrait équestre de l'empereur d'Autriche.
BIBLIOGR. : Gérald Schurr, in : *Les Petits Maîtres de la peinture 1820-1920, valeur de demain*, Les Éditions de l'Amateur, t. IV, Paris, 1979.
MUSÉES : BROOKLYN : *Trop tard !* – DIEPPE (Mus. du château) : *Enfants sur une plage* – GAND : *Retour du marché aux chevaux* – GDANSK, ancien. Dantzig : *Taureaux hongrois* – GRAZ : *Sur la Puszta* – KALININGRAD, ancien. Königsberg : *Jument et poulains* – LEIPZIG : *Au pâturage* – LILLE : *Chevaux en liberté* – PARIS (Mus. du Louvre) : *Intérieur d'écurie* – REIMS (Mus. des Beaux-Arts) : *Pâturage normand* – VIENNE : *Vache poursuivie par des loups au bord d'une forêt* – VIENNE (Mus. Czernin) : *Deux paysans hongrois à cheval* – *Paysage de forêt avec bœufs hongrois* – WASHINGTON D. C. (Gal. Corcoran) : *Chiens égarés*.
VENTES PUBLIQUES : PARIS, 1880 : *Chevaux hongrois* : **FRF 5 985** – LONDRES, 27 mai 1910 : *Berger menant son troupeau 1874* : **GBP 33** – PARIS, 18 juin 1923 : *Chevaux au pâturage* : **FRF 305** – LONDRES, 13 mai 1927 : *Une embuscade* : **GBP 52** – PARIS, 2 nov. 1942 : *Chevaux dans un pré* : **FRF 4 100** – VIENNE, 16 mars 1950 : *Troupeau de moutons menacé par un loup* : **ATS 3 200** – PARIS, 30 mars 1955 : *Bord de rivière en Hollande* : **FRF 6 000** – LUCERNE, 13 juin 1970 : *Cavaliers dans un paysage* : **CHF 3 800** – VIENNE, 22 mai 1973 : *Paysage de Normandie* : **ATS 50 000** – VIENNE, 12 mars 1974 : *La charge de cavalerie 1856* : **ATS 35 000** – VIENNE, 22 juin 1976 : *Cavaliers hongrois dans un paysage*, h/t (100x81) : **ATS 35 000** – VIENNE, 12 déc. 1978 : *Le loup arrive*, h/t (65x121) : **ATS 50 000** – VIENNE, 19 juin 1979 : *Troupeau dans un paysage*, h/t (49,5x80) : **ATS 100 000** – VIENNE, 19 mai 1981 : *Troupeau à l'abreuvoir*, h/t (38x55,5) : **ATS 15 000** – LONDRES, 21 mars 1984 : *Le saut de la rivière 1859*, h/t (98x148,5) : **GBP 5 000** – NEW YORK, 23 mai 1985 : *La baignade à Trouville 1876*, h/t (65x79,5) : **USD 5 000** – AMSTERDAM, 16 nov. 1988 : *Vaches dans une prairie*, h/t (28x40) : **NLG 5 750** – PARIS, 22 mars 1990 : *Les Lapins*, h/t (36x61) : **FRF 15 000** – LONDRES, 4 oct. 1991 : *La bourrasque*, h/t (34,2x52) : **GBP 1 320** – AMSTERDAM, 19 avr. 1994 : *Berger et son troupeau*, h/t (40x54,5) : **NLG 5 750** – MUNICH, 25 juin 1996 : *Nu féminin*, h/t (34,5x42) : **DEM 3 500** – NEW YORK, 11 avr. 1997 : *Le Steeple Chase 1871*, h/t (63,5x96,5) : **USD 9 200**.

THORENBURG Madeleine Van
Née en 1880 à Gand. Morte en 1960. XXᵉ siècle. Belge.
Sculpteur de figures, bustes, portraits.
Elle fut élève de Jean Joseph Delvin à l'Académie des Beaux-Arts de Gand et, à titre privé, d'Hippolyte Le Roy.
BIBLIOGR. : In : *Dict. biogr. illustré des artistes en Belgique depuis 1830*, Arto, Bruxelles, 1987.
MUSÉES : GAND.

THORENFELD Anton Erik Christian
Né le 9 avril 1839 à Svendborg. Mort le 20 février 1907 à Copenhague. XIXᵉ siècle. Danois.
Peintre de scènes de genre, paysages animés, paysages.
Il figura au Salon des Artistes Français de Paris, obtenant une mention honorable en 1889, pour l'Exposition Universelle.
MUSÉES : COPENHAGUE : *Jour d'été sur la côte orientale du Jutland.*
VENTES PUBLIQUES : COPENHAGUE, 2 oct. 1976 : *Paysage de septembre 1880*, h/t (85x140) : **DKK 11 000** – HANOVRE, 25 sep. 1982 : *Paysage boisé*, h/t (33x41) : **DEM 5 000** – LONDRES, 30 mai 1984 : *Le manoir de Garsnas 1882*, h/t (39,5x61,5) : **GBP 1 200** – NEW YORK, 23 mai 1989 : *Paisible après-midi d'été à Hellebok près de Kronborg 1887*, h/t (99x156) : **USD 17 600** – NEW YORK, 22 mai 1991 : *Pêcheur au bord d'un lac faisant sécher ses filets 1884*, h/t (85,7x132,7) : **USD 8 250** – COPENHAGUE, 6 mai 1992 : *Matinée de septembre à Limskov 1894*, h/t (39x61) : **DKK 3 000** – COPENHAGUE, 14 fév. 1996 : *Journée estivale près de Isefjord avec le clocher de Roskilde au fond 1987*, h/t (63x93) : **DKK 21 000** – LONDRES, 21 nov. 1996 : *Roskilde Fjord 1887*, h/t (63,5x94) : **GBP 4 600**.

THORENFELDT J. ou **A. ?** ou **Thornfeldt**
XVIIIᵉ siècle. Travaillant vers 1770. Danois.
Portraitiste.

THORER Bartholomäus ou **Thaurer, Dorer**
Né probablement à Thaur. XVᵉ siècle. Actif de 1476 à 1495. Allemand.
Peintre.
Il travailla à Nuremberg, à Ulm et à Augsbourg.

THORESEN Ida Caroline
Née le 10 août 1863 à Göteborg. XIXᵉ-XXᵉ siècles. Suédoise.
Sculpteur de monuments, statues.
Élève des Académies Colorossi et Julian de Paris.
Elle sculpta des monuments et des statues.
MUSÉES : ABERDEEN : *Le marquis d'Aberdeen* – FREDERIKSBORG : *Le professeur Joh. Schmid.*

THORET
Né en 1892. XXᵉ siècle. Français.
Peintre et sculpteur.
Pilote de la guerre 1914-1918, il devint un as célèbre de l'acrobatie aérienne. Une de ses premières œuvres sculptées : *Poilu pleurant le sang*, date de 1914. Autodidacte, il œuvra sans se poser de problèmes esthétiques, puisant à même son généreux tempérament. Les artistes du groupe *Cobra* s'intéressèrent à cette manifestation de l'expressionnisme populaire.

THORIBIO José
XVIIIᵉ siècle. Actif à Murcie. Espagnol.
Dessinateur.

THORIGNY Félix
Né le 24 mars 1824 à Caen (Calvados). Mort le 27 mars 1870 à Paris. XIXᵉ siècle. Français.
Peintre de paysages, architectures, aquarelliste, dessinateur.
Élève de M. Julien à Caen, il a débuté au Salon de Paris, en 1849.
Il est mort subitement.
Il a été collaborateur du *Monde illustré*, du *Magasin Pittoresque*, du *Musée des Familles*, de l'*Illustrated London News*, du *Calvados Pittoresque*.
MUSÉES : CAEN – PÉRIGUEUX.
VENTES PUBLIQUES : NEUILLY, 3 fév. 1991 : *Vue de l'église Saint-Pierre à Caen 1854*, cr. noir et aquar. (38x27,5) : **FRF 10 000**.

THORIN Frédéric
Né à Paris. XIXᵉ siècle. Français.
Peintre de genre.
Cet artiste, élève du peintre militaire Yvon, débuta au Salon de Paris en 1865 avec un tableau intitulé *Une Révélation imprévue*. On le retrouve au Salon de 1868 avec *Un déjeuner* et en 1870 avec deux tableaux *L'Espièglerie* et *Jeune femme à son chevalet*.
VENTES PUBLIQUES : PARIS, 18 juin 1941 : *La toilette pour le bal* : **FRF 1 450** – PARIS, 14 avr. 1943 : *Le violoniste* : **FRF 1 000**.

THORINER Johann Peter
Né à Mautern. XVIIIᵉ siècle. Actif dans la première moitié du XVIIIᵉ siècle. Autrichien.
Sculpteur.
Il sculpta en 1725 un autel dans l'église de Stein-sur-le-Danube.

THORIS Henri
Né le 13 juin 1831 à Kemmel. Mort en juin 1881. XIXᵉ siècle. Belge.
Sculpteur.
Élève de Puyenbrouck et des Académies de Bruxelles et de Bruges. Le Musée d'Ypres conserve un marbre de lui *Buste de M. J. B. Vanderperebom*, ancien président de la Société des Beaux-Arts et du Musée d'Ypres.
BIBLIOGR. : In : *Dict. biogr. illustré des artistes en Belgique depuis 1830*, Arto, Bruxelles, 1987.
MUSÉES : YPRES : *Buste de M. J. B. Vanderperebom*, marbre.

THORKELSEN O. C.
Né en 1870. Mort le 18 décembre 1914 à Oslo. XIXᵉ-XXᵉ siècles. Norvégien.
Peintre de portraits, de décorations, dessinateur de caricatures.

THORLAKSSON Gudbrandur
Né en 1542 à Stadarbakki. Mort le 20 juillet 1627 à Holar. XVIᵉ-XVIIᵉ siècles. Islandais.
Enlumineur.
Il était évêque et il enlumina une Bible en 1584.

THORLAKSSON Thorarinn Benedikt
Née le 14 février 1867 à Undirfell. Morte le 9 juillet 1924 à Laugardalur. XIXᵉ-XXᵉ siècles. Islandaise.

Paysagiste.

Élève de H. Foss et de l'Académie de Copenhague. En 1987, à Paris, elle était représentée à l'exposition *Lumières du Nord – La Peinture Scandinave 1885-1905*, au Musée du Petit Palais.

Musées : Reykjavik.

Ventes Publiques : Copenhague, 25 oct. 1976 : *Paysage* 1901, h/t (40x55) : DKK 3 600.

THORLEIESSON Jon
Né le 26 décembre 1892 à Holar. xxᵉ siècle. Islandais.
Paysagiste.
Élève d'Asgrimur Jonsson.
Musées : Reykjavik.

THORLIN-ERIKSEN Per
Né en 1923 à Oslo. xxᵉ siècle. Suédois.
Peintre et peintre de décorations murales.
Il fut élève de l'École des Beaux-Arts et de l'Artisanat à Oslo ; puis à l'École de Valand, à Göteborg, ville où il se fixa. Il fit des voyages d'étude en Europe. Participant à des expositions de groupe des peintres de l'École de Göteborg, il a également montré des expositions personnelles de ses peintures, à Göteborg, en 1957 ; à Stockholm, en 1959. À Paris, il a participé à l'exposition du *Cercle des Artistes de Göteborg*, en 1962. Il a décoré des façades d'immeubles à Göteborg.
Bibliogr. : Catalogue de l'exposition *Aspects de la Jeune Peinture Suédoise*, Gal. Massol, Paris, 1962.

THORMA Jean, ou **Janos,** ou **Johann de**
Né le 24 avril 1870 à Halas. Mort le 6 décembre 1937 à Nagybanya. xixᵉ-xxᵉ siècles. Hongrois.
Peintre.
Il figura aux Salons de Paris ; mention honorable en 1894.
Musées : Budapest (Mus. Nat.) : *Les compagnons du malheur*.

THORMAEHLEN Ludwig
Né le 24 mai 1889 à Hanau (Hesse). xxᵉ siècle. Allemand.
Sculpteur de statues, bustes et professeur d'histoire de l'art.
Il était actif à Berlin. Il sculpta des statues et des bustes.
Musées : Magdebourg (Mus. Kaiser-Friedrich) : deux bustes en bronze.

THORMÄHLEN Christoph. Voir **THORMEHL**

THORMANN Hans ou **Tormann**
xvᵉ siècle. Actif à Zurich dans la seconde moitié du xvᵉ siècle. Suisse.
Peintre.
Il travailla pour la ville de Zurich, et de 1480 à 1487 pour l'église de Zug.

THORMBURN A.
Britannique.
Peintre de genre et d'oiseaux, aquarelliste.
Le Musée de Blackburn conserve de lui *Inquiétude* et deux aquarelles.

THORMEHL Christoph ou **Thormählen, Thormel, Thormell, Thornel**
Né le 14 janvier 1634 à Memel. Mort le 8 décembre 1692 à Dresde. xviiᵉ siècle. Allemand.
Peintre d'histoire.
Peintre à la Cour de Dresde. Il travailla pour les châteaux du roi de Saxe et pour l'église de Bärnsdorf.

THORN August
Né en 1823 à Neuwied. Mort le 21 décembre 1853 à Düsseldorf. xixᵉ siècle. Allemand.
Peintre de genre.

THORN Kamma ou **Anna Camilla.** Voir **SALTO**

THORN-PRIKKER Jan ou **Johan.** Voir **PRIKKER Jan** ou **Johan**

THORNAM Arnold, ou **Gustav Arnold**
Né le 17 août 1877 à Copenhague. xxᵉ siècle. Danois.
Peintre, illustrateur, dessinateur.
Il illustra les contes d'Andersen et d'autres textes.

THORNAM Christian ou **Johan Christian**
Né le 28 janvier 1822 à Copenhague. Mort le 6 février 1908 à Copenhague.
Dessinateur de fleurs, peintre et graveur au burin.
Élève de J. Th. Bayer. Il grava des ouvrages de botanique et des descriptions de voyages.

THORNAM Emmy Marie Caroline
Née le 10 mars 1852 à Horsens. Morte le 7 janvier 1935 à Copenhague. xixᵉ-xxᵉ siècles. Danoise.

Peintre de fleurs.
Sœur de Ludovica Anine Vilhelmine Thornam. Élève de Vilhelm Kyhn et de P. Bourgogne à Paris.
Musées : Aarhus – Kolding – Vejle.
Ventes Publiques : Copenhague, 1ᵉʳ mai 1991 : *Bouquet de coquelicots*, h/t (40x58) : DKK 4 500 – Londres, 17 mai 1991 : *Géraniums rouges*, h/t (59x48) : GBP 2 200 – Amsterdam, 14-15 avr. 1992 : *Nature morte de géraniums*, h/t (58x45) : NLG 5 750 – Londres, 22 mai 1992 : *Cinéraires blanc et bleu*, h/t (52x44) : GBP 3 300.

THORNAM Ludovica Anine Vilhelmine Augusta
Née le 30 novembre 1853 à Horsens. Morte le 27 mai 1896 à Copenhague. xixᵉ siècle. Danoise.
Peintre de scènes de genre, portraits.
Sœur d'Emmy Marie Caroline Thornam, elle fut élève de Vilhelm Kyhn et d'H. Siegumfeldt.
Musées : Aarhus – Horesens – Odense – Vejle.
Ventes Publiques : Londres, 14 fév. 1990 : *À la fenêtre*, h/t (47,5x39) : GBP 2 640 – Amsterdam, 23 avr. 1991 : *Le baptême* 1895, h/t (109x79) : NLG 7 475.

THORNAM Maria Elise
Née le 12 mars 1857 à Lyngby. Morte le 22 avril 1901 à Lyngby. xixᵉ siècle. Danoise.
Paysagiste.
Fille et assistante de Christian Thornam. Élève de Hans Fischer et d'A. Fritz.

THORNBORG Andreas ou **Tornborg**
Né en 1730 à Mandal. Mort le 14 octobre 1780 à Copenhague. xviiiᵉ siècle. Danois.
Miniaturiste.
Il fut peintre d'armoiries à la Cour de Copenhague. Le Musée National de Copenhague possède de lui le portrait en miniature de *La reine Sophie Madeleine*.

THORNDIKE Charles Hall
Né le 10 décembre 1875 à Paris, de parents américains. Mort en 1935. xxᵉ siècle. Américain.
Peintre de paysages.
Élève de Jean Paul Laurens. Il subit l'influence des impressionnistes et de Cézanne. Il peignit des vues de Bretagne, de Provence, de Corse, de Venise et de New York. Membre de la Paris American Art Association. Il exposait dans les Salons annuels parisiens, notamment aux Tuileries.
Ventes Publiques : Paris, 29 oct. 1926 : *Paysage* : FRF 1 400.

THORNDIYE George Quincey
Né en 1825 à Boston. Mort en 1886. xixᵉ siècle. Américain.
Peintre de paysages et de marines.
Associé de la National Academy en 1861. Il fit ses études à Paris.

THORNE Aheff. W.
xixᵉ siècle. Actif à Christiania (Oslo). Norvégien.
Peintre de portraits.
Il figura aux expositions de Paris ; médaille de bronze en 1900 (Exposition Universelle).

THORNE Alfred. Voir **THÖRNE Sven Alfred**

THORNE Kristine, Oluf. Voir **WOLD-TORNE**

THÖRNE Sven Alfred
Né le 24 avril 1850 à Horn. Mort le 15 mars 1916 à Stockholm. xixᵉ-xxᵉ siècles. Suédois.
Peintre de scènes de genre, portraits, paysages, paysages d'eau.
Musées : Stockholm : *Paysage printanier avec torrent*.
Ventes Publiques : Stockholm, 30 oct 1979 : *Paysage boisé à l'étang*, h/t (122x199) : SEK 33 000 – Stockholm, 22 avr. 1981 : *Paysage d'été*, h/t (73x125) : SEK 17 000 – Stockholm, 1ᵉʳ nov. 1983 : *Paysage d'été* 1884, h/t (98x162) : SEK 27 000 – Stockholm, 17 avr. 1985 : *Paysage d'été au lac*, h/t (45x74) : SEK 35 000 – Stockholm, 4 nov. 1986 : *Bord de mer*, h/t (76x130) : SEK 100 000 – Stockholm, 21 nov. 1988 : *Paysan remplissant une tonne d'eau tirée par des bœufs au bord d'un lac* 1881, h. (52x84) : SEK 60 000 – Göteborg, 18 mai 1989 : *Les berges d'un torrent en été* 1908, h/t (60x38) : SEK 25 000 – Stockholm, 15 nov. 1989 : *Remplissage de la tonne d'eau au bord de la rivière* 1881, h/t (52x85) : SEK 46 000 – Stockholm, 16 mai 1990 : *Petite fille près de la clôture du jardin d'une maison rustique en été en Suède*, h/t (45x28) : SEK 31 000 – Stockholm, 29 mai 1991 : *Maison dans un parc, en été près de Nordberg* 1894, h/t (38x61) : SEK 12 000 – Stockholm, 13 avr. 1992 : *Chemin dans une île près de Hallstahammar*, h/t (55x69) : SEK 8 000.

THORNE William

Né en 1864 à Delavan (Wisconsin). XIXᵉ-XXᵉ siècles. Américain.

Peintre de portraits.

Élève à Paris, de B. Constant, J. Lefebvre et J. P. Laurens. Médaille à la National Academy en 1888, mention honorable à Paris (Salon de 1891), médaille de bronze à Buffalo en 1901. Actif à New York, il fut associé de la National Academy en 1902.

THORNE-WAITE Robert ou Whaite

Né en 1842 à Cheltenham. Mort en 1935. XIXᵉ-XXᵉ siècles. Britannique.

Peintre de scènes de genre, paysages animés, paysages, aquarelliste, dessinateur.

Il fit ses études à South Kensington et en Écosse. Il exposa pour la première fois à Londres, en 1880, à la Royal Academy. Membre de la Royal Society of Painters in Water-Colours en 1886, il prit une part active aux expositions de cet Institut. Nous trouvons encore son nom sur le catalogue de 1909. Il obtint une médaille de bronze à Paris en 1889, pour l'Exposition Universelle.

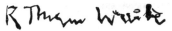

Musées : BIRMINGHAM : *A gap in the downs* – LEEDS : *La ferme basse* – LONDRES (Victoria and Albert Mus.) : cinq aquarelles – MANCHESTER : trois aquarelles – SYDNEY : *Roulant le fromage,* aquarelle – WARRINGTON : *Deux paysages,* aquar.

Ventes Publiques : LONDRES, 21 nov. 1908 : *Le jour paraît* : **GBP 30** – LONDRES, 18 nov. 1921 : *Le moutier de Beverley,* dess. : **GBP 69** – LONDRES, 12 mai 1922 : *Soleil d'été,* dess. : **GBP 99** ; *Les glaneuses,* dess. : **GBP 94** – LONDRES, 9 mai 1924 : *La rivière Adur,* dess. : **GBP 84** – LONDRES, 8 mai 1925 : *Pré à Steyning,* dess. : **GBP 189** ; *Douvres vu de Cornhill,* dess. : **GBP 231** – LONDRES, 5 fév. 1926 : *Le moulin d'Alfreton,* dess. : **GBP 189** ; *L'heure du thé,* dess. : **GBP 126** – LONDRES, 6 déc. 1929 : *Les ramasseurs de champignons,* dess. : **GBP 89** – LONDRES, 27 jan. 1976 : *Fillettes au bord d'un étang 1871,* aquar. (39x55) : **GBP 400** – LONDRES, 28 jan. 1977 : *Les moissonneurs,* h/t (27x46) : **GBP 750** – LONDRES, 1980 : *Troupeau au bord d'un ruisseau,* aquar. (17,8x27,7) : **GBP 400** – LONDRES, 19 juil. 1983 : *Le Pique-nique du moissonneur 1860,* aquar. et cr. reh. de blanc (32x52,7) : **GBP 1 500** – LONDRES, 30 mai 1985 : *Bevans farm, Oxwich bay, South Wales,* aquar./trait de cr. reh. de touches de gche (33,5x51) : **GBP 1 800** – LONDRES, 27 fév. 1985 : *Le Bac, départ des moissonneurs à l'aube 1874,* aquar. (60x100) : **GBP 5 500** – LONDRES, 16 déc. 1986 : *Laboureur avec ses chevaux près d'un moulin,* aquar. reh. de blanc (63,2x83,7) : **GBP 4 500** – LONDRES, 24 sep. 1987 : *Les Moissonneurs,* aquar./traces de cr. (35,5x55) : **GBP 4 500** – LONDRES, 30 jan. 1991 : *La fenaison 1882,* aquar. (26x45) : **GBP 880** – LONDRES, 12 nov. 1992 : *La pause pendant la fenaison,* aquar. (38x55,5) : **GBP 5 720** – ÉDIMBOURG, 13 mai 1993 : *Les Dawns près de Lewes,* aquar. avec reh. de blanc (38x55,8) : **GBP 1 320** – LONDRES, 5 nov. 1993 : *Beverley Minster,* cr. et aquar. (32,2x92,5) : **GBP 4 600** – LONDRES, 6 nov. 1995 : *Lever de soleil dans les Downs par un matin brumeux,* aquar. avec reh. de blanc (58,5x76,1) : **GBP 1 955** – LONDRES, 6 nov. 1996 : *Transhumance,* h/t (71x105) : **GBP 4 600** ; *En franchissant le gué,* aquar. reh. (15,5x24) : **GBP 1 725**.

THORNELY Charles

XIXᵉ siècle. Britannique.

Peintre de marines.

Il travailla à Londres, de 1858 à 1893.

Ventes Publiques : LONDRES, 31 mai 1989 : *Bateau de pêche à Hastings en hiver 1898,* h/t (40,5x30,5) : **GBP 990**.

THORNER Benno

Né en 1802 à Dresde. Mort en 1858 à Rome. XIXᵉ siècle. Allemand.

Peintre de genre.

Élève de Vogel. Il se rendit à Rome pour continuer ses études et s'y établit. Il peignit surtout des sujets romantiques dont beaucoup furent gravés.

THORNET Christoph. Voir THORMEHL

THORNFELDT J. ou A. ? Voir THORENFELDT

THORNHILL Dorothy

Née à Sale (Cheshire). XXᵉ siècle. Britannique.

Peintre.

Élève de A. J. C. Fisher en Angleterre, elle vint en Australie en 1929. Retourna en Angleterre pour recevoir les conseils de sir Walter Russell.

THORNHILL James, Sir

Né en 1675 à Malcombe Regis. Mort le 13 mai 1734 à Weymouth. XVIIIᵉ siècle. Britannique.

Peintre d'histoire et aquafortiste.

Élève de Thomas Highmore, sa première œuvre décorative connue est un décor d'opéra, exécuté en 1705. Il visita la Hollande, la Flandre, la France et à son retour fut chargé par la reine Anne de peindre la coupole de Saint-Paul (1716-1719), qu'il orna de fresques en grisaille. Il décora aussi l'hôpital de Greenwich (1707-1727), la grande salle de Blenheim Palace et différents autres monuments. Il exécuta aussi plusieurs tableaux d'autel. On lui doit quelques eaux-fortes. Thornhill, Sergeant Painter du roi, fut anobli par George Iᵉʳ. Sa fille épousa William Hogarth. Il fut le premier peintre anglais à adopter une peinture décorative baroque, domaine qui était laissé à des artistes étrangers.

Musées : CAMBRIDGE : *Portrait de Haendel* – LONDRES (Nat. Gal.) : *Incident de la vie de saint François* – LONDRES (Nat. Portrait Gal.) : *L'artiste, jeune* – Richard Bentley – LONDRES (Victoria and Albert Mus.) : Esquisse d'un plafond pour l'hôpital de Greenwich – Richard Bentley – Deux aquarelles.

Ventes Publiques : LONDRES, 30 avr. 1909 : *Têtes de chérubins :* **GBP 1** – LONDRES, 5 fév. 1910 : *Portrait de sir John Hareropp :* **GBP 12** – LONDRES, 4 avr. 1911 : *Portrait de Edmund Burke :* **GBP 4** – LONDRES, 15 juin 1928 : *Portrait de femme :* **GBP 178** – LONDRES, 23 nov. 1928 : *Sir Robert Walpole :* **GBP 105** – LONDRES, 23 mars 1966 : *Saint Paul devant Agrippa :* **GBP 1 500** – LONDRES, 26 mars 1976 : *Allégorie,* h/t (34,3x17,8) : **GBP 1 700** – LONDRES, 19 juil. 1978 : *Junon, Minerve et Vénus avec Mercure,* h/t mar./pan. (30x20) : **GBP 1 300** – LONDRES, 22 mars 1979 : *Allégorie,* pl. et lav. (43x32) : **GBP 580** – LONDRES, 23 mars 1979 : *Exposition mythologique et symbolique du système planétaire avant 1716,* h/t (124,5x66) : **GBP 3 000** – LONDRES, 17 nov. 1981 : *Achille et Thétis,* sanguine, pl. et lav. avec reh. de blanc/pap. gris, haut contourné (20x17,1) : **GBP 1 000** – LONDRES, 21 sep. 1983 : *Vénus et Énée,* h/t (76x105,5) : **GBP 1 900** – LONDRES, 21 juil. 1989 : *L'apothéose d'Hercule,* h/t, croquis pour un plafond (76,2x63,5) : **GBP 3 520** – LONDRES, 16 mai 1990 : *Psyché accueillie dans l'Olympe,* h/pan. (33,5x28) : **GBP 990** – LONDRES, 18 juil. 1990 : *Prométhée dérobant le feu aux Dieux,* h/t, esquisse pour le plafond de Wollaton Hall (75x64) : **GBP 3 850**.

THORNHILL John

XVIIIᵉ siècle. Travaillant de 1730 à 1760. Britannique.

Peintre de marines et de paysages.

Fils de James Thornhill. Il fut peintre à la Cour comme successeur de son père, jusqu'en 1757.

THORNLEY

XIXᵉ siècle. Britannique.

Peintre de marines.

Il travailla vers 1800. Comparer à Hubert Thornley.

Ventes Publiques : LONDRES, 5 sep. 1996 : *Bateaux de pêche près de la côte,* h/t (40,7x59) : **GBP 517**.

THORNLEY Hubert

XIXᵉ siècle. Britannique.

Peintre de paysages d'eau, marines.

Il travailla de 1858 à 1898.

Ventes Publiques : TORONTO, 30 nov. 1988 : *Bateaux ancrés au large du Mont Saint-Michel,* h/t (34x29) : **CAD 850** – NEUILLY-SUR-SEINE, 16 mars 1989 : *Golf méditerranéen,* h/t (62x79) : **FRF 18 000** – STOCKHOLM, 16 mai 1990 : *Bateaux de pêche à Scarborough,* h/t (41x62) : **SEK 11 500** – LONDRES, 22 nov. 1991 : *Soleil levant à marée basse à Scarborough* ; *Navigation au large de Whitby,* h/t, une paire (35,6x30,5) : **GBP 2 750** – LONDRES, 16 juil. 1993 : *Barques de pêche sur une plage au crépuscule* ; *Barques et port de pêche au clair de lune,* h/t, une paire (chaque 36x61) : **GBP 3 105**.

THORNLEY Morgan Alfred

Né le 7 février 1897 à Cardiff. XXᵉ siècle. Britannique.

Peintre de paysages.

Élève de Harry Watson et de Franck (?) H. Spenlove à Regent Street Polytechnic de Londres, ville où il se fixa.

THORNLEY William ou Georges William ou Thornbery

Né le 2 mai 1857 à Thiais (Val-de-Marne). Mort en 1935. XIXᵉ-XXᵉ siècles. Français.

Peintre de scènes de genre, architectures, paysages,

paysages de montagne, paysages d'eau, marines, aquarelliste, dessinateur, lithographe.

Il fut élève de son père, d'Eugène Ciceri et d'Edmond Yon. Il reçut aussi les conseils de Puvis de Chavannes. Il résida pendant un certain temps dans le pittoresque village d'Osny, près de Pontoise. Il exposa au Salon de Paris, à partir de 1878, puis au Salon des Artistes Français, obtenant une mention honorable en 1881, une médaille de troisième classe en 1888.

Il peignit de nombreux paysages de Hollande, de Norvège, de Belgique et d'Italie.

JHORNLEY

Musées : Lille – Pontoise : *La Rue des Chantres, à Paris.*

Ventes Publiques : Paris, 7 fév. 1901 : *Un moulin en Hollande* : FRF 270 – New York, 1er-3 avr. 1908 : *Rue à Dinan* : USD 100 – Paris, 30 avr. 1919 : *Le port de Dieppe* : FRF 400 – Paris, 3 juil. 1926 : *Paysage montagneux* : FRF 600 – Paris, 22 fév. 1943 : *La passerelle* : FRF 4 500 – Paris, 29 oct. 1948 : *Chaumière* : FRF 7 100 – Paris, 9 juin 1971 : *L'Avenue des Champs-Élysées*, aquar. : FRF 6 000 – Londres, 28 nov. 1972 : *Vue de Portsmouth* ; *Bateaux de pêche au large de la côte*, deux h/t : GBP 800 – New York, 12 jan. 1974 : *Scènes du bord de mer*, deux pendants : USD 1 300 – Paris, 25 fév. 1976 : *Vollerdam, l'écluse*, h/t (46x61) : FRF 2 100 – Versailles, 13 fév. 1977 : *Vieilles Maisons en Bretagne*, h/t (46x61) : FRF 5 000 – Londres, 25 mai 1979 : *Scènes de bord de mer*, h/t, une paire (19x28,6) : GBP 2 000 – Londres, 23 juin 1981 : *Caernarvon Castel, le soir* ; *Le Mont Saint-Michel*, h/pan., une paire (chaque 19x28,5) : GBP 1 800 – Londres, 18 déc. 1984 : *A busy shore scene*, h/t (41x61) : GBP 1 700 – Chester, 4 oct. 1985 : *voiliers par forte mer*, h/t (44,5x80) : GBP 1 900 – Paris, 21 avr. 1988 : *Personnages sur un pont*, aquar. (28,5x38,5) : FRF 2 350 – Londres, 22 sep. 1988 : *La levée des filets à l'aube*, h/t (25,5x20) : GBP 605 – Paris, 11 oct. 1988 : *Bord de mer et falaises*, h/t (50x80) : FRF 18 000 – Toronto, 30 nov. 1988 : *Le déchargement des chalutiers*, h/t (25x43) : CAD 3 000 – Londres, 31 mai 1989 : *La pêche au large de Scarborough* ; *Sur le quai*, h/t, une paire (chaque 35,5x30,5) : GBP 4 950 – Londres, 3 nov. 1989 : *Légère brise* ; *Bateaux de pêche rentrant au port au crépuscule*, h/t, une paire (30,5x40,5) : GBP 5 500 – Londres, 30 mai 1990 : *Millwall* ; *Gravesend*, h/pan., une paire (20,5x25,5) : GBP 4 950 – Paris, 12 oct. 1990 : *Bord de mer*, h/t (46x65) : FRF 141 000 – Paris, 14 déc. 1990 : *Place de village en Provence*, aquar. (45x59) : FRF 8 000 – Londres, 13 fév. 1991 : *Scarborough* ; *Whitby*, h/t, une paire (chaque 25,5x40,5) : GBP 4 620 – Londres, 22 nov. 1991 : *Pêcheurs sur la grève près du mont Saint-Michel*, h/t (61x91,5) : GBP 4 950 – Paris, 27 nov. 1991 : *Paris, la Seine à l'ancien Trocadéro*, aquar. (34x50) : FRF 10 100 – Paris, 14 fév. 1992 : *Le matin à Vence*, h/t (60x81) : FRF 16 000 – Londres, 20 mai 1992 : *Navigation dans l'embouchure de la Tamise*, h/t (40,5x56) : GBP 1 980 – New York, 16 fév. 1993 : *Le Mont Saint-Michel*, h/t, une paire (chaque 25x40,2) : USD 4 400 – Paris, 25 mars 1993 : *Le Château de Vitré*, aquar. (43,5x59,5) : FRF 3 500 – Londres, 11 mai 1994 : *Barques de pêche à Scarborough*, h/t (40,5x61) : GBP 4 830 – Paris, 15 déc. 1994 : *Paysage d'Écosse*, aquar. (22x33) : FRF 4 000 – Londres, 30 mai 1996 : *Tempête dans la Manche*, h/t (25,5x20) : GBP 2 760 – Londres, 6 juin 1996 : *Le Mont Saint-Michel*, h/t (30,5x50,8) : GBP 2 875 – Londres, 9 oct. 1996 : *Bateaux de pêche au large* ; *Soleil couchant*, h/t, une paire (25x40,5) : GBP 2 875 – Londres, 29 mai 1997 : *Une brise fraîche* – *Embouchure de la Tamise*, h/t (35,5x30,5) : GBP 1 092.

THORNOE Wenzel. Voir TORNÖE Wenzel Ulrik

THORNTHWAITE A.
xviiie siècle. Actif à Londres (?) vers 1790. Britannique.
Dessinateur.
Il a dessiné un frontispice.

THORNTHWAITE J.
Né vers 1740 à Londres. xviiie siècle. Travailla de 1771 à 1795. Britannique.
Peintre de portraits, graveur.
Il a travaillé surtout pour les éditeurs notamment pour le *Bell's Shakespeare* et le *Bookseller's British Theatre*. On cite aussi des portraits de lui.

THORNTON Alfred H. R.
Né le 25 août 1863 à Delhi. Mort le 20 février 1939 à Painswick (Gloucestershire). xixe-xxe siècles. Britannique.

Peintre.
Il fait ses études au Trinity College à Cambridge, où il est diplômé en 1886. Il sert au Foreign Office de 1888 à 1889, et fait aussi des études à la Slade School de 1888 à 1889, avant d'aller à la Westminster School of Art de 1890 à 1892. Il visite Le Pouldu en Bretagne avec Arthur Studd en 1890. Il refait un séjour de courte durée à la Slade School en 1893, et s'associe avec Sickert dans la direction d'une École d'Art de 1893 à 1894, ainsi qu'avec Mac Coll et Conder. Il contribue au *Livre Jaune*. Il est membre du New English Art Club en 1895, et secrétaire d'honneur dès 1928. Membre du *London Group* en 1924. Président du *Cheltenham Group* en 1926. Il est l'auteur du *Journal d'un étudiant en Arts* dans les années 1930. Il a habité Bath de 1908 à 1920, puis Painswick (Gloucestershire).

Musées : Londres (Tate Gal.) : *St-Germans* 1926.

THORNTON John
xve siècle. Actif à Coventry de 1405 à 1408. Britannique.
Peintre verrier.
Il exécuta des vitraux dans la cathédrale d'York.

THORNTON Leslie
Née en 1925 à Skipton (Yorkshire). xxe siècle. Britannique.
Sculpteur.
Elle fut élève du Leeds College of Art et du Royal College of Art de Londres, de 1948 à 1951. Sa première exposition eut lieu en 1957, à Londres. Elle participe à de nombreuses expositions de groupe notamment : la IVe Biennale de São Paulo, 1957 ; et des expositions en Suisse, Allemagne, Suède, etc. Ses œuvres se divisent en deux catégories, bien que très semblables et découlant d'une même technique et d'une même conception esthétique, les unes abstraites, les autres figuratives. En tiges de fer, d'acier, ou de cuivre, soudées, des charpentes contiennent et soutiennent, soit un noyau central tout hérissé de pointes dans tous les sens, soit un personnage, construit de la même manière, un peu à la façon des dessins de Giacometti, dont l'aspect menaçant du fait de sa constitution en tiges hérissées est démenti par la familiarité des titres : *Personnage dans l'embrasure d'une porte*, *Personnage tombant de sa chaise*, *Enfants montés sur des échasses*.

Bibliogr. : Michael Middleton, in : *Nouveau diction. de la sculpt. mod.*, Hazan, Paris, 1970.

Ventes Publiques : New York, le 19 mai 1966 : *Le trapéziste*, bronze : USD 1 800.

THORNTON Thomas
xviiie siècle. Travaillant à Londres de 1778 à 1785. Britannique.
Paysagiste.
Il a peint des architectures.

THORNTON Wallace
Né le 24 mars 1915 à Denman (Nouvelle Galles du Sud). xxe siècle. Australien.
Peintre.
Élève de l'École d'Art de Sydney. Voyagea en Angleterre, France et Italie.

THORNTWAITE John
xviiie siècle. Britannique.
Sculpteur.
Il travailla à Londres, de 1772 à 1776. Il sculpta sur cire.

THORNYCROFT Alyn ou Alynm
xixe siècle. Britannique.
Sculpteur.
Fille de Thomas Thornycroft et probablement son élève. Elle exposa à Londres, de 1864 à 1892, notamment à la Royal Academy, à la British Institution et à Suffolk Street.

Bibliogr. : In : Encyclopédie *Les Muses*, Grange-Batelière, Paris, 1969-1975 – in : *Diction. de la Sculpt – La sculpt. occid. du Moyen Âge à nos jours*, Larousse, Paris, 1992.

THORNYCROFT Hamo, ou William Hamo
Né le 9 mars 1850 à Londres. Mort le 18 décembre 1925 à Oxford. xixe-xxe siècles. Britannique.
Sculpteur de statues historiques, figures mythologiques, sujets réalistes. Postromantique.
Fils de Thomas et Mary Thornycroft et petit-fils par sa mère du sculpteur John Francis. Il reçut de son père les premiers rudiments de la sculpture, puis, en 1870, fut élève de la Royal Academy de Londres. En 1871, un voyage en Italie lui fait connaître l'œuvre de Michel-Ange. Il prit une part active au mouvement

Arts and Crafts et surtout, à la suite de Frederic Leighton, à la promotion de la « New Sculpture » dans le dernier quart du siècle.

Il commença à exposer à partir de 1872 particulièrement à la Royal Academy. Il fut nommé associé de cet Institut en 1881, académicien et anobli en 1888. Il exposa également à Paris ; hors-concours en 1889 (Exposition Universelle) ; Grand Prix en 1900 (Exposition Universelle). On trouve encore son nom dans le catalogue de l'Exposition de 1909.

En 1871-1872, à son retour d'Italie, il contribua à un ouvrage collectif, *La Fontaine des Poètes*, avec une statue de Shakespeare. Dans cette première période, il traite surtout des sujets mythologiques, par exemple *Artémis*, dans une facture encore académique. Sa période suivante est évidemment marquée par le réalisme social de Jean-François Millet et surtout du sculpteur Constantin Meunier, notamment avec son célèbre *Moissonneur* de 1884. Certainement à la suite de commandes officielles, dans les meilleurs des cas dans un esprit postromantique marqué par Rodin, il a réalisé les statues de *Oliver Cromwell*, de le *Reine Victoria*, de *Lord Gladstone*, de *Lord Curzon*, de *Lord Gordon* érigé à Trafalgar Square, et autres. ■ J. B.

Bibliogr. : In : Encyclopédie *Les Muses*, Grange-Batelière, Paris, 1969-1975 – in : *Diction. de la Sculpt – La sculpt. occid. du Moyen Âge à nos jours*, Larousse, Paris, 1992.
Musées : CAMBRIDGE : *Sir George Gabriel Stokes Bart* – CHICAGO : *Teucer* – COPENHAGUE : *Teucer* – LIVERPOOL (Walker Art Gal.) : *Le Moissonneur* 1884 – LONDRES (Tate Gal.) : *Teucer*.
Ventes Publiques : LONDRES, 1er nov. 1972 : *L'Age de fer*, bronze : **GBP 320** – LONDRES, 14 mars 1973 : *Le Faucheur*, bronze : **GBP 580** – LONDRES, 27 nov. 1974 : *L'Archer*, bronze : **GBP 440** – LONDRES, 25 mars 1982 : *L'archer* 1919, bronze (H. 43) : **GBP 1 400** – LONDRES, 13 avr. 1983 : *Le Tireur à l'arc* 1889, bronze patine brun nuancé vert (H. totale 66) : **GBP 9 000** – NEW YORK, 23-24 mai 1996 : *Teucer* 1881, bronze patine brun foncé (H. 76,2) : **USD 6 900**.

THORNYCROFT Helen
XIXe-XXe siècles. Britannique.
Peintre.
Fille de Thomas Thornycroft et probablement son élève. Elle exposa à Londres, des sujets sacrés de 1864 à 1912, notamment à la Royal Academy à Suffolk Street, à la New Water-Colours Society, à la New Gallery. Elle était membre de la Society of Lady Artists. Vers la fin de sa carrière (1910), on la cite vivant à Kensington près de son frère William Hamo Thornycroft.
Bibliogr. : In : Encyclopédie *Les Muses*, Grange-Batelière, Paris, 1969-1975 – in : *Diction. de la Sculpt – La sculpt. occid. du Moyen Âge à nos jours*, Larousse, Paris, 1992.

THORNYCROFT Mary, née Francis
Née en 1814 à Thornham. Morte le 1er février 1895 à Londres. XIXe siècle. Britannique.
Sculpteur de figures allégoriques, bustes, portraits.
Fille et élève du sculpteur John Francis, elle montra dès son jeune âge de remarquables dispositions artistiques. En 1840, elle épousa un élève de son père, Thomas Thornycroft et alla passer avec lui une année à Rome de 1842 à 1843. Son talent fut très apprécié du public anglais. Elle fut membre de la Society of Lady Artists.
En 1835, elle commença à figurer à la Royal Academy de Londres, sous son nom de jeune fille ; les ouvrages qu'elle y exposa eurent un gros succès, sa *Jeune bouquetière* y fut particulièrement remarquée. Elle prit également part au Salon de Paris en 1855.
Après son retour en Angleterre elle reçut, de 1845 à 1860, de la reine Victoria la commande de sculpter les princesses ses filles sous la forme allégorique des séries des *Quatre Saisons*, de *La Paix et l'Abondance*, de *Pêcheur et Chasseur*, toutes conservées à Osborne House dans l'Île de Wight. On cite encore parmi ses ouvrages les effigies de la *Princesse Béatrice*, de la *Princesse de Galles* (depuis reine d'Angleterre), de la *Princesse Louise de Hesse*, de la *Princesse Christian*, de la *Duchesse d'Edimbourg*. ■ J.B.
Bibliogr. : In : Encyclopédie *Les Muses*, Grange-Batelière, Paris, 1969-1975 – in : *Diction. de la Sculpt – La sculpt. occid. du Moyen Âge à nos jours*, Larousse, Paris, 1992.
Musées : SALFORD : *Jeune fille sautant.*
Ventes Publiques : LONDRES, 25 mars 1982 : *The Prince of Wales and the Princess Royal as Winter and Summer*, bronze, une paire (H. 57 et 56) : **GBP 1 800** – LONDRES, 20 juin 1989 : *La Reine Victoria* 1852, marbre (H. 68) : **GBP 3 960**.

THORNYCROFT Thérésa G.
XIXe siècle. Britannique.
Peintre.
Fille et élève de Thomas Thornycroft. Elle exposa des sujets religieux à Londres de 1875 à 1883, notamment à la Royal Academy, à la New Water Colour Society, à Grovenor Gallery.
Bibliogr. : In : Encyclopédie *Les Muses*, Grange-Batelière, Paris, 1969-1975 – in : *Diction. de la Sculpt – La sculpt. occid. du Moyen Âge à nos jours*, Larousse, Paris, 1992.
Ventes Publiques : LONDRES, 7 oct. 1980 : *La parabole des Dix Vierges* 1876, h/pan. (34x68,5) : **GBP 500** – LONDRES, 10 mai 1985 : *La parabole des Dix Vierges* 1875, h/pan. (33,7x68,5) : **GBP 1 400**

THORNYCROFT Thomas
Né en 1815 à Cheshire. Mort le 30 août 1885 à Londres. XIXe siècle. Britannique.
Sculpteur de monuments, figures, bustes.
Élève de John Francis, dont il épousa la fille, Mary, en 1840 et chef d'une famille de sculpteurs et peintres établie à Londres au XIXe siècle. Il alla en Italie avec son épouse en 1842 et séjourna à Rome. De 1836 à 1874, il exposa quarante-deux œuvres à la Royal Academy de Londres et cinq à la British Institution en 1840.
On lui doit un grand nombre de commandes publiques, notamment de bustes. Parmi ses œuvres plus importantes on cite deux marbres, exécutés pour la galerie royale du palais du Parlement à Westminster (aujourd'hui à l'Old Bailey) : les statues de *Jacques Ier* et de *Charles Ier*, qui établirent sa renommée, de même que ses nombreuses représentations de la reine Victoria et du prince Albert, ainsi que des sujets mythologiques : *Melpomène, Clio, Thalie*, etc.
Bibliogr. : In : Encyclopédie *Les Muses*, Grange-Batelière, Paris, 1969-1975 – in : *Diction. de la Sculpt – La sculpt. occid. du Moyen Âge à nos jours*, Larousse, Paris, 1992.
Musées : WESTMINSTER (Gal. roy.) : *Statue de Charles Ier.*
Ventes Publiques : LONDRES, 6 mars 1969 : *La reine Victoria à cheval* : **GBP 550** – LONDRES, 11 mai 1977 : *La riene Victoria à cheval* 1853, bronze (H. 86) : **GBP 500** – LONDRES, 16 juil 1979 : *Statue équestre de la reine Victoria* 1853, bronze (larg. 69) : **GBP 2 200** – LONDRES, 25 nov. 1982 : *La reine Victoria à cheval vers* 1858, bronze patiné (H. 55) : **GBP 1 700** – NEW YORK, 18 oct. 1983 : *Portrait équestre de la Reine Victoria* 1853, bronze patine brun foncé (H. 55) : **USD 2 600** – LONDRES, 12 juin 1985 : *Young Victoria on horseback* 1853, bronze, patine brune (H. 56) : **GBP 3 200** – NEW YORK, 12 avr. 1996 : *Portrait équestre de la Reine Victoria* 1853, bronze (H. 55,9) : **USD 3 737**.

THOROGOOD Stanley
Né le 1er juin 1873 à Ripley. XIXe-XXe siècles. Britannique.
Peintre et céramiste.
Il était actif à Brighton.
Musées : STOCK-OF-TRENT.

THOROLF Holmboe
Peintre de genre.
Le Musée de Copenhague conserve de lui : *Vieux Christiania (Oslo).*

THORORIERES Jean de
D'origine française. XIXe siècle. Travaillant à Rome. Français.
Sculpteur et architecte.
Il travailla pour l'église Saint-Louis-des-Français de Rome.

THOROTON F.D.
XIXe-XXe siècles. Britannique (?).
Peintre de scènes animées, typiques, paysages, marines, fleurs, aquarelliste.
Cité par les annuaires de ventes publiques.
Ventes Publiques : LONDRES, 13 déc. 1909 : *Marchand de fruits à Alger* ; *Fleurs de printemps* 1908 : **GBP 2** – PARIS, 21 avr. 1996 : *Le port d'Alger* 1905, aquar. (31x51) : **FRF 4 000**.

THORP William Henry
Né le 15 mai 1852 à Leeds. XIXe siècle. Britannique.
Peintre-aquarelliste de paysages, architectures, aquafortiste, architecte et écrivain d'art.
Il grava des architectures et des paysages.
Musées : LEEDS (Gal. mun.).

THORPE Freeman
Né en 1844 dans l'État d'Ohio. Mort le 20 octobre 1922 à Hubert. XIXe-XXe siècles. Américain.
Portraitiste.

THORPE Hall, ou John Hall
Né le 29 avril 1874 à Victoria (Australie). XIXe-XXe siècles. Actif à Londres. Australien.

Peintre de paysages, fleurs, graveur.

Il était aussi graveur sur bois.

Ventes Publiques : Sydney, 4 juil. 1988 : *Le bouquet campagnard*, bois gravé (78x65) : **AUD 2 000.**

THORPE James

Né le 13 mars 1876 à Londres. XXᵉ siècle. Britannique.

Illustrateur et graveur.

Il était actif à Buckfastleigh. Il fut un collaborateur du *Punch*.

THORPE John

XIXᵉ siècle. Actif à Londres. Britannique.

Peintre de genre, de paysages, d'animaux et de marines.

Il exposa à Londres de 1834 à 1873, trente-neuf œuvres à la Royal Academy, treize à la British Institution, vingt-six à Suffolk Street, deux à la New Water-Colours Society, etc.

Ventes Publiques : Londres, 1ᵉʳ avr. 1911 : *Rafraîchissement ; Bateaux pêcheurs* 1861, deux pièces : **GBP 31** ; *Conduisant le troupeau* 1861 : **GBP 2** – Londres, 9 déc. 1980 : *Le repos des laboureurs* 1846, h/t (66x120,5) : **GBP 2 400.**

THÖRRESTRUP Christian ou Jens Christian

Né le 8 mai 1823 à Copenhague. Mort le 15 décembre 1892 à Copenhague. XIXᵉ siècle. Danois.

Peintre de scènes de genre, figures, intérieurs, paysages.

Il fut élève de l'Académie des Beaux-Arts de Copenhague.

Musées : Aalborg – Randers.

Ventes Publiques : Copenhague, 26 fév. 1976 : *Enfants dans un intérieur* 1862, h/t (47x41) : **DKK 17 000** – Copenhague, 31 oct. 1985 : *Paysan et sa fille* 1862, h/t (46x49) – **DKK 49 000** – Copenhague, 6 déc. 1990 : *Le café – intérieur avec un homme âgé près d'une table d'acajou* 1872, h/t (30x22) : **DKK 4 500** – Copenhague, 16 nov. 1994 : *Deux enfants dans une salle de ferme de la région de Norre Alslev* 1862, h/t (47x41) : **DKK 30 000.**

THORS Joseph

Né vers 1835. Mort en 1884. XIXᵉ siècle. Actif à Londres. Britannique.

Peintre de paysages animés, paysages, paysages d'eau.

Il exposa à Londres, de 1863 à 1884, six ouvrages à la Royal Academy, deux à la British Institution, quinze à Suffolk Street.

J. THORS

J. Thors./.

Ventes Publiques : New York, 1899 : *Paysage* : **FRF 1 025** – Londres, 28 nov. 1908 : *Ruelle dans le Surrey* : **GBP 5** – Londres, 22 avr. 1911 : *Près de Gomshall Surrey* : **GBP 8** – Londres, 14 mars 1969 : *Scène champêtre* : **GNS 480** – Londres, 17 mars 1971 : *Enfants pêchant* : **GBP 500** – Londres, 21 mars 1972 : *Paysage boisé* : **GBP 1 000** – Londres, 27 mars 1973 : *Chemin bordé d'arbres* : **GBP 1 300** – Londres, 26 juil. 1974 : *Paysages boisés* 1867, deux toiles : **GNS 2 200** – Londres, 14 mai 1976 : *Paysage boisé animé*, h/t (59,5x90) : **GBP 1 300** – Londres, 8 mars 1977 : *Chaumière à l'orée d'un bois*, h/t (61x91,5) : **GBP 1 000** – Stuttgart, 8 sept 1979 : *La cour de ferme ; Paysage romantique*, deux h/t (40x60) : **DEM 20 500** – New York, 11 fév. 1981 : *La Route de campagne*, h/t (76x127) : **USD 4 000** – Londres, 19 oct. 1983 : *Scènes champêtres*, h/t, une paire (61x91) : **GBP 5 500** – Londres, 10 mai 1985 : *Paysage boisé animé de personnages*, h/t (42x58,5) : **GBP 1 900** – Göteborg, 1ᵉʳ oct. 1988 : *Vue de Engelsk avec son église* 1875, h/t (14x24) : **SEK 6 300** – Londres, 27 sep. 1989 : *Chaumière dans un paysage*, h/cart. (25,5x35,5) : **GBP 1 250** – Londres, 2 nov. 1989 : *Paysage ensoleillé près de Guildford dans le Surrey*, h/t (60,9x91,4) : **GBP 7 000** – Londres, 9 fév. 1990 : *Bras de rivière dans le Norfolk*, h/t (40x61) : **GBP 2 860** – Londres, 26 sep. 1990 : *Prairies en été*, h/t (76x102) : **GBP 13 000** – Londres, 13 fév. 1991 : *Cottage dans un paysage*, h/t (51x76) : **GBP 2 750** – Londres, 12 juin 1992 : *Les environs de Weston dans le Warwickshire*, h/t (92,7x133,4) : **GBP 4 180** – Londres, 13 nov. 1992 : *Grindeford dans le Derbyshire*, h/t (61x91,5) : **GBP 2 200** – New York, 20 jan. 1993 : *Ramasseur de fagots dans une forêt*, h/t (91,4x72,4) : **USD 1 200** – Londres, 8-9 juin 1993 : *Paysage en été*, h/t (76x102) – Londres, 3 juin 1994 : *À l'ombre du Wrekin*, h/t (45,7x35,6) : **GBP 2 300** – Londres, 7 juin 1995 : *Près d'un cottage ; Sur un chemin*, h/t, une paire (chaque 30,5x46) : **GBP 5 175** – Londres, 6 juin 1996 :

Métayer conduisant son troupeau le long d'un chemin campagnard, h/pan. (31,2x50,2) : **GBP 1 495** – Londres, 5 sep. 1996 : *De retour chez soi*, h/t (40,7x61) : **GBP 2 760** – Londres, 6 juin 1997 : *Forestiers travaillant près d'un taillis* (51x76,5) : **GBP 3 450** – Londres, 4 juin 1997 : *Enfants jouant près d'un cottage*, h/t (30,5x51) : **GBP 2 070** ; *Attendant à la barrière*, h/t (76x63,5) : **GBP 3 220** – Londres, 5 juin 1997 : *Vue aux environs de Worcester ; Ferme près de Dartford*, h/t, une paire (20,3x30,5) : **GBP 3 680** – Londres, 5 nov. 1997 : *Arbres au bord d'une rivière ; Chemin dans les bois*, h/pan., une paire (chaque 29x24) : **GBP 5 060.**

THORSEN Anders Trygve Wittenström

Né le 15 janvier 1892 à Arendal. XXᵉ siècle. Norvégien.

Sculpteur de monuments, bustes.

Il sculpta des bustes et des monuments.

THORSEN Hakon Bjarke

Né le 18 janvier 1867 à Copenhague. Mort le 13 octobre 1925 à Copenhague. XIXᵉ-XXᵉ siècles. Danois.

Peintre de genre, portraits.

Élève de l'Académie de Copenhague. Il peignit des architectures, des scènes de genre et des portraits.

THORSLOW Harald. Voir TORSSLOW Harald, ou Sten Harald

THORSÖE Johan Niels Martinus

Né le 29 octobre 1834 à Copenhague. Mort le 5 août 1909 à Copenhague. XIXᵉ siècle. Danois.

Portraitiste, dessinateur et lithographe.

Assistant de C. M. Tegner à Copenhague.

THORSSON Nils Thorvald

Né le 24 octobre 1898 à Eslöf. XXᵉ siècle. Danois.

Peintre de genre.

Élève d'E. Utzon-Frank et d'Axel Jörgensen. Il travailla à la Manufacture de porcelaine de Copenhague.

Musées : Faenza – Londres (Mus. Britannique) – New York (Metropolitan Mus.).

THORSTEINSSON Gudmundur

Né le 5 septembre 1891 à Bildudal (Islande). Mort le 26 juillet 1924 à Sölleröd. XXᵉ siècle. Islandais.

Peintre de figures, dessinateur, graveur et illustrateur.

Élève de l'Académie de Copenhague.

Il exécuta des illustrations de légendes islandaises et de livres d'enfants.

Musées : Copenhague – Reykjavik.

THORWALDSEN Bertel ou Alberto ou Thorvaldsen

Né le 13 novembre 1768 ou 1770 à Copenhague. Mort le 24 mars 1844 à Copenhague. XVIIIᵉ-XIXᵉ siècles. Danois.

Sculpteur de monuments, bas-reliefs, compositions mythologiques, sujets religieux, figures, bustes, dessinateur.

Fils d'un sculpteur sur bois attaché aux chantiers de la marine, ses dispositions artistiques, lui valurent l'admission comme élève à l'Académie Royale de Sculpture de Danemark en 1793. Son bas-relief *Saint Pierre guérissant un paralytique* lui fit avoir le grand prix académique et une pension de trois ans en Italie ; il partit en 1796. Après un séjour prolongé à Naples, il alla se fixer à Rome. En 1820, on le trouve au Danemark, puis en Allemagne recueillant des commandes pour l'achèvement desquelles il dut employer un grand nombre d'auxiliaires. Ses ouvrages se ressentirent de cette collaboration. Le roi de Danemark le pressa ensuite de rentrer dans sa patrie. Thorwaldsen y rapporta les collections d'œuvres et de fragments antiques qu'il avait rassemblés et les modèles de ses propres statues. Ces collections ont formé à Copenhague le Musée Thorwaldsen.

Avant son départ en Italie, il modela un *Amour au repos*, un *Numa consultant la nymphe Égérie* et un *Hercule auprès d'Omphale*. Tout d'abord il sembla avoir subi l'influence de Canova ; l'on retrouve la manière de celui-ci dans ses œuvres romaines : l'*Amour et Psyché, Adonis, Hébé, Ganymède*. Les formes allongées et conventionnelles dominent. Mais ce fut dans une tout autre forme qu'il évoquait l'*Entrée d'Alexandre le Grand à Babylone*, frise de trente mètres, pour la décoration d'une salle du Quirinal. Dès cet instant, la célébrité de Thorwaldsen fut établie. Ses bas-reliefs décoratifs de *L'Aurore*, de *La Nuit portant dans ses bras la Mort et le Sommeil* et de *Mercure se préparant à frapper Argus*, ses figures de *Vénus* et ses *Trois Grâces*, provoquèrent un enthousiasme universel. On cite parmi ses œuvres des années suivantes : à Varsovie, *La Statue de Copernic* et la

Statue équestre du prince Poniatowski ; à Cracovie, le *Monument de Wladimir* ; à Vienne, *Monument du prince Schwartzenberg* ; à Rome, *Tombeaux du peintre Appiani, du prince Eugène Beauharnais, du cardinal Consalvi* et *du pape Pie VII*. Le *Lion de Lucerne* compte parmi ses chefs-d'œuvre. Thorwaldsen marque l'histoire de l'art danois du goût de l'époque pour un certain retour à l'antique. ■ Geneviève Bénézit

BIBLIOGR. : Else Kai Sass : *Thorvaldsens Potraebuster*, 3 vol., Gads, Copenhague, 1963.

MUSÉES : AJACCIO : *La Nuit – L'Aurore –* AVIGNON : *Buste d'Horace Vernet –* COPENHAGUE (Mus. Thorvaldsen) : *Achille et Penthésilée – Baptême du Christ – Le Génie apporte la Lumière – Mercure – Byron – Buste de l'artiste – Bacchus – Pan, Atalante, Apollon – Napoléon Ier – Vénus et l'Amour piqués par une abeille – Amour avec emblèmes – Amour et Anacréon – Hercule et Omphale – Amour avec un papillon – Dante et Virgile – La Vierge, l'Enfant Jésus, saint Jean – Danseuse – Mère et ses deux enfants –* LEIPZIG : *Christian VIII de Danemark – Ganymède et l'aigle – Amour avec lyre – Jupiter et Amour – Amour et Psyché – Amour et lion – Amour et Bacchus – Anacréon et l'Amour – Mercure – Adonis – Amours et vendanges –* MADRID : *Mercure –* MANCHESTER : *Mercure – Hébé –* READING : *Statuette d'Hébé –* STOCKHOLM : *Hermès, le tueur d'Argus,* l'original à Copenhague *– La comtesse Baryatinska,* statue, l'original à Copenhague *– Amour et Anacréon,* original à Copenhague *– Psyché ou les quatre âges de l'amour,* original à Copenhague *– Les trois Grâces,* haut-relief, original à Copenhague *– Vénus tenant la pomme,* statue, original à Copenhague –* WEIMAR : *Ganymède donnant à boire à l'aigle de Jupiter – L'espérance – Rébecca et Eliézer au puits.*

VENTES PUBLIQUES : LONDRES, 23 mars 1971 : *Charité chrétienne,* terre cuite : GBP 1 000 – ROME, 27 mai 1980 : *portrait de Peter Wilham Kolderupp Rosavinge,* marbre (H. 46) : ITL 2 600 000 – LONDRES, 23 fév. 1981 : *Les Quatre Évangélistes,* marbre, quatre médaillons (diam. 53) : GBP 12 000 – COLOGNE, 20 mai 1985 : *La Muse Polyhymnia,* encre/traits de cr. (13,3x19,2) : DEM 4 500 – BRÊME, 19 avr. 1986 : *Hébé,* marbre (H. 68,5) : DEM 7 500 – NEW YORK, 13 jan. 1987 : *Cupidon tenant un papillon* 1805, craie noire (42x29,7) : USD 8 500 – NEW YORK, 13 juin 1987 : *Buste de Lord Byron* vers 1818/1819, marbre blanc (H. 19,5) : USD 250 000 – COPENHAGUE, 16 nov. 1994 : *Paysage classique italien avec un village,* encre (12,5x19) : DKK 7 600.

THORWARDT Friedrich ou **Thorwart, Torwart**
Né vers 1533 à Alsfeld. Mort vers 1588 à Niederwildungen. XVIe siècle. Allemand.
Peintre.
Il a exécuté des fresques dans l'église de Niederwildungen en 1572.

THORWEST Anna
Née le 1er novembre 1926 à Arad. XXe siècle. Hongroise.
Sculpteur.
Elle fait ses études à l'Académie des Beaux-Arts de Budapest avec Ferenczi Béni de 1946 à 1947 ; à l'Académie de la Grande Chaumière à Paris de 1947 à 1948 ; à l'Académie des Beaux-Arts de Düsseldorf de 1952 à 1957 ; et à l'Académie Meisterschülerin à Düsseldorf en 1957. Nombreuses expositions particulières en France et en Allemagne et nombreuses expositions de groupe, dès 1958 à la Biennale Internationale des Jeunes à Goritia (Italie), puis en France, et en Allemagne.

THORY Jean et **Pierre de**. Voir **THURY**

THOST Rudolf
Né le 7 février 1868 à Zwickau. Mort le 26 avril 1921 à Stuttgart. XIXe-XXe siècles. Allemand.
Peintre de portraits, architectures, natures mortes.
Élève des Académies de Dresde, de Karlsruhe et de Stuttgart. Il peignit des portraits, des natures mortes et des intérieurs d'églises.

THOU Fernand
Né le 11 novembre 1892 à Marchienne-au-Pont. XXe siècle. Belge.
Peintre de paysages, natures mortes.
Il exposa à Charleroi en 1928, 1930 et 1937 et à Bruxelles en 1929.
MUSÉES : CHARLEROI.

THOUESNY
XVIIIe-XIXe siècles. Travaillant à Paris de 1782 à 1800. Français.
Peintre de portraits, peintre de miniatures.
Influencé par Hall. Il exposa en 1782.
VENTES PUBLIQUES : PARIS, 28 nov. 1898 : *Portrait de Mirabeau,* miniat. sur boîte : FRF 380.

THOUMAS René
XVIe siècle. Actif au Mans vers 1545. Français.
Peintre de sujets religieux.
Il travailla à l'église de Lombron.

THOURET Nikolaus Friedrich ou **Touret**
Né le 2 juin 1767 à Ludwigsburg. Mort le 17 janvier 1845 à Stuttgart. XVIIIe-XIXe siècles. Allemand.
Architecte, peintre et aquarelliste.
Il étudia la peinture à Rome et tout en s'adonnant surtout à l'architecture, il produisit un nombre important d'aquarelles et de dessins sur des sujets historiques et mythologiques.

THOURET Paul
Né en 1814. Mort en 1874. XIXe siècle. Allemand.
Peintre de décors et théâtres.
Fils de Nicolas Friedrich Thouret. Il exposa à Stuttgart en 1836 et en 1842.

THOURIN Thomas ou **Thurin, Tourin**
Mort le 5 décembre 1629 à Paris. XVIIe siècle. Français.
Sculpteur.
Il se fixa à Beauvais.

THOURNEYSER. Voir aussi **THURNEYSEN**

THOURNEYSER Johann Jakob, l'Ancien ou **Thournei-ser, Thourneisen, Thurneyser, Thurneysen**
Né le 15 juin 1636 à Bâle. Mort le 15 février 1711 à Bâle. XVIIe-XVIIIe siècles. Suisse.
Graveur au burin.
Il étudia à Strasbourg avec Pieter Aubry, puis se rendit en France où il travailla dans la manière de F. de Poilly et de Claude Mellan. Il séjourna successivement à Lyon, à Bourg-en-Bresse et à Turin. Il a gravé beaucoup de portraits.

THOURON Jacques ou **Touron** ou **Toron**
Né le 6 mars 1740 à Genève. Mort le 13 mars 1789 à Paris. XVIIIe siècle. Suisse.
Peintre miniaturiste et émailleur.
Il vint s'établir à Paris et exposa des émaux au Salon de 1781 à 1782. Le Louvre possède de lui un portrait de *Franklin* et *Bacchante,* et le Musée Rath, à Genève, *Portrait de Necker* et deux portraits d'hommes.
VENTES PUBLIQUES : PARIS, 1863 : *Portrait de Madame Lebrun,* miniat. : FRF 4 505 – PARIS, 1872 : *Portrait de Garrick,* miniat. sur boîte : FRF 3 020 – PARIS, 25 fév. 1899 : *L'acteur Le Kain,* émail : FRF 1 110 – PARIS, 6 juin 1928 : *Portrait de Baptiste Grateloup,* émail : FRF 18 000 – PARIS, 16 mai 1950 : *Portrait présumé de Mme d'Etigny,* miniat. sur émail, d'après Danloux : FRF 320 000 ; *Jeune fille tenant des fleurs sur sa poitrine,* miniat. sur émail, d'après J. B. Greuze : FRF 150 000 – PARIS, 13 juin 1952 : *Portrait d'une femme en robe et bonnet blanc :* FRF 10 000.

THOURON Joseph ou **Henry Joseph**
Né en 1851 à Philadelphie. Mort le 12 décembre 1915 à Rome. XIXe-XXe siècles. Américain.
Peintre.
Élève de l'Académie de Philadelphie. Il exécuta des peintures murales dans la cathédrale de Philadelphie.

THOUSENOT Pierre
XVIIIe siècle. Actif à Lunéville. Français.
Sculpteur.
Il travailla en 1788 dans l'église de Pexonne.

THOUSSAIN. Voir **TOUSSAINT**

THOUTMOSIS ou **Thutmosis, Tutmes, Dhutmosi**
XVIe siècle avant J.-C. Antiquité égyptienne.
Sculpteur.
Il a sculpté un grand nombre de bustes, parmi lesquels le roi *Aménophis IV Akhenaton,* de la reine *Nefertiti* et de plusieurs membres de la maison royale.

THOUVENIN ou **Thouvenin Honoré**
XVe siècle. Français.
Peintre verrier.
Il travailla avec son fils, à l'église des Cordeliers et à la chapelle du Palais Ducal de Nancy, pour le compte des ducs de Lorraine.

THOUVENIN, Mlle
XVIIIe siècle. Travaillant à Paris en 1771. Française.
Graveur au burin.
Elle grava des scènes religieuses.

THOUVENIN
XIXe siècle. Travaillant en 1810. Français.
Peintre de portraits, peintre de miniatures.

THOUVENIN Jean
Né vers 1765 à Paris. Mort après 1828. xviiie-xixe siècles. Français.
Graveur au burin et au pointillé.
Il a gravé des sujets religieux et des sujets d'histoire.

THOUZAUD Jean Guillaume ou **Touzau** ou **Touzeau**
xviiie siècle. Français.
Peintre, sculpteur, décorateur, doreur.
Il travailla à Paris de 1760 à 1771. Peintre, il a décoré de sculptures des cadres.

THOVEN Otto von, appellation erronée. Voir **THOREN Otto von**

THRAN Christian
Né au Danemark. xviiie siècle. Actif au milieu du xviiie siècle. Danois.
Dessinateur.
Il travailla à Karlsruhe pour la cour ducale. Il fut aussi horticulteur.

THRANE Jens, le Jeune
Né vers 1730 à Aalum. Mort en 1779 à Odensee. xviiie siècle. Danois.
Portraitiste.
Le Musée de Frederiksborg conserve de lui les portraits du *Prince héritier Frederik*, du *Bailli Baron Verner Rosenkrantz*, du *Colonel Hans Friedrich von Lützau* et de sa femme *Frederikke de Hansen* et de *Mme Catharina Marie de Hansen*.

THRANE Jens Jenssön
Né vers 1667. Mort en janvier 1736 à Aalum. xviie-xviiie siècles. Danois.
Peintre de figures, de portraits et de décorations.
Il peignit des tableaux d'autels et des fresques dans plusieurs églises du Jutland.

THRANE Mogens Christian
Né en 1697 à Aalum. Mort le 27 août 1764 à Viborg. xviiie siècle. Danois.
Peintre de décorations, de figures, de portraits et de genre.
Père de Jens Thrane le Jeune. Il peignit de nombreux tableaux d'autel pour des églises du Jutland.

THRANE Ragnhild Christine
Née le 20 mars 1856 à Faberg. Morte le 4 novembre 1913 à Oslo. xixe-xxe siècles. Norvégienne.
Peintre.
Elle fit ses études à Oslo, puis avec Chr. Krogh. La Galerie Nationale de cette ville conserve d'elle *Matin d'été*.

THRASHER Leslie
Né le 15 septembre 1889 à Piedmont (Virginie). xxe siècle. Américain.
Peintre et illustrateur.
Élève de Pyle, William Chase et Anshutz. Membre du Salmagundi Club.

THRASON
iiie siècle avant J.-C. Antiquité grecque.
Sculpteur de figures.
Il sculpta des statues d'athlètes, de guerriers, de chasseurs et de sacrifiants.

THRASON
iie siècle avant J.-C. Actif à Pellène. Antiquité grecque.
Sculpteur de monuments.
Il exécuta un monument à Butrinto en Épire.

THRASYMEDE
ive siècle avant J.-C. Actif au début du ive siècle av. J.-C. Antiquité grecque.
Sculpteur.
Il sculpta à Épidaure la statue d'*Esculape* en or et ivoire vers 370 avant Jésus-Christ.

THRAUT. Voir **TRAUT**

THRESAUR. Voir **TRÉSAL Pierre**

THRESNAK. Voir **TRZESCHNIAK Daniel**

THREYNE Franz André
Né le 10 septembre 1888 à Cologne. xxe siècle. Allemand.
Sculpteur de monuments et décorateur.
Il fit ses études à Cologne, à Munich et à Königsberg. Il travailla

dans cette dernière ville. Il exécuta de nombreux monuments aux morts en Prusse Orientale.

THROLL Karl
Né le 14 décembre 1873 à Kirchenthumbach. xixe-xxe siècles. Allemand.
Peintre de figures, portraits, paysages, fleurs, peintre de décorations murales.
Frère de Richard Throll et élève de l'Académie de Munich, ville où il se fixa.
Il exécuta des fresques dans l'Hôtel de Ville d'Ulm. Il peignit aussi des figures, portraits, paysages et des fleurs.

THROLL Richard
Né le 18 janvier 1880 à Munich. xxe siècle. Allemand.
Peintre de décorations et graveur.
Frère de Karl Throll et élève de l'Académie de Munich. Il peignit surtout des intérieurs et des façades.
Musées : Mayence (Gal. mun.) : des aquarelles.

THRONDSEN Ivar
Né le 29 mars 1853 à Nes. Mort le 18 janvier 1932. xixe-xxe siècles. Norvégien.
Sculpteur et médailleur.
Il figura aux expositions de Paris ; médaille de bronze en 1900 (Exposition Universelle).

THRONO. Voir **TRONO**

THROOP Daniel Scrope
Né en 1800 à Exford. Mort à Elgin. xixe siècle. Américain.
Graveur au burin.
Il a gravé le portrait de *Lafayette* en 1824.

THROOP J. V. N.
xixe siècle. Travaillant à New York et à Baltimore vers 1835. Américain.
Graveur de portraits.
Frère de John Peter Vannes Throop.

THROOP John Peter Vannes
Né en 1794. xixe siècle. Travaillant à Baltimore en 1835. Américain.
Graveur de portraits.
Frère de J. V. N. Throop.

THROOP O. H.
xixe siècle. Actif à New York en 1825. Américain.
Graveur de paysages et de vignettes.

THROP John
xixe siècle. Actif à Leeds de 1857 à 1880. Britannique.
Sculpteur.

THROSBY John
Né vers 1740. Mort en 1803. xviiie siècle. Britannique.
Peintre de paysages, illustrateur et écrivain d'art.
Il travailla à Leicester et peignit des paysages de cette contrée. Il était prêtre. Le Victoria and Albert Museum, à Londres, conserve de lui un *Paysage* à l'aquarelle.

THRUMTON T.
xviie siècle. Actif à Londres dans la seconde moitié du xviie siècle. Britannique.
Pastelliste.
Le Musée d'Oxford conserve de lui un *Portrait d'homme*, daté de 1667.

THRUN Mathias ou **Trun**
xviie siècle. Actif dans la première moitié du xviie siècle. Français.
Sculpteur et architecte.
Il travailla au jubé et aux grilles du chœur de l'abbaye Saint-Vaast à Arras, en 1612.

THRUPP Frederick
Né en 1812. Mort le 21 mai 1895 à Torquay. xixe siècle. Britannique.
Sculpteur.
Élève de H. Sass. Il exposa à Londres de 1832 à 1848. Il sculpta plusieurs statues pour l'abbaye de Westminster.

THU Mai Trung. Voir **MAI THU**

THUAIRE Jean François ou **Tuaire**
Né le 19 juillet 1794 à Aix-en-Provence (Bouches-du-Rhône). Mort le 28 janvier 1823 à Paris. xixe siècle. Français.
Peintre.
Élève de Prud'hon. Il débuta au Salon de Paris en 1822 et obtint une médaille de deuxième classe.

Musées : Aix-en-Provence : *Portrait de Louis XVIII* – Arras : *Portrait de Louis XVIII* 1821 – Toulon : *Psyché.*

THUAR Hans
Né en 1887 à Lübben-Treppendorf. Mort en 1915. xxᵉ siècle. Allemand.
Peintre de portraits, paysages.
Élève de l'Académie de Düsseldorf. Il se fixa à Beuel-Schwarzrheindorf.
Ventes Publiques : Cologne, 5 déc. 1981 : *Paysage montagneux,* h/t (69x80) : **DEM 4 600** – Cologne, 27 mars 1987 : *Vor der Stadt* 1912, h/t (50x80) : **DEM 30 000.**

THUBERT Paul
Né au xixᵉ siècle à Rennes (Ille-et-Vilaine). xixᵉ siècle. Français.
Sculpteur.
Il débuta au Salon de Paris en 1881, avec une terre cuite. Le Musée de Rennes conserve de lui : *A Séville* (groupe).

THUERENHOUT Jef Van. Voir TUERENHOUT

THÜFEL Johann ou Teufel, dit le Maître du Pickolk
xviᵉ siècle. Travaillait à Wittenberg de 1540 à 1570. Allemand.
Peintre et graveur sur bois.
Son surnom lui vient de la devise portée sur certains de ses bois dans la Bible de Wittenberg (1572). Il peignit aussi plusieurs portraits des princes de la maison de Saxe.

THUILIER Charles ou Thuillier, dit le Picard
xviiᵉ siècle. Français.
Sculpteur sur bois.
Cet artiste fut aussi menuisier à Grenoble en 1659. Il travailla à l'église de Saint-Geoire.

THUILLART Charles
xviiiᵉ siècle. Actif au Mans. Français.
Peintre.

THUILLIER Ant. Ch. (Antoine Charles ?)
Mort en 1789. xviiiᵉ siècle. Français.
Sculpteur.
Il était actif à Paris.

THUILLIER Armand
Né le 14 mai 1926 à Montluçon (Allier). xxᵉ siècle. Français.
Peintre de sujets divers. Polymorphe.
À Paris, il fut élève de l'École privée de l'affichiste Paul Colin. Il participa pour la première fois à une exposition collective, à Londres en 1955. En 1962 et 1963, la galerie Gérard Mourgue de Paris montra des expositions personnelles de ses œuvres. Depuis 1973, il s'est retiré à Puycelsi dans le Tarn, où il expose chaque année dans son atelier. De 1943 à 1961, il peignait des nus, paysages, natures mortes, fleurs. Ensuite, il a évolué vers un style composite, dans lequel interviennent des réminiscences de l'imagerie surréaliste. À partir de 1990, il est revenu à une figuration naturaliste de figures, paysages, objets familiers, traités dans des harmonies intimistes.

THUILLIER Eugène
xixᵉ siècle. Français.
Paysagiste.
Il débuta au Salon de Paris en 1842.
Ventes Publiques : Paris, 27 et 28 déc. 1926 : *Le chasseur* : FRF 180.

THUILLIER Guillaume
xviiᵉ siècle. Français.
Sculpteur sur bois.
Ce menuisier travailla vers 1660. Il exécuta des sculptures au buffet d'orgues de l'église Saint-Vivien de Rouen, en collaboration avec Michel Demares.

THUILLIER Louise. Voir MORNARD Louise, Mme

THUILLIER Pierre
Né le 17 juin 1799 à Amiens. Mort le 19 novembre 1858 à Paris. xixᵉ siècle. Français.
Peintre de paysages, paysages de montagne, paysages d'eau.
Élève de Watelet et de Gudin. Il débuta au Salon de Paris, en 1831, obtenant une médaille de troisième classe en 1835, une de deuxième classe en 1837, une de première classe en 1839 et 1848. Il fut promu chevalier de la Légion d'honneur en 1843.
Il connut progressivement la Hollande, l'Italie, l'Afrique du Nord, les côtes de Provence, mais fut surtout le peintre de l'Au-

vergne, du Velay et du Dauphiné. Il peut être considéré comme l'un de ces artistes « conciliateurs » qui tentèrent de faire la synthèse de plusieurs courants ou de plusieurs tendances du paysage au xixᵉ siècle. Il poursuit, à mi-chemin de la tradition et du réalisme, l'insertion de l'objet et du paysage dans la lumière.
■ Pierre Miquel
Bibliogr. : Pierre Miquel : *Le paysage français au xixᵉ siècle, 1824-1874 L'école de la nature,* Maurs, chez l'auteur, 1975.
Musées : Amiens : *Un coup de vent dans la vallée de Chamonix* – *Environs de Naples* – *A Elbiar, près d'Alger* – *Voie Tiburtine* – *Paysage, Côtes de Provence* – Bagnères-de-Bigorre : *Paysage* – Chantilly : *Paysage d'Auvergne* – Genève (Mus. Rath) : *Le lac d'Annecy* – Lyon (Mus. des Beaux-Arts) : *Entrée de la forêt des Ardennes* – *Rives de la Durolle, vues de Thiers* – Orléans : *Paysage* – Le Puy-en-Velay : *Château de La Voûte-sur-Loire, près du Puy* – *Pont de la Voûte-sur-Loire* – *Vue du Puy, prise du rivage de la Borne, au pied du rocher d'Espaly.*
Ventes Publiques : Paris, 1859 : *Paysage, vallée de Thilly, en Dauphiné* : **FRF 3 000** – Paris, 1890 : *Pâturage en Dauphiné* : **FRF 580** – Paris, 19 déc. 1949 : *Oasis* : **FRF 16 000** – Copenhague, 11 fév. 1976 : *Paysage,* h/t (45x74) : **DKK 3 200** – Paris, 21 mars 1984 : *Paysage italien autour de Naples* 1837, h/t (69x100) : **FRF 80 000** – Berne, 4 mai 1985 : *Paysage fluvial boisé au moulin à vent,* h/pan. (25x36) : **CHF 6 300** – Paris, 27 mai 1987 : *Paysage de Thuyets, Ardèche* 1837, gche et cr. (30x44) : **FRF 19 000.**

THUILLIER Thomas ou Thieullier
xviiᵉ siècle. Français.
Sculpteur.
Il travailla pour l'abbaye de Saint-Vaast d'Arras dans la première moitié du xviiᵉ siècle. Il y exécuta en particulier les ornements d'une cheminée en 1601. Il était essentiellement sculpteur sur bois.

THUILLIERS Jean ou Thieullieur
xviiᵉ siècle. Hollandais.
Peintre d'architectures et de paysages.
Imitateur de Jan Van der Heyden.

THUIN Agnès
Née en 1962 à Guebwiller (Haut-Rhin). xxᵉ siècle. Française.
Peintre. Abstrait-matiériste.
Elle fut élève de l'École des Arts Décoratifs de Strasbourg. Elle s'est fixée à Strasbourg, où elle participe à des expositions collectives.
Techniquement, elle applique les pigments à la main avec un liant vinylique, par recouvrements successifs, attentive à l'éventuel effet de saturation. Elle travaille, non éloignée de la problématique monochrome, dans le sens d'une confrontation matière-couleur.
Musées : Paris (FNAC) : *Sans titre* 1988.

THUIN Germain de ou Thuing
Né vers 1495. Mort en 1560. xviᵉ siècle. Actif à Mons. Éc. flamande.
Sculpteur.
Il travailla pour l'église Sainte-Élisabeth de Mons en 1531.

THUIN Jean ou Jehan ou Janin de, l'Ancien
Né vers 1500. Mort le 26 août 1556 à Mons. xviᵉ siècle. Éc. flamande.
Sculpteur et architecte.
Il travailla surtout pour l'église Sainte-Waudru de Mons.

THUIN Jean, le Jeune
Né vers 1520. Mort le 12 octobre 1596. xviᵉ siècle. Actif à Mons. Éc. flamande.
Sculpteur et architecte.
Fils de Jean de Thuin l'Ancien. Il assista son père dans ses travaux à Sainte-Waudru et sculpta une *Sainte Élisabeth* pour l'église de ce nom à Mons.

THULDEN Theodor Van ou Tulden
Baptisé le 9 août 1606 à Bois-le-Duc. Mort en 1669 ou 1676 à Bois-le-Duc. xviiᵉ siècle. Actif aussi en France. Hollandais.
Peintre d'histoire, compositions religieuses, sujets allégoriques, scènes de genre, figures, graveur, dessinateur.
Élève d'Abr. Blyenberch en 1662 et de Rubens, il fut maître à Anvers en 1626. Il séjourna à Paris en 1632 et à Fontainebleau. Revenu à Anvers en 1635, il épousa Maria, la fille du peintre H. Van Balen. Il reçut le droit de bourgeoisie en 1636, fut doyen de la gilde en 1639-1640. Il retourna à Paris en 1647, et fut appelé à La Haye en 1648. De 1652 à 1656, il vécut à Bois-le-Duc. Il revint probablement à Anvers de 1661 à 1663.

Theodor Van Thulden fut un des bons collaborateurs de Rubens. Il décora la maison Im Bosch à La Haye, en 1948 ; et travailla aussi pour l'église Sainte-Gudule de Bruxelles. La tradition lui attribue une part considérable dans les peintures de la Galerie de Marie de Médicis de l'ancien Palais du Luxembourg. Van Thulden peignit souvent les figures dans les tableaux de Momper, de Wildens, de Snyders. Il produisit un grand nombre de gravures au burin, d'eaux-fortes d'après Rubens, Primatice et d'après ses propres dessins.

Musées : Angers : *Assomption* – Anvers : *Les deux faces de l'arc de triomphe du prince cardinal Ferdinand d'Autriche*, attribution contestée – *Entrée de Ferdinand d'Autriche, gouverneur général des Pays-Bas* – *Espagnols à Anvers* 1635 – *La continence de Scipion* – *Benedictus Van Thulden* – Esquisse – Besançon : *Saint Jean-Baptiste* – *Le matin de Pâques* – Bruxelles : *Le Christ à la colonne* – *Noce au village* – *Jeune seigneur renonçant au monde*, deux fois – *La Musique et l'Amour* – *Ferdinand d'Autriche* – *Adoration de l'Eucharistie* – Cologne : *Générosité de Scipion* – Dunkerque : *La charité romaine* – La Fère : *Paysage* – Grenoble : *La Trinité* – *Les Parques et le Temps* – Hanovre : *Énée et Didon* – Kassel : *Loth et ses filles* – *Madeleine parfume les pieds du Sauveur* – Madrid (Prado) : *Orphée jouant de la lyre* – *Découverte de la pourpre* – Le Mans : *La Pentecôte* – Nancy : *Le Christ après la flagellation* – *Persée délivant Andromède* – Nuremberg : *Mariage de sainte Catherine* – Potsdam : *Triomphe de Galatée* – Rouen : *Albert, archiduc d'Autriche* – *Isabelle, femme d'Albert* – Saint-Pétersbourg (Mus. de l'Ermitage) : *Le Temps sauvant la Vérité* – Tournai : *Une famille* – Valenciennes : *Sainte Famille* – Vienne : *Les provinces néerlandaises rendent hommage à la Vierge* – *Réconciliation d'Esaü et de Jacob* – *Visitation de la Vierge* – *Retour de la Paix* – Ypres : *Triomphe de David* – *L'Enfant prodigue et les courtisanes*.

Ventes Publiques : Paris, 1766 : *L'arrivée à Ithaque*, dess. en coul. : **FRF 924** – Paris, 1852 : *La mort de Didon* : **FRF 600** – Paris, 1872 : *La Vierge et l'Enfant Jésus* : **FRF 1 280** – Paris, 1900 : *Groupe de famille* : **FRF 3 570** – Londres, 13 mars 1911 : *Dame tenant un enfant* : **GBP 11** – Paris, 7 juil. 1927 : *La Vierge, l'Enfant, saint Jean et sainte Anne* : **FRF 1 985** – Paris, 6 juil. 1928 : *La Vierge, l'Enfant et saint Jean entourés d'anges* : **FRF 4 200** – Stockholm, 13-15 déc. 1933 : *Fête champêtre* : **SEK 2 000** – Paris, 17 mars 1943 : *La Vierge et l'Enfant*, attr. : **FRF 52 000** – Paris, 3 avr. 1968 : *Le jugement de Pâris* : **SEK 43 000** – Vienne, 12 mars 1974 : *Allégorie de la régence de Marie de Médicis* : **ATS 140 000** – Versailles, 20 juil. 1976 : *Suzanne et les vieillards*, h/bois (48x64) : **FRF 6 000** – Saint-Dié, 19 juin 1983 : *L'Adoration des Rois Mages*, h/cuivre (24x31) : **FRF 32 000** – Londres, 1er fév. 1985 : *Vierge à l'Enfant*, h/pan. (63,5x48,2) : **GBP 15 000** – New York, 1er juin 1989 : *Allégorie de la Paix et de l'Abondance*, h/t (203,5x220,5) : **USD 49 500** – Londres, 23 mars 1990 : *La Présentation au temple*, h/t (60x48,3) : **GBP 2 860** – Milan, 30 mai 1991 : *L'enlèvement d'Europe*, h/t (170x128) : **ITL 20 000 000** – Amsterdam, 25 nov. 1992 : *Saint Simon Zélote et saint Jacques le Majeur*, encre et reh. de blanc, une paire (chaque 26,5x13,5) : **NLG 6 325** – New York, 12 jan. 1994 : *Allégorie de Guillaume, prince d'Orange, futur Guillaume III*, h/t (110,5x76,2) : **USD 40 250** – New York, 18-19 juil. 1996 : *Apparition à une religieuse (sainte Brigitte ?)*, h/t (116,8x87,6) : **USD 4 025** – Londres, 13 déc. 1996 : *Vénus et Cupidon*, h/t (148,3x114,8) : **GBP 13 800** – Amsterdam, 11 nov. 1997 : *Le Christ recevant la Vierge au ciel*, pl., encre brune et cire/traces de craie noire, haut cintré (25,5x16,2) : **NLG 6 372** – New York, 30 jan. 1997 : *Suzanne et les vieillards*, h/t (167,6x125,7) : **USD 48 875**.

THÜLENS Daniel. Voir **THIELEN**

THULIN Svante Theodor
Né le 15 mars 1837 à Strömfors. Mort le 3 septembre 1918. XIXe-XXe siècles. Suédois.
Peintre de décorations.
Il fit ses études en Allemagne, en France et en Italie. Il exécuta des peintures dans la cathédrale de Lund et dans l'Université d'Uppsala.

THULLIEZ Daniel ou **Daan**
Né le 3 avril 1903 à Poperinghe. Mort en 1965. XXe siècle. Belge.
Peintre de genre, paysages, marines.
Bibliogr. : In : *Dict. biogr. illustré des artistes en Belgique depuis 1830*, Arto, Bruxelles, 1987.

THULSTRUP Henning ou **Carl Ludwig Henning**
Né le 26 octobre 1836 à Stockholm. Mort le 23 juin 1902 à Stockholm. XIXe siècle. Suédois.
Peintre, dessinateur et officier.
Frère de Thure Thulstrup. Il dessina des caricatures et des scènes militaires.

THULSTRUP Thure ou **Bror Thure**
Né le 5 avril 1848 à Stockholm. Mort le 9 juin 1930 à New York. XIXe-XXe siècles. Américain.
Peintre, illustrateur et officier.
Il s'établit à Boston en 1872. Il peignit des scènes de la guerre de Sécession et illustra des revues militaires.
Ventes Publiques : Los Angeles, 24 juin 1980 : *La partie de polo*, aquar. (30,5x40,5) : **USD 950** – New York, 20 juin 1985 : *Les artilleurs en campagne* 1888, h/t (81,9x122,5) : **USD 4 750** – New York, 1er oct. 1986 : *La Course de traîneaux* 1875, aquar. et gche (39,5x58,5) : **USD 1 500**.

THUM. Voir aussi **THUMB**

THUM Christian I von
D'origine allemande. XVIIe siècle. Travaillant en Suède de 1655 à 1686. Suédois.
Peintre.
Père de Christian II et de Heinrich Thum. Il peignit des animaux et des portraits pour la cour de Suède.

THUM Christian II von
XVIIe-XVIIIe siècles. Suédois.
Peintre.
Fils de Christian Thum I.

THUM Erich
Né le 15 décembre 1886 à Berlin. XXe siècle. Allemand.
Peintre de figures, paysages et graveur, illustrateur.
Il peignit des paysages et des figures et exécuta des illustrations pour des œuvres de Rainer Maria Rilke et de Tagger.

THUM Heinrich
XVIIe siècle. Actif à Riga de 1602 à 1622. Éc. balte.
Graveur au burin.
Il grava des vues et des plans de Riga, des armoiries et des vignettes.

THUM Heinrich
XVIIe-XVIIIe siècles. Suédois.
Peintre.
Fils de Christian Thum I.

THUM Jakob
XVIIIe siècle. Autrichien.
Sculpteur.
Il a sculpté la fontaine Saint-Joachim à Innsbruck où il travailla de 1700 à 1709.

THUM Lorenz
XVIIe siècle. Actif à Innsbruck de 1683 à 1690. Autrichien.
Sculpteur.

THUM Patty Prather
Née en 1853 à Louisville. Morte le 28 septembre 1926 à Louisville. XIXe-XXe siècles. Américaine.
Peintre et illustrateur.
Elle fut élève du Vassar College et de l'Art Students' League de New York.

THUM Theodor Gottfried
XVIIIe siècle. Travaillant à Heidelberg vers 1750. Allemand.
Dessinateur.
Il dessina des vues de villes et des architectures.

THUMA Friedrich, l'Ancien
Né en 1829 à Erolzheim. Mort en 1882 à Biberach. XIXe siècle. Allemand.
Sculpteur.
Père de Friedrich Thuma, le Jeune. Il travailla pour l'église de Biberach. Il était également constructeur d'autels.

THUMA Friedrich, le Jeune
Né le 6 novembre 1873 à Biberach. XIXe-XXe siècles. Actif à Stuttgart. Allemand.
Sculpteur.
Il fit ses études à Munich. Il sculpta des sujets religieux, des fontaines et des monuments aux Morts. Il était actif à Stuttgart.
Musées : Stuttgart (Gal. Nat.) : *Le baiser*.

THUMA Karl Maria
Né le 3 février 1870 à Brunn. Mort en 1925 à Eisgrub. XIXe-XXe siècles. Autrichien.

Peintre de paysages, graveur.
Élève de l'Académie de Munich et de J. L. Raab. Graveur, il était aquafortiste.

THUMANN Paul ou **Friedrich Paul**
Né le 5 octobre 1834 à Gross Tzschackdsorf. Mort le 20 février 1908 à Berlin. XIXe siècle. Allemand.
Peintre d'histoire et de genre, portraitiste et illustrateur.
En 1853, élève de l'Académie de Berlin et d'Hubner à Dresde. Il continua ses études en 1863 avec Pauwels, à Weimar. En 1866, professeur à l'École d'Art à Weimar. En 1880, membre de l'Académie de Berlin. Médaillé à Berlin en 1879.
MUSÉES : BAMBERG : *Le mariage de Luther* – COLOGNE : *Jeune fille.*
VENTES PUBLIQUES : LONDRES, 16 févr 1979 : *Amour maternel 1867*, h/t (103,5x81,8) : **GBP 600** – HANOVRE, 7 mai 1983 : *Jeune fille cueillant des roses*, h/t mar./pan. (120x90) : **DEM 8 000** – COLOGNE, 25 oct. 1985 : *La joueuse de mandoline 1880*, h/pan. (66x44) : **DEM 6 000.**

THUMAYR Franz
XIXe siècle. Actif à Sandl. Autrichien.
Peintre verrier.

THUMAYR Johann I, l'Ancien
XIXe siècle. Autrichien.
Peintre verrier.
Il était actif à Sandl.

THUMAYR Johann II, dit **Berhardl** (?), le Jeune
Né vers 1860. XIXe-XXe siècles. Autrichien.
Peintre verrier.
Il fut le dernier représentant de cette famille à Sandl.

THUMAYR Josef
XIXe siècle. Actif à Sandl. Autrichien.
Peintre verrier.
Fils de Johann Thumayr I.

THUMAYR Karl
XIXe siècle. Actif à Sandl. Autrichien.
Peintre verrier.
Frère de Johann Thumayr I et de Franz Thumayr.

THUMAYR Marie
XIXe siècle. Active à Sandl. Autrichienne.
Peintre verrier.
Fille de Johann Thumayr I.

THUMB Egidius
XVIIe siècle. Actif à Ljubljana en 1600. Yougoslave.
Peintre.
Il exécuta des peintures sur un autel de l'église de Braslovice.

THUMB Franz ou **Thum, Thumm, Tumb, Tumm**
XVIIe siècle. Travaillant de 1651 à 1681. Autrichien.
Peintre d'églises.
Il travailla pour l'église Saint-Jean de Feldkirch.

THUMB Gottfried
XVIIIe siècle. Travaillant en 1764. Allemand.
Dessinateur.
Il dessina des reproductions de bâtiments de Heidelberg.

THUMB Ignaz ou **Gabriel**
Né le 12 novembre 1741 à Bezau. Mort le 28 janvier 1822. XVIIIe-XIXe siècles. Autrichien.
Peintre.
Il exécuta en 1770 les fresques du plafond de l'église de Hirrlingen.

THUMB Martin
XVIIIe siècle. Actif dans la seconde moitié du XVIIIe siècle. Autrichien.
Sculpteur d'autels.
Il a sculpté, de 1770 à 1773, deux autels dans l'église des Servites à Rattenberg.

THUMBER Georg Philipp
XVIIe siècle. Actif à la fin du XVIIe siècle. Allemand.
Sculpteur sur bois.
Il collabora à l'autel de la Vierge de l'église d'Eibelstadt en 1696.

THÜMER Friedrich Wilhelm
XVIIIe siècle. Actif à Potsdam à la fin du XVIIIe siècle. Allemand.
Sculpteur.

THUMINER Johann Jacob. Voir **THUMMER**

THUMM. Voir aussi **THUMB**

THUMM Michael
XVIIe siècle. Allemand.

Sculpteur sur bois.
Il exécuta le plafond de la chapelle de la Sainte-Croix à Eibelstadt.

THÜMMEL Vittorio. Voir **TIMMEL Vito**

THUMMER Johann Christoph ou **Tummer**
Né en 1650 à Prague. Mort le 21 mars 1731 à Prague. XVIIe-XVIIIe siècles. Autrichien.
Peintre.
Il travailla pour la chapelle de Notre-Dame-de-Lorette et la cathédrale Saint-Guy de Prague.

THUMMER Johann Jacob ou **Thuminer** ou **Tummer**
Né à Strassburg (Carinthie). Mort en 1726 à Prague. XVIIIe siècle. Autrichien.
Peintre et graveur au burin à la manière noire.
Il se fixa à Prague en 1672. Il grava des sujets religieux.

THUN Anders Willem
Né en 1800 en Westergötland. Mort à Carlberg. XIXe siècle. Suédois.
Paysagiste.
Élève de Westin. Il exposa à Stickhomm en 1822.

THUN Christian von. Voir **THUM**

THUN Marie
Née en 1852 à Dalldorf. Morte le 16 avril 1905. XIXe siècle. Allemande.
Peintre de fleurs et de natures mortes.

THUN Melchior
Né en 1672 à Dantzig. Mort le 31 mai 1737 à Dantzig. XVIIe-XVIIIe siècles. Allemand.
Peintre d'histoire et portraitiste.
Élève de C. Kriengel. Il peignit des tableaux religieux pour les églises ainsi que des portraits.

THUNBERG Petter ou **Tunberg**
XVIIIe siècle. Actif au milieu du XVIIIe siècle. Suédois.
Peintre.
Il peignit des papiers de tenture et exécuta les vitraux de l'église Sainte-Hedwige et Sainte-Éléonore de Stockholm.

THÜNCKEL Johannes ou **Dünkel**
Né en 1642 à Schnabelwaid. Mort le 8 mai 1683 à Creussen. XVIIe siècle. Allemand.
Graveur au burin et orfèvre.
Il grava des ornements.

THUNSTRÖM Björn
Né en 1904 en Finlande. XXe siècle. Suédois.
Peintre de portraits, paysages.
Il a fait ses études à Helsinki et à Paris. Il peignit en France des motifs du port de Rouen et, plus récemment, de Norrland en Suède.

THUNSTROM Gustav
XVIIIe siècle. Suédois.
Sculpteur.
Il a sculpté l'urne pour la fontaine de Kungsport près de Göteborg.

THUOT Johann Christoph
XVIIe-XVIIIe siècles. Actif à Sursee de 1695 à 1740. Suisse.
Peintre verrier.
Fils de Karl Ludwig Thuot. Il travailla à Lucerne.

THUOT Karl Ludwig
XVIIe siècle. Travaillant à Sursee de 1677 à 1688. Suisse.
Peintre verrier.
Il peignit dix-huit vitraux pour l'église de Neudorf et d'autres pour celle d'Oberkirch près de Sursee.

THUPINIER Gérald
Né le 23 juin 1950 à Moulins (Allier). XXe siècle. Français.
Peintre, peintre de collages, technique mixte. Abstrait-informel.
Publiant des poésies dans les années soixante-dix, il étudia d'abord la philosophie jusqu'à maîtrise et agrégation. S'il s'intéressait tôt à la peinture, il n'entreprit sa pratique qu'en 1980. Il vit et travaille à Nice.
Il participe à des expositions collectives : 1981 Paris, *Ateliers 81/82*, à l'ARC du Musée d'Art Moderne de la Ville ; 1982 Montpellier, galerie Christian Laune ; 1987 Madrid, *9 artistes français 87*, Musée d'Art Contemporain, puis Valence, Grenade, Fondation Gulbenkian de Lisbonne, Musée d'Art Moderne de Porto,

Musée d'Art Moderne de Toulouse ; 1988 Marseille, *L'Art moderne à Marseille. La collection du Musée Cantini*, au Musée Cantini et au Centre de la Vieille Charité ; et Nantes, galerie Arlogos. Il expose aussi individuellement : 1983 Toulouse, Marseille, Nice ; 1984 Marseille, galerie Athanor ; Montpellier, galerie Christian Laune ; Paris, Espace 215 ; Nantes, galerie Arlogos ; Paris, galerie Stadler ; 1988 Nantes, galerie Arlogos ; 1989 Labège-Toulouse, Centre régional d'art contemporain Midi-Pyrénées, puis Paris, galerie Stadler ; etc.

Ses œuvres sont le résultat d'une accumulation de « choses » hétéroclites, branchages, tissus, planches, fil de fer, etc., agglutinés par une mixture de colle et de pigment blanc ou d'encre de Chine noire, qui provoquent boursouflures et ruissellements. La référence philosophique, notamment à Nietzsche, objet de son mémoire de maîtrise, ou, pêle-mêle, à Paul Valéry, Paul Célan, Dante, Hölderlin, Saint François d'Assise, est restée une constante de et dans sa pratique picturale, sous l'apparence d'inscriptions tracées dans la matière pigmentaire même, le signe verbal interférant avec les signes sensibles. Ses référence picturales vont à Antoni Tapiès, pour la charge expressive attribuée à la matière et à Beuys, pour avoir été au sens au-delà de la forme sensible. Thupinier s'explique : « Le langage ne donne pas le sens, la matière non plus, il naît de leur rencontre imprévisible. » Depuis quelques années, au centre axial vertical du tableau, il situe une forme de croix semblant appeler une lecture spirituelle, ce qu'il refuse, de même manière que la colle de l'amalgame symboliserait, selon certaines lectures, « l'adhésion » au monde, ce qui peut paraître un peu simpliste. On peut préférer son recours à Montaigne pour déclarer : « Je ne peins pas l'être, je peins le passage », préfigurant « L'homme est un pont » de Nietzsche. ■ J. B.

Bibliogr. : In : Catalogue de l'exposition *L'Art mod. à Marseille. La collection du Mus. Cantini*, Mus. Cantini, Centre de la Vieille Charité, Marseille, 1988 – Maïten Bouisset : *Gérald Thupinier entre langage et matière*, in : Art Press, Paris, hiver 1988 – Françoise Bataillon : *Gérald Thupinier*, in : Beaux-Arts, Paris, janv. 1989.

Musées : Marseille (Mus. Cantini) : *Sans titre (inscription : animus anima)* 1985, h/t – Paris (FNAC) : *Mot disparu* 1994, techn. mixte.

THÜR Georg
XVIIIe siècle. Actif dans la seconde moitié du XVIIIe siècle. Suisse.
Sculpteur sur bois et stucateur.
Il a sculpté, avec Mader, la chaire dans l'abbatiale de Saint-Gall en 1786.

THURAH Diderik de ou Thura
Né le 1er mai 1704 à Aarhus. Mort le 1er mars 1788 à Copenhague. XVIIIe siècle. Danois.
Sculpteur sur ivoire.
Il était officier de marine.

THURAINE ou Thurenne, dit Turaine le Vieux
XVIIe siècle. Français.
Graveur.
Il travailla, à Paris, de 1660 à 1690. Il a décoré de gravures des fusils et est également connu comme écrivain d'art. Les Musées de Copenhague et de Dresde conservent des fusils gravés par cet artiste.

THURAU Friedrich
Né à Stargard. Mort le 2 avril 1888 à Constance. XIXe siècle. Allemand.
Paysagiste.
Il a peint une *Vue de l'île de Mainau*.

THURBER Alice Hagerman
Née le 21 juin 1871 à Birmingham (Michigan). XIXe-XXe siècles. Américaine.
Peintre et graveur.
Élève de Joseph Gies à l'Académie des Beaux-Arts de Detroit et de l'Art Institute de Chicago. Membre de la Société des Artistes Indépendants.

THURBER James Grover
XXe siècle. Américain.
Dessinateur humoriste.
Certains critiques le comparent à Steinberg.
Ventes Publiques : New York, 9 sep. 1993 : *Joueur de tennis*, encre/pap. (19,1x16,5) : USD 3 450.

THURENNE. Voir THURAINE

THURET Anne Marie Gabrielle
Née au XIXe siècle à Brest (Finistère). XIXe siècle. Française.
Peintre d'histoire, miniaturiste et portraitiste.
Élève de Chaplin, Gallois, Billot et de Mlle Keller. Elle exposa au Salon de Paris, de 1869 à 1872.

THÜRHEIM Ludovica ou Loulou Francisca Maria
Née le 14 mars 1788 au château d'Orbeck près de Tirlemont. Morte le 22 mai 1864 à Vienne. XIXe siècle. Autrichienne.
Portraitiste, dessinateur et écrivain.
Elle voyagea dans toute l'Europe ; elle peignit de nombreux portraits de membres de la noblesse autrichienne.

THURIE Denis
XVIIIe siècle. Actif à Goupillières (Normandie) vers 1718. Français.
Peintre.
Cité par M. E. Veuclin dans son travail sur *Les Artistes Normands inconnus*.

THURIN Siméon Abraham
Né en 1797 à Fécamp. XIXe siècle. Français.
Peintre de marines.
Élève de Storelli. Il exposa au Salon Paris en de 1827.

THURIN Thomas. Voir THOURIN

THÜRING Konrad. Voir TÜRING

THURLO Frank
Né en 1828 à Newburyport. Mort le 25 décembre 1913 à Newburyport. XIXe-XXe siècles. Américain.
Peintre.
Il peignit surtout des vues de Plum Island (Massachusetts).

THURLOW T.
XIXe siècle. Britannique.
Peintre de portraits.
Il travaillait à Londres en 1838.

THURLOW T.
XIXe siècle. Britannique.
Sculpteur.
Il exposa à Londres de 1841 à 1872. Peut-être identique au peintre de portraits du même nom.

THURM Willy
Né le 30 novembre 1880 à Leipzig. XXe siècle. Allemand.
Peintre.
Élève des Académies de Leipzig et de Dresde.

THURMANN. Voir aussi TURMANN

THÜRMANN Wenzel
XVIIe siècle. Actif à la fin du XVIIe siècle. Autrichien.
Peintre.
Il a peint un *Christ* pour l'église de Nussbach en 1691.

THÜRMER C. G.
XVIIIe-XIXe siècles. Actif à Hirschberg. Allemand.
Peintre de vues.
Le Musée Municipal de Hirschberg conserve de lui *Vue d'un ravin* et *Incendie de l'église de Hirschberg*.

THURMER Irmgard
Née le 18 juin 1883 à Dresde. XXe siècle. Allemande.
Peintre.
Élève de l'Académie Julian à Paris, d'H. Thomas (?) et de Wilhelm Trübner vraisemblablement au Städelsches Institut de Francfort.

THÜRMER Joseph
Né le 3 novembre 1789 à Munich. Mort le 13 novembre 1833. XIXe siècle. Allemand.
Dessinateur, architecte et aquafortiste.
Élève de Karl von Fischer. Il a dessiné des vues de Grèce et du Vatican.

THURMER Joseph
XIXe siècle. Travaillant à Bingen de 1819 à 1835. Allemand.
Dessinateur de vues.
Paraît identique à Joseph THÜRMER, dessinateur, architecte et aquafortiste.

THURN Ernest
Né à Chicago. XXe siècle. Américain.
Peintre.
Élève de l'Art Institute de Chicago, de l'Académie Julian à Paris et de l'Académie Royale de Munich. Il a fondé lui-même une École d'Art à Gloucester (Massachusetts).

THURN Hans
Né le 18 août 1889 à Cologne. XXᵉ siècle. Allemand.
Peintre d'architectures et de paysages.

THURN Laura de, comtesse
XVIIIᵉ-XIXᵉ siècles. Autrichienne.
Peintre de paysages, fleurs.
Elle travaillait à Graz vers 1800.

THURN Laurentz
Né vers 1963. XXᵉ siècle. Allemand.
Peintre de figures. Expressionniste.
Il paraît qu'il voyage beaucoup, en quête de nouveaux modèles.
En 1995 à Paris, la galerie Lavignes-Bastille a montré un
ensemble de ses peintures sous le titre *Question d'identité*.
Presque sur le vif, dans une technique elliptique et sensuelle, il
« croque » des silhouettes typiques, noirs de Harlem, Portori-
cains, dénués de traits identitaires mais expressifs par leurs atti-
tudes spontanées.

THURN Paul ou **Pawel**, appelé aussi **Czumthurn** ou **Tom-
torn**
Mort avant 1598. XVIᵉ siècle. Actif à Cracovie. Polonais.
Peintre.
Il peignit des portraits de rois polonais pour la ville de Cracovie.

THURNAUER Agnès
Née en 1962. XXᵉ siècle. Française.
Peintre. Abstrait-analytique.
Elle fut élève de l'École des Arts Décoratifs de Paris. En 1996, la
Maison d'Art Contemporain de Fresnes (Val-de-Marne) a mon-
tré un ensemble de ses peintures.
Le fait de peindre sur toile libre, l'utilisation répétitive d'un des-
sin élémentaire, une sorte de spatule, rappellent les pratiques de
Support-Surface et l'osselet de Viallat.
BIBLIOGR. : Christophe Domino : *Agnès Thurnauer. La valse des
couleurs*, in : Beaux-Arts, Nᵒ 151, Paris, déc. 1996.

THURNBERG Maria de. Voir **AUGUSTIN Maria**

THURNEISSEN Jean Jacques
Né en 1663 à Bâle. Mort en 1718. XVIIᵉ-XVIIIᵉ siècles. Suisse.
Dessinateur et graveur.
Cité par Ris Paquot.

THURNER Christoph ou **Durner** ou **Turner**
XVIIᵉ siècle. Travaillant de 1604 à 1630. Allemand.
Peintre.
Il fit ses études à Munich et peignit pour des églises de Freising
vers 1611.

THURNER Eugen
Né en 1866 à Steinach-sur-le-Brenner. Mort le 30 septembre
1887 à Innsbruck. XIXᵉ siècle. Autrichien.
Dessinateur.
Il dessina des cartons pour la peinture sur verre et des
mosaïques.

THURNER Gabriel Édouard
Né le 6 janvier 1840 à Mulhouse (Haut-Rhin). Mort le 24 août
1907 à Paris. XIXᵉ-XXᵉ siècles. Français.
**Peintre de scènes de genre, intérieurs, paysages,
natures mortes, fleurs et fruits.**
Il fut élève de Chabal Dussergey. Il exposa au Salon de Paris, à
partir de 1865, puis au Salon des Artistes Français. Il fut professeur aux Gobelins en 1880. Il obtint une mention honorable en
1884, une médaille de troisième classe en 1887, une mention
honorable à l'Exposition Universelle de 1889, une médaille de
deuxième classe en 1893, une médaille de bronze à l'Exposition
Universelle de 1900.
On lui doit des intérieurs rustiques, mais il a surtout fait preuve
de talent dans la peinture de fleurs et de fruits.
MUSÉES : AMIENS (Mus. de Picardie) : *Enlèvement* – CLAMECY :
Fleurs – ÉPINAL – GÖTEBORG : *Paysage de Champagne* – LUXEM-
BOURG : *Intérieur breton* – MULHOUSE : *Ma récolte* – *Oiseaux et
cuivre* – *Intérieur breton* – ROUEN (Mus. des Beaux-Arts) : *Cham-
pignons* – STRASBOURG : *Oiseau de passage* – *Le jardin du pauvre* –
Vue d'intérieur – TOURCOING : *Envoi de Nice*.
VENTES PUBLIQUES : PARIS, 1900 : *Hotte de fleurs* : FRF 2 800 ;
Intérieur de paysans en Alsace : FRF 880 – LONDRES, 13 déc.
1919 : *Fruits* : GBP 7 – PARIS, 23 mars 1945 : *La fermière* :
FRF 9 500 – PARIS, 27 fév. 1950 : *Cuisinière récurant ses cuivres* :
FRF 14 400 – PARIS, 9 mars 1951 : *Enfants à l'église* : FRF 7 500.

THURNER Hans ou **Turner**
XVIᵉ siècle. Actif à Bâle dans la première moitié du XVIᵉ siècle.
Suisse.
Sculpteur.
Le Musée de Berne conserve de lui les statues de *La Justice*,
d'*Henri II*, de *Cunégonde*, et du *Porte-drapeau de la ville*.

THURNER Hermann
Né le 21 avril 1893 à Hötting. XXᵉ siècle. Autrichien.
Peintre.

THURNER Isidor
XIXᵉ siècle. Travaillant de 1803 à 1811. Allemand.
Peintre et doreur.
Il fut assistant de Joseph Thurner à Niederbühl. Il travailla aussi
pour l'église de Kronau.

THURNER Johann Christoph. Voir **TURNER**

THURNER Josef
Né le 25 mars 1831 à Launigen. Mort le 18 juin 1865 à Launi-
gen (?). XIXᵉ siècle. Allemand.
Peintre.
Élève de Moriz von Schwind à l'Académie de Munich. Il peignit
des fresques et des tableaux d'autel dans des églises de Bavière.

THURNER Joseph
XVIIIᵉ-XIXᵉ siècles. Allemand.
Sculpteur sur bois, stucateur, peintre et doreur.
Il sculpta des autels pour l'église de Niederbühl.

THURNER Peter. Voir **THURNIER**

THURNER Theodor
XIXᵉ siècle. Actif à Kassel dans la première moitié du XIXᵉ
siècle. Allemand.
Paysagiste.
Il fit ses études à Dresde en 1811.

THURNES Heinrich
Né le 1ᵉʳ juin 1833 à Innsbruck. Mort le 11 août 1865 à
Vienne. XIXᵉ siècle. Autrichien.
Peintre.
Il fut élève de W. von Kaulbach à Munich. Il peignit des portraits.
Le Ferdinandeum d'Innsbruck conserve de lui *Portrait de l'ar-
tiste* et *Portrait de R. von Ebner*.

THURNEYSEN Fridolin
Né vers 1655. Mort le 22 novembre 1708 à Murbach. XVIIᵉ
siècle. Français.
Peintre.
Il peignit des fresques dans l'abbatiale de Murbach.

THURNEYSEN Johann Jakob, l'Ancien. Voir **THOUR-
NEYSER**

THURNEYSEN Johann Jakob, le Jeune
Né le 9 décembre 1668 à Lyon. Mort le 28 février 1730 à Bâle.
XVIIᵉ-XVIIIᵉ siècles. Suisse.
Graveur au burin.
Fils et élève de Johann Jacob Thourneyser. Il séjourna à Rome et
se fixa à Bâle en 1711.

THURNEYSEN Lienhard. Voir **DURNYSEN**

THURNEYSER Johann Jakob, l'Ancien. Voir **THOUR-
NEYSER**

THURNEYSSEN Henri Théodore Alexandre
Né à Paris. Mort en 1899. XIXᵉ siècle. Français.
Peintre de paysages.
Il débuta au Salon des Artistes Français de 1876, dont il devint
sociétaire.

THURNFELD. Voir **TOORENVLIET**

THURNHERR Ferdinand
Né le 13 septembre 1875 à Interlaken. XXᵉ siècle. Suisse.
Peintre, copiste.
Actif à Munich, il fut surtout copiste.

THURNIER Peter ou **Thurner** ou **Turner**
XVIIᵉ siècle. Actif dans la seconde moitié du XVIIᵉ siècle. Autri-
chien.
Sculpteur.
Il travailla aux maîtres-autels des églises de Garsten et de Steyr
en 1688.

THUROCZY VON KÖRÖSKENY Nandor ou **Ferdinand**
Né en 1849 à Nyitra. XIXᵉ siècle. Hongrois.
Peintre de paysages et de natures mortes.

THUROT Blanche Lucie, née **Hoguer**. Voir **HOGUER Lucie**

THUROTTE Georges
Né le 18 juin 1905 à Valenciennes (Nord). xxᵉ siècle. Français.
Sculpteur, médailleur.
Il fut élève des académies de Valenciennes, puis de l'École des Beaux-Arts de Paris. Il exposait à Paris, au Salon des Artistes Français jusqu'en 1941, puis au Salon d'Automne et dans divers groupements, obtenant des distinctions.
Il a produit de nombreuses médailles pour la Monnaie de Paris, ainsi que pour les départements et Conseils régionaux. Il a réalisé des sculptures monumentales dans des établissements d'enseignement, dans les Hauts-de-Seine, l'Oise, l'Aisne, la Normandie, une fontaine décorative à Clamart, la statue consacrée aux marins sur la digue de Fécamp, le mémorial aux morts de la déportation à Laon, la statue de Napoléon sur le plateau de Craonne.

THÜRR Philipp
xvIIᵉ siècle. Allemand.
Sculpteur sur bois.
Il a sculpté divers ornements du maître-autel et les statues de *Saint Corbinien* et *Saint Sigismond* dans la cathédrale de Freising, vers 1622.

THURSTON G.
xIXᵉ siècle. Actif à Londres de 1818 à 1831. Britannique.
Peintre.

THURSTON J. C.
xIXᵉ siècle. Travaillant à Londres de 1818 à 1827. Britannique.
Peintre de genre et portraitiste.

THURSTON John
Né en 1774 à Scarborough. Mort en 1822 à Londres. xvIIIᵉ-xIXᵉ siècles. Britannique.
Aquarelliste et dessinateur.
Connu surtout pour ses illustrations de livres, notamment un *Shakespeare* publié en 1814. On lui doit aussi des aquarelles. Le Musée de Nottingham conserve de lui *Hector et Andromaque* et *Les Naïades*. Les Cabinets d'estampes du Musée Britannique et du Musée de Nottingham possèdent des dessins de cet artiste.

THURSZ Frederic Matys
xxᵉ siècle. Américain.
Peintre. Minimaliste.
Il peint depuis les années soixante. Il montre ses œuvres dans des expositions personnelles, dont, en 1991 à Paris, galerie Daniel Lelong.
À son exposition parisienne de 1991, il présentait des peintures monochromes, dans des tons très désaturés et sombres, disposées par trois, donc en tryptiques, énième avatar des monochromes minimalistes, ce qu'il récuse en raison du travail de superpositions multiples des couches de couleur sur le support, et, plus lointainement, des peintures de champ de Rothko.

THURWANGER Joséphine Félicité, née **Chaslenier**
Née à Paris. xIXᵉ siècle. Française.
Portraitiste.
Élève de E. Delacroix. Elle débuta au Salon de Paris en 1850.

THURWANGER Marguerite. Voir **NÉE Marguerite**

THURY
xvIIᵉ siècle. Actif à Tremont (près Angers) vers 1640. Français.
Peintre de sujets religieux.
On cite de lui dans l'église de Tremont un *Sacrifice d'Abraham* et *Jésus chez Marthe et Marie*.

THURY Jean de ou **Thory** ou **Thoiry**
xIVᵉ-xVᵉ siècles. Actif à Paris. Français.
Sculpteur.
Il travailla pour la cathédrale d'Arras en 1365, puis à Rouen. Il se fixa à Paris en 1391 et fut chargé d'exécuter le tombeau de Louis d'Orléans dans l'église des Célestins.

THURY Pierre de ou **Thory** ou **Tury**
Peut-être originaire de l'Artois. xVᵉ siècle. Travaillant à Paris de 1413 à 1429. Français.
Sculpteur.
Il a sculpté des gisants pour le tombeau de Charles VI et d'Isabelle de Bavière à la basilique de Saint-Denis.

THUSO SEAGE Lucas
Né en 1956 à Newclare (Johannesburg). xxᵉ siècle. Sud-Africain.
Artiste.
Il a participé en 1994 à l'exposition *Un Art contemporain d'Afrique du Sud* à la galerie de l'esplanade, à la Défense à Paris.

THUSSIN Johannes ou **Dusin** ou **Dusini**
Né vers 1666. Mort le 10 octobre 1721 à Helsen. xvIIᵉ-xvIIIᵉ siècles. Allemand.
Peintre.

THUST
xIXᵉ siècle. Actif à Gnadenfrei dans la seconde moitié du xIXᵉ siècle. Allemand.
Sculpteur.

THUTMOSIS. Voir **THOUTMOSIS**

THUYS Gilles ou **Aegidius**
xvIᵉ siècle. Travaillant à Louvain de 1507 à 1508. Éc. flamande.
Peintre.

THUYS J.
xvIIᵉ siècle. Hollandais.
Dessinateur d'ornements.
Il publia six modèles de dessins de boîtes pour émailleurs.

THWAITES Frances
Née vers 1920. xxᵉ siècle. Britannique.
Peintre et peintre de cartons de vitraux.
Elle vécut en Inde jusqu'à l'âge de douze ans. Vivant en Écosse, elle fait de fréquents voyages à Londres et Paris. Elle étudia la technique du vitrail au Collège d'Art d'Édimbourg. Elle étudia aussi la sculpture, en 1946-1947. En 1965, elle voyagea à San Francisco, Tahiti, en Australie. Elle séjourna en Californie, en 1967-1968. Elle a surtout exposé à Édimbourg depuis 1950. On a également vu une exposition personnelle de ses œuvres à Paris, en 1969.
Entre figuration et abstraction, ses évocations brumeuses bien qu'assez géométriques, ne manquent pas de poésie, comme s'il s'agissait d'un monde d'oiseaux et de voiliers lointains, vus dans le brouillard à travers les roseaux.
BIBLIOGR. : Conrad Wilson : Catalogue de l'exposition *Frances Thwaites*, Gal. Lambert, Paris, 1969.

THWENGER. Voir **TWENGER**

THWENHUSEN Helmich von. Voir **TWENHUSEN**

THYBAUT Wilhelm. Voir **THIBAUT Willem Willemsz**

THYG Heinrich
xvIᵉ siècle. Actif à Zurich dans la première moitié du xvIᵉ siècle. Suisse.
Peintre verrier.
Il exécuta les vitraux des églises de Höngg près de Zurich et de Hedingen.

THYGESEN Rudolf
Né le 19 février 1880 à Oslo. Mort en 1953. xxᵉ siècle. Norvégien.
Peintre de figures.
Élève de P.H. Kristian Zahrtmann à Copenhague. Il continua ses études à Munich.
MUSÉES : OSLO (Gal. Nat.) : *Le jardin – Sur le mur de pierres – Gerda – Soleil et été – Soirée d'automne –* TRONDHEIM : *Jeune fille malade – Mère et enfant – Cerisier en fleurs.*
VENTES PUBLIQUES : LONDRES, 27-28 mars 1990 : *Femme nue assise avec un verre et une cigarette* 1914, h/t (110,5x119) : GBP 10 450.

THYLMANN Karl
Né le 11 avril 1888 à Darmstadt. Mort le 29 août 1916 à Gross-Auheim. xxᵉ siècle. Allemand.
Peintre, graveur, illustrateur et poète.
Il n'eut aucun maître. Il grava d'abord des illustrations de livres et s'adonna ensuite à l'art religieux.

THYLSTRUP Georg Christian Peter
Né le 31 juillet 1884 à Roskilde. Mort le 21 février 1930 à Copenhague. xxᵉ siècle. Danois.
Sculpteur, céramiste et orfèvre.
Il travailla à la Manufacture de porcelaine de Copenhague.
MUSÉES : CLEVELAND – COPENHAGUE – GÖTEBORG – LOS ANGELES – NEW YORK – SÈVRES (Mus. Nat. de la Manufacture) – STOCKHOLM.

THYLSTRUP Oscar ou **Frederik Oscar Leopold**
Né le 15 mai 1848 à Copenhague. xIXᵉ siècle. Danois.
Sculpteur.

Élève de Herman Vilhelm Bissen et de l'Académie de Copenhague. Il exposa en 1881 des statuettes de genre.

THYM. Voir aussi **THIEM**

THYM Leonhard
XVIIe siècle. Travaillant à Francfort-sur-le-Main de 1627 à 1632. Allemand.
Peintre, illustrateur.
Il fut aussi connu comme peintre de messages.

THYM Moses. Voir **THIM**

THYM Veit. Voir **THIEM**

THYMANN Maria Christine
Née le 10 avril 1867 à Copenhague. Morte le 4 septembre 1928 à Copenhague. XIXe-XXe siècles. Danoise.
Peintre de genre, figures, paysages.
Élève de l'Académie de Copenhague, d'E. (Émilie ?) Mundt et de M. (Marie ?) Luplau. Elle a exécuté des peintures pour l'église Saint-Elie de Copenhague.

THYMANS Jan
XVIIe siècle. Travaillant à Haarlem en 1627. Hollandais.
Peintre.

THYMILOS
Né à Athènes. IVe siècle avant J.-C (?). Antiquité grecque.
Sculpteur.
Il a sculpté *Eros* et *Dionysos* pour le temple de ce dieu à Athènes.

THYS Albert
Né le 18 mars 1894 à Kontich. XXe siècle. Belge.
Portraitiste, paysagiste et décorateur.
Élève d'Isidore Opsomer à l'Académie des Beaux-Arts d'Anvers.
BIBLIOGR. : In : *Dict. biogr. illustré des artistes en Belgique depuis 1830*, Arto, Bruxelles, 1987.

THYS Augustin ou **Tyssens**
XVIIe siècle. Actif à Anvers. Éc. flamande.
Peintre.
On cite deux Thys de ce prénom, peintres, maîtres dans la corporation d'Anvers. Une tradition faisait de l'un d'eux un fils de Pieter Thys, ayant imité Berghem. Mais les enfants de Pieter sont tous connus et aucun ne porte le prénom d'Augustin.
VENTES PUBLIQUES : LONDRES, 11 fév. 1911 : *Paysage avec paysans et animaux*, signé Tyssens : **GBP 11**.

THYS Babette
XIXe siècle. Actif vers 1820. Belge.
Peintre.
Peut-être sœur de Jean Fr. Thys.

THYS Gaston
Né le 17 décembre 1863 à Lille (Nord). Mort le 7 août 1893 à Rome. XIXe siècle. Français.
Peintre d'histoire, figures.
MUSÉES : LILLE : *Triomphe de Phœbus – Triomphe de Phœbus*, grisaille, esquisse – *Jeune Romaine*.
VENTES PUBLIQUES : LONDRES, 18 mars 1983 : *Baigneuse 1891*, h/t (226,7x87,7) : **GBP 3 500**.

THYS Gysbrecht ou **Tys**
Né vers 1616 à Anvers. Mort en 1684 à Anvers. XVIIe siècle. Éc. flamande.
Peintre de portraits, de paysages et de figures.
Élève de J. V. den Bemden en 1629. Certains biographes le disent également élève d'Adrian Honneman. Maître en 1636, Gysbrecht Thys fut un excellent portraitiste et ses œuvres furent parfois attribuées à Ant. Van Dyck. On lui doit aussi d'intéressants paysages animés, dans la manière de Poelembourg. Malgré son indiscutable talent, il mourut dans la misère. Le Musée de Douai conserve de lui : *Portrait de l'organiste Henri Liberti*.
VENTES PUBLIQUES : PARIS, 1840 : *Portrait* : **FRF 200**.

THYS Henri
XVIe siècle. Actif à Malines. Éc. flamande.
Peintre.
Il s'enfuit en 1585, lors de la prise de Malines par les Espagnols.

THYS Jean-François
Né le 15 ou 28 septembre 1780 à Bruxelles. Mort le 16 février 1866 à Bruxelles. XIXe siècle. Belge.
Peintre d'histoire, scènes de genre, portraits.
Il fut élève de son père Pierre Joseph Thys, puis d'Antoine Alexandre Cardon à l'École des Beaux-Arts de Bruxelles. Il séjourna plusieurs fois en Italie et à Paris.

Il exécuta des peintures dans le Palais du comte Louis d'Arenberg, où il était à son service. Il s'inspirait des anciens Hollandais dans des petits formats très détaillés.
BIBLIOGR. : In : *Dict. biogr. illustré des artistes en Belgique depuis 1830*, Arto, Bruxelles, 1987.

THYS Joseph
Né le 4 décembre 1891 à Liège. Mort en 1970 à Ixelles. XXe siècle. Belge.
Peintre de genre, figures, sculpteur de bustes, décorateur et illustrateur.
Il exposa à Bruxelles en 1928. Il sculpta des portraits en bustes et des figures.
BIBLIOGR. : In : *Dict. biogr. illustré des artistes en Belgique depuis 1830*, Arto, Bruxelles, 1987.

THYS Ludo
Né en 1951 à Hasselt. XXe siècle. Belge.
Céramiste.
Il fut élève de l'Académie des Beaux-Arts de Hasselt. Il a obtenu distinctions et Prix.
Il crée des décorations murales à motifs géométriques.
BIBLIOGR. : In : *Dict. biogr. illustré des artistes en Belgique depuis 1830*, Arto, Bruxelles, 1987.

THYS Peter ou **Pieter Pauwel**
Baptisé le 14 mai 1652 à Anvers. Mort le 27 mars 1679 à Anvers. XVIIe siècle. Éc. flamande.
Peintre.
Fils de Pieter Thys, il fut maître en 1677.

THYS Peter ou **Thyssens** ou **Tijs**
XVIIIe siècle. Éc. flamande.
Peintre de sujets religieux.
Moine de l'ordre des Dominicains. On ne possède aucun renseignement sur cet artiste.
MUSÉES : ANVERS : *Descente de Croix*.

THYS Pierre Joseph
Né en 1749 à Lierre. Mort en 1823, ou 1825 à Bruxelles. XVIIIe-XIXe siècles. Éc. flamande.
Peintre de genre, natures mortes, fleurs, restaurateur.
Élève de l'Académie d'Anvers et de Kœck, peintre de fleurs. Il travailla aussi avec Van Spaendonck et l'accompagna à Paris. Plus tard, il se fixa à Bruxelles et exécuta, notamment de nombreux travaux au château de Laeken, aujourd'hui disparus. Il s'occupa aussi de restauration de tableaux.
BIBLIOGR. : In : *Dict. biogr. illustré des artistes en Belgique depuis 1830*, Arto, Bruxelles, 1987.

THYS Pieter ou **Tys, Tysen, Tyssens**
Né en 1624 à Anvers. Mort en 1677 à Anvers. XVIIe siècle. Éc. flamande.
Peintre d'histoire, compositions religieuses, portraits.
Élève de Artus Deurweeders en 1636, il fut maître à Anvers en 1645. Il épousa en 1648 Constantia Van der Beken, devint doyen de la gilde en 1660-1661 et fut appelé en Hollande par le stathouder Guillaume II. L'empereur Léopold Ier le nomma peintre de sa cour. En 1670, il épousa Anna Buyrdezom.
Parmi ses compositions religieuses, citons celles de Saint-Jacques d'Anvers, Saint-Pierre de Louvain, Notre-Dame de Termonde et de l'église d'Arc-et-Senans. Réputé pour ses portraits, la ville d'Anvers lui commanda un portrait de *Charles II d'Angleterre*, qui lui fut donné en 1672. Il imita Van Dyck pour le portrait et Gaspard de Crayer dans ses tableaux religieux.

Peercy tRys. Fecit

BIBLIOGR. : In : *Diction. de la peinture flamande et hollandaise*, coll. Essentiels, Larousse, Paris, 1989.
MUSÉES : ANVERS : *Houry Van Halmale – Maximin Gerardi – La Portioncule – Apparition de la Vierge à saint Guillaume – Le Christ apparaissant à saint Jean de la Croix* – BÂLE : *Lamentation sur le corps du Christ* – BRUXELLES : *Portrait de femme – Saint Benoît martyr – F. Dïericx, abbé de Saint-Sauveur* – GAND : *Saint Sébastien et l'ange – Tentation de saint Antoine* – MUNICH (Alte Pina.) : *David Téniers le Jeune* – STOCKHOLM : *Achille reconnu à la cour de Lycamède* – TERMONDE : *Tableau votif pour la préservation de la peste – Martyre de sainte Catherine* – VIENNE (Kunst. Mus.) : *L'archiduc Léopold Guillaume*.
VENTES PUBLIQUES : PARIS, 19 sep. 1892 : *Au corps de garde* : **FRF 460** – PARIS, 13-14 déc. 1926 : *Portrait d'homme en cuirasse :*

FRF 5 000 – Londres, 3 juil. 1991 : *Saint Jérôme*, h/t/cart. (161x144) : **GBP 8 800** – Londres, 6 juil. 1994 : *Portrait d'un gentilhomme*, h/t (124x90) : **GBP 13 225**.

THYS Pieter
XVIIᵉ siècle. Éc. flamande.
Peintre.
Il fut maître à Anvers en 1689.

THYS S. F.
XIXᵉ siècle. Active à Bruxelles, dans la première moitié du XIXᵉ siècle. Belge.
Peintre de genre.
Elle exposa à Haarlem en 1825.

THYSANDROS
Antiquité grecque.
Sculpteur.
Il travailla pour le temple d'Esculape à Épidaure.

THYSEBAERT August N. P. de, baron
XVIIIᵉ siècle. Actif à la fin du XVIIIᵉ siècle. Hollandais.
Graveur amateur.
Il grava des portraits et des paysages, réalisant surtout des eaux-fortes.

THYSEBAERT Émile
Né le 4 juin 1873 à Gand. Mort en 1963 à Anderlecht. XIXᵉ-XXᵉ siècles. Belge.
Peintre de compositions religieuses, scènes animées, portraits, paysages, animalier, pastelliste, sculpteur, graveur. Réaliste.
Élève de Louis Tytgat à l'Académie des Beaux-Arts de Gand, de Juliaan De Vriendt à l'Institut supérieur d'Anvers. Ayant obtenu le Prix de Rome, il fit le voyage traditionnel d'Italie. Il vécut d'abord assez difficilement, du métier de coiffeur appris de son père et de quelques ventes de copies. Après la guerre de 1914-1918, il fit un voyage en Espagne. En 1995, la galerie Abac de Bruxelles a organisé une exposition rétrospective de son œuvre, avec des peintures, dessins, gravures.
Il dessinait aussi des caricatures, pratiqua la sculpture et la décoration murale. Il peignit et grava, sur bois et à l'eau-forte, des scènes de la vie populaire, des rues de Bruxelles, avec les ouvriers allant au travail sur les chantiers, les misérables sans toit, les voitures de livraison tirées par des chevaux eux aussi fourbus, mais aussi les bals populaires. D'ailleurs, après son voyage en Espagne, qui changea radicalement la lumière et la couleur de sa peinture, il traita des thèmes plus heureux, paysages marins et portuaires, scènes de marché, l'agitation d'une vie quotidienne plus sereine. On a pu dire qu'il fut un témoin de son temps. ■ J. B.

E. Thysebaert

Bibliogr. : In : *Dict. biogr. illustré des artistes en Belgique depuis 1830*, Arto, Bruxelles, 1987.
Musées : Pau – Saint-Josse-Ten-Noode (Mus. Charlier).
Ventes Publiques : Anvers, 8 avr. 1976 : *Le maréchal-ferrant 1903*, h/t (98x130) : **BEF 20 000** – Anvers, 22 avr. 1980 : *Scène d'auberge*, h/t (100x130) : **BEF 65 000** – Paris, 19 oct. 1987 : *Jeunes enfants conduisant un cheval*, h/t (120x148) : **FRF 45 500** – Lokeren, 9 oct. 1993 : *Mère et enfant 1927*, gche et past. (115,5x79) : **BEF 48 000** – Lokeren, 7 oct. 1995 : *Promenade*, h/t (65x71) : **BEF 75 000**.

THYSEBAERT François ou Franz Van, baron
XVIIIᵉ siècle. Hollandais.
Peintre-aquarelliste, aquafortiste et collectionneur.
Il était actif vers 1793.

THYSEBAERT Louis
Né le 10 avril 1879 à Gand. Mort en 1962. XXᵉ siècle. Belge.
Peintre d'intérieurs, paysages, marines, fleurs.
Bibliogr. : In : *Dict. biogr. illustré des artistes en Belgique depuis 1830*, Arto, Bruxelles, 1987.
Ventes Publiques : Bruxelles, 27 mars 1990 : *Voiliers*, h/t (65x80) : **BEF 38 000**.

THYSEN C. J.
Né le 28 août 1867 à Rotterdam. XIXᵉ-XXᵉ siècles. Hollandais.
Peintre de genre et portraitiste.
Élève de l'Académie de Rotterdam ; il continua ses études à Paris et à Munich.

THYSSENS. Voir THYS
TIAN Honorine. Voir MALO-RENAULT Nori
TIANI G. B.
XVIIᵉ siècle. Actif à Gemona. Italien.
Peintre.
TIAO KOUANG-YIN. Voir DIAO GUANGYIN
TIAO KUANG-YIN. Voir DIAO GUANGYIN
TIARINI Alessandro
Né le 20 mars 1577 à Bologne. Mort le 8 février 1668 à Bologne. XVIIᵉ siècle. Italien.
Peintre de compositions religieuses, dessinateur.
Il est le père d'Antonio et de Francesco Tiarini. Élève de Prospero Fontana puis de Bartolommeo Ceci ; il dut se réfugier à Florence à la suite d'une querelle et entra dans l'atelier de Domenico Cresti. Cependant la renommée de Ludovico Carracci l'incita à revenir à Bologne pour se placer sous la direction de ce maître. Tiarini acquit bientôt une situation importante.
Il fut chargé de travaux dans les édifices publics de la ville de Bologne.
Musées : Bologne (Pina.) : *Saint évêque dans la gloire – Pietà – Extase de sainte Catherine – Saint Georges – Saint Laurent – Madone avec l'Enfant, deux fois – Fiançailles de sainte Catherine – Madone avec l'Enfant et donateur – La Vierge apparaît à saint Simon Stock – Ecce Homo – Saint Jean fait des reproches à Hérode* – Bologne (Mus. mun.) : *Annonciation* – Bordeaux : *Vision de la Vierge* – Cherbourg : *Saint Jean l'Évangéliste* – Dresde : *Médor écrit le nom d'Angélique sur le rebord d'une fontaine* – Faenza : *Madone, l'Enfant et quatre saints – Dieu le père entouré d'anges – Conversion de saint Paul* – Florence (Gal. roy.) : *L'artiste – La Vierge enveloppe son Enfant dans un lange que lui tend un ange* – Florence (Palais Pitti) : *Adam et Ève pleurant Abel – Lille : Renaud et Armide* – Milan (Brera) : *Décollation de saint Jean-Baptiste* – Modène : *Madone, l'Enfant et sainte Catherine – Élévation de la Croix – Fiançailles de sainte Catherine* – Paris (Mus. du Louvre) : *Repentir de saint Joseph* – Parme : *Mise au tombeau – Sainte Madeleine* – Pesaro : *Rébecca et Eliézer* – Ravenna : *Saint Jean l'Évangéliste* – Reggio Emilia : *La Vierge et l'Enfant – Miracle de saint Jean* – Rome (Borghèse) : *Renaud et Armide – Descente de Croix* – Rome (Doria Pamphily) : *Saint Pierre et Simon – Le serment de Sémiramis* – Saint-Pétersbourg (Mus. de l'Ermitage) : *Sainte Famille, saint François, saint Michel* – Vienne : *Christ portant sa Croix*.
Ventes Publiques : Paris, 1776 : *Saint Benoît reçoit le pain et le vin des habitants de la contrée*, dess. au blanc mis au pinceau : **FRF 100** – Paris, 1809 : *La Vierge et l'Enfant, avec saints et saintes* : **FRF 1 300** – Paris, 1865 : *Le reniement de saint Pierre* : **FRF 500** – Paris, 9 mars 1929 : *La résurrection de Lazare*, dess. : **FRF 110** – Londres, 28 nov. 1945 : *Personnage s'agenouillant devant le pape*, h/t : **GBP 38** – Vienne, 2 juin 1964 : *Mise au tombeau* : **ATS 40 000** – Milan, 16 mai 1974 : *La Sainte Famille* : **ITL 2 800 000** – Rome, 18 déc. 1981 : *La Mise au tombeau*, h/t (165x207) : **ITL 34 000 000** – Milan, 20 mai 1982 : *La Vierge et l'Enfant avec saint Georges et saint Dominique*, h/t (78x103) : **ITL 15 000 000** – Londres, 12 déc. 1985 : *Saint Roch avec la Vierge et l'Enfant et Dieu le Père au-dessus de la ville de Bologne*, craie noire, pl. et lav. reh. de blanc (37,7x26,5) : **GBP 1 600** – Paris, 29 juin 1987 : *Tête d'homme de face*, cr. noir et sanguine (10,3x8) : **FRF 9 500** – Londres, 20 juil. 1990 : *La Sainte Famille avec saint Jean Baptiste enfant, saint François et saint Michel*, h/t (84,4x73) : **GBP 5 750** – Monaco, 2 juil. 1993 : *Un apôtre de profil gauche tenant un bâton et un livre*, craie noire et blanche/pap. bleu-vert (23,2x12,5) : **FRF 16 650** – Londres, 9 juil. 1993 : *Repos pendant la fuite en Égypte*, h/pan. (39,7x55) : **GBP 5 750** – Londres, 9 déc. 1994 : *La Sainte Famille avec sainte Thérèse d'Avila*, h/t (171x123,2) : **GBP 23 000**.

TIARINI Antonio
Né en 1625 à Bologne. Mort le 1ᵉʳ février 1703 à Bologne. XVIIᵉ siècle. Italien.
Peintre et graveur au burin.
Fils et élève d'Alessandro Tiarini. Il exécuta des sujets religieux.

TIARINI Francesco
XVIIᵉ siècle. Travaillant vers 1654. Italien.
Peintre.
Fils d'Alessandro Tiarini.

TIBALDI. Voir aussi TEBALDI
TIBALDI Andrea, ou Andrea Pellegrini
XVIᵉ-XVIIᵉ siècles. Actif à Milan. Italien.

Peintre.

Il exécuta des fresques et un plafond dans l'église Notre-Dame-du-Paradis de Milan.

TIBALDI Clementina. Voir SUBLEYRAS-TIBALDI

TIBALDI Domenico ou Domenico Pellegrini ou Dominicus Tebaldus de Peregrinis
Né le 18 avril 1541 à Bologne. Mort en 1583. XVIᵉ siècle. Italien.

Peintre, graveur.

Frère cadet de Pellegrino Tibaldi. Il fit ses études à Bologne et travailla la gravure avec Agostino Carracci. On croit même qu'il collabora avec ce maître. On estime que beaucoup de bonnes planches anonymes de son époque peuvent être attribuées à Tibaldi et qu'il fit de la peinture, mais jouit surtout d'une grande réputation comme architecte et comme graveur.

Ventes Publiques : Londres, 28 juin 1979 : *Minerve et Télémaque*, pl., forme ovale (21,6x14,6) : GBP 1 000 – Londres, 26 juin 1985 : *Le repos pendant la fuite en Egypte*, grav./cuivre/pap. filigrané : GBP 4 000.

TIBALDI Giovanni
XVIIIᵉ siècle. Travaillant à Rome au début du XVIIIᵉ siècle. Italien.

Peintre.

TIBALDI Isabella
Née au XVIIIᵉ siècle à Rome. XVIIIᵉ siècle. Italienne.

Peintre d'histoire et de portraits, miniaturiste et pastelliste.

Sœur de Teresa et de Maria Felice Tibaldi.

TIBALDI Maria Felice. Voir SUBLEYRAS-TIBALDI

TIBALDI Pellegrino, dit Pellegrino Pellegrini ou Pellegrino da Bologna ou Peregrinus de Peregrinis
Né en 1527 à Puria (Valsolda). Mort le 27 mai 1596 à Milan (Lombardie). XVIᵉ siècle. Italien.

Peintre de compositions mythologiques, sujets religieux, portraits, architectures, fresquiste, dessinateur.

Il fut élève de Bagnacavallo. Il s'établit à Rome et acquit rapidement une grande réputation comme peintre et comme architecte. En 1586, Tibaldi se rendit en Espagne où l'appelait Philippe II. Il travaillait à Valladolid vers 1587. Il revint à Milan fort riche.

À Rome, le cardinal Poggi l'employa dans de nombreux travaux, notamment dans les fresques de sa Vigna près de la Porta del Popolo et pour l'achèvement de son palais, à Bologne, aujourd'hui le Palazzo dell' Instituto, et qui est considéré comme son chef-d'œuvre en architecture. Il en fit aussi la décoration. Il travailla à l'Escurial de Madrid et l'on cite comme un de ses meilleurs ouvrages le plafond de la bibliothèque. De cet artiste très admiré par les Carrache, Mariette écrivait : « Cet habile homme en cherchant à imiter Michel-Ange a su en tempérer la manière en y mêlant la souplesse et les grâces de l'école de Lombardie ».

Musées : Berlin (Mus. Kaiser Friedrich) : *Adoration des bergers* – Bologne (Pina.) : *Les Pierides* – Bordeaux : *Neptune sur son char* – Boston : *Vénus Anadyomène* – Cento (Mus. mun.) : *Adoration de l'Enfant* – Dresde : *Apparition d'un ange à saint Jérôme* – Florence : *Autoportrait* – Milan (Brera) : *Saül et David* – Décollation de saint Jean Baptiste – Moscou (Roumianzeff) : *La nativité de Jean Predtchetchy ?* – Naples (Mus. Nat.) : *Lucrèce* – Parme : *Madone – Sainte Catherine* – Rome (Borghèse) : *Les bergers à la recherche du Messie* – Saint-Pétersbourg (Mus. de l'Ermitage) : *Adoration de l'Enfant* – Urbino (Gal. Nat.) : *Visitation* – Vienne (Gal. Liechtenstein) : *Adoration des bergers*.

Ventes Publiques : Londres, 21 fév. 1910 : *L'Annonciation et la Sainte famille* : GBP 42 – Paris, 9 fév. 1924 : *Mars et Vénus*, pl. et lav. : FRF 190 – Vienne, 14 nov. 1950 : *Le repos pendant la fuite en Egypte* : ATS 5 500 – Paris, 25 mars 1965 : *La Sainte Famille* : FRF 15 000 – Brest, 27 oct 1979 : *La Sainte Famille*, h/pan. (60x73) : FRF 85 000 – Paris, 26 mars 1984 : *La Géographie*, pl. et lav. de bistre (19x9,5) : FRF 11 000 – Londres, 3 juil. 1989 : *La visitation*, encre et lav. sur craie noire avec reh. de blanc (48,3x28,1) : GBP 24 200 – Paris, 5 déc. 1990 : *Hercule domptant le lion de Nemée*, h/pan. (48x37) : FRF 50 000 – Londres, 5 juil. 1991 : *La Sainte Famille avec Sainte Catherine*, h/pan. (91,6x74,4) : GBP 24 200 – New York, 14 jan. 1992 : *Étude pour le personnage*

d'Éole, sanguine (29,4x18,2) : USD 27 500 – Londres, 18 avr. 1994 : *Projet de décoration murale*, encre et lav. (31,3x23,6) : GBP 11 500 – Monaco, 20 juin 1994 : *Saint Michel terrassant le mal sous le regard de Dieu le Père dans les cieux*, craie noire, encre et lav. (16,3x19,8) : FRF 310 800.

TIBALDI Teresa
Née à Rome. XVIIIᵉ siècle. Italienne.

Peintre d'histoire, de portraits, miniaturiste et pastelliste.

Sœur de Maria Felice et de Isabella Tibaldi.

TIBALDO Marco Antonio
XVIIᵉ siècle. Travaillant de 1688 à 1694. Italien.

Sculpteur sur bois.

Il peignit deux tableaux d'autel pour l'église de Jésus de Naples.

TIBAULT. Voir THIBAUT

TIBBAUT Marie-Anne
Née en 1869 à Gand. Morte en 1935. XIXᵉ-XXᵉ siècles. Belge.

Peintre de genre, paysages, fleurs, aquarelliste, décorateur.

Elle crée à l'aquarelle des décors pour la faïence et la porcelaine de la Manufacture de Sèvres.

Bibliogr. : In : *Dict. biogr. illustré des artistes en Belgique depuis 1830*, Arto, Bruxelles, 1987.

TIBBLE Geoffrey
Né en 1909. Mort en 1952. XXᵉ siècle. Britannique.

Peintre de genre, figures.

Ventes Publiques : New York, 9 oct. 1976 : *Le collectionneur* 1949, h/t (49,5x59,5) : USD 900 – Londres, 4 nov. 1983 : *Trois femmes*, h/t (76,2x63,5) : GBP 1 050 – Londres, 9 juin 1989 : *Nativité*, h/t (55,9x66,1) : GBP 1 210 – Londres, 9 mars 1990 : *Femme à la fleur* 1947, h/t (60,3x49,4) : GBP 7 150 – Londres, 27 sep. 1991 : *Trois femmes* 1946, h/t (76x63,5) : GBP 3 740 – Londres, 7 nov. 1991 : *L'orchestre* 1949, h/t (63,5x76) : GBP 4 400.

TIBELY Karoly ou Karl
XIXᵉ siècle. Hongrois.

Peintre de paysages.

Il a travaillé en Hongrie et à Hermannstadt (Sibiu, Roumanie) de 1844 à 1863.

TIBERGEAU René
XVIᵉ siècle. Actif à Blois en 1558. Français.

Miniaturiste.

Il fut au service de Catherine de Médicis.

TIBERGHIEN Pierre Joseph Jacques
Né le 30 juillet 1755 à Menin. Mort le 9 décembre 1810 à Gand. XVIIIᵉ-XIXᵉ siècles. Hollandais.

Dessinateur, aquafortiste, graveur au burin, orfèvre, ciseleur et médailleur.

Élève des Académies des Beaux-Arts de Courtrai et d'Anvers. Il devint professeur et directeur de l'Académie de Gand. Il grava des illustrations de livres et des ex-libris.

Bibliogr. : In : *Dict. biogr. illustré des artistes en Belgique depuis 1830*, Arto, Bruxelles, 1987.

TIBERI Nicola de, comte ou Tiberii
Né en 1745 à Vasto. Mort en 1805. XVIIIᵉ siècle. Italien.

Peintre et graveur au burin.

Il peignit des tableaux d'autel pour l'église Saint-Pierre de Vasto. Le Musée Municipal de cette ville conserve de lui *Jacob et Rachel, L'Ouragan, Enchaînement de Tityos*.

TIBERI Pietrantonio
Né le 15 avril 1716. Mort le 30 octobre 1781. XVIIIᵉ siècle. Actif à Castelli. Italien.

Peintre sur majolique.

TIBERIO
Né au Brésil. XXᵉ siècle. Brésilien.

Peintre.

Il travaille au Brésil. Il prend pour thème constant la vie des indigènes, peignant des danses de négresses parées de robes blanches ; il a signé des portraits d'un style plus calme.

TIBERIO di Diotallevi, dit Tiberio da Assisi
Né vers 1470 (?) à Assise. Mort en 1524. XVᵉ-XVIᵉ siècles. Italien.

Peintre.

Il fut l'élève et l'imitateur de Perugino. Également influencé par Pinturicchio. On connaît mal la vie de Tiberio dont nous ignorons l'identité ; Tiberio ne fut sans doute que son surnom. On le confond souvent avec Eusebio da Assisi, autre élève présumé de Perugin et peut-être en réalité assistant de Tiberio. Tous deux paraissent originaires d'Ombrie, sinon d'Assise même. Bon dessinateur, Tiberio n'est pas un coloriste, ses fresques demeurent dans les tonalités grises, comme effacées qui confèrent d'ailleurs beaucoup de mysticité à Saint-François, le personnage que notre artiste se plut à représenter ordinairement. Peut-être fut-il moine franciscain ? Le berceau même du franciscanisme, le couvent de Santa Maria d. Angeli (la Portiuncula) conserve la majeure partie de l'œuvre de Tiberio, des fresques longtemps attribuées à Perugin. Au début du XXᵉ siècle seulement, quelques critiques, et notamment Teodor de Wyzéwa les restituèrent à leur auteur.　　　　　　　　　　　　■ E. D.

A A P.

Musées : Assise : *Madone avec l'Enfant et deux saints* – *Madone avec l'Enfant et des saints* – *Madone avec l'Enfant et chérubins* – *Madone protectrice* – *Annonciation* – *Les saints Ant. Abbas et Roch* – *Saint Roch*, deux fois – *Saint Roch avec une sainte* – *Saint Sébastien* – *Un saint évêque* – Bettona : *Sainte Famille* – *Saint Roch* – Rome (Vatican) : *Madone avec l'Enfant, saint Jérôme et saint François* – Spolete : *Madone avec l'Enfant.*

TIBERIO del fu Francesco
XVIᵉ siècle. Italien.
Sculpteur sur bois.
Artiste de Sienne, travaillant à Pise vers 1550. Il sculpta un polyptyque pour le maître-autel de la Chartreuse de Pise.

TIBERTI Alessandro
Né le 2 septembre 1872 à Taizzano, près de Narni. XIXᵉ-XXᵉ siècles. Italien.
Peintre.
Destiné à la carrière ecclésiastique, il passa huit ans de 1881 à 1889 au Séminaire de Narni, d'où il se rendit à l'Académie des Beaux-Arts à Pérouse pour étudier la peinture, grâce à la protection du marquis Giovanni Ercoli di Narni. Ses professeurs furent F. Gigliarelli, pour la géométrie et la perspective, S. Moretti pour la figure et l'ornement, Angeletti pour l'architecture et Blasi pour l'histoire. Son cours académique dura quatre ans, pendant lesquels il remporta constamment à tous les concours le premier prix. Il prit part en 1900 au concours Alinari avec son tableau : *Beata me dicent.*

TIBESAR
XVIIIᵉ siècle. Français.
Dessinateur de décors.
Il était actif à Paris dans la seconde moitié du XVIIIᵉ siècle. Il dessina des arabesques décoratives.

TIBESAR Pierre
Né le 21 janvier 1877 à Weyler (Autelbas). Mort le 30 novembre 1930 à Arlon. XXᵉ siècle. Luxembourgeois.
Peintre de sujets religieux, figures, portraits, paysages, aquarelliste, décorateur, copiste.
Il fut élève, avec Édouard Masson, de l'Académie des Beaux-Arts de Liège. Il fit des voyages d'étude en Palestine, Italie, Grèce et à Paris. Il s'établit à Arlon vers 1912. Il n'exposa jamais que chez lui. Il a décoré l'intérieur du château du baron de Gerlache de Gomery et donné un Chemin de Croix à l'église de Weyler.

TIBOR Ernö ou Ernst
Né le 28 février 1885 à Nagyvarad. XXᵉ siècle. Hongrois.
Peintre de figures et de paysages.

TIBOR Joseph
Né le 12 juillet 1877 à Klein-Konarzin. Mort le 29 juin 1922 à Altona. XXᵉ siècle. Allemand.
Peintre de portraits, sculpteur.
Élève de l'Académie de Berlin. Il peignit surtout des enfants. Il sculpta des Monuments aux Morts et des bustes.
Musées : Hambourg (Kunsthalle) : *Portrait d'un homme âgé.*

TIBOUCHI Hamid
Né en 1951 à Tibane (Algérie). XXᵉ siècle. Algérien.
Peintre. Abstrait-ornemental.
Il expose depuis 1980, d'abord en Algérie ; en 1981 à Tunis, *Quatre peintres algériens* ; depuis 1984 à Paris, Salon des Réalités Nouvelles. En 1985 à Paris, le Centre culturel algérien lui a consacré une exposition personnelle.

TIBOUT Wilhelm. Voir THIBAUT

TIBS T.
XVIIIᵉ siècle. Actif de 1727 à 1745. Britannique.

Médailleur.
Il grava des médailles commémoratives.

TIBURCE. Voir DÉVERIN Mayor Edouard

TIBURZIO di Marino. Voir SAMMINUZI

TICCIATI Girolamo ou Ticcati
Né en 1676 à Florence. Mort après 1740. XVIIIᵉ siècle. Italien.
Peintre, architecte, sculpteur, médailleur et écrivain.
Il sculpta de nombreuses statues pour les églises de Florence, des tombeaux et des bustes.

TICCIATI Pompilio
XVIIIᵉ siècle. Actif à Florence, de 1731 à 1753. Italien.
Sculpteur.
Il sculpta des statues religieuses et des bustes pour les places publiques de Florence.

TICCONALI Giuseppe
Né à Caravaggio. XVIᵉ siècle. Travaillant à Rome. Italien.
Sculpteur sur bois.
Il sculpta en 1550 les stalles de l'église S. Maria di Grottapinta, à Rome.

TICHELT Jean Baptiste Maria von
Né le 17 février 1829 à Anvers. Mort le 12 décembre 1886. XIXᵉ siècle. Belge.
Sculpteur.
Élève de l'Académie d'Anvers. Il travailla à Paris. Il a sculpté des statues pour la façade du théâtre flamand d'Anvers.

TICHIN ?
Peintre de genre.
Le Musée Roumianzeff, à Moscou, conserve de lui : *Jeune paysan.*

TICHO Anna
Née en 1894. Morte en 1980. XXᵉ siècle. Tchécoslovaque. Depuis 1912 active en Israël.
Peintre de figures, paysages, fleurs, aquarelliste, pastelliste, dessinateur.
Née en Moravie, elle fut élevée à Vienne et y fit ses études. Elle émigra en Israël en 1912 et s'établit à Jérusalem, puis à Tel-Aviv et se consacra au dessin affinant sa technique. Un musée lui est consacré à Jérusalem sous les auspices du musée d'Israël.
Avec Krakanee, Bornstein, Sima et Levanon, elle donne une interprétation moderne des paysages tourmentés de la Terre Sainte.

Musées : Jérusalem.
Ventes Publiques : Tel-Aviv, 16 mai 1983 : *Portrait d'un vieux Juif*, fus. (37,5x28,5) : ILS 68 880 – Tel-Aviv, 21 juin 1985 : *Paysage*, cr. (37x57,5) : ILS 2 500 000 – Tel-Aviv, 2 jan. 1989 : *Les Colliness de Jérusalem* 1930, sépia (37x45,5) : USD 4 620 – Tel-Aviv, 30 mai 1989 : *Portrait de femme*, aquar. et encre/pap. (33x24,5) : USD 3 850 – Tel-Aviv, 3 jan. 1990 : *Maison et arbres dans un paysage*, fus. (25,5x40,5) : USD 6 600 – Tel-Aviv, 19 juin 1990 : *Femme au foulard*, encre (55x42) : USD 3 300 – Tel-Aviv, 1ᵉʳ jan. 1991 : *Femme en buste*, fus. (67x47) : USD 1 540 – Tel-Aviv, 6 jan. 1992 : *Paysage*, past. (9,5x13) : USD 1 260 – Tel-Aviv, 14 avr. 1993 : *Fleurs*, aquar. (36x39) : USD 3 680 – Tel-Aviv, 4 oct. 1993 : *Vues de Jérusalem*, cr. (34,2x25,5) : USD 14 950 – Tel-Aviv, 25 sep. 1994 : *Paysage*, cr./pap. (84,5x62) : USD 25 300 – Tel-Aviv, 11 avr. 1996 : *Homme lisant* 1926, past. (42,7x51,7) : USD 13 800 – Tel-Aviv, 30 sep. 1996 : *Vase de fleurs*, aquar./pap. (50x40) : USD 3 450 – Tel-Aviv, 26 avr. 1997 : *Les Collines de Jérusalem*, cr./pap. (45x65) : USD 27 600.

TICHOBRASOFF Nicolaï Ivanovitch
Né en 1820. Mort en 1874. XIXᵉ siècle. Russe.
Peintre de genre, d'histoire et portraitiste.
Le Musée de l'Académie de Saint-Pétersbourg possède de lui, *Jésus chassant les marchands du temple*, le Musée Russe de cette ville, *Vieille femme* et la Galerie Tretiakov à Moscou, une *Tête d'homme.*

TICHOFF Vitali Gravilovitch
Né le 2 février 1876. Mort en 1939. XXᵉ siècle. Russe.

Peintre.

Élève de l'Académie de Saint-Pétersbourg. *Voir aussi TIKHOV.*

Musées : Saint-Pétersbourg (Gal. Nat.) : *Le bain des femmes.*

Ventes Publiques : Londres, 14 nov. 1988 : *La toilette* 1925, h/t (98x70) : **GBP 2 420.**

TICHOMIROFF Ivan Vassiliévitch

Né en 1867. XIXe siècle. Russe.

Peintre de genre.

Musées : Moscou (Gal. Tretiakov) : *Auprès d'un bûcher.*

TICHTER Michael

XVe-XVIe siècles. Actif à Vienne. Autrichien.

Sculpteur.

Il termina le monument funéraire de Frédéric III dans la cathédrale de Vienne en 1503.

TICHY Frantisek

Né le 24 mars 1896 à Prague. Mort le 7 octobre 1961 à Prague. XXe siècle. Tchécoslovaque.

Peintre, graveur, illustrateur.

Il fut élève de plusieurs professeurs de l'Académie des Beaux-Arts de Prague, à partir de 1917. Il a voyagé, notamment à Marseille en 1929, Paris en 1930. Il a été professeur à l'École des Arts Décoratifs de Prague, de 1945 à 1951. Il a exposé à plusieurs reprises, surtout à Prague. Une exposition rétrospective lui fut consacrée en 1962, à Prague toujours.

Traitant des sujets de genre contemporains : course de taureaux, prestidigitateur, joueurs de billard, il concilie expressionnisme munichois et post-cézannisme parisien. Il est considéré comme l'un des bons peintres tchécoslovaques de sa génération. Les principaux musées tchécoslovaques exposent de ses œuvres.

Bibliogr. : Catalogue de l'exposition *50 ans de peinture tchécoslovaque, 1918-1968,* Musées Tchécoslovaques, 1968.

Musées : Prague (Gal. d'Art Mod.) : neuf peintures – Prague (Mus. Nat.).

TICHY Gyula, ou Julius

Né le 28 août 1879 à Rimaszombat. Mort le 22 juin 1920 à Rimaszombat. XXe siècle. Hongrois.

Peintre, graveur, illustrateur.

Il fit ses études à Budapest. Il exécuta des illustrations de livres de contes.

TICHY Hans

Né le 27 juillet 1861 à Brunn. Mort le 18 octobre 1925 à Vienne. XIXe-XXe siècles. Autrichien.

Peintre d'histoire et de genre.

Il exposa à Munich en 1889 et à Vienne en 1896. On cite de lui : *Le soir, La Reine Marie Antoinette au Temple.*

Musées : Brunn : *Pietà* – Vienne (Acad.) : *Intérieur de forêt* – Vienne (Gal. Nat.) : *Près d'Anticoli* – *À la fontaine de l'amour* – *Paysage hollandais.*

Ventes Publiques : Londres, 18 juin 1993 : *Madame Leopoldine Masarai et sa fille dans l'atelier de l'artiste* 1896, h/t (89,5x120) : **GBP 8 050.**

TICHY Kalman, ou Koloman

Né le 31 octobre 1888 à Rozsnyo. XXe siècle. Hongrois.

Peintre, graveur.

Élève de Simon (?) Hollosy à Munich. Il grava des motifs empruntés aux contes de fée. La Galerie Nationale de Budapest conserve des œuvres de cet artiste.

TICHY Karol, ou Charles

Né le 2 février 1871 à Bursztyn. XIXe-XXe siècles. Polonais.

Peintre de portraits, paysages, décorateur.

Élève des Académies de Cracovie et de Munich, et de Léon Bonnat, à Paris. Il peignit des portraits, des paysages, des fresques et des décors, ainsi que des motifs sur verre et sur céramique. Il a envoyé un *Intérieur* à l'Exposition d'Art Polonais ouverte, en 1921, au Salon de la Nationale de Paris, dont C. Tichy était sociétaire.

Musées : Varsovie.

TICKELL, Mrs

XIXe siècle. Travaillant en 1842. Britannique.

Dessinatrice.

TICOZZI Ambrogio

XIXe siècle. Travaillant à Milan de 1831 à 1870. Italien.

Peintre d'histoire et de genre.

Il exposa à Milan de 1845 à 1870.

TICOZZI Basilio

XIXe siècle. Travaillant à Milan de 1850 à 1886. Italien.

Peintre.

Élève de l'Académie de Milan. Il peignit des scènes bibliques et un Chemin de Croix à Bruzzano dei Due Borghi.

TIDD Julius

XVIIIe siècle. Actif à Londres de 1773 à 1779. Britannique.

Paysagiste et graveur au burin.

Le Musée Britannique de Londres conserve de lui *Combat dans la forêt.*

TIDDEN John Clark

Né le 10 février 1889 à Yonkers. XXe siècle. Américain.

Peintre de portraits.

Élève de l'Académie de Philadelphie. Il était actif à Houston. Il peignit des portraits.

TIDDENS J. R.

Né le 2 février 1793 à Groningue. XIXe siècle. Hollandais.

Peintre de natures mortes.

Ventes Publiques : Rotterdam, 1891 : *Nature morte :* **FRF 375.**

TIDECKE ou Tideche. Voir **TITGE**

TIDEMAN

D'origine allemande. XVIe siècle. Vivant à Kalmar, dans la seconde moitié du XVIe siècle. Suédois.

Sculpteur sur bois.

Il a sculpté les chapiteaux de la Salle dorée du château de Kalmar.

TIDEMAN Eric

XVIIIe siècle. Actif dans la seconde moitié du XVIIIe siècle. Danois.

Peintre.

Il travailla dans l'église d'Alsen en 1762.

TIDEMAND Adolphe

Né le 14 août 1814 à Mandal. Mort le 25 août 1876 à Oslo. XIXe siècle. Norvégien.

Peintre d'histoire, sujets religieux, scènes de genre, dessinateur.

Au commencement de l'année 1840, les Écoles de Munich et de Dresde commençaient à céder la place aux nouvelles impulsions venues de Dusseldorf et le jeune art norvégien entra dans une nouvelle phase avec Tidemand. Il fit ses premières études à l'Académie des Beaux-Arts de Copenhague où il fut élève de J. L. Sund. En 1839, il se rendit à Düsseldorf et eut pour maîtres Schadow et Hildebrandt. Après avoir fait un voyage en Italie en 1841, il se rendit, en 1842, en Norvège et s'établit à Oslo. En 1845, il retourna à Düsseldorf. Il mourut en 1876, brisé par le chagrin de la mort de son fils unique.

À Düsseldorf, il a peint divers tableaux de genre : *La Conversion* et *La noce de Hardanger* et d'autres encore qu'il fit en collaboration avec le célèbre paysagiste norvégien Gude. Tidemand a réalisé aussi quelques tableaux d'autel pour des églises norvégiennes. Il allait entreprendre un grand tableau historique monumental, *Christian IV pose la pierre fondamentale de Christiania,* lorsqu'il mourut. Il est le créateur de la peinture de mœurs populaires norvégiennes et occupe une place prépondérante dans l'histoire du développement artistique norvégien. Très bon dessinateur, on connaît de lui des décompositions d'objets, des analyses de formes, en plans et volumes. Certains critiques reprochent à ses personnages de paraître figés, il faut peut-être voir là une intention parfaitement volontaire, correspondant à un souci profond de calmer l'anecdote. Décomposition des objets en plans et volumes, attitudes figées, ne retrouve-t-on pas là la même recherche que chez un Millet ou un Cézanne ?

Ad. Tidemand Df A TIDEMAND Ddrf 1837

TIDEMAND

Musées : Amsterdam : *L'enfant malade* – *Deux têtes d'études* – *Les vieillards solitaires* – *Secte religieuse* – *Emile Tidemand, frère de l'artiste* – *Service religieux dans une église de campagne* – *Les derniers sacrements* – *Les funérailles* – *Études* – Bergen : *Triste nouvelle* – *Jeune fille lisant* – *Couronne de fiançailles de la grand-mère* – *Chasseurs de faucon* – Düsseldorf : *Tableau de genre* – Göteborg : *Première rencontre* – *La parure de la mariée* – *Le mariage* – *Visite des parents* – *Le chasseur blessé* – Hambourg : *Die Hangianer, secte religieuse* – *Même sujet* – *Le chasseur de* *loups* – KALININGRAD, ancien. Königsberg : *Part du souper offerte à un vieillard dans une hutte de Norvège* – LEIPZIG : *Adieux d'émigrants norvégiens* – OSLO (Gal. Nat.) : *En route pour le mariage* – *Le vieux public* – *Retour des chasseurs à l'ours* – STOCKHOLM : *Diseuse de bonne aventure dans une chaumière* – *Les fanatiques* – TRONDHEM : *Sur le chemin de l'église* – *Coutume de Noël* – *Les remailleurs de filets*.

VENTES PUBLIQUES : BERLIN, 1898 : *La diseuse d'histoires* : FRF 1 318 – VIENNE, 13 mars 1962 : *Le repos dans la forêt* : ATS 50 000 – LONDRES, 14 juin 1967 : *La première leçon de danse* : GBP 520 – LONDRES, 21 fév. 1968 : *Les contes de grand-mère* : GBP 850 – LONDRES, 1er mars 1972 : *Les derniers sacrements* : GBP 1 600 – LONDRES, 14 févr 1979 : *La messe*, h/pan. (22x28) : GBP 1 200 – COLOGNE, 21 mai 1984 : *Chasseur dans un paysage* 1851, pl. lav. et cr. (15,5x12,5) : DEM 2 400 – STOCKHOLM, 31 oct. 1984 : *Personnages dans un intérieur* 1856, h/pan. (46x58) : SEK 320 000 – NEW YORK, 28 oct. 1987 : *Les préparatifs de la fête* 1867, h/t (71,6x63,5) : USD 110 000 – LONDRES, 16 mars 1989 : *Le convalescent* 1864, h/t (73x97,3) : GBP 132 000 – LONDRES, 29 mars 1990 : *La visite aux grands-parents* 1859, h/t (95x79) : GBP 176 000 – LONDRES, 17 mai 1991 : *La conteuse* 1844, h/t (57,2x71,1) : GBP 44 000.

TIDEMAND Nicolaj
Né le 24 août 1888 à Stavanger. XXe siècle. Norvégien.
Peintre et céramiste.
Élève de P. Rostrup-Boyensen.
MUSÉES : COPENHAGUE – FAENZA – PARIS (Mus. des Arts Décoratifs ?) – SÈVRES (Mus. Nat. de la Manufacture).

TIDEMANIS Janis, ou Johan ou Tiedeman
Né le 19 février 1897 à Windau. XXe siècle. Letton.
Peintre.
Élève de l'Académie des Beaux-Arts d'Anvers.
MUSÉES : ANVERS – IELGAVA, ancien. en all. Mitau – RIGA.

TIDEMANN Philipp ou Tideman ou Tiedeman
Né le 22 septembre 1657 à Hambourg. Mort le 9 juin 1705 à Amsterdam. XVIIe siècle. Allemand.
Peintre d'histoire et de sujets allégoriques.
Il fut élève de Nicolas Raes puis de Gérard Lairesse, et ne tarda pas à devenir l'aide de ce dernier. Tidemann exécuta sous sa direction ou d'après ses dessins plusieurs décorations dans des monuments publics ou des habitations particulières. On cite notamment celle de la famille Verscheur à Hoorn.
VENTES PUBLIQUES : AMSTERDAM, 12 nov. 1996 : *Scènes des Métamorphoses d'Ovide, livre XII*, cr., encre noire et lav. gris (35,8x21,4) : NLG 2 242.

TIDER-TOUTANT Charles Gustave
Né le 29 novembre 1861 à Saint-Jean-d'Angély (Charente). XIXe-XXe siècles. Français.
Peintre de portraits et pastelliste.
Élève de William Bouguereau et Gabriel Ferrier. Exposait au Salon des Artistes Français.

TIDEY Alfred
Né le 20 avril 1808 à Worthing. Mort le 2 avril 1892 à Acton. XIXe siècle. Britannique.
Miniaturiste et aquarelliste.
Ce peintre tient une place marquante parmi les artistes anglais du XIXe siècle et il réalise à merveille les aspirations de joliesse, la délicatesse poussée jusqu'à l'extrême qui fait le fond de l'esthétique d'une partie importante des amateurs de la Grande-Bretagne. Tidey reçut d'abord des conseils de son père, chef d'institution grand amateur d'art et qui, à l'occasion, fournissait des illustrations pour les ouvrages publiés dans la localité. Alfred Tidey alla à Londres et prit part aux expositions de la Royal Academy à partir de 1831 et jusqu'en 1857 sans interruption. Ses miniatures d'une délicatesse d'expression charmante, notamment celles des enfants lui créèrent une rapide réputation, lui assurant la clientèle de la grande société anglaise et même celle de la reine Victoria. Tidey peignit à différentes reprises les princes et princesses de la famille royale. En 1855, il épousa miss Justina Compbell et depuis cette époque vécut presque exclusivement à la campagne ou voyagea à Jersey, en Corse, en Italie, en Allemagne, se livrant au paysage à l'aquarelle et produisant un nombre considérable de croquis.
VENTES PUBLIQUES : NEW YORK, 13 fév. 1985 : *La jeune geisha* 1874, h/t (66x121,2) : USD 7 000.

TIDEY Henry
Né le 7 janvier 1814 à Worthing. Mort le 21 juillet 1872 à Londres. XIXe siècle. Britannique.

Peintre de miniatures, aquarelliste de genre et de portraits.
Frère cadet d'Alfred Tidey et, comme lui élève de son père. Il vint à Londres et en faisant des portraits pour gagner sa vie, il y compléta ses études. Henry Tidey traita surtout des sujets de l'histoire sainte et les envoya aux expositions du Royal Institute of Painters in Water-Colours, dont il devint membre à partir de 1859. Il exposa également à la Royal Academy de 1839 à 1861. Ce fut un grand travailleur.
VENTES PUBLIQUES : LONDRES, 29 juin 1925 : *Hiawatha's Wooing*, dess. : GBP 21.

TIEBEL Johann Gottlob Friedrich
Né le 20 mai 1750 à Dresde. Mort le 17 mars 1796 à Meissen. XVIIIe siècle. Allemand.
Paysagiste et peintre sur porcelaine.
Élève de l'Académie de Dresde. Il travailla à la Manufacture de porcelaine de Meissen. Le Cabinet d'Estampes de Leipzig conserve des dessins de cet artiste.
VENTES PUBLIQUES : VIENNE, 1823 : *Paysage boisé avec moutons et vaches*, gche : FRF 28,50.

TIEBERT Hermann
Né le 31 janvier 1895 à Coblence. XXe siècle. Allemand.
Peintre de figures, de paysages.
Il fut élève de l'Académie des Beaux-Arts de Karlsruhe. Il peignit souvent des paysages de différentes contrées allemandes. Peintre de figures, il s'était une spécialité de peindre les personnages typiques de l'Allemagne de l'époque (se reporter à des œuvres figurant dans les musées), ce qui lui valut d'être sélectionné pour l'exposition proposée en modèle esthétique et idéologique et qui était montrée, à Munich en 1937, en opposition à l'exposition qui regroupait les avant-gardes du début du siècle sous l'appellation d'*art dégénéré*.
MUSÉES : KARLSRUHE (Kunsthalle) : *Paysan* – *Au bord du ruisseau* – MUNICH (Gal. mun.) : *Paysan allemand* – STUTTGART (Gal. Nat.) : *Paysage de l'Allgaü* – *Le maire du village* – *Paysage souabe* – *Jeune paysanne*.

TIEBOLT Fritz. Voir DEBOLT

TIEBOUT Cornelius
Né vers 1777 à New York. Mort vers 1830 dans le Kentucky. XIXe siècle. Américain.
Graveur au burin.
Il a gravé des portraits, des vignettes et des illustrations de livres.

TIÈCHE Adolf
Né le 12 avril 1877 à Berne. Mort en 1957 à Berne. XXe siècle. Suisse.
Peintre d'architectures et de paysages, aquarelliste.
Élève de l'Académie Colarossi de Paris et de Fritz Thaulow.
MUSÉES : BERNE : douze aquarelles et soixante-quatre sanguines – GENÈVE (Mus. Rath) : *Galerie d'Apollon au Louvre* – *Vue de Berne*.
VENTES PUBLIQUES : BERNE, 27 oct. 1978 : *Vue de Berne* 1930, h/t (68x84) : CHF 2 200 – BERNE, 3 mai 1979 : *Vue de Berne en hiver* 1948, h/t (64x66) : CHF 2 100 – BERNE, 23 oct. 1980 : *Paysage d'automne*, aquar. (47x61,5) : CHF 950 – BERNE, 26 oct. 1988 : *Vieux pont à Fribourg* 1915, aquar. (55x74) : CHF 5 500.

TIECK Carl Ludwig. Voir TIECK Ludwig

TIECK Christian Friedrich
Né le 14 août 1776 à Berlin. Mort le 12 mai 1851 à Berlin. XIXe siècle. Allemand.
Sculpteur.
Élève de Botthober et de G. Schadow. Il fréquenta aussi l'atelier de David d'Angers à Paris, alla à Rome, puis se fixa à Berlin.
MUSÉES : AIX-LA-CHAPELLE : *La princesse héritière Elisabeth* – BERLIN : *Statue de l'architecte K. F. Schinkel* – *Buste en relief de Rachel Varnhagen* – MAGDEBOURG : *Buste d'Otto von Guerike* – WEIMAR (Mus. Goethe) : *Bustes de Goethe, de Knebel et du roi Frédéric Guillaume III*.

TIECK Ludwig ou Carl Louis
Né le 24 août 1789 à Potsdam. Mort le 23 février 1823 à Hambourg. XIXe siècle. Allemand.
Peintre de portraits, de paysages et d'animaux, aquafortiste et lithographe.
Le Musée Municipal de Hambourg conserve de lui *Portrait de l'artiste* et plusieurs miniatures.

TIEDEMAN Janis ou Johan. Voir TIDEMANIS

TIEDEMAN Philipp. Voir TIDEMANN

TIEDRA Diego de
XVIᵉ siècle. Actif dans la seconde moitié du XVIᵉ siècle. Espagnol.
Sculpteur.
Il a peint un *Saint Sébastien* pour l'église d'El Arahal en 1570.

TIEER Henrik de. Voir DETHIER Hendrik

TIEFENBRUNN Ulrich ou Utz ou Teufenbrunn
Mort en 1526. XVIᵉ siècle. Actif à Innsbruck. Autrichien.
Peintre.
Peintre à la Cour de l'empereur Ferdinand Iᵉʳ. Il peignit des sujets religieux, des portraits et des scènes historiques.

TIEFENBRUNNER Joseph ou Dieffenbrunner
XVIIIᵉ siècle. Actif à Mittenwald, de 1723 à 1748. Allemand.
Peintre.
Membre de la famille de peintres Dieffenbrunner. Il peignit des tableaux d'autel dans les églises de Garmisch et de Mittenwald.

TIEFENTHALER-HORNSTEINER Paula
Née en 1881 à Mils (Tyrol). XXᵉ siècle. Autrichienne.
Peintre de figures typiques.
Élève de l'école privée de Erwin Knirr à Munich. Elle peint surtout des costumes populaires du Tyrol.

TIEFFENPACHER
XVIIᵉ siècle. Travaillant en 1606. Autrichien.
Peintre.
Il a peint le portrait de *L'archevêque Balduin* de Salzbourg.

TIEFFENTAL Hans ou Tiefental ou Tieffenthal, dit Hans ou Hans Heinrich von Schlettstadt
Né à Sélestat. XIVᵉ-XVᵉ siècles. Allemand.
Peintre.
Il travailla à Bâle, puis à Dijon où on le trouve en 1418. Il se fixa à Strasbourg en 1433. Il fut sans doute l'un des maîtres de Conrad Witz.

TIEFSTETTER Caspar. Voir DIEFSTETTER

TIEGHEM Josse Van
XIXᵉ siècle. Belge.
Graveur au burin.
Élève de J. de Cauwer et de l'Académie de Gand. Il exposa au Salon.

TIEL Justus ou Tielens, Thiel, Tilens
Originaire des Flandres. XVIᵉ siècle. Actif à Madrid. Éc. flamande.
Peintre d'histoire, figures.
Le nom de cet artiste figure dans d'anciens inventaires de la maison royale d'Espagne au XVIᵉ siècle. Son nom, peut-être déformé paraîtrait le ranger dans l'école flamande... Le Musée du Prado conserve de lui : *Allégorie relative à l'éducation du prince Don Philippe* (depuis, Philippe III).

TIEL Quirijn Van
Né en 1900. Mort en 1967. XXᵉ siècle. Hollandais.
Peintre de genre, scènes typiques, peintre à la gouache, aquarelliste.
VENTES PUBLIQUES : AMSTERDAM, 29 oct. 1980 : *Village sous la neige* 1940, h/t (85x94) : NLG 5 200 – AMSTERDAM, 22 mai 1990 : *Un corbillard en hiver* 1941, h/t (95x104) : NLG 4 830 – AMSTERDAM, 21 mai 1992 : *Chanteurs de rue*, h/t (103x93) : NLG 12 650 – AMSTERDAM, 9 déc. 1992 : *Animaux* 1948, gche et aquar./pap. (51,5x32,5) : NLG 1 265 – AMSTERDAM, 6 déc. 1995 : *Femme tenant une tasse* 1942, h/t (100x80) : NLG 7 475 – AMSTERDAM, 1ᵉʳ déc. 1997 : *Paysage d'été* 1935, h/t (66,5x81,5) : NLG 18 880.

TIELBORCH Guillaume Van
Mort avant le 10 septembre 1598. XVIᵉ siècle. Actif à Malines. Éc. flamande.
Sculpteur.
Il a sculpté une *Vierge* pour l'église Saint-Jean de Malines en 1586.

TIELE Jan C.
Né en 1884 à Utrecht. XXᵉ siècle. Hollandais.
Peintre de genre, paysages, natures mortes et aquafortiste.
MUSÉES : LA HAYE (Sdelijkmus.) : *Nature morte*.

TIELE Johann Andreas. Voir TILE

TIELEKER. Voir TIELKER

TIELEMAN Maerten Frans. Voir TIELEMANS Melchior Gommar, ou Maerten Frans, ou Martin François Gommaire

TIELEMANS Émile Henry
Né en 1888 à Louvain. XXᵉ siècle. Belge.
Peintre, graveur sur bois.
Il fut élève de l'Académie des Beaux-Arts de Bruxelles. Il participa à la création de *La gravure originale belge*.
Il illustra des ouvrages littéraires, notamment de Maeterlinck, créa de nombreux ex-libris gravés. Il fut également joaillier.
BIBLIOGR. : In : *Dict. biogr. illustré des artistes en Belgique depuis 1830*, Arto, Bruxelles, 1987.

TIELEMANS Lodewyk ou Louis
Né en 1826 à Anvers. Mort le 4 décembre 1856 à Anvers. XIXᵉ siècle. Belge.
Peintre de genre.
Il fut élève de l'Académie des Beaux-Arts d'Anvers. Il était ami avec le poète flamand J. Van Rijswijck.
BIBLIOGR. : In : *Dict. biogr. illustré des artistes en Belgique depuis 1830*, Arto, Bruxelles, 1987.
MUSÉES : ROSTOCK : *Joueurs de cartes au cabaret*.
VENTES PUBLIQUES : PARIS, 14 nov. 1946 : *Les buveurs. Scène de comédie* : FRF 26 000 – COLOGNE, 29 mars 1974 : *Personnages attablés sur une terrasse* 1855 : DEM 22 000.

TIELEMANS Melchior Gommar, ou Maerten Frans, ou Martin François Gommaire ou Tieleman, Tielemann
Né le 8 juillet 1784 à Lierre. Mort le 31 décembre 1864 à Lierre. XIXᵉ siècle. Éc. flamande.
Peintre d'histoire, compositions religieuses, scènes de genre, portraits. Néoclassique.
Il fut élève de l'Académie des Beaux-Arts d'Anvers et de Louis David à Paris. Il fut directeur de l'École de dessin de Lierre. Il eut le titre de peintre du duc de Cambridge, gouverneur du Hanovre. De ses œuvres décorent l'Hôtel de Ville et la cathédrale de Lierre. On cite de lui *Le Christ et les disciples d'Emmaüs*.
BIBLIOGR. : In : *Dict. biogr. illustré des artistes en Belgique depuis 1830*, Arto, Bruxelles, 1987.

TIELEMANS Seger
XVIIᵉ siècle. Travaillant vers 1640. Hollandais.
Graveur au burin et éditeur.
Il était à Amsterdam en 1677.

TIELEN. Voir THIELEN

TIELENS Alexandre
Né en 1868 à Bruxelles. Mort en 1959. XXᵉ siècle. Belge.
Peintre de paysages, paysages urbains, natures mortes, fleurs, peintre de décorations murales.
Il fut élève de l'Académie des Beaux-Arts de Bruxelles.
Il a réalisé une peinture murale à l'École Française de Bruxelles.
BIBLIOGR. : In : *Dict. biogr. illustré des artistes en Belgique depuis 1830*, Arto, Bruxelles, 1987.
VENTES PUBLIQUES : LOS ANGELES, 9 juin 1988 : *Nature morte de lilas et roses*, h/t (100x80) : USD 3 850 – BRUXELLES, 19 déc. 1989 : *Vase de fleurs*, h/t (60,5x45) : BEF 62 000 – BRUXELLES, 27 mars 1990 : *Vue de village méridional animé*, h/t (80x100) : BEF 270 000 – NEW YORK, 26 mai 1992 : *Chrysanthèmes jaunes dans un pot d'étain*, h/t (61x45) : USD 1 540 – LOKEREN, 10 oct. 1992 : *Le jardin fleuri*, h/pan. (46x55,5) : BEF 55 000 – AMSTERDAM, 19 avr. 1994 : *Fleurs sur le sol d'une forêt*, h/t (54,5x39) : NLG 3 220 – LOKEREN, 10 déc. 1994 : *Nature morte aux harengs*, h/pan. (45x20) : BEF 26 000.

TIELENS Hans. Voir TILENS Johannes

TIELENS Justus. Voir TIEL

TIELING C.
XVIIIᵉ siècle. Actif au début du XVIIIᵉ siècle. Danois.
Peintre.
Il peignit des paysages italiens à Gaunö.

TIELING Lodewyk. Voir FIELING

TIELIUS Johannes ou Jan ou Tilius ou Fielius
Né en 1660 à Bois-le-Duc. Mort en 1719 à Bois-le-Duc. XVIIᵉ-XVIIIᵉ siècles. Hollandais.
Peintre de scènes de genre, portraits.
D'après Terwesten, il fut élève de Caspar Netscher, qu'il imita ; d'après Van Gool, de P. Van Slingelandt. Il fut membre de la confrérie de La Haye à partir de 1683. Cependant se trouve à Vienne une œuvre de lui datée de 1680 et une à Dresde datée de 1681. En 1694 Tielius se trouvait à Londres. Il était peut-être parent du peintre animalier Lodewyk Fieling.

J. Tilius Pin. 1681.

Musées : Dresde : *La Couturière* – Hanovre : *Portrait de Sophie Amélie* – La Haye : *Portraits de femme*, deux œuvres – *Le concert* – Innsbruck : *Le vieillard et la petite fille* – Vienne : *Joueur de cornemuse.*

Ventes Publiques : Londres, 22 mai 1985 : *Les méfaits de la boisson*, h/pan. (42,2x33,3) : **GBP 4 200** – Paris, 10 fév. 1992 : *Le joueur de trompette.* (37x30,5) : **FRF 58 000** – Londres, 25 fév. 1994 : *Cornemuseux avec une vieille femme chantant et une jeune se moquant* 1681, h/pan. (35,2x29,7) : **GBP 33 350** – New York, 12 jan. 1995 : *Jeune homme à la cornemuse*, h/pan. (24,8x20,3) : **USD 18 400.**

TIELKER Franz Karl
Né en 1765 à Brunswick. Mort en 1845 à Sickte. xviiie-xixe siècles. Allemand.
Portraitiste et graveur au burin.
Frère de Johann Friedrich Tielker. Il travailla à Berlin, à Cassel et à Francfort. Il grava des portraits de souverains et de personnalités de son temps.

TIELKER Johann Friedrich
Né le 13 juin 1763 à Brunswick. Mort le 11 août 1832 à Brunswick. xviiie-xixe siècles. Allemand.
Peintre de paysages, miniaturiste et graveur à la manière noire.
Il s'établit à Darmstadt et travailla aussi pour la Cour de Berlin, où il se fit un renom comme miniaturiste. Tielker fit aussi de la peinture de paysage, des gravures à l'aquatinte. On lui doit également des panoramas ; ceux de Moscou et de Saint-Pétersbourg obtinrent un grand succès.
Musées : Berlin (Mus. Hohenzollern) : *La reine Louise, jeune fiancée*, dess. – Brunswick : *Portrait d'une dame* – Riga : *Portraits du gouverneur G. Petersen, de l'évêque K. G. Sonntag et du poète C. F. Petersen.*

TIELT Guillaume de, dit le Chiboleur. Voir GUILLAUME de Thielt

TIELT Jean Van ou Thielt
Mort en 1585 à Delft. xvie siècle. Hollandais.
Peintre.
Il fut actif à Malines et Bourgeois de Delft.

TIEMANN Walter
Né le 29 janvier 1876 à Delitzsch. xxe siècle. Allemand.
Peintre de portraits, paysages, natures mortes, calligraphe et illustrateur.
Il fit ses études à Leipzig, à Dresde et à Paris. Il exécuta des illustrations pour les œuvres de Chamisso, de Kleist et de Fichte.

TIEMEN Cornelis ou Vincent G. B. Van
xviie siècle. Hollandais.
Graveur.
Il a gravé des sujets d'histoire.

TIEMER. Voir DIEMER

TIEMPERS de Amberes Nicolas
xvie siècle. Actif à Valladolid de 1561 à 1577. Espagnol.
Sculpteur.
On ne sait rien de particulier sur les œuvres de cet artiste, mais il dut travailler avec Juan de Juni à Notre-Dame de la Antiqua, car il avait épousé une des filles de ce grand maître.

TIEN TAO-JEN. Voir DIAN DAOREN

TIEPOLO Giovanni Battista, ou Giambattista ou Tiepoletto, Chiepoletto, Tenpholus
Né le 5 mars 1696 à Venise (Vénétie). Mort le 27 mars 1770 à Madrid. xviiie siècle. Italien.
Peintre d'histoire, compositions religieuses et mythologiques, sujets allégoriques, scènes de genre, portraits, peintre de compositions murales, graveur, dessinateur, décorateur.
Il appartenait à une famille riche. Son père, Domenico di Giovanni Tiepolo, capitaine marin, mourut en 1697. Il laissait six enfants, de son mariage avec Orsola Jugali, mère de l'artiste. Giambattista fut inscrit à la corporation des peintres vénitiens en 1717 et en 1719 il épousa Cecilia Guardi, sœur de Francesco. Neuf enfants naquirent de cette union, cinq fils, dont deux, Domenico et Lorenzo, furent artistes, et quatre filles. Il fut élève de Gregorio Lazzarini, qui jouit en Italie d'une réputation très notable, mais il semble que ce soit surtout dans les œuvres de Paolo Caliari, dans celles du délicat Piazzetta, que Tiepolo chercha des modèles, avant de dégager complètement son expression personnelle. Tiepolo a donné avec Francesco Guardi – ils

étaient beaux-frères – une vie nouvelle à l'école vénitienne au xviiie siècle. La jalousie, les intrigues de Raphaël Mengs paraissent avoir, sinon abrégé, tout au moins assombri la fin de sa vie.
En 1998, le Musée du Petit Palais à Paris a pu consacrer une exposition à un ensemble de ses peintures.
L'œuvre de Tiepolo dénote une puissance de création exceptionnelle. Il est impossible dans une courte notice de tenter un catalogue, même fort abrégé d'un œuvre tel que celui de Giambattista Tiepolo. À peine peut-on indiquer quelques-uns de ses ouvrages, les plus importants. Pendant près de vingt ans, il travaille d'abord à Venise et dans la Vénétie. Les fresques qu'il peignit dans la chapelle de Sta Teresa, église des Scalzi, à Venise, peuvent être considérées comme les premières (vers 1720). En 1726 il décore la chapelle du Saint-Sacrement au Dôme de Udine et travaille également au palais archiépiscopal. Il est à Milan en 1731, aux palais Archinto et Casati Arcugnani. En 1733, il va à Bergame, où à la capella Colleoni, il exécute, un plafond représentant des *Scènes de la vie de saint Jean, évêque de la ville* et *Quatre Vertus*, et diverses peintures pour la chapelle et pour la cathédrale. Il décore de fresques plusieurs pièces de la Villa Valmarana, à San Sebastiano, près de Vicence, de sujets empruntés à l'*Illiade*, à la *Jérusalem Délivrée*, au *Roland furieux*. Il est aidé dans ce travail par son fils Domenico alors âgé de dix ans, et par son ami et collaborateur, le sculpteur Mingozzi Colonna. En 1737 il est près de Vienne. Il faut citer encore à Venise les fresques suivantes : L'*Institution du Rosaire* (1737-1739, église des Jésuites), *Scènes de l'Histoire d'Antoine et Cléopâtre*, au Palazzo Labia, *Le Chariot de Vénus*, au Palazzo Rezzonico, Plafond au Palazzo Martinengo, Plafond à la chapelle de Sta Teresa, *Le Triomphe de la Foi* (1743-1744, Chapelle de Sta Maria della Pieta). Tableaux à l'huile : Au Palazzo Papadopoli : *Le Charlatan, Le menuet.* – Au Palazzo Ducale : *Neptune offrant à Vénus les trésors de la mer.* – Au Palazzo Crotta : *Hérode.* – À la Scuola del Carmine : *La Vierge et l'Enfant Jésus dans une gloire, Saints et Vertus.* – À l'église de San Paola : *Saint Paul devant le tyran, Saint Jean Népomucène.* – À la chapelle de Saint-Aloise : *Chemin de Croix, Le Couronnement d'épines, La Flagellation.* – À l'église des Gesuati : *Vierge et Enfant Jésus et trois dominicains.* – Église della Fava : *Sainte Anne et la Vierge.* – Église de Saint-Eustache : *Martyre de saint Barthélemy.*
En 1740 il va peindre à Milan : L'*Histoire d'Esther*, Au Palazzo Dugnani : *Le Chariot du Soleil*, plafond au Palazzo Clerici. En 1750 la décoration du palais archiépiscopal de Würzbourg lui est confiée, il y consacre trois années et y produit un ensemble considéré comme son œuvre capitale : le *Triomphe des Arts*, au Palazzo Arerinti, dans l'escalier : *Allégorie sur les quatre parties du Monde.* – Salle de l'Empereur, plafond : *Histoire de Frédéric Barberousse, Char d'Apollon* ; Petit Salon : *Deux fêtes galantes* ; Chapelle : *Assomption.* – Tableau d'autel : *Chute des Anges rebelles.*
De 1753 à 1761, il est de nouveau occupé dans sa ville natale, comme illustrateur des fastes de la République ou de ses grandes familles. En 1762 Tiepolo se rend à Madrid, avec ses deux fils Domenico et Lorenzo, appelé par le roi Charles III pour décorer de fresques le Palais Royal. À l'Escurial, on mentionne : Chambre du jardin : *Forges de Vulcain* ; Antichambre : *Figure allégorique de l'Espagne*, plafond ; Grand Salon : *Figures allégoriques des Provinces de l'Espagne*, plafond. – Au Palais d'Aranruez : fresques ; tableau d'autel. – Au couvent : fresques. – À l'Orangerie : fresques.
Il convient d'ajouter : à Biron, près de Vicence, à la Villa Loschi del Ferme : fresques. – À la Mira (Vénétie) Palazzo Widmann alla Riscossa, *Le Triomphe de Vénus*, plafond, L'*Histoire d'Iphigénie*, fresques. – À Montechin Maggiore, près de Vienne : Villa Cordellina, fresques. – À Padoue : *Martyre de sainte Agathe* ; Église San Antonio, *Sainte Famille, Saint Jean-Baptiste prêchant dans le désert*, tableau d'autel, *San Martino en prière devant le roi Oswald*, tableau d'autel, église de S. Martino, *Saint Luc*, fresque à l'église de Sta Lucia. – À Rovetto, Valle Senona, église paroissiale : *Assomption de la Vierge et Saints.* – Au Palais de Saint-Sébastien (Espagne) : fresques. – À Stra (Vénétie) Palazzo Pisani : *Apothéose de la famille Pisani*, plafond. – À Udine, à la cathédrale (1726) : peintures et fresques, Au Palais Archiépiscopal (1759) : plafond de l'escalier, Salle du Trône : *Portrait du Patriarche d'Aquilée*, Galerie : *Histoire de Jacob et Sacrifice d'Abraham*, Sala Rossa : *Le Jugement de Salomon.* – Église de la Madonna della Purita : fresques. – À Vérone en 1761, Palazzo Canossa : *Scènes mythologiques*, plafond. – Église de San Sebastiano :

Scènes de l'Histoire des Macchabées. – Vicence, Église de S. Stefano : *Deux apôtres.* – Palazzo Monza, à S. Lucia : *Deux apôtres.* – Palazzo Colleoni : *Portraits de famille,* en grisaille. – Palazzo Valmarana (1757) : fresques. – Palazzo Vecchio, plafond, à Mirana à l'église paroissiale : *Muraille de saint Antoine.*

Pour ce grand nombre d'ouvrages, Tiepolo exécuta généralement une esquisse à l'huile, quelquefois deux, ce qui explique que l'on rencontre assez souvent de ses toiles. Il peignit aussi quantité de petits tableaux de genre, des scènes de carnaval, et réalisa un grand nombre de dessins. Il fut également graveur à l'eau-forte où il laisse transparaître une nature plus mystérieuse, aux aspects fantastiques, créant des scènes de *Caprices* ou des *Jeux de fantaisie.* L'œuvre de Tiepolo révèle une grande admiration pour la peinture de Véronèse, en témoignent ses travaux de décoration de la salle de bal du Palazzo Labia, dont l'architecture feinte revient à Girolamo Mengozzi Colonna. Tiepolo révolutionne les modes en matière d'aménagement intérieur du palais urbain, à la fois par le dynamisme audacieux de ses compositions et par la luminosité de ses fonds de ciel ouverts largement derrière les personnages. ■ E. Bénézit

G. TIEPOLO F.

B. Tiep olo 1750

BT BB° GIO.B. TIEPOLO

F A · 1753

BIBLIOGR. : F. H. Meissner : *Tiepolo,* Leipzig, 1897 – P. Molmenti : *Gian Battista Tiepolo,* Milan, 1909 – E. Sack : *Giambattista und Domenico Tiepolo. Ihr Leben und ihre Werke. Ein Beitrag zur Kunstgeschichte des achtzehnten Jahrhunderts,* Hambourg, 1910 – Pompeo Molmenti : *Tiepolo. La vie et l'œuvre,* Hachette, Paris, 1911 – G. Fiocco : *Gian Battista Tiepolo,* Florence, 1921 – S. de Vito Battaglia : *Gianbattista Tiepolo,* Bergame, 1932 – H. W. Hegemann : *Tiepolo,* Berlin, 1940 – G. B. Morassi : *Tiepolo,* Bergame, 1943 – G. Lorenzetti : *Catalogo ufficiale della Mostra del Tiepolo,* Venise, 1951 – Lionello Venturi : *La peinture italienne. Du Caravage à Modigliani,* Skira, Genève, 1952 – Marcel Brion : *Art fantastique,* Albin Michel, Paris, 1961 – A. Morassi : *A complete catalogue of the paintings of G. B. Tiepolo including pictures by his pupils and followers wrongly attributed to him,* Londres, 1962 – E. Sack : *Giambattista und Domenico Tiepolo. Ihr Leben und ihre Werke,* 1962 – Anna Pallucchini, Guido Piovene : *Giambattista Tiepolo,* Rizzoli, Milan, 1968 – George Knox : *Giambattista and Domenico Tiepolo. A Study and Catalogue Raisonné of the Chalk drawings,* 2 vol., Clarendon Press, Oxford, 1980 – Joséphine Le Foll : *Giambattista Tiepolo nous ouvre les cieux,* Beaux-Arts, N° 148, Paris, sept. 1996 – Julian Busine : *Les Ciels de Tiepolo,* coll. *L'Infini,* Gallimard, Paris, 1996 – Svetlana Alpers et Michael Baxandall : *Tiepolo et l'intelligence picturale,* Gallimard, Paris, 1996.

MUSÉES : AMIENS : *Antoine et Cléopâtre – Assomption – Baptême de Jésus – Minerve dicte les lois à Ulysse* – AMSTERDAM : *Télémaque et Mentor,* attribution – ANGERS : Plafond – *Apothéose de la famille Pisani,* esquisse – ATHÈNES : *Le Christ sur le Mont des Oliviers* – AVRANCHES : *Anges portant la croix – Tête de vieillard* – BARNARD CASTLE : *Phaëton,* attribution – BASSANO : *Nativité* – BAYONNE (Mus. Bonnat) : Esquisse – BERGAME (Acad. Carrara) : *Baptême de Jésus – Prédication de saint Jean – Un évêque – Martyre de saint Pierre* – BERLIN : *Renaud et Armide – Mort de Didon – Saint Roch et son chien – Après le bain – Saint Dominique partageant la couronne de roses – Martyre de sainte Agathe – Le Christ portant sa Croix* – BESANÇON : *Sermon de saint Jean-Baptiste* – BÉZIERS : *Notre-Dame-du-Rosaire* – BORDEAUX : *Eliézer et Rébecca* – BOSTON : *Le mariage de Barberousse – Apothéose d'un poète* – BRUXELLES : *L'immolation de Polyxène* – BUDAPEST (Szépművészeti Mus.) : *Saint Jacques de Compostelle 1751 – La Vierge, saint Joseph et cinq saints – Le Père éternel* – CAEN : *Ecce Homo* – CHICAGO : *Institution du Rosaire – Madone et deux saints – Quatre scènes de Renaud – Saint Jérôme dans le désert* – COLOGNE : *Adoration des Mages* – DETROIT : *Madone avec l'Enfant – Alexandre et les femmes de Darius – L'Immaculée Conception* – DRESDE : *Vision*

de sainte Anne – Triomphe d'Amphitrite – DUBLIN : *Allégorie de l'Incarnation* – DULWICH : *Diane – Dessin décoratif – Joseph reçoit l'anneau de Pharaon* – DÜSSELDORF : *Madone avec des saints* – ÉDIMBOURG (Nat. Galleries of Scotland) : *Découverte de Moïse – Antoine et Cléopâtre* – FLORENCE (Mus. Horne) : *Portrait – Cléopâtre – Femme et enfant dans un nuage* – FORTH : *David et Abigaïl* – FRANCFORT-SUR-LE-MAIN : *Continence de Scipion – Saints de la famille Grotta – Tête de vieillard* – GENÈVE (Ariana) : *Un chevalier de Malte en prière* – HAMBOURG (Kunsthalle) : *Couronnement d'épines* – LE HAVRE : *Ravissement d'un saint* – Esquisse – HELSINKI : *Enlèvement des Sabines* – LISBONNE (Mus. d'Art ancien) : *Fuite en Égypte* – LONDRES (Nat. Gal.) : *Descente de Croix – Mariage de l'empereur Frédéric Ier – Construction du cheval de Troie – Cortège du cheval de Troie – Madone et l'Enfant – Moïse sauvé des eaux – Deux Orientaux barbus* – NANCAY – MADRID (Prado) : *La Conception et ses attributs – L'Eucharistie – Le char de Vénus – Saint Pascal – Saint François d'Assise – Abraham et les trois anges – Vénus et Mercure* – MAYENCE : *Camp* – MELBOURNE (Gal. Nat.) : *Mariage de Cléopâtre* – MILAN (Ambrosiana) : *Présentation au temple – Un saint évêque* – MILAN (Gal. Brera) : *Bataille contre les Turcs – Madone du Carmel – Âmes du purgatoire* – MILAN (Mus. Poldi-Pezzoli) : *Josué commandant au Soleil – Madone au Rosaire – Mort de saint Jérôme – Apothéose des saints – Saints Gaétan, Antoine et Jean-Baptiste* – MINNEAPOLIS : *Tête de vieillard* – MONTAUBAN : *Apollon – Esquisse de plafonds* – MONTPELLIER : *Le Fondak des marchands turcs à Venise – Adoration des Rois Mages – Deux épisodes de l'histoire d'Iphigénie* – NANCY : *Carnaval,* deux œuvres – NEW YORK : *Le sacrifice d'Abraham – Le couronnement d'épines – Investiture de l'évêque Harold – Allégorie – Madone avec l'Enfant – Glorification de François Barbaro – Sainte Thècle – Neptune et les vents* – NICE : Esquisse – OXFORD : *Manalese* – PADOUE (Mus. mun.) : *Miracle de saint Paulin* – PARIS (Mus. du Louvre) : *La cène – Apparition de la Vierge à saint Jérôme – Bannière à deux faces : Saint Martin officiant et La Vierge, l'Enfant Jésus et saint Jean – Triomphe de la Religion – Trois Vertus – Apollon et Daphné – Deux scènes de carnaval* – PARIS (Mus. des Arts Décoratifs) : *Glorification d'un héros* – PARIS (Mus. Jacquemart André) : *Henri III à Mira – La Renommée annonçant dans les airs la visite de Henri III – Glorification d'un héros – La Paix et la Justice* – PARIS (Mus. du Petit Palais) : *Alexandre et Bucéphale* – PARME (Pina.) : *Saint Fidelis de Sigmaringen* – ROME (Gal. Corsini) : *Faune et Satyre* – ROUEN : *La reine de Saba chez Salomon* – SAINT-PÉTERSBOURG (Mus. de l'Ermitage) : *Le festin de Cléopâtre – Mécène présente à Auguste les Arts libéraux – L'Annonciation – Enlèvement des Sabines – Triomphe de Scipion – Volumnia et ses enfants devant Coriolan – Fabius Maximus devant le Sénat de Carthage – La dictature offerte à Cincinnatus – Alexandre et Diogène* – SPRINGFIELD : *Madone avec l'Enfant* – STARNBERG : *Madone avec l'Enfant et le petit saint Jean-Baptiste* – STOCKHOLM : *Décollation de saint Jean-Baptiste – Générosité de Scipion* – STOCKHOLM (Mus. de l'Université) : *Danaé et Jupiter 1736* – STRASBOURG : *Autel de la Vierge – Esculape – Saint Roch – Assomption de la Vierge avec saint Antoine et saint Laurent* – STUTTGART : *Découverte de Moïse – Allégorie du mariage de Frédéric Barberousse avec Béatrice de Bourgogne – Neptune enlève Théophane – Saint Joseph et l'Enfant Jésus* – Esquisse – TROYES : *Saint Thomas d'Aquin* – TURIN (Pina.) : *Triomphe de Marc Aurèle* – UDINE (Mus. Civique) : *Conseil dans l'arène* – VENISE (Acad.) : *Rapt d'Europe – Diane et Actéon – Callisto – Apollon et Marsyas – Guérison d'un infirme – Le serpent d'airain – Sainte Hélène découvrant la Croix – Gloire de saint Dominique – La Sagesse et la Vaillance – Procession de Santa Casa – Apparition de la Sainte Famille à saint Gaétan* – VENISE (Mus. Correr) : *Gentilhomme – Homme au turban* – VÉRONE (Mus. mun.) : *Héliodore pille le temple des juifs – Allégorie du Mariage* – VICENCE (Mus. mun.) : *L'Immaculée Conception – Glorification de la Générosité – Le Temps découvre la Vérité* – VIENNE (Mus. des Beaux-Arts) : *Sainte Catherine de Sienne – Étéocle et Polynice – Annibal avec la tête d'Hasdrubal – Combat équestre* – VIENNE (Mus. de l'Acad.) : *L'Aurore* – VIENNE (Mus. Liechtenstein) : *Abraham et l'Ange* – WEIMAR : *Sacrifice d'Iphigénie.*

VENTES PUBLIQUES : PARIS, 1859 : *Le triomphe de Midas,* plafond – **FRF 5 000** – PARIS, 1872 : *Moïse sauvé des eaux ; Rébecca à la fontaine,* ensemble – **FRF 4 000** – PARIS, 9 fév. 1875 : *L'Apothéose de Francesco Barbara, procurateur de saint Marc* : **FRF 25 000** – PARIS, 1886 : *L'Assomption* : **FRF 10 000** – PARIS, 1891 : *Le Christ descendu de la Croix* : **FRF 12 100** – PARIS, 1er fév. 1893 : *Apothéose de Francesco Barbara,* plafond : **FRF 30 000** ; *Le guerrier* en courroux : **FRF 4 500** – Venise, 1894 : *Apothéose de Morosini*, plafond de la salle des diplômes : **FRF 8 100** – Paris, 1900 : *Sujet tiré des conquêtes de l'empereur Aurélien en Asie* : **FRF 4 500** – Paris, 28 mai 1902 : *Le Baptême du Christ* : **FRF 15 000** – Paris, 17-21 mai 1904 : *Le carnaval de Venise ; La foule devant un charlatan*, deux pendants : **FRF 68 000** – Paris, 23 mars 1908 : *La musicienne* : **FRF 9 800** – Londres, 25 et 26 mai 1911 : *Sainte Famille* : **GBP 525** – Paris, 9-11 déc. 1912 : *Portrait d'un sculpteur* : **FRF 11 000** ; *La Vierge et l'Enfant* : **FRF 9 000** – New York, 15 juin 1913 : *Sainte Famille* : **USD 3 400** – Paris, 26-27 mai 1919 : *Mars et Vénus*, esquisse : **FRF 70 000** – Paris, 23-24 juin 1919 : *L'Aurore*, fresque : **FRF 85 000** – Paris, 29 et 30 avr. 1920 : *Portrait d'homme* : **FRF 151 000** ; *L'Ange apparaît à Agar* : **FRF 36 000** ; *La Sainte Famille*, pl. et lav. de sépia : **FRF 19 000** ; *L'Ange délivre saint Pierre de sa prison*, pl. et lav. de bistre : **FRF 40 000** – Londres, 6 juil. 1923 : *La Vierge et l'Enfant* : **GBP 945** – Paris, 19 juin 1925 : *L'Annonciation*, pl. et lav. de bistre : **FRF 22 000** – Paris, 27 et 28 mai 1926 : *Allégorie du poète Geresio Soderini*, projet d'un plafond : **FRF 116 000** – Londres, 6 mai 1927 : *Antoine et Cléopâtre* : **GBP 861** – Paris, 7 et 8 juin 1928 : *La Vierge et l'Enfant*, pl. et lav. : **FRF 30 000** – Londres, 8 juin 1928 : *Rébecca en fuite* : **GBP 2 625** ; *La femme adultère* : **GBP 2 415** – Paris, 10 et 11 juin 1929 : *Composition allégorique* : **FRF 31 000** – Londres, 5 juil. 1929 : *Le repos en Égypte* : **GBP 2 100** – Milan, 30 nov. 1933 : *La Madone, l'Enfant et des saints* : **ITL 31 000** – Genève, 27 oct. 1934 : *Portrait d'Oriental* : **CHF 5 800** – Stockholm, 7-9 nov. 1934 : *Portrait d'homme* : **SEK 1 110** – Paris, 29 nov. 1935 : *Le Temps enlève la Beauté* : **FRF 200 000** – Londres, 9 déc. 1936 : *Le hallebardier* : **GBP 1 400** – Paris, 15 juin 1938 : *La dernière communion de saint Jérôme*, pl. et lav. de sépia, reh. de blanc gouaché : **FRF 22 500** – Londres, 8 juil. 1938 : *La jeune fille au perroquet* : **GBP 1 365** – Paris, 2 juil. 1941 : *Sainte Marie-Madeleine emportée au Ciel par des anges et des chérubins*, pl. et lav. de sépia : **FRF 35 000** – Paris, 20 nov. 1941 : *La Statue*, pl. et lav. de sépia : **FRF 69 000** – New York, 17 fév. 1944 : *La Beata Luduina* : **USD 3 000** – Paris, 25 mai 1949 : *L'apparition de l'Ange à Abraham* : **FRF 1 000 000** – Paris, 27 mai 1949 : *La déposition de la Croix*, en collaboration avec Giov. Dom. T. : **FRF 400 000** – Paris, 23 mai 1950 : *Apollon et Daphné* : **FRF 3 000 000** – Paris, 21 mars 1952 : *La reine Sophonisbe se dérobe à l'esclavage des Romains* : **FRF 9 500 000** – Londres, 26 juin 1957 : *Tête de jeune homme de face*, sanguine : **GBP 850** – Londres, 25 fév. 1959 : *Jugurtha devant le consul romain* : **GBP 1 050** – Paris, 14 juin 1960 : *Vision d'un saint personnage* : **FRF 24 000** – New York, 19 oct. 1960 : *Scène allégorique*, grisaille : **USD 9 000** – Londres, 7 déc. 1960 : *Le Christ et la Samaritaine* : **GBP 7 500** – Londres, 29 juin 1962 : *Bacchus et Ariane* : **GNS 3 200** – Londres, 30 juin 1965 : *Allégorie de la puissance de Venise* : **GBP 11 000** – Londres, 6 juil. 1966 : *Chasse au sanglier* : **GBP 5 000** – Londres, 23 juin 1967 : *Déesse des eaux tenant un pot*, grisaille sur fond or : **GNS 5 500** – Londres, 10 juil. 1968 : *L'agonie du Christ* : **GBP 5 500** – Londres, 27 juin 1969 : *Vénus confiant Éros à Chronos* : **GNS 390 000** – Londres, 27 nov. 1970 : *La beata Ladrina* : **GNS 7 000** – Côme, 1er juin 1971 : *Le jugement dernier* : **ITL 70 000** – New York, 18 mai 1972 : *La chute des anges déchus* : **USD 70 000** – Londres, 23 mars 1973 : *Portrait de jeune femme en Flore* : **GNS 30 000** – Londres, 11 déc. 1974 : *Projet de plafond pour l'église Scalzi de Venise* : **GBP 195 000** – Londres, 26 nov. 1976 : *Chronos confiant Cupidon à Vénus*, h/t (46x57) : **GBP 32 000** – Londres, 2 déc. 1976 : *La Vierge et l'Enfant entourés d'angelots et de deux mendiants*, pl. et lav. de sépia (20x14) : **GBP 14 000** – Hambourg, 2 juin 1977 : *La famille du Satyre à l'Obélisque* vers 1743/49, eau-forte : **DEM 3 800** – Londres, 29 nov. 1977 : *Saint Pierre d'Alcantara tenant un livre et écrivant à une table (et une étude de son pied)*, craies rouge et blanche/pap. gris (54,3x32,9) : **GBP 7 000** – Paris, 2 déc. 1977 : *Esther et Mardochée devant Assuérus*, h/t (53,2x71,2) : **GBP 11 000** – Munich, 29 nov 1979 : *L'Adoration des Rois Mages*, eau-forte : **DEM 6 600** – Tours, 7 mai 1979 : *L'Adoration des bergers*, pl. et lav. : **FRF 60 000** – New York, 5 juin 1980 : *Junon et Luna*, h/t (213x231,1) : **USD 48 000** – Londres, 7 avr. 1981 : *La Nativité*, craie noire, pl. et lav. (39,4x28,3) : **GBP 19 000** – Londres, 18 juin 1982 : *Le mariage d'Angélique et Médore*, eau-forte, d'après Giovanni Battista Tiepolo (23,6x25,9) : **GBP 880** – Londres, 12 avr. 1983 : *La Rencontre d'Antoine et Cléopâtre*, pierre noire, pl. et lav. (33x25,6) : **GBP 56 000** – Monte-Carlo, 26 juin 1983 : *Mars et Vénus*, h., esquisse de forme ovale (41x72) : **FRF 1 600 000** – Londres, 27 juin 1984 : *Un berger et deux magiciens*, eau-forte (22,3x17,5) : **GBP 6 000** – Londres, 7 mars 1985 :

Deux philosophes et un enfant regardant un serpent, eau-forte (14x18,6) : **GBP 1 500** – Londres, 12 déc. 1985 : *Tête de Giulio Contarini (recto)* ; *Enfant au bras levés (verso)*, craie rouge et blanche/pap. bleu (25x19,2) : **GBP 38 000** – Londres, 11 déc. 1985 : *Phaéton et Apollon*, h/t, vue ovale (64x46) : **GBP 220 000** – New York, 16 jan. 1986 : *César regardant la tête de Pompée*, pl. et lav./traits craie noire (20,9x29,5) : **USD 80 000** – Londres, 4 juil. 1986 : *Un page avec un lévrier*, h/t, fragment (120,6x104,7) : **GBP 110 000** – Londres, 1er avr. 1987 : *La Fuite en Égypte*, craie noire, pl. et lav. de brun (41,1x29,8) : **GBP 65 000** – New York, 4 juin 1987 : *Agar et l'Ange*, h/pap. mar./t. (38x21) : **USD 75 000** – Heidelberg, 14 oct. 1988 : *Les trois soldats et l'enfant*, eau-forte (14,2x17,7) : **DEM 2 000** – Paris, 12 déc. 1988 : *Homme vu de dos*, pl. en brun et lav. brun (15x7,5) : **FRF 50 000** – New York, 11 jan. 1989 : *La Reine Esther présentant Mardochée à Assuérus*, h/t (53x71) : **USD 71 500** ; *Groupe de femmes et autres personnages autour d'une urne*, encre (33,1x27) : **USD 31 900** – Londres, 5 juil. 1989 : *La Madone du rosaire avec les anges* 1735, h/t (236x152,5) : **GBP 1 265 000** – New York, 12 jan. 1990 : *Saint Antoine de Padoue découvrant la misère humaine*, encre et craie (41x30,2) : **USD 126 500** – Paris, 2 juil. 1990 : *Nu masculin allongé*, craies rouge et blanche/pap. bleu (26x34,4) : **GBP 121 000** – New York, 8 jan. 1991 : *Le Temps dévoilant la Vérité*, encre et lav. (39,2x26,5) : **USD 55 000** – New York, 11 jan. 1991 : *L'Ange ordonnant à Abraham et Sarah de s'en aller d'Haran*, h/t (54,7x43,3) : **USD 506 000** – Paris, 24 avr. 1991 : *Étude de tête*, sanguine avec reh. de blanc (18x14) : **FRF 24 000** – Londres, 5 juil. 1991 : *La vision de Saint Jérôme*, h/t (71,8x56) : **GBP 165 000** – New York, 15 jan. 1992 : *Étude d'un homme couché sur un rocher vu d'en dessous*, encre et lav. (27,9x19,4) : **USD 13 200** – Paris, 15 mai 1992 : *Femme sur des nuages*, pl. et lav. brun (23x16) : **FRF 50 000** – Milan, 28 mai 1992 : *Scipion et l'esclave*, encre et cr. (51,5x37,5) : **ITL 44 000 000** – Londres, 6 juil. 1992 : *La Sainte Famille adorée par saint Sébastien et saint François*, encre et craie brun (43x29,7) : **GBP 37 400** – Paris, 1er avr. 1993 : *La répudiation d'Agar*, pierre noire (39,5x55,2) : **FRF 165 000** – New York, 12 jan. 1994 : *Étude de la tête et du bras droit de Chronos (recto)* ; *Étude de draperie (verso)* : **USD 90 500** – Paris, 17 juin 1994 : *Personnages mythologiques sur un nuage*, pl. et lav. brun (29x27) : **FRF 155 000** – Monaco, 20 juin 1994 : *Tête d'homme moustachu portant un bandeau dans les cheveux*, encre et lav. (10,4x9) : **FRF 44 400** – Paris, 19 oct. 1994 : *La Mort donnant audience*, eau-forte (14,1x17,6) : **FRF 11 000** – New York, 10 jan. 1995 : *Vue de l'entrée d'une ferme*, encre et lav. (18,9x28,3) : **USD 118 000** – Londres, 3 juil. 1995 : *La Sainte Famille avec des anges*, encre et lav. (27,7x19,6) : **GBP 45 500** – Paris, 13 déc. 1995 : *Allégorie : Le couronnement du poète Génésio Soderini*, h/t (51x33,5) : **FRF 1 600 000** – New York, 9 jan. 1996 : *Nu masculin debout*, craie noire et reh. de blanc/pap. gris-bleu (54,5x43,2) : **USD 129 000** – Paris, 22 mai 1996 : *Étude de tête*, cr. noir et reh. de blanc/pap. bleu (29x20,5) : **FRF 41 000** – Londres, 3 juil. 1996 : *La Sainte famille avec un berger et un ange*, encre et lav. (30x20,6) : **GBP 51 000** – Heidelberg, 11-12 avr. 1997 : *Tête d'homme de profil tournée à gauche*, pinceau, dessin (30,7x22) : **DEM 3 200** – Londres, 3 juil. 1997 : *Saint Jean Baptiste*, h/t (45,1x38) : **GBP 287 500**.

TIEPOLO Giovanni Domenico, ou Giandomenico
Né le 30 août 1727 à Venise. Mort le 3 mars 1804 à Venise. xviiie siècle. Italien.
Peintre d'histoire, compositions religieuses, scènes de genre, peintre de compositions murales, graveur, dessinateur. Baroque.
Fils et élève de Giambattista Tiepolo. Déjà, en 1737, à l'âge de dix ans, on le signale aidant son père à des travaux à la Villa Valmarana, près de Vicence. Domenico, malgré cette active collaboration qui absorba longtemps une part notable de son activité, n'en a pas moins un œuvre personnel, comme peintre et comme graveur à l'eau-forte. En 1743, il alla à Dresde, appelé à la Cour du duc de Franconie, Charles Philippe. On croit qu'il y exécuta deux peintures sur le sujet : *La fuite en Égypte*. En tout cas, les dessins en furent faits. Ce fut là aussi qu'il grava une admirable suite de vingt-quatre sujets. Il était de retour à Venise en 1745 à l'occasion du mariage de sa sœur Elena avec Giuseppe Bardese di Andrea (?). En 1749, il peignit un Chemin de Croix pour l'église de S. Paolo. Il accompagna également son père lors du voyage à Würzburg, de 1750 à 1753, pour la décoration du palais archiépiscopal des princes évêques. En 1761, il partit pour l'Espagne avec son père et son frère Lorenzo, pour la décoration du Palais Royal de Madrid. Il quitta Madrid, en 1770, après la mort

de Giambattista. Il était de retour à Venise en 1771 et habitait avec sa mère et ses sœurs la paroisse de San Fosca. Il se maria le 20 octobre 1776 avec Margherita Moschien, de laquelle il eut deux filles qui ne paraissent pas avoir vécu. Appelé à Gênes en 1783, il y décora plusieurs pièces dans le Palais des Doges.

L'œuvre de Domenico resta longtemps occulté par l'immensité de celui de son père, d'autant qu'il était souvent considéré comme ayant surtout été son aide. Il était fait état de ce que, outre ses compositions religieuses dans l'esprit de celles de Giambattista, mais qu'il n'égalait pas, Domenico avait fait de charmants dessins un peu de tous les genres, y compris de très amusantes caricatures. On citait aussi des *Polichinelles* et des *Mascarades*, dont certains sont conservés à la Ca'Rezzonico auprès des scènes typiques vénitiennes de Pietro Longhi, dont il était même mentionné que les accents amers le rapprochaient, mais en précurseur précoce, de Goya ou Daumier.

En fait, à partir de 1790, Domenico a décoré de fresques les murs de sa villa vénitienne, à Zianigo, hors toute contrainte religieuse, à l'abri de toute censure. C'est ici qu'on peut en effet penser à Goya, décorant entre 1818 et 1823 la *Quinta del Sordo*. Ces fresques ont pu être vues à Paris où, en 1986, Venise les prêta exceptionnellement pour quelques jours au Musée de l'Orangerie.

Les scènes s'organisent autour de deux thèmes : les ébats de familles de Polichinelles bossus aux nez crochus et les plaisirs sournois et pervers du Carnaval. Ces thèmes sont très éloignés des sorcelleries de la *Quinta del Sordo*, pourtant, bien qu'au grand jour et sur la place publique, la face sombre de l'espèce humaine s'y affiche et triomphe. S'y côtoient charlatans, diseuse de bonne aventure édentée, petits marquis perruqués, vieille maquerelle dépoitraillée, un Polichinelle grimaçant qui entreprend une marquise poudrée au regard las ; il y a là par le charme et l'horreur *Les jeunes* et *Les vieilles* de Goya. Les décors, les costumes sont somptueux – et somptueusement peints, à la Watteau, les visages, offerts ou masqués, sont ou effrayés d'eux-mêmes ou effrayants pour les autres – et peints comme seul Goya le saura. C'est le grand art quand la maîtrise des techniques sublime l'image.

Après un XVIIe siècle morne, Canaletto, Guardi, Longhi, Giambattista Tiepolo célèbrent de nouveau les splendeurs de la Sérénissime, mais, longtemps méconnu, au crépuscule du XVIIIe siècle s'est révélé Domenico Tiepolo. C'est le portrait de Venise agonisante, qui cache son angoisse sous les masques de Carnaval, qu'a peint Domenico Tiepolo. On est dans les comédies grinçantes de Goldoni. Un siècle plus tard, de lui James Ensor, qui s'y entendait en carnaval et en masques, dira : « Le grand visionnaire, c'était lui », celui qui, dans une fragrance de *Fleurs du Mal*, sur le corps de Venise en décomposition, a su déceler, dénoncer, le plus crûment, le plus cruellement, la pestilence de la putréfaction sous les falbalas et les fastes de la fête. ■ Jacques Busse

ß Tiepolo. ß Tiepolo

BIBLIOGR. : E. Sack : *Giambattista und Domenico Tiepolo. Ihr Leben und ihre Werke*, 1962 – James Byam Shaw : *The Drawings of Domenico Tiepolo*, Londres, 1962 – George Knox : *Giambattista and Domenico Tiepolo. A Study and Catalogue Raisonné of the Chalk drawings*, 2 vol., Clarendon Press, Oxford, 1980 – Véronique Prat : *Exceptionnel : Venise prête ses Tiepolo à Paris*, in : Le Nouvel Observateur, 9 p., 1er mars 1986.

MUSÉES : BUDAPEST : *Vision de saint Jérôme* – COPENHAGUE : *La Cène* – DRESDE : *Présentation au temple* – LILLE : *Esquisse* – MADRID (Prado) : *Prière et agonie de Jésus* – *Jésus à la colonne* – *La couronne d'épines* – *Jésus tombe sous le poids de sa Croix* – *Jésus dépouillé de ses vêtements* – *Crucifiement* – *Descente de Croix* – *Jésus mis au tombeau* – *Sénateur vénitien* – PARIS (Mus. du Louvre) : *Le Menuet* – STOCKHOLM : *Présentation au temple* – STUTTGART : *Présentation au temple* – VENISE : *Adoration des bergers* – STUTTGART : *Présentation au temple* – VENISE : *Institution de l'Eucharistie* – VENISE (Mus. Harrach) : *Adoration des Mages* – VENISE (Mus. Nat.) : *La gondole postale* – VENISE (Mus. Ca'rezzonico) : *Les Pierrots se reposent* – *Dans la baraque des Saltimbanques* – *Les Pierrots énamourés* – VENISE (Mus. Civ. Correr) : *Stations du Chemin de Croix* – *Caricature masculine* – VIENNE (Kunst. Mus.) : *Le Burchiello*.

VENTES PUBLIQUES : PARIS, 1882 : *Le Christ conduit au Calvaire*, pl. et sépia : **FRF 215** ; *Joseph expliquant les songes*, dess. pl. et sépia : **FRF 400** – PARIS, 1895 : *Le triomphe de Mardochée* :

FRF 420 – NEW YORK, 6-7 avr. 1911 : *Sur la terrasse* : **USD 475** – PARIS, 14-15 déc. 1922 : *L'Aurore et Céphale*, esquisse pour un plafond : **FRF 7 000** – PARIS, 30 avr. 1924 : *Saint Joseph et l'Enfant Jésus* : **FRF 9 000** – LONDRES, 6 mars 1925 : *Le Christ endormi sur la mer de Galilée* : **GBP 162** – PARIS, 12 déc. 1925 : *Le Christ au jardin des Oliviers* : **FRF 27 000** – PARIS, 8 avr. 1927 : *La jeune musicienne* : **FRF 25 000** – PARIS, 19 nov. 1928 : *Saint Antoine, sainte Anne et un saint évêque* : **FRF 14 500** – LONDRES, 5 juil. 1929 : *La vie chez les riches ; La vie chez les pauvres*, ensemble : **GBP 2 047** – NEW YORK, 22 janv. 1931 : *Portrait d'homme en costume oriental* : **USD 1 100** – LONDRES, 13-14 juil. 1936 : *Intérieur d'un magasin*, pl. : **GBP 262** – PARIS, 20 nov. 1941 : *La Sainte Famille et saint Jean*, pl. et lav. de bistre : **FRF 20 000** – PARIS, 16 déc. 1942 : *Scène de miracle*, pl. et lav. de sépia : **FRF 33 000** – PARIS, 17-18 déc. 1942 : *Le Créateur et des anges*, pl. et lav. de sépia : **FRF 20 500** – PARIS, 30 avr. 1945 : *L'arrestation du Christ*, pl. et lav. de bistre : **FRF 23 500** ; *Le Christ aux pêcheurs*, pl. et lav. de bistre : **FRF 16 500** – PARIS, oct. 1945-juil. 1946 : *Le Christ couronné d'épines* : **FRF 645 000** – PARIS, 10 juin 1949 : *Faune monté sur un coursier et s'apprêtant à lancer un trait*, sépia : **FRF 26 000** – PARIS, 19 mai 1950 : *La famille du faune ; Faune et bacchante*, pl. et lav., deux pendants : **FRF 80 000** – PARIS, 23 mai 1950 : *L'arracheur de dents* : **FRF 415 000** – PARIS, 12 juin 1950 : *L'enlèvement de Déjanire par le centaure Nessus*, pl. et lav. : **FRF 30 200** – PARIS, 2 juil. 1951 : *Jésus, les apôtres et l'aveugle de Jéricho*, pl. et lav. de bistre : **FRF 76 000** ; *Groupe de personnages assaillis par les démons*, pl. et lav. de bistre : **FRF 60 000** – LONDRES, 18 nov. 1959 : *L'école*, pl., encre et lav. gris : **FRF 1 700** – NEW YORK, 10 mai 1961 : *Tête d'un vieil homme* : **USD 8 500** – PARIS, 15 juin 1962 : *Faunesse ; Faunesse et amours*, deux pendants : **FRF 225 000** – LONDRES, 3 juil. 1963 : *Scène de carnaval à Venise* : **GBP 72 000** – LONDRES, 19 mars 1965 : *Jeune femme jouant du luth* : **GNS 8 000** – LONDRES, 1er juil. 1966 : *Portrait d'un gentilhomme* : **GNS 9 200** – NEW YORK, 22 oct. 1970 : *La Crucifixion* : **USD 24 000** – LONDRES, 21 mars 1973 : *Le Christ sur la Croix entre les deux larrons* : **GBP 6 500** – PARIS, 20 mars 1974 : *Les polichinelles* : **FRF 150 000** – LONDRES, 24 mars 1976 : *La famille Tiepolo*, h/t (63,5x92,5) : **GBP 100 000** – BERNE, 8 juin 1977 : *Idées pittoresques sur la Fuite en Égypte* 1753, 25 eaux-fortes, suite complète : **CHF 45 000** – LONDRES, 5 déc. 1977 : *Portrait d'un Oriental*, dess. au lav. (25,5x15,7) : **GBP 2 200** – LONDRES, 7 juil. 1978 : *Ex-voto : la Sainte Vierge apparaissant à une malade touchée*, h/t (36,1x43,6) : **GBP 19 000** – LONDRES, 28 nov 1979 : *Renaud abandonnant Armide*, eau-forte, d'après Giovanni Battista Tiepolo (36,5x26) : **GBP 850** – LONDRES, 30 nov 1979 : *Ex-voto : Gloire de la Vierge*, h/t (36x43,6) : **GBP 14 000** – LONDRES, 3 juil. 1980 : *La mort de Polichinelle*, pl. et lav./trait de pierre noire (35,5x47,4) : **GBP 23 000** – NEW YORK, 20 mai 1981 : *Polichinelle et l'oiseau captif*, pierre noire, pl. et lav. (29,5x41) : **USD 77 500** – LONDRES, 9 mars 1983 : *Un vieux soldat barbu*, h/t (57x45) : **GBP 7 500** – LONDRES, 13 déc. 1984 : *Polichinelles dans Malvasia*, craie noire, pl. et lav. (38,2x46,6) : **GBP 68 000** – NEW YORK, 16 jan. 1985 : *Le dîner de Polichinelle*, pl. et lav. (29,5x41,4) : **USD 50 000** – NEW YORK, 16 jan. 1986 : *Trois cavaliers*, pl. et lav./traits craie noire (20,2x28,3) : **USD 28 000** – NEW YORK, 12 nov. 1987 : *Un artiste ambulant avec un dromadaire et des singes*, pl., encre brune et lav. brun-gris/traits de craie noire (29x41) : **USD 145 000** – PARIS, 9 mars 1988 : *Soldat casqué dans un cellier*, pl. et lav. de bistre (46x36) : **FRF 300 000** – LONDRES, 30 nov. 1989 : *L'approche de la tempête*, h/t (48x72) : **GBP 4 950** – NEW YORK, 12 jan. 1990 : *Hercule et Antaeus*, encre et lav./craie noire (19,8x14,2) : **USD 9 075** – ROME, 8 mars 1990 : *Un centaure et une faunesse épiés par un satyre*, cr., encre et aquar. (20,4x27,7) : **ITL 48 000 000** – NEW YORK, 10 oct. 1990 : *Ecce Homo*, h/t (41,9x34,3) : **USD 19 800** – PARIS, 12 déc. 1990 : *Le Christ dans les bras de Dieu le Père*, pierre noire, pl. et lav. brun (26x17,2) : **FRF 130 000** – NEW YORK, 9 jan. 1991 : *Saint Paul prêchant à la synagogue d'Antioche*, craie noire, encre et lav. (48,9x38,2) : **USD 60 500** – LONDRES, 2 juil. 1991 : *Le Christ désignant les soixante-dix disciples*, craie noire, encre brune et lav. gris (45,5x35) : **GBP 20 900** – PARIS, 28 nov. 1991 : *Bénédiction d'un évêque*, pl. et lav. (19,4x27,6) : **FRF 39 000** – NEW YORK, 17 jan. 1992 : *Saint Joseph et le Christ enfant*, h/t (39,4x31,1) : **USD 88 000** – PARIS, 27 mars 1992 : *Centaure et satyres*, pierre noire, pl. et encre (18,5x27) : **FRF 95 000** – LONDRES, 7 juil. 1992 : *Centaure enlevant une nymphe*, craie noire et lav. (25x31,2) : **GBP 7 700** – MUNICH, 26 mai 1992 : *Le baptême du Christ*, eau-forte : **DEM 3 450** – NEW YORK, 13 jan. 1993 : *Scène d'exécution*, encre et lav./craie noire (48,9x38,7) : **USD 82 250** – LONDRES, 21 avr. 1993 : *Tête d'un Oriental*, h/t (75,5x57,5) : **GBP 62 000** – Rome, 29 avr. 1993 : *Apparition de la Vierge et l'Enfant à saint Philippe Neri*, h/cuivre (25,5x20) : **ITL 44 000 000** – Paris, 18 juin 1993 : *Jeune soldat en armure tenant un plat*, sanguine et craie blanche/pap. bleu (30x13) : **FRF 40 000** – Paris, 20 oct. 1993 : *Groupe d'Amours sur des nuées l'un d'entre eux tenant un flambeau*, pl. et lav. de sépia (18,1x24,2) : **FRF 55 000** – New York, 11 jan. 1994 : *Personnages élégants jouant aux cartes dans un casino*, craie noire et encre (27,8x40,6) : **USD 206 000** – Paris, 11 mars 1994 : *La fuite en Égypte*, pl. et lav. brun/croquis de cr. noir (48x38,3) : **FRF 310 000** – New York, 10 jan. 1995 : *Les anges conduisant sainte Anne loin de chez elle*, encre brune et lav. (48,1x37,9) : **USD 51 750** – Paris, 13 mars 1995 : *La Résurrection du Christ*, encre brune/esq. à la pierre noire (46,5x36,4) : **FRF 225 000** – Londres, 3 avr. 1995 : *Portrait de Lorenzo, jeune garçon de profil*, craie noire avec reh. de blanc/pap. bleu (22,1x17,1) : **GBP 4 830** – Londres, 5 juil. 1995 : *La famille Tiepolo*, h/t (63,5x92,5) : **GBP 606 500** – New York, 9 jan. 1996 : *Le Baptème du Christ*, encre et lav. (25,5x19) : **USD 12 075** – Paris, 15 mai 1996 : *Le Centaure*, pl. et lav. (19x28) : **FRF 23 000** – Paris, 7 juin 1996 : *Le Don de saint Pierre*, eau-forte (31x21) : **FRF 5 800** – Londres, 2 juil. 1996 : *Punchinello et sa nurse*, craie noire et encre avec lav. (35,5x47) : **GBP 133 500** – Paris, 26 nov. 1996 : *Putti*, pl. et lav. d'encre brune, étude de plafond (43,7x24,5) : **FRF 90 000** – New York, 29 jan. 1997 : *Un léopard*, pl. et encre brune et lav. (9,9x18,1) : **USD 46 000** – New York, 30 jan. 1997 : *Le Charlatan*, h/t (35,6x57,2) : **USD 525 000** – Londres, 2 juil. 1997 : *Le Baptème du Christ* vers 1770, pl. et encre brune et lav. (29,3x20,2) : **GBP 16 100** – Paris, 21 nov. 1997 : *La Famille du Centaure*, pl. et lav. encre (19,2x27,5) : **FRF 150 000** – Londres, 3 déc. 1997 : *Angélique et Médor*, h/t (139x83,2) : **GBP 419 500** ; *Une jeune femme à la mandoline avec des fleurs et des perles dans les cheveux*, h/t (60,3x50,8) : **GBP 441 500**.

TIEPOLO Lorenzo Baldissera
Né le 8 août 1736 à Venise. Mort avant le 8 août 1776 à Madrid. XVIIIe siècle. Italien.
Peintre de sujets allégoriques, scènes de genre, portraits, graveur, pastelliste, peintre de lavis, dessinateur.
Il est le plus jeune enfant de Giambattista Tiepolo. On croit qu'il aida son père et son frère Domenico, il les accompagna en Espagne, où il résidait encore en 1772.
Il eut une part importante dans la constitution de l'œuvre gravé à l'eau-forte des Tiepolo.
Bibliogr. : Aldo Rizzi : *L'Opera grafica dei Tiepolo : le acqueforti*, Electa, Milan, 1971 – Terisio Pignatti : *Le acqueforti dei Tiepolo*, Nuova Italia, Florence, 1979.
Musées : Pontoise : Dessin.
Ventes Publiques : Paris, 28 juin 1928 : *Deux moines pèlerins au repos*, lav. de sépia : **FRF 2 600** – Paris, 6 juin 1951 : *Figure ailée*, sanguine : **FRF 14 500** : *Tête de jeune homme*, sanguine et rehauts de blanc : **FRF 14 000** – Londres, 2 déc. 1977 : *La joueuse de luth*, h/t, forme ovale (53,3x41,2) : **GBP 2 400** – Londres, 24 avr 1979 : *Renaud et Armide*, eau-forte, d'après Giovanni Battista Tiepolo (27,4x34,1) : **GBP 1 200** – New York, 5 juin 1979 : *Portrait de Palma Giovane*, craies rouge et noire reh. de blanc, d'après un buste d'Alessandro Vittoria (23,5x18,5) : **USD 2 500** – Londres, 18 juin 1982 : *Sainte Thecal implorant Dieu*, eau-forte, d'après Giovanni Battista Tiepolo (70,5x40,2) : **GBP 1 900** – Londres, 6 juil. 1982 : *Tête d'homme*, craie noire et lav. bleu (24x19,2) : **GBP 2 800** – Milan, 24 nov. 1983 : *Portrait de jeune femme*, past. (42x32) : **ITL 11 500 000** – New York, 18 jan. 1984 : *L'ange de la mort*, pl. et lav. avec traces de craie rouge (44,5x30,3) : **USD 2 200** – Londres, 2 juil. 1985 : *Tête d'homme au chapeau d'hermine*, craie noire, rouge et blanche/pap. gris-bleu (33,5x21,2) : **GBP 3 600** – Londres, 29 juin 1987 : *Renaud et Armide*, eau-forte (27,4x34,2) : **GBP 2 900** – Paris, 18 mars 1987 : *Scherzi di Fantasia*, pl. et lav./croquis à la pierre noire, étude (28x20) : **FRF 22 000** – New York, 12 jan. 1988 : *Tête d'homme coiffé d'une toque bordée d'hermine de profil droit*, sanguine et craies/pap. gris (33,5x21,2) : **USD 6 050** – Londres, 7 déc. 1988 : *Tête d'un Oriental*, h/t (44,5x38) : **GBP 12 650** – Londres, 2 juil. 1990 : *Tête d'homme jeune tournée vers la gauche*, craies noire, rouge et verte (38,1x28,2) : **GBP 46 200** – New York, 11 jan. 1991 : *Portrait d'un jeune homme*, h/t (47,5x38,4) : **USD 28 600** – Paris, 17 juin 1994 : *Deux personnages devant un mausolée pyramidal*, pl., lav. brun et sanguine (28,5x20) : **FRF 34 000** – New York, 15 jan. 1995 : *Les Madrilènes*, past./pap. (49,2x62,8) : **USD 717 500** – Londres, 5 juil. 1996 : *Jeune fille en robe rose et châle brodé offrant des oranges à un jeune homme vêtu d'une cape verte et lui*

tendant son tricorne tandis qu'un autre les observe avec son monocle, past./pap./t. (56,4x48,4) : **GBP 320 000** – New York, 31 jan. 1997 : *Jeune femme en buste portant une robe bleue*, h/t (59x50) : **USD 74 000**.

TIERCE
XVIIIe siècle. Actif à Rouen de 1766 à 1787. Français.
Peintre et sculpteur.
Il exécuta des sculptures dans la cathédrale et l'église Sainte-Madeleine de Rouen.

TIERCE Jean Baptiste Antoine ou Thiers
Né le 9 avril 1737 à Rouen (Seine-Maritime). Mort vers 1790 à Florence (?). XVIIIe siècle. Depuis 1779 actif aussi en Italie. Français.
Peintre de sujets allégoriques, scènes de genre, animaux, paysages, paysages d'eau, marines, aquarelliste, dessinateur.
Il fut élève de Pierre, puis agréé à l'Académie des Beaux-Arts en 1786. Il se fixa en Italie, en 1779. Varin et Carl Guttemberg ont gravé d'après ses tableaux.
Musées : Carcassonne : *Pêche à la torche* – Florence (Mus. des Offices) : *Cascade du Tévone à Tivoli* – Orléans : *Épisode du Roland Furieux de l'Arioste*, dess. à la sépia – Roubaix : *Paysage, vue d'Hatré* – Toulouse : *Ruines de Pæstum – Tempête*.
Ventes Publiques : Paris, 30 mars 1942 : *La cascade d'Isola, près de Naples*, aquar. sur trait de pl. : **FRF 1 050** – Paris, 2 déc. 1946 : *Paysages de Suisse avec cascades et personnages*, deux aquarelles sur la même feuille : **FRF 1 350** – Paris, 4 et 5 fév. 1954 : *Troupeau dans un paysage rocheux* ; *Marine*, deux pendants : **FRF 18 000** – Paris, 13 juin 1986 : *Vue de la villa de Catulle 1784*, pl. et lav. brun, gche blanche (44x59) : **FRF 15 000** – Paris, 1er avr. 1993 : *Allégorie*, cr. noir (38x48,5) : **FRF 3 000** – Paris, 16 déc. 1994 : *Paysage de Tivoli avec un tombeau*, h/pap./t. (27,5x40) : **FRF 24 000**.

TIERCELIN René, dit Queuxdame
Mort en janvier 1752 à Paris. XVIIIe siècle. Français.
Peintre.
Ventes Publiques : Paris, 28 oct. 1922 : *La fillette à la tourterelle* : **FRF 2 600** – Paris, 18 juin 1926 : *La fillette à la tourterelle* : **FRF 3 800**.

TIERCEVILLE Eugène Valentin de
Né le 22 janvier 1816 à Paris. XIXe siècle. Français.
Peintre, portraitiste.
Élève d'Ingres. Entré à l'École des Beaux-Arts le 6 octobre 1832. Il exposa au Salon de Paris de 1840 à 1846.

TIERENDORF Jeremias Van
XVIIe siècle. Travaillant à Ypres dans la première moitié du XVIIe siècle. Éc. flamande.
Peintre d'histoire.
On citait de lui, dans les églises d'Ypres, à Saint-Pierre, *Le Christ délivrant les clefs à cet apôtre* et, à Saint-Jacques, *Nativité*.

TIERSONNIER Auguste
Né en 1797 à Nevers. XIXe siècle. Français.
Peintre de genre et de paysages.
Élève de Guérin et Lethière. Il entra à l'École des Beaux-Arts le 27 mars 1820. Il exposa au Salon de Paris en 1827 et en 1839 des scènes de la vie populaire en Italie et un paysage.

TIERSONNIER Louis Simon ou Tiersormier de Quennefer
Né en 1713 ou 1718 à Beauvais. Mort le 4 juin 1773 à Paris. XVIIIe siècle. Français.
Peintre de genre.
Membre de l'Académie de Saint-Luc, il prit part à son exposition de 1762. Le Musée de Rouen conserve de lui : *Le riche dont parle saint Luc*.
Ventes Publiques : Paris, 1779 : *Le serviteur d'Abraham offrant des présents à Rébecca* : **FRF 120**.

TIERSONNIER Simone
Née vers 1940. XXe siècle. Française.
Peintre de sujets divers.
Elle fut élève et diplômée de l'École des Beaux-Arts de Besançon. Jusqu'en 1963, elle vécut à l'étranger. Elle expose en France depuis 1965, dans de nombreuses localités de France, obtenant des distinctions régionales. À Paris, elle participe aux Salons des Artistes Français, des Indépendants, de l'École Française, dont elle est sociétaire, et aux Salons de la Société Nationale des Beaux-Arts, des Femmes peintres et sculpteurs, d'Automne.

TIESENHAUSEN Paul de, baron
Né le 10 janvier 1837 à Idfer (Estonie). Mort le 24 novembre 1876 à Munich. XIXᵉ siècle. Russe.
Peintre de marines.
Il fut d'abord soldat et servit pendant la guerre de Crimée. Il étudia avec Millner à l'Académie de Munich, puis avec Lier. Tiesenhausen produisit un nombre important de marines dans lesquelles il sut traduire le charme poétique des côtes russes prises aux diverses heures du jour. Le Musée de Graz conserve de lui *La plage de Heligoland*, et celui de Stuttgart, *Port pendant la nuit.*

TIESENHAUSEN Speranza, ou **Nadeshda**
Née en 1868 à Saint-Pétersbourg. XIXᵉ-XXᵉ siècles. Russe.
Peintre de compositions à personnages.
Elle étudia à l'Académie des Beaux-Arts de Florence et figura hors concours en 1900 à l'exposition du concours Alinari, avec son tableau : *Madone et Enfant.*

TIETGENS Ferdinand
XIXᵉ siècle. Actif au début du XIXᵉ siècle. Allemand.
Portraitiste.
Le Musée Municipal de Hambourg conserve de lui *Portrait d'un garçon de quatorze ans.*

TIETSCHI. Voir **DIETSCHI**

TIETZ Ferdinand. Voir **DIETZ Ferdinand**

TIETZ Georg
XVIIᵉ siècle. Autrichien.
Sculpteur.
Il a sculpté en 1624, une statue de *Saint Georges* pour l'église de Gand-Eppan.

TIETZ Johann Ludwig
Né à Königsberg. Mort en 1798 à Gotha. XVIIIᵉ siècle. Allemand.
Peintre, sculpteur-modeleur de cire, aquafortiste.
Élève de l'Académie de Berlin. Il travailla à Londres et à la Cour de Gotha. La Walters Art Gallery de Baltimore conserve de lui *Portrait du sixième lord Baltimore.*

TIE YOU HOUA
XXᵉ siècle. Actif en France. Chinois.
Peintre, sculpteur et dessinateur.
Il a exposé au Salon des Indépendants des *Nus* d'une arabesque précieuse. En 1946, il figurait à l'Exposition d'Art Moderne ouverte à Paris, au Musée d'Art Moderne, par l'Organisation des Nations unies. Il a montré des sculptures stylisant la réalité, au Salon d'Automne. *Voir aussi HUA TIANYOU.*

TIFFANY Louis Comfort
Né le 18 février 1848 à New York. Mort le 17 janvier 1933 à New York. XIXᵉ-XXᵉ siècles. Américain.
Peintre de scènes de genre, sujets typiques, paysages, peintre à la gouache, aquarelliste, peintre de cartons de vitraux, mosaïste, céramiste, verrier. Orientaliste.
Il fut élève de George Inness et de Samuel Colman à New York et de Léon Bailly à Paris, au cours d'un voyage en Europe. Il fut associé de la National Academy en 1871, académicien en 1880.
Au cours de ses participations à des expositions, il reçut diverses distinctions, d'entre lesquelles : en 1893 à l'exposition de Chicago, où ses envois de vases reçurent l'accueil qui assura sa renommée, on ne sait s'il put distingué ; non plus qu'en 1895 à Paris, au Salon de l'Art nouveau, où son envoi motiva des articles élogieux dans la revue *Pan* ; puis : Médaille d'or à Paris en 1900 dans la section des Arts Appliqués à l'Industrie et fait chevalier de la Légion d'honneur la même année ; Grand Prix à Turin à l'exposition d'Art décoratif ; Médaille d'or à Dresde en 1901 ; Diplôme d'Honneur à Saint-Louis en 1904. Louis C. Tiffany fut membre de la Société Nationale des Beaux-Arts à Paris et de la Société Impériale des Beaux-Arts de Tokyo.
Au cours de son séjour à Paris, ses peintures et aquarelles subirent l'influence de la nouvelle vogue des arts extrême-orientaux et de l'art décoratif japonais, qu'il reçut surtout par l'intermédiaire du céramiste français Auguste Delaherche, qui avait lui-même travaillé directement avec des artistes japonais. Dès 1880, avec la décoration totale d'une pièce inspirée de motifs japonais, il prenait place parmi les précurseurs américains du style décoratif de l'« Art nouveau », à la suite de J. MacNeill Whistler qui, en 1877, avait réalisé la décoration d'une désormais célèbre *Chambre du Paon.*
Son père avait créé une importante entreprise de joaillerie, dont Louis C. Tiffany poursuivra ultérieurement l'activité en orfèvrerie. Il s'intéressait aussi à la céramique et à la verrerie. En 1892, il fonda une fabrique de verreries d'art soufflées et travaillées manuellement, selon l'ancienne tradition mais appliquée à des créations modernes, à l'exemple de ce qui se passait à Nancy au même moment autour d'Émile Gallé. Dès 1893, la firme Tiffany de New York fabriquait le verre « favrile », aux reflets métalliques avec des effets d'irisation et d'opalescence, dont le succès en Amérique comme en Europe fut absolument comparable à celui des productions de l'École de Nancy. En 1896, l'agent de la Société Tiffany en France, Samuel Bing, publia son ouvrage *La Culture artistique en Amérique,* qui, évidemment, insistait plus particulièrement sur les productions Tiffany.
Cependant, l'artiste chef d'une industrie collective n'avait pas renoncé à son activité d'artiste individuel. Il a décoré des édifices publics et religieux, dont, par exemple, les mosaïques dans la crypte de la cathédrale Saint John The Divine de New York, des vitraux pour une chapelle de l'Île de Jersey. Quant à ses œuvres peintes proprement dites, rarement datées, il semble qu'elles soient en général antérieures à 1900. Le nom de Tiffany continue de briller à New York en tant que raison sociale du grand magasin d'accessoires de luxe, où il est de bon ton de se retrouver pour le thé. ■ J. B.

L C J

BIBLIOGR. : Samuel Bing, in : *La Culture artistique en Amérique,* Paris, 1896 – in : Encyclopédie *Les Muses,* Grange-Batelière, Paris, 1969-1975.
MUSÉES : BROOKLYN : *La Mosquée de Mahomet Ali – Les Tombeaux des mamelouks au Caire* – NEW YORK (Metropolitan Mus.) : *Charmeur de serpents à Tanger.*
VENTES PUBLIQUES : NEW YORK, 15-16 mars 1906 : *A Malte* : USD 105 – NEW YORK, 21-22 jan. 1909 : *En Orient* : USD 160 – NEW YORK, 19 mars 1969 : *Paysage d'Italie* : USD 1 700 – NEW YORK, 7 avr. 1971 : *Mère et Enfant* : USD 4 500 – NEW YORK, 10 mai 1974 : *Jane Peterson peignant dans un jardin* : USD 1 900 – NEW YORK, 27 oct. 1977 : *China Town, San Francisco 1908,* aquar./ pap. mar./cart. (51x72,4) : USD 7 000 – NEW YORK, 27 oct. 1977 : *Le marchand de fruits, Nassau 1870,* h/t (84,5x127,6) : USD 4 000 – NEW YORK, 2 févr 1979 : *Scène de marché arabe,* h/t mar./isor. (24,1x36,8) : USD 1 800 – NEW YORK, 10 juil. 1980 : *Derniers rayons de soleil sur la mosquée d'Assouan 1911,* aquar. et past. (71,7x52,7) : USD 2 250 – NEW YORK, 26 juin 1981 : *Ice House à Seabright 1909,* h/t mar./cart. (25,7x41,1) : USD 2 000 – NEW YORK, 24 mai 1984 : *Scène de village arabe,* aquar. et gche/trait de craie noire/pap. brun (33,3x50) : USD 4 000 – NEW YORK, 29 sep. 1984 : *La route du Caire,* h/t (72,5x37) : USD 7 000 – NEW YORK, 30 mars 1985 : *Scène d'intérieur arabe,* aquar. (34,3x52,7) : USD 6 000 – NEW YORK, 29 mai 1987 : *Mrs Hinkley reading,* h/t (66,5x46) : USD 14 000 – NEW YORK, 24 juin 1988 : *Maison à flanc de colline,* h/t (35,8x41,5) : USD 5 500 – NEW YORK, 24 jan. 1990 : *L'Alhambra,* aquar., encre et cr./pap./cart. (35,5x52) : USD 3 520 – NEW YORK, 14 fév. 1990 : *Sur un canal,* h/t (51x76) : USD 10 450 – NEW YORK, 16 mars 1990 : *Reflets sur la mer au coucher de soleil,* h/t (69,8x92,7) : USD 11 000 – NEW YORK, 27 sep. 1990 : *Étude de troncs d'arbres,* aquar. et gche/pap. teinté (39x55) : USD 4 950 – NEW YORK, 23 sep. 1992 : *Pêcheurs mettant une barque à la mer à Sea Bright (New Jersey) 1887,* h/t (61x91,4) : USD 60 500 – NEW YORK, 3 déc. 1992 : *Arabe,* aquar. et gche/pap. (38,7x25,4) : USD 11 500 – NEW YORK, 29 sep. 1994 : *Femme dans un jardin italien,* h/t (33x45,7) : USD 13 800 – NEW YORK, 13 sep. 1995 : *Arabes au marché,* h/t/cart. (18,4x25,4) : USD 4 600 – NEW YORK, 4 déc. 1996 : *Marchands de fruits sous le mur de la Mer à Nassau 1870,* h/t (84,5x127) : USD 134 500 – NEW YORK, 26 sep. 1996 : *Le Colporteur du village 1875,* aquar./cart. (71,1x101,6) : USD 28 750.

TIFFANY William Shaw
Né en 1824 (?). Mort le 28 septembre 1907 à New York. XIXᵉ siècle. Américain.
Peintre d'histoire et illustrateur.
Il fit ses études classiques, à l'Université de Harvard jusqu'en 1845, puis vint travailler la peinture à Paris avec Ary Scheffer, Couture, Troyon et Benjamin Constant. Il était de retour en Amérique en 1854. Il s'établit à Baltimore. Son *Saint Christophe portant le Christ* est conservé à l'Université d'Harvard. Il a illustré *May Queen,* de Tennysson.

TIFFERIES Bonaventura de. Voir **THIEFFERIES**

TIFFIN Henry
XIXᵉ siècle. Actif à Londres. Britannique.

Paysagiste.
Il exposa à Londres de 1845 à 1874.

TIFFIN Walter Francis, dit **Francis W.**
XIXe siècle. Actif à Salisbury de 1844 à 1867. Britannique.
Miniaturiste et paysagiste.
Il exposa sous le nom de Francis W. Tiffin deux paysages à la Royal Academy en 1844. À partir de 1845 et jusqu'en 1867, on le trouve exposant sous son nom des miniatures à la Royal Academy, à la British Institution et à Suffolk Street.

TIFFOU Freddy
Né le 1er avril 1933 à Alger. XXe siècle. Français.
Peintre.
Il fait ses études à l'École Nationale Supérieure des Beaux-Arts de Paris de 1953 à 1958, obtenant le Premier Grand Prix de Rome en 1962.
Nombreuses expositions collectives en France, en Allemagne, aux U.S.A., en Algérie, au Japon, en Italie, en Belgique. Il participe également à plusieurs Salons, ainsi qu'à la Biennale de Menton. Il fait des expositions particulières en France, en Algérie, en Suède, au Japon. Il est professeur à l'École des Beaux-Arts de Lyon.
La répétition tient une grande part dans ses toiles, répétition d'un même visage, ou d'un même sujet dont la seule et unique image, découpée par le milieu ou aux trois quarts est disposée d'une façon répétitive sur la toile, alternant avec un jeu de lignes. Dans une période ultérieure, ce sont plusieurs images différentes, et sans lien apparent, qui sont dispersées sur la surface de la toile. La technique du dessin, la fidélité de la représentation y sont toujours remarquables de virtuosité.

TIGER Adolphe
XIXe siècle. Français.
Peintre de portraits et pastelliste.
Il débuta au Salon de 1848.

TIGER Félicie, ou **Félicie Defer**
XIXe siècle. Française.
Peintre de portraits.
Elle débuta au Salon de 1859.

TIGER Jean
Né à Falaise (Calvados). Mort le 30 décembre 1698 à Paris.
XVIIe siècle. Français.
Peintre de portraits.
Élève de Mignard et peintre du roi. Il peignit des portraits et des saints. Reçu académicien le 5 octobre 1675.

TIGER Jean Baptiste
XVIIe-XVIIIe siècles. Français.
Peintre.
Fils de Jean Tiger et peintre du roi.

TIGERSTEDT Gregoria
Née en 1891. XXe siècle. Finlandaise.
Sculpteur, céramiste et illustrateur.
Elle fit ses études à Lausanne, à Berlin et à Paris.

TIGL Josef
Mort le 8 mars 1765 à Radkersbourg. XVIIIe siècle. Autrichien.
Peintre.
Il a peint un *Saint Joseph* dans l'église de Luttenberg en 1756.

TIGNARD Philippe
XVIIe siècle. Actif à Lyon. Français.
Sculpteur sur bois.
Il a sculpté le jubé dans l'église Sainte-Croix de Lyon en 1643.

TIHAMERI SZEKER Mihaly
Né au comté de Torna. XVIIe-XVIIIe siècles. Hongrois.
Peintre.
Il travailla à Nagybanya de 1689 à 1707.

TIHANYI Janos Lajos, ou **Johann Ludwig**
Né le 19 octobre 1885 à Budapest. Mort le 12 juin 1938 à Paris. XXe siècle. Actif aussi en France. Hongrois.
Peintre de figures, portraits, nus, intérieurs, paysages.
Postcézannien. Groupe des Huit (Nyolcack).
Il devint sourd-muet à l'âge de douze ans, à la suite d'une maladie infantile. Il fut élève d'une école de dessin industriel et d'Istvan Réti à Budapest. En 1907, 1908 ou 1909, il se joignit au *Groupe des Huit.* En 1912, il travailla avec les artistes du groupe des néo-impressionnistes de Nagybanya. En 1918, il se joignit aux artistes du groupe des (politiquement) *Activistes*, participant aussi au groupe *MA.* En 1920, il était à Vienne ; en 1922 en Alle-

magne, à Berlin ; en 1923, il vint se fixer à Paris. En 1929, il fit un voyage aux États-Unis. En 1933, il adhéra au groupe *Abstraction-Création* de Paris.
Il exposa à Budapest : en 1912 avec le groupe des peintres de Nagybanja ; en 1918 à Vienne ; à Berlin, Dresde, Amsterdam ; en 1929 à San Francisco, New York ; en 1933 à Paris. Après sa mort, en 1973 la Galerie Nationale Hongroise de Budapest lui a consacré une exposition rétrospective. En 1978, il était représenté à l'exposition *Abstraction-Création 1931-1936,* au Westfälisches Landesmuseum für Kunst und Kulturgeschichte de Münster, et au Musée d'Art moderne de la Ville de Paris. Il figura, en 1980, à l'exposition *L'Art en Hongrie – 1905-1930 – Art et révolution,* au Musée d'Art et d'Industrie à Saint-Étienne.
Il fut influencé par l'expressionnisme de Kokoschka, les qualités constructives de Cézanne et du cubisme, la clarté d'exposition de Matisse. Dans sa première période, il a peint les portraits de nombreuses personnalités hongroises, dont les volumes sont systématiquement découpés en facettes. À l'exemple de Béla Czobel, qui peut être considéré comme le créateur de la peinture hongroise moderne, il tenta une synthèse de l'expressionnisme et de la construction cézannienne. ■ J. B.

BIBLIOGR. : Robert Desnos : *Tihanyi,* Paris, 1936 – Lajos Németh, in : *Moderne ungarische Kunst,* Corvina, Budapest, 1969 – Krisztina Passuth : *La carrière de Lajos Tihanyi,* Acta Historiae Artium, Budapest, 1974 – in : Catalogue de l'exposition *Abstraction-Création 1931-1936,* Westfälisches Landesmus. für Kunst and Kulturgeschichte, Münster, Musée d'Art moderne de la Ville, Paris, 1978 – in : Catalogue de l'exposition *L'art en Hongrie 1905-1930 – art et révolution,* Mus. d'art et d'industrie, Saint-Étienne ; Mus. d'art mod. de la ville de Paris, 1980 – in : Catalogue de l'exposition *L'Avant-Garde en Hongrie,* gal. Franka Berndt, Paris, 1984 – in : Catalogue de l'exposition *Beöthy et l'Avant-Garde Hongroise,* gal. Franka Berndt, Paris, 1985 – in : *L'Art du XXe siècle,* Larousse, Paris, 1991 – in : *Diction. de l'Art Mod. et Contemp.,* Hazan, Paris, 1992.

MUSÉES : BROOKLYN – BUDAPEST (Gal. Nat. Hongroise) : *Nu 1917 – Portrait de Tristan Tzara 1926 –* BUDAPEST (Mus. Littéraire) : *Portrait de Lajos Kassak 1918 –* NEW YORK (Brooklyn Mus.).

VENTES PUBLIQUES : PARIS, 26 oct. 1926 : *Paysage de Florence :* FRF 2 300 – LUCERNE, 7 juin 1997 : *Abstraction* vers 1933, h./ t. non préparée (46x35) : CHF 4 600.

TIHEC Slavko
Né en 1928 à Maribor. XXe siècle. Yougoslave.
Sculpteur. Abstrait-géométrique, tendance minimaliste.
Il fut élève de l'Académie des Beaux-Arts de Ljubljana. Il vit à Maribor. Il participe à de nombreuses expositions de groupes nationales et internationales, notamment : 1963, Biennale Méditerranéenne d'Alexandrie ; 1964, 33e Biennale de Venise ; 1968, Biennale de la Sculpture Européenne, à Anvers et Trieste ; 1969, Biennale de l'Art Constructif, à Nuremberg ; 1970, 3e Salon International des Galeries Pilotes, Musée Cantonal de Lausanne et Musée Municipal d'Art Moderne de Paris ; etc. Il a obtenu divers prix. Ses sculptures à tendance géométrique stricte, se rattachent par leur simplicité aux formes primaires recherchées par les Américains du « Minimal Art ».

BIBLIOGR. : *Catalogue du 3e Salon International des Galeries Pilotes,* Musée Cantonal, Lausanne, 1970.

TIHI Oliver
Né le 13 avril 1943. XXe siècle. Yougoslave.
Peintre de figures.
Il fait ses études à l'Académie Royale des Beaux-Arts de Londres, et à l'Académie des Beaux-Arts de Rome avec Renato Guttuso. Nombreuses expositions particulières en France, en Angleterre, en Yougoslavie.
Peut-être influencé par l'art social de Guttuso, Tihi est un peintre figuratif, représentant surtout des personnages.

TIJERINA Marcos ou **Tejerina**
XVIe siècle. Actif à Valladolid. Espagnol.
Peintre.
Son nom figure dans la liste des artistes qui travaillèrent à Notre-Dame de la Antigua pour la réalisation de l'œuvre conçue et entreprise par Juan de Juni.

TIJESIC Petar
Né le 6 septembre 1888 à Sarajevo. XXe siècle. Yougoslave.
Peintre.
Élève des Académies de Vienne et de Cracovie.

TIJNAGEL Jan ou **Tijnaghel.** Voir **TENGNAGEL**
TIJTGAT Edgard. Voir **TYTGAT**

TIKAL Vaclav
Né en 1906 à Ptenin, près de Prestice. Mort le 26 novembre 1965 à Prague. XXᵉ siècle. Tchécoslovaque.
Peintre.
De 1936 à 1939, il fut élève de l'Académie des Beaux-Arts de Prague. Pendant la guerre de 1939-1945, il prit contact avec le groupe surréaliste constitué autour de la personnalité de Karel Teige. En 1951, à la mort de Teige, Tikal cessa de peindre pendant quatre ans, jusqu'à ce que le groupe se fût reconstitué autour de Vratislav Effenberger, comme si le modèle parisien d'une fédération autour de Breton se perpétuait ailleurs.
Il participe à de nombreuses expositions dans les principales villes de Tchécoslovaquie et surtout à Prague, où il a aussi montré des expositions personnelles de ses œuvres. Il a participé également à des expositions d'art tchécoslovaque, notamment à Paris, Bruxelles, Lucerne, Budapest, Bucarest, Amsterdam, Milan, Bochum, Baden-Baden, Berlin, etc.
De 1958 à 1962, il a participé à la publication régulière de volumes qui étaient intitulés *Objets*. Dès ses débuts, le surréalisme fut pour Tikal son air pour respirer, penser, créer. Il a dû s'approprier les thèmes et les savoir-faire des Dali, Man Ray. Toutefois, et ce fut ce qui le libéra d'une sujétion littérale à ses modèles, au lieu d'une exploration de l'inconscient onirique, il s'est attaché à l'évocation symbolique de la guerre par le détour de son absurdité : *À la mémoire des martyrs* de 1946, dédié à Rabi Loew, le rabin qui créa le monstrueux Golem, et dont on voit la tombe chavirée dans le vieux cimetière juif de Prague, *Fascisme* de 1952, dédié à son maître Karel Teige. Peignant sur des petits formats, d'une technique légère de glacis transparents, à la fois séduisante et troublante, son activité s'est étendue à d'autres domaines, d'une part aux phénomènes de métamorphoses générés par la nature dans ses développements les plus luxuriants : *Les vieux arbres* de 1951, *L'architecture de la nature* de 1959, d'autre part à des imaginations mécanistes d'une construction géométrique délirante : *Navire volant* de 1944, *La Tour astrophysique* de 1947, *Fantômes mécaniques* de 1965.
Tout l'œuvre de Tikal se rattache au surréalisme qui, parallèlement aux deux courants expressionniste et cubiste, a connu une remarquable vitalité en Tchécoslovaquie, entre les deux guerres mondiales. Plus que du côté du surréalisme de l'écriture picturale, comme par exemple le surréalisme de Ernst ou de Miró, il se situe du côté du surréalisme de l'image, à la suite de Dali. ■ Jacques Busse
BIBLIOGR. : Catalogue de l'exposition *50 ans de peinture tchécoslovaque. 1918-1968*, Musées tchécoslovaques, 1968 – in : *Diction. Univers. de la Peint.*, Le Robert, Paris, 1975.
VENTES PUBLIQUES : PARIS, 22 juin 1984 : *Architecture 1947*, h/t (61x50) : FRF 14 500.

TIKATS Adolf
Né en 1872 à Budapest. XIXᵉ-XXᵉ siècles. Hongrois.
Peintre d'architectures et restaurateur de tableaux.

TIKHOMIROVA Irina
Née en 1955, ou 1956 à Léningrad (auj. Saint-Pétersbourg). XXᵉ siècle. Russe.
Peintre de compositions à personnages, scènes et paysages animés. Naïf.
Ses peintures ont été montrées dans des expositions d'art naïf, en 1988 à Paris et au Musée d'Art Naïf de Laval.
Elle pratique un dessin simplifié, amusant, parfaitement efficace, qui situe avec précision le cadre et le décor général de l'action, et une mise en couleurs qui sait être tantôt festive : *Le petit bazar*, tantôt nostalgique : *La Toussaint*, non indigne non indigne dans la fraîcheur de ses grands prédécesseurs les décorateurs des Ballets Russes. Elle dépeint des scènes typiques de la vie quotidienne dans la campagne russe, avec un charme, tant de la composition d'ensemble que du détail, qui affranchit sa peinture de la grisaille généralisée de l'art russe des années Staline.
MUSÉES : SUZDAL – VORONEZ.
VENTES PUBLIQUES : PARIS, 16 juin 1993 : *La vie en province*, h/t (80x80) : FRF 3 200.

TIKHOV Vitali Gavrilovitch
Né le 2 février 1876. Mort en 1939. XXᵉ siècle. Russe.
Peintre de compositions animées, paysages urbains. Postimpressionniste.
Voir aussi TICHOFF.
VENTES PUBLIQUES : LONDRES, 17 juil. 1996 : *Championnes de rames 1932*, h/t (89x67,5) : GBP 3 230.

TIKOS Albert
Né en 1815 à Kaschau, ou en 1813 à Debrecen. Mort en 1845 à Vienne. XIXᵉ siècle. Hongrois.
Peintre.
Il subit l'influence de Amerling à Vienne. La Galerie Nationale de Budapest conserve de lui *Portrait de l'artiste* et *Mère allaitant son enfant*.

TIL N. V.
XVIIᵉ siècle. Travaillant en 1686. Hollandais.
Graveur au burin.
Il grava des sujets religieux.

TILBERGS Janis Roberts
Né le 2 juillet 1880. XXᵉ siècle. Letton.
Peintre de portraits et caricaturiste.
Élève de Dimitri Nicolaïevitch Kardovsky, à l'Académie des Beaux-Arts de Saint-Pétersbourg, puis, après 1909, de Jacques Émile Blanche, et peut-être de Charles Cottet, à Paris. Résidant à Riga, il obtint des Prix du Fonds de Culture, en 1926, 1929 et 1934.

TILBORG Egidius ou **Gillis Van**, l'Ancien ou **Tilburg, Tilborgh, Tilborch**
Né en 1578 à Anvers. Mort vers 1632. XVIIᵉ siècle. Éc. flamande.
Peintre de genre et de paysages.
Certains biographes ont nié l'existence de cet artiste, mais cette opinion est erronée, un tableau conservé au Musée de Lille porte la date de 159... Tilborg l'Ancien peignait des sujets rustiques, des fêtes de village et ses ouvrages furent estimés de son temps.

VENTES PUBLIQUES : LONDRES, 28 avr. 1922 : *Intérieur avec sujets* : GBP 39 – LONDRES, 25 juil. 1924 : *Prière en famille* : GBP 78 – GENÈVE, 9 juin 1934 : *Intérieur* : CHF 3 800 – PARIS, 14 juin 1983 : *Scène d'auberge*, h/t (54x66,5) : FRF 35 000 – LONDRES, 19 avr. 1985 : *Scène de taverne*, h/t (85x109,2) : GBP 42 000.

TILBORG Egidius ou **Gillis Van**, le Jeune ou **Tilburg, Tilborgh, Tilborch**
Né probablement vers 1625 à Bruxelles. Mort vers 1678 à Bruxelles. XVIIᵉ siècle. Éc. flamande.
Peintre de sujets religieux, scènes de genre, portraits, intérieurs, dessinateur.
Il fut élève de son père, bien jeune, si le fait est exact, puisqu'il n'avait guère plus de sept ans lors de la mort de ce dernier, puis de David Téniers le Jeune. Il fut maître de la gilde de Bruxelles en 1654 et doyen en 1663. Il peignit des tableaux dans le genre de Téniers.

TILBORGH FEC ET INV

TIILBVRCH

B.S /19

MUSÉES : ANVERS : *Adoration des bergers* – *Foire annuelle de la place de Meir à Anvers* – BORDEAUX : *Intérieur* – BRUXELLES : *Groupe de famille* – *Les cinq sens* – CASTRES : *Scène intime de famille* – COPENHAGUE : *Groupe de portraits* – DARMSTADT : *A l'auberge* – DIJON : *Les cinq sens* – DOUAI : *Le satyre et le passant* – *Portrait d'homme* – DRESDE : *Noce de paysans flamands* – *Jeune garçon avec bouteille* – DUNKERQUE : *Homme et femme buvant* – ÉDIMBOURG : *Paysans festoyant* – LA FÈRE : *Les œuvres de miséricorde* – HAMBOURG : *La salle d'auberge* – LA HAYE : *Un repas (portraits)* – LILLE : *Scène familiale* – *Fête de village* – MAYENCE : *Famille de paysans devant une auberge* – MELBOURNE (Nat. Gal. of Victoria) : *Charles V en exil* – MOSCOU (Roumianzeff) : *Concert dans une cour d'hôtel* – *Duo* – MUNICH : *Paysan au cabaret, lisant une lettre à une femme* – *Femme lisant une lettre à deux paysans* – NEW YORK (Metropolitan Mus.) : *La visite du propriétaire* – OLDEN-

BOURG : *Réunion* – ROME (Borghèse) : *Cabaret* – ROTTERDAM : *Intérieur avec treize personnages* – SAINT-PÉTERSBOURG (Mus. de l'Ermitage) : *Corps de garde – Auberge de village – Le fumeur – Scène d'intérieur* – SCHLEISSHEIM : *Paysans à l'auberge* – VALENCIENNES : *Flamand tenant un pot de bière* – VIENNE (Czernin) : *Vieille femme avec panier* – VIENNE (Mus. Nat.) : *Réunion de paysans.*

VENTES PUBLIQUES : PARIS, 1837 : *Intérieur d'estaminet* : **FRF 1 050** – PARIS, 1861 : *Réunion de famille* : **FRF 1 900** – PARIS, 1882 : *Fête flamande* : **FRF 11 000** – PARIS, 15 mars 1897 : *La Fête au village* : **FRF 920** – LONDRES, 23 juil. 1909 : *L'Adoration des bergers* : **GBP 65** – PARIS, 1er avr. 1910 : *Les Arquebusiers d'Anvers* : **FRF 6 000** – PARIS, 3 juin 1921 : *Intérieur villageois* : **FRF 1 200** – LONDRES, 31 jan. 1930 : *Intérieur d'une salle de garde* : **GBP 147** – PARIS, 12 mai 1937 : *Cantonnement dans une ferme* : **FRF 8 000** – PARIS, 3 déc. 1941 : *Les Malheurs de l'enfant prodigue* : **FRF 23 000** – PARIS, 23 nov. 1942 : *Le Repas à l'auberge* : **GBP 525** – NEW YORK, 26-27 fév. 1947 : *Cour d'une taverne* : **USD 475** – BRUXELLES, 30 avr. 1947 : *Joueurs de tric-trac* : **BEF 40 000** – PARIS, 9 mars 1951 : *Réjouissances de l'hiver auprès d'un palais* : **FRF 43 000** – PARIS, 18 avr. 1951 : *Scène de cabaret* : **FRF 21 000** – LONDRES, 13 juil. 1951 : *Intérieur de peintre* : **GBP 357** – PARIS, 12 juin 1953 : *Divertissement rustique* : **FRF 160 000** – LONDRES, 1er avr. 1960 : *Une fête de village* : **ATS 75 000** – VIENNE, 22 sep. 1970 : *Le Repos à l'auberge* : **BEF 100 000** – BRUXELLES, 20-21 oct. 1974 : *Cabaret avec joueurs de cartes* : **GNS 16 000** – AMSTERDAM, 26 avr. 1977 : *Réjouissances villageoises*, h/t (195x265) : **NLG 65 000** – NEW YORK, 30 mai 1979 : *Paysans buvant une auberge*, h/t (57x70) : **USD 12 000** – BIARRITZ, 11 déc. 1983 : *La Noce villageoise*, h/t (87x132) : **FRF 390 000** – LONDRES, 2 juil. 1986 : *Fête champêtre dans une cour 1659*, h/t (72,5x104) : **GBP 68 000** – PARIS, 4 mars 1988 : *Portrait d'homme écrivant*, pierre noire et reh. de blanc/pap. gris bleu (18x16,5) : **FRF 18 500** – PARIS, 15 avr. 1988 : *Les Joueurs de jacquet*, h/t : **FRF 98 500** – LONDRES, 27 oct. 1988 : *Kermesse de village*, h/t (114,3x121,9) : **GBP 77 600** – NEW YORK, 1er juin 1989 : *Une kermesse*, h/t (122x174) : **USD 110 000** – MONACO, 17 juin 1989 : *Le Déjeuner en plein air*, h/t (94x128) : **FRF 266 400** – LONDRES, 18 oct. 1989 : *Campement militaire avec soldats et cavaliers*, h/t (74,5x113) : **GBP 33 000** – AMSTERDAM, 28 nov. 1989 : *Un paysan chantant en tenant un verre et une pipe sous le regard attentif de ses amis*, h/pan. (35,3x27,5) : **NLG 74 750** – PARIS, 12 déc. 1989 : *Paysans s'amusant dans une cour de ferme*, h/t (90x120) : **FRF 500 000** – NEW YORK, 10 jan. 1990 : *Artiste à son chevalet peignant une nature morte de fleurs et se retournant vers une dame entourée de personnages*, h/t (64,8x95,3) : **USD 38 500** – AMSTERDAM, 14 nov. 1991 : *Kermesse de village*, h/t (78,5x117,5) : **NLG 27 600** – LONDRES, 8 juil. 1992 : *Banquet villageois devant une maison*, h/t (197,5x267,5) : **GBP 110 000** – NEW YORK, 7 oct. 1993 : *Famille bourgeoise déjeunant dans un intérieur*, h/t (68,6x83,2) : **USD 63 000** – AMSTERDAM, 17 nov. 1993 : *Repas de chasseurs devant une auberge*, h/t (76,5x106) : **NLG 78 200** – PARIS, 29 nov. 1996 : *Couple de paysans buvant devant une auberge*, h/pan. (22,5x18,5) : **FRF 25 500** – LONDRES, 11 déc. 1996 : *Vaste compagnie festoyant devant une maison*, h/t (197,5x267,5) : **GBP 67 500** – LONDRES, 16 avr. 1997 : *Intérieur de taverne avec personnages*, h/pan. (52x40) : **GBP 4 600** – NEW YORK, 22 mai 1997 : *Banquet villageois*, h/t (90,8x126,4) : **USD 40 250** – LONDRES, 3 juil. 1997 : *Intérieur de cuisine avec des paysans fumant et buvant autour d'une table 1655*, h/pan. (39,8x52,1) : **GBP 32 200** – LONDRES, 30 oct. 1997 : *Portrait de groupe des académiciens dans une galerie de peinture avec l'autoportrait de l'artiste sur la droite*, h/t (71,7x95,7) : **GBP 11 500** – LONDRES, 3-4 déc. 1997 : *Personnages festoyant à l'extérieur d'une auberge*, h/t (116x125,5) : **GBP 34 500.**

TILBURY
XIXe siècle. Britannique.
Peintre sur porcelaine.
Il était actif à Swinton (près de Rockingham) vers 1820.

TILBURY Robert J.
XXe siècle. Suisse.
Peintre de paysages, aquarelliste.

TILDEN Douglas
Né le 1er mai 1860 à Chico. Mort en 1935 à Oakland. XIXe-XXe siècles. Américain.
Sculpteur.

Il figura au Salon des Artistes Français ; mention honorable en 1890, médaille de bronze en 1900 (Exposition Universelle).
MUSÉES : CHICAGO (Art Inst.) : *Le boxeur fatigué* – SAINT-LOUIS (Mus. mun.) : *Un joueur de base-ball.*
VENTES PUBLIQUES : NEW YORK, 30 mai 1985 : *The baseball player*, bronze, patine brune (H. 86,4) : **USD 72 000.**

TILE Johann Andreas ou Thiele ou Tiele
XVIIe siècle. Travaillant à Stuttgart de 1670 à 1680. Allemand.
Peintre et dessinateur.
Peintre à la Cour de Stuttgart. Il grava les portraits de nombreux princes allemands.

TILEMANN Johann ou Tilmann, dit Schenk
Mort en 1617 à Brême. XVIe-XVIIe siècles. Allemand.
Peintre de portraits.
Père de Simon Peter Tilemann. Il travailla à Lemgo pour la Cour de Lippe et à Brême, et peignit des portraits.

TILEMANN Simon Peter ou Tilman, Tillemans, dit Schenk
Né le 23 juillet 1601 à Lemgo. Mort entre 1668 et 1670 à Vienne (?). XVIIe siècle. Allemand.
Peintre de portraits, paysages.
Fils de Johann Tilemann, il travailla en Italie, à Copenhague, à Utrecht et à Brême.
MUSÉES : BRÊME (Kunsthalle) : *Portrait d'un homme et portrait d'une femme – Portrait d'une dame habillée en Diane – Portraits d'un homme et du conseiller Johann La Motte* – BRÊME (Mus. Focke) : *Portrait de Henrich Meier* – BRÊME (Mus. mun.) : *Portrait d'un homme âgé* – BUDAPEST (Mus. mun.) : *Portraits du pharmacien Heinrich Erberfeld et de sa femme – Portrait d'un homme.*
VENTES PUBLIQUES : LONDRES, 9 juil. 1976 : *Portrait de femme 1632*, h/t (99x76,2) : **GBP 1 900.**

TILEMANN-PETERSEN Christian
Né le 23 janvier 1874 à Copenhague. Mort le 29 août 1926 à Copenhague. XIXe-XXe siècles. Danois.
Peintre d'architectures et d'intérieurs.
Élève de l'Académie des Beaux-Arts de Copenhague.
MUSÉES : COPENHAGUE.
VENTES PUBLIQUES : LONDRES, 26 fév. 1988 : *Pièce du manoir de Ulriksholm 1921*, h/t (53x58,5) : **GBP 1 760** – LONDRES, 7 avr. 1993 : *Scène d'intérieur 1919*, h/t (49x56) : **GBP 977** – LONDRES, 17 nov. 1994 : *Intérieur à Ledreborg 1919*, h/t (49,3x44,2) : **GBP 805** – COPENHAGUE, 17 mai 1995 : *La serre du château de Frederiksborg 1921*, h/t (53x53) : **DKK 5 200** – LONDRES, 17 nov. 1995 : *Un salon à Fredensborg*, h/t (52,7x53,5) : **GBP 2 760.**

TILEMANS Hermann. Voir TILLEMANS

TILENS Jan ou Hans ou Johannes ou Tilen, Thielens, Tielens
Baptisé à Anvers le 6 avril 1589. Mort le 25 juillet 1630 à Anvers. XVIIe siècle. Éc. flamande.
Paysagiste.
Maître en 1612. Il épousa en 1614 Marg. Geleyns.

H TILEN.
Tilens

MUSÉES : BERGAME (Acad. Carrara) : *Deux paysages* – BRUNSWICK : *Vallée montagneuse – Montagne* – KASSEL : *Paysage, fig. de H. v. Bâlen* – VIENNE : *Paysage.*
VENTES PUBLIQUES : COLOGNE, 8 mai 1969 : *Andromède* : **DEM 4 500** – LILLE, 11 déc. 1983 : *Paysage avec vue d'un estuaire*, h/t (65x92) : **FRF 40 000.**

TILENS Justus. Voir TIEL

TILESIUS VON TILENAU Wilhelm Gottlieb
Né le 17 juillet 1769 à Mühlhausen. Mort le 17 mai 1857 à Mühlhausen. XVIIIe-XIXe siècles. Allemand.
Dessinateur, graveur au burin, illustrateur.
Élève d'Oeser à Leipzig. Il dessina des paysages de tous les pays et, médecin et naturaliste, illustra des ouvrages géographiques et scientifiques.

TILGNER Victor Oskar
Né le 25 octobre 1844 à Presbourg. Mort le 14 avril 1896 à Vienne. XIXe siècle. Autrichien.
Sculpteur.
Il sculpta des statues et des bustes-portraits, des fontaines et des tombeaux dans de nombreuses villes d'Autriche. Le Musée de Hambourg conserve de lui le buste de *Johannes Brahms*, et la

Galerie du XIXe siècle de Vienne, les bustes de *Wilhelm Jahn* et de *Marietta*.
VENTES PUBLIQUES : LONDRES, 29 jan. 1987 : *Diane chasseresse*, marbre (H. 127) : **GBP 50 000**.

TILIPAUL-KISTLER Maria
Née le 15 avril 1884 à Cles. XXe siècle. Autrichienne.
Peintre de paysages et de fleurs.
Élève de Ferdinand Gatt. Elle était active à Innsbruck.

TILIUS Jan. Voir TIELIUS

TILJAK Gjuro
Né en 1895 à Zagreb. XXe siècle. Yougoslave.
Peintre de paysages, graveur.
Il fit ses études à Zagreb, à Moscou et à Paris. Il peignit des paysages de la côte adriatique.

TILKE Max, ou Karl Max
Né le 6 février 1869 à Breslau. Mort en 1942 à Berlin. XIXe-XXe siècles. Allemand.
Peintre de paysages, paysages urbains typiques, aquarelliste, illustrateur.
Élève de l'Académie des Beaux-Arts de Berlin.
Il peignit surtout des vues de villes et des costumes d'Europe orientale et d'Orient.
MUSÉES : BERLIN (Mus. Ethnographique) – TBILISSI.
VENTES PUBLIQUES : PARIS, 16 déc. 1948 : *Vue d'une ville du Caucase* : **FRF 2 100** ; *Vues du Caucase*, trois aquarelles : **FRF 3 300** – BERNE, 26 oct. 1988 : *Rue de Tolède 1918*, h/pan. (46x37) : **CHF 900**.

TILL Hans
Originaire des Pays-Bas. XVIe siècle. Actif à Graz en 1571. Autrichien.
Sculpteur.

TILL Jean Charles de. Voir THILL

TILL Johann Carl von. Voir THILL

TILL Johann, le Jeune
Né le 19 juillet 1827 à Vienne. Mort le 21 novembre 1894 à Vienne. XIXe siècle. Autrichien.
Peintre d'histoire, scènes de genre.
Il fut élève de son père Jean Till et de l'Académie des Beaux-Arts de Vienne avec Ruben, puis il continua ses études en Italie et en France et vint enfin s'établir à Vienne. Il exposa à Vienne en 1877.
MUSÉES : CHEMNITZ : *Petit bandit* – GRAZ : *Moines près d'un tombeau* – SUNDERLAND : *Préparatifs pour le marché* – VIENNE : *Godefroy de Bouillon en Terre Sainte* – *Croisés demandant un asile dans un monastère* – YORK : *Pan*.
VENTES PUBLIQUES : PHILADELPHIE, 22 avr. 1932 : *Sur le chemin du marché* : **USD 260** – VIENNE, 16 mars 1976 : *Le Visiteur*, h/t (57,5x44) : **ATS 22 000** – VIENNE, 14 juin 1977 : *Le Repos des pèlerins 1849*, h/t (87x73) : **ATS 90 000** – VIENNE, 19 mai 1981 : *Le Repos des pèlerins 1865*, h/t (87x73) : **ATS 90 000** – VIENNE, 23 mars 1983 : *Le Repas du cavalier*, h/t (117x83) : **ATS 90 000** – LONDRES, 13 juin 1997 : *Contemplation*, h/t (94,5x69) : **GBP 12 650**.

TILL Leopold
Né le 8 décembre 1830 à Vienne. Mort le 10 juillet 1893 à Vienne. XIXe siècle. Autrichien.
Peintre de scènes de genre, paysages animés.
Il fut élève de Führich à l'Académie des Beaux-Arts de Vienne. Il débuta au Salon en 1852.

Till Leopold

MUSÉES : VIENNE (Mus. mun.).
VENTES PUBLIQUES : VIENNE, 4 déc. 1973 : *Les vendanges* : **ATS 28 000** – VIENNE, 24 avr 1979 : *Le départ du soldat*, h/t (58x51) : **ATS 22 000** – LONDRES, 26 fév. 1988 : *Paysage d'hiver avec des enfants patinant sur une mare gelée*, h/t (46,5x70,5) : **GBP 2 640**.

TILLAC Jean Paul
Né au XIXe siècle à Angoulême (Charente). XIXe-XXe siècles. Français.
Graveur au burin, dessinateur et médailleur.
Élève de Jacquet. Sociétaire des Artistes Français depuis 1906, il figura au Salon de ce groupement ; mention honorable en 1904. Le Musée de Bayonne conserve de lui des médailles représentant des types basques.

TILLARD Jean Baptiste ou Tilliard
Né en 1740 à Paris. Mort le 30 août 1813 à Paris. XVIIIe-XIXe siècles. Français.
Graveur d'histoire.
Élève de Fessard. Il fut archiviste de la Société des Arts Graphiques et éditeur. Il prit part à l'exposition au Colisée, à Paris, en 1797. Cet artiste qui sut rendre avec talent des artistes tels que Monnet, J.-B. Le Prince, St-Aubin, travailla surtout pour les libraires et fut un bon vignettiste.

TILLBERGS Janis Roberts
Né le 2 juillet 1880 à Riga. XXe siècle. Letton.
Peintre et caricaturiste.
Élève de l'Académie des Beaux-Arts de Saint-Pétersbourg. *Voir aussi* TILBERGS.
MUSÉES : KAUNAS – RIGA.

TILLEMANS Hermann ou Tilemans
XVIIe siècle. Hollandais.
Peintre de genre.
Le Musée Roumianzeff à Moscou, conserve de cet artiste une *Fête villageoise*.

TILLEMANS P. J.
XIXe siècle. Actif à Anvers. Éc. flamande.
Peintre.
Le Musée Municipal de Rostock conserve de lui *Retour de la chasse*, daté de 1845.

TILLEMANS Peter ou Tilmans
Né en 1684 à Anvers. Mort le 5 décembre 1734 à Norton (près de Bury St Edmunds, Suffolk). XVIIIe siècle. Éc. flamande.
Peintre de batailles, scènes de chasse, portraits, animaux, paysages animés, aquarelliste, dessinateur, décorateur.
En 1708, il vint à Londres avec son beau-frère Casteels et eut pour protecteurs le duc de Devonshire et lord Byron. Peut-être est-il mort plus tard que 1734, ou bien il y a confusion entre lui et un autre peintre nommé P. Tillemont.
Il fournit les dessins pour l'*Histoire du Devonshire*, de Bridge. Il peignit surtout les chevaux.

P. T.

MUSÉES : BRUXELLES : *Attaque d'un convoi* – CAMBRIDGE : *Vue d'une ville et d'un château* – LONDRES (Victoria and Albert Mus.) : *Une aquarelle* – MOSCOU (Mus. Roumianzeff) : *Combat de cavalerie*.
VENTES PUBLIQUES : LONDRES, 8 juil. 1910 : *Chasseurs dans un paysage* : **GBP 9** – LONDRES, 27 juil. 1923 : *Le château de Windsor* : **GBP 78** – LONDRES, 12 juin 1931 : *Portrait d'un officier* : **GBP 168** – PARIS, 15 fév. 1954 : *L'hallali du cerf* : **FRF 41 000** – LONDRES, 19 nov. 1969 : *La chasse à courre* : **GBP 1 200** – LONDRES, 2 avr. 1971 : *Paysage fluvial boisé* : **GNS 3 800** – LONDRES, 17 mars 1978 : *Windsor Castle*, h/t (68,5x136) : **GBP 3 500** – LONDRES, 23 mars 1979 : *Scène de chasse à courre*, h/t (98,4x152,4) : **GBP 6 000** – LONDRES, 26 juin 1981 : *Richmond Hill et la Tamise*, h/t (54x74,2) : **GBP 3 800** – LONDRES, 18 nov. 1983 : *A horse match at Newmarket en 1725*, h/t (62,2x152,4) : **GBP 9 000** – LONDRES, 23 nov. 1984 : *La bataille de Killiecrankie 1689*, h/t (118x165) : **GBP 11 000** – LONDRES, 13 mars 1985 : *Greenwich Hospital and the Thames*, h/t (67,5x112) : **GBP 18 000** – LONDRES, 14 mai 1986 : *Scène de chasse dans un paysage boisé*, h/t (100x130) : **GBP 13 000** – LONDRES, 15 juil. 1987 : *The Round or Plate Course, Newmarket*, h/t (73x127) : **GBP 17 000** – LONDRES, 3 juil. 1991 : *Bataille entre les Chrétiens et les Infidèles*, h/t (84,5x130) : **GBP 13 750** – MILAN, 3 déc. 1992 : *Bataille*, h/t (39x46) : **ITL 15 000 000** – LONDRES, 11 mars 1993 : *Vaste paysage boisé avec des paysans et du bétail*, h/t (98,2x152,3) : **GBP 6 325** – NEW YORK, 4 juin 1993 : *Jeune seigneur à cheval suivi de son chien*, h/t (105,4x128,3) : **USD 36 800** – LONDRES, 15 déc. 1993 : *Les Jardins et le terre-plein central de Winchendon House dans le Buckinghamshire*, h/t (67x91,8) : **GBP 29 900** – LONDRES, 1er nov. 1996 : *Paysan déchargeant des légumes d'une brouette*, h/t (44,5x59,4) : **GBP 2 875**.

TILLEMANS Simon Peter. Voir TILEMANN

TILLEMONT Charles. Voir TILMONT

TILLENS Jan
XVIIe siècle. Actif à Rouen au début du XVIIe siècle. Éc. flamande.
Peintre et marchand de tableaux.

TILLEQUIN Magdeleine
XXᵉ siècle. Française.
Sculpteur.
Elle exposait à Paris, au Salon des Artistes Français ; médaille d'or en 1937 (Exposition Internationale) ; mention honorable en 1938.

TILLER Robert, père et fils
XIXᵉ siècle. Actifs à Philadelphie dans la première moitié du XIXᵉ siècle. Américains.
Graveurs au burin.
Le père grava des paysages, et le fils des portraits en pointillé et des sujets de genre.

TILLERAND
XVIIIᵉ siècle. Actif à Rome (?) à la fin du XVIIIᵉ siècle. Italien.
Peintre.
La Galerie de Parme conserve de lui *Dédale et Icare*, daté de 1790.

TILLERS Imants
Né en 1950. XXᵉ siècle. Australien.
Peintre de compositions animées, technique mixte.
Sa variation, *Kangaroo blank* (Le kangourou absent), à partir de la première peinture d'un kangourou que fit George Stubbs en 1770, a été populaire à la mesure de l'importance de cet animal emblématique en Australie. Dans une esthétique et une technique modernistes, Tillers a reproduit (interprété) le paysage de la peinture de Stubbs, mais sans le kangourou.
BIBLIOGR. : In : *Creating Australia 200 years of Art 1788-1988*, Art Gallery of South Australia, Adelaïde, 1988.

TILLEUX Joseph Martin, ou Jozef
Né le 6 avril 1896 à Anvers. Mort en 1978. XXᵉ siècle. Belge.
Peintre de paysages et de natures mortes.
Élève d'Is. Opsomer à l'Académie des Beaux-Arts d'Anvers. Il fut influencé par Franz Courtens et Frans Hens.
BIBLIOGR. : In : *Dict. biogr. illustré des artistes en Belgique depuis 1830*, Arto, Bruxelles, 1987.

TILLEY Edith
Britannique.
Peintre d'architectures, aquarelliste.
Le Musée de Cardiff conserve d'elle : *Cathédrale de Llandaff* (aquarelle).

TILLIARD Jean Baptiste. Voir **TILLARD**

TILLIEN Henri
XVIᵉ-XVIIᵉ siècles. Actif à Rouen. Français.
Peintre d'histoire et marchand de tableaux.
Il travailla à Amiens et peignit des sujets religieux.

TILLIER A.
XVIIIᵉ siècle. Actif dans la seconde moitié du XVIIIᵉ siècle. Français.
Aquafortiste.

TILLIER Daniel
Né en 1958. XXᵉ siècle. Français.
Peintre, dessinateur, graveur. Figuration libre.
Il vit et travaille à Lyon. Depuis 1983, il participe à des expositions collectives à Lyon, Grenoble, Montpellier et, en 1986 : au Puy *L'Estampe au présent*, à Paris *Ateliers de l'ARC* au Musée d'Art Moderne de la Ville. Il expose individuellement à Lyon et Montpellier.

TILLIER Germaine
Née en 1912 à Ham-sur-Heure. XXᵉ siècle. Belge.
Peintre de paysages.
Elle fut élève de Marcel Delmotte.
BIBLIOGR. : In : *Dict. biogr. illustré des artistes en Belgique depuis 1830*, Arto, Bruxelles, 1987.

TILLIER Jacques
Né en 1934 à Ham-sur-Heure. XXᵉ siècle. Belge.
Peintre de paysages, paysages urbains.
Il est le fils de Germaine Tillier.
BIBLIOGR. : In : *Dict. biogr. illustré des artistes en Belgique depuis 1830*, Arto, Bruxelles, 1987.

TILLIER Jean Marie
Né à Paris. Mort en 1824 à Paris. XIXᵉ siècle. Français.
Peintre.

TILLIER Paul Prosper
Né le 2 novembre 1834 au Boupère (Vendée). XIXᵉ siècle. Français.

Peintre de genre.
Élève de M. L. Coigniet. Entré à l'École des Beaux-Arts le 6 avril 1855. Il débuta au Salon de 1863. Le Musée de Troyes conserve de lui : *Confidence*.

paul Tillier 1877

VENTES PUBLIQUES : NEW YORK, 25 et 26 mars 1931 : *la Vierge et l'Enfant* : USD 250 – BRUXELLES, 21 mai 1980 : *Le réveil*, h/t (45x37) : BEF 30 000.

TILLIER Peter
XVIᵉ siècle. Actif à Berne dans la seconde moitié du XVIᵉ siècle. Suisse.
Peintre verrier.

TILLINGHAST Mary Elizabeth
Née à New York. Morte le 15 octobre 1912 à New York. XXᵉ siècle. Américaine.
Peintre verrier.
Élève de Carolus-Duran et de Henner à Paris. Elle exécuta des vitraux pour des églises et des hôtels de New York.
VENTES PUBLIQUES : PARIS, 15 déc 1979 : *Portrait de Wagner*, past. (73x57) : FRF 6 000.

TILLMANN Theobald. Voir **THIELEMANN**

TILLOT Charles Victor
Né en 1825 à Rouen (Seine-Maritime). XIXᵉ siècle. Français.
Peintre de portraits, paysages.
Il fut élève de Scheffer et de Théodore Rousseau. Il prit part au Salon de Paris, à partir de 1846 ; ainsi qu'à la deuxième exposition des peintres Impressionnistes en 1876.

TILLOTSON J.
XIXᵉ siècle. Actif dans la première moitié du XIXᵉ siècle. Britannique.
Peintre de portraits, peintre de miniatures.
Mari de Mary Tillotson. Il exposa à Londres de 1821 à 1856.

TILLOTSON Mary
XIXᵉ siècle. Travaillant à Londres de 1839 à 1844. Britannique.
Peintre de portraits, peintre de miniatures.
Femme de J. Tillotson.

TILLOY Jean Baptiste
Né au XIXᵉ siècle à Béziers. XIXᵉ siècle. Français.
Sculpteur.
Il débuta au Salon de 1868.

TILLY
Mort le 7 août 1748 à Paris. XVIIIᵉ siècle. Français.
Graveur.

TILLY Auguste
Né à Toul (Meurthe-et-Moselle). Mort en 1898. XIXᵉ siècle. Français.
Graveur sur bois.
Père de Pierre Émile Tilly. Élève de Coisser (?) et du graveur Burn Smeeton. Il débuta au Salon de 1874.

TILLY Christian, ou Claus Christian
Né le 17 août 1800 à Augustenborg. Mort le 9 février 1879 à Copenhague. XIXᵉ siècle. Danois.
Peintre de sujets religieux.
Grand-père de Vilhelm Eyvind Tilly. Il fut élève de l'Académie des Beaux-Arts de Copenhague.
Il a peint des tableaux d'autel à Refsnäs et à Alböge.

TILLY Jean Nicolas
Né vers 1746. Mort le 10 septembre 1784 à Paris. XVIIIᵉ siècle. Français.
Sculpteur.

TILLY Pierre Émile
Né à Toul (Meurthe-et-Moselle). XIXᵉ siècle. Français.
Graveur sur bois.
Élève de M. M. Cosson (?), du graveur Burn Smeeton et de son père, Auguste Tilly.

TILLY Vilhelm Eyvind
Né le 10 septembre 1860 à Nakskov. Mort le 17 mai 1935 à Copenhague. XIXᵉ-XXᵉ siècles. Danois.
Peintre de portraits, animalier, illustrateur.
Il fut élève de l'Académie des Beaux-Arts de Copenhague et de Léon Bonnat à Paris.

Ventes Publiques : Stockholm, 16 mai 1990 : *Cheval dans un pré*, h/t (50x62) : SEK 18 000 – Londres, 15 juin 1994 : *Une famille fatiguée* 1882, h/t (55x73) : GBP 8 050.

TILLYER William

Né en 1938. xxᵉ siècle. Britannique.

Peintre, aquarelliste, graveur.

Il fait ses études à la Slade School entre 1960 et 1963. Dès sa sortie de l'école il enseigne la technique de la lithographie à la Central School of Art de Londres. William Tillyer expose depuis 1970 en Angleterre, aux États-Unis, en France, en Allemagne, en Suède, en Italie et aux Pays-Bas. Il travaille également comme sérigraphe à la Chelsea School.

Reprenant à son compte la technique des procédés de reproduction, il utilise le fractionnement de l'image tramée et en accentue les effets. Il joue sur le divisionnisme de l'image ainsi décomposée et qui semble vue à travers une grille. Tout relief disparaît ainsi et tout semble remonter à la surface. Il prend souvent des paysages pour point de départ.

Musées : Lodz – Londres (Victoria and Albert Mus.) – New York (Mus. of Mod. Art) – Paris (BN) – Varsovie.

Ventes Publiques : Londres, 25 oct. 1995 : *Fleuriste II* 1977, acryl./t. (91,5x117) : GBP 5 175.

TILMAN. Voir aussi DIELMAN, TILEMANN

TILMAN

xviᵉ siècle. Français.

Sculpteur de statues, sujets religieux.

Il a sculpté *Sainte Cécile* et une statue de fondateur pour l'abbaye du Saint-Sépulcre de Cambrai, où il était actif.

TILMAN Pierre

Né le 8 février 1944 à Salernes (Var). xxᵉ siècle. Français.

Peintre d'assemblages, technique mixte. Tendance conceptuelle.

Il vit et travaille à Paris et dans le Var. Il participe à des expositions collectives, dont : 1984 Nice, *Écritures dans la peinture*, Villa Arson ; 1985 Paris, *Livres d'artistes*, Centre Beaubourg ; 1987 Marseille, *Boîtes*, galerie Athanor ; 1989 Paris, *Bons baisers d'artistes*, Atelier des enfants du Centre Beaubourg ; 1991 Musées de La Roche-sur-Yon et de Poitiers, *L'insoutenable légèreté de l'art* ; et nombreuses autres fois dans les villes du Midi. Il expose individuellement : 1971 Toulon ; 1977, 1978 Paris, galerie de Larcos ; 1978 Draguignan ; 1979 Lorient, École des Beaux-Arts ; 1980 Musée de Saint-Paul-de-Vence ; 1982 Vannes ; 1983 Paris, galerie Jean-Claude Riedel ; 1991 Paris, galerie Claude Samuel ; etc. D'abord écrivain, il a ressenti le besoin de donner de la consistance plastique à ses images verbales, dans des réalisations répétitives de textes tracés sur des panneaux de bois de récupération ou de carton, sur lesquels sont aussi fixés des photos, accessoires divers et figurines, pour leur forme, leur couleur, ou leur sens. La partie texte peut être constituée de mots isolés, de phrases, ou même de récits, comme dans la série dont chaque pièce commençait par : « C'est l'histoire d'un type qui... » Le message ainsi porté est fondé sur l'ironie, le refus, la critique, la déception, en bref sur le peu de foi à accorder au monde.

Bibliogr. : In : Catalogue de l'exposition *Écritures dans la peinture*, Villa Arson, Nice, 1984 – Gérard Fromanger : *Pierre Tilman ou mon fils en fait autant*, Opus International, Nº 128, Paris, été 1992.

TILMANN Johann. Voir TILEMANN

TILMANN Simon Peter. Voir TILEMANN

TILMANS Émile Henry

Né en avril 1888 à Louvain. xxᵉ siècle. Depuis 1940 actif en France. Belge.

Peintre, graveur, illustrateur et modeleur.

Élève des Académies des Beaux-Arts de Louvain et de Bruxelles. Il a son atelier à Rouen (Seine-Maritime) depuis 1940.

Peintre, il s'est consacré à de larges compositions figuratives d'une expression violente. Il a composé des ex-libris et illustré de nombreux livres, notamment : *La Princesse Maleine*, de M. Maeterlinck, pour la Société des Bibliophiles belges *Les XXX XX* ; *Rouen dévasté*, de A. Maurois, pour la Société Normande des Amis du Livre. De son œuvre gravé : *Vieux Louvain, Vieux Limoges, Vieux Rouen, La Belle Provence, Bruges, Cirque*.

Musées : Bruxelles (Cab. des Estampes) – Louvain (Cab. des Estampes) – Paris (BN, Cab. des Estampes) – Pau (Cab. des Estampes) – Rouen (Cab. des Estampes).

TILMANS Peter. Voir TILLEMANS

TILMONT Charles ou Tillemont

Mort en 1842 à Bruxelles. xixᵉ siècle. Belge.

Peintre d'histoire, de genre.

Il fut élève de Eugène Verboeckhoven. Il était en 1836-37 à Paris et en 1838-39 à La Haye.

Bibliogr. : In : *Dict. biogr. illustré des artistes en Belgique depuis 1830*, Arto, Bruxelles, 1987.

Ventes Publiques : Paris, 28 déc. 1928 : *La promenade en barque*, dess. : FRF 480 – Paris, 2 déc. 1946 : *Vieille femme dans sa chambre* 1833, lav. de sépia : FRF 200.

TILSON Henry

Né en 1659 dans le Yorkshire. Mort en 1695. xviiᵉ siècle. Britannique.

Peintre de portraits et pastelliste.

Élève de sir Peter Lely. En 1680, il visita l'Italie en compagnie de Dahl. Il peignit avec succès des portraits à l'huile et au pastel, mais sa raison s'étant dérangée il se donna la mort à la fleur de l'âge.

TILSON Joseph, dit Joe

Né en 1928 à Londres. xxᵉ siècle. Britannique.

Peintre, sculpteur, technique mixte, peintre de décorations murales, graveur, sérigraphe. Pop'Art, Lettres et Signes.

Il fut d'abord charpentier-menuisier, ce qu'il devait utiliser ultérieurement dans ses créations artistiques. Après son service militaire dans l'aviation, il fut, de 1949 à 1955, élève de l'École d'Art Saint-Martin et du Royal College of Art de Londres. Il obtint le Prix Knapping, ainsi que le Prix de Rome, en 1955, ce qui lui valut de séjourner deux années en Italie. En 1961, il obtint encore la Bourse des Jeunes Peintres Gulbenkian. Il a aussi séjourné en Espagne. Il a enseigné par périodes à l'Université de Londres, à l'Institut d'Art Visuel de New York, à l'École des Beaux-Arts de Hambourg.

Il participe à de nombreuses expositions de groupe, en Grande-Bretagne et à l'étranger, notamment : 1961, Biennale de Paris ; 1961, Pittsburgh International ; 1976 New York, *Pop Art in England* City Art Gallery ; 1977 Londres, *Painting in the Sixties*, Tate Gallery ; 1979 Londres, *The Open Book*, Victoria and Albert Museum ; etc. Il montre des expositions personnelles de ses œuvres depuis 1962, à Londres, New York, Rome, Hanovre, Milan, Berlin, Hambourg, Venise, Cracovie, Chicago, Seattle, Miami, etc.

Ses peintures, ses sérigraphies, comme ses constructions en bois peint, sont souvent abstraites sans intention esthétique, sociale, ni philosophique particulière. On y remarque un intérêt pour le paysage, des allusions littéraires, la grande variété des techniques et matériaux utilisés. Elles tiennent du jouet, dont elles ont les couleurs éclatantes et la gratuité, caractère ludique qui place Joe Tilson en décalage par rapport au « milieu » artistique. On l'apparente parfois aux précurseurs du « Pop'Art » auquel son travail s'est référé directement par la suite. Il a pu réaliser des décorations murales au Royal Garden Hotel de Londres, à l'aéroport de Heathrow de Londres.

Joe tilson

Bibliogr. : B. Dorival, sous la direction de... : *Peintres Contemporains*, Mazenod, Paris, 1964 – in : Catalogue de l'exposition *Écritures dans la peinture*, Villa Arson, Nice, 1984 – in : *Diction. de l'Art Mod. et Contemp.*, Hazan, Paris, 1992.

Musées : Canberra – Hull – Liverpool – Londres (Tate Gal.) – Melbourne – New York – Rome – Rotterdam – Salvador, anc. Bahia – São Paulo.

Ventes Publiques : New York, 26 oct. 1972 : « *Ziggurat I* », construction en bois : USD 3 250 – Milan, 9 nov. 1976 : *Baron von R.* 1963, h. et bois (67x67) : ITL 1 000 000 – Milan, 5 avr. 1977 : *Oh !* 1963, h/bois (124x94) : ITL 2 200 000 – Rome, 19 juin 1980 : *Chakra Ladder* 1974, bois (183x53x10) : ITL 2 000 000 – Milan, 11 juin 1985 : *Golden Maze* 1976, bois peint. en relief (90x73) : ITL 6 300 000 – Milan, 14 déc. 1988 : *Eté* 1929 – n° 2 1959, h/t (122x92) : ITL 9 000 000 – Rome, 21 mars 1989 : « *Earth Earth Earth* », chêne, polygone (182x207x5) : ITL 36 000 000 – Londres, 25 mai 1989 : *Page 3 - Blanche Neige et le nain noir* 1969, sérig./t./bois (84,5x52,5) : GBP 3 850 – Londres, 26 oct. 1989 : *Relief de bois n° 12* 1961, bois (153x92) : GBP 4 400 – Milan, 8 nov. 1989 : *Images mnémotechniques* 1975, acryl./bois (83x83x6) : ITL 15 000 000 – Londres, 9 nov. 1990 : *La boîte de* flammes 1963, relief de bois peint (170x152) : **GBP 8 800** – Londres, 8 mars 1991 : *Le chemin enchanté* 1975, peint. sur relief de bois (43x35,5) : **GBP 1 650** – Londres, 21 mars 1991 : *Charte des couleurs A*, polyuréthane/relief de bois (61x84) : **GBP 3 960** – Londres, 7 juin 1991 : *Colonne réflecteur – ziglical 4* 1965, h/bois et alu. et cuivre chromé (207x91,5) : **GBP 4 950** – Lugano, 28 mars 1992 : *Blanche-Neige et le nain noir* 1960, sérig./t. et bois en relief (84,5x52,5) : **CHF 19 000** – Milan, 14 avr. 1992 : *Le danseur de rock* 1974, h./relief de bois (50x40x8) : **ITL 3 300 000** – Londres, 11 juin 1992 : *Labyrinthe – la danse de Troie* 1974, h/pan. (152x122) : **GBP 1 650** – Londres, 26 mars 1993 : *« Ziggurat »* 1967, h. et acryl./relief de bois (107x107x10) : **GBP 24 150** – Milan, 21 juin 1994 : *Labyrinthe* 1974, past./pap. (45x55) : **ITL 1 725 000** – Paris, 13 juin 1995 : *Odéon* 1982, relief en bois polychrome (214x181,5) : **FRF 40 000** – Lucerne, 8 juin 1996 : *Dionysos* 1982, acryl. et cr./pap. artisanal (55x38) : **CHF 4 000**.

TILSTONE J. R.
xixᵉ siècle. Actif à Londres. Britannique.
Miniaturiste.
Il exposa une miniature à la Royal Academy en 1827 et en 1829.

TILT F. A.
xixᵉ siècle. Travaillant de 1866 à 1868. Britannique.
Peintre sur émail et aquarelliste.
La National Portrait Gallery à Londres conserve de lui : *Portrait de sir William Erle*.

TILTON John Rollin
Né en 1833 à London (États-Unis). Mort le 22 mars 1888 à Rome. xixᵉ siècle. Actif aussi en Italie. Américain.
Peintre de paysages, paysages d'eau.
On ne dit pas quel fut le maître de cet artiste, mais il vécut presque constamment en Italie et particulièrement à Rome. Il étudia sérieusement les vénitiens et surtout Titien. Ses œuvres furent très appréciées, particulièrement en Angleterre.
Il exposa à Londres : en 1873 à la Royal Academy avec, semble-t-il, sa représentation des *Ruines de Kom Ombo* ; et en 1878 à la Grosvenor Gallery. Il prit part également aux expositions de la National Academy de New York et à l'Athenaeum à Boston.
Musées : Boston (Gardner Mus.) : *Venise* – Liverpool (Walker Art Gal.) : *Kom Ombo – Égypte* – Washington D. C. (Corcoran Gal.) : *Bateaux de pêche vénitiens*.
Ventes Publiques : New York, 20 juil. 1994 : *Ruines de Kom Ombo sur le Nil*, h/t (78,1x123,8) : **USD 21 850** – New York, 21 mai 1996 : *Vue de Ronda en Espagne*, h/t (47x75) : **USD 2 070**.

TILY Eugène James
Né le 4 mars 1870 à Walkern. xixᵉ-xxᵉ siècles. Britannique.
Peintre, aquafortiste et graveur à la manière noire.
Élève d'Arthur Stock (?) et du paysagiste Walter Williams. Il était actif à Sutton.

TILYARD Philip
Né en 1787 à Baltimore. Mort en 1827. xixᵉ siècle. Américain.
Portraitiste.

TIM, pseudonyme de **Mitelberg Louis**
Né en 1919. xxᵉ siècle. Français.
Dessinateur, illustrateur, sculpteur.
Il fut élève de l'École des Beaux-Arts de Paris. De 1940 à la fin de la guerre, il fut à Londres, puis à Alger. En 1942 à Londres, il organisa l'exposition *Allied forces*. En 1944 à Alger, il reçut la médaille des *Artistes aux armées*. Il a été lauréat de *Dessin éditorial*, à Istanbul, Montréal, San Francisco.
En 1941 à Alger, il publia ses premiers dessins de presse dans le journal *France*. Depuis 1958, il collabore avec de nombreuses publications : L'Express, Time Magazine, Newsweek, Le Monde ; depuis 1972 : New York Times.
Il publie aussi des albums, dont : *Une Certaine Idée de la France, Époque épique, 40 Ans de politique, De Gaulle de France*. Il illustre des ouvrages littéraires de Machiavel, Gogol, Faulkner, Kafka. Il a réalisé la statue du *Capitaine Dreyfus* du Jardin des Tuileries.
Ventes Publiques : Paris, 27 nov. 1993 : *« Les dix commandements de Pompidou »* (*L'Express* 1962, encre noire/pap. (22x21) : **FRF 18 000**.

TIM. Voir aussi **THIEM** et **TIMM**

TIM Jakob Julius. Voir **TIMM**

TIMACHEVSKY Orest Issaacovitch
Né en 1822. Mort en 1867. xixᵉ siècle. Russe.
Peintre de figures.

Le Musée Roumianzeff, à Moscou, conserve de lui : *Italienne et Ganymède*.

TIMAGORAS
iiiᵉ siècle avant J.-C. Actif à Rhodes dans la deuxième moitié du iiiᵉ siècle avant Jésus-Christ. Antiquité grecque.
Sculpteur.
Il sculpta des vainqueurs de jeux gymniques.

TIMAGORAS
iiᵉ siècle avant J.-C. Antiquité grecque.
Sculpteur.
Probablement un frère du précédent. Il travailla à Lindos.

TIMAGORAS
Iᵉʳ siècle avant J.-C. Actif à Chalcis. Antiquité grecque.
Peintre.
Cité pour avoir défait Panœmis d'Athènes aux Jeux Pythiens.

TIMAINETOS
Antiquité grecque.
Peintre de sujets de sport.
Il a peint un lutteur dans les propylées de l'Acropole d'Athènes.

TIMANTHE
Né à Cythus ou à Sicyone. vᵉ-ivᵉ siècles avant J.-C. Antiquité grecque.
Peintre.
Cet artiste célèbre l'emporta, à Samos, sur Parrhasios avec son tableau *Ajax disputant à Ulysse les armes d'Achille*. On cite encore de lui *Le sacrifice d'Iphigénie* et *Le Cyclope endormi*. Il paraît avoir excellé dans l'art de traduire les passions.

TIMANTHE ou **Timanthes**
iiiᵉ siècle avant J.-C. Antiquité grecque.
Peintre.
Il a peint un tableau représentant la bataille de Pellène.

TIMANTHIDES
Antiquité grecque.
Sculpteur (?).
Probablement identique à Timarchide. Il a sculpté une statue d'Apollon.

TIMAR Emeric, Emerich, ou **Imre**
Né le 8 novembre 1898 à Budapest. Mort vers 1950 à Paris. xxᵉ siècle. Depuis 1925 actif en France. Hongrois.
Peintre et graveur, illustrateur.
Fixé à Paris depuis 1925, cet artiste fut l'élève et le collaborateur du peintre et graveur Jacques Villon. Il a exposé au Salon d'Automne et aux Indépendants de 1926 à 1928, ainsi qu'aux Tuileries en 1945 ; il a illustré le *Faust* de Goethe, *M. de Bougrelon* de Jean Lorrain, *Corps et âmes* de Maxence Van der Mersch, *Notre-Dame de Paris* de V. Hugo, *Les Voyages de Gulliver* de Swift, *Les amours du chevalier de Faublas* de Louvet de Couvray.

TIMAR Janos ou **Johann**
Né le 23 février 1898 à Marosvasarhély. xxᵉ siècle. Roumain.
Peintre de portraits, médailleur.
Il travailla à Bucarest.

TIMAR-THEIN Miksa, ou **Max**
Né le 2 juin 1874 à Budapest. xixᵉ-xxᵉ siècles. Hongrois.
Peintre de portraits, peintre d'intérieurs.

TIMARCHIDE I ou **Timarchides I**
iiᵉ siècle avant J.-C. Actif au milieu du iiᵉ siècle avant Jésus-Christ à Athènes. Antiquité grecque.
Sculpteur.
Probablement fils de Polyclès I. Il a sculpté une statue d'Apollon à la cythare dont on connaît douze reproductions ; il sculpta aussi des athlètes, des guerriers, des chasseurs et des sacrificateurs.

TIMARCHIDE II ou **Timarchides II**
Né à Thorikos. iiᵉ siècle avant J.-C. Travaillant vers 100 avant Jésus-Christ. Antiquité grecque.
Sculpteur.
Frère de Polyclès III. Il a sculpté une statue d'Athéné Kranaia. Il sculpta aussi des statues de personnalités de son temps.

TIMARCHIDE III ou **Timarchides III**
Né à Thorikos. Iᵉʳ siècle. Antiquité grecque.
Sculpteur.
Il travailla sur l'Acropole d'Athènes.

TIMARCHOS I
ivᵉ-iiiᵉ siècles avant J.-C. Actif à Athènes de 325 à 275 av. J.-C. Antiquité grecque.

Sculpteur.
Fils de Praxitèle II. Il sculpta des statues en pied, des bustes et des statues de prêtres.

TIMARCHOS II
IIIe siècle avant J.-C. Antiquité grecque.
Sculpteur.

TIMARCHOS III
Originaire d'Attique. IIe siècle avant J.-C. Actif à la fin du IIe siècle avant J.-C. Antiquité grecque.
Sculpteur.
Il sculpta des portraits en bustes.

TIMARETE
Ve siècle avant J.-C. Antiquité grecque.
Peintre.
Fille de Mikon. Elle peignit une Artémis à Éphèse.

TIMBAL Louis Charles
Né le 26 février 1821 à Paris. Mort le 20 novembre 1880. XIXe siècle. Français.
Peintre d'histoire, compositions religieuses, sujets allégoriques, portraits, dessinateur.
Il fut élève de Michel Drolling à l'École des Beaux-Arts de Paris. Il exposa au Salon de Paris, à partir de 1848, obtenant des médailles de deuxième classe en 1848, 1857 et 1859 et une médaille de première classe en 1861.
On voit de lui des peintures à l'église Saint-Sulpice. Puis, ayant acquis de la fortune, il renonça à la peinture pour la critique d'art. On peut le regretter pour sa mémoire, car il se montra injuste pour les maîtres de l'école de 1830 et ses jugements sur Corot notamment, prouvent son absence de sensibilité artistique. La postérité s'est chargée d'en faire justice.
Musées : BAR-LE-DUC : Le Christ porté au tombeau – BESANÇON : Le Christ sur le Mont des Oliviers – CAEN : Martyre sur la voie Latine – LILLE : Le Christ portant la Croix, dessin – MONTAUBAN : Portrait d'un sculpteur – PARIS (Mus. du Louvre) : La muse et le poète.
Ventes Publiques : PARIS, 17-21 mai 1904 : Laure : FRF 125.

TIMBRELL
XVIIIe siècle. Actif à Londres de 1780 à 1790. Britannique.
Graveur d'ex-libris et d'ornements.

TIMBRELL Henry
Né en 1806 à Dublin. Mort le 10 avril 1849 à Rome. XIXe siècle. Irlandais.
Sculpteur.
Frère de James Christopher Timbrell. Il sculpta des groupes mythologiques.

TIMBRELL James Christopher
Né en 1807 à Dublin. Mort le 5 janvier 1850 à Portsmouth. XIXe siècle. Britannique.
Peintre de genre et de marines, sculpteur.
Frère cadet du sculpteur Henry Timbrell. Il traita surtout des scènes de genre comportant des groupes de matelots et des marines. Il exposa à la Royal Academy de 1830 à 1848.
Ventes Publiques : LONDRES, 23 nov. 1977 : Caloron, the Irish harper, h/t (103x145) : GBP 1 500.

TIME Maria
Né en 1913 à Saint-Pétersbourg. XXe siècle. Russe.
Peintre de paysages, de natures mortes, de portraits.
Elle fit ses études artistiques à l'Institut Répine de Léningrad (aujourd'hui Saint-Pétersbourg). Elle devint professeur à l'Institut Sérov et Membre de l'Union des Peintres de Léningrad.
Musées : Moscou (min. de la Culture) – SAINT-PÉTERSBOURG (Mus. d'Hist.) – SAINT-PÉTERSBOURG (Mus. des Beaux-Arts de l'Inst. Répine).
Ventes Publiques : PARIS, 26 avr. 1991 : Le départ des voiliers 1949, h/t (66,5x99) : FRF 15 500.

TIMEAS I
IIe siècle avant J.-C. Actif à Héraclée. Antiquité grecque.
Sculpteur.
Il travailla à Délos.

TIMEN Frans Helge
Né le 6 janvier 1883 à Nya Varvet. XXe siècle. Suédois.
Peintre de paysages.
Il fit ses études à Göteborg. Il peignit des paysages de Suède et d'Espagne.
Musées : GÖTEBORG – STOCKHOLM.

TIMEWELL D.
XVIIIe siècle. Britannique.

Dessinateur.
Il dessina des portraits.

TIMKEN Georgia. Voir FRY

TIMKOV Nikolai
Né en 1912 à Rostov-sur-le-Don. XXe siècle. Russe.
Peintre de paysages.
Il fut élève de Brodski à l'Académie des Beaux-Arts. Il fut nommé Membre de l'Union des Peintres de l'URSS et Peintre Émérite d'URSS.
Musées : BELGOROD (Mus. de la Ville) – ROSTOV (Mus. des Beaux-Arts) – SAINT-PÉTERSBOURG (Mus. de l'Ermitage) – SAINT-PÉTERSBOURG (Mus. Russe).
Ventes Publiques : PARIS, 29 mai 1991 : La Volga 1955, h/t (40x80) : FRF 6 500 – PARIS, 3 juin 1992 : Le champ de trèfles, h/cart. (50x70) : FRF 4 000 – PARIS, 5 oct. 1992 : Sur les collines 1967, h/cart. (52,5x75) : FRF 3 000.

TIMLICH Carl
Né en 1744 à Asch. Mort le 1er février 1825 à Vienne. XVIIIe-XIXe siècles. Autrichien.
Graveur au burin et écrivain.
Il grava des costumes populaires, des sujets de chasse et des batailles.

TIMM. Voir aussi THIM

TIMM Hermann Antoine Frederic ou Anton Friedrich ou Thim
Né le 31 décembre 1790 à Eckernförde. Mort le 24 mai 1838 à Eckernförde. XIXe siècle. Danois.
Peintre et graveur à l'eau-forte.
Il a gravé des sujets de genre et des paysages.

TIMM Jakob Julius ou Tim
Né en 1758 à Eckernförde. Mort après 1782 à Copenhague. XVIIIe siècle. Danois.
Peintre.

TIMM Johan. Voir THIM

TIMM Johann Adolf
Né le 14 juillet 1825 à Riga. Mort le 11 juin 1899 à Riga. XIXe siècle. Allemand.
Peintre.
Il peignit des scènes historiques et des portraits pour la ville de Riga.

TIMM Peter Christian Jakob von, ou Pierre Christian Jacques de
Né le 11 mars 1782 à Eckernförde. Mort le 7 mai 1863 à Eckernförde. XIXe siècle. Danois.
Peintre, aquafortiste et lithographe.
Il a gravé des sujets de genre.

TIMM Reinholdt. Voir THIM

TIMM Wilhelm Georg
Né en 1820 à Riga. Mort en 1895 à Saint-Pétersbourg. XIXe siècle. Allemand.
Peintre de genre, d'histoire, portraitiste et lithographe.
Élève de l'Académie de Saint-Pétersbourg et d'Horace Vernet à Paris.
Musées : Moscou (Gal. Tretiakov) : Types populaires – RIGA (Mus. mun.) : Portrait de Nicolas Ier – Hussard blessé – Portraits d'un nègre et d'un soldat français – Peintures sur majolique – SAINT-PÉTERSBOURG (Mus. Russe) : Dessin.

TIMMEL Vito ou Thümmel Vittorio
Né le 19 juillet 1886 à Vienne. XXe siècle. Autrichien.
Peintre.
Élève de l'Académie de Vienne, il subit l'influence de Klimt. Il fut actif à Trieste.
Musées : TRIESTE (Mus. mun.) : Feux d'artifice.

TIMMER Cornélis
Né à Amsterdam. XXe siècle. Hollandais.
Lithographe.
M. A. Glaismans le classe parmi les disciples hollandais de Henri de Toulouse-Lautrec.

TIMMERMAN De
XVIIIe siècle. Hollandais.
Dessinateur.

TIMMERMAN H.
XIXe siècle. Belge.
Peintre de genre.

Cité par miss Florence Levy.
VENTES PUBLIQUES : NEW YORK, 2 fév. 1906 : *La Retraite du chasseur* : USD 370.

TIMMERMANN Franz ou Tymmermann
Né à Hambourg. XVIe siècle. Allemand.
Peintre.
Élève de Lucas Cranach. Il peignit à Hambourg des sujets religieux et mythologiques. La Kunsthalle de Hambourg conserve de lui *Le péché et la rédemption*.

TIMMERMANN Leo
Né le 9 mars 1895 à Eynatten. XXe siècle. Allemand.
Peintre et graveur.
Élève de K. Korff-Bender. Il était actif à Aix-la-Chapelle.
MUSÉES : AIX-LA-CHAPELLE : *Jeune fille avec des fruits*.

TIMMERMANS Felix
Né le 5 juillet 1886 à Lier. Mort en 1947. XXe siècle. Belge.
Peintre, illustrateur et poète.
Il illustra ses propres œuvres littéraires en imitant Brueghel l'Ancien.
BIBLIOGR. : In : *Dict. biogr. illustré des artistes en Belgique depuis 1830*, Arto, Bruxelles, 1987.
VENTES PUBLIQUES : ANVERS, 23 oct. 1973 : *Le Christ devant Ponce Pilate*, gche : BEF 42 000 – ANVERS, 2 avr. 1974 : *Scène de marché* : BEF 110 000 – LOKEREN, 13 mars 1976 : *Le joueur d'orgue de Barbarie*, h/t (55x45) : BEF 90 000 – LOKEREN, 9 mars 1996 : *Paysage rhénan*, h/pan. (25x29,5) : BEF 75 000.

TIMMERMANS Henri
Né le 6 avril 1858 à Anvers. Mort en 1942. XIXe-XXe siècles. Belge.
Peintre de scènes de genre.
Il fut élève de Charles Verlat et de Polydore Beaufaux à l'Académie des Beaux-Arts d'Anvers.
BIBLIOGR. : In : *Dict. biogr. illustré des artistes en Belgique depuis 1830*, Arto, Bruxelles, 1987.
VENTES PUBLIQUES : BERNE, 3 mai 1979 : *Paysanne épluchant des pommes de terre*, h/t (70x90) : CHF 2 000 – BRUXELLES, 12 juin 1990 : *Scène galante*, h/t (200x160) : BEF 725 000 – AMSTERDAM, 23 avr. 1991 : *Le journal du soir*, h/t (25x36) : NLG 1 610 – NEW YORK, 20 juil. 1994 : *Le travail de l'artiste*, h/t (76,2x115,6) : USD 4 255 – AMSTERDAM, 7 nov. 1995 : *Visiteurs d'une exposition*, h/t (73x101) : NLG 6 608 – LOKEREN, 9 mars 1996 : *Toilette*, h/t (86x95) : BEF 75 000.

TIMMERMANS Jean
Né le 25 janvier 1899 à Bruxelles. Mort le 13 juillet 1986 à Bruxelles. XXe siècle. Belge.
Peintre de genre, figures, nus, paysages, marines, aquarelliste.
Élève de l'Académie Royale des Beaux-Arts de Bruxelles. Il a enseigné à l'École des Arts de Woluwe-Saint-Pierre. Il a contribué à la fondation de la Société des peintres de la mer.
Il expose depuis 1939 et a fait partie, entre 1940 et 1945, du groupe « Orientation ». Une rétrospective Jean Timmermans a eu lieu à Bruxelles en 1989.
Volontiers expressionniste à ses débuts, sa facture s'est allégée et sa palette s'est éclaircie d'année en année. Avant tout aquarelliste, il a décrit les paysages, les marines, les sites urbains des régions qu'il a parcourues, la Belgique bien sûr, mais aussi la France, notamment la Côte d'Azur, l'Espagne, l'Italie, les Pays-Bas, l'Irlande. À l'aide de quelques couleurs limpides il évoque, un peu à la manière de Dufy, à la fois l'ampleur et l'intimité des paysages. Il s'est créé un style graphique prompt à saisir l'animation de la vie.

BIBLIOGR. : In : *Dict. biogr. illustré des artistes en Belgique depuis 1830*, Arto, Bruxelles, 1987.
MUSÉES : ANVERS – BRUXELLES – BUENOS AIRES – IXELLES – OSTENDE.
VENTES PUBLIQUES : BRUXELLES, 14 mars 1972 : *Scène de marché* : BEF 160 000 – LOKEREN, 8 oct. 1988 : *Forge de Lourmarin*, h/t (89x116) : BEF 75 000 – LOKEREN, 21 mars 1992 : *Rêverie* 1969, h/t (88x129) : BEF 100 000 – LOKEREN, 15 mai 1993 : *Jeune fille dans le jardin*, h/t (70x80) : BEF 48 000 – LOKEREN, 10 déc. 1994 : *Nu assis* 1943, aquar. (57x72) : BEF 75 000 – LOKEREN, 11 mars 1995 : *Paysage ardennais* 1973, aquar. (55x75) : BEF 26 000 – AMSTERDAM, 3 sep. 1996 : *Basse-cour*, h/t (80x100) : NLG 2 537.

TIMMERMANS Louis Étienne
Né en 1846 à Bruxelles, de parents français. Mort en 1910 à Paris. XIXe-XXe siècles. Français.

Peintre de paysages, paysages d'eau, marines, aquarelliste.
Il fut élève de l'Académie de Bruxelles et de l'École des Beaux-Arts de Paris. Il exposa au Salon des Artistes Français de Paris, obtenant une mention honorable en 1904.
Il a surtout travaillé en France, peignant des marines, des vues de ports et des quais de la Seine à Paris.

BIBLIOGR. : In : *Dict. biogr. illustré des artistes en Belgique depuis 1830*, Arto, Bruxelles, 1987.
MUSÉES : LOUVIERS (Gal. Roussel) : *La Meuse à Rotterdam*.
VENTES PUBLIQUES : PARIS, 12 mars 1901 : *Effet de lune* : FRF 185 – NEW YORK, 5 jan. 1907 : *Le Pont Marie* : USD 205 – PARIS, 18 mars 1910 : *Appareillage à Honfleur* : FRF 1 300 ; *En rade de Dieppe* : FRF 300 ; *Port de Dieppe* : FRF 450 ; *Bateaux crevettiers* : FRF 540 – PARIS, 20 nov. 1925 : *Lancement d'un picoteux à Grand-camp, soleil couchant* : FRF 1 700 – PARIS, 11 jan. 1943 : *Port de Hollande* : FRF 25 000 – PARIS, 9 avr. 1951 : *Bateau sardinier* 1905 : FRF 9 000 – PARIS, 4-5 fév. 1954 : *Pêcheurs à marée basse* : FRF 48 000 – LONDRES, 8 nov. 1972 : *Vue d'une ville au bord de la mer* : GBP 500 – VERSAILLES, 8 avr. 1973 : *Le Pont Royal* : FRF 6 500 – PARIS, 16 mars 1976 : *Saint Servan*, h/t (46x55) : FRF 6 500 – PARIS, 4 déc. 1977 : *La plage à marée basse*, h/t (56x91) : FRF 15 000 – LONDRES, 9 mai 1979 : *Bateaux de pêche au large du port de Whitby*, h/t (49x90) : GBP 1 400 – VERSAILLES, 2 mars 1980 : *Le vieux marché à Trouville*, aquar. (31x45) : FRF 6 500 – ROUEN, 13 déc. 1981 : *Les Bateaux*, h/t (36x50) : FRF 18 000 – VIENNE, 23 mars 1983 : *Le Marché aux poissons à Concarneau*, h/t (77x128) : ATS 110 000 – BREST, 19 mai 1985 : *Voiliers à l'ancre*, aquar. (45x36) : FRF 8 800 – DOUARNENEZ, 25 juil. 1987 : *Retour de pêche au soleil couchant*, h/t : FRF 40 000 – PARIS, 3 juin 1988 : *Les bateaux-lavoirs près du Louvre* 1907, h/t (50x65) : FRF 32 000 – PARIS, 9 déc. 1988 : *Barques à la brunante*, h/t (85x132) : FRF 30 000 ; *Marine*, aquar. (33x24) : FRF 6 200 – PARIS, 15 fév. 1989 : *Bateaux au port*, aquar. (29x39) : FRF 14 000 – VERSAILLES, 26 nov. 1989 : *Le port de Camaret*, h/t (50x66) : FRF 60 000 – LONDRES, 16 fév. 1990 : *Barques de pêche au crépuscule* 1907, h/t (54,6x73,7) : GBP 2 860 – PARIS, 9 mars 1990 : *L'avant-port de Fécamp* 1903, h/t (38x55) : FRF 52 000 – STOCKHOLM, 16 mai 1990 : *Bateau à vapeur sur une mer agitée*, h/t (50x91) : SEK 16 000 – CALAIS, 8 juil. 1990 : *Barque accostant le rivage*, h/t (22x41) : FRF 15 000 – STOCKHOLM, 29 mai 1991 : *Marine avec un bateau à vapeur*, h/t (50x91) : SEK 10 000 – PARIS, 5 avr. 1992 : *Le port de Bruges*, h/t (61x50) : FRF 31 000 – LONDRES, 7 oct. 1992 : *La cathédrale St Paul depuis la Tamise*, aquar. (32x51,5) : GBP 660 – CALAIS, 3 juil. 1994 : *Dieppe, la plage animée*, aquar. (15x24) : FRF 6 500 – PARIS, 13 nov. 1996 : *Le Bassin à Honfleur*, h/pan. (27x37) : FRF 15 200 – LONDRES, 12 juin 1997 : *Bateaux dans un paysage fluvial hollandais*, h/t (38x76,2) : GBP 2 185.

TIMMONS Edward J. Finley
Né en 1882 à Janesville (Wisconsin). XXe siècle. Américain.
Peintre de portraits.
Élève de l'Art Institute de Chicago, de Ralph Clarkson et Sorolla, il étudia également en Angleterre, Hollande, France, Italie et Espagne. Membre de l'Art Students' League de Chicago. Ses œuvres figurent dans de nombreuses villes des États-Unis.

TIMMS
XIXe siècle. Travaillant en 1823. Britannique.
Graveur à la manière noire.
Il grava des vues de la ville de Reading.

TIMMS
Actif à Paris. Britannique.
Graveur de reproductions, vignettes.
Il grava sur bois des vignettes et des reproductions de peintures.

TIMOCHARES
IIIe siècle avant J.-C. Actif à Eleutherne (Crète) dans la seconde moitié du IIIe siècle avant Jésus-Christ. Antiquité grecque.
Sculpteur.

Il sculpta à Rhodes des statues représentant des personnalités de son époque.

TIMOCLES I

Né à Athènes. IIe siècle avant J.-C. Travaillant au milieu du IIe siècle avant Jésus-Christ. Antiquité grecque.
Sculpteur.
Élève de Polyclès II. Il sculpta des statues de dieux.

TIMOCLES II

Ier siècle avant J.-C. Actif à Cnide et à Rhodes. Antiquité grecque.
Sculpteur.
Il travailla pour l'Acropole de Lindos.

TIMOCRATE

Ier siècle. Actif à Athènes. Antiquité grecque.
Sculpteur.

TIMODAMOS

Né à Ambracie. IIIe siècle avant J.-C. Actif à la fin du IIIe siècle avant J.-C. Antiquité grecque.
Sculpteur.
Il sculpta des statues votives.

TIMOFEJEFF Ivan Timoféjévitch

Mort en 1830. XIXe siècle. Russe.
Sculpteur.
Élève de l'Académie de Saint-Pétersbourg. Il exécuta des sculptures sur l'Arc de Triomphe de Moscou.

TIMOFEJEFF Konon

XVIIIe siècle. Actif à Moscou au milieu du XVIIIe siècle. Russe.
Graveur au burin.
Il grava des portraits et des icônes.

TIMOFEJEFF Spiridon

XVIIe siècle. Actif au milieu du XVIIe siècle. Russe.
Peintre d'icônes.

TIMOFEJEFF Vassili Timoféiévitch

XIXe siècle. Actif dans la seconde moitié du XIXe siècle. Russe.
Peintre de genre et portraitiste.
Élève de l'Académie de Saint-Pétersbourg. Il exposa de 1865 à 1889.

TIMOKLES. Voir TIMOCLES

TIMOMACHUS ou Timomaque de Byzance

Ier siècle avant J.-C. Antiquité grecque.
Peintre d'histoire, figures, paysages.
Jules César lui acheta deux peintures, une *Médée* et un *Ajax*, qu'il fit placer dans le temple de Vénus Genitrix. Selon Pline, il est aussi l'auteur de peintures représentant un *Oreste*, un *Athlète*, une *Iphigénie en Tauride* et une *Gorgone*.

TIMON

IIe siècle avant J.-C. Antiquité grecque.
Sculpteur.
Il sculpta des statues de guerriers, d'athlètes, de chasseurs et de prêtres.

TIMONIDAS

VIe siècle avant J.-C. Actif à Corinthe. Antiquité grecque.
Peintre de vases.
On a conservé de lui deux vases avec des dieux et des scènes mythologiques, dont un aryballe représentant *Troïlos surpris par Achille à la fontaine* (Mus. d'Athènes).

TIMOSTRATOS

IIIe siècle avant J.-C. Actif à Phylae dans la deuxième moitié du IIIe siècle avant Jésus-Christ. Antiquité grecque.
Sculpteur.
Il travailla à Athènes et à Épidaure où il sculpta des statues.

TIMOTEO

XVIe siècle. Actif à Vérone. Italien.
Peintre.
Il travailla en 1509.

TIMOTEO da Urbino. Voir VITI

TIMOTHEOS

Ve siècle avant J.-C. Actif probablement à la fin du Ve siècle avant Jésus-Christ. Antiquité grecque.
Sculpteur.
Il a sculpté les figures du fronton du temple d'Épidaure, conservées en partie au Musée National d'Athènes. Il a travaillé au mausolée d'Halicarnasse et a sculpté de nombreuses statues de dieux, de guerriers, d'athlètes et de prêtres.

TIMPER Paul

Né en 1937 à Etterbeek (Bruxelles). XXe siècle. Belge.
Peintre, céramiste, lissier.
Il a suivi les cours dans à l'Académie de Bruxelles. Il a également été élève de Fernand Wery et de Roger Somville à Watermael-Boitsfort, où il est devenu lui-même professeur de dessin et de céramique. Il fait partie de l'Atelier de céramique de Dour, fondé par Suzanne Tits et Somville, et y travaille depuis 1962. Il a fait avec cet atelier de nombreuses réalisations murales. Nombreuses expositions collectives et particulières en Belgique.
BIBLIOGR. : In : *Dict. biogr. illustré des artistes en Belgique depuis 1830*, Arto, Bruxelles, 1987.
MUSÉES : VERVIERS.

TINANT Louis Félix Édouard

Né à Liège. XIXe siècle. Belge.
Sculpteur.
Élève de Rude. Il exposa au Salon de 1859 à 1863.

TINANT Louis Robert

Né en 1863 à Paris. Mort en 1882. XIXe siècle. Français.
Illustrateur et caricaturiste.
Fils du sculpteur Louis Félix Édouard Tinant.
Il travailla pour la presse : *La vie moderne* ; *Saint-Nicolas*, illustra *Les Tocasson* d'Armand Sylvestre. Il exécuta des albums humoristiques, parfois sur ses propres textes, dont : *La guerre sur les toits* ; *Une chasse extraordinaire* ; *Farces de fous* ; *Drôles de bêtes* ; *Drôles de gens* ; etc. Dessinateur surtout narratif, il a privilégié les scènes de grande agitation.
BIBLIOGR. : Marcus Osterwalder, in : *Dictionnaire des illustrateurs 1800-1914*, Ides et Calendes, Neuchâtel, 1989.

TINARD. Voir THENARD

TINAYRE Jean Julien

Né le 26 octobre 1859 à Issoire (Puy-de-Dôme). Mort le 2 juillet 1923 à Grosrouvre (Yvelines). XIXe-XXe siècles. Français.
Graveur sur bois.
Sociétaire des Artistes Français depuis 1884, il figura au Salon de ce groupement ; médailles de troisième classe en 1890, de deuxième classe en 1897, médaille d'argent en 1900 (Exposition Universelle).

TINAYRE Jean Paul Louis, dit Louis

Né le 14 mars 1861 à Neuilly-sur-Seine (Hauts-de-Seine). XIXe-XXe siècles. Français.
Peintre, illustrateur, affichiste.
Élève de Fernand Cormon. Il figura au Salon des Artistes Français depuis 1880 ; mention honorable en 1898. Chevalier de la Légion d'honneur en 1900.
Il traitait souvent des scènes militaires ou de voyages ; il a créé aussi des affiches. Il fut peut-être surtout un illustrateur, collaborant au *Monde illustré* et au *Journal des voyages*, illustrant : en 1899 *Corsaire triplex* de P. d'Ivoi, *La carrière d'un navigateur* d'Albert de Monaco, *La chanteuse des rues* de Xavier de Montépin, *La Misère de L.* (Louise ?) Michel. En 1900, il a publié un album : *Panoramas sur la conquête de Madagascar*. Pratiquant une technique de dessin très réaliste, son style d'illustration correspondait à un besoin d'informations par l'image, préfigurant les futurs reportages photographiques.

Louis Tinayre

BIBLIOGR. : Marcus Osterwalder, in : *Dictionnaire des illustrateurs 1800-1914*, Ides et Calendes, Neuchâtel, 1989.
MUSÉES : PARIS (Mus. de l'Armée) : *Combat à Mavetanana – Attaque de Tsarossotra –* PARIS (Mus. Nat. des Arts d'Afrique et d'Océanie) : *Combat de Maronga –* VERSAILLES (Mus. Historique) : *La Route – Mort de Kabyle – Vers Tananarive*.

TINAYRE Noël

Né le 30 décembre 1896 à Paris. XXe siècle. Français.
Sculpteur.
Fils de Jean Julien Tinayre. Il travailla pour l'Exposition de 1937 à Paris.

TINCU Ion

Né en 1872 à Bucarest. XIXe-XXe siècles. Roumain.
Peintre.
MUSÉES : BUCAREST (Mus. Simu) : *Buste d'enfant*.

TINDALE Edward Henry

Né en 1879 à Hanson. XXe siècle. Américain.

Peintre.
Élève de Karl von Marr, de Hans von Hayek et de Ludwig von Löfftz à l'Académie des Beaux-Arts de Munich. Il était actif à Boston.

TINDALL C. E. S.
XIXᵉ siècle (?). Australien.
Peintre de genre, de paysages, de marines.
Le Musée de Sydney conserve trois aquarelles de lui.

TINDALL Robert Edwin
XIXᵉ siècle. Britannique.
Peintre de paysages.
Il exposa à la Royal Academy de 1857 à 1863.

TINDALL William Edwin
Né le 10 mai 1863 à Scarborough. XIXᵉ-XXᵉ siècles. Britannique.
Peintre de paysages.
Vers 1874, il commença ses études artistiques à Scarborough, fut pendant trois ans employé de commerce et vint à Paris travailler pendant une année. En 1886, il vint à Leeds s'établir comme peintre de paysages. L'année suivante, il envoya une œuvre à la Royal Academy et depuis cette date, il prit une part active aux expositions londoniennes. En 1891, il fut nommé membre de la Society of British Artists et son nom figure encore en 1910 sur la liste des membres de cette association.
MUSÉES : LEEDS : *Quand la lumière du jour s'allume dans le soir.*

TINDLE David
Né en 1932. XXᵉ siècle. Britannique.
Peintre d'intérieurs, paysages, natures mortes, peintre à la gouache.
VENTES PUBLIQUES : LONDRES, 26 sep. 1984 : *Balloon race, Cliperton 1980*, gche sur trait de cr. (61x43) : **GBP 1 600** – LONDRES, 13 nov. 1985 : *Garrards Farm, Uffington 1959*, h./cart (122x183) : **GBP 2 200** – LONDRES, 9 juin 1988 : *Intérieur avec des vêtements sur une chaise*, h./cart. (53,2x39,5) : **GBP 3 520** – LONDRES, 21 sep. 1989 : *Rotherhithe 1959*, h/t (68,6x61) : **GBP 935** ; *Chou et pommes de terre sur une table 1956*, h/t (58,5x91) : **GBP 1 540** – LONDRES, 8 juin 1990 : *Plein soleil 1970*, h/t (113x77,5) : **GBP 1 980** – LONDRES, 8 mars 1991 : *Portrait d'un fauteuil 1979*, temp./pan. préparé au gesso (41x56) : **GBP 4 950** – LONDRES, 27 sep. 1991 : *Nature morte avec une langouste 1957*, h/cart. (30,5x40,5) : **GBP 1 980** – LONDRES, 25 nov. 1993 : *Nature morte d'objets sur un guéridon 1988*, détrempe à l'œuf/cart. (45,7x58,4) : **GBP 2 645.**

TINÉ Lino
Né en 1932 à Floridia (Syracuse). XXᵉ siècle. Italien.
Sculpteur.
Il fait ses études à l'Institut d'Art de Florence et à l'Académie Bréra de Milan avec Marino Marini. Nombreuses expositions particulières en Italie dès 1960, et en Belgique. Expositions collectives en Italie, aux U.S.A., en France, en Yougoslavie, en Espagne, en Belgique, en Argentine et Brésil.
Il commence par des sculptures de terre cuite roses et légères, comme *Opéra 114* (1964), puis il travaille le métal et le ciment. Ses sculptures abstraites ont un caractère oriental, d'inspiration archéologique, et proposent des signes dérivant plus chez Tiné d'un processus imaginatif que rationnel. Tout est très architecturé comme dans les *Obélisques* (1968), et *Projet d'Urbanisme Futur* (1969), constitués de formes de préférence sphériques, rotors, engrenages, sphères, capsules, missiles.
MUSÉES : LEGNANO.

TINEL Koenraad
Né le 21 mars 1934 à Gand. XXᵉ siècle. Belge.
Sculpteur.
Il a fait ses études à l'École d'Art Visuel de la Cambre à Bruxelles. Ses sculptures sont figuratives et relèvent de l'art fantastique, traditionnellement assez répandu en Flandre. Il utilise surtout le cuivre et le bronze.
BIBLIOGR. : In : *Dict. biogr. illustré des artistes en Belgique depuis 1830*, Arto, Bruxelles, 1987.
VENTES PUBLIQUES : LOKEREN, 10 déc. 1994 : *Cavalier*, cuivre rouge (H. 96, L. 73) : **BEF 150 000** – LOKEREN, 9 déc. 1995 : *Cavalier*, cuivre rouge (H. 96, L. 73) : **BEF 130 000.**

TINEL Marie-Josèphe
Née le 6 mai 1949 à Saint-Mandé (Val-de-Marne). XXᵉ siècle. Française.
Peintre de paysages, paysages urbains. Postcubiste, tendance abstraite.
À partir de 1967, elle fut élève de l'École des Arts Appliqués de Paris, diplômée en 1971. En 1972, elle a fréquenté l'École des Beaux-Arts d'Aix-en-Provence, s'initiant à la gravure. Après avoir fait de la peinture artisanale sur soie pendant quelques années, en 1976 elle a décidé de reprendre définitivement la peinture, à l'huile d'abord, puis découvrant les ressources de l'aquarelle en 1978.
Elle participe à des expositions collectives et concours divers, notamment à Paris. Elle montre surtout des ensembles de ses travaux, depuis 1985, dans des expositions personnelles, dans son atelier de Saint-Mandé, dans des lieux alternatifs, en 1990 à la galerie Cimaise de Paris, en 1995 à l'Hôtel-de-Ville de Saint-Mandé.
Très tôt, elle fut tentée par l'abstraction, admirant Klee et Kandinsky, captivée par la possibilité picturale de recréer la lumière par la couleur. En 1978, à l'occasion d'un séjour au Pouldu, elle éprouva le besoin de revenir à la nature, besoin d'autant plus impératif que tenant à exploiter son don et son expérience de redoutable dessinatrice, d'une précision qui méprise les pires difficultés. Depuis lors, sa peinture propose une sorte d'armistice entre les deux choix. Dans une solution personnelle, elle construit ses compositions sur des principes participant du post-cubisme et de l'abstraction, principes structuraux et structurants qu'elle impose et superpose à des images prélevées de ses émotions, devant des paysages traversés ou des vues surprises, comme volées, au détour d'un village méditerranéen, d'un canal à Venise, comme un temple en Chine. Cette stratégie confère à ses peintures un aspect très particulier, comme si l'image naturelle était découpée en bandes, à moins qu'il ne s'agisse de deux images différentes, qu'elle mêle ensuite, probablement selon un hasard dirigé, puis juxtapose dans cet ordre nouveau qui concilie observation et recréation.

TINEL Pieter Franz
Né en 1895 à Maldegem. Mort en 1964. XXᵉ siècle. Belge.
Sculpteur de sujets religieux.
Il travaille surtout le bois. Son art ressortit plutôt à l'imagerie populaire.
BIBLIOGR. : In : *Dict. biogr. illustré des artistes en Belgique depuis 1830*, Arto, Bruxelles, 1987.

TINELLI Tiberio
Né en 1586 à Venise. Mort en 1638 à Venise. XVIIᵉ siècle. Italien.
Peintre d'histoire, sujets religieux, portraits.
Élève de Giovanni Contarini et de Leandro Bassano. Ridolfi affirme que des chagrins domestiques le poussèrent au suicide. Il fit beaucoup de peintures historiques de petites dimensions et sa réputation s'étendit jusqu'en France, où Louis XIII le fit chevalier. Il eut moins de succès dans ses grandes compositions et tableaux d'autel. On lui doit aussi des portraits qu'il exécutait généralement en faisant prendre à ses modèles des costumes historiques.
MUSÉES : BELLUNO : *Charles Iᵉʳ d'Angleterre* – CHAMBÉRY (Mus. des Beaux-Arts) : *Portrait de femme* – FLORENCE (Gal. Nat.) : *Tête de jeune homme – Le poète Strozzi* – FLORENCE (Pitti) : *Deux portraits d'hommes* – MILAN (Brera) : *Un gentilhomme* – NAPLES : *Portrait* – PADOUE : *Deux gentilshommes* – ROME (Gal. d'Art Antique) : *Un mélancolique* – ROME (Mus. Capitolin) : *Deux gentilshommes* – VENISE : *Luigi Molin.*
VENTES PUBLIQUES : PARIS, 1859 : *Portrait d'homme* : **FRF 1 900** – VENISE, 1894 : *Portrait d'un noble vénitien* : **FRF 1 250** – ROME, 8 avr. 1991 : *Portrait d'une dame personnifiant la Charité*, h/t (113,5x96) : **ITL 4 600 000.**

TING Walasse, pseudonyme de Ding Xiong Quan
Né en 1929 à Shanghai, de parents chinois. XXᵉ siècle. Depuis 1958 actif, puis naturalisé aux États-Unis. Chinois.
Peintre de compositions à personnages, figures, portraits, nus, animaux, fleurs et fruits, peintre à la gouache, aquarelliste, dessinateur.
Il commença ses études à l'Académie d'Art de Shanghai et à 19 ans partit pour la France. Il y séjourna dix ans avant de rejoindre les États Unis. Il fait de fréquents séjours à Paris ; il y figure régulièrement au Salon de Mai à partir de 1964, il y a montré une exposition personnelle de ses œuvres, en 1971 ; mais l'essentiel de son activité se passe aux États-Unis.
Très lié avec Alechinsky, peut-être doit-il quelque chose de l'automatisme de son écriture et de la virulence de sa couleur à l'esprit « Cobra ». Il peint le plus souvent des jolies filles, du type « pin ups » ou « call girls », dans les couleurs les plus vives, voire fluorescentes, et une technique échevelée, qui tient plus d'un

maniérisme à la Boldini que de l'expressionnisme-abstrait. La calligraphie extrême-orientale intervient aussi dans ses imaginations, où apparaît souvent l'humour, mêlé d'exubérance ou d'érotisme, comme dans les dragons ou autres créatures fantastiques qui s'agitent dans certaines fêtes traditionnelles de la Chine.

Musées : New York (Metropolitan Mus.) – Paris (Mus. d'Art Mod.).

Ventes Publiques : Paris, 12 déc. 1977 : *L'éclatement*, h/t (130x138) : FRF 9 000 – New York, 16 fév. 1984 : *Homme, dragon et crabe* 1956, collage pap., gche, encre noire, h. craie de coul. et ganse/pap. monté/t. (102x181,5) : USD 1 500 – Copenhague, 4 mai 1988 : *Composition avec le modèle aux perroquets*, acryl./pap. (180x98) : DKK 37 000 – Copenhague, 30 nov. 1988 : *Amour* 1985, acryl. (42x50) : DKK 16 000 – Copenhague, 22 nov. 1989 : *Aimez-vous mon chat jaune ?* 1979, acryl./t. (61x76) : DKK 38 000 – Paris, 18 fév. 1990 : *Pillow Talk*, acryl./t. (100x151) : FRF 60 000 – Copenhague, 21-22 mars 1990 : *J'attends* 1981, h/t (71x100) : DKK 35 000 – Amsterdam, 22 mai 1990 : *Pastèque*, acryl./t. (72x107) : NLG 5 520 – Copenhague, 30 mai 1990 : *Il fait froid ici* 1979, acryl./t. (155x205) : DKK 90 000 – Copenhague, 14-15 nov. 1990 : *Il reste allongée au soleil couchant* 1977, acryl. (40x56) : DKK 10 500 – Amsterdam, 13 déc. 1990 : *Peinture* 1956, h/t (98x152) : NLG 17 250 – Paris, 8 avr. 1991 : *Femme nue au peignoir bleu*, acryl./pap. mar./t. (118x156) : FRF 29 000 – Amsterdam, 23 mai 1991 : *Oiseau dansant* 1960, h/t (131x117) : NLG 10 350 – Paris, 30 oct. 1991 : *Nu aux fleurs et fruits*, acryl./pap. de riz (24x30) : FRF 4 500 – Amsterdam, 11 déc. 1991 : *Composition avec deux femmes, un chat, un cheval et des poissons*, encre et aquar./pap. (89x96) : NLG 6 325 – Amsterdam, 19 mai 1992 : *Jeunes femmes orientales avec un perroquet et une sauterelle*, aquar./pap. (176x96) : NLG 14 950 – Lokeren, 23 mai 1992 : *Figure avec un cheval*, acryl./pap. de riz (28x20) : BEF 50 000 – Copenhague, 20 mai 1992 : *M'aimez-vous ?* 1983, acryl. (87x112) : DKK 29 000 – Lokeren, 10 oct. 1992 : *Femme au perroquet*, acryl./pap. de riz (177,5x67) : BEF 360 000 – Taipei, 18 oct. 1992 : *Beautés* 1990, encre et pigments/pap. (178x95) : TWD 1 155 000 – New York, 17 nov. 1992 : *Sans titre* 1966, aquar./pap. (57,1x78,1) : USD 935 – Amsterdam, 10 déc. 1992 : *Oiseaux*, encre noire et aquar./pap. (120x160) : NLG 9 200 – Copenhague, 10 mars 1993 : *Éclaboussements de pluie* 1961, h/t (94x131) : DKK 16 500 – Lokeren, 12 mars 1994 : *Nus allongés*, acryl./pap. de riz (96x178) : BEF 360 000 – New York, 1ᵉʳ nov. 1994 : *Roses tombant dans un torrent* 1972, acryl./t. (139,7x193) : USD 1 840 – Copenhague, 6 déc. 1994 : *Le Centre du soleil* 1961, h/t (126x136) : DKK 17 000 – Amsterdam, 8 déc. 1994 : *Nu féminin debout*, aquar. et gche/pap. (177x95,5) : NLG 12 075 – Copenhague, 8-9 mars 1995 : *Le Soleil et mon frère* 1961, h/t (100x81) : DKK 16 000 – Lokeren, 20 mai 1995 : *Femme assise*, acryl./pap. de riz (174x95,5) : BEF 280 000 – Paris, 7 oct. 1995 : *I love you* 1976, acryl./t. (61x87) : FRF 15 000 – Copenhague, 12 mars 1996 : *Attrape-moi papillon* 1977, acryl./t. (76x91) : DKK 25 000 – Amsterdam, 5 juin 1996 : *Geisha aux perroquets*, aquar./pap. (177,5x96,5) : NLG 13 800 – Paris, 17 juin 1996 : *Composition*, gche (49x67) : FRF 7 800 – Amsterdam, 10 déc. 1996 : *Geishas et perroquets*, aquar./pap. (167x97) : NLG 10 378 – Amsterdam, 17-18 déc. 1996 : *Filles*, aq.pp (85,5x94,5) : NLG 7 316 – Copenhague, 29 jan. 1997 : *Feux d'artifice* 1963, h/t (73x92) : DKK 26 000 – Amsterdam, 2-3 juin 1997 : *Sans titre*, gche et encre/pap. Japon (36,5x48,5) : NLG 4 956 – Paris, 27 fév. 1997 : *Bouquet et pastèque*, acryl./pap. mar. (43x65) : FRF 11 000.

TINGA Bindert Jans
Né à Suarmeer. XIXᵉ siècle. Actif dans la première moitié du XIXᵉ siècle. Hollandais.
Peintre de vues de villes et de portraits.
Le Musée de Leeuwarden conserve de lui *Vue sur Sneek*.

TINGAUD Jean-Marc
Né le 22 mars 1947 à Saulieu (Côte-d'Or). XXᵉ siècle. Français.
Photographe, auteur d'assemblages.
Il vit et travaille à Paris et en Bourgogne. Il participe à de nombreuses manifestations collectives de photographie. En 1982, le musée Nicéphore Niepce de Chalon-sur-Saône lui consacre une exposition personnelle. En 1986, il a trois présentations simultanées à Dijon : Musée des Beaux-Arts, Musée Archéologique, Drac Bourgogne. À Paris, il est à la Galerie Lavrov en 1989, au Centre National de la Photographie et à la Galerie Thierry Salvador en 1991.

Ses œuvres sont des photographies ou des assemblages d'objets souvent dérisoires, en tout cas très simples, qui fonctionnent comme des sortes de vanités.

TINGAUD Jean-Pierre
Né le 23 octobre 1955. XXᵉ siècle. Français.
Graveur.
Il fut élève et diplômé de l'École des Arts Appliqués et de l'École des Beaux-Arts de Paris. Il participe à des expositions collectives, dont, à Paris, les Salons du Trait, de la Jeune Gravure Contemporaine, des Réalités Nouvelles, de Mai, d'Automne, et divers collectifs et Biennales. Il expose aussi individuellement dans des galeries, Michèle Broutta, Anne Blanc, des Beaux-Arts. En 1984-85, il fut pensionnaire de la Casa Vélasquez à Madrid. En 1989, le Salon d'Automne lui a attribué son Prix de Gravure. Il est essentiellement graveur, surtout au burin. Il travaille pour l'illustration d'ouvrages de bibliophilie et sinon crée des suites, d'entre lesquelles : 1981-82 *Portiques et Totems* ; 1983-84 *Passages* ; 1984 *Suite espagnole* ; 1985-86 *Transmutations* ; 1986 *Incantations, Polyptyque pour Maurice Ravel* et *Polyptyque pour Miles Davis* ; 1987 *Grandes Passions* ; 1989-90 *Madalâmes* ; etc.

T'ING-CHEN. Voir LÜ-JI

TING CHENG-HSIEN. Voir DING ZHENGXIAN

TING CH'ING-CH'I. Voir DING QINGJI

TING CH'UNG. Voir DING CONG

TINGECOMBE John
XIXᵉ siècle. Britannique.
Peintre de paysages.
Il exposa à Londres de 1827 à 1844.

TINGHAM Edmund
XVIIᵉ siècle. Actif dans la première moitié du XVIIᵉ siècle. Irlandais.
Sculpteur.
Il sculpta le tombeau du comte de Cork dans l'église Saint-Patrick de Dublin, de 1630 à 1634.

TINGHI Aloigi di Francesco
Né à Florence. Mort avant 1411. XVᵉ siècle. Italien.
Peintre.
Il travailla à Pérouse.

TINGHI Antonio. Voir MEITINGH Anton

TINGHIUS A. M.
XVIIᵉ siècle. Actif vers 1670.
Graveur.
On cite de lui une *Tentation de saint Antoine* d'après Callot. Peut-être le même artiste que le graveur Anton Meitingh (vers 1627).

TING KOUAN-P'ENG. Voir DING GUANPENG

TING KUAN-P'ÊNG. Voir DING GUANPENG

TINGLE James
XIXᵉ siècle. Travaillant de 1830 à 1860. Britannique.
Graveur à la manière noire et sur acier.
Il grava des paysages et des architectures.

TING SHAO KUANG. Voir DING SHAO GUANG

TING SONG. Voir DING SONG

TING SUNG. Voir DING SONG

TING TCHENG-HIEN. Voir DING ZHENGXIAN

TING TCH'ONG. Voir DING CONG

TING TS'ING-K'I. Voir DING QINGJI

TINGUELY Jean
Né en 1925 à Fribourg. Mort le 30 août 1991 à Berne. XXᵉ siècle. Depuis 1953 actif aussi en France. Suisse.
Sculpteur d'assemblages, peintre, dessinateur. Néo-dadaïste, cinétique.
De 1940 à 1944, il fut élève de Julia Ris en peinture à l'École des Arts Appliqués (Kunstgewerbeschule) de Bâle. En 1951, il se maria avec Éva Aeppli. Entre la fin de ses études et le moment où il se fixa à Paris en 1953, il gagnait sa vie avec des « petits boulots », décoration de vitrines ou autres. En 1953, en compagnie de Daniel Spoerri, il travaillait dans l'atelier de Jean Lurçat. En 1957, il eut un grave accident avec sa voiture de sport, mais devait garder toute sa vie la passion des courses automobiles. En 1959, il fut membre d'un certain groupe *Espace*. Lors de son premier séjour à New York, il prit contact avec Rauschenberg, Jasper Johns ; à son retour en France, en 1960, il s'associa au groupe des Nouveaux Réalistes, fondé au mois d'octobre par

Pierre Restany, avec, entre autres, Arman, César, Yves Klein, Martial Raysse et Niki de Saint-Phalle qui devient sa compagne. Il a commencé à exposer au Salon des Réalités Nouvelles de Paris en 1955, ainsi qu'à l'exposition de la galerie Denise René *Le mouvement*, la même année. En 1959, il organisa à la galerie Iris Clert, avec Yves Klein, l'exposition commune *Vitesse pure et stabilité monochrome*, il participa à la première Biennale de Paris et, surtout, en 1961, il prit une part considérable, avec vingt-huit œuvres, à l'exposition internationale *Le Mouvement dans l'art*, qui fut montrée au Stedelijk Museum d'Amsterdam et à Paris, puis dans divers musées des pays scandinaves. En 1964, il participa à la Documenta de Kassel, à l'Exposition Nationale Suisse de Lausanne ; en 1965, à l'exposition « 1/65 », au Musée d'Art Moderne de la Ville de Paris ; en 1967, au pavillon français de l'Exposition Internationale de Montréal ; en 1985, à la Nouvelle Biennale de Paris ; etc.

Sa première exposition personnelle, avec les tableaux mobiles, aurait eu lieu à Paris en 1954. Depuis, de très nombreuses expositions individuelles lui ont été consacrées dans le monde, d'entre lesquelles : 1957 Stockholm, galerie Samlaren ; 1958 Paris, galerie Iris Clert ; 1960 New York, galerie Staempfi ; en mars de la même année il produisit son « happening » *L'Hommage à New York* de 1960, dans le jardin du Museum of Modern Art. Il parcourut ensuite le monde en quête d'occasions nouvelles, à lieu à Paris, Venise, Stockholm, Copenhague, dans le désert du Nevada, ces « happenings », qu'on retrouvera énumérés dans le courant de l'œuvre, lui tenant souvent lieu d'expositions personnelles ; quant à ses vraies expositions dans des lieux institutionnels, galeries et musées, elles se sont multipliées à travers le monde, dont : 1962 Bâle, galerie Handschin ; 1971 Paris, Centre National d'Art Contemporain ; 1972 Bâle, Kunsthalle ; 1981 à l'abbaye de Senanque, à la galerie Bischofberger de Zurich ; 1982, Kunsthaus de Zurich, Tate Gallery de Londres, Palais des Beaux-Arts de Bruxelles ; 1985-86 Munich, Kunsthalle ; 1986 au Casino de Knokke, à la galerie Bonnier de Genève, au Louisiana Museum de Humlebaek ; 1987, galerie Beyeler de Bâle, au Palazzo Grassi de Venise, puis en 1988-89, au Musée National d'Art Moderne de Paris.

Entre ses études et ses premières années à Paris, il semble qu'il fut déçu par les limites de la peinture, au point d'interrompre pendant un certain temps toute activité artistique. La finitude de la chose peinte lui paraissait une limite inadmissible, à laquelle il préférait les transformations subies par la même peinture au fil de la mémoire. Dès cette époque où il renonça à la peinture, il pensa à introduire une dimension temporelle dans les arts plastiques. S'il pouvait se référer, historiquement et culturellement, aux premières tentatives, dans les années vingt, de sculptures en mouvement des Pevsner, Gabo, Moholy-Nagy, son passage par la peinture l'avait sensibilisé au domaine formel des Malévitch, Kandinsky, Herbin, et il était, dans l'actualité, confronté à l'élégance efficace des *Mobiles* de Calder. Lors de son arrivée à Paris, il réalisa des reliefs animés : avec les petites mécaniques bricolées en fil de fer des *Moulins à prières* de 1953, ce furent, entre 1954 et 1956, les *Méta-Malévitch*, les *Méta-Herbin*, les *Méta-Kandinsky*. Sur des fonds carrés, blancs ou noirs, de nombreuses formes courbes, comme des quartiers de lunes, blanches, montées sur des axes, pivotant à des vitesses différentes, s'entrecroisaient ou se superposaient selon des combinaisons infiniment variables, sortes de tableaux animés dans lesquels le mouvement était encore « derrière », caché derrière la peinture, car en fait il ne s'agissait encore que de peintures en mouvement. Il construisait aussi des récipients concaves noirs au fond desquels s'animait, au bout d'une tige souple en rotation irrégulière autour d'un axe central, une sorte de mouche aux mouvements fous, heurtant les bords du récipient dans un tintement aigre, première intervention sonore dans son œuvre. Toutefois, montrant déjà le mouvement pour lui-même, le faisant passer « devant », sur le devant de la scène, il construisait les *Méta-mécaniques*, les *Méta-matics* : assemblages hétéroclites, en fil de fer, baguettes de bois, carton, disques de tôle, poulies sommaires, engrenages aléatoires en ficelle, développant de nombreuses rotations dans l'espace, émouvantes et comiques comme des témoins de l'époque de l'invention de la machine, d'autant plus irrégulières que certaines parties se grippaient à tout moment selon ce que Tinguely appelait lui-même une « organisation de la panne », dotant ainsi ses machines d'une échappée de liberté à l'image de l'être vivant. Ainsi avait-il déjà construit en 1953 le *Moulin à prières*, puis en 1955 le *Grand relief sonore*, qui était agrémenté de bouteilles, de pots, casseroles,

boîtes et caissettes. En 1958, il construisit l'*Excavatrice d'espace* et le *Perforateur monochrome*, en collaboration avec Yves Klein. En 1958 encore, il exposa, à la galerie Iris Clert, le *Concert pour sept peintures*, dont cette fois la dimension sonore atteignait presque à l'inaudible. Ce fut en 1959 qu'il réalisa, à l'occasion de la première Biennale de Paris, sa machine à peindre la plus perfectionnée : la *Méta-matic n° 17*, qui débitait à la demande, dans un fracas épouvantable et une agitation trépidante, dessins et peintures abstraits en nombre infini, ce qui constituait évidemment une critique en action du tachisme qui régnait alors encore à la peinture abstraite mondiale. D'entre ses éventuelles contradictions, cette apparente parodie de la peinture gestuelle n'empêcha nullement Tinguely de renouer lui-même avec dessin et peinture et il n'est pas inutile de relever l'efficacité, la grâce et l'humour de ses esquisses dessinées ou coloriées de projets de machines. Dans la période suivante, il construisit des machines délirantes, aux agitations paroxystiques, dont le comble fut atteint avec le happening de 1960, appelé l'*Hommage à New York*, qui consista en une gigantesque accumulation de vieilles machines en ferraille dont la mise en action en déclenchait du même coup le processus d'auto-destruction accéléré. De son propre témoignage, il s'était découvert, lors de l'*Hommage à New York*, le premier spectateur du gigantesque « happening », dont il avait programmé le déroulement sans pouvoir se rendre compte du spectacle qu'il allait effectivement provoquer. Il en fut tellement surpris qu'il allait, pendant plusieurs années, parcourir le monde à la recherche de nouvelles occasions d'organiser des sculptures-spectacles-happenings : à Figueras, Venise, Stockholm, Copenhague, dans le désert du Nevada, dont les plus importants furent : *L'Étude pour une fin du monde N° 1* de Copenhague, 1961 ; le *Dylaby* du Stedelijk Museum d'Amsterdam, 1962, sorte de labyrinthe dynamique ; *Eurêka* pour l'Exposition Nationale Suisse de Lausanne, 1964 ; *Hon* (Elle), au Musée de Stockholm, en collaboration avec Niki de Saint-Phalle, 1966 ; *Le Paradis Terrestre*, pour le pavillon français de l'Exposition Internationale de Montréal, 1967, également en collaboration avec Niki de Saint-Phalle.

Hon est une construction en forme de femme en posture de procréation, sur vingt-sept mètres de long, dans laquelle sont aménagés bar, planétarium, terrasse, cinéma, « tunnel d'amour », etc. Le *Paradis terrestre* est un combat entre les machines folles de Tinguely et les *Nanas* de Niki de Saint-Phalle. En 1970, pour le dixième anniversaire de la fondation du groupe des Nouveaux Réalistes, Tinguely édifia devant le Dôme de Milan *La Vittoria*, gigantesque phallus qui s'auto-détruisit lentement. Depuis 1963, il peignait de plus en plus ses sculptures uniformément en noir, un noir qui opposait une certaine dignité aux *Nanas* bariolées de Niki. Il semblerait qu'après l'époque d'ivresse de la construction des machines auto-destructrices, Tinguely, comme l'écrit Restany, « aborde son propre classicisme », avec des œuvres dont la forme est totalement assumée et l'animation cinétique exactement élaborée, à partir des *Copulations* de 1965-1966, les *Totozazas* depuis 1967, les *Chars* et *Bascules* depuis 1970, jusqu'au *Crocodrome* géant placé sur le forum du Centre Beaubourg en 1977, aux premières *Méta-Harmonies* en 1978, au retable *Cenedoxus* de 1981, référé au retable d'Issenheim de Grünewald, et au *Pit-Stop* de la Nouvelle Biennale de Paris en 1985. Tinguely collabora avec Niki de Sant-Phalle en de nouvelles occasions, notamment, en 1982-83, pour la particulièrement ludique *Fontaine Stravinsky* aux abords du Centre Beaubourg, dont les drôlatiques éléments narratifs joyeusement colorés de Niki de Saint-Phalle sont heureusement animés par les évolutions, gracieuses pour l'occasion, que leur confèrent les mécanismes de Tinguely. En 1987 à Venise, hors l'exposition du Palazzo Grassi, il avait rassemblé dans la pénombre de l'église San Samuele, la totalité de la série des *Mengele*, assemblages sinistres, couronnés de crânes des vaches qui n'avaient pu fuir, d'éléments mécaniques et tôles de machines agricoles tordus, brisés et calcinés dans un incendie, que ne mouvaient plus que les grincements horribles de machines exténuées. Ce n'est pas sans raisons que certains commentateurs y voient, à l'aube de l'âge du mouvement informatisé, une mémoire funéraire à la mémoire de la machine de l'époque industrielle. À l'inverse, en 1988, il créa, destinée à son exposition du Centre Beaubourg, la série des très joyeux *Philosophes*, dont une lecture tendancieuse pourrait faire suspecter l'équilibre mental de leurs modèles. Enfin, en 1994, soit trois ans après la mort de Tinguely, a été inauguré en forêt de Fontainebleau, à Milly-la-Forêt, le *Cyclop*, ou *La Tête*, dont Tinguely avait conçu le projet dès 1969. C'est son œuvre capitale, avec la vingtaine d'années requises pour son édification, ses 22,50 mètres de hauteur, ses 300 tonnes de ferrailles diverses, le chêne séculaire qui y a été intégré. C'est en même temps une œuvre collective, en vertu d'une volonté de collaboration qu'il a souvent revendiquée, puisqu'y ont contribué, outre Niki de Saint-Phalle depuis la première conception, Bernard Luginbühl, Éva Aeppli, Daniel Spoerri, Larry Rivers, Seppi Imhof, Giovanni Podesta, Jésus-Rafael Soto, Jean-Pierre Raynaud, mais une œuvre collective baroque, dont les apports divers sont plus des ajouts individuels que des contributions à un projet commun. Cette hétérogénéité des contributions n'est pas plus contradictoire dans cette œuvre-ci de Tinguely que dans n'importe quelle autre, parce que l'hétérogénéité est à la base même de son processus d'intervention, au cœur même du bric-à-brac à partir duquel il fonde son activité créatrice.

Dans les très nombreux aspects que peut prendre le cinétisme en art, poétiquement indécis au gré du vent chez Calder, programmé chez Schoeffer, ralenti chez Pol Bury, chez Tinguely le mouvement est déchaîné, dément. L'œuvre de Tinguely, de par la diversité de son baroquisme, a prêté à toutes les gloses possibles et d'ailleurs toutes vraisemblables, le faisant avatar tardif de Dada, n'en acceptant que l'aspect restrictif ludique, au contraire y trouvant des dimensions métaphysiques, morales, sociales dans une illustration du conflit entre déterminisme et liberté notamment présent dans le contexte des sociétés industrielles. Au sujet de la conscience qu'il avait de la machine et de ce qu'il pouvait en tirer, il s'est très naturellement expliqué : « Je peux juste exprimer un peu d'ironie, faire des farces, jouer des mauvais tours à la machine. Je m'amuse avec elle, j'en fais ce que je veux. J'introduis les *métas*, c'est-à-dire l'idée de la blague, de l'inexactitude, de la non-productivité. » Deux interprétations de l'ensemble de l'œuvre de Tinguely dominent : ou bien une célébration encore joyeuse et sans réserve de l'ère de la machine sur son déclin ; ou bien au contraire à cette ère de la machine envahissante, l'opposition d'une production de machines dérisoires dont l'agitation et le fracas ne font que souligner la totale vanité, parfois consacrée dans le cérémonial sacrificiel final de leur auto-destruction. ■ Jacques Busse

[signature: TINGuely / Jean T.]

BIBLIOGR. : K.G. Pontus Hulten : *La liberté substitutive ou le mouvement en art et la méta-mécanique de Tinguely*, in : Kasark N° 2, Stockholm, oct. 1955 – in : Catalogue de l'exposition *1/65*, Musée d'Art Moderne de la Ville de Paris, 1965 – Gérald Gassiot-Talabot, in : *Diction. Univers. de l'Art et des Artistes*, Hazan, Paris, 1967 – Jean Tinguely : *L'art est révolte*, National Zeitung, Suisse, 1967 – Pierre Restany : *Les Nouveaux Réalistes*, Planète, Paris, 1968 – Pierre Restany, Pierre Cabanne : *L'avant-garde au XXᵉ siècle*, Balland, Paris, 1969 – Michel Conil-Lacoste et R.M., in : *Nouveau diction. de la sculpt. mod.*, Hazan, Paris, 1970 – Franck Popper : *L'Art cinétique*, Gauthier-Villars, Paris, 1970 – in : Encyclopédie *Les Muses*, Grange-Batelière, Paris, 1969-1975 – Catalogue de l'exposition *Jean Tinguely*, Kunsthalle, Bâle, 1972 – K.G. Pontus-Hulten : *Jean Tinguely, Méta*, Paris, 1973 – in : Catalogue de l'exposition *Écritures dans la peinture*, Villa Arson, Nice, 1984 – in : Catalogue de la *Nouvelle Biennale*, Paris, 1985 – Christina Bischofberger : *Jean Tinguely. Catalogue Raisonné. Sculptures et Reliefs*, 2 vol., Bruno Bischofberger, Zurich, 1982-1990 – Catalogue de l'exposition *Jean Tinguely*, Centre Beaubourg, Paris, 1988 – M. Conil-Lacoste : *Tinguely – l'énergétique de l'insolence*, Paris, 1989 – Daniel Soutif : *Tinguely Ltd ou le crépuscule des machines*, in : Artstudio, N° 22, Paris, 1991 – in : *Diction. de la Sculpture – La sculpture occidentale du Moyen Âge à nos jours*, Larousse, Paris, 1992.

MUSÉES : AMSTERDAM (Stedelijk Mus.) : *Dylaby (labyrinthe dynamique)* 1961 – BÂLE (Mus. Tinguely) : *Hannibal II* 1967 – COLOGNE (Mus. Ludwig) : *Balouba N° 3* 1950 – GRENOBLE (Mus. des Beaux-Arts) – HOUSTON (Mus. of Fine Arts) : *Suzuki* 1963 – *M-K III* 1964 –

Onze autres œuvres de 1959 à 1964 – LONDRES (Tate Gal.) – MARSEILLE (Mus. Cantini) : *Sculpture animée 1973* – NANTES (Mus. des Beaux-Arts) – PARIS (Mus. Nat. d'Art Mod.) : *Sculpture mécamécanique automobile 1954* – *Baluba 1961-62* – *Enfer 1984*, installation – PARIS (FNAC) : *Édition Mat 1964*, sculpt. avec moteur – STOCKHOLM (Mus. d'Art Mod.) : *Métamatic 17 1959* – *Hon (Elle)* 1966, en collaboration avec Niki de Saint-Phalle.

VENTES PUBLIQUES : NEW YORK, 16 avr. 1969 : *Stabilisation permanente*, métal, bois et moteur électrique : **USD 3 800** – NEW YORK, 29 oct. 1970 : *Jalousie*, écran de perles, motorisé : **USD 4 750** – PARIS, 4 nov. 1971 : *Scorpion 3*, métal : **FRF 29 000** – PARIS, 15 nov. et 26 nov. 1972 : *Fontaine no 3*, métaux différents, gomme, plastique : **FRF 44 000** ; *Pêle-mêle autour de Marco Polo* : **FRF 4 600** – PARIS, 27 nov. 1973 : *Machine* : **FRF 48 000** – NEW YORK, 24 oct. 1974 : *Scooter*, métal et bois motorisé : **USD 5 000** – PARIS, 2 déc. 1976 : *La jalousie 1960*, bois et moteur électrique (217,5x91,5x35,5) : **FRF 53 000** – LONDRES, 7 déc. 1977 : *Mon perroquet 1974*, techn. mixtes (102x25x26) : **GBP 4 500** – LONDRES, 5 avr 1979 : *Étude pour « Eureka » 1964*, stylo feutre noir (32x39,5) : **GBP 1 200** – NEW YORK, 5 nov 1979 : *Viridiana 1963*, métal et moteur (80x61) : **USD 13 500** – NEW YORK, 13 mai 1981 : *Sans titre*, pap., cr. coul., stylo-bille, mine de pb et cellophane/ pap., collage (27,5x35) : **USD 1 800** – LONDRES, 29 juin 1982 : *Fontaine F 1968*, fer peint., moteur et techn. mixte (270x140x70) : **GBP 20 000** – NEW YORK, 10 mai 1983 : *Variations IV 1965-1966*, fer forgé et moteur (H. 69) : **USD 14 000** – BERNE, 20 juin 1985 : *Le Monstre 1969*, aquar. et stylo feutre/trait de fus. et pl. (40x31,7) : **CHF 6 400** – PARIS, 7 juin 1985 : *Moteur et plume*, sculpt. : **FRF 42 000** – LONDRES, 4 déc. 1986 : *Eos IV 1966*, acier peint. et bois, caoutchouc et moteur électrique (230x100x60) : **GBP 92 000** – PARIS, 26 juin 1986 : *Projet pour... Halloween 1965*, cr., fus. et encre (55x76) : **FRF 24 500** – ZURICH, 23 mai 1987 : *Composition 22 71 31 1984*, techn. mixte (32,5x50) : **CHF 9 500** – LONDRES, 2 juil. 1987 : *May Fair 1963*, fer, sonnette et moteur électrique sur 4 roues (100x175x71) : **GBP 75 000** – PARIS, 20 mars 1988 : *Le demi 1963*, métal, moteur électrique, une tige rouge et deux tiges roses (H. 70) : **FRF 270 000** – LONDRES, 30 juin 1988 : *Sans titre 1987*, sculpt. de bois, fer, acier et moteur électrique (150x50x50) : **GBP 44 000** – LOKEREN, 8 oct. 1988 : *Composition*, collage et gche (Diam. 30) : **BEF 120 000** – PARIS, 16 oct. 1988 : *Brief Tosi 1972*, gche et collage (23,5x32) : **FRF 41 000** – PARIS, 28 oct. 1988 : *Composition 1960*, encres et coul. (44x34) : **FRF 11 500** – LONDRES, 1ᵉʳ déc. 1988 : *Salutations distingées 1961*, assemblage d'éléments mécaniques (170x75) : **GBP 77 000** – LONDRES, 6 avr. 1989 : *Lettre à Françoise*, collage montage et écriture/pap. (31,2x23,8) : **GBP 7 150** – NEW YORK, 3 mai 1989 : *« May fair » 1963*, pièces détachées métalliques soudées et moteur électrique sur quatre roues et fixées au mur (100x175x71) : **USD 198 000** – PARIS, 4 mai 1989 : *Étude pour « l'Éloge de la folie » 1966*, encre/ pap. (23,5x32) : **FRF 38 000** – PARIS, 15 fév. 1990 : *Fifi combattant le monstre 1985*, techn. mixte (274x158x73) : **FRF 1 200 000** – LONDRES, 22 fév. 1990 : *Lettre à Françoise et à Donald*, stylo-bille, feutre, bolduc et transfers/pap. (39x31,5) : **GBP 9 350** – PARIS, 28 mars 1990 : *Hommage à Yves Klein*, techn. mixte et collage sur fond de sérig. (29x41) : **FRF 75 000** – LONDRES, 5 avr. 1990 : *Eos VII A 1965*, assemblage de pièces métalliques avec courroie et moteur électrique à l'extrémité d'un tube en demi-cercle sur une base d'acier circulaire et peint en noir (194x52x94) : **GBP 170 500** – PARIS, 29 oct. 1990 : *Le demi 1963*, assemblage de tiges de métal et moteur électrique (H.70) : **FRF 370 000** – PARIS, 23 oct. 1990 : *Mendiant automatique-machine satellite 1965*, feutre/pap. (32x41) : **FRF 110 000** – NEW YORK, 6 nov. 1990 : *Sans titre*, cr. feutres de coul., collage de pap., cr. de coul., ruban de cellophane, film plastique et feuille d'alu./pap. (21x27) : **USD 9 350** – LUCERNE, 24 nov. 1990 : *Lithographie en coul.* (57x67) : **CHF 3 600** – LONDRES, 6 déc. 1990 : *La jalousie*, rideau de perles et filins métalliques avec un moteur électrique (200x90x35) : **GBP 71 500** – NEW YORK, 1ᵉʳ mai 1991 : *Sans titre*, construction-sculpture de fer, fil métallique, bois, urne funéraire, crâne et machoire d'animal, branche d'arbre et moteur et interrupteur électriques (132,1x101,6x81,3) : **USD 104 500** – LONDRES, 27 juin 1991 : *Bleu, blanc, noir, gris n° 1 1955*, bois et feuilles de métal peints, poulies de bois, ruban adhésif et moteur électrique (34,3x128x16,5) : **GBP 121 000** – NEW YORK, 13 nov. 1991 : *Sculpture de plaque 1959*, relief mural métal peint. et fil de fer avec un moteur électrique (36,8x30,5x30,5) : **USD 44 000** – LONDRES, 26 mars 1992 : *Le monstre dans la forêt 1970*, aquar., feutre et cr. bille/pap. (58,5x80,5) : **GBP 6 600** – ZURICH, 29 avr. 1992 : *Composition, Chaos*, eau-forte (30,5x38) : **CHF 1 800** –

Londres, 2 juil. 1992 : *Isidor III* 1966, Éléments de fer et métal, roues, bandes de caoutchouc et moteur électrique peints en noir (135x100x70) : **GBP 93 500** – Copenhague, 20 mai 1992 : *Composition*, acryl. aquar. et gche (25x32) : **DKK 22 000** – New York, 18 nov. 1992 : *Contante n° 10* 1960, métal et construction de fils métalliques avec moteur électrique (34,3x17,8x15,9) : **USD 11 000** – Amsterdam, 9 déc. 1992 : *Trois dessins mécaniques* 1973, encre/pap. (26x21,5) : **NLG 2 875** – Amsterdam, 10 déc. 1992 : *Pandemonium* 1981, montage de 5 toiles, encre, h. et collage/cart. (43x55,5) : **NLG 17 250** – Londres, 3 déc. 1992 : *Stabilisation absolument définitive*, bois peint et métal avec deux moteurs (120x104,5x22,5) : **GBP 57 200** – Paris, 6 avr. 1993 : *Odalisque*, sérig. avec collage de plumes (75x55,5) : **FRF 12 000** – Zurich, 24 juin 1993 : *Retable des petites bêtes* 1989, techn. mixte/pap. (41,5x59) : **CHF 36 000** – Londres, 2 déc. 1993 : *Nikator III, antistable* 1965, plaques de fer, acier, bois et moteur électrique peint en noir (60x90x44) : **GBP 40 000** – Zurich, 3 déc. 1993 : *Meta pan demonium à couleurs vives* 1982, techn. mixte (35x50) : **CHF 48 000** – Paris, 8 déc. 1993 : *Motor cocktail* 1965, métal peint avec moteur (69x48x38) : **FRF 570 000** – Londres, 30 juin 1994 : *Monument pour un joueur de golf, fer*, balle de golf et moteur électrique (H. 50) : **GBP 20 125** – Paris, 17 oct. 1994 : *La petite rose* 1985, assemblage de fer, bougeoir, fleurs en métal, deux moteurs et ampoule électrique (88x85x70) : **FRF 200 000** – Zurich, 7 avr. 1995 : *Sans titre* 1988, techn. mixte/pliage de cart. (71,5x38) : **CHF 32 000** – Londres, 28 juin 1995 : *Eos vila* 1965, tube et tringles métalliques, roue de bois et courroie de caoutchouc, moteur électrique/cercle d'acier (194x52x94) : **GBP 100 500** – Copenhague, 12 mars 1996 : *Composition*, aquar. (30x20) : **DKK 4 000** – Paris, 1er juil. 1996 : *Étude pour une sculpture* 1965, encre (32x41) : **FRF 30 000** – Paris, 5 oct. 1996 : *Monstre dans la forêt*, acryl., encre et collage/sérig. (30x41) : **FRF 12 000** – Paris, 29 nov. 1996 : *WNYR Radio n° 9* 1962, fer, alu., caoutchouc, éléments de radio et de moteur électrique, pièce unique (70x15x10) : **FRF 125 000** – Zurich, 14 avr. 1997 : *Hommage et trophée pour Anton Müller n° 2* 1978, techn. mixte/ pap. (29x41) : **CHF 18 400** – Paris, 28 avr. 1997 : *Dessin metamatic*, feutre coul./pap. (45x39) : **FRF 6 000** – Paris, 16 juin 1997 : *Composition à la houpette* 1988, collage et gche coul. (30x42) : **FRF 39 000** – Londres, 25 juin 1997 : *Sans titre* 1968, métal, roues, tubes en caoutchouc et moteur électrique, fontaine (326x137x112) : **GBP 177 500** – Londres, 23 oct. 1997 : *Stabilisation définitive n° 1* 1958, moteur électrique, bois et acier peint. (100x88x26,5) : **GBP 133 500**.

TING WENG ou T'ing-Weng
xviie siècle. Chinois.
Peintre de paysages.
Il était actif vers 1690. Il n'est pas mentionné dans les biographies de peintres mais laisse quelques paysages signés et datés.

TING YEN-YONG. Voir DING YANYONG

TING YEN-YUNG. Voir DING YANYONG

TING YUAN-KONG ou Ting Yüan-Kung. Voir DING YUANGONG

TING YUN-P'ENG. Voir DING YUNPENG

TINI Bartolomeo
Né à Rovereto. xviiie siècle. Travaillant en 1714. Italien.
Peintre.
Il exécuta des fresques dans l'église S. Victor de Rovereto.

TINI Johann
xviie siècle. Actif à Tiefenkastel dans la seconde moitié du xviie siècle. Suisse.
Sculpteur sur bois.
Il sculpta en 1670 les stalles de l'église Saint-François de Mons (Grisons).

TINIBOIN Jules, orthographe erronée. Voir TINTHOIN

TINIEL Jean
Né au xixe siècle à Paris. xixe siècle. Français.
Paysagiste et portraitiste.
Élève de M. J. Dupré. Il débuta au Salon de 1878.

TINKER Elizabeth, Mrs. Voir ELMORE

TINNEY John
Né au xviiie siècle en Angleterre. Mort en 1761. xviiie siècle. Britannique.
Graveur au burin et éditeur.

Il fut à Londres graveur et éditeur d'estampes, puis vint quelque temps à Paris. On lui doit un traité d'anatomie. Parmi ses élèves on cite : Woollell, John Brown et Antony Walker.

TINO di Angelo di Assisi
xive siècle. Italien.
Peintre verrier.
Il exécuta des vitraux dans la cathédrale d'Orvieto en 1325. Il est peut-être identique à Tino di Biagio et Tino di Pietro.

TINO di Biagio
Né à Assise. xive siècle. Actif dans la première moitié du xive siècle. Italien.
Sculpteur, mosaïste et peintre verrier.
Il travailla pour la cathédrale d'Orvieto de 1325 à 1330. Il est peut-être identique à Tino di Angelo di Assisi et Tino di Pietro.

TINO da Camaino ou Tino di Camaino
Né vers 1285 à Sienne. Mort en 1337 à Naples. xive siècle. Italien.
Sculpteur et architecte.
Il subit d'abord l'influence de Giovanni Pisano, dont il fut sans doute l'élève. A partir de 1311 il travaille à Pise, devient maître d'œuvre à la cathédrale en 1315 et exécute le tombeau de l'empereur *Henri VII*. En 1319-20, il est maître d'œuvre à la cathédrale de Sienne, puis va à Florence où il exécute le monument funéraire de l'évêque *Orso*. A partir de 1323-24 et jusqu'à 1337, il est à Naples et sculpte plusieurs tombeaux. Son œuvre inspiré de G. Pisano et d'Arnolfo di Cambio montre, surtout par rapport à son maître, une certaine lourdeur et quelques maladresses.
Musées : Berlin (Kaiser Friedrich Mus.) : *Madone avec l'Enfant* – Londres (Victoria and Albert Mus.) : *Deux anges* – Lucques (Mus. mun.) : *Madone avec l'Enfant* – Turin (Pina.) : *Madone avec l'Enfant*.

TINO da Castel S. Agnese
xvie siècle. Actif dans la première moitié du xvie siècle. Italien.
Peintre.

TINO di Pietro
xive siècle. Actif à Orvieto dans la première moitié du xive siècle. Italien.
Sculpteur.
Il travailla à la façade de la cathédrale d'Orvieto de 1321 à 1325. Il est peut-être identique à Tino di Angelo di Assisi et Tino di Biagio.

TINOCO Juan
xviie siècle. Mexicain.
Peintre.
Il travailla à Puebla pour l'église Sainte-Rosalie. Ses peintures sont souvent comparées à celles de Zurbaran.

TINTER Carl
Né en 1859 à Vienne. xixe siècle. Autrichien.
Graveur sur bois.

TINTHOIN Jules Louis
Né le 19 août 1822 à Saint-Denis (Seine-Saint-Denis). Mort le 3 octobre 1859 à Paris. xixe siècle. Français.
Peintre de genre et d'histoire.
Élève de Delaroche et de Gleyre. Il exposa au Salon entre 1848 et 1859. Mention en 1857.
Ventes Publiques : Paris, 17 mars 1950 : *La toilette* 1857 : **FRF 7 500.**

TINTI Camillo
Né vers 1738 à Rome. Mort en 1796. xviiie siècle. Italien.
Graveur.
Élève de D. Cunergo. Il fut employé par Govin Hamilton à la gravure de plusieurs planches pour la *Schola Italica*.

TINTI Giovanni-Battista ou Giambattista
Né le 1er janvier 1558 à Parme. Mort en janvier 1609 à Parme. xvie siècle. Italien.
Peintre.
Après avoir étudié à Bologne avec Sammachini, il vint s'établir à Parme et s'inspira des œuvres de Correggio, du Parmigiano et de Tibaldi. Il exécuta entre autres d'importants travaux pour la cathédrale.
Musées : Parme (Pina.) : *Marie Madeleine dans la maison du Pharisien* – *Le Christ embrassant la croix* – *La Cène*, dess.

TINTI Lorenzo
Né en 1626 ou 1634 à Bologne. Mort en 1672. xviie siècle. Italien.

Peintre et graveur au burin.

Élève de Gio. Andrea Sirani. Il peignit dans le style de son maître plusieurs tableaux d'autel dans les églises de Bologne. Il grava plusieurs planches d'après les maîtres de l'école bolonaise, des frontispices et des portraits.

VENTES PUBLIQUES : LONDRES, 16-17 avr. 1997 : *Portrait de Giovanni Battista Montalbani,* craie rouge et pl. et encre brune (15,1x10,9) : **GBP 402.**

TINTORE Bartolommeo del. Voir **BARTOLOMMEO del Tintore**

TINTORE Cassiano

XVIIᵉ siècle. Actif dans la seconde moitié du XVIIᵉ siècle. Italien.
Peintre.
Frère de Francesco del Tintore. Il fut l'élève de P. Paolini.

TINTORE Francesco del

Né à Lucques. XVIIᵉ siècle. Travaillant vers 1680. Italien.
Peintre.
Il a peint des tableaux d'autels pour les églises S. Frediano de Lucques et pour S. Croce de' Lucchesi de Rome.

TINTORE Simone del

Né vers 1630 à Lucca. Mort en 1708. XVIIᵉ siècle. Actif dans la seconde moitié du XVIIᵉ siècle. Italien.
Peintre d'animaux, architectures, natures mortes, fleurs et fruits.
Frère de Francesco del Tintore, il fut élève de P. Paolini.
Il privilégia la représentation des oiseaux.

VENTES PUBLIQUES : MILAN, 6 mai 1971 : *Nature morte :* **ITL 4 200 000** – ROME, 4 avr. 1979 : *Nature morte aux fruits,* h/t (50x66) : **ITL 2 800 000** – ROME, 28 avr. 1981 : *Nature morte,* h/t (73x132) : **ITL 6 000 000** – NEW YORK, 18 jan. 1984 : *Natures mortes aux fruits et au fleurs,* h/t, une paire (71x94) : **USD 220 000** – LONDRES, 3 juil. 1985 : *Nature morte aux légumes, aux fruits et aux fleurs,* h/t (54,5x72) : **GBP 50 000** – MILAN, 24 oct. 1989 : *Nature morte avec melon, pommes et raisin,* h/t (44,5x60) : **ITL 33 000 000** – PARIS, 9 avr. 1990 : *Fruits et légumes disposés sur un entablement,* h/t (50x61,5) : **FRF 310 000** – ROME, 23 avr. 1991 : *Nature morte avec des grenades, des coings et des fleurs,* h/t (70x48,5) : **ITL 46 000 000.**

TINTOREANU Nicolae Dimitru

Né en 1871 à Jassy. Mort en 1901 à Bucarest. XIXᵉ siècle. Roumain.
Peintre de genre.
Il figura au Salon de Paris ; mention honorable en 1900 (Exposition Universelle). Le Musée Simu, à Bucarest, conserve de lui un triptyque.

TINTORETTA Maria Robusti, dite **Marietta**

Née en 1560 à Venise. Morte en 1590. XVIᵉ siècle. Italienne.
Peintre de portraits.
Fille et élève de Jacopo Tintoretto, Marietta devint un peintre de portraits d'un réel mérite et peignit un grand nombre de personnages célèbres à Venise. Sa réputation lui valut d'être appelée à la cour de Vienne et à celle de Madrid, mais l'affection qu'elle portait à son père lui fit décliner ces offres avantageuses. La mort à 30 ans de Marietta fut une perte terrible pour l'illustre maître. Le Musée de Bordeaux conserve d'elle *Portrait du Sénateur Andrea Capello,* et la Galerie Nationale de Florence, *Portrait de l'artiste.*

TINTORETTO, il, de son vrai nom : **Robusti Domenico**

Né en 1560 à Venise. Mort le 17 mai 1635 à Venise. XVIᵉ-XVIIᵉ siècles. Italien.
Peintre de portraits, compositions murales.
Fils et élève de Jacopo Robusti. Il imita la manière paternelle, mais se montra surtout bon peintre de portraits. Domenico exécuta des peintures dans la Scuola S. Marco et dans la Sala di Consiglio. La tradition veut qu'il ait été aidé dans ces travaux par son père.

MUSÉES : BAGNÈRES-DE-BIGORRE : *Mariage de sainte Catherine* – DRESDE : *Au ciel, la Vierge et le Christ, sur terre quatre saints* – FLORENCE : *Apparition de saint Augustin à plusieurs infirmes qui attendent leur guérison* – MUNICH (Pina.) : *Portrait d'un sculpteur* – NAPLES : *Danaé* – STRASBOURG : *Bacchus et Ariane, douteux* – STUTTGART : *Immaculée conception* – *Sénateur vénitien* – VENISE : *Un sénateur* – *Un procureur* – *Le procureur Pietro Marcello* – *Melchior Michiel* – *La Vierge et l'Enfant Jésus avec deux camerlingues agenouillés* – *Flagellation* – VENISE (Palais Ducal) : *Othon, fils de l'empereur, fait prisonnier par les Vénitiens à la bataille navale de Salvore in Pirano* – *Reddition de Zara* – *Seconde prise*

de Constantinople – VIENNE : *Trois portraits de procureurs de Saint-Marc* – *Cinq portraits d'hommes* – *Deux portraits de sénateurs vénitiens* – *Le Christ bénit les patriciens de Venise* – *Les rois mages* – *Découverte de Moïse* – *Le doge Girolamo Priuli* – VIENNE (Harrach) : *Tentation de saint Antoine.*

VENTES PUBLIQUES : NEW YORK, 14 et 15 jan. 1909 : *Portrait d'un gentilhomme :* **USD 155** – PARIS, 8-10 juin 1920 : *Le séjour des bienheureux,* pl. : **FRF 1 050** – LONDRES, 15 juil. 1927 : *Le conseiller d'un doge :* **GBP 399** ; *Adoration des mages :* **GBP 220** – LONDRES, 4 déc. 1936 : *Un procurateur de saint Marc :* **GBP 262** – NEW YORK, 4 mars 1938 : *Gentilhomme vénitien :* **USD 700** – LONDRES, 8 juil. 1938 : *Diane et ses nymphes au bain :* **GBP 378** – LONDRES, 20 juil. 1938 : *Résurrection de Lazare :* **GBP 460** – PARIS, 23 oct. 1942 : *Étude d'homme nu debout,* pl., reh. de blanc ; *Au verso, Académie d'homme,* pierre noire, reh. de blanc : **FRF 2 600** – LONDRES, 15 juin 1983 : *La Vierge et autres personnages (La Pentecôte ?),* h/pap., en grisaille, haut arrondi (37,6x20,4) : **GBP 2 800** – LONDRES, 2 juil. 1984 : *Académie d'homme,* craie noire/pap. bleu (28,4x15) : **GBP 2 200** – MILAN, 4 déc. 1986 : *Le Sacrifice d'Isaac,* pl. et lav. reh. de blanc/traits de cr., de forme ronde (23,5x20,5) : **ITL 5 200 000** – LONDRES, 1ᵉʳ avr. 1987 : *Nus au pied d'un escalier,* craies noire et blanche et touches de peint./pap. bleu (16,4x21,5) : **GBP 3 500** – LONDRES, 10 avr. 1987 : *Portrait de Niccolo da Ponte, procureur de la république de Venise,* h/t (127x106,5) : **GBP 30 000** – MILAN, 12 déc. 1988 : *Portrait d'un noble vénitien,* h/t (93,5x76) : **ITL 58 000 000** – LONDRES, 8 déc. 1989 : *Vierge à l'Enfant entourée d'une aura assise sur un croissant de lune dans les nuages et tenant le Livre de la Sagesse,* h/t (134,5x116,5) : **GBP 60 500** – MILAN, 13 déc. 1989 : *Portrait de gentilhomme,* h/t (45,5x36,5) : **ITL 25 000 000** – ROME, 8 mars 1990 : *Vierge et l'Enfant endormi et portrait du commanditaire,* h/t (75,5x70) : **ITL 20 000 000** – MILAN, 27 mars 1990 : *Portrait du Cardinal Lorenzo Priuli,* h/t (134x99,5) : **ITL 18 000 000** – NEW YORK, 31 mai 1990 : *Portrait d'un gentilhomme debout de trois-quarts vêtu d'un habit brodé debout devant une fenêtre ouvrant sur un paysage,* h/t (125,7x92,1) : **USD 35 200** – NEW YORK, 1ᵉʳ juin 1990 : *Le Christ et la femme du Samaritain près du puits,* h/t (172x137) : **USD 19 800** – MILAN, 29 nov. 1990 : *L'adoration des bergers,* h/t (112x140) : **ITL 22 000 000** – LONDRES, 12 déc. 1990 : *L'Agonie dans le jardin,* h/t (163,5x126) : **GBP 34 100** – NEW YORK, 8 jan. 1991 : *Étude de nu masculin portant un récipient vu d'en bas,* craie noire/pap. bleu (30x20,5) : **USD 16 500** – NEW YORK, 30 mai 1991 : *Portrait d'un jeune gentilhomme,* h/t (123x90) : **USD 57 750** – LONDRES, 11 déc. 1991 : *Les lamentations,* h/t (51x75) : **GBP 93 500** – NEW YORK, 22 mai 1992 : *Portrait d'homme,* h/t (54,6x51,4) : **USD 14 850** – LONDRES, 9 déc. 1992 : *Portrait d'un gentilhomme vénitien barbu,* h/t (112x89,9) : **GBP 71 500** – LONDRES, 6 déc. 1995 : *Apollon et Minerve,* h/t (57x124) : **GBP 23 000** – NEW YORK, 10 jan. 1996 : *Allégorie de la Vie humaine,* craie noire avec touche de peint. noire, brune, blanche et rose/pap. bleu foncé (25,6x30,5) : **USD 13 800** – LONDRES, 17 avr. 1996 : *Le Christ dans la maison de Simon le pharisien,* h/t (77x94) : **GBP 34 500** – NEW YORK, 17 oct. 1997 : *Portrait d'un sénateur vénitien présumé Marcantonio Correr,* h/t (112,4x78,7) : **USD 65 750.**

TINTORETTO, il, de son vrai nom : **Robusti Jacopo,** ou **Giacomo,** dit aussi **il Furioso** et **Fa Presto**

Né en 1518 ou 1519 à Venise. Mort le 31 mai 1594 à Venise. XVIᵉ siècle. Italien.
Peintre d'histoire, compositions religieuses, compositions à personnages, portraits, compositions murales, fresquiste.
Jacopo Robusti fut un indépendant ; il se forma sans maître ; il créa sa technique et son esthétique superbement dédaigneux des critiques et de l'indifférence des médiocres. On a quelquefois établi un parallèle entre Jacopo Robusti et Eugène Delacroix ; les rapports sont fréquents entre eux ; ils sont évidemment de la même race, Jacopo Robusti était fils de Battisto Robusti, teinturier, sinon riche, du moins possédant une aisance suffisante pour permettre au futur grand peintre la liberté de ses études. Le surnom de *Tintoretto* signifierait plutôt, d'après M. Gustave Soulié, « Le petit du teinturier » que le « Petit teinturier ». Jacopo montra de remarquables dispositions. Lorsqu'il eut l'âge voulu, il fut mis comme élève chez Titien. On ne sait pas pourquoi, mais Robusti ne demeura que quelques jours chez son maître ; la tradition veut que ce soit un sentiment de jalousie qui ait motivé son exclusion de son atelier par Titien et que jamais dans la suite, il n'en ait indiqué la raison. On ne peut nier la

valeur d'une affirmation produite à Venise même par Carlo Ridolfi, et ayant résisté à la critique pendant près de trois siècles. Cette version, cependant, paraît difficilement acceptable. Si merveilleuses que fussent les dispositions de Tintoretto, on se figure difficilement qu'un artiste de l'envergure de Titien, dans la plénitude de sa force et de son succès, pût en être effrayé. Connaissant le caractère absolu de Robusti, on pourrait voir plutôt dans la séparation des deux artistes, l'indiscipline de l'élève, refusant de se soumettre aux tâtonnements des débuts d'une instruction qu'il avait droit de juger insuffisante, puisqu'il créa de toutes pièces une méthode d'enseignement très différente de celles alors employées dans les ateliers des maîtres vénitiens. On pourrait voir dans le fait que Tintoretto ne chercha pas un autre maître, une présomption de la probabilité de notre explication. Robusti était un audacieux, toute sa vie le prouve ; il possédait une incroyable aptitude au travail ; il fut son propre maître. Il dessina sous tous les aspects, avec les éclairages les plus variés, les figures de Michel-Ange, *Le Jour*, *L'Aurore*, *La Nuit*, *Le Crépuscule*, des moulages d'antiques, usant souvent d'une lanterne pour obtenir des ombres accentuées. Ses qualités d'éclatant luministe, s'affirmaient dès ses débuts par le besoin de la « tache ». Ses études se complétaient par des études de modèles vivants et des dessins anatomiques d'après des cadavres. Par ailleurs Tintoretto cherchait sa forme par des procédés spéciaux. Sur un théâtre qu'il avait construit il plaçait des figures de cire modelées dans les attitudes qu'il voulait peindre, il drapait des vêtements dans ce décor de carton et de bois, il disposait des lumières de façon à produire l'éclairage désiré. Il accrochait encore aux solives de son atelier des mannequins dans les attitudes les plus variées et arrivait ainsi par une étude constante à l'extraordinaire vérité de mouvements que l'on trouve dans ses figures plafonnantes.

On cite de lui d'abord, quelques essais. Il aida Andrea Schiavone, il peignit de petites décorations comme faisaient les peintres français du XVIII⁰ siècle, il exposa ses œuvres dans la rue, dans la « Merceria » à côté des jeunes artistes vénitiens, notamment un effet de nuit, son portrait tenant un moulage de sculpture et celui de son frère jouant de la guitare. Il peignit une fresque sur une maison du Rialto. Il fit aussi quelques œuvres pour les églises, notamment à Santa Madelena : *La Conversion de Sainte Madeleine*, maintenant à l'Escurial. Il peignit aussi intérieurement et extérieurement sur les volets de l'orgue de S. Benedetto, une *Annonciation* et la *Samaritaine au puits*, œuvre dont M. Gustave Soulié a retrouvé une partie dans deux peintures du Musée des Offices et dont il signale le complément dans une collection particulière romaine. Il peignait aussi pour S. Maria del Carmine, une *Circoncision*, qui fut peut-être peinte lorsque Tintoretto travaillait avec Schiavone. On mentionne également un *Lavement des pieds*, aujourd'hui à l'Escurial et qui fut exécuté pour l'église S. Ermagora ou S. Marcuola. Mais la maîtrise du peintre s'affirme davantage dans les cinq sujets tirés de la Genèse, qu'il peignit pour l'église de la Trinité : *Création d'Ève*, *Création des poissons*, *Création des animaux* (œuvres perdues) ; *Adam et Ève* et le *Meurtre d'Abel*, tous deux à l'Académie de Venise. En 1546, un fait considérable se produit dans la vie de Tintoretto ; il peint à l'église della Madonna del Orto *Le veau d'or* et *Le Jugement dernier*. Il montre là son dédain de l'argent et entre en lutte avec les peintres de Venise. Il accepta de décorer les deux grands murs de la chapelle du chœur pour le prix des matériaux : on fixa cent ducats : les peintres l'appelèrent « gâte métier ». M. Gustave Soulié croit que Tintoretto avait visité Rome avant l'exécution de ces deux fresques et étudié les peintures de Michel-Ange à la chapelle Sixtine. Tintoret peignit pour la même église *La Présentation au Temple*, sur les panneaux extérieurs de l'orgue et, à l'intérieur des volets un *Saint Pierre* en habits pontificaux, *le martyre de saint Christophe*, enfin un *miracle de sainte Agnès*, dans la chapelle Contarini. Un pareil ensemble d'œuvres ne pouvait manquer d'amener des commandes à Robusti, étant données surtout les conditions dans lesquelles il les acceptait. En 1548, la confrérie de S. Marc lui demanda un tableau de vingt pieds de côté représentant le *Miracle* de leur saint. Cette œuvre capitale est conservée à l'Académie de Venise. Il peignit pour la même confrérie, la *Découverte du corps de saint Marc*, aujourd'hui à la Brera, *Le transport du corps de saint Marc* et *saint Marc sauvant des eaux un Sarrasin* ces deux derniers au Palais Royal de Venise. Il travailla sur ces œuvres de 1562 à 1566. Tintoretto fut chargé, en même temps que Paolo Véronèse de peindre au Palais des Doges une importante composition dans la salle du Conseil. Il y représenta le Cou-

ronnement de l'Empereur Barberousse (1562), et il peignit aussi l'Empereur excommunié par le pape Alexandre III (1553). Il peignit aussi dans la Salle du Scrutin un *Jugement dernier* (1566-67). Ces œuvres furent détruites par un incendie en 1577. Vers 1560, Robusti exécuta les peintures du chœur de S. Rocco : *Saint Roch guérissant les pestiférés*, *Saint Roch en prison visité par un ange*, *Saint Roch guérissant les animaux*, *Saint Roch conduit en prison*. Il fit aussi dans la même église pour les volets intérieurs et extérieurs de l'orgue *Saint Roch recevant la bénédiction du pape*, *L'Annonciation*, *Saint Roch malade au désert* et la *Piscine probatique*. On croit que c'est aussi à partir de 1564 qu'il commença la série des peintures à la Scuola de S. Rocco, l'ensemble le plus grand qu'il ait exécuté parmi tant de grandes choses, une cinquantaine de panneaux, compartiments de plafonds et revêtements des murs. La commande fut donnée à Tintoretto à la suite d'un concours auquel prirent part Paolo Véronèse, Schiavone, Salirati Zuccaro. Chacun des concurrents ayant développé son projet à l'aide de maquettes, Tintoret, quand vint son tour, fit découvrir la toile qu'il avait peinte et fait poser en secret à son emplacement définitif. Il avait exécuté ce dessin, dit-il, qui ne pouvait laisser place à l'erreur. Si l'on n'agréait pas son service, il faisait don de son œuvre à saint Roch, dont il avait reçu de nombreuses grâces. Les peintres présents se déclarèrent vaincus. La confrérie décida qu'on lui demanderait toutes les peintures restant à faire à la Scuola et qu'une rente de cent ducats lui serait servie sa vie durant à charge par lui de fournir un tableau chaque année. Tintoretto travailla à ces peintures jusqu'en 1587. Ce gigantesque labeur qui eut sur l'art une influence capitale – Rubens, Velasquez, Van Dyck, pour ne citer que ceux-là, y vinrent chercher des enseignements – n'absorba pas complètement son auteur. Il peignit aussi pendant cette période une *Assomption* pour l'église des pères de l'ordre des Crociferi et une importante décoration pour le réfectoire de leur couvent. Il y représenta les *Noces de Cana*, aujourd'hui à l'église de la Salute. A l'église S. Cassiano, il peignit la *Descente du Christ aux Limbes*, le *Christ ressuscité* et une remarquable *Crucifixion*. Il exécuta aussi à S. Trovaso une *Cène* et une *Tentation de saint Antoine abbé*. Il peignit encore à S. Maria Mater Domini la *Découverte de la Croix*. En 1572, Tintoretto reçut une nouvelle commande du Sénat pour la salle du scrutin. Il y peignit la *Bataille de Lépante* ; le succès de l'œuvre fut tel qu'une rente réversible sur ses descendants lui fut attribuée. En 1574, lors du passage de Henri III à Venise, Tintoret peignit son portrait. A partir de cette année son activité se porta surtout sur la décoration du Palais des doges. Dans la salle de l'Anticollège, il exécuta notamment *Mercure et les Grâces*, *Bacchus et Ariane*, *Mars chassé par Minerve*, *La Forge de Vulcain*. Après cette série de peintures mythologiques, il peignit, à la gloire de Venise au plafond du vestibule précédant la salle de l'Anticollège : *La Justice remettant au doge Priuli l'épée et les balances*. Il fit ensuite au plafond de la salle des Quatre Portes : *Jupiter remettant à Venise l'empire du monde*. Dans la salle du Sénat, il exécuta *Les doges Pietro Lando et Marcantonio Trevisano à genoux aux côtés du Christ mort*, *Le Doge Pietro Loredano devant la Vierge*, dans la salle du Collège, *Le Doge Aloïse Moncenigo adorant le Rédempteur*, *Le Doge Niccolo da Ponte adorant la Vierge*, *le Doge Francesco Donato avec la Madone*, *Le Mariage mystique de sainte Catherine*, *le Doge Andrea Gretti devant la Vierge*. Dans la salle du Sénat il peignit encore dans le caisson central du plafond *Venise reine des mers*. L'incendie de 1577 obligea à une réfection complète de la décoration de la salle du grand Conseil et de la salle du scrutin. Au centre du plafond de la première, Tintoretto représenta le *Doge Niccolo da Ponte recevant l'hommage des villes soumises*. Il y peignit encore *La Défense de Brescia*, la *Bataille de Riva*, la *Défaite de Sigismond d'Este* et *Jacopo Marcello prend Gallipoli*. Dans la même salle il fit aussi un grand panneau : *les Envoyés du Pape et du Doge auprès de l'Empereur Frédéric Barberousse pour traiter la paix*. Cet ensemble de travaux fut exécuté de 1575 à 1587. Il le couronna par une œuvre gigantesque, longtemps la plus vaste peinture à l'huile du monde, *la Gloire du Paradis*, qui fut peinte dans la salle du grand conseil en 1588. Le Musée du Louvre en possède une magnifique esquisse. Tintoretto quitta rarement Venise. Ses œuvres furent surtout réservées à sa ville natale. Il faut en excepter cependant une suite de peintures exécutées vers 1579-1580 pour le duc Guillaume Gonzague de Mantoue, comprenant notamment quatre grands tableaux se rapportant aux actions de Frédéric Gonzague, des frises et huit tableaux relatifs aux faits de guerre des Gonzague. Tintoretto se rendit à Mantoue avec sa famille pour présider à leur installation. Il peignit quatre tableaux pour l'empereur Rodolphe II, parmi lesquels, un *Concert de muses*, que l'on croit retrouver au Musée de Dresde. Philippe II d'Espagne lui fit commander huit sujets poétiques que M. Gustave Soulié croit retrouver aujourd'hui au Musée du Prado. En dehors de Venise on le signale peignant à S. Michele de Vienne une *Apparition de saint Augustin* que M. Soulié croit retrouver au Musée des Uffizi, à Florence. Bien que devenu peintre de la Seigneurie de Venise et que les travaux cités plus haut pussent absorber l'effort du peintre le plus fécond, Tintoretto trouva le moyen de peindre encore pour les églises au cours des dernières années de sa vie. On le cite exécutant, de 1592 à 1594, à S. Giorgio Maggiore *Le Martyre de St Étienne*, le *Couronnement de la Vierge*, la *Résurrection*, *Le Martyre de plusieurs saints*, la *Mise au tombeau*, *La Manne*, la *Cène*. Pour S. Marco, il fournit nombre de cartons de mosaïques. Peu d'existences d'artistes furent aussi belles que celle de Tintoretto. Peu soucieux de l'argent, nous l'avons dit, il en fournit une preuve éclatante lorsque, après l'achèvement de la *Gloire du Paradis*, invité par la Seigneurie à fixer le prix de son œuvre, il s'y refusa et réduisit celui qui lui fut octroyé – l'unique but de sa vie paraît avoir été de peindre, préciser dans une forme fixe des magnifiques visions d'art, les tableaux passionnants créés par sa puissante imagination. Ce but il l'atteignit, et combien de fois. Il eut ce bonheur presque inhumain de ne pas connaître la vieillesse, au moins en tant qu'artiste. Son dernier ouvrage la *Gloire du Paradis*, malgré les soixante-dix-sept ans de son auteur affirme une puissance qu'il n'avait jamais dépassée.

Si ses compositions religieuses restent très impressionnantes, elles ne doivent pas faire oublier son immense talent de portraitiste. Dans ce domaine, il laisse de côté le mouvement spectaculaire et va à l'essentiel. La plupart de ses portraits sont des portraits d'homme qu'il traite de manière abrupte, sans fioritures. Certains sont présentés frontalement, comme le *Portrait d'homme*, peint vers 1553, du Musée de Nantes ; il surgit de l'obscurité, la barbe rousse lumineuse près du visage s'assombrit vers le bas, créant ainsi une zone de transition entre le visage en pleine lumière et le vêtement du personnage à peine discernable. Si le dessin est précis, la barbe est traitée librement, à grands coups de pinceau. D'autres sont présentés de trois-quarts, en particulier les hauts dignitaires : doges, sénateurs, cardinaux, conscients de leurs qualités, mais aussi de leurs devoirs et pour lesquels Tintoret tient à faire percevoir l'homme plus que la fonction. Cependant, il met une distance entre l'homme et le spectateur. Il se dégage de ses portraits vus de trois-quarts, une sévérité sans doute due à la technique de Tintoret, qui consiste à présenter le plus de profil que le reste du visage, souligné par une arête lumineuse et doublé d'une ombre épaisse, tandis que le regard tombant demeure pénétrant, même si l'un des yeux reste plus dans l'ombre, à côté de l'autre plus vibrant. Toute la lumière se concentre sur le visage, les costumes disparaissant dans l'obscurité, noir sur noir ; seule une simple trace de poils de pinceau rend la qualité d'une fourrure ou d'un détail vestimentaire. Enfin, il sait transmettre une réelle émotion à travers ses autoportraits peints avec davantage d'humilité.

Il fut un novateur et il refusa de se contenter des formules académiques, traductions diminuées de l'expression de ses grands devanciers. Il avait bien écrit sur le mur de son atelier : « Il designo di Michel-Angelo ed il colorito di Tiziano » ; il chercha le secret de leur acuité de vision, de la sensibilité de leur traduction de la nature, mais ne plagia ni l'un ni l'autre. Cette double admiration pour Titien et pour Michel-Ange correspond en effet dans son œuvre propre, d'une part à la sensualité dans la technique picturale, grasse et dorée, qui pouvait d'ailleurs se traduire jusque dans les sujets, allant de la tendresse du visage de la Vierge dans l'étable à la Scuola de San Rocco, jusqu'à la célébration du corps féminin, dont le sommet fut atteint avec la *Suzanne au bain* de Vienne, d'autre part à la virtuosité de son dessin apte à toutes les difficultés de perspective ou de raccourci et à sa science de la composition, toujours aérée même dans les cas les plus complexes, *Crucifixion* de la Scuola, ou surtout dans l'interminable perspective en profondeur et en hauteur de la *Découverte du corps de Saint Marc* à la Bréra à Milan. Ce seront essentiellement ces qualités graphiques que le Greco retiendra de son exemple et dont il développera la sinuosité jusqu'à un certain maniérisme. ■ E. Bénézit

BIBLIOGR. : E. von der Bercken et A.L. Mayer : *Jacopo Tintoretto*, Munich, 1923 – M. Pittaluga : *Tintoretto*, Bologne, 1925 – G. Soulié : *Le Tintoret*, Laurens, Paris, 1928 – V. Moschini : *Tintoretto*, Rome, 1931 – *Catalogue de l'exposition « Tintoretto »*, Venise, 1937 – Erich von Bercken, August L. Mayer : *Die Gemälde des jacopo Tintoretto*, Piper, Munich, 1942 – Erich Newton : *Tintoretto*, Londres, 1952 – Lionello Venturi : *La peinture italienne* : *La Renaissance*, Skira, Genève, 1951 – M.G. de La Coste Messelière : *Tintoret*, Nouvelles Éditions Françaises, Paris, 1969 – Pierluigi De Vecchi, Carlo Bernari : *L'opera completa del Tintoretto*, Rizzoli, Milan, 1970 – Rudolfo Pallucchini, Paola Rossi : *Tintoretto. Le opere sacre e profane*, 2 vol., Alfieri, Venise, Electa, Milan, 1982.

MUSÉES : AIX-LA-CHAPELLE : *Portrait d'homme* – AMIENS : *Suzanne au bain* – *Portrait d'un doge de Venise* – AMSTERDAM : *Portrait d'un ecclésiastique* – AUGSBOURG : *Le Christ, Marthe et Marie* – BÂLE : *Le Christ pleuré par deux anges* – BARI : *Saint Roch guérissant les malades* – BAR-LE-DUC : *L'artiste* – BERGAME (Acad. Carrara) : *Portrait de femme* – *Portrait de vieillard* – BERLIN : *Deux portraits de procurateurs de S. Marc* – *Annonciation* – *La Vierge, l'enfant Jésus et les évangélistes, Marc et Luc en adoration* – *Annonciation* – *Un procurateur de Venise* – *Sainte Agnès ressuscite un mort* – *La Lune et les Heures* – *Portrait d'un vieillard* – BESANÇON : *Baptême du Christ* – *Sénateur* – *Médecin vénitien* – *Personnage près d'une fenêtre* – *Famille d'un sénateur vénitien* – BÉZIERS : *Le miracle de saint Marc* – BOLOGNE : *Visitation* – *Portrait d'homme* – *Christ en croix* – BOSTON : *Dame en noir* – CANNES : *Un procurateur de saint Marc* – *Nativité* – *Esquisse* – *Adoration des mages* – *Portrait d'un doge* – BRÊME : *Le doge Francesco Donato* – BRESCIA : *Transfiguration* – *Portrait de vieillard* – BRUNSWICK : *La dernière cène* – *Le joueur de luth* – *Entrée du Christ à Jérusalem*, douteux – BRUXELLES : *Martyre de saint Marc*, esquisse – *Deux portraits d'hommes* – BUDAPEST : *Trois portraits d'hommes* – *La femme adultère* – *Emmaüs* – *Tête de femme* – *Tête d'homme* – *Le doge Pierre Loredan* – CAEN : *Descente de croix* – *Mercure et les Grâces* – *La Cène* – CAMBRIDGE, U.S.A. : *Flagellation* – CHAMBÉRY (Mus. des Beaux-Arts) : *Portrait d'homme*, 2 fois – CHICAGO : *Mars, Vénus et les trois Grâces* – CINCINNATI : *Le doge Pascal Cicogna* – CLEVELAND : *Madone et l'Enfant* – COLOGNE : *Portrait d'homme* – COPENHAGUE : *Les noces de Cana*, esquisse – *La femme adultère* – *Portrait d'homme* – DARMSTADT : *Portrait d'un homme âgé* – DESSAU : *Portrait d'un amiral* – *Tête d'homme* – DETROIT : *Rêves des hommes* – *Le doge Gir. Priuli* – DIJON : *Assomption* – *Portrait d'homme* – DRESDE : *Six femmes faisant de la musique* – *Portrait d'une femme en deuil* – *Combat de l'archange Michel avec Satan*, peut-être de Domenico Robusti – *Sainte famille avec sainte Catherine* – *La femme adultère* – *La délivrance d'Arsinoë* – *Chevalier couvert de son armure sauvant deux femmes nues dans un bateau*, peut-être de Dom. – *Un vieillard et un jeune homme* – DUBLIN : *Un gentilhomme de Venise* – *Diane et Endymion* – ÉDIMBOURG : *Tête d'un noble vénitien* – *Un sénateur* – *L'hiver* – *L'automne* – *L'été* – FERRARE : *Madone au rosaire* – FLORENCE (Mus. des Offices) : *Léda* – *Jésus et la Samaritaine* – *Adam et Ève* – *L'artiste* – *L'amiral Veniero* – *Portrait de vieillard* – *Les noces de Cana* – *Sacrifice d'Abraham* – *Sansovino* – *Buste d'homme barbu* – *Portrait d'un inconnu* – FLORENCE (Pitti) : *Vénus, l'Amour et Vulcain* – *V. Zéno* – *Déposition de croix* – *La Vierge et Jésus* – *Cinq portraits d'hommes* – FONTAINEBLEAU : *Guérison d'un possédé* – FRANCFORT-SUR-LE-MAIN : *Moïse à la source du rocher* – GAND : *P. Cornaro* – GÊNES : *Portrait d'homme* – GLASGOW : *La Trinité* – GÖTEBORG : *Le sacrifice de Manouh* – GRENOBLE : *Ex-voto de Matteo Soranzo* – HAMPTON COURT : *Esther et Assuérus* – *Les neuf muses* – *Moine* – *Chevalier de l'ordre de Malte* – *Portrait d'homme* – HANOVRE : *Gentilhomme assis* – LA HAYE : *Portrait d'un magistrat* – KASSEL : *Portrait d'homme* – LEIPZIG : *Résurrection de Lazare* – LILLE : *Portraits d'un religieux et d'un sénateur vénitien* – *Martyre de saint Étienne* – *Esquisse en grisaille pour « Le Paradis » au palais ducal de Venise* – LONDRES (Nat. Gal.) : *Saint Georges terrassant le dragon* – *Le Sauveur lavant les pieds des disciples* – *Vincenzo Marossini* – *L'origine de la Voie lactée* – LUCQUES : *Portrait d'un sénateur* – *Portrait d'homme* – LYON : *Ex-voto* – *Danaé* – *Madone et saints* – MADRID (Escurial) : *Esther devant Assuérus* – *Nativité* – *Lavement des pieds* – *Mise au tombeau* – *Le Christ dans la maison du Pharisien* – MADRID (Prado) : *Bataille sur terre et sur mer* – *Sébastien Veniero* – *Six portraits d'hommes* – *Le baptême du Christ* – *Sénateur vénitien âgé* – *Purification des vierges madianites* – *Un prélat* – *Jeune Jésuite* – *Jeune dame tenant une rose à la main* – *Homme armé* – *La chasteté de Joseph* – *Visite de la reine de Saba à Salomon* – *La chaste Suzanne* – *Moïse hors du Nil* – *Esther en présence d'Assuérus – Judith et Holopherne, deux fois – Le paradis – Trois portraits de jeunes hommes – Trois portraits de jeunes vénitiennes – Mort d'Holopherne – Violence de Tarquin – Portrait de femme ayant l'épaule droite découverte – MELBOURNE : Le doge Pietro Loredano – METZ : Suzanne et les vieillards – MILAN (Brera) : Portrait d'homme – Sainte Hélène, sainte Barbe, saint André, saint Macaire et deux dévots – Saint Marc apparaît aux Vénitiens, qui cherchent son cadavre – Portrait d'un jeune homme – Déposition de croix – MODÈNE : Scène des métamorphoses d'Ovide, plafond – Vierge et saints – MONTRÉAL : Portrait d'une femme – MOSCOU (Roumianzeff) : Le dieu de la guerre chasse les Muses – Vénus et l'Amour – La purification – MUNICH : Marie-Madeleine dans la maison du Pharisien – Portrait présumé d'André Vasalius dans un fauteuil – Noble vénitien avec son fils – Tête d'un vieillard – Crucifixion – Le Christ chez Marthe et Marie – La Musique – Vénus et Vulcain – NANCY : Le Christ au tombeau – NANTES : Groupe de têtes – Deux esquisses – NAPLES : Madone à l'enfant – NARBONNE : un sacrifice – NEW YORK (Metropolitan Mus.) : La Cène – Deux frères – Miracle des pains et des poissons – Un doge en prières – NICE : Pietro Nellori – OTTAWA : Portrait d'homme – PADOUE : Sénateur – Le Christ dans la maison du Pharisien – PARIS (Mus. du Louvre) : Suzanne au bain, deux fois – Le Christ mort et deux anges – Le Paradis – L'artiste – La Vierge et l'enfant Jésus entourés de saints – Pietro Mocenigo – Sénateur vénitien – Deux portraits d'hommes – Madone en gloire – PARIS (Mus. Jacquemart André) : Portrait d'homme – Portrait de femme – Minerve et Neptune – PARME : Mise au tombeau – Purgatoire – LE PUY-EN-VELAY : Annonciation – RENNES : Massacre des Innocents – ROME (Colonna) : L'adoration du Saint Esprit – Narcisse au bord d'une fontaine – Deux portraits sur le même tableau, de deux moines bénédictins – Deux portraits d'inconnus – Vieillard musicien – ROME (Gal. Orsini) : La femme adultère – ROME (Gal. Doria) : Jeune homme debout – SAINT-LOUIS : Moïse sauvé des eaux – SAINT-PÉTERSBOURG (Mus. de l'Ermitage) : Naissance de saint Jean-Baptiste – Naissance de la Vierge – Résurrection des saints – Saint Georges, incertain – Portrait d'homme – SAN FRANCISCO : Nativité – SCHLEISSHEIM : Deux crucifiements – SCHWERIN : Sebastiano Veniero – STOCKHOLM : Jeune homme – STRASBOURG : Descente de croix – Bacchus et Ariane – Les noces de Cana – La femme adultère devant le Christ, esquisse – STUTTGART : L'Immaculée Conception – TARBES : Supplice d'un Vénitien interrompu par saint Marc – TURIN : La sainte Trinité – VALENCIENNES : Pieta – VENISE : Mort d'Abel – Miracle de saint Marc – Péché et chute d'Adam et Ève – Vierge, enfant Jésus, saints et fidèles – Calvaire – Déposition de croix – Assomption – Madone en gloire et saints – Le procureur Matteo Dandolo – Sainte Justine – Jésus ressuscité bénissant – Portrait – La femme adultère – Le doge Aloïse Mocenigo – André Capello – Portrait d'un inconnu, représenté sous la forme d'un évangéliste – Antoine Cappello, incertain – Battista Morosini – Vierge, enfant Jésus et magistrats – Deux sénateurs – Un sénateur – Deux sénateurs – Saint Marc et saint Vincent avec Michele Parrasio – Christ couronné d'épines – Parabole de l'enfant prodigue et autres allégories, plafonds – VENISE (Palais Ducal) : Le doge Priuli recevant l'épée et la balance de la Justice – Portraits des procureurs – L'atelier de Vulcain – Mercure et les grâces – Minerve repoussant Mars – Ariane et Bacchus – Le Doge Nic. da Ponte devant Venise, avec le Sénat et les délégués des villes soumises – Contarini s'emparant de Riva – Vittorio Seranzo défait le prince d'Este en 1484 – Brescia défendue par les Vénitiens contre les Visconti en 1483 – Gallipoli prise en 1484 par J. Marcello – Le Paradis – Plusieurs portraits de doges – Le doge Pierre Lorédan implorant la Vierge – Venise, reine de la mer – Cinq peintures murales dans l'Anti-chiesetta – Prière du doge André Grisi à la Vierge – Mariage de sainte Catherine – Vierge en gloire, le doge F. Dona à genoux – Vierge en gloire et le doge Nic. da Ponte – Adoration du Sauveur avec le doge Aloïse Mocenigo – VENISE (SS. Giovanni Paolo) : Crucifiement – La Vierge, trois saints et trois camerlingues – VENISE (Santa Maria Assunta dei Gesuiti) : Assomption – Circoncision – VENISE (Redentore) : Flagellation – Ascension – VENISE (S. Marie del Carmine) : Circoncision – VENISE (Scuola di S. Rocco) : Tableaux religieux ornant le plafond et les parois de la grande salle – Portrait de l'artiste – Crucifiement – Le Christ devant Pilate – Annonciation – Adoration des mages – Fuite en Égypte – Massacre des Innocents – La Madeleine dans le désert – Marie l'Égyptienne – Circoncision – Assomption – Visitation – Jésus allant au calvaire – Couronnement d'épines – Apothéose de saint Roch – VENISE (S. Stefano) : Résurrection – La Cène – VENISE (S. Maria della Salute) : Noces de Cana – VENISE (Libreria Vecchia) : Saint Marc sauve un Sarrasin

du naufrage – Exhumation du corps de saint Marc – VENISE (S. Marco) : Mosaïques du jubé – VENISE (S. Rocco) : Piscine probatique – Quatre grandes toiles dans le chœur – Saint Roch présenté par le pape – Annonciation – VENISE (Madonna dell'Orto) : Ka Fin du monde – Le veau d'or – Martyre de saint Paul – Saint Pierre et les anges – Miracle de sainte Agnès – Présentation de la Vierge au Temple – VENISE (S. Cassiano) : Crucifiement – VENISE (Santa Maria Mater Domini) : Invention de la croix – VENISE (S. Giorgio Maggiore) : Martyrs – Couronnement de la Vierge – Résurrection du Christ – Martyre de saint Étienne – La Cène – La manne, pour la plupart ces peintures sont murales – VICENCE : Apparition de saint Augustin – VIENNE : Saint Augustin – VIENNE (Mus. Nat.) : La reine de Saba devant Salomon – Le festin de Balthazar – L'arche d'Alliance – Deux procurateurs de Saint Marc, de Venise – Saint Nicolas de Bari – Saint Jérôme au désert – Portrait d'un jeune homme devant une table – Portrait d'une jeune dame – La vengeance de Samson – Mucius Scaevola devant Porsenna – Deux Vieillards à barbe blanche – Flagellation du Christ – Marcantonio Barbaro – Homme assis dans un fauteuil – Lucrèce – Vieillard et enfant – Sébastien Véniero – Suzanne et les vieillards – Trois portraits de jeunes hommes – Apollon et les Muses – Deux portraits d'hommes – Hercule et Omphale – VIENNE (Czernin) : Un doge – VIENNE (Harrach) : Le Christ en croix et le larron – WEIMAR : Sansovino.

VENTES PUBLIQUES : PARIS, 1742 : Jésus parmi les docteurs : **FRF 800** – PARIS, 1756 : Le veau d'or : **FRF 1 602** – PARIS, 1775 : La Madeleine aux pieds de Notre Seigneur, pl. et bistre : **FRF 779** – PARIS, 1793 : Portrait du duc de Ferrare : **FRF 3 750** ; Descente de croix : **FRF 15 000** – PARIS, 1850 : Glorification du Christ par les apôtres et les patriarches, dess. à la pl. : **FRF 312** – LONDRES, 1860 : Vénus, Vulcain et l'Amour : **FRF 5 500** – PARIS, 1869 : La naissance de Bacchus : **FRF 4 000** – PARIS, 1870 : Adam et Ève : **FRF 6 000** – LONDRES, 1882 : Portrait d'un amiral en armure : **FRF 28 875** ; Visite de la reine de Saba à Salomon : **FRF 8 686** – LONDRES, 1886 : Jupiter bercé par les nymphes : **FRF 10 500** – LONDRES, 1892 : Adam et Ève : **FRF 15 860** – PARIS, 25 juin 1892 : Adam et Ève : **FRF 15 860** – LONDRES, 1895 : Portrait de Paola Paruta : **FRF 11 285** – LONDRES, 1899 : Gentilhomme de la famille Pesaro : **FRF 3 675** – LONDRES, 30 avr. 1909 : Portrait d'un philosophe : **GBP 52** – LONDRES, 11 déc. 1909 : Portrait de J. Bembo, doge de Venise : **GBP 65** – LONDRES, 22 juil. 1910 : Portrait du général Duodo en armure : **GBP 105** – LONDRES, 10 déc. 1910 : Jacobus Mavrocano : **GBP 162** – NEW YORK, 4-6 avr. 1911 : Mère et enfant : **USD 2 000** – LONDRES, 25 et 26 mai 1911 : Moïse frappant le rocher : **GBP 787** ; La Résurrection : **GBP 462** – LONDRES, 16 juin 1911 : Découverte de la vraie croix, et son pendant : **GBP 273** – LONDRES, 7 juil. 1911 : Sénateur tenant un drapeau : **GBP 189** – PARIS, 26 et 27 juin 1919 : Saint Louis recevant la couronne céleste : **FRF 5 200** – PARIS, 6 et 7 mai 1920 : Portrait d'un doge : **FRF 28 000** – LONDRES, 2 et 3 mai 1922 : Le miracle de saint Marc : **GBP 840** – LONDRES, 4-7 mai 1923 : Le Christ guérissant les paralytiques : **GBP 609** ; Un sénateur en robe noire : **GBP 630** – PARIS, 11 avr. 1924 : Étude de femme drapée étendue, pierre noire, reh. blancs et sanguine : **FRF 520** – LONDRES, 10 juil. 1925 : Saint Marc prêchant à Venise : **GBP 945** – LONDRES, 28 juil. 1926 : Apollon et Marsyas : **GBP 2 250** – PARIS, 8 déc. 1926 : Judith remettant la tête d'Holopherne à une servante, pl. et sanguine : **FRF 500** – LONDRES, 15 juil. 1927 : Portrait de gentilhomme : **GBP 3 045** ; Portrait de gentilhomme : **GBP 2 100** ; La résurrection de Lazare : **GBP 3 360** – LONDRES, 9 déc. 1927 : Goliath et David : **GBP 2 625** – LONDRES, 8 juin 1928 : Andreas Vesalius : **GBP 1 365** – LONDRES, 12 juil. 1929 : Pieta : **GBP 3 675** – LONDRES, 24 juil. 1929 : Un membre de la famille Capello de Venise : **GBP 8 000** – NEW YORK, 22 jan. 1931 : Portrait d'un seigneur : **USD 10 000** – PARIS, 2 déc. 1948 : Étude de trois figures, pl. et sépia : **FRF 52 000** – NEW YORK, 2 mars 1950 : Portrait d'un sénateur vénitien : **USD 3 400** – PARIS, 7 déc. 1950 : Portrait de l'ambassadeur Giovanni-Battista Guadagni : **FRF 1 500 000** – PARIS, 2 déc. 1954 : Portrait d'un patricien de Venise : **FRF 1 800 000** – LONDRES, 12 oct. 1955 : Portrait d'un sénateur vénitien : **GBP 1 250** – LONDRES, 26 juin 1958 : La Résurrection : **GBP 1 150** – LONDRES, 26 juin 1959 : Portrait d'un sénateur : **GBP 2 520** – NEW YORK, 19 oct. 1960 : Portrait d'un prélat : **USD 14 000** – PARIS, 9 déc. 1960 : La Vierge et l'Enfant : **FRF 37 000** – PARIS, 24 mars 1961 : La vision d'Alexandre Farnèse : **GBP 5 250** – NEW YORK, 10 mai 1961 : Portrait d'A. Vesalius : **USD 7 000** – MILAN, 15 mai 1962 : Ritratto di famiglia : **ITL 18 000 000** – LONDRES, 24 mai 1963 : Le Christ bénissant le peuple : **GNS 45 000** – LONDRES, 24 nov. 1967 : Portrait de Nicola Doria âgé de vingt ans : **GNS 16 000** – LONDRES,

3 déc. 1969 : *Portrait d'un sénateur vénitien* : **GBP 9 000** – LUCERNE, 12 juin 1970 : *Portrait d'un gentilhomme avec son fils* : **CHF 100 000** – LONDRES, 12 déc. 1973 : *Portrait d'un homme barbu* : **GBP 60 000** – LONDRES, 19 mai 1977 : *Tête de Giuliano de Medici*, pierre noire et craie blanche, d'après Michel-Ange (31,1x23,6) : **GBP 2 800** – LONDRES, 21 juin 1978 : *Jésus sur le mont des Oliviers*, h/t (145x177) : **GBP 32 000** – LONDRES, 13 juil 1979 : *Christ aux outrages*, h/t (131,4x104,1) : **GBP 19 000** – LONDRES, 28 juin 1979 : *Homme nu couché*, craie noire et reh. de blanc/pap. bleu (14,2x25,7) : **GBP 7 200** – LONDRES, 23 juin 1982 : *Portrait d'un homme barbu*, h/t (65,5x50) : **GBP 130 000** – NEW YORK, 18 jan. 1983 : *L'Ange annonçant à sainte Catherine son martyre* vers 1557-1560, h/t, haut arrondi (175x98) : **USD 75 000** – BERNE, 22 juin 1984 : *Académies d'homme*, dess. à la craie noire/pap. bleu, double face (28,2x17,7) : **CHF 45 000** – LONDRES, 10 avr. 1985 : *Homme debout tourné vers la droite (recto), craie noire ; Nu couché (verso)*, craie noire et blanche/pap. bleu (42,2x26) : **GBP 10 000** – GENÈVE, 29 nov. 1986 : *Portrait de Jacopo Sansovino*, h/t : **CHF 270 000** – MONTE-CARLO, 20 juin 1987 : *Nu d'homme assis vu de dos*, pierre noire (17,8x17,1) : **FRF 110 000** – LONDRES, 8 avr. 1987 : *Portrait de Tommaso Contarini*, h/t (169x103) : **GBP 62 000** – MILAN, 10 juin 1988 : *Vierge à l'enfant et quatre saints*, h/t (90,5x101) : **ITL 200 000 000** – ROME, 13 avr. 1989 : *Portrait d'un gentilhomme en armure*, h/t (140x109) : **ITL 35 000 000** – NEW YORK, 31 mai 1989 : *Portrait de Marco Grimani portant une robe rouge bordée d'hermine*, h/t (118x97,8) : **USD 99 000** – STOCKHOLM, 16 mai 1990 : *Saint Sébastien*, h/pan. (36x26) : **SEK 75 000** – NEW YORK, 11 jan. 1991 : *Le miracle de la pêche miraculeuse*, h/t (40,6x91,5) : **USD 110 000** – PARIS, 15 déc. 1991 : *Tête de donateur*, h/t (40x30) : **FRF 105 000** – NEW YORK, 21 mai 1992 : *La toilette de Vénus*, h/t (115,5x103) : **USD 187 000** – NEW YORK, 20 mai 1993 : *La Sainte Famille avec Saint Jean Enfant, une sainte et un guerrier*, h/t (172,4x262,9) : **USD 101 500** – LONDRES, 9 juil. 1993 : *La Crucifixion*, h/t (126,7x168,6) : **GBP 232 500** – PARIS, 5 nov. 1993 : *Étude d'homme accroupi*, pierre noire/pap. bleu (233,5x19) : **FRF 39 000** – NEW YORK, 12 jan. 1994 : *Étude d'un nu masculin assis (recto) ; Étude partielle d'un nu masculin assis (verso)* : **USD 41 400** – NEW YORK, 19 mai 1994 : *La résurrection de Lazare*, h/t (69,2x79,1) : **USD 910 000** – NEW YORK, 11 jan. 1995 : *Le rêve d'Alexandre Farnèse*, h/t (99,7x133,5) : **USD 442 500** – LONDRES, 5 juil. 1996 : *Portrait d'un gentilhomme portant un manteau noir bordé de fourrure, tenant un document et accoudé à un piédestal, de trois-quarts*, h/t (101,3x82,4) : **GBP 42 000** – NEW YORK, 30 jan. 1997 : *La multiplication du pain et des poissons* vers 1545, h/t (90,2x74,9) : **USD 244 500** – LONDRES, 18 avr. 1997 : *Portrait de trois-quarts d'un gentilhomme portant un manteau noir doublé de fourrure, près d'une fenêtre avec une ville du nord dans le lointain*, h/t (103,5x86,5) : **GBP 34 500** – NEW YORK, 23 mai 1997 : *Portrait d'un garçon présumé descendant de la famille Mocenigo, en buste, portant une tunique noire brodée d'or et une colerette blanche*, h/t (57,2x50,7) : **USD 162 000** – LONDRES, 2 juil. 1997 : *Nu masculin allongé sur le sol*, craie noire reh. de blanc/pap. bleu, étude (23,9x19,7) : **GBP 9 200**.

TINTWORTH George
Né le 5 novembre 1843 à Walworth. Mort le 10 septembre 1913. XIXᵉ-XXᵉ siècles. Britannique.
Sculpteur.
Il fit ses études à Lambeth School et à la Royal Academy. En 1866, il entra comme modeleur à la fabrique de céramique de Lambeth. En 1878, il fut nommé correspondant de l'Institut des Beaux-Arts de France. Il travailla également la terre cuite.
MUSÉES : LONDRES (Victoria and Albert Mus.) : bas-relief – LONDRES (Mus. Sydney) : *Rencontre de Jacob et de Joseph*.

TINTZEL Karl Gottfried. Voir TÜNTZEL

TIO DI FRANCESCO
Né à Fabriano. XIIIᵉ-XIVᵉ siècles. Italien.
Peintre.
Il peignit pour l'église des Franciscains de Monduino en 1318.

TIOLIER Pierre Joseph
Né en 1763 à Londres, de parents français. Mort en 1819 à Bourbonne-les-Bains (Haute-Marne). XVIIIᵉ-XIXᵉ siècles. Français.
Médailleur.

TIOLIER Pierre Nicolas
Né le 9 mai 1784 à Paris. Mort le 25 décembre 1853 à Paris. XIXᵉ siècle. Français.

Sculpteur et médailleur.
Fils de Pierre Joseph Tiolier. Il grava des médailles à l'effigie de *Louis XVIII*, de *Charles X* et de *Louis-Philippe*. Le Palais de Compiègne conserve de lui : *La Force domptée par l'Amour*.

TIOZZI
XVIIIᵉ siècle. Italien.
Peintre.
Il exécuta des peintures dans l'église Saint-André de Mantoue vers 1780.

TIOZZI Adamo
XVIIᵉ siècle. Actif à Trévise dans la première moitié du XVIIᵉ siècle. Italien.
Sculpteur.
Il sculpta une fontaine sur la Piazza delle Erbe de Trévise en 1634.

TIOZZO Andrea ou Tiozzi
XIXᵉ siècle. Actif à Venise vers 1805. Italien.
Graveur au burin.
Élève de l'Académie de Venise. Il grava des tableaux de la Galerie de Venise.

TIPARY Dezsö ou Desiderius
Né en 1887 à Horvati. XXᵉ siècle. Hongrois.
Peintre de figures et de paysages.

TIPHAINE Louis ou Tiphaigne
XVIIᵉ siècle. Français.
Peintre et graveur au burin.
Peut être identique à Tiri il Feno, peintre français à Rome. Il grava un portrait du poète Jean Rouxel.

TI P'ING-TSEU. Voir DI PINGZI

TI P'ING-TZU. Voir DI PINGZI

TIPPELSKIRCH Ernst von
XIXᵉ siècle. Allemand.
Peintre de genre, portraits.
Il exposa à Berlin de 1839 à 1842 des portraits et des scènes de genre.

TIPPER Herman ou Thiepers ou Typper
XVIIᵉ siècle. Actif à Gand, de 1658 à 1681. Éc. flamande.
Graveur au burin et éditeur.

TIPPMANN Albin
Né le 5 décembre 1871 à Wurzen. XIXᵉ-XXᵉ siècles. Allemand.
Peintre de sujets militaires et illustrateur.
Il fut élève de l'Académie des Beaux-Arts de Munich. Il peignit surtout des sujets militaires et produisit des illustrations de revues.
MUSÉES : MUNICH (Städtischesmus.) : des dessins.

TIPS Carlos
Né le 28 août 1891 à San Antonio. XXᵉ siècle. Américain.
Graveur silhouettiste, peintre de décors de scène.
Élève de Karl Richard Henker (?) à Berlin et de l'Académie des Beaux-Arts de Karlsruhe.
MUSÉES : DESSAU (Mus. prov.) : *Chamois* – WIESBADEN : *Les chasseurs de Lützow*.

TIQUET Charles
XVIIᵉ siècle. Actif à la fin du XVIIᵉ siècle. Français.
Peintre.
Membre de l'Académie de Saint-Luc à Paris en 1696.

TIQUET François
XVIIIᵉ siècle. Actif à Paris. Français.
Peintre.
Il publia des traités de peinture avec des illustrations en 1747.

TIRABOSCHI Giovanni
Né à Bergame. Mort en août 1892 à Bergame. XIXᵉ siècle. Italien.
Peintre et restaurateur de tableaux.

TIRABOSCHI Raimondo
XVIIᵉ siècle. Italien.
Sculpteur.
Il fut chargé d'un retable pour la cathédrale de Crémone en 1654.

TIRABOSCO Giuseppe
XIXᵉ siècle. Actif à Padoue au début du XIXᵉ siècle. Italien.
Peintre et graveur au burin.
Il peignit deux tableaux d'autel pour l'église Saint-Antoine de Padoue.

TIRADO Y CARDONA Fernando
Né en 1862 à Séville. Mort en 1907. XIXᵉ-XXᵉ siècles. Espagnol.
Peintre d'histoire, scènes de genre, portraits.
Sa technique variait en fonction des sujets. Ses peintures d'histoire, d'épisodes militaires, requièrent une technique précise dans les détails d'uniformes et d'armement. Les portraits sont également assujettis à l'obligation de ressemblance. Les scènes de genre, réceptions ou réunions intimes, osent une manière moins guindée, familière, éventuellement discrètement humoristique.
MUSÉES : SÉVILLE : *Maures observant l'ennemi* – *Portrait de Marie Christine, reine d'Espagne, avec son fils, le roi Alphonse XIII*.
VENTES PUBLIQUES : NEW YORK, 19 mars 1909 : *Le violoniste* : USD 300 – LONDRES, 17 juin 1994 : *Dans le verger 1880*, h/pan. (54,9x37,5) : GBP 3 450.

TIRAN Jean
XVIIᵉ siècle. Actif à Nîmes. Français.
Dessinateur.
Il fit le projet du jubé érigé dans la cathédrale de Nîmes en 1643.

TIRAN Pierre
Né le 1ᵉʳ mars 1928. XXᵉ siècle. Français.
Sculpteur de monuments et médailleur.
Il réalise surtout des sculptures monumentales pour le compte des Arts et Lettres, notamment à Chalon-sur-Saône, Tournus, Cosne-sur-Loire, etc. Il collabore aussi à la réfection de monuments historiques : cathédrale de Nevers, celle de Mâcon, préfecture de Lyon, etc.

TIRANNI Antonio
Mort le 2 février 1681. XVIIᵉ siècle. Actif à Urbino. Italien.
Peintre.

TIRANOFF Alexeï Vassiliévitch
Né en 1808 à Bieshezk. Mort le 3 août 1859 à Kaschin. XIXᵉ siècle. Russe.
Peintre de portraits, genre, lithographe.
Élève de l'Académie de Saint-Pétersbourg.
MUSÉES : MOSCOU (Gal. Tretiakov) : *Portrait du peintre I. K. Aivasovki* – *Portrait de l'écrivain I. I. Lashetchnikoff* – MOSCOU (Mus. Roumianzeff) : *L'ange de la paix* – *Moïse posé sur le Nil par sa mère* – SAINT-PÉTERSBOURG (Mus. Russe) : *Atelier des frères Tchernézoff* – *Portrait du peintre A. A. Alexéieff* – *L'artiste* – *Italienne*.

TIRARD Anna Pauline
Née au XIXᵉ siècle à Paris. XIXᵉ siècle. Française.
Pastelliste.
Elle figura au Salon des Artistes Français. Membre de ce groupement depuis 1893 ; mention honorable en 1897. Le Musée de Dieppe conserve d'elle : *Gibier*.

TIRATELLI Aurelio
Né en 1842 à Rome. Mort en 1900. XIXᵉ siècle. Italien.
Peintre de genre, paysages.
Élève de l'Académie de Saint-Luc à Rome. Il participa à l'Exposition Universelle de 1889.
MUSÉES : TRIESTE (Mus. Revoltella) : *Char à bœufs*.
VENTES PUBLIQUES : COLOGNE, 17 oct. 1969 : *Troupeau dans un paysage* : DEM 4 600 – LONDRES, 13 juin 1973 : *Retour des champs* : GBP 1 500 – LONDRES, 23 juil. 1976 : *Les moissonneurs*, h/t (15x36) : GBP 600 – LONDRES, 28 nov. 1980 : *Scène de foire en Italie*, h/t (66x134,5) : GBP 3 000 – MILAN, 10 juin 1981 : *Le Marquage des bœufs*, h/t (50x99) : ITL 3 300 000 – PARIS, 25 juin 1984 : *Le marché aux bestiaux, aux environs de Rome*, h/t (100x200) : FRF 195 000 – NEW YORK, 15 fév. 1985 : *La promenade de l'après-midi au parc*, h/pan. (40,3x61) : USD 5 500 – NEW YORK, 19 mai 1987 : *Les vendangeurs*, h/t (87,6x58,4) : USD 15 000 – NEW YORK, 25 fév. 1988 : *Retour des pâturages*, h/t (48,2x90,5) : USD 13 200 – ROME, 14 déc. 1988 : *Combat de tau-*

reaux, h/t (72x85,5) : ITL 2 800 000 – NEW YORK, 28 fév. 1990 : *Commérages dans une rue de Rome*, h/pan. (35,2x17,9) : USD 6 600 – MILAN, 12 mars 1991 : *Scène de la vie rustique*, h/t (50x34) : ITL 8 500 000 – NEW YORK, 21 mai 1991 : *Taureau sur la berge d'une rivière*, h/t (50,8x100,4) : USD 5 060 – LONDRES, 29 nov. 1991 : *Moissonneurs dans un champ de blé* ; *Transhumance*, h/t, une paire (16,8x36,1) : GBP 7 150 – LONDRES, 16 mars 1994 : *Jeunes paysannes rapportant le raisin au village*, h/t (86,5x56,5) : GBP 13 225.

TIRATELLI Cesare
Né en 1864 à Rome. Mort en 1933. XIXᵉ-XXᵉ siècles. Italien.
Peintre de genre, scènes animées, aquarelliste.
Élève de son père Aurelio Tiratelli et de l'Académie de Saint-Luc à Rome.
MUSÉES : BRESLAU, nom all. de Wrocław : *Le dimanche des rameaux dans les Abruzzes* – LEIPZIG : *Jour de fête à Ceccano* – ROME (Mus. d'Art Mod.) : *Baptême à Ciociaria*.
VENTES PUBLIQUES : NEW YORK, 1ᵉʳ et 2 avr. 1903 : *La blanchisseuse* : FRF 2 625 ; *Taureaux* : FRF 1 125 – NEW YORK, 12 mars 1969 : *Les noces d'or* : USD 1 900 – LUCERNE, 7 nov. 1980 : *Le retour des vendanges*, h/bois (33,5x53) : CHF 22 000 – NEW YORK, 27 oct. 1982 : *Scène de foire*, h/t (73x39,3) : USD 8 000 – MONACO, 21 avr. 1990 : *Jeune paysanne au chapelet*, aquar. (76x40) : FRF 61 050 – BERNE, 12 mai 1990 : *La source 1894*, h/pan. (31x17,5) : CHF 2 200 – MILAN, 16 mars 1993 : *Bal masqué 1888*, aquar./pap. (77x53,5) : ITL 9 000 000 – ROME, 27 avr. 1993 : *Gardiens de troupeaux à l'abreuvoir*, h/t (74x95) : ITL 9 000 000 – LONDRES, 19 nov. 1993 : *Jour de marché près de Rome*, h/t (62x135) : GBP 128 000 – LONDRES, 16 nov. 1994 : *Les vendanges*, h/pan. (66x56) : GBP 69 700 – NEW YORK, 1ᵉʳ nov. 1995 : *La procession*, h/t (55,9x48,9) : USD 71 250.

TIRAVANIJA Rirkrit
Né en 1961 à Buenos Aires. XXᵉ siècle. Actif aux États-Unis. Argentin.
Artiste d'installations. Conceptuel.
Il vit et travaille à New York. Il se produit en général dans des galeries privées, dont : 1993 Chicago ; 1994 New York, Cologne, San Francisco, Kunsthalle de Bâle ; 1996 Kunstverein de Cologne, Le Consortium de Dijon ; etc.
Ses expositions, qui en fait sont ses œuvres éphémères, sont en général titrées « untitled ». Il investit le lieu d'exposition, éventuellement en modifie la structure bâtie, en tout cas y installe un lieu d'accueil (accueil ne signifie pas forcément « chaleureux accueil »), souvent un café ou un restaurant, mais de toute façon avec des aménagements et des accessoires très divers, dont la destination non définie ne le sera que par l'usage fortuit qui en sera fait pendant la durée de l'exposition. Ensuite, l'événement se situe dans les rapports qui s'établissent entre le lieu investi par l'installation et les visiteurs qui investissent l'installation.
BIBLIOGR. : Éric Troncy : *Rirkrit Tiravanija l'idiot du village*, in Art Press, N° 220, Paris, janv. 1997.

TIRCKH Johann
XVIIIᵉ siècle. Autrichien.
Sculpteur d'autels.
Il a sculpté le maître-autel de l'église de Saint-André-im-Sausal en 1758.

TIREFORT Jean
Né le 30 novembre 1884 à Albi (Tarn). XXᵉ siècle. Français.
Sculpteur de figures typiques, statues. Populiste.
Il fut élève de Gaston Étienne Le Bourgeois. Comme son maître, il adopta le bois pour matériau. Il sculpta des statues et des têtes de types populaires d'Albi. Il exposait à Paris, à la Société Nationale des Beaux-Arts et au Salon des Artistes Décorateurs. Grand Prix à l'Exposition Internationale des Arts Décoratifs de Paris, en 1925.

TIREGENT Diericq
XVIᵉ siècle. Actif dans la première moitié du XVIᵉ siècle. Éc. flamande.
Sculpteur et stucateur.
Il collabora aux peintures de la Grande Galerie du château de Fontainebleau.

TIRELLI Paolo
Mort le 18 juillet 1760 à Correggio. XVIIIᵉ siècle. Italien.
Peintre.
Il fit ses études à Mantoue. Il travailla pour les églises de Correggio.

TIREMAN François ou **Tirman**
Né à Cambrai. Mort en 1692. XVIIᵉ siècle. Français.

Sculpteur sur bois.
Il commença en 1691 les sculptures du buffet d'orgues de la cathédrale du Puy.

TIREMENT Jean
XVe siècle. Actif à Troyes. Français.
Peintre verrier (?).
Il travailla pour l'église Saint-Urbain de Troyes.

TIREMOIS Louis Antoine Jacques François
Né au XIXe siècle à Paris. XIXe siècle. Français.
Peintre.
Élève de Couture et Armand Dunaresq. Il débuta au Salon de 1869.

TIREN Gerda, née Rydberg
Née le 11 janvier 1858 à Stockholm. Morte le 9 octobre 1928 à Tirsta. XIXe-XXe siècles. Suédoise.
Peintre de genre, portraits, paysages, illustrateur.
Femme de Johan Tiren.

TIREN Johan
Né le 12 octobre 1853 à Själevad. Mort le 24 août 1911 à Tirsta. XIXe-XXe siècles. Suédois.
Peintre de scènes animées typiques, paysages, illustrateur.
Mari de Gerda et père de Niels Tiren. La peinture *Après la tourmente de neige*, conservée au Musée de Stockholm, représente un jeune Lapon mort et sa vieille mère qui le veille. Ses œuvres sont souvent consacrées à la vie des Lapons.
MUSÉES : HÄRBÖSAND – OSTERSUND – STOCKHOLM : *Après la tourmente de neige – Lapons et rennes abattus* – TROLLHÄTTAN.
VENTES PUBLIQUES : STOCKHOLM, 24 avr. 1947 : *Pêcheurs sur un lac*, aquar. : SEK 2 550 – STOCKHOLM, 21 avr. 1982 : *Combat de rennes*, h/t (122x153) : SEK 15 000 – STOCKHOLM, 27 avr. 1983 : *Le Repos des chasseurs*, dess. (77x134) : SEK 60 000 – STOCKHOLM, 1er nov. 1983 : *Paysage d'été, Laponie*, aquar. (76x130) : SEK 105 000 – STOCKHOLM, 9 avr. 1985 : *Promeneurs au bord de la mer*, aquar. (35x54) : SEK 50 000 – STOCKHOLM, 20 oct. 1987 : *Couple assis dans un paysage*, aquar. (52x42) : SEK 70 000 – STOCKHOLM, 19 avr. 1989 : *Coup d'œil sur le paysage au soleil couchant*, h/t (55x79) : SEK 18 000 – STOCKHOLM, 16 mai 1990 : *Portrait d'un vieil homme barbu*, h/t (63x53) : SEK 22 000 – STOCKHOLM, 29 mai 1991 : *Le partage des rennes chez les Lapons*, encre (34x52) : SEK 26 000.

TIREN Niels
Né le 19 août 1885 à Oviken. Mort le 16 mars 1935 à Stockholm. XXe siècle. Suédois.
Peintre animalier, de paysages, aquarelliste.
Fils de Johan Tiren.
VENTES PUBLIQUES : STOCKHOLM, 19 avr. 1989 : *Lièvre courant sur les rochers* 1920, h/t (71x90) : SEK 17 500 – COPENHAGUE, 25 oct. 1989 : *Stylisation de neige*, aquar. (23x29) : DKK 6 500.

TIRENAN Jeanne Henriette, orthographe erronée. Voir TIRMAN

TIRET-BOGNET Georges
Né le 15 janvier 1855 à Saint-Servan (Ille-et-Vilaine). XIXe siècle. Actif à Paris. Français.
Illustrateur.
Il fut collaborateur de journaux illustrés et de revues humoristiques.
VENTES PUBLIQUES : PARIS, 22 oct. 1920 : *Illustration*, aquar. : FRF 250 – PARIS, 30 nov. 1927 : *La porte de Clignancourt, septembre 1914*, aquar. : FRF 280.

TIRI Il Feno. Voir l'article TIPHAINE Louis

TIRINELLI Silvestro
Né vers 1839. Mort le 30 août 1868 à Albano. XIXe siècle. Italien.
Peintre et poète.

TIRLINKS Levinia ou Teerlink. Voir BENING Lievine

TIRMAN Alexandre
XVIIIe siècle. Français.
Peintre de portraits, pastelliste.
Il était actif à Saint-Quentin en 1759. On conserve de lui au Palais de Justice de Saint-Quentin *Portrait d'une dame de la famille Le Caisne*.
VENTES PUBLIQUES : PARIS, 11 déc. 1992 : *Portrait d'homme de qualité*, past. (54x46) : FRF 11 000.

TIRMAN François. Voir TIREMAN

TIRMAN Jeanne Henriette ou Tirmon
Née en 1875 à Charleville (Ardennes). Morte le 30 octobre 1952 à Sèvres (Hauts-de-Seine). XXe siècle. Française.
Peintre de portraits, natures mortes, fleurs, graveur, illustrateur.
Elle figura au Salon des Artistes Français, à Paris. Membre de cette société depuis 1889, elle obtint une mention honorable en 1897. Elle expose aussi aux Salons des Indépendants, depuis 1906, d'Automne, dont elle est sociétaire, et des Artistes Décorateurs. Elle a illustré *La Bhagavadgita, La Marche à la Lumière* de Cantideva, *Lettres du Japon* de Rudyard Kipling, *Portraits de Femmes* de Sainte-Beuve.

TIRO Giovanni Battista. Voir PINO Giambattista di

TIRODE Jules Félicien
Né à Quingey (Doubs). Mort en 1899 à Besançon (Doubs). XIXe siècle. Français.
Peintre de paysages, d'architectures et de natures mortes.
Il exposa à Paris à partir de 1862.

TIRODE Léon
Né le 30 mars 1873 à Besançon (Doubs). XIXe-XXe siècles. Français.
Peintre de figures, nus, portraits.
Élève de Léon Bonnat. Il exposait à Paris, au Salon des Artistes Français depuis 1897 ; mention en 1905 ; médailles de bronze en 1913 et en 1937 pour l'Exposition Internationale.
VENTES PUBLIQUES : PARIS, 22 avr. 1895 : *Femme nue couchée* : FRF 119 – PARIS, 4 déc. 1944 (sans indication de prénom) : *Portrait de femme* : FRF 1 050.

TIROL Demeter ou Demetrius
Né en 1836 à Temesvar. XIXe siècle. Hongrois.
Portraitiste.

TIROL Hans ou Tiroll, Tyrol, Tyroll
Né entre 1505 et 1506. Mort entre octobre 1575 et octobre 1576 à Augsbourg. XVIe siècle. Allemand.
Peintre, architecte, écrivain et éditeur.
Il travailla à Augsbourg dès 1531. Il y exécuta des fresques, illustra des œuvres historiques, peignit des architectures et des portraits.

TIRONE
XVIIIe siècle. Travaillant en 1747. Italien.
Peintre.
Il a peint une *Madone du rosaire* dans la cathédrale de Castellamare.

TIRONI Antonio de' ou de'Tironi, Tironeo
Né à Bergame. Mort en mai 1528 à Udine. XVIe siècle. Italien.
Sculpteur sur bois et doreur.
Il sculpta des statues de saints et de la Vierge et des autels pour les églises d'Udine.

TIRONI Francesco
XVIe siècle. Actif à Ferrare vers 1537. Italien.
Sculpteur.
Fils d'Antonio de' Tironi.

TIRONI Francesco
Né vers 1745. Mort le 1er mars 1797 à Venise. XVIIIe siècle. Italien.
Peintre de paysages urbains, perspectives, dessinateur.
Il a surtout peint des vues de Venise.
MUSÉES : VIENNE (Albertina) : six vues d'îles et de ponts de Venise.
VENTES PUBLIQUES : MILAN, 10 mai 1969 : *Vue de la Lagune* : ITL 1 900 000 – VIENNE, 15 mars 1977 : *Vue de l'église Aracoeli à Rome*, h/t (34,4x54,6) : ATS 90 000 – ROME, 4 avr. 1978 : *Le Grand Canal, Venise*, h/t (60x97,5) : ITL 3 800 000 – VIENNE, 19 juin 1979 : *La place St-Marc*, h/t (24x38) : ATS 45 000 – LONDRES, 9 déc. 1980 : *Isola Sant'Elena*, craie noire, pl. et lav. (27,8x41,6) : GBP 2 400 – MILAN, 15 avr. 1985 : *santa Anconeta a venezia (recto)*, pl. et lav. ; *Etude d'architecture (verso)*, cr. (24x32,5) : ITL 2 000 000 – NEW YORK, 6 juin 1985 : *Le Grand Canal et le pont du Rialto, Venise*, h/t (35x49) : USD 13 000 – ROME, 16 mai 1988 : *Vue du Grand Canal ; Vue du Palais des Doges*, h/t, une paire (70x93) : ITL 40 000 000 – NEW YORK, 3 juin 1988 : *Vue de Saint Pierre à Rome*, h/t (87,5x146) : USD 33 000 – MONACO, 17 juin 1988 : *Vue du grand canal*, h/t (29x44,5) : FRF 99 900 – PARIS, 26 juin 1989 : *La Piazzetta vers San Giorgio Maggiore*, h/t (37x55,5) : FRF 95 000 – NEW YORK, 1er juin 1990 : *La piazza Navona à Rome*,

h/t (72x111) : **USD 60 500** – NEW YORK, 8 jan. 1991 : *Le quai aux esclaves*, encre et lav. (28x44,2) : **USD 16 500** – LONDRES, 3 juil. 1991 : *Vue de Saint-Pierre de Rome*, h/t (88x148) : **GBP 22 000** – LONDRES, 9 déc. 1992 : *Venise – la place Saint-Marc ; Venise – la piazzetta avec le palais des doges*, h/t, une paire (chaque 64x95) : **GBP 44 000** – PARIS, 9 déc. 1992 : *Venise, San Giorgio Maggiore depuis la Giudecca*, h/t (25x37) : **FRF 38 000** – LONDRES, 9 juil 1993 : *La Piazza Navona à Rome avec un spectacle de la comedia del'arte sur une estrade*, h/t (89x149) : **GBP 40 000** – NEW YORK, 14 jan. 1994 : *Le Campidoglio à Rome ; La Piazza Navona à Rome*, h/t, une paire (55,9x34) : **USD 79 500** – PARIS, 23 nov. 1994 : *Vue du Palais Ducal depuis le Bacino et Vue de la Giudecca sur l'église San Giorgio Maggiore*, h/t, une paire (65x96) : **FRF 680 000** – NEW YORK, 4 oct. 1996 : *Vue du Grand Canal avec les églises de Scalzi et Santa Lucia et les Palais Bragadin et Barzizza, Venise*, h/t (40,4x71,7) : **USD 51 750** – PARIS, 24 mars 1997 : *Vue du Grand Canal, à Venise, avec l'église de Scalzi et Santa Lucia*, h/t (39x57) : **FRF 80 000** – LONDRES, 3 juil. 1997 : *Venise, San Pietro a Castello ; Venise, le Grand Canal avec le Redentore*, h/t, une paire (chaque 54x72) : **GBP 40 000** – LONDRES, 4 juil. 1997 : *Une tour, un hangar à bateaux et autres bâtiments près d'une rivière, un pont fortifié dans le lointain*, h/t (40x32) : **GBP 13 800**.

TIRONI Vittorio
Né le 18 juillet 1860 à Annico. XIXᵉ-XXᵉ siècles. Italien.
Peintre de genre, portraits.
Il était actif à Milan.

TIROUFLET Alain
Né en 1937 à Paris. XXᵉ siècle. Français.
Peintre de paysages animés, natures mortes, aquarelliste, dessinateur.
Depuis 1966, il participe à de nombreuses expositions collectives, notamment à Paris, et à divers Salons, principalement aux Salon de Mai, Salon des Réalités Nouvelles, Salon Grands et Jeunes d'Aujourd'hui. En 1969 il a été invité à la Biennale de Paris. Expositions particulières : 1974 à Bruxelles ; 1974, 1975 à Paris ; 1975 au Centre Municipal de Vitry, après avoir, en 1974, obtenu le Prix de Vitry ; 1991 galerie Jean Peyrole.
Tirouflet réduit le motif jusqu'à son essence. Pourtant moins stylisé qu'économiquement défini, le sujet, souvent un paysage, une maison, une usine même, quelques fruits et objets banals sur une surface qui est probablement une table, bien qu'à peine évoqué, a l'évidence des idéogrammes. Il est le reflet des images mentales types par lesquelles nous définissons les choses ou nous en souvenons. Jouant avec une habileté très séduisante d'abord uniquement de divers tons de blancs et de gris, dans la suite, fin des années soixante-dix, de gris subtilement colorés à l'aquarelle ou aux crayons de couleurs, qu'il module avec savoir-faire, Tirouflet peint de vastes espaces, naturels ou intérieurs, quasiment vierges sur lesquels s'inscrivent en dehors de tout contexte, les motifs figuratifs. Rappelant peut-être les bouteilles et pichets de Morandi, les images quotidiennes de Tirouflet, à cause de leur discrétion ostentatoire, imposent la perception de l'envers des phénomènes où se joue la réalité des choses. ■ J. B.
BIBLIOGR. : R. Munier : *Tirouflet ou l'Éloge du moindre*, Paris, 1991 - in : *Diction. de l'Art Mod. et Contemp.*, Hazan, Paris, 1992.
MUSÉES : PARIS (CNAC) – PARIS (Mus. d'Art Mod. de la Ville).

TIROZZO Guido
Né le 9 juin 1876 à Turin. XXᵉ siècle. Italien.
Peintre de paysages, graveur.
Il n'eut aucun maître. Peintre, il était aussi aquafortiste.
MUSÉES : CATANZARO (Gal.) : *Terra Bruzia*, triptyque.

TIRPAK Sandor, ou Alexandre
Né en 1884 à Budapest. XXᵉ siècle. Hongrois.
Peintre de paysages.

TIRPENNE Jean Louis
Né le 26 août 1801 à Hambourg, de parents français. XIXᵉ siècle. Français.
Lithographe, peintre et écrivain dramatique.
Élève de Bouton, de Daguerre et de Remond. Il débuta au Salon de 1831. Il a travaillé à l'illustration d'ouvrages sur la sculpture et l'architecture. Il est avec Devéria, Victor Adam, etc., l'auteur de la *Méthode Tirpenne*.
VENTES PUBLIQUES : PARIS, 1891 : *Vue prise en Normandie* : FRF 170.

TIRPON
Miniaturiste.
Cité dans un catalogue de vente.

VENTES PUBLIQUES : PARIS, 8 mars 1910 : *Portrait de jeune fille* : FRF 260.

TIRRART Antoine Xavier Claude
Né en 1792 à Paris. XIXᵉ siècle. Français.
Sculpteur d'ornements.
Élève de Semyse.

TIRRONEN Esko
Né en 1934. XXᵉ siècle. Finlandais.
Peintre. Abstrait.
Après des débuts à caractère expressionniste, dans des œuvres où dominaient volontiers le bleu ciel et le rouge, il évolua dans le sens de l'actualité européenne. Il pratiqua une peinture de matière, s'approchant de l'intensité dramatique obtenue par les effets de lave en fusion de l'art dit « informel ». Il revint ensuite à un certain graphisme gestuel, à base d'une peinture plus fluide, qui, bien que restant attaché à la réalité, n'est pas sans parenté avec la technique de Hartung.
BIBLIOGR. : B. Dorival, sous la direction de..., in : *Peintres Contemporains*, Mazenod, Paris, 1964.

TIRTOFF Romain de. Voir **ERTÉ**

TIRVERT Eugène
Né en 1881. Mort en 1948. XXᵉ siècle. Français.
Peintre.
Élève de Joseph Delattre, il a appartenu à l'École de Rouen. Il a figuré, en 1912, à l'exposition de la Section d'Or à la galerie La Boëtie à Paris.
Il a peint quelques œuvres à tendance cubiste.

Tirvert

BIBLIOGR. : Gérald Schurr, in : *Les Petits Maîtres de la peinture 1820-1920, valeur de demain*, Les Éditions de l'Amateur, t. II, Paris, 1982.

TISAGORAS ou Teisagoras
IIIᵉ siècle avant J.-C. Antiquité grecque.
Sculpteur.
Il est probablement de Rhodes. Il a sculpté *Hercule luttant avec l'hydre*, se trouvant près du temple d'Apollon à Delphes.

TISANDROS ou Teisandros
Vᵉ siècle avant J.-C. Actif à la fin du Vᵉ siècle avant J.-C. Antiquité grecque.
Sculpteur.
Il sculpta plusieurs statues de navarques compris dans le groupe commémoratif de la victoire d'Aigospotaloi que les Lacédémoniens érigèrent à Delphes.

TISARI Christian
Né en 1941 en France. XXᵉ siècle. Depuis 1971 actif au Québec.
Peintre, graveur. Abstrait.
Il expose surtout à Montréal, notamment galerie Frédéric Palardy, et en 1991 à Bruxelles, Fondation René Carcan.
Il pratique une abstraction de textures, qui attire les comparaisons avec tressages et tissages.
BIBLIOGR. : Normand Biron : *Tisari, les lignes secrètes de l'infini*, in : Catalogue *Tisari*, gal. Frédéric Palardy, Montréal, s.d., après 1990.

TISCHBEIN Amalie. Voir **APPEL**

TISCHBEIN Anton Johann ou Johann Anton
Né le 28 août 1720 à Hayna. Mort le 26 juillet 1784 à Hambourg. XVIIIᵉ siècle. Allemand.
Peintre d'histoire, compositions mythologiques, portraits, paysages, dessinateur.
Après avoir étudié à Paris et à Rome, il s'établit à Hambourg comme maître de dessin.
MUSÉES : KASSEL : *Portrait de l'artiste – Apollon mène le petit Hercule dans la réunion des dieux*.
VENTES PUBLIQUES : LONDRES, 30 oct. 1991 : *Portrait d'une dame*, h/t (26,5x21) : GBP 2 750.

TISCHBEIN Anton Wilhelm
Né le 1ᵉʳ mars 1730 à Hayna. Mort le 1ᵉʳ novembre 1804 à Hanau. XVIIIᵉ siècle. Allemand.
Peintre d'histoire, sujets mythologiques, portraits, paysages.
MUSÉES : DESSAU : *La princesse Wilhelmine Louis d'Anhalt-Bernbourg avec une colombe* – FRANCFORT-SUR-LE-MAIN (Mus.

Goethe) : *Mme von Bernus, née du Bosc* – KASSEL : *Vénus et l'Amour* – *L'inauguration du monument de Frédéric II.*

VENTES PUBLIQUES : COLOGNE, 26 mars 1976 : *Portrait de femme*, h/t (88x72) : **DEM 4 000** – PARIS, 30 juin 1993 : *Vénus blessée à la main droite rencontre son frère Mars*, h/cuivre (35x44) : **FRF 110 000.**

TISCHBEIN August Albrecht Christian

Né le 29 juillet 1768 à Hambourg. Mort le 10 septembre 1848 à Rostock. XVIIIe-XIXe siècles. Allemand.

Peintre de genre, d'architectures et de paysages et lithographe.

Il exécuta des vues de Rostock.

TISCHBEIN August Anton

Né le 9 octobre 1805 à Rostock. Mort après 1867 à Trieste (?). XIXe siècle. Allemand.

Peintre de genre, d'architectures et de paysages.

Il exposa à Vienne de 1842 à 1867. Le Musée de Schwerin conserve de lui plusieurs scènes de genre dans des paysages de Bavière et du Tyrol, et le Musée Revoltella de Trieste deux autres peintures de cet artiste.

VENTES PUBLIQUES : LONDRES, 8 fév. 1985 : *La promenade en barque 1832*, h/t (46,5x85) : **GBP 6 500** – LONDRES, 13 juin 1997 : *Trieste 1858*, h/t (45,1x78,7) : **GBP 8 280.**

TISCHBEIN Carl Ludwig et non Karl Ludwig

Né le 2 mars 1797 à Dessau. Mort le 13 février 1855 à Brückebourg. XIXe siècle. Allemand.

Peintre de genre et portraitiste.

Fils et élève de Johann Fredrich August Tischbein. Il étudia également avec Hartmann à Dresde et visita l'Italie en 1819 et y peignit des portraits. Il était professeur de dessin à l'Académie de Rome en 1825. Après avoir visité la Hollande, il vint s'établir à Brückebourg. Le Musée Thorwaldsen de Copenhague conserve de lui *Jeune napolitaine cueillant des raisins*, et le Musée de Leipzig, *Tête d'homme*, dessin.

TISCHBEIN Christian Wilhelm

Né le 2 mai 1751 à Marbourg-sur-La-Lahn. Mort le 31 juillet 1824 à Schmiedeberg. XVIIIe-XIXe siècles. Allemand.

Peintre et architecte.

Il travailla pour les châteaux de Furstenstein, de Rohnstock. Le Musée Provincial de Kassel conserve de lui *Jeune fille*, et la Galerie de Donaueschingen, *Fossoyeur travaillant dans un cimetière enneigé.*

VENTES PUBLIQUES : HAMBOURG, 2 juin 1977 : *La Force de l'Homme 1813*, aquar. (37,2x47,7) : **DEM 6 700.**

TISCHBEIN Friedrich ou Johann Friedrich August

Né le 9 mars 1750 à Maastricht. Mort le 21 juin 1812 à Heidelberg. XVIIIe-XIXe siècles. Allemand.

Peintre de portraits, pastelliste.

Élève de son père Johann Valentin Tischbein et de son oncle Heinrich Tischbein à Kassel. Il voyagea beaucoup ; en 1780 il était à Paris, en 1786 à La Haye, puis en Italie, où il fréquenta David et Mengs à Rome, à Vienne, en 1795, à Dessau et en 1800 directeur de l'Académie de Leipzig. Ses portraits échappent par leur charme aux sévérités du néo-classicisme.

MUSÉES : AMSTERDAM : *L'artiste* – *Joh. Lublink* – *Cornelia Reydenins* – *Salomon Rendorp et sa femme* – *Jan Van de Pall* – *Baron Robert Collot d'Escury* – *Madeleine Christine Listevenon* – *Pastels* – *Antonius Kayper* – BERLIN (Mus. Kaiser Friedrich) : *La*

comtesse Henriette Egloffstein* – BERLIN (Mus. Nat.) : *Joueuse de luth* – *L'artiste* – BRUNSWICK : *Portrait du prince Georges Auguste de Brunswick* – DESSAU (Gal. de Peinture) : *Les princesses Amalie Auguste et Louise Frédérique d'Anhalt-Dessau* – *La princesse Louise* – *La princesse Frédérique d'Anhalt-Zerbst* – *Le duc Auguste Christian Frédéric d'Anhalt-Köthen* – *La duchesse Caroline Frédérique d'Anhalt-Köthen* – DESSAU (Mus. mun.) : *La grande Catherine de Russie* – *Le maire Johann Leopold Stubenrauch* – DRESDE (Gal.) : *La comtesse Bose* – *Mme Christiane Caroline Mesmer* – ERFURT (Mus. mun.) : *Mme von Voigt* – FRANCFORT-SUR-LE-MAIN (Inst. Staedel) : *L'orfèvre Lauk* – *Sa femme* – FRANCFORT-SUR-LE-MAIN (Mus. Goethe) : *Lavater* – *Schiller* – *Joh. H. Voss* – *Ernestine Voss* – HAMBOURG (Kunsthalle) : *La comtesse Theresia Fries* – HANOVRE (Mus. prov.) : *La princesse Frédérique Sophie Wilhelmine de Prusse* – LA HAYE (Mauritshuis) : *Le prince Frédéric Guillaume de Nassau-Weilbourg* – *La princesse Frédérique Sophie Wilhelmine de Prusse* – *La princesse Frédérique Louise Guillaume de Prusse* – HEIDELBERG : *Portrait d'homme* – KASSEL : *Dix esquisses de portraits* – *Mme Buri* – *Kathise de Chrysais* – *Les enfants Hessenstein* – *Sylphide devant l'arc-en-ciel* – *La fille de l'artiste* – LEIPZIG (Mus. des Beaux-Arts) : *Portrait de Schiller* – *La famille de l'artiste* – *La famille Karl Eberhard Löhr* – LEIPZIG (Mus. mun.) : *Johann Gottfried Neumann* – *Christian Ludwig Stiglitz* – MARBACH : *Schiller* – MUNICH (Nouvelle Pina.) : *Le baron de Dalberg* – *M. Chatelain* – NUREMBERG (Mus. Germanique) : *Madame Dorothée Tugenreich von Raumer* – *Christiane Eleonore von Walbrun* – *Jeanne Frédérique von Bose* – OLDENBOURG (Mus. prov.) : *La princesse de Wurtemberg* – *Maria Feodorovna, impératrice de Russie* – *Le ministre von Hagen* – *Portrait d'un inconnu* – SAINT-PÉTERSBOURG (Mus. Russe) : *L'impératrice Elisabeth Alexéiévna* – SPIRE (Gal. Nat.) : *Carl August Böttiger* – STETTIN : *Mme Fanny Richter* – STUTTGART (Mus. Nat.) : *Elisabeth von Breitenbach* – *Le graveur Johann Gotth. Muller* – TRIESTE : *Clair de lune* – VIENNE (Gal. du XIXe siècle) : *La Peinture et la Musique* – WEIMAR : *Jeune fille avec un pigeon* – *La grande duchesse Maria Pavlona de Sachs-Weimar.*

VENTES PUBLIQUES : PARIS, 1872 : *Jeune mère avec son enfant* : **FRF 1 155** – PARIS, 1890 : *Portrait de Paul Ier empereur de Russie* : **FRF 990** – PARIS, 6 avr. 1895 : *Portrait de Wilhelmine de Prusse, reine de Hollande*, past. : **FRF 500** – LONDRES, 20 fév. 1925 : *Amoureux* : **GBP 189** – PARIS, 29 déc. 1930 : *Frédérique Sophie Wilhelmine princesse de Prusse*, pastel. attr. : **FRF 1 700** – PARIS, 7 et 8 déc. 1954 : *Portrait de la comtesse de Vismes* : **FRF 115 000** – PARIS, 24 juin 1968 : *Portrait présumé de Marie Antoinette* : **FRF 23 000** – LONDRES, 8 juil. 1988 : *Portrait de Willem Van Nassau-Weilbourg portant l'uniforme bavarois de l'Ordre de Saint Hubert*, h/t (73x53) : **GBP 17 600** – MONACO, 2 déc. 1989 : *Portrait de Guillaume Auguste Henri de Nassau-Weilburg 1811*, h/t (73x53) : **FRF 222 000** – MUNICH, 22 juin 1993 : *Monument funéraire à un artiste des lumières*, aquar. et gche/pap. (19x31) : **DEM 3 450** – LONDRES, 8 déc. 1993 : *Portrait de la Grande Duchesse Catherine Pavlovna de Russie, de buste*, h/t (70,2x55,8) : **GBP 32 200** – LONDRES, 10 juil. 1996 : *Portrait de Henrietta Cozens, femme du Rév. T.B. Percival, vêtue d'une robe blanche et d'une capeline à rubans bleus 1787*, h/t (62,5x51,5) : **GBP 20 700.**

TISCHBEIN Heinrich

Né en 1753 ou 1755 à Marbourg. Mort le 4 mars 1848 à Brême. XVIIIe-XIXe siècles. Allemand.

Graveur au burin et à l'eau-forte.

Il grava des vues de Brême et des paysages.

TISCHBEIN Jacob ou Johann Jacob

Né le 21 février 1755 à Hayna. Mort le 22 ou 23 août 1791 à Lübeck. XVIIIe siècle. Allemand.

Peintre.

Il travailla à Hambourg et à Lübeck. Certains biographes le font naître en 1775, ce qui paraît douteux.

MUSÉES : HAMBOURG (Kunsthalle) : *Vieille dame* – *Le matin* – *Le soir* – *Portrait d'un homme* – *Portrait d'une dame* – LÜBECK (Mus. mun.) : *Johann Hinrich Platzmann* – *Mme Cath. Elisabeth Platzmann* – *Franz Heinrich Pauly* – *Mme Dina Pauly.*

TISCHBEIN Johann Heinrich, l'Ancien

Né le 14 octobre 1722 à Hayna. Mort le 22 août 1789 à Kassel. XVIIIe siècle. Allemand.

Peintre d'histoire, compositions religieuses, sujets mythologiques, scènes de genre, portraits, graveur à l'eau-forte.

D'abord élève du peintre de la cour Van Freese, puis de Vanloo, à Paris et enfin de Piazetta à Venise. Il étudia également les maîtres à Rome, Bologne et Florence. Guillaume VIII de Hesse le nomma peintre de la cour en 1752 puis directeur de l'Académie de Kassel.

Il a surtout peint quelques beaux portraits pour la « Galerie des Beautés » du château de Wilhelmsthal. Tischbein a gravé quelques planches sur des sujets mythologiques.

J. Tischbein 1753.

MUSÉES : AMSTERDAM : *Anne de Brunswick* – BERLIN (Gal. Nat.) : *L'artiste* – *G. E. Lessing jeune* – BERLIN (Mus. Kaiser Friedrich) : *L'artiste et sa première femme* – BERLIN (Mus. Nat.) : *Ch. Fr. Rober, conseiller de Hesse* – *Portrait d'une vieille dame* – *La famille de l'artiste* – BERNE (Mus. Nat.) : *La femme de l'artiste buvant une tasse de thé* – *La deuxième femme de l'artiste tenant un livre* – BERNE (Mus. mun.) : *John. Aug. Nahl* – COLOGNE : *Le directeur von Schmerfeld* – DESSAU : *Jeunes gens et enfants* – FRANCFORT-SUR-LE-MAIN (Mus. Goethe) : *Frédérique et Wilhelmine Ospar* – HALBOURG (Kunsthalle) : *La première femme de l'artiste* – *La résurrection* – *L'enlèvement des Sabines* – *La dispute d'Achille et d'Agamemnon* – HANOVRE (Mus. prov.) : *L'artiste* – HEIDELBERG : *Portrait d'un homme* – KASSEL : *Auguste auprès de Cléopâtre mourante* – *Antoine blessé à mort chez Cléopâtre* – *Jupiter apparaissant à Callisto sous la forme de Diane* – *Acis et Galathée* – *Mars revêtu de son armure* – *Minerve se reposant sur son bouclier* – *Uranie* – *Clio* – *Calliope* – *Euterpe* – *Erato* – *Thalie* – *Melpomène* – *Terpsichore* – *Polymnie* – *L'actrice Everard* – *Deux hommes et une femme assis autour d'une table* – *Quatre hommes* – *Fillette dans un cabaret offrant un bouquet à un cavalier* – *La fille aînée de l'artiste* – *Fondation de l'Académie de Kassel* – *Frédéric II de Hesse* – *Le prince Carl de Hesse enfant* – *Le directeur Fraese* – *Bataille de paysans* – *L'artiste* – *Enée et Didon* – *Alexandre et Héphestion* – *Enfants sur un plan de la ville haute* – *Petits génies avec timbales et trompettes* – *La dame bleue* – *Un prince* – *A. G. Kaestner* – *Scène de masques* – *Première femme de l'artiste* – *Sa seconde femme* – LONDRES (Victoria and Albert Mus.) : *Portrait d'une dame* – MAGDEBOURG (Kaiser Friedrich Mus.) : *Le vainqueur* – *A l'époque germanique* – MANNHEIM : *Artemisia* – *Cassandre* – MUNICH (Nouvelle Pina.) : *Jeanne Elisabeth von Schmerfeld* – MUNICH (Mus. de la Résidence) : *Caroline, du Palatinat-Deux Ponts* – OLDENBOURG (Mus. prov.) : *Portrait de l'artiste* – *Démocrite* – *Héraclite* – *Archimède* – *Bélisaire aveugle* – SCHLEISSHEIM : *Le comte Guillaume VIII de Hesse-Kassel* – SCHWERIN (Mus. prov.) : *Ermite, deux fois* – WEIMAR : *Portrait d'une femme* – *Hercule et Omphale* – *Jeune fille se défendant contre un vieillard importun.*

VENTES PUBLIQUES : LONDRES, 10 juin 1910 : *L'adieu* ; *La toilette*, deux pendants : **GBP 33** – LONDRES, 8 avr. 1911 : *Le duo* : **GBP 273** – LONDRES, 21 nov. 1924 : *Portrait de femme* : **GBP 546** – PARIS, 20 fév. 1929 : *L'arrestation*, dess. : **FRF 600** – PARIS, 9 déc. 1960 : *Le concert dans le parc* : **FRF 10 100** – LUCERNE, 23 et 26 nov. 1962 : *Jeune femme* : **CHF 4 200** – DÜSSELDORF, 20 juin 1973 : *Portrait d'un gentilhomme* : **DEM 12 000** – MUNICH, 27 mai 1977 : *Portrait de jeune femme à la palette*, h/t (57,5x47) : **DEM 8 000** – LONDRES, 11 juil 1979 : *Le Calvaire* ; *Christ sur la croix*, deux h/pan. (44x58) : **GBP 7 500** – NEW YORK, 10 jan. 1980 : *Portrait de l'archiduc Joseph d'Autriche*, h/t (48x41) : **USD 3 000** – HAMBOURG, 7 juin 1984 : *Portrait d'une dame de qualité* vers 1775, craie noire et cr. reh. de blanc (30,2x21,9) : **DEM 4 200** – HAMBOURG, 11 juin 1987 : *Landgräfin von Hessen* 1774, h/t (86x71) : **DEM 70 000** – LONDRES, 5 juil. 1989 : *Portrait de la landgrave Maria von Hesse-Kassel*, h/t (144x113) : **GBP 34 100** – AMSTERDAM, 28 nov. 1989 : *Le Christ sur le chemin de croix*, h/t (73,2x58,4) : **NLG 12 650** – AMSTERDAM, 12 juin 1990 : *L'ascension*, h/t (76x57) : **NLG 8 625** – MUNICH, 10 déc. 1992 : *Portrait de dame*, h/t (63x52,5) : **DEM 20 340** – PARIS, 23 mars 1994 : *Portrait de gentilhomme en veste bleue et cuirasse*, h/t (87x69) : **FRF 48 000** – NEW YORK, 19 mai 1994 : *Portrait de Frederick II, landgrave de Hesse-Kassel*, h/t (161,3x124,5) : **USD 25 300** – MILAN, 8 juin 1995 : *Le concert*, h/t (32x52,5) : **ITL 13 800 000.**

TISCHBEIN Johann Heinrich, le Jeune

Né le 28 novembre 1742 à Hayna. Mort le 22 décembre 1808 à Kassel. XVIIIᵉ siècle. Allemand.

Peintre de portraits, paysages, graveur à l'eau-forte.
Élève et neveu de Johann Heinrich Tischbein l'Ancien. Il peignit surtout le paysage et occasionnellement le portrait. Directeur de la Galerie de Kassel en 1773. Il grava à l'eau-forte et à l'aquatinte un certain nombre de planches d'après son oncle et les maîtres hollandais.

MUSÉES : NUREMBERG (Mus. Germanique) : *Deux paysages avec des chèvres* – SPIRE (Mus. Nat.) : *Bétail.*

TISCHBEIN Johann Heinrich Wilhelm

Né le 15 février 1751 à Hayna. Mort le 26 juin 1829 à Eutin. XVIIIᵉ-XIXᵉ siècles. Allemand.

Peintre d'histoire, compositions mythologiques, sujets allégoriques, scènes de genre, portraits, animalier, paysages, graveur à l'eau-forte.
Élève de son oncle Johann Heinrich l'Ancien. Travailla d'abord à Hambourg chez son parent Johann Jacob Tischbein à la restauration de tableaux et à la copie des maîtres anciens. En 1773, il vint à Kassel comme peintre de portraits. En 1777, il visita Dresde et Berlin et fit dans cette dernière ville le portrait de la reine de Prusse. En 1779 il fut envoyé à Rome par la cour de Hesse. Il visita la Suisse et fit des dessins pour Lavater. En 1787, il accompagna Goethe à Naples et y fut fait directeur de l'Académie. Compagnon du poète, il est peut-être responsable du classicisme intransigeant qui ferma Goethe aux peintres romantiques. Il fut le protégé de lord Hamilton et fit le portrait de la célèbre lady Hamilton. Il grava aussi la collection de vases grecs du grand seigneur anglais. L'occupation de Naples par les Français le fit partir pour l'Allemagne et il vécut à Kassel, puis à Hambourg. En 1808 on le trouve à Eutin où il peignit jusqu'à sa mort des portraits.

Qui ne connaît l'admirable portrait que Tischbein fit de Goethe jeune et qui est au Musée de Francfort ? C'est une peinture pleine d'un classicisme humain si l'on ose risquer ce mot. L'œuvre est claire et nette comme une chose bien venue et faite dans la joie, aussi garde-t-elle après les années et les années un inoubliable charme. Une œuvre de cette valeur classe un maître et c'est justice que l'on accorde une place de premier plan à Tischbein, issu d'une si grande lignée d'excellents peintres. C'est un parfait technicien pour le dessin aussi bien que pour la couleur discrète et vibrante.

Tischbein f. 1804

MUSÉES : BERLIN (Mus. Kaiser Friedrich) : *Portrait d'une vieille dame* – BERLIN (Mus. Nat.) : *Johann Heinrich Voss* – CASERTA (Pina.) : *Oie dans un paysage* – FRANCFORT-SUR-LE-MAIN (Inst. Stadel) : *Goethe* – FRANCFORT-SUR-LE-MAIN (Mus. Goethe) : *Johann Heinrich Voss* – *Portraits de l'artiste et de son frère Jacob* – GOTHA : *Konradin de Hohenstaufen* – *Guerrier* – *Un soir près de Frascati* – HAMBOURG : *Klopstock* – *Christine Wertshalen* – *Enfant et poupées* – *Deux portraits de l'artiste* – *Portrait de la fille de l'artiste* – *Nature morte* – *Poires et tulipes* – *La fertilité* – *Paysage près de Tivoli* – *Animaux, deux fois* – *Enfant et fleurs* – *Le général Remingsen et son état-major* – *Intérieur de cuisine* – *Fleurs*, deux fois – *Fruits*, trois fois – HANOVRE (Mus. prov.) : *Toilette du matin* – KASSEL : *Ulysse et Nausicaa* – *Pygmalion et Vénus* – *Étude de tête* – KIEL (Kunsthalle) : *Le professeur Philipp Gabriel Hensler* – *Tête de jeune fille* – *Tête d'un petit garçon* – LAUSANNE : *Nicolas Chatelain* – LÜBECK (Mus. mun.) : *Hercule assis sur un tronc d'arbre* – MAGDEBOURG (Mus. Kaiser Friedrich) : *Peintre devant son chevalet* – MOSCOU (Mus. Roumianzeff) : *Portrait* – NUREMBERG : *Chèvre dans un paysage* – OLDENBOURG (Mus. prov.) : *La comtesse Frédérique Sophie Bernstorff* – *Femme dans sa chambre avec un enfant et une poupée* – *Paysage d'hiver* – *Tête d'un homme à la barbe brune* – *Jardinière et vieux prétendant* – *Le départ d'Hector* – *Bachkirs à cheval* – *Départ d'une Amazone* – *Mme von Zehender* – *Paysage avec nymphes et satyres* – *Les idylles*, quarante-trois tableaux – *Les quatre âges de la vie* – *Le duc Pierre François Louis d'Oldenbourg* – OLDENBOURG (Mus. mun.) : *Conradine Tischbein* – WEIMAR (Mus. du château) : *L'artiste* – WEIMAR (Mus. Goethe) : *Portrait de Goethe* – *Hötz et Weislingen* – *Anna Amélie* – WIESBADEN (Gal. des Peintures) : *La force de l'homme* – *Pâtre endormi* *guetté par des léopards* – ZURICH (Kunsthaus) : *J. J. Bodmer* – *Mme Marguerite Escher im Berg* – *Portrait d'une dame de Zurich* – *Voltaire.*

VENTES PUBLIQUES : LONDRES, 27 avr. 1928 : *Triomphe de l'homme sur les éléments* : **GBP 89** – LONDRES, 16 juin 1950 : *Jeune fille au pigeon* ; *Portrait de jeune fille* datés Rome 1775, deux pendants : **GBP 483** – PARIS, 19 oct. 1950 : *Portrait de gentilhomme* : **FRF 25 000** – PARIS, 15 juin 1951 : *Jeunes femmes figurant la peinture et la musique* : **FRF 35 000** – LUCERNE, 26-30 juin 1962 : *Portrait en buste de Madame Magdalena Schweizer* : **CHF 4 000** – COLOGNE, 8 mai 1969 : *Nature morte aux fleurs* : **DEM 7 000** – LONDRES, 7 juil. 1972 : *Portrait de Lady Charlotte Campbell* : **GNS 9 000** – LONDRES, 19 déc. 1973 : *Jeune fille à la mandoline* : **GBP 1 900** – LONDRES, 25 juin 1981 : *Portrait de Franciscone Volante del Re* vers 1787, cr. brun et mine de pb (19x16,5) : **GBP 1 200** – LONDRES, 19 juin 1984 : *Personnages annonçant à Conradin von Hohenstauffen et à Friedrich von Osterreich leur prochaine exécution* 1788, h/t (67x94) : **GBP 40 000** – MILAN, 21 avr. 1986 : *Portrait d'un voyageur allemand en Italie*, cr. (22,8x20) : **ITL 1 500 000** – LONDRES, 24 mai 1991 : *L'annonce à Conradin de Souabe et à Frédérick de Bade de leur prochaine exécution dans la prison de Naples* 1788, h/t (67x94) : **GBP 55 000** – MONACO, 18-19 juin 1992 : *Pénélope et Ulysse* 1802, h/t (66,5x88,5) : **FRF 210 900.**

TISCHBEIN Johann Valentin
Né le 11 décembre 1715 à Hayna. Mort le 24 avril 1768 à Hildburghausen. XVIII⁰ siècle. Allemand.
Peintre.
Il fut peintre à la cour de Hildburghausen.
MUSÉES : KASSEL (Mus. prov.) : *M. et Mme Robert* – LEEUWARDEN (Mus. Nat.) : *Le roi Guillaume IV et sa femme Anne Amélie de Hanovre* – NUREMBERG (Mus. Germanique) : *Le comte Christian Frédéric Carl von Giech.*

TISCHBEIN Ludwig Philipp
Né le 15 août 1744 à Kassel. Mort le 27 mai 1806 à Saint-Pétersbourg. XVIII⁰ siècle. Allemand.
Peintre et architecte et aquafortiste.
Fils et élève de Johann Valentin Tischbein. Il séjourna à la cour de Catherine II de Russie. Le Cabinet d'Estampes de Berlin conserve de lui *Palais entouré d'eau* (dessin).

TISCHBEIN Paul Ludwig Wilhelm
Né le 12 juillet 1820 à Rostock. Mort le 17 mai 1874 à Rostock. XIX⁰ siècle. Allemand.
Peintre de paysages, de portraits et de genre.
Élève des Académies de Berlin et de Dresde. Le Musée de Rostock conserve de lui *Rostock vu de l'ouest, Scène de marché, Portrait d'un directeur des postes.*

TISCHENDORF Angelika Van
Née le 21 février 1858 à Leipzig. Morte le 4 octobre 1917 à Leipzig. XIX⁰-XX⁰ siècles. Allemande.
Paysagiste et portraitiste.
Elle peignit surtout des paysages de landes et des types orientaux.

TISCHER Marcus. Voir TUSCHER

TISCHLER Alexander. Voir TYSCHLER Alexander Grigorievitch

TISCHLER Antal ou Anton
XVIII⁰ siècle. Actif dans la seconde moitié du XVIII⁰ siècle. Hongrois.
Graveur au burin.
Il grava des portraits à Eger et à Budapest.

TISCHLER Anton
Né en 1721 à Vienne. Mort vers 1780 à Vienne. XVIII⁰ siècle. Autrichien.
Graveur au burin.
Il grava des portraits. On lui doit en outre, quelques planches d'après les tableaux de la collection du comte Brühl.

TISCHLER Johnn
Né en 1738 à Vienne. Mort le 15 juillet 1801 à Vienne. XVIII⁰ siècle. Autrichien.
Peintre.

TISCHLER Ludwig
Né le 6 août 1840 à Trieste. Mort le 25 mai 1906 à Vienne. XIX⁰ siècle. Autrichien.
Peintre et architecte.

TISCHLER Victor
Né le 24 juin 1890 à Vienne. Mort en 1955. XX⁰ siècle. De 1930 à 1938 actif en France. Autrichien.

Peintre de figures, portraits, paysages, marines, natures mortes, graveur.
Élève de Franz Rumpler à l'Académie des Beaux-Arts de Vienne. Il se fixa à Paris en 1930. Il exposa à Vienne de 1923 à 1930 et à Paris de 1926 à 1938. Il visita les Musées d'Allemagne, des Pays-Bas, d'Italie et de France.
Avant tout peintre de paysages et de natures mortes, il a cependant peint des portraits, surtout au début de sa carrière.

v Tischler

MUSÉES : AMSTERDAM : *Nature morte* – *Bateau dans le port de Gênes* – DÜSSELDORF – LA HAYE (Mus. mun.) : *Portrait de l'actrice de cinéma Lien Deyers* – PRAGUE (Gal. Mod.) – ROTTERDAM (Mus. Boymans) : *Portrait d'une jeune fille* – VIENNE (Gal. Mod.) : *La femme de l'artiste.*
VENTES PUBLIQUES : VIENNE, 16 mars 1979 : *Nature morte aux fleurs et aux fruits* 1923, h/t (83x74,5) : **ATS 50 000** – AMSTERDAM, 27-28 mai 1993 : *Nature morte de fleurs*, h/t (59,5x50,2) : **NLG 2 300.**

TISDALE Elkanah
Né vers 1771 à Lebanon. Mort après 1834. XVIII⁰-XIX⁰ siècles. Américain.
Graveur au burin et portraitiste.
Il grava des illustrations de revues. Le Musée de Detroit conserve de lui *Portrait de l'artiste* et *Les parents de l'artiste.*

TISDALL Hans
XX⁰ siècle. Britannique.
Peintre.
Il travailla à Paris, vers 1930, dans une tradition post-cubiste. Retourné en Angleterre, il revient chaque année sur la côte méditerranéenne. Professeur à la Central School of Art de Londres. Il a également exécuté d'importantes décorations murales.
VENTES PUBLIQUES : LONDRES, 20 sep. 1990 : *Nature morte à la chaise*, h/t (51x41) : **GBP 2 640.**

TISIAS ou Teisias
Antiquité grecque.
Sculpteur.
Il sculpta des statues d'athlètes, de guerriers, de chasseurs et de prêtres.

TISICRATES ou Tisikrates ou Teisikrates
Né à Sicyone. IV⁰-III⁰ siècles avant J.-C. Actif de 320 à 284 avant J.-C. Antiquité grecque.
Sculpteur.
Élève d'Euthycrate. Il sculpta les statues de la cour de Macédoine, ainsi que des hermès et des animaux.

TISIO Benvenuto da Garofalo ou Tisi
Né vers 1481. Mort en 1556 à Ferrare. XVI⁰ siècle. Italien.
Peintre d'histoire et de sujets mythologiques.
Il fut à l'âge de 10 ans placé comme élève chez le peintre ferrarais Domenico Fanetti. En 1498, lors d'un voyage à Crémone, la vue des œuvres de Boccaccio Boccaccino le décida à travailler avec lui. Il ne demeura pas longtemps avec ce maître : en 1499 ou en 1500, suivant Vasari, Garofalo était à Rome étudiant avec le peintre florentin Baldini. Après une visite à ses parents, en 1501 Tisio devint l'élève de Lorenzo Costa à Bologne. La mauvaise santé de son père l'obligea à revenir à Ferrare en 1504. Il demeura quatre ans vivant dans une étroite amitié avec Dosso Dossi et son frère Battista. En 1509 on le trouve à Rome où, suivant Vasari, la vue des magnifiques fresques de Michel-Ange à la chapelle Sixtine furent pour Garofalo une véritable révélation. Il rencontra aussi Raphaël dont il fut l'élève et l'ami. En 1512 il est à Ferrare, cette fois pour s'y établir et demeurer jusqu'à sa mort. Il peignit particulièrement les sujets sacrés, il traita aussi et avec quel sentiment du génie hellénique, nombre d'œuvres empruntées à la mythologie grecque. Tout en demeurant lui-même, car on ne peut sans injustice lui méconnaître une puissante originalité, il subit l'influence de Lorenzo Costa, des Dossi, et surtout de Raphaël. Son dessin s'élargit, se simplifia sous l'inspiration du maître d'Urbino. Sa peinture s'attache à la lumière, ayant connu très tôt Giorgione. Garofalo a été surtout peintre de tableaux de chevalet, son exécution serrée se plaît dans des formes concentrées. C'est sous cet aspect qu'on le rencontre généralement dans les Musées. Les églises de Ferrare, cependant, conservent de ses œuvres, notamment un plafond, peint à fresque au Seminario ; quatre peintures de lui se voient à

la cathédrale. Nous savons par Vasari qu'il travailla beaucoup pour les églises de la ville et pour le château.

Musées : Ajaccio : *Sainte Famille* – Amsterdam : *Sainte Famille* – *Adoration des mages* – Bergame (Acad. Carrara) : *La Vierge et l'Enfant Jésus – Même sujet – La Vierge et plusieurs saints – Sainte Famille – Portrait de l'artiste* – Berlin : *Saint Jérôme – Adoration des mages*, attr. – Breslau, nom all. de Wroclaw : *Annonciation* – Budapest : *L'adultère* – Dijon : *Vierge et enfant Jésus* – Dresde : *Pallas Athéné et Poséidon – Vierge et Enfant Jésus – Saint Pierre, saint Bernard de Clairvaux, saint Georges, dans un paysage – La Vierge et l'enfant Jésus dans les nuages – Vénus blessée devant Troie, supplie Mars de lui donner son char – Sainte Famille avec Joachim, Anne, Élisabeth et le petit saint Jean – La Vierge tend Jésus à sainte Cécile à genoux – Bacchanale – Diane se penchant sur Endymion endormi – Jésus-Christ prêchant au temple* – Édimbourg : *Scène mythologique* – Florence (Gal. Nat.) : *Annonciation* – Florence (Pitti) : *Saint Jacques le Majeur – La sibylle révélant à Auguste le mystère de l'incarnation – Sainte Famille – Une Bohémienne* – Francfort-sur-le-Main : *Sainte Famille* – Gênes : *Madone avec fruits* – Glasgow : *Sainte Catherine en extase – Sainte Barbe* – Londres (Nat. Gal.) : *Vision de saint Augustin – Sainte Famille, sainte Élisabeth, le petit saint Jean et autres saints – Agonie du Christ – Vierge et enfant Jésus sur un trône* – Milan (Brera) : *Déposition de croix – Crucifiement, Vierge et enfant Jésus*, deux fois – Montpellier : *Saint Sébastien* – Moscou (Roumianzeff) : *La Vierge* – Munich : *Pieta – Vierge et enfant Jésus* – Naples : *Circoncision – Saint Sébastien – Les rois mages* – Narbonne : *Jésus et la Samaritaine* – Paris (Mus. du Louvre) : *Circoncision – Sainte Famille – Sommeil de l'Enfant Jésus – Vierge et Enfant Jésus* – Rome (Borghèse) : *Jésus dans la barque, appelant saint Pierre – Flagellation – Sainte Famille – Sainte Anne et saint Michel – Résurrection de Lazare – Conversion de saint Paul – Noces de Cana – Descente de croix – Sainte Famille et saint Antoine de Padoue – Vierge et enfant Jésus – Les mânes sur un trône avec les princes des apôtres – Le Christ et la Samaritaine – La crèche* – Rome (Doria Pamphili) : *Sainte Famille – Entretien sacré – Saint François et saint Bernardin de Sienne adorant la sainte famille* – Rome (Vatican) : *Sainte famille* – Saint-Pétersbourg (Mus. de l'Ermitage) : *Adoration des bergers – Sainte Famille – Le Christ marchant au Calvaire – Mise au tombeau – Noces de Cana* – Stockholm : *Le Seigneur Dieu* – Venise : *Vierge en gloire et quatre saints* – Vienne : *Étude.*

Ventes Publiques : Paris, 1756 : *La Vierge et l'Enfant Jésus* : **FRF 300** – Londres, 1801 : *La vision de sainte Augustine* : **FRF 26 250** – Paris, 1859 : *La lapidation de saint Étienne* : **FRF 39 520** – Paris, 1885 : *Madone et Enfant* : **FRF 2 755** – Londres, 1892 : *Un sacrifice antique* : **FRF 9 750** – Paris, 1900 : *La Vierge à la rose* : **FRF 6 700** – Londres, 15 mai 1908 : *La Sibylle révélant à Auguste le mystère de l'Incarnation* : **GBP 81** – Londres, 11 mars 1911 : *La Vierge et l'Enfant Jésus* : **GBP 27** ; *Vierge et Enfant Jésus* : **GBP 115** – Londres, 2 mars 1923 : *Annonciation* : **GBP 220** – Londres, 5 juil. 1927 : *Le Couronnement de la Vierge* : **GBP 252** – Paris, 21 et 22 mai 1928 : *La Vierge à l'œillet* : **FRF 15 000** – Londres, 29 juin 1928 : *Adoration des bergers* : **GBP 189** – Londres, 20 déc. 1929 : *La Vierge et l'Enfant* : **GBP 183** – Paris, 27 mars 1953 : *La Vierge et l'Enfant* : **FRF 48 000** – Milan, 29 oct. 1964 : *Sainte conversation* : **ITL 3 000 000** – Londres, 26 mars 1969 : *Jeune femme à sa toilette* : **GBP 6 500** – Londres, 24 juin 1970 : *La Vierge et l'Enfant* : **GBP 4 000** – Londres, 30 juin 1971 : *La Circoncision de Saint Jean* : **GBP 4 000** – Londres, 19 juil. 1974 : *Vierge à l'Enfant* : **GNS 4 800** – New York, 9 juin 1978 : *Jeune femme à sa toilette*, h/t (96x82,5) : **USD 48 000** – Milan, 24 nov. 1983 : *Sainte Cécile*, h/pan. (44,5x28,5) : **ITL 29 000 000** – Milan, 16 avr. 1985 : *Christ et la femme de Samarie au puits*, h/t (122,5x172) : **ITL 24 000 000** – Milan, 21 avr. 1988 : *Numa Pompilio et la nymphe Égérie*, h/t (50x76) : **ITL 26 000 000** – Londres, 21 avr. 1989 : *Vierge à l'Enfant en gloire avec des anges musiciens et porteurs de palmes et en bas du tableau : paysage de la fuite en Egypte*, h/pan. (35,5x23) : **GBP 132 000** – New York, 1er juin 1990 : *La Sainte Famille et Saint Jérôme devant un paysage*, h/pan. (44,5x59,5) : **USD 126 500** – Monaco, 7 déc. 1990 : *Le Christ lavant les pieds des apôtres*, h/pan. (36x52) : **FRF 3 774 000** – Londres, 10 juil. 1992 : *La Sainte famille avec Sainte Élisabeth ; Saint Jean Baptiste dans un paysage boisé*, h/pan. (31,5x27,2) : **GBP 99 000** – New York, 12 juin. 1994 : *La Sainte Famille avec Saint Jérôme assis dans un intérieur avec un paysage à l'arrière plan*, h/pan. (43,7x59,6) : **USD 59 700** – Londres, 22 avr. 1994 : *Vierge à l'Enfant avec Saint Jean-Baptiste et Saint Pierre et un ange soulevant un rideau noir*, h/pan. (sommet arrondi 51x34,8) : **GBP 34 500** – Londres, 6 juil. 1994 : *Vierge à l'Enfant avec Sainte Anne, Saint François et Saint Bernard*, h/pan. (53,8x33) : **GBP 56 500** – Londres, 19 avr. 1996 : *La Sainte famille sous un porche avec une ville dans un paysage rocheux à l'arrière plan*, h/pan. (31,7x39,7) : **GBP 38 900** – New York, 22 mai 1997 : *L'Adoration des bergers*, h/pan. (52,1x34,3) : **USD 96 000** – Londres, 4 juil. 1997 : *La Sainte Famille et Saint André dans un paysage*, h/pan. (56,5x44,2) : **GBP 34 500.**

TISLENKO Oleg
Né en 1954 à Vladivostok. XXe siècle. Russe.
Peintre de figures, de paysages.
Il sortit diplômé de l'École d'Art de Komsomolsk. Il participa à une exposition en 1984 à Sverdlovsk, et à Moscou en 1991.

TISNÉ Jean Lucien
Né en 1875 à Salles-Mongiscard (Basses-Pyrénées). Mort le 4 novembre 1918. XXe siècle. Français.
Sculpteur.
Élève d'Antonin Mercié. Membre de la Société des Artistes Français depuis 1905, il figura au Salon de ce groupement ; mention honorable en 1905, médaille de troisième classe en 1907, de deuxième classe en 1909.

TISO Oronzo
Né le 18 mars 1729 à Lecce. Mort le 18 mai 1800 à Lecce. XVIIIe siècle. Italien.
Peintre.
Élève de Solimena. Il exécuta des peintures pour les églises d'Arnesano, de Brindes, de Casarano, de Lecce et de Lizzanello. Le Musée Provincial de Lecce conserve de lui *Les trois jeunes gens dans la fournaise* et *Madone et deux saints.*

TISOIO Antonio da. Voir **ANTONIO da Tisoio**

TISON E. A.
Français.
Peintre de fruits.
Le Musée Boucher de Perthes, à Abbeville, conserve de lui : *Oranges et citrons.*

TISON Henry
XVIe siècle. Actif dans la première moitié du XVIe siècle. Français.
Peintre.
Il travailla dans le château de Fontainebleau de 1535 à 1536.

TISON-MICHEL Odette Suzanne
Née le 25 avril 1904 à Paris. XXe siècle. Française.
Peintre, graveur, médailleur.
Elle fit ses études à l'École des Beaux-Arts de Paris.
Depuis 1951, elle a exécuté de nombreuses décorations, notamment pour des écoles. Elle a également fait un album de dessins pour enfants et, depuis 1968, gravé plusieurs médailles.

TISOT Félix
Né en 1909 ou 1914. Mort en 1979. XXe siècle. Français.
Peintre de paysages.
Il peint essentiellement en Provence et sur la côte méditerranéenne.

Ventes Publiques : Grenoble, 26 avr. 1976 : *Le mas près des amandiers*, h/t (46x55) : **FRF 2 500** – Grenoble, 15 déc. 1980 : *Paysage de Provence*, h/t (50x65) : **FRF 4 200** – Versailles, 21 fév. 1988 : *Le chemin des oliviers*, h/t (60x81) : **FRF 5 200** – Versailles, 6 nov. 1988 : *Le mas provençal*, h/t (50x61) : **FRF 7 800** – Versailles, 18 déc. 1988 : *Le mas provençal du bord de mer*, h/t (46x55) : **FRF 7 000** – Versailles, 11 jan. 1989 : *Chalutier à Saint-Mandrier*, h/t (33,5x41,5) : **FRF 6 000** – Versailles, 29 oct. 1989 : *Bastide à Sanary*, h/t (50x65) : **FRF 10 500** – Versailles, 25 mars 1990 : *Le Mas des Oliviers, Sanary*, h/t (54x65) : **FRF 17 000** – Versailles, 7 juin 1990 : *Le Mas des Trois Oliviers*, h/t (46x55) : **FRF 11 000.**

TISOV Ivan
Né le 8 février 1870 à Vinkovci. Mort en 1924 à Zagreb. XIXe-XXe siècles. Yougoslave.
Peintre de scènes typiques, peintre de compositions murales.

Il fut élève de l'Académie Julian de Paris. Il peignit des types populaires, des fresques dans des églises et des bâtiments publics.

TISSEN Fony
Né en 1909 à Rumelange. Mort en 1975 à Luxembourg. xxe siècle. Luxembourgeois.

Peintre de scènes animées.

Il fut élève des Écoles des Beaux-Arts de Paris, de Munich et de Bruxelles. Il fut professeur de dessin à Esch-sur-Alzette.

BIBLIOGR. : In : Catalogue de l'exposition *150 ans d'art luxembourgeois*, Mus. Nat. d'Hist. et d'Art, Luxembourg, 1989.

TISSENACK Jacques
xviie siècle. Actif à Anvers dans la première moitié du xviie siècle. Éc. flamande.

Sculpteur.

TISSENACK Rombout
Mort le 13 octobre 1624 à Malines. xviie siècle. Éc. flamande.

Peintre.

Il fut doyen de la gilde de Saint-Luc de Malines en 1613.

TISSERAND Gérard
Né le 25 septembre 1934 à Besançon (Doubs). xxe siècle. Français.

Peintre de compositions à personnages, figures, sérigraphe, peintre de cartons de tapisseries et de compositions murales. Réaliste. Groupe Coopérative des Malassis.

Après ses études secondaires à Dijon, il fut élève de l'École des Beaux-Arts de la ville, de 1950 à 1953. Dans la suite, il devint professeur à l'École des Beaux-Arts d'Angoulême.

Arrivé à Paris, il commença à exposer, au Salon de la Jeune Peinture à partir de 1955 et jusqu'en 1971, dont il fut président en 1969-1970, au Salon de Mai, à partir de 1957, aux sélections duquel il prit part en 1957 à Amsterdam, en 1958 à Zurich, en 1961 à Tokyo et Osaka. Acquis au réalisme expressionniste de Lorjou et de Rebeyrolle, il participa à l'exposition collective « Les massacres de Rambouillet » organisée par Lorjou en 1957, et participa à des travaux d'atelier en collaboration avec Rebeyrolle en 1961, pour la 1re Biennale de Paris. Il participa au Salon Grands et Jeunes d'Aujourd'hui, à partir de 1960. En 1965, pour la 3e Biennale de Paris, il collabora, avec Biras et Parré, à la réalisation de *L'Abri-atomique*. Il a été sélectionné à de nombreux prix, notamment : Prix Antral, École de Paris, Prix Othon Friesz, Prix Fénéon, Prix Lefranc. Il montre son propre travail dans de nombreuses expositions personnelles, notamment : 1971 Rome, *La Carte du Tendre* ; Paris, *Vous en êtes un autre*, à l'ARC du Musée d'Art Moderne de la Ville ; 1972 Saint-Étienne, Maison de la Culture ; et Milan, Turin, Naples ; 1976 Paris et Turin, *Les Technoclaques* ; 1977, École des Beaux-Arts d'Angoulême et Montreuil, *Le vert c'est le pied* ; 1998 Saint-Yrieix-la-Perche *Chiens, mon miroir*, Centre Culturel ; etc.

Habitant sur le plateau du même nord, vers Vincennes, Montreuil, il est à l'origine de la « Coopérative des Malassis », créée en 1970, où avec Fleury, Parré, Cueco entre autres, ils traitaient de sujets politiques, d'entre lesquels : 1969 *Qui Tue ?* ou l'*Affaire Gabrielle Russier*, 1970 *L'Envers du Billet*, 1971 *L'Appartementsonge*, 1972 *Le grand Méchoui ou 12 ans d'Histoires en France*, 1976 *Onze variations sur le Radeau de la Méduse* et la *Dérive de la Société*.

Dans de nombreux travaux collectifs, autant que dans ses œuvres personnelles, Tisserand propose sa propre façon de concilier action politique et activité artistique. S'adressant au spectateur qu'il prend à témoin en le compromettant à travers sa peinture, à la représentation de la violence, Tisserand préfère montrer plus insidieusement les liens ténus qui, en se multipliant, tissent l'entrelacs qui enchaîne l'individu au carcan de l'ordre soigneusement établi, le prend au piège du petit confort qu'il s'agit de ne plus risquer de perdre, entre les objets ridicules et touchants qui font un intérieur douillet et les symboles de la société de consommation, la voiture pour le dimanche et le réfrigérateur. Au cours de quelques expositions personnelles, à Paris, et notamment à l'ARC du Musée d'Art Moderne de la Ville, en Italie, et au cours des nombreuses expositions collectives auxquelles il participe, il poursuit son œuvre de contestation et de tendresse. ■J. B.

BIBLIOGR. : B. Dorival, sous la direction de... : *Peintres Contemporains*, Mazenod, Paris, 1964 – Marie-Thérèse Maugis : *Tisserand ou l'inconditionnel conditionné*, Opus International, Paris, 1971 – in : *Diction. Univers. de la Peint.*, Le Robert, Paris, 1975 –

in : Catalogue de l'exposition *Écritures dans la peinture*, Villa Arson, Nice, 1984.

VENTES PUBLIQUES : PARIS, 21 nov. 1990 : *Le sommeil amoureux* 1959, h/t (73x116,5) : FRF **16 000** ; *Le baiser* 1958, h/t (119x50) : FRF **15 000**.

TISSERAND Jean
Né en 1660 à Reims. Mort en 1737. xviie-xviiie siècles. Français.

Peintre d'histoire et architecte.

Il séjourna à Rome pendant un an. Il fut, d'après certaines sources, envoyé à Colbert comme architecte en 1671, ce qui paraît étonnant, eu égard à son jeune âge. En 1690, il exécuta une grande vue de Reims pour une des salles de l'hôpital. Les églises de Reims et des environs conservent plusieurs de ses tableaux.

MUSÉES : REIMS (Mus. des Beaux-Arts) : *Présentation au temple – Portrait d'un abbé du xviie siècle*.

TISSERAND Jérôme
Né le 26 août 1948 à Nantes (Loire-Atlantique). xxe siècle. Français.

Peintre, lithographe. Abstrait.

Il fut élève de l'École des Beaux-Arts de Toulouse, de 1965 à 1970, année de son diplôme. Il s'est établi à Paris depuis 1972. Il a enseigné, puis exercé diverses fonctions, dont celles de directeur d'écoles d'art, à Paris et à Chalon-sur-Saône. Il a montré ses premières œuvres en Ardèche, à Marseille, Paris, Carpentras, Toulouse, etc. Il participe à des expositions collectives, d'entre lesquelles : de 1979 à 1987 Salon de Montrouge ; depuis 1979 à Paris Grands et Jeunes d'Aujourd'hui ; ainsi que les Salons Comparaisons, Mac 2000, FIAC et SAGA ; etc. Il montre surtout des ensembles de peintures dans des expositions personnelles : 1970 Paris, galerie Raymond Greuze ; 1971, 1972, 1975, 1977, 1979, 1981, 1984, 1986, 1988 Toulouse, galerie Simone Boudet ; 1972, 1974 Bordeaux, galerie Condillac ; 1983 New York, galerie Pierre Cardin ; 1984, 1990, 1992, 1997 Paris, galerie Henri Bénézit ; 1986 Paris, galerie Jacqueline Felman. En 1996, les Musées d'Évreux et de Meaux ont organisé conjointement une exposition d'ensemble de ses œuvres.

Il réalise des peintures à destination murale, pour Air France, Pierre Cardin, etc. et une peinture de 70 m2 pour la façade de l'église Saint-Roch à Paris à l'occasion de l'exécution du *Requiem* de Berlioz. Il réalise aussi des lithographies, pour lesquelles il a obtenu le Prix de la Région Île-de-France.

D'emblée, devant les peintures de Jérôme Tisserand on comprend qu'elles dénotent un véritable appétit de couleurs, de couleurs franches et de teintes travaillées mais cependant évidentes. De ses peintures, construites avec rigueur et ardentes de couleurs sulfureuses, un critique a écrit : « Il nous invite à parcourir un monde minéral, qui a parfois l'aspect d'entrailles ». En fait, les ambivalences de ce type ne manquent pas dans son œuvre, empêchant d'ailleurs de pouvoir la qualifier de paysagisme-abstrait. Derrière les titres génériques qu'il donne par séries à ses peintures : *Architectures et paysages, La Voûte, Le Plaisir, Intercession*, se développent des thèmes différents, ni proclamés, ni cachés. Il appartient au spectateur de s'y insérer, d'en remarquer les rythmes et les accords propres à chaque thème et d'en interpréter le sens selon ses propres affinités. ■J. B.

BIBLIOGR. : Marie-Odile Andrade : *L'instinct et la raison*, Fragments, Paris, 1991 – Jean Bernard Lévy : *Jérôme Tisserand : Intercession*, Fragments, Paris, 1996.

MUSÉES : ÉVREUX (Mus. de l'Ancien Évêché) – MEAUX (Mus. Bossuet) – NANTES (Mus. des Beaux-Arts).

VENTES PUBLIQUES : VERRIÈRES-LE-BUISSON, 24 mars 1990 : *Composition abstraite*, h/t (73x60) : FRF **25 000** – VERRIÈRES-LE-BUISSON, 21 juin 1990 : *Composition*, h/t (65x81) : FRF **22 000** – PARIS, 29 juin 1990 : *Composition*, acryl./t. (130x197) : FRF **20 000**.

TISSERAND Louise Marie Lucie
Née à Sens (Yonne). xixe siècle. Française.

Peintre sur porcelaine et sur émail, graveur sur bois.

Élève de Delphine de Cool. Elle exposa au Salon de 1873 à 1878.

TISSERANT Antoine
Mort vers 1805. xviiie siècle. Français.

Peintre d'histoire, sujets mythologiques.

Il était actif à Chambéry.

MUSÉES : CHAMBÉRY (Mus. des Beaux-Arts) : *Ulysse et Philoctète*.

TISSERON Jean Armand
Né à Béthune (Pas-de-Calais). Mort en 1894. XIXᵉ siècle. Actif à Sèvres. Français.
Paysagiste.
Élève de Robert et Troyon. Il débuta au Salon en 1868.

TISSIÉ SARRUS
Né en 1780 à Carcassonne (Aude). Mort le 26 décembre 1868 à Montpellier (Hérault). XIXᵉ siècle. Français.
Peintre de figures, portraits.

Tissié-Sarrus.

Musées : Montpellier : *Une étude de torse – Le père de l'artiste.*

TISSIER
XVIIIᵉ siècle. Français.
Sculpteur sur bois.
Il était actif à Meaux. Il sculpta trois autels pour Trilport.

TISSIER Ange ou **Jean Baptiste Ange**
Né le 6 mars 1814 à Paris. Mort le 4 avril 1876 à Nice (Alpes-Maritimes). XIXᵉ siècle. Français.
Peintre de genre et de portraits.
Élève de A. Scheffer et de P. Delaroche, il exposa au Salon entre 1838 et 1875, il obtint une médaille de troisième classe en 1845 et une de deuxième classe en 1861.

Ange Tissier

Ange Tissier

Musées : Alençon : *Portrait de Pierre Lescot d'Alissy* – Amiens : *Portrait d'une femme* – Bordeaux : *Antoine Gilbert* – Lille : *Portrait d'homme* – Le Mans : *La comtesse de Saint-Paterne – Une jeune Italienne* – Soissons : *Chanoine et enfant de chœur – Le sourire – La moissonneuse* – Tarbes : *Sidi-Thami – Sidi-Kadour* – Versailles : *Napoléon III rend la liberté à Abd-el-Kader – L'architecte Visconti présentant à Napoléon le plan du Nouveau Louvre en 1852.*

Ventes Publiques : Paris, 30 mai 1924 : *Odalisque dans un intérieur* : FRF 620 – Paris, 30 mars 1949 : *Vue d'une rade* : FRF 5 500.

TISSIER Jeanne
Née le 24 août 1888 à Moulins (Allier). XXᵉ siècle. Française.
Peintre, pastelliste, graveur et illustrateur.
Élève de G. Bruges et P. Thomas. Expose à Paris, au Salon de la Société Nationale des Beaux-Arts depuis 1923, au Salon d'Automne depuis 1928 et à Moulins. On cite, entre autres ouvrages illustrés par cette artiste, *Vieilles demeures bourbonnaises, Vieilles chansons bourbonnaises, L'Hospice de Beaune,* dont elle a également écrit les légendes.

TISSIER Kristine
Née le 10 octobre 1928 à Segré (Maine-et-Loire). XXᵉ siècle. Française.
Peintre et sculpteur. Abstrait-lyrique.
À Paris à partir de 1947, elle fut élève des Écoles des Arts Décoratifs et des Beaux-Arts.
Depuis 1974, elle participe à Paris aux Salons des Indépendants, Grands et Jeunes d'Aujourd'hui et à des groupes dans des galeries. Elle expose aussi en Espagne, Suisse, au Japon.
Elle peint, volontiers en monochrome et en matières épaisses, de grands rythmes circulaires.
Bibliogr. : *Tissier, Passeport 94-95,* Fragments éditions, 1995.
Musées : Chaumont (Mus. d'Art Contemp.) – Paris (Assemblée Nat.) – Saint Lô (Mus. d'Art Contemp.) – Tel-Aviv (Ambassade de France) – Varsovie (Ambassade de France).

TISSIER Paul Alphonse
Né en 1886 à Joigny (Yonne). Mort en 1926. XXᵉ siècle. Français.
Peintre et architecte.
Il fut élève de P. André (?).

TISSON Enrico
XVIIIᵉ siècle. Italien.
Dessinateur.
Il dessina le portrait du prince *Flavio Orsini.*

TISSOT
Né à Saint-Étienne (Loire). Mort en septembre 1889 à Saint-Étienne. XIXᵉ siècle. Français.
Graveur et ciseleur.
Il travailla à la Manufacture d'armes de Saint-Étienne.

TISSOT Amédée Angelot de
Mort en 1867. XIXᵉ siècle. Français.
Peintre de paysages, d'architectures, aquarelliste, dessinateur.
Il exposa au Salon, entre 1834 et 1845, des vues de France, d'Angleterre et d'Allemagne.

TISSOT James, pour **Jacques Joseph**
Né le 15 octobre 1836 à Nantes (Loire-Atlantique). Mort le 8 août 1902 à Buillon (Doubs). XIXᵉ siècle. Français.
Peintre d'histoire, compositions religieuses, scènes de genre, portraits, paysages, marines, aquarelliste, pastelliste, peintre de cartons de vitraux, dessinateur, aquafortiste, illustrateur, modeleur.
À Paris, il fut élève de Louis Lamotte, d'Hippolyte Flandrin et d'Ingres. Une attirance pour ce qui était anglais, disons une anglomanie d'époque, devait s'avérer déterminante dans sa vie et sa carrière. Dès 1859, pour son début au Salon, il anglicisa son prénom Jacques en James. Il illustra *Ballads and Songs of Brittany* en 1865, collabora aux publications *Vanity Fair* à partir de 1869, avec des caricatures sous le pseudonyme de Coïdé, et *Century.* En 1869, il fit un premier séjour à Londres, débutant une carrière de portraitiste. Il prit comme combattant une part active à la défense de Paris, de 1870-1871, puis il semble qu'il fut impliqué dans la Commune. En conséquence, il jugea préférable de gagner l'Angleterre. Il fut d'abord hébergé par T.G. Bowles, l'éditeur de *Vanity Fair,* pour lequel il travaillait déjà et qui continua à lui donner du travail, et pour lequel il illustra, en 1871, *La défense de Paris comme si vous l'aviez vue.* Puis il s'établit dans la jolie petite ville de la banlieue de Londres, St. John's Wood, où, en 1873, il acquit une belle demeure avec parc, qui lui servira souvent de décor pour situer ses modèles. Donnant déjà volontiers dans le dandysme, il fut introduit par Bowles dans la société londonienne, rencontra Whistler et son beau-frère, le médecin et graveur sir Francis Seymour Haden, ainsi que Ruskin qui l'encouragea. En 1876, il rencontra Kathleen Newton, jeune femme « libre », qui devint sa maîtresse et modèle unique jusqu'à sa mort en 1882. Au cours des années soixante-dix, les impressionnistes, Degas en particulier, son compagnon d'études, avaient gardé le contact avec lui, lui proposant d'exposer avec eux. Il semble qu'il ne se jugeait pas des leurs, non sans raison, et déclina l'offre ; pourtant, vers 1877, lorsqu'il peignit *Les Régates à Henley,* il prouvait sa connaissance du regard impressionniste. En 1880, il fut élu à la Royal Society of Painters and Etchers. En 1882, il illustra *Renée Mauperin* des Goncourt. En novembre de la même année, quelques jours après la mort de Kathleen Newton, il regagna Paris. Après une courte liaison avec une acrobate et des fiançailles rompues avec la fille du peintre Louis Riesener, après 1885 il se livra à des séances de spiritisme et de magnétisme, organisées par un médium professionnel douteux, destinées à renouer contact avec l'esprit de Kathleen Newton. À la suite d'une vision qu'il eut à l'église Saint-Sulpice et qui lui provoqua une crise mystique, n'acceptant plus de sujets profanes que les portraits, il renonça à sa carrière mondaine pour se consacrer à l'illustration de la Bible. Afin de réunir les documents nécessaires, il se rendit deux fois en Palestine, en 1886 et 1889. Les trois cent cinquante dessins aquarellés qui en résultèrent furent reproduits en deux volumes, publiés en 1897 par Lemercier et Mame à Paris et Sampson Low à Londres, et le droit de reproduction fut payé un million à Tissot. C'est ce qu'on appelle communément la *Bible de James Tissot,* intitulée plus exactement *La Vie de Notre Seigneur Jésus-Christ.* Après cette publication, en vue d'un travail semblable sur l'Ancien Testament, il se rendit de nouveau en Palestine en 1896. Pour réaliser cette nouvelle entreprise, il alla s'enfermer à l'abbaye de Buillon, dans le Doubs, où la mort ne lui permit pas de terminer l'ouvrage.
James Tissot avait débuté au Salon de Paris de 1859 avec une peinture *Promenade dans la neige* et des dessins de vitraux pour une église de Nantes. En 1861, son tableau du Salon, *La rencontre de Faust et de Marguerite,* obtint du succès et fut acheté par l'État. En 1864, il fut admis à exposer à la Royal Academy et à la Society of British Artists. En 1882 à Londres, la galerie Dudley

exposa les peintures et eaux-fortes sur le thème *Le fils prodigue dans la vie moderne*. Après son retour à Paris en 1882, en 1883 il exposa seul un ensemble de ses œuvres au Palais de L'Industrie ; en 1885, il exposa, à la galerie Sedelmeyer, les quinze grandes peintures formant l'ensemble intitulé *La Femme à Paris*, qu'il exposa de nouveau l'année suivante à la galerie Tooth. En 1889, un ensemble de ses gravures fut montré à l'Exposition Universelle. En 1895 à Paris, en 1896 à Londres, furent exposées ses trois cent cinquante aquarelles sur le Nouveau Testament. Puis, après sa mort, son œuvre fut longtemps négligé ; en 1985 à Paris, une remarquable exposition d'ensemble au Musée du Petit Palais contribua à en rappeler certains aspects singuliers. Pendant une première période, de 1859 à 1870, dans une technique académique minutieuse, il traitait à la fois des sujets néo-historiques, bibliques, de fiction et de genre, qu'il situait souvent dans un Moyen Âge de fantaisie, ou encore des scènes galantes, tous sujets d'ailleurs conformes à une demande d'époque. Pourtant, il fut des premiers à s'intéresser aux estampes japonaises introduites à Paris à partir de 1860. Puis des portraits sur commande, des scènes de genre, mais désormais situées dans la vie contemporaine, jeune veuve songeuse sur un banc de parc public, élégantes se pavanant à l'église, quelques japonaiseries d'actualité firent rapidement de Tissot un peintre à la mode, pas encore tout à fait mondain. Loin de minimiser trop toute la production de genre de cette période, il faut au contraire porter attention à certaines études féminines, telles que, en 1864, la prétendue *Japonaise au bain* du Musée de Dijon, jeune femme, parfaitement européenne dans un décor japonais, que dénude subtilement un kimono fleuri, assez étonnante de charme certes, mais surtout de beauté picturale qui justifiait que Degas eût remarqué Tissot.

En vérité, la carrière mondaine de Tissot explosa dans sa décennie londonienne. Personnage assez imprévisible, peut-être parce que réputé homme d'argent avisé, il continuait à peindre des scènes de genre à décor historique transposées dans le goût anglais. D'autre part il prenait des commandes de portraits, dont certains assuraient sa réputation : *L'impératrice Eugénie, Le prince impérial*. Enfin, il aborda les thèmes qui constituent la partie très personnelle de son œuvre, qui en fait en tout cas un témoin remarquable de la vie anglaise victorienne et un chroniqueur attentif de la mode des années soixante-dix. Prenant pour modèles des jeunes femmes évidemment jolies, il les faisait habiller élégamment et les situait dans les circonstances diverses de la société aisée, mondanités, rêverie parmi les fleurs des jardins d'hiver, idylles bien sûr, pique-nique, partie de croquet, le thé de cinq heures. Sacrifiant à une tradition très britannique, Tissot poussait parfois la scène de genre vers la satire de mœurs : dans *Chut !*, les invités à une réception s'apprêtent à s'ennuyer pendant l'audition obligée de la jeune violoniste de la maison ; dans *Trop tôt*, confusion et gêne pèsent lourdement autour des cousins de province arrivés en avance à la fête dont les préparatifs ne sont pas prêts. À tort ou à raison, ce sont précisément ces sujets qui obtenaient le plus de succès sur place. Dans les années autour de 1875, il travailla sur des études de personnages féminins vus à contre-jour. La plupart de ces figures féminines portent des vêtements d'hiver et ont le visage de Kathleen Newton. Ces études de femmes emmitouflées se retrouvent dans l'estampe *La Frileuse*. Tissot travailla la gravure à côté de Seymour Haden et bien qu'on ne puisse pas dire qu'il fut son élève, il reçut certainement ses conseils tandis qu'ils travaillaient dans le même atelier. À partir de 1876, il entreprit la publication des quatre-vingt-dix eaux-fortes qu'il réalisa sur une quinzaine d'années. Les gravures de Tissot connurent une grande vogue, notamment : *Mawurnem, La Frileuse, Sur la Tamise*. Entreprises après son retour en 1882, les quinze peintures de *La Femme à Paris* furent à la fois confirmation de sa vocation à célébrer la femme élégante et expression de sa satisfaction de se retrouver chez lui.

Dans les ouvrages et commentaires concernant Tissot, toute la partie de son œuvre vouée à la femme et à la vie élégante tend à occulter les très nombreuses peintures de navigation et surtout de ports. D'entre les sujets anecdotiques qu'il traitait et développait souvent en variantes, apparurent, environ entre les années 1872 et 1877, ceux des scènes au bord ou sur la Tamise, des adieux à l'émigrant sur un quai de port, de rencontres ou de bals sur des navires de croisière. Démontrant, hors anecdotes envahissantes bien que peut-être quand même liés à l'esprit de voyage et de vie à bord luxueuse et insouciante, une impressionnante maîtrise technique à la disposition d'un sujet qui visible-

ment touchait de près le natif de Nantes, Tissot, peut-être mieux que quiconque, a su saisir avec émotion et pour en préserver le souvenir, dans un encombrement à peine imaginable au long des quais, les grands voiliers de l'époque, serrés les uns contre les autres, qui semblent sur le ciel emmêler l'écheveau inextricable de leurs mâtures et gréements.

Brusquement, en plein succès à Londres, un changement radical se fit dans la vie de Tissot. À la suite de la douleur causée par la mort de Kathleen Newton, il regagna son domicile parisien, y entreprit deux séries de peintures, l'une consacrée à *La Parisienne*, l'autre à *L'étrangère* ; seule la première fut terminée. L'exposition de cette série n'obtint pas le succès escompté. Il abandonna les sujets auxquels il devait sa renommée, pour se consacrer à illustrer la vie du Christ. Il en résulta trois cinquante aquarelles sur le Nouveau Testament, provoquant de nombreuses discussions et autant de critiques que d'éloges pour leur auteur. De son projet suivant concernant l'Ancien Testament, qui devait comporter quatre cents illustrations, Tissot ne put en réaliser que quatre-vingt-quinze.

Outre l'importance spirituelle de son ultime entreprise d'illustrateur de la Bible, plus que dans ses brillantes évocations de femmes élégantes, c'est au vu de ses peintures de ports, devant leur facture terriblement habile, mais sans que l'habileté seule ne tienne lieu de maîtrise plastique, qu'il est permis de s'interroger sur la place modeste de James Tissot dans l'histoire de la peinture d'une époque précise, dont il aura contribué à préserver l'image. Né quatre ans après Manet, James Tissot, lorsqu'il eut appliqué son talent à des sujets contemporains, a souvent rencontré et traité des thèmes parallèles à ceux de Manet : *Le Déjeuner sur l'herbe, Sur la Tamise*. Sa facture, restée académiquement minutieuse voulant faire trop vrai, est, sauf cas isolés comme le portrait du *Colonel Frederick Gust. Burnaby* de 1870, en général en deçà de la franchise directe et elliptique de celle de Manet. Même lorsqu'il traita des sujets de plein air, bien qu'à son tour plus direct et bien que lui aussi tenté par le regard et la touche impressionnistes, la fatalité faisait que l'un peignait les vives couleurs claires des rives de la Seine quand l'autre subissait les ternes brumes et fumées des quais de la Tamise.

■ Jacques Busse

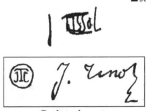

Cachets de vente

BIBLIOGR. : Michael Justin Wentworth : *James Tissot. Catalogue Raisonné of his Prints*, Minneapolis Instit. of Arts, Minneapolis, 1978 – in : Encyclopédie Les Muses, Grange-Batelière, Paris, 1969-1975 – Sylviane Humair : *La découverte de Tissot le « Victorien »*, in : La Gazette, N° 20, Paris, 15 mai 1987 – Marcus Osterwalder, in : *Dictionnaire des illustrateurs 1800-1914*, Ides et Calendes, Neuchâtel, 1989 – Russell Ash : *James Tissot*, Herscher, Paris, 1993 – Christopher Wood : *Tissot*, Artus Books, Londres, 1995.

MUSÉES : ANVERS (Mus. roy. des Beaux-Arts) : *Embarquement à Calais* – AUCKLAND (City Art Gal.) : *Toujours en haut* vers 1874 – BALTIMORE (Walters Art Gal.) – BARODA, Inde (Mus. and Picture Gal.) : *Un souper sous le Directoire* – BESANÇON (Mus. des Beaux-Arts) – BIRMINGHAM (Mus. of Art) – BOSTON (Mus. of Fine Arts) : *Les Femmes de sport* 1883-85 – BRIGHTON (Pavillon Art Gal.) – BRISTOL (Mus. and Art Gal.) – BROOKLYN : *L'artiste* – 345 aquarelles, 11 dessins à la plume – BUFFALO (Albright-Knox Art Gal.) : *L'Ambitieuse* 1883-85 – CAMBRIDGE (Wimpole Hall) – CARDIFF (Nat. Mus. of Wales) : *Le départ* – CINCINNATI (Art Mus.) : *Jeunes femmes regardant des objets japonais* 1869 – COMPIÈGNE (Mus. Nat. du Château) : *L'impératrice Eugénie à Chislehurst* – DIJON (Mus. des Beaux-Arts) : *Japonaise au bain* – DUBLIN (Nat. Gal. of Ireland) – DUNEDIN, Nlle Zél. (Public Art Gal.) – FREDERICTON, Nouveau-Brunswick (Beaverbrook Art Gal.) : *Un orage passager* vers 1876 – GRAY (Mus. Baron Martin) – HAMILTON (Art Gal. of Ontario) – LEEDS (City Art Gal.) : *La demoiselle d'honneur* 1883-85 – LIVERPOOL (Walker Art Gal.) – LONDRES (British Mus.) – LONDRES (Nat. Portrait Gal.) : *Le colonel Frederick Gust. Burnaby* 1870 – LONDRES

(Tate Gal.) : *Le bal sur le bateau* 1874 – *Un Portrait (Mlle Lloyd)* 1876 – *Loisirs, ou Le déjeuner sur l'herbe, ou Le Pique-nique* vers 1876 – *Le capitaine et le contremaître* – *À bord du H. M. S. Calcutta, Portsmouth* vers 1877 – *Portsmouth Dockyard* 1877 – LONDRES (Guildhall Art Gal.) : *Le dernier soir* 1873 – *Trop tôt* 1873 – LOUISVILLE, Kentucky (J.B. Speed Art Mus.) – LUXEMBOURG : *Portrait dans un parc* – MANCHESTER (City Art Gal.) : *Chut !* vers 1875 – *La Fille du guerrier* 1878 – MELBOURNE (Nat. Gal. of Victoria) – MINNEAPOLIS (Inst. of Arts) : *Sur la Tamise, un héron* vers 1871 – MITO, Japon (Mus. Histor. de la famille Tokugawa) – MONTRÉAL (Mus. des Beaux-Arts) – NANTES (Mus. des Beaux-Arts) – NEW YORK (Jewish Mus.) – NORFOLK, Virginia (Chrysler Mus.) : *Les Femmes d'artiste* 1883-85 – NORTHAMPTON (Smith College Mus. of Art) – OTTAWA (Nat. Gal. of Canada) : *La lettre* vers 1876-78 – OXFORD (Ashmolean Mus.) : *Portrait de Chichester Sam. Parkinson Fortescue, lord Carlingford* – PARIS (Mus. d'Orsay) : *La rencontre de Faust et de Marguerite* vers 1860 – *Jeune femme en jaquette rouge* 1864 – *Portrait dans un parc* – *L'enfant prodigue* – PARIS (Mus. du Petit Palais) : *Portrait de jeune fille - Liseuse* – PARIS (Mus. des Arts Décoratifs) – PHILADELPHIE (Pennsylvania Acad. of the Fine Arts) – PHILADELPHIE (Philadelphia Mus. of Art) – PHILADELPHIE (Union League Art coll.) – PONCE, Porto-Rico (Mus. de Arte) – PROVIDENCE (Mus. of Art, Rhode Island School of Design) : *Ces Dames des chars* 1883-85 – SAN FRANCISCO (California Palace of the Legion of Honor) – SHEFFIELD (City Art Gal.) – SOUTHAMPTON (Art Gal. & Mus.) : *La Fille du capitaine* 1873 – STANFORD (University Mus. of Arts) – SYDNEY (Art Gal. of New South Wales) – TOLEDO (Mus. of Art of Ohio) : *En visite à Londres* vers 1874 – TORONTO (Art Gal. of Ontario) : *Jeune fille dans un fauteuil (La convalescente)* 1870 – *La Demoiselle de magasin* 1883-85 – WAKEFIELD (Art Gal. and Mus.) : *La Tamise* vers 1876 – WASHINGTON D. C. (Nat. Gal. of Art) – WORCESTER (Art Mus. of Massachusetts) : *M. le capitaine xxx* vers 1872.

VENTES PUBLIQUES : LONDRES, 1874 : *Avant le départ* : **FRF 23 625** – PARIS, 1886 : *Au Louvre* : **FRF 8 000** – LONDRES, 1888 : *Les adieux* : **FRF 5 775** – PARIS, 1898 : *Le retour de l'enfant prodigue* : **FRF 2 150** – PARIS, 17-21 mai 1904 : *Le départ pour la retraite* : **FRF 1 300** – LONDRES, 27 mars 1909 : *Dans les docks* 1873 : **GBP 31** – LONDRES, 3 juin 1910 : *Un comédien* : **GBP 16** – LONDRES, 16-17 fév. 1911 : *Faust et Marguerite* : **GBP 500** – LONDRES, 15 mai 1911 : *Question de couleurs* : **GBP 14** – LONDRES, 21 juil. 1911 : *Appel de l'après-midi* 1876 : **GBP 42** – PARIS, 19 mars 1919 : *Portrait d'homme* : **FRF 10 500** – PARIS, 25-26 juin 1923 : *La partie carrée* : **FRF 800** – PARIS, 19 avr. 1928 : *Les bords du Jourdain* : **FRF 980** – LONDRES, 8-18 juil. 1940 : *Dans les jardins de Kew* : **GBP 73** – NEW YORK, 17 fév. 1944 : *Promenade à cheval, le matin* : **USD 750** – NEW YORK, 18-19 avr. 1945 : *L'heure du déjeuner* : **USD 300** – PARIS, 9 mai 1947 : *En yacht sur la Tamise* : **FRF 2 950** – LONDRES, 25 juil. 1947 : *Les Nouvelles* : **GBP 304** – PARIS, 5 oct. 1948 : *Portrait de femme* : **FRF 2 000** – PARIS, 5 fév. 1951 : *Voyage en Palestine, la Vie de Notre-Seigneur Jésus-Christ, album de 70 feuilles de croquis* : **FRF 1 500** – LONDRES, 20 juil. 1951 : *Les régates d'Henley* : **GBP 945** – PARIS, 2 déc. 1954 : *Crossing the Chanel* : **FRF 350 000** – LONDRES, 22 avr. 1959 : *Au Louvre* : **GBP 750** – LONDRES, 20 mars 1963 : *Intérieur avec trois enfants et leur mère lisant* : **GBP 2 200** – LONDRES, 23 nov. 1966 : *Le bal sur le bateau* : **GBP 1 400** – LONDRES, 15 mars 1967 : *Chagrin d'amour* : **GBP 1 500** – LONDRES, 12 fév. 1969 : *Les adieux*, gche : **GBP 1 800** – TOKYO, 30 oct. 1969 : *Femme en kimono tenant deux vases* : **JPY 2 400 000** – LONDRES, 20 mai 1970 : *Sur la terrasse de la Trafalgar Tavern, Greenwich* : **GBP 4 100** – LONDRES, 19 oct. 1971 : *Le jardin des Tuileries* : **GBP 2 700** – LONDRES, 28 nov. 1972 : *Jeune fille au bord de la rivière* : **GBP 3 100** – LONDRES, 5 oct. 1973 : *Dimanche dans les jardins du Luxembourg* : **GNS 16 000** – LONDRES, 25 jan. 1974 : *Le jardin des Tuileries* : **GNS 4 000** – PARIS, 31 mars 1976 : *Salon Rue Royale, scène de cabaret*, h/pan. (56x42) : **FRF 78 000** – NEW YORK, 15 oct. 1976 : *La visite au Louvre* vers 1882-1883, aquar. (61,5x38,5) : **USD 2 700** – LONDRES, 25 oct. 1977 : *Bal sur le pont du bateau*, h/t (94,5x66) : **GBP 10 000** – LONDRES, 24 oct. 1978 : *Les Adieux*, craie noire et lav. de gris reh. de blanc (99x61) : **GBP 11 000** – NEW YORK, 27 juin 1979 : *La promenade dans la neige* 1880, eau-forte et pointe sèche (56,3x26,7) : **GBP 1 500** – NEW YORK, 7 juin 1979 : *Portrait de femme assise* 1891, cr. (56x28) : **USD 3 600** – LONDRES, 1er oct 1979 : *Le Veuf*, h/pan. (23,5x35,5) : **GBP 24 000** – LONDRES, 29 fév. 1980 : *Portrait of Mrs. Kathleen Newton*, gche (61x22,8) : **GBP 13 000** – LONDRES, 23 juin 1981 : *Portrait d'un dandy*, lav. coul. et pl. avec reh. de blanc (47,5x31,5) : **GBP 3 600** – LONDRES, 26 mars 1982 : *Le bouquet de lilas*, h/t (54x37,5) : **GBP 75 000** –

LONDRES, 24 juin 1983 : *Le Banc du jardin* 1882, h/t (99,5x142,5) : **GBP 520 000** – NEW YORK, 2 mai 1984 : *Promenade dans la neige* 1880, eau-forte et pointe sèche (56,7x26,4) : **USD 2 700** – LONDRES, 22 juin 1984 : *portrait de la vicontesse de Montmorand* 1889, past. (162,5x81) : **GBP 18 000** – PARIS, 28 mars 1985 : *Return from Henley*, aquar. gchée/soie (51x37) : **FRF 510 000** – NEW YORK, 23 mai 1985 : *Sur la Tamise (Return from Henley)* vers 1883-1885, h/t (146,7x101,7) : **USD 370 000** – LONDRES, 17 juin 1986 : *Le Chapeau Rubens*, h/t (91,5x63,5) : **GBP 280 000** – LONDRES, 25 jan. 1988 : *Portrait d'une dame*, craie et cr. (20x17) : **GBP 1 430** – PARIS, 14 juin 1988 : *Portrait d'homme* 1886, h/t (128x71) : **FRF 1 900 000** – PARIS, 22 juin 1988 : *Jeune femme à la robe blanche*, h/pan. (41x32) : **FRF 845 000** – NEW YORK, 22 fév. 1989 : *La beauté type, Kathleen Newton* 1880, h/t (59,7x45,7) : **USD 742 500** – LONDRES, 17 mars 1989 : *Portrait de Kathleen Newton* 1877, h/t (90x67) : **GBP 187 000** – NEW YORK, 23 mai 1989 : *La lecture du journal*, h/t (86,3x52) : **USD 1 375 000** – NEW YORK, 24 oct. 1989 : *La Princesse de Broglie*, past./t. (168x96,8) : **USD 1 100 000** – NEW YORK, 26 oct. 1990 : *Dame pensive dans un intérieur*, cr. et aquar./pap. (33x21,6) : **USD 20 900** – LONDRES, 28 nov. 1990 : *Les bas rouges*, h/pap./cart. (21x14) : **GBP 5 280** – NEW YORK, 17 oct. 1991 : *Portrait de femme à l'éventail*, h/t (87,6x118,1) : **USD 319 000** – PARIS, 21 oct. 1991 : *Le rendez-vous secret*, h/t (61x46) : **FRF 245 000** – LONDRES, 25 oct. 1991 : *Portrait de Mrs Kathleen Newton en robe rouge et chapeau noir*, h/t (59,5x45,7) : **GBP 176 000** – LONDRES, 12 juin 1992 : *Une veuve* 1868, h/t (68,5x49,5) : **GBP 165 000** – PARIS, 21 oct. 1992 : *Promenade dans la neige* 1880, eau-forte et pointe sèche : **FRF 9 000** – NEW YORK, 17 fév. 1993 : *La mondaine*, h/t (147,3x101,6) : **USD 1 982 500** – NEW YORK, 18 fév. 1993 : *L'orpheline*, h/t (216x109,2) : **USD 2 970 000** – PARIS, 24 fév. 1993 : *Le portique de la National Gallery à Londres* 1878, eau-forte et pointe sèche : **FRF 11 500** – LONDRES, 8-9 juin 1993 : *Étude pour le Triomphe de la Volonté, le Défi*, h/traces de craie (25,5x38,5) : **GBP 10 925** – PARIS, 11 juin 1993 : *La Galerie du paquebot Calcutta* 1876, pointe sèche (26x35,9) : **FRF 50 000** – PARIS, 21 sep. 1994 : *Querelle d'amoureux* 1876, eau-forte et pointe sèche : **FRF 22 000** – NEW YORK, 12 oct. 1994 : *Le banc de jardin*, h/t (99,1x142,2) : **USD 5 282 500** – LONDRES, 4 nov. 1994 : *L'orpheline*, h/t (117,2x54,6) : **GBP 1 024 500** – PARIS, 18 nov. 1994 : *Jeune Femme assise les bras croisés au recto, Jeune Femme assise tenant un livre sur ses genoux au verso* : **FRF 30 000** – NEW YORK, 16 fév. 1995 : *Octobre*, h/t (116,8x53,3) : **USD 3 082 500** – HEIDELBERG, 8 avr. 1995 : *Le Portique de la National Gallery de Londres*, eau-forte et pointe sèche (38x21) : **DEM 1 450** – PARIS, 2 juin 1995 : *Portrait du peintre assis sur un banc dans un parc et Kathleen Newton s'approchant*, h/cart. (26,4x39,2) : **FRF 68 000** – PARIS, 26 mars 1996 : *L'Été* 1878, eau-forte et pointe sèche : **FRF 18 600** – ÉVREUX, 24 mars 1996 : *Portrait de Madame de Bonnières*, past./pap./t. (164x94) : **FRF 1 100 000** – NEW YORK, 23 mai 1996 : *Préparatifs de fête*, h/t (86,4x41,9) : **USD 1 817 500** – LONDRES, 5 juin 1996 : *Promenade dans la neige*, h/pan. (78,7x36,8) : **GBP 441 500** – PARIS, 13 juin 1996 : *Les Deux Amis* 1882, eau-forte et pointe sèche (590x257) : **FRF 17 000** – PARIS, 28 juin 1996 : *Étude pour Rendez-vous dans un café au bord de l'eau* vers 1869, cr. noir (30,5x22) : **FRF 19 000** – PARIS, 16 oct. 1996 : *La Galerie du paquebot Calcutta* 1876, pointe sèche (L. 154,5) : **FRF 40 000** – LONDRES, 6 nov. 1996 : *Portrait de la vicomtesse de Montmorand*, aquar./craie noire et reh. de blanc, étude (39x21) : **GBP 3 450** – PARIS, 21 nov. 1996 : *Promenade dans la neige* 1880, eau-forte et pointe sèche (56,5x26) : **FRF 37 000** – NEW YORK, 12 mai 1997 : *La Cheminée* vers 1869, h/t (51x34,2) : **USD 1 872 000** – PARIS, 18 juin 1997 : *Portrait de Madame Tissot, mère de l'artiste, dans un intérieur*, h/t (29,5x25,5) : **FRF 72 000**.

TISSOT Marius

Né au XIXe siècle à Annecy (Haute-Savoie). XIXe siècle. Français.
Sculpteur.
Il figura au Salon des Artistes Français, mention honorable en 1897.

TISSOT-CÉSARI Doune

Née en 1943 à Paris. XXe siècle. Française.
Peintre, graveur. Abstrait tendance géométrique.
Elle est licenciée et certifiée de l'Éducation Nationale en Arts Plastiques. Depuis 1969, elle participe à de nombreuses expositions collectives, dont, à Paris, les Salons : Art Sacré, Femmes Peintres et Sculpteurs, des Réalités Nouvelles, Grands et Jeunes d'Aujourd'hui, de Mai, Le Trait, d'Automne dont elle est socié-

taire, Comparaisons, du Dessin et de la Peinture à l'eau, ainsi qu'à des groupements en province. En 1979, elle fut lauréate du Prix Fénéon.

Elle grave surtout à la manière noire, compensant la tendance au joli de cette technique par les caractéristiques qui sont aussi celles de sa peinture : la rigueur d'une construction géométrique de la surface de la toile ou de la plaque et la distinction des rapports de gris en gravure et des rapports de tons très atténués en peinture.

TISZBLAT Michel, orthographe erronée. Voir **TYSZBLAT**

TITCOMB William Holt Yates
Né le 22 février 1858 à Cambridge. Mort en 1927 ou 1930. XIXᵉ-XXᵉ siècles. Britannique.
Peintre de genre.
Il fit ses études à South Kensington, puis fut élève de Verlat à Anvers, d'Herkomer à Busley, de Boulanger et Lefèvre à Paris. Il se fixa à Saint-Yves (Cornouailles). Membre de la Royal Society of British Artists. Médaillé à Paris en 1890 et à Chicago en 1893 (Exposition Universelle). Le Musée de Nottingham conserve de lui : *Vieux loups de mer.*

W.H.Y. TITCOMB.

VENTES PUBLIQUES : NEW YORK, 30 oct. 1980 : *That's where Paris*, h/t (87x112,5) : **USD 14 000** – LONDRES, 7 nov. 1985 : *Rogation Day, Cornwall*, h/t (90x168,5) : **GBP 7 500** – NEW YORK, 26 sep. 1996 : *Scène de village avec personnages*, h/t (43,2x53,3) : **USD 4 600.**

TITEL Wilhelm
Né le 16 février 1784 à Bollenhagen. Mort le 24 mars 1862 à Greifswald. XIXᵉ siècle. Allemand.
Peintre.
Il subit l'influence de René Théodore Berthon. Il fut l'un des portraitistes les plus réputés de l'Allemagne du Nord. La Kunsthalle de Hambourg conserve de lui les portraits de *Hacckert* et du peintre *Von Bergen.*

TITEUX Eugène
Né en 1838 à Aiglemont (Ardennes). Mort en 1904. XIXᵉ siècle. Français.
Peintre de sujets militaires, scènes de genre, portraits, aquarelliste.
Élève de Glaize et de Moreau. Il était officier et écrivain militaire. Officier de la Légion d'honneur. Il débuta au Salon de 1875.
VENTES PUBLIQUES : PARIS, 7 juil. 1950 : *Portrait d'un capitaine d'infanterie, Napoléon III*, aquar. : **FRF 600** – LONDRES, 15 juin 1994 : *Cantonnement de militaires français 1887*, h/t (79x99) : **GBP 3 680.**

TITEUX Philippe Joseph Hyacinthe
Né en 1744 à Saint-Hubert. Mort le 9 février 1809 à Frénois (Ardennes). XVIIIᵉ siècle. Français.
Sculpteur.
Il vint à Paris en 1761, travailla au Panthéon, au théâtre des Variétés, au Palais Royal, au Théâtre de Bordeaux, à la chaire de Saint-Éloy à Dunkerque.

TITEUX DE LA CROIX Paul
XXᵉ siècle. Français.
Peintre de paysages et de natures mortes.
Il a exposé à Paris, aux Salons des Indépendants et des Tuileries.
VENTES PUBLIQUES : PARIS, 8 juin 1949 : *Natures mortes*, deux toiles : **FRF 5 000.**

TITGE Gebhard ou **Gabhardt, Gewert, Gebert, Jürgen, Georg** ou **Tidecke, Tietgens, Titken, Tileken, Tydichen**
Né probablement entre 1590 et 1595 à Rotenbourg. Mort après 1663. XVIIᵉ siècle. Actif à Ratzebourg. Allemand.
Sculpteur.
Architecte, représentant du baroque et du maniérisme. Il sculpta surtout des autels et des ornements d'architectures, des tombeaux et des bas-reliefs.

TITI Pandolfo
XVIIIᵉ siècle. Actif à Borgó San Sepolcro de 1740 à 1751. Italien.
Peintre et écrivain.
Il peignit des tableaux d'autel pour les églises de Pascia et de Pise.

TITI Tiberio, ou **Valerio di** ou **Tito**
Né en 1573 à Florence. Mort en 1627. XVIᵉ-XVIIᵉ siècles. Italien.
Peintre de portraits.
Fils et élève de Santi di Tito. Il se voua au genre du portrait ; ceux qu'il exécuta au crayon obtinrent particulièrement un grand succès.
MUSÉES : FLORENCE (Gal. Nat.) : *L'artiste* – FLORENCE (Palazzo Pitti) : *Léopold de Médicis enfant* – MONTEPULCIANO : *Nativité* – NANCY : *Portrait d'enfant.*
VENTES PUBLIQUES : LONDRES, 8 déc. 1976 : *Les chiens de la famille des Médicis dans le jardin Boboli*, h/t (132x154) : **GBP 11 000** – NEW YORK, 1ᵉʳ juin 1989 : *Portrait d'un gentilhomme*, h/t (203,2x115) : **USD 18 700.**

TITIAN. Voir **TITIEN**

TITIAN DE VECELLI Lorenz
Né à Venise. XVIIIᵉ siècle. Autrichien.
Peintre et dessinateur.
Il travailla à Cracovie et à Vienne.

TITIDIUS LABEO. Voir **LABEO**

TITIEN ou **Tiziano, Titian,** de son vrai nom : **Vecelli** ou **Vecellio Tiziano**
Né en 1485 ou 1488 à Pieve di Cadore. Mort le 27 août 1576 à Venise. XVIᵉ siècle. Italien.
Peintre d'histoire, compositions religieuses, sujets mythologiques, portraits, compositions murales, fresquiste, graveur à l'eau-forte et sur bois, dessinateur.
Il était un des quatre enfants de Gregorio di Conte Vecelli. Sa famille, peu fortunée, était de bonne et ancienne noblesse. Le jeune Tiziano paraissait devoir être homme de loi ou soldat, comme le fut d'abord son frère Francesco : ses extraordinaires dispositions artistiques en firent décider autrement. Il fut d'abord placé chez Sébastiano Zuccato, peintre mosaïste, mais n'y demeura pas longtemps. Il fut élève des frères Bellini. Gentile, l'aîné, n'approuvant pas sa façon de dessiner, Titien dut aller chez Giovanni. On ne dit pas combien de temps il demeura sous la direction de ce maître, mais il y a tout lieu de croire qu'il ne dut pas être considéré comme un bon élève. Giorgione le manifesté avec sa vision personnelle, son expression fougueuse qui révolutionnait l'école vénitienne. Ce fut vers ce novateur que se dirigea Titien, vers 1505, croit-on. En 1507 et 1508 il travailla en qualité d'aide aux côtés de son illustre patron, à la décoration de la Bourse des marchands allemands, qui vient d'être reconstruite et dont Giorgione a l'entreprise de la peinture. Titien y exécute, notamment, au-dessus de la porte, une grande figure à fresque représentant : *Judith, la Justice, la Germanie*, ou tout autre sujet, ces trois désignations lui ayant été données par les critiques. Quelques vestiges subsistent seulement de cette œuvre. Une grande intimité paraît avoir régné entre Giorgione et son élève ; le fait s'expliquerait par la similitude de la conception de la forme ; on croit, du reste, que le maître prit une part à l'exécution des premiers travaux du disciple.

Titien s'était marié en 1525 ; sa femme, Cécilia, mourait en 1530 lui laissant quatre enfants, deux garçons et deux filles. Le premier Pomponio, fut prêtre ; le second, Orazio, fit de la peinture ; une des filles mourut en bas âge et l'autre, Lavinia fut immortalisée par son père en de nombreux portraits ou tableaux dans lesquels elle joue le principal rôle. Une sœur de Titien remplaça près des enfants la mère disparue. En 1531, un an après le décès de sa femme, il abandonnait son logis du quartier San Samuele, à Venise, pour une habitation plus vaste, possédant un jardin, à Biri, dans la banlieue Nord-Est de la ville. Ce fut là que ses enfants grandirent. Nous savons par des contemporains que cette maison était accueillante. Les esprits les plus délicats la fréquentaient, notamment l'illustre architecte Sansovino, le poète Pietro Aretino, l'historien de Florence, Jacopo Nardi. Sans la terrible maladie qui le terrassa en quelques jours, il aurait très probablement vécu et travaillé encore plusieurs années. Malgré la loi défendant d'enterrer les pestiférés dans les églises, Titien eut sa sépulture à l'église des Frari qu'il avait décorée de sa grande *Assomption*, aujourd'hui à l'Académie de Venise, et de la Madone de la Casa Pesaro, peinte en 1526.

Les premiers travaux de Titien paraissent être des fresques décorant les façades de demeures patriciennes. Sansovino cite, notamment, un *Hercule* peint au Palais Morosicci. Après la mort de Giorgione (1510), Titien fut chargé d'achever plusieurs œuvres de son maître entre autres la *Vénus endormie*, de la Galerie de Dresde. A la suite de troubles politiques, Titien quitte, en 1510, Venise pour Padoue. De 1511 datent trois fresques à la

Scuola del Santo à Padoue. En 1513 la réputation de Titien est assez bien établie pour qu'il écrive au Doge et au grand Conseil pour demander, plus soucieux de gloire que de profit, dit-il, de peindre la Bataille de Cadore dans la salle du Grand Conseil ; moyennant sa nomination à la première charge d'agent maritime vacante. La demande fut agréée, Titien commença le travail, mais Giovanni Bellini fit une telle opposition que le décret du Conseil fut rapporté. Il ne put jouir des produits de sa charge (sinécure que l'on donnait en récompense de certains travaux importants) qu'après la mort de son ancien maître (1516). La rancune du vieux Bellini n'avait point diminué la renommée de Titien. Le duc de Ferrare, Alphonse d'Este, le faisait venir à sa cour au mois de février 1516, avec deux aides, et le logeait au château ducal avec l'allocation hebdomadaire de rations de « salades, de viande salée, d'huile, de châtaignes, de chandelles, d'oranges, de fromages, et de cinq mesures de vin ». Titien prolongea son séjour et peignit, notamment les portraits du duc, de son épouse, Lucrèce Borgia, de sa maîtresse, la belle Laura Dianti, œuvres disparues et que l'on connaît par d'anciennes copies. Il produisit aussi la Vénus (1518), et la Bacchanale (1518) toutes les deux à Madrid. Il acheva également la Bacchanale de Bellini. Ce fut durant ce séjour qu'il se forma son amitié avec l'Arioste. De cette période jusqu'en 1523, date à laquelle il produisit probablement l'admirable Bacchus et Ariane, de la National Gallery de Londres, Titien fit plusieurs voyages à Venise et dans d'autres villes. On le cite à Ancone, en 1520 ; peignant une Crucifixion, tableau d'autel à San Domenico et la Vierge en gloire avec saint François, saint Alvise et le donateur pour l'église San Francesco ; puis à Brescia, en 1522, exécutant un tableau d'autel à S.S. Nazzaro e Celso. A Venise, au Palais des Doges un Saint Christophe, daté de 1523. Il produisit, la même année, pour le Vatican, une Madone et Six saints. A partir de 1523, sa carrière est une suite ininterrompue de triomphes. Les princes et les rois se disputent ses ouvrages. Après le duc de Ferrare, le marquis puis duc de Mantoue Frédéric de Gonzague devient son patron en attendant que Charles Quint prenne cette place, en 1530 d'après Vasari ; en 1533 d'après les critiques modernes. L'auteur des Vies des Peintres affirme que Titien alla trouver l'Empereur à Bologne, après son couronnement et qu'il en fit un magnifique portrait, en armure. Crowe et Cavalcaselle discutent le fait, estimant qu'il est plus probable que ce portrait ait été exécuté lors du second séjour de Charles Quint à Bologne. Dans tous les cas, il est incontestable que son succès à la cour impériale fut immense. Les plus illustres seigneurs, les plus hauts fonctionnaires se firent peindre par lui. Il fut fait comte de l'Empire, chevalier de l'éperon d'or, des privilèges lui furent concédés, des pensions lui furent allouées, notamment une sur le trésorier du Royaume de Naples. S'il faut en juger par les lettres de l'illustre artiste que l'on possède, ces avantages n'étaient pas exempts de troubles : honoraires et pensions, particulièrement celle de Naples, étaient mal ou pas payés. En 1537, Titien revenait à Venise appelé sans doute par la sentence du conseil qui non seulement le révoquait de sa charge d'agent commercial pour non exécution de son tableau de La Bataille de Cadore, mais encore le condamnait à restituer la totalité des sommes qu'il avait perçues de ce chef depuis 1516. Pordenone dont les peintures dans la bibliothèque publique obtenaient grand succès, semblait appelé à achever l'œuvre commencée. Titien employa le meilleur moyen pour obtenir la révocation de cette sévère sentence : il termina son tableau et en fit un chef-d'œuvre. Cette pièce capitale dans l'œuvre du maître fut détruite par un incendie en 1577 et nous ne la connaissons que par des copies et des gravures. En 1541 Titien était de nouveau à Milan près de Charles Quint, mais on le retrouve peu après à Venise. Il parle fréquemment vers cette époque d'une invitation du souverain pontife, mais ce ne fut qu'en 1545 qu'il se rendit dans la ville éternelle. Le meilleur accueil lui fut fait par le pape Paul III, dont il peignit le portrait, et par le cardinal Farnèse. Titien y rencontra Giorgio Vasari, qu'il avait connu à Venise ; il fréquenta aussi Michel-Ange. Parmi ses travaux exécutés durant son séjour à Rome il convient de mentionner la Danaé, du Musée de Naples et de nombreux portraits, notamment ceux du cardinal Farnèse et de plusieurs membres de sa famille, ainsi que celui du duc Ottavio, petit-fils du pape. De retour à Venise, Titien trouvait de nombreux clients impatients d'obtenir des œuvres de lui. Il peignait, notamment cette année-là, le portrait de Pietro Aretino. On le cite encore en 1547 exécutant un tableau d'autel pour la cathédrale de Serravalle. En 1548, Titien allait à Augsbourg retrouver Charles Quint. Cette rencontre fut l'occasion de la production de nombre d'œuvres

nouvelles. Il exécuta notamment le célèbre portrait équestre de l'Empereur conservé au Musée de Madrid ; et celui de la Galerie de Munich ; l'effigie du roi Ferdinand, profitant de la circonstance pour obtenir du souverain en faveur de son frère Francesco un privilège relatif au commerce de celui-ci. Il peignit encore les cinq filles et les deux fils du roi. Mentionnons aussi les portraits de Marie de Hongrie, de Jean Frédéric, de Maurice de Saxe et surtout celui du prince royal d'Espagne, futur Philippe II. Celui-ci, devenu roi, n'oublia pas son peintre d'Augsbourg. Il lui commanda des portraits, des tableaux religieux qui forment une partie du merveilleux ensemble d'ouvrages de notre artiste conservés à Madrid et parmi lesquels il faut citer : la Danaé (1554) ; La Gloria (1554) ; La mise au tombeau (1559). Les années ne diminuaient en rien les forces de Titien et sa puissance de production. Dès qu'il rentrait dans son logis de la banlieue de Venise, c'était pour reprendre l'exécution de multiples commandes qui l'attendaient. Titien, toute sa vie ne cessa pas de travailler ; en 1566, Vasari, venant le voir, le surprenait devant son chevalet. En 1573, il peignait la Pietà, conservée à l'Académie de Venise, et que Palma le Jeune acheva. En 1574, lors de la visite de Henri III de France à Venise, l'illustre maître prit part à la décoration de la ville en compagnie de Tintoretto. On donne à Titien quelques gravures à l'eau-forte et une série de bois puissamment dessinés intitulés le Triomphe de la Foi. Certains critiques supposent que ces estampes furent seulement exécutées d'après les dessins du maître et peut-être sous sa direction.

Titien fut le peintre de la couleur par excellence. Michel-Ange, même s'il louait ses qualités de coloriste, aurait dit, si l'on en croit Vasari : « Titien aurait pu être un grand artiste si seulement il avait appris à dessiner ». D'ailleurs, Le Tintoret, dans son désir d'atteindre la perfection, aurait écrit sur les murs de son atelier : « la couleur de Titien et le dessin de Michel-Ange ». Pour mieux comprendre la technique de Titien, il suffit de suivre les explications de Palma le Jeune, décrivant Titien au travail : « il ébauchait ses tableaux en plaçant les masses de couleur, qui servaient de lit ou de fondation à ce qu'il voulait exprimer, et sur lesquelles il s'appuyait ensuite... Puis, avec une touche de blanc de céruse, et le même pinceau trempé ensuite dans le rouge, le noir ou le jaune, il créait les parties claires et sombres pour l'effet de relief ». Titien finit par donner à sa couleur un aspect à la fois grumeleux et scintillant, où les formes se désagrègent en « empâtements crépitants ».　■ E. Bénézit

F *TITIANVS·F.*

BIBLIOGR. : G. B. Cavalcaselle, J. A. Crowe : *Tiziano*, Florence, 1878 – O. Fischel : *Tiziano, Klassiker der Kunst*, Stuttgart, 1907 – G. Gronau : *Titian*, Londres, 1904 – Louis Hourticq : *La jeunesse de Titien*, Paris, 1919 – E. Waldmann : *Titian*, Berlin, 1922 – O. Zoff : *Titian*, Munich, 1922 – D. von Hadeln : *Zeichnungen des Titian*, Berlin, 1924 – V. Basch : *Titien*, Paris, 1927 – W. Suida : *Titian*, Paris, 1935 – E. Verga : *Catalogue de l'exposition « Titien »*, Venise, 1935 – H. Tietze : *Titian, Leben und Werk*, Vienne, 1936 – G. Delogu : *Tiziano*, Bergame, 1940 – H. Knackfuss : *Titian*, Leipzig, 1940 – C. Gamba : *Tiziano*, Novare, 1941 – F. Mauroner : *Le incisione di Tiziano*, Padoue, 1941 – G. Grappe : *Titien*, Paris, 1942 – G. Stepanow : *Titian*, Zurich, 1943 – L. Grassi : *Tiziano*, Rome, 1945 – Lionello Venturi : *La peinture italienne. La Renaissance*, Skira, Genève, 1951 – Jaromir Neumann : *Le Titien, Marsyas écorché vif*, Coll. « Les détails », Artia, Prague, 1962 – A. Châtelet : *Titien*, Nouvelles Éditions Françaises, Paris, 1964 – Francesco Valcanover, Corrado Cagli : *L'opera completa di Tiziano*, Rizzoli, Milan, 1969 – Harold E. Wethey : *The Paintings of Titian. Complete edition*, 3 vol., Londres, 1969-1975 – Erwin Panofsky : *Le Titien – Questions d'iconologie*, Hazan, Paris, 1990.

MUSÉES : AIX-LA-CHAPELLE : *Vénus et l'organiste* – AJACCIO : *Ecce homo* – *La Vierge et des saints* – *La Vierge, l'Enfant Jésus, saint Jean, sainte Catherine* – *La Vierge, l'Enfant Jésus, sainte Dorothée* – *La Vierge, l'Enfant Jésus et saint Jean* – *Sainte famille* – ALMWICK : *Fête des dieux*, tableau commencé par Bellini – AMIENS : *L'Empereur Vitellius* – ANCÔNE : *La Vierge et l'Enfant apparaissant aux saints François et Alvise et au donateur Luigi Gozzi* – ANVERS : *Giovanni Sforza, évêque de Paphos présenté à saint Pierre par le pape Alexandre V* – *Jacopo Pesaro présenté à saint Pierre par le pape Alexandre VI* – ASCOLI : *Saint François recevant les stigmates* – BAGNÈRES-DE-BIGORRE : *Descente de croix* – BAYEUX : *La Vierge et des saintes* – BEAUFORT : *David et Goliath* – BERGAME (Acad. Carrara) : *Orphée et Eurydice* – BERLIN : *Une fille de Roberto Strozzi* – *Vénus et l'organiste* – *Giovanni Moro, amiral de Venise* – *L'artiste* – *Sa fille Lavinia* – *Portrait de jeune homme* – BESANÇON : *Saint Christophe* – *Perrenot de Granvelle* – BÉZIERS : *Tobie et son fils enterrant les morts* – BOSTON (Isabella Stewart Gardner Mus.) : *L'enlèvement d'Europe* – BRESCIA : *Saint Sébastien* – BREST : *Les trois Grâces* – BUDAPEST : *Portrait de femme* – CAMBRIDGE : *Vénus et Cupidon* – *Tarquin et Lucrèce* – CARPENTRAS : *La vierge au lapin* – CHAMBÉRY (Mus. des Beaux-Arts) : *Jeux d'enfants, huit panneaux* – CHANTILLY : *Le Christ au roseau* – COPENHAGUE : *Francesco Maria della Rovere, duc d'Urbino* – DARMSTADT : *Portrait d'homme* – DETROIT : *Portrait du Doge Priuli* – *L'homme à la flûte* – DRESDE : *Vierge, enfant Jésus et quatre saints* – *Le Christ et le centenier* – *Lavinia Vecelli en mariée* – *La même dans l'âge mûr* – *Jeune homme avec palme* – *Jeune fille avec un vase* – *Sainte famille et famille du donateur* – *Dame en robe rouge* – DUBLIN : *Le souper à Emmaüs* – *Portrait de Boldassan Castiglioni* – *Ecce homo* – ÉDIMBOURG (Nat. Gal.) : *Sainte conversation* – *Diane et Actéon* – *Diane et Callisto* – FLORENCE (Gal. Nat.) : *Portrait d'homme* – *Autoportrait* – *Le sculpteur Sansovino* – *Flore* – *La Vierge et l'enfant Jésus debout* – *La duchesse d'Urbino* – *Francesco della Rovere, duc d'Urbino* – *Bataille entre les troupes impériales et l'armée vénitienne à Cadore* – *Jean de Médicis, capitaine de la Bande noire* – *La Vierge et l'Enfant Jésus* – *Vierge, Enfant Jésus, sainte Catherine* – *Femme en chemise* – *La Vierge, son fils le petit saint Jean et saint Antoine ermite* – *Catarina Cornaro, reine de Chypre* – *Vierge et enfant Jésus* – *Le Pharisien présentant la monnaie à Jésus* – *Vénus couchée* – *Vénus, ou portrait de la maîtresse du duc d'Urbino* – *Le prélat bolonais Beccadelli* – FLORENCE (Pitti) : *Mariage de sainte Catherine* – *Portrait de femme dit La Maîtresse du Titien* – *L'Arétin* – *Andrea Vesale* – *Louis Cornaro* – *Portrait d'homme* – *Bacchanale* – *Le cardinal Hippolyte de Médicis* – *Philippe II* – *Le Sauveur* – *Deux portraits d'hommes* – *Alphonse Ier, duc de Ferrare* – *Jésus adoré par les bergers* – *Thomas Mosti* – FRANCFORT-SUR-LE-MAIN : *Portrait de jeune homme* – GÊNES : *Portrait d'homme* – *Philippe II* – GENÈVE (Rath) : *Un miracle de saint Antoine de Padoue* – GLASGOW : *Danaé* – *Sainte famille* – *Suzanne* – HANOVRE : *Autoportrait* – KANSAS CITY : *Antoine Perrenot de Granville* – KASSEL : *Giovanni Francesco Acquaviva, duc d'Atri* – KREMSIER : *Marsyas écorché vif* – LONDRES (Nat. Gal.) : *Sainte Famille* – *Vénus et Adonis* – *Bacchus et Ariane* – *Le Christ apparaissant à Madeleine après sa résurrection* – *La Vierge et l'enfant Jésus, avec saint Jean-Baptiste et sainte Catherine embrassant le divin enfant* – *La Schiavona* – *Portrait d'un*

poète – *La Trinité recevant Charles V* – *Portrait présumé de l'Arioste* – *Femme allaitant* – *La mort d'Actéon* – *Cupidon blessé se plaint à Vénus* – LONDRES (Wallace coll.) : *Persée et Andromède* – MADRID (Prado) : *La Vierge et l'Enfant avec saint Antoine de Padoue et saint Roch* – *Bacchanale* – *Offrande à la déesse de l'Amour* – *Sujet mystique* – *Alphonse Ier* – *Charles Quint* – *Philippe II* – *Vénus et Adonis* – *Le péché originel* – *Portrait équestre de Charles Quint dans la fameuse bataille de Mühlberg* – *Danaé recevant la pluie d'or* – *Vénus se récréant avec la musique* – *Vénus se récréant avec l'Amour et la musique* – *Salomé* – *Tableau dit La Gloire* – *Chevalier de l'ordre de saint Jean de Malte* – *L'enterrement du Seigneur* – *Sisyphe* – *Prométhée* – *Ecce homo* – *Mater dolorosa* – *Sainte Marguerite* – *Allégorie* – *Allocution du marquis del Vasto à ses soldats* – *Repos en Égypte* – *Sainte Catherine en oraison* – *La Vierge des douleurs* – *La Religion secourue par l'Espagne* – *Saint Jérôme en oraison* – *Portrait de jeune femme* – *Portrait d'homme* – *Homme tenant un livre à la main* – *Diane et Actéon* – *Diane découvrant la grossesse de Callisto* – *Adoration des rois* – *L'impératrice Isabelle de Portugal, femme de Charles Quint* – *Sainte Marguerite avec un dragon à ses pieds* – *Le Christ portant sa croix* – *Jésus et Simon le Cyrénéen* – *Apparition du Christ à Madeleine* – *L'oraison au jardin* – *Autoportrait* – *Vierge et sainte Brigitte* – *Portrait de Federico II Gonsaga* – *Enterrement du Christ, douteux* – MANIAGO : *Portraits d'Irène et d'Émilie Spilemberg* – MAYENCE : *Bacchanale* – MERION (Barnes Foundation) : *Endymion* – MILAN (Ambrosiana) : *Ecce homo* – *Portrait de guerrier* – *L'artiste* – *Adoration des mages* – MILAN (Brera) : *Cénacle* – *Le comte Antonio Porcia* – *Tête de vieillard* – *Saint Jérôme* – MOSCOU (Roumianzeff) : *La Vierge, Jésus et saint Jean-Baptiste* – *La Vierge et trois saints* – *La toilette de Vénus* – MUNICH : *La Vierge, l'enfant Jésus et saint Jean* – *La vanité terrestre sous les traits d'une belle femme* – *Portrait de jeune homme* – *Charles Quint* – *La Vierge et l'enfant Jésus* – *Couronnement d'épines* – *Noble vénitien* – *Vénus et jeune Bacchante* – NANCY : *Vierge, Enfant Jésus, sainte Agnès et saint Jean* – NAPLES : *Danaé* – *Madeleine* – *Charles Quint* – *Pietro Banto* – *Alexandre Farnèse* – *Pier Luigi Farnèse* – *Paul III et ses neveux Alessandro et Ottavio Farnèse* – *Paul III Farnèse* – *Philippe II* – NARBONNE : *Vincenzo Capello, général des armées de mer de Venise* – NEW HAVEN (Yale University Art Gal.) : *La Circoncision* – NEW YORK (Metropolitan Mus.) : *Philippe archevêque de Milan* – PADOUE : *Scuola del Santo, trois fresques* – PARIS (Mus. du Louvre) : *La Vierge et l'Enfant Jésus, adorés par plusieurs saints* – *La Vierge au lapin* – *Sainte Famille, deux fois* – *Les disciples d'Emmaüs* – *Le Christ conduit au supplice* – *Le Christ couronné d'épines* – *Mise au tombeau* – *Saint Jérôme* – *Le Concile de Trente* – *Jupiter et Antiope* – *Jeune femme à sa toilette* – *François Ier* – *Allégorie* – *Alphonse de Ferrare et Laura de Dianti* – *L'homme au gant* – *Trois portraits d'homme* – ROME (Gal. Borghèse) : *Samson captif* – *Saint Dominique* – *Le Christ à la colonne* – *L'Amour sacré et l'Amour profane* – *Vénus bandant les yeux de l'Amour* – ROME (Colonna) : *Sainte Famille* – *Sainte Lucie et saint Jérôme* – *Le père Onofrio Panvinio* – ROME (Doria Pamphili) : *Allégorie : L'Hypocrisie ou l'Hérésie subjuguée par la Foi* – *Sainte Famille et saints* – *Hérodiade avec la tête de saint Jean-Baptiste* – *Baptême du Christ* – ROME (Vatican) : *Saint Sébastien* – *Un doge* – SAINT-PÉTERSBOURG (Mus. de l'Ermitage) : *Vierge et Enfant Jésus* – *Ecce homo* – *Le Sauveur* – *La Vierge, l'Enfant Jésus et Madeleine* – *La Fuite en Égypte* – *Portement de croix* – *Madeleine repentante* – *Toilette de Vénus* – *Danaé* – *Paul III* – *Le cardinal Antonio Pallavicini* – *Portrait de jeune femme* – *Délivrance d'Andromède* – *Portrait d'un doge* – *Saint Sébastien* – TROYES : *Saint Sébastien percé de flèches* – URBINO : *Résurrection* – *La dernière cène* – VENISE (Accademia) : *Assomption* – *Saint Jean-Baptiste* – *Descente de croix, terminé par Palma le jeune* – *Présentation de Marie au temple* – VENISE (Libreria Vecchia) : *La sagesse couronnée*, plafond – VENISE (Palais Ducal) : *Le doge Ant. Grimani à genoux devant la Foi* – *Saint Christophe*, fresque – VENISE (Marcoula) : *Jésus enfant entre saint André et sainte Catherine* – VENISE (Santa Maria Assunto dei Gésuiti) : *Martyre de saint Laurent* – VENISE (S. Giovanni Elemosinario) : *Charité de saint Jean l'Aumonier* – VENISE (Frari) : *La Vierge, saint Pierre et plusieurs personnages* – VENISE (S. Rocco) : *Le Christ traîné par un Juif* – VENISE (S. Salvador) : *Annonciation* – *Peinture du maître-autel* – VENISE (S. Lio) : *Transfiguration* – *Saint Jacques de Compostelle* – VENISE (Scuola di S. Rocco) : *Annonciation* – VENISE (S. Sebastiano) : *Saint Nicolas* – VENISE (Santa Maria della Salute) : *Évangéliste et docteurs, petits ovales* – *David vainqueur de Goliath* – *Descente du saint Esprit* – VIENNE : *Fabricius Salvaresio* – *Filippo Strozzi* – *La femme adultère devant le Christ* – *Saint Jacques* – *Isabelle d'Este* – *La*

Vierge, l'enfant Jésus, saint Jérôme, saint Étienne et saint George – Portrait – Le Christ avec le globe terrestre – Jeune prêtre – Diane et Callisto – Allégories – Danaé – Vierge et enfant Jésus – Benedetto Varchi – Ecce homo – Sépulture du Christ – Sainte famille – Joueur de tambourin – Jacobus de Strada – Adoration des mages – Nymphe et berger – L'électeur Frédéric de Saxe – L'artiste – Jeune fille à la fourrure – Lavinia Sarcinelli, fille du Titien – Deux études – VIENNE (Czernin) : *Alphonse de Ferrare à genoux devant un crucifix qu'un ange lui montre, au fond un paysage – Le doge Andrea Griti – Sainte Madeleine* – VIENNE : *Jean Frédéric, électeur de Saxe – Madone aux cerises – Jeune femme à la fourrure* – WASHINGTON D. C. : *Portrait du cardinal Pietro Bembo – Gentilhomme s'appuyant sur un livre – Ranuccio Farnese* – YPRES : *Portrait d'un homme d'armes*.

VENTES PUBLIQUES : AMSTERDAM, 1703 : *Orphée jouant avec des bêtes* – FRF 330 – PARIS, 1769 : *Le pape Adrien VI* : FRF 2 410 – PARIS, 1793 : *Diane surprise au bain* : **FRF 62 500** – LONDRES, 1801 : *Madone, Enfant Jésus et sainte Catherine* : FRF 30 190 – LONDRES, 1810 : *Ariane à Naxos* : FRF 39 370 – LONDRES, 1820 : *Mort d'Actéon* : **FRF 44 620** – PARIS, 1852 : *Le Christ à la monnaie* : FRF 65 000 – LONDRES, 1884 : *Vénus et Adonis* : FRF 43 990 – LONDRES, 1892 : *Une mère et son enfant* : **FRF 62 400** – LONDRES, 1899 : *Vénus et Adonis* : FRF 19 500 – PARIS, 3-5 juin 1907 : *Le denier de César* : FRF 104 000 ; *Portrait d'un seigneur vénitien* : **FRF 119 500** ; *La Sainte Famille* : **FRF 35 000** – LONDRES, 2 mars 1923 : *Le vieux chêne*, sépia : GBP 115 – LONDRES, 4-7 mai 1923 : *Catarina Cornaro* : GBP 378 – PARIS, 25 fév. 1924 : *Paysage*, pl. : FRF 5 000 ; *Étude d'arbre dans un paysage*, pl. : FRF 6 000 – LONDRES, 13 mai 1924 : *La mise au tombeau*, pl. : **GBP 410** – LONDRES, 1er mai 1925 : *Vénus et Adonis* : GBP 2 415 ; *Salvator Mundi* : **GBP 1 470** – LONDRES, 15 juil. 1927 : *La Sainte Famille* : GBP 3 570 ; *Portrait de femme* : **GBP 4 200** – LONDRES, 14 déc. 1928 : *Daniello Barbaro* : **GBP 7 560** – LONDRES, 3 mai 1929 : *A. Navagero* : GBP 3 255 – LONDRES, 12 juil. 1929 : *La Madeleine* : GBP 4 620 – LONDRES, 7 mars 1930 : *Portrait de gentilhomme* : **GBP 8 505** – NEW YORK, 2 avr. 1931 : *L'archevêque Querini* : **USD 20 500** – MUNICH, 13 et 14 oct. 1938 : *Homme en prière*, dess. : DEM 3 100 – NEW YORK, 3 déc. 1942 : *Le cardinal Pietro Bembo* : USD 11 000 – NEW YORK, 18 avr. 1956 : *Madone et enfant avec saint Sébastien et saint Jacques* : USD 4 250 – LONDRES, 24 juin 1959 : *Portrait présumé du duc d'Urbin et de son fils* : GBP 24 000 – LONDRES, 24 mars 1961 : *Portrait de Soliman II le Grand* : **GBP 7 350** – LONDRES, 29 nov. 1968 : *Portrait d'un jeune aristocrate* : **GNS 36 000** – LONDRES, 25 juin 1971 : *La mort d'Actéon* : GNS 1 600 000 – LONDRES, 8 déc. 1972 : *Salomé* : GNS 55 000 – LONDRES, 24 mars 1976 : *Portrait d'un gentilhomme*, h/t (122x97) : **GBP 72 000** – LONDRES, 2 déc. 1977 : *Portrait de Giacomo Dolfin*, h/t (102,8x89,5) : **GBP 60 000** – LONDRES, 8 avr. 1981 : *Portrait d'un gentilhomme*, h/t (122x97) : **GBP 90 000** – ROME, 16 mai 1986 : *La Vierge et l'Enfant avec sainte Catherine, saint Jean enfant et deux chérubins*, h/t (95x87) : **ITL 500 000 000** – NEW YORK, 2 juin 1989 : *La Madeleine repentante*, h/pan. (110,5x78,5) : **USD 2 640 000** – NEW YORK, 11 jan. 1991 : *Portrait de Giulio Romano montrant la statue d'une église*, h/t (160x196,5) : **GBP 7 480 000** – MILAN, 28 nov. 1995 : *Repos pendant la fuite en Égypte*, h/t (91x160) : **ITL 828 000 000** – LONDRES, 3 juil. 1997 : *Portrait d'un amiral vénitien en armure et cape rouge*, h/t (87x73,3) : **GBP 1 211 500**.

TITLOW Harriet Woodfin
Née à Hampton (Virginie). XXe siècle. Américaine.
Peintre.
Elle fut élève de Robert Henri. Elle fut membre du Pen and Brush Club.

TITO Ettore
Né le 17 décembre 1859 à Castellamare di Stabia (Campanie). Mort en 1941 à Venise. XIXe-XXe siècles. Italien.
Peintre de genre. Pré-impressionniste.

Très jeune, il vint s'établir à Venise, et fut élève de Pompeo Molmenti à l'Académie des Beaux-Arts. D'autres sources font état de ce que Tito fut aussi élève de Giacomo Favretto.
Ettore Tito se fit d'abord connaître par des scènes de la vie populaire vénitienne, exécutées dans des accords colorés brillants, par exemple en 1887 : *Le vieux vivier, La Procession, Linge au vent, Barques sur la lagune*. Immédiatement dans la suite, il se consacra à des sujets mythologiques, inspirés d'œuvres du passé, animés de centaures, ondines, tritons, nymphes, comme dans *La Bacchanale* de 1906. Il a su utiliser les conquêtes de l'im-

pressionnisme, tout en gardant le contact avec le sens décoratif des Baroques vénitiens. Dans sa dernière manière, il a reçu des commandes pour des fresques, dont : *La Gloire de Venise*, qu'il exécuta vers 1926 au plafond du Pavillon Vénitien du Palais des Expositions de Rome ; ainsi que la décoration de la voûte de l'église dei Scalzi à Venise, qui vint en remplacement de celle de Tiepolo, détruite par un bombardement en 1915.
Il est le peintre vénitien par excellence. Il a la grâce facile et légère, les tonalités argentées, la fluidité atmosphérique, l'élégance et la vivacité de ses ancêtres du XVIIIe siècle. Ses peintures se rattachent un peu aux prouesses plastiques de Boldini. Tous deux appartiennent au type des artistes dont la facture hardie et quelque peu provocatrice est la marque, avec une technique moderne, nerveuse et brillante. Peut-être sacrifient-ils un peu le fond à l'apparence, mais c'est bien dans le tempérament de leur lignée de réjouir l'œil par une improvisation étourdissante. Leurs grands devanciers du XVIIIe ne leur en ont-ils pas donné l'exemple.

BIBLIOGR. : In : Encyclopédie *Les Muses*, Grange-Batelière, Paris, 1969-1975.

MUSÉES : BOSTON : *Un jour de vent à Venise* – BUDAPEST : *Rameurs dans la lagune* – BUENOS AIRES : *Jésus descendu de la croix* – FLORENCE (Gal. Mod.) : *Les dunes* – FLORENCE (Mus. des Offices) : *Portrait de l'artiste* – MILAN (Gal. Mod.) : *La Bacchanale 1906* – PALERME (Gal. Mod.) : *L'Amour et les parques* – PARIS : *Chioggia – Le bain* – PRAGUE (Gal. Nat.) : *Marietta* – ROME (Gal. Nat.) : *Le vieux marché aux poissons à Venise – Voiture descendant une pente – Vue large – Le câble – Automne* – TRIESTE (Mus. Revoltella) : *Saint Marc* – TURIN (Mus. mun.) : *Rocca di Papa* – VENISE (Gal. Mod.) : *Automne – Dans la lagune – Naissance de Vénus* – VÉRONE : *Petit nid – Enfant au bord du ruisseau – Basse-cour – Portrait d'Arch. Franco – L'univers n'est pas près de finir*.

VENTES PUBLIQUES : PARIS, 16 mai 1901 : *L'Escarmouche* : FRF 220 – LONDRES, 30 avr. 1909 : *Jeune Fille de Venise 1889* : GBP 15 – LONDRES, 12 mars 1947 : *Jeune Italienne* : GBP 52 – MILAN, 29 mars 1973 : *La Récolte* : ITL 3 600 000 – MILAN, 28 mai 1974 : *Pêcheur et enfants dans un paysage* : **ITL 6 000 000** – LONDRES, 24 nov. 1976 : *La procession 1915*, h/pan. (190x130) : **GBP 4 600** – LONDRES, 20 oct. 1978 : *Scène de marché à Venise 1884*, h/t (30,4x39,3) : **GBP 7 000** – NEW YORK, 29 mai 1980 : *Jour d'été 1880*, h/pan. (16x20) : **USD 7 250** – MILAN, 5 nov. 1981 : *Paysanne tenant un enfant dans ses bras*, h/t (36,5x41,5) : **ITL 6 000 000** – ROME, 1er déc. 1982 : *Allégorie de l'Aurore*, techn. mixte/pan. ovale (61,5x46,5) : **ITL 7 000 000** – MILAN, 23 mars 1983 : *Mère et enfants dans un paysage fluvial boisé*, h/t (67x87) : **ITL 26 000 000** – MILAN, 2 avr. 1985 : *Maternité*, h/pan. (88x76) : **ITL 6 000 000** – MILAN, 9 juin 1987 : *Le marché aux poissons à Venise 1885*, h/t (100x73) : **ITL 135 000 000** – ROME, 14 déc. 1988 : *Nu masculin allongé*, h/cart. (59,5x85) : **ITL 4 000 000** – LONDRES, 22 nov. 1989 : *Le Marché 1862*, h/t (24,5x19,5) : **GBP 33 000** – MILAN, 6 déc. 1989 : *Les maraîchers vendant leurs légumes 1881*, h/pan. (30x44) : **ITL 120 000 000** – MILAN, 5 déc. 1990 : *Les Amazones*, h/pan. (49x60) : **ITL 16 000 000** – ROME, 11 déc. 1990 : *Scène de marché à Venise 1884*, h/t (95x67) : **ITL 172 500 000** – MILAN, 12 mars 1991 : *Buste de jeune paysanne*, h/cart. (39x44) : **ITL 9 000 000** – ROME, 14 nov. 1991 : *Femmes de pêcheurs*, h/t (113x140) : **ITL 138 000 000** – MILAN, 12 déc. 1991 : *Avions d'Italie*, h/pan. (133x68,5) : **ITL 32 000 000** – MILAN, 3 déc. 1992 : *Le lavoir 1897*, h/t (55x81) : **ITL 81 360 000** – NEW YORK, 13 oct. 1993 : *Le Chant des sirènes*, h/pan. (61x80) : **USD 20 700** – MILAN, 8 juin 1994 : *Saint-Marc 1899*, h/t (128x96) : **ITL 74 750 000** – LONDRES, 16 nov. 1994 : *L'échouage de la barque sur la grève*, h/t (69x173) : **GBP 41 100** – ROME, 7 juin 1995 : *Bavardages au bord du canal*, h/pan. (32x23,5) : **ITL 83 000 000** – MILAN, 25 oct. 1995 : *Familles de pêcheurs*, h/t/cart. (49x39,5) : **ITL 62 100 000** – MILAN, 12 juin 1996 : *Poissonnière*, h/t (29x18) : **ITL 27 600 000** – VENISE, 7-8 oct. 1996 : *Personnages et vaches dans un paysage*, h/t (27x42) : **ITL 4 830 000** – ROME, 11 déc. 1996 : *Piazzetta vénitienne*, h/pan. (25,5x34,5) : **ITL 22 135**.

TITO Francesco
Né le 15 octobre 1863 à Naples. XIXe-XXe siècles. Italien.
Peintre de genre.
Il débuta vers 1881 et exposa à Rome, Naples, Gênes, Venise.

TITO Giambattista. Voir PINO Giambattista di

TITO Pompilio
XVIIe siècle. Actif à Rome vers 1685. Italien.
Graveur.
Ses planches sont marquées des initiales P. et T.

TITO Santi di
Né le 6 octobre 1536 à Borgo San Sepolcro. Mort le 24 juillet 1603 à Florence. XVIe siècle. Italien.
Peintre de compositions religieuses, sujets allégoriques, portraits, architectures, perspectives, compositions murales.
Élève d'Agnolo Bronzino puis de Baccio Bandinelli. Enfin il étudia à Rome.
Vasari affirme qu'à son retour à Florence, Tito était un artiste accompli tant pour le dessin que pour la couleur. Il finit une peinture de Sogliani pour S. Domenico de Fiesole et travailla pour le catafalque de Michel-Ange. Il excellait dans les perspectives et les peintures d'architecture. On cite de lui plusieurs travaux importants dans les églises de Florence.
MUSÉES : BORGO SAN SEPOLCRO : *Saint Nicolas de Tolentino - Le miracle de l'eau du pape Clément* – CHAMBÉRY (Mus. des Beaux-Arts) : *Crucifixion - Portrait d'homme - Portrait de femme* – VIENNE (Mus. des Beaux-Arts) : *La résurrection de la fille de Jaïre*.
VENTES PUBLIQUES : LONDRES, 4 juil. 1924 : *Jeune fille en blanc* : GBP 52 – LONDRES, 15 juil. 1927 : *Portrait de femme* : GBP 241 – PARIS, 7 déc. 1950 : *Portrait d'un lettré* : FRF 80 000 – NEW YORK, 11 juin 1981 : *La Vierge et l'Enfant avec saint Jean Baptiste*, h/pan. (115,3x85) : USD 110 000 – LONDRES, 2 juil. 1984 : *L'Agonie dans le jardin*, pl. et lav. reh. de blanc/traces de craie noire (20,2x15,1) : GBP 3 200 – NEW YORK, 16 jan. 1985 : *La Résurrection*, pl. et encre brune/trait de craie noire/pap. bleu (37,2x25) : USD 5 400 – MILAN, 21 avr. 1986 : *Portrait d'une dame de qualité*, h/pan. (116x86) : ITL 24 000 000 – NEW YORK, 11 jan. 1990 : *Vierge à l'Enfant avec sainte Elisabeth et saint Jean Baptiste dans un intérieur et saint Joseph dehors*, h/t (167,5x114,5) : USD 187 000 – NEW YORK, 19 mai 1993 : *Personnification de la Loi de la Nature*, h/pan. (76,8x54,3) : USD 74 000 – LONDRES, 5 juil. 1993 : *L'Adoration des bergers*, encre/pap. (20,1x13,8) : GBP 2 300 – LONDRES, 9 déc. 1994 : *Portrait familial du chevalier de Santo Stefano vêtu de noir, assis tenant une lettre avec sa femme et sa belle-mère vêtues de noir et sa fille en robe rouge jouant avec une poupée dans une salle d'un palais Renaissance*, h/pan. (218,5x145,5) : GBP 23 000 – NEW YORK, 24 avr. 1995 : *Portrait d'une dame vêtue d'une robe blanche et or et avec un chien*, h/t (87,6x63,5) : USD 41 400 – VENISE, 1er juin 1997 : *Portrait de la noble dame Camilla Martelli dei Medici*, h/t (120x78) : ITL 18 500 000.

TITOFF Ivan
XVIIIe siècle. Russe.
Peintre de portraits.
La Galerie Tretiakov, à Moscou, conserve de cet artiste *Portrait du Comte A. P. Bestoucheff-Rïoumin*.

TITOLIVIO ou Tito Livio
XVe siècle. Actif de 1454 à 1473. Italien.
Peintre et doreur.
Il travailla pour le Palais Schifanoia à Ferrare.

TITOV Dimitri
Né en 1915. Mort en 1975. XXe siècle. Russe.
Peintre.
Il fréquenta l'École des Beaux-Arts de Kharkov et fut l'élève de Georgi Pavlovski.
VENTES PUBLIQUES : PARIS, 5 nov. 1992 : *La maison bleue* 1951, h/cart. (31x38) : FRF 4 800.

TITOV Victor
Né en 1922 à Mychkino (région de Moscou). XXe siècle. Russe.
Peintre de portraits, nus, natures mortes.
Il a étudié de 1938 à 1941 à l'École des Beaux-Arts de Moscou sous la direction de P. Petrovitchev et de N. Krymov. Il a complété sa formation à l'Institut d'art appliqué de Moscou dans les ateliers de A. Deinéka, P. Sokolov-Skalia et de V. Kozlinski. Il a été membre de l'Union des peintres de l'URSS.
Il est connu pour avoir peint des portraits réalistes de travailleurs lors de ses séjours dans les kolkhozes, notamment à Leninski Gorky près de Moscou.
BIBLIOGR. : In : *Tableaux soviétiques*, catalogue de vente, Salle Drouot, Paris, 3 oct. 1990.

TITOV Vladimir
Né en 1950 à Moscou. XXe siècle. Depuis 1982 actif en France. Russe.
Peintre.
Il eut pour maître Vassili Sitnikov. Il participe à des expositions collectives à Moscou, New York, Paris, Riga, Monaco, Bruxelles, Bonn... Il montre ses œuvres dans des expositions personnelles, notamment, à Paris, en 1990 et 1992 galerie Studio Kostel, en 1993 galerie Jacob Kohnert.

TITRE Guillaume ou Willaume
XVe-XVIe siècles. Actif à Cambrai, de 1495 à 1507. Français.
Sculpteur.
Il travailla pour la cathédrale de Cambrai.

TITS Simone
Née en 1926 à Etterbeck (Bruxelles). XXe siècle. Belge.
Céramiste.
En 1943 et 1944, elle étudie la céramique à l'école des Arts décoratifs de la Cambre à Bruxelles. En 1946 elle participe avec Roger Somville, qui deviendra son mari, et avec le Mouvement des Forces Murales, à la rénovation de l'art de la tapisserie à Tournai. En 1951 elle a fondé avec Somville l'Atelier de Céramique de la Dour.
Simone Tits pratique un art intimiste où le charme et la délicatesse sont liés au sens de la forme et de la matière.

TITSWORTH Julia
Née en 1878 à Westfield. XXe siècle. Américaine.
Peintre.
Elle fut élève de R. Collin à Paris. Elle vécut et travailla à Bronxville.

TITTEL Friedrich August
Né vers 1790. Mort après 1830. XIXe siècle. Allemand.
Dessinateur de paysages, aquafortiste et lithographe.
Élève d'A. Zingg à Dresde. Il exécuta des paysages des Montagnes des Géants.

TITTELBACH Franz
Né en 1722 à Saaz. XVIIIe siècle. Allemand.
Portraitiste et peintre sur porcelaine.
Il travailla à la Manufacture de porcelaine de Berlin. Il peignit les portraits en miniature de l'empereur *Joseph II* et de *Frédéric II*.

TITTELBACH Vojtěch
Né le 30 juillet 1900 à Mutejovice, (près de Rakovnik, Bohême). XXe siècle. Tchécoslovaque.
Peintre, graveur, illustrateur.
Il fut élève de l'école des Arts décoratifs de Prague, de 1919 à 1922, puis de l'académie des Beaux-Arts, de 1922 à 1926, où il a été par la suite professeur. Il vit à Prague.
Il a beaucoup exposé à Prague, à partir de 1933, mais également dans diverses villes de Tchécoslovaquie et dans des expositions de peinture tchécoslovaque à l'étranger, notamment : 1937, Paris, où il obtint une médaille ; 1948, 1954, 1956, Biennale de Venise ; ainsi qu'à Vienne, Moscou, Budapest, Philadelphie, etc.
Dans ses peintures de ses débuts s'affrontaient des évocations humaines avec des êtres plus inquiétants et mal définis. Usant d'une esthétique et d'une technique issues de l'interaction dans la peinture de l'école de Paris du néo-cubisme et du surréalisme, il créa ensuite un monde expressionniste où se côtoient des personnages vêtus à l'antique, des clowns, des toréadors avec leurs figurants espagnols. Parti d'une construction appliquée dans sa rigueur post-cézannienne, Tittelbach a su progressivement libérer son écriture, traçant ses personnages de quelques traits élégants indiquant les lumières principales par larges touches sur des fonds neutres.
BIBLIOGR. : B. Dorival, sous la direction de... : *Peintres Contemporains*, Mazenod, Paris, 1964 – Catalogue de l'exposition *50 ans de peinture tchécoslovaque, 1918-1968*, Musées Tchécoslovaques, 1968.
MUSÉES : PRAGUE (Gal. nat.).

TITTLE Walter Ernest
Né le 9 octobre 1883 à Springfield (Ohio). Mort en 1966. XXe siècle. Américain.
Peintre de portraits, graveur.
Il fut élève de Chase, Henri et Mora à New York. Il fut membre de la Royale Academu of Art à Londres.
MUSÉES : LONDRES (Victoria and Albert Mus.) – LONDRES (Nat. Gal. of Portrait).
VENTES PUBLIQUES : NEW YORK, 25 sep. 1992 : *Central Park*, h/t (50,8x76,2) : USD 1 100 – NEW YORK, 31 mars 1994 : *Nu assis*, h/t (91,4x71,1) : USD 1 955.

TITTMANN. Voir **Dittmann**

TITUS-CARMEL Gérard
Né le 10 octobre 1942 à Paris. xxᵉ siècle. Français.
Peintre, graveur, dessinateur, créateur d'environnements. Polymorphe.
Il fut élève en dessin et gravure de l'École Boulle, école technique du meuble et de la décoration, de 1958 à 1962. Il vit et travaille à Oulchy-le-Château (Aisne). Parallèlement à son œuvre peint, il a illustré : *Pour Bramm* de Mathieu Bénézet, 1965 ; *El corno emplumado* Nᵒ 31, Mexico 1969 ; *Je n'ai jamais appris à écrire ou les incipit* d'Aragon, Genève, Skira, 1969.
Il expose depuis 1964. Il participe à de très nombreuses expositions de groupe, parmi lesquelles : 1965, IVᵉ Biennale de Paris ; 1967, Vᵉ Biennale de Paris ; 1968, Salon Grands et Jeunes d'Aujourd'hui, Paris ; 1968, *Art Contemporain en France* exposition itinérante dans de nombreuses villes de Tchécoslovaquie ; 1969, Salon de Mai, Paris ; 1969, *Interférences*, Paris et dans les musées de Nice, Céret, Montpellier ; 1969, le groupe *Distances*, musée d'Art moderne de la Ville de Paris (A.R.C.) ; 1969, *L'œil écoute*, Palais des Papes d'Avignon ; 1969, VIᵉ Biennale de Paris ; 1970, Exposition universelle d'Osaka ; 1982, *Choix pour aujourd'hui. Regard sur 4 ans d'acquisitions d'art contemporain*, Galeries contemporaines, musée national d'Art moderne, Paris ; 1984, *Écritures dans la peinture*, Villa Arson, Nice.
Il montre ses œuvres dans des expositions personnelles : 1967, 1968, galerie du Fleuve, Paris ; 1970, 1972, 1974, 1975, galerie Templon, Paris ; 1974, 1976, galerie La Hune, Paris ; 1971, galerie Bama, Paris ; 1971, Musée d'Art moderne de la Ville de Paris (A.R.C.) ; 1972, galerie du Fleuve, Bordeaux ; 1976, galerie Baudoin Lebon, Paris ; 1977, galerie Art Actuel, Nancy ; 1978, centre Georges Pompidou, Paris ; 1978, 1981, 1982, galerie Maeght, Paris ; 1980, 1981, Nishimura Gallery, Tokyo ; 1980, Sydney Studio Graphics Gallery ; 1980, Xavier Fourcade, New York ; 1981, musée de l'Abbaye Sainte-Croix, Les Sables d'Olonne ; 1982, 1986, 1989, 1991, galerie Lelong, Paris.
Il a longtemps travaillé dans un atelier d'Arcueil, en commun avec Segui et Velickovic. Bien que chacun étant très individualisé, les œuvres de Titus-Carmel de cette première époque comportaient souvent des parties en bois découpé ou en d'autres matériaux, rapportées, collées ou fixées en avant de la peinture, selon une technique ou un procédé familier à Segui. En commun avec celui-ci, Titus-Carmel à cette époque avait largement recours dans ses créations à un humour de l'objet « kitch », fausses bananes ou faux fruits de toutes sortes posés sur une étagère fixée sur la toile, le tout s'intégrant dans un contexte inextricable d'éléments peints et d'éléments rapportés. Parfois, dépassant l'humour de bonne santé de Segui, Titus-Carmel rejoignait Télémaque dans cette sorte d'humour qui débouche dans l'insolite et fait énigme sans comporter de solution apparente. Dessinateur d'une grande précision, il utilisait alors souvent ce véhicule technique. Il s'intéressait à l'évolution de la détérioration de l'objet (*20 variations sur l'idée de détérioration*, 1971 ; *17 exemples d'altération d'une sphère*, 1971). Les œuvres de cette époque, la participation active ou mentale du spectateur était sollicitée, soit qu'on lui propose des objets à toucher, à manipuler, à constater et à changer de position, soit qu'on fixe son attention sur des sortes de rébus sans solutions bien satisfaisantes. Les premières œuvres de Titus-Carmel s'imposèrent aussitôt en tant qu'insolites. Depuis, il n'a cessé de jouer un rôle des plus actifs dans le courant le plus vivant, sinon le plus facile à admettre, de la création à Paris. Il s'est surtout situé dans le courant général de l'art « conceptuel », et plus particulièrement s'est rapproché du « land'art », parce que travaillant sur la définition de « lieux ». En effet, en 1970, il mobilisa une galerie parisienne pour une évocation de *La Chaussée des Géants*, et surtout, au musée d'Art moderne de la Ville de Paris, en 1971, il monta une évocation consacrée à la *Forêt vierge/ Amazone*, avec des documents visuels, des fiches signalétiques et surtout des diffuseurs d'odeurs reconstituées d'après le sous-bois, les marais croupissants et l'humus des matières végétales en décomposition. Comme l'écrit Catherine Millet à son propos : « Le développement, depuis le début du siècle, d'activités artistiques *extra-picturales* manifeste une crise qui a en partie pour objet la fonction représentative de l'art. L'investigation de l'espace réel par l'objet, la participation active du spectateur réclamée par le happening, l'environnement, montrent à quel point l'objectif de l'art est de rivaliser avec la réalité à laquelle il se réfère. » Il apparaît avec évidence que dans les années 60-70, avec le pop art, les Nouveaux Réalistes, le Minimal Art ou Art du

réel, les arts conceptuels : art pauvre, land'art, body art, etc., sans mentionner l'approche moins subtile de l'hyper-réalisme auquel Titus-Carmel a aussi sacrifié, les formes les plus vivantes de la création artistique se posent de nouveau la question du rapport « art-réalité » que les cubistes et les abstraits avaient bien cru définitivement résolu. On dirait que les courants modernes tiennent à préserver l'aspect artificiel de l'art. Titus-Carmel étant parti exactement de cette position, explore le « no man's land » qui sépare l'objet de son imitation. Vers le milieu des années quatre-vingt, Titus-Carmel est revenu à la peinture, mais dans un style à tendance abstraite (les séries des *Ombres*, des *Nuits, Autour de l'X*). ■ J.B.
BIBLIOGR. : Catalogue de l'exposition : *100 artistes dans la ville*, Montpellier, 1970 – Catherine Millet : *Titus-Carmel : Clichés pour une odeur*, Chroniques de l'Art Vivant, Paris, 1971 – Titus-Carmel : *Notes d'Atelier et apartés*, in : Cahiers de l'Abbaye Sainte-Croix, nᵒ 41, Sables d'Olonne, 1980-1981 – Titus-Carmel, Repères nᵒ 1, Galerie Lelong, Paris, 1982 – in : *Écritures dans la peinture*, catalogue de l'exposition, Villa Arson, Nice, 1984 – Titus-Carmel, Repères nᵒ 27, Galerie Lelong, Paris, 1986 – in : *L'Art mod. à Marseille. La collection du Musée Cantini*, catalogue de l'exposition, Musée Cantini, Centre de la Vieille Charité, Marseille, 1988 – Titus-Carmel, Repères nᵒ 54, Galerie Lelong, Paris, 1989 – in : *L'art du xxᵉ siècle*, Larousse, Paris, 1991 – in : *Dictionnaire de l'art moderne et contemporain*, Hazan, Paris, 1992.
MUSÉES : BELGRADE (Musej Savremene Umetnosti) – CORDOBA (Mus. Provinc. de Bellas Artes) – LAUSANNE (Mus. canton.) – MARSEILLE (Mus. Cantini) : *Deux poires* 1968 – Agres 1976 – MONTRÉAL (Mus. d'Art contemp.) : *Ligoté/maintenu* 1975, grav. – NEW YORK (Mus. of Mod. Art) – PARIS (Mus. nat. d'Art mod.) : *The Pocket Size Tlingit* 1975-1976 – PARIS (BN) – SÉLESTAT (FRAC Alsace) : *Extrait du printemps VI* 1990 – *Extrait du printemps VII* 1990.
VENTES PUBLIQUES : PARIS, 19 mars 1980 : *United fruit* 1968, h/t (130,5x97) : **FRF 5 400** – PARIS, 24 mars 1984 : *Quinzième encre, Suite d'Arches* 1979, aquar., past. et lav. (160x120) : **FRF 25 000** – PARIS, 24 mars 1984 : *Quatrième encre, Suite d'Arches* 1978, lav. (212x80) : **FRF 26 500** – PARIS, 7 juin 1985 : *La Préservation des quatres coins d'un cadre* 1973, cr. noir (250x151) : **FRF 21 000** – PARIS, 12 oct. 1986 : *The Four Seasons Sticks nᵒ VII (Autumn Stricks)* 1974, dess. et collage (75x105) : **FRF 32 000** – PARIS, 21 juin 1987 : *Suite Narva* 1978, pierre noire et craie/pap. (116x116) : **FRF 24 000** – PARIS, 28 oct. 1988 : *Rompant son ban* 1972, mine de pb, encre de Chine et collage (80x80) : **FRF 4 500** – PARIS, 20 nov. 1988 : *Agrès et Biffures, Dessin III* 1976, mine de pb avec objet (104,6x74,2) : **FRF 25 000** – PARIS, 12 juin 1989 : *Suite d'Arches* 1978, lav. (80x120) : **FRF 30 000** – PARIS, 13 déc. 1989 : *Corde* 1972, dess. au cr. (76x111) : **FRF 12 000** – PARIS, 3 mai 1990 : *Une pomme* 1972, dess. au cr. et past. (49x64) : **FRF 13 000** – PARIS, 28 oct. 1990 : *Sans titre* 1970, dess. et collage/pap. (50x65) : **FRF 3 400** – PARIS, 9 déc. 1990 : *Nuits – Nuit haute nᵒ 1* 1984, h/t (162x130) : **FRF 50 000** – PARIS, 4 oct. 1991 : *Objet, cray. et collage*, h/t (23x31,5) : **FRF 5 500** – PARIS, 19 mars 1992 : *Le casque de Nikko, théorie du printemps nᵒ 10* 1983, encre de Chine et past./cart. (132x100) : **FRF 15 000** – PARIS, 27 oct. 1992 : *Nuit claire*, h/t (205x205) : **FRF 66 000** – PARIS, 23 juin 1993 : *3ᵉ encre, suite d'Arche* 1978, gche, lav. et past./pap. (160x120) : **FRF 25 000** – PARIS, 21 mars 1994 : *Nuits, nuit haute #3* 1984, h/t (162x130) : **FRF 18 000** – PARIS, 12 oct. 1994 : *Suite d'Arches 14* 1978, lav. d'encre brune (159,5x121) : **FRF 24 000** – PARIS, 11 juil. 1996 : *L'Évidence même* 1968, techn. mixte et h/t (190x190) : **FRF 8 000**.

TITZ Alexander ou **Aleksander** ou **Tyc**
Né le 5 avril 1814 à Kolbajovice. Mort le 25 avril 1856 à Lemberg. xixᵉ siècle. Polonais.
Peintre de portraits, lithographe et miniaturiste.
Il commença à travailler à Lemberg ; et en 1838, il se rendit en France pour continuer ses études. En 1844, il s'installa à Bordeaux comme professeur de dessin. En 1848, il retourna à Lemberg. Il peignit les portraits et paysages, mais surtout les miniatures.

TITZ Ditz
xvᵉ-xvlᵉ siècles. Allemand.
Peintre, sculpteur sur bois et sur pierre.
Il travailla pour l'église de la Sainte-Croix et de la Trinité de Dresde.

TITZ Ferdinand. Voir **DIETZ Ferdinand**

TITZ Josef
xviiiᵉ siècle. Travaillant vers 1764. Autrichien.

Sculpteur.
Il décora de sculptures des autels dans l'église de Schwechat.

TITZ Louis
Né le 24 ou le 21 juin 1859 à Bruges (Flandre-Occidentale). Mort en 1932 à Bruxelles. xixᵉ-xxᵉ siècles. Belge.
Peintre de genre, portraits, paysages, paysages urbains, illustrateur, aquafortiste, aquarelliste, peintre à la gouache, décorateur de théâtre.
Il a été élève de l'Académie des Beaux-Arts de Bruxelles où il devint par la suite professeur.
Il s'est surtout fait connaître comme illustrateur et décorateur. Il a illustré *Le Carillonneur*, de Georges Rodenbach.
Bibliogr. : In : *Dictionnaire biographique illustré des artistes en Belgique*, Arto, Bruxelles, 1987.
Musées : ANVERS : *Ville flamande* – BRUXELLES : *Le joueur de cornemuse* – *Le peintre*.
Ventes Publiques : LONDRES, 28 mars 1990 : *Café, place de l'église à Bruxelles*, aquar. (28x38) : **GBP 4 180** – BRUXELLES, 7 oct. 1991 : *Vue de Termonde en 1911*, gche (34x45) : **BEF 55 000**.

TIUSSI Marco
xviᵉ siècle. Actif à Spilimbergo, de 1544 à 1567. Italien.
Peintre.
Il peignit des fresques pour l'Hôtel de Ville de Cavasso et l'église de Sequals.

TIVAERT Daniel Jansz. Voir **THIEVAERT**

TIVANI Giuseppe
Né en 1704. xviiiᵉ siècle. Actif à Mantoue. Italien.
Sculpteur sur bois et sur marbre.
Il sculpta des statues sur la façade de la cathédrale de Mantoue.

TIVETTE Anne Catherine
xviiiᵉ siècle. Français.
Peintre.
Membre de l'Académie de Saint-Luc de Paris.

TIVOLI Giuseppe
Né en 1845 à Trieste. Mort à Bologne. xixᵉ siècle. Italien.
Peintre.
Le Musée Revoltella, à Trieste, conserve de lui : *Moeror* (propriété de la ville de Trieste).
Ventes Publiques : PARIS, 23 juin 1954 : *Labour, Bologne via della Liberta* : **FRF 11 000**.

TIVOLI Serafino de
Né en mars 1826 à Livourne. Mort en 1890 ou 1892 à Florence. xixᵉ siècle. Italien.
Peintre de genre, paysages.
A douze ans, il commença ses études littéraires à Florence ; puis, les abandonnant, il se consacra à la peinture et eut pour maître le paysagiste Marko. A Rome, il fut fait prisonnier en combattant sous le drapeau de Garibaldi. Libéré, il se remit à son art, effectua de longs voyages. Il se fixa à Paris quelque temps, puis à Londres, et après avoir revu l'Italie, s'établit définitivement à Paris.
Ses principales toiles sont : *La Seine à Saint-Denis*, exposée à Paris en 1878 ; *Campagne avec des animaux* (aujourd'hui à la Galerie de Prato) ; *La Seine à Marly* ; *Vue des environs de Paris* ; *A Marly* ; *La Varenne* ; *Croissy* ; *Rives d'un fleuve à Marly-le-Roi*, exposées à Rome, Turin et Florence. Citons encore un *Paysage* et son *Portrait de Garibaldi*, possédé par un amateur de Londres. Médaille de bronze à Paris en 1889 à l'Exposition universelle.
Dès son premier séjour à Paris, en 1855, il y avait connu Decamps et Troyon. Lorsqu'il retourna à Florence, retrouvant ses amis, il leur parla de Delacroix et des peintres de Barbizon, desquels en outre les princes Demidoff possédaient des œuvres que l'on pouvait voir dans leur villa San Donato près de Florence. Ce concours de circonstances hâta l'évolution de la peinture italienne de cette époque au « tachage », qui allait constituer en quelque sorte la version italienne de l'impressionnisme, plus proche de la touche elliptique et pleinairiste d'un Manet que de la touche divisée des impressionnistes. Ce fut à ce moment que Vincenzo Cabianca peignit le cochon noir sur un fond de mur blanc, qui est considéré comme le premier essai de « tachage » (macchia). Ce ne fut qu'en 1862 qu'ils reçurent le nom de « macchiaioli », que leur chef de file Signorini entérina bien qu'il eût été prononcé par dérision.

$iroli

Bibliogr. : Lionello Venturi : *La peinture italienne, du Caravage à Modigliani*, Skira, Genève, 1952.

Musées : FLORENCE (Gal. mod.) : *Intérieur de forêt avec des vaches* – *Nature morte* – *Albereta* – MILAN (Gal. mod.) : *Lettre adressée à la mère* – TURIN (Mus. mun.) : *Pâturage*.
Ventes Publiques : PARIS, 23 mai 1924 : *Le troupeau sous la voûte*, sans indication de prénom : **FRF 820** – MILAN, 26 nov. 1968 : *Le char à bœufs* : **ITL 2 400 000** – MILAN, 10 nov. 1970 : *Retour du pâturage* : **ITL 2 800 000** – MILAN, 29 mars 1973 : *Retour des champs* : **ITL 3 000 000** – MILAN, 28 oct. 1976 : *Paysage*, h/t (27x38) : **ITL 1 100 000** – MILAN, 20 déc. 1977 : *Le repos dans le sous-bois*, h/t (37x29) : **ITL 3 000 000** – MILAN, 25 mai 1978 : *La Lagune, Venise*, h/t (115x82) : **ITL 7 000 000** – NEW YORK, 5 mars 1981 : *Paysage aux environs de Pise*, h/t (54,5x80) : **USD 2 200** – ROME, 1ᵉʳ juin 1983 : *Jeunes femmes dans un verger*, h/t (30x40) : **ITL 4 000 000** – MILAN, 4 juin 1985 : *Barques sur la Seine*, h/pan. (12x21) : **ITL 10 000 000** – MILAN, 1ᵉʳ juin 1988 : *Pâturage*, h/t (36,5x29) : **ITL 35 000 000** – LONDRES, 16 juin 1993 : *Berger et son troupeau*, h/pan. (37x26) : **GBP 2 070** – LONDRES, 16 nov. 1994 : *La promenade*, h/t (76x102) : **GBP 16 675**.

TIXERAND Isaac
xviiᵉ siècle. Actif dans la première moitié du xviiᵉ siècle. Français.
Sculpteur et architecte.
Il exécuta des sculptures pour la cathédrale et le couvent des Augustins à Châlons-sur-Marne.

TIXIER
xviiiᵉ-xixᵉ siècles. Actif à Paris. Français.
Graveur au burin.
On cite de lui le portrait du général *Kellermann*.

TIXIER Laure
xxᵉ siècle. Française.
Dessinateur, illustrateur.
Elle a montré ses œuvres en 1996 dans une exposition personnelle à Dijon.

TIXIER Louis Léonard
Né le 1ᵉʳ juin 1839 à Nevers (Nièvre). Mort en 1881. xixᵉ siècle. Français.
Peintre de genre et de paysages.
Élève de Gleyre et d'Hanoteau. Il entra à l'école des Beaux-Arts le 1ᵉʳ avril 1861 et débuta au Salon de 1863. Le Musée de Clamecy conserve de lui une *Vue de Nevers* (aquarelle).
Ventes Publiques : AMSTERDAM, 31 oct 1979 : *Troupeau de moutons sous un arbre 1873*, h/pan. (24,5x35,5) : **NLG 3 600**.

TIZIANELLO. Voir **TITIEN**

TIZIANO. Voir **TITIEN**

TIZIANO Girolamo. Voir **DENTE**

TIZIANO dei Cristi. Voir **CRISTI**

TIZO Giambattista. Voir **PINO Giambattista di**

TIZZANO Giovanni
Né à Massa. xviᵉ-xviiᵉ siècles. Travaillant à Naples de 1591 à 1600. Italien.
Sculpteur.
Il exécuta des sculptures architecturales et des tombeaux pour des églises de Naples.

TIZZANO Giovanni
Né le 1ᵉʳ février 1889 à Naples (Campanie). xxᵉ siècle. Italien.
Sculpteur.
Il exposa à partir de 1930.

TJAPALTJARRI Billy Stockham
Né en 1925. xxᵉ siècle. Australien.
Peintre.
Artiste aborigène.
Musées : ADÉLAÏDE (Art Gal. of South Australia) : *Budgerigar Dreaming*.

TJAPALTJARRI Clifford Possum
Né en 1943 à Napperby. xxᵉ siècle. Australien.
Peintre, aquarelliste, sculpteur.
Artiste aborigène originaire d'Australie centrale. Il appartient à la tribu Anmatjera. Il vit et travaille à Alice Springs où il a reçu un prix. Ses œuvres, notamment des peintures à l'acrylique, dépeignent les mythologies de sa culture.
Bibliogr. : In : *Creating Australia. 200 years of Art 1788-1988*, Art Gallery of South Australia, Adelaïde, 1988 – in : *Dictionnaire de l'art moderne et contemporain*, Hazan, Paris, 1992.
Musées : ADÉLAÏDE (Art Gal. of South Australia) : *Man's love*

story 1978 – CANBERRA (Australian Nat. Gal.) : *Honey Ant Dreaming Story.*

TJAPANGATI Charlie
XXᵉ siècle. Australien.
Peintre.
Artiste aborigène. Il appartient à la tribu des Pintubi.
VENTES PUBLIQUES : LONDRES, 30 nov. 1989 : *Cérémonies sacrées des hommes Tingari* 1986, h/t (138x99) : **GBP 1 980.**

TJELEBI d'Aidar Ibrahim. Voir IBRAHIM TJELEBI d'Aidar

TJELJEGIN Ivan Dimitriévitch
XVIIIᵉ-XIXᵉ siècles. Russe.
Graveur.
Élève d'I. S. Klauber. Il grava des perspectives.

TJEPTCHEGORSKI Girgori Pavlovitch
XVIIIᵉ siècle. Travaillant à Moscou au début du XVIIIᵉ siècle. Russe.
Graveur au burin.
Il grava des sujets bibliques et des images pieuses.

TJUNGARRAYI Barney Daniels
XXᵉ siècle. Australien.
Peintre, technique mixte.
Artiste aborigène.
VENTES PUBLIQUES : PARIS, 17 juin 1988 : *Rêve de serpent*, acryl./t (215x135) : **FRF 22 000.**

TJUNGURRAYI Charlie Tjaruru
Né en 1921 à Tjitururnga. XXᵉ siècle. Australien.
Peintre.
Peintre aborigène. Il a vécu et produit ses premières œuvres à Papunya (Australie centrale). Il a travaillé en 1983 à Amsterdam avec le couple d'artistes Ulay et Marina Abramovic. Il montre ses œuvres dans des galeries en Australie.
Il est considéré comme un des tout premiers artistes aborigènes à avoir employé de la peinture à l'acrylique.
BIBLIOGR. : In : *Dictionnaire de l'art moderne et contemporain,* Hazan, Paris, 1992.
MUSÉES : DARWIN.

TJUNGURRAYI YALA YALA Gibbs
Né en 1928. XXᵉ siècle. Australien.
Peintre, technique mixte.
Artiste aborigène.
MUSÉES : SYDNEY (Australian Mus.) : *Untitled* 1971-1972.

TJUPURRULA Riley Row
XXᵉ siècle. Australien.
Peintre.
Artiste aborigène. Il appartient à la tribu des Pintubi.
VENTES PUBLIQUES : LONDRES, 30 nov. 1989 : *La légende du serpent arc-en-ciel* 1985, h/t (119x90) : **GBP 770.**

TJUPURRULA Turkey Tolson
Née en 1945. XXᵉ siècle. Australienne.
Peintre.
Artiste aborigène. Pour la réalisation de ses œuvres, elle est parfois aidée de ses filles Pamela Nakamarra née en 1967 et Kitty Nakamarra née en 1970.
MUSÉES : ADÉLAÏDE (Flinders University Art Mus.) : *Women's Dreaming* 1981.

TJURIN Ivan Alexéiévitch
Né en 1824. Mort après 1889. XIXᵉ siècle. Russe.
Portraitiste.
Élève de l'Académie de Saint-Pétersbourg.

TJUTRJUMOFF Nikanor Léontiévitch
Né le 18 juillet 1821 au gouvernement de Novgorod. Mort le 15 octobre 1877 à Saint-Pétersbourg. XIXᵉ siècle. Russe.
Peintre de portraits, nus.
Elle fut élève de l'Académie de Saint-Pétersbourg.
MUSÉES : SAINT-PÉTERSBOURG (Mus. de l'Académie) : *Portrait du peintre P. Bassin* – SAINT-PÉTERSBOURG (Mus. russe) : *Portrait de l'artiste.*

TKADLIK Franz. Voir KADLIK Franz

TKATCHENKO Leonid
Né en 1927. XXᵉ siècle. Russe.
Peintre de compositions animées, paysages animés.
Il étudia à l'Académie des Beaux Arts de Kharkov. Membre de l'Association des Peintres de Leningrad.
Il expose à partir de 1950, régulièrement à Moscou et à Lenin-grad, notamment : en 1969 Leningrad, *Les peintres pour le peuple* ; 1980 Moscou, *L'Art de Leningrad* ; 1990 Leningrad, *Salon du Printemps* ; etc. Il a figuré, en 1978, à *50 chefs-d'œuvre des musées soviétiques* à Prague, et, en 1982, à *L'Art contemporain à Leningrad* à Osaka. En 1983 eut lieu une exposition personnelle à Leningrad.
Il traite des sujets divers, scènes de genre, scènes typiques orientales, hommes à leur travail, donc des sujets dénués de toute possibilité de messages subversifs, dans une technique picturale héritée du XIXᵉ siècle académique.
MUSÉES : MOSCOU (Gal. Tretiakov) – MOSCOU (Mus. Pouchkine) – MOSCOU (min. de la Culture) – PETROZAVODSK (Mus. des Beaux-Arts) – SAINT-PÉTERSBOURG (Mus. russe) – SAINT-PÉTERSBOURG (Mus. d'Hist.) – TOMSK (Mus. de l'Art russe).
VENTES PUBLIQUES : PARIS, 11 juin 1990 : *Marché oriental* 1955, h/t (45x64) : **FRF 5 500.**

TKATCHENKO Michaïl Stiépanovitch
Né en 1860 à Kharkow. XIXᵉ siècle. Russe.
Peintre de genre et paysages.
Élève de l'Académie Impériale des Beaux-Arts de Saint-Pétersbourg et de Cormon. Il figura aux Salons de Paris. Chevalier de la Légion d'honneur en 1889. Mention honorable en 1907.
Le Musée russe conserve de lui *Dans l'atelier d'un artiste,* et le Musée de Toulon, *Arrivée de l'escadre russe à Toulon, le 13 octobre* 1893.
VENTES PUBLIQUES : PARIS, 6 mars 1920 : *Les Moulins (effet de soleil)* : **FRF 600** ; *Mer calme* : **FRF 500.**

TKATCHENKO Valery
Né en 1946 à Moscou. XXᵉ siècle. Russe.
Peintre de sujets divers. Polymorphe.
Il participe à des expositions collectives, notamment à Moscou en 1983. Praticien expérimenté, la facture et la technique de ses œuvres sont diverses : descriptives, gestuelles, minutieuses, de même que ses styles : figuratif, abstrait, optico-cinétique.
VENTES PUBLIQUES : PARIS, 29 mai 1989 : *Nature morte aux poissons* 1975 (51x68,5) : **FRF 6 000** ; *Paysage aux grands arbres et fleurs,* cart. double face (89x79,5) : **FRF 10 000.**

TKATCHEV Micha
Né en 1959 à Léningrad (actuellement Saint-Pétersbourg). XXᵉ siècle. Russe.
Peintre de compositions à personnages.
Il fit ses études à l'Institut Mukhina et, avec certains de ses condisciples, fonda le groupe « SVOI ».
VENTES PUBLIQUES : PARIS, 8 déc. 1990 : *L'école des scaphandriers,* h/t (120x150) : **FRF 7 500.**

TKATCHOV Mikhaïl
Né en 1912. XXᵉ siècle. Russe.
Peintre.
Il est diplômé de l'Académie des Beaux-Arts de Léningrad. Il s'est également formé dans les ateliers de I. Brodsky et de K. Roudakov.
MUSÉES : ARMAVIR – IVANOVO – KIEV – SAINT-PÉTERSBOURG.

TLEPOLEMOS de Kibyra
Iᵉʳ siècle avant J.-C. Actif en Sicile. Antiquité grecque.
Peintre.

TLOUPAS Philolaos. Voir PHILOLAOS

TOAGLIOLO Pietro
XVᵉ siècle. Travaillant à Bologne en 1424. Italien.
Peintre.

TOBALA Léopold. Voir TOBOLA

TOBAR Alonso Miguel de, don ou Tovar
Né en 1678 à Iliguera, (près d'Aracena). Mort en 1758 à Madrid. XVIIIᵉ siècle. Espagnol.
Peintre d'histoire, sujets religieux, portraits, copiste.
Il vint très jeune à Séville, où il fut élève de Juan Antonio Faxardo, mais ce fut surtout par l'étude des œuvres de Murillo qu'il forma son style. Il arriva à une telle perfection dans des copies de l'illustre peintre de Séville que ses reproductions furent souvent prises pour les originaux. Ayant été nommé peintre de Cour par Philippe V en 1729, il alla s'établir à Madrid. Il peignit des compositions religieuses, puis un grand nombre de portraits officiels. On cite de lui : *La Vierge consolatrice avec saint François et saint Antoine* à la cathédrale de Séville ; *La Divine bergère* au Palais Royal de Madrid.

A M de Tobar.

BIBLIOGR. : In : *Dictionnaire de la peinture espagnole et portugaise du Moyen-Âge à nos jours*, coll. *Essentiels*, Larousse, Paris, 1989.

MUSÉES : BERLIN (Mus. Kaiser Friedrich) : *Saint Joseph* – BUDAPEST : *La Vierge* – CADIX : *La Vierge de la Faja* – GLASGOW : *Saint Joseph et l'Enfant Jésus* – MADRID (Mus. du Prado) : *Portrait de Murillo*, copie – MEIRINGEN : *Portrait de petite fille* – NANCY (Mus. des Beaux-Arts) : *Religieux en prière* – PROVIDENCE, Rhode Island : *Portrait d'homme* – SAINT-PÉTERSBOURG (Mus. de l'Ermitage) : *Jeune garçon faisant des bulles de savon*.

VENTES PUBLIQUES : PARIS, 1889 : *La Vierge et l'Enfant* : FRF 900 – PARIS, 15-16 mars 1902 : *L'Immaculée Conception* : FRF 1 120 – NEW YORK, 21 mars 1906 : *L'Enfant Jésus et saint Jean* : USD 350 – LONDRES, 19 fév. 1910 : *L'enfant prodigue* : GBP 10 – NEW YORK, 4 mars 1937 : *Le Christ enfant* : USD 300 – NEW YORK, 8 oct. 1993 : *Saint Joseph et l'Enfant Jésus*, h/t (173,4x109,9) : USD 9 200.

TOBAS Christian
Né en 1944. XXᵉ siècle. Actif aussi en Italie. Français.
Sculpteur.
Il a longtemps travaillé en Italie. Il enseigne à l'École des Beaux-Arts de Lyon. Il a adhéré au groupe *Emoïste*. Il a montré une exposition de ses œuvres en 1992 à la galerie La Tournelle, Le vieux Poët-Laval (Drôme).
Dans un esprit qui doit à Tinguely, Broodthaers, Duchamp ou Dali, il poétise l'objet, en en créant de toutes sortes.
VENTES PUBLIQUES : MILAN, 8 juin 1976 : *Toile de sang, objet trouvé 1972*, h/t (27x35) : ITL 350 000 – MILAN, 27 sep. 1990 : *Rêve 1974*, fleurs, gravier et papillons sur verre (41,5x61x6) : ITL 2 000 000.

TOBA SÔJÔ. Voir KAKUYÛ

TOBEEN Félix, de son vrai nom : Félix Élie Bonnet
Né le 20 juillet 1880 à Bordeaux (Gironde). Mort en 1938. XXᵉ siècle. Français.
Peintre de scènes de genre, figures, paysages, paysages d'eau, natures mortes, fleurs et fruits, aquarelliste, graveur, illustrateur. Groupe de Puteaux.
Il s'est formé seul à la peinture et à la gravure. Il vécut à Paris, Nice, Cibourne dans le Pays Basque et longtemps à Saint-Valéry-sur-Somme. D'abord influencé par le fauvisme, il fut attiré par le cubisme. Il fréquenta alors le cercle d'artistes, de poètes et de critiques de l'entourage de Jacques Villon, qu'on l'on a appelé le groupe de Puteaux. Il participa aux côtés notamment de Gleizes, Metzinger, Jacques Villon, Picabia, La Fresnaye, à l'exposition du Salon des Indépendants en 1911 qui consacra le groupe, et au *Salon de la Section d'or* à la galerie La Boétie en 1912. Il a illustré *Chansons du Pays de Gascogne et de Béarn*, d'Olivier Hourcade et *Images de Moux*, de Jean Lebrau. Un portrait de Tobeen a été gravé par le peintre bordelais Sonneville.
Outre celles déjà mentionnées, Tobeen figura à diverses expositions collectives : 1910, 1912, 1913, 1927, Salon des Indépendants, Paris ; 1911, 1913, Salon d'Automne, Paris ; 1912, 1913, 1914, Société Normande de Peinture Moderne, Rouen ; 1913, Armory Show, New York ; 1924, Salon des Tuileries, Paris ; 1928, Düsseldorf ; 1928, Musée Van Beuningen, Rotterdam. Il a montré ses œuvres lors d'une exposition particulière en 1931 à la galerie Heineck et Scherjon, à Amsterdam. Après sa mort : 1950, 1955, 1956, 1974, galerie N.W. Segaar, La Haye.
Tobeen participa à la genèse du cubisme. André Salmon affirmait même qu'il n'aurait même pas été sans influencer parfois Picasso, ce qui est discutable. Tout comme La Fresnaye, Gleizes, Le Fauconnier, il entendait en fait concilier cubisme et tradition, et M. J. Richard, dans une monographie qui lui est consacrée, écrit que « Dans son esprit, il ne s'agit pas de nier la nature, mais de donner plus de consistance à l'objet ». Toutefois, il abandonna vers 1918, ses premières recherches et s'associa au groupe de la *Jeune Peinture Française* pour pratiquer un art plus classique.
BIBLIOGR. : Gérald Schurr, in : *Les Petits Maîtres de la peinture 1820-1920, valeur de demain*, Les Éditions de l'Amateur, t. II, Paris, 1982 – M. J. Richard : *F. Tobeen, 1880-1938 Peintre et Graveur*, s.e., s.d.
MUSÉES : BORDEAUX (Mus. des Beaux-Arts) – NANCY (Mus. des Beaux-Arts) : *Fleurs* – OTTERLO (Kröller Müller Mus.) – UTRECHT.
VENTES PUBLIQUES : PARIS, 25 mars 1921 : *Le repos* : FRF 600 – PARIS, 1ᵉʳ mars 1928 : *Pelotaris* : FRF 2 600 – PARIS, 17 déc. 1943 : *Nature morte* : FRF 1 000 – PARIS, oct. 1946 : *Au pays basque : paysage et attelage de bœufs* : FRF 2 700 – PARIS, 22 juin 1949 : *Nature morte aux fleurs* : FRF 8 500 – PARIS, 28 fév. 1951 :

Fleurs et fruits : FRF 15 000 ; *Fleurs* : FRF 12 000 – PARIS, 27 avr. 1951 : *Lavandières*, aquar. : FRF 3 500 – PARIS, 7 juin 1973 : *Paysage basque* : FRF 4 600 – PARIS, 27 mars 1974 : *Les vendanges* : FRF 5 600 – VERSAILLES, 12 mai 1976 : *Danseurs et chiens jaunes*, h/t (55,5x38,5) : FRF 5 000 – VERSAILLES, 4 mars 1979 : *Les vendanges*, h/t (65x54) : FRF 4 500 – ENGHIEN-LES-BAINS, 24 mars 1985 : *Le port*, h/t (46x33) : FRF 26 000 – AMSTERDAM, 24 mai 1989 : *Paysage du Pays Basque avec des maisons et des arbres*, h/t (35x46) : NLG 9 200 – VERSAILLES, 8 juil. 1990 : *Vase de fleurs*, h/pan. (54x37) : FRF 16 000 – AMSTERDAM, 12 déc. 1990 : *Écuyère sur son cheval*, h/t (67x88) : NLG 7 475 – COPENHAGUE, 6 mars 1991 : *Le marché au Pays Basque*, h/t (74x60) : DKK 18 500 – PARIS, 11 déc. 1991 : *Roses et œillets*, h/pan. (24x18) : FRF 8 500 – AMSTERDAM, 31 mai 1994 : *Urrugne (B. dans les Pyrénées)*, h/t (55x38) : NLG 9 200 – PARIS, 4 déc. 1995 : *Vase de fleurs*, h/cart. (52x38) : FRF 10 000 – PARIS, 3 avr. 1996 : *Paysage de bord de mer*, h/t (38x55) : FRF 12 000 – PARIS, 25 juin 1997 : *Le Sommeil du fils*, h/cart. (48x31) : FRF 19 000.

TOBEI-AN. Voir ITÔ JAKUCHÛ

TOBEL Hans ou Tobell
XVIᵉ siècle. Actif à Bâle. Suisse.
Sculpteur.
Il a sculpté la statue de guerrier sur la fontaine Sevogel de Bâle en 1547.

TOBENZ Johann Georg ou Thobenz
Né en 1714. XVIIIᵉ siècle. Hongrois.
Peintre.
Élève de l'Académie de Vienne. Il peignit une *Cène* et une *Vierge* dans le réfectoire des frères de la Miséricorde à Eger.

TÖBER Jörg
Né vers 1450 à Haguenau. XVᵉ siècle. Allemand.
Sculpteur.
Il travailla à Haguenau et à Esslingen. On lui attribue quatre statues en bois se trouvant dans le Musée provincial de Karlsruhe.

TOBERENTZ Robert
Né le 4 décembre 1849 à Berlin. Mort le 31 juillet 1895 à Rostock. XIXᵉ siècle. Allemand.
Sculpteur de bustes, statues.
Élève de l'Académie de Berlin et de Johann Schilling à Dresde.
MUSÉES : BERLIN (Mus) : *Berger au repos* – HAMBOURG : *Buste de jeune Italienne*.
VENTES PUBLIQUES : NEW YORK, 21 mai 1991 : *La charmeuse de serpents* 1887, bronze (H. 97) : USD 3 850.

TOBERIAS Johann ou Hans Michael ou Toberies ou Tobrias
Mort avant le 27 janvier 1677 à Munich. XVIIᵉ siècle. Allemand.
Peintre et dessinateur.
Il travailla pour des églises de Munich. Le Cabinet d'Estampes de cette ville conserve de lui *Scène religieuse dans une salle*.

TOBEY Mark
Né en 1890 à Centerville (Wisconsin). Mort en 1976 à Bâle. XXᵉ siècle. Depuis 1960 actif en Suisse. Américain.
Peintre, aquarelliste. Abstrait.
Après ses premières années passées au bord du Mississipi, il vint achever ses études secondaires à Chicago, exerçant ensuite, à partir de dix-huit ans, les métiers les plus divers, dessinant le soir et suivant quelques cours de l'Art Institute de la ville. Il se forma seul aux arts appliqués et à l'illustration, se faisant connaître, entre 1910 et 1912, pour ses dessins de mode. Portraitiste habile, influencé par John Sargent, une exposition de fusains d'après les personnalités de l'époque fut montrée à New York, en 1917. Ce fut à partir de la fin de la Première Guerre mondiale qu'il commença à être intéressé par les religions de l'Extrême-Orient, et tout spécialement par la religion persane Baha'i, pratiquée dans des groupes à travers les États-Unis, qui prônait surtout une unification des croyances et des morales du monde et qui incitait aux voyages afin d'établir les contacts. Il décida alors de s'éloigner de la petite réputation flatteuse qu'il s'était acquise dans la société mondaine new-yorkaise et, en 1922, alla se fixer à Seattle, où il vécut d'un poste de professeur de dessin à la Cornish School. Il se lança dans de nombreux voyages, qui lui étaient des quêtes, séjournant à Chartres, parcourant l'Europe et le Proche-Orient. En 1930, il fut appelé en Angleterre, comme professeur-résident au Collège de Dartington Hall, employant les longues vacances scolaires à d'autres voyages, Mexique en 1931, Chine et Japon en 1934, séjournant

notamment dans la famille de Teng Kwei à Shanghai, ainsi que dans un monastère Zen au Japon. Il s'installe à Bâle en 1960 dans l'ancienne maison de Paul Klee.

Il participa à de nombreuses expositions collectives à partir de celle de 1946, *14 Américains importants* au musée d'Art moderne de New York ; 1958, rétrospective en trente-cinq peintures à la Biennale de Venise.

Il a montré plusieurs expositions personnelles de ses œuvres, la première, en 1944, à la galerie Maryan Willard, à New York, où l'on remarquait à cette exposition les premières versions d'un thème qui tint une grande place dans la suite de son travail : *Personnages saisis par la lumière*, et dont le titre est révélateur de son processus créateur ; puis : 1951, rétrospective qui avait auparavant circulé dans les villes de l'Ouest américain et qui fut montrée au Whitney Museum of New York ; 1954-1955, nombreuses expositions personnelles aux États-Unis et en Europe, parmi lesquelles sa rétrospective du Chicago Art Institute et sa première exposition personnelle à Paris ; à partir de 1955, il est régulièrement montré à la galerie Jeanne Bucher à Paris ; 1961, rétrospective au musée des Arts décoratifs de Paris ; 1997, Musée Hebert, La Tronche. En 1957, il obtint le Prix National Guggenheim ; en 1958, le Grand Prix International de la Ville de Venise, en 1958, première distinction internationale obtenue à Venise par un Américain depuis Whistler.

Au début des années vingt, il préférait déjà les moyens de notation rapide et fit surtout des dessins, anecdotiques certes mais qui allaient plus tard alimenter ses premières recherches plus purement graphiques, le marché, le flottage du bois sur l'estuaire. Ce fut lors de son séjour à Seattle, où il resta jusqu'en 1925, qu'il connut l'étudiant chinois Teng Kwei, qui l'initia à la calligraphie traditionnelle. Pendant son séjour en Angleterre, il peignit en 1934, la première de ses « Écritures blanches », qui marquèrent le tournant capital de son travail : *Broadway Norm*, suivi du *Broadway* de 1936 seulement, écart de temps révélateur de l'hésitation de sa démarche. Peut-être l'essentiel de sa réflexion sur ce que devait devenir sa propre peinture a-t-il été provoqué à partir d'une réflexion de son ami Teng Kwei : « Pourquoi les artistes occidentaux ne peignent-ils un poisson que lorsqu'il est mort ? » On retrouve dans cette simple réflexion le reflet de toutes les doctrines universalistes, la recherche d'une fusion dans le tout, d'une participation au flux universel du temps, de la vie. Dans un premier temps, Tobey ne retint plus des aspects d'une foule dans la rue, de l'agitation d'un marché en plein air, des enseignes lumineuses de Broadway, du balisage nocturne d'un aéroport, que les traces dans la mémoire du flou des contours et surtout celles des trajectoires. Dans la deuxième période, suite logique de la première et son aboutissement, ces traces abandonnèrent, du moins en apparence, tout contenu pour se livrer entièrement à l'ivresse de se satisfaire d'elles-mêmes, de leur propre jeu graphique. Pour suivre cette évolution, notons que dans *Flow of the Night*, ou *Gothic*, de 1943, le prétexte concret du développement poétique est encore discernable. Parfois, dès 1944, comme dans *City Radiance*, ou *Chrystallization*, le décryptage du donné réel, pour autant qu'il y en ait eu un, apparaît comme impossible. Dans le *New York* de 1945, l'écriture si caractéristique de Tobey, en aigrettes acérées, en plumes entrecroisées, en brins d'herbes enchevêtrés, blanche à cette époque mais qui ne le restera pas toujours, gagnant, envahissant toute la surface de la page ou de la toile (fondant une des origines de ce que l'on appellera le « all over »), est déjà complètement définie. A part de rares retours en arrière, l'ensemble de son œuvre se développera désormais autour de ces caractéristiques, définitivement abstraites après 1950, sauf pendant la période des lavis à l'encre de Chine (sumi) de 1957, dont certains sont des portraits. En 1942, le Metropolitan Museum de New York avait acquis son *Broadway* de 1936, à l'occasion d'un Prix d'Acquisition lors de l'exposition *Pour la Victoire*. En 1944, le Museum of Modern Art de New York commença ses acquisitions d'œuvres de Tobey. Sauf de rares commandes monumentales, Tobey s'est toujours limité à de petits formats et complu à des techniques modestes : aquarelle, tempera, lavis. Il n'a donc pas recherché l'envoûtement des formats gigantesques de la peinture de champ. Bien qu'ayant pratiqué, sinon inventé, à sa façon le « all over », il n'a rien à voir avec la fureur gestuelle de Jackson Pollock. Son cheminement fut et reste essentiellement confidentiel, et en ceci il se rattache à Paul Klee, d'autant qu'aussi soucieux du contenu spirituel de ses peintures que de leur bonne facture. L'un des moins américains des peintres américains de l'époque, ce fut en effet par le détour de l'Europe qu'il fut reconnu.

Tobey, né en 1890, n'est connu que pour ses œuvres postérieures à 1935. Avec Clifford Still et Mark Rothko, il est considéré, surtout à la suite d'articles de Michel Tapié, comme l'un des créateurs de cette école du Pacifique, dont l'existence est mise en doute par ses artisans mêmes. Si, en effet, son existence fut extrêmement brève, si ses participants furent peu nombreux et si leurs œuvres ne présentent pas une unité spirituelle très convaincante, il reste exact qu'ils furent tous influencés par les éléments de civilisations extrême-orientales présents dans la vie de la côte ouest, avec une forte implantation de Chinois et de Japonais et des collections de musées orientées vers les arts des pays d'Outre-Pacifique. ■ Jacques Busse

BIBLIOGR. : Janis : *Abstract and Surrealist Art in America*, New York, 1944 – Catalogue de l'exposition *Fourteen Americans*, Museum of Modern Art, New York, 1946 – Ritchie : *Abstract Painting and Sculpture in America*, New York, 1951 – Catalogue de l'exposition *Tobey*, Whitney Museum of Amer. Art, New York, 1951 – Hess : *Abstract Painting*, New York, 1951 – A. Barr : *Masters of Mod. Art*, Musée of Modern Art, New York, 1954 – Julien Alvard : *Tobey*, Cimaise, Paris, mai 1955 – Janet Flanner : *Tobey mystique errant*, L'Œil, Paris, n° 6, juin 1955 – Pierre Restany : *Tobey*, Cimaise, n° 4, 1959 – Michel Seuphor : *Diction. de la peint. abstr.*, Hazan, Paris, 1958 – Michel Courtois : *Mark Tobey. Des pictogrammes indiens aux écritures blanches*, Cahiers du Musée de Poche, n° 1, Paris, 1959 – Colette Roberts : *Tobey*, Musée de Poche, Paris, 1959 – Françoise Choay : *Tobey*, Hazan, Paris, 1961 – Michel Conil-Lacoste, in : *Peintres Contemporains*, Mazenod, Paris, 1964 – Michel Ragon : *Tobey*, in : *Dictionnaire des Artistes Contemporains*, Libraires Associés, Paris, 1964 – W. Schmied : *Tobey*, Tisné, Paris, 1967 – Françoise Choay, in : *Diction. Univers. de l'Art et des Artistes*, Hazan, Paris, 1967 – Pierre Cabanne, Pierre Restany : *L'Avant-garde au XXᵉ siècle*, Balland, Paris, 1969 – Hanns H. Heidenheim : *Mark Tobey. Das graphische Werk. Radierungen und Serigraphien 1970-1975*, Düsseldorf, 1975.

MUSÉES : BÂLE : *Sagittarious Red* 1963 – BALTIMORE – BELGRADE (Mus. nat. des Beaux-Arts) – BOSTON (Mus. of Fine Arts) – BROOKLYN – BUFFALO (Albright Gal.) – CHICAGO (Art Inst.) – CLEVELAND – DETROIT (Inst. of Arts) – HARTFORD-CONNECT. (Wadsworth Atheneum) – LONDRES (Tate Gal.) – NEW YORK (Metropolitan Mus.) : *Broadway* 1936 – NEW YORK (Mus. of Mod. Art) : *Lumière filante* 1944 – *A la limite du mois d'Août* 1953 – NEW YORK (Whitney Mus. of Am. Art) : *Torse balaffré* 1945 – PORTLAND (Mus. of Art) – ROME (Gal. Nat. d'Arte Mod.) – SAN FRANCISCO (Mus. of Mod. Art) : *Écrit sur les plaines* – SANTA BARBARA – SEATTLE (Art Mus.) : plusieurs œuvres – TOLEDO – TURIN (Mus. Civico) – VENISE (Int. Gal. of Mod. Art) – WASHINGTON D. C. (Philips Gal.).

VENTES PUBLIQUES : LONDRES, 5 juil. 1962 : *Within itself*, temp. : GBP 800 – NEW YORK, 27 fév. 1963 : *Opaline*, aquar. : USD 3 250 – PARIS, 2 juin 1964 : *Invitation to space*, gche : FRF 23 000 – NEW YORK, 13 janv. 1965 : *Plane of poverty* : USD 15 000 – NEW YORK, 13 oct. 1965 : *Champ sauvage*, temp. : USD 14 000 – NEW YORK, 23 juin 1966 : *Advance of history*, temp. : GBP 2 500 – LONDRES, 4 déc. 1968 : *Rythmes* : GBP 4 600 – HAMBOURG, 7 juin 1969 : *Pink and black*, temp. : DEM 24 000 – NEW YORK, 18 nov. 1970 : *Fragment de plage*, gche : USD 10 500 – LONDRES, 30 nov. 1971 : *Advance with the light* : GNS 5 500 – ROME, 28 nov. 1972 : *La ville*, temp. : ITL 3 500 000 – PARIS, 26 fév. 1973 : *White city* : FRF 56 000 – NEW YORK, 13 déc. 1973 : *Composition*, temp. : USD 15 000 – NEW YORK, 3 mai 1974 : *Sans titre n° 5* 1966, techn. mixte : USD 13 000 – NEW YORK, 24 oct. 1974 : *Toutes directions* 1957, temp. : USD 16 500 – LONDRES, 1ᵉʳ juil. 1976 : *Kabuki dancers*, h. et gche/cart. (28,5x18,5) : GBP 2 400 – NEW YORK, 21 oct. 1976 : *Sans titre*, encre (27,5x38,5) : USD 1 600 – MILAN, 9 nov. 1976 : *Sans titre*, gche/cart. entoilé (29x21) : ITL 1 800 000 – NEW YORK, 12 mai 1977 : *Minute World* 1960, temp/pap. mar./cart. (17x33) : USD 6 500 – NEW YORK, 17 mai 1977 : *Composition* 1964, h. et gche/pap. (20x14,5) : USD 3 000 – LONDRES, 6 déc. 1978 : *Sumi Ink* 1957, encre/pap. mar./t (61x98) : GBP 5 500 – LONDRES, 3 juil. 1979 : *Sans titre* 1965, monotype (99x51) : GBP 1 700 – NEW YORK, 22 mars 1979 : *Portrait de jeune femme* 1918, cr. (47x35,5) : USD 1 500 – LONDRES, 6 juin 1979 :

Nature morte 1931, h/cart. (55x80) : **GBP 1 800** – NEW YORK, 13 nov. 1980 : *Capricorne* 1957, temp. (87,5x58,5) : **USD 41 000** – NEW YORK, 13 mai 1981 : *Rythme du jardin* 1958, temp. (30,5x45,7) : **USD 12 000** – LONDRES, 8 déc. 1983 : *Composition* 1968, h/pap. (28,6x22,8) : **GBP 2 400** – MILAN, 18 déc. 1984 : *Figure* 1966, monotype (42,5x22,5) : **ITL 2 800 000** – LONDRES, 6 déc. 1984 : *Breathing city* 1965, temp./pap. mar./cart. (114x86,5) : **GBP 15 000** – PARIS, 22 juin 1984 : *Enchevêtrement végétal* 1969, pl. aquar. et lav. d'encre de Chine (23,5x15,5) : **FRF 10 500** – NEW YORK, 23 fév. 1985 : *Composition* 1967, monotype (15,2x10,9) : **USD 700** – NEW YORK, 6 nov. 1985 : *Symbols ober the West* 1957, encre sumi/pap. (112,5x89) : **USD 11 000** – NEW YORK, 6 nov. 1985 : *Drum Echies* 1965, temp./pap. (114,3x85,8) : **USD 45 000** – MILAN, 27 oct. 1986 : *Oriental journey* 1955, gche (40x30) : **ITL 40 000 000** – MILAN, 14 déc. 1987 : *Grey surface* 1963, h. et techn. mixte/pap. mar./t. (92x106) : **ITL 80 000 000** – NEW YORK, 20 fév. 1988 : *Transcendance* 1966, aquar./pap. (20,6x14,6) : **USD 4 950** – LONDRES, 25 fév. 1988 : *Sans titre* 1959, encre et gche/pap. (34x19) : **GBP 11 000** – PARIS, 2 juin 1988 : *Composition* 1967, monotype (15x11) : **FRF 8 000** – VERSAILLES, 15 juin 1988 : *Composition* 1966, monotype (62x103) : **FRF 51 000** – PARIS, 23 juin 1988 : *Composition* 1967, monotype (15x11) : **FRF 8 000** – NEW YORK, 8 oct. 1988 : *Globe* 1957, détrempe/pap. (22,5x31,7) : **USD 16 500** – LONDRES, 20 oct. 1988 : *Composition* 1955, gche et aquar./pap. (29x39) : **GBP 8 250** – COPENHAGUE, 30 nov. 1988 : *Le marché de Pyke Street*, détrempe/pap. (14x21) : **DKK 5 000** – MILAN, 14 déc. 1988 : *Composition* 1968, h/pap. (20,5x15) : **ITL 6 500 000** – PARIS, 21 déc. 1988 : *Composition* 1962, temp./pap. (20x16) : **FRF 26 000** – NEW YORK, 14 fév. 1989 : *Sans titre* 1959, aquar./pap./cart. (67,7x50,2) : **USD 41 800** – PARIS, 23 mars 1989 : *Composition* 1957, encre et lav. d'encre (51x71) : **FRF 10 000** – LONDRES, 6 avr. 1989 : *Ombres de montagne* 1965, détrempe et encre noire/pap. artisanal/cart. (67,5x52,5) : **GBP 37 400** – NEW YORK, 4 oct. 1989 : *Paysage imaginaire* 1955, temp./pap./rés. synth. (61x89) : **USD 28 600** – PARIS, 18 fév. 1990 : *Souvenirs de danse* 1948 (44x78) : **FRF 220 000** – NEW YORK, 27 fév. 1990 : *Du Pacific* 1955, temp./pap./rés. synth. (90,2x61) : **USD 66 000** – MILAN, 27 mars 1990 : *Juin* 1973, temp. et h/t (122,5x81) : **ITL 85 000 000** – PARIS, 23 avr. 1990 : *Composition* 1961, aquar. (29x22,5) : **FRF 49 000** – NEW YORK, 9 mai 1990 : *Forme blanche* 1968, temp./pap./t. (64,7x49,7) : **USD 68 750** – PARIS, 5 juil. 1990 : *Composition*, aquar. (25,5x20) : **FRF 28 000** – NEW YORK, 4 oct. 1990 : *Central* 1949, temp./pap./rés. synth. (68,8x53,3) : **USD 66 000** – ZURICH, 18 oct. 1990 : *Un homme dans l'espace* 1961, aquar (120x75) : **CHF 2 600** – LONDRES, 18 oct. 1990 : *Sans titre*, h/t (94x61) : **GBP 22 000** – LUCERNE, 24 nov. 1990 : *Sans titre* 1961, techn. mixte/pap. (33x24) : **CHF 12 000** – PARIS, 5 déc. 1990 : *Composition noire arrachée* 1968, encre/pap. froissé (35x26,5) : **FRF 50 000** – AMSTERDAM, 18 déc. 1990 : *Sans titre* 1967, temp. sur pap. journal/cart. (31x23,5) : **NLG 23 000** – LONDRES, 21 mars 1991 : *Sans titre* 1966, gche/pap. (14,5x10,5) : **GBP 1 980** – PARIS, 25 mars 1991 : *Personnage et son aura mauve*, gche (31x23) : **FRF 30 000** – LUGANO, 12 oct. 1991 : *Sumi*, encre de Chine/pap. chamois (69x51) : **CHF 40 000** ; *Venise B* 1962, temp./pap./t (79x40,5) : **CHF 64 000** – LONDRES, 17 oct. 1991 : *Écriture blanche* 1953, temp./cart. (21,5x68,5) : **GBP 8 250** – NEW YORK, 13 nov. 1991 : *Autres lieux, autres espaces #2* 1967, temp./pap. (82,5x60,6) : **USD 33 000** – LONDRES, 26 mars 1992 : *Sans titre* 1969, temp./pap. (97x47,5) : **GBP 11 000** – NEW YORK, 6 mai 1992 : *Dans l'herbe n° II* 1958, gche/pap./cart. (44,8x39,7) : **USD 60 500** – NEW YORK, 7 mai 1992 : *La Poussière du monde* 1954, gche/pap. (62,2x45,7) : **USD 22 000** – LOKEREN, 23 mai 1992 : *Composition* 1967, aquar. (18x20) : **BEF 150 000** – LONDRES, 15 oct. 1992 : *Sans titre* 1965, gche et pap. Japon monotype/pap. (101,6x51,4) : **GBP 10 450** – PARIS, 18 oct. 1992 : *Composition en bleu, rouge et noir* 1964, gche (16x11,5) : **FRF 9 000** – NEW YORK, 19 nov. 1992 : *Sans titre* 1966, monotype avec gche/pap. (20,3x17,5) : **USD 8 800** – NEW YORK, 10 mai 1993 : *Jardin enchanté* 1950, temp./pap. (41,3x61,9) : **USD 54 625** – STOCKHOLM, 30 nov. 1993 : *Titre extérieur*, techn. mixte/pan. (6,5x19) : **SEK 14 000** – LOKEREN, 12 mars 1994 : *Composition*, temp./cart. (35,5x28) : **BEF 130 000** – PARIS, 8 juin 1994 : *Écriture blanche*, gche (27x20,7) : **FRF 21 500** – LONDRES, 1er déc. 1994 : *Sans titre* 1958, aquar. et gche/pap. /cart. (16,4x12) : **GBP 7 475** – PARIS, 23 juin 1995 : *Sans titre* 1961, encre de Chine et aquar. (51,5x29,5) : **FRF 17 000** – NEW YORK, 16 nov. 1995 : *Tumulte* 1966, temp./pap./t (67,9x132,1) : **USD 33 350** – LONDRES, 15 mars 1996 : *Sans titre* 1955, gche/pap. (30,8x22,3) : **GBP 5 750** – ZURICH, 20 mars 1996 : *Sans titre* 1968, gche (20,5x15) : **CHF 3 600** – NEW YORK, 8 mai 1996 : *Dormition de la Vierge* 1945, temp./pap. /cart. (43,2x33) :

USD 85 000 – PARIS, 19 juin 1996 : *Composition* 1961 : **FRF 28 000** – LONDRES, 24 oct. 1996 : *Sans titre* vers 1958, gche/pap./cart. (30,2x45,7) : **GBP 5 750** – PARIS, 29 nov. 1996 : *Composition* 1969, aquar., gche et encre de Chine/pap. (21x34) : **FRF 5 500** – NEW YORK, 19 nov. 1996 : *Sans titre* 1965, gche/pap. (39,4x30,5) : **USD 3 680** – NEW YORK, 21 nov. 1996 : *Écriture blanche* 1959, aquar./pap./pan. (67,7x50,2) : **USD 34 500** – NEW YORK, 20 nov. 1996 : *Composition jaune et bleue* 1962, temp./pap./t (80x62,2) : **USD 11 500** – NEW YORK, 7 mai 1997 : *Orison* 1956, temp./pap./cart. (30,2x17,5) : **USD 14 950** – PARIS, 19 oct. 1997 : *Homme nu* 1960, past./pap. (34x16) : **FRF 10 000**.

TOBIAS
XVIIIe siècle. Actif à Eisleben. Allemand.
Graveur.
Le Musée historique de Dresde conserve de lui une plaquette en étain gravé.

TOBIAS M.
XVIIIe siècle. Actif à Bruxelles. Éc. flamande.
Sculpteur.
Il travailla à l'église de Sainte Gudule à Bruxelles.

TOBIAS de Lellio ou de Lelis. Voir LELLIO Tobias de

TOBIASCHU Firmin
Né le 21 avril 1669 à Hengersberg. Mort en 1743. XVIIe-XVIIIe siècles. Allemand.
Graveur sur bois.
Il sculpta dans l'abbatiale de Niederaltaich des autels, le buffet d'orgues, les stalles et les confessionnaux.

TOBIASS Francine
Née le 10 juillet 1949 à Tlemcen (Algérie). XXe siècle. Française.
Sculpteur de figures.
Son père était ferronnier d'art. Entre 1975 et 1978, elle a étudié à l'école des Arts appliqués à Paris et dans l'atelier de sculpture de Joachim, entre 1978 et 1980 elle a poursuivi sa formation dans l'atelier de sculpture en marbre de Massimo Pellegrinetti à Pietra Santa (Italie).
Elle participe à des expositions de groupe, parmi lesquelles : 1985, Salon des Artistes Français, Paris ; 1985, Salon d'Automne, Paris ; 1988, Festival international d'art moderne et contemporain, Toulouse.
Elle montre ses œuvres dans des expositions personnelles, dont : 1986, galerie Athena, La Varenne Saint-Hilaire ; 1989, galerie Vendôme, Paris.
Ses sculptures aux lignes stylisées ont pour thème la femme et sa fécondité. À partir de la terre cuite, elle fait tailler dans le marbre ou fondre dans le bronze ses sculptures.
VENTES PUBLIQUES : PARIS, 22 mai 1989 : *Éclosion*, bronze à patine brune (41x12x16) : **FRF 16 000** – PARIS, 25 avr. 1990 : *Arom* 1989, bronze : **FRF 15 000** – PARIS, 21 mai 1990 : *Seuls ensemble* 1985, bronze à patine verte (37x14x12) : **FRF 12 000** – PARIS, 3 juin 1991 : *Tendresse* 1987, bronze (23x13,5x13,5) : **FRF 11 000** – PARIS, 10 juil. 1991 : *Éclosion* 1988, bronze (H. 41) : **FRF 11 000** – PARIS, 7 oct. 1991 : *Femme flamme* 1989, bronze (36x9x9) : **FRF 9 000**.

TOBIASSE Théo
Né en 1927 à Jaffa (Israël). XXe siècle. Français.
Peintre, lithographe, graveur, sculpteur.
Ses parents arrivaient de Lithuanie lorsqu'il est né en Israël. Après quelques années difficiles à Tel-Aviv, la famille repart à Kovno, en Lithuanie, puis vient, quelque temps après, s'installer à Paris. Théo a six ans. Il passe son enfance en banlieue parisienne et, juste au début de la guerre, suit ses cours à l'école des Arts décoratifs. Obligé de se cacher jusqu'à la Libération, il dessine beaucoup. En 1950 il part dans le Midi, s'installe à Nice et y vit de dessins publicitaires. À partir de 1958 il peint de plus en plus et en 1962 se consacre exclusivement à la peinture.
Tobiasse a fait, depuis 1962, de nombreuses expositions particulières en France, en Suisse, aux États-Unis, en Angleterre et au Japon. Il participe également à de nombreuses expositions collectives.
Remonte de sa peinture tout un judaïsme dont il a été imprégné dans son enfance. On retrouve dans sa peinture les thèmes traditionnels juifs et bibliques ; on pense à l'univers de Chagall, les amoureux, le violoniste, les saltimbanques, la danse du Hassid. Un monde fabuleux, burlesque, heureux et mélancolique. Le tout

traité dans des camaïeux de rouge, de rose, bleu et orange et dans une matière épaisse longuement travaillée.

Theo Tobiasse (signature)

MUSÉES : ÉPINAL (Mus. départ. des Vosges) : *Les deux voyageurs à Vence.*

VENTES PUBLIQUES : VERSAILLES, 14 mars 1976 : *Moïse et le troupeau de Jethro,* h/t (100x81) : **FRF 15 000** – ZURICH, 28 mai 1976 : *Les lavandières,* aquar. (30,5x40,5) : **CHF 6 500** – ZURICH, 12 mai 1977 : *L'orange et l'enfant gris* 1962, h/t (92x73) : **CHF 6 000** – VERSAILLES, 11 juin 1978 : *Les juifs de Russie émigrent à New York,* gche/pap. mar./t (65x50) : **FRF 6 500** – VERSAILLES, 21 oct 1979 : *Tu es gracieuse mon amie comme Jérusalem,* gche (50x66) : **FRF 9 000** – ENGHIEN-LES-BAINS, 27 mai 1979 : *Tableau pour une Hogeda,* h/t (89x116) : **FRF 20 500** – NEW YORK, 5 fév. 1981 : *Le Chat sur la table* 1961, acryl./t (100x81) : **USD 3 000** – PARIS, 21 nov. 1983 : *Je sens ta main comme une fleur de chair* 1979, h/t (73x60) : **FRF 20 000** – PARIS, 21 juin 1984 : *Pomme, parfum d'orgasme,* gche (55x75) : **FRF 10 000** – GENÈVE, 25 nov. 1985 : *L'inlassable chant de Sienne,* gche (45x63) : **CHF 2 700** – PARIS, 20 mars 1988 : *Trois repas pour avoir accès au corps de Maria* 1950, gche : **FRF 45 000** ; *Bohème de Montmartre* 1977, h/t (80x80) : **FRF 116 000** – PARIS, 21 avr. 1988 : *Le roi et les marionnettes* 1973, h/pan. : **FRF 53 000** – PARIS, 16 mai 1988 : *Musique pour une grande maison de bois,* h/t (38x46) : **FRF 34 000** – TEL-AVIV, 26 mai 1988 : *Concerto pour une vache triste,* h/t (45,7x55) : **USD 4 400** – PARIS, 12 juin 1988 : *L'homme qui passe a pris mon âme,* h/t (73x92,5) : **FRF 105 000** ; *L'homme qui danse avec une chèvre,* h/t (92x73) : **FRF 105 000** – NEW YORK, 8 oct. 1988 : *Je danse avec ma princesse, fiancée* 1970, h/t (72,5x91) : **USD 20 900** – LONDRES, 21 oct. 1988 : *Deborah la Prophétesse* 1976, h/t (33,4x24,5) : **GBP 3 740** – PARIS, 25 oct. 1988 : *Le Chat bleu* 1961, h/t (73x100) : **FRF 128 000** – STOCKHOLM, 21 nov. 1988 : *Six hommes, un chat et une danseuse* 1967, gche et encre (65,5x50) : **SEK 17 500** – VERSAILLES, 18 déc. 1988 : *Tu es ma mère biblique,* h/t (65x81) : **FRF 101 000** – PARIS, 12 fév. 1989 : *Le Clochard du Ponte Vecchio,* h/t (89x115) : **FRF 115 000** – LONDRES, 22 fév. 1989 : *Je suis né enfant d'Israël* 1970, h/t (64,8x81) : **GBP 9 350** – PARIS, 22 mars 1989 : *Humus de mon délire* 1988, dess. à la mine de pb (67x48) : **FRF 30 000** – PARIS, 11 avr. 1989 : *L'Orange et la Maternité à la fenêtre,* h/t (116x90) : **FRF 120 000** – NEW YORK, 3 mai 1989 : *Le cheval qui grimpe,* h/t (65x81) : **USD 99 900** – LONDRES, 20 oct. 1989 : *L'enfant calme a de grands yeux* 1977, h/t (73x60) : **GBP 16 500** – GIEN, 22 oct. 1989 : *New York est un champ,* techn. mixte (100x70) : **FRF 157 000** – FONTAINEBLEAU, 26 nov. 1989 : *J'ai vu partir les derniers bateaux* 1974, h/t (73x93) : **FRF 332 000** – LA VARENNE-SAINT-HILAIRE, 3 déc. 1989 : *La Demoiselle et le Chandelier* 1967 (60x73) : **FRF 205 000** – STOCKHOLM, 6 déc. 1989 : *Venise et l'acrobate,* techn. mixte/pan. (46x38) : **SEK 85 000** – GENÈVE, 19 jan. 1990 : *L'Homme, la pomme et l'oiseau* 1960, gche/pap. (63x49) : **CHF 15 000** – NEW YORK, 21 fév. 1990 : *La folle et l'enfant,* gche/pap. (64,8x49,4) : **USD 10 450** – PARIS, 23 mars 1990 : *L'Ane et les joueurs,* h/t (54x65) : **FRF 163 000** – PARIS, 8 avr. 1990 : *Un oiseau né des rumeurs de la fête,* gche (50,5x50) : **FRF 95 000** – BERNE, 12 mai 1990 : *L'Oiseau du Ponte Vecchio,* h/t (92x73) : **CHF 48 000** – STOCKHOLM, 14 juin 1990 : *Les Vieux,* techn. mixte (27x35) : **SEK 43 000** – NEW YORK, 10 oct. 1990 : *Un somnambule dans le marais* 1964, h/t (91,6x73,1) : **USD 28 600** – LONDRES, 17 oct. 1990 : *J'apporte la musique qui guérit de l'absence* 1973, h/t (89x116) : **GBP 23 100** – PARIS, 27 nov. 1990 : *La Synagogue* 1968, h/t (100x81) : **FRF 200 000** – NEW YORK, 13 fév. 1991 : *Un violoniste à Florence* 1966, h/t (81,2x64,8) : **USD 29 700** – PARIS, 14 avr. 1991 : *Les fruits chantent dans ma tête* 1968, h/t (81x100) : **FRF 195 000** – TEL-AVIV, 26 sep. 1991 : *La Ménorah du Grand Canal* 1966, h/t (46,2x55) : **USD 17 600** – LONDRES, 16 oct. 1991 : *Mon village, une pomme et un bateau,* h/t (38,5x46) : **GBP 6 600** – NEW YORK, 5 nov. 1991 : *Les Chanteurs des rues* 1974, collage de pap. et h/t (65,4x54) : **USD 17 600** ; *Les Joueurs de flûte* 1961, h/t (81,2x99,7) : **USD 24 200** – NEUILLY, 15 déc. 1991 : *Le Chat et la lampe bleue,* h/t (73x60) : **FRF 160 000** – PARIS, 17 mai 1992 : *Le Don de la thora,* gche/pap. (48x63) : **FRF 27 000** – NEW YORK, 12 juin 1992 : *L'Enfance de Jacob* 1980, h/t (55,2x46,4) : **USD 14 850** – TEL-AVIV, 20 oct. 1992 : *L'enfant la lumière de l'exil* 1966, h/t (116x89) : **USD 37 400** – MONTRÉAL, 1ᵉʳ avr. 1993 : *La Vache rouge* 1864, h/t (14x17,8) : **CAD 1 500** – PARIS, 29 mars 1993 : *Moïse* 1961, h/t (38x46) : **FRF 22 500** – PARIS, 25 juin 1993 : *L'Oiseau sur l'antilope* 1961, h/t (92x65) : **FRF 36 000** – TEL-AVIV, 14 avr. 1993 : *L'amour*

fait sortir les fruits des coins obscurs 1971, h/t (80x80) : **USD 40 250** – LONDRES, 23-24 mars 1994 : *Un chat gros comme un bateau,* h/t (54x65) : **GBP 6 670** – PARIS, 22 juin 1994 : *Les fruits chantent dans ma tête* 1968, h/t (81x100) : **FRF 95 000** – PARIS, 4 nov. 1994 : *Je t'ai longtemps cherché sur les routes,* gche/pap. (49x65) : **FRF 24 000** – ZURICH, 2 déc. 1994 : *Deux hommes venus du hassidisme jusqu'au bord de la Seine* 1970, h/t (73x92) : **CHF 22 000** – NEW YORK, 24 fév. 1995 : *Danse pour une fiancée,* h/t (80x80) : **USD 16 100** – PARIS, 24 mai 1995 : *Place de la Concorde,* h/t (65x54) : **FRF 44 000** – TEL-AVIV, 12 oct. 1995 : *Le Marchand des quatre saisons* 1960, h/t (89x116) : **USD 13 800** – LONDRES, 25 oct. 1995 : *La Dame à l'oiseau bleu* 1976, h/t (60x60) : **GBP 5 980** – TEL-AVIV, 14 avr. 1996 : *La Petite Fille au mouton* 1966, h/t (71,1x58,4) : **USD 12 650** – ZURICH, 26 mars 1996 : *Le Berger de Canaan,* h/t (76x92) : **CHF 14 000** – PARIS, 5 juin 1996 : *Venise, couleur de pomme et de miel,* h/t (38,5x47) : **FRF 32 000** – PARIS, 19 juin 1996 : *Je t'ai aimé à Montparnasse* 1927, h/t (73x92) : **FRF 85 000** – PARIS, 6 nov. 1996 : *Roméo et Juliette, Acte VIII,* gche/pap. (51x67) : **FRF 13 500** – PARIS, 24 nov. 1996 : *Les Jardins de la reine Balkis,* acryl. et collage/t (97x130) : **FRF 80 000** ; *Sarah,* bronze patine verte (35x27x2) : **FRF 10 000** – LONDRES, 23 oct. 1996 : *Maternité à la pomme verte* 1965, h/t (73x60) : **GBP 6 325** – NEW YORK, 10 oct. 1996 : *L'étrange lumière de la Piazza San Marco* 1970, h/t (64,1x81,3) : **USD 13 800** – TEL-AVIV, 30 sep. 1996 : *La Dame au chat vert* 1962, h/t (92,4x73) : **USD 9 775** – PARIS, 14 mars 1997 : *Je pense à des amours étranges,* peint./t (73x92) : **FRF 46 000** – LONDRES, 19 mars 1997 : *Des fruits de Venise habités par l'amour,* h/t (60x73) : **GBP 5 750** – PARIS, 5 juin 1997 : *Poème de sable traversé par la mer,* techn. mixte/pap. (101x68,5) : **FRF 31 000.**

TOBIN George Timothy

Né le 26 juillet 1864 à Weybridge (Vermont). XIXᵉ siècle. Américain.

Peintre et illustrateur.

Élève de George De Forest Brush. Membre de la Fédération américaine des Arts.

TOBIN J.

XVIIIᵉ siècle. Actif en Angleterre vers 1770. Britannique.

Peintre et graveur à l'eau-forte.

On lui doit un certain nombre de paysages gravés d'après H. Grimm, Both Ostade et autres, dont plusieurs ont été imprimés en couleurs.

TOBISCH Ilona ou Helene

Née le 1ᵉʳ août 1900 à Budapest. XXᵉ siècle. Hongroise.

Peintre de paysages.

TOBLER Ernst

Né le 22 avril 1881 à Winterthur (Zurich). XXᵉ siècle. Suisse.

Peintre, architecte.

Il fit ses études à Zurich, à Strasbourg et à Karlsruhe. Il vécut et travailla à Zurich. Il peignit des affiches.

TOBLER Friedrich

XIVᵉ siècle. Travaillant vers 1350. Autrichien.

Enlumineur.

Il enlumina pour l'abbaye de Saint-Florian un missel qui est conservé dans la bibliothèque de cette abbaye.

TOBLER Max

Né en 1897 à Genève. XXᵉ siècle. Suisse.

Peintre, décorateur.

Il fit ses études à Zurich où il vécut et travailla. Il dirigea le théâtre de marionnettes de cette ville.

TOBLER Victor

Né le 13 janvier 1846 à Trogen (Suisse). Mort le 8 février 1915 à Munich (Bavière). XIXᵉ-XXᵉ siècles. Actif en Allemagne. Suisse.

Peintre de genre, illustrateur.

Il fut élève de l'Académie de Munich et du peintre d'histoire Wilhelm Lindenschmit. Il s'établit à Munich comme peintre de genre à partir de 1870.

MUSÉES : AARAU : *Première disputation de Zurich en 1523 – Taquinerie* – BÂLE : *Joie maternelle* – BERNE : *Échec au roi* – GLARUS : *Danse à Appenzell – Graves questions – Joyeuses nouvelles* – KAISERSLAUTERN : *Joies domestiques* – MUNICH : *Le collectionneur* – ZURICH : *Noces de paysans dans la vallée d'Amper.*

VENTES PUBLIQUES : BERNE, 25 oct 1979 : *Berger dans un paysage alpestre,* h/t (70x54) : **CHF 1 900.**

TOBLER Walter J.

Né le 5 août 1895 à Galtz. XXᵉ siècle. Suisse.

Peintre, architecte.
Élève de Schneebell et de Hans Jacob Graf à Zurich. Il vécut et travailla à Küsnacht.

TOBLER-STOCKAR Mina
Née en 1836 à Zurich. XIXᵉ siècle. Suisse.
Aquarelliste et peintre sur porcelaine.
Élève de Schlumberger et de J. Stader à Zurich et de H. Schnee à Berlin. Peut-être parente de Clémentine Stockar-Escher.

TOBOLA Claudius ou Tabola
XVIIIᵉ siècle. Actif dans la seconde moitié du XVIIIᵉ siècle. Autrichien.
Peintre sur porcelaine.
Il travailla à la Manufacture de porcelaine de Vienne.

TOBOLA Leopold, l'Ancien ou Tobala ou Topola
Né en 1739 à Vienne. Mort le 6 juillet 1806 à Vienne. XVIIIᵉ siècle. Autrichien.
Peintre sur porcelaine.
Il peignit des fleurs et des figures à la Manufacture de porcelaine de Vienne.

TOBOLA Leopold, le Jeune ou Tobala ou Topola
Né en 1774 à Vienne. Mort le 1ᵉʳ mai 1826 à Vienne. XVIIIᵉ-XIXᵉ siècles. Autrichien.
Peintre sur porcelaine.
Il peignit des figures, des fleurs et des vues de Vienne à la Manufacture de porcelaine de cette ville.

TOBOLD Karol
Mort vers 1814. XIXᵉ siècle. Polonais.
Peintre amateur et officier.
Il peignit surtout des incendies nocturnes.

TOBON-MEJIA Marco
Né le 24 octobre 1876 à Santa-Rosa de Osos. XXᵉ siècle. Actif en France. Sud-Américain.
Sculpteur, médailleur.
Il fut élève de J. P. Laurens à Paris, où il vécut et travailla. Il sculpta plusieurs grands monuments en Colombie ainsi que des plaquettes et des médailles.

TOBRIAS Johann Michael. Voir TOBERIAS

TÔBUN Doki
XVIᵉ siècle. Japonais.
Peintre.
Il travailla dans le style de Shûbun (actif vers 1425-1450) et fait partie de l'école de peinture à l'encre *(suiboku)* de l'époque Muromachi.

TOCCAGNI. Voir PIAZZA Albertino

TOCCIO Francesco dal
Né à Florence. XVIᵉ siècle. Italien.
Sculpteur.
Il travailla aux statues de *Neptune* et de *Mars* placées sur l'Escalier des Géants du Palais des Doges, à Venise. A rapprocher du suivant.

TOCCIO Francesco del
Né à Settignano. XVIᵉ siècle. Actif au début du XVIᵉ siècle. Italien.
Sculpteur.
Il travailla avec Giuliano di Giovanni aux chapiteaux de Saint-Pierre de Rome.

TOCCO Michele
Né à Stampace. XVIᵉ siècle. Travaillant à Cagliari en 1561. Italien.
Peintre.

TOCHÉ Charles
Né le 26 juillet 1851 à Nantes (Loire-Atlantique). Mort en septembre 1916 à Paris. XIXᵉ-XXᵉ siècles. Français.
Peintre d'histoire, sujets allégoriques, portraits, aquarelliste, compositions murales, lithographe, illustrateur.
Il étudia l'architecture chez Félix Thomas, puis il se mit à peindre de manière autodidacte. Il séjourna à Venise, où il rencontra Édouard Manet. C'est par lui, qui le relata à Ambroise Vollard, que l'on tient les détails du travail de Manet à Venise. Il vécut et travailla à Chenonceaux puis, à partir de 1888, à Paris. Il exposa au musée du Petit-Palais à Paris en 1887.
Il peignit des fresques dans le château de Chenonceaux et pour le théâtre de Nantes. Il illustra *La Tentation de Saint-Antoine* de Gustave Flaubert.
BIBLIOGR. : Gérald Schurr, in : *Les Petits Maîtres de la peinture*

1820-1920, valeur de demain, Les Éditions de l'Amateur, t. VI, Paris, 1985 – in : *Dictionnaire des illustrateurs,* Ides et Callendes, Neuchâtel, 1989.
MUSÉES : NANTES (Mus. des Beaux-Arts) : *Souvenir de la Fantasia* – VENISE : *Conférence de la Paix à La Haye.*
VENTES PUBLIQUES : PARIS, 26 nov. 1927 : *L'Hostellerie de Gaspero de Gregario,* aquar. : **FRF 630** – BREST, 3 mars 1981 : *Fileuse à Pont-Aven* 1911, gche (69x103) : **FRF 7 200** – PARIS, 24 nov. 1987 : *La Luxure* 1880, aquar., étude pour les fresques de Chenonceaux (107x71) : **FRF 17 500.**

TOCHÉ Félix
Né en 1830 à Nantes (Loire-Atlantique). XIXᵉ siècle. Français.
Peintre de genre et d'intérieurs.
Élève de Fortin. Il débuta au Salon de 1850. Le Musée de Nantes conserve de lui *Le Charbonnier.*
VENTES PUBLIQUES : PARIS, 6-7 avr. 1892 : *Intérieur oriental,* aquar. : **FRF 500** – PARIS, 19 déc. 1944 : *Paysage :* **FRF 2 100.**

TOCHE Jean
Né en 1932 à Bruges (Flandre-Occidentale). XXᵉ siècle. Actif aux États-Unis. Belge.
Peintre, sculpteur. Abstrait.
Il fut élève de Maurice Schelck. Il vit et travaille à New York.
Il a évolué de l'art non figuratif à un art de structures parfois proche de l'art cinétique. Ses *Objets détruits* et ses *Néon structures* le rapprochent aussi des éléments contestataires du néodada. Vivant à New York, il y a fondé un « gouvernement belge en exil » tout à fait mythique. Il a également exposé des sortes d'environnements, des labyrinthes parsemés de gros galets, ainsi que son propre cercueil dans lequel il invitait les spectateurs à se coucher.
BIBLIOGR. : In : *Dictionnaire biographique illustré des artistes en Belgique,* Arto, Bruxelles, 1987.

TOCHÉ Jules Emanuel
Né en 1844. XIXᵉ siècle. Français.
Peintre.
Frère de Félix et de Charles Toché. Il n'eut aucun maître.

TOCHIGI Junko
Née en 1932 à Yokohama. XXᵉ siècle. Japonaise.
Graveur. Abstrait.
Elle est diplômée des Beaux-Arts en 1956. Elle participe à des expositions collectives, notamment à l'Association d'Art Moderne dès la même année en 1956, de même qu'elle a figuré à partir de 1963, aux expositions de l'Association Japonaise de Gravure, dont elle devint par la suite membre. En 1963, elle reçoit des prix des deux groupes susnommés. Elle a également participé à la Biennale Internationale de l'Estampe de Tokyo en 1966. Elle fait plusieurs expositions particulières. Ses gravures sur bois sont abstraites.

TOCQUÉ Louis ou Toqué ou Toucquet
Né le 19 novembre 1696 à Paris. Mort le 10 février 1772 à Paris. XVIIIᵉ siècle. Français.
Peintre de portraits.
Fils d'un habile peintre d'architecture, il fut élève de Nicolas Bertin, puis de Hyacinthe Rigaud. Il a commencé à peindre fort jeune et avec succès. Agréé à l'Académie le 13 août 1731 il fut académicien le 30 janvier 1734, sur les portraits de Galloche et du sculpteur Jean Louis Lemoyne. En 1757, l'impératrice Elisabeth l'appela en Russie, Tocqué y séjourna deux ans et peignit le portrait de cette souveraine. Il en fut richement récompensé. En 1759, il résida au Danemark et y fit les portraits du roi et de la reine. Il fit un nouveau séjour dans cette contrée en 1769. L'abbé de Fontenai, d'après un manuscrit de la femme de l'artiste rapporte qu'à son retour il visita toutes les Cours du Nord et y fut magnifiquement reçu. Tocqué avait épousé une fille de Nattier. Il fut, avec de Largillière, un des peintres favoris de la haute société française de son époque.
De 1737 à 1759, il envoya cinquante portraits aux expositions de l'Académie. Il avait figuré avec deux toiles à l'exposition de la Jeunesse, Place Dauphine, en 1734. Aux Salons de l'Académie, il exposa en 1737 : *Portrait de Mme Naux ; Portrait de Mme la marquise de Thibouteau ; Portrait de M. Massé académicien, peintre en miniature ; Portrait de M. Rindvel jouant de la viole ; Portrait de M. Nérault, garde-meuble du roi et chevalier de l'ordre de Saint-Michel ; Portrait de Mme la comtesse de Marchainville ; en 1738 : Portrait de M. Stiémart, peintre de l'Académie et garde des tableaux du roi ; Portrait de Mme Harant, en coiffure et en mantelet ; Portrait de M. Babot, joaillier ; Portrait de M. Villemin, pré-*

sident au Présidial de Chartres, en chasseur ; *Portrait de M. Pitre, joaillier, appuyé sur un livre ; Portrait de M. Rinduel le jeune, tenant un livre de musique ;* en 1739 : *Mgr le dauphin dans un cabinet d'étude ; Portrait de M. Massé en buste ; Portrait de M. Daudé chevalier de Saint-Michel, député des États de la province de Languedoc ; Portrait de M. Langeois, intendant des finances de Mgr le duc d'Orléans ayant la main appuyée sur un livre ;* en 1740 : *Portrait en pied de Mgr le dauphin ;* en 1742 : *Portrait jusqu'aux genoux de M. Bouret, assis dans son cabinet, lisant une lettre ; Portrait de M. l'abbé Desfontaines, tenant une feuille d'observations sur les écrits modernes ; Portrait de Mme Denis, étant à sa toilette ; Portrait de Mme Dibon, prenant le café ; Portrait de Mme Furemon, en muse avec les attributs de la musique ;* en 1743 : *Portrait de M. Mirey, secrétaire du roy, conservateur des Hypothèques, en costume de chasseur, tenant son fusil ; Portrait de M. Pouan, appuyé sur le dos d'un fauteuil ; Portrait en buste de Mme de X... ; Portrait de M. de X..., en robe de chambre ; Une tête représentant le portrait de M. Le Moyne père, sculpteur ordinaire du roy et professeur en son académie de peinture et sculpture ;* 1745 : *Portrait de M. Bessay, en robe de chambre, tenant un livre de Newton, sur la table est une cuirasse qui désigne qu'il a été militaire ; Portrait de Mlle X..., coiffée, tenant d'une main son mantelet ; Portrait de Mlle Bourdon la jeune, tenant une flèche ; Portrait de son frère, assis par terre près d'un treillage, jouant avec des colimaçons ; Portrait de Mlle Piou avec une rose devant elle ; Portrait de M. Livry père ;* en 1746 : *Portrait de Mme Terisse, les mains dans son manchon ; Portrait de M. Wasserchlebe, tenant une lettre ; Portrait de M. Baillon, horloger, premier valet de chambre de la reine ; Portrait de Mme X..., à sa toilette, tenant une boîte à mouches ;* en 1747 : *Portrait jusqu'aux genoux de M. Dangé, fermier général, tenant son chapeau et ayant une petite levrette sur un fauteuil ;* en 1748 : *Portrait en pied de feue Mme la dauphine, princesse d'Espagne ; Portrait de M. l'abbé de Lowendal ; Portrait de M. Selon, de Londres, tenant son chapeau ;* en 1750 : *Portrait jusqu'aux genoux de M. Tourehem, directeur et ordonnateur général des bâtiments, jardins, arts, académies et manufactures royales ; Portrait de M. le maréchal de Lowendal ; Portrait de M. le marquis le Villeroy, en cuirasse la main appuyée sur un casque ; Portrait de M. le comte de Saint-Florentin, assis tenant une lettre ; Portrait en buste de M. Livry, premier commis des bureaux de M. le comte de Saint-Florentin ; Portrait de Mme Livry, et mantelet bleu ;* en 1751 : *Portrait de M. de la Live de Jully, en chasseur ; Portrait de M. Bergeret, receveur général des Finances ; Portrait de Mme Tocqué, tenant une brochure ;* en 1753 : *Portrait de M. le comte de Kaunitz-Rittberg, ambassadeur de l'Empire tenant son chapeau ; Portrait jusqu'aux genoux de M. le comte d'Albemarie, ambassadeur d'Angleterre, en habit d'uniforme, ayant la main sur un casque ; Portrait de Mme Dangers, sur un sofa faisant des nœuds ; Portrait en buste de M. le comte de Waldener ;* en 1755 : *Portrait en pied de Mgr le duc de Chartres, jetant du pain à des cygnes dans un bassin ; Portrait de M. le marquis de Marigny ; Portrait de M. de Roissy, receveur général des Finances, appuyé sur une table, lisant et s'amusant de musique ; Portrait de feue Mme X..., en petit déshabillé, ayant une brochure et une tabatière à la main ; Portrait de M. Jeliotte sous la figure d'Apollon, chantant et s'accompagnant de la lyre ;* en 1759 *Portrait de S. A. R. Mgr le prince de Danemark et plusieurs portraits, même numéro.* Pour reprendre ses principales œuvres, en 1739 et en 1740 il peignit le portrait du dauphin. De 1740 date également l'important portrait de *Marie Leczinska,* conservé au Louvre. Plus tard, il peignit aussi le portrait de la dauphine.

Louis Tocqué a eu le rare mérite de maintenir le portrait sur le terrain solide de la vérité. Les attitudes qu'il donne à ses personnages sont simples et naturelles. S'il n'atteignit jamais la maîtrise d'un Quentin de La Tour, cependant il a laissé des portraits habiles et véridiques des personnages de son temps. C'est une précieuse contribution au patrimoine artistique de la France du XVIIIe siècle. Ses portraits expriment pour chaque modèle le caractère propre, le signe distinctif de la profession ou de la situation sociale. Tocqué conservait à chacun son accent particulier, son intime ressemblance. Son respect de la vérité éclate dans l'anecdote relative au portrait de l'Impératrice Elisabeth de Russie : le modèle avait le nez fort court et disgracieux. Le peintre refusa d'y rien changer, malgré les vives sollicitations qu'il dût subir. C'est la marque d'un esprit indépendant. Il connut un très grand succès, l'éloge qu'on faisait de ses œuvres était général. C'est de cette époque que datent ses meilleures productions. Il sut exprimer la délicate sensibilité dont on parlait

tant sous Louis XV. Il ne tomba cependant pas dans la mièvrerie et l'afféterie. Son talent vaut par un « modernisme » dû à son aspect du réel. S'il a ainsi survécu à son temps, c'est qu'on trouve chez lui les qualités essentielles de clarté, d'élégance, de distinction. Techniquement, l'œuvre de Tocqué peut être ainsi résumée : ses tableaux sont faits largement, sans qu'on puisse être distrait par le soin donné aux diverses parties. Ses lumières blanches et blondes, son sens de l'atmosphère sont d'un vrai peintre. C'est un dessinateur très strict, un soigneux observateur, un réaliste soucieux du caractère. Il est d'une habileté rare, sa peinture n'est pas inconsistante ou lisse, elle est au contraire vigoureusement empâtée. Il subordonne toujours à la figure les accessoires : robes à grands ramages ou éclat chatoyant des riches habits masculins, en définitive, c'est un grand peintre, un peintre de portraits, certes, le genre est donc limité, mais est-ce peu d'être représentatif de toute une époque, d'avoir pleinement fait ce qu'on était né pour accomplir, avec science, grâce, charme, sans défaillance. La réserve de bon ton, qu'il s'imposa est d'autant plus méritoire qu'étant gendre de Nattier, il fréquentait toute la haute société qui goûtait si fort à ce moment les transpositions mythologiques. Tocqué sut résister à cette mode, il est juste qu'on lui accorde pour cette noble attitude une estime particulière. Son influence sur les artistes des pays étrangers où il séjourna fut considérable et durable ; il avait enseigné aux artistes du Nord le secret de nos élégances. ■ E. C. Bénézit

BIBLIOGR. : A. Doria : *Louis Tocqué,* Paris, 1929.

MUSÉES : AMIENS : *Ch. Nic. Cochin fils* – BÉZIERS : *Femme en costume de cour* – BRUXELLES (Mus. mun.) : *Le marquis de Marigny* – CHAALIS (Mus. Jacquemart André) : *Le secrétaire royal Poan* – COPENHAGUE : *Fred. Berregaard* – *J. M. Nattier* – DIJON : *M. Doyen* – *Le monsieur en habit noir* – GRENOBLE : *D'Alembert* – LONDRES (Nat. Gal.) : *Homme en habit gris* – *Mlle de Coislin* – MARSEILLE : *Comte de Saint-Florentin* – MOSCOU : *Le comte Rasonmowski* – *Nikita Demidoff* – MUNICH : *Le comte Michel de Deux Ponts* – NANCY : *Portrait d'homme* – NANTES : *Dame en costume du milieu du XVIIIe siècle* – NIORT : *Marie Leczinska* – ORLÉANS : *Le marquis de Lucher* – *Philippe Égalité à huit ans* – PARIS (Mus. du Louvre) : *Marie Leczinska* – *Le dauphin Louis, fils de Louis XV, à dix ans* – *Mme Dangers* – *Portrait présumé de Mme de Graffigny* – *Dumarsais* – *Louis Galloche* – *Jean Louis Lemoyne l'aîné* – *Jean-Baptiste Lemoyne fils* – *Jean-Baptiste Massé* – *Deux portraits d'hommes* – PARIS (Mus. Carnavalet) : *Mme Doyen, née Delaplanche* – LE PUY-EN-VELAY : *Portrait d'un professeur à la cour de Louis XV* – LA ROCHELLE : *Portrait de femme* – SAINT-PÉTERSBOURG (Mus. de l'Ermitage) : *Le Dauphin à dix ans* – *La tsarine Elisabeth* – *Personnage à tricorne* – *Le chanteur Pierre Jeliotte* – *La Comtesse Catherine Golovkina* – SAINT-PÉTERSBOURG (Mus. Russe) : *La comtesse Anna Vorontzoff* – VERSAILLES : *Marquis de Matignon* – *Ch. Fr. Paul Lemarmont de Tournehem* – *Marquis de Marigny* – *Marie Thérèse Antoinette Raphaelle, infante d'Espagne* – *Elisabeth Petrovna, impératrice de Russie* – *Le poète Louis Gresset* – *Personnage inconnu.*

VENTES PUBLIQUES : PARIS, 1867 : *Portrait d'Ermance de Montmorency :* **FRF 800** – LONDRES, 1882 : *La marquise de Marigny tenant un plan de l'école militaire :* **FRF 15 740** – PARIS, 1884 : *Portrait présumé de Madame Adélaïde de France, fille de Louis XV :* **FRF 18 200** – LONDRES, 1887 : *Portrait de Mr Salle :* **FRF 21 970** – PARIS, 1890 : *Portrait de jeune femme :* **FRF 12 800** – LONDRES, 1895 : *Portrait de Marie Leczinska :* **FRF 29 400** – LONDRES, 1899 : *Portrait présumé de la comtesse Belinaka de Bésenval, émail :* **FRF 3 100** – NEW YORK, 23-29 fév. 1907 : *Portrait de Louise Henriette de Bourbon Conti :* **USD 4 450** – NEW YORK, 17-18 avr. 1907 : *Portrait de la duchesse de Montmorency :* **USD 1 600** – PARIS, 16-18 mai 1907 : *Portrait d'homme :* **FRF 5 200** – NEW YORK, 12-14 avr. 1909 : *Portrait de la duchesse de Chartres :* **USD 725** – *Mme de Furemon :* **USD 700** – PARIS, 9-11 juin 1909 : *Portrait du duc de Chevreuse :* **FRF 800** – LONDRES, 9 mai 1910 : *Portrait de la comtesse de Chambon :* **GBP 136** – NEW YORK, 6 et 7 avr. 1911 : *Portrait de Pierre Le Grand :* **USD 1 025** – PARIS, 17 juin 1919 : *Portrait présumé de Mme Geoffrin :* **FRF 3 000** – PARIS, 10 nov. 1919 : *Portrait du marquis de Tourny :* **FRF 20 000** – PARIS, 1er juin 1927 : *Portrait présumé de Marie Françoise Le Vayer, marquise d'Avrolles :* **FRF 34 000** – PARIS, 6 juin 1928 : *Portrait de la comtesse de Loménie de Brienne :* **FRF 181 000** – LONDRES, 19 juil. 1929 : *Le jeune prétendant :* **GBP 152** – NEW YORK, 5 mai 1932 : *Portrait de femme :* **USD 220** – NEW YORK, 12 avr. 1935 : *La comtesse d'Estrades :* **USD 1 500** – NEW YORK, 4 mars 1938 : *Gentilhomme en gris :* **USD 400** – LONDRES, 5 mai 1939 : *Abel Poisson, marquis de Marigny :* **GBP 273** – PARIS, 13 fév. 1941 : *Portrait* d'homme : **FRF 32 000** – Paris, 29 jan. 1943 : *Portrait d'un homme de qualité* : **FRF 27 200** – Paris, 26 mars 1945 : *Portrait d'homme en buste de face* : **FRF 15 000** – Paris, 7-8 déc. 1954 : *Portrait de Mademoiselle Sallé* : **FRF 6 000 000** – New York, 15 nov. 1961 : *Mlle Suzanne Le Mercier* : **USD 20 000** – Londres, 2 avr. 1976 : *Portrait d'un jeune avocat*, h/t (89x66) : **GBP 3 500** – Versailles, 13 fév. 1977 : *Portrait de femme*, h/t (80x70) : **FRF 32 000** – New York, 5 juin 1979 : *Portrait de Marie-Thérèse Lemoyne*, pierre noire (28,5x24,5) : **USD 12 000** – Paris, 10 déc. 1980 : *Portrait d'Etienne Michel Bouret*, h/t (139x106) : **FRF 31 000** – Londres, 11 déc. 1981 : *Portrait de femme tenant un porte-crayon 1744*, h/t (78x61) : **GBP 5 000** – New York, 30 avr. 1982 : *Portrait d'homme et études de mains*, craies noire et blanche/pap. gris (27,9x21,9) : **USD 2 100** – Paris, 11 mai 1983 : *Portrait de la marquise d'Avrolle 1736*, h/t (82x66) : **FRF 78 000** – New York, 6 juin 1985 : *Portrait présumé de Denis Diderot*, h/t (85x67) : **USD 42 000** – Monte-Carlo, 21 juin 1986 : *Portrait du Prince Grigorii Grigorevitch Orloff*, h/t (97x75) : **FRF 340 000** – Paris, 12 juin 1987 : *Portrait du marquis de Marigny*, h/t (136x106) : **FRF 380 000** – Paris, 10 juin 1988 : *Portrait du Marquis de Marigny, directeur général des bâtiments du Roi, esquisse*, h/pap./t (16,5x13,5) : **FRF 58 000** – Versailles, 19 mars 1989 : *Portrait d'un gentilhomme*, h/t (11x91) : **FRF 140 000** – New York, 10 jan. 1990 : *Portrait d'un jeune noble portant un gilet brodé et un habit bleu devant une colonne*, h/t (64,1x54) : **USD 20 900** – New York, 22 mai 1992 : *Portrait de Monsieur Bouret assis lisant une lettre*, h/t (139,1x109,2) : **USD 33 000** – New York, 19 mai 1995 : *Portrait de David Godefroy, Marquis de Senneville*, h/t (81x65,1) : **USD 189 500** – Londres, 5 juil. 1995 : *Portrait du Prince Nikita Akimfievitch Demidoff*, h/t (220x142,5) : **GBP 84 000** – Londres, 3 juil. 1996 : *Portrait de jeune femme* (79x63) : **GBP 17 250** – Londres, 1er nov. 1996 : *Portrait en buste d'une dame tenant un porte-crayon 1744*, h/t (81,5x65) : **GBP 16 100.**

TOCQUÉ Luc
Né vers 1644. Mort le 3 avril 1710 à Paris. XVIIe-XVIIIe siècles. Français.
Peintre.
Père de Louis Tocqué.

TOCQUEVILLE Marie de
Née à Lille (Nord). XIXe siècle. Française.
Peintre de genre, portraits.
Élève de Muraton et Chaplin. Elle débuta au Salon de 1868.

TODA Christian Bonifaz
Né à Vienne. Mort le 26 janvier 1787 à Hall (Tyrol). XVIIIe siècle. Autrichien.
Graveur de monnaies.
Élève de l'Académie de Vienne. Il travailla à Hall.

TODA Giuseppe Antonio
Né probablement en 1710 en Lombardie. Mort le 16 octobre 1768 à Vienne. XVIIIe siècle. Autrichien.
Graveur de monnaies et de médailles.
Père de Christian Bonifaz Toda. Assistant de Mattheus Donner. Il grava des médailles à l'effigie de l'impératrice Marie-Thérèse et pour commémorer des événements contemporains.

TODA Kaïteki
Né le 5 mai 1896 ou 1897 à Tokyo. Mort le 23 mars 1931 à Paris. XXe siècle. Japonais.
Peintre, sculpteur.
Il a exposé à Paris, au Salon des Artistes Français, au Salon de la Société Nationale des Beaux-Arts, de même qu'aux Salons des Indépendants depuis 1926, des Tuileries, des Artistes Japonais. Il a également exposé à Berlin, à Londres, à Tokyo et en Suisse.
Ventes Publiques : Paris, 29 oct. 1926 : *Poissons*, peint. sur soie : **FRF 1 300.**

TODD A.
XVIIIe-XIXe siècles. Américain.
Aquafortiste.
Il grava un portrait de Washington en 1812.

TODD A.
XIXe siècle. Travaillant à Scarborough de 1820 à 1821. Britannique.
Portraitiste.

TODD Arthur Ralph Middleton ou Middleton-Todd
Né le 26 octobre 1891 à Newlyn (Cornwall). Mort en 1966. XXe siècle. Britannique.

Peintre de figures, portraits, graveur.
Fils du peintre Ralph Todd. Il étudia avec son père et Stanhope Forbes à la Central School et à la Slade School en 1920 et 1921. Il servit dans l'armée comme chauffeur de 1914 à 1918. Il fut membre de la Royal Society of Painters in Watercolors en 1937, « Associate » de la Royal Academy en 1939, et Royal Academician en 1949, membre du New English Art Club en 1945. Professeur à la City and Guilds School à Kennington. Il gravait à l'eauforte.
Musées : Londres (Tate Gal.) : *The Picture Book* 1939.
Ventes Publiques : Londres, 12 juin 1986 : *The dressing-table*, h/cart. (45,7x38) : **GBP 1 500** – Londres, 9 juin 1988 : *Portrait de Averil Childers* 1918, h/t (65x50) : **GBP 2 640** – Londres, 25 jan. 1991 : *Fille de pêcheur de Cornouailles*, aquar. et gche avec reh. de blanc (37,5x26) : **GBP 880.**

TODD Charles Stewart
Né le 16 décembre 1886 à Owensboro (Kentucky). XXe siècle. Américain.
Peintre, décorateur.
Il vécut et travailla à Cincinnati.

TODD George ou John George ou Henri G.
Né en 1847 à Ipswich. Mort en 1898 à Ipswich. XIXe siècle. Britannique.
Peintre de paysages, natures mortes, fleurs et fruits.
Il exposa en 1888 à la Royal Academy, et fréquemment à d'autres expositions londoniennes.

Musées : Hambourg : *Printemps* – Philadelphie : *Le Bouquet de l'homme pauvre* – Saint-Étienne : *Nature morte*.
Ventes Publiques : Londres, 20 juil. 1976 : *Jeune femme cueillant des fleurs*, h/pan. (44,5x32) : **GBP 850** – Londres, 21 oct. 1977 : *Fruits sur un entablement* 1894, h/t (24,4x18,8) : **GBP 850** – Londres, 25 mai 1979 : *Natures mortes aux fruits* 1889 et 1892, deux h/t (40x29,1 et 41,8x34,2) : **GBP 2 600** – Londres, 23 nov. 1982 : *Nature morte aux fruits et aux fleurs* 1886, h/t (29x24) : **GBP 1 200** – Londres, 7 oct. 1983 : *Nature morte aux fruits* 1894, h/t, une paire (34,2x29,2) : **GBP 1 600** – Londres, 18 juil. 1984 : *Enfants cueillant des fleurs* 1877, h/pan. (42x25,5) : **GBP 1 700** – Londres, 12 mars 1985 : *Nature morte aux fruits* 1884, h/t, une paire (20x25) : **GBP 1 600** – Stockholm, 16 mai 1990 : *Nature morte de fleurs et de fruits sur un entablement de pierre*, h/t (30x30) : **SEK 18 500** – Paris, 22 jan. 1991 : *Jeune Femme au chien en forêt*, h/pan. (34,5x21) : **FRF 3 800** – Londres, 13 fév. 1991 : *Nature morte de fruits divers* 1881, h/pap., une paire (chaque 25,5x31) : **GBP 1 760** – Londres, 5 mars 1993 : *Nature morte d'une grappe de raisin, une prune, un citron pelé, des groseilles, une noisette et un verre de vin sur une table* 1879, h/t (30,5x25,4) : **GBP 1 840** – Londres, 2 nov. 1994 : *Nature morte de fruits d'automne*, h/t, une paire (chaque 26x20,5) : **GBP 2 760** – Londres, 10 mars 1995 : *Fleurs dans un verre avec une pomme, du raisin, des poires, des noisettes en un camélia sur une table* 1876, h/t (31,2x26,2) : **GBP 2 530** – Londres, 14 mars 1997 : *Citron pelé, raisins, pêche, poire, etc.* ; *Raisins, pêches, prunes et poire* 1897, h/t, une paire (chaque 40,6x30,5) : **GBP 4 370.**

TODD Henry Stanley
XXe siècle. Américain.
Peintre de portraits.
Il vécut et travailla à New York. L'Hôtel de Ville de New York conserve de lui *Portrait du juge Emott*, daté de 1902.

TODD Nell Margaret
Née le 19 janvier 1882 à Minneapolis (Minnesota). XXe siècle. Américaine.
Peintre.
Elle fut élève de Robert Koehler, de Robert Henri et d'A. W. Dow.

TODD Ralph
Né en 1856. Mort en 1932. XIXe-XXe siècles. Britannique.
Peintre de genre, paysages, aquarelliste.
Père d'Arthur. Il exposa à Londres de 1880 à 1893. Il vécut et travailla à Newlyn, près de Penzance, dans la seconde moitié du XIXe siècle.

Ventes Publiques : Londres, 25 sept 1979 : *Le départ pour la ville 1897*, aquar. (75x102) : **GBP 1 150** – Londres, 17 oct. 1984 : *Le départ pour la ville 1897*, aquar. sur trait de cr. (75x101) : **GBP 2 800** – Londres, 15 mai 1985 : *Pêcheur assis parmi ses filets*, aquar. (55x37) : **GBP 3 000** – Londres, 8 juin 1989 : *Femmes de pêcheurs sur la grève*, aquar. et gche (27,2x36,2) : **GBP 1 320** – Londres, 21 sep. 1989 : *La lettre de Londres*, aquar. (66,7x59) : **GBP 4 840** – Londres, 8 fév. 1991 : *Retour à la maison*, aquar. (38,5x25,4) : **GBP 660** – Londres, 3 mars 1993 : *Femme de pêcheur*, aquar. (52,5x36) : **GBP 690** – Londres, 3 juin 1994 : *En attendant le retour des pêcheurs à Newlyn*, cr. et aquar. (29,8x17,2) : **GBP 1 495** – Londres, 6 nov. 1995 : *Femme de pêcheur*, cr. et aquar. (43,2x29,3) : **GBP 2 185**.

TODD Richard
XIX⁰ siècle. Actif dans la première moitié du XIX⁰ siècle. Britannique.
Peintre de genre, portraits.
Il exposa à Londres de 1807 à 1823.

TODDE Antonio
XVII⁰-XVIII⁰ siècles. Italien.
Peintre.
Il peignit pour la basilique de Fonni et le monastère de Mandas.

TODDERICK, Miss
XVIII⁰ siècle. Active à Londres. Britannique.
Miniaturiste.
De 1762 à 1774, elle exposa douze miniatures à la Society of Artists et quatre à la Free Society.

TODE Ernst Friedrich
Né le 28 mai 1858 à Pargola (près de Saint-Pétersbourg). Mort le 6 décembre 1932 à Munich (Bavière). XIX⁰-XX⁰ siècles. Allemand.
Peintre, peintre de cartons de vitraux.
Il fit ses études à Riga, à Munich et à Düsseldorf. Il peignit des vitraux pour des églises de Riga.

TODESCHI Francesco
XVII⁰ siècle. Actif à Modène à la fin du XVII⁰ siècle. Italien.
Peintre d'autels.

TODESCHI Pietro
XVII⁰ siècle. Travaillant en 1678. Italien.
Graveur de perspectives.

TODESCHINI. Voir CIPPER Giacomo Francesco

TODESCHINI Giambattista ou Giovanni Battista
Né le 9 juin 1857 à Lecco ou Lecce (Pouilles). Mort en 1938 à Milan (Lombardie). XIX⁰-XX⁰ siècles. Italien.
Peintre de portraits, paysages, compositions murales, fresquiste.
Il fut élève de l'Académie Brera de Milan. Il peignit des fresques pour des palais de Milan.
Ventes Publiques : Londres, 5 mai 1989 : *Beauté italienne*, h/t (54,5x31) : **GBP 3 960** – Monaco, 21 avr. 1990 : *Sur une place de Milan 1926*, h/t (40x59,5) : **FRF 24 420** – Milan, 16 juin 1992 : *Il verziere*, Milan, h/pan. (28,5x35) : **ITL 1 700 000** – Milan, 19 déc. 1995 : *Gitans*, h/t (60x40) : **ITL 2 990 000**.

TODESCHINI Girolamo
Actif à Venise à une époque inconnue. Italien.
Peintre.

TODESCHINO Baldassare
XVII⁰ siècle. Actif à Milan dans la première moitié du XVII⁰ siècle. Italien.
Peintre.
Élève de l'Académie de Milan.

TODESCHIS Jean Bapt. de
Né à Vérone. XVIII⁰ siècle. Travaillant vers 1718. Italien.
Peintre et graveur à l'eau-forte.
Il a gravé des sujets religieux.

TODESCO Andrea
XVIII⁰ siècle. Autrichien.
Peintre.
Il peignit *Baptême du Christ* dans la chapelle du Château de Kopetzen (Bohême).

TODESCO Antonio
XVIII⁰ siècle. Italien.
Peintre.
Il a peint *Le Christ chez Simon le Pharisien* dans l'église Saint-Bernard de Vérone.

TODESCO Carlo
XVII⁰ siècle. Italien.
Peintre.
Il peignit des fresques et des plafonds dans des églises de Vérone et des environs.

TODESCO Pietro da Carniola ou Tedesco
Né en Carniole. XVII⁰ siècle. Autrichien.
Sculpteur.
Il sculpta des statues, des crucifix et des dessus de portes pour des églises de Vérone.

TODHUNTER Elizabeth
Née le 13 juillet 1896 à Warrington (près de Liverpool). XX⁰ siècle. Britannique.
Décoratrice.
Elle vécut et travailla à York. Elle exposa à Londres, Leeds, Glasgow et Manchester des poupées et des figures de gnômes à partir de 1926.

TODISCO Gerardo
Né à Abriola. XVI⁰-XVII⁰ siècles. Italien.
Peintre.

TODISCO Giovanni
Né à Abriola. XVI⁰-XVII⁰ siècles. Italien.
Peintre.

TODO GARCIA Francisco
Né en 1922 à Tortosa (Tarragone). XX⁰ siècle. Espagnol.
Peintre de natures mortes, graveur.
Il fut élève de l'École des Beaux-Arts de Barcelone, où il vit et travaille. En 1943, il obtient le Premier Prix du Salon des Jeunes Peintres, avec des peintures encore conventionnelles. Il exposa au Salon Parés à Barcelone, ainsi qu'à Madrid, Santander, Bilbao, Majorque, Mexico et aux États-Unis.
Il est resté fidèle à la figuration, dans une manière plus graphique que constructive.
Bibliogr. : B. Dorival, sous la direction de… : *Peintres Contemporains*, Mazenod, Paris, 1964 – in : *Catalogue National d'Art Contemporain*, Éditions d'art Iberico 2000, Barcelone, 1990.
Musées : Barcelone (Mus. des Beaux-Arts) – Barcelone (Pina.) – Madrid (Mus. de Arte Mod.).
Ventes Publiques : Madrid, 20 déc. 1976 : *Nature morte*, h/t (54x65) : **ESP 70 000** – Londres, 21 fév. 1989 : *Nature morte carrée 1987*, h/t (57,8x58,1) : **GBP 5 280**.

TODOROVIC Stefan
Né en 1832 à Novi Sad (Serbie). Mort le 22 mai 1926 à Belgrade (Montenegro). XIX⁰-XX⁰ siècles. Yougoslave.
Peintre d'histoire, portraits, scènes typiques, musicien.
Il fut élève des Académies de Vienne et de Munich. Il peignit des types populaires serbes, des portraits, des icônes et des fresques historiques.

TODOS Pietro
XVI⁰ siècle. Éc. flamande.
Peintre.
Il a peint une *Assomption* dans la cathédrale de Scala en 1591.

TODT Max
Né en 1847 à Paderborn. Mort le 8 mai 1890 à Munich. XIX⁰ siècle. Allemand.
Peintre de sujets militaires, scènes de genre, costumes, dessinateur.
Élève de l'Académie de Düsseldorf et de Sohn.
Il exposa à Munich en 1879.
Il a peint de préférence des scènes de la vie militaire au XVIII⁰ siècle.

M·Todt

Musées : Leipzig : *Le toast* – Zurich (Kunsthaus Mus.) : *Vieux soldats*.
Ventes Publiques : Londres, 16 avr. 1910 : *Le Porteur de dépêches 1880* : **GBP 30** – New York, 12 avr. 1911 : *Cavalier* : **USD 110** – Londres, 2 juin 1939 : *Mhourded moments*, dess. : **GBP 28** – Londres, 9 oct. 1970 : *Le musicien* : **GNS 320** – New York, 30 mai 1980 : *Le galant entretien 1889*, h/pan. (27,3x20,3) : **USD 4 800** – New York, 26 fév. 1982 : *Le joueur de mandoline*, h/pan. (25x16,5) : **USD 3 200** – Vienne, 16 mai 1984 : *Le joueur de mandoline 1877*, h/pan. (40,5x52,5) : **ATS 60 000** – Londres, 27 nov. 1985 : *Interlude musical*, h/pan. (25x31) : **GBP 1 800** – Londres, 26 fév. 1988 : *Le musicien*, h/pan. (24,1x17,8) : **GBP 1 760**.

TOECHE Carl Johann Friedrich
Né en 1814 à Berlin. Mort en 1890 à Zurich. xixᵉ siècle. Allemand.
Peintre de paysages.
Il exposa à Berlin des paysages suisses, des architectures et des scènes de genre de 1836 à 1856. Le Musée de Zurich possède de lui *Le château de Stolzenfels* et *La surprise*.
Ventes Publiques : Zurich, 8 nov. 1980 : *Paysage montagneux au lac*, h/t (49,5x65) : **CHF 2 400** – Zurich, 30 oct. 1982 : *L'église de Thalwil sur le lac de Zurich 1863* (39,5x57) : **CHF 10 000** – Zurich, 9 nov. 1983 : *L'église de Thalwil sur le lac de Zurich 1863*, h/t (39,5x57) : **CHF 7 500**.

TOECK C.
xviiᵉ siècle. Allemand.
Peintre.
La Galerie de Dessau conserve de lui *Le Christ chez Marthe et Marie*.

TOEDTENBER Franz Julius. Voir **DOETEBER**

TOEFAERT Albert
Né en 1856 à Gand. Mort en 1909. xixᵉ siècle. Actif à Gand dans la seconde moitié du xixᵉ siècle. Belge.
Peintre de genre, architectures, animaux, paysages.
Ventes Publiques : Bruxelles, 19 déc. 1989 : *Paysage au cours d'eau*, h/t (30x60) : **BEF 28 000** – Lokeren, 9 mars 1996 : *Jeux de jeunes chiens*, h/t (60x70) : **BEF 26 000**.

TÔEKI, de son vrai nom : **Unkoku Motonao**
Né en 1591. Mort en 1644. xviiᵉ siècle. Actif à Suhô (actuelle préfecture de Yamaguchi). Japonais.
Peintre.
Disciple de son père Tôgan Unkoku (1547-1618), fondateur de l'école Unkoku, il est le troisième du nom d'Unkoku et accède au rang de *hokkyô* (le pont de la loi, titre ecclésiastique conféré à des artistes laïques).
Ventes Publiques : New York, 29 mars 1990 : *Paysage*, encre/pap., kakémono (42x72) : **USD 2 860**.

TÔEKI. Voir aussi **KANÔ TÔEKI**

TOELEN Henri
xvᵉ siècle. Actif à Louvain en 1430. Éc. flamande.
Peintre.

TOEPFER J. A.
xixᵉ siècle. Actif à Amsterdam. Hollandais.
Peintre de paysages, collectionneur et aquafortiste.

TOEPFFER. Voir **TÖPFFER**

TOEPUT Ludwig ou **Lodewyk**, dit **Serrata Posso** ou **Lodovico Posso da Treviso** ou **Ludovico Flammingo** ou **Possoserrato** ou **Pozzoserrato**
Né vers 1550 à Anvers. Mort entre le 14 août 1603 et le 9 novembre 1605 à Trévise. xviᵉ siècle. Éc. flamande.
Peintre de compositions religieuses, sujets mythologiques, scènes de genre, paysages animés, marines, aquafortiste et poète.
Il alla en Italie vers 1580, vécut longtemps à Trévise, et paraît avoir achevé sa carrière en Italie.
Il fut réputé comme habile peintre de paysages de foires et de marchés.
Musées : Bergame : *Villa au bord d'un canal* – Hanovre : *La chute de Phaéton avec paysage de montagnes* – Kassel : *Le pauvre Lazare* – Milan (Brera) : *Paysage montagneux* – Venise (Gal. Giovanelli) : *Incendie du Palais des Doges en 1577*.
Ventes Publiques : Paris, 4-5 fév. 1954 : *Les pèlerins* : **FRF 55 000** – Londres, 20 mars 1964 : *Scène de festin dans un jardin* : **GNS 800** – Londres, 8 déc. 1967 : *Joyeuse compagnie dans un parc* : **GNS 2 200** – Vienne, 18 mars 1969 : *Scène de chasse* : **ATS 70 000** – Amsterdam, 3 mai 1976 : *Vue du château St Ange au bord du Tibre*, pl. et lav. (17,7x36,6) : **NLG 5 800** – Londres, 28 juin 1979 : *Projet de décoration architecturale d'un jardin*, pl. et lav. (64,6x48,6) : **GBP 2 200** – Rome, 27 mars 1980 : *Le marchand de poissons*, h/t (86x142) : **ITL 4 800 000** – Londres, 8 déc. 1981 : *Paysage avec maison parmi les arbres (recto) ; Étude de deux nus assis (verso)*, pierre noire, h/t. (19,8x26,1) : **GBP 1 800** – Zurich, 11 nov. 1982 : *Le repas du fils prodigue*, h/t (107x173) : **CHF 78 000** – Cologne, 25 nov. 1983 : *Les Noces de Cana*, h/t (118x106) : **DEM 80 000** – Amsterdam, 26 nov. 1984 : *Le château Saint-Ange, Rome*, pl. et lav. et gche blanche (17,8x37,4) : **NLG 9 000** – Londres, 12 déc. 1985 : *Une vallée alpestre*, pl. et lav. (19x26,4) : **GBP 950** – Londres, 3 juil. 1985 : *Jeunes personnages*

se divertissant dans un parc, h/pan. (39x66,5) : **GBP 36 000** – Milan, 21 avr. 1986 : *Paysage boisé*, pl. et encre brune (13x17,2) : **ITL 1 400 000** – Londres, 22 avr. 1988 : *Gentilshommes et dames dans le parc d'une villa, un lac et des montagnes à l'arrière-plan* (111,5x186,7) : **GBP 13 200** – Paris, 14 avr. 1989 : *Femmes et hommes se promenant dans le parc d'une villa de Vénétie*, h/t (112x187,5) : **FRF 200 000** – Rome, 23 mai 1989 : *Paysage avec des constructions et des paysage*, h/t (73x93) : **ITL 13 000 000** – Monaco, 17 juin 1989 : *Le retour du fils prodigue ; Banquet pour le retour du fils prodigue*, h/t, une paire (53x70,5 et 53x71) : **FRF 194 250** – Amsterdam, 28 nov. 1989 : *Noble société festoyant dans le jardin d'une villa*, h/t (173,5x108,7) : **NLG 109 250** – Paris, 22 mars 1991 : *Vue d'une ville*, pl. et lav. brun (10x19,5) : **FRF 16 000** – Monaco, 2 juil. 1993 : *Cour de ferme avec des paysans battant le grain (recto) ; Fabrique de balles de fusil (verso)*, encre et lav. (192x293) : **FRF 12 210** – Paris, 16 déc. 1993 : *Paysage fluvial*, sanguine, encre brune et lav. (23x23,8) : **FRF 29 500** – New York, 11 jan. 1994 : *Barques sur un canal avec des palais sur la rive opposée*, craie noire, encre et lav. (15,3x20,6) : **USD 3 450** – Monaco, 2 déc. 1994 : *Vaste paysage avec des pêcheurs et des promeneurs*, h/pan. (31x67,5) : **FRF 177 600** – Amsterdam, 12 nov. 1996 : *Vue d'une rivière avec des palais au bord de l'eau (recto) ; Cavalier chevauchant vers une ville (verso)*, cr., encre brune et lav. sur craie noire (13,5x17) : **NLG 8 260** – Amsterdam, 11 nov. 1997 : *Personnage féminin assis dans un jardin (recto) ; Scènes de la vie du Christ (verso)*, pl. et encre brune sur craie noire (26,6x33,6) : **NLG 7 080** – New York, 22 mai 1997 : *La Fuite en Égypte*, h/t (58,1x73,7) : **USD 25 300**.

TOER I.
xviiiᵉ siècle. Travaillant vers 1730. Britannique.
Portraitiste.

TOERRING-SEEFELD Clemens Maria Anton
Né le 29 septembre 1758 à Munich. Mort le 3 janvier 1837 à Munich. xviiiᵉ-xixᵉ siècles. Allemand.
Peintre de miniatures, amateur, aquarelliste et lithographe.
Élève de Joh. Stridbeck à Strasbourg. Le Cabinet d'Estampes de Munich conserve de lui *Le Lac de Wœrth ; Vue de Seefeld ; Portrait de l'artiste*.

TOESCA Gaspard
Actif à Saorge (Alpes-Maritimes). Français.
Peintre.
On cite de cet artiste un tableau, peint sur bois, représentant la *Trinité*, et conservé dans l'église de Saorge.

TOESCHI Giovanni
xixᵉ-xxᵉ siècles. Italien.
Peintre de genre.
Cité par miss Florence Levy.
Ventes Publiques : New York, 5 jan. 1907 : *Flirt* : **USD 140** – Paris, 12 oct. 1990 : *Scène de parc 1876*, h/t (86x55) : **FRF 37 000** – Londres, 4 oct. 1991 : *Présentation 1864*, h/t (49,5x61,6) : **GBP 2 640** – New York, 19 fév. 1992 : *Le flirt 1876*, h/t (56,7x40) : **USD 14 300**.

TOETENEL André
Né en 1943. Mort en 1971. xxᵉ siècle. Belge.
Peintre de portraits, paysages, poète. Expressionniste.
Il fut élève de Lode Maes.
Bibliogr. : In : *Dictionnaire biographique illustré des artistes en Belgique*, Arto, Bruxelles, 1987.

TÔETSU
xvᵉ siècle. Actif dans la seconde moitié du xvᵉ siècle. Japonais.
Peintre.
Peintre de paysages et de figures de l'école de peinture à l'encre *(suiboku)* de l'époque Muromachi, il aurait été élève de Sesshû (1420-1506).

TOETTENBER. Voir **DOETEBER**

TOFANARI Sirio
Né le 9 avril 1886 à Florence (Toscane). Mort en 1969 à Milan (Lombardie). xxᵉ siècle. Italien.
Sculpteur d'animaux.
Il n'eut aucun maître. Il travailla à Londres et à Paris.
Musées : Barcelone : *Caresse* – Bruxelles : *Lapin en chaleur* – Buenos Aires : *Vautour* – Florence (Gal. d'Art mod.) : *Vautour – Caresse* – Lima : *Chasse au cerf* – Rome (Gal. nat.) : *Boucs* – Rome (Mus. Capitolin) : *Louve* – San Francisco : *Mère*.

VENTES PUBLIQUES : PARIS, 14 juin 1977 : *Le singe,* bronze (H. 33, larg. 38) : **FRF 10 200** – MILAN, 5 juin 1985 : *Animaux luttant,* bronze (43x75) : **ITL 2 800 000** – MILAN, 26 mars 1996 : *Deux tigres,* bronze (29x64,5) : **ITL 8 050 000.**

TOFANELLI Agostini
Né en 1770 à Lucques. Mort le 31 juillet 1834 à Rome. XVIIIe-XIXe siècles. Italien.

Peintre.

Frère de Stefano Tofanelli. Il subit l'influence de R. Mengs. Il travailla pour des musées, des églises et des villas de Rome.

TOFANELLI Andrea ou Toffanelli
XVIIIe-XIXe siècles. Italien.

Graveur au burin et dessinateur de portraits.

Élève de R. Morghen. Il grava d'après Murillo et dessina un *Portrait de la princesse Napoléon.*

TOFANELLI Stefano
Né le 25 septembre 1752 à Lucques. Mort le 29 novembre 1812 à Rome. XVIIIe-XIXe siècles. Italien.

Peintre d'histoire, compositions religieuses, sujets mythologiques, portraits, dessinateur.

Élève de Niccolo Lapiccola à Rome. Il exécuta nombre de dessins d'après les grands maîtres pour les plus célèbres graveurs de son temps. On lui doit aussi un certain nombre de tableaux d'autels et de compositions mythologiques. Il fonda une école de dessin à Rome en 1781 puis devint professeur à l'Université de Lucques en 1802. Le Musée de Versailles dont le catalogue le fait mourir à tort en 1798, conserve de notre artiste un dessin à la pierre noire.

MUSÉES : FLORENCE (Palais Pitti) : *Portrait de Francesco Belluomini* – *Portrait de Margherita Belluomini* – FLORENCE (Mus. des Offices) : *Portrait de l'artiste* – LUCQUES (Pina.) : *Portrait de la princesse Elisa* – VERSAILLES : *Entrevue de Louis XVIII et de Madame Royale,* dess. à la pierre noire.

VENTES PUBLIQUES : MILAN, 12 juin 1979 : *Samson et Dalila,* h/t (135x106,5) : **ITL 1 700 000** – ROME, 22 nov. 1994 : *Le Christ devant les docteurs du Temple ; Martyre d'une sainte,* h/t, une paire (55x36) : **ITL 8 050 000.**

TOFANI Osvaldo ou Oswaldo
Né le 18 septembre 1849 à Florence (Toscane). Mort le 11 décembre 1915 à Paris. XIXe-XXe siècles. Actif en France. Italien.

Peintre, dessinateur, graveur, illustrateur.

Il fut typographe jusqu'à l'âge de vingt ans. Il travailla sans professeur et donna en 1874 ses premiers dessins à l'*Illustration Italienne* de Milan. M. Marc, alors directeur de l'*Illustration,* l'appela à Paris en 1875. Il s'y fixa et donna à ce journal la plus grande partie de ses dessins. Il a également collaboré au *Figaro Illustré,* à la *Revue Illustrée,* au *Monde Illustré* et à des journaux d'enfants. On lui doit encore l'illustration de nombreux ouvrages, parmi lesquels : *Les tribulations de Nicolas Mender,* de D. d'Arthez ; *La Tour du Preux,* de Mlle Carpentier ; *Princesse Rosalba,* de Mme Chéron de la Bruyère ; *Thérèse de Saint-Domingue,* de Mme Fresnau ; *Ginette,* de Mlle de Martignat ; *Histoire de deux petits frères,* de Mme Witt, etc.

BIBLIOGR. : In : *Dictionnaire des illustrateurs,* Ides et Callendes, Neuchâtel, 1989.

VENTES PUBLIQUES : MONACO, 6 déc. 1991 : *Scène de genre,* aquar. (36x28) : **FRF 6 660** – PARIS, 21 mars 1997 : *Le Réveil* 1908, aquar. gchée (28x16) : **FRF 5 500.**

TOFANO Edouard, Eduardo ou Edoardo
Né le 31 août 1838 à Naples (Campanie). Mort le 20 décembre 1920 à Rome. XIXe-XXe siècles. Italien.

Peintre de portraits.

Il figura aux expositions de Paris, où il obtint notamment une médaille d'argent en 1900 (Exposition universelle).

F Tofano.

MUSÉES : ASCOLI PICENO : *Le cri du cœur* – NAPLES (Mus. nat.) : *La carte de visite.*

VENTES PUBLIQUES : AMSTERDAM, 1884 : *Une peinture :* **FRF 2 125** – PARIS, fév. 1902 : *Le Retour du marché :* **FRF 500** – PARIS, 27 déc. 1904 : *Rêverie :* **FRF 185** – PARIS, 25-26 juin 1923 : *Pierrette :* **FRF 200** – LONDRES, 7 mars 1973 : *Jeune fille au chapeau bleu :* **GBP 500** – LONDRES, 27 nov. 1981 : *Portrait de jeune fille,* h/t (43x31,5) : **GBP 1 500** – LONDRES, 20 juin 1984 : *Portrait d'une élégante,* h/t (59x44) : **GBP 4 800** – NEW YORK, 23 mai 1985 : *La brune*

odalisque au milieu d'un feu d'artifice, h/t (73,5x49,5) : **USD 5 500** – LONDRES, 19 juin 1986 : *Portrait de jeune femme,* past. (45x37) : **GBP 2 000** – LONDRES, 24 juin 1987 : *Jeune femme au vase de fleurs,* past. (54,5x39,5) : **GBP 1 900** – NEW YORK, 25 fév. 1988 : *Jeune femme avec une écharpe et un bonnet rouges,* aquar. (26,6x21) : **USD 770** – LONDRES, 16 fév. 1990 : *Une jeune beauté,* h/t (61x46) : **GBP 6 380** – ROME, 11 déc. 1990 : *Colombine,* h/pan. (24x19) : **ITL 5 175 000** – ROME, 28 mai 1991 : *Le modèle,* h/t (41x27) : **ITL 5 800 000** – MILAN, 7 nov. 1991 : *Jeune femme napolitaine,* h/pan. (18x12) : **ITL 8 500 000** – LONDRES, 18 mars 1992 : *Jeune femme pensive,* aquar. (34x26) : **GBP 2 090** – NEW YORK, 16 juil. 1992 : *Rêverie,* aquar./pap. (66x48,3) : **USD 4 950** – MILAN, 17 déc. 1992 : *Jeune femme aux fleurs* 1876, aquar./pap. (23x16) : **ITL 5 500 000** – NEW YORK, 18 fév. 1993 : *Rafraîchissement en été,* aquar./pap. (66x48,2) : **USD 8 800** – LONDRES, 18 juin 1993 : *Le rendez-vous,* h/pan. (33x19) : **GBP 7 820** – PARIS, 23 juin 1993 : *Jeune femme à la voilette,* aquar. (23x19) : **FRF 9 000** – MILAN, 22 nov. 1993 : *Le Modèle ; La Parisienne* 1877, aquar./pap. (chaque 34,5x28,5) : **ITL 21 213 000** – ROME, 5 déc. 1995 : *Jeune Fille en rose,* h/pan. (22,5x13,5) : **ITL 3 536 000** – ROME, 23 mai-4 juin 1996 : *Femme en blanc,* h/cart. (32x22) : **ITL 2 300 000.**

TOFANO Sergio ou Sto
Né le 20 août 1886 à Rome. XXe siècle. Italien.

Peintre, dessinateur, metteur en scène.

Il exécuta des illustrations pour des journaux humoristiques.

TOFFANELLI. Voir TOFANELLI Andrea

TOFFOLI Bruno de
XXe siècle. Italien.

Sculpteur.

Dans son ouvrage, paru en 1956, consacré au mouvement spatialiste, dont le principal représentant fut le peintre Fontana, Giampiero Giani cite Bruno de Toffoli, aux côtés de Capogrossi, Crippa, Giorgi Morandi, Peverelli, Scanavino, etc.

TOFFOLI Louis
Né le 16 octobre 1907 à Trieste (Frioul-Vénétie-Julienne). XXe siècle. Actif puis en 1935 naturalisé en France. Italien.

Peintre.

Il fut à la fois élève de l'École Navale et de l'École des Beaux-Arts de Trieste. A l'âge de vingt-quatre ans, il vint à Paris, où il fut élève d'Othon Friesz et de Mac-Avoy à l'Académie de la Grande Chaumière, et aussi de l'Académie d'André Lhote.

Il participe à divers Salons annuels parisiens, Salon de la Société Nationale des Beaux-Arts, Salon des Peintres Témoins de leur Temps, Comparaisons, Indépendants, Automne. Il a figuré à l'exposition *Meubles tableaux* au Centre Georges Pompidou à Paris en 1977.

Il montre de nombreuses expositions particulières en France, notamment à Paris, à New York et au Canada.

Il peint des paysages de ports et surtout des compositions à personnages, dans une construction postcubiste, dans une lumière de clair-obscur aux couleurs dégradées. Son style se caractérise par l'utilisation qu'il fait de plans superposés qu'il traite en transparence. Grand voyageur, Toffoli a parcouru et peint tout le pourtour méditerranéen, ainsi que le Mexique, le Brésil et l'Extrême-Orient. Il est particulièrement attentif à saisir les dernières manifestations d'une vie quotidienne populaire encore traditionnelle, et les gestes inchangés des artisans ou du travail de la terre.

Toffoli

VENTES PUBLIQUES : VERSAILLES, 28 avr. 1974 : *L'Indienne :* **FRF 4 100** – PARIS, 30 mars 1976 : *Homme lisant,* h/t (73x60) : **FRF 2 000** – VERSAILLES, 13 nov. 1977 : *Les foreurs de pétrole à Parentis,* isor. (163x97) : **FRF 9 200** – VERSAILLES, 25 nov 1979 : *La danse,* h/t (73x50) : **FRF 9 700** – VERSAILLES, 24 avr. 1983 : *La Voile bleue,* h/t (73x60) : **FRF 31 000** – HONFLEUR, 22 avr. 1984 : *Fleurs,* gche (43x55) : **FRF 7 000** – VERSAILLES, 12 juin 1985 : *Paysans assis,* h/t (116x73) : **FRF 33 000** – VERSAILLES, 15 mai 1988 : *Le maréchal ferrant,* fus. et past. (42,5x30,5) : **FRF 4 800** – PARIS, 12 juin 1988 : *L'Atelier de couture,* h/t (73x54) : **FRF 63 000** – VERSAILLES, 15 juin 1988 : *Paysage d'Aragon,* h/t (73x100) : **FRF 38 000** – CALAIS, 13 nov. 1988 : *Le Marchand de volailles,* h/t (65x54) : **FRF 66 000** – PARIS, 22 nov. 1988 : *Nature morte,* h/t (38x46) : **FRF 32 000** – VERSAILLES, 18 déc. 1988 : *Le Savetier,* h/t (73x54) : **FRF 62 000** – PARIS, 16 janv. 1989 : *Le Marin,* h/t (41x27) :

FRF 46 000 – Paris, 17 avr. 1989 : *Jeune Fille à l'ombrelle*, h/t (54x73) : **FRF 65 000** – Paris, 27 mars 1990 : *L'Ouvrière* (46x55) : **FRF 120 000** – Paris, 4 mai 1990 : *Nature morte au crabe et à la végétation aquatique*, h/isor. (27x41) : **FRF 21 000** – Paris, 30 mai 1990 : *L'École de Jérusalem*, h/t (100x81) : **FRF 180 000** – Paris, 25 juin 1990 : *Le Panier aux poissons*, h/t (73x50) : **FRF 68 000** – Le Touquet, 11 nov. 1990 : *Femme de dos*, h/t (27x22) : **FRF 47 000** – New York, 12 juin 1991 : *Plage de Bahia*, h/t (53,3x72,4) : **USD 8 250** – Gien, 16 juin 1991 : *La Maternité à l'âne*, h/t (73x50) : **FRF 120 000** – Paris, 9 déc. 1991 : *L'Ouvrière en textile*, h/t (46x55) : **FRF 43 000** – Calais, 5 avr. 1992 : *Le pêcheur assis*, h/t (73x52) : **FRF 83 000** – Paris, 9 juil. 1992 : *L'Homme au brasero*, h/t (75x52) : **FRF 48 000** – Calais, 14 mars 1993 : *Jonques à l'aube*, h/t (60x92) : **FRF 70 000** – New York, 2 nov. 1993 : *Dans la cuisine*, gche/pap./pap. (55,8x37,5) : **USD 4 830** – Le Touquet, 14 nov. 1993 : *Danses antillaises*, h/t (130x195) : **FRF 166 000** – Paris, 5 juil. 1994 : *Synthèse 1966*, gche (65x49) : **FRF 55 000** – Paris, 17 mai 1995 : *Maternité*, h/t (46x38) : **FRF 57 000** – New York, 7 nov. 1995 : *Vendeur arabe*, h/t (73x92) : **USD 10 925** – Calais, 24 mars 1996 : *Le Marchand arabe*, h/t (73x92) : **FRF 65 000** – Paris, 3 avr. 1996 : *L'Ombrelle bleue 1959*, h/t (73x50) : **FRF 93 000** – Paris, 10 juin 1996 : *Le Mexicain assis*, h/t (41x33) : **FRF 30 000** – Paris, 19 juin 1996 : *Plumeuse de poulet*, h/t (80x40) : **FRF 26 000** – Paris, 20 juin 1996 : *La Mama*, gche/pap. (55,5x44,5) : **FRF 20 000** – Paris, 20 oct. 1996 : *Le Port d'Alexandrie* vers 1967, h/cart. (25,5x31) : **FRF 12 000** – Le Touquet, 10 nov. 1996 : *Maternité bleue*, gche (55x44) : **FRF 28 000** – Calais, 15 déc. 1996 : *Le Maréchal-ferrant*, h/t (120x160) : **FRF 90 000** – Paris, 24 mars 1997 : *Paysage d'Espagne* vers 1957, h/t (38x46) : **FRF 13 500** – Paris, 6 juin 1997 : *Bateaux au port à marée basse*, h/pan. (33x46) : **FRF 16 500**.

TOFT Albert
Né le 3 juin 1862 à Birmingham (West Midlands). Mort le 18 décembre 1949 à Worthing. XIXe-XXe siècles. Britannique.
Sculpteur de bustes, monuments, médailleur.
Il était fils d'un modeleur fort estimé. Il fut d'abord apprenti à la fabrique de céramique de Josiah Wedgwood à Eturia, travaillant à l'école du soir de Newcastle. En 1879, il y gagna une bourse d'études pour le Royal College of Art, South Kensington et fut à partir de 1882, élève de Lenteri. À partir de 1885 il fut un constant exposant de la Royal Academy. Il obtint une médaille de bronze à Paris en 1900 lors de l'Exposition universelle.
Indépendamment de nombreux bustes, parmi lesquels celui de *Gladstone*, on cite de lui le *Monument de la Paix*, à Glasgow ; la *Statue de la reine Victoria*, à Leamington ; le *Monument de Palmer*, à Jarrow ; une *Statue de Henry Richard*, membre du Parlement et la *Statue du Rajah de Bamra*.
Musées : Birmingham : *George Wallis – Printemps* – Liverpool (Walker Art Gal.) : *Tête d'études – Fate-Led* – Londres (Tate Gal.) : *Le baigneur* – Newcastle-Upon-Tyne : *L'esprit de la contemplation* – Nottingham : *Major Jonathan White – Philip James Bailey* – Preston : *Mère et enfant*.
Ventes Publiques : Londres, 7 juin 1972 : *La Paix après la Guerre*, marbre : **GBP 400** – Londres, 21 juil. 1976 : *Désespoir* vers 1890, bronze (H. 23) : **GBP 140** – Londres, 26 fév. 1980 : *Nu debout* 1906, bronze (H. 35,5) : **GBP 600** – Londres, 29 mars 1983 : *Jeune femme debout tenant une partition de musique* 1906, bronze patine brune (H. 35,4) : **GBP 700**.

TOFT Carl Langbein
Né le 24 avril 1877 sur l'île de Jegindö. XXe siècle. Danois.
Peintre de sujets religieux, compositions murales.
Il fut élève de l'Académie des Beaux-Arts de Copenhague. Il vécut et travailla à Roskilde. Il peignit des fresques et des tableaux pour des églises du Jutland.

TOFT Peter Petersen
Né le 2 mai 1825 à Kolding. Mort le 17 décembre 1901 à Londres. XIXe siècle. Danois.
Peintre de paysages, aquarelliste.
Il se fixa à Londres en 1875.
Musées : Kolding : trois paysages.
Ventes Publiques : Londres, 8 nov. 1984 : *Monastère grec (recto)*, aquar. reh. de gche ; *Monastère grec (verso)*, cr. (52x36) : **GBP 900** – New York, 20 nov. 1991 : *Vue de Mexico City* 1889, aquar. et gche/pap. écru (50x67) : **USD 14 300**.

TOGA
XIXe siècle.
Peintre de genre.

Cité dans un catalogue de vente.
Ventes Publiques : Paris, 17-18 fév. 1910 : *Femme assise s'éventant* : **FRF 235**.

TÔGAN UNKOKU, nom familier : **Jihei**
Né en 1547, originaire du Suhô, aujourd'hui préfecture de Yamaguchi. Mort en 1618. XVIe-XVIIe siècles. Japonais.
Peintre.
Soi-disant successeur de Sesshû (1420-1506), il s'illustre dans le domaine de la peinture à l'encre *(suiboku)* et travaille dans la province de Suhô, à l'extrémité ouest de Hondo, où ses descendants se regrouperont dans l'école Unkoku.

TOGGWEILER Emil
Né le 22 novembre 1924 à Berne. XXe siècle. Suisse.
Peintre.
Musées : Berne : *Portrait de l'artiste*.

TÖGLER Heinrich
XVIIe siècle. Actif dans la première moitié du XVIIe siècle. Autrichien.
Sculpteur sur pierre et sur bois.

TOGNACCI Lucio
Né en 1801 à Sanseverino (Marche). Mort en 1860 à Sanseverino (Marche). XIXe siècle. Italien.
Peintre.
Élève d'A. Tofanelli à Rome. Il peignit des portraits et des décorations pour des palais et l'Hôtel de Ville de Sanseverino.

TOGNI Pietro
Né vers 1775 à Pesaro. XIXe siècle. Italien.
Peintre et architecte.
Élève de G. A. Lazzarini.

TOGNINI Valentino
Né en 1565. Mort le 11 avril 1591 à Rome. XVIe siècle. Italien.
Peintre.

TOGNINO. Voir **BARTOLOTTI Antonio**

TOGNO da Firenze. Voir **ANTONIO da Firenze**

TOGNOLA Luigi
XIXe siècle. Actif à Milan. Italien.
Graveur au burin.
Élève de Longhi. Il a gravé des portraits.

TOGNOLLI Giovanni ou **Tognoli**
Né le 16 juin 1786 à Bieno. Mort le 31 mai 1862 à Rome (?). XIXe siècle. Italien.
Peintre et dessinateur.
Il travailla comme dessinateur dans l'atelier de Canova. Il peignit des portraits et des sujets religieux, surtout des Saintes Familles.
Ventes Publiques : Londres, 20 juin 1985 : *Le Triomphe de Persée de canova au Musée du Vatican*, cr. (51x36) : **GBP 550**.

TOGNONE. Voir **ANTONIO Vicentino** et **ASINARO**

TOGNONI Bartolomeo ou **Tognone**
Originaire de Massa. XVIIe siècle. Travaillant à Rome de 1630 à 1642. Italien.
Peintre.

TOGNOTTO Anselmo
XVIIe siècle. Actif à Rassa au début du XVIIe siècle. Italien.
Peintre.
Il exécuta des peintures dans une chapelle du Mont Sacré de Varallo en 1608.

TOGORES LLACH José Maria de
Né le 19 juillet 1893 à Sardanola (près de Barcelone, Catalogne). Mort en 1970 à Barcelone. XXe siècle. Actif aussi en France. Espagnol.
Peintre de compositions à personnages, figures, nus, portraits, paysages, natures mortes, peintre de compositions murales, restaurateur, dessinateur, décorateur.
Il adhéra au Groupe *Combat* de Barcelone, puis, entre 1918 et 1931, il vécut à Paris, où il reçut l'influence de Cézanne et où il fut ami de Picasso, Gris, Modigliani, Manolo Hugué et du marchand Henry Kahnweiler. Il prit part à diverses expositions collectives, dont : 1909 Bruxelles, 1922 Paris, 1926 Barcelone, 1928 Madrid, ainsi qu'à Berlin, Munich, Düsseldorf, Vienne, Venise, Londres, Amsterdam, Caracas, Pittsburgh et New York. Il figura également à une exposition du Musée cantonal des Beaux-Arts de Lausanne.
Il a illustré *Le guignol horizontal*, d'Henri Hertz. À partir de 1943,

il se consacra à la décoration et à la peinture murale. Homme cultivé, il écrivit beaucoup sur la peinture d'avant-garde, tout en poursuivant son œuvre propre. À Paris, après une courte période de surréaliste, il se tourna vers l'abstraction, pour revenir au réalisme dès son retour en Espagne. Compositions de personnages ou paysages, ses peintures sont particulièrement remarquables par la fermeté de l'ensemble de leur mise en place, occupant résolument toute la surface du tableau, et de la construction des plans et des volumes des éléments qui les constituent. Il peut user d'un dessin à la fois synthétique, qui va à l'essentiel, et lourdement cerné, qui simplifie encore plus les plans ainsi isolés. Ces caractères parfois antinomiques, peuvent induire des influences diverses, post-cézannisme, cubisme, reçues éventuellement pendant sa période cernée.

BIBLIOGR. : Gérald Schurr, in : *Les Petits Maîtres de la peinture 1820-1920, valeur de demain*, Les Éditions de l'Amateur, t. VI, Paris, 1985 – in : *Catalogue National d'Art Contemporain*, Éditions d'art Iberico 2000, Barcelone, 1990 – in : *Cien Anos de pintura en Espana y Portugal, 1830-1930*, Antiqvaria, t. XI, Madrid, 1993.

MUSÉES : BARCELONE (Mus. d'Art mod.) – COLOGNE (Mus. Wallraf-Richartz) : *Jeune fille au repos* – ULM : *Buste nu*.

VENTES PUBLIQUES : PARIS, 21 déc. 1925 : *Femme en chemise* : FRF 650 – PARIS, 14 fév. 1927 : *Nus sur le rocher* : FRF 1 050 – LONDRES, 5 juil. 1974 : *Sur la plage 1923* : GNS 320 – MADRID, 20 oct. 1976 : *Mère et enfant*, h/t (39x51) : ESP 95 000 – MADRID, 25 mai 1977 : *Les Baigneuses 1921*, h/t (97x130) : ESP 550 000 – MADRID, 17 oct. 1979 : *Les Baigneuses*, h/t (97x130) : ESP 400 000 – BARCELONE, 5 mars 1981 : *La Liseuse au chat*, h/t (60x72) : ESP 250 000 – MADRID, 24 fév. 1983 : *Les Baigneuses*, h/t (97x130) : ESP 500 000 – BARCELONE, 28 nov. 1985 : *Nu 1961*, h/t (60x82) : ESP 330 000 – MADRID, 28 avr. 1992 : *Autoportrait 1920*, h/t (108,5x65) : ESP 7 000 000 – MADRID, 26 nov. 1992 : *Paysage*, h/t (46x55) : ESP 1 512 000.

TÔHAKU HASEGAWA. Voir **HASEGAWA TÔHAKU**

TOHAN UNKOKU
XVIIᵉ siècle. Actif dans la première moitié du XVIIᵉ siècle. Japonais.
Peintre.
Élève de son père Tôeki, il succède à son frère Tôyo, à la tête de l'école Unkoku.

TOHNO Yasouhiko
Né le 5 mai 1895 à Tokyo. XXᵉ siècle. Japonais.
Peintre, décorateur.
Il a exposé, à Paris, aux Salons des Indépendants, d'Automne, et au Salon des Artistes Japonais.

TOHPHER Hans. Voir **TÖPFER Hans**

TOHUB. Voir **BUHOT Félix**

TOIDZE Moissejevic
Né en 1871. Mort en 1953. XIXᵉ-XXᵉ siècles. Russe.
Peintre.
Il a fait un portrait de *Lermontov*.

TOIRMEN André
Né le 12 mai 1890 à Paris. XXᵉ siècle. Français.
Peintre de paysages, décorateur.
Il fut élève de Géo Weiss, à l'École des Arts Décoratifs. Il a exposé, à Paris, aux Salons des Indépendants, d'Automne, de l'École Française, au Pavillon de Marsan, et à Casablanca.
MUSÉES : CASABLANCA.

TOISON D'OR, Maître de la. Voir **MAÎTRES ANONYMES**

TOJEIRO Tirso
XVIIᵉ siècle. Travaillant à Vivero à la fin du XVIIᵉ siècle. Espagnol.
Graveur sur bois.

TOJETTI Domenico
Né à Rocca di Papa. Mort à New York. XIXᵉ siècle. Italien.
Peintre.
Il peignit pour plusieurs églises de Rome. Le Musée du Vatican de Rome conserve de lui *Le Christ avec saint Michel de Sanctis*.

TOJETTI Virgilio
Né le 15 mars 1851 à Rome. Mort le 26 mars 1901 à New York. XIXᵉ siècle. Italien.
Peintre de genre, portraits.

Élève de Gérôme et de Bouguereau. Il partit pour l'Amérique en 1870 et se fixa à New York.

V. Toretti

VENTES PUBLIQUES : NEW YORK, 27 mai 1983 : *La Favorite 1886*, h/t (153x94) : USD 7 500 – NEW YORK, 15 fév. 1985 : *Judith 1885*, h/t (44,5x26,7) : USD 2 500 – NEW YORK, 24 mai 1989 : *La mascarade 1890*, h/t (87,7x51,5) : USD 14 300 – PARIS, 28 oct. 1990 : *Portrait de jeune femme 1898*, h/t : FRF 7 000 – NEW YORK, 20 fév. 1992 : *Petit enfant à la poupée*, h/t (47,6x67,3) : USD 20 900 – NEW YORK, 1ᵉʳ nov. 1995 : *Les sept Arts 1878*, h/pan., une paire (chaque 25,4x50,8) : USD 37 375 – LONDRES, 20 nov. 1996 : *Anges*, h/t (28x137) : GBP 6 900 – NEW YORK, 26 fév. 1997 : *Portrait d'une jeune beauté portant des perles 1892*, h/t (50,7x40,6) : USD 2 530.

TÔKAN. Voir **SHÛGETSU**

TOKAREFF Nikolaï Andréiévitch
Né le 3 novembre 1787. Mort le 2 octobre 1866. XVIIIᵉ-XIXᵉ siècles. Russe.
Sculpteur.
Élève de l'Académie de Saint-Pétersbourg. Il exécuta cinq bas-reliefs dans le Palais d'Hiver, travailla à l'Ermitage de cette ville et à la cathédrale de Kazan.

TOKAREV Vladimir
Né en 1918. Mort en 1988. XXᵉ siècle. Russe.
Peintre de compositions à personnages, figures, nus.
Il étudia à l'Académie des Beaux Arts de Léningrad (Institut Répine) et fut l'élève de Mikael Avilov. Membre de l'Union des Artistes Soviétiques et Artiste du Peuple.
Depuis 1945, il a participé à des expositions dans son pays et à l'étranger.
Il peignait dans un style néo-réaliste traditionnel, dans la ligne de la peinture russe du XXᵉ siècle.
BIBLIOGR. : In : Catalogue de la vente *L'École de Léningrad*, Drouot, Paris, 19 nov. 1990.
MUSÉES : KALININGRAD (Gal. de Peinture) – KIEV (Mus. de l'Art Russe) – MOSCOU (min. de la Culture) – MOSCOU (Gal. Tretiakov) – PSKOV (Mus. des Beaux-Arts) – ROSTOV-SUR-DON (Mus. des Beaux-Arts) – SAINT-PÉTERSBOURG (Mus. Russe) – SAINT-PÉTERSBOURG (Mus. de l'Acad. des Beaux-Arts) – VLADIVOSTOK (Mus. de l'Art soviétique contemp.).
VENTES PUBLIQUES : PARIS, 11 juin 1990 : *Les enfants dans le jardin 1953*, h/cart. (24x35) : FRF 9 500 – PARIS, 19 nov. 1990 : *Travaux des champs 1951*, h/cart. (19,5x35) : FRF 9 500 – PARIS, 25 mars 1991 : *Aux champs 1951*, h/cart. (17x28) : FRF 6 300.

TOKAREVA Alexandra
Née en 1926 dans la région de Rostov. XXᵉ siècle. Russe.
Peintre de figures, portraits, animaux, fleurs. Post-impressionniste.
Elle a étudié à l'Académie des Beaux-Arts de Léningrad (Institut Répine) et fut l'élève de Viktor Orechnikov. Membre de l'Association des Peintres de Léningrad.
À partir de 1959, elle a régulièrement figuré à Moscou et à Léningrad dans des expositions collectives présentant l'art soviétique actuel et a également participé à des manifestations à l'étranger, notamment en 1972, à Tokyo, à *L'Art Soviétique*, en 1983 à Cuba à l'exposition *La Paix et le Sport*.
Dans une technique maîtrisée et une facture claire, elle peint surtout des scènes familières de la vie quotidienne, notamment des jeunes enfants.
BIBLIOGR. : In : Catalogue de la vente *L'École de Léningrad*, Drouot, Paris, 19 nov. 1990.
MUSÉES : BIELGOROD (Mus. des Beaux-Arts) – MOSCOU (min. de la Culture) – SAINT-PÉTERSBOURG (Mus. de l'Acad. des Beaux-Arts) – SOUMSK (Gal. de Peinture contemporaine) – TAGANROG (Mus. des Beaux-Arts).
VENTES PUBLIQUES : PARIS, 11 juin 1990 : *Journée d'été 1957*, h/t (26x35) : FRF 14 500 – PARIS, 19 nov. 1990 : *Sables chauds 1991*, h/cart. (22,5x34,5) : FRF 21 000 – PARIS, 25 nov. 1991 : *Nature morte au melon*, h/t (82x101) : FRF 18 000 – PARIS, 6 déc. 1991 : *Nu de dos 1953*, h/t. (49x36) : FRF 5 000 – PARIS, 13 mars 1992 : *Les pivoines*, h/t (100,5x100) : FRF 8 000 – PARIS, 13 avr. 1992 : *L'anniversaire d'Aline*, h/t (65x85) : FRF 9 500.

TOKARSKI Mateusz
Né en 1747 dans le gouvernement de Lublin. Mort le 25 mai 1807 à Varsovie. XVIIIᵉ siècle. Polonais.

Peintre.

Il commença ses études avec Smuglevitet, puis travailla avec Bacciarelli. Recommandé par Bacciarelli au roi Stanislas Auguste, il obtint une bourse et se rendit à Rome pour compléter son éducation artistique. En retournant à Varsovie, il travailla dans l'atelier du château royal. La Galerie du roi conserve de lui plusieurs portraits et des tableaux, surtout des copies des grands maîtres italiens et flamands.

Musées : LEMBERG (Gal. mun.) : *Virgile et Octavie* – VARSOVIE : plusieurs portraits.

TÖKES Sandor ou **Alexander**

Né le 27 juin 1882 à Debrecen. XXᵉ siècle. Hongrois.

Peintre de paysages.

TOKINOBU, surnom : **Kitao**, noms de pinceau : **Sekkôsai** et **Jin'o**

XVIIIᵉ siècle. Actif à Osaka vers 1740-1750. Japonais.

Maître de l'estampe.

Illustrateur de livres et de programmes de théâtre, on lui doit aussi quelques estampes.

TOKITOMI. Voir **EIJI**

TOKIWA Mitsunaga. Voir **MITSUNAGA**

TOKIWA Taikû

Né en 1913 dans la préfecture de Fukushima. XXᵉ siècle. Japonais.

Peintre.

En 1936, il sort diplômé du département de peinture japonaise de l'école des Beaux-Arts Kawabata à Kyoto, et dès 1939 une de ses œuvres est sélectionnée pour l'exposition de l'Académie Japonaise des Beaux-Arts. De 1942 à 1950, il est professeur de peinture dans son pays natal, non sans avoir été appelé comme soldat pendant la guerre. En 1952 il s'installe à Tokyo pour se consacrer à la peinture et devient membre de l'Académie Japonaise de Peinture dont, par deux fois, il reçoit un prix.

TÔKÔ, de son vrai nom : **Kuroda Bunshô**, nom familier : **Rokunojô**, noms de pinceau : **Tôyô, Tôkô**

Né en 1787, originaire de Tottori. Mort en 1846. XIXᵉ siècle. Actif à Edo (actuelle Tokyo). Japonais.

Peintre.

Frère cadet de Hayashi Genzaburô, *samurai* du clan de Tottori, il excelle dans les arts martiaux et est bien connu aussi comme peintre de figures, de fleurs et d'oiseaux.

TOKOUDAGBA Cyprien

Né en 1954. XXᵉ siècle. Béninois.

Peintre, sculpteur.

Il vit et travaille à Abomey où il est employé à la restauration des œuvres du Musée.

Il a montré ses propres œuvres à la Grande Halle de la Villette à Paris dans le cadre de l'exposition les *Magiciens de la Terre*.

Peintre et sculpteur, il réalise également des œuvres sur commande des temples vaudou de la ville et des peintures murales. Ses sculptures représentent souvent des fétiches issus de la riche tradition culturelle du Bénin et sont caractérisées par un modelé personnel et l'emploi de couleurs vives.

Bibliogr. : In : *Dictionnaire de l'art moderne et contemporain*, Hazan, Paris, 1992.

Musées : LAUSANNE (Contemporary African Art coll.).

TOKURIKI Tomikichirô

Né en 1902 à Kyoto. XXᵉ siècle. Japonais.

Graveur.

Après son diplôme du Collège Municipal d'Arts Appliqués de Kyoto, obtenu en 1923, il étudie la gravure avec Bakusen Tsuchida, Takeshirô Kanokogi et Keikichi Hino. Il fait plusieurs voyages d'études en Corée où il s'intéresse principalement aux livres anciens imprimés.

Il expose de façon continue aux manifestations du Ministère de l'Éducation et aux salons *Shunyôkai*, ainsi qu'avec d'autres groupes.

Depuis la guerre, il compte plus de cinq expositions personnelles à Tokyo et Osaka. Il a publié plusieurs albums de gravures sur bois tels, *Trente-six vues du Mont Fuji* ; *Trente vues de Kyoto*, etc. Il fut l'une des plus importantes figures des milieux de la gravure de Kyoto.

TOKUSAI, nom de pinceau : **Tesshû**

XIVᵉ siècle. Actif vers 1342. Japonais.

Peintre.

Moine peintre zen, élève du prêtre Musôkokushi, il serait allé dans la Chine des Yuan et serait l'un des premiers adeptes de l'école de peinture à l'encre *(suiboku)* de l'époque Muromachi.

TÔKYO, surnom : **Umekawa**

XIXᵉ siècle. Actif à Kyoto vers 1860. Japonais.

Peintre et graveur.

Spécialiste de paysages et de figures.

TOL Claes ou **Nicolaes** ou **Nicolas Jacobsz**

XVIIᵉ siècle. Actif à Utrecht. Hollandais.

Peintre de sujets mythologiques.

Fils de Jacques Tol et élève de Cornelis Van Pœlenburg. Élève de la gilde d'Utrecht de 1634 à 1636. Le Musée de Coblence conserve de lui *Adoration des rois* et *Nativité* ; la Galerie Liechtenstein, à Vienne, *Jugement de Pâris*.

TOL David Van

XVIIᵉ siècle. Hollandais.

Peintre de genre.

A rapprocher de Dominicus Van Tol.

TOL Dirk Van

XVIIIᵉ siècle. Actif au début du XVIIIᵉ siècle. Hollandais.

Dessinateur.

Il dessina des portraits.

TOL Dominicus Van ou parfois **Wanto**

Né vers 1635 à Bodegraven. Enterré à Leyde le 26 décembre 1676. XVIIᵉ siècle. Hollandais.

Peintre de compositions religieuses, scènes de genre.

Élève de son oncle G. Dou. Membre de la gilde de Leyde en 1664, il alla à Amsterdam en 1669, épousa en 1760 à Leyde Maria Pollion et y ouvrit une brasserie en 1676.

Ce fut un des plus habiles imitateurs de son oncle. Il s'inspira aussi parfois de la manière de Brekelenkam, notamment dans ses intérieurs. Le *Bryan's Dictionary of Painters* croit que les peintres David et Peter Van Tol, dont on trouve parfois les noms sont identiques avec cet artiste.

[signature :] D V TOL 1673

Musées : AMSTERDAM : *Scène de ménage – La souris prise au piège – Officier aux gardes civiques de Leyde – Intérieur* – AVIGNON : *Saint Antoine en méditation* – COLOGNE : *La diseuse de bonne aventure – Le grand buveur* – DRESDE : *La dévideuse – Le mangeur de harengs* – KASSEL : *La fillette au coq* – LEYDE : *La femme qui fait des crêpes – Le capitaine de la garde de Leyde* – NEW YORK : *Vieillard mangeant* – RENNES : *Vieillard se coupant les ongles* – SAINT-PÉTERSBOURG (Mus. de l'Ermitage) : *Les petits dénicheurs d'oiseaux* – STOCKHOLM : *Compagnie joyeuse*.

Ventes Publiques : LEYDE, 1770 : *La souris* : FRF 1 200 – PARIS, 1777 : *Intérieur, femme pesant un enfant* : FRF 2 402 – PARIS, 1821 : *Vieille femme nettoyant la tête d'un jeune garçon* : FRF 3 300 – PARIS, 1869 : *La dentellière* : FRF 5 150 – LONDRES, 1875 : *Enfants faisant des bulles de savon* : FRF 6 825 – LONDRES, 1882 : *Intérieur d'un savetier* : FRF 10 336 – PARIS, 1ᵉʳ fév. 1893 : *La lecture de la gazette* : FRF 5 000 ; *Vieille femme mangeant sa soupe* : FRF 8 000 – MUNICH, 1899 : *La consultation médicale* : FRF 3 625 – LONDRES, 28 nov. 1908 : *Rafraîchissements* : GBP 23 – PARIS, 28 mai 1909 : *Le goûter* : FRF 1 050 – LONDRES, 16 juil. 1909 : *Jeune fille au rouet 1668* : GBP 157 – PARIS, 17 juin 1910 : *Soldats riant* : FRF 1 400 – PARIS, 12 juin 1919 : *Le repas du soir* : FRF 6 200 – LONDRES, 16 mars 1923 : *Magasin de volailles* : GBP 50 – LONDRES, 11 juin 1928 : *Homme tenant un verre et une bouteille* : GBP 71 – PARIS, 17 déc. 1935 : *La consultation médicale* : FRF 3 200 – LONDRES, 17 mai 1946 : *Mère et son enfant* : GBP 294 – LONDRES, 12 juil. 1946 : *Femme à sa toilette* : GBP 682 – PARIS, 6 mars 1950 : *La marchande de cerises*, attr. : FRF 34 100 – PARIS, 1ᵉʳ juin 1951 : *La jeune ménagère* : FRF 34 000 – PARIS, 5 déc. 1951 : *La consultation* : FRF 330 000 – LONDRES, 21 mars 1973 : *Scène d'intérieur* : GBP 3 000 – LONDRES, 27 mars 1974 : *Vieille femme peignant un jeune garçon* : FRF 6 500 – MUNICH, 21 sep. 1978 : *La servante épluchant des légumes*, h/pan. (33x30,5) : DEM 10 000 – NEW YORK, 10 jan. 1980 : *Portrait d'homme barbu*, h/pan. (18,4x15,8) : USD 11 500 – PARIS, 18 mars 1981 : *Le Changeur*, h/t (48,5x37,5) : FRF 50 000 – PARIS, 17 déc. 1983 : *Le Goûter*, h/t (50,5x41) : FRF 46 000 – LONDRES, 12 avr. 1985 : *Une dentellière et un enfant avec un tambour dans un intérieur*, h/pan. (58,4x43,8) : GBP 8 500 – COLOGNE, 15 oct. 1988 : *Joueurs de cartes attablés avec deux dames et un cavalier*, h/pan. (49x40) : DEM 8 000 – AMSTERDAM, 14 nov. 1988 : *La dentellière*, h/pan. (58,5x44,5) : NLG 28 750 – MILAN, 13 déc. 1989 : *La dentellière*, h/pan. (59x43,5) : ITL 28 000 000 – PARIS, 26 mars 1992 : *La den-*

tellière et la marchande de volailles, h/bois (33,5x28,5) :
FRF 48 000 – Londres, 3 juil. 1996 : *Vieil homme barbu en rouge*,
h/pan. (18,4x15,8) : **GBP 7 475.**

TOL Hendrick I ou Toel ou Toll
xvıᵉ-xvııᵉ siècles. Actif à Leyde. Hollandais.
Peintre.
Père de Maerten Van Tol.

TOL Hendrick II ou Toel ou Toll
Mort en 1635 à Delft. xvııᵉ siècle. Hollandais.
Peintre.
Frère de Hendrick Tol.

TOL Maerten Van ou Toel ou Toll
Né vers 1591 à Leyde. Mort avant 1665. xvııᵉ siècle. Hollandais.
Peintre.
Fils de Hendrick Tol. Il travailla à Delft et à Dordrecht.

TOL Niclaes. Voir TOL Claes Jacobsz

TOL Pieter Van
xvııᵉ siècle. Hollandais.
Peintre de genre et d'intérieurs.
Certains critiques l'identifient avec Dominicus Van Tol (voir ce nom).

TOLA Benedikt. Voir THOLA

TOLA Gabriel de. Voir THOLA

TOLA José
Né en 1943. xxᵉ siècle. Péruvien.
Peintre, technique mixte.
Il a fait partie de la nouvelle génération d'artistes péruviens actifs dans les années soixante-dix.
Il peint sur des panneaux en fibre de verre qu'il découpe à sa guise.
Bibliogr. : Damian Bayon et Roberto Pontual : *La peinture de l'Amérique latine au xxᵉ siècle*, Mengès, Paris, 1990.

TOLCH José Antonio
xıxᵉ siècle. Actif dans la première moitié du xıxᵉ siècle. Espagnol.
Sculpteur.
Il travaille dans la cathédrale de Tolède en 1811.

TOLD Heinrich
Né le 10 février 1861 à Bozen (ou Bolzano). Mort le 18 octobre 1924 à Sarntheim. xıxᵉ-xxᵉ siècles. Autrichien.
Peintre de sujets religieux.
Il fut élève de Feuerstein et de Defregger à Munich. Il peignit des tableaux d'autel et des chemins de croix à Bozen et dans les environs.
Musées : Bozen : *Scènes bibliques.*

TOLDT Giovanni
xıxᵉ siècle. Italien.
Lithographe et graveur au burin.
Il peignit des fresques à l'Hôtel de Ville de Trente et grava des portraits.

TOLEDO Aldari
Né en 1915. xxᵉ siècle. Brésilien.
Dessinateur.
En 1946 il présentait une composition d'accent moderne : *Les femmes*, à l'exposition ouverte à Paris, au Musée d'Art moderne, par l'Organisation des Nations unies.

TOLEDO Francisco
Né en 1940 à Juchitan. xxᵉ siècle. Mexicain.
Peintre de compositions animées, animaux, fresquiste, peintre à la gouache, aquarelliste, dessinateur, graveur, lithographe, sculpteur, céramiste. Tendance fantastique.
Après avoir commencé par étudier dans sa région natale, la vallée de Oaxaca, célèbre pour avoir été le foyer de la culture zapotèque, il se fixa ensuite à Mexico en 1959. En 1960, il arriva à Paris, y résida cinq années durant lesquelles il eut l'occasion de poursuivre sa formation auprès de Stanley William Hayter. Il a voyagé en Europe.
Il a figuré dans une exposition collective au Palais des Beaux-Arts de Mexico en 1992. Il montre ses œuvres dans des expositions personnelles, parmi lesquelles : 1959, Mexico ; 1959, au Texas ; 1964, Saidenberg Gallery, New York ; 1967, galerie Andieu, Toulouse ; 1971, galerie Misrachi, Mexico ; 1974, 1975, galerie Martha Jackson, New York ; 1976, galerie Daniel Gervis, Paris ; 1986, galerie Lopez Quiroga, Mexico. Enfin une exposition de son œuvre s'est tenue au Musée d'Art contemporain de Monterrey.

D'un tempérament très versatile, cependant devenu sédentaire, Toledo pratique le plus grand nombre possible d'expressions plastiques. Ceci sans pour autant rendre son langage confus ou livrer une œuvre dispersée. Crapaud au regard rouge, boa inquiétant, et autres figures ou personnages fantastiques animent des scènes tourmentées, aux chemins bien incertains, dont certains proches d'une abstraction très graphique. C'est que l'artiste fait revivre les mythes ancestraux de ses origines en les mêlant à des préoccupations contemporaines et ses obsessions personnelles. Peinture et œuvres sur papier abondent en thèmes oniriques qu'accentuent des arabesques caractéristiques de son travail, de même que la composition organisée en plages de couleurs, souvent ocre ou indigo, soigneusement cloisonnée.

Bibliogr. : Damian Bayon et Roberto Pontual : *La peinture de l'Amérique latine au xxᵉ siècle*, Mengès, Paris, 1990 – in : *Dictionnaire de l'art moderne et contemporain*, Hazan, Paris, 1992.
Ventes Publiques : New York, 27 fév. 1976 : *Composition 1964*, h/t (89x115,5) : **USD 4 500** – New York, 22 oct. 1976 : *Scène fantastique* vers 1964, gche et encre de Chine (24x32) : **USD 1 500** – New York, 26 mai 1977 : *Le pêcheur* vers 1965, gche et encre de Chine (39x51,5) : **USD 2 200** – New York, 5 avr. 1978 : *Mujer ahorcada* 1974, bronze, patine brune et verte (H. 29,5) : **USD 3 300** – New York, 11 mai 1979 : *Chat et poisson*, gche et encre (47,6x63,2) : **USD 2 900** – New York, 11 mai 1979 : *Crocodile mangeant un poisson* 1974, h. et sable/t (80x99,7) : **USD 21 000** – New York, 17 oct 1979 : *Jeune fille sur une balançoire* 1975, bronze patiné (H. 18,5) : **USD 1 600** – New York, 9 mai 1980 : *Crocodiles dévorant des tortues*, litho. et noir aquarellée (61,5x49) : **USD 3 600** – New York, 9 mai 1980 : *Cônes et scorpions* vers 1977, encre de Chine et aquar. (64,5x49,5) : **USD 3 000** – New York, 8 mai 1981 : *Deux Chats*, pl. et lav. (21x27) : **USD 3 250** – New York, 23 nov. 1982 : *El dueno del caballo* 1974, h/t (80,3x100) : **USD 28 000** – New York, 31 mai 1984 : *La mujer de los camarones*, gche et pl. (56,5x76,2) : **USD 16 000** – New York, 31 mai 1984 : *Femme et poisson prenant le thé*, mine de pb et cr. de coul. (21,5x28) : **USD 3 000** – New York, 28 nov. 1984 : *Chien aboyant* 1974, h/t (103x130) : **USD 40 000** – New York, 28 nov. 1984 : *El toro*, bronze, patine brune (H. 78,5) : **USD 7 000** – New York, 29 mai 1985 : *Xcural Me* 1967, techn. mixte/cart. mar./pan. (113,7x76,5) : **USD 20 000** – New York, 20 mai 1986 : *Le lièvre qui raconte l'histoire de sa vie* 1983, bronze patine noire (H. 40) : **USD 3 000** – New York, 22 mai 1986 : *Los grillos*, h. et sable/t (80x100) : **USD 40 000** – New York, 19 mai 1987 : *Éléphant* 1978 (122x152) : **USD 85 000** – New York, 21 nov. 1988 : *La femme au poisson* 1971, h/rés. synth. (53,3x53,3) : **USD 20 900** ; *Lézard et tortue* 1987, gche/pap. (64x100) : **USD 23 100** – Paris, 26 mai 1989 : *Personnage accoudé*, techn. mixte/pap. (24x33) : **FRF 19 000** – New York, 17 mai 1989 : *Sans titre* 1974, aquar./pap. (56x75) : **USD 55 000** – New York, 20 nov. 1989 : *Grillon et feuille* 1977, gche/pap. (76x56,5) : **USD 57 750** – New York, 21 nov. 1989 : *Corps-à-corps III* 1987, techn. mixte/pap. artisanal (53x75,5) : **USD 30 800** – Paris, 15 fév. 1990 : *Personnage au poisson*, techn. mixte/pap. (32x24) : **FRF 28 000** – New York, 1ᵉʳ mai 1990 : *Sans titre 1966*, h/cart. (193x433) : **USD 308 000** – New York, 2 mai 1990 : *Crocodiles* 1986, gche/collage de pap. artisanal (40x58,3) : **USD 30 800** – Londres, 18 oct. 1990 : *Sans titre* 1960, aquar. et encre/pap. (34x37) : **GBP 1 760** – New York, 19-20 nov. 1990 : *Jeux*, h/rés. synth. (56,5x76,1) : **USD 38 500** ; *Tortue*, h. et sable/t d'emballage (122,5x150) : **USD 88 000** – New York, 1ᵉʳ mai 1991 : *La soupe aux poils de coyotte*, aquar. encre et gche/pap. (39,5x44,7) : **USD 12 100** – New York, 15-16 mai 1991 : *Trois têtes*, gche et encre/pap. (25x32) : **USD 16 500** – New York, 19 nov. 1991 : *Femme de calendrier* 1984, lav., gche, fus., sanguine, craie grasse et collage/pap. artisanal (92,7x52,5) : **USD 49 500** – Paris, 6 déc. 1991 : *Composition* 1960, gche, aquar. et encre (42x44) : **FRF 25 000** – Paris, 15 avr. 1992 : *Le Cerf et le Chien*, aquar. et encre (46x65,5) : **FRF 50 000** – New York, 18-19 mai 1992 : *Autoportrait*, techn. mixte/tissu/pan. (40x50) : **USD 55 000** – New York, 19-20 mai 1992 : *L'apprenti illusionniste*, sable et h/t (74,9x87,6) : **USD 132 000** – New York, 24 nov. 1992 : *Le chien aboie* 1974, encre et h/t (100,3x130,2) : **USD 264 000** – New York, 18-19 mai 1993 : *Taureau* 1969, sable et h/t (78,7x108,6) : **USD 74 000** – New York, 22-23 nov. 1993 : *Poisson*, gche avec peint. or et encre/pap. (50,2x64,5) : **USD 21 850** – New York, 23-24 nov. 1993 : *La Femme aux écre-*

visses 1973, gche et encre/pap. fort (72,5x106,5) : **USD 96 000** – PARIS, 29 avr. 1994 : *Personnage* 1963, h/t (65x54) : **FRF 60 000** – NEW YORK, 18 mai 1994 : *La Fable du lapin et du coyote*, gche, pl. et encre noire, ensemble de dix illustrations : **USD 134 500** – NEW YORK, 20 nov. 1995 : *Chat* 1979, sable et h/t (50,2x69,8) : **USD 145 500** – NEW YORK, 15 mai 1996 : *Le Crabe bleu*, gche et encre/pap. d'Arches (56,2x76) : **USD 63 000** – NEW YORK, 28 mai 1997 : *Charrettes*, techn.mixte/cart. (65,5x45,5) : **USD 23 000** – NEW YORK, 29-30 mai 1997 : *Sans titre* vers 1968, h., gche, encre et mine de pb/deux feuilles pap./t (130,2x168,3) : **USD 49 450** – NEW YORK, 24-25 nov. 1997 : *Chat et cafetière* 1974, aquar., encre et sable/pap. (56,2x76,2) : **USD 50 600**.

TOLEDO Juan. Voir EQUIPO CRONICA

TOLEDO Juan de
Mort le 18 novembre 1645 à Tolède. XVIIe siècle. Espagnol.
Peintre.
Élève de Luis Tristan. Il travailla pour la cathédrale de Tolède. On cite de lui, dans cette ville : *La Vierge, le Christ et saint Jean* (dans la sacristie de l'église des Capucins).

TOLEDO Juan Bautista de ou Tholedo, dit el Capitan
Né en 1611 à Lorca (Murcie). Mort le 1er février 1665 à Madrid. XVIIe siècle. Espagnol.
Peintre d'histoire, compositions religieuses, sujets militaires, batailles, marines.
Fils d'un peintre peu connu, Miguel de Toledo, il fut d'abord formé par lui. Il alla fort jeune à Naples, s'étant engagé dans l'armée, et y fut élève d'Anniello Falcone. Plus tard, il fut à Rome le disciple et l'ami de Michelangelo Cerquozzi, dit « le Michel-Ange des Batailles », qui l'incita à quitter le métier des armes pour la peinture. De retour en Espagne, à Grenade puis à Madrid, il se fit une rapide réputation comme peintre militaire, d'histoire et de marines. On le désignait souvent sous le nom de « el Capitan », en souvenir de ses services militaires et de son grade à l'armée.
On trouve un grand nombre de ses ouvrages dans les églises de Grenade, de Talavera, d'Alcala de Henarès et de Madrid, où il apparaît comme un précurseur du style Baroque. Entre 1663 et 1666, il collabora avec Mateo Gilarte à la décoration de la chapelle du Rosaire de San Domingo de Murcie.
BIBLIOGR. : In : *Dictionnaire de la peinture espagnole et portugaise du Moyen-Âge à nos jours*, coll. *Essentiels*, Larousse, Paris, 1989.
MUSÉES : BARNARD CASTLE (Bowes Mus.) : *Prise de Séville par Ferdinand III* – CLAMECY : *La bataille* – MADRID (Mus. du Prado) : *Combat naval entre Espagnols et Turcs*, six panneaux – *Combat naval* – *Scène d'abordage* – *Naufrage* – MURCIE : *Débarquement* – NANTES (Mus. des Beaux-Arts) : *Couvent au bord de la mer* – PORTO – ROME (Mus. du Vatican) : *Marine* – *Deux scènes de combat*.
VENTES PUBLIQUES : VERSAILLES, 26 fév. 1978 : *Bataille navale entre des vaisseaux de hauts bords et des galères barbaresques*, h/t (92x152) : **FRF 30 000**.

TOLEDO Miguel de
XVIIe siècle. Espagnol.
Peintre.
Il travaillait à Lorca en 1637.

TOLEDO PIZA Domingos ou Dominique ou Pizza Toledo
XXe siècle.
Peintre.
Il travaille à Paris et a figuré au Salon des Tuileries.
VENTES PUBLIQUES : PARIS, 29 oct. 1926 : *Paysage* : **FRF 600** – PARIS, 16 oct. 1988 : *La Cueillette au jardin*, h/t (78x128) : **FRF 20 000**.

TOLEKEN
XVIIIe siècle. Travaillant en 1780. Britannique.
Graveur.
Il gravait des signets de livres.

TOLENTINO Francesco di. Voir FRANCESCO da Tolentino

TOLENTINO Ines
Née en 1962 à Saint-Domingue. XXe siècle. Active en France. Dominicaine.
Peintre.
Elle a étudié à l'École des Beaux-Arts de Saint-Domingue, puis a poursuivi sa formation à l'École des Beaux-Arts de Paris.
Elle participe à des expositions collectives, dont : 1986, Ottawa

(Canada) ; 1986, Cagnes-sur-Mer ; 1987, San Juan (Porto Rico) ; 1987, Lima (Pérou) ; 1988, Bogota (Colombie) ; 1988, Paris ; 1989, Maison des Cultures du Monde, Paris.
Elle montre ses œuvres dans des expositions personnelles à partir de 1985, parmi lesquelles : plusieurs à Saint-Domingue, San Juan (Porto Rico). Elle a obtenu le prix Victor Choquet en 1987.
Sa peinture met en scène des images figurées, comme des réminiscences de l'enfance, dans des atmosphères d'où sourd l'angoisse.

TÖLER Pankraz. Voir TÖLLER

TOLEV Jeanette
Née à Vichy (Allier). XXe siècle. Française.
Peintre de paysages.
Femme de Daniel Ravel. Elle expose au Salon d'Automne et dans différents groupes de jeunes Artistes de l'École de Paris. Elle eut une œuvre sélectionnée pour le Prix Othon Friesz 1954.
Ses paysages sont solidement repensés dans des harmonies discrètes.

TOLEXANI Giovanmaria de'. Voir TOLOSANI

TOLFREY Constance
Née vers 1858 à Londres. Morte le 24 mars 1906 à Francfort-sur-le-Main. XIXe siècle. Allemande.
Peintre.
Élève de W. Angus à Londres et d'Em. Claude à Paris. Elle peignit des fleurs et des natures mortes.

TÖLGYESSY Arthur ou Artur
Né le 1er mai 1853 à Szeged. Mort le 2 février 1920 à Budapest. XIXe-XXe siècles. Hongrois.
Peintre de genre, paysages.
Il figura aux expositions de Paris. Il reçut une médaille de bronze en 1900 à l'Exposition universelle. Il peignit des paysages d'esprit surréaliste.
MUSÉES : BUDAPEST (Gal. nat.).

TOLIDZE
Né au Caucase. XXe siècle. Russe.
Peintre. Réaliste.
Le critique russe Mixaïlov écrit qu'il est avec Goudiachvili, à la tête de la jeune école géorgienne. Mais si Goudiachvili s'inspire en romantique du passé féodal, Tolidze est un réaliste.

TOLKATCH Piotr
Né en 1902 à Pogost (près de Minsk). Mort en 1979 à Moscou. XXe siècle. Russe.
Peintre de portraits, paysages.
Il a commencé par être aide-décorateur dans un théâtre de Minsk. En 1921, il fut ensuite envoyé à Moscou pour étudier les arts, notamment à l'Association des peintres de la Russie révolutionnaire et aux Vkhoutemas. Il a travaillé sous la direction de A. Drévine, N. Oudaltsova, puis R. Falk. Il fut membre de l'Union des peintres de l'URSS en 1932.
Il a exposé à partir de 1929 et a montré ses œuvres dans des expositions personnelles en 1940, 1958 et 1975.
Il a principalement peint des paysages et des portraits.
BIBLIOGR. : In : Catalogue de la vente *Tableaux soviétiques*, Salle Drouot, Paris, 3 oct. 1990.
MUSÉES : MOSCOU (Gal. Tretiakov) – MOSCOU (Mus. de la Révolution) – PENZA (Gal. de peinture).

TOLKOUNOV Nikolaï
Né en 1917. XXe siècle. Russe.
Peintre de paysages animés, de fleurs.
Il fut élève de l'École des Beaux-Arts de V. Sourikov et travailla sous la direction de Sergei Guerassimov. Membre de l'Union des Artistes de l'URSS, il fut nommé Artiste du Peuple.
MUSÉES : KEMEROVO (Mus. des Beaux-Arts) – KRASNOIARSK (Mus. des Beaux-Arts) – MOSCOU (Gal. Tretiakov) – ODESSA (Mus. des Beaux-Arts) – SAINT-PÉTERSBOURG (Mus. Russe) – SMOLENSK (Mus. d'Art russe).
VENTES PUBLIQUES : PARIS, 25 nov. 1991 : *La petite jardinière* 1962, h/t (90x70) : **FRF 12 500** – PARIS, 6 déc. 1991 : *Le feu d'artifice* 1949, h/t (60x50) : **FRF 6 500** – PARIS, 5 nov. 1992 : *Bouquets de roses* 1960, h/t (74x95) : **FRF 7 000** – PARIS, 29 nov. 1993 : *Bouquets de roses* 1960, h/t (74x95) : **FRF 11 800** – PARIS, 1er déc. 1994 : *Massif de fleurs* 1958, h/t (78x105) : **FRF 6 500**.

TOLL. Voir aussi TOL

TOLL Emma Helfried Charlotta
Née le 23 juillet 1847 à Nyköping. Morte le 25 janvier 1917 à Stockholm. XIXe-XXe siècles. Suédoise.

Peintre de genre, portraits.
Elle fut élève de l'Académie de Stockholm, ainsi que de Gervex à Paris.

TOLLA Bartolomeo
XVIIIᵉ siècle. Actif à Copenhague au milieu du XVIIIᵉ siècle.
Danois.
Sculpteur.
Il travaillait le stuc.

TOLLAT Thomas. Voir TOLLET

TOLLEMACHE Hon Duff
Né au XIXᵉ siècle. XIXᵉ siècle. Britannique.
Peintre de genre et de portraits.
Il exposa à Londres à partir de 1883, notamment à la Royal Academy et à Suffolk Street. Le Musée de Bristol conserve de lui : *Poursuite d'un négrier.*

TOLLENAAR Antonie Vink
Né en 1806. Mort le 21 juin 1875. XIXᵉ siècle. Actif à Amsterdam. Hollandais.
Graveur sur bois.
Frère de Dirk Tollenaar.

TOLLENAAR Dirk
Né en 1808. Mort le 5 février 1858. XIXᵉ siècle. Actif à Amsterdam. Hollandais.
Graveur sur bois.
Frère d'Antonie Vink Tollenaar.

TOLLENAAR ERMCHING J.
Né au XIXᵉ siècle à Java. XIXᵉ siècle. Hollandais.
Sculpteur.
Il figura au Salon des Artistes Français ; médaille de troisième classe en 1904.

TOLLENARE Gheeraert
XVᵉ siècle. Actif à la fin du XVᵉ siècle. Éc. flamande.
Enlumineur.
Il enlumina deux livres de chœur pour le couvent de Notre-Dame de Sion, à Bruges, en 1495.

TOLLENSTEIN
Mort vers 1755 à Prague. XVIIIᵉ siècle. Autrichien.
Portraitiste et miniaturiste.
Élève de W. L. Reiner à Prague et de Meytens à Vienne.

TOLLER Lotbar
Né le 17 octobre 1891 à Coswig. XXᵉ siècle. Allemand.
Peintre, graveur.
Il n'eut aucun maître. Il vécut et travailla à Darmstadt. Il gravait à l'eau-forte.
MUSÉES : DARMSTADT (Gal. mun.) : *Dernière neige.*

TOLLER Matchiorre
Né le 9 mars 1800 à Bellune. Mort le 12 novembre 1846 à Bellune. XIXᵉ siècle. Italien.
Graveur au burin.

TÖLLER Pankraz ou Töler
XVIIIᵉ siècle. Autrichien.
Sculpteur sur bois.
Il sculpta vers 1750 des confessionnaux, des stalles et une porte pour la cathédrale de Brixen.

TOLLES Sophie Mapes
Née à New York. XIXᵉ-XXᵉ siècles. Américaine.
Peintre de genre, natures mortes, portraits.

TOLLET Thomas
XVIᵉ siècle. Actif à Liège. Éc. flamande.
Sculpteur et architecte.
Il était au service de l'évêque de Liège comme sculpteur et architecte. Il épousa en 1565 la fille de Lambert Lombard. Il sculpta le tombeau d'*Antoine Carondelet* dans l'église Sainte-Waudru de Mons.

TOLLET Tony
Né le 5 novembre 1857 à Lyon (Rhône). XIXᵉ siècle. Français.
Peintre d'histoire et de figures.
Il fut élève des Écoles des Beaux-Arts de Lyon et de Paris, de Cabanel, L. O. Merson et A. Maignan. Il exposa au Salon des Artistes Français depuis 1887, dont il fut membre sociétaire en 1909 ; il fut fait chevalier de la Légion d'honneur en 1925. Il reçut le Deuxième Prix de Rome en 1886, une mention honorable en 1903, une médaille de troisième classe en 1909, une médaille d'or en 1936. Il fut président de la Société Lyonnaise des Beaux-Arts

et également de l'Académie des Sciences, Belles-Lettres et Arts de Lyon. Des œuvres de cet artiste se trouvent, à la cathédrale Saint-Jean, à l'église du Bon Pasteur, à la Faculté de Droit et la Préfecture du Rhône, à Lyon ; à l'église de Beaurepaire ; à l'église de Carpentras. Les Musées de Buenos Aires, Lyon, Mâcon, Moulins et Saint-Étienne conservent des œuvres de cet artiste.

BIBLIOGR. : J. Bach-Sisley : *Tony Tollet*, s. e., s. d.
VENTES PUBLIQUES : PARIS, 26 fév. 1934 : *Portrait d'un Arabe* : FRF 160 – PARIS, 20 juin 1951 : *La femme à l'éventail*, aquar. : FRF 2 300.

TOLLEY J.
XVIIIᵉ-XIXᵉ siècles. Travaillant de 1790 à 1810. Britannique.
Graveur d'ex-libris.

TOLLI Vive
Né en 1928 à Tallin. XXᵉ siècle. Russe.
Graveur à l'eau-forte.
Avec des œuvres bien conventionnelles, il a fait partie des artistes officiels protégés par le Ministère de la Culture de l'URSS.
BIBLIOGR. : Catalogue de l'exposition *L'Art Russe des Scythes à nos jours*, Galeries Nationales du Grand Palais, Paris, 1967.

TOLLIGAN Josse de ou Tollignan
XVIIᵉ siècle. Actif à Fontainebleau en 1612. Français.
Peintre.

TOLLIN Ferdinand
Né en 1807 à Gävle. Mort en 1860 en Suisse. XIXᵉ siècle. Suédois.
Caricaturiste, dessinateur et lithographe.
Il grava des illustrations de livres et des portraits.

TOLLIN-FORNIER, Mme. Voir FORNIER Kitty

TOLLINGER Franz ou Döllinger ou Zallinger
Né en 1656 à Ambras. XVIIᵉ siècle. Actif à Leitmeritz. Autrichien.
Sculpteur.
Il sculpta des colonnes et des statues à Welwarn, Saaz et Bleiswedel.

TOLLMESINGER Kaspar ou Dalmesinger
XVIIᵉ siècle. Actif à Ljubljana de 1659 à 1670. Autrichien.
Sculpteur.

TOLLU Cemal
Né en 1889 ou 1899 en Turquie. XXᵉ siècle. Turc.
Peintre.
Il étudia à Paris où il fréquenta A. Lhote, F. Léger et Gromaire. Il devint professeur à l'École des Beaux-Arts d'Istanbul. En 1946, il présentait à l'exposition de l'Art Turc, au Musée Cernuschi : *Paysage de Brousse* et les *Vendangeurs.*
Il fut de ces pèlerins orientaux qui introduisirent chez eux le modernisme.

TOLMAN John
XIXᵉ siècle. Actif à Pembroke à Boston et à Salem vers 1816.
Américain.
Peintre de portraits.

TOLMAN Ruel Pardee
Né le 26 mars 1878 à Brookfield (Vermont). XXᵉ siècle. Américain.
Peintre, graveur.
Il fut élève de l'Institut d'Art Mark Hopkins, de l'École d'Art Corcoran à Washington, de l'Art Students' League de New York et de l'Académie Nationale de Dessin. Il fut membre de la Fédération américaine des Arts.

TOLMAN Stacy
Né en janvier 1860 à Concord. XIXᵉ siècle. Actif à Providence.
Américain.
Portraitiste.
Élève d'O. Grundmann à Boston et de Boulanger, Lefebvre et Cabanel à Paris.

TOLMATCHOFF Nicolaï Nicolaïévitch
Né le 2 mai 1786. XIXᵉ siècle. Russe.
Miniaturiste.
Élève de l'Académie de Saint-Pétersbourg.

TOLMER Roger
Né en 1908 à Rouen (Seine-Maritime). Mort en 1988. xxe siècle. Français.
Peintre de paysages, compositions animées, sculpteur.
Il a étudié à l'École Nationale des Beaux-Arts et Architecture. En 1928, il s'engage comme spahi marocain pour deux ans ; il en profite pour peindre des paysages et des scènes de la vie marocaine. Il revient dans sa ville natale en 1930, puis visite la Hollande, l'Espagne, le Portugal, l'Italie, et enfin la Suisse où il découvre Klee. Plus tard on retrouvera dans ses compositions certains traits qui rappellent la peinture de ce dernier.
Un hommage lui a été rendu par le Salon d'Automne en 1989 à Paris.
Tolmer passe simultanément de la peinture de chevalet à l'art monumental : peintures murales, sculptures monumentales, fontaines, stabiles, à Rouen et dans la région. L'ensemble de son art tend à se simplifier, se dépouiller, s'orienter vers l'abstraction expressionniste.
VENTES PUBLIQUES : PARIS, 20 nov. 1991 : *Les oiseaux blancs*, h/t (81x65) : FRF 3 500.

TOLMEZZO Domenico et **Martino di Candido da**
xve siècle. Actifs à Udine en 1479. Italiens.
Peintres et sculpteurs.
Ces deux artistes dont M. M. Crowe et Cavalcaselle se sont longuement occupés, exécutèrent des fresques et des tableaux d'autel dans diverses églises d'Udine. Ils exécutèrent aussi des statues dont ils peignaient les draperies.
VENTES PUBLIQUES : VIENNE, 19 sep. 1969 : *La Vierge et l'Enfant*, bois : ATS 75 000 – COLOGNE, 8 juin 1973 : *La Vierge et l'Enfant*, bois : DEM 36 000.

TOLMEZZO Giovanni Francesco da. Voir **ZOTTO Giovanni Francesco dal**

TOLMIE James
Mort en décembre 1866 à Londres. xixe siècle. Britannique.
Sculpteur d'ornements.
Il travailla pour plusieurs clubs de Londres.

TOLNAY Akos
Né le 10 août 1861 à Budapest. xixe siècle. Hongrois.
Sculpteur et peintre de genre.
Il fit ses études à Budapest, à Vienne et à Munich. La Galerie Nationale de Budapest conserve des œuvres de cet artiste.

TOLOMEI Baldastricca
Mort en 1866. xixe siècle. Actif à Pistoie. Italien.
Paysagiste.

TOLOMEI Baronto
Né le 25 décembre 1711 à Pistoie. Mort le 29 décembre 1778 à Pistoie. xviiie siècle. Italien.
Peintre.
Élève de Fr. Monti à Bologne.

TOLOMEI Tolomeo
Né en 1829 à Rovereto. Mort en 1886. xixe siècle. Italien.
Paysagiste.
Le Musée de Rovereto conserve des peintures de cet artiste.

TOLOSA
Né à Salvatierra. xvie-xviie siècles. Espagnol.
Sculpteur.
Il travaillait à Guetaria en 1600.

TOLOSA Antonio
xvie siècle. Travaillant à Burgos en 1550. Espagnol.
Sculpteur.
On ne sait rien de ses œuvres qui vaille d'être rapporté. Certains documents parlent d'un procès qu'il soutint, mais ce fut un litige en dehors des questions d'art.

TOLOSA Bartolomé de
xvie siècle. Travaillant en 1550. Espagnol.
Sculpteur sur bois.

TOLOSA José
Mort en mars 1879 à Malaga. xixe siècle. Espagnol.
Peintre et lithographe.
Il exposa à Madrid à partir de 1849.

TOLOSA ALSINA Aurelio
Né le 25 juillet 1861 à Barcelone (Catalogne). Mort en 1938. xixe-xxe siècles. Espagnol.
Peintre de paysages, marines, fleurs. Traditionnel.
Il fut élève de Justin Simon puis de Modesto Urgell y Inglada. Il s'établit à Barcelone. Il prit part à diverses expositions collectives : 1883, Barcelone ; à partir de 1890, Madrid, y obtenant une mention honorable en 1897.
Il peignit des décorations. Ses paysages sont dans un esprit post-romantique, qui rappelle l'école de Barbizon. Ses peintures de fleurs affichent clairement leur destination décorative.
BIBLIOGR. : In : *Cien Anos de pintura en Espana y Portugal, 1830-1930*, Antiqvaria, t. XI, Madrid, 1993.

TOLOSANI Giovanmaria de' ou **Tolexani**
Né à Colle du Val d'Elsa. xve-xvie siècles. Italien.
Peintre.
Il peignit *Sibylle avec quatre enfants* dans la cathédrale de Pise et un tableau d'autel dans l'église de Campiglia, près de Colle.

TOLOSANO J. Voir **BARON Jean**

TOLSA Manuel
Né le 24 décembre 1757 à Enguerra. Mort le 24 décembre 1816 à Veracruz (Mexique). xviiie-xixe siècles. Espagnol.
Sculpteur et architecte.
Il fit ses études à l'Académie de San Carlos à Valence, puis à Madrid. A partir de 1791, il vécut au Mexique où il fut architecte et sculpteur. Il sculpta plusieurs autels dans la cathédrale de Mexico et de Puebla ainsi que la statue de *Charles IV* à Mexico. Il est aussi l'auteur du Palacio de la Mineria.

TOLSON Magdalena Welty
Née le 15 février 1888 à Berne (Indiana). xxe siècle. Américaine.
Peintre.
Femme de Norman Tolson. Elle travailla à Kansas City.

TOLSON Norman
Né le 25 mars 1883 à Distington. xxe siècle. Américain.
Peintre, illustrateur, graveur.
Il fut élève d'A. Jank à Munich. Il vécut et travailla à Kansas City. Il exécuta des décorations à Chicago, gravait à l'eau-forte.

TOLSSON Per
Né en 1720. Mort en 1800. xviiie siècle. Actif à Linsäll. Suédois.
Sculpteur et architecte.

TOLSTOI Féodor ou **Théodore Pétrovitch**, comte
Né le 10 février 1783 à Saint-Pétersbourg. Mort le 13 avril 1873 à Saint-Pétersbourg. xixe siècle. Russe.
Médailleur, sculpteur, peintre, dessinateur et graveur au burin.
D'abord officier de marine, il étudia ensuite la sculpture à l'Académie de Saint-Pétersbourg et devint rapidement le plus important médailleur de son époque. Ce fut un classique, mais, s'il se plut à s'inspirer parfois de l'antiquité grecque, il traduisit aussi des épisodes de l'Histoire de Russie. Parmi ses œuvres se placent en première ligne les dessins pour la grande porte de bronze de la cathédrale d'Isaac, à Moscou ; quatre bas-reliefs représentant des *épisodes de l'Odyssée* ; une *statue de Morphée* ; une série d'illustrations pour la *Douchenko* (petite âme) de Bogdanovitch, et des médailles frappées en souvenir de la guerre de 1813-1815, et de celle de Hongrie en 1849.
MUSÉES : HELSINKI : *Trois scènes de l'Odyssée d'Homère*, reliefs en plâtre – MOSCOU (Gal. Tretiakov) : *Buste en marbre de Morphée – Quatre scènes de l'Odyssée*, bas-reliefs en cire – *Festin chez Ulysse – Télémaque chez Ménélas – Ulysse tuant ses convives* – SAINT-PÉTERSBOURG (Alexandre III) : *Portrait de famille – Ulysse pleurant – Ulysse tuant les prétendants de Pénélope – Mercure traîne les prétendants de Pénélope aux enfers* – Vingt et un médaillons retraçant les événements les plus considérables des campagnes de 1812-1813-1814-1815.
VENTES PUBLIQUES : PARIS, 13 mars 1985 : *Composition florale*, aquar./pap. brun (28,6x21,8) : FRF 9 000.

TOLSTOPIATOFF Dimitri Jacovlévitch
Né le 26 décembre 1770. xviiie siècle. Russe.
Graveur au burin.
Élève de l'Académie de Saint-Pétersbourg.

TOM Jan Bedys
Né le 4 mars 1813 à Boskoop. Mort le 18 juillet 1894 à Leyde. xixe siècle. Hollandais.
Peintre d'animaux, paysages.
Il travailla dans l'atelier d'Andreas Schelfhant, puis seul par l'étude de la nature.

J·B Tom

Musées : Amsterdam : *Dans la bruyère* – Brême : *Taureau et vache au pâturage* – La Haye (Mus. comm.) : *Paysage verdoyant avec vaches et moutons* – Moutons – Vaches – *Dunes avec vaches et vacher.*

Ventes Publiques : Paris, 1880 : *Bétail dans un paysage. Vaches et chèvres se désaltérant :* **FRF 2 205** – Londres, 4 fév. 1972 : *Scène de canal, Haarlem :* **GNS 850** – Amsterdam, 16 mars 1976 : *Troupeau au pâturage,* h/t (68x117) : **NLG 15 000** – Amsterdam, 30 oct 1979 : *Troupeau au pâturage,* h/t (70x119) : **NLG 18 500** – Londres, 19 juin 1981 : *Paysans chargeant du foin 1862,* h/t (85x113,6) : **GBP 2 500** – Cologne, 21 mai 1984 : *Berger et troupeau dans un paysage,* h/t (86,8x116) : **DEM 9 500** – Amsterdam, 16 nov. 1988 : *Une vache au piquet dans une prairie et d'autres animaux domestiques à l'arrière-plan,* h/t (60x84,5) : **NLG 16 100** – Stockholm, 15 nov. 1988 : *Prairie avec du bétail paissant près d'un ruisselet,* h. (21x29) : **SEK 20 000** – Amsterdam, 25 avr. 1990 : *Paysage estival avec un couple de bergers avec leur bétail,* h/pan. (47x65) : **NLG 18 400** – Amsterdam, 14-15 avr. 1992 : *Paysage avec du bétail,* h/pan. (53,5x74) : **NLG 3 450** – Amsterdam, 20 avr. 1993 : *Paysage estival avec du bétail 1853,* h/t (53x72) : **NLG 27 600** – Amsterdam, 11 avr. 1995 : *Bétail dans un paysage,* h/pan. (27,5x39) : **NLG 9 440** – Londres, 13 juin 1996 : *Taureaux luttant dans un champ,* h/pan. (53,3x73,6) : **GBP 2 070** – Amsterdam, 19-20 fév. 1997 : *Moutons dans une prairie,* h/pan. (14,5x23) : **NLG 2 883.**

TOM Jozef
Né le 30 juillet 1884 à Varsovie. XXe siècle. Polonais.
Peintre, graveur de paysages, paysages urbains.
Il fut élève d'E. Trojanovski à Varsovie et d'E. Orlik à Berlin. Il exécuta des paysages et des vues de villes ainsi que des ex-libris.

TOM DIECK August Christian Hermann
Né le 23 mars 1831 à Oldenbourg. Mort le 20 août 1893 à Dresde. XIXe siècle. Allemand.
Peintre d'histoire.
De 1847 à 1851, élève de l'Académie de Dresde, puis d'Adolf Wickmann et de Julius Schnorr. En 1857, il alla en Italie et se lia avec Cornelius. Le Musée de Dresde conserve de lui : *Sainte Cécile* et celui d'Oldenburg une peinture.

TOM RING. Voir **RING Ludger Tom**

TOMA Gioacchino
Né le 24 janvier 1836 ou 1838 à Galatina. Mort le 12 janvier 1891 à Naples. XIXe siècle. Italien.
Peintre de genre, portraits, paysages, natures mortes.
Napolitain, il resta un provincial, sans jamais connaître aucun succès. Pourtant, dans l'école réaliste napolitaine du XIXe siècle, il fut probablement le plus important, en dépit de sa discrétion timide. Réaliste, il se plaisait à dépeindre des thèmes sentimentaux, évitant la niaiserie par des qualités purement picturales, notamment dans le traitement des gris et la finesse de la lumière. Ce traitement délicat de la lumière par les gris, où surgissent quelques taches vives, participant de l'expression généralement mélancolique, est très caractérisé dans son œuvre la plus célèbre : *Luisa Sanfelice en prison,* de 1877. Emilio Cecchi a écrit de lui : « La force de Toma réside surtout dans la faculté de faire mystérieusement revivre l'ambiance et de la peupler de crépusculaires souvenirs ».
Bibliogr. : F. Sapori : *Gioacchino Toma,* Turin, 1919 – M. Biancale : *Gioacchino Toma,* Rome, 1933 – S. Ortolani : *Gioacchino Toma,* Rome, 1934 – A. De Rinaldis : *Gioacchino Toma,* Vérone, 1934 – Lionello Venturi : *La peinture italienne, du Caravage à Modigliani,* Skira, Genève, 1952.
Musées : Florence (Palais Pitti) : *Villa Garzoni – La pluie de cendres du Vésuve* – Florence (Mus. des Offices) : *L'artiste* – Liège : *Femmes à l'aube – Chambre de la tour des Enfants trouvés à Naples* – Naples (Mus. nat.) : *Luis Sanfelice dans la prison de Naples* – Palerme : *Souvenirs d'une mère* – Rome (Gal. nat. d'Art mod.) : *La dernière communion pour l'orphelin mourant – La ronde de nuit – Luisa Sanfelice en prison – La noce en route pour la mairie – Au couvent.*
Ventes Publiques : Milan, 11 nov. 1969 : *La Sanfelice in carcere :* **ITL 12 500 000** – Rome, 11 juin 1973 : *Nature morte aux fruits :* **ITL 3 600 000** – Rome, 12 nov. 1974 : *La famille du pauvre :* **ITL 6 500 000** – Milan, 17 juin 1981 : *Femme dans un intérieur,* h/t (48x59) : **ITL 13 000 000** – Milan, 29 mai 1984 : *Risposta al dono di Natale,* h/t (80,5x62) : **ITL 90 000 000** – New York, 1986 : *Viva Garibaldi 1862,* h/t (28,8x38,7) : **USD 28 000** – Milan, 19 oct. 1989 : *Profil de jeune femme,* h/t (33,5x25) : **ITL 15 000 000** – Milan, 6 déc. 1989 : *L'Époux malade,* h/t (59x44) :

ITL 12 000 000 – Rome, 28 mai 1991 : *Tête de bébé,* aquar./pap. (16,5x12) : **ITL 900 000** – Bologne, 8-9 juin 1992 : *Petite fille dans sa chaise haute,* h/t (27x21,5) : **ITL 8 050 000** – Milan, 22 nov. 1993 : *Atelier de jeunes femmes travaillant le corail,* h/t (63x94) : **ITL 176 775 000** – Milan, 29 mars 1995 : *L'École des dentellières 1872,* h/t (60x79) : **ITL 276 000 000.**

TOMA Lorenzo
Né le 17 juin 1798 à Parona. Mort le 27 janvier 1867 à Voghera. XIXe siècle. Italien.
Peintre.
Il peignit des portraits, des natures mortes, des scènes de genre et des paysages.

TOMA Matthias Rudolf
Né le 10 février 1792 à Vienne. Mort le 12 juin 1869 à Vienne. XIXe siècle. Autrichien.
Paysagiste, aquafortiste et lithographe.
Élève de l'Académie de Vienne. Le Musée de cette ville conserve de lui : *Paysage du Prater* et *Paysages rocheux près de Schottwien.*
Ventes Publiques : Vienne, 13 sep. 1966 : *Enfants se baignant dans un lac alpestre :* **ATS 25 000** – Vienne, 28 nov. 1967 : *Vue de Vienne :* **ATS 100 000** – Vienne, 10 mai 1977 : *Le char à bœufs,* h/cart. (42x34) : **ATS 55 000** – Vienne, 18 sept 1979 : *Paysage montagneux,* h/pan. (63x49) : **ATS 200 000** – Vienne, 15 déc. 1981 : *Nature morte aux fruits 1865,* h/t (62,5x78,5) : **ATS 70 000** – Vienne, 23 fév. 1989 : *Nature morte de fruits et de gibier,* h/t (55,5x72) : **ATS 935 000** – Cologne, 15 juin 1989 : *Torrent en forêt 1831,* h/t (29,5x39,5) : **DEM 3 800** – Paris, 25 juin 1991 : *Promeneurs dans des paysages de montagne,* h/t, une paire (chaque 43x56,5) : **FRF 130 000.**

TOMA Yann
XXe siècle. Français.
Peintre, créateur d'installations.
Il s'attache dans son travail de peinture et dans ses installations à exprimer et mettre en scène, les vestiges d'un passé industriel, âme, atmosphère et part refoulée de l'impossible maîtrise de la matière par l'homme. Il construit ainsi des sortes de « théâtres de lumière », à l'aide d'ampoules recouvertes de colle néoprène brûlée diffusant une douce luminosité.
Bibliogr. : Dominique Boudou, in : *Beaux-Arts Magazine,* n° 146, Paris, juin 1996.

TOMAGNINI Arturo
Né le 29 novembre 1879 à Vallecchia. XXe siècle. Italien.
Sculpteur.
Il n'eut aucun maître. Il fut souvent médaillé pour des statues en Italie et en Amérique du Sud.

TOMAI Vincenzo
XVIe siècle. Travaillant à Ravenne de 1541 à 1555. Italien.
Peintre d'ornements et de blasons.

TOMAINI Guglielmo
Né le 6 avril 1854 à San Pietro Apostolo. Mort le 17 décembre 1909 à Girifalco. XIXe siècle. Italien.
Peintre.
Élève de son oncle A. Cefaly. Il peignit des sujets religieux et des types populaires.

TOMAJUOLI Giuseppe ou **Tomasuoli**
XVIIIe siècle. Travaillant à Naples de 1730 à 1749. Italien.
Peintre.
Élève de Solimena. Il exécuta des fresques et des ornements dans des églises de Naples.

TOMALIN, Miss
XIXe siècle. Active à Londres. Britannique.
Miniaturiste.
De 1838 à 1859, cette artiste exposa huit miniatures à la Royal Academy.

TOMAN Ignaz ou **Thoman**
Né le 5 janvier 1815 à Ljubljana. Mort le 2 octobre 1870. XIXe siècle. Yougoslave.
Sculpteur.
Il sculpta le maître-autel de l'église Saint-Rupert à Unterkrain.

TOMANETZ Konrad
XVIIIe siècle. Travaillant à Holleschau de 1717 à 1752. Autrichien.
Peintre.

TOMAS
XVIe siècle. Espagnol.

Sculpteur sur bois.
Il travaillait au milieu du XVIe siècle. Il termina les stalles dans la cathédrale d'Astorga vers 1551.

TOMAS Domingo
XVe siècle. Espagnol.
Peintre.
Il travailla pour la cathédrale de Valence.

TOMAS Francès. Voir FRANCES Tomas

TOMAS Francisco ou Thomas
XVIIIe siècle. Actif dans la seconde moitié du XVIIIe siècle. Espagnol.
Peintre.
Il a peint *Saint Paul* dans la cathédrale d'Avila en 1783.

TOMAS José
Né en 1711 à Oropesa. XVIIIe siècle. Actif à Vistabella. Espagnol.
Sculpteur.

TOMAS José
Né à Teruel. Mort en 1770 à Madrid (?). XVIIIe siècle. Espagnol.
Sculpteur.
Membre de l'Académie de San Fernando de Madrid en 1757.

TOMAS Juan
XVIIe siècle. Actif à Cuzco. Péruvien.
Sculpteur.

TOMAS Juan de
Né en 1795 à Cordoue. Mort le 10 novembre 1848 à Madrid. XIXe siècle. Espagnol.
Sculpteur.
Il sculpta à Madrid des fontaines, des statues et des bas-reliefs.

TOMAS Miguel
XVIIe siècle. Espagnol.
Sculpteur sur bois.
Il sculpta des autels pour des églises de Madrid.

TOMAS Miguel
Né à Palma de Majorque. Mort en 1809 à Palma de Majorque. XVIIIe siècle. Espagnol.
Sculpteur.
Père de Francisco Tomas et élève de Francisco Herrera II. Il sculpta des statues et des ornements.

TOMAS Mosen Pedro
XVIIe siècle. Actif à Valence à la fin du XVIIe siècle. Espagnol.
Peintre.

TOMAS Pedro
XVIIe siècle. Actif à Pampelune dans la première moitié du XVIIe siècle. Espagnol.
Graveur au burin.
Il grava des blasons.

TOMAS Rafael ou Thomas
XVe siècle. Travaillant à Cagliari de 1455 à 1456. Italien.
Peintre.
La Pinacothèque de Cagliari possède de lui un retable représentant des *Scènes de la vie de saint Bernardin*.

TOMAS Zuzanna
Née en 1957. XXe siècle. Polonaise.
Peintre.
Elle a étudié à la Faculté de Peinture et à l'Académie des Beaux-Arts de Varsovie dont elle sortira diplomée en 1985. Attachée au Ministère de la Culture et de l'Art Polonais, elle exerce les fonctions de maître-assistant à l'Académie des Beaux-Arts de Varsovie.

TOMAS de Florencia. Voir FLORENCIA Tomas de

TOMAS-BERGADA Baldomero
Né en 1862 à Reus. XIXe siècle. Espagnol.
Peintre de paysages et d'ornements et illustrateur.
Il exposa à Barcelone, à Madrid et à Paris.

TOMAS-CORREA Marcos
Né à Quito. XVIIe siècle. Actif à la fin du XVIIe siècle. Équatorien.
Peintre ou sculpteur.
A comparer avec Correa Marcos.

TOMAS PÉREZ Angel
Né le 19 juin 1898 à Murcie. Mort le 25 mars 1978. XXe siècle. Espagnol.

Peintre de figures, nus, portraits, paysages, natures mortes.
Il fut élève d'Alejandro Seiquer. Il prit part à diverses expositions collectives à Murcie et Madrid.
Sa technique très figurative, a cependant une franchise du dessin, du modelé et de la touche qui dénote l'influence du post-impressionnisme, alliant une construction cézannienne et une délicatesse bonnardisante.
BIBLIOGR. : In : *Cien Anos de pintura en Espana y Portugal, 1830-1930*, Antiqvaria, t. XI, Madrid, 1993.
MUSÉES : MURCIE.

TOMAS Y ROTGER Francisco
Né le 26 février 1762 à Palma de Majorque. Mort le 1er avril 1807 à Palma de Majorque. XVIIIe siècle. Espagnol.
Sculpteur.
Fils de Miguel Tomas y Rotger. Il sculpta des crucifix et des statues pour des églises de Palma et d'autres localités.

TOMAS VALERO Pedro
XVIIIe siècle. Actif au milieu du XVIIIe siècle. Espagnol.
Sculpteur.
Il sculpta des figures de chaire et des bas-reliefs dans une église de Grenade (?) Santa Maria de la O.

TOMASCH Andreas. Voir TAMASCH

TOMASCHU Franz
Né le 3 décembre 1878 à Vienne. XXe siècle. Autrichien.
Peintre de sujets religieux, figures, portraits.
Il fut élève de Griepenkerl, à l'Académie de Vienne. Il peignit des fresques et des tableaux d'autel pour des églises de Vienne.

TOMASEK Emma
Née en 1844. Morte en 1934 à Budapest. XIXe-XXe siècles. Hongroise.
Peintre de portraits.

TOMASELLI Albano
Né le 26 mars 1833 à Strigno. Mort le 10 décembre 1856 à Florence. XIXe siècle. Italien.
Peintre.
Élève de l'Académie de Venise.
MUSÉES : PADOUE (Mus. mun.) : *La vision du prophète Daniel* – TRENTE : *La fête des enfants de Marie à Venise* – VENISE : *La veuve du doge Foscari refuse de livrer au Sénat le corps de son mari* – *Portrait d'Onorato Occioni*.

TOMASELLI Francesco
Peut-être originaire du Valsugana. XIXe siècle. Actif dans la première moitié du XIXe siècle. Autrichien.
Portraitiste.
Il peignit à Innsbruck un *Portrait d'Andreas Hofer* en 1809.

TOMASELLI Gontardo
Mort en 1877 ou 1878 à Bologne. XIXe siècle. Italien.
Peintre.
Le Musée de Trente conserve de lui *L'escalier doré du Palais des Doges de Venise*.

TOMASELLI Ignazio
XVIIIe siècle. Actif à Grigno. Italien.
Peintre de fleurs et de fruits.

TOMASELLI Onofrio
Né en 1868 à Baghiera. XIXe siècle. Actif à Palerme. Italien.
Peintre de genre, portraits.

TOMASELLO Luis
Né en 1915 à La Plata. XXe siècle. Depuis 1957 actif en France. Argentin.
Peintre, sculpteur. Art optique.
Il fut élève de l'École des Beaux-Arts et de l'École Supérieure de Peinture de Buenos Aires. En 1957, Tomasello vint se fixer à Paris.
Il semble qu'il ne se manifesta guère avant ses expositions en Argentine, entre 1953 et 1956. À Paris, il exposa avec le groupe des artistes qui, partis d'une abstraction constructiviste, ont souvent évolué dans le sens du cinétisme, et fit partie du groupe des artistes de la galerie Denise René à Paris. Il a figuré dans de nombreuses expositions nationales et internationales montrant l'art optique, telle que *La lumière et le mouvement* (1967), de même qu'aux Salons de Mai et des Réalités Nouvelles à Paris, et, plus récemment : 1992, *Art d'Amérique Latine. 1911-1968*, Centre Georges Pompidou, Paris ; 1997, *Abstraction-Intégration*, exposition itinérante en Essonne (France).

Il montre ses œuvres dans des expositions personnelles, notamment en 1962 au Musée de Buenos Aires, en 1976 au Musée d'Art moderne de la Ville de Paris, en 1981 à l'Espace latino-américain à Paris, en 1985 au Musée d'Art contemporain de Madrid, en 1991 au Centre Noroît d'Arras, en 1996 au Museum Haus Ludwig à Saarlouis.

S'il tient Mondrian comme la principale référence pour son travail, il est probable que ses débuts furent influencés, de même qu'il en fut pour de nombreux Américains du Sud à cette époque, par l'action importante qu'avait en Amérique latine l'Académie ouverte à Montevideo (Uruguay) par Torrès-Garcia, qui avait fait partie du groupe *Cercle et Carré* de Michel Seuphor d'inspiration néo-plasticiste, avant de retourner dans son pays vers 1930, où il nomma d'ailleurs son Académie *Association de Arte Constructivo*, prononçant d'innombrables conférences et publiant articles et livres, notamment *Universalismo Constructivo*, paru à Buenos Aires en 1944. Pour sa part, Tomasello s'est fait connaître avec des œuvres, les *Atmosphères chromoplastiques*, dont l'ensemble reste peut-être un peu frêle, mais dont l'effet optique est très efficace. Ses œuvres sont constituées d'une multitude de petits cubes de bois, fixés par une pointe et disposés symétriquement sur un support. En général, ces cubes de même que leurs supports sont peints uniformément en blanc, produisant des jeux très subtils de lumières et d'ombres de degrés divers. Quand interviennent les couleurs, on bénéficie alors de très fins jeux de reflets d'une surface colorée sur une autre, produisant souvent des mélanges chromatiques additifs.

Bibliogr. : *Catalogue du 1er Salon International des Galeries Pilotes*, Musée cantonal, Lausanne, 1963 – Frank Popper : *L'Art cinétique*, Gauthier-Villars, Paris, 1970 – Damian Bayon et Roberto Pontual : *La peinture de l'Amérique latine au xxe siècle*, Mengès, Paris, 1991 – in : *L'Art du xxe siècle*, Larousse, Paris, 1991 – in : *Art d'Amérique latine. 1911-1968*, Centre Georges Pompidou, Paris, 1992.

Musées : Buffalo (Albright Knox Art Gal.) – New York (New York University) – Otterlo (Kröller-Müller) – Paris (Mus. nat. d'Art mod.).

Ventes Publiques : Lucerne, 20 nov. 1993 : *Relief*, peint. verte et blanche/pan. de bois carré (57x57x5) : **CHF 1 800** – Boulogne, 8 mai 1994 : *Chromoplastique, n° 496* 1981, sculpt. techn. mixte (50x60x1,5) : **FRF 6 000** – Paris, 24 juin 1994 : *Atmosphère chromoplastique* 1970, relief en bois peint./pan. (143x98,5) : **FRF 22 000** – Paris, 6 déc. 1995 : *Atmosphère chromoplastique n° 109* 1963, relief en bois (90x90) : **FRF 7 000** – Paris, 1er juil. 1996 : *Atmosphère chromoplastique* 1966, relief en bois peint./pan. (42,5x43) : **FRF 6 000**.

TOMASEVIC Ernest
Né le 12 janvier 1897 à Krapina (Zagorjeo, nord de Zagreb). xxe siècle. Yougoslave.
Peintre de paysages, lithographe, illustrateur.
Il fut élève de l'Académie de Zagreb. Il vécut et travailla à Zagreb.

TOMASI Nicola, dit Colantonio del Fiore
xive siècle. Italien.
Peintre.
Il était actif à Florence, vers le milieu du xive siècle. Il fut un des fondateurs de la Confrérie des peintres de Florence. Il fut l'ami et peut-être le collaborateur d'Andrea Orcagna. On cite de lui un tableau d'autel à S. Antonio Abbate, à Naples.

TOMASI Oddone
Né le 12 février 1884 à Rovereto (Val Lagarina). Mort le 1er janvier 1929 à Arco (Trentin). xxe siècle. Italien.
Peintre de sujets religieux, portraits, dessinateur.
Il fut élève de Delug à Vienne.
Musées : Trente.

TOMASICHS Y HARO Antonio
Né en 1820 à Almeria. Mort le 25 novembre 1890 à Madrid. xixe siècle. Espagnol.
Miniaturiste.
Il fit ses études à Paris et travailla au Mexique et à La Havane.

TOMASINI Filippo. Voir THOMASSIN Philippe

TOMASINI Giulio
xvie siècle. Actif à Ferrare en 1582. Italien.
Sculpteur sur bois.

TOMASINI Giuseppe ou Tommasini
xviiie siècle. Italien.
Peintre de compositions religieuses.

Il travailla à Vicence probablement dans la première moitié du xviiie siècle. Il peignit de nombreuses fresques et plafonds pour des églises de Vicence.

TOMASINI Johann
Né en 1772. Mort le 16 août 1812 à Vienne. xviiie-xixe siècles. Autrichien.
Portraitiste.

TOMASINI Luiz Assencio ou Tomazini
Né le 15 août 1823 à Lisbonne. Mort le 29 octobre 1902 à Lisbonne. xixe siècle. Portugais.
Peintre de marines.
Élève de Th. J. Annunciacao. Il était capitaine. Le Musée National de Lisbonne conserve de lui *Bateau à deux mâts*.

TOMASO. Voir TOMMASO

TOMASSI Renato
Né le 14 février 1886 à Subiaco (Latium). Mort en 1972 à Rome. xxe siècle. Italien.
Peintre de portraits, paysages.
Il n'eut aucun maître.
Musées : Florence – Naples – Rome.
Ventes Publiques : Zurich, 8 nov. 1980 : *Parc à Oslo* 1953, h/t (49,5x61) : **CHF 2 800** – Rome, 15 nov. 1988 : *Suzanne et les vieillards* 1920, h/t (140x94) : **ITL 7 000 000**.

TOMASSINI Gregorio
Né le 24 avril 1698 à Rome. xviie siècle. Italien.
Dessinateur et architecte.
Membre de l'Académie de Saint-Luc en 1660.

TOMASUOLI Giuseppe. Voir TOMAJUOLI

TOMASZ
xvie siècle. Actif à Brzesko au début du xvie siècle. Polonais.
Peintre de miniatures.

TOMASZEWICZ Cyprian
xviie siècle. Travaillant vers 1650. Polonais.
Graveur au burin.
Il grava des perspectives et des images de piété.

TOMASZEWSKI Henryk
Né en 1914 à Varsovie. xxe siècle. Polonais.
Peintre, graphiste.
Il a fait ses études artistiques à l'École des Beaux-Arts de Varsovie, où il est devenu ensuite professeur, dirigeant la section graphique.
Il a obtenu le Prix national en 1954, le premier Prix à la VIIe Biennale de São Paulo en 1963, deux médailles d'or à l'Exposition internationale des éditeurs de Leipzig en 1966, et le second Prix à la Biennale de l'affiche de Varsovie en 1966.
Il s'est orienté vers l'art graphique, illustrant des livres, créant des affiches.
Musées : New York (Mus. d'Art mod.) – São Paulo (Mus. d'Art mod.) – Varsovie (Mus. nat.).

TOMASZEWSKI Julian ou Boncza-Tomaszewski
Né le 17 février 1834 à Saint-Pétersbourg. Mort le 3 novembre 1920 à Nice (Alpes-Maritimes). xixe-xxe siècles. Polonais.
Peintre.
Il fut élève de Bruni à l'Académie de Saint-Pétersbourg.
Musées : Varsovie (Mus. nat.) : *Salle du Palais Beilerbei sur le Bosphore.*

TOMATIS Michele
Né en 1868 à Ivrea. Mort le 16 décembre 1904 à Ivrea. xixe siècle. Italien.
Paysagiste et lithographe.
Élève de Lorenzo Delleani.

TOMAZI Georges
Né le 4 avril 1915 à Dorohoi. xxe siècle. Depuis 1970 actif en France. Roumain.
Peintre, illustrateur, peintre de décors de théâtre.
Diplômé de l'Académie des Beaux-Arts en 1937 (atelier F. Sirato), il poursuit sa formation, à Paris, dans l'atelier d'André Lhote de 1938 à 1939. Il est emprisonné de 1950 à 1963 pour son opposition au régime alors en vigueur. D'abord fixé en Angleterre, à Londres, en 1969, il émigre ensuite en France, à Paris en 1970, où il vit et travaille.
Il participe à plusieurs expositions de groupe en Roumanie, France, Grande-Bretagne et Allemagne.
Il montre ses œuvres dans une première exposition personnelle

à Bucarest en 1935, puis à d'autres reprises et notamment en France en 1981 galerie Sin Paora.

Peintre, ses compositions relèvent d'une abstraction sensible aux couleurs chaudes, dessinateur, le trait à l'encre de Chine se fait apparent et quelques coups de pinceaux suffisent à figurer un portrait. Il a illustré un certain nombre d'ouvrages de Cervantes, Stéphane Mallarmé, Dino Buzatti..., et a réalisé des décors pour des ballets et des opéras.

BIBLIOGR. : Ionel Jianou et autres : *Les Artistes roumains en Occident*, American Romanian Academy of Arts and Sciences, Los Angeles, 1986.

TOMAZINI Luiz Assencio. Voir TOMASINI

TOMAZIU Georges
Né en 1915. xxᵉ siècle. Roumain.
Peintre, illustrateur.
Cet artiste, qui est aussi poète, s'est souvent inspiré de thèmes lyriques classiques ou contemporains. Il a illustré des romans en langue roumaine et son pays lui doit des maquettes de théâtre.

TOMAZZOLI Francesco
Né à Vérone. xviiiᵉ siècle. Italien.
Sculpteur.
Il a sculpté un *Buste de Gir. Tartarotti* se trouvant à Rovereto.

TOMBA Alessandro
Né le 19 mai 1825 à Faenza. Mort le 15 ou le 16 avril 1864 à Florence. xixᵉ siècle. Italien.
Sculpteur.
Élève de Giovanni Dupré à Florence. Le Musée municipal de Faenza conserve de lui *L'Ange de la Paix*.

TOMBA Casimiro ou Aldini Casimiro
Né le 10 février 1857 à Rome. Mort le 16 novembre 1929 à Rome. xixᵉ-xxᵉ siècles. Italien.
Peintre de genre, aquarelliste.
Il exposa à Turin, Rome et Bologne.
MUSÉES : BRUXELLES (Mus. d'Art mod.) : *Cavaliers*.
VENTES PUBLIQUES : BERLIN, 12 déc. 1899 : *A Venise*, aquar. : **FRF 756** – ROME, 21 mars 1985 : *La trattoria*, past. (65x49) : **ITL 1 300 000** – NEW YORK, 21 mai 1991 : *Curiosité*, aquar./pap. fort (53,4x38,1) : **USD 2 750** – NEW YORK, 16 juil. 1992 : *Cavalier courtisant une soubrette*, h/t (62,9x45,7) : **USD 5 500** – LONDRES, 18 mars 1994 : *Odalisques*, h/t, une paire (51x70) : **GBP 54 300** – LONDRES, 11 avr. 1995 : *Beauté orientale*, aquar. avec reh. de blanc (54x34) : **GBP 1 840** – LONDRES, 13 mars 1996 : *Jeune femme avec un chapeau à plumes*, h/cart. (18x12,5) : **GBP 2 530**.

TOMBA Cleto
Né en 1898 à Bologne (Emilie-Romagne). xxᵉ siècle. Italien.
Sculpteur.

TOMBA Giulio
Né vers 1780 à Faenza (?). Mort en 1841. xixᵉ siècle. Actif à Bologne. Italien.
Graveur au burin.
Élève de F. Rosaspina. Il grava des illustrations de livres.

TOMBA L.
xixᵉ siècle. Actif à Rome dans la première moitié du xixᵉ siècle. Italien.
Graveur.
Élève de Camuccini. Il a gravé des pièces d'après ce maître.

TOMBARELLI Pierre
Né à Toulon. xviiᵉ-xviiiᵉ siècles. Travaillant de 1689 à 1720. Français.
Sculpteur.

TOMBARI Antonio
xviiiᵉ siècle. Italien.
Peintre et décorateur.
Il vint de Rome en Pologne, pendant le règne du roi Stanislas Auguste. Il décora de fresques le palais du comte Stanislas Potockzi à Varsovie.

TOMBAY Alexandre de
Né à Liège. xixᵉ siècle. Belge.
Sculpteur.
Père d'Alphonse Tombay. Il exposa à Bruxelles en 1842. Il sculpta des statues de saints.

TOMBAY Alphonse de ou François Bernard Marie Alphonse de
Né le 9 novembre 1843 à Liège. Mort le 31 janvier 1918 à Bruxelles. xixᵉ-xxᵉ siècles. Belge.

Sculpteur de bustes, groupes, monuments.
Il figura aux Expositions de Paris. Il obtint une mention honorable en 1878, une médaille de bronze en 1889 lors de l'Exposition universelle de Paris.
MUSÉES : BRUXELLES : *Buste du ministre Ch. Rogier* – LIÈGE : *Modèle de fontaine-abreuvoir* – *Buste de vieille femme*.
VENTES PUBLIQUES : BRUXELLES, 10 déc. 1976 : *Jeune fille aux oies*, bronze (H. 64) : BEF 24 000.

TOMBAY Ellen de
Née en 1918 à Saint-Gall. xxᵉ siècle. Active en Belgique. Suisse.
Peintre de figures.
Elle a étudié à l'Académie des Beaux-Arts de Liège, a poursuivi sa formation à Rome. Elle peint également en Espagne.
Elle commence à exposer à Bruxelles en 1949. Suivent des expositions en Suisse et en Espagne. Elle a participé, à Paris, au Salon des Indépendants en 1967-1968-1969-1970.

TOMBAY François de
Né en 1747 à Grivegnée (près de Liège). Mort le 13 janvier 1788 à Liège, certaines sources donnent 1791. xviiiᵉ siècle. Éc. flamande.
Sculpteur.
Frère de Mathieu Tombay et élève de l'Académie de Liège. Il sculpta *Saint Joseph* et *Saint Louis* pour le couvent des Sœurs de Norte-Dame de Tirlemont.

TOMBAY Mathieu de
Né le 31 janvier 1768 à Grivegnée (près de Liège). Mort le 17 novembre 1852 à Liège. xviiiᵉ-xixᵉ siècles. Belge.
Sculpteur.
Père d'Alexandre Tombay et élève de l'Académie de Liège. Il sculpta des statues, des bustes, des ornements et des tabernacles pour des églises belges.

TOMBERG Daniel
Né en 1603. Mort en 1678. xviiᵉ siècle. Actif à Gouda. Hollandais.
Peintre verrier.
Élève de Westerhouds. Il fit des vitraux à Gouda.

TOMBERG Willem
Mort vers 1695. xviiᵉ siècle. Hollandais.
Peintre verrier.
Fils de Daniel Tomberg. Il exécuta les vitraux de l'église luthérienne Saint-Joost de Gouda.

TOMBERLI Bartolomeo
xviiiᵉ siècle. Actif dans la seconde moitié du xviiiᵉ siècle. Italien.
Mosaïste.
Il travailla aux mosaïques de la façade de la cathédrale d'Orvieto de 1785 à 1787.

TOMBJERT Johan Georg ou Tombker. Voir TOMPKE
TOMBLESON William
Né vers 1795. xixᵉ siècle. Britannique.
Dessinateur, graveur au burin.
Il grava des vues de Vienne, d'Angleterre et du Rhin. Il était également éditeur de gravures.

TOMBOLONI Sandra
xxᵉ siècle. Italienne.
Peintre, créateur d'installations.
En 1995, elle a participé, à Paris, à la FIAC (Foire Internationale d'Art Contemporain) présentée par la galerie Gentili de Florence. Elle pratique une peinture figurative, dynamique, gestuelle, parfois vivement colorée, qu'elle associe à des objets réels et des sculptures en pâte à modeler, dans des installations.

TOMBROS Michel
Né en 1889 à Athènes. xxᵉ siècle. Grec.
Sculpteur, écrivain.
Il fut élève de l'École des Beaux-Arts d'Athènes, puis vint terminer sa formation à Paris, à l'Académie Julian. Il revint faire de nombreux séjours à Paris dans la suite. Il éditait à Athènes une revue *Vingtième Siècle*, dont le contenu était d'avant-garde, avec des collaborations de Le Corbusier, Fernand Léger, Christian Zervos. Il fut nommé professeur à l'École des Beaux-Arts d'Athènes en 1938, puis directeur en 1957.
Il a figuré, à Paris, dans les principaux Salons annuels traditionnels. Il a participé plusieurs fois à la Biennale de Venise, à partir de 1934. En 1959 eut lieu, à Athènes, une importante exposition rétrospective de son œuvre. En 1968, il reçut le Grand Prix de l'Académie, et en fut élu membre la même année.

Il a montré dans ses œuvres des influences diverses, d'autant que passant d'un néo-classicisme à l'exemple de Maillol dans les très nombreuses et importantes commandes dont il a bénéficié dans son pays, à des formes tendant à l'abstraction dans ses œuvres plus personnelles. De la même façon quant à la technique, il s'est toujours partagé entre le travail du cuivre, qu'il pratique depuis 1926, et la taille traditionnelle du marbre. Malgré l'indécision de sa démarche, il eut une importante influence, entre les deux guerres, sur l'évolution des jeunes sculpteurs grecs.

Bibliogr. : Denys Chevalier, in : *Nouv. diction. de la sculpt. mod.* – Hazan, Paris, 1970.

TOMBU Jeanne

Née en 1893 à Andenne (Namur). xxᵉ siècle. Belge.
Peintre de fleurs, figures, paysages, pastelliste.
Écrivain, historien d'art, elle a également peint des paysages au Congo.

Bibliogr. : In : *Dictionnaire biographique illustré des artistes en Belgique*, Arto, Bruxelles, 1987.

TOMBU Léon

Né en 1866 à Andenne. Mort en 1958 à Bruxelles. xxᵉ siècle. Belge.
Peintre d'intérieurs d'églises, figures, paysages, fleurs, dessinateur.
Il fut élève de l'Académie de Namur. Il est un des fondateurs du cercle *L'Essor*. Il a également travaillé en France, en Italie et au Canada. Il a peint des paysages du pays mosan.
Ventes Publiques : Bruxelles, 12 juin 1990 : *Vase de fleurs*, h/pan. (50x40) : **BEF 32 000.**

TOMBU Madeleine

Née en 1897 à Andenne (Namur). xxᵉ siècle. Belge.
Peintre d'animaux, paysages, fleurs.
Fille de Léon Tombu, elle suivit l'enseignement de son père.
Bibliogr. : In : *Dictionnaire biographique illustré des artistes en Belgique*, Arto, Bruxelles, 1987.
Musées : Huy.
Ventes Publiques : Bruxelles, 7 oct. 1991 : *Fleurs et Chatons*, h/pan. (49x58) : **BEF 32 000** – Lokeren, 9 mars 1996 : *Chats*, h/pan. (40x50) : **BEF 38 000.**

TOMC Mathäus

Né le 10 septembre 1814 à Dobrova. Mort le 30 mai 1885 à Saint-Vid (près de Ljubljana). xixᵉ siècle. Yougoslave.
Sculpteur sur bois et peintre.
Il sculpta les statues en grès de *Saint Pierre* et de *Saint Paul* pour l'église Saint-Pierre de Ljubljana.

TOMC Miróslav

Né le 15 mars 1850 à Saint-Vid. Mort le 7 novembre 1894 dans la même localité. xixᵉ siècle. Yougoslave.
Peintre.
Élève de Johan Wolf. Il peignit des tableaux d'autel pour des églises des environs de Ljubljana.

TOME Andrés

xviiiᵉ siècle. Actif à Tolède. Espagnol.
Sculpteur et peintre.
Il exécuta des sculptures d'ornements et des peintures dans la cathédrale de Tolède.

TOMÉ Antonio

xviiiᵉ siècle. Actif à Tolède en 1721. Espagnol.
Architecte, sculpteur et peintre.
Père d'Andrès de Diego et de Narciso Tomé, avec lesquels il créa la façade de l'Université de Valladolid.

TOME Diego

Mort en 1732 à Tolède. xviiiᵉ siècle. Espagnol.
Sculpteur et graveur au burin.
Fils d'Antonio Tome. Il grava des sujets religieux et exécuta des sculptures dans la cathédrale de Tolède.

TOME Luigi

Né le 20 février 1797 à Agondo. Mort en 1844 à Venise. xixᵉ siècle. Italien.
Peintre.

TOMÉ Narciso

Né à Toro. Mort en 1742. xviiiᵉ siècle. Espagnol. Travaillait à Tolède en 1721.
Architecte, sculpteur et peintre.
Artiste auquel on attribue à Tolède la fameuse verrière connue sous le nom de *Transparente* (1721-1732), représentant une *Cène*

qui domine un soleil entouré d'anges. Ce Narciso Tomé avait un frère Francisco Tomé, qui dut travailler avec lui.

TOME Y GAVILAN Simon ou Gavilan Tomé

Né à Toro. xviiiᵉ siècle. Espagnol.
Sculpteur, architecte et peintre.
Il sculpta une partie du maître-autel de la cathédrale de Léon, ainsi que des statues religieuses pour des églises des environs de cette ville.

TOMEA Fiorenzo

Né en 1910 à Zoppé di Cadore. Mort en 1960 à Milan (Lombardie). xxᵉ siècle. Italien.
Peintre.
Il vécut et travailla à Milan.

Tomea

Ventes Publiques : Milan, 4 déc. 1969 : *Première neige :* **ITL 2 600 000** – Milan, 9 avr. 1970 : *Paysage :* **ITL 2 800 000** – Milan, 9 mars 1972 : *Autoportrait :* **ITL 2 500 000** – Rome, 12 avr. 1973 : *Fleurs à la fenêtre :* **ITL 1 400 000** – Milan, 5 mars 1974 : *Nature morte :* **ITL 950 000** – Milan, 21 déc. 1976 : *Première neige* 1956, h/t (91x71) : **ITL 3 900 000** – Milan, 25 oct. 1977 : *Village* 1947, h/pan. (50x60) : **ITL 2 600 000** – Rome, 13 nov 1979 : *Village* 1943, h/cart. entoilé (30x40) : **ITL 2 500 000** – Milan, 26 nov. 1981 : *Fantasia* 1940, h/t (100x66) : **ITL 11 000 000** – Milan, 12 juin 1984 : *Paysage*, h/t (80x60) : **ITL 11 000 000** – Milan, 5 déc. 1985 : *Paysage, aquar.* (34x49) : **ITL 1 800 000** – Milan, 14 déc. 1988 : *Les amants* 1940, h/cart. (34,5x24,5) : **ITL 4 000 000** – Milan, 20 mars 1989 : *Vase de fleurs*, h/pan. (46x29,5) : **ITL 4 200 000** ; *Nature morte aux lanternes* 1937, h/t (65x67) : **ITL 16 000 000** – Milan, 6 juin 1989 : *Les lanternes* 1958, h/t (70x91) : **ITL 21 000 000** – Londres, 25 oct. 1989 : *Paysage* 1947, h/t (62x44) : **GBP 3 300** – Milan, 24 oct. 1990 : *Nature morte avec un gant, un masque et des chandelles*, h/t (50x35,5) : **ITL 7 500 000** – Milan, 13 déc. 1990 : *La visite* 1945, h/pan. (60x37) : **ITL 8 000 000** – Milan, 26 mars 1991 : *Neige* 1954, h/t (60x50) : **ITL 12 000 000** – Milan, 20 juin 1991 : *Vase de fleurs*, h/t (60x50) : **ITL 12 000 000** – Milan, 14 nov. 1991 : *Paysage de Zoppé*, h/t (50x40) : **ITL 7 000 000** – Milan, 23 juin 1992 : *Nature morte aux fruits* 1942, h/t (40x50) : **ITL 10 500 000** – Milan, 9 nov. 1992 : *Rencontre* 1941, h/cart. (43x29) : **ITL 4 500 000** – Rome, 25 mars 1993 : *Paysage de Zoppé* 1956, h/t (51x40,5) : **ITL 7 500 000** – Milan, 6 avr. 1993 : *Fantaisie* 1940, h/t (100x66) : **ITL 19 000 000** – Rome, 19 avr. 1994 : *Nature morte à la chandelle*, h/t (35x35) : **ITL 8 625 000** – Milan, 9 mars 1995 : *Paysage des environs de Cadore* 1952, h/t (70x90) : **ITL 19 550 000** – Milan, 20 mai 1996 : *Fleurs*, h/t (60x40) : **ITL 8 625 000** – Milan, 24 nov. 1997 : *Neige*, h/cart. toilé (48x39) : **ITL 16 100 000.**

TOMEC Heinrich ou Jiudrich

Né le 13 septembre 1863 à Prague. Mort en 1928. xixᵉ-xxᵉ siècles. Autrichien.
Peintre de paysages.
Il figura aux Expositions de Paris où il obtint une mention honorable en 1900 lors de l'Exposition universelle de Paris.
Musées : Prague (Gal. mod.) : *Début du printemps* – *Paysage de Moravie* – *Paysage du Sud de la Bohême.*
Ventes Publiques : Zurich, 12 nov. 1982 : *Paysage d'été* 1889, h/t (68x95,5) : **CHF 5 500** – Vienne, 20 mars 1985 : *Der Praterstern mit dem Riesenrad* 1903, techn. mixte/pap. mar./t (110x92) : **ATS 160 000.**

TOMEISCHEL Augustin ou Tomeisl

Né en 1788 à Konopischt. Mort en 1847 à Prague. xixᵉ siècle. Tchécoslovaque.
Miniaturiste.
Élève de l'Académie de Vienne. Il peignit *Saint Vincent Ferrer* dans l'église de Zinkov.

TOMEO di Betto

xivᵉ siècle. Actif à Pise. Italien.
Peintre.
Il travailla pour des palais et pour la cathédrale de Pise de 1336 à 1345.

TOMERLIN Slavko

Né le 2 mars 1892 à Kesinci. xxᵉ siècle. Yougoslave.
Peintre de scènes typiques.

Il fut élève de l'Académie de Prague. Il vécut et travailla à Zagreb. Il peignit les scènes de la vie paysanne de Croatie.

TOMESCU Aïda, née **Cuculici**
Née le 3 octobre 1955 à Bucarest. xxᵉ siècle. Depuis 1980 active en Australie. Roumaine.
Peintre. Tendance abstraite.
Elle a étudié à l'Institut d'Arts Plastiques N. Grigorescu à Bucarest. Elle vit et travaille à Sydney. Elle a montré une première exposition particulière de ses œuvres en 1979 à Bucarest, puis en 1981 et 1985 à Sydney. Après des débuts expressionnistes mais soumis aux contraintes du réalisme socialiste, la peinture de Aïda Tomescu a évolué vers l'abstraction aux tons froids, sans toutefois perdre le contact avec la réalité sensible.
BIBLIOGR. : Ionel Jianou et autres : *Les Artistes roumains en Occident*, American Romanian Academy of Arts and Sciences, Los Angeles, 1986.

TOMEZZOLI Domenico
xviiᵉ siècle. Actif à Vérone. Italien.
Sculpteur.
Élève de Gabriello Brunelli. Il travailla en 1673. Il sculpta des statues pour l'église Saint-Nicolas de Vérone.

TOMEZZOLI Francesco
xviiiᵉ siècle. Actif à Vérone vers 1725. Italien.
Sculpteur.
Il sculpta des statues pour l'église Sainte-Justine de Rovigo et Sainte-Agnès de Vérone.

TOMFORDE Karl
Né le 27 juin 1881 à Trèves (Rhénanie-Palatinat). xxᵉ siècle. Allemand.
Peintre de portraits, paysages, paysages urbains, natures mortes, graveur.
Il vécut et travailla à Francfort-sur-le-Main. Il peignit des portraits, des paysages, des natures mortes et des vues de Francfort et des environs.

TOMIKAGE Doki
Originaire de Mino, aujourd'hui préfecture de Gifu. xvᵉ siècle. Actif au milieu du xvᵉ siècle. Japonais.
Peintre.
Samurai de la famille de Doki, il s'agit peut-être du même personnage que Tôbun Doki. Il semble qu'il ait étudié sous la direction de Shûbun (actif vers 1425-1450) et fait partie de l'école de peinture à l'encre (*suiboku*) de l'époque Muromachi. Il est spécialiste de représentations de faucons.

TOMILOFF Vassili
xviiᵉ-xviiiᵉ siècles. Russe.
Graveur au burin.
Élève d'A. Schoonebeeck.

TOMIMOTO Kenkichi
Né en 1886. Mort en 1963. xxᵉ siècle. Japonais.
Céramiste.
Célèbre céramiste japonais. Il effectua un voyage d'études en Angleterre où il prit connaissance de l'œuvre de William Morris. Il fut le principal animateur de la revue *Shirakada* ouverte sur l'art européen et le renouveau de l'art au Japon.
BIBLIOGR. : In : *Dictionnaire de l'art moderne et contemporain*, Hazan, Paris, 1992.

TOMINC. Voir **TOMINZ**

TOMINE Traute. Voir **STEINTHAL Traute**

TOMINELLI Achille
Né en octobre 1848 à Milan (Lombardie). Mort en juillet 1917. xixᵉ-xxᵉ siècles. Italien.
Peintre de paysages.
Il fit ses études artistiques à Milan et débuta vers 1870. Il a exposé à Milan, Rome, Turin, Florence et Palerme.
MUSÉES : MILAN – PALLANZA.
VENTES PUBLIQUES : MILAN, 20 mars 1980 : *Maisons rustiques*, h/t (52x36) : ITL 3 800 000 – MILAN, 14 mars 1985 : *Paysage de neige*, h/t (35x49) : ITL 3 000 000 – MILAN, 12 juin 1996 : *Pluie imminente*, h/t (35x59,5) : ITL 11 500 000.

TOMINZ Alfredo
Né le 21 mai 1854 à Trieste (Frioul-Vénétie-Julienne). Mort le 22 décembre 1936 à Trieste. xixᵉ-xxᵉ siècles. Italien.
Peintre de chevaux.

MUSÉES : TRIESTE (Mus. Revoltella) : *Portrait du baron Scrinzi, président à vie du Musée – Chevaux au pâturage*.
VENTES PUBLIQUES : LONDRES, 21 juin 1985 : *Le saut de la haie* 1880, h/t (59x78,5) : GBP 4 000 – NEW YORK, 23 fév. 1989 : *Promenade en coupé attelé* 1899, h/t (58,4x38,4) : USD 8 800 – MONACO, 21 avr. 1990 : *Un coupé* 1899, h/t (58,5x38) : FRF 61 050 – LONDRES, 18 mars 1994 : *Au trot !*, h/t, une paire (chaque 58,1x36,9) : USD 8 625 – LONDRES, 14 juin 1995 : *En tête de l'attelage*, h/t (57x36) : GBP 1 955 – ROME, 11 déc. 1996 : *L'Amazone* ; *L'Écuyère*, h/t, deux œuvres dans un même cadre (54x37) : ITL 15 145.

TOMINZ Augusto
Né le 1ᵉʳ février 1818 à Rome. Mort le 17 juin 1833 à Trieste. xixᵉ siècle. Italien.
Peintre d'histoire, de genre, portraits.
Classé parmi les bons peintres d'histoire du xixᵉ siècle.
MUSÉES : LJUBLJANA : *Odalisque* – TRIESTE (Mus. des Beaux-Arts) : *Confession de Laurent de Médicis – Femme au bain – Femme à sa toilette – Maximilien, empereur du Mexique – Le poète Raffaele Zovenzoni (de Trieste) et Frédéric III – François-Joseph Iᵉʳ* – TRIESTE (Mus. Revoltella) : *L'artiste*.

TOMINZ Giuseppe
Né le 6 juillet 1790 à Gorizia. Mort le 24 avril 1866 à Gradiscutta. xixᵉ siècle. Italien.
Peintre d'histoire, genre, portraits.
Élève des Académies de Venise et de Rome.
MUSÉES : CAPODISTRIA : *Naz. Zetto – Drago Popovitch* – ROME (Vatican) : *Le pape Pie VII* – TRIESTE (Mus. Revoltella) : *L'artiste*.
VENTES PUBLIQUES : VIENNE, 20 sep. 1977 : *Portrait d'un officier*, h/t (119x90) : ATS 18 000.

TOMIOKA HYAKUREN. Voir **TESSAI**

TOMIOKA Soichiro
Né en 1922 à Takada (préfecture de Niigata). xxᵉ siècle. Japonais.
Peintre. Abstrait.
Il se forme à la peinture en autodidacte. De 1953 à 1965, il fut directeur artistique de la société d'industries chimiques Mitsubishi et, en 1963, il visita les États-Unis. Il vit à Tokyo.
Il participe à des expositions de groupe, dont : 1953, Association *Shinseisaku*, Tokyo ; 1963, Biennale de São Paulo ; 1962, exposition d'Art Japonais Contemporain à Tokyo où il remporte le premier prix ; 1963, VIIᵉ Biennale de Tokyo ainsi que VIIIᵉ Biennale de Tokyo en 1965 ; 1966, Nouvelles Sculptures et Peintures Japonaises au Musée d'Art moderne de New York ; 1966, première JAFA aux États-Unis. Il a montré plusieurs expositions personnelles de ses œuvres à Tokyo.
MUSÉES : SÃO PAULO (Mus. de Arte Mod.) – TOKYO (Mus. nat. d'Art mod.).

TOMIOLO Eugenio
Né en 1911 à Venise (Vénétie). xxᵉ siècle. Italien.
Peintre, graveur.
Tout en continuant son œuvre peint, il s'est consacré à la gravure, après s'être cherché à travers d'autres disciplines telles que la fresque, les travaux de restauration, la mosaïque et la sculpture. Malgré un grand attrait pour la couleur, le dessin chez lui prime.
C'est seulement en 1971 qu'on le découvre. On peut le rapprocher de certains nordiques comme Ensor, pour son goût du fantasque, de l'étrange ou du macabre : *Les funérailles ; Sorcier et Lune* ; ainsi que du démoniaque, opposant l'univers végétal au tragique, et à l'absurde des cités modernes. Il gravait à l'eauforte.
BIBLIOGR. : Marcello et Rosalba Tbanelli : *Catalogo del opera grafica 1930-1971*, Il Mercante di Stampe, Milan, 1971.

TOMISEN Daniel. Voir **THOMISEN**

TOMISLAV Nicolic
Né en 1937 à Matejka-Kumanovo. xxᵉ siècle. Depuis 1963 actif en France, puis aux États-Unis. Yougoslave.
Peintre.
Il fut élève de l'École des Beaux-Arts de Skopje (Macédoine). Il fut employé à des travaux de restauration au Musée national de Belgrade. A Paris, où il s'installe en 1963, il figure dans des

Salons annuels, notamment à la Société Nationale des Beaux-Arts. Il expose également aux États-Unis.

Après des débuts d'inspiration classique, il évolua vers l'abstraction, puis, renouant avec la figuration, il crée un univers presque inquiétant de visages embués aux yeux éloquents, de corps lascifs offerts dans leur nudité floue.

TOMITSCHEGG Franz Wenzel

XVIIIe siècle. Travaillant à Graz du milieu du XVIIIe siècle. Autrichien.

Sculpteur.

TOMKER. Voir TOMPKE Johann Georg

TOMKIEWICZ Stanislav Woyneko

Né en 1859 en Lithuanie. Mort le 24 février 1896 à Cracovie. XIXe siècle. Polonais.

Peintre.

Élève de l'Académie de Cracovie. Il exposa dans cette ville de 1880 à 1889. La Galerie Mielzynski de Posen conserve des peintures de cet artiste.

TOMKINS Charles

Né vers 1750 à Londres. Mort vers 1810. XVIIIe-XIXe siècles. Britannique.

Peintre de paysages, graveur à la manière noire.

Fils aîné de William Tomkins. Il exposa à la Royal Academy des paysages et des vues. Comme graveur, son œuvre est plus important. On cite notamment : *Batteries flottantes devant Gibraltar* ; *Promenade dans l'Ile de Wight*, quatre-vingts gravures d'après ses dessins ; *Revues à Hyde Park*, estampe imprimée en couleurs.

VENTES PUBLIQUES : LONDRES, 17 mai 1984 : *Coade's Manufactory, Pedlars Acre, London* 1798, aquar. et pl. (16x23,5) : GBP 1 200 – AUCHTERARDER, 1er sep. 1987 : *The bridge and town of Banff*, h/t (69x105) : GBP 4 000.

TOMKINS Charles Algernon

Né probablement en 1821. XIXe siècle. Actif à Londres. Britannique.

Graveur.

Il exposa des portraits de 1872 à 1897.

TOMKINS Charles John

Né en 1847. XIXe siècle. Actif à Londres. Britannique.

Graveur au burin.

Il exposa de 1876 à 1894.

TOMKINS Charley ou C. F.

Né en 1798. Mort en 1844. XIXe siècle. Britannique.

Peintre de genre, paysages, caricaturiste.

Membre de la Society of British Artists : il exposa à la British Institution et à Suffolk Street de 1825 jusqu'à sa mort. Le Victoria and Albert Museum à Londres conserve de lui : *Dînant-sur-la-Meuse* (aquarelle).

VENTES PUBLIQUES : PARIS, 12-13 nov. 1928 : *La conversation galante*, aquar. : FRF 95.

TOMKINS D.

Né le 24 mai 1880 à Deventer. XXe siècle. Britannique.

Peintre de paysages, graveur.

TOMKINS M.

XIXe siècle. Active à Londres. Britannique.

Miniaturiste.

Elle exposa à la Royal Academy en 1824 et 1825.

TOMKINS Peltro William

Né en 1760 à Londres. Mort le 22 avril 1840 à Londres. XVIIIe-XIXe siècles. Britannique.

Graveur.

Fils de William et frère cadet de Charles Tomkins. Un des bons élèves du célèbre de Bartolozzi. Il travailla d'abord d'après Angelica Kauffman et d'autres peintres de l'époque, puis se consacra à la reproduction des maîtres anciens, Italiens et Hollandais, notamment pour la Stafford Gallery, dont il fut l'une des épreuves en couleurs. Il grava souvent à la manière de crayon et au pointillé. On cite parmi ses ouvrages une planche très rare *Margaret Andley, duchesse de Norfolk*, d'après Lucas de Heere. Son œuvre est considérable.

VENTES PUBLIQUES : PARIS, 24 mars 1947 : *Il dort*, aquarelle. attr. : FRF 1 750.

TOMKINS W.

XVIIIe-XIXe siècles. Actif à Londres. Britannique.

Tailleur de camées.

Il exposa de 1799 à 1812.

TOMKINS William

Né vers 1730 à Londres. Mort le 1er janvier 1792 à Londres. XVIIIe siècle. Britannique.

Peintre de paysages, architectures.

Il était fils d'un peintre sur lequel on ne donne pas de détails et fut un des premiers associés de la Royal Academy à laquelle il exposa de 1769 à 1790, représentant surtout des habitations seigneuriales en Angleterre et en Écosse. Il a aussi fait des copies des paysagistes hollandais. Ses fils Charles et Peltro William furent aussi artistes.

VENTES PUBLIQUES : LONDRES, 22 juin 1973 : *Cour de ferme* : GNS 3 000 – LONDRES, 21 juin 1974 : *Paysage fluvial boisé* 1760 : GNS 1 800 – LONDRES, 23 mars 1979 : *Le colporteur*, h/t (73,7x108) : GBP 1 600 – LONDRES, 6 juil. 1983 : *Vue de Bolderview Lodge dans la New Forest, Hampshire* 1769, h/t (100x181,5) : GBP 5 500 – LONDRES, 12 mars 1986 : *Owls and young ones* 1765, h/t (62x73,5) : GBP 10 500 – LONDRES, 15 juil. 1987 : *Feeding time*, h/t (67,5x84) : GBP 8 500 – LONDRES, 14 juil. 1989 : *Paysage du Leicestershire avec une église (Melton Mowbray ?) au lointain*, h/t (132,1x175) : GBP 20 900 – LONDRES, 14 mars 1990 : *Panorama de Totnes dans le Comté de Devon*, h/t (120x165) : GBP 26 400 – LONDRES, 14 nov. 1990 : *Vue d'une résidence de campagne, peut-être Tapeley Park dans le Devonshire*, h/t (71x117) : GBP 41 800 – LONDRES, 20 nov. 1992 : *Vue de Boldre Hill House à Lymington* 1769, h/t (59,6x97,8) : GBP 8 800 – LONDRES, 12 juil. 1995 : *Vue de la Tay à Dunkeld*, h/t (90x135,5) : GBP 33 350.

TOMLIN Bradley Walker

Né le 19 août 1899 à Syracuse (État de New York). Mort en 1953 à New York. XXe siècle. Américain.

Peintre. Abstrait-lyrique ou expressionniste-abstrait.

Il était d'ascendance anglaise. Il fit ses études à l'Université de Syracuse, dont il sortit gradué en 1921 pour la peinture, avec deux bourses qui lui permirent un séjour de plusieurs années en Europe. À Paris, il travailla dans les Académies Colarossi et de la Grande Chaumière. Il rencontra Braque et Gertrude Stein. Il voyagea aussi en Italie et en Angleterre. Avec son ami Frank London, il se rendit à Woodstock en 1925, et s'intégra à la communauté d'artistes qui y vivait, adhérant même à l'Association des Artistes de Woodstock. Il revint définitivement en 1927 aux États-Unis, à New York, où il vécut d'un poste de professeur au Sarah Lawrence College du Bronx. Vers 1945, il fréquenta le cercle de Rothko, Pollock, Motherwell et Guston. Il fut un des huit peintres, surnommés les Irascibles, qui protestèrent en 1950 contre la politique jugée selon eux timorée, voire réactionnaire, du Museum of Art Modern de New York. Tomlin, comme dans le cas de Tobey, ou plus lointainement pour Kandinsky, Klee et Mondrian, n'est connu que pour ses œuvres postérieures à la quarantaine.

Il figura à des expositions collectives, dont : 1946, Prix Carnegie, où il obtint une première mention ; 1952, *Fifteen Americans*, Museum of Art Modern de New York. Après sa mort : 1955, *50 ans d'art aux États-Unis*, Musée national d'Art moderne, Paris.

Il montra ses œuvres dans des expositions personnelles, parmi lesquelles : 1950, 1953, New York. Une exposition rétrospective lui fut consacrée, en 1955, au Whitney Museum de New York, suivie de nombreuses autres à travers le monde.

Depuis son retour aux États-Unis, il eut une activité picturale importante, produisant des œuvres postcubistes, telles que l'école de Paris de l'entre-deux guerres en avait répandu l'exemple à travers le monde. L'exposition présentée en 1937 au Museum of Modern Art *Fantastic Art, Dada and Surrealism* le conduisit à se remettre en question. En 1944, après des paysages, des compositions à personnages, il montra encore à New York, une exposition de natures mortes à destination décorative, mais dans un style original mêlant structure cubiste et imagination onirique. Pourtant, en 1945, âgé de quarante-six ans, sans doute sous le coup de la révélation soudaine des œuvres des Kandinsky, Mondrian, des constructivistes russes, il eut le courage de se remettre complètement en question. Il adopta un vocabulaire abstrait graphique, le plus souvent constitué de signes blancs superposés à des signes noirs eux-mêmes superposés à un fond de touches sombres et sobrement teintées. Des signes s'apparentant souvent à des formes en flèches, des segments réguliers, barres courbes, triangles ou rectangles définis, lettres de l'alphabet. Il fut souvent très proche de l'apparence des recherches calligraphiques inspirées de l'Extrême-Orient de Tobey. Il prit ainsi place parmi les créateurs de la peinture moderne abstraite américaine, « all over », dans le courant qu'il est convenu d'appeler l'abstraction lyrique. Trop rapproché de Tobey, il convient de remarquer ce qui peut les séparer ; Tomlin, dans sa pratique d'une calligraphie inspirée de l'Extrême-Orient, dans la spiritualité d'une abstraction totale – plus totale d'ailleurs que celle de Tobey –, dans l'élaboration d'une sémiotique et la recherche d'une communication, reste foncièrement un plasticien, soucieux de la plénitude de la composition, de l'élégance des rencontres et des juxtapositions des signes et des formes, de la finesse des accords colorés et des gris, tandis que Tobey apparaît avant tout comme un mystique, dont l'écriture est moyen de connaissance de la réalité cachée. ■ J. B.

Bibliogr. : Ritchie : *Abstract Painting and Sculpture in America*, New York, 1951 – Hess : *Abstract Painting*, New York, 1951 – Catalogue de l'exposition *Fifteen Americans*, Mus. of Mod. Art, New York, 1952 – A. Barr : *Masters of Modern Art*, New York, 1954 – Catalogue de l'exposition *50 ans d'art aux États-Unis*, Mus. nat. d'Art mod., Paris, 1955 – Catalogue de l'exposition rétrospective *Tomlin*, Whitney Museum of American Art, New York, 1955 – Michel Seuphor : *Diction. de la peint. abstr.*, Paris, 1957 – Michel Ragon, in : *Peintres Contemporains*, Mazenod, Paris, 1964 – John Ashbury, in : *Diction. Univers. de l'Art et des Artistes*, Hazan, Paris, 1967 – in : *L'Art du XXᵉ siècle*, Larousse, Paris, 1991 – Daniel Wheeler, in : *L'Art du XXᵉ siècle*, Flammarion, Paris, 1991.

Musées : New York (Mus. of Mod. Art) : *Numéro 20* 1949 – *Numéro 9 : en l'honneur de Gertrude Stein* 1950 – Utica (Munson-Williams-Proctor Inst.) : *Numéro 10* 1952-1953.

Ventes Publiques : New York, 12 nov. 1980 : *Number 5* 1951, h/t (90x111,5) : **USD 55 000** – New York, 13 mai 1981 : *Cri de mort* 1948, h/t (78,5x117) : **USD 20 000** – New York, 31 oct. 1984 : *Moonlight* 1949, h/t (121,8x111,8) : **USD 65 000** – New York, 10 nov. 1986 : *Number 12-A* 1947, h/t (80,8x110,2) : **USD 20 000** – New York, 7 nov. 1989 : *Number 5 – 1952* 1952, h/t (178,6x114,3) : **USD 572 000** – New York, 9 nov. 1989 : *Toutes les âmes de la nuit* 1948, h/t (108x162) : **USD 165 000** – New York, 27 fév. 1992 : *Number 21*, h/t (40,6x48,4) : **USD 13 200** – New York, 28 nov. 1995 : *Cheval*, h/t (61x76) : **USD 5 750** – New York, 20 nov. 1996 : *Number 5* 1951, h/t (99,1x111,8) : **USD 156 500** – New York, 8 mai 1997 : *Number 19* 1952-1953, h/t (58,8x78,8) : **USD 23 000**.

TOMLIN Stephen
Né le 2 mars 1901 à Londres. Mort le 5 janvier 1937 à Londres. XXᵉ siècle. Britannique.
Sculpteur.
Fils cadet de Lord Justice Tomlin. Il fit ses études au New College à Oxford à partir de 1919, qu'il quitta au bout de deux ans afin de se consacrer à la sculpture. Plus tard il travailla avec Franck Dobson pendant deux ans en 1925 et en 1926. Il s'installa à East Chelden, mais retourna à Londres à la fin de sa vie.
Musées : Londres (Tate Gal.) : *Lytton Strachey* 1928-1930.
Ventes Publiques : Londres, 13 mars 1981 : *Portrait de Lytton Strachey* vers 1929-1930, bronze (H. 45,7) : **GBP 1 300** – Londres, 24 mai 1990 : *Portrait de Virginia Woolf*, bronze (H. 39) : **GBP 5 500** – Londres, 8 juin 1990 : *Portrait de Lytton Strachey*, bronze (H. 43) : **GBP 4 180**.

TOMLINSON George Dodgson
Né le 26 octobre 1809 à Nottingham. Mort le 14 septembre 1884 à Huddersfield. XIXᵉ siècle. Britannique.
Portraitiste.

TOMLINSON J.
XIXᵉ siècle. Actif à Londres. Britannique.
Miniaturiste.
Il exposa à Londres de 1824 à 1853.

TOMLINSON John
Mort en 1824 à Paris. XIXᵉ siècle. Actif à Londres au début du XIXᵉ siècle. Britannique.
Graveur au burin.
Cet artiste après avoir travaillé à Londres vint s'établir à Paris où des offres avantageuses lui étaient faites. Il grava surtout des paysages. Sa conduite irrégulière l'amena au suicide ; il se jeta dans la Seine.

TOMLINSON R.
XIXᵉ siècle. Actif à Londres dans la première moitié du XIXᵉ siècle. Britannique.
Sculpteur.
Il exposa de 1806 à 1810.

TOMLINSON-BALDWIN Jean. Voir BALDWIN Jean Tomlinson

TOMMANN J.
XVIIIᵉ siècle. Actif à La Haye. Hollandais.
Aquafortiste.

TOMMASEO Radovan
Né en 1895. Mort le 8 août 1924 à Split (Croatie). XXᵉ siècle. Yougoslave.
Peintre, graveur.
Il fut élève des Académies de Zagreb et de Vienne.

TOMMASI Adolfo
Né le 25 janvier 1851 à Livourne (Toscane). Mort le 4 octobre 1933 à Florence (Toscane). XIXᵉ-XXᵉ siècles. Italien.
Peintre de paysages.
Il fut élève de Carlo Marko. Il débuta en 1877 à Florence. Il a exposé à Florence, Turin, Venise et à Vienne et à Paris. Il obtint une médaille de bronze en 1889 lors de l'Exposition universelle de Paris. Ce fut un des artistes les plus renommés de l'École italienne au XIXᵉ siècle.
Musées : Florence (Gal. d'Art mod.) : *Paysage*, quatre œuvres – Livourne : *Journée de pluie* – Milan : *Quand la vapeur siffle*.
Ventes Publiques : Milan, 16 nov. 1972 : *Après l'orage* : **ITL 1 800 000** – Milan, 29 mars 1973 : *La place de l'église* : **ITL 1 900 000** – Milan, 5 nov. 1981 : *Paysages de Fauglia* 1904 et 1905, h/t, une paire (chaque 187x210) : **ITL 7 500 000** – Milan, 29 mai 1984 : *Charrette sur une route de campagne*, h/t (32,5x59) : **ITL 16 000 000** – Berne, 26 oct. 1985 : *Les petits pêcheurs*, h/t (32x57) : **CHF 9 500** – Milan, 28 oct. 1986 : *Maternité*, h/t (172x118) : **ITL 24 000** – Milan, 10 déc. 1987 : *Femme sur un chemin de campagne*, h/t (42,8x83) : **ITL 30 000 000** – Milan, 6 déc. 1989 : *Route de campagne*, h/t (11x18,5) : **ITL 4 700 000** – Milan, 8 mars 1990 : *Monte Corchia dans les Alpes*, past./pap./t (51x70) : **ITL 4 800 000** – Londres, 18 mars 1992 : *Personnages dans un parc*, h/t (31x58) : **GBP 5 500** – Londres, 28 oct. 1992 : *Route de village ensoleillée* 1925, h/cart. (14x19) : **GBP 1 760** – Milan, 3 déc. 1992 : *Pêchers en fleurs*, h/cart. (37,5x55,5) : **ITL 11 300 000** – Milan, 22 mars 1994 : *Ferme avec des bêtes*, h/pan. (25x18) : **ITL 7 475 000** – Milan, 25 oct. 1995 : *Les toits de Turin*, aquar./cart. (70x100) : **ITL 6 900 000** – Rome, 10 déc. 1996 : *Petriolo près de Florence*, h/t : **ITL 216 000 000** – Rome, 23 mai-4 juin 1996 : *Paysage avec porteuse d'eau*, h/t (31x13) : **ITL 5 520 000** – Rome, 28 nov. 1996 : *Petriolo près de Florence* vers 1884, h/t (100x201,5) : **ITL 190 000 000** – Milan, 18 déc. 1996 : *Sienne*, h/t (32x70) : **ITL 38 445 000** – Rome, 2 déc. 1997 : *Paysage à la maison rurale*, h/cart. (43x66) : **ITL 13 800 000**.

TOMMASI Agniolo ou Angiolo ou Thomasi
Né en 1858 à Livourne (Toscane). Mort le 15 octobre 1923 à Torre del Sago. XIXᵉ-XXᵉ siècles. Italien.
Peintre.
Il figura aux Expositions de Paris, où il obtint une médaille de bronze en 1889.
Musées : Livourne : *Portrait de Mascagni* – Rome (Gal. d'Art mod.) : *Émigrants*.
Ventes Publiques : Milan, 16 juin 1969 : *Lac de montagne avec barques* : **ITL 800 000** – Milan, 4 juin 1970 : *Femme* : **ITL 1 000 000** – Milan, 16 mars 1971 : *Portrait de jeune femme de profil* : **ITL 2 400 000** – Milan, 17 oct. 1972 : *Paysannes portant des fardeaux sur leur tête* : **ITL 2 400 000** – Milan, 14 déc. 1976 : *Femmes au bord de la mer*, h/pan. (36x9,5) : **ITL 2 600 000** – Milan, 15 mars 1977 : *Portrait de paysanne*, h/pan. (22x16) : **ITL 1 000 000** – Milan, 10 juin 1981 : *Marine*, h/pan. (8x16) : **ITL 2 200 000** – Milan, 23 mars 1983 : *Scogli ad Antignano*, h/pan. (14,5x26) : **ITL 6 000 000** – Rome, 14 déc. 1988 : *Le lac de Massaiuccoli*, h/cart. (14,5x9,8) : **ITL 2 600 000** – Rome, 11 déc. 1990 : *Le modèle*, h/t (63x51) : **ITL 12 075 000** – Milan, 29 oct. 1992 : *Paysannes à Torre del Lago*, h/t (95,5x103,5) : **ITL 34 000 000** – Lugano, 8 mai 1993 : *Contadine*, h/pan. (19,5x13,5) : **CHF 2 200** – Milan, 29 oct. 1996 : *Paysannes se reposant sur une charrette*, h/t (142,5x95) : **ITL 69 900 000**.

TOMMASI Bartolommeo. Voir BARTOLOMMEO Tommasi

TOMMASI E.
XIXᵉ siècle. Actif à Paris. Italien.
Graveur à l'eau-forte.
Il publia chez Cadart, de l'*Illustration Nouvelle* en 1879-1880-1881, plusieurs gravures originales sur des sujets marocains.
Ventes Publiques : Paris, 8 déc. 1976 : *La barque d'amoureux*, h/pan. (45x71) : **FRF 20 500**.

TOMMASI Eugen
Né en 1891 à Trieste (Frioul-Vénétie-Julienne). XXᵉ siècle. Autrichien.

Sculpteur.

Il fit ses études à Munich. Il vécut et travailla à Innsbruck. Il sculpta des tombeaux à Trieste et des bas-reliefs à Innsbruck.

TOMMASI Girolamo

Né le 13 décembre 1748 à Vérone. Mort vers 1796 à Vérone. XVIIIᵉ siècle. Italien.

Peintre.

Élève de Boscaratti et de Cignaroli. Il peignit des sujets religieux pour les églises de Vérone et des environs.

TOMMASI Giuseppe

Né à Pesaro. XVIIIᵉ-XIXᵉ siècles. Italien.

Peintre.

Il a peint la *Mort de saint Joseph* pour l'église Saint-Vincent et Sainte-Anastasie de Rome.

TOMMASI Lodovico ou Ludovico

Né le 16 juillet 1866 à Livourne (Toscane). Mort en 1941 à Florence (Toscane). XIXᵉ-XXᵉ siècles. Italien.

Peintre de figures, paysages animés, paysages, graveur, lithographe.

Frère d'Agniolo Tommasi. Il exposa à Florence et Livourne. Il gravait à l'eau-forte.

MUSÉES : FLORENCE – LIMA – LIVOURNE – ROME.

VENTES PUBLIQUES : MILAN, 26 nov. 1968 : *Paysage* : ITL 1 100 000 – MILAN, 24 mars 1970 : *Les Pins* : ITL 1 000 000 – GENÈVE, 1ᵉʳ juil. 1971 : *Le Marché* : CHF 10 800 – LONDRES, 8 nov. 1972 : *Jardin* : GBP 1 000 – FLORENCE, 14 avr. 1973 : *Retour des pêcheurs* : ITL 1 500 000 – MILAN, 14 déc. 1976 : *La sortie du théâtre*, h/t (100x100) : ITL 8 000 000 – MILAN, 20 déc. 1977 : *Femmes et enfants*, h/cart. (45x30) : ITL 2 200 000 – MILAN, 5 avr. 1979 : *Le retour du troupeau*, h/cart. (38x45) : ITL 3 000 000 – MILAN, 19 mars 1981 : *Les Couseuses sous la pergola* 1924, h/cart. (45x37) : ITL 6 500 000 – MILAN, 27 mars 1984 : *Les commères*, h/cart. (25x38) : ITL 3 000 000 – MILAN, 4 juin 1985 : *Les couturières*, h/cart. (25,5x38) : ITL 4 000 000 – MILAN, 6 déc. 1989 : *Vase de fleurs*, h/cart. (36x28,5) : ITL 5 500 000 – ROME, 29 mai 1990 : *Paysan dans un paysage*, h/cart. (38x45) : ITL 8 050 000 – ROME, 11 déc. 1990 : *Religieuses à l'ombre*, h/cart. (30x44) : ITL 8 050 000 – MILAN, 12 mars 1991 : *Jardin fleuri*, h/cart. (27x37) : ITL 14 500 000 – ROME, 14 nov. 1991 : *Enfants dans un verger* 1897, h/t/cart. (31,5x44,5) : ITL 18 400 000 – MILAN, 12 déc. 1991 : *Personnages assis au bord de la mer*, h/cart. (27,5x45) : ITL 5 800 000 – ROME, 19 nov. 1992 : *Femmes au lavoir*, h/cart. (28x34,5) : ITL 8 050 000 – LONDRES, 25 nov. 1992 : *Paysage animé*, h/pan. (45x32,5) : GBP 3 520 – MILAN, 8 juin 1993 : *Cabine sur la plage de Viareggio*, h/cart. (24,5x32) : ITL 10 000 000 – ROME, 6 déc. 1994 : *Sur le ponton*, h/cart. (34x45) : ITL 16 499 000 – MILAN, 25 oct. 1995 : *Dame assise au bord d'une charrette* 1890, h/pan. (27x36) : ITL 57 500 000 – MILAN, 12 juin 1996 : *Femmes du peuple in conciliabule*, h/t (100x100) : ITL 32 200 000 – MILAN, 23 oct. 1996 : *Ouvrage au crochet*, h/t (70x55) : ITL 13 980 000.

TOMMASI Marcello

Né en 1928 à Pierre-Sainte (Versilia). XXᵉ siècle. Italien.

Sculpteur.

Il fut l'élève du peintre Pietro Annigoni, et aussi celui de son frère Leone Tommasi, sculpteur. Il fit des études d'histoire de l'art à l'Université de Florence. Il fait partie, en classe de sculpture, de l'Académie florentine des Arts du dessin. Il est professeur de modelage à l'Académie des Beaux-Arts de Florence. Il participe à des expositions collectives, dont : 1951, Quadriennale de Rome ; 1957, 1962, Biennale internationale de Sculpture de Carrare ; 1967, 1971, Biennale internationale de Barcelone ; 1969, Madrid ; 1971, VIIIᵉ Biennale de Padoue ; 1972, IIIᵉ Biennale internationale graphique à Florence. Il montre ses œuvres dans de nombreuses expositions particulières.

Ses sculptures sont des personnages empreints d'une impulsivité qui pourrait être dramatique, comme pris de convulsions, soumis à des tensions, à des inquiétudes.

BIBLIOGR. : *Marcello Tommasi*, biographie, Ed. Editrice, Pisa, 1991.

VENTES PUBLIQUES : PARIS, 25 nov. 1990 : *David à la fronde* 1977, bronze (H. 43) : FRF 9 000 – PARIS, 17 avr. 1996 : *Maria* 1970, bronze (H. 32) : FRF 8 000.

TOMMASI Publio de

Né en 1849 à Rome. Mort en 1914. XIXᵉ-XXᵉ siècles. Italien.

Peintre de genre, paysages, aquarelliste, aquafortiste.

Il fit ses études à l'École d'art de Rome. Il fut nommé professeur à l'École municipale d'art de Rome.

Il exposa à Milan, en 1881. *Une partie d'échecs*, d'un beau coloris, à Rome, en 1883, *Désillusion* et *La Fable*. Enfin, à l'Exposition nationale de Turin, en 1884, on admira de cet artiste, *Les cadeaux de noces*.

MUSÉES : MELBOURNE : aquarelles – SYDNEY : aquarelles – *Avant l'audience chez le pape* – *La Partie d'échecs* – *Costumes populaires de la campagne romaine*.

VENTES PUBLIQUES : LONDRES, 2 juin 1967 : *Les Joueurs de dés* : GNS 420 – NEW YORK, 23 fév. 1983 : *Les Contes de grand-mère*, aquar. (68,3x102,6) : USD 4 500 – LONDRES, 16 mars 1983 : *La Partie de dés au cellier* 1888, h/t (44,5x65) : GBP 3 500 – NEW YORK, 25 fév. 1988 : *Personnages dans une taverne*, aquar. (60,3x100,3) : USD 3 300 – LONDRES, 24 juin 1988 : *Village en haut de la colline* 1881, aquar. et gche (62,2x31,7) : GBP 418 – ROME, 14 nov. 1991 : *À la taverne* 1890, h/t (55,5x81) : ITL 25 300 000 – LONDRES, 12 fév. 1993 : *Le Temple de Vesta à Rome* 1880, aquar. avec reh. de blanc/pap. (45,8x74,3) : GBP 3 080 – LONDRES, 7 avr. 1993 : *L'Heure du bain*, aquar. (84x65) : GBP 4 485 – LONDRES, 16 juin 1993 : *Badinage* 1890, h/t/pan. (55x79) : GBP 6 670 – VIENNE, 29-30 oct. 1996 : *Manœuvre de divertissement amoureuse*, h/t (54x94) : ATS 322 000.

TOMMASI Tommaso

Né à Pietrasanta. XVIIIᵉ siècle. Italien.

Peintre.

Élève de Fr. Melani à Pise. Les églises de cette ville conservent de nombreuses peintures exécutées par cet artiste.

TOMMASINA Tommaso

Né le 26 novembre 1855 à Dorno. XIXᵉ siècle. Italien.

Portraitiste et sculpteur.

Il exposa à Turin et à Rome.

TOMMASINI. Voir aussi TOMASINI

TOMMASINI André

XXᵉ siècle. Suisse (?).

Sculpteur.

MUSÉES : LAUSANNE (Mus. canton. des Beaux-Arts) : *Dogonto* 1974.

TOMMASINI Carmelo

Né en 1927. XXᵉ siècle. Français.

Peintre, pastelliste.

VENTES PUBLIQUES : PARIS, 26 avr. 1990 : *13 Febbraio 89*, h/t (130x97) : FRF 36 000 – PARIS, 7 fév. 1991 : *Assième*, h/t (97x130) : FRF 22 000 – DOUAI, 24 mars 1991 : *Tête* 1987, past. (38x28) : FRF 3 800 – PARIS, 29 nov. 1992 : *In vito*, h/t (100x100) : FRF 4 800.

TOMMASINI Filippo. Voir THOMASSIN Philippe

TOMMASINI Gianantonio

XVIIᵉ-XVIIIᵉ siècles. Actif à Modène. Italien.

Peintre d'histoire, paysages.

Élève de G. G. dal Sole. Il travailla pour des églises de Modène.

TOMMASINI Giovana

XVIIIᵉ siècle. Travaillant à Rome en 1736. Italien.

Miniaturiste.

TOMMASINI Marco

XVIIIᵉ siècle. Actif à Rome vers 1700. Italien.

Sculpteur.

Il collabora aux statues des colonnades de Saint-Pierre de Rome.

TOMMASINI Vittorio. Voir FARFA

TOMMASO

Mort en 1336. XIVᵉ siècle. Italien.

Enlumineur et copiste.

Il travailla au monastère de Santa Maria Novella à Florence.

TOMMASO

XVᵉ siècle. Travaillant en 1492. Italien.

Peintre.

Il a peint la façade de l'église Saint-Théodore près de Saint-Marc de Venise.

TOMMASO

XVIᵉ siècle. Travaillant en 1572. Italien.

Peintre.

Il a peint des fresques dans l'église Saint-François de Vigevano.

TOMMASO Vitaliano di

XVIIIᵉ siècle. Actif dans la seconde moitié du XVIIIᵉ siècle. Italien.

Peintre.

Il peignit un tableau d'autel dans la cathédrale de Catanzaro en 1770.

TOMMASO d'Anconna

xve siècle. Actif à la fin du xve siècle. Italien.

Sculpteur.

Il fut chargé, en 1499, de l'exécution du tombeau pour Cataldo de Rinaldo à Naples. Il sculpta surtout le marbre.

TOMMASO di Arcangelo di Bernabeo ou Berbabei. Voir PAPACELLO Tommaso

TOMMASO d'Atessa

xiie siècle. Italien.

Peintre et sculpteur.

Il exécuta des peintures et des sculptures dans l'église du monastère S. Salvatore alla Majella en 1177.

TOMMASO da Barisino ou da Rabisino, Tommaso da Modena, Barisino da Modena

Né à Modène, entre le 9 mars 1325 et le 6 mai 1326. Mort peu avant le 16 juillet 1379. xive siècle. Italien.

Peintre.

Il était fils du peintre Barisino dei Barisini signalé comme ayant vendu une maison à Modène en 1339. Il acheta une propriété dans la même ville, en 1366. On cite parmi les ouvrages qui lui sont attribués : *Fragment d'un tableau d'autel*, à l'église Notre-Dame, à Karlstein ; *Fresques de Saints et de moines*, signées et datées de 1352 à la maison du Chapitre des Dominicains, à Trévise. On note la vivacité de certaines de ses représentations, notamment à travers les scènes de la *Vie de Sainte Ursule* (Trévise). Son œuvre recherche la vie et le naturel non sans atteindre un certain lyrisme. Il emploie des tons recherchés et lumineux. Son art dérive de son travail d'enlumineur par lequel il a certainement débuté.

Musées : Baltimore : un retable – Bologne (Pina.) : un polyptyque – Londres : *Madone et Enfant avec saint Marc et saint Jean-Baptiste* – Modène (Pina.) : *Madone avec des saints* – Trévise : *La légende de sainte Ursule* – Vérone : *L'Ange de l'Annonciation et des saints*, panneaux d'un triptyque – Vienne : *Vierge et Enfant Jésus.*

TOMMASO di Bartolo

xviie siècle. Actif à Norcia dans la première moitié du xviie siècle. Italien.

Peintre.

Il travailla à Cascia en 1626.

TOMMASO da Carona

xive-xve siècles. Italien.

Sculpteur.

Il travailla pour la cathédrale de Milan de 1399 à 1437.

TOMMASO da Carpi. Voir CARPI Tommaso da

TOMMASO di Ceccolo

xive siècle. Italien.

Graveur sur bois.

Il sculpta, avec Niccolo di Nuto, les stalles de la cathédrale d'Assise, en 1349.

TOMMASO di Chino

Né à Aquila. xvie siècle. Travaillant à Termini en 1528. Italien.

Sculpteur.

TOMMASO da Como. Voir MALVITO de Sumalvito Giovanni et Tommaso

TOMMASO da Cortona. Voir PAPACELLO Tommaso

TOMMASO di Cristoforo Fini. Voir MASOLINO da Panicale

TOMMASO Fiorentino

xvie siècle. Travaillant en 1521. Italien.

Peintre.

TOMMASO Fiorini ou Tommaso di Giovanni di Fiorino. Voir VARIGNANA

TOMMASO da Firenze. Voir PAOLINO di Giovanni d'Ascoli

TOMMASO di Giovanni di Simone Guidi, dit Masaccio. Voir MASACCIO

TOMMASO di Giovanni di Tommaso

xve-xvie siècles. Actif à Pérouse de 1488 à 1511. Italien.

Peintre.

TOMMASO di Lazzaro

xive siècle. Actif à Pistoie. Italien.

Peintre.

Il collabora aux peintures de la chapelle Saint-Jacques de la cathédrale de Pistoie.

TOMMASO da Lugano, dit Tommaso Lombardo

xvie siècle. Actif à Venise. Italien.

Sculpteur.

Auteur d'une *Vierge avec l'enfant et Saint Jean-Baptiste*, dans l'église Saint-Sébastien, à Venise, du buste en marbre de *Charles Quint*, et, dans l'église du Saint-Sauveur de Venise, d'une statue de *Saint Jérôme*.

TOMMASO di Marco

Né à Florence. xive siècle. Actif à la fin du xive siècle. Éc. florentine.

Peintre.

Élève de Crone, dit Areagna. Vasari cite de lui une peinture qu'il exécuta en 1392, à San Antonio de Pise.

TOMMASO di Mascio Carafone ou Scarafone

xve-xvie siècles. Actif de 1473 à 1521. Italien.

Miniaturiste.

Il fut l'un des peintres employés à la décoration des livres de chœur de la cathédrale de Pérouse.

TOMMASO del Mazza. Voir MAZZA

TOMMASO da Modena. Voir BASSI da Modena Tommaso di Cesare et TOMMASO da Barisino

TOMMASO di Nasseio

xve siècle. Italien.

Peintre.

Il exécuta en collaboration avec son frère (?) Bartolommeo di Nasseio des fresques dans l'oratoire de S. Mariano à Albacina près de Fabriano.

TOMMASO di Novara

xve siècle. Actif à Gênes dans la seconde moitié du xve siècle. Italien.

Peintre.

TOMMASO di Piero

xve siècle. Actif dans la seconde moitié du xve siècle. Italien.

Il peignit des tableaux d'autel pour les églises Saint-Dominique et Sainte-Trinité de Prato.

TOMMASO di Piero da Varignana. Voir VARIGNANA

TOMMASO Pisano

Mort après le 15 octobre 1371. xive siècle. Actif à Pise. Italien.

Sculpteur et architecte.

Fils d'Andrea et frère de Nino Pisano. Son chef-d'œuvre est l'autel de l'église Saint-François de Pise.

TOMMASO del Porfido. Voir FEDELE Tommaso

TOMMASO di Puccio

xive siècle. Actif à la fin du xive siècle. Italien.

Sculpteur sur bois.

Il a sculpté un tabernacle pour la cathédrale de Florence en 1394.

TOMMASO da Rabisino. Voir TOMMASO da Barisino

TOMMASO di Roma

xve siècle. Actif dans la seconde moitié du xve siècle. Italien.

Sculpteur sur bois.

TOMMASO Siciliano. Voir LAURETI Tommaso

TOMMASO degli Stefani ou Tommaso di Stefano, ou di Maestro Stefano. Voir GIOTTINO

TOMMASO di Stefano, dit Lunetti

Né vers 1496 à Florence. Mort en 1564 à Florence. xvie siècle. Italien.

Peintre de compositions religieuses, sujets mythologiques, décorateur, miniaturiste, architecte.

Il était le fils de Tommaso di Giovanni Lunetti, peintre et architecte actif à Florence, collaborateur de Michel-Ange pour la sacristie de San Lorenzo et ami de Lorenzo di Credi, mais aussi quelquefois rapproché de Piero di Cosimo. Son père lui enseigna son art : peinture et architecture, mais il fut également élève de Lorenzo di Credi, dont il imita la manière.

On cite de lui une *Nativité* à la chapelle de la famille Capponi dello Roumate, à la villa d'Arcetri. Avec son ami Giovanni Antonio Sogliani il réalisa les peintures-décors des festivités floren-

tines. Il est également connu comme miniaturiste et enlumineur de manuscrits.
Il exécuta un grand nombre de travaux d'architectures à Florence et dans ses environs. En tant qu'architecte on connait de lui le pont de San Piero sur le Bisenzaio.
BIBLIOGR. : B. Berenson, in : *Les peintures italiennes de la Renaissance : École florentine*, 1963.
VENTES PUBLIQUES : LONDRES, 29 juin 1979 : *L'Adoration des bergers*, h/pan. (72,3x49,5) : **GBP 42 000** – NEW YORK, 5 avr. 1990 : *Saint Jérôme dans le désert*, h/pan. (45x34,5) : **USD 7 700** – NEW YORK, 10 jan. 1991 : *Nativité*, h/pan. (74x59) : **USD 198 000** – NEW YORK, 21 mai 1992 : *Vénus et Adonis*, h/t (93x210) : **USD 159 500.**

TOMMASO de Sumalvito. Voir MALVITO de Sumalvito Tommaso

TOMMASO di Udine
XVᵉ siècle. Actif à la fin du XVᵉ siècle. Italien.
Peintre.
Il exécuta des peintures dans l'église Notre-Dame di Caporeto à Udine.

TOMMASO da Varignana. Voir VARIGNANA

TOMMASO de Vigilia
Né en 1435 à Palerme. Mort en 1495. XVᵉ siècle. Italien.
Peintre.
Son activité est essentiellement centrée à Palerme où il travailla à partir de 1461. Il exécuta en 1466 une *Présentation de la Vierge* pour la cathédrale de Palerme. Il aurait travaillé à plusieurs retables en 1481, 1484, 1488, 1494. On cite également de lui une *Vierge et l'Enfant* dans l'Église Sainte Marie à Alcamo. Le Musée de Palerme conserve de lui le triptyque dit de « duc della Verdure ».

TOMME Luca di. Voir LUCA di Tomme

TOMME di Luca
XVᵉ siècle. Actif à Sienne. Italien.
Peintre verrier.
Il a exécuté des vitraux dans la cathédrale de Sienne en 1455.

TOMMISEN Daniel. Voir THOMISEN

TOMOCHIKA
Japonais.
Sculpteur sur ivoire.

TOMOLA Johann E.
Né en 1845 à Raussnitz. Mort avant 1920. XIXᵉ-XXᵉ siècles. Autrichien.
Sculpteur.
Il a sculpté le maître-autel dans l'église Saint-Jacques de Brunn.

TOMOLIUS Luca ou Tonioli ou Toniolius
XVIIᵉ siècle. Italien.
Graveur au burin.
On cite de lui un petit portrait de *F. Lælius Contesino*. C'est le même artiste que Lucas Toniolus, qui fit le portrait d'*Antonius Paulutius*.

TOMOTADA
Japonais.
Sculpteur sur ivoire.

TOMOTO Kobori, nom familier : Keizaburô, nom de pinceau : Tsurunoya
Né en 1864. Mort en 1931. XIXᵉ-XXᵉ siècles. Japonais.
Peintre d'histoire. Académique.
Originaire de Tokyo. Peintre de sujets historiques dans le style académique de l'école Tosa, il est professeur à l'Université des Beaux-Arts de Tokyo et membre de l'Académie Impériale des Beaux-Arts et du Comité Impérial.

TOMPKE Johann Georg ou Tompken, Tombker, Tombjert
XVIIIᵉ siècle. Autrichien.
Peintre.
Il a peint les portraits de presque tous les abbés du monastère de Saint-Florien près de Linz. Le Musée Provincial de Linz conserve deux portraits exécutés par cet artiste.
VENTES PUBLIQUES : VIENNE, 12 mars 1974 : *Portrait d'homme* : **ATS 32 000** – VIENNE, 15 sep. 1982 : *Portrait d'une dame de qualité*, h/t (88x73) : **ATS 45 000.**

TOMPKINS Clementina M. G.
Née en 1848 (?) à Georgetown. Morte le 9 novembre 1931 à New York. XIXᵉ-XXᵉ siècles. Américaine.

Peintre de genre, portraits.
Elle fut élève de L. Bonnat, à l'École des Beaux-Arts de Paris.
MUSÉES : BOSTON – PHILADELPHIE.

TOMPKINS Frank Hector
Né le 13 mai 1847 peut-être à Hector. Mort le 11 juillet 1922 à Brooklyn (New York). XIXᵉ-XXᵉ siècles. Américain.
Peintre.
Il fut élève des Académies de New York et de Munich.
MUSÉES : BOSTON : *Jeune mère* et *L'artiste.*
VENTES PUBLIQUES : NEW YORK, 8 août 1980 : *La lecture de la lettre* 1895, h/t (79x134,5) : **USD 1 500** – NEW YORK, 5 déc. 1986 : *Circus time* 1882, h/t mar./isor. (56x91,5) : **USD 15 000.**

TOMPSEN Carl
Né au XIXᵉ siècle à Copenhague. XIXᵉ siècle. Danois.
Peintre de genre.
Il figura aux Expositions de Paris ; mention honorable en 1889 (Exposition Universelle), médaille d'argent en 1900 (Exposition Universelle).

TOMPSON Richard ou Thompson
Mort en 1693 à Londres. XVIIᵉ siècle. Actif à Londres. Britannique.
Graveur en manière noire, éditeur d'estampes et imprimeur.
Certains critiques se sont demandés si les excellentes planches qui portent son nom sont réellement son ouvrage ou bien s'il fit travailler des artistes pour son compte. Ses planches sont généralement d'après Kneller et Lely.

TOMS Peter
Mort en 1776 à Londres. XVIIIᵉ siècle. Britannique.
Peintre de portraits.
Fils de W. H. Toms. Élève de Hudson. Il fut surtout peintre de draperie de sir Joshua Reynolds, Cotes et West. Il fut un des membres fondateurs de la Royal Academy. Il alla en Irlande tenter la fortune comme peintre de portraits, mais il n'y obtint pas le succès qu'il ambitionnait et revint en Angleterre. Il était intimement lié avec Cotes ; la mort de cet artiste lui causa un tel chagrin qu'il se donna la mort.

TOMS William Henri
Né vers 1700. Mort vers 1750. XVIIIᵉ siècle. Travaillant à Londres. Britannique.
Graveur.
Il grava au burin et à l'eau-forte des portraits, des navires et des vues de villes et de châteaux d'Angleterre.

TOMSEN Constant Auguste
Né au XIXᵉ siècle à Paris. XIXᵉ siècle. Français.
Sculpteur.
Élève de Thomas Gauthier et de Millet. Il figura au Salon des Artistes Français ; mention honorable en 1893.

TOMSKI Nicolas Vassilievtch
Né en 1900 à Ramuscevo-Novgorod. XXᵉ siècle. Russe.
Sculpteur de figures. Réaliste.
Il fit ses études à l'École Technique des Beaux-Arts de Leningrad (aujourd'hui Saint-Pétersbourg). Il participa à d'importantes expositions en Union Soviétique et en Inde, Chine, Indonésie, Finlande. Il a également participé aux Expositions Universelles de Paris, New York et Bruxelles et à la XXVIIIᵉ Biennale de Venise.
Ses sculptures sont figuratives, classiquement réalistes.
MUSÉES : MOSCOU (Gal. Tretiakov) : *Portrait d'un vieil ouvrier français* 1954.

TOMSON. Voir aussi THOMSON

TOMSON Clifton
Né en 1775 à Nottingham. Mort en 1828. XIXᵉ siècle. Britannique.
Peintre de scènes de sport, animaux.
MUSÉES : NOTTINGHAM : *Chevaux et chiens dans un paysage* – *Étude de chevaux.*
VENTES PUBLIQUES : LONDRES, 30 mai 1947 : *La Fin du Saint-Léger* 1815 : **GBP 168** – LONDRES, 21 juil. 1967 : *Cavalier dans un paysage* : **GNS 750** – LONDRES, 17 nov. 1971 : *L'Arrivée de la Doncaster Gold Cup* : **GBP 2 000** – LONDRES, 26 mars 1976 : *Cheval de course avec son jockey*, h/t (51x69) : **GBP 410** – LONDRES, 25 nov. 1977 : *Pur-sang dans un paysage* 1918, h/t (69,1x86,3) : **GBP 800** – LONDRES, 23 nov 1979 : *Chevaux dans un paysage* vers 1815, h/t (160x124,5) : **GBP 15 000** – LONDRES, 27 mars 1981 : *Altisidora avec son entraîneur et son jockey*, h/t (100x128,5) : **GBP 8 500** –

PARIS, 14 mars 1983 : *Evender, étalon gris sur fond de paysage* 1811, h/t (63x76) : **FRF 16 500** – NEW YORK, 8 juin 1984 : *Altisidora, vainqueur du Saint-Léger* 1813, h/t (100,3x124,5) : **USD 20 000** – LONDRES, 18 nov. 1988 : *Jument et son poulain dans un paysage* 1826, h/t (61x76,2) : **GBP 6 050** – LONDRES, 9 fév. 1990 : *Trotteur bai avec un terrier devant une écurie*, h/t (61x73) : **GBP 3 080** – LONDRES, 18 mai 1990 : *Pur-sang bai monté par un jockey avec son entraîneur et un lad*, h/t (52x71,5) : **GBP 3 300** – LONDRES, 11 juil. 1990 : *Pewett, un pur-sang bai monté par un jockey*, h/t (59x74) : **GBP 5 500** – LONDRES, 7 oct. 1992 : *Un hunter alezan tenu par son lad*, h/t (56x74) : **GBP 1 375** – LONDRES, 7 avr. 1993 : *Deux hunters gris et alezan avec deux chiens dans un paysage boisé*, h/t (81x114,4) : **GBP 4 600** – NEW YORK, 9 juin 1995 : *Miss Coiner montée par son jockey* 1801, h/t (63,5x76,2) : **USD 4 025** – LONDRES, 13 nov. 1996 : *Course pour le trophée de Saint-Léger Starkes en 1812 à Doncaster*, h/t (73,5x228,5) : **GBP 87 300.**

TOMTORN Paul ou **Pawel**. Voir **THURN**

TON A. A.
Né en 1790. Mort en 1858. XIXᵉ siècle. Russe.
Peintre.
La Galerie Tretiakov, à Moscou, conserve de lui : *Rome.*

TON K. A.
Né en 1794. Mort en 1881. XIXᵉ siècle. Russe.
Peintre d'architectures.
La Galerie Tretiakov, à Moscou, conserve de lui : *Temple de Cérès à Pæstum* et *Vue du grand pont de pierre et du temple du Sauveur à Moscou.*

TONANTZIN Jesus
XXᵉ siècle. Actif en France. Mexicain.
Peintre, pastelliste. Tendance fantastique.
Il a exposé en 1996 à la Maison du Mexique de la Cité universitaire de Paris des œuvres rendant hommage au Chiapas, province à la limite du Guatemala ayant connu des révoltes paysannes en 1993.

TONAY Nicolas Antoine. Voir **TAUNAY**

TONCI Salvatore
Né en 1756 à Rome. Mort en décembre 1844 à Moscou. XVIIIᵉ-XIXᵉ siècles. Italien.
Portraitiste.
Il se fixa à Moscou en 1800 et prit le nom de Nicolaï Ivanovitch.
MUSÉES : MOSCOU (Mus. Roumianzeff) : *Le poète Diershavine* – SAINT-PÉTERSBOURG (Mus. Russe) : *L'impératrice Maria Féodorovna* – VLADIMIR : *Le baptême de Saint-Vladimir.*

TONCIC Franz Xaver
Né le 10 novembre 1865 à Crni. Mort le 14 mars 1919 à Kamnik (au nord de Ljubljana). XIXᵉ-XXᵉ siècles. Yougoslave.
Sculpteur de sujets religieux.
Il exécuta de nombreuses œuvres pour des églises de Slovénie et de Croatie.

TONCINI Lorenzo
Né le 10 août 1802 à Caorso. Mort en 1894 à Parme. XIXᵉ siècle. Italien.
Peintre.
Élève de l'Académie de Saint-Luc de Rome. Il travailla à Plaisance.

TONCOTTO Giorgio. Voir **TURCOTTO**

TÖNDER Frederik Christian
Né en 1747 en Norvège. Mort le 11 décembre 1809 à Copenhague. XVIIIᵉ siècle. Danois.
Sculpteur.
Élève de l'Académie de Copenhague. Il travailla pour la Manufacture de porcelaine de cette ville.

TONDER-ERICHSEN Thyra, née **Tönder**
Née le 18 mars 1872. XIXᵉ-XXᵉ siècles. Danoise.
Peintre.
Elle fut élève de Vilhelm Kyhn et de V. Johansen à Copenhague. Elle vécut et travailla à Roskilde.
MUSÉES : OSLO (Mus. mun.).

TONDEROVA-ZATKOVA Slava
Né le 2 février 1888 à Badweis. XXᵉ siècle. Tchécoslovaque.
Peintre.
Élève d'A. Slavicek.

TONDEUR Alexander
Né le 17 juillet 1829 à Berlin. Mort le 21 avril 1905 à Berlin. XIXᵉ siècle. Allemand.

Sculpteur.
Élève de G. Bläser à l'Académie de Berlin. Il sculpta des statues et des bustes de personnalités et d'acteurs de son époque.

TONDI
XVIIIᵉ siècle. Actif à Lecce en 1799. Italien.
Peintre.

TONDO
XVᵉ siècle. Actif à Mantoue de 1490 à 1491. Italien.
Peintre.

TONDOS Stanislav
Né en 1854 à Cracovie. Mort en 1917 à Cracovie. XIXᵉ-XXᵉ siècles. Polonais.
Peintre d'architectures, scènes typiques, paysages.
Il peignit des vues de Cracovie, et des scènes paysannes.

TONDREAU Paul
Né en 1886 à Mons (Hainaut). Mort en 1977 à Mons. XXᵉ siècle. Belge.
Peintre de portraits, paysages, paysages urbains, natures mortes. Postimpressionniste.
Il a étudié à l'Académie de Mons. Il a voyagé dans les régions méditerranéennes de l'Italie, de la France, et de l'Espagne.
BIBLIOGR. : In : *Dictionnaire biographique illustré des artistes en Belgique*, Arto, Bruxelles, 1987.
MUSÉES : MONS.

TONDU André Paul Henri
Né le 11 février 1903 à Dammartin Marpain (Jura). Mort le 26 mai 1980 à Lacroix-en-Brie (Seine-et-Marne). XXᵉ siècle. Français.
Peintre.
Il a étudié à l'École des Beaux-Arts de Paris où il fut élève, entre 1920 et 1923, des peintres Cormon, Renard et J.-P Laurens. Il obtint le prix de Rome en 1931.
MUSÉES : DIJON : *Portrait de fille* 1935.

TONDUCCI Roberti Giulio ou **Tonduzzi**
Né vers 1513 à Faenza. Mort entre 1582 et 1596. XVIᵉ siècle. Italien.
Élève de Jules Romain. Lanzi cite une œuvre de Tonduzzi *Lapidation de saint Étienne*, qui se trouve dans une église de Faenza et qui a été souvent attribuée à son maître. La Pinacothèque de Faenza conserve de lui *L'entrée de Noé et de sa famille dans l'arche* et *Dieu donne à Moïse les tables de la loi sur le Sinaï.*

TONE Waldemars
Né le 28 mars 1892 à Annenieki (en Zemgale). XXᵉ siècle. Letton.
Peintre de portraits.
Il fut élève de l'École d'Art de Riga. Il fut professeur à l'Académie des Beaux-Arts de Lettonie. Il exposa entre 1927 et 1939 dans presque toutes les villes d'Europe et obtint le Prix du Fonds de Culture en 1934 et 1937.
MUSÉES : KOVNO – RIGA.

TONEGUTTI Giacomo
Né le 30 avril 1803 à Belluno. Mort le 4 mai 1863 à Trieste. XIXᵉ siècle. Italien.
Peintre.

TONELLI
XVIIIᵉ siècle. Travaillant en 1769. Italien.
Médailleur.
Il grava une médaille à l'effigie de la *Duchesse Marie-Thérèse Cybo de Modène.*

TONELLI Alberto ou **Torelli**
Né en 1496. Mort en 1540. XVIᵉ siècle. Actif à Parme. Italien.
Peintre.
Élève et assistant du Corrège.

TONELLI Domenico
XVIIIᵉ siècle. Actif à Naples de 1739 à 1742. Italien.
Dessinateur d'ornements.
Il travailla à la Manufacture de tapis de Naples.

TONELLI Giovanni Battista
XVIIIᵉ siècle. Actif à Lucques dans la seconde moitié du XVIIIᵉ siècle. Italien.
Médailleur.

TONELLI Giuseppe
Né en 1668 à Florence. Mort en 1732 à Florence. XVIIᵉ-XVIIIᵉ siècles. Italien.

Peintre de perspectives et de décors de théâtres.
Élève de Chiavistelli. Il travailla à Bologne et à Rome. Le Musée des Offices de Florence conserve de lui plusieurs dessins et la Galerie de Parme, douze têtes de saints.

TONELLI Giuseppe
XIXe siècle. Actif à Florence dans la première moitié du XIXe siècle. Italien.
Graveur.
Élève de Giuseppe Longhi.

TONELLI Mosè
Né le 17 septembre 1818 à Feltre. Mort après 1898. XIXe siècle. Italien.
Paysagiste.
Élève de l'Académie de Venise. Il travailla à Feltre et à Trévise surtout comme restaurateur de peintures.

TONETTI Antonio
Né en 1797. Mort en novembre 1883 à Naples. XIXe siècle. Actif à Naples. Italien.
Peintre.
Élève de J. L. David. Il exposa jusqu'en 1869.

TONETTI François Michel Louis
Né le 7 avril 1863 à Paris. Mort le 2 mai 1920 à New York. XIXe-XXe siècles. Actif aux États-Unis. Français.
Sculpteur.
Il fut élève de Falguière à Paris. Il obtint une médaille de troisième classe au Salon des Artistes Français de 1911. Il se fixa à New York.
Musées : SAINT LOUIS : *Statue de la Victoire*.

TONETTI Odoardo
Né en 1785 à Carrare. Mort en 1858 à Massa. XIXe siècle. Italien.
Sculpteur.

TONETTI DIZZI Louis ou Tonnetti Dozzi
Né à Paris. XIXe siècle. Français.
Sculpteur de sujets religieux.
Il figura au Salon des Artistes Français. Il y obtint une mention honorable en 1892 et en devint membre en 1894.
Musées : ROANNE : *Le Bénédicité*.

TONEYAMA Kojin
Né en 1921 à Tokyo. XXe siècle. Japonais.
Peintre.
Il a fait des voyages d'étude au Mexique, étudiant les civilisations précolombiennes, aux États-Unis, à travers l'Europe et en Inde. Depuis 1953, il participe à des expositions collectives et montre des expositions personnelles de ses œuvres, principalement à Tokyo.
Bibliogr. : B. Dorival sous la direction de... : *Peintres Contemporains*, Mazenod, Paris, 1964.

TÖNF Friedrich
XVIe-XVIIe siècles. Actif de 1591 à 1605. Autrichien.
Sculpteur.
Il sculpta des tombeaux dans l'église de Saint-Georgen.

TONG. Voir DONG

TONGE Louis Lammert Van der
Né en 1871. Mort en 1937. XIXe-XXe siècles. Hollandais.
Peintre de paysages, scènes typiques.
Ventes Publiques : NEW YORK, 30 juin 1981 : *Mère et enfant dans un intérieur*, h/t (54,5x46) : USD 2 900 – NEW YORK, 25 oct. 1984 : *Mère et enfant dans un intérieur*, h/t (54,6x45) : USD 2 000 – AMSTERDAM, 30 août 1988 : *Paysanne cousant près d'une fenêtre avec un enfant jouant auprès d'elle*, h/t (62x70) : NLG 6 325 – TORONTO, 30 nov. 1988 : *Le berceau*, h/t (44,5x53,5) : CAD 4 000 – AMSTERDAM, 24 avr. 1991 : *Paysanne cousant dans un intérieur*, aquar. avec reh. de blanc/pap. (15,5x13,5) : NLG 2 070 – AMSTERDAM, 28 oct. 1992 : *Admirant le bébé*, h/t (60x70,5) : NLG 5 750 – AMSTERDAM, 21 avr. 1993 : *Balançant le berceau*, h/t (60x73) : NLG 3 680 – NEW YORK, 15 oct. 1993 : *Jeune mère avec son enfant cousant près d'une fenêtre*, h/t (54,6x45,8) : USD 2 300.

TONGE Robert
Né en 1823 à Longton. Mort le 14 janvier 1856 à Louxor. XIXe siècle. Britannique.
Peintre de paysages animés, paysages.
Il voulut d'abord être militaire, mais son père se se ayant refusé de lui acheter une commission d'officier, Tonge se décida à se consacrer à la peinture.

Il fut élève du peintre de portrait R. Beatti à Liverpool, exposa dans cette ville à partir de 1843. Associé de la Liverpool Academy, il fut jusqu'en 1854 un de ses fidèles exposants. En 1853 il envoya une toile à la Royal Academy. Il avait exposé un premier essai à Suffolk en 1840. Atteint par une maladie de poitrine, il alla en vain chercher en Orient le retour à la santé. Il mourut sous une tente dressée dans le temple de Luxor.
Musées : LIVERPOOL : *Paysage* – SHEFFIELD : *Vallée de la Dée – Le point du jour dans la vallée de Llangotlen – L'arc-en-ciel*.
Ventes Publiques : LONDRES, 17 déc. 1910 : *Paysage, paysans près d'un ruisseau* 1850 : GBP 52 – LONDRES, 27 oct. 1967 : *Chiswick on Thames* : GNS 1 300 – LONDRES, 25 juin 1974 : *Paysage* : GNS 380 – LONDRES, 14 mai 1976 : *Le vieux pont*, h/t (27x33) : GBP 420 – LONDRES, 14 fév. 1978 : *Marée basse*, h/t (34x60) : GBP 650 – LONDRES, 29 mars 1983 : *Chiswick 1848*, h/t (60x91,5) : GBP 4 500 – LONDRES, 2 nov. 1994 : *Les berges de la rivière 1847*, h/t (61x96,5) : GBP 4 600.

TONGEN Louis Van der
Né le 24 février 1871 à Amsterdam. XIXe-XXe siècles. Hollandais.
Peintre d'intérieurs.
Il travailla à Amsterdam, à Drenthe et à Laren.
Ventes Publiques : AMSTERDAM, 28 nov 1979 : *Portrait d'une jeune paysanne*, h/t (80x50) : NLG 5 800.

TONGEREN Arent Van
XVIIe siècle. Travaillant à La Haye de 1684 à 1689. Hollandais.
Peintre de fleurs.

TONGEREN Frederick Van
XVIIe siècle. Travaillant à La Haye de 1656 à 1679. Hollandais.
Sculpteur sur bois.

TONGEREN Jan Van
Né en 1897. Mort en 1991. XXe siècle. Hollandais.
Peintre de natures mortes.
Ventes Publiques : AMSTERDAM, 28 juin 1977 : *Nature morte 1935*, h/t (64x49) : NLG 4 800 – AMSTERDAM, 31 oct 1979 : *Nature morte 1944*, h/t (64,5x53) : NLG 13 500 – AMSTERDAM, 6 juin 1983 : *Nature morte avec une cruche 1946*, h/t (49x58,5) : NLG 5 200 – AMSTERDAM, 13 déc. 1989 : *Nature morte à la table verte 1974*, h/t (65,5x80) : NLG 10 925 – AMSTERDAM, 11 sep. 1990 : *Nature morte avec de la vaisselle en terre cuite et une bouteille 1967*, h/t (50x70) : NLG 5 750 – AMSTERDAM, 11 déc. 1991 : *Nature morte avec un pot de lait, un bol et une boîte sur une table 1967*, h/t (55x70) : NLG 6 325 – AMSTERDAM, 19 mai 1992 : *Nature morte avec des boîtes et un pichet sur une table drapée 1963*, h/t (66x91) : NLG 9 775 – AMSTERDAM, 31 mai 1994 : *Nature morte de fruits 1983*, h/t (55,5x65) : NLG 11 500 – AMSTERDAM, 30 mai 1995 : *Nature morte à la nappe de carreaux 1973*, h/t (50,2x70) : NLG 21 250 – AMSTERDAM, 4 juin 1996 : *Nature morte à la cafetière blanche 1976*, h/t (64x75) : NLG 12 420 – AMSTERDAM, 19-20 fév. 1997 : *Nature morte 1941*, h/t (65x80,5) : NLG 21 910.

TONGEREN Willemme Van ou Tonghere
Mort en 1456 à Bruges. XVe siècle. Actif à Tongres. Éc. flamande.
Peintre.
Il exécuta des peintures sur des statues des comtes et comtesses des Flandres se trouvant sur la façade de l'Hôtel de Ville de Bruges.

TONGERLOO Georges Van. Voir VANTONGERLOO

TONGERLOO Henri Van
Né à Louvain. XVIe siècle. Actif au début du XVIe siècle. Éc. flamande.
Sculpteur.
Il était fixé à Malines. Il sculpta l'autel Saint-Léonard dans l'église Saint-Pierre de Louvain.

TONG-HE. Voir PUHE

TONGHI del Tonghio Francesco, dit Cianca
Né vers 1300. Mort avant 1388. XIVe siècle. Actif à Sienne. Italien.
Sculpteur sur bois.
Père de Giacomo T. Il sculpta de 1362 à 1388 les dalles de la cathédrale de Sienne.

TONGHI del Tonghio Giacomo ou Jacopo
Mort en 1390. XIVe siècle. Actif à Sienne. Italien.
Sculpteur sur bois.
Fils de Francesco T. Il assista son père pour l'exécution des stalles de la cathédrale de Sienne et sculpta lui-même les stalles de l'église Saint-Just et Saint-Clément de Volterra.

TONG HIAO-CH'OU. Voir **DONG XIAOCHU**

TONG HIUN. Voir **DONG XUN**

TONG HI-WEN. Voir **DONG XIWEN**

TONGIANI Vito
Né en 1940 à Matteria. XXe siècle. Actif aussi en France. Italien.
Peintre.
Il a figuré, en 1982, à la Biennale de Venise, et à l'exposition *Le peintre et son modèle* à la galerie Flinker à Paris en 1982. Il réalise une peinture à la facture traditionnelle.
BIBLIOGR. : In : *Le peintre et son modèle*, présentation Jean Clair, galerie Flinker, Paris, 1982.

TONG KAO. Voir **DONG GAO**

TONG K'I-TCH'ANG. Voir **DONG QICHANG**

TO NGOC THANH
Né en 1940 à Hanoi (région du Tonkin). XXe siècle. Vietnamien.
Peintre de figures, portraits, peintre à la gouache. Style occidental.
Il est le fils de To Ngoc Van, qui fut l'un des premiers professeurs vietnamiens de l'École des Beaux-Arts de Hanoi, fondée en 1924 par Victor Tardieu. Diplômé de l'École des Beaux-Arts de Hanoi, il a poursuivi ses études artistiques à l'École supérieure des Beaux-Arts de Prague. Il prend part à des expositions collectives, dont : 1996 exposition *Vietnam. 30 ans de peinture de la guerre à la paix*, Paris. Il a remporté plusieurs prix nationaux et internationaux, en ex-Tchécoslovaquie, au Japon et en ex-U.R.S.S.
On cite de lui : *Mélancolie* 1992, *Petite fille en bleu* 1993. À la manière d'Henri Matisse, il privilégie les figures dans un intérieur, œuvres dans lesquelles la couleur, contenue par l'arabesque de la composition décorative, se détache de sa fonction de représentation pour en exprimer le climat affectif. ■ S. V.

TO NGOC VAN. Voir la notice **To Ngoc Thanh**

TONG PANG-TA. Voir **DONG BANGDA**

TONGWEI ou **T'ong-Wei** ou **T'Ung-Wei**, surnom : **Heng-che**
Originaire de Hangzhou, province du Zhejiang. XVIIIe siècle.
Actif probablement vers 1770. Chinois.
Moine peintre.
Peintre de fleurs, d'herbes, d'oiseaux et d'insectes.

TONG YU. Voir **DONG YU**

TONG YUAN. Voir **DONG YUAN**

TONG-YUAN. Voir **DU QIONG**

T'ONG YU-HIU. Voir **TONG YUXIU**

TONG YUXIU ou **T'Ong Yu-Hiu** ou **T'ung Yühsiu**, surnom : **Zhongshan**
Né en Mandchourie, originaire de Xiangping. XVIIe siècle.
Actif au début de la dynastie Qing dans la seconde moitié du XVIIe siècle. Chinois.
Peintre.
Peintre de paysages dans un style proche de Lan Ying (1585-après 1660) ; le British Museum de Londres conserve une de ses œuvres signées, *Trois pins près d'un rocher*.

TONG ZHONGXI
Né en 1939 dans la province du Zhejiang. XXe siècle. Chinois.
Peintre, dessinateur. Traditionnel.
Il est professeur à l'Institut des Beaux-Arts du Zhejiang où il fit ses études.
BIBLIOGR. : In : catalogue de l'exposition *Peintres traditionnels de la République populaire de Chine*, galerie Daniel Malingue, Paris, 1980.

TONI Angelo Michele ou **Michele Angelo**
Né en 1640 à Bologne. Mort le 16 janvier 1708. XVIIe siècle. Italien.
Peintre de paysages, miniaturiste, enlumineur.
Après avoir été un remarquable copiste, il s'adonna à la peinture à l'huile et à l'art de la miniature. Ses reproductions des maîtres anciens atteignaient une perfection telle que l'on pouvait les confondre avec les originaux.
VENTES PUBLIQUES : VERSAILLES, 20 juil. 1976 : *Paysage au moulin et à la rivière*, h/bois (24x33) : **FRF 11 000.**

TONI Matteo
XVIIIe siècle. Actif à Rome. Italien.

Peintre.
Élève de Bartoni.

TONINELLI Gianni
Né en 1942 à Crémone (Piémont). XXe siècle. Italien.
Peintre. Tendance abstraite.
Il participe à des expositions collectives, dont : 1995 *Attraverso l'Immagine*, au Centre Culturel de Crémone.
Sa peinture d'organes et de membres du corps humain évolue vers une abstraction à tendance organique dans laquelle les formes générales créent le sujet.
BIBLIOGR. : In : catalogue de l'exposition *Attraverso l'Immagine*, Centre Culturel Santa Maria della Pietà, Crémone, 1995.

TONIOLI Alessandro
XIXe siècle. Actif à Venise vers 1800. Italien.
Peintre.
Il travailla pour des églises de Venise et de Ceggia.

TONIOLI Ferdinando ou **Toniolo**
XVIIIe siècle. Actif à Venise dans la seconde moitié du XVIIIe siècle. Italien.
Peintre.
Il peignit un tableau d'autel pour l'église Saint-Paul de Venise.

TONIOLI Luca. Voir **TOMOLIUS**

TONIOLO Leopoldo
Né en juillet 1833 à Schio. Mort le 4 décembre 1908 à Padoue. XIXe siècle. Italien.
Peintre d'histoire, scènes de genre.
Il a exposé à Turin, Milan, Venise.
MUSÉES : PADOUE (Mus. mun.) : *Pétrarque – Dante chez Giotto – Victor Emmanuel II.*
VENTES PUBLIQUES : MILAN, 16 juin 1992 : *Caprice d'enfant*, h/t (114x176) : **ITL 17 000 000** – MILAN, 23 oct. 1996 : *Jeune fille du peuple portant du bois et un panier de légumes* 1894, h/t (121,5x71,5) : **ITL 13 980 000.**

TONIOLUS Luca. Voir **TOMOLIUS**

TONISI Girolamo. Voir **TONSI**

TONITZA Nicolas N.
Né en 1886 à Barlad (Moldavie). Mort en 1940 à Bucarest. XXe siècle. Roumain.
Peintre de sujets religieux, paysages, fleurs, portraits, décorateur.
Il fit ses études à l'École des Beaux-Arts de Iassy (1902-1907), puis fut élève de l'Académie de Munich. Il reçut les conseils d'Aman-Jean, à Paris. Il devint, en 1933, professeur, puis en 1937, recteur de l'Académie des Beaux-Arts de Iassy. Il exposa avec Stefan Dumitresco en 1916, à Budapest en 1920.
Auteur de peintures décoratives religieuses. Son œuvre, de type décoratif, met en valeur le dessin et l'arabesque sur fonds plats aux tons chauds. Ses thèmes évoquent la misère humaine, misère qu'il a particulièrement connue lorsqu'il avait été interné dans un camp de prisonniers, en Bulgarie, lors de la Première Guerre mondiale. Il est également célèbre pour ses portraits d'enfants aux grands yeux rêveurs.
MUSÉES : BUCAREST (Pina. Nat.).
VENTES PUBLIQUES : BUENOS AIRES, 14 et 15 nov. 1973 : *Portrait d'enfant* : **ARS 10 000.**

TONKS Henry
Né en 1862 à Solihull (Birmingham). Mort en 1937 à Londres. XIXe-XXe siècles. Britannique.
Peintre, caricaturiste, dessinateur.
Il fut d'abord médecin et dessinait malades et cadavres, puis élève de la Westminster School of Art à Londres. Il fut également professeur à la Slade School, en 1918.
MUSÉES : LONDRES (Tate Gal.) : *Portraits de Rodin et de sa femme – L'artiste – Jeune fille avec perroquet – Jeune fille – Journée de printemps.*
VENTES PUBLIQUES : LONDRES, 3 mars 1939 : *Paysage*, dess. : **GBP 26** ; *Paysage du Moorland*, dess. : **GBP 30** – LONDRES, 18-18 juil. 1940 : *Jardin d'été*, dess. : **GBP 33** – LONDRES, 30 jan. 1946 : *Mr. et Mrs. John Hutchinson et leur fille*, past. : **GBP 32** – LONDRES, 3 nov. 1967 : *Portrait présumé de la mère de l'artiste* : **GNS 400** – LONDRES, 19 mai 1972 : *La diseuse de bonne aventure* : **GNS 550** – LONDRES, 4 mars 1977 : *Nu couché* vers 1913, past. (37,5x48) : **GBP 600** – LONDRES, 17 juin 1977 : *Study for the girl in « Strolling Players »* vers 1906, h/pan. (35x27) : **GBP 800** – NEW YORK, 7 juin 1979 : *Étude de femme à son miroir* 1933, cr. reh. de blanc (38,7x28) : **USD 1 000** – LONDRES, 2 mars 1979 : *Jeune fille*

assise à l'ombre d'un arbre, past. (54x41) : **GBP 400** – Londres, 14 nov 1979 : *Groupe familial au coin du feu* 1895, h/pan. (35,5x46) : **GBP 620** – Londres, 4 mars 1983 : *Tête de jeune fille de profil*, aquar. et cr. (33,5x24) : **GBP 750** – Londres, 10 juin 1983 : *Jeune femme couchée sur un canapé* vers 1899, h/pan. (35,5x26,3) : **GBP 1 900** – Londres, 24 juil. 1985 : *Mr. and Mrs. St. John Hutchinson and daughter*, aquar. et past. (43x53) : **GBP 3 800** – Londres, 29 juil. 1988 : *Le lac Onega à Medvegigava*, aquar. et gche (24,3x35) : **GBP 495** – Londres, 20 sep. 1990 : *Tête de fillette*, h/pan. (34x24) : **GBP 5 280** – Londres, 25 jan. 1991 : *Jeune femme aux cheveux noirs*, cr./pap. teinté (23x18) : **GBP 2 310** – Londres, 6 nov. 1992 : *Nuit d'insomnie*, h/pan. (32x41) : **GBP 7 480**.

TONKS Myles Denison Boswell
Né le 29 août 1890 à Darley. XXᵉ siècle. Britannique.
Peintre de paysages, aquarelliste.
Il vécut et travailla à Brompton près de Chatham.

TONNA ?
XVIIIᵉ siècle. Actif probablement à Montpellier. Français.
Peintre.
Cité dans le catalogue du Musée de Narbonne comme élève de Gamelin. Ce Musée conserve deux dessins de notre artiste (*Son portrait* et celui de *Mme Gamelin*).

TONNANCOUR Jacques Godefroy de, dit Jacques de Tonnancour
Né en 1917 à Montréal. XXᵉ siècle. Canadien.
Peintre, technique mixte. Abstrait-paysagiste.
En 1937 il est élève de l'École des Beaux-Arts de Montréal. Il travaille ensuite chez Goodridge Roberts dont il subit fortement l'influence – et sur qui il écrira ensuite une monographie. Il se lie également, dès cette époque, avec les deux principaux peintres canadiens de leur génération : Borduas et Pellan, et publie plusieurs textes sur eux. En 1942, il devient professeur au Montréal School of Art and Design. En 1944-1945 il séjourne à Rio de Janeiro avec une bourse du Gouvernement Brésilien. Ce séjour lui permet de se détacher de l'influence de Roberts et d'élargir ses moyens d'expression. De retour de Rio, en 1946, il rejoint Pellan et, en 1948, rédige le manifeste *Prisme d'Yeux* dont Pellan est l'instigateur, en grande partie d'ailleurs pour se démarquer de Borduas et des « Automatistes ». Il suspend son activité de peintre entre 1950 et 1953. En 1958, il obtient une bourse du Conseil des Arts du Canada.
Il participe à des expositions collectives, parmi lesquelles : 1958, Exposition Internationale de Bruxelles ; 1958, Biennale de Venise ; 1970, *Six peintres de Montréal*, Paris ; etc. Il montre ses œuvres dans des expositions personnelles, la première en 1942, galerie Dominion puis : 1955, Montréal et Toronto ; 1963, Toronto ; 1964, Montréal. En 1956, il obtient le 1ᵉʳ Prix du Winnipeg Show, en 1957 la Prix de la Biennale de la Galerie Nationale. L'œuvre de Tonnancour, à l'époque où il rédige le manifeste *Prisme d'Yeux*, semble alors en crise, crise ponctuée de nombreux silences. Affranchi peu à peu des influences conjuguées de Matisse et de l'École de Paris, influences indirectes dont il tente une synthèse personnelle, il évolue d'abord jusqu'au paysagisme abstrait. Les sites des Laurentides reviennent certes toujours, mais considérablement transformés, mais comme nés de son imagination, digérés et retranscrits, mais déployant encore cette atmosphère de lacs sauvages et de vallonnements rocheux. Vers 1958 enfin il en arrive à cette abstraction proche de l'informel où il joue des effets de matières et de textures. Depuis 1962, il intègre à ses œuvres des matériaux divers : bouts de ficelle, corde, filets, grilles et cartons. Volontiers lyrique il propose alors des toiles habilement équilibrées où « le pinceau danse, sténographie » et crée, pour reprendre l'expression de Guy Robert, un « paysage intime, jazzé ».
Bibliogr. : Catalogue de l'exposition *Six peintres de Montréal*, Gal. Arnaud, Paris, 1970 – in : *Les vingt ans du Musée à travers sa collection*, catalogue de l'exposition, Musée d'art contemporain de Montréal, Montréal, 1985.
Musées : Montréal (Mus. d'art Contemp.) : *Le grand nu au divan rayé* – *L'hiver* 1965 – *L'hiver 1* 1966 – Toronto (Gal. Nat.) : *Vue de la Côte des Neiges, Montréal* 1944.
Ventes Publiques : Montréal, 24 oct. 1974 : *Paysage* : **CAD 1 200** – Toronto, 19 oct. 1976 : *Paysage boisé* 1958, h/cart. (46x61) : **CAD 3 600** – Toronto, 11 nov. 1980 : *Paysage 1944*, h/pan. (23,8x28,8) : **CAD 3 400** – Toronto, 26 mai 1981 : *Baie Saint-Paul 1943*, h/pan. (45x60) : **CAD 6 000**.

TONNAY Nicolas Antoine. Voir TAUNAY

TONNELIER
Né en 1842. XIXᵉ siècle. Français.
Paysagiste.

TONNELIER Georges
Né le 28 mars 1858 à Paris. XIXᵉ siècle. Français.
Sculpteur de portraits, statues, groupes, et tailleur de camées.
Élève de Ch. Gauthier et A. Millet.
Sociétaire des Artistes Français depuis 1892, il figura au Salon de ce groupement, depuis 1885 : mention honorable en 1887, médaille de deuxième classe en 1890, médaille de première classe en 1893, chevalier de la Légion d'honneur en 1900 et médaille d'or (Exposition Universelle). Médaille d'honneur en 1913.
Musées : Paris (Mus. Galliera) : *Idylle* – *Moissonneur au repos* – *Tentation de saint Antoine* – Paris (Mus. du Louvre) : *Traversée du Styx* – *Portrait du sculpteur Ch. Gautier* – *Les tonneliers* – *Enlèvement de Déjanire*.
Ventes Publiques : Stockholm, 19 avr. 1989 : *Jeune danseuse nue debout*, argent (H. 21) : **SEK 12 000**.

TÖNNESEN Albert
Né en 1872 à Flekkefjord. Mort le 10 novembre 1910 à Oslo. XIXᵉ-XXᵉ siècles. Norvégien.
Peintre de paysages, décorateur.

TÖNNESEN Ambrosia Theodora
Née le 28 janvier 1859 à Alesund. XIXᵉ siècle. Norvégienne.
Sculpteur.
Élève de Saint Marceaux. Elle figura aux Expositions de Paris, mention honorable en 1903.
Musées : Bergen : *Abandonnée* – *Buste d'Edvard Grieg*.

TONNET M. F. W.
Née en 1844 à Harderwyk. XIXᵉ siècle. Hollandaise.
Portraitiste.
Le Musée de Lakenhal, à Leyde, conserve d'elle *Portrait de A. H. Bakker Horff*.

TONNET CONTOUR Lucy M.
Née au XIXᵉ siècle à Paris. XIXᵉ siècle. Française.
Graveur au burin.
Élève de Luc Olivier Merson et A. Didier. Sociétaire des Artistes Français depuis 1884 ; mention honorable en 1882, médaille de troisième classe en 1883. Grava d'après Carolus Duran et Émile Renard.

TÖNNICH Johan Samuel Friedrich ou Tönnies, Tönniges. Voir TÄNNICH

TONNING Christian
XVIIIᵉ siècle. Actif à Oslo au milieu du XVIIIᵉ siècle. Norvégien.
Paysagiste et peintre de décorations.

TÖNNIUS Johann Samuel Friedrich. Voir TÄNNICH

TONNO
Mort en 1543. XVIᵉ siècle. Italien.
Peintre.
Élève de Polidoro da Caravaggio, il tua son maître pour le voler et fut exécuté à Messine.

TONNY Kristians
Né en 1907 à Amsterdam. XXᵉ siècle. Actif en France. Hollandais.
Peintre de paysages, graveur. Tendance fantastique.
Il n'eut aucun maître. Il vécut et travailla à Paris à partir de 1925. Il participa à la première exposition Néo-Romantique à la galerie Druet en 1926 où il fut remarqué par Gertrude Stein. Il est l'auteur de compositions apocalyptiques dans des paysages de tradition hollandaise. Il pratiqua et perfectionna le procédé de transfert d'encre et exécuta nombre de ses dessins de cette manière. Les recherches abstraites ne le laissèrent pas indifférent.
Musées : La Haye (Mus. mun.) : *Image imaginaire* et *Acrobates*, dess.
Ventes Publiques : Londres, 25 oct. 1995 : *Composition 1930*, transfert d'encre/pap. (22x32) : **GBP 920**.

TONOIR Marie. Voir CAIRE Marie

TONS Hubert ou Huybrecht ou Thonisz
Mort en juin 1620, de la peste. XVIIᵉ siècle. Hollandais.
Peintre de paysages et de figures et animalier.
En 1596 dans la gilde d'Anvers et en 1604 à Rotterdam, en 1614 à Delft.

TONS Jan, l'Ancien
Né entre 1457 et 1467 à Bruxelles. XVᵉ siècle. Éc. flamande.

Peintre de paysages et dessinateur de cartons.
Accusé d'hérésie en 1533. Il travailla pour l'Hôpital Saint-Pierre de Bruxelles.

TONS Jan, le Jeune
XVIᵉ siècle. Actif à la fin du XVIᵉ siècle. Éc. flamande.
Peintre.
Fils de Willem T. l'Ancien et élève de Henderick Ghysmans à Anvers.

TONS Willem, l'Ancien
XVIᵉ siècle. Actif à Bruxelles. Éc. flamande.
Peintre, dessinateur de cartons de décorations.
Père de Willem T. le Jeune, il a pratiqué la peinture à l'œuf et réalisé des cartons de décoration.

TONS Willem, le Jeune
XVIIᵉ siècle. Actif au début du XVIIᵉ siècle. Éc. flamande.
Peintre de genre et paysagiste.
Fils de Willem T. l'ancien.

TONSBERG Gertrude
Née à Boston (Massachusetts). XXᵉ siècle. Américaine.
Peintre.
Elle fut élève de l'Académie de Massachusetts.

TONSI Girolamo ou de Tonsi, Tonisi ou Toso
XVIᵉ siècle. Actif à Vicence. Italien.
Peintre.
Il subit l'influence de Palma. Il peignit des tableaux d'autel à Arzignalo et à Brendola. Le Musée de Vicence conserve de lui *Madone dans la gloire*.

TONSI N. J.
Né en 1756. Mort en 1844. XVIIIᵉ-XIXᵉ siècles. Italien.
Portraitiste.
Il travailla surtout en Russie. Le Musée Roumianzeff à Moscou, conserve de lui les portraits du *Comte Rostopchine* et du poète *G. R. Derchavin*.

TONT
XVIIIᵉ siècle. Britannique.
Peintre.
Le Musée de Budapest conserve de lui un *Portrait d'homme*.

TONY-AGOSTINI. Voir AGOSTINI Tony
TONY-NOËL. Voir NOËL Edmé Antony Paul
TONY-PICHON. Voir PICHON Tony
TONZOR Eszter. Voir WESSELÉNYI

TOOBY Charles Richard
Né le 22 mai 1863 à Londres. Mort le 13 octobre 1918 à Londres. XIXᵉ-XXᵉ siècles. Britannique.
Peintre de paysages.
Il travailla à Weimar, en Angleterre, à Munich, Dachau, Schleissheim et se fixa à Munich.

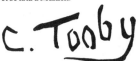

Musées : HANOVRE : *Troupeau de moutons* – MUNICH (Nouvelle Pina.) : *Après la pluie* – *Vaches à l'étable* – MUNSTER : *Nature morte avec gélinotte* – SCHLEISSHEIM : *Vent et soleil* – WEIMAR : *Vache avec son veau à l'étable*.

TOOKER George
Né en 1920 à New York. XXᵉ siècle. Américain.
Peintre. Réalisme social, tendance symboliste.
Il étudia à la Phillips Academy, puis à Harvard et à l'Art Students' League de New York en 1942-1943 avec R. Marsh et P. Cadmus.
La première rétrospective de son œuvre fut organisée en 1974 par le Fine Arts Museum of San Francisco.
Tooker se situe dans la tradition du réalisme social. Son art combine l'expression sociale remarquée lors de son apprentissage chez les peintres mexicains David Alfaro Siqueiros et José Clemente Orozco, ainsi que l'art des maîtres anciens, dont il a parfois transposé les références grecques et romaines, notamment mythologiques. Lorsqu'il peint à une échelle miniature des scènes de l'Amérique contemporaine, il y place grandeur nature l'angoisse, ainsi dans ce cauchemar éveillé : *Le Métro* (1950). Il parvient d'autant mieux à rendre évidente l'absurdité d'un

monde mécanique, bureaucratique, urbain, confiné, qu'il utilise en parfait contraste la technique de la détrempe à l'œuf comme aux plus beaux jours de la Renaissance. Il a peint de nombreux autoportraits.
BIBLIOGR. : Thomas H. Garver : *George Tooker*, New York, 1985.
MUSÉES : NEW YORK (Whitney Mus.) : *Le Métro* 1950 – NEW YORK (Metropolitan Mus.) : *Government Bureau* 1955.
VENTES PUBLIQUES : NEW YORK, 21 avr. 1977 : *Le marché* vers 1957, temp./isor. (55,3x55,3) : **USD 21 000** – NEW YORK, 21 avr. 1978 : *La partie d'échecs* 1956, temp./isor. (76,2x36,8) : **USD 18 000** – NEW YORK, 26 juin 1980 : *The mirror* 1978, litho. en noir et crème (50,7x40,8) : **USD 1 850** – NEW YORK, 25 avr. 1980 : *Deux femmes*, cr. (47,6x33) : **USD 5 250** – NEW YORK, 25 avr. 1980 : *Homme sur une corniche n° 37*, temp. (61x39,4) : **USD 37 000** – NEW YORK, 27 mars 1981 : *Furie*, cr. (50,2x50,8) : **USD 6 000** – NEW YORK, 28 sep. 1983 : *Fury*, cr. (50,2x50,8) : **USD 4 000** – NEW YORK, 13 sep. 1984 : *Voice* 1977, litho. (28x24,8) : **USD 950** – NEW YORK, 1ᵉʳ juin 1984 : *Highway*, temp./cart. (58,2x45,7) : **USD 70 000** – NEW YORK, 1ᵉʳ juin 1984 : *Desdemona* vers 1962, h/cart. (61x53,5) : **USD 55 000** – NEW YORK, 12 sep. 1985 : *Mirror* 1978, litho. en noir et beige (50,8x41,1) : **USD 1 200** – NEW YORK, 31 mai 1985 : *Table n° 2* 1981, temp./pan. plâtré (60,9x76,3) : **USD 55 000** – NEW YORK, 1ᵉʳ déc. 1989 : *Coney Island* 1948, temp. à l'œuf sur gesso (48,9x66,7) : **USD 341 000** ; *Festa* 1947, temp. à l'œuf sur pan. traité au gesso (55,8x44,4) : **USD 396 000** ; *Autoportrait*, peint. à l'argent et temp. à l'œuf/pap. artisanal (30,5x24,7) : **USD 28 600** – NEW YORK, 29 nov. 1990 : *Divers*, détrempe à l'œuf sur pan. traité au gesso (30,5x45,6) : **USD 176 000** – NEW YORK, 22 mai 1991 : *Le sommeil*, temp. à l'œuf sur pan. enduit au gesso (45,7x61) : **USD 71 500** – NEW YORK, 25 sep. 1991 : *Mur blanc*, temp./pan. traité au gesso (61x45,7) : **USD 60 500** – NEW YORK, 5 déc. 1991 : *Bal masqué*, détrempe à l'œuf/cart. enduit au gesso (55,9x76,2) : **USD 77 000**.

TOOKEY James
XIXᵉ siècle. Actif à Londres au début du XIXᵉ siècle. Britannique.
Graveur.
Il travailla surtout pour l'illustration, notamment pour *Cabinet of Quadrupeds* de Church et le *British Theater* de Bell.

TOORENBURG Gerrit ou Torenburgh
Né en 1732 à Amsterdam. Mort en 1785 à Nykerk. XVIIIᵉ siècle. Hollandais.
Peintre d'architectures et paysagiste.
Élève de J. ten Compe et C. Pronk, il était en 1764 dans la gilde de Haarlem. Ses paysages, ses vues de ville sont peints avec talent. Il se montra aussi habile décorateur.

Toorenburgh Pinxit

MUSÉES : GOTHA : *Bâtiments au bord de l'eau* – LA HAYE : *Vue de l'Amstel*.
VENTES PUBLIQUES : PARIS, 1776 : *Vue d'un village hollandais avec canal, bateaux et figures*, dess. colorié : **FRF 100** – PARIS, 4 déc. 1925 : *L'Incendie*, aquar. : **FRF 360** – NEW YORK, 19 mai 1994 : *Vue du port des dames blanches et de la sucrerie à Utrecht*, h/pan. (38,1x31,1) : **USD 19 550**.

TOORENVLIET Abraham I ou Torenvliet
Mort en 1692. XVIIᵉ siècle. Actif à Leyde. Hollandais.
Dessinateur et peintre verrier.
En 1649 dans la gilde de Leyde. Il fut peut-être le maître de Fr. Mieris et de Mathys Neveu. Il eut pour fils Jacob Toorenvliet.

TOORENVLIET Abraham II
Né en 1682 à Leyde. Mort en 1735 à Leyde. XVIIIᵉ siècle. Hollandais.
Portraitiste et dessinateur.
Élève de son père Jacob Toorenvliet.

TOORENVLIET Christoph ou Dornfeind ou Thurnfeld
XVIIIᵉ siècle. Travaillant à Vienne en 1713. Autrichien.
Peintre.
Peut-être fils de Jacob T.

TOORENVLIET Franz Josef ou Dornfeind ou Thurnfeld
XVIIIᵉ siècle. Actif à Vienne dans la première moitié du XVIIIᵉ siècle. Autrichien.
Peintre.
Fils de Christoph T.

TOORENVLIET Jacob, ou Jason ou Toornvliet ou Torenvliet
Né vers 1635 ou 1641 à Leyde. Mort en 1719 à Leyde. XVIIᵉ-XVIIIᵉ siècles. Hollandais.

Peintre de compositions religieuses, scènes de genre, graveur.

Élève de son père Abraham Toorenvliet. Il alla à Rome en 1670, y prit le surnom de *Jason*. Il étudia surtout les œuvres de Raphaël. S'étant rendu à Venise pour perfectionner sa couleur, il s'y maria. En 1678, il était depuis longtemps à Vienne. Il entra en 1686 dans la gilde de Leyde et en fut doyen en 1703. Il est peut-être le père de Christophe Toorenvliet.

Musées : Aix-la-Chapelle : *Le buveur* – Amsterdam : *Leçon de musique – Carel quina* – Berlin : *Couple mal assorti* – Bordeaux : *Un buveur – Une buveuse* – Brême : *Fumeur* – Brunswick : *Deux femmes et deux hommes* – Budapest : *Le concert – La visite du médecin* – Dresde : *Quatre musiciens – La femme du pêcheur – Le rabbin – Chez le marchand de gibier* – Fredericksborg : *Le chimiste Ole Bosch* – Graz : *Tentation de saint Antoine* – Hanovre : *Une vieille femme – Un vieillard* – Innsbruck (Ferdinandeum) : *Vendeur de melons – Marchande de poulets* – Karlsruhe : *Femme filant – Pêcheur avec du saumon* – Leyde : *L'artiste, jeune – Jeu de l'amour* – Liège : *Guillaume Van der Goes – Figures* – Oslo : *On donne la bénédiction dans la synagogue*, deux œuvres – Prague : *Deux savants – Deux paysans – Le joueur de luth* – Riga : *Enfant avec un livre – On a tué le porc* – Scherin : *Un fumeur* – Schleissheim : *Paysans chez un charlatan – Jeunes garçons* – Stockholm : *Un alchimiste* – Varsovie : *Femme endormie* – Venise (Mus. Correr) : *Juriste et sa femme* – Vienne : *Boucherie* – Vienne (Czernin) : *Marchande de légumes – Marchand de gibier* – Vienne (Schonborn-Buchheim) : *Pêcheur et poissons.*

Ventes Publiques : Paris, 1874 : *Le Maître d'école* : **FRF 760** – Paris, 1881 : *Les Fenêtres du cabaret* : **FRF 500** – Munich, 1899 : *Tendresses* : **FRF 562** – Londres, 14 juil. 1911 : *Paysanne tenant un flacon* : **GBP 4** – Paris, 10 juin 1912 : *La Convalescente* ; *Le Tricheur*, ensemble : **FRF 1 850** – Paris, 7 fév. 1920 : *Scène galante* : **FRF 770** – Paris, 1er mars 1924 : *Le Concert* : **FRF 1 400** – Paris, 26 juin 1930 : *Jeune fille à la cage*, cr. de coul. attr. : **FRF 4 800** – Paris, 16 fév. 1939 : *L'Apprentissage de la charité* : **FRF 8 500** – Paris, 9 mars 1942 : *Le Maître d'école* : **FRF 27 000** – Paris, 5 déc. 1951 : *Le compositeur* : **FRF 190 000** – Versailles, 17 oct. 1965 : *La Marchande de poissons* : **FRF 6 000** – Paris, 23 mars 1968 : *Jeune Chasseur* : **FRF 10 000** – Lucerne, 13 juin 1970 : *Le Précepteur et son élève* : **CHF 13 000** – Londres, 11 déc. 1974 : *Le Professeur juif 1679* : **GBP 2 500** – Zurich, 14 juin 1976 : *Scène de genre*, h/t (47x35) : **CHF 14 000** – Londres, 14 avr. 1978 : *Joyeuse compagnie dans un intérieur*, h/t (48,2x40) : **GBP 2 800** – Londres, 18 mai 1979 : *Vieux couple assis*, h/pan. (21,6x28) : **GBP 3 600** – Munich, 25 nov. 1982 : *Portrait de jeune fille*, dess. à la craie et aquar. (17,5x13) : **DEM 3 100** – Londres, 15 déc. 1982 : *Le joueur de vielle*, h/t (35x45) : **GBP 3 400** – Monte-Carlo, 26 juin 1983 : *Héraclite 1667*, h/cuivre (20,5x14,5) : **FRF 62 000** – Londres, 3 avr. 1985 : *Jeune fille tenant un verre 1677 ?*, h/t (24,5x20) : **GBP 38 000** – Monaco, 3 déc. 1988 : *Vieille servante lisant un document à un homme âgé et à une jeune fille*, h/cuivre (31,5x25,2) : **FRF 82 500** – Stockholm, 19 avr. 1989 : *Vieil homme écrivant*, h/pan. (31x24) : **SEK 15 500** – Amsterdam, 20 juin 1989 : *Enfants soufflant des bulles de savon, dans une niche*, h/pan. (42,1x34) : **NLG 18 400** – Londres, 20 oct. 1989 : *Vieil érudit faisant la lecture à une femme âgée près d'une table*, h/cuivre (21,6x28,3) : **GBP 14 300** – New York, 10 jan. 1990 : *Distractions paysannes dans une taverne*, h/t (69,8x73,6) : **USD 44 000** – Amsterdam, 14 nov. 1990 : *L'Arracheur de dents 1672*, h/t (46,5x38) : **NLG 34 500** – Stockholm, 14 nov. 1990 : *Femme tenant un lièvre mort 1675*, h/cuivre (18x15) : **SEK 35 000** – Londres, 13 déc. 1991 : *Banquet sur une terrasse*, h/t (61x72,5) : **GBP 9 900** – Amsterdam, 12 mai 1992 : *Servante dans une cuisine tenant un verre*, h/t (30x22,5) : **NLG 10 120** – Paris, 20 mai 1992 : *Portrait d'homme*, cuivre : **FRF 11 500** – New York, 22 mai 1992 : *Couple*

de paysans amoureux trinquant dans une cuisine, h/pan. (37,5x29,2) : **USD 7 700** – New York, 19 mai 1994 : *Un forgeron*, h/cuivre (34,6x27) : **USD 13 800** – Paris, 28 oct. 1994 : *Jeune homme cueillant une grappe de raisin*, cr. noir sur parchemin (13,2x11) : **FRF 32 000** – Amsterdam, 6 mai 1996 : *Un alchimiste avec son élève dans son laboratoire*, h/cuivre (69x46,5) : **NLG 37 760** – New York, 15 mai 1996 : *Colloque de rabbins*, h/t (42,6x51,5) : **USD 18 400** – Paris, 24 juin 1996 : *La Lecture indiscrète*, cuivre préparé (26x21,5) : **FRF 60 000** – Londres, 3 juil. 1996 : *Intérieur de taverne avec des paysans festoyant*, h/t (60,1x84,1) : **GBP 67 500** – Londres, 11 déc. 1996 : *Vieille femme aux légumes*, h/cuivre (22x17,4) : **GBP 13 225** – Paris, 24 mars 1997 : *Le Marchand ambulant* ; *Les Marchands de tabac*, h/t, une paire (66x50) : **FRF 260 000** – Londres, 3-4 déc. 1997 : *Allégorie des Arts*, h/cuivre (26x32,3) : **GBP 20 700.**

TOORN Dirk Van der
Né en 1778. Mort le 28 octobre 1811 à La Haye. XIXe siècle. Hollandais.
Dessinateur, graveur au burin et à l'eau-forte, amateur et orfèvre.

TOORNENBURGH P.
XVIIIe siècle. Travaillant à Amsterdam de 1774 à 1792. Hollandais.
Dessinateur.

TOOROP Annie Caroline, dite Charley
Née le 24 mars 1891 à Katwijk-sur-Mer. Morte en 1955 à Bergen. XXe siècle. Hollandaise.
Peintre de portraits, compositions animées, paysages urbains, natures mortes. Expressionniste-cubiste.

Fille de Jan Toorop et mère de Edgar Fernhout. Elle a commencé à étudier la musique, puis s'est consacrée à la peinture. Elle travailla successivement à Bergen, à Amsterdam, à Paris (1919-1921), à Bruxelles, dans le Borinage, à Utrecht, à Rotterdam, puis de nouveau à Amsterdam.

Elle a exposé à partir de 1909 à Amsterdam, puis à Paris, au Salon des Tuileries. Elle a figuré à l'exposition *Art Pays-Bas XXe siècle. La Beauté exacte de Van Gogh à Mondrian* au Musée d'Art Moderne de la Ville en 1994.

Bien qu'ayant commencé à travailler sous les directives de son père, elle ne procède pas du symbolisme mystique, mais s'apparente au courant expressionniste, avec des emprunts à la construction des cubistes, ou, à ce que l'on a appelé le « réalisme magique ». Ses premières œuvres doivent à Van Gogh. Elle a surtout peint des portraits, des visions de guerre et des natures mortes dans lesquelles les objets les plus humbles et quotidiens sont éclairés d'une solennité mystérieuse et, entre 1914 et 1955, dix-sept autoportraits.

Bibliogr. : Michel Ragon : *L'Expressionnisme*, in : *Hre Gle de la peint.*, t. XVIII, Rencontre, Lausanne, 1966 – in : *L'Art du XXe siècle*, Larousse, Paris, 1991.

Musées : Amsterdam (Stedelijk Mus.) : *Marché de fromages, Alkmaar 1932-33 – Femmes parmi les ruines 1943* – Eindhoven (Van Abbe Mus.) : *Portrait d'Annie Fernhout 1936 – Trois bouteilles 1943 – Autoportrait avec des branches hivernales 1944-45* – La Haye (Gemeentemuseum) : *Paysan de Walcheren 1939-1940* – La Haye (Stedelijk Mus.) : *Autoportrait 1922 – Femme d'une maison d'aliénés 1925 – Autoportrait à la palette 1923* – Otterlo (Mus. Kröller-Müller) : *Deux enfants 1915 – La famille 1920 – Deux garçons 1922 – Le jeune couple 1923 – Autoportrait au chapeau noir et voile 1944* – Rotterdam (Mus. Boymans Van Beuningen) : *Trois générations 1941-1950* – Utrecht.

Ventes Publiques : Amsterdam, 3 juin 1969 : *Nature morte aux fleurs* : **NLG 6 000** – Paris, 10 mars 1971 : *Femme au collier* : **FRF 4 700** – Amsterdam, 26 avr. 1977 : *La réussite 1923*, h/t (69,5x54) : **NLG 3 600** – Amsterdam, 20 mars 1978 : *Le port de Rotterdam 1926*, h/t (80,5x100) : **NLG 25 000** – Zurich, 30 mai 1979 : *Femme dans un intérieur 1923*, h/t (150x100) : **CHF 6 500** – Amsterdam, 15 mars 1983 : *Tournesols*, h/t (100x79) : **NLG 5 500** – Amsterdam, 18 mars 1985 : *Portrait d'Annetje Fernhout 1925*, h/t (44x39) : **NLG 7 200** – Amsterdam, 10 avr. 1989 : *Les devoirs de classe (mes trois enfants) 1922*, h/t (90x110) : **NLG 46 000** – Amsterdam, 24 mai 1989 : *Branches fleuries 1945*, h/cart. (63,5x43) : **NLG 19 550** – Amsterdam, 10 avr. 1990 : *Le peintre Jan Toorop dans son atelier*, encre et lav./pap. (79x77) : **NLG 5 750** –

AMSTERDAM, 22 mai 1990 : *Branches fleuries* 1944, h/cart. (74x103,5) : **NLG 57 500** – AMSTERDAM, 12 déc. 1990 : *Vieille paysanne* 1915, h/t (100x81) : **NLG 9 200** – AMSTERDAM, 13 déc. 1990 : *Petit enfant* 1913, h/t (50,5x50,5) : **NLG 11 500** – AMSTERDAM, 22 mai 1991 : *Nature morte de tulipes et jacinthes en pot*, h/t (70x55) : **NLG 28 750** – AMSTERDAM, 21 mai 1992 : *Arbre* 1910, h/t (100x80) : **NLG 32 200** – AMSTERDAM, 9 déc. 1992 : *Pommes de terre, bouteille et fruits* 1944, h/pan. (61x60) : **NLG 43 700** – AMSTERDAM, 10 déc. 1992 : *Portrait d'une petite fille*, encre/pap. (63x49) : **NLG 1 380** – AMSTERDAM, 26 mai 1993 : *Fleurs du jardin* 1948, h/cart. (96x59,5) : **NLG 23 000** – AMSTERDAM, 8 déc. 1994 : *Tête de femme* 1924, h/t (60x45) : **NLG 10 350** – AMSTERDAM, 6 déc. 1995 : *Nature morte aux sabots*, h/pan. (64x77) : **NLG 69 000**.

TOOROP Johannes Theodorus ou **Theodoor**, dit **Jan**
Né le 20 décembre 1858 à Poerworedjo (île de Java). Mort le 3 mars 1928 à La Haye. XIXᵉ-XXᵉ siècles. Hollandais.
Peintre de compositions animées, figures, portraits, paysages animés, intérieurs, peintre à la gouache, pastelliste, aquarelliste, graveur, dessinateur, affichiste. Postimpressionniste, puis symboliste, pointilliste, luministe. Groupe des Vingt.

Il vint en Hollande à l'âge de quatorze ans. En 1881, il entra à l'Académie des Beaux-Arts d'Amsterdam. En 1883 et 1884 il étudia à celle de Bruxelles. Il s'installa avec sa femme, Annie Hall, à La Haye, tout en séjournant à Paris, en Italie, un an à Londres où il rencontra William Morris. Toorop passa en général l'hiver à Amsterdam et l'été au bord de mer. Vers 1890, il s'installa à Katwijk aan Zee. Sa fille, Charley, naquit en 1891, elle deviendra un peintre reconnu. Il adhéra au groupe d'artistes *Les vingt* à Bruxelles en 1884, dans lequel n'étaient admis que trois étrangers : Rodin, Signac et lui-même.
Il a exposé au Salon des Roses-Croix à Paris en 1892. Il était représenté à l'exposition *Art Pays-Bas* XXᵉ *siècle. La Beauté exacte de Van Gogh à Mondrian* au Musée d'Art Moderne de la Ville en 1994. Il obtint une médaille d'argent en 1900 lors de l'Exposition Universelle de Paris.
Il a subi toutes les influences possibles à son époque, postimpressionnisme, néo-impressionnisme, symbolisme. Il a commencé par peindre des paysages réalistes proche de Courbet, puis vers 1889 l'univers marin, des paysages dont les compositions et les couleurs doivent à Seurat. Ses œuvres symbolistes majeures furent influencées par des sources littéraires ou musicales : Maeterlinck, Peladan... et aussi par la peinture d'Odilon Redon, de Ferdinand Knopff, des préraphaélites anglais, mais également par l'art javanais de son enfance (les marionnettes wayang). Converti au catholicisme, les allégories profanes cédèrent leur place à des compositions sacrées. Il eut un rôle non négligeable dans le « Nouveau Style » 1900, avec une variante qu'il appela lui-même « idéalisme linéaire » ou « luminisme ». Il s'agissait d'un dessin en arabesques infinies et particulièrement sinueuses, mis au service d'imaginations allégoriques, auxquelles on doit quelques-unes des nus les plus ondoyants d'une époque où ils florissaient pourtant. Il est intéressant de rappeler qu'il eut quelque influence dans le développement artistique des peintres Leo Gestel, Jan Sluijters, mais aussi de Mondrian, surtout sur son orientation mystique. De 1908 à 1911, Mondrian rencontrait Toorop à Domburg, sur l'île de Walcheren. À cette époque, Mondrian peignait des figures dans un paysage de dunes, traduits par des lignes stylisées. Le spiritualisme de Toorop apparaît chez Mondrian dans le triptyque *Évolution*, ainsi que dans la *Composition à personnages*, toutes deux de 1909.

BIBLIOGR. : Michel Seuphor : *Le Style et le Cri*, Seuil, Paris, 1965 – in : *Diction. Univers. de l'Art et des Artistes*, Hazan, Paris, 1967 – Catalogue de l'exposition *Toorop*, Paris, Institut Néerlandais, 1977.
MUSÉES : AMSTERDAM (Stedelijk Mus.) : *Les Apôtres Thomas et Thaddée* 1909 – AMSTERDAM (Rijksmuseum) : *La mer à Katwijk* – BRÊME : *Deux jeunes garçons et un pigeon* 1888 – BRUXELLES (Mus.

roy. des Beaux-Arts) : *Portrait du peintre G. Vogels* – LA HAYE (Mus. Mesdag) : *Étude* – OTTERLO (Mus. Kröller-Müller) : *Les Rôdeurs* 1892.
VENTES PUBLIQUES : BRUXELLES, 28 avr. 1951 : *Le Bon Verre* 1885 : **BEF 10 000** – AMSTERDAM, 10 déc. 1968 : *La Polka*, past. : **NLG 5 100** – LONDRES, 15 avr. 1970 : *Le Début de la journée* : **GBP 2 500** – ANVERS, 3 avr. 1973 : *Paysage en Zélande* : **BEF 70 000** – AMSTERDAM, 3 avr. 1974 : *Océanide* 1893 : **GBP 9 500** – LONDRES, 5 déc. 1974 : *Nymphe*, past. : **GBP 9 000** – ANVERS, 19 oct. 1976 : *Jeune femme à la fenêtre*, h/cart. mar./bois (71x44) : **BEF 110 000** – AMSTERDAM, 27 avr. 1976 : *Jésus guérissant l'aveugle* 1926, aquar. (20,5x15) : **NLG 4 800** – AMSTERDAM, 1ᵉʳ nov. 1977 : *Paysanne et enfant* 1905, craies de coul. (55x46) : **NLG 6 200** – AMSTERDAM, 7 nov. 1978 : *Trois femmes sur les dunes*, aquar. (19,5x27,5) : **NLG 4 000** – NEW YORK, 12 déc 1979 : *Eucharistisch Congres* 1924, litho. en coul. (105x62,5) : **USD 1 200** – NEW YORK, 16 mai 1979 : *La Sainte Famille* 1920, craies de coul. et cr. (30,5x24) : **USD 2 000** – AMSTERDAM, 23 avr. 1980 : *Portrait de jeune femme lisant* 1915, past. (45,5x30) : **NLG 4 000** – AMSTERDAM, 28 oct. 1980 : *Paysan dans un champ*, h/t (66x75) : **NLG 32 000** – NEW YORK, 20 juin 1981 : *Beekbergen* 1896, litho., affiche (87,6x65,7) : **USD 3 000** – AMSTERDAM, 7 déc. 1981 : *Fillette assise dans les dunes* 1912, craie et reh. de blanc (48,2x60) : **NLG 9 200** – AMSTERDAM, 15 mars 1983 : *Personnages sur un banc regardant la mer*, fus. et craies de coul. (11x14,7) : **NLG 18 500** – NEW YORK, 14 mars 1984 : *Nettenboetsters* 1899, eau-forte/Japon (15,9x18,8) : **USD 800** – LONDRES, 5 déc. 1984 : *Avant la journée de travail* 1888-1890, h/t (42,5x58) : **GBP 17 500** – LOKEREN, 19 oct. 1985 : *Jeune fille vers* 1893, dess. (17x10) : **BEF 75 000** – AMSTERDAM, 15 avr. 1985 : *Portrait de jeune femme assise* 1895, h/t (33,5x54) : **NLG 25 000** – NEW YORK, 13 mai 1987 : *Avant la journée de travail* 1888/1890, h/t (45x59,5) : **USD 70 000** – AMSTERDAM, 8 déc. 1988 : *Arbre et attelage*, craie/pap., étude (26x31) : **NLG 2 990** – AMSTERDAM, *La Trayeuse de vaches dans une étable* 1884, h/t (71,5x100) : **NLG 7 475** – AMSTERDAM, 24 mai 1989 : *Deux jeunes paysannes sur un chemin forestier*, cr. de coul./pap. (21,5x20) : **NLG 13 800** – AMSTERDAM, 13 déc. 1989 : *Fille de pêcheur dans les dunes* 1913, cr. et aquar./pap. (14,5x23,5) : **NLG 34 500** – LONDRES, 28 mars 1990 : *Jeune fille au printemps*, cr. et past. (22x30,5) : **GBP 2 750** – AMSTERDAM, 10 avr. 1990 : *Chez Duval* 1904, cr. et past./pap. (14,5x22,5) : **NLG 11 500** ; *Vie de chien* 1924, cr. et fus./pap. (21x26) : **NLG 8 625** – AMSTERDAM, 25 avr. 1990 : *Les Troubadours londoniens* 1885, h/t (70x96) : **NLG 207 000** – AMSTERDAM, 22 mai 1990 : *Filles de pêcheurs assises sur le quai* 1913, cr. de coul./pap. (32,5x39) : **NLG 41 400** – AMSTERDAM, 6 nov. 1990 : *La Femme au perroquet* 1890, past. (54x35,5) : **NLG 109 250** – AMSTERDAM, 12 déc. 1990 : *Portrait de Lucie Van Dam Van Isselt* 1905, h/t (91x70,5) : **NLG 310 500** – AMSTERDAM, 13 déc. 1990 : *L'Escaut à Anvers*, h/t (51x60) : **NLG 16 100** ; *Portrait de Aglaia von Zech*, fus./pap. (54x38,5) : **NLG 3 220** – AMSTERDAM, 23 avr. 1991 : *Le Café des Mille Colonnes à Bruxelles* 1885, h/t (74x64) : **NLG 201 250** – AMSTERDAM, 22 mai 1991 : *Deux femmes* 1893, cr. de coul. et aquar. reh. de blanc/pap. brun dans le cadre original de l'artiste (40x53,5) : **NLG 322 000** – AMSTERDAM, 5-6 nov. 1991 : *Portrait de la femme de l'artiste Annie Hall* 1895, techn. mixte (20x27,5) : **NLG 55 200** – AMSTERDAM, 11 déc. 1991 : *Tête d'une Anglaise, Lady H.* 1895, cr. noir (41,5x32,5) : **NLG 59 800** – AMSTERDAM, 3 nov. 1992 : *Chemin de campagne*, techn. mixte (10x14) : **NLG 2 300** – AMSTERDAM, 10 déc. 1992 : *Portrait de Charley* 1905, cr./pap. (17x13) : **NLG 25 300** – Paris, 19 mars 1993 : *Petite fille sur la plage* 1899, grav. : **FRF 4 000** – AMSTERDAM, 7 déc. 1993 : *Les Cueilleurs de pommes de terre et Dombourg à distance* 1905, fus. et past./pap. (46x55) : **NLG 69 000** – LOKEREN, 28 mai 1994 : *Sous la lampe* 1884, h/t (24x34,7) : **BEF 600 000** – AMSTERDAM, 31 mai 1994 : *Une allée d'Herfstlaan en automne*, cr. et h/cart. (61x57,5) : **NLG 287 500** – AMSTERDAM, 6 déc. 1995 : *Demande en mariage* 1898, cr. de coul. avec reh. de blanc/pap. (21,5x13,5) : **NLG 28 750** – AMSTERDAM, 4 juin 1996 : *Alcoolisme vers* 1888, h/t (74x65,4) : **NLG 218 300** – AMSTERDAM, 5 nov. 1996 : *Vue du marché Sainte-Catherine à Bruxelles la nuit*, h/t/pan. (103x74) : **NLG 18 290** – AMSTERDAM, 10 déc. 1996 : *Jeune Flamande dans un intérieur* 1904, h/t/pan. (31x40) : **NLG 43 821** – AMSTERDAM, 22 avr. 1997 : *Navigation nocturne, vue de la Tamise la nuit* 1885, h/cart. (20,5x37,5) : **NLG 96 760** – AMSTERDAM, 2 déc. 1997 : *Paysanne en costume*, h/pap./pan. (38x26) : **NLG 20 757** – AMSTERDAM, 4 juin 1997 : *Delftsche slaolie* vers 1894, cr. et craie jaune/pap., esquisse (39x21,5) : **NLG 80 725** – AMSTERDAM, 1ᵉʳ déc. 1997 : *Fillette adossée contre une meule de foin* 1904, h/t/cart. (27,5x36) : **NLG 88 500**.

TOOVEY Dorathea, dite **Dora**, plus tard Mme **James R. Jackson**
Née à Bathurst (Nouvelle Galles du Sud). XXᵉ siècle. Australienne.
Peintre de paysages.
Elle fut élève de McInnes, à l'Académie de Melbourne et de l'Académie Julian, à Paris. Elle voyagea en Angleterre, France, Italie et Espagne.

TOOVEY Edwin
XIXᵉ siècle. Travaillant vers 1865. Britannique.
Peintre de paysages.
Le Musée de Melbourne conserve de lui : *Flamborough Head*, et le Victoria and Albert Museum, à Londres, *Cottage rustique* (aquarelle).
VENTES PUBLIQUES : PARIS, 2 et 3 déc. 1926 : *Le moulin*, aquar. : FRF 920.

TOP Johan Wilhelm
Né le 4 janvier 1812 à Copenhague. XIXᵉ siècle. Danois.
Dessinateur de portraits.

TOPALIAN Puzant
Né en Arménie. XXᵉ siècle. Arménien.
Peintre.
Il a exposé à Paris, en 1945, au Salon des Artistes Libres Arméniens.

TOPART Antonin Pierre
Né le 22 juillet 1833 à Paris. XIXᵉ siècle. Français.
Peintre sur émail, portraitiste et peintre d'histoire.
Élève de E. Chanson. Il exposa au Salon de 1864 à 1882.

TOPART Lucie
Née au XIXᵉ siècle à Paris. XIXᵉ siècle. Française.
Peintre de genre et de portraits et miniaturiste.
Élève de son père Antonin Pierre T. et de Levasseur, elle débuta au Salon de 1877.

TOPAS Johan. Voir **THOPAS**

TOPASS Jean
Né au XIXᵉ siècle. Mort en novembre 1947 à Paris. XIXᵉ-XXᵉ siècles. Polonais.
Peintre, écrivain d'art.
Il vint en France vers 1900 pour étudier la peinture. Il fut un court moment élève de Cormon à l'École des Beaux-Arts de Paris. Il se consacra bientôt aux lettres. Il a publié des études critiques sur Ingres, Manet, Delacroix, Gauguin, Rodin, O. Redon. C'est en français qu'il écrivit : *L'Art et les Artistes en Pologne*.

TOPF Othmar
XVIIᵉ siècle. Actif à Brixe de 1619 à 1623. Autrichien.
Sculpteur.

TOPFER. Voir aussi **TOPFFER, TÖPPER** et **TÖPFFER**

TÖPFER Ernst
Né le 4 juin 1878 à Wiesbaden (Hesse). XXᵉ siècle. Allemand.
Peintre, graveur.
Il fut élève des Académies de Karlsruhe et de Berlin. Il vécut et travailla à Idstein.
MUSÉES : WEISBADEN (Gal.) : *Nature morte avec oranges*.

TÖPFER Hans ou **Thoppher, Topher, Topffer**
XVᵉ-XVIᵉ siècles. Actif à Kunitz près de Iéna. Allemand.
Peintre et sculpteur sur bois (?).
Il travailla à Leipzig. Il peignit les autels de Weida, de l'abbaye de Schulpforta et de l'église Sainte-Thècle de Leipzig.

TOPFER J. A.
Mort avant novembre 1841 à Amsterdam. XIXᵉ siècle. Hollandais.
Paysagiste et aquafortiste amateur.
Le Musée de Montpellier conserve de lui *Intérieur de forêt*.

TÖPFER Martin. Voir **TÖPPER**

TÖPFER Valentin, appellation erronée. Voir **TÖPFFER Adam**

TÖPFFER Adam ou **Wolfgang Adam** ou **Toepffer**
Né le 20 mai 1766 à Genève. Mort le 10 août 1847 à Morillon. XVIIIᵉ-XIXᵉ siècles. Suisse.
Peintre de genre, portraits, paysages animés, paysages, peintre à la gouache, aquarelliste, dessinateur, illustrateur, caricaturiste.
Ce maître de l'ancienne école genevoise était fils d'un tailleur originaire de Franconie, naturalisé suisse en 1793. Adam apprit

le métier de graveur et travailla d'abord pour l'industrie. Vers 1786, s'étant rendu à Lausanne il y fut employé à la gravure de planches pour une contrefaçon de l'*Encyclopédie*. Il grava aussi quelques vues d'après Bourrit pour l'illustration des *Voyages de Saussure*. Il vint à Paris, collabora à l'illustration d'une édition des *Mille et une Nuits*, et retourna à Genève, après la prise de la Bastille. Il essaya de vivre en faisant des portraits à l'aquarelle. Il n'y réussit guère et, en 1791 revenu à Paris, il entra dans l'atelier de Suvée. Les événements politiques l'obligèrent à regagner la Suisse, et il devint à Genève, l'élève et l'ami de Pierre Louis de la Rive. L'étude de la nature, aux côtés de son maître, eut sur son talent une heureuse influence. De cette époque (1792-1793) datent un grand nombre de sépias rehaussées de gouache et de lavis, très poussées et d'une intéressante exécution. Le 15 décembre 1793, Adam Töpffer épousa Mlle Counis et s'établit professeur de dessin et d'aquarelle. Töpffer débuta comme caricaturiste au Salon de Genève de 1796, il ne faut d'ailleurs pas le confondre avec Rodolphe, mais il ne se borna pas à la caricature et son talent s'appliqua surtout à la peinture des mœurs des paysans de la Savoie. Au cours de fréquents voyages à Paris, il fut présenté à l'impératrice Joséphine en 1807 et lui donna des leçons de dessin. Il exposa au Salon de Paris en 1804 et en 1812, à la Royal Academy, à Londres, en 1816, à Genève en 1798, 1820, 1823, 1826, 1827 et à Berne en 1830.
En 1816, il fit un séjour en Angleterre. En 1820, il alla s'établir à Morillon où il continua à peindre et à donner des leçons. En 1824, il fit un voyage en Italie. Dans la retraite où il vécut à la fin de sa vie, il ne cessa pas de travailler et on le trouva mort devant son chevalet.
Il avait adopté une manière tenant à la fois de Boilly et de Marne, de Debucourt ; conception dans laquelle le sujet, l'anecdote tiennent une large place à côté du paysage. Son succès fut très grand et il trouva des amateurs non seulement en Suisse, mais aussi en France et en Angleterre.
MUSÉES : BÂLE : *Paysage de Savoie* – *Repas à la campagne* – GENÈVE (Ariana) : *Cueillette des pommes à Condrée* – *Les conscrits* – *Tableau satirique (les personnages ont des corps d'oiseaux)* – *Paysans déchargeant un fût de vin*, *l'hiver* – *Effet de neige, bois* – *Paysage et marines* – *Petite fille, un chapeau à la main, devant l'Hôtel de Ville* – *Aquarelle* – GENÈVE (Rath) : *Sortie d'église en hiver* – *Jeune paysanne* – *Rétablissement du culte en France après la Révolution* – *Prédication en plein air* – *Environs de Genève* – *Deux esquisses* – *Le colporteur* – *Les charbonniers* – *Deux aquarelles* – *Jeune campagnarde* – *Paysage* – *La ruine*, miniatures – LYON : *Rétablissement du culte après la Révolution* – NARBONNE : *L'arrivée de la diligence* – ZURICH : *Ferme* – *Le Guignol*.
VENTES PUBLIQUES : PARIS, 21-22 fév. 1919 : *Études de figures*, six dessins : FRF 280 – PARIS, 20 mars 1924 : *Paysage boisé avec quatre paysannes et un homme assis au bord d'une route*, aquar. : FRF 1 950 – ZURICH, 15 mars 1951 : *Ferme en Savoie* : CHF 500 – LUCERNE, 26 juin 1965 : *Paysage montagneux animé de nombreux personnages* : CHF 9 000 – ZURICH, 21 oct. 1969 : *Paysage aux arbres* : CHF 20 000 – LUCERNE, 24 nov. 1972 : *Paysages animés de personnages, deux pendants* : CHF 95 000 – BERNE, 25 nov. 1976 : *Vue du lac de Genève*, h/pan. (23,5x30,5) : CHF 6 800 – ZURICH, 20 mai 1977 : *Vue de Genève 1819*, h/cart. (27,5x32) : SEK 18 500 – BERNE, 21 nov. 1978 : *Paysage fluvial*, h/cuivre (29x37) : CHF 5 400 – BERNE, 25 oct. 1979 : *La cueillette des pommes*, aquar. (16,5x13) : CHF 1 600 – ZURICH, 19 mai 1979 : *Le Don Juan du village*, h/pan. (24x35) : CHF 15 000 – LONDRES, 28 nov. 1980 : *Vue du Mont-Blanc*, h/t (52x70) : GBP 4 800 – ZURICH, 12 nov. 1982 : *Vue de Genève avec le Salève*, h/t (74,5x96) : CHF 60 000 – LONDRES, 15 mars 1983 : *Le Cortège du mariage 1816*, h/t (65,5x88,5) : GBP 38 000 – BERNE, 19 nov. 1984 : *Bords du lac de Genève avec vue du Mont-Blanc*, h/pan. (23,5x30,5) : CHF 5 200 – ZURICH, 4 déc. 1985 : *Paysage*, dess. à l'encre sépia (36x45) : CHF 1 650 – ZURICH, 8 juin 1985 : *Dévotion*, h/pan. (28,9x36,7) : CHF 19 000 – PARIS, 17 mars 1987 : *Jeune femme à la fontaine*, h/cart. (25,5x32,5) : FRF 82 000 – BERNE, 26 oct. 1988 : *Pont sur une rivière bordée d'arbres avec une tour à l'arrière-plan*, h/pap. (26x31,5) : CHF 3 000 – LONDRES, 4 oct. 1991 : *Paysage rocheux avec lac au fond 1812*, h/pap. (21x29) : GBP 2 090 – ZURICH, 4 juin 1992 : *Promenade à la campagne*, cr. et lav./pap. (20,5x25) : CHF 2 260 – MONACO, 18-19 juin 1992 : *Paysans dans la campagne*, lav. d'encre (12x19,5) : FRF 4 440 – MONACO, 2 juil. 1993 : *Les Lavandières*, h/pap./t. (40x53) : FRF 88 800 – ZURICH, 12 juin 1995 : *Vue de la ville de Genève et de ses environs prise du haut de la côte de Cologny ; Vue du mou-*

lin d'*Étralbières au pied du Petit Salève près de Genève*, cr., encre et aquar./pap., une paire (chaque 41x59) : **CHF 23 000** – ZURICH, 25 mars 1996 : *Le Lac de Genève et Salève*, h/cart. (20x42) : **CHF 46 000** – ZURICH, 5 juin 1996 : *L'Embarcation de la noce*, h/t (60x68) : **CHF 57 500** – PARIS, 20 nov. 1996 : *Le Repos des chasseurs*, cr. noir et lav. brun (37x48,5) : **FRF 11 500** – AMSTERDAM, 19-20 fév. 1997 : *Étude de femme debout*, cr./pap. (28x18) : **NLG 1 095** – ZURICH, 14 avr. 1997 : *Sur la place du marché*, h/t (46x55) : **CHF 24 150**.

TÖPFFER Adèle
Née en 1827. Morte en 1910. XIXe-XXe siècles. Suisse.
Peintre de miniatures.
Fille de Rodolphe Töpffer.

TÖPFFER Esther
Née en 1839. Morte en 1909. XIXe siècle. Suisse.
Miniaturiste.
Fille de Rodolphe Töpffer.

TÖPFFER François
Né en 1830. Mort en 1876. XIXe siècle. Suisse.
Dessinateur de caricatures.
Fils de Rodolphe Töpffer.

TÖPFFER Jean Charles ou Charles
Né le 23 avril 1832 à Genève. Mort le 13 mars 1905 à Paris. XIXe siècle. Suisse.
Sculpteur et médailleur.
Fils de Rodolphe Töpffer. Il montra dès son jeune âge un goût marqué pour les arts plastiques et fut élève de Barthélemy Menn. Il fit d'abord de l'enseignement puis, après un voyage à Paris, il s'y fixa et se consacra à la sculpture. Ce furent surtout les statuettes, les objets d'art qui l'occupèrent. On lui doit aussi des bustes notamment, à Genève, celui de son père, dans le square Töpffer ; ceux de Molière et de Corneille au Grand Théâtre ; celui de Vuillemin, au Palais de Rumine, celui de La Rive. Il convient de noter encore dix-huit figures en marbre pour le monument du duc de Brunswick. Malgré son séjour en France, il ne cessa pas de prendre part aux manifestations artistiques de son pays et exposa notamment à Genève à partir de 1864. Le Musée Ariana de Genève possède de lui *Buste de Rodolphe Töpffer*, le Musée Rath, *Buste de l'ingénieur L. Favre, Zingarella, Tête de sorcière*, et la Kunsthalle de Zurich, *Repos*.
MUSÉES : LAUSANNE (Mus. canton. des Beaux-Arts) : *Buste de Rodolphe Töpffer 1879 – Buste de Louis Vuillemin 1882*.

TÖPFFER Rodolphe
Né le 31 janvier 1799 à Genève. Mort le 8 juin 1846 à Genève. XIXe siècle. Suisse.
Peintre, caricaturiste.
Fils d'Adam Töpffer. Connu surtout en France par ses albums humoristiques : *Voyages en zig-zag*, et *Nouveaux voyages en zig-zag*. Il se destinait d'abord à la peinture et commençait même à tirer un certain profit de ses travaux, des aquarelles, de petits paysages pour l'ornement de tabatières, lorsqu'une maladie des yeux l'obligea, dès vingt et un ans à chercher une autre carrière ; il fit de l'enseignement. Après avoir été sous-maître, il fonda un pensionnat de jeunes gens. Ce fut au cours d'excursions avec ses élèves pendant les vacances, qu'il recueillit les éléments des deux volumes mentionnés plus haut. Ces cahiers, d'abord autographiés par l'artiste et dont les rares exemplaires se sont recherchés des amateurs, furent ensuite réunis en deux volumes. Töpffer fit aussi un certain nombre d'albums comiques (*M. Jabot* (1833), *M. Crépin* (1837), *M. Vieux-Bois* (1837), *M. Pencil* (1840), l'*Histoire d'Albert* (1845), *M. Cryptogame* (1846) qui parut dans l'*Illustration*, interprété par Cham.). Il faut citer aussi un album de douze planches de paysages, *Essais d'autographie* (1842) et *Essai de physionomie* (1845), trente-six planches autographiées. Töpffer en 1834, fut élu membre du Conseil représentatif. Il fit aussi du journalisme. Notons encore, dans son œuvre littéraire, *Les Nouvelles Genevoises* et deux volumes d'esthétique publiés après sa mort. À la fin de sa vie, tourmenté par la maladie qui devait l'emporter, il quitta l'enseignement et se remit à la peinture, sous la direction de Calame. Le Musée Rath à Genève, conserve deux peintures de lui *Une vue du quartier* et *Paysage près de Meillerie*. Töpffer est considéré aujourd'hui comme l'un des « précurseurs » de la bande dessinée.
BIBLIOGR. : F. K. H. Kossmann : *Rodolphe Töpffer. Citoyen et artiste suisse*, Anvers-Rotterdam, A. Donker, 1948 – Rodolphe Töpffer : *Trois histoires en images*, avec une étude de Manuela Maschietto, Paris, Club des Libraires de France, 1962 –

Rodolphe Töpffer : *M. Jabot, M. Crépin, M. Vieux-Bois, M. Pencil, Dr Festus, Histoire d'Albert, M. Cryptogame*, introduction de François Caradec : *La littérature en estampes*, Paris, Pierre Horay, 1975 – Pierre-André Touttain : *L'humour aventureux de Rodolphe Töpffer*, in *Les Nouvelles Littéraires*, n° 2502, 13 au 19 octobre 1975.
VENTES PUBLIQUES : PARIS, 8 déc. 1922 : *Neuf dessins et croquis*, pl. et mine de pb : **FRF 1 029** ; *Voyages en zig-zag*, vingt-six dessins pour l'illustration de cet ouvrage : **FRF 1 605** ; *Dix-sept dessins*, pl. : **FRF 1 705** – PARIS, 17 juin 1949 : *Chimiste et sa femme en voyage* ; *Le marchand d'oranges*, deux aquarelles : **FRF 2 800** – PARIS, 28 juin 1991 : *Officiers montant des coqs*, pl. et lav./pap. (16,5x30,5) : **FRF 4 000**.

TOPHAM Francis William
Né le 15 avril 1808 à Leeds. Mort le 31 mars 1877 à Cordoue (Espagne). XIXe siècle. Britannique.
Peintre de genre, aquarelliste, illustrateur, graveur au burin.
Il fit son apprentissage comme graveur de lettres dans sa ville natale puis graveur héraldique à Londres vers 1830. Ses patrons remarquant son habileté l'employèrent à l'exécution d'estampes au burin et plus tard étant entré en relations avec l'éditeur Virtue, il grava pour lui l'illustration de nombreux ouvrages. Topham fit seul son éducation picturale. Il s'affilia à l'Artist's Society devenue depuis le Langham Club.
De 1832, date de ses premiers envois à 1858, il exposa sept ouvrages à la Royal Academy, trois à la British Institution, trois à Suffolk Street. En 1842, il fut nommé associé à la New Water-Colours Society et quitta cette association en 1847, pour entrer, d'abord comme associé et quelques mois plus tard comme membre, dans la Old Water-Colours Society.
En 1844, il alla en Irlande et de ce voyage paraît dater la pleine maturité de son talent. De 1852 à 1853, notre artiste voyagea en Espagne visitant Madrid, Séville, Cordoue, Grenade, Tolède. Ses remarquables qualités d'observation trouvèrent une ample moisson dans les milieux pittoresques de la Péninsule. Le succès couronna ses efforts. En 1860 il fit, en compagnie de son fils, le peintre Frank W. W. Topham, un nouveau voyage en Irlande. Et en 1876 sa santé s'étant altérée il partit pour l'Espagne. Les fatigues du voyage usèrent ses dernières forces et il ne put aller plus loin que Cordoue.
MUSÉES : BLACKBURN : *Le puits saint* – DUBLIN : *Aquarelle* – GLASGOW : *Devant le puits saint* – LIVERPOOL : *Connemara – Les voix de la mer – Groupe d'enfants et chanteur des rues* – LONDRES (Victoria and Albert Mus.) : *Écrivain public espagnol – Esquisse – Six aquarelles* – MANCHESTER : *Aquarelles* – READING : *Aquarelles* – SHEFFIELD : *Samedi soir à Connemara*.
VENTES PUBLIQUES : LONDRES, 1861 : *La fontaine sacrée*, aquar. : **FRF 3 750** – LONDRES, 1875 : *Olivier Goldsmith*, aquar. : **FRF 6 560** – LONDRES, 1898 : *Paysans allumant du feu*, aquar. : **FRF 4 050** – NEW YORK, 26 jan. 1906 : *Boutique de marchand de vin* : **USD 200** – LONDRES, 27 mars 1909 : *Jetant la pantoufle* : **GBP 44** – LONDRES, 20 jan. 1910 : *L'Aventure de Guilio Varano 1434 1872* : **GBP 12** – LONDRES, 17 oct. 1910 : *La chute de Rienzi 1888* : **GBP 25** – LONDRES, 6 mars 1911 : *Partie de décoration à Bergame 1879* : **GBP 55** – LONDRES, 1er avr. 1911 : *Ramasseurs de varech* : **GBP 36** – LONDRES, 22 avr. 1911 : *Amour et travail 1883* : **GBP 39** – LONDRES, 12 mai 1922 : *La diseuse de bonne aventure*, dess. : **GBP 68** – LONDRES, 27 nov. 1922 : *Lettre d'amour*, dess. : **GBP 60** – LONDRES, 13 juil. 1925 : *Le train qui passe*, dess. : **GBP 52** – LONDRES, 22 juin 1928 : *Highland Drovers*, dess. : **GBP 46** – LONDRES, 21 déc. 1982 : *Vue d'une place avec une fontaine animée de personnages en Espagne 1859*, aquar. reh. de blanc (69,5x87) : **GBP 800** – LONDRES, 28 nov. 1984 : *Enfants cueillant du houblon 1870*, aquar. cr. et gche (34x49) : **GBP 1 250** – LONDRES, 30 mai 1985 : *Pastorale 1869*, aquar. reh. de gche (77x51,5) : **GBP 2 500** – LONDRES, 28 avr. 1987 : *Ballinasloe Fair 1852*, aquar. et cr. reh. de blanc (55,5x100) : **GBP 4 800** – LONDRES, 1er nov. 1990 : *Paysans à l'intérieur d'une grange 1844*, aquar. avec reh. de blanc (25,4x33,7) : **GBP 715**.

TOPHAM Frank William Warwick
Né en 1838 à Londres. Mort en 1924 ou 1929 à Londres. XIXe-XXe siècles. Britannique.
Peintre de genre.
Fils et élève de Franck Topham. Il travailla aussi aux écoles de la Royal Academy puis avec Gleyre à Paris. En 1860, il visita l'Irlande en compagnie de son père. En 1863, il alla avec lui en Italie, s'arrêtant particulièrement à Rome et à Capri. Il fit souvent de

fréquents séjours dans cette contrée et traita des sujets italiens. En 1879 il fut nommé membre de la New Society of Water-Colours.

Frank W. W. Topham

Musées : Leeds : *Un prix à la loterie* – Leicester : *Triomphe romain* – Liverpool : *La chute de Rienzi* – Manchester : *Départ pour le service militaire, Italie moderne* – Rochdale (Gal. d'Art) : *Ruth et Booz* – Sydney : *Renonciation aux vanités sur l'ordre de Savonarole*.
Ventes Publiques : Londres, 2 mai 1924 : *Reliques de Pompéi :* **GBP 42** – Londres, 12 fév. 1974 : *La Sieste, Venise* 1908 : **GBP 250** – Londres, 16 nov. 1976 : *After sunday school*, h/cart. (43x29) : **GBP 450** – Londres, 20 mars 1979 : *Les pigeons d'Assise* 1874, h/t (51x75) : **GBP 1 100** – Londres, 23 oct. 1981 : *Chez soi après le service* 1879, h/t (130,8x205,6) : **GBP 8 500** – Londres, 19 juin 1984 : *Drawing for military service in modern Italy* 1878, h/t (135x198) : **GBP 5 500** – Londres, 13 fév. 1987 : *The Queen of the Tournament* 1885, h/t (153x224) : **GBP 11 000** – Londres, 3 juin 1988 : *Grand vent à Assise*, h/t (21,5x18,7) : **GBP 880** – Londres, 15 juin 1988 : *La femme de Naaman* 1888, h/t (153x123) : **GBP 8 250** – Londres, 2 juin 1989 : *La mégère apprivoisée* 1879, h/t (105,5x156) : **GBP 12 100** – New York, 24 oct. 1989 : *David et sa fronde* 1910, h/t (107x76) : **USD 5 500** – New York, 17 jan. 1990 : *Femme portant son enfant devant l'entrée d'une maison* 1883, h/t (55,9x39,5) : **USD 2 530** – Londres, 1er nov. 1990 : *Matin de fête en Italie* 1876, h/t (55,3x77,5) : **GBP 5 500** – Londres, 11 oct. 1991 : *La guirlande de fleurs* 1900, h/t (106,7x76,2) : **GBP 3 520** – New York, 30 oct. 1992 : *Le porteur de bonnes nouvelles : la fin de la famine à Florence en 1496* 1882, h/t (130x199,5) : **USD 46 200** – Londres, 13 nov. 1992 : *Les réfugiés de Pompéi, 79 av. J.-C.*, h/t (123x186,7) : **GBP 13 200** – New York, 17 fév. 1993 : *Le Retour des militaires* 1879, h/t (128,3x204,5) : **USD 68 500** – Londres, 4 nov. 1994 : *Jour de marché à Perugia*, h/t (123,2x179,7) : **GBP 17 250** – Londres, 4 juin 1997 : *Heure de détente* 1882, h/t (50x78) : **GBP 8 970** – Londres, 5 nov. 1997 : *Le Matin de la fête, Italie du Centre* 1876, h/t (109x154) : **GBP 13 225**.

TOPHAM Samuel
XIXᵉ siècle. Actif à Halifax et à Leeds de 1800 à 1840. Britannique.
Graveur d'ex-libris.

TOPINA Bartolino
XVᵉ siècle. Travaillant de 1494 à 1496. Italien.
Peintre.
Il exécuta des ornements dans les palais de Mantoue.

TOPINO-LEBRUN François Jean-Baptiste, pour Lebrun François Jean Baptiste Topino
Né le 11 avril 1764 à Marseille, d'autres sources donnent en 1769. Mort le 30 janvier 1801 à Paris, guillotiné. XVIIIᵉ siècle. Français.
Peintre d'histoire.
Il fut élève de David, à Rome et à Paris. Topino-Lebrun fit partie du tribunal révolutionnaire en 1793. Il exposa au Salon de 1798. Il fut exécuté, en 1801, pour avoir été impliqué, soupçonné de complicité, dans la conspiration du 10 octobre 1800, contre le premier consul, Napoléon Bonaparte.
Son tableau, *la Mort de Caïus Gracchus* (1797), composition grandiose, lui fut acheté par le gouvernement et placé au Musée de Marseille ; longtemps oublié dans les réserves, après une restauration nécessaire, il fut présenté en 1985, au cours d'une exposition exceptionnelle à la chapelle de la Vieille-Charité à Marseille. ■ J. B.

Topino · Lebrun.

Bibliogr. : Delécluze, M. E. J. : *Louis David, 1748-1825, son école et ses élèves*, Paris, 1855 – *Guillotine et peinture. Topino-Lebrun et ses amis*, Édit. du Chêne, Paris, 1977.
Musées : Marseille (Mus. Cantini) : *Mort de Caïus Gracchus* 1797.
Ventes Publiques : Paris, 1852 : *Tête de jeune fille :* **FRF 1 700** – Paris, 21 nov. 1919 : *La toilette d'Esther*, attr. : **FRF 960**.

TOPOLA Léopold. Voir **TOBOLA**

TOPOLINO, appelé aussi **Domenico Bertino di Giusto**
Né en 1465. XVᵉ siècle. Italien.
Sculpteur.

Il travailla pour des églises et la ville de Pérouse. Il fut agent et fournisseur de Michel-Ange.

TOPOLSKI Andrew
Né en 1952 à Buffalo (New York). XXᵉ siècle. Américain.
Artiste multimédia.
Il a étudié à l'Université d'État de New York. Il vit et travaille à Brooklyn (New York).
Il figure à des expositions collectives, dont : 1989, Foire internationale d'art contemporain, Paris, présenté par la galerie du Génie (Paris) ; 1990, *Minimalism and Postminimalism*, Hood Museum, Darmouth College, Hanover (New Hampshire) ; 1991, *Mind and Matter : New american abstraction*, Art Museum, Manille ; 1991, *Flux et Reflets*, A. B. Galeries, Paris.
Il montre ses œuvres dans des expositions particulières, parmi lesquelles : 1987, *The Trinity Test*, Brooklyn Museum, New York ; 1989, galerie Du Génie, Paris ; 1992, Elga Wimmer Gallery, New York.
Son travail multimédia étudie l'incidence sur l'environnement du développement radioactif et nucléaire. Il utilise la technique du collage pour déconstruire des textes scientifiques et les reformuler visuellement grâce à l'utilisation des mathématiques, de la géométrie et de la composition musicale. Le résultat est une œuvre à la facture minimale, dont les formes s'apparentent à des missiles à tête d'ogives.

TOPOLSKI Feliks ou Felicjan
Né en 1907 à Czenstochova. Mort en 1990. XXᵉ siècle. Actif en Angleterre. Polonais.
Peintre, dessinateur de caricatures, illustrateur.
Il se fixa à Londres en 1935. Il exécuta des illustrations de livres. Durant la guerre mondiale, il consacra tout son talent à la glorification de la lutte des alliés.
Musées : Varsovie.
Ventes Publiques : New York, 7 juin 1979 : *Portrait de Jacob Epstein*, craie noire (48,3x31,1) : **USD 1 700** – Londres, 29 juil. 1988 : *Le défilé du carrosse d'apparat*, cr. et encre (33,8x37,5) : **GBP 385** – Londres, 2 mai 1991 : *Les orateurs de Marble Arch* 1942, cr. et coul., encre et gche (56x75) : **GBP 1 210** – New York, 29 juin 1995 : *Marins anglais et polonais* 1940, aquar. et encre/pap. (49,8x64,8) : **USD 1 380**.

TOPOLSKI Maciej
Né en 1767 à Lubartov. Mort le 4 novembre 1812 à Varsovie. XVIIIᵉ-XIXᵉ siècles. Polonais.
Peintre d'histoire et de portraits.
Il fit ses études avec Lesseur, puis entra dans l'atelier de Smuglevisck et avec lui, il se rendit à Berlin, à Vienne et à Rome, où il continua ses études. Il s'installa définitivement à Varsovie, où il fit plusieurs portraits, notamment celui de Napoléon avec la signature : *M. Topolixi fecit* 1807, ce portrait se trouve chez M. Franski à Dojardov, près de Cracovie.
Musées : Posen (Mus. Mielzynski) : *J. Fr. C. von Wolfradt* – Varsovie (Mus. Nat.) : *F. Kunicki* – *La femme de l'artiste* – *Portrait d'un inconnu et sa femme* – *Le comte J. Sierakovski et sa femme*.

TOPOLSKY Innessa
XXᵉ siècle. Russe.
Peintre de compositions animées.
Elle a participé, en 1994, à l'exposition *Nouvel art russe, peintures de la collection Christian Keesee* au Museum of Art de l'université de l'Oklahoma à Noreman.
Dans *Leçon d'anatomie du Dr Thulp*, elle décompose en seize panneaux une peinture célèbre de Rembrandt sur un fond expressionniste-abstrait.
Bibliogr. : James Scarborough : *Art postsoviétique*, Art Press, n° 194, Paris, sept. 1994.

TOPOR Abram
XXᵉ siècle. Actif depuis 1930 en France. Polonais.
Peintre, sculpteur.
Père de Roland Topor. Il a étudié à l'École des Beaux-Arts de Varsovie. Il a également travaillé comme artisan maroquinier en France.

TOPOR Roland
Né le 7 janvier 1938 à Paris. Mort le 16 avril 1997 à Paris. XXᵉ siècle. Français.
Peintre, dessinateur, affichiste, peintre de décors de théâtre, costumier, auteur de films d'animation, scénographe, écrivain.
Il a étudié à l'École des Beaux-Arts de Paris à partir de 1955. Entre 1955 et 1957, il fut élève en gravure chez Edward Goerg. Il

a débuté dans les revues *Bizarre, Arts* et *Rire, Fiction,* puis fut l'un des fondateurs, en 1962, du groupe *Panique,* avec, entre autres, Arrabal, Christian Zeimert, Alexandro Jodorowsky, Jacques Sternberg, Gironella, groupe sans option formaliste, plutôt « manière d'être » ouverte à la transgression des conventions et du bon goût, par l'humour, souvent noir, et l'évocation de l'insolite. Il collabora également à la revue *Hara-Kiri* de 1961 à 1965.

Plusieurs livres-albums de Topor ont été publiés en France et à l'étranger, les premiers ont été édités chez Eric Losfeld et Jean-Jacques Pauvert en 1960-61. Il a également illustré des textes d'écrivains, dont ceux de Jacques Sternberg, Marcel Aymé, Arrabal, Anatole France, Alain Souvestre, Pierre Benoît, Gogol, Emmanuel Bove, Yves Rivière. Il a publié des romans, dont *Le locataire chimérique* (1964) ; *Portrait en pied de Suzanne* (1978), des recueils de nouvelles : *Joko fête son anniversaire* (1970) ; *Café panique* (1982) ; *La plus belle paire de seins du monde* (1986) ; *Jachère party* (1996). Il a écrit des chansons (*De Moïse à Mao*) pour le Grand Magic Circus de Jérôme Savary. Il a réalisé les personnages et les maquettes de *La Planète Sauvage,* un film d'animation (1973) imaginé avec Laloux. Pour le théâtre et l'opéra, il a conçu le décor des *Mamelles de Tirésias* (1985), a créé *Marquis* (1989) qui est une lecture de Sade, a mis en scène *Ubu roi* de Jarry (1992).

Il a participé à des expositions collectives, parmi lesquelles : 1957, Salon Comparaisons, Paris ; 1972, *Douze ans d'art français,* avec la participation du groupe *Panique,* Grand Palais, Paris. Il a montré ses œuvres dans des expositions personnelles, dont : 1961, Maison des Beaux-Arts, Université de Paris ; 1962, 1966, galerie Valérie Schmidt, Paris ; 1965, Haus am Lützoplatz, Berlin ; 1967, galerie La Pochade, Paris ; 1968, galerie Aurora, Genève ; 1969, Gimpel Gallery, Londres ; 1970, Lefebre Gallery, New York ; 1970, galerie Daniel Keel, Zurich ; 1971, Im Taxipalais, Innsbruck ; 1975, galerie Marquet, Paris ; 1975, Stedelijk Museum, Amsterdam ; 1978, galerie Jean Briance, Paris ; 1979, Palais des Beaux-Arts, Bruxelles ; Anvers ; 1980, Israël Museum, Jérusalem ; 1983, Stedelijk Museum, Amsterdam, 1984, Moderna Museet, Stockholm...

Il a reçu en 1981 le Grand Prix national pour les arts graphiques, et, en 1990, le Grand Prix de la Ville de Paris.

Topor doit quelque chose de son style aux illustrateurs de la fin du XIXᵉ siècle, soucieux d'exactitude, tels ceux qui mettaient en images les romans pour la jeunesse de la comtesse de Ségur, mais encore plus au Max Ernst de l'Histoire Naturelle, détournant ce dessin des innocents illustrateurs à des fins maléfiques. C'est ainsi que chez Topor, la petite fille pousse bien devant elle un cerceau, mais au centre du cerceau est fixé en manière de rayons un lutteur 1900 à moustaches, ou bien le brave soldat qui verse le café voit ce qui sort du bec de la cafetière à l'intention de sa belle amie se transformer en visage d'enfant, une femme tordue de douleur accouche d'une chenille à tête de bébé, une femme est assise derrière le volant d'une voiture dont le capot est le dos d'un homme puissant dont les jambes sont arc-boutées à l'avant de la voiture et dont la tête cachée pousse le moteur.

BIBLIOGR. : In : catalogue de l'exposition *Écritures dans la peinture,* Villa Arson, Nice, 1984 – Gina Kehayoff, Christoph Stölzc : *Topor,* Albin-Michel, Paris, 1985.

VENTES PUBLIQUES : ROME, 18 mai 1976 : *Je t'aime* 1972 (125x150) : ITL 1 400 000 – PARIS, 6 juin 1985 : *La grosse rousse* 1977, cr. de coul. (24x32) : FRF 7 500 – PARIS, 23 janv. 1989 : *L'Oiseau* 1981, acryl./pap. (132x185) : FRF 8 000 – PARIS, 15 oct. 1990 : *Sans titre* 1971, h/t (50x65) : FRF 10 600 – PARIS, 2 juin 1991 : *Les charmes* 1966, encre, aquar. et collage préparatoire au film « L'escargot » (47x61) : FRF 15 000 – AMSTERDAM, 12 déc. 1991 : *Sans titre* 1976, aquar. et encre/pap. (24x35) : NLG 2 990 – AMSTERDAM, 19 mai 1992 : *Le nain – la canne* 1976, encre et cr. de coul./pap. (23,5x16) : NLG 1 840 – PARIS, 8 juil. 1993 : *Sans titre,* encre/pap. (49x65) : FRF 8 500 – PARIS, 14 oct. 1993 : *Les charmes* 1966, encre, aquar. et collage préparatoire (47x61) : FRF 15 000 – LOKEREN, 28 mai 1994 : *Le toit rouge* 1980, cr. de coul. (30,5x23,5) : BEF 48 000 – PARIS, 16 déc. 1994 : *L'avaleur* 1976, dess. à la pl. et cr. de coul./pap. (26x41) : FRF 11 000.

TOPORHOFF V. V.
Né en 1859. Mort en 1888. XIXᵉ siècle. Russe.
Peintre d'histoire.
La Galerie Tretiakov, à Moscou, conserve de lui : *Ulysse chez Calypso.*

TOPORINO Bernardino ou Teporino
XVIᵉ siècle. Italien.

Sculpteur.
Il collabora vers 1530 aux bas-reliefs des portiques de l'église Saint-Barthelemy de la Porte de Ravenne à Bologne.

TOPORKOV Alexander
XXᵉ siècle. Russe.
Peintre, dessinateur, décorateur. Constructiviste.
Il était membre de l'INKHUK, l'organisme qui définissait les principes et règles du mouvement productiviste, dont l'objectif était d'orienter l'esthétique constructiviste sur une production d'objets utilitaires de masse. À ce titre, Toporkov, dont on sait peu de choses, eut une activité théorique.

TOPP-PEDERSEN Holger
Né le 13 octobre 1868 à Odensee. Mort le 5 janvier 1938 à Odensee. XIXᵉ-XXᵉ siècles. Danois.
Peintre.
Il fut élève de l'Académie des Beaux-Arts de Copenhague.
MUSÉES : ODENSEE : un paysage.

TOPPAN Charles
Né en 1796 à Newburyport. Mort après 1868 à New York. XIXᵉ siècle. Américain.
Graveur au burin.
Élève de Gideon Fairman.

TOPPELIUS Michael
Né en 1734 à Uleaborg. Mort en 1821. XVIIIᵉ-XIXᵉ siècles. Finlandais.
Peintre.
Élève de Johann Pasch à Stockholm. Il exécuta des peintures décoratives dans beaucoup d'églises de Finlande.

TOPPELIUS Woldemar
Né en 1858 à Kostroma. Mort en 1936. XIXᵉ-XXᵉ siècles. Russe.
Peintre de paysages.
Il figura aux expositions de Paris où il obtint une mention honorable en 1900 lors de l'Exposition universelle.
MUSÉES : HELSINKI : *Rochers côtiers.*
VENTES PUBLIQUES : STOCKHOLM, 30 nov. 1993 : *Marine* 1925, h/t (39x59) : SEK 21 000.

TÖPPER Carl Franz A. ou Tepper
Né en 1681 à Chrudim. Mort le 14 novembre 1738 à Gross-Meseritsch. XVIIIᵉ siècle. Autrichien.
Peintre et graveur à la manière noire.
Il peignit des fresques et des tableaux d'autel pour de nombreuses églises de Bohême et de Moravie.

TÖPPER Friedrich Wilhelm
Né le 20 février 1885 à Grunigen. XXᵉ siècle. Allemand.
Peintre.
Il fut élève de l'Académie de Breslau. Il vécut et travailla à Cammin.
MUSÉES : STETTIN : *Paysage printanier avec un pont blanc – Soleil dans la brume matinale – Journée d'été sur l'Ile de Wollin.*

TÖPPER Martin ou Sigmund Martin ou Tepper, Töpfer, Toppera
XVIIᵉ-XVIIIᵉ siècles. Actif à Prague. Autrichien.
Peintre.
Élève de J. B. Klose. Il travailla pour des églises de Prague.

TOPPERA. Voir TÖPPER Martin

TOPPHER Johann. Voir TÖPFER Hans

TOPPI Margherita. Voir OSSWALD-TOPPI

TOPPING James
Né en 1879 à Cleator Moor. Mort en 1949. XXᵉ siècle. Britannique.
Peintre de paysages.
Il vécut et travailla à Chicago.
VENTES PUBLIQUES : NEW YORK, 31 janv. 1985 : *West wind,* h/t (81,3x91,4) : USD 3 750.

TOPTANI Murad
XIVᵉ siècle. Actif à la fin du XIVᵉ siècle. Albanais.
Poète, peintre amateur, sculpteur.
Il est le premier à avoir réalisé en sculpture le buste de Skanderberg, héros nationaliste albanais du XVᵉ siècle qui a inspiré de nombreux artistes et que l'on considère encore comme un héros national.

TOQUÉ Louis. Voir TOCQUÉ

TORAL Mario
Né en 1934. XXᵉ siècle. Actif aux États-Unis. Chilien.

Dessinateur de figures.
Il a étudié à Paris au début des années soixante. Il fut ensuite professeur à Santiago du Chili. Il vit et travaille aux États-Unis.
Bibliogr. : Damian Bayon et Roberto Pontual : *La peinture de l'Amérique latine au xxᵉ siècle*, Mengès, Paris, 1990.
Ventes Publiques : New York, 17 oct 1979 : *Sans titre*, techn. mixte/pap. d'Arches (56,5x76,2) : **USD 900** – New York, 13 mai 1983 : *Desnudo con trapos de colores II* 1982, h/t (122x91) : **USD 1 500.**

TORAN Miguel. Voir l'article **SACEDO**

TORBAGYI NOVAK Jozsef Lafos ou **Josef Ludwig**
Né le 9 janvier 1884 à Mako. xxᵉ siècle. Hongrois.
Peintre.
Il a réalisé des plaquettes.

TORBIDO Francesco di Marco India, dit **il More**
Né probablement vers 1482 à Venise. Mort après octobre 1562 à Vérone. xviᵉ siècle. Italien.
Peintre et graveur.
Il fut élève de Giorgione à Venise et imita le style de l'illustre maître. Une querelle l'obligea à revenir à Vérone, où il entra dans la maison du comte Zenovello Giusti et épousa la fille naturelle de ce seigneur. Il ne tarda pas à reprendre ses pinceaux, sous la direction de Liberale, qui le considéra comme un fils et le fit son héritier. Cet artiste dans les œuvres duquel se retrouve la double influence de Venise et de Vérone, produisit de nombreux ouvrages notamment de remarquables fresques, à la cathédrale de Vérone, à San Fermo, à Santa Eufemia et un tableau d'autel à San Zeno. Torbido fut aussi un magnifique peintre de portraits. En 1546, l'Aretin le mentionne dans une de ses lettres.
Musées : Boston : *Portrait d'une dame* – Budapest : *La Vierge entourée de saints* – Londres : *Portraits de Girolamo Fracastoro* – Milan (Brera) : *Portrait d'homme* – Munich (Ancienne Pina.) : *Jeune homme avec une fleur* – *Transfiguration du Christ* – Naples : *Portrait de vieillard* – New York (Mus. Metropolitan) : *Portrait d'un homme* – Stuttgart : *Madone, saint Joseph et une sainte* – Venise : *Portrait de vieille femme* – Vérone : *Portrait d'un homme vêtu de noir*.
Ventes Publiques : Londres, 4 mai 1979 : *La Vierge apparaissant à St. Bernard*, h/t, transférée d'un panneau (66x49,5) : **GBP 6 000** – Londres, 8 juil. 1981 : *Saint Bernard et un donateur agenouillés devant une vision de la Vierge et l'Enfant*, h/pan. transposé/t. (66x49,5) : **GBP 7 000** – Londres, 3 déc. 1997 : *Portrait en buste d'un jeune homme vêtu d'un manteau et d'un chapeau marron avec un insigne*, h/t (43,2x34,9) : **GBP 18 400.**

TORBIGLIO Giovanni. Voir **TRUBILLIO**

TORCAPEL John
Né en 1881. Mort en 1965. xxᵉ siècle. Suisse.
Peintre de portraits, paysages, paysages animés, architecte.
Architecte de formation, il a bâti de nombreuses villas à Genève. Il fut également professeur, d'abord à l'École des Beaux-Arts de Genève, puis à l'École d'architecture de l'Université de Genève. Il a donné d'agréables pochades de la campagne genevoise, d'un sentiment très juste de la lumière.

TORCELLAN Giovanni Battista
Né le 10 décembre 1824 à Venise. xixᵉ siècle. Italien.
Graveur au burin.

TORCHET Pierre
Né le 4 février 1798 à Reims (Marne). Mort le 18 mars 1847 à Châlons-sur-Marne (Marne). xixᵉ siècle. Français.
Peintre.
Le Musée de Reims conserve deux aquarelles de cet artiste.

TORCHI Angiolo ou **Angelo**
Né le 11 novembre 1856 à Massa Lombarda. Mort en 1915 à Massa Lombarda. xixᵉ-xxᵉ siècles. Italien.
Peintre de paysages, portraits.
Il fut élève de Gelati à Florence et de Campriani à Naples. Il a exposé, à Florence, Milan, Rome, Turin, Venise, Bologne, et à Paris.
Musées : Florence (Gal. d'Art Mod.) : *L'artiste* – *Deux paysages* – Novara (Gal. d'Art Mod.) : *Printemps*.
Ventes Publiques : Milan, 18 mars 1986 : *Village de Toscane*, past. (48x60) : **ITL 3 600 000** – Milan, 5 déc. 1990 : *Vue de Porretta* ; *Le canal di Molini à Massalombarda*, h/pan., une paire (chaque 16x22) : **ITL 13 500 000** – Milan, 29 mars 1995 : *Paysage avec un canal*, h/pan. (9x15) : **ITL 6 325 000.**

TORCHIO
xviiiᵉ siècle. Actif à Côme. Italien.
Peintre.
Il exécuta les peintures de l'église Saint-Laurent de Sondrio en 1736.

TORCIA Francesco Saverio
Né en 1840 à Naples. xixᵉ siècle. Italien.
Peintre de genre, de marines et de paysages et illustrateur.
Il exposa à Milan, Naples et Gênes.

TORDAI-SCHILLING Oszkar. Voir **SCHILLING von Torda**

TORDAY Emeric, pseudonyme de **Tauss Emeric**
Né le 7 avril 1897 à Budapest. xxᵉ siècle. Depuis 1925 actif en France. Hongrois.
Peintre.
Il a étudié à l'Académie des Beaux-Arts de Budapest, puis à Vienne. Il a effectué un voyage d'études en Italie. Il a vécu et travaillé en France.
Il a figuré, en 1925, à Paris, à l'Exposition internationale de Paris, aux Salons d'Automne et des Artistes Français.
Il a figuré, en 1946, à l'Exposition des Peintres hongrois organisée par J. Cassou, conservateur du Musée national d'Art Moderne.
Musées : Budapest (Mus. Nat.) : *Portrait du comte Karolyi, ancien président de la République hongroise* – *Autoportrait* – Budapest (Mus. des Beaux-Arts) : *La violoncelliste* – Paris (Mus. National d'Art Moderne) : *Portrait du général Maurin*.
Ventes Publiques : Paris, 30 avr. 1945 : *L'homme au violon* : **FRF 1 000.**

TORDESILLAS Gaspar de
Né vers 1495 à Tordesillas. xviᵉ siècle. Travailla en Castille jusqu'en 1562. Espagnol.
Sculpteur.
Cet artiste est un des chefs de l'école de sculpture Castillane qui brilla d'un si vif éclat. Ses œuvres sont très nombreuses et toutes très belles. Ses statues sont admirables d'harmonie et de mouvement. On cite particulièrement de lui une *Statue de saint Antoine abbé*, faite pour l'église de San Benito et qui se trouve actuellement au Musée de Valladolid, *Le retable de l'église de Sainte-Marie à Tordesillas*, *Le retable de l'église de Simancas* qui fut peint par Antonio Vasquez, le *Monument funèbre de Don Rodrigo Alderete* dans l'église de San Antolin à Tordesillas. Un retable dans la même église et un autre de proportions moindres à Simancas.

TORDEUX Constant Ernest
Né à Avesnes (Nord). xixᵉ siècle. Français.
Peintre de genre, et de portraits.
Élève de Picot et de Couture. Il exposa au Salon de Paris entre 1847 et 1859.

TORDI Sinibaldo
Né le 26 mai 1876 à Rome. Mort en 1955 à Florence (Toscane). xxᵉ siècle. Italien.
Peintre.
Il fut élève de S. Barbudo. Il a peint une *Pietà* dans l'église Saint-Félix d'Ema.
Ventes Publiques : Milan, 28 oct. 1976 : *Le Prélat*, h/t (36x26) : **ITL 700 000** – Los Angeles, 18 juin 1979 : *L'Heure du thé chez le cardinal* 1924, h/t (111x80,6) : **USD 6 250** – Milan, 17 juin 1981 : *Jeunes femmes dans un salon* 1918, h/t (42x62) : **ITL 7 000 000** – Monte-Carlo, 15 fév. 1983 : *Le Baptême du Prince*, h/t (32x50) : **FRF 13 500** – Milan, 14 mars 1985 : *L'Évêque et le perroquet*, h/t (28,5x17,5) : **ITL 3 500 000** – Rome, 12 déc. 1989 : *Le Concert* ; *La déclaration*, h/t, une paire (31x21) : **ITL 5 700 000** ; *Le barbier*, h/t (41,5x31) : **ITL 3 200 000** – Rome, 4 déc. 1990 : *Scène d'intérieur en costumes du xviiiᵉ siècle*, h/t (39x47) : **ITL 2 000 000** – Rome, 11 déc. 1990 : *Composition*, h/pan. (14x11,5) : **ITL 1 150 000** – Londres, 4 oct. 1991 : *Le centre d'intérêt*, h/t (35,6x57,8) : **GBP 1 430** – Rome, 29-30 nov. 1993 : *Dans l'atelier du peintre*, h/pan. (27x17) : **ITL 2 357 000** – New York, 16 fév. 1994 : *Le menuet* 1913, h/t (59,7x100,3) : **USD 24 150** – Milan, 25 oct. 1995 : *Scène galante*, h/t (45x35) : **ITL 6 900 000.**

TORDOIR Georges
Né en 1894 à Liège. xxᵉ siècle. Belge.
Peintre de paysages.
Il a été élève à l'Académie des Beaux-Arts de Bruxelles.
Bibliogr. : In : *Dictionnaire biographique illustré des artistes en Belgique*, Arto, Bruxelles, 1987.

TORDOIRE Narcisse
XXᵉ siècle. Belge.
Peintre.
Il a montré une première exposition personnelle de ses œuvres en France à l'Aquarium à Valenciennes.
Il est apparu sur la scène artistique dans les années quatre-vingts en présentant une approche de la peinture presque analytique définie en tant que signe (des motifs stylisés), couleur (fond saturé) et espace (regroupement de panneaux). Il a également réalisé des œuvres à l'aide de photographies et sérigraphies.
BIBLIOGR. : Antonio Gusman, in : *Art Press*, nᵒ 216, Paris, sept. 1996.

TORDSEN Willem
Mort en 1653 à Oslo. XVIIᵉ siècle. Norvégien.
Peintre de décorations.
Il travailla dans le château d'Akershus de 1636 à 1653.

TÔREI, de son vrai nom : **Gotô Hirokuni** et plus tard **Hirosuke**, nom familier : **Hijikata Tôrei**, noms de pinceau : **Tôrei** et **Gakoken**
Né en 1735, originaire de Tottori. Mort en 1807. XVIIIᵉ siècle.
Japonais.
Peintre.
Au service du seigneur Ikeda du clan de Tottori, il est élève de Bunchô (1763-1840), et étudie la peinture chinoise de l'époque Ming sous la direction de Sô-Shiseki. Il est spécialiste de représentations de carpes.

TOREL William
XIIIᵉ-XIVᵉ siècles. Travaillant de 1291 à 1303. Britannique.
Sculpteur et orfèvre.
La National Portrait Gallery à Londres, conserve de lui : *Le roi Henri III* et *La reine Éléonor de Castille*.

TORELLI Alberto. Voir **TONELLI**

TORELLI Antonio
Mort en 1754 à Dresde. XVIIIᵉ siècle. Italien.
Peintre et aquafortiste.
Fils de Stefano T.

TORELLI Bartolomeo di Filippo
XIVᵉ siècle. Italien.
Peintre et enlumineur.
Membre de l'Académie de Saint-Luc de Florence en 1394. Frère de Matteo.

TORELLI Benvenuto. Voir **TORTELLI**

TORELLI Carlo
XVᵉ-XVIᵉ siècles. Actif à Faenza. Italien.
Peintre.
Fils de Severo T.

TORELLI Carlo
XVIIᵉ siècle. Travaillant à Rome en 1637. Italien.
Miniaturiste.
Fils de Lodovico T.

TORELLI Cesare
Né à Rome. Mort en 1615. XVIIᵉ siècle. Italien.
Peintre et mosaïste.
Élève de Giovanni de Vecchi. Il fut fréquemment employé au Vatican et à Saint-Jean de Latran, par le pape Paul V, comme peintre et comme mosaïste.

TORELLI Felice
Né le 9 septembre 1667 à Vérone. Mort le 11 juin 1748 à Bologne. XVIIᵉ-XVIIIᵉ siècles. Actif à Bologne. Italien.
Peintre.
Élève de Giangioseffo dal Sole, puis de Santo Prunate. On cite de lui des tableaux d'autel, à Rome, Turin, Milan, Faenza. Il était marié à Lucia Casalini.
MUSÉES : BOLOGNE (Pina.) : *L'apôtre Barnabée* – *L'arrestation du Christ* – FLORENCE : *L'artiste* – SIBIU : *Médor et Angélique* – *Renaud et Armide*.
VENTES PUBLIQUES : MILAN, 29 mars 1983 : *Vierge à l'Enfant*, h/t (110x91) : ITL 3 000 000.

TORELLI Filippo di Matteo
XVᵉ siècle. Travaillant à Florence vers le milieu du XVᵉ siècle.
Italien.
Miniaturiste et enlumineur.
Il exécuta des peintures de deux psautiers et d'un Évangile et on lui attribue les miniatures de plusieurs manuscrits conservés les uns dans l'église de l'hôpital de Santa Maria Novella, les autres dans la Bibliothèque Riccardi, à Florence.

TORELLI Flamunio
XVIᵉ siècle. Actif à Naples dans la seconde moitié du XVIᵉ siècle. Italien.
Peintre.
Il a peint une *Présentation au temple*, pour l'église Saint-Martin de Naples.

TORELLI Giacomo
XVᵉ siècle. Actif à Florence. Italien.
Miniaturiste et enlumineur.
Il était le fils de Filippo di Matteo T. De l'ordre des Frères de l'Observance, il travailla aux livres de chœur de la cathédrale de Sienne. On croit pouvoir lui attribuer certains manuscrits conservés à la Bibliothèque Riccardi, à Florence.

TORELLI Giacomo Cavalein
Né en 1604 ou 1608 à Fano. Mort le 17 juin 1678 à Fano. XVIIᵉ siècle. Italien.
Peintre d'architectures et de décors.
Il fut surtout peintre de théâtre et créa dans ce genre d'importantes innovations.

TORELLI Jafet
Né au XIXᵉ siècle à Florence. XIXᵉ siècle. Italien.
Peintre et sculpteur.
Il a exposé en Italie et à l'étranger notamment très souvent à Paris, à Londres, en Amérique et en Russie. Son œuvre est considérable.

TORELLI Lodovico
XVIIᵉ siècle. Actif à Milan et à Rome (?) en 1637. Italien.
Miniaturiste.
Père de Carlo T.

TORELLI Lot
Né le 30 octobre 1835 à Florence. XIXᵉ siècle. Italien.
Sculpteur.
Élève de l'Académie de Florence. Il sculpta de nombreux tombeaux et bustes.
VENTES PUBLIQUES : LONDRES, 25 nov. 1981 : *Vieillard souriant* 1887, marbre (H. 54) : GBP 950.

TORELLI Lucia. Voir **CASALINI Lucia**

TORELLI Matteo di Filippo
XVᵉ siècle. Actif à Florence. Italien.
Enlumineur.
Frère de Bartolomeo di Filippo T. Il travailla pour la cathédrale de Prato.

TORELLI Severo
XVᵉ-XVIᵉ siècles. Actif à Faenza de 1469 à 1511. Italien.
Peintre.
Père de Carlo T.

TORELLI Stefano
Né en 1712 à Bologne. Mort en 1784 à Saint-Pétersbourg.
XVIIIᵉ siècle. Italien.
Peintre et graveur à l'eau-forte.
Fils et élève de Felice Torelli puis de Francesco Solimena. Auguste III l'appela à Dresde en 1740 et lui fit exécuter des travaux, pour la plupart détruits pendant la guerre de sept ans, dans les églises et les monuments publics de la Saxe. Il peignit les figures dans les vingt-neuf vues de Dresde, par Canaletto. Appelé à Saint-Pétersbourg en 1762 il fit les plafonds du Palais Royal et de nombreux portraits. On lui doit d'intéressantes caricatures et quelques eaux-fortes.
MUSÉES : MOSCOU (Mus. des Beaux-Arts) : *Triomphe de Catherine II* – ROSTOCK (Mus. mun.) : *Portrait de J. G. R. von Ditmar* – SAINT-PÉTERSBOURG (Acad.) : *Couronnement de Catherine II* – *Apothéose de Catherine II*.
VENTES PUBLIQUES : PARIS, 28 juin 1928 : *Triomphe d'Amphitrite*, pl. et lav. : FRF 280 – PARIS, 8 déc. 1933 : *Diane et Actéon*, pl. et lav. d'encre de Chine : FRF 200.

TORELLI Vieri
Né le 5 décembre 1873 à Florence (Toscane). XIXᵉ-XXᵉ siècles.
Italien.
Peintre, céramiste.
Il fut élève de l'Académie de Florence.
MUSÉES : PALLANZA : *L'église de Baveno*.

TORELLINO. Voir **GIORGI Giovanni de'**

TORENBURGH Gerrit. Voir **TOORENBURGH**

TORENT Evelio
Né en 1876 à Badalona (Catalogne). Mort en 1940 à Barcelone (Catalogne). XXᵉ siècle. Espagnol.

Peintre de scènes de genre, portraits.

Il fut élève de Ramon Marti y Alsina à l'École des Beaux-Arts de Barcelone. À partir de 1901, il séjourna à Paris, y retrouvant Picasso. Il revint quelques temps dans son pays, à Madrid, puis il alla travailler comme portraitiste en Angleterre et aux États-Unis. Il exposa au Salon des Artistes Français de Paris, en 1910, ainsi qu'à Barcelone.

Il portraitura notamment le roi George V en Angleterre, le président Wilson aux États-Unis, le roi Alphonse XIII et le général Primo de Rivera en Espagne.

Bibliogr. : In : *Cien Años de pintura en Espéña y Portugal, 1830-1930*, Antiqvaria, t. XI, Madrid, 1993.

TORENTONI Pietro ou Torrentoni

xviie siècle. Actif à Rieti, dans la première moitié du xviie siècle. Italien.

Peintre.

Il a peint *Saint Antoine abbé* dans l'église de Cascia.

TORENVLIET. Voir TOORENVLIET

TORESANI Andrea ou Torresani ou Torregiani

Né vers 1727 à Brescia. Mort en 1760 à Brescia. xviiie siècle. Italien.

Peintre de paysages et de marines.

Élève d'Antonio Aureggio. Le Musée d'Avignon conserve de lui *Paysage maritime*, et le Prado de Madrid, *Paysage avec lac*.

TORETTI Giuseppe I ou Torretti

Né en 1682 à Pagnano. Mort en 1743 à Venise. xviiie siècle. Italien.

Sculpteur.

Il imita le style de Canova. On voit de lui à l'église Sainte-Marie Assunta dei gesuiti, à Venise, *Dieu le père et Jésus-Christ assis sur le globe terrestre* (groupe de marbre).

Musées : Berlin (Mus. Kaiser-Friedrich) : *Adoration des bergers*, bas-reliefs.

TORETTI Giuseppe II ou Torretti, dit Bernardi ou Torrettino

Né vers 1694 à Pagnano. Mort en 1774 à Venise. xviiie siècle. Italien.

Sculpteur.

Il fut le premier maître de Canova. Il sculpta des statues et des bas-reliefs à Asolo, à Pagnano et à Venise. Le Musée d'Asolo conserve de lui *Sainte Madeleine, Amour avec tête de mort, Jésus à Gethsémani*.

TORETTO Giovanni Andrea

xvie siècle. Italien.

Peintre.

De Venise, il travailla à Rieti en 1592.

TOREY T.

xviiie siècle. Travaillant en 1793. Britannique.

Graveur de portraits.

TORGERSEN Thorvald

Né le 9 juillet 1862 à Ski. xixe siècle. Norvégien.

Peintre de genre et paysagiste.

Il figura aux expositions de Paris ; mention honorable en 1889 (Exposition Universelle).

TORGGLER Erich

Né le 11 mai 1899 à Kufstein (Tyrol). Mort le 22 octobre 1938 à Innsbruck (Tyrol). xxe siècle. Autrichien.

Peintre, décorateur.

Il fit ses études à Innsbruck.

Musées : Innsbruck (Mus. Ferdinandeum) : *Portrait d'une dame – Le gouverneur Franz Stumpf* – Nuremberg (Gal. mun.) : *Le pêcheur*.

TORGGLER Hermann

Né le 27 février 1878 à Graz (Styrie). Mort en 1939 à Graz (Styrie). xxe siècle. Autrichien.

Peintre de portraits.

Il fut élève de G. von Hackl et de W. von Diez. Il vécut et travailla à Vienne.

Il subit l'influence de Lenbach. Il peignit les portraits de personnalités de son temps, surtout de la noblesse.

Ventes Publiques : Munich, 27 juin 1995 : *Portrait de femme*, h/t (53x45) : DEM 2 070.

TORHAMM Gunnar

Né le 21 décembre 1894 à Kungshamm. Mort en 1965. xxe siècle. Suédois.

Peintre de paysages animés et de paysages urbains, sculpteur.

Il fut élève de l'Académie de Stockholm. Il peignit des vues de Stockholm et exécuta des peintures décoratives dans des églises de Norvège et de Suède. Comme un conteur en images, il décrit, avec une fraîcheur sensible et dans tous les détails, les activités les plus diverses des paysans, pêcheurs, chasseurs, qu'il situe dans leur cadre naturel, reflet d'une Suède heureuse.

Ventes Publiques : Malmö, 2 mai 1977 : *Homme au bord de la mer 1952*, h/t (55x65) : SEK 7 200 – Stockholm, 19 nov. 1983 : *Paysage*, h/t (78x64) : SEK 14 200 – Stockholm, 20 avr. 1985 : *Musiciens aux abords d'un village de pêcheurs*, h/pan. (32x40) : SEK 15 000 – Stockholm, 6 juin 1988 : *La moisson – cour de ferme avec personnages et charrette attelée*, h. (37x45) : SEK 27 500 – Stockholm, 22 mai 1989 : *Retour de chasse sur le lac*, h/pan. (53x64) : SEK 48 000 – Stockholm, 6 déc. 1989 : *Éventaire des femmes de pêcheurs*, h/t (60x72) : SEK 58 000 – Stockholm, 14 juin 1990 : *Paysage estival avec des faucheurs près d'une maison rouge sous les arbres*, h/pan. (60x73) : SEK 40 000 – Stockholm, 5-6 déc. 1990 : *Port de pêche*, h/pan. (43x60) : SEK 25 000.

TORHAMM Ingegerd, née Sjöstrand

Née le 27 décembre 1898 à Stockholm. xxe siècle. Suédoise.

Sculpteur.

Femme de Gunnar T. Elle fut élève de l'Académie de Stockholm.

TORI, de son vrai nom : Kuratsukuri No Tori

D'origine chinoise et naturalisé japonais. viie siècle. Actif dans la première moitié du viie siècle. Japonais.

Sculpteur.

Il convient de saluer en la personne de Tori, l'artiste qui inaugure avec infiniment d'éclat sept siècles de sculpture bouddhique au Japon. On ne connaît malheureusement que peu de choses sur sa vie, si ce n'est qu'il est le petit-fils de Kuratsukuri Shiba Tatsuto, chinois naturalisé japonais en 522, bien que les sources dont nous disposons ne soient pas concordantes à ce sujet. Son père Kuratsukuribe no Tasuma serait entré dans les ordres bouddhiques à la fin du vi[e] siècle et aurait sculpté certaines images religieuses. Certains historiens vont jusqu'à n'attribuer qu'une existence mythique à Tori et il faut le signaler, tant le déchiffrement des textes s'avère complexe, mais nul n'est parvenu, jusqu'à ce jour, à avancer des preuves suffisamment convaincantes pour rejeter son historicité et lui refuser la paternité du style qui porte son nom. Il semble donc possible qu'il ait appartenu à une famille de selliers, artisans métallurgistes habitués à ouvrer le bronze, voire à une famille de sculpteurs, milieu dans lequel son génie semble avoir été nourri, sur les assises d'une longue tradition d'art et de piété. On sait en tout cas que son talent est hautement apprécié et qu'il jouit d'un prestige considérable à la cour impériale. Son style couvre en gros les règnes de l'impératrice Suiko et de l'empereur Jomei (593-641) et les deux grandes œuvres qui lui sont attribuées et qui sont d'ailleurs parvenues jusqu'à nous, sont le Bouddha de taille *jôroku* (seize pieds) en bronze, exécuté sur la commande de l'impératrice Suiko, en 605 pour le Gangôji d'Asuka (aujourd'hui au Ango-in ou Asuka-dera) et la triade, en bronze elle aussi, du Kondô (Pavillon d'Or) du temple Hôryû-ji, à Nara, en 623. En reconnaissance pour le talent dont il fait preuve avec le Bouddha du Gangô-ji, on lui offre le titre de *Taijin*, le troisième des douze rangs de noblesse créés en 603, ainsi qu'un domaine dans la province d'Omi, autant de preuves de l'estime dans laquelle il est tenu. Son style se rapproche de celui de la dynastie chinoise des Wei du Nord, notamment de la statuaire pariétale du continent telle qu'elle se manifeste à Longmen à la même époque. L'œuvre est régie par la loi de frontalité mais s'oriente vers la ronde bosse véritable, comme c'est visible dans la Triade du Hôryû-ji. Le plissé du vêtement est symétrique et s'organise en plans superposés sur les épaules et en courbes parallèles sous la poitrine, ce qui confère à l'ensemble une dimension architecturale que mettent en valeur la rigueur et l'aplomb de la composition, joints à l'ampleur et à la vigueur du style. L'introduction d'un certain modelé dans le visage apporte une note de douceur dans l'austérité des lignes. On relève enfin une conception décorative nouvelle, particulièrement dans le vêtement et une surprenante richesse dans le décor des couronnes, nimbes et auréoles.

Bibliogr. : *Pageant of Japanese Art : Sculpture*, Tokyo, 1958 – Kuno Takeshi : *A guide to Japanese Sculpture*, Tokyo, 1963.

TORI Lorenzo di Bartolommeo, dit Lorenzone

xvie siècle. Actif à Sienne. Italien.

Sculpteur sur bois.
Il sculpta le buffet d'orgues dans la cathédrale de Sienne en 1551.

TORI Muzio
XVIe siècle. Travaillant à Sienne en 1573. Italien.
Sculpteur sur bois.

TORI Silvestro
XVIe siècle. Travaillant à Sienne en 1573. Italien.
Sculpteur sur bois.

TORIANI. Voir TORRIANI et TURRIANI

TORIBIO Antonio
Né en 1922 à La Vega (République dominicaine). XXe siècle.
Depuis 1959 actif aux États-Unis. Dominicain.
Sculpteur. Abstrait.
Après ses études à l'École Nationale des Beaux-Arts, il figura, en 1950, à l'exposition « Estudios Ledesma » de Ciudad Trujillo. Pour cette même ville, il exécuta un monument pour la Foire de la Paix, en 1954-55. Il était alors influencé par certaines formes de civilisations primitives. Abstrait, il utilise avec élégance de souples structures spatiales métalliques.
Bibliogr. : Maria-Rosa Gonzalez, in : *Nouveau diction. de la sculpt. mod.*, Hazan, Paris, 1970.

TORICELLI. Voir TORRICELLI

TORIGNY Gratien Désiré Huet de ou Toriny
Né au XIXe siècle à Montfort. XIXe siècle. Français.
Peintre de paysages.
Il exposa au Salon de 1848 à 1852. On voit de lui au Musée de Rouen : *Vue de Fréjus*, *Paysage avec oiseaux*, *Paysage*.

TORII Kiyohiro, nom familier : Shichinosuke
XVIIIe siècle. Actif à Edo (Actuelle Tokyo) vers 1737-1766. Japonais.
Maître de l'estampe.
Élève de Kiyomitsu I, il est l'auteur d'estampes de grand format en *benizuri-e* (estampes à deux ou trois couleurs où domine le rouge clair : *beni*) qui peuvent rivaliser avec les grands chefs-d'œuvre de Ishikawa Toyonobu. Il est un des premiers à représenter le nu féminin qui débute à cette époque.

TORII Kiyomasu I, nom familier : Shojirô
Né en 1694. Mort vers 1716. XVIIIe siècle. Actif à Edo (actuelle Tokyo). Japonais.
Maître de l'estampe, peintre de figures, portraits.
L'histoire de sa vie reste imprécise et notamment ses liens de parenté avec Torii Kiyonobu restent obscurs : il se peut qu'il soit son fils, aîné peut-être, ou simplement un disciple très proche.
Il fait partie de la première vague de floraison de l'estampe japonaise, durant les trois premiers quarts du XVIIIe siècle, et dans la succession de Moronobu (fin XVIIe siècle), dont il développe le style en accentuant les lignes et la stylisation, surtout lorsqu'il représente les acteurs du théâtre de *kabuki*. Il est connu par de nombreuses belles œuvres en *sumizuri-e* (à l'encre de Chine) et en *tan-e* (à l'encre de Chine, coloriée à la main au rouge de cinabre), pour la plupart grandes et en hauteur, portraits d'acteurs et de courtisanes, publiés entre 1713 et 1716 et signés *Kiyomasu*. Ces estampes ont un charme élégant qui distingue leur style de celui de Kiyonobu I.
Ventes Publiques : New York, 21 mars 1989 : *Affiche pour le théâtre Ichimura-za*, estampe oban tate-e (46,8x31) : **USD 13 200.**

TORII Kiyomasu II
XVIIIe siècle. Actif vers 1720-1750. Japonais.
Maître de l'estampe, peintre de portraits.
Son histoire est incertaine ; il est l'auteur de portraits d'acteurs en *urushi-e* (estampes colorées à la main avec des couleurs à la colle) et *benizuri-e* (estampes en deux ou trois couleurs où domine le rouge clair : *beni*).
Ventes Publiques : New York, 21 mars 1989 : *Portrait de l'acteur Sagawa Kikunojo dans le rôle de Matsukaze*, estampe en coul./ hosoban (32,1x14,8) : **USD 4 400.**

TORII Kiyomine
Né en 1787 à Édo (aujourd'hui Tokyo). XIXe siècle. Japonais.
Maître de l'estampe.
Petit-fils de Torii Kiyomitsu (1735-1785) et disciple de Torii Kiyonaga (1752-1815), il succédera à ce dernier à la tête de l'atelier Torii d'Edo, dont il sera le cinquième chef de file, jusqu'en 1868. Il est aussi connu sous le nom de Kiyomitsu II et est l'auteur d'illustrations de livres, d'estampes et de quelques peintures.

TORII Kiyomitsu, nom familier : Kamejirô
Né en 1735. Mort en 1785. XVIIIe siècle. Actif à Edo (actuelle Tokyo). Japonais.

Maître de l'estampe, peintre de portraits, illustrateur.
Chef de la troisième génération de Torii, il est disciple de son père Kiyomasu II.
Artiste très prolifique, il illustre des affiches de théâtre, des livres, des programmes et fait de nombreux portraits d'acteurs en *beni-e* (estampe à l'encre de Chine coloriée à la main au rouge clair *(beni)*, jaune safran et autres couleurs et parfois décorée de taches de cuivre) et *nishiki-e* (estampe utilisant une gamme complète de couleurs, de cinq à dix, qui sont tirées au repérage). Son œuvre la plus ancienne connue est l'illustration du livre intitulé : *Furisode Seminaru Taimen no Biwa*, 1747. Son type féminin gracieux et délicat annonce les chefs-d'œuvre de Harunobu de quelques années postérieures.
Ventes Publiques : New York, 1989 : *Portrait de Ichikawa Danjuro II dans le rôle de Siga no Onoe avec une longue flèche*, estampe dai-oban tate-e (42,1x29,5) : **USD 7 700.**

TORII Kiyonaga, nom de famille : Sekiguchi, noms familiers : Shinsuke et plus tard Ichibei
Né en 1752 à Édo (aujourd'hui Tokyo). Mort en 1815. XVIIIe-XIXe siècles. Japonais.
Maître de l'estampe, peintre de scènes de genre, portraits.
Peintre, dessinateur, maître de l'estampe, Kiyonaga compte parmi les artistes les plus accomplis de l'*ukiyo-e* où il joue un rôle capital : en huit ans, il parvient à fixer un nouvel idéal de beauté et à composer un style qui domineront la fin du XVIIIe siècle et marqueront le XIXe siècle.
Fils d'un libraire d'Edo, Shirokaya Ichibei, il naît dans un quartier animé de théâtres. La version selon laquelle il serait né à Uraga, dans la province de Sagami, puis serait arrivé jeune à Edo, aurait été placé chez un marchand de tabac et enfin aurait ouvert une librairie, semble plutôt s'appliquer à son père. Étant donné le métier de son père, il a très tôt connaissance des petits recueils illustrés à couverture jaune (d'où leur nom de *kibyôshi*), si populaires à l'époque, ainsi que des affiches aux vives couleurs qui ornent les théâtres de son quartier. Et c'est jeune encore qu'il entre dans l'atelier de Torii Kiyomitsu (1735-1785), chef de cette famille d'artistes spécialisée dans l'illustration du monde du spectacle : affiches, programmes, acteurs sur scène et à la ville. C'est l'époque où le courant réaliste de l'ère Anei (1772-1780) engage l'estampe dans des voies nouvelles avec l'apparition de vrais portraits d'acteurs par individualisation des traits et dans un cadre quotidien.
L'activité artistique de Kiyonaga va se déployer sur plus de quarante ans, mais la fine fleur de son talent se manifeste surtout entre 1780 et 1790. Sa première œuvre connue remonte à 1770 : il a dix-huit ans ; jusque dans les années 1780 il dessine surtout des acteurs, illustre des scènes de théâtre, notamment des programmes (*ehon banzuke*) et, à partir de 1775, des *kibyôshi*. Il signe alors Torii Kiyonaga, joignant ainsi son nom à celui de son maître et est encore sous l'influence d'artistes tels Harunobu, Koryusai, Shigemasa (1739-1820).
Cependant, vers 1780, il parvient à établir son propre style à maîtriser son expression et à créer un nouvel idéal de beauté. C'est en effet l'époque des *bijin-ga* (1781-1786) (Images de belles jeunes femmes) qu'il signe le plus souvent de son seul nom, Seki Kiyonaga, ou simplement Kiyonaga, comme pour se dégager de l'école des Torii. Ces quelques années lui permettent de porter l'estampe de son apogée : ses Beautés à la mode, à la taille élancée et noble, à la démarche aérienne, aux visages pleins et juvéniles, vêtues de kimonos souples, aux manches flottantes, s'insèrent harmonieusement dans le cadre où elles évoluent. Ce peut-être un beau paysage, une cité célèbre d'Edo, un intérieur élégant, empreint de poésie et révélant un équilibre heureux entre réalisme et idéalisme, sans toutefois s'estomper jamais dans l'atmosphère lyrique ni l'effet plastique de l'ensemble. Il y a en ces jeunes femmes, en plus de la beauté corporelle, quelque chose de spirituel qui manque à Utamaro et qui traduit une vision fraîche et lumineuse du monde, tout en nous offrant un aperçu extrêmement vivant des quartiers de plaisirs de la ville d'Edo : le monde du *Yoshiwara*. Grâce aux progrès techniques, ses œuvres sont mises en valeur par un coloris clair, subtilement réparti et avivé par un usage judicieux du noir. Les mises en pages, parfaites quelqu'en soit le format, traduisent un sens particulier de l'équilibre et de l'espace : les plans s'enchaînent habilement, les groupements sont ingénieux et les attitudes naturelles. En outre, Kiyonagga est l'un des premiers à composer des diptyques et des triptyques, dans le sens horizontal ou vertical, obtenant ainsi des ensembles, dont chaque partie prise séparé-

ment garde une parfaite indépendance *(tsuzuki-mono)*. Au faîte de son talent pendant toute l'ère Temmei (1781-1788), il s'impose à ses contemporains et, bientôt, épuise son inspiration, accaparé qu'il est parallèlement par la direction de l'atelier Torii qu'il a repris à la mort de son maître Kiyomitsu. Aussi va-t-il à nouveau se consacrer presque exclusivement aux portraits d'acteurs qu'il signe Torii Kiyonaga. À partir de 1795, et par fidélité pour son maître, il écarte son propre fils Kiyomasa, pourtant doué, du monde de l'estampe, pour se consacrer à l'éducation artistique du petit-fils de Kiyomitsu, le jeune Shônosuke alors âgé de treize ans, qui deviendra le cinquième chef de l'école des Torii jusqu'en 1868, sous le nom de Torii Kiyomine. Aussi loin du rêve éthéré de Harunobu (1725-1770) que de la sensualité d'Utamaro (1754-1806), et sans rapport avec les mœurs corrompues de son temps, le style de Kiyonaga ne peut-être confondu avec celui d'aucun autre artiste de l'*ukiyo-e*, dans sa grandeur sereine, son équilibre parfait qui, tous deux, touchent au véritable classicisme.

■ M. M.

BIBLIOGR. : T. Akiyama : *La peinture japonaise*, Genève, 1961 – C. Kozyreff : *Kiyonaga, Torii*, in : Encyclopaedia Universalis, vol. 9, Paris, 1971 – Catalogue de l'exposition : *Six maîtres de l'estampe japonaise au* XVIIIe *siècle*, Paris, Orangerie des Tuileries, 1971.
VENTES PUBLIQUES : NEW YORK, 16 oct. 1989 : *Les acteurs Ichikawa Yaozo, Mimasu Tokujiro et Nakamura Sukegoro jouant une scène*, estampe oban tate-e (38,7x26) : **USD 3 520** – LONDRES, 13 nov. 1989 : *Ushiwakamaru jouant de la flûte sous les yeux de deux jeunes femmes*, estampe oban-tate-e (38,8x25,3) : **GBP 2 200** – LONDRES, 22 mars 1990 : *Portrait d'une jeune femme*, estampe Hashira-e (67,2x12,8) : **GBP 990** – NEW YORK, 27 mars 1991 : *Trois femmes et deux enfants se promenant*, estampe oban tate-e (37,3x23,4) : **USD 6 600** – PARIS, 3 juin 1992 : *La courtisane Takigawa de la maison Ogiya 1783*, estampe (38,8x26,5) : **FRF 40 000**.

TORII Kiyonobu I, nom familier : **Shôbe**
Né en 1664 à Osaka. Mort en 1729. XVIIe-XVIIIe siècles. Japonais.
Maître de l'estampe, affichiste.
Fils du dessinateur Torii Miyamoto (ou Motohiro) venu s'établir à Edo (actuelle Tokyo) avec sa famille en 1687, il est le véritable fondateur de l'école des Torii, après avoir, en 1702, succédé à son père à la tête de l'atelier ouvert par celui-ci. Cette lignée d'artistes se perpétuera jusqu'à nos jours et donnera naissance à d'éminents maîtres de l'estampe. Il étudie les styles des Kanô et de Tosa et semble aussi avoir été influencé par Moronobu Hishikawa (mort vers 1694) et peut-être par Kaigetsudô Ando (actif vers 1700-1715) à moins que l'influence ne soit exercée en sens contraire comme le veulent certains. Il se spécialise dans les affiches de *kabuki*, les illustrations de programmes, les portraits d'acteurs en scène et occasionnellement les femmes. Il excelle dans la description des rôles de héros bataileurs *(aragoto)*, esquissés d'un trait hardi, épais pour les contours et accentuant les gestes et les attitudes. Il illustre également des livres, le plus ancien, intitulé *Kokon Shibai Hyakunin Isshu*, remontant à 1693, et le plus récent à 1728, et compose des *shunga* peinture de printemps ou estampe érotique). Il travaille en *sumizuri-e* (à l'encre), *tan-e* (à l'encre et coloriée à la main au rouge de cinabre) et *urushi-e* (coloriée à la main avec des couleurs à la colle).

TORII Kiyonobu II
XVIIIe siècle. Actif à Edo (actuelle Tokyo) vers 1720-1750. Japonais.
Peintre de genre, portraits, maître de l'estampe.
L'histoire de Kiyonobu II est confuse : pour certains il serait le fils de Kiyonobu I, pour d'autres son gendre et l'historien Inoue Kazuo proposent les dates 1702-1752 à son sujet.
Il fait de nombreux portraits d'acteurs sur scène, en *urushi-e* (estampe coloriée à la main avec des couleurs à la colle) et en *benizuri-e* (estampe dont la couleur dominante est le pourpre : *beni*), d'un format assez réduit.
Sa technique est habile mais il a une certaine tendance à la raideur ; ses œuvres toutefois restent empreintes du charme propre aux estampes dites : *primitives*, datant de la première période de floraison de l'*ukiyo-e*.
VENTES PUBLIQUES : NEW YORK, 21 mars 1989 : *L'acteur Sanjo Kantaro dans le rôle d'une courtisane*, estampe en coul./hosoban (31x14,6) : **USD 7 150** – NEW YORK, 16 oct. 1989 : *L'acteur Ichikawa Ebizo dans le rôle de Rokuemon*, estampe en coul./hosoban (31,7x15,3) : **USD 5 500** – NEW YORK, 15 juin 1990 : *Portrait de l'acteur Tomizawa Montaro dans le rôle d'Osawa devant une maison de thé*, estampe urushi-e (30,7x15,4) : **USD 4 400**.

TORII Kiyoshige, nom de pinceau : **Seichôken**
Né vers 1730. Mort vers 1760. XVIIIe siècle. Actif à Edo (actuelle Tokyo). Japonais.
Maître de l'estampe.
On ne sait peu de choses sur Kiyoshige ; il serait l'élève de Kiyomitsu (1735-1785). Il fait des portraits d'acteurs en *urushi-e* et en *benizuri-e*, dans un format étroit, en hauteur *(hoso-e)* et dans le style traditionnel de Torii, parfois un peu raide, souvent puissant.

TORII Kiyotada
XVIIIe siècle. Actif à Edo (actuelle Tokyo) vers 1723-1750. Japonais.
Maître de l'estampe.
Disciple de Kiyonobu I (1664-1729), il semble avoir aussi subi l'influence de Masanobu Okumura (1686-1764).
Il est l'auteur de très belles estampes en *urushi-e* (colorée à la main avec des couleurs à la colle) et de plusieurs grandes estampes à perspectives *(uki-e)*, toutes publiées dans les années 1740.
VENTES PUBLIQUES : NEW YORK, 21 mars 1989 : *Portrait de Nakamura Kichibei*, estampe en coul./hosoban (32x15,9) : **USD 3 520**.

TORII Kiyotomo
XVIIIe siècle. Actif à Edo (actuelle Tokyo) vers 1720-1740. Japonais.
Maître de l'estampe.
Disciple de Kiyonobu I (1664-1729), son style est proche de celui de Kiyonobu II (actif vers 1720-1750), il est l'auteur de portraits d'acteurs en *urushi-e*.

TORII Kiyotsune, nom familier : **Daijirô**
XVIIIe siècle. Actif à Edo (actuelle Tokyo) de 1760 à 1780. Japonais.
Maître de l'estampe.
Disciple de Kiyomitsu (1735-1785), il fait des portraits d'acteurs en *benizuri-e* (où domine la couleur pourpre : *beni*) et *nishiki-e* (de cinq à dix couleurs, tirées au repérage). Il est aussi l'auteur de représentations de belles jeunes femmes, dans un style voisin de celui de Harunobu, et d'illustrations de livres.
VENTES PUBLIQUES : NEW YORK, 15 juin 1990 : *Portrait de l'acteur Otani Hiroji dans le rôle de Nasu no Yoichi Munetaka*, estampe hosoban (28,7x13,8) : **USD 880**.

TORKELSEN Rasmus
XVIIe siècle. Travaillant à Helsingör. Danois.
Sculpteur sur bois.

TORKILDSEN Trygve
Né le 25 avril 1899 à Bekkelaget. XXe siècle. Norvégien.
Peintre de paysages.
Il fit ses études à Oslo et à Paris.

TORLAKSON James
Né en 1951. XXe siècle. Américain.
Peintre. Hyperréaliste.
Il expose depuis 1972.

TORLET
XIXe siècle. Travaillant à Paris au milieu du XIXe siècle. Français.
Graveur sur acier.

TORLO Jean Baptiste
XVIIIe siècle. Actif à Valenciennes, au milieu du XVIIIe siècle. Français.
Sculpteur.
Élève de Philippe Fior en 1757.

TORMANN Hans. Voir **THORMANN**

TORMASSY Dezsö ou Desidesius
Né en 1881. Mort le 28 novembre 1929 à Kiskunmajsa. XXe siècle. Hongrois.
Peintre de paysages, figures.

TORMER Benno Friedrich
Né le 4 juillet 1804 à Dresde. Mort le 6 février 1859 à Rome. XIXe siècle. Allemand.
Peintre de genre.
Il fut professeur à Rome. Le Musée de Dresde conserve de lui : *La leçon de musique.*
VENTES PUBLIQUES : COLOGNE, 7 juin 1972 : *Femme et enfant* : **DEM 4 200** – LONDRES, 19 mars 1980 : *Famille dans un intérieur 1850*, h/pan. (44,5x36) : **GBP 3 000** – LONDRES, 29 nov. 1985 : *Diane et les nymphes 1852*, h/pan., haut arrondi (54x43,8) : **GBP 4 200**.

TORMOLI Ambrogio de'. Voir **AMBROGINO da Soncino**

TÖRNA Oskar Emil
Né le 18 octobre 1842 à Ostergotland. Mort le 3 juin 1894 à Stockholm. XIXᵉ siècle. Suédois.
Peintre de paysages.
Élève de l'Académie de Stockholm. Il subit l'influence de Corot et de Daubigny. Il peignit la forêt de Fontainebleau et les bords du Loing.

Oscar Torna

MUSÉES : STOCKHOLM : *Paysage printanier.*
VENTES PUBLIQUES : STOCKHOLM, 30 oct 1979 : *Paysage,* h/t (76,5x48) : **SEK 10 000** – STOCKHOLM, 22 avr. 1981 : *Paysage fluvial,* h/t (69x105) : **SEK 19 500** – STOCKHOLM, 10 nov. 1982 : *Bord de mer fleuri 1888,* h/t (75x116) : **SEK 27 000** – STOCKHOLM, 24 avr. 1984 : *La route du village 1893,* h/t (66x91) : **SEK 96 000** – STOCKHOLM, 22 avr. 1986 : *Une place animée de nombreux personnages 1892,* h/t (75x104) : **SEK 205 000** – STOCKHOLM, 15 nov. 1988 : *Paysage de forêt avec un étang 1890,* h. (125x98) : **SEK 46 000** – STOCKHOLM, 15 nov. 1989 : *Deux femmes bavardant sur un chemin bordé de bouleaux longeant un lac 1892,* h/t (62x72) : **SEK 145 000** – LONDRES, 27-28 mars 1990 : *Enfants jouant dans un prairie près d'un village 1888,* h/t (71x104) : **GBP 38 500** – STOCKHOLM, 29 mai 1991 : *Personnage près d'une barque au bord d'un étang en été 1887,* h/t (38x55) : **SEK 30 000** – STOCKHOLM, 19 mai 1992 : *Fillettes près d'une barque au bord d'un étang en été 1887,* h/t (38x55) : **SEK 42 000** – STOCKHOLM, 30 nov. 1993 : *Paysage estival avec des paysans abattant un bouleau,* h/t (42x56) : **SEK 29 000.**

TORNAGHI Enea
Né en 1830 à Milan. XIXᵉ siècle. Italien.
Peintre de genre.
VENTES PUBLIQUES : MILAN, 24 mars 1982 : *Pastorale,* h/t (74,5x161) : **ITL 2 600 000.**

TORNAI Gyula ou **Jules**
Né le 12 avril 1861 à Görgö. Mort le 24 novembre 1928 à Budapest. XIXᵉ-XXᵉ siècles. Hongrois.
Peintre de genre.
Il figura aux expositions de Paris où il obtint une médaille de bronze en 1900 lors de l'Exposition universelle. Il peignit surtout des princes indiens, des odalisques et des Japonaises.

TORNAI G Y.

MUSÉES : BAUTZEN – BUDAPEST.
VENTES PUBLIQUES : VIENNE, 21 mars 1972 : *Ballade africaine :* **ATS 20 000** – VIENNE, 12 déc. 1978 : *L'offrande,* h/t (155x117) : **ATS 140 000** – VIENNE, 19 juin 1979 : *Le forgeron, Tanger 1890,* h/t (169x97) : **ATS 200 000** – LINDAU, 5 mai 1982 : *Portrait de jeune fille,* h/cart. (90x71) : **DEM 4 400** – NEW YORK, 26 oct. 1983 : *La Maison des geishas,* h/pan. (72x106,5) : **USD 8 000** – LONDRES, 7 juin 1989 : *Scène de harem,* h/cart. (99x139) : **GBP 2 750** – AMSTERDAM, 5-6 nov. 1991 : *Femme marocaine 1890,* h/pan. (54x45) : **NLG 3 220** – NEW YORK, 13 oct. 1993 : *Le serviteur noir écoutant à la porte,* h/pan. (95,3x49,5) : **USD 18 400** – PARIS, 22 avr. 1994 : *Le musicien,* h/cart. (65x84) : **FRF 24 000** – NEW YORK, 16 fév. 1995 : *Le duo,* h/t (113x105,4) : **USD 26 450** – LONDRES, 11 oct. 1995 : *Antiquaire en Afrique du Nord,* h/t (80,5x66) : **GBP 2 875** – NEW YORK, 23-24 mai 1996 : *Guerriers arabes,* h/pan. (63,5x78,7) : **USD 12 650** – NEW YORK, 26 fév. 1997 : *Femme au bain,* h/pan. (127,6x152,4) : **USD 16 100.**

TORNAI Sandor ou **Alexandre** ou **Tornai-Demeczky**
Né le 22 août 1897 à Kaschau. XXᵉ siècle. Hongrois.
Peintre d'histoire et d'églises.

TORNAU Karl Wilhelm Gustav
Né le 12 février 1820 à Magdebourg. Mort en décembre 1864 à Vienne. XIXᵉ siècle. Autrichien.
Animalier et aquafortiste.
Élève de l'Académie de Vienne. Il exposa de 1844 à 1863.
VENTES PUBLIQUES : VIENNE, 17 nov. 1949 : *Troupeau de cerfs 1855 :* **ATS 5 000** – VIENNE, 10 juin 1980 : *Troupeau à l'abreuvoir,* h/t (53x47,5) : **ATS 25 000.**

TORNBORG Andreas. Voir **THORNBORG**

TORNE Joss
Né au XIXᵉ siècle à Barcelone. XIXᵉ siècle. Espagnol.

Graveur.
Il figura aux expositions de Paris ; mention honorable en 1887.

TORNE Kristine et **Oluf Wold.** Voir **WOLD-TORNE**

TORNÉ ESQUIUS Pedro
Né en 1879 à Barcelone (Catalogne). Mort en 1936 à Flavacourt (Oise). XXᵉ siècle. Depuis 1905 actif en France. Espagnol.
Peintre de scènes de genre, paysages, paysages urbains, dessinateur, illustrateur.
Il fut élève de l'École des Beaux-Arts de Barcelone. Il séjourna régulièrement à Paris, à partir de 1905, pour s'y établir définitivement en 1914. Il exposa au Salon de Barcelone, à partir de 1903 ; au Salon des Humoristes à Paris ; à la galerie Dalmau à Barcelone, de 1914 à 1926 ; puis au Salon Parés à Barcelone.
À Paris, il collabora au journal *Le Rire.* S'il s'est certes fait une spécialité des scènes enfantines, ses tableaux n'en ont pas moins de vraies qualités picturales : un dessin simple mais étonnamment efficace, de par son « synthétisme » même peut-être référencé aux Nabis, et une palette sobre mais « symboliquement » très expressive, ce qui confirmerait la référence déjà mentionnée.
BIBLIOGR. : In : *Cien Años de pintura en España y Portugal, 1830-1930,* Antiqvaria, t. XI, Madrid, 1993.
MUSÉES : BARCELONE (Mus. d'Art Mod.).

TÖRNEMAN Axel
Né en 1880. Mort en 1925. XXᵉ siècle. Suédois.
Peintre.
En 1901 il étudia à Munich. Durant son séjour en Allemagne il subit l'influence de Kandinsky, Jawlensky et des artistes de la Neue Dachau Schule.
Ces influences diverses amenèrent une synthèse du symboliste scandinave et de l'expressionnisme allemand naissant.
VENTES PUBLIQUES : STOCKHOLM, 10-12 mai 1993 : *Le peintre et son modèle,* h/t (137x131) : **SEK 150 000** – STOCKHOLM, 30 nov. 1993 : *Intérieur avec un chien allongé sur une méridienne,* h/t (88x70) : **SEK 29 000** ; *Danseuse 1915,* h/t (211x105) : **SEK 52 000.**

TORNEO Baltasar
XVIᵉ siècle. Actif à Madrid. Espagnol.
Sculpteur.
Élève de Gaspar Becerra, il fut son assistant pour l'exécution des stucatures de l'Alcazar et du Prado de Madrid.

TÖRNER C. J. Voir **TERNER**

TORNER Didier ou **Tornier, Tovoier, Tovnoyer**
XVIIᵉ siècle. Actif dans la première moitié du XVIIᵉ siècle. Français.
Graveur d'ornements.

TORNER Gustavo
Né en 1925 à Cuenca (Castille-La Manche). XXᵉ siècle. Espagnol.
Peintre, sculpteur. Abstrait, tendance informelle.
Il se forma seul au travers d'expérimentations diverses. Il a effectué de nombreux voyages, en France, Suisse, Allemagne. Il est l'un des fondateurs, avec Fernando Zobel et Gerardo Rueda, du Musée d'art abstrait espagnol à Cuenca. Il vit et travaille à Cuenca.
Il participe à des expositions nationales et internationales, notamment : 1960, Palais des Beaux-Arts, Bruxelles ; 1961, Biennale de São Paulo ; 1962, Tate Gallery de Londres ; 1967-68, *Spanische Kunst Heute,* dans plusieurs villes d'Allemagne ; 1970, Göteborgs Kunstmuseum ; ainsi que 3ᵉ Salon International des Galeries Pilotes, Musée Cantonal, Lausanne ; 1988, *Aspects d'une décennie de peinture espagnole, 1955-1965,* Fondation des Caisses de retraites, Madrid ; etc.
À partir de 1959, il développe une technique personnelle de fusion d'éléments encore représentatifs, façonnés ou peints, avec l'assemblage ou l'accumulation d'objets hétérogènes, volontiers prélevés sur des déchets industriels ou au contraire ramassés dans la nature. À partir de 1964, Torner utilise également le procédé de la citation en hommage à des artistes : Quevedo, Antonioni, Ingres, Magritte, Zurbaran... Son œuvre joue sur les rapports entre la texture des matières et leur signification.
BIBLIOGR. : B. Dorival, sous la direction de... : *Peintres Contemporains,* Mazenod, Paris, 1964 – *Catalogue du 3ᵉ Salon International des Galeries Pilotes,* Musée Cantonal, Lausanne, 1970 – in : *Catalogue National d'Art Contemporain,* Éditions d'art Ibe-

rico 2000, Barcelone, 1990 – in : *L'Art du xxᵉ siècle*, Larousse, Paris, 1991.

Musées : Cambridge (Fogg Art Mus.) – Chicago (Newberry Library) – Cuenca (Mus. d'Art abstrait espagnol) – Londres (Tate Gal.) – Madrid (Mus. d'Art Mod.) – Madrid (Fond. Juan March) – New York (Brooklyn Mus.) – New York (Library of Congress) – Nuremberg – Rochester (Memorial Art Gal.) – Tokyo (Mus. of Mod. Art).

Ventes Publiques : Madrid, 13 déc. 1990 : *Variation en bleu et noir sur deux supports* 1961, latex, feldspath, chanvre et h./tissu (162x130) : **ESP 3 360 000** – Madrid, 28 avr. 1992 : *La rectitude des choses* 1980, acier inox. (30x37x40) : **ESP 750 000**.

TORNER Martin
Né à Palma de Majorque. xvᵉ siècle. Travaillant à Valence de 1480 à 1495. Espagnol.
Peintre.
Il peignit des retables pour des églises de Valence.

TORNER Miguel
Mort en 1499 à Barcelone. xvᵉ siècle. Espagnol.
Graveur sur bois et illustrateur.

TORNER Stefan
Mort en 1499 à Bartfeld. xvᵉ siècle. Actif à Ofen. Hongrois.
Sculpteur et architecte.
Il travailla pour la cathédrale et l'église Saint-Egyde de Kaschau.

TORNI Francesco et Jacopo. Voir DELL'INDACO

TORNIELLI Giovanni Battista
Né sans doute à Venise. xviiᵉ siècle. Italien.
Stucateur.
Il travailla à Celle de 1670 à 1683 pour le château du duc et celui de Schwedt.

TORNIELLO Niccolo. Voir TORNIOLI

TORNIELLO Pierre
xviiᵉ siècle. Français.
Peintre.
Il travailla pour l'église des Feuillants à Bordeaux en 1613 et pour celle de Saint-Jean de Bazas.

TORNIER Didier. Voir TORNER

TORNINI Jacopo
xviiᵉ siècle. Travaillant à Nagyszombat de 1639 à 1655. Italien.
Stucateur.
Il exécuta des stucatures dans l'église de l'Université de Nagyszombat.

TORNIOLI Niccolo
Né à Sienne. xviiᵉ siècle. Actif de 1622 à 1640. Italien.
Peintre.
Cet artiste exécuta notamment à S. Paolo de Bologne : *Caïn tuant Abel* et *Jacob luttant avec l'Ange*. On lui doit un certain nombre de peintures sur marbre.

TORNØE Elisabeth ou Karen Elisabeth, née Blumer
Née le 18 septembre 1847 à Horsens. Morte le 1ᵉʳ août 1933 à Copenhague. xixᵉ-xxᵉ siècles. Danoise.
Peintre de genre, portraits.
Femme de Wenzel Ulrik Tornøe.
Musées : Odensee.

TORNØE Wenzel Ulrik
Né le 9 septembre 1844 à Lehnshöj, près de Svendborg. Mort le 5 décembre 1907 à Copenhague. xixᵉ-xxᵉ siècles. Danois.
Peintre de genre, intérieurs, paysages et marines animés, natures mortes.
Il fut élève de l'Académie de Copenhague.
Il s'est surtout spécialisé dans les scènes d'intérieurs intimes et familiales, ou parfois typiques.
Musées : Aalborg – Aarhus – Copenhague – Frederiksborg – Randers – Ribe.
Ventes Publiques : Copenhague, 5 avr. 1951 : *Femme et enfants italiens près d'une fontaine* 1872 : **DKK 5 600** – Copenhague, 12 avr. 1967 : *Jeune fille cousant* : **DKK 21 500** – Copenhague, 10 fév. 1971 : *Jeune italienne versant du vin à un abbé* : **DKK 7 200** – Copenhague, 6 fév. 1974 : *Deux jeunes femmes dans une cuisine* : **DKK 14 000** – Copenhague, 11 fév. 1976 : *Femme reprisant sous la lampe*, h/t (57x71) : **DKK 8 500** – Copenhague, 30 août 1977 : *Paysanne italienne versant un verre de vin à un moine*, h/t (19,5x15,5) : **DKK 9 000** – Copenhague, 23 sep. 1981 : *Paysanne italienne offrant un verre de vin à un moine*, h/t (48x65) :

DKK 16 000 – Copenhague, 3 oct. 1984 : *Georg Rich avec sa famille sur une terrasse, au bord de la mer* 1885, h/t (148x204) : **DKK 130 000** – Stockholm, 15 nov. 1988 : *Nature morte avec des fruits et des légumes*, h. (26x41) : **SEK 37 000** – Copenhague, 5 avr. 1989 : *Paysanne donnant à boire à son enfant dans une cuisine* 1881, h/t (40x30) : **DKK 26 000** – Stockholm, 19 avr. 1989 : *Paysage du sud*, h/pan. (24,5x38) : **SEK 7 200** – Stockholm, 15 nov. 1989 : *Nature morte de fruits et de légumes sur un entablement drapé* 1861, h. (26x41) : **SEK 39 000** – Copenhague, 25 oct. 1989 : *Un drame familial*, h/t (185x250) : **DKK 25 000** – Copenhague, 25-26 avr. 1990 : *Jeune femme peignant devant son chevalet sur une plage*, h/t (29x41) : **DKK 37 000** – Stockholm, 16 mai 1990 : *Jeune femme avec une corbeille de raisin* 1905, h/t (56x50) : **SEK 18 000** – Stockholm, 29 mai 1991 : *Intérieur de cuisine*, h/t (68x60) : **SEK 8 200** – Copenhague, 6 mai 1992 : *Intérieur avec une vieille paysanne cardant de la laine*, h/t (56x41) : **DKK 8 500** – Stockholm, 5 sep. 1992 : *Pêcheurs sur un lac* 1898, h/t (24,5x38) : **SEK 4 700** – Londres, 17 mars 1993 : *La couturière endormie*, h/pan. (40x35) : **GBP 4 600** – Copenhague, 15 nov. 1993 : *Chien de chasse*, h/t (51x42) : **DKK 4 200** – Copenhague, 16 mai 1994 : *Intérieur d'auberge italienne*, h/t (25x33) : **DKK 25 000** – Londres, 17 mars 1995 : *Dans l'atelier* 1882, h/t (120,8x96,5) : **GBP 12 075**.

TORNQUIST Ellen
Née le 24 mai 1871 à Hambourg. xixᵉ-xxᵉ siècles. Allemande.
Peintre de paysages, graveur, lithographe.
Elle fut élève de Schmid-Reutte et de Th. Hummel à Munich. Elle grava une série de paysages intitulée *Sur les chemins de Goethe* à Weimar.

TÖRNSTRÖM Carl
Mort en 1814. xixᵉ siècle. Suédois.
Sculpteur et dessinateur amateur et officier.
Frère d'Emanuel T. Le Musée National de Stockholm conserve deux dessins de cet artiste.

TÖRNSTRÖM Emanuel
Né en 1798. xixᵉ siècle. Actif à Karlskrona. Suédois.
Dessinateur et sculpteur.
Fils de Johan T. Il sculpta des figures de proue de vaisseaux suédois.

TÖRNSTRÖM Johan
Né le 17 avril 1743 à Ekeby. Mort le 20 février 1828 à Karlskrona. xviiiᵉ-xixᵉ siècles. Suédois.
Sculpteur sur bois et dessinateur.
Probablement élève de Sergel. Le Musée de Stockholm conserve de lui : *Centaure et Bacchante* (terre cuite).

TORNULLI, appellation erronée. Voir TORNIELLI

TORNY Eustache de
xviiᵉ siècle. Travaillant à Paris en 1657. Français.
Peintre.

TORNYAI Janos ou Johann
Né le 18 janvier 1869 à Hödmezövasarhely. Mort le 20 septembre 1936 à Budapest. xixᵉ-xxᵉ siècles. Hongrois.
Peintre d'intérieurs, paysages.
Il fut élève de Munkacsy. Il peignit des motifs de la plaine hongroise et des intérieurs de paysans.
Musées : Budapest.

TORO Giovanni
xviiᵉ siècle. Italien.
Peintre.
Il fut élève de Tommaso Luini à Rome.

TORO Luigi ou Torro
Né en 1836 à Lauro. Mort le 20 avril 1900 à Caserta. xixᵉ siècle. Italien.
Peintre de genre, portraits.
Élève de Coghetti et de Giuseppe Mancinelli. Il a longtemps travaillé à Paris.
Musées : Naples (Mus. San Martino) : *Mort de Pilade Bronzetti* – Naples (Pina. du Capodimonte) : *Agostino Nifo à la cour de Charles Quint*.
Ventes Publiques : Paris, 28 mai 1900 : *Marche triomphale de Vénus* : **FRF 1 000** – Londres, 18 mars 1994 : *Un ami véritable*, h/t (76x58,5) : **GBP 4 025**.

TORO Pietro Aniello
xviᵉ siècle. Actif à Naples au milieu du xviᵉ siècle. Italien.
Peintre.
Il peignit les fresques d'une chapelle de l'église Saint-Éloi de Naples.

TORO-BARRIOS Fernando del
Né le 27 février 1904 à Séville (Andalousie). XXᵉ siècle. Espagnol.
Peintre de figures, paysages.
Il peignit des paysages d'Andalousie.

TOROCZKAI Oszvald
Né le 20 juillet 1884 à Kronstadt. XXᵉ siècle. Hongrois.
Graveur, peintre.
Il vit et travaille à Debrecen.

TÖRÖK Ede ou **Eduard**
Né en octobre 1836 à Vac. Mort le 13 mars 1892 à Vac. XIXᵉ siècle. Hongrois.
Peintre.
Élève de Lotz à Budapest. Il peignit des tableaux d'autel, des portraits et des scènes de genre à Vac.

TÖRÖK Gyula ou **Julius**
Né le 5 juin 1879 à Eperjes. XXᵉ siècle. Hongrois.
Peintre de paysages.
Il vécut et travailla à Kaschau.

TÖRÖK Jenö ou **Eugen**
Né en 1880 à Budapest. XXᵉ siècle. Hongrois.
Peintre de paysages, figures.
Il fut élève de Lotz à Budapest.
Musées : Budapest (Gal. Nat.).

TÖRÖK Olga, plus tard Mme **V. Gogl**
Née le 1ᵉʳ janvier 1887 à Magyardioszeg. XXᵉ siècle. Hongroise.
Peintre de portraits, figures.

TÖRÖK Sandor Karoly ou **Alexander Karl**
Né le 16 septembre 1895. XXᵉ siècle. Hongrois.
Peintre de paysages.
Il vécut et travailla à Budapest.

TORON
IIIᵉ siècle avant J.-C. Actif à Argos. Antiquité grecque.
Sculpteur.
Fils d'Apellion. Il sculpta des statues pour le temple d'Esculape à Épidaure.

TORON Jacques. Voir **THOURON**

TORONI Niele
Né en 1937 à Muralto près de Locarno. XXᵉ siècle. Depuis 1959 actif en France. Suisse.
Peintre. Groupe B.M.P.T.
Il fut membre du Groupe B.M.P.T. (pour Buren, Mosset, Parmentier, Toroni).
Il participe à des expositions collectives, dont : 1967, Salon de la Jeune peinture, Paris ; 1985, Nouvelle Biennale de Paris.
Il montre ses œuvres dans des expositions personnelles, dont : régulièrement à la galerie Yvon Lambert, Paris ; 1978, Kunsthalle, Berne ; 1987, rétrospective, Villa Arson, Nice, Musée de peinture et de sculpture, Grenoble ; 1991, Musée Cantini, Marseille ; 1992, Musée National d'Art Moderne, Galeries contemporaines du Centre Georges Pompidou, Paris. Il a obtenu le Grand prix national de peinture en 1995.
Certains membres de l'avant-garde en France, dont Toroni deviendra une des figures à partir de la fin des années soixante, ont pour souci de se démarquer du néodadaïsme issu de Dada et Duchamp, et de lutter contre le formalisme, cette « pure gratuité formelle » dont parle Marcelin Pleynet. C'est dans cet esprit, et avec les autres membres du groupe B.M.P.T., que Toroni participe, lors de la Biennale de Paris, le 2 juin 1967, dans la salle de conférence du Musée des arts décoratifs, à une présentation de peintures mettant en question l'activité artistique sous tous ses aspects. Il s'agissait simplement de regarder quatre toiles de 2,50 m de côté en train de se faire par les quatre participants. Ces artistes proposaient alors un retour à la réalité concrète, matérialiste, et ontologique de la chose peinte, non sans rapport avec la démarche des minimalistes américains ou avec celle du groupe « Support-Surface » quelque temps après. « Créer des emballages artistiques nouveaux pour faire passer de l'idéologie vieille, ce n'est vraiment pas mon problème » (Toroni). Que faire, ou plutôt comment faire, lorsque l'on ne souhaite plus que la peinture puisse transcrire une vision du monde, que son interprétation soit impossible, mais qu'au contraire l'acte pictural soit atteint dans sa singularité ? « Essayer de faire de la peinture, sans état d'âme » (Toroni), ou, pour cerner l'enjeu du problème, créer une peinture en dehors des conditions historiques et idéologiques de sa

production. Pour arriver à cette fin (de la peinture ou à son commencement), Toroni propose une méthode et un énoncé, toujours les mêmes, c'est-à-dire pouvant s'appliquer à tout son « travail/peinture », et qui consiste à réaliser des empreintes d'un pinceau nᵒ 50 répétées à intervalles réguliers de 30 cm (en quinconce). Cet exercice identique produit néanmoins une expérience de la peinture se révélant différente. Les empreintes, réalisées en général sur un fond blanc ou sur d'autres couleurs, dépendent de la couleur dans laquelle est trempé le pinceau, ce qui, évidemment, multiplie à l'infini les combinatoires possibles. Outre que les empreintes ne sont jamais véritablement identiques, le support varie lui aussi : toile, coton, papier (journal), toile cirée, mur, sol... Enfin, et surtout, les empreintes mettent en valeur un espace. À l'inverse, une des caractéristiques les plus visibles de la peinture de Toroni, serait, plus que sa continuité, la répétition de sa démarche qu'il n'a jamais modifiée depuis le début des années soixante : des empreintes d'un pinceau nᵒ 50 répétées à intervalles réguliers de 30 cm (en quinconce)... Geste minimum en-deça de la forme « autonome », l'empreinte est plus acte que forme, la marque de l'instrument y est visible. Elle traduit également la peinture en termes de travail, Toroni s'appliquant consciencieusement à le faire lui-même. Au total, cette peinture exclut ainsi toute connivence avec le langage tel qu'il est mis en avant dans l'art conceptuel, elle n'est pas en relation avec une image, et ne propose pas non plus une esthétique formelle détachable des conditions de son apparition. Ainsi que l'écrit René Denizot : « La peinture travaille à sa production. Telle est sa nécessité. (...) Telle est son insigne vérité. Elle est temporelle. Son dévoilement met en jeu l'apparition et la disparition de la peinture ». Et, plus précisément, cette peinture (la méthode, le faire) désigne le présent, l'être de la peinture. Cependant, parée de ces caractéristiques, cette peinture ne génère plus a priori d'évolution formelle possible. ■ C. D.

Bibliogr. : In : catalogue de la Nouvelle Biennale, Paris, 1985 – Niele Toroni : *En roue libre*, textes réunis par Alain Coulange, F. P. Lobies, 1984 – B. Buchloh : *Niele Toroni, l'index de la peinture*, Edition Daled, Bruxelles, 1985 – *Niele Toroni. Des goûts et des couleurs*, Maison de la Culture, Saint-Étienne, 1986 – Christian Besson : *Niele Toroni : l'énoncé et son supplément*, in : *Niel Toroni. Catalogue raisonnable. 1967-1987. 20 ans d'empreintes*, catalogue de l'exposition rétrospective, Villa Arson, Nice, 1987, Musée de Grenoble, 1987 – René Denizot : *Niele Toroni. Poétique de la peinture*, in : *Galeries Magazines*, Paris, fév.-mars 1991 – in : *L'Art du XXᵉ siècle*, Larousse, Paris, 1991 – in : *Dictionnaire de l'art moderne et contemporain*, Hazan, Paris, 1992.
Musées : Paris (Mus. Nat. d'Art Mod.) : *Peinture/toile* 1967 – *Peinture/carton* 1981.
Ventes Publiques : Paris, 17 déc. 1989 : *75-76-a-145x140* 1975-1976, h/t (145x140) : **FRF 250 000** – Paris, 20 jan. 1991 : *Sans titre* 1973, h/pap. (106x75) : **FRF 67 000** – Francfort-sur-le-Main, 14 juin 1994 : *Marques de pinceau sur une affiche de l'Exposition de Toroni* 1994 (23,6x33,5) : **DEM 7 000** – Paris, 17 oct. 1994 : *Sans titre*, acryl./pap. (66x183) : **FRF 16 000** – Paris, 19 juin 1996 : *Empreintes de pinceau nᵒ 50 répétées à intervalles réguliers de 30 cm*, acryl./t. (100x100) : **FRF 29 000** – Paris, 29 nov. 1996 : *Empreintes de pinceau nᵒ 50 répétées à intervalles réguliers de 30 cm* 1986, peint./t. (330x215) : **FRF 40 000**.

TOROPINS Juris
Né en 1952. XXᵉ siècle. Russe-Letton.
Peintre de compositions. Tendance symboliste.
Il commença ses études artistiques à l'École Rozental de Riga, puis fréquenta l'Académie des Beaux-Arts de Lettonie jusqu'en 1978.
Il figure à partir de 1977 dans des expositions collectives.
Toropins réalise une peinture au flou soigné, tout en ombre et lumière, à la recherche d'un dialogue avec les éléments de la nature : ciel, soleil, vent, mer...
Musées : Riga (Fonds des Beaux-Arts).

TOROPOFF Gavril Ivanovitch
Né le 23 mars 1834. XIXᵉ siècle. Russe.
Peintre de genre.
Le Musée Russe de Saint-Pétersbourg conserve de lui : *Sœur de charité distribuant des cadeaux.*

TOROSSIAN Sirarpy
Née le 8 juillet 1916. XXᵉ siècle. Depuis 1964 active aux États-Unis. Roumaine.
Peintre de figures, portraits, intérieurs, paysages.
Elle a étudié à l'Académie des Beaux-Arts de Bucarest et à la

Kunstakademie de Munich en 1944 grâce à la bourse Alexander von Humbold. Elle vit et travaille à Long Island.

Elle participe à des expositions de groupe, d'abord dans son pays, puis en Europe. Elle a montré une première exposition personnelle de ses œuvres en 1939 à Bucarest, puis à d'autres reprises en Roumanie, au Liban et aux États-Unis. Elle a obtenu en 1945 le prix du Salon Officiel de Bucarest.

L'œuvre figurative de Sirarpy Torossian a subi les influences postimpressionniste, expressionniste et constructiviste. La facture de ses peintures est caractérisée par une sobriété de la composition et des tons sourds.

Bibliogr. : Ionel Jianou et autres : *Les Artistes roumains en Occident,* American Romanian Academy of Arts and Sciences, Los Angeles, 1986.

TORQUAT Alexandre. Voir FRANGEPAN Torquat Alexander Julius

TORQUATI
Italien.
Peintre de genre.
Le Musée de Sydney conserve de lui *Cherchant un abri* (aquarelle).

TORQUIN
xive siècle. Éc. flamande.
Peintre.
Il travailla en 1390 dans l'Oratoire de la Chartreuse de Champmol, près de Dijon, puis à Gand.

TORR Helen
Née en 1886. Morte en 1967. xxe siècle. Américaine.
Peintre de paysages, natures mortes, fleurs, dessinateur.
Ventes Publiques : New York, 26 sep. 1991 : *Nature morte,* h/t (26,4x31,3) : **USD 3 080** – New York, 5 déc. 1991 : *Rythme de fleur,* h/pan./métal (29,2x21,6) : **USD 17 600** – New York, 26 mai 1993 : *Fleurs dans un paysage,* fus./pap. (35,6x25,4) : **USD 7 475** – New York, 20 mars 1996 : *Formes de collines,* fus./pap. (34,9x27) : **USD 3 450.**

TORRA Mariano
Né en 1812 à Valence. xixe siècle. Espagnol.
Peintre.
Le Musée Provincial de Valence conserve de lui *L'Immaculée Conception.*

TORRADO. Voir ALVAREZ TORRADO Antonio

TORRALBA Juan Jose
Né en 1937 à Mexico. xxe siècle. Mexicain.
Graveur, illustrateur.
Il a fait ses études à l'École Supérieure des Arts San Carlos et à l'École du Livre à Mexico. En 1958, il arrive à Barcelone et étudie au Conservatoire du Livre.

Il expose depuis 1961 à Barcelone et participe à partir de 1965 à de nombreuses expositions à Madrid, Saragosse, Genève et Philadelphie où il a obtenu le Prix George Rath en 1968.

Illustrateur, il a réalisé des bois gravés pour des poèmes de Tagore en 1961 et de Juan Ramon Jimenez en 1962. Ses gravures, non figuratives, jouent sur les effets de matières et de reliefs qu'il obtient en juxtaposant sur une même plaque gravure en creux et collages. Il a publié un recueil de gravures : *Vallée de Mexico.*

TORRANCE. Voir aussi PERMAN Louise E.

TORRANCE James
Né en 1859 à Glasgow (Écosse). Mort en 1916 à Helensburgh (à l'ouest de Glasgow). xixe-xxe siècles. Britannique.
Peintre de portraits, illustrateur.
Il a illustré des livres de contes.
Musées : Édimbourg (Gal. Nat.) : *Le pigeon préféré.*

TORRANDELL Armando Cardona. Voir CARDONA TORRANDELL

TORRAS Y ARMENGOL Francisco
Né à Tarrasa. Mort le 28 février 1878 à Madrid. xixe siècle. Espagnol.
Peintre d'histoire et sculpteur.
Le Musée de Madrid conserve de lui : *La Sainte Famille.*

TORRAS-FARELL Luis
Né le 3 novembre 1867 à Manresa. xixe siècle. Espagnol.
Peintre et dessinateur.
Élève de Tomas Moragas. Il dessina des portraits et des figures.

TORRE. Voir aussi TORRI

TORRE Andreu de La. Voir LA TORRE

TORRE Bartolommeo
Mort vers 1554. xvie siècle. Travaillant à Arezzo. Italien.
Peintre de fresques et enlumineur (?).
Élève de G. Ant. Lappoli. On sait qu'il mourut jeune.

TORRE Benedetto della
xviiie siècle. Actif dans la seconde moitié du xviiie siècle. Italien.
Peintre.
Il peignit plusieurs tableaux d'autel pour des églises de Naples.

TORRE Cristoforo della
xve siècle. Actif dans la seconde moitié du xve siècle. Italien.
Peintre.
Il peignit le buffet d'orgues de l'église Saint-Laurent de Gênes.

TORRE Edouardo
Né au xixe siècle à Tampico. xixe siècle. Mexicain.
Paysagiste.
Il figura aux expositions de Paris ; mention honorable en 1900 (Exposition Universelle).

TORRE Enrico della
Né en 1931 à Pizzighettone. xxe siècle. Italien.
Graveur.
Il participe à des expositions collectives, dont : 1995 *Attraverso l'Immagine,* au Centre Culturel de Crémone.

Il grave en noir et blanc à l'eau-forte des paysages et des végétations dont la facture est caractérisée par une ligne légère, aérienne et suggestive.
Bibliogr. : In : catalogue de l'exposition *Attraverso l'Immagine,* Centre Culturel Santa Maria della Pietà, Crémone, 1995.
Ventes Publiques : Milan, 20 juin 1991 : *Saint-Moritz 1973,* h/pap./t. (18x29) : **ITL 1 900 000** – Milan, 14 nov. 1991 : *Construction 1986,* h. et collage/t. (45x32) : **ITL 2 200 000** – Milan, 12 déc. 1995 : *Nature morte aux seiches 1973,* h/pap./t. (48x67) : **ITL 3 220 000.**

TORRE Flaminio. Voir TORRI

TORRE Francesco ou Ciccio della
xviie siècle. Actif à Naples en 1690. Italien.
Peintre verrier.
Successeur de L. Giordano.

TORRE Gianello della. Voir TURRIANO

TORRE Giovanni Andrea
Né vers 1651. Mort en 1700. xviie siècle. Actif à Gênes. Italien.
Sculpteur sur bois.
Élève de son père Pietro Andrea T. Il exécuta des sculptures dans les églises de Saint-François-de-Paule et de Saint-François-de-Castelletto de Gênes.

TORRE Giovanni Battista
Né à Rovigo. Mort en 1631 à Venise, assassiné. xviie siècle. Italien.
Peintre.
Élève de Carlo Bononi à Ferrare. Il exécuta des fresques pour des églises de Ferrare.

TORRE Giovanni della, dit Giovanniello del Beinaschi
xviie-xviiie siècles. Actif à Naples de 1670 à 1700. Italien.
Peintre.
Élève et assistant de Beinaschi (Giovanni Battista).

TORRE Giovanni Paolo
xvie siècle. Actif à Rome. Italien.
Peintre amateur.
Élève de Girolamo Muziano.

TORRE Giulio del
Né le 21 décembre 1856 à Romans d'Isonzo. Mort le 1er janvier 1932 à Romans d'Isonzo. xixe-xxe siècles. Italien.
Peintre de genre, portraits.
Il fut élève des Académies de Vienne, de Rome et de Venise. Il peignit des scènes populaires du Frioul.

g. del torre

Ventes Publiques : Londres, 6 mars 1974 : *Les bulles de savon ; La partie de cartes :* **GBP 1 400** – Vienne, 22 juin 1976 : *Les Petites Lavandières 1899,* h/pan. (24x18,5) : **ATS 70 000** – Vienne, 20 sep.

1977 : *La première cigarette* 1895, h/pan. (30,5x20,5) : **ATS 65 000** – VIENNE, 15 sep. 1981 : *Garnements jouant aux cartes, Venise* 1907, h/pan. (28,5x22,5) : **ATS 70 000** – VIENNE, 23 mars 1983 : *Les Bulles de savon* 1898, h/pan. (22,5x17) : **ATS 150 000** – AMSTERDAM, 30 oct. 1991 : *Le bol cassé*, h/pan. (26,5x21) : **NLG 6 900** – LONDRES, 18 juin 1993 : *L'heure du goûter* ; *Le premier chagrin* 1901, h/pan., une paire (20,5x25,5) : **GBP 13 800** – NEW YORK, 12 oct. 1994 : *Un nouvel ami* ; *Le goûter* 1896, h/pan., une paire (chaque 15,9x21,6) : **USD 26 450** – LONDRES, 16 nov. 1994 : *Les Petites Fleuristes* ; *La Jeune Artiste* 1895-96, h/pan., une paire (chaque 26,5x21) : **GBP 19 550** – LONDRES, 17 mars 1995 : *Jeux avec un chaton* 1895, h/pan. (22,9x30,5) : **GBP 6 670** – LONDRES, 21 nov. 1996 : *Touche finale* 1909, h/pan. (37x26,5) : **GBP 5 520**.

TORRE Giulio della
Né vers 1480. Mort vers 1540. XVIᵉ siècle. Actif à Vérone. Italien.
Médailleur amateur.
Il grava des médailles à l'effigie de savants et d'artistes de son époque. Il était également juriste.

TORRE Giuseppe ou de Torre, de Turres, de Turri
XVIᵉ siècle. Actif à Naples à la fin du XVIᵉ siècle. Italien.
Sculpteur sur bois.
Il sculpta des figurines de crèches pour des églises de Naples. On le trouve cité en 1589.

TORRE Giuseppe della
Mort en 1767 à Madrid. XVIIIᵉ siècle. Italien.
Peintre sur porcelaine et miniaturiste.
Il travailla à la Manufacture de Capodimonte de Naples de 1743 à 1759, puis partit pour l'Espagne.

TORRE Juan, Juan Bautista, Jusepe de La. Voir **LA TORRE**

TORRE Lorenzo ou de Torre, de Turres, de Turri
XVIᵉ siècle. Actif à Naples à la fin du XVIᵉ siècle. Italien.
Sculpteur sur bois.
Il travailla pour des églises de Naples.

TORRE Lorenzo dalla ou Dalla Torre
Né en 1904 à Venise (Vénétie). Mort en 1972 à Villiers-sur-Hermé (Provins). XXᵉ siècle. Actif aussi en France. Italien.
Peintre de paysages urbains, paysages animés.
Il a exposé personnellement ses œuvres à partir de 1942 dans des galeries à Venise, Paris et aux États-Unis. Des expositions posthumes se sont tenues à Hambourg en 1974, 1976 et 1978. Apprenti dans la boulangerie de son père, il commence à peindre à l'âge de vingt-neuf ans après avoir fait la connaissance d'une artiste peintre à Hambourg. Rentré à Venise il travaille avec le peintre futuriste Arturo Martini, puis fixé à Paris en 1948 il fait la connaissance de Georges Rouault qui l'encourage dans sa carrière.

TORRE Martin de La. Voir **LA TORRE**

TORRE Nicolao della
Né en Crète. XVIᵉ-XVIIᵉ siècles. Italien.
Peintre et enlumineur.
Il travailla à Naples vers 1572 et enlumina des manuscrits dans l'Escurial.

TORRE Nicolas Andres
Né le 6 janvier 1678 à Madrid. XVIIIᵉ siècle. Espagnol.
Peintre.

TORRE Oberto della
XVIᵉ siècle. Actif à Rezzonico et à Gênes de 1507 à 1510. Italien.
Peintre.

TORRE Pedro de La. Voir **LA TORRE**

TORRE Pietro Andrea
Mort le 5 juin 1668. XVIIᵉ siècle. Actif à Gênes. Italien.
Sculpteur sur bois et sur ivoire.
Père de Giovanni Andrea T. et élève de Giovanni-Battista Bissoni. Il sculpta des crucifix.

TORRE Raffaello
Né en 1844 à Lucques (Toscane). Mort en 1927 à Lucques. XIXᵉ-XXᵉ siècles. Italien.
Peintre de sujets militaires.
Il n'eut aucun maître.
MUSÉES : LUCQUES : *Scènes des guerres de la libération de l'Italie.*

TORRE Silvestro della. Voir **SILVESTRO da Sulmona**

TORRE Torquato ou Gaetano Giorgio Flavio della
Né le 19 février 1827 à Vérone. XIXᵉ siècle. Italien.
Sculpteur.
Élève de l'Académie de Venise et de celle de Rome. Il sculpta, en s'inspirant de Michel-Ange, des groupes, des statues et des tombeaux.

TORRE Y BARASTEGUI Quintin de
Né le 18 avril 1877 à Bilbao (Pays Basque). XXᵉ siècle. Espagnol.
Sculpteur de sujets religieux, bustes.
Il figura aux expositions de Paris où il obtint une mention honorable en 1903. Il sculpta le bois et le marbre, des bustes, de nombreuses statues de saints et des groupes de processions.

TORRE Y GARCIA Trinidad
Née le 27 mai 1882 à Madrid. XXᵉ siècle. Espagnole.
Peintre de sujets religieux.

TORRE-ISUNZA Pedro
Né le 25 décembre 1892 à Don Benito. XXᵉ siècle. Espagnol.
Sculpteur de bustes.
Il fut élève de M. Inurria.

TORRE Y LOPEZ Antonio de La. Voir **LA TORRE Y LOPEZ**

TORRE-REVELLO José Miguel Andrés
Né le 10 novembre 1893 à Buenos Aires. XXᵉ siècle. Argentin.
Peintre de paysages.
Il vivait surtout à Séville. Il peignit des scènes d'Andalousie et fut également historien.

TORREANI. Voir **TORRIANI** et **TURRIANO**

TORREANO John
Né en 1941. XXᵉ siècle. Américain.
Peintre, sculpteur, créateur d'installations.
Le choix des matériaux, en particulier des gemmes de verre et de plastique, des boules de bois incrustés à la surface du tableau, a surtout prix, dans les années soixante-dix, la forme d'une contestation du minimalisme alors en vogue.
BIBLIOGR. : Robert G. Edelman, in : *Art Press*, nº 168, Paris, 1992.
VENTES PUBLIQUES : NEW YORK, 20 mai 1983 : *Split* 1976, h., verre coloré, acryl. et bois/t. (121,9x426,7) : **USD 6 250** – NEW YORK, 1ᵉʳ oct. 1985 : *Black mark* 1978, h. et bouchons de verre (179,7x179,7) : **USD 5 750** – NEW YORK, 6 mai 1986 : *Split* 1982, colonne de bois avec peint. acryl. et verres (152,5x7,6x7,6) : **USD 2 200** – NEW YORK, 4 mai 1989 : *Turquoise*, h. et perles de verre/bois (152,4x5,7) : **USD 1 100** – NEW YORK, 23 fév. 1990 : *Colonne de cristal*, bois, verre et silicone (213,4x20,3x8,9) : **USD 6 600** – NEW YORK, 12 nov. 1991 : *Sans titre (cruciforme)* 1981, perles de verre et de plastique, silicone et acryl./bois (50,2x30,5x7,5) : **USD 1 100** – NEW YORK, 25-26 fév. 1994 : *Vase sans titre #18*, verre soufflé (H. 36,8) : **USD 1 840**.

TORREGGIANI. Voir aussi **TORRIGIANI**

TORREGGIANI Bartolomeo ou Torregiani ou Torrigiani, dit de Rosa
Né le 13 août 1590 à Rome ou à Naples. Mort après 1664 ou en 1675. XVIIᵉ siècle. Italien.
Peintre de portraits, paysages animés, sculpteur, orfèvre et marchand de tableaux.
Élève et compagnon de Salvator Rosa.
MUSÉES : BAMBERG : *Deux paysages* – MUNICH : *Paysage montagneux avec arbres* – *Paysage montagneux italien* – ROME (Doria Pamphily) : *Départ pour la chasse* – *Forêt* – *Plaine au bord de la mer.*
VENTES PUBLIQUES : LONDRES, 1ᵉʳ mars 1991 : *Paysages boisés avec des paysans*, h/t, une paire (21,5x35,2) : **GBP 7 700** – LONDRES, 11 juil. 1992 : *Paysage boisé avec des personnages traversant un pont (recto)* ; *Quatre figures dans un bois (verso)* : **GBP 1 100.**

TORREGGIANI Camillo ou Torregiani
Né le 19 mars 1820 à Ferrare. XIXᵉ siècle. Italien.
Sculpteur.
Élève de Pampaloni, à Florence. Il sculpta un grand nombre de bustes et de monuments funéraires. Le Musée de Madrid conserve de lui *Buste en marbre d'Isabelle II.*

TORREGGIANI Vincenzo ou Torrigiani
Né à Budrio. XVIIIᵉ siècle. Italien.
Peintre de perspectives.
Il fut élève de Stefano Orlandi. Il travailla à Florence, à Rome et à Bologne de 1742 à 1770.

Musées : Florence (Mus. des Offices) : divers dessins.
Ventes Publiques : Rome, 3 avr. 1984 : *Caprices*, temp., une paire (26x42) : ITL 9 000 000.

TORREGIANI Bartolommeo. Voir TORREGGIANI Bartolomeo

TORRELLA Jaume
xive siècle. Actif à Perpignan en 1321. Espagnol.
Peintre.

TORRELLI. Voir TORELLI

TORRENS Rosalba
xixe siècle. Actif à Charleston en 1808. Américain.
Peintre de paysages.

TORRENS Wm.
Britannique.
Peintre de natures mortes.
La National Gallery of Victoria de Melbourne (Australie) conserve de lui : *Fruits et vin du Rhin.*

TORRENT Ramon
Mort en 1323. xive siècle. Actif à Saragosse. Espagnol.
Peintre.
Il fut chargé des peintures au retable de l'église d'Algayon.

TORRENTIN Guillaume
xvie siècle. Actif à Cambrai. Français.
Enlumineur et calligraphe.
Il enlumina un épistolaire se trouvant dans la bibliothèque de Douai.

TORRENTIUS Jan Simonsz, dit Van der Beeck
Né en 1589 à Amsterdam. Mort en 1644 à Amsterdam, où il fut enterré le 17 février. xviie siècle. Hollandais.
Peintre de natures mortes.
Il vécut à Amsterdam, puis à Leyde et à Haarlem. Il eut dans cette ville un procès scandaleux. Arrêté en 1627 il fut accusé d'être à la tête de la Secte des Rose-Croix, à laquelle on attribuait des doctrines dangereuses et des mœurs contre nature. Torrentius, malgré la torture, ne fit pas d'aveux, mais des témoignages écrasants se produisirent contre lui. On l'accusait aussi d'avoir voulu corrompre sa femme. Il fut condamné malgré la protection du prince Frédéric Henri, à être brûlé. Sa peine fut commuée en vingt ans de prison. Grâce à l'intercession de l'ambassadeur anglais sir Dudley Carleton il fut mis en liberté en 1630 et son protecteur l'emmena à Londres, mais il semble y avoir eu peu de succès. Il avait épousé Cornélia Van Campen, qui pendant son procès s'établit à Ameersfoort. Il revint bientôt de Londres à Amsterdam, subit un second procès, fut une seconde fois mis à la question et mourut des suites de la torture. Il eut pour élève P. F. Duifhuyzen. Deux de ses ouvrages figuraient dans la collection de Charles I. On dit qu'il avait beaucoup de talent. Le Musée National d'Amsterdam conserve de lui une *Nature morte.*

TORRENTONI Pietro. Voir TORENTONI

TORRENTS Y DE AMAT Stanislas Pierre Nolasque ou Estanislao
Né en 1839 à Marseille (Bouches-du-Rhône), de parents espagnols. Mort en 1916 à Cannes (Alpes-Maritimes). xixe-xxe siècles. Français.
Peintre de sujets religieux, scènes de genre, portraits, paysages, natures mortes, fleurs, graveur.
Il fut élève de l'École des Beaux-Arts de Marseille et de l'École des Beaux-Arts de Barcelone. Il obtint une bourse d'études et il alla faire son apprentissage de graveur à Rome. De retour à Paris, il entra dans l'atelier de Thomas Couture. Puis, il s'établit définitivement à Marseille. Il exposa au Salon de Paris, à partir de 1864, obtenant une médaille de troisième classe en 1875 ; au Cercle Artistique de Marseille ; au Salon de Barcelone en 1910. On cite de lui : *La Vierge au Lys – La tentation – Les gitanes – Portrait du général O'Donnell.* Sur des sujets convenus, il pratique un métier traditionnel, tout en étant parfois capable, notamment pour des sujets réalistes, d'une touche grasse et énergique, peut-être observée chez Courbet.

Bibliogr. : In : *Cien Años de pintura en España y Portugal, 1830-1930*, Antiqvaria, t. XI, Madrid, 1993.
Musées : Barcelone (Mus. prov.) : *Groupe d'enfants de chœur –*

Digne : *Chaudronnier* – Marseille : *Tête de jeune fille – Moine mort – Les Gitans – Portrait du peintre L. Partl.*
Ventes Publiques : Paris, 5-7 déc. 1918 : *Le doge* : FRF 1 050 ; *Les moines musiciens* : FRF 1 900 ; *La grande dame* : FRF 1 160 – Paris, 22 déc. 1920 : *Portrait de l'artiste* : FRF 200 – Marseille, 18 déc. 1948 : *Portrait du fils du peintre en étudiant 1897* : FRF 6 500 – Marseille, 8 avr. 1949 : *Portrait du peintre par lui-même* : FRF 3 000 ; *Portrait d'homme* : FRF 1 300 – New York, 30 mai 1980 : *La jeune guitariste*, h/t (89,3x33,6) : USD 1 100.

TORREPALMA Condessa, appelée aussi Sor Ana de San Jeronimo
Morte le 11 novembre 1771 à Grenade. xviiie siècle. Espagnole.
Peintre.
Religieuse de l'ordre des Carmélites déchaussées.

TORRES Ana
xixe siècle. Active dans la première moitié du xixe siècle. Espagnole.
Peintre amateur.
Membre de l'Académie de San Fernando à Madrid en 1818.

TORRES Antonino. Voir ROCCHETTI TORRES Antonino

TORRES Antonio
xviiie siècle. Mexicain.
Peintre de sujets religieux, portraits.
Travaillant à Mexico vers 1720, il peignit des sujets religieux. Le Musée National de Mexico conserve de lui les portraits de moines de l'ordre de Saint-François.
Musées : Mexico (Mus. Nat.) : *Fray Juan Suarez – Fray Francisco Jumenez – Fray Estaban de Ursua – Fray Sancho Meraz – Fray Luis Morote – Fray Martin del Castillo.*

TORRES Antonio del
xviiie siècle. Espagnol.
Peintre de sujets religieux.
On cite de cet artiste *Notre-Dame de la Guadeloupe*, 1724, à l'église San Sebastian de Séville.

TORRES Antonio
Né en 1851. xixe siècle. Espagnol.
Peintre de genre, figures, portraits.
Il a surtout peint sujets et figures typiques du folklore espagnol. Il ne semble pas y avoir de relation avec Antonino Rocchetti Torrès.
Ventes Publiques : New York, 12 au 14 mars 1906 : *Beauté Espagnole* : USD 205 ; *Joueur de mandoline* : USD 235 ; *La marquise* : USD 225 ; *Tête Idéale* : USD 235 ; *Danseuse espagnole* : USD 15 – New York, 4 jan. 1907 : *Jeune fille lisant* : USD 215 – New York, 17 et 18 avr. 1907 : *Ne la crois pas, elle t'affole* : USD 215 ; *Carmencita* : USD 175 ; *Florodora* : USD 340 – New York, 1er-3 avr. 1908 : *Mignon* : USD 140 ; *Le joueur de guitare* : USD 800 ; *Rêverie* : USD 610 – New York, 17 et 18 mars 1909 : *Rêverie* : USD 360 – New York, 2 mai 1979 : *La coquette*, h/t (46,5x35,5) : USD 1 400 – Londres, 23 nov. 1988 : *Jeune femme de profil dans le soleil*, h/t (40,5x32,5) : GBP 1 650 – Göteborg, 18 mai 1989 : *Portrait d'une dame avec un chapeau*, h/t (62x47) : SEK 14 000.

TORRES Antonio
Né le 25 mars 1914 à Jaen (Andalousie). xxe siècle. Espagnol.
Peintre de scènes et paysages animés. Naïf.
Il a commencé à peindre en 1970, à Madrid. Il participe à Paris au Salon International d'art naïf.
Il peint des scènes de la vie quotidienne, en stylisant les éléments du décor et les personnages à la façon des jeux de construction pour enfants.

TORRES Augusto
Né en 1913 à Tarrasa près de Barcelone (Catalogne). Mort en 1992. xxe siècle. Espagnol.
Peintre de paysages, natures mortes. Postcubiste.
Fils aîné du grand peintre uruguayen, Joaquim Torres-Garcia, il passe une partie de son enfance à New York et en Italie de 1920 à 1925. Il se rend à Villefranche en 1925, puis à Paris en 1927, où il étudie sous la direction de Julio Gonzales en 1930, puis en 1931 avec Amédée Ozenfant, et fait la connaissance de nombreux peintres. En 1933 il fut élève de l'École de la Céramique de Madrid. Il part en Uruguay et se rend à Montevideo. Son père fonde en 1936 l'Association de l'Art Constructiviste, et Augusto Torres en fait partie. Il y enseigne de 1951 à 1954. En 1941, il

voyage au Pérou et en Bolivie, afin de se familiariser avec l'art inca et pré-inca. De 1954 à 1956, il s'installe à Paris, regagne ensuite Montevideo.

Il a exposé, à Paris, au Salon des Surindépendants. Il participe à de nombreuses expositions de groupe, telles que les Biennales de Porto Alegre, de Venise, de San Pablo au Mexique et en Colombie. À Montevideo, il fit de nombreuses expositions, en 1960 et 1961, de même qu'il montra ses œuvres à New York.

Il est en général considéré comme le continuateur de son père. Sa peinture est postcubiste, influencée par Cézanne. S'ajoutent quelques indications graphiques, consistant souvent en chiffres, lettres, et signes rappelant les hiéroglyphes.

A TORRES

VENTES PUBLIQUES : MONTEVIDEO, 17 nov. 1982 : *Calle y plaza*, h/t (65x45) : UYU 25 000 – MONTEVIDEO, 16 mai 1984 : *Constructivo*, h/cart. (46x52) : UYU 72 000 – NEW YORK, 24 nov. 1992 : *Le monde de l'homme*, h/cart./rés. synth. (61,6x79,7) : USD 8 800 – NEW YORK, 18-19 mai 1993 : *Constructivisme*, h/t (62,2x62,9) : USD 4 600 – NEW YORK, 18 mai 1994 : *Rythme-Mesure*, pan. de bois gravé (85,9x107,6) : USD 9 200 – NEW YORK, 21 nov. 1995 : *Composition Universal-Razon* 1954, h/toile d'emballage (97,1x203,2) : USD 34 500.

TORRES Carlos
Né en 1949. XXᵉ siècle. Actif en France. Mexicain.
Peintre. Informel.
BIBLIOGR. : Damian Bayon et Roberto Pontual : *La peinture de l'Amérique latine au xxᵉ siècle*, Mengès, Paris, 1990.

TORRES Clemente
Né en 1662 à Cadix (Andalousie). Mort en 1730 à Cadix. XVIIᵉ-XVIIIᵉ siècles. Espagnol.
Peintre d'histoire, compositions religieuses, fresquiste, dessinateur. Baroque.
Il fut élève de Juan de Valdès Leal. Il vint à Madrid vers 1724, il y fut l'ami de Palamino.
Il a surtout peint à fresque, dans des tonalités grisâtres. En collaboration avec son maître, il a fait diverses compositions murales pour le couvent de Saint-Paul, à Séville ; on cite notamment de lui : *Saint Fernand*, situé au-dessus de la porte principale et trois apôtres colossaux avec groupes d'anges sur les piliers de la nef.
Il a également réalisé *La Vierge et deux saints*, pour les mercenarios Calzados et *Dieu le Père* dans l'église de San Felipe Neri à Cadix.
BIBLIOGR. : In : *Dictionnaire de la peinture espagnole et portugaise du Moyen-Âge à nos jours*, coll. Essentiels, Larousse, Paris, 1989.
MUSÉES : CADIX : *Couronnement de la Vierge* – SAINT-PÉTERSBOURG (Mus. de l'Ermitage) : *Saint Joseph* – SÉVILLE : *Saint Nicolas de Bari* – *Saint Denis*.

TORRES E. B. Francisco
Né en 1913. XXᵉ siècle. Mexicain.
Peintre de paysages.
Il fut élève de Goitia et de Ramos-Martinez. Il est connu pour ses vastes paysages, peints avec minutie. Il privilégie les détails et la reproduction de la lumière naturelle.
VENTES PUBLIQUES : NEW YORK, 22-23 nov. 1993 : *La vallée de Mexico* 1972, acryl./t. (160x331,2) : USD 24 150.

TORRES Francesc
Né en 1948 à Barcelone (Catalogne). XXᵉ siècle. Depuis 1972 actif aux États-Unis. Espagnol.
Artiste, auteur de performances, créateur d'installations. Conceptuel. Groupe de Treball.
Il fit partie, entre 1971 et 1975, du Groupe de Treball, collectif d'artistes réunis par leurs préoccupations conceptuelles dans l'art.
Il participe à des expositions collectives depuis 1968 : 1968, Festival de Nice ; 1975, *Performance*, Museum of Contemporary Art Chicago ; 1975, IXᵉ Biennale de Paris. Il montre ses œuvres dans des expositions personnelles, dont : 1973, *Two Exercises* à l'Illinois Center de Chicago ; 1975, *Almost like sleeping* à l'Artists Space de New York ; 1991, rétrospective, Centre d'art Reina Sofia, Madrid ; 1992, Centre d'art Santa Monica, Barcelone.
Francesc Torres a débuté sa carrière artistique dans l'ambiance de Mai 68 à Paris. La psychologie était à la base de sa recherche, dans les années soixante-dix, sur les origines culturelles et le processus de conditionnement amenant un individu à devenir artiste. Une trentaine d'années plus tard, il a élargi ses

recherches au comportement de l'individu dans la société, en convoquant les utopies politiques en tant que rituels.
BIBLIOGR. : Anatxu Zabalbeascoa, in : *Art Press*, n° 166, Paris, février 1992.
MUSÉES : SÃO PAULO (Mus. d'Art Contemp.).

TORRES Gabriel
XVIIᵉ siècle. Actif à Palma de Majorque de 1669 à 1687. Espagnol.
Sculpteur.
Père de Miguel Torres I et de Rafael Torres I.

TORRES Gabriel de, don
Né en 1660. Mort en 1685. XVIIᵉ siècle. Espagnol.
Miniaturiste.
Fils et élève de Matias de Torres. Il travailla à Madrid à la décoration de livres de chœur.

TORRES Gregorio
Né en 1820 à Mendoza (Argentine). Mort en 1875. XIXᵉ siècle. Argentin.
Peintre de figures et de portraits.
Élève de R. Monvoisin à Santiago (Chili).

TORRES Guillermo
Né le 18 décembre 1755 à Palma de Majorque. Mort le 12 janvier 1829 à Palma de Majorque. XVIIIᵉ-XIXᵉ siècles. Espagnol.
Peintre.
Fils de Miguel Torres I et élève de Salvador Sancho. Il peignit pour des églises de Palma de Majorque.

TORRES Hipolito
XVIIᵉ siècle. Actif à Tolède. Espagnol.
Peintre.

TORRES Horacio
Né en 1924 à Legorn (Italie). Mort en 1976. XXᵉ siècle. Uruguayen.
Peintre de figures, portraits, paysages.
Un des deux fils du grand peintre uruguayen Torres-Garcia. À l'inverse de son frère, Augusto, considéré comme le continuateur de son père, Horacio pratiqua une peinture figurative. Il est mort prématurément.
On vit de cet artiste : *Jeune fille au paysage* et l'*Arbre*, en 1946, à l'exposition ouverte à Paris, au Musée d'Art Moderne, par l'Organisation des Nations unies.
VENTES PUBLIQUES : NEW YORK, 23 mai 1978 : *Nu assis sur une draperie violette* 1975, h/t (157,5x127) : USD 5 500 – NEW YORK, 17 oct 1979 : *Nu sur une draperie blanche et verte* 1972, h/t (91,5x114) : USD 4 000 – MONTEVIDEO, 16 mai 1984 : *L'église* 1960, h/t (82x60) : UYU 125 000 – NEW YORK, 8 mai 1990 : *Sans titre*, h/t (157,4x157,2) : USD 60 500 – NEW YORK, 18-19 mai 1993 : *Le port* 1960, h/cart. (43,2x86,5) : USD 13 800 – NEW YORK, 25-26 nov. 1996 : *Construction* 1952, h/pan. (84,5x60) : USD 9 200.

TORRES José
XVIIᵉ siècle. Mexicain.
Peintre.

TORRES Juan
Né à Huete. XVIIᵉ siècle. Espagnol.
Peintre.
Il résida surtout à Valladolid et à Tordésillas, où il travailla avec les plus grands artistes de son temps.

TORRES Juan
Né vers 1810 à Palma de Majorque. XIXᵉ siècle. Espagnol.
Peintre.

TORRES Julio Romero de. Voir ROMERO DE TORRES Julio

TORRES Manuel de
XVIIᵉ siècle. Actif à la fin du XVIIᵉ siècle. Espagnol.
Peintre.
Il a peint *Saint Paul apparaît à saint François*, pour l'église Saint-Dominique de Grenade.

TORRES Marcos de
XVIᵉ siècle. Actif à Valladolid dans la seconde moitié du XVIᵉ siècle. Espagnol.
Peintre.
Il exécuta des *Scènes de la vie de saint Joseph*, pour la cathédrale de Lugo en 1571.

TORRES Matias de
Né en 1631 à Espinosa de los Monteros, ou en 1635 à Aguilar

de Campoo (Castille-Léon) selon certains biographes. Mort en 1711 à Madrid. xviie-xviiie siècles. Espagnol.
Peintre d'histoire, sujets religieux, batailles, paysages, natures mortes.
Il fut élève de l'Académie des Beaux-Arts de Madrid, de son oncle Tomazo Torrino et de Francisco Herrera le jeune.
Il a réalisé des peintures à fresque ou à la détrempe pour l'Alcazar de Madrid, détruites depuis par l'incendie de 1734.
Bibliogr. : In : *Dictionnaire de la peinture espagnole et portugaise du Moyen-Âge à nos jours*, coll. Essentiels, Larousse, Paris, 1989.
Musées : Madrid (École des Beaux-Arts) : *Érection de la Croix* 1668 – Saint-Pétersbourg (Mus. de l'Ermitage) : *Présentation de l'Enfant Jésus au temple* – Vienne (École des Beaux-Arts) : *Jésus parmi les docteurs*.

TORRES Miguel I
xviiie siècle. Actif à Palma de Majorque. Espagnol.
Sculpteur.
Fils de Gabriel T.

TORRES Miguel II
Né en 1797 à Palma de Majorque. xixe siècle. Espagnol.
Peintre et sculpteur.
Fils de Guillermo T. Il peignit des tableaux d'autel.

TORRES Pedro de
xvie-xviie siècles. Actif à Palencia. Espagnol.
Sculpteur.
Il exécuta des sculptures dans le cloître de S. Zoil, près de Carrion de los Condes.

TORRES Pedro de
xviie siècle. Actif à Valladolid. Espagnol.
Peintre.
On ne connaît pas de détails sur cet artiste.

TORRES Pietro
D'origine flamande. xvie-xviie siècles. Italien.
Peintre.
Il a peint des tableaux d'autel pour des églises de Naples et de Mormanno.

TORRES Rafael I
xviiie siècle. Travaillant à Palma de Majorque vers 1700. Espagnol.
Sculpteur.
Fils de Gabriel T, il appartenait à l'ordre des Dominicains.

TORRES Rafael II
Mort le 15 septembre 1752. xviiie siècle. Espagnol.
Sculpteur.
Fils et élève de Miguel Torres I. Il sculpta des ornements au portail central de l'église Notre-Dame de Palma de Majorque.

TORRES Ramon de
xviiie siècle. Actif entre 1760 et 1795. Sud-Américain.
Peintre de portraits.
Musées : Mexico (Mus. Nat. d'Hist.) : *Portrait de Carlos III – Portrait de Don J. Ignacio de la Rocha 1778*.

TORRES Rigoberto
xxe siècle. Américain.
Sculpteur.
Cet artiste qui vit à New York travaille avec John Ahearn à la réalisation des sculptures de figures qui représentent les personnages du quotidien du ghetto du Bronx.

TORRES Romero de
xxe siècle. Espagnol.
Peintre.
Il subit l'influence de Zuloaga. Il mêle à son instinct de réalisme un sentiment supérieur d'idéal et de mysticisme.

TORRES AGÜERO Leopoldo
Né le 12 février 1924 à Buenos Aires. xxe siècle. Argentin.
Peintre. Tendance art optique.
En 1950 et 1951, il fit un premier séjour à Paris. Retourné en Argentine, il reçut le Prix Rubinstein en 1956. De 1959 à 1961, il fit un long séjour au Japon.
Depuis 1939, il participe à de très nombreuses expositions collectives nationales et internationales, surtout à des expositions consacrées à l'art optique, notamment à l'exposition des Peintres d'Amérique Latine, au Musée d'Art Moderne de Paris en 1962 ; à la Biennale de Menton en 1970 ; au Salon des Réalités Nouvelles de Paris ; à l'exposition *Vision 24*, à l'Institut Italo-

Latino Américain de Rome en 1970 ; etc. Il a montré une cinquantaine d'expositions personnelles dans différents pays d'Amérique Latine, aux États-Unis, au Japon, en France, etc.
Comme Soto, comme de nombreux artistes latino-américains, son évolution a été orientée dans le sens de l'abstraction géométrique et de l'art optique, en partie sous l'influence de l'enseignement que Torres-Garcia exerça à partir de son retour en Amérique du Sud en 1934. Sa peinture est donc partie de l'abstraction géométrique, puis perçut au passage l'influence de l'art optique et du cinétisme. Il obtient une certaine illusion de dynamisme par le rapprochement de tons subtilement dégradés ou modulés, situés dans des sortes de grilles dont le tracé est constitué par de minces coulées, qui créent à la surface une animation légère comparable à des frissons sur l'eau. Cette technique d'un tracé sensible caractérise la manière de Torres Agüero, en le différenciant de l'abstraction géométrique et de l'art optico-cinétique rigoureux. ■ J. B.
Bibliogr. : Catalogue de l'exposition *Vision 24, Peintres et Sculpteurs d'Amérique latine*, Institut Italo-Latino Américain, Rome, 1970.

TORRES ARMENGOL Francisco
Né en 1832 à Tarrasa. Mort le 28 février 1878 à Madrid. xixe siècle. Espagnol.
Peintre de sujets religieux et sculpteur.
Il fit ses études à Barcelone et à Rome.

TORRES-EDWARDS Alfredo
Né le 24 novembre 1889 à Santa Cruz de Tenerife. xxe siècle. Espagnol.
Peintre de portraits.
Il fut élève de Manuel Benedito. Il travailla à Buenos Aires comme portraitiste.

TORRES-GARCIA Joaquin
Né le 25 juillet 1874 à Montevideo. Mort le 8 août 1949 à Montevideo. xixe-xxe siècles. Actif entre 1924 et 1932 en France. Uruguayen.
Peintre, dessinateur, aquarelliste. Abstrait. Groupe Cercle et Carré.
De père catalan et de mère uruguayenne, venu de bonne heure, à dix-sept ans, avec ses parents, à Barcelone, il y commença ses études artistiques à l'Académie des Beaux-Arts, pensant déjà à se libérer de toute emprise académique. Copiant, pour mieux les connaître, Degas et Steinlen, il décorait, dans le même temps, les salles de la Diputacion, la Bibliothèque de l'Hôtel de Ville et différentes églises, dans un style où se décèle l'influence de Puvis de Chavannes. De ces ouvrages, il ne reste aujourd'hui pratiquement plus rien, sauf ceux de la Bibliothèque Centrale de la Diputation à Madrid. À la suite de quelque déception, il vint à Paris, désireux aussi d'être mêlé du plus près possible aux grands mouvements artistiques contemporains. Il séjourna également à Bruxelles, Florence et Rome. À partir de son arrivée en 1910, il fut d'abord influencé par les futuristes, s'exprimant pleinement dans cette direction avec ses peintures des années 1917-1918, consacrées à des thèmes enchevêtrés sur le plan de la toile : *La foire, Le port de Barcelone*. À partir de 1914, il se mit à fabriquer des jouets en bois pour les enfants, dont certains furent plus tard commercialisés aux États-Unis sous la marque Aladin Toys. De 1920 à 1922, il séjourna à New York, puis revint en Europe, d'abord en Italie et de nouveau à Paris, où il vécut de 1924 à 1932, y laissant le souvenir de son personnage d'Indien, de la présence bruyante de ses quatre enfants qu'il montrait fièrement les dessins, et surtout du rôle qu'il joua dans l'histoire de la peinture abstraite de l'époque. À Paris, il se lia avec Van Doesburg, Vantogerloo, Mondrian, et Michel Seuphor. C'est avec ce dernier qu'il fonde en 1930 la revue *Cercle et Carré*, puis le groupe du même nom. Il regagna Montevideo en 1934.
Il a participé à des expositions collectives : 1925, Salon d'Automne, Paris ; 1930, *Cercle et Carré*, Paris. Après sa mort, il était représenté, en 1978, à l'exposition *Abstraction-Création 1931-1936*, au Westfälisches Landesmuseum für Kunst und Kulturgeschichte de Münster, et au Musée d'Art moderne de la Ville de Paris.
Il a montré de nombreuses expositions personnelles de ses œuvres, la première d'importance en 1931 au Musée d'Art Moderne de Madrid. Après sa mort furent organisées plusieurs rétrospectives, dont : 1955, Musée National d'Art Moderne, Paris et Museo Nacional de Artes Plasticas, Montevideo ; 1974, Museo Nacional de Artes Plasticas, Montevideo ; 1975, Musée d'Art Moderne de la Ville de Paris ; 1979, Musée d'Art Moderne,

Rio de Janeiro (lors de la rétrospective, l'ensemble des toiles, une soixantaine, disparurent dans l'incendie du musée) ; 1998, galerie Jan Krugier, Ditesheim & Cie, Genève.

Ayant découvert à Paris le constructivisme et le néoplasticisme, il en dégagea les éléments qui lui convenaient et qui allaient contribuer à l'établissement du style de la meilleure partie de son œuvre. On remarquera qu'il est un des très nombreux cas que l'on rencontre surtout dans les alentours de l'abstraction, d'artistes dont les œuvres importantes et significatives n'apparaissent qu'à la quarantaine et ici à la cinquantaine. Michel Seuphor, qui fut l'ami le plus proche de Torres-Garcia, définit parfaitement la poétique de celui-ci : « Voulant connaître en faisant, il s'oblige à peindre des tableaux abstraits à compartimentages horizontaux et verticaux, pour aussitôt retourner à la figuration. Il s'exerce alors à géométriser la figuration même, à la simplifier à l'extrême, optant finalement pour un moyen terme qui sera son style à lui pendant plusieurs années et demeurera le meilleur de son œuvre. Il s'agit d'éléments d'un art populaire – cruche, balance, mètre, soleil, flèche, maison, barque, marteau, visage, étoile, animal, brouette – traités schématiquement comme des idéogrammes et placés à l'intérieur des compartimentages géométriques de la toile pour obtenir l'union étroite d'une certaine nature et d'une certaine raison. » Ailleurs Michel Seuphor précise : « Il semble avoir puisé son enseignement le plus profond dans l'art précolombien qu'il confronte et compose avec les arts européens modernes. Nous y retrouvons en effet des éléments cubistes, néoplastiques, et aussi certains aspects du langage de Klee, tout cela s'intégrant avec une parfaite aisance à une conception idéographique au style anguleux. » Il prit une part importante à la préparation de l'exposition qui eut lieu en 1930 sous l'égide du groupe *Cercle et Carré*, et qui réunit, sans grand retentissement à l'époque, Kandinsky, Mondrian, Kurt Schwitters, Jean Arp, Sophie Taeuber, Pevsner, Prampolini, Vantongerloo, Baumeister, Fernand Léger, Ozenfant, Le Corbusier, etc. Après son retour à Montevideo, en 1934, il y continua seul la revue, sous le titre de « Circulo y Cuadrado ». Il montre et commente ses œuvres et ouvre une Académie d'« Art Constructif », connu sous le nom d'« Atelier Torres-Garcia » qui devait exercer la plus forte influence sur la jeunesse de l'Amérique Latine. Outre de très nombreuses conférences prononcées, il écrivit différents ouvrages, parmi lesquels : *Tradition de l'homme abstrait, Universalisme constructif, Histoire de ma vie, Structure*, etc. Dans le parc Rodo, à Montevideo, s'élève son « Monument Cosmique », où il a voulu graver dans la pierre les symboles de son esthétique. En 1944, il reçut la commande de deux panneaux figuratifs pour le pavillon Martierne de l'hôpital de la Colonia Saint Bois de Montevideo. À la fin de sa vie, il peignit, dans son langage plastique si particulier, une série de portraits d'hommes célèbres : *Cézanne, Goya, Vélasquez*, etc.

■ J.-P. Argul, J. B.

J TG

J.Torres-GARCIA

J-TG

BIBLIOGR. : Michel Seuphor, in : *Diction. de la peint. mod.*, Hazan, Paris, 1954 – Michel Seuphor : *Le Style et le Cri*, Seuil, Paris, 1965 – Herta Wescher, in : *Diction. Univers. de l'Art et des Artistes*, Hazan, Paris, 1967 – in : catalogue de l'exposition *Abstraction-Création 1931-1936*, Westfälisches Landesmus. für Kunst und Kulturgeschichte, Münster, Musée d'Art moderne de la Ville, Paris, 1978 – in : *Catalogue National d'Art Contemporain*, Éditions d'art Iberico 2000, Barcelone, 1990 – in : *L'Art du xxᵉ siècle*, Larousse, Paris, 1991 – in : *Diction. de l'art moderne et contemporain*, Hazan, Paris, 1992.
MUSÉES : NANTES (Mus. des Beaux-Arts) – NEW HAVEN (Yale University Art Gal.) – NEW YORK (Mus. of Mod. Art) – PARIS (Mus. Nat. d'Art Mod.).
VENTES PUBLIQUES : PARIS, 8 mars 1929 : *L'Homme à la pipe* : FRF 185 – PARIS, 12 avr. 1933 : *Composition 1931* : FRF 520 – PARIS, 24 juin 1938 : *Rue et passants* : FRF 460 – PARIS, 19 nov. 1948 : *Rythmes 1932* : FRF 2 300 – NEW YORK, 16 mai 1962 : *Le village* : USD 2 500 – NEW YORK, 18 sep. 1968 : *Composition-construction* : USD 6 250 – NEW YORK, 21 mai 1969 : *Le village* : USD 3 500 – NEW YORK, 7 oct. 1970 : *Village au bord de la mer* :

USD 4 250 – BUENOS AIRES, 14 et 15 nov. 1973 : *Notre-Dame de Paris* : ARS 90 000 – MADRID, 17 mai 1974 : *Vue d'un canal* : ESP 500 000 – NEW YORK, 22 oct. 1976 : *Composition 1931*, h/pan. (38x19) : GBP 5 400 – NEW YORK, 16 déc. 1977 : *Construction en cinq couleurs avec locomotive bleue 1943*, cart. mar./pan. (56x68,5) : USD 8 000 – NEW YORK, 3 nov. 1978 : *Constructivo 924 1931*, construction en bois peint (48,4x14,4) : USD 3 000 – PARIS, 19 mars 1979 : *Nᵒ 4, Peinture 1931*, h/t (73x60) : FRF 88 000 – NEW YORK, 1ᵉʳ déc. 1981 : *Dessin infini 1937*, h/cart. (53,5x84) : USD 38 000 – NEW YORK, 9 juin 1982 : *Église et Maison 1929*, pl. et cr. (25x30,9) : USD 1 800 – NEW YORK, 12 mai 1983 : *Constructivisme 1931*, temp./pap. mar./t. (80x55) : USD 50 000 – MONTEVIDEO, 16 mai 1984 : *La Promenade sur les Ramblas*, fus. (54x36) : UYU 212 000 – NEW YORK, 29 mai 1984 : *Avev, 1565 1933*, h/cart. mar./isor. (105,5x75,6) : USD 100 000 – NEW YORK, 30 mai 1985 : *Rosario-Espagne*, mine de pb et cr. (24,5x33,5) : USD 3 200 – MONTEVIDEO, 16 avr. 1986 : *Rambla portuaria 1930*, h/t (60x72) : UYU 4 441 500 – PARIS, 20 nov. 1988 : *Personnages 1940*, h/t (38,6x41) : FRF 247 000 – NEW YORK, 21 nov. 1988 : *Composition constructiviste 1932*, h/t (54,6x46,2) : USD 88 000 ; *Un couple 1930*, h/t (40x50) : USD 44 000 ; *Dessin constructiviste 1936*, encre/pap. (18,1x12,7) : USD 7 150 ; *Nature morte de fleurs 1947*, h/cart. (50x45) : USD 24 200 – NEW YORK, 17 mai 1989 : *Trois personnages 1946*, h/cart. (40x46) : USD 68 750 ; *Gamin jouant avec un moulinet à étincelles que regarde son chien 1955*, h/t/rés. synth. (119,4x81,9) : USD 308 000 – PARIS, 18 juin 1989 : *Les Fenêtres*, h/t (32x46) : FRF 150 000 – NEW YORK, 20 nov. 1989 : *Rue de Florence 1945*, h/t (68,6x52,4) : USD 41 800 ; *Rythmes courbes en blanc et noir 1937*, temp. et caséine/cart. (77,8x48,2) : USD 253 000 ; *Rythmes avec des obliques en blanc et noir 1938*, temp./cart. (80,6x48,2) : USD 286 000 ; *Composition tubulaire abstraite 1937*, temp./cart. (80,7x101,2) : USD 264 000 – NEW YORK, 21 nov. 1989 : *Art constructiviste 1947*, h/cart. (50x71) : USD 165 000 – NEW YORK, 1ᵉʳ mai 1990 : *Art constructiviste 1943*, h/cart. (51x68) : USD 187 000 – NEW YORK, 16 mai 1990 : *Composition symétrique 1931*, h/t (122x63) : USD 550 000 – PARIS, 25 oct. 1990 : *Immeubles en construction 1908*, dess. au cr. (26,5x32) : FRF 23 000 – NEW YORK, 19-20 nov. 1990 : *Construction constructiviste 1946*, h/cart. (43,9x47,3) : USD 159 500 ; *Art constructiviste (Rio Negro) 1943*, h/cart. (49,5x70) : USD 198 000 – NEW YORK, 15-16 mai 1991 : *Le port 1947*, h/cart. (38,5x41,2) : USD 71 500 – MADRID, 27 juin 1991 : *Le port de Barcelone*, h/cart. (34,5x37,5) : ESP 1 700 000 – NEW YORK, 29 nov. 1991 : *Construction avec des objets déformés 1937*, h/rés. synth. (52x41) : USD 132 000 – MADRID, 28 avr. 1992 : *Homo Sapiens (Constructivisme en cinq tons) 1945*, h/cart. (54x85) : ESP 20 000 000 – NEW YORK, 18-19 mai 1992 : *Composition constructiviste 1931*, temp. et gesso/pan. (45,7x55,5) : USD 121 000 – NEW YORK, 23 nov. 1992 : *Engin en blanc et noir 1937*, temp./cart. (81,3x52,1) : USD 187 000 ; *Port avec quatre figures universelles 1942*, h/cart./t. (78,7x101) : USD 209 000 – NEW YORK, 24 nov. 1992 : *« Pesca salada » 1919*, cr. de coul./pap. chamois (24,1x31,8) : USD 12 100 – NEW YORK, 18 mai 1993 : *Forme, structure et objets 1943*, h/cart. (83,8x50,8) : USD 211 500 – NEW YORK, 18-19 mai 1993 : *Cinq jouets*, bois peint en 17 morceaux (dimensions diverses, le plus grand 20,6) : USD 36 800 – PARIS, 14 juin 1993 : *Visage 1928*, h/t (35x27) : FRF 80 000 – PARIS, 6 oct. 1993 : *Les quais 1921*, h/t (41x33) : FRF 150 000 – NEW YORK, 16 nov. 1994 : *Structure – forme abstraite tubulaire 1937*, temp. et gche/cart. (80x99,7) : USD 354 500 – LONDRES, 29 nov. 1994 : *Composition 1931*, h/t/cart. (50x23,5) : GBP 66 400 – PARIS, 30 mars 1995 : *Gaboto 1934*, encre de Chine/pap. (12,5x13) : FRF 39 000 – NEW YORK, 17 mai 1995 : *Construction avec une figure étrange 1931*, h/t (88,9x53,7) : USD 211 500 ; *Composition symétrique universelle en blanc et noir*, h/t : USD 937 500 – PARIS, 27 fév. 1996 : *Composition au masque 1931*, h/pan. (50x35,5) : FRF 235 000 – NEW YORK, 25-26 nov. 1996 : *Feuillage 1928*, h/t (89x111) : USD 25 300 – NEW YORK, 25-26 nov. 1996 : *Construction en bois superposé 1932*, bois peint (45,1x26) : USD 101 500 – PARIS, 28 avr. 1997 : *Paysage, le Cros-de-Cagnes 1928*, h/t (81x100) : FRF 200 000 – NEW YORK, 28 mai 1997 : *Composition constructive 16 1943*, h/cart./pan. (42,8x64,2) : USD 244 500 ; *28 mai 1997 : Peinture constructive 1931*, h/t (75x55,2) : USD 464 500 – NEW YORK, 29-30 mai 1997 : *Sans titre 1928*, h/t (74,3x110,8) : USD 255 500 ; *Sans titre 1928*, h/t (100,3x80,6) : USD 85 000 – PARIS, 17 juin 1997 : *Composition 1931*, h/t (63,4x43,2) : FRF 1 000 000 – NEW YORK, 24-25 nov. 1997 : *Rythmes courbes et obliques en blanc et noir 1938*, temp./pan. (81,3x50,3) : USD 332 500.

TORRES PARDO Rafael de
Né en 1824 à Palma del Rio. Mort vers 1880 à Madrid. xixᵉ siècle. Espagnol.
Miniaturiste.
Il a peint des scènes bibliques et des portraits.

TORRES Y ROMAY Remon
xviiiᵉ siècle. Travaillant à Santiago en 1769. Espagnol.
Peintre d'autels.

TORRES Y SANCHO Salvador
Né le 6 mars 1799 à Palma de Majorque. Mort en janvier 1882 à Palma de Majorque. xixᵉ siècle. Espagnol.
Peintre.
Fils de Guillermo T. Il peignit des sujets religieux pour les églises de l'île de Majorque. Il faut le rapprocher de SANCHO (Salvador).

TORRES Y VILARO Ramiro
Né en 1877 à Barcelone (Catalogne). xxᵉ siècle. Espagnol.
Dessinateur de portraits.
Il fut aussi poète.

TORRESANI Alessandro
Né avant 1530 à Vérone. Mort vers 1590. xviᵉ siècle. Italien.
Peintre.
Élève de son père Lorenzo di Cristoforo T. Le Musée Municipal de Narni conserve de lui *Cène* (fresque) et *Résurrection du Christ*, qu'on attribue également à son frère Pierfrancesco T.

TORRESANI Andrea. Voir **TORESANI**

TORRESANI Bartolomeo di Cristoforo
Né vers 1500 à Vérone. Mort vers 1567. xviᵉ siècle. Italien.
Peintre.
Frère de Lorenzo di Cristoforo T. Il travailla pour des églises de Rieti et pour les cathédrales de Narni et de Spolète.

TORRESANI Lorenzo. Voir **LACOSTA Lorenzo**

TORRESANI Lorenzo di Cristoforo
Né vers 1500 à Vérone. Mort entre 1562 et 1564. xviᵉ siècle. Italien.
Peintre.
Frère de Bartolomeo di Cristoforo T. Il travailla à Rieti où il exécuta des peintures pour la cathédrale.

TORRESANI Pierfrancesco
Né avant 1530. Mort vers 1590. xviᵉ siècle. Italien.
Peintre.
Frère d'Alessandro T. Il travailla en collaboration avec celui-ci.

TORRESCASSANA SALLARÉS Francisco
Né en 1845 à Barcelone (Catalogne). Mort en 1918 à Barcelone. xixᵉ-xxᵉ siècles. Espagnol.
Peintre d'histoire, scènes de genre, sujets typiques, portraits, paysages animés, paysages, marines. Postromantique.
Il fut élève de Ramon Arti y Alsina à l'Académie des Beaux-Arts de Barcelone, puis il poursuivit ses études à Rome et Paris. Il enseigna lui-même le dessin et la peinture. Il prit part à diverses expositions collectives : à partir de 1864 Salon de la Société Nationale des Beaux-Arts de Madrid ; 1871, 1894, 1896, 1898 Barcelone, obtenant une seconde médaille en 1871.
On mentionne de lui : *Femme cousant sur la plage*, *Environs du Nil*, *Voyage dans les pyramides*, *Souvenir d'Égypte*, *Le premier bateau espagnol qui passa par le canal de Suez*.
Bibliogr. : In : *Cien Años de pintura en España y Portugal, 1830-1930*, Antiqvaria, t. XI, Madrid, 1993.
Musées : Barcelone (Mus. d'Art Mod.) – Madrid (Mus. d'Art Mod.) – Paris (Mus. du Louvre).
Ventes Publiques : Londres, 23 juil. 1976 : *L'ouverture du canal de Suez* 1870, h/t (58,5x157) : **GBP 8 500**.

TORRESINI Attilio
Né le 26 avril 1884 à Venise. xxᵉ siècle. Italien.
Sculpteur.
Il vécut et travailla à Rome. Il exposa à la Biennale de Venise à partir de 1926.
Musées : Berlin (Gal. Nat.) : *Antonello* – Milan (Gal.) : *Ariane* – Rome (Gal. d'Art Mod.) : *Jeune fille romaine* – *Mendiante* – *Repos* – Rome (Mus. Nat.) : *Mater dolorosa*.

TORRESINI Marco
Né en 1668. xviiᵉ siècle. Actif à Venise. Italien.
Sculpteur et architecte.
Il sculpta des autels, des tombeaux et des façades de palais.

TORRESTRUP J. C.
Danois.
Peintre de genre.
Le Musée de Copenhague conserve de lui : *Le tailleur du village*.

TORRETI Giovanni. Voir **FERRARI**

TORRETTI Giambattista ou **Torri**
xviiᵉ siècle. Travaillant à Ferrare vers 1640. Italien.
Peintre.
De l'ordre des Minimes, il a peint *Découverte et érection de la Sainte Croix* pour l'église Saint-François-de-Paule à Ferrare.

TORRETTI Giovanni. Voir **FERRARI Giovanni**

TORRETTI Giuseppe. Voir **TORETTI Giuseppe**

TORREY Charles Cutler
Né en 1827 à Nashville. xixᵉ siècle. Américain.
Graveur au burin.
Frère de Manasseh Cutler T. Il fit ses études à Philadelphie. Il grava des vues du Collège Harvard.

TORREY Elliot Bouton
Né le 7 janvier 1867 à East Hardwick (Vermont). xixᵉ-xxᵉ siècles. Américain.
Peintre de portraits.
Il fit ses études à New York, Florence et Paris. Il vécut et travailla à New York. Il fut membre du Salmagundi Club.
Il peignit les portraits de tous les présidents des États-Unis à partir de Grover Cleveland.
Musées : Chicago (Art Inst.).
Ventes Publiques : Los Angeles, 12 mars 1979 : *Les bulles de savon*, h/t (76,6x91,5) : **USD 1 500**.

TORREY Fred Martin
Né le 29 juillet 1884 à Fairmont. xxᵉ siècle. Américain.
Sculpteur de statues, monuments, médailleur.
Il vécut et travailla à Chicago. Il fut élève de Ch. J. Mulligan et de Lorado Taft. Il sculpta des ornements d'architecture, des statues et des bas-reliefs.

TORREY George Burroughs
Né en 1863 à Fairmont. xixᵉ-xxᵉ siècles. Américain.
Peintre de portraits.
Il fit ses études à New York, où il vécut et travailla, et à Paris.
Musées : Londres (Victoria and Albert Mus.).

TORREY Mable Landrum
Née le 23 juin 1886 à Sterling. xxᵉ siècle. Américaine.
Sculpteur de monuments.
Elle vécut et travailla à Chicago. Elle fut élève de Ch. J. Mulligan. Elle sculpta des fontaines.

TORREY Manasseh Cutler
xixᵉ siècle. Travaillant à New York, à Chicago et à Salem de 1830 à 1837. Américain.
Portraitiste et miniaturiste.
Frère de Charles Cutler T.

TORRI. Voir aussi **TORRE**

TORRI Antonio. Voir **TORRI Pietro Antonio**

TORRI Enrico
Né en 1855 à Parme. xixᵉ siècle. Italien.
Peintre.
La Galerie de Parme conserve de lui *Stallaggio di S. Ulderico* à Parme.

TORRI Flaminio ou **Torre**, dit **Dagli Ancinelli**
Né en 1621 à Bologne. Mort en 1661 à Modène. xviiᵉ siècle. Italien.
Peintre d'histoire, compositions religieuses, dessinateur, graveur.
Élève de Jacopo Cavedone, de Guido Reni, puis de Simone Contarini.
Il fut surtout un remarquable copiste et fit aussi quelques œuvres originales à Bologne, notamment une *Déposition de Croix* à S. Georgio. Comme graveur, il a reproduit les œuvres de plusieurs grands maîtres, principalement des sujets historiques et religieux.

F T f T r

Musées : Bordeaux : *Saint Jérôme* – Dresde : *Sainte Famille et saint Jean* – *Martyre de sainte Apolline* – Stockholm : *Sainte Famille* – Turin (Pina.) : *Rebecca à la fontaine*.
Ventes Publiques : Milan, 20 mai 1982 : *Salvador Mundi*, h/t

(73x60) : **ITL 3 800 000** – Paris, 4 mars 1988 : *Vierge à l'Enfant*, pierre noire et reh. de sanguine (28,5x17,5) : **FRF 7 500** – Londres, 21 juil. 1989 : *Vierge à l'Enfant*, h/t (91x78,8) : **GBP 8 250** – Milan, 13 déc. 1989 : *Ecce Homo*, h/t (57x49) : **ITL 3 300 000** – New York, 31 mai 1991 : *Sainte Marie Madeleine*, h/t (65,4x51,4) : **USD 4 400** – New York, 21 mai 1992 : *Une sibylle*, h/t (86,7x75) : **USD 39 600** – New York, 14 jan. 1994 : *Saint Paul*, h/t (72,1x56,8) : **USD 8 050** – Londres, 8 déc. 1995 : *Une sibylle*, h/t (89,9x73,7) : **GBP 16 100** – Paris, 20 déc. 1996 : *La Déposition du Christ*, h/t (125x200) : **FRF 70 000**.

TORRI Giambattista. Voir TORRETTI Giambattista

TORRI Pietro Antonio ou Torrigli ou Torriglia
XVIIe siècle. Actif à Bologne. Italien.
Peintre.
Il peignit des fresques dans l'église Saint-François de Bologne et dans l'église Saint-Joseph de Venise.

TORRIANI ou Torriano. Voir aussi TURRIANO

TORRIANI Domenico ou Turiani
XVIIe siècle. Actif à Mendrisio. Suisse.
Peintre.
Il travailla pour le Palais épiscopal de Côme et l'église des Jésuites de Lucerne.

TORRIANI Francesco ou Turiani
Né en 1612 à Mendrisio. Mort en 1681. XVIIe siècle. Suisse.
Peintre.
Élève de Guido Reni. Il travailla pour des églises de Mendrisio, de Lugano et l'abbatiale de Kremsmunster.

TORRIANI Francesco Innocenzo
Né en 1649 à Mendrisio. Mort en 1712. XVIIe-XVIIIe siècles. Suisse.
Peintre.
Fils de Francesco T. Il travailla au Tessin, en Tyrol et en Styrie où il peignit des tableaux d'autel.

TORRIANI Girolamo
XVIe-XVIIe siècles. Actif à Crémone. Italien.
Peintre.
Élève de Cam. Procaccini. Il peignit *Jésus au bord de l'étang de Bethesda* pour l'Hôpital Majeur de Crémone.

TORRICELLA. Voir TORRICELLI

TORRICELLA, il. Voir BONFANTI Antonio

TORRICELLI Antonio. Voir TORRICELLI Giovanni Antonio

TORRICELLI Antonio Maria
XVIIIe siècle. Actif à Lugano dans la seconde moitié du XVIIIe siècle. Suisse.
Peintre.
Il travailla avec son neveu Rocco T. à la façade de l'église Saint-Antoine-l'Abbé à Casale Monferrato.

TORRICELLI Bartolommeo
XVIIe siècle. Actif à Florence. Italien.
Tailleur de camées.
Père de Giuseppe Antonio T.

TORRICELLI Christoph ou Torricella
Originaire du lac de Côme. XVIIIe siècle. Actif dans la seconde moitié du XVIIIe siècle. Allemand.
Stucateur et éditeur d'estampes.
Il travailla à Augsbourg et à Vienne.

TORRICELLI Gaetano
Mort en 1752. XVIIIe siècle. Italien.
Tailleur de camées.
Fils de Giuseppe Antonio T. (né en 1659) et son élève. Le Musée des Beaux-Arts de Vienne conserve de lui un camée *(Laocoon)*.

TORRICELLI Giovanni
Mort vers 1820 à Lisbonne. XIXe siècle. Actif à Venise. Italien.
Peintre de décorations.
Il travailla dans plusieurs villes italiennes, à Saint-Pétersbourg et à Lisbonne.

TORRICELLI Giovanni Antonio ou Torricella
Né le 15 novembre 1716 à Lugano. XVIIIe siècle. Suisse.
Peintre d'architectures.
Frère de Giuseppe Antonio Toricelli avec lequel il travailla souvent en commun. Il exécuta des fresques dans la cathédrale de Lugano ; il travailla aussi pour des églises de Lucerne et de Turin.

TORRICELLI Giuseppe Antonio
Né le 10 mars 1659 à Fiésole. Mort le 2 mars 1719 à Florence. XVIIe-XVIIIe siècles. Italien.
Sculpteur et tailleur de camées.
Fils de Bartolommeo T. Il tailla des bas-reliefs, des vases et des tabatières et sculpta le buste du *Grand-duc Vittoria Della Rovere*.

TORRICELLI Giuseppe Antonio ou Torricella
Né le 13 avril 1710 à Lugano. Mort en 1808 à Verceil. XVIIIe siècle. Suisse.
Peintre de compositions religieuses, sujets allégoriques, fresquiste.
Frère de Giovanni Antonio T. Il travailla souvent en collaboration avec son frère, surtout pour l'abbatiale de Fahr.
VENTES PUBLIQUES : Milan, 13 mai 1993 : *Figure allégorique*, h/t (70x50) : **ITL 5 000 000**.

TORRICELLI Rocco
XVIIIe siècle. Actif à Lugano en 1785. Suisse.
Peintre.
Neveu d'Antonio Maria T. Le Musée Municipal de Lugano conserve des dessins de cet artiste.

TORRIGIANI Bastiano ou Torrigiano, dit il Bologna
Né à Bologne. Mort le 5 septembre 1596 à Rome. XVIe siècle. Italien.
Sculpteur et fondeur.
Il s'établit à Rome avant 1573. Il y travailla surtout comme fondeur. Le Musée Kaiser Friedrich de Berlin conserve de lui *Buste du pape Sixte V*.

TORRIGIANI Pietro ou Pedro ou Petir ou Torrigiano, Torregiani, Torrisano, Torrysany, appelé aussi Piero di Torrigiano d'Antonio
Né le 24 novembre 1472 à Florence. Mort en juillet ou août 1528 à Séville. XVe-XVIe siècles. Italien.
Sculpteur et peintre.
Il commença ses études avec Bertoldo, élève de Donato, puis fréquenta l'Académie établie à Florence par Laurent de Médicis. Il y eut pour camarades Michel-Ange et Francesco Granacci, élèves de Domenico Ghirlandaio. Il suivit le duc Valentin dans la guerre contre la Romagne, il assista au siège de Garellano et obtint le grade de porte-étendard. N'obtenant pas celui de capitaine qu'il ambitionnait, il abandonna la carrière des armes et se tourna de nouveau vers la sculpture. Il alla à Londres où il exécuta plusieurs œuvres, notamment à l'église de Westminster. Désireux de connaître l'Espagne, il quitta l'Angleterre, travailla à Grenade et s'établit enfin à Séville, où, entre autres œuvres magistrales, il sculpta sa fameuse statue de *Saint Jérôme pénitent*, pour le monastère de Buenavista.
MUSÉES : Londres (Nat. Portrait Gal.) : *Henri VII – Margaret Beaufort de Richmond et Derby – Elisabeth d'York, femme de Henri VII* – New York (Metropolitan Mus.) : *Buste de l'évêque Fisher* – Séville : *Saint Jérôme pénitent*.

TORRIGIANO Giacomo
XVIIe siècle. Travaillant à Rome en 1620. Italien.
Peintre.

TORRIGLI Pietro Antonio. Voir TORRI

TORRIGLIA Giovanni Battista
Né en 1858. Mort en 1937. XIXe-XXe siècles. Italien.
Peintre de compositions religieuses, scènes de genre.
Il travailla pour des églises de Florence.
MUSÉES : Florence (Gal. d'Art Mod.) : *Le Premier-né*.
VENTES PUBLIQUES : Londres, 18 nov. 1921 : *Les Heures ensoleillées* : **GBP 162** – Londres, 22 nov. 1946 : *Premiers pas* : **GBP 378** – Londres, 10 juin 1966 : *Le premier-né* : **GNS 650** – Londres, 4 juin 1969 : *La Famille heureuse* : **GBP 2 300** – Londres, 21 juil. 1976 : *Les Premiers Pas*, h/t (55x80) : **GBP 4 200** – Londres, 20 oct. 1978 : *Les aides de maman*, h/t (72x110,5) : **GBP 16 000** – Londres, 9 mai 1979 : *Le nouveau-né*, h/t (108x71) : **GBP 6 000** – Londres, 25 mars 1981 : *Enfants jouant à la balançoire dans un intérieur rustique*, h/t (71,5x109) : **GBP 8 000** – Detroit, 18 sep. 1983 : *Scène champêtre*, h/t (73,3x110) : **USD 27 500** – New York, 15 fév. 1985 : *Enfants jouant dans un intérieur*, h/t (73,6x110,5) : **USD 37 000** – Londres, 24 juin 1987 : *La Famille du pêcheur*, h/t (72x109) : **GBP 33 000** – New York, 24 oct. 1989 : *Le Moine sculpteur*, h/t (59x73,7) : **USD 7 150** – New York, 25 oct. 1989 : *Inspiration divine*, h/t (59,7x90,2) : **USD 16 500** – Londres, 24 nov. 1989 : *Une famille heureuse*, h/t (73x111,8) : **GBP 110 000** – Milan, 8 mars 1990 : *Ligne de chemin de fer Florence-Pistoia*, h/cart. (20,5x35) : **ITL 6 800 000** – Londres, 30 mars 1990 : *La*

Balançoire, h/t (73,7x111,7) : **GBP 88 000** – Londres, 30 nov. 1990 : *Le Jeu de la bascule*, h/t (45x59,5) : **GBP 44 000** – Milan, 6 juin 1991 : *L'atelier du sculpteur*, h/t (110x80) : **ITL 56 000 000** – Londres, 19 nov. 1993 : *Colin-maillard*, h/t (73,7x110,8) : **GBP 100 500** – Londres, 15 mars 1996 : *La Fileuse*, h/t (44x59,5) : **GBP 29 900** – New York, 23-24 mai 1996 : *L'Entraînement du bébé*, h/t (50,8x74,9) : **USD 40 250** – Londres, 13 juin 1997 : *La Fileuse*, h/t (45,7x62,8) : **GBP 41 100** – New York, 23 mai 1997 : *La Famille du fermier*, h/t (73,7x110,5) : **USD 101 500** – New York, 23 oct. 1997 : *Dans les montagnes florentines*, h/t (72,4x109,2) : **USD 112 500**.

TORRILHON Amy
xxe siècle. Française.
Peintre de paysages, de nus, de natures mortes.
Après une formation à l'école des Beaux-Arts de Clermont-Ferrand, elle s'installe à Paris en 1948. D'abord dessinatrice de presse et illustratrice, elle se consacre totalement à la peinture à l'huile à partir de 1980, et expose dès lors régulièrement aux salons des Artistes Français, des Indépendants, d'Automne. Ses compositions sont servies par un dessin sûr, une facture minutieuse et lisse, des couleurs harmonieuses.

TORRINI Girolamo
xixe siècle. Actif à Florence. Italien.
Sculpteur.
Élève de l'Académie de Florence. Le Musée des Offices de cette ville conserve de lui une *Statue de Donatello*.

TORRINI Pietro
Né le 1er janvier 1852 à Florence. Mort en 1920. xixe-xxe siècles. Italien.
Peintre de genre.
Ventes Publiques : New York, 14 jan. 1977 : *La sérénade des cuisiniers*, h/t (?5,5x60) : **USD 1 500** – New York, 25 jan. 1980 : *La visite du moine*, h/t (63,5x95) : **USD 7 000** – Londres, 8 juin 1983 : *La Vendangeuse*, h/t (30,5x25,5) : **GBP 1 300** – New York, 21 mai 1991 : *Le jeu des ficelles*, h/t/cart. (68,5x92,8) : **USD 8 800** – Amsterdam, 30 oct. 1991 : *Le peintre satisfait*, h/t (45,5x35,5) : **NLG 6 670** – New York, 20 fév. 1992 : *Une nouvelle couche de peinture*, h/t (61x81,3) : **USD 6 600** – New York, 20 juil. 1994 : *Joueurs de cartes*, aquar./pap. (24,1x37,1) : **USD 920** – Milan, 29 mars 1995 : *Les travaux domestiques*, h/t (83x64,5) : **ITL 10 500 000**.

TORRISANO. Voir TORRIGIANI Pietro

TORRITI Jacobus ou Jacopo da Torrida ou Turriti
xiiie siècle. Travaillant à Rome de 1280 à 1295. Italien.
Mosaïste et peintre.
Il est à Assise vers 1280 et collabore à la décoration peinte de la basilique San Francesco avec Cimabue. Dans ce vaste ensemble, il est difficile de déterminer la part de Torriti. À Saint-Jean-de-Latran de Rome, avec Jacopo da Camerino, il exécute la mosaïque de l'abside, selon une tradition byzantine, tout en introduisant des thèmes franciscains. Cependant il est difficile de juger cette mosaïque refaite au xixe siècle. En 1295, il fit également la mosaïque absidiale de Sainte-Marie-Majeure à Rome, seule œuvre originale qui permet d'apprécier la richesse de son coloris, la solidité de sa composition et l'originalité de certains de ses accents romains qui tendent à dégager son art de l'Orient. Il peut avec Cavallini, être considéré comme étant l'un de ceux qui ont préparé la révolution de Giotto.

TORRO Luigi. Voir TORO

TORSHELL Gustaf
Né le 1er mars 1744 à Stockholm. xviiie siècle. Suédois.
Dessinateur et miniaturiste.
Il peignit des portraits à la gouache et de petits panneaux.

TÖRSLEFF August Valdemar
Né le 8 octobre 1884 à Flensbourg. xxe siècle. Danois.
Peintre de portraits, figures, paysages.
Il fut élève de H. Grönvold et de l'Académie Ranson de Paris. Il vit et travaille à Copenhague.
Musées : Aarhus – Copenhague – Frederiksborg.

TORSSLOW Harald ou Sten Harald ou Thorslow
Né le 10 février 1838 à Kristianstad. Mort le 7 décembre 1909 à Stockholm. xixe-xxe siècles. Suédois.
Peintre de paysages.
Fils d'Olof Ulrik T. et élève des Académies de Stockholm et de Düsseldorf. Il fut aussi chanteur.
Ventes Publiques : Stockholm, 28 oct. 1980 : *Bord de mer 1896*,

h/t (82x122) : **SEK 16 100** – Stockholm, 27 oct. 1981 : *Paysage 1871*, h/t (80x110) : **SEK 9 800** – Stockholm, 26 avr. 1983 : *Bord de mer 1901*, h/t (100x147) : **SEK 15 100** – Stockholm, 1er nov. 1983 : *Bord de mer 1900*, h/t (103x148) : **SEK 22 000** – Stockholm, 16 mai 1990 : *Torrent de montagne*, h/t (99x89) : **SEK 15 000**.

TORSSLOW Olof Ulrik
Né le 18 décembre 1801 à Stockholm. Mort le 1er septembre 1881 à Stockholm. xixe siècle. Suédois.
Dessinateur, acteur et écrivain.
Père de Harald T. Le Musée Nordique de Stockholm conserve de lui *Portrait de l'artiste*.

TORST Peter ou Niels Peter Neergaard
Né le 16 juin 1839 à Lövenborg. Mort le 9 juin 1869 à Milan. xixe siècle. Danois.
Portraitiste.
Élève de l'Académie de Copenhague.

TORSTEINSON Torstein
Né le 23 mai 1876 à Christiania (aujourd'hui Oslo). xxe siècle. Norvégien.
Peintre de portraits, nus, paysages, natures mortes, fleurs.
Il subit l'influence de Munch et de Matisse.
Musées : Drammen : *Ballade* – Oslo (Gal. Nat.) : *Portrait du peintre A. C. Svarstad* – *Deux nus* – *Campanules* – *Panier de fruits* – *Vignoble* – *Forts près de Paris*.

TORT Guillén
xive siècle. Actif à Saragosse en 1323. Espagnol.
Peintre.

TORT-TORRES
Né en Catalogne. xxe siècle. Espagnol.
Peintre.

TORTEBAT François
Né vers 1616 à Paris. Mort le 4 juin 1690 à Paris. xviie siècle. Français.
Peintre et graveur à l'eau-forte.
Élève et gendre de Simon Vouet. Il se fit une place honorable comme peintre de portraits. Il fut reçu membre de l'Académie en 1663 avec le portrait de Simon Vouet. Il se montra aussi habile graveur et son style rappelle celui de Michel Dorigny. Il reproduisit plusieurs tableaux de son beau-père. On lui doit également les planches pour l'*Anatomie des Peintres*, par de Piles. Il eut vingt-neuf enfants. Le Musée de Versailles conserve de lui *Portrait de Simon Vouet*.

TORTEBAT Jean
Né le 19 octobre 1652 à Paris. Mort le 10 novembre 1718 à Paris. xviie-xviiie siècles. Français.
Portraitiste.
Il était l'un des vingt-neuf enfants de François Tortebat. Membre de l'Académie en 1699, avec un *Portrait de Jouvenet*. Edelinck grava d'après lui.
Musées : Paris (Mus. du Louvre) : *René Antoine Honasse* – *Jean Jouvenet le Grand* – Rennes : *Portrait*, dess. – Versailles : *Jean Jouvenet* – *Le peintre Honasse*.

TORTELLI Benvenuto
Né à Brescia. xvie siècle. Travaillant à Naples de 1558 à 1591. Italien.
Sculpteur sur bois et architecte.
Il sculpta des stalles pour les églises du Mont-Cassin et Saint-Martin delle Scale à Palerme.

TORTELLI Giuseppe
Né en 1662 à Chiari. xviie siècle. Italien.
Peintre.
Il n'eut aucun maître. Il peignit des tableaux d'autel pour huit églises de Brescia.

TORTEROLI Giovanni Tomaso, dit il Sordo
Né vers 1732. Mort en 1821 à Savona. xviiie-xixe siècles. Italien.
Peintre sur majolique.
Élève de Ratti. Il peignit des paysages et des scènes de genre.

TORTEZ Victor
Né à Paris. Mort en 1890. xixe siècle. Français.
Peintre de genre et de fleurs.
Élève de Gérôme, Gleyre et Henner. Il débuta au Salon de 1868.
Musées : Chambéry (Mus. des Beaux-arts) : *La Rosée*.

VENTES PUBLIQUES : NEW YORK, 15 et 16 mars 1906 : *Dame Directoire* : **USD 150** – NEW YORK, 18-19 juil. 1996 : *Perdu dans les bois* 1872, h/pan. (40,6x32,1) : **USD 1 495** – NEW YORK, 23 oct. 1997 : *La Jeune Mère*, h/t (130,8x86) : **USD 16 100**.

TORTI Antonio
XXe siècle. Italien (?).
Peintre, peintre de cartons de tapisseries.
Il participe à des expositions collectives : 1977 Biennale internationale de São Paulo, FIAC (Foire Internationale d'Art Contemporain) à Paris. Il montre ses œuvres dans des expositions personnelles : 1988 musée d'Art contemporain de Gibellina (Italie).
MUSÉES : PARIS (FNAC).

TORTIROLE Giovanni-Battista ou Tortiroli
Né vers 1621 (?) à Crémone. Mort après 1651 à Crémone.
XVIIe siècle. Italien.
Peintre.
Élève de Molinardi. Il travailla à Rome et à Naples, influencé par Palina Giovane et par Raphaël.

TORTO Vincenzo del
XVIIe siècle. Travaillant à Pise vers 1650. Italien.
Peintre.
Élève de G. St. Marucelli.

TORTOFORO di Meo Giovanni
XVe siècle. Italien.
Sculpteur.
Il a sculpté la dalle tombale de *Francesco Luculli* dans l'église Saint-Bernard d'Aquila en 1492.

TORTOLERO Pedro, don
Né à Séville. Mort en 1766, accidentellement. XVIIIe siècle. Actif vers 1738. Espagnol.
Peintre et graveur au burin et sur bois.
Il a gravé des sujets historiques et religieux.

TORTOLI Francesco
XIXe siècle. Actif au début du XIXe siècle. Italien.
Peintre de décors.
Il peignit des décors pour le théâtre Saint-Charles de Naples en 1819.

TORTOLI Romolo ou Tortori
XVIIIe siècle. Italien.
Sculpteur.
Actif en Toscane, il travailla à Pise de 1703 à 1734, et sculpta des autels à Pistoia en 1721. Les deux orthographes de son nom ont pu faire croire qu'il s'agissait de deux artistes différents, ce qui semble peu probable.

TORTONA Antonio
Né à Carmagnola. XIXe siècle. Actif dans la seconde moitié du XIXe siècle. Italien.
Sculpteur.
Élève de l'Académie de Turin et de Vela. Il exposa des bustes dans cette ville à partir de 1862.

TORTOREL Jacques
XVIe siècle. Actif en Suisse et en France de 1568 à 1592. Français.
Dessinateur et graveur au burin et sur bois.
Il a gravé des sujets d'histoire. On lui doit notamment, en collaboration avec Périssin, vingt-quatre grandes planches représentant la *Guerre des Huguenots*.

TORTOREL Noël
XVIe siècle. Travaillant à Lyon de 1568 à 1593. Français.
Peintre.

TORTORINO Francesco ou Tortorini
XVIe siècle. Actif à Urbino de 1569 à 1595. Italien.
Tailleur de camées, médailleur et orfèvre.
Il travailla pour le duc d'Urbino. Le Musée des Beaux-Arts de Vienne conserve de lui un onyx représentant *La tempérance de Scipion* et une calcédoine avec *Le sacrifice de Marcus Curtius*.

TORTS André
XVIIe siècle. Français.
Graveur.

Cité par Ris Paquot. Il vécut à Wagenbourg, travaillant vers 1680.

TORWART. Voir **THORWARDT**

TORY Geoffroy ou Godefroy ou Geofrey ou Toury
Né en 1485 à Bourges. Mort en 1533 à Paris. XVIe siècle. Français.
Miniaturiste, copiste, graveur, illustrateur, imprimeur (?) et céramiste.
Il fut l'un des artistes qui favorisèrent le grand mouvement de la Renaissance française. Comme la plupart des hommes célèbres de cette époque, sa culture et son habileté s'étendirent à plusieurs branches. Après s'être instruit à Rome et à Bologne (1503) il revint à Paris où il reçut sa nomination de professeur au collège du Plessis, il enseigna également au collège de Coquerel et au collège de Bourgogne. Il publia avec Henri Estienne d'abord, Gilles de Gourmont, ensuite, plusieurs ouvrages savants, entre autres l'*Itinerarium*, en 1512. Un second voyage en Italie lui permit de se perfectionner encore, il en rapporta les matériaux nécessaires à son superbe volume *Champfleury* pour l'exécution duquel il s'adjoignit le miniaturiste Jean Perréal. Tory reçut de François Ier le titre d'« imprimeur du roy » bien que, de l'avis des critiques il n'ait jamais exercé véritablement la profession d'imprimeur. Il offrit au prince les œuvres de Diodore de Sicile, transcrites et ornées de sa propre main, et contenant un frontispice d'une exécution admirable représentant la scène de la donation. Il est peu probable, suivant Bradley, que le peintre Godefroi, qui illustra les *Commentaires de César* et les *Triomphes de Pétrarque* ait été, ainsi que le suggère Bernard, identique à Geofrey Tory. L'œuvre la plus fameuse de notre artiste est un *Livre d'heures* dont la première édition, imprimée par Simon de Colines, parut en 1523. L'auteur reçut un privilège du roi pour faire publier la plupart de ses ouvrages, pendant une durée de dix ans, qui fut doublée dans la suite. Le pape Clément VII lui accorda également sa protection et lui assura le monopole des superbes ornements, du *Livre d'heures*. Tory fut quelquefois employé par Jean Grolier, ministre de la guerre de Milanais. Son habileté s'étendait à la gravure et à la calligraphie. La Bibliothèque d'Orléans possède une copie de l'*Itinerarium Antonini*, écrit de sa main. Vers la fin de sa vie il s'adonna exclusivement à la fabrication de la poterie et travailla pour Diane de Poitiers.
■ E. Bénézit

BIBLIOGR. : A. Bernard : *Geofroy Tory, peintre et graveur, premier imprimeur royal, réformateur de l'orthographe et de la typographie sous François Ier*, Paris, 1857.

TOSA Hirochika
XVe siècle. Actif de 1459 à 1492. Japonais.
Peintre.
Peintre de l'atelier de peinture de la cour (*e-dokoro*), il serait l'oncle de Tosa Mitsunobu (mort en 1522).

TÔSAI, de son vrai nom : Sugai Gakuho, noms de pinceau : Tôsai et Baikansanjin
Né en 1784 à Sendai (préfecture de Miyagi). Mort en 1844. XIXe siècle. Japonais.
Peintre.
Peintre de l'école Nanga (peinture de lettré), il est élève de Nemoto Jônan et de Bunchô (1763-1840). Il voyage beaucoup à travers le Japon et excelle dans les représentations de paysages et de fleurs de prunier.

TOSA Mitsuaki
XIVe siècle. Actif dans la seconde moitié du XIVe siècle. Japonais.
Peintre.
Il se dit fils de Mitsumasa et vit à Kyoto. Il est en relation avec de nombreux hauts fonctionnaires de son temps.

TOSA Mitsumochi, appelé aussi : Tosa Mitsushige
Mort vers 1550. XVIe siècle. Japonais.
Peintre.
Fils et disciple de Tosa Mitsunobu (vers 1430-1522), il prend la tête du Bureau de peinture (*e-dokoro*) en 1523. Il fait preuve du même talent versatile que son père et du même éclectisme dans le choix de ses sujets, mais on lui doit la création d'effets brillants et décoratifs, typiques de la dernière phase du *yamato-e*. Il est

l'auteur de plusieurs œuvres religieuses telles celles conservées au temple Daigo-ji de Kyoto et datées 1536 ; en 1550, il exécute des peintures murales au monastère Kannon-ji de la préfecture de Shiga ; dans le genre narratif, l'une de ses œuvres les plus intéressantes est le *Kuwanomi-dera engi* (Histoire du temple Kuwanomi) où certains détails dans les paysages et les personnages sont très proches des peintures de son père, mais en plus décoratifs.

TOSA Mitsumoto

Né en 1530. Mort en 1569. XVIe siècle. Japonais.
Peintre.

Fils aîné de Mitsumochi (mort vers 1550), il prend la tête du Bureau de peinture (*e-dokoro*) en 1541, mais les guerres civiles de la fin de l'époque Muromachi menacent la suprématie politique des shôgun Ashikaga et Mitsumoto s'engage dans l'armée du shôgun. Il est tué dans une bataille en 1569 et sa mort interrompt le monopole de la famille Tosa sur le titre de chef de l'*e-dokoro* impérial.

TOSA Mitsunari

Né en 1646. Mort en 1710. XVIIe-XVIIIe siècles. Japonais.
Peintre.

Fils et élève de Tosa Mitsuoki (1617-1691), il continue le style de son père, traitant les fleurs et les oiseaux d'une manière charmante sans manquer de tomber toutefois dans un certain formalisme académique.

TOSA Mitsunobu

Né vers 1430. Mort en 1522. XVe-XVIe siècles. Japonais.
Peintre.

Jouissant d'un prestige considérable dans son pays, Tosa Mitsunobu est considéré comme le véritable fondateur de l'école qui porte son nom, bien qu'il ne soit pas le premier du nom de Tosa. L'école Tosa remonte en effet au XIVe siècle et c'est elle qui, à partir de l'époque Muromachi (XIVe-XVe siècles), maintient officiellement la tradition de la peinture profane d'inspiration japonaise, élaborée aux périodes Heian (IXe-XIIe siècles) et Kamakura (XIIIe-XIVe siècles), le *yamato-e*. Le XVe siècle voit le *yamato-e* quelque peu supplanté par la peinture monochrome, à l'encre *(suiboku)*, inspirée de la Chine des Song et des Yuan, tandis que le déclin politique et financier de l'aristocratie, groupée autour de l'empereur, entrave l'activité des artistes de cour. La direction de ceux-ci passe alors à la famille Tosa qui prend la tête de l'*e-dokoro*, le Bureau de peinture de la cour impériale, assurant ainsi la continuité de l'art japonais traditionnel. Malgré la montée au pouvoir de la classe guerrière, ce Bureau se maintient à la cour impériale de Kyoto, tandis que les shôguns Ashikaga décident de fonder la même institution au sein de leur propre cour shôgunale, et appellent la famille Tosa à en prendre la direction de façon héréditaire. Se trouvant ainsi à la tête de l'*e-dokoro* impérial et shôgunal, les Tosa bénéficient à la fois du patronage de l'aristocratie et de la classe militaire, tout en jouissant de la plus haute position à laquelle puissent prétendre des artistes. L'arbre généalogique de cette dynastie de peintres qui fait remonter son origine à la seconde moitié du XIIe siècle semble n'être qu'une invention du XVIIe siècle et l'on ne trouve pas le nom de Tosa avant Tosa Yukihiro (fin XIVe-début XVe siècle). Son père ou grand-père, Yukimitsu (actif 1352-1389), vraisemblablement le premier peintre de cette famille, porte le nom de Fujiwara. C'est donc à Mitsunobu que revient en vérité la position de fondateur de cette école. Il serait le fils de Mitsuhiro et le petit-fils de Jukihiro ; en 1469, il prend la tête de l'*e-dokoro* impérial, puis se voit honoré de nombreux titres officiels jusqu'à ce que, en 1518, il devienne chef de l'*e-dokoro* shôgunal, tout en se liant d'amitié avec de nombreuses personnalités influentes. Bien qu'il se borne, comme ses descendants d'ailleurs, dans une certaine mesure, à des représentations assez conventionnelles de peintures anciennes, son art est pour une grande part un répertoire des meilleures caractéristiques de ce style traditionnel. Son œuvre recouvre une extrême variété de sujets : peintures bouddhiques, rouleaux narratifs (*e-maki*), paravents, portraits. La série de dix rouleaux verticaux représentant les *Dix Rois des Enfers (Jû-ô)* est la plus célèbre de ses peintures religieuses qui nous soit parvenue. Exécutée en couleurs brillantes que ponctuent de puissants coups de pinceau à la manière *kara-e* (peinture chinoise de l'époque), elle deviendra caractéristique du style des artistes Tosa ultérieurement. Par l'union des jeux d'encre et des vifs coloris du *yamato-e*, Mitsunobu crée un effet très nouveau qui dominera la peinture nippone pendant de longues années. Ce style novateur lui aurait été inspiré par un maître de

l'école rivale, Kanô Motonobu (1476-1559), le mari de sa fille semble-t-il. Cette union aurait d'ailleurs livré à l'école Kanô les secrets techniques de la peinture ancienne jalousement conservés dans l'atelier de cour et cette synthèse entre le tracé à l'encre aux touches diversifiées et les couleurs brillantes de l'époque Heian serait à l'origine d'un renouveau important dans l'inspiration de l'école Kanô. Parmi les portraits de Mitsunobu, notons celui de l'empereur Go En-yû, daté 1492 et conservé au monastère Unryu-in de Kyoto, ainsi que celui du danseur fameux Momoi Naoaki (Tokyo National Museum). Mais c'est dans le domaine des peintures narratives qu'il excelle particulièrement ; parmi les plus connus, citons le *Seikô-ji Engi* (Histoire du temple Seikô-ji) du National Museum de Tokyo le *Tenjin Engi* (Légende de Tenjin), daté 1503, conservé au sanctuaire Kitano de Kyoto, le *Kiyomizu-Dera Engi* ou *Seisui-ji Engi* (Histoire du temple Seisui-ji), daté 1517, au National Museum de Tokyo et le quatrième rouleau de l'*Ishiyama-dera Engi* (Histoire du temple Ishiyama-dera), conservé dans ce même temple (préfecture de Shiga). Ces différentes œuvres font apparaître son talent à dépeindre les activités humaines et son don pour capter le charme et la ferveur religieuse du petit peuple des campagnes. Son successeur immédiat sera son fils Mitsumochi, mais ses héritiers resteront à la tête de l'atelier impérial jusqu'au XIXe siècle. Avec le temps néanmoins, leurs œuvres ne seront plus que des réminiscences affaiblies des beautés du passé. ■ M. M.

BIBLIOGR. : T. Akiyama : *La peinture japonaise*, Genève, 1961 – Miyeko Murase : *Tosa School*, in : *Encyclopedia of World Art*, vol. 14, New York, 1961.

TOSA Mitsunori, nom de prêtre : Sôjin

Né en 1584. Mort en 1638. XVIIe siècle. Japonais.
Peintre.

Fils ou élève de Tosa Mitsuyoshi (1539-1613), il travaille d'abord à Sakai, port commercial près d'Osaka, où son père avait été contraint à s'installer à cause des troubles sociaux accompagnant la fin du XVIe siècle. Il réussit à retourner à Kyoto vers 1634, avec son fils et élève Mitsuoki (1617-1691). Son style fragile et délicat est connu par de nombreux albums et notamment par celui du *Roman de Gengi*, conservé à la Freer Gallery of Art de Washington.

TOSA Mitsuoki, noms de prêtre : Shunkaken et Jôshô, nom de pinceau : Jôshô

Né en 1617. Mort en 1691. XVIIe siècle. Japonais.
Peintre animalier, fleurs.

Fils et élève de Tosa Mitsunori (1584-1638), et revenu jeune à Kyoto avec son père, il va redonner une certaine prospérité à l'école Tosa, au début de l'époque Edo. En 1654, il reçoit le titre de chef de l'*e-dokoro* (Bureau de peinture) impérial que ses héritiers conserveront jusqu'au XIXe siècle tout en perpétuant la tradition familiale.

Mitsuoki est connu pour ses représentations délicates de fleurs et d'oiseaux où se mêlent du *yamato-e* à celles de certains peintres chinois des Song du Sud, dans un style minutieux et méticuleux, aux tons délicats et subtils. Il excelle dans les peintures de cailles, mais fait aussi de nombreux rouleaux narratifs et de grands paravents ; ses rouleaux les plus connus sont le *Tenjin Engi* (Légende de Tenjin) au sanctuaire Kitano de Kyoto et le *Ôdera Engi* (Histoire du temple'dera) du sanctuaire Aguchi d'Osaka.

VENTES PUBLIQUES : NEW YORK, 17 oct. 1989 : *Chevaux dans les hautes herbes*, encre et pigments/pap. doré, paravent à six panneaux (167x377,4) : USD 66 000.

TOSA Mitsushige. Voir TOSA Mitsumochi

TOSA Mitsuyoshi, nom familier : Gyôbu, nom de pinceau : Kyûyoku

Né en 1539. Mort en 1613. XVIe-XVIIe siècles. Japonais.
Peintre.

Au XVIe siècle, les troubles sociaux rendent de plus en plus précaire l'existence des Tosa à Kyoto et, à la mort de Tosa Mitsumoto lors d'une bataille en 1569, Mitsuyoshi, qui serait le frère cadet de Mitsumoto, perd le contact avec le Bureau de peinture (*e-dokoro*) impérial et shôgunal et doit s'installer à Sakai, port commercial près d'Osaka, et se placer sous le patronage de riches marchands. Obligé parfois de faire des projets pour l'école rivale des Kanô, il lui transmet la technique traditionnelle des coloris du *yamato-e*. Il subsiste peu d'œuvres de Mitsuyoshi, mais son style minutieux est bien représenté par l'album du *Roman de Gengi* (Kyoto, National Museum). L'illustration du Roman de Gengi deviendra d'ailleurs la spécialité des artistes Tosa ultérieurement.

TOSATO Annibale
Né en 1546 (?). Mort en 1626. xvıᵉ-xvııᵉ siècles. Actif à Padoue. Italien.
Sculpteur et médailleur.
Il grava des médailles à l'effigie de personnalités célèbres de son époque.

TOSA Yoshimitsu
xıvᵉ siècle. Actif au début du xıvᵉ siècle. Japonais.
Peintre.
Il semble en réalité peu probable que cet artiste, nommé chef du Bureau de Peinture (e-dokoro) impérial, soit véritablement un membre de la famille Tosa, dont le nom n'apparaît qu'un siècle plus tard avec Tosa Yukihiro.

TOSA Yukihide
xvᵉ siècle. Actif au début du xvᵉ siècle. Japonais.
Peintre.
Il serait le fils et l'élève de Tosa Yukihiro.

TOSA Yukihiro
Mort vers 1434. xvᵉ siècle. Actif au début du xvᵉ siècle. Japonais.
Peintre.
Il serait le fils ou le petit-fils de Fujiwara Yukimitsu, et il est le premier du nom de Tosa, avec le titre Tosa Shôkan, Seigneur de Tosa, qui apparaît fréquemment dans diverses sources littéraires de son temps : elles contiennent de nombreuses références sur ses peintures bouddhiques et sur ses portraits. Il participe entre autres, avec cinq autres peintres, Fujiwara Mitsukuni, Kasuga Yukihide, Rokkabu Jakusai, Awataguchi Ryûkô (ou Takamitsu) et Eishun, au rouleau horizontal Yûzû-nembutsu-engi (Origine et développement de la secte Yûzû), conservé au temple Seiryô-ji de Kyoto, qui sera souvent reproduit plus tard sous forme de gravures.

TOSA Yukimitsu. Voir FUJIWARA Yukimitsu

TOSCANA Pietro
xvııᵉ siècle. Actif à Rovereto à la fin du xvııᵉ siècle. Italien.
Peintre.
Il peignit des tableaux d'autel pour les églises Notre-Dame del Ponte Chiuso et Saint-Antoine de Rovereto.

TOSCANELLI
xvıııᵉ siècle. Actif à Lisbonne. Portugais.
Peintre et stucateur.
Il orna le plafond de l'église Saint-Paul de Lisbonne. Peut-être identique à Toscano de Mello.

TOSCANI Cajetan ou Gaetano
Né en 1742 à Mariaschein. Mort le 22 décembre 1815 à Dresde. xvıııᵉ-xıxᵉ siècles. Allemand.
Dessinateur.
Frère de Carl Josef T. Il travailla à Dresde et exécuta des copies de la Galerie Royale de cette ville.

TOSCANI Carl Josef
xvıııᵉ-xıxᵉ siècles. Travaillant de 1752 à 1813. Danois.
Peintre sur porcelaine.
Frère de Cajetan T. Il travailla d'abord à la Manufacture de porcelaine de Meissen, puis à Copenhague.

TOSCANI Fedele
Né en 1876 à Farini d'Olmo. Mort le 8 avril 1906 à Plaisance. xıxᵉ siècle. Italien.
Sculpteur, peintre.
Élève d'E. Butti.

TOSCANI Francesco
xvııᵉ siècle. Italien.
Peintre.
Il était actif à Mondovi de 1640 environ à 1680.

TOSCANI Giovanni di Francesco ou Tossicani ou Toschani
Né vers 1370 à Florence. Mort le 2 mai 1430 à Florence. xıvᵉ-xvᵉ siècles. Italien.
Peintre de sujets religieux et profanes.
Il fut nommé primitivement le Maître de la Crucifixion Griggs, d'après une œuvre de la collection Griggs, conservée actuellement au Metropolitan Museum of New York. Il fut identifié par Luciano Ballosi qui fit le rapprochement entre cette œuvre et les fresques de l'église Santa Trinita de Florence exécutées en 1423-24 par Giovanni di Francesco Toscani.
Il aurait été élève de l'hypothétique Giottino. Il fait partie des peintres travaillant a Florence dans le premier quart du xvᵉ siècle très influencés par Giotto. On mentionne de lui une Annonciation exécutée dans le palais de l'évêque d'Arezzo et que Vasari restaura.
Musées : New York (Metropolitan Mus.) : *Crucifixion.*
Ventes Publiques : Paris, 30 mai 1988 : *Vierge à l'Enfant,* h/pan. : FRF 530 000 – Milan, 13 déc. 1989 : *Anges,* temp./pan., une paire (chaque 70x20,1) : ITL 85 000 000 – New York, 10 jan. 1990 : « Ninfale Fiesolano » de Boccace, temp./pan., panneau de coffre (42,5x133,3) : USD 77 000 – Londres, 11 déc. 1992 : *Le jardin d'Amour,* temp./pan. appliqué sur le devant d'un coffre (46x134,5) : GBP 4 400 – Londres, 18 oct. 1995 : *Tête de saint, peut-être saint Joseph,* temp./pan. à fond or (17,8x16,7) : GBP 29 900.

TOSCANI Giuseppe
Né en 1878 à Fermo. xxᵉ siècle. Italien.
Peintre.
Il était prêtre. Il fut élève d'Amos Cassioli.

TOSCANI Odoardo
Né au xıxᵉ siècle à Rome. xıxᵉ siècle. Italien.
Peintre de portraits et de scènes militaires.
Il exposa à Rome et à Turin.

TOSCANI Simone. Voir MAGISTRIS Simone de

TOSCANI Tommasso
Né en Toscane. xıxᵉ siècle. Italien.
Sculpteur.
Cité comme habile artiste dans le *Dizionario della Storia dell' Arte in Italia,* d'Andrea Corna.

TOSCANO Agostino
Né le 18 août 1864 à Mondovi. Mort le 6 avril 1924 à Mondovi. xıxᵉ-xxᵉ siècles. Italien.
Peintre de compositions religieuses.
Il fut élève de l'Académie de Turin. Il travailla pour les églises de Cuneo, de Priero de Sale Langhe et de Trevise et pour la cathédrale de Varese.
Ventes Publiques : Lokeren, 8 mars 1997 : *Naufrage au Zwyn,* h/t (40x63) : BEF 28 000.

TOSCANO Beli
Né en 1954 à Ayamonte, près de Huelva (Andalousie). xxᵉ siècle.
Peintre de technique mixte, sculpteur, dessinateur, illustrateur.
Autodidacte, Toscano s'initia à la peinture, et se consacra ensuite au dessin et à l'illustration. Ses dernières créations dénommées *Yuyus* s'orientent vers la technique de l'assemblage d'éléments de récupération hétéroclites peints de couleurs vives.
Bibliogr. : In : *Catalogue National d'Art Contemporain,* Éditions d'art Iberico 2000, Barcelone, 1990.

TOSCANO Francesco
Né le 11 août 1809 à Mondovi. Mort le 14 mars 1887 à Mondovi. xıxᵉ siècle. Italien.
Peintre.
Père d'Agostino et de Giovanni T. et élève de Toselli. Il peignit des fresques et des tableaux pour la cathédrale de Mondovi.

TOSCANO Giovanni
Né le 31 mars 1843 à Mondovi. xıxᵉ siècle. Italien.
Peintre de portraits et de scènes religieuses.
Fils de Francesco T. et élève de l'Académie de Turin.

TOSCANO de Mello Braz
Né à Alvito. xvıııᵉ siècle. Portugais.
Sculpteur.
Élève d'Al. Giusti.

TOSCAP Arnould. Voir TUSCAP

TOSCHI Orazio
Né le 27 décembre 1887 à Lugo. xxᵉ siècle. Italien.
Peintre de compositions religieuses, figures.
Il fut élève de l'académie des Beaux-Arts de Ravenne.
Musées : Arezzo : *Annonciation* – Faenza (Pina.) : *Saint Georges combattant le dragon* – Ravenne : *Paysage nocturne* – Rome (Gal. d'Art Mod.) : *Jeune fille malade – Madonnina della Sera* – Rome (Mus. Nat.) : *Pastorale.*
Ventes Publiques : Milan, 12 juin 1996 : *Personnage à table,* h/t (42,5x51) : ITL 2 300 000.

TOSCHI Paolo
Né le 7 juin 1788 à Parme. Mort le 30 juillet 1854 à Parme. xıxᵉ siècle. Italien.

Dessinateur et graveur au burin.

Il vint travailler à Paris avec Bervic et se fit remarquer par sa gravure d'après *Henri IV*, de Gérard. En 1837 il fut nommé directeur de l'Académie de Parme et professeur de gravure. Son œuvre capitale consiste dans la reproduction par l'aquarelle et la gravure des fresques de Correggio et du Parmigianino à S. Giovanni. L'ouvrage comporte quarante-huit planches.

TOSCHI Pier Francesco di Jacopo di Domenico

Né le 2 novembre 1502 à Florence. Mort le 17 septembre 1567 à Florence. XVIᵉ siècle. Italien.

Peintre.

Élève d'Andrea del Sarto. On cite de lui trois importantes peintures dans l'église de S. Spirito. Il fut aussi employé comme peintre décorateur. La Galerie Corsini de Florence conserve de lui *Tête d'un jeune homme*.

TOSCHINI Giovanni ou Tuschini

XVIIIᵉ siècle. Travaillant à Ravenne de 1700 à 1789. Italien.

Sculpteur et tailleur de camées.

Il s'agit probablement de deux artistes du même nom, qui travaillèrent pour plusieurs églises de Ravenne.

TOSÉ Angelo Maria

Originaire de Bologne. XVIIIᵉ siècle. Actif vers 1731. Italien.

Miniaturiste.

TOSELLI Floriano

Né en 1699. Mort en 1768. XVIIIᵉ siècle. Actif à Bologne. Italien.

Dessinateur d'ornements.

TOSELLI Francesco

XVIIIᵉ siècle. Travaillant à Bologne vers 1775. Italien.

Peintre.

TOSELLI Giambattista. Voir TOZELLI

TOSELLI Nicolo

Né en 1706. XVIIIᵉ siècle. Actif à Bologne. Italien.

Sculpteur.

TOSELLI Ottavio

Né en 1695. Mort en 1777. XVIIIᵉ siècle. Actif à Bologne. Italien.

Sculpteur.

Frère de Nicolo Toselli. Il sculpta des statues pour les églises de Bologne.

TOSETTI Filippo

Né vers 1780 à Rome. XIXᵉ siècle. Italien.

Graveur.

Élève de P. Bettelini.

TOSETTI Joseph

Né à Saint-Wendel. Mort en 1844 (?) à Paris (?). XIXᵉ siècle. Allemand.

Portraitiste et pastelliste.

Il travailla à Cologne et à Paris.

TOSHIKATA MIZUNO, de son vrai nom : Mizuno Kumejirô

Né en 1866, originaire de Tokyo. Mort en 1908. XIXᵉ-XXᵉ siècles. Japonais.

Peintre de genre. Traditionnel.

Élève de Tsukioka Hônen, il travaille dans un style japonais traditionnel et se spécialise dans la peinture de genre. Il participa aux expositions de Paris, mention honorable en 1900 pour l'Exposition Universelle. Il était membre de l'académie des Beaux-Arts.

TOSHIMOTO, surnom : Suzuki, nom de pinceau : Raisai, nom personnel : Rainosuke

XIXᵉ siècle. Actif à Osaka vers 1870. Japonais.

Maître de l'estampe.

TOSHINOBU. Voir OKUMURA TOSHINOBU

TÔSHUN. Voir KANÔ TOSHUN et KANÔ YOSHINOBU

TÔSHÛSAI SHARAKU

XVIIIᵉ siècle. Actif à Edo (actuelle Tokyo) en 1794-1795. Japonais.

Maître de l'estampe, peintre de portraits.

On ne sait pratiquement rien de la vie de Tôshûsai Sharaku, l'une des figures les plus marquantes de l'*ukiyo-e* et merveilleux portraitiste des acteurs. Les portraits d'acteurs célèbres dans chacun de leurs nouveaux rôles sont fort recherchés par les amateurs d'Edo et l'on sait comment Katsukawa Shunshô

(1726-1792) et ses disciples introduisent dans leurs représentations une note personnelle en dotant gestes et visages d'un maximum de grâce. Un groupe d'environ cent-quarante portraits s'écarte toutefois délibérément de cette tradition, qui portent tous la signature de Tôshûsai Sharaku et la marque de l'éditeur Tsuta-ya Jûzaburô. Les dates de parution de ces planches ont été soigneusement établies d'après le nom ou le blason *(mon)* des acteurs inscrits et leurs rôles, étude chronologique qui prouve, de façon surprenante, que Sharaku publie ses premières œuvres aussitôt après la saison théâtrale du cinquième mois 1794 et abandonne toute activité dès le début de 1795. Sa carrière artistique ne durerait donc que dix mois. Cette énigme est encore accentuée par le mystère qui entoure son existence, car rien jusqu'à maintenant ne permet d'accréditer la légende transmise par un ouvrage édité en 1869, le *Shinukiyoeruikô*, selon laquelle il serait un acteur du théâtre *nô* sous le nom de Saitô Jûrôbei, patronné par le seigneur d'Awa.

De sa production, il subsiste aujourd'hui cent quarante et une estampes polychromes et environ dix-sept esquisses, en majorité des portraits d'acteurs de *kabuki*, mais aussi quelques lutteurs de *sumo* (la lutte japonaise) et de rares images de guerriers. Cet œuvre se répartit en quatre groupes, qui jalonnent l'évolution de son art : vingt-huit estampes de format *ôban* (38,2 sur 23 centimètres), portraits en buste, à fond micacé *(kirara)*, d'acteurs jouant dans les trois théâtres de *kabuki* de la ville d'Edo (Miyako-za, Kawarazaki-za et Kiri-za) au cours des cinquième et sixième mois 1794 ; trente-huit estampes, dont huit *ôban* et trente *osoban* (33 sur 14,3 centimètres), portraits en pied avec parfois deux personnages groupés, correspondant aux spectacles des septième et huitième mois 1794 ; soixante et une estampes, dont trois *ôban*, quarante-cinq *hosoban* et treize *aiban* (34,5 sur 22,6 centimètres), se référant au onzième mois 1794, avec des portraits d'acteurs en pied, si ce n'est trois en buste, et quatre athlètes de *sumo* ; quatorze estampes, dont une *ôban*, dix *hosoban* et trois *aiban*, portraits en pied d'acteurs, de guerriers et d'un lutteur se produisant pour le nouvel an 1795.

Dans les deux premières séries d'estampes, Sharaku atteint d'emblée l'apogée de son talent : ce sont les plus remarquables, notamment les portraits en buste, où il se limite à l'essentiel avec une ligne concise, expressive qui évoque, dans son économie, la stature, le maintien, le mouvement du corps avec une vigueur, une exagération impitoyable, à l'encontre même de la grâce et du raffinement, sources de beauté de l'*ukiyo-e*. L'emploi des couleurs renforce encore la hardiesse et la puissance d'expression proprement inoubliable : les tons sont sombres, savamment balancés de noirs et parviennent, en dépit des aplats, à suggérer le volume et les masses tandis que, dans les visages au tracé aigu, seuls les yeux, les sourcils et la bouche suffisent à révéler à la fois la personnalité de l'acteur et celle qu'il assume dans son rôle, son contenu psychologique. En outre, ces bustes se détachent le plus souvent sur des fonds micacés, gris foncé argenté qui semblent projeter le personnage en avant, auxquels s'adjoignent des tracés en creux ou en relief et des gaufrages qui font valoir la texture des tissus. Les estampes à deux personnages du second groupe font preuve d'une grande virtuosité dans l'équilibre de la composition, en faisant ressortir le contraste entre deux antagonistes qui s'opposent ou se complètent. Dans les deux séries suivantes, le cadre de la composition tend à s'élargir et les expressions perdent sensiblement de leur hardiesse ; elles s'accompagnent d'une recherche décorative visible dans la complexité des costumes, l'abondance d'accessoires, la gesticulation parfois excessive. Parallèlement les subtilités techniques disparaissent, sans doute parce que trop coûteuses, et les fonds sont généralement jaune uni. Ces œuvres sont signées *Sharaku ga* et non plus *Tôshûsai Sharaku ga* comme les premières. Cet artiste disparaît alors du monde de l'art ; il aura de nombreux imitateurs tels Kabukidô Enkyô, Utagawa Kunimasa et Utagawa Toyokuni qui perpétueront au XIXᵉ siècle la tradition des estampes de théâtre. Aucun toutefois n'atteindra la pénétration dramatique, la richesse psychologique qui émanent de cet art sobre et viril.

BIBLIOGR. : T. Akiyama : *La peinture japonaise*, Genève, 1961 – Catalogue de l'exposition : *Six maîtres de l'estampe japonaise au XVIIᵉ siècle*, Paris, Orangerie des Tuileries, 1971 – D. Lion-Goldschmidt : *Sharaku, Tôshûsai*, in : *Encyclopaedia Universalis*, vol. 14, Paris, 1972.

VENTES PUBLIQUES : NEW YORK, 21 mars 1989 : *Portrait de l'acteur Arashi Ryuzo II dans le rôle de l'usurier Ishibe Kinkichi*, estampe oban tate-e (37x25,1) : USD 286 000 ; *Portrait de l'acteur Sakata*

Hangoro III dans le rôle du bandit Fujikawa Mizuemon, estampe oban tate-e (37x25,1) : **USD 462 000** – New York, 16 oct. 1989 : *Portrait okubi-e de l'acteur Arashi Ryuzo II dans le rôle de l'usurier Ishibe Kinkichi*, estampe oban tate-e (38x25) : **USD 198 000** – New York, 27 mars 1991 : *Portrait en pied de l'acteur Sakata Hangoro III dans le rôle de Kosodate no Kannon-Bo, prêtre de Kannon dans « Le protecteur de l'enfant »*, estampe hosoban (32,1x14,9) : **USD 99 000** – Fontainebleau, 4 avr. 1992 : *Portrait de l'acteur Arshi Ryuzo*, estampe hosoban : **FRF 225 000** – Paris, 3 juin 1992 : *L'acteur Otani Hiroji III 1794*, estampe hosoban (30,8x14) : **FRF 680 000** – Paris, 22 mars 1995 : *Portrait en buste de l'acteur Nakayama Tomisaburo dans le rôle de Miyagino, fille aînée de Matsushita Mikinoshin*, estampe oban tate-e (37,2x24,6) : **FRF 1 300 000**.

TOSI Arturo

Né le 25 juillet 1871 à Busto Arsizio. Mort le 3 janvier 1956 à Milan. xixe-xxe siècles. Italien.
Peintre de portraits, paysages, natures mortes. Groupe du Novecento.
Il fut élève de l'académie Brera à Milan, où il eut pour professeur V. Gubricy.
Il a participé une vingtaine de fois à la Biennale de Venise entre 1909 et 1956 (date à laquelle un hommage posthume lui a été rendu avec une rétrospective), et a été invité en 1929 à la IIe exposition du Novecento, et à plusieurs reprises à la Quadriennale de Rome. Il a eu de nombreuses expositions particulières : 1923, 1929, 1930, 1934, 1938, 1941, 1951, 1953, 1956 (...), 1972 à Milan ; 1934 Turin ; 1938, 1948, 1956 Rome ; 1944, 1946 Venise ; 1952 Copenhague ; 1954 Buenos Aires ; 1955 Padoue ; 1956 Bologne et Gênes. Lors de la première Quadriennale, en 1931, il a obtenu le Prix de Peinture et reçut une médaille d'Or de la Culture en 1954.
Il avait été tout d'abord peintre dans la tradition du siècle précédent, privilégiant les portraits, puis il évolua avec des paysages influencés des postimpressionnistes et de Cézanne qu'il admirait autant que Bonnard, notamment des vues des environs de Bergame. Il fut l'un des fondateurs du *Novecento*, sans toutefois adopter le côté néoclassique de ce mouvement. Ses œuvres d'une manière à la fois brillante et rigoureuse, révélaient une atmosphère intimiste, proche du quotidien, qui donna lieu dans les années trente à une série de natures mortes.

A. Tosi

Bibliogr. : Catalogue de l'exposition : *Arturo Rosi*, Arte Grafiche, Milan, 1972 - in : *Dict. univers. de la peinture*, t. VI, Le Robert, Paris, 1975.
Musées : Athènes – Bergame – Bologne – Bucarest – Budapest – Florence (Gal. d'Art Mod.) : *La Moisson* 1926 – Gênes – Ljubljana – Milan – Moscou – Paris – Plaisance – Rome – Trieste – Turin – Udine – Venise.
Ventes Publiques : Milan, 21-23 nov. 1962 : *Nature morte aux fruits* : **ITL 800 000** – Milan, 28 oct. 1964 : *Nature morte* : **ITL 1 400 000** – Milan, 9 avr. 1970 : *Champs de blé* : **ITL 2 800 000** – Milan, 23 mars 1971 : *Paysage*, aquar. : **ITL 900 000** – Milan, 16 oct. 1973 : *Nature morte* : **ITL 4 000 000** – Milan, 5 mars 1974 : *Venise, la Dogana* : **ITL 4 400 000** – Milan, 16 mars 1976 : *Paraggi 1920*, aquar. (18,5x27) : **ITL 400 000** – Milan, 9 nov. 1976 : *Portofino*, h/t (50x60) : **ITL 4 000 000** – Milan, 5 avr. 1977 : *Vase de fleurs 1948*, h/pan. (40x32) : **ITL 2 000 000** – Milan, 26 avr 1979 : *Paysage à Rovetta*, h/t (70x80) : **ITL 4 500 000** – Milan, 26 fév. 1981 : *Rovetta*, h/t (50x60) : **ITL 8 800 000** – Milan, 15 nov. 1983 : *Lac d'Iseo 1951*, aquar. : **ITL 2 000 000** – Milan, 15 nov. 1984 : *Paysage*, cr. (27,2x37) : **ITL 1 500 000** – Milan, 8 nov. 1984 : *Fuori dallo studio*, h/t (100x120) : **ITL 28 000 000** – Milan, 14 mai 1985 : *Paysage 1934*, aquar. (26x36) : **ITL 3 100 000** – Milan, 8 juin 1988 : *Pont de Zoagli 1930*, h/t (60x50) : **ITL 18 000 000** – Milan, 14 fév. 1988 : *Vase de fleurs*, h/pan. (50x39) : **ITL 12 500 000** – Milan, 20 mars 1989 : *Fleurs 1936*, h./contre-plaqué (50x38) : **ITL 12 000 000** – Rome, 17 avr. 1989 : *Paysage*, h/cart. (42x61) : **ITL 20 000 000** – Milan, 6 juin 1989 : *Terre arabe*, h/t (70x90) : **ITL 30 000 000** – Rome, 28 nov. 1989 : *Propriété de campagne*, h/pan. : **ITL 22 000 000** – Milan, 12 juin 1990 : *Nature morte*, h/pan. (29x39) : **ITL 15 000 000** – Rome, 30 oct. 1990 : *Paysage de Rovetta*, h/t (50x60) : **ITL 17 000 000** – Milan, 13 déc. 1990 : *Alpe di Falecchio*, h/t (70x90) : **ITL 26 000 000** – Milan, 14 nov. 1991 : *Nature morte*, h/pan. (30x40) : **ITL 17 000 000** –

Copenhague, 4 déc. 1991 : *Fleurs*, peint./contre-plaqué (50x40) : **DKK 55 000** – Milan, 19 déc. 1991 : *Paysage avec des arbres*, h/t (32x41) : **ITL 18 000 000** – Milan, 23 juin 1992 : *Baita*, h/t (100x120) : **ITL 49 000 000** – Milan, 9 nov. 1992 : *Zoagli, le pin 1926*, h/t (90x70) : **ITL 38 000 000** – Milan, 22 nov. 1993 : *Paysage 1944*, h/t (50x59) : **ITL 23 570 000** – Milan, 21 juin 1994 : *Nature morte à la pastèque*, h/pan. (58x67) : **ITL 32 775 000** – Rome, 28 mars 1995 : *Paysage de Rovetta*, h/t (50x60) : **ITL 17 250 000** – Milan, 27 avr. 1995 : *Le Jardin 1945*, h/t (60x50) : **ITL 41 400 000** – Milan, 19 mars 1996 : *Paysage*, h/t (70x90) : **ITL 37 950 000** – Milan, 20 mai 1996 : *Paysage 1913*, h. et fus./cart. (35x50) : **ITL 7 475 000** – Milan, 22 mai 1996 : *Paysage*, cr./cart. (21,5x30) : **ITL 1 495 000** ; *Paysage*, h/t (70x90) : **ITL 34 500 000** – Milan, 18 juin 1996 : *Vase de roses*, h./contreplaqué (50x40) : **ITL 17 825 000** – Milan, 10 déc. 1996 : *Plaine de Rovetta 1941*, h/t (70x90) : **ITL 36 115 000** – Milan, 19 mai 1997 : *Paysage, église de San Lorenzo*, h/t (50x60) : **ITL 15 525 000**.

TOSI Francesco

xvie siècle. Actif à Teramo dans la première moitié du xvie siècle. Italien.
Peintre.
Il a peint pour l'église Notre-Dame de Grâce de Teramo *Madone avec l'Enfant et des saints*.

TOSI Gaetano

Né vers 1770 à Urbino. xviiie siècle. Italien.
Sculpteur sur bois et architecte.

TOSI Giacomo Maria

Mort en 1690. xviie siècle. Travaillant à Bologne. Italien.
Miniaturiste.
Il était fils de Pier Francesco Tosi.

TOSI Giovanni-Battista

Mort en 1785. xviiie siècle. Actif à Rovigo. Italien.
Peintre.
Il peignit des tableaux d'autel pour les églises et monastères de Rovigo.

TOSI Giuseppe

Né avant 1750 à Urbino. Mort en 1794. xviiie siècle. Italien.
Sculpteur sur bois et architecte.

TOSI Paolo di Duccio

xve siècle. Actif à Pise. Italien.
Enlumineur (?) et calligraphe.
Les Bibliothèques de Florence, de Milan et de Paris conservent des manuscrits signés et datés par cet artiste.

TOSI Pier ou Pietro Francesco

Mort en 1702. xviie siècle. Actif à Bologne vers 1660. Italien.
Miniaturiste.
Élève de G.-B. Bertusi.

TOSI DEREGIS Antonio

Né en 1843 à Rossa-in-Valsesina. Mort en 1909 à Rossa-in-Valsesina. xixe siècle. Italien.
Peintre.
La Pinacothèque de Varallo conserve des paysages de cet artiste.

TOSINI Benedetto, fra

xve siècle. Travaillant à Florence vers 1445. Italien.
Miniaturiste et copiste.
Certains auteurs le désignent sous le nom de Benedetto di Magella.

TOSINI Michele. Voir GHIRLANDAIO

TOSINI Pietro ou Tusini

Né à Rimini. Mort au début de février 1707 à Rome. xviie siècle. Italien.
Peintre, restaurateur de tableaux.

TOSO Girolamo. Voir TONSI

TOSOLIN Francesco

xviiie siècle. Actif à Bologne en 1780. Italien.
Peintre.
Il a peint des *Scènes de la vie de saint Roch* se trouvant dans la Scuola Saint-Roch de Venise.

TOSOLINI Giovanni Battista

xviiie siècle. Travaillant à Venise. Italien.
Peintre.
Il était prêtre.
Musées : Montpellier : *Six enfants* – Venise (Acad.) : *Saint Jérôme et Agnus Dei*.

TOSQUELLA Francisco
XIVe siècle. Actif à Valence à la fin du XIVe siècle. Espagnol.
Sculpteur.
Il sculpta des statues d'anges.

TOSQUEYLA Lorenzo ou **Tosquela** ou **Sosqueyla**
XIVe-XVe siècles. Actif à Palma de Majorque. Espagnol.
Sculpteur.
Il travailla pour la cathédrale de Palma de Majorque de 1368 à 1430.

TOSS J.
Travaillant en Angleterre. Britannique.
Graveur.
On cite de lui une intéressante *Adoration des bergers* d'après C. Hochfield.

TOSSANI Ambrogio
XVIIe siècle (?). Italien.
Peintre.
Il a peint un *Christ en croix* pour la chartreuse de Pavie.

TOSSANI-SPINELLI Alda
Né le 16 avril 1880 à Imola. XXe siècle. Italien.
Peintre de natures mortes, fleurs.
Il fut élève de G. Lolli.

TOSSICANI Giovanni. Voir **TOSCANI Giovanni di Francesco**

TOSSYN Pierre
XIXe siècle. Français.
Peintre de portraits.
Le Musée de Beaufort conserve six portraits de sa main.
VENTES PUBLIQUES : PARIS, 22 mai 1944 : *Portrait du roi Léopold II* 1885 : FRF 1 100 – LONDRES, 15 fév. 1984 : *Portrait de l'empereur Alexandre II* 1890, h/t, forme ovale (86x67) : GBP 1 300.

TOSSYNS Nicolas. Voir **TOUSSAINT**

TOSTI Luigi
Né en 1845 à Plaisance. XIXe siècle. Italien.
Sculpteur.
Il travailla à Florence, à Rome et aux États-Unis.

TOSTI Saturno
Né le 26 novembre 1890 à Fiuggi. XXe siècle. Italien.
Peintre.
Il vécut en ermite dans un petit village des Alpes.

TOSTRUP Jacob Ulrich Holfeldt
Né le 1er juillet 1806 à Sande, près de Stavanger. Mort le 31 janvier 1890 à Christiania (aujourd'hui Oslo). XIXe siècle. Norvégien.
Graveur et orfèvre.
Il fit ses études à Bergen et chez J. Munthe à Christiania (Oslo).

TOT Amerigo
Né en 1919 à Csurgo. Mort en 1984 à Rome. XXe siècle. Italien.
Sculpteur de figures, d'architectures.
Il montre ses œuvres dans des expositions personnelles : 1979 Modern Magyar Keptar à Pecs.
VENTES PUBLIQUES : ROME, 17 avr. 1989 : *Architecture fantastique* 1936, bas-relief/gesso (40x60) : ITL 2 400 000 – ROME, 3 juin 1993 : *Figure* 1973, terre cuite à patine bronze (H. 80) : ITL 1 200 000.

TOT suivi d'un patronyme. Voir ce patronyme

TOTAIN Lucien Napoléon François
Né en 1838 à Nantes (Loire-Atlantique). XIXe siècle. Français.
Peintre de paysages et de marines et illustrateur.
Élève de l'école municipale de Nantes et de M. R. Forcade.

TOTH Andras ou **André**
Né le 8 septembre 1858 à Pusztasimand. Mort le 14 mars 1929 à Debrecen. XIXe-XXe siècles. Hongrois.
Sculpteur.
Il sculpta des monuments aux morts et des statues.

TOTH Gyula ou **Jules**
Né le 20 mars 1891 à Szatmar. XXe siècle. Hongrois.
Peintre de figures, paysages. Impressionniste.
Il fit ses études à Nagybanya et chez Jank à Munich. Il séjourna longtemps à Paris et devint impressionniste.

TOTH Istvan ou **Stefan** ou **Étienne**
Né en 1825 à Oedenbourg. Mort en 1892 à Oedenbourg. XIXe siècle. Hongrois.

Peintre de portraits.
MUSÉES : OEDENBOURG.

TOTH Istvan ou **Stefan** ou **Étienne**
Né le 9 novembre 1861 à Szombathely. Mort le 12 décembre 1934 à Budapest. XIXe-XXe siècles. Hongrois.
Sculpteur de monuments, statues, compositions religieuses.
Il participa à Paris à des expositions, notamment à l'Exposition Universelle de 1900 où il reçut une médaille d'argent.
Il sculpta des monuments publics à Budapest, des statues dans les cathédrales de Nagyvarad et de Szeged.
MUSÉES : BUDAPEST – SZOMBATHÉLY.

TOTH Istvan ou **Stefan** ou **Étienne**
Né le 29 mai 1892 à Marosvasarhély. XXe siècle. Hongrois.
Peintre, aquarelliste, illustrateur, graveur.
Il fit ses études à Budapest. Il vécut et travailla à Kolozsvar.
Il exécuta des aquarelles et des illustrations de contes.

TOTH Janos ou **Jean**
XIXe siècle. Hongrois.
Peintre de compositions religieuses, paysages, peintre de compositions murales, graveur au burin.
Il travailla durant la première moitié du XIXe siècle. Il grava des vues de Veszprem et des fresques dans l'église de Bacs.

TOTH Janos ou **Jean**
Né en 1899 à Zalaegerszeg. XXe siècle. Hongrois.
Peintre de paysages, architecte.
Il peignit des paysages des bords du lac Balaton.

TOTH Jenö ou **Eugène**
Né le 26 octobre 1882 à Csetnek. Mort le 28 mars 1923 à Budapest. XXe siècle. Hongrois.
Peintre d'histoire.
Archéologue il étudia la peinture et fut notamment élève de Bertalan Szekely. Il séjourna sept ans aux Indes et peignit des scènes historiques de ce pays.

TÓTH Laszlo ou **Ladislas**
Né le 15 juillet 1869 à Budapest. Mort le 27 mai 1895 à Francfort-sur-le-Main. XIXe siècle. Hongrois.
Peintre de sujets allégoriques, figures, paysages.
MUSÉES : BUDAPEST (Gal. Nat.) : *Beauté – Argent – Esprit* – GRAND TRIPTYQUE.

TÓTH László
Né le 13 juillet 1933 à Statu-Mare. XXe siècle. Depuis 1984 actif en Allemagne. Roumain.
Peintre de compositions animées, peintre à la gouache, décorateur de théâtre. Tendance surréaliste.
Il fut élève de l'institut d'arts plastiques Ion Andrescuu à Cluj, où il enseigna par la suite de 1971 à 1984. Il vit et travaille à Munich. En 1969, il est nommé chevalier dans l'ordre du mérite culturel. Il participe à des expositions collectives, en Roumanie, Hongrie, Yougoslavie, Allemagne et montre ses œuvres dans des expositions personnelles.
De 1965 à 1971, il exécute la scénographie de trente pièces de Shakespeare. Dans des scènes en apparence anodine, une femme à la fenêtre (*Ma Mère à la fenêtre* 1983), trois personnes attablées (*La Famille*), il crée un climat surréaliste, par divers procédés, comme l'introduction d'éléments incohérents, illogiques, la fragmentation des figures, invitant à voir « derrière le miroir ». Il a réalisé avec sa femme Ilóna Tóth une mosaïque pour la Maison de la Radio de Cluj.
BIBLIOGR. : Ionel Jianou et autres : *Les Artistes roumains en Occident*, American Romanian Academy of Arts and Sciences, Los Angeles, 1986.

TOTH Zoltan
Né le 6 décembre 1891 à Lugos. XXe siècle. Hongrois.
Peintre de figures, graveur.
Il vécut et travailla à Budapest.

TOTH VON FELSÖ-SZOPOR Agoston ou **Auguste** ou **Thoth**
Né en 1812 à Marcali. Mort en 1889 à Graz. XIXe siècle. Hongrois.
Peintre, sculpteur amateur et officier.
La Galerie de Budapest conserve de lui quatre-vingt-quatre *Portraits de prisonniers politiques d'Olmütz*, et celui d'Oedenbourg, *L'artiste*.

TÓTH-SZÜCS Ilona
Née le 12 septembre 1930 à Medias. XXe siècle. Active en Allemagne. Roumaine.

Peintre de figures, portraits, paysages, intérieurs, natures mortes.

Elle fut élève de l'Institut d'Arts Plastiques N. Grigorescu à Bucarest puis de l'Institut d'Arts Plastiques Ion Andrescuu à Cluj. Elle est l'épouse du peintre Lázló Tóth. Elle vit et travaille à Munich. Elle participe à des expositions collectives, en Roumanie, Hongrie, Yougoslavie, Allemagne. Elle montre ses œuvres dans des expositions personnelles depuis 1975.

Elle privilégie, dans ses œuvres figuratives, d'une grande sobriété, la rigueur de la construction, régie par la géométrie : « Ma peinture ne cherche pas à refléter une image directe de la réalité, mais à devenir l'expression plastique de ma contemplation devant la nature. Les moyens pour y arriver sont l'interprétation de l'espace et l'intuition de la fonction psychique du dessin et de la couleur » (Toth-Szücs).

BIBLIOGR. : Ionel Jianou et autres : *Les Artistes roumains en Occident*, American Romanian Academy of Arts and Sciences, Los Angeles, 1986.

TOTI Fabiano di Bastiano ou Toto
Mort en 1607. xvi⁰ siècle. Actif à Orvieto. Italien.
Sculpteur.
Il sculpta des statues sur la façade et la statue de l'apôtre André, à l'intérieur de la cathédrale d'Orvieto.

TOTIBADZE Georgy
Né en 1967 à Tbilissi. xx⁰ siècle. Russe.
Peintre de paysages urbains.
Il commença ses études à l'École d'Art de Moscou et les termina à l'académie de Tbilissi. Il participe, depuis 1989, à de nombreuses expositions à Moscou et, en 1990, expose à la Galerie Hosp en Autriche.
VENTES PUBLIQUES : PARIS, 15 nov. 1993 : *La ville au soleil couchant*, h/t (58x79) : FRF 4 500.

TOTO Antonio ou Toto del Nunziator ou Anthony
Né le 8 janvier 1498 à Florence. Mort en 1556 en Angleterre. xvi⁰ siècle. Naturalisé en Grand-Bretagne. Italien.
Peintre d'architectures et décorateur.
Il fut élève de Ridolfo Ghirlandajo. Il vint en Angleterre en 1531, et y fut naturalisé en 1543. Henri VIII le nomma « sergent painter ».

TOTRAN Giuseppe
xviii⁰ siècle. Actif à Rome vers 1786. Italien.
Peintre.
Il utilisa le procédé à l'encaustique.

TÔTSUGEN Tanaka, surnom : Kotô, noms de pinceau : Daikôsai, Chiô, Kahukyûshi, Tokuchu, Kimpei, Kyûmei et Kaison
Né en 1768 à Kyoto. Mort en 1823 à Kyoto. xviii⁰-xix⁰ siècles. Actif à Nagoya. Japonais.
Peintre.
Élève de Ishida Yûtei, il travaille ensuite avec un artiste de l'école Tosa, Mitsusada, puis fonde une école de *yamato-e*, Fukko Yamato-e, le nouveau *yamato-e*. En 1790, il décore certains murs du palais impérial de peintures à sujets historiques. Devenu aveugle avec l'âge, il se suicide.

TOTT Alois
Né le 11 avril 1870 à Vienne. xix⁰ siècle. Autrichien.
Peintre de paysages.
Il fut élève d'E. Lichtenfels à l'académie des beaux-arts de Vienne.
VENTES PUBLIQUES : MUNICH, 27 nov. 1980 : *Vue de Klausen (Tyrol)*, h/t (31x47) : DEM 4 200.

TOTT François de, baron
Né le 17 août 1733 à Champigny. Mort en 1793 à Tatzmannsdorf. xviii⁰ siècle. Français.
Peintre, dessinateur.
Il était également diplomate et musicien. Le Musée de Douai conserve de lui : *Vue prise en Crimée, marines avec figures*.

TOTT Sophie de
xix⁰ siècle. Active au début du xix⁰ siècle. Française.
Portraitiste.
Elle exposa à la Royal Academy de 1801 à 1804. Le Musée Condé de Chantilly conserve d'elle un *Portrait de Louis Joseph de Bourbon*.
VENTES PUBLIQUES : LONDRES, 8 avr. 1932 : *Portrait du comte d'Artois* 1801 : GBP 17 – PARIS, 23 avr. 1996 : *Portrait de jeune homme* 1797, h/t (69x49) : FRF 25 000.

TOTTI Popilio
xvii⁰ siècle. Actif à Rome. Italien.
Graveur au burin.

TOTY, pseudonyme de Fauchet Charlotte
Née le 20 octobre 1888 à Paris. xx⁰ siècle. Française.
Peintre de paysages.
Élève de Louis F. Biloul, elle exposa à Paris au Salon des Artistes Français à partir de 1921.

TOUBEAU Jean-Max
Né en 1945. xx⁰ siècle. Français.
Peintre, dessinateur.
Après avoir passé son enfance à Gordes (Vaucluse), il obtint une licence de philosophie, puis se consacre à la peinture à partir de 1965. Il a été sélectionné pour le Prix Fénéon, en 1973 et 1974.
Il se réfère principalement à Matisse, Morandi et Giacometti. En 1973, il a publié des dessins dans la revue de poésie *La Traverse*.

TOUBIE
Né dans les Pays-Bas. Travaillait à Lyon. Français.
Peintre de portraits.
Le Musée de Toulouse conserve un portrait de cet artiste par lui-même, portant la mention suivante : *Maître Toubie, Flamand, Peintre à Lyon, Aetatis suae 33*.

TOUBLANC Léon William André
xx⁰ siècle. Français.
Peintre, illustrateur.
Il participe à divers Salons parisiens, notamment au Salon des Tuileries.
Il a illustré *Alexandre Asiatique*, de la princesse Bibesco.
MUSÉES : PARIS (Mus. d'Art Mod.).

TOUBON Guy
Né le 30 octobre 1931 à Marseille (Bouches-du-Rhône). xx⁰ siècle. Français.
Peintre de paysages.
Autodidacte, il montre ses œuvres dans des expositions personnelles locales à partir de 1961.
VENTES PUBLIQUES : PARIS, 29 nov. 1990 : *Village du Midi 1960*, h/t (62x93) : FRF 4 000.

TOUCHAGUES Louis
Né le 28 avril 1893 à Saint-Cyr-au-Mont-d'Or (Rhône). Mort le 20 juillet 1974 à Paris. xx⁰ siècle. Français.
Peintre de portraits, figures, nus, paysages, fleurs, aquarelliste, graveur, dessinateur, peintre de décors de théâtre, illustrateur.
Élève de l'École Nationale Supérieure des Beaux-Arts de Lyon ; il y obtient des récompenses et une bourse de voyage. À Paris en 1922, il fut commis d'architecte et dessinateur de tissus. Il est remarqué tout aussitôt par le couturier Paul Poiret lequel, alors mécène de l'art moderne et grand découvreur de talents neufs, ne laissera pas Touchagues s'attarder à des tâches au-dessous et de son talent et de sa verve. Délivré ainsi des besognes subalternes, le jeune artiste rencontre un autre Lyonnais, le comédien et directeur Charles Dullin qui se l'attache comme assistant décorateur. Il est officier de la Légion d'honneur depuis 1948.
Il montre ses œuvres dans de nombreuses expositions en France, notamment à la galerie Katia Granoff à Paris et à l'étranger.
Les véritables débuts de Touchagues vont se faire au Salon de l'Araignée fondé par Gus Bofa, présenté par André Salmon et dont l'immédiate conséquence sera une sorte de renouvellement de l'illustration du livre de luxe et de demi-luxe. Robert Rey écrit de Touchagues dessinateur : « Deux traits de rien du tout, un peu raides, de cette raideur qu'ont les bras et les jambes des toutes jeunes filles. Un petit lavage de lavis, et voilà que ces bras, ces jambes, ces bustes s'embrument de tulle et d'organdi, se gainent de velours et de faille. » Les maîtres qu'interroge l'artiste sont Watteau, Fragonard, Constantin Guys et Toulouse-Lautrec. Peintre de la mode, il a été le portraitiste du Tout-Paris des années 1930. Vedettes du spectacle, de la ville ou de la politique ont posé pour lui. Mais qu'il peigne Arletty ou Suzy Delair, il en fait avant tout un Touchagues. Au théâtre, il a donné des décors et des costumes, notamment pour : *Pygmalion, Le Camelot, Le Faiseur, Huon de Bordeaux, Celui qui vivait sa mort, Savez-vous planter des choux, Le Mariage de Figaro, Le Malade imaginaire, Un Chapeau de paille d'Italie*, etc. Il a travaillé aussi pour des théâtres de Hollande, Angleterre, Belgique, Suisse, Espagne, Portugal. Illustrateur, il a enrichi de ses compositions fidèles des textes de : Verlaine, Léon Paul Fargue, Colette, G. Duhamel,

Marcel Aymé, A. Maurois, Joseph Delteil, Alexandre Arnoux, Jean Cassou, A. Billy et A. Salmon, etc.

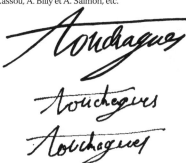

Musées : Albi – Compiègne – Londres – Lyon – Paris (Mus. d'Art Mod.) – Paris (Mus. du Petit-Palais).
Ventes Publiques : Paris, 22 mai 1942 : *La cueillette des fruits*, gche : **FRF 600** – Paris, 20 juin 1944 : *Nu allongé*, pl. : **FRF 9 000** – Paris, oct. 1945-juil. 1946 : *Nu*, dess. reh. : **FRF 12 000** – Paris, 18 oct. 1976 : *Brigitte Bardot à Saint-Tropez*, h/t (60x81) : **FRF 4 800** – Paris, 15 oct 1979 : *Sur les planches*, aquar. (24x31) : **FRF 4 500** – Paris, 15 oct 1979 : *Jeune fille à la couronne de fleurs*, h/t (46x38,5) : **FRF 4 500** – Paris, 10 juil. 1983 : *Jeunes filles aux grappes de raisins 1961*, aquar. (69x39) : **FRF 21 000** – Paris, 12 fév. 1989 : *Composition cubiste*, fus. et craie (80x59) : **FRF 4 500**.

TOUCHARD V. ou Touchar
xviie siècle. Travaillant à Paris vers 1690. Français.
Graveur et dessinateur.
Il grava des plans et des vues de jardins.

TOUCHEMOLIN Aegid
xviiie-xixe siècles. Allemand.
Dessinateur, graveur au burin et lithographe amateur.
Il travailla à Ratisbonne. Il grava des paysages, des animaux, des fleurs et des uniformes. Le Cabinet d'estampes de Berlin conserve de lui *Portrait d'un homme imberbe*.

TOUCHEMOLIN Alfred ou Charley Alfred
Né le 9 novembre 1829 à Strasbourg (Bas-Rhin). Mort le 4 janvier 1907 à Brighton. xixe siècle. Français.
Peintre d'histoire et de sujets militaires et illustrateur.
Élève de Drolling et de Biennoury. Il débuta au Salon de 1863. Les Musées de Mulhouse et de Strasbourg conservent des dessins de lui.

TÖUCHER Hans Heinrich
Né le 10 avril 1594. Mort le 8 février 1618. xviie siècle. Actif à Zurich. Suisse.
Peintre verrier.
Élève de Jos. Murer.

TOUCHET Jacques
xxe siècle. Français.
Dessinateur, illustrateur.
Élève de P. Renouard et L. Morin, il dessina beaucoup au cours de sa captivité (guerre de 1914-1918). Il a donné des dessins d'actualité au *Matin*, à l'*Illustration* et aux *Annales*, cependant que sa verve humoristique soutenue d'un trait agréable, se prodiguait au *Frou-Frou* et à *Fantasio*. Il a illustré *Naser-el-Dine* de P. Mille ; les *Quinze Joies du mariage* et les *Voyages de Gulliver* de Swift ; les *Rencontres de M. de Bréhot* de H. de Régnier ; le *Dictionnaire philosophique* de Voltaire ; les *Fables* et les *Contes* de La Fontaine ; *Le Capitaine Fracasse* de Théophile Gautier ; *Clochemerle* de Gabriel Chevallier ; *Les Papiers posthumes du Pickwick-Club* de Dickens ; les *Œuvres* de Casanova ; *Lysistrata* d'Aristophane ; *Les Vies des dames galantes* de Brantôme ; *Tartarin de Tarascon* de Daudet ; *L'Éloge de la Folie* d'Érasme ; *Les Contes des Mille et Une Nuits* de Mardrus ; *Les Aventures du Roi Pausole* de P. Louys, *Gargantua* et *Pantagruel* de Rabelais, etc.

TOUCHKINE Rurik
Né en 1925 à Samara. xxe siècle. Russe.
Peintre.
Il fut élève, de 1960 à 1964, de l'université populaire de la culture de Vladivostok, où il vit et travaille.

Il montre ses œuvres dans des expositions personnelles : 1988 musée d'Art régional de Tchita ; 1989 galerie de peinture du Primorié de Vladivostok ; 1994 State University de Washington ; 1995 Seattle, San Francisco.

TOUDOUZE Adèle Anaïs. Voir COLIN Adèle Anaïs

TOUDOUZE Auguste Gabriel
Né le 7 février 1811 à Paris. Mort le 25 mai 1854 à L'Hay-les-Roses. xixe siècle. Français.
Architecte, peintre et graveur.
Frère de Jean Marie Émile Toudouze, père du romancier Gustave Toudouze, et des peintres Édouard et Isabelle Toudouze. Élève de Labrouste. Auteur avec Klotz des portes de bronze de la cathédrale de Strasbourg, architecte en chef de la Ville de Marseille. De 1831 à 1840, chargé de mission archéologique par le gouvernement de Louis-Philippe, effectua les relevés de Venise, Bologne, Assise, Rome, Sienne, Naples, construisit le chemin de Naples à Castellamare, puis passa en Sicile, en Égypte (relevés des tombeaux des Khalifes), en Syrie, Liban, Palestine, Damas et Jérusalem ; en rapporta six mille dessins et aquarelles (Cabinet des Estampes ; Bibliothèque Nationale). Rentré en France, le 11 octobre 1845, épouse Anaïs Colin, fille du peintre d'histoire Alexandre Colin et petite-nièce de Greuze, Challe, Drouais. Il part en mission en Bretagne, pays d'origine de sa famille. Il est nommé architecte-inspecteur des travaux de la Sainte Chapelle (réfection des vitraux avec le verrier Steinheil) et du Conservatoire National. Auteur de toute la série des gravures à l'eau-forte souvenirs de Sicile, Italie, Égypte, Asie Mineure et Bretagne, gravés avec l'aide de sa femme (Chalcographie du Louvre), et de l'édition illustrée de l'*Imitation de Jésus-Christ* à tirage restreint (couleurs).

TOUDOUZE Édouard
Né le 28 juillet 1848 à Paris. Mort le 24 mars 1907 à Paris, en 1909 selon d'autres sources. xixe siècle. Français.
Peintre d'histoire, compositions mythologiques, sujets religieux, scènes de genre, portraits, paysages, aquarelliste, peintre de compositions murales, peintre de cartons de tapisseries, dessinateur, illustrateur, graveur, décorateur.
Il est le fils cadet d'Auguste Gabriel et d'Anaïs Toudouze. Il fut élève d'Isidore Pils, de Monticelli et d'Auguste Leloir, son oncle. Il obtint le premier Grand Prix de Rome en 1871. Il exposa au Salon de Paris, à partir de 1867, puis Salon des Artistes Français, obtenant une médaille de troisième classe en 1871, une de deuxième classe en 1877, une médaille d'argent à l'Exposition Universelle de 1889. Il fut promu chevalier de la Légion d'honneur en 1889, promu officier en 1903.
Il illustra *Woodstock*, *Les Aventures de Nigel*, *Mademoiselle de Maupin*, *Chronique du règne de Charles IX*, de Mérimée, etc. Il peignit plusieurs décorations murales, notamment : *Le Jeu de Robin et de Marion* à l'Opéra-Comique de Paris ; *Les Étudiants dans la rue du Fouarre* à l'Université de la Sorbonne à Paris. Il réalisa aussi les cartons pour une série de dix tapisseries de la Manufacture des Gobelins, sur le thème de l'histoire de Bretagne, pour la Grand-Salle du Palais de Justice de Rennes.

Ventes Publiques : Paris, 23 nov. 1894 : *Chez le barbier*, dess. : **FRF 50** – Paris, 17 mai 1895 : *Le repos*, aquar. : **FRF 100** – Paris, 22-23 mars 1897 : *Dessin pour Mademoiselle de Maupin*, pl. et lav. d'encre de Chine : **FRF 100** – Paris, 20 déc. 1899 : *Après le duel* : **FRF 680** ; *La pavane* : **FRF 1 050** – New York, 18 jan. 1911 : *Jouant à la maman* : **USD 200** – Paris, 28 nov. 1924 : *Parisienne à la corbeille fleurie* : **FRF 500** – Paris, 7 déc. 1944 : *mousquetaire* : **FRF 750** – Paris, 23 oct. 1946 : *Le marché aux fleurs* : **FRF 27 000** – New York, 15 oct. 1976 : *Fillette jouant à la maman*, h/t. (45x55) : **USD 2 400** – New York, 7 oct. 1977 : *Scène de plage* 1878, h/t (111x186) : **USD 33 000** – Paris, 12 juin 1980 : *Portrait présumé de Mademoiselle Faure*, h/t (221x119) : **FRF 30 000** – Londres, 2 oct. 1981 : *La Cueillette des fleurs*, h/pan. (55,2x26) : **GBP 1 400** – Londres, 23 nov. 1983 : *Paysage d'été*, h/t (208x122) : **GBP 6 000** – New York, 29 oct. 1986 : *Les Préparatifs du mariage* 1882, h/t (66x101) : **USD 22 000** – Londres, 7 juin 1989 : *Le châtiment*, h/t (228x174) : **GBP 4 400** – Londres, 21 juin 1989 : *La jeune fille aux colombes*, h/t. (34x26,5) : **GBP 3 080** – New York, 1er mars 1990 : *La surveillance du bébé*, h/pan. (31,8x40) : **USD 13 200** – Londres, 30 mars 1990 : *La danse*, h/t (175x211) : **GBP 17 600**.

TOUDOUZE Isabelle
Née au XIXᵉ siècle à Paris. XIXᵉ siècle. Française.
Peintre de fleurs.
Élève de sa mère Anaïs Toudouze. Elle exposa au Salon de 1868 à 1875.

TOUDOUZE Jean Marie Émile
XIXᵉ siècle. Actif à Paris de 1808 à 1855. Français.
Peintre de paysages.
Frère aîné de Auguste Gabriel Toudouze et père de Simon Alexandre Toudouze. Élève de Diaz, Millet, et Français. Il exposa au Salon de 1844 à 1855. Le Musée de Vire conserve un *Paysage* de lui.

TOUDOUZE Marie Anne
Née au XIXᵉ siècle à Lyon. XIXᵉ siècle. Française.
Peintre de fleurs.
Élève de son mari Édouard Toudouze. Elle figura au Salon des Artistes Français ; mention honorable en 1901, médaille de troisième classe en 1904.

TOUDOUZE Simon Alexandre
Né le 30 juillet 1850 à Paris. Mort en juillet 1909 à Aix-les-Bains (Savoie). XIXᵉ siècle. Français.
Paysagiste.
Fils de Jean Marie Émile Toudouze. Élève de son père et de Monticelli. Sociétaire des Artistes Français, il figura au Salon de cette société.
Musées : AVIGNON : *Falaise au bord de la mer* – BREST : *La ferme de Keremperchec, près de Pont-Aven* – BUCAREST (Mus. Simu) : *Vallée de la Seine* – CHAMBÉRY (Mus. des Beaux-arts) : *Arenzano* – DIGNE : *Arenzano dans le golfe de Gênes* – REIMS : *Lac du Bourget* – TROYES : *Montagnes de Savoie*.
Ventes Publiques : PARIS, 30 avr. 1919 : *Paysage d'automne* : **FRF 100** – PARIS, 20 avr 1979 : *La gardienne de porcs en Bretagne*, h/t (130x180) : **FRF 4 000**.

TOUGAS Pierre
Né en 1949. XXᵉ siècle. Canadien.
Peintre de paysages, paysages urbains, aquarelliste.
Ventes Publiques : MONTRÉAL, 5 nov. 1990 : *Rue Laval à Sheerbrooke*, aquar. (61x46) : **CAD 1 045** – MONTRÉAL, 5 déc. 1995 : *Côte de la Montagne, Québec*, past. (55,8x76,2) : **CAD 600**.

T'OU HIUAN. Voir TU XUAN

TOUJANI Latifa
Née en 1948 à Fès. XXᵉ siècle. Marocaine.
Peintre, graveur de figures.
Khalil M'rabet écrit qu'« elle peint... l'homme dans sa nudité et sa souffrance ». Dans ses gravures, la présence de l'être humain est constante, mais les propriétés mêmes de la gravure l'ont induite à d'autres traitements de l'image, parfois insolites, telles qu'une forme humaine sombre comme en contre-jour par-dessus sa propre ombre portée mais paradoxalement blanche, et à d'autres traitements du décor, que les techniques incisantes permettent de découper plus finement dans l'ornemental.
Bibliogr. : Khalil M'rabet, in : *Peinture et identité – L'expérience marocaine*, L'Harmattan, Rabat, après 1986.

TOU KI-LONG. Voir DU JILONG

TOU KIN. Voir DU JIN

TOU K'IONG. Voir DU QIONG

TOUL Jean
Né en 1734 à Trèves. Mort le 1ᵉʳ février 1796 à Bordeaux (Gironde). XVIIIᵉ siècle. Français.
Peintre.
Le Musée de Bordeaux conserve de lui : *Une tête de vieillard*.

TOUL Jul. de
XIXᵉ siècle. Actif à la fin du XIXᵉ siècle. Français.
Peintre.
Ventes Publiques : PARIS, 16 nov. 1992 : *Fantasia*, gche (23x54) : **FRF 5 000**.

TOULENNE de
XVIIIᵉ siècle. Actif dans la seconde moitié du XVIIIᵉ siècle. Français.
Dessinateur.
Il exposa en 1788 à Paris des scènes guerrières.

TOULET Louis Édouard
Né le 15 août 1892 à Paris. Mort le 31 janvier 1962 à Paris. XXᵉ siècle. Français.
Peintre de paysages, marines, peintre à la gouache, aquarelliste.

Il fut élève des académies Julian et de la Grande Chaumière à Paris.
Il participe à des expositions collectives, notamment aux Salons parisiens : de 1946 à 1955 annuellement à la Société Nationale des Beaux-Arts, dont il fut membre sociétaire à partir de 1948 ; 1944, 1945 Salon d'Hiver ; 1953, 1955, 1956 au Salon du Dessin et de la Peinture à l'eau. Il montre ses œuvres dans des expositions personnelles dans diverses galeries parisiennes. Il a reçu le prix du paysage de Deauville en 1952.
Il s'est spécialisé dans les paysages de l'Île-de-France et de Paris. De ses séjours en Bretagne, Normandie et Provence, mais aussi Espagne et Italie, il a rapporté de nombreuses vues.

TOULINE Yuri Nirilovitch
Né en 1921 à Leningrad. Mort en 1983. XXᵉ siècle. Russe.
Peintre d'histoire, portraits. Réaliste-socialiste.
Il fut élève de l'Institut des Beaux-Arts de Leningrad. Artiste émérite d'URSS, il reçut le Grand Prix de l'Exposition universelle de Bruxelles en 1958.
Réaliste-socialiste, il peint des scènes historiques, notamment l'enterrement des ouvriers des mines d'or de Sibérie exécutés par l'armée de Nicolas II (*Léna*), des portraits d'hommes politiques éminents comme Kirov.
Musées : SAINT-PÉTERSBOURG (Mus. Russe) : *Léna*.
Ventes Publiques : PARIS, 23 avr. 1989 : *Homme de Khibine* 1949, h/t (46x33) : **FRF 12 000**.

TOULLION Tony
Né à Paray-le-Monial (Saône-et-Loire). XIXᵉ siècle. Français.
Peintre de portraits et lithographe.
Élève de Maréchal de Metz et Amaury Duval. Il exposa au Salon de 1848 à 1880. Le Musée de Moulins conserve de lui les portraits de *Lesueur* et de *Géricault*.
Ventes Publiques : PARIS, 15 fév. 1911 : *Bergère gardant les moutons* : **FRF 350**.

TOULMIN SMITH E., Miss
Née à Londres. XIXᵉ siècle. Active en France. Britannique.
Peintre de paysages, fleurs.
Elle fut active dans les années 1890. Elle fut professeur de dessin à Montpellier.
Musées : SÈTE : *Deux études*.
Ventes Publiques : REIMS, 17 déc. 1989 : *Jardin à Giverny*, h/t (60x81) : **FRF 24 000**.

TOULMOUCHE Auguste
Né le 21 septembre 1829 à Nantes (Loire-Atlantique). Mort le 16 octobre 1890 à Paris. XIXᵉ siècle. Français.
Peintre de scènes de genre, portraits, intérieurs, paysages, graveur, dessinateur.
Il fut élève de Charles Gleyre. Il exposa au Salon de Paris, à partir de 1848, obtenant une médaille de troisième classe en 1852, une médaille de deuxième classe en 1861, une médaille de troisième classe à l'Exposition Universelle de 1878. Il fut fait chevalier de la Légion d'honneur en 1870.
Il peignit surtout des tableaux de genre et des intérieurs de la vie mondaine.
Musées : BEAUFORT : *Envoi de fleurs* – BÉZIERS : *Sous-bois* – NANTES (Mus. des Beaux-Arts) : *La leçon de lecture* – *Le billet* – *Dans la serre* – *Portrait de Mr Marson* – NEW YORK (Metropolitan Mus.) : *Hommage à la beauté* – SAINT LOUIS : *Jeune fille avec des roses*.
Ventes Publiques : PARIS, 1872 : *Un tableau* : **FRF 6 100** – LONDRES, 1874 : *Une douce tentation* : **FRF 4 325** – BRUXELLES, 1881 : *Coquetterie* : **FRF 3 040** – AMSTERDAM, 1892 : *High Life* : **FRF 1 806** – NEW YORK, 15-16 fév. 1906 : *Lovc's Token* : **USD 220** – LONDRES, 24 juil. 1911 : *Rêverie* 1887 : **GBP 17** – PARIS, 29 mai 1920 : *Sur le sopha* : **FRF 1 800** – PARIS, 23 déc. 1942 : *La femme à l'éventail* 1890 : **FRF 20 000** – NEW YORK, 18-19 avr. 1945 : *Dans la bibliothèque* : **USD 525** – PARIS, 23 mai 1951 : *Jeune femme dans un intérieur* 1880 : **FRF 45 000** – LONDRES, 8 nov. 1972 : *Au coin du feu* : **GBP 950** – LOS ANGELES, 9 avr. 1973 : *Jeune femme assise près de la cheminée* : **USD 3 250** – NEW YORK, 12 jan. 1974 : *Jeune femme à son miroir* 1881 : **USD 950** – PARIS, 15 mars 1976 : *Jeune femme à la montre* 1874, h/t (29x20) : **FRF 4 800** – NEW YORK, 14 jan. 1977 : *La prière* 1858, h/t (74x59,5) : **USD 3 500** – NEW YORK, 28 mai 1981 : *Jeunes Filles dans une bibliothèque* 1865, h/pan. (63,5x48) : **USD 18 500** – NEW YORK, 24 mai 1984 : *Jeune femme arrosant des fleurs* 1876, h/t (52,5x40) : **USD 7 000** – PARIS, 26 nov. 1986 : *Élégante cueillant des roses* 1876, h/pan. (64x45) : **GBP 28 000** – LONDRES, 25 mars 1988 : *Le Nouveau-Né* 1861, h/pan. : **GBP 7 700** – PARIS, 29 avr. 1988 : *Japonaise pêchant,*

h/pan. (35x27) : **FRF 10 000** – New York, 23 fév. 1989 : *Elégante jeune femme avec une lettre* 1870, h/t (63,2x44,5) : **USD 41 800** – Londres, 5 mai 1989 : *L'arrivée* 1868, h/t (59x43,5) : **GBP 4 400** – New York, 23 mai 1989 : *Désillusion* 1880, h/t (65,4x47,9) : **USD 19 800** – New York, 25 oct. 1989 : *La lettre d'amour* 1883, h/t (63,5x43,8) : **USD 17 600** – Versailles, 10 déc. 1989 : *La partie de pêche*, h/pan. (35x27) : **FRF 14 000** – Paris, 21 mars 1990 : *La Confidence*, dess. à la mine de pb (32x36,5) : **FRF 70 000** – New York, 23 mai 1990 : *La lettre* 1879, h/t (62,9x38,7) : **USD 28 600** – New York, 24 oct. 1990 : *Mariée contre son gré* 1866, h/t (59,7x48,4) : **USD 24 200** – Stockholm, 14 nov. 1990 : *Jeune femme en robe rouge écoutant derrière une porte*, h/t (60x44) : **SEK 92 000** – Montréal, 4 juin 1991 : *Les bonnes nouvelles* 1880, h/t (49,5x61) : **CAD 25 000** – Londres, 19 juin 1991 : *Jeune femme frappant à une porte* 1868, h/t (58x42) : **GBP 5 500** – Londres, 21 juin 1991 : *Jeune femme attendant une visite* 1878, h/t (63,5x42,5) : **GBP 9 680** – Paris, 16 déc. 1991 : *Femme devant sa psyché* 1889, h/t (90x54) : **FRF 57 000** – New York, 27 mai 1992 : *La toilette* 1889, h/t (90,5x53) : **USD 35 200** – New York, 16 fév. 1994 : *Le dernier né* 1861, h/pan. (56,8x44,8) : **USD 21 850** – New York, 19 jan. 1995 : *La lecture favorite* 1872, h/t (39,4x21,9) : **USD 21 850** – Copenhague, 8 fév. 1995 : *Jeune femme en robe bleue doublée de fourrure*, h/t (45x38) : **DKK 15 000** – New York, 23 mai 1996 : *La Confidence* 1864, h/t (55,9x47) : **USD 54 625** – New York, 22 oct. 1997 : *Avant le bal, billet doux* 1883, h/t/pan. (45,7x29,9) : **USD 24 150**.

TOULMOUCHE Marie
Originaire de Nantes. xixe siècle. Française.
Pastelliste.
Femme d'Auguste Toulmouche. Le Musée de Soissons conserve d'elle : *Violettes et raisins* (Salon de 1888).

TOULMOUCHE René
Né au xixe siècle à Nantes (Loire-Atlantique). xixe siècle. Français.
Sculpteur.
Il exposa au Salon de 1846 à 1853. Le Musée de Rennes conserve de lui : *Satan*.

TOULON Karel Van
Né vers 1815 à Amsterdam. Mort en 1853 à Bloemendael. xixe siècle. Hollandais.
Dessinateur et paysagiste.
Élève de P. F. Griève et de G. A. Van der Brugghen. Le Musée Teyler de Haarlem conserve dix-sept paysages de cet artiste.

TOULON Martin Van
xviie-xviiie siècles. Travaillant à Dordrecht de 1697 à 1707. Hollandais.
Peintre.

TOULON Martine Adriane Marie Van, Mme Beelsnijder Van Voshol
xixe siècle. Active à Amsterdam, dans la première moitié du xixe siècle. Hollandaise.
Peintre de fleurs et de natures mortes.
Élève de W. Itekking. Elle épousa G. John Beelsnijdeer Van Voshol, collectionneur.

TOULOT Jules
Né le 11 novembre 1863 à Champeix (Puy-de-Dôme). xixe siècle. Français.
Peintre de genre, portraits.
Il fut élève de Gérôme à Paris, oùil vécut et travailla.
Ventes Publiques : Paris, 13 juin 1990 : *Suzanne à la harpe* 1888, h/t (131x98) : **FRF 40 000**.

TOULOUSE Bernard de. Voir BERNARD de Toulouse

TOULOUSE Roger Alphonse Albert
Né le 19 février 1918 à Orléans (Loiret). xxe siècle. Français.
Peintre, illustrateur, peintre de cartons de vitraux.
Élève de l'École des Beaux-Arts de sa ville natale, Roger Toulouse fut découvert par Max Jacob, et Gertrude Stein lui acheta « en bloc » toute sa production en 1937. Ami et illustrateur de nombreux poètes il se lie d'amitié avec Picabia, Derain, Ernst, Picasso. En 1948 il se retire en province.
Il participe à des expositions collectives, pour la première fois aux Surindépendants en 1938, puis Salons de Mai à partir de 1945 date de sa fondation, d'Automne et des Tuileries, ainsi qu'aux manifestations consacrées à la jeune École de Paris, tant en France qu'à l'étranger.
Quelque chose de rude, une âpreté qu'il possède en propre, un

sens du mystère nullement « inventé », mais insufflé par le jeu de la lumière, donnent à son art un ton très personnel. Il a illustré différents ouvrages, parmi lesquels *Les Mémoires de l'Ombre*, de Marcel Béalu, *Coudées franches* de Robert Prade et *Les Cinq Plaies* de Michel Manoll. Dans les années soixante, il a décoré des porcelaines et conçu des vitraux.
Bibliogr. : Pierre Garnier : *Roger Alphonse Albert Toulouse*, 1957.
Ventes Publiques : Neuilly, 5 déc. 1989 : *Sul 4*, h/pan. (65x81) : **FRF 31 000** – Autun, 18 mars 1990 : *Le fauve*, h/pan. (72x92) : **FRF 103 000** – Autun, 13 mai 1990 : *Le charmeur de grenouilles* 1957, h/pan. (115x90) : **FRF 205 000** – Paris, 27 nov. 1990 : *Le point rouge* 1989, techn. mixte/pan. (73x100) : **FRF 80 000** – Paris, 10 juil. 1991 : *XAL : V* 1988, h/isor. (65x91,5) : **FRF 26 000**.

TOULOUSE-LAUTREC Henri de, de son vrai nom Henri Marie Raymond de Toulouse-Lautrec-Monfa, pseudonyme : Treclau, anagramme de Lautrec
Né le 24 novembre 1864 à Albi (Tarn). Mort le 9 septembre 1901 au château de Malromé (Gironde). xixe siècle. Français.
Peintre de genre, portraits, figures, nus, animaux, cartons de vitraux, céramiste, lithographe, dessinateur, graveur, caricaturiste, illustrateur, décorateur de théâtre.
Fils du comte Alphonse de Toulouse-Lautrec-Monfa et de la comtesse, née Adèle Tapié de Céleyran, les comtes de Toulouse furent héréditaires du Comté depuis Charlemagne et s'annexèrent la vicomté de Lautrec et la seigneurie de Monfa par un mariage en 1196. Son père, très original, avait la passion des chevaux et de la chasse. Il élevait des faucons et en eut même chez lui pendant ses séjours à Paris. Lautrec enfant, fut destiné à suivre la même vie, quand, à une année de distance, en 1878 et en 1879, il se cassa successivement les deux jambes. Malgré les soins attentifs dont il fut l'objet, il restera chétif, sans doute à cause d'une calcification défectueuse, et ses jambes ne grandiront plus. Tout sport lui sera dorénavant impossible. C'est pour tromper l'ennui des longues stations d'immobilité qu'il commença à dessiner et à peindre, comme l'avaient fait son grand-père, son père et ses oncles à leurs moments perdus. Après avoir passé la première partie du baccalauréat, il renonça à poursuivre ses études et dirigé par un peintre ami de son père, sourd et muet, René Princeteau, peintre animalier, chez lequel il habita quelque peu, il entra à l'atelier Léon Bonnat en 1882, puis à la fermeture de celui-ci, chez Fernand Cormon. En 1884, il prit un atelier rue de Tourlaque à Montmartre. Il se lia avec Bruant et travailla pour le cabaret *Le Mirliton* et le journal du même nom. En 1887 il demeura chez son ami le Dr Bourges, rue Fontaine. En 1893, il collabora à la *Revue Blanche*, dirigée par Thadée Natanson, et à *L'Escarmouche*. Enfin, en 1897, il installa son atelier rue Frochot. Pendant toutes ces années, et malgré un labeur intensif, souffrant de sa disgrâce physique et de l'ironie des femmes il glissa insensiblement dans l'excès des boissons et ses amis alors inquiets l'entraînèrent dans des déplacements et voyages pour essayer de le faire rompre avec ses habitudes. Rien n'y fit et en février 1899, la crise que chacun redoutait arriva. Il fut conduit dans une maison de santé à Neuilly pour une cure de désintoxication, dont il put sortir le 20 mai de la même année. À partir de ce moment il vécut surtout à Bordeaux avec un ami de sa famille et ses séjours à Paris devinrent rares et relativement brefs. Se sentant plus malade, il retourna au château de Malromé près de sa mère, où il mourut à 37 ans, après avoir pesé jusqu'à l'extrême limite de ses forces. Enterré dans le cimetière de Saint-André-du-Bois, il dut être ensuite transféré à Verdelais. Sur des dessins et gravures, il utilisa parfois l'anagramme de Lautrec : *Treclau*.
Il exposa pour la première fois en 1887 au Salon des XX à Bruxelles, puis de son vivant à diverses reprises au Cercle Volney et au Salon des Indépendants à Paris. Ce ne fut qu'après l'exposition rétrospective en 1914 à la galerie Goupil, où il avait commencé à exposer en 1895, qu'il commença à gravir les échelons de la gloire. Après sa mort, de nombreuses expositions monographiques et rétrospectives ont été organisées : 1904-1905, 1927 musée national du Luxembourg à Paris ; 1910, 1931 musée des Arts décoratifs à Paris ; 1924 Kunstmuseum de Winthertur ; 1928 Kunsthalle de Brême, musée du Caire ; 1929, 1946 Fogg Art Museum de Cambridge (Massachusetts) ; 1930-1931, 1933, 1940, 1949, 1955, 1979 Art Institute de Chicago ; 1931, 1939, 1956, 1973, 1985 Museum of Modern Art de New York ;

1940, 1955, 1960 musée des Beaux-Arts d'Ixelles ; 1943, 1950, 1951, 1954 Kunsthaus de Zurich ; 1947, 1949 palais des Beaux-Arts de Bruxelles ; 1951, 1964 musée de la Berbie à Albi ; 1951 Bibliothèque nationale de Paris ; 1966, 1969 musée Toulouse-Lautrec à Albi ; 1988-1989 Royal Academy de Londres ; 1992 Galeries nationales du Grand Palais à Paris.

Dès l'adolescence, Lautrec commença à peindre et dessiner ; les animaux qui l'entouraient furent ses premiers modèles : les chiens, les bœufs et les chevaux surtout furent longuement étudiés par un esprit observateur et une main déjà habile. Vers l'âge de vingt ans, il abandonne toute direction académique, pour ne suivre que son inspiration, ne se plier qu'à sa fantaisie. Son dessin devient plus libre et plus acerbe. D'un trait, d'un accent, il fait vrai et réel, souligne exactement et de façon spirituelle ce que son œil voit, ce qu'il ressent. Fréquentant ces lieux de plaisir que sont le Moulin-Rouge, le Moulin de la Galette et les music-halls, la Goulue, Jane Avril, May Belfort, May Milton, Yvette Guilbert deviennent ses modèles préférés. Lautrec allait assister, s'il le jugeait nécessaire, chaque soir à la même représentation afin de reproduire fidèlement une attitude de Marcelle Lender, un salut d'Yvette Guilbert ou les jeux de lumière de la Loïe Fuller. Chacune de ces œuvres fut longuement conçue, de même ses planches lithographiques furent l'objet de longues recherches, maints croquis, dessins et cartons en témoignèrent, et ouvrier consciencieux, il vérifia toujours lui-même chacun des tirages. Parmi les plus célèbres lithographies : Le Sommeil (douze épreuves) ; Blanche et Noire (douze épreuves) ; La Goulue et sa sœur ; L'Anglais au Moulin-Rouge ; Napoléon (1895) ; Lender en buste (huit couleurs, 1895) ; Débauche (1896) ; La Passagère du 54 (1896) ; Elles (recueil de dix lithographies, tiré à 100 exemplaires, 1896) ; La Grande Loge (1897), La Clownesse au Moulin-Rouge (1897) ; Idylle princière (1897) ; La Petite Loge (1897) ; Elsa la Viennoise (1897) ; La Danse au Moulin-Rouge (1897) ; Le Jockey (1898) ; Cecy Loftus. En 1893-1894, il se dirige souvent vers les maisons closes, y habite au besoin et y travaille énormément. Toujours à la recherche du mouvement, il y étudie le nu non guindé par une pose d'atelier, et ses portraits de femmes anonymes non dans leur métier mais dans leur quotidien, leur intimité, au lit, mettant leur chemise, leurs bas, à leur toilette, se coiffant, se frisant, faisant leur lit, sont saisissants de vérité et de qualité. Travaillant sur des cartons colorés qui deviennent fonds, Toulouse-Lautrec esquisse des figures, avec une grande spontanéité, un graphisme nerveux. En 1889, durant sa cure de désintoxication à Neuilly, bien vite se reprenant, il dessine de mémoire, avec des matériaux de fortune pour commencer puis avec papier et crayons que ses amis lui apportaient, une série de dessins consacrés au cirque de qualité prouvant qu'il n'était pas fou. Exilé à Bordeaux, l'opéra de Messaline lui inspire de magnifiques dessins et tableaux. Il réalise également une série d'études sur la Belle Hélène. À la fin de sa vie, comme d'instinct il retourne vers les siens, ses œuvres, perdant de leur largeur et de leur acuité, se rapprochent de sa première manière.

Plus de mille peintures, plus de cinq mille dessins, trois cent soixante-neuf lithographies : production d'autant plus importante qu'elle fut réalisée en peu d'années. Toulouse-Lautrec connut un succès inégal de son vivant, son talent fut contesté par certains, mais il ne fut le contraire d'un peintre maudit, ayant traversé tous ces lieux « louches » où le beau monde et le demi-monde se côtoient : cabarets, théâtres, bordels, hippodromes, foires, cirques. Il sut développer avec virtuosité une œuvre originale en marge des courants contemporains, notamment de l'impressionnisme, dont il apprécie les recherches, en particulier sur la lumière aussi que s'appliquent dans les scènes d'intérieur. En effet, lui, « l'aristocrate » préfère sacrifier au réalisme, aux sujets humbles, triviaux, du monde parisien – la faune des cabarets, le milieu du spectacle, la vie des prostituées. Sans vulgarité aucune, au contraire avec une certaine mélancolie, il dévoile un milieu méconnu, ignoré, voir méprisé. Sensible également aux estampes japonaises qu'il a pu voir et dont il exploite certains traits de composition : asymétrie, détails arabesques, son œuvre révèle plus l'influence de Whistler et de Degas dont il recherche l'approbation et dont il partage les sujets (notamment les danseuses). Son travail indissociable du climat de la Belle Époque, annonce l'Art nouveau, notamment par l'importance donnée aux arts mineurs – avec de très nombreuses affiches, des menus, programmes, couvertures et illustrations de livres (Histoires naturelles de Jules Renard), des reliures –, et par la volonté de proposer un art « populaire » accessible à tous, et non plus réservé à la seule aristocratie. ■ M. G. Dortu, Laurence Lehoux

BIBLIOGR. : Gustave Coquiot : H. de Toulouse-Lautrec, Blaizot, Paris, 1913 – Th. Duret : Toulouse-Lautrec, Paris, 1920 – Loys Delteil : H. de Toulouse-Lautrec, Delteil, Paris, 1920 – Paul Leclercq : Autour de Toulouse-Lautrec, Floury, Paris, 1921 – Maurice Joyant : Henri de Toulouse-Lautrec : 1864-1901, Floury, Paris, 1926-1927 – P. de Lapparent : Toulouse-Lautrec, Paris, 1927 – François Fosca : Toulouse-Lautrec, Paris, 1928 – Pierre Mac Orlan : Toulouse-Lautrec, peintre de la lumière froide, Floury, Paris, 1934 – Schaub-Koch : Psychanalyse d'un peintre moderne, Paris, 1935 – G. Mack : Toulouse-Lautrec, Londres, New York, 1938 – Jacques Lassaigne : Toulouse-Lautrec, Paris, 1939 – G. de La Tourette : Toulouse-Lautrec, Paris, 1939 – E. Julien : Catalogue du Musée Toulouse-Lautrec, Musée d'Albi, 1939 – E. Julien : Les dessins de Toulouse-Lautrec, Monaco, 1942 – Von Gotthard Jedlicka : Henri de Toulouse-Lautrec, Zurich, 1943 – W. Rotzler : Affiches, Paris, 1946 – H. Delaroche-Vernet-Henraux : Toulouse-Lautrec, Paris, 1948 – G. Schmidt : Toulouse-Lautrec, Bâle, 1948 – Franz Jourdain : Toulouse-Lautrec, Lausanne, 1948 – M. G. Dortu : Toulouse-Lautrec, Paris, 1950 – Thadée Natanson : Toulouse-Lautrec, Cailler, Genève, 1951 – Franz Jourdain et Jean Adhémar : Toulouse-Lautrec, Paris, 1952 – Jacques Lassaigne : Lautrec, Skira, Genève, 1953 – M. Tapié de Celeyran : Toulouse-Lautrec notre oncle, Cailler, Genève, 1956 – E. Julien : Toulouse-Lautrec, Flammarion, Paris, 1961 – Jean Bouret : Toulouse-Lautrec, Somogy, Paris, 1963 – D. Cooper : Toulouse-Lautrec, Nouvelles Éditions Françaises, Paris, 1963 – Jean Adhémar : Toulouse-Lautrec. Lithographies et pointes-sèches, Arts et Métiers graphiques, Paris, 1965 – Raymond Cogniat : Toulouse-Lautrec, Flammarion, Paris, 1966 – Julien Cain : Affiches de Toulouse-Lautrec, Sauret, Paris, 1967 – P. Huisman – M. G. Dortu : Lautrec par Lautrec, Edita, Lausanne, 1968 – P. Paret : Lautrec. Femmes, Bibliothèque des Arts, Paris,

1969 – M. G. Dortu : *Toulouse-Lautrec et son œuvre*, 6 vol., New York, Collectors Editions, 1971 – Wolfgang Wittrock : *Toulouse-Lautrec. Catalogue complet des estampes*, ACR, L'Amateur, Londres, Paris, 1985 – Catalogue de l'exposition : *Toulouse-Lautrec*, Réunion des Musées nationaux, Paris, 1992.

MUSÉES : ALBI (Gal. Henri de Toulouse-Lautrec) : 217 peintures et pastels, environ 600 dessins et aquarelles, plus de 210 lithos et affiches, 20 pierres lithographiques, 10 livres de classe, 17 livres illustrés – AMSTERDAM (Stedelijk Mus.) : *Portrait de Van Gogh* 1887 – BERLIN (Neue Nationalgal.) – BOSTON (Mus. of Fine Arts) : *La Rousse au caraco blanc* 1888 – À la mie 1891 – BRÊME (Kunsthalle) : *Hélène V* 1888 – CAMBRIDGE (Mass.) – CAMBRIDGE (Fogg Art Mus.) : *Gueule de bois (Suzanne Valadon)* 1889 – CHICAGO (Art Inst.) : *La Femme au nœud rose (Jeanne Wens)* 1886 – *Au cirque Fernando, l'écuyère* 1888 – *Au bal du Moulin de la Galette* 1889 – *Au Moulin Rouge* 1892 – *Miss May Milton* 1895 – *Au cirque : cheval et singe dressés* 1899 – CLEVELAND : *Portrait de Monsieur Boileau* 1893 – *Miss May Belfort* 1895 – COPENHAGUE (Stat. Mus. für Kunst) : *Portrait de Monsieur Delaporte* 1893 – DRESDE : *Femmes au repos* 1895 – LONDRES (Fond. Courtauld) : *Portrait de Jane Avril entrant au Moulin Rouge* 1892 – *Le Cabinet particulier* 1899 – LONDRES (Tate Gal.) : *Femme assise dans un jardin* 1891 – MERION (Barnes Foundat.) : *À Montrouge, Rosa la Rouge* 1886-1887 – MOSCOU (Mus. Pouchkine) – NEW YORK (Metropolitan Mus.) : *L'Anglais au Moulin Rouge* 1892 – *Les Deux Amies* 1895 – NEW YORK (Brooklyn Mus.) : *Femme fumant une cigarette* 1890 – *Paul Sescau, photographe* 1891 – OTTERLO (Mus. Kröller-Müller) : *Jeanne* 1884 – PARIS (Mus. du Louvre) : *La Clownesse Cha-U-Kao* – *La Femme au boa noir* – *Dans le lit* – *La Toilette* – *Portrait de Monsieur Paul Leclercq* – *La Femme aux gants noirs* – *Justine Dieuhl* 1891 – *Jane Avril dansant* vers 1892 – PARIS (Mus. du Petit Palais) : *Portrait d'André Rivoire* vers 1901 – PARIS (BN) : *Elsa la Viennoise*, litho. reh. d'aquar. – *La Goulue et sa sœur*, litho. reh. d'aquar. – Collection de lithographies – PRAGUE (Gal. Mod.) : *Au Moulin Rouge, les deux valseuses* 1892 – SÃO PAULO : *L'Amiral Viaud* – *Le Canapé* – *Monsieur Fourcade* – TOULOUSE (Mus. des Augustins) : *Femme mettant son corset* – *Un Jour de première communion* – *Femme se frisant* – WASHINGTON D. C. (Nat. Gal.) : *L'Assommoir* 1892 – *Alfred la Guigne* 1894 – *Maxime Dethomas* 1896 – WUPPERTAL : *La Grosse Maria* 1884 – ZURICH (Kunsthaus) : *Au café : le consommateur et la caissière chlorotique* 1898.

VENTES PUBLIQUES : PARIS, 26 nov. 1894 : *Le Boucher*, dess. reh. : **FRF 30** ; *Le Passage du train* ; *Sur un tambour de basque* : **FRF 15** – PARIS, 9 mai 1895 : *Croquis* : **FRF 120** – PARIS, 1895 : *Croquis* : **FRF 120** – PARIS, 3 mars 1898 : *La Fête des fleurs*, dess. : **FRF 29** ; *Deux amies*, past. : **FRF 200** – PARIS, 29 avr. 1899 : *Jeune femme assise sur un banc* : **FRF 1 400** – PARIS, 1900 : *Aux provisions*, dess. : **FRF 140** – PARIS, 13-14 mars 1919 : *La Leçon de chant* : **FRF 15 700** ; *Danseuse ajustant son maillot* : **FRF 14 000** ; *Le Lit* : **FRF 7 900** – PARIS, 22 mars 1920 : *Le Moulin-Rouge* : **FRF 69 500** ; *La Loge* : **FRF 35 000** ; *Deux Japonais* : **FRF 24 000** – PARIS, 10 déc. 1920 : *Casque d'or* : **FRF 17 500** – PARIS, 16 juin 1926 : *Le Clown* : **FRF 25 000** ; *La Goulue et sa sœur au Moulin-Rouge* : **FRF 65 000** ; *Femme en mauve dans le jardin du père Forest* : **FRF 70 000** ; *Portrait d'Alfred la Guigne* : **FRF 96 000** ; *La Danseuse en scène* : **FRF 221 000** – PARIS, 9 juin 1927 : *Jeune femme lisant* : **FRF 129 000** – PARIS, 14 juin 1928 : *Le Sofa* : **FRF 141 000** – PARIS, 13 mars 1929 : *Le Côtier de la Compagnie des omnibus* : **FRF 67 000** – PARIS, 16 mai 1929 : *Femme accoudée*, dess. : **FRF 50 000** ; *Oscar Wilde*, aquar. : **FRF 290 000** ; *Au Moulin de la Galette* : **FRF 83 000** – PARIS, 21 mai 1931 : *M. Louis Pascal*, étude pour le tableau du musée d'Albi : **FRF 35 000** – PARIS, 9 déc. 1932 : *Yvette Guilbert saluant*, peint. à l'essence et aquar., trait de cr. noir : **FRF 22 000** – PARIS, 22-23 mars 1933 : *Danseuse* : **FRF 39 000** – PARIS, 2 juin 1933 : *Mademoiselle Cocyte*, dess. au cr. noir et à la sanguine : **FRF 18 000** ; *La Sphynge* : **FRF 150 000** – PARIS, 7 juin 1935 : *Repos pendant le bal masqué* : **FRF 35 100** ; *Chez la blanchisseuse* : **FRF 28 100** – PARIS, 28 avr. 1937 : *Danseuse* : **FRF 46 500** – NEW YORK, 21 oct. 1937 : *Le Cirque* : **USD 575** – PARIS, 30 mars 1938 : *Parodie du Bois sacré, de Puvis de Chavannes* : **FRF 40 500** – PARIS, 17 juin 1938 : *Le Sommeil*, dess. à la mine de pb : **FRF 14 300** – PARIS, 19 mars 1942 : *La Divette*, dess. : **FRF 30 000** ; *Buste de femme*, dess. : **FRF 27 500** – PARIS, 23 déc. 1942 : *Deux cavaliers*, aquar. gchée : **FRF 52 500** – PARIS, 2 juil. 1943 : *Le Jour de sortie* : **FRF 71 000** – NEW YORK, 20 avr. 1944 : *Domestique et lad promenant des chevaux* : **USD 2 100** – PARIS, 5 juin 1944 : *Portrait de femme au chapeau bleu* :

FRF 300 000 ; *Le Chien brabançon* : **FRF 35 000** – NEW YORK, 24 jan. 1946 : *Gueule de bois ou la Buveuse* : **USD 30 000** ; *La Femme rousse* : **USD 27 500** – PARIS, 18 oct. 1946 : *Clown et Éléphant*, dess. au pinceau en forme d'éventail : **FRF 21 000** – PARIS, 30 déc. 1946 : *Jeune homme élégant* ; *Vieux beau* ; *Femme près de sa lampe* ; *Femme assise* ; *Vieille fille*, cinq dessins : **FRF 161 000** – PARIS, 6 juin 1947 : *Le Philosophe*, fusain : **FRF 70 000** – PARIS, 9-10 juil. 1947 : *Deux albums de dessins*, mine de pb, pl. et cr. bleu, cent cinquante-deux et soixante-deux dessins : **FRF 660 000** – PARIS, 19 nov. 1948 : *Autoportrait*, dess. : **FRF 60 000** – PARIS, 30 mai 1949 : *Le Fiacre*, dess. : **FRF 46 100** ; *Le Cheval*, dess. : **FRF 30 000** – PARIS, 1er juin 1949 : *Tête de fille* : **FRF 230 000** ; *Tête de fille*, pendant de la précédente : **FRF 150 000** ; *Femme en prière* 1882 : **FRF 150 000** – PARIS, 29 juin 1949 : *Cavalier dans la campagne aveyronnaise*, dess. au cr. : **FRF 46 000** – STUTTGART, 26 oct. 1949 : *Écuyère de cirque*, cr. noir : **DEM 3 000** – PARIS, 20 mars 1950 : *Le Violoniste Dancla, premier violon solo de l'Opéra*, dess. : **FRF 30 000** – GENÈVE, 6 mai 1950 : *La Rousse* : **CHF 4 900** – PARIS, 26 mai 1950 : *Jour de sortie*, aquar. et gche : **FRF 280 000** – PARIS, 21 juin 1950 : *Les Anes*, pl. : **FRF 45 000** ; *Les Dromadaires*, cr. : **FRF 24 500** – PARIS, 5 juil.1950 : *Étude de chevaux*, cr. noir : **FRF 43 500** – PARIS, 25 oct. 1950 : *Femme au bonnet*, fusain, rehauts de craie : **FRF 54 000** – PARIS, 11 déc. 1950 : *Études d'animaux : Oie, Chien, Pingouin, Canard, etc*, sept dess. à la mine de pb : **FRF 60 000** ; *Oscar Wilde et Paul Leclercq*, cr. noir : **FRF 36 500** – NEW YORK, 14 fév. 1951 : *Femme nue à genoux* ; *Vue de dos* 1896, gche : **USD 3 400** ; *Femme au tub*, dess. à la sanguine : **USD 625** – PARIS, 21 mai 1951 : *Buste de femme de profil* : **FRF 304 000** ; *La Chasse* ; *Paysage*, cr. noir, recto-verso : **FRF 65 000** ; *La chasse* ; *Cavaliers et amazones*, cr. noir, recto-verso : **FRF 65 000** ; *Les ânes*, pl. : **FRF 63 000** ; *Études de chevaux*, cr. : **FRF 31 000** – PARIS, 23 mai 1951 : *Scène de la rue*, cr. bleu : **FRF 1 210 000** ; *Souvenirs de l'Exposition Universelle de 1889*, huit dessins à la plume : **FRF 85 000** – PARIS, 27 nov. 1953 : *La parade*, encre de Chine : **FRF 1 500 000** – PARIS, 4 avr. 1957 : *La toilette*, sanguine : **FRF 1 500 000** – NEW YORK, 7 nov. 1957 : *Aux Ambassadeurs, gens chics*, sur cart. : **USD 95 000** – PARIS, 10 juin 1958 : *Portrait de Manzi* 1898 : **FRF 11 000 000** – LONDRES, 3 déc. 1958 : *Portrait de Henri Rochefort*, pl. : **GBP 150** – LONDRES, 6 mai 1959 : *Marcelle Lender, en buste profil à droite*, aquar. et gche : **GBP 13 000** – NEW YORK, 15 mai 1959 : *Femme rousse dans un jardin*, h. sur cart. : **USD 180 000** – PARIS, 16 juin 1959 : *Le labour dans les vignes* : **FRF 5 200 000** – LONDRES, 1er juil. 1959 : *Le retour de la chasse à Albi* 1883 : **GBP 15 000** – PARIS, 29 mars 1960 : *Projet pour le bal de l'Opéra* 1893, h. sur cart. : **FRF 280 000** – LONDRES, 4 mai 1960 : *Danseuse espagnole* : **GBP 9 500** – PARIS, 23 juin 1960 : *Le coucher* : **FRF 350 000** – PARIS, 13 mars 1961 : *Jockeys à cheval* : **FRF 105 000** – NEW YORK, 26 avr. 1961 : *Danseuse* : **USD 80 000** – LONDRES, le 10 avr. 1962 : *Le polisseur* : **GBP 27 000** – LONDRES, 11 juin 1963 : *Scène de ballet vue des coulisses* : **GBP 35 000** – PARIS, 19 juin 1963 : *Danseuse assise, aux bas roses*, past. : **FRF 943 000** – LONDRES, 12 mars 1964 : *Au bal de l'Opéra* : **FRF 400 000** – NEW YORK, 14 oct. 1965 : *Femme assise dans un jardin* : **USD 105 000** – LONDRES, 14 oct. 1970 : *Femme à sa toilette se maquillant* : **GBP 140 000** – GENÈVE, 1er juil. 1971 : *Yvette Guilbert*, céramique portant la mention « Petit monstre ! mais vous avez fait une horreur ! » *Yvette Guilbert* : **CHF 22 500** – PARIS, 26 nov. 1971 : *Danseuse assise sur un divan rose* : **FRF 1 000 000** – LONDRES, 28 juin 1972 : *L'abandon ou les deux amies* : **GBP 150 000** – LONDRES, 1er déc. 1972 : *L'escalier de la maison de la rue des Moulins*, past. : **GNS 2 000** – LONDRES, 4 déc. 1973 : *Scène de cirque*, aquar. et gche : **GNS 10 000** – LONDRES, 2 avr. 1974 : *Au cirque Fernando, écuyère sur un cheval blanc*, past. et gche : **GBP 210 000** ; *Monsieur Paul Viaud, Taussat, Arcachon* 1900 : **GBP 205 000** – NEW YORK, 17 mars 1976 : *Les Deux Sœurs légendaires* 1896, aquar., gche et cr. de coul. (69,5x49,8) : **USD 30 000** – LONDRES, 6 avr. 1976 : *Cavalier circassien* 1896, peint. à l'essence et aquar. (25x32,5) : **GBP 16 000** – NEW YORK, 21 oct. 1976 : *Cavalier*, pl. et cr. (21x25) : **USD 6 500** – LOS ANGELES, 10 mars 1976 : *Femme au tub* 1896, litho. (40x52) : **USD 20 000** – NEW YORK, 12 mai 1980 : *Femme assise dans un jardin* vers 1891, h/pan. (55x46) : **USD 800 000** – NEW YORK, 22 oct. 1980 : *Le Cortège du rajah*, aquar., cr. et gche/pap. jaune : **USD 370 000** – NEW YORK, 5 nov. 1980 : *Aux Ambassadeurs* 1894, litho. coul. (30,6x24,1) : **USD 22 000** – MUNICH, 4 juin 1981 : *Le Panier à salade*, pl. (14,2x25,7) : **DEM 13 000** – LONDRES, 1er avr. 1981 : *Raymond de Toulouse-Lautrec vers 9 ans* 1881, h/t (46x39) : **GBP 40 000** – BERNE, 26 juin

1981 : *Elles* 1896, litho. coul., suite de dix (chaque 55,2x43,6) : **CHF 590 000** – New York, 4 nov. 1982 : *Au bal masqué ; Les fêtes parisiennes ; Nouveaux Confettis* vers 1892, gche et craie bleue/cart., étude (41,5x53) : **USD 32 500** – Paris, 25 nov. 1982 : *Scène mythologique* 1883, h/t (55x46) : **FRF 200 000** – New York, 15 nov. 1983 : *Au bois de Boulogne* 1901, h/t (55,8x46,5) : **USD 500 000** – New York, 16 nov. 1983 : *Mademoiselle Lender* 1893, sanguine sur trait de cr. (17,2x26,7) : **USD 22 000** – Bruxelles, 12 juin 1985 : *Jeune femme rêveuse*, h/t (100x80) : **BEF 300 000** – Londres, 26 juin 1986 : *Au Moulin-Rouge, la Goulue et sa sœur* 1892, litho. en couleurs (49,2x36,1) : **GBP 19 500** – Paris, 26 juin 1986 : *Comte Charles de Toulouse-Lautrec* 1882, fus. (60x45) : **FRF 820 000** – New York, 13 mai 1986 : *Au Bal de l'Opéra* 1893, peint. à l'essence et fus. reh. de gche blanche/pap. mar./cart. (79x50,5) : **USD 2 600 000** – New York, 16 déc. 1987 : *Chanteuses au café-concert* 1894, litho. : **FRF 145 000** – New York, 10 nov. 1987 : *Le violoniste Dancla* 1900, h/t (92x67) : **USD 1 150 000** – Versailles, 15 juin 1988 : *Cavalier et son chien*, aquar. gchée (14x23) : **FRF 300 000** – Paris, 19 juin 1988 : *À Batignolles* 1888, h/t (92x65) : **FRF 27 600 000** – Londres, 28 juin 1988 : *Au lit*, détrempe/cart. (35,5x26,8) : **GBP 82 500** – Londres, 29 juin 1988 : *Portrait d'enfant*, h/pan. (23,5x16,5) : **GBP 68 200** – Paris, 29 juin 1988 : *Mademoiselle Marcelle Lender, en buste* 1895, litho. coul. : **FRF 75 000** ; *Le chirurgien Péan* 1891, dess. cr. (12,5x13) : **FRF 34 000** – Paris, 14 oct. 1988 : *Le jockey* 1899, litho. en coul. (in-folio en haut) : **FRF 225 000** ; *Le Divan Japonais* 1893, litho. en coul. (80x60,2) : **FRF 66 000** – Paris, 26 oct. 1988 : *La loge (Faust)* 1896, litho. 1 coul. (in-folio en haut) : **USD 8 500** – New York, 28 oct. 1988 : *Le bar*, litho. coul. (37x57) : **USD 10 175** – New York, 12 nov. 1988 : *Etude pour Au bal masqué*, gche et craie/cart. (42x53,5) : **USD 101 750** – Londres, 29 nov. 1988 : *La clownesse Cha-U-Kao assise* 1895, h/cart. (47,5x32,7) : **GBP 1 540 000** – Paris, 21 déc. 1988 : *Croquis d'un homme et d'une femme attablés* 1897, cr./pap. teinté : **FRF 56 000** – Londres, 22 fév. 1989 : *Etude de clownesse*, cr. (26x16) : **USD 6 600** – Londres, 4 avr. 1989 : *Gabrielle la danseuse* 1895, peint. à l'essence/cart. (35x24) : **GBP 506 000** – New York, 10 mai 1989 : *Le peintre Rachou*, h/t (50x61) : **USD 660 000** – Londres, 27 juin 1989 : *A la bourique – Château du Bosc, le buveur, le Père Mathias* 1882, h/t (45,8x55,3) : **GBP 286 000** – New York, 18 oct. 1989 : *Portrait de la Comtesse Raymond de Toulouse-Lautrec, grand-mère de l'artiste* 1882, fus./pap. (48x38) : **USD 36 300** – New York, 15 nov. 1989 : *M. Caudieux, acteur de café concert* 1893, gche et cr./pap. (68x48) : **USD 3 080 000** – Paris, 15 déc. 1989 : *Le peintre Rachou* vers 1882, h/t (50x61) : **FRF 6 450 000** – Paris, 28 fév. 1990 : *Au Moulin Rouge, la Goulue et sa sœur* 1892, litho. : **FRF 520 000** – New York, 15 mai 1990 : *La fille à la fourrure (Melle Jeanne Fontaine)* 1891, peint. à l'essence/cart. (67,5x52,8) : **USD 12 980 000** – New York, 17 mai 1990 : *Miss May Belfort* 1895, gche et cr./pap., maquette pour l'affiche (83x61,5) : **USD 3 080 000** – Londres, 23 mai 1990 : *Yvette Guilbert*, plaque de céramique peinte et vernissée (52x28) : **GBP 16 500** – Paris, 10 juin 1990 : *Antoine Marthe Mellot dans « La gitane »* 1900, affiche deThéâtre imprimée en coul. : **FRF 510 000** – New York, 3 oct. 1990 : *Rivière* 1881, h/pan. (16x24) : **USD 55 000** – Londres, 4 déc. 1990 : *Le chat* 1882, h/cart. (30,5x22,8) : **GBP 55 000** ; *Mademoiselle Cocyte* 1900, sanguine et cr./pap. (34,5x25,3) : **GBP 66 000** – Castres, 1er nov. 1991 : *Miss Loïe Fuller*, lithographie au pinceau, crachis avec poudre d'or (38,8x28) : **FRF 245 000** – New York, 8 mai 1991 : *Le maître d'équipage*, h/pan. (23,5x14) : **USD 57 200** – New York, 9 mai 1991 : *Affiche Yvette Guilbert* 1895, avec une partie de céramique vernissée (51,4x28) : **USD 71 500** – Londres, 25 juin 1991 : *Le lit* 1898, h/pan. (41x32) : **GBP 1 320 000** ; *La toilette, Madame Fabre* 1891, h/cart. (72x64) : **GBP 2 420 000** – New York, 5 nov. 1991 : *Vieillard à Céleyran* 1882, h/t (54,9x46) : **USD 220 000** – Londres, 3 déc. 1991 : *La femme au chien*, encre et lav. (56x42) : **GBP 55 000** – New York, 12 mai 1992 : *Cavaliers se rendant au bois de Boulogne* 1888, gche/cart. (85,1x53,6) : **USD 1 980 000** – Lokeren, 23 mai 1992 : *Mademoiselle Marcelle Lender en buste* 1895, litho. en coul. (32,9x24,4) : **BEF 400 000** – Paris, 15 juin 1992 : *La clownesse assise (Melle Cha-U-Kao)*, au cr., au pinceau et au crachis avec grattoir (52,5x40) : **FRF 1 650 000** – Paris, 21 oct. 1992 : *La Goulue* 1894, litho. en vert olive (31,4x25,7) : **FRF 65 000** – New York, 11 nov. 1992 : *Tête d'homme* 1883, h/t (61x50) : **USD 330 000** – Paris, 24 nov. 1992 : *Barque de pêche* 1880, h/pan. (recto) : **FRF 380 000** – Londres, 1er déc. 1992 : *Lucien Guitry et Jeanne Granier*, peint. à l'essence/cart. (65x52) : **GBP 616 000** – New York, 23-25 fév. 1993 : *Yvette*

Guilbert, céramique vernissée (51,1x27,9) : **USD 50 600** – Paris, 24 fév. 1993 : *Le bon graveur (Adolphe Albert)* 1898, litho. : **FRF 31 000** – New York, 13 mai 1993 : *Tête de femme*, h/cart. (43,5x33) : **USD 134 500** – Heidelberg, 15-16 oct. 1993 : *Georges Clémenceau et l'oculiste Mayer* 1897, litho. (17,5x14,2) : **DEM 1 000** – New York, 2 nov. 1993 : *La clownesse Cha-U-Kao assise* 1895, h/cart. (47,5x32,7) : **USD 1 289 500** – Paris, 10 mars 1994 : *Pêcheur niçois ; Deux têtes*, aquar., recto-verso (20,5x13) : **FRF 70 000** – New York, 11 mai 1994 : *Décor indien, maquette de décor pour « Le chariot de Terre-cuite »* 1894, h/cart. (77,1x108,9) : **USD 51 750** ; *Maison de la rue des Moulins – Rolande* 1894, peint. à l'essence/cart. (52,1x71,1) : **USD 607 500** – Paris, 3 juin 1994 : *Aristide Bruant dans son cabaret*, affiche litho. (127,3x95) : **FRF 135 000** – Paris, 22 juin 1994 : *Le côtier de la Compagnie des omnibus* 1888, peint./cart. (80x51) : **FRF 7 450 000** – Heidelberg, 15 oct. 1994 : *May Belfort* 1895, litho. en vert, orange, noir et jaune (79,3x60,5) : **DEM 8 400** – New York, 9 nov. 1994 : *Danseuse ajustant son maillot (Le premier maillot)* 1890, h/cart. (59x46,5) : **USD 4 787 500** – Paris, 18 nov. 1994 : *Le Jockey*, litho. coul. (51,6x36) : **FRF 205 000** – Paris, 24 mars 1995 : *Napoléon* 1895, litho. coul. (59x45,4) : **FRF 485 000** – New York, 7 nov. 1995 : *À l'Élysée-Montmartre* 1888, h/t (73,3x50,8) : **USD 1 212 500** – New York, 8 nov. 1995 : *À Grenelle, buveuse d'absinthe* 1886, h/t (55,6x49,2) : **USD 475 500** – New York, 2 mai 1996 : *Nu académique*, h/t, buste (80,6x64,8) : **USD 173 000** – Orléans, 8 juin 1996 : *Troupe de Mademoiselle Églantine* 1896, litho. trois coul. (62x80) : **FRF 109 000** – Paris, 13 juin 1996 : *Le Revue blanche* 1895, litho. (1260x920) : **FRF 80 000** – Londres, 24 juin 1996 : *Nice, la Promenade des Anglais* 1879, aquar. et cr./pap. (14x22,5) : **GBP 34 500** – Paris, 16 oct. 1996 : *Divan japonais* 1893, litho. (80,8x60,9) : **FRF 135 000** – Paris, 18 déc. 1996 : *Mademoiselle Marcelle Lender en buste* 1895, litho. coul. (325x240) : **FRF 42 000**.

TOULZA Joséphine
Née à Marseille (Bouches-du-Rhône). XIXe siècle. Française.
Peintre et miniaturiste.
Élève d'Aulery. Elle exposa des miniatures au Salon de 1824 à 1833.
Ventes Publiques : Paris, 28 nov. 1898 : *Portrait de femme de l'époque de la Restauration*, miniat. : **FRF 580**.

TOUMAKOV Sergeï
Né en 1919. XXe siècle. Russe.
Peintre de compositions à personnages, portraits.
Il travailla à l'institut Répine de l'Académie des Beaux-Arts de Leningrad et fut élève de Mikhaïl Avilov.
Ventes Publiques : Paris, 23 mars 1992 : *Dans l'atelier des laques*, h/t (130x170) : **FRF 10 600**.

TOUMANOV Vladimir
Né en 1949. XXe siècle. Russe.
Peintre.
Il a travaillé à Moscou.
Ventes Publiques : Paris, 7 nov. 1988 : *Le coq* 1976 : **FRF 11 000**.

TOUMSKY Sergueï Nicolaïévitch
Mort en 1892. XIXe siècle. Russe.
Peintre.
La Galerie Tretiakov, à Moscou, conserve de lui : *Vieille tricoteuse de bas*.

TÔB. Voir KANÔ MASANOBU et KANÔ TÔUN

TOUNAY Nicolas Antoine. Voir TAUNAY

TOUNIER Étienne
XXe siècle. Français.
Peintre de genre, figures.
Il a participé à Paris, au Salon de 1902, où il présentait *Jeune Femme à sa toilette*.
Musées : Saintes : *Jeune Femme à sa toilette*.

TOUNISSOUX Françoise
Née en 1947. XXe siècle. Active au Canada. Française.
Peintre.
Bibliogr. : Catalogue de l'exposition : *Les Vingt Ans du musée*, Musée d'Art contemporain, Montréal, 1985.
Musées : Montréal (Mus. d'Art Contemp.) : *Septembre* 1978.

TOUNO Jaco. Voir TUNO

TOUNSI Yahia
Né le 20 juin 1900 à Tunis. XXe siècle. Algérien.
Peintre de paysages, portraits.

Il exposa à la Société Coloniale des Artistes Français et au Salon des Indépendants à Paris. Il fut peintre officiel, à la Cour du Bey de Tunisie.
Musées : Tunis – Tunis (Hôtel de Ville).

TOUPEY Alexandre
Né au XIXᵉ siècle à Arcueil (Val-de-Marne). XIXᵉ-XXᵉ siècles. Français.
Lithographe.
Élève de Briden et Brémond. Sociétaire des Artistes Français depuis 1897 ; mention honorable en 1899, médaille de troisième classe en 1904, bourse de voyage en 1906.

TOUPIE Hippolyte Auguste
Né à Précy. Mort en 1899. XIXᵉ siècle. Français.
Peintre de genre et graveur.
Il débuta au Salon de 1878. Sociétaire des Artistes Français. On lui doit des eaux-fortes représentant des sites des environs de Paris.

TOUPILEW Jean
Né en 1757 à Saint-Pétersbourg. XVIIIᵉ siècle. Russe.
Peintre.
Élève de La Grenn aîné. Il fut pensionnaire de l'impératrice Catherine II et entra à l'École de l'Académie Royale en cette qualité le 12 janvier 1780.

TOUPIN Fernand
Né en 1930 à Montréal. XXᵉ siècle. Canadien.
Peintre, peintre à la gouache. Abstrait géométrique puis abstrait lyrique.
Il a étudié à l'école des Beaux-Arts de Montréal. En 1955 il fut membre fondateur du Groupe des Plasticiens.
Signataire du manifeste des Plasticiens, il pratique alors une abstraction géométrique. Vers 1956 il abandonne les formats carrés et rectangulaires traditionnels et adopte des formats plus variés, exploitant diverses possibilités de polygones irréguliers. En 1959-1960 il entreprend une série de gouaches, à tendance lyrique. Depuis 1961 il explore la matière, les textures, créant des reliefs transpercés de cratères de couleurs rehaussés de glacis lumineux.
Bibliogr. : Catalogue de l'exposition : *Les Vingt Ans du musée*, Musée d'Art contemporain, Montréal, 1985.
Musées : Montréal (Mus. d'Art Contemp.) : *Aire au bleu et rouge nᵒ 4* 1956 – *Contact 114* 1957 – *Blanc Sablon* 1964 – *Cortège chimérique* 1964 – *Échourie* 1964 – *Germinal* 1971.
Ventes Publiques : Montréal, 30 oct. 1989 : *Iris de givre* 1981, acryl./t. (66x53) : CAD 1 650.

TOUQUAN Sauha Tamim
Née en 1936. Morte en 1986. XXᵉ siècle. Libanaise.
Peintre de paysages, aquarelliste. Naïf.
Elle fut élève de l'American University de Beyrouth. Elle montre ses œuvres dans des expositions personnelles : 1973 American University de Beyrouth ; 1984 centre culturel espagnol de Beyrouth.
Elle a réalisé des aquarelles dans un style naïf.

TOUR Alexandre de La. Voir LA TOUR

TOUR Édouard M. Voir DELATOUR Marie de

TOUR Georges de La. Voir LATOUR Georges de

TOUR Jean de La. Voir LATOUR Jan

TOUR D'ONASKY ou Tour. Voir DONAS Marthe

TOURAINE Édouard
Mort le 24 octobre 1916 à Verdun. XXᵉ siècle. Français.
Illustrateur, caricaturiste.
À la *Belle Époque*, il fut avec quelques autres l'un des peintres de la femme. Il collabora à *La Vie Parisienne*, à *Fantasio*. Il mourut jeune, alors qu'il commençait à sortir d'une sorte d'oubli dans lequel il serait par trop injuste de le replonger.

TOURBÉ de. Voir DESTOURBET Gabriel

TOURBILLI. Voir TRUBILLIO Johann Andreas

TOURCATY Jean François
Né en 1763 à Paris. XVIIIᵉ siècle. Français.
Peintre, dessinateur et graveur au burin.
Élève de Bardin. Il exposa en 1793. Il grava des scènes de la Révolution.
Ventes Publiques : Lille, 12 déc. 1982 : *Portraits d'homme et de femme de qualité*, 2 gches ; formant pendants (28x22) : FRF 23 000.

TOURCHANSKY Leonid Viktorovitch. Voir TURSHANSKI

TOURET Jean-Marie
Né en 1916 à Lassay (Mayenne). XXᵉ siècle. Français.
Sculpteur, peintre de compositions religieuses, figures, peintre de compositions murales.
Il fut élève d'une école privée du Mans, de 1933 à 1937. Depuis 1954, il figure à Paris au Salon de la Jeune Sculpture et au Salon d'Art Sacré. Il a montré plusieurs expositions personnelles de ses œuvres à Paris.
Il fut à la fois peintre et sculpteur jusqu'en 1950, exécutant diverses décorations, notamment des fresques pour un groupe scolaire de Montoire. Il utilise le ciment, le fer et surtout le bois. Figuratif, les figures qu'il met en relief sont cependant fortement conditionnées par le matériau employé. Sa poétique est simple et robuste, non sans une pointe d'humour.
Bibliogr. : Denys Chevalier, in : *Diction. de la Sculpt. mod.*, Hazan, Paris, 1960.

TOURET Nikolaus Friedrich. Voir THOURET

TOURETSKI Boris
Né en 1928 à Voronèje. XXᵉ siècle. Russe.
Peintre.
Il fut élève de l'école d'Art Savitski à Penza. Il vit et travaille à Moscou.
Il participe à des expositions collectives notamment en URSS et à l'étranger. Il montre ses œuvres dans des expositions personnelles : depuis 1959 régulièrement à Moscou, notamment en 1993 à la Maison centrale des Artistes.

TOURFAUT Léon Alexandre
Né à Paris. Mort le 16 novembre 1883 à Paris, par pendaison. XIXᵉ siècle. Français.
Graveur de portraits, illustrateur.
Élève de Sotain, il débuta à Paris au Salon en 1876 et y exposa jusqu'en 1882. Il grava sur bois des portraits. Il a travaillé pour plusieurs journaux, notamment pour *Le Monde Illustré*.

TOURGATY Jean François. Voir TOURCATY

TOURGENEFF Pierre Nicolas ou Tourgueneff
Né en 1853 ou 1854 à Paris, de parents russes. Mort en mars 1912. XIXᵉ-XXᵉ siècles. Russe.
Sculpteur de portraits, animaux.
Élève de Frémiet, il exposa à Paris au Salon de 1880 à 1911 ; il obtint une mention honorable en 1882, 1883, 1885, 1886, un Grand Prix en 1889 à l'Exposition Universelle. Il fut fait chevalier de la Légion d'honneur en 1903.
Sculpteur, principalement animalier, il réalisa de nombreux chevaux et chiens.
Ventes Publiques : Paris, 16 févr 1979 : *Le hussard*, bronze, patine verte (H. 61) : FRF 9 500 – New York, 14 juin 1986 : *Deux juments*, bronze patine brun noir (H. 32,1) : USD 5 500 – Paris, 12 fév. 1988 : *Chien berger couché*, bronze (H. 18) : FRF 5 100 – Paris, 29 nov. 1991 : *Hussard à cheval*, bronze (H. 61) : FRF 25 000 – Lokeren, 7 oct. 1995 : *Chien couché*, bronze (19x40) : BEF 33 000 – Paris, 8 nov. 1995 : *Jument Theresa*, bronze (H. 17) : FRF 15 500 – Lokeren, 9 mars 1996 : *Chien couché*, bronze (H. 19) : BEF 33 000.

TOURILLON Alfred Édouard
Né à Livry (Seine-Saint-Denis). XIXᵉ siècle. Français.
Peintre de natures mortes.
Élève de Bergeret. Il s'établit à Lagny. Il obtint une mention honorable en 1899, avec *Artichauts*, aujourd'hui au Musée de Draguignan.

TOURIN Thomas. Voir THOURIN

TOURLIÈRE Michel
Né le 15 février 1925 à Beaune (Côte-d'Or). XXᵉ siècle. Français.
Peintre, peintre de cartons de tapisserie. Polymorphe.
Après les études au collège de Beaune, il entra en 1941 à l'École des Beaux-Arts de Dijon et en 1942 à l'École des Arts Décoratifs de Paris, d'où il sortit diplômé en 1944. En 1945, il entra en contact avec les lissiers d'Aubusson et avec Jean Lurçat. Dès 1947 il fut élu membre de l'« Association des Peintres-Cartonniers », regroupant sous le patronage de Lurçat les principaux artisans du renouveau de la tapisserie. Également en 1947, il fut nommé professeur à l'Atelier-École National de Tapisseries

d'Aubusson, puis à l'École Nationale des Arts Décoratifs d'Aubusson, dont il fut directeur en 1960. Parallèlement à ses activités artistiques, il a poursuivi sa carrière dans l'enseignement, étant nommé inspecteur en 1969, et surtout, en 1970, directeur de l'École Nationale Supérieure des Arts Décoratifs de Paris. Il fut fait chevalier de la Légion d'Honneur en 1973. Il vit et travaille à Paris.

Il n'a cessé, depuis 1947, de participer aux nombreuses manifestations de l'association, en France et surtout à l'étranger. Depuis 1953, il a montré des expositions personnelles de ses tapisseries, surtout à Paris, mais aussi à Marseille, dans d'autres villes et à l'étranger. En tant que peintre, il s'est moins manifesté, avec toutefois une exposition personnelle à Paris en 1991.

En 1946, il fit exécuter sa première tapisserie : *Le Vigneron*. Menant parallèlement une carrière dans l'enseignement et son œuvre personnel, il créait dans le même temps de nombreux cartons de tapisseries. Il est à remarquer que Michel Tourlière s'est pratiquement entièrement consacré à la technique de la tapisserie, ne montrant que peu de peintures, ce que font regretter les dessins colorés, discrètement somptueux, qu'il s'est décidé à exposer depuis 1975. Après une courte période consacrée à des sujets narratifs, il produisit, environ jusqu'en 1965, une importante série de tapisseries abstraites, même si inspirées d'émotions objectives, dont la poétique plastique est essentiellement fondée sur le surgissement en clair-obscur de couleurs vives sur des fonds de bruns et de bleu-noir profonds. Ensuite il est revenu à son inspiration première avec le thème, longuement développé, des vignobles, dont le sujet, après l'expérience abstraite, est réduit aux seuls jeux des rythmes de l'ondulation conjuguée des coteaux et des rangs de ceps, et à ceux d'une gamme chaleureuse de tous les bruns diversifiés qu'éclairent les orangés. À l'ensemble de ses créations appartiennent, de façon indissociable de leur contenu poétique, les caractéristiques maîtrisées mais non dissimulées de la technique de la tapisserie moderne, leur conférant une saveur de plus. En général abstrait, certaines commandes de tapisseries murales à destination décorative particulière requièrent de la figuration. En 1974, il a créé plus de deux cents cartons, tous exécutés en plusieurs exemplaires. Il a notamment conçu des tapisseries monumentales pour l'Hôtel de Ville de Beaune (25 mètres carrés), le château de Pommard, le Syndicat des Entrepreneurs du Bâtiment et des Travaux Publics de Dijon, la Société John Deere à Moline-Illinois (30 mètres carrés), la Travelers Insurance Co. de Hartford-Connecticut (45 mètres carrés), le château du Clos de Vougeot (26 mètres carrés), le Tribunal pour Enfants du Palais de Justice de Lille (23 mètres carrés), la grande salle d'audiences du Palais de Justice d'Orléans (12 mètres carrés), ainsi que d'autres nombreuses commandes d'État, au titre du 1 % du Mobilier National. Comme l'a exactement écrit Léon Gischia, Michel Tourlière, qui n'est « pas un peintre qui est allé vers la tapisserie », a su « considérer la tapisserie en même temps comme métier et comme art et non pas comme métier d'art ».

BIBLIOGR. : Léon Gischia : *Présentation de l'exposition « Michel Tourlière »*, Gal. La Demeure, Paris, 1968 – *Catalogue de l'exposition « Michel Tourlière »*, Gal. La Demeure, Paris, 1973.
MUSÉES : BEAUNE (Mus. du Vin).
VENTES PUBLIQUES : PARIS, 16 nov. 1988 : *Fleurs bleues du matin*, tapisserie (169x210) : **FRF 46 000** – PARIS, 7 oct. 1991 : *Étoile du matin* 1985, tapisserie (201x268) : **FRF 11 500**.

TOURLONIAS Jean
Né en 1937 à Clermont-Ferrand (Puy-de-Dôme). XXᵉ siècle. Français.
Peintre. Naïf.
Horticulteur de son état, il montre ses œuvres dans des expositions personnelles : 1991 galerie La Pochade à Paris.
Autodidacte, il s'est spécialisé dans la peinture d'automobiles fantaisistes qui portent le nom de stars de la télévision (Christine Ockrent, Alain Prost).
VENTES PUBLIQUES : PARIS, 14 juin 1990 : *Série Formules I*, h/t (65x100) : **FRF 12 500**.

TOURLYGUINE Jakof Prokopiévitch
Né en 1858. Mort en 1909. XIXᵉ siècle. Russe.
Peintre de genre.
La Galerie Tretiakov, à Moscou, conserve de lui : *Sans ressources pour vivre*.

TOURMONT Marie de
Née au XIXᵉ siècle à Paris. XIXᵉ siècle. Française.
Peintre.
Élève d'Eugène Delacroix. Elle débuta au Salon de 1865.

TOURNACHON Adrien
Né à Paris. XIXᵉ siècle. Français.
Peintre d'histoire, de portraits et de paysages.
Élève de Picot. Il exposa au Salon de 1869 à 1870.

TOURNACHON Gaspard Félix. Voir NADAR

TOURNAN Renée
Née à Alger. XXᵉ siècle. Française.
Peintre de compositions animées, paysages.
Elle fut élève de Fernand Sabatté et de Georges d'Espagnat.

TOURNANT Alcine
XIXᵉ siècle. Actif à Paris de 1840 à 1844. Français.
Peintre de miniatures.
Élève de Devéria.

TOURNAY Élisabeth Claire. Voir TARDIEU

TOURNAYRE Louis Aristide
Né à Dunes. XIXᵉ siècle. Actif dans la seconde moitié du XIXᵉ siècle. Français.
Aquarelliste.
Élève de Bonnat et de J. P. Laurens. Il exposa à Paris de 1865 à 1882.

TOURNEL Simon
XVIIᵉ siècle. Travaillant à Avignon de 1679 à 1683. Français.
Sculpteur sur bois.
Il sculpta des boiseries dans la Chapelle des Pénitents Blancs, à Avignon.

TOURNELLES
XVIIIᵉ siècle. Travaillant à Paris en 1741. Français.
Graveur de portraits.

TOURNEMINE Charles Émile de ou Vacher de Tournemine
Né le 25 octobre 1812 à Toulon (Var). Mort le 22 décembre 1872 à Toulon. XIXᵉ siècle. Français.
Peintre de scènes de genre, sujets typiques, paysages, paysages d'eau, marines. Orientaliste.
Il appartenait par sa famille à la haute aristocratie. Il fut élève d'Eugène Isabey. Il fut nommé conservateur de l'ancien Musée du Luxembourg à Paris.
Il peignit quelques vues de Bretagne et des bords du Danube, mais surtout des tableaux orientalistes dans la lignée de Marilhat, d'Édouard Frère, de Karl Girardet et d'Eugène Fromentin. Son coloris est généralement assez brillant, sans être très recherché ; le dessin est correct.

Ch. de Tournemine.

MUSÉES : BERNAY : *Paysage oriental* – MARSEILLE : *Chasse indienne* – MONTPELLIER (Mus. Fabre) : *Promenade de femmes turques* – NIORT : *Pêcheurs* – PARIS (Mus. d'Orsay) : *Éléphants africains* – *Village turc près d'Adalia*.
VENTES PUBLIQUES : PARIS, 7 mai 1872 : *Caravane au bord d'une rivière* : **FRF 400** – PARIS, 1874 : *Maison turque au bord de l'eau* : **FRF 3 900** ; *Ruines d'un temple au bord de la mer* : **FRF 3 950** ; *Le lac sacré d'Oudeypour* : **FRF 3 200** ; *Ruines du temple de Janina* : **FRF 3 000** – PARIS, 1893 : *Maisons égyptiennes au bord du Nil* : **FRF 1 200** – PARIS, 15 fév. 1926 : *Paysage du Bosphore* : **FRF 1 500** – PARIS, 30 jan. 1943 : *Paysages d'Orient*, deux pendants : **FRF 13 800** – PARIS, 23 avr. 1945 : *Bords du Nil* : **FRF 5 100** – PARIS, 24 mai 1950 : *Paysage oriental au bord de la mer* : **FRF 11 000** – PARIS, 23 juin 1954 : *Bord du Nil, vue d'une ville d'Orient* : **FRF 14 000** – VERSAILLES, 11 déc. 1977 : *Bord de mer*, h/t (17,5x32,5) : **FRF 6 500** – PARIS, 12 juin 1980 : *Scène orientaliste*, h/t (34x60) : **FRF 10 000** – SAN FRANCISCO, 24 juin 1981 : *Maures traversant un pont*, h/t (58,5x121) : **USD 1 800** – ENGHIEN-LES-BAINS, 16 oct. 1983 : *Méharistes et leurs montures au pied du fort*, h/t (58,5x101) : **FRF 70 000** – PARIS, 17 juin 1988 : *Paysan en bord de mer*, h/pan. (17x30,5) : **FRF 10 000** – LONDRES, 19 juin 1991 : *Un village sur le Nil*, h/pan. (33,5x54) : **GBP 2 750** – PARIS, 29 nov. 1991 : *Enfants dans une barque*, h/pan. (23x34) : **FRF 19 000** – PARIS, 25 oct. 1994 : *Halte au bord de la rivière* (35x60) : **FRF 45 000** – LONDRES, 16 nov. 1994 : *Arabes passant un gué* 1857, h/t (36x61) : **GBP 8 050** – PARIS, 12 juin 1996 : *Les Cavaliers arabes*, h/t (33x53) : **FRF 7 500** – PARIS, 5-7 nov. 1996 : *Maison et café au bord de l'eau en Asie Mineure*, h/pan. (55x100) : **FRF 135 000**.

TOURNEMINE Jacques
XVᵉ siècle. Français.

Sculpteur sur bois.
Il travailla dans l'église Saint-Pierre de Lille en 1475.

TOURNEMINE Marquet
xve siècle. Travaillant à Lille de 1487 à 1493. Français.
Peintre ornemaniste.
Il réalisa des bannières et des armoiries.

TOURNEMINE Thomas
xvie siècle. Travaillant à Lille de 1509 à 1549. Français.
Peintre ornemaniste.
Il réalisa des bannières et des armoiries.

TOURNÈS Étienne
Né en 1857 à Seix (Ariège). Mort en 1931. xixe-xxe siècles. Français.
Peintre de scènes de genre, nus, portraits, intérieurs, natures mortes.
Il fut élève d'Alexandre Cabanel. Il exposa au Salon de la Société Nationale des Beaux-Arts de Paris. Il fut fait chevalier de la Légion d'honneur.
Il s'est inspiré, pour certaines de ses œuvres, de l'art japonais.
Musées : Bordeaux (Mus. des Beaux-Arts) : Jeune femme endormie – Jeune femme à sa toilette – Dijon (Mus. des Beaux-Arts) : Les premières communiantes – Göteborg : En prenant le café – Paris (Mus. du Louvre) : À la toilette.
Ventes Publiques : Paris, 22 fév. 1919 : Nature morte : FRF 80 – Paris, 24 mai 1944 : La toilette : FRF 2 100 – Paris, 13 jan. 1950 : Femme à la rose – FRF 14 000 – Londres, 30 nov. 1984 : Jeune femme à sa toilette, h/t (180x133) : GBP 9 000 – Paris, 22 mars 1993 : Femme à sa toilette, h/t (46x33) : FRF 16 000 – Paris, 7 déc. 1993 : Petite fille pensive, h/t (40x31) : FRF 10 800 – Londres, 13 juin 1996 : Lecture d'une lettre 1902, h/t (35x29,2) : GBP 2 185.

TOURNES D'ESCOLA Jeanne
xxe siècle. Française.
Peintre.
Elle participe à des expositions collectives, à Paris aux Salons de la Nationale des Beaux-Arts et des Tuileries.

TOURNEUR Jean Edouard
Né en 1837 à Vienne. Mort le 3 octobre 1894 à Vienne. xixe siècle. Autrichien.
Peintre et calligraphe.

TOURNEUX Eugène ou Jean François Eugène
Né le 6 octobre 1809 à Bantouzele (Nord). Mort le 26 juin 1867 à Paris. xixe siècle. Français.
Peintre de scènes de genre, portraits, pastelliste.
Il se lia d'amitié avec Eugène Delacroix et Ernest Hébert. Il fut également écrivain et poète.
Musées : Avranches : Faust et Wagner – Bar-le-Duc : Peintre parisien – Bergues : La bonne aventure – Chaumont : Adoration des Mages – Grenoble : Un point d'orgue – Metz : Halte d'une famille bohémienne.
Ventes Publiques : Paris, 27 mars 1931 : Discussion philosophique, past. : FRF 200.

TOURNIÉ J.
xviie siècle. Actif en Corrèze en 1690. Français.
Sculpteur sur bois.

TOURNIER
xixe siècle. Actif à Paris. Français.
Graveur.
Il débuta au Salon de 1831.

TOURNIER Alfred Holst. Voir TOURRIER

TOURNIER André
Né à Montbéliard. xvie-xviie siècles. Actif de 1572 à 1603. Français.
Peintre.
Peut-être ne s'agit-il ici que de Nicolas Tournier.

TOURNIER George
Né au xixe siècle à Paris. xixe siècle. Français.
Peintre.
Il débuta au Salon de 1879.

TOURNIER Georges
xviie siècle. Actif à Paris de 1650 à 1684. Français.
Graveur au burin.
Il grava des vases antiques et d'après des peintres italiens. Comparer avec Jean Jacques Tournier, avec lequel il offre certaines similitudes.

TOURNIER Jean
Né en Quercy. xviiie siècle. Travaillant à Angoulême de 1709 à 1728. Français.
Sculpteur.

TOURNIER Jean Claude
Né au xviiie siècle à Morteau (Doubs). xviiie siècle. Français.
Sculpteur sur bois et architecte.
Il s'établit à Besançon vers 1768 et y travailla jusqu'en 1791, soit comme architecte, soit comme sculpteur dans diverses églises.

TOURNIER Jean Jacques
Né en 1604 à Toulouse. Mort vers 1670. xviie siècle. Français.
Graveur et peut-être peintre.
Une confusion, non encore entièrement dissipée, l'identifie souvent avec Nicolas Tournier. Bellier de la Chavignerie s'en était fait l'écho, repris par Thieme et Becker. Les travaux récents, effectués à Toulouse par Robert Mesuret, permettent de supposer que Jean Jacques fut avant tout graveur et qu'il œuvra d'après Charles Erard et le Guide. On cite de lui : Les édifices antiques de Rome, d'après Desgodets. Un dessin représentant un paysage avec des jeunes campagnards, signé J. J. Tournier, et conservé à Salzbourg, peut lui être attribué.

Tournier.

TOURNIER Jean Ulrich
Né à Illzach (Haut-Rhin). Mort en 1865. xixe siècle. Français.
Peintre d'animaux, fleurs, fruits.
Exposa au Salon de 1821 à 1833, des fleurs, des fruits et des oiseaux. Le Musée de Mulhouse conserve quatre peintures de cet artiste, dont trois aquarelles.
Musées : Lyon (Mus. des Beaux-Arts) : Fleurs dans un vase 1821 – Mulhouse (Mus. des Beaux-Arts) : Vase de fleurs.
Ventes Publiques : Paris, 4 et 5 déc. 1918 : Bouquet de fleurs dans un vase : FRF 90.

TOURNIER Joseph
Né au xviiie siècle à Besançon. xviiie siècle. Français.
Peintre d'histoire.
Élève de l'École de peinture de Besançon.

TOURNIER Louis Paul Auguste
Né le 30 juin 1830 à Auch (Gers). xixe siècle. Français.
Peintre de genre, portraits, compositions murales.
Entré à l'École des Beaux-Arts le 6 avril 1854. Élève de Flandrin et Lazerges. Il exposa au Salon de 1864 à 1880. On cite des plafonds décorés par ses soins.

TOURNIER Nicolas et non Robert
Né en 1590 à Montbéliard (Doubs). Mort vers 1660 à Toulouse (Haute-Garonne). xviie siècle. Français.
Peintre de compositions religieuses, scènes de genre. Caravagesque.
On sait si peu de choses de la vie de Tournier, qu'il lui fut longtemps attribué un prénom de Robert, qu'on le fit naître à Toulouse, en 1604, qu'on le fait mourir vers 1660, et que l'on n'est encore tout à fait sûr ni de sa date de naissance ni que ce fût à Montbéliard. On sait qu'il était de famille protestante. Des documents le prouvent à Rome en 1619, mais il pouvait y être auparavant. Il y restera jusqu'en 1626 et se fixera en 1627 dans le Sud-Ouest de la France et surtout à Toulouse, Carcassonne et Narbonne.
On voyait de lui, à l'exposition « L'âge d'Or de la peinture toulousaine », organisée au Musée de l'Orangerie en 1947 : Vierge et Enfant ; Le Christ en croix ; la Vierge, saint Jean, la Madeleine et saint François de Paule ; La descente de croix ; Le Christ porté au tombeau ; Le souper d'Emmaüs ; La bataille des Roches Rouges ; Le concert ; œuvres conservées, la dernière au Musée du Louvre, la plupart des autres au Musée des Augustins de Toulouse. Certaines de ces œuvres avaient été montrées auparavant à l'historique exposition des « Peintres de la Réalité ». Thieme et Becker attribuent d'ailleurs toutes ces œuvres à Jean Jacques Tournier et n'attribuent à Nicolas qu'une activité obscure de 1579 à 1624. Nous nous rangerons aux travaux plus récents effectués à Toulouse par Robert Mesuret.
À Rome, il fut influencé, jusqu'au plagiat, par Manfredi et surtout Valentin de Boulogne, au point que Le Souper d'Emmaüs du Musée de Nantes, qui lui est aujourd'hui restitué, fut longtemps attribué à Valentin. Il y avait adopté les thèmes de prédilection des caravagesques : buveurs, musiciens, diseuses de bonne aventure, corps de garde, joueurs de cartes. Quant à sa période romaine, ce n'est que par des comparaisons stylistiques avec d'autres œuvres clairement répertoriées qu'on a pu procéder à des attributions probables, car on manque totalement de documents la concernant. Ses œuvres de la période française sont

par contre documentées avec certitude. Il s'agit alors surtout de tableaux de grandes dimensions, peints pour des églises de Toulouse et de Narbonne. Parmi les caravagesques de tous pays, y compris les Français, Nicolas Tournier se distingue par la qualité de l'émotion discrète, traduite par une géométrisation caractérisée de la forme, bien que moins évidente que chez Georges de La Tour. On retrouve ces qualités de retenue grave jusque dans ses sujets de genre, comme dans *Le concert* du Musée de Bourges. D'ailleurs, certains historiens d'art distinguent les œuvres de la période française de Tournier de celles des autres caravagesques également par une certaine influence rubénienne dans la souplesse du rendu des étoffes ou de l'expression des physionomies. Les réserves du Musée de Toulouse conservent une *Bataille de Constantin*, provenant de l'église des Pénitents Noirs, mesurant six mètres de largeur sur plus de trois de hauteur, avec des personnages grandeur nature. Cette étonnante peinture de bataille, genre peu pratiqué par les caravagesques sauf chez Aniello Falcone, lui est attribuée avec certitude. Elle est aujourd'hui malheureusement en très mauvais état. Elle inspira certainement les peintures de batailles du Toulousain Antoine Rivalz. ■ Jacques Busse

BIBLIOGR. : L. Gonse : *Les chefs-d'œuvre des Musées de France*, Paris, 1900 – Werner Weisbach : *Die Kunst des Barock in Italien, Frankreich, Deutschland und Spanien*, Kunstgeschichte, Berlin, 1924 – *Catalogue de l'exposition « Les peintres de la réalité en France au XVIIe siècle »*, Musée de l'Orangerie, Paris, 1934 – *Catalogue de l'exposition « Le dix-septième siècle français »*, Musée du Petit Palais, Paris, 1958 – *Catalogue de l'exposition « Valentin et les Caravagesques français »*, Gal. Nat. du Grand Palais, Paris, 1974.

MUSÉES : BOURGES : *Concert* – BRESCIA : *Le joueur de flûte* – DRESDE : *Le corps de garde* – ISSY (Hospice des Petits Ménages) : *Le Christ en croix, la Vierge, saint Jean, la Madeleine et saint François de Paule* – LE MANS : *Réunion de buveurs* – NANTES : *Le souper d'Emmaüs* – NARBONNE (Cathédrale) : *Descente de croix* – PARIS (Mus. du Louvre) : *Le concert* – POMMERSFELDEN (Château) : *Le jugement de Salomon – Le concert* – ROME (Gal. Spada) : *Saint Jean* – ROME (Gal. Corsini) : *Le Christ et les enfants* – TOULOUSE (Augustins) : *Vierge et enfant – Descente de croix – Le Christ porté au tombeau – La bataille des Roches Rouges*.

VENTES PUBLIQUES : NEW YORK, 31 jan. 97 : *Le Reniement de saint Pierre*, h/t (99,7x134) : **USD 107 000** – MILAN, 11 mai 1965 : *Le concert* : **ITL 2 400 000** – MILAN, 21 déc. 1981 : *Saint Paul*, h/t (86x111) : **ITL 20 000 000** – NEW YORK, 20 jan. 1983 : *Les Joueurs de dés*, h/t (116x165) : **USD 30 000** – NEW YORK, 14 jan. 1988 : *Tobie et sa femme prenant congé de leur fils*, h/t (101,5x147,5) : **USD 33 000** – NEW YORK, 15 jan. 1988 : *Joseph et la femme de Putiphar*, h/t (197,5x147) : **USD 39 600** – PARIS, 7 déc. 1989 : *Saint Jean l'Évangéliste*, h/t (76x62) : **FRF 250 000** – LONDRES, 5 juil. 1991 : *Saint Paul*, h/t (99,5x133) : **GBP 24 200** – *Jeune homme jouant du hautbois avec d'autres instruments de musique posés devant lui sur un entablement*, h/t (133x97) : **GBP 71 500**.

TOURNIER Philippe François
XVIIIe siècle. Actif à Besançon vers 1780. Français.
Sculpteur.
Il était parent de Jean Claude Tournier.

TOURNIER Victor
Né le 16 novembre 1834 à Grenoble (Isère). Mort en 1911 à Paris. XIXe-XXe siècles. Français.
Sculpteur, peintre de compositions religieuses.
Élève de M. M. Sepey (?) et Michel Pascal, il débuta à Paris au Salon de 1874. Il participa au Salon des Artistes Français, dont il fut membre sociétaire à partir de 1886. Il exécuta des peintures religieuses.

TOURNIER Victorien
Né au XIXe siècle à Paris. XIXe siècle. Français.
Sculpteur.
Élève de Cavelier et de Barrias. Sociétaire des Artistes Français depuis 1896, il figura au Salon de ce groupement ; mention honorable en 1894, médaille de troisième classe en 1900, mention honorable en 1900 (Exposition Universelle), bourse de voyage en 1900, médaille de deuxième classe en 1903.

TOURNIÈRES Robert ou Tourniers. Voir LEVRAC-TOURNIÈRES Robert

TOURNOIS Gustave Georges
Né le 22 décembre 1904 à Paris. XXe siècle. Français.
Sculpteur de compositions religieuses, décorateur.

Élève de Pierre Seguin et de Camille Lefebvre, il travailla pour l'église de Sucy-en-Brie.

TOURNOIS Joseph
Né le 18 mai 1830 à Chazeuil (Côte-d'Or). Mort en 1891 à Paris. XIXe siècle. Français.
Sculpteur.
Élève de M. Jouffroy. Entré à l'École des Beaux-Arts le 31 mars 1833. Il obtint le Prix de Rome en 1857. Il débuta au Salon de 1868. Il obtint des médailles en 1869 et 1870 et une médaille de deuxième classe à l'Exposition Universelle de 1878. Le Musée de Dijon conserve de lui *Adieux d'Hector et d'Andromaque*, et celui d'Orléans, *Le joueur de palet*.

TOURNOIS Louis
Né le 21 mai 1875 à Paris. Mort le 1er février 1931 à Paris. XXe siècle. Français.
Sculpteur, décorateur.
Élève de Wast.

TOURNOUX Auguste
Né à Meudon (Hauts-de-Seine). XIXe siècle. Français.
Sculpteur.
Élève de Cavelier et de Dumont. Il exposa au Salon de 1872 à 1878. Sociétaire des Artistes Français depuis 1902 ; médaille de troisième classe en 1876.

TOURNOUX Jean
XIXe siècle. Actif à Paris. Français.
Sculpteur.
Élève de Cavelier et de Dumont. Il exposa de 1874 à 1877.

TOURNOVA Natacha
Née en 1957 à Kaboul. XXe siècle. Russe.
Peintre.
Elle participe à des expositions collectives régulièrement à Moscou, notamment aux manifestations consacrées à l'avant-garde ; ainsi que : 1987, 1988 Interart à Poznan ; 1988 *Art 88* à Paris, Stuttgart ; Londres.
VENTES PUBLIQUES : PARIS, 1er mars 1993 : *Dzerjinskii-Gorkii* 1988, h/t (165x155) : **FRF 20 000**.

TOURNY Joseph Gabriel
Né le 3 mars 1817 à Paris. Mort le 27 mars 1880 à Montpellier (Hérault). XIXe siècle. Français.
Peintre de sujets religieux, portraits, aquarelliste, graveur, copiste.
Il fut élève de Martinet. Il obtint le second Prix de Rome, pour la gravure, en 1844 ; le premier Prix en 1847. Il fut tapissier aux Gobelins en 1846. Il exposa au Salon de Paris, à partir de 1857, étant médaillé en 1861, 1863, 1868. Il fut fait chevalier de la Légion d'honneur en 1872.
Pendant son séjour à Rome, il copia à l'aquarelle un grand nombre d'œuvres des grands maîtres, notamment les fresques de la chapelle Sixtine ; la plupart de ces aquarelles ont été léguées au Musée du Louvre par le président Thiers.
MUSÉES : LYON (Mus. des Beaux-Arts) : *Portrait présumé du père d'Albert Dürer*, aquar. – PARIS (Mus. du Louvre).
VENTES PUBLIQUES : PARIS, 26 nov. 1894 : *L'été et l'hiver, deux têtes de femme* : **FRF 465 et 485** – PARIS, 16 avr. 1924 : *La Vierge et l'Enfant entourés d'anges*, copie à l'aquar. : **FRF 600** – PARIS, 12 avr. 1991 : *Portrait d'homme d'après Van Dyck* 1862, cr. : **FRF 230** – PARIS, 14 juin 1991 : *Les noces de Cana*, aquar. (101x135) : **FRF 18 000**.

TOURNY Léon Auguste
Né le 2 août 1835 à Paris. XIXe siècle. Français.
Peintre de portraits.
Élève d'Abel Lucas. Il exposa au Salon de 1865 à 1880. Sociétaire des Artistes Français depuis 1885 ; mention honorable en 1890, chevalier de la Légion d'honneur en 1889. Il travailla à la manufacture des Gobelins.
VENTES PUBLIQUES : LONDRES, 12 mai 1972 : *Trois jeunes filles* : **GNS 580**.

TOURON Jacques. Voir THOURON

TOURON Jérome
Né en 1967 à Chartres (Eure-et-Loir). XXe siècle. Français.
Auteur de performances.
Il fut élève de l'école du Louvre puis étudia les arts plastiques à l'université Saint-Charles à Paris. Il vit et travaille à Paris.
Il participe à des expositions collectives, notamment à Paris : 1988 Carré des Arts ; 1989, 1990 Usine Éphémère. Il montre ses œuvres dans des expositions personnelles à Paris : 1988 Usine Éphémère ; 1990 fondation de l'hôpital Éphémère.

TOUROUDE Michael
XVIIe siècle. Actif à Londres dans la seconde moitié du XVIIe siècle. Britannique.
Peintre.
Il travailla aux décorations de Windsor Castle à partir de 1676.

TOUROV Alexandre
Né en 1956. XXe siècle. Russe.
Peintre de compositions religieuses, compositions animées, genre, figures.
Il fut élève de l'école des beaux-arts Moukhina de Leningrad.
Il développe une peinture personnelle, libérée des diktats du réalisme socialisme. On cite *Bénédiction* de 1989, peinture religieuse à tendance symboliste ; *La Rencontre*, à tendance expressionniste.
MUSÉES : IVANOVO (Gal. de peint.) – KALININGRAD (Gal. de peint.).

TOUROVSKI
Né en 1912. Mort en 1979. XXe siècle. Russe.
Peintre de nus, pastelliste.

TOURRASSE Henri de La. Voir **LA TOURRASSE**

TOURRETTE Eugène
Né au XIXe siècle à Paris. XIXe siècle. Français.
Graveur à l'eau-forte.
Il figura au Salon des Artistes Français ; mention honorable en 1904.

TOURRIER Alfred Holst ou **Tournier**
Né vers 1836. Mort en 1892. XIXe siècle. Britannique.
Peintre d'histoire, scènes de genre, illustrateur.
Il exposa à Londres, à partir de 1854 et jusqu'en 1888, notamment à la Royal Academy, à la Royal Institution à Suffolk Street.
VENTES PUBLIQUES : LONDRES, 23 mai 1910 : *L'attente du rendez-vous* : GBP 2 – BERNE, 22 oct. 1976 : *Scène de carnaval* 1890, h/t (36x25) : CHF 2 200 – GLASGOW, 7 fév. 1989 : *Elizabeth condamnant Mary Reine d'Ecosse* 1864, h/t (96,5x142) : GBP 5 720.

TOURRIOL Philippe
XXe siècle. Français.
Peintre.
Il montre ses œuvres dans des expositions personnelles : 1996 galerie Plessis à Nantes.
BIBLIOGR. : Pierre Giquel : *Philippe Tourriol*, Art Press, n° 211, mars 1996.

TOURS Armand Van. Voir **VANTOURS**

TOURS Gerhard de. Voir **GERHARD de Tours**

TOURSEL Augustin Victor Hippolyte
Né en 1812 à Arras (Pas-de-Calais). Mort le 12 février 1853 à Paris. XIXe siècle. Français.
Peintre d'histoire, scènes de genre, paysages.
Élève de Landon et de Gros. Il exposa au Salon de 1842 à 1849. Il signait *A. Toursel* et *Augustin Toursel*.

MUSÉES : ARRAS : *Jean de la Vacquerie – Naissance de Bauduin V dit de Lille – Le loup et l'agneau – Clusius herborisant avec ses élèves – Paysage.*

TOURSKY G. de
XIXe-XXe siècles. Français.
Peintre de sujets typiques. Orientaliste.
VENTES PUBLIQUES : PARIS, 8 nov. 1993 : *Famille nomade en route* 1907, h/t (80x140) : FRF 25 000 – PARIS, 3 déc. 1993 : *La Caravane* 1904, h/t (64x105) : FRF 6 500 – PARIS, 7 nov. 1994 : *Après le bain*, h/t (100x76) : FRF 14 000 – PARIS, 17 nov. 1997 : *Famille nomade en route*, h/t (80x140) : FRF 23 000.

TOURTE Abraham Louis
Né le 22 juin 1818 à Genève. Mort le 18 avril 1863 à Turin. XIXe siècle. Suisse.
Paysagiste et portraitiste.
Élève de l'Académie de Düsseldorf ; il continua ses études à Paris.

TOURTE Frédéric Pierre Marc, dit **Frédéric-Tourte**
Né le 11 juillet 1873 à Cazères (Haute-Garonne). Mort le 12 octobre 1960 à Cazères. XIXe-XXe siècles. Français.

Sculpteur.
Il fut élève de Falguière et de Soulès. Il figura à Paris, au Salon des Artistes Français ; il obtint une médaille de troisième classe en 1899, une de bronze en 1900 à l'Exposition Universelle, une médaille d'or en 1925 et 1937.
MUSÉES : TOULOUSE : *Buste de Garipuy.*

TOURTE Suzanne
Née le 16 décembre 1904 à Cormontreuil (Marne). Morte le 18 avril 1979 à Argenteuil (Val-d'Oise). XXe siècle. Française.
Peintre de compositions animées, compositions religieuses, scènes de genre, portraits, figures, fleurs, peintre à la gouache, dessinateur, graveur, illustrateur, médailleur.
Elle quitta l'École des Beaux-Arts de Reims en 1925, pour venir à Paris, où elle fréquenta l'École des Arts Décoratifs, puis l'École des Beaux-Arts, de 1928 à 1932, où elle connut, dans l'atelier Simon, Brayer, Humblot et Despierre. Elle fut chevalier de la Légion d'honneur en 1954 et des Arts et Lettres.
Elle participe à Paris régulièrement aux Salons d'Automne et des Indépendants, dont elle est membre sociétaire, Salons du Dessin et de la Peinture à l'eau, des Peintres et Graveurs français, ainsi que : 1955 Salon de la Marine, 1957 musée Galliera, 1962 Salon des Tuileries. Elle montre ses œuvres dans des expositions personnelles à Paris depuis 1935 : 1940 galerie Wildenstein, 1980 hommage aux galeries nationales du Grand Palais, ainsi que : 1934 Prague ; 1938 Varsovie ; 1942, 1955 Reims ; 1946 Alger ; 1952 Amsterdam ; 1955 musée de Troyes ; 1958 Bruxelles ; 1977 musée de la bibliothèque du musée de Meaux. Elle obtient en 1932 le Prix Blumenthal (gravure), en 1960 une médaille d'argent de la Ville de Paris.
Elle parcourt l'Europe, rapportant de ses voyages, notamment, les planches de *Pologne* 1938, album édité par l'État français. Cette artiste se flatte d'avoir pour sujet favori « la jeunesse », elle a également réalisé des portraits de grands contemporains, notamment Mac Orlan. Ses gouaches se caractérisent par des effets de matière audacieux. Elle a décoré la Chapelle de Notre-Dame de Tous Pouvoirs, à Langogne (Lozère), illustré : *Terres étrangères* et *Terre natale* de M. Arland, *Daphnis et Chloé*, et réalisé des médailles.
BIBLIOGR. : M. Arland, A. Salmon, Paul Guth, M. Bedel, Louise de Vilmorin, André Maurois, A. Sarraut, Paul Fort, préfacé par... : *Catalogue de l'exposition S. Tourte*, Galerie Bignou, Paris, 1953 – J. Perrin : *Le Dessin dans l'œuvre de Suzanne Tourte*, Rev. Ind., 1976 – *Suzanne Tourte*, Documents, n° 69, Pierre Cailler, Genève, 1957.
MUSÉES : BOSTON – BOURG-EN-BRESSE – CHÂLONS-SUR-MARNE – CINCINATTI – LE HAVRE – NEVERS – NEW YORK – PARIS (Mus. Carnavalet) : *Portraits contemporains*, mine de pb – *P. Claudel – Amiral Lacaze – A. Siegfried – Marie Laurencin – A. Billy* – PARIS (Mus. d'Art Mod.) – PARIS (Mus. du Petit Palais) – POITIERS – PRAGUE – REIMS – TROYES – VARSOVIE.
VENTES PUBLIQUES : PARIS, 20 juin 1944 : *Ronde dans la prairie* : FRF 4 500 – PARIS, oct. 1945-Juillet 1946 : *Léone* : FRF 7 000 – PARIS, 21 avr. 1950 : *Le chapeau niçois* 1940 : FRF 12 000 – PARIS, 5 juil. 1950 : *Héléna* 1945 : FRF 10 000 – PARIS, 14 fév. 1951 : *Les fleurs sur la console* 1938 : FRF 25 000 ; *Les enfants de la ferme* 1940 : FRF 15 000 – PARIS, 30 mai 1951 : *Enfants au bois, le petit chemin*, gche : FRF 15 000 – PARIS, 28 nov. 1952 : *En visite*, gche : FRF 40 000 – PARIS, 11 mai 1953 : *Vase de fleurs* 1947 : FRF 40 000 – PARIS, 16 déc. 1953 : *Le couple joyeux* : FRF 70 000 – GENÈVE, 18 nov. 1961 : *Paysans picards* : FRF 900 – PARIS, 21 avr. 1988 : *Les vendanges* 1954, gche (23,5x31,5) : FRF 22 600 – PARIS, 1er déc. 1989 : *Nature morte à l'escalier*, gche (65x50) : FRF 5 000 – PARIS, 12 juil. 1990 : *Paysage de Provence* 1963, gche et past. (42x56) : FRF 5 000 – PARIS, 9 nov. 1990 : *Promenade au bois* 1938, h/t (73x60) : FRF 8 500 – PARIS, 12 avr. 1991 : *Bord de Vesle – Marne*, h/t (100x50) : FRF 9 500 – PARIS, 4 avr. 1993 : *La mer vue de la fenêtre* 1952, gche (46x38) : FRF 3 400 – REIMS, 24 oct. 1993 : *Portrait de femme accoudée* 1950, h/t (50x61) : FRF 7 000 – REIMS, 13 mars 1994 : *Nature morte aux œufs et au citron* 1929, h/t (46x38) : FRF 5 800 – PARIS, 25 mai 1997 : *Femme et enfant dans un intérieur* 1942-1945, h/pan. isor. (73x92) : FRF 17 000.

TOURTEAU Édouard
Né vers 1846. Mort le 29 février 1908 à Bruxelles. XIXe siècle. Belge.
Peintre de paysages, fleurs.

TOURTEAU Tassin
XVIe siècle. Actif à Varennes-sous-Montereau entre 1516 et 1520. Français.

Peintre verrier.
Il fit pour l'église de cette ville un vitrail représentant *Saint Antoine.*

TOURTIER Quentin
XVIᵉ siècle. Travaillant à Paris en 1585. Français.
Peintre verrier.

TOURTIN Émile
Né au XIXᵉ siècle à Avignon (Vaucluse). XIXᵉ siècle. Français.
Peintre de portraits.
Il débuta au Salon de 1877.

TOURTIN Joseph
Né au XIXᵉ siècle à Saint-Laurent-des-Arbres (Gard). XIXᵉ siècle. Français.
Peintre de portraits.
Élève de Ingres et Flandrin. Il débuta au Salon de 1877.

TOUSCAMP Arnould. Voir TUSCAP

TOUSCHER Louis
Né en 1821. Mort en 1896. XIXᵉ siècle. Actif à Copenhague. Danois.
Lithographe.

TOUSIGNANT Claude
Né en 1932 à Montréal. XXᵉ siècle. Canadien.
Peintre, sculpteur. Abstrait, tendance hard-edge.
De 1948 à 1951, il étudie à l'École du Musée des Beaux-Arts de Montréal, avec Jacques de Tonnancour et Gaston Weber. En 1952 il s'embarque pour l'Europe, séjourne à Paris, fréquentant notamment l'académie Ranson, mais, n'en tirant guère profit, revient l'année suivante au Canada.
Il participe à des expositions collectives depuis 1956 : depuis 1957 régulièrement au musée des beaux-arts de Montréal ; depuis 1960 régulièrement à la Galerie nationale du Canada d'Ottawa ; 1964 musée du Québec à Québec ; 1965 Museum of Modern Art de New York, City Art Museum de Saint-Louis ; 1968 musée national d'Art moderne de Paris, Galleria Nazionale d'Arte moderna de Rome, musée cantonal des Beaux-Arts de Lausanne, palais des Beaux-Arts de Bruxelles ; 1980 musée du Nouveau-Monde à La Rochelle. Il montre ses œuvres dans des expositions personnelles au Canada : depuis 1955 régulièrement à Montréal notamment en 1961 sculptures au Musée des Beaux-Arts ; 1980, 1981 musée d'art contemporain ; ainsi que : de 1973 à 1975 exposition itinérante organisée par la Galerie nationale du Canada d'Ottawa, depuis 1965 à New York. Il a reçu le prix Paul-Émile Borduas en 1989.
Il peint dès 1948 ses premières toiles abstraites. L'influence de Borduas est déterminante, et il découvre un milieu tachiste en rapport avec ses aspirations. Il n'est pas non plus indifférent au manifeste des Plasticiens, publié par Jauran, Belzile, Jérôme et Toupin en opposition avec Borduas, mais en rejette l'aspect cubiste et la pauvreté chromatique. Sa peinture reste tachiste, en *all over.* Dès 1955 l'angle droit apparaît dans ses compositions et, l'année suivante, il présente des tableaux faits de rayures, verticales, horizontales ou en diagonale, aux surfaces laquées en aplats brillants et impeccables. S'expliquant, Tousignant écrivait : « Ce que je veux, c'est objectiver la peinture, l'amener à sa source, là où il ne reste que la peinture, vidée de toute chose qui lui est étrangère, là où la peinture n'est que sensation. » Hormis la dernière proposition, on est enclin à constater combien cette peinture se voulait proche de ce que seront le hard edge et même certains aspects du minimal art. Après une série de sculptures colorées en bois, réalisée en 1959, Tousignant retourne à la peinture et élabore des structures plus complexes. À partir de 1963 le cercle revient comme un leitmotiv dans son œuvre. Il exploite le thème de la *Cible* en 1964, puis, adoptant le format circulaire, réalise pendant plusieurs années des tableaux formés systématiquement de séries de cercles concentriques. On trouve ainsi la série des *Transformateurs chromatiques* en 1965, celle des *Gongs* en 1966, celle des *Accélérateurs chromatiques* en 1967. Il a ensuite continué d'explorer les rapports couleur/lumière dans des structures circulatoires, a renoué avec le temps, en 1968 et 1969, avec la sculpture, puis réalisé des diptyques et des triptyques à partir de diagonales. Si certains travaux antérieurs à 1960 peuvent faire assimiler Tousignant au hard edge, et même le faire considérer comme un précurseur, le développement de son œuvre semble infirmer cette opinion. Il apparaît en effet que ses recherches se sont surtout portées ensuite vers l'étude de sensations purement rétiniennes peu éloignées de l'art optique.

BIBLIOGR. : Catalogue de l'exposition : *Claude Tousignant,* Musée des Beaux-Arts, Montréal, 1982 – Catalogue de l'exposition : *Les Vingt Ans du musée,* Musée d'Art contemporain, Montréal, 1985.
MUSÉES : MONTRÉAL (Mus. d'Art Contemp.) : *Le Gong chinois* 1952 – *Gong 64* 1964 – *Accélérateur chromatique 48* 1967, acryl./t. – *Octique* 1969.

TOUSIGNANT Serge
Né en 1942 à Montréal (Québec). XXᵉ siècle. Canadien.
Peintre, peintre de collages, sculpteur, graveur, dessinateur, auteur d'environnements, auteur d'installations, technique mixte, multimédia.
Il a été élève de l'École des Beaux-Arts de Montréal. En 1965, il fut boursier de la Slade School de Londres. Il vit et travaille à Montréal.
Il participe à de nombreuses expositions de groupe, au Canada et aux États-Unis, en 1969 à Paris, à l'occasion de l'exposition *Canada 1969 – Tendances actuelles.* Il montre ses œuvres dans des expositions personnelles depuis 1964 régulièrement à Montréal, notamment en 1975 au musée d'Art contemporain.
Sa production est très diverse. Pour ses sculptures, il utilise essentiellement les matériaux modernes : Plexiglas, acier inoxydable, aluminium émaillé, dans des objets d'une précision industrielle, évoquant la technologie moderne. Dans ses peintures, il privilégie le geste, le signe calligraphique, les traces ou éclaboussures. Il travaille aussi à partir de photographies. Interrogeant les procédés de représentation et les effets de perception, « il élabore une problématique esthétique essentiellement axée sur l'exploration de phénomènes perceptifs et les rapports constants entre des propositions formelles concises et certains mécanismes d'illusionnisme » (Josée Bélisle).
BIBLIOGR. : Catalogue de l'exposition : *Les Vingt Ans du musée,* Musée d'Art contemporain, Montréal, 1985 – in : *Dict. de l'art mod. et contemp.,* Hazan, Paris, 1992.
MUSÉES : MONTRÉAL (Mus. d'Art Contemp.) : *Noce des cumulus* 1963 – *Transition* 1963, eau-forte – *Gémination* 1967, acier – *Neuf Coins d'atelier* 1973.

TOUSSAC Conrad
XIVᵉ siècle. Actif à Paris en 1318. Français.
Sculpteur.
Il exécuta des chapiteaux et des bases de colonnes pour Saint-Jacques-l'Hôpital.

TOUSSAINT
XVIIᵉ siècle. Travaillant à Cambrai en 1611. Français.
Sculpteur d'ornements.

TOUSSAINT A.
XIXᵉ siècle. Français.
Peintre de paysages.
Il fut actif vers 1875.
MUSÉES : DIEPPE : *Paysage sous bois,* aquar.

TOUSSAINT Anatole ou Louis Anatole
Né vers 1856 à Paris. Mort le 14 (?) mars 1919 à Paris. XIXᵉ-XXᵉ siècles. Français.
Peintre de paysages, paysages d'eau, paysages urbains, graveur.
Il fut élève de Ferdinand Bassot. Il participe à des expositions collectives : Salon des Artistes Français dont il fut membre sociétaire à partir de 1909 ; il obtint une mention honorable en 1909.
Parallèlement à la peinture, il pratiqua la gravure, privilégiant la technique de l'eau-forte.
VENTES PUBLIQUES : PARIS, 4 mars 1926 : *Le Pont Neuf et la Cité, le soir* : FRF 370 – PARIS, 9 juin 1950 : *Bord du Loing* 1900 : **FRF 800** – PARIS, 7 mai 1951 : *Péniche* : **FRF 2 000** ; *Bord de rivière* : **FRF 1 000**.

TOUSSAINT André
Né le 5 juin 1923 à Hermeton-sur-Meuse. XXᵉ siècle. Belge.
Graveur d'animaux, peintre de cartons de tapisserie. Expressionniste.
Il fut élève de l'académie Saint-Luc de Bruxelles, des académies de Molenbeek-Saint-Jean et Saint-Josse-ten-Noode. Il fut membre fondateur du groupe Cap d'Encre, groupement de graveurs belges.
Il participe à des expositions collectives en Allemagne, Suisse, Italie, France, Suède, Japon, Afrique du Sud. Il montre ses œuvres dans des expositions personnelles en Belgique. Il reçut le premier prix national de gravure en 1960 à Bruxelles.

Ses gravures, sur bois, sur cuivre, au burin, relèvent de l'expressionnisme. Privilégiant le monde animal, il en synthétise les formes, pour en souligner la richesse plastique.
BIBLIOGR. : In : *Dict. biogr. illustré des artistes en Belgique depuis 1830*, Arto, Bruxelles, 1987.
MUSÉES : BANJA LUKA, Yougoslavie (Gal. d'Art Mod.) – BERLIN – BRUXELLES (Bibl. roy. de Belgique) – CAPETOWN (Nat. Gal. of South Africa) – HEILBRONN.

TOUSSAINT Armand ou François Christoph Armand
Né le 7 avril 1806 à Paris. Mort le 24 mai 1862 à Paris. XIXe siècle. Français.
Sculpteur de bustes, statues, médailleur, peintre.
Élève de David d'Angers.
Il débuta au Salon de 1836. Second grand prix de sculpture en 1832, chevalier de la Légion d'honneur en 1852.
MUSÉES : ANGERS : *Buste de David d'Angers*.
VENTES PUBLIQUES : PARIS, 18 mars 1988 : *Un Indien et une Indienne portant une torche* 1850, bronze, une paire (H. 31) : **FRF 235 000** – PARIS, 20 nov. 1990 : *Esclave porte-flambeau*, bronze (H. 150) : **FRF 95 000** – PARIS, 14 juin 1991 : *Femme nue*, bois à patine dorée (H. 85) : **FRF 15 000** – NEW YORK, 24 mai 1995 : *Atelier d'artiste*, h/pan. (81,3x105,1) : **USD 28 750**.

TOUSSAINT Auguste
XXe siècle. Haïtien.
Peintre de compositions animées. Naïf.
Il travailla à Port-au-Prince. Il fut l'un de ces artistes naïfs célébrant indifféremment les grands mythes de la religion chrétienne et les cérémonies du vaudou reconciliés. Découverts un à un par le professeur d'anglais Dewitt Peters, à partir de 1943, ils se regroupèrent dans le Centre d'Art de Port-au-Prince, s'épanouissant réciproquement comme les naïfs de Hlebine, en Yougoslavie, à l'autre bout du monde. En 1950, un collectif du groupe décora la cathédrale de Port-au-Prince. Le groupe a été montré aux États-Unis, dans plusieurs pays d'Europe, au musée Henri-Rousseau de Laval et à Paris en 1970.
BIBLIOGR. : Jean-Pierre Bouvet : *Catalogue de l'exposition « Peintres Naïfs d'Haïti »*, Musée de Laval, 1970.

TOUSSAINT Augustus
Mort entre 1790 et 1800 à Lymington. XVIIIe siècle. Britannique.
Miniaturiste.
Élève de James Nixon. Il peignit sur ivoire et sur émail. Il a exposé vingt-six miniatures à la Royal Academy de 1775 à 1788. En 1766, il obtint un premier prix de la Society of Arts.

TOUSSAINT Émile
Né en 1869 à Bouillon. XXe siècle. Belge.
Peintre de paysages.
Il étudia à l'académie des beaux-arts de Liège, où il eut pour professeur Richard Heintz.
BIBLIOGR. : In : *Dict. biogr. illustré des artistes en Belgique depuis 1830*, Arto, Bruxelles, 1987.

TOUSSAINT Fernand
Né en 1873 à Bruxelles. Mort en 1955 ou 1956. XIXe-XXe siècles. Belge.
Peintre de scènes de genre, figures, portraits, nus, intérieurs, paysages, paysages d'eau, marines, natures mortes, fleurs, aquarelliste, dessinateur.
Il fut élève de Jean-François Portaëls à l'Académie des Beaux-Arts de Bruxelles. Il figura au Salon des Artistes Français de Paris, obtenant une médaille de troisième classe en 1901. Il a touché à tous les genres et a produit une œuvre colossale.

MUSÉES : SAINT-JOSSE-TEN-NOODE (Mus. Charlier).
VENTES PUBLIQUES : PARIS, 29 oct. 1926 : *Tatiana*, aquar. : **FRF 4 800** – LONDRES, 27 juil. 1973 : *La robe blanche* : **GNS 700** – PARIS, 16 mai 1974 : *Femme devant sa coiffeuse* : **FRF 14 000** – BRUXELLES, 21 déc. 1976 : *Portrait de femme*, h/t (100x80) : **BEF 30 000** – BRUXELLES, 23 nov. 1977 : *Jeune femme à la robe blanche*, h/t (110x72) : **BEF 80 000** – BRUXELLES, 28 mars 1979 : *Jeune femme en bleu* 1942, h/t (81x65) : **BEF 46 000** – NEW YORK, 1er nov. 1980 : *Le Sillon*, litho. en coul. entoilée, affiches d'art O. de Rycker, Bruxelles, 1895 (110,7x86,5) : **USD 70 000** – NEW YORK, 21 nov. 1981 : *Le Sillon* 1895, litho., affiche (96,5x74,9) : **USD 2 000** – NEW YORK, 19 oct. 1984 : *Femme à la robe verte*, h/t (92x53) : **USD 3 000** – BRUXELLES, 12 juin 1985 : *Jeune femme rêveuse*, h/t (100x80) : **BEF 300 000** – LONDRES, 23 juin 1987 : *Le portrait commandé*, h/t (149x129) : **GBP 58 000** – LONDRES, 24 mars 1988 : *Élégante dans un salon*, aquar. et cr. (44x30) : **GBP 3 080** – LOKEREN, 28 mai 1988 : *Paysage à Boitsfort*, h/pan. (46x61,5) : **BEF 80 000** – LONDRES, 7 juin 1989 : *La robe indigo*, h/t (98x79) : **GBP 5 060** – LONDRES, 27 juin 1989 : *Femme se regardant dans un miroir*, h/t (79x64) : **GBP 22 000** – LONDRES, 19 oct. 1989 : *Femme allongée au buste nu tenant un éventail*, h/t (80,6x100,4) : **GBP 33 000** – AMSTERDAM, 13 déc. 1989 : *Élégante jeune femme assise sur un sofa*, h/t cartonnée (41x33) : **NLG 34 500** – NEW YORK, 17 jan. 1990 : *Femme à sa toilette*, h/pan. (26,7x21,2) : **USD 8 250** – PARIS, 23 mars 1990 : *Villa Verpré*, h/pan. (38x46) : **FRF 16 000** – LONDRES, 11 mai 1990 : *Cygnes sur un lac*, h/t (70x114) : **GBP 6 050** – BRUXELLES, 12 juin 1990 : *Nature morte*, aquar. (58x70) : **BEF 75 000** – LONDRES, 28 nov. 1990 : *Nature morte avec un vase de roses et deux poires sur une assiette*, h/t (46,5x59,5) : **GBP 8 800** – PARIS, 28 fév. 1991 : *Nature morte de fleurs avec un éventail*, h/t (80x100,4) : **USD 9 900** – CALAIS, 10 mars 1991 : *Les oies blanches*, h/pan. (61x46) : **FRF 21 000** – LONDRES, 13 juin 1991 : *Un parfum agréable*, cr. et aquar. (23x16) : **GBP 2 860** – BRUXELLES, 7 oct. 1991 : *Élégante au miroir*, aquar. (30x24) : **BEF 90 000** – LONDRES, 29 nov. 1991 : *À l'Opéra*, h/t (99,5x80) : **GBP 13 200** – AMSTERDAM, 11 déc. 1991 : *Nature morte de fleurs dans un vase*, h/cart. (44x36,5) : **NLG 11 500** – PARIS, 19 jan. 1992 : *Jeune femme au bouquet*, h/t (82,5x65) : **FRF 86 000** – LOKEREN, 21 mars 1992 : *La jatte bleue* 1917, h/t/pan. (33x26) : **BEF 160 000** – LOKEREN, 23 mai 1992 : *La robe blanche*, h/cart. (33x27) : **BEF 110 000** – LONDRES, 17 juin 1992 : *Portrait de femme au chapeau marron*, h/t. cartonnée (45x37) : **GBP 5 280** – LOKEREN, 10 oct. 1992 : *Paysage de polders*, h/t (65x80) : **BEF 90 000** – LONDRES, 25 nov. 1992 : *La robe jaune*, h/cart. (46x38) : **BEF 160 000** – LE TOUQUET, 8 nov. 1992 : *Jeune fille pensive* 1909, aquar. et sanguine (57x42) : **FRF 52 000** – LONDRES, 25 nov. 1992 : *Dame au parapluie*, h/cart. (45x36) : **GBP 4 180** – LONDRES, 17 mars 1993 : *Nature morte des roses dans un vase*, h/t (59x49) : **GBP 6 325** – AMSTERDAM, 20 avr. 1993 : *Dame assise tenant une ombrelle*, h/cart. (33,5x26) : **NLG 17 250** – LOKEREN, 19 mai 1993 : *Femme en robe rose*, h/t (60x50) : **BEF 200 000** – NEUILLY, 12 déc. 1993 : *Jeune femme assise*, h/t (50x40) : **FRF 14 000** – LOKEREN, 12 mars 1994 : *Rue ensoleillée à Bruges*, h/t (80x100) : **BEF 160 000** – LONDRES, 16 nov. 1994 : *Arabe dans un intérieur*, h/t (83x72) : **GBP 2 990** – NEW YORK, 24 mai 1995 : *Rêverie* 1904, h/t (100,3x81,3) : **USD 26 450** – LOKEREN, 15 nov. 1995 : *Nature morte de fleurs*, h/t (99x79) : **GBP 7 475** – PARIS, 4 déc. 1995 : *Cavalier sur le beffroi*, h/t (100x131) : **FRF 5 000** – NEW YORK, 23 mai 1996 : *Nature morte au bouquet dans un vase chinois*, h/t (81,3x65,4) : **USD 23 000** – PARIS, 22 nov. 1996 : *Jeune femme à sa lecture*, h/t (74x55) : **FRF 48 000** – LOKEREN, 8 mars 1997 : *Perdue dans ses pensées devant son chevalet*, h/t (110x120) : **BEF 1 000 000** – LONDRES, 26 mars 1997 : *Nu s'allongeant dans un fauteuil en rotin*, h/pan. toilé (45x53) : **GBP 6 900** – LONDRES, 12 juin 1997 : *Une dame en vert*, h/pan. toilé (48,8x37,5) : **GBP 3 450** – LOKEREN, 6 déc. 1997 : *Femme au chapeau*, h/t (95x75) : **BEF 440 000**.

TOUSSAINT Fernand
Né à Paris. XIXe-XXe siècles. Français.
Graveur.
Il fut élève des graveurs Marguerite Jacob (épouse Bazin) et de Léon Bazin. Il exposa à Paris, au Salon des Artistes Français, dont il devint membre sociétaire à partir de 1909, date à laquelle il reçut une mention honorable.
Graveur, il privilégia la technique du burin.

TOUSSAINT Gaston Henri
Né le 7 septembre 1872 à Rocquencourt (Oise). Mort le 20 mars 1946 à Paris. XIXe-XXe siècles. Français.
Sculpteur de monuments.
Il fut élève et collaborateur de Bourdelle. Il participa à Paris aux

Salons de la Société Nationale des Beaux-Arts et des Tuileries. Il fut chevalier puis officier de la Légion d'honneur.

Il est l'auteur des monuments aux morts de Carmaux, Castres, Lavaur et Mazamet.

Musées : Bucarest (Mus. Simu) – Castres (Mus. Goya) : *Jeunesse – L'Aïeule – Maternité.*

TOUSSAINT Henri ou Charles Henri

Né en 1849 à Paris. Mort le 26 septembre 1911 à Paris. xixe-xxe siècles. Français.

Peintre d'architectures, paysages, paysages urbains, paysages d'eau, aquarelliste, graveur.

Il fut élève de Léon Gaucherel et d'Alfred Brunet-Debaines. Il exposa au Salon de Paris, à partir de 1874, puis Salon des Artistes Français, obtenant une mention honorable en 1876, une médaille de troisième classe en 1884, une médaille de bronze à l'Exposition Universelle de 1889, une médaille de bronze à l'Exposition Universelle de 1900.

Il réalisa, à l'aquarelle, quelques bords de mer mais surtout des architectures et des vues de villes, comme : Paris, Amiens, Rouen. Il grava beaucoup d'eau-fortes.

Bibliogr. : Gérald Schurr, in : *Les Petits Maîtres de la peinture 1820-1920, valeur de demain,* Les Éditions de l'Amateur, t. V, Paris, 1981.

TOUSSAINT Henriette

xixe siècle. Française.

Peintre de portraits et de paysages.

Elle exposa au Salon en 1846 et en 1848.

TOUSSAINT Jean

xviie siècle. Actif dans la seconde moitié du xviie siècle. Français.

Sculpteur.

Il sculpta un autel pour la cathédrale de Tours et travailla pour le château de Commercy.

TOUSSAINT Joseph

xviiie siècle. Travaillant à Saint-Dié en 1777. Français.

Sculpteur.

TOUSSAINT Louis

Né en 1826 à Königsberg. Mort en 1879. xixe siècle. Allemand.

Peintre de genre, paysages.

Élève de l'Académie de Königsberg dans l'atelier de Rosenfelder et de Th. Hildebrand à Düsseldorf. On cite de lui : *La lettre du fils.*

Ventes Publiques : Paris, 1er déc. 1989 : *Les quais et Notre-Dame* (38,5x61,5) : FRF 11 000 – New York, 28 mai 1992 : *Où y a-t-il un hôtel ?* 1879, h/t (64,8x52,7) : USD 7 975.

TOUSSAINT Nicolas

xviie siècle. Français.

Sculpteur.

Il fut actif à Toul en 1633. Cité par M. A. Jacquet.

TOUSSAINT Nicolas I ou Toussyn ou Tossyns

Mort le 2 octobre 1650 à Malines. xviie siècle. Éc. flamande.

Peintre.

En 1619 dans la gilde, son fils Henri fut peintre.

TOUSSAINT Nicolas II

Né le 13 mai 1659. Mort après 1718. xviie-xviiie siècles. Éc. flamande.

Peintre.

Petit-fils du peintre belge Nicolas Toussaint I, il vécut et travailla à Malines.

TOUSSAINT Pierre

Né en 1645 au Mans (Sarthe). Mort le 6 avril 1688 à Paris. xviie siècle. Français.

Peintre d'histoire.

Reçu académicien en 1681.

TOUSSAINT Pierre

Né à Laroque-Esteron. xixe siècle. Français.

Peintre de genre, figures, fleurs, dessinateur.

Élève de J. Rave, il débuta à Paris au Salon en 1865.

Musées : Marseille : *Fleurs,* deux œuvres – Pontoise : *Portrait de Chevreul,* dess.

Ventes Publiques : New York, 3 fév. 1906 : *La servante curieuse* : USD 100 – New York, 14 oct. 1978 : *La coquette,* h/t (58,4x43) : USD 3 800 – New York, 31 oct. 1980 : *Jeune femme donnant des cerises à un perroquet,* h/t (55,3x46,3) : USD 2 800 – New York, 28 oct. 1982 : *L'habit fait le moine,* h/t (56x41,5) : USD 4 750.

TOUSSAINT Pierre Joseph

Né le 1er juillet 1822 à Bruxelles. Mort le 22 novembre 1888 à Bruxelles. xixe siècle. Belge.

Peintre de genre.

Musées : Amsterdam : *Le jeune peintre.*

Ventes Publiques : Bolton, 21 juin 1984 : *Jeune femme lisant près d'une fenêtre ouverte,* h/t (45,7x35,5) : USD 3 000 – Amsterdam, 9 nov. 1993 : *Le dressage d'un petit chien* 1864, h/pan. (25x34) : NLG 5 750 – New York, 16 fév. 1994 : *La fileuse,* h/t (55,9x74) : USD 5 750 – New York, 18-19 juil. 1996 : *La joueuse de luth,* h/t (58,4x43,8) : USD 4 600.

TOUSSAINT Raphaël

Né le 25 avril 1937 à La Roche-sur-Yon (Vendée). xxe siècle. Français.

Peintre de compositions animées, paysages, dessinateur. Naïf.

Autodidacte, il prend le pseudonyme de Raphaël Toussaint en 1964. Il participe à des expositions collectives : Salons d'Automne, de la Société Nationale des Beaux-Arts, Comparaisons, des Indépendants, salons dont il est membre sociétaire. Il montre ses œuvres dans des expositions personnelles : depuis 1966 régulièrement à La Roche-sur-Yon, notamment au musée en 1981.

Naïf, il peint la Vendée, les saisons, la vie quotidienne et les fêtes, avec pittoresque et humour. Dans les années quatre-vingt, il privilégie les paysages et vues de Paris, dans un style qui se rapproche des Primitifs flamands.

Raphaël Toussaint

Bibliogr. : Catalogue de l'exposition : *Raphaël Toussaint,* Conseil Général de la Vendée, La Roche-sur-Yon, 1994.

TOUSSAINT-DUBREUIL. Voir DUBREUIL Toussaint

TOUSSAUME Georges

Né en 1946. xxe siècle. Français.

Peintre de compositions d'imagination. Fantastique.

Il vit et travaille à La Rochelle. Il montre ses œuvres dans des expositions personnelles, notamment en 1989 à New York.

Dans de vastes espaces désolés apparaissent des objets étranges, évocation de la fin du monde.

Ventes Publiques : Paris, 14 oct. 1989 : *Les caisses,* acryl./t. (127x97) : FRF 16 000.

TOUSSOC Jacques

xviiie siècle. Actif à Chantilly. Français.

Peintre sur porcelaine.

Il travailla à la Manufacture de Chantilly de 1754 à 1756.

TOUSSYN Johann

Né en 1608 à Cologne. xviie siècle. Allemand.

Peintre de paysages, dessinateur pour la gravure au burin et aquafortiste.

Il peignit des scènes bibliques avec paysages pour des églises de Cologne.

Musées : Cologne (Mus. Wallraf Richartz) : *Paysage avec Tobie et l'ange – Paysage avec le Christ et la femme adultère –* Düsseldorf : *Paysage avec une femme nue.*

TOUSSYN Maria Magdalena

xviie siècle. Travaillant en 1651. Allemande.

Dessinatrice.

Peut-être fille de Johann Toussyn. Elle dessinait à l'encre de Chine. Le Musée Wallraf-Richartz de Cologne conserve d'elle *Groupe de soldats.*

TOUSSYN Nicolas. Voir TOUSSAINT

TOUSTAIN Paul

Né au xixe siècle à Paris. xixe siècle. Français.

Graveur sur bois.

Il figura au Salon des Artistes Français ; mention honorable en 1902.

TOU TA-CHEOU. Voir DU DASHOU

TOUTAIN Dominique

Né en 1949 à Spire. xxe siècle. Actif en France. Allemand (?).

Peintre de figures.

Il participe à des salons régionaux et a exposé à Paris.

Il pratique une peinture à tendance impressionniste. On cite *Rêverie.*

TOUTAIN Jean

xvie siècle. Actif à Rouen en 1507. Français.

Peintre, aquafortiste.

Il grava une *Vue de l'abbaye Saint-Michel de Rouen.*

TOUTAIN Pierre ou Toutin
Né en 1645 au Mans (Sarthe). Mort le 6 avril 1686 à Paris.
XVIIe siècle. Français.
Peintre de compositions religieuses, compositions décoratives.
Élève de l'Académie de Paris. Il exécuta des peintures dans les petits appartements du château de Versailles.
VENTES PUBLIQUES : AMSTERDAM, 30 nov. 1982 : *L'Adoration de l'Enfant Jésus*, h/t (11x119) : **NLG 8 000** – NEUILLY, 9 mars 1988 : *La Nativité*, h/t (108,5x118,5) : **FRF 25 000**.

TOUTARD Guillaume Eugène
Né le 2 avril 1880 à Paris. XXe siècle. Français.
Peintre de paysages.
Élève de Marie Joseph Iwill et Henri Victor Lesur, il participa à Paris aux Salons des Indépendants et d'Hiver.

T'OU TCHO. Voir TU ZHUO

TOUTENEL Lodewijk Jan Petrus
Né le 17 août 1819 à Anvers. Mort le 29 août 1883 à Anvers.
XIXe siècle. Belge.
Peintre et restaurateur de tableaux.
VENTES PUBLIQUES : COLOGNE, 1er juin 1978 : *Jan Six dans l'atelier de Rembrandt*, h/t (76,5x61,5) : **DEM 5 500** – LOKEREN, 26 fév. 1983 : *Le Peintre et son modèle*, h/t (62x48) : **BEF 150 000**.

TOUTIN. Voir aussi TOUTAIN

TOUTIN Henri ou Henry
Né le 28 juillet 1614 à Châteaudun (Eure-et-Loir). Mort après 1683 à Paris. XVIIe siècle. Français.
Peintre sur émail.
Il travailla à Blois, puis à Paris en 1679. Il était fils de Jean Toutin.
MUSÉES : AMSTERDAM (Mus. Nat.) : *Charles Ier, roi d'Angleterre – Frédéric Henri, prince d'Orange* – GENÈVE (Mus. Rath) : *La tente de Darius* – LONDRES (Mus. Britannique) : *Portrait d'une dame – Diane et Actéon – L'enlèvement des Sabines* – MUNICH (Mus. Nat.) : *Vénus et Mars surpris par Vulcain* – VIENNE : *Portrait en miniature d'Anne de France et de Louis XIV enfant*.
VENTES PUBLIQUES : PARIS, 22 fév. 1951 : *Le Jugement de Salomon*, gche, modèle pour un de ses grands émaux d'après Nicolas Poussin : **FRF 15 000**.

TOUTIN Jean I
Né en 1578 à Châteaudun. Mort le 14 juin 1644 à Paris. XVIIe siècle. Français.
Miniaturiste, peintre d'émaux et graveur à l'eau-forte.
Il travailla pour les orfèvres. Il fut l'un des premiers à peindre des miniatures sur émail.

TOUTIN Jean II
Né le 14 novembre 1619 à Châteaudun. Mort après 1660. XVIIe siècle. Français.
Peintre sur émail.
Frère d'Henri Toutin. Il travailla à la Cour de Christine de Suède. Le Musée Britannique de Londres et le Louvre de Paris conservent de lui des boîtiers de montres décorés de scènes mythologiques.

TOUTIN Pierre. Voir TOUTAIN

TOUTOUKINE Piotr Vassiliévitch
Né le 29 juin 1819. Mort en 1901 à Saint-Pétersbourg. XIXe siècle. Russe.
Peintre d'intérieurs.
MUSÉES : SAINT-PÉTERSBOURG (Mus. Russe) : *La salle du Palais d'hiver.*
VENTES PUBLIQUES : PARIS, 13 juin 1990 : *La Chambre d'exposition*, h/pan. (55,5x46) : **FRF 61 000**.

TOUTTAIN André Jacques
Né le 4 janvier 1875 à Villemomble (Seine-Saint-Denis). Mort le 29 janvier 1945 à Marly-le-Roi (Yvelines). XIXe-XXe siècles. Français.
Peintre de paysages, illustrateur, graveur.
Après avoir achevé de solides études à l'École B. Palissy et aux Beaux-Arts de Paris, il se consacre pour un temps à la gravure et reprend l'atelier de son père dont il s'occupera deux ans. L'influence académique n'a pas de prise sur lui, il retient surtout les exemples de Delacroix et de Lebourg. De ses voyages en pays de culture méditerranéenne, il rapporte des toiles d'une grande luminosité. Par la suite il se tourne vers la restauration, et l'État le charge de travaux au musée de Versailles. En 1926, il illustra

Croc-Blanc de Jack London, pour l'éditeur Crès. Il fut également critique d'art.

TOUTTAIN Arthur Stanislas Adolphe
Né le 2 février 1836 à Compiègne (Yvelines). Mort le 5 avril 1899 à Sannois (Val-d'Oise). XIXe siècle. Français.
Dessinateur et graveur sur métal.
Après avoir accompli de nombreux voyages en Europe et en Afrique du Nord, il ouvre à Paris – 58, rue de Cléry – un atelier de gravure. Un des premiers, il emploie les machines à graver, et se spécialise dans les médailles, armoiries et marques. Médaille de bronze en 1878, à l'Exposition Universelle.

TOUTTAIN Jacques Louis
Né le 19 mars 1903 à Sannois (Val-d'Oise). Mort le 11 mai 1940 à Labry (Meurthe-et-Moselle), pour la France. XXe siècle. Français.
Peintre de paysages, fleurs.
Fils d'André Jacques Touttain, il s'initia au dessin et à la couleur avec son père. Mais il doit surtout à lui-même ses extraordinaires coloris. Il subit incontestablement l'influence de Sisley et de Van Gogh, sans pour cela donner dans l'impressionnisme décadent. Peintre de paysages et de fleurs et critique d'art, il exposa au Salon des Indépendants à Paris en 1925 où ses deux envois *Roses* et *Zinnias* furent remarqués, puis à l'Exposition rétrospective du Vieux-Marly.

TOUYARD Gilles
Né le 26 juillet 1956 à Besançon (Doubs). XXe siècle. Français.
Sculpteur, auteur d'installations, multimédia.
Il participe à des expositions collectives : 1981 musée des beaux-arts de Besançon ; 1982 Salon de la Jeune Sculpture à Paris ; 1985 musée de Dôle ; 1986 musée du château de Pontarlier, FRAC Franche-Comté de Pontarlier ; 1987 école des Beaux-Arts de Paris ; 1990, 1991 Salon de Montrouge ; 1991 Salon Découvertes à Paris ; 1997 château des Adhémar à Montélimar. Il montre ses œuvres dans des expositions personnelles depuis 1982 : 1984 Centre d'art contemporain de Montbéliard et Besançon ; 1988 musée d'Art moderne de Strasbourg, Centre d'art contemporain de Belfort ; 1990 école d'art de Besançon ; à partir de 1991 galerie J. Moussion à Paris ; 1997 *Opera Bianca*, opéra présenté au centre Georges Pompidou à Paris.
D'après une image empruntée à un catalogue de vente, une revue pornographique, une reproduction d'œuvre d'art, il réalise une forme en caoutchouc qu'il gonfle, obtenant une copie déformée du modèle et dont il exploite les possibilités de transformation, gonflage et dégonflage, plein et vide, mais aussi le son, sifflements des chambres à air qui évoquent le bruit de la respiration. Dans la série *Enflures* des années quatre-vingt-dix, Touyard distingue les séries des *Objets de séduction*, images de vêtements et de chaussures, des *Objets de production*, photographies d'outils et d'instruments de bricolage, des *Objets de Contemplation*, copie d'œuvres d'art célèbres. Il réalise également des vidéos et en 1997 a présenté *Opera Bianca*, installation le jour qui se transforme en spectacle le soir avec une scénographie, un texte de Houellebecq et une musique, contemporaine de Brice Pauset.
BIBLIOGR. : Catalogue de l'exposition : *Hérubel, Bajic, Touyard, L'État des Lieux*, Galerie Jacqueline Moussion, La Différence, Paris 1991 – Jean Yves Jouannais : *Gilles Touyard. Les Enflures et leurs grands airs*, Art Press, n° 185, Paris, juin 1993 – Jean Max Colard : *Opera bianca. La Leçon des ténèbres*, Beaux-Arts, n° 160, Paris, sept. 1997.
MUSÉES : BELFORD : *Vent du Sud – La Banane – La Sentinelle* – DOLE : *Groupe rock – Don Juan – Trois Dessins pour trois briquettes* – DOLE (FRAC) : *Le Tapis rouge – Flash*, peint. – MONTBÉLIARD – SÉLESTAT (FRAC).

TOUZÉ Jacques Louis François
Né en 1747 à Paris. Mort en 1807 à Paris. XVIIIe siècle. Français.
Peintre et dessinateur.
Nous le trouvons en 1758 parmi les élèves de l'École de l'Académie Royale, protégé par Vien. Il y était encore en 1769. Était-il parent de Jean Touzé ou de Pierre Colombe Touzé, né à Paris vers 1787 ou 1788 et qui entra comme élève à l'École des Beaux-Arts le 7 messidor an 12, « élève de son père, peintre rue de l'Arbre-Sec, n° 232 ». Il fut membre de l'Académie Saint-Luc.
VENTES PUBLIQUES : PARIS, 20 mars 1924 : *La jeune paysanne*, pierre noire et estompe, reh. de blanc : **FRF 900** – PARIS, 14 déc. 1936 : *L'amant victorieux*, dess. à la pl., lav. de bistre : **FRF 520** – PARIS, 17 nov. 1950 : *Portrait présumé de Madame de Vaubadon, en robe décolletée*, miniat. : **FRF 15 000**.

TOUZÉ Jean
Né en 1747 à Paris. Mort en 1809 à Paris. XVIIIe siècle. Français.
Peintre de genre, portraits, natures mortes, aquarelliste, dessinateur, miniaturiste.
Élève et dessinateur de Greuze. Il fit beaucoup de dessins pour les graveurs. Siret indique, avec l'initiale prénominale J., un Touzé, peintre « connu », dit-il « par les facéties dont il divertissait ses amis ». Bien que la même initiale convienne également à Jacques Louis François, Siret parle très probablement de Jean.
VENTES PUBLIQUES : PARIS, 15-16-17 fév. 1897 : *Le conducteur d'ours* ; *Le charlatan*, deux dessins : FRF 1 380 ; *La marchande d'œufs*, dess. : FRF 1 150 – PARIS, 6 déc. 1923 : *Le duo*, lav. sépia et pl. : FRF 520 – PARIS, 16 mai 1927 : *Portrait de la reine Marie-Antoinette* : FRF 9 000 – PARIS, 7 et 8 juin 1928 : *Scène d'expulsion et de pillage*, pl. et lav. : FRF 5 000 – PARIS, 15 juin 1938 : *Les amusements dangereux*, aquar. gchée sur trait de pl. : FRF 14 500 ; *Les repasseuses*, pierre noire et reh. de blanc : FRF 7 000 – PARIS, oct. 1945-juil. 1946 : *Nature morte*, dess. : FRF 50 000 – PARIS, 28 déc. 1949 : *Portrait de femme décolletée, probablement Madame de Vaubadon*, miniat. : FRF 8 500 – PARIS, 13 déc. 1991 : *Le montreur d'ours*, cr. noir (21x26) : FRF 40 000.

TOUZÉ Pierre Colombe. Voir l'article **TOUZÉ Jacques Louis François**

TOUZEAU Jean Guillaume. Voir **THOUZAUD**

TOUZENIS Georges
Né en 1947 à Athènes. XXe siècle. Depuis 1971 actif en France. Grec.
Peintre, dessinateur.
Il a étudié à l'École des Beaux-Arts d'Athènes et à l'Académie des Beaux-Arts de Copenhague. En 1971, il s'installe à Paris où il fréquente l'École des Beaux-Arts et l'École des Arts décoratifs. Sa première manifestation d'envergure a lieu à la Biennale de Paris en 1973. Il montre ses œuvres dans des expositions personnelles, dont : 1982 musée de l'Abbaye Sainte-Croix aux Sables d'Olonne ; 1991 Paris, galerie Jacqueline Moussion. On ne peut ignorer une carrière administrative réussie dans les instances des écoles d'art.
En 1973, il présente ses *Notes artistiques : Journal de ma rééducation artistique*. À cette époque son travail se rapproche de l'art conceptuel. Il s'applique à exercer une critique à plusieurs niveaux de la notion classique d'art, envers sa fonction et sa finalité, envers les pratiques de sa communication. Depuis lors, Touzenis a réorienté son œuvre vers une production picturale où la peinture monochrome interroge son propre champ, tentant de mettre en évidence les étapes de la peinture, de l'émotion à la mécanisation. Il accompagne souvent ses tableaux de notes et graphiques qui, faisant partie de l'œuvre, en relatent le parcours. Il réalise des espaces aux formes géométriques, aux multiples perspectives, dans une gamme de noirs subtile : noir-noir, noir-gris, noir-bleus, noir-jaunes, encerclant des motifs de figures, de signes, d'autres volumes, aux couleurs franches. Il réalise également des dessins au fusain, régis encore par la géométrie, mais moins complexes dans leur structure. Soulignant le raffinement de ses réalisations les plus austères, Pierre Giquel commente qu' : « ... une attention minutieuse portée sur ce qui constitue le dessin et la peinture cohabite avec les fictions personnelles ».
BIBLIOGR. : Claude Bouyeure : *Georges Touzenis*, Opus International, n° 128, Paris, été 1992.

TOUZERY Edmond Pierre
Né au XIXe siècle à Paris. XIXe-XXe siècles. Français.
Graveur sur bois.
Élève de Roland et de Cardon. Sociétaire des Artistes Français depuis 1903, il figura au Salon de ce groupement ; mention honorable en 1902.

TOUZERY Marcelle
Née au XIXe siècle à Paris. XIXe-XXe siècles. Française.
Graveur sur bois.
Elle figura au Salon des Artistes Français ; mention honorable en 1910.

TOUZET Jacques
Né à Fécamp (Seine-Maritime). XXe siècle. Français.
Sculpteur.
Il a exposé à Paris au Salon d'Automne.

TOUZIN Jenny
Née à Paris. XIXe siècle. Française.

Sculpteur.
Élève de Maillet. Elle débuta au Salon en 1876.

TOUZOT Christophe
XXe siècle. Français.
Artiste d'installations.
Il a participé, en 1994, à l'exposition *Avis de tempête* au Fonds régional d'art contemporain Provence Alpes-Côte-d'Azur à Marseille.
BIBLIOGR. : Jean Yves Jouannais : *Avis de tempête*, Art Press, n° 197, Paris, déc. 1994.

TOVA VILLALBA José
Né en 1871 à Séville. Mort en 1923 à Séville. XIXe-XXe siècles. Espagnol.
Peintre de portraits, céramiste.
Il fut élève de l'école des beaux-arts de Séville. Il participa à l'Exposition nationale des beaux-arts en 1897.
Il exécuta des carrelages et des peintures dans le parc Marie-Louise de Séville. On cite une *Frégate*, et *Fleurs à la Vierge*.
BIBLIOGR. : In : *Cien Anos de pintura en Espana y Portugal, 1830-1930*, Antiquaria, t. XI, Madrid, 1993.

TOVAGLIE Pietro di Giovanni dalle
XVe siècle. Actif à Bologne dans la première moitié du XVe siècle. Italien.
Peintre.
Probablement identique à Pietro di Giovanni, travaillant en 1420 pour l'église Saint-Jacques de Bologne.

TOVAR Alonso Miguel de, don. Voir **TOBAR**

TOVAR Ivan
Né en 1942 à Saint-Domingue. XXe siècle. Depuis 1963 actif en France. Dominicain.
Peintre. Tendance surréaliste.
Il avait montré une première exposition personnelle de ses œuvres, à Saint-Domingue. Depuis son installation à Paris en 1963, il a participé aux IIIe, IVe et Ve Biennales des Jeunes de Paris ; en 1965 à l'Exposition des Artistes latino-américains, à Paris ; 1970 exposition *Vision 24 – Peintres et Sculpteurs d'Amérique latine* à l'Institut italo-latino-américain de Rome. Il montre ses œuvres dans des expositions personnelles depuis 1969 à Paris.
Son œuvre se rattache au surréalisme moderne. Un peu comme Klaphek, mais à partir de formes molles et non mécaniques, il construit des assemblages très volumétriques, alliant tubulures, fessiers, pièces mécaniques, intestins, écrous et seins, dans d'étranges créations mécano-biologiques, rendues avec le soin technique d'un Dali ou d'un Tanguy.
BIBLIOGR. : In : Catalogue de l'exposition *Vision 24 – Peintres et Sculpteurs d'amérique latine*, Institut italo-latino-américain, Rome, 1970.
VENTES PUBLIQUES : PARIS, 25 oct. 1976 : *Les Valeurs naturelles* 1974, h/t (190x130) : FRF 9 000 – PARIS, 6 déc 1979 : *Sans titre* 1973, acryl./t. (89,5x116) : FRF 4 800 – NEW YORK, 30 mai 1984 : *La force des choses*, h/t (99,7x80,5) : USD 2 750 – NEW YORK, 29 mai 1985 : *Le fou c'est l'autre* 1976, acryl./t. (92,4x73) : USD 3 000 – NEW YORK, 17 mai 1988 : *L'un des nombreux secrets d'amour* 1982, h/t (73x60) : USD 2 200 – NEW YORK, 21 nov. 1988 : *La haine* 1973, h/t (64,8x81) : USD 9 350 – NEW YORK, 17 mai 1989 : *La tristesse d'Altazor* 1982, h/t (73x60,5) : USD 7 150 – NEW YORK, 18 mai 1993 : *Sans titre* 1973, h/t (162,2x130) : USD 32 200 – NEW YORK, 21 nov. 1995 : *Le poids du rêve* 1970, h/t (100x81) : USD 19 550 – LOKEREN, 11 oct. 1997 : *Composition* 1971, h/t (65x54) : BEF 100 000.

TOVAR Juan de
XVIe siècle. Espagnol.
Sculpteur sur bois.
Il sculpta quelques stations du chemin de croix de la cathédrale de Tolède.

TOVAR Luis Bonifacio
XVIIe siècle. Espagnol.
Peintre.
Il a peint des *Scènes de la Vie de sainte Thérèse*, dans le couvent des Carmes déchaussés à Grenade.

TOVAR Manuel
Né le 10 août 1875 à Grenade (Andalousie). Mort le 10 avril 1935 à Madrid. XXe siècle. Espagnol.
Peintre de scènes de genre, paysages, dessinateur humoriste, caricaturiste, affichiste, dessinateur publicitaire.

Il séjourna à Valence et à Madrid. Après des débuts en peinture de genre et paysages, il se consacra tôt au dessin d'humour et à la caricature, travaillant pour des journaux de Madrid, dont *Blanco et Negro, ABC, Espana Nueva.*
Il pratiquait un dessin sommaire, mais efficace dans son genre grand public.
BIBLIOGR. : In : *Cien Anos de pintura en Espana y Portugal, 1830-1930,* Antiqvaria, t. XI, Madrid, 1993.

TOVAR Y CONDE Manuel
Né le 14 décembre 1847 à Séville. Mort le 7 juin 1921 à Madrid. XIXe-XXe siècles. Espagnol.
Sculpteur, peintre.
Il exposa des sculptures à Séville de 1867 à 1868. Il décora de peintures les salles de l'Alcazar de Tolède.

TOVAR Y TOVAR Martin
Né au Venezuela. XIXe siècle. Actif dans la seconde moitié du XIXe siècle. Vénézuélien.
Peintre.
Il fit ses études en France. Il peignit de gigantesques tableaux historiques pour les bâtiments officiels de Caracas.
VENTES PUBLIQUES : NEW YORK, 30 mai 1985 : *Cavaliers* 1862, h/t (44x58,4) : USD 19 000 – NEW YORK, 25 nov. 1986 : *El patio de la Casa des Artista* 1884, h/t (46x55) : **USD 15 000.**

TOVE
XIIe siècle. Actif dans la seconde moitié du XIIe siècle. Suédois.
Sculpteur.
Il sculpta des fonts baptismaux dans les églises de Gumlösa, de Lyngsjö, de Bjerejö et d'Osterlöf.

TOVEY J. ou G.
XVIIIe siècle. Actif à la fin du XVIIIe siècle. Britannique.
Graveur au burin.
Il grava des portraits et des ornements héraldiques.

TOVEY John
XIXe siècle. Travaillant à Bristol. Britannique.
Peintre d'architectures et de sujets religieux.
Il exposa à Londres en 1843.

TOVEY Mary Sympson. Voir CHRISTISON Mary Sympson

TOVEY Samuel Griffith
XIXe siècle. Britannique.
Peintre d'architectures.
Il peignit surtout des vues de Venise et exposa à la Royal Academy de 1847 à 1865.

TOVNOYER Didier. Voir TORNER

TOVO Emanuele
Né à Turin. XIXe siècle. Italien.
Peintre de miniatures, scènes animées, portraits.
Père de Petronilla Tovo. Il était actif dans la seconde moitié du XIXe siècle. Il peignit des portraits et des scènes mythologiques.

TOVO Petronilla
XIXe siècle. Italienne.
Peintre de portraits, paysages, fleurs, peintre de miniatures.
Elle exposa à Turin de 1880 à 1898.

TOVOIER Didier. Voir TORNER

TOWER Jon
XXe siècle. Américain.
Peintre.
Il montre ses œuvres dans des expositions personnelles : 1992 galerie Philippe Rizzo à Paris.
Il semble puiser son inspiration dans des lieux religieux, recueillant sur toile ou sur papier, le halo des réverbérations de la fresque de Raphaël au Vatican *After Rafaël,* deux lentilles de cire à Notre-Dame de Paris... Son travail s'accompagne d'une réflexion sur le divin, la dimension spirituelle dans l'art.
BIBLIOGR. : Ami Barak : *Jon Tower,* Art Press, n° 174, Art Press, Paris, nov. 1994.

TOWER Walter Ernest
Né en 1873. XIXe-XXe siècles. Britannique.
Peintre verrier, décorateur.
Il fut élève de la Royal Academy et de Charles Emer Kempe, à Londres, où il vécut et travailla. Il fut aussi architecte. Il exécuta beaucoup de vitraux en Grande-Bretagne et ailleurs.

TOWERS James
Né le 21 juin 1853 à Liverpool. XIXe siècle. Actif à Purley. Britannique.

Peintre de paysages et aquarelliste.
Il exposa à Londres à partir de 1878. Associé de la Royal Cambrian Academy. Le Musée de Norwich conserve de lui : *Rivière encaissée.*

TOWERS Samuel
XIXe-XXe siècles. Britannique.
Peintre de paysages.
Il vécut et travailla à Harvington, résidant aussi à Bolton. Il fut membre de la Royal Cambrian Academy. Il exposa à Londres, notamment à la Royal Academy à partir de 1884.

TOWES
XVIIIe siècle. Actif à la fin du XVIIIe siècle. Britannique.
Graveur au burin.

TOWN Benjamin ou Ben
XIXe siècle. Travaillant de 1809 à 1814. Britannique.
Peintre.
Frère de Charles Towne (né en 1781), il fut peintre sur velours.

TOWN Charles. Voir TOWNE

TOWN Francis
Né vers 1738. Mort le 11 novembre 1826. XVIIIe-XIXe siècles. Britannique.
Peintre.
Père de Charles Towne (né en 1781). Il a inventé la peinture sur velours.
VENTES PUBLIQUES : LONDRES, 13 déc 1979 : *Lodore Falls* 1786, aquar. et pl., sur 2 feuilles (49,5x42) : **GBP 16 000.**

TOWN Harold
Né le 13 juin 1924 à Toronto (Ontario). XXe siècle. Canadien.
Peintre, peintre de collages, dessinateur, sculpteur, illustrateur, peintre de compositions murales, graveur, décorateur de théâtre. Expressionniste abstrait, composite, op art.
Il fait ses études au Western Technical Institute et à l'Ontario College of Art de Toronto de 1942 à 1945. Il fut membre fondateur du groupe néofiguratif canadien, des Onze Peintres, en 1952.
Il participe à des expositions collectives : régulièrement aux manifestations de la Royal Canadian Academy et de la Ontario Society of Artists dont il est membre associé ; 1956 Biennale de Venise, pour laquelle il fait des imprimés ; 1957 Biennale de São Paulo où il obtient le Prix Arno. Il montre ses œuvres dans des expositions personnelles à partir de 1954 à Toronto, notamment : 1957 New Gallery of Contemporary Art ; ainsi que 1958 Londres ; 1962 New York.
Il a touché à tous les genres, exécutant des décorations murales pour la Bibliothèque publique de North York à Toronto en 1959, pour l'aéroport international de Toronto en 1963, les décors et les costumes d'*Électre* en 1963 pour la Compagnie Nationale de Ballet du Canada. Surtout peintre de collages et graveur, il a abordé différents styles, débutant avec des œuvres abstraites, gestuelles, puis des toiles composites et, dans les années soixante-dix, s'est tourné vers les recherches de l'op art avec des peintures sophistiquées.
BIBLIOGR. : In : *Dict. univers. de la peinture,* t. VI, Le Robert, Paris, 1975.
MUSÉES : LONDRES (Tate Gal.) : *Tyranny of the corner – Persian Set* 1962 – MONTRÉAL (Mus. d'Art Contemp.) : *No Op n° 3* 1964, h/t – *Love Where nights are long* 1960, une eau-forte et 14 litho.

TOWN Lydia, plus tard Mme Emanuel
XIXe siècle. Active dans la première moitié du XIXe siècle. Britannique.
Peintre.
Sœur de Charles Towne (né en 1781). Elle fut peintre sur velours comme son autre frère Benjamin.

TOWN Robert
XVIIIe-XIXe siècles. Travaillant à Liverpool de 1783 à 1803. Britannique.
Peintre de genre et portraitiste.
Frère aîné de Charles Towne (né en 1763).

TOWNE Charles ou Town
Né en 1763 à Wigan. Mort le 6 janvier 1840 à Liverpool. XVIIIe-XIXe siècles. Britannique.
Peintre de paysages, sujets de sport, animaux.
Mayer l'identifie avec le peintre C. Town qui exposait en 1787 et le fils d'un autre peintre R. Town, qui lui-même figurait à l'exposition de la même ville en 1784. À partir de 1976, il apparaît dans

les catalogues de ventes publiques sous l'orthographe de Towne. Il exposa jusqu'en 1824 des paysages avec animaux, dans le genre de Berghem. Il prit part aux expositions de Londres, Royal Academy et British Institution.

Ch. Towne

Musées : Liverpool : *Le village d'Everton – Paysage avec figures et animaux* – Nottingham : *Paysage avec animaux.*

Ventes Publiques : Londres, 24 mai 1909 : *Chasse au coq de bruyère ; Chiens*, deux pendants : **GBP 7** – Londres, 18 juin 1909 : *Portrait d'un chien 1826* – Londres, 12 mars 1910 : *Portrait de Rhadamantus vainqueur du Derby de 1790* : **GBP 16** – Londres, 15 déc. 1929 : *Chasseurs* : **GBP 1 050** – Londres, 20 nov. 1936 : *Le comte de Bridgewater en costume de chasse* : **GBP 252** – Londres, 4 mars 1938 : *Ralph Benson* : **GBP 236** – Londres, 30 nov. 1960 : *Cheval de chasse bai avec un garçon d'écurie dans un paysage* : **GBP 300** – Londres, 20 fév. 1963 : *Paysage avec chasseur à cheval* : **GBP 560** – Londres, 17 mars 1967 : *Berger et son troupeau dans un paysage* : **GNS 1 700** – Londres, 28 nov. 1969 : *Paysage au lac* : **GNS 1 700** – New York, 22 oct. 1970 : *Le pur-sang « Rhadamantus »* : **USD 7 000** – Londres, 10 déc. 1971 : *Portrait de John Yates à cheval* : **GNS 6 000** – Londres, 24 nov. 1972 : *Paysage* : **GNS 3 800** – Londres, 31 oct. 1973 : *Épagneul et hermine* : **GBP 3 200** – Londres, 17 juil. 1974 : *Troupeau dans un paysage d'hiver ; Le labour au printemps* : **GBP 1 900** – Londres, 14 juil. 1976 : *Pur-sang et chiens dans un paysage 1835*, h/t (53x68,5) : **GBP 11 500** – Londres, 18 mars 1977 : *Le cheval « Old Robin » dans un paysage*, h/t (65x85) : **GBP 2 600** – Londres, 18 juil 1979 : *Troupeau à l'abreuvoir*, h/t (73,5x89,5) : **GBP 3 600** – New York, 10 juin 1983 : *Tigre attaquant un pur-sang arabe 1824*, h/t (91,5x116,8) : **USD 60 000** – New York, 6 juin 1985 : *Pur-sang vendu à l'empereur Alexandre de Russie pour 2000 Gns 1815*, h/t (73,5x94) : **USD 47 000** – New York, 5 juin 1986 : *Laying Themon with Tom Wadlow, whipper in 1811*, h/t (61x81,3) : **USD 67 500** – Londres, 29 jan. 1988 : *Hunter bai dans une prairie 1820*, h/t (68,9x81,9) : **GBP 4 620** – New York, 25 fév. 1988 : *Voyageurs arrêtés près d'une dune de sable 1830*, h/t (51,1x64,2) : **USD 35 200** – Londres, 18 nov. 1988 : *Vue de Lyston Hall avec un trotteur et trois chiens de meute 1809*, h/t (99x134) : **GBP 55 000** – Londres, 14 juil. 1989 : *Un chien d'arrêt dans un paysage avec un chasseur et deux autres chiens à l'arrière-plan 1830*, h/t (51x63,5) : **GBP 12 100** – Londres, 16 mai 1990 : *Fermier sur son cheval passant devant un moulin à vent en rentrant du marché*, h/pan. (19,5x22,5) : **GBP 1 210** – Londres, 12 avr. 1991 : *Trotteur alezan dans un vaste paysage fluvial 1830*, h/t (43x51) : **GBP 6 600** – Londres, 10 avr. 1992 : *Un chien de Terre-Neuve dans un paysage d'hiver*, h/pan. (9x11) : **GBP 550** – New York, 5 juin 1992 : *William Yates, maître de Springfield sur sa monture préférée*, h/t (99,1x121,9) : **USD 79 750** – New York, 9 juin 1993 : *Combat d'étalon dans un paysage boisé 1808*, h/cart. (27,3x33) : **USD 15 525** – St. Asaph (Angleterre), 2 juin 1994 : *Sur la route du marché ; Le retour du troupeau 1796*, h/t, une paire (chaque 29x43) : **GBP 24 725** – New York, 9 juin 1995 : *« Mouse » le hunter préféré de John Davenport avec son palefrenier John Ward à Westwood dans le Staffordshire*, h/t (64,8x86,4) : **USD 23 000** – Londres, 8 nov. 1995 : *Un chat en détresse 1848*, h/t (22x27,5) : **GBP 2 990** – Londres, 28 mars 1996 : *Setter anglais sur une piste*, h/pan. (32,7x40) : **GBP 3 450** – New York, 11 avr. 1997 : *Maître des haras du Cheshire*, h/t (95,3x113,7) : **USD 85 000**.

TOWNE Charles ou Town
Né en 1781 à Londres. Mort le 24 avril 1854. xix⁰ siècle. Britannique.
Peintre de paysages et d'animaux.
Souvent confondu avec le précédent. Il exposa à la Royal Academy de 1804 à 1812.
Musées : Birkenhead : *Marché aux bestiaux.*
Ventes Publiques : Londres, 12 juil. 1990 : *Vue du lac de Windermere et les Langdale Pikes à l'arrière-plan*, h/t (146x122) : **GBP 35 200.**

TOWNE Francis
Né en 1739 ou 1740. Mort le 7 juillet 1816 à Londres. xviii⁰-xix⁰ siècles. Britannique.
Peintre de paysages, aquarelliste.
Aquarelliste avant tout, il avait pourtant essayé de se faire une réputation de peintre et s'était présenté plusieurs fois, sans succès, à la Royal Academy qui n'acceptait pas les aquarellistes. Par contre, en 1762, il devint membre de la Free Society of Artists de

Londres. En 1777, il fit un voyage au Pays de Galles, où il exécuta ses premiers paysages, il visita l'Italie et la Suisse en 1780, puis la région des Lacs en 1786. Il semble être installé à Londres en 1803, et épousa, en 1805, une jeune danseuse française. Il fit son unique exposition particulière à Londres en 1803.
Ses aquarelles ne cèdent en rien à la facilité, elles ne sont pas le fruit de la spontanéité, bien que certaines d'entre elles soient annotées d'indications sur l'éclairage, certainement observé sur place. Son style paraît indépendant de toute influence, à l'exception de celle de W. Pars, dont il fut l'élève, et ne semble pas avoir eu beaucoup de prolongements, sauf peut-être chez Thomas Jones ou John Warwick Smith. Vers 1780, 1790, à l'époque où Turner allait chercher à rendre des effets atmosphériques d'un ordre fantastique et d'une grande beauté, Towne adoptait une technique synthétique reposant essentiellement sur des aplats. Il en résulte des œuvres qui atteignent souvent une grande intensité dramatique par l'économie des moyens et des couleurs étonnantes. On ne devint sensible à cette netteté du dessin et de la composition qu'au moment où l'on a apprécié les estampes japonaises, soit à la fin du xix⁰ siècle.

Bibliogr. : Catalogue de l'exposition : *La peinture romantique anglaise et les Préraphaélites*, Paris, 1972.

Ventes Publiques : Londres, 31 oct. 1945 : *Vue du château de Powderham*, aquar. : **GBP 54** ; *Près d'Exwell*, aquar. : **GBP 54** – Londres, 3 mars 1970 : *Paysage boisé*, aquar. : **GNS 420** – Londres, 20 avr. 1972 : *Paysage romain*, aquar. : **GBP 1 700** – Londres, 20 mars 1974 : *Paysage escarpé, Snowdon 1775* : **GBP 400** – Londres, 2 mars 1976 : *Arbres au bord d'un lac, près d'Exter*, aquar. (15x19,5) : **GBP 1 500** – Londres, 13 mars 1980 : *Vue de Naples 1781*, pl. et lav. (32,5x47) : **GBP 4 800** – Londres, 27 juin 1980 : *Llyn Gwellyn Caernarvonshire*, h/t (62,2x89,5) : **GBP 2 000** – Londres, 9 déc. 1981 : *Portrait de Mrs Martha Nichols*, h/t (75,5x63) : **GBP 3 500** – Londres, 11 nov. 1982 : *A view going from the head of the lake of Como over Mount Splugen 1784*, aquar. et cr. (49x58) : **GBP 9 500** – Londres, 15 mars 1984 : *Vue du lac de Côme 1781*, aquar. et pl. (31,5x49) : **GBP 20 000** – Rome, 20 nov. 1984 : *Tivoli*, cr., pl. et lav. (37x49,5) : **GBP 7 500** – Londres, 21 nov. 1985 : *Villa Malini, Rome 1781*, pl. et lav. et gris (32,5x23) : **GBP 5 800** – Londres, 8 juil. 1986 : *Kenilworth Castle 1813*, aquar., cr. et pl. (17,8x26) : **GBP 1 600** – Londres, 12 mars 1987 : *Vue près de l'Arco Oscuro en regardant vers la Villa Médicis, Rome 1785*, aquar./traits de pl. (32,5x47,5) : **GBP 30 000** – Londres, 9 avr. 1992 : *Bétail se désaltérant dans un paysage classique*, encre et aquar. (18,5x25) : **GBP 3 520** – Londres, 13 juil. 1993 : *Le lac de Klöntal en Suisse*, cr., encre et lav. (28,5x46,6) : **GBP 14 950.**

TOWNE Joseph
Né en 1808. Mort en 1879. xix⁰ siècle. Actif à Londres. Britannique.
Sculpteur de portraits, sculpteur-modeleur de cire.
Il exposa à la Royal Academy de 1834 à 1866.

TOWNE T.
xviii⁰ siècle. Actif à Londres dans la seconde moitié du xviii⁰ siècle. Britannique.
Portraitiste.
Il exposa à la Royal Academy de 1781 à 1791.

TOWNLEY Charles
Né en 1746 à Londres. Mort vers 1800. xviii⁰ siècle. Britannique.
Peintre d'histoire, portraits, pastelliste, miniaturiste, graveur.
Il étudia à Florence et à Rome. En 1789 il visita Berlin, où il fut nommé graveur de la Cour de Berlin. Il exposa à la Free Society en 1782.
Il s'établit comme peintre de portraits à l'huile et au pastel. Mais ce fut surtout comme graveur à la manière noire et au pointillé qu'il créa sa renommée. À Berlin, il peignit avec succès des miniatures. Il grava notamment les portraits de *Frédéric Guillaume II*, et *Catherine II*. On lui doit également un certain nombre de planches, de portraits et de sujets historiques.
Ventes Publiques : Londres, 24 nov. 1972 : *Paysage fluvial* : **GNS 1 300** – Londres, 23 juil. 1985 : *The Townley collection at Park Street* ; *Westminster*, aquar. mar./cart., une paire (39,5x53,5 et 54,6x66) : **GBP 52 000** – New York, 5 juin 1992 : *Orage, palefrenier et chevaux 1797*, h/t (91,4x121,9) : **USD 27 500.**

TOWNROE Reuben
Né en 1835. Mort en 1911. xix⁰-xx⁰ siècles. Britannique.
Sculpteur, peintre, aquarelliste.

Il exposa deux sculptures à la Royal Academy de Londres, de 1874 à 1880.
Musées : Londres (Nat. Gal.) : *Masque mortuaire d'Alfred Stevens.*

TOWNSEND Alfred O.
xixe-xxe siècles. Britannique.
Peintre de paysages, aquarelliste.
Il vécut et travailla à Bristol. Il exposa à Londres à partir de 1888, notamment à la Royal Academy, à Suffolk Street et à la New Water-Colours Society.
Musées : Bristol : *La Vallée du Rossignol.*

TOWNSEND Ernest N.
Né le 26 juin 1893 à New York. xxe siècle. Américain.
Peintre, illustrateur.
Il fut élève des peintres Paul Corroyer, George Maynard, Charles Yardley Turner et Thomas Fogarty. Il fut membre du Salmagundi Club et de la Ligue Américaine des Artistes Professeurs.

TOWNSEND Ethel Hore
Née le 26 septembre 1876 à Staten Island (New York). xxe siècle. Américaine.
Peintre de miniatures.
Elle fut élève de Henry Bayley Snell et d'Orlando Rouland. Elle vécut et travailla à East Orange.

TOWNSEND Frances
Née le 27 mars 1863 à Washington. xixe siècle. Active à Yakima. Américaine.
Paysagiste.

TOWNSEND Frederick
xixe siècle. Actif dans la seconde moitié du xixe siècle. Britannique.
Peintre de paysages, architectures.
Il exposa à la Royal Academy de Londres, de 1861 à 1866.

TOWNSEND Frederick Henry, pseudonyme parfois : Fin-de-Ville
Né le 25 février 1868 à Londres. Mort le 11 décembre 1920 à Londres. xixe-xxe siècles. Britannique.
Peintre de genre, sujets militaires, graveur, dessinateur, illustrateur.
Il fut élève de la Lambeth School of Art. Il exposa à Londres à partir de 1888, notamment à la Royal Academy, à la New Gallery, où il figurait encore en 1909 sur le catalogue.
Il collabora à *Punch*, dont il devint directeur artistique par la suite. Il illustra *Jane Eyre* de Charlotte Brontë, *Histoire des deux villes* de Dickens, *La Maison aux sept pignons* de Hawthorne...
Musées : Melbourne : *Amoureux*, dess. à la pl.

TOWNSEND Harry Everett
Né le 10 mars 1879 à Wyoming (Illinois). xxe siècle. Américain.
Peintre, illustrateur, graveur, décorateur.
Élève de l'Art Institute de Chicago et de Howard Pyle, il étudia aussi à Paris et à Londres. Il fut membre du Salmagundi Club. Il vécut et travailla à Newark.
Comme graveur, il privilégia les techniques de la gravure sur bois et l'eau-forte.
Musées : Washington D. C. (Mus. Nat.) : *Illustrations de la Première Guerre mondiale.*

TOWNSEND Henry James
Né le 6 juin 1810 à Taunton. Mort après 1866. xixe siècle. Britannique.
Peintre d'histoire, illustrateur et aquafortiste.
Il fut d'abord chirurgien, puis s'adonna à l'art et prit une place comme peintre d'histoire. En 1840, il obtint un prix au concours pour la décoration du palais du Parlement et, la même année, son premier envoi aux expositions de la Royal Academy : *Cromwell et Ireton lisant une lettre interceptée de Charles Ier* fut très remarqué. Il continua à envoyer des sujets d'histoire aux expositions de Londres, jusqu'en 1866. Son rôle comme illustrateur ne fut pas moins intéressant. Townsend fut directeur de l'école gouvernementale de dessin. Le Victoria and Albert Museum conserve de lui une étude pour son tableau : *Argenterie de famille enterrée durant la guerre civile.*
Ventes Publiques : Londres, 20 déc. 1973 : *Cromwell et Ireton* : GBP 380.

TOWNSEND John
xviiie siècle. Britannique.
Dessinateur de portraits.

Il fut actif de 1776 à 1778. R. Stewart et J. Hall gravèrent d'après cet artiste.

TOWNSEND John
xixe siècle. Britannique.
Peintre de paysages.
Il exposa à Londres de 1841 à 1842, où il vécut et travailla.
Musées : Londres (Mus. Britannique) : *La rivière Saint-Laurent au Canada – Ruines d'une abbaye.*

TOWNSEND Pattie ou Patty. Voir JOHNSON

TOWNSEND T.
xixe siècle. Travaillant vers 1880. Britannique.
Aquafortiste.
Il grava des paysages.

TOWNSEND William
Né le 23 février 1909 à Londres. xxe siècle. Britannique.
Peintre de paysages.
Il fait ses études à la Slade School de Londres dès 1926. Il voyage en France, en Italie, et au Proche-Orient de 1929 à 1930. Il fut membre associé de l'Euston Road School de 1937 à 1939, membre du London Group à partir de 1951. Il enseigna à l'École d'Art de Camberwell de 1946 à 1949, et à la Slade School à Londres en 1949. Il fit un voyage au Canada afin d'enseigner à l'Université d'Alberta's Summer School of Fine Arts à Banff en 1951. Il fut nommé professeur d'Art à l'Université de Londres en 1961.
Il participe à des expositions collectives avec le London Group dès 1931. Il montre ses œuvres dans une première exposition personnelle à Londres en 1932.
Musées : Londres (Tate Gal.) : *Hop Alleys* 1951-1952 – *Dungeon Ghyll* 1956.
Ventes Publiques : Londres, 12 mai 1989 : *Paysage canadien*, h/t (60x75) : GBP 605.

TOWNSEND William Trautman
Né en 1809 à Londres. xixe siècle. Britannique.
Peintre.
Il fit ses études à Munich.

TOWNSEND-JOHNSON Pattie ou Patty. Voir JOHNSON

TOWNSHEND Arthur Louis ou Townsend
Né en 1880. Mort en 1912. xixe-xxe siècles. Britannique.
Peintre de sujets de sport, paysages.
Il exposa à Londres entre 1880 et 1912, notamment à la Royal Academy.
Ventes Publiques : Londres, 31 mars 1978 : *Gauchos de Mendoza, calle Duarte, Santiago 1875*, h/pan. (32x42) : GBP 750 – Londres, 24 oct. 1984 : *Barcaldine a bay racehorse in a stable*, h/t (65x90) : GBP 1 800 – Londres, 24 oct. 1991 : *Le poulain « Zaneda » fils de « Rosicrucian » et de « Childerie » 1887*, h/t (65x82,5) : GBP 1 265 – New York, 14 oct. 1993 : *Le soir à Mazagah (Lawrence d'Arabie)*, h/t (46x40,6) : USD 1 035.

TOWNSHEND Barbara Anne
xviiie-xixe siècles. Britannique.
Silhouettiste.

TOWNSHEND Chauncy Hare, R. P
Né le 20 avril 1798 à Londres. Mort le 25 février 1868 à Londres. xixe siècle. Britannique.
Poète, amateur d'art et peintre amateur.
Un des plus généreux bienfaiteurs du Victoria and Albert Museum, à Londres. Il fit ses études classiques à Eton et à Cambridge et entra dans les ordres en 1821. Sa santé délicate ne lui permit pas l'exercice des fonctions ecclésiastiques. Il voyagea beaucoup sur le continent, recueillant des œuvres d'art, écrivant des articles de critiques et s'occupant de questions philanthropiques. Il légua au South Kensington Museum (aujourd'hui Victoria and Albert) une importante collection de peintures, de gravures, de dessins, de livres, de pierres précieuses. Il fit aussi de la peinture en amateur. Le Victoria and Albert Museum conserve un paysage de lui (*Blea Tarn, Cumberland*).

TOWNSHEND Geoffrey Keith
Né en 1888. Mort en 1969. xxe siècle. Australien.
Peintre de paysages, marines.
Ventes Publiques : Sydney, 3 juil. 1989 : *Dans le port*, h/cart. (22x29) : AUD 850 – Sydney, 16 oct. 1989 : *La petit croisement*, h/cart. (24x30) : AUD 1 000 – Sydney, 26 mars 1990 : *Le petit carrefour*, h/cart. (24x31) : AUD 800 – Sydney, 2 juil. 1990 : *Ferme dans la vallée*, h/cart. (25x31) : AUD 950.

TOWNSHEND Georges de, marquis
Né le 28 février 1724. Mort le 14 septembre 1807 à Rainham. XVIIIᵉ siècle. Britannique.
Graveur amateur et caricaturiste.
Ce grand seigneur qui occupa les fonctions de lord-lieutenant d'Irlande, exécuta d'intéressantes eaux-fortes humoristiques, des dessins et des caricatures, qui obtinrent un grand succès. On cite notamment une spirituelle charge de la duchesse de Queensberry.

TOWNSHEND James
XIXᵉ siècle. Actif à Londres. Britannique.
Peintre de genre, paysages.
Il exposa à Londres, notamment à la Royal Academy, à Suffolk Street et à la New Water-Colours Society. A partir de 1883, membre de la Society of British Artists. Il exposait à cette société en 1909.
VENTES PUBLIQUES : LONDRES, 6 fév. 1909 : *Dans les nénuphars* ; *Le pêcheur*, deux pendants : **GBP 5** – CHESTER, 20 juil. 1989 : *Gerbes de blé entassées dans un champ*, h/t (40,5x61) : **GBP 792** – LONDRES, 13 fév. 1991 : *Un vieux violoneux devant une auberge*, h/t (40,5x61) : **GBP 2 310**.

TOWNSLEY C. P.
Né en 1867 à Sedalia. Mort en 1921. XIXᵉ-XXᵉ siècles. Américain.
Peintre.
Il fut élève de l'Académie Julian à Paris et de Chase à New York.
VENTES PUBLIQUES : LOS ANGELES, 8 nov. 1977 : *The bend of the river* 1919, h/t (61x91,5) : **USD 1 600**.

TOWORA Anton. Voir **TUVORA**

TOXIC
Né en 1965 à New York. XXᵉ siècle. Américain.
Artiste.
Il a participé à Paris en 1991 à l'exposition : *Graffiti Art : 1981-1991, Artistes Américains et Français.*
VENTES PUBLIQUES : MILAN, 16 nov. 1993 : *The whole (hole) of peace* 1990, vernis au pistolet sur tôle (100x150) : **ITL 5 175 000**.

TOXVAERD Frants
Né en 1701 à Copenhague. Mort en 1741 à Copenhague. XVIIIᵉ siècle. Danois.
Peintre.

TOYA-CALLEJA Maria Victoria
XXᵉ siècle. Active en Belgique. Chilienne.
Peintre de compositions murales, graveur.
Elle commence ses études au Chili, puis les termine à l'académie des beaux-arts de Bruxelles.
Elle mêle éléments abstraits et figuratifs issus du quotidien.

TÔYAMA GORÔ
Né en 1888 dans la préfecture de Fukuoka. Mort en 1928. XXᵉ siècle. Japonais.
Peintre.
Peintre de style occidental, il sort diplômé de l'Université des Beaux-Arts de Tokyo en 1914. Il voyage alors aux États-Unis, puis en France en 1920, à Paris, où il étudie à l'Académie Julian.

TOYEN Marie, pseudonyme de **Germinova Marie**
Née le 21 septembre 1902 à Prague. Morte le 9 novembre 1980 à Prague. XXᵉ siècle. Depuis 1947 active en France. Tchécoslovaque.
Peintre de compositions animées, figures, paysages, peintre de collages, dessinatrice, graveur, technique mixte. Surréaliste.
En 1919, elle fit quelques études artistiques avec le professeur Ditete. Elle fit partie, dès 1923, du groupe d'avant-garde Devetsil, avec qui elle expose. Après avoir vu à Prague, André Breton et Paul Éluard, elle vint avec Styrsky à Paris, en 1935, y rencontrant les autres surréalistes et notamment Benjamin Péret. Elle se fixa définitivement à Paris en 1947.
Elle a participé à des expositions collectives : 1925 *Art d'aujourd'hui* à Paris ; puis à toutes les expositions internationales consacrées au surréalisme. Elle a montré ses œuvres dans des expositions personnelles : 1947 galerie Denise René à Paris.
Dans une première période, elle peignit des sujets populaires dans un style très direct : *Les Danseuses* de 1925. Elle subit ensuite l'influence cubiste, la menant toutefois à ses conséquences ultimes sur la voie de l'abstraction : *Vaisseau englouti* de 1927, *Maris* de 1928. Dans ces dernières œuvres, des effets de « flou » que l'on retrouvera souvent dans les périodes ulté-

rieures, dissolvaient la forme sous une apparence pré-tachiste. Elle peignit ensuite de nouveau une série de paysages construits rigoureusement. En 1933, sous les influences conjuguées de son amitié avec Styrsky, avec qui elle réalise en 1936 un cycle de collages en hommage au poète K. H. Macha, et de son adhésion spirituelle au surréalisme, elle revint à une écriture nuagiste abstraite, qui n'était pas sans liens avec certaines des matérialisations de vision d'un Max Ernst. À partir du *Spectre jaune* de 1933 et du *Spectre rouge* de 1934, elle ne s'écarta plus de la ligne strictement définie du surréalisme orthodoxe. André Breton lui décerna à cette époque le brevet de « seul peintre surréaliste exemplaire ». Retournée à Prague, elle y réalisa, en 1940, le cycle des dessins du *Tir*, et, en 1944, le cycle de ceux de *Cache-toi Guerre*, tous deux évidemment provoqués par les événements mondiaux. Pendant les années de guerre, son langage pictural ne fit que s'affirmer, mêlant la réalité et la fiction, le réalisme et le rêve, l'évidence de l'image et l'ambiguïté du sens : *Relâche* de 1943, ou cette peinture, également de 1943, conservée dans les collections nationales tchécoslovaques d'une petite fille suspendue par les pieds, mais dont le corps est pris en partie dans le mur auquel elle est fixée. On trouve d'ailleurs dans de nombreuses œuvres de Toyen des implications érotiques et freudiennes, qui peuvent faire penser encore à Balthus ou surtout à Dorothea Tanning. Elle produisit dans les derniers temps de sa vie à Prague quelques-unes de ses œuvres capitales : *À la table verte* de 1945, *Au château La Coste* et *Mythe de la lumière*, toutes deux de 1946. Installée à Paris en 1947, en raison de l'évolution des directives esthétiques promulguées par le régime tchécoslovaque, elle participa désormais à toutes les activités et manifestations du groupe surréaliste, y réalisant un nouveau cycle de pointes-sèches *Ni ailes ni pierres : Ailes et pierres* en 1949, et poursuivant son œuvre pictural, fluctuant du réalisme de l'étrange à un nuagisme rêveur, frôlant volontiers la frontière de l'érotisme : *La Belle Ouvreuse* de 1957. Comme l'a écrit Benjamin Péret, pour le peintre Toyen, « le monde demeure indéfiniment perfectible, et il suffit de l'aiguillonner un tant soit peu pour qu'il se remette en mouvement comme aux premiers âges, alors qu'un semblant d'ordre s'abat impitoyable. Rien n'était encore stable, et d'un œuf de poule pouvait aussi bien naître un singe qu'une agathe. Tout était à la merci de tout ».

Toyen

BIBLIOGR. : Benjamin Péret : *Toyen*, Sokolova, Paris, 1953 – José Pierre : *Le Surréalisme*, in : *Hre Gle de la peint.*, t. XXI, Rencontre, Lausanne, 1966 – Jacqueline Mayer, in *Diction. Univers. de l'Art et des Artistes*, Hazan, Paris, 1967 – in : *Dict. univers. de la peinture*, t. VI, Le Robert, Paris, 1975 – Heisler : *Toyen*, Centre Georges Pompidou, Paris, 1982.
MUSÉES : PARIS (FNAC) : *Le Paravent* 1966 – PRAGUE (Narodni Gal.) : *Gobi* 1931 – *Le Spectre rouge* 1934 – RIO DE JANEIRO (Mus. de Arte Mod.) : *Horizon* 1937 – STOCKHOLM (Mod. Mus.) : *Mythe de la lumière* 1947 – ZLIN (Mus. Nat. d'Art Mod.) : *Océanie, la nuit* 1931.
VENTES PUBLIQUES : PARIS, 19 mars 1971 : *Loi du calme* : **FRF 26 500** – PARIS, 2 déc. 1976 : *Derrière les gouffres et en nous-mêmes* 1955, h/t (71x100) : **FRF 10 000** – PARIS, 31 mai 1979 : *Composition* 1927, aquar. (39x30) : **FRF 9 000** – PARIS, 21 juin 1982 : *Le coffre-fort* 1946, h/t (75x121) : **FRF 100 000** – LIMOGES, 4 déc. 1983 : *Femme magnétique*, h/t (101x72) : **FRF 85 000** – PARIS, 25 juin 1984 : *Objets minéraux sur fond bleu* 1933, aquar. (38x26) : **FRF 9 200** – PARIS, 26 fév. 1988 : *Femme surréaliste*, dess. au cr. (21x10,5) : **FRF 8 500** ; *La plage* 1926, techn. mixte (47x58) : **FRF 24 000** – PARIS, 18 avr. 1991 : *Le vent rentre dans la chambre* 1948, mine de pb et cr. de coul./pap. calque, 1948 (43x57) : **FRF 6 000** – PARIS, 12 oct. 1994 : *Éveil – frolements de plumes* 1955, h/t (92,8x124) : **FRF 58 000** – PARIS, 3 mai 1996 : *Dolmens*, 2 dess. encre (21x16,5 chacun) : **FRF 4 500**.

TOYGHUIS
XVIIIᵉ siècle. Actif au milieu du XVIIIᵉ siècle. Allemand.
Peintre.
Le Musée de Recklingshausen conserve de lui : *Annonciation, Circoncision, Nativité*, datés de 1754.

TOYLAIN
XVIIIᵉ siècle. Français.
Graveur d'estampes.
Il travailla en 1727, pratiquant la gravure en couleurs.

TÔYO. Voir aussi **SESSHÛ TÔYÔ** et **TÔKO**

TOYOAKI. Voir **UTAMARO**

TÔYÔ Azuma, surnom : **Taiyô**, nom de pinceau : **Gyokuga**
Né en 1755, originaire de Mutsu. Mort en 1839. XVIIIe-XIXe siècles. Japonais.
Peintre.
Peintre de paysages et de figures, au service du seigneur de Sendai, il étudie d'abord le style de l'école Kanô avec Baishô, puis se tourne vers la manière plus réaliste de l'école de Maruyama, dès lors qu'il s'associe avec Taiga,'kyo et Gekkei.

TOYOFUKU Tomonori
Né en 1925 à Kurume (préfecture de Fukuoka). XXe siècle.
Depuis 1960 actif en Italie. Japonais.
Sculpteur. Abstrait.
Après avoir étudié la sculpture sur bois avec Chiodo Tominaga de 1946 à 1948, il commence à exposer avec l'Association des Peintres Nouveaux (*Shinseisaku kyokai*) à partir de 1950. Il en deviendra membre en 1957. Depuis 1960, il vit et travaille à Milan.
Il participe à de nombreuses expositions collectives : 1960 et 1964 Biennale de Venise ; 1964, 1967, 1970 Carnegie International Exhibition à Pittsburgh ; 1965 Biennale de São Paulo ; 1965, 1973 exposition *Artistes japonais à l'étranger* aux Musées d'Art Moderne de Tokyo et de Kyoto ; 1970 *Chefs-d'œuvre de l'Art Japonais* à l'Exposition universelle d'Osaka. Il montre ses œuvres dans des expositions particulières : 1960 à Tokyo ; 1962 à Londres, Milan, Venise, etc. Il a reçu divers prix et distinctions : 1959 prix Takamura Kôtarô, 1961 IIIe prix à la compétition internationale d'art et d'architecture de Copenhague, 1964 prix à l'exposition Carnegie à Pittsburgh.
Il pratique une sculpture abstraite en bois et en bronze.
MUSÉES : HELSINKI (Mus. Atheneum) – NEW YORK (Mus. Nat. d'Art Mod.) – TOKYO (Mus. Nat. d'Art Mod.).
VENTES PUBLIQUES : MILAN, 7 nov. 1978 : *Sculpture 1961*, bois (H. 71) : ITL 1 000 000 – MILAN, 13 déc. 1990 : *Sans titre 1964*, bronze (H. 196) : ITL 16 000 000.

TOYOHARU. Voir **UTAGAWA TOYOHARU**

TOYOHIKO Okamoto, surnom : **Shigen**, nom familier : **Shiba**, noms de pinceau : **Kôson, Rikyô, Chôshinsai** et **Tangaku-Sanjin**
Né le 25 août 1773 à Bizen (préfecture d'Okayama). Mort le 24 août 1845 à Kyoto. XVIIIe-XIXe siècles. Japonais.
Peintre.
Disciple de Goshun (1752-1811) et de Ryôzan, il travaille à Kyoto et fait partie de l'école Shijô. Il peint surtout des paysages.

TOYOHIRO. Voir **UTAGAWA TOYOHIRO**

TOYOKUNI I et II. Voir **UTAGAWA TOYOKUNI I** et **II**

TOYOKUNI III. Voir **UTAGAWA KUNISADA**

TOYOKUNI IV, appelé aussi **Baido Toyokuni**
Né en 1823. Mort le 20 juillet 1880. XIXe siècle. Japonais.
Peintre et dessinateur pour la gravure sur bois.

TOYONARI
Né en 1886. Mort en 1942. XXe siècle. Japonais.
Peintre de figures, portraits, graveur. Traditionnel.
VENTES PUBLIQUES : LONDRES, 6 juin 1990 : *Portrait d'une Maiko*, estampe oban tate-e (40,1x27,9) : GBP 550 – NEW YORK, 15 juin 1990 : *L'acteur Onoe Matsusuke dans le rôle de Goroji*, estampe dai oban tate-e (41,2x28,8) : USD 990.

TOYONOBU. Voir **ISHIKAWA TOYONOBU**

TOYOSHIGE. Voir **UTAGAWA TOYOKUNI II**

TOYOSHIMA Hirotaka ou **Hironao**
Né en 1933 dans la préfecture d'Aomori. XXe siècle. Japonais.
Peintre, graveur.
Il fut élève de l'Université des Beaux-Arts de Tokyo. Il vit et travaille au Japon.
Il commence à participer à des expositions de groupe, notamment : 1966 *Nouvelle Génération de l'Art Contemporain* au Musée National d'Art Moderne de Tokyo ; 1962, 1968 et 1969 *l'Art Japonais Contemporain* ; 1968 troisième JAFA (Japan Art Festival Association) aux États-Unis ; 1986 *Réalité seconde* à la galerie d'art contemporain de Chamalières. Il montre ses œuvres dans des expositions personnelles depuis 1958 : depuis 1962 très régulièrement à Tokyo ; 1975, 1976 Stockholm ; 1986 centre culturel coréen à Paris. En 1972, il a reçu un prix à l'Exposition internationale de Gravure de Cracovie.

Dans ses peintures, il pratique un style semi-figuratif où les contrastes lumineux tiennent un rôle essentiel dans sa perception de l'espace, du sombre au clair. Il établit un monde de correspondance, établit des relations entre les êtres et les objets, du tangible au non visible, du réel au spirituel. Depuis 1970, il réalise de nombreuses gravures.
BIBLIOGR. : In : Catalogue de l'exposition *Réalité Seconde*, Mus. de l'Art Contemp., Chamalières, 1986.

TOYOTA HOKKEI. Voir **HOKKEI Toyota**

TÔYO Unkoku
XVIIe siècle. Actif au début du XVIIe siècle. Japonais.
Peintre.
Disciple de son père Tôeki Unkoku, il fait partie de l'école Unkoku.

TOYRIA Francisco
XVIe siècle. Espagnol.
Sculpteur.
Il exécuta des expertises au sujet des sculptures de l'église de Brou en 1532.

TOYSIE Colin de
XVe siècle. Actif à Tournai et à Avignon en 1472. Français.
Enlumineur.

TOZELLI Francesco
XVIIIe siècle. Travaillant à Amsterdam vers la fin du XVIIIe siècle. Italien (?).
Pastelliste et portraitiste.
Le Musée d'Amsterdam conserve de lui un autoportrait ainsi que *Portrait de Dirk Versteegh*, protecteur des arts.

TOZELLI Giambattista
Né en 1691. Mort en 1761. XVIIIe siècle. Actif à Bologne. Italien.
Sculpteur sur bois et marqueteur.

TOZER Henry E.
XIXe siècle. Actif à Cape Cornwall (Angleterre). Britannique.
Peintre de marines.
Il exposa à Londres, notamment à la Royal Academy à partir de 1892. Le Musée de Cape Town conserve de lui : *H. M. S. Monarch* (aquarelle).

TOZER Henry Spernon
Né vers 1870. Mort en 1940. XIXe-XXe siècles. Britannique.
Peintre de genre, intérieurs, aquarelliste.
Il a réalisé de nombreuses scènes intimistes, sereines et décoratives, empruntées à la vie quotidienne.
VENTES PUBLIQUES : LONDRES, 14 déc. 1976 : *Au coin du feu 1937*, 2 cartons (33x24,5) : GBP 380 – LONDRES, 25-26 avr. 1990 : *Assis devant la cheminée*, aquar. (25,5x37) : GBP 2 200 – LONDRES, 30 jan. 1991 : *Conversation tranquille*, aquar. avec reh. de blanc (25,5x41) : GBP 1 430 – LONDRES, 8 fév. 1991 : *L'heure du thé 1916*, cr. et aquar. (31,1x33,4) : GBP 1 210 – LONDRES, 14 juin 1991 : *Le journal du soir 1925*, aquar. avec reh. de blanc (22,7x33) : GBP 1 210 – LONDRES, 29 oct. 1991 : *Le jeu de dames 1918*, cr. et aquar. (20,3x27,9) : GBP 880 – LONDRES, 19 jan. 1994 : *L'attente de la pêche 1888*, h/t (61,6x91,4) : USD 5 463 – LONDRES, 6 nov. 1995 : *La couverture de Patchwork 1922*, aquar. (23x33) : GBP 1 207.

TOZETTI
XIXe siècle. Travaillant à Rome vers 1840. Italien.
Peintre.
Il peignit le plafond de la salle de bal de la Villa Torlonia à Rome.

TOZZI ou **Tozzo**
XVIIIe-XIXe siècles. Actif à Naples. Italien.
Sculpteur sur bois.
Il sculpta des figurines de crèche.

TOZZI Mario
Né le 30 octobre 1895 à Fossombrone (Urbino). Mort en 1979 à Saint-Jean-du-Gard (Gard). XXe siècle. Actif aussi en France. Italien.
Peintre de compositions animées, figures, portraits, paysages, natures mortes.
Après avoir commencé des études de chimie, Tozzi s'inscrivit à l'Académie des Beaux-Arts de Bologne, où il connut Morandi et Licini. Pendant la Première Guerre mondiale, il fut mobilisé. En 1920, il vint pour la première fois à Paris, où il séjournera désormais régulièrement. Là, il se lia avec le groupe des Italiens de Paris : Campigli, Severini, Magnelli, De Pisis, Paresce, De

Chirico, Savinio. En 1937 Tozzi devint infirme. Il n'eut plus ensuite qu'une activité très restreinte en tant que peintre. Il est devenu chroniqueur artistique, a organisé des expositions d'art italien à l'étranger, a présenté des grands peintres, tels Chagall, Marcoussis, à la Biennale de Venise. Dans les derniers temps, il partage sa vie entre Paris et Suna di Verbamia en Italie. Eugénio d'Ors, L. Fiumi, Waldemar-George, Paul Fierens ont écrit sur lui.

À partir de 1920, il a participé à Paris, aux Salons des Indépendants, d'Automne et des Tuileries ; en Italie, aux Biennales de Venise et aux Quadriennales de Rome. Il exposera également à Zurich, Amsterdam en 1927 ; à Genève, Berlin, *Der Schöne Mensch* (Beauté humaine) à Darmstadt en 1929 ; à Berne, Bâle et Paris, en 1930 ; etc.

Il débuta avec des paysages. Bien que travaillant surtout à Paris, il ne perdait pas le contact avec les mouvements picturaux spécifiquement italiens. Tout d'abord il se rallia aux préceptes du groupe Valori Plastici, recherchant les compositions monumentales solidement charpentées, comme, par exemple dans *Le Paysan* de 1921, ou encore dans *Le Peintre et sa femme* de 1928. Comme il en avait été chez les futuristes, contrairement à ce qui s'était passé dans le cubisme, c'est à la technique de la touche divisée du néo-impressionnisme de Seurat que recourt Tozzi pour modeler les volumes par une lumière pailletée. Dans les peintures des années trente, il semble que Tozzi ait recherché des effets d'étrangeté inspirés de la peinture métaphysique de Chirico, obtenus par la géométrisation simplificatrice des contours, que Chirico lui-même tenait de l'étude des archaïques grecs. Toutefois, chez Tozzi, cette sécheresse de la forme des divers éléments qui constituent la composition est tempérée par leur abondance et leur agencement en vue d'un maximum d'effet décoratif. En fait, les influences multiples sont caractéristiques de l'état d'esprit qui régnait alors sur la vie artistique en Italie autour du mouvement néoclassique du Novecento. Ce fut l'époque des compositions les plus complète de Tozzi : *Personnages et Architectures* de 1929, aux réminiscences métaphysiques, l'*Hommage à Claudel* de 1930, d'une volonté décorative desséchante, *Le Cirque* de 1932 où, avec la technique pointilliste, Tozzi emprunte aussi à son goût pour le cirque et les acrobates, la *Vénus* de 1935, dont la volonté d'archaïsme est évidente, et puis encore éparses *La Toilette du matin, Mirage, Le Marin, L'Étudiant, La Fenêtre, L'Inspiration, Maternité, Rêverie matinale*, etc. Il prit une place active dans l'École de Paris, sans pour cela rien abdiquer de l'originalité du classicisme de sa vision latine. Picasso appréciait la peinture de Tozzi, dont il se rapprochait lui-même dans ses périodes néoclassiques.

MUSÉES : BERNE (Mus. des Beaux-Arts) : *Personnages et architectures* 1929 – GRENOBLE (Mus. de peint.) – MANNHEIM : *Le Bel Être* – MILAN – MOSCOU – PARIS (Mus. d'Art Mod. de la Ville) – ROME.

VENTES PUBLIQUES : PARIS, 3 mai 1928 : *Nature morte* : FRF 110 – PARIS, 4 oct. 1943 : *Compotier, bananes et poire* : FRF 4 000 – MILAN, 4 déc. 1969 : *Nocturne* : ITL 1 500 000 – MILAN, 27 oct. 1970 : *Nature morte* : ITL 3 200 000 – MILAN, 25 mai 1971 : *Évasion* : ITL 2 800 000 – MILAN, 9 mars 1972 : *Nature morte* : ITL 6 000 000 – MILAN, 11 déc. 1973 : *Jeune fille aux cheveux bleus* : ITL 5 500 000 – MILAN, 4 juin 1974 : *Automne*, temp. : ITL 5 000 000 – MILAN, 19 déc. 1974 : *Portrait de femme* : ITL 6 700 000 – ROME, 18 mai 1976 : *Femmes* 1973, h/t (83x60) : ITL 8 000 000 – MILAN, 7 juin 1977 : *Femme et figures géométriques* 1971, h/t (55x46) : ITL 4 000 000 – MILAN, 13 juin 1978 : *Buste de femme* 1969, past. (71,5x49,5) : ITL 1 000 000 – MILAN, 18 déc 1979 : *Vénus* 1966, h/t (35x27) : ITL 2 900 000 – MILAN, 26 nov. 1981 : *La Leçon de géométrie*, h/pan. (155x110) : ITL 23 000 000 – NEW YORK, 18 mars 1982 : *Nature morte*, techn. mixte/t. (55,3x30,5) : USD 6 250 – MILAN, 15 nov. 1984 : *Tête de femme* 1970, past. (50x34) : ITL 1 700 000 – MILAN, 15 nov. 1984 : *La Famille du pêcheur* 1929, sanguine (116,5x78) : ITL 4 000 000 – MILAN, 18 déc. 1984 : *Table garnie* 1922, h/t (111x75,5) : ITL 25 000 000 – ROME, 23 avr. 1985 : *Etude pour Il bibliofilo* 1929, sanguine/pap. mar./t. (108x80) : ITL 6 200 000 – ROME, 7

mai 1985 : *Souvenir d'enfance* 1929, h/t (116x81) : ITL 60 000 000 – CANNES, 29 avr. 1986 : *Christophe Colomb* 1930, h/t (73x50) : FRF 280 000 – MILAN, 28 oct. 1986 : *Giochi di donne* 1972, h/t (65x54) : ITL 25 000 000 – MILAN, 8 juin 1988 : *Les nudistes* 1936, h/t (65x46) : ITL 25 000 000 – ROME, 15 nov. 1988 : *Personnages devant une église* 1921, h/t (60x50) : ITL 21 000 000 – MILAN, 14 déc. 1988 : *Lac Majeure* 1950, h/pan. (29x40) : ITL 5 500 000 – MILAN, 20 mars 1989 : *La Maison jaune* 1967, h/t (65x46) : ITL 27 000 000 – ROME, 17 avr. 1989 : *Nature morte à la Vénus* 1942, h/t (116x72) : ITL 58 000 000 – PARIS, 20 nov. 1989 : *Archimède* 1930-1934, h/t (61x38) : FRF 290 000 – ROME, 6 déc. 1989 : *La petite place métaphysique* 1946, h/t (60x50) : ITL 52 900 000 – ROME, 10 avr. 1990 : *Nature morte avec une tasse, une poire et un verre* 1948, h/t (27x35) : ITL 20 000 000 – MILAN, 12 juin 1990 : *Femmes sur une plage*, h/t (65x54) : ITL 45 000 000 – MILAN, 24 oct. 1990 : *Le soleil bleu* 1976, h/t (65x54) : ITL 42 000 000 – ROME, 13 mai 1991 : *Nature morte*, h/t (70x59) : ITL 33 350 000 – MILAN, 14 nov. 1991 : *La petite maison rose* 1966, h/t (55x45) : ITL 36 000 000 – PARIS, 4 déc. 1991 : *Visage de femme* 1930, encre de Chine (53x30) : FRF 26 000 – MILAN, 23 juin 1992 : *Le jeu de dame* 1962, h/t (118x75) : ITL 110 000 000 – ROME, 27 mai 1993 : *Nature morte*, h/t (50x40) : ITL 50 000 000 – PARIS, 6 oct. 1993 : *La table de l'étudiant*, h/t (84x68) : FRF 210 000 – MILAN, 22 nov. 1993 : *Composition au dé* 1963, h/t/pan. (33x55) : ITL 22 391 000 – PARIS, 26 nov. 1993 : *La dame, le buste, la tête* 1977, h/t (81x60) : FRF 176 000 – MILAN, 15 mars 1994 : *La clé de saint Pierre* 1937, h/t (46x55) : ITL 39 100 000 – MILAN, 27 avr. 1995 : *Deux figures* 1937, fresque (100x100) : ITL 57 500 000 – MILAN, 18 juin 1996 : *Personnages dans un intérieur* vers 1942, h/t (46x38) : ITL 28 750 000 – MILAN, 25 nov. 1996 : *La Leçon de natation* 1962, h/t (22x35) : ITL 24 150 000 – PARIS, 2 déc. 1996 : *L'enfant dort*, h/t (110/50) : FRF 160 000 – MILAN, 2 avr. 1996 : *L'atelier*, h/t (143x114) : ITL 235 750 000 – MILAN, 19 mai 1997 : *Nuit d'été* 1967, h/t (73x50) : ITL 55 200 000 – MILAN, 24 nov. 1997 : *Portrait de Marie-Thérèse*, fus./pap. (30x48) : ITL 4 025 000 ; *Nature morte aux poires* 1927, h/t (41x48) : ITL 39 100 000.

TOZZO, il. Voir **LARI Antonio Maria**

TRABACCHI Giuseppe
Né en 1839 à Rome. Mort le 12 décembre 1909 à Rome. XIXᵉ siècle. Italien.
Sculpteur.
Élève de l'Académie Saint-Luc à Rome. Il sculpta des statues, des groupes de façade et des tombeaux.

TRABALLESI Agata
XVIᵉ siècle. Active à la fin du XVIᵉ siècle. Italienne.
Peintre.
Élève de Pulisena Nelli. Sœur de Bartolomeo, de Felice, de Francesco et de Niccolo Traballesi, elle était de l'ordre des Dominicaines.

TRABALLESI Bartolomeo, dit **il Gobbo**
Mort en 1585. XVIᵉ siècle. Actif à Florence. Italien.
Peintre.
Élève de Michele Tosini. Il peignit une *Annonciation* pour l'église de Tous les Saints de Florence.
VENTES PUBLIQUES : ROME, 10 mai 1988 : *Le Martyr de saint Laurent*, h/pan. (220x197) : ITL 16 000 000.

TRABALLESI Felice
XVIᵉ siècle. Actif à la fin du XVIᵉ siècle. Italien.
Sculpteur.
Il travailla pour le duc de Mantoue et pour Maximilien de Bavière.

TRABALLESI Francesco ou **Trabaldese** ou **Traballese**
Né en 1544 à Florence. Mort le 21 avril 1588 à Mantoue. XVIᵉ siècle. Italien.
Peintre, sculpteur et architecte.
Il peignit deux tableaux d'autel à la Chiesa de Greci : *L'Annonciation* et *Le Christ parmi les docteurs*.
VENTES PUBLIQUES : LONDRES, 21 avr. 1982 : *Portrait de Bartolomeo Sirigatti* 1567, h/pan. (82x69) : GBP 11 000.

TRABALLESI Gaetano
XVIIIᵉ siècle. Actif à Florence en 1762. Italien.
Sculpteur.

TRABALLESI Luciano Giuliano, dit **Giulio**
Né à Florence, le 2 novembre 1724 ou 1727 selon d'autres sources. Mort le 14 novembre 1812 à Milan. XVIIIᵉ-XIXᵉ siècles. Italien.

Peintre de portraits, dessinateur, graveur.

Cet artiste fit la plupart des dessins pour la collection des portraits d'illustres florentins, dont les gravures furent exécutées par divers artistes et notamment par Allegrini. Comme graveur on lui doit différentes estampes d'après les Carracci, Guido Reni et autres maîtres bolonais.

Musées : Milan (Gal. d'Art Mod.) : *Gloire de saint François de Paule* – Milan (Gal. de la Brera) : *L'Artiste* – *Aurore chasse la nuit* – Parme (Gal. d'Art) : *Camille délivre Rome des Gaulois.*

Ventes Publiques : Rome, 15 mars 1983 : *Triomphe de l'Amour* ; *Putti portant des torches*, h/pan., une paire (12x28,5) : ITL 3 300 000 – Lugano, 16 mai 1992 : *Orfée et Euridice aux enfers*, h/t (100x80) : CHF 33 000 – Lugano, 1er déc. 1992 : *L'enlèvement de Proserpine*, h/t (82x100) : CHF 29 000.

TRABALZA Decio
Mort en 1842. xixe siècle. Actif à Rome. Italien.
Peintre d'histoire et portraitiste.

TRABALZA Leopoldo
xixe siècle. Actif à Rome en 1844. Italien.
Sculpteur.

TRABAUD
xixe siècle. Travaillant à Marseille vers 1840. Français.
Peintre de marines et de portraits.
Élève d'Auguste Aubert.

TRABEL Jörg
Né à Innsbruck. Mort en 1614 à Brixen. xviie siècle. Autrichien.
Peintre.
Fils de Paul Trabel. Il travailla pour le château de Velthurns.

TRABEL Paul ou Trabl
Né à Sterzing. Mort vers 1585 à Innsbruck. xvie siècle. Autrichien.
Peintre.
Il travailla pour la ville d'Innsbruck, pour la cour et pour plusieurs églises de cette ville.

TRABEL Veit
xvie siècle. Travaillant à Innsbruck en 1572. Autrichien.
Peintre.
Probablement frère de Jörg Trabel.

TRABL Paul. Voir TRABEL

TRABUCCO Giovanni Battista ou Jean Baptiste
Né en 1844 à Turin. xixe siècle. Italien.
Sculpteur.
Élève de Vela. Il se rendit, jeune, à Nice, et y fit de nombreux travaux, notamment le fronton de l'hôpital Saint-Roch et le monument de Mgr Sola, des statues à l'Opéra, au palais Dubouchage, à la villa Val Rose, etc. Le Musée de Nice conserve de lui : *Mgr Sola, évêque de Nice, Jeune fille au chapeau de feutre, Monument à Garibaldi.*

TRABUCCO Marie-Louise
xxe siècle. Française.
Peintre.
Elle exposa à Paris, au Salon des Artistes Français, dont elle fut membre sociétaire ; elle obtint une médaille d'argent en 1936 et en 1937, à l'Exposition Universelle.

TRABUKIER Aubert ou Trapekiers
Né à Malines. xvie siècle. Travaillant à Anvers. Éc. flamande.
Peintre.
Élève de Clément Middelère en 1522 ; maître à Anvers en 1532.

TRACCIA Sismondo
Né vers 1575 à Rome. Mort le 17 août 1658 à Rome. xviie siècle. Italien.
Peintre.
Membre de l'Académie Saint-Luc en 1604.

TRACEY John Joseph
Né en 1813 à Dublin. Mort en novembre 1873 à Dublin. xixe siècle. Irlandais.
Peintre de genre.

TRACH Anton
xviiie siècle. Actif à Vienne dans la seconde moitié du xviiie siècle. Autrichien.
Sculpteur.

TRACHE Rudolph ou Johann Friedrich Rudolf
Né le 7 septembre 1866 à Dresde. xixe siècle. Allemand.

Peintre de sujets militaires.
Il exposa à Dresde en 1897. On cite de lui : *La Rentrée.*
Musées : Bautzen : *Mort de Theodor Körner* – Dresde (Mus. de l'Armée) : *Les Saxons au bord du Bug en 1812* – Werdau : *Le duc de Brunswick sur la place du marché de Werdau.*
Ventes Publiques : New York, 2 mai 1979 : *La patrouille*, h/cart. (35,6x51) : USD 950.

TRACHEL Antonio ou Antoine
Né le 24 mars 1828 à Nice (Alpes-Maritimes). Mort en décembre 1903. xixe siècle. Français.
Sculpteur.
Il sculpta surtout sur bois.
Musées : Nice : *Hercule enfant.*

TRACHEL Dominique ou Domenico
Né en 1830. Mort le 12 juin 1897. xixe siècle. Français.
Peintre de marines.
Élève de son frère Ercole Trachel.
Musées : Nice : *Goélette anglaise dans un port ligurien* – *Le pont Saint-Louis, près de Menton* – *Médaillon de la Vierge, entouré de fleurs* – *Barques de pêche à la plage* – *Barque au large de Nice.*

TRACHEL Ercole ou Hercule
Né en 1820 à Nice (Alpes-Maritimes). Mort en 1872 à Nice. xixe siècle. Français.
Peintre d'histoire, sujets religieux, scènes de genre, portraits, paysages, aquarelliste, dessinateur, décorateur.
Il fut élève de Charles Barbéri et de l'Académie de Turin. Une exposition rétrospective de ses œuvres eut lieu à la galerie des Ponchettes à Nice en 1983.
Il réalisa des panneaux décoratifs pour diverses églises de Nice.
Musées : Nice (Mus. Chéret) : trente-neuf aquarelles, deux dessins.
Ventes Publiques : Monte-Carlo, 26 oct. 1981 : *Vue de la baie de Nice* ; *Vue de la baie du Paillon*, peint./cart., une paire (chaque 32x53,5) : FRF 12 000.

TRACHEL Jean ou Trachet
xve siècle. Français.
Enlumineur et copiste.
Il copia et orna de miniatures en 1434, un bréviaire destiné au duc de Bourgogne.

TRACHEZ Jacob Andries ou Jacques André Joseph ou Trachy
Né le 30 décembre 1766 à Anvers. Mort le 24 octobre 1820 à Anvers. xviiie-xixe siècles. Belge.
Aquarelliste et graveur au burin.
Élève de H. J. Antonnissen. Il grava et peignit des architectures et des vues de villes.

TRACHSEL Albert
Né le 26 janvier 1863 à Nidau. Mort le 26 janvier 1929 à Genève. xixe-xxe siècles. Suisse.
Peintre d'architectures, paysages, dessinateur, illustrateur.
Il fut élève de Barthélémy Menn à l'École des Beaux-Arts de Genève. Venu à Paris, il exposa au Salon de la Rose-Croix, qui venait de se fonder. Durant son séjour parisien, il publia un curieux album de dessins d'architectures : *Les Fêtes Réelles.* De retour en Suisse, il se lia d'amitié avec le peintre Ferdinand Hodler et le statuaire James Vibert. Il se consacra dès lors, à la peinture des paysages de son pays natal, dans lesquels il introduisit une atmosphère de rêve, mêlée à une grande recherche constructive. Il fut également architecte et écrivain. En plus de ses poèmes et de ses contes, il écrivit des articles de critique, où il défend avec vigueur le nouvel art suisse.

A Trachsel

Musées : Aarau (Aargauer Kunsthaus) : *Partie au Wildstrubel* vers 1909, aquar. – Berne – Genève – Soleure.
Ventes Publiques : Berne, 25 juin 1981 : *Vase de fleurs* vers 1915, h/t (65x54) : CHF 4 000 – Genève, 1er nov. 1984 : *Nature morte aux fleurs*, h/t (80x60,5) : CHF 5 000 – Zurich, 9 nov. 1985 : *Port sur le lac de Genève*, aquar. (32,1x43,3) : CHF 2 600 – Berne, 26 oct. 1988 : *Paysage d'automne avec des arbres et des osiers*, h/t (38x46) : CHF 1 600 – Berne, 14 mai 1990 : *Arbre en bourgeons dans un potager*, aquar. (25x35) : CHF 1 300 – Paris, 13 juin 1990 : *Elseneur, le château d'Hamlet* vers 1890, h/t (101x130) : FRF 72 000 – Zurich, 21 juin 1991 : *Les vignes*, aquar. (24,2x34,2) : CHF 1 300 – Zurich, 4 juin 1992 : *Œillets*, past./pap.

(34x28,5) : **CHF 2 034** ; *Paysage de printemps*, aquar./pap. (27x36,5) : **CHF 2 712** ; *Paysage de rêve ; vallée du Petit Bernard près de Genève*, h/t (56,5x73) : **CHF 5 650** – ZURICH, 9 juin 1993 : *Marine*, cr. et aquar./pap. (28x37) : **CHF 1 150** – ZURICH, 24 nov. 1993 : *Panorama de la région de Saleve*, cr. et aquar./pap. (35x50) : **CHF 2 070** – ZURICH, 8 déc. 1994 : *Le massif de Wildstrubel en été*, cr. et aquar./pap. (49x67) : **CHF 6 325** – ZURICH, 30 nov. 1995 : *Paysage de montagne*, cr. et aquar./pap. (26x37) : **CHF 3 680**.

TRACHSEL Charles François
Né le 29 juin 1816 à Yverdon. Mort le 18 octobre 1907 à Lausanne. XIXe siècle. Suisse.
Lithographe.
Il fut aussi connu comme numismate.

TRACHY Jacob Andries. Voir **TRACHEZ**

TRACKERT Friedrich ou Georg Friedrich Ludwig
Né le 12 décembre 1806. Mort le 7 novembre 1858 à Brunswick. XIXe siècle. Allemand.
Lithographe.
Il grava des vues de Brunswick, des scènes de genre et des portraits de princes de Brunswick et d'écrivains. Le Musée de Brunswick conserve des œuvres de cet artiste.

TRACKH Jozsef Ferenc ou Josef Franz
Né vers 1775. Mort en 1832 à Kremnitz. XIXe siècle. Hongrois.
Sculpteur et médailleur.
Il travailla à Schemnitz et à Kremnitz comme médailleur.

TRACOL
XVIIIe siècle. Actif à Trie-Château (Oise) vers 1750. Français.
Sculpteur sur bois.
Il sculpta les stalles de l'église d'Enencourt-Liage.

TRACY
XVIIIe siècle. Actif à Brompton près de Chatham dans la seconde moitié du XVIIIe siècle. Britannique.
Dessinateur, illustrateur.
Il illustra des livres d'architecture.

TRACY Glen
Né le 24 janvier 1883 à Hudson. XXe siècle. Américain.
Peintre de paysages.
Il fut élève de Nowottny, de Meakin et de Duveneck. Il vécut et travailla à Cincinnati.

TRACY John Martin
Né en 1843 ou 1844 à Rochester. Mort en 1893. XIXe siècle. Américain.
Peintre de genre, animalier.
Il fit ses études à Paris comme élève d'Yvon et de Pils.
VENTES PUBLIQUES : PARIS, 16 oct. 1946 : *Le passage du gué, scène galante* : **FRF 1 120** – NEW YORK, 4 juin 1982 : *Chasseur et ses chiens dans un paysage boisé*, h/pan. (25,4x19,7) : **USD 3 200** – NEW YORK, 7 juin 1985 : *Chien de chasse à l'arrêt*, h/t (35,5x50,2) : **USD 12 500** – NEW YORK, 4 juin 1993 : *Les setters « Erin » et « Biddy » dans un paysage*, h/t (55,9x111,8) : **USD 13 800**.

TRAD Emilio
Né vers 1953. XXe siècle. Argentin.
Peintre de compositions à personnages.
En 1995 à Paris, la galerie Le Breton a montré un ensemble de ses peintures.
De formats peu modestes, ses compositions aux accords de gris sobres exaltés par un rare éclat coloré, groupent des personnages, aux attitudes et visages statiques, inexpressifs, dont certains déjà peints sur des tableaux représentés dans l'ensemble, et les quelques éléments qui constituent le décor, selon une ordonnance très stricte d'orthogonales verticales et horizontales.

TRADATE Antonio da
XVIe siècle. Actif à Locarno en 1510. Suisse.
Peintre.
Il a peint *Crucifiement de saints*, dans l'église de Cureglia.

TRADEL Kaspar ou Tradelli
Né à Amsterdam. XVIIe siècle. Travaillant à Rome de 1612 à 1615. Hollandais.
Peintre.

TRADER Effie Corwin
Née le 18 février 1874 à Xenia. XIXe-XXe siècles. Américaine.
Peintre de miniatures.
Elle fut élève de l'académie de Cincinnati, où elle vécut et travailla, et de T. Dubé.

TRÄDL M.
XVIIIe siècle. Actif à Prague dans la seconde moitié du XVIIIe siècle. Autrichien.
Graveur au burin.
Il peint des tableaux d'autel.

TRAERI Antonio
XVIIIe siècle. Actif à Modène en 1711. Italien.
Sculpteur.

TRAFFELET Fritz
Né en 1897 à Berne. Mort en 1954 à Berne. XXe siècle. Suisse.
Peintre de portraits, nus, natures mortes, peintre de compositions murales.
Il vécut et travailla à Berne.
Il peint des fresques pour des maisons de Berne.

MUSÉES : BERNE (Mus. de la ville) : *Portrait du peintre Hosch – Académie à contre-jour.*
VENTES PUBLIQUES : BERNE, 7 mai 1976 : *Nature morte aux tulipes*, h/t (61x45) : **CHF 1 200** – BERNE, 21 oct. 1977 : *Spahi* 1940, h/t (66x51) : **CHF 3 000** – BERNE, 3 mai 1979 : *Soldat*, aquar. (56x38) : **CHF 1 500** – BERNE, 8 mai 1982 : *La promenade ensoleillée à Genève* 1945, h/t (50x61) : **CHF 3 500** – BERNE, 18 mai 1984 : *Vue d'un village du Tessin* 1947, h/t (50x60,5) : **CHF 3 200** – BERNE, 26 oct. 1988 : *Nu féminin assis* 1946, h/t (81x65) : **CHF 2 400** – BERNE, 12 mai 1990 : *Dragon écrivant une lettre*, aquar. (35x25) : **CHF 2 800** – ZURICH, 8 déc. 1994 : *Autoportrait* 1919, h/t (54x47) : **CHF 3 450**.

TRÄGARDH Carl Ludwig
Né le 20 septembre 1861 ou 1866 à Kristianstad. Mort le 5 juin 1899 à Paris. XIXe siècle. Suédois.
Peintre animalier, paysages animés.
Il travailla surtout à Paris, où il fit ses études avec Raphaël Collin. Médaille de bronze en 1889.
Il peint surtout des paysages avec animaux.

MUSÉES : GÖTEBORG – KRISTIANSTAD – LUND – NYKÖPING – STOCKHOLM.
VENTES PUBLIQUES : PARIS, 1893 : *La mare aux vaches* : **FRF 550** – PARIS, 7 mai 1943 : *Le berger* : **FRF 1 700** – GÖTEBORG, 24 mars 1976 : *Moutons au pâturage*, h/t (49x72) : **SEK 13 000** – MALMÖ, 2 mai 1977 : *Paysage d'été*, h/t (65x80) : **SEK 7 000** – STOCKHOLM, 23 avr. 1980 : *Paysage d'été* 1893, h/t (60x73) : **SEK 20 600** – STOCKHOLM, 27 oct. 1981 : *Paysage d'été* 1896, h/t (41x55) : **SEK 10 800** – STOCKHOLM, 1er nov. 1983 : *Paysage d'été* 1897, h/t (35x53) : **SEK 56 000** – STOCKHOLM, 29 oct. 1985 : *Troupeau au pâturage*, h/t (65x92) : **SEK 52 000** – STOCKHOLM, 20 oct. 1987 : *Troupeau au pâturage* 1896, h/t (38x55) : **SEK 80 000** – STOCKHOLM, 15 nov. 1989 : *Bovins au pré dans un vaste paysage estival*, h/pan. (23x36) : **SEK 9 700** – NEUILLY, 5 déc. 1989 : *La bergerie*, h/t (72x93) : **FRF 3 200** – STOCKHOLM, 14 nov. 1990 : *Prairie au printemps avec une jeune femme gardant une vache*, h/t (64x80) : **SEK 26 000** – STOCKHOLM, 29 mai 1991 : *Prairie au printemps avec une jeune femme tricotant près d'une vache*, h/t (64x80) : **SEK 20 000**.

TRÄGARDH Gerda Christoffersson
XIXe siècle. Active dans la seconde moitié du XIXe siècle. Suédoise.
Portraitiste.
Elle a peint deux portraits de professeurs de l'Université de Lund.

TRAGER, famille d'artistes
XVIIIe-XIXe siècles. Actifs à Sèvres. Français.
Peintres sur porcelaine.

TRÄGER Johannes
XVIIIe siècle. Autrichien.
Sculpteur d'autels.
Il a sculpté le maître-autel de l'église des Franciscains à Tachau en 1753.

TRAGI
XVIIe siècle. Actif au début du XVIIe siècle. Français.

Portraitiste.
La Galerie d'Albany possède de lui *Portrait de Louis XIII dauphin.*

TRAGIN Jean Pierre
Né à Valenciennes. xviiie siècle. Actif dans la seconde moitié du xviiie siècle. Français.
Sculpteur d'ornements.
Père de Pierre Désiré Tragin.

TRAGIN Pierre Désiré
Né le 7 janvier 1812 à Paris. Mort après 1870. xixe siècle. Français.
Sculpteur.
Élève de David d'Angers, entré à l'École des Beaux-Arts le 5 octobre 1829. Il exposa au Salon entre 1847 et 1870.

TRAGSEILER Ludwig
Né le 13 février 1879 à Innsbruck. xxe siècle. Autrichien.
Sculpteur de compositions religieuses.
Élève de Senn à Innsbruck, il sculpta des autels pour les églises de Serfaus, de Sinnebrunn et de Langesthei.

TRAIAMONTE Domenico
xve siècle. Actif à Ferrare vers 1445. Italien.
Sculpteur d'ornements.

TRAIES Frank D.
xixe siècle. Britannique.
Peintre de genre, animalier.
Fils de William Traies et élève de Sidney Cooper.
Il exposa à Londres de 1849 à 1854.
Musées : Brooklyn : *Scène champêtre.*
Ventes Publiques : Londres, 2 juin 1989 : *Le retour des champs* 1853, h/t (56,5x81,5) : **GBP 1 650.**

TRAIES William
Né en 1789 à Crediton. Mort le 28 avril 1872 à Exeter. xixe siècle. Britannique.
Peintre de paysages.
D'abord employé des Postes, il s'adonna à la peinture et mérita le surnom de « Claude Lorrain du Devonshire ». Ces paysages sont fort intéressants, bien qu'un peu classiques.
Musées : Londres (Victoria and Albert Mus.) : *Paysage.*
Ventes Publiques : Londres, 23 nov. 1973 : *Paysage fluvial boisé* : **GNS 3 000** – Londres, 22 nov. 1974 : *Paysage fluvial boisé* : **GNS 1 000** – Londres, 26 mars 1976 : *Paysage boisé,* h/t (35,5x32) : **GBP 400** – Auchterarder (Écosse), 30 août 1977 : *Paysage fluvial,* h/t (60,5x80,5) : **GBP 1 800** – Londres, 11 juil. 1984 : *Paysans dans un sous-bois* 1853, h/t (49x59) : **GBP 1 800** – Londres, 2 nov. 1989 : *Pastorale dans un vaste paysage lacustre* 1854, h/t (96,2x132,2) : **GBP 14 300** – Londres, 11 oct. 1995 : *Le vieux moulin à eau,* h/t (62x87,5) : **GBP 1 725.**

TRAIL A. A.
xixe siècle. Active à Londres. Britannique.
Miniaturiste.
De 1823 à 1833, cette artiste exposa quatorze miniatures à la Royal Academy et sept à Suffolk Street.

TRAILL Jessie
Née en 1881. Morte en 1967. xxe siècle. Australienne.
Peintre de paysages, graveur.
Bibliogr. : In : *Creating Australia – 200 years of art 1788-1988,* Adelaïde, 1988.
Musées : Adelaïde (Art Gal. of South Australia) : *Sydney Bridge : the ant's progress November 1929* 1929.

TRAIN E.
xixe siècle. Britannique.
Graveur au burin.
Il travaillait vers 1828.

TRAIN Edward
xixe siècle. Britannique.
Peintre de paysages de montagne et de paysages d'eau. Romantique.
Il était actif entre 1851 et 1889.
Ventes Publiques : Londres, 28 sep. 1976 : *Voyageurs dans un paysage montagneux* 1858, h/t (86,5x112) : **GBP 280** – Auchterarder (Écosse), 28 août 1984 : *In the Highlands* 1854, h/t, une paire (53x43) : **GBP 2 600** – Stockholm, 15 nov. 1988 : *Paysage de montagne avec un torrent dans les rochers,* h. (72x98) : **SEK 17 000** – Glasgow, 6 fév. 1990 : *Personnages près d'un pont* 1851, h/t (44,5x44,5) : **GBP 825** – Perth, 27 août 1990 : *Torrent dans les Highlands* 1850, h/t (75x103) : **GBP 2 310** – South

Queensferry (Écosse), 23 avr. 1991 : *La rivière et le Loch Awe dans le comté d'Argyll* 1859, h/t (67x102) : **GBP 2 090** – Perth, 26 août 1991 : *Loch dans les Highlands* 1853, h/t (43x62) : **GBP 1 540** – Édimbourg, 23 mars 1993 : *Lac des Highlands* 1852, h/t (37x56) : **GBP 1 380** – Londres, 5 juin 1997 : *Silhouettes dans un paysage des Highlands* 1849, h/t (40,8x52,6) : **GBP 2 185.**

TRAIN Thomas
Né le 21 décembre 1890 à Carluke. xxe siècle. Britannique.
Peintre de portraits, paysages.
Il participa aux expositions de la Royal Scottish Academy en 1945, 1946 et 1948. Il vécut et travailla à Aberdeen.

TRAINI Alessandro
xive-xve-xvie siècles (?). Italien.
Peintre de compositions religieuses.
On cite de cet artiste d'époque inconnue un *Crucifiement* qui s'est trouvé dans l'église de la Trinité de Mantoue.

TRAINI Francesco
Né à Pise. xive siècle. Italien.
Peintre de compositions religieuses, fresquiste.
Il est resté longtemps méconnu pour la simple raison qu'il avait été oublié dans les biographies de Vasari. On sait cependant qu'il fut actif à Pise à partir de 1321 jusqu'en 1369.
À Sainte-Catherine de Pise, il peignit le triptyque de *Saint Dominique,* signé et daté de 1345. Au Campo Santo de Pise, on lui attribue désormais *Le Jugement dernier* et le *Triomphe de la mort* (vers 1345), après les avoir donnés à Orcagna, Lorenzetti et Vitale de Bologne, ce qui est révélateur de l'estime portée à ces fresques. Son œuvre, dans la lignée d'Orcagna, souvent sévère, est attaché à des intentions didactiques religieuses. Ces fresques du Campo Santo furent en partie détruites par un incendie de 1944, laissant cependant visibles, sur le mur, les couleurs vertes de sinople. L'ensemble subsistant, où la composition d'origine est toujours lisible, reste impressionnant. Il serait encore l'auteur du *Triomphe de saint Thomas d'Aquin* à l'église Sainte-Catherine de Pise (1363).

TRAININI Giuseppe
xixe siècle. Italien.
Peintre de décorations.
Oncle de Vittorio Trainini.

TRAININI Vittorio
Né le 6 mars 1888 à Mompiano. xxe siècle. Italien.
Peintre de compositions religieuses, peintre de compositions murales.
Élève de son oncle Giuseppe Trainini, il vécut et travailla à Brescia. Il peignit des fresques pour des églises de Brescia et des environs.

TRAITEUR Jacques
xviiie-xixe siècles. Travaillant à Strasbourg de 1784 à 1802. Français.
Médailleur.
On cite de lui un bas-relief représentant la cathédrale de Strasbourg.

TRAITTEUR Wilhelm von
Né le 1er février 1788 à Mannheim. Mort en 1859 à Mannheim. xixe siècle. Allemand.
Dessinateur et ingénieur.
Il dessina les uniformes des troupes badoises. Le Musée de Mannheim conserve de lui *Officier des Gardes du Corps.*

TRAIVOEL Henry
xviie siècle. Actif probablement en 1622 à Rome. Français.
Peintre.
On ne connaît qu'un portrait d'homme, portant au dos de la toile d'origine le nom de Traivoel. Ce portrait est d'une qualité telle qu'on ne peut douter de la maîtrise de son auteur. Il pourrait s'agir du Henrico Trevers, mentionné en 1622 dans l'atelier de Simon Vouet, à Rome.
Bibliogr. : *Catalogue de l'exposition « Valentin et les Caravagesques Français »,* Gal. Nat. du Grand Palais, Paris, 1974.

TRAIXEGNIE Gilles ou Traisegnie
xviie siècle. Actif dans la seconde moitié du xviie siècle. Éc. flamande.
Graveur au burin.
Il grava des sujets religieux.

TRAJAN Turku
Né en 1887 à Gyulafeherrar. Mort le 14 mars 1959 à New York. xxe siècle. Actif aux États-Unis. Hongrois.

Peintre de paysages, natures mortes, pastelliste, dessinateur, sculpteur de compositions religieuses, compositions mythologiques. Postimpressionniste.

Il a montré ses œuvres dans des expositions personnelles, en 1966 à la New School Art Center de New York où un hommage lui a été rendu ; en 1971, 1973, 1981 à la galerie Zabriskie à Paris.

TRAJANI Giuseppe
XVIIIe siècle. Actif à Fermo. Italien.
Peintre.
Élève de Pompeo Batoni. Il a peint un *Portrait du pape Clément XIV* dans l'église Saint-François de Fermo.

TRAJECTENSIS Jacobus. Voir CLAESSENS

TRAJMAN Paul
Né le 28 janvier 1960 à Watermael-Boitsfort (Bruxelles). XXe siècle. Belge.
Peintre, dessinateur, graveur.
Autodidacte. Il participe à des expositions collectives : 1990 Salon de la Jeune Peinture à Paris, 1990 Foire de Francfort. Il montre ses œuvres dans des expositions personnelles : 1983 Atelier Horta à Bruxelles ; 1984 Médiathèque de Belgique ; 1986 Anvers ; 1989 Maison de la culture de Namur.
Il réalise des encres sur papier, travaillant à la brosse sèche, du noir au blanc. Il comble l'espace de figures schématiques, de maisons vides, de motifs dynamiques frôlant l'abstraction qui se déploient dans une danse graphique, gestuelle. Il a travaillé avec les poètes Bernard Noël, Gilbert Lascault.
Musées : Bruxelles (Mus. d'Art Mod.) – Bruxelles (Mus. d'Art juif) – Bruxelles (Mus. Horta) – Jérusalem (Mus. d'Art Mod.).

TRALUVAL
XVIIIe siècle. Travaillant vers 1765. Français.
Graveur au burin.
Il grava des paysages et des vues d'Allemagne.

TRAMASURE P. de ou Tramaxire
Né vers 1790 à Bruxelles. XIXe siècle. Actif à Gand. Belge.
Peintre d'architectures, paysages animés.
Ventes Publiques : Amsterdam, 24 avr. 1991 : *Paysage fluvial boisé avec une famille paysanne près d'une grange* 1826, h/pan. (77,5x66,5) : NLG 6 325.

TRAMAZZINI Serafino
Né le 21 janvier 1859 à Ascoli Piceno. XIXe siècle. Italien.
Sculpteur.
Élève de G. Paci à Ascoli. La Galerie Municipale de cette ville conserve de lui *Buste de Ventidius Bassus.*

TRAMBLÉ Barthélemy ou Tramblet. Voir TREMBLAY

TRAMBLIN André ou Tremblin
Mort le 24 juin 1742 à Paris. XVIIIe siècle. Français.
Peintre.
Il fut professeur à l'Académie Saint-Luc à Paris et travailla pour le duc de Bourbon en 1738.

TRAMBLIN Charles André ou Tremblin
XVIIIe siècle. Travaillant à Paris au milieu du XVIIIe siècle. Français.
Peintre.
Il fut peintre de l'Opéra de Paris. Il séjourna aussi à Vienne et en Russie où il se suicida, réduit à la misère faute de commandes.

TRAMBLIN Denis Charles
XVIIIe siècle. Français.
Peintre.
Reçu membre de l'Académie Saint-Luc le 5 mai 1751. En 1752, il succéda à son beau-père, de Neumaison, comme directeur des ouvrages de la Chine aux Gobelins. Tramblin était peintre du théâtre privé du roi et de l'Opéra de Paris.

TRAMBLIN Pierre Robert ou Tremblin
XVIIIe siècle. Français.
Peintre.
Il fut membre de l'Académie Saint-Luc en 1724. Il travailla à Paris, durant la première moitié du XVIIIe siècle.

TRAMBLIN Pierre Robert ou Tremblin
XVIIIe siècle. Français.
Peintre.
Il fut actif à Paris de 1751 à 1773. Il fut peintre de la maison de Condé.

TRAMBLIN Thomas Claude ou Tremblin, dit Tramblin de l'Isle
XVIIIe siècle. Français.

Peintre.
Il fut membre de l'Académie Saint-Luc en 1758.

TRAMBLOT Sébastien. Voir TREMBLOT

TRAMEAU Raymond
Né en 1897 à Paris. XXe siècle. Français.
Peintre, sculpteur, céramiste, émailleur. Abstrait.
Pendant la Première Guerre mondiale, en 1914, il suit les cours de l'École Pratique des Arts Appliqués et Décoratifs à Paris. Il entre aux Ateliers d'Art en 1920. Il se lie avec Valensi en 1947.
Entre les deux guerres, il expose des peintures figuratives au Salon des Indépendants à Paris, puis après 1945 avec les Musicalistes. Il a montré ses œuvres dans de nombreuses expositions personnelles à Paris et à l'étranger.
Vers 1947, sa peinture devient abstraite. Rénovateur de l'émail, il a réalisé d'admirables émaux champlevés et cloisonnés d'une technique aussi parfaite que celle des grands artistes de la Renaissance et dont les thèmes sont non figuratifs.
Ventes Publiques : La Varenne-Saint-Hilaire, 21 mai 1989 : *Composition* 1949, aquar. (48x33) : FRF 6 100 ; *Éléments géométriques* 1955, aquar. (48x64) : FRF 8 000 ; *Composition sur fond bleu* 1949, gche (48x33) : FRF 6 800 – Paris, 27 janv. 1992 : *Nu assis* 1937, h/t (60x73) : FRF 12 000.

TRAMECOURT Hippolyte de, comte
XIXe siècle. Travaillant en 1835. Français.
Paysagiste.
Le Musée d'Arras conserve de lui : *Étang sous bois.*

TRAMEZINO Zanobio
XVIe siècle. Actif à Graz en 1599. Autrichien.
Sculpteur.

TRAMOGGIANO Pietro da
Mort en 1596. XVIe siècle. Italien.
Miniaturiste.
Il vivait au monastère de Santa Maria del Sasso, près de Bibliena. Les livres de chœur de son couvent contiennent de nombreuses miniatures, superbement exécutées par lui. Il termina les livres du chœur de San Mario, à Florence, laissés inachevés par Benedetto da Muzello.

TRAMONTANO Dezio
XVIe siècle. Actif dans la seconde moitié du XVIe siècle. Italien.
Peintre.
Il peignit des tableaux d'autel pour des églises de Naples.

TRAMONTANO Giuseppe
Né en octobre 1832 à Naples. XIXe siècle. Italien.
Peintre de genre, d'intérieurs et de portraits.
Élève de l'Académie de Naples.

TRAMONTINI Angiolo
Né à Venise. XVIIIe-XIXe siècles. Italien.
Peintre.
Élève de Maggiotto.

TRAMONTINI Rita
Née en 1874 à Trévise. XIXe-XXe siècles. Italienne.
Peintre de genre.
Elle fut élève de Luigi Serena et de G. Ferrari à Rome.

TRAMPEDACH Kurt
Né en 1943 à Hillerod (Seeland). XXe siècle. Danois.
Peintre de figures, sculpteur.
Il fut élève de l'académie des beaux-arts de Copenhague. Il a participé à des expositions collectives : 1962 Salon d'Automne de Copenhague ; 1969 Ostseeländische Biennale de Rostck ; 1973 *Art Danois* aux Galeries Nationales du Grand-Palais à Paris.
Il peint des personnages et de nombreux autoportraits, qui parfois tendent vers le volume et se dégagent comme des sculptures du fond. Réaliste, il dit l'homme moderne et sa solitude.
Bibliogr. : In : *Art Danois 1945-1973*, Galeries nationales du Grand Palais, Paris, 1973.
Musées : Aarthus – Copenhague (Stat. Mus. for Kunst) : *Matin* 1972-1973 – Odense.
Ventes Publiques : Copenhague, 23 janv 1979 : *Homme marchant* 1969, peint. et collage (100x122) : DKK 11 000 – Copenhague, 25 avr. 1985 : *Portrait de jeune fille* 1983, h/t (170x118) : DKK 22 000 – Copenhague, 30 nov. 1988 : *Autoportrait à la palette* 1971, h/t (150x95) : DKK 22 000 – Copenhague, 20 sep. 1989 : *Modèle* 1969, h/t (160x116) : DKK 19 000 – Copenhague, 30 mai 1990 : *Composition avec un personnage à la fenêtre*, peint./bois (74x55) : DKK 12 000 – Copenhague, 14-15 nov. 1990 : *Homme en marche* 1976, h/t (140x95) : DKK 30 000 – Copen-

HAGUE, 13-14 fév. 1991 : *Composition à personnage 1975*, peint./ bois (198x300) : **DKK 80 000** – COPENHAGUE, 30 mai 1991 : *Composition à personnage*, h/pap. (123x87) : **DKK 23 000** – COPENHAGUE, 4 mars 1992 : *Autoportrait*, h. sur craie (75x55) : **DKK 15 000** – COPENHAGUE, 2-3 déc. 1992 : *Autoportrait 1973*, aquar. (70x100) : **DKK 9 000** – COPENHAGUE, 6 sep. 1993 : *Autoportrait*, h/t (220x188) : **DKK 35 000** – COPENHAGUE, 15 juin 1994 : *Autoportrait 1969*, h/t (162x130) : **DKK 22 000**.

TRAMPOTA Jan
Né le 21 mai 1889 à Prague. Mort le 19 octobre 1942 à Podebradec. xxᵉ siècle. Tchécoslovaque.
Peintre de paysages.
Il fit ses études artistiques à Prague, de 1907 à 1911. À partir de 1913, il exposa à l'association Manès. Il fit un séjour en France, en 1930-1931. Il a plusieurs expositions personnelles de ses œuvres à Prague, ainsi qu'à Brno.
Surtout peintre de paysages, il y montre un sens synthétique de la construction, sans dureté ni des contours ni des volumes, évoquant un Roland Oudot des printemps fleuris.
BIBLIOGR. : *Catalogue de l'exposition « 50 ans de peinture tchécoslovaque : 1918-1968 »*, Musées tchécoslovaques, 1968.
MUSÉES : BRNO (Mus. d'Art Mod.) – PRAGUE (Mus. d'Art Mod.).
VENTES PUBLIQUES : LONDRES, 19 mars 1997 : *Au café 1915*, aquar. et cr./pap. (23,5x21,5) : **GBP 3 450** ; *Femme en robe bleue 1915*, h/pan. (45,3x32,3) : **GBP 19 550**.

TRAMULLES Francisco ou Tramullas
Né en 1717 à Perpignan, de parents espagnols. Mort en 1773 à Barcelone (Catalogne). xviiiᵉ siècle. Espagnol.
Peintre de sujets religieux, copiste.
Fils d'un sculpteur catalan venu à Perpignan pour travailler à la cathédrale, il est le frère cadet de Manuel Tramulles. Francisco Tramulles vint d'abord étudier à Paris, puis alla compléter son éducation à Barcelone avec Veladomat l'Aîné. Il vint enfin à Madrid, entra à l'École des Beaux-Arts de Madrid, et durant deux années copia les maîtres anciens ; il sera nommé académicien de cette même école en 1754.
Il exécuta trois grandes peintures pour la cathédrale de Perpignan. Il travailla aussi à Gérone, et à la cathédrale de Barcelone, où il peignit, dans une chapelle, des scènes de la vie de saint Étienne.
BIBLIOGR. : In : *Dictionnaire de la peinture espagnole et portugaise du Moyen Âge à nos jours*, coll. Essentiels, Larousse, Paris, 1989.

TRAMULLES Lazaro
xviiᵉ-xviiiᵉ siècles. Depuis environ 1700 actif en France. Espagnol.
Sculpteur.
Père de Francisco et de Manuel Tramulles. Il fit ses études à Paris. Il travailla, depuis 1680, pour la Chartreuse de Scala Dei de Barcelone et, dans la première moitié du xviiᵉ siècle jusqu'en 1725, pour la cathédrale de Perpignan. En outre, il sculpta des retables pour les églises de Camélas, de Corneilla-de-la-Rivière, de Canet, de Clayra et de Trouillas.

TRAMULLES Manuel, don ou Tramullas
Né le 25 décembre 1751 à Barcelone (Catalogne). Mort le 3 juillet 1791 à Barcelone. xviiiᵉ siècle. Espagnol.
Peintre d'histoire, compositions religieuses, architectures, décorateur.
Il est le frère aîné de Francisco Tramulles. Il fut élève de Veladomat. Il fonda une Académie des Beaux-Arts à Barcelone et y forma un grand nombre d'élèves.
Il a réalisé diverses peintures qui se trouvent dans les églises et les couvents de Barcelone. Il imita tant la manière de Veladomat que certaines de ses œuvres peuvent être confondues avec celles du maître. Plus tard ayant modifié son coloris, ses œuvres perdirent de leur charme. Il a peint aussi des décors de théâtre.
BIBLIOGR. : In : *Dictionnaire de la peinture espagnole et portugaise du Moyen Âge à nos jours*, coll. Essentiels, Larousse, Paris, 1989.

TRAN Bernard
Né en 1956. xxᵉ siècle. Français.
Auteur d'installations, performances.
Il fut élève de l'école des arts décoratifs de Paris, où il vit et travaille. Il a reçu en 1990 l'aide individuelle à la création de la DRAC Île-de-France (Direction régionale des affaires culturelles).
Il participe à des expositions collectives : 1990, 1991 Hôpital

Éphémère à Paris ; 1991, 1992 Salon de Montrouge, 1992 Centre d'art de Brétigny-sur-Orge ; 1993 musée de l'Assistance publique à Paris. Il montre ses œuvres dans des expositions personnelles : 1993 Espace d'art contemporain de Paris ; 1997 Espace Jules-Verne de Brétigny-sur-Orge.
Attirant les oiseaux par des graines posées au sol, il a enregistré sur photographies le vol de ces animaux, puis il s'est intéressé au déplacement des nuages. Parallèlement dans des installations, il met en scène les sons produits par le corps et établit des retranscriptions à partir de l'alphabet. Avec Nathalie Clouet, chorégraphe, il a inventé le ballet Transito, danse-performance à pratiquer en tous lieux, signe de rencontre entre les arts plastiques et la danse.
BIBLIOGR. : Célia Houdart : *Transito, se frayer un chemin au milieu du trafic*, Verso Arts et Lettres, nº 1, Paris, hiver 1996 – Véronique Bouruet-Aubertot : *Bernard Tran lève les yeux au ciel*, Beaux-Arts, nº 152, janv. 1997.
MUSÉES : PARIS (FNAC).

TRAN Martin
xviiᵉ siècle. Actif à Polstrau en 1680. Autrichien.
Peintre.

TRANAAS Ferdinand Kierulf
Né le 10 août 1876 à Christiania (Oslo). xxᵉ siècle. Norvégien.
Peintre de paysages.
Il fit ses études à Copenhague et à Rome.
MUSÉES : BERGEN (Gal. mun.) : *Le Glacier de Jostedal*.

TRANACH de
xviᵉ siècle. Actif vers 1560.
Graveur.
Il est cité par Ris-Paquot.

TRANBA, il. Voir **SANTO RINALDI**
TRANBLOT Sébastien. Voir **TREMBLOT**
TRANCART Jules ou Marie François Jules
Né à Abbeville (Somme). Mort le 15 octobre 1897 à Abbeville. xixᵉ siècle. Français.
Peintre de paysages.
Élève de Masquelier et de Ciceri, il exposa au Salon de 1861 à 1865. Le Musée d'Abbeville conserve de lui deux marines.

TRANCHAN
xixᵉ siècle. Actif à Belfort. Français.
Dessinateur et officier.
Le Musée d'Abbeville conserve de lui *Cortège historique du 10 mars 1861* et *Entrée de Louis XIII à Abbeville*.

TRANCHANT Maurice Lucien Charles
Né le 19 novembre 1904 à Paris. xxᵉ siècle. Français.
Peintre de décorations, illustrateur.
Il fut élève de l'école des Arts Décoratifs à Paris. Il expose à Paris aux Salons des Artistes Français, d'Automne, des Décorateurs, de l'Imagerie. Il a réalisé de vastes panneaux décoratifs pour les expositions de 1925 et 1937. Il illustre de nombreux livres d'enfants.

TRANCHANT Pierre Jules
Né le 23 mars 1882 à Paris. xxᵉ siècle. Français.
Peintre d'intérieurs, architectures, paysages, aquarelliste.
Il fut élève de Jean-Paul Laurens. Il figura, à Paris, à partir de 1903, au Salon des Artistes Français de Paris, dont il devint sociétaire hors-concours en 1903 ; à partir de 1907, au Salon des Indépendants ; au Salon des Tuileries ; à la Fédération Française des Artistes. Il exposa également à l'étranger : à Liège, à Bruxelles, à Madrid, à Saint-Louis, à Pittsburgh, à Tôkyô. Il reçut des médailles en 1909, 1912 et en 1937, pour l'Exposition Universelle à Paris.
MUSÉES : BUCAREST (Mus. Simu) : *Intérieur d'église* – NEW YORK – PARIS (Mus. du Petit Palais) : *Lecture dans l'Hôpital des Quinze-Vingt*.

TRANCHARD Joseph
xixᵉ siècle. Actif à Lyon (Rhône). Français.
Peintre de fleurs.
Élève de Riguer et de l'École des Beaux-Arts de Lyon. Il débuta au Salon de 1876.

TRANCHELION Guillaume ou Tranchelyon ou Tranche Lyons
xviᵉ siècle. Actif à Rouen. Français.

Peintre.

Il travailla pour le château de Fontainebleau de 1640 à 1650. Il sculpta les statues de *La Vierge* et de *Sainte Barbe* pour l'église des Célestins de Rouen.

TRANG MINH THO
Né en Indochine. xxe siècle. Indochinois.
Peintre, décorateur.
Il a exposé à Paris des peintures et des laques.

TRAN HOA
Né en 1943. xxe siècle. Vietnamien.
Peintre.
Il est diplômé de l'École des Beaux-Arts de Hanoi. Il figure dans de nombreuses expositions nationales et internationales, dont : 1996 exposition *Vietnam. 30 ans de peinture de la guerre à la paix*, Paris.
Musées : HANOI (Mus. Nat.).

TRANHOLT Mia
Née le 8 octobre 1900 à Sonderbourg. xxe siècle. Danoise.
Peintre de compositions religieuses.
Elle fit ses études à Copenhague, où elle vit et travaille, et à l'Académie Colarossi de Paris. Elle a peint un tableau d'autel pour l'église de Havndal près de Mariager.

TRANI, da. Voir au prénom

TRANQUILINO Giovanni
xve siècle. Actif à Vérone. Italien.
Peintre amateur et graveur (?).
Il a peint *Saint Jean Baptiste pénitent* pour le monastère des Bernardins de Vérone.

TRANQUILLI Giovanni Pietro
Né vers 1565. Mort le 28 septembre 1605 à Rome. xvie siècle. Actif à Rome. Italien.
Peintre.

TRANSAERT Judocus. Voir TRENSAERT

TRANSMUNDUS
D'origine italienne. xie siècle. Italien.
Peintre.
Il était moine et il travailla pour l'évêque de Brême en 1073.

TRANT, Miss
xviiie siècle. Travaillant en 1766. Britannique.
Miniaturiste.
Elle exposa à Londres.

TRAN VAN CAN
Né en 1910 à Haiphong (Viêt Nam). Mort en 1994. xxe siècle. Vietnamien.
Peintre, graveur, laqueur.
Diplômé de l'École des beaux-arts de l'Indochine en 1936, il dirigea l'École supérieure des beaux-arts du Viêt Nam de 1954 à 1964 et assura de 1983 à 1989 la présidence de l'association des Plasticiens. En 1947, il organisa dans les provinces du Viêt Bac un atelier pour la réalisation de tableaux de propagande auquel de nombreux graveurs participèrent.
S'il pratique aussi bien la gravure sur bois que la peinture à l'huile, c'est à sa parfaite maîtrise de la technique de la laque qu'il doit sa renommée. Son style a évolué d'une facture classique à une expression plus massive des lignes, plus lourde des volumes, sans se départir d'un certain lyrisme.
BIBLIOGR. : In : Catalogue de l'exposition *Paris-Hanoï-Saigon, l'aventure de l'art au Viêt Nam*, Pavillon des Arts, Paris, 1998.

TRAPANI
xviiie siècle. Actif à Rome vers 1730. Italien.
Peintre.
Il peignit des scènes historiques.
VENTES PUBLIQUES : PARIS, 1898 : *Fêtes données à Rome, en l'honneur de la naissance du Dauphin, par le cardinal de Polignac au palais de l'ambassade*, aquar., deux pendants : FRF 950.

TRAPASSI Cesare ou Trapasso
Né à Foligno. xvie siècle. Italien.
Peintre et doreur.
Il collabora aux peintures du plafond de l'église Santa Maria d'Araceli de Rome.

TRAPASSI Luca Antonio
Né à Foligno. xvie siècle. Italien.
Peintre.
Il peignit en 1579 dans la sacristie de l'église de l'Annonciation de Naples.

TRAPEKIERS Aubert. Voir TRABUKIER

TRAPP Hans
Mort à la fin du xvie siècle à Simmern. xvie-xviie siècles. Allemand.
Sculpteur.
Il sculpta surtout des tombeaux dans l'abbatiale de Sankt Johannisberg et dans d'autres églises des environs de Simmern.

TRAPP Hede von
Née le 18 novembre 1877 à Pola. xxe siècle. Autrichienne.
Peintre, graveur, illustrateur.
Elle vit et travaille à Korneubourg. Elle exécuta des illustrations de contes de fées ainsi que des ex-libris.
Musées : BRUNN – VIENNE (Albertina Mus.).

TRAPP Johann Wilhelm
Né en 1735 à Eisenach. Mort le 28 décembre 1813 à Eisenach. xviiie-xixe siècles. Allemand.
Dessinateur, médailleur et orfèvre.
Il dessina des illustrations pour un voyage sur la ville d'Eisenach, conservé à la Bibliothèque Nationale de Weimar.

TRAPPENTIER. Voir DRAPPENTIER

TRAPPES Francis M.
xixe siècle. Britannique.
Paysagiste.
Il exposa, notamment à la Royal Academy, de 1868 à 1885. Le Victoria and Albert Museum, à Londres, conserve de lui : *Eaux tranquilles et pêcheurs*.

TRAPPES Henry
Né vers 1835. Mort le 30 juillet 1872 à Paris. xixe siècle. Belge.
Aquafortiste.
Il illustra le *Gil Blas* de Lesage.

TRAPPOLA Costantino
xvie siècle. Actif à Fossombrone. Italien.
Sculpteur.
Il travailla pour l'église Saint-François d'Urbino de 1516 à 1527.

TRAQUAIR Phoebe Anna, née Moss
Née en 1852 à Dublin. Morte en août 1936. xixe-xxe siècles. Irlandaise.
Peintre de compositions religieuses, aquarelliste, peintre de compositions murales, décorateur.
Elle fut élevée à Dublin où elle étudia à l'école d'Art et devint une importante représentante du *Renouveau celtique*. Après son mariage en 1872, elle s'installa à Édimbourg et s'intégra au mouvement des Arts Appliqués d'Édimbourg, protégée de Patrick Geddes.
Son talent fut étonnamment varié : peintre de décoration murale, enlumineuse, calligraphe, brodeuse, émailleuse et aquarelliste. On trouve dans ses peintures l'imagerie des symboles ésotériques dans la lignée des préraphaélites. Elle exécuta de nombreuses fresques dans l'église catholique d'Édimbourg à partir de 1893.
Musées : ÉDIMBOURG (Gal. Nat. d'Écosse) : *Denys l'Auxerrois*, paravent brodé en quatre parties – peintures – un manuscrit enluminé.
VENTES PUBLIQUES : TOKYO, 15 fév. 1980 : *Le réveil* 1904, h/t (61x149) : JPY 850 000 – LONDRES, 12 fév. 1982 : *Le réveil* 1904, h/t (61x149) : GBP 1 600 – LONDRES, 1er nov. 1990 : *L'éveil* 1904, h/pan. (63,3x151,5) : GBP 11 000 – NEW YORK, 28 fév. 1991 : *Putti jouant dans une vigne* 1905, h/pan. (80x246) : USD 11 000 – LONDRES, 25 oct. 1991 : *La nouvelle création* 1887, h/t et pan. de chêne (58,5x49) : GBP 11 000 – PERTH, 30 août 1994 : *Et les fleurs recouvrirent la terre* 1897, aquar. feuilles d'or et encre noire/vélin (17,5x13,5) : GBP 2 875.

TRAQUANDI Gérard
Né en 1952 à Marseille (Bouches-du-Rhône). xxe siècle. Français.
Peintre de figures, natures mortes, fleurs, peintre de collages, graveur, dessinateur.
Il fut élève de l'école des beaux-arts de Marseille-Lumigny. Il vit et travaille à Marseille.
Il participe à des expositions collectives : 1977 Paris et Tours ; 1977-1978 Saint-Rémy-de-Provence ; 1978, 1982 couvent royal de Saint-Maximin ; 1978-1979, 1982, 1984 galerie Karl Flinker à Paris ; 1980 *Marseille, dix ans de création* au musée Cantini de Marseille, musée des Beaux-Arts de Toulon ; 1983 CNAC (Centre National d'Art Contemporain) à Paris ; 1984 musée cantonal des Beaux-Arts de Lausanne ; 1985 musée du Luxembourg

à Paris ; 1986 centre de la Vieille Charité à Marseille ; 1987 FIAC (Foire Internationale d'Art Contemporain) à Paris ; 1989 Villa Arson à Nice. Il montre ses œuvres dans des expositions personnelles : 1976 à deux reprises à Rome ; 1982 galerie Karl Flinker à Paris ; 1983 musée F. Ziem de Martigues ; 1986 Institut français de Naples ; 1990 Centre d'art contemporain de Castres, Artothèque du Limousin à Limoges ; 1987-1988 musée Cantini de Marseille ; 1997 Centre d'art de Crestet ; 1998 Paris, galerie Daniel Templon.

Dans un style néoclassique, il dessine, dans une première période, à la mine de plomb, des sujets d'inspiration antique, des cruches, des intérieurs, des paysages. Puis, après une période de pause de deux années dans son activité picturale, il aborde des toiles tumultueuses, en interroge la surface inlassablement ; d'entre la matière émergent des figures, des fragments de corps, les remords du peintre restant visible. La couleur ensuite disparaît et il travaille, toujours à partir de sujets figuratifs, sur les thèmes de la trace, l'effacement, l'empreinte, visant à brouiller la lecture. Privilégiant les effets de matière, tant couleurs que colle, fragmentant, effaçant, stratifiant figures, feuillages et objets (chaise, poutre...), ses formes se devinent jusqu'à ne devenir plus que signe pur sur de vastes plages de peintures. Évoluant, il remplace les couches de colle ou de couleurs par des plaques de Plexiglas, explorant selon un autre mode la transparence, les reflets, puis il introduit de la résine dont il exploite les qualités entre translucidité et opacité. Son travail tend alors vers le monochrome. À partir de photographies prises par lui-même, il réalise des dessins, paysages incertains de petits formats, ou grands tirages gris. La peinture réapparaît avec une série de bouquets et de plantes saisis sur le motif. Sur ces grands formats se déploient « haut et fort » la matière, la couleur, avec sensualité, qui nous invitent à pénétrer au cœur de la forme, se perdre dans le motif.

BIBLIOGR. : Germain Viatte, Claire Stoullig, Patrick Mouriès : *Gérard Traquandi*, Musées de la ville, Marseille – in : Catalogue de l'exposition *L'Art mod. à Marseille. La Collection du mus. Cantini*, Mus. Cantini, Centre de la Vieille Charité, Marseille, 1988 – Véronique Bouruet-Aubertot : *Gérard Traquandi plonge au cœur de la luxuriante peinture*, Beaux-Arts, n° 155, Paris, avr. 1997.

MUSÉES : MARSEILLE (Mus. Cantini) : *Autoportrait* 1980 – *Saint Thomas* – Fontevraud 1987 – PARIS (BN) : *Suite Lettrerie II et III* 1987, deux bois – PARIS (FNAC) : *Panoramique à Sormiou* 1990 – *Pin à Sormiou* 1990 – *Plateau et L'Homme mort* 1990.

VENTES PUBLIQUES : PARIS, 13 avr. 1988 : *Sans Titre* 1985, h/t (200x175) : FRF 13 000 – PARIS, 24 avr. 1988 : *Le faiseur d'images* 1985, h., collage et cr./t. (200x210) : FRF 20 000 – PARIS, 12 fév. 1989 : *Composition* 1985, h/pap./t. (254x208) : FRF 19 000 – PARIS, 24 nov. 1995 : *Sans titre* 1985, h. et collage/t. (254x208) : FRF 11 500.

TRAQUINI Gilles
Né le 11 septembre 1952 à Bône (Algérie). XXᵉ siècle. Français.
Peintre de collages.
Il a obtenu une bourse d'incitation à la création en 1992 de la DRAC PACA. Il vit et travaille à Marseille.
Il participe à des expositions collectives : depuis 1981 régulièrement à Marseille ; 1982 centre Georges Pompidou à Paris ; 1989 musée de Gérone. Il montre ses œuvres dans des expositions personnelles : 1989 musée Géo-Charles d'Echirolles ; 1993 Maison des expositions de Genas et Maison d'art contemporain de Chaillioux-Fresnes.
Après avoir utilisé dans ses peintures des photographies puis des chromos achetés en grande surface qu'il s'attache à imiter le chromo, avec des paysages de neige, une maison au bord de l'eau, un sous-bois, s'appropriant un genre « vulgaire » et en rendant, avec métier, la croûte, les coloris, les fondus...
BIBLIOGR. : Dolène Ainardi : *Gilles Traquini*, Art Press, n° 183, Paris, sept. 1993.

TRASGALLO
XIXᵉ siècle. Travaillant en 1822. Mexicain.
Médailleur.
Il grava une médaille à l'*effigie d'Augustin Iᵉʳ et de sa femme*.

TRASI Ludovico
Né en 1634 à Ascoli Piceno. Mort à Ascoli Piceno. XVIIᵉ siècle. Italien.
Peintre.

Élève d'Andrea Sacchi et de Carlo Maratti dont il avait été le compagnon d'étude. Il imita ce dernier maître dans ses peintures de chevalet, tandis que, dans ses peintures religieuses, il conserva le style de Sacchi. On cite de lui un *Saint Nicolas* dans l'église de S. Cristoforo à Ascoli. La Pinacothèque d'Ascoli Piceno conserve de lui *Présentation au temple*.

TRASMONDI Pierre ou Pietro
Né vers 1799. XIXᵉ siècle. Actif à Rome. Italien.
Graveur.
Élève de Bettelini. Il a gravé des sujets religieux et des portraits.

TRASSABOT
XVIᵉ siècle. Actif à Toulouse en 1537. Français.
Sculpteur, peintre de batailles et graveur au burin.
Il travailla à la reconstruction de l'hôtel de Bernuy à Toulouse.

TRASYEER Peter
XVIIᵉ siècle. Actif à Londres en 1635. Britannique.
Graveur sur bois.

TRATNIK Franz
Né le 11 juin 1881 à Potok. XXᵉ siècle. Yougoslave.
Peintre, dessinateur, illustrateur. Expressionniste.
Il fut élève des Académies de Prague et de Berlin. Il se fixa à Ljubljana et fut un des chefs de l'expressionnisme en Slovénie. Il fut collaborateur de diverses revues illustrées.

TRATTNER Avi
Né en 1948 à Tel-Aviv. XXᵉ siècle. Israélien.
Peintre de figures, animaux, technique mixte.
D'origine juive, il vit et travaille à Beer-Yacov.
Il participe à des expositions collectives : 1992, 1995 Pavillon des Artistes à Rishon-Le-Zion ; 1993 Galerie Sara Erman à Tel-Aviv ; 1996 *Signes de terre* au musée-galerie de la Seita à Paris, avec Asim Abu-Shakra. Il montre ses œuvres dans des expositions personnelles : 1979 Galerie Danon à Tel-Aviv ; 1988 Galerie Amalia Arbel à Herzliyya ; 1989 Galerie Amalia Arbel à Rishon-Le-Zion.
Dans ses œuvres, primitives, très graphiques, envahies de lignes, hachures, entrelacs, qui évoquent la manière de Cy Twombly, il adopte une palette terreuse, riche en effets de matière, dominée par les ocres et les bruns, d'où jaillissent quelques éclats de couleurs. Pratiquant une technique gestuelle, pleine de tensions, il travaille autour de l'image du chien errant, silhouette abstraite sur fond neutre enfermée dans la toile, hors contexte, évoquant l'isolement des Juifs israéliens. Des figures anonymes, soldats, enfants, personnages assis hantent également ses œuvres. Trattner évoque aussi, à travers la religion, la solitude et la souffrance humaines, avec ses séries des *Chien et Ange* et *Auto-Crucifixions*. ■ L. L.
BIBLIOGR. : Myriam Boutoulle : *Terre de signes*, Beaux-Arts, n° 149, Paris, oct. 1996 – Catalogue de l'exposition *Signes de Terre : Avi Trattner, Asim Abu-Shakra*, Musée-galerie de la Seita, Paris, 1996.

TRATTNER Karl
XVIIIᵉ siècle. Autrichien.
Stucateur.
Il travailla en 1765 pour le château de Halbthurn.

TRAUDT. Voir TRAUT

TRAUEN Asmus ou Frauen
XVIIIᵉ siècle. Actif à Amsterdam. Hollandais.
Sculpteur.
En 1756, il travailla pour la « grotekerk » de Dordrecht.

TRAUER
XVIIIᵉ siècle. Actif à Bayreuth. Allemand.
Peintre sur faïence.
Le Musée National de Munich conserve deux cruches ornées de peintures par cet artiste.

TRAUNER Otto ou Trauner-Erichsen
Né le 14 août 1887 à Vienne. Mort à Zwettl. XXᵉ siècle. Autrichien.
Peintre de paysages, graveur.
Il fut élève de l'académie des Beaux-Arts de Vienne. Il exposa des paysages en 1906.
Peintre, il pratiqua également l'eau-forte et la lithographie.

TRAUNER Sandor ou Alexandre
Né le 3 septembre 1906 à Budapest. XXᵉ siècle. Hongrois.
Peintre.
Il vécut et travailla à Budapest.

TRAUNFELLNER Gottfried
Né en 1778 à Vienne. Mort le 29 juin 1811 à Vienne. XIXᵉ siècle. Autrichien.
Graveur au burin à la manière noire.
Fils de Jacob Traunfellner. Il grava des scènes mythologiques et des portraits.

TRAUNFELLNER Jacob ou **Jacques**
Né le 1ᵉʳ mai 1743 à Vienne. Mort le 15 mai 1800 à Vienne. XVIIIᵉ siècle. Autrichien.
Peintre, dessinateur et graveur à la manière noire.
Il a gravé des sujets d'histoire. L'Albertina de Vienne conserve de lui *Paysage au clair de lune*, et le Musée Liechtenstein de la même ville, trois dessins.
VENTES PUBLIQUES : VIENNE, 1823 : *Une cascade au milieu de ruines*, dess. au pinceau reh. de gche : **FRF 15** ; *Jeune nymphe se baignant au clair de lune*, dess. en coul. : **FRF 27**.

TRAUQUEMENT Jean
XVᵉ siècle. Actif à Nevers. Français.
Peintre.

TRAUSTEDT Gudrun
Née le 2 février 1895 à Gjedsted. Morte le 24 avril 1924 à Gjedsted. XXᵉ siècle. Danoise.
Peintre, décorateur.
Elle fut élève de Jonk Skovgaard et d'Einar Utzon-Frank.

TRAUT, Miss
XVIIIᵉ siècle. Active en Angleterre. Britannique.
Miniaturiste.
Elle exposa deux miniatures à la Society of Artists à Londres en 1766.

TRAUT Franz. Voir **TRAUT Johann Franz Jacob**

TRAUT Hans, appelé aussi **Hans von Speyer** ou **Hans Speyer von Nürnberg** ou **Hans Traut von Speyer**
Né à Nuremberg. Mort en 1516 à Nuremberg. XVᵉ-XVIᵉ siècles. Allemand.
Peintre.
Le nom de ce primitif allemand, dont on cite seulement comme œuvre authentique une importante aquarelle représentant *Saint Sébastien* à la Bibliothèque de l'Université d'Erlangen, apparaît dans les annales nurembergeoises en 1477 et 1486. On sait qu'il décora le cloître du couvent des Augustins et qu'il introduisit dans cette œuvre les portraits des personnages les plus importants de la ville.

TRAUT Johann Franz Jacob ou **Traudt**
Né en 1667 à Linz. Mort en 1734. XVIIᵉ-XVIIIᵉ siècles. Allemand.
Peintre.
Il fut peintre à la cour de Munich. Il peignit les portraits de diverses personnalités de cette cour.

TRAUT Robert
Né en 1929. XXᵉ siècle. Français.
Peintre, graveur, sculpteur.
Il fut élève des écoles des Beaux-Arts de Versailles et de Paris. Depuis 1957, il est professeur à l'École des Beaux-Arts de Versailles. Il est vice-président de l'association *Souvenir de Corot* et est membre de l'École de Versailles fondée en 1974. Il vit et travaille à Versailles. Il participe à Paris, aux Salons des Indépendants, dont il est membre sociétaire, des Artistes Français, où il obtint une médaille d'argent, de la Nationale des Beaux-Arts, etc. Il a reçu le prix Chenavard. Il a bénéficié de l'encouragement de Dunoyer de Segonzac.

TRAUT Wilhelm ou **Traudt**
Mort en 1662 à Francfort-sur-le-Main. XVIIᵉ siècle. Allemand.
Graveur de compositions religieuses, graveur sur bois, dessinateur.
On cite divers bois de lui, entre autres une *Flagellation du Christ* d'après Lucas Kilian, signés des initiales W. T. ou d'un monogramme. Il fut aussi connu comme peintre de messages.

TRAUT Wolf
Né vers 1486. Mort en 1520 à Nuremberg. XVIᵉ siècle. Allemand.
Peintre, graveur et dessinateur pour la gravure sur bois.
Fils et probablement élève de Hans Traut. Il travailla sous la direction de Dürer. On cite plusieurs ouvrages de cet artiste, notamment un triptyque dans l'église de Saint-Jean, à Nuremberg. Comme graveur, ses bois sont nombreux et intéressants. Ils sont rarement signés, mais souvent datés. Le Musée Germa-

nique de Nuremberg conserve des dessins et des gravures de cet artiste. Le Musée Métropolitain de New York possède de lui *Jeune fille tressant une couronne de fleurs*.
VENTES PUBLIQUES : PARIS, 25 avr. 1951 : *Sainte Ursule et les onze mille vierges naviguant vers Cologne* : **FRF 148 000** – COLOGNE, 15 avr. 1964 : *Diptyque : La naissance de la Vierge* ; *L'Ascension de la Vierge* : **DEM 14 000** – LONDRES, 20 nov. 1980 : *Saint Georges* 1508, grav./bois (10,6x15,7) : **GBP 2 700**.

TRAUTENBERG Janos ou **Jean**
Né le 3 octobre 1899 à Budapest. XXᵉ siècle. Hongrois.
Sculpteur, peintre.

TRAUTENWOLF Egidius
XVᵉ siècle. Travaillant à Munich dans la seconde moitié du XVᵉ siècle. Allemand.
Peintre verrier.
Il exécuta des vitraux pour l'église Notre-Dame de Munich en 1486.

TRAUTHMAN Valentin Staffansson
Né en Allemagne. XVIIᵉ siècle. Travaillant à Stockholm de 1610 à 1627. Suédois.
Graveur au burin.
Il grava des portraits de Gustave Adolphe de Suède, des scènes bibliques et des frontispices.

TRAUTMANN Carl Friedrich
Né le 1ᵉʳ avril 1804 à Breslau. Mort le 2 janvier 1875 à Waldenburg. XIXᵉ siècle. Allemand.
Peintre de paysages et d'architectures et lithographe.
Élève de l'Académie de Berlin. Il travailla à Kassel, à Breslau et à Waldenburg. On lui doit aussi quelques lithographies. La Galerie Nationale de Berlin conserve de lui *Forêt de chênes*.

TRAUTMANN Georg
Né le 3 mars 1865 à Breslau. Mort le 12 juin 1935 à Breslau. XIXᵉ-XXᵉ siècles. Allemand.
Peintre de portraits, paysages, graveur.
Il fut élève des académies des beaux-arts de Berlin et de Dresde.
MUSÉES : BRESLAU, nom all. de Wroclaw : un dessin.

TRAUTMANN Johann Georg ou **Georges**
Né le 23 octobre 1713 à Deux-Ponts. Mort le 11 février 1769 à Francfort-sur-le-Main. XVIIIᵉ siècle. Allemand.
Peintre de compositions religieuses, sujets mythologiques, scènes de genre, portraits, graveur à l'eau-forte.
Élève dans sa ville natale de F. Bellon Schlegel et Kiesewetter à Francfort. En 1761, il fut nommé peintre de la cour de l'électeur Palatin.
Trautmann aurait pu être appelé le peintre des incendies, car il se plut à en représenter les aspects. On cite six eaux-fortes de lui.

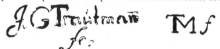

MUSÉES : AUGSBOURG (Mus. Fugger) : *Résurrection de Lazare* – BREST : *Le dentiste* – CASTRES : *Un incendie* – COBLENCE (Mus. mun.) : *Joueurs de cornemuse* – *Joueurs de luth* – COLOGNE : *Scène d'auberge* – DESSAU : *Soldats jouant aux cartes* – *Joyeuse compagnie à la lumière de la chandelle* – *Zaccharie et l'ange* – *Les disciples d'Emmaüs* – DEUX-PONTS : *L'usurier* – FRANCFORT-SUR-LE-MAIN (Mus. Staedel) : *Incendie* – *Incendie nocturne* – FRANCFORT-SUR-LE-MAIN (Mus. mun.) : *Foire en Italie* – *Tête d'homme* – HEIDELBERG : *Famille de paysans à table* – RIGA (Mus. mun.) : *Intérieur hollandais* – SPIRE (Mus. mun.) : *Famille de chanteurs* – *Famille de musiciens* – *Paysage d'hiver* – *Moulin sous la neige* – *Incendie nocturne* – *Bohémiens prenant leur dîner* – *Bohémiens avec leur butin* – *Brigand auprès d'une ruine* – *Deux intérieurs à la lumière de la chandelle* – VENISE (Mus. Correr) : *Foire au village* – *Fête populaire* – WEIMAR (Mus. du Château) : *Incendie*.
VENTES PUBLIQUES : PARIS, 1865 : *Deux sujets de la vie d'Isaac* : **FRF 152** – PARIS, 1868 : *Tête de vieillard* : **FRF 370** – PARIS, 1869 : *Prise et incendie de Troie* : **FRF 110** – PARIS, 14 déc. 1908 : *La foire au village* : **FRF 800** – PARIS, 28 et 29 nov. 1923 : *La pièce d'artifice* : **FRF 550** – PARIS, 4 fév. 1944 : *Fête champêtre* : **FRF 2 100** – PARIS, 23 fév. 1944 : *Portrait d'un chasseur* : **FRF 4 500** – PARIS, 1ᵉʳ mars 1950 : *L'arracheur de dents*, École de J. G. T. : **FRF 12 000** – LUCERNE, 20 mai 1984 : *Voiliers par forte mer*, h/t (38x45) : **CHF 2 400** – COLOGNE, 21 mai 1984 : *Scène allégorique*, h/pan. (30x21,4) : **DEM 10 000** – LONDRES, 5 juil. 1989 : *Paysans dans une*

cuisine de ferme, h/pan., une paire (chaque 35,5x42,5) : **GBP 8 250** – New York, 12 oct. 1989 : *Brigands comptant leur butin dans leur repaire la nuit*, h/t (34,9x45,7) : **USD 3 300** – Londres, 11 avr. 1990 : *La mort de Madeleine*, h/pan. (23,5x20) : **GBP 3 300** – Paris, 28 avr. 1993 : *Scène de rixe à la chandelle*, h/pan. (25x33,5) : **FRF 10 000** – Londres, 5 avr. 1995 : *Marchands des rues*, h/t, une paire (47x35) : **GBP 6 325.**

TRAUTMANN Johann Peter
Né le 29 novembre 1745 à Francfort-sur-le-Main. Mort le 30 décembre 1792 à Francfort-sur-le-Main. xviiie siècle. Allemand.
Peintre et restaurateur de tableaux.
Fils et élève de Johann Georg Trautmann dont il imita le style. Le Musée Municipal de Francfort-sur-le-Main conserve de lui *Deux paysans hollandais buvant* (dessin au pinceau).

TRAUTMANN Michael
Né en 1742 à Bamberg. Mort le 26 avril 1809. xviiie siècle. Allemand.
Sculpteur, sculpteur-modeleur de cire.
Il travailla pour l'évêque de Bamberg. Il sculpta de nombreuses statues religieuses, des autels et des tabernacles. Le Musée Municipal de Bamberg conserve de lui *Saint Bernard et sainte Immaculée.*

TRAUTMANN Valentin. Voir TRAUTHMAN Valentin Staffansson

TRAUTNER Johann ou August Johann, l'Ancien et le Jeune
xviiie-xixe siècles. Actifs à Nuremberg. Allemands.
Graveurs au burin.
Père et fils. Ils gravèrent des costumes populaires et des intérieurs. Ils furent également éditeurs.

TRAUTNER Josef
Mort après 1824 à Innsbruck. xixe siècle. Autrichien.
Peintre.

TRAUTNER Tobias
xvie siècle. Actif à Landsberg dans la seconde moitié du xvie siècle. Allemand.
Peintre.
Il travailla à Munich et en Pologne.

TRAUTSCH Franz
Né en 1866 à Dresde. xixe siècle. Allemand.
Peintre de paysages, architectures.
Musées : Dresde (Mus. mun.) : *Vues de Dresde.*

TRAUTSCHOLD Manfred ou Adolf Manfred
Né le 27 mars 1854 à Giessen. xixe siècle. Allemand.
Peintre de genre.
Fils de Wilhelm Trautschold.

TRAUTSCHOLD Wilhelm ou Carl Friedrich Wilhelm
Né le 2 juin 1815 à Berlin. Mort le 7 janvier 1877 à Munich. xixe siècle. Allemand.
Peintre de genre, portraits, animalier, lithographe.
Père de Manfred Trautschold. Il exposa à Düsseldorf de 1833 à 1838. Il travailla à Liverpool de 1847 à 1850.
Musées : Düsseldorf : *L'habitué*, dess. – Londres (Nat. Portrait Gal.) : *L'acteur James Sheridan Knowles – Thomas Graham* – Londres (Victoria and Albert Museum Mus.) : *Scène de la Forêt Noire.*
Ventes Publiques : Londres, 8 nov. 1972 : *Portrait de Jenny Lind* : **GBP 350** – Londres, 13 juin 1974 : *Portrait d'homme assis 1868* : **GNS 300** – Vienne, 17 mars 1982 : *Portrait de Friedrich Mospratt 1843*, h/t (102x89) : **ATS 40 000** – Londres, 19 nov. 1993 : *Un grand danois tacheté*, h/t (78,5x64,5) : **GBP 8 625** – Londres, 17 mars 1995 : *Portrait d'un jeune homme, présumé Friedrich Mospratt, asssis devant son bureau 1862*, h/t (60x50,8) : **GBP 4 600** – New York, 24 mai 1995 : *Ophélie 1867*, h/t (154,9x119,4) : **USD 46 000** – Londres, 13 mars 1997 : *Portrait d'un homme, assis, avec son chien et tenant un compas 1860*, h/t (127,6x102,9) : **GBP 3 450.**

TRAUTT. Voir TRAUT

TRAUTWEIN Eduard
Né le 25 mai 1893. xxe siècle. Allemand.
Peintre de paysages.
Il vécut et travailla à Wolfach.
Musées : Pforzheim (Gal. mun.) : *Paysage de la Forêt Noire.*

TRAUTZL Julius
Né le 21 octobre 1859 à Arco. xixe siècle. Autrichien.

Sculpteur et médailleur.
Élève de l'Académie de Vienne. Il sculpta des monuments, des statues et des frontons.

TRAUX Karl Anton de
Né en 1758. Mort le 15 avril 1845 à Vienne. xviiie-xixe siècles. Autrichien.
Paysagiste et officier.

TRAVAGLI Giuseppe
Mort vers 1780. xviiie siècle. Actif à Ferrare. Italien.
Peintre d'autels et de portraits.
Il peignit des tableaux d'autel pour des églises de Ferrare et fit le portrait du cardinal *Scipion Borghèse.*

TRAVAGLIA Giovanni ou Travagli
xviie siècle. Italien.
Sculpteur.
Actif à Carrare, il travailla aussi à Palerme dans la seconde moitié du xviie siècle, où il sculpta les statues de *Saint Grégoire, Saint Augustin, Saint Maximilien et Saint Golbodée* sur la place de la cathédrale.

TRAVAGLIA Pietro
xviiie siècle. Travaillant à Eisenstadt de 1791 à 1798. Autrichien.
Peintre de décors.
Il fut peintre à la cour des princes Estherhazy.

TRAVALE Giovanni da
xve siècle. Italien.
Dessinateur.
Il orna de dessins à la plume une chronique composée par son père Bindino da Travale.

TRAVALLONI Luigi
Né en 1814 à Fermo. Mort en décembre 1884 à Fermo. xixe siècle. Italien.
Graveur au burin.
Élève de P. Toschi à Parme et de T. Minardi à Rome.

TRAVANI Antonio
Né vers 1627. Mort après 1692. xviie siècle. Italien.
Médailleur.
Il grava des médailles pour le pape Alexandre VIII ainsi que des pièces de monnaie.

TRAVANI Francesco
Né à Venise. xviie siècle. Travaillant à Rome de 1655 à 1674. Italien.
Médailleur.
Père de Giovanni Pietro Travani. Il grava des médailles à l'effigie de papes, de princes et de personnalités de son époque.

TRAVANI Giovanni Pietro
xviie siècle. Actif à Rome de 1679 à 1690. Italien.
Médailleur.
Fils de Francesco Travani. Il grava des médailles à l'effigie d'Alexandre VIII et de plusieurs cardinaux.

TRAVAUX Pierre
Né le 10 mars 1822 à Corsaint (Côte-d'Or). Mort le 19 mars 1869 à Paris. xixe siècle. Français.
Sculpteur.
Élève de l'école de Semur et de Jouffroy. Il débuta au Salon de Paris en 1851.
Musées : Auxerre : *L'évêque Jacques Amyot* – Dieppe : *Jacques Amyot – Turgot – Sapho tenant une lyre* – Rêverie – Dijon : *David vainqueur de Goliath – Turgot* – Montpellier : *La frileuse, hiver* – Rennes : *La rêverie* – Semur-en-Auxois : *La rêverie – Saint Sébastien – Un lutteur – Le Serment d'Annibal – Bonbot – Joly Saint-Florent – L'éducation.*

TRAVELLI Antonio
Né en Italie. xviie siècle. Travaillant à Bamberg en 1681. Italien.
Stucateur.

TRAVELLI Jacopo
xviie siècle. Actif dans la seconde moitié du xviie siècle. Italien.
Stucateur.
Il travailla pour l'église Saint-Étienne de Bamberg en 1681. À rapprocher de TRAVELLI Antonio.

TRAVER George A.
Né le 30 mars 1864 à Corning. xixe siècle. Actif à New York. Américain.
Peintre de paysages.

Élève de Weir, de Dewing et de Mowbray.
Musées : Brooklyn.
Ventes Publiques : Washington D. C., 18 sep. 1976 : *Paysage boisé*, h/t (65x91,5) : **USD 400**.

TRAVER Warde
Né le 10 octobre 1880 à Ann Arbor. XXe siècle. Américain.
Peintre.
Élève de Carl von Marr, de Francis D. Millet et de Henry Bayley Snell, il vécut et travailla à New York.

TRAVERS François
XVIIIe siècle. Français.
Sculpteur sur bois.
Il sculpta la chaire de l'église Notre-Dame de Bonneval en 1773.

TRAVERS George
XIXe siècle. Britannique.
Paysagiste.
Il exposa à la British Institution à la Society of British Artists et à la Royal Academy entre 1851 et 1859. Le Victoria and Albert Museum, à Londres, conserve de lui : *La baie de Whetsand, fin d'averse*.

TRAVERS Louis
XVIIIe siècle. Français.
Sculpteur sur bois.
Il sculpta une porte pour l'église Saint-Christophe de Bonneval en 1771.

TRAVERS Mo
Née le 2 mai 1945 dans la Mayenne. XXe siècle. Française.
Sculpteur d'animaux.
Elle participe à des expositions collectives depuis 1979. Elle réalise des œuvres en acier au chalumeau avec parfois quelques apports de bronze et laiton, notamment de nombreuses séries d'oiseaux majestueux.

TRAVERS Pierre
XVe siècle. Actif en 1492. Français.
Peintre.
Il a exécuté trois peintures pour l'Hôtel de Ville de Péronne.

TRAVERS Willem Karel Frederik
Né le 20 mai 1826 à Amsterdam. XIXe siècle. Hollandais.
Peintre.
Il exposa à Berlin en 1866.

TRAVERSE Pierre
Né le 1er avril 1892 à Saint-André de Cubzac (Dordogne). XXe siècle. Français.
Sculpteur.
Il fut élève d'Injalbert.
Il exposa à Paris aux Salons des Artistes Français, dont il fut membre Sociétaire Hors Concours, aux Salons d'Automne, des Artistes Décorateurs. Il obtint une médaille d'argent en 1921, d'or en 1926, un diplôme d'honneur en 1937 à l'Exposition Internationale de Paris, une médaille d'honneur en 1942. Il fut décoré de la Légion d'honneur en 1938.
Musées : Detroit – Paris (Mus. du Petit Palais).
Ventes Publiques : Paris, 6 déc. 1982 : *Centaure enlevant une jeune femme nue*, bronze (87x45) : **FRF 28 000** – Paris, 12 déc. 1983 : *Femme à la biche*, bronze patiné (H. 67) : **FRF 16 000** – Paris, 13 déc. 1989 : *Centaure et Déjanire* (88x60) : **FRF 170 000** – Paris, 21 déc. 1994 : bronze argenté cire perdue (H. 63, l. 93) : **FRF 62 000** – Paris, 29 nov. 1996 : *Baigneuses*, sculpt. onyx jaune (H. 31) : **FRF 27 000**.

TRAVERSI Gaspare ou Traversa
Originaire de Naples. Mort en 1769. XVIIIe siècle. Italien.
Peintre de compositions religieuses, scènes de genre, portraits.
Il débuta à Naples, puis alla à Rome vers 1750, et en Émilie en 1753. Il exécuta des peintures religieuses pour les églises Santa Maria de l'Aiuto à Naples, Saint-Paul-hors-les-murs à Rome, la cathédrale de Parme (aujourd'hui au Musée). Traversi devint, en quelque sorte, un peintre de mœurs, abandonnant l'art baroque et le rococo pour renouer avec la tradition de la bambochade, même pour les sujets religieux.
Musées : Aix-en-Provence : *La harpiste* – Milan (Brera) : *La vieille et le jeune amant* – Naples : *Masques napolitains* – *La lettre secrète* – Rome (Gal. Corsini) : *Franciscain* – Rouen : *La leçon de chant* – *Le jeu de cartes* – Strasbourg : *Portrait d'un père augustin* – Venise (Acad.) : *Le blessé*.
Ventes Publiques : Londres, 3 avr. 1946 : *Maison de jeu* :

GBP 250 – Milan, 10 mai 1967 : *Portrait de femme* : **ITL 700 000** – Londres, 8 déc. 1976 : *Le Galant entretien*, h/t (65x91,5) : **GBP 7 000** – New York, 11 janv 1979 : *Groupe familial*, h/t (131x159) : **USD 10 000** – New York, 19 jan. 1982 : *Moine et jeune garçon*, h/t (101,5x76) : **USD 6 000** – Londres, 10 avr. 1987 : *Vieille femme et jeune fille écoutant une vieille femme jouant de l'épinette*, h/t (103x77,2) : **GBP 20 000** – Rome, 24 nov. 1994 : *Le martyre de Saint Bartolomé*, h/t (100x76) : **ITL 51 854 000** – Rome, 28 nov. 1996 : *Rixe entre joueurs de cartes*, h/t (77x99,7) : **ITL 55 000 000** – Londres, 3 déc. 1997 : *Saint Jérôme*, h/t (97,3x133,3) : **GBP 18 400**.

TRAVERSIER Hyacinthe
XIXe siècle. Travaillant à Paris de 1840 à 1860. Français.
Graveur au burin et dessinateur.
Il débuta au Salon de Paris en 1840.

TRAVERSIER Jacques
Né le 24 septembre 1875 à Lyon (Rhône). Mort le 17 juin 1935. XIXe-XXe siècles. Français.
Peintre de figures, portraits, paysages, aquarelliste, dessinateur. Postimpressionniste.
Son grand-père maternel était sculpteur. Médecin et professeur de pathologie, il fut aussi musicien, chanteur, critique d'art et peintre.
Il exposa à Lyon. On a pu voir quelques-unes de ses œuvres en 1980 à l'exposition : *10 Ans de peinture dauphinoise* au château de la Condamine à la mairie de Corenc.
Parallèlement à sa carrière de médecin, il ne cessa de dessiner au crayon, à l'encre de Chine, au lavis, à l'aquarelle, sur le motif sa région. Il s'inspira, pour ses premières aquarelles, de l'œuvre de Johan Jongkind. Il a également réalisé des portraits de ses malades et rapporté du front des croquis de la guerre. En 1933, il publia *Chemin au soleil* ouvrage réunissant une série de dessins de la Vallée du Rhône.
Bibliogr. : Gérald Schurr, in : *Les Petits Maîtres de la peinture 1820-1920, valeur de demain*, Les Éditions de l'Amateur, t. VI, Paris, 1985 – Maurice Wantellet : *Deux siècles et plus de peinture dauphinoise*, Maurice Wantellet, Grenoble, 1987.
Ventes Publiques : Paris, 24 nov. 1949 : *Grenoble 1928*, aquar. : **FRF 800**.

TRAVERSIER Paul
Né vers 1909 à Grenoble (Isère). Mort en 1927 à Grenoble (Isère). XXe siècle. Français.
Peintre de paysages.
Bonnard l'encouragea dans la voie de la peinture. Il pratiqua avec son père Jacques Traversier la peinture de paysages sur le motif de sa région natale. Avant sa mort, il avait exposé avec son père à Grenoble.
Bibliogr. : Maurice Wantellet : *Deux siècles et plus de peinture dauphinoise*, Maurice Wantellet, Grenoble, 1987.

TRAVERSIER Pierre Jules
Né en 1882. XXe siècle. Français.
Peintre de paysages, aquarelliste.
Ses aquarelles ne sont pas sans rappeler l'art de Jongkind, avec ses perspectives fuyantes et ses jeux de blancs.
Ventes Publiques : Grenoble, 20 déc. 1948 : *Paysage*, aquar. : **FRF 10 000** ; *La place Bellecour*, aquar. : **FRF 8 000**.

TRAVERSO Nicolo Stefano
Né le 1er février 1745 à Gênes. Mort le 2 février 1823 à Gênes. XVIIIe-XIXe siècles. Italien.
Sculpteur.
Élève de F. Schiaffino et de P. Bocciardo. Un des meilleurs représentants du néoclassicisme en sculpture. Il travailla pour des églises et des palais de Gênes.

TRAVERT Louis
Né le 8 avril 1919 à Moigné (Ille-et-Vilaine). XXe siècle. Français.
Peintre de compositions animées, figures, portraits, paysages, marines, aquarelliste, dessinateur, peintre de compositions murales, graveur, illustrateur, décorateur de théâtre.
Il fut élève de l'école des Beaux-Arts à Paris. En 1949, il réside à Amsterdam ayant reçu une bourse du ministère des Affaires étrangères français puis du gouvernement hollandais.
Il participe à des expositions collectives, régulièrement à Paris : à partir de 1950 Salon des Indépendants ; 1953 Salons de Mai, du Dessin et de la Peinture à l'eau ; à partir de 1953 Société Nationale des Beaux-Arts ; 1957 Comparaisons ; ainsi qu'à l'étranger,

en Allemagne, Belgique, aux Pays-Bas, à New York, Mexico... Il montre ses œuvres dans des expositions personnelles régulièrement à Paris depuis 1950.

Il débuta avec une peinture sombre, notamment de très nombreux portraits. Il a également réalisé des paysages et des marines, travaillés par touches amples, suggérant les formes, dans la lignée de Nicolas de Staël.

Musées : Cagnes-sur-Mer : *Portrait de Susy Solidor* – Paris (BN) : *Le Bouquet jaune* 1979 – Rennes.

TRAVESSA Arnau
xve siècle. Espagnol.
Peintre.
Il travailla pour la ville de Manresa.

TRAVI Antonio, dit **il Sestri** ou **il Sordo di Sestri**
Né en 1608 à Sestri Ponente. Mort le 10 février 1665 à Sestri Ponente. xviie siècle. Italien.
Peintre de compositions religieuses, paysages.
Cet artiste était sourd. Il fut d'abord broyeur de couleurs de Bernardo Strozzi qui, reconnaissant ses dispositions, lui apprit à dessiner, puis à peindre. Travi fut aussi élève de Godefroy de Waals.
Musées : Milan (Mus. Ambrosiana) : *La Douloureuse – Ecce Homo – Jésus mort.*
Ventes Publiques : Milan, 16 mai 1974 : *Paysage avec ruines* : **ITL 2 400 000** – Milan, 30 oct 1979 : *Les lavandières,* h/t (96x121) : **ITL 9 500 000** – Milan, 20 mai 1982 : *Tobie et l'Ange dans un paysage,* h/t (86,5x115) : **ITL 6 000 000** – New York, 20 jan. 1983 : *Pyrame et Thisbée dans un paysage,* h/t (100x124,5) : **USD 5 000** – Rome, 28 mai 1985 : *La Vierge et l'Enfant avec saint Antoine et saint Dominique,* h/pan. (170x117) : **ITL 14 000 000** – Paris, 28 mai 1993 : *L'Adoration des Mages,* encre et lav. brun avec reh. de blanc (23,5x37,5) : **FRF 10 000** – Rome, 29 oct. 1996 : *Paysage de la Fuite en Égypte,* h/t (51x76) : **ITL 12 815 000.**

TRAVIES DE VILLERS Joseph ou **Charles Joseph**
Né le 21 février 1804 à Winterthur. Mort le 13 août 1859 à Paris. xixe siècle. Français.
Peintre de portraits, dessinateur, caricaturiste et lithographe.
Il commença ses études artistiques à Strasbourg puis fut élève de Heim à l'École des Beaux-Arts à partir du 4 mai 1825. Il s'essaya d'abord dans le portrait puis s'adonna à la caricature. La critique, à part Baudelaire qui considérait Travies comme un maître, nous paraît avoir été très injuste avec lui. Une certaine rancune de la violence avec laquelle il flagella les vues de la bourgeoisie et de ses représentants politiques non autorisés ne, nous paraît pas étrangère à cette mentalité. Laissons de côté toute idée politique. Il est incontestable que Travies arrive dans certains dessins à une intensité d'expression rarement dépassée par les plus grands maîtres. Ce sont ses dessins, exécutés pour lui-même qui nous paraissent surtout mériter d'être recherchés. Travies fut un des collaborateurs les plus actifs de Philippon à la *Caricature* et au *Charivari.* Il fournit aussi des illustrations pour les romans de Balzac. Travies ambitionna les grandes œuvres. Son atelier contenait de nombreuses esquisses, des études mais sauf des portraits et le tableau *Jésus et la Samaritaine* (Salon de 1853) il acheva peu de peintures. Il exposa aussi en 1848 et en 1855. Son œuvre lithographiée est considérable et comprend, notamment la série des Mayeux, personnage de sa création. Le Musée de Perpignan conserve trois dessins de lui.

Ventes Publiques : Paris, 1899 : *Tête de vieillard,* dess. à la pl. : **FRF 22** – Paris, 30 nov.-1er et 2 déc. 1920 : *Un ivrogne,* pl. : **FRF 200** – Paris, 25 mai 1923 : *Un gueux,* dess. : **FRF 390** – Paris, 5 mars 1945 : *Les chiffonniers* : **FRF 4 300** – Paris, 8 juin 1951 : *La place Maubert* 1840 : **FRF 3 000.**

TRAVIES Édouard
Né en mars 1809 à Doullens (Somme). Mort vers 1865. xixe siècle. Français.
Peintre animalier, aquarelliste, lithographe.
Frère cadet de Charles Joseph Travies.
Il exposa au Salon de Paris, de 1831 à 1866.
Il s'attacha surtout à l'aquarelle des insectes et des oiseaux. On lui doit aussi des lithographies de même genre.
Ventes Publiques : Londres, 21 juin 1984 : *Un ocelot,* aquar. cr.

et pl. (55,5x69,5) : **GBP 1 200** – Monaco, 16 juin 1988 : *Hirondelle de rivage, martinet noir et martinet à ventre blanc* 1834, aquar. et gche (17x9,7) : **FRF 5 550** ; *Canard mandarin et Garrot à œil d'or* 1834, aquar. et gche (17,2x9,9) : **FRF 33 300** ; *Bécassine des marais* 1847, dess. avec reh. aquar. et gche (39x30,8) : **FRF 72 150** – Londres, 17 mai 1991 : *Un ocelot, demi de la grandeur naturelle,* cr. et aquar. avec reh. de blanc/pap. (41x60) : **GBP 2 750** – Paris, 17 juin 1994 : *Bécasse et geai, tableau de chasse,* litho. avec reh. de coul. (52x33,5) : **FRF 4 500** – Paris, 22 nov. 1995 : *La vènerie, La sarcelle d'hiver, La sarcelle d'été,* litho. en coul. (54x38) : **FRF 18 200** – Londres, 13 déc. 1996 : *Malaconote Zelonus* 1850, aquar. et gche/craie noire (30,4x38,4) : **GBP 5 750.**

TRAVIS Henry
xixe siècle. Actif dans la première moitié du xixe siècle. Britannique.
Portraitiste.
Il exposa à Londres de 1824 à 1832.

TRAVIS Kathryne Hail
Née à Ozark (Arkansas). xxe siècle. Américaine.
Peintre.
Elle fut élève de l'Art Institute of Chicago et membre de la Ligue Américaine des Artistes Professeurs.

TRAVIS Olin Herman
Né le 15 novembre 1888 à Dallas (Texas). xxe siècle. Américain.
Peintre.
Il fut élève de l'Art Institute of Chicago, de Charles Francis Browne et Kenyon Cox, puis fut membre de la Ligue Américaine des Artistes Professeurs et de la Fédération Américaine des Arts.

TRAVIS Paul B.
Né le 2 janvier 1891 à Wellsville. xxe siècle. Américain.
Peintre de paysages.
Il fit ses études à Cleveland, où il vécut et travailla, à Paris, et voyagea en Afrique, d'où il rapporta de nombreux paysages. Peintre, il pratiqua aussi la lithographie.
Musées : Brooklyn : *Lac à Ruanda* – Cleveland : *La Forêt vierge au Congo – Lac en Afrique orientale.*

TRAVIS William D.
Né en 1839. Mort le 24 juillet 1916 à Burlington. xixe-xxe siècles. Américain.
Peintre de batailles.
Il peignit des scènes de la guerre de Sécession.

TRÄXL Franz Vital
Mort en 1754. xviiie siècle. Actif à Salzbourg. Autrichien.
Sculpteur.
Il sculpta des autels pour l'abbaye de Melk.

TRÄXL Hans
Né vers 1629. Mort le 24 juillet 1689 à Salzbourg. xviie siècle. Autrichien.
Sculpteur.
Il sculpta des autels, des fontaines, des tombeaux et des portails pour des églises et places publiques de Salzbourg.

TRAXL Johann
xixe siècle. Actif à Strengen-sur-l'Arlberg en 1828. Autrichien.
Sculpteur.
Il a sculpté le maître-autel de l'église de Wald près de Dalaas.

TRÄXL Lorenz
Mort le 8 mai 1700 à Salzbourg. xviie siècle. Autrichien.
Sculpteur.
Il sculpta l'escalier en spirale de la cathédrale de Salzbourg.

TRAXL Michael
Mort en 1687 à Zams. xviie siècle. Actif à Flirsch. Autrichien.
Peintre.

TRÄXL Severin
Né à Strengen-sur-l'Arlberg. xviiie siècle. Actif dans la première moitié du xviiie siècle. Autrichien.
Sculpteur.
Il sculpta en 1717 les statues de *La Vierge* et de *Saint Joseph* pour l'église Saint-Léonard près de Tamsweg.

TRAYCAT Antonio ou **Canytar**
xve siècle. Actif à Tolède en 1471. Espagnol.
Peintre.

Il était prêtre et il peignit, avec Pedro Rexach, l'autel de la chapelle de la Vierge pour la cathédrale de Tolède.

TRAYER, père
XIXe siècle. Français.
Peintre.
Il exposa au Salon de Paris, de 1831 à 1839 des paysages et des sujets de genre.

TRAYER J. Ange
XIXe siècle. Français.
Lithographe.
Il grava des scènes d'enfants.

TRAYER Jean-Baptiste Jules
Né le 20 août 1824 à Paris. Mort le 1er janvier 1908 ou 1909. XIXe siècle. Français.
Peintre de scènes de genre, portraits, intérieurs, paysages, paysages d'eau, natures mortes, fleurs, aquarelliste, dessinateur.
Il fut élève de son père, de l'École des Beaux-Arts de Metz, puis de Lequien à Paris. Il exposa au Salon de Paris, à partir de 1847, obtenant une médaille de troisième classe en 1843, une autre en 1855, pour l'Exposition Universelle.
Il peignit presque essentiellement des tableaux de genre, dont : *La Famille – Prière du matin – Les Deux sœurs.*

Musées : Béziers : *Ramasseuses de moules au Pollet* – Lille : *Jeune femme lisant la Bible* – New York (Metropolitan Mus.) : *Intérieur de cuisine hollandaise avec trois jeunes filles* – La Rochelle : *Réunion du Mouton-Blanc en 1666 (Molière fait la lecture du Misanthrope)* – Sydney : *Jeune Bretonne*, aquar. – Toulouse : *Paysage.*
Ventes Publiques : Paris, 1877 : *Jeune fille versant une tasse de thé à sa vieille mère* : FRF 800 – Paris, 1885 : *Intérieur de ferme bretonne* : FRF 675 – Paris, 14 avr. 1891 : *Une école en Bretagne* : FRF 3 234 – Londres, 15 avr. 1894 : *Norman peasant girls at Neealworck*, dess. : FRF 1 155 – New York, 6-7 avr. 1911 : *Nourrissant les oiseaux* : USD 140 – Londres, 12 mai 1922 : *Jeunes paysannes cousant*, dess. : GBP 25 – Londres, 5 fév. 1926 : *La dernière cuillerée*, dess. : GBP 31 – Paris, 6 juin 1928 : *La jeune mère* : FRF 1 900 – New York, 18-19 avr. 1945 : *Bouquet de fleurs* : USD 800 – Paris, 21 mai 1947 : *La jeune mère* : FRF 4 100 – Zurich, 15 mars 1951 : *La pêcheuse de crevettes* : CHF 1 400 – Vienne, 12 mars 1974 : *La jeune couseuse* : ATS 30 000 – Los Angeles, 5 oct. 1981 : *La Robe du soir* 1860, h/pan. (59,5x48) : USD 7 000 – New York, 19 oct. 1984 : *Sur la plage*, h/t (57x78) : USD 14 000 – Paris, 26 nov. 1985 : *Enfant au polichinelle* 1880, aquar. (57x44) : FRF 10 200 – Londres, 24 juin 1987 : *La jeune tricoteuse*, h/t (117x90) : GBP 6 000 – Amsterdam, 16 nov. 1988 : *Les jeunes explorateurs* 1856, h/t (47x55) : NLG 13 800 – New York, 23 fév. 1989 : *Femme cousant devant une fenêtre ouverte*, h/pan. (40,6x31,8) : USD 7 700 – Londres, 17 mars 1989 : *La couturière* 1860, h/t (32,5x24,5) : GBP 5 720 – Londres, 21 juin 1989 : *Jeunes filles dans une roseraie* 1895, h/t (70x93) : GBP 33 000 – Calais, 13 déc. 1992 : *Fillette dans la campagne*, aquar. (33x23) : FRF 5 500 – Lokeren, 15 mai 1993 : *Côte rocheuse*, h/t (33x42) : BEF 48 000 – Londres, 16 juin 1993 : *Prière du matin*, h/pan. (36x28) : GBP 8 625 – New York, 19 jan. 1995 : *La Leçon de lecture*, h/t (45,7x36,8) : USD 20 700.

TRAYLOR Bill
Né en 1954. Mort vers 1982. XXe siècle. Américain.
Peintre de figures, animaux, peintre à la gouache, dessinateur.
Noir né en esclavage, puis travaillant dans une fabrique de chaussures à Montgomery (Alabama), il commença à dessiner et peindre à l'âge de quatre-vingt-quatre ans.
Il réalise sur carton des silhouettes d'une grande élégance, des animaux fantastiques, mêlés à des scènes pittoresques de la rue. Ses œuvres « plates » évoquent l'iconographie de l'Afrique.
Bibliogr. : R. G. Edelman : *Bill Traylor*, Art Press, n° 166, Paris, févr. 1992.

TRAYNOR Anthony Henry
Mort en 1848 ? à Dublin. XIXe siècle. Irlandais.
Graveur au burin et portraitiste.
Il exposa à Dublin de 1827 à 1848.

TRAZ Édouard de
Né en 1832 à Genève. Mort en 1918. XIXe-XXe siècles. Suisse.
Peintre de paysages.
Père de Georges Albert Édouard de Traz, parallèlement à son activité d'ingénieur il pratiqua la peinture.

TRAZ Georges Albert Édouard de
Né le 30 août 1881 à Paris, de parents suisses. Mort en 1955 à Genève. XXe siècle. Suisse.
Peintre de compositions religieuses, peintre de compositions murales, graveur.
Fils du peintre Édouard de Traz, il fut peintre, critique d'art et romancier. Il exposa à Paris, de 1914 à 1921, aux Salons des Indépendants et d'Automne.
Il exécuta des fresques représentant des scènes bibliques ainsi que des gravures religieuses, notamment des eaux-fortes, pour l'église Saint-Paul, à Genève. Il a illustré *Les Contes de Béhanzigue* de Paul Jean Toulet.
Ventes Publiques : Zurich, 24 nov. 1993 : *Les artistes* 1916, h/t (81x100) : CHF 2 875.

TRBULJAK Goran
Né en 1948. XXe siècle. Yougoslave.
Artiste. Conceptuel.
Membre du groupe *Le Retraité Tihomir Simcic*, il définit des propositions d'art conceptuel. Prenant pour hypothèse l'apparition « accidentelle » de l'œuvre d'art, rejetant peu à peu les média matériels, il avance vers l'établissement des communications spirituelles à travers des témoignages purement verbaux.

TRCKA Anton Josef, connu aussi sous le pseudonyme : Antios
Né le 7 septembre 1893 à Vienne. XXe siècle. Autrichien.
Peintre de paysages, portraits, sculpteur, décorateur.
Il fit ses études à Vienne et subit l'influence de Gustav Klimt et d'Egon Schiele. Il exposa à Vienne et à Prague de 1923 à 1926.
Peintre, sculpteur, décorateur, il pratiqua également la photographie et la poésie.

TRDAN Herman
Né le 20 novembre 1892 à Pisino. XXe siècle. Autrichien.
Peintre.
Il fit ses études à Munich et à l'académie des beaux-arts de Vienne. Il était prêtre. Il subit l'influence de Kandinsky.

TRÉ Howard Ben
Né en 1949. XXe siècle. Américain.
Sculpteur, technique mixte.
Ventes Publiques : New York, 4 oct. 1989 : *Dedicant 2* 1986, sculpt. de verre, cuivre, feuille d'or (122x47x21) : USD 22 000 – New York, 25-26 fév. 1994 : *Sans titre #28* 1989, pâte à modeler, gesso, gche, feuilles de cuivre et d'or avec des cires pigmentées/pap. (182,9x52,1) : USD 5 750.

TREASE Sherman
Né le 22 mars 1899 à Galena. XXe siècle. Américain.
Peintre de paysages, illustrateur.
Élève d'A. H. Knott, il vécut et travailla à Joplin.

TREBACZ Maurycy
Né en 1861 à Varsovie. XIXe siècle. Polonais.
Peintre de genre, portraits.
Il fut élève des Académies de Varsovie, de Cracovie et de Munich.
Musées : Lodz – Posen – Varsovie.

TREBBI Cesare Mauro
Né le 3 juin 1847 à Bologne. Mort le 16 avril 1931 à Bologne. XIXe-XXe siècles. Italien.
Peintre de compositions religieuses, décorateur, lithographe.
Il fut élève de l'académie des beaux-arts de Bologne, puis d'Alessandro Guardassoni. Il exécuta des fresques à la cathédrale de Bologne.

TREBBI Faustino
XIXe siècle. Actif à Budrio près de Bologne, dans la première moitié du XIXe siècle. Italien.
Peintre et architecte.
Il subit l'influence de Corrège. Il exécuta des peintures d'ornements dans plusieurs églises de Bologne.

TREBBI Raffaele
XIXe siècle. Actif à Bologne dans la seconde moitié du XIXe siècle. Italien.
Peintre d'ornements.
Fils de Faustino Trebbi.

TREBECKI Johann Theobald ou **Trebeski, Trebesky, Trembecki, Trewetzky**
Né en 1686 à Berlin. Mort le 17 août 1749 à Vienne. XVIIIᵉ siècle. Autrichien.
Sculpteur.
Il se fixa à Vienne en 1722 et y travailla pour la cour.

TREBECZKY Ignaz ou **Trebetzky**
Né en 1727 à Vienne. Mort en 1779 à Prague. XVIIIᵉ siècle. Autrichien.
Peintre de portraits, peintre de miniatures.

TREBICKI Michal
Né le 29 septembre 1842. Mort le 14 octobre 1902 à Varsovie. XIXᵉ siècle. Polonais.
Peintre, sculpteur, médailleur et décorateur amateur.
Élève des Académies de Dresde et de Paris. Il travailla à Varsovie surtout comme sculpteur et décorateur.

TREBILCOCK Paul
Né le 13 février 1902 à Chicago. XXᵉ siècle. Américain.
Peintre de portraits.
Il a participé aux Expositions internationales de la Fondation Carnegie de Pittsburgh.
VENTES PUBLIQUES : LOS ANGELES, 3 mai 1982 : *Le manteau russe* 1926, h/t (112x97) : **USD 1 800**.

TREBINGER Christian
XVIIᵉ siècle. Actif à Saint-Jacob (Vallée actif à Gröden) dans la première moitié du XVIIᵉ siècle. Autrichien.
Sculpteur sur bois.
Il travailla à Pescosta près de Saint-Ulrich en 1634.

TREBINGER Dominik
XVIIᵉ siècle. Actif à Saint-Jacob (Vallée de Gröden) dans la première moitié du XVIIᵉ siècle. Autrichien.
Sculpteur sur bois.
Il fut le fondateur de l'école de sculpture de Gröden.

TREBLA, pseudonyme de **Mahieu Albert** et anagramme de **Albert**
Né le 13 avril 1913 à Coxyde. Mort en 1983 à Furnes. XXᵉ siècle. Belge.
Peintre de compositions d'imagination. Tendance fantastique.
Autodidacte. Peintre médiumnique, ses œuvres conduisent aux confins d'un autre monde. Tout y est troublant et semble répondre aux appels d'une certaine démesure d'être. L'art de Trebla, proche par certains côtés de l'art naïf, se situe néanmoins plus près des domaines de la parapsychologie et de la psychologie des profondeurs.

TREBO Giovanni dal
XVIᵉ siècle. Travaillant en 1503. Italien.
Sculpteur sur bois.
Il a sculpté un tabernacle pour l'église Saint-Martin de Bologne.

TREBOCHOWSKY Thomas
XVIᵉ-XVIIᵉ siècles. Autrichien.
Peintre.
Il travailla dans des châteaux de Bohême méridionale. Le Musée de l'abbaye de Hohenfurt possède de lui *Adoration des Rois*.

TREBON, Maître de. Voir **MAÎTRE de l'AUTEL DE TREBON**

TREBST Arthur ou **Friedrich Arthur**
Né le 12 juin 1861 à Lössning-Leipzig. Mort le 27 août 1922 à Leipzig. XIXᵉ-XXᵉ siècles. Allemand.
Sculpteur.
Il travailla à Leipzig, où il se fixa, et à Dresde.
MUSÉES : LEIPZIG : *Buste du Dr Ernest Leberecht Luthardt*, marbre.

TRÉBUCHET André Louis Marie
Né le 15 octobre 1898 à Bayonne (Pyrénées-Atlantiques). Mort le 27 juillet 1962 à Paris. XXᵉ siècle. Français.
Peintre de figures, nus, portraits, peintre de compositions murales, céramiste.
Il fut élève de J. P. P. Pascau, à Bayonne, et de Ernest Laurent. Il vécut et travailla à Paris. Il participa à des expositions collectives, à partir du 1922 Salon des Artistes Français, dont il devint membre sociétaire à partir de 1922, et où il obtint une médaille d'argent en 1923. Il exposa également à Biarritz, Bayonne et Deauville.

TRÉBUCHET Antoinette, née **Duvivier**
Née le 18 juillet 1894 à Roubaix (Nord). Morte le 17 juin 1985 à Roubaix. XXᵉ siècle. Française.
Peintre de portraits, paysages, natures mortes, fleurs.
Femme d'André Trébuchet. Elle a exposé à Paris, au Salon des Artistes Français à partir de 1923.
Outre ses peintures, elle créait aussi ce qu'elle appelait des « icônes », plaques de bois enluminées de différents matériaux.

TREBUCHET Charles François
Né le 22 février 1751 à Paris. Mort le 17 juillet 1817 à Bruxelles. XVIIIᵉ-XIXᵉ siècles. Français.
Sculpteur, médailleur.
Il était fils de François Trébuchet. Il exposa à Paris en 1771 des portraits en cire de la famille royale. Il grava des médailles représentant des événements de son époque.

TRÉBUCHET Colette
Née le 3 avril 1927 à Paris. XXᵉ siècle. Française.
Peintre de figures, nus, paysages animés, paysages.
Symboliste.
Fille des peintres André et Antoinette Trébuchet, née Duvivier, elle fut élève de l'école des Beaux-Arts de Paris, puis de l'académie de la Grande-Chaumière.
Elle participe à des expositions collectives : Salons des Artistes Français, d'Automne à Paris. Elle montre ses œuvres dans des expositions personnelles, depuis 1965 dans des manifestations régionales.

TREBUCHET François
XVIIIᵉ siècle. Français.
Graveur.
Père de Charles François, il était actif dans la première moitié du XVIIIᵉ siècle.

TREBUCHET Marguerite. Voir **GRIMAUD**, Mme

TREBUTIEN Étienne Léon
Né le 30 octobre 1823 à Bayeux (Calvados). Mort le 9 janvier 1871 à Lille (Nord). XIXᵉ siècle. Français.
Peintre de fleurs et fruits.
Il débuta au Salon de Paris en 1857.
MUSÉES : BAYEUX : *Fleurs et fruits* – MONTARGIS : *Fleurs*.
VENTES PUBLIQUES : LONDRES, 12 oct. 1984 : *Fleurs et fruits dans un paysage*, h/t mar./cart., forme ovale (99x80) : **GBP 1 400** – NEW YORK, 26 mai 1993 : *Nature morte de fleurs et de chérubins* 1866, h/t (205,1x125,1) : **USD 24 150**.

TRECASTELLA Nicola Aniello
XVᵉ-XVIᵉ siècles. Actif à Naples de 1472 à 1501. Italien.
Peintre.

TRECCANI Ernesto
Né le 26 août 1920 à Milan. XXᵉ siècle. Italien.
Peintre de figures, aquarelliste, illustrateur.
Après des études d'ingénieur-chimiste au Lyceo Politecnico de Milan, il fut le fondateur et directeur de la revue *Corrente*, jouant dans le mouvement un rôle de premier plan et y représentant notamment la tendance qui ne sépare pas la forme esthétique du contenu idéologique engagé, attitude à laquelle il restera attaché au long de son évolution. Attaché donc au courant réaliste, il rédigea, avec Morlotti, en 1943, un manifeste qui déclarait : « Avec la peinture, nous voulons lever des drapeaux », précisant sa pensée, en 1944, dans un autre manifeste (les deux jusqu'ici non édités) : « le développement iconographique devant être parallèle aux besoins urgents de la société ».
Il participe à de nombreuses expositions de groupe, notamment : 1950, 1952, 1954, 1956 Biennale de Venise ; 1948, 1951, 1955, 1959 Quadriennale de Rome ; 1953 Biennale de São Paulo.
Il a montré plusieurs expositions personnelles de ses œuvres, depuis la première à Milan, en 1940 ; 1979 galerie Henri Bénézit.
Il a obtenu de nombreux prix, parmi lesquels : 1948 Prix Ricci à Milan ; 1951 Prix Suzzara ; 1956 Prix R. Ginori de Milan, à la XXVIIIᵉ Biennale de Venise ; 1961 Trophée des Orfèvres à l'Exposition Fiorino à Florence.
Il privilégie la technique de l'aquarelle, dont il exploite la fluidité et la luminosité. Il travaille par évocation, silhouettes de corps comme flottant dans l'espace. Il a illustré de nombreux ouvrages : des poèmes de Leopardi, de Cesare, de Umberto Saba, *Le Decameron* de Boccace, *Anna Karénine* de Leon Tolstoï, *Le Cimetière marin* de Paul Valéry.
BIBLIOGR. : B. Dorival, sous la direction de... : *Peintres Contemporains*, Mazenod, Paris, 1964.
MUSÉES : MILAN – MOSCOU – ROME – TURIN.

VENTES PUBLIQUES : MILAN, 5 mars 1974 : *Nu rose* 1962 :
ITL 1 000 000 – MILAN, 8 juin 1976 : *Nu*, h/t (50x45) : **ITL 380 000**
– MILAN, 5 avr. 1977 : *Maternité* 1960, h/t (110x70) : **ITL 1 100 000**
– MILAN, 26 avr 1979 : *La rue des usines* 1951, h/t (50x80) :
ITL 850 000 – MILAN, 8 juin 1988 : *Maternité*, h/t (50x35) :
ITL 950 000 – MILAN, 14 déc. 1988 : *Fabrice n° 2* 1968, h/t (50x35) :
ITL 1 900 000 – ROME, 21 mars 1989 : *Haie de marguerites*, h/t
(179x179) : **ITL 7 000 000** – MILAN, 7 juin 1989 : *Paysage*, h/t
(60x80) : **ITL 2 000 000** : MILAN, 7 nov. 1989 : *Nu en rose* 1962, h/t
(70x55) : **ITL 4 000 000** – MILAN, 27 mars 1990 : *Usine* 1949, h/t
(30x35) : **ITL 2 200 000** – ROME, 3 déc. 1990 : *Talus de marguerites* 1969, h/t (179x179) : **ITL 12 075 000** – MILAN, 15 déc. 1990 :
Paysage 1959, h/t (60x80) : **ITL 3 600 000** – MILAN, 26 mars 1991 :
Le gratte-ciel Pirelli 1961, h/t (28,5x40) : **ITL 3 300 000** – ROME, 25
mai 1992 : *Végétation* 1970, h/t (54x70) : **ITL 4 025 000** – MILAN,
21 juin 1994 : *Fabrizio* 1968, h/t (50x40) : **ITL 4 255 000** – MILAN,
22 juin 1995 : *Fleurs*, h/t (49x40) : **ITL 1 150 000** – MILAN, 25 nov.
1996 : *Sans titre*, h/t (Diam. 50) : **ITL 1 150 000**.

TRECCHI ZACCARIA Maddalena de, marquise
XIXᵉ siècle. Travaillant à Crémone au début du XIXᵉ siècle. Ita-
lien.
Miniaturiste amateur.
Élève de Sante Legnani.

TRECHARD
XVIIIᵉ siècle. Actif à Paris en 1787. Français.
Sculpteur.
Il sculpta des médaillons en bronze représentant des philo-
sophes, des poètes et des historiens de son temps. Le Musée
Hohenzollern de Berlin conserve de lui *Portrait du prince Henri
de Prusse.*

TRECHTER. Voir **PUYTLINCK Christoffer**

TRECK Jan Jansz ou Janson
Né vers 1606 à Amsterdam. Mort avant le 27 septembre 1652
à Amsterdam. XVIIᵉ siècle. Hollandais.
Peintre de natures mortes.
Beau-frère de Jan Jansz Uyl I. Il a peint à la manière des peintres
de natures mortes de Haarlem.

MUSÉES : AMSTERDAM : *Nature morte* – BERLIN : *Nature morte avec
de la vaisselle d'étain* – BUDAPEST : *Nature morte* – LA HAYE :
Nature morte – LONDRES : *Nature morte* – SCHWERIN : *Déjeuner.*
VENTES PUBLIQUES : PARIS, 12 mars 1927 : *Pot de grès, réchaud,
bougeoir, jeu de cartes et divers objets sur un meuble*, attr. :
FRF 3 300 – AMSTERDAM, 8 fév. 1966 : *Nature morte* : **NLG 9 200** –
LONDRES, 30 nov. 1973 : *Nature morte* : **GNS 8 500** – MONTE-
CARLO, 6 déc. 1987 : *Nature morte avec pipe et pot en grès* 1650,
h/pan. (30,5x28,5) : **FRF 980 000.**

TRECLAU. Voir **TOULOUSE-LAUTREC**

TRECOURT Giacomo
Né en 1812 à Bergame. Mort en 1882 à Pavie. XIXᵉ siècle. Ita-
lien.
**Peintre de compositions religieuses, scènes de genre,
portraits.**
Élève de Giuseppe Dioti.
Il peignit des tableaux d'autel pour des églises des environs de
Pavie.
MUSÉES : BERGAME (Acad. Carrara) : *Portrait de Mme Bice Presti
Tasca* – *La petite Lena Tasca* – *Portrait d'une jeune fille* – *Famille
en deuil* – FLORENCE (Mus. des Offices) : *L'artiste* – PAVIE (Mus.
mun.) : *Orphelins* – *La prière* – *Masquerina* – *Portraits.*
VENTES PUBLIQUES : MILAN, 1ᵉʳ juin 1988 : *Les deux orphelines*, h/t
(59,5x47) : **ITL 5 000 000.**

TRECOURT Luigi
Né à Bergame. XIXᵉ siècle. Actif dans la première moitié du
XIXᵉ siècle. Italien.
Peintre.
Frère de Giacomo Trecourt. Il exposa à Milan de 1835 à 1837.

TREDER Felix
Né le 7 mars 1841 à Kolberg. Mort le 22 octobre 1908 à Stet-
tin. XIXᵉ siècle. Allemand.
Aquarelliste.

Élève de Theodor Kugelmann à Stettin. Le Musée Municipal de
cette ville conserve de lui *Vues du vieux Stettin.*

TREECK Gustav Van
Né le 1ᵉʳ juin 1854 à Hüls près de Krefeld. Mort le 12 janvier
1930 à Munich. XIXᵉ-XXᵉ siècles. Allemand.
Peintre de compositions religieuses, peintre verrier.
Il fut élève d'August von Kreling et de Friedrich W. Wanderer à
Nuremberg. Il exécuta de nombreux vitraux pour des églises
d'Allemagne, de Suisse et d'Amérique.

TREFER Philippe ou Treffert
XVIIᵉ siècle. Actif à Tournai de 1609 à 1620. Éc. flamande.
Peintre.
Il sculpta des épitaphes dans l'église Saint-Jacques de Tournai.

TREFFIELD Josef B.
Mort en 1915 à Dinard (Ille-et-Vilaine). XXᵉ siècle. Britan-
nique.
Peintre.

TREFOGLI Bernardo
Né le 6 mars 1819 à Torricella. Mort le 13 juillet 1891 dans la
même localité. XIXᵉ siècle. Suisse.
Peintre.
Fils de Marco Antonio Trefogli. Élève de l'Académie de Milan. Il
y exposa de 1836 à 1856.

TREFOGLI Marco Antonio
Né le 24 juillet 1782 à Torricella. Mort le 10 septembre 1854
dans la même localité. XIXᵉ siècle. Suisse.
Peintre de décorations et stucateur.
Père de Bernardo Trefogli et élève de Mercoli. Il fut peintre de la
cour de Turin.

TREFOGLI Pietro
Né en 1763 à Torricella. Mort le 8 septembre 1835 à Lugano.
XVIIIᵉ-XIXᵉ siècles. Suisse.
Sculpteur et stucateur.
Il travailla longtemps à Ferrare et pour le cimetière de la Char-
treuse de Bologne.

TREFOULX Christofle de. Voir CHRISTOFLE de Tre-
foulx

TREGANZA Ruth Robinson, Mrs
Née le 30 mars 1877 à Elmira (État de New York). XXᵉ siècle.
Américaine.
Peintre.
Elle fut élève de James M. Hewlett, Louis C. Tiffany, Arthur W.
Dow et Gail S. Corbett. Elle fut membre de la Fédération Améri-
caine des Arts.

TREGILLO Diego de
XVIᵉ siècle. Travaillant à Séville vers 1594. Espagnol.
Peintre.

TREGILLO Manuel de
XVIIᵉ siècle. Actif à Séville. Espagnol.
Peintre.
Admis dans la Congrégation de la doctrine chrétienne en 1666.

TREGO Jonathan
XIXᵉ siècle. Américain.
Portraitiste.
Père de William Thomas T.

TREGO William Thomas
Né en 1859 à Yardley Bucks (Pennsylvanie). Mort le 24 juin
1909 à Worth Wales (Pennsylvanie). XIXᵉ siècle. Américain.
Peintre de genre.
Il étudia à la Pennsylvania Academy of Fine Arts, à Philadelphie,
puis vint à Paris, durant trois années poursuivre ses études. A
son retour en Amérique, il prit une part active aux Expositions
de son pays. Il obtint le premier prix Toppan à l'Académie de
Philadelphie.
VENTES PUBLIQUES : NEW YORK, 2 févr 1979 : *Supply train attacked
by Mexican cavalry*, h/t (61x77) : **USD 1 400.**

TREHARD Constant Henri
Né à Nantes (Loire-Atlantique). XIXᵉ siècle. Français.
Sculpteur.
Élève de Toussaint. Il exposa au Salon de Paris, de 1872 à 1887.

TREICHEL François
XIXᵉ siècle. Français.
Paysagiste.
Il exposa au Salon de Paris, de 1847 à 1849.

TREICHLER Arthur
Né le 6 juillet 1891 à Horgen. XXᵉ siècle. Suisse.
Graveur.
Il vécut et travailla à Zurich. Il est connu pour ses caricatures.

TREIDLER Adolph
Né le 8 avril 1846 à Berlin. Mort le 13 décembre 1905 à Stuttgart. XIXᵉ siècle. Allemand.
Peintre de genre et d'histoire.
Élève de Jules Schrader à l'Académie de Berlin. En 1872, il obtint une bourse de voyage. Il exposa à Munich en 1879 et à Düsseldorf en 1880. Le Musée de Glarus conserve de lui *Italienne*.

TREILLIARD Jacques André ou **Trelliard**
Né le 29 novembre 1712 à Valence (Drôme). Mort le 5 novembre 1794 à Grenoble (Isère). XVIIIᵉ siècle. Français.
Peintre, graveur au burin.
Après avoir fait en Italie ses études artistiques, il alla se fixer à Grenoble, sous les auspices de l'ambassadeur de France à Turin. Vers 1769, il fut nommé directeur de l'École de dessin, poste qu'il occupa vingt-quatre années, et auquel il avait été nommé par les édiles de Grenoble. Il fit preuve d'autant de capacité que de zèle, dans son enseignement. Il se maria en 1769, avec Marie Manecy dont il n'eut pas d'enfant. Sur les ordres de l'évêque de Valence, il exécuta le *Portrait de Mandrin* et c'est lui qui fournit les dessins des orgues de Saint-Apollinaire. Il publia treize curieuses gravures dont voici la liste, telle que la donne Edmond Maignien : *Vue du pont, du château et d'une partie du bourg de Vizille*, dédié à S. A. S. Mgr le duc d'Orléans, *Vue des cascades et jardins du château d'Allevard* (dédié au même), *Vue d'un désert de la Grande Chartreuse*, prise du côté du Sappey, dédiée à M. Pajot de Marcheval, intendant du Dauphiné 1770, *Vue de la Grande Chartreuse*, dédiée à Mgr de Caulet, évêque et prince de Grenoble 1770, *Vue de Ponthaut d'Allevard* dans les Alpes, dédiée à M. le comte de Clermont-Tonnerre, lieutenant général, *Vue du pont de Claix, près Grenoble*, *Vue de la sortie des Alpes*, prise de la Buisse, *Vue de la cascade de Manival et du château de Bernin*, *Vue des ruines des anciens châteaux des Dauphins à Beauvoir*, dédiée à M. le marquis de Viennois, *Vue du château, cascades et forges d'Alivet*, *Vue de la vallée du Graisivaudan*, prise du château de Montboussot.

TREIRSENSIO. Voir **SARBURGH Bartholomäus**

TRELEWSKI Wladyslaw
Né en 1828. Mort en 1897 à Gnesen. XIXᵉ siècle. Polonais.
Peintre de genre et de vues.
Le Musée Mielzynski de Posen conserve de lui *Le monastère des Franciscains à Gnesen*.

TRELLENKAMP Wilhelm
Né en 1826 à Sterkrade. Mort le 14 janvier 1878 à Orsoy-sur-le-Rhin. XIXᵉ siècle. Allemand.
Peintre d'histoire et portraitiste.
Il fut d'abord maître d'école. Élève de l'Académie de Düsseldorf. On cite de lui : *L'Assomption de la Vierge* peinte pour l'église catholique à Tilsit en 1859.

TRELLIARD Jacques André. Voir **TREILLIARD**

TRELLINI A.
XVIIIᵉ siècle. Travaillant vers 1780. Italien.
Modeleur.
Le Musée du château de Mannheim possède de lui une plaquette de porcelaine représentant le pape *Pie IV*.

TREMBACZ Maurice
XIXᵉ siècle. Polonais.
Peintre de paysages.

TREMBECKI Johann Theobald. Voir **TREBECKI**

TREMBECKI Zygmunt
Né le 13 mai 1847 à Cracovie. Mort en 1882 ? à Paris (?). XIXᵉ siècle. Polonais.
Sculpteur.
Il exposa à Vienne en 1873. Le Musée de Cracovie conserve de lui : *Le poète Jean Kœhanosxi avec sa fille Urchoulka*.

TREMBLAI Jean Louis
Né vers 1810 à Paris. XIXᵉ siècle. Français.
Peintre d'histoire, scènes de genre, portraits, miniaturiste.
Élève de A. Scheffer, il exposa au Salon de Paris, de 1834 à 1859.

TREMBLAY Barthélémy ou **Tramblé, Tramblet, Tremblé, Tremblet**
Né en 1578 à Louvres. Mort en 1629 à Paris. XVIIᵉ siècle. Français.

Sculpteur.
Musées : PARIS (Mus. du Louvre) : *Buste de Henri IV – Statue de Henri IV*, la figure a été terminée par Germain Gissey – PARIS (Mus. Jacquemart-André) : *Buste de Henri IV* – VERSAILLES : *Buste de Henri IV*.

TREMBLAY Daniel
Né le 7 mars 1950 à Sainte-Christine (près d'Angers, Maine-et-Loire). Mort le 9 avril 1985 près d'Angers (Maine-et-Loire), d'un accident de voiture. XXᵉ siècle. Français.
Sculpteur, sculpteur de monuments, peintre, dessinateur, technique mixte, auteur d'installations.
Il fut élève de l'école des beaux-arts d'Angers, puis, de 1975 à 1978, séjourne à Londres, où il fréquente le Royal College of Art, grâce à une bourse. De 1979 à 1981, il enseigne à l'école des beaux-arts de Mulhouse, puis il s'installe à Paris en 1982, où il fréquente Markus Raetz et Patrick Tosani.
Il participe à des expositions collectives : 1980 Biennale de Paris ; 1981 centre culturel italien ; 1981, 1983 musée d'Art moderne de la ville de Paris ; 1983 Salon de Montrouge ; 1984 Museum of Contemporary Art à La Jolla ; 1985 ELAC (Espace lyonnais d'art contemporain) à Lyon, centre Georges Pompidou à Paris ; 1986 Solomon R. Guggenheim Museum de New York. Il montre ses œuvres dans des expositions personnelles : 1982 musée de Toulon ; 1983, 1985, 1992, 1994 galerie Farideh Cadot à Paris ; 1984 Museum of Contemporary Art à La Jolla ; 1987 musée d'Angers, musée Beyard de Breda ; 1987 musée d'Angers ; 1990 Fondation nationale des Arts Graphiques et Plastiques à Paris ; 1994-1995 la Ferme du Buisson à Noisel ; 1995 musée des beaux-arts d'Angers.
Depuis ses débuts, il travaille à partir d'objets triviaux, disque, perles, tamis, faucille, brosse, animaux en caoutchouc (oies, corbeaux), mais aussi divers matériaux tels que le caoutchouc, l'ardoise, les revêtements de sol (moquette, gazon synthétique, linoléum, paillasson) qui lui servent de support. Par détournements et associations insolites, il crée des rencontres poétiques, des fictions légères : un râteau qui pleut des étoiles, un homme qui « pisse » des constellations, des personnages qui rêvent, des rencontres au clair de lune. Entre sculpture et peinture car nécessitant l'appui du mur, ces œuvres relèvent plus du bas-relief l'artiste aime-t-il à préciser « car c'est un jeu de reflets qui crée une idée de profondeur, l'espace devient de plus en plus difficile à palper le relief ». À partir de ces surfaces de revêtement découpés puis peints ou gravés, il développe une œuvre aisément identifiable, composée de formes restreintes, récurrentes : silhouettes rêveuses de profil en général, signes calligraphiques, ciels où flottent constellations, lune, astres, sur fond noir. Au moment de sa mort, accidentelle, il travaillait à plusieurs commandes du Ministère de la Culture, dont le Monument à la gloire de la Résistance destiné à La Roche-sur-Yon, une fontaine pour Rezé-les-Nantes, une sculpture pour le Jardin des Plantes de Paris. ∎ L. L.
BIBLIOGR. : *Daniel Tremblay – Monographie*, Jacques Damase, Paris, 1990 – in *L'Art du XXᵉ s.*, Larousse, Paris, 1991 – in : *Dict. de l'art mod. et contemp.*, Hazan, Paris, 1992.
Musées : ANGERS : *Sans Titre* 1983 – CHAMALIÈRES (FRAC) : *Raven's Blues* – LYON (FRAC) : *Sans Titre* 1983 – NANTES (Mus. des Beaux-Arts) : *Air* 1984-1985 – NANTES (FNAC) : *Sans Titre* 1984 – PARIS (Mus. Nat. d'Art Mod.) : *Sans Titre* 1982 – PARIS (Mus. d'Art Mod. de la ville) : *La Sieste éternelle* – PARIS (FNAC) : *Sans Titre* 1983 – ROCHECHOUART : *Vers luisants* 1984-1985 – TOULON : *Sans Titre* 1981 – *Sans Titre* 1982.

TREMBLAY Denis ou **Denys**
Né en 1952 à Chicoutimi (Québec). XXᵉ siècle. Canadien.
Sculpteur, auteur d'environnements.
On cite ses environnements réalisés dans le courant des années soixante. Avec une ironie souvent morbide à la Kienholz, Tremblay a reconstitué des environnements funéraires.
BIBLIOGR. : Catalogue de l'exposition : *Les Vingt Ans du musée*, Musée d'Art contemporain, Montréal, 1985.
Musées : MONTRÉAL (Mus. d'Art Contemp.) : *Le Cégep* 1977, moule en fibre de verre, rés. de polyester.

TREMBLAY Gérard
Né en 1928 aux Éboulements (Québec). XXᵉ siècle. Canadien.
Peintre, graveur, illustrateur.
Il étudia à Montréal à l'école des beaux-arts puis l'institut des Arts graphiques. Il travailla avec Albert Dumouchel.

Une grande partie de son travail échappe à la non-figuration et l'ensemble de son œuvre pourrait se lire aux frontières de la figuration poétique, de l'abstraction lyrique et de l'automatisme surréaliste. Ses œuvres, habitées de signes graphiques, formes organiques et aplats colorées, de traces et matières, suggèrent un climat poétique aux frontières de la conscience. Il a illustré plusieurs œuvres de Roland Giguère, mais aussi des manuels scolaires.

BIBLIOGR. : Catalogue de l'exposition : *Les Vingt Ans du musée,* Musée d'Art contemporain, Montréal, 1985.

MUSÉES : ÉPINAL (Mus. départ. des Vosges) : *Le Bateau vivre* 1974, h/pap. – MONTRÉAL (Mus. d'Art Contemp.) : *La Foire* 1950, encre et h/pap. – *Le Bateau à voir* 1951, encre/pap. – *Les Fleuricoles* 1957, h/t – *Les migrateurs* 1964, past. – *Cosmo nôtres n° 6* 1965.

TREMBLAY Jean Jacques
Né en 1926 à Providence (Rhode Island). XXe siècle. Actif au Canada. Américain.
Peintre.
BIBLIOGR. : Catalogue de l'exposition : *Les Vingt Ans du musée,* Musée d'Art contemporain, Montréal, 1985.
MUSÉES : MONTRÉAL (Mus. d'Art Contemp.) : *La Robe bleue* 1979, acryl.

TREMBLAY Richard Max
Né en 1952 à Bromptonville. XXe siècle. Canadien.
Peintre de figures. Nouvelles figurations.
Il étudie les arts plastiques à l'université du Québec de 1972 à 1975, puis à Londres au Goldsmith's College of Art and Design de 1979 à 1980.
Il participe à des expositions collectives : 1988-1989 galerie des services culturels du Québec, galerie l'Aire du Verseau à Paris. Il montre ses œuvres dans des expositions personnelles : de 1980 à 1987 galerie 13 de Montréal.
Il peint le corps, morcelé, visages, membres, juxtaposant peintures et photographies. Il a réalisé une série sur le baiser.

TREMBLEY Jules ou Albert Jules
Né en 1878 à Genève. XXe siècle. Suisse.
Sculpteur de portraits.
Il fit ses études à Paris.

TREMBLIN. Voir TRAMBLIN

TREMBLIN DE l'ISLE. Voir TRAMBLIN Thomas Claude

TREMBLOT Sébastien ou Tramblot ou Tranblot
Mort avant 1764 à Paris. XVIIIe siècle. Français.
Peintre.
Il fut membre de l'Académie de Saint-Luc à Paris en 1751.

TREMEL
XIXe siècle. Français.
Miniaturiste.
Il exposa au Salon de Paris en 1833 et en 1835.

TREMEL R.
Né en 1907. Mort en 1987. XXe siècle. Français.
Peintre de paysages, décorateur.
Inspecteur régional du service des métiers et arts marocains à Marrakech, il a figuré au Salon de l'Afrique Française, à Paris en 1947.
VENTES PUBLIQUES : PARIS, 25 juin 1996 : *La Palmeraie de Marrakech,* h/t (52x66) : FRF 7 000.

TREMELAT Jean Baptiste Philippe
Né à Campy (Var). XIXe siècle. Français.
Graveur à l'eau-forte et sur bois.
Élève de F. Deschamps. Il débuta au Salon de Paris en 1870.

TRÉMERIE Carolus
Né le 31 juillet 1858 à Gand. Mort en 1945. XIXe-XXe siècles. Belge.
Peintre de scènes de genre, portraits, figures, paysages, paysages d'eau, aquarelliste, pastelliste. Impressionniste.
Il peignit beaucoup les bords de la Lys et les environs de Gand.

C. TREMERIE

C TREMERIE

MUSÉES : ANVERS : *Paix du soir* – GAND : *Le Béguinage de Gand* – *Déclin du jour* – LIÈGE : *Au bord de la Lys* – *L'entrée du salut au petit béguinage de Gand* – NAMUR.

VENTES PUBLIQUES : ANVERS, 23 oct. 1973 : *Sous-bois* : BEF 55 000 – ANVERS, 19 oct. 1976 : *Béguinage à Gand,* h/t (110x125) : BEF 55 000 – AMSTERDAM, 25 avr. 1990 : *Lever de lune,* h/t (38x56) : NLG 4 025 – LOKEREN, 23 mai 1992 : *Béguinage sous la neige,* h/t (130x120) : BEF 130 000 – CALAIS, 13 déc. 1992 : *Portrait de femme* 1884, h/t (50x43) : FRF 6 000 – LOKEREN, 9 oct. 1993 : *Une vieille rue de Gand,* past./t. (80x100) : BEF 85 000 – LOKEREN, 28 mai 1994 : *Travaux des champs* 1888, h/t (61x50) : BEF 38 000.

TREMIER Nicolas
XVIIe siècle. Français.
Peintre.
Il travailla à Paris et à La Haye. Peut-être identique au peintre Trémier qui résidait à Genève en 1685.

TREMISOT Léon
Né à Paris. XIXe siècle. Travaillant de 1846 à 1853. Français.
Peintre de paysages, marines.
Élève de Gudui. Il débuta au Salon de Paris en 1846.
MUSÉES : BREST : *Saint-Malo, vue de Dinard.*

TREML Christoph. Voir DREML

TREML Johann Friedrich
Né le 8 janvier 1816 à Vienne. Mort le 13 juin 1852 à Vienne. XIXe siècle. Autrichien.
Peintre d'histoire, de batailles, de genre et aquarelliste.
Élève de l'Académie de Vienne et de P. Fendi. En 1848, membre de l'Académie de Vienne. Il exposa à Vienne en 1888.
MUSÉES : MUNICH : *Fuyard rêvant à la bataille d'Aspern* – VIENNE (Gal. Nat.) : *Souvenir de la bataille d'Aspern – Au cimetière* – Aquarelle – *Pèlerins – La fille du graveur Axmann – Vue du Danube* – VIENNE (Mus. Liechtenstein) : *La bénédiction des cloches – Dragons jouant aux cartes* – VIENNE (Mus. mun.) : *Les recruteurs.*
VENTES PUBLIQUES : VIENNE, 22 et 25 mai 1962 : *La relève :* ATS 90 000 – VIENNE, 4 déc. 1973 : *Le déserteur arrêté :* ATS 75 000 – MUNICH, 23 nov. 1978 : *Noce champêtre* 1843, aquar. et gche (25,5x33) : DEM 7 000 – VIENNE, 17 nov. 1983 : *Verteidigung einer Bauernfamilie beim feindlichen Uberfall eines Dorfes* 1839, aquar. (16,5x20) : ATS 55 000 – VIENNE, 20 juin 1985 : *Portail d'église,* aquar. et cr. (15x22) : ATS 28 000.

TREMLETT David
Né en 1945 à Saint Austell (Cornouailles). XXe siècle. Britannique.
Sculpteur, peintre, pastelliste, peintre de compositions murales, dessinateur, auteur d'installations, multimédia. Conceptuel.
Il a étudié au Royal College of Art de Londres entre 1966 et 1969 et enseigne au Leicester College of Art depuis 1969. Il vit et travaille à Bovingdon (Herts).
Il montre ses œuvres dans des expositions personnelles depuis 1969 : 1972 Tate Gallery de Londres ; 1973 Museum of Modern Art de New York ; 1974 Museum of Modern Art d'Oxford ; depuis 1976 régulièrement à la galerie Durant-Dessert à Paris ; 1976, 1986 Institute of Contemporary Arts de Londres ; 1979 Stedeljik Museum d'Amsterdam ; 1985 musée national d'Art moderne de Paris ; 1987 musée de Rochechouart ; 1989 Serpentine Gallery de Londres ; 1990 palais des Beaux-Arts de Bruxelles, musée de Saint-Priest ; 1991 Abbaye de Saint-Savin ; 1994 palais Jacques Cœur de Bourges ; 1995 Carré d'art, musée d'Art contemporain de Nîmes ; 1997, La Chaufferie, galerie de l'école des arts décoratifs.
Par l'utilisation qu'il fait de la photographie, de bandes-sons, dessins (aux crayons contés et au pastel), mots et textes, par l'attention qu'il porte à des paysages neutres, l'activité de Tremlett est proche de ce qu'on a nommé à la fin des années soixante l'art conceptuel. Il s'en sépare pourtant en ce qu'il n'est ni une réflexion sur l'art lui-même ou sur le langage artistique, ni sur les rapports entretenus entre la réalité et sa perception. En fait l'attitude de Tremlett est beaucoup plus directement romantique. Plus qu'une réflexion sur quelque chose, c'est une contemplation soutenue de lieux les plus communs et les plus méconnus. Son attention étant toujours fondée sur la série, à la dénomination « conceptuelle », Tremlett préfère celle de « sérielle ». Tremlett fixe au cours de ses voyages une attention minutieuse sur ce qui semble le plus dévalué et dans une deuxième temps restitue l'expérience vécue et son souvenir dans des œuvres au langage épuré. Il travaille sur le mur, avec des compositions éphémères pour les galeries et musées, parfois dans des ruines abandon-

nées, inscrivant au pastel, des formes abstraites, d'une grande simplicité, structures géométriques, motifs architecturaux, monochromes, en accord avec le lieu investi. Il a réalisé de nombreuses vidéos et livres d'artistes notamment en 1985 : *Rough Ride*. *Travaux réalisés en Afrique, Australie, à Mexico.*

BIBLIOGR. : Catalogue de l'exposition : *David Tremlett – Dates different*, Musée Château de Rochechouart, 1987 – Catalogue de l'exposition : *David Tremlett – Selected Walls*, Musée de Saint-Priest, Lyon, 1990 – Catalogue de l'exposition : *David Tremlett – Written Form*, Palais des Beaux-Arts, Bruxelles, 1990 – Catalogue de l'exposition : *David Tremlett*, Kestner Gesellschaft, Hanovre, 1992 – Catalogue de l'exposition : *David Tremlett*, Padiglione d'Arte Contemporanea, Milan, 1993 – Éric Suchère : *Sur les traces de David Tremlett*, Beaux-Arts, n° 132, Paris, mars 1995.

MUSÉES : AMIENS (FRAC Picardie) : *Spearhead/Mozambique-Dancing girl-Boldering-on a wall 1982* – PARIS (BN) : *Rough Ride* 1985.

VENTES PUBLIQUES : LONDRES, 10 nov. 1989 : *Grand chihuahua 1983*, cr. (241,3x217,2) : **GBP 1 980** – LONDRES, 8 mars 1991 : *Grosse morsure, Gros combat 1979*, cr. de coul. en (73,5x126) : **GBP 990** – NEW YORK, 3 mai 1994 : *Jeune Africaine 1981*, cr. de coul./pap. sur 4 pan. (en tout 243,8x80) : **USD 2 300** – PARIS, 3 fév. 1996 : *Mexico depuis un perron*, past. et fus. (52x80) : **FRF 9 000**.

TREMMEL Friedrich
Né en 1817 à Vienne. XIXe siècle. Autrichien.
Peintre.
Élève de l'Académie de Prague et de Jos. Bergler. Il fut peintre de théâtre à Vienne.

TRÉMOIS Pierre Yves
Né le 8 janvier 1921 à Paris. XXe siècle. Français.
Peintre de figures, animaux, dessinateur, graveur, illustrateur, sculpteur, médailleur.
Il fut élève de l'école des Beaux-Arts de Paris, en 1941 et obtient le Grand Prix de Rome de peinture, en 1943.
Il montre ses œuvres dans des expositions personnelles, régulièrement à Paris, depuis 1972, notamment en 1973 à la galerie Maurice Garnier, en 1993 à l'Espace Pierre Cardin ; ainsi que : 1976 château de Vascœil (Eure).
Il se consacre au burin et à l'eau-forte dès 1944, réalisant plus de mille gravures. Bibliophiles, amateurs et éditeurs apprécient aussitôt son talent mis au service d'écrivains modernes ou anciens. À partir de 1946, il illustre de nombreux ouvrages dont plusieurs sont d'incontestables chefs-d'œuvre. Citons notamment : *la Grande Meute* de Paul Vialar, *L'Après-midi d'un faune* de Mallarmé, *Daphnis et Chloé* de Longus, *L'Annonce faite à Marie* de Paul Claudel, *Adonis* de La Fontaine, *Pasiphaé*, *Le Cardinal d'Espagne*, *La Guerre civile* de Montherlant, *L'Art d'aimer* d'Ovide, *Parallèlement* de Verlaine, *Naissance de l'Odyssée* de Jean Giono, *Bestiaire d'amour*, *Les Limites de l'Humain* de Jean Rostand, *Mythologie* de Michel Tournier, etc. En 1961, il participe à l'édition monumentale de l'*Apocalypse* avec quatre peintures sur parchemin (ouvrage unique illustré également par Dali, Bernard Buffet, Leonor Fini, Zadkine, Foujita et Mathieu). Son dessin, d'une grande pureté et d'une sûreté de trait impeccable, se retrouve dans ses peintures, détrempes, monotypes, fusains, gravures (sur papier, parchemin ou aluminium). En 1969 il réalise une médaille pour la S.N.C.F., en 1972 il grave des coupes en or, en argent et en vermeil, se révélant autant artiste qu'artisan. Attiré par le corps humain, les visages, le monde animal (singes, insectes, escargots et crapauds) et l'univers scientifique contemporain, Trémois propose, à partir de ces thèmes, des variations et des méditations sur les étreintes amoureuses, l'homme confronté avec son double inférieur (?) : le singe, ou les relations retrouvées macrocosme-microcosme à l'ère d'Einstein, de Teilhard de Chardin et de Jacques Monod.
■ Pierre-André Touttain
BIBLIOGR. : Jean Rostand, Henry de Montherlant, Louis Pauwels : *Trémois, gravures, monotypes*, Paris, Jacques Frapier, 1971.
MUSÉES : PARIS (BN) : *Envol VIII* 1978.
VENTES PUBLIQUES : PARIS, 11 juin 1979 : *Poème baudelairien 1971*, pl. et lav. (74,5x55) : **FRF 4 900** – VERSAILLES, 23 juin 1981 : *Mirabel et la Licorne*, encre de Chine (35x27) : **FRF 4 100** – BRUXELLES, 17 mars 1987 : *Penseur sur fond de formules géométriques*, gche/fond noir (62x40) : **BEF 140 000** – PARIS, 21 mars 1988 : *Pêcheurs*, tapis (150x198) : **FRF 1 500** – LOKEREN, 20 mars 1993 : *Œuf Genèse II*, bronze (H. 25, l. 20) : **BEF 140 000**.

TREMOLIÈRE Pierre Charles ou Tremollière
Né en 1703 à Cholet. Mort le 11 mai 1739 à Paris. XVIIIe siècle. Français.
Peintre d'histoire, compositions religieuses, sujets mythologiques, sujets allégoriques, scènes de genre, paysages, décorateur, dessinateur, graveur à l'eau-forte.
Cet artiste qui, s'il avait vécu, se serait certainement placé parmi les meilleurs décorateurs du XVIIIe siècle, était fils d'un gentilhomme angevin qui mourut jeune et dont la femme ne tarda pas à se remarier. Il fut envoyé à Paris chez un parent et entra dans l'atelier de Van Loo. Il y fit de rapides progrès, consacrés par une troisième médaille en octobre 1723, une deuxième médaille en avril 1724, une première médaille en juillet 1725, le second grand prix pour la pension de Rome en 1726. Grâce à la protection du comte de Caylus, il obtint quand même la pension et partit pour Rome au mois de mars 1728, en même temps que cinq autres pensionnés, Bernard, Subleyras, Blanchet, peintres ; Michel René Slodtz, sculpteur et Étienne Le Bon, architecte.
Trémolière réussit fort bien à Rome. C'était un aimable caractère, un travailleur acharné... et un excellent comédien. Les élèves de l'Académie ayant représenté plusieurs comédies de Molière, le succès fut pour ce peintre. Il obtint du pape, grâce peut-être au Cardinal de Polignac, qui paraît l'avoir protégé, la copie de la *Chute de Simon le pharisien*, par Francesco Vanni, afin que cette œuvre pût être reproduite en mosaïque. Il fit aussi à Rome plusieurs tableaux de chevalet, un grand nombre de dessins d'après les maîtres, et un nombre considérable de paysages car, assure-t-on, il aimait beaucoup à dessiner dans la campagne. Après avoir passé six ans à Rome, il épousa, quelques jours avant son départ, la belle-sœur de Subleyras, Isabella Tibaldi, fille du musicien Tibaldi, comme sa sœur Marie, miniaturiste. Le jeune ménage s'arrêta à Lyon ; Trémolière y peignit une *Ascension* et une *Assomption* pour les Chartreux, une *Adoration des rois*, *La Présentation au temple*, *L'Adoration des bergers*, pour les Carmes Déchaussés, une *Assomption* pour les Pénitents Blancs. Il était de retour à Paris en 1734. Il fut agréé par l'Académie le 24 mars 1736, académicien le 25 mars 1737, avec le *Naufrage d'Ulysse*, et adjoint à professeur le 6 juillet 1737. Il exposa au Salon en 1737, 1738, 1740 (Exposition posthume).
Trémolière participa à la décoration de l'Hôtel de Soubise. Il y peignit *L'Éducation de l'Amour*, *Hercule et Omphale*, *Minerve, montrant à travailler à une jeune fille*, *La sincérité accompagnée de trois génies*, ainsi qu'un paysage et deux tableaux de caprice. Ses dessins religieux ont beaucoup d'analogie avec ceux de Subleyras ; ses fantaisies sont d'une facture plus libre et font penser, parfois, aux délicieux croquis de Jacques Lajoue. Trémolière a gravé quelques eaux-fortes d'une pointe alerte et spirituelle. On lui doit une suite d'études d'après Watteau. Il avait préparé et commencé d'après ses dessins, une autre série : *Les sept œuvres de Merci* ; la mort ne lui permit que d'en exécuter deux.
■ E. Bénézit

PCh trémolière

MUSÉES : BUDAPEST : *Vénus et Cupidon* – CHOLET : *Alphée et Aréthuse* – *L'Age d'or* – DIJON : *Réunion de musiciens* – MAYENCE : *Allégorie sur le traité entre la France et l'Angleterre* – MONTPELLIER : *Ulysse naufragé aborde dans l'île de Calypso* – NIORT : *L'âge d'or* – PARIS (Mus. des Arts Décoratifs) : *Ulysse aborde dans l'île des Phéaciens* – QUIMPER : *Portrait d'un homme inconnu* – SAINT-PÉTERSBOURG (Mus. de l'Ermitage) : *L'actrice Dangeville*.
VENTES PUBLIQUES : PARIS, 1774 : *Baigneuses* : **FRF 1 231** – PARIS, 1776 : *Tête de femme* ; *Tête de jeune homme*, deux dessins aux trois couleurs : **FRF 321** – PARIS, 1778 : *L'éducation de l'Amour* : **FRF 1 799** – PARIS, 1886 : *Sujet allégorique* : **FRF 2 810** – PARIS, 15-16-17 fév. 1897 : *Groupe de trois amours*, croquis au crayon noir, lavé de bistre et relevé de blanc : **FRF 400** ; *Enfant endormi*, croquis au crayon noir lavé de bistre et relevé de blanc : **FRF 360** – PARIS, 17 juin 1910 : *Vénus et l'Amour* : **FRF 6 600** – PARIS, 10 nov. 1910 : *La Musique* ; *La Poésie* : **FRF 1 800** – PARIS, 7 déc. 1918 : *Vénus et l'Amour* : **FRF 7 100** – PARIS, 6 juin 1928 : *Bacchante et Bacchants* : **FRF 19 500** – PARIS, 31 mars 1943 : *Amours jouant dans les nuages*, pl. et lav. de carmin : **FRF 1 050** – PARIS, 31 jan. 1955 : *L'offrande à Bacchus* : **FRF 42 000** – LONDRES, 12 juil. 1978 : *La Musique* ; *La Poésie*, deux h/t (113x136) : **GBP 7 000** – NEW YORK, 9 jan. 1981 : *Galatée*, h/t mar./cart. (118x145) : **USD 8 000** – MONTE-CARLO, 8 déc. 1984 : *L'Ascension du Christ (recto)*, pierre noire reh. de blanc ; *Tête de vieillard (verso)*, pierre noire reh. de blanc et de sanguine (79x44) : **FRF 26 000** – PARIS,

1er juil. 1988 : *L'automne*, h/t (37,5x80) : **FRF 14 000** – Monaco, 21 juin 1991 : *Alphée et Aréthune 1731*, h/t (63,5x80,5) : **FRF 61 050** – Monaco, 2 juil. 1993 : *Deux anges soutenant une couronne d'étoiles au-dessus d'un cartouche entouré de têtes de Séraphins*, craie rouge/pap. (32,3x43,5) : **FRF 13 320.**

TREMONT Auguste
Né le 31 décembre 1893 à Luxembourg. Mort en 1980 à Luxembourg. xxe siècle. Depuis 1919 actif en France. Luxembourgeois.
Sculpteur d'animaux, peintre.
Il fut élève de l'école des artisans à Luxembourg, puis des écoles des arts décoratifs et des Beaux-Arts de Paris, où il eut pour professeur Eugène Morand. En 1919, il s'installe définitivement à Paris, où il vit et travaille. En 1927, il fut cofondateur du premier Salon de la Sécession à Luxembourg.
Il exposa à Paris aux Salons de la Nationale des Beaux-Arts, des Artistes Français, d'Automne et des Tuileries.
Sculpteur animalier, il a réalisé quelques peintures, également d'animaux.
Bibliogr. : In : Catalogue de l'exposition *150 ans d'art luxembourgeois*, Mus. Nat. d'Hist. et d'Art, Luxembourg, 1989.
Musées : Luxembourg.
Ventes Publiques : Enghien-les-Bains, 10 oct. 1982 : *Panthère se léchant*, bronze patine nuancée (H. 33) : **FRF 22 000** – Bruxelles, 12 déc. 1984 : *Gorille*, bronze, cire perdue (L. 26) : **BEF 170 000** – Paris, 11 oct. 1988 : *Le tigre*, dess. (65x50) : **FRF 16 000** – Paris, 13 déc. 1989 : *Lionne couchée*, bronze patine brun-noire (27x11) : **FRF 80 000** – Paris, 23 juin 1993 : *Lionne couchée*, bronze cire perdue (H. 10, L. 27) : **FRF 55 000** – Paris, 8 déc. 1995 : *Panthère*, bronze cire perdue (17,5x41,5x18) : **FRF 17 000.**

TREMP Jakob
xviie siècle. Actif à Thun de 1681 à 1686. Suisse.
Peintre verrier.

TREMULLAS Lazare, orthographe erronée. Voir TRAMULLES Lazaro

TREN J. F.
xviiie siècle. Français.
Portraitiste.
Le Musée des Arts Décoratifs de Strasbourg possède de lui *Portrait d'une Strasbourgeoise*.

TRENCH Henry
Né à la fin du xviie siècle en Irlande. Mort en 1726 à Londres. xviie-xviiie siècles. Britannique.
Peintre.
Il étudia à l'Académie de Saint-Luc à Rome et vint s'établir à Londres en 1825. Le Musée Britannique de Londres conserve de lui *Deux hommes barbus en costume antique* (dessin).

TRENCH Marianne L.
Née le 23 septembre 1888 à Guilford. xxe siècle. Britannique.
Peintre de paysages.
Elle fut élève de Bertram Nicholls. Elle participa aux expositions de la Royal Academy de Londres de 1923 à 1938.
Peintre de paysages, elle a réalisé de nombreuses vues de Londres, de Florence et Venise.
Musées : Leeds (Mus. mun.) : *Platanes à Avignon.*

TRENCHARD Edward
Né le 17 août 1850 à Philadelphie. Mort en 1922 à West Islip. xixe-xxe siècles. Américain.
Peintre de marines.
Il fut élève de P. Moran et de l'Académie de New York.

TRENCHARD Edward ou E. C.
Né à Salem. Mort en 1824 à Brooklyn. xixe siècle. Américain.
Graveur au burin.
Élève de son oncle James Trenchard.

TRENCHARD James
Né à Penns Neck. xviiie siècle. Actif dans la seconde moitié du xviiie siècle. Américain.
Graveur au burin et médailleur.
Élève de Smither à Philadelphie où il travailla de 1777 à 1793. Il grava des portraits et des vues de Philadelphie.

TRENCHON Nicolas
xve-xvie siècles. Français.
Sculpteur.
Il sculpta deux lions pour l'escalier du beffroi de Béthune en 1509.

TRENERRY Horace
Né en 1889 en Australie du Sud. Mort en 1958. xxe siècle. Australien.
Peintre de paysages.
Il fit ses études à l'École des Arts et Métiers et à l'École des Beaux-Arts d'Adélaïde. Puis il passa quelque temps à l'École Julian Ashton de Sydney. Durant les dernières années de sa vie il souffrit d'un mal incurable qui le mit dans l'incapacité de peindre.
Bibliogr. : In : *Creating Australia – 200 years of art 1788-1988*, Adelaïde, 1988.
Ventes Publiques : Sydney, 29 oct. 1987 : *Aldinga landscape*, h/cart. entoilé (35x40) : **AUD 18 000.**

TRENET Didier
Né en 1965 à Beaune (Côte d'Or). xxe siècle. Français.
Auteur d'installations, dessinateur.
Il vit et travaille à Beaune.
Il participe à des expositions collectives : 1992 musée Greuze de Tournus ; 1993 *Migrateurs* au musée d'Art moderne de la ville de Paris ; 1995 Centre d'art contemporain de Bruxelles. Il montre ses œuvres dans des expositions personnelles depuis 1991 : 1992 galerie de l'école des beaux-arts de Nîmes ; 1993 Kunstraum Elbschloss de Hambourg ; 1994 Maison Billaud à Fontenay-le-Comte ; 1995 musée Bonnat de Bayonne, musée des Beaux-Arts André Malraux du Havre, Centre d'art contemporain de Bruxelles ; 1996 Espace Jules Verne de Brétigny-sur-Orge ; 1997, Musée national d'art moderne-Centre de Création Industrielle, Paris.
Sur des cahiers, il calligraphie des pensées, schémas, dessins, copies d'anciens. Parallèlement, il réalise des installations inspirées de ses séjours à l'étranger, du quotidien, le vol des mouches, la bouteille de Kronenbourg, de la musique (*Petite Fugue pour forgeron*).
Bibliogr. : Pierre Leguillon : *Didier Trenet, faute de retenue*, Art Press, n° 192, Paris, juin 1994 – Catalogue de l'exposition : *Didier Trenet, Frederic Meynier, Ghislaine Portalis*, Centre d'art contemporain, Bruxelles, 1995.
Musées : Marseille (FRAC Alpes-Côtes d'Azur) : *Jeunes Travestis en automne 1994.*

TRENHOLM George Francis
Né le 23 octobre 1886 à Cambridge (Massachusetts). xxe siècle. Américain.
Graveur.
Élève de Charles E. Heil, Hugo Jahn et de Vojtech Preissig, il vécut et travailla à Boston.

TRENK Franz
Né le 29 janvier 1899 à Graz. Mort en 1960. xxe siècle. Autrichien.
Peintre de paysages.
Il fut élève de Karl Sterrer et de l'académie des beaux-arts de Vienne. Il peignit des paysages des Alpes.

F. Trenk

Musées : Graz (Mus mun.) : *Le Refuge de Carlsbad dans les Dolomites de Lienz.*

TRENK Henri ou Heinrich
Né en 1818 à Zug. Mort le 5 juillet 1892 à Bucarest. xixe siècle. Suisse.
Aquarelliste.
Élève de l'Académie de Düsseldorf. Il travailla en Roumanie. Le Musée Simu, à Bucarest, conserve de lui *Le monastère de Namaesti*, et le Musée Bruckenthal de Hermannstadt (Sibiu, Roumanie), *Vue de l'église protestante de Hermannstadt* et *Portrait de Stephan Ludwig Roth*.

TRENKWALD Josef Mathias von
Né le 13 mars 1824 à Prague. Mort le 28 juillet 1897 à Perchtoldsdorf. xixe siècle. Autrichien.
Peintre d'histoire et dessinateur.
Élève des Académies de Prague et de Vienne, et de Ruben, il alla à Rome, fut directeur de l'Académie de Prague et professeur à celle de Vienne. On lui doit quelques fresques. Titulaire de nombreuses décorations.
Musées : Prague (Gal. Nat.) : *Paysage* – Trieste : *Légende de saint Pascal*, aquar. – Vienne : *Le duc Léopold le glorieux entrant à Vienne après son retour de croisade en 1219* – *Romaine, tête d'étude* – *Pan et Psyché*, pastel – *Idylle, d'après les poésies de Heine*, aquar.

TRENKWALDER Dominikus
Né le 22 avril 1841 à Angedair-Landeck. Mort le 8 juillet 1897 à Innsbruck. xixe siècle. Autrichien.

Sculpteur.
Il fit ses études à Innsbruck, à Munich et à Vienne. Il sculpta des autels, des statues, des chemins de croix et des tombeaux pour des églises du Tyrol.

TRENKWALDER Elmar
Né en 1959 à Weissenbach-am-Lech. XXe siècle. Autrichien.
Peintre d'architectures, paysages, sculpteur.
Il fut élève de l'académie des beaux-arts de Vienne. Il vit et travaille à Cologne.
Il participe à des expositions collectives : 1986 Pecsi Galeria de Pecs, FRAC des pays de Loire à l'abbaye de Fontrevaud ; 1987 Neuer Aachener Kunstverein d'Aix-la-Chapelle ; 1989 Foire de Francfort, Museum des 21. Jahrhunderts de Vienne. Il montre ses œuvres dans des expositions personnelles : 1985, 1989 galerie Krinzinger à Innsbruck ; 1987 Cologne ; 1989 galerie Krinzinger à Vienne ; 1991 galerie Jean François Dumont à Bordeaux.
Dans ses peintures, souvent des diptyques à l'encre, il associe à un décor naturel, foisonnant d'arbres et de feuillages, des colonnades moulurées, dont les perspectives évoquent l'infini. Parallèlement, il réalise des sculptures, êtres hybrides, éléments d'architecture, qui mêlent comme les peintures le végétal et le minéral.
Bibliogr. : Didier Arnaudet : *Elmar Trenkwalder*, Art Press, n° 160, Paris, juil.-août 1991.
Musées : Angoulême (FRAC Poitou-Charente) : *Sans titre* 1989, sculpt.

TRENKWALDER Josef
Né en 1845 à Angedair-Landeck. Mort le 30 décembre 1897 à Muhlau, près d'Innsbruck. XIXe siècle. Autrichien.
Sculpteur sur bois et sculpteur d'autels.
Il sculpta des autels pour des couvents d'Innsbruck et de Salzbourg.

TRENKWALDER Mathias
Mort en 1888. XIXe siècle. Autrichien.
Sculpteur sur bois.
Frère et assistant de Josef Trenkwalder.

TRENN Eduard
Né le 13 avril 1839 à Sachsenhausen. Mort le 1er octobre 1865 en Afrique orientale. XIXe siècle. Allemand.
Paysagiste et peintre de marines.
Élève d'Eschke et de l'Académie de Berlin. Il fit partie, en 1866, d'une expédition dans le centre de l'Afrique et fut tué au cours d'une rencontre avec les indigènes.

TRENSAERT Jean Pierre
Né le 27 janvier 1806 à Gand. Mort le 27 décembre 1836 à Gand. XIXe siècle. Belge.
Peintre de genre et portraitiste.
Élève de J. de Cauwer et de J.-B. L. Maes.

TRENSAERT Judocus ou Transaert
XVIIIe siècle. Actif à Gand de 1725 à 1746. Éc. flamande.
Peintre.

TRENT S.
XVIIIe siècle. Travaillant en 1783. Britannique.
Paysagiste.

TRENTA Banduccio
XVIe siècle. Italien.
Peintre.
Il a peint une *Assomption* dans l'église du Saint-Sauveur de Lucques.

TRENTACOSTE Domenico
Né le 20 septembre 1859 à Palerme. Mort le 18 mars 1933 à Florence. XIXe-XXe siècles. Italien.
Sculpteur de compositions religieuses, scènes de genre, portraits, nus, médailleur, peintre.
Il fit ses études à Palerme, où il eut pour professeur Domenico Costantino, à Florence puis à Paris. Il exposa à Venise en 1895. Réaliste, il travaille le marbre, le bronze ou la cire. D'abord marqué par le Quattrocento, il évolue avec des œuvres plus libres à Paris sous l'influence de Rodin.
Musées : Florence (Palais Pitti) : *Christ mort*, marbre – Padoue (Mus. mun.) : *Faunette* – Palerme (Mus. d'Art Mod.) : *Recueillement* – Paris (Mus. du Louvre) : *Le Semeur* – Rome (Gal. Nat.) : *Enfant avec cruche* – *La Dormeuse* – *Caïn* – Trieste (Mus. Revoltella) : *La Déshéritée* – Turin (Mus. des Beaux-Arts) : *Ave* – Venise (Gal. Mod.) : *Niobé* – *Le ramasseur de mégots*.

TRENTAN-HAVLICEK Jan
Né le 24 mars 1856 à Brunn. XIXe siècle. Autrichien.
Paysagiste.
Il travailla à Vienne. Il peignit des paysages et des vues de la grotte d'Adelsberg.

TRENTANOVE A. T.
XIXe siècle. Travaillant à Londres de 1860 à 1868. Italien.
Sculpteur de portraits.
Père de Michele Trentanove.

TRENTANOVE Antonio
Né à Rimini. Mort en 1812 à Carrare. XIXe siècle. Italien.
Sculpteur et stucateur.
Père de Raimondo Trentanove. Il exécuta des stucatures pour des églises de Rimini. Il se fixa à Faenza où il sculpta pour l'Hôtel de Ville et pour des palais.

TRENTANOVE Gaetano
Né le 21 février 1858 à Florence. Mort le 13 mars 1937. XIXe-XXe siècles. Actif aux États-Unis. Italien.
Sculpteur de statues, monuments.
Il fut élève de l'académie des beaux-arts de Florence. Il se fixa aux États-Unis. Il sculpta des statues colossales et des monuments aux morts.
Musées : Milwaukee (Gal.) : *Le dernier Spartiate*.

TRENTANOVE Michele
Mort en février 1925 à Rome. XXe siècle. Italien.
Sculpteur de statues.
Il collabora à la statue équestre de *Victor Emmanuel* à Rome et sculpta la statue du *Président Mac Kinley* en 1907.

TRENTANOVE Raimondo
Né le 24 janvier 1792 à Faenza. Mort le 5 juin 1832 à Rome. XIXe siècle. Italien.
Sculpteur.
Fils d'Antonio Trentanove et élève de l'Académie de Carrare, puis de Canova à Rome. Il sculpta des statues, des tombeaux et des bas-reliefs. Le Musée Municipal d'Ajaccio possède de lui les demi-bustes de *Laetitia* et de *Charlotte Bonaparte*, et le Musée des Offices de Florence, un dessin.

TRENTÉ François
Né en 1764 à Strasbourg. XVIIIe siècle. Français.
Peintre.
Élève de l'Académie de Paris en 1784.

TRENTESOUS Guillaume
XVe siècle. Actif à Carpentras. Français.
Peintre.
Il fut élève d'Albéric Dulbetti en 1448.

TRENTI Gerolamo
Né en 1828 à Pomponesco. Mort le 4 mai 1898 à Pomponesco. XIXe siècle. Italien.
Paysagiste.
Le Musée de Ligornetto et la Galerie Moderne de Milan conservent chacun une peinture de cet artiste.
Ventes Publiques : Milan, 2 avr. 1985 : *Idylle au bord de la rivière*, h/t (60x98) : **ITL 4 500 000**.

TRENTIN Angelo
Né le 2 septembre 1850 à Udine. Mort le 16 février 1912 à Vienne. XIXe-XXe siècles. Autrichien.
Peintre de genre, portraits.
Il fut élève de l'académie des beaux-arts de Vienne, puis de Ludwig Loefftz et d'Otto Seitz à Munich. Il peignit un *Portrait de l'Empereur François-Joseph*.

A Trentin

Ventes Publiques : Londres, 27 nov. 1985 : *La jeune porteuse d'eau* 1894, h/pan. (39x26,5) : **GBP 2 000**.

TRENTINAGLIA Josef de, baron
Né en 1849 à Innsbruck. XIXe siècle. Autrichien.
Paysagiste amateur, illustrateur et écrivain.

TRENTINI Francesco
Né le 15 février 1876 à Lasino. XXe siècle. Italien.
Sculpteur d'animaux.
Il fut élève d'Edmund von Hellmer à Vienne. Il sculpta surtout des animaux.

TRENTINI Guido
Né le 9 octobre 1889 à Vérone. XXe siècle. Italien.

Peintre de portraits, nus, paysages.

Il fut élève d'Alfredo Savini. D'abord vériste, puis néo-classique. **Musées :** Athènes (Gal. Mod.) : *Nu* – Bruxelles : *La Lecture* – Rome (Gal. Mod.) : *Maternité* – Vérone (Gal. Mod.) : *Jeune fille.* **Ventes publiques :** Milan, 24 oct. 1990 : *Portrait de femme*, h/t (109x73,5) : ITL **14 500.**

TRENTO Antonio da. Voir ANTONIO da Trento, dit Antonio Fantuzzi

TRENTO di Martino
xive siècle. Actif à Venise à la fin du xive siècle. Italien.
Sculpteur.
Il collabora aux sculptures des fenêtres de l'église S. Petronio de Bologne.

TRENTOUL Mathieu
xviie siècle. Français.
Sculpteur sur bois.
Il travailla pour les églises Saint-Pierre et Saint-François d'Avignon.

TRENTSENSKY Joseph
Né en 1793. Mort le 24 janvier 1839 à Vienne. xixe siècle. Autrichien.
Lithographe.
Sans doute collaborateur et de la même famille que Matthias Trentsensky.

TRENTSENSKY Matthias
Né le 30 août 1790 à Vienne. Mort le 19 mars 1868 à Vienne. xixe siècle. Autrichien.
Lithographe et éditeur.
Il exécuta des planches en couleur destinées à la jeunesse représentant des soldats, des costumes populaires et des animaux.

TRENTWETH Jonas Ernreich ou Trentwett
Né en 1698. Mort le 25 juin 1739 à Vienne. xviiie siècle. Autrichien.
Peintre.
Il peignit des fresques dans la chapelle Sainte-Odile de Wischau.

TRÉPANIER Josette
Née en 1946 à Montréal. xxe siècle. Canadienne.
Peintre.
Elle fut élève de l'école des beaux-arts de Montréal. Elle a séjourné à Berlin.
Elle participe à des expositions collectives : 1982 *Art et Féminisme* et 1987 *Les Vingt Ans de GRAFF* au musée d'Art contemporain de Montréal ; 1983 Salon de la Jeune Peinture à Paris ; 1984 centre Georges Pompidou à Paris ; 1987 Centre d'art visuel de Genève, musée du Québec. Elle montre ses œuvres dans des expositions personnelles : depuis 1981 régulièrement à Montréal ; 1984, 1988 services culturels du Québec à Paris ; 1988 Berlin.
On cite la série *Neukölln*, composée de tableaux et lithographies, inspirée du quartier de chômeurs, d'immigrés, d'artistes, de Berlin. Elle a réalisé des livres d'artistes.

TREPEREL François
Né à Orléans. Mort en octobre ou novembre 1586 à Genève. xvie siècle. Suisse.
Portraitiste.
Il peignit des portraits et des paysages.

TREPSE Marijan
Né le 25 mars 1897 à Zagreb. xxe siècle. Yougoslave.
Peintre de figures, nus, graveur, peintre verrier.
Il fut élève des académies des beaux-arts de Zagreb, de Prague et de Paris. Peintre, il pratiqua également la lithographie, la gravure au burin et réalisa des vitraux.

TREPUCCIO
xve siècle. Travaillant à Cerrate en 1403. Italien.
Peintre.

TRERY Henry C.
xixe siècle. Travaillant de 1849 à 1854. Britannique.
Animalier.

TRESAL Marie
Née le 25 août 1625 à Genève. xviie siècle. Suisse.
Dessinatrice de paysages.
Fille de Pierre Tresal.

TRESAL Pierre ou Thresaur ou Tresard
Né vers 1594 à Heidelberg. Mort le 27 février 1666 à Genève. xviie siècle. Suisse.

Peintre.
Il était également alchimiste. Il travailla pour l'Hôtel de Ville de Genève. On cite de lui une *Nature morte.*

TRESCA Adelaide
Née le 16 décembre 1846 à Naples. Morte après 1904. xixe siècle. Italienne.
Miniaturiste.
Elle exposa de 1862 à 1904 des miniatures peintes sur ivoire.

TRESCA Giuseppe
Mort en 1816 à Palerme. xixe siècle. Italien.
Peintre de portraits, miniaturiste et graveur au burin.
Il a peint *Saint Crépin et saint Crispinien* pour l'église Saint-Léonard de Palerme.

TRESCA Giuseppe
Né en 1810. Mort le 11 juillet 1837 à Palerme. xixe siècle. Italien.
Peintre.
Il a peint *sainte Françoise Romaine et saint Georges* dans l'église Saint-Georges de Palerme.

TRESCA Salvadore
Né en 1750 (?) à Palerme (?). Mort en 1815 à Paris. xviiie-xixe siècles. Italien.
Graveur au burin.
Cet artiste a gravé quelques pièces d'après les maîtres anciens : *Danaé*, d'après Alexandre Véronèse, *l'Aurore*, d'après Guido Reni, mais c'est surtout comme traducteur de Lawrence, de Laffite et surtout de Boilly que ses estampes sont recherchées. Il convient de citer : *Les apprêts du Ballet*, d'après Lawrence, dont les épreuves d'état, en couleurs sont rares, et, d'après Boilly, *La Douce résistance, Le cadeau délicat, L'Embrassement, L'Évanouissement, Les conseils maternels, La solitude, Le Billet de loterie : On la tire aujourd'hui, La jarretière,* etc.

TRESCH Georges Albert
Né le 5 août 1881 à Delle (territoire de Belfort). Mort en 1948. xxe siècle. Français.
Peintre.
Il participa à Paris aux Salons des Indépendants, d'Automne, du Sud-Est, à Lyon, à Genoble.

A Tresch

Musées : Bagnols-sur-Cèze – Lyon.
Ventes Publiques : Paris, 2 juin 1997 : *Fruits, pichet et Nouvelles littéraires* 1945, h/t (46x55) : FRF **3 000.**

TRESCHER. Voir aussi DRESCHER

TRESCHER Johann Friedrich ou Dreschler
Né à Gross-Heppach. xviie siècle. Actif dans la seconde moitié du xviie siècle. Allemand.
Peintre.
Il travailla à Francfort-sur-le-Main. L'Institut Staedel de cette ville conserve de lui les portraits de *Heinrich Wilhelm von Kellner* et sa femme *Margarete von Kellner, née Holzhausen.*

TRESCOLL Giovanni
xve siècle. Italien.
Sculpteur et architecte.
Il assista Guillén Sagrera dans ses travaux de la salle du triomphe du château Neuf de Naples en 1451.

TRESENREUTER Johannes Ulrich
Né le 31 octobre 1710 à Etzelwang. Mort le 31 mars 1744 à Nuremberg. xviiie siècle. Allemand.
Dessinateur.
Il était philologue. Le Cabinet d'Estampes de Berlin conserve de lui un dessin à la plume *(Femme nue assise sur un tronc d'arbre).*

TRESGUERRAS Francisco Eduardo
Né le 13 octobre 1759 à Celaya. Mort le 3 août 1833 à Celaya. xviiie-xixe siècles. Mexicain.
Sculpteur, peintre et architecte.
Il exécuta les ornements plastiques et picturaux de l'église de Celaya.

TRESHAM Henry
Né en 1751 à Dublin. Mort le 17 juin 1814 à Londres. xviiie-xixe siècles. Britannique.
Peintre, graveur à la manière noire, dessinateur, poète et marchand de tableaux.
Élève de West à Dublin. Il vint à Londres en 1775 et fit d'abord de

petits portraits au crayon. Après un séjour de quatorze ans en Italie et sur le continent, il fut appelé par Boydell pour collaborer à la collection sur *Shakespeare* du célèbre éditeur. Il prit part aux expositions de la Royal Academy, dont il fut élu membre en 1799. Nommé professeur de peinture en 1807, son état de santé l'obligea à renoncer à ces fonctions. Plus tard il consacra une partie de son temps au commerce des peintures de maîtres. Il écrivit aussi des ouvrages. Le Victoria and Albert Museum conserve de lui une aquarelle (sujet allégorique) et des dessins, et la Galerie Royale de Londres, *Mort de Virginie*.

TRESIÈRES Joseph
Né au XIXᵉ siècle à Saumur (Maine-et-Loire). XIXᵉ siècle. Français.

Peintre de genre et de natures mortes.

Élève de Ch. Corbineau. Il débuta au Salon de Paris en 1866.

VENTES PUBLIQUES : PARIS, 4 avr. 1949 : *L'invitation* : **FRF 7 000.**

TRESKIN Alexandre
Né en 1898. Mort en 1955. XXᵉ siècle. Russe.

Peintre de portraits.

Il fut élève de l'Académie des Beaux-Arts de Leningrad. Il était membre de l'Union des Artistes de l'URSS.

TRESSAN Louis Élisabeth de La Vergue de, comte
Né le 5 octobre 1705 au Mans. Mort le 31 octobre 1783 à Paris. XVIIIᵉ siècle. Français.

Aquafortiste amateur, officier et écrivain.

TRESSENI Bartolomeo, le Jeune ou Trissini
Né à Verceil. Mort vers 1559. XVIᵉ siècle. Italien.

Peintre.

Fils de Giovanni Tresseni. On croit qu'il abandonna jeune la peinture pour se consacrer entièrement à son commerce de drogues.

TRESSENI Bernardino ou Trissini
Né à Verceil. XVIᵉ siècle. Italien.

Peintre.

Fils de Giovanni et probablement son élève. Il était également droguiste. On le cite en 1513 et en 1517, date à laquelle il épousa Orsina di Bartolommeo de Raemondis de Villeboits. On croit qu'il mourut peu après.

TRESSENI Giovanni ou Tresseno ou Trissini, dit Tresseni le Vieux et Tresseni di Lodi
Né probablement à Lodi. Mort entre 1505 et 1509 à Verceil. XVᵉ siècle. Italien.

Peintre.

Il appartenait à une famille de peintres de Lodi, dont on trouve trace au XVᵉ siècle. Il était fils d'un Bartolomeo, cité dans des documents datés de 1488. Giovanni devait avoir un certain âge quand il vint à Verceil. Il s'y maria et eut de sa femme quatre enfants. On sait peu de chose de ses œuvres ; on sait qu'il fit, en 1492, un contrat pour la peinture de deux chapelles dans l'église de S. Paolo, dont l'une devait être exécutée de concert avec Martino Spanzetto. Il peignit aussi une chapelle à l'église S. Giovanni, à Varorola, qu'il acheva en juillet 1503. Il peignit pour la Commune de Verceil diverses décorations à l'occasion de l'entrée de Louis XII.

TRESSENI Ludovico ou Trissini
Né vers 1483 à Verceil. Mort en avril 1565. XVIᵉ siècle. Italien.

Peintre, décorateur.

Fils et probablement élève de Giovanni Tresseni. Il paraît avoir beaucoup plus agi comme négociant que comme artiste. Il était droguiste, marchand de couleurs et professeur d'art. On le cite cependant en juillet 1540, traitant de la décoration de deux pièces. Il épousa Francesca de Gocus de Casalvone. Il fut l'ami intime de Gaudenzio Ferrari et d'Eusebio Oldoni.

TRESSENI Stefano ou Trissini
Né au XVᵉ siècle à Lodi. XVᵉ siècle. Italien.

Peintre.

Frère de Giovanni Tresseni.

TRESSNIAK Daniel. Voir TRZESCHNIAK

TRESTED Richard
Mort en 1829 ou 1830. XIXᵉ siècle. Actif à New York. Américain.

Graveur.

Il réalisa des billets de banque et des sceaux.

TRESWELL R.
XVIᵉ siècle. Actif dans la seconde moitié du XVIᵉ siècle. Britannique.

Dessinateur d'architectures et aquarelliste.

Le Musée Britannique de Londres conserve de lui *Vieilles maisons à West Cheap*.

TRETER Tomasz
Né en 1550 à Posen. Mort en 1610 à Frauenbourg. XVIᵉ-XVIIᵉ siècles. Polonais.

Peintre et graveur au burin amateur et écrivain.

Il était prêtre. Il fit ses études à Rome et y séjourna vingt-cinq ans. En 1594, il retourna en Pologne. Il fut secrétaire de deux rois polonais : Stephan Besory et Sigismond III. Son œuvre *Theatrum virtutum, Romae 1588*, se compose de cent gravures. Il fit aussi les portraits des rois polonais.

TRETHAN Therese
Née le 17 juillet 1879 à Vienne. XXᵉ siècle. Autrichienne.

Peintre, décorateur.

Elle fut élève de Kolo Moser à Vienne. Elle exposa à Saint-Pétersbourg en 1903 et à Saint-Louis en 1904.

TRETIAKOFF Nicolaï Serguévitch
Né en 1857. Mort en 1896. XIXᵉ siècle. Russe.

Peintre de paysages.

La Galerie Tretiakov, à Moscou, conserve de lui : *Le matin, à la campagne.*

TRETKO-TRICIUS Jan. Voir TRICIUS Alexandre Jan

TRETKOWSKI Krzysztof
Né en 1622. XVIIᵉ siècle. Polonais.

Peintre.

Élève d'Elias Vonck à Amsterdam en 1642.

TREU Abdias ou Trew
Né le 29 juillet 1597 à Ansbach. Mort le 12 avril 1669 à Altorf. XVIIᵉ siècle. Allemand.

Graveur au burin.

Mathématicien et astronome, il grava des vues d'Altorf et des représentations de comètes.

TREU Catharina ou Katherine ou Trey, Mme König
Née le 21 mai 1743 à Bamberg. Morte le 11 octobre 1811 à Mannheim. XVIIIᵉ-XIXᵉ siècles. Allemande.

Peintre de fleurs, de fruits et d'insectes.

Fille et élève de Marquard Treu, et de l'Académie de Düsseldorf. Elle fit preuve dès son jeune âge de dispositions artistiques exceptionnelles. Peintre de la Cour Palatine à Mannheim en 1764. Elle fut aussi professeur à Düsseldorf.

MUSÉES : AUGSBOURG : *Fruits* – BAMBERG : *Cinq natures mortes* – *Sainte Famille avec sainte Élisabeth* – *Sainte Famille* – DARMSTADT : *Fruits* – DÜSSELDORF : *Fruits* – *Nature morte avec cygne mort* – KARLSRUHE : *Nature morte* – *Nature morte avec écureuil* – MANNHEIM : *Fruits* – MAYENCE : *Nature morte* – SPIRE : *Fruits* – STUTTGART : *Fruits* – WÜRZBURG : *Fruits*.

VENTES PUBLIQUES : PARIS, 26 fév. 1942 : *La coupe de pêches* ; *La corbeille de fruits*, deux toiles : FRF 15 500 – ROME, 7 mai 1974 : *Nature morte aux fruits* : ITL 4 000 000 – LONDRES, 12 juil. 1985 : *Nature morte à l'aiguière et fruits*, h/cuivre (71x56,5) : **GBP 4 200.**

TREU Christoph ou Johann Joseph Christoph ou Trey
Né le 15 octobre 1739 à Bamberg. Mort le 2 octobre 1799 à Bamberg. XVIIIᵉ siècle. Allemand.

Peintre de paysages et de marines.

Fils et élève de Marquard Treu. Il fut directeur de la Galerie de Pommersfelden. Le Musée de Bamberg conserve de lui *La Tour des rats, près de Bingen, Port avec une ville au lointain, Paysage des bords du Rhin* et *Fleuve avec une ville au lointain*, et la Galerie Harrach, à Vienne, *Tempête en mer*.

VENTES PUBLIQUES : PARIS, 14-16 fév. 1929 : *La vie au bord d'un fleuve* : **FRF 2 480.**

TREU Friedrich
XIXᵉ siècle. Travaillant à Vienne et à Schemnitz, dans la première moitié du XIXᵉ siècle. Autrichien.

Peintre de genre et paysagiste.

Il peignit les tableaux pour le réfectoire du monastère de Zalaapati.

TREU Maria Anna ou Trey
Née le 26 juillet 1736 à Bamberg. Morte en 1786 à Bamberg. XVIIIᵉ siècle. Allemande.

Peintre de miniatures et de scènes de chasse.

Fille de Marquard Treu.

TREU Marquard ou Joseph Marquard, dit Jol Nathan
Né le 25 décembre 1713 à Bamberg. Mort le 8 juin 1796 à Bamberg. XVIIIᵉ siècle. Allemand.

Peintre.

Père de Catharina, de Christoph, de Maria Anna, de Nicolaus et de Rosalie Treu, qui épousera le peintre Joseph Dorn. Il fit ses études à Prague. Juif, il se convertit au catholicisme. Il peignit des tableaux d'autel et des portraits d'évêques de Bamberg.

Ventes Publiques : Londres, 1er nov. 1996 : *Oiseaux morts, couteau et lettre suspendus à un mur*, h/t, trompe-l'œil (89,3x72,4) : **GBP 32 400.**

TREU Martin
xvie siècle. Travaillant vers 1540 ou 1543. Allemand.

Graveur au burin.

Cet intéressant artiste, sur le compte duquel on possède peu de renseignements, était contemporain de Johann Sebald Beham et Heinrich Aldegrever. Ses planches, de petites dimensions et d'après ses propres dessins paraissent être quelque peu inspirées de Lucas de Leyde. Son œuvre est important et contient des sujets religieux et des sujets de genre, dont un certain nombre ont trait à la danse. Elles sont souvent marquées des initiales M. T., réunies en monogramme.

TREU Nicolaus ou Johann Nikolaus ou Trey
Né le 20 mai 1734 à Bamberg. Mort en 1786 à Würzbourg. xviiie siècle. Allemand.

Peintre.

D'abord élève de son père Marquard Treu puis, à Paris de Van Loo et de Pierre. Il étudia aussi à Rome. Peintre de la Cour de Würzburg, il peignit des portraits et des tableaux d'église.

Musées : Bamberg : *Enfant tirant avec un pistolet – Portrait de Catharina Treu – Enfant orné de fleurs –* Soleure : *Saint Jean-Baptiste avec l'Enfant Jésus –* Würzburg : *Jeune fille au serin – Petit garçon avec un petit chien.*

Ventes Publiques : Milan, 16 avr. 1985 : *Wolfgang Amadeus Mozart avec ses parents*, h/t (113,5x88) : **ITL 14 000 000 –** New York, 26 fév. 1997 : *Jeune fille à une fenêtre nourrissant un écureuil ; Jeune garçon à une fenêtre ouverte jouant avec un pistolet*, h/t, une paire, trompe l'œil (66,7x50,8) : **USD 33 350.**

TREU Philipp Jakob
Né en 1761. Mort en 1825. xviiie siècle. Actif à Bâle. Suisse.

Sculpteur et médailleur.

Le Musée Historique de Bâle conserve de lui : *Buste du roi de Rome, Médaillon en bronze de l'archiduc Jean d'Autriche, Médaille à l'effigie du maire Bernhard Sarasin, Médaillon en albâtre, Portrait à l'effigie de l'artiste.*

Ventes Publiques : Paris, 11 déc. 1996 : *Petit buste du roi de Rome*, bronze (H. : 9,5) : **FRF 23 500.**

TREUB-BOELLAARD C.
Née en 1879 à Nimègue. xxe siècle. Hollandaise.

Peintre de paysages.

Elle fut élève de Paul Rink.

TREUDING Michael ou Treuting ou Treutting
Né à Pulsnitz. Mort en 1605 à Dresde. xvie siècle. Allemand.

Peintre.

Il travailla à la Cour de Dresde. Il orna de peintures la cathédrale de Freiberg.

TREUENSTEIN Josef von
xixe siècle. Actif à Vienne dans la première moitié du xixe siècle. Autrichien.

Portraitiste.

Il exposa à Vienne en 1835 et en 1839.

TREUENSTEIN Josef von
Né en 1827 à Vienne. xixe siècle. Autrichien.

Portraitiste.

Élève de l'Académie de Vienne.

TREULICH Paul
Mort en 1914, tombé au front. xxe siècle. Autrichien.

Peintre.

Il vécut et travailla à Vienne, où il exposa deux paysages en 1909.

TREUNER Hermann
Né le 24 février 1876 à Weisenau, près de Nuremberg. xxe siècle. Allemand.

Peintre de figures, intérieurs, paysages.

Il fut élève de l'Institut Staedel à Francfort-sur-le-Main, où il vécut et travailla et d'Eugen Klimsch.

Musées : Francfort-sur-le-Main (Mus. hist.) : *Portrait de l'artiste.*

Ventes Publiques : Londres, 26 nov. 1980 : *Berger et son troupeau dans un paysage d'hiver*, h/t (81x100,2) : **GBP 400.**

TREUNER Robert
Né le 28 novembre 1877 à Cobourg. xxe siècle. Allemand.

Peintre d'architectures, paysages urbains, sculpteur.

Il fut élève de Johann H. Hasselhorst à Francfort-sur-le-Main, où il vécut et travailla.

Musées : Francfort-sur-le-Main (Mus. hist.) : *La Vieille Église protestante d'Oberrad – Vieux Théâtre à Francfort – Ancienne Église Saint-Pierre de Francfort.*

TREUTING Michael ou Treutting. Voir TREUDING

TRÉVÉDY Yves
Né le 16 janvier 1916 à Rennes (Ille-et-Vilaine). Mort avant 1991. xxe siècle. Français.

Peintre, peintre de compositions murales.

Il fut élève des Écoles des Arts Décoratifs et des Beaux-Arts de Paris. Il fut premier Grand Prix de Rome, prix de la Fondation Rothschild à Londres et ancien pensionnaire de la Casa Velasquez à Madrid.

Il participa, à Paris, à divers Salons : des Artistes Français, où il obtint une mention en 1939, une médaille d'argent en 1941, d'Automne et des Tuileries. Il montra ses œuvres dans des expositions personnelles à Paris, Genève, Lausanne, Bruxelles. Il fut l'auteur de décorations murales au Centre Scolaire de Saint-Malo, à la mairie du VIe arrondissement de Paris, au Conservatoire National de Musique de Paris, à l'église Saint-Paul de Caen, au Lycée de grand air d'Arcachon.

Dès sa première exposition en 1943 chez Pétridès, sa peinture intimiste, héritière de Bonnard et de Vuillard, rencontre un vif succès et reçoit les éloges de Claudel et de Sacha Guitry. Il choisit alors de fuir la célébrité et les facilités de la mode. Les évolutions de son œuvre, par ailleurs d'une remarquable unité, doivent beaucoup à ses nombreux voyages : l'Espagne flamboyante et tragique, la Hollande qui lui inspire des travaux épurés et frappants de contrastes, enfin l'Irlande où il peint le poème de la mer avec un sens aigu de la musique et du rythme. Homme de culture et artiste exigeant, son goût pour tous les arts a véritablement sublimé sa peinture qui est ainsi toujours demeurée personnelle et inclassable.

Bibliogr. : Catalogue de l'exposition-hommage *Yves Trévédy et quelques amis*, École Polytechnique, Palaiseau, 1991.

Musées : Bordeaux – Oslo – Paris.

Ventes Publiques : Paris, oct. 1945-Juillet 1946 : *Scène d'intérieur* : **FRF 2 100 –** *Portrait* : **FRF 7 000 –** Paris, 17 mars 1950 : *Les soleils* : **FRF 6 000 –** Paris, 26 avr. 1950 : *Jardin* : **FRF 4 000.**

TREVELYAN Julian
Né le 20 février 1910 à Dorking (Surrey). Mort en 1988. xxe siècle. Britannique.

Peintre de portraits, paysages, paysages urbains, peintre à la gouache, aquarelliste, dessinateur, technique mixte.

Il étudia au Trinity College de Cambridge de 1928 1930 puis la gravure à Paris à l'atelier 17 de S. W. Hayter. De 1948 à 1963, il fut membre du London Group of Painters et professeur de gravure au Royal College of Art de Londres.

Il participe à des expositions collectives, à Londres : 1945, 1958 Whitechapel Art Gallery ; de 1951 à 1970 à la Royal Academy ; 1955, 1968 Tate Gallery ; ainsi que : 1947 Stockolm et galerie de France à Paris ; 1980 Brooklyn Museum de New York ; 1982 galerie 1900-2000 à Paris. Il montre ses œuvres dans des expositions personnelles depuis 1932 très régulièrement à Londres notamment en 1935 et 1977 à la Tate Gallery, ainsi que : 1948 galerie de France et Konsthall de Gotenburg.

Son art, tout de sensibilité, allie la préciosité de ton de Bonnard et la justesse linéaire de Matisse. En 1948 il exposait à Londres des vues de Paris dont la critique signalait le « romantisme allègre ». Dans ses œuvres des années soixante-dix, il semble évoluer vers une forme d'art plus impressionniste, à la limite parfois du surréalisme.

Trevelyan

Musées : Aberdeen (City Art Gal.) – Londres (Tate Gal.) – New York (Mus. of Mod. Art) – New York (Brooklyn Mus.) – Seattle (Mus. of Art) – Southampton (City Art Gal.) – Washington D. C. (Library of Congress).

Ventes Publiques : Londres, 29 juil. 1988 : *Village en Ouganda 1966*, h/t (50x75) : **GBP 1 045 –** Londres, 12 mai 1989 : *Personnages aux paniers 1943*, gche et cr. (21,2x33,7) : **GBP 1 980 –** Londres, 9 juin 1989 : *Les Baux 1929*, h/pan. (32,4x39,5) : **GBP 3 850 –** Londres, 10 nov. 1989 : *Paysage industriel 1938*, collage (25,4x36,9) : **GBP 4 620** – LONDRES, 9 mars 1990 : *Le bateau à aube* 1985, h/t (59,7x75) : **GBP 4 620** – LONDRES, 8 juin 1990 : *Le petit champ de blé* 1944, h/t (38,5x63,5) : **GBP 5 720** – LONDRES, 2 mai 1991 : *Une rue au printemps* 1936, cr. et gche (25,5x37) : **GBP 1 540** – LONDRES, 7 juin 1991 : *Bœufs* 1955, h/t (51x61) : **GBP 2 420** – LONDRES, 8 nov. 1991 : *La ligne principale* 1944, h/pan. (18x20) : **GBP 6 050** – LONDRES, 14 mai 1992 : *Autoportrait* 1965, h/t (91,5x75,5) : **GBP 3 300** – LONDRES, 26 mars 1993 : *Les premiers Chrétiens* 1958, h/cart. (123x137) : **GBP 5 175** – LONDRES, 26 oct. 1994 : *City* 1937, cr. aquar. et gche (28x38,2) : **GBP 2 185** – LONDRES, 23 oct. 1996 : *Studio Riot* 1930, h/t (60,3x73) : **GBP 6 670**.

TREVELYAN Pauline, née **Jermyn**
Née en 1816. Morte le 13 mai 1866. XIXᵉ siècle. Britannique.
Dessinateur amateur.
Le Musée Britannique de Londres conserve d'elle *Album d'un voyage en Grèce*.

TREVERRET Victorine
Née en 1802 à Quimper (Finistère). Morte le 27 janvier 1875 à Paris. XIXᵉ siècle. Française.
Peintre de portraits, figures, peintre sur porcelaine.
Elle fut élève de Marie V. Jaquotot. Elle peignit des portraits en miniature et fut peintre de figures à la Manufacture de Sèvres, de 1836 à 1842.

TREVERS Henrico. Voir **TRAIVOEL Henry**

TRÈVES André
Né le 23 mai 1904 à Paris. XXᵉ siècle. Français.
Peintre de figures, paysages.
Il reçut longtemps les conseils de l'affichiste Paul Colin, mais orienta vite son activité vers la peinture de paysages et de figures. De 1921 à 1928 il vit à Barcelone où il peint notamment son grand *Paysage de Montserrat*.
Dès 1929, il expose aux Salons des Indépendants et des Tuileries, participe au Salon des Arts et des Sports de l'Exposition Universelle de 1937, à l'Exposition d'Art Français Indépendant d'Amsterdam en 1938 ; il est l'un des organisateurs et participants de l'exposition de paysages français en Autriche tenue à Innsbruck, en 1946. Il a été sélectionné plusieurs fois pour les prix Paul Guillaume et des Vikings. Parmi ses œuvres, on cite particulièrement : *Le Siège de Vézelay* et *Jeanne d'Arc, blessée devant la porte Saint-Honoré*.
MUSÉES : MARSEILLE – PARIS (Hôtel de ville) – RENNES – RENNES (Hôtel de ville) – SAINT-ÉTIENNE – SAINT-ÉTIENNE (Hôtel de ville) – SCEAUX (Hôtel de ville).
VENTES PUBLIQUES : VERSAILLES, 18 jan. 1976 : *Paysage à Vézelay* 1938, h/t (24x33) : **FRF 300**.

TREVETT Robert ou **Trevitt**
Mort en 1723. XVIIIᵉ siècle. Actif à Londres. Britannique.
Peintre d'architectures.
Il peignit des vues de Londres et dessina la cathédrale Saint-Paul de cette ville.

TREVILLIAN William
XVIIᵉ siècle. Britannique.
Graveur.
Son nom figure sur un portrait de Cromwell daté de 1650.

TREVINGARD ou **Trevinnard**, appellation erronée. Voir **TREWINNARD Anna**

TREVINO Jeronimo
XVIIᵉ siècle. Travaillant à Séville en 1682. Espagnol.
Peintre.

TREVISANI Angelo ou **Barbieri**
Né en 1669 à Trévise ou à Venise. Mort après 1753. XVIIᵉ-XVIIIᵉ siècles. Éc. vénitienne.
Peintre d'histoire et graveur au burin.
Élève de Celesti. Il peignit des tableaux d'histoire, mais fut surtout célèbre par ses portraits. On cite de lui : *Les marchands chassés du temple* (à l'église S. Cosmo e Damiano, à Venise) et *Le Rêve de sainte Thérèse* (à San Pietro in Oliveto à Brescia). La Galerie Royale de Florence conserve son *Portrait par lui-même*, le Musée de Madrid, *L'Enfant Jésus endormi dans les bras de sa mère*, et celui de Rovigo, *Charité romaine* et *Saint Roch*.

TREVISANI Francesco, cavaliere, dit **Romano**
Né le 9 ou 17 avril 1656 à Capo d'Istria. Mort le 30 juillet 1746 à Rome. XVIIᵉ-XVIIIᵉ siècles. Italien.
Peintre d'histoire, compositions religieuses, sujets mythologiques, portraits.

Il apprit de son père, l'architecte Antonio Trevisani, les premiers éléments du dessin. Il fut ensuite élève d'Antonio Zanchi, à Venise et de Carlo Maratti à Rome.
Protégé par le cardinal Chigi il fut employé par le pape Clément XI qui lui fit peindre la coupole de la cathédrale d'Urbin et l'un des prophètes décorant Saint Jean de Latran. Le duc de Modène lui fit aussi exécuter des copies d'après Corregio et Mazuola. Il fut par excellence le peintre à la mode, à en juger par les nombreuses commandes reçues, non seulement de la part des Chigi, mais aussi du cardinal Ottoboni, de Lother Franz von Schonborn, des familles de Savoie, du Portugal et d'Angleterre.
Il imprégnait ses toiles d'un goût arcadien, idyllique et profane, ce qui ne fut pas sans influencer, en France, des peintres comme Lemoyne ou Carle Van Loo.
MUSÉES : AIX : *Tête de jeune fille* – AREZZO : *Sainte Madeleine* – BORDEAUX : *Tête de Vierge* – BUDAPEST : *Lucrèce* – *Entrée du cardinal Ottoboni à Rome* – CHAMBÉRY (Mus. des Beaux-arts) : *Sainte Geneviève* – DRESDE : *Massacre des enfants de Bethléem* – *Repos de la Sainte Famille en Égypte* – *Vierge, enfant Jésus et petit saint Jean* – *Sainte Famille, saint Joachim et sainte Anne* – *Le Christ au mont des Oliviers* – *Saint Antoine guérissant un malade* – *Saint François et Ange musicien* – DÜSSELDORF : *Ange avec instruments de martyre* – FLORENCE : *L'artiste* – *La Vierge cousant* – *Songe de saint Joseph* – KASSEL : *Triomphe de Galatée, deux fois* – *Diane et Endymion* – LEIPZIG : *Madeleine pénitente* – LUCQUES : *Saint Charles et saint Étienne* – MADRID (Prado) : *Madeleine pénitente lisant* – MARSEILLE : *Le Christ au mont des Oliviers* – MOSCOU (Roumianzeff) : *Madeleine repentante* – NEUCHÂTEL : *Une sainte* – PARIS (Mus. du Louvre) : *Sommeil de l'Enfant Jésus* – POMMERSFELDEN : *Madeleine repentante* – *Amours jouant avec des fruits* – *Christ couronné d'épines* – *Madone* – *Apollon et Daphné* – *Rapt de Proserpine* – *Joseph et la femme de Putiphar* – *Bethsabée* – *Suzanne et les deux vieillards* – *Diane et Endymion* – *Galatée sur une coquille* – *Vénus sous la tente* – *Thétis et Neptune* – POSTDAM : *Madone* – RENNES : *Le repos de Diane* – ROME (Gal. Corsini) : *Sainte Lucie* – ROME (Gal. Colonna) : *Couronnement d'épines* – *Résurrection de Lazare* – ROME (Doria Pamphily) : *Paysage* – *Naissance de la Vierge* – *L'affliction* – SAINT-PÉTERSBOURG (Mus. de l'Ermitage) : *Apollon et Daphné* – SCHLEISSHEIM : *L'archange saint Michel* – SIBIU : *Baptême du Christ* – STOCKHOLM (Gal. Nat.) : *Portrait du cardinal Ottoboni* – URBINO (Pina.) : *Sainte Madeleine* – VIENNE (Gal. Czernin) : *Mater dolorosa* – VIENNE (Mus. des Beaux-Arts) : *Le corps du Christ soutenu par des anges* – WIESBADEN : *Le Christ au mont des Oliviers*.
VENTES PUBLIQUES : PARIS, 1737 : *Le sacrifice d'Abraham* ; *Agar dans le désert*, deux pendants : **FRF 801** – PARIS, 1757 : *La naissance de la Vierge* : **FRF 2 000** – PARIS, 1773 : *Le martyre de sainte Félicité et ses enfants* : **FRF 900** – PARIS, 22 avr. 1872 : *La Vierge tenant l'Enfant Jésus sur ses genoux* : **FRF 700** – PARIS, 1894 : *Saint François* : **FRF 310** – VIENNE, 5 juin 1950 : *La mort de Cléopâtre* : **ATS 3 000** – NEW YORK, 2 mars 1967 : *La Sainte Famille* : **USD 1 400** – LONDRES, 12 juin 1968 : *Apelles peignant Campaspe* : **GBP 2 200** – LONDRES, 25 mars 1977 : *La Vierge et l'Enfant apparaissant à un saint personnage agenouillé*, h/cuivre (32x24) : **GBP 1 600** – LONDRES, 30 mars 1979 : *Le mariage mystique de Sainte Catherine*, h/t (106,7x84,2) : **GBP 3 800** – MILAN, 3 nov. 1982 : *Le concert*, h/t (196x148) : **ITL 22 000 000** – LONDRES, 3 avr. 1984 : *Homme nu couché sur le dos (Caïn et Abel)*, craie noire (16,3x37,3) : **GBP 1 100** – MILAN, 8 mai 1984 : *Il miracolo di Bolsena*, h/t (48x36) : **ITL 3 600 000** – ROME, 24 mai 1988 : *Suzanne et les vieillards*, h/t (99x137) : **ITL 15 000 000** – NEW YORK, 11 jan. 1989 : *Putti portant une corne d'abondance dans un paysage*, craie noire et lav. (20x16,6) : **USD 1 430** – NEW YORK, 12 jan. 1989 : *Saint Sylvestre baptisant Constantin*, h/t (71,5x49,5) : **USD 18 700** – MILAN, 12 juin 1989 : *Jahel et Sisara*, h/t (98x74) : **ITL 23 000 000** – MONACO, 2 déc. 1989 : *Sainte famille*, h/cuivre (34,5x27,5) : **FRF 222 000** – LONDRES, 15 déc. 1989 : *Personnification de la musique – jeune femme jouant du luth*, h/t (100,3x77,5) : **GBP 8 250** – LONDRES, 2 juil. 1990 : *Paysanne se reposant*, craies (22,4x10,2) : **GBP 495** – NEW YORK, 17 jan. 1992 : *Le Mariage mystique de sainte Catherine*, h/t (106,7x84,5) : **USD 22 000** – LONDRES, 3 juil. 1995 : *Étude d'un homme essayant de nouer un faisceau de tiges et de mains (recto)* ; *Étude de nu féminin (verso)* : **GBP 3 220** – NEW YORK, 11 jan. 1996 : *La Flagellation ; Le Couronnement d'épines*, h/t, une paire (74,9x97,8) : **USD 46 000** – PARIS, 14 juin 1996 : *La Muse verte*, h/cart. : **FRF 61 000** – PARIS, 28 juin 1996 : *Le Christ mort soutenu par des anges*, cuivre (29x22) : **FRF 95 000** – LONDRES, 13 déc. 1996 : *La Madone*, h/t (63,2x48) : **GBP 4 830** – LONDRES, 30

oct. 1997 : *Autoportrait*, h/t (95,5x70,5) : **GBP 11 500** – New York, 17 oct. 1997 : *Saint Jérôme*, h/t (108x75,9) : **USD 17 250**.

TREVISANO Bartolommeo. Voir **BARTOLOMMEO Trevisano**

TREVISE Hippolyte de
Né au XIXᵉ siècle à Sceaux (Hauts-de-Seine). XIXᵉ siècle. Français.
Peintre.
Élève de M. A. Cassagne. Il débuta au Salon de Paris en 1868.

TREVISO de ou **da**. Voir au prénom

TREVISO Girolamo da. Voir **PENNACCHI Gerolamo de Pier Maria**

TREVITT Robert. Voir **TREVETT**

TREVOR Edward
XIXᵉ siècle. Britannique.
Peintre de paysages.
Il fut actif vers 1885.
Ventes Publiques : Londres, 5 nov. 1993 : *La baie de Naples et l'île de Procida* 1885, h/t (97,2x153,6) : **GBP 5 750**.

TREVOR Helen Mabel
Née le 20 décembre 1831 à Lisnagead, près de Loughbrickland (Irlande). Morte le 3 avril 1900 à Paris. XIXᵉ siècle. Irlandaise.
Peintre de genre et de portraits.
Elle appartenait à une ancienne famille irlandaise et ne s'adonna à l'art qu'après la mort de son père. Elle fut d'abord pendant quatre ans élève des Écoles de la Royal Academy à Londres puis elle vint à Paris et travailla avec Carolus Duran et Henner. De 1883 à 1889, elle vécut en Italie, et vint enfin se fixer définitivement à Paris. Durant les dix dernières années de sa vie, elle exposa régulièrement au Salon des Artistes Français, à la Royal Academy et à la Royal Hibernian Academy. Elle mourut subitement d'une affection cardiaque. Le Musée de Dublin conserve d'elle un *Autoportrait*, ainsi que *Intérieur d'une chaumière bretonne* et *La mère du pêcheur*.

TREVOUX Gabriel
XIXᵉ-XXᵉ siècles. Français.
Peintre de portraits, paysages.
Il est le fils du peintre Joseph Trévoux.

TRÉVOUX Joseph
Né en 1831 à Lyon (Rhône). Mort le 3 janvier 1909 à Lyon. XIXᵉ siècle. Français.
Peintre d'architectures, paysages.
Il fut élève d'Henri Jannot. Il se lia d'amitié avec Auguste Ravier, Paul Borel. Il exposa au Salon de Paris, à partir de 1864.
Il peignit de nombreux paysages de la Loire, de l'Isère et du Bugey.
Ventes Publiques : Versailles, 19 oct. 1980 : *Les environs de Morestel*, h/pan. (24x32) : **FRF 2 100** – Paris, 20 jan. 1988 : *L'Étang de l'Aleva*, h/t (32x41) : **FRF 6 800**.

TREVYH Claude, pseudonyme de **Hyvert Jean Claude**
Né en 1946 à Lyon (Rhône). XXᵉ siècle. Français.
Peintre, dessinateur.
Il vit et travaille à Ouroux (Rhône). Il participe à des expositions collectives : 1992 *De Bonnard à Baselitz. Dix Ans d'enrichissements du cabinet des estampes 1978-1988* à la Bibliothèque nationale de Paris.
Musées : Paris (BN) : *Au Bord de l'eau* 1982.

TREW Abdias. Voir **TREU**

TREWETZKY Johann Theobald. Voir **TREBECKI**

TREWINNARD Anna ou **Trevinnard**
XVIIIᵉ-XIXᵉ siècles. Active à Londres. Britannique.
Miniaturiste.
Elle exposa de 1797 à 1806, quatorze miniatures à la Royal Academy de Londres.

TREY. Voir **TREU**

TREYER Hans
XVIᵉ siècle. Actif à Fribourg de 1528 à 1531. Suisse.
Sculpteur.

TREZ
Né en 1926 à Berck. XXᵉ siècle. Français.
Dessinateur, peintre.
Il a montré des expositions de peinture.
Il est surtout connu pour ses dessins destinés à la presse :

notamment à ses débuts pour le magazine anglais *Punch*, de 1953 à 1973 pour *Paris Match*, ainsi que pour *Elle*, *Marie Claire*. Il a également réalisé des albums pour enfants, des films d'animation, des affiches et en 1991 un mur peint pour la ville de Paris. A rapprocher de Alain Trez.
Ventes Publiques : Paris, 27 nov. 1993 : *Sans légende (Lui)* 1973, encre, past. et gche/pap. (22,5x29) : **FRF 3 000**.

TREZ Alain
XXᵉ siècle. Français.
Peintre de figures, dessinateur.
Il a travaillé comme dessinateur au journal *France-Soir*.
Il montre ses œuvres dans des expositions personnelles à Paris notamment.
Parallèlement à sa carrière de dessinateur, il poursuit son œuvre de peintre, avec des compositions animées de personnages, de monstres, dans la lignée de Chaissac ou Dubuffet.

TREZE Anne
Née en 1936 à Riza. XXᵉ siècle. Active au Canada. Russe.
Peintre.
Bibliogr. : Catalogue de l'exposition : *Les Vingt Ans du musée*, Musée d'Art contemporain, Montréal, 1985.
Musées : Montréal (Mus. d'Art Contemp.) : *Discours en vers 1966* – *Douce Obsession* 1966, linogravure.

TREZEL Félix ou **Pierre Félix**
Né le 16 juin 1782 à Paris. Mort le 16 juin 1855 à Paris. XIXᵉ siècle. Français.
Peintre d'histoire, sujets mythologiques, portraits, lithographe.
Élève de Lemire et de Prud'hon. Il débuta au Salon de Paris en 1806.
Il fit partie, en 1830, d'une mission scientifique en Moree, d'où il rapporta de nombreux dessins.
Musées : Angers : *Phèdre jugée aux enfers* – Auxerre : *La fin tragique de la mère et de la fille de Gustave Vasa* – Bordeaux : *Adieux d'Hector et d'Andromaque* – *Circé abandonnée par Ulysse* – Versailles : *Lautrec (Odet de Foix)*.
Ventes Publiques : Paris, 30 mai 1931 : *Portrait d'homme* : FRF 9 200 – Paris, 7 juin 1943 : *Fin tragique de la mère et de la sœur de Gustave Vasa* : **FRF 300** – Paris, 15 avr. 1988 : *La Nourrice*, h/t (55,5x42) : **FRF 20 000**.

TREZEL Georges
Né le 27 avril 1891. Mort le 12 mai 1917, tombé à la bataille de l'Aisne. XXᵉ siècle. Français.
Sculpteur.
Il fut élève de l'académie des beaux-arts de Paris.

TREZO Jacopo da, l'Ancien ou **Trezzo**, appelé aussi **Jacopo Nizzola** ou **Jacometrezo** ou **Jacome de Trezzo**, dit **el Viejo**
Né en 1519 à Milan. Mort en 1589 à Madrid. XVIᵉ siècle. Espagnol.
Sculpteur, médailleur, tailleur de camées et architecte.
Divers auteurs attribuent aujourd'hui à Trezo la statue de Dona Juana d'Autriche, qui se trouve dans la chapelle des Royales déchaussées (ordre que cette princesse a fondé) et qu'on avait toujours considérée comme une œuvre de Pompejo Léoni. On croit aussi que le tabernacle de l'église de San-Lorenzo à l'Escurial est de Jacopo Trezo. Cet artiste signa ses œuvres *Jacopo da Trezo*. The British Museum à Londres, conserve un médaillon en or représentant *Philippe II d'Espagne et Marie Tudor*, daté de 1555, exécuté par Jacopo da Tresso, de Milan ; n'y aurait-il pas un lien familial entre cet artiste italien et les Trezo d'Espagne ?

TREZO Jacopo ou **Jacome da**, le Jeune ou **Trezzo**, dit **el Mozo**
Mort le 16 janvier 1607 à Madrid. XVIᵉ siècle. Actif à Valladolid. Espagnol.
Sculpteur.
Neveu de Jacopo Trezo l'Ancien. Ce sculpteur fut l'égal de son parent. Comme lui, il travailla dans plusieurs villes de Castille et particulièrement à l'Alcazar de Madrid.

TREZZINI Angiolo
Né le 28 avril 1827 à Milan. Mort le 27 mai 1904 à Milan. XIXᵉ siècle. Italien.
Peintre d'histoire, scènes de genre, paysages, lithographe.
Élève de l'Académie de Milan. Il fut également écrivain.
Musées : Milan (Brera) : *La Lecture de la lettre* – Milan (Gal. d'Art Mod.) : *L'Église S. Maria di Nesso* – *Les Bastions de Porta Vittoria* – *Spiriti marziali* – *La Mort de Ferdinando Cartellieri* – Turin (Mus. mun.) : *Chasseurs alpins* – *La Bataille de San Fermo*.

Ventes Publiques : Milan, 16 mars 1971 : *La Lettre* : **ITL 900 000** – Milan, 22 avr. 1982 : *Le douanier et la petite paysanne* 1886, h/t, à vue ovale (78,5×61,5) : **ITL 8 500 000** – Milan, 12 déc. 1985 : *Il Foponino*, h/t (69×85) : **ITL 22 000 000** – Milan, 19 mars 1992 : *Jeune Femme face à la mer*, h/t (44,5×38) : **ITL 11 700 000** – Londres, 17 nov. 1993 : *La Couturière endormie*, h/t (124×84) : **GBP 5 750** – Milan, 23 oct. 1996 : *Personnage féminin endormi*, h/t (125×84,5) : **ITL 34 950 000**.

TREZZINI Bernardo
Né le 15 juillet 1851 à Sessa. Mort le 31 août 1919. XIXᵉ-XXᵉ siècles. Actif aux États-Unis. Américain.
Peintre de compositions religieuses.
Il se fixa dans sa jeunesse aux États-Unis. Il exécuta des peintures dans la cathédrale de Sacramento et l'église des Jésuites de San Francisco.

TREZZO. Voir aussi TREZO

TREZZO Gerolamo
XVIIIᵉ siècle. Travaillant à Rome au début du XVIIIᵉ siècle. Italien.
Graveur au burin.
Il grava des scènes historiques et des architectures.

TREZZO Juan Antonio
XVIᵉ siècle. Travaillant à Madrid en 1575. Espagnol.
Sculpteur.
Frère de Jacopo Trezo l'Ancien.

TRIACEK
XIXᵉ siècle. Travaillant à Prague en 1853. Tchécoslovaque.
Peintre de natures mortes.

TRIADO MAYOL José
Né le 11 février 1870 à Barcelone (Catalogne). Mort le 2 avril 1929 à Barcelone. XIXᵉ-XXᵉ siècles. Espagnol.
Peintre de figures typiques, cartons de tapisseries et de céramiques, graveur, illustrateur.
Il étudia à l'École des Arts et Métiers de Barcelone, puis, obtenant une bourse, il entra à l'École des Beaux-Arts de Madrid. En 1902, il devint lui-même professeur de dessin à l'École des Arts et Métiers de Barcelone. Il prit part à diverses expositions collectives : à Barcelone, où il obtint une troisième médaille en 1888, 1896 et 1898 ; une première médaille en 1907 et 1911 ; ainsi qu'au Salon de la Société Nationale des Beaux-Arts de Madrid, recevant une troisième médaille en 1899, une seconde médaille en 1901.
Il peignit des types populaires de Catalogne et grava des illustrations de livres et des ex-libris.
Bibliogr. : In : *Cien Anos de pintura en Espana y Portugal, 1830-1930*, Antiqvaria, t. XI, Madrid, 1993.
Musées : Barcelone (Mus. d'Art Mod.) – Madrid (Mus. d'Art Mod.).

TRIANA Geronimo de
XVᵉ siècle. Actif à Séville en 1480. Espagnol.
Peintre.
Signataire, avec d'autres peintres, d'une pétition adressée aux autorités en 1480, en vue d'obtenir des modifications aux règlements de la corporation.

TRIANTAFILLIDÈS Theophrastos
Né en 1881 à Smyrne. Mort en 1955 à Athènes. XXᵉ siècle. Grec.
Peintre. Expressionniste.
Il fut élève de Georges Jacobidès à l'Ecole des Beaux-Arts d'Athènes, puis de Ludwig Löfftz à Munich.
Construction, composition, couleur, par leur hardiesse rattachent sa peinture au courant expressionniste international.
Musées : Athènes (Pina. Nat.) – Athènes (Gal. mun.) – Rhodes (Gal. d'Art).

TRIAS Frederico
Né à Igualada. Mort le 10 août 1800. XVIIIᵉ siècle. Espagnol.
Peintre de portraits, de marines, de paysages et de genre.
Élève de l'Académie de Barcelone.

TRIAS Y TASTAS José Antonio
Né en 1854 à Barcelone. Mort en 1918 à Barcelone. XIXᵉ-XXᵉ siècles. Espagnol.
Peintre de portraits, paysages.
Il a participé à l'Exposition universelle de 1888 à Barcelone et a reçu une médaille de bronze à l'Exposition aragonaise en 1885. Il fut aussi écrivain.

Bibliogr. : In : *Cien Anos de pintura en Espana y Portugal, 1830-1930*, Antiqvaria, t. XI, Madrid, 1993.

TRIAUD L. E.
XIXᵉ siècle. Actif à Londres dans la première moitié du XIXᵉ siècle. Britannique.
Peintre de portraits, peintre de miniatures.
Il exposa à Londres de 1811 à 1819.

TRIBB Jürgen ou Tribbe ou Tripp
Né en 1604 à Oberkirchen, près de Bückebourg. Mort le 5 mars 1665 à Oberkirchen, près de Bückebourg. XVIIᵉ siècle. Allemand.
Sculpteur.
Probablement élève de Hans Wulf. Il travailla pour les ducs de Celle et sculpta de nombreux tombeaux.
Musées : Celle : *Le duc Frédéric*, haut-relief – Hanovre (Mus. prov.) : *Le duc Auguste*, haut-relief.

TRIBELLI Giovanni
XVIIIᵉ siècle. Actif à la fin du XVIIIᵉ siècle. Italien.
Sculpteur.
Il travailla à Palma de Majorque en 1798.

TRIBERT H.
XVIIIᵉ siècle. Travaillant à Paris en 1717. Français.
Peintre de portraits, peintre de miniatures.

TRIBOLET Charles
XXᵉ siècle. Actif en Tunisie. Français.
Peintre de paysages.
Il résida à Tunis entre les deux guerres et exposa régulièrement au Salon tunisien entre 1924 et 1937. Il figura également aux Expositions artistiques de l'Afrique française.
Ses paysages sont exécutés en aplats généreusement peints.
Bibliogr. : Catalogue de l'exposition : *Lumières tunisiennes*, Pavillon des Arts, Paris, 1995.
Musées : Tunis (Mus. d'Art Mod.) : *Gare de Tunis* 1947.

TRIBOLO Niccolo, dit Niccolo Pericoli, ou Niccolo di Raffaello de' Pericoli, ou Maître à la Chausse-Trappe
Né en 1500 à Florence. Mort le 20 août 1550 à Florence. XVIᵉ siècle. Italien.
Sculpteur, ingénieur et architecte.
Il travailla à Bologne et à Florence. En tant que sculpteur, il fut l'élève de Jacopo Sansovino. En 1525, il travailla à la sculpture de la façade de San Petronio à Bologne. En 1533, il était à Florence, à la chapelle des Médicis, avec Michel-Ange dont il était l'ami, mais avec lequel il ne collabora pas plus d'un an. On le trouve, vers 1545 à Santa Casa de Lorette. Mais son génie se développa surtout dans l'art des jardins, en effet, il est l'auteur du jardin Boboli à Florence, de ceux de la villa de Castello et de la Petraia. Il sait allier élégance et charme les fontaines, escaliers, sculptures, décors de marbre.
Musées : Florence (Mus. des Offices) : *Le Jour – Crépuscule du soir – L'Aube* – Paris (Mus. du Louvre) : *La Nature*, statue en marbre.

TRIBOT André
XXᵉ siècle. Français.
Peintre. Abstrait-géométrique.
Il vécut et travailla à Savigny-sur-Orge, près de Paris. De 1950 à 1955, il exposa au Salon des Réalités Nouvelles de Paris.
Ses compositions qui relèvent de l'abstraction géométrisante classique, sont caractérisées par un recours fréquent à la forme courbe.

TRIBOULET
XVᵉ siècle. Actif dans la seconde moitié du XVᵉ siècle. Français.
Sculpteur sur bois.
Il travailla en 1468 pour les stalles du chœur de la cathédrale de Rouen.

TRIBOULET Claude ou Tribolet
Né au XVIᵉ siècle à Besançon. XVIᵉ siècle. Français.
Peintre verrier.
Il travailla pour la ville de Besançon et pour l'église Saint-Maurice du même endroit, de 1560 à 1599.

TRIBOULET Jean
Mort avant 1543. XVIᵉ siècle. Actif à Besançon. Français.
Peintre et peintre verrier.
Fils de Nicolas T. Il travailla à plusieurs reprises à l'église Saint-Jean entre 1521 et 1530, ainsi que pour le duc Philippe le Bel.

TRIBOULET Nicolas, dit Nicolas le Peintre ou le Verrier
Mort en 1497. XVᵉ siècle. Actif à Besançon. Français.

Peintre verrier.
Il travailla pour la ville de Besançon ainsi que pour l'église Saint-Étienne.

TRIBOULET Pierre
XVIe siècle. Actif à Salins en 1538. Français.
Peintre.

TRIBOULET Pierre
Né le 22 novembre 1570 à Besançon. XVIe siècle. Français.
Peintre.
Fils de Claude Triboulet. Un tableau d'autel *(Madone dans la gloire)* de lui figure dans l'église de La Vèze.

TRIBOUT Georges Henri
Né en 1884. Mort en 1962. XXe siècle. Français.
Dessinateur de portraits, technique mixte.
VENTES PUBLIQUES : PARIS, 18 mars 1985 : *Grand nu* 1937, fus./pap. mar./t. (130x97) : FRF 20 000 – PARIS, 30 mai 1988 : *Portrait d'homme assis,* dess. (21x27) : FRF 800 – PARIS, 31 jan. 1993 : *Crucifixion* 1928, aérographe et fus. (57x46,5) : FRF 10 000.

TRIBULIS Giovanni da ou Trigoli ou Trigulis
XVe siècle. Actif à Mantoue, de 1422 à 1426. Italien.
Sculpteur sur bois.
Il sculpta des stalles dans les églises Saint-Pierre et Saint-Paul de Venise et Saint-François d'Assise de Mantoue.

TRIBULIS Marco da ou Trigoli ou Trigulis
XVe siècle. Travaillant à Mantoue de 1442 à 1445. Italien.
Sculpteur sur bois.

TRIBUS Johann
Né le 3 septembre 1741 à Oberlana. Mort en 1811 dans la même localité. XVIIIe-XIXe siècles. Autrichien.
Peintre et aquafortiste.
Élève de Paul Troger à Vienne. Il travailla pour des églises de Lana, de Vienne et grava des scènes mythologiques.

TRICART Édouard ou Eugène Félix Joseph
Né en 1826 à Arras (Pas-de-Calais). XIXe siècle. Français.
Paysagiste.
Élève de Suchon. Le Musée d'Arras conserve de lui : *Paysage avec moulin à vent* et *Bord de rivière.*

TRICCA Angiolo
Né en 1817 à Sansepolcro. Mort le 23 mars 1884 à Florence. XIXe siècle. Italien.
Peintre, dessinateur et caricaturiste.
Père de Fosco Tricca.

TRICCA Fosco
Né le 2 mars 1856 à Florence. XIXe siècle. Italien.
Peintre de genre et caricaturiste.
Fils d'Angiolo Tricca. Il fut élève de Gardigiani. Il a exposé à Trieste, Milan, Florence, Palerme.

TRICCOLI Giuseppe
Né le 10 décembre 1832 à Livourne. Mort le 14 mai 1900 à Florence. XIXe siècle. Italien.
Peintre.
Élève de l'Académie de Florence. La Galerie Moderne de cette ville conserve de lui *Après le bal.*

TRICHET DU FRESNE Raphaël ou Trichet Dufresne
Né le 27 avril 1611 à Bordeaux. Mort le 4 juin 1661 à Paris. XVIIe siècle. Français.
Dessinateur, critique d'art.
Il fit ses études à Rome. Connu pour être bibliophile. Il travailla pour la reine Christine de Suède.

TRICHON Adèle
Née à Paris. XIXe siècle. Française.
Graveur sur bois.
Fille et élève d'Auguste Trichon. Elle débuta au Salon de 1868.

TRICHON Adrienne
Née à Boulogne-sur-Seine (Seine). XIXe siècle. Française.
Graveur.
Élève de son père, Auguste Trichon. Elle débuta au Salon de 1882. Elle a gravé, notamment pour le journal *La Famille.*

TRICHON Auguste ou François Auguste
Né le 1er novembre 1814 à Paris. XIXe siècle. Français.
Graveur sur bois.
Élève de K. Brown. Il débuta au Salon de Paris en 1848. Un des noms les plus populaires de la gravure sur bois. Dès 1844, on

trouve son nom sur des planches de *Les Étrangers à Paris,* puis, notamment, dans le *Musée des Familles, l'Illustration, le Journal pour tous, Le Magasin des Enfants, Le Journal du Dimanche, l'Histoire des peintres* de Charles Blanc. A la fin de sa carrière, il collabora encore à l'*Univers Illustré,* à *La Famille,* etc.

TRICHOT-GARNERIE François
Né à Chalon-sur-Saône (Saône-et-Loire). XIXe siècle. Actif dans la première moitié du XIXe siècle. Français.
Lithographe.

TRICHT Aert ou Arnold ou Arnt Van. Voir ARNOLD von Tricht

TRICHTER. Voir PUYTLINCK Christoffer

TRICHTL Alexander
Né le 15 décembre 1802 à Vienne. Mort le 25 octobre 1884. XIXe siècle. Autrichien.
Paysagiste.
VENTES PUBLIQUES : VIENNE, 17 mars 1981 : *Paysage alpestre,* h/t (39x32) : ATS 35 000.

TRICIUS Aleksander Stanislav ou Trycius
Mort en 1733 à Cracovie. XVIIIe siècle. Polonais.
Peintre.
Fils d'Alexandre Jan T.

TRICIUS Alexandre Jan ou Trycius, Trzycxi, Tretko-Tricius
Né vers 1620. Mort en 1692 ou 1698. XVIIe siècle. Polonais.
Peintre.
Issu d'une famille de peintres cracoviens, il fut membre de la Confrérie de cette ville. Il fit ses études à Paris avec Poussin, à Anvers avec Jordaens et enfin à Dantzig avec Keiner. Il fut peintre à la Cour du roi Jan Casimir, à celle du roi Michel, et à celle des rois Jan III et Auguste II, à Cracovie.

TRICK. Voir LIQUIER Gabriel

TRICOMI Antonio, don
Né en 1598. XVIIe siècle. Italien.
Peintre.
Il était prêtre et il commença les fresques au plafond de l'église Notre-Dame sous la cathédrale de Messine.

TRICOMI Bartolomeo
Né à Messine. Mort en 1709. XVIIe siècle. Italien.
Portraitiste.
Élève de Barbalonga.

TRICOTET Guillaume
XVIIe siècle. Actif à Paris vers 1635. Français.
Sculpteur sur bois et ébéniste.
Il sculpta avec Noël Masson le tabernacle du maître-autel de l'église Saint-Sernin à Escoussens (Tarn).

TRIDON Caroline ou Franziska, née Sattler
Née le 15 avril 1799 à Erlangen. Morte le 25 mars 1863 à Dresde. XIXe siècle. Allemande.
Peintre de portraits et miniaturiste.
Élève d'Isabey et de Robert Lefèvre à Paris. Elle s'établit à Dresde où elle peignit pour la Cour.

TRIEB Alois
Né le 25 mars 1888 à Elberfeld. Mort en 1917, tombé en Roumanie. XXe siècle. Allemand.
Peintre.
Il fut élève de l'académie des beaux-arts de Düsseldorf.
MUSÉES : WUPPERTAL : *Crucifixion.*

TRIEBEL Carl
Né le 4 mars 1823 à Dessau. Mort le 16 septembre 1885 près de Wernigerode. XIXe siècle. Allemand.
Peintre de genre, architectures, paysages, aquafortiste.
Élève de Carl Schulz et de Biermann. Il s'établit à Berlin où il devint peintre de la Cour.
MUSÉES : LE MUSÉE DE LEIPZIG : *Deux Paysages alpestres.*
VENTES PUBLIQUES : BERLIN, 1894 : *Enfants jouant sur le bord d'une rivière,* en collaboration avec von Bentzell : FRF 343 – LONDRES, 4 juin 1970 : *Paysage* : GNS 300 – COLOGNE, 7 juin 1972 : *Vue du lac de Brienz* : DEM 3 800 – COPENHAGUE, 6 fév. 1974 : *Paysage montagneux* : DKK 7 000 – COLOGNE, 14 juin 1976 : *Paysage alpestre au moulin,* h/t (69,5x95) : DEM 2 000 – NEW YORK, 3 mai 1979 : *Paysage au moulin* 1849, h/t (68,5x94) : USD 3 750 – VIENNE, 17 nov. 1981 : *Paysage montagneux,* h/t (65x92) : ATS 40 000 – VIENNE, 11 déc. 1985 : *Paysage alpestre au ciel d'orage* 1855, h/t (69x95) : ATS 200 000.

TRIEBEL Frederick Ernst
Né le 29 décembre 1865 à Peoria. xixᵉ siècle. Américain.
Peintre.
Il fut élève d'A. Rivalta à l'Académie de Florence. Il sculpta des statues.
Musées : Tokyo : *Musique mystérieuse*, statue.

TRIER Adeline
xixᵉ-xxᵉ siècles. Active en Grande-Bretagne. Allemande.
Peintre de fleurs.
Elle exposa, de 1879 à 1903, à Londres où elle vécut et travailla.

TRIER Hann
Né en 1915 à Kaiserswerth (Düsseldorf). xxᵉ siècle. Allemand.
Peintre, dessinateur. Expressionniste puis abstrait-paysagiste.
De 1934 à 1938, il fut élève de l'académie des beaux-arts de Düsseldorf, puis effectua des voyages en France, Hollande, Italie, Suisse, Espagne. En 1946, il s'établit à Burg Bornheim, près de Bonn. En 1955, il fit un séjour de trois années en Amérique du Sud et aux États-Unis. Il s'installa ensuite à Hambourg, puis à Berlin, où il sera directeur adjoint de l'académie des beaux-arts.
Il participa à de nombreuses manifestations collectives, régulièrement en Allemagne, notamment aux expositions du groupe *Zen 49* dont il fut membre : 1955, 1959 Documenta de Kassel ; 1959 Biennale de São Paulo ; 1959-1960 *German Artists of Today* exposition itinérante à travers les États-Unis ; etc.
Au lendemain de la guerre, il peignit dans la tradition expressionniste, même si touché par l'abstraction. À partir de 1955, il adopta un graphisme résolument abstrait, inspiré des calligraphies extrême-orientales, dont les volutes, semblant se développer pour elles-mêmes, enserrent en fait des apparences de sensations, ou plutôt de phénomènes, en fonction de cette constatation à son sujet de Gert Schiff : « La réalité n'est plus une constante mais un processus dynamique. »
Bibliogr. : Michel Seuphor : *Diction. de la peint. abstr.*, Hazan, Paris, 1957 – B. Dorival, sous la direction de... : *Peintres Contemporains*, Mazenod, Paris, 1964 – Uta Gerlach-Laxner : *Hann Trier. Œuvres complètes. Peintures*, Wienand, Cologne, 1990 – Sabine Fehlemann : *Hann Trier. Monographie, œuvres complètes*, Wienand, Cologne, 1992.
Ventes Publiques : Hambourg, 5 juin 1971 : *Sopranarie* : DEM 3 800 – Düsseldorf, 14 nov. 1973 : *Composition*, temp. : DEM 8 500 – Cologne, 3 déc. 1976 : *Composition* 1951, temp./t. (56x68) : DEM 3 000 – Cologne, 5 déc 1979 : *Composition* 1960, h/t (73x50) : DEM 6 500 – Cologne, 17 mai 1980 : *Stricken I* 1955, temp. (64,3x79,5) : DEM 4 200 – Hambourg, 13 juin 1981 : *Le Nœud gordien* 1958, h/t (65,5x81,2) : DEM 5 000 – Cologne, 8 déc. 1984 : *Nachfalter* 1962, temp./t. (41x33) : DEM 4 800 – Munich, 29 mai 1984 : *Pendel* 1951, h/t (56x68) : DEM 4 800 – Hambourg, 8 juin 1985 : *Composition abstraite* 1963, pl. (77x98,5) : DEM 3 700 – Londres, 30 juin 1988 : *Temps exécuté* 1958, détrempe à l'œuf/t. (195x114,5) : GBP 19 800 – Londres, 25 mai 1989 : *Sans titre* 1954, détrempe/t./pan. (65x80) : GBP 7 700 – Amsterdam, 21 mai 1992 : *Sans titre* 1959, aquar./pap. (72,5x50,5) : NLG 7 820 – Amsterdam, 9 déc. 1992 : *Sans titre* 1961, aquar./pap./pap. (60,5x47,5) : NLG 5 175 – Londres, 2 déc. 1993 : *Abrir* 1959, h/t (116,5x81) : GBP 17 250.

TRIER Hans A., dit aussi **Henry**
Né en 1877 à Londres. Mort le 19 mars 1962 à Huby-Saint-Leu (Pas-de-Calais). xxᵉ siècle. Britannique.
Peintre de genre. Orientaliste.
Il ne s'adonna à l'étude de la peinture qu'après sa vingtième année et travailla seul. Il voyagea presque constamment dans les contrées méridionales, faisant d'assez longs séjours en Espagne, à Venise, au Maroc, à Tunis, en Égypte. Il exposa pour la première fois à Londres en 1901 au Royal Institute of Oils Painters et fut nommé la même année membre de la Society of British Artists, participant aux expositions de cette association (encore cité dans le catalogue de 1909) et aux expositions de la Royal Academy.
Musées : Leeds : *Un Bazar au Caire*.

TRIER Troels
Né le 30 avril 1879 à Vallekilde. xxᵉ siècle. Danois.
Peintre de figures, animaux, paysages.
Il fut élève de Peter S. Krøyer à Copenhague. Il peignit pour des églises d'Oder, de Hornborg, de Lynge et de Vallekilde.
Musées : Odense.

TRIÈRE Gaetano, appellation erronée. Voir **TRYER Gaetano**

TRIÈRE Philippe ou **Trierre**
Né en 1756 à Paris. Mort vers 1815. xviiiᵉ-xixᵉ siècles. Français.
Graveur au burin.
Il grava des illustrations d'auteurs classiques et d'après J. M. Moreau.

TRIFFEZ Jean Pourbaix, dit **Jean**
Né le 22 août 1931. Mort en avril 1983 à Rome. xxᵉ siècle. Belge.
Peintre.
Il peignit après avoir fait des études de lettres et de philosophie. Il a participé à des expositions collectives à Tanger, Bruxelles, Charleroi, Paris, Londres et : 1953 Cagnes, 1961 Iʳᵉ Exposition du Réalisme Fantastique à Paris sous l'égide de Louis Pauwels. Il fut aussi sélectionné pour le Prix Hélène Jacquet, en 1961.

TRIFOGLI. Voir **TREFOGLI**

TRIFOGLIO Luigi
Né en 1888 à Rome. Mort en 1939 à Rome. xxᵉ siècle. Italien.
Peintre.
Musées : Rome (Gal. d'Art Mod.).

TRIFONOV Vladimir
Né en 1949 à Moscou. xxᵉ siècle. Russe.
Peintre de paysages, paysages urbains.
Il fit des études dans la section Art Graphique de l'Institut Pédagogique Lénine de Moscou jusqu'en 1971. Il devint membre de l'Union des Peintres d'URSS en 1979. Il participe régulièrement à des expositions de peinture en URSS.
Bibliogr. : In : Catalogue de la vente *Tableaux soviétiques*, Salle Drouot, Paris, 3 oct. 1990.
Ventes Publiques : Paris, 3 oct. 1990 : *Un matin d'automne* 1988, h/t (70x90) : FRF 22 000.

TRIFORA Raffaele
Mort vers 1830, jeune. xixᵉ siècle. Actif à Naples. Italien.
Peintre de paysages et de décors.

TRIFU Alexandru
Né le 22 juillet 1942 à Bucarest. xxᵉ siècle. Depuis 1981 actif en Suisse. Roumain.
Peintre, auteur d'assemblages, dessinateur, céramiste. Polymorphe.
Il fut élève de l'Institut d'arts plastiques N. Grigorescu de Budapest, puis il enseigna le dessin et la peinture dans diverses écoles d'art de Budapest.
Il participe à des expositions collectives en France et en Suisse. Il montre ses œuvres dans des expositions personnelles à partir de 1968 puis à Genève.
À partir d'objets du quotidien, sacs, couverts, clous, boutons, il crée des assemblages abstraits, sur des supports de bois, carton ou plastique, explorant les formes. Parallèlement il réalise des dessins à tendance figurative à l'encre, très simples, des silhouettes, des scènes animées.
Bibliogr. : Ionel Jianou et autres : *Les Artistes roumains en Occident*, American Romanian Academy of Arts and Sciences, Los Angeles, 1986.

TRIGA Giacomo
Mort en 1746. xviiiᵉ siècle. Actif à Rome. Italien.
Peintre.
Il exécuta des fresques et des tableaux d'autel pour des églises de Rome.

TRIGALLON Nicolas
xviᵉ siècle. Travaillant en 1525. Français.
Sculpteur sur bois.
Il sculpta des statues pour l'église Saint-Pierre d'Angers.

TRIGGVADOTTIR. Voir **TRYGGVADOTTIR**

TRIGNAC Gérard
Né le 19 juin 1955 à Bordeaux (Gironde). xxᵉ siècle. Français.
Graveur de paysages, paysages urbains, dessinateur.
De 1975 à 1978, il fit des études d'architecture à Bordeaux. En 1981, il obtient une bourse de gravure de l'académie des beaux-arts de Paris. En 1982, il séjourne à la Casa Velasquez à Madrid, ayant obtenu le prix. Il vit et travaille à Bordeaux.
Il participe à des expositions collectives : 1980 Tokyo ; 1984 *Sept Graveurs de la Casa Velasquez* à la galerie Michèle Broutta à Paris, *Peintres et Graveurs français* à la Bibliothèque nationale de Paris ; 1985 Darmstadt ; 1988 Archives départementales à Bordeaux ; 1989 *GRAV'X* galerie Michèle Broutta à Paris. Il montre ses œuvres dans des expositions personnelles : 1980 Bordeaux ;

1990 galerie Michèle Broutta à Paris. Il a reçu divers prix : 1987 premier prix du salon de la gravure originale de Bayeux ; 1988 prix Charles Oulmont de la Fondation de France.

Il privilégie les techniques de l'eau-forte, du burin et de la pointe-sèche, dans des œuvres sombres. Il a réalisé plusieurs vues de Paris.

MUSÉES : MADRID (Mus. esp. d'Art Contemp.) – PARIS (FRAC Île-de-France) : *La Révolution industrielle* 1984 – *La Retraite du vieux grouttier* 1986 – *Le Chevalier errant* 1988 – PARIS (BN) : *Beaubourg – La Tour Eiffel* 1986, deux eaux-fortes – SAN FRANCISCO (Mus. of Fine Arts).

TRIGNARD
XIXe siècle. Travaillant en 1803. Français.
Peintre et miniaturiste.
Il était actif à Paris en 1811. Il est à rapprocher de Trígnare et d'Antoine Trignart.
MUSÉES : NANTES : *Portrait d'homme.*

TRIGNARE
XIXe siècle. Travaillant en 1807. Français.
Miniaturiste.
Le Musée d'Avignon conserve de lui *Portrait de Mme Auguste Geoffroy-Perret.*

TRIGNART Antoine
XVIIIe siècle. Actif à Nancy vers 1789. Français.
Peintre et miniaturiste.

TRIGNOLI Giovanni, dit Giovanni da Reggio
Né à Reggio-Emilia. Mort fin 1522 à Rome. XVIe siècle. Italien.
Peintre.
Assistant de Michel-Ange.

TRIGO Salvador de
XVIIe siècle. Travaillant à Cadix en 1636. Espagnol.
Peintre.

TRIGO Zenon
XIXe siècle. Espagnol.
Portraitiste.
Élève d'Ed. Rosales Martinez à Madrid.

TRIGOLI. Voir **TRIBULIS**

TRIGOULET Eugène
Né en 1867 à Paris. Mort en juin 1910 à Berck-sur-Mer (Pas-de-Calais). XIXe-XXe siècles. Français.
Peintre de scènes de genre, nus, paysages animés, paysages d'eau, dessinateur, lithographe.
Il fut élève de Jean Léon Gérome, d'Henry Lévy et d'Albert Maignan.
Il travailla le plus souvent à Berck, peignant des vues de ports et des scènes de la vie des marins. Il réalisa aussi quelques nus au crayon ou en lithographie.
BIBLIOGR. : Gérald Schurr, in : *Les Petits Maîtres de la peinture 1820-1920, valeur de demain*, Les Éditions de l'Amateur, t. V, Paris, 1981.
VENTES PUBLIQUES : PARIS, 27 déc. 1926 : *Femme dans un paysage* : FRF **700** – PARIS, 24 fév. 1947 : *Scène maritime* : FRF **160**.

TRIGT Hendrick Albert Van
Né le 22 octobre 1829 à Dordrecht. Mort le 6 juin 1899 à Heilo. XIXe siècle. Hollandais.
Peintre d'histoire et de genre.
Il fut à partir de 1845, élève de l'Académie de La Haye ; de 1855 à 1857, il travailla à Paris avec Robert Fleury et Ary Scheffer. On le cite encore à Anvers en 1865, recevant des conseils d'Henri Bource et de Van Leys. En 1866, il était à Oosterbeck ; en 1867, à Amsterdam, en 1871, à Hilverneer. On le rattache à l'école romantique.
MUSÉES : AMSTERDAM (Mus. Nat.) : *Leçon de catéchisme dans l'église de Viken, Norvège* – AMSTERDAM (Mus. mun.) : *Femmes norvégiennes et leurs enfants au baptême – Prison sous l'époque espagnole – Luther au chevet de son enfant malade* – DORDRECHT : *Rassemblement du peuple devant la prison de l'Inquisition* – LA HAYE (mun.) : *L'imprimeur Robert Estienne* – ROTTERDAM : *Érasme, à la fin de sa vie, à Bâle avec Amerbach, Frabenius et Episcopius.*
VENTES PUBLIQUES : AMSTERDAM, 1884 : *Martin Luther et ses collaborateurs* : FRF **1 215** – ROTTERDAM, 1891 : *Philippe Melanchton donnant une leçon* : FRF **2 850** – PARIS, 28 mai 1951 : *Intérieur de cuisine avec sujet religieux* : FRF **101 000** – AMSTERDAM, 26 nov. 1974 : *L'enfant malade* : NLG **5 600**.

TRIGULIS. Voir **TRIBULIS**

TRIKI Gouider
Né le 1er janvier 1949 à Lezdine (Nabeul). XXe siècle. Tunisien.
Peintre, graveur. Nouvelles figurations.
Il fut élève de l'école des beaux-arts de Tunis de 1966 à 1971 où il étudie la gravure, puis à Paris de l'école des beaux-arts dans les ateliers de gravure de Jacques Lagrange et Lucien Coutaud. En 1975-1976, il séjourne à la Cité internationale des Arts de Paris. Il participe à des expositions collectives : 1977 Cité internationale des Arts de Paris ; 1980 *Art arabe contemporain* au centre d'art vivant de la ville de Tunis, Biennale de Paris. Il montre ses œuvres dans des expositions personnelles : 1977 Tunis ; 1980 Centre Georges Pompidou à Paris.
Il peint parfois par dessus des gravures. La surface de l'œuvre est couverte de signes distincts, séparés les uns des autres, plus ou moins figuratifs, en tout cas très schématiques, qui induisent des choses, des personnages, des petits monstres, humanoïdes ou « insectoïdes », sommairement coloriés, n'ayant entre eux aucun lien plastique, ni narratif. En 1973, il a réalisé la décoration du théâtre Jean Vilar à Surennes.

TRILLE Michel Van
Né en 1528. Mort le 29 mars 1592 à Malines. XVIe siècle. Éc. flamande.
Peintre.

TRILLEAU Gaston
XIXe-XXe siècles. Français.
Dessinateur humoriste et graveur.
Il collabora à plusieurs journaux humoristiques, avant la guerre de 1914-1918. Il illustra *Le Vieux Cahier de chansons, La Lanterne magique, Nouvelle Méthode humoristique pour apprendre l'anglais, L'Art et la manière de découper le poulet*, dont il composa également les légendes.

TRILLES Miguel Angel
Né le 20 mars 1866 à Madrid. XIXe-XXe siècles. Espagnol.
Sculpteur.
Fils de José de Trilles y Badenes. Il fit ses études à Madrid et à Rome. Il obtint avec le groupe *Persée et Andromède*, la médaille d'or à l'Exposition de Madrid en 1904.
MUSÉES : MADRID : *Le batelier*, plâtre – *Persée et Andromède.*

TRILLES Y BADENES José de
XIXe siècle. Actif à Castellon de la Plana. Espagnol.
Sculpteur.
Père de Miguel Angel Trilles et élève de l'Académie de Madrid.

TRILLHAASE Adalbert
Né en 1859 à Erfurt (Thuringe). Mort en 1936 à Koenigswinter. XIXe-XXe siècles. Allemand.
Peintre d'histoire, compositions religieuses. Tendance fantastique.
Ayant suivi des études commerciales, il se livra sans grand succès à diverses entreprises. Il était de tout temps un lecteur passionné de la Bible. En 1918, âgé de soixante ans, il commença à peindre. Un curieux personnage « Mutter Ey », qui tenait d'abord un café près de l'Académie de Düsseldorf, puis dirigea une galerie d'art, s'intéressa à Trillhaase et exposa ses premières peintures. En 1924, une grande salle lui fut consacrée à l'Exposition *Gesolei*, à Düsseldorf. La fraîcheur naïve de sa peinture ne trouva pas grâce auprès des censeurs nazis qui la décrétèrent « art dégénéré », et il lui fut signifié de cesser toute activité picturale. Une exposition importante put lui être consacrée à Paris, en 1939.
Le domaine de son expression artistique n'est pas sans parenté avec celui d'un Bauchant. Chez Trillhaase, les scènes d'histoire et les épisodes bibliques, dérivent involontairement vers le fantastique. Avec les meilleures intentions épiques qui se peuvent, les hauts faits qu'il illustre se réfèrent par le biais des allégories d'une symbolique personnelle où s'allient foi authentique et superstitions primitives, à l'univers de ses auto-hallucinations.
BIBLIOGR. : Oto Bihalji-Merin : *Les Peintres naïfs*, Delpire, Paris, s.d.
VENTES PUBLIQUES : COLOGNE, 26 mai 1964 : *Martyrs chrétiens dans l'arène* : DEM **5 000** – HAMBOURG, 4 juin 1976 : *Martyre des premiers chrétiens*, h/t (98x75) : DEM **11 000** – COLOGNE, 8 déc. 1984 : *Bord de mer à Capri*, h/t (39x46) : DEM **3 200**.

TRILLO Pedro
XVIe siècle. Actif à Séville au début du XVIe siècle. Espagnol.
Sculpteur.
Il travailla pour la cathédrale de Séville en 1509.

TRILLOCCO Michele ou Trilloque
Probablement d'origine espagnole. XVIIIe-XIXe siècles. Travaillant à Naples aux XVIIIe et XIXe siècles. Italien.

Sculpteur de figurines de crèches.
Élève de Sammartino.

TRIMARCHI Michele
XVIᵉ siècle. Actif à Messine dans la première moitié du XVIᵉ siècle. Italien.
Peintre.

TRIMMEL Robert
Né le 20 mars 1859 à Vienne. XIXᵉ siècle. Actif à Salzbourg. Autrichien.
Sculpteur et peintre.
Élève de Kundmann à l'Académie de Vienne. Il sculpta des statues pour des places publiques de Graz, de Salzbourg et de Bruck-an-der-Mur.

TRIMMING Véronique
Née en 1959 à Levallois-Perret, de parents britanniques ? XXᵉ siècle. Française.
Peintre.
De 1968 à 1978, elle vit à Bruxelles, puis s'installe à Paris où elle travaille.
Elle participe à des expositions collectives, notamment 1991 Salon Figuration critique à Paris. Elle montre ses œuvres dans des expositions personnelles régulières à la galerie Lelia Mordoch à Paris.
Sa peinture, d'une grande liberté, se présente comme un relevé de traces, d'empreintes, de craquelures, de pliures et fausses symétries.

TRIMOHR Johann
XVIIIᵉ siècle. Autrichien.
Sculpteur.
Il travailla à Weikersdorf dans la seconde moitié du XVIIIᵉ siècle. Il sculpta deux autels dans l'église de Stockern en 1771 et en 1773.

TRIMOLET Alphonse Louis Pierre
Né à Paris. XIXᵉ siècle. Français.
Peintre, dessinateur et graveur à l'eau-forte.
Fils de Louis Joseph Trimolet qu'il perdit très jeune, et neveu du grand paysagiste Daubigny. Il fut élève de Geoffroy Dechaume et débuta au salon de Paris en 1861 avec un dessin d'après son père. De 1867 à 1881, il publia trente et une eaux-fortes originales d'après des sites de Paris. Mais il ne connut pas le succès, vécut dans la misère et dut chercher un asile à l'Hôpital de Bicêtre.

TRIMOLET Anthelme ou Claude Anthelme Honoré
Né le 16 mai 1798 à Lyon (Rhône). Mort le 16 décembre 1866 à Lyon. XIXᵉ siècle. Français.
Peintre d'histoire, scènes de genre, portraits, aquarelliste, dessinateur, sculpteur, graveur.
Fils d'un dessinateur pour la broderie, plus tard peintre sur métaux, Anthelme Trimolet commença ses études artistiques à l'âge de dix ans, à l'École des Beaux-Arts de Lyon, où il fut élève de Pierre Révoil. Il enseigna le dessin à Lyon ; il se maria d'ailleurs à l'une de ses élèves, Mlle Edma Saulnier.
Il exposa au Salon de Paris, de 1819 à 1853, obtenant une médaille de deuxième classe en 1819.
Il réalisa de nombreux dessins, mais nous croyons que c'est par erreur que le rédacteur du catalogue du Musée de Dijon, lui attribue plusieurs compositions pour l'illustration des chansons populaires de France. Les illustrations citées sont de Louis Joseph Trimolet. Il sculpta également sur bois et sur ivoire. Il faut aussi le mentionner comme archéologue, numismate, collectionneur d'œuvres d'art. Il réunit une remarquable collection de peintures, dessins, meubles, armes et antiquités de toutes sortes, ne comprenant pas moins de mille neuf cent dix-neuf numéros que sa femme légua au Musée de Dijon. Cette collection comprend quelques pièces de lui.
MUSÉES : CHAMBÉRY (Mus. des Beaux-Arts) : Amédée VIII recevant la tiare – DIJON (Mus. des Beaux-Arts, collection Trimolet) : Les parents de l'artiste – Portrait d'homme – La rêverie – Tête d'étude – LYON (Mus. des Beaux-Arts) : Intérieur d'un atelier de mécanicien – Portraits de M. Germain, du peintre Fonville, du graveur Baron, du peintre et graveur Balthazar Alexis, de Mme Villoud – NANTES (Mus. des Beaux-Arts) : Portrait d'homme.
VENTES PUBLIQUES : PARIS, 29 janv. 1945 : Portrait de l'artiste par lui-même 1849 ; Portrait de la femme de l'artiste 1850, deux pendants : FRF 6 300 – PARIS, 4 déc. 1992 : Portrait d'homme sous un buste d'Apollon 1841, h/t (37x29) : FRF 11 000.

TRIMOLET Edma, née Saulnier
Née en 1801 à Chalon-sur-Saône (Saône-et-Loire). Morte en

1878 à Saint-Martin-sous-Montaigu (Saône-et-Loire). XIXᵉ siècle. Française.
Peintre de genre, natures mortes.
Femme d'Anthelme Trimolet, dont elle fut l'élève. Elle aida son mari à réunir l'importante collection qu'elle légua au Musée de Dijon.
MUSÉES : DIJON : Intérieur de cuisine – Natures mortes – La rêverie – Une esquisse.

TRIMOLET Louis-Joseph
Né le 17 octobre 1812 à Paris. Mort le 23 décembre 1843 à Paris. XIXᵉ siècle. Français.
Peintre de scènes de genre, intérieurs, graveur, dessinateur, lithographe.
Fils d'un soldat de l'Empire, il demeura orphelin à neuf ans. Il fut d'abord apprenti chez un bonnetier, puis chez un coiffeur, enfin chez un graveur d'étiquettes, où ses dispositions pour le dessin se manifestèrent. Il étudia dans l'atelier de David d'Angers, puis, à partir de 1831, dans celui de Guillaume Lethière à l'École des Beaux-Arts de Paris. Il épousa fort jeune la sœur de Charles Daubigny. Les deux beaux-frères liés d'une étroite amitié, formaient avec le sculpteur Geoffroy Dechaume et les peintres, beaux-frères aussi, Ernest Meissonier et Louis Steinheil un groupe. Vers 1833, ils habitaient le même immeuble, Quai de Bourbon. Ils y vivaient une vie de Bohème. Joseph Trimolet ne put sortir de la misère, il mourut phtisique par suite de privations. Il exposa au Salon de Paris, notamment en 1839 et 1841. On cite de lui : Maison de secours, La Prière. Il a lithographié Avant, Pendant, Après (1830). Il a dessiné des vignettes pour Versailles, ancien et moderne, du comte de Laborde (1839). On lui doit aussi des eaux-fortes originales, notamment pour la Batrachomyomachie, de Curmer (1841), pour le Comic-Almanach (1842-1843), pour les Français peints par eux-mêmes, pour les Contes de Perrault et Les chants et chansons populaires de France.
MUSÉES : PARIS (Mus. du Louvre) : Maison de secours.
VENTES PUBLIQUES : PARIS, 1881 : Le roi Dagobert ; Monsieur de la Palisse, deux dess. : FRF 140.

TRIMOLET Marie Antoinette. Voir PETIT-JEAN

TRINA Francesco
XVIᵉ siècle. Actif dans la première moitié du XVIᵉ siècle. Italien.
Sculpteur sur bois.
Il travailla en Sicile, surtout à Palerme où il sculpta des statues de saints et des crucifix.

TRINCOT Georges
XXᵉ siècle. Français.
Peintre de paysages, paysages urbains.
MUSÉES : MULHOUSE : Paysage 1957, h/t.
VENTES PUBLIQUES : HONFLEUR, 11 juin 1976 : Le Marché, Honfleur, h/t (81,5x99,5) : FRF 1 500.

TRINDALL G. Lyall
Né en 1886 à Maitland (Nouvelle Galles du Sud). XXᵉ siècle. Australien.
Peintre de fleurs.
VENTES PUBLIQUES : SYDNEY, 1ᵉʳ oct. 1974 : Magnolia : AUD 1 000.

TRINER Félix, dit Schlegel
Né le 16 mars 1743 à Arth. Mort en France. XVIIIᵉ siècle. Suisse.
Peintre.
Il collabora aux effigies des apôtres dans l'église de Steinen.

TRINER Franz Anton, dit Schlegel
XVIIIᵉ siècle. Suisse.
Sculpteur d'autels sur bois.
Frère de Félix Triner. Il sculpta, avec son frère Karl Meinrad T. des autels dans l'abbatiale S. Zeno d'Arth dans la seconde moitié du XVIIIᵉ siècle.

TRINER Heinrich ou Johann Heinrich
Né le 14 mars 1796 à Bürglen. Mort le 21 avril 1873 à Muri. XIXᵉ siècle. Suisse.
Peintre et dessinateur.
Fils de Xaver Triner.

TRINER Karl Alois
XIXᵉ siècle. Travaillant de 1802 à 1814. Suisse.
Peintre.
Fils de Karl Meinrad Triner. Il dessina des vues d'Altdorf et des environs.

TRINER Karl Meinrad
Né en 1735 à Arth. Mort en 1805 à Bürglen. XVIIIe siècle.
Suisse.
Peintre.
Il peignit des tableaux d'autel dans les églises d'Arth, d'Andermatt, d'Erstfeld, de Gurtnellen et d'Unterschächen.

TRINER Xaver ou **Franz Xaver**
Né le 24 octobre 1767 à Arth. Mort le 6 mars 1824 à Bürglen. XVIIIe-XIXe siècles. Suisse.
Peintre, dessinateur et graveur au burin.
Fils de Karl Meinrad Triner. Il peignit des vues du canton d'Uri et de nombreux tableaux d'autel.

TRINGHAM Holland
Mort en 1909. XIXe-XXe siècles. Britannique.
Peintre de portraits, paysages, illustrateur.
Il fut élève de Herbert Railton. Il peignit des portraits et des arbres, et collabora à des revues illustrées.

TRINGHAM W.
XVIIIe siècle. Actif au milieu du XVIIIe siècle. Britannique.
Graveur.
Il travailla pour les libraires. On cite de lui un *Portrait du Rév. Samuel Clark*.

TRINITÉ Maîtres de la. Voir **MAÎTRES ANONYMES**

TRINKLER Ulrich
XVe-XVIe siècles. Actif à Zurich de 1497 à 1535. Suisse.
Orfèvre et sculpteur sur bois.
Le Musée de Zurich conserve de cet artiste : *Plafond de la loggia orné de frises taillées en champlevé*.

TRINO Francesco da, dit **Francesco da Pier** ou **Pietro Francesco Guala** ou **Gualla de Casale Monferrato**
Mort en 1760. XVIIIe siècle. Italien.
Peintre.
Sa famille était établie à Rumella, mais on n'indique pas le lieu de naissance de notre artiste. Après avoir étudié à Bologne avec Antonio Vicentini, il paraît s'être fixé à Trino. Il signa un grand nombre de ses ouvrages *Francesco da Trino*. Il peignit à fresques et à l'huile et décora un grand nombre de monuments. A la fin de sa vie, il devint moine et travailla à Milan à l'église de son couvent. On trouve de nombreux ouvrages de notre peintre à Trino et dans ses environs ainsi qu'à Monferrato.

TRINO Gaspare
XVIe siècle. Actif à Venise à la fin du XVIe siècle. Italien.
Peintre.
Il a peint un *Christ ressuscité* dans la basilique Sainte-Croix près de S. Espido a Mare.

TRINQUEAU Pierre. Voir **NEPVEU Pierre**

TRINQUESSE Louis Rolland
Né vers 1746 à Paris. Mort vers 1800. XVIIIe siècle. Français.
Peintre de compositions mythologiques, scènes de genre, portraits, dessinateur.
Louis Trinquesse était élève à l'École de l'Académie Royale au 1er octobre 1758, protégé par Hallé. Il habitait chez son père, qui tenait l'hôtel du Pérou, rue Traversière, Butte Saint-Roch. Le docteur Wurzbach et le catalogue du Musée de Berlin le disent élève de Nicolas de Largillière. Le célèbre portraitiste étant mort en 1746 et Louis Trinquesse étant encore sur les bancs de l'école, douze ans après, il semble probable que, s'il reçut cet enseignement, ce dut être très jeune.
Il alla à La Haye et fut maître dans la confrérie de cette ville en 1767. De retour à Paris il s'établit comme peintre de genre. Il se présenta à deux reprises pour être agréé à l'Académie et y fut refusé. Wille, dans ses mémoires, dit qu'il devait se présenter une troisième fois le 29 août, qu'il avait fait les visites voulues, mais qu'il ne parut pas.
Par un envoi au Salon de la correspondance, en 1779, nous pouvons juger de ses sujets ; il y exposait : *Jeune femme assise sur un canapé, s'endormant en tenant négligemment un livre* ; *Portrait du général Washington d'après l'original envoyé au général Lafayette* ; *Tête d'étude de femme* ; en 1782 : *Promenade dans un parc* ; *Deux jeunes gens font la lecture, une jeune femme debout sur le devant et tenant des roses qu'elle vient de cueillir se rapproche pour les entendre, dans le lointain un jeune homme donnant la main à une femme pour monter un escalier, paraît rejoindre la compagnie* ; *Deux femmes accompagnées d'un jeune homme se promenant dans un jardin à l'anglaise où se trouve*

dans un temple d'ordre dorique la statue de l'amour ; *Portrait d'une jeune femme assise sur un sopha* ; *Jeune fille de sept à huit ans, à mi-corps, les cheveux négligemment épars et vêtue de satin blanc* (appartenait à la vicomtesse de Laval) ; *Le Matin, sous l'allégorie d'une dame qui déjeune dans son boudoir vêtue dans le négligé ordinaire aux femmes au sortir du lit et d'un jeune homme en habit du matin qui pince de la guitare, on aperçoit dans le plan le plus reculé la porte de la chambre à coucher ouverte et dans l'intérieur un lit à la polonaise* ; *L'après-dînée, sous l'allégorie d'une jeune dame qui joue de la harpe recevant la visite d'un jeune homme vêtu en satin prune, de Monsieur qui prête toute son attention au jeu* ; *Portrait du père de l'artiste* ; en 1785 : *Portrait en pied de Madame de Saint-Huberty dans le rôle d'Iphigénie en Tauride* ; *Le serment à l'amour* ; *L'offrande à l'Amour* ; *Une mère faisant des reproches à un jeune homme aux assiduités auprès de sa fille, tandis que celle-ci reçoit furtivement une lettre de lui* ; en 1787 : *Premier baiser de l'amour, sujet tiré de la Nouvelle Héloïse*. Il exposa au Salon de 1791 et à celui de 1793. Il demeurait alors 5, rue des Boulangers.
Trinquesse a fait de jolis dessins ; il y traite avec beaucoup de goût les toilettes féminines. On voit par ses titres que Trinquesse est par excellence un peintre galant.
Un Joseph Marie Trinquesse, né à Paris vers 1749, entra à l'école de l'Académie Royale comme élève peintre le 28 octobre 1766, protégé par Lagrenée. Son père, bourgeois de Paris, habitait 5, rue du Hazard, quartier Saint-Roch. S'agit-il de notre tenancier de l'Hôtel du Pérou devenu rentier ? Joseph Marie serait alors frère de Louis. Est-ce simplement un parent ou un homonyme ? Dans tous les cas nous n'avons pas jusqu'ici, trouvé trace de manifestation artistique de ce second Trinquesse. ■ E. Bénézit

L A Trinquesse fect. 1774

Musées : AMIENS : *Portrait d'un jeune garçon* – BERLIN (Mus. Nat.) : *Portrait d'une jeune dame* – DIJON : *Le serment d'amour* – *Offrande à Vénus* – MARSEILLE : *Jeune homme* – PARIS (Mus. Carnavalet) : *Portrait de Joseph Vernet* – VARSOVIE (Mus. Nat.) : *Portrait d'une dame*.

Ventes Publiques : PARIS, 1875 : *Jeune femme assise* : FRF 2 150 – PARIS, 1881 : *Portrait de la princesse de Lamballe* : FRF 2 000 – PARIS, 1890 : *Portrait de jeune fille* : FRF 2 050 – PARIS, 27 avr. 1891 : *La toilette* : FRF 5 000 – PARIS, 1897 : *Femme sur une chaise longue*, dess. à la sanguine : FRF 800 ; *Femme assise*, dess. à la sanguine : FRF 1 000 ; *Femme assise*, dess. à la sanguine : FRF 600 – PARIS, 1898 : *Le repos à la campagne*, dess. à la sanguine : FRF 1 550 – PARIS, 1899 : *Portrait de la mère de l'artiste* : FRF 1 150 – PARIS, 1899 : *Jeune femme assise dans un parc* : FRF 7 000 ; *Portrait de jeune fille* : FRF 2 600 ; *Portrait d'homme* : FRF 1 000 – PARIS, 26 mars 1902 : *La partie de pêche* : FRF 725 – PARIS, 28 juin 1905 : *Portrait de jeune fille* : FRF 1 910 – PARIS, 19 mars 1906 : *Jeune femme étendue sur un canapé* : FRF 1 400 – LONDRES, 7 déc. 1908 : *Dame assise à une table*, dess. : GBP 5 – NEW YORK, 12-14 avr. 1909 : *La baronne d'Oberkerck*, dess. : USD 70 – PARIS, 16-19 juin 1919 : *Le repos*, cr. reh. : FRF 5 700 – PARIS, 17 et 18 nov. 1920 : *Jeune femme assise*, cr. reh. : FRF 3 000 – PARIS, 7 et 8 mai 1923 : *La lettre*, sanguine : FRF 4 300 ; *La liseuse*, sanguine : FRF 4 900 – PARIS, 18 juin 1926 : *Femme assise*, sanguine : FRF 11 300 – LONDRES, 9 juil. 1926 : *Pique-nique* : GBP 136 – PARIS, 18 et 19 mars 1927 : *Portrait d'un architecte* : FRF 21 000 – PARIS, 24 et 25 juin 1927 : *La jeune mère* : FRF 35 200 – PARIS, 7 et 8 juin 1928 : *Jeune femme assise sur une chaise*, sanguine : FRF 16 100 – PARIS, 15 juin 1929 : *Femme assise*, dess. : FRF 17 200 – PARIS, 1er et 2 déc. 1932 : *Le Repos des Nymphes* ; *La Danse des Nymphes*, ensemble : FRF 70 000 – PARIS, 26 mai 1933 : *La Déclaration* : FRF 27 500 – LONDRES, 22 juil. 1937 : *Jeune fille aux roses* : GBP 460 – PARIS, 17 juil. 1941 : *Jeune femme étendue sur un canapé*, sanguine : FRF 14 800 – NEW YORK, 18-20 nov. 1943 : *Portrait de femme*, sanguine : USD 275 – PARIS, 22 mars 1950 : *La déclaration* ; *Le serment*, deux pendants, ensemble : FRF 70 100 – PARIS, 20 déc. 1950 : *Jeune femme assise, ajustant son bas 1771*, sanguine : FRF 35 000 – PARIS, 21 mars 1952 : *La jeune musicienne*, sanguine : FRF 250 000 – NEW YORK, 6 déc. 1958 : *Le lever* : USD 1 500 – PARIS, 9 déc. 1961 : *Jeune femme étendue sur un canapé, presque de face* : FRF 5 000 – PARIS, 18 mars 1966 : *Portrait d'un gentilhomme* : FRF 25 100 – PARIS, 7 mars 1972 : *Portrait présumé de la Dugazon dans le rôle de Nina ou la Folle par* *amour* : FRF 30 000 – L<small>ONDRES</small>, 29 juin 1973 : *Le billet doux* : GNS 2 500 – V<small>ERSAILLES</small>, 8 juin 1974 : *Le messager favori* : FRF 61 000 – V<small>ERSAILLES</small>, 13 juin 1976 : *La crainte*, sanguine (36x27) : FRF 6 000 – N<small>EW</small> Y<small>ORK</small>, 30 mai 1979 : *Jeune femme assise*, sanguine (21x28) : USD 1 900 – P<small>ARIS</small>, 22 oct. 1982 : *Étude de jeune femme en robe à panier*, sanguine (34x20,5) : FRF 27 000 – V<small>ERSAILLES</small>, 17 avr. 1983 : *Jeune femme au clavecin* 1763, sanguine (34,5x25) : FRF 13 000 – M<small>ONTE</small>-C<small>ARLO</small>, 8 déc. 1984 : *Le feu aux poudres*, h/t (58x72) : FRF 160 000 – N<small>EW</small> Y<small>ORK</small>, 16 jan. 1985 : *Gentilhomme jouant de la guitare*, sanguine (31,2x21,8) : USD 29 000 – N<small>EW</small> Y<small>ORK</small>, 8 mai 1985 : *Portrait de la Princesse de Ligne* 1787, h/t (83x66) : USD 29 000 – M<small>ONTE</small>-C<small>ARLO</small>, 3 avr. 1987 : *Portrait de Marie-Antoinette* 1779, h/t (123x98) : FRF 250 000 – P<small>ARIS</small>, 9 mars 1988 : *Portrait en médaillon de Jean-Baptiste Ferdinand Mulnier* 1776, sanguine (Diam. 21) : FRF 105 000 – P<small>ARIS</small>, 26 juin 1989 : *Portrait de Jean-Anne Foacier – Portrait de Marie-Jeanne Guillon, son épouse*, h/t, deux pendants (82x65,5) : FRF 288 000 – N<small>EW</small> Y<small>ORK</small>, 30 mai 1991 : *Portrait d'une jeune femme* 1788, h/t (71x57) : USD 37 400 – P<small>ARIS</small>, 31 mars 1994 : *Vénus et l'Amour* 1789, h/t (32x24) : FRF 48 000 – P<small>ARIS</small>, 2 déc. 1994 : *Portrait de jeune femme en robe de satin blanc* ; *Portrait de jeune homme tenant un livre*, h/t, une paire (chaque 63,5x53) : FRF 88 000 – P<small>ARIS</small>, 24 nov. 1995 : *Femme assise de profil*, sanguine (32x21,5) : FRF 72 000 – N<small>EW</small> Y<small>ORK</small>, 11 jan. 1996 : *Portrait d'une jeune fille tenant une partition musicale et trois boutons de roses* 1788, h/t (44,5x36,2) : USD 25 300 – L<small>ONDRES</small>, 16-17 avr. 1997 : *Dame assise, penchée à gauche*, sanguine, étude (33,3x21,3) : GBP 4 140 – L<small>ONDRES</small>, 3 juil. 1997 : *Le Feu aux poudres*, h/t (60x73) : GBP 34 500 – P<small>ARIS</small>, 21 nov. 1997 : *Marianne Franmery assoupie*, sanguine (30,2x26,2) : FRF 125 000.

TRINQUET

XVIIIe siècle. Français.
Dessinateur.
Le Musée de Poitiers conserve un portrait à la sanguine sur lequel on lit : *Nicolle Élisabeth. Bain : née en 1755 Trinquet fecit 27 octobre 1782.*

TRINQUIER Antonin ou Antoine Guillaume

Né le 1er juillet 1833 au Vigan (Gard). XIXe siècle. Français.
Peintre de genre et de natures mortes.
Élève de Matel et de Castelnau. Il débuta au Salon de Paris en 1864 et exposa particulièrement des animaux. Il fut professeur de dessin à l'École régionale des Beaux-Arts de Montpellier. On voit de lui dans les Musées : à Béziers, *Un dessert*, à Montpellier, *Étal de tripier* et à Périgueux, *Légumes et ustensiles de cuisine.*

TRINQUIER Fernand

Né en 1863 à Montpellier (Hérault). XIXe siècle. Français.
Peintre de fleurs.
Élève de Bideau. Le Musée de Sète conserve de lui *Œillets.*

TRINQUIER Louis Isaac

Né peut-être en 1853 à Lausanne, de parents français. Mort après 1922 à Paris. XIXe-XXe siècles. Français.
Graveur sur bois, peintre, aquarelliste, illustrateur.
Il fut élève de Spengler et François L. D. Bocion. Il débuta à Paris au Salon de 1881 et collabora à *L'Univers Illustré.*

TRINQUIER Lucie, née Bailly

Née à Paris. XIXe siècle. Française.
Graveur sur bois.
Élève de Trichon. Elle exposa au Salon de Paris, de 1881 à 1888. Femme de Louis Isaac Trinquier. Elle collabora notamment à *L'Univers Illustré.*

TRINQUIER Michel

Né en 1931. XXe siècle. Français.
Peintre.
Il expose depuis 1958. Il a reçu le prix du Festival d'Avignon en 1961. Sa peinture, figurative, est plus narrative, suggestive que représentative. Il procède par allusions. Il exprime essentiellement l'aliénation de l'homme.

TRIOLET Jean

Né le 4 juin 1939 à Marseille (Bouches-du-Rhône). XXe siècle. Français.
Peintre de paysages, natures mortes, fleurs, peintre de cartons de tapisserie.

Il fut élève de l'école des beaux-arts de Marseille, puis, une année, de l'école des arts décoratifs de Paris. Il montre ses œuvres dans des expositions personnelles très régulièrement (dans sa région natale en Provence puis à partir de 1986 à l'étranger au Japon, Canada, États-Unis.
Peintre régional, il privilégie les paysages et la lumière méridionale, avec des champs de lavandes et de coquelicots, des ports et criques de la Méditerranée. Il a réalisé de très nombreuses lithographies.
B<small>IBLIOGR</small>. : Catalogue de l'exposition : Jacques Bérard, Paris, s.d.
V<small>ENTES</small> P<small>UBLIQUES</small> : P<small>ARIS</small>, 29 nov. 1990 : *Lavandes en Haute-Provence* (46x55) : FRF 8 200.

TRIOLI Giacomo

XVIIe siècle. Actif à Plaisance dans la première moitié du XVIIe siècle. Italien.
Sculpteur sur bois.
Il sculpta de 1613 à 1615, avec Lorenzo Zaniboni, le plafond de l'église du Saint-Sépulcre de Parme.

TRIOMPHE DE LA MORT, Maître du. Voir MAÎTRES ANONYMES

TRIONFI Emanuele

Né le 10 décembre 1832 à Livourne. Mort le 14 mai 1900. XIXe siècle. Italien.
Peintre de genre et de natures mortes et portraitiste.
Élève de Ciceri. Il a surtout exposé à Florence. Professeur à l'École technique de dessin de cette ville. La Galerie antique et moderne de Prato conserve de lui : *Après le bal.*

TRIPARD Eugène Louis ou Tripart. Voir ZIGLIARA

TRIPELS F.

XXe siècle. Français.
Peintre de paysages urbains, fleurs.
Il a réalisé de nombreuses vues de Paris, notamment du quartier de Montmartre.
V<small>ENTES</small> P<small>UBLIQUES</small> : P<small>ARIS</small>, 17 nov. 1922 : *Place du Tertre* : FRF 215 – P<small>ARIS</small>, 17 mai 1944 : *Le Moulin de la Galette* : FRF 12 500 – P<small>ARIS</small>, 21 juin 1944 : *Fleurs* : FRF 20 100.

TRIPET Alfred

Né à Orsay (Seine-et-Oise). XIXe siècle. Actif de 1861 à 1882. Français.
Peintre de genre, portraits.
Élève de Lehman et de Picot.
Il exposa au Salon de Paris, de 1861 à 1882.
V<small>ENTES</small> P<small>UBLIQUES</small> : N<small>EW</small> Y<small>ORK</small>, 24 oct. 1989 : *Apparition de Vinvela à Shilric-le-chasseur* 1870, h/t (88,2x135,7) : USD 16 500.

TRIPET Louis Justin

Né le 30 octobre 1888 à Paris. Mort le 4 septembre 1916 près de Denincourt (Somme), tombé au champ de bataille. XXe siècle. Français.
Peintre.
Il exposait à Paris, au Salon de la Société Nationale des Beaux-Arts.

TRIPIER LEFRANC Eugénie, née le Brun

Née en 1805 à Paris. Morte en 1872. XIXe siècle. Française.
Peintre de portraits.
Nièce de Mme Vigée Le Brun. Élève de Regnault.
Elle exposa au Salon sous le nom de Mlle Le Brun de 1819 à 1824 et sous son nom de femme de 1831 à 1842.
On lui doit beaucoup de portraits d'artistes dramatiques.
M<small>USÉES</small> : V<small>ALENCIENNES</small> : *Portrait de Catherine Joséphine Raffin, dite Mlle Duchesnois.*
V<small>ENTES</small> P<small>UBLIQUES</small> : V<small>ERSAILLES</small>, 24 oct. 1982 : *Portrait d'un homme au gilet jaune* 1827, h/t (113x88) : FRF 30 000.

TRIPISCIANO Michele

Né le 13 juillet 1860 à Caltanisetta. Mort le 21 septembre 1913 à Caltanisetta. XIXe-XXe siècles. Italien.
Sculpteur de statues, compositions religieuses.
Il fut élève de Fabi Altini à Rome. Il exposa dans cette ville en 1890. Il sculpta des statues d'inspiration soit religieuse, soit profane.

TRIPMACHER Hermann

Né à Riga. XVIIe siècle. Actif dans la première moitié du XVIIe siècle. Allemand.
Dessinateur.
Le Cabinet d'estampes de Berlin conserve de lui *Persée et Andromède*, dessin à la plume.

TRIPON J. B.
XIXe siècle. Français.
Lithographe.
Il exposa au Salon en 1848 des plans et des ornements.

TRIPP Herbert Alker
Né le 23 août 1883 à Londres. XXe siècle. Britannique.
Peintre d'affiches, illustrateur.
Écrivain, il illustra ses propres œuvres.

TRIPP Jan Peter
Né en 1945 à Oberstdorf. XXe siècle. Depuis 1982 actif en France. Allemand.
Peintre, dessinateur, graveur.
Il vit et travaille à Barr (Alsace). Il a participé en 1992 à l'exposition : *De Bonnard à Baselitz. Dix Ans d'enrichissements du cabinet des estampes 1978-1988* à la Bibliothèque nationale à Paris. Il pratique la gravure en taille-douce.
MUSÉES : PARIS (BN).

TRIPP Johann
XIXe siècle. Travaillant à Vienne en 1840. Autrichien.
Portraitiste.

TRIPP Jürgen. Voir **TRIBB**

TRIPP Wendelin
Né en 1811 à Arzl. Mort le 2 juillet 1842 à Vienne. XIXe siècle. Autrichien.
Peintre d'histoire, portraitiste et paysagiste.
Élève de l'Académie de Vienne.

TRIPPEL Albert Ludwig
Né le 14 mars 1813 à Potsdam. Mort le 3 août 1854 à Berlin (?). XIXe siècle. Allemand.
Peintre d'architectures, paysages, marines.
Élève de l'Académie de Berlin. Il vint aussi travailler à Paris et l'on cite de lui des paysages empruntés à la forêt de Fontainebleau.
VENTES PUBLIQUES : VIENNE, 15 mars 1951 : *Village en Suisse* : ATS 3 800 – VIENNE, 17 nov. 1981 : *La Baie de Pozzuoli avec vue du Vésuve*, h/pap. mar./t. (23,5x32,5) : ATS 35 000 – LONDRES, 11 fév. 1994 : *Palais royal à Turin*, aquar./pap. (33,7x42) : GBP 2 875.

TRIPPEL Alexandre
Né le 23 septembre 1744 à Schaffhouse. Mort le 24 septembre 1793 à Rome. XVIIIe siècle. Suisse.
Sculpteur.
Élève de Wiedewelt à Copenhague, il passa plusieurs années à Paris, puis se fixa à Rome. Il fut un des plus importants prédécesseurs de Canova.
MUSÉES : BÂLE : *Hercule au repos* – BERNE : *Buste d'Albrecht von Haller* – *Hercule au repos* – DRESDE : *Portrait de Wilhelm Gottlieb Becker*, médaillon – SCHAFFHOUSE : *Buste de Mme Payer* – *Hercule au repos* – *Buste de la tante de l'artiste* – *Prométhée enchaîné* – *Andromède enchaînée* – *Maurice de Saxe* – *Milon attaqué par le lion* – WEIMAR (Mus. Goethe) : *Buste de Herder*.

TRIPPEL Henri. Voir **TRIPPET**

TRIPPEL Johann
Né le 4 février 1742 à Schaffhouse. Mort en 1762 à Dresde. XVIIIe siècle. Suisse.
Peintre.
Frère d'Alexandre. Il fit ses études à Copenhague.

TRIPPEL Johann Heinrich
Né le 10 mai 1683 à Schaffhouse. Mort le 20 mars 1708 à Schaffhouse. XVIIe siècle. Suisse.
Peintre.

TRIPPEL Johann ou **Hans Georg**
Né en 1666 à Schaffhouse. Mort en 1719 à Magdebourg. XVIIe-XVIIIe siècles. Suisse.
Sculpteur.
Il travailla pour la prévôté de Magdebourg en 1709.

TRIPPEL Leonhard
Né le 20 avril 1745 à Schaffhouse. Mort le 18 avril 1783 à Schaffhouse. XVIIIe siècle. Suisse.
Paysagiste, dessinateur et graveur au burin.
Élève de Christian Georg Schütz l'Ancien. Il peignit des vues de Schaffhouse.

TRIPPET Henri ou **Trippel** ou **Trippez**
Né le 15 décembre 1585 à Liège. Mort le 26 décembre 1674 à Liège. XVIIe siècle. Belge.
Peintre.
Maître de Bertholet Flemale.

TRIPPIER A.
XVIIe siècle. Actif au Mans. Français.
Graveur.
Il grava des vues de la cathédrale du Mans.

TRIPTYQUE DE..., Maîtres du. Voir **MAÎTRES ANONYMES**

TRIQUET Jules Octave
Né en 1867 à Paris. Mort le 8 janvier 1914 à Paris. XIXe-XXe siècles. Français.
Peintre de genre, portraits, paysages, pastelliste.
Il fut élève de Tony Robert-Fleury, d'Eugène Le Roux et de William Adolphe Bouguereau.
MUSÉES : LE MANS : *Portrait de Mme X* – ROUEN (Mus. des Beaux-Arts) : *Printemps*.
VENTES PUBLIQUES : PARIS, 10 fév. 1943 : *Femme en robe rose* : FRF 350 – PARIS, 25 avr. 1949 : *Femme aux iris* : FRF 7 000.

TRIQUETI Henri Joseph François de, baron ou **Triquetti** ou **Triquety**
Né le 24 octobre 1807 à Conflans (Loiret). Mort le 11 mai 1874 à Paris. XIXe siècle. Français.
Peintre de portraits, natures mortes, sculpteur, mosaïste, écrivain d'art.
Élève de Hersent. Il exposa au Salon de Paris, de 1831 à 1861 ; médaille de deuxième classe en 1831, de première classe pour la sculpture en 1839. Chevalier de la légion d'honneur le 4 juin 1842.
Il a fait les mosaïques qui ornent l'Albert Memorial Chapel, à Windsor. Il a écrit un ouvrage intitulé : *Les Trois Musées de Londres*. Il fut amateur de dessins et de gravures et réunit une collection assez importante.
MUSÉES : AUCH : *Valentine de Milan et Charles VI* – MONTARGIS : *Nature morte*.

TRIQUIGNEAUX Louis
Né le 26 mars 1886 à Paris. Mort le 10 mai 1966 à Nice (Alpes-Maritimes). XXe siècle. Français.
Peintre de figures, paysages, natures mortes, fleurs, dessinateur, graveur, lithographe. Postimpressionniste.
À Paris, il fut élève de l'école Germain-Pilon en 1899-1900, peu de temps de l'école des Arts Décoratifs, puis de l'école des Beaux-Arts où il reçut quelques conseils de Gérome et de Cormon. En 1905, à l'Académie du Boulevard de Clichy, il fut élève d'Eugène Carrière.
Il a exposé à Paris, aux Salons d'Automne en 1904 et 1905, des Artistes Indépendants de 1910 à 1913, des Artistes Français de 1920 à 1922.
En 1907, il avait collaboré à la publication *Lithographies*, en 1912 à *Dessins et Bois Gravés*.

TRIQUIGNEAUX Luc
Né le 19 mars 1962 à Paris. XXe siècle. Français.
Peintre. Abstrait.
Petit-fils de Louis Triquigneaux, il s'est formé à la peinture en autodidacte et vit isolé dans un village de Haute-Loire.
Ses peintures sont constituées d'un signe graphique répétitif, ayant rôle d'atome dans les organisations concentriques que crée sa multiplication dirigée.

TRIRUM Johannes Wouterus Van
Né en 1924. XXe siècle. Hollandais.
Peintre d'animaux, natures mortes.
VENTES PUBLIQUES : AMSTERDAM, 30 août 1988 : *Chatons jouant avec des fleurs et des fruits près d'un rideau*, h/t (40x50) : NLG 1 840 – AMSTERDAM, 19 sep. 1989 : *Chatons jouant avec un citron pelé près d'une corbeille de fruits devant un rideau*, h/t (40,5x50,5) : NLG 2 760 – AMSTERDAM, 5 juin 1990 : *Chevaux, poulets et un chien dans une étable*, h/t/pan. (30x40) : NLG 1 035.

TRISCORNIA Alessandro ou **Triscorni**
Né en 1797 à Carrare. Mort le 20 mai 1867 à Carrare. XIXe siècle. Italien.
Sculpteur.
Fils de Paolo Triscornia. Élève de J. B. Desmarais et de L. Bartolini à Carrare. Le Musée de cette ville conserve de lui les statues d'*Apollino* et d'un *Soldat blessé*.

TRISCORNIA Paolo ou **Triscorni**
Mort vers 1832. XIXe siècle. Actif à Carrare. Italien.
Sculpteur.
Le Musée de Trianon conserve de lui *Marie-Louise impératrice*

des Français, et celui de Versailles, *Catherine, reine de Westphalie.*

VENTES PUBLIQUES : PARIS, 7 déc 1979 : *L'Impératrice Marie-Louise,* marbre blanc (H. 76) : **FRF 5 500.**

TRISCOTT Samuel Peter Root
Né le 4 janvier 1846 à Gosport. Mort le 15 avril 1925 à Monhegan. XIX⁰-XX⁰ siècles. Depuis 1971 actif aux États-Unis. Britannique.

Peintre, aquarelliste.

Il fut élève de Phillip Mitchell. Il s'établit à Boston en 1871.

MUSÉES : BOSTON : une aquarelle.

TRISSINI. Voir TRESSENI

TRISTAM
XX⁰ siècle. Français (?).

Peintre. Figuration libre.

En 1980, il fonde avec Franky boy Sevehon et Waty le groupe de peinture *Les Musulmans fumants,* qui a exposé en 1982-1983 au Palace à Paris, en 1984 à la FIAC (Foire Internationale d'Art Contemporain).

Outre ses peintures, parfois exécutées en commun, il a réalisé des pochettes de disques, des vidéo-clips.

VENTES PUBLIQUES : PARIS, 13 avr. 1988 : *Starlett,* acryl./t. (120x60) : **FRF 7 200.**

TRISTAN
XVI⁰ siècle. Travaillant à Avila en 1525. Espagnol.

Enlumineur.

TRISTAN
XVIII⁰ siècle. Actif à Graz en 1753. Autrichien.

Peintre.

TRISTAN
XVIII⁰ siècle. Français.

Modeleur sur porcelaine.

Il travailla à la manufacture de Sèvres, de 1769 à 1783. On cite de lui un médaillon en biscuit représentant *Marie-Antoinette.*

TRISTAN DE ESCAMILLA Luis
Né en 1586 (?) près de Tolède. Mort le 7 décembre 1624 à Tolède. XVII⁰ siècle. Espagnol.

Peintre d'histoire.

On commet assez fréquemment l'erreur de penser que l'œuvre du Greco n'exerça pratiquement aucune influence sur les peintres qui lui succédèrent. Il est évident que l'œuvre du Greco était tellement « typée » qu'il ne laissait guère de possibilités de poursuivre dans sa voie sans risquer de le plagiat, en tout cas le maniérisme. Néanmoins, on s'aperçoit aujourd'hui qu'il eut des disciples, qui constituent le lien logique entre la dramatisation luministe des compositions encore solennelles du Greco, élève du Tintoret, et le clair-obscur réaliste des Espagnols touchés par le caravagisme et notamment de Vélasquez. Luis Tristan fut le principal de ces disciples directs du Greco. On sait qu'il travailla sous sa direction au moins depuis 1603 jusqu'en 1607. Dans les premières peintures que l'on connaît de lui : la *Décollation de saint Jean,* aux Carmélites de Tolède, et une *Sainte Famille,* conservée en Italie, toutes deux de 1613, se remarque déjà une nette intention réaliste en surplus de l'influence du Greco. Intention réaliste accentuée encore dans les œuvres suivantes, les rapprochant de celles de Ribalta ou de Ribéra, qui constituent l'essentiel de l'œuvre du peintre, disparu très jeune : le *Retable du Monastère de Yepès,* de 1616, le *Retable du Monastère de Santa Clara de Tolède,* de 1623 ; ainsi que le *Portrait de l'Archevêque Bernardo de Sandoval,* de 1619, à la cathédrale de Tolède ; une *Adoration des bergers,* au Musée de Cambridge et une *Adoration des Rois,* à New York, toutes deux de 1620 ; une *Pentecôte,* provenant de Tolède mais aujourd'hui dans les collections de la Galerie Royale de Roumanie ; une *Trinité,* à la cathédrale de Séville, de 1624, année de la mort de Tristan. Les incertitudes sur sa date de naissance et sur sa biographie ont parfois fait dater ses premières peintures de sa treizième année, qui auraient consisté en la suite de peintures de Yepès. On cite encore son *Portrait de Lope de Vega,* à l'Ermitage, *La Cène,* pour les moines de Las Sisla, près de Tolède, plusieurs œuvres au Prado, parmi lesquelles un *Saint Jérôme,* un *Portrait d'un gentilhomme âgé,* etc. ■ J. B.

BIBLIOGR. : Jacques Lassaigne : *La peinture espagnole, de Vélasquez à Picasso,* Skira, Genève, 1952 – Philippe Daudy : *Le XVII⁰ Siècle,* in : *Hre Gle de la peint.,* tome 13, Rencontre, Lausanne, 1966 – Yves Bottineau, in : *Diction. Univers. de l'Art et des Artistes,* Hazan, Paris, 1967.

MUSÉES : BARNARD CASTLE : *Martyre de Saint André* – BUDAPEST : *Adoration des Rois* – CAMBRIDGE : *Adoration des bergers* – MADRID (Prado) : *Portrait de vieillard* – PARIS (Mus. du Louvre) : *Saint François d'Assise* – *Saint Louis donnant l'aumône* – SAINT-PÉTERSBOURG (Mus. de l'Ermitage) : *Saint Antoine l'abbé* – *Lope de Vega* – TOLÈDE (Mus. Greco) : *Saint Dominique de Guzman pénitent* – TOLÈDE (Mus. prov.) : *Le Christ à la colonne* – *La danse du pain et de l'œuf* – *Un apôtre.*

VENTES PUBLIQUES : PARIS, 1843 : *La Vierge et l'Enfant Jésus* : **FRF 215** ; *Le Christ à la colonne* : **FRF 250** – PARIS, 1845 : *La Vierge et l'Enfant Jésus* : **FRF 800** – TOURS, 19 nov. 1953 : *Portrait d'un Théologien* : **FRF 52 000.**

TRISTAN D'HATTONCHATEL
XVII⁰ siècle. Actif à Toul en 1640. Français.

Peintre et dessinateur.

Il dessina le portail de la cathédrale de Toul.

TRISTANI Jules
Né le 9 juillet 1913 à Toulon (Var). Mort le 15 septembre 1993 à Marseille (Bouches-du-Rhône). XX⁰ siècle. Français.

Peintre de paysages animés, paysages urbains, paysages d'eau, peintre à la gouache.

Il acquit sa formation à l'École des Beaux-Arts de Toulon, puis à Paris. Après la guerre de 1939-1945, il vécut à Paris une vingtaine d'années, puis se retira à Marseille. Il montrait des ensembles de ses huiles et gouaches dans des expositions personnelles : en 1946 à Bruxelles ; de 1946 à 1967 à Paris ; en 1968 et 1971 à Marseille.

Son écriture picturale rappelle celle de Dufy par la légèreté de son coloris, mais aussi Utrillo par son arrière-fond assez sombre.

VENTES PUBLIQUES : PARIS, 22 nov. 1948 : *Notre-Dame* : **FRF 4 000** ; *Les Péniches* : **FRF 1 800.**

TRISTRAM J. W.
XIX⁰ siècle. Australien.

Peintre de marines, aquarelliste.

MUSÉES : SYDNEY : Aquarelle.

VENTES PUBLIQUES : SYDNEY, 20 mars 1989 : *Clair de lune sur une côte,* aquar. (25x18) : **AUD 800** – SYDNEY, 16 oct. 1989 : *Lever de soleil,* aquar. (32x44) : **AUD 700.**

TRITSCH Pierre
Né en 1929. XX⁰ siècle. Français.

Peintre.

Il expose dans les divers Salons de Paris, ainsi qu'à New York, Chicago, Tokyo, Berlin. Il montre ses œuvres dans des expositions personnelles à Paris et, en 1970, au musée d'Orléans.

Tritsch est adepte d'une figuration très libre où l'on perçoit néanmoins des séquelles de construction cubiste.

TRIVA Antoine ou Antonio Domenico ou de Trivis
Né en 1626 à Reggio Emilia. Mort le 18 août 1699 à Sedling (Munich). XVII⁰ siècle. Actif à Venise entre 1642 et 1669. Italien.

Peintre de compositions mythologiques, sujets allégoriques, graveur.

Élève de Guercino à Bologne. Il s'établit d'abord à Reggio et y décora plusieurs églises. Il travailla aussi à Plaisance et fit un séjour à Venise. Il fut appelé à la cour de Munich par l'Électeur de Bavière et termina sa vie près de ce prince. Il était assisté par sa sœur Flaminia.

Son œuvre est parfois confondu avec celui de Pietro Liberi. Antonio Triva fut aussi un habile graveur.

BIBLIOGR. : U. Ruggeri : *Nouvelles Peintures d'Antonio Triva, 1629-1700 en France et en Italie.*

MUSÉES : DRESDE : *Vénus au bain* – *l'Amour et un Satyre* – DRESDE (Gal. de Schleissheim) : *Arcas et Callisto* – *Animosa tuant le monstre marin* – *Apollon tuant le Python* – *Persée décapitant la Méduse* – *Allégorie de la Sensualité et de la Force.*

VENTES PUBLIQUES : LONDRES, 11 déc. 1996 : *Fertilité,* h/t (82,6x69) : **GBP 10 350.**

TRIVA Flaminia
Née le 3 avril 1629 à Reggio Emilia. Morte après 1660. XVII⁰ siècle. Italienne.

Peintre.

Sœur d'Antoine Triva et sa collaboratrice.

TRIVA Francesco
XVII⁰ siècle. Actif dans la première moitié du XVII⁰ siècle. Italien.

Peintre.

Père d'Antoine Triva.

TRIVELLI Eugenio
Né le 7 septembre 1829 à Reggio Emilia. Mort le 6 juin 1874. XIXe siècle. Italien.
Peintre de décors et paysagiste.
Élève de G. Fontanesi.

TRIVELLINI Francesco
Né le 4 octobre 1660 à Bassano. Mort vers 1733. XVIIe-XVIIIe siècles. Italien.
Peintre.
Élève de G.-B. Volpato. Il peignit de nombreux tableaux d'autel pour les églises de Bassano et des environs de cette ville. Le Musée de Bassano conserve de lui une *Annonciation*.
VENTES PUBLIQUES : MILAN, 21 mai 1970 : *Le repos pendant la fuite en Égypte* : ITL 750 000.

TRIVIANI Bernardino
XVIIe siècle. Actif dans la seconde moitié du XVIIe siècle. Italien.
Peintre.
Élève de L. Baldi à Rome.

TRIVIS Antoine ou **Antonio Domenico de**. Voir **TRIVA**

TRIVISANO Angelo. Voir **TREVISANI**

TRIVISANO Nicolas
XVIIIe siècle. Espagnol.
Sculpteur.
De Venise, il travailla à Madrid et à Tolède en 1712.

TRIXHE Tilman Woot de. Voir **WOOT DE TRIXHE**

TRNKA Jiri
Né à Pilsen, 1912 et non 1910. Mort le 26 décembre 1969. XXe siècle. Tchécoslovaque.
Peintre, illustrateur, sculpteur-peintre de marionnettes, cinéaste.
Il travailla d'abord avec le peintre et créateur de marionnettes, Josef Skupa, puis étudia à l'école des Beaux-Arts de Prague. Il commença sa carrière artistique en peignant des tableaux et en illustrant des livres : son apport dans le domaine des arts graphiques, d'ailleurs, a été considérable. Attiré irrésistiblement par les marionnettes et le cinéma, il créa, durant la Seconde Guerre mondiale, son propre théâtre, connu sous le nom de « Théâtre en bois de Trnka ». En 1945 il produisit ses premiers dessins animés et réalisa, à partir de 1948, des films de marionnettes animées. Très vite, ses créations s'imposèrent mondialement : rarement une telle fraîcheur poétique s'était vue au cinéma. Parmi ses films les plus marquants, mentionnons : *L'Année tchèque, Bayaya, le Cirque, Vieilles légendes tchèques, Grand-mère Cybernétique* et, surtout, l'inoubliable : *Rossignol de l'empereur de Chine* (d'après Andersen). Trnka doit être considéré aussi comme l'un des plus importants illustrateurs contemporains de livres pour la jeunesse. Pour ce poète, ce visionnaire, chaque texte s'animait immédiatement, lui suggérait des interprétations extraordinaires de vie, lui inspirait des « trouvailles » poétiques ou cocasses, sans cesse renouvelées. C'est plus des variations plastiques que des illustrations qu'il prodiguait dans des livres, capables d'enchanter aussi bien les enfants que certains adultes encore épris du merveilleux. Dans le domaine de l'illustration ses plus parfaites réussites demeurent : les *Contes* d'Andersen, les *Contes* de Grimm, les *Fables* de la Fontaine, *Le Mystérieux Oncle Jacques, Primevère et la sorcière de l'hiver, Contes de Bohême, Légendes de l'ancienne Bohême*.
■ Pierre-André Touttain

TRNSKI Velimir
Né à Zagreb. XXe siècle. Actif en France. Yougoslave.
Peintre de figures, portraits.
Travaillant à Paris, il a également étudié à Amsterdam. Il montre ses œuvres dans des expositions personnelles en Belgique.
Il peint des femmes, nues ou vêtues, dans une atmosphère solennelle. Des éléments insolites qui évoquent le moyen-âge accompagnent parfois ses figures.

TROBRIAND A. de
XIXe siècle. Travaillant en 1830. Français.
Lithographe.

TROBRIDGE George
Né en 1857 à Exeter. Mort en 1909 à Gloucester. XIXe siècle. Britannique.
Peintre de paysages.
MUSÉES : BELFAST (Gal.).

TROBURCH Antonio
XVe siècle. Travaillant à Naples en 1453. Italien.
Sculpteur sur bois.

TROBY
XVIIIe siècle. Travaillant à Londres en 1797. Britannique.
Peintre et miniaturiste.

TROCARD Théophile
XIXe siècle. Actif à Paris. Français.
Peintre de portraits.
Il exposa au Salon en 1844 et en 1848.

TROCART Jacques Georges
XIXe siècle. Actif à Paris. Français.
Peintre d'histoire.
Il exposa au Salon de Paris en 1844.

TROCCHI Alessandro
Né le 28 janvier 1658. Mort le 1er août 1717. XVIIe-XVIIIe siècles. Actif à Bologne. Italien.
Peintre.
Élève de Giovanni M. Viani. Il peignit de nombreux tableaux d'autel à Bologne et aux environs de cette ville.

TROCCHI Bice
Née le 12 juin 1884 à Ascoli Piceno. Morte le 27 août 1910 à Ascoli Piceno. XXe siècle. Italienne.
Peintre de portraits.
Elle fut élève de Domenico Bruschi et de Domenico Ferri (né en 1857).

TROCCOLA Giuseppe
XVIIe-XVIIIe siècles. Actif à Naples. Italien.
Sculpteur.
Il sculpta des statues et des tombeaux pour des églises de Naples.

TROCCOLI Domenico
XVIIIe siècle. Travaillant à Naples en 1747. Italien.
Sculpteur d'ornements.
Il exécuta le plafond de l'église S. Severino et S. Sossio de Naples.

TROCCOLI Giovanni-Battista
Né le 15 octobre 1882 à Lauropoli (Italie). XXe siècle. Américain.
Peintre de portraits, graveur.
Il fut élève de Denman Ross et de l'Académie Julian de Paris. Il vécut et travailla à Boston et fut membre de la Fédération Américaine des Arts.
MUSÉES : DETROIT (Acad.) : *Dame avec une coiffe en dentelles*.

TROCCOLI Lorenzo
XVIIIe siècle. Actif à Naples vers 1730. Italien.
Sculpteur.
Il exécuta des décorations dans la cathédrale de Larino.

TROCCOLI Silvestro
XVIIIe siècle. Travaillant à Naples de 1754 à 1757. Italien.
Sculpteur d'ornements.
Il sculpta les balustrades des chapelles de l'église Sainte-Claire de Naples.

TROCHAIN Fernand. Voir **FERNAND-TROCHAIN Jean**

TROCHAIN-MENARD Maurice
Né à Eu (Seine-Maritime). XXe siècle. Français.
Peintre de paysages.
Il exposa à Paris, aux Salons des Indépendants à partir de 1910, d'Automne, dont il fut membre sociétaire, et des Tuileries.

TROCHOLDT Friedrich
XIXe siècle. Travaillant à Dresde en 1813. Allemand.
Peintre.
Le Musée Municipal de Dresde conserve de lui *Napoléon et le roi Frédéric-Auguste dans le bois d'Ostra en 1813*.

TROCHON Antoine R. ou **Tronchon**
XVIIIe siècle. Français.
Graveur au burin.
On le cite vers 1740-1760, gravant d'après Noël Nicolas Coypel et d'après d'autres maîtres de l'époque.

TROCK. Voir **LIQUIER Gabriel**

TROCK-MADSON Carl
Né le 10 mars 1891 à Copenhague. XXe siècle. Danois.
Peintre de compositions religieuses, peintre verrier.
Il fut élève de P. Rostrup Böyesen et de Harald Giersing. Il travailla pour les églises de Copenhague et d'autres villes danoises.

TRÖCKEL Rosemarie
Née en 1952 à Schwerte. xxᵉ siècle. Allemande.
Peintre, sculpteur, dessinateur, technique mixte, auteur d'installations, vidéaste.
Elle fit des études de sociologie, mathématiques, anthropologie et théologie et parallèlement fut, de 1974 à 1978, élève de la Werkhunstschule de Cologne. Elle vit et travaille à Cologne.
Elle montre son travail dans des expositions personnelles : 1983, 1984, 1986 Cologne ; 1985 Rheinisches Landesmuseum de Bonn et Xanten ; 1988 Museum of Modern Art de New York, Kunsthalle de Bâle, Institute of Contemporary Art de Liverpool et Tate Gallery de Londres ; 1990 Kunstverein de Schwerte ; 1991-1992 deux expositions itinérantes l'une organisée par le Museum für Gegenwartskunst de Bâle en Allemagne, Suisse, au Danemark, l'autre organisée par l'Institute of Contemporary Art de Boston ; 1992 Museo nacional Reina Sofia à Madrid, Museum Ludwig de Cologne ; 1993 City Gallery de Wellington ; 1994 centre d'Art contemporain de Genève ; 1995 musée des Beaux-Arts de Nantes.
Mêlant les genres et les techniques, avec notamment des vêtements tricotés assistés par ordinateur, son travail s'inscrit dans une mouvance féministe, militante. Ses œuvres engagées traitent avec ironie de la société, notamment de la consommation, de la mode, de la culture, du pouvoir, du masculin et du féminin, interrogent l'origine.
Bibliogr. : Joan Simon : *Rosemarie Tröckel – forme, fonction, fétiche*, Art Press, nᵒ 167, Paris, mars 1992 – Dorothée Jannin : *Tröckel : réflexion sur écran*, Beaux-Arts, nᵒ 127, Paris, oct. 1994 – Catalogue de l'exposition : *Rosemarie Tröckel*, Museo nacional Reina Sofia, Madrid, 1992.
Musées : Berkeley (University Art Mus.) : *Sans Titre* 1987 – Cologne (Mus. Ludwig) : *Sans Titre* 1988 – Francfort-sur-le-Main (Mus. für Mod. Kunst) – Paris (FNAC) : *Sans titre* 1990.
Ventes Publiques : Londres, 2 juil. 1992 : *Sans titre* 1986, laine tricotée montée sur t. (220x140) : **GBP 8 250** – New York, 8 oct. 1992 : *Sans titre* 1986, laine tricotée t. (45,4x45,4) : **USD 4 400** – New York, 19 nov. 1992 : *Sans titre* 1988, laine tricotée à la machine montée sur mousseline (160,3x107,3) : **USD 17 820** – Londres, 25 mars 1993 : *Sans titre* 1986, laine tricotée sur t. (140,5x140,5) : **GBP 8 625** – New York, 10 nov. 1993 : *Sans titre* 1986, laine tricotée à la machine montée sur mousseline (250x140) : **USD 14 950** – New York, 3 mai 1994 : *Laine peinte*, tricot machine monté sur t. (139,7x140,4) : **USD 23 000** – Londres, 6 déc. 1996 : *Sans titre* 1989, laine tricotée/t. (220x160) : **GBP 18 400** ; *Sans titre* 1986, laine tricotée/t. (100x50) : **GBP 10 925** – New York, 6-7 mai 1997 : *Sans titre (Gare de Pennsylvanie)* 1987, verre, bois, acier, plâtre, cheveux, polymère synth., celluloïde, fonte et feuille d'acier (120,3x490,2x121,9) : **USD 55 200** – Londres, 27 juin 1997 : *Sans titre* 1988, laine tricotée/t. (160x320 en tout) : **GBP 26 450**.

TROCKIEWICZ Teofil
xviiiᵉ siècle. Travaillant à Lemberg dans la seconde moitié du xviiiᵉ siècle. Polonais.
Graveur au burin.
Il grava des images de piété.

TRODOUX Henri Émile Adrien
Né à Saint-Pétersbourg, de parents français. xixᵉ siècle. Français.
Sculpteur animalier.
Élève de l'École des Beaux-Arts de Saint-Pétersbourg et de son père.
Il exposa au Salon de 1874 à 1876.
Ventes Publiques : Paris, 8 nov. 1995 : *Cheval à l'arrêt*, bronze (H. 18) : **FRF 15 500**.

TROENDLE Hugo
Né le 28 septembre 1882 à Bruchsal. xxᵉ siècle. Allemand.
Peintre de genre, figures, paysages, lithographe.
Il fut élève de l'Académie des beaux-arts de Karlsruhe, puis de Paul Sérusier et de Maurice Denis à Paris. Il vécut et travailla à Munich.
Musées : Fribourg : *Le Cirque au village* – Karlsruhe : *Ferme au bord du Lac de Lugano – Départ matinal – Auprès du pont* – Kassel : *Lavandières* – Munich (Gal. Lenbach) : *Idylle champêtre* – Munich (Mus. Nat.) : *Enfants assis sur un banc – Enfant se reposant – Paysage avec des chevaux et des enfants* – Stuttgart (Gal. Nat.) : *Émigrants*.

TROEST Eustache ou Stas
xvᵉ siècle. Travaillant à Louvain de 1433 à 1440. Éc. flamande.
Sculpteur.
Il exécuta les statues des quatre évangélistes dans le chœur de l'église Saint-Pierre de Louvain.

TROFIMENKO Boris
Né en 1919. xxᵉ siècle. Russe.
Peintre de genre, portraits, paysages. Tendance impressionniste.
Issu de l'École de peinture de Rostov-sur-le-Don, il a séjourné en France et en Italie dans les années soixante. Il y admira des toiles impressionistes qui influencèrent sa peinture.

Ventes Publiques : Paris, 18 oct. 1993 : *Aubade*, h/t/cart. (27x35) : **FRF 9 500** – Paris, 29 nov. 1993 : *Les ballons*, h/t/cart. (27x19) : **FRF 6 500** – Paris, 4 mai 1994 : *Les paniers de fleurs*, h/t/cart. (32x22) : **FRF 5 800** ; *Deux fillettes*, h/t/cart. (30x27) : **FRF 9 000** – Paris, 1ᵉʳ déc. 1994 : *Deux fillettes et leur chat*, h/t/cart. (27x22) : **FRF 11 500**.

TROFIMOFF Pierre
Né le 20 octobre 1925 à Marseille (Bouches-du-Rhône). Mort le 26 juin 1996 à Toulon (Var). xxᵉ siècle. Français.
Peintre de portraits, intérieurs, paysages, paysages urbains, marines, natures mortes, peintre de collages. Expressionniste.
Il fut élève de l'école des beaux-arts de Marseille. Il vit et travaille dans le Var.
Il participe à de nombreuses expositions régionales, notamment la Biennale de Menton. Il montre ses œuvres dans des expositions personnelles dans diverses galeries en France, en 1960 au musée des Beaux-Arts de Toulon, et à l'étranger, notamment au Japon, aux États-Unis.
Peintre de la Provence, il en rend les beautés dans des œuvres très construites, aux sujets divers, un paysage qui le touche, un port familier, un objet simple (landau, buffet), utile, le portrait de ses proches. Il privilégie une touche expressionniste.
Bibliogr. : Jacqueline de Grandmaison : *Trofimoff*, Béziers, s. d.
Musées : Arles – Béziers – Marseille – Narbonne (Mus. d'Art et d'Hist.) : *La Place Estrangin* 1964, h/t – Toulon.
Ventes Publiques : Neuilly, 5 déc. 1989 : *La Ciotat*, h/t (50x61) : **FRF 5 500** – Neuilly, 27 mars 1990 : *Sanary*, h/t (54x65) : **FRF 7 000** – Versailles, 22 avr. 1990 : *Plage aux salins* 1989, h/t (54x65) : **FRF 7 500** – Versailles, 23 sep. 1990 : *Mimosa* 1979, h/t (61x46) : **FRF 4 000** – Versailles, 9 déc. 1990 : *Plage aux salins* 1989, h/t (50,5x61) : **FRF 4 500** – Neuilly, 7 avr. 1991 : *Les salins d'Hyères*, h/t (38x46) : **FRF 5 000**.

TROFIMOVSKAYA
xxᵉ siècle. Russe.
Peintre de genre, portraits, pastelliste, dessinateur.
Elle a travaillé au début du xxᵉ siècle.

TROG Philipp ou Trogg
xviiiᵉ-xixᵉ siècles. Actif à Munich. Allemand.
Dessinateur et graveur au burin.
Élève de l'Académie de Munich. Il grava des paysages, des scènes de genre, des architectures et des scènes bibliques.

TROGARDT (?)
Peintre d'animaux.
Cité dans un catalogue de vente.
Ventes Publiques : Paris, 13 juin 1902 : *Au pâturage* : **FRF 300**.

TROGER Anton
Né en 1755. Mort le 25 juin 1825 à Vienne. xviiiᵉ-xixᵉ siècles. Autrichien.
Paysagiste.
Fils de Paul Troger et élève de l'Académie de Vienne.

TROGER Georg
Né à Welsberg. xviiiᵉ siècle. Autrichien.
Peintre.
Neveu de Paul Troger et son assistant pour les peintures dans la cathédrale de Brixen. Probablement identique à Johann Georg Troger.

TRÖGER Hans
Né le 21 novembre 1894 à Dresde. xxᵉ siècle. Allemand.
Sculpteur de figures.
Il fut élève de Hugo Spieler à Dresde.
Musées : Dresde (Mus. mun.) : *Baigneuse – Madone*.

TROGER Johann Georg
Né vers 1714. Mort le 13 octobre 1764 à Salzbourg. xviiiᵉ siècle. Autrichien.

Peintre.

Probablement identique à Georg Troger.

TROGER Joseph

XVIIIe-XIXe siècles. Actif à Weilheim. Allemand.

Peintre.

Fils de Sebastian Troger. Le Musée de Weilhelm conserve de lui *L'artiste*.

TROGER Lukas ou Peter Lukas

Né en 1702. Mort le 23 juillet 1769 à Heiligenkreuz. XVIIIe siècle. Autrichien.

Sculpteur.

Élève de Giovanni Giuliani. Il était chanoine.

TROGER Paul I

Né le 30 octobre 1698 à Zell. Mort le 20 juillet 1762 à Vienne. XVIIIe siècle. Autrichien.

Peintre d'histoire, compositions religieuses, paysages, compositions murales, fresquiste, graveur à l'eau-forte. Rococo.

Élève de Gius Alberti, à Fiume. Il alla ensuite à Venise, étudia particulièrement les œuvres de Véronèse et de J.-B. Tiepolo, dont il s'inspira dans la suite, ainsi que de Piazzetta et de Solimena. Établi à Vienne, il y devint directeur de l'Académie.

Il fut le principal peintre à fresque autrichien de son temps. Il travailla notamment à Salzbourg ; en 1731-1732, dans la salle de marbre du Monastère de Melk, ainsi qu'à la Bibliothèque ; au Monastère d'Altenburg, où il traita le thème, rare à l'époque, de *L'Apocalypse* ; à la décoration de la cathédrale de Brixen, qu'il commença en 1748 et qui fut donc l'une de ses dernières œuvres. On lui doit aussi des eaux-fortes originales, paysages et sujets historiques. On voit des œuvres de sa main dans presque toutes les abbayes de Basse-Autriche.

Habile dessinateur de figures « plafonnantes », il respectait peu la règle de décoration murale de l'égalité d'éclairage, trouvant au contraire les murs par des effets en clair-obscur.

MUSÉES : BERLIN (Mus. Allemand) : *Assomption* – BRIXEN : *Triomphe de la Religion* – *Adoration de l'Agneau par les vingt-quatre vieillards* – BUDAPEST : *Hagar* – FRANCFORT-SUR-LE-MAIN (Inst. Staedel) : *Patriarche sacrifiant* – *Saint Joseph* – GRAZ : *Martyre de sainte Agathe* – *Mort de saint Joseph* – INNSBRUCK (Ferdinandeum) : *Réception de la Vierge au Ciel* – *Le Christ en Croix* – *Mater dolorosa* – *Nativité* – *Adoration des Rois* – *Résurrection* – MUNICH (Nouvelle Pina.) : *Loth et ses filles* – *Abraham sert les trois anges* – ROME (Vatican) : *Baptême du Christ* – SALZBOURG (Mus. mun.) : *Daniel juge Susanne* – *La fête de Pentecôte* – SIBIU : *Saint François* – TROPPAU : *Saint François avec des anges* – VIENNE (Mus. du Baroque) : *Saint André* – *Tobie et sainte Anne* – *Allégorie de l'Assomption* – *L'assomption de saint Jean-Népomucène* – *Le repas des cinq mille* – *Jésus au mont des Oliviers* – *Saint Sébastien et les femmes* – *Saint Pierre reçoit les clefs* – *Annonciation* – VIENNE (Mus. mun.) : *La communion de sainte Madeleine*.

VENTES PUBLIQUES : VIENNE, 4 déc. 1962 : *Le Triomphe de saint Benoît* : ATS 25 000 – VIENNE, 29 nov. 1966 : *La Sainte Famille* : ATS 200 000 – VIENNE, 19 sep. 1972 : *Saint Bartholomé* : ATS 75 000 – VIENNE, 15 mars 1977 : *Pietà*, h/t (64x39,5) : ATS 100 000 – VIENNE, 11 mars 1980 : *La Résurrection du Christ*, h/t (54,5x69,7) : ATS 180 000 – LONDRES, 9 mars 1983 : *Lamentation*, h/métal (40,5x25) : GBP 3 000 – MUNICH, 13 juin 1985 : *La Vierge consolée par les anges*, eau-forte : DEM 1 700 – NEW YORK, 11 oct. 1990 : *Sainte Famille*, h/t (47x64) : USD 11 000 – NEW YORK, 14 jan. 1992 : *Saint Joseph et l'Enfant Jésus*, encre et craie avec reh. de blanc (18,8x20,7) : USD 4 400 – MILAN, 13 mai 1993 : *L'Annonciation*, encre/pap./cart. (20,8x13,5) : ITL 3 500 000 – LONDRES, 8 juil. 1994 : *L'Agonie dans le jardin*, h/t (33,2x23,4) : GBP 10 350 – NEW YORK, 10 jan. 1995 : *Le Sacrifice d'Isaac*, craie noire (16,5x20,3) : USD 3 450 – PARIS, 28 juin 1996 : *Pietà*, cuivre (40x25) : FRF 40 000 – VIENNE, 29-30 oct. 1996 : *Décapitation d'un saint et d'une sainte*, h/t, étude pour un plafond (51x51) : ATS 149 500.

TROGER Paul II

XVIIIe siècle. Autrichien.

Sculpteur.

Peut-être fils de Paul Troger I. Il fut élève de l'Académie de Vienne. Il travailla pour des monastères de Brünn et de Kremsier.

TROGER Sebastian ou Johann Sebastian

Mort le 12 avril 1792 à Weilheim. XVIIIe siècle. Allemand.

Peintre.

Père de Joseph Troger. Il peignit de nombreux tableaux d'autel pour des églises de Bavière. Le Musée de Weilheim conserve de lui *L'Ange de l'Annonciation* et *Baptême d'un saint*.

TROGER Simon

Né en 1693 ou 1694 à Abfaltersbach. Mort le 25 septembre 1768 à Haidhausen près de Munich. XVIIIe siècle. Autrichien.

Sculpteur sur bois.

Il n'eut aucun maître. Il sculpta sur bois et sur ivoire.

MUSÉES : BRUNSWICK : *Calvaire* – DRESDE : *Pluton et Proserpine* – *Abraham* – *Trois garçons* – *Quatre mendiants* – *Femme assise* – *Femme debout* – MUNICH (Mus. Nat.) : *La voiture de Silène* – *Pluton et Proserpine* – *Caïn et Abel* – *Samson* – *Pietà* – *Famille de Bohémiens* – VIENNE (Mus. des Beaux-Arts) : *Caïn et Abel*.

TROGG Philipp. Voir TROG

TROGHER Adam

Né en 1762. Mort le 12 août 1827 à Vienne. XVIIIe-XIXe siècles. Autrichien.

Sculpteur.

TROGHER Friedrich

Mort en 1764 à Vienne. XVIIIe siècle. Autrichien.

Portraitiste.

TROGLI Giulio, dit il Parodosso

Né en 1613 à Spilamberto. Mort en 1685 à Bologne (?). XVIIe siècle. Italien.

Peintre.

Élève de Gessi. Il publia un ouvrage intitulé : *Les paradoxes de la Perspective*, qui lui valut son surnom.

TROGNONE Giovanni

Mort vers 1770. XVIIIe siècle. Actif à Venise. Italien.

Sculpteur d'autels.

Il sculpta trois autels dans la cathédrale de Rovigo.

TROIANI Giovanni

Né en février 1845 à Villafranca di Verona. XIXe siècle. Italien.

Sculpteur.

Élève de Dupré à Florence. Il sculpta des monuments et des bas-reliefs.

TROIANI Troiano ou Trojani

Né en 1885 à Buio (province d'Udine). XXe siècle. Actif et naturalisé en Argentine. Italien.

Sculpteur de compositions religieuses, figures.

Il étudia à Venise avec Anibal de Lotto. Puis il alla à Florence, à Rome et en Autriche. La plupart de ses œuvres sont d'inspiration religieuse. On lui doit également de nombreuses figures d'enfants.

VENTES PUBLIQUES : PARIS, 8 avr. 1991 : *Repos d'ouvrier*, bronze (33x15) : FRF 10 200 – NEW YORK, 29 sep. 1993 : *Héro légendaire*, bronze (L. 38,1) : USD 1 380 – NEW YORK, 24 fév. 1994 : *Le travailleur*, bronze (H. 38,1) : USD 2 990.

TROÏL Laurent de, pseudonyme de Guilmot Jean-Laurent

Né en 1953 à Paris. XXe siècle. Français.

Graveur.

Il vit et travaille à Paris. Il a participé en 1992 à l'exposition : *De Bonnard à Baselitz. Dix Ans d'enrichissements du cabinet des estampes 1978-1988* à la Bibliothèque nationale à Paris.

MUSÉES : PARIS (BN) : *Composition avec pêcheurs* 1987, eau-forte.

TROILI Uno ou Gustav Uno

Né le 16 janvier 1815 à Ransberg près de Ransäter. Mort le 31 août 1875 à Stockholm. XIXe siècle. Suédois.

Peintre de portraits.

Après avoir été soldat, il fut élève de Sodermark et visita l'Italie en 1845. De retour en Suède, on le cite dès 1850 comme habile peintre de portrait. Sa couleur est heureuse et son dessin savant. Il fut également compositeur.

MUSÉES : GÖTEBORG : *Le conseiller d'État J. Waern* – STOCKHOLM (Mus. Nat.) : *Paysanne italienne filant* – *Anna Lamsa Lagerhjelm* – *Portrait de femme* – *Le directeur de théâtre Ed. Stjernstrom* – *Une aquarelle* – *Portraits du Président P. Westerstrand, de Mme A. M. Hallström, de l'écrivain N. Arfwidsson, du directeur A. O. Wallenberg, de Mme A. Wallenberg*.

VENTES PUBLIQUES : STOCKHOLM, 30 oct 1979 : *Giacinta 1849*, h/t, vue ovale (75,5x64) : SEK 16 000.

TROILO Emiliani. Voir EMILIANI

TROIS Enrico Giulio

Né le 1er février 1882 à Venise. XXe siècle. Italien.

Peintre de paysages, portraits, fleurs.

TROISE Domenico
XVIᵉ siècle. Actif à Naples à la fin du XVIᵉ siècle. Italien.
Sculpteur.
Il sculpta des ornements dans la cathédrale de Naples en 1590.

TROISVALLET Sosthène
Né en 1812 à Paris. Mort le 16 février 1853 à Paris. XIXᵉ siècle.
Français.
Peintre de genre.
Il exposa au Salon de Paris entre 1841 et 1850.
Musées : Chartres : *Mignon* 1843.

TROISVOISINS Pierre
XVIᵉ siècle. Actif à Nantes vers 1569. Français.
Peintre.

TROITSKI Constantin
Né en 1953 à Leningrad (Saint-Pétersbourg). XXᵉ siècle.
Russe.
Peintre de compositions animées, portraits.
Il collabora aux travaux du groupe T.E.I.I. Il participe à de nombreuses expositions à tendance expérimentale en URSS. Il expose également à l'étranger, à Helsinki, Paris, New York.
Ventes Publiques : Paris, 8 déc. 1990 : *Portrait de Marie*, h/t (156x88,5) : FRF 6 500.

TROIVAUX Jean Baptiste Désiré
Né en 1788. Mort en 1860 à Paris. XIXᵉ siècle. Français.
Peintre, miniaturiste et aquarelliste.
Élève d'Aubry. Il exposa au Salon de Paris, de 1827 à 1841. La Wallace Collection, à Londres, conserve une miniature mentionnée dans le catalogue sous le nom de Troiyaux (?). Nous croyons que l'œuvre doit être donnée à cet artiste. Le V. de son nom mal formé aurait donné lieu à l'erreur.
Ventes Publiques : Paris, 1898 : *Buste de jeune femme*, miniat. : FRF 400 – Paris, 7 et 8 déc. 1953 : *Portrait d'homme en habit noir et gilet rouge* : FRF 14 500.

TROJAN Alfonz
Né le 30 octobre 1894 à Erlau. Mort le 15 décembre 1931 à Budapest. XXᵉ siècle. Hongrois.
Peintre de figures, paysages, illustrateur.

TROJANOWSKI Edward
Né en 1873 à Kolo. Mort le 22 mai 1930 à Varsovie. XIXᵉ-XXᵉ siècles. Polonais.
Peintre de compositions religieuses, peintre de compositions murales, graveur, décorateur.
Il fut élève des Académies de Saint-Pétersbourg et de Paris. Il peignit des fresques dans les églises de Gostynin et de Malkinia. Il a envoyé : *Cracovie en hiver*, *Kazimierz-sur-Vistule*, *Étude*, ainsi qu'un projet de décoration d'une église, à l'Exposition d'Art Polonais ouverte, en 1921, au Salon de la Société Nationale des Beaux-Arts, dont Trojanowski est membre sociétaire.

TROJANOWSKI Wincenty
Né le 22 janvier 1859 à Varsovie. Mort en 1928 à Varsovie. XIXᵉ-XXᵉ siècles. Polonais.
Peintre de compositions religieuses, portraits, paysages, graveur, médailleur.
Il fut élève des Académies de Saint-Pétersbourg et de Munich. Peintre et écrivain d'art, il grava des médailles à l'effigie de grands artistes.
Musées : Paris – Posen – Varsovie.

TROJANSKI Ilia Ivanovitch
Né en 1790. XIXᵉ siècle. Russe.
Miniaturiste.
Élève de l'Académie de Saint-Pétersbourg.

TROJEL Emil ou **Johan Frederik Emil**
Né le 30 octobre 1847 à Kolding. Mort le 14 février 1935 à Copenhague. XIXᵉ-XXᵉ siècles. Danois.
Peintre d'intérieurs, paysages.

TRÖKES Heinz
Né le 15 août 1913 à Duisburg-Hamborn (Rhénanie). XXᵉ siècle. Allemand.
Peintre de nus, paysages, aquarelliste. Tendance abstraite.
Il fut élève à Krefeld de Johannes Itten, ainsi que de Georg Muche. Il vécut le plus souvent à Berlin. Il séjourna à Paris deux années où il rencontra Kandinsky puis enseigna à l'école d'architecture de Weimar. Après un second séjour à Paris, où il fré-

quenta Wolfgang Wols, il s'installa à Ibiza, de 1952 à 1956. Il fut ensuite nommé professeur à l'académie des beaux-arts de Hambourg puis de Berlin.
À Berlin, dans les années de l'immédiat après-guerre, il prit une part active à toutes les activités artistiques d'avant-garde, suscitant des manifestations à caractère surréaliste, dirigeant lui-même la galerie Rosen. On a vu des expositions de ses peintures à Amsterdam, Zurich, Paris, Bruxelles, Berlin, etc.
On ne sait guère ce que fut son travail durant les années du régime hitlérien. Cependant, dès 1941, il s'orienta résolument vers une abstraction poétique, aboutissant en 1950 à l'accomplissement de son langage plastique. Très connu en Allemagne, la parenté de son œuvre avec celle de Paul Klee a toujours minimisé son importance à l'étranger. Sensible également à l'œuvre de Max Ernst, certaines de ses peintures de 1948 révèlent cette influence : *Chauve-souris*, la série des *Satellites*, celle des *Fleurs aériennes*, *Sur la planète Mars*, *Terrain cosmologique*, ainsi qu'un *Canon lunaire*, une *Ville engloutie*, une *Barbarope*, etc. Dans les années cinquante, il évolue prenant ses distances d'avec le surréalisme strict, ayant découvert Wols à Paris. Les paysages des Baléares où il s'est installé, avec leur végétation et leur faune particulières, lui apportent de nouveaux éléments visuels et poétiques, où la couleur trouve toute son importance, dans l'invention de *Fêtes de nuit*, de tableaux entièrement graphiques composés d'écritures orientales, antiques ou imaginaires, de mystérieuses *Necropolis*, etc. De tout temps, sa production de croquis et d'aquarelles, notations de travail et de réflexion, fut abondante, surtout pendant ses voyages, celui de 1958 à Ceylan entre autres. Il semble que ses meilleures réussites résident dans une technique ravissante de l'aquarelle très colorée, utilisée en nombreux glacis transparents superposés.

■ J. B.

Bibliogr. : Will Grohmann : *Les Châteaux dans la lune de Heinz Trökes*, Prisme des Arts, Paris, vers 1958 – Will Grohmann, in : *Peintres Contemporains*, Mazenod, Paris, 1964.
Ventes Publiques : Düsseldorf, 14 nov. 1973 : *Composition* : DEM 3 000 – Cologne, 21 mai 1976 : *Voiliers au large de la côte* 1947, aquar. (50,5x66) : DEM 1 250 – Munich, 12 déc. 1978 : *Scènes de port* 1950, h/t (50x60,5) : DEM 2 800 – Hambourg, 9 juin 1979 : *Composition (Nachtlied)* 1961, h/t (75x100,5) : DEM 2 600 – Munich, 3 juin 1980 : *Nachtlichter* 1949, aquar. (44,4x58,5) : DEM 1 800 – Munich, 26 nov. 1981 : *Nu en équilibre* 1950, h/t (50,5x60,5) : DEM 8 250 – Cologne, 7 déc. 1983 : *Paysage-diagramme* 1964, h/t (102x102) : DEM 7 000 – Londres, 1ᵉʳ déc. 1994 : *Paris by night* 1950, h/t (54x69) : GBP 8 625.

TROLF Jakob ou **Drolf**
XVIIIᵉ siècle. Actif à Innsbruck dans la première moitié du XVIIIᵉ siècle. Autrichien.
Sculpteur de crèches.

TROLF Peter
Né à Götzens. Mort en 1735 à Innsbruck. XVIIIᵉ siècle. Autrichien.
Sculpteur.
Il sculpta en 1723 des ornements au buffet d'orgues de l'église Saint-Jacques d'Innsbruck.

TROLL Christoph
XVIIᵉ siècle. Autrichien.
Peintre.
Il a peint, avec Th. Holzmair, la *Légende de saint Sébastien* dans la chapelle Saint-Sébastien d'Andorf, de 1635 à 1638.

TROLL F.
XIXᵉ siècle. Actif dans la première moitié du XIXᵉ siècle. Allemand.
Peintre et lithographe.
Il travailla à Dresde et à Hirschberg. Le Musée de cette ville conserve de lui *Intérieur de l'église catholique de Hirschberg* et *Intérieur du château de Fischbach avec Frédéric Guillaume III*.

TROLL Georg
XXᵉ siècle. Français.

Sculpteur de figures, céramiste, peintre, dessinateur.
Il a montré une exposition personnelle de ses œuvres en 1992 à Lyons-la-Forêt.
Il réalise des œuvres qui respirent la joie de vivre, avec des corps de femme en extase, des penseurs.

TROLL Isaac ou **Daniel Isaac**
Né le 30 novembre 1748 à Genève. Mort le 18 mars 1812 à Genève. XVIIIe-XIXe siècles. Suisse.
Peintre sur émail.
Élève de J. Th. Perrache.

TROLL Johann Heinrich ou **Jean Henri**
Né le 1er juillet 1756 à Winterthur. Mort le 9 mai 1824 à Winterthur. XVIIIe-XIXe siècles. Suisse.
Peintre de paysages et de fleurs, dessinateur et graveur au burin.
Élève de Zingg, à Dresde, pendant sept ans. Il alla à Paris, à La Haye, parcourut la Suisse en 1794, alla à Rome en 1796, et retourna à Paris. Il a gravé des vues et des paysages. Le Musée de Winterthur conserve de lui *Paysage italien*, ainsi que des aquarelles de plantes et de fleurs.
VENTES PUBLIQUES : PARIS, 20 mars 1899 : *Allée latérale du Jardin des Tuileries*, dess. : FRF 100.

TROLL Julien ou **Aimé Julien**
Né le 26 novembre 1781 à Genève. Mort le 26 décembre 1852 à Genève. XIXe siècle. Suisse.
Peintre sur émail.
Fils d'Isaac Troll et élève d'A. Mittendorff.

TROLL Maria, Mme. Voir **KRAFFT Maria**

TROLLÉ Éléonore Anne. Voir **STEUBEN Éléonore Anne de**

TROLLE Otto Christian
Né le 29 janvier 1736 à Copenhague. Mort le 2 mai 1798 à Copenhague. XVIIIe siècle. Danois.
Peintre et dessinateur de fleurs.

TROLLER Joséphine
Née en 1908. XXe siècle. Suissesse.
Peintre.
Elle remporta en 1980 le Prix d'Art de la ville de Lucerne.
VENTES PUBLIQUES : LUCERNE, 26 nov. 1994 : *Vision* 1961, h/t (61x46) : CHF 1 100.

TROLLER Juliette
Née en 1894. XXe siècle. Suissesse.
Peintre de natures mortes.
VENTES PUBLIQUES : LUCERNE, 25 juin 1976 : *Nature morte aux fruits*, h/t (44x55) : CHF 500.

TROLLIET Joël
Né le 19 mars 1950 à Lamballe (Côtes d'Armor). XXe siècle. Français.
Peintre. Abstrait.
De 1971 à 1978, il suit élève de l'École des Beaux-Arts de Paris, notamment de Claude Augereau en peinture, de Marcel Gili en dessin.
Il participe, depuis 1973, à de nombreuses expositions collectives, d'entre lesquelles à Paris : depuis 1976 et annuellement le Salon des Réalités Nouvelles, dont il est devenu le secrétaire général puis vice-président, en 1981 et 1982 le Salon de Mai, ainsi que dans plusieurs villes de province : 1973 et 1977 Maison de la Culture de Bourges, 1977 et 1978 *L'Art dans la Ville* à Billom, 1996 dans un groupe de six peintres à l'Hôtel-de-Ville d'Asnières, etc. Il montre son travail dans des expositions personnelles depuis 1975, surtout à Paris, mais aussi : 1980 au Luxembourg, 1983 Musée de Louvain-la-Neuve en Belgique, 1988 Maison des Arts d'Évreux, 1992 Galerie Racine à La Ferté-Milon...
Un des critères les plus rassurants applicables à la peinture de Joël Trolliet, est qu'on ne sait pas très bien où ni comment la classer, c'est abstrait, c'est sûr. Encore que, les amis pressentis ont pu y lire des choses : ici une fleur ou là des cœurs ou le ciel étoilé à travers la lucarne ou l'empreinte d'oiseaux envolés ou encore et cætera. Le peintre lui-même s'abstient de l'interprétation et s'en tient au constat : une pièce de tissu grossièrement cousue sur une pièce plus grande... feuilles blanches et grises bordées de carmin sur fond jaune citron griffé de rose... fond orangé soutenu et pois trese-de-sienne également bordés de rouge... Toutes ces lectures sont encore toutes fiables, tant le peintre est de longue date assuré des composantes de son écriture, donc

langage, plastique. Un critique pourrait en analyser les constantes : le rectangle de la peinture comme encadré dans une peinture plus grande : rappel ou écho de la peinture de champs de Rothko ou bien des prédelles d'Alechinsky, la duplication de chaque motif central : clin d'œil malicieux à l'unique osselet de Claude Viallat ? Ces modestes tours de main ne serviraient de rien en autres mains que les siennes. Ce qui fait vivre ces quelques « pétales d'oiseaux », comme il fut dit, c'en est l'écriture déliée, l'élégance de la feinte facilité, c'en sont les accords colorés, pour chaque cas réinventés, des contacts les plus délicats et frais jusqu'au heurt somptueux et grave du noir sur noir, pour la joie des yeux ou pour la nostalgie du cœur, et puis, c'en est surtout ce on ne sait quoi qu'on appelle le talent. ■ Jacques Busse

TROLSTOI Théodore Pétrovitch. Voir **TOLSTOI Féodor Pétrovitch**

TROMAN Morley
Né en Angleterre. XXe siècle. Britannique.
Sculpteur.
Il fut élève, à Paris, de Zadkine. Comme son maître, il a travaillé le bois.

TROMBA, il. Voir **SANTO RINALDI**

TROMBADORI Francesco
Né le 7 avril 1886 à Syracuse. Mort en 1961. XXe siècle. Italien.
Peintre de figures, paysages, natures mortes.
Il exposa à Rome à partir de 1918.
MUSÉES : ROME (Gal. d'Art Mod.).
VENTES PUBLIQUES : ROME, 21 mai 1974 : *Paysage* : ITL 480 000 – ROME, 23 nov. 1981 : *Place Santa Maria della Navicella*, h/t (37x43) : ITL 2 800 000 – ROME, 22 nov. 1984 : *Nature morte aux choux, pommes et raisins* vers 1926, h/t (60x70) : ITL 6 000 000 – ROME, 23 avr. 1985 : *La piramide di Caio Cestio* 1958, h/t (50x60) : ITL 3 800 000 – ROME, 15 nov. 1988 : *Vue du Forum romain*, h/t (20x25) : ITL 7 200 000 – ROME, 17 avr. 1989 : *Village*, h/t (40x50) : ITL 12 000 000 – ROME, 28 nov. 1989 : *Nature morte aux asperges* ; *Nature morte avec une coupe de fruits, une assiette de fraises et un citron* 1936, h/t, une paire (30x49,5) : ITL 35 000 000 – ROME, 10 avr. 1990 : *Embarquement d'un pilote blessé* 1942, h/t (55x64,5) : ITL 9 000 000 – ROME, 9 avr. 1991 : *Maisons sur la colline*, h/t (50x65) : ITL 15 500 000 – ROME, 3 déc. 1991 : *Santa Maria del Popolo*, h/pan. (40x50) : ITL 9 500 000 – MILAN, 19 déc. 1991 : *Marine*, h/t (40x50) : ITL 7 000 000 – ROME, 19 nov. 1992 : *Paysage avec une église de campagne*, h/pan. (25x30) : ITL 4 500 000 – ROME, 30 nov. 1993 : *Nature morte avec des vaneaux, des pommes et un pichet sicilien* 1923, h/t (45x55) : ITL 13 800 000 – MILAN, 20 mai 1996 : *La Porte du Peuple*, h/t (41x45) : ITL 12 650 000 – MILAN, 25 nov. 1996 : *Maisons sur une colline*, h/t (50x60) : ITL 12 650 000.

TROMBATORE Fabio
XVIIe-XVIIIe siècles. Actif à Naples. Italien.
Portraitiste.
Fils de Giuseppe Trombatore.

TROMBATORE Giuseppe
XVIIe siècle. Actif à Naples dans la seconde moitié du XVIIe siècle. Italien.
Peintre.
Élève de Preti. Il peignit des tableaux d'autel pour des églises de Naples.

TROMBEOR Nicolaus
XIVe siècle. Allemand.
Enlumineur.
Le Cabinet des Estampes conserve un manuscrit de « Hyon » orné de soixante-seize miniatures de la main de cet artiste.

TROMBETTA Ezechiele
Né le 13 septembre 1834 à Côme. Mort le 15 mars 1903 à Côme. XIXe siècle. Italien.
Sculpteur.
Élève de l'Académie des Beaux-Arts de Milan. Il exposa à Naples, Milan, Rome et Turin, de 1870 à 1883. La Galerie moderne de Milan conserve de lui *Dante et Casella* et la Corcoran Gallery de Washington, *Le premier pas*.

TROMBETTA Giambattista
XVIe siècle. Actif dans la première moitié du XVIe siècle. Italien.
Enlumineur.
Il enlumina les missels des églises Saint-Pétrone et Saint-Michel in Bosco de Bologne.

TROMBETTA Niccolo. Voir **TROMETTA** et aussi **MARTINELLI Niccolo de**

TROMBETTA Ottaviano
XVIIe siècle. Travaillant en 1686. Italien.
Peintre.
Il a peint une *Sainte Famille* pour la collégiale de Carmagnola.

TROMBON. Voir **SECCANTE Giacomo**

TROMBONI Augusto
Né le 13 mars 1863 à Naples. XIXe siècle. Italien.
Peintre de genre, paysages.

TROMETTA Niccolo ou **Trombetta**, dit **Niccolo da Pesaro**
Mort après 1620. XVIIe siècle. Italien.
Peintre d'histoire, compositions religieuses, dessinateur.
Élève de F. Zuccaro, il fut aussi architecte. Sa *Dernière Cène*, peinte pour l'église du sacrement à Pesaro, est regardée comme son chef-d'œuvre. Ses autres œuvres sont à Rome. Il semble bien qu'il s'agisse de Niccolo de Martinelli.
VENTES PUBLIQUES : LONDRES, 10 avr. 1985 : *Un saint debout : saint Jean l'Evangéliste ? (recto) ; La Vierge et l'Enfant et études de mains (verso)*, pl. et lav. reh. de blanc/pap. bleu (27,3x19,4) : **GBP 20 000** – MONTE-CARLO, 20 juin 1987 : *Saint Jérôme pénitent*, pl., encre brune et lav. reh. de blanc, étude (24,7x18,4) : **FRF 24 000**.

TROMMER Marie
Née en Russie. XXe siècle. Active et naturalisée aux États-Unis. Russe.
Peintre de portraits, natures mortes.
Elle fut élève de Wayman Adams et Samuel Halpert et membre de la Société des Artistes Indépendants.

TROMMETER Heinrich
XVIIe siècle. Actif à Russwil de 1619 et 1627. Suisse.
Peintre verrier.

TROMONIN Kornili Iakovlévitch
Mort en 1847 à Moscou. XIXe siècle. Russe.
Dessinateur, lithographe et éditeur.
Il grava des vues de villes.

TROMP Jan Zoetelief
Né le 13 décembre 1872 à Batavia (aujourd'hui Jakarta). Mort en 1947. XIXe-XXe siècles. Hollandais.
Peintre de genre, graveur.
Il fut élève des Académies d'Amsterdam et de La Haye. Graveur, il privilégia la technique de l'eau-forte.

J ZOETELIEF TROMP

VENTES PUBLIQUES : NEW YORK, 27 jan. 1911 : *Avec Grand-père* : **USD 425** – LONDRES, 21 juil. 1976 : *Paysanne et enfants dans un champ de blé*, h/t (64x101,5) : **GBP 3 400** – NEW YORK, 14 jan. 1977 : *Le marchand de légumes*, h/t (33x43) : **USD 2 700** – LOS ANGELES, 6 nov. 1978 : *Paysan menant une charrette de foin*, h/pan. (24x34) : **USD 3 250** – NEW YORK, 4 mai 1979 : *La promenade à travers champs*, h/t (41x49,5) : **USD 8 500** – AMSTERDAM, 28 oct. 1980 : *Paysanne et enfants dans une cariole*, aquar. (24x33) : **NLG 7 000** – LONDRES, 27 nov. 1980 : *Le retour des champs*, aquar. et cr. reh. de blanc, forme d'éventail (12x30,5) : **GBP 750** – NEW YORK, 28 oct. 1981 : *La Balançoire*, h/t (41,3x54,6) : **USD 3 500** – LONDRES, 16 mars 1983 : *Mère et enfant dans une cour de ferme*, aquar. reh. de gche (24x30,5) – LONDRES, 10 oct. 1984 : *La baignade*, h/t (38x46,5) : **GBP 2 800** – LONDRES, 28 nov. 1985 : *Retour des champs*, aquar. (23,5x33) : **GBP 900** – AMSTERDAM, 3 sep. 1988 : *Femme de pêcheur*, h/t (27x35,5) : **NLG 2 530** ; *Enfants ramassant des pommes de terre*, h/t (25,5x35) : **NLG 9 775** – NEW YORK, 22 fév. 1989 : *Enfants promenant leur agneau familier*, h/t (66x99) : **USD 52 250** – NEW YORK, 28 fév. 1990 : *Dans les champs*, h/t (64,8x53,3) : **USD 38 500** – AMSTERDAM, 10 avr. 1990 : *Jeux de plage*, aquar. et gche/pap. (24,5x35,5) : **NLG 29 900** – NEW YORK, 23 mai 1990 : *Le voilier miniature*, h/t (80x100,3) : **USD 16 500** – AMSTERDAM, 30 oct. 1990 : *La journée finie*, h/t (38x50) : **NLG 48 300** – AMSTERDAM, 24 avr. 1991 : *La nourriture des animaux familiers*, aquar. avec reh. de blanc/pap. (12,5x9) : **NLG 9 775** – AMSTERDAM, 30 oct. 1991 : *Jeux de plage*, h/t (40,5x56,5) : **NLG 59 800** – AMSTERDAM, 5-6 nov. 1991 : *Enfants dans les dunes*, h/t (34,2x49) : **NLG 48 300** – AMSTERDAM, 24 avr. 1991 : *Deux enfants jouant sur une plage*, h/pan. (19x26,5) : **NLG 41 400** – LONDRES, 21 juin 1991 : *Enfants pataugeant au bord de la plage*, h/t (33,5x43,8) : **GBP 22 000** – AMSTERDAM, 14-15 avr. 1992 : *Dans les champs*, h/t (38x48) : **NLG 47 150**

– AMSTERDAM, 2 nov. 1992 : *Mère et enfant dans un champ de pommes de blé*, h/t (67x92) : **NLG 48 300** – LONDRES, 27 nov. 1992 : *Promenade printanière*, h/pan. (33x22,8) : **GBP 7 150** – AMSTERDAM, 19 oct. 1993 : *L'Attente du retour des pêcheurs*, aquar./pap. (25x35) : **NLG 9 775** – LONDRES, 19 nov. 1993 : *Les pêcheurs de crevettes*, h/t (69,3x95,5) : **GBP 10 925** – LONDRES, 18 mars 1994 : *Au bord de la mer*, h/t (35,6x50,8) : **GBP 16 000** – AMSTERDAM, 21 avr. 1994 : *Le Bateau miniature*, h/t (30x40,5) : **NLG 43 700** – LONDRES, 20 nov. 1996 : *Enfants dans un champ*, (45x61) : **GBP 17 250** – AMSTERDAM, 27 oct. 1997 : *Une famille heureuse*, aquar. (14x22) : **NLG 10 620**.

TROMP Outgert
Mort le 14 septembre 1690 à Amsterdam. XVIIe siècle. Travaillant en Angleterre. Hollandais.
Graveur de portraits.

TROMPES Anthunis ou **Antonio de** ou **Trompe** ou **Trompere**
Mort en 1539. XVIe siècle. Actif à Bruges. Éc. flamande.
Enlumineur et copiste.
Il faisait partie de la gilde de Bruges en 1496. Il écrivit le canon de la messe, qu'il fit précéder d'une miniature du *Crucifiement* dans un missel appartenant aux élèves du tribunal de la ville.

TROMPETTE Jean
XVe siècle. Actif à Besançon en 1437. Français.
Peintre.

TROMPIZ Virgilio
Né en 1927. XXe siècle. Vénézuélien.
Peintre, technique mixte.
Voir aussi VIRGILIO Trompiz.
VENTES PUBLIQUES : NEW YORK, 21 nov. 1989 : *Dame sur un sofa*, h. et sable/t (114x146) : **USD 13 200** – NEW YORK, 20-21 nov. 1990 : *Le petit concert*, acryl./t (114x146) : **USD 5 500**.

TRON Henri
XVIIe siècle. Actif à Saint-Cloud de 1685 à 1692. Français.
Peintre.

TRONCAVINI Gaspare
Mort vers 1800. XVIIIe siècle. Actif à Mantoue. Italien.
Sculpteur sur bois.
Élève de l'Académie de Mantoue et de Giuseppe Tivani. Il sculpta des statues pour des églises de cette ville.

TRONCET Antony
Né le 23 mai 1879 à Buzançais (Indre). Mort en 1939 à Paris.
XXe siècle. Français.
Peintre de genre, portraits, nus, paysages, pastelliste, graveur, dessinateur, illustrateur.
Il fut élève de B. Constant et de J. P. Laurens. Il travailla à Paris, où il exposa au Salon des Artistes Français de 1902 à 1938. Il reçut une médaille en 1903 et 1908 ; fut décoré de la Légion d'honneur en 1928. Il travaille dans la tradition classique, avec des œuvres à caractère intimiste, des portraits, nus ou figures dans la pénombre, des scènes de labour.
BIBLIOGR. : Catalogue de l'exposition : *Antony Troncet, portraitiste, paysagiste, peintre de nus et poète*, Couvent des Cordeliers, Châteauroux, 1988.
MUSÉES : CHÂTEAUROUX (Mus. Bertrand) : *Nu au tambourin – Intérieur de ferme – Portrait de jeune femme – La Moisson – Le Songe de Philétas ou Daphnis et Chloé 1938* – NEVERS : *L'Amateur 1924* – *Le Convalescent 1924* – *Matri Meae, mère du peintre 1925.*
VENTES PUBLIQUES : PARIS, 8 mai 1941 : *Le lever 1929* : **FRF 1 950** ; *Le petit déjeuner*, past. : **FRF 420** – LONDRES, 27 nov. 1986 : *Nu allongé au bord d'un lac*, past. et fus. (83x118) : **GBP 8 500** – PARIS, 5 juin 1989 : *Dormeuse*, h/t (130x185) : **FRF 91 000** – LONDRES, 16 mars 1994 : *Au bord du lac*, past. (84x118) : **GBP 14 950**.

TRONCHI Bartolomeo
XVIe siècle. Italien.
Graveur sur bois.
Il termina le plafond de la nef centrale de l'église de Jésus à Pérouse dans la seconde moitié du XVIe siècle.

TRONCHON
Né en 1840 à Paris. XIXe siècle. Français.
Graveur.
Il travailla pour *Les Galeries de Versailles* et pour les *Contes de la Fontaine*, édition Bralaurt, Paris, 1835.

TRONCHON Antoine R. Voir **TRONCHON**

TRONCIA Leonardo del
xvᵉ-xvɪᵉ siècles. Actif à Florence. Italien.
Peintre.
Il travailla à Pise de 1485 à 1515.

TRONCIA Natalino
Mort en 1706. xvɪɪᵉ siècle. Actif à Naples. Italien.
Peintre.
Il fut un des fondateurs de la Congrégation de Saint-Luc à Naples en 1665.

TRONCOSSI Giuseppe Francesco ou **Joseph François**, dit **Paris**. Voir **PARIS Joseph François**

TRONCY Émile
Né le 25 avril 1859 à Sétif (Algérie). Mort le 25 mars 1943 à Marseille. xɪxᵉ-xxᵉ siècles. Français.
Peintre de scènes de genre, portraits, intérieurs, paysages, paysages d'eau.
Il fut élève d'Alexandre Cabanel, puis de William Adolphe Bouguereau et de Tony Robert-Fleury. Il exposa au Salon des Artistes Français de Paris, à partir de 1892.
On cite de lui : *Jeune fille en prière – Cœur simple – Portrait de Jules Adler*.

E. TRONCY

BIBLIOGR. : Gérald Schurr, in : *Les Petits Maîtres de la peinture 1820-1920, valeur de demain*, Les Éditions de l'Amateur, t. II, Paris, 1982.
MUSÉES : BÉZIERS : *Quiétude* – MONTPELLIER (Mus. Fabre) : *Cœur simple* – SÈTE : *Déchargement d'un cargo – Diane au bain – Rezonville* 1870 – VENISE (Gal. d'Art mod.) : *La fille du jardinier*.
VENTES PUBLIQUES : PARIS, 15 mai 1944 : *Intérieur moyenâgeux* : FRF 280 ; *Paysans assis et leur chien* : FRF 750.

TRÖNDLE Oskar
Né le 31 janvier 1883 à Möhlin. xxᵉ siècle. Suisse.
Peintre, graveur.
Il vécut et travailla à Soleure.

TRÖNDLE-ENGEL Amanda
Née le 31 janvier 1883 à Möhlin. xxᵉ siècle. Suisse.
Peintre, graveur.
Elle fut élève de Simon Hollosy à Munich et d'Adolf Hölzel à Dachau. Elle vécut et travailla à Soleure.
MUSÉES : BÂLE (Cab. des Estampes) – BERLIN (Mus. des Arts déco.).

TRÖNER Christopher
Né au Danemark. Mort en 1708 à Christiania. xvɪɪᵉ siècle. Norvégien.
Peintre.
Il s'établit à Christiania en 1696.

TRONNET Henri Isidore
Né le 8 juin 1793. Mort le 4 mars 1887 à Pierrefonds (Oise). xɪxᵉ siècle. Actif à Abbeville (Somme). Français.
Dessinateur.
Le Musée d'Abbeville conserve un portrait dessiné par cet artiste.

TRONO Alessandro
Né à Cuneo. Mort le 21 octobre 1781. xvɪɪɪᵉ siècle. Italien.
Peintre.
Il travailla pour la cour de Turin et pour des églises de cette ville.

TRONO Giuseppe
Né en 1739 à Turin. Mort en 1810. xvɪɪɪᵉ-xɪxᵉ siècles. Italien.
Portraitiste.
Élève d'Alessandro Trono ; il alla à Rome. Il fut attaché, en qualité de peintre portraitiste, aux cours de Naples et de Turin. Il eut du succès, à Lisbonne, en copiant les grands maîtres.

TRONQUET Oudin
xvɪᵉ siècle. Travaillant à Paris en 1545. Français.
Peintre.

TRONSENS Charles, pseudonyme : **Carlo Gripp**
Né en 1830 à Tarbes (Hautes-Pyrénées). xɪxᵉ siècle. Français.
Caricaturiste.
Il collabora à plusieurs illustrés parisiens de 1850 à 1870.

TRONSON Jacques
xvɪᵉ siècle. Actif à Nantes vers 1514. Français.
Peintre.
Il travailla à la décoration de l'Hôtel de Ville de Nantes.

TRONVILLE Fr. J.
Né en 1917. xɪxᵉ siècle. Français.
Peintre.
Il exposa au Salon de Paris en 1855.
VENTES PUBLIQUES : PARIS, 8 nov. 1996 : *Scène de contrebandiers, marine* 1855, h/t (81x119) : **FRF 15 500**.

TROOD William Henry Hamilton
Né en 1848. Mort le 3 novembre 1899 à Londres. xɪxᵉ siècle. Britannique.
Peintre de genre, animaux, sculpteur.
Il exposa régulièrement en Angleterre, principalement à la Royal Academy de 1879 à 1898.
Il fut surtout peintre de chiens et de chats.

VENTES PUBLIQUES : LONDRES, 19 juil. 1909 : *Un père fier* : **GBP 13** – LONDRES, 21 mars 1910 : *Le Bénédicité et L'aide aux malheureux* 1896, deux pendants : **GBP 21** – LONDRES, 29 avr. 1911 : *Indiscrétion enfantine* 1891 : **GBP 29** – NEW YORK, 17 avr. 1974 : *Chiots regardant une poule* 1889 : **USD 1 800** – LONDRES, 14 mars 1981 : *Akitten's meeting* 1885, h/t (28,5x69,8) : **GBP 900** – NEW YORK, 28 juin 1984 : *Mealtime visitors* 1899, h/t (30,5x40,6) : **USD 4 000** – LONDRES, 22 fév. 1985 : *Le forgeron arabe* 1891, h/t (31,7x45) : **GBP 4 000** – LONDRES, 1ᵉʳ oct. 1986 : *The Christmas cracker* 1897, h/t, une paire (45,5x61) : **GBP 10 000** – LONDRES, 15 juin 1988 : *Une portée de chiots* 1887, h/t (23x30,5) : **GBP 4 620** – LONDRES, 3 nov. 1989 : *Une future brosse* 1899, h/t (30,5x25,5) : **GBP 5 280** – LONDRES, 16 juil. 1991 : *La pâtée est trop chaude !* 1895, h/t (26,7x40,7) : **GBP 1 210** – LONDRES, 13 nov. 1992 : *Jeunes chiots endormis* 1892, h/t (30,5x40,5) : **GBP 14 300** – LONDRES, 3 juin 1994 : *Attendre jusqu'au départ des nuages*, h/t (21,3x28,6) : **GBP 6 900** – MONTRÉAL, 6 déc. 1994 : *La nouvelle famille du terrier* 1892, h/t (30,5x40,6) : **CAD 17 000** – LONDRES, 29 mars 1996 : *Le malade modèle* 1897, h/t (29,8x40,6) : **GBP 8 625**.

TROOST
xvɪɪᵉ siècle. Hollandais.
Peintre.
Assistant de Bonaventura Van Overbeek à Rome. Il peignit surtout des ruines.

TROOST Adolphe. Voir **TROOST Odulf**

TROOST Cornelis, dit **le Hogarth Hollandais** et le **Watteau Hollandais**
Né le 8 octobre 1697 à Amsterdam. Mort le 7 mars 1750 à Amsterdam. xvɪɪɪᵉ siècle. Hollandais.
Peintre d'histoire, scènes de genre, portraits, peintre à la gouache, pastelliste, aquarelliste, décorateur de théâtre, graveur, dessinateur.
Élève d'Arnold Van Boonen, il épousa en 1720 à Zwolle, Maria van der Duyn, s'établit à Amsterdam, y reçut le droit de bourgeoisie en 1726. Ses filles Sara et Elisabeth épousèrent Jacob et Cornelis Floos Van Amstel.
On l'a surnommé le *Hogarth hollandais* et le *Watteau hollandais*, il se rapproche beaucoup plus du premier. On pourrait aussi assimiler ses ouvrages à ceux de Pietro Longhi mais il est probable étant donné l'époque de sa mort qu'il connut peu les œuvres capitales de l'humoriste anglais, (*Le mariage à la mode* date de 1745), et pas du tout celles de Longhi (1702-1785). Troost appartient à l'époque de la décadence de l'École hollandaise ; c'est pourtant un peintre plein d'esprit et qui a bien mis en lumière les mœurs de son temps. Il a une technique toute spéciale, moitié pastel, moitié aquarelle. Il a aussi peint à l'huile et exécuté des décors de théâtre et des décorations d'appartement ; c'est aussi un intéressant graveur. Comme il est dit plus haut, on fait souvent un rapprochement entre Hogarth et Cornelis Troost, cependant il faut remarquer que le Hollandais reste toujours très près d'une traduction littérale du réel, il se rattache donc nettement à ses devanciers du xvɪɪᵉ, mais à l'époque de Troost au xvɪɪɪᵉ, les grands maîtres étaient tous disparus et seule la minutie des détails tenait lieu de génie. Troost n'a pas échappé à la mode de son temps, il en est un parfait représentant. C'est un artiste minutieux qui ne laisse rien échapper et malheureuse-

ment il n'ajoute pas la pointe d'humour qui appartient en propre à Hogarth et est spécifiquement anglais.

BIBLIOGR. : J. W. Niemeijer : *Cornelis Troost 1696-1750*, Assen, 1973.
MUSÉES : AMSTERDAM (Mus. nat.) : *Portrait de l'artiste, deux œuvres – Les inspecteurs du Collegium Medicum en 1724 – Étude de ce tableau – Régent de l'Aalmoezeniers Weesthuis en 1729 – Étude de ce tableau – Isaac Sweers – Portrait d'un homme de qualité – Quatre enfants et un petit singe – Maria Magdalena Stadenisse – Alexandre le Grand à la bataille de Granique – Jardin de ville – Hermanns Boerhave – Esquisse – Scène de comédie, pastel, deux œuvres* – AMSTERDAM (Mus. historique) : *Leçon d'anatomie du professeur W. Roëll en 1728 – Trois chefs de la corporation des chirurgiens en 1731* – BERLIN : *Scène du Malade imaginaire, de Molière* – CHÂTEAU-THIERRY : *La demande en mariage* – ROTTERDAM (Gal. nat.) : *Les dilettantes* – DÜSSELDORF (Mus. mun.) : *Portrait d'une dame* – HAARLEM : *Homme inconnu* – LA HAYE : *Le joueur d'orgue de Barbarie – La demande en mariage de Saartje Jans – La déclaration d'amour de Reinier Andriaanszen à Saartje Jans – Découverte de la supercherie de Jan Claesz – Les amoureux transis – Le vieux mari mis en fuite – L'hypocrisie découverte – Le mari bafoué – La dispute des astronomes – Les chanteurs de l'Épiphanie – Les noces de Kloris et Roosje – Réunion d'amis chez Barberius, cinq œuvres – L'artiste – La chanteuse* – IXELLES : *Peintre et enfant* – LEYDE : *Portrait de G. Van Swieten – Les disciples d'Emmaüs ?* – ROTTERDAM : *Chambre d'accouchée en Hollande – Le jeu de colin-maillard* – SCHWERIN : *Le déjeuner* – UTRECHT : *Portrait de M. Boerhave.*
VENTES PUBLIQUES : PARIS, 1773 : *Le corps de garde avec officiers* : **FRF 987** ; *Quatre actes de La Comédie hollandaise*, coloriés : **FRF 2 100** – AMSTERDAM, 1847 : *Crispin médecin*, dess. colorié : **FRF 390** ; *Officiers dans un corps de garde hollandais*, dess. colorié : **FRF 460** – COLOGNE, 1862 : *Cuisinière chez une marchande de gibier* : **FRF 266** – PARIS, 20 fév. 1900 : *Les bords du Rhin à la fin du XVIIIᵉ siècle*, dess. colorié : **FRF 205** – AMSTERDAM, 15-18 juin 1908 : *La séparation difficile* : **FRF 1 250** – LONDRES, 8 avr. 1911 : *Intérieur d'auberge avec paysans et soldats* : **GBP 5** – PARIS, 23 mars 1921 : *Choc de cavalerie* : **FRF 400** – LONDRES, 22 fév. 1924 : *Intérieur avec prisonniers*, past. : **GBP 39** – PARIS, 11 avr. 1924 : *La leçon de dessin*, pet. lav. : **FRF 600** – LONDRES, 26 avr. 1927 : *L'Amour mal assorti*, gche : **GBP 80** – PARIS, 9 fév. 1928 : *La rixe à l'estaminet*, attr. : **FRF 4 020** – PARIS, 20-21 avr. 1932 : *Le divertissement oriental*, gche : **FRF 480** – PARIS, oct. 1945-juil. 1946 : *Femme s'éclairant à la chandelle*, aquar. et past. : **FRF 3 100** – MILAN, avr. 1950 : *Scène de famille* :

ITL 160 000 – PARIS, 12 avr. 1954 : *Allée de château et personnages*, encre de Chine et lav. : **FRF 20 000** – LONDRES, 26 nov. 1958 : *Musicien assis dans un intérieur* : **GBP 2 050** – LONDRES, 25 fév. 1959 : *Officiers dans une salle de garde*, gche : **GBP 320** – AMSTERDAM, 27 sep. 1966 : *Portrait de Hermannus Boerhave* : **NLG 5 200** – LONDRES, 28 juil. 1967 : *Le compliment* : **GNS 800** – PARIS, 27 fév. 1976 : *Sept personnages*, h/t (48x38) : **FRF 2 500** – VERSAILLES, 29 nov. 1981 : *L'Amateur de dessin*, pierre noire avec reh. de lav., aquar. et gche (62,5x51) : **FRF 25 000** – AMSTERDAM, 13 oct. 1981 : *Kermesse à Amsterdam 1746*, gche (36,5x47,5) : **NLG 30 000** – NEW YORK, 21 jan. 1983 : *Le Repas de bébé 1745*, gche (28,4x33,6) : **USD 8 500** – PARIS, 2 mars 1983 : *Savetier dans son intérieur*, h/bois (20x27) : **FRF 21 000** – LONDRES, 5 juil. 1985 : *Portrait d'un gentilhomme*, h/t (90,2x71,7) : **GBP 7 500** – PARIS, 12 avr. 1989 : *Portrait de Philips Zweerts 1730*, h/t (71x58) : **FRF 320 000** – STOCKHOLM, 19 avr. 1989 : *Enfant avec chien et des perruches dans la cour d'un palais 1731*, h/t (64x77) : **SEK 28 000** – AMSTERDAM, 25 nov. 1991 : *Corps de garde avec des officiers jouant aux cartes 1744*, gche (29,5x41,2) : **NLG 55 200** – NEW YORK, 14 jan. 1992 : *Gentilhomme lisant avec son chien à ses pieds dans un sous-bois*, gche (44,6x60,2) : **USD 28 600** – AMSTERDAM, 17 nov. 1993 : *La déclaration d'amour de Reinier Adriaansz*, h/t (62x44) : **NLG 15 525** – AMSTERDAM, 15 nov. 1994 : *Le joueur perdant*, encre, past. et gche avec touches de peint. à l'h. (31,1x39,2) : **NLG 10 925** – PARIS, 7 juin 1995 : *Intérieur de forêt*, pierre noire, encre de Chine et lav./pap. bleuté (29,5x26) : **FRF 8 000.**

TROOST Jacoba Maria, Mme. Voir **NICKELE**

TROOST Odulf ou Ornulf
Né le 31 mai 1820 à Hougaerde. Mort le 9 novembre 1854 à Anvers. XIXᵉ siècle. Éc. flamande.
Peintre.
Il peignit des tableaux d'autel dans les églises de Putte et de Lummen.

TROOST Sara
Née en 1731 à Amsterdam. Morte le 17 octobre 1803 à Amsterdam. XVIIIᵉ siècle. Hollandaise.
Peintre de portraits, pastelliste et graveur au pointillé et à la manière noire.
Élève de son père Cornelis Troost, femme de Jacob Flos Van Amstel. On lui doit des estampes d'animaux. On lui doit aussi de nombreux dessins d'après son père, Jan Steen, Gérard Dou, Karel Dujardin, etc. Le Musée national d'Amsterdam conserve d'elle deux portraits et plusieurs dessins.

TROOST Willem I
Né en 1684 à Amsterdam. Mort en 1759 à Amsterdam. XVIIIᵉ siècle. Hollandais.
Peintre de compositions mythologiques, paysages animés, paysages, peintre à la gouache, dessinateur.
Élève de J. Glauber. Il travailla à la cour de Düsseldorf, épousa Jacoba Van Nickele, s'établit à Harlem en 1735 puis travailla à Duisbourg, Essen, et Clèves.

MUSÉES : AMSTERDAM – BERLIN – BRUXELLES.
VENTES PUBLIQUES : PARIS, 10 juin 1988 : *Pan et Syrinx*, h/pap. (25x19) : **FRF 120 000** – LONDRES, 6 juil. 1992 : *Fantaisie d'un paysage rhénan*, gche (37,6x49,1) : **GBP 7 920** – AMSTERDAM, 15 nov. 1994 : *Paysage boisé avec un cavalier passant devant une maison de paysans*, gche (22,7x20) : **NLG 5 750.**

TROOST Willem II
Né le 14 juin 1812 à Arnhem. Mort en 1881 ou 1893. XIXᵉ siècle. Hollandais.
Peintre d'histoire, portraits, paysages animés, paysages, lithographe, dessinateur.
Il vivait en 1862 à Leeuwarden.
Il peignit des paysages, des vues, des portraits et des événements contemporains.
MUSÉES : AMSTERDAM (Cab. des estampes) : *Vingt portraits de personnages de son époque.*
VENTES PUBLIQUES : AMSTERDAM, 14 nov. 1983 : *Paysage de fantaisie des bords du Rhin*, gche (28,4x36,9) : **NLG 15 000** – AMSTERDAM, 1ᵉʳ déc. 1986 : *L'Attaque de la carriole à la lisière d'une forêt*, gche (32,3x43,9) : **NLG 6 500** – AMSTERDAM, 19 oct. 1993 : *Vaste paysage boisé avec des paysans, un charriot et des barques sur la rivière*, h/pan. (50x70) : **NLG 11 500.**

TROOST VAN GROENENDOELEN Jan Hendrik
Mort à Amsterdam. xviiie siècle. Hollandais.
Peintre de paysages et de cartons de tapisseries.

TROOST-NIKKELE. Voir **NICKELE Jacoba Maria Van**

TROOSTWYK David
Né le 5 août 1929 à Londres. xxe siècle. Britannique.
Peintre, dessinateur.
Il fut élève de 1950 à 1953 du Royal College of Art de Londres. Il a enseigné à Londres, à la Camberwell School of Art, à la Slade School of Art et à la Chelsea School of Art.
Il participe à des expositions collectives : 1967 Institute of Contemporary Arts de Londres ; 1976, 1982 Art Gallery of New South Wales de Sydney. Il montre ses œuvres dans des expositions personnelles : 1964 université de Southampton ; 1969 RCA Galleries de Londres ; 1974 Institute of Contemporary Arts de Londres ; 1979 Institute of Modern Art de Brisbane.
Musées : Londres (Tate Gal.).

TROOSTWYK Wouter Joannes Van
Né le 28 mai 1782 à Amsterdam. Mort le 20 septembre 1810 à Amsterdam. xixe siècle. Hollandais.
Peintre de paysages animés, paysages, aquafortiste.
Élève de J.-Andriessen. Il s'inspira des paysagistes du xviie siècle et ses œuvres rappellent souvent celles de Potter, Du Jardin, A. Van de Velde.

W. J vT
1810 ()

Musées : Amsterdam : *Paysage en Gueldre*, deux œuvres – *La porte, dite Raampoortje à Amsterdam* – Rotterdam : *Paysage avec animaux*.
Ventes Publiques : Amsterdam, 27 avr. 1976 : *Paysage boisé à la chaumière*, h/pan. (12x16) : NLG 4 400.

TROPININ Vassili Andréiévitch
Né le 19 mars 1776 à Karpowka. Mort le 4 mai 1857 à Moscou. xixe siècle. Russe.
Peintre de genre, portraits, paysages.
Cet artiste occupa une place importante dans le monde artistique russe.
Musées : Moscou (Roumianzeff) : *Le chambellan A. N. Lvoff* – *Portrait d'homme* – *Tête de femme* – *Jeune fille avec une pomme* – *Jeune garçon* – *Une dentellière* – *Vieillard de la Petite-Russie* – *Jeune Petit-Russe* – *L'artiste*, trois œuvres – *Jeune garçon jouant avec un chalumeau* – *Jeune Tartare* – *Fileuse* – Moscou (Gal. Tretiakov) : *Le poète A. S. Pouchkine*, deux œuvres – *P. J. Cheremetievskia* – *Le fils du peintre M. Boulakoff* – *Portrait* – *L'historien N. M. Karamsin* – *La comtesse V. A. Zoubova* – *L. S. Borodsna* – *Le peintre V. P. Bruloff* – *Un ivrogne* – *Un chasseur* – *K. E. Ravitch* – *A. A. Chestov* – *Le graveur N. J. Outkin* – *A. Th. Zaikin* – *Portrait d'homme*, trois œuvres – *L'artiste* – *A. A. Sannikoff* – *Une dentellière* – *L'archimandrite du monastère de Donskoï, Théophane* – *Étude de vieillard* – Saint-Pétersbourg (Mus. Russe) : *Pouchkine* – *La couturière* – *Mme Tchepkine* – *Fillette avec une poupée* – *Le général Nechliondoff* – *Un guitariste* – *Jeune fille au pot de roses* – *P. F. Sokolof* – *Tête de vieillard*.
Ventes Publiques : Paris, 13 mars 1985 : *Le petit mendiant*, pierre noire (15,2x10,3) : FRF 7 800 – Londres, 20 fév. 1985 : *Portrait présumé de l'architecte Konstantin Ton 1843*, h/t (73,5x61) : GBP 4 000 – Londres, 6 oct. 1988 : *Portrait d'un Gentleman en manteau de fourrure 1846*, h/t (72,5x61,5) : GBP 8 250 – Londres, 19 déc. 1996 : *Le joueur de guitare 1838*, h/t (84,5x67,4) : GBP 15 525.

TROPPA Girolamo
Né vers 1636 à Rochetta Sabina (près de Rome). Mort après 1706 à Rome. xviie siècle. Italien.
Peintre de compositions religieuses, portraits, fresquiste, dessinateur.
Imitateur et peut-être élève de Carlo Maratta, il travailla avec Giovanni Battista Gaulli.
Il peignit plusieurs versions de la *Guérison de Tobie*.
Bibliogr. : Erich Schleier : *La peinture italienne des xvie et xviie siècles au Musée de Ponce, Porto Rico : nouvelles propositions et problèmes d'attributions*, 1980.
Musées : Copenhague : *Madeleine repentante* – Porto Rico (Mus. de Ponce, fondation Luis A. Ferré).
Ventes Publiques : Rome, 4 avr 1979 : *Le char du soleil*, h/t (77x95) : ITL 3 000 000 – Monte-Carlo, 25 juin 1984 : *Allégorie de la musique*, h/t (70,5x95) : FRF 40 000 – New York, 11 jan.

1990 : *Tobie rendant la vue à son père*, h/t (96,5x133,5) : USD 37 400 – Paris, 18 juin 1993 : *Étude avec divers personnages*, pl. et lav. brun (22x18) : FRF 9 500 – Londres, 9 juil. 1993 : *Le Christ mis au tombeau par les anges et Sainte Marie-Madeleine*, h/t (147,5x198) : GBP 20 700 – Rome, 10 mai 1994 : *Philosophe*, h/t (137x97,5) : ITL 24 150 000 – Londres, 26 oct. 1994 : *Saint Jean Baptiste*, h/t (172x119,5) : GBP 8 625 – Rome, 22 nov. 1994 : *Jésus enfant avec des anges*, h/t (100x137) : ITL 13 225 000.

TRÖSCH Ferdinand,, baron de Soville
Né le 25 novembre 1839 à Theresienstadt. Mort le 8 avril 1896 à Vienne. xixe siècle. Autrichien.
Peintre.
Élève de l'Académie de Vienne et de Karl von Blaas à Venise.

TRÖSCH Johannes
Né en 1767 à Thunstetten. Mort le 6 février 1824 à Bützberg. xviiie-xixe siècles. Suisse.
Graveur de vues.

TRÖSCHEL Hans ou **Jean** ou **Dreschel, Dröschel, Tröschell**
Né le 21 septembre 1585 à Nuremberg. Mort le 19 mai 1628 à Rome. xviie siècle. Allemand.
Graveur au burin et dessinateur.
Il étudia d'abord avec Peter Iselburg, puis alla en Italie et y fut élève de Villamena. Il grava des emblèmes d'après les maîtres italiens et travailla beaucoup pour l'illustration. Le Musée de Cluny conserve une boussole en ivoire à couvercle avec devise latine que le catalogue mentionne comme l'œuvre de Jean Troeschel, à Nuremberg 1627. Ce Jean Troeschel serait-il parent de cet artiste ou cet artiste lui-même ?

HH

TROSCHEL Jacob
Né en 1583 à Nuremberg. Mort en 1625 à Cracovie. xviie siècle. Allemand.
Peintre.
Il fit ses études à Nuremberg avec Juvenell, puis avec Alex Sindner. Il fut peintre à la cour du roi Sigismond III. Il fit des portraits et des tableaux d'histoire. Peut-être identique à Jacob Tobias Droschel, peintre à Cracovie.

TROSCHEL Julius
Né en 1806 à Berlin. Mort le 26 mars 1863 à Rome. xixe siècle. Allemand.
Sculpteur.
Élève de Rauch. Il exposa à Berlin de 1824 à 1856. Il s'établit à Rome en 1838. Il sculpta des statues et des bas-reliefs.

TRÖSCHEL Peter Paul
Né vers 1620 à Nuremberg. Mort après 1667. xviie siècle. Allemand.
Graveur au burin.
Fils de Hans Tröschel. Il a gravé des portraits et des vues. Il travailla pour les libraires. Ses œuvres sont signées P. T.

TROSCHKE Wolfgang
Né en 1947 à Helmarshausen. xxe siècle. Allemand.
Peintre, technique mixte. Abstrait informel.
Il fut élève de l'école supérieure des arts de Münster, où il enseigna à partir de 1978.
Il participe à des expositions collectives, notamment 1992 Salon Découvertes à Paris. Il montre ses œuvres dans des expositions personnelles depuis 1986.
Il pratique une peinture gestuelle.

TROSELIUS Carl Wilhelm ou **Trozelius**
Mort en 1840 à Stockholm. xixe siècle. Suédois.
Médailleur et orfèvre.
Il grava des médailles à l'effigie de rois et de princes suédois.

TROSHIN Nicolai
Né en 1897 à Tula. Mort en 1990. xxe siècle. Russe.
Peintre.
En 1917 il obtint le diplôme du College d'Art de Penza. Il compléta sa formation aux Vkhutemas de Moscou avec le professeur I. Mashkov. Dans les années 1920-1930, il fut un créateur de posters fécond.
Musées : Moscou (Gal. Tretiakov).
Ventes Publiques : Londres, 2 mai 1996 : *Service à thé jaune sur fond noir 1965*, h/t (100x84,5) : GBP 2 530.

TROSNE Charles Le. Voir **LE TROSNE**

TROSO da Monza ou **Trozo** ou **Troso di Giovanni Jacobi**
Né vers 1450 probablement à Lomazzo. XVᵉ-XVIᵉ siècles. Italien.
Peintre et dessinateur d'ornements et de grotesques.
Sans doute élève de Lazzari, dit Bramante. Il exécuta des peintures sur des façades de maisons de Bergame et de Milan. Cet artiste sur lequel on possède peu de renseignements, paraît avoir travaillé surtout dans le Milanais. En 1477 on le cite occupé à des travaux à Bergame. En 1490, Ludovic Sforza l'employait au palais de Porta Giovia à Monza. Il travailla ensuite à la décoration de la façade du Palais Mendoza. Il vivait encore en 1500.

TROSSARELLI Francesco
Né le 15 octobre 1735. Mort le 22 décembre 1808 à Turin. XVIIIᵉ siècle. Italien.
Peintre.
Il exposa à Turin en 1805. Il peignit des portraits et des miniatures.

TROSSARELLI Gaspare
Né en 1763. Mort le 11 novembre 1825 à Turin. XVIIIᵉ-XIXᵉ siècles. Italien.
Miniaturiste.
Fils de Francesco Trossarelli et élève de l'Académie de Turin. Il exposa à Londres, de 1793 à 1825, soixante et une miniatures à la Royal Academy.

TROSSIN Robert
Né le 14 mai 1820 à Bromberg. Mort le 1ᵉʳ février 1836 à Berlin. XIXᵉ siècle. Allemand.
Graveur et dessinateur.
Élève de Buchhorn de 1835 à 1844 et de Ed. Mandel à Berlin en 1844-1846. Il a gravé notamment d'après Van Dyck, Guido Reni, Murillo, Magnus, Rosenfelder, Schrader.

TROST Andreas
Né à Deggendorf. Mort le 8 juin 1708 à Graz. XVIIᵉ siècle. Autrichien.
Graveur au burin et peintre de genre.
Il grava des vues de châteaux autrichiens, des cartes, des scènes mythologiques et des vues de villes.

TROST Benedikt
XVIIIᵉ siècle. Actif dans la seconde moitié du XVIIIᵉ siècle. Suisse.
Stucateur.
Il travailla pour la reconstruction de l'abbatiale de Saint-Gall.

TROST Bernt
Né en 1939 à Marienbad. XXᵉ siècle. Depuis 1959 actif en France. Allemand.
Peintre.
Très jeune il étudie la lithographie et la peinture à Nuremberg, puis, à dix-neuf ans, entreprend un voyage à travers la Grèce, l'Égypte, le Soudan et l'Éthiopie. Il arrive à Paris en 1959, s'y fixe et y expose régulièrement.
Sa peinture apparaît comme une juxtaposition sur plusieurs plans assez géométriquement structurés, de formes flottantes, décorées de contre-jours, baignant dans des couleurs fluides. Les lignes y sont à peine distinctes. Tout n'y est que jeux de transparences qui, parfois, prennent l'apparence d'une forme.

TROST Carl
Né le 25 avril 1811 à Eckernförde. Mort le 1ᵉʳ mars 1884 à Munich. XIXᵉ siècle. Allemand.
Peintre d'histoire, scènes de genre, graveur à l'eau-forte.
En 1830 il fit ses études à Munich et travailla ensuite avec Philipp Veit, à Francfort-sur-le-Main.
Musées : ERFURT (Mus. historique) : *Scène du Songe d'une nuit d'été* – KIEL (Kunsthalle) : *Conradin, le dernier Hohenstaufen*.
Ventes Publiques : LONDRES, 21 juin 1989 : *Le conteur*, h/t (93x67,5) : **GBP 11 550**.

TROST Félix
Né le 28 mai 1951 à Trélazé (Maine-et-Loire). XXᵉ siècle. Français.
Peintre de paysages, marines, fleurs, aquarelliste, illustrateur, sculpteur.

Il expose depuis 1990 dans des salons régionaux. Il montre ses œuvres dans des expositions personnelles dans sa région. Il collabore à des revues sportives locales comme illustrateur.
Peintre figuratif de sujets divers, il travaille au couteau, par aplats successifs dans des couleurs violentes, sursaturées, turquoise, jaune, rose.

TROST Friedrich, l'Ancien
Né le 19 janvier 1844 à Nuremberg. Mort le 18 septembre 1922 à Nuremberg. XIXᵉ-XXᵉ siècles. Allemand.
Peintre, illustrateur.
Il fit ses études à Nuremberg où il fut élève de Georg Perlberg.
Musées : NUREMBERG (Mus. German.) : plusieurs dessins et aquarelles.

TROST Friedrich, le Jeune
Né le 12 octobre 1878 à Nuremberg. XXᵉ siècle. Allemand.
Peintre de paysages, architectures.
Fils de Friedrich Trost l'Ancien.
Musées : DRESDE (Cab. des Estampes) – FORCHHEIM – NUREMBERG (Cab. des Estampes) – NUREMBERG.

TROST Maria Theresia
XVIIIᵉ siècle. Travaillant à Graz en 1709. Autrichienne.
Graveur au burin.
Femme d'Andreas Trost. Elle grava une vue de Graz et des calendriers.

TROSYLHOS Fernao de
XVIᵉ siècle. Actif à Lisbonne de 1514 à 1526. Portugais.
Peintre.

TROTEREL Louis. Voir **TROTTEREL**

TROTIN Charles
Né en 1833 à Paris. XIXᵉ siècle. Français.
Médailleur.
Il exposa au Salon de 1875 à 1883.

TROTIN Hector
Né en 1894. Mort en 1966. XXᵉ siècle. Français (?).
Peintre de paysages urbains.
Il a peint de nombreuses vues de Paris, en particulier du quartier de Montmartre.
Ventes Publiques : HAMBOURG, 4 juin 1976 : *Moulin-Rouge*, h/isor. (37,9x48,8) : **DEM 1 700** – COLOGNE, 3 déc. 1977 : *Marché aux puces*, h/pan. (25x50) : **DEM 2 800** – ZURICH, 7 juin 1980 : *Les Tonnelles du jardin*, h/pan. (38x46) : **CHF 3 400** – ZURICH, 14 mai 1983 : *Les Tonnelles du jardin*, h/pan. (38x46) : **CHF 3 400** – PARIS, 25 oct. 1996 : *Le Moulin Rouge*, h/pan. (45x80) : **FRF 15 000**.

TROTINA Zbisco ou **Zbyseen** ou **Zbysek von**
XIVᵉ siècle. Tchécoslovaque.
Enlumineur.
On lui attribue les miniatures du « *Libri Viaticus* » de Dom Joannis Lutomystensis episcopi, daté de 1360 et conservé à la Bibliothèque royale de Prague, ainsi que celles d'un livre de prières de l'évêque Ernest von Pardubitz (de la même collection). Mais l'authenticité de ces ouvrages n'est pas prouvée car, d'après Wocel et Waltmann, plusieurs des manuscrits de Prague sont suspects d'avoir été falsifiés.

TROTT Benjamin
Né vers 1770 à Boston (?). Mort après 1841 à Baltimore (?). XVIIIᵉ-XIXᵉ siècles. Américain.
Portraitiste et miniaturiste.
Élève de Gilbert Stuart et de T. Sully. Il exposa à Philadelphie de 1811 à 1812. Le Métropolitan Museum de New York conserve de lui *Portrait de Mme Fox*.

TROTT France
Née dans le Kent. XXᵉ siècle. Depuis 1968 active en France. Britannique.
Peintre de paysages urbains animés. Naïf.
Elle participe au Salon international d'Art naïf, à Paris.
Elle peint dans tous ses détails l'animation des quartiers d'une ville, quand les quartiers ont l'allure de villages.

TROTTA Antonio A.
Né le 21 décembre 1937 à Stio. XXᵉ siècle. Italien.
Peintre, sculpteur.
Il a vécu en Argentine jusqu'en 1968. Il vit et travaille à Milan.
Il a participé à des expositions collectives : 1961 musée d'arts plastiques de La Plata ; 1967 Institut Tella de Buenos Aires ; 1971 musée d'Art moderne de Buenos Aires ; 1978 Biennale de Venise ; 1979 musée national de Syracuse ; 1980 Galerie natio-

nale d'Art moderne de Rome. Il montre ses œuvres dans des expositions personnelles : 1965 Buenos Aires ; depuis 1970 régulièrement en Italie, notamment à Milan et Turin ; 1978 Rotterdam.

TROTTA Mario
Né vers 1591. XVIIᵉ siècle. Actif à Caserta. Italien.
Peintre.
Élève de Giuseppe Cesari et de Gentileschi à Rome.

TROTTER Eliza
XIXᵉ siècle. Active dans la première moitié du XIXᵉ siècle. Irlandaise.
Peintre de genre et portraits.
Fille de John Trotter. Elle exposa à Dublin de 1802 à 1809 et à Londres de 1811 à 1814.

TROTTER John
Mort en 1792 à Dublin. XVIIIᵉ siècle. Actif de 1756 à 1792. Irlandais.
Peintre de portraits.
Il fit ses études à l'École d'Art de Dublin vers 1756. Il vint en Italie où il fut fait prisonnier et envoyé en Espagne. Il retourna en Irlande en 1773 et affirma son style de peinture révélant l'influence de Francis Wheatley travaillant également en Irlande à la même époque. Il épousa Marianne Carey, elle-même peintre.
Il exposa à Dublin.
VENTES PUBLIQUES : LONDRES, 12 juil. 1995 : *Portrait du Capitaine John Alston*, h/t (125,5x101,5) : **GBP 28 750**.

TROTTER Newbold Hough
Né le 4 janvier 1827 à Philadelphie. Mort le 21 février 1898 ou 1900 à Atlantic City. XIXᵉ siècle. Américain.
Peintre de genre, animaux, paysages.
Élève de T. V. Starkenborgh. Il travailla à Boston et à Philadelphie.
VENTES PUBLIQUES : NEW YORK, 23 janv 1979 : *Ribal bulls*, h/t (71,2x107) : **USD 1 200** – NEW YORK, 28 jan. 1982 : *Chat à la boîte de couture* 1858, h/t (49,5x60,9) : **USD 15 500** – NEW YORK, 24 jan. 1989 : *La surprise* 1893, h/t (35x50) : **USD 2 475** – NEW YORK, 31 mars 1994 : *Le lac Eaglesmere* 1888, h/t (30,5x50,8) : **USD 1 725** – NEW YORK, 28 sep. 1995 : *Une chouette* 1874, h/t (35,9x46) : **USD 1 265**.

TROTTER Robert
XVIIIᵉ siècle. Actif à Dublin de 1780 à 1783. Irlandais.
Portraitiste.

TROTTER S. C.
XVIIIᵉ siècle. Actif dans la seconde moitié du XVIIIᵉ siècle. Irlandais.
Portraitiste.
Il fit plusieurs portraits du docteur Johnson ; l'un d'eux fut gravé en 1784.

TROTTER Thomas
Né vers 1750. Mort le 14 février 1803 à Londres. XVIIIᵉ siècle. Actif à Londres. Britannique.
Graveur au burin et peintre.
Il fit d'abord du commerce, puis fut élève de Blake. Après avoir gravé quelques planches d'après Stothard, il acquit une brillante réputation par ses portraits notamment d'après sir Joshua Reynolds. Malheureusement l'état de sa vue l'obligea à abandonner ce genre et il termina sa carrière en s'occupant de dessins d'architectures et d'antiquités.

TROTTEREL Louis ou Troterel
XVIᵉ siècle. Travaillant à Chambéry de 1548 à 1569. Français.
Peintre de blasons.

TROTTEYN Jos
Né en 1910 à Blankenberge. XXᵉ siècle. Belge.
Peintre de portraits, nus, paysages, paysages urbains.
Il fut élève de l'académie des beaux-arts de Gand.
Ses œuvres teintées de romantisme évoluèrent vers le surréalisme puis il revient à la nature.
BIBLIOGR. : In : *Dict. biogr. des artistes en Belgique depuis 1830*, Arto, Bruxelles, 1995.

TROTTI Euclide, dit Malosso ou Molosso
Mort jeune. XVIᵉ-XVIIᵉ siècles. Actif à Crémone. Italien.
Peintre d'histoire.
Neveu et imitateur de G.-B. Trotti. On lui attribue une *Ascension* à San Antonio de Milan. Il fut accusé de haute trahison et mourut en prison.

TROTTI Giacomo
XVIIIᵉ siècle. Italien.

Peintre.
Il a peint quatorze stations du chemin de croix de l'église S. Maria del Popolo à Pérouse vers 1770.

TROTTI Giovan Battista, dit Malosso ou Molosso
Né en 1555 à Crémone. Mort le 11 juin 1619 à Parme. XVIᵉ-XVIIᵉ siècles. Italien.
Peintre de compositions religieuses, fresquiste, dessinateur, architecte.
Un des élèves les plus distingués de Bernardino Campi, dont il épousa la nièce. Il créa une véritable école en Émilie où son influence fut déterminante. Peignant dans toute la région il fournissait à ses élèves des esquisses de ses œuvres. En 1604 il fut nommé peintre attitré de la cour de Ranuce Farnese. Il travailla à la cour de Parme en compétition avec Agostino Caracci. Ces travaux lui valurent le titre de chevalier. Il agosta à Venise et Milan. On cite parmi ses ouvrages : *Décapitation de saint Jean-Baptiste* (à S. Domenico de Crémone), une *Immaculée Conception* (à S. Francesco Grande, à Plaisance). On cite encore des fresques de la coupole de S. Abbondi, à Parme, d'après des dessins de B. Campi, ainsi que dans le Palazzo del Giordani dans la même ville. Mentionnons aussi une *Pieta* (1607), à S. Giovanni Nuovo, à Crémone.
MUSÉES : CRÉMONE (Mus. mun.) : *Les saints Homobonus et Himerius recommandent la ville de Crémone à la Vierge – Martyre de saint Pierre – Déploration du Christ – Décollation de saint Jean-Baptiste – Madone avec deux saints* – MILAN (Brera) : *Mise au tombeau*.
VENTES PUBLIQUES : LONDRES, 3 juil. 1980 : *Noli me tangere*, pl. et lav. (24,7x34) : **GBP 520** – MILAN, 30 nov. 1982 : *l'Assomption de la Vierge*, pl. et lav. bistre (52,7x33,8) : **ITL 3 000 000** – LONDRES, 12 avr. 1983 : *La Vision de Saint Pierre*, craie noire, pl. et lav. (19,3x29,2) : **GBP 1 300** – LONDRES, 4 juil. 1985 : *Etude de personnages assis*, craies noire et blanche/pap. bleu (19,5x17,8) : **GBP 3 400** – MILAN, 4 nov. 1986 : *L'Adoration des Rois Mages*, pl. et lav. (20x17) : **ITL 1 900 000** – LONDRES, 3 juil. 1989 : *Ange soutenant un pilier*, craie noire (22,2x13) : **GBP 3 080** – PARIS, 1ᵉʳ déc. 1989 : *Salomé*, h/cuivre (43,5x34,2) : **FRF 120 000** – MONACO, 2 juil. 1993 : *La mort de Joseph*, craie noire et encre (25,8x25,6) : **FRF 29 970** – PARIS, 7 avr. 1995 : *Ange à la colonne*, pierre noire (22x12,7) : **FRF 25 000** – LONDRES, 3 juil. 1995 : *La visitation*, encre et lav. (19,8x30,5) : **GBP 1 955** – PARIS, 25 avr. 1997 : *Ange à la colonne*, pierre noire (22x12,7) : **FRF 20 000**.

TROTTI Lorenzo
Né à Lugano. XVᵉ-XVIᵉ siècles. Italien.
Sculpteur et architecte.
Élève de Giovanni G. Pedoni à Crémone. Il travailla pour la cathédrale et pour des églises de cette ville.

TROTZIER Jean Bernard, dit le Lorrain
Né en 1950. XXᵉ siècle. Français.
Peintre de scènes typiques, paysages, marines.
Peintre de paysages en plein air, il s'est spécialisé dans les scènes champêtres, paysans aux champs, fermes animées, ainsi que dans les vues de Venise.

VENTES PUBLIQUES : CALAIS, 13 nov. 1988 : *Fermière et ses oies*, h/t (38x55) : **FRF 7 500** – REIMS, 18 déc. 1988 : *Pêcheur dans la campagne*, h/t (50x73) : **FRF 11 500** – PARIS, 17 déc. 1989 : *Voiliers sur la Marne*, h/t (50x73) : **FRF 16 000** – SCEAUX, 10 juin 1990 : *La gardienne d'oies*, h/t (30x60) : **FRF 11 500** – LA VARENNE-SAINT-HILAIRE, 16 juin 1990 : *L'étang*, h/t (30x60) : **FRF 9 800** – PARIS, 17 mars 1991 : *Les Tuileries*, h/t (33x55) : **FRF 13 000**.

TROTZIG Ellen Christina Amalia
Née le 5 mars 1878 à Malmö. Morte en 1949. XXᵉ siècle. Suédoise.
Peintre de portraits, paysages.
Elle fut élève des Académies de Copenhague et de Paris.
MUSÉES : GÖTEBORG : *Portrait de l'artiste* – MALMÖ : *Paysage*.
VENTES PUBLIQUES : MALMÖ, 2 mai 1977 : *Paysage* 1946, h/t (50x50) : **SEK 5 500**.

TROTZIG Ulf ou Trotzy
Né en 1925 à Follinge. XXᵉ siècle. Suédois.
Peintre, graveur, dessinateur.
Il fut élève de l'académie des beaux-arts Valand de Göteborg de

1946 à 1950 puis de l'atelier Friedlaender à Paris de 1955 à 1957. Il vit et travaille à Lund.

Il participe à de nombreuses expositions collectives en Suède, France, aux États-Unis et au Danemark. Il montre ses œuvres dans des expositions personnelles : 1957 musée d'Art moderne de São Paulo ; 1962 musée de Malmö ; 1980 rétrospective à la Konsthall de Lund ; 1985 centre culturel suédois à Paris ; 1986 académie royale de l'art à Stockholm ; 1988 musée de l'art de Gothenbourg ; 1990 galerie Pierre Marie Ventoux à Paris.

Il a d'abord réalisé des formes abstraites puis est revenu à des images fugitives, un faisceau de couleurs, de matière – touches, traînées, coulures lumineuses de rouge, jaune, orange, vert, bleu. Dans cet espace mouvementé, la vie prend forme, l'air circule entre les masses, évoquant dans l'émotion un arbre bruissant au vent, un oiseau en vol : « Ça se dresse, ça coule, ça s'épaissit, ça s'éclaire, ça envahit. C'est à la fois ruine et construction, magma et mouvement précis. (...) C'est à la limite de l'ordre et de la débâcle, c'est fluide, c'est mouvant, ça vole » (Bernard Noël).

BIBLIOGR. : Sven Sandström : *L'œuvre gravée de Ulf Trotzig*, Ahus, Suède, 1981 – Bernard Noël, Brigitta Trotzig : catalogue de l'exposition *Trotzig*, Centre culturel suédois, Paris, 1985 – Thomas Millroth : *La Peinture de Ulf Trotzig*, Ahus, Suède, 1988.

MUSÉES : AARTHUS – NEW DEHLI (Indian Nat. Gal.) – NEW YORK (Mus. of Mod. Art) – NEW YORK (Brooklyn Mus.) – PARIS (BN) : *Oiseau bleu* 1977, pointe-sèche en coul. – STOCKHOLM (Mus. d'Art mod.) – WASHINGTON D. C. (Congress Library).

VENTES PUBLIQUES : COPENHAGUE, 25 oct. 1976 : *Composition* 1962, h/t (81x100) : **DKK 1 300** – STOCKHOLM, 7 déc. 1987 : *Composition*, temp. (78x113) : **SEK 12 000** – STOCKHOLM, 13 avr. 1992 : *La Nef des fous*, thème abstrait, h/t (48x67) : **SEK 5 500** – COPENHAGUE, 29 jan. 1997 : *Composition*, h/t (60x91) : **DKK 4 500**.

TROUBETZKOY Alexandra, princesse ou **Troubetskoy**
Née à Saint-Pétersbourg. XXᵉ siècle. Active dans la principauté de Monaco. Russe.

Peintre de paysages, aquarelliste, illustrateur.

Elle fut élève de l'aquarelliste et princesse Chirinsky-Chakhmatoff, puis, à New York, de l'Art Students' League, de la School of Painting du musée d'Art moderne, de la National Academy School. Enfin, elle fut élève de la Ruskin School of Drawing and of Fine Arts de l'Université d'Oxford.

Elle expose dans différents groupements, aux États-Unis, aux Bermudes, en Grande-Bretagne, à Monaco, et en France, notamment aux Salons des Artistes Français depuis 1972, des Indépendants depuis 1973, etc.

Surtout peintre de paysages, elle travaille en Touraine, en Italie, aux États-Unis, aux Bermudes, en Angleterre, Suisse, sur la Côte d'Azur, dans le Berry, à Monaco.

MUSÉES : MONACO (Mus. nat.) : *Le Port de Monaco* – PHŒNIX (Arizona) – PHŒNIX (Art Mus.) : *Le Rocher de Monaco*.

VENTES PUBLIQUES : PARIS, 6 mai 1988 : *Rouslan Ludmira*, aquar., illust. pour un conte de Pouchkine (139x100) : **FRF 9 000**.

TROUBETZKOY Pavell Petrovitch, ou **Paolo**, ou **Paul**, prince ou **Troubetsky**
Né le 16 février 1866 à Intra (sur le lac Majeur), d'une mère américaine et d'un père russe. Mort le 12 février 1938 à Suna (près d'Intra). XIXᵉ-XXᵉ siècles. Actif en France. Italien.

Sculpteur de statues, monuments, portraits, animaux, graveur. Impressionniste.

Il fut quelque temps l'élève de Ernest Bazzaro, à Milan, où, en 1884, il travailla dans les ateliers de Giuseppe Grandi, Donato Barcaglia, Ernesto Bazzaro, puis continua à travailler par la seule étude de la nature en Italie, en Russie, où il rencontre Tolstoï, et en France, où il découvre l'œuvre de Rodin. De 1887 à 1898, il vivait à Moscou ; de 1899 à 1906 à Saint-Pétersbourg ; de 1906 à 1914 à Paris ; de 1914 à 1920 aux États-Unis ; de 1921 à 1931 à Paris ; en 1932 de nouveau en Italie, où il est devenu membre de l'Académie des Arts.

En 1886, il a commencé à participer à des expositions collectives. À partir de 1899, il a exposé avec la Société des Ambulants, dont il deviendra membre d'honneur en 1910. En 1900 sa participation à l'Exposition universelle de Paris lui valut le grand prix de sculpture ; en 1901 à l'exposition de Dresde, il reçut la médaille d'or ; il figura également au Salon d'Automne de 1904, avec un ensemble important de bronzes, et en devint ensuite membre. Il exposa également à New York, Toledo, Chicago, Washington, Detroit, San Francisco, Los Angeles et en Europe à Rome, Venise, Berlin, Dresde, Londres.

Son œuvre, extrêmement variée, paraît être inspirée par Rodin. À l'exemple de Medardo Rosso, il tenta de traduire la vision impressionniste en sculpture. Habile à saisir au vol des attitudes fugitives, il se spécialisa dans le genre du portrait-statuette, qu'il porta à sa perfection, en terre grise fondue ensuite à cire perdue et des groupes équestres. Laissant visibles les traces de doigt et de spatule, il privilégie le « naturel ». On cite notamment parmi ses principaux ouvrages le *Monument d'Alexandre III* et la *Statue du Général Cardona*. On lui doit aussi des pointes sèches.

BIBLIOGR. : In : *Les Muses*, t. XIV, Grange Batelière, Paris, 1974.

MUSÉES : BERLIN : *Le Peintre Giovanni Segantini* – *Vache paissant* – *Figure féminine* – DÜSSELDORF : *Marrinecca avec chien* – LAUSANNE (Mus. cant. des Beaux-Arts) : *La Princesse T.* 1910, bronze et cire perdue – *Le Prince N.* 1911, bronze et cire perdue – *Projet pour une statue équestre d'Alexandre II* 1911 – MILAN (Acad. Brera) : *Giovanni Segantini* – MILAN (Gal. d'Art mod.) : *Ferdinando Lucini* – *Francesco Filippini* – MOSCOU (Gal. Tretiakov) : *Cocher moscovite* – *Bustes de L. N. Tolstoï et de P. D. Boborikin* – ROME (Gal. d'Art mod.) : *Buste de la princesse Dora Odescalchi* – SAINT-PÉTERSBOURG (Mus. Russe) : *S. Vitti, ancien ministre des finances*.

VENTES PUBLIQUES : PARIS, 5 nov. 1936 : *Fillette*, bronze : **FRF 360** – LONDRES, 24 avr. 1968 : *Auguste Rodin*, bronze : **GBP 1 000** – NEW YORK, 19 mars 1969 : *Chef indien*, bronze : **USD 2 600** – PARIS, 6 nov. 1969 : *Lévrier couché*, bronze : **FRF 12 000** – NEW YORK, 28 mai 1971 : *Groupe équestre*, bronze : **USD 3 000** – LONDRES, 30 nov. 1973 : *Danseuse, jambe droite levée*, bronze : **GBP 2 600** – LONDRES, 27 nov. 1974 : *Jeune femme assise*, bronze : **GBP 1 700** – MONTE-CARLO, 23 juin 1979 : *Après le bal*, portrait de Mme Gertrude Anerheimer 1897, bronze (H. 67) : **FRF 65 000** – MUNICH, 28 nov. 1980 : *Portrait de femme* 1918, h/t (60x45) : **DEM 4 500** – NEW YORK, 3 avr. 1982 : *Buste de Tolstoï* 1899, bronze patine brun foncé (H. 35,5) : **USD 7 000** – NEW YORK, 28 sep. 1983 : *Portrait de Gertrude Vanderbilt Whitney* 1910, bronze patine brun vert de gris (H. 54,3) : **USD 14 000** – NEW YORK, 23 mars 1984 : *Portrait de Gertrude Vanderbilt Whitney*, h/t (152,5x91,5) : **USD 3 500** – NEW YORK, 30 mai 1986 : *Deux cowboys* 1920, bronze patine brun verdâtre (H. 48) : **USD 9 000** – NEW YORK, 30 sep. 1988 : *Ballerine* 1915, bronze (H. 34) : **USD 5 500** – PARIS, 14 déc. 1988 : *Élégante à la robe rouge* 1918, h/t (91x51) : **FRF 33 000** – SAINT-DIÉ, 23 juil. 1989 : *Danseuse*, bronze patiné (H. 36) : **FRF 28 500** – PARIS, 13 déc. 1989 : *Père et sa fille* 1909, bronze à patine noire (H. 40) : **FRF 220 000** – PARIS, 22 mars 1990 : *Rodin*, sculpt. en bronze à patine brune (H. 52) : **FRF 70 000** – PARIS, 23 mai 1990 : *Jolie jeune femme debout*, bronze (H. 54,4) : **USD 18 700** – ROME, 29 mai 1990 : *Chien* 1897, bronze (H. 25) : **ITL 4 370 000** – NEW YORK, 31 mai 1990 : *La charge d'un indien à cheval*, bronze (H. 38,1) : **USD 9 680** – VERSAILLES, 6 juin 1990 : *L'Élégante* 1897, bronze de patine médaille (45,5x53x51) : **FRF 290 000** – MILAN, 21 nov. 1990 : *Cowboy à cheval*, bronze (H. 39) : **ITL 5 000 000** – NEW YORK, 30 nov. 1990 : *Élégante jeune femme* 1920, bronze (H. 47,4) : **USD 16 500** – ROME, 16 avr. 1991 : *La tresse*, bronze (H. 44) : **ITL 4 600 000** – MILAN, 12 déc. 1991 : *Chien*, bronze (H. 31) : **ITL 2 800 000** – NEW YORK, 27 mai 1992 : *Campagne de Prusse* 1916, groupe équestre en bronze (H. 43,8) : **USD 13 200** – ROME, 9 juin 1992 : *La danseuse*, bronze (H. 36) : **ITL 4 500 000** – MILAN, 16 juin 1992 : *Tolstoï*, bronze (35x28x29) : **ITL 4 500 000** – NEW YORK, 13 oct. 1993 : *Buste de George Bernard Shaw*, bronze (H. 68,6) : **USD 60 250** – ROME, 16 déc. 1993 : *Portrait de fillette*, h/t (92x65) : **ITL 9 200 000** – PERTH, 30 août 1994 : *Chienne épagneule assise* 1893, bronze (H. 26) : **GBP 5 520** – NEW YORK, 12 oct. 1994 : *Petite fille à genoux enlaçant son chien assis* 1911, bronze (H. 81,3) : **USD 90 500** – PARIS, 22 mars 1995 : *Isadora Duncan dansant avec la jambe droite levée* 1935, bronze (35x34x11,5) : **FRF 46 000** – ROME, 7 juin 1995 : *Tenir la pose*, bronze (H. 45) : **ITL 4 140 000** – PARIS, 8 nov. 1995 : *Les joueurs de polo* 1922, bronze (H. 36) : **FRF 190 000** – ROME, 4 juin 1996 : *Cavalier arabe*, bronze (H. 43,5) : **ITL 3 450 000** – MILAN, 12 juin 1996 : *Portrait d'homme*, cr./cart. (32x25) : **ITL 1 150 000** – PERTH, 26 août 1996 : *Un poulain* 1911, bronze (21,5x25,5) : **GBP 5 520** – PARIS, 16 mars 1997 : *La Chienne assise*, bronze à patine noire nuancée (24,5x12x12) : **FRF 16 000**.

TROUBETZKOY Pierre, prince
Né le 19 avril 1864 ou 1866 à Milan. Mort en 1938. XIXᵉ siècle. Américain.

Peintre de figures, portraits, sculpteur.

Il fut élève de D. Ranzoni et d'A. Tominelli. Il travailla à Cobham et se fixa à New York en 1896.

MUSÉES : ÉDIMBOURG (Gal. nat.) : *Portrait du ministre Gladstone.*
VENTES PUBLIQUES : MONTE-CARLO, 26 juin 1976 : *Danseuse, la jambe droite horizontale* 1930, bronze (H. 36) : **FRF 27 500** – LONDRES, 11 mai 1977 : *Femme assise dans une bergère*, bronze (H. 39) : **GBP 1 700** – MILAN, 16 déc. 1982 : *Une dame de qualité dans un intérieur*, h/t (150x100) : **ITL 2 800 000** – PARIS, 21 avr. 1985 : *Mère et enfant*, bronze (37,5x26,5x32) : **FRF 95 000** – NEW YORK, 22 mai 1990 : *Portrait du peintre Sir James Jebusa Shannon*, h/t (49,5x40,7) : **USD 8 800.**

TROUBILLIER Johann Andreas. Voir TRUBILLIO

TROUCHAUD Auguste
XIXᵉ siècle. Actif à Paris. Français.
Sculpteur.
Le Musée de Versailles conserve la *Statue du duc Antoine Philippe de Montpensier*, d'après le monument par Westmacott érigé dans l'abbaye de Westminster.

TROUFANOV Mikhaïl Pavlovitch ou Michel
Né en 1921 ou 1929. Mort en avril 1988. XXᵉ siècle. Russe.
Peintre de compositions à personnages, dessinateur. Réaliste-socialiste.
Il fut élève de l'école d'art d'Odessa puis de B. Ioganson à l'institut des arts de Leningrad. Durant la guerre, il est enrôlé comme soldat de l'armée rouge (1941-1944). Il enseigna de longues années le dessin à l'institut d'art de Léningrad, où il vit et travaille.
Il a participé à la Biennale de Venise et à l'Exposition universelle de Bruxelles en 1958.
Menant une carrière officielle dans la ligne définie par les instances culturelles de l'URSS, il s'est spécialisé dans la sage représentation de scènes de la vie des ouvriers, tel *Le Fondeur*, de 1955., notamment les métallurgistes et mineurs.
BIBLIOGR. : Bernard Dorival, sous la direction de... : *Peintres contemp.*, Mazenod, Paris, 1964.
MUSÉES : MOSCOU (Gal. Tretiakov) – SAINT-PÉTERSBOURG (Mus. russe).
VENTES PUBLIQUES : PARIS, 23 avr. 1989 : *Repos*, h/t (33x45) : **FRF 17 500** – PARIS, 14 mai 1990 : *Midi* 1957, h/t (33x46) : **FRF 7 500.**

TROUGHITON R. Zouch S.
XIXᵉ siècle. Actif à Londres. Britannique.
Peintre de genre.
Il exposa à Londres de 1831 à 1865 à la British Institution et à Suffolk Street.

TROUGHTON Thomas
Mort en 1797 en Angleterre. XVIIIᵉ siècle. Britannique.
Peintre et dessinateur.
Au cours d'un voyage, le navire sur lequel il se trouvait ayant fait naufrage sur les côtes du Maroc, il fut fait esclave et durant treize ans demeura dans cette triste condition. A son retour en Angleterre il publia le récit de ses aventures.

TROUILLARD François
XVIIIᵉ siècle. Actif à Château-Gontier au début du XVIIIᵉ siècle. Français.
Sculpteur.
Il était également architecte.

TROUILLARD Gustave
Né à Paris. XIXᵉ siècle. Français.
Sculpteur.
Il exposa au Salon entre 1844 et 1853.

TROUILLARD Henri
Né le 20 juin 1892 à Laval. Mort le 24 février 1972 à Laval. XXᵉ siècle. Français.
Peintre. Naïf.
Le musée de Laval rendit hommage à ce peintre naïf en 1966-1967, en lui consacrant une exposition rétrospective. Il participa aussi à des expositions d'art naïf en Yougoslavie.
Il fut l'un des premiers à être remarqués dans la suite du douanier Rousseau.

TROUILLE Camille Clovis, dit Clovis
Né le 24 octobre 1889 à La Fère (Aisne). Mort le 25 septembre 1975 à Neuilly-sur-Marne (Seine-Saint-Denis). XXᵉ siècle. Français.
Peintre. Surréaliste.
Né dans une famille d'horticulteurs, il fut élève de l'École des Beaux-Arts d'Amiens, où il eut pour professeur Albert Roze. Pendant quarante ans, il fut peintre de mannequins publicitaires

pour la maison Pierre Imans, jusqu'à recevoir, à l'âge de soixante-dix ans, la médaille des vieux travailleurs. Il vécut et travailla à Paris.
Clovis Trouille figure dans des expositions collectives à Paris : régulièrement au Salon de Mai, où il est accueilli dans la section surréaliste ; 1941 Salon des Indépendants ; 1944 Salon d'Automne ; 1959 Exposition internationale du surréalisme à la galerie Daniel Cordier. Il a montré ses œuvres dans une exposition personnelle, en 1963 à la galerie Daniel Cordier.
Après avoir réalisé dans une manière impressionniste des portraits, natures mortes et paysages, il peint avec grand soin des compositions inspirées de la poétique de la technique du collage, assemblant dans des rapprochements ahurissants les composantes et les personnages les plus hétéroclites, formant des tableaux vivants relevant de la plus grosse plaisanterie pornographique plus volontiers qu'érotique, rejoignant en cela Alfred Courmes. Son humour féroce et paillard ne respecte pas grand-chose et aime à placer dans les situations les plus fâcheuses les personnages qui justement s'en accommodent le moins, dont ne sont certainement pas exclus les ecclésiastiques. Revenu de la guerre de 1914-1918, écœuré par les carnages, les souffrances, l'intervention de l'hypocrisie, de l'injustice, de la religion, il décida de vivre dans l'illusion des peintures qu'il se dédiait dimanche après dimanche, depuis *Le Palais des Merveilles* de 1907. Ensuite, *La Partouze* ne laissait aucun doute sur l'impureté de ses intentions. En 1930, *La Remembrance*, qu'il exposait au Salon des Artistes et Écrivains Révolutionnaires, attira l'attention d'André Breton. Michèle Motte a écrit à son sujet : « Il chérit les animaux, les lions, les caniches, les biches, les lapins. Il exalte les pots de moutarde, les soucoupes volantes, les météores, les aurores boréales. Et dans une luxuriance hyperréaliste, Marlène Dietrich, parée du bracelet de Sarah Bernhardt (*Mme Rosa, Voyante*) côtoie les nonnes provocantes perchées sur des talons aiguilles, sanglées de bas sombres et de jarretières... » Foncièrement indépendant, il se tenait à l'écart de tout marché. La gloire et la fortune lui vinrent, peu avant 1970, des droits sur le titre d'une de ses peintures de 1946, une sorte d'odalisque de dos, *Oh ! Calcutta ! Calcutta !* ou *La Conquête de la lune*, repris pour le titre d'une comédie musicale érotique, comportant en outre la projection de plusieurs de ses œuvres dans le décor, et qui remporta un immense succès à New York, puis en Europe. Il n'a guère produit plus de deux cents peintures, dont un très petit nombre est sorti de chez lui. ∎ J. B.
BIBLIOGR. : Jean-Marc Campagne : *Clovis Trouille*, Jean-Jacques Pauvert, Paris, 1965 – Michèle Motte : *Clovis Trouille, le naïf aux charbons ardents*, L'Express, Paris, 20 oct. 1969.
MUSÉES : PARIS (Mus. nat. d'Art mod.).
VENTES PUBLIQUES : PARIS, 18 juin 1971 : *Ja...ja...jamais navigué* : **FRF 5 600** – VERSAILLES, 5 mars 1972 : *La magicienne* : **FRF 12 000** – VERSAILLES, 10 mars 1974 : *Les musiciens ou « Un p'tit air »* 1939 : **FRF 155 000** – PARIS, 22 juin 1976 : *Femmes masquées*, h/t (24x41) : **FRF 7 300** – PARIS, 4 juil. 1978 : *Le Mandrill*, h/cart. (46x61) : **FRF 55 000** – VERSAILLES, 13 juin 1979 : *Centauresse ; Cadre noir ; Catholique* 1940, h/t (45x30) : **FRF 66 000** – VERSAILLES, 22 mars 1981 : *Madame Rosa, voyante*, h/t (61,5x50) : **FRF 37 500** – LONDRES, 24 oct. 1984 : *Oh ! Calcutta* 1946, h/t (27,3x45,7) : **GBP 21 000** – PARIS, 6 avr. 1989 : *Le faux moulin*, h/t (61x46) : **FRF 15 000** – PARIS, 16 avr. 1992 : *Le roi de Bamboula II en grande tenue* 1909, aquar. et encre de Chine (32,2x24,9) : **FRF 11 000** – PARIS, 14 mai 1992 : *La robe écarlate*, h/t (54,5x73,5) : **FRF 130 000** – PARIS, 3 juin 1993 : *Madame Rosa – voyante*, h/t (46x38) : **FRF 100 000.**

TROUILLEBERT Clémentine, née Saint Edme
Née à Paris. XIXᵉ siècle. Française.
Paysagiste.
Élève de Castelli. Elle débuta au Salon de 1868.
VENTES PUBLIQUES : PARIS, 1ᵉʳ déc. 1950 : *Nature morte au chaudron* : **FRF 1 000.**

TROUILLEBERT Paul Désiré
Né en 1829 à Paris. Mort le 28 juin 1900 à Paris. XIXᵉ siècle. Français.
Peintre de genre, figures, nus, portraits, paysages.
Élève de Hebert et Jallabert. Il débuta au Salon de 1865. Une de ses baigneuses fut très remarquée au Salon de 1882.
Un de ses tableaux faisant partie de la collection d'Alexandre Dumas fils, et qui avait été vendu au célèbre écrivain pour une œuvre capitale de Corot, donna lieu à un procès qui plaça Trouillebert en lumière. Ses tableaux furent recherchés. La confusion

qui s'était produite sur le tableau de Trouillebert vendu pour un Corot à A. Dumas fils tenait justement à la similitude de certains paysages composés et exécutés dans la gamme grise de ceux du maître de Ville-d'Avray. Longtemps on n'a voulu admirer de Corot que ses tableaux composés : bords de l'eau au matin, ou au soleil couchant : c'était là, seulement, que les amateurs voulaient reconnaître le génie créateur du maître. Aussi, les imitateurs plus ou moins conscients, sans parler des simples plagiaires, furent-ils légion. Trouillebert n'échappa pas à cette emprise, et presque toutes ses œuvres, à part celles de ses débuts, portent la marque indélébile d'une imitation de Corot dans ses œuvres un peu hâtives de sa maturité, filles du succès tardif. La peinture de Trouillebert n'approche certainement pas du charme inexprimable des œuvres de son génial initiateur et l'on ne saurait parler d'influence de Corot, comme c'est le cas pour les artistes de la classe de Boudin, Pissarro ou Lépine. On ne peut accorder à Trouillebert que le mérite de la production de peintures agréables, plaisant beaucoup à un nombreux public peu exigeant. C'est pourquoi ses peintures conservent malgré les changements de mode un attrait constant.

Trouillebert

Trouillebert

Musées : Mulhouse : *Paysage* – Nice : *Servante de harem* – Paris (Mus. d'Orsay) : *Les travaux de relèvement du chemin de fer de ceinture – Le pont de la rue de la Voûte* – Le Puy-en-Velay : *Effet de pluie, environs de Vichy – Effet de matin, bouleau et rivière* – Reichenberg : *Paysage au bord d'une rivière* – Reims : *La baigneuse* – Saumur : *Portrait de femme – Ariane abandonnée – La Loire à Montsoreau.*

Ventes Publiques : Paris, 1884 : *La Loire à Orléans* : **FRF 750** – Paris, 1885 : *Les pêcheurs* : **FRF 1 100** – Paris, 1893 : *La cigale* : **FRF 4 150** – Paris, 1894 : *Diane* : **FRF 2 000** ; *Ile et coteau boisés de la Loire à Champtoceaux (Maine-et-Loire)* : **FRF 2 200** – Paris, 1895 : *Barrage en ruine sur la Vienne (effet du matin)* : **FRF 1 450** ; *Le château de Chenonceaux* : **FRF 2 550** ; *Les faneuses, effet du matin* : **FRF 1 950** ; *Prairie au bord de la Vienne, effet du matin* : **FRF 1 620** – Paris, 1900 : *Hameau au bord de la Vienne, Poitou* : **FRF 1 620** ; *Paysage* : **FRF 2 100** ; *Bords de rivière* : **FRF 760** – Paris, 9 juin 1900 : *Entrée de la ville de Redon* : **FRF 1 200** ; *La Vienne à Saint-Germain* : **FRF 600** – Paris, 12 mars 1901 : *Bords de rivière* : **FRF 960** – Paris, 29 mai 1903 : *Le village* : **FRF 400** – New York, 7-8 nov. 1907 : *Ville-d'Avray* : **USD 200** – Paris, 12-13 mai 1908 : *Bord de rivière* : **FRF 600** – New York, 17-18 mars 1909 : *La rivière* : **USD 340** – Paris, 30 mai 1910 : *Homme allant à son bateau* : **FRF 1 450** – New York, 16-17 fév. 1911 : *Paysage breton* : **USD 600** – New York, 14-17 mars 1911 : *Sur la Vienne* : **USD 420** – Paris, 8-9 fév. 1912 : *Bord d'étang avec pêcheurs* : **FRF 1 200** – Paris, 15-16 nov. 1918 : *Bords de la Loire* : **FRF 1 710** – Paris, 13 avr. 1921 : *Le petit pont* : **FRF 1 920** – Paris, 20 nov. 1922 : *La rentrée du pêcheur* : **FRF 2 180** – Paris, 19 déc. 1923 : *Le passeur* : **FRF 3 100** – Paris, 2-3 juin 1926 : *La barque sur l'étang* : **FRF 4 100** – Paris, 29 juin 1927 : *Les bouleaux au bord de la rivière* : **FRF 5 000** ; *L'écluse* : **FRF 3 000** – Paris, 20 juin 1928 : *Batelier amarrant sa barque* : **FRF 9 200** ; *Le pêcheur à la ligne* : **FRF 6 300** ; *Les bouleaux* : **FRF 6 100** – Paris, 16 mars 1931 : *Les bords du Clain* : **FRF 4 600** – Paris, 22 juin 1931 : *Laveuses au bord du Clain* : **FRF 5 050** – Paris, 13 mars 1939 : *Laveuse au bord de l'étang* : **FRF 3 100** – Paris, 8-9 mai 1941 : *Bords de rivière avec barque et pêcheur* : **FRF 7 300** – Paris, 13 mars 1942 : *Paysage* : **FRF 33 100** ; *Paysage* : **FRF 60 000** – Paris, 11 mai 1942 : *Les saules au bord de la Loire* : **FRF 40 000** ; *Bords de rivière* : **FRF 35 000** – Paris, 29 mars 1943 : *La gardeuse d'oies* : **FRF 33 000** ; *Bords de rivière* : **FRF 46 500** – Paris, 14 juin 1944 : *La Varenne-Saint-Hilaire* : **FRF 56 000** – Paris, 14 juin 1944 : *La ville au bord de la rivière* : **FRF 42 500** – Paris, 1er fév. 1945 : *Le vieux moulin* : **FRF 44 000** – Paris, 8 fév. 1945 : *Paysage aux deux femmes* : **FRF 120 000** ; *Les arbres au bord de la rivière* : **FRF 135 000** – Nice, 18-19 fév. 1946 : *Une rue* : **FRF 26 500** – Paris, 25 mars 1946 : *Paysage animé* : **FRF 45 000** – Paris, 4 avr. 1946 : *Paysage au pont* : **FRF 35 000** – New York, 22-25 mai 1946 : *Paysage* : **USD 350** – New York, 11-14 déc. 1946 : *Paysage* : **USD 375** – Paris, 13 juin 1947 : *Bords de rivière* : **FRF 50 000** – Paris, 20 juin 1947 : *La route* : **FRF 28 000** – Paris, 9-10 juil. 1947 :

La pêcheuse 1871 : **FRF 45 000** – Paris, 4 nov. 1948 : *Paysage* : **FRF 52 000** – Paris, 17 nov. 1948 : *La ferme* : **FRF 31 000** – Paris, 30 mars 1949 : *Le pêcheur en barque sur l'étang* : **FRF 65 000** – Paris, 29 avr. 1949 : *Paysannes au bord de la rivière* : **FRF 40 000** – Paris, 27 juin 1949 : *La rivière* : **FRF 32 000** – Paris, 7 déc. 1949 : *Paysage* : **FRF 62 000** – Paris, 17 mars 1950 : *Bord de rivière* : **FRF 73 000** – Paris, 17 mars 1950 : *Barque au bord d'une rivière* : **FRF 75 000** – Paris, 24 mai 1950 : *Village à flanc de coteau* : **FRF 57 000** – Genève, 6 juin 1950 : *Paysanne au bord d'une rivière* : **CHF 1 900** – Lucerne, nov. 1950 : *Bords de rivière* : **CHF 560** – Paris, 27 nov. 1950 : *Paysage* : **FRF 80 000** – Paris, 29 nov. 1950 : *Le retour des champs* : **FRF 75 000** – Genève, 10 mars 1951 : *Bord de rivière* : **CHF 1 600** – Paris, 19 mars 1951 : *Port-Marly : le pêcheur* : **FRF 74 100** – Paris, 30 mai 1951 : *Bord de rivière : le pêcheur* : **FRF 106 000** – Lucerne, 11 juin 1951 : *Paysage* : **CHF 1 800** – Paris, 27 juin 1951 : *Bords de Seine* : **FRF 130 000** – Paris, 16 juin 1955 : *Le passeur* : **FRF 180 000** – Paris, 14 juin 1957 : *Bord de rivière* : **FRF 260 000** – Paris, 1er déc. 1959 : *La barque au bord de la rivière* : **FRF 600 000** – Paris, 14 déc. 1960 : *Bord de rivière* : **FRF 5 600** – Paris, 23 juin 1961 : *Gardienne de vaches* : **FRF 4 800** – Paris, 14 déc. 1963 : *Sentier au bord de la mer* : **FRF 8 200** – Paris, 3 déc. 1964 : *Le matin, environs de Saumur* : **FRF 13 500** – Genève, 18 juin 1966 : *Paysage* : **CHF 12 500** – Paris, 28 nov. 1967 : *Le moulin* : **FRF 20 000** – Zurich, 20 nov. 1968 : *Le chemin du village* : **CHF 19 500** – Paris, 12 mars 1969 : *Bords de rivière* : **FRF 22 000** – Versailles, 15 mars 1970 : *La barque et le pêcheur* : **FRF 26 600** – Paris, 4 déc. 1972 : *Au bord de l'étang* : **FRF 33 000** – Londres, 6 déc. 1973 : *Lavandières au bord de l'eau* : **GBP 2 800** – Versailles, 17 nov. 1974 : *Paysage à la barque* : **FRF 42 000** – Zurich, 12 nov. 1976 : *Les Abords du village*, h/t (38x56) : **CHF 27 000** – Washington D. C., 25 sep. 1977 : *Paysage fluvial boisé avec barque et pêcheurs*, h/pan. (69x51) : **USD 3 400** – Zurich, 25 mai 1979 : *Bords de rivière avec barque et pêcheurs*, h/t (38x46) : **CHF 30 000** – Paris, 10 juin 1981 : *Pêcheur auprès d'un arbre*, h/t (22x27) : **FRF 31 000** – New York, 27 mai 1983 : *Troupeau s'abreuvant près d'un lac*, h/t (64,8x81,3) : **USD 15 000** – Londres, 20 mars 1985 : *Troupeau au bord d'un lac, avec vue d'un château à l'arrière-plan*, h/t (64x80) : **GBP 15 000** – Rambouillet, 12 oct. 1986 : *Retour au village*, h/t (41x32,5) : **FRF 103 100** – New York, 25 fév. 1988 : *Lavandière près de la rivière*, h/pan. (29,2x41) : **USD 9 900** – Lyon, 25 avr. 1988 : *Un chemin Garches* 1888, h/t (45,5x32,5) : **FRF 110 000** – Paris, 23 juin 1988 : *Pêcheur*, h/t (44,5x56) : **FRF 98 000** – Paris, 29 juin 1988 : *Bord de rivière*, h/pan. (19x27) : **FRF 50 000** – Cologne, 15 oct. 1988 : *Rue de village en France*, h/t (27x35) : **DEM 7 000** – New York, 23 fév. 1989 : *Paysage fluvial boisé avec une paysanne et une vache*, h/t (35,6x48,2) : **USD 12 100** – Paris, 5 mars 1989 : *Jeune femme brune en buste* 1888, h/t (55,5x46) : **FRF 15 000** – La Varenne-Saint-Hilaire, 21 mai 1989 : *Au près d'un rocher*, h/t (50x28) : **FRF 31 000** – New York, 23 mai 1989 : *Début d'automne au bord d'un lac*, h/t (46,3x55,2) : **USD 14 300** – Paris, 22 oct. 1989 : *Travaux sur la petite ceinture près du cours de Vincennes*, h/t (45x61) : **FRF 41 000** – New York, 25 oct. 1989 : *Pêcheur au bord de la rivière*, h/t (41,2x32,4) : **USD 10 450** – Saint-Dié, 11 fév. 1990 : *Barque au bord de la rivière* 1867, h/t (48,5x65) : **FRF 87 000** – Londres, 14 fév. 1990 : *Bouquet de violettes*, h/pan. (12,5x24) : **GBP 7 150** – Versailles, 18 mars 1990 : *Paysanne et sa vache au bord de la rivière*, h/pan. (21,7x27,2) : **FRF 92 000** – Berne, 12 mai 1990 : *Portrait de A. J. Mallet* 1867, h/t (56x46) : **CHF 2 000** – New York, 22 mai 1990 : *La route le long de la ligne de chemin de fer*, h/t (38x56) : **USD 14 300** – Monaco, 16 juin 1990 : *Les bords du Clain*, h/t (59x71,5) : **FRF 116 550** – Londres, 5 oct. 1990 : *Château dans un paysage boisé* 1874, h/t (23,2x41,3) : **GBP 3 300** – Paris, 12 oct. 1990 : *Paysanne en bord de rivière*, h/t (65x81) : **FRF 115 000** – Amsterdam, 24 avr. 1991 : *Paysans travaillant près d'une ferme en été*, h/t (33x41) : **NLG 18 400** – New York, 22 mai 1991 : *Sous les bouleaux blancs*, h/t (55,9x45,7) : **USD 45 100** – Calais, 5 avr. 1992 : *Barque au bord de la rivière*, h/t (32x41) : **FRF 91 000** – Le Touquet, 8 juin 1992 : *Château en bord de Loire*, h/t (30x41) : **FRF 96 000** – New York, 29 oct. 1992 : *Canotage sur la rivière*, h/t (47x55,9) : **USD 24 200** – Paris, 6 nov. 1992 : *Les Bords de la Loire*, h/t (136x97) : **FRF 195 000** – Calais, 4 juil. 1993 : *Candes, Place de la charrière*, h/t (38x56) : **FRF 123 000** – New York, 13 oct. 1993 : *Paysage de Normandie*, h/t (65,4x81,9) : **USD 39 100** – Calais, 3 juil. 1994 : *Paysage d'été*, h/t (40x54) : **FRF 95 000** – Chartres, 22 jan. 1995 : *La Ruelle des Sœurs à Condes*, h/t (57x23) : **FRF 47 000** – Londres, 17 mars 1995 : *Le Lac Léman* 1898, h/t (38x55,8) : **GBP 15 525** – New York, 24 mai 1995 : *Pêcheurs dans une* *barque*, h/t (64,8x80,6) : **USD 63 000** – Londres, 12 juin 1996 : *Personnage au bord d'un lac*, h/t (45x61) : **GBP 10 925** – Paris, 26 juin 1996 : *Golfe-Juan*, h/t (40x49) : **FRF 78 000** – Calais, 7 juil. 1996 : *Ruelle de village*, h/t (57x22) : **FRF 28 500** – Paris, 30 oct. 1996 : *Pêcheur tirant sa barque*, h/t (37,5x55) : **FRF 62 000** – Londres, 21 nov. 1996 : *Paysage boisé avec un berger*, h/t (47x56,5) : **GBP 21 850** – Paris, 22 nov. 1996 : *Le Passeur sur la rivière*, h/t (46x61) : **FRF 135 000** – Paris, 2 déc. 1996 : *Bateau-lavoir sur la rivière*, h/t (38x57) : **FRF 19 000** – New York, 9 jan. 1997 : *Le Retour après le travail*, h/t (47x57,2) : **USD 16 100** – Londres, 26 mars 1997 : *Berges de rivière*, h/t (33,5x33,5) : **GBP 8 050** – New York, 23 mai 1997 : *Femmes cueillant des fleurs au bord de l'eau*, h/t (64,8x80,7) : **USD 63 000** – Paris, 13 juin 1997 : *Nu à l'éventail rouge*, h/pan. (24x46) : **FRF 45 000** – Paris, 16 juin 1997 : *Paysan sur le chemin*, h/t (41x32) : **FRF 57 000** – New York, 23 oct. 1997 : *Barque traversant la rivière*, h/t (50,5x60,3) : **USD 19 550** – New York, 22 oct. 1997 : *Village de montagne*, h/t (38,1x27,9) : **USD 13 800**.

TROUILLET
Né au XIXᵉ siècle à Montargis (Loiret). XIXᵉ siècle. Français.
Peintre et dessinateur.
Le Musée de Montargis conserve de lui une aquarelle *(Croix et anneau pastoral)* exécutée pour Mgr Sibour en 1855.

TROUILLEUX Joseph Jean Jacques
Né au XIXᵉ siècle à Saint-Étienne (Loire). XIXᵉ siècle. Français.
Dessinateur et graveur.
Il débuta au Salon de 1877. Le Musée de Saint-Étienne conserve deux fusains de cet artiste.

TROUILLOT François
XVIIᵉ siècle. Actif dans la première moitié du XVIIᵉ siècle. Français.
Sculpteur sur bois.
Il sculpta, avec Amédée Petitot, en 1627, le buffet d'orgues de l'église Saint-Étienne de Besançon.

TROUP Miloslav
Né le 30 juin 1917 à Horovice (Bohême). XXᵉ siècle. Actif en France. Tchécoslovaque.
Peintre de paysages urbains.
D'abord élève de l'École des Arts et Métiers graphiques, puis de l'École des Arts décoratifs de Prague, il suit ensuite les cours du sculpteur Lauda. Boursier du gouvernement français, il est à Paris en 1945 où il s'inscrit à l'École des Arts décoratifs et ensuite à celle des Beaux-Arts.
Il s'est fait connaître par des aspects pittoresques de la périphérie parisienne.

TROUPEAU Ferdinand
Né à Bordeaux (Gironde). XIXᵉ siècle. Français.
Peintre de fleurs et aquarelliste.
Élève de Pignot et Lambotte. Il débuta au salon de 1880 avec des fleurs peintes à la gouache.
Ventes Publiques : Ciry-le-Noble, 31 oct. 1948 : *Fruits* 1912 : **FRF 3 000**.

TROUPOVA
Née en Bohême. XXᵉ siècle. Active en France. Tchécoslovaque.
Peintre.
Sœur du peintre Miloslav Troup, elle travailla à Paris.

TROUSSARD Henri Georges
Né le 28 mars 1896 à Tours (Indre-et-Loire). XXᵉ siècle. Français.
Peintre, graveur.
Il fut élève de Cormon et de Laguillermie. Il obtint le Deuxième Prix Chenavard et le Deuxième Second Grand Prix de Rome (gravure) en 1924 ; le Premier Prix Roux (gravure), une troisième médaille au Salon des Artistes Français, en 1925 ; le Premier Grand Prix de Rome, en 1926, ainsi que le Prix Stillmann.
Il pratiqua la gravure en taille-douce.
Musées : Pau – Tours.

TROUSSE Nicolas
XVIᵉ siècle. Actif à La Mothe. Français.
Sculpteur.
Il travailla à la décoration du Palais ducal à Nancy et aux statues du palais de Gondreville. Cité par M. A. Jacquot dans son répertoire des Artistes Lorrains.

TROUSSELLE Gabriel
Né le 2 juin 1885 à Folembray (Aisne). XXᵉ siècle. Français.

Peintre.
Il vécut et travailla à Saint-Omer. Après avoir exercé les activités les plus diverses, il s'adonna sur le tard à la peinture, influencé par ses curiosités pour Paul Klee ou Kandinsky. Le Musée Sandelin de Saint-Omer lui consacra une exposition personnelle, en 1969. On vit ensuite une autre exposition d'un ensemble de ses œuvres, près de Lille, en 1970.
Bibliogr. : Paul-Louis Defretière : Catalogue de l'exposition *Gabriel Trousselle*, Galerie Septentrion, Marcq-en-Barœul, 1970.

TROUSSELLE Jean
Né le 18 avril 1938 à Compiègne (Oise). XXᵉ siècle. Français.
Peintre de marines. Tendance conceptuelle.
Il fut élève de l'école des beaux-arts de Paris, travaillant dans l'atelier de Cami. Il a fait en sorte depuis 1972 qu'il n'y ait plus de cotation publique.
Il montre ses œuvres dans des expositions personnelles : 1985 *Héraclite d'Éphèse* au musée de Tours et *Expérience psycho-optiques sur l'immobilité* au musée d'Issoudun ; 1987 *Dialogue avec la Grèce* au musée Calvet d'Avignon et *Illusions multi-dimensionnelles* au musée d'Issoudun ; 1989 *Indre points cardinaux* au musée de Châteauroux.
Comme en témoignent les titres de ses expositions, son travail s'élabore à partir d'études, de réflexions, notamment sur la Grèce antique, obéissant à un programme de recherches précis que l'artiste s'est fixé, faisant primer l'idée. Depuis 1977, il effectue des « recherches sur la visualisation de plus de quatre dimensions ».
Musées : Angoulême (FRAC Potou-Charentes) : *Fragments 32 et 34 d'Héraclite* 1981 – Avignon (Mus. Calvet) : *Le Pari millénaire* 1985 – Freetown : *Freetown* 1987 – Principe de construction 1987 – Issoudun : *Triptyque de l'eau qui coule* 1987 – *IIᵉ Construction spatiale de château Raoul* 1987 – Rome (Mus. du Vatican) : *Passion selon Saint Luc* 1974.

TROUSSY Pierre de
XVIIᵉ siècle. Français.
Sculpteur.
Il a sculpté les statues de *Sainte Colombe* et de *Saint Louis* dans l'église de Servan en 1651.

TROUTNEFF Ivan Pétrovitch
Né en 1827. Mort le 5 février 1912. XIXᵉ-XXᵉ siècles. Russe.
Peintre de genre, compositions religieuses.
Il fut élève de l'Académie de Saint-Pétersbourg. Il s'est spécialisé dans la peinture d'icônes.
Musées : Moscou (Gal. Tretiakov) : *Un Aveugle kobzar*.

TROUTOVSKY Konstantin Alexandrovitch
Né le 28 janvier 1826 à Koursk. Mort le 17 mars 1893 à Moscou. XIXᵉ siècle. Russe.
Peintre de genre, lithographe.
Élève de l'Académie de Saint-Pétersbourg et de Charkof. En 1861 il fut nommé membre de l'Académie de Saint-Pétersbourg. D'abord professeur de dessin à l'École des ingénieurs, il s'orienta vers la peinture et ses tableaux dans lesquels il a mis en lumière avec beaucoup d'esprit les mœurs du peuple russe lui valurent de grands succès.
Musées : Moscou (Roumianzeff) : *Un malade* – *Petits Russes et chariot* – Moscou (Gal. Tretiakov) : *Après le dîner, l'été* – *La bienfaitrice* – *Le branle dans le gouvernement de Koursk* – Saint-Pétersbourg (Mus. Russe) : *La fête du jour de l'an, autrefois, dans la Petite Russie*.
Ventes Publiques : New York, 28 avr. 1977 : *Le voyageur assoiffé* 1888, h/t (47,5x66) : **USD 1 100** – Zurich, 30 mai 1979 : *Trois paysans russes* 1872, h/t (67x95) : **CHF 2 000** – Washington D. C., 4 mars 1984 : *Paysans dans un paysage* 1869, h/t (54,5x83) : **USD 2 300** – Londres, 20 fév. 1985 : *Le banquet du mariage* 1872, h/t mar./cart. (58x96) : **GBP 1 900** – Londres, 5 oct. 1989 : *Une dispute familiale* 1892, encre et lav./pap. (35,2x51,2) : **GBP 715**.

TROUVAIN Antoine
Né en 1656 à Montdidier. Mort le 18 mars 1708 à Paris. XVIIᵉ siècle. Français.
Peintre, graveur au burin et éditeur.
Élève de Gérard Edelinck. Reçu académicien le 30 juillet 1707. Ce fut un habile buriniste et il est surtout connu comme graveur. On lui doit cependant nombre de portraits dessinés et peints.

TROUVÉ A.
XIXᵉ siècle. Active dans la première moitié du XIXᵉ siècle. Française.
Peintre sur porcelaine.

Elle exposa à Paris de 1831 à 1835. Le Musée Carnavalet de cette ville conserve d'elle *Portrait de l'acteur Deburau*.

TROUVÉ Eugène ou Nicolas Eugène
Né le 18 avril 1808 à Paris. Mort en 1888. XIXe siècle. Français.
Peintre de genre, paysages.
Élève de V. Bertin et de Picot, il débuta au Salon de 1836 et obtint une médaille de troisième classe en 1846.
Il recherche des effets d'ombre et de lumière, sans adopter la technique impressionniste, mais en restant fidèle à l'art de ses maîtres.

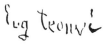

MUSÉES : DIJON (Mus. Magnin) : *Femme assise sur le seuil d'une porte* – *Femme lisant derrière des persiennes* – REMIREMONT : *Paysage 1836*.

TROUVÉ Jacques
Né en 1930 à Beauvais (Oise). XXe siècle. Français.
Peintre, dessinateur de figures, illustrateur, sculpteur, céramiste.
En 1948 il travaille comme dessinateur dans l'urbanisme puis publie deux romans. En 1956 il obtient une bourse au prix Fénéon et jusqu'en 1958 suit les cours du soir de l'école des beaux-arts de Rouen. Il vit et travaille à Rouen.
Il participe à des expositions régionales depuis 1958, puis à Paris : 1964 Salon de la Jeune Peinture ; 1969 Salon des Réalités Nouvelles à Paris. Il montre ses œuvres dans des expositions personnelles à Rouen et Paris.
Il débute avec des dessins sur le motif, privilégiant le mouvement puis réalise des peintures de compositions symboliques et surréalistes. En 1966, il s'intéresse à l'art optique et réalise des reliefs à graphisme géométrique, « transformable et tridimensionnel ». Il étend ses recherches optiques et cinétiques sur des vêtements et accessoires de mode. En 1973, il réalise ses premiers modelages et céramiques.

TROUVÉ Jacques
Né en 1944 à Caen. XXe siècle. Actif aussi en Italie. Français.
Sculpteur de figures, monuments.
Il participe à des expositions collectives : 1988 Salons des Artistes Français et d'Automne à Paris. Il montre ses œuvres dans des expositions personnelles régulièrement depuis 1969 à Turin, en 1978 à Milan.
Il travaille le marbre, le bois et le bronze. Il a réalisé un monument aux résistants de la commune de Saccio (Parme) et un bas-relief à Nice.

TROUVÉ Michel
XVe siècle. Travaillant à Rouen en 1454. Français.
Peintre verrier.

TROUVÉ Tatiana
XXe siècle. Française.
Sculpteur, auteur d'installations.
Elle montre ses œuvres dans des expositions personnelles : 1996-1997 Paris ; 1997, Villa Arson, Nice.
À partir de dessins, fruits d'une lente maturation, elle crée objets et espaces, met en scène des espaces pervers, comme la *Cabine à boulimie* machinerie grandeur nature en sucre et chocolat pourvue d'un sac en plastique visant « à purger le spectateur de ses passions » (C. Jarton). Pour son exposition à la Villa Arson, à Nice, en 1997, elle a créé une installation *Le Bureau des activités implicites* constituée de pièces de mobilier de bureau, où les « bureaux », « départements », et « services », se jouent avec froideur du fonctionnalisme de l'esthétique administrative.
BIBLIOGR. : Cyril Jarton : *Tatiana Trouvé*, in : Art Press, n° 222, Paris, mars 1997 ; Jean-Yves Jouannais : *Tatiana Trouvé*, in : Art Press, n° 230, décembre 1977.

TROUVILLE Henri Charles
Né au XIXe siècle à Loudun (Vienne). XIXe siècle. Français.
Peintre de paysages.
Il débuta au Salon de 1878. On lui doit notamment des sites de la forêt de Fontainebleau.
VENTES PUBLIQUES : PARIS, 18 mars 1926 : *Paysage avec mare (Fontainebleau)*, past. : FRF 170.

TROUVILLE Louis François Joseph
Né en 1817 à Bar-le-Duc (Meuse). XIXe siècle. Actif à Paris. Français.

Peintre.
Il exposa à Paris des paysages, des marines et des scènes de genre de 1835 à 1870.

TROUX de
XIXe siècle. Actif au début du XIXe siècle. Français.
Dessinateur.
Il était capitaine et dessina deux vues de la *forteresse de Kufstein*, en 1802.

TROVA Ernest
Né en 1927 ou 1929 à Saint Louis. XXe siècle. Américain.
Peintre, peintre de collages, sculpteur, auteur d'assemblages.
Il participa à des expositions collectives à partir de 1953. Il montra ses œuvres dans une première exposition personnelle à Boston en 1963.
Ses premières peintures exposées en 1953 révèlent l'influence de W. de Kooning. Il abandonne progressivement l'expressionnisme abstrait et commence à réaliser des collages et des assemblages à partir de vieux cordages et de vieux vêtements. Son premier grand succès lui vient avec la série *Falling Man* en 1963. Avec cet *Homme qui tombe*, il crée un type désormais caractéristique, la silhouette sans bras, bedonnante, au visage vide d'expression, synthèse significative de deux aspects de ses premières recherches : d'une part, les assemblages d'éléments d'apparence vaguement anthropoïde, en réalité constitués à partir de simples poupées désarticulées et, d'autre part, un essai de composition picturale s'inspirant de l'étude de Vinci sur les proportions du corps humain dans un cercle. Il exprime ainsi lui-même la nature du symbole : « une créature défectueuse, déchue, incomplète et inapte, qui a constamment besoin du survoltage technologique pour maintenir son équilibre, tracé dans l'espace par la Roue de la Fortune, où alternativement il s'élève et il tombe ». Les figurines dont la taille varie entre six pouces et sept pieds sont en cuivre poli, en métal chromé, en plastique transparent ou tout autre matériau qui augmente l'effet de déshumanisation. Coulées dans des moules, elles sont toutes identiques et impersonnelles. Trova les place cependant bien en évidence sur les socles les plus divers. Elles sont souvent accompagnées d'un ornement d'objets fondus ou d'appareils aussi sinistres que des masques à gaz. Telle figurine se transforme en châssis de voiture de course, telle autre devient l'essieu qui relie deux énormes roues. Mais, à l'encontre du projet didactique, c'est bien l'aspect purement décoratif de l'objet devenu familier, le produit clinquant, mécanique et anonyme de ce *Falling Man* qui a rencontré le succès populaire des années soixante.
VENTES PUBLIQUES : NEW YORK, 14 mai 1970 : *Falling man column* : USD 4 250 – PARIS, 12 mars 1972 : *Étude pour homme tombant : paysage 2* 1966 : FRF 18 000 – NEW YORK, 4 mai 1973 : *L'homme à la rue* 1966-1967 : USD 30 000 – NEW YORK, 24 oct. 1974 : *Étude pour L'homme tombant* 1964, bronze chromé tiré à six ex. : USD 13 000 – NEW YORK, 28 mai 1976 : *M. S.* 1974, liquitex/t (30,5x30,5) : USD 1 500 – NEW YORK, 20 oct. 1977 : *Étude pour L'homme tombant n° 50* 1963, latex/t (172,5x172,5) : USD 4 000 – NEW YORK, 30 mars 1978 : *FMS n° 133 A* 1969, alu. et bronze nickelé (16,5x63,5x23) : USD 3 500 – LONDRES, 5 avr 1979 : *Étude pour L'homme tombant* 1970, bronze (larg. 61) : GBP 2 600 – NEW YORK, 27 fév. 1980 : *Étude pour L'homme tombant* 1966-1967, liquitex/t (160x160) : USD 5 000 – NEW YORK, 16 oct. 1981 : *Étude pour L'Homme tombant* 1963, liquitex/t, étude (170,2x170,2) : USD 6 000 – NEW YORK, 12 nov. 1982 : *Gox n° 9* 1975, acier et chrome (68x47x18,5) : USD 7 500 – NEW YORK, 10 mai 1984 : *Étude pour L'homme tombant : figure debout* 1964, émail noir/bronze (H. 32) : USD 5 500 – NEW YORK, 2 mai 1985 : *F. M. Study* 1966, acryl./t (101,6x101,6) : USD 3 500 – NEW YORK, 23 fév. 1985 : *FM/Five-hinged flowerman* 1973, bronze chromé (H. 35,5) : USD 2 800 – NEW YORK, 13 nov. 1986 : *Étude pour L'homme tombant* 1962, acryl./t (154,3x95,8) : USD 20 000 – NEW YORK, 10 Nov. 1988 : *Homme tombant*, bronze poli, étude Carman (50,8x197,6x78,3) : USD 52 800 – NEW YORK, 3 mai 1989 : *FM/ETC 34* 1979, bronze nickelé sur base d'acier (99x39,5x18) : USD 6 600 – NEW YORK, 4 oct. 1989 : *Etude pour L'Homme à double charnière*, bronze chromé (63,5x14x14) : USD 35 200 – NEW YORK, 21 fév. 1990 : *Fusil-mitrailleur, homme-canon à double charnière* 1972, bronze blanc chromé (L. 18,4) : USD 6 600 – NEW YORK, 27 fév. 1990 : *Étude pour L'homme tombant* 1970, bronze argenté chromé (h. 70,5) : USD 23 100 – NEW YORK, 7 mai 1990 : *Peinture #39 FM d'un personnage et de son ombre*, acryl. et cr./t

(151,1x127,6) : **USD 3 300** – New York, 2 mai 1991 : *FM paysage* 1965, bronze chromé (43,8x36,5x14) : **USD 5 500** – New York, 7 mai 1992 : *L'homme tombant, figure suspendue*, bronze argenté (83,2x25,4x25,4) : **USD 15 400** – New York, 17 nov. 1992 : *Sans titre*, vernis/acier (61x59,6) : **USD 1 430** – New York, 23 fév. 1994 : *FM/24, nouvelle figure découpée #3* 1986, acier chromé (77x35,5x12,6) : **USD 11 500** – New York, 24 fév. 1995 : *L'Homme tombant 59* 1963, latex/t (172,7x172,7) : **USD 4 600** – New York, 10 oct. 1996 : *Étude pour L'homme tombant, quatre voitures*, alu., plastique, caoutchouc, t. et plexiglas/formica (L. de chaque 33) : **USD 2 875**.

TROVATINO Salvatore
Né le 2 novembre 1856 à Naples. XIXe siècle. Italien.
Sculpteur.

TROVEON Jean, dit Troveron de Bourgogne
XVIe siècle. Français.
Dessinateur.
A rapprocher des trois Jean de Bourgogne. Il est connu comme dessinateur de patrons.

TROWBRIDGE Vaugham
Né en 1869 à New York. XIXe siècle. Américain.
Peintre, graveur d'architectures, paysages.
Il fut élève de J. B. Laurens et de B. Constant. Il vécut et travailla à Draveil.
Il grava à l'eau-forte des paysages, des architectures et des vues de jardins.

TROXLER Georges
Né en 1867 à Stans. XIXe siècle. Suisse.
Peintre.
Il fit ses études à Genève et à Paris. Il vécut et travailla à Lucerne. Il peignit de nombreux tableaux d'autel pour des églises suisses.
Musées : Lucerne (Mus. mun.) : *Cruches*.

TROXLER Ildefons
Né le 4 septembre 1741 à Beromunster. Mort le 10 mai 1810. XVIIIe-XIXe siècles. Suisse.
Peintre de portraits, fleurs et fruits.
Il peignit aussi cent cinquante portraits de bourgeois célèbres de Lucerne que le Musée de cette ville conserve. Il représenta nombre de grappes de raisins. Le Musée de Neuchâtel possède de lui deux études.

TROXLER Jost
Né le 4 décembre 1827 à Beromunster. Mort le 7 mai 1893 à Lucerne. XIXe siècle. Suisse.
Peintre de portraits et de sujets religieux.
Père de Georges Troxler et élève de Deschwanden et de Kaulbach à Munich. Il peignit des tableaux d'autel.

TROXLER Vital
Né le 16 janvier 1829 à Beromunster. Mort le 11 juillet 1898 à Lucerne. XIXe siècle. Suisse.
Lithographe.
Élève de Kaulbach à Munich.

TROY de
XVIIIe siècle. Actif à La Rochelle dans la seconde moitié du XVIIIe siècle. Français.
Sculpteur.
Le Musée de Sèvres conserve de lui le portrait en médaillon de *Turgot*.

TROY Antoine de
Né en 1608 à Toulouse. Mort en 1684 à Toulouse. XVIIe siècle. Français.
Peintre d'histoire et de portraits.
Il travailla d'abord avec Chalette à Toulouse, puis se rendit à Paris où il se lia avec Nicolas Loir et il paraît probable qu'il en reçut des conseils. Il entra dans l'atelier de Claude Lefebvre et étudia particulièrement le portrait, genre traité par son maître. Après quelques années passées à Paris, il revint à Toulouse. Il tenta d'y établir une école pour le modèle vivant, mais les scrupules provinciaux firent échec à ce projet et de Troy dut abandonner sa tentative. Il n'en groupa pas moins autour de lui un nombre respectable d'élèves, parmi lesquels ses deux fils Jean et François figurent au premier rang. Antoine de Troy succéda à son maître Chalette comme peintre de l'Hôtel de Ville. Les troubles de la Révolution amenèrent la destruction de la majeure partie des œuvres de notre peintre. On voit de lui au Musée de Toulouse : *Portrait du poète languedocien Pierre Godolin* ou *Goudouli* ou *Goudelin*.

Ventes Publiques : Paris, 1753 : *Portrait d'un guerrier* : **FRF 56** ; *Portrait d'une dame, pendant du précédent* : **FRF 40** – Paris, 1770 : *Portrait de Mouton, célèbre joueur de luth* : **FRF 501**.

TROY François de
Né en février 1645 à Toulouse (Haute-Garonne). Mort le 1er mai 1730 à Paris. XVIIe-XVIIIe siècles. Français.
Peintre d'histoire, compositions mythologiques, portraits.
Fils cadet et élève d'Antoine de Troy, il vint fort jeune à Paris, où il fut l'élève de Claude Lefebvre et de Claude Loir, dont, plus tard, il épousa la sœur. Son beau-frère Nicolas Loir et son maître Claude Lefebvre durent faciliter son entrée à l'Académie royale en 1674. En 1693, il y fut nommé professeur, puis directeur en 1708 et enfin, adjoint à recteur en 1722.
Il se fit une rapide réputation comme peintre de portraits. Louis XIV l'envoya à la Cour de Munich faire le portrait de la princesse Marie-Christine de Bavière, depuis dauphine de France. Il peignit un grand nombre de personnages célèbres et ses portraits étaient très appréciés de Madame de Montespan et de Madame de Maintenon. Il contribua à mettre à la mode le portrait allégorique.

Bibliogr. : In : *Diction. de la peinture française*, coll. *Essentiels*, Larousse, Paris, 1989.
Musées : Angers : *Bethsabée au bain* – *Fuite de Médée* – Bayeux : *L'abbé François Servien* – Béziers : *Sainte Famille* – Bordeaux : *Le père abbé des Feuillants* – Brunswick : *Mme de Lude* – Chantilly (Mus. Condé) : *Mademoiselle de Nantes* – Cherbourg : *L'architecte François Dordan* – Dresde : *Le duc du Maine* – Florence (Mus. des Offices) : *Autoportrait* 1696 – *Louis XV jeune avec l'infante Marie-Anne Victoire* – Grenoble : *Dame avec enfant* – Hanovre : *Jacques Édouard d'Angleterre* – Helsinki : *La fontaine* – Londres (Wallace coll.) : *Louis XIV et sa famille* – Marseille : *Femme lisant un livre* – Montpellier : *Ariane dans l'île de Naxos* – *Apollon et Diane tuant les Niobides* – Moscou : *Marie Adélaïde de Savoie* – Nîmes : *Moissonneuse endormie* – Orléans : *La duchesse du Maine* – *Loth et ses filles* – Paris (Mus. du Louvre) : *Le joueur de luth Charles Mouton* 1690 – *Mademoiselle de Blois et le comte de Toulouse* – Paris (Mus. Carnavalet) : *Naissance du duc de Bourgogne* 1682, dess. – Pise : *Un gentilhomme de Bourgogne* – Rennes : *Portraits d'hommes et de femmes, époque Louis XIV* – La Rochelle : *La duchesse de la Force* – Rouen : *La duchesse de la Force* – Saintes : *Louis XIV reçoit l'ambassadeur de Perse* – Saint-Pétersbourg (Mus. de l'Ermitage) : *Loth et ses filles* – La femme de l'artiste* – *Suzanne et les vieillards* – Sceaux (Mus. de l'Île-de-France) : *Duchesse du Maine* 1694 – Toulouse : *Madeleine au désert* – *Songe de saint Joseph* – *L'ange gardien* – Tours : *Jeune dame* – Valenciennes : *Jean et Julienne* – *Mme de Julienne* – Versailles : *Élisabeth, Charlotte de Bavière, duchesse d'Orléans* – *Mansart* 1699 – *Le peintre Belle* – *Princesse de Conti* – Vienne (Mus. Harrach) : *Portrait d'homme*.
Ventes Publiques : Paris, 1754 : *L'Enfant Jésus méditant sur la croix* : **FRF 156** – Paris, 1884 : *Portrait de femme représentée en Hébé* : **FRF 5 900** – Paris, 14-15 juin 1920 : *Portrait présumé du joaillier Godefroy* – *Portrait présumé de Madame Godefroy*, deux h/t : **FRF 40 400** – Paris, 24 jan. 1980 : *Étude : femme debout tenant sa robe avec ses mains*, pierre noire, reh. de blanc et sanguine/pap. beige (33,5x23) : **FRF 11 000** – Versailles, 14 juin 1981 : *Portrait de Charles François Marie de Custine, chevalier de Witz* 1714, h/t : **FRF 27 500** – Monte-Carlo, 8 déc. 1984 : *Etude de jeune garçon écrivant*, sanguine et craie blanche/pap. beige (46,1x33,1) : **FRF 6 000** – Lyon, 24 oct. 1984 : *Portrait de la famille Nau au salon vers 1713*, h/t (162x240) : **FRF 330 000** – Rouen, 15 déc. 1985 : *Etude pour un portrait*, sanguine, forme ovale (13x10) : **FRF 12 000** – New York, 15 jan. 1985 : *Portrait de la Comtesse de Cozel avec son fils, en Vénus et Cupidon*, h/t (58,5x45,8) : **USD 7 000** – Paris, 23 mai 1986 : *Portrait de femme*, sanguine, de forme ovale (13x11) : **FRF 11 000** – Monte-Carlo, 21 juin 1986 : *Le Peintre et sa famille* 1717, h/t (145x118) : **FRF 440 000** – Paris, 2 déc. 1987 : *Portrait de femme à mi-jambes, la main droite levée*, pierre noire et reh. de blanc/pap. bis (22,6x30,3) : **FRF 18 500** – Paris, 3 juin 1988 : *Portrait d'un gentilhomme*, h/t (135x101) : **FRF 510 000** – Paris, 30 juin 1989 : *Portrait de jeune femme vue de trois-quart dans un paysage*, h/t (134x89,5) : **FRF 90 000** – Monaco, 2 déc. 1989 : *Portrait*

d'homme en chasseur, h/t (153,5x135,5) : **FRF 888 000** – Monaco, 15 juin 1990 : *Feuille d'études d'un bras et de personnages*, sanguine et craie blanche/pap. teinté (20x13,8) : **FRF 28 860** – Monaco, 7 déc. 1990 : *Autoportrait*, h/t (116,5x91) : **FRF 1 110 000** – Monaco, 21 juin 1991 : *Portrait présumé de Marie-Aurore Comtesse de Koenigsmark et de son fils Maurice de Saxe*, h/t (107x84) : **FRF 72 150** – New York, 14 jan. 1992 : *Étude d'une jeune garçon écrivant devant une table*, sanguine avec reh. de blanc (46,1x33,1) : **USD 4 950** – Monaco, 20 juin 1992 : *Étude de mains de femme tenant un éventail*, craie noire et blanche/pap. beige (27,7x45,3) : **FRF 24 420** – New York, 19 mai 1993 : *Portrait d'une dame (Mme d'Argenville ?) en buste, vêtue d'une robe jaune et d'une cape bleue et tenant une corbeille de pêches 1717*, h/t (78,8x64,8) : **USD 29 900** – New York, 20 mai 1993 : *Fête aux Porcherons*, h/t (90,2x116,8) : **USD 360 000** – Paris, 25 nov. 1993 : *Femme assise*, pierre noire et reh. de blanc (16,5x17,5) : **FRF 6 500** – Monaco, 19 juin 1994 : *Portrait d'homme 1704*, h/t, ovale (105x85) : **FRF 88 800** – Londres, 17 avr. 1996 : *Portrait d'un petit garçon avec une cage à oiseau*, h/t (102,2x82) : **GBP 5 750** – Paris, 28 juin 1996 : *Portrait présumé de la famille de Franqueville dans un parc*, h/t (62x71,5) : **FRF 30 000**.

TROY Jean
Né dans la seconde moitié du XVIIIe siècle à Lunéville. XVIIIe siècle. Français.
Modeleur.
Il travailla à la Manufacture de porcelaine de Meissen de 1768 à 1770.

TROY Jean de
Né en 1638 à Toulouse. Mort le 25 avril 1691 à Montpellier. XVIIe siècle. Français.
Peintre d'histoire, de portraits, et aquafortiste.
Fils aîné et élève d'Antoine de Troy, il apprit également son métier chez Antoine Durand. Il succéda à son père comme peintre de l'Hôtel de Ville de Toulouse. L'échec de l'école ouverte par son père lui tenait peut-être à cœur, car en 1679 il adressait une demande aux États du Languedoc d'ouvrir une académie à Montpellier. L'autorisation lui fut accordée pour trois ans avec une subvention de 400 livres. Jean de Troy peut donc être considéré comme le fondateur de l'École des Beaux-Arts de Montpellier. Le Musée de Montpellier conserve de lui *Portrait du cardinal Pierre de Bonzy*, et celui de Toulouse, *La conception de la Vierge*.
Ventes Publiques : Paris, 9 juin 1923 : *Portrait du comte Florent Marcelin de Ménil-Habert* : **FRF 7 100** – Paris, 22 mars 1983 : *Portrait de Françoise-Angélique de la Mothe-Hondacourt, duchesse d'Aumont*, h/t (92x71) : **FRF 125 000**.

TROY Jean François de ou Detroy
Né à Paris, baptisé le 27 janvier 1679. Mort le 26 janvier 1752 à Rome. XVIIIe siècle. Français.
Peintre d'histoire, sujets allégoriques, scènes de genre, portraits, compositions décoratives, cartons de tapisserie, aquafortiste.
Fils et élève de Fr. de Troy et de Jeanne Collette, fille du peintre Collette. Il fut élève de son père et de l'École de l'Académie Royale. Il y obtint une deuxième médaille en 1697. C'est le seul succès mentionné par les registres qui nous restent. Il concourut, sans l'obtenir, pour le prix de Rome et son père l'envoya en Italie à ses frais. Mais François de Troy était influent ; il obtint du marquis de Villacerf, surintendant des Bâtiments, une place de pensionnaire à Rome. Il arriva dans la Ville éternelle au mois de février 1698 ou au début de 1699. Le séjour de Jean François en Italie dura environ six ans, partie à l'académie, partie en voyages dans la péninsule. Mais il avait autant de goût, sinon plus, pour le plaisir que pour l'étude, et malgré les invitations de son père, il ne se décidait pas à revenir en France. Il fallut recourir à l'intervention du ministre de France à Florence pour lui faire regagner Paris. Il fut agréé à l'académie et académicien le même jour 28 juillet 1708, avec *Niobé et ses enfants percés de flèches par Diane et Apollon*. Cette nomination lui valut des commandes. Riche, mondain, doué de facilité, il fut vite un des peintres à la mode. Nommé adjoint à professeur le 24 juillet 1716, il devint professeur le 30 décembre 1719. En 1737, il acheta une charge de secrétaire du Roi, et en 1738, il fut nommé directeur de l'Académie de Rome, en remplacement de Wleughels. Pendant son directoriat, les élèves jouirent d'une grande liberté et ne connurent aucune des mesquines taquineries qui marquèrent trop souvent la direction de son successeur. Plus tard, il manifesta à M. de Tournehem, intendant des Bâtiments du Roi, le dessein de rentrer en France. Le voyage que M. de Vaudrières (depuis marquis de Marigny) fit en Italie cette année-là et son séjour à Rome, paraît lui avoir été peu favorable. Dans une lettre fort dure surtout à un homme plus que septuagénaire au 5 septembre 1750, l'Intendant fait de nombreuses allusions à ce que lui a écrit le frère de Mme de Pompadour, à propos de confidences, que lui aurait faites de Troy sur la médiocrité des élèves peintres qui lui étaient envoyés. A partir de cette date les rapports entre Tournehem et de Troy furent très espacés. Le 6 mai 1751 de Troy renouvelait sa demande de rappel, la nomination de Natoire fut signée le 22 mai 1751. Dans l'intervalle entre sa démission et son départ de Troy devint amoureux d'une jeune dame romaine et la contrariété de la rupture de cette liaison hâta sa fin. Il devait rentrer avec l'ambassadeur de France à Rome, le duc de Nevernois. L'annonce du départ pour le 20 janvier 1752 le mit hors de lui. Il eut froid étant au théâtre, prit le lit le 19 et mourut le 26 à onze heures du soir. Il paraît avoir été beaucoup regretté par ses élèves.
En 1728, il avait décoré l'hôtel de Samuel Bernard. Il peignit aussi pour l'hôtel de M. de la Live trente-six compositions ainsi que la coupole et le tableau d'autel de la Chapelle Seigneuriale de Passy. Il produisit beaucoup de peintures pour les églises de Paris, entre autres, pour l'église Saint-Lazare de Paris, Saint-Vincent de Paul prêchant, la Mort de Louis XIII, le Conseil de conscience d'Anne d'Autriche, l'Assemblée du clergé, la Mort de Saint-Vincent de Paul. Il travailla pour les résidences royales, exécutant aussi des portraits et des petits tableaux de chevalet, qui sont peut-être ce qu'il y a de meilleur dans son œuvre. Il avait commencé avant son départ pour Rome une suite de sept tableaux sur l'*Histoire d'Esther*, dont une l'*Évanouissement d'Esther*, fut exposée au Salon de 1737. Il compléta cette série à Rome. Il entreprit une série semblable, également pour la reproduction par les Gobelins, sur l'*Histoire de Jason*. Jean François de Troy avait également su pratiquer l'art du portrait, de la peinture décorative, du tableau de genre. ■ E. Bénézit

Cachet de vente

Musées : Amiens : *Le sommeil de la Vierge – Un concert* – Angers : *Fuite de Médée – Bethsabé au bain* – Bâle : *Diane au bain* – Beaune : *Couronnement d'Esther – Le banquet – Triomphe de Mardochée – Évanouissement d'Esther* – Berlin : *Le déjeuner* – La déclaration – Assemblée dans un parc – Besançon : *P. Cyrille de Rossi – Louis de Sacy* – Béziers : *Sainte Famille* – Brest : *Jason et Médée* – Chambéry (Mus. des Beaux-Arts) : *Portrait d'homme* – Chantilly : *Le déjeuner d'huîtres – Angelo Constantini dans le rôle de Mézettin* – Cherbourg : *François Dorban, architecte* – Darmstadt : *Le malheur de Jédékias* – Dijon : *Jésus et Pilate* – Florence : *L'artiste* – Londres : *La main chaude – La gouvernante fidèle – La jarretière détachée* – Londres (Victoria et Albert Mus.) : *Déjeuner de chasse – La mort d'un cerf* – Montpellier : *Apollon et Diane tuant les enfants de Niobé* – Nancy : *Repos de Diane* – Neuchâtel : *Naissance de Remus et de Romulus – Enlèvement des Sabines – Coriolan se laisse fléchir par sa mère – Continence de Scipion* – Orléans : *L'abbé Desfriches en costume de docteur* – Paris (Mus. du Louvre) : *Premier chapitre de l'ordre du Saint Esprit tenu par Henri IV dans l'église du couvent des Grands Augustins à Paris – La toilette d'Esther – Tête de femme – Portrait d'homme – Portrait d'un échevin* – Le Puy-en-Velay : *Jason domptant les taureaux – Ariane dans l'île de Naxos* – Rennes : *Jeune femme en blanc* – Rouen : *Ascension – Assomption – La Duchesse de La Force – Nunc dimitis – Suzanne et les vieillards* – Saint-Pétersbourg (Mus. de l'Ermitage) : *Suzanne et les vieillards – La Peinture – La Sculpture – un sujet galant – Bethsabée* – Stuttgart : *Suzanne au bain – Joseph et Putiphar* – Toulouse : *Conception – Conquête de la Toison d'or – Mort de Crésus* – Versailles : *La gloire des princes s'empare des enfants de France*, plafond de la chambre de la reine – *Allégorie relative aux fiançailles de Louis XV et de Marie Leczinska*.

VENTES PUBLIQUES : PARIS, 1764 : *Syrinx dans les bras du fleuve Ladon regarde le dieu Pan* : FRF 500 – PARIS, 1770 : *Armide hésite à frapper Renaud endormi*, pendant : FRF 1 404 – PARIS, 1779 : *Diane et Actéon* : FRF 700 – PARIS, 1881 : *La Force et la Justice* : FRF 830 – PARIS, 1882 : *Portrait du grand dauphin* : FRF 1 100 – PARIS, 1885 : *Portrait de femme* : FRF 5 000 – PARIS, 1887 : *Portrait de jeune femme* : FRF 4 000 – PARIS, 1887 : *Louis XIV recevant les ambassadeurs du Siam* : FRF 1 050 ; *Le triomphe de Mardochée* : FRF 950 – PARIS, 1892 : *Portrait d'Hilaire Bernard de Roqueleyne* : FRF 1 510 – PARIS, 11 mars 1895 : *Le jour du fermage* : FRF 1 600 – PARIS, 1897 : *La dormeuse et le jeune abbé* : FRF 550 – PARIS, 15 avr. 1897 : *Portrait d'un gentilhomme* : FRF 925 – PARIS, 1897 : *La femme adultère*, dess. à la pierre noire : FRF 105 – BERLIN, 1898 : *La déclaration d'amour* : FRF 17 625 ; *La jarretière détachée* : FRF 16 562 – PARIS, 9-11 avr. 1902 : *Portrait de la duchesse de Mantoue* : FRF 9 000 – PARIS, 15 déc. 1902 : *La tente de Darius* : FRF 1 900 – PARIS, 25 mai 1905 : *Portrait de Boileau* : FRF 1 100 – LONDRES, 5 déc. 1908 : *Suzanne et les vieillards* 1748 : GBP 37 – LONDRES, 19 déc. 1908 : *La diseuse de bonne aventure* : GBP 84 – PARIS, 14 déc. 1909 : *Jeune femme tenant une orange* : FRF 1 500 – PARIS, 9-11 déc. 1912 : *Portrait de femme* : FRF 2 100 – PARIS, 22-23 mai 1919 : *Le repos dans le parc* : FRF 11 300 – LONDRES, 28 fév. 1921 : *Portrait d'homme* : FRF 16 000 – LONDRES, 31 mars 1922 : *Un gentilhomme et trois jeunes femmes* : GBP 46 – LONDRES, 28 juil. 1922 : *Le joueur de viole* : GBP 52 – LONDRES, 27 juil. 1923 : *La toilette* : GBP 294 – PARIS, 22 nov. 1923 : *Repas de chasse* : FRF 24 500 – PARIS, 6 déc. 1924 : *Portrait de jeune femme tenant un fruit*, attr. : FRF 15 000 – LONDRES, 6 mai 1927 : *Portrait de gentilhomme* : GBP 141 – LONDRES, 16 mai 1928 : *Auguste II de Saxe* : GBP 100 – LONDRES, 17-18 mai 1928 : *La dame aux pêches* : GBP 273 – PARIS, 19 nov. 1928 : *Portrait d'homme* : FRF 29 000 – PARIS, 10-11 déc. 1928 : *Histoire de Jason* ; *La Toison d'or* : FRF 42 000 – LONDRES, 22 mars 1929 : *Portrait de gentilhomme* : GBP 441 – LONDRES, 4 juil. 1936 : *John Tucker et son fils* : GBP 120 – PARIS, 11 déc. 1934 : *Pan et Syrinx* : FRF 25 000 – NEW YORK, 3 déc. 1936 : *Un gentilhomme* : USD 600 – PARIS, 18 juin 1937 : *Madame Mercier* : FRF 16 500 – LONDRES, 19 juin 1942 : *Portrait de femme* : GBP 210 – PARIS, 24 mai 1943 : *Moïse sauvé des eaux* : FRF 30 050 – PARIS, 22 déc. 1943 : *Portrait d'homme en manteau violet*, attr. : FRF 28 000 – NEW YORK, 25 oct. 1945 : *La duchesse du Maine* : USD 700 – LONDRES, 6 mars 1946 : *Madame du Barry* : GBP 147 – LONDRES, 30 oct. 1946 : *Scène galante* : GBP 220 – PARIS, 18 déc. 1946 : *Allégorie relative aux fiançailles de Louis XV et de Marie Leczinska* : FRF 54 000 – PARIS, 17 déc. 1948 : *La feinte résistance*, attr. : FRF 190 000 – PARIS, 1er juin 1949 : *Le repos de Diane* : FRF 255 000 – PARIS, 7 mars 1951 : *La collation sous la tonnelle*, École de J. F. de T. : FRF 172 000 – LONDRES, 30 juin 1965 : *Portrait du baron de Longepierre* : GBP 2 000 – NEW YORK, 7 avr. 1966 : *Le concert dans le parc* : USD 4 000 – LUCERNE, 22 juin 1968 : *Joseph et la femme de Putiphar* : CHF 20 000 – MILAN, 6 mai 1971 : *Scène mythologique* : ITL 3 700 000 – LONDRES, 7 juil. 1972 : *Jeune femme assise dans un paysage faisant la lecture à un gentilhomme* : GNS 48 000 – LONDRES, 29 juin 1973 : *Pan et Syrinx* : GNS 12 000 – VERSAILLES, 20 juin 1974 : *Diane, entourée de ses Nymphes* : FRF 17 000 – LONDRES, 7 juil. 1978 : *Portraits de la comtesse du Lys avec les marquises de La Baume et Franqueville* 1712, h/t (138,5x163,4) : GBP 15 000 – LONDRES, 30 mars 1979 : *Le Temps découvrant la Vérité* 1733, h/t (203x208) : GBP 13 000 – MONTE-CARLO, 26 oct. 1981 : *Joseph et la femme de Putiphar* 1744, h/t (96,5x72,5) : FRF 420 000 – PARIS, 30 mars 1984 : *Danaë*, h/t (92x73) : FRF 120 000 – MONTE-CARLO, 22 juin 1985 : *Allégorie de la Peinture* 1783, h/t, de forme ovale (89x110) : FRF 480 000 – PARIS, 16 déc. 1986 : *L'Allégorie du Feu*, h/t (92x90) : FRF 160 000 – PARIS, 6 mai 1987 : *Feuille d'études de mains*, trois cr. (29x41,7) : FRF 150 000 – PARIS, 28 juin 1988 : *Un philosophe en méditation*, h/t (78,5x81,5) : FRF 140 000 – NEW YORK, 12 jan. 1989 : *Vertumne courtisant Pomone*, h/t (153x119) : USD 132 000 – NEW YORK, 16 juin 1989 : *Zéphyr et Flore*, h/t (85x153) : FRF 943 500 – NEW YORK, 11 jan. 1990 : *Allégorie de la peinture* 1733, h/t, ovale (88x109) : USD 121 000 – NEW YORK, 1er juin 1990 : *Joseph et la femme de Putiphar*, h/t (80x63,5) : USD 55 000 – VERSAILLES, 16 déc. 1990 : *Jason et Médée*, h/t (55x80) : FRF 280 000 – MONACO, 22 juin 1991 : *La bataille des Lapithes et des Centaures*, h/t (112,5x148) : FRF 88 800 – MONACO, 7 déc. 1991 : *La Résurrection*, h/t (63x34,5) : FRF 72 150 – MONACO, 18-19 juin 1992 : *Pan et Syrinx* 1733, h/t (90,5x73) : FRF 1 554 000 – LONDRES, 9 juil. 1993 : *Joseph et la femme de Potiphar* ; *Joseph accusé par la femme de Potiphar*, h/t,

une paire (chaque 99,3x74,2) : GBP 89 500 – NEW YORK, 12 jan. 1995 : *Le banquet d'Esther*, h/t (48,6x54,9) : USD 43 125 – PARIS, 22 mars 1995 : *Flore et Zéphyr*, h/t (diam. 102,5) : FRF 165 000 – PARIS, 10 avr. 1996 : *Allégorie de la Peinture*, h/t (88x109,5) : FRF 190 000 – PARIS, 11 déc. 1996 : *Bacchanale*, h/t (72,5x88) : FRF 180 000 – NEW YORK, 3 oct. 1996 : *Zéphire et Flore*, h/t (66,7x84,5) : USD 23 000 – NEW YORK, 30 jan. 1997 : *Deux Femmes au clavier*, h/t (101x81,9) : USD 54 625 – PARIS, 17 juin 1997 : *Portrait du musicien Boucon*, t. (92x73) : FRF 180 000 – NEW YORK, 21 oct. 1997 : *Tobie guérissant la cécité de son père avec l'archange Raphaël*, h/t (103,5x80,6) : USD 51 750.

TROY Léon de. Voir **DETROY**

TROY Nicolas de. Voir **TROY Antoine de**

TROY Richard James H.
XIXe siècle. Irlandais.
Sculpteur de portraits.
Il exposa à Dublin de 1827 à 1834.

TROYA Aleas Vasco de. Voir **ALEAS VASCO DE TROYA Leonardo**

TROYA Blas de
XVIe siècle. Travaillant à Tolède de 1537 à 1552. Espagnol.
Sculpteur d'armoiries et d'ornements.

TROYA Félix
Né en 1660 à Jativa. Mort le 8 novembre 1731 à Valence. XVIIe-XVIIIe siècles. Espagnol.
Peintre d'histoire.
Élève de Gaspard de la Huerta. Il fut très employé pour la décoration d'églises des environs de Valence et l'on y trouve nombre de ses ouvrages. On cite aussi un de ses tableaux à S. Agostino, à Valence. Troya fut un puissant coloriste.

TROYA Leonardo de. Voir **ALEAS VASCO DE TROYA Leonardo**

TROYA Rafael
XIXe siècle. Actif dans la seconde moitié du XIXe siècle. Équatorien.
Peintre de paysages.
Il a essentiellement peint des paysages de Quito.
MUSÉES : LEIPZIG (Mus. ethnographique) : quatre-vingt-deux paysages de l'Équateur.
VENTES PUBLIQUES : NEW YORK, 17 mai 1989 : *Paysage équatorien avec des volcans*, h/t (55,5x72,4) : USD 4 400.

TROYA Vasco de
XVe siècle. Actif à Tolède de 1459 à 1463. Espagnol.
Sculpteur sur pierre et sur bois.
Probablement parent de Leonardo Aleas Vasco de Troya.

TROYA Vasco de
XVIe siècle. Travaillant à Tolède en 1503. Espagnol.
Peintre verrier.
Probablement parent de Leonardo Aleas Vasco de Troya.

TROYE Edward
Né en 1808 en Suisse. Mort en 1874 à Georgetown. XIXe siècle. Américain.
Peintre d'animaux.
Il s'établit en Amérique en 1828 et travailla surtout à Philadelphie.
Il peignit essentiellement des chevaux.
VENTES PUBLIQUES : NEW YORK, 15 fév. 1934 : *Boston Filly* : USD 300 ; *Bob Cottrill* : USD 200 – LONDRES, 10 juil. 1964 : *L'étalon* : GNS 200 – NEW YORK, 4 juin 1982 : *General Callender Irvine's Busiris* 1834, h/t (60,4x76,2) : USD 50 000 – NEW YORK, 14 juin 1983 : *Asteroid at stud* 1870, h/t (64,8x79,4) : USD 40 000 – NEW YORK, 7 juin 1985 : *Reality dans un paysage* 1833 h/t (53,4x63,5) : USD 20 000 – NEW YORK, 4 juin 1987 : *Pur-sang bai dans un paysage*, h/t (64,2x76,8) : USD 30 000 – NEW YORK, 7 juin 1991 : *Busiris, le cheval du général Callender Irvines dans un paysage* 1834, h/t (59,7x74,9) : USD 18 700 – NEW YORK, 23 sep. 1992 : *Le cheval American Eclipse* 1834, h/t (64,8x75,9) : USD 16 500.

TROYEN Jan Van
Né vers 1610 à Bruxelles. Mort après 1666. XVIIe siècle. Éc. flamande.
Graveur au burin et à l'eau-forte.
Il a gravé des sujets de genre et des sujets religieux. On lui doit, notamment, des planches pour la galerie Téniers.

TROYEN Michel
Né en 1875 à Moscou, de parents français. Mort le 14 février 1915 près de Prunay (Marne). XIXe-XXe siècles. Français.

Peintre de paysages urbains, aquarelliste, illustrateur.

Il exposa au Salon des Indépendants à Paris. Il peignit surtout des vues de Paris, où il suggère l'animation par quelques silhouettes et voitures à chevaux. On cite notamment : *Rue de la Paix. Paris.*

VENTES PUBLIQUES : PARIS, 19 fév. 1951 : *La porte Saint-Denis... le soir* : FRF 6 000.

TROYEN Rombout Van ou Troijen

Né vers 1605 à Amsterdam (?). Mort en 1650 à Amsterdam (?). XVIIᵉ siècle. Hollandais.

Peintre de compositions religieuses, sujets mythologiques, portraits, paysages.

Il peignit des paysages italiens dans le genre de ceux de Cuijlenburg. Il a peint aussi des portraits. Ses tableaux mythologiques et bibliques montrent son goût pour les ruines, tombes antiques et grottes.

MUSÉES : BRUNSWICK : *Une grotte avec colonnes* – DUNKERQUE : *Samuel tue Agag, roi des Amalécites* – KASSEL : *Grotte avec brigands* – LILLE : *Un sacrifice dans une grotte* – LUCQUES : *Deux grottes* – *Incendie de Troye* – MUNSTER : *Fête d'un mystère* – STOCKHOLM : *Scène de l'Ancien Testament.*

VENTES PUBLIQUES : PARIS, 28 mars 1708 : *Une grotte avec personnages* ; *Paysage*, ensemble : FRF 40 – PARIS, 1888 : *Pèlerinage d'un fakir à son tombeau* : FRF 312 – PARIS, 17 déc. 1973 : *Paysage fantastique, personnages à l'entrée d'une grotte* : FRF 31 000 – NEW YORK, 15 juin 1977 : *La Tour de Babel*, h/pan. (28x42,5) : USD 5 500 – LONDRES, 28 mars 1979 : *Le Christ guérissant une femme malade* 1647, h/pan. (51,5x67) : GBP 3 700 – COPENHAGUE, 28 avr. 1981 : *Scène de l'histoire d'Esther*, h/pan. (60x49) : DKK 22 000 – PARIS, 22 nov. 1985 : *Le Christ et les docteurs* 1651, h/pan. (28,5x46,5) : FRF 66 100 – PARIS, 5 mars 1986 : *Sacrifice aux idoles*, h/pan. (38x49) : FRF 110 000 – PARIS, 15 avr. 1988 : *L'Incendie de Troie*, h/pan. (23x44) : FRF 3 400 – LONDRES, 19 mai 1989 : *La destruction de Sodome et Gomorre* 1647, h/t (31,4x42,8) : GBP 7 150 – AMSTERDAM, 14 nov. 1990 : *L'incendie de Troie* 1647, h/pan. (22x35) : NLG 25 300 – AMSTERDAM, 16 nov. 1993 : *Salomon adorant les idoles* 1626, h/pan. (60x93,5) : NLG 49 450 – LONDRES, 20 avr. 1994 : *Personnages devant un autel de pierre sculptée dans une caverne*, h/pan. (23x32,5) : GBP 2 760 – NEW YORK, 19 mai 1994 : *Saint Christophe*, h/pan. (22,5x37,8) : USD 4 600 – PARIS, 28 juin 1996 : *L'Incendie de Sodome*, h/t (59,5x84,5) : FRF 38 000 – LONDRES, 31 oct. 1997 : *Le sacrifice de Polyxène, Troie brûlant au loin* 1652, h/t (98,4x126) : GBP 8 050.

TROYEN Sandrina Christina Élizabeth Van, née Enschedé

Née le 27 septembre 1794 à Haarlem. Morte le 11 novembre 1871 à Haarlem. XIXᵉ siècle. Hollandaise.

Peintre de fleurs et aquarelliste.

Le Musée Teyler à Haarlem conserve une aquarelle de cette artiste.

TROYER Johannes

Né le 9 décembre 1902 à Sarntheim. XXᵉ siècle. Autrichien.

Peintre de compositions religieuses, peintre de compositions murales, sculpteur de portraits, bustes, décorateur.

Il fut élève de Herterich à l'Académie de Munich. Il vécut et travailla à Innsbruck.

Il peignit des fresques de façades, des tableaux d'autel et sculpta des portraits en buste.

TRÖYER Josef

Né à Prägarten (Tyrol). XIXᵉ siècle. Autrichien.

Sculpteur sur bois.

Il sculpta des figurines de crèche et de crucifix.

TROYER Prosper de

Né en 1880 à Destelbergen. Mort en 1961 à Duffel. XXᵉ siècle. Belge.

Peintre de genre, figures, intérieurs, natures mortes.
Constructiviste puis expressionniste.

Il fut élève de l'École Saint-Luc d'Oostakker et de l'Académie de Malines.

Il fut en contact avec les futuristes et subit leur influence, dans des œuvres telles : *Le Carillon*, et *La Gare de Milan*, en 1919, La

Toilette animée en 1920. À partir de 1921, il évolua vers l'abstraction constructiviste avant d'être expressionniste.

BIBLIOGR. : José Pierre : *Le Futurisme et le Dadaïsme*, in : *Hre Gle de la peint.*, t. XX, Rencontre, Lausanne, 1966 – in : *Diction. Biogr. Ill. des Artistes en Belgique depuis 1830*, Arto, 1987.

VENTES PUBLIQUES : ANVERS, 13 oct. 1970 : *Le porte-croix* : BEF 60 000 – LOKEREN, 9 nov. 1974 : *La pêche miraculeuse* : BEF 65 000 – LOKEREN, 5 nov. 1977 : *Fillette assise* 1917, h/pan. (114x78) : BEF 90 000 – LOKEREN, 31 mars 1979 : *Fillette à la poupée* 1925, h/pan. (87x66) : BEF 65 000 – LOKEREN, 10 oct. 1987 : *Toilette animée* 1920, h/pan. (150x100) : BEF 720 000 – LOKEREN, 28 mai 1988 : *Le boxeur*, h/pan. (200x100) : BEF 260 000 – LOKEREN, 8 oct. 1988 : *La moisson* 1941, h/pan. (92x102) : BEF 100 000 – LOKEREN, 23 mai 1992 : *Le bain* 1925, h/pan. (142x79,5) : BEF 160 000 – AMSTERDAM, 9 déc. 1992 : *Femme faisant sa lessive*, h/pan. (152x116,5) : NLG 8 050 – LOKEREN, 20 mars 1993 : *Jeune fille* 1917, lav. (31,5x25) : BEF 24 000 – LOKEREN, 15 mai 1993 : *Bucheron*, h/pan. (154x124) : BEF 240 000 – LOKEREN, 9 oct. 1993 : *Le peintre dans son foyer* 1924, h/pan. (121x151) : BEF 240 000 – LOKEREN, 4 déc. 1993 : *Nature morte aux moules* 1914, h/pan. (36,5x48,5) : BEF 30 000 – AMSTERDAM, 6 déc. 1993 : *Deux fillettes dans un jardin* 1917, h/pan. (119x88) : NLG 3 450 – LOKEREN, 11 mars 1995 : *Le bain* 1946, past. (73,5x55) : BEF 36 000 – LOKEREN, 20 mai 1995 : *Rayons X* 1928, h/pan. (120x150) : BEF 450 000 – LOKEREN, 9 mars 1996 : *À bicyclette*, h/pan. (122x91) : BEF 80 000 – LOKEREN, 5 oct. 1996 : *Cour de ferme* 1943, h/pan. (122x122) : BEF 200 000.

TROYON Constant

Né le 28 août 1810 à Sèvres (Seine-et-Oise). Mort le 20 mars 1865 à Paris. XIXᵉ siècle. Français.

Peintre d'animaux, paysages, dessinateur.

Son père, employé à la manufacture de Sèvres, le laissa orphelin à l'âge de sept ans. Sa mère était ouvrière plumassière. Son parrain, Riocreux, conservateur du Musée de la Manufacture de Sèvres, lui donna les leçons de dessin et de peinture sur porcelaine. Il travailla aussi avec Poupart. De bonne heure, il fut ouvrier peintre à la manufacture, mais tout en exerçant sa profession il faisait, à ses instants de loisir, des études de paysages peintes et dessinées. C'est au cours d'une de ces séances qu'il rencontra Camille Roqueplan et par lui entra dans la phalange des jeunes peintres, Th. Rousseau, Paul Huet, Dupré, Diaz, Flers qui avec Cabat déclaraient : « C'est dans la nature, dans la nature seule, que nous devons chercher la science et l'inspiration ». La différence du milieu dans lequel il avait été élevé provoquait chez Troyon une certaine réserve près de ses brillants confrères, il craignait d'être victime de leurs « charges ». Jules Dupré, cependant, gagna sa pleine confiance et il partit en sa compagnie avec Jules André, après le Salon de 1833, pour un voyage d'études dans le fin fond du Berry. C'est de ce moment semble-t-il que date vraiment le début de son éducation artistique. En 1834, il fait la connaissance de Paul Huet qui le marquera aussi. Il visita le Limousin, la Bretagne, l'Orléanais. Comme il n'avait pas de fortune, pour vivre, il peignait sur porcelaine le long de ses voyages et continuait courageusement ses études. En 1847, Troyon alla en Hollande et en Belgique, et ce voyage eut sur la fin de la carrière une importance capitale. L'étude des œuvres de Paul Potter et d'Albert Guyp l'enthousiasma. Il rêva de reprendre leur grande tradition. On affirme cependant que l'idée d'introduire des animaux dans ses paysages lui fut suggérée par son ami Charropin. Il convient de noter que ce ne fut que deux ans après son voyage qu'il leur donna dans ses tableaux un intérêt dominant. En 1847, il avait été élu membre de l'Académie d'Amsterdam, la même année il reçut la croix de Léopold de Belgique. De 1848 à 1865 date de sa mort, c'est donc pendant une période de dix-sept années que Troyon exécuta ce qui compte dans son œuvre.

Troyon avait débuté au Salon de 1833 avec trois numéros, peints dans la forme mesquine et conventionnelle alors à la mode : *Vue de la maison Colas, prise de la culée du pont de Sèvres* ; *Vue de la Fête de Sèvres dans les Quinconces de la Manufacture* ; *Vue du parc de Saint-Cloud.* Il prit part aux expositions de 1835, 1836, 1837, 1838, où il obtint une médaille de troisième classe, de 1839, de 1840 deuxième médaille, chaque étape marquant son progrès. Le Salon de 1841 fut un succès ; il y exposait : *Tobie et l'Ange*, dans un paysage, et Théophile Gautier le louangea. On le voit encore exposant des *Baigneurs* en 1842 ; des *Sites de la Forêt de Fontainebleau* en 1844 : à la recherche d'un succès marquant, il accepte sur les conseils de ses amis de placer des animaux dans ses paysages, dès 1844 ; en 1846, où une première médaille lui fut décernée, il figurait au catalogue avec la *Vallée de Chevreuse* ; *Coupe de bois* ; *Le Braconnier, paysage* ; *Dessous de bois, forêt de Fontainebleau*. En 1848 il avait exposé à côté d'un *Paysage de Fontainebleau* et d'un *Chemin creux en Normandie*, une toile : *Environs d'Amsterdam* et *Environs de La Haye*. Cet envoi lui valut une nouvelle première médaille. En 1849, il fut fait chevalier de la Légion d'honneur. Troyon exposa encore aux Salons de 1850, de 1853, de 1855, première médaille en 1859. En 1867 à l'Exposition universelle, une exposition posthume fut organisée. Le nombre de ses peintures est considérable (des centaines) cela paraîtrait à peine croyable, n'était son extraordinaire facilité d'exécution. Il faut remarquer que toutes ses toiles, petites ou très importantes, paraissent toujours très poussées. Dès son retour de Hollande, Troyon s'était montré novateur : ses vaches ruminantes et ses chevaux, la crinière au vent dans le gras des pâturages « vivaient » vraiment. C'était un art sain, probe, et attrayant qui de suite conquit l'opinion. Cette fidélité à la réalité, à la vraisemblance, n'exclut, ni la force, ni la puissance, au contraire, elle y puise même ses plus heureuses inspirations. A la préoccupation du sujet s'ajoutera désormais celle de la facture qui primera même complètement. Il s'emploiera cependant à concilier les deux problèmes, mais conservera résolument ses ambitions de réaliste. Aussi s'attachera-t-il à la relation des accords, des tons harmonieux, à la délicatesse des vibrations. Lois éternelles d'équilibre et de stabilité. Sans chercher positivement à inventer un langage nouveau, il voit les mêmes choses que les maîtres hollandais ; il les voit avec le même respect de leurs formes et de l'harmonie de leur ensemble. La franchise des valeurs et la dégradation toujours observée des jeux de la lumière sont des qualités visibles dans l'œuvre du peintre. On sent qu'il se soumet à une discipline stricte, cependant il conserve la puissance de ses harmonies, et ses verts profonds résonnent comme un timbre sonore. C'est par là que Troyon se montre vraiment original et bon peintre dans la liberté de sa pratique. Troyon est au départ un conciliateur entre diverses tendances du paysage. Sa touche de plus en plus libre porte peut-être la trace d'une trop grande habileté ; l'habileté pour elle-même au détriment de la rigueur dans la composition et la recherche de la profondeur d'expression.

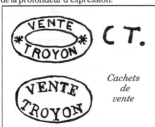

Cachets de vente

BIBLIOGR. : L. Soullié : *Constant Troyon*, Legueltel, Paris, 1900 – Pierre Miquel : *Le paysage français au XIXᵉ siècle, 1824-1874. L'école de la nature*, Maurs, chez l'auteur, 1975 – Pierre Miquel, in : *Le paysage français au XIXᵉ siècle 1800-1900, l'école de la nature*, Éditions de La Martinelle, vol. II-III, Maurs-la-Jolie, 1985.

MUSÉES : AMIENS : *Vue prise dans le parc de Saint-Cloud - Marine*, étude – AMSTERDAM : *Le cabestan* – AMSTERDAM (mun.) : *Troupeau dans l'orage* – BAYONNE (Mus. Bonnat) : *Un cheval, un taureau et deux vaches*, études – BORDEAUX : *Bœufs au labour* – BOSTON : *Paysage près de Dieppe – Paysage avec mouton – Paysage près de Paris* – BRUXELLES : *L'arc-en-ciel après l'orage* – CHARTRES : *une étude – une esquisse* – CLAMECY : *une esquisse* – COLOGNE : *Paysage* – DETROIT : *Retour du troupeau – Bétail à l'abreuvoir* – DIJON : *Coq et lapins – Paysage italien* – ÉDIMBOURG : *Mouton et berger – Retour du travail – Un pâturage en Touraine* – FRANCFORT-SUR-LE-MAIN : *Vaches au pâturage* – GLASGOW : *Paysage, avec bétail – Moutons – Le retour du marché – Bétail* – HAMBOURG : *Bêtes à cornes et moutons* – LE HAVRE : *Troupeau de moutons en marche aux environs de Sézanne – Soleil couchant* – LA HAYE (Mesdag) : *Le retour du marché – Paysage avec vaches – Les foins – Soleil d'après-midi – Une vache – Moutons – Automne* – KASSEL : *Moisson devant un village* – LEIPZIG : *Vaches paissant* – LILLE (Mus. des Beaux-Arts) : *Coupe de bois – Paysage en forêt de Fontainebleau* – LIMOGES : *Les vendanges de Suresnes* – LONDRES (Wallace) : *Vaches à l'abreuvoir – Bestiaux pendant l'orage* – LYON : *Vaches au pâturage* – LE MANS : *Un fermier dans sa charrette* – MARSEILLE : *Rentrée du troupeau* – MONTPELLIER : *L'abreuvoir – Vaches normandes* – MONTRÉAL : *Villageois à la porte d'une chaumière – Clair de lune* – MOSCOU (Gal. Tretiakov) : *Le bœuf – Chien et lapins – Brebis – Auprès d'un abreuvoir* – MULHOUSE : *Le braconnier* – NEW YORK (Metropolitan Mus.) : *Une vache blanche*, étude – *Le berger avec une brebis blanche – En allant au marché – Bétail hollandais* – PARIS (Mus. d'Orsay) : *Bœufs se rendant au labour, effet de matin – Retour à la ferme – Berger ramenant son troupeau – Le taureau – Vaches buvant – En route pour le marché – Le pâturage – Le retour à la ferme – Le garde-chasse arrêté – Le garde-chasse allant à la forêt – Le retour du marché – Bœufs allant au labour – La vache rousse – La vache blanche – La mare aux canards – Le pâturage,* deux œuvres – *Vaches au repos – La vache blanche qui se gratte – Le passage du gué – Cours d'eau sous bois – Passage du gué – Vaches au pâturage – L'abreuvoir – La provende des poules – Troupeau de moutons – Le matin – Vaches à l'abreuvoir – Le petit troupeau – Passage du gué – La gardeuse de dindons – La carrière – La rencontre des troupeaux – Les hauteurs de Suresnes* – REIMS : *une aquarelle – Sous bois* – LA ROCHELLE (Mus. des Beaux-Arts) : *Les bûcherons* 1839 – ROUEN : *Vaches à l'abreuvoir* – SCEAUX : *Le château de Saint-Cloud – L'entrée du village de Sèvres* 1834 – TROYES : *Étude de deux figures* – VALENCE : *Le château de Saint-Cloud* – VIENNE : *Groupe de poules, devant une maison de paysans* – VIRE : *une aquarelle – Deux paysages*, esquisses.

VENTES PUBLIQUES : PARIS, 1853 : *Le Gué* : FRF 3 925 – PARIS, 1857 : *La Saulée aux vaches* : FRF 6 000 – PARIS, 30 mars 1865 : *L'Abreuvoir* : FRF 4 550 – PARIS, 1865 : *Deux vaches au pâturage* : FRF 6 500 – PARIS, 1866 : *Vache dans un enclos* : FRF 12 100 ; *Le Garde-chasse et ses chiens* : FRF 6 950 ; *Chiens écossais* : FRF 10 000 ; *Deux paires de bœufs* : FRF 20 300 – PARIS, 1871 : *Le Chemin du marché* : FRF 20 100 – VIENNE, 1872 : *Le Retour de la ferme* : FRF 34 040 – PARIS, 1872 : *Animaux fuyant l'orage* : FRF 63 000 – PARIS, 1877 : *Pâturage* : FRF 62 000 – PARIS, 1883 : *L'Abreuvoir* : FRF 80 000 – PARIS, 14 déc. 1883 : *Chiens de chasse saisissant un canard* : FRF 63 000 – NEW YORK, 1887 : *Pâturage* : FRF 55 000 – LONDRES, 1888 : *Le Bas* : FRF 91 875 – PARIS, 1888 : *La Barrière* : FRF 101 000 – NEW YORK, 1888 : *Animaux fuyant l'orage* : FRF 136 000 – LONDRES, 1891 : *En route pour le marché* : FRF 123 450 – PARIS, 1892 : *Pâturage en Touraine* : FRF 73 000 – PARIS, 1892 : *L'Approche de l'orage* : FRF 100 000 – LONDRES, 1895 : *Garde-chasse et chien* : FRF 75 000 – NEW YORK, 1898 : *Le Sentier* : FRF 68 500 – NEW YORK, 1898 : *Vaches au pâturage* : FRF 110 000 – LONDRES, 1899 : *Ferme laitière* : FRF 166 400 ; *L'Heure de la traite* : FRF 160 000 – PARIS, 7 mai 1903 : *Le Bœuf blanc* : FRF 19 500 – PARIS, 4-5 déc. 1905 : *Vaches à la lisière d'un bois* : FRF 40 100 – NEW YORK, 19 janv. 1906 : *Moutons au pâturage* : USD 3 100 ; *Paysage et bestiaux* : USD 2 900 – NEW YORK, 15-16 fév. 1906 : *Retour au logis* : USD 1 500 – NEW YORK, 12-14 mars 1906 : *Volailles* : **USD 3 800** – New York, 27 avr. 1906 : *Paysage* : **USD 5 000** ; *Groupe de bestiaux* : **USD 5 000** – Paris, 15 nov. 1906 : *La rentrée des bêtes* : **FRF 34 500** – New York, 25 jan. 1907 : *Le fardier* : **USD 7 000** ; *Allant au marché* : **USD 16 000** ; *Retour à la ferme* : **USD 65 000** – Paris, 12-14 juin 1907 : *La charrette de blé* : **FRF 1 800** – New York, 12 mars 1908 : *Retour du troupeau le soir* : **USD 7 000** – Londres, 30 avr. 1909 : *Bestiaux près d'une rivière* : **GBP 2 677** ; *Bestiaux au pâturage* : **GBP 2 625** – Londres, 30 juin 1910 : *Vaches au pâturage 1852* : **GBP 6 090** – Paris, 5-6 déc. 1911 : *Départ pour le marché* : **FRF 54 000** – Paris, 30 mai-1er juin 1912 : *Deux vaches sous bois* : **FRF 53 000** – Paris, 25 nov. 1918 : *Vaches et moutons au pâturage* : **FRF 87 000** – Paris, 16-19 juin 1919 : *La bergère* : **FRF 44 000** – Paris, 17 mars 1923 : *L'heure de la traite* : **FRF 15 000** – Londres, 22 juin 1923 : *Sur la route du marché* : **GBP 252** – Paris, 19 mai 1924 : *Les oies* : **FRF 60 100** – Paris, 22 mai 1925 : *Le chien au canard* : **FRF 40 000** – Paris, 23 juin 1926 : *La fête (environs d'Argentan)* : **FRF 18 500** – Londres, 29 avr. 1927 : *Vaches au pâturage* : **GBP 577** – Londres, 13 mai 1927 : *Vaches allant à l'abreuvoir* : **GBP 472** ; *Le déchargement du bac* : **GBP 420** – Londres, 8 juil. 1927 : *La descente des vaches* : **GBP 567** – Paris, 16 nov. 1928 : *La provende des poules* : **FRF 13 500** – New York, 15 nov. 1929 : *La côte normande* : **USD 1 000** – New York, 20 févr. 1930 : *Rentrée du troupeau à la ferme* : **USD 800** – New York, 10 avr. 1930 : *Paysage au coucher du soleil* : **USD 700** – Paris, 17 mai 1930 : *Animaux au repos au bord de la mer, près du Havre* : **FRF 15 100** ; *Vaches arrêtées près d'un grand bois, au soleil couchant* : **FRF 4 200** ; *Moulin dans les dunes* : **FRF 8 500** – New York, 23 nov. 1934 : *La vallée de la Touques* : **USD 500** ; *La charrette de foin* : **USD 2 200** – Paris, 28 mai 1935 : *Bœufs au labour* : **FRF 38 100** – New York, 1er nov. 1935 : *Ferme bretonne* : **USD 775** – Paris, 29 nov. 1935 : *Porteurs d'eau* : **FRF 30 000** – Paris, 5 déc. 1936 : *Retour du marché* : **FRF 12 200** – Paris, 20 mai 1942 : *Vaches sur la falaise* : **FRF 20 700** – Paris, 30 déc. 1942 : *Paysage* : **FRF 27 000** – Paris, 29 jan. 1943 : *Le chemin du village*, past. : **FRF 39 000** – New York, 26 mai 1943 : *Sur la route du marché* : **USD 2 800** – New York, 15 jan. 1944 : *Nuages de pluie* : **USD 650** – New York, 4 mai 1944 : *Scène de pâturage* : **USD 1 200** – Paris, 17 mai 1944 : *Le retour à la ferme* : **FRF 71 000** ; *La rentrée du troupeau* : **FRF 71 000** – Paris, 24 mai 1944 : *Bestiaux au pré 1852* : **FRF 80 100** – Paris, 19 jan. 1945 : *Vaches au pâturage* : **FRF 101 000** – New York, 28 févr. 1945 : *Rentrée du troupeau à la ferme* : **USD 700** – New York, 15 mars 1945 : *Paysage* : **USD 2 200** – Paris, 23 mars 1945 : *Marais*, grisaille : **FRF 31 000** – New York, 18-19 avr. 1945 : *Bois en automne* : **USD 600** ; *Sur la route* : **USD 1 400** – New York, 31 mai 1945 : *Fontainebleau* : **USD 1 350** – New York, 13 déc. 1945 : *Vaches au pâturage* : **USD 850** – Paris, 24 mai 1946 : *Le soir descend sur le fleuve* : **FRF 22 000** – Paris, 6 juin 1947 : *L'abreuvoir 1858* : **FRF 51 000** – Paris, 19 jan. 1949 : *Vaches au pré* : **FRF 58 000** – Paris, 29 juin 1949 : *L'Abreuvoir au crépuscule* : **FRF 43 000** – Paris, 28 nov. 1949 : *Le Troupeau de vaches 1845*, past. : **FRF 24 000** – Alexandrie, 16 déc. 1949 : *Étude de jeune taureau* : **GBP 100** – Paris, 1er févr. 1950 : *Les bûcherons 1856* : **FRF 22 500** – Genève, 6 juin 1950 : *Bergère et son troupeau* : **CHF 3 600** – Paris, 29 nov. 1950 : *Lavandières et enfants dans un paysage* : **FRF 101 000** – Genève, 10 mars 1951 : *Deux chiens à la lisière d'un bois* : **CHF 2 400** ; *Paysage 1845* : **CHF 1 600** – Londres, 14 mars 1951 : *Le retour des pêcheurs* : **GBP 80** – Paris, 20 juin 1951 : *Bœufs près d'un saule* : **FRF 58 000** – Londres, 15 juin 1954 : *Un chemin en Normandie* : **FRF 70 000** – New York, 14 jan. 1959 : *Paysage côtier, Étretat*, past. sur pap. brun : **USD 1 200** – Londres, 28 jan. 1959 : *La fin du jour* : **GBP 140** – Londres, 29 nov. 1967 : *La guitariste, George Sand* : **GBP 500** – Lucerne, 22 juin 1968 : *Bord de rivière* : **CHF 10 600** – Londres, 14 avr. 1970 : *Vaches au pâturage* : **GNS 1 000** – Londres, 3 déc. 1971 : *Clairière* : **GNS 2 400** – Vienne, 22 mai 1973 : *Jeune bergère* : **ATS 65 000** – Londres, 6 mars 1974 : *Paysage à la ferme* : **GBP 900** – Paris, 31 mars 1976 : *Paysage, le troupeau*, h/pan. (54x65) : **FRF 28 000** – Zurich, 25 nov. 1977 : *Pâturage, ciel orageux*, h/t (54,5x65,5) : **CHF 4 500** – Paris, 16 mai 1979 : *La vanne*, fus. avec reh. de blanc/pap. crème (60x42) : **FRF 6 500** – Paris, 26 juin 1979 : *Troupeau à la mare, paysage normand*, h/t (46x65) : **FRF 28 000** – New York, 21 nov. 1980 : *Bord de rivière*, past./pap. mar./t (43,5x35,2) : **USD 4 250** – Roubaix, 13 déc. 1981 : *Troupeau et bergers près de la mare*, h/t (69x94) : **FRF 120 000** – Paris, 30 nov. 1983 : *Barque traversant un gué*, dess. reh. de gche et d'aquar. (71x53) : **FRF 7 000** – New York, 29 févr. 1984 : *La traversée de la rivière*, past. (52x68) :

USD 6 000 – New York, 24 mai 1984 : *Paysage orageux 1859*, h/t (113x145) : **USD 12 000** – New York, 30 oct. 1985 : *Personnage et chaumière dans un paysage fluvial*, past. (65x51,4) : **USD 900** – Monaco, 17 juin 1988 : *Le petit moulin*, h/t (64,5x54) : **FRF 33 300** ; *Paysanne sur un chemin menant à l'étang de la dame*, h/pan. (46x65) : **FRF 55 500** – Versailles, 6 nov. 1988 : *La promenade dans la campagne*, mine de pb (8,8x17,5) : **FRF 4 200** – Milan, 14 mars 1989 : *Vaches s'abreuvant dans une mare ombragée*, h/t (98x130) : **ITL 19 000 000** – Paris, 12 avr. 1989 : *Berger et son troupeau*, h/t (46x55) : **FRF 28 000** – Göteborg, 18 mai 1989 : *Ferme avec ses dépendances*, h/pan. (40x59) : **SEK 19 000** – Paris, 5 juin 1989 : *Troupeau au crépuscule*, h/t (86x130) : **FRF 35 000** – Paris, 14 juin 1989 : *Effet de ciel*, h/pan. (18x23) : **FRF 13 500** – Reims, 22 oct. 1989 : *Paysage*, h/pan. (22x30) : **FRF 4 000** – Monaco, 3 déc. 1989 : *Paysanne sur un chemin*, h/pap./pan. (27x19) : **FRF 21 090** – Londres, 14 févr. 1990 : *Le vieux pont*, h/pan. (30x40,5) : **GBP 4 180** – New York, 28 févr. 1990 : *L'Approche de l'orage*, h/t (92,7x130,2) : **USD 44 000** – New York, 22 mai 1990 : *Vaches et moutons au pâturage 1862*, h/t/pan. (80x108) : **USD 71 500** – Monaco, 16 juin 1990 : *Vue de La Ferté-Saint-Aubin près d'Orléans*, h/t (129x192) : **FRF 3 996 000** – Paris, 17 oct. 1990 : *Sous-bois en hiver*, h/t (24x32) : **FRF 6 000** – Monaco, 8 déc. 1990 : *Troupeau dans la campagne*, h/t (80x100) : **FRF 49 950** – Amsterdam, 24 avr. 1991 : *Bétail dans un paysage au soleil couchant*, h/pan. (22,5x37,5) : **NLG 4 600** – New York, 18 juin 1991 : *Vaches se désaltérant dans une mare*, past., cr. noir avec reh. de blanc/pap. bleu (29,2x44,5) : **USD 4 620** – Londres, 19 juin 1991 : *Vache près de son gardien endormi*, h/pan. (37x46) : **GBP 3 520** – Rome, 14 nov. 1991 : *Vaches se désaltérant au bord d'un fleuve*, h/pan. (14,5x32,3) : **ITL 13 800 000** – Paris, 25 nov. 1991 : *Vaches dans un pré*, h/pan. (29x45,5) : **FRF 6 200** – New York, 20 févr. 1992 : *Chevaux se désaltérant*, h/t (50,8x61,9) : **USD 15 400** – Paris, 11 mars 1992 : *Bergère et troupeau*, past./t (22,5x27,5) : **FRF 16 100** – Amsterdam, 22 avr. 1992 : *Taureau dans une prairie ensoleillée*, h/t (47x55) : **NLG 9 200** – New York, 27 mai 1992 : *Bétail paissant dans un vaste paysage 1857*, h/pan. (49,5x71,1) : **USD 16 500** – Paris, 26 juin 1992 : *Le chemin de la ferme*, peint./pan. (25x20,5) : **FRF 26 000** – New York, 27 mai 1993 : *Clairière dans la forêt*, h/t (162,5x231) : **USD 222 500** – Paris, 29 juin 1994 : *Paysage le soir*, h/pan. (21x14) : **FRF 11 100** – Londres, 16 nov. 1994 : *Fermière faisant boire ses vaches à la rivière*, h/pan. (22,5x35) : **GBP 3 910** – Paris, 1er déc. 1995 : *Vue des environs de la Manufacture de Sèvres avec à l'horizon le pont de Saint-Cloud et le Mont Valérien*, h/t (38x62,5) : **FRF 63 000** – Paris, 15 mai 1996 : *Intérieur d'écurie*, h/t (41x39,5) : **FRF 4 000** – Paris, 12 juin 1996 : *Cheval de labour tirant une herse*, h/t (65x81,5) : **FRF 25 000** – Londres, 12 juin 1996 : *Les Laveuses*, h/t (93x140) : **GBP 177 500** – Paris, 10 déc. 1996 : *Le Semeur*, fus. et reh. de craie/pap. (47,5x62) : **FRF 4 000** – Paris, 12 déc. 1996 : *L'Attelage*, past./pap. mar. (100x129) : **FRF 28 000**.

TROYSIO Grazioso de
Né à Sulmona. xve siècle. Actif à la fin du xve siècle. Italien.
Sculpteur.
Il travailla en 1493 pour l'église S. M. della Scala de Naples.

TROZELIUS Carl Wilhelm. Voir TROSELIUS
TROZO Enrique ou Henrique
xviie siècle. Actif à Valladolid en 1605. Espagnol.
Peintre.
TROZO da Monza. Voir TROSO da Monza
TRSAR Drago
Né en 1927 à Planina (Rakek). xxe siècle. Yougoslave.
Sculpteur. Figuratif puis abstrait-géométrique.
Il fut élève de l'Académie des Beaux-Arts de Ljubljana, jusqu'en 1951. Il vit et travaille à Ljubljana.
Il participe à de nombreuses expositions de groupe, notamment : 1955 Biennale d'Alexandrie, où il reçut une distinction ; 1959 Biennale de Rijeka, où il reçut un prix ; puis XXIXe Biennale de Venise ; Kassel ; Anvers ; Cologne ; Bochum ; Zurich ; New York ; Washington ; etc. Il a également montré à plusieurs reprises ses œuvres dans des expositions personnelles depuis 1953.
Longtemps figuratif, il donnait forme à des collectivités humaines : manifestants, spectateurs d'un spectacle, habitants d'une ville dans leurs occupations, sans s'arrêter aux détails anecdotiques de ses thèmes. Ensuite il a évolué vers l'abstraction, souvent à caractère géométrique, travaillant les matériaux variés, le bronze classique, mais également le Polyester.

Bibliogr. : *Nouveau diction. de la sculpt. mod.*, Hazan, Paris, 1970 – *Catalogue du IIIe Salon international des Galeries Pilotes*, Musée cantonal, Lausanne 1970.

TRSTENJAK Ante
Né en 1894 à Ljutomer. xxe siècle. Yougoslave.
Peintre.
Il fit ses études à Prague et à Paris. Il peignit des scènes populaires de Lusace.

TRUAX Sarah E.
Née dans l'Iowa. xxe siècle. Américaine.
Peintre.
Elle fut élève de l'Art Institute de Chicago. Elle fut membre de la Ligue américaine des Artistes Professeurs, et obtint plusieurs récompenses.

TRUB Charles
Né le 18 mai 1925 à Zurich. xxe siècle. Suisse.
Peintre de paysages, peintre de compositions murales, peintre de cartons de vitraux.
En 1955, il obtient une bourse de la ville de Zurich et l'année suivante, à Paris, étudie à l'école des beaux-arts et l'académie de la Grande Chaumière.
Depuis 1952, il participe à des expositions collectives. Il montre ses œuvres dans des expositions personnelles, principalement en Suisse.

TRUBBIANI Valeriano
Né en 1937 à Macerata. xxe siècle. Italien.
Peintre.
Ventes Publiques : Milan, 17 nov. 1981 : *Colomba incatenata*, acier et fer, multiple (35x83) : **ITL 700 000** – Rome, 20 mai 1986 : *Urbis fragilis* 1984, bronze patiné (54x22x37) : **ITL 3 000 000** – Rome, 15 nov. 1988 : *Canard prisonnier* 1974, fonte et acier (34x44x25) : **ITL 2 000 000** – Milan, 12 juin 1990 : *Tropheum vanitatis* 1984, bronze (33x53) : **ITL 4 000 000**.

TRUBE J.
xixe siècle. Actif à Altona de 1830 à 1840. Allemand.
Peintre, lithographe.
Il grava quelques vues de Hambourg après le grand incendie de 1842.

TRUBEL Otto
Né le 7 août 1885 à Vienne. xxe siècle. Autrichien.
Peintre, graveur.
Il fit ses études à Vienne. Il pratiqua la gravure à l'eau-forte.

TRUBERT François
xve siècle. Actif à Rouen. Français.
Sculpteur sur bois.
Il travailla sous Philippot Viart aux stalles de la cathédrale de Rouen de 1461 à 1462.

TRUBERT Georges
xve siècle. Actif dans la seconde moitié du xve siècle. Français.
Enlumineur.
Il fut au service de René d'Anjou de 1469 à 1480.

TRUBERT Guillaume
xvie siècle. Travaillant à Rouen de 1527 à 1529. Français.
Sculpteur d'ornements.

TRUBERT Jeannin
xive siècle. Actif à Troyes de 1364 à 1370. Français.
Sculpteur.

TRUBERT Perrin ou Pierre I
xive-xve siècles. Actif à Troyes de 1390 à 1402. Français.
Sculpteur.

TRUBERT Perrin ou Pierre II
Né en 1406. Mort en 1462. xve siècle. Actif à Troyes. Français.
Sculpteur.
Il exécuta des colonnes et des ornements pour l'église Sainte-Madeleine de Troyes.

TRUBERT Thomas
xive siècle. Actif à Troyes de 1370 à 1376. Français.
Sculpteur.

TRUBEZKOJ. Voir TROUBETZKOY

TRUBILLIO Johann ou Giovanni Andreas ou Trubiglio, Trubili, Trubilius, Troubillier, Turbilli, Tourbilli, Torbiglio
Né probablement à Roveredo. Mort le 6 mars 1721 à Munich. xviiie siècle. Suisse.

Peintre et architecte.
Il travailla à la Cour de Munich et pour le château de Schleissheim. Il exécuta des fresques dans la Résidence de Munich.

TRÜBNER Alice, née Auerbach
Née le 24 août 1875 à Bradford. Morte le 20 mars 1916 à Berlin. xxe siècle. Allemande.
Peintre de portraits, paysages, natures mortes.
Femme de Wilhelm Trübner. Elle exposa à Berlin à partir de 1903.
Musées : Francfort-sur-le-Main (Mus. Staedel) : *Nature morte* – Karlsruhe (Kunsthalle) : *Nature morte* – *Le Château d'Hemsbach*.

TRÜBNER Wilhelm ou Heinrich Wilhelm
Né le 3 février 1851 à Heidelberg. Mort le 21 décembre 1917 à Karlsruhe. xixe-xxe siècles. Allemand.
Peintre de compositions mythologiques, histoire, genre, portraits, paysages.
Il fut élève de Wilhelm Leibl à Munich, après 1871. Il travailla à Munich. En 1892, il rejoignit le groupe de la Secession de Munich. En 1896, il fut nommé professeur au Städelsches Institut à Francfort-sur-le-Main puis en 1903 enseigna à l'académie des beaux-arts de Karlsruhe, dont il devint directeur l'année suivante. Il reçut une mention honorable à Paris en 1889, fut médaillé à Munich en 1889 et à Chicago en 1893.
Comme les peintres Max Liebermann (1847-1935), Adolf Menzel (1815-1905), Max Slevogt (1868-1932) Wilhelm Trübner appartient à la famille des grands peintres réalistes allemands de la deuxième moitié du xixe siècle, d'abord influencés par Courbet. Ils se caractérisent tous par l'abandon des formules académiques de la peinture classique ainsi que de la couleur conventionnelle dans la lumière d'atelier. Ce sont des peintres du « plein air », comme on le qualifie à cette époque ; influencés par les impressionnistes français (créateurs de la formule), ils adoptent une technique libre et privilégient une peinture aux tonalités hardies, aux contrastes puissants. Ils remplacent ainsi les petits sujets anecdotiques aimables par une traduction de la nature allant souvent jusqu'à la brutalité. Ils s'attachent avant tout à la force de l'expression et ils infusent, après leur triomphe, un sang nouveau à toute l'école moderne allemande. Trübner a donc droit à une place de choix parmi les maîtres les plus estimés de son pays, s'étant montré plus à l'aise dans les paysages à tendance impressionniste que dans ses portraits réalistes.

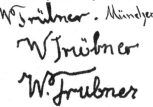

Musées : Aix-la-Chapelle : *Pins au bord d'un lac* – Bâle (Kunstmus.) : *Jeune Fille avec col de fourrure* – Bautzen : *Lisière de la forêt près d'Obing* – Berlin : *Cloître dans l'île Herren, lac de Chiem* – *Sur le canapé* – *Le Peintre Charles Schuch* – *Le Maire Hoffmeister* – *La Fontaine Siegfried dans l'Odenwald* – *Cloître à Stiftneubourg* – *Cavalière* – Bielefeld : *Soirée d'automne* – Bonn (Mus. mun.) : *Le Parc du château d'Hemsbach* – Brême : *L'acteur Josef Kainz* – *Escalier du château de Heidelberg* – *Portrait d'une dame* – *Un Officier des territoriaux* – *A. W. Heymel* – *Amerbach* – Breslau, mus. all. de Wroclau : *Étude de portrait de femme* – *Jeune Fille lisant un livre* – *Chemin forestier* – *Dogue avec des saucisses* – *Étude de chevaux* – *Nature Morte avec des roses* – *Portrait de Nestner* – Bucarest (Mus. Simu) : *Policier* – Chemnitz (Mus. mun.) : *Pomone* – *Cheval au pâturage* – Cologne (Mus. Walraf-Richartz) : *L'Artiste en tenue d'aspirant* – *Chasse de centaures* – *Vue de Frauenchiemsee* – *La Tête de saint Jean-Baptiste* – Darmstadt (Mus. prov.) : *Dans le château de Heidelberg* – Dessau : *Paysage d'automne* – Dresde (Gal. mod.) : *Jeune Fille nue* – *Portrait de l'artiste* – *Dame au chapeau bleu* – *Dame habillée de brun* – *Dame aux cheveux roux* – *Cavalier* – *Jeune Fille aux mains jointes* – *Le Château d'Hemsbach* – Düsseldorf (Mus. mun.) : *Enfant avec un dogue* – *Vue de Frauenchiemsee* – *Nature Morte* – Erfurt : *Paysage au bord du lac de Starnberg* – *Hêtres* – *Portrait de Lucius* – Essen : *Portrait d'une dame* – *Dame habillée de gris* – *Couple d'amoureux avec chien* – *Intérieur au bord du lac de Starnberg* – Francfort-sur-le-Main (Mus. Staedel) : *Nègre assis*

sur un canapé et lisant un journal – Centauresses – Le Monastère d'Amerbach – Dépôt de bois – L'Artiste à cheval – Portrait de Greif – Vue de Cronberg – Au bord du lac de Starnberg – Portrait d'une dame à la robe violette – Champ de chaumes près de Wessling – L'Abbaye de Neubourg – L'Aile Ottoheinrich du château de Heidelberg – Le Menuisier – GDANSK, ancien. Dantzig : Mme Neal – Paysage de l'Odenwald – La Vallée de Marbach – Moine fumant – HALLE (Mus. mun.) : Tilly dans la bataille de Wimpfen – Paysage sylvestre au bord d'un lac – HAMBOURG (Kunsthalle) : En buvant le vin romain – Portrait de Weber – Faisans – Le Christ descendu de la croix – Le Lac de Chiemsee – Atelier de charpentier au bord du lac de Wessling – Nature morte avec pommes – Le Monastère de Seeon – Le Château de Lichtenberg – Le Portrait du bourgmestre M. Mönckeberg – Paysage au bord du lac de Starnberg – HANOVRE (Mus. mun.) : Deux Mains – Enfants se battant – Nègre fumant – Jeune Fille – Maison au milieu d'un parc – Paysan espagnol – HEIDELBERG : L'Artiste jeune – Portrait du gymnaste Mai – KALININGRAD, ancien. Königsberg : Le Château d'Helmsbach – KARLSRUHE : À l'église – L'Aspirant Höpfner – Combat de titans – César devant le Rubicon – Peaux de léopards – Portrait du père de l'artiste – Le Monastère de Seeon – Portrait de K. Trübner – Cavalier – Au bord du lac de Starnberg – Au bord du lac de Mondsee – Intérieur de forêt – Dame en bleu – Tilly reçoit la bénédiction avant la bataille de Wimpfen – Bouleaux près de Herrenchiemsee – Portrait d'Eisenbart – L'Artiste – Champ de maïs – LEIPZIG : Vue de Cronberg – Bataille de géants – Portrait de M. Gungl – MAGDEBOURG : Jeune Écossais – Mur d'un couvent – Vue de Frauenchiemsee – MANNHEIM (Mus. mun.) : Gibier mort – Sanglier et chien – Portrait des parents de l'artiste – Cour dans l'abbaye de Neubourg – Portail de l'abbaye de Neubourg – Buisson de roses – Paysage au bord du lac de Starnberg – MAYENCE : Au bord du lac de Starnberg – MILAN (Gal. mod.) : Nu féminin de dos – MUNICH (Mus. nat.) : Dogue auprès d'un pont – Le Christ au tombeau – Portrait de M. Thiele – Dame blonde avec chapeau et fourrure – Le Château d'Hemsbach – Mlle von Holzhausen – Au bord du lac de Lugano – À la lisière du parc – MUNICH (Mus. mun.) : Bruxelloise avec une cravate bleue – Tilleul sur l'île de Herrenchiemsee – Champ de pommes de terre près de Wessling – Nature Morte avec des roses – Le Lac de Starnberg – MUNICH (Neue Pina.) : Dans l'atelier – Île dans un lac – Vue d'Ermatingen – Au bord du lac de Wessling – NEW YORK (Metrop. Mus.) : Paysage – NUREMBERG (Mus. mun.) : Jeune Homme – Tête d'homme – Dogue aux aguets – Orage sur Heidelberg – Le Chanteur Nieratzky junior – Le Roi de Wurtemberg Guillaume II à cheval – La Chambre du balcon donnant sur le lac de Starnberg – POSEN : Portrait d'une femme – REICHENBERG : Portrait d'une femme – SCHLEISSHEIM : Tête de cheval – SCHWERIN : Cavalier – STETTIN : Pommes et melons – Portrait de femme – Le Château d'Hemsbach – STUTTGART (Gal. nat.) : A la source – Vieille Femme – Le Corps du Christ mort – Cheval d'un cuirassier – Le Roi Guillaume II – VIENNE (Gal. du XIXe siècle) : Officier des territoriaux – Cuirassiers à pied – Couple dans la forêt de hêtres – WEIMAR (Mus. nat.) : Postillon bavarois – WIESBADEN : Dame blonde à la fourrure – Dépendances du château d'Amerbach – Jardin de roses à Hemsbach – Portrait de M. von Ibell – Portrait de Mlle von W – WINTERTHUR : La Brasserie du monastère de Seeon – WUPPERTAL-ELBERFELD (Mus. mun.) : Portrait de l'artiste 1875 – Portrait de l'artiste 1878 – Paysage près de Frauenchiemsee – WÜRZBURG : Étude d'armure – Intérieur de forêt – ZURICH (Kunsthalle) : Route de forêt.

VENTES PUBLIQUES : COLOGNE, 12 déc. 1934 : Vue du lac Starnberg : **DEM 1 050** – MUNICH, 25 avr. 1951 : Nature morte aux roses : **DEM 2 000** – MUNICH, 29-30 sep. 1965 : Nature morte aux fleurs : **DEM 12 000** – COLOGNE, 25 nov. 1972 : Jardin fleuri : **DEM 17 000** – COLOGNE, 23 mars 1973 : Vue de Chiemsee : **DEM 12 000** – COLOGNE, 29 mars 1974 : Paysage : **DEM 5 500** – COLOGNE, 25 juin 1976 : La Terrasse au-dessus du lac de Starnberg, h/t (62x76) : **DEM 20 000** – MUNICH, 25 nov. 1977 : Portrait de femme en robe rouge 1894, h/t (75x61) : **DEM 6 200** – MUNICH, 30 nov 1979 : Nature morte aux fleurs vers 1878, h/pan. (24x18) : **DEM 7 400** – LONDRES, 15 juin 1982 : Ludgate Hill, London, h/t (65,5x49) : **GBP 10 000** – MUNICH, 15 sep. 1983 : Park Knorr am Starnberger See 1908, h/t (62x81) : **DEM 48 000** – MUNICH, 26 nov. 1985 : Patrouille de cuirassiers à la porte d'un monastère 1901, h/t (82,3x102,5) : **DEM 26 000** – MUNICH, 2 juin 1987 : Vue d'Aufkirche au bord du Starnberger See 1911-1912, h/t (60x73) : **DEM 40 000** – LONDRES, 24 fév. 1988 : Arbres au bord de l'eau, h/t (60,2x58,2) : **GBP 3 740** – LONDRES, 26 juin 1990 : La Roseraie de l'hospice 1913, h/t (61x75,5) : **GBP 38 500** – NEW YORK, 21 mai 1991 : Tête de jeune femme, h/t/pan. (38x34,3) : **USD 1 210** –

AMSTERDAM, 30 oct. 1991 : Jeune fille de Chiem, h/t (64,5x45,5) : **NLG 14 950** – HEIDELBERG, 11 avr. 1992 : Nu féminin debout appuyé à un arbre, h/cart. (78x42) : **DEM 2 800** – HEIDELBERG, 9 oct. 1992 : Jeune femme dans un arbre 1907, h/t (71,5x57) : **DEM 26 000** – HEIDELBERG, 15-16 oct. 1993 : Tête de cheval bai à chanfrein blanc, h/t (76,55x47) : **DEM 7 000** – HEIDELBERG, 5-13 avr. 1994 : Promenade dans un parc 1874, h/cart. (27,3x33) : **DEM 12 500** – LONDRES, 13 oct. 1994 : Nature morte de pommes et de poires sur une table drapée 1876, h/t (34x39,4) : **GBP 23 000** – HEIDELBERG, 8 avr. 1995 : Chalet dans les bois 1912, h/t (40x50) : **DEM 24 000** – AMSTERDAM, 11 avr. 1995 : Portrait d'un homme avec un chapeau 1900, h/t (53x36) : **NLG 2 832** – LONDRES, 11 oct. 1995 : Point de vue sur le lac de Starnberger, h/t (61,5x76,2) : **GBP 13 800** – MUNICH, 25 juin 1996 : Portrait de fillette 1878, h/t (56x45) : **DEM 9 844** – LONDRES, 9 oct. 1996 : Dans le jardin de l'amour 1913, h/cart. (79,5x49,8) : **GBP 9 200**.

TRUBUS
Né en 1926 à Yogyakarta. XXe siècle. Indonésien.
Peintre de compositions animées.

Il étudia la peinture à Jakarta pendant l'occupation japonaise. Il entra dans l'atelier des Jeunes Artistes Indonésiens. De 1950 à 1965, il fut lecteur à l'Académie Indonésienne des Beaux-Arts de Yogyarkarta.

VENTES PUBLIQUES : SINGAPOUR, 5 oct. 1996 : Danseuse Legong 1960, h/t (46x54,5) : **SGD 10 350**.

TRUCANINI
Né vers 1860. Mort en Tasmanie. XIXe siècle. Australien.
Peintre, sculpteur. Aborigène.

BIBLIOGR. : In : Creating Australia – 200 years of art 1788-1988, Adelaïde, 1988.
MUSÉES : ADELAÏDE (South Australian Mus.).

TRUCCHI Antonio da Beinasco
XVe siècle. Actif dans le Piémont dans la seconde moitié du XVe siècle. Italien.
Sculpteur.

Il a sculpté un tabernacle pour la cathédrale de Turin en 1455.

TRUCHET Abel. Voir ABEL-TRUCHET Louis

TRUCHET Antoine Gaspard
Né vers 1772 à Saint-Germain-en-Laye. Mort le 15 juillet 1837 à Chartres (Eure-et-Loir). XVIIIe-XIXe siècles. Français.
Peintre et miniaturiste.

Il entra à l'École des Beaux-Arts le 8 Nivôse an 5. Il s'établit à Chartres et fut professeur de dessin au collège de cette ville. On cite de lui une miniature : Portrait de Mlle Armandine Maillard.

TRUCHET Julia. Voir ABEL-TRUCHET Julia

TRUCHI L. Voir TRUCHY

TRUCHMENSKI Afanassi
XVIIe siècle. Actif à Moscou au milieu du XVIIe siècle. Russe.
Graveur au burin.

TRUCHOT Jean
Né en 1798. Mort en 1823 à Paris. XIXe siècle. Actif à Paris. Français.
Peintre d'histoire, scènes de genre, intérieurs, architectures, paysages, natures mortes, lithographe.

Cet artiste, qui paraît être mort jeune, débuta au Salon de 1819 et obtint une médaille de deuxième classe en 1822.

Il travailla pour le duc d'Orléans (depuis Louis-Philippe). Il peignit particulièrement des sujets d'architecture, châteaux féodaux, intérieurs de cloîtres, d'églises, etc. Il visita l'Angleterre et peignit, notamment, la cathédrale de Canterbury. Xavier le Prince fut son ami et peignit parfois des figures dans ses tableaux.

MUSÉES : CHAUMONT : Nature morte – CHERBOURG : Mérovée et Brunehaut se réfugient au pied des autels – MONTPELLIER : La cour de l'Hôtel de Cluny.
VENTES PUBLIQUES : PARIS, 10-11 mai 1897 : Les orphelines : **FRF 55** – PARIS, 10-16 déc. 1992 : Convoi d'Isabeau de Bavière, h/t (81x106,5) : **FRF 25 000** – PARIS, 31 mars 1995 : Ruines de la tour de Neauphle, h/t (33x25) : **FRF 10 000**.

TRUCHY L. ou Truchi
Né en 1731 à Paris. Mort en 1764 à Londres. XVIIIe siècle. Actif à Londres. Français.
Graveur au burin.

Il vint s'établir à Londres et travailla surtout pour les libraires, notamment pour Boydell.

TRUCHY Prudence Marie
XIXe siècle. Active à Paris. Française.

Peintre de fleurs.
Elle exposa au Salon de 1843 à 1849.

TRUDEAU Yves
Né en 1930 à Montréal. xxe siècle. Canadien.
Sculpteur, céramiste.
Il a trouvé sa formation auprès de praticiens sculpteurs et céramistes. Il fut élève de l'école des Beaux-Arts de Montréal. Il a reçu plusieurs bourses, notamment du conseil des Arts du Canada (1963, 1964, 1969) et du ministère de l'éducation du Québec (1970-1971). Il fut membre fondateur puis président fondateur de l'Association des Sculpteurs du Québec. Il a enseigné à l'université de Montréal et est membre de l'académie royale des Arts du Canada. Il vit et travaille à Montréal.
Il participe à de nombreuses expositions de groupe, au Canada et à l'étranger, depuis 1958, notamment aux manifestations consacrées aux sculpteurs du Québec : 1959 école des beauxarts de Montréal ; depuis 1960 très régulièrement au musée des beaux-arts de Montréal ; 1964, 1966, 1967 Galerie nationale du Canada d'Ottawa, Symposium international de Ravne (Yougoslavie) ; 1965 premier Symposium du Québec ; 1966, 1970 musée Rodin à Paris ; 1971 Biennale de sculpture Middelheim à Anvers ; 1972, 1974 Foire de Bâle... Il montre ses œuvres dans des expositions personnelles : 1960, 1963, 1977 musée des Beaux-Arts de Montréal ; 1970 musée du Québec à Québec ; 1975 centre culturel canadien de Paris ; 1976 palais des beauxarts de Bruxelles ; 1978 musée d'Art contemporain de Montréal.
Il a débuté dans l'ombre de l'œuvre d'Henri Moore qui semble l'avoir particulièrement influencé. Il a ensuite appliqué la leçon de stylisation d'Archambault dans des œuvres qui vont de la *Citadelle Lunaire* de 1960, ou de la *Famille d'oiseaux* de 1961, à *Cri pour la Paix* de 1964. De 1961 à 1967, il a privilégié le fer et le bois, jouant des contrastes de matériaux. En 1967, il a exécuté *Le Phare du Cosmos*, importante sculpture-robot, cinétique et sonore, pour la place de l'Univers à l'Exposition internationale de Montréal. Il est de plus en plus orienté vers la création de sculptures mécanisées, conçues selon une géométrie industrielle très stricte, qui associe horizontal/vertical, vide/plein, extérieur/intérieur. À partir de 1970, il a réalisé une série de murs en Plexiglas, bronze et aluminium, faits de plans géométriques entrecoupés.
BIBLIOGR. : Guy Viau, in : *Nouv. Dict. de la sculpt. mod.*, Hazan, Paris, 1970.
MUSÉES : MONTRÉAL : *Homme révolté n° 412* 1963, bois et fer soudé – *Cosmonaute n° 2* 1962, acier corten et bois – *Le Chariot des Dieux* 1966, bronze – *Mur fermé et ouvert n° 44* 1976, bronze.

TRUDEL Hans
Né le 24 octobre 1881 à Seebach. Mort en 1958. xxe siècle. Suisse.
Sculpteur de statues, monuments, peintre, graveur.
Il fut élève d'Edmund Hellmer à Vienne. Il sculpta des statues, des fontaines.
MUSÉES : AARAU (Aargauer Kunsthaus) : *Le Bienheureux* vers 1920-1926 – *Torse* 1926 – *Portrait en buste d'oncle Baur* 1939 – *Rythme* 1959.

TRUE Allen Tupper
Né le 30 mai 1881 à Colorado Springs. xxe siècle. Américain.
Peintre de décorations, peintre de compositions murales, illustrateur.
Il fut élève de la Corcoran School à Washington. Il vécut et travailla à Littleton.
Il peignit des fresques dans des bâtiments publics et des banques.

TRUE David
Né en 1942 à Marietta (Ohio). xxe siècle. Américain.
Peintre, technique mixte, créateur d'installations.
Il fut élève de l'Ohio University. Il a reçu le prix de peinture du National Endowment for the Arts.
Il participe à des expositions collectives : 1974 Chicago ; depuis 1975 régulièrement à New York notamment 1977, 1979, 1981 au Whitney Museum of American Art, 1984 Museum of Modern Art, 1985 Metropolitan Museum of Art ; ainsi que 1980 Museum of Art d'Indianapolis ; 1981 Institute of Contemporary Art of Virginia Museum de Richmond ; 1983 Museum of Contemporary Art of La Jolla, Institute of Contemporary Art de Boston ; 1984 Museum of Contemporary Art of Los Angeles, Biennale de Venise, Tamayo Museum of Mexico. Il montre ses œuvres dans des expositions personnelles depuis 1974 régulièrement à New York, 1984 Virginia Museum of Fine Arts de Richmond, 1986 Boston.

La peinture de True se révèle chaotique, parle d'un monde inattendu, en devenir. Floue, fuyante, incertaine, la surface de la toile sur laquelle viennent se greffer des figures, affirme sa présence comme peinture. Privilégiant les thèmes de l'accident (de voitures, bateaux) ou des fragments d'existence, et une technique qui consiste à effacer, « nettoyer » la matière, True décrit le passage d'un état de conscience à un autre.
MUSÉES : MEXICO (Mus. Tamayo) – MINNEAPOLIS (Walker Art Center) – NEW YORK (Metrop. Mus. of Art) – NEW YORK (Mus. of Mod. Art) – NEW YORK (Whitney Mus. of American Art) – RICHMOND (Virginia Mus. of Fine Arts).
VENTES PUBLIQUES : NEW YORK, 10 nov. 1982 : *Fish IV* 1979, h/t (122x81,5) : **USD 2 750** – NEW YORK, 3 mai 1985 : *Black ship painting* 1977, cr. et collage de pap./pap. (60x73,6) : **USD 2 400** – NEW YORK, 4 oct. 1989 : *Sans titre* 1981, h. et cr./t (122x90,8) : **USD 5 500** – NEW YORK, 23 fév. 1990 : *Calla demi-dieu* 1986, acryl./t (243,2x177,8) : **USD 12 100** – NEW YORK, 27 fév. 1990 : *Où étais-je depuis un million d'années* 1984, h/t (198x274,5) : **USD 14 300** – NEW YORK, 9 mai 1996 : *Sachant mais ne voyant pas* 1988, acryl. et encre /pap. (67,3x82,2) : **USD 1 840**.

TRUE Will
Né en 1866. xxe siècle. Britannique.
Dessinateur.
Employé des postes à Glasgow, il collabora à diverses publications : *Glasgow Evening, Fun, The Poster*. Il a également réalisé des affiches qui révèlent l'influence de Jules Chéret.
BIBLIOGR. : Marcus Osterwalder : *Dict. des illustrateurs 1800-1914*, Ides et Calendes, Neuchâtel, 1989.

TRUEBA Maximo
Né en 1953 à Madrid. xxe siècle. Espagnol.
Sculpteur.
À Madrid, il fut élève de l'école d'architecture technique, de l'école des Arts et Métiers, puis de 1975 à 1977 de l'école des Beaux-Arts San Fernando dans l'atelier de Pablo Serrano.
Il participe à des expositions collectives très régulièrement à Madrid : 1978 musée d'Art contemporain ; 1980 Centenaire du cercle des beaux-arts de Madrid ; ainsi que : Biennale de la Culture de Cacerès ; 1984 IIe Biennale Européenne de Sculpture de Normandie, au Centre d'Art Contemporain de Jouy-sur-Eure. Il montre ses œuvres dans des expositions personnelles, régulièrement à la galerie Aele à Madrid.
Il travaille la pierre, privilégiant les formes épurées.
BIBLIOGR. : In : *Catalogue de la IIe Biennale Européenne de Sculpture de Normandie*, Centre d'Art Contemporain, Jouy-sur-Eure, 1984.
MUSÉES : MADRID (Mus. de la ville).

TRUEDSSON Ake ou Truet
XVIIe siècle. Actif dans la seconde moitié du XVIIe siècle. Suédois.
Sculpteur.
Il sculpta des chaires, des statues, des fonts baptismaux et des tombeaux pour des églises provinciales de Suède.

TRUEDSSON Folke
Né en 1913. Mort en 1989. xxe siècle. Suédois.
Sculpteur.
VENTES PUBLIQUES : STOCKHOLM, 22 mai 1989 : *Les contraires*, bronze (H. 59,5) : **SEK 50 000** – STOCKHOLM, 14 juin 1990 : *Figures abstraites*, bronze, une paire (46,5 et 26) : **SEK 15 000**.

TRUEKHOKH. Voir CRUEKHOKH

TRUEL Jean
Né en 1938 à Béziers (Hérault). xxe siècle. Français.
Peintre, créateur d'installations. Abstrait-informel, land-d'art.
La pratique de la spéléologie lui révéla le mystère des grottes et gouffres, dont il a fait à la fois son modèle et son atelier. Il est allé les visiter en Espagne, au Liban, au Maroc, dans le Kentucky, au Nouveau Mexique, en Turquie, au Niger. Il vit et travaille à Béziers. Il montre ses travaux de peinture dans des expositions personnelles, en général sponsorisées, dont les principales : 1986 Montpellier, Musée Fabre ; 1992 Paris, Palais de l'UNESCO.
Après avoir très licitement installé des parcours dans des sites naturels, fait des grottes ses modèles pour des évocations peintes à tendance abstraite, informelle et matiériste, il a pu, de façon plus discutable, en investir certaines, notamment dans l'ensemble de Bramabiau, qu'il recouvre de ses propres peintures, il est vrai sans aucun vain esprit d'imitation des vestiges de la préhistoire.

TRUELLE Auguste
Né le 22 octobre 1818 à Troyes (Aube). Mort en 1908. XIXᵉ siècle. Français.
Peintre de paysages.
Élève de M. M. Schiltz et J. Cogniet. Il débuta au Salon de 1843.
MUSÉES : TROYES : *Souvenir du lac du Langern et des Alpes bernoises – Une ferme à Creney – Les Roches noires à Houlgate.*

TRUELLE Madeleine
Née à Longueville (Seine-Maritime). XXᵉ siècle. Française.
Peintre.
Elle participa à Paris au Salon d'Automne, dont elle fut membre sociétaire.

TRUESDELL Gaylord Songston
Né le 10 juin 1850 à Wankegan. Mort le 13 juin 1899 à New York. XIXᵉ siècle. Américain.
Peintre de genre, portraits, animaux, paysages.
Il fut d'abord lithographe à Saint Louis, Chicago et Philadelphie, puis vint compléter ses études à Paris avec Cormon, Ed. Frère et Gustave Moreau.
Il débuta au Salon de Paris en 1886. En 1889, il reçut une médaille de bronze à l'Exposition Universelle, en 1892 une médaille de deuxième classe. Truesdell fut surtout un peintre animalier. On lui doit aussi quelques portraits. La vente de son atelier eut lieu à New York le 1ᵉʳ février 1906.
MUSÉES : WASHINGTON D. C. (Corcoran Gal.) : *En allant au pâturage.*
VENTES PUBLIQUES : NEW YORK, 1ᵉʳ fév. 1906 : *Étude de chevaux au labourage* : **USD 200** ; *Bestiaux près de la mer* : **USD 200** ; *Allant à l'église* : **USD 125** ; *Champ de foire à midi* : **USD 230** ; *Le Promontoire* : **USD 280** ; *La charrue* : **USD 410** ; *Jour paisible près de la mer* : **USD 400** ; *Vaches ruminant* : **USD 425** ; *Bois en automne* : **USD 1 000** ; *Vers un abri* : **USD 675** ; *Le sentier* : **USD 510** ; *Le troupeau à midi* : **USD 500** ; *Changeant de pâturage* : **USD 900** ; *Vaches au bord d'une rivière* : **USD 900** – PARIS, 19 oct. 1949 : *Bergère et moutons* : **FRF 6 800** – VERSAILLES, 21 fév. 1982 : *Le berger et ses moutons sur la lande 1895, h/t* (59x80,5) : **FRF 14 000** – NEW YORK, 23 fév. 1989 : *Le rempailleur de chaise 1885, h/t* (50,8x61) : **USD 3 520** – LONDRES, 28 nov. 1990 : *Emmenant le troupeau au pré 1889, h/t* (195x260) : **GBP 7 150.**

TRUET Ake. Voir **TRUEDSSON**

TRUFAMOND. Voir **BIGOT Trophime**

TRUFEMONDI
Né en Provence. XVIIᵉ siècle. Travaillant à Rome vers 1630. Français.
Peintre de figures et de paysages.
Il a réalisé des paysages animées et de nombreuses vues nocturnes.

TRUFFAUT Fernand Fortuné
Né en 1866 à Trouville (Calvados). Mort en 1955. XIXᵉ-XXᵉ siècles. Français.
Peintre d'architectures, paysages, paysages urbains, paysages d'eau, marines, peintre à la gouache, aquarelliste, dessinateur, illustrateur.
Il fut élève de l'École des Beaux-Arts de Rouen, élève et assistant d'Auguste Rubé et de Marcel Jambon. Il exposa au Salon des Artistes Français de Paris, à partir de 1912.
Il a réalisé, à l'aquarelle, de nombreuses vues de la Normandie, de villes comme : Rouen, Deauville, Trouville, Honfleur, Le Havre ; il s'est inspiré également de Reims, Gand, Paris, etc. Il a illustré *Les Pierres qui espèrent*, *De la Marne à l'Alsace*, dont il a écrit les textes.
BIBLIOGR. : Gérald Schurr, in : *Les Petits Maîtres de la peinture 1820-1920, valeur de demain*, Les Éditions de l'Amateur, t. III, Paris, 1976.
MUSÉES : MULHOUSE : *Paris*, aquar. – PARIS (Mus. d'Orsay) – PARIS (Mus. du Petit Palais) – PARIS (Mus. Carnavalet) – PARIS (Mus. de l'Armée).
VENTES PUBLIQUES : PARIS, 26 jan. 1929 : *Le marché à Trouville*, aquar. : **FRF 165** – PARIS, 8 juil. 1931 : *Un port méditerranéen*, aquar. : **FRF 225** – PARIS, 30 oct. 1940 : *Notre-Dame en hiver*, aquar. : **FRF 410** – PARIS, oct. 1945-juil. 1946 : *Honfleur*, aquar. : **FRF 1 800** – PARIS, 27 mars 1950 : *Honfleur*, aquar. : **FRF 5 200** – PARIS, 24 avr. 1992 : *Trouville, le port*, aquar. gchée (36x51) : **FRF 4 200** – PARIS, 20 avr. 1994 : *Concours hippique à Deauville devant le Royal Hotel*, aquar. (29x49,7) : **FRF 5 000** – PARIS, 17 juin 1994 : *Vue panoramique de Paris*, aquar. (29x48) : **FRF 5 200**

– DEAUVILLE, 19 août 1994 : *Bord de Seine à Neuilly*, aquar. (26x36) : **FRF 5 500.**

TRUFFAUT Georges
Né le 5 janvier 1857 à Pontoise (Seine-et-Oise). Mort le 6 avril 1882 à Maintenon (Eure-et-Loir). XIXᵉ siècle. Français.
Peintre de genre.
Élève de Bouguereau et de Lehmann. Il débuta au Salon de 1882.
VENTES PUBLIQUES : PARIS, 6 mars 1940 : *La cathédrale de Meaux*, aquar. : **FRF 250** – PARIS, 24 fév. 1949 : *Dieppe*, aquar. : **FRF 1 900** – PARIS, 12 déc. 1949 : *Rue à Fontarabie*, aquar. : **FRF 1 200.**

TRUFFIN Jean
XVIIᵉ siècle. Actif à Tournai en 1659. Éc. flamande.
Peintre.

TRUFFIN Philippe ou **Philippot**
Mort en 1506 à Tournai. XVᵉ siècle. Actif à Tournai. Éc. flamande.
Peintre.
En 1457 dans la gilde de Tournai, maître en 1461, il alla à Bruges en 1468, puis travailla pour les églises de Tournai et en 1504, pour l'église de Warchin. Il eut pour élèves J. C. Wittezone, Gixkem de Witte, Bertremino du Jardin dit Du Four, Philippot Barbezan, Jacques Enghelbert, Nicolas Dierixe, Mathieu Sainte de San Jazh.

TRUFFIN Thomas
XVIIᵉ siècle. Actif à Tournai de 1665 à 1671. Éc. flamande.
Peintre.

TRUFFINO Linou, née Crabeels
Née le 12 août 1935 à Péruwelz (Hainaut). XXᵉ siècle. Belge.
Peintre de marines, graveur. Fantastique.
Elle étudia à Paris la gravure dans l'atelier de Friedlaender et la peinture à l'académie de la Grande-Chaumière dans l'atelier de Goetz.
Elle participe à des expositions collectives : 1955 galerie La Hune à Paris ; 1976 musée des Beaux-Arts de Mons ; et à divers salons belges. Elle montre ses œuvres régulièrement dans des expositions personnelles à Bruxelles, Anvers, Knokke-le-Zoute, Paris, Genève, San Francisco...
Elle débuta avec des gravures, eaux-fortes et aquatintes, avant de se consacrer à la peinture de tempêtes, compositions épiques au climat onirique, imprégnées des marines de Turner. Dans une lumière blafarde trouée d'éclaircies, apparaissent, fantomatiques, des navires, des forteresses, des plates-formes, soumis aux caprices des éléments.
BIBLIOGR. : Raymond Lacroix : *Linou Truffino, peintre de la mer*, Bruxelles, 1976 – Paul Caso, Philippe Cruysmans, Remi de Cnodder : *Linou Truffino ou Les Voix de la mer*, Éditeurs d'Art associés, Bruxelles, 1986.

TRUFFOT Émile Louis
Né le 26 juillet 1843 à Valenciennes (Nord). Mort le 26 décembre 1896 à Paris. XIXᵉ siècle. Français.
Sculpteur de bustes, statues, groupes.
Élève de Duret, il débuta au Salon de 1843.
MUSÉES : MÂCON : *Buste du peintre P. Prud'hon*, bronze – MOULINS : *Japonaise – Nubienne*, terres cuites – VALENCIENNES : *Le berger Jupille domptant un chien enragé.*
VENTES PUBLIQUES : ENGHIEN-LES-BAINS, 5 nov. 1978 : *Le renard et la poule faisane*, bronze, patine brune et verte (H. 60, L. 92) : **FRF 8 100** – LOKEREN, 8 oct. 1994 : *Un braconnier – renard emportant un faisan 1893*, bronze (H. 39,5) : **BEF 60 000.**

TRUGARD Georges
Né vers 1848. Mort le 27 juillet 1904 à Oinville (Seine-et-Oise). XIXᵉ siècle. Français.
Sculpteur de décorations.

TRUIT Nicolas
Né vers 1740 à Dunkerque. XVIIIᵉ siècle. Français.
Peintre de genre et portraitiste.
Élève de l'Académie de Bruges puis professeur à l'Académie de Dunkerque. Le Musée de Dunkerque conserve de lui : *Jugement de Midas* ; *Distribution des prix de l'Académie de dessin et de peinture à Dunkerque en 1775* ; *Portrait de Laurens.*

TRUITT Anne
Née le 16 mars 1921 à Baltimore (Maryland). XXᵉ siècle. Américaine.
Sculpteur, pastelliste. Abstrait-minimaliste.
Elle étudia à l'Institute of Contemporary Art de Washington de

1948 à 1949 puis l'année suivante au Museum of Fine Arts de Dallas. Elle a longtemps vécu à Tokyo puis à Washington.

À partir de 1950, elle participe à des expositions à Washington. Elle montre ses œuvres dans des expositions personnelles à New York depuis 1963 régulièrement à la André Emmerich Gallery, 1973 Whitney Museum of American Art de New York ; 1969 Museum of Art de Baltimore ; 1974 Corcoran Art Gallery de Washington, Museum of Art de Baltimore ; 1975 Bayley Museum de Charlottesville ; 1976 University of Virginia Museum de Charlottesville ; 1986 Art Gallery de l'université de Maryland à Baltimore.

Ses œuvres sont des formes géométriques à trois dimensions. Truitt sait atteindre des effets d'illusion remarquables par la légère irrégularité des rectangles, des trapèzes et des cubes et par leur subdivision en zones de couleurs diverses. En 1964, le recours au pastel lui permet d'orienter vers une certaine immatérialité les effets précédents. Puis, abandonnant ces raffinements de « plastique modérée », elle se dirige plus franchement vers une sculpture polychrome aux formes architecturales en bois peint dont la couleur va chercher à dissoudre le volume en effets optiques et colorés. Son travail se réfère au Minimal Art. Néanmoins si, comme tous les créateurs de l'art minimal, elle utilise les volumes simples des structures primaires, son travail reste tout à fait ambigu. En recouvrant les volumes de peinture, généralement de couleur sombre, elle aboutit à une sorte de compromis entre sculpture et peinture, compromis d'autant plus équivoque que, loin d'utiliser une peinture laque brillante, froide et impersonnelle comme un MacCraken par exemple, elle charge presque de sensualité son œuvre.

Bibliogr. : Catalogue de l'exposition : *Anne Truitt : Sculpture 1961-1991*, André Emmerich Gallery, Londres, 1991.

Musées : BALTIMORE (Mus. of Art) – BUFFALO (Albright-Knox Art Gal.) – HOUSTON (Mus. of Fine Art) – MILWAUKEE (Art Mus.) – MINNEAPOLIS (Walker Art Center) – NEW YORK (Mus. of Mod. Art) – NEW YORK (Metrop. Mus.) – NEW YORK (Whitney Mus. of American Art) – LA NOUVELLE ORLÉANS – PHILADELPHIE (Mus. of Art) – SAINT LOUIS (Art Mus.) – WASHINGTON D. C. (Nat. Gal.) – WASHINGTON D. C. (Corcoran Gal. of Art) – WASHINGTON D. C. (Hirshhorn Mus. and Sculpture Garden) – WASHINGTON D. C. (Nat. Mus. of American Art) – WASHINGTON D. C. (Nat. Mus. of Women's Art).

TRUJILLO Diego de
XVII⁰ siècle. Espagnol.
Sculpteur.
Père de Francisco Trujillo et élève de Juan Martinez Montanes.

TRUJILLO Francisco
XVII⁰ siècle. Actif à Séville en 1689. Espagnol.
Sculpteur.
Fils de Diego Trujillo. Il sculpta *La Vierge* et *Saint Jean* pour l'église du Couvent N.-D. de Grâce de Séville.

TRUJILLO Guillermo
Né en 1927 à Horconcitos (province de Chirici Panama). XX⁰ siècle. Panaméen.
Peintre de compositions murales, peintre d'intégrations architecturales, graveur, sculpteur.
Il fit des études d'architecture, de 1941 à 1953, à l'Université de Panama. Il vit à Panama.
Attiré également par la peinture, il vint étudier à l'Académie San Fernando de Madrid. Professeur d'architecture, il expose ses peintures, depuis 1953, à Panama, Caracas, Madrid, Washington, etc.
Spécialisé dans les intégrations architecturales, il a réussi une synthèse des lois de la plastique contemporaine et de l'héritage culturel précolombien.
Bibliogr. : B. Dorival, sous la direction de... : *Peintres Contemporains*, Mazenod, Paris, 1964.
Musées : PARIS (BN).
Ventes Publiques : NEW YORK, 30 mai 1984 : *Peluqueria 1955*, h/pan. (69,4x89,5) : **USD 3 750** – NEW YORK, 17 mai 1989 : *Aquellare in cricamola 1974*, h/t (61x76,2) : **USD 1 760**.

TRUJILLO Pedro
XV⁰ siècle. Actif à Séville en 1494. Espagnol.
Peintre.

TRÜK Nikolai
Né le 26 juillet 1884 à Réval. XX⁰ siècle. Russe-Estonien.
Peintre de portraits, graveur. Postimpressionniste.
Il fit ses études à Saint-Pétersbourg. Il fut un des premiers impressionnistes en Estonie.

TRULIN Édouard Albéric
XIX⁰ siècle. Actif à Gand. Belge.
Peintre.
Frère de J. E. Trulin. Élève de l'Académie de Gand et de Gustave Wappers. Il a peint des tableaux pour les églises de Saint-Amand-lez-Gand et de Destelgerben.

TRULIN J. E.
XIX⁰ siècle. Actif à Gand. Belge.
Peintre.
Élève de l'Académie d'Anvers et de Gustave Wappers. Frère d'Édouard Albéric Trulin. Il exécuta des peintures dans l'église d'Eecke.

TRULLAS Y TRILLA Federico
Né le 15 novembre 1877 à Tarrasa. Mort le 18 mars 1927 à Tarrasa. XX⁰ siècle. Espagnol.
Peintre de portraits, dessinateur de cartons de décorations.

TRULLO Giovanni. Voir BIANCHINI Giovanni

TRULSON Anders
Né le 14 juillet 1874 à Tosterup. Mort le 23 août 1911 à Civita d'Antino. XIX⁰-XX⁰ siècles. Suédois.
Peintre de portraits, paysages, natures mortes, graveur.
Il fut élève des Académies de Copenhague et de Stockholm. Il subit l'influence de Rembrandt et de Zahrtmann. En tant que graveur, il privilégia la technique de l'eau-forte.
Musées : GÖTEBORG : deux études et une nature morte – STOCKHOLM (Mus. Nat.) : *Portrait de l'artiste*.

TRULSSON Ake. Voir TRUEDSSON

TRULSSON Edvard ou Johan Edvard Theodor
Né le 9 mai 1881 à Malmö. XX⁰ siècle. Suédois.
Sculpteur de statues.
Il fut élève de Stefan Sinding et de Ludvig Brandstrup à Copenhague. Il sculpta des statues.

TRUMAN Edward
XVIII⁰ siècle. Actif à Boston vers 1730. Américain.
Peintre de portraits.

TRUMBLE
XVIII⁰ siècle.
Peintre de portraits.

TRUMBULL Alice Mason. Voir MASON Alice

TRUMBULL Gordon ou Gurdon
Né en 1841 à Stonington. Mort le 28 décembre 1903 à Hartford. XIX⁰ siècle. Américain.
Paysagiste.
Élève de F. S. Jewett et de J. Hart.

TRUMBULL John
Né le 6 juin 1756 à Lebanon. Mort le 10 novembre 1843 à New York. XVIII⁰-XIX⁰ siècles. Américain.
Peintre d'histoire, sujets mythologiques, portraits, miniaturiste.
Il montra de remarquables dispositions dès son séjour au collège et peignit, notamment une *Bataille de Cannes* qui étonna les amateurs. La guerre de l'Indépendance vint interrompre ses travaux artistiques. Il servit avec distinction dans l'armée américaine et fut officier d'état-major de Washington et de Gates. En 1778 il quitta le métier militaire avec le grade de colonel. En 1780, il vint à Londres et fut élève de Benjamin West. Très jeune, il avait rencontré Copley qui avait eu une forte influence sur lui. Lors de son séjour à Londres, il fut arrêté et emprisonné, par mesure de représailles, alors que l'espion anglais John André avait été arrêté en Amérique, et tué. Relâché en 1781 grâce à la caution versée par Copley et West, il fut renvoyé en Amérique, mais revint à Londres à la fin de la guerre d'Indépendance.
Il exposa à la Royal Academy à partir de 1784 et parmi ses tableaux exécutés à Londres, il convient de citer la *Bataille de Bunker's Hill* et *La mort de Montgomery à Québec*. Invité à Paris en 1785, il fut particulièrement frappé par l'œuvre de David, dont le néo-classicisme se ressent dans *La Déclaration de l'Indépendance* que Trumbull commença en France. Il revint en Amérique en 1789, mais continua à exposer à la Royal Academy jusqu'en 1824. En 1989, il figurait à l'exposition *200 ans de peinture américaine. Collection du Musée Wadsworth Atheneum*, présentée à Paris, aux Galeries Lafayette. Il fut, d'ailleurs, à l'origine de la collection de peintures réunie par Daniel Wadsworth. On lui doit notamment *La capitulation de Cornwallis*, quatre

grandes compositions historiques, pour le Capitole, à Washington et des portraits des héros de la Guerre de l'Indépendance. Ses miniatures à l'huile sur bois, le plus souvent des portraits destinés à être replacés dans les vastes compositions, restent probablement le meilleur de son œuvre.

Bibliogr. : Theodore Sizer : *The Works of colonel John Trumbull : Artist of the American Revolution*, Yale University, New Haven, 1950.

Musées : Boston : *Portrait d'Alexander Hamilton – Portrait de Mme Stephen Minot – Portrait de M. Stephen Minot – La sortie de Gibraltar en 1781 – Priam recevant le corps d'Hector* – Hartford (Wadsworth Atheneum Mus.) : *La Déclaration d'Indépendance 1832* – quatre autres sujets de la révolution américaine – New Haven (Yale University Art Gal.) : *Mort du général Warren à Bunker's Hill – Mort du général Montgomery à Québec – La déclaration de l'Indépendance* – New York (Métropolitan Mus.) : *M. Hamilton – M. et Mme Robert Murray*.

Ventes Publiques : Londres, 29 juin 1928 : *Fisher Ames* : GBP 178 – Londres, 30 mars 1962 : *The Sortie from Gibraltar* : GNS 1 200 – New York, 27 oct. 1977 : *Portrait of Sarah Hope Harvey Trumbull*, h/pan., parqueté (61x51) : USD 8 000 – Boston, 2 mai 1980 : *George Gallagher, New York 1826*, h/t (78,7x62,2) : USD 3 100 – New York, 23 avr. 1982 : *Portrait of John Trumbull, the artist's nephew* vers 1800-1802, h/t (75,6x63,5) : USD 37 500 – New York, 6 déc. 1985 : *Portrait of Isaad Bronson*, h/t (78,5x62,1) : USD 20 000 – New York, 25 jan. 1986 : *George Washington*, h/t (76,5x61,6) : USD 220 000 – New York, 22 mai 1991 : *Portrait de Sarah Hope Harvey Trumbull (la femme de l'artiste)*, h/pan. (61x50,8) : USD 22 000.

TRUMETER. Voir **AEBERHARD Thomann**

TRUMLER Franz
XVIIe siècle. Actif dans la seconde moitié du XVIIe siècle. Autrichien.
Sculpteur.
Il travailla à Vienne et sculpta le maître-autel de l'église de Kaisersteinbruch.

TRUMM Peter
Né le 16 juillet 1888 à Strasbourg (Bas-Rhin). XXe siècle. Allemand.
Peintre de portraits, paysages, fleurs, graveur.
Il fut élève des Académies de Karlsruhe et de Munich, où il vécut et travailla.
Il peignit des paysages allemands et italiens, des portraits, des fleurs et des scènes de cirque.

TRÜMMER Johann Paul. Voir **DRÜMMER Johann Paul**

TRUMP Van
XVIIIe siècle. Actif dans la seconde moitié du XVIIIe siècle. Hollandais.
Paysagiste.
Il exposa à Londres en 1780.

TRUMPER Antoine de. Voir **TROMPES**

TRÜMPLER Amalie, plus tard Mme **Jones**
Née en 1851 à Uster. XIXe siècle. Suisse.
Peintre de portraits et de paysages.
Élève de Pfyffer à Zurich et de Carolus Duran à Paris. Le Kunsthaus de Zurich conserve d'elle *Ruisseau de forêt*.

TRUN Mathias. Voir **THRUN**

TRUNDERUP Kristian ou **Christian Emil**
Né le 16 avril 1859 à Nyborg. Mort le 5 mars 1931 à Randers. XIXe-XXe siècles. Danois.
Peintre de compositions religieuses, peintre de compositions murales.
Il fut élève de l'Académie de Copenhague. Il exécuta des peintures pour les églises de Randers.

TRUNINGER Max
Né en 1910 à Winterthur. Mort en 1986 à Zurich. XXe siècle. Suisse.
Peintre.
Ventes Publiques : Berne, 25 oct 1979 : *Couple d'amoureux*, h/t (75x75) : CHF 1 800 – Zurich, 12 juin 1995 : *L'accordéoniste aveugle*, h/rés. synth. (62x46) : CHF 8 050.

TRUNKLIN Peter
XVIe siècle. Allemand.
Sculpteur sur bois.
Il était actif à Nördlingen dans la première moitié du XVIe siècle. Il a sculpté une partie de la châsse de saint Pierre et saint Paul dans

l'abbaye de Heilsbronn vers 1510. Il était le beau-frère du sculpteur Stephan Strauss, qui travaillait en 1509 à Berne et ensuite à Lucerne.

TRUO Nicola
XVIIe siècle. Italien.
Peintre.
Il exécuta avant 1650 une partie des peintures sur majolique se trouvant sur le plafond de la chapelle S. Donato à Castelli.

TRUONG Marcelino
Né le 5 février 1957 à Manille (Philippines). XXe siècle. Philippin.
Dessinateur, illustrateur.
Agrégé d'anglais, diplômé de Sciences politiques, il effectue de nombreuses illustrations pour des journaux : *Libération, Le Nouvel Observateur, Je Bouquine*, etc...
Ventes Publiques : Paris, 5 avr. 1991 : *Le légionnaire 1988*, encre de coul./pap. (32,2x37,7) : FRF 6 500.

TRUONG DINH HAO
Né en 1937 ou 1940 à Ha Bac (Viêt Nam). XXe siècle. Vietnamien.
Peintre de genre, portraits, animaux, peintre à la gouache. Style occidental.
Il a étudié à l'école des Beaux-Arts de Hanoi, obtenant son diplôme en 1960. Il figure dans des expositions nationales et internationales, dont en 1990 à Hanoï, où il obtient un troisième prix ; depuis 1991 il expose en France, États-Unis, Canada, Suisse, Japon, Singapour, Italie, Belgique.
Il peint exclusivement à la gouache sur papier journal ou sur papier de riz, en général des grands formats. Si ses formes sont stylisées, ses figures presque naïves, ses sujets sont percutants ; on mentionne notamment : *Hérons de la paix, Interrogation, Solitude, Yeux*. Opposé au parti des travailleurs (Parti communiste), il affiche sa qualité de « peintre engagé » en insérant parfois des articles de presse dans ses œuvres.
Bibliogr. : In : catalogue de l'exposition *Paris-Hanoï-Saigon, l'aventure de l'art moderne au Viêt Nam*, Paris, 1998.

TRUPHÈME Auguste Joseph
Né le 23 janvier 1836 à Aix-en-Provence (Bouches-du-Rhône). Mort le 11 juin 1898 à Paris. XIXe siècle. Français.
Peintre de scènes de genre, portraits, natures mortes.
Il fut élève de Sébastien Cornu, d'Hippolyte Flandrin et de Jean-Jacques Henner. Il exposa au Salon de Paris, à partir de 1865.

Avg. Trupheme

Musées : Aix-en-Provence (Mus. Granet) : *La dictée – Moissonneuse endormie* – Carpentras : *À l'école avant la classe* – La Fère : *Le dimanche des Rameaux dans les États romains* – Grenoble – Louviers (Gal. Roussel) : *Le jeu à l'école – Étude d'enfants – Les apprêts du Colin-Maillard – Animaux, nature morte* – Lyon (Mus. des Beaux-Arts).
Ventes Publiques : Paris, 1er déc. 1890 : *Fillettes à l'école* : FRF 180 – New York, 29 mai 1980 : *La leçon de chant*, h/t (147x207) : USD 6 500 – New York, 22 mai 1990 : *Les élèves dissipés*, h/t (90,2x130,2) : USD 26 400 – New York, 23 mai 1990 : *La chorale*, h/t (146,7x208,3) : USD 22 000 – Paris, 12 déc. 1990 : *La leçon de chant*, h/t (50x61) : FRF 23 500 – Paris, 19 jan. 1992 : *La leçon de chant*, h/t (50x61) : FRF 29 000 – Londres, 16 mars 1994 : *Nature morte avec des fruits et une bouteille de vin sur une table*, h/t (66x81) : GBP 5 060 ; *La cantine de l'école*, h/t (143,5x207) : GBP 16 675.

TRUPHEME Ch.
Français.
Dessinateur de compositions religieuses.
Son *Adoration des Mages* est signée : *Ch. Truphème delineavit*.
Musées : Gray : *Adoration des Mages*.

TRUPHEME François ou **André François Joseph**
Né le 23 mars 1820 à Aix-en-Provence (Bouches-du-Rhône). Mort le 22 janvier 1888 à Paris. XIXe siècle. Français.
Sculpteur.
Élève de M. Bonnassieux. Il débuta au Salon de 1850 et obtint une médaille de troisième classe en 1859, chevalier de la Légion d'honneur.
Musées : Aix : *La Rêverie – Statue de Mirabeau – L'invocation – L'oiseleur – S. Bédarrides – Emmanuel G. Bédarrides* – Brest : *Invocation* – Carpentras : *Mirabeau* – Clamecy : *Le repas de la*

couvée – GRENOBLE : *Angélique au rocher* – LYON : *Jeune fille à la source* – MARSEILLE : *Lesbie* – *Buste du peintre Granet* – SÈTE : *Mignet* – TARBES : *Vénus grondant l'Amour* – *André Chénier*.

VENTES PUBLIQUES : PARIS, 26 mars 1984 : *Jeune fille à la source*, marbre blanc (H. 140) : **FRF 58 000**.

TRUPHÉMUS Jacques

Né le 25 octobre 1922 à Grenoble (Isère). XXe siècle. Français.

Peintre d'intérieurs, paysages, pastelliste, graveur.

Il fit ses études de 1942 à 1945 à l'École des Beaux-Arts de Lyon, où il vit et travaille.

Il participe à de nombreuses expositions collectives, notamment celles consacrées à la peinture lyonnaise, et figure au Salon du Sud-Est, au Salon des Terres Latines et à la Biennale de Menton. Il montre ses œuvres dans des expositions personnelles : 1951, 1954, 1955, 1962, 1964, 1967, 1971, (...), à Lyon ; 1959, 1962, 1964, 1967, 1974 (...) 1990, 1992 à Paris à la galerie Claude Bernard ; et Annecy, Grenoble, Nice, Bâle, Lausanne, Nantes, etc.

Paysagiste lyonnais par excellence, il est surtout sensible aux lumières ouatées, aux grisailles argentées. Plus qu'à décrire le paysage, il s'attache à lui trouver des équivalences picturales, tant dans la matière longuement travaillée que dans les subtils passages de couleurs.

Truphémus

MUSÉES : ANNECY – GENÈVE – PARIS (BN) : *Nature morte aux poires* 1987, litho. – SAINT-ÉTIENNE.

VENTES PUBLIQUES : SYDNEY, 6 oct. 1976 : *La Sainte-Chapelle* : **AUD 600** – VERSAILLES, 8 déc. 1985 : *Pont sur la Saône, ciel gris* 1958, h/t (73x116) : **FRF 32 000** – VERSAILLES, 20 juin 1989 : *La Saône sous la neige* 1963, h/t (60x72,5) : **FRF 41 000** – VERSAILLES, 24 sep. 1989 : *Plage animée* 1967, h/t (54,5x31,5) : **FRF 30 000** – PARIS, 8 nov. 1989 : *Cavaliers*, h/pap. (32x41) : **FRF 26 000** – CALAIS, 4 mars 1990 : *Vue de la Cité et de Notre-Dame*, h/pan. : **FRF 31 000** – NEW YORK, 13 fév. 1991 : *Femme à sa toilette* 1960, h/t (81x60,4) : **USD 7 150** – LE TOUQUET, 10 nov. 1991 : *Place animée à Paris* 1957, h/t (65x30) : **FRF 25 000** – PARIS, 16 nov. 1995 : *Les vagues* 1961, h/pan. (13x30) : **FRF 6 800** – PARIS, 10 avr. 1996 : *Fleurs de pêcher* 1962, gche (53x48) : **FRF 9 500** – PARIS, 6 nov. 1996 : *Personnages dans un paysage* 1959, h/t (37x45) : **FRF 13 000** – PARIS, 4 nov. 1997 : *Le Port d'Amsterdam* 1968, h/t (46x55) : **FRF 22 000**.

TRUPIN Jean, appellation erronée. Voir **TURPIN Jean**

TRÜPL

XVIIe-XVIIIe siècles. Actif à Salzbourg. Autrichien.

Sculpteur.

Il sculpta l'autel de *Saint Joseph* dans la cathédrale Saint-Étienne de Vienne, en 1700.

TRUPPE Karl

Né le 9 février 1887 à Radsberg. Mort en 1959 près de Klagenfurt. XXe siècle. Autrichien.

Peintre de portraits, nus, figures, paysages, natures mortes, dessinateur.

Il fut élève d'Alois Delug à l'Académie de Vienne. Il exposa à Vienne et à Rome.

VENTES PUBLIQUES : VIENNE, 17 sep. 1976 : *Le Lac de Viktring* 1928, h/cart. (26x36) : **ATS 30 000** – COLOGNE, 17 mars 1978 : *Le repos du modèle* 1940, h/t (66x80) : **DEM 8 000** – COLOGNE, 19 oct 1979 : *Nature morte* 1954, h/cart. (46x54) : **DEM 5 500** – MUNICH, 22 juin 1983 : *Sein und Vergehen* 1940, h/t (151x202) : **DEM 23 000** – LONDRES, 10 fév. 1988 : *Nature morte aux pivoines* 1913, h/cart. (49x55) : **GBP 4 400** – COLOGNE, 18 mars 1989 : *Nu allongé endormi* 1946, h/cart. (52x78) : **DEM 6 000** – MUNICH, 22 juin 1993 : *Nature morte avec des oranges et de la vaisselle d'étain* 1927, h/cart. (43,5x56) : **DEM 17 250** – MUNICH, 23 juin 1997 : *Frivolité* 1945, h/cart. (60x72,5) : **DEM 15 600**.

TRUSLEV Niels

Né le 14 février 1762 à Lökken. Mort en 1826. XVIIIe-XIXe siècles. Actif à Copenhague. Danois.

Graveur au burin et miniaturiste.

Il grava des batailles navales et peignit des portraits.

TRUSSARDI Giacinto

Né le 27 juillet 1881 à Clusone. XXe siècle. Italien.

Peintre de figures, paysages.

Il fut élève de l'Académie de la Brera et de l'Académie Carrara à Bergame.

TRUSSARDI Giovanni Volpi

Né à Clusone. Mort à Clusone. XIXe-XXe siècles. Italien.

Peintre.

Probablement frère de Giacinto Trussardi et élève de Cesare Tallone. Il travailla à Rome.

TRÜSSEL Alexander

Né le 7 juillet 1735 à Sumiswald. Mort le 28 mai 1824 à Wasen (près de Sumiswald). XVIIIe-XIXe siècles. Suisse.

Peintre de blasons et de fruits.

TRUSZ Ivan

Né le 18 janvier 1869 à Wysocko. Mort en 1941. XIXe siècle. Russe.

Peintre de portraits, paysages.

Il fut élève de l'Académie de Cracovie. Il fut aussi écrivain d'art. Il travailla à Lemberg.

MUSÉES : LEMBERG (Mus. de la ville) : plusieurs peintures.

VENTES PUBLIQUES : PARIS, 15 mai 1996 : *Les Meules* 1927, h/cart. (75x105) : **FRF 7 500**.

TRUTAT Félix

Né le 27 février 1824 à Dijon (Côte-d'Or). Mort le 8 octobre 1848 à Dijon (Côte-d'Or). XIXe siècle. Français.

Peintre de figures, portraits.

Élève de l'École des Beaux-Arts de Dijon. Il vint aussi travailler à Paris avec le peintre Pierre Paul Hamon. Trutat mourut à vingt-quatre ans.

Trutat exposa au Salon de 1845 : *Portrait de M. H.* (Peut-être Pierre Paul Hamon), et à celui de 1846, un autoportrait.

Il convient de citer de lui *Femme couchée*, *Portrait du père de l'artiste*, *Portrait de Trutat et de sa mère*, exposés au Grand Palais en 1900. Le Musée de Dijon possède de Trutat une *Tête de Christ*, *Portrait de Pierre Paul Hamon* et *L'artiste*. Ziem l'avait surnommé « Le Petit Prud'hon ».

MUSÉES : DIJON : *Repos et désirs* – *Autoportrait* – *Portrait du père de l'artiste* – *Tête de Christ* – PARIS (Mus. du Louvre) : *Femme nue couchée sur une peau de panthère*.

TRUTNIEFF Ivan Pétrovitch. Voir **TROUTNEFF**

TRUTOWSKI Konstantin Alexandrovitch. Voir **TROUTOVSKY**

TRUTTA Gerolamo

XVIIIe siècle. Actif à Naples. Italien.

Peintre.

Élève de Solimena.

TRUUS Claes

Né le 16 octobre 1890 à Amersfoort. XXe siècle. Hollandais.

Peintre de portraits, intérieurs, paysages, fleurs.

TRUXILLO. Voir **TRUJILLO**

TRUYDENS Jan, dit Van Ruysbroeck

XVe siècle. Actif à Louvain de 1432 à 1436. Éc. flamande.

Peintre de figures.

TRUYENS Marce

Née en 1939 à Moerbeke-Waas. XXe siècle. Belge.

Peintre de cartons de tapisserie.

Elle fut élève de l'académie de Bruxelles, où depuis 1978 elle enseigne le dessin.

Lissière, elle réalise des tapisseries monumentales avec des paysages.

BIBLIOGR. : In : *Dict. biogr. des artistes en Belgique depuis 1830*, Arto, Bruxelles, 1987.

TRYCIUS. Voir **TRICIUS**

TRYDE Johan Frederik

Né le 14 avril 1882 à Rönne. XXe siècle. Danois.

Peintre, graveur.

Il fit ses études à Copenhague et à Paris.

MUSÉES : RÖNNE.

TRYER Gaetano

XVIIIe siècle. Actif à Vérone dans la seconde moitié du XVIIIe siècle. Italien.

Peintre.

Élève de J. B. Cignaroli et de l'Académie de Parme. La Galerie de cette ville conserve de lui *Lucius Albinus et les vestales en fuite*.

TRYGGVADOTTIR Mina

Née en 1913 à Seydisfjordur. XXe siècle. Depuis 1952 active aussi en France. Islandaise.

Peintre, peintre de décorations murales, peintre de cartons de vitraux. Abstrait.

Elle fut élève de l'Académie Royale de Copenhague, de 1935 à 1939. Elle fit ensuite un séjour à Paris, avant son retour en

Islande. En 1943, elle alla compléter sa formation à New York, y travaillant sous la direction de Fernand Léger et de Hans Hofmann et y épousant le peintre Alcopley, en 1949. Fixée à Paris depuis 1952, elle séjourne fréquemment à Londres ou New York. À Paris, elle est membre du groupe Espace.

Elle participe à des expositions collectives dès la fin des années trente à Reykjavik, de 1953 à 1957 régulièrement au Salon des Réalités Nouvelles de Paris. Elle montre ses œuvres dans des expositions personnelles : 1945 pour la première fois à New York ; depuis 1954 à Paris ; puis au Palais des Beaux-Arts de Bruxelles ; à Copenhague.

Elle poursuit son œuvre dans l'esprit d'une abstraction désormais internationale et classique, à tendance géométrisante, par larges plans sobres maçonnés les uns sur les autres.

Bibliogr. : Michel Seuphor : *Diction. de la peint. abstr.*, Hazan, Paris, 1957 – B. Dorival, sous la direction de... : *Peintres Contemporains*, Mazenod, Paris, 1964.

Musées : Aix-la-Chapelle – New York.

TRYON Benjamin F.
Né en 1824 à New York. XIXᵉ siècle. Américain.
Paysagiste.
Élève de R. Bengough et de J. H. Cafferty. Il vécut longtemps à Boston.

TRYON Dwight William
Né le 13 août 1849 à Hartford. Mort le 1ᵉʳ juillet 1925 à South Dartmouth. XIXᵉ-XXᵉ siècles. Américain.
Peintre de paysages, marines, natures mortes.
Il fit ses études à Paris avec Charles François Daubigny, Louis Jacquesson de la Chevreuse, Jean-Baptiste A. Guillemet et Henri Harpignies. Il fut membre de la National Academy de Washington en 1891 ; professeur d'art au Smith College de Northampton. Il a pris part à de nombreuses expositions américaines et y a été fréquemment récompensé : médaille de bronze à Boston en 1882, médaille d'or à l'American Art Association à New York en 1886 et 1887, troisième prix Hallgarten à la National Academy de Washington en 1887, Prix Palmer à Chicago en 1889, médaille d'or de première classe à l'Exposition universelle de Munich en 1892, médaille à Chicago en 1893, premier prix à Cleveland en 1895, premier prix au Tennenee Centennal en 1897, médaille d'or de 1500 dollars à Pittsburgh en 1899, médaille d'or à Buffalo en 1901, médaille d'or à Saint Louis en 1904.
Musées : New York (Metropolitan Mus.) : *Clair de lune – Soir près de Bedford Harbor – Début de printemps – Coucher de soleil et lever de la lune* – Washington D. C. (Freer Gal. of Art) : *Village dans la lumière – Coucher de soleil au printemps* – Worcester : *Coucher de soleil en automne*.
Ventes Publiques : New York, 7 fév. 1907 : *Paysage* : **USD 170** – New York, 11-12 avr. 1907 : *Clair de lune* : **USD 310** – Washington D. C., 5 déc. 1970 : *Soleil d'octobre* : **USD 950** – New York, 26 mai 1971 : *Paysage d'octobre* : **USD 2 000** – New York, 23 mai 1979 : *May* vers 1898-1899, h/t (103x124) : **USD 11 000** – New York, 11 mars 1982 : *Newport, la nuit* 1887, h/pan. (27,3x39,4) : **USD 2 800** – New York, 21 sep. 1984 : *Le retour des pêcheurs* 1870, encre brun et noire (18,1x26,9) : **USD 1 000** – New York, 22 juin 1984 : *Night* 1914-1915, h/pan. (40,6x61,5) : **USD 12 000** – New York, 31 mai 1985 : *Ombre et soleil*, h/t (51,4x76,4) : **USD 8 500** – New York, 1ᵉʳ oct. 1987 : *Night* 1916, h/pan. (25,5x35,5) : **USD 12 000** – New York, 3 fév. 1988 : *Matin d'octobre* 1913, past./pap. gris (19,5x30) : **USD 5 500** ; *Matin d'automne* 1913, h/t (28x41) : **USD 18 700** ; *L'aube au début du printemps* 1914, h/pan. (51x76) : **USD 71 500** – New York, 28 sep. 1989 : *Calme coucher de soleil* ; *Nuages d'orage*, past./pap. gris/cart., une paire (chaque 20,4x30,5) : **USD 7 150** – New York, 30 mai 1990 : *Prairie en Nouvelle Angleterre* 1882, h/t (37x61) : **USD 4 400** – New York, 26 sep. 1990 : *Journée d'automne* 1916, h/pan. (29,3x40,6) : **USD 13 200** – New York, 4 déc. 1992 : *Brume du soir* 1905, h/pan. (51x76,3) : **USD 44 000** – New York, 11 mars 1993 : *Chrysanthèmes* 1890, h/pan. (49,8x32,4) : **USD 11 500** – New York, 13 sep. 1995 : *Paysage de marais*, h/t (26,7x54) : **USD 4 025** – New York, 30 oct. 1996 : *Journée d'octobre*, past./cart. (21x31,1) : **USD 4 025** – New York, 3 déc. 1996 : *Voiliers* 1888, aquar. et cr./pap. (26,7x26,7) : **USD 4 370**.

TRYON Wyndham
Né le 9 septembre 1883 à Londres. Mort le 16 novembre 1942 à Southampton. XXᵉ siècle. Britannique.
Peintre de paysages. Figuratif puis abstrait.
Il travailla à l'agence de l'architecte Sir Reginald Blomfield, puis étudia la peinture à la Slade School de Londres, de 1906 à 1911. Il

visita l'Espagne avec Darsie Japps en 1911 et en 1914 et habita à Murcia et Jijona de 1914 à 1919. Il rentre en Angleterre en 1919. Il s'installe à Epsom de 1920 à 1923 pour cause de maladie et suit un traitement pour dépression nerveuse en Écosse en 1924. Il est membre du New English Art Club en 1920. Il s'installe à Watford de 1923 à 1928. De 1929 à 1930, il vit à Cassis (France), près de Tristan Hillier et de Japps, et retourne à Londres en 1931.
Il exposa avec le London Group de 1925 à 1929. Il montre ses œuvres dans des expositions personnelle à Londres en 1919.
D'abord peintre de paysages, il évolua vers une abstraction musicale.
Musées : Londres (Tate Gal.) : *Fraga 1925-1929 – Château en Espagne 1925-1929*.

TRYPHON
Iᵉʳ siècle. Grec.
Tailleur de camées.
Le Musée de Boston conserve de lui un camée en sardoine représentant *Le mariage d'Eros et de Psyché*.

TRZEBINSKI Marian
Né le 5 janvier 1871 à Gasin. XIXᵉ-XXᵉ siècles. Polonais.
Peintre d'architectures, paysages urbains, aquarelliste.
Il fut élève de l'Académie de Cracovie et de Munich. Il peignit des vues du vieux Varsovie et réalisa des lithographies.
Musées : Cracovie – Varsovie.

TRZESCHNIAK Daniel ou Thresnak, Tressniak, Trzessnak
Né à Jaromierz. XVIIIᵉ siècle. Actif de 1718 à 1736. Tchécoslovaque.
Peintre.
Il peignit des scènes religieuses pour des églises de Prague et des portraits.

TRZYCXI. Voir TRICIUS

TS'AI CHAN. Voir CAI SHAN

TS'AI CHE-SIN. Voir CAI SHIXIN

TS'AI CHIA. Voir CAI JIA

TS'AI HAN. Voir CAI HAN

TSAI HORNG CHUNG
Né en 1916. XXᵉ siècle. Actif en Malaisie. Chinois.
Peintre de paysages. Traditionnel.
Initialement il entra à l'Académie d'Art de Shangaï pour étudier la musique mais opta rapidement pour la peinture. Diplômé il émigra à Sarawak où il enseigna la musique et l'art pendant presque quarante ans. Longtemps ignoré des critiques, il fut redécouvert grâce à une exposition à la Galerie nationale d'Art de Kuala Lumpur en 1995.
Il pratique la peinture traditionnelle et la peinture à l'huile.
Musées : Kuala Lumpur (Gal. nat. d'Art) – Sarawak – Singapour (Mus. d'Art).
Ventes Publiques : Singapour, 5 oct. 1996 : *Paysage de Kuching* 1959, h/t (44x51,2) : **SGD 5 750**.

TS'AI JO-HONG ou Ts'Ai Jo-Hung. Voir CAI RUOHONG

TS'AI KIA. Voir CAI JIA

TS'AI SHAN. Voir CAI SHAN

TS'AI SHIH-HSIN. Voir CAI SHIXIN

TS'AI TI-CHIH. Voir CAI DIZHI

TSAI TIEN-TENG. Voir CAI TIANDING

TS'AI T'IEN-TENG. Voir CAI TIANDING

TSAI TI-TCHE ou Ts'ai Ti-Chih. Voir CAI DIZHI

TS'AI TSÊ ou Ts'ai Tsö. Voir CAI ZE

TSAI WEN YING
Né en 1928 à Amoy (Chine). XXᵉ siècle. Depuis 1950 actif aux États-Unis. Chinois.
Sculpteur. Cinétique.
Il s'établit aux États-Unis en 1950. En 1953, il obtient une licence d'ingénieur mécanicien. Ensuite, il étudia pendant quatre années à l'Art Students' League de New York. À Cambridge, il est membre du Centre pour les études visuelles avancées. Il vit à Cambridge et New York.
Il participa à de nombreuses expositions de groupe, surtout aux manifestations consacrées au lumino-cinétisme : 1968 *Cybernetic Serendipity* à Londres ; régulièrement à New York souvent dans le groupe qui comprend les inventeurs les plus étonnants de créations poético-mécanistes : Alberto Collie, Len Lye, Takis.

Il a également montré de nombreuses expositions personnelles de ses créations : 1983-1984 musée d'Art moderne de la ville de Paris. En 1968, il obtint le second prix de l'exposition du Museum of Modern Art de New York *La Machine telle qu'elle sera vue à la fin de l'âge mécanique*.

Ayant immédiatement établi le lien entre ses capacités mécaniques et son activité artistique, il se situa d'emblée dans le courant de l'art mécano-cinétique. Il met en œuvre des tiges ou des rubans métalliques, groupés en murs ou en colonnes, dont les mouvements sont en rapport avec des sons, soit commandés, soit ambiants, qui les déclenchent, et avec des effets lumineux électroniques à haute fréquence. Ces processus l'amènent évidemment à l'utilisation d'oscillateurs déterminant des effets stroboscopiques, toujours spectaculaires.

BIBLIOGR. : Frank Popper : *L'Art cinétique*, Gauthier-Villars, Paris, 1970 – *Catalogue du IIIe Salon International des Galeries Pilotes*, Musée cantonal, Lausanne, 1970.

VENTES PUBLIQUES : PARIS, 1er oct. 1990 : *Sans titre* 1968, sculpt. cinétique, plateau et tiges en métal chromé (94x84x46) : FRF 11 000.

TS'AI Yin-t'ang

Né en 1909 dans la province de Hsin-chu. XXe siècle. Chinois.
Peintre de paysages. Néofauve.
Il fit des études d'économie à l'Université de Tokyo. De retour à Taiwan, il étudia la peinture avec Li Shih-chiao. Il fit une carrière d'enseignant et appartint à plusieurs associations d'artistes de Taïwan.
Il vécut près de San Francisco, se consacrant encore à une peinture de paysages aux arbres sinueux, formes tourmentées sur des fonds de couleurs vives, lignes directives tendant à l'arabesque et gammes de couleurs pures issues du fauvisme.
VENTES PUBLIQUES : TAIPEI, 22 mars 1992 : *Le parc Pei-t'ou* 1958, h/t (38,1x45,5) : TWD 605 000.

TSANFURNARI Emanuel. Voir **TZANFURNARI**

TSANKAROLOS Stephanos

XVIIe siècle (?). Grec.
Peintre.
La Pinacothèque d'Athènes conserve de lui une *Adoration des bergers*.

TS'AO CHIEN. Voir **CAO JIAN**

TS'AO CHIH-PO. Voir **CAO ZHIBO**

TS'AO FANG. Voir **CAO FANG**

TS'AO HSI. Voir **CAO XI**

TS'AO KIEN. Voir **CAO JIAN**

TS'AO K'OUEI-YIN ou Ts'ao K'uei-Yin. Voir **CAO KUIYIN**

TS'AO LI-CHI ou Ts'ao Li-Ki. Voir **CAO LIJI**

TS'AO MIAO-CH'ING ou Ts'ao Miao-Ts'ing. Voir **CAO MIAOQING**

TS'AO SI. Voir **CAO XI**

TS'AO T'ANG. Voir **CAO TANG**

TS'AO TCHE-PO. Voir **CAO ZHIBO**

TSAO Wou-Ki. Voir **ZAO WOU KI**

TS'AO YIN. Voir **CAO YIN**

TS'AO YU-KOUANG ou Ts'ao Yu-Kuang. Voir **CAO YOUGUANG**

TSARAS Constantin

Né en 1928 à Pelasquia Phiotidos. Mort en 1986 à Pelasquia Phiotidos. XXe siècle. Grec.
Peintre, graveur.
Il a séjourné à Paris à partir de 1959. Il a participé en 1992 à l'exposition : *De Bonnard à Baselitz. Dix Ans d'enrichissements du cabinet des estampes 1978-1988* à la Bibliothèque nationale à Paris.
MUSÉES : PARIS (BN) : *Composition MST* 1980, bois monochrome brun.

TSAROUCHIS Yannis ou Tsaroukhis

Né en 1910 au Pirée. Mort le 20 juillet 1994 à Athènes. XXe siècle. Grec.
Peintre de compositions mythologiques, nus, intérieurs, paysages, peintre de décors de théâtre, illustrateur.
Sa première manifestation publique fut la réalisation des décors et costumes de la pièce de Maeterlinck *Princesse Malène*, jouée

au Théâtre national d'Athènes en 1928. De 1929 à 1933 il étudia à l'école des Beaux-Arts d'Athènes et en 1934 travailla à nouveau pour le théâtre. Il effectua en 1935 son premier voyage en France et en Italie. Il vit et travaille à Athènes.
Il montra des paysages des sites antiques dans une exposition personnelle dès 1929. Après la guerre qu'il passa en Grèce, ses œuvres furent exposées à Paris, Londres, New York.
Dans ses compositions, il additionne les influences de l'art de l'Antiquité grecque, notamment le dessin des vases à décor, des arts populaires orientaux, et de l'évolution de la peinture occidentale.
L'idée-force du travail de Tsarouchis est le désir de rapprocher les traditions picturales d'orient et d'occident. Il a créé également de nombreux décors pour le festival d'Épidaure, le festival de Spoleto, la Scala de Milan, etc.
BIBLIOGR. : B. Dorival, sous la direction de... : *Peintres Contemporains*, Mazenod, Paris, 1964.
MUSÉES : PARIS (BN) : *Autoportrait* 1978, litho.
VENTES PUBLIQUES : LONDRES, 1er déc. 1993 : *Le sacrifice d'Iphigénie*, h/t (130x200) : GBP 73 000 – LONDRES, 25 oct. 1995 : *Tête de femme* 1980, h/pan. (22x32) : GBP 1 495.

TSCH Pour les patronymes commençant par ces lettres voir aussi **TCH**

TSCHACHTLAN Bendicht

Né le 19 octobre 1493 à Berne. XVIe siècle. Suisse.
Enlumineur.
Il illustra une chronique de Berne en 1470. Il fut magistrat.

TSCHAGGENY Charles Philogène

Né le 26 mai 1815 à Bruxelles. Mort le 12 juin 1894 à Bruxelles. XIXe siècle. Belge.
Peintre de genre, animaux, graveur à l'eau-forte.
Élève de E. Verboeckhoven, Wappers, H. Leys et Kayser. Il débuta vers 1842. Il a exposé en Belgique, en Angleterre et en France. Il fut médaillé à Bruxelles en 1845 : chevalier de l'ordre de Léopold en 1851.
Ce fut un artiste de valeur et qui a beaucoup produit.

C Tschaggeny

Eschenbeck ss

C Tschaggeny

MUSÉES : ANVERS : *Chevaux à l'écurie – Attelage de chevaux* – BRUXELLES : *La malle poste des Ardennes – La montée* – COURTRAI : *Chevaux en liberté dans les dunes* – LEIPZIG : *Charretier devant le cabaret* – NEUCHÂTEL : *Noce flamande au XVIIe siècle – Halage*.
VENTES PUBLIQUES : PARIS, 14-17 mai 1898 : *Cavalier à la porte d'un château* : FRF 75 – LONDRES, 14 juin 1911 : *Paysage avec figures* : GBP 6 – PARIS, 28-29 nov. 1923 : *Chevaux dans un pré* : FRF 320 – PARIS, 25 nov. 1974 : *Le jeune palefrenier et les chevaux* : FRF 10 000 – LONDRES, 7 mai 1976 : *Scène de moisson* 1875, h/pan. (61x93,5) : GBP 1 100 – LONDRES, 11 fév. 1977 : *Scène de moisson* 1875, h/pan. (61x93,5) : GBP 700 – LONDRES, 9 mai 1979 : *Chevaux tirant une barque*, h/t (104,5x147,5) : GBP 2 000 – LONDRES, 19 juin 1985 : *Le départ*, h/t (91x148,5) : GBP 2 000 – PARIS, 13 avr. 1994 : *Mousquetaire et cheval*, h/pan. (18x22) : FRF 7 500 – LONDRES, 16 nov. 1994 : *La halte à l'auberge des Trois Rois*, h/t (70x101) : GBP 7 130.

TSCHAGGENY Edmond Jean Baptiste

Né le 7 mars 1818 à Bruxelles. Mort le 5 septembre 1873 à Bruxelles. XIXe siècle. Belge.
Peintre de genre, animaux, aquarelliste, graveur à l'eau-forte.
Élève de Verboeckhoven. Frère de Charles Philogène Tschaggeny.
Il a exposé à Bruxelles, à La Haye, à Londres, notamment à la Royal Academy et à la British Institution, de 1847 à 1850.
On cite comme une œuvre importante sa série de cent aquarelles intitulée : *Anatomie des animaux*.

ET.56

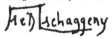

MUSÉES : BRUXELLES : *Taureau* – LEIPZIG : *A la prairie* – LILLE : *Étude de mouton* – MELBOURNE : *Moutons au repos* – NEUCHÂTEL : *Taureau furieux, poursuivant une jeune femme et son enfant.*
VENTES PUBLIQUES : PARIS, 1868 : *Bergère et moutons,* sans indication de prénom : FRF 6 700 – NEW YORK, 26 jan. 1906 : *Moutons* : USD 360 – PARIS, 12 mai 1926 : *L'abreuvoir* : FRF 1 000 – NEW YORK, 18-19 avr. 1945 : *Bergères hollandaises* : USD 500 – PARIS, 4 nov. 1948 : *La halte devant l'auberge* : FRF 29 000 ; *Bergère et moutons* : FRF 30 000 – PARIS, 1er juin 1951 : *Vache à la rivière 1840* : FRF 10 500 – PARIS, 10 déc. 1954 : *Le retour du galant chasseur* : FRF 70 000 – AMSTERDAM, 24 jan. 1967 : *Paysage avec troupeau* : NLG 7 800 – LONDRES, 2 nov. 1973 : *Berger et troupeau dans un paysage* : GNS 1 100 – ZURICH, 14 mai 1982 : *Bergère et moutons 1864,* h/pan. (35x47) : CHF 8 600 – LONDRES, 5 oct. 1983 : *Bergère et son troupeau 1871,* h/t (48,5x69) : GBP 1 700 – LONDRES, 29 nov. 1985 : *La caravane 1866,* h/t (103,5x149,3) : GBP 7 500 – LOKEREN, 28 mai 1994 : *Paulus Potter dessinant,* h/pan. (63x84) : BEF 360 000 – LONDRES, 13 mars 1996 : *Bergère menant le troupeau 1870,* h/t (69x99) : GBP 5 175.

TSCHAGGENY Frédéric Pierre
Né le 8 mai 1851 à Bruxelles. Mort en 1921 à Bruxelles. XIXe siècle. Belge.
Peintre de genre, figures, portraits.
Fils et élève de Charles Philogène Tschaggeny, il étudia également à l'académie de Bruxelles, noatmmant dans l'atelier de Portaels. Il débuta en 1872 à Londres.
Il a fait des tableaux de genre et des portraits officiels.

MUSÉES : ANVERS : *Portrait de Charles Tschaggeny* – NEUCHÂTEL : *Sorcière.*
VENTES PUBLIQUES : BRUXELLES, 14 sep. 1992 : *Gerbe de roses 1914,* h/t (30x41) : BEF 70 000.

TSCHAN Rudolf
Né le 19 novembre 1848 à Hilterfingen. Mort le 4 mars 1919 à Sigriswil. XIXe-XXe siècles. Suisse.
Peintre de portraits, intérieurs, paysages.
Il fut élève de l'Académie de Munich. Il s'établit à Gunten sur le lac de Thun.
MUSÉES : BERNE : *Portrait d'une vieille femme.*
VENTES PUBLIQUES : BERNE, 17 nov. 1973 : *Intérieur d'auberge* : CHF 5 500 – LUCERNE, 3 juin 1978 : *Jeune fille dans un intérieur,* h/t (46x38,5) : CHF 5 000 – LUCERNE, 30 mai 1979 : *Paysage d'automne,* h/t (61x45) : CHF 2 000.

TSCHANG YEUL KIM. Voir KIM TSCHANG YEUL

TSCHAPER Johann Wenzel. Voir TSCHOPER

TSCHAPLOWITZ-SEIFERT Grete. Voir SEIFERT Grete

TSCHARF Tony
Né le 12 janvier 1897 à Munich. XXe siècle. Autrichien.
Sculpteur de bustes, compositions religieuses, monuments, médailleur.
Il fut élève de l'Académie de Munich et de Rome. Il vécut et travailla à Méran.
Il sculpta des statues de saints, des bustes et des fontaines.

TSCHARNER Beat Emanuel von
Né en 1753. Mort en 1825. XVIIIe-XIXe siècles. Suisse.
Aquafortiste.
Père de Carl Emanuel von Tcharner.

TSCHARNER Beat von
Né le 23 janvier 1817 à Berne. Mort le 15 janvier 1894 à Berne. XIXe siècle. Suisse.
Peintre.

TSCHARNER Carl Emanuel von
Né le 14 février 1791 à Berne. Mort le 7 janvier 1873 à Berne. XIXe siècle. Suisse.
Peintre de genre et sculpteur.
Fils de Beat Emanuel von Tcharner. Le Musée de Berne conserve de lui : *Galathée et Pygmalion.*

TSCHARNER Johann von
Né en 1876. Mort en 1946. XXe siècle. Suisse.

Peintre de figures.
MUSÉES : AARAU (Aargauer Kunsthaus) : *Trois Figures – Femme assise.*

TSCHARNER Johann Wilhelm von, ou Jean de
Né le 12 mai 1886 à Lemberg. Mort le 20 juin 1946 à Zurich. XXe siècle. Actif et naturalisé en Suisse. Allemand.
Peintre de figures, intérieurs, natures mortes, graveur.
Il fut élève des Académies de Cracovie et de Munich. Il voyagea en Pologne et en Hongrie avant de se fixer en Suisse en 1914.
Il exposa à partir de 1914 au Kunsthaus de Zurich. En 1917, il participa à la première exposition *Dada* de Zurich, en compagnie de Giorgio de Chirico, Marcel Janco, Max Oppenheimer, Hans Arp, Hans Richter, Otto Von Rees, Oskar Lüthy, Walter Helbig.
Tscharner appartenait au premier groupe *Dada,* qui était bien loin de ne réunir que des contestataires résolus. Lui-même, dans une première période, peignit des compositions à personnages et des natures mortes dans un espace ouaté, qui devait à l'exemple des dessins de Seurat, tout en n'étant pas sans rapports avec le sens de l'espace d'un Morandi ou d'un Balthus. La matière de ses peintures de l'époque était travaillée en profondeur, faisant alterner pâtes épaisses et glacis émaillés. Dans la suite, cette peinture perdit de son systématisme pour se fondre dans les conventions caractérisant l'influence généralisée de l'école de Paris de l'entre-deux-guerres.
BIBLIOGR. : Waldemar-George : *Quelques artistes suisses,* Le Triangle, Paris, 1928 – Georges Charensol : *Tscharner,* Le Triangle, Paris 1929 – Catalogue de l'exposition *Dada,* Musée national d'Art moderne, Paris, 1966.
MUSÉES : BÂLE : *Intérieur* – BERNE : *Tête de femme* – COIRE : *Mère et enfant – Portrait d'une femme* – ZURICH (Kunsthaus) : *Jeune fille – Nature Morte avec coings.*
VENTES PUBLIQUES : GENÈVE, 6 juin 1950 : *Femme à sa toilette* : CHF 1 500 – ZURICH, 5 mai 1976 : *Vue d'une ville 1935,* h/t (61x81) : CHF 4 000 – ZURICH, 23 nov. 1977 : *Les abords de la ville 1935,* h/t (61x81) : CHF 5 300 – ZURICH, 7 juin 1980 : *Nature morte,* h/t (65,5x81,5) : CHF 2 600 – ZURICH, 4 juin 1992 : *Nature morte avec un verre,* h/t (22x35) : CHF 3 390 ; *Nature morte avec du pain et des oignons,* h/t (59,5x73) : CHF 13 560 – ZURICH, 24 nov. 1993 : *Tête de femme au chignon de dos,* h/t (25x20,5) : CHF 4 025.

TSCHARNER Louise Adorne de. Voir ADORNE de Tscharner

TSCHARNER Théodore ou Antoine Théodore
Né le 14 février 1826 à Namur. Mort le 3 octobre 1906 à Furnes. XIXe siècle. Belge.
Peintre de paysages et aquafortiste.
Élève de F. Marinus à l'Académie de Namur. Le Musée de Bruxelles conserve de lui : *Après l'hiver sur les bords de la Meuse.*
Il a gravé des sujets de batailles.
VENTES PUBLIQUES : PARIS, 22 mars 1919 : *Effet de brouillard dans les marais de Genck* : FRF 120.

TSCHAROUCHINE Dimitri Iacovlévitch
Né le 9 octobre 1813. Mort en 1901. XIXe siècle. Russe.
Peintre d'histoire, portraits.
Élève de l'Académie de Saint-Pétersbourg. Le Musée de Viatka conserve des peintures de cet artiste.

TSCHAUTSCH Albert
Né le 20 décembre 1843 à Seelow. XIXe siècle. Allemand.
Peintre d'histoire et de genre.
Élève de l'Académie de Berlin et de Jules Schrader. Il obtint le Prix de l'État et alla à Rome. En 1898 il fut nommé professeur a l'École d'Art à Berlin. Il peignit des scènes de contes, de légendes et de ballades. Le Musée de Görlitz conserve de lui *Le chasseur sauvage.*
VENTES PUBLIQUES : LINDAU, 7 mai 1980 : *Juliette,* h/t (150x109) : DEM 5 000.

TSCHEBOTAREFF Piotr Ivanovitch
Né en 1818. Mort en 1888. XIXe siècle. Russe.
Portraitiste.

TSCHECHONIN Serguéi Vassiliévitch. Voir TCHEKHONINE

TSCHEIK Ernö ou Ernest
Né le 13 mars 1880 à Nagykanizsa. XXe siècle. Hongrois.
Peintre, aquarelliste.

TSCHEKIEFF Féodor Ivanovitch
Né le 17 février 1774. XVIIIe-XIXe siècles. Russe.
Portraitiste.
Élève de l'Académie de Saint-Pétersbourg.

TSHEKRYGUINE Vassili Nicolaïévitch. Voir **TCHE-KRYGUINE**

TSCHELAN Hans
Né le 15 septembre 1873 à Vienne. Mort en 1964. xixᵉ-xxᵉ siècles. Autrichien.
Peintre de genre.
Il fut élève de l'Académie de Vienne et de l'Académie Julian de Paris. Il peignit des scènes populaires du Banat et de Slovaquie.

H·TSCHELAN

Ventes Publiques : Vienne, 20 oct. 1978 : *Le cortège de mariage*, h/pan. (25,5x30) : ATS 18 000.

TSCHELNAKOFF Nikita
Né en 1734. xviiiᵉ siècle. Russe.
Graveur de portraits et de vues.
Élève de Georg Friedrich Schmidt.

TSCHEREPANOFF Nikifor Jévstafiévitch
Né en 1762. Mort le 13 août 1823. xviiiᵉ-xixᵉ siècles. Russe.
Dessinateur de portraits.

TSCHERHASSOFF Nicolaï Sergiévitch. Voir **TCHERHASSOFF**

TSCHERKASSOFF Michaïl Matvéiévitch
Né en 1793. xixᵉ siècle. Russe.
Miniaturiste.
Élève de l'Académie de Saint-Pétersbourg.

TSCHERKASSOFF Pavel Alexéiévitch
Né en 1834 à Saint-Pétersbourg. Mort le 29 février 1900 à Saint-Pétersbourg. xixᵉ siècle. Russe.
Paysagiste.
Élève de l'Académie de Saint-Pétersbourg.

TSCHERNE Georg
Né le 25 mai 1852 à Vienne. Mort probablement en 1889 à Vienne. xixᵉ siècle. Autrichien.
Sculpteur.
Élève de l'Académie de Vienne. Il exposa de 1877 à 1888.

TSCHERNEZOW Grégori Grégoriévitch
Né en 1801 à Louch. Mort en 1865 à Saint-Pétersbourg. xixᵉ siècle. Russe.
Peintre de paysages, portraits, lithographe.
Musées : Moscou (Roumianzeff) : *Le lac de Génésareth* – Moscou (Gal. Tretiakov) : *Les guitaristes compositeurs* – *Portrait de l'écrivain Pouchkine* – *Portrait de l'écrivain Kriloff* – *Portrait de l'écrivain Choukovsky* – *Portrait de l'écrivain N. Gueditch* – Saint-Pétersbourg (Mus. Russe) : *La place Saint-Pierre à Rome* – *Débordement du Nil*.

TSCHERNEZOW Nicanor Grigoriévitch ou **Nikanor Grigoriévich** ou **Tschernezoff**
Né en 1804 à Louch. Mort en 1879 à Saint-Pétersbourg. xixᵉ siècle. Russe.
Peintre, lithographe et dessinateur.
Frère de Gregori Tschernezow et comme lui élève de l'Académie de Saint-Pétersbourg. En 1830-1831, il visita le Caucase et en 1834-1835 la Crimée. Il rapporta de ces excursions un nombre considérable de dessins, de monuments et costumes des contrées parcourues. En 1838, en compagnie de son frère, il explora les bords de la Volga. En 1841, il visita Florence, Rome, Naples dont il reproduisit à l'aquarelle en même temps que son frère, un certain nombre de sites.
Musées : Moscou (Roumianzeff) : *Vue de Tiflis* – *Petite cour de Tatar en Crimée* – *Vallée Karralasse, sur les côtes méridionales de Crimée* – *Vue de Kazan sur la Volga* – Moscou (Gal. Tretiakov) : *Vue de l'île Petrovsky à Saint-Pétersbourg* – *Environs de Saint-Pétersbourg* – *La duchesse de Kalmonk* – *Côte italienne* – Saint-Pétersbourg (Mus. Russe) : *Le catafalque de l'impératrice Maria Féodorovna* – *Saratoff au coucher du soleil* – *Ruines d'une église caucasienne* – *La ville de Jaroslav*.
Ventes Publiques : Cologne, 6 juin 1973 : *L'église en ruine* : DEM 3 600 – Londres, 19 avr. 1978 : *Minin haranguant le peuple sur une place de Nijni-Novgorod* 1852, h/t (71x99) : GBP 2 000 – Londres, 11 juin 1997 : *Vaste vue de Rome* 1848-1850, h/t (94x142) : GBP 56 500.

TSCHERNINCK Andreas ou **Tscherning** ou **Tschernig**
xviiᵉ siècle. Actif en Allemagne de 1660 à 1667. Allemand.
Peintre de portraits.
Fils de David Tscherning.

TSCHERNING Anthonie Eléonore ou **Anthonore**. Voir **CHRISTENSEN**

TSCHERNING David ou **Tschernig**
xviiᵉ siècle. Actif de 1635 à 1673. Allemand.
Graveur au burin.
Il grava des portraits, des armoiries et des images de piété.

TSCHERNING Eleonore Christine, née **Hansen**
Née le 4 juillet 1817 à Lappen (près de Helsingör). Morte le 3 juillet 1890 à Copenhague. xixᵉ siècle. Danoise.
Peintre de fleurs et de paysages et écrivain.
Élève de C. M. Lövmand. Mère de Sara Brigitte Ulrik.

TSCHERNING Sara Brigitte. Voir **ULRIK Sara Brigitte**

TSCHERNOFF Andréi
xviiiᵉ siècle. Actif dans la seconde moitié du xviiiᵉ siècle. Russe.
Peintre de portraits.
Il a peint divers portraits de la famille Orloff.

TSCHERNOFF Nicolaï
Né en 1822. xixᵉ siècle. Russe.
Peintre.
Élève de Vénézinoff. Le Musée Russe de Leningrad possède de lui *Intérieur d'une ferme*.

TSCHERNYSCHEFF Alexeï Filipovitch. Voir **TCHERNICHEFF**

TSCHESKI Ivan Vassiliévitsch
Né en 1777 à Mohilev. Mort en 1848 à Saint-Pétersbourg. xixᵉ siècle. Russe.
Graveur au burin.
Membre de l'Académie impériale de Russie. Il grava des planches pour le *Voyage autour du monde*, de Krussenstern.

TSCHESSKI Kosima Vassiliévitch
Né en 1776. Mort en 1813. xixᵉ siècle. Russe.
Graveur au burin.
Frère d'Ivan Vassiliévitch Tschesski et élève de l'Académie de Saint-Pétersbourg. Il grava des portraits, des vues et des illustrations de livres.

TSCHEUSCHNER Marie ou **Tscheuschner-Cucuel**
Née le 28 mai 1867 à Hanovre. xixᵉ siècle. Allemande.
Portraitiste et décorateur.
Élève de W. Sohn à Düsseldorf et de C. Gussow à Berlin. Elle exposa à Berlin à partir de 1890.

TSCHIDERER Johann Baptist
Mort le 16 décembre 1742. xviiiᵉ siècle. Actif à Salzbourg. Autrichien.
Peintre de figures et doreur.
Il peignit de nombreux autels dans des églises des environs de Salzbourg.

TSCHIDERER Johann Paul
Né à Pians (Tyrol). Mort le 21 août 1720 à Donauwörth. xviiiᵉ siècle. Autrichien.
Sculpteur.

TSCHIDERER Mathias
Né près de Landeck. xviiiᵉ-xixᵉ siècles. Autrichien.
Peintre.
Il travailla en Rhénanie et à Steinheim (Luxembourg).

TSCHIERSKY Friedrich von. Voir **TSCHIRSCHKY UND BOGENDORFF Friedrich von**

TSCHIFFELI-CHRISTEN Rosalie. Voir **CHRISTEN**

TSCHINKEL Augustin
Né en 1905 à Prague. Mort en 1983 à Cologne. xxᵉ siècle. Actif aussi en Allemagne et en Autriche. Tchécoslovaque.
Peintre de compositions animées, figures, graveur, illustrateur, dessinateur. Groupe Gruppe Progressiven Künstler.
Il fut élève de l'école des arts appliqués de Prague de 1921 à 1924. À Cologne, il fréquente Franz Seiwert et devient membre du groupe Progressive Kunst, puis travaille à Vienne, où il rencontre Gerd Arntz.
Artiste engagé, ses textes et gravures ont paru dans diverses revues, il a peint la société moderne et en particulier le monde du travail et le conflit qu'il engendre. On cite : *Le Capitaliste* de 1933, *La Grève* et *L'Homme et la machine* tous deux de 1935.
Bibliogr. : Catalogue de l'exposition : *Les Années trente en*

Europe. Le temps menaçant, Musée d'Art moderne de la ville, Paris Musées, Flammarion, Paris, 1997.

TSCHIRIN Prokopi
Mort vers 1621 ou 1623. XVIe-XVIIe siècles. Russe.
Peintre d'icônes.
Un des maîtres les plus importants de l'école de Stroganoff. Il travaillait dans l'atelier du palais des Armures à Moscou. Son style est précieux et ornemental.
Musées : SAINT-PÉTERSBOURG (Mus. Russe) : *Saint Jean le guerrier.*

TSCHIRIN Vassili
XVIIe siècle. Travaillant vers 1610. Russe.
Peintre d'icônes.
Fils ou parent de Prokopi Tchirin. La Galerie Tretiakov de Moscou conserve de lui un petit retable.

TSCHIRNER Carl
XIXe siècle. Actif à Boitzenbourg, dans la première moitié du XIXe siècle. Allemand.
Peintre.
Élève de Wach à l'Académie de Berlin. Il y exposa des portraits de 1826 à 1842.

TSCHIRSCHKY UND BOGENDORFF Friedrich von
Né le 3 janvier 1777 à Gnadenfrei. Mort le 25 février 1853 à Dresde. XIXe siècle. Allemand.
Paysagiste et aquafortiste.
Le Musée municipal de Dresde conserve de lui vingt dessins avec des vues de villages et trois eaux-fortes.

TSCHISHOFF Matvéi Afanassiévitch
Né le 10 novembre 1838 à Pudowo. XIXe siècle. Russe.
Sculpteur.
Élève de l'Académie de Saint-Pétersbourg. Il sculpta des bustes et des statues d'enfants et des figures de genre.
Musées : MOSCOU (Roumianzeff) : *Incendie* – SAINT-PÉTERSBOURG (Mus. Russe) : *Buste de J. K. Rivasovsky* – *Buste de A. Bogoliouboff* – *Le jeu du colin-maillard.*

TSCHITSCHELJOFF Nicolaï Ivanovitch
Né le 15 janvier 1857 à Moscou. XIXe siècle. Russe.
Peintre d'histoire.
Élève de l'Académie de Saint-Pétersbourg.

TSCHIVILIOFF Michail Nikandrovitch
Né en 1837 dans le gouvernement de Kostroma. Mort le 27 février 1861 à Dresde. XIXe siècle. Russe.
Peintre d'histoire.
Élève de l'Académie de Saint-Pétersbourg. La Galerie de celle-ci conserve de lui *L'artiste.*

TSCHOGLOKOFF Michail Ivanovitch
XVIIe-XVIIIe siècles. Actif de 1678 à 1702. Russe.
Peintre d'icônes.
Élève de Besmin. Il exécuta à Moscou des peintures murales et des icônes.

TSCHÖPER Johann Wenzel ou Tschaper, Tssepper, Czep
Né le 19 novembre 1728 à Brüx. XVIIIe siècle. Actif à Prague. Autrichien.
Peintre et architecte.
Il exécuta des fresques dans des églises de Libotschan, de Brüx et de Krummau.

TSCHÖTSCHEL Bruno
Né le 29 mars 1874 à Breslau. XIXe-XXe siècles. Allemand.
Sculpteur de compositions religieuses, statues.
Il sculpta des autels, des fonts baptismaux et des statues pour des églises de Silésie.

TSCHOTT Josef Anton
XVIIIe siècle. Travaillant à Wilten en 1741. Autrichien.
Sculpteur.

TSCHUDI Hans Peter
XVIIe siècle. Actif à Uri à la fin du XVIIe siècle. Suisse.
Peintre.
Il a peint dans l'église de Morschach *Le Christ sur le Mont des Oliviers,* en 1692.

TSCHUDI Peter Joseph
Né le 12 août 1705 à Glarus. Mort le 1er août 1774. XVIIIe siècle. Suisse.
Peintre et orfèvre.

TSCHUDI Rudolf
Né le 27 avril 1855 à Schwanden-Glarus. Mort le 23 juillet 1923 à Cincinnati. XIXe-XXe siècles. Américain.
Peintre de portraits, paysages, natures mortes.
Il fut élève de Rudolf Ruch. Il s'établit jeune à Cincinnati.
Musées : GLARUS : *Portrait de la femme de l'artiste* – *Paysage près de Cincinnati* – *Tête d'études* – *Pêches et raisins.*

TSCHUDIN Raymond
Né au début du XXe siècle. XXe siècle. Français.
Sculpteur, médailleur.
Il exposa à Paris, au Salon des Artistes Français, dont il fut membre sociétaire. Il reçut une médaille de bronze en 1938, une d'argent en 1944. Il fut premier Grand Prix de Rome de gravure de médailles, en 1945.

TSCHUDY Herbert Bolivar
Né le 28 décembre 1874 à Plattsburg (Ohio). XIXe-XXe siècles. Américain.
Peintre, aquarelliste, illustrateur.
Il fut élève de l'Art Students' League de New York. Il fut membre de la Fédération américaine des Arts.
Musées : NEW YORK (Mus. de Brooklyn) : quatre aquarelles.

TSCHUKSIN Dimitri Ilitich
Né le 12 septembre 1788. XIXe siècle. Russe.
Miniaturiste.
Élève de l'Académie de Saint-Pétersbourg.

TSCHUKSIN Iéstafi Ilitch
Né en 1780. Mort le 23 juillet 1817. XIXe siècle. Russe.
Graveur au burin.
Élève de Klauber. Il grava des portraits et des illustrations de livres.

TSCHULKOFF Léonti
XVIIIe siècle. Actif dans la seconde moitié du XVIIIe siècle. Russe.
Peintre d'icônes.
Il travailla pour la Cour de 1674 à 1686.

TSCHUMI Otto
Né en 1904 à Bittwil (Canton de Berne). Mort en 1985. XXe siècle. Suisse.
Peintre, peintre de compositions murales, dessinateur, illustrateur. Surréaliste.
Il fut élève de l'école des arts appliqués de Berne. Il fit de fréquents séjours à l'étranger, à Paris de 1920 à 1926, à Berlin en 1933, à Londres en 1935, à Paris en 1936-1940 et aux États-Unis en 1952.
Il participe à de nombreuses expositions de groupe, aux États-Unis, à Paris, Stockholm, à la Ire Biennale de São Paulo.
Dans une première période, il avait été influencé par le purisme d'Ozenfant et Le Corbusier. Très tôt, il évolua définitivement vers une figuration surréaliste. Peintre de grandes compositions murales pour la Confédération Helvétique, il a également réalisé des peintures décoratives pour la Ville de Thoune. Dessinateur exercé, dans la ligne de Hans Arp et de Max Ernst, il a été un illustrateur fécond : Melville, Lewis Caroll, Max Jacob, Kafka, James Joyce, etc.

Tschumi

BIBLIOGR. : B. Dorival, sous la direction de... : *Peintres Contemporains,* Mazenod, Paris, 1964.
VENTES PUBLIQUES : BERNE, 17 juin 1972 : *Plantes exotiques :* CHF 5 100 – BERNE, 9 juin 1977 : *Banlieue 1945,* past., temp. et fus. (23,7x35) : CHF 9 000 – BERNE, 26 juin 1982 : *Tanzender Sölner II 1942,* temp., aquar. et craies (24x31) : CHF 8 800 – BERNE, 24 juin 1983 : *Baigneuse 1959-1963,* temp. (44x36,5) : CHF 10 400 – BERNE, 20 juin 1985 : *Taureau 1949 ; Le Gros Matou 1950 ; Toro 1959,* grav. coul., trois œuvres : CHF 3 000 – BERNE, 20 juin 1985 : *Baigneuse 1959-1963,* temp. (44x36,5) : CHF 7 000 – BERNE, 20 juin 1986 : *Bateau échoué 1944,* aquar. et past. (31x24) : CHF 18 000 – BERNE, 19 juin 1987 : *Homme lion 1955,* aquar. (58,2x34,8) : CHF 6 000 – LUCERNE, 23 mai 1992 : *Autoportrait,* cr./pap. (30x21) : CHF 1 200 – ZURICH, 17-18 juin 1996 : *Josele, la danseuse,* cr. (36,8x27) : CHF 2 400 – LUCERNE, 7 juin 1997 : *Paysage surréaliste 1946,* gche, temp. et aquar./pap. (23,5x28,5) : CHF 6 400.

TSCHÜMPERLIN Joseph
Né le 9 novembre 1809 à Schwyz. Mort le 14 novembre 1868 à Schwyz. XIXe siècle. Suisse.
Aquarelliste et lithographe.
Il peignit des paysages, des costumes populaires sur des éventails, des coffrets et des abat-jour.

TSCHUNGKO Franz Anton
XVIIIe siècle. Actif au milieu du XVIIIe siècle. Autrichien.
Peintre.
Il a peint une *Éducation de la Vierge* dans l'église de Ober-Saint-Veit, près de Vienne.

TSCHUPP Hans Jost
Né en 1637. Mort en 1712. XVIIe-XVIIIe siècles. Actif à Sursee. Suisse.
Peintre verrier.
Fils de Heinrich Tschupp. Il exécuta des vitraux pour le couvent de Eschenbach. Les Musées de Francfort-sur-le-Main et de Lucerne, le Musée du Louvre de Paris et le Musée national de Zurich conservent des vitraux de cet artiste.

TSCHUPP Heinrich
XVIIe siècle. Travaillant à Beromunster en 1625. Suisse.
Peintre verrier.
Père de Hans Jost Tschupp.

TSCHUPP Josef Anton. Voir **SCHUPP Josef Anton**

TSCHUPPAUER ou **Schuphauer**, famille d'artistes
XVIIIe siècle. Actifs à Fribourg. Suisses.
Sculpteurs sur bois, menuisiers.

TSCHURIKOFF Féodor
XIXe siècle. Actif dans la première moitié du XIXe siècle. Russe.
Peintre.
Élève de l'Académie de Saint-Pétersbourg.

TSCHURLIANIS Mykolas Kostantas. Voir **TCHIURLIONIS**

TSCHURTSCHENTHALER Josef
Né en 1826 à Innsbruck. Mort en 1850 à Vienne. XIXe siècle. Autrichien.
Paysagiste.
Élève de Josef Feid à Weidling, près de Vienne.

TSEKOURA Vassiliki
Née en 1947 à Thessalonique. XXe siècle. Active en France. Grecque.
Sculpteur, dessinateur.
Elle participe à des expositions collectives : 1984 ambassade de Grèce à Paris et Institut français d'Athènes ; 1985 Ire Biennale de Sculpture à Athènes ; 1986 Salon de la Jeune Sculpture à Paris ; 1987 fondation Cartier à Jouy-en-Josas ; 1989 Biennale de São Paulo. Elle montre ses œuvres dans des expositions personnelles : 1982 Athènes ; 1988 Atheneum et direction régionale des affaires culturelles à Dijon ; 1989 Athènes. Elle a réalisé une œuvre dans le cadre des 1 % pour le lycée Philibert Delorme à L'Isle d'Albeau.
Elle préfère au terme de sculpture celui de construction pour ses œuvres dynamiques au fort sentiment cosmique, composées de tubes et de fines plaques d'acier. Elle réalise aussi des dessins à l'encre noire, qui traitent du volume, de l'aplat, avec virtuosité.
MUSÉES : PARIS (FNAC) : *Sans Titre* 1988, dess.

TSENG CH'ING ou **Tseng K'ing**. Voir **ZENG QING**

TSENG JASON, pseudonyme de **Zeng Junxiong**
Né en 1942 à Yunlin (Taiwan). XXe siècle. Chinois.
Peintre de natures mortes.
Il participe à des expositions collectives à Tokyo : 1986 *Beaux-Arts en Asie*, 1988 Exposition internationale des Beaux-Arts au Musée de la ville, 1990 *Les Beaux-Arts dans les provinces dans la collection du musée*. Il a montré ses œuvres dans quatre expositions personnelles entre 1984 et 1991.
VENTES PUBLIQUES : HONG KONG, 28 sep. 1992 : *Nature morte* 1987, h/t (72,5x91) : HKD 30 800.

TSENG YEN-TONG ou **Tsêng Yen-Tung**. Voir **ZENG YANDONG**

TSENG YU-HO. Voir **ZENG YOUHE**

TSEOU CHE-KIN. Voir **ZOU SHIJIN**

TSEOU FOU-LEI. Voir **ZOU FULEI**

TSEOU HENG. Voir **ZOU HENG**

TSEOU I-KOUEI. Voir **ZOU YIGUI**

TSEOU SIEN-KI. Voir **ZOU XIANJI**

TSEOU TCHE-LIN. Voir **ZOU ZHILIN**

TSEOU TCHO. Voir **ZOU ZHE**

TSEOU TI-KOUANG. Voir **ZOU DIGUANG**

TSEOU YI-KOUEI. Voir **ZOU YIGUI**

T'SERMERTENS Kaerle
XVIe siècle. Éc. flamande.
Sculpteur.
Il travailla pour l'église Notre-Dame d'Anvers dans la première moitié du XVIe siècle.

TSEU-ANG. Voir **ZHAO MENGFU**

TSIANG HAN. Voir **JIANG HAN**

TSIANG KAN. Voir **JIANG GAN**

TSIANG KI. Voir **JIANG JI**

TSIANG K'IEN. Voir **JIANG QIAN**

TSIANG KING. Voir **JIANG JING**

TSIANG NGAI. Voir **JIANG AI**

TSIANG PAO-HOUA. Voir **JIANG BAOHUA**

TSIANG PAO-LIN. Voir **JIANG BAOLIN**

TSIANG P'OU. Voir **JIANG PU**

TSIANG SONG. Voir **JIANG SONG**

TSIANG TCHANG. Voir **JIANG ZHANG**

TSIANG TING. Voir **JIANG DING**

TSIANG T'ING-SI. Voir **JIANG TINGXI**

TSIANG TSEU-TCH'ENG. Voir **JIANG ZICHENG**

TSIANG TSI. Voir **JIANG JI**

TSIANG YU-KIEN. Voir **JIANG YUJIAN**

TSIAO PING-TCHEN. Voir **JIAO BINGZHEN**

TSIAO SIUN. Voir **JIAO XUN**

TSIBINE Vaceslav
Né en 1942. XXe siècle. Russe.
Peintre de paysages urbains.
Il fréquenta l'École de Peinture de Théâtre à Moscou où il expose régulièrement. Il devint membre de l'Association des Peintres *Malaïa Grusinskaïa*.
VENTES PUBLIQUES : PARIS, 16 juin 1991 : *Le vieux Riga* 1971, h/t (85x60) : FRF 6 000.

TS'IEN CHAN-YANG. Voir **QIAN SHANYANG**

TS'IEN FENG. Voir **QIAN FENG**

TS'IEN HIU. Voir **QIAN XU**

TS'IEN-I. Voir **QIANYI**

TS'IEN KONG. Voir **QIAN GONG**

TS'IEN KOU. Voir **QIAN GU**

TS'IEN SIN-TAO. Voir **QIAN XINDAO**

TS'IEN SIUAN. Voir **QIAN XUAN**

TS'IEN SONG. Voir **QIAN SONG**

TS'IEN SONG-YEN. Voir **QIAN SONGYAN**

TS'IEN TAI. Voir **QIAN DAI**

TS'IEN TONG. Voir **QIAN DONG**

TS'IEN TOU. Voir **QIAN DU**

TS'IEN TSAI. Voir **QIAN ZAI**

TS'IEN WEI-K'IAO. Voir **QIAN WEIQIAO**

TS'IEN WEI-TCHENG. Voir **QIAN WEICHENG**

TS'IEN YONG. Voir **QIAN YONG**

TS'IEN YU TE
XXe siècle. Chinois.
Peintre de compositions animées, figures.
Il a figuré en 1946 à l'Exposition internationale d'Art moderne ouverte à Paris, au Musée d'Art Moderne, par l'Organisation des Nations Unies. Il y présentait : *Danseuses hindoues*.

TS'I HOUANG. Voir **QI BAISHI**

TSI-HOUEI. Voir **JIHUI**

TS'ING-JOU. Voir **YUN BING**

TSINGOS Thanos
Né le 6 août 1914 à Éleusis. Mort le 26 janvier 1965 à Athènes. XXe siècle. De 1948 à 1964 actif en France. Grec.
Peintre, peintre de décors de théâtre. Tendance abstrait lyrique.
Diplômé d'architecture de l'École Polytechnique d'Athènes, il exerce d'abord la profession d'architecte en Grèce jusqu'à la guerre. En 1932 il commence aussi à peindre. En 1939, il est

enrôlé dans l'armée grecque et y sert jusqu'en 1945. Devant l'arrivée des Allemands en Grèce, il rejoint les armées alliées au Proche-Orient. Après la guerre il fait un séjour au Brésil où il travaille auprès des architectes qui font les plans de Brasilia. En 1948 il arrive à Paris et s'y installe. Il se consacre alors définitivement à la peinture. À partir de 1958 il séjourne régulièrement en Grèce et en 1964 s'installe à Athènes.

Il expose à Paris dès 1955 notamment aux Salons des Réalités Nouvelles, de Mai, Comparaisons, de l'École de Paris en 1955 et 1956 à la galerie Charpentier ainsi qu'à Londres et Cannes. Il montre ses œuvres dans des expositions personnelles : 1953 Studio Paul Facchetti à Paris ; 1956 galerie Iris Clert à Paris ; 1961 Galleria d'Arte de Milan ; 1965 Institut technologique d'Athènes ; 1980 rétrospective au musée d'Art moderne d'Athènes et au musée national d'Art moderne de Paris.

Il a réalisé de 1949 à 1955 des décors et costumes pour des pièces de Cocteau, Shaw, Strindberg, au théâtre de la Gaîté-Montparnasse à Paris, dont il fut propriétaire avec sa femme l'actrice Christine Mavroïdi. Des élans lyriques, en pleine matière informelle de ses débuts, Charles Estienne a écrit : « À mon sentiment d'aujourd'hui, Tsingos est parmi les cinq ou sept peintres dits *tachistes* qui comptent ». De cette œuvres de caractère immédiat, à la peinture abondante et généreuse, il a évolué vers des formes plus évocatrices du réel, notamment avec une série de fleurs (plus de deux cent cinquante toiles).

Tsingos

BIBLIOGR. : Michel Seuphor : *Diction. de la peint. abstr.*, Hazan, Paris, 1957 – B. Dorival, sous la direction de... : *Peintres Contemporains*, Mazenod, Paris, 1964 – Catalogue de l'exposition : *Tsingos*, Centre Georges Pompidou, Paris, 1980 – Lydia Harambourg, in : *L'École de Paris 1945-1965. Diction. des Peintres*, Ides et Calendes, Neuchâtel, 1993.

MUSÉES : ATHÈNES (Mus. d'Art mod.) – PARIS (Mus. nat. d'Art mod.).

VENTES PUBLIQUES : VERSAILLES, 7 nov. 1976 : *Soleil rouge* 1955, h/pan. (45x65) : FRF 2 300 – PARIS, 21 juin 1979 : *Nature morte* 1960, h/t (98x130) : FRF 7 000 – PARIS, 20-21 juin 1988 : *Fleurs* 1956, h/pan. (41x33) : FRF 13 500 ; *Les chevaux* 1956, h/pan. (46x38) : FRF 21 000 – VERSAILLES, 23 oct. 1988 : *Fleurs*, h/pan. (35x27) : FRF 8 500 – PARIS, 28 oct. 1988 : *Fleurs rouges*, h/t : FRF 16 000 – VERSAILLES, 6 nov. 1988 : *Fleurs* 1955, h/isor. (41x33) : FRF 7 500 – PARIS, 12 avr. 1989 : *Fleurs*, h/pan. (46x38) : FRF 10 000 – PARIS, 27 nov. 1989 : *Bateaux au port* 1959, h/t (92x73) : FRF 29 000 – PARIS, 15 déc. 1989 : *Composition noire et blanche*, peint./isor. (38x46) : FRF 20 000 – PARIS, 25 mars 1990 : *Fleurs* 1956, h/isor. (24x33) : FRF 38 000 – PARIS, 27 avr. 1990 : *Nature morte aux grappes et à la langouste* 1960, h/t (60x73) : FRF 40 500 – PARIS, 10 juin 1990 : *Sans titre*, h/rés. synth. (45,5x54,5) : FRF 38 000 – PARIS, 6 juil. 1990 : *Fleurs jaunes sur fond blanc* 1960, h/t (70x35) : FRF 26 000 – PARIS, 18 juil. 1990 : *Fleurs rouges*, h/t (61x63) : FRF 30 000 – NEW YORK, 5 nov. 1991 : *Barques*, h/t (59,7x92,3) : USD 2 640 – PARIS, 11 déc. 1991 : *Fleurs des champs* 1959, h/t (89x116) : FRF 23 000 – PARIS, 16 févr. 1992 : *Kosmos*, h/t (130x97) : FRF 25 000 – PARIS, 8 avr. 1993 : *Rayonnement fantastique* 1950, h/t (65x81) : FRF 13 000 – PARIS, 6 fév. 1994 : *Vache et Taureau* 1956, h/t (46x27) : FRF 35 000 – PARIS, 29 juin 1994 : *La Salamandre*, h/t (92x60) : FRF 15 500 – NEW YORK, 24 fév. 1995 : *Fleurs*, h/t (55,2x38,1) : USD 3 737 – PARIS, 29-30 juin 1995 : *Fleurs*, h/t (60x73) : FRF 26 000 – PARIS, 14 juin 1996 : *Fleurs*, h/t (46x33) : FRF 15 500 – PARIS, 1er juil. 1996 : *Fleurs* 1956, h/t/pan. (21x16) : FRF 7 000 – PARIS, 16 déc. 1996 : *Fleurs* 1959, h/t (130x97) : FRF 38 000 – PARIS, 20 jan. 1997 : *Fleurs sur fond gris* 1960, h/t (80x64) : FRF 23 500 – PARIS, 28 avr. 1997 : *Composition* 1955, h/t/isor. (130x97) : FRF 34 000 – PARIS, 4 oct. 1997 : *Composition* 1957, h/t (64x81) : FRF 23 000.

TS'IN I. Voir **QIN YI**

TS'IN LANG. Voir **QIN LANG**

TS'IN PING-WEN. Voir **QIN BINGWEN**

TS'IN SIUAN-FOU. Voir **QIN XUANFU**

TS'IN TCHONG-WEN. Voir **QIN ZHONGWEN**

TS'IN TS'ING-TSENG. Voir **QIN QINGZENG**

TS'IN TSOU-YONG. Voir **QIN ZUYONG**

TS'I PAI-CHE ou **Ts'i Pei-Che**. Voir **QI BAISHI**

TS'I TCHONG. Voir **QI ZHONG**

TSIUN-MING. Voir **JUNMING**

TSO CHÊN. Voir **ZUO ZHEN**

TSOCLIS Costas ou **Costa**
Né le 24 mai 1930 à Athènes. XXe siècle. De 1960 à 1970 actif en France. Grec.
Peintre, sculpteur, auteur d'installations.
Il a d'abord étudié à l'école des Beaux-Arts d'Athènes, puis à Rome de 1957 à 1960. Il vécut et travailla à Paris de 1960 à 1970. Il participe à diverses expositions collectives : 1963 et 1965 Biennale de Paris ; 1965 et 1967 Biennale de São Paulo ; 1969 exposition itinérante organisée par le Kunstverein de Stuttgart ; 1970 Moderna Museet de Stockholm, IIIe Salon international des Galeries Pilotes à Paris ; 1975 Institute of Contemporary Art de Londres ; 1977 Documenta de Kassel ; 1986 Biennale de Venise ; 1993 Salon Découvertes à Paris. Il fut de nombreuses expositions particulières : 1965, 1971, 1973, 1976, 1977, 1979, 1980 (...) Athènes ; 1969, 1970, 1972 Gand ; 1969, 1971, 1977 Cologne ; 1970 Paris, Bruxelles et Milan ; 1971, 1978 palais des beaux-arts de Bruxelles ; 1971 Goethe Institut d'Athènes, Berlin, Francfort et Cologne ; 1972 Kunsthalle de Düsseldorf ; 1973, 1974, 1976 galerie Alexandre Iolas à Paris ; 1975 Londres...
Le travail de Tsoclis est à la fois une réflexion et un jeu sur l'ambiguïté de la perspective. Après avoir réalisé des reliefs en bois de sièges, tables et meubles aux perspectives surprenantes, il construit des objets en trois dimensions tout en respectant les lois de l'illusionnisme perspectif appliqué à l'image plane. Ces trompe-l'œil en relief étonnent d'abord, agacent, faisant légèrement vaciller nos habitudes de perception, et excitent l'imagination. Cette confusion abusive de la réalité et de son image se rapproche finalement de l'attitude poétique de Cocteau qui, sans cesse, a invité le rêveur à pénétrer derrière le miroir. Inscrivant sa propre histoire et celle de la Grèce dans son œuvre sensible, il a développé son travail avec des vidéos, des installations, réalisant également des portraits associant peinture et image virtuelle, des peintures-reliefs à l'apparence d'énormes cailloux, *L'Arche* un « œuf-chambre », œuvre universelle en bois brut où l'on entend le chant des baleines, contenant des casiers destinés à accueillir des messages de savants, poètes, sages.
MUSÉES : BRUXELLES (Mus. d'Ixelles) – CARACAS (Mus. des Beaux-Arts) – GAND (Mus. Van Hedendaages Kunst) – PARIS (BN) – ROTTERDAM (Mus. Boymans-van-Beuningen) – UTRECHT (Mus. of Contemp. Art).
VENTES PUBLIQUES : BRUXELLES, 13 déc. 1990 : *Trappe* 1968, bois peint et relief mural en acier inox. (220x120) : BEF 250 800 ; *Porte tombée* 1969, sculpt. murale de bois, Plexiglas et métal (110x204) : BEF 342 000 – LOKEREN, 10 oct. 1992 : *Fenêtre* 1968, relief de bois (150x120) : BEF 510 000 – AMSTERDAM, 31 mai 1995 : *Caisse d'emballage* 1967, assemblage et acryl./pan. (153x110) : NLG 6 372 – AMSTERDAM, 4 juin 1996 : *Robinet* 1968, pann. de bois et robinet de métal (155x210) : NLG 3 776.

TSONG K'I-HIANG. Voir **ZONG QIXIANG**

TSO SHEN. Voir **ZUO ZHEN**

TSOU CHÊ. Voir **ZOU ZHE**

TSOU CHIH-LIN. Voir **ZOU ZHILIN**

TS'OUEI HOUEI. Voir **CUI HUI**

TS'OUEI PO. Voir **CUI BO**

TS'OUEI TSEU-TCHONG. Voir **CUI ZIZHONG**

TS'OUEI TS'IUE. Voir **CUI QUE**

TS'OUEI YEN-FOU. Voir **CUI YANFU**

TSOU FU-LEI. Voir **ZOU FULEI**

TSOU HENG. Voir **ZOU HENG**

TSOU HSIEN-CHI. Voir **ZOU XIANJI**

TSOU SHIH-CHING. Voir **ZOU SHIJIN**

TSOU TI-KUANG. Voir **ZOU DIGUANG**

TSOU-WENG. Voir **ZUWENG**

TSOU YI-KUEI. Voir **ZOU YIGUI**

TSSEPPER Johann Wenzel. Voir **TSCHÖPER**

TSUBAKI. Voir aussi **CHINZAN**

TSUBAKI Yoshinori
Né en 1911 dans la préfecture de Yamaguchi. XXe siècle. Japonais.

Peintre. Abstrait-géométrique.

Il participe à des expositions collectives : à partir de 1961 salons de l'Association *Shinseisaku kyokai* (des Peintres Nouveaux) ; 1966, 1968 et 1969 *Art Japonais Contemporain* à Tokyo. En 1968, il fut titulaire du Prix Shell.

TSUBOI Isao

Né en 1936 à Yokohama. XXe siècle. Actif en France. Japonais.

Peintre de paysages urbains, dessinateur.

Après des études à l'université des Beaux-Arts de Tokyo, il s'installe à Paris.

Son art est reflet de la lumière parisienne. Interrogations de l'objet ou du paysage, ses peintures et ses dessins sont tout en suggestions subtiles : ses péniches, ses aigles, ses verres et ses coupes semblent à peine émerger de leur espace originel, juste assez pour être perçus.

TSUCHIYA Tilsa

Née en 1936, d'origine chinoise. Morte en 1985. XXe siècle. Péruvienne.

Peintre de compositions animées, peintre de miniatures. Tendance surréaliste.

Elle a travaillé un certain temps à Paris.

Elle peint des compositions imaginaires, de tout petit format, à fort caractère sexuel, peuplées d'êtres hybrides, d'une flore et d'une faune inventées.

Bibliogr. : Damian Bayon, Roberto Pontual : *La Peinture de l'Amérique latine au XXe siècle*, Mengès, Paris, 1990.

TSUCHIYA Kimio

Né en 1955 à Fukui. XXe siècle. Japonais.

Sculpteur, créateur d'installations, dessinateur.

Il fit des études d'architecture à l'université de Nihon, puis s'installe à Londres en 1981, étudiant à l'école d'art de Chelsea dans la section sculpture. Depuis 1983, il vit et travaille à Matsudo (Japon).

Il participe à de nombreuses expositions collectives : 1978 Biennale d'Art contemporain de Mainichi (Japon) ; 1986 musée de Fukui ; 1987 Salon de la Jeune Sculpture à Paris ; 1989 Biennale de Middelheim à Anvers ; 1990 SAGA (Salon d'Arts graphiques actuels) à Paris, Exposition internationale de Sculpture à Washington. Il montre ses œuvres dans des expositions personnelles depuis 1984 très régulièrement au Japon, notamment en 1990 à la Contemporary Art Gallery de Tokyo, ainsi que : 1988, 1990 galerie Keller à Paris ; 1989 Anvers ; 1990 Centre d'art contemporain de Vassivière en Limousin.

Il privilégie dans ses sculptures les matériaux de récupération : chaîne en fer provenant d'un bateau, vieux meubles, bois provenant de la démolition d'une maison, bois flottés, chaises, qu'ils associent parfois à de l'acier. Fréquemment réalisées à partir de morceaux d'arbres qu'il réunit dans une forme unitaire, dans la nature ou non, ses œuvres sont proches de l'esprit de l'arte povera et du Land Art.

Bibliogr. : Catalogue de l'exposition : *Kimio Tsuchiya – New Sculpture*, Galerie Keller, Paris, Galerie Moris, Tokyo, 1988 – Catalogue de l'exposition : *Kimio Tsuchiya – Nouvelles sculptures 1990*, Galerie Keller, Paris, 1990.

TS'UI CH'CHÜEH. Voir CUI QUE

TS'UI HUI. Voir CUI HUI

TS'UI PO. Voir CUI BO

TS'UI TZÛ-CHUNG. Voir CUI ZIZHONG

TS'UI YEN-FU. Voir CUI YANFU

TSUJI Futoshi

Né en 1925 à Gifu. XXe siècle. Japonais.

Peintre calligraphe.

En 1950, il a exposé avec l'institut de Calligraphie d'Art, en 1952, avec l'École Kei-Sei-Kai. Membre du groupe des calligraphes modernes, rassemblés autour des revues *Bokubi* et *Bokuzin*, il participe aux expositions de ce groupe à travers le monde, dans les musées d'Amsterdam, de Bâle, de Paris, au Museum of Modern Art de New York.

Bibliogr. : Michel Seuphor : *Dict. de la peint. abstr.*, Hazan, Paris, 1957.

TSUJII Julia Keïko

Née le 29 juillet 1950 à Assaï (Parana), d'origine japonaise. XXe siècle. Depuis 1975 active en France. Brésilienne.

Peintre de portraits, paysages, compositions oniriques.

De 1970 à 1974, elle fut élève de l'école des beaux-arts de Rio de Janeiro et obtint son doctorat de troisième cycle en Arts Plastiques en 1985.

Elle participe à des expositions collectives à Paris : depuis 1980 Salon de la Jeune Peinture et Salon du Dessin et de la Peinture à l'eau. Elle montre ses œuvres dans des expositions personnelles à Paris.

Ses peintures, souvent des paysages imaginaires et *Bio-Paysages*, comme elle les nomme, mais aussi compositions animées, portraits, sont fortement marquées par ses racines japonaises, sa vie au Brésil au cœur d'une flore exubérante, puis son exil en France, qui l'amène à penser les origines, le temps, la mémoire, les métamorphoses. Dans ses compositions cosmiques, microcosmes aux couleurs vives, violentes, rouge, rose, turquoise, échappant à la réalité tangible, elle parle de naissance dans un univers peuplé de fœtus, de larves, de plantes mais aussi de formes technologiques.

TSUJI Shindo

Né en 1910 dans la préfecture de Tottori. XXe siècle. Japonais.

Sculpteur. Abstrait.

Après avoir étudié la sculpture à l'Association *Dokuritsu Bijutsu-Kyokai* (des Artistes Indépendants), il est représenté au Salon de ce groupe à partir de 1933. Depuis 1950, il est professeur à l'École des Beaux-Arts de Kyoto ; en 1963, il visite l'Europe.

Il participe à de nombreuses manifestations de groupe : 1957 Biennale de São Paulo ; 1958 Biennale de Venise et exposition de Sept Sculpteurs au Musée Guggenheim de New York ; 1961 Carnegie International Exhibition à Pittsburg ; 1965-1966 *Peinture et Sculpture Japonaise Contemporaine* au musée d'Art moderne de New York et première JAFA à Tokyo.

Il montre ses œuvres dans des expositions personnelles à Tokyo et Kyoto depuis 1954. Il bénéficie en outre de plusieurs commandes officielles de sculptures telles celle du théâtre de Kabuki d'Osaka ou de l'Hôtel de Ville de Yokohama.

Il réalise des œuvres abstraites, en terre cuite le plus souvent.

Musées : Kamakura (Mus. d'Art Mod.) – Pittsburgh (Inst. Carnegie) – Tokyo (Univ. des Beaux-Arts).

TSUKIMARO Kitagawa, premier nom : Kitagawa Jun, surnom : Shitatsu, nom familier : Rokusaburô, noms de pinceau : Bokutei, Kansetsusai et Kikumaro

XIXe siècle. Actif à Edo (actuelle Tokyo) vers 1801-1829. Japonais.

Peintre de portraits, graveur, illustrateur.

Élève d'Utamaro il fait surtout des illustrations de livres.

Ventes Publiques : New York, 21 mars 1989 : *Portraits des courtisanes Tsukioka et Hinakoto de la série « Les plus célèbres courtisanes de notre temps »*, estampe nagaban tate-e (52,3x23,4) : USD 6 600.

TSUKIMISATO Shigeru

Né en 1928 dans la préfecture de Shizuoka. XXe siècle. Japonais.

Graveur.

Après des études sous la direction de Gen Yamaguchi, il commence à exposer ses gravures sur bois et sur cuivre à l'Académie Nationale de Peinture (*Kokuga-kai*) et à l'Association Japonaise de Gravure. Il est membre de ces deux derniers groupes. Il figure dans plusieurs expositions de gravures aux États-Unis.

TSUKIOKA SETTEI. Voir SETTEI Tsukioka

TSUNEKICHI. Voir SEIHO

TSUNEMASA Kawamata. Voir KAWAMATA TSUNE-MASA

TSUNENOBU. Voir KANÔ TSUNENOBU

TSUNENORI Asukabe

Xe siècle. Actif à Edo (actuelle Tokyo) au milieu du Xe siècle. Japonais.

Peintre.

Peintre de la cour, du style *yamato-e*.

TSUNETAKA. Voir FUJIWARA TSUNETAKA

TSUNEYUKI Kawamata. Voir KAWAMATA TSU-NEYUKI

TSUNG CH'I-HSIANG. Voir ZONG QIXIANG

TSÛ Ono

Née en 1559. Morte en 1616. XVIe-XVIIe siècles. Japonaise.

Peintre.

Femme peintre de l'école Kanô, elle serait élève de Yukinobu. Elle est active à Kyoto, au service du shôgun Oda Nobunaga, et peint surtout des figures. Elle est célèbre comme auteur de *jôruri* (ballade populaire).

TSURANA, de son vrai nom : **Morizumi Sadateru**, surnom : **Shisai**, nom familier : **Tokujirô**, nom de pinceau : **Tsurana**
Né en 1809. Mort en 1892. XIXe siècle. Actif à Osaka. Japonais.
Peintre.
Disciple de Watanabe Kôki, il est spécialiste de sujets historiques et est membre du Comité Impérial des Beaux-Arts.

TSURAYOSHI, de son vrai nom : **Yamana Kangi**, nom de pinceau : **Tsurayoshi**
Né en 1836. Mort en 1902. XIXe siècle. Actif à Tokyo. Japonais.
Peintre.
Disciple de Sumiyoshi Hironuki, il est spécialiste de sujets historiques ; il est professeur à l'Université des Beaux-Arts de Tokyo et membre du Comité Impérial des Beaux-Arts.

TSURUOKA Masao
Né en 1907 dans la préfecture de Gumma. XXe siècle. Japonais.
Peintre. Surréaliste.
Il participe à des expositions collectives : 1953 Biennale de São Paulo et depuis sa création à la Biennale de Tokyo ; 1964 *Chefs-d'Œuvre de l'Art Japonais Contemporain* au musée national d'Art moderne de Tokyo à l'occasion des Jeux Olympiques.
Il participe au mouvement surréaliste des années trente au Japon.

TSUTAKA Waichi
Né en 1911 à Nishinomiya (préfecture de Hyogo). XXe siècle. Japonais.
Peintre. Abstrait.
Il fit ses études au Centre d'Art occidental Nakanoshima d'Osaka de 1942 à 1944. Puis il voyage à l'étranger, tout d'abord au Canada, aux États-Unis, en Amérique centrale et Amérique du Sud en 1959-1960, puis en Italie, Suisse, France et Angleterre en 1962-1963.
Depuis 1947, il a participé à de nombreuses expositions collectives : 1956 *Six Artistes Japonais Contemporains* à l'Institut Smithsonian de Washington ; 1957 et 1959 Biennale de São Paulo ; 1960 Exposition Internationale du prix Guggenheim à New York, où il a reçu le prix ; 1961 *Peintures japonaises contemporaines* à l'Académie d'Art de Berlin ; 1963 *Art Abstrait du Japon Contemporain* au musée d'Art moderne de Tokyo ; 1962-1963, 1973, 1981 et 1982 musée d'Art moderne de Tokyo ; 1970 *Trois Pionniers de la peinture abstraite dans le Japon du XXe siècle* exposition itinérante aux États-Unis avec Okada Kenzo et Shinoda Toko ; 1983 Foire d'Art Contemporain d'Osaka ; etc. Depuis 1950, il montre ses œuvres dans des expositions personnelles à Osaka, Tokyo, Hamamatsu, Hiroshima, Kôbe, etc.
En 1962 il écrit : « Dans mon travail j'utilise exclusivement la brosse. Elle me permet d'exprimer mon intensité et le poids de mes sentiments. Je ne fais jamais de croquis sur la toile. Je fais face à ma toile blanche et je laisse ma brosse me guider pour la pénétrer. Il me devient impossible de peindre si j'ai la moindre idée préconçue. Lorsque l'esprit et le corps sont en harmonie, on peut commencer à peindre parce qu'on est incapable de les dissocier. C'est, pour moi, le point de non-retour, et le peintre peut à ce moment réaliser une vraie création. » Il reçut commande pour la décoration murale de plusieurs édifices tels que le Centre de Santé Nishinimiya de Hyogo en 1955, le théâtre Kansai de Kobe en 1956, le Kobe Branch Building et la Compagnie d'Électricité de Kansai en 1964 et il dessina un relief mural pour l'Institut d'Études Supérieures Shiobara à Kobe.
MUSÉES : FUKUOKA (Mus. d'Art) – HYOGO (Mus. d'Art Mod.) – KOBE (Mus. prefect. d'Art) – MEXICO (Mus. Nat. d'Art Mod.) – NEW YORK (Mus. d'Art Mod.) – OSAKA (Mus. Nat.) – SÃO PAULO (Mus. d'Art Mod.).
VENTES PUBLIQUES : NEW YORK, 27 avr. 1994 : *Noir et blanc* 1961, h/t d'emballage (97,2x145,4) : **USD 13 800**.

TSU-WÊNG. Voir **ZUWENG**

TSYGANOV Youri
Né en 1923 à Saratov. XXe siècle. Russe.
Peintre d'histoire, de genre, peintre de compositions murales, aquarelliste, dessinateur. Réaliste-socialiste.
Il fut élève de l'institut d'art appliqué et décoratif de Moscou. Il est membre de l'Union des Peintres depuis 1955. Il participe depuis 1950 à diverses expositions nationales et internationales. Son thème privilégié est l'histoire de la Russie. Lénine fut à plusieurs reprises le sujet de ses œuvres qui vantaient le régime communiste en place.

BIBLIOGR. : In : Catalogue de la vente *Tableaux soviétiques*, Salle Drouot, Paris, 3 oct. 1990.
MUSÉES : MOSCOU (Mus. d'Hist.).
VENTES PUBLIQUES : PARIS, 14 nov. 1992 : *Lénine et les enfants*, h/pan. (46x70) : **FRF 3 500** – PARIS, 25 jan. 1993 : *Lénine participe au premier soviet des délégués ouvriers*, h/cart. (34,5x47,5) : **FRF 4 200**.

TUAILLON Louis
Né le 7 septembre 1862 à Berlin. Mort le 21 février 1919 à Berlin. XIXe-XXe siècles. Allemand.
Sculpteur de figures, animaux, monuments.
Il étudia à l'académie de Berlin sous la direction de Reinhold Begas de 1879 à 1883. Il fut membre de la Sécession de Berlin en 1906 et fut professeur à l'académie des beaux-arts de Berlin.
Il débuta dans un style néobaroque. Après un séjour de plusieurs années à Rome, son style devint plus classique sous l'influence de son ami, l'écrivain Adolf Hildebrand qui publia *Le Problème de la forme en sculpture*.
BIBLIOGR. : In : *Dict. de la sculpture*, Larousse, Paris, 1992.
MUSÉES : BERLIN : *Amazone à cheval* – BRÊME : *Amazone* – ELBERFELD : *L'Empereur Guillaume II*, haut-relief – ESSEN : *Jeune Fille déliant ses sandales* – KREFELD (Kaiser Wilhelm Mus.) : *Taureau* – LEIPZIG : *Taureau hongrois*.
VENTES PUBLIQUES : COLOGNE, 22 mars 1980 : *Pur-sang et athlète*, bronze (H.80) : **DEM 12 000** – COLOGNE, 26 oct. 1984 : *Baigneuse vers 1900*, bronze (H. 54) : **DEM 6 500** – COLOGNE, 4 déc. 1985 : *Cheval*, bronze, patine brun-vert (H. 31,5) : **DEM 4 800** – NEW YORK, 16 fév. 1994 : *Amazone*, bronze (L. 76,2) : **USD 9 200** – NEW YORK, 26 mai 1994 : *Homme guidant un cheval*, bronze (H. 41,9) : **USD 5 175**.

TUAIRE Jean François. Voir **THUAIRE**

TUAL Karen
Née le 3 février 1952 en Gironde. XXe siècle. Française.
Peintre de compositions animées, paysages. Naïf.
Elle participe à des expositions collectives : 1982 musée de La Roche-sur-Yon. Elle montre ses œuvres dans des expositions personnelles depuis 1982, régulièrement à Cholet, Paris, Osaka et Bruxelles.
Elle réalise des peintures fraîches, représentant la vie quotidienne dans un cadre champêtre.
BIBLIOGR. : Catalogue de l'exposition : *Sur le chemin des primitifs*, Galerie d'Art de la place Beauvau, Paris, 1992.

TUAN
Né en 1929. XXe siècle. Actif en France. Vietnamien.
Peintre.
Il vit et travaille à Paris.
Des formes simples, géométriquement articulées, ripolinées de couleurs vives, l'apparentent à Dewasne, mais, comme beaucoup d'Extrême-Orientaux, il tend à un épurement maximal de la forme qui devient symbole, signe chargé d'un sens, relativement abscons. En 1975, il a réalisé des compositions à partir de photographies. Par des jeux de symétrie et de découpage, il appréhendait ces photographies pourtant figuratives comme de simples formes schématiques sans référence à une réalité lisible, retrouvant ainsi le symbolisme formel propre à ses peintures.

TUB. Voir aussi **DUB**

TUBACK Guillaume
XVe siècle. Éc. flamande.
Sculpteur.
Il exécuta des statues pour la porte Sainte-Catherine de Malines en 1443.

TUBACK Paul ou **Pauwels**, dit **Pauwels den Archier** ou **Paul l'Archer**
Né vers 1485 à Malines (?). Mort après 1534. XVIe siècle. Éc. flamande.
Peintre.
Maître en 1510, il eut pour protectrice l'archiduchesse Marguerite et travailla en 1529 pour les enfants de Christian de Danemark. Il fournit les dessins pour les vitraux de l'église de Notre-Dame des Sept Douleurs, près de Bruges.

TÜBBECKE Franz
Né le 16 septembre 1856 à Stralau. XIXe siècle. Allemand.
Sculpteur.
Élève de R. Begas à l'Académie de Berlin. Le Musée Hohenzollern de Berlin conserve de lui le groupe en marbre *Je n'ai pas le temps d'être fatigué*.

TÜBBECKE Paul Wilhelm
Né le 12 décembre 1848 à Berlin. Mort le 30 janvier 1924 à Weimar. XIXe-XXe siècles. Allemand.

Peintre de genre, paysages, graveur.

Il fut élève de l'Académie de Berlin, de Pauwels et de Max Schmidt à Weimar. En 1873-1874, il fut élève de Ludwig Richter à Dresde et, de 1874 à 1880, de Theodor Hagen à Weimar.

Musées : Kaliningrad, ancien. Königsberg : *Relais en Thuringe* – Weimar : *Vue de ville.*

Ventes Publiques : Cologne, 22 juin 1979 : *Paysage boisé,* h/t mar./pan. (49x62,5) : **DEM 2 200** – Vienne, 29-30 oct. 1996 : *Étang gelé dans un village,* h/t (112,5x181) : **ATS 414 000.**

TUBENMANN Hans Balthasar

Né en 1563. Mort en 1607. xvie siècle. Actif à Zurich. Suisse.

Peintre verrier.

Il travailla pour l'Hôtel de Ville de Zurich de 1597 à 1603.

TUBENTHAL Max

Né le 6 décembre 1859 à Berlin. Mort le 27 février 1909 à Potsdam. xixe siècle. Allemand.

Peintre.

Élève de l'Académie de Berlin et de Chr. Wilberg. Il peignit des sujets religieux, des paysages, des portraits et des architectures. Le Musée Folkwang d'Essen conserve de lui *Les temples de Paestum.*

TUBEROOS Jacobus Alberts. Voir SPYCK Jacobus Alberts

TUBEUF F.

xixe siècle. Travaillant en 1885. Français.

Peintre.

Le Musée Saint-Saëns, à Dieppe, conserve de lui : *Vue d'une rue à Amsterdam* (aquarelle).

Ventes Publiques : Paris, 1er mars 1929 : *Trois compositions,* dess. et aquar. : **FRF 80.**

TUBI Jean Baptiste. Voir TUBY

TUBINO Cesare

Né le 4 mai 1899 à Gênes. xxe siècle. Italien.

Peintre de genre, paysages, natures mortes, fleurs.

Il fut élève des Académies de Gênes et de Florence.

TUBINO Gaetano

Né en 1829 à Florence. Mort le 29 juillet 1896 à Rome. xixe siècle. Italien.

Peintre de genre.

Fils de Gerolamo Tubino. Élève de l'Académie de Gênes. Il exposa dans cette ville de 1864 à 1873.

TUBINO Gerolamo

Né au xixe siècle à Gênes. xixe siècle. Italien.

Dessinateur, lithographe et peintre de genre.

Il fit ses études à Florence. Le Musée d'Art Moderne de Gênes conserve de lui : *L'évangéliste.*

TUBLIN Henri Jean

Né au xixe siècle à Paris. xixe siècle. Français.

Peintre de natures mortes.

Il débuta au Salon de 1870.

TUBMANN Johannes

Né à Schleitz ou Schleis. xviiie siècle. Actif dans la seconde moitié du xviiie siècle. Suisse.

Sculpteur d'autels.

Il sculpta des autels pour des églises de Cumbals et de Pleif.

TUBY Jean Baptiste I

Né en 1635 à Rome, naturalisé français en 1672. Mort le 9 août 1700 à Paris. xviie siècle. Italien.

Sculpteur.

Il fut reçu académicien en 1676. Il travailla en France, notamment à Versailles où il sculpta *Apollon sur son char,* au bassin d'Apollon, et à Paris où il fut le collaborateur de Coysevox, exécutant *La Foi* pour le tombeau de Colbert à l'Église Saint-Eustache, et le tombeau de Mazarin à l'Institut. Son art baroque reste assez impersonnel.

Musées : Paris (Mus. du Louvre) : *Tombeau de Mazarin,* en collaboration avec Lehongre et Coysevox – Versailles (Mus. Nat.) : *Le médecin* – La Chambre – *Apollon sur son char* – *Flore* – *Zéphyr, Flore, Hyacinthe, Clytie,* en collaboration avec Roger – Deux vases de marbre, en collaboration avec Hulot – *Deux tritons et deux sirènes,* en collaboration avec Lehongre – *La France triomphante,* en collaboration avec Coysevox – Versailles (Trianon) : *Deux amours tenant une tige de fleur,* groupe de plomb.

Ventes Publiques : Paris, 10 et 11 avr. 1929 : *Fontaine,* pl. : **FRF 1 600** – Paris, 28 oct. 1949 : *Personnages et monument ; Por-*

trait, dess. : **FRF 6 500** – Londres, 15 mai 1984 : *Acis et le poème lyrique,* bronze marqués de « C » couronné, deux pièces (H. 23,5) : **GBP 1 500.**

TUBY Jean Baptiste II

Né en 1665. Mort le 6 octobre 1735 à Paris. xviie-xviiie siècles. Français.

Sculpteur.

Fils de Jean Baptiste Tuby I. Il a sculpté un *Christ* et l'*Entrée du Christ à Jérusalem* pour la cathédrale d'Orléans, en 1703.

TUCCARI Antonio ou Tucari

Né vers 1620 à Messine. xviie siècle. Italien.

Peintre et graveur.

Père de Giovanni Tuccari et élève de Barbalonga. Il exécuta une partie des fresques du plafond de l'église Santa Maria sotto il Duomo.

TUCCARI Giovanni

Né en 1667 à Messine. Mort en 1743 à Messine, de la peste. xviie-xviiie siècles. Italien.

Peintre de batailles et de fresques.

Élève de son père Antonio Tuccari. La plupart de ses œuvres sont en Allemagne. Il peignit des cycles de fresques pour des églises de Messine et l'abbaye des Bénédictins de Catania.

TUCCHI Domenico di Giacomo, dit Frate Apollonio

Né en 1724 ou 1730 à Urbino. Mort en 1802 à Todi. xviiie siècle. Italien.

Peintre et enlumineur.

Élève de Michele Dolci à Urbino et de P. Batoni à Rome. Il exécuta des tableaux d'autels pour des églises de Naples et des miniatures.

TUCCHI Giuseppe

xviiie-xixe siècles. Italien.

Miniaturiste.

Neveu de Domenico di Giacomo Tucchi.

TUCCI Biagio d'Antonio ou Tuccio

Né en 1446 à Florence. Mort en 1515. xve-xvie siècles. Italien.

Peintre d'histoire, compositions murales, décorateur.

Il aida Perugino dans la décoration du Palazzo della Signoria.

TUCCI Domenico

xviie siècle. Actif à Naples à la fin du xviie siècle. Italien.

Sculpteur.

Il a sculpté l'autel de l'église San Gennaro alla Solfatara de Pozzuoli en 1697.

TUCCI Fausto

xviie siècle. Actif à Rome dans la première moitié du xviie siècle. Italien.

Peintre.

Il exécuta des peintures dans le Palais Borghèse de Rome en 1631.

TUCCI Giovanni Maria

Né à Piombino. xvie siècle. Actif de 1542 à 1549. Italien.

Peintre d'histoire.

Élève de Sodoma. En 1542, il accompagna son maître à Pise et l'aida dans ses travaux à la cathédrale et à Notre-Dame de l'Épine. Tucci travailla surtout dans les églises de Sienne et des environs, où l'on voit encore un certain nombre de ses œuvres.

TUCCIMEI Raffaele

xixe siècle. Actif à Rome. Italien.

Sculpteur.

Le Musée Kestner d'Hanovre possède de lui *Buste d'Auguste Kestner,* daté de 1844.

TUCCIO

xive siècle. Italien.

Peintre.

Il peignit un blason sur une fenêtre de l'église Notre-Dame du Mont de Florence en 1389.

TUCCIO Andrea da ou Tuizo

xve siècle. Actif à Andria en 1487. Italien.

Peintre d'histoire, compositions religieuses.

Le Musée de Toulon conserve lui : *Jésus au milieu des Apôtres.*

TUCCIO Orlandi da

xive siècle. Actif à Lucques entre 1315 et 1337. Italien.

Peintre.

TUCCIO Vitale
XVIIIe siècle. Actif vers la fin du XVIIIe siècle. Italien.
Sculpteur.
Il a sculpté deux sphinx dans la rue menant au Jardin Botanique de Palerme.

TUCCIO di Betto di Tuccio
XIVe siècle. Actif à Sienne en 1338. Italien.
Peintre.

TUCCIO di Simone
XVe siècle. Italien.
Peintre.
Il exécuta une partie des fresques dans la chapelle de l'Hôtel de Ville de Sienne en 1406.

TUCÉ, pseudonyme de **Arnouil Jean-Claude**
Né le 13 mai 1935 à Sainte-Foy-la-Grande (Gironde). XXe siècle. Français.
Peintre de compositions animées, figures, nus, paysages, fleurs, pastelliste, miniaturiste, sculpteur. Naïf.
Il fut élève d'une académie privée d'Aix-en-Provence, mais se revendique comme autodidacte. Il a travaillé en Afrique. Il vit et travaille à Cassis (Bouches-du-Rhône).
Il participe à des expositions collectives, dont le Salon des Artistes Indépendants à Paris depuis 1973, dont il est devenu sociétaire en 1983, et à des groupes surtout dans des villes du Midi. Il montre aussi des ensembles d'œuvres dans des expositions personnelles depuis 1987, à Abidjan, Paris.
VENTES PUBLIQUES : ANGOULÊME, 25 oct. 1990 : *Croquantine*, h/t (81x60) : **FRF 4 800** – MARSEILLE, 28 avr. 1991 : *Le feu en Provence*, h/t (38x46) : **FRF 5 000** – MARSEILLE, 17 nov. 1991 : *La Palabre*, h/pan. (55x120) : **FRF 6 000** – AUBAGNE, 15 mars 1992 : *Coucher de soleil*, h/pan. (35x26,5) : **FRF 2 000** – VERSAILLES, 26 avr. 1992 : *Le baiser ; Le solitaire*, techn. mixte, 2 miniatures (chaque 10x10) : **FRF 2 000** – VERSAILLES, 27 sep. 1992 : *Initiation II*, h/pan. : **FRF 1 500** – MARSEILLE, 6 déc. 1992 : *Découverte de la grotte de Cassis 1991*, h/pan. (40x78) : **FRF 9 000** – AUBAGNE, 24 avr. 1994 : *Cassis la nuit 1991*, h/t (73x54) : **FRF 4 000** – PARIS, 25 mai 1994 : *Portrait*, h/t (39x50) : **FRF 4 000**.

TUCEK Karl
Né le 12 octobre 1889 à Vienne. Mort en 1952. XXe siècle. Autrichien.
Peintre de paysages, natures mortes, graveur d'architectures.
Il fut élève de l'Académie de Vienne. En tant que graveur, il privilégia la technique de l'eau-forte.
VENTES PUBLIQUES : VIENNE, 14 sep. 1983 : *Fleurs dans un vase 1927*, h/t (65x53) : **ATS 25 000**.

TUCH Kurt
Né le 27 mai 1877 à Leipzig. XXe siècle. Allemand.
Peintre de portraits, paysages, décorations, illustrateur.
Il fut élève des Académies de Leipzig et de Munich. Il séjourna à Rome et à Paris où il subit l'influence des impressionnistes et de Cézanne. Il fit avant tout des portraits d'enfants.
MUSÉES : BRÊME (Kunsthalle) : *Jeune Fille au lit* – MAGDEBOURG (Mus. Kaiser-Friedrich) : *Étang dans un parc*.

TUCHBAND Émile
Né le 20 juillet 1933 à Paris. XXe siècle. Actif au Brésil. Français.
Peintre de paysages, peintre de décors de théâtre.
Il montre ses œuvres dans des expositions collectives régulièrement au Brésil et en 1960, 1962, 1965, 1967, 1970, 1973 et 1988 à la galerie Marcel Bernheim à Paris.
On cite ses paysages et ses « impressions » du Brésil, vivement colorés et volontiers exotiques. Il a également réalisé des affiches et travaillé de 1960 à 1962 pour l'opéra Garnier de Paris.

TUCHBAND Isabelle
Née le 27 mars 1968 à Taubaté (São Paulo), de père français et mère brésilienne. XXe siècle. Brésilienne.
Peintre de compositions murales, céramiste.
Fille du peintre Émile Tuchband, elle fut élève à Paris de l'école des arts décoratifs.
Elle est célèbre pour ses céramiques, notamment des vases. Elle a réalisé pour la station de métro Santa Cruz à São Paulo un panneau de céramiques (5 mètres sur 1 mètre) représentant toutes les races qui ont permis à la ville d'évoluer.

TUCHE Franz ou **Duche**
Né vers 1756 à Sandau. Mort le 19 octobre 1812 à Salzbourg. XVIIIe-XIXe siècles. Autrichien.
Peintre de miniatures et de décorations.

TU CHI-LUNG. Voir **DU JILONG**

TU CHIN. Voir **DU JIN**

TU CH'IUNG. Voir **DU QIONG**

T'U CHO. Voir **TU ZHUO**

TUCK J.
XIXe siècle. Travaillant de 1819 à 1822. Britannique.
Graveur de portraits.

TUCKER Albert
Né le 29 décembre 1914 à Melbourne (Victoria). XXe siècle. Depuis 1947 actif aussi en Grande-Bretagne et aux États-Unis. Australien.
Peintre de figures, portraits, paysages, animaux, aquarelliste, technique mixte, dessinateur, sculpteur. Expressionniste.
Il eut une grande influence sur la Société d'Art Contemporain de Melbourne de 1939 à 1947, dont il fut président de 1943 à 1947 et en 1962. À partir de 1947, il travailla en Europe, en Grande-Bretagne et aux États-Unis. Il vécut à Melbourne.
Il a participé à des expositions collectives : 1956 Biennale de Venise ; 1959 Smithsonian Institution de Washington, Museum of Modern Art de New York ; 1963 Biennale de São Paulo. Il montra ses œuvres dans des expositions personnelles à partir de 1936 : 1951 Amsterdam ; 1952 Paris ; 1954 Rome (en compagnie de Sydney Nolan) ; 1957 Imperial Institute de Londres ; 1961 Australian Museum of Modern Art de Melbourne ; 1971 Institut national des Beaux-Arts de Mexico ; 1971 Australian National Gallery de Canberra ; 1982 Victoria. Il reçut le prix de la Australian Women's Weekly en 1958 et, en 1960, une subvention du musée d'Art moderne d'Australie pour une série d'expositions rétrospectives.
Fortement influencé par Max Beckmann, Otto Dix et Dubuffet, il suivit les directives du mouvement expressionniste. Excellent dessinateur, il provoqua, par son culte d'une certaine laideur, beaucoup de scandale, avec notamment des scènes de paysages désolés hantés de figures fantomatiques. Il a notamment réalisé les séries *Images of Modern Evil* (Images du mal moderne) de 1943 à 1947, *Thames Waterfront* (Les Quais de la Thames) de 1947 à 1948, *Pan in armour* (Pan en armure) de 1956 à 1957.
BIBLIOGR. : In : *Creating Australia – 200 years of art 1788-1988*, Adelaïde, 1988 – in : *Dict. de l'art mod. et contemp.*, Hazan, Paris, 1992.
MUSÉES : CANBERRA (Australian Nat. Gal.) : *Les Filles de la victoire 1943 – Image du mal moderne 9 1944 – Image du mal moderne 24 1945* – MELBOURNE (Australian Mus. of Mod. Art) – MEXICO (Inst. Nat. des Beaux-Arts) – NEW YORK (Mus. of Mod. Art) – NEW YORK (Guggenheim Mus.).
VENTES PUBLIQUES : MELBOURNE, 11 et 12 mars 1971 : *Faune et perroquet* : **AUD 3 500** – MELBOURNE, 14 mars 1974 : *Perroquets dans un paysage 1969* : **AUD 5 500** – ROSEBERY (Australie), 29 juin 1976 : *Convict in swamp 1951*, h/t (40x50) : **AUD 2 750** – SYDNEY, 7 oct. 1976 : *Image*, bronze (H. 36) : **AUD 500** – ROSEBERY (Australie), 21 juin 1977 : *Masked intruder II 1965*, h/t (60x75) : **AUD 1 900** – OXFORDSHIRE, 20 mars 1979 : *Thames 2 1957*, h/t (122x147) : **GBP 2 300** – MELBOURNE, 7 nov. 1984 : *Antipodean head*, h/cart. (80x60) : **AUD 6 000** – SYDNEY, 29 oct. 1987 : *Portrait 1968*, h/cart. (74,6x59,2) : **AUD 25 000** – SYDNEY, 16 oct. 1989 : *Images du Mal moderne*, techn. mixte (26x36) : **AUD 8 000** – LONDRES, 25-26 avr. 1990 : *Plage de sable dans une baie du Pembrokeshire*, aquar. (50x75) : **GBP 2 750**.

TUCKER Allen
Né le 29 juin 1866 à Brooklyn. Mort en 1939. XIXe-XXe siècles. Américain.
Peintre de genre, portraits, paysages.
Il fut élève de l'Université de Colombie et de l'Art Students' League.
MUSÉES : BUFFALO – NEW YORK (Mus. Brooklyn) – NEW YORK (Metropolitan Mus.) – PROVIDENCE.
VENTES PUBLIQUES : NEW YORK, 26 mai 1982 : *An East wind 1920*, h/t (71,2x86,5) : **USD 4 500** – NEW YORK, 1er juin 1984 : *Paysage maritime 1913*, h/t (52x61,5) : **USD 5 000** – NEW YORK, 20 juin 1985 : *Paysage aux meules*, h/t (76,2x86,4) : **USD 4 000** – NEW YORK, 30 mai 1990 : *Paysage 1924*, h/t (63,5x86,5) : **USD 3 850** – NEW YORK, 17 déc. 1990 : *Pâturages 1917*, h/cart. (50,8x60,3) : **USD 2 970** – NEW YORK, 15 avr. 1992 : *Jour de lessive 1925*, h/t (40,6x50,8) : **USD 1 980** – NEW YORK, 25 sep. 1992 : *Paysage d'hiver 1911*, h/t (76,2x63,5) : **USD 8 800** – NEW YORK, 4 déc. 1992 :

L'ombre de trois ifs sur la neige 1911, h/t (71,5x86,4) : **USD 20 900** – New York, 31 mars 1993 : *Dans le jardin* 1909, h/t (61x50,8) : **USD 18 975** – New York, 31 mars 1994 : *Ambiance matinale* 1918, h/cart. (63,5x76,2) : **USD 13 225** – New York, 23 mai 1996 : *La Maison blanche*, h/t (61,3x89,3) : **USD 9 775** – New York, 30 oct. 1996 : *Soleil levant sur le Northeast Harbor* 1919, h/t (64,1x76,8) : **USD 8 050** – New York, 25 mars 1997 : *Paysage d'hiver* 1911, h/t/pan. (76,2x91,4) : **USD 4 600**.

TUCKER Arthur
Né en 1864 à Bristol. Mort le 12 août 1929. xixe-xxe siècles. Britannique.
Peintre de paysages, aquarelliste.
Membre de la Society of British Artists, il vécut et travailla à Windermere. Il exposa à Londres, notamment à la Royal Academy, à Suffolk Street et au Royal Institute à partir de 1883. On trouve encore son nom sur les catalogues de 1909.
Musées : Manchester : *Kentmere Hall – Westmoreland*, aquar.
Ventes Publiques : Londres, 31 jan. 1990 : *Richmond dans le Yorkshire*, aquar. (30x44,5) : **GBP 715**.

TUCKER Benjamin
Né en 1768. xviiie siècle. Américain.
Portraitiste.
Il travailla à Newbury.

TUCKER Edward
Né vers 1847. Mort en 1910. xixe-xxe siècles. Britannique.
Peintre de genre, paysages, marines, aquarelliste.
Il exposa à Londres, à la Royal Academy, à la British Institution, et à Suffolk Street de 1849 à 1873. Il vécut et travailla à Woolwich.
Musées : Londres (Victoria and Albert Mus.) : *Scène sur une rivière hollandaise*, aquar. – Sydney (Mus. Nat.) : *Vue du Pays de Galles.*
Ventes Publiques : Paris, 12-14 juin 1907 : *Baignade des enfants au soleil couchant* : **FRF 1 500** – Londres, 16 fév. 1984 : *Un naufrage au large de Hastings*, aquar. (67,3x101,6) : **GBP 650** – Londres, 22 sep. 1988 : *Voyageurs traversant un pont près de la mer* 1886, h/t (61x106,7) : **GBP 1 320** – Londres, 25 jan. 1989 : *Bateaux sur le Rhin à Cologne* 1859, aquar. (51x72) : **GBP 880** – Londres, 31 jan. 1990 : *L'approche de la tempête*, aquar. (26x47) : **GBP 1 650** – Londres, 20 juil. 1994 : *Barques de pêche au large du mont Saint-Michel*, aquar. avec reh. de blanc (26x35) : **GBP 632** – Londres, 11 oct. 1995 : *Bateaux dans la tempête au large d'une ville du nord de la France*, aquar., gche/2 feuilles de pap. (46,5x68,5) : **GBP 690**.

TUCKER Henry
xviiie siècle. Actif à Dublin de 1758 à 1765. Irlandais.
Graveur au burin.

TUCKER James Walter
Né en 1898. Mort en 1972. xxe siècle. Britannique.
Peintre de paysages, dessinateur.
Il a exposé très régulièrement à la Royal Academy à Londres, de 1928 à 1968.
Peintre de paysages, il a séjourné en Italie, d'où il a rapporté des vues, notamment de Venise.
Ventes Publiques : Londres, 25 juin 1980 : *Le retour des marins* 1942, temp./t. (89,5x120) : **GBP 1 000** – Londres, 25 juin 1980 : *Easter Monday*, h/t (90,5x121,5) : **GBP 1 800** – Chester, 20 juil. 1989 : *Le champion*, h. et cr./t. (108,5x139) : **GBP 46 200** – Londres, 7 nov. 1991 : *Le retour des marins*, temp./t. (85x117) : **GBP 5 280**.

TUCKER Nathaniel
xviiie siècle. Travaillant à Londres entre 1740 et 1760. Britannique.
Portraitiste.
John Faber le Jeune grava d'après lui.

TUCKER Robert
xixe siècle (?). Britannique.
Peintre de marines.
Le Musée de Bristol conserve de lui : *Port de Bristol* (aquarelle). Peut-être à rapprocher de Pain (Robert Tucker).

TUCKER Tudor St. George
Mort en 1906. xixe siècle. Britannique.
Peintre de genre et portraitiste.
Le Musée de Derby possède de lui *Étude de portrait* et le Musée de Melbourne, *Bonne à tout faire.*

TUCKER William
Né en 1935 au Caire (Égypte), de parents britanniques.

xxe siècle. Depuis 1977 actif et naturalisé aux États-Unis. Britannique.
Sculpteur, graveur, dessinateur, créateur d'environnements.
De 1955 à 1958, il effectua des études d'histoire à l'Université d'Oxford. Il fut ensuite élève de la School of Arts and Crafts et de la St. Martin's School of Art en 1959-1960, à Londres où il vit et travaille. Il est l'auteur de l'ouvrage *Le Langage de la sculpture* paru en 1974.
Il participe à des expositions collectives : 1960-1961 Institute of Contemporary Art de Londres ; 1961 Biennale de Paris ; 1965 Whitechapel Art Gallery de Londres et Walker Art Center de Minneapolis ; 1966 Stedelijk Museum d'Amsterdam ; 1968 Documenta de Kassel ; 1971 National Gallery of Art de Washington ; 1972 Royal Academy de Londres, Biennale de Venise ; 1976 Biennale de Sydney ; 1979, 1981, 1987 Museum of Modern Art de New York ; 1983 Hayward and Serpentine Gallery de Londres. Il montre ses œuvres dans des expositions personnelles, depuis 1962 régulièrement à Londres, notamment 1973 Serpentine Galleries, 1987 Tate Gallery ; ainsi que : 1965, 1977 New York ; 1973 Kunstverein de Hamburg, Museum de Bochum ; 1980 Sydney et Melbourne ; 1981, 1983 Rome ; 1985, 1987 Santa Barbara.
Dès ses premières manifestations, il apparut que la démarche de Tucker était d'ordre intellectuel. Pourtant, la diversité des matériaux, souvent l'aluminium laqué de couleurs vives, la fibre de verre, les résines synthétiques, et la pureté tendue des formes simples, prouvent la permanence de son attachement à la chose sculptée. Se rattachant à la fois au courant conceptuel et aux minimalistes américains, il appartient à la génération apparue autour de 1965, qui se préoccupa d'animation de l'espace, d'« environnements », par des objets directement issus des structures primaires de la perception, s'imposant aux spectateurs par leurs dimensions monumentales. Il a évolué dans les années quatre-vingt avec des fragments de corps, des évocations de figures, qui évoquent le travail de De Kooning et Guston.
Bibliogr. : David Fuller, in : *Nouv. Dict. de la sculpt. mod.*, Hazan, Paris, 1970.
Musées : Aberdeen (Art Gal.) – Humlebaeck (Louisiana Mus. of Mod. Art) – Londres (British Mus.) – Londres (Tate Gal.) – Londres (Victoria and Albert Mus.) – Minneapolis (Walker Art Center) – New York (Mus. of Mod. Art) – New York (Metropolitan Mus.) – New York (Solomon R. Guggenheim Mus.) – Otterlo (Rijksmus. Kröller-Müller).
Ventes Publiques : New York, 7 nov. 1985 : *Fear* 1979, acier (16x23x2,5) : **USD 2 200** – New York, 15 mai 1987 : *Sans titre* 1985, monotype (152x110,5) : **USD 2 000** – Londres, 7 juin 1991 : *Fermeture C*, construction de bois (H. 165) : **GBP 3 300** – Londres, 11 juin 1992 : *Meru I* 1964, acier peint (196x58,5x76) : **GBP 2 860** – Londres, 26 mars 1993 : *La réunion des opposés*, bois peint (H. 104) : **GBP 1 552**.

TUCKER William E.
Né en 1801 à Philadelphie. Mort en 1857 à Philadelphie. xixe siècle. Américain.
Graveur de genre, portraits, paysages.
Il fut élève de F. Kearny. Il travailla à Philadelphie et grava au burin des portraits, des paysages, des vues de Philadelphie et des scènes de genre.

TUCKER DE HAAS CARPENDER Alice Preble. Voir CARPENDER

TUCKERMAN Lilia McCauley
xxe siècle. Américaine.
Peintre.
Elle fut élève de Georges Noyes, Charles H. Woodbury et Dewitt Parshall. Elle fut membre de la Fédération Américaine des Arts.

TUCKERMAN Stephen Salisbury
Né en 1830 à Boston. Mort en mars (?) 1904 à Standeford. xixe siècle. Américain.
Peintre de marines et de paysages.
Élève de W. M. Hunt à Boston. Il travailla aussi à La Haye et à Paris. Le Musée de Boston conserve une marine de cet artiste.

TUCKSON Tony
Né en 1921. Mort en 1973. xxe siècle.
Peintre. Expressionniste abstrait.
Dans une gamme de tons réduite au noir et au blanc, il pratique une peinture calligraphique, monumentale.
Bibliogr. : In : *Creating Australia – 200 years of art 1788-1988*, Adelaïde, 1988.

TUCULESCO Ion

Né le 19 mai 1910 à Craiova. Mort le 27 juillet 1962 à Bucarest. XXᵉ siècle. Roumain.

Peintre.

Médecin et professeur de sciences naturelles, il a néanmoins peint toute sa vie.

Il a participé dès 1942 à la Biennale de Venise. Il fait sa première exposition particulière à Bucarest en 1938. En 1966 la Roumanie a présenté une rétrospective de son œuvre lors de la Biennale de Venise.

Il fut d'abord influencé par Van Gogh et Gauguin. Ensuite, fasciné par l'art populaire et le folklore roumain, il a cherché à surprendre le sens profond et les moyens d'expression des vieux maîtres de l'art populaire. Cette influence sur sa peinture s'est surtout fait sentir à partir de 1947. Auparavant sa peinture était volontiers expressionniste, exprimant l'inquiétude et ne montrant que les aspects les plus dramatiques des lieux ou des sujets choisis.

TUDELA Y PERALES Joaquin

Né le 25 novembre 1892 à Jativa. XXᵉ siècle. Espagnol.

Peintre.

Il fit ses études à Valence et vécut surtout dans l'île de Majorque dont il a peint les habitants et le paysage.

Musées : MADRID (Mus. Mod.) : peinture.

TUDELILLA Martin de Gaztelu, dit Martin de Tudela

Né vers 1500 à Tudela. Mort en 1560 à Saragosse probablement. XVIᵉ siècle. Espagnol.

Sculpteur et architecte.

Il fut un représentant du style plateresque et exécuta une partie de la balustrade du chœur de la cathédrale de Saragosse.

TUDGAY Frederick J.

XIXᵉ siècle. Actif de 1850 à 1877. Britannique.

Peintre de marines.

Ventes Publiques : LONDRES, 22 sep. 1988 : Le « Miltiades » de la White Star Line d'Aberdeen en 1872, h/t (61x92) : GBP 15 400 – LONDRES, 31 mai 1989 : Frégate au large d'un port de commerce, h/t (61x91,5) : GBP 10 450 – NEW YORK, 25 oct. 1989 : Goélette au large des côtes 1863, h/t (66,6x91,6) : USD 9 350 – NEW YORK, 22 mai 1990 : Navires à voiles virant à droite dans les mers du Sud 1863, h/t (69,3x107,2) : USD 22 000 – NEW YORK, 19 fév. 1992 : En pleine mer 1860, h/t (61x94,3) : USD 5 500.

TUDOR J. O.

XIXᵉ siècle. Actif à Londres dans la première moitié du XIXᵉ siècle. Britannique.

Paysagiste.

Il exposa de 1809 à 1824.

TUDOR Joseph

Mort le 24 mars 1759 à Dublin. XVIIIᵉ siècle. Irlandais.

Paysagiste et peintre de décorations.

Le Musée de Dublin conserve de lui La baie de Dublin avec des bateaux.

TUDOR-HART Percyval

Né le 17 ou 27 décembre 1873 à Montréal. XIXᵉ-XXᵉ siècles. Actif en Grande-Bretagne. Canadien.

Peintre, sculpteur.

Il fut élève de Gérôme, de J. Lefebvre, de Thomas et de Giroux. Il vécut et travailla à Londres.

Il a exposé à Paris, aux Salons des Artistes Français, de la Société Nationale des Beaux-Arts, d'Automne, à Liverpool, Londres, Munich.

Musées : MONTRÉAL (Gal. Nat.) : Nuage d'automne.

TUDOT Edmond ou Louis Edmond

Né le 23 août 1805 à Bruxelles, de parents français. Mort le 8 décembre 1861 à Moulins (Allier). XIXᵉ siècle. Français.

Peintre de vues, archéologue et lithographe.

Élève du baron Gros. Il exposa au Salon de 1833 à 1853. Fondateur de l'École d'Art de Moulins où il fut professeur, il a écrit plusieurs manuels techniques illustrés par ses dessins. Le Musée de Moulins conserve deux dessins de lui.

TUER Herbert

Né en Angleterre. Mort vers 1680 à Utrecht (?). XVIIᵉ siècle. Actif à Nimègue. Hollandais.

Portraitiste.

Il vint en Hollande après la chute du roi Charles Iᵉʳ. Le Bryan's Dictionary le réclame comme artiste anglais et dit que ce ne fut qu'après la Révolution d'Angleterre qu'il alla dans les Pays-Bas. La National Portrait Gallery à Londres conserve de lui : Portrait de Léoline Jenkins.

Ventes Publiques : PARIS, 14 mars 1979 : Portrait d'un écrivain 1669, h/bois (24,5x19) : FRF 9 000.

TUERENHOUT Jean François. Voir TURNHOUT

TUERENHOUT Jef Van ou Thuerenhout

Né en 1926 à Malines (Belgique). XXᵉ siècle. Belge.

Peintre de figures, nus, animaux, peintre à la gouache, sculpteur, céramiste, dessinateur, graveur. Fantastique.

Il fait ses études à l'Institut Supérieur de Schaerbeek de Bruxelles, puis il commence à peindre sur les conseils d'Opsomer. Il participe en 1950 à la fondation de la revue bruxelloise d'avant-garde Tijd en Mens.

Il participe à de nombreuses expositions en Belgique et à l'étranger : Paris, Cologne, Montréal, Barcelone, etc. Il vit et travaille à Ostende.

D'abord influencé par l'expressionnisme et le primitivisme, son œuvre relève ensuite du fantastique flamand dont il est l'un des représentants. Il fait partie du groupe Fantasmagie, qui avait été fondé par Pasque, Mesens, entre autres, et dont il constitue la seconde génération avec Élisabeth Bourdon, Jos Dufour et quelques plus jeunes. Dans une veine spécifiquement flamande, les artistes de ce mouvement se réfèrent plus au fantastique qu'au surréalisme. Ses personnages semblent taillés dans la pierre, comme provenant d'un autre monde, femmes aux formes opulentes, créatures inquiétantes, intermédiaires entre l'homme et la terre.

Jef van Tuerenhout

Ventes Publiques : LOKEREN, 13 mars 1976 : Figure, céramique (H. 50) : BEF 80 000 ; Composition 1966, h/t (120x100) : BEF 140 000 – LOKEREN, 12 mars 1977 : Trois visages 1976, gche (65x48) : BEF 80 000 – ANVERS, 22 avr. 1980 : Le Chapeau rouge de Mme X 1976, past. (73x53) : BEF 90 000 – BRUXELLES, 28 oct. 1981 : Les Cavaliers 1975, h/t (150x150) : BEF 300 000 – BRUXELLES, 28 oct. 1981 : Corps de femme 1976, céramique (H. 160) : BEF 120 000 – LOKEREN, 24 avr. 1982 : De oude goden waken, gche (56x38) : BEF 60 000 – ANVERS, 26 avr. 1983 : Les Anges sacrés 1966, h/t (120x150) : BEF 175 000 – LOKEREN, 26 fév. 1983 : L'Amazone, bronze (H. 46) : BEF 75 000 – ANVERS, 3 avr. 1984 : Les arbres sont comme des joyaux, dess. gouaché (98x69) : BEF 150 000 – ANVERS, 22 oct. 1985 : L'attente 1965, dess. à l'encre aquar. (41x54) : BEF 36 000 – ANVERS, 22 avr. 1986 : Prêtresse, bronze (H. 34) : BEF 50 000 – LOKEREN, 28 mai 1988 : L'oiseau, aquar. (75x54) : BEF 120 000 – PARIS, 26 oct. 1988 : Femmes nues 1970, h./cire (122x103) : FRF 29 000 – LONDRES, 23 fév. 1989 : Sans titre 1971, acryl. et craie grasse/pap./cart. (83,8x102,9) : GBP 5 280 – LOKEREN, 24 mars 1992 : Cavalier 1953, h/t (70x60) : BEF 90 000 ; Nu au perroquet, gche (120x80) : BEF 350 000 – LOKEREN, 10 oct. 1992 : Nu assis avec des fleurs, gche (119x79) : BEF 360 000 – LOKEREN, 20 mars 1993 : L'oiseau de proie, gche (98x68) : BEF 330 000 – LOKEREN, 15 mai 1993 : Femme avec la lune, gche (98,5x69) : BEF 400 000 – LOKEREN, 12 mars 1994 : Les oiseaux, bronze (H. 52, l. 29) : BEF 180 000 – LOKEREN, 8 oct. 1994 : La fête rituelle 1969, aquar. (45,5x59,5) : BEF 65 000 ; Nu au perroquet, gche (120x80) : BEF 300 000 – LOKEREN, 7 oct. 1995 : Le miroir, h/t (90x80) : BEF 360 000 – LOKEREN, 9 mars 1996 : Les nuits dangereuses, h/t (100x120) : BEF 500 000 – AMSTERDAM, 4 juin 1996 : Le Scorpion, gche/pap. (100x70) : NLG 7 316 – LOKEREN, 5 oct. 1996 : Le Miroir, h/t (90x80) : BEF 310 000 – LOKEREN, 18 mai 1996 : Fruits d'hiver, gche (60x46,5) : BEF 125 000 – LOKEREN, 7 déc. 1996 : Nu bleu 1976, gche (55x37) : BEF 75 000.

TUERLINCKX Joseph Jean

Né le 2 novembre 1809 à Malines. Mort le 6 février 1873 à Malines. XIXᵉ siècle. Belge.

Sculpteur.

Élève de Van Bree et W. Geefs. Il sculpta le monument de Marguerite d'Autriche érigé sur la grand-place de Malines en 1849, ainsi que de très nombreuses statues, tombeaux et portails.

Musées : MALINES : Giotto dessinant – Daphnis et Chloé.

TUERLINCKX Louis Benoît Antoine

Né le 31 décembre 1820 à Malines. Mort le 21 mars 1894 à Ixelles. XIXᵉ siècle. Belge.

Sculpteur, lithographe et musicien.

Élève de Dykmans.

Ventes Publiques : PARIS, 11 juin 1951 : Portrait de femme 1863 : FRF 2 000.

TÜFEL Caspar ou **Hans Ulrich**
XVIIᵉ siècle. Actif à Sursee. Suisse.
Sculpteur sur bois et sur pierre.
Il a sculpté, avec Ulrich Räder, les stalles de l'église des Franciscains de Lucerne ainsi que l'autel Notre-Dame dans l'ancienne cathédrale de Soleure.

TÜFEL Hans Wilhelm
XVIIᵉ siècle. Actif à Sursee. Suisse.
Sculpteur sur bois.
Il fut membre de la confrérie Saint-Luc de Lucerne en 1665.

TUFFAULT, appellation erronée. Voir **TUSSAUD**

TUFFET Henri
Né à Lyon (Rhône). XIXᵉ siècle. Français.
Sculpteur.
Élève de Vauthier. Il débuta au Salon de 1879.

TUFINOFF Grigori Grigoriévitch
Né à Toropez. XVIIᵉ siècle. Russe.
Peintre d'icônes.
Il a peint des icônes dans des églises de Novgorod et de Jorosslavl.

TUFINOFF Lavrenti Grigoriévitch
Né à Toropez. XVIIᵉ siècle. Russe.
Peintre d'icônes.
Il a peint une *Annonciation* dans l'église Ilinskaia de Novgorod.

TÜGEL Otto
Né le 18 novembre 1892 à Hambourg. Mort en 1973. XXᵉ siècle. Allemand.
Peintre.
Il n'eut aucun maître. Il travailla surtout à Worpswede. Peintre, il fut aussi écrivain.
MUSÉES : HAMBOURG (Kunsthalle) : *Ève*.
VENTES PUBLIQUES : HAMBOURG, 9 juin 1979 : *La jeune fille aux deux cœurs* 1921, h/pap. mar./cart. (57,7x37,7) : **DEM 5 600** – BRÊME, 30 juin 1984 : *Aprés l'orage*, fus. (57,5x43) : **DEM 2 500**.

TUGLI Giovanni ou **Tuglia**
XVᵉ siècle. Actif à Ortona dans la seconde moitié du XVᵉ siècle. Espagnol.
Sculpteur sur bois et marqueteur.

TUHKANEN Toivo
Né en 1877. XXᵉ siècle. Finlandais.
Peintre de paysages.
MUSÉES : HELSINKI (Ateneum) : *Paysage d'hiver*.

T'U HSÜAN. Voir **TU XUAN**

TUISCH Michael
XVIIᵉ-XVIIIᵉ siècles. Actif à l'île de Funen. Danois.
Sculpteur sur bois.
Il sculpta des statues dans l'église Saint-Jean d'Odense.

TUITE J. Th.
XIXᵉ siècle. Actif à Boulogne-sur-Mer (Pas-de-Calais). Français.
Peintre de portraits.
Il débuta au Salon de 1834.
VENTES PUBLIQUES : PARIS, 17 déc. 1942 : *Paysage au clair de lune* 1828 : **FRF 850**.

TUIZO Andrea da. Voir **TUCCIO**

TUKE Henry Scott
Né le 12 juin 1858 ou 1859 à York. Mort le 30 mars 1929. XIXᵉ-XXᵉ siècles. Britannique.
Peintre de genre, marines.
Il fut d'abord élève de Edward J. Poynter et de Alphonse Legros à la Slade School of Art à Londres. Après avoir passé une année en Italie, il vint travailler à Paris pendant deux ans avec J.-P. Laurens et Luc-Olivier Merson. Il revint en Angleterre en 1883 et s'établit en Cornouailles.
Il commença à exposer à Londres à la Royal Academy en 1879 jusqu'en 1930 et en fut nommé associé en 1900. Il fut également associé au Royal Institute.

H·ST

MUSÉES : BRADFORT : *Le Citronnier* – LEEDS : *Les Baigneurs* – LIVERPOOL : *Au bord du ruisseau*, pastel – LONDRES (Tate Gal.) : *Beaux Jours d'août* – *Tous les hommes à la pompe* – MUNICH (Nouvelle Pina.) : *Matelots jouant aux cartes* – NOTTINGHAM : *Le Pêcheur* – SYDNEY : *Le Récit du marin*.
VENTES PUBLIQUES : LONDRES, 13 déc. 1909 : *La promise* : **GBP 39** – LONDRES, 9 déc. 1964 : *Under the western sun* : **GBP 380** – LONDRES, 17 juin 1977 : *August Blue* 1896, aquar. (37,5x56) : **GBP 2 000** – LONDRES, 8 mars 1978 : *Le bain de soleil* 1927, h/t (90x121,5) : **GBP 2 400** – LONDRES, 8 juin 1979 : *Jeune garçon nu sur le gazon*, h/t (53,5x38) : **GBP 850** – TORQUAY, 16 juin 1981 : *Baigneurs* 1915, h/t (43x64) : **GBP 2 000** – LONDRES, 19 mai 1982 : *Bluebells* 1907, past. (44,5x29) : **GBP 750** – LONDRES, 9 mars 1984 : *Homme nu vu de dos*, past. (35,5x25,3) : **GBP 2 200** – LONDRES, 23 mai 1984 : *Jeune homme dans un paysage ensoleillé* 1913, h/t mar./cart. (58,5x33) : **GBP 4 600** – LONDRES, 24 avr. 1985 : *Jeune homme étendu sur la plage* 1922, aquar. (20x27) : **GBP 1 600** – LONDRES, 12 nov. 1986 : *On the cliff, Newlyn, or Philip and Janie* 1884, h/t (51x81) : **GBP 32 000** – LONDRES, 2 mars 1989 : *Barges sur la Tamise* 1909, aquar. (23,7x33,7) : **GBP 3 520** – MONTRÉAL, 1ᵉʳ mai 1989 : *Scène de port*, aquar. (17x24) : **CAD 1 100** – LONDRES, 8 juin 1989 : *Jack Rowling grimpant dans les gréements* 1888, h/pan. (22,5x12,5) : **GBP 6 600** – LONDRES, 25 jan. 1991 : *La plage de Newporth à Falmouth* 1907, h/pan. (33x24) : **GBP 5 280** – LONDRES, 7 mars 1991 : *La pause de midi* 1906, h/t (102x132) : **GBP 48 400** – LONDRES, 27 sep. 1991 : *Le port de Saint-Tropez* 1928, aquar. (37x26,5) : **GBP 2 200** ; *Les baigneurs* 1922, aquar. (28,5x44,5) : **GBP 6 050** – NEW YORK, 26 mai 1993 : *Une barque française* 1918, h/t (39,4x30,5) : **USD 11 500** – LONDRES, 5 nov. 1997 : *Le Jeune Pêcheur* 1904, aquar. (21x13) : **GBP 2 875**.

TULDEN Theodor Van. Voir **THULDEN**

TULETTE
Peintre.
Le Musée de Roanne conserve, signée de ce nom, une aquarelle intitulée *Vieilles maisons*.

TULIPANO. Voir **KINDERMAN**

TULKA Josef
Né le 3 janvier 1846 à Nova Paka. Mort en 1882. XIXᵉ siècle. Tchécoslovaque.
Peintre.
Élève de Trenkwald. Il exécuta des fresques au Théâtre National de Prague. La Galerie Moderne de cette ville conserve de lui *L'hymne à la gloire* et *L'hymne du recueillement*.

TULL N.
Mort en 1762. XVIIIᵉ siècle. Britannique.
Peintre de portraits, de paysages, d'animaux et de sujets rustiques et dessinateur.
Il exposa à la Society of Artists en 1761. Vivares et Elliot gravèrent plusieurs planches d'après ses peintures.

TULL Ödön ou **Edmund**
Né le 9 mai 1870 à Szekesfehérvar. Mort le 15 septembre 1911 à Budapest. XIXᵉ-XXᵉ siècles. Hongrois.
Peintre, aquarelliste, peintre à la gouache.
Il fit ses études à Budapest et à Paris. Il peignit surtout à l'aquarelle et à la gouache.
MUSÉES : BUDAPEST (Mus. Nat.) : peintures.

TULLAT Luce ou **Lucie**
Née le 26 mars 1895 à Saint-Germain-en-Laye (Yvelines). XXᵉ siècle. Française.
Peintre de paysages, natures mortes.
Elle a étudié à l'école nationale des Beaux-Arts de Paris de 1919 à 1925. Elle exposa à Paris, au Salon d'Automne, dont elle est membre sociétaire depuis 1946, au Salon des Tuileries et au Salon du Dessin et de la Peinture à l'eau.
MUSÉES : PARIS (Mus. d'Art Mod. de la ville).
VENTES PUBLIQUES : PARIS, 22 déc. 1941 : *Coupe de fruits* : FRF 580 – PARIS, 3 fév. 1944 : *Le village* : FRF 4 800 – PARIS, oct. 1945-juil. 1946 : *Paysage* : FRF 5 000 – PARIS, 22 nov. 1948 : *Paysage d'automne* : FRF 1 700 ; *Le laboureur* : FRF 2 200.

TULLEKEN O.
XIXᵉ siècle. Travaillant en 1812. Hollandais.
Silhouettiste.

TULLIO Anita
Née le 31 octobre 1935 à Paris. XXᵉ siècle. Française.
Sculpteur, céramiste.
Elle commence à travailler la terre en 1967, et se passionne pour la céramique. Elle n'a aucune formation et ne fréquente aucune école artistique. Elle travaille seule à la campagne et fait ses premières expériences de cuisson. Elle commence à travailler en professionnelle à partir de 1970.

Elle expose à Paris au Salon Comparaisons en 1974, puis dans une exposition de groupe en 1975. Elle fait sa première exposition particulière en 1972 à Paris.

Elle n'utilise que la terre, sans aucune couleur. Ses boules en terre cuite sont des sortes de mappemondes dérivées d'un monde cosmique.

Ventes Publiques : Paris, 22 déc. 1989 : *Tableau-sculpture* (60x60) : FRF 9 000 – Paris, 6 avr. 1994 : *Céramique*, sphère (diam. 48) : FRF 6 800 – Paris, 23 jan. 1995 : *Sphère bleue*, terre cuite (H. 36) : FRF 6 500 – Paris, 19 oct. 1997 : *Sphère*, terre cuite émaillée (diam. 36) : FRF 4 000.

TULLIO Giuseppe di
Né à San Germano. XVIIIe siècle. Actif dans la première moitié du XVIIIe siècle. Italien.
Sculpteur.
Il a sculpté la *Porte du Crucifix* au Mont-Cassin en 1713.

TULLIO da Perugia
XIIIe siècle. Italien.
Peintre de portraits.
En 1219, il alla à Assise pour peindre le portrait de *Saint François*.

TULLOCH William Alexander
Né le 3 janvier 1887 au Venezuela, de parents américains. XXe siècle. Américain.
Peintre, illustrateur, graveur.
Il fut élève de William Turner et membre de la Société des Artistes Indépendants.
Ventes Publiques : New York, 4 mai 1993 : *Modernes Amazones*, h/t (101,6x137,2) : USD 2 530.

TULLON Pierre
Né le 6 novembre 1851 à Gelles (Puy-de-Dôme). XIXe siècle. Français.
Peintre de genre.
Élève de Pils et de Lehmann. Il exposa au Salon de 1879 à 1883, avec des portraits au crayon. Le Musée d'Amiens conserve de lui *Le ragoût*, et celui de Clermont-Ferrand, *Portrait du père de l'artiste*.

TULOFF Féodor Andréiévitch
XIXe siècle. Russe.
Peintre.
Il était astronome.

TULOUT
Né vers 1750. XVIIIe siècle. Français.
Paysagiste.
Il a peint des vues de l'Etna et du Liban.

TULPIN, Mme
XIXe siècle. Française.
Peintre de fleurs.
Le Musée de Toul conserve d'elle : *Roses blanches*.

TUMA Peter
Né en 1938 à Wolsdorf. XXe siècle. Allemand.
Peintre, dessinateur de paysages.
Il fit ses études à Braunschweig et à Ljubljana.
Il montre ses œuvres dans des expositions personnelles à Braunschweig (1963-68), Krefeld (1971), Munich (1971), Düsseldorf (1972), Hambourg (1972), Paris (1974).
Tuma intitule symptomatiquement ses peintures et ses dessins *Paysages*. Du paysage certes, il décrit les matériaux, la terre, le sol, la pierre, le bois, mais les présente comme des fragments d'une vie minérale, les reconstituant selon des schémas différents. Le sol est riveté, la falaise est divisée en alvéoles comme une ruche, la terre est compartimentée. On ne peut néanmoins parler de paysages mentaux ni de surréalisme. Pierre Léonard a su bien évoquer ce travail aux frontières de la réalité et du fantasme : « De la reproduction à la dégradation, à la disparition, la rhétorique des métamorphoses ne célèbre plus le réel, elle le délure. Ou s'y emploie. Nous ne sommes pas dans l'imaginaire, mais nous sommes à la limite des résistances de l'anecdote. »

TUMARKIN Ygal ou Igael
Né le 23 octobre 1933 à Dresde (Allemagne). XXe siècle. Actif aussi en France. Israélien.
Peintre de collages, sculpteur, auteur d'assemblages, dessinateur, technique mixte. Expressionniste.
Après avoir passé son enfance en Palestine, il fut décorateur des pièces de Brecht, au Berliner Ensemble. De 1957 à 1960, il vécut à Paris, avant de se fixer en Israël, exposant aux musées de Jérusalem et de Tel-Aviv.

Il a montré ses œuvres dans une exposition personnelle : 1990 galerie Claude Samuel à Paris.
Ses peintures sont en fait des assemblages d'éléments hétéroclites, en bois, en métal, en résines plastiques, se reliant au baroquisme des collages *Merz* de Schwitters. La technique du collage l'a amené à déborder de plus en plus dans la troisième dimension, à laquelle son activité de décorateur du Berliner Ensemble l'avait préparé, réalisant des sculptures monumentales dans le désert du Neguev. Il a réalisé un travail autour de *Ubu roi* d'Alfred Jarry.

T~ MARKIN

Bibliogr. : *Catalogue du Ier Salon International des Galeries Pilotes*, Musée Cantonal, Lausanne, 1963.
Ventes Publiques : Tel-Aviv, 3 mai 1980 : *Torso* 1969, bronze (H. 47) : ILS 34 000 – Tel-Aviv, 4 juin 1984 : *Le soldat blessé* 1967, bronze et polyester relief/pan. (70,5x70,5) : USD 8000 – Tel-Aviv, 3 jan. 1990 : *Composition* 1960, relief de polyester/cart. (65x54,5) : USD 770 – Paris, 14 avr. 1991 : *Composition*, h/t (40x80) : FRF 5 000 – Tel-Aviv, 4 avr. 1994 : *La Sainte Araignée* 1961, h. et techn. mixte/t. (75,9x75,9) : USD 5 060 – Tel-Aviv, 27 sep. 1994 : *Composition à la fourchette et à la clé* 1961, collage, techn. mixte et h/pan. (100x130,5) : USD 7 475 – Zurich, 2 déc. 1994 : *Composition* 1961, assemblage de deux feuilles et techn. mixte/t. (chaque 195x48) : CHF 4 200 – Tel-Aviv, 22 avr. 1995 : *Composition* 1964, techn. mixte et h/t (119,2x80) : USD 4 600 – Londres, 25 oct. 1995 : *Composition noire* 1960, h. et plâtre/cart. (81x64,5) : GBP 805 – Tel-Aviv, 14 jan. 1996 : *Composition* 1960, polyester et techn. mixte/contre-plaqué (81x65) : USD 3 910 – Tel-Aviv, 26 avr. 1997 : *Trouser Panic* 1962, collage, jean Denim, métal et h/t (135,5x135,5) : USD 24 150 – Tel-Aviv, 12 jan. 1997 : *À la recherche de Mathis no 7* 1980, collage, acryl. et techn. mixte/pap. (100x100) : USD 2 300 – Tel-Aviv, 25 oct. 1997 : *Signpost* vers 1972, acier inoxydable et bronze (H. 48) : USD 7 475.

TUMB. Voir aussi THUMB

TUMBES Charles de
XVIe siècle. Actif à Boulogne-sur-Mer en 1566 et 1567. Français.
Sculpteur.

TUMICELLI Jacopo
Né le 22 décembre 1764 à Villafranca. Mort le 11 janvier 1825 à Padoue. XVIIIe-XIXe siècles. Italien.
Peintre et miniaturiste.
Élève de Sav. Dalla Rosa et de l'Académie de Milan. Il peignit des portraits, des scènes historiques, des sujets religieux et des fresques.

TUMMER. Voir THUMMER

TUMMERMAN Abraham ou Tummermann
XVIIe siècle. Travaillant à Vérone en 1660. Éc. flamande.
Graveur au burin et orfèvre.

TÜMPEL Viet. Voir DÜMPEL

TUMSKIJ. Voir TOUMSKY Sergueï Nicolaiévitch

TUMULTY Bernard M.
XIXe siècle. Travaillant à Drogheda de 1825 à 1847. Irlandais.
Portraitiste.

TUNBERG Petter. Voir THUNBERG

TUNCOTTO, appellation erronée. Voir TURCOTTO

TUNEU, pseudonyme de Rodrigues Antonio Carlos
Né en 1948. XXe siècle. Brésilien.
Dessinateur.
Il vécut et travailla à São Paulo.
Il utilisa le dessin pour exprimer sa révolte contre le régime autoritaire en place.
Bibliogr. : Damian Bayon, Roberto Pontual : *La Peinture de l'Amérique latine au xxe siècle*, Mengès, Paris, 1990.

TUNG. Voir DONG BANGDA

TUNGA, pseudonyme de Melo-Mourao Antonio José de
Né en 1952 à Palmares (État de Pernambouc). XXe siècle. Brésilien.
Artiste, auteur d'installations, sculpteur.
Architecte de formation, il vit et travaille à Rio de Janeiro.
Il participe, avec d'autres artistes de la mouvance conceptuelle, à l'espace d'expérimentations du musée d'Art moderne de Rio,

ainsi que : 1981, 1987 Biennale de São Paulo ; 1982 Biennale de Venise ; 1987 *Modernidad* au musée d'Art moderne de la ville de Paris ; 1997 Documenta de Kassel. Il montre ses œuvres dans des expositions personnelles : 1974 musée de Rio de Janeiro ; 1980 Palazzo Reale de Milan ; 1989 Whitechapel Art Gallery de Londres, Stedelijk Museum d'Amsterdam, centre d'art de Courtrai (Belgique) ; 1990 Power Plant de Toronto et Third Eye Center à Glasgow ; 1997 rétrospective au Bard College de New York. Comme l'arte povera, l'œuvre de Tunga se veut proche de la vie. Puisant dans le quotidien ses matériaux, l'artiste travaille à partir d'objets familiers (bassines, dés à coudre...), de matériaux lourds (plaques de fer, cuivre, métaux, fil de cuivre), de matières organiques (cheveux) et intègre une dimension autre y mêlant des références littéraires, philosophiques et scientifiques. Il construit à partir d'accumulations, de démesure, une fiction originale, personnelle, qui déstabilise la perception, brouille les échelles, établit par prolifération des ramifications entre les objets, les matières, les plus antinomiques.

BIBLIOGR. : Damian Bayon, Roberto Pontual, in : *La Peint. de l'Amérique latine au xxᵉ siècle,* Mengès, Paris, 1990 – Catalogue de l'exposition : *Tunga,* Galeries nationales du Jeu de Paume, Paris, 1992.

TUNG CH'I-CH'ANG. Voir DONG QICHANG

TUNGELFELT Nils
Né en 1683. Mort en 1721. xviiiᵉ siècle. Actif à Stockholm. Suédois.
Dessinateur et miniaturiste.
Il dessina des blasons. Le Musée Nordique de Stockholm conserve de lui une miniature *(Jésus entre les deux larrons).*

T'UNG-HO. Voir PUHE

TUNG HSIAO-CH'U. Voir DONG XIAOCHU

TUNG HSI-WEN. Voir DONG XIWEN

TUNG HSÜN. Voir DONG XUN

TUNG KAO. Voir DONG GAO

TUNG PANG-TA. Voir DONG BANGDA

T'UNG-WEI. Voir TONGWEI

TUNG YÜ. Voir DONG YU

TUNG YÜAN. Voir DONG YUAN

TUNG-YÜAN. Voir DU QIONG

T'UNG YÜ-HSIU. Voir TONG YUXIU

TUNICA Christian ou Johann Christian Ludwig
Né le 11 octobre 1795 à Brunswick. Mort le 2 mars 1868 à Deckenhausen. xixᵉ siècle. Allemand.
Peintre de portraits, de genre, et miniaturiste.
Élève de J. C. Roessler à l'Académie de Dresde. Peintre de la Cour à Brunswick. On cite de lui *Portrait de l'Électeur Palatin Heinrich,* pour le Rittersaal de Hanovre.
MUSÉES : BERLIN : *Portrait d'homme* – BRUNSWICK : *Le directeur Wilmerding.*

TUNICA Hermann August Theodor
Né le 9 octobre 1826 à Brunswick. Mort le 11 juin 1907 à Brunswick. xixᵉ siècle. Allemand.
Peintre de batailles et de chevaux.
Fils de Johann Christian Ludwig Tunica. Il fut peintre à la Cour de Brunswick. Le Musée de cette ville conserve des peintures de cet artiste.

TUNK Johann
xviiiᵉ siècle. Actif à Dobruschka. Autrichien.
Sculpteur sur bois.
Il a sculpté les autels latéraux de l'église de Hohenbruck en 1777.

TUNMARCK E. G.
xviiiᵉ siècle. Norvégien.
Peintre.
Il peignit des fresques et des linteaux pour les portes de l'église de Kongsberg et de Fossesholm.
MUSÉES : BYDGOY : *Portrait de Morten Juel* – DRAMMEN : *Le Christ à Gethsémani* – OSLO : *Portrait de Lorentz Hendr. Reemke.*

TUNNARD John
Né en 1900 à Sandy (comté de Bedford). Mort en 1971. xxᵉ siècle. Britannique.
Peintre, aquarelliste, peintre à la gouache, technique mixte. Tendance surréaliste puis abstrait.
Il suivit, à Londres, les cours du Royal College of Art, où il obtint un diplôme pour le dessin. Il débuta comme dessinateur de tex-

tiles, mais abandonna bientôt l'art appliqué pour se consacrer à la peinture de chevalet. Il est membre du London Group.
Il a figuré dans de nombreuses expositions de groupe, notamment à Paris aux salons de Mai et des Réalités Nouvelles, en 1946 au musée du Jeu de Paume à l'exposition des tableaux britanniques modernes où deux de ses œuvres figuraient, en 1948 *Jeune Peinture en Grande-Bretagne.*
Ses compositions se distinguent par un sens subtil des rapports en profondeur entre les différents plans colorés. Dans une première période, ses peintures montraient une nette influence du surréalisme. Il évolua ensuite à une abstraction gestuelle, recourant cependant encore à des évocations irréelles.

VENTES PUBLIQUES : LONDRES, 22 avr. 1970 : *Focal Point* : **GBP 480** – LONDRES, 3 mars 1978 : *M & F. 1941,* h/cart. (43×37) : **GBP 600** – LONDRES, 14 nov 1979 : *The return 1951,* h/cart. (114×152,5) : **GBP 750** – NEW YORK, 15 mai 1980 : *Ferry 1946* et aquar. (38×56,2) : **USD 2 000** – LONDRES, 5 juil. 1983 : *Homme et femme 1945,* encre et craies coul. (37,5×56) : **GBP 900** – LONDRES, 13 nov. 1985 : *Composition abstraite 1943,* aquar. cr. pl. et gche (38×37) : **GBP 4 000** – LONDRES, 9 juin 1988 : *Composition surréaliste 1940,* aquar. et gche (35,4×53,5) : **GBP 4 950** – LONDRES, 29 juil. 1988 : *Mine d'étain en Cornouailles,* h/pan. (40×50) : **GBP 990** – LONDRES, 12 mai 1989 : *Bouquet 1947,* h/cart. (42,5× 33,7) : **GBP 3 850** – LONDRES, 10 nov. 1989 : *Pénombre 1942,* h/cart. (49,4×72,5) : **GBP 9 020** – LONDRES, 9 mars 1990 : *Sans titre 1949,* h. et temp./cart. (31,8×51,4) : **GBP 5 500** – LONDRES, 8 juin 1990 : *La rivière rouge 1945,* h/cart. préparé au gesso (54×70) : **GBP 14 850** – LONDRES, 9 nov. 1990 : *Sans titre 1940,* gche et encre/pap. (37×55) : **GBP 3 520** – LONDRES, 8 mars 1991 : *Départ 1945,* cr. aquar. et gche (53×74) : **GBP 8 580** – LONDRES, 25 nov. 1993 : *Arbre sec 1942,* aquar., gche, encre et lav. (38×54,6) : **GBP 4 025** – LONDRES, 25 mai 1994 : *Quartet 1942,* h/cart. enduit de gesso (49,5×72,5) : **USD 6 325** – LONDRES, 22 mai 1996 : *Abstraction 1936,* h. et gesso/cart. (44,5×61) : **GBP 7 475.**

TUNNER Josef ou Joseph Ernst
Né le 24 septembre 1792 à Obergraden. Mort le 10 octobre 1877 à Graz. xixᵉ siècle. Autrichien.
Peintre.
Élève de l'Académie de Vienne, il alla à Rome. Nommé directeur de l'Académie de dessin de Prague en 1840. Le Musée de Graz conserve de lui : *Portrait de Gottfried R. v. Leitner, Madone et l'Enfant, Trois Vierges à genoux devant le Christ, Mère et enfant.*

TUNNER Silvia
Née le 19 avril 1851 à Graz. Morte le 18 décembre 1907 à Tieschen. xixᵉ siècle. Autrichienne.
Peintre.
Fille de Josef Tunner et son élève. Elle peignit des sujets religieux dans le style de son père.

TUNNICELLI Jacopo
Né en 1784 à Villafranca, près de Vérone. Mort en 1825. xixᵉ siècle. Italien.
Peintre et miniaturiste.
Élève de l'Académie de Milan et de Severio della Rosa. Il dut surtout son succès à ses miniatures.

TUNNICLIFFE Charles Frederick
Né le 1ᵉʳ décembre 1901 à Langley. Mort en 1979. xxᵉ siècle. Britannique.
Peintre de figures, paysages, animaux, aquarelliste, peintre de compositions murales, graveur.
Élevé à Sutton Lane Ends, petite ferme dans le Cheshire, c'est à l'école du village qu'il apprit les rudiments de son art, puis aux Schools of Art de Macclesfield et de Manchester avant d'entrer au Royal College of Art à Londres. Peu avant sa mort la Société Royale pour la Protection des Oiseaux le nomma vice-président et lui décerna une médaille d'or. Il vécut à à Macclesfield.
Il exposa à Londres à la Royal Academy, dont il fut élu membre en 1944, presque annuellement de 1928 à 1970.
Il exécuta des fresques, des aquarelles, des eaux-fortes et des gravures sur bois. Il s'est spécialisé dans la représentation des oiseaux, notamment les volatiles.

C. F. Tunnicliffe

VENTES PUBLIQUES : LONDRES, 17 sep. 1980 : *Combat de coqs,* aquar. et craie noire (52,5×72) : **GBP 750** – LONDRES, 12 mars 1982 : *Pigeons et palombes,* h/t (63,5×76,2) : **GBP 1 100** – CHESTER,

6 juil. 1984 : *A rivalry of sheldrake*, aquar. (43x68,5) : **GBP 2 400** – LONDRES, 7 nov. 1985 : *Deux bécasses dans un paysage d'hiver*, aquar./trait de cr. (30x46,5) : **GBP 3 200** – CHESTER, 18 avr. 1986 : *Oies du Canada*, aquar. (40,5x58,5) : **GBP 4 200** – LONDRES, 5 mars 1987 : *Oies du Canada*, aquar. et cr. (34,5x47) : **GBP 2 200** – LONDRES, 9 juin 1988 : *Deux pies dans un arbre en fleurs* 1968, aquar. (40,7x58,2) : **GBP 1 045** – CHESTER, 20 jul.1989 : *Faucon pèlerin fondant sur un chevalier gambette*, h/t (45x31,7) : **GBP 2 090** – LONDRES, 1er nov. 1990 : *Étude d'une palombe* 1959, aquar. (22,9x29,9) : **GBP 825** – LONDRES, 15 jan. 1991 : *Chat siamois dans un arbre en fleurs*, cr. et aquar. (62,2x29,3) : **GBP 2 090** – LONDRES, 25 fév. 1992 : *Un cygne et ses petits sur un lac*, h/t (86,7x105,5) : **GBP 11 000** – LONDRES, 12 juin 1992 : *Soleil d'hiver*, cr. et aquar. (45,7x62,5) : **GBP 8 800** – LONDRES, 13 nov. 1992 : *Un trio de canards mandarins*, cr. et aquar. (43,8x51,4) : **GBP 3 740** – LONDRES, 16 mars 1993 : *Jeunes goélands*, aquar. (36,2x50,8) : **GBP 4 025** ; *Oies du Canada et foulques noires*, aquar. (45,7x58,4) : **GBP 6 325** – GLASGOW, 1er fév. 1994 : *Une couvée de perdrix au bord d'un chaume*, aquar. avec reh. de blanc (29,5x42) : **GBP 2 300** – LONDRES, 22 nov. 1995 : *Or, vert et gris-brun*, aquar. (43x72) : **GBP 4 830** – LONDRES, 14 mai 1996 : *Perdrix dans des gerbes d'avoine dans les Highlands*, cr. et aquar. (44,5x56,6) : **GBP 6 325** – LONDRES, 30 sep. 1997 : *Pluviers sur des rochers recouverts d'algues*, cr. et aquar. (34,9x47) : **GBP 4 140**.

TUNO Jaco ou **Torme** ou **Touno**
XIVe siècle. Éc. flamande.
Portraitiste et dessinateur de cartons.
Il s'établit à Barcelone en 1388.

TUNOLD Bernt
Né le 25 février 1877 à Selje. Mort en 1946. XXe siècle. Norvégien.
Peintre de paysages.
Il fut élève d'Asor Hansen à Bergen.

Bernt Tunol 1)

MUSÉES : BERGEN (Gal. de la ville) : *Nuit de juin à Selje*.

TÜNTZEL Karl Gottfried ou **Dintzel, Tintzel, Tinzel**
Né en Saxe. Mort le 10 décembre 1747 à Rome. XVIIIe siècle. Allemand.
Peintre.
Il s'installa à Rome où il copia des peintures pour la Cour de Saxe.

TUOTILO ou **Tutilo**
IXe-Xe siècles. Actif à Saint-Gall de 895 à 912. Suisse.
Peintre, architecte, sculpteur et orfèvre.
Il était moine. Il sculpta aussi sur ivoire. On conserve de lui deux reliures estampées représentant *Dieu le Père, la Vierge et saint Gall*.

TÜPKE Heinrich
Né le 28 mai 1876 à Breslau. XXe siècle. Allemand.
Peintre de paysages, graveur.
Mari de la peintre Helene Tüpke-Grande. En tant que graveur, il privilégia la technique de l'eau-forte.
MUSÉES : BRESLAU, nom all. de Wroclaw (Mus. mun.) : *Trois vues d'Afrique*.

TÜPKE Helene, née **Grande**
Née à Reudchen (près de Wohlau). XIXe-XXe siècles. Allemande.
Peintre de scènes typiques, paysages, marines.
Femme de Heinrich Tüpke.
MUSÉES : BERLIN (Gal. Nat.) : *Marché à Assouan* – BRESLAU, nom all. de Wroclaw (Mus. provinc.) : *Le Port de Husum – Pont à Breslau*.

TUPPER John L.
Né le 30 septembre 1879 à Rugby. XXe siècle. Britannique.
Sculpteur, dessinateur.
Il fut aussi écrivain.

TUPPIN Jean ou **Dupin**
XVIIe siècle. Actif à Fribourg de 1600 à 1605. Suisse.
Peintre verrier.
MUSÉES : FRIBOURG : deux vitraux représentant des armoiries.

TUPYLJOFF Ivan Filippovitch
Né le 14 juin 1758. Mort en 1821 à Saint-Pétersbourg. XVIIIe-XIXe siècles. Russe.
Peintre d'histoire.

Élève de l'Académie de Saint-Pétersbourg. La Galerie Svietkoff de Moscou conserve des peintures de cet artiste.

TURA
XIIIe-XIVe siècles. Actif à Gênes. Italien.
Peintre.
Il fut chargé en 1303 de l'exécution d'un triptyque représentant la *Légende de sainte Madeleine*.

TURA Bonaventure da Imola
Né à Imola. XIVe siècle. Travaillant de 1357 à 1366. Italien.
Sculpteur.
Il a sculpté le tombeau de G. Visconti da Oleggio dans la cathédrale de Fermo en 1366.

TURA Cosimo ou **Cosmè**
Né vers 1430. Mort en 1495. XVe siècle. Travaillait à Ferrare. Italien.
Peintre de sujets religieux, de portraits et de cartons de tapisserie.
Ce très grand artiste est encore, dans une certaine mesure, victime de préventions anciennes et obstinées contre ce qu'on appelle toujours la « laideur », alors qu'il s'agit de l'expression passionnée portée à son comble. Pourtant les modernes eux-mêmes n'ont pas réussi à surpasser cet interprète magistral de la « névrose » gothique et ses figures convulsives demeurent de nos jours tout aussi bouleversantes. Historiquement, l'art de Tura se rattache à celui du Padouan Francesco Squarcione dont l'exemple devait marquer des peintres des origines les plus diverses, depuis Mantegna, son fils adoptif, jusqu'aux Vénitiens Carlo Crivelli et Bartolommeo Vivarini en passant par le Milanais Vincenzo Foppa et le Ferrarais Marco Zoppo. Un contact direct entre Tura et Squarcione paraît vraisemblable, bien qu'aucun document ne vienne le confirmer, mais il aura suffi de quelques séjours à Padoue. Les œuvres que Donatello y a laissées ainsi que les fresques de Mantegna aux Eremitani n'étaient certes pas inconnues de Tura qui aura vu, en outre, à Brescia la chapelle Malatesta, aujourd'hui disparue, de Gentile da Fabriano et, à Venise, les Castagno de San Zaccaria. A Ferrare même, le milieu plutôt stagnant et provincial avait bénéficié du passage de quelques peintres illustres, appelés à la cour des ducs d'Este : Pisanello et Jacopo Bellini vers 1440, Rogier Van der Weyden en 1449, Piero della Francesca entre 1450 et 1460. Un style local s'était peu à peu formé avec une tendance accentuée vers le composite, le compliqué, le grotesque, le rare et non dépourvue de résonances nordiques. Michele Pannonio, Galassio di Matteo Riva, Angelo da Siena dit il Maccarinno, Bono da Ferrara, etc., sont contemporains de la jeunesse de Tura et ils utilisent déjà certains éléments décoratifs dont il tirera plus tard des effets de haute école. On note également les mêmes caractéristiques chez un groupe d'enlumineurs à qui l'on doit, notamment, la *Bible Monumentale* de Borgo et Ercole d'Este conservée au Palais de Schifanoia. Ce sont : Guglielmo Giraldi, Taddeo Crivelli, Franco de Russi, Martino da Modena, etc. Les quelques enluminures que certains historiens comme Berenson ont attribuées à Tura sont plus probablement de ces artistes ou de leur entourage. C'est en 1457 que le nom de Tura apparaît pour la première fois dans les comptes de la cour de Ferrare où il est employé d'abord à des travaux mineurs de décoration. De 1460 à 63, il est « depintore del Studio », sans doute celui de Belfiore pour lequel il aurait exécuté la *Primavera* de Londres. La *Madone* de l'ancienne collection Pratt, aujourd'hui à Washington, est également typique de cette première époque de symbolisme ornemental. En 1469, il peint les célèbres volets de l'orgue de la cathédrale de Ferrare. Vers 1473-74 se situe une autre de ses œuvres importantes : l'autel de l'évêque Roverella ou de Saint-Maurelius pour l'église San Giorgio fuori le Mura. Endommagé par une cannonade en 1709, selon Baruffaldi, cet autel doit aux remarquables travaux de Roberto Longhi d'être partiellement reconstitué. Autour de la *Vierge et l'Enfant* de Londres, qui forme le panneau central et de la *Pieta* du Louvre qui en est la lunette, se répartissent le volet droit qui est à Rome dans la collection Colonna, un fragment du volet gauche, une *Tête de saint Georges*, qui se trouve au Musée de San Diego en Californie et trois tondi de la prédelle, respectivement au Metropolitan Museum *(Fuite en Égypte)*, au Musée Gardner de Boston *(Circoncision)*, au Fogg Museum enfin *(Adoration des Mages)*. Il existe encore dans les archives de Ferrare des traces de l'activité de Tura jusqu'en 1491, bien qu'il ait quitté la cour en 1486. Malheureusement il y est surtout question d'œuvres disparues tels les portraits d'Ercole, de Lucrèce, d'Alphonse et d'Isabelle d'Este. Depuis les années 1467-1470, Tura

avait rencontré en son élève Francesco del Cossa un sérieux concurrent puisque c'est à ce dernier que furent commandées les décorations du Palais de Schifanoia. L'influence du goût de Tura y est si frappante dans certaines parties que l'on a autrefois envisagé l'hypothèse de sa collaboration à ces travaux. On pense plutôt aujourd'hui au jeune Ercole de Roberti, ce qui se justifie par l'ascendant très net exercé par Tura sur Ercole au début de sa carrière. Plus tard Roberti devait abandonner complètement la manière de Tura, qu'il ne fut pas sans influencer quelque peu à son tour. Mais la *Madone* du Musée de Berlin, considérée longtemps comme œuvre de Tura a été restituée justement à Roberti. Quant à Cossa, son tempérament robuste l'avait éloigné assez rapidement des extases de Tura. Le plus squarcionesque de tous, Marco Zoppo, pourrait être l'auteur du *Portrait d'homme* de la collection Kress, attribué à Tura lors de l'exposition de Ferrare en 1933. Après un certain adoucissement qui est sensible vers les années 1475 dans les *Vierges* de la collection Colonna et de Londres, Tura peindra encore quelques-unes de ses œuvres les plus frénétiques comme le *Saint Antoine de Padoue* de Modène, daté de 1484 et le *Saint-Nicolas de Bari* de Caen.

L'évolution du goût à la fin du xve siècle et l'avènement d'un concept plus serein de la beauté limiteront considérablement l'audience de Tura parmi les peintres de la génération suivante en Italie. Ses travaux d'art décoratif et, particulièrement ses cartons de tapisserie, semblent avoir été plus longtemps appréciés que ses peintures. Il appartiendra désormais à des artistes espagnols et germaniques de maintenir l'exaltation picturale au niveau où l'avait élevée Tura. Ses œuvres authentiques peuvent être classées actuellement selon la liste muséographique ci-après. ■ Robert Lebel

Bibliogr. : G. Baruffaldi : *Vita di Cosimo Tura*, vers 1710, Bologne, 1836 – B. Berenson : *North Italian Painters of the Renaissance*, New York-Londres, 1907 – A. Venturi : *Storia dell'Arte Italiana*, vol. VII, parte III, Milan, 1914 – *Catalogo della Esposizione della Pittura Ferrarese del Rinascimento*, Ferrare, mai-octobre 1933 – R. Longhi : *Officina Ferrarese*, Rome, 1934 – A. Neppi : *Cosmè Tura*, Milan, 1952 – Eberhard Ruhmer : *Cosimo Tura*, Londres, 1958 – B. Berenson : *Italian Pictures of the Renaissance. Central Italian & North Italian Schools*, édition révisée et illustrée, Londres, 1968 – Rosemarie Malojoli : *Cosme Tura e i grandi pittori ferraresi del suo tempo : Francesco Cossa e Ercole de Roberti*, Rizzoli, Milan, 1974.

Musées : Ajaccio : *Madone et deux saints* – Bayonne (Mus. Bonnat) : *Mercure*, dess., attr. – *Un docteur de l'Église*, dess., attr – Bergame : *Vierge et Enfant* – Berlin (Pina.) : *Saint Sébastien et saint Christophe* – Berlin (Cab. des dessins) : *Figure ailée*, dess. – Berlin (ex-collection privée) : *Christ (?) à la colonne*, dess. – Boston (Mus. Gardner) : *Circoncision* – Caen : *Saint Jacques sur un trône* – Cambridge, Angleterre (Fitzwilliam Mus.) : *Crucifixion*, ex-coll. Cook – Cambridge, Massachusetts (Fogg Mus.) : *Adoration des Mages*, tondo – Dresde : *Saint Sébastien*, terminé et signé par L. Costa – Ferrare (Pina.) : *Maurelius devant le juge* – *Martyre de Maurelius*, tondi – Ferrare (Mus. de la Cathédrale) : *Annonciation* – *Saint Georges et le Dragon* – Ferrare (Palais Schifanoia) : *Collaboration aux fresques* – Ferrare (Bibl. de l'Université) : *Saint Augustin*, miniature, att. – Florence (Mus. des Offices) : *Saint Dominique en prière* – Florence (Cab. des Dessins) : *Un évangéliste lisant*, dess. – Gênes (coll. Gnecco) : *Saint Jean à Patmos*, att. – Londres : *Figure allégorique de femme, Primavera ou Vénus ?* – *Vierge et anges musiciens* – *Saint Jérôme* – *Vierge de l'Annonciation* – Milan (Mus. Brera) : *Christ en croix, fragment du Saint Jérôme de Londres* – Milan (Poldi-Pezzoli) : *Saint Maurelius* – *Charité et amours*, en collaboration – *Portrait d'homme de profil*, att. – Modène : *Saint Antoine de Padoue* – Nantes : *Saint Nicolas de Bari* – New York (Metropolitan Mus., collection Altman) : *Buste de Borgo d'Este*, ? – New York (coll. Bache) : *Fuite en Égypte*, tondo – New York (coll. Davis) : *Saint Louis de Toulouse* – Paris (Mus. du Louvre) : *Pieta*, lunette – *Saint Antoine de Padoue* – Philadelphie (coll. Johnson) : *Saint Jean Baptiste* – *Saint Pierre* – Rome (coll. Colonna) : *L'évêque Roverella avec Maurelius et saint Paul* – *Vierge de l'Annonciation* – *Vierge contemplant l'Enfant* – Rotterdam (Mus. Boymans) : *Hercule et le lion*, dessin – San Diego, Californie : *Saint Georges en buste*, fragment – Venise (Acad.) : *Vierge et Enfant* – Venise (Mus. Correr) : *Pieta* – Venise (coll. Cini) : *Saint Georges et le Dragon* – Vienne (Kunsthistorisches Mus.) : *Christ mort soutenu par deux anges*, lunette – Vienne (Albertina) : *Deux Orientaux*, dess., att. – *Vesta*, dess., att. – Washington D. C. (coll. Kress) : *Portrait d'homme* – *Vierge et*

Enfant avec l'Annonciation – *Annonciation avec saint François et Maurelius*, ex-coll. Cook.

TURA Cristoforo
xve siècle. Travaillant en 1423. Italien.
Peintre.
Fils de Giovanni di Tura.

TURA Gerardino di Bartolomeo del
xve siècle. Italien.
Enlumineur.
Actif à Legnano, il travailla aussi à Ferrare en 1473.

TURA Giovanni di
Mort le 23 février 1388. xive siècle. Actif à Arezzo de 1355 à 1385. Italien.
Peintre.

TURA Lorentino
xve siècle. Travaillant de 1419 à 1423. Italien.
Peintre.
Fils de Giovanni di Tura.

TURA Segna ou Segnor di Buonaventura ou di. Voir SEGNA di Buonaventura

TURA di Ceffone ou Ciaffone, appelé Frate Giusto
xive siècle. Travaillant à Sienne, de 1310 à 1325. Italien.
Peintre verrier.

TURAINE. Voir THURAINE

TURALO Lisandro ou Alessandro
xviie siècle. Travaillant vers 1650. Italien.
Graveur au burin.

TURAN Géza, Mme. Voir HACKER-TURAN Maria

TURAN Selim
Né en 1915 à Istanbul. xxe siècle. Actif aussi en France. Turc.
Peintre. Figuratif puis abstrait.
Il fut élève de l'Académie des Beaux-Arts d'Istanbul. En 1938, il fut diplômé de l'École des Beaux-Arts d'Istanbul et, en 1941, reçut le premier prix de peinture à Ankara. Depuis 1947, il réside le plus souvent en France, à Paris. Il a beaucoup voyagé, en Allemagne, Angleterre, Grèce, Italie, Turquie.
À Paris, il a participé au Salon des Réalités Nouvelles, depuis les débuts jusqu'en 1957 ; aux Salons de Mai et Comparaisons ; 1946 Exposition internationale d'Art moderne ouverte, au Musée d'Art Moderne, par l'Organisation des Nations Unies où il présentait un portrait et une nature morte : *Poissons*. En 1950, on a pu voir une exposition personnelle de ses œuvres, à Paris.
Devenu abstrait à partir de 1947, il pratique une non-figuration d'évocations poétiques à base d'une gamme sobre de bruns et de gris. Ses constructions abstraites de larges traînées noires, à travers lesquelles percent quelques éclats de lumière à contre-jour, s'inspirent du répertoire de Soulages.
Bibliogr. : Michel Seuphor : *Diction. de la peint. abstraite*, Hazan, Paris, 1957 – B. Dorival, sous la direction de... : *Peintres Contemporains*, Mazenod, Paris, 1964.
Musées : Israël (Mus. Hamishkan Leomuth).
Ventes Publiques : Paris, 16 mars 1997 : *Sans titre*, techn. mixte/t. (92x60) : FRF 6 000.

TURAPILLI Ventura, ou Bonaventura, di Ser Giuliano
Mort en 1522. xvie siècle. Actif à Sienne. Italien.
Sculpteur sur bois et sur pierre et architecte.
Il travailla pour des églises de Naples et de Sienne.

TURAU Nicolaus ou Thurau ou Turow
xviie siècle. Actif à Dantzig. Allemand.
Tailleur de camées.
Il réalisa des camées, surtout d'ambre. Le Musée des Beaux-Arts de Vienne conserve de lui un camée.

TURBA Joszef
xviiie-xixe siècles. Travaillant à Odenbourg de 1773 à 1803.
Autrichien.
Sculpteur.

TURBANT Alex
Né en 1960 à Carvin (Pas-de-Calais). xxe siècle. Français.
Graveur.
Il a participé en 1992 à l'exposition : *De Bonnard à Baselitz. Dix Ans d'enrichissements du cabinet des estampes 1978-1988* à la Bibliothèque nationale de Paris.
Musées : Paris (BN).

TURBET Pierre
xviie siècle. Français.

Sculpteur sur bois.

Il sculpta pour l'église Saint-Leu d'Eu un tabernacle et un confessionnal en 1619.

TURBILLI Johann Andreas. Voir TRUBILLIO

TURBINI Gaspare

Né le 16 décembre 1728 à Brescia. XVIIIe siècle. Italien.
Peintre de paysages et d'architectures et architecte.
Élève d'A. Paglia. Il était prêtre.

TURBINI Giuseppe

Né en 1702 à Plaisance. Mort en 1788 à Plaisance. XVIIIe siècle. Italien.
Peintre de paysages et d'architectures.
Fils de Pietro Turbini.

TURBINI Pietro

Né en 1674 à Plaisance. XVIIe-XVIIIe siècles. Italien.
Peintre de décorations et d'architectures.
Père de Giuseppe Turbini.

TURBOLO Leonardo

Mort en 1588. XVIe siècle. Italien.
Sculpteur sur bois.
Il travailla pour des églises de Naples et pour la cathédrale de Salerno.

TURBULYA Tamas ou Thomas

XVIe siècle. Actif en Transylvanie dans la seconde moitié du XVIe siècle. Hongrois.
Peintre.
Il travailla à la cour d'Istvan Bathory.

TURCAN

IXe-Xe siècles. Actif de 880 à 920. Irlandais.
Sculpteur.
On lui attribue les bas-reliefs, le crucifix et les statues de l'église de Clonmacnoise.

TURCAN Jean

Né le 13 septembre 1846 à Arles (Bouches-du-Rhône). Mort le 3 janvier 1895 à Paris. XIXe siècle. Français.
Sculpteur.
Élève de M. Cavelier. Il débuta au Salon de 1878. *L'aveugle et le paralytique*, groupe, lui valut une médaille d'honneur. Il mourut de misère peu après.
MUSÉES : DIJON : *Statue de Lazare Carnot* – MARSEILLE : *L'aveugle et le paralytique* – GANYMÈDE – PARIS (Mus. du Louvre) : *L'aveugle et le paralytique* – PARIS (Petit Palais) : *Buste de Houdon* – SEMUR-EN-AUXOIS : *Le chasseur et la fourmi* – *Tête d'étude* – TOULOUSE : *Buste du sculpteur Idrac* – VANNES : *Les lutteurs*.

TURCAS Jules

Né en 1854 à Cuba. Mort le 16 mars 1917 à New York. XIXe-XXe siècles. Américain.
Peintre de paysages.

TURCATO Giulio

Né le 16 mars 1912 à Mantoue. Mort le 22 janvier 1995 à Rome. XXe siècle. Italien.
Peintre, technique mixte, aquarelliste, peintre de collages, sculpteur, peintre de décors de théâtre. Abstrait.
Il fut élève de l'Académie des Beaux-Arts de Venise. En 1947, il fut l'un des promoteurs et rédacteurs du Manifeste du Forma-lisme-Forma I, avec, entre autres, Accardi, Dorazio, Perilli, Sanfilippo. En 1949, il adhéra au Front Nouveau des Arts, qui tentait une synthèse, hardie dans le contexte historique, de positions avancées en politique et en même temps en art, s'érigeant donc en opposition envers la doctrine officielle alors du réalisme socialiste. En 1950, il fit partie du Groupe des Huit. Il a séjourné en Chine. Il vécut et travailla à Rome.
Artiste important de l'Italie contemporaine, il participe à de très nombreuses expositions de groupe, parmi lesquelles : depuis 1942 très régulièrement à la Biennale de Venise qui lui a réservé une salle personnelle en 1942 ; 1943, 1948, 1955 Quadriennale de Rome ; 1955 Pittsburgh International Exhibition ; 1957 Biennale de São Paulo ; 1959 Documenta de Kassel ; 1967 Exposition universelle de Montréal ; 1968 Galleria Nazionale d'Arte moderna de Rome ; 1975 musée de Budapest ; 1978 Institut culturel italien de Tel-Aviv ; 1989 Royal Academy de Londres etc. Il montre ses œuvres dans des expositions personnelles régulièrement à Rome depuis 1950 notamment en 1974 au palais des expositions, depuis 1951 régulièrement à Milan notamment en 1986 à la galerie nationale d'art moderne, ainsi qu'à l'étranger : 1978 Institut culturel italien de New York ; 1980 musée de l'Athénée de

Genève ; 1987 musée de Brou et galerie municipale d'art contemporain de Saint-Priest. Il a obtenu de nombreux prix : Golfe de La Spezia à Lerici en 1951 ; mention au Prix Scipione Bonichi à Macerata en 1955 ; Prix du Commissariat au Tourisme de la XXIXe Biennale de Venise en 1958 ; Prix de la Ville de Termoli en 1961 ; Prix de la Fondation Carmine au Prix du Fiorino à Florence en 1963.

Dès ses débuts, Turcato a été résolument abstrait. Il est resté fidèle à un choix austère et strict. Des signes, comme des idéogrammes, sont posés plus que tracés, parfois à l'aérographe, sur la toile. Art résolument graphique, sinon calligraphique, ennemi du tapage, qui se satisfait de l'intériorité de quelques caractères flous, comme recelant à jamais tout sens déchiffrable, dont l'occupation de l'espace donné est pourtant d'une impressionnante évidence. Dans une autre période, allant plus loin dans l'austérité, il délaissa jusqu'à ces graphes inconnaissables pour confier tout le rôle expressif à la seule matière, la laissant sécréter des mouvements de terrain et des cratères, dont il exploita des correspondances dans une série de peintures rondes consacrées à la lune. ■ J. B.

TVRVATO

BIBLIOGR. : Michel Seuphor : *Diction. de la peint. abstr.*, Hazan, Paris, 1957 – B. Dorival, sous la direction de... : *Peintres Contemporains*, Mazenod, Paris, 1964 – C. Lonzi : *Catalogue de l'exposition « Giulio Turcato »*, Gal. Marlborough, Rome, 1965 – *Catalogue de l'exposition « Giulio Turcato »*, Gal. Schubert, Milan, 1970 – Catalogue de l'exposition : *Forma 1 1947-1987*, musée de Brou, Galerie municipale d'art contemporain, Saint-Priest, 1987 – Gérard Georges Lemaire : *Les Vertiges picturales de Giulio Turcato*, Opus International, n° 126, Paris, aut. 1991.

MUSÉES : GOTHENBERG (Konsthall) – LUND (Kunsthalle) – MONACO (Staatsgal. Mod. Kunst) – NEW YORK (Mus. of Mod. Art) – NEW YORK (Brooklyn Mus.) – PARIS (Mus. d'Art Mod. de la Ville) : *Composition fluorescente et chatoyante* – ROME (Gal. naz. d'Arte Mod.) – SÃO PAULO (Mus. de Arte Mod.).

VENTES PUBLIQUES : ROME, 28 nov. 1972 : *Composition* : ITL 500 000 – ROME, 20 mai 1974 : *Composition* : ITL 750 000 – MILAN, 6 avr. 1976 : *Composition*, h/t (128x108) : ITL 3 000 000 – MILAN, 18 avr. 1978 : *Composition*, h/t (73x100) : ITL 1 200 000 – MILAN, 26 avr 1979 : *Arcipelago irripetibile* 1958, h/t (100x150) : ITL 1 500 000 – ROME, 11 juin 1981 : *Composition*, encre de Chine (47x67) : ITL 700 000 – MILAN, 26 mars 1985 : *Composition*, techn. mixte/t. (60x100) : ITL 1 500 000 – ROME, 29 avr. 1987 : *Paysage urbain* 1950, h/t (70x100) : ITL 15 000 000 – MILAN, 8 juin 1988 : *Ciel changeant*, techn. mixte (70x100) : ITL 3 200 000 – ROME, 15 nov. 1988 : *Itinéraires*, h. et sable/t. (80x90) : ITL 5 200 000 – MILAN, 20 mars 1989 : *Colline*, h/t (65x100) : ITL 12 000 000 – ROME, 21 mars 1989 : *Sans titre* 1954, h/t (66x96) : ITL 12 000 000 – ROME, 28 nov. 1989 : *Réseau* 1957, h/t (50x60) : ITL 26 000 000 – MILAN, 19 déc. 1989 : *Composition*, h/toile de jute (60x91) : ITL 32 000 000 – MILAN, 12 juin 1990 : *La lire*, h., techn. mixte et collage/t. (70x100) : ITL 18 000 000 – MILAN, 13 juin 1990 : *Composition*, h/t (72,5x100) : ITL 30 000 000 ; *Mur chinois* 1957, h/t (70x100) : ITL 80 000 000 – ROME, 30 oct. 1990 : *Composition au sable gris*, h. sable et collage/t. (70x100) : ITL 14 500 000 – MILAN, 26 mars 1991 : *Au travers*, *Réticule*, h/t (150x100) : ITL 15 500 000 – ROME, 3 déc. 1991 : *Sans titre*, h/pan. (50x70) : ITL 20 000 000 – MILAN, 14 avr. 1992 : *Composition*, h. et sable/t. (42x62) : ITL 5 000 000 – ROME, 12 mai 1992 : *Sans titre*, h. et sable/t. (81x129) : ITL 11 000 000 – MILAN, 23 juin 1992 : *Labyrinthe*, h/t (60x81) : ITL 18 000 000 – MILAN, 9 nov. 1992 : *Composition sur fond orange*, h/t (50x70) : ITL 8 500 000 – MILAN, 15 déc. 1992 : *Archipel blanc* 1976, h. et sable/t. (160x120) : ITL 14 000 000 – ROME, 3 juin 1993 : *Paysage archéologique*, h/t (50x75) : ITL 18 000 000 – ROME, 19 avr. 1994 : *Saint-Pierre vu depuis Lungotevere*, h/t (35x50) : ITL 16 675 000 – MILAN, 22 juin 1995 : *Composition*, encre/pap. (48x64) : ITL 1 150 000 – MILAN, 20 mai 1996 : *La Peau*, h., collage et cr. gras/t. (60x120) : ITL 17 250 000 – ROME, 12 juin 1996 : *Grand réseau* vers 1968, h/t (120x220) : ITL 37 950 000 – MILAN, 25 nov. 1996 : *Surface lunaire*, temp. et brûlure/caoutchouc (50x80) : ITL 9 000 000 – MILAN, 2 avr. 1996 : *Usine*, h/t (70x50) : ITL 28 175 000 – ROME, 8 avr. 1997 : *La Mine* 1951, h/t (40x60) : ITL 25 630 000.

TURCATY G. Adolphe ou Turcatty

XIXe siècle. Actif à Paris. Français.
Peintre de paysages et de portraits, dessinateur et sculpteur.

Il exposa au Salon de 1848 à 1850. Le Musée de Rouen conserve de lui un portrait (dessin).

TURCHETTI. Voir TURCHI

TURCHI Alessandro, appelé aussi Alessandro Veronese, dit l'Orbetto

Né en 1578 à Vérone. Mort le 22 janvier 1649 à Rome. xviie siècle. Italien.
Peintre d'histoire, sujets mythologiques, compositions religieuses.

On affirme que dans sa jeunesse, il fut occupé à conduire un mendiant aveugle, ce qui lui valut le surnom de l'*Orbetto* ; une autre version le lui fait donner à raison d'un défaut de sa vue. On cite comme son premier maître Domenico Riccio dit Brusasorci. Le fait n'est pas impossible, bien que Turchi fût de quatorze ans l'aîné de Brusasorci. Il paraît plus probable que Riccio, ayant pitié de la misère de Turchi, l'aida simplement de sa bourse. Turchi alla d'abord à Venise, où il fut l'élève de Carlo Caliari, puis à Rome et s'y établit comme peintre.
Sa réputation fut assez sérieuse pour qu'il fût associé à Andrea Sacchi et à Pietro de Cortone à la décoration de l'église de la Concezione. Il obtint de nombreux travaux dans les églises de Rome, et exécuta notamment une *Fuite en Égypte* (à San Romualdo), une *Sainte Famille* (à San Lorenzo in Luccio), un *Saint Charles Borromée* (à San Salvatore in Lauro). Alessandro Turchi peignit aussi des tableaux de chevalet, sujets d'histoire ou mythologiques qu'il exécuta souvent sur des plaques de marbre noir.

Musées : Avignon : *Les Noces de Cana – Repas du Christ chez Simon le Pharisien* – Bordeaux : *Sainte Catherine* – Budapest : *Christ en Croix* – Darmstadt : *Saint Félix et l'Enfant Jésus* – Dresde : *Adoration des bergers – Le Christ au temple – Le Christ homme de douleur – Loth et ses filles – Lapidation de saint Étienne – La Trinité – Vierge sur un trône et enfant Jésus – Adonis blessé et Vénus – Jugement de Pâris – David avec la tête de Goliath* – Dulwich : *Un doge vénitien* – Florence : *Allégorie au sujet du baptême d'un enfant de Jean Cornaro, capitaine de Vérone* – Fontainebleau : *Le déluge* – Hanovre : *Loth et ses filles – Agar dans le désert* – Kassel : *Jugement de Pâris – Persée et Andromède – Léda – Martyre de sainte Catherine* – Leipzig : *Mort de Porcia* – Macerata (Pina.) : *Saint Pierre et sainte Agathe* – Madrid (Mus. du Prado) : *Madeleine pénitente – Fuite en Égypte* – Le Mans : *Samson et Dalila* – Milan (Mus. Brera) : *Madone de la neige – La Vierge et Jésus – Sainte Madeleine* – Milan (Mus. des Indépendants) : *Déploration du Christ* – Modène : *Libération de saint Pierre* – Moscou (gal. Roumianzeff) : *L'épiphanie – David avec la tête de Goliath* – Munich : *Hercule et Omphale – Hercule furieux tue ses enfants – La fille d'Hérodiade reçoit des mains du bourreau la tête de saint Jean* – Paris (Mus. du Louvre) : *Samson et Dalila – La femme adultère – Mort de Cléopâtre* – Posen : *Hercule et Omphale* – Riga (Mus. Nat.) : *Madone* – Rome (Borghèse) : *Sainte Marie Madeleine et les anges pleurant la mort du Christ – Résurrection de Lazare – Descente de croix* – Rome (Colonna) : *Les Beaux-Arts* – Rome (gal. Doria Pamphily) : *Sainte Famille* – Saint-Pétersbourg (Mus. de l'Ermitage) : *Portement de croix – Bacchus et Ariane* – Schleissheim : *Hercule furieux* – Stuttgart : *Allégorie du Temps – Sainte Famille – Saint Joseph et l'Enfant Jésus – Samson et Dalila* – Varsovie : *Jésus à Gethsémani* – Venise : *Jésus au Jardin des Oliviers, effet de nuit – Madone et l'Enfant* – Vérone (Pina. mun.) : *Bataille de Noventa – Annonciation – Flagellation, deux fois – Le massacre des Innocents – La Vierge avec deux saintes – L'Agneau pascal – Nativité – Madone dans la gloire – Madone et le petit saint Jean – La reddition* – Vérone (Mus. mun.) : *Saint Bernard et le Christ* – Vienne : *Sépulture du Christ – Le Christ dans le prétoire – Adoration des bergers et descente de croix*, peint. sur les deux faces d'une ardoise – *Christ en croix*.

Ventes Publiques : Paris, 1767 : *Bacchus et Ariane* : FRF 1 051 – Paris, 1777 : *L'Incrédulité de saint Thomas* : FRF 3 470 – Paris, 1789 : *Hercule et Omphale* : FRF 2 600 – Londres, 1800 : *Chasteté de Joseph*, sur marbre : FRF 5 300 – Paris, 1810 : *Le Christ au sépulcre*, sur marbre noir : FRF 1 005 – Paris, 1865 : *Flagellation du Christ*, sur marbre : FRF 310 – Paris, 19 avr. 1951 : *Persée et Andromède*, école de A. T. : FRF 11 000 – Berlin, 4 nov. 1970 : *Pape entouré de personnages dans un paysage* : DEM 7 100 – Londres, 12 juil. 1972 : *Le Martyre de saint Paul* : GBP 700 – Rome, 27 mars 1980 : *La Sainte Famille*, h/t (111x139) : ITL 7 000 000 – Munich, 26 nov. 1981 : *L'Adoration des bergers*, pl. et lav. avec reh. de blanc (52x39) : DEM 8 400 – Rome, 20 nov. 1984 : *Jésus montré au peuple*, h/t (140x99) : ITL 33 000 000 – New York, 6

juin 1985 : *Jésus et la Samaritaine*, h/t (103x167,5) : USD 18 000 – Londres, 10 juil. 1987 : *Ecce Homo*, h/t (139,7x99) : GBP 20 000 – New York, 14 jan. 1988 : *La Création d'Eve*, h/t (101x133,5) : USD 37 400 – Monaco, 17 juin 1988 : *Samson et Dalila*, h/t (173x149) : FRF 188 700 – Londres, 9 avr. 1990 : *Le Jugement de Pâris*, h/cuivre (51x69,5) : GBP 19 800 – New York, 1er juin 1990 : *Adam et Eve chassé de l'Eden par saint Michel Archange*, h/t (174x227) : USD 88 000 – Monaco, 5-6 déc. 1991 : *Mars et Vénus ; Le Triomphe de Neptune*, h./ardoise, une paire (42x34,5) : FRF 310 800 – New York, 22 mai 1992 : *Procris et Cephalus*, h/t (187,3x265,4) : USD 17 600 – New York, 15 jan. 1993 : *Ecce Homo*, h/t (139,7x99,1) : USD 41 400 – New York, 18 mai 1994 : *Vierge à l'Enfant avec Jean Baptiste enfant et saint François*, h./marbre (43,2x26) : USD 10 350 – Londres, 5 juil. 1996 : *Le Christ et la femme adultère*, h/t (108,6x146,7) : GBP 15 000 – La Flèche, 11 déc. 1996 : *La Sainte Famille*, h/t (99x74,3) : GBP 5 980 – La Flèche, 6 avr. 1997 : *La Lamentation sur le corps du Christ*, h./ardoise (26x36) : FRF 157 000 – New York, 30 jan. 1997 : *La Madone et l'Enfant*, h/t (106,7x89,8) : USD 34 500.

TURCHI Alessandro ou Turchetti

Né à Ferrare. Mort avant 1770. xviiie siècle. Italien.
Peintre, sculpteur, stucateur.

Frère et élève de Pietro Turchi. Il orna de peintures la cathédrale, plusieurs églises et la bibliothèque municipale de Ferrare.
Ventes Publiques : Milan, 3 nov. 1982 : *La Foi*, h/t (207x102) : ITL 9 000 000.

TURCHI Bartolomeo

Né à Ferrare. Mort en 1760. xviiie siècle. Italien.
Peintre.

Frère de Giuseppe Turchi. Il a peint *Saint Antoine et saint Bellino* dans l'église Saint-Pierre de Ferrare.

TURCHI Gaetano

Né en 1817 à Ferrare. Mort le 11 octobre 1851. xixe siècle. Italien.
Peintre.

Élève de G. Domenichini et de G. Bezzuoli. La Pinacothèque de Ferrare conserve des peintures de cet artiste.

TURCHI Giuseppe

Né en 1705 à Ferrare. Mort en 1761. xviiie siècle. Italien.
Peintre.

Frère de Bartolomeo Turchi. Il exécuta les peintures dans la chapelle principale de l'église Sainte-Apollonie de Ferrare.

TURCHI Giuseppe

Né le 19 juin 1759 à Savignano. Mort le 23 janvier 1799 à Parme. xviiie siècle. Italien.
Peintre et dessinateur.

Fils de Luigi Turchi. Élève d'Unterberger à Rome. Il a peint des tableaux d'autel pour des églises de Parme et de Casatico.

TURCHI Jacomo

xive siècle. Actif à Sienne à la fin du xive siècle. Italien.
Peintre verrier.

De l'ordre des Dominicains, il exécuta des vitraux pour la cathédrale de Sienne en 1397.

TURCHI Luigi ou Turchetti

Né à Ferrare. xviiie siècle. Italien.
Sculpteur et stucateur.

Père de Giuseppe Turchi. Il a sculpté deux statues dans la cathédrale de Ferrare.

TURCHI Luigi

Né à Ferrare. xviiie-xixe siècles. Travaillant de 1796 à 1801. Italien.
Sculpteur.

Neveu de Pietro Turchi.

TURCHI Pietro

Né en 1711 à Ferrare. Mort le 29 octobre 1781. xviiie siècle. Italien.
Sculpteur, stucateur et peintre.

Élève d'Andrea Ferrari. Il sculpta des statues et des anges pour la cathédrale, ainsi que pour des églises et des palais de Ferrare.

TURCK Eliza

Née en 1832 à Londres, d'origine allemande. xixe siècle. Britannique.
Peintre.

Élève de W. Gale à Londres et de Kayser à Anvers. Elle exposa à Londres de 1851 à 1886 des peintures de genre, des paysages et des portraits.

TURCK Jacob Jansz ou **Turk**
XVIIᵉ siècle. Travaillant en 1643. Hollandais.
Sculpteur sur bois.
Il a sculpté le buffet d'orgues de la Grande Église d'Alkmaar.

TÜRCKE Franz Theodor
Né le 12 mai 1877 à Dresde. XXᵉ siècle. Allemand.
Peintre de paysages.
Il fut élève de l'Académie des Beaux-Arts de Berlin, où il vécut et travailla.
MUSÉES : MUNICH (Neue Pina.) : *Journée d'automne.*
VENTES PUBLIQUES : PARIS, 20 déc. 1950 : *Paysage de montagne* :
FRF **1 500** – AMSTERDAM, 21 avr. 1994 : *Vue de Volendam*, h/t (70x100) : NLG **2 300.**

TÜRCKE Rudolf ou **Rudolf Carl Bernhard von**
Né le 12 mars 1839 à Meiningen. Mort le 24 mai 1915 à Dresde. XIXᵉ-XXᵉ siècles. Allemand.
Peintre de portraits, paysages.
Il fut élève des Académies de Dresde et de Düsseldorf.
MUSÉES : DRESDE (Mus. mun.) : *Portrait de l'artiste – Portrait de l'aquafortiste Ludwig Otto.*

TURCO Cesare, dit **Cesar de Longanazo de Terra Hyschitelle**
Né vers 1510 à Ischitella. Mort après 1566 à Naples. XVIᵉ siècle. Italien.
Peintre d'histoire.
Élève de Giovanni Antonio d'Anato et d'Andrea Sabbatini. Il a travaillé pour les églises et les édifices publics de Naples. On cite notamment *Le baptême du Christ*, pour Santa Maria delle Grazie, et une *Circoncision*, pour l'église des Jésuites.

TURCO Flaminio del
Né à Sienne. Mort en 1634. XVIIᵉ siècle. Italien.
Sculpteur et architecte.
Fils et élève de Girolamo del Turco. Il sculpta des autels pour des églises de Sienne.

TURCO Girolamo del
XVIᵉ siècle. Italien.
Sculpteur.
Père de Flaminio del Turco. Il exécuta des ornements en marbre dans la cathédrale de Sienne de 1573 à 1582.

TURCONE Giovanni Battista
Né à Côme. XVIᵉ siècle. Travailla à Pavie vers 1572. Italien.
Sculpteur et écrivain.

TURCONI Francesco
Né à Lomazzo. XIXᵉ siècle. Travaillant de 1825 à 1847. Italien.
Dessinateur et architecte.
Élève de l'Académie de Milan. Il dessina des antiquités, des autels et des monuments funéraires.

TURCOTTO Giorgio
XVᵉ siècle. Actif à Cavallermaggiore dans la seconde moitié du XVᵉ siècle. Italien.
Peintre.
Il a peint les fresques dans l'abside de l'église Saint-Jean de Sommariva Perno.

TURCSANYI Laszlo ou **Ladislas**
Né le 2 juillet 1899 à Budapest. XXᵉ siècle. Hongrois.
Sculpteur, médailleur.

TURCU George
Né le 24 avril 1945 à Braila. XXᵉ siècle. Depuis 1982 actif en Australie. Roumain.
Sculpteur, sculpteur d'intégrations architecturales.
Polymorphe.
Il fut élève de l'institut d'Arts Plastiques N. Grigorescu de Bucarest en 1970. Il s'installe en 1982 à Melbourne après avoir séjourné deux ans en République Fédérale Allemande.
Il participe à de nombreuses expositions collectives, en Roumanie, puis dans le reste de l'Europe, en Égypte et Syrie. Il montre ses œuvres dans des expositions personnelles depuis 1981 en République Fédérale Allemande et Australie.
Il a réalisé de nombreuses sculptures monumentales en pierre, bronze ou métal peint, en Roumanie pour des parcs ou des lieux publics. Figuratives ou abstraites informelles, ses œuvres possèdent une dimension mystique : « J'aime à croire que par mon œuvre j'ajoute quelque chose de plus à cette réalité de l'univers, qui dépasse les confins matériels et spirituels imposés par l'histoire. » (Turcu).
BIBLIOGR. : Ionel Jianou et autres : *Les Artistes roumains en Occident*, American Romanian Academy of Arts and Sciences, Los Angeles, 1986.

TUREAU Bernard. Voir **TURREAU**

TURENNE Anne
Née en 1909 à Marseille (Bouches-du-Rhône). XXᵉ siècle. Française.
Sculpteur de figures, peintre.
Elle fut élève de l'École des Beaux-Arts de Lyon. Elle séjourna plusieurs années au Maroc et la découverte de l'Atlas inspirera son œuvre à venir. En 1949, fixée à Cannes, elle eut une activité de journaliste et scénariste de cinéma. En 1955, elle s'est établie définitivement à Cabris, dans l'arrière-pays de Grasse, elle s'est, depuis, vouée totalement à la sculpture, puis, à partir de 1965, également à la peinture. Son atelier devient lieu de rencontre pour Mircéa Éliade, Clara Malraux, Henri Troyat et autres.
Elle participe à des expositions collectives à Cannes, Berlin, etc., obtenant, en 1967 à Cannes, une médaille d'argent pour l'art sacré, et, en 1997 à Grasse, au Musée d'Art et d'Histoire de Provence, à l'exposition *La Côte d'Azur et la Modernité*, aux côtés de Arp, Delaunay, Magnelli, Stahly, Ferdinand Springer. Depuis 1960, elle expose régulièrement à Cannes.
Elle travaille essentiellement des bois méditerranéens de récupération, olivier, cèdre, chêne-liège, noyer, amandier, parfois d'anciennes poutres. Elle façonne ses matériaux à la hache, leur conférant volontiers un caractère archaïsant, qu'elle sait tempérer par une finition plus délicate, voire sensuelle. Si la *Vierge à l'Enfant* est un de ses thèmes de prédilection, elle crée des masques à caractère primitif, des faunes, des corps féminins élégants et chaleureux. Certains torses, pour autant que l'appellation convienne, atteignent à un synthétisme très brancusien.
BIBLIOGR. : In : Catalogue de l'exposition *La Côte d'Azur et la Modernité*, Musée d'Art et d'Histoire de Provence, Grasse, 1997 – Lydia Harambourg, in : *La Sculpture en France de 1945 à nos jours – Diction. des Sculpteurs*, Ides et Calendes, Neuchâtel, 1999-2000.
MUSÉES : GRASSE (Mus. d'Art et d'Hist. de Provence).

TURESIO Francesco. Voir **TURRESIO**

TURET Jacques, dit **Turet de Bourges**
XVIIᵉ siècle. Actif à Avignon en 1607. Français.
Sculpteur.

TURETSCHER Johann Wenzel
XVIIIᵉ siècle. Actif dans la seconde moitié du XVIIIᵉ siècle. Autrichien.
Peintre.
Il travailla pour l'abbaye de Lambach et le presbytère de Steyr.

TURGAN Clémence, née **Naigeon**
Née à Paris. XIXᵉ siècle. Active dans la première moitié du XIXᵉ siècle. Française.
Peintre.
Élève de V. Jaquotot. Elle travailla à la Manufacture de Sèvres comme peintre de figures de 1830 à 1834 et exposa au Salon de 1834 à 1852 des portraits sur porcelaine.

TURGEL Marguerite
XXᵉ siècle. Française.
Peintre, sculpteur, céramiste.
Cette artiste, qui a travaillé dans les ateliers de la Manufacture Nationale de Sèvres, réalise des tableaux, panneaux, objets divers et généralement tout ce qui, en céramique, peut trouver son adaptation architecturale.

TURGUT ATALAY
Né en 1933 à Konya (Turquie). XXᵉ siècle. Turc.
Peintre de portraits.
Il fut élève de l'École des Beaux-Arts d'Istanbul. Il a figuré à l'Exposition internationale d'Art Moderne ouverte en 1946, à Paris, au Musée d'Art Moderne, par l'Organisation des Nations Unies.

TURGUT ZAIM
XXᵉ siècle. Turc.
Peintre de genre.
En 1946, il présentait : *Femmes finissant des tapis*, à l'Exposition Internationale d'Art moderne ouverte à Paris, au Musée d'Art Moderne, par l'Organisation des Nations Unies.

TURIANI. Voir **TORRIANI**

TURIER Alexis Antoine ou **Turrier**
Né en 1743 (?) à Bordeaux. Mort le 7 août 1806 à Cadillac (Gironde). XVIIIᵉ siècle. Français.
Peintre d'architectures et de décors.
Élève de Moretti et de Berinzago. Il exposa de 1774 à 1782.

TURIN André
XIXᵉ-XXᵉ siècles. Français.
Peintre de paysages. Impressionniste.
Il vécut et travailla à Paris. Il a figuré avec des paysages à Paris au Salon des Artistes Français et au Salon des Indépendants à partir de 1904.
Il aurait travaillé avec Claude Monet et à Barbizon.

TURIN F.
XVIIIᵉ siècle. Travaillant vers 1750. Britannique.
Portraitiste.

TURIN Melchor ou **Torines**
Né vers 1550 à Grenade. XVIᵉ siècle. Espagnol.
Sculpteur.
Élève de Juan Bautista Vazquez le vieux.

TURIN Pierre
Né le 3 août 1891 à Sucy-en-Brie (Val-de-Marne). XXᵉ siècle. Français.
Sculpteur, graveur, médailleur.
Il fut élève de Frédéric C. Vernon, Jules F. Coutan et Henri A. J. Patey. Il exposa à partir de 1911 à Paris, au Salon des Artistes Français, dont il fut membre sociétaire hors-concours, et au Salon de la Monnaie. Il fut Grand Prix de Rome en 1920, reçut une médaille d'or en 1925, la Légion d'honneur en 1936. Il fut membre du Conseil supérieur de l'enseignement des Beaux-Arts, de 1928 à 1931.
Musées : LUXEMBOURG (ancien Mus.) – NEW YORK (Metropolitan Mus.).
Ventes Publiques : PARIS, 23 mars 1981 : *Le Bain*, métal argenté, bas-relief (47x14,5) : FRF 14 000.

TURIN Vassili Stépanovitch
Né en 1780 à Arsamass. XIXᵉ siècle. Russe.
Peintre et graveur.
Élève de l'Académie de Saint-Pétersbourg. Il peignit des icônes pour les églises de Kazan ainsi que des vues de cette ville.

TURIN Vinzenz
XVIIᵉ siècle. Autrichien.
Sculpteur.
Il a sculpté une colonne avec un crucifix près de Brunn en 1631.

TURINA Carlo
Né le 18 juillet 1885 à Girie. XXᵉ siècle. Italien.
Peintre, aquarelliste, graveur, décorateur.
En tant que graveur, il privilégia la gravure sur bois.

TÜRING Konrad, l'Ancien ou **Thüring**
XVᵉ siècle. Actif à Saint-Gall et à Wyl de 1472 à 1497. Suisse.
Peintre.

TÜRING Konrad, le Jeune ou **Thüring**
Mort en 1526 ou 1527. XVIᵉ siècle. Actif à Saint-Gall et à Arbon. Suisse.
Peintre.
Il peignit une *Sainte Agathe* et un *Saint Magnus*.

TÜRING Niklas, l'Ancien ou **Düring, Thüring, Turing**
Mort en 1517 ou 1518 à Innsbruck. XVIᵉ siècle. Autrichien.
Sculpteur et architecte.
Il sculpta des statues à Innsbruck.

TÜRING Niklas, le Jeune
Mort après le 4 mars 1558. XVIᵉ siècle. Actif à Innsbruck. Autrichien.
Sculpteur.
Il sculpta des tombeaux et travailla pour l'empereur Ferdinand.

TURINI Giovanni
Né le 23 mai 1841. Mort le 27 août 1899. XIXᵉ siècle. Américain.
Sculpteur.
Il a sculpté la statue de *Garibaldi* au Washington Square de New York.

TURINI di Turino Pietro
XVIᵉ siècle. Travaillant en 1510. Italien.
Peintre.
Il a exécuté des peintures dans l'église Saint-Omobono de Rome.

TURINO Cipriano, don
XVIIᵉ siècle. Actif à Venise de 1606 à 1611. Italien.
Mosaïste.
Il exécuta des mosaïques pour la cathédrale Saint-Marc de Venise.

TURINO Giovanni ou **Turini**
Né vers 1385 à Sienne. Mort en 1455. XVᵉ siècle. Italien.
Sculpteur et orfèvre.
Il exécuta des statuettes pour les fonts baptismaux de l'église Saint-Jean de Sienne et des bas-reliefs sur la chaire de la cathédrale.
Ventes Publiques : ZURICH, 23 mai 1977 : *La Vierge debout, un livre à la main gauche* vers 1440/50, bois polychr. (H. 150) : CHF 150 000.

TURINO Giovanni. Voir aussi **VANNI Turino**

TURINO Lorenzo ou **Torini**
Né en 1407 à Sienne. XVᵉ siècle. Italien.
Sculpteur.
Frère de Giovanni Turino.

TURINO da Pescia
XVᵉ siècle. Italien.
Sculpteur.
Il sculpta le blason du cardinal d'Estouteville sur la façade du monastère Saint-Augustin de Rome.

TURINO di Vanni. Voir **VANNI Turino**

TURIOT Bernard
Né le 19 octobre 1950 au Blanc-Mesnil (Seine-Saint-Denis). Mort le 2 août 1995 à Buicourt (Picardie), par suicide. XXᵉ siècle.
Peintre, peintre de collages, technique mixte. Abstrait lyrique.
Son père était peintre en lettres. Il fut élève de l'École Normale Supérieure en arts plastiques de Cachan et à Paris de l'école Boulle et de l'école des arts appliqués. Il vivait et travaillait à Buicourt en Picardie.
Il participe à des expositions collectives : 1980 maison de la culture de Grenoble ; 1980, 1982 Salon de Montrouge ; 1982 Kunsthalle de Nüremberg ; depuis 1984 manifestations organisées par le FRAC Picardie dans divers lieux ; 1985 musée du Luxembourg à Paris ; 1986 musée de Dôle ; 1994 FIAC (Foire internationale d'art contemporain) à Paris.
Il montre ses œuvres dans des expositions personnelles : 1979 centre culturel de Villeparisis ; 1980 galerie du Haut Pavé à Paris ; 1981 Maison de la culture d'Amiens ; 1983 centre d'art contemporain à Compiègne ; 1984 musée d'art contemporain de Dunkerque ; depuis 1985 régulièrement à la galerie Zürcher à Paris ; 1985 musée Réattu à Arles ; 1987 centre d'art contemporain de Jouy-sur-Eure ; 1990 première rétrospective à la galerie de l'Ancienne Poste à Calais et Salon de Mars à Paris ; 1991 salon Découvertes à Paris ; 1995 galerie de l'espace culturel Buzanval de Beauvais, musée de Setubal.
Après des monochromes bleus dans l'esprit d'Yves Klein, puis des toiles en noir et blanc parfois éclairées de jaune, il réalise dans les années quatre-vingt des diptyques et des triptyques toujours de couleurs sombres, qui mêlent acrylique et pastel. Il maltraite la couleur éclaboussant la toile, jusqu'aux limites du tableau, interroge les matières, travaillant, superposant, collant, associant le papier calque, le kraft, l'encre, le charbon, le goudron, l'ardoise, le fer, le bois, le Plexiglas. Il dépeint les ténèbres et leur violence, le chaos, la lutte des éléments.
Bibliogr. : Marcelin Pleynet : *Comment*, galerie Vivian Véteau, 1982 – Marcelin Pleynet, in : *L'art abstrait* t. V, Maeght Éditeur, Paris, 1989 – Marie Odile Van Caeneghem : *Turiot, la marche d'un bédouin, Galerie Zürcher*, Opus International, nᵒ 117, Paris, janv.-févr. 1990 – Jean-Louis Pradel : *Bernard Turiot*, in : *L'Événement du Jeudi*, Paris, 7 nov. 1991.
Musées : AMIENS (FRAC) – ARLES (Mus. Réattu) – DOLE – DOLE (FRAC) – DUNKERQUE (Mus. d'Art Contemp.) – GRAVELINES – PARIS (Mus. d'Art Mod. de la ville) – PARIS (FNAC) – PARIS (Mus. d'Art Mod. de la Ville) – SÉLESTAT (FRAC).

TURK, pseudonyme de **Liegeois Phillipe,** dit aussi parfois **Turbo**
Né en 1947 à Durbuy. XXᵉ siècle. Belge.
Dessinateur.
Il a participé à la revue *Spirou* puis à *Tintin*.
Bibliogr. : In : *Dict. biogr. des artistes en Belgique depuis 1830*, Arto, Bruxelles, 1987.

TURK Jacob Jansz. Voir **TURCK**

TÜRK Rudolf
Né le 3 octobre 1893 à Villach. XXᵉ siècle. Autrichien.
Peintre, graveur.
Il fut élève de l'Académie de Turin. Il vécut et travailla à Graz.

TURKALJ Josef
Né le 16 novembre 1890 à Irig. XXᵉ siècle. Yougoslave.
Sculpteur de portraits, d'ornements.
Il étudia à Zagreb et à Vienne.

TURKEN Henricus
Né le 10 décembre 1791 à Eindhoven. Mort avant 1856. XIXᵉ siècle. Hollandais.
Peintre, portraitiste, miniaturiste et aquafortiste.
Directeur de l'École de dessin de Bois-le-Duc en 1820, il vécut plus tard à Bruxelles. Le Musée de Rotterdam conserve de lui : *Portrait de Marguerite Agnès de Vries.*
VENTES PUBLIQUES : PARIS, 1838 : *Une jeune femme accompagne au piano un chanteur qui joue de la guitare* : FRF 100 – PARIS, 28 avr. 1937 : *La leçon de solfège* : FRF 500 – AMSTERDAM, 3 juil. 1978 : *Les joyeux militaires*, h/pan. (33x37,3) : NLG 7 200 – LONDRES, 21 mars 1980 : *Famille dans un intérieur*, h/pan. (79,4x66,7) : GBP 2 600 – AMSTERDAM, 19 mai 1981 : *Jeune Femme à son clavecin*, h/pan. (27x21) : NLG 4 400.

TURKI Hédi
Né le 15 mai 1922 à Tunis. XXᵉ siècle. Tunisien.
Peintre, aquarelliste, dessinateur. Style occidental, polymorphe.
Il fut élève de l'Académie des Beaux-Arts de Rome, puis, en 1959, de l'Université de Columbia aux États-Unis et de l'Académie libre de la Grande Chaumière à Paris. En 1962, il fut nommé professeur à l'Ecole Nationale des Beaux-Arts de Tunis, où il a enseigné jusqu'en 1989. De 1968 à 1976, il a été membre du Comité Exécutif de l'AIAP-UNESCO (Association Internationale des Arts Plastiques), secrétaire-général de l'Union des Artistes Plasticiens Tunisiens, membre-fondateur de l'Union Générale des Artistes Plasticiens Arabes, il fait partie du groupe de l'École de Tunis. Il vit et travaille à Sidi-Bou-Saïd.
Il participe à des expositions collectives, notamment à Paris en 1967, aux Salons des Artistes Français pour le Prix France-Afrique, et d'Automne. En 1967 également, il a obtenu le Prix du Jury du XIᵉ Grand Prix International d'Art Contemporain de Monte-Carlo. Depuis 1960, il eut plusieurs expositions personnelles à Tunis. En 1967-1968 eut lieu une exposition personnelle de ses peintures à Paris. Personnage à la fois familier et très officiel, il a été l'objet de hautes distinctions.
Son activité de dessinateur est très importante dans son œuvre. Dans cette technique, il recherche avant tout le mouvement. Ses croquis très rapides, saisis sur le vif ou bien souvent croquis d'après les sculptures ou monuments pris au passage, rappellent les croquis que faisait Rodin de ses modèles en mouvement dans l'atelier. Son registre, aussi bien technique que thématique, est très divers. Il peint, plutôt à l'aquarelle, des vue du vieux Tunis, quelques natures mortes et des fleurs. Dans des dessins aigus ou en peinture, il est un portraitiste confirmé : en 1991, il a peint le portrait officiel du président de la République Tunisienne Zin-El-Abidine Ben Ali. En outre, une partie importante de son œuvre peint est radicalement abstraite. Là, retrouvant la tradition islamique de la non-représentation, il réalise des séries de variations chromatiques sur des textures simples, rectilignes et rythmées ou au contraire, sur des volutes nuageuses. ■ J. B.
MUSÉES : AMMAN (Mus. d'Art Mod.) – NICE : Trois peintures – PARIS (Fonds Nat.) : *Les Fusées* – TUNIS.

TURKI Yahia, pseudonyme : **Yahia**
Né en 1903. Mort en 1968 ou 1969. XXᵉ siècle. De 1926 à 1935 actif en France. Tunisien.
Peintre de scènes typiques animées, figures, paysages et paysages urbains. Orientaliste.
Il fut élève de Georges Le Mare à Tunis. En 1926, une bourse du gouvernement tunisien lui permit un séjour à Paris, où il resta jusqu'en 1935, fréquentant les ateliers de Montmartre et Montparnasse. Il fut président de l'École de Tunis et vice-président du Salon Tunisien. Dès 1923, il exposa au Salon Tunisien. Une écriture picturale simple, franche et claire, rend fidèlement compte des sites et des coutumes de la Tunisie. *Voir aussi YAHIA.*
VENTES PUBLIQUES : PARIS, 25 juin 1996 : *La Place Bab Souika et la mosquée Sidi Mahrez, Tunis*, h/pan. (27x35) : FRF 30 500.

TURKI Zoubeir
Né le 19 novembre 1924 à Tunis. XXᵉ siècle. Tunisien.
Peintre de scènes et figures typiques, de décorations murales, dessinateur, sculpteur de bas-reliefs. Style occidental.
Il fut élève de l'école des beaux-arts de Tunis, puis séjourne de 1953 à 1958 à Stockholm où il fréquente l'école des beaux-arts. Il vit et travaille à Tunis.

Il participe à des expositions collectives notamment aux Biennales de Venise, Paris et São Paulo. Il a reçu de nombreux prix et distinctions : médaille d'or de la ville de Milan, commandeur du Mérite culturel et chevalier de l'ordre de l'indépendance.
Il campe les personnages de ses compositions avec beaucoup d'esprit, d'humour bienveillant et affectueux. Il leur confère la vie, la vivacité, la malice, presque le mouvement. Son dessin est linéaire, très pur, rappelant le dessin de Matisse, et pourtant chargé d'anecdote, de sens, de psychologie des personnages. Il est mis particulièrement en verve par les bourgeois tunisiens en visite, faisant des mimiques patelardes, faussement modestes et certainement très malignes. Il a réalisé des décorations murales et bas-reliefs en Tunisie.
BIBLIOGR. : In : Catalogue de l'exposition *Art Contemporain Tunisien*, Théâtre du Rond-Point, Paris, 1986.

TURLETTI Celestino
Né le 19 février 1845 à Turin. Mort le 23 juin 1904 à San Remo. XIXᵉ siècle. Italien.
Peintre de genre et graveur à l'eau-forte.
Élève de l'École des Beaux-Arts de Turin. Il exposa dans cette ville et à Rome, Milan, Venise. Il a gravé des sujets de genre. La Galerie d'Art Moderne de Turin conserve de lui *Portrait en costume.*
VENTES PUBLIQUES : MILAN, 14 déc. 1978 : *Le brocanteur*, h/t (26x32) : ITL 2 700 000 – MILAN, 24 mars 1982 : *La chasse au chat*, h/t (40x28) : ITL 5 600 000.

TURLIN Henri Jean
Né dans la seconde moitié du XIXᵉ siècle à Paris. XIXᵉ siècle. Français.
Peintre de fleurs et de paysages et aquafortiste.
Il exposa de 1870 à 1882.

TURLURE
Né à Arras (Pas-de-Calais). Français.
Peintre de portraits.
Le Musée d'Arras conserve de lui *La famille Bocquet.*

TURLYGIN Jakof Prokopiévitch. Voir **TOURLYGUINE**

TURMAN William T.
Né le 19 juin 1867 à Graysville (Indiana). XIXᵉ siècle. Américain.
Peintre.
Élève de l'Art Institute de Chicago et de l'Académie des Beaux-Arts de Philadelphie. Membre de la Fédération Américaine des Arts.

TURMANN Wolfgang Nikolaus ou **Thurmann**
Mort entre 1718 et 1722. XVIIIᵉ siècle. Actif à Waidhofen-sur-l'Ybbs. Autrichien.
Peintre.
Il peignit de nombreux tableaux d'autels dans des églises d'Autriche, surtout dans l'abbaye de Seitenstetten.

TURMAYER Sandor ou **Alexander**
Né le 20 septembre 1879 à Oroshaza. XXᵉ siècle. Hongrois.
Peintre de figures, paysages.
Il fut élève de l'Académie de Budapest.

TURMEAU Allan
XVIIᵉ siècle. Français.
Peintre.
Cet artiste qui était protestant, et sur lequel on ne possède pas de renseignements, passa de France en Angleterre après la révocation de l'Édit de Nantes après octobre 1685. Son petit-fils, John Turmeau, fut à Londres un miniaturiste notable.

TURMEAU John
Né en 1777 à Liverpool. Mort le 12 septembre 1846 à Liverpool. XIXᵉ siècle. Britannique.
Peintre de portraits, miniaturiste, aquarelliste.
Petit-fils du peintre Allan Turmeau. John fit ses études aux Écoles de la Royal Academy à Londres. Il revint dans sa ville natale et partagea son temps entre le commerce et l'art. Il obtint à Liverpool la réputation d'habile miniaturiste. Il paraît avoir contribué puissamment à la fondation de l'Académie de Liverpool, dont il fut membre de 1810 à 1832 et président en 1812 et 1813. Il prit part à ses expositions jusqu'en 1842. De 1772 à 1836, il exposa à Londres trois ouvrages à la Free Society et sept à la Royal Academy. Il aida les débuts du sculpteur John Gibson.
MUSÉES : LIVERPOOL (Walker Art Gal.) : huit miniatures – *Portrait de Henry Grattan.*
VENTES PUBLIQUES : LONDRES, 25 jan. 1988 : *Portrait d'un officier*, aquar. (28x18,5) : GBP 418.

TURMEAU John Caspar
Né en 1809 à Liverpool. Mort en 1834 à Liverpool. XIXe siècle. Britannique.
Peintre d'architectures, paysages.
Fils de John Turmeau. De 1827 à 1832, il exposa à Liverpool des sujets d'architecture. Il fit en Italie un voyage, motivé croit-on, par sa santé et vécut quelque temps à Rome près de John Gibson. Il dessina et peignit un certain nombre d'aquarelles, de sujets d'architecture d'Italie.

TURMEL Jean Paul
Né le 22 mars 1954. XXe siècle. Français.
Peintre, pastelliste, dessinateur, graveur, sculpteur. Abstrait.
Il fit ses études à l'École Nationale des Beaux-Arts de Paris. Il expose à Paris, aux Salons des Surindépendants à partir de 1971, des Indépendants en 1972 et 1974.
Il subit à ses débuts l'influence de Magnelli et sa conception d'une peinture abstraite formelle. Sa peinture, faite de signes et de symboles tente de retrouver l'esprit qui présidait à la création artistique dans les civilisations préhistoriques. À partir de dessins foisonnants, complexes, il réalise ses gravures et sculptures. De ces compositions graphiques surgissent des formes abstraites reprises pour être gravées à l'eau forte ou sur bois, ou pour être découpées dans le métal puis pliées, courbées, assemblées, jusqu'à atteindre l'équilibre nécessaire.

TURMER Wolfgang Nikolaus, appellation erronée. Voir **TURMANN Wolfgang Nikolaus**

TURNBULL
XVIIIe siècle. Travaillant vers 1770. Britannique.
Graveur au burin.

TURNBULL. Voir **BARTHOLOMEW Anne Charlotte**

TURNBULL Gale
Né le 19 décembre 1889 à Long-Island City (État de New York). XXe siècle. Américain.
Peintre de paysages, graveur.
Il fut élève de Guérin, Vojtech Preissig et Lasar. Il fut membre de l'Association Artistique Américaine de Paris, du groupe des Peintres Américains de Paris et du Salmagundi Club.
MUSÉES : NEW YORK (Mus. de Brooklyn) – PARIS (Mus. d'Art Mod.).
VENTES PUBLIQUES : PARIS, 29 oct. 1926 : *Les Oliviers* : FRF 3 500.

TURNBULL W.
Britannique.
Aquarelliste.
MUSÉES : LONDRES (Victoria and Albert Mus.) : *Aqueduc à Lisbonne.*

TURNBULL William
Né le 11 janvier 1922 à Dundee (Écosse). XXe siècle. Britannique.
Peintre, sculpteur. Independant Group.
Après avoir fait toute la guerre de 1941 à 1945 comme pilote de la R.A.F., il fut ensuite élève de la Slade School de Londres. De 1948 à 1950, il travailla à Paris, où il s'intéresse à l'art brut. Il a été membre, dans les années cinquante, de l'Independant Group avec Richard Hamilton et Eduardo Paolozzi. Il fut aussi poète. En 1950, il se fixe à nouveau à Londres, où il enseigne à partir de 1952 à la Central School of Art.
Il participe dans les années cinquante à de nombreuses expositions de groupe, notamment 1952 Biennale de Venise ; 1958 Carnegie International de Pittsburgh ; 1962 Guggenheim de New York ; 1966 Stedelijk Museum d'Amsterdam ; 1968 Documenta de Kassel ; 1976 Palazzo Reale de Milan. Il montre ses œuvres dans de nombreuses expositions personnelles, depuis 1950 à Londres notamment : 1957 Institute of Contemporary Art, 1968 Hayward Gallery, 1973 Tate Gallery ; ainsi que : 1963 Institute of Art de Detroit ; 1967 Biennale de São Paulo ; 1968 musée d'Art moderne de Rio de Janeiro, musée national des beaux-arts de Buenos Aires, Institut des arts plastiques de Santiago ; 1974 Scottish Arts Council Gallery d'Édimbourg.
Partageant l'admiration du sculpteur italo-britannique Paolozzi pour Giacometti, il travaille parfois dans le même esprit, notamment quand il produit des sortes de rouleaux couverts de motifs décoratifs et de signes mystérieux, objets évoquant quelques vestiges archéologiques. Parfois apparaissent dans ses œuvres des évocations de visages humains. Dans sa production, à ces reliefs totémiques évoqués ci-dessus s'opposent des dessins en trois dimensions, réalisés en fil de fer tordu dans l'espace.

Influencé par l'expressionnisme abstrait, il réalise une série de peintures composées de vastes surfaces colorées proche de Rothko ou Newman. À la même époque, ses sculptures s'épurent, les formes géométriques priment et l'acier est préféré au bois et à la pierre. Son travail tend alors vers le minimalisme, obéissant à des principes de neutralité et de répétition. Conservant néanmoins une dimension spirituelle, l'œuvre, qu'elle soit couleur ou treillis, invite à la méditation.

Turnbull

BIBLIOGR. : Michael Middleton, in : *Nouveau Diction. de la sculpt. mod.*, Hazan, Paris, 1970 – V. Jaeger : Catalogue de l'Exposition *William Turnbull, récente sculpture*, Waddington Galleries, Londres, 1991 – in : *Dict. de l'art mod. et contemp.*, Hazan, Paris, 1992.
MUSÉES : BUFFALO (Albright-Knox Art Gal.) – CARDIFF – ÉDIMBOURG (Scottish Nat. Gal. of Mod. Art) – LONDRES (Tate Gal.) : *Télé 1960* – *Nᵒ I 1962* – LONDRES (Vict. and Albert Mus.) – MÜNSTER (Westfälischer Landesmus.) – TÉHÉRAN (Mus. of Contemp. Art) – WASHINGTON D. C. (Hirsshorn Mus. & Sculpture Garden, Smithsonian Inst.).
VENTES PUBLIQUES : NEW YORK, 28 mai 1976 : *Tête 1954*, bronze (Long. 23) : **USD 400** – NEW YORK, 24 mars 1977 : *Fin II 1957*, bronze, patine verte (H. avec socle 81,3) : **USD 1 200** – LONDRES, 24 mars 1983 : *La Famille* vers 1949, bronze (50x47x30,5) : **GBP 1 900** – NEW YORK, 21 fév. 1990 : *Sans titre 1954*, h/t (91,6x127) : **USD 1 100** – LONDRES, 24 mai 1990 : *Grande idole* 1985, bronze (H. 200) : **GBP 14 300** – LONDRES, 8 juin 1990 : *Nᵒ 15 1958*, h/toile d'emballage (152x152) : **GBP 6 600** – NEW YORK, 10 oct. 1990 : *Sans titre 1950*, h/t (91,6x71,2) : **USD 1 650** – LONDRES, 7 juin 1991 : *15-1963*, h/t (249x249) : **GBP 4 400** ; *Idole 4*, bronze peint (168) : **GBP 7 700** – LONDRES, 11 juin 1992 : *Porte 1972*, acier inox. brossé (H. 216) : **GBP 4 840** – LONDRES, 26 mars 1993 : *5-1958*, h/t (152,5x152,5) : **GBP 3 910** – LONDRES, 25 nov. 1993 : *La grande idole*, bronze (H.200,6) : **GBP 13 800** – LONDRES, 25 oct. 1995 : *La grande pagaie de Vénus 1988*, bronze (H. 225) : **GBP 13 800** – PRINCES RISBOROUGH (Buckinghamshire), 22 sep. 1997 : *Abstraction 1980*, bronze patine brune (H. 116.8) : **GBP 9 200**.

TURNEISEN Johann Jacob. Voir **THOURNEYSER Johann Jakob**

TURNEL Johann Baptist. Voir **TORNIELLI Giovanni Battista**

TURNER. Voir aussi **THURNER**

TURNER Alfred
Né le 28 mai 1874 à Londres. Mort le 18 mars 1940 à Londres. XIXe-XXe siècles. Britannique.
Sculpteur de bustes, monuments.
Il fait ses études à la Lambeth School et à la Royal Academy de Londres de 1895 à 1898, dont il obtint la médaille d'or et une bourse de voyage en 1897. Il travaille comme assistant de Harry Bates. Il fut membre fondateur de la Royal Academy of British Sculptors en 1904. Il enseigna à la Central School.
Il expose de 1898 à 1937 à la Royal Academy de Londres, dont il devient membre associé en 1922, et Royal Academician en 1931. Il fit plusieurs bustes de la reine Victoria, de Edward VII et plusieurs monuments, notamment celui dédié aux troupes d'Afrique du Sud dans le bois Delville (France). Il fit également la statue de Owen Glyndwr à Cardiff.
MUSÉES : LONDRES (Tate Gal.) : *Psyché 1919* – *La Main 1936*.

TURNER B. W.
XVIIIe siècle. Travaillant à Londres en 1792. Britannique.
Dessinateur de vues.

TURNER Catherine
Britannique.
Peintre.
Le Musée de Cardiff conserve d'elle *Sthocks* (aquarelle).

TURNER Charles
Né en 1773 à Woodstock. Mort le 1er août 1857 à Londres. XVIIIe-XIXe siècles. Britannique.
Peintre et graveur.
Il fut élève des Écoles de la Royal Academy, à partir de 1795. Sa première manière rappelle le style de Bartolozzi et, dans cette forme, Ch. Turner grava plusieurs planches pour Boydell. Il s'adonna plus tard à la manière noire et à l'aquatinte et s'y mon-

tra graveur de tout premier ordre. Il reproduisit, notamment à l'aide du dernier procédé, trente-trois planches du *Liber Studiorum*, de son illustre homonyme Joseph Mallord William Turner. Nommé graveur du roi en 1828, il fut la même année élu associé à la Royal Academy. Ses portraits à la manière noire sont particulièrement recherchés. Il a aussi peint et dessiné.

Cachet de vente

Musées : Londres (Nat. Portrait Gal.) : *Portrait de l'artiste*, cr. – *Portrait de J. M. W. Turner*, cr. – *Portrait de John Charles C. Spence*, cr. – *Portrait de Samuel Proust*, cr.

Ventes Publiques : Paris, 1880 : *Paysages : rochers, marine, chemin sous bois, étang avec oiseaux aquatiques, etc.*, dix dessins à l'estompe : **FRF 63** – Londres, 6 mars 1911 : *Cheval de course* : **GBP 3** – Londres, 10 avr. 1911 : *Sir William Lawrence, Président du collège Royal des chirurgiens* : **GBP 99** ; *Même personnage*, dess. : **GBP 2** – Londres, 21 nov 1979 : *An extensive view of Oxford races*, h/t (62x90,5) : **GBP 18 500**.

TURNER Charles Eddowes
Né en 1883. Mort en 1965. XXe siècle. Britannique.
Peintre de marines, peintre à la gouache, aquarelliste.
Il s'agit peut-être du « captain » C. E. Turner qui exposa à la Royal Academy en 1919 avec l'œuvre *La Patrouille de la Manche : l'hydravion « Taking Off »*.
Ventes Publiques : Londres, 30 mai 1990 : *Le bateau de ligne « Parthia »*, aquar. avec reh. de blanc (45,5x73) : **GBP 1 760** – Londres, 22 mai 1991 : *La revue de la flotte*, aquar. avec reh. de blanc (44x66) : **GBP 880** – Londres, 20 jan. 1993 : *Sur la ligne de départ de la course de Looe*, h/t (51x59,5) : **GBP 2 530** – Paris, 24 mars 1995 : *Malte, le port*, aquar. gchée (39x62) : **FRF 7 200**.

TURNER Charles Yardley
Né le 25 novembre 1850 à Baltimore. Mort le 1er janvier 1919 à New York. XIXe-XXe siècles. Américain.
Peintre de genre, fleurs, peintre de compositions murales, illustrateur, graveur.
Il fut élève de la National Academy et de l'Art Student's League à New York, puis de J.-P. Laurens, Mumkacsy et Bonnat à Paris. Il fut membre de la National Academy à partir de 1886. Il reçut le deuxième prix Hallgarten à la National Academy en 1884, une médaille d'argent et de bronze à Buffalo en 1901, une médaille d'argent à Saint Louis en 1904. Il collabora activement à la décoration des Expositions de Chicago en 1893 et de celle de Buffalo en 1901. Il réalisa surtout des peintures murales. Graveur, il privilégia la technique de l'eau-forte.
Musées : Brooklyn : *Chrysanthèmes* – New York (Métropolitan Mus.) : *Un Cortège de noce*.
Ventes Publiques : New York, 15 et 16 mars 1816 : *La cruche du petit Brown* : **USD 105** – New York, 31 janv. 1946 : *Courtship of Miles Standish* : **USD 425** – New York, 11 oct 1979 : *Le pêcheur et sa belle*, h/t (114,5x76,2) : **USD 1 900** – New York, 1er avr. 1981 : *Un livre intéressant* 1884, h/pan. (68,6x45,7) : **USD 8 000** – New York, 3 juin 1983 : *The interesting chapter* 1884, h/pan. (68,6x45,7) : **USD 5 000** – New York, 13 sep. 1995 : *La petite cruche marron* 1890, h/t (50,8x76,4) : **USD 5 520**.

TURNER Christoph. Voir THURNER

TURNER Daniel ou par erreur David
XVIIIe-XIXe siècles. Britannique.
Peintre d'histoire, portraits, architectures, paysages, graveur.
Élève de John Jones ; Il exposa pour la dernière fois en 1801.
Il peignit et grava en eaux-fortes de nombreuses vues de la Tamise et des environs. C'est très probablement le même artiste que le peintre d'architecture Daniel Turner, qui exposait à Londres de 1782 à 1801, particulièrement des ponts.
Musées : Londres (Victoria and Albert Mus.) : *Port de Richmond sur la Tamise*.
Ventes Publiques : Londres, 19 avr. 1909 : *Ancien pont de Westminster* : **GBP 4** – Londres, 7 fév. 1910 : *Vue de Londres de la rivière* : **GBP 11** – Londres, 13 mars 1910 : *La terrasse d'Adelphi et Water Gate* : **GBP 73** – Londres, 31 mars 1944 : *Le pont de Westminster* : **GBP 136** ; *Les funérailles de Nelson* : **GBP 115** – Londres, 20 nov. 1968 : *Les funérailles de Lord Nelson* : **GBP 2 000** – Londres, 12 mars 1969 : *Bords de la Tamise* :

GBP 2 000 – Londres, 21 juin 1974 : *Old Putney Bridge* : **GNS 480** – Londres, 19 nov. 1976 : *Vue de Londres* 1800, h/t (62,2x75) : **GBP 1 500** – Londres, 19 nov. 1982 : *Westminster Abbey from Godfrey's boat-yard* 1801, h/pan. (15,2x25,4) : **GBP 2 800** – Londres, 10 juil. 1985 : *Vue de la Tamise à Lambeth* 1801, h/t (43x69) : **GBP 4 600** – Londres, 16 mai 1990 : *Vue de Lambeth Palace depuis la Tamise*, h/t (18,5x24) : **GBP 1 375**.

TURNER Dawson, Miss. Voir GUNN Harriet

TURNER E. J.
Mort en 1907. XIXe siècle. Britannique.
Portraitiste.
La National Portrait Gallery à Londres, conserve de lui : *Sir Patrick Grant*.

TURNER Edward
XVIIIe siècle. Actif à Londres vers 1720. Britannique.
Graveur à l'eau-forte.
Il a gravé des vues.

TURNER Francis Calcraft
Né vers 1782. Mort en 1846. XVIIIe-XIXe siècles. Actif à Londres. Britannique.
Peintre de genre, scènes de chasse.
Membre de la Society of British Artists. Il exposa à Londres de 1810 à 1846, onze œuvres à la Royal Academy, vingt-trois à la British Institution et trente-six à Suffolk Street.
Ventes Publiques : Londres, juil. 1909 : *Chasse au renard* : **GBP 25** – New York, 4 juin 1982 : *« Zilot » avec son propriétaire sur un champ de courses* 1839, h/t (47x59) : **USD 4 200** – New York, 20 avr. 1983 : *Barnet fair* 1829, h/t (35,5x44,5) : **USD 12 000** – New York, 6 juin 1985 : *Gentilhomme à cheval avec ses chiens*, h/t (56x74) : **USD 10 500** – Londres, 19 nov. 1986 : *The Wolverhampton stakes, 12th, August* 1839 1849, h/t (71x91,5) : **GBP 55 000** – New York, 22-23 juil. 1993 : *Portrait d'une lady* 1829, h/t (91,4x71,1) : **USD 1 725** – New York, 3 juin 1994 : *Le Prix de Wolverhampton le 12 août 1839* 1840, h/t (71,1x91,4) : **USD 145 500** – Londres, 17 oct. 1996 : *Le Départ ; Rendez gorge !* 1831 et 1836, h/t, une paire (chaque 29,3x24,8) : **GBP 7 475** – Londres, 12 nov. 1997 : *Flore, un épagneul springer rapportant une bécassine* 1834, h/t (25,5x30) : **GBP 10 350** – Londres, 12 nov. 1997 : *Le célèbre trotteur Tom Thumb, appartenant à Squire Osbaldeston, faisant une course contre la montre* 1830, h/t (47x65) : **GBP 28 750**.

TURNER G. G., Mrs. Voir CLAXTON Adélaïde

TURNER G. P.
Américain.
Paysagiste.
Cité par miss Florence Levy.
Ventes Publiques : New York, 17-18 mars 1909 : *Paysage* : **USD 85**.

TURNER George, l'Ancien
XVIIIe-XIXe siècles. Actif à Londres de 1787 à 1820. Britannique.
Peintre d'histoire, scènes de genre, portraits, paysages.
Il exposa à la Royal Academy et à la British Institution de 1782 à 1820. Le Victoria and Albert Museum, à Londres, conserve de lui : *Paysans et colporteurs juifs*.
Ventes Publiques : Londres, 6 juin 1996 : *Au bord de la rivière* : **GBP 2 645**.

TURNER George, le Jeune
Né en 1843. Mort en 1910. XIXe-XXe siècles. Actif à Bristol. Britannique.
Peintre de paysages animés, paysages d'eau.
Il exposa à Londres, à partir de 1856, particulièrement à Suffolk Street.
Ventes Publiques : Écosse, 28 août 1970 : *Ben Voirlick* : **GBP 450** – Londres, 29 juin 1976 : *Scène de moisson au bord d'une rivière* 1872, h/t (74x125) : **GBP 1 100** – Londres, 6 déc. 1977 : *Les bûcherons dans un paysage boisé* 1887, h/t (58,5x89) : **GBP 1 000** – Londres, 2 oct 1979 : *Paysage du Derbyshire* 1881, h/t (74x120) : **GBP 2 200** – Londres, 2 juin 1989 : *Le Repos du berger* 1885, h/t (60x90) : **GBP 2 000** – New York, 20 avr. 1983 : *Vue de Barrow-on-Trent*, h/t (40,5x66) : **USD 3 000** – Londres, 2 oct. 1985 : *A brook at Barrow-on-Trent, Derbyshire*, h/t (39,5x64) : **GBP 3 200** – Londres, 2 juin 1989 : *Un sentier au sommet du Derbyshire* 1883, h/t (51,2x76,2) : **GBP 6 050** – Londres, 27 sep. 1989 : *Moisson près de Swarkestone dans le Derbyshire* 1878, h/t (61x91,5) : **GBP 18 700** – Londres, 1 nov. 1989 : *Idridgehay près de Derby* 1889, h/t (76,5x127) : **GBP 11 550** – Londres, 13 déc. 1989 : *Pastorale entre Grindleford Bridge et Hathersage* 1882, h/t (76x127) :

GBP 20 900 – Londres, 26 sep. 1990 : *Kinder Scout dans le Derbyshire* 1879, h/t (61x91,5) : **GBP 5 500** – Londres, 5 juin 1991 : *Chemin dans la région de Kirk Ireton dans le Derbyshire* 1902, h/t (30,5x45,5) : **GBP 1 430** – Londres, 14 juin 1991 : *Un passage de gué sur la Trent* 1895, h/t (61x96,5) : **GBP 11 000** – New York, 15 oct. 1991 : *La Trent près de Ingleby* 1875, h/t (61x101,6) : **USD 6 050** – Londres, 7 oct. 1992 : *Pêche à la ligne depuis un pont de pierre* 1897, h/t (40,5x61) : **GBP 1 760** – Londres, 12 nov. 1992 : *Les jeunes pêcheurs au bord de la rivière* 1874, h/t (40,5x66) : **GBP 3 300** – Londres, 8-9 juin 1993 : *La fenaison* 1880, h/t (61,5x102) : **GBP 12 075** – Londres, 30 mars 1994 : *Cross-o-th-hands dans le Derbyshire* 1902, h/t (61x91,5) : **GBP 6 325** – Londres, 10 mars 1995 : *Sur la route du marché* 1890, h/t (40,7x60,9) : **GBP 5 980** – Londres, 5 sep. 1996 : *Près de l'église d'Anchor, dans le Derbyshire*, h/pan. (27,9x38,1) : **GBP 632** : *Personnages sur un chemin dans la lande*, h/t (35,6x53,4) : **GBP 1 610** – Londres, 6 nov. 1996 : *Lac de Melbourne*, h/t (51x76) : **GBP 2 875** – Londres, 8 nov. 1996 : *La moisson, Barrow-on-Trent, Derbyshire* 1899, h/t (61x91,4) : **GBP 9 000** – Londres, 13 mars 1997 : *Repos au milieu du chemin* 1891, h/t (45,8x35,6) : **GBP 2 800** – Londres, 4 juin 1997 : *Bohémiens sur le chemin*, h/t (51x76) : **GBP 3 220** – Londres, 5 nov. 1997 : *Près du parc de Melbourne*, h/t (51x76) : **GBP 3 450.**

TURNER H. S.
xixᵉ siècle. Britannique.
Graveur de portraits.

TURNER Hans. Voir THURNER

TURNER Helen M.
Née en 1858 à Louisville (Kentucky). Morte en 1943. xixᵉ-xxᵉ siècles. Active à New York. Américaine.
Peintre de genre, portraits, paysages, fleurs, miniaturiste.
Élève de Cox à New York. Fut membre de la Fédération Américaine des Arts. Elle aurait obtenu diverses récompenses.
Musées : Detroit : *La jeune fleuriste* – New York (Metropolitan Mus.) : Miniature – Washington D. C. (Corcoran Gal.) : *Jeune fille avec une lanterne.*
Ventes Publiques : New York, 23 sep. 1981 : *Appel matinal*, h/t (40,6x50,5) : **USD 6 750** – New York, 24 oct. 1984 : *Sieste* 1919, h/t (30,5x40,6) : **USD 2 000** – New York, 14 mars 1991 : *Portrait d'une jeune fille*, h/t (64x73,5) : **USD 38 500.**

TURNER J. A.
xixᵉ siècle. Britannique.
Peintre animalier.
Cité par le Art Price Current.

J. A. Turner

Ventes Publiques : Londres, 29 avr. 1911 : *Le parc à moutons* 1892 : **GBP 2** ; *Le soir* : **GBP 1** – Melbourne, 11 juil. 1977 : *La charrette de foin*, h/t (31x50,5) : **AUD 3 200** – Londres, 22 oct. 1980 : *Colonial experience*, h/t (34x49,5) : **GBP 5 500** – Armadale (Australie), 11 avr. 1984 : *Les pionniers*, h/t (50x75,5) : **AUD 20 000.**

TURNER James
xviiiᵉ siècle. Travaillant à Boston et à Philadelphie de 1744 à 1759. Américain.
Graveur au burin, tailleur de sceaux et orfèvre.
Son œuvre comporte des cartes, des sceaux, des planches et des gravures hors-texte, dont les plus remarquables illustrent une édition des *Fables d'Ésope.*

TURNER James
xviiiᵉ-xixᵉ siècles. Travaillant à la fin du xviiiᵉ siècle et au commencement du XIXe. Irlandais.
Portraitiste et dessinateur.
Il exposa à la Society of Artists entre 1760 et 1806.

TURNER Jean Baptiste
Né le 31 juillet 1743 à Malines. Mort le 25 décembre 1818 à Malines. xviiiᵉ-xixᵉ siècles. Éc. flamande.
Sculpteur.
Élève de Pierre Valckx dont il épousa la veuve en 1785. Un peintre du même nom mourut à Malines le 31 mai 1753. Le Musée de Malines conserve de lui *L'Artiste*, buste en terre cuite.

TURNER Jean Edmond
xviiiᵉ siècle. Actif à Malines de 1702 à 1717. Éc. flamande.
Paysagiste.
Élève de Corn Huysmans.

TURNER Johann Christoph
Né vers 1690 en Bohême. Mort le 6 mars 1744 à Dresde. xviiiᵉ siècle. Autrichien.
Paysagiste.
Il travailla d'abord à Prague, puis à la cour de Dresde.

TURNER Joseph Mallord William
Né le 23 avril 1775 à Londres. Mort le 19 décembre 1851 à Chelsea. xixᵉ siècle. Britannique.
Peintre d'histoire, scènes animées, intérieurs, paysages, paysages urbains, marines, aquarelliste, graveur, dessinateur. Romantique.
Joseph Mallord William Turner était le fils aîné d'un barbier-coiffeur-perruquier de Londres. En 1786, âgé de onze ans, semble qu'il ait vécu chez un oncle à Brentford, dans le Middlesex, où il fit les premiers dessins qu'il signa et data. Son père aurait montré, et vendu à l'occasion, ces dessins dans sa vitrine. Il aurait peut-être été placé, à l'âge de douze ans, chez le graveur-imprimeur John Raphael Smith, où il aurait colorié les gravures. Ensuite, il aurait été placé chez l'architecte T. Hardwick. L'année 1789 est, en ce qui le concerne, la date probable d'un carnet de croquis, pris à Londres et dans la région d'une maison de l'oncle à Sunningwell près d'Oxford. Le 11 décembre de cette même année, âgé de quatorze ans, il fut reçu à l'École de la Royal Academy, où, peignant probablement avec des couleurs à l'eau, il fut l'élève d'un peintre aquarelliste d'architecture et de perspective, Thomas Malton. En plus des premiers séjours chez l'oncle, on voit que dès 1791, où il dessine à Bristol, Bath, Malmesbury, etc., il a entrepris tous les ans des voyages, en général pendant la période d'été, dont nous ne pourrons citer ultérieurement que ceux ayant revêtu une importance circonstancielle. Il ne se déplaçait jamais sans carnets de croquis, dans lesquels il notait paysages, monuments ou ruines remarquables. Il semble que ses innombrables voyages n'aient été destinés qu'à aller recueillir des matériaux nouveaux pour alimenter l'imagination du travailleur acharné, dont on évaluera ensuite l'œuvre immense. Élève de la Royal Academy jusqu'en 1793, il y apprenait les techniques de l'aquarelle et de la gravure. En 1793, il obtint la « Palette d'Argent » pour le dessin de paysage, à la Société des Arts. En 1794 fut publiée pour la première fois une gravure d'après un de ses dessins, en même temps que ses aquarelles exposées à la Royal Academy faisaient pour la première fois l'objet de commentaires de la critique. Ce fut à peu près aussi le début de son activité professionnelle de graveur à la commande : pendant trois années, le Dr Munro (ou Monro), médecin-chef de l'Hôpital Bethlehem, amateur d'art qui recevait les jeunes artistes chez lui, lui commanda des gravures, ou en tout cas lui permit de graver d'après des œuvres de John R. Cozens en compagnie de son ami Girtin, qui mourut jeune, de Dayes ou d'autres de leurs camarades. À partir de ce moment, il eut souvent commande de dessins topographiques destinés à la gravure (n'oublions pas qu'il avait été l'élève d'un peintre d'architectures). En particulier, le périodique illustré *Copper Plate Magazine* lui commanda une série de dessins sur des sites historiques d'Angleterre, vieux châteaux, cathédrales, abbayes, ruines, mais aussi bords de rivières et ponts du Pays de Galles, du Kent, des Cheshire, Shropshire, Cumberland et Midlands.
Dans le cas de Turner tout particulièrement, la production des œuvres est si étroitement liée à ses domiciles et surtout à ses incessants déplacements et voyages, qu'il eût été impensable de séparer la chronologie factuelle de celle de l'œuvre. Dès l'âge le plus tendre, il excella dans l'exécution d'œuvres de commande, qui permirent au jeune plébéien l'accession sociale qu'il souhaitait et la consécration de la Royal Academy. Dès 1790, donc à l'âge de quinze ans, il eut une aquarelle exposée à la Royal Academy. En 1796, il y exposa pour la première fois une peinture à l'huile. En 1797, il exposa deux aquarelles de la cathédrale de Salisbury, premières d'une série d'une trentaine, commandée par Sir Richard Colt Hoare, et qu'il poursuivra jusqu'en 1805. Ses randonnées se poursuivent annuellement, toujours à travers l'Angleterre. En 1799, il fut recommandé à Lord Elgin pour des dessins topographiques d'Athènes, mais l'accord ne se fit pas ; le 4 novembre, il fut élu Associé de la Royal Academy ; en décembre, il installa son premier domicile londonien de Harley Street. En 1800, dans le catalogue de la Royal Academy, il donna les premiers témoignages d'une activité poétique qu'il poursuivra discrètement. Dans cette période, on peut penser qu'il avait des contacts avec la peinture mondiale par l'intermédiaire des collections publiques et privées ; on sait aussi que Londres était

la place où se vendaient les collections de peintures des nobles français émigrés après la Révolution. Il manquait peut-être à Turner un contact plus direct avec les œuvres. En 1802, alors que Turner venait d'être élu Membre de la Royal Academy, le Premier Consul Bonaparte mettait fin à la Seconde Coalition par la Paix d'Amiens. Dès juillet, Turner était en France et en Suisse. À Paris, il dessinait au Louvre d'après toutes les peintures qui attiraient son attention à un titre ou à un autre ; on cite : Ruysdael, Titien, Poussin, Claude Lorrain, Caravage, Dominiquin, Guérin, Rembrandt, Rubens (L'arc-en-ciel). Un examen attentif des témoignages permet de déduire que ses admirations les plus ressenties allèrent à un Titien et surtout à Poussin et à Claude Lorrain. Il traitait déjà des compositions à sujets historiques ou mythologiques : Énée et la Sibylle, aujourd'hui à la Tate Gallery, date de 1798. Regardant du côté de Raphaël, du Titien, de Poussin et de Claude Lorrain, il s'était formé à la peinture d'histoire comme étant la seule voie pouvant le mener à la Royal Academy. Poussin et Claude Lorrain lui donnaient de parfaits exemples d'un art de la composition dont l'équilibre rationnel et classique, symbole d'un ordre du monde reposant sur de solides hiérarchies, devait convenir au jeune artiste sur le chemin de la réussite. Il continuera de traiter ces sujets ainsi que des sujets bibliques, puis passera à des sujets de l'histoire contemporaine, mais les protagonistes de l'action perdront toujours plus d'importance au profit de paysage, bientôt traité seul pour lui-même dans une technique libérée.

On ne sait quels exemples choisir dans cet œuvre immense. Quelques jalons permettent cependant d'en constater l'évolution depuis le Château de Caernarvon, de 1800, paysage dans la tradition anglaise qui va de Gainsborough à Constable, ainsi que le Somer-Hill, de 1811 pourtant, jusqu'à La chute de l'Empire de Carthage, de 1817, et qui est une saisissante transcription d'une peinture de Claude Lorrain vue à travers Watteau. Cependant, peu après 1802, les campagnes napoléoniennes vont de nouveau isoler Turner du continent et il reprendra ses périples à travers la seule Angleterre. Sa mère est morte en 1804, année où il a achevé l'aménagement d'une galerie personnelle dans sa demeure londonienne et où il a acquis en plus un pied-à-terre dans la campagne des bords de la Tamise. En 1806, deux de ses peintures à l'huile figurèrent à la première exposition de la British Institution ; la même année il eut l'idée d'un Liber Studiorum, dont la publication commencera en 1807, pour lequel il fit cent dessins à la sépia, dont seulement soixante et onze furent gravés. À l'imitation du Liber Veritatis de Claude Lorrain, ce recueil répertoriait les thèmes familiers à Turner, classés en Scènes historiques, Marines et montagnes et Pastorales épiques. Toujours en 1806, il loua encore une nouvelle maison à Hammersmith dans la banlieue de Londres. On peut penser que cette évidente aisance provenait de son intense activité de dessinateur de vues professionnel, dans laquelle il était d'une science rare. Pour s'en bien rendre compte, il faut délaisser l'examen de son œuvre peint, pour celui de son travail parallèle. Par exemple, l'aquarelle de l'Intérieur de la cathédrale d'Ely, de 1796, aujourd'hui à l'Art Gallery d'Aberdeen, montre une exceptionnelle maîtrise de la perspective et de la distribution de la lumière dans l'espace architectural. De ses nombreuses randonnées, il rapporte des dessins de paysages naturels ou animés, extrêmement poussés dans le détail. De ses nouveaux voyages sur le continent, il rapportera de même des dessins fidèlement documentaires de la campagne romaine ou des vallées abruptes des Alpes. Au cours de ses randonnées en Angleterre, il réside souvent chez des protecteurs, qui le soutiendront au long de sa vie ; ainsi, en 1809 se situe, probablement son premier séjour à Petworth House chez Lord Egremont, où il peindra surtout entre 1829 et 1837 ; en 1810, il séjourna pour la première fois chez Walter Fawkes, à Farnley Hall, où il retournera jusqu'à la mort de celui-ci en 1824. En 1810 aussi, il changea de domicile, le nouveau, Queen Ann Street, n'étant distant de l'ancien Harley Street, que de quelques dizaines de mètres. En 1811, il commença à donner des cours de peinture de perspective à la Royal Academy, poste auquel il avait été élu en 1807. Autour de 1811, il change encore de locations rurales pendant qu'il fait construire sa maison, « Solus Lodge » à Twickenham. Dans son activité de dessinateur sur commande, en 1816 il alla recueillir les matériaux pour illustrer l'Histoire du Richmondshire, de Whitaker. Après la chute de Napoléon, le continent l'attira de nouveau, d'autant qu'il devait relever des documents sur Waterloo ; en 1817, il parcourut la Belgique, le Rhin, la Hollande. Toujours en relation avec ces travaux de commande, sans la mention desquels on donnerait une idée faussée de l'activité de Turner, en

1818 il eut la commande d'aquarelles à sujets italiens d'après les dessins de James Hakewill pour son propre ouvrage, Voyage pittoresque en Italie, et il alla travailler en Écosse pour l'illustration des Antiquités Provinciales d'Écosse, de Walter Scott. Cependant, en ce qui concerne sa production personnelle, à partir de 1819 on put voir huit de ses peintures à l'huile figurer dans la galerie de peinture de Sir John Leicester, et une soixantaine de ses aquarelles chez son autre protecteur Walter Fawkes. D'août 1819 à février 1820, il put enfin faire le voyage d'Italie : Turin, Côme, Venise, Rome, Naples, retour par Florence, Turin, le col du Mont Cenis.

Ce fut le grand tournant dans son œuvre. L'œuvre de Turner aura donc été double, les œuvres visionnaires, difficiles à dater car il les retouchait souvent et ceci jusqu'à sa mort, ne se situent que rarement avant 1825. Cependant, dès la Vue de la campagne romaine de 1819, le perspectiviste appliqué disparaît pour laisser s'exprimer le peintre des atmosphères impalpables, des sensations indicibles, du fugitif et du mouvant. Cette attirance pour le mouvant s'était déjà manifestée dans ses carnets de dessins et parfois dans les peintures, lorsqu'il avait saisi le mouvement des vagues dans des scènes de marine, ainsi, dès 1803, dans la célèbre Jetée de Calais, de la National Gallery. En 1820 fut achevé l'aménagement de la nouvelle galerie de peintures dans sa demeure de Queen Ann Street. Dans l'été 1821, il visita de nouveau Paris, passant par Rouen, Dieppe, etc. Sauf pour les scènes marines ci-dessus, l'étude de ses carnets de croquis montre qu'il conserva jusqu'en 1825 une technique du dessin de notation très méticuleuse et traditionnelle, avec des exceptions telles la Vue de Tivoli de 1817, ou quelques autres pages de rapides notations d'atmosphères. Dans les peintures également, le changement de technique, de vision et de style ne s'opéra pas d'un seul coup, d'où les difficultés de datation déjà signalées. L'extravagante composition de Rome vue du Vatican : Raphaël accompagné de la Fornarina prépare les peintures pour la décoration des Loges, date de 1820 et se rattache, encore évidemment à l'influence de Claude Lorrain, tandis que la composition, portant à sujet mythologique, de La baie de Baiae avec Apollon et la Sibylle, de 1823, subordonne complètement l'épisode mythologique à l'expression d'un paysage d'atmosphère, dans lequel l'Antiquité classique se colore d'un sens romantique et panthéiste de la nature, et présage l'émerveillement solaire des impressionnistes. C'est à partir de 1822-1823 que toute la production de Turner, croquis, aquarelles et peintures, trouvera son homogénéité stylistique dans la nouvelle manière qui va caractériser son œuvre pour la postérité. Jusqu'ici très beau peintre anglais de tradition classique, Turner devient l'éblouissant précurseur de tout le courant des peintres du plein air, de la lumière, des brumes, de l'eau, de leurs reflets et de leurs mirages. En 1822 et dans les années suivantes, l'éditeur W. B. Cooke prend de ses aquarelles dans les expositions qu'il organise. En 1822 encore, il faut signaler qu'il applique sa nouvelle manière allusive et poétique à un sujet qui ne s'y prêtait apparemment pas : George IV à un banquet à Édimbourg ; Turner s'était en effet rendu à Édimbourg à l'occasion de la visite officielle du roi. Ce voyage lui procura l'occasion d'une navigation par la côte Est. Il y retourna en 1823, afin de relever des croquis et aquarelles préparatoires pour la commande d'une Bataille de Trafalgar, qui fut placée à St.-James Palace en 1824. En 1824, il naviga de nouveau le long des côtes Sud-Est et Est. Les sujets de marines vont se multiplier désormais, surtout après son séjour de 1827 dans l'île de Wight, au château de East Cowes, d'où il rapporta de nombreuses notations et des peintures de navigations et régates ; en 1828 : Le vieux pont de Brighton, dont le climat poétique est si proche du London Bridge que peindra Monet cinquante ans plus tard (au Musée de Lyon) ; en 1829 : Ulysse raillant Polyphème, où le sujet épique n'est que prétexte à une marine de rêve entre eau et ciel dans une lumière brouillée d'or ; en 1835-1840 : le Yacht approchant de la côte, dont le seul sujet est de nouveau l'alliance de la mer et du ciel, une vague voile au loin tirant vers une brume de côte ; en 1840, le sujet affreux des Transporteurs d'esclaves passant par dessus bord morts et mourants, devient prétexte à une somptueuse féerie où le soleil perçant les brumes laisse voir la faune aquatique sous les moires glauques des flots ; en 1842 : Tempête de neige. Bateau à vapeur à l'entrée du port, le bateau à roues à peine suggéré dans une éclaircie perçant la tempête, illustre à l'avance le Dialogue du vent et de la mer, de Debussy. Pour peindre cette dernière toile, Turner se fit attacher pendant quatre heures sur le pont du vapeur « Ariel » quittant le port de Harwich par gros temps ; il avait alors soixante-sept ans. Il est certain que la mer, les embouchures de rivières, se prêtaient particulièrement à la transmutation des éléments opérée par Turner, surtout quand s'y ajoutaient d'autres fumées ou flammes, comme dans *L'incendie de la Chambre des Lords et des Communes*, de 1835, ou *La flotte amarrée de nuit*, de 1835 aussi, ou encore le très surprenant chemin de fer de *Pluie, vapeur, vitesse*, de 1844, au titre futuriste. Dans ces années, Turner a poursuivi ses voyages, à travers l'Angleterre, en France, Hollande et Belgique, pour la deuxième fois en Italie en 1828. En 1829 furent exposées une quarantaine d'aquarelles destinées à la gravure de l'ouvrage *Angleterre et Pays de Galles*, à la Galerie Égyptienne, puis à Birmingham. En 1829, Turner perdit son père. En 1831, il retourna en Écosse pour se documenter au sujet d'illustrations pour des poèmes de Walter Scott. En 1833, au cours d'un séjour à Paris, il est probable qu'il fit visite à Delacroix, avant de visiter Berlin, Dresde, Prague, Vienne, et peut-être de nouveau Venise. En 1834, il illustra des poèmes de Byron ; dans l'hiver de cette année, il exposa quatre peintures récentes à la Société des Artistes Britanniques. De 1836 datent les premières lettres de Ruskin à Turner, au sujet des railleries dont sa peinture était l'objet. Les deux hommes se rencontreront en 1840 et Ruskin publiera en 1843 ses *Peintres Modernes*, qui contiendront une énergique défense de Turner. En 1837, il eut une peinture exposée aux « Grands Maîtres » de la British Institution. En 1837 aussi, il démissionna de son poste de professeur à la Royal Academy, il est vrai qu'il n'avait pas donné de cours depuis 1828. En 1840, il effectua un troisième voyage à Venise ; en 1841 et 1842, des voyages en Suisse ; en 1843, dans le nord de l'Italie et le Tyrol ; en 1844, en Suisse et sur le Rhin ; en mai 1845, il visita les environs de Boulogne et en septembre-octobre de la même année, son dernier voyage à l'étranger le mena à Dieppe et en Picardie. En 1845 aussi, il avait envoyé la composition *Walhalla*, à l'exposition du Congrès d'Art de Munich ; toujours en 1845, il fut président intérimaire de l'Académie, en tant que plus ancien membre. En 1848, le collectionneur Robert Vernon acheta à la Royal Academy une *Vue de Venise depuis l'Hôtel Europa*, qu'il offrit à la National Gallery et qui fut donc la première peinture de Turner à figurer au Musée. Depuis ses voyages en Italie, et surtout depuis 1840, les *Vues de Venise* avaient pris une grande importance dans son œuvre. La ville entre l'eau et le ciel, aux mirages changeants toujours renouvelés, n'était-elle pas comme un symbole du monde tel que le voyait Turner ? C'est dans la série des *Vues de Venise* qu'il poussa le plus loin cette volonté de peindre la lumière en face, qui le fit nommer avec les peintres qu'il influençait « les peintres blancs », pratiquant une technique de glacis transparents de couleurs osées, renforcés par des accents posés au couteau. Le glacis sur la toile permettait l'usage de tons intenses et contrastés, adoucis et accordés par le blanc vu en transparence. Il semble qu'il s'interrogeait sur la nature de la lumière et la physique des couleurs, préoccupations qui caractériseront l'impressionnisme. Ruskin discernait un déclin dans l'œuvre de Turner à partir de 1840. Il est plus probable qu'il n'a pas suivi celui-ci dans les ultimes conséquences de son génie. C'est dans cette dernière partie de l'œuvre qu'on trouve les peintures d'atmosphères les plus totalement dénuées de sujet ; on y trouve aussi le *Pluie, vapeur, vitesse*, dont le modernisme a déjà été relevé ; on y trouve enfin la plupart des *Vues de Venise*, où les architectures palladiennes se prolongent à la fois dans les vapeurs légères qui montent de la lagune vers le soleil, et dans leurs reflets répercutés par le clapotis des canaux, ultimes peintures dans lesquelles Turner fait se rejoindre à travers les siècles Claude Lorrain et Monet qui regrettera son « romantisme exubérant ». Romantique en effet, il plaça l'épique dans le quotidien. Les épopées, les drames et les catastrophes de l'Antiquité qu'il traitait dans les paysages historiques de sa jeunesse, il les retrouvait dans la course du chemin de fer dans la pluie, dans les naufrages des grands navires, dans les cataclysmes alpestres, dans les tempêtes de neige. La dernière date portée par une de ses œuvres est 1846, sur une aquarelle. En 1846 également, il exposa un *Ange de l'Apocalypse*, ou *Ange du soleil*, ou *Ange des Ténèbres*, où l'on a voulu voir un présage. Son évidente misanthropie lui fit prendre un cottage à Chelsea, où il se cacha sous le nom de Booth pendant les dernières années de sa vie, laissant croire à un marin retraité. En 1851, aucune œuvre de lui ne figurait à l'exposition de la Royal Academy. Le 19 décembre, il mourait dans sa cachette de Chelsea. Son œuvre compte plus de deux cent cinquante carnets de croquis, plus de dix-neuf mille dessins ou aquarelles, des centaines d'aquarelles achevées, plus de cinq cents peintures à l'huile. Il en légua la presque totalité à

son pays, à la condition que deux de ses peintures : *Lever du soleil dans la brume*, de 1807, et *Didon construisant Carthage*, de 1815, fussent accrochées entre deux peintures de Claude Lorrain au Musée. Il fut enterré le 30 décembre, selon son vœu, dans la cathédrale Saint-Paul, près de Sir Joshua Reynolds. En mourant il aurait dit, faisant écho au « *Plus de lumière* » de Goethe : « Le soleil est Dieu ».

Par commodité, et puisque à cette époque la pratique des expositions était extrêmement limitée, ses participations, en général à la Royal Academy, ont été mentionnées au cours de la chronologie de la vie et de l'œuvre de Turner. De grandes expositions rétrospectives sont désormais consacrées à son œuvre, d'entre lesquelles les plus récentes : 1948 Paris, *Turner 1775-1851*, Musée du Louvre ; 1973 Lisbonne, Fondation Gulbenkian ; 1974 Londres, Tate Gallery ; 1976 Hambourg, *William Turner et le paysage de son temps*, Kunsthalle ; 1977 Londres, *Exposition spéciale de 20 peintures rarement vues* ; 1980 Cologne, *William Turner : Cologne et le Rhin*, Wallraf-Richartzmuseum ; 1981 Paris, *Turner en France*, Centre Culturel du Marais ; 1982 Aberdeen, *Turner en Écosse*, Art Gallery and Museum ; en 1994, le Palais des Beaux-Arts de Charleroi a organisé une exposition de dessins et aquarelles de la Tate Gallery et de gravures du Fitzwilliam Museum de Cambridge ; en 1998 château de Blois, *Turner et la Loire*.

Le peintre visionnaire Turner, admiré depuis la fin du XIXe siècle, ne fut pas compris de ses contemporains. Assuré de sa valeur, Turner collectionna lui-même ses œuvres dans les galeries privées qu'il aménagea dans ses deux domiciles londoniens, ayant en général refusé de s'en dessaisir, ou les ayant rachetées ultérieurement, les léguant après sa mort aux collections nationales, où elles sont aujourd'hui, surtout réparties entre la Tate Gallery et la National Gallery. Heureusement, Turner, apte à tous travaux de reproduction, d'arrangement, de représentations et de compositions à la commande, eut toujours beaucoup de travail et put vivre largement, permettant ainsi l'accomplissement de son œuvre personnel.

Turner vécut entre 1775 et 1851. Pour le situer parmi les artistes, rappelons que Poussin est mort depuis 1665 et Claude Lorrain depuis 1682. Watteau est mort à trente-sept ans en 1721. Fragonard vit de 1732 à 1806. En Angleterre, Gainsborough vit de 1727 à 1788, Constable de 1776 à 1837. Revenant en France, on voit que Delacroix est largement son cadet, de 1798 à 1863. Enfin Claude Monet naît en 1840 et c'est à plus de trente ans, en 1870-1871 que, séjournant à Londres en compagnie de Pissarro, il découvrit Turner. Gustave Geoffroy a rapporté qu'ils « eurent là, au milieu des quatre-vingts tableaux de la National Gallery, le tressaillement des bonnes rencontres, le choc avertisseur d'une sympathie, la joie d'apercevoir que ce que l'on cherche a déjà hanté un autre esprit, et que la réalisation est commencée ». *L'Impression, soleil levant*, peinte par Monet en 1872 probablement à Londres, rappelle furieusement le *Sunset* (Crépuscule), peint par Turner vers 1829, probablement à Rouen. Cette aquarelle figurait-elle parmi les peintures vues par Monet à Londres ? L'examen des archives du British Museum donnerait sans doute la réponse. Là a commencé véritablement l'histoire posthume de l'œuvre de Turner. ■ Jacques Busse

I M W T

Turner

Cachet de vente

BIBLIOGR. : Ruskin : *Modern Painters*, Londres, 1843-1860 – Burnet, Cunningham and Murray : *Turner and his Works*, Londres, 1859 – Monkhouse : *Turner*, Londres, 1879 – W. Thornbury : *The life of J. M. W. Turner, founded on letters and papers furnished by his friends*, F. Wedmore : *Turner and Ruskin*, Londres, 1900 – W. Armstrong, E. Dillon : *Turner, avec catalogue de l'œuvre*, Londres, 1902 – W. G. Rawlinson : *Turner's Liber Stu-*

diorum, Londres, 1906 – Camille Mauclair : *Turner*, Hyperion, Paris, 1939 – A. J. Finberg : *Life of Joseph Mallord William Turner*, Oxford, t. I, 1939 ; t. II : 1961 – L. Hermann : *Joseph Mallord William Turner 1775-1851*, Londres, 1963 – Peter Quennell : *L'Angleterre romantique. Les écrivains et les peintres, 1717-1851*, Paris, Éditions du Chêne, 1972 – Martin Butlin, Andrew Wilton et divers : *Catalogue de l'exposition « Turner »*, avec bibliographie, Tate Gallery, Londres, 1974 – Jean Selz : *Turner*, Flammarion, Paris, 1975 – Catalogue de l'exposition *Turner 1775-1851*, Tate Gall., Londres, 1975 – Catalogue de l'exposition *Turner et le paysage de son temps*, Kunsthalle, 1976 Martin Butlin : *Les peintures de Turner*, Yale University Press, New Haven, 1977 – Andrew Wilton : *Turner, vie et œuvre*, Office du Livre, Paris, 1979 – Catalogue de l'exposition *William Turner : Cologne et le Rhin*, Wallraf-Richartz Mus., Cologne, 1980 – Catalogue de l'exposition *Turner en France*, Centre Culturel du Marais, Paris, 1981 – Catalogue de l'exposition *Turner en Écosse*, Art Gall. and Mus., Aberdeen, 1982 – Andrew Wilton : *Turner en voyage*, Flammarion, Paris, 1983 – Catalogue de l'exposition *J. M. W. Turner, 1775-1851*, Galeries Nationales du Grand-Palais, Paris, 1983-1984 – Andrew Wilton : *Turner en son temps*, Denoël, Paris, 1987 – Alexander J. Finberg : *Turner's liber studiorum*, Alan Wofsky Fine Arts, San Francisco, 1988 – Hermann Luke : *Les Gravures de Turner : l'œuvre gravé de J. M. W. Turner*, Phaidon, Oxford, 1990 – David Hill : *Turner dans le Nord*, Yale University Press, New Haven, 1996.

Musées : BIRMINGHAM : *Chute du Rhin à Schaffhouse* – *Cathédrale de Salisbury* – BLACKBURN : *Un paysage*, aquar. – BOSTON : *La chute du Rhin de Schaffhouse* – *Le Négrier* – BRISTOL : *Vue de Bristol, prise du sud-est* – *L'ancien pont de Devonport*, aquar. – CAMBRIDGE : *Ports d'Angleterre* – *Old Gate, Canterbury* – vingt-cinq dessins de cachets pour l'illustration d'un ouvrage – CARDIFF : *Prieuré d'Ewenny* – *Ferme en ruines*, aquar. – CLEVELAND : *Carthage* – *L'incendie du Parlement de Londres* – DUBLIN : *Entrée du Walhalla* – *Lac Averne, les Parques et la branche dorée* – *Pont de Richmond sur la Tamise* – *Départ de Régulus* – *Santa Maria della Salute, Venise*, aquar. – *Abbaye de Saint-Alban* – *Château de Harlech*, étude – *Paysage* – *La campagne romaine* – *Porte de l'ouest, Canterbury* – *Arbres, Norbourg Park, Leatherhead* – *Edimbourg vue de Duddingston* – *Naufrage au large de Hastings* – *Le Newstone, près de Plymouth* – *Baie de Clovelly* – *Folkestone* – *Rivière italienne* – *San Giorgio Maggiore, Venise* – *Passeur sur le Danube* – *Le passage Stelvio* – *Bellinzona* – *Tête noire* – *Le palais ducal à Venise* – *La cité ruinée d'Assos* – *Yarmouth* – *Canal Grande, Venise* – *Cascade de Reichenbach* – *Dix dessins* – ÉDIMBOURG : *Rye* – *The Medway* – *Pointe de Beachy, vers Newhaven* – *Neuwied-sur-le-Rhin* – *Vallon du Rlymer*, vignette – *Cottage de Chiefswood*, vignette – *Melrose* – *Lac Cornisk* – *Cascade près de la source de Jumma, monts Himalaya* – *Sion* – *Verrex* – *Thoune* – *Deux vues de Schaffhouse* – *Schaffhouse au clair de lune* – *Versant italien des Alpes* – *Piazetta, Canal Grande, Palais Balbi, Le Rialto, Le soleil (Venise)* – *Splugen* – *Le Saint-Gothard* – *Lac de Côme, vue prise de Secco* – *Ehrenbreitstein* – *Vue d'un port* – *Durham* – *Lac de Llamberis* – *Marine* – *Heidelberg* – *Chutes de la Clyde* – *Cathédrale de Durham* – *Canal Grande et Santa Maria della Salute* – *Monte Rosa* – *Quatre dessins* – GLASGOW : *L'Italie moderne, les Pifferari* – *Hero et Léandre* – *Pêcheurs de baleine pris dans la glace* – *Scène en Italie* – *Scène italienne avec bateaux et figures*, attribution contestée – *Coucher de soleil à Venise et Lyme Régis*, aquar. – HAMBOURG : *La Loire* – LEICESTER : *La Giudecca, Venise* – *Les bons Soupirs* – LIVERPOOL : *Quais de Venise, le palais ducal, la Rivia degli Schiavoni et l'église San Zaccaria* – *Rome, vue prise du Vatican* – *Rizpah, veillant les cadavres de ses fils* – *Paysage* – *Le Liber studiorum* – LONDRES (Nat. Gal.) : *Guillaume III, alors prince d'Orange, débarquant à Torbay en 1688* – *Pont des soupirs, palais ducal et douane, Venise* – *L'artiste jeune* – *Clair de lune à Millbanks*, étude – *Matin sur les Coniston Fells'* – *Bétail dans l'eau* – *Scène de montagne, château sur une hauteur, pêcheur à la ligne au premier plan* – *Environs de Clapham* – *Marine* – *La dixième plaie d'Égypte* – *Jason à la recherche de la Toison d'Or* – *Jetée de Calais, pêcheurs français partant pour la pêche, paquebot anglais arrivant* – *Sainte Famille* – *Destruction de Sodome* – *Vue d'une ville* – *Le naufrage, pêcheurs cherchant à sauver l'équipage* – *La déesse Discorde choisissant la pomme dans le jardin des Hespérides* – *La forge* – *Soleil levant dans la brume* – *Mort de Nelson à Trafalgar* – *Spithead, équipage levant l'ancre* – *The Garreteer Petition* – *Londres vu de Greenwich* – *Pont de Falmouth* – *Le matin à Abingdon, avec vue sur la Tamise* – *Windsor* – *Le soir, bétail dans l'eau* – *Apollon tuant le serpent Python* – *Cottage détruit par une avalanche* – *Tempête de neige*

avec Annibal et son armée traversant les Alpes – *Dîner des moissonneurs à Kingston* – *Matinée glaciale, lever de soleil* – *Le déluge* – *Didon et Énée partant pour la chasse* – *Apuleia à la recherche d'Apulcius* – *Bancs de Bligh, ciel couvert, pêcheurs draguant* – *Traversée du ruisseau* – *Didon construisant Carthage* – *Le champ de bataille de Waterloo* – *La Meuse, bateaux chargés d'oranges* – *Richmond Hill, le jour anniversaire de la naissance du prince régent* – *Baie de Bajac, avec Apollon et la Sybille* – *Didon dirigeant l'équipement de la flotte* – *Ulysse raillant Polyphème* – *Vue d'Orvieto* – *Palais de Caligula et baie de Baïes* – *Vision de Médée* – *Le pèlerinage de Childe Harold* – *Agrippine débarquant avec les cendres de Germanicus* – *Le « Téméraire » remorqué à son dernier mouillage* – *Nouvelle lune* – *Paix, le corps de sir David Wilhie jeté à la mer* – *Tempête de neige, bateau faisant des signaux* – *San Benedetto Vu de Fusina* – *Coucher de soleil à Venise* – *Bateaux pêcheurs remorquant un navire désemparé dans le port de Ruysdaël* – *Le chemin de fer du Great Western, pluie, vapeur et vitesse* – *Matin à Venise, retour du lac* – *La grotte de la reine Mab* – *Le feu en mer*, inachevé – *Petworth Park, l'église de Tillington dans le lointain*, inachevé – *Canal de Chichester*, inachevé – *Torrent dans la montagne*, esquisse – *Bateaux de pêche par forte brise au large de la côte* – *Cliveden sur la Tamise* – *Abbaye de Newark* – *Vallée étroite* – *Vallée étendue avec ville et clocher* – *La Tamise près de Windsor* – *Château de Windsor* – *Ville sur la Tamise* – *Château de Windsor vu des Prairies* – *Sommet d'arbres et ciel* – *Rivière, bétail, village* – *Coucher de soleil sur la rivière* – *Château de Windsor vu de Salt Hill* – *Eton vu de la rivière* – LONDRES (Victoria and Albert Mus.) : *Paysage à Hastings* – *Venise, effet de soleil* – *Mont Saint-Michel* – *Château d'East Cowes, île de Wight, régates* – *Navire en détresse près de Yarmouth* – *Tour en ruines au soleil couchant* – *Nombreuses aquarelles* – LONDRES (Nat. Portrait Gal.) : *L'artiste*, aquar. – LONDRES (Tate Gal.) : *Intérieur de Tintern Abbey, Monmouthshire 1794*, encre et aquar. – *La Source de l'Arveiron 1802*, encre, aquar. et gche – *Incendie du Parlement 1834*, aquar. – *Venise, San Giorgio Maggiore depuis la Dogana 1840*, aquar. et encre – LONDRES (Wallace coll.) : *Chasse à la bécasse et portrait de sir H. Pilkington* – *Chasse à l'oie sauvage avec portrait de l'auteur, les chiens sont de George Stubbs* – *Deux dessins* – MANCHESTER : *Temple de Jupiter - Perellenius dans l'île de Sigina* – *Aquarelles* – *Église de Henley sur la Tamise* – *Abbaye d'Easby, Yorkshire* – *Pont de Llangallen, Galles du Nord* – *Pont Waterloo à Londres* – *La Tamise en face de Westminster* – *Bateaux près d'Hastings* – *Un vieux moulin* – *Près de Douvres* – *Château et pont de Warwick* – *Cathédrale de Canterbury, côté est* – *Abbaye Sainte Agathe, Easby, Yorkshire* – *college et pont Magdalen, à Oxford* – *Grande église de Malvern* – *Cathédrale d'York* – *Vieille croix à Winchester* – *Ruines d'une abbaye* – *Falaises de Douvres* – *Château de Norham sur la Tweed* – *Maison du chapitre, cathédrale de Salisbury* – *Fronthill près de Bath* – *Llangallen, Galles du Nord* – *Vieux pont de Schreewesbury* – *Scène de rivière avec bateaux* – *Scène de rivière en Italie* – *Lac Llamberis* – *Étude de bateaux* – *Abbaye Buildroas Shropshire* – *Parc Cassiobury, près de Watford* – *Eton collège, près de la Tamise* – *Cassiobury House, façade* – *Le même, vue de la Chapelle* – *Vue du Kent* – *Moel Siabod, Galles du Nord* – *Matin d'automne près de Fronthill* – *Feu au quai de Tenning sur la Tamise* – *Coniston Fells* – *Château d'Eridge Kent* – *Florence* – *Abbaye Malmesbury, Wiltshire* – *Sisteron* – *Château de Chillon* – *Lac de Lucerne* – *Faisan mort* – *Lac Ullswater, Cumberland* – *Venise, le soir* – *La Hève* – *Petworth, Sussex*, esquisse – *Un dessin* – MARSEILLE : *Bords de rivière* – MELBOURNE : *Château Dunstonborough* – *Château Okehampton*, aquar. – MONTRÉAL (Learmont) : *Wensleydale, Yorkshire*, aquar. – NEW YORK : *Le baleinier* – *Le Grand Canal à Venise* – *Saltash* – NORWICH : *Abbaye de Malmesbury* – PARIS (Mus. du Louvre) : *Le Pont Neuf* – PRESTON : *Paysage pastoral* – SHEFFIELD : *Vue de Cologne* – *Château Dunbar* – *Paysage avec bétail dans l'eau*, esquisse – *Van Tromp revenant de la bataille de Doggan Bank* – *Bacchus et Ariane* – SOLEURE : *Paysage.*

VENTES PUBLIQUES : LONDRES, 1827 : *Bateaux de pêche hollandais* : **FRF 12 875** – LONDRES, 1852 : *Vue d'un port au soleil couchant : navire à l'ancre* : **FRF 16 810** – LONDRES, 1860 : *Vue d'Ostende* : **FRF 44 300** ; *Le grand canal de Venise* : **FRF 63 000** – LONDRES, 1870 : *Santa Maria della Salute à Venise* : **FRF 67 170** – LONDRES, 1872 : *Heidelberg*, aquar. : **FRF 69 000** ; *Château de Bamborough*, aquar. : **FRF 83 000** – LONDRES, 1875 : *Le grand canal à Venise* : **FRF 183 750** – NEW YORK, 1876 : *The Slav ship* : **FRF 50 000** – LONDRES, 1877 : *Vue de Rome* : **FRF 154 780** ; *Rome, vue prise du mont Aventin* : **FRF 153 512** ; *Coventry*, aquar. : **FRF 26 800** ; *Lucerne : clair de lune*, aquar. : **FRF 22 310** – LONDRES, 1883 : *Chaloupe à l'entrée du Scheldt* : **FRF 91 875** –

LONDRES, 1888 : *Wallon Bridges* : **FRF 186 320** – LONDRES, 1897 : *Les Pillards : côtes de Northumberland* : **FRF 199 500** – LONDRES, 1899 : *Venise : Le palais des doges et sainte Marie* : **FRF 215 200** ; *Vue d'Oxford* : **FRF 105 000** – LONDRES, 1899 : *Port de Ruysdael* : **FRF 126 000** – NEW YORK, 1er et 2 avr. 1902 : *Paysage* : **USD 750** – LONDRES, 11 juin 1909 : *Jetée de Margate* : **GBP 441** ; *Quittant Deal* : **GBP 535** ; *Le Pont du Diable dans le Saint-Gothard* : **GBP 903** – LONDRES, 9 juil. 1909 : *Vénus et Adonis*, de la collection de C. Beckett-Denison : **GBP 4 200** – LONDRES, 4 fév. 1911 : *Quittant Margate : matin brumeux* : **GBP 997** – PARIS, 27 jan. 1919 : *Bataille navale*, attr. : **FRF 76 000** – PARIS, 30 nov.-1er et 2 déc. 1920 : *Bords de rivière dominés par une montagne*, aquar. : **FRF 7 300** – LONDRES, 30 juin 1922 : *Le château de Criccieth*, dess. : **GBP 892** – LONDRES, 7 juil. 1922 : *Le château de Pembrocke*, dess. : **GBP 1 837** ; *Somer Hill* : **GBP 3 990** – LONDRES, 6 juil. 1923 : *Les chutes de la Clyde* : **GBP 2 520** – LONDRES, 2 mai 1924 : *Lucerne*, dess. : **GBP 2 520** – LONDRES, 30 avr. 1926 : *Le château de Criccieth*, dess. : **GBP 1 596** – LONDRES, 9 juil. 1926 : *Vue d'un lac* : **GBP 4 410** ; *L'île de Wight* : **GBP 3 097** ; *L'île de Wight* : **GBP 6 247** – LONDRES, 8 juil. 1927 : *Venise* : **GBP 30 450** ; *Le lancement du « Ville d'Utrecht »* : **GBP 8 925** – LONDRES, 14 déc. 1928 : *Lausanne*, dess. : **GBP 2 520** ; *Lucerne et le Rigi*, dess. : **GBP 1 942** ; *Le Rigi au coucher du soleil*, dess. : **GBP 8 295** ; *Bonneville en Savoie* : **GBP 6 090** – LONDRES, 12 juil. 1929 : *Mâcon* : **GBP 9 030** – NEW YORK, 28 nov. 1930 : *Venise* : **USD 85 000** ; *Le Mont Saint-Michel* : **USD 23 000** – LONDRES, 26 juin 1936 : *Adonis partant pour la chasse* : **GBP 3 360** – LONDRES, 2 juil. 1937 : *Dordrecht* : **GBP 6 510** – LONDRES, 1er juin 1945 : *The Nore* : **GBP 1 782** – LONDRES, 5 oct. 1945 : *Margate, vue sur la mer*, dess. : **GBP 2 415** – LONDRES, 26 avr. 1946 : *La chaloupe de Van Tromp* : **GBP 2 730** ; *Quillebœuf* : **GBP 3 465** – NEW YORK, 26 et 27 fév. 1947 : *Le château de Langharne*, aquar. : **USD 2 300** – NEW YORK, 2 mars 1950 : *La bataille du Nil 1799* : **USD 1 000** – LONDRES, 6 juin 1951 : *Whiby, vue de la falaise et de l'abbaye* : **GBP 520** – NEW YORK, 17 oct. 1956 : *Paysage de la côte française* : **USD 5 600** – NEW YORK, 13 mars 1957 : *Bateaux de pêche au débarquement* : **USD 3 500** – LONDRES, 15 mai 1957 : *Thoune*, dess. : **GBP 1 200** – NEW YORK, 23 avr. 1958 : *Bateaux de pêche au déchargement* : **USD 1 900** – NEW YORK, 10 déc. 1958 : *Heidelberg* : **USD 3 000** – LONDRES, 10 déc. 1958 : *Spiez on the lake of Brienz*, dess. : **GBP 3 400** – LONDRES, 20 mars 1959 : *Vue du lac de Lucerne*, aquar. : **GBP 11 550** – LONDRES, 15 juil. 1959 : *Crépuscule sur la côte*, dess. : **GBP 1 575** – NEW YORK, 19 oct. 1960 : *Port Ruysdael*, aquar. : **USD 31 000** – LONDRES, 30 nov. 1960 : *Bedford*, dess. reh. de gche : **GBP 5 500** ; *Llanthony Abbey, Monmouthshire*, aquar. : **GBP 5 000** – LONDRES, 16 juin 1961 : *Mercury and Herse* : **GBP 8 190** – LONDRES, 22 nov. 1961 : *Le Vésuve en éruption*, aquar. : **GBP 3 800** – NEW YORK, 29 nov. 1961 : *Warwick Castle* : **USD 44 000** – LONDRES, 7 juil. 1965 : *Vue de Ehrenbreitsein avec la tombe de Marceau* : **GBP 88 000** – LONDRES, 14 mars 1967 : *Coucher de soleil sur un lac*, aquar. : **GNS 3 000** – LONDRES, 11 mars 1969 : *Vue de Mayece*, aquar. : **GNS 4 000** – LONDRES, 5 nov. 1969 : *Bateaux de pêche et de guerre par grosse mer* : **GBP 62 000** – LONDRES, 17 juin 1970 : *Vue du Mont Blanc et de Genève* : **GBP 31 000** ; *Ely cathedral*, aquar. : **GNS 10 000** – LONDRES, 18 mars 1971 : *Vue de Sallanches, Savoie*, aquar. : **GBP 16 500** – LONDRES, 6 juin 1972 : *Le repos des moissonneurs, Oberwesel*, aquar. : **GNS 16 000** – LONDRES, 27 juin 1973 : *Bonneville, Savoie* : **GBP 180 000** – LONDRES, 17 juil. 1974 : *Hurley House on the Thames* : **GBP 22 000** – LONDRES, 5 nov. 1974 : *Boston*, aquar. : **GNS 16 000** – LONDRES, 8 juin 1976 : *Une cascade*, cr. et lav. (22,5x22,5) : **GBP 1 500** – LONDRES, 18 juin 1976 : *The bridgewater sea piece*, h/t (162,5x221) : **GBP 340 000** – LONDRES, 15 juil. 1976 : *Le moulin* vers 1793, aquar. (18x20) : **GBP 1 700** – LONDRES, 14 juin 1977 : *Malmesbury Abbey*, aquar. et reh. de blanc (29x41,5) : **GBP 22 000** – LONDRES, 17 mars 1978 : *Jeunes Napolitaines se baignant au clair de lune*, h/t (65x80,3) : **GBP 125 000** – LONDRES, 13 déc 1979 : *In the County of Sargans*, cr. et lav. (24,2x37,5) : **GBP 1 500** – LONDRES, 13 déc 1979 : *Le lac de Thoune*, aquar. (28x39,5) : **GBP 75 000** – NEW YORK, 29 mai 1980 : *Juliet and her nurse*, h/t (89x120,5) : **USD 6 400 000** – LONDRES, 30 juin 1981 : *Vue du port de Plymouth*, h/pap. (15,2x23,5) : **GBP 40 000** – NEW YORK, 29 fév. 1984 : *The Splügen Pass* 1842, aquar. (29,2x45,1) : **USD 250 000** – LONDRES, 15 mars 1984 : *Le Château de Douvres vu depuis la mer*, lav. de gris et de bleu/trait de cr. (19x26) : **GBP 2 000** – LONDRES, 5 juil. 1984 : *Seascape : Folkestone* vers 1840-1846, h/t (88,3x117,5) : **GBP 6 700 000** – LONDRES, 19 nov. 1985 : *Margate*, aquar. et gche/pap. bis (22,2x29,2) : **GBP 55 000**

– LONDRES, 10 juil. 1986 : *The Channel Sketchbook* 1845, carnet de croquis de quatre-vingt-huit pages comprenant soixante-quatorze aquar. et vingt-deux croquis au cr. (9,5x16) : **GBP 480 000** – NEW YORK, 21 mai 1987 : *Vue du lac de Brunnen* vers 1843, aquar. et cr. (22,8x28,6) : **USD 340 000** – NEW YORK, 24 oct. 1989 : *La Strid à Bolton Abbey dans le Yorkshire*, aquar./pap. (26,7x37,8) : **USD 77 000** – LONDRES, 15 nov. 1989 : *Embarcations en mer à l'arrivée du coup de vent*, h/t (45,5x61) : **GBP 638 000** – NEW YORK, 28 fév. 1990 : *L'abbaye de Malvern dans le Worcestershire*, cr. et aquar./pap. (31,8x41,9) : **USD 74 250** – NEW YORK, 23 mai 1990 : *Sur le Rhin*, aquar. (13,7x19,4) : **USD 165 000** – LONDRES, 10 juil. 1991 : *La vieille digue de Margate* 1857, h/pan. (27,5x40,5) : **GBP 220 000** – NEW YORK, 19 fév. 1992 : *Le château de Careg Cennen près de Llandilo en Galles du Sud*, aquar./cr. (46x58,6) : **USD 35 200** – LONDRES, 9 avr. 1992 : *Wolf's Hope, vu du pont de Lammermoor*, aquar. et cr. (10x15,5) : **GBP 77 000** – LONDRES, 13 juil. 1993 : *Le château de Conway*, cr. et aquar. (41x63,5) : **GBP 36 700** – NEW YORK, 16 fév. 1995 : *Whitehaven dans le Cumberland*, aquar. et gche/pap. (31,8x46,4) : **USD 409 500**.

TURNER Laura
Née en 1888 à Namur. Morte en 1983 à Uccle. XXe siècle. Belge.
Peintre de compositions religieuses, portraits, nus, paysages, fleurs, peintre de décorations murales. Intimiste.
Elle étudia aux académies de Bruxelles, Londres et Munich.
Elle a réalisé dans les années quarante en URSS des décorations dans les églises. Fauve à ses débuts, elle a évolué dans des scènes intimistes, réalisant des scènes de maternités, de bonheurs simples.
BIBLIOGR. : In : *Dict. biogr. des artistes en Belgique depuis 1830*, Arto, Bruxelles, 1987.

TURNER Peter
Né à Pell (Styrie). XVIIe siècle. Autrichien.
Peintre.
Il travailla à Prague en 1663.

TURNER Peter. Voir aussi THURNIER

TURNER Raphael Angelo
Né en 1784. XIXe siècle. Britannique.
Dessinateur.
Père de George T. l'Ancien.

TURNER Robert
Né en 1913. XXe siècle. Américain.
Sculpteur.
VENTES PUBLIQUES : NEW YORK, 23 fév. 1990 : *Ashanti* 1975, bronze à canon et terre-cuite vernissée (30,5x40,6) : **USD 3 300** – NEW YORK, 25-26 fév. 1994 : *Ife*, grès vernissé blanc en deux parties (H. 33,3) : **USD 3 738**.

TURNER Ross Sterling
Né le 29 juin 1847 à Westport. Mort le 12 février 1915 à Nassau (îles Bahamas). XIXe-XXe siècles. Américain.
Peintre de paysages, aquarelliste, illustrateur, miniaturiste, enlumineur.
Il étudia en Europe. Il reçut une médaille d'argent, à Buffalo en 1901. Il fut membre de la American Water Colours Society. Il a écrit sur l'art de la décoration et est également professeur.
On lui doit surtout des aquarelles et des enluminures de manuscrits.
MUSÉES : BOSTON : *Au crépuscule* – WORCESTER : *Vue d'East Gloucester*.
VENTES PUBLIQUES : NEW YORK, 12 nov. 1908 : *Étude de blanc* : **USD 170**.

TURNER Sophia Alexander
Née en 1777. XIXe siècle. Britannique.
Dessinatrice.
Mère de George Turner l'Ancien. Elle exposa en 1791. Le Victoria and Albert Museum de Londres conserve une aquarelle de cette artiste.

TURNER T.
XIXe siècle. Actif à Londres dans la première moitié du XIXe siècle. Britannique.
Paysagiste.
Il exposa à la Royal Academy de 1808 à 1839.

TURNER W. Brint
XIXe siècle. Américain.
Peintre de genre.

Il exposa à Londres, notamment à la Royal Academy et à Suffolk Street à partir de 1887. Le Musée de Liverpool conserve de lui : *La dernière touche*.

TURNER William. Voir aussi **TURNER Joseph Mallord William**

TURNER William Eddowes
XIXᵉ siècle. Britannique.
Peintre animalier.
Il était actif entre 1858 et 1894. En réalité, plus que peintre animalier, William Eddoves Turner était un portraitiste de chiens et chevaux.
VENTES PUBLIQUES : LONDRES, 7 oct. 1983 : *Jument et poulain dans un paysage* 1889, h/t (61x73,6) : **GBP 1 000** – LONDRES, 26 mai 1989 : *Les célèbres « Whippets » primés Enterprise et Zuber dans un paysage* 1894, h/t (35,5x45,7) : **GBP 1 980** – LONDRES, 13 mai 1993 : *Fox terriers dans un paysage ; Le fox « Venom » dans une grange* 1870, une paire (30,5x38,2 et 33,7x26,7) : **GBP 990** – LONDRES, 11 oct. 1995 : *Cheval bai et terrier dans une écurie*, h/t (51x61) : **GBP 747** – LONDRES, 28 mars 1996 : *Les célèbres lévriers Enterprise et Zuber* 1894, h/t (35,6x45,7) : **GBP 9 200**.

TURNER William Green
Né en 1833 à Newport. XIXᵉ siècle. Britannique.
Sculpteur.
Élève de l'Académie de Florence. Il travailla surtout en Italie.

TURNER William Henry M.
XIXᵉ siècle. Actif de 1850 à 1887. Britannique.
Peintre de scènes de sport, chevaux.
VENTES PUBLIQUES : NEW YORK, 6 juin 1985 : *Post-Tempre monté par G. Whitehouse* 1849, h/t (32,3x41,2) : **USD 3 250** – LONDRES, 29 jan. 1988 : *Poursuite* 1869, h/t (38,1x51,4) : **GBP 1 760** – LONDRES, 13 avr. 1994 : *Poursuite, un changement de direction soudain* 1853, h/t (24x37) : **GBP 2 760** – LONDRES, 13 nov. 1996 : *Dans les champs* 1874, h/t (26,5x36,5) : **GBP 1 955**.

TURNER William, dit **Turner d'Oxford**
Né le 12 décembre 1789 à Blackbourton. Mort le 7 août 1862 à Woodstack. XIXᵉ siècle. Britannique.
Peintre de paysages, aquarelliste, dessinateur.
Il perdit son père fort jeune. Un oncle constatant ses dispositions pour le dessin l'envoya à Londres et le plaça chez John Varley, qu'il connaissait. Turner en 1808, fut élu associé puis membre de la Old Water Colour Society. Vers 1811, il s'établit à Oxford comme professeur. Il exposa à Londres de 1807 à 1862, particulièrement à la Old Water Colour Society et quelquefois à la Royal Academy et à Suffolk Street.
Il peignit de nombreux sites de la pittoresque ville universitaire et fit de fréquentes excursions au Pays de Galles et en Écosse.
MUSÉES : LONDRES (Victoria and Albert Mus.) : trois aquarelles et de nombreux dessins – MANCHESTER : une aquarelle.
VENTES PUBLIQUES : LONDRES, 7 déc. 1908 : *Oxford vu des prairies ; Stour bead*, deux dessins en un cadre : **GBP 1** – LONDRES, 12 mars 1910 : *Foire aux chevaux irlandaise* 1862, aquar. : **GBP 12** – LONDRES, 9 mai 1924 : *La moisson*, dess. : **GBP 73** – LONDRES, 5 avr. 1935 : *La vallée de Gloucester*, dess. : **GBP 52** – LONDRES, 9 déc. 1964 : *Vue d'Oxford* : **GBP 650** – LONDRES, 19 nov. 1968 : *Christ Church, Oxford*, aquar. : **GNS 450** – LONDRES, 11 mars 1969 : *Vue de Londres*, aquar. : **GNS 500** – LONDRES, 14 nov. 1972 : *Marée basse*, aquar. : **GNS 500** – LONDRES, 5 juin 1973 : *Old Manor House, Marston*, aquar. : **GNS 500** – LONDRES, 21 mars 1974 : *Londres depuis Shooter's Hill*, aquar. : **GBP 1 000** – LONDRES, 9 nov. 1976 : *Caerphilly Castle*, aquar. (25,5x45) : **GBP 500** – LONDRES, 18 mars 1977 : *Équipage à deux chevaux*, h/pan. (35x57) : **GBP 1 400** – LONDRES, 20 juin 1978 : *Bergers et troupeau dans un paysage*, aquar. (33,3x56,5) : **GBP 3 200** – LONDRES, 13 déc 1979 : *Bow Hill near Chichester*, aquar. (44,5x85) : **GBP 26 000** – LONDRES, 17 juin 1981 : *Voyageur dans un paysage*, h/t (34x53) : **GBP 1 900** – LONDRES, 16 mars 1982 : *Le port de Portsmouth*, aquar. et cr. (59x99) : **GBP 13 000** – LONDRES, 15 mars 1984 : *Dans les champs du Dorchester, Oxfordshire*, aquar./trait de cr. avec reh. de gche (17x28) : **GBP 4 800** – LONDRES, 20 nov. 1986 : *The river Isis, looking towards Folly bridge and Christchurch meadow, Oxford*, aquar./traits cr. (23x36,5) : **GBP 4 000** – LONDRES, 19 fév. 1987 : *Iffley Mill, Oxfordshire* 1840, aquar. et gche/traits de cr. (27x38,5) : **GBP 8 200** – ÉDIMBOURG, 22 nov. 1988 : *Le cimetière des Highlanders dans l'île de Loch Maree à Ross Shire au clair de lune* 1848, aquar. (45x30) : **GBP 5 000** – LONDRES, 17 juil. 1992 : *Vaste paysage boisé avec une ville à distance*, h/t (89,7x157) : **GBP 30 800** – LONDRES, 15 déc. 1993 : *Paysage boisé avec une charrette bâchée, des paysans et du bétail*, h/t

(76,2x101,6) : **GBP 3 450** – NEW YORK, 16 fév. 1994 : *Le pont de Richmond*, h/t (67,3x88,9) : **USD 63 000** – LONDRES, 5 sep. 1996 : *Personnages dans un bac sur un lac*, h/t (60,8x90,3) : **GBP 977**.

TURNER William, dit **Turner de Lond**
XIXᵉ siècle. Britannique.
Peintre de genre.
Il était actif vers 1820. En peinture, il traitait les sujets qui faisaient le succès des « gravures anglaises » du XIXᵉ siècle.
VENTES PUBLIQUES : LONDRES, 14 juil. 1976 : *Hyde Park Corner*, h/t (42,5x60,5) : **GBP 1 600** – LONDRES, 15 mars 1978 : *Vue des courses de Musselburgh* vers 1822, h/t (66x116) : **GBP 10 000** – LONDRES, 12 mars 1980 : *George IV at a military review on the Portobello Sands, Edinburgh* 1822, h/t (63,5x89) : **GBP 1 800** – LONDRES, 9 juil. 1985 : *Vue de Limerick*, gche (43,7x56,5) : **GBP 2 400** – ÉDIMBOURG, 2 mai 1991 : *L'arrivée de la malle-poste royale à l'auberge du « Taureau noir » à Édimbourg*, h/t (62,8x81,9) : **GBP 7 700** – LONDRES, 6 avr. 1993 : *Le coche Londres-Brighton à Cheapside* 1831, h/pan. (42x52,5) : **GBP 4 600** – LONDRES, 21 mai 1997 : *Vue des quais avec les Quatre Courts, Dublin*, h/t (76,2x106,6) : **GBP 71 900** ; *La Place du marché, Ennis*, h/t (76,2x106,7) : **GBP 59 800**.

TURNER Winifred, Mrs **Paget**
Née le 13 mars 1903 à Londres. XXᵉ siècle. Britannique.
Sculpteur.
Elle est la fille du sculpteur Alfred Turner. Elle fit ses études à Londres, à la Central School de 1921 à 1924 avec son père, et à la Royal Academy School de 1924 à 1927. Elle exposa à la Royal Academy dès 1924. Elle fut membre du Royal British Sculptors en 1930.
MUSÉES : LONDRES (Tate Gal.) : *La Pensée* 1933.

TURNER Wolfgang Nikolaus, appellation erronée. Voir **TURMANN Wolfgang Nikolaus**

TURNER-DANNAT William. Voir **DANNAT**

TURNER-DAVEY William. Voir **DAVEY**

TURNERELLI Edward Tracy
Né en 1813. Mort le 24 janvier 1896 à Londres. XIXᵉ siècle. Britannique.
Graveur.
Il vécut longtemps à Kazan, où il grava des vues de cette ville et des rives de la Volga.

TURNERELLI Peter
Né en 1774 à Belfast. Mort le 20 mars 1839 à Londres. XVIIIᵉ-XIXᵉ siècles. Britannique.
Sculpteur.
Il exposa cent huit œuvres à la Royal Academy de 1802 à 1838. Le Musée de Dublin conserve de lui les bustes de *Henri Gratten* (marbre) et de *Charles Kendal* (plâtre).
VENTES PUBLIQUES : LONDRES, 3 avr. 1984 : *Buste du duc de Wellington ; Buste du maréchal Blücher* 1815-1816, marbre blanc, deux pièces (H. 74) : **GBP 3 600**.

TURNESTON G.
XVIIIᵉ siècle.
Peintre de sujets allégoriques.
Cité par miss Florence Levy.
VENTES PUBLIQUES : NEW YORK, 23 et 24 fév. 1906 : *Sujet allégorique* : **GBP 85**.

TURNEY Olive
Née le 4 août 1847 à Pittsburgh (Pennsylvanie). XIXᵉ siècle. Américaine.
Peintre.
Élève de l'École de Dessin de Pittsburgh. Membre de la Ligue Américaine des Artistes Professeurs et de la Fédération Américaine des Arts. Elle obtint une médaille d'or, en 1872.

TURNHOUT Jean François ou **Tuerenhout**
Né à Malines. XVIIᵉ-XVIIIᵉ siècles. Éc. flamande.
Sculpteur.
Il sculpta des chaires et des statues pour les églises de Malines et de Tirlemont.

TURNIER David
Mort le 7 juin 1677 à Judenbourg. XVIIᵉ siècle. Actif à Montbéliard. Autrichien.
Peintre.
Le Musée Provincial de Graz conserve de lui *Martyre de saint Guy*.

TURNIER Luce
Née en 1924 à Jacmel. Morte en 1994. XXᵉ siècle. Haïtienne.

Peintre de compositions animées, genre, fruits.

Avec Andrée Latortue, elle représenta l'art féminin haïtien à l'exposition ouverte à Paris en 1946 au Musée d'Art Moderne par l'Organisation des Nations unies. Elle y avait envoyé : *Sarcleur*.

VENTES PUBLIQUES : NEW YORK, 21 nov. 1995 : *Aubergines* 1958, h/t (75,5x90,8) : USD 1 380.

TURNOVSKY Johann
Né en 1763. Mort le 13 juillet 1832 à Vienne. XVIIIᵉ-XIXᵉ siècles. Autrichien.
Sculpteur sur bois.

TUROLA Bartolomeo, l'Ancien, dit **dei Belli**
XIVᵉ-XVᵉ siècles. Actif à Ferrare, de 1379 à 1403. Italien.
Peintre.

Il travailla pour le monastère de S. M. di Mortara de Ferrare.

TUROLA Bartolomeo, le Jeune
Mort avant 1515. XVᵉ-XVIᵉ siècles. Actif à Ferrare. Italien.
Peintre.

Fils de Bartolomeo Turola l'Ancien.

TUROLA Bernardino
XVᵉ siècle. Actif à Ferrare de 1469 à 1479. Italien.
Peintre.

Fils de Jacopo Turola l'Ancien.

TUROLA Giovanni Battista
XVᵉ siècle. Actif à Ferrare de 1469 à 1479. Italien.
Peintre.

Fils de Jacopo Turola l'Ancien.

TUROLA Jacopo, l'Ancien
Mort en 1451 à Ferrare. XVᵉ siècle. Italien.
Peintre.

Il exécuta des peintures pour des palais et églises de Ferrare.

TUROLA Jacopo, le Jeune
XVIᵉ siècle. Actif à Ferrare dans la première moitié du XVIᵉ siècle. Italien.
Peintre.

Fils de Bartolomeo Turola le Jeune.

TUROLA Pietro
XVᵉ siècle. Travaillant à Ferrare en 1459. Italien.
Peintre.

Fils de Jacopo Turola l'Ancien.

TUROLO Luigi
Né le 6 juillet 1875 à Monselice. XXᵉ siècle. Italien.
Peintre de portraits, paysages.

Il fut élève d'Ettore Tito à l'Académie de Venise. Peintre amateur, il exposa à partir de 1900 des paysages et des portraits d'enfants.

TURONE ou Turoni
XIVᵉ siècle. Actif à Vérone. Italien.
Peintre.

Le Musée de Vérone conserve de lui un tableau d'autel en cinq panneaux, représentant la *Trinité, le couronnement de la Vierge et quatre saints*, daté de 1360, qui était autrefois dans le couvent de la Sainte-Trinité, même ville. Son style respecte la rigueur de Giotto tout en y ajoutant un caractère anecdotique, propre à son époque.

TUROW Nicolaus. Voir **TURAU**

TUROWSKY Johann
Né à Prerau. XIXᵉ siècle. Actif dans la première moitié du XIXᵉ siècle. Autrichien.
Peintre d'histoire.

Élève de l'Académie de Vienne. Il peignit des tableaux d'autel pour les églises de Krönau et d'Alt-Ptin.

TUROWSKY Joseph
XIXᵉ siècle. Autrichien.
Peintre.

Frère de Johann Turowsky et élève de l'Académie de Vienne. Il a peint le tableau du maître-autel de l'église d'Ainsersdorf.

TUROWSKY Mikhaïl
Né en 1932. XXᵉ siècle. Américain.
Peintre de figures, nus, paysages.

VENTES PUBLIQUES : PARIS, 20 mars 1988 : *Nu agenouillé*, h/t (65x51) : FRF 9 000 – PARIS, 4 fév. 1990 : *Androgyne*, h/t (131,5x100) : FRF 155 000 – PARIS, 15 déc. 1991 : *Rio Grande*, h/t (100x100) : FRF 275 000 – PARIS, 27 oct. 1992 : *Paysage de Tolède* 1991, h/t (99x99) : FRF 180 000.

TURPILIUS
Iᵉʳ siècle. Antiquité romaine.

Peintre.

Il fut un des rares nobles romains qui s'adonna à la peinture. Il travailla à Vérone.

TURPIN
XVIIᵉ siècle. Actif au Mans. Français.
Peintre d'histoire.

Il peignit une *Adoration des Mages* dans l'église de Vion en 1653.

TURPIN
XVIIIᵉ siècle. Actif à Paris vers 1724-1725. Français.
Peintre.

Il fut également doreur.

TURPIN Alexandre
Né à Nantes (Loire-Atlantique). Mort après 1880 à Nantes (Loire-Atlantique). XIXᵉ siècle. Français.
Paysagiste.

TURPIN Cesare
XVIIᵉ siècle. Actif à Rome en 1620. Italien.
Peintre.

Fils de Jean Turpin (vivant à Rome).

TURPIN Claude
Mort après le 4 septembre 1621 à Paris. XVIIᵉ siècle. Français.
Graveur.

Il travailla à Paris à partir de 1595.

TURPIN Ernest Elie
Né à Audeville (Oise). XIXᵉ siècle. Travaillant à Paris, dans la seconde moitié du XIXᵉ siècle. Français.
Médailleur, tailleur de camées.

Il exposa de 1874 à 1883.

TURPIN Jean ou **Turpinus**
Né en 1561 (?) en France. Mort après 1626. XVIᵉ-XVIIᵉ siècles. Français.
Peintre, graveur au burin et marchand de tableaux.

Il vécut à Rome de 1597 à 1602. Il grava *Henri IV à cheval* et des sujets religieux.

TURPIN Jean
Né vers 1608 à Paris. XVIIᵉ siècle. Français.
Graveur.

Fils de Pierre Turpin et peintre du roi.

TURPIN Jean Philippe
Né en 1957 à Ankadinondry (Madagascar). XXᵉ siècle. Français.
Sculpteur, graveur.

Il vit et travaille à La Réunion. Il a participé en 1992 à l'exposition : *De Bonnard à Baselitz. Dix Ans d'enrichissements du cabinet des estampes 1978-1988* à la Bibliothèque nationale à Paris.

MUSÉES : PARIS (BN) : *Cilaos de la Réunion* 1983, eau-forte.

TURPIN Pierre
Mort entre le 9 mars 1626 et 1631 à Paris. XVIIᵉ siècle. Français.
Graveur de sceaux.

Fils de Claude Turpin. Il grava pour Louis XIII.

TURPIN Pierre Jean François
Né le 11 mars 1775 à Vire. Mort le 2 mai 1840 à Paris. XIXᵉ siècle. Français.
Dessinateur.

Botaniste, il se forma sans maître et peignit plus de 6 000 aquarelles de fleurs et plantes qui furent gravées, notamment pour *Les Plantes de la Nouvelle Calédonie* ; *L'Iconographie Végétale* ; *l'Atlas du Dictionnaire des Sciences naturelles* ; *La Flore médicale* et le *Traité des arbres fruitiers*, de Duhamel. Le Musée de Vire conserve de lui *Portrait en pied de Turpin* et *Portrait en pied d'Antoine Porteau*.

TURPIN Pierre Jean Frédéric Eugène
Né le 15 août 1803. Mort le 21 août 1821 à Paris. XIXᵉ siècle. Français.
Dessinateur.

Fils de Pierre Jean François Turpin.

TURPIN DE CRISSÉ Henri Roland Lancelot de, marquis
Né en 1754. Mort avant 1800 aux États-Unis. XVIIIᵉ siècle. Français.
Peintre d'architectures, paysages.

Il exposa au Salon de 1787 une *Vue de la villa Médicis* et plusieurs dessins de Rome et de ses environs. Durant la Révolution, le marquis, colonel du régiment de Berchiny, émigra aux États-Unis. Il avait cultivé les arts avec succès et donné à son fils Lancelot Theodore, les premières leçons de dessin.

Ventes Publiques : Paris, 28 avr. 1994 : *Escaliers sous les arcades d'un palais italien*, pierre noire (34x27) : FRF 42 000.

TURPIN DE CRISSÉ Lancelot Theodore de, comte
Né le 9 juillet 1782 à Paris. Mort le 15 mai 1859 à Paris. xixᵉ siècle. Français.

Peintre d'histoire, scènes de genre, architectures, paysages, écrivain.

Membre libre de l'Institut le 6 avril 1816, inspecteur des Beaux-Arts en 1824. Fils du marquis de Turpin de Crissé. La protection de Choiseul Gouffier qui l'emmena en Suisse, lui acheta des tableaux pour le racheter de la conscription et enfin l'envoya poursuivre ses études à Rome, fixa l'avenir de Turpin. De retour en France, il fut protégé par l'impératrice Joséphine, la Reine de Naples, le prince Eugène. Après le divorce de Napoléon, Turpin de Crissé entra dans la maison de Joséphine et y demeura jusqu'en 1815. En 1816 il fut nommé membre de l'Institut et en 1824, Inspecteur des Beaux-Arts. Après la Révolution de 1830, il abandonna ses fonctions et se consacra à l'art et à la remarquable collection d'objets d'art et d'antiquités, qu'il légua au Musée d'Angers.

Il exposa au Salon, de 1806 à 1835. On le trouve également en 1832 figurant à l'exposition de la Royal Academy avec quatre paysages.

Il a publié *Souvenirs du Golfe de Naples* (1826), vingt-neuf planches et *Souvenirs du Vieux Paris*, trente planches (1ʳᵉ édition, 1835 ; 2ᵉ édition, 1837).

Musées : Aix : *Une sépia* – Cologne : *Village italien* – Dijon : *Vue de Tivoli* – Deux dessins – Lisieux : *Étude d'arbres* – Marseille : *Vue de Roquebrune* – Montargis : *Ruines du Panthéon*, dess. au bistre – Nantes : *Entrée de l'empereur d'Autriche à Venise* – Orléans : *Deux dessins* – La Roche-sur-Yon : *Cascade dans les Pyrénées.*

Ventes Publiques : Paris, 1855 : *Vue du Vésuve, prise du fort Granatello* : FRF 155 – Paris, 1861 : *Pêcheurs napolitains* ; *Fabriques* ; *Ruines*, quatre dessins à la sépia : FRF 26 – Paris, 3 mai 1947 : *Vue de Venise* : FRF 8 800 – Paris, 8 juil. 1949 : *La halte à la fontaine* : FRF 2 800 – Paris, 1ᵉʳ déc. 1950 : *La halte à la fontaine* : FRF 4 500 – Paris, 21 avr. 1978 : *Marine*, h/t (98x147) : FRF 45 000 – Paris, 14 juin 1979 : *Biches dans un paysage de rochers et de cascades* 1843, h/t (98x130) : FRF 32 000 – Londres, 25 nov. 1981 : *Athènes, le temple de Minerve* 1805, h/t (109x159,5) : GBP 36 000 – Monte-Carlo, 5 mars 1984 : *Saint Jérôme dans sa retraite* 1857, h/t (71x99) : FRF 220 000 – Monte-Carlo, 21 juin 1986 : *Vue du Temple de Paestum* 1806, h/t (112,5x165) : FRF 360 000 – Paris, 26 juin 1987 : *Vue d'Airolo dans le Tessin* 1844, h/t. en brun (50x62) : FRF 19 500 – Paris, 16 nov. 1990 : *La maison d'Horace à Tusculum*, h/t (21x27) : FRF 88 000 – Monaco, 8 déc. 1990 : *Le retour des pêcheurs au soleil couchant* 1812, h/t (24,5x32,5) : FRF 99 900 – Paris, 1991 : *Vue de la Chambre des députés à Paris* ; *Vue du Luxembourg à Paris*, pl. sépia avec reh. de blanc (chaque 42,5x67,5) : FRF 80 000 – Paris, 26 juin 1992 : *La tour de Philippe le Bel à Port-du-Rhône*, h/t (32,5x24,5) : FRF 50 000 – Paris, 31 mars 1993 : *Ruines antiques en Italie*, cr. et lav. de sépia (15x20,5) : FRF 5 500 – Monaco, 19 juin 1994 : *Berger au pied d'une cascade* – *Figures près des ruines d'une église gothique* – *Fontaine en Italie avec une villa au fond* – *Jardin avec un pont* 1809, quatre gche (chaque 92,5x56) : FRF 288 600 – Paris, 12 juin 1995 : *Le passage de la carriole aux abords d'une ville italienne fortifiée*, h/t (65,5x80,5) : FRF 250 000.

TURPINO di Giglio
xvᵉ siècle. Actif à Pérouse. Italien.

Enlumineur.

TURQUAND D'AUZAY Béatrice
Née le 19 septembre 1959 à Paris. xxᵉ siècle. Française.

Peintre, dessinatrice, technique mixte.

Elle fut élève de l'École des arts appliqués et des métiers d'art dans la section art mural à Paris, où elle vit et travaille.

Elle a réalisé dans les années quatre-vingt-dix une série sur l'Holocauste, composée de peintures compartimentées de petits formats exécutées à partir de documents d'archives, qui évoquent des corps et figures, des paysages et cartes d'état-major d'Allemagne, des objets et graffittis. L'image peinte à l'huile ou à la caséine est volontairement sale, passée, reflet d'un monde en décomposition ; recouverte ensuite de tissu elle se place en retrait, échappe au réel.

Bibliogr. : Carole Boulbès : *Portraits d'inconnus*, Art Press, n° 1991, Paris, mai 1994.

TURQUEL Mathilde, née Morin
Née à Gisors (Eure). xixᵉ siècle. Française.

Peintre.

Élève de L. Cogniet et de Mlle Dautel. Elle débuta au Salon de Paris de 1865.

TURQUIN Laurent
xxᵉ siècle. Français.

Sculpteur.

Il montre ses œuvres dans des expositions personnelles : pour la première fois en 1989 à la Ménagerie de verre à Paris.

Il travaille le carton, créant des volumes qu'il pulvérise ensuite de peinture.

TURRA. Voir TURA

TURREAU Bernard ou Jean Bernard Honoré, dit Toro
Né en 1672 à Toulon. Mort le 28 janvier 1731 à Toulon. xviiᵉ-xviiiᵉ siècles. Français.

Dessinateur d'ornements et sculpteur.

Fils de Pierre Turreau. Il subit l'influence de Puget. Il sculpta le maître-autel de la cathédrale d'Aix en 1719.

Musées : Lyon : *La porte de l'Hôtel d'Arlatan-Lauris* – Toulon (Mus. de la Marine) : *Deux Africains.*

Ventes Publiques : Paris, 1896 : *Cartouches, vases, boucliers, bordures pour plafonds*, vingt-cinq dessins au crayon noir avec rehauts d'encre de Chine, reliés en un volume in-4 : FRF 3 000.

TURREAU Pierre
Né vers 1638. Mort le 10 juillet 1675 à Toulon. xviiᵉ siècle. Français.

Sculpteur sur bois.

Père de Bernard Turreau. Il travailla pour l'arsenal de Toulon.

TURREL Edmond
xixᵉ siècle. Travaillant à Londres vers 1821. Britannique.

Graveur d'architectures.

TURRELL Arthur
xixᵉ siècle. Britannique.

Graveur au burin à la manière noire.

Père d'Arthur James Turrell.

TURRELL Arthur James
Mort le 5 octobre 1871 à Londres. xixᵉ siècle. Actif à Wilesden Green. Britannique.

Aquafortiste.

Fils d'Arthur Turrell. Il fit ses études à Londres et à Paris. Il grava des architectures et des vues d'Italie et d'Espagne.

TURRELL Charles James
Né en 1846 à Londres. Mort le 13 avril 1932 à White Plains. xixᵉ-xxᵉ siècles. Britannique.

Peintre de portraits, peintre de miniatures.

Il exposa à Londres, à la Royal Academy de 1873 à 1931. Il peignit des portraits de la famille royale d'Angleterre et de la haute noblesse de ce pays.

TURRELL James
Né le 6 mai 1943 à Los Angeles (Californie). xxᵉ siècle. Américain.

Créateur d'installations, graveur, dessinateur.

Il étudia les mathématiques, la psychologie et la photographie puis fut aviateur, réalisant en 1967 en avion des *Skywritings* (Écrits sur le ciel) télécommandés au sol par le peintre Sam Francis. Il vit et travaille à Flagstaff en Arizona et à Inishkeame West en Irlande.

Il participe à des expositions collectives depuis 1969 : 1971 *Art and Technology* au County Museum of Art de Los Angeles ; 1975 Museum of Contemporary Art de La Jolla ; 1981 Louisiana Museum of Modern Art de Humlebaek, Kunsthalle de Bâle ; 1982 Städtische Galerie im Lenbachhaus de Munich, Art Institute de Chicago ; 1985 Museum of Modern Art de San Francisco ; 1986 Museum of Fine Arts de Boston ; 1986, 1991 Museum of Contemporary Art de Los Angeles ; 1987 Walker Art Center de Minneapolis ; 1990 musée d'Art contemporain de Montréal, musée d'Art moderne de la Ville de Paris. Il montre ses œuvres dans des expositions personnelles : 1967 Art Museum de Pasadena et Stedelijk Museum d'Amsterdam ; 1968 à 1970 Mendota Studio de Santa Monica ; 1976 Stedelijk Museum d'Amsterdam ; 1980 rétrospective au Whitney Museum of Art de New York ; 1981 Center for the Visual Arts de Portland ; 1982 Center on Contemporary Art de Seattle ; 1983 Israel Museum de Jérusalem, Arc, musée d'Art moderne de la Ville de Paris ; 1985 Museum of Contemporary Art de Los Angeles ; 1986, 1990 PS1 de Long Island à New

York ; 1987 Kunsthalle de Bâle ; 1989 musée des Beaux-Arts de Nîmes et musée de l'université de Floride ; 1990 Museum of Modern Art de New York, musée de Rochechouart ; depuis 1990 galerie Froment-Putman à Paris ; 1991 Kunstmuseum de Berne, Confort moderne de Poitiers ; 1992 musée d'Art contemporain de Lyon, Kunstverein für die Rheinlande und Westphalen de Düsseldorf, musée du Belvédère de Prague, fondation La Caixa de Madrid.

En 1966, Turrell présente ses premières œuvres lumineuses, les *Projections Pieces* ; projetant dans un angle de la pièce un rectangle de lumière, celui-ci, par réflexion et réfraction, prend l'apparence d'un volume. Dès lors, il travaille exclusivement sur la lumière, artificielle ou naturelle, en tant que médium de perception : « Notre perception fabrique l'œuvre. Bien que le matériau soit la lumière, la perception est le médium. On prend conscience que c'est parce qu'il est regardé que l'espace est envahi par la lumière, cette présence tactile. » Opérant dans le noir, Turrell montre une ou plusieurs surfaces monochromes, de couleurs, vaporeuses, qui se révèlent n'être, lorsque le regard s'est habitué à la pénombre, qu'une présence immatérielle d'air et de lumière. Dans une même temps il réalise des maquettes d'édifices primitifs, de temples anciens, structures simples blanches d'une grande pureté de lignes, pour en étudier les conditions d'éclairage. Depuis 1977, il poursuit ses recherches avec une œuvre à l'ambition démesurée, un « observatoire de l'infini » sur le Rodden Crater en Arizona, creusant dans le volcan éteint des pièces vouées à rendre compte des diverses sensations lumineuses propres au soleil, aux étoiles, à la lune, aux constellations, recueillant éclipses, équinoxes. S'appuyant sur une connaissance scientifique des phénomènes lumineux – il travaille notamment avec des chercheurs de la Nasa –, Turrell crée un univers merveilleux basé sur l'illusion et l'émotion. À partir d'une rigoureuse mise en scène qui en théâtralise la sensation – notamment dans la série des *Perceptual Cells* où le spectateur (un par « cellule ») est invité à pénétrer dans une cabine téléphonique (*Telephone Booth*), sous un casque à sécher les cheveux (*Helmet series : Mind*), sur une table d'opération (*Operating rooms : Alien exam*) pour se laisser « envelopper » de lumière dont il peut lui-même régler l'intensité –, l'artiste invite à vivre « un changement d'état » déstabilisant qui touche à l'intime. Turrell collabore également à des œuvres à plusieurs voix comme la spectacle réalisé au théâtre des Amandiers de Nanterre en 1994 *To be sung* avec une composition musicale de Dusapin, un texte de Gertrud Stein et un de ses « environnements » lumineux.

Turrell conçoit des espaces, vides, sans objets, qui n'existent que par la présence de la lumière, créatrice de couleurs, de matières, d'ombres, de reflets, de lieux. Proposant une expérience physique, ses espaces lumineux incertains, impalpables plongent le spectateur au cœur de la vision, dans l'illusion et la démystification de l'illusion. ■ Laurence Lehoux

BIBLIOGR. : Philippe Piguet : *James Turrell*, Art Press, n° 140, Paris, oct. 1989 – Chritophe Marchand-Kiss : *James Turrell, théâtralité, sensations, sens*, Opus International, n° 126, Paris, aut. 1991 – Catalogue de l'exposition : *Turrell*, Fondation La Caixa, Madrid, 1992.

MUSÉES : AMSTERDAM (Stedeljik Mus.) – LYON (Mus. Saint-Pierre) : *Dark Piece. Le Témoin* – PARIS (BN).

VENTES PUBLIQUES : NEW YORK, 10 nov. 1993 : *Le cratère de Roden avec des contours déterminés* 1990, émulsion photographique, cire, craies grasses, acryl. et cr. feutre argent (92x92) : **USD 6 900** – NEW YORK, 3 mai 1994 : *Le cratère de Roden avec des alignements de tunnels et les espaces principaux* 1991, photo. en noir et blanc avec gche et encre argent (94,6x96) : **USD 3 450** – NEW YORK, 3 nov. 1994 : *Le cratère de Roden avec des filets de survie et des cuvettes directionnelles* 1991, émulsion photographique, acryl. et cire (94x152,4) : **USD 10 350** – NEW YORK, 20 nov. 1996 : *Second relevé topographique d'ensemble* 1983, blueline, encre et mylar/vélin (106,1x172,7) : **USD 5 750.**

TURRES Giuseppe de. Voir **TORRE Giuseppe**

TURRESIO Francesco
XVIIᵉ siècle. Actif à Venise dans la première moitié du XVIIᵉ siècle. Italien.
Mosaïste.
Il exécuta une mosaïque représentant *La Naissance de saint Jean Baptiste* dans la chapelle du baptistère de la cathédrale Saint-Marc de Venise.

TURRETIN Jean Jacques
Né en 1778 à Copenhague. Mort le 6 avril 1858 à Slésvig. XIXᵉ siècle. Danois.

Peintre de portraits et miniaturiste.
Élève de l'Académie de Copenhague. Les Musées de Copenhague et de Frederiksborg conservent des œuvres de cet artiste.

TURRETTINI Charles Émile
Né le 26 juin 1849 à Genève. Mort en 1926 ou 1927 à Genève (?). XIXᵉ-XXᵉ siècles. Suisse.
Peintre de paysages.
Il fut élève de Barthélémy Menn. Il peignit des paysages et des vues.

TURRI. Voir aussi **TORRE**

TURRI Antonio Maria
Né le 18 octobre 1769 à Legnano. Mort le 8 juillet 1853. XVIIIᵉ-XIXᵉ siècles. Italien.
Peintre, surtout de fresques.
Père de Beniamino Turri. Il a peint des tableaux pour la cathédrale et l'église Notre-Dame de Grâce de Milan.

TURRI Beniamino
Né le 6 novembre 1803 à Legnano. Mort le 5 juin 1882 à Legnano. XIXᵉ siècle. Italien.
Peintre.
Fils d'Antonio Turri, il fut son élève et celui de l'Académie de Milan. Il a peint deux fresques *Annonciation* et *Nativité* dans l'église della Madonnina de Legnano.

TURRI Gersam
Né le 1ᵉʳ septembre 1879 à Legnano. XXᵉ siècle. Italien.
Peintre de décorations.
Fils du peintre Mose Turri, il fut élève de l'Académie de Milan. Il fut également restaurateur de tableaux. Il a exécuté de nombreuses peintures décoratives dans des églises et des palais de Lombardie.

TURRI Giuseppe
Né à San Vito al Tagliamento. XVIᵉ siècle. Travaillant en 1567. Italien.
Peintre.
Il a peint *Madone et deux saints* dans l'église Notre-Dame de Gorto. A rapprocher du sculpteur Torre (Giuseppe).

TURRI Mose
Né le 2 février 1837 à Legnano. Mort le 8 juillet 1903. XIXᵉ siècle. Italien.
Peintre de natures mortes et de genre.
Fils de Beniamino Turri et père de Gersam Turri. Élève de l'Académie de Milan. Il exposa à Milan et Venise.

TURRI Peter
XIXᵉ siècle. Travaillant à Vienne en 1828. Autrichien.
Peintre de fleurs.

TURRIACA Salvatore
XVIIᵉ siècle. Travaillant à Naples en 1677. Italien.
Sculpteur sur bois.

TURRIAN Émile David
Né le 26 avril 1869 à Montblesson (près de Lausanne). Mort le 21 avril 1906 à Paudex. XIXᵉ siècle. Suisse.
Peintre de paysages, dessinateur.
Il fut élève de l'École des Beaux-Arts de Genève, puis de Luc Olivier Merson à Paris. Il exécuta surtout des peintures décoratives et fut apprécié pour ses dessins humoristiques.
MUSÉES : LAUSANNE : *Paysage de l'Ukraine – Pont de Saint-Éloi à Moudon* – MOUDON.

TURRIAN Georges
Né le 12 août 1923 à La Roque d'Antheron (Bouches-du-Rhône), d'une mère française et d'un père suisse. XXᵉ siècle. Suisse.
Peintre de portraits, nus, paysages, fleurs, natures mortes.
Petit-neveu du peintre et dessinateur Émile D. Turrian, il fut élève de l'école des beaux-arts de Marseille. À vingt ans il s'installe aux États-Unis, où il fait des études d'ingénieur et suit les cours de la Sirvermine Academy of Painting dans le Connecticut. Il revient en 1964 en France et s'installe à Annecy. Il est officier des Arts, Sciences et Lettres et officier de l'encouragement public pour les arts.
Il participe à des expositions collectives : aux États-Unis, en Suisse et à Paris aux Salons des Indépendants, des Artistes Français, d'Automne. Il montre ses œuvres dans des expositions personnelles en France, notamment en 1983 rétrospective au musée Paul Cézanne d'Aix-en-Provence, aux États-Unis, en Espagne et en Suisse.

Aux États-Unis, il réalisa des nus, fleurs et natures mortes, dans une facture lumineuse et lisse. Par la suite il privilégie les paysages en larges plans, par modulations, dans des compositions proches de l'abstraction.
MUSÉES : AIX-EN-PROVENCE (Mus. Paul Cézanne).

TURRIANI Jacopo di Baldassare
Né à Poppi di Casentino. Mort en 1516 à Poppi di Casentino. XVIᵉ siècle. Italien.
Sculpteur et architecte.
Il sculpta l'escalier et le portail du château de Poppi en 1477.

TURRIANO Gianello ou Juanelo ou Torriano ou della Torre
Né en 1500 (?) à Crémone. Mort le 13 juin 1585 à Tolède. XVIᵉ siècle. Espagnol.
Sculpteur, graveur sur pierre.
Il s'établit en Espagne en 1534 en y accompagnant Charles Quint. Il fut aussi peintre de Philippe II, architecte, horloger et orfèvre.

TURRICELLI. Voir TORRICELLI

TURRIER Alexis Antoine. Voir TURIER

TURRINI Agostino
XVIᵉ-XVIIᵉ siècles. Actif à Urbino de 1591 à 1629. Italien.
Sculpteur sur bois.
Il travailla pour les églises d'Urbino.

TURRINI Romualdo
Né en 1752 à Salo. Mort le 13 juillet 1829 à Salo. XVIIIᵉ-XIXᵉ siècles. Italien.
Peintre.
Élève de Santino et condisciple de Canova. Il peignit des fresques dans les villas des bords du lac de Garde.

TURRISI COLONNA Anna, plus tard Principessa di Fitalia
Née en 1821. Morte en 1848. XIXᵉ siècle. Italienne.
Peintre d'histoire, portraits.

TURRITI Jacobus ou Jacopo. Voir TORRITI

TURRO Girolamo
Né à Collealtero di Cesio. Mort après 1744. XVIIIᵉ siècle. Italien.
Peintre.
Élève de Francesco Brandolese à Feltre, puis de l'Académie de Venise. Le Musée municipal de cette ville conserve des peintures de cet artiste.

TURRONE. Voir TURONE

TURSHANSKI Léonid Viktorovitch
Né en 1875. Mort en 1945. XIXᵉ-XXᵉ siècles. Russe.
Peintre de paysages.
Il fut élève de l'École d'Art de Moscou.
MUSÉES : MOSCOU (Gal. Tretiakov) : *Soir calme – Soir froid* – SAINT-PÉTERSBOURG (Mus. russe).
VENTES PUBLIQUES : PORTLAND, 12 avr. 1980 : *Village russe*, h/t (56x117) : USD 1 750 – NEW YORK, 18 sep. 1981 : *Village russe*, h/t (56x117) : CAD 1 900.

TURUN I WAYAN
Né en 1935 à Tebeyasa (Bali). Mort en 1986. XXᵉ siècle. Indonésien.
Peintre.
Il étudia sous la direction de Gusti Katut Kobot, de Dewa Katut Ding et de Rodolf Bonnet. En 1964 il remporta le premier prix du concours organisé pour le monument national du Musée historique. Le Rijksmuseum voor Volkenkunde de Leyde (Hollande) expose certaines de ses peintures.
VENTES PUBLIQUES : SINGAPOUR, 5 oct. 1996 : *L'offrande* 1981, h/t (70x52) : SGD 11 500.

TURVANGER F., Mme
XIXᵉ siècle. Française.
Peintre d'histoire.
Le Musée de Guéret conserve d'elle une copie d'après Andrea del Sarto.

TURVILLE Serge de
Né le 6 janvier 1924 à Saint-Maur-des-Fossés (Val-de-Marne). XXᵉ siècle. Français.
Peintre de figures, paysages, peintre de compositions murales. Figuratif puis abstrait lyrique.
Vivant à partir de l'âge de dix ans en Grande-Bretagne, il fit ses études à la Central School of Art de Londres. Dans les années

cinquante, il fréquente le mouvement lettriste à Paris, mais n'y adhère pas. En 1955, il s'installe à Cagnes, puis regagne Paris en 1959. Il a été lauréat en 1966 du Prix des Onze décerné par onze critiques parisiens.
Il commence à exposer à Nice et Cagnes, puis fait de nombreuses expositions à Paris, en province et à l'étranger : en Grande-Bretagne, en Allemagne et en Suède. Il participe à divers Salons, de Mai, des Réalités Nouvelles, Comparaisons, Jeune Peinture, ainsi qu'à de nombreuses expositions de groupes. Il montre ses œuvres dans des expositions personnelles, très régulièrement à Paris, la première galerie Prismes en 1956, puis galerie Arlette Chabaud entre 1962 et 1971, et notamment à la galerie Artuel en 1990.
Ses premières toiles étaient transposées très librement de sujets traditionnels, puis il change de style et fait des toiles compartimentées, les *Métamorphoses*, les *Héraldiques*, et une série de *Sonnets* sur les sonnets de Shakespeare, où il est question de la vie, de l'amour, et de la mort, où la lettre, le mot apparaissent au même titre qu'un objet ou un personnage. Par la suite, il réalise de nombreuses séries d'après des œuvres d'écrivains (Joyce notamment). À partir de 1968, ses toiles deviennent plus heurtées, tels que *Conflits*, *Élans*, *Contre*, dans lesquels on cherche en vain une analyse politique, mais qui sont plutôt un langage du cœur. Il fait ensuite une série de toiles *Urbaines*, qui sont assez angoissantes, mais optimistes par la couleur. En 1971 il peint une palissade de 102 mètres carrés, ainsi que des murs réalisés à Fos-sur-Mer. Il a réalisé dans les années soixante-dix plusieurs compositions murales en céramique, en mosaïque, en béton moulé, mais aussi en peinture. Il a collaboré pendant sept ans avec les aménageurs du Port Autonome de Marseille. Au début des années quatre-vingt, il se concentre plus particulièrement à la peinture. Et bien qu'il se dise non abstrait, plusieurs séries, notamment de cette époque, se révèlent-elles violemment chromatiques et gestuelles, parsemées de traces d'écriture, soit illisibles, soit occultes, par ratures. Celles-ci seraient inspirées par la musique jazz, une autre éponyme par le livre *Ulysse* de Joyce.
MUSÉES : PARIS (Mus. de la Ville).
VENTES PUBLIQUES : STOCKHOLM, 6 juin 1988 : *La plage de Cagnes* 1963, h. (129x162) : SEK 9 500 – PARIS, 22 oct. 1989 : *Composition à la femme blonde* 1965, h/t (100x73) : FRF 29 500 – PARIS, 22 déc. 1989 : *Anatomie, fond rouge* 1966, h/t : FRF 62 000 – LA VARENNE-SAINT-HILAIRE, 3 déc. 1989 : *Compartimentée à la grille* 1964, h/t (65x40) : FRF 9 500 – STOCKHOLM, 21 mai 1992 : *La plage de Cagnes*, h/t (130x162) : SEK 7 000.

TURY Gyula ou Jules
Né le 14 juillet 1866 à Cegled. Mort le 9 décembre 1932 à Budapest. XIXᵉ-XXᵉ siècles. Hongrois.
Peintre de genre, sujets religieux, portraits, paysages, peintre de compositions murales.
Il fit ses études à Budapest et à Vienne. Il exécuta de vastes peintures murales dans de nombreuses églises de Hongrie.
MUSÉES : BUDAPEST (Gal. nat.) : plusieurs peintures.

TURY Pierre de. Voir THURY

TUSCAP Arnould ou Toscap, Touscamp, Tuscamp
Mort avant 1392 à Tournai. XIVᵉ siècle. Éc. flamande.
Sculpteur.

TUSCAP Gillichon
XVᵉ siècle. Travaillant à Tournai en 1421. Éc. flamande.
Sculpteur.

TUSCAP Jean I
Mort avant le 3 janvier 1438 à Tournai. XVᵉ siècle. Éc. flamande.
Sculpteur.
Il a exécuté une clef de voûte dans la cathédrale de Tournai en 1401.

TUSCAP Jean II
XVᵉ siècle. Travaillant à Tournai de 1451 à 1457. Éc. flamande.
Sculpteur.
Fils de Jean Tuscap.

TUSCAP Miquelet ou Miquiel
XVᵉ siècle. Actif à Tournai de 1406 à 1455. Éc. flamande.
Sculpteur.

TUSCAP Piérart ou Pierre I
Mort vers 1477 à Tournai. XVᵉ siècle. Éc. flamande.
Sculpteur.
Fils de Jean Tuscap I. Il travailla pour la ville de Tournai.

TUSCAP Piérart ou Pierre II
XVᵉ siècle. Actif à Tournai de 1424 à 1442. Éc. flamande.
Sculpteur.

TUSCH Johann ou Dusch

Né en 1726 à Vienne, ou en 1738 au Tyrol. Mort en 1817 à Vienne. xviiie-xixe siècles. Autrichien.

Peintre d'histoire, portraits.

Il fit ses études à Vienne et à Rome. Le Musée municipal de Vienne conserve de lui le portrait en miniature de l'actrice *Johanna Sacco*.

TUSCHER Josef

Né en 1821 à Vienne. Mort le 30 octobre 1866 à Vienne. xixe siècle. Autrichien.

Paysagiste.

TUSCHER Marcus ou Charles Marc ou Tischer ou Tyscher

Né en 1705 à Nuremberg. Mort le 6 janvier 1751 à Copenhague. xviiie siècle. Allemand.

Peintre, architecte, sculpteur et graveur au burin.

Il était enfant naturel et fut élevé à l'Hôpital des orphelins. Il fut placé sous la direction de J. D. Preisler et travailla dix ans avec ce maître. Il fut ensuite envoyé en Italie avec une pension de la municipalité. Il y fut employé à Livourne pour Stoch à dessiner des bijoux. Tuscher visita Londres et Copenhague et fut professeur à l'Académie de cette ville. Il a gravé des vues et des portraits. Le Musée de Copenhague conserve de lui *Sappho et l'Amour*, et celui de Stockholm, *Mercure remet aux nymphes Bacchus qui vient de naître*.

Ventes Publiques : Londres, 10 déc. 1980 : *Groupe familial dans un jardin* 1737, h/t (139,5x224,5) : **GBP 28 000** – Londres, 4 juil. 1984 : *Alexandre de Diogène*, craie noire pl. et lav. (26,6x38,1) : **GBP 650** – Londres, 20 nov. 1985 : *Portrait d'une dame de qualité*, h/t (125x98) : **GBP 7 000** – Venise, 23 mai 1997 : *Portrait de dame*, h/t (132x100) : **ITL 9 500 000**.

TUSCHINI Giovanni. Voir TOSCHINI

TUSEK Anton

xviiie siècle. Actif à Skofja Loka vers 1760. Yougoslave.

Peintre.

Il peignit les fresques de la coupole de l'église de Vesela Gora.

TUSEK Mitja

Né en 1961 à Maribor (Slovénie). xxe siècle. Actif en Belgique. Yougoslave.

Peintre d'intérieurs, paysages, graveur, dessinateur. Figuratif puis abstrait, nouvelles figurations.

Il vit et travaille à Bruxelles.

Il participe à des expositions collectives : 1986, 1994 Kunsthalle de Berne ; 1988 FIAC (Foire internationale d'art contemporain) à Paris et foire de Bâle ; 1989 le Confort moderne à Poitiers, FRAC (Fonds régional d'Art Contemporain) Poitou-Charentes à Angoulême ; 1991 Biennale de Lyon ; 1992 Documenta de Kassel ; 1993 Koninklijk Museum voor Schone Kunsten d'Anvers ; 1995 Neue Galerie de Graz ; 1996 Irish Museum of Modern Art de Dublin ; 1997 *Abstraction/Abstractions – Géométries provisoires* au musée d'Art moderne de Saint-Étienne. Il montre ses œuvres dans des expositions personnelles : 1987 centre d'art contemporain de Genève ; 1989 L'École de Nîmes à Nîmes ; 1990 galerie Froment-Putman à Paris ; depuis 1991 galerie Nelson à Paris ; 1992 Moderna Galerija de Ljubljana ; 1993 fondation Miro à Barcelone ; 1995 L'Aquarium, école des beaux-arts de Valenciennes.

De 1986 à 1987, Tusek a peint des paysages indéfinis à partir de photographies, peut-être les siennes, qui évoquent le travail de Carl David Friedrich sans toutefois en posséder le romantisme. Viennent ensuite les intérieurs baroques gravés à l'acide sur du plomb, dont le sujet n'est que prétexte à des recherches sur la surface et les reflets, puis de nouveau les paysages. Échappant au sujet, l'artiste évolue avec des peintures en cire qui lui permettent d'appréhender par la transparence ce qui se passe derrière, au-delà de la représentation, de révéler l'étendue. Quels que soient la technique, le sujet ou l'absence de sujet, son travail est une interrogation sur l'image et la peinture, qui réduite à la surface, à ses moyens, propose une présence matérielle.

Bibliogr. : Anne Dagbert : *Mitja Tusek*, Art Press, no 93, Paris, juil. 1993 – Éric Suchère : *Mitja Tusek*, Beaux-Arts, no 137, Paris, sept. 1995 – in : *Abstraction/Abstractions – Géométries provisoires*, catalogue d'exposition, Musée d'Art moderne, Saint-Étienne, 1997.

TUSEN Mikkel ou Tuesen

Né à Tarp. xvie siècle. Danois.

Sculpteur sur bois.

Il a sculpté les stalles et la chaire de l'église de Nörre Nebel en 1567.

TUSET TUSET Salvador

Né le 9 novembre 1883 à Valence. Mort le 28 mars 1951. xxe siècle. Espagnol.

Peintre de compositions à personnages, scènes de genre, figures, nus, portraits, intérieurs, paysages, natures mortes.

Il fut élève de l'École des Beaux-Arts de Valence, à partir de 1898, puis de Sorolla à Madrid. En 1911, il obtint une bourse qui lui permit d'étudier pendant quatre ans à Rome. Il se maria en 1912 et l'année suivante effectua un grand voyage en Angleterre, France, Hollande, Allemagne et Autriche.

Il prit part à des expositions collectives, dont : 1914 Académie de Rome ; 1918 Exposition d'Art Espagnol à Paris ; 1929, 1934 Biennale de Venise. Un grand nombre de ses œuvres ont également figuré dans des expositions personnelles à Valence, Barcelone, Madrid et Séville. Il reçut diverses récompenses et distinctions : 1904, 1906 mention honorable, 1910 troisième médaille, 1918 première médaille, 1930 deuxième médaille ; 1939 nommé Académicien puis professeur à l'École des Beaux-Arts de Valence, et enfin directeur à partir de 1948.

De 1906 et 1924, Tuset Tuset aime copier les œuvres des grands maîtres, tels que Masaccio, Ghirlandaio, Murillo, Rembrandt et Velasquez ; puis étant véritablement imprégné de la culture du passé, il traite les thèmes les plus divers, jusqu'à la composition mythologique néo-classique, à la scène d'intérieur dans l'esprit hollandais. Il pratique une technique académique héritée du xixe siècle, à l'intérieur de laquelle il peut trouver des accents plus libres, plus sensuels, notamment à l'occasion d'un paysage vivement « enlevé », ou d'un nu traité avec franchise.

Bibliogr. : A. Tuset : *Évoquant le peintre Tuset*, Archivo de Arte Valenciano, XLV, Valence, 1974 – in : *Cien Anos de pintura en Espana y Portugal, 1830-1930*, Antiqvaria, t. XI, Madrid, 1993.

Musées : Valence (Mus. Saint Pie V).

TÜSHAUS Friedrich ou Fritz

Né le 3 août 1832 à Munster. Mort le 3 septembre 1885 à Munster. xixe siècle. Allemand.

Peintre.

Élève des Académies de Munich et d'Anvers. Le Musée de Munster conserve de lui *Bataille entre Germains et Romains*.

TÜSHAUS Joseph

Né le 7 juillet 1851 à Munster. Mort le 21 octobre 1901 à Düsseldorf. xixe siècle. Allemand.

Sculpteur.

Élève de Wittig à l'Académie de Düsseldorf. Il alla à Rome, puis se fixa à Düsseldorf. Le Musée de Berlin conserve de lui : *Saint Sébastien*.

TUSHINGHAM Sidney

Né en 1884 à Burslem. xxe siècle. Britannique.

Peintre, graveur de paysages, décorateur.

Il fut élève de l'Académie Royale de Londres, où il vécut et travailla. Il grava des paysages et des vues de ville, privilégiant la technique de l'eau-forte.

TUSINI Pietro. Voir TOSINI

TUSON G. E.

Mort en 1880 à Montevideo. xixe siècle. Actif en Grande-Bretagne. Uruguayan.

Peintre d'histoire, de genre et de portraits.

Il travailla à Londres, où il exposa de 1853 à 1865 des sujets religieux à la Royal Academy, à la British Institution et à Suffolk Street. Il peignit pour l'Hôtel de Ville de Manchester *La Réception d'une députation de la corporation de Manchester par le Sultan à Buckingham Palace*. Il alla en Turquie, y peignit des portraits et alla finir sa carrière à Montevideo.

TUSQUELLAS Michel

Mort le 8 août 1969. xxe siècle. Français.

Peintre.

TUSQUETS Y MAIGNON Ramon ou Raimondo

Né en 1839 à Barcelone (Catalogne). Mort le 11 mars 1904 à Rome. xixe siècle. Actif en Italie. Espagnol.

Peintre de genre, portraits, paysages animés, paysages, marines, aquarelliste, illustrateur. Postromantique.

Il fut élève de l'Académie Chigi à Rome et de l'Institut des Beaux-Arts de Naples. Il effectua un voyage en Andalousie en 1869. Vers 1881, il s'installa définitivement à Rome.

Il prit part à diverses expositions collectives : Exposition nationale de Madrid, où il obtint une troisième médaille en 1867, une deuxième médaille en 1871 ; Rome en 1875 ; Naples en 1877 ; Salon Parés de Barcelone en 1880 ; Mexico en 1899.

Une technicité maîtrisée lui permet d'aborder avec aisance des sujets très diversifiés, lavandières au travail dans un vaste paysage, gardienne d'un troupeau de chèvres franchissant le portail du village, compositions animées dans lesquelles une petite tache du plus beau rouge est là pour rappeler le souvenir de Corot, marine portuaire vénitienne où se conjuguent les références classiques et pré-impressionnistes, le Lorrain et Jongkind.

R. Tusquets 1933

BIBLIOGR. : In : *Cien Anos de pintura en Espana y Portugal, 1830-1930*, Antiqvaria, t. XI, Madrid, 1993.
MUSÉES : MADRID : *Un pauvre* – MONTSERRAT : *La mort de Sisara.*
VENTES PUBLIQUES : BERLIN, 1894 : *La fuite* : **FRF 1 775** – PARIS, 22 juin 1894 : *Entrée d'une forteresse* : **FRF 100** ; *Femme algérienne à la fontaine* : **FRF 380** – MADRID, 20 déc. 1976 : *Femme admirant ses bijoux* 1875, h/pan. (38,5x25,5) : **ESP 190 000** – MILAN, 19 mars 1981 : *Ciociari* 1893, h/t (35,5x47,5) : **ITL 3 200 000** – MADRID, 24 oct. 1983 : *Vue d'un parc* 1878, h/pan. (33x26) : **ESP 400 000** – AMSTERDAM, 10 avr. 1990 : *Cardinal lisant une lettre* 1868, aquar. et gche/pap. (17,1x10,5) : **NLG 1 610** – NEW YORK, 24 oct. 1990 : *Quatre arabes jouant à un jeu de hasard* 1889, aquar. et cr./pap. (52,5x39,5) : **USD 8 800** – ROME, 16 avr. 1991 : *Porteuses d'eau à la source*, h/t (76x50) : **ITL 11 500 000** – ROME, 6 déc. 1994 : *Paysan romain* 1870, aquar./pap. (48x32) : **ITL 4 714 000** – ROME, 5 déc. 1995 : *La Mantille*, h/t (84x64) : **ITL 5 893 000** – LONDRES, 13 mars 1996 : *Barques sur la lagune de Venise*, h/t (203x100) : **GBP 14 375** – NEW YORK, 23-24 mai 1996 : *Pêcheurs au bord du Tibre à Rome*, h/pan. (33x26) : **USD 13 800** – LONDRES, 12 juin 1996 : *Le Gitan*, h/t (93,5x74) : **GBP 13 225.**

TUSS Hans. Voir TUSSMANN

TUSSAUD Francis
Né en 1800. Mort en septembre 1873. XIXᵉ siècle. Britannique.
Sculpteur-modeleur de cire.
Fils de Marie Tussaud.

TUSSAUD Francis Babbington
Né vers 1829 à Londres. Mort le 8 mai 1858 à Rome. XIXᵉ siècle. Britannique.
Sculpteur-modeleur de cire.
Il exposa à la Royal Academy en 1855 et 1856.

TUSSAUD Francis J.
XXᵉ siècle. Britannique.
Sculpteur-modeleur de cire.
Fils du sculpteur sur cire John Theodore Tussaud, il fit ses études à Rome en 1933.

TUSSAUD John Theodore
Né le 2 mai 1858 à Londres. XIXᵉ siècle. Britannique.
Sculpteur-modeleur de cire.
Fils et élève de Joseph Randall Tussaud.

TUSSAUD Joseph Randall
Né en 1831. Mort le 31 août 1892. XIXᵉ siècle. Britannique.
Sculpteur-modeleur de cire, sculpteur sur marbre.
Fils de Francis Tussaud et élève de la Royal Academy de Londres où il exposa en 1855 et en 1857.

TUSSAUD Marie, née Grosholtz
Née le 7 décembre 1761 à Strasbourg. Morte le 15 avril 1850 à Londres. XVIIIᵉ-XIXᵉ siècles. Française.
Sculpteur-modeleur de cire.
Professeur de Mme Élisabeth, sœur de Louis XVI. Elle prit les masques mortuaires des victimes de la Terreur et exécuta des têtes d'après ceux-ci pour son Cabinet de figures de cire. Elle s'établit à Londres en 1802 et modela les têtes des personnages illustres de son temps.

TUSSENBROEK Otto Van
Né le 5 février 1882 à Leyde. XXᵉ siècle. Hollandais.
Peintre d'architectures, paysages urbains, natures mortes, dessinateur d'affiches.
Il vécut et travailla à Utrecht.
MUSÉES : DORDRECHT : *Le Pont Alexandre III à Paris.*

TUSSMANN Hans ou Dussmann ou Tuss
Né vers 1420 à Fribourg-en-Brisgau (Bade-Wurtemberg). Mort vers 1490 à Soleure. XVᵉ siècle. Suisse.
Sculpteur sur bois et peintre de statues.
Il séjourna à Ulm, à Bâle et se fixa à Soleure où il exécuta plusieurs sculptures pour la ville et les églises. Le Musée de cette ville conserve de lui *Saint Ours*, statue en bois.

TUSWALD Johann
XIXᵉ siècle. Autrichien.
Peintre.
Il a peint un tableau d'autel pour l'église d'Enzenkirchen en 1877.

TUSZKAY Marton ou Martin
Né en 1884. XXᵉ siècle. Hongrois.
Peintre d'affiches, graveur.
Il vécut et travailla à Budapest.

TUSZYNSKI Devi
XXᵉ siècle. Russe (?).
Illustrateur, peintre de miniatures.
Il a réalisé vingt-et-une miniatures pour *Le Miroir noir*, livre dont il est l'auteur, imprimé aux éditions Caractère à Paris en 1955. Il a également publié *Shalom Alecham*, en russe et en yiddish, avec vingt-quatre reproductions.
VENTES PUBLIQUES : PARIS, 24 mars 1996 : *Vue d'une ville imaginaire* 1953, encre sur parchemin (36x22) : **FRF 8 300.**

TU TA-SHOU. Voir DU DASHOU

TUTHILL
XIXᵉ siècle. Actif à New York en 1812. Américain.
Portraitiste.

TUTHILL W. H.
XIXᵉ siècle. Actif dans la première moitié du XIXᵉ siècle. Américain.
Graveur au burin.
Il grava des portraits, des paysages et des illustrations de livres.

TUTIAM Bartolomeo
XVIᵉ siècle. Italien.
Graveur sur bois.
On cite de lui un bois : *Le Christ insulté par les Juifs* qui figure dans un ouvrage imprimé à Augsbourg en 1515.

TUTILO. Voir TUOTILO

TÜTINGER Petrus ou Peter ou Tüttinger
XVᵉ siècle. Allemand.
Miniaturiste et copiste.
Il vécut au monastère d'Oler Allaish. Il écrivit un graduel qu'il orna de nombreuses scènes historiques ainsi qu'un antiphonaire (1477) dont Rupert von Passau exécuta les peintures.

TUTINO Alberto
Mort en janvier 1948 à Bruxelles, la veille du vernissage d'une de ses expositions. XXᵉ siècle. Actif en Belgique. Italien.
Peintre de paysages.
Il a montré ses œuvres dans une exposition en janvier 1948. Paysagiste, il s'appuie sur la tradition ; il est moderne surtout par son emploi de la couleur.

TUTMES. Voir THOUTMOSIS

TUTRIN Alexandre
Né en 1951 à Léningrad. XXᵉ siècle. Russe.
Peintre de genre, natures mortes.
Il fréquenta l'Institut Répine de Leningrad, où il devint professeur par la suite. Il fut aussi élève de Neprintzev. Il est membre de l'Union des Peintres d'URSS.
VENTES PUBLIQUES : PARIS, 27 jan. 1992 : *Les lilas*, h/t (100x100,1) : **FRF 6 000** – PARIS, 3 juin 1992 : *Le café*, h/t (52x65) : **FRF 3 200** – PARIS, 5 oct. 1992 : *Soir d'été*, h/t (55x92) : **FRF 7 500.**

TUTRUMOFF N. L. Voir TJUTRJUMOFF Nikanor Léontiévitch

TUTTINE Johann Baptist
Né le 3 juillet 1838 à Bräudingen. Mort le 24 août 1889 à Karlsruhe. XIXᵉ siècle. Allemand.
Peintre de genre.
Élève de l'Académie de Karlsruhe ; il a peint des scènes de la vie paysanne dans la Forêt Noire. Il exposa à Munich en 1879. On cite de lui : *La noce d'or* et *Les joueurs surpris.*

TÜTTINGER Petrus. Voir TÜTINGER

TUTTLE Henry Emerson

Né le 10 décembre 1890 à Lake Forest (Illinois). xxᵉ siècle. Américain.

Graveur d'animaux.

Il fut membre de la Fédération américaine des Arts. Il représente surtout des oiseaux de proie.

Musées : Paris (BN) : une gravure.

TUTTLE Macowin

Né le 3 novembre 1861 à Muncie (Indiana). xixᵉ siècle. Américain.

Peintre, illustrateur, graveur sur bois.

Il fut élève de William M. Chase, de Laurens et de l'Académie Julian à Paris. Il fut membre du Salmagundi Club et de l'Association Artistique Américaine de Paris.

Musées : New York – Washington D. C.

TUTTLE Mildred Jordan

Née le 26 février 1874 à Portland. xixᵉ-xxᵉ siècles. Américaine.

Peintre, graveur à l'eau-forte.

Elle fut élève de W. M. Chase. Elle vécut et travailla à New Haven.

TUTTLE Richard

Né en 1941 à Rahway (New Jersey). xxᵉ siècle. Américain.

Sculpteur, sculpteur d'assemblages, peintre, aquarelliste, peintre de collages, dessinateur.

Il fut élève du Trinity College à Hartford (Connecticut) puis de la Cooper Union de New York. Il s'installe en 1963 à New York puis à New Mexico.

Il participe à de très nombreuses expositions collectives, régulièrement à New York dans de nombreuses galeries, au Whitney Museum of American Art ; 1994 National Gallery of Art de Washington ; 1995 Carnegie Museum of Art de Pittsburgh ; 1996 Schmidt Contemporary Art de Saint Louis. Il montre ses œuvres dans des expositions personnelles : régulièrement à New York depuis 1965 à la Betty Parsons Gallery, 1972 Museum of Modern Art, 1975 Whitney Museum of American Art ; ainsi que : depuis 1968 régulièrement à la galerie Schmela à Düsseldorf ; depuis 1972 régulièrement à la galerie Yvon Lambert à Paris ; 1975 Otis Art Institute Gallery de Los Angeles ; 1977 Kunsthalle de Bâle ; 1978 Museum Van Hedendaagse Kunst de Gand ; 1979, 1984 Stedelijk Museum d'Amsterdam ; 1980 California Institute of Technology à Pasasena, centre d'art contemporain de Genève ; 1982 musée de Calais ; 1984 Institute of Contemporary Art de Londres ; 1985 Museum Abteiberg de Mönchengladbach, Institute of Contemporary Arts de Londres ; 1986 CAPC de Bordeaux et ARC, musée d'Art moderne de la ville de Paris ; 1987 musée de Nîmes ; 1990 Sprengel Museum de Hanovre ; 1991 Sala d'Expositions de la fundacio La Caixa de Barcelone, Institute of Contemporary Art d'Amsterdam ; 1992 Kunstmuseum de Winterthur, Institut d'art contemporain, centre Julio Gonzalez de Valence ; 1993 Staatliche Kunsthalle de Baden-Baden, Museum of Art d'Indianapolis ; 1995 Museum of Fine Arts de Santa Fe, Sezon Museum of Art de Tokyo ; 1996 Neues Museum de Zug ; 1997 exposition itinérante organisée par le Camden Art Center de Londres. Dans les années soixante, il travaille, comme nombre de ses contemporains, dans les tendances de l'époque, entre minimalisme et art conceptuel, avec des œuvres rigoureuses aux formes neutres. Néanmoins, ses recherches moins spectaculaires se placent en marge de ces courants artistiques dominants, privilégiant un développement plus intime, plus personnel. Après une série de boîtes aux formes minimales en papier, il réalise de 1964 à 1965 des reliefs monochromes en bois aux contours irréguliers, composés d'une ou deux couleurs, d'un ou plusieurs panneaux assemblés. Entre peinture et sculpture, ses pièces présentées au sol ou sur le mur évoquent en miniature et de manière artisanale les *Shaped Canvas* (canevas découpés) de Stella. Dans le même esprit, avec un vocabulaire de formes proches, il réalise un « alphabet » de relief en métal (*Twenty Six Series*). Puis viennent les *Cloth octogonal* (tissus octogonaux) « dessins pour des structures tridimensionnelles dans l'espace » (Turrell). Ces formes colorées abstraites d'une grande pureté sur des toiles non tendues (puis sur papier) sont simplement fixées au mur, avec notamment une suite d'octogones blancs sur mur blanc. Fidèle au matériau pauvre, il associe à des dessins sur le mur l'ombre d'un fil de fer suspendu qui se « reflète » sur le trait du crayon dans les *Wire Pieces*, puis travaille à partir de formes en cordes en bois. Depuis la fin des années soixante-dix, il se consacre plus spécifiquement à des assemblages, qui oscillent toujours entre peinture et sculpture, de petit format aux matériaux simples, familiers : bois de sapin, carton, papier, polystyrène, tissu ou

contre-plaqué, fil de fer, aiguille. Ses pièces fragiles, aux formes inédites échappant à toute tentative de description, se déploient librement dans l'espace sans contour précis. Ne se référant à rien de connu, hors de toutes références même de l'ordre du signe ou du symbole, ses structures rigoureuses se présentent brutes, hors cadre, avec les défauts de fabrication (traces de pinceau, coulures de colle), pour ce qu'elles sont « une chose qui ne ressemble à rien qu'à elle-même » (Tuttle). La surface du mur sur lequel elles se détachent prend une part active à leur épanouissement « il y a totale ambivalence entre la surface du mur et la surface de l'œuvre » (id.). Ce lien très fort entre l'œuvre et son point d'accroche se trouve renforcé par les instructions fournies par l'artiste qui précise exactement (au millimètre près) à quelle distance du sol et des angles son « collage » doit être placé pour être considéré comme achevé et intégré, comme souhaité, pleinement à l'environnement. ■ L. L.

Bibliogr. : Peter Schjeldahl : *L'art de notre temps*, Londres, 1984 – Kenneth Baker : *Minimalisme : art de circonstance*, New York, 1988 – Catalogue de l'exposition : *Richard Tuttle*, Musée d'Art moderne de la ville, Paris, 1987 – Catalogue de l'exposition : *Richard Tuttle, Wire Pieces*, CAPC, Bordeaux, 1987 – Bernard Brunon : *Richard Tuttle, Collage-Drawings*, Artstudio, n° 23, Paris, hiver 1991 – in : *L'Art du xxᵉ siècle*, Larousse, Paris, 1991.

Musées : Amsterdam (Stedeljik Mus.) – Buffalo (Albright-Knox Art Gal.) – Cologne (Wallraff-Richartz Mus.) – Épinal (Mus. départ. des Vosges) : *01* 1981, bois, cart., pellicule adhésive et acryl. – Kassel (Staatliche Kunstsammlungen) : *Twenty-Six Series* 1967 – Krefeld (Kaiser-Wilhelm Mus.) – Lausanne (Mus. canton.) : *The Baroque and Color VII* 1986-1986 – New York (Mus. of Mod. Art) – New York (Whitney Mus. of American Art) : *Grey extended seven* 1967 – Ottawa (Nat. Gal. of Canada) – Paris (BN) : *Two Pinwheels*. *Works 1964-1985*, livre – 1938 (Mus. nat. d'Art mod.) : *House* – Saint Louis (Art Mus.) – Washington D. C. (Corcoran Art Gal.) – Zurich (Kunsthaus).

Ventes Publiques : New York, 9 nov. 1983 : *The voices* 1966, bois peint en noir et blanc (80x30,5x9,5) : **USD 6 500** – Londres, 4 déc. 1984 : *Second fused Color Knot* 1971, aquar. et cr. (30,2x22,7) : **GBP 1 300** – New York, 7 nov. 1985 : *Cloth piece* 1967, tissu teint (176,5x101,5) : **USD 14 000** – New York, 14 fév. 1989 : *Sans titre* 1985, construction suspendue de fibres synthétiques, cart., ficelle et tiges métalliques (109,2x66x40,7) : **USD 4 400** – New York, 23 fév. 1990 : *Séries Yale*, aquar. et cray./pp millimètré (91,5x76,2) : **USD 4 620** – New York, 14 fév. 1991 : *Sans titre*, étain galvanisé, sculpture murale (29,8x16) : **USD 12 100** – New York, 1ᵉʳ mai 1991 : *Image argentée* 1964, construction de contre-plaqué peint (71x221x5) : **USD 88 000** – New York, 3 oct. 1991 : *Butin du singe I n° 1* 1983, techn. mixte (72,4x106,7x23) : **USD 18 700** – New York, 13 nov. 1991 : *Constructions de carton* 1964, six cubes (chaque 7,7x7,7x7,7) : **USD 9 900** – New York, 6 mai 1992 : *Colis chinois* 1986, acryl./cart. mis en forme avec alu., découpes de résines synth. et pap. brun (87x90,8x13,3) : **USD 11 000** – New York, 6 oct. 1992 : *Sans titre*, aquar. et cr./pap. transparent (91,4x74,9) : **USD 4 400** – Londres, 24-25 mars 1993 : *Ville de Paris*, cr. et aquar./pap. (23x16,5) : **GBP 1 265** – New York, 4 mai 1993 : *Triptyque vert*, h/bois (68x170,8x6,4) : **USD 96 000** – New York, 11 nov. 1993 : *Peinture en Italie III* 1988, aquar. et cr. coul./pap. en quatre parties, installation (71,1x112,4) : **USD 16 100** – Londres, 2 déc. 1993 : *Réparation de singe I n° 5* 1983, bois, fil de fer et h/bois et coton (82x101x9,5) : **GBP 8 050** – Londres, 30 juin 1994 : *Tempête* 1965, h/bois en deux parties (50x48) : **GBP 10 925** – Paris, 16 mars 1997 : *Inclination naturelle*, aquar./pap. (35x27) : **FRF 14 000** – New York, 10 nov. 1997 : *Pôle bleu* 1965, h/pan. découpé (144,2x41,9x4,2) : **USD 266 500**.

TUTTLE Ruel Crompton

Né le 24 septembre 1866 à Windsor. xixᵉ siècle. Américain.

Peintre de portraits, décorations murales.

Il fut élève de l'Art Students' League de New York sous la direction de Mawbray et J. Alden Weir. Il fut membre de la Fédération américaine des Arts.

TUTUKIN Piotr Vassiliévitch. Voir TOUTOUKINE

TUTUNDJIAN Léon Arthur

Né en 1905 ou 1906 à Amassia (Arménie). Mort le 1ᵉʳ décembre 1968 à Paris. xxᵉ siècle. Depuis 1923 actif en France. Arménien.

Peintre, aquarelliste, peintre à la gouache, peintre de collages, auteur d'assemblages, dessinateur, sculpteur. Expressionniste, puis abstrait, puis surréaliste, puis nouveau abstrait.

Avant de se fixer à Paris en 1923, il avait séjourné en Grèce et en

Italie. Il gagna d'abord sa vie comme ouvrier céramiste, puis, autodidacte désirant devenir artiste, il suivit les conseils de Mondrian, Torres-Garcia et Hélion. Il participa en 1931 à la fondation du groupe et de la revue de l'Art Concret, avec Jean Hélion, Théo Van Doesburg et Otto Carlsung, en 1930.

Il participa à diverses expositions, régulièrement à Paris : 1926 Exposition surréaliste à la galerie surréaliste ; 1927 Salon des Indépendants ; 1927, 1930 Salon des Surindépendants ; ainsi que : 1930 *Art post-cubiste* à Stockholm, *Produktion Paris 1930* à Zürich ; 1932 *Tendance passée* à la galerie Pierre Colle ; 1958 galerie Rive Gauche avec Brauner, Dominguez, Man Ray, Ernst, Michaux ; 1966 *Arp, Hélion, Tutundjian* à la galerie Yvon Lambert. Il montre ses œuvres dans des expositions personnelles : 1966 galerie Yvon Lambert ; à titre posthume 1972 chez Olivetti à Paris.

Comme en a témoigné Hélion, Tutundjian a bénéficié de l'estime et de l'intérêt d'un bon nombre des artistes les plus importants de ce temps. Pourtant il n'aura pas connu la grande renommée et la postérité a encore du mal à lui assigner sa place. Il est vrai qu'il a déconcerté à travers tout son œuvre par les tournants brutaux qu'il a pris et, en conséquence, par la multiplicité des aspects que l'œuvre présente. Autour de 1924, il peignait des gouaches expressionnistes. En 1925, il peignait, en général à l'aquarelle, des œuvres qu'il faut bien dire tachistes très avant la lettre. En 1925-1926, il s'exprimait surtout par la technique du collage. La première époque importante de son œuvre englobe les années 1927 à 1929. Peignant alors à l'huile, à la gouache, à l'aquarelle, et créant aussi des reliefs, il adhérait entièrement alors à une abstraction géométrique issue du néo-plasticisme de Mondrian et du constructivisme russe. Conservant les initiatives d'Art Concret, Tutundjian se fondit aussitôt dans le regroupement plus vaste d'Abstraction-Création, aux activités duquel il participa jusqu'en 1932 environ. À partir de 1933, Tutundjian revint brutalement à la figuration, puis se rallia complètement aux objectifs surréalistes, produisant dans cette optique les œuvres de sa seconde période importante. Sa production surréaliste fut abondante et diverse ; on a pu lui reprocher, comme à l'ensemble de son œuvre, la multiplicité des influences et des directions, parmi lesquelles dominait celle de Dali : méticulosité de l'exécution, paysages désertiques, formes molles, objets en décomposition, etc. Enfin, après 1958 et jusqu'à sa mort, il revint à l'abstraction de sa première période. ■ J. B.

L. G. Tutundjian

BIBLIOGR. : *Catalogues de Ventes Publiques*, Étude de Me Cl. Robert, Paris, mars 1970, octobre 1970, mars 1972, juin 1973 – in : Catalogue de l'exposition *Abstraction-Création 1931-1936*, Westfälisches Landesmus. für Kunst und Kulturgeschichte, Münster, Musée d'Art moderne de la Ville, Paris, 1978 – in : *L'Art du XXᵉ s.*, Larousse, Paris, 1991 – in : Catalogue de l'exposition *Les Années trente en Europe. Le temps menaçant*, Musée d'Art moderne de la ville, Paris Musées, Flammarion, Paris, 1997.

MUSÉES : GRENOBLE : *Relief* 1930.

VENTES PUBLIQUES : PARIS, 12 déc. 1969 : *Nature morte à la théière*, gche : **FRF 6 500** ; *Éléments* : **FRF 16 000** – PARIS, 15 juin 1970 : *Masque rouge* : **FRF 21 000** – PARIS, 19 juin 1973 : *Relief aux cylindres intégrés*, bois et fer : **FRF 5 100** – PARIS, 19 juin 1974 : *Le couple, composition surréaliste* : **FRF 10 000** PARIS, 21 juin 1974 : *Composition à la tangente et au cercle rouge*, gche et encre de Chine : **FRF 4 600** ; *Le signal*, alu. : **FRF 30 100** – LOS ANGELES, 10 mars 1976 : *Les jardins d'Eden* 1939, h/t (23x27,3) : **USD 475** – PARIS, 2 juil. 1976 : *Projection spatial*, bronze : **FRF 4 600** – PARIS, 28 nov. 1977 : *Formes* 1926, gche (26x30) : **FRF 8 000** – MONTE-CARLO, 9 oct. 1977 : *Le signal* 1928, alu. patiné (H. 99) : **FRF 5 500** – VERSAILLES, 22 mars 1981 : *Le Masque jaune*, h/t (89x115) : **FRF 13 500** – PARIS, 15 mai 1981 : *Le Signal* 1928, bronze (H. 104) : **FRF 6 000** – NEW YORK, 18 mars 1982 : *Composition* 1928, techn. mixte/t (73,5x92) : **USD 2 000** – PARIS, 21 nov. 1983 : *Le Signal* 1928, alu. (H. 100) : **FRF 18 000** – PARIS, 28 sep. 1984 : *Composition avec une boule verte* 1927, aquar. et encre de Chine (63x50) : **FRF 21 000** – PARIS, 28 sep. 1984 : *Composition* 1926, encre de Chine (23x27) : **FRF 7 000** – PARIS, 24 mai 1984 : *Composition surréaliste*, h/t (89x116) : **FRF 51 000** – PARIS, 5 juil. 1985 : *Composition* 1927, pl. et alu. br. d'encre de Chine (22x15,8) : **FRF 6 000** – PARIS, 12 oct. 1986 : *Composition* 1926, encre (50x33) : **FRF 15 000** – PARIS, 30 mars 1987 : *L'équerre et l'arbre mort* 1930/1933, h/t (114x61) : **FRF 360 000** – PARIS, 24 avr. 1988 :

Relief 1929, métal et peint. (diam. 58,3) : **FRF 160 000** – PARIS, 21 nov. 1988 : *Composition* 1929, aquar. (20x21) : **FRF 4 800** – PARIS, 12 fév. 1989 : *Le signal* 1922, alu. (H. 102,5) : **FRF 45 000** – PARIS, 12 fév. 1989 : *Projections sphériques* 1928, encre de Chine (17x12) : **FRF 11 000** – PARIS, 29 sep. 1989 : *Tête d'enfant*, dess. à l'encre de Chine (24x20) : **FRF 5 500** – PARIS, 7 oct. 1989 : *Relief* 1929 (Diam. 60) : **FRF 250 000** – VERSAILLES, 10 déc. 1989 : *Portrait d'enfant*, dess. à la pl. (23x19,5) : **FRF 8 500** – PARIS, 28 mars 1990 : *Composition* 1960, gche (31x23) : **FRF 13 000** – LONDRES, 23 mai 1990 : *Composition*, encre et collage (31x24) : **GBP 7 700** – PARIS, 19 juin 1990 : *Composition surréaliste* 1930, h/t (90x130) : **FRF 300 000** – DOUAI, 11 nov. 1990 : *Guerres de la révolution* 1925-1926, collage (45x32) : **FRF 42 000** – PARIS, 15 avr. 1991 : *Composition cellulaire* 1927, h/cart. (22x27) : **FRF 24 500** – LONDRES, 26 juin 1991 : *Relief gris* 1929, construction de métal et temp./pan. (35,7x35,7) : **GBP 16 500** – NEW YORK, 10 nov. 1992 : *Composition* 1927, encre de Chine /pap. teinté (32,5x25) : **USD 1 100** – PARIS, 4 mai 1993 : *Composition* 1928, encre de Chine et frottage de mine de pb (30,5x21,5) : **FRF 8 600** – PARIS, 15 nov. 1994 : *Composition*, techn. mixte/pap. (34x21) : **FRF 30 000** – PARIS, 2 juin 1995 : *Le signal*, fonte d'aluminium, tirage original (100x24) : **FRF 38 000** – LONDRES, 25 oct. 1995 : *Buste bicéphale* 1931, encre (43x63) : **GBP 2 530** – PARIS, 4 oct. 1997 : *Composition cellulaire* 1927, h/cart. (22x27) : **FRF 17 000**.

TUURA Alpo S.
Mort en 1928 à Cleveland, jeune. XXᵉ siècle. Américain.
Peintre de paysages.

TUVIN John
XVIIIᵉ siècle. Actif à Londres. Britannique.
Miniaturiste.
Il exposa à Londres de 1776 à 1792, notamment trois miniatures à la Society of Artists et quatorze à la Royal Academy.

TUVORA ou Tuwora
XVIIIᵉ-XIXᵉ siècles. Travaillant à Prague de 1780 à 1807. Tchécoslovaque.
Peintre d'intérieurs.
Il travailla pour l'abbaye des Bénédictins de Prague et pour l'abbaye de Strahov.

TUWER. Voir DAUHER

TUXEN Elias
Né en 1710 à Kornum (près de Lögstör). Mort le 13 juillet 1747 à Södal. XVIIIᵉ siècle. Danois.
Portraitiste.
Il a peint pour l'église de Rödding, un *Portrait d'And. Kjärulf et de sa femme*.

TUXEN Laurits Regner
Né le 9 décembre 1853 à Copenhague. Mort le 21 novembre 1927 à Copenhague. XIXᵉ-XXᵉ siècles. Danois.
Peintre d'histoire, compositions animées, portraits, paysages, sculpteur.
En 1874, il fut élève de Bonnat à Paris. En 1883, il alla en Italie. Il fut professeur et peintre de la cour danoise. Il vécut à Copenhague. Il reçut une mention honorable à Berlin en 1891 et fut associé de la Société Nationale des Beaux-Arts et Chevalier de la Légion d'honneur.

MUSÉES : COPENHAGUE : *Échoppes de poissons à Nymindegab* – FREDERIKSBORG : *Prise d'Arkona – Portrait de Mme H. W. Sharling* – HAMBOURG : *Le Général Consul Pontoppidan.*

VENTES PUBLIQUES : COPENHAGUE, 14 fév. 1973 : *P.S. Kroyer avec son chien de chasse* : **DKK 9 000** – COPENHAGUE, 11 fév. 1976 : *Le retour des pêcheurs* 1877, h/t (82x63) : **DKK 7 300** – COPENHAGUE, 18 mars 1980 : *Le retour des pêcheurs* 1887, h/t (96x147) : **DKK 15 000** – COPENHAGUE, 7 mars 1984 : *Jeune femme et barque sur la plage* 1910, h/t (46x61) : **DKK 37 000** – LONDRES, 26 fév. 1985 : *Fillette jouant dans le sable* 1873, h/t (46x72) : **GBP 1 800** – COPENHAGUE, 17 nov. 1987 : *Deux jeunes filles assises sur un banc face à la mer*, h/t (50x61) : **DKK 150 000** – COPENHAGUE, 21 fév. 1990 : *Jeune Fille avec une écharpe noire*, h/t (54x46) : **DKK 17 000** – LONDRES, 27-28 mars 1990 : *Dans les dunes* 1915, h/t (46,5x70) : **GBP 17 600** – COPENHAGUE, 29 août 1990 : *Deux hommes dans une felouque sur le Nil*, peint./bois (20x29) : **DKK 5 000** – COPENHAGUE, 1ᵉʳ mai 1991 : *Dame sur la plage de Skagen* 1909, h/t (58x40) : **DKK 61 000** – COPENHAGUE, 6 mai 1992 : *Orphée et Eurydice* 1907, h/t (40x42) : **DKK 4 200** – COPENHAGUE, 6 sep. 1993 : *Vénus Anadyomène* 1907, h/t (50x28) : **DKK 5 800** – LONDRES, 16 nov. 1994 : *Pan et Apollon* 1874, h/t (116x133) : **GBP 11 500** – COPENHAGUE, 17 mai 1995 : *La prise d'Arcona, Svan-*

tevit chassé 1893, h/t (53x128) : **DKK 7 500** – Copenhague, 14 fév. 1996 : *Jardin public enneigé à Slagen* 1904, h/t (41x33) : **DKK 30 000** – Copenhague, 10-12 sep. 1997 : *Deux enfants dans un intérieur*, h/t (42x32) : **DKK 19 000** – New York, 23 mai 1997 : *Le Dîner d'anniversaire à l'Adélaïde* 1906, h/t (143,5x210,8) : **USD 96 000** – Copenhague, 21 mai 1997 : *Modèle assis* 1880 (100x75) : **DKK 28 000**.

TUXEN Nicoline ou **Bertha Nicoline**
Née le 14 novembre 1847 à Copenhague. Morte le 5 avril 1931 à Copenhague. xixᵉ-xxᵉ siècles. Danoise.
Peintre de fleurs.
Sœur du peintre Laurits Tuxen, elle fut élève de V. Kyhn.

TUXHORN Georg
Né le 26 mars 1892 à Bielefeld. xxᵉ siècle. Allemand.
Peintre, graveur.
Il fut élève de l'Académie de Dresde.
Musées : Bielefeld (Mus. mun.) : *Pont de chemin de fer – Le Château de Sudbrack.*

TU XUAN ou **T'ou Hiuan** ou **T'u Hsüan**, surnom : **Yizhen**, noms de pinceau : **Sucun** et **Fuyu Shannong**
Originaire de Wuxing (province du Zhejiang). xviiiᵉ siècle. Actif à Suzhou (province du Jiangsu) vers 1790. Chinois.
Peintre.

TUYER Louis Edmond
Né à Magny. xixᵉ siècle. Français.
Peintre de paysages.
Il débuta au Salon de 1879.

TUYLEN Corneille Jomssons Van ou **Henley**
Né en 1580. Mort en 1665. xviiᵉ siècle. Hollandais.
Peintre.
Le Musée de Cherbourg conserve de lui : *Portrait d'une dame hollandaise.*

TUYLL W. Van
xixᵉ siècle. Actif au début du xixᵉ siècle. Hollandais.
Aquafortiste.

TUYMANS Luc
Né en 1958 à Mortsel (près d'Anvers). xxᵉ siècle. Belge.
Peintre de portraits, intérieurs, natures mortes.
Il montre ses œuvres dans des expositions personnelles : 1995-1996 musée des Beaux-Arts de Nantes.
Il a travaillé dans plusieurs séries sur l'histoire notamment la Seconde Guerre mondiale et l'holocauste. Il possède un style très personnel, au caractère douloureux, adoptant un cadrage photographique, travaille avec peu de relief dans une gamme de tons pâles dans des petits formats.
Ventes Publiques : Francfort-sur-le-Main, 14 juin 1994 : *Plafond* 1993, h/t (30x50) : **DEM 10 500** – Zurich, 30 nov. 1995 : *Die Zeit*, h/t (60x70) : **CHF 10 925**.

TU ZHUO ou **T'ou Tcho** ou **T'u Cho**, surnom : **Mengzhao**, noms de pinceau : **Qinwu** et **Qianyuan**
Né en 1781, originaire de Qiantang, (province du Zhejiang). Mort en 1828. xixᵉ siècle. Chinois.
Peintre de paysages.
Ventes Publiques : New York, 29 nov. 1993 : *Le pont Liu Qiu à l'aube*, encre/pap., kakémono (30,5x22,9) : **USD 920**.

TUZOLI Pietro
Né à Varignana. xivᵉ siècle. Actif à la fin du xivᵉ siècle. Italien.
Sculpteur.
Il travailla pour l'église S. Petronio de Bologne.

TUZZOLO di Marco
xivᵉ siècle. Actif à Pérouse en 1309. Italien.
Peintre.

TV. Pour les patronymes commençant par ces lettres, voir aussi **TW**

TVEDE Claus
xviiiᵉ siècle. Danois.
Sculpteur.
Il travailla pour la Manufacture de porcelaine de Copenhague. Il sculpta des scènes et des types populaires.

TVEDE Jakob Hansen ou **Tweedte**
Né en 1777 à Tondern. Mort le 24 avril 1819 à Hambourg. xixᵉ siècle. Allemand.
Peintre.
Élève de Pierre Étienne Lesueur. Il fut peintre au théâtre français de Hambourg en 1811.

TVEDE Mogens
xxᵉ siècle. Depuis 1932 actif en France. Danois.
Peintre de portraits, aquarelliste.
Ayant étudié l'architecture, il se rend aux États-Unis où il a beaucoup construit. Établi à Paris en 1932, il se consacre surtout à l'aquarelle, prenant pour modèles des célébrités mondaines généralement représentées dans leur intérieur : Lady Diana Cooper, Christian Bérard, Vicomtesse de Noailles, Louise de Vilmorin, Princesse Charlotte de Monaco, etc.

TVEDE Morten Peter Frederik
Né le 3 mai 1864 à Copenhague. Mort le 28 décembre 1908 à Messine. xixᵉ siècle. Danois.
Peintre de marines, écrivain.
Élève de G. et de S. Vermehren. Il écrivit des ouvrages pour la jeunesse.

TVERFF Jacobus Van der
xviiᵉ siècle. Actif dans la première moitié du xviiᵉ siècle. Hollandais.
Dessinateur d'ornements.

TW. Pour les patronymes commençant par ces lettres, voir aussi **TV**

TWACHTMAN John Henry
Né le 4 août 1853 à Cincinnati (Ohio). Mort le 18 août 1902 à Gloucester (Massachusetts). xixᵉ siècle. Américain.
Peintre de paysages animés, paysages, paysages d'eau, fleurs, pastelliste, graveur, dessinateur. Impressionniste.
Il est d'abord élève de Franck Duveneck à l'École de dessin de sa ville natale. Puis il poursuit ses études à l'Académie des Beaux-Arts de Munich, dans l'atelier de Ludwig von Löfftz. De retour à Cincinnati en 1878, il s'installe aussitôt à New York, où il est élu membre de la Society of American Artists, en 1879. Il retourne à diverses reprises en Europe, il visite l'Angleterre, la Hollande, la Belgique et l'Allemagne. En 1883, il s'inscrit à l'Académie Julian de Paris, où il a pour maîtres Gustave Boulanger et Jules Joseph Lefebvre. Il rencontre alors Frank Benson, Childe Hassam, Willard Leroy Metcalf, Edmund Tarbell, formant ensuite avec certains d'entre eux le *Groupe des Dix* (Ten American Painters). De retour dans son pays, il enseigne à l'Art Students' League de New York, pour se retirer, en 1888, dans une ferme du Connecticut. Il passe l'été 1900 à Gloucester dans le Massachusetts. Le 24 mars 1903, la vente de son atelier, comprenant pas moins de quatre-vingt-dix-huit peintures, produit $ 16.610.
Il figure, en 1893, à l'exposition organisée par l'American Art Galleries ; en 1913, avec James McNeill Whistler, Ryder, Childe Hassam, à l'exposition historique de l'Armory Show, qui introduit l'art moderne aux États-Unis. Il est représenté à l'exposition *Impressionnistes américains*, au Musée du Petit Palais, à Paris, en 1982 ; ainsi qu'à l'exposition *200 ans de peinture américaine. Collection du Musée Wadsworth Atheneum*, présentée aux Galeries Lafayette, à Paris, en 1989. Il obtient diverses récompenses : une médaille à Chicago en 1893, le Prix Webb à la Society of American Artists, une médaille d'or à la Pennsylvania Academy en 1895, une médaille d'argent à Buffalo en 1901.
Durant son séjour en France, il peint plusieurs vues de la côte Normande, des environs de Dieppe et de Honfleur, laissant dès lors une large place à l'espace, à l'asymétrie et à la calligraphie qui rappellent les estampes japonaises et le travail de James McNeill Whistler. Amoureux de la campagne, il a une attirance pour les paysages d'hiver : « J'ai besoin de vivre à la campagne pendant toute l'année. La nature n'est jamais aussi belle que par temps de neige. Tout est si calme et la terre entière semble enveloppée d'un manteau...
Toute la nature est dans un profond silence ». Il s'est inspiré des maîtres français impressionnistes avec une sensibilité toute particulière qui l'ont mené parfois à un art proche de l'art abstrait. Il peint des fleurs, mais au lieu de composer soigneusement des bouquets, il préfère les représenter dans un jardin. Mais s'il ne veut pas domestiquer la nature, il ne veut pas plus qu'elle prenne un ascendant sur sa propre vision et ses œuvres traduisent la tension entre ces deux forces.   ■ Sandrine Delcluze

Bibliogr. : Allen Tucker : catalogue de l'exposition *John H. Twachtman*, Whitney Museum of Modern Art, American Artist

Series, New York, 1931 – Mary Welsh Baskett : catalogue de l'exposition *John Henry Twachtman*, Cincinnati Art Museum, Cincinnati, Ohio, 1966 – Richard J. Boyle : catalogue de l'exposition *John Henry Twachtman, 1853-1902*, Ira Spanierman Gallery, New York, 1968 – Richard J. Boyle : *John Henry Twachtman*, Watson-Guptill, New York, 1979 – Catalogue de l'exposition : *Impressionnistes américains*, musée du Petit Palais, Paris, 1982 – William H. Gerdts, D. Scott Atkinson, Carole L. Shelby, Jochen Wierich : *Impressions de toujours – Les peintres américains en France 1865-1915*, Mus. américain de Giverny, Terra Foundation for the Arts, Evanston, 1992.

Musées : Boston : *Février – Paysage d'hiver* – une esquisse – Chicago (Art Inst.) : *Retenu par la neige* 1885 – Cincinnati (Ohio) – Cincinnati (Mus. of Art) : *Old Holley House, Cos Cab* – Giverny (Mus. américain Terra Foundation for the Arts) : *Route près d'Honfleur* 1883-1885 – *La Rivière* 1883-1885 – *Paysage d'hiver* s. d. – Hartford (Wadsworth Atheneum Mus.) : *Emerald Pool, Yellowstone* vers 1895 – Minneapolis (Inst. of Arts) : *Le Pont blanc* – New York (Metropolitan Mus.) : *Arques-la-Bataille* 1885 – *La Cascade* – New York (Library and Art Gal.) : *Le Port de Gloucester* vers 1900 – Northampton (Smith College Mus. of Art) : *Le Moulin à vent* – Washington D. C. (Smithsonian Inst.) : *Fin de l'hiver* 1889 – Worcester (Mus. of Art) : *Neige – Les Rapides de Yellowstone*.

Ventes Publiques : Paris, 1895 : *L'automne dans le Connecticut* : **FRF 650** ; *Ténèbres sur la neige* : **FRF 600** – New York, 11-12 mars 1909 : *Bateaux sur la Seine* : **USD 480** – New York, 4-6 avr. 1911 : *Étude de Greenwich*, past. : **USD 95** – Paris, 15 nov. 1929 : *Le pont de Brooklyn* : **USD 625** ; *Milieu de l'été* : **USD 625** – New York, 1er nov. 1935 : *Ville sur l'Atlantique* : **USD 500** – New York, 24 oct. 1945 : *Octobre* : **USD 500** – New York, 19 mars 1969 : *L'entrepôt, Gloucester, Mass.* : **USD 10 500** – New York, 21 mai 1970 : *Paysage* : **USD 9 000** – New York, 27 jan. 1972 : *Paysage de printemps* : **USD 6 000** – New York, 21 mars 1974 : *La rivière*, past. : **USD 1 600** – New York, 20-21 avr. 1976 : *Paysage de printemps* 1897, h/t (61x73) : **USD 2 600** – New York, 21 avr. 1977 : *Canal vénitien* 1885, past./pap. gris (44,5x32) : **USD 5 500** – New York, 21 avr. 1977 : *Hiver*, h/pan. (45x56) : **USD 60 000** – New York, 25 oct 1979 : *Maison dans un paysage*, h/t (64,7x76,7) : **USD 41 000** – Boston, 2 mai 1980 : *Village sous la neige* vers 1890, past. (30,5x37,5) : **USD 12 500** – New York, 2 juin 1983 : *Paysage de Toscane*, h/t (44,5x56) : **USD 35 000** – New York, 21 sep. 1984 : *Paysage*, past. (16,2x38,7) : **USD 1 000** – New York, 30 mai 1985 : *Bord de mer*, aquar. (38,1x54,6) : **USD 9 500** – New York, 5 déc. 1986 : *Last touch of sun*, h/t (62,9x76,2) : **USD 550 000** – New York, 1er déc. 1988 : *Bateaux à l'ancrage*, h/cart. (34,9x23,5) : **USD 27 500** – New York, 25 mai 1989 : *Les chutes de Horseneck à Greenwich dans le Connecticut*, h/t (64,1x64,1) : **USD 104 500** – New York, 18 oct. 1989 : *Un canal en Hollande* 1881, h/pan. (24,8x33) : **USD 49 500** – New York, 1er déc. 1989 : *La côte de Gloucester*, h/t (40,6x55,8) : **USD 38 500** – New York, 24 mai 1990 : *Paysage côtier* 1882, h/pan. (36,8x63,5) : **USD 38 500** – New York, 29 nov. 1990 : *Le campanile en fin d'après-midi*, h/pan. (41,3x26) : **USD 38 500** – New York, 14 mars 1991 : *Le long de la barrière*, h/t (56x73,6) : **USD 18 700** – New York, 22 mai 1991 : *Paysage d'hiver*, h/t/pan. (65x81) : **USD 517 000** – New York, 28 mai 1992 : *Lys tigrés*, h/t (76,2x63,5) : **USD 165 000** – New York, 26 mai 1993 : *Chutes du Niagara*, h/t (76,3x76,3) : **USD 68 500** – New York, 29 nov. 1995 : *La plage de Squam*, h/t (63,5x76,2) : **USD 156 500** – New York, 22 mai 1996 : *Paysage de printemps*, h/t (26x38,7) : **USD 54 625**.

TWARDOWSKA-CONRART Ilse. Voir CONRART Ilse

TWEED John
Né en janvier 1869 à Glasgow. Mort en novembre 1933 à Londres. xixe-xxe siècles. Britannique.
Sculpteur de portraits.
Élève de James Ewing à Glasgow, de Falguière à Paris, et ami de Rodin. Il sculpta des portraits de personnalités de son temps.
Musées : Londres (Nat. Portrait Gal.) : *Masque mortuaire de Cecil Rhodes* – Londres (Victoria and Albert Mus.) : *Portrait en relief de Rodin*.
Ventes Publiques : New York, 13 mai 1981 : *Country painting* 1971, h/t (198x305) : **USD 5 500**.

TWEEDIE William Menzies
Né le 28 février 1828 à Edimbourg. Mort le 19 mars 1878 à Londres. xixe siècle. Britannique.
Peintre de portraits.
Fils d'un officier de marine. Il eut d'abord le projet d'embrasser la même carrière, mais ses dispositions artistiques l'empor-

tèrent. En 1842, il fut élève des Écoles de l'Académie d'Edimbourg. En 1846, il vint à Londres et suivit les cours de la Royal Academy. Il compléta son éducation artistique, en venant travailler à Paris avec Couture. Il s'établit à Liverpool. De 1847 à 1874 il exposa trente-trois portraits à la Royal Academy, quatre à la British Institution et un à Suffolk Street. Quelques insuccès à la fin de sa carrière paraissent avoir hâté sa fin. Son *Portrait du duc de Devonshire* est conservé à l'Université de Londres.

TWEEDTE Jakob Hansen. Voir TVEDE

TWENEBROKES-GLAZEBROOK Hugh de
Né en 1855 à Londres. Mort en 1937. xixe-xxe siècles. Britannique.
Peintre de portraits.
Il reçut une médaille de bronze à l'Exposition universelle de Paris, en 1900. Il a exposé à Paris, au Salon de la Société Nationale des Beaux-Arts et à Londres, à la Royal Academy.
Ventes Publiques : Londres, 30 mai 1930 : *Elsie Dorothea, femme de E. A. J. Johnson-Ferguson* : **GBP 11** – Londres, 30 mai 1930 : *Elsie Dorothea, femme de E. A. J. Joohnson-Ferguson* : **GBP 11** – Londres, 25 jan. 1980 : *Portrait of a lady*, h/t (139,6x109,2) : **GBP 250** – Londres, 19 déc. 1991 : *Rosaline* 1900, h/t (57,1x41,9) : **GBP 6 600** – Londres, 13 mars 1992 : *Portrait d'une lady assise de trois-quarts*, h/t (140,3x109,9) : **GBP 770** – Londres, 9 mai 1996 : *Portrait d'une lady*, h/t (101x76) : **GBP 690**.

TWENGER Johann
Né en 1543 à Steyr. Mort le 27 juillet 1603 à Breslau. xvie siècle. Allemand.
Peintre et aquafortiste.
Il se fixa à Breslau en 1572. Il y travailla pour la ville et exécuta des sujets religieux.

TWENHUSEN Helmich Van, l'Ancien
D'origine hollandaise. xvie siècle. Travaillant à Dantzig. Hollandais.
Peintre.
Père de Helmich Van Twenhusen le Jeune.

TWENHUSEN Helmich Van, le Jeune
Né vers 1590 en Hollande. xviie siècle. Hollandais.
Peintre.
En 1640, il s'installa à Dantzig où il fit plusieurs portraits dans le style de Rembrandt.

TWENT Hendrik
xviiie siècle. Actif au début du xviiie siècle. Hollandais.
Peintre et collectionneur.
En 1708 il était dans la gilde d'Haarlem.

TWERSKOJ Michaïl Ivanovitch
Né le 22 septembre 1769. Mort le 14 février 1831. xviiie-xixe siècles. Russe.
Graveur au burin.

TWIBILL George W.
Né en 1806 (?) à Lancaster Country. Mort en 1836. xixe siècle. Américain.
Portraitiste.
Élève de H. Imman.

TWIGG
xviiie siècle. Travaillant en 1789. Américain.
Graveur de médailles.

TWIGG, Miss
xixe siècle. Travaillant de 1821 à 1840. Américaine.
Portraitiste.

TWIGG Andrew Richard
Né à Dublin. Mort le 24 janvier 1810 à Londres. xixe siècle. Irlandais.
Portraitiste et paysagiste.
Fils de Richard Twigg et élève de Fr. Rob. West.

TWIGG J. H.
xixe siècle. Actif dans la première moitié du xixe siècle. Britannique.
Portraitiste.
Il exposa à Londres en 1839 le portrait du Shah de Perse à la cour duquel il fut peintre.

TWIGG Richard
xviiie siècle. Actif à Dublin. Irlandais.
Peintre de blasons.
Père d'Andrew Richard Twigg.

TWINING Elizabeth
Née en 1805. Morte en 1889. XIXᵉ siècle. Active à Londres. Britannique.
Miniaturiste, portraitiste, illustrateur et écrivain.
Cette artiste exposa une miniature à la Royal Academy en 1881 et en 1885.

TWINS STARN. Voir **STARN Doug** et **Mike**

TWISDEN John
Né en 1503. Mort en 1588. XVIᵉ siècle. Britannique.
Portraitiste.
Il était prêtre.

TWITCHELL Asa Weston
Né le 1ᵉʳ janvier 1820 à Swanzey. Mort le 26 avril 1904 à Slingerlands. XIXᵉ siècle. Américain.
Portraitiste et paysagiste.
La Galerie d'Albany conserve de lui *Madone et l'Enfant* et *Portrait de l'artiste.*

TWITCHELL Kent
Né en 1942. XXᵉ siècle. Américain.
Peintre de compositions murales, peintre de figures. Tendance hyperréaliste.
Il a passé son enfance dans une ferme du Midwest, rêvant de dessiner des couvertures de livres ou de magazines. Ce n'est qu'à l'âge de vingt-huit ans que lui fut donnée l'occasion de peindre un héros de films « western » (Steve McQueen) sur le mur d'une maison. Auparavant, en 1966-1967, dans la mouvance « hippie », il avait, comme beaucoup, mis de la peinture, des couleurs « psychédéliques » sur un peu tout, vêtements, couloirs, voitures. Son gigantesque cow-boy eut du succès. Les commandes affluèrent et, parmi un bon nombre d'anonymes, Twitchell fait figure d'artiste à part entière. Il a formé des élèves en les prenant d'abord comme aides. Les murs de Los Angeles, où il vit et travaille, sont maintenant couverts de ces peintures géantes, qui sont devenues une des ressources touristiques de la ville.
La technique aussi réaliste que possible s'apparente à l'hyperréalisme. Les personnages ou les scènes représentés sont reproduits d'après des magazines de cinéma, voire parfois d'après des peintures célèbres, ainsi de ses *Fiancés*, inspirées de Botticelli. Pour donner une idée de la dimension de ces peintures, il a été calculé que l'œil d'un de ses personnages était 7 000 fois plus grand que nature. Ces peintures en plein air sont soumises à des agressions de toutes sortes, Twitchell consacre une partie de son temps à les restaurer. ■ J. B.

TWOMBLY Cy
Né le 25 avril 1929 à Lexington (Virginie). XXᵉ siècle. Depuis 1957 actif en Italie. Américain.
Peintre, peintre de collages, sculpteur. Expressionniste abstrait.
Il fut élève de la School of the Museum of Fine Arts de Boston, de l'Art Students' League de New York puis du Black Mountain College (Caroline du nord) où il eut pour professeur Robert Motherwell et Franz Kline. En 1952, il séjourne pour la première fois en Europe, où il découvre notamment l'Italie, et s'installe définitivement à Rome en 1957. Depuis 1972, il partage son temps entre la peinture et la restauration de demeures.
Il participe à de nombreuses expositions collectives, notamment aux principales manifestations consacrées à l'art américain contemporain : 1958 Gutaï IX à Osaka ; 1963 Stedelijk Museum d'Amsterdam ; 1964 Biennale de Venise ; 1966, 1976 Museum of Modern Art de New York ; 1967 Whitney Museum of American Art de New York ; 1969 American Federation of Art Circulating Exhibition, Museum of Art d'Indianapolis ; 1970 Salon de Mai à Paris et IIIᵉ Salon International des Galeries Pilotes à Lausanne ; 1974 Kunsthalle de Düsseldorf ; 1976 Solomon R. Guggenheim Museum de New York. Il montre ses œuvres dans de nombreuses expositions personnelles : depuis 1951 régulièrement à New York (1979 rétrospective au Whitney Museum of American Art, 1994 Museum of Modern Art) ; 1968 Art Center de Milwaukee ; 1973 Kunsthalle de Berne, Kunstmuseum de Bâle ; 1975 Institute of Contemporary Art de Philadelphie ; depuis 1975 galerie Karsten Greve à Cologne ; 1976 Kestner-Gesellschaft de Hanovre, musée d'Art moderne de la ville de Paris ; 1979 Whitney Museum of American Art de New York ; 1981 Museum Haus Lange de Krefeld ; 1984 CAPC musée d'Art contemporain de Bordeaux, Staatliche Kunsthalle de Baden Baden ; 1985, 1988 Dia Art Fondation de New York ; 1987 exposition itinérante organisée par la Kunsthaus de Zurich présentée ensuite à Londres, Madrid, Düsseldorf ; 1990 Menil Collection de Houston ; 1994 Museum of Modern Art de New York.

Dès ses débuts en peinture, en 1951, Twombly retient de l'expressionnisme abstrait le geste, l'expression libre, la spontanéité mais sans l'ampleur, la violence. Ses premières peintures, déjà dominées par le noir et le blanc, subissent encore l'influence de Franz Kline et Robert Motherwell avec la présence de masses abstraites, idéogrammes graphiques, larges traînées de bitume, qui se dressent, lourdes de matière. Déjà s'annonce la singulière manière de Twombly, qui inscrit son travail entre dessin et écriture. Se libérant des influences dès 1954, alors qu'il introduit dans sa peinture les outils réservés ordinairement au dessin (crayons à la cire, graphite, craie, crayons de couleurs), il adopte une écriture automatique, qui n'est pas sans rapport avec les *Drippings* de Pollock qu'il admire, mise en image par la ligne volatile, le « gribouillis » d'enfants, les tracés fluides, si caractéristiques de son travail. Dès lors, sur des toiles préparées en blanc, ou en noir (ou gris) auquel cas il travaille avec des craies et de la couleur blanches, il dessine, avec le doigt ou avec un crayon, un enchevêtrement de graffiti, d'inscriptions, avec des signes (croix, grilles, triangles, rectangles...), des lettres, des chiffres, des suggestions de personnages flous, comme dans une tentative émouvante pour concilier le graphisme et l'écriture, qui aboutirait à un constat d'échec, n'était le résultat plastique troublant de qualité frémissante à fleur de peau. A sa façon, Twombly se révèle alors beaucoup plus proche de Tapiès, dans une commune tentative de restitution de l'expression spontanée des graffiti furtifs, que de l'imitation des expressions populaires pratiquée par Dubuffet. L'artiste prend possession du fond, disperse sur la toile, généralement crème, au hasard, dans un désordre inconscient, des notations sibyllines qui évoquent un journal intime, des bribes d'histoire(s), des brouillons, des fragments de textes. Aux compositions chargées de Lexington suivent, dans la même veine, les peintures romaines de 1958 plus aérées, plus volatiles, où discrètement des traits aux crayons de couleurs (jaune orange, rouge, ocre) illuminent l'espace. À cette même époque, l'artiste inscrit un mot déchiffrable sur la toile (et qui sera retenu pour titre) *Olympia*. On peut voir en ces graphies indéchiffrables la synecdoque de l'écrit, mode d'expression auquel Twombly se réfère fréquemment citant le nom d'auteurs (Virgile, Homère), de titres d'ouvrages de l'antiquité greco-latine, époque à laquelle il a emprunté le graphisme des graffiti encore visibles sur maints murs romains. Donnant à partir de 1957 un titre à ses toiles (*Le Siècle d'Alexandre, L'Empire de Flora, Leda et le Cygne*), il révèle son goût constant pour la mythologie, et les références anciennes difficilement accessibles au public d'aujourd'hui.
En 1960, avec l'apparition de la couleur rouge, ses œuvres s'illuminent et se révèlent plus violentes avec d'importants effets matiéristes. La peinture, généreusement étendue, (mal)traitée, à la brosse, au manche du pinceau, refait surface, n'est plus réduite au fond, et coexiste avec le graphite et le dessin au même rang : « Dans ces toiles les épisodes de dessin et de peinture sont alternativement sensuels et obscènes, célébratoires et furieux, enrichissants, additifs et destructifs. La peinture obscurcit le dessin, le dessin défigure la peinture et les résultats sont explosifs » (Roberta Smith). Les couleurs retenues, du blanc au rose, du rouge au marron, ont pour charge d'évoquer l'homme et ses matières organiques (chair, sang, sperme, excréments), et révèlent des images de sexes, masculins et féminins, mais aussi de cœurs, symbole de la vie. Twombly souligne le passage du temps, le poids du passé, maculant la surface, appliquant la peinture par giclées, effaçant tout en laissant visible les traces de salissures. À ce cycle dyonisiaque (*Triomphe de Galatée, Ferragosto* tous deux de 1961), où l'obsession, la passion s'expriment, sont associées la déesse de l'Amour Vénus et Hercule le plus viril des demi-dieux. En 1962, il aborde avec la même emphase, un nouveau cycle avec des tableaux historiques (*La Mort de Giuliano Medicis, Mort de Pompée, Discours de l'empereur Commode*), dans lesquels le sujet semble évoqué de manière plus unitaire, avec une masse rectangulaire centrale, monumentale, qui commande l'ensemble. Succèdent à cette série les *Blackboards Paintings*, suite de peintures grises de 1966 à 1970 plus sobres qui se lisent comme un ouvrage de gauche à droite et, laissant de côté la matière, les mots, explorent à partir de gestes élémentaires (tracer un arc, une verticale, une spirale) les qualités de la ligne, son rythme et ses possibles variations. Parfois des lignes horizontales blanches de boucles gracieuses, sereines, traversent la toile d'une grande sobriété, d'autres fois, un embrouillamini de lignes, un tourbillon endiablé révèlent une grande confusion, une intense tension. Accalmie ou tempête, les *Black-*

boards Paintings* sont une réflexion non plus sur la matière mais sur le mouvement, ponctué de pauses, de traces, de signes, qui semble ne jamais devoir s'interrompre, un « panorama » (titre d'un de ses tableaux de 1954 qui annonce cette série) où l'air (les diverses masses) circule, le temps s'écoule inexorablement. À partir de cette époque, Twombly poursuit ses recherches dans diverses séries concomitantes ou non et, au début des années quatre-vingt, sa production picturale ralentit considérablement alors que ses thèmes évoluent. Twombly abandonne ses références culturelles, intellectuelles, pour se tourner, avec ce même langage graphique, vers un genre traditionnel, la peinture de paysages, dont il propose une libre interprétation, avec des paysages confus, « à perte de vue », des horizons lointains, indécis, influencés par Monet et l'impressionnisme (cycle des Quatres Saisons 1993-1994). Rendant compte dans l'instant de l'immensité du monde qu'il intériorise, s'approprie, il révèle, dans l'espace de l'œuvre, une nature informelle, une atmosphère d'air et de lumière. Il privilégie à cette même époque également le motif de la fleur (déjà présent dans une œuvre de 1952 *Solon I*), ou compositions de fleurs (dans un pique-fleurs) dont il retient le possible caractère iconique, la dynamique verticale. Associant encore à l'image l'écrit, notamment avec des extraits de poèmes de George Seferis, ce travail plus proche du réel se révèle d'une grande pureté, d'une réelle fraîcheur.

Parallèlement Twombly, depuis ses débuts, réalise (à l'exception d'une période de non production de dix-neuf cent-soixante et quelques, au milieu des années soixante-dix) une œuvre plus intime avec des sculptures en bois peintes en blanc dans les années cinquante, puis constituées de divers matériaux généralement « pauvres » (bois, carton, corde, clou, plâtre) et parfois coulées en bronze. Ses fragiles constructions au caractère primitif s'inscrivent dans le même contexte que celui de ses peintures, le monde de l'enfance, ces pièces (chariot, bateau) évoquent des jouets, la période de l'antiquité (*Anabasis* 1983, *Thermopylae* 1991) et plus particulièrement les rites égyptiens, le culte des morts.

Twombly, artiste cultivé, met dans sa peinture ses racines et celle de l'humanité, ses connaissances et son goût pour le passé. Par sa grande unité (notamment de technique et de gamme colorée) et son « trait » caractéristique, fluide : « La ligne n'illustre pas, mais elle est perception de sa propre réalisation » (Twombly), sa peinture est aisément identifiable. Facile en apparence, car évoquant quelques gribouillis d'enfants, son œuvre se révèle néanmoins difficile d'accès par sa manière d'aborder des thèmes anciens dans une manière actuelle, et de les livrer, par libre association, comme pulsion immédiate. En marge de ses contemporains, Twombly propose une calligraphie qui mêle passions, peurs et mythes, sous forme de visions tantôt concentrées tantôt dissoutes, d'où se dégagent une intense poésie, un caractère intemporel à la beauté imperceptible, qui semble se tenir aux origines de la peinture. Les conflits de la ligne et de la matière donnent vie à ses espaces infinis, originels, et plongent l'artiste et le spectateur au cœur d'un langage immémorial, dans une tentation de révéler l'informulable. ■ Laurence Lehoux

BIBLIOGR. : Pierre Restany, in : *Les Nouveaux Réalistes*, Planète, Paris, 1968 – in : *Catalogue du IIIᵉ Salon International des Galeries Pilotes*, Musée Cantonal, Lausanne, 1970 – Yvon Lambert : *Catalogue raisonné des œuvres sur papier de Cy Twombly*, Multhiplia, Milan, 1979 – in : Catalogue de l'exposition *Écritures dans la peinture*, Villa Arson, Nice, 1984 – H. Bastian : *Cy Twombly. Das Graphische Werk 1953-1984*, Schellmann, Munich, New York, 1984 ou 1985 – Jean Louis Scheffer : *Twombly : principe d'incertitude*, Artstudio, nº 1, Paris, été 1986 – Maïca Sanconie : *Twombly ou la dispersion*, Opus International, nº 118, Paris, mars-avril 1988 – *Cy Twombly : Poems to the sea* et *Letter of resignation*, Schirmer Mosel, Munich, 1991 – Catalogue de l'exposition : *Cy Twombly*, Museum of Modern Art, New York, 1994 – H. Bastian, sous la direction de... : *Cy Twombly : catalogue raisonné des peintures*, Schirmer Mosel, Munich, 1996.

MUSÉES : AIX-LA-CHAPELLE (Mus. Ludwig) – BÂLE (Kunstmus.) : *Étude pour la présence d'un Mythe* 1959 – BONN (Kunstmus.) : *Leda et le Cygne* 1962 – COLOGNE (Wallraf-Richartz Mus.) : *Un Crime passionnel* 1960 – DARMSTADT (Hessisches Landesmus.) : *Francfort-sur-le-Main* (Mus. für Mod. Kunst) : *Problème I, II, III*

1966, trois œuvres – MILWAUKEE (Art Center) – NEW YORK (Mus. of Mod. Art) : *Le Comble de la folie* 1990 – NEW YORK (Whitney Mus. of American Art) : *Sans Titre* 1968, past. et h. – PHILADELPHIE (Mus. of Art) : *Héros des Achéens* 1977-1978 – PHILADELPHIE : *Achéens dans la bataille* 1977-1978 – *Le Feu qui consume tout devant lui* 1977-1978 – PHILADELPHIE (Dia Center for the Arts) : *Poèmes à la mer* 1959 – PROVIDENCE (Mus. of Art of Rhode Island School of Design) : *Sans Titre* 1968 – ROME (Gal. d'Art mod.) – ZURICH (Kunsthaus) : *La Vengeance d'Achille* 1962 – ZURICH : *Protée* 1984.

VENTES PUBLIQUES : NEW YORK, 14 avr. 1965 : *August notes from Rome* : **USD 2 000** – MILAN, 25 mai 1971 : *Composition* : **ITL 5 000 000** – MILAN, 28 oct. 1971 : *Reflection*, gche et aquar. : **ITL 2 000 000** – NEW YORK, 18 oct. 1973 : *1*, h. et cr. : **USD 40 000** – ROME, 4 avr. 1974 : *Roman Notes*, gche : **ITL 6 300 000** – LONDRES, 3 déc. 1974 : *Sans titre* 1960 : **GNS 20 000** – ROME, 18 mai 1976 : *Composition* 1964, past. (85x67) : **ITL 2 600 000** – NEW YORK, 21 oct. 1976 : *Sans titre* 1974, techn. mixte (71x51) : **USD 5 500** – LONDRES, 2 déc. 1976 : *Sant titre* 1962-1963, cr. et h/t (333x365) : **GBP 66 000** – NEW YORK, 24 mars 1977 : *Sans titre* 1965, mine de pb et cr. (66x86,5) : **USD 3 500** – MILAN, 5 avr. 1977 : *Sans titre* 1970, gche (70x87) : **ITL 4 500 000** – MILAN, 25 oct. 1977 : *Sans titre, Rome* 1961, techn. mixte/t (133x152) : **ITL 21 500 000** – LONDRES, 5 avr. 1978 : *18 Day wait of Magda* 1963, h. et cr./t (100x104) : **GBP 7 000** – MILAN, 19 déc 1979 : *Spartacus* 1963, cr. et past. (70x100) : **ITL 5 500 000** – PARIS, 14 déc 1979 : *Composition* 1970, gche/pap. mar./t (70,5x88) : **FRF 41 000** – LONDRES, 4 déc 1979 : *Sans titre (Bolsena)* 1969, craie coul., cr. et h/t (200x240) : **GBP 42 000** – NEW YORK, 19 nov. 1981 : *Sans titre* 1968, h/t (172,7x216) : **USD 175 000** – LONDRES, 1ᵉʳ juil. 1982 : *Sans titre* 1964, mine de pb, cr. et stylo-bille (70x99) : **GBP 4 700** – NEW YORK, 8 nov. 1983 : *Sans titre* 1969, h. et cr./t (200x241,5) : **USD 150 000** – NEW YORK, 9 mai 1984 : *Sans titre* 1964, temp. et craie/pap. (69,8x87) : **USD 25 000** – NEW YORK, 9 mai 1984 : *Sans titre* 1964, mine de pb coul., cr., stylo bille et encre bleue (69x99) : **USD 18 000** – LONDRES, 27 juin 1985 : *Mushrooms* 1974, cr. de coul., mine de pb et collage/pap. (76,2x57,2) : **GBP 8 500** – NEW YORK, 5 nov. 1985 : *Sans titre* 1956, h., cr. noir et cr. rouge (126,8x159,5) : **USD 380 000** – NEW YORK, 10 nov. 1986 : *Sans titre (Sunset series)* 1959-1961, mine de pb et cr./cart. (70x99,7) : **USD 40 000** – NEW YORK, 6 mai 1986 : *Sans titre* 1968, h. et cr. (172,7x215,9) : **USD 200 000** – NEW YORK, 15 mai 1987 : *Note III* 1967, eau-forte en brun-noir (22,5x27,2) : **USD 6 500** – NEW YORK, 5 mai 1987 : *Sans titre* 1968, h. et cr. blanc/t (172,8x207,7) : **USD 420 000** – LONDRES, 30 juin 1988 : *Sans titre* 1961, cr. et h/t (40x50) : **GBP 94 600** – NEW YORK, 9 nov. 1988 : *Sans titre* 1961, acryl., cr. de coul. et graphite/t (102,4x148,1) : **USD 638 000** – MILAN, 14 déc. 1988 : *Composition* 1959, h. et past./pap. (68,5x98) : **ITL 200 000 000** – NEW YORK, 14 fév. 1989 : *Sans titre* 1971, gche et cr./pap. (65,4x50,7) : **USD 88 000** – PARIS, 6 mars 1989 : *Natural History Part I mushrooms Nº 44/98*, litho./pap. et techniques mixtes, deux éléments collés à la main, reh. à la mine de pb (76x56) : **FRF 42 500** – ROME, 21 mars 1989 : *Orpheus* 1975, craie grasse et h/pap./t (100x70) : **ITL 170 000 000** – NEW YORK, 3 mai 1989 : *Composition* 1962, h. et cr./t (80x100) : **USD 374 000** – MILAN, 8 nov. 1989 : *Sans titre* 1962, h. et past./t (60x70) : **ITL 375 000 000** – NEW YORK, 8 nov. 1989 : *How long must you go ?* 1964, h. et cr./t. (198,2x259) : **USD 1 705 000** – NEW YORK, 23 fév. 1990 : *Sans titre* 1970, gche et craie blanche/pap. (69,9x87) : **USD 220 000** – NEW YORK, 8 mai 1990 : *Sans titre* 1971, h. et cr./t (300x467) : **USD 5 500 000** – NEW YORK, 9 mai 1990 : *Sans titre* 1976, h. cr. et encre/pap. (68,5x99) : **USD 330 000** – NEW YORK, 7 nov. 1990 : *Sans titre* 1961, cr. gras de coul. et cr./t (199,7x239,7) : **USD 4 840 000** – NEW YORK, 30 avr. 1991 : *Sans titre* 1959, h., cr. et graphite/t (146,5x200,7) : **USD 2 200 000** – NEW YORK, 13 nov. 1991 : *Sans titre* 1968, h. et graphite/t (172,7x215,8) : **USD 935 000** – PARIS, 30 nov. 1991 : *Composition* 1986, h/pap. (57x57) : **FRF 210 000** – LONDRES, 5 déc. 1991 : *Rome* 1963, h. et cr./t. (123,5x99) : **GBP 330 000** – NEW YORK, 6 mai 1992 : *Sans titre* 1969, h., peint. murale, cr./t (199,7x240) : **USD 1 650 000** – LOKEREN, 23 mai 1992 : *Sans titre* 1973, litho. coul. (76,1x55,8) : **BEF 80 000** – LONDRES, 2 juil. 1992 : *Vénus à Memphis* 1960, cr. et h/t (96x141,5) : **GBP 82 500** – NEW YORK, 17 nov. 1992 : *Sans titre* 1956, cr. et h/t (117,5x175,3) : **USD 2 145 000** – NEW YORK, 18 nov. 1992 : *Naxos* 1982, acryl. et cr. coul./graphite/pap. (174,7x338,5) : **USD 302 500** – PARIS, 21 juin 1993 : *Sans titre* 1971, past. et h/t/ cart. (137x99) : **FRF 250 000** – NEW YORK, 10 nov. 1993 : *Sans titre* 1969, peint. d'ameublement, cr. grase et graphite/t (198,8x250,2) : **USD 1 707 500** – NEW YORK, 3 mai 1994 : *Sans titre (Rome)* 1961, graphite, cr. coul. et h/t (50,5x60,3) : **USD 255 000** – LONDRES, 29 juin 1994 : *Sans titre* 1955, peint. d'ameublement et cr./t (110x129) : **GBP 396 000** – Milan, 9 mars 1995 : *Étude pour Clairière en forêt d'après Poussin* 1960, encre/pap. (30x36) : **ITL 11 500 000** – Rome, 28 mars 1995 : *Grand Case à St Maartins* 1969, techn. mixte/pap. (58,5x77,5) : **ITL 155 250 000** – New York, 8 mai 1996 : *Lycian* 1982, cr. et h/pap. (99,1x69,2) : **USD 222 500** – Milan, 10 déc. 1996 : *Sans titre* 1963, techn. mixte/t (30x24) : **ITL 93 200 000** – New York, 20 nov. 1996 : *Sans titre* 1959-1961, mine de pb, craies coul., stylo bille et h/pap. (69,8x99,4) : **USD 156 500** – New York, 19 nov. 1996 : *Jour d'attente à Mugda* 1963, mine de pb, past. gras et h/t (99,7x104,5) : **USD 277 500** ; *Bolsena* 1969, h., craie et cr./pap. (196,9x240) : **USD 1 432 500** – New York, 20 nov. 1996 : *Sans titre* 1971, past. gras, cr. et peint./pap. (70,5x87,6) : **USD 57 500** – New York, 7 mai 1997 : *Sans titre* 1970, past. et h/pap. (69,8c87,3) : **USD 107 000** – Londres, 26 juin 1997 : *L'Enlèvement des Sabines* 1961, cr. coul., stylo et h/t (130,3x160,5) : **USD 573 500** – New York, 7 mai 1997 : *Sans titre* 1956, h., past. gras et mine de pb/t (50,8x121,9) : **USD 266 500** – Londres, 25 juin 1997 : *Sans titre* 1985, h. et cr. coul./pap. (56x56,5) : **GBP 53 200.**

TWOPENY William
Né en 1797. Mort en 1873. xixᵉ siècle. Britannique.
Peintre et dessinateur d'architectures, collectionneur.
Il exécuta des illustrations de livres sur l'architecture. Le British Museum de Londres conserve treize albums illustrés par cet artiste.

TWORKOV Jack
Né en 1900 à Biala. Mort en septembre 1982 à Provincetown (Massachusetts). xxᵉ siècle. Depuis 1913 actif et naturalisé aux États-Unis. Polonais.
Peintre. Expressionniste abstrait.
Il s'installa avec sa famille aux États-Unis à partir de 1913. Il fut successivement élève du Colombia College de 1920 à 1923, de la National Academy of Design de 1923 à 1925, de l'Art Students' League de New York en 1925-1926. Selon un schéma classique aux États-Unis, il a pu longtemps poursuivre l'élaboration de son œuvre personnelle, grâce à l'enseignement, au Queen's College, au Pratt Institute, prononçant en outre de nombreuses conférences dans des Universités et des écoles d'art, notamment au Black Mountain College.
Il a participé à de nombreuses expositions collectives notamment à celles consacrées à la jeune peinture américaine, parmi les plus importantes citons : 1958 *La Nouvelle Peinture Américaine* au Museum of Modern Art de New York ; 1959 Documenta II de Kassel ; 1961 *Expressionnistes et Imagistes abstraits* au Guggenheim Museum de New York ; 1973 Biennale du Whitney Museum of American Art de New York ; 1975 Corcoran Art Gallery de Washington ; 1976 Hirshhorn Museum de Washington. Michel Seuphor mentionne ses expositions dans une galerie de New York, de 1931 à 1935, sans donner de détails sur la nature de ses peintures de l'époque. Il montra ensuite des œuvres dans de nombreuses expositions personnelles à New York, notamment de 1947 à 1953 à la Egan Gallery, à partir de 1966 à la galerie Castelli ; en 1971 au Whitney Museum of American Art, 1982 au Guggenheim Museum ; ainsi que : 1948 Museum of Art de Baltimore ; 1957 Walker Art Center de Minneapolis ; 1971 Museum of Art de Toledo ; 1974 Art Museum de Denver. Une longue série d'expositions personnelles lui fut consacrée à partir de 1947, à New York notamment en 1964 au Whitney Museum of American Art ; au Baltimore Museum of Art en 1948, etc.
À la suite de Hans Hofmann et de De Kooning, il fut l'un des représentants les plus en vue, avec Grace Hartigan, James Brooks, de l'« action painting », qui caractérisa l'école new-yorkaise des années qui suivirent la guerre, équivalent américain de l'« abstraction lyrique » européenne. Tout en étant très gestuelle, la peinture de Tworkov accumule les traits de brosse d'une pâte onctueuse et généreuse, jusqu'à donner forme à des surfaces pleines, d'une grande qualité de lumière et d'« épiderme pictural », qui, au travers du principe du « all over », l'apparentent au Rothko des peintures de champ. L'influence de cette première école de New York aura été déterminante pour la suite de l'évolution de la peinture américaine. Rauschenberg rencontra Tworkov, lorsqu'il était à son tour élève de l'Art Students' League et ne fut pas insensible à la qualité picturale matérielle de son abstraction gestuelle. ∎ J. B.
Bibliogr. : Hess : *Astract Painting*, New York, 1951 – Michel Seuphor : *Diction. de la peint. abstr.*, Hazan, Paris, 1957 – B. Dorival, sous la direction de... : *Peintres Contemporains*, Mazenod, Paris, 1964 – in : *L'Art du xxᵉ siècle*, Larousse, Paris, 1991.

Musées : Baltimore (Mus. of Art) – Buffalo (Albright Knox Art Gal.) – Cleveland (Mus. of Art) – Hartford (Wadsworth Atheneum) – *Figure* 1949 – Indianapolis (Mus. of Art) – Minneapolis (Walker Art Center) – New York (Metropolitan Mus.) – New York (Mus. of Mod. Art) – New York (Whitney Mus. of American Art) – New York (Guggenheim Mus.).
Ventes Publiques : New York, 24 jan. 1963 : *Figure* : **USD 1 550** – Los Angeles, 27 fév. 1974 : *Duo III* 1957 : **USD 3 400** – New York, 27 mai 1976 : *Capelight* 1958, h/t (155x112) : **USD 8 000** – New York, 12 mai 1977 : *Sans titre* 1972, h/t (244x173) : **USD 6 500** – New York, 12 nov. 1980 : *Bond* 1960, h/t (155x91,5) : **USD 20 000** – New York, 12 mai 1981 : *Counters* 1962, h/t (232,5x103) : **USD 20 000** – New York, 6 mai 1982 : *Sans titre* 1962, gche, mine de pb et photo. (76x56) : **USD 5 800** – New York, 7 juin 1984 : *Knight move series* 1977, mine de bp et cr de coul. (48,2x61) : **USD 1 300** – New York, 8 mai 1984 : *Counters* 1962, h/t (232,5x103) : **USD 48 000** – New York, 3 mai 1985 : *Sans titre* 1957, pl. et lav. (63,5x45,7) : **USD 3 750** – New York, 7 nov. 1985 : *Sans titre* vers 1949-1950, h/pap. (61x51,2) : **USD 3 500** – New York, 6 mai 1986 : *ACD 41* 1960, fus. (48,3x62,2) : **USD 2 000** – New York, 6 mai 1986 : *Games IV* 1960, h/t (114,3x114,3) : **USD 40 000** – New York, 21 fév. 1987 : *Autoportrait* 1963, mine de pb (34,3x27,9) : **USD 3 800** – New York, 20 fév. 1988 : *Chœur* 1951, h/t (114,3x106,7) : **USD 46 200** – New York, 8 oct. 1988 : *Champ fleuri* 1969, h/t (80x70) : **USD 22 000** – New York, 10 nov. 1988 : *Série rouge indien nᵒ 4* 1979, h/t (183x183) : **USD 28 600** – New York, 4 mai 1989 : *Personnage masculin* 1954, h/cart. (66,3x50,8) : **USD 19 800** – New York, 27 fév. 1990 : *RW nᵒ 1* 1962, h/t (124,5x114,3) : **USD 40 700** – New York, 13 nov. 1991 : *Reine II* 1957, h/t (177,8x94) : **USD 71 500** – New York, 1ᵉʳ nov. 1994 : *Sans titre*, h/pap. (50,8x66) : **USD 2 990** – New York, 2 mai 1995 : *La maison du soleil* 1953, h/t (127x113,7) : **USD 88 300** – New York, 10 oct. 1996 : *36 moves by the knight* 1975, cr. coul. et mine de pb/pap. (73x50,8) : **USD 805.**

TWOROCHNIKOFF Ivan Ivanovitch ou Tvorozhnikov
Né le 10 octobre 1848 dans le gouvernement de Moscou. Mort en 1919. xixᵉ siècle. Russe.
Peintre de genre.
Musées : Moscou (Gal. Tretiakov) : *Près de l'église* – Saint-Pétersbourg (Mus. Russe) : *Grand-mère et petite-fille* – Venise (Gal. d'Art mod.) : *Jeune paysanne russe.*
Ventes Publiques : Londres, 19 déc. 1996 : *Jeune paysan lisant un pamphlet*, h/t (58x86) : **GBP 14 375.**

TWOROWSKI Martin
xixᵉ siècle. Actif dans la première moitié du xixᵉ siècle. Polonais.
Peintre et officier.
Il peignit des scènes du soulèvement polonais de 1831.

TWYMAN Joseph
Né le 8 octobre 1842 à Ramsgate. Mort en 1904 à Chicago. xixᵉ siècle. Américain.
Peintre, architecte et décorateur.
Élève de Pugin, de Christian Dresser et de W. Morris.

TWYMAN Miriam
xixᵉ siècle. Active à Londres. Britannique.
Miniaturiste.
Elle exposa à Londres notamment à la Royal Academy à partir de 1892.

T' suivi d'un patronyme. Voir ce patronyme.

TY. Pour les patronymes commençant par ces lettres, voir aussi **TIJ**

TYBOUTS Willem. Voir THIBAUT

TYC Alexander. Voir TITZ

TYCHLER Alexander. Voir TYSCHLER Alexander Grigorievitch

TYCK Edward
Né le 26 avril 1847 à Anvers. xixᵉ siècle. Éc. flamande.
Peintre et aquafortiste.
Élève de l'Académie d'Anvers.

TYCZKO
xivᵉ siècle. Actif au début du xivᵉ siècle. Polonais.
Peintre sur verre.
Il fit les vitraux de l'église de Posen.

TYDEMAN Gerrit
Né vers 1675 à Zwolle. Mort après 1710. xviiiᵉ siècle. Hollandais.
Peintre de perspectives.

TYDEN Nils
Né le 28 juillet 1889 à Stockholm. Mort en 1976. xxᵉ siècle. Suédois.
Peintre de paysages, intérieurs.
Il fut élève d'Althin et de Carl W. Wilhelmson à Stockholm.
Ventes Publiques : Stockholm, 18 nov. 1984 : *Soir d'été, Stockholm 1921*, h/pan. (31x38) : **SEK 15 500** – Stockholm, 6 juin 1988 : *Söder près de Stockholm*, h. (23x30) : **SEK 10 500** – Stockholm, 22 mai 1989 : *Journée d'été dans un archipel*, h/pan. (38x46) : **SEK 7 000** – Stockholm, 6 déc. 1989 : *Scène de bar 1940*, h/t (81x116) : **SEK 45 000** – Stockholm, 14 juin 1990 : *Le port de Waxholm près de Nybrokajen*, h/pan. (22x27) : **SEK 6 000** – Stockholm, 16 oct. 1991 : *Intérieur avec un bouquet lumineux sur la cheminée*, h/t (63x52) : **SEK 3 700** – Stockholm, 13 avr. 1992 : *Vue de la Söder à Mälarstrand*, h/t (25x33) : **SEK 4 700.**

TYDICHEN Gebhard. Voir TITGE

TYEMER Philipp. Voir DIEMER Philipp

TYGURIS Wentzeslaus
Né à Amsterdam. xviiᵉ siècle. Travaillant à Brême en 1617. Hollandais.
Peintre.

TYLER
xixᵉ siècle. Travaillant vers 1810. Britannique.
Graveur d'ex-libris.

TYLER Alice Kellogg
Née le 14 février 1900 à Chicago. xxᵉ siècle. Américaine.
Peintre.
Elle fut élève de l'Art Institute de Chicago.

TYLER Bayard Henry
Né le 22 avril 1855 à Oneida. Mort en 1931. xixᵉ-xxᵉ siècles. Américain.
Peintre de genre, portraits, marines.
Il fut élève de Theodor Kaufmann et de William M. Chase à New York.
Musées : Albany (Gal. mun.) : *Le Président Théodore Roosevelt* – Washington D. C. (Corcoran Art Gal.) : *Fin d'après-midi.*
Ventes Publiques : New York, 23 jan. 1984 : *Fin d'après-midi à Long Island 1906*, h/t (45,7x61) : **USD 800** – New York, 28 sep. 1989 : *Voilier sur l'Hudson 1906*, h/t (46x61,5) : **USD 4 620** – New York, 17 fév. 1990 : *Voilier le long des falaises*, h/cart. (35x46) : **USD 1 980.**

TYLER C. L.
xixᵉ siècle. Actif dans la première moitié du xixᵉ siècle. Britannique.
Peintre de paysages, de fleurs et de portraits.
Il exposa de 1827 à 1832.

TYLER George Washington
Né en 1805 à New York. Mort le 13 mai 1833. xixᵉ siècle. Américain.
Portraitiste.
Élève de John Rubens Smith.

TYLER James Gale
Né le 15 février 1855 à Oswego. Mort en 1931. xixᵉ-xxᵉ siècles. Américain.
Peintre de marines, illustrateur.
Il fut élève de Archibald Cary Smith. Il s'établit à New York. Il fut aussi écrivain.
Ventes Publiques : New York, 2 fév. 1906 : *Barque en mer* : **USD 100** – New York, 1ᵉʳ-2 mars 1906 : *Overton* : **USD 390** – New York, 6 fév. 1908 : *Gros temps* : **USD 220** – New York, 1909 : *Marine* : **USD 95** – New York, 2 fév. 1911 : *La Flotte de pêche* : **USD 55** – New York, 1ᵉʳ mai 1930 : *La mouette* : **USD 310** ; *Marine* : **USD 475** – New York, 4-5 fév. 1931 : *La baleine* : **USD 400** – New York, 30 jan. 1946 : *Heading for home* : **USD 350** – New York, 8 avr. 1971 : *Bord de mer* : **USD 900** – Los Angeles, 14 nov. 1972 : *Le bateau à vapeur Edward-Clark* : **USD 3 200** – New York, 24 jan. 1973 : *Bateau en mer* : **USD 800** – New York, 13 nov. 1974 : *Voilier en mer* : **USD 1 500** – New York, 30 jan. 1976 : *Bateaux vikings en mer 1893*, h/t (107,5x92) : **USD 750** – New York, 29 avr. 1977 : *Voilier au clair de lune*, h/t (76,8x63,5) : **USD 1 500** – New York, 21 juin 1979 : *Voilier en mer*, h/t (82x56) : **USD 2 750** – New York, 23 sep. 1981 : *Clair de lune sur l'eau*, h/t mar./isor. (71,1x101,6) : **USD 2 000** – New York, 28 sep. 1983 : *Les Régates*, h/t (91,5x136,5) : **USD 14 000** – New York, 27 jan. 1984 : *The US Mail 1886*, h/t (76,2x101,6) : **USD 2 700** – New York, 24

jan. 1989 : *De nuit en mer 1903*, h/t (50x75) : **USD 2 750** – New York, 31 mai 1989 : *Activité dans un port*, h/t (71x91) : **USD 4 950** – New York, 14 nov. 1991 : *Un Schooner en pleine mer 1902*, h/t (38,1x55,9) : **USD 6 600** – New York, 18 déc. 1991 : *Une caravelle en mer 1918*, h/t (63,5x76,2) : **USD 3 025** – New York, 23 sep. 1993 : *Deux-mâts guidé par un remorqueur*, h/t (86,4x68,6) : **USD 4 888** – New York, 15 nov. 1993 : *Le schooner Blue Gull*, h/t (61x51) : **USD 4 830** – New York, 28 nov. 1995 : *Les brisants 1886*, past. et gche/pap./t (35,7x50,8) : **USD 518.**

TYLER William
Mort le 6 septembre 1801 à Londres. xviiiᵉ siècle. Britannique.
Sculpteur et architecte.
Il exposa de 1760 à 1800. Il sculpta plusieurs tombeaux dans l'abbaye de Westminster.

TYLER William Henry
xixᵉ siècle. Actif dans la seconde moitié du xixᵉ siècle. Britannique.
Sculpteur.
Il exposa à Londres de 1878 à 1893. Il sculpta des bustes.

TYLER William R.
Né en 1825. Mort en 1896. xixᵉ siècle. Américain.
Peintre de marines.
Ventes Publiques : New York, 30 mai 1990 : *Marine*, h/t (55,4x96,6) : **USD 4 400** – New York, 18 déc. 1991 : *Les brisants*, h/t (55,9x96,5) : **USD 3 850.**

TYLLMAN
xviiᵉ siècle. Polonais.
Dessinateur.
Il fut peintre à la cour du prince Lubomisrski. Il fit les dessins pour la construction de l'église de Sainte-Anne à Cracovie en 1689.

TYMANS Martin ou Tymus ou Temes
xviᵉ siècle. Actif à Anvers. Éc. flamande.
Peintre verrier.
Il exécuta des vitraux pour la cathédrale de Lichfield, en 1533.

TYMMERMANN Franz. Voir TIMMERMANN

TYN Lambrecht den. Voir DEN TYN

TYNAGEL A.
xviiᵉ siècle. Travaillant vers 1645. Hollandais.
Peintre.

TYNAGEL Gerrit ou Tijnagel ou Tijnaghel
xviᵉ siècle. Actif à La Haye à la fin du xviᵉ siècle. Hollandais.
Peintre.

TYNAGEL Jan. Voir TENGNAGEL

TYNAGEL Willem ou Guilielmus ou Gulehmus
Mort après 1635. xviiᵉ siècle. Actif à Utrecht. Hollandais.
Peintre.
Élève de P. Marcelse en 1611, maître d'Utrecht en 1625.

TYNAIRE Jean Paul Louis
Né à Neuilly-sur-Seine (Seine). xixᵉ siècle. Français.
Peintre de portraits.
Il débuta au Salon de 1881.

TYNDALE Walter Frederick Roofe
Né en 1855 ou 1859 à Bruges. Mort en janvier 1944. xixᵉ-xxᵉ siècles. Actif en Grande-Bretagne. Belge.
Peintre de genre, portraits, architectures, paysages, aquarelliste, dessinateur, illustrateur.
Après avoir étudié à Bruges et fréquenté l'Académie d'Anvers, il vint à Paris et travailla sous la direction de Bonnat. Il fut aussi écrivain.
Il débuta au Salon de Londres en 1880 puis exposa de 1905 à 1934 aux manifestations organisées par la Royal Academy, de 1912 à 1924 aux Leicester Galleries, Waring and Gillows et Fine Arts Society.
Jusqu'en 1890, il peignit à l'huile de grands portraits et des scènes de genre puis sous l'influence de ses amis Claude Hayes et Helen Allingham, il travailla à l'aquarelle. Il voyagea au Maroc, Moyen Orient, Italie, Sicile et Japon et y trouva source d'inspiration. Il illustra également des ouvrages topographiques, notamment *Le Japon et les Japonais en 1910* et *Jardins Japonais en 1912* pour A. et C. Black Ltd.

Walter Tyndale

Wall~Tyndall

VENTES PUBLIQUES : LONDRES, 26 fév. 1976 : *Le Marchand de légumes, Venise*, aquar. (25,5x36) : **GBP 120** – LONDRES, 24 oct. 1978 : *Le Sermon* 1888, h/t (44x100) : **GBP 5 000** – LONDRES, 10 fév. 1981 : *Abbaye de Bath, rencontre entre Sir Cleeve et Lady Constantine*, aquar. (22,3x28) : **GBP 3 500** – LONDRES, 9 fév. 1982 : *The tomb of Sheyk Abd-el-Deyn, Cairo*, aquar. et touches de blanc (26x34,5) : **GBP 1 600** – LONDRES, 26 jan. 1984 : *La tombe du cheikh Abdl el Deym*, aquar. (26x36) : **GBP 8 000** – LONDRES, 30 mai 1985 : *Selling wares on the canal*, aquar. reh. de blanc (26x36) : **GBP 1 100** – LONDRES, 22 juil. 1986 : *Miss Lydiard's stall, Bath*, aquar. reh. de blanc (26x36,1) : **GBP 1 800** – LONDRES, 26 jan. 1987 : *Vue de Venise*, aquar./traits de cr. (27,5x40) : **GBP 2 500** – LONDRES, 31 jan. 1990 : *Un spectateur attentif*, aquar. avec reh. de blanc (16,5x25) : **GBP 2 420** – LONDRES, 30 jan. 1991 : *Devanture d'une épicerie de village en Italie*, aquar. (25,5x18) : **GBP 1 430** – NEW YORK, 14 oct. 1993 : *Campement arabe sous les murailles d'une ville au Maroc*, aquar./pap. (26x33) : **USD 863** – LONDRES, 5 nov. 1993 : *Le pont du Rialto à Venise*, cr. et aquar. (36,2x46,3) : **GBP 1 380** – LONDRES, 10 mars 1995 : *Scène de rue au Japon*, cr. et aquar. avec reh. de blanc (28x37,8) : **GBP 3 910** – LONDRES, 5 juin 1996 : *Étal de fleurs*, aquar. (25,5x35,5) : **GBP 1 610** – LONDRES, 6 nov. 1996 : *Gondolier sur un canal vénitien*, aquar. (35,5x25,5) : **GBP 805** ; *La Maison de sainte Catherine, Sienne*, aquar. (33x20,5) : **GBP 1 092**.

TYNDALL Peter
Né en 1951. XXᵉ siècle. Australien.
Peintre.
Il réalise des œuvres complexes, comme dans *Une Personne regarde une œuvre d'art/ quelqu'un regarde quelque chose* où il associe peinture et structure géométrique en bois à l'aide de ficelles.
BIBLIOGR. : In : *Creating Australia – 200 years of art 1788-1988*, Adelaïde, 1988.
MUSÉES : BALLARAT (Fine Art Gal.) : *Une Personne regarde une œuvre d'art/ quelqu'un regarde quelque chose*.

TYNE Peter Van
Né le 24 octobre 1857 à Flemington (New Jersey). XIXᵉ siècle. Américain.
Peintre de natures mortes.
Élève de l'Art Students League de New York. Membre de la Fédération Américaine des Arts.

TYNYS Arvi
Né en 1902. XXᵉ siècle. Finlandais.
Sculpteur de figures.
Il fit ses études à Helsinki.
MUSÉES : HELSINKI (Mus. de l'Ateneum) : *Tête d'homme*, bronze.

TYPPER Herman. Voir **TIPPER**

TYR Gabriel
Né le 19 février 1817 à Saint-Pol-de-Mons (Haute-Loire). Mort le 16 février 1868 à Saint-Étienne (Loire). XIXᵉ siècle. Français.
Peintre de sujets religieux, portraits, compositions murales, cartons de vitraux, pastelliste, lithographe.
Il fut élève de Victor Orsel et de Claude Bonnefond à l'École des Beaux-Arts de Lyon. Il s'établit à Saint-Étienne en 1858. Il exposa au Salon de Lyon, à partir de 1838 ; au Salon de Paris, entre 1843 et 1866.
Il collabora pendant vingt ans avec son maître à la décoration de la chapelle de la Vierge à l'église de Notre-Dame de Lorette, à Paris, et termina les travaux. Il obtint la commande de la décoration de la cathédrale du Puy, mais la mort l'empêcha de l'exécuter. On lui doit des cartons de vitraux pour la cathédrale de Saint-Étienne.
MUSÉES : LYON (Mus. des Beaux-Arts) : *Tête de Christ mort* – LE PUY-EN-VELAY : *Le Christ enfant* – *Le général de brigade Boudinhon-Waldeck* – *L'ange gardien* – SAINT-ÉTIENNE (Mus. d'Art et d'Industrie) : une étude – un pastel.

TYRAHN Georg
Né le 19 septembre 1860 à Königsberg. Mort en 1917 à Karlsruhe. XIXᵉ-XXᵉ siècles. Allemand.
Peintre.
Il fit ses études à Königsberg, à Karlsruhe et à Paris.
MUSÉES : REICHENBERG (Bohême) – REICHENBERG : *Prélude*.
VENTES PUBLIQUES : LONDRES, 6 oct. 1989 : *Odalisque*, h/t (88x43) : **GBP 3 520**.

TYRANOFF Alexeï Vassiliévitch. Voir **TIRANOFF**

TYRE Philip S.
Né le 14 juillet 1881 à Wilmington (Delaware). XXᵉ siècle. Américain.
Peintre, graveur.
Élève de Thomas P. Anshutz et Henry R. Poore, il fut membre de la Fédération Américaine des Arts.

TYRI Leonard ou **Tyrius.** Voir **THIRY**

TYROFF Hermann Jakob
Né en 1742. Mort entre 1798 et 1809 à Nuremberg. XVIIIᵉ siècle. Allemand.
Graveur au burin.
Fils et élève de Martin Tyroff. Il grava de nombreux portraits, des vues de villes, des blasons et des illustrations de livres.

TYROFF Johann David
Né vers 1730. XVIIIᵉ siècle. Allemand.
Graveur au burin et éditeur.
Fils de Martin Tyroff. Il grava des costumes populaires, des paysages et des plans.

TYROFF Martin
Né en 1704 à Augsbourg. XVIIIᵉ siècle. Allemand.
Graveur.
Il fut un des plus illustres graveurs en Allemagne à son époque. Il grava surtout des portraits, mais aussi des vues, des arbres généalogiques, des allégories, des sujets religieux, des antiquités et des illustrations de livres. Le Musée Germanique de Nuremberg conserve plusieurs portraits gravés par cet artiste.

TYROL Hans. Voir **TIROL**

TYROLER Joszef ou **Josef**
Né en 1822 à Alsokubin. Mort en 1854 à Pest. XIXᵉ siècle. Hongrois.
Graveur au burin et sur acier.
Il grava des portraits, des figurines de mode et des scènes humoristiques.

TYROLL Hans. Voir **TIROL**

TYROLLER Georg
Né le 2 février 1897 à Espenlohe-Wellheim. XXᵉ siècle. Allemand.
Peintre, graveur.
Il vit et travaille à Munich. Graveur, il privilégia la technique de l'eau-forte.
MUSÉES : MUNICH (Mus. mun.).

TYROWICZ Ludwik
Né le 15 juillet 1901 à Lemberg. XXᵉ siècle. Polonais.
Graveur de paysages.
Il grava des vues d'Italie et de Lemberg.

TYROWICZ Tomasz
Né en 1812 à Szumlany. Mort après 1860. XIXᵉ siècle. Polonais.
Peintre.
Élève des Académies de Vienne et de Dresde. Le Musée Lubomirski de Lemberg conserve de lui *Portrait d'E. Jürgens*.

TYRRAL
XVIᵉ siècle. Travaillant de 1540 à 1560. Britannique.
Graveur au burin.

TYRRELL Thomas
Né en 1857. XIXᵉ-XXᵉ siècles. Britannique.
Sculpteur de groupes, figures.
Il participa aux manifestations organisées par la Royal Academy, de 1905 à 1928 avec des groupes et des statuettes en marbre, parmi lesquels : *La Leçon d'amour* ; *Solitude* ; *Mère et enfant*.

TYRRIL
XVIIᵉ siècle. Britannique.
Dessinateur de portraits.
Il dessina le portrait de *L'Archevêque Ussher*.

TYRSA Nikolaï Andreevitch
Né en 1887 à Aralykh (Turquie). Mort en 1942 à Vologda. XXᵉ siècle. Russe.
Peintre, graveur, affichiste, graphiste.
De 1905 à 1909, il fut élève de l'Académie des Arts de Saint-Pétersbourg ; de 1907 à 1909, de Léon Bakst à l'École E. Zvantseva. Il participait à des expositions collectives, dont : 1924, 1928 Venise ; 1927 Leipzig. Il a eu une importante activité d'enseignant.
MUSÉES : MOSCOU (Mus. Pouchkine) : *Une Péniche sur la Moïka* 1928, aquar.

TYRWHITT Richard St John, R. P

Né le 19 mars 1827. Mort le 6 novembre 1895. XIXe siècle. Britannique.

Écrivain et aquarelliste.

Il fit ses études à Oxford, devint ministre protestant dans cette ville. Il a produit un grand nombre d'aquarelles et sa réputation était suffisante pour qu'on songeât à lui comme professeur à la Slade School of Art. Il exposa à Londres de 1864 à 1887, à la Royal Academy, à Suffolk Street et à la Grovenor Gallery.

TYRWHITT Ursula

Née le 5 mars 1878 à Nazeing (Essex). XXe siècle. Britannique.

Aquarelliste.

Elle fut la femme du peintre Walter Spencer Stanhope Tytwhitt. Elle fit ses études à Londres, à la Slade School de 1893 à 1894, puis à Paris à l'Académie Colarossi de 1911 à 1912 et à la British Academy à Rome. Elle fut membre du New English Art Club en 1913 et de l'Oxford Art Society en 1917. Elle vécut à Ténériffe et à Oxford.

MUSÉES : LONDRES (Tate Gal.) : *Fleurs* 1912.

TYRWHITT Walter Spencer Stanhope

Né le 6 septembre 1859 à Oxford (?). XIXe-XXe siècles. Britannique.

Peintre d'architectures, paysages.

Fils de Richard Saint-John et mari d'Ursula Tyrwhitt. Il participa aux manifestations organisées par la Royal Academy, de 1913 à 1921.

TYS Gysbrecht. Voir THYS

TYS Peter. Voir THYS

TYSCHER Marcus. Voir TUSCHER

TYSCHLER Alexander ou Tischler

Né en 1898 à Melitopol. Mort en 1980. XXe siècle. Russe.

Peintre de portraits, illustrateur, affichiste, peintre de décors de théâtre. Abstrait, puis surréaliste.

Il fut élève de Ivan Seleznev à l'École d'Art de Kiev de 1912 à 1917 et dans l'atelier d'Alexandra Exter en 1917-1918. En 1921, il travaille sous la direction de Favorsky au Vkhutemas de Moscou. Il vécut et travailla à Moscou.

Il participa aux principales expositions de 1920 et notamment celles des Projectionnistes et OST et à diverses expositions collectives : 1926 Dresde, 1927 Leipzig. La ville de Moscou lui a consacré deux expositions personnelles en 1965 et 1978.

Il fut considéré comme un des principaux artistes d'URSS. À partir de 1925, il évolue de la peinture abstraite vers un surréalisme poétique et commence à être reconnu. Il a réalisé de nombreux portraits, notamment celui d'Einstein et a illustré des œuvres de Maiakovski, Bagritsky et Pouchkine. À partir de 1927 il collabore aux décors du Théâtre Juif de Biélorussie de Minsk et du Théâtre Juif de Kharkov.

BIBLIOGR. : F. Syrkina : *Alexander Grigorievich Tyschler*, Moscou, 1966 – *Tradition et Révolution : La Renaissance juive dans l'art d'avant-garde en Russie 1912-1928*, Musée d'Israël, Jérusalem.

VENTES PUBLIQUES : TEL-AVIV, 26 mai 1988 : *Affiche illustrant la lutte contre l'antisémitisme*, litho. en rouge, bleu et brun (74x100) : USD 6 380 – LONDRES, 20 mars 1991 : *Portrait de femme* 1961, h/t (65x55) : GBP 15 400.

TYSEN Peter. Voir THYS

TYSIEVICZ Jan, appelé aussi Nieviarowicz Vladislav

Né en 1815 à Marcybiliszcze. Mort le 17 janvier 1891 à Montmorency (Seine-et-Oise). XIXe siècle. Polonais.

Peintre et miniaturiste.

Élève d'Amerling à Vienne. Il travailla à Rome et à Lemberg.

MUSÉES : LEMBERG (Ossolineum) : *Madeleine – Portrait de l'artiste* – VARSOVIE (Mus. nat.) : *Portrait de l'artiste*.

TYSMANS Joseph

Né en 1893 à Hemiksem. Mort en 1974 à Genk (Limbourg). XXe siècle. Belge.

Peintre d'intérieurs, paysages.

BIBLIOGR. : In : *Dict. biogr. illustré des artistes en Belgique depuis 1830*, Arto, Bruxelles, 1987.

TYSON Carroll Sargent, Jr.

Né le 23 novembre 1878 à Philadelphie. Mort en 1956. XXe siècle. Américain.

Peintre de paysages, sculpteur.

Il fut élève de l'Académie des Beaux-Arts de Philadelphie sous la direction de William Chase, Thomas Anschutz et Cecilia Beaux,

puis à Munich de Carl Marr et Walter Thor. Il fut membre de la Société des Artistes Indépendants. Il obtint une médaille d'or à l'Académie des Beaux-Arts de Philadelphie, en 1915 et une autre, en 1930, à l'Art Club de Philadelphie.

VENTES PUBLIQUES : PORTLAND, 11 juil. 1981 : *Mont Cadillac, Maine* 1910, h/t (63,5x76,2) : USD 4 000 – NEW YORK, 24 juin 1988 : *Maison sur la falaise* 1907, h/t (62,5x75) : USD 3 025 ; *Le mont Désert dans les montagnes de l'ouest* 1944 (62,5x75) : USD 2 200 – NEW YORK, 30 mai 1990 : *La colline Morrison à Ellsworth Falls dans le Maine* 1938, h/t (76,3x91,6) : USD 1 650.

TYSON Ian ou Yan

Né en 1933 à Wallasey. XXe siècle. Britannique.

Peintre, graveur. Abstrait-minimaliste.

Il vit et travaille à Londres.

Il a figuré à l'exposition : *De Bonnard à Baselitz – Dix ans d'enrichissements du Cabinet des Estampes 1978-1988* à la Bibliothèque nationale à Paris, en 1992.

Ses œuvres d'une extrême simplicité s'inscrivent dans la lignée de la réflexion sur la lumière de Flavin ou Turrell.

MUSÉES : PARIS (BN) : *The New Art of Shadow*, trois litho.

TYSON Kathleen, Miss

XXe siècle. Britannique.

Peintre de paysages.

Elle participa aux manifestations organisées par la Royal Academy, de 1935 à 1951.

TYSON Michaël

Né le 19 novembre 1740 à Stamford. Mort le 4 mai 1780 à Lambourne. XVIIIe siècle. Britannique.

Peintre, graveur.

Il était prêtre et il peignit et grava pour son agrément, notamment les portraits de l'archevêque *Parker*, de *Sir William Paulet*, de *Thomas Paulet*, de *James Shore*.

TYSON Rowell

XXe siècle. Britannique.

Peintre de paysages.

Il participa aux manifestations organisées par la Royal Academy, de 1952 à 1960.

TYSSENS

XVIIe siècle. Actif en Castille. Espagnol.

Peintre.

Il y eut quatre peintres portant ce nom, inscrits à l'Académie de Saint-Luc.

TYSSENS Augustin ou Augustyn ou Thyssens

Né en 1662 à Anvers. Mort en 1722. XVIIe-XVIIIe siècles. Éc. flamande.

Peintre de genre, paysages animés.

Directeur de l'Académie d'Anvers en 1691. Un peintre du même nom était dans la gilde en 1654, un autre mourut en 1675.

VENTES PUBLIQUES : LONDRES, 13 sep. 1991 : *Charrette sur un chemin longeant une rivière avec des ruines* ; *Berger menant son bétail se désaltérer près d'une tour*, h/pan., une paire (chaque 20,9x26,6) : GBP 1 980.

TYSSENS Jacobus

XVIIIe siècle. Actif au début du XVIIIe siècle. Éc. flamande.

Peintre.

Il devint maître en 1700. Paraît identique à Jacobus Tessyn.

TYSSENS Jean ou Jan Baptiste

Né vers 1665. Mort en 1723. XVIIe siècle. Actif à Anvers. Éc. flamande.

Peintre de natures mortes.

En 1689, dans la gilde d'Anvers.

B Tyssens

MUSÉES : BAMBERG : *Armes* – PRAGUE : *Nature Morte*, deux œuvres – SIBIU : *Varus s'arrache l'épée de la poitrine – Vénus dans la forge de Vulcain*.

VENTES PUBLIQUES : MUNICH, 1899 : *Guerriers et équipements* : FRF 312 – PARIS, 5 mars 1997 : *Le Porte-étendard*, t. (58x83) : FRF 57 000.

TYSSENS Nicolas

Né vers 1660 à Anvers. Mort en 1719 à Londres. XVIIe-XVIIIe siècles. Éc. flamande.

Peintre de natures mortes.

Il fit ses premières études dans sa ville natale, puis voyagea en Italie, séjournant à Rome, à Naples, à Venise. Il visita également l'Allemagne et fut un agent du prince palatin. Selon certains auteurs il s'appellerait Bartholomeus et aurait peint des fleurs et des natures mortes ; il serait identique à Jan-Baptiste Tyssens.

TYSSENS Peter. Voir **THYS**

TYSZBLAT Michel
Né le 9 juillet 1936 à Paris, d'origine polonaise. XXᵉ siècle. Français.
Peintre, technique mixte, sculpteur. Figuratif, puis abstrait.
Il fut élève de l'Atelier d'André Lhote à Paris. Il a travaillé entre 1968 et 1970 comme « peintre-conseil » auprès des malades mentaux d'un hôpital psychiatrique.
Il participe à des expositions collectives, à Paris : 1966, 1967 galerie Templon ; 1967, 1969 Biennale ; depuis 1968 régulièrement au salon Grands et Jeunes d'Aujourd'hui ; 1971 Salon Comparaisons ; 1971, 1972 Salon des Réalités Nouvelles ; à partir de 1974 régulièrement au Salon de Mai ; 1982 FIAC (Foire Internationale d'Art Contemporain) ; 1983 Salon d'Art Sacré ; 1984 musée d'Art moderne de la ville ; 1990 Salon de Mars ; ainsi que : 1964 musée de Céret ; 1975 centre culturel du Noroit, Biennale de Montevideo, *Panorama de l'art français* à Saïgon, Kuala Lumpur, Singapour, Jakarta ; 1978 salon de Montrouge ; 1986 *Le Pastel* à Séoul ; 1996 *École de Paris 1945-1975* organisée à l'occasion du cinquantième anniversaire de la création de l'ONU (Organisation des Nations Unies pour l'Éducation, la Science et la Culture) au Palais de l'UNESCO à Paris ; 1997 *Peintures sur papier* au centre culturel Jean Gagnant à Limoges.
Il montre ses œuvres dans des expositions personnelles depuis 1963 : à partir de 1965 très régulièrement à Paris notamment en 1966, 1968 galerie Daniel Templon ; 1971, 1973, 1975, 1978, 1980 galerie de Seine ; 1990 galerie Mostini ; 1994 galerie Larock-Granoff... ; ainsi que : 1969 musée de Verviers ; 1970 Maison de la culture de Rennes ; 1972 Bruxelles ; 1986 Abidjan ; 1993 Papeete ; 1996 Pérouges. Il est Chevalier de l'Ordre des Arts et Lettres.
Après une courte période néo-cubiste, due sans doute à l'influence de Lhote, il en vient à une abstraction plus lyrique. À partir de 1960 il utilise une technique gestuelle. Évoluant, il aboutit ensuite à une description ironique du monde technique qui nous entoure. Pendant cette période, obsédé par la télévision, il en reprend la forme stylisée qui revient comme un module dont les différentes combinaisons constituent la structure de ses œuvres. En 1973 il réalise des sculptures, simples reproductions en trois dimensions de son univers. Si pendant cette période, Tyszblat a semblé sensible à une certaine ordonnance géométrique des structures qu'il utilisait, il a, en revanche, évolué vers une expression beaucoup plus directement fantastique. À partir de 1974, il peint d'étranges machineries faites d'hélices, de pistons, de calandres, de pièces métalliques, de tuyaux, et les place dans des espaces abstraits, simplement indiqués par une ouverture, fenêtre ou porte. Les titres mêmes donnés à ses toiles font référence à un monde étrange, hanté par quelques « ovnis » : *Ivark, Covi, Axetr, Kran*. Entre 1968 et 1970, on trouve peut-être la trace dans ses peintures de son expérience de « peintre-conseil » dans un hôpital psychiatrique. Ses peintures au cours du temps se révèlent plus expressionnistes, avec des machines en éclats, des corps en morceaux, fragments d'un monde déchiqueté, des éléments de fiction urbaine. Puis, par un nouveau retournement, au cours des années quatre-vingt-dix, il est revenu à une peinture expressionniste-abstraite, issue de la logique formelle du collage, particulièrement haute en couleur, qui aurait trouvé sa place dans le contexte du mouvement COBRA, d'où il a progressivement évacué les dernières traces de figuration tandis qu'il accentuait la sensualité matiériste.
BIBLIOGR. : G. Xuriguéra : *Les Figurations de 1960 à nos jours*, Mayer, 1985 – Jean-Jacques Lévêque : *Tyszblat*, SMI, Paris, s. d – Michel Faucher : *Michel Tyszblat*, in : Cimaise, nº 206, Paris, été 1990 – Catalogue de l'exposition : *Tyszblat*, Pérouges, 1996 – in : Catalogue de l'exposition *Peintures sur papier*, Centre Culturel Jean Gagnant, Limoges, 1997.
MUSÉES : BRUXELLES – DUNKERQUE – OSTENDE – PARIS (CNAC) – PARIS (Mus. d'Art mod. de la ville) – SAINT-LOUIS – SÉLESTAT (FRAC Alsace) – VERVIERS.
VENTES PUBLIQUES : PARIS, 10 déc. 1985 : *Fragment 4*, dess. gche (109x75) : **FRF 6 700** – PARIS, 9 avr. 1989 : *Sans Titre*, techn. mixte/pap. (110x75) : **FRF 12 000** – PARIS, 23 juin 1989 : *Sans titre*, h/t (115x146) : **FRF 26 000** – PARIS, 8 oct. 1989 : *Sans titre*, techn. mixte/pap. (110x75) : **FRF 8 000** – PARIS, 14 oct. 1989 : *Place de la Convention 1987*, acryl./t (145x96,5) : **FRF 28 000** – LES ANDELYS,

19 nov. 1989 : *Sans titre*, techn. mixte/pap. (65x50) : **FRF 4 000** – PARIS, 26 avr. 1990 : *Sans titre*, techn. mixte /pap. (65x50) : **FRF 6 800** – PARIS, 21 juin 1990 : *Rue de Rennes 1986*, h/t (162x130) : **FRF 51 000** – PARIS, 20 nov. 1991 : *Personnage 1985*, h/t (160x112) : **FRF 15 000** – PARIS, 29 nov. 1992 : *Elle et Onor 1989*, h/t (146x146) : **FRF 10 000** – LOKEREN, 8 oct. 1994 : *Composition 1972*, h/t (130x97) : **BEF 18 000** – LOKEREN, 11 mars 1995 : *Percic 1972*, h/t (146x115) : **BEF 24 000**.

TYSZKIEWICZ Aleksander de, comte
Né en 1862 à Oczeretnia. XIXᵉ siècle. Polonais.
Peintre, illustrateur.
Peintre amateur, il fut élève de Neuville. Il illustra les romans de Sienkiewicz.

TYSZKIEWICZ Anna ou **Annette**, comtesse Potocka, plus tard **comtesse Wasowicz**
Née en 1776. Morte le 16 août 1867 à Paris. XIXᵉ siècle. Polonaise.
Dessinatrice et aquafortiste.
Élève d'I. Duvivier. Elle grava des vues de Varsovie et de Grodno.

TYT Jan Woutersz Van der
Mort avant 1655. XVIIᵉ siècle. Actif à Rotterdam. Hollandais.
Peintre.

TYTGAT Edgard ou **Tijtgat**
Né le 28 avril 1879 à Bruxelles. Mort en janvier 1957 à Bruxelles. XXᵉ siècle. Belge.
Peintre de compositions mythologiques, scènes de genre, figures, portraits, compositions animées, intérieurs, paysages, aquarelliste, dessinateur, graveur, illustrateur, peintre de cartons de tapisserie. Tendance expressionniste.
D'aucuns tiennent Tytgat pour le grand peintre belge de sa génération. Ce qui ne peut être exact, de ce simple fait que lui-même s'est voulu le contraire d'un chef de file. C'est une curieuse figure de peintre que cet amuseur amusé de grand talent, qui fut l'ami de Rick Wouters. Enfant, il travaillait dans l'atelier de lithographie de son père. En 1897, il suivit les cours du soir de l'Académie de Bruxelles. À Londres pendant la Première Guerre mondiale, il revint en Belgique et s'installe en 1924 à Woluwé-Saint-Lambert. En 1901, il exposa pour la première fois au Salon Triennal d'Anvers.
De 1905 à 1927, sa peinture s'apparentait à l'intimisme de Bonnard. Il a su profiter des enseignements de notre temps, mais il les a ensuite adaptés à sa propre nature. On ne sait dire la part, dans ses compositions, d'une naïveté volontaire et savant. Il veut voir le monde avec la fraîcheur et l'optimisme d'un enfant. Parfois, transparaît quelqu'allusion sainement érotique. La poésie sans prétention de ses scènes entre marins de livre d'images et petites femmes sans malice, illustre bien une certaine veine populaire de l'esprit flamand. Il a produit de nombreux albums illustrés, dont il est pour la plupart l'auteur des illustrations, ainsi que du texte et de la typographie en couleurs, parmi lesquels : *Lendemain de Saint-Nicolas* 1915 ; *Le Petit Chaperon-Rouge* 1916 ; *Songe de la vie d'un artiste* 1916-1917 ; *Carrousels et Baraques* 1919 ; *Contes* 1927. De ses œuvres peintes postérieures, c'est-à-dire de la période populaire, on cite surtout : *Dimanche à la campagne* de 1928 ; *La Femme de Loth* 1931 ; *Dans le tramway* 1932 ; *La Veille du printemps* 1946 ; *La Pianiste hallucinée* 1947.

Edgard Tytgat

BIBLIOGR. : Albert Dasnoy, G. Ollinger-Zinque : *Edgard Tytgat. Catalogue raisonné de son œuvre peint*, Laconti, Bruxelles, 1965 – Michel Ragon : *L'Expressionnisme*, in : Hre Gle de la peint., t. XVII, Rencontre, Lausanne, 1966 – Joseph-Émile Muller, in : Diction. univers. de l'Art et des Artistes, Hazan, Paris, 1967 – Oto Bihalji-Merin : *Les Peintres Naïfs*, Delpire, Paris, s.d.
MUSÉES : ANVERS – BRUXELLES (Mus. roy. des Beaux-Arts) – GRENOBLE (Mus. de Peinture et de Sculpture) : *Tytgat et les figures de cire* – LIÈGE (Mus. des Beaux-Arts) – ROTTERDAM.
VENTES PUBLIQUES : PARIS, 5 déc. 1941 : *La Plage du Zoute 1931*, aquar. : **FRF 300** – BRUXELLES, 7 déc. 1946 : *La Visiteuse* : **BEF 15 000** – BRUXELLES, 2 déc. 1950 : *La Kermesse à Boisfort 1909* : **BEF 20 000** ; *Jeune Fille aux fleurs 1912* : **BEF 9 000** – BRUXELLES, 24 fév. 1951 : *Chapelle à Uccle 1909* : **BEF 6 500** – PARIS, 14 mars 1951 : *Femme dans un parc* : **FRF 1 400** –

BRUXELLES, 28 avr. 1951 : *La Cavalcade à Nivelles, le jour du grand carnaval* : **BEF 15 000** – BRUXELLES, 5 avr. 1959 : *Les Saltimbanques*, aquar. : **BEF 30 000** – BRUXELLES, 11 avr. 1961 : *Kitty* : **BEF 15 000** – ANVERS, 13-15 oct. 1964 : *Mozart et les Bohémiens* : **BEF 200 000** – BRUXELLES, 8-9 déc. 1965 : *Recherche d'une pose* : **BEF 220 000** – ANVERS, 23-24 avr. 1968 : *Deux Portraits*, aquar. : **BEF 110 000** – ANVERS, 1er-2 oct. 1968 : *Marylise sur la chaise* : **BEF 200 000** – ANVERS, 23 avr. 1969 : *Le Bestiaire de Poulenc* : **BEF 270 000** – ANVERS, 14 oct. 1970 : *Atelier à Chelsea* : **BEF 300 000** – PARIS, 10 déc. 1971 : *C'est la faute à Ève*, aquar. : **FRF 11 500** ; *Le Bombardon* : **FRF 50 500** – PARIS, 17 avr. 1972 : *Baigneurs sur la plage*, aquar. : **FRF 10 000** – ANVERS, 19 avr. 1972 : *Les Amoureux* : **BEF 600 000** – ANVERS, 3 avr. 1973 : *Le Déjeuner sur l'herbe*, aquar. : **BEF 90 000** – ANVERS, 23 oct. 1973 : *Fille à l'arc 1941* : **BEF 420 000** – ANVERS, 22 oct. 1974 : *Intérieur de cuisine 1910* : **BEF 340 000** – BRUXELLES, 24 mars 1976 : *Fillette tenant un petit oiseau 1923*, h/t (61x51) : **BEF 330 000** – BRUXELLES, 14 juin 1977 : *Lecture des contes de Perrault 1920*, h/t : **BEF 200 000** – BRUXELLES, 12 déc 1979 : *La pianiste hallucinée 1947*, dess., étude (64x97) : **BEF 90 000** – ANVERS, 23 oct 1979 : *Ballet russe à Londres 1918*, aquar. (20x30) : **BEF 120 000** – ANVERS, 23 oct 1979 : *Bouquet d'amour 1945*, h/t (55x46) : **BEF 450 000** – AMSTERDAM, 20 mai 1981 : *Prologue d'une Nativité*, h/t (64x80) : **NLG 36 000** – ANVERS, 27 avr. 1982 : *Les trois Grâces surprises 1928*, aquar. (55x70) : **BEF 340 000** – BRUXELLES, 23 mars 1983 : *Les Premiers Pas 1925*, aquar. (56x74) : **BEF 350 000** – ANVERS, 23 oct. 1984 : *Les premiers envahisseurs à Watermael 1918*, h/t (63x76) : **BEF 1 000 000** – BRUXELLES, 27 mars 1985 : *Deux fillettes 1952*, dess. et aquar. (45,5x39,5) : **BEF 75 000** – ANVERS, 22 oct. 1985 : *L'entrée du village 1936*, h/t (90x116) : **BEF 700 000** – ANVERS, 22 avr. 1986 : *Les Femmes de Bagdad*, lav., étude (61x32) : **BEF 140 000** – LOKEREN, 28 mai 1988 : *Les Huit Dames et un monastère*, lav., esquisse (21x27) : **BEF 26 000** – LONDRES, 24 juin 1988 : *Shéhérazade 1922*, h/t (198x168) : **GBP 16 500** – LOKEREN, 8 oct. 1988 : *Suzanne surprise par les vieillards 1925*, lav. (22x28,5) : **BEF 50 000** – LONDRES, 19 oct. 1988 : *La Danseuse endormie 1945*, h/t (27,5x46) : **GBP 3 300** – LONDRES, 19 oct. 1989 : *La Légende des sœurs 1954*, encre/pap. (29,5x43) : **GBP 5 500** – CALAIS, 10 déc. 1989 : *Le Modèle 1930*, cr. coul., gche (41x34) : **FRF 60 000** – LONDRES, 25 oct. 1989 : *La Mélodie 1929*, h/t (61x73) : **GBP 28 600** – BRUXELLES, 27 mars 1990 : *Nature morte*, h/t (43x55) : **BEF 45 000** – BRUXELLES, 12 juin 1990 : *Art populaire et primitif*, affiches, exposition de 1929, numérotées : **BEF 30 000** – LONDRES, 16 oct. 1990 : *La Petite Ouvrière 1927*, h/t (63,5x76,8) : **GBP 55 000** – AMSTERDAM, 13 déc. 1990 : *Piazza di Popolo, souvenir de Rome 1948*, aquar./pap. (32x40) : **NLG 3 910** – AMSTERDAM, 23 mai 1991 : *Jeune Fille au chandail blanc 1925*, h/t (61x50) : **NLG 25 300** – AMSTERDAM, 21 mai 1992 : *Musicien aveugle et Caldas da Rainha 1936*, aquar./pap. (35x51) : **NLG 7 475** – LOKEREN, 23 mai 1992 : *Quatre Femmes et un Archer*, aquar. (40x27,5) : **BEF 90 000** ; *Guignol*, lav. (143,5x86) : **BEF 95 000** – LONDRES, 15 oct. 1992 : *L'Imagerie de Watermael à Nivelles 1922*, h/t (90x100) : **GBP 26 400** – PARIS, 2 avr. 1993 : *Invitation au paradis 1925*, bois gravé 1927 : **FRF 4 800** – AMSTERDAM, 27-28 mai 1993 : *La Pose*, h/t (100x100) : **NLG 73 600** – LONDRES, 30 nov. 1993 : *L'Artiste et le Modèle 1928*, aquar. et cr./pap. (36x30) : **GBP 10 350** – PARIS, 9 mars 1994 : *Invitation au paradis*, bois coul. : **FRF 4 100** – LOKEREN, 8 oct. 1994 : *Barques à Hellevoet-Sluis 1932*, aquar. (36,8x52,7) : **BEF 140 000** – PARIS, 30 nov. 1994 : *Belle Romance au pays de Flandres 1938*, aquar. (62x82) : **FRF 85 000** – LOKEREN, 10 déc. 1994 : *Impression d'un vaudeville 1933*, h/t (81x60) : **BEF 2 400 000** – LOKEREN, 11 mars 1995 : *Les Songes de Tytgat 1945*, h/t (89x116) : **BEF 650 000** – AMSTERDAM, 7 déc. 1995 : *Bouquet de fleurs 1927*, h/t (63x47) : **NLG 15 340** – PARIS, 24 mai 1996 : *Vue de la Place Royale 1942*, h/t (73x92) : **FRF 80 000** – LOKEREN, 5 oct. 1996 : *Le Port de Saint-Raphaël*, aquar. (24,5x33,5) : **BEF 40 000** – LONDRES, 2 déc. 1996 : *Jeune Homme agenouillé avec dans ses bras une jeune femme nue 1928*, gche et aquar. avec reh. de blanc/pap. (52x67,5) : **GBP 10 500** – LOKEREN, 8 mars 1997 : *Femmes*, grav. (11,4x7,6) : **BEF 18 000** – AMSTERDAM, 2-3 juin 1997 : *Peintre pêcheur 1913*, h/t (100x100,5) : **NLG 59 000** – AMSTERDAM, 4 juin 1997 : *Ommeganck à Bruxelles 1916*, aquar./pap. (25x35) : **NLG 27 676** – LOKEREN, 6 déc. 1997 : *La Pose 1931-1942*, h/t (74x92) : **BEF 1 000 000**.

TYTGAT Louis ou Tytgadt

Né le 20 avril 1841 à Lovendeghem. Mort en 1918 à Gand. XIXe-XXe siècles. Belge.

Peintre d'histoire, compositions religieuses, sujets allégoriques, scènes de genre, portraits, peintre à la gouache, aquarelliste.

Il eut pour maître Alexandre Cabanel à Paris. Il fut élève de l'École des Beaux-Arts de Gand, dont il devint professeur puis directeur. De 1892 à 1902, il séjourna en Italie.

BIBLIOGR. : Gérald Schurr, in : *Les Petits Maîtres de la peinture 1820-1920, valeur de demain*, Les Éditions de l'Amateur, t. II, Paris, 1982.

MUSÉES : GAND : *Le Martyre de Saint Sébastien – Après la messe dans le couvent des béguines de Gand* – LIÈGE : *Le Petit Béguinage de Gand*.

VENTES PUBLIQUES : PARIS, 28 déc. 1942 : *Jeune femme et l'Amour 1895*, aquar. : FRF 320 – PARIS, 8 juin 1951 : *Fête de Bacchus 1900*, aquar. gchée : FRF 2 100 – PARIS, 9 déc. 1988 : *Femme assise*, h/t (36x28) : FRF 6 500 – AMSTERDAM, 9 nov. 1993 : *La salle d'attente du Mont-de-piété*, h/t/pan. (26x24,5) : NLG 2 185 – PARIS, 25 juin 1996 : *Jeune femme grecque aux bijoux 1879* (68,5x42,5) : FRF 29 000.

TYTGAT Médard

Né le 8 février 1871 à Bruges. Mort en 1948 à Bruxelles. XIXe-XXe siècles. Belge.

Peintre de portraits, figures, nus, paysages, lithographe.

Il est le frère du peintre Edgard Tytgat. Il fut élève des académies des beaux-arts de Bruges et de Bruxelles. Il exposa à Paris, aux Salons de la Nationale des Beaux-Arts vers 1910, des Indépendants à partir de 1923 et en Belgique.

MUSÉES : BRUXELLES (Hôtel de Ville).

TYTGAT Médard Siegfried

Né le 21 décembre 1916 à Bruxelles. XXe siècle. Belge.

Peintre de portraits, figures, nus, paysages, marines, dessinateur. Expressionniste.

Élève de l'Académie Royale des Beaux-Arts de Bruxelles, pendant cinq ans, de son oncle, Edgard Tytgat lui conseilla de quitter l'Académie et de chercher par lui-même sa propre voie. Il étudia aussi à l'académie des beaux-arts de Paris.

Avant la Seconde Guerre mondiale, il participa à diverses expositions de groupe en France et en Belgique.

Parti d'un art encore traditionaliste d'esprit, il oriente ensuite ses recherches vers un monde d'expression plus résolu.

VENTES PUBLIQUES : BRUXELLES, 12 juin 1990 : *Paysage de Flandre 1970*, h/pan. (76x96) : BEF 35 000 – BRUXELLES, 13 déc. 1990 : *Jeune femme à sa toilette 1954*, encre noire/pap. (54x42) : BEF 57 000 – LOKEREN, 10 oct. 1992 : *Digue 1969*, h/t (100x120) : BEF 110 000.

TYTLER George

Né vers 1798. Mort le 30 octobre 1859 à Londres. XIXe siècle. Britannique.

Dessinateur et lithographe.

Il avait le titre de dessinateur lithographe du duc de Gloucester. Il exposa à Londres, notamment des portraits à la Royal Academy et à la Old Water Colour Society de 1819 à 1825. Vers 1820, il fit en Italie un voyage dont il rapporta un certain nombre de vues et de scènes pittoresques. Il fit aussi une importante *Vue d'Edimbourg* et un *Alphabet illustré* qui eut son heure de vogue. Il mourut fort pauvre. Le British Museum de Londres conserve de lui *Portrait de sir John English Dolben*.

TYWORT Flora C., Miss

XXe siècle. Britannique.

Peintre de genre.

Elle participa aux manifestations organisées par la Royal Academy, de 1927 à 1950.

TYZACK Michael

Né en 1933 à Sheffield. XXe siècle. Britannique.

Peintre. Tendance minimaliste.

Il fut élève de la Slade School of Fine Arts de Londres, de 1952 à 1956. Il vécut et travailla à Londres.

Il participe à de nombreuses expositions collectives, en Grande-Bretagne, à Amsterdam, Paris, New York, Varsovie, etc., ainsi qu'à la Documenta de Kassel. Il a obtenu le premier prix de l'exposition *John Moores* de Liverpool. Il a montré des expositions personnelles de ses travaux à Londres et à Édimbourg.

Dans un esprit proche des minimalistes américains, Tyzack est surtout préoccupé par des questions concernant l'environnement et l'intégration architecturale.

BIBLIOGR. : *Catalogue du IIIe Salon International des Galeries Pilotes*, Musée cantonal, Lausanne, 1970.

MUSÉES : LIVERPOOL – LONDRES (Victoria and Albert Mus.) – MANCHESTER – ZURICH.

TZAIG Uri
Né en 1965 à Tel-Aviv. xxᵉ siècle. Israélien.
Sculpteur, créateur d'installations, multimédia. Conceptuel.
Il participe à des expositions collectives, dont : 1996, *EV+A*, Limerick, Irlande ; 1996, *Manifesta 1*, Rotterdam ; 1996, 12ᵉ Ateliers du Fonds régional d'art contemporain des Pays de la Loire, Saint-Nazaire ; 1997, *Hide and Seek, Art Focus*, Jérusalem ; *We* avec Fabrice Hybert, Musée Israël, Jérusalem ; 1997, *Touch for seeing*, Le Creux de l'Enfer, Thiers ; 1997, *Out of Senses*, Musée d'Art moderne, Anvers ; 1997, *Connexions implicites*, École des Beaux-Arts, Paris.
Il montre ses œuvres dans des expositions personnelles, dont : 1994, Kunstlerhaus Bethanian, Berlin ; 1996, University Art Museum, Berkley ; 1997, Musée d'Art moderne, Ljubljana, Slovénie.
Son œuvre littéraire tient une part essentielle dans son activité de plasticien qu'il a débutée en réalisant des petites sculptures. Il utilise dorénavant la vidéo dans des installations. L'une d'elle, *Play* (1996), présente une partie de football jouée avec deux ballons transformant l'espace de jeu en un espace mental perturbé par l'absence de règles, tel un miroir d'un nouveau type d'ordre, un inconnu déroutant, mais réel. « Fiction contre réalité, mensonge contre vérité, vision et cécité, construction et effacement de la forme, asymétrie du temps et de l'espace » caractérisent selon Aim Deuelle-Luski le travail de Uri Tzaig.
Bibliogr. : Aim Deuelle-Luski : *Uri Tzaig. L'Invention du jeu, Art Press*, nᵒ 225, Paris, juin 1997.

TZANCK André Charles
Né le 9 mai 1899 à Paris. xxᵉ siècle. Français.
Peintre de portraits, paysages, natures mortes.
Dès l'âge de douze ans, il est attiré par la peinture et la sculpture. Jusqu'à vingt ans pourtant, il étudie la composition musicale et joue de divers instruments. Peu après il se tourne définitivement vers la peinture. Il fut élève de Théophile Robert.
Il expose à Paris, aux Salons d'Automne depuis 1923, des Indépendants et des Tuileries.
Il trouve son inspiration dans les sites de la Provence, où il réside depuis plus de trente ans. Il a illustré *Le Cocu* de Paul de Kock.
Ventes Publiques : Paris, 13 nov. 1935 : *Nuque et épaules de jeunes femme vue de dos, à profil perdu* : FRF 500 – Paris, 23 avr. 1945 : *Paysage* : FRF 1 100 – Paris, 12 déc. 1946 : *Paysage provençal* : FRF 7 000 – Paris, 23 avr. 1947 : *Sur la terrasse (midi)* : FRF 4 300 – Paris, 23 mai 1949 : *Paysage* : FRF 14 500 – Paris, 19 mars 1951 : *Bordure de champ* : FRF 17 500 – Paris, 17 déc. 1954 : *Paysage de Provence* : FRF 19 500.

TZANE Emmanuel, Frère. Voir **EMMANUEL, Frère Emmanuel Tzane**

TZANEV Stojan
Né en 1946 à Bourgas. xxᵉ siècle. Bulgare.
Graveur.
Il a figuré à l'exposition : *De Bonnard à Baselitz – Dix ans d'enrichissements du Cabinet des Estampes 1978-1988* à la Bibliothèque nationale de Paris, en 1992.
Musées : Paris (BN) : *Cavaliers* vers 1983, eau-forte et outils.

TZANFURNARI Emmanuel
ixᵉ siècle. Éc. byzantine.
Peintre.
Squarcione rapporta de son voyage en Orient une peinture de cet artiste, représentant *La mort de saint Ephraïm*, et conservée maintenant au « Muséo Cristiano » du Vatican. Ce dernier possède également une *Légende de Siméon le Syrien* que attribué à cet artiste.
Ventes Publiques : Londres, 28 mai 1965 : *La vie et la mort de saint Ephraïm, le Syrien* : GNS 4 800.

TZARA Tristan, pseudonyme de **Rosenstock Tristan Samuel**
Né en 1896 à Moinesti. Mort en décembre 1963 à Paris. xxᵉ siècle. À partir de 1918 actif et naturalisé en France. Roumain.
Peintre, dessinateur. Dada.
Poète et écrivain, il fut le fondateur en 1916 à Zurich du mouvement Dada, dont il développa les théories novatrices, notamment la défense de l'art abstrait et de la photographie, dans de nombreux manifestes. En France à partir de 1918, il participa au mouvement dadaïste parisien. Parallèlement à son activité poétique, il semble avoir pratiqué en amateur une activité graphique.

Tzara

Bibliogr. : In : *Dict. de l'art mod. et contemp.*, Hazan, Paris, 1992.
Ventes Publiques : Londres, 31 mars 1981 : *Sans titre*, pl. (18x22,5) : GBP 1 100 – Londres, 4 déc. 1985 : *Dada baise la vie* vers 1920, pl. et encre verte (13,2x8,9) : GBP 900 – Paris, 26 nov. 1994 : *Composition*, encre de Chine (14x11,5) : FRF 30 200.

TZERRARTS Jan
Né en 1586. xviiᵉ siècle. Actif à Dordrecht. Hollandais.
Peintre.

TZE-SU, Mme. Voir **DZANG**

TZETTER Samuel. Voir **CZETTER Samuel**

TZIPOIA George
Né à Bucarest. xxᵉ siècle. Depuis 1982 actif en Suisse. Roumain.
Peintre. Abstrait.
Il fit ses études à la faculté des beaux-arts de l'université de Bucarest. Il émigre en Suisse où il s'installe à Genève en 1982.
Il montre ses œuvres dans des expositions personnelles, de 1971 à 1983 régulièrement à Bucarest ; depuis 1983 à Genève ; 1986 Zurich.
Il réalise des œuvres abstraites, fondées sur des accords colorés, fréquemment architecturées par des lignes noires, d'où se dégage un certain lyrisme.
Bibliogr. : Ionel Jianou et autres : *Les Artistes roumains en Occident*, American Romanian Academy of Arts and Sciences, Los Angeles, 1986.

TZONEV Cyrille
Né en 1896 à Kustendil. Mort en 1961. xxᵉ siècle. Bulgare.
Peintre.
Il poursuivit sa formation à Munich, à Cuba et sous la direction de Diego Rivera au Mexique. Revenu en 1934 en Bulgarie, il fut nommé professeur à l'École des Beaux-Arts de Sofia, où il vécut et travailla. De ses voyages, il rapporta le goût des sujets exotiques. De l'exemple de Diego Rivera il retira le sens du monumental et l'expression par le volume simplifié.
Bibliogr. : B. Dorival, sous la direction de... : *Peintres Contemporains*, Mazenod, Paris, 1964.
Musées : Sofia (Gal. nat.) : *Le Vieux Bois* 1941-1948.

TZORTZOGLOU Gergios
Né en 1954 à Miscolk. xxᵉ siècle. Hongrois.
Peintre, technique mixte. Abstrait.
Il fait partie du groupe de la Galerie Muhely de Szentendre. Il a exposé dans son pays et à l'étranger : Allemagne, Hollande, Autriche.
Ventes Publiques : Paris, 14 oct. 1991 : *Lignes brisées* 1990, techn. mixte (22x26) : FRF 8 000.

TZYKANDILOS Manuel
xivᵉ siècle. Éc. byzantine.
Enlumineur.
La Bibliothèque nationale de Paris conserve de lui des enluminures pour le livre de Job, exécutées en 1368.

Maîtres anonymes
connus par un monogramme
ou des initiales
commençant par T

T. A.
xive-xve-xvie-xviie siècles (?). Allemand.
Monogramme d'un graveur.
Ce monogramme a été relevé sur une gravure sur bois représentant : *La Vierge et l'Enfant* ; *Jésus portant un bouquet à sainte Dorothée*. Cité d'après Ris-Paquot.

T. A. D.
xive-xve-xvie-xviie siècles (?). Allemand.
Marque d'un graveur.
Cette marque a été relevée sur une estampe sur bois représentant : un *Crucifix placé sur un piédestal de trois marches*. Cité d'après Ris-Paquot.

T. B.
xive-xve-xvie-xviie siècles (?). Allemand.
Marque d'un graveur et dessinateur.
Cette marque a été relevée sur une gravure sur bois représentant : la *Sépulture d'une sainte religieuse*. Cité d'après Ris-Paquot.

T. B.
xive-xve-xvie-xviie siècles (?). Allemand.
Monogramme d'un graveur.
Cité par Ris-Paquot. Ce monogramme a été relevé sur une gravure sur bois représentant : *Jésus Christ insulté par les Juifs dans le prétoire*.

T. B.
xvie siècle. Allemand.
Monogramme d'un graveur.
Ce monogramme a été relevé sur deux portraits de *Sigismond, baron de Herberstein*, dont l'un est daté de 1541 ; sur un *Portrait d'Ubermann* ; un *Portrait de Maximilien II* ; et les *Armoiries d'Urbain, évêque de Passau*. Cité d'après Ris-Paquot.

T. D.
xvie siècle.
Marque d'un graveur sur cuivre.
Les marques ont été relevées sur des œuvres datées de 1560. Cité d'après Ris-Paquot.

T. F. O. I.
xive-xve-xvie-xviie siècles (?). Allemand.
Monogramme d'un graveur sur bois.
Cité par Ris-Paquot. Ce monogramme a été relevé sur une estampe représentant : *L'Enlèvement d'Hélène*.

T. H. V. B.
xve-xvie-xviie siècles (?). Allemand.
Monogramme d'un graveur.
Cité par Ris-Paquot. Ce monogramme a été relevé sur un portrait représentant : *L'Archevêque Daniel, électeur de Mayence* ; *Portrait de Georges Khevenhuller, premier chambellan de l'empereur, gouverneur de Carinthie*.

T. O.
xive-xve-xvie-xviie siècles (?).
Monogramme d'un peintre.
Cité par Ris-Paquot.

T. O. L.
xive-xve-xvie-xviie siècles (?).
Monogramme d'un peintre.
Cité par Ris-Paquot.

T. v. A.
XVIIᵉ siècle. Hollandais.
Monogramme d'un peintre.
Cité par Ris-Paquot. Cet artiste était actif vers 1620.
Musées : Berlin : *Paysage.*

T. V. S. D.
XIVᵉ-XVᵉ-XVIᵉ-XVIIᵉ siècles ? Allemand.
Monogramme d'un graveur.
Ce monogramme a été relevé sur une estampe représentant *Vénus.* Cité d'après Ris-Paquot.

T. W
XIVᵉ-XVᵉ-XVIᵉ-XVIIᵉ siècles ? Allemand.
Monogramme d'un graveur.
Cité par Ris-Paquot. Ce monogramme figure sur une estampe représentant : *Saint Christophe.*

T. W. P.
Monogramme d'un peintre.

U. Pour les patronymes commençant par U, voir aussi **OU**

UBAC Raoul, pseudonyme de **Ubach Rudolf Gustav Maria Ernst**, dit **Rolf** ; a parfois signé d'un **U** au-dessus d'une petite ligne ondulée (Bach = ruisseau en allemand) ; aurait rarement signé **Michelet**
Né le 31 août 1910 à Malmédy (alors en Allemagne, puis rattaché aux Ardennes belges par le traité de Versailles ; l'état-civil dit Cologne). Mort le 22 mars 1985 à Dieudonne (Oise). XXᵉ siècle. Depuis 1930 actif en France. Belge.
Peintre, sculpteur, graveur, lithographe, illustrateur, dessinateur, peintre de cartons de vitraux, de tapisseries, photographe. Surréaliste, puis abstrait. Groupe COBRA.
Son père était juge de paix ; la famille de sa mère exploitait une tannerie. Il entreprit ses études à Malmédy, songeant à devenir inspecteur des Eaux et Forêts. De 1927 à 1930, il fut un considérable voyageur à pied, à travers la France, la Belgique, la Suisse, l'Italie, l'Allemagne, l'Autriche, et, en 1932, l'île de Hvar, sur la côte dalmate, dont il ressentit très profondément le caractère minéral. Très errant à partir de 1930, il séjournait à Paris, en Belgique, en Allemagne, en Autriche. À Paris, où il suivait quelques cours de la Faculté des Lettres, il fréquentait peu à peu les artistes et les écrivains. Jusque-là, il avait un peu dessiné, peint et fait de la photographie. En 1936, il se fit initier à la gravure par Stanley William Hayter, dans son « Atelier 17 » de Paris. De 1936 à 1939, son activité fut intimement liée à celles du groupe des surréalistes. La guerre interrompit cette période. Ubac se réfugia à Carcassonne, où il délaissa quelque peu la photo pour revenir au dessin. À partir de 1942, à Paris, il se lia avec les poètes Jean Lescure, Raymond Queneau, Paul Éluard et André Frénaud. Il prenait encore part aux activités du groupe de la « Main à Plume », qui tentait de perpétuer l'esprit du surréalisme, en dépit des circonstances et de l'exil des principaux surréalistes aux États-Unis.
Après la libération, d'abord dans son atelier de Montmartre, puis entre Paris et la maison acquise à Dieudonne dans l'Oise, sa vie s'est confondue avec l'élaboration de son œuvre.
Depuis 1953, Ubac a participé à des expositions importantes d'art contemporain, parmi lesquelles : 1953, l'Exposition internationale du Carnegie Institute de Pittsburgh, dont il obtint le quatrième prix ; 1955, invité à une exposition internationale du groupe « Cobra », à Liège ; 1956-1957, groupes à Turin, Bâle, Amiens, Zurich, São Paulo, Genève ; 1959, Documenta de Kassel, groupe à la Corcoran Gallery de Washington ; 1960, « Antagonismes », au Musée des Arts Décoratifs de Paris ; 1961, groupes à Vancouver, Amiens, Amsterdam, Moscou, Turin ; 1962, « Art Sacré », à Rome, Tate Gallery de Londres, Tokyo ; 1963, « Dun Exhibition » au Canada ; 1964, Carnegie Institute de Pittsburgh, Musée de Detroit ; 1965, Tokyo, Carrare, Amérique du Sud ; 1968, Carnegie Institute de Pittsburgh, « L'Art Vivant 1965-1968 » à la Fondation Maeght, VIIᵉ Biennale de Menton ; etc.
Ses œuvres ont été surtout montrées dans de très nombreuses expositions personnelles, notamment : en 1941, il montra une exposition uniquement de ses photos pour la dernière fois, à Bruxelles ; en 1943, une exposition de dessins et de photos, à Paris, avec une préface de Jean Lescure ; en 1946, trois expositions de ses dessins et gouaches eurent lieu : gouaches à la Redfern Gallery de Londres, gouaches à la galerie Lou Cosyn de Bruxelles, et dessins à la plume à la galerie Denise René de Paris ; 1949 gouaches à la Hannover Gallery de Londres ; 1950 Paris, peintures, galerie Maeght ; dès 1951, une exposition uniquement consacrée à ses ardoises gravées avait lieu à Wuppertal, galerie

Parnass ; 1955 Paris, huiles, ardoises, gouaches, galerie Maeght ; 1958 Paris, huiles, ardoises, gouaches, galerie Maeght ; 1959, ardoises à la galerie Parnass de Wuppertal, gouaches à la galerie Benador de Genève ; 1961 Paris, ardoises, galerie Maeght ; 1962 Kunsthalle de Mannheim, ardoises ; 1964 Paris, ardoises et gouaches, galerie Maeght ; 1965 New York, peintures et gouaches, galerie John Lefebvre ; 1966 Paris, les peintures en relief, galerie Maeght ; 1968, rétrospective au Musée de Charleroi, au Palais des Beaux-Arts de Bruxelles et au Musée National d'Art Moderne de Paris ; 1969 Maisons de la Culture de Reims et d'Amiens ; 1971, rétrospective au Château de Ratilly (Yonne) ; 1972 Paris, galerie Maeght, Lille et Bordeaux ; 1973 Bruxelles, galerie Michel Vokaer, et Luxembourg, galerie Paul Bruck ; 1974 Musée Municipal d'Évreux, rétrospective, et Zurich, galerie Maeght ; 1975 Toulouse, galerie Protée, et Musée de Metz, Galerie Municipale de Luxembourg, rétrospective ; 1977 Château de Castanet (Lozère), ardoises, peintures et gouaches ; 1978 Saint-Paul-de-Vence, rétrospective, Fondation Maeght, et Le Havre, Musée André Malraux ; 1979 Nevers, Maison de la Culture ; 1981 Liège, Musée Saint-Georges ; 1982 Paris, galerie Adrien Maeght ; 1983 Paris, photographies des années 30, galerie Adrien Maeght. Des expositions posthumes ont eu lieu : 1986 Paris, galerie Adrien Maeght ; 1987 Bruxelles, Centre Culturel de la Communauté Française pour l'ensemble de l'œuvre, tandis que la Bibliotheca Wittockiana exposait les livres et revues illustrés, et la même année Arras, Centre Noroît ; 1988 Paris, galerie atelier Lambert ; 1995 Paris, galerie Adrien Maeght ; 1997 Paris, *Rétrospective 1936-1983*, galerie Thessa Herold.
Outre son prix Carnegie de 1953, il reçut le Prix Triennal de Belgique, dit « de couronnement de carrière », en 1969, et le Prix National des Arts, en 1972, en France, où il était officier des Arts et Lettres.
À Paris, après 1930, l'influence des surréalistes, de Max Ernst et de Man Ray, lui fit alors opter pour la technique photographique, exploitant les ressources nouvellement découvertes du brûlage, de la solarisation, de la pétrification. En 1934, il publia avec Camille Bryen, un recueil de poèmes et photos : *Actuation*. Ses photos étaient régulièrement publiées dans la célèbre revue *Le Minotaure*, proche des surréalistes. En 1942 ou peu après, ce fut encore six photos qu'il illustra *L'Exercice de la Pureté*, de Jean Lescure. Dans ces années de l'occupation allemande, il se consacrait de plus en plus à la réalisation de grands dessins à la plume très minutieux, des natures mortes à la fois objectives et étranges. En 1945, il abandonna définitivement la photo. Prudemment, modestement, il commença par exécuter des dessins et de petites gouaches, notamment la série des quelques *Gardes-chasse*. Ce fut encore en 1946 qu'il commença de graver des ardoises, technique à laquelle il allait dans la suite donner un développement imprévisible. En 1947, il se décida à aborder la peinture, utilisant toutefois des techniques a tempera, plus proches de la gouache. À partir de 1950 donc, Ubac va mener simultanément ces deux activités : la peinture, dont il traitera plus tard les matériaux comme du bas-relief ; l'incision d'ardoise qui se fera de plus en plus insistante et profonde, modifiant ensuite la surface initiale jusqu'à la ronde-bosse, gagnant les deux côtés de la plaque, c'est-à-dire définissant des volumes dans l'espace : des sculptures. Au long de cette lente formation autocritique, Ubac s'était constitué, parallèle dans les deux techniques, un langage propre à sa ressemblance : discret et pourtant affirmé. Devenu ami de Bazaine et de plusieurs des peintres qui avaient exposé sous le sigle des « Peintres de tradition française », Ubac, au sor-

tir de sa période surréaliste, reçut certainement de leur part une impulsion dans le sens d'une abstraction fondée sur le perçu autant que sur le créé, en accord avec le précepte de Paul Klee *peindre abstrait avec des souvenirs*. Aussi, en infrastructure de l'édification de ces sortes de grands damiers, soit verticaux, soit horizontaux, rarement très colorés, mais bien plus souvent de bruns profonds, dont les articulations des cases sont soulignées de larges traînées noires et chaudes, peut-on toujours trouver (ne serait-ce que dans les titres qu'il leur donne), le prétexte de base : marelles, arbres, plus tard le corps féminin. Parfois le prétexte est plus irritant et Michel Ragon raconte drôlement comment, alors qu'il évoquait « Ah ! les Ardennes ! », devant une de ses peintures en présence d'Ubac, celui-ci le reprit, en chuchotant : « Non, ce sont des cyclistes. » Dans la lente évolution de l'œuvre d'Ubac, il faut signaler, en 1950, l'exceptionnelle agitation apportée par quelques peintures comportant des couleurs vives, outre les ocres habituels, des rouges et des bleus. Jusqu'en 1955, ses peintures, tout spécialement ses gouaches, continuent de montrer une certaine effervescence manifestant un désir de changement. En effet, en 1955, il réalisa une peinture comprenant des fragments entiers d'ardoises, et, en 1956, il exécuta une peinture constituée d'un mélange de déchets d'ardoise liés par de la caséine. Ce ne fut qu'en 1966 qu'il montra un ensemble d'œuvres exécutées selon une technique permettant l'amalgame de la peinture avec les effets de relief. Si la technique en est intéressante en elle-même, il faut surtout noter que dans le même temps qu'il la mettait lentement au point, son vocabulaire plastique se modifiait de son côté, soit conditionnant le changement de technique, soit conditionné par lui.

Dans la première partie de son œuvre, on peut dire, en gros, que ses créations étaient fondées sur des rythmes verticaux, morcelés en damier. Avec la même approximation, on peut également dire que sa seconde série de son œuvre s'organise selon des lignes rythmiques horizontales sans discontinuité. Gérald Gassiot-Talabot en donne une bonne description : « Ubac peint comme il sculpte, par sillons, par zones stratifiées. Tout dans son œuvre est silence, méditation, commerce avec le sol, recherche des structures de soutènement de l'homme et du monde : ses paysages, ses natures mortes, se répartissent en couches parallèles comme saisis dans une accumulation sédimentaire et l'homme, quant à lui, semble pris en vision radiographique, dans son architecture intérieure. Peu d'œuvres donnent le sentiment d'une telle identité entre le minéral et la vie... »

Lié avec de nombreux écrivains, il a souvent illustré leurs ouvrages : après Camille Bryen et Jean Lescure : 1948, *Voir* d'Éluard ; 1949, *L'Énorme Figure de la Déesse Raison* d'André Frénaud ; 1957, *Le château* et *La quête du poème* d'André Frénaud ; 1959, la traduction en allemand de *L'auberge dans la sanctuaire* d'André Frénaud ; 1961, *Pour l'Office des Morts* d'André Frénaud ; 1962, *Ancienne Éternité* de Christian Dotremont ; 1963, *Lisière du Devenir* de Lucien Scheler ; 1967, *Vieux pays* d'André Frénaud ; *Le principe d'identité* d'Yves Bonnefoy ; 1971, *Proximité du Murmure* de Jacques Dupin ; etc. Il a aussi eu l'occasion de réaliser d'assez nombreuses intégrations architecturales, entre autres : 1955, pierre tombale pour la famille de Chambure ; 1957, un mur en ardoise à Pittsburgh, un mur en mosaïque et ardoises pour la buvette de la Source Thermale d'Évian, des vitraux en dalles de verre pour l'église d'Ézy-sur-Eure ; 1958, un mur d'ardoise en relief pour le bureau du président de la Société Chimique d'Aquitaine ; 1960, vitraux, en collaboration avec Georges Braque, pour l'église de Varengeville ; après 1967, des mosaïques murales à Saint-Cyr, Orsay, Reims, de nombreuses tapisseries, dont celle du théâtre de la Maison de la Culture de Grenoble, etc.

Au long de tous ses travaux, exécutés dans des techniques diverses, et au-delà d'une lente évolution, résultat de la maturation patiente d'un homme secret et profond, on reconnaît immédiatement sa marque, le style de celui qui, dès 1946, alors que son travail de plasticien n'était pratiquement pas commencé, savait et écrivait que : « À présent, livrés au pouvoir discrétionnaire des pierres, nous sommes aptes à comprendre nos nudités... Terre à terre, face à face. Notre corps enfin s'est rejoint au niveau de la pierre... » Raoul Ubac disparu, l'œuvre demeure, double, peinture et sculpture à égalité, énigmatique parce que formellement abstrait et exemplaire puisque formellement immouvant. Aussi bien lui présent que passé au-delà, l'œuvre, toujours étranger aux courants éphémères, hors théories ou modes, hors du

temps, s'impose : de n'être dilué dans la confusion d'un courant d'époque, un œuvre abstrait évident parce qu'unique.

∎ Jacques Busse

BIBLIOGR. : André Frénaud : *Une peinture tragique*, Derrière le Miroir, n° 34, Maeght, Paris, 1950 – *Premier bilan de l'art actuel*, Paris, 1953 – Yves Bonnefoy, Georges Limbour, Jean Bazaine : *Catalogue de l'exposition Ubac*, Maeght, Paris, 1955 – André Frénaud : *La peinture tragique de Raoul Ubac*, XXᵉ siècle, Paris, juin 1956 – Michel Seuphor : *Diction. de la peint. abstr.*, Hazan, Paris, 1957 – Bernard Dorival : *Les peintres du XXᵉ siècle*, Tisné, Paris, 1957 – Georges Limbour : *Raoul Ubac*, XXᵉ siècle, Paris, septembre 1958 – Michel Ragon : *Raoul Ubac*, Cimaise, Paris, mai-juin 1961 – Francis Ponge, Pierre Volboudt : *Catalogue de l'exposition d'ardoises d'Ubac*, Maeght, Paris, 1961 – *Catalogue de l'exposition « Ubac »*, Kunsthalle, Mannheim, 1962 – Jean Grenier : *Entretiens avec dix-sept peintres non figuratifs*, Calmann-Lévy, Paris, 1963 – Denis Milhau, in : *Peintres Contemporains*, Mazenod, Paris, 1964 – Yves Bonnefoy : *Catalogue de l'exposition « Ubac »*, Maeght, Paris, 1966 – M. Werden : *R. Ubac*, Revue mensuelle du Musée d'Aix-la-Chapelle, 1966 – Gérard Gassiot-Talabot, in : *Diction. Univers. de l'Art et des Artistes*, Hazan, Paris, 1967 – Michel Ragon : *Vingt-cinq ans d'art vivant*, Casterman, Paris, 1969 – Jean Bazaine, Yves Bonnefoy, Paul Éluard, André Frénaud, Jean Grenier, Jean Lescure, Georges Limbour, Michel Ragon, et divers : *Raoul Ubac*, Maeght, Paris, 1970 – André Frénaud : *Ubac et les fondements de son art*, Maeght, Paris, 1985 – André Frénaud : *Ubac – huiles et ardoises*, Maeght, Paris, – Jean-Louis Prat : Catalogue de l'exposition *Raoul Ubac – Rétrospective 1936-1983*, galerie Thessa Herold, 1997.

MUSÉES : BRUXELLES (Mus. roy. des Beaux-Arts) : *Tête* 1949, gche – *Tableau aux points noirs* 1954 – COLOGNE (Wallraf-Richartz Mus.) – METZ (Mus. d'Art et d'Hist.) – MONTRÉAL (Mus. d'Art Contemp.) : *Sans Titre* 1963, eau-forte – *Les Limites*, litho. – *Torse*, litho. – NEW YORK (Mus. of Mod. Art) : *Deux Personnages* 1950 – PARIS (Mus. Nat. d'Art Mod.) : *Arrière-Saison* 1956 – PARIS (CNAC) : *Montchavert* 1966 – *Torse* 1966, ardoise – PITTSBURGH (Mus. of Art, Carnegie Inst.) : *Tableau aux fragments d'ardoises* 1955 – RIO DE JANEIRO (Mus. de Arte Mod.) : *Formes couchées* 1963 – ROUEN (Mus. des Beaux-Arts) : *Deux champs* 1965 – SAINT-PAUL-DE-VENCE (Fond. Maeght) : *14 Stations du Chemin de Croix* 1961-1963, ardoises.

VENTES PUBLIQUES : PARIS, 31 mars 1960 : *Composition*, gche : FRF 4 000 – NEW YORK, 18 mai 1960 : *Forêt*, gche : USD 1 000 – LONDRES, 13 juil. 1960 : *Soleil et pierre*, gche/pan. entoilé : GBP 200 – PARIS, 15 déc. 1961 : *Composition*, gche : FRF 5 000 – GENÈVE, 23 déc. 1964 : *Composition*, relief ardoise : CHF 3 800 – NEW YORK, 24 mars 1966 : *Intérieur* : USD 1 500 – PARIS, 1ᵉʳ avr. 1968 : *Composition*, ardoise : FRF 4 800 – BERNE, 17 juin 1972 : *Le Banc au milieu*, aquar. : CHF 4 400 – PARIS, 27 mars 1973 : *Composition*, gche : FRF 7 500 – PARIS, 24 mai 1973 : *Composition*, bas-relief ardoise : FRF 12 500 – NEW YORK, 16 mars 1978 : *Formes pleines II* 1959, gche (65x51) : USD 1 400 – PARIS, 28 fév. 1978 : *Composition* 1957-1958, h/t (189x128) : FRF 12 000 – NEW YORK, 3 nov. 1984 : *Sculptures abstraites*, deux ardoises, relief (32x28,5 et 8,6x7,6) : USD 2 000 – LONDRES, 4 déc. 1980 : *Le Tireur à l'arc* 1949, gche (68,5x52) : GBP 650 – PARIS, 23 oct. 1981 : *Vêtu d'un blanc manteau* 1951, aquar. (66x51) : FRF 7 100 – PARIS, 27 oct. 1982 : *Composition*, ardoise (100x54) : FRF 120 000 – PARIS, 22 nov. 1984 : *Tête* 1946, past. (85x60) : FRF 28 000 – PARIS, 24 mars 1984 : *Torse rouge* 1910-1917, relief à base de résines amalgamées/aggloméré (130x140) : FRF 60 000 – PARIS, 24 mars 1984 : *Paysage* 1962, ardoise sculptée (80,5x60) : FRF 46 000 – PARIS, 29 mars 1985 : *Torse* 1972, encre de Chine (39x26) : FRF 7 100 – PARIS, 14 oct. 1987 : *Nature morte* 1963, gche (65x50) : FRF 24 000 – PARIS, 20-21 juin 1988 : *Rue d'Orchamp* 1959, gche (65x50) : FRF 40 000 – DOUAI, 23 oct. 1988 : *Torse* 1973, encre (21x28) : FRF 8 800 – PARIS, 17 juin 1989 : *La charrue* 1953, h/t (97x130) : FRF 430 000 – PARIS, 8 oct. 1989 : *Tête Levée* 1981, encre de Chine/pap. (65x50) : FRF 70 000 – PARIS, 9 oct. 1989 : *Sans titre* 1949, fus. (65x49) : FRF 45 000 – DOUAI, 3 déc. 1989 : *Torse* 1968, dess. à l'encre (19x12) : FRF 16 000 – PARIS, 18 fév. 1990 : *Sans titre* 1945 (30x24) : FRF 36 000 – LONDRES, 22 fév. 1990 : *Sans titre*, relief taillé dans une ardoise (7x13) : GBP 2 860 – LONDRES, 5 avr. 1990 : *Sans titre*, aquar. et gche/pap. (49,2x31) : GBP 5 500 – PARIS, 25 mars 1990 : *Sans titre*, ardoise (53x36) : FRF 295 000 – DOUAI, 1ᵉʳ avr. 1990 : *Composition*, ardoise gravée (22,5x63,5) :

FRF 200 000 – Paris, 10 juin 1990 : *Ardennes* 1957, h/t (97x130) : FRF 350 000 – Paris, 28 oct. 1990 : *Sans titre*, ardoise gravée (H. 43, l. 22,5) : FRF 140 000 – Paris, 3 juil. 1991 : *Sans titre*, mosaïque d'ardoise (22x65) : FRF 11 000 – Paris, 17 nov. 1991 : *Groupe* 1950, h/t (195x97) : FRF 400 000 – Paris, 19 mars 1992 : *Tête* 1946, past./pap. (85x60) : FRF 25 500 – Paris, 28 oct. 1992 : *Visage* 1951, ardoise gravée (50x42x2,5) : FRF 85 000 – Paris, 21 mars 1994 : *Composition* 1948, aquar. et past./pap. (49,3x64,5) : FRF 30 000 – Amsterdam, 31 mai 1995 : *Empreinte* 1956, gche/cart. (63x48) : NLG 8 260 – Milan, 22 juin 1995 : *Via Crucis*, ardoise (36x61) : ITL 1 610 000 – Versailles, 17 déc. 1995 : *Ardoise* 1950, ardoise en champlevé (120x66) : FRF 110 000 – Paris, 5 oct. 1996 : *Sans titre* 1978, empreinte à l'encre et au fus./pap. (46,5x32,5) : FRF 6 000.

UBAGHS Émile
Né en 1844. Mort le 9 octobre 1879 à Liège. XIXᵉ siècle. Belge. Peintre.

UBAGHS Jean
Né en 1852 à Liège. Mort en 1937 à Liège. XIXᵉ-XXᵉ siècles. Belge.
Peintre de genre, figures, portraits, paysages, marines, lithographe, dessinateur.
Il fut élève de l'Académie Royale des Beaux-Arts de Liège, puis professeur, où il exerçait encore après 1920. De 1892 à 1936, il exposait au Cercle royal des Beaux-Arts de Liège.
Bibliogr. : Pierre Somville, in : *Le Cercle royal des Beaux-Arts de Liège 1892-1992*, Crédit Communal, Liège, s. d., 1992.
Musées : Liège : *Bacchante* – Liège (Mus. de l'Art wallon) : *Rochers de San Ampeglio*.

UBALDI Carlo
Né au XIXᵉ siècle à Milan. XIXᵉ siècle. Italien.
Sculpteur.
Il exposa à Naples et à Milan.

UBALDINI Petruccio
Né vers 1524 à Florence. XVIᵉ siècle. Vivant en Angleterre. Italien.
Peintre.
Cet artiste a écrit et enluminé de nombreux manuscrits entre autres *Les psaumes de David*, volume sur vélin, présenté par Nicholas Bawn à Lady Lumley. Un autre ouvrage contenant différentes sortes d'écritures, faisait partie d'une longue série d'œuvres conservées en Angleterre, la plupart au British Museum. Il travailla fréquemment pour la cour de la reine Elisabeth, fut calligraphe et savant.

UBALDINI Pietro Paolo
XVIIᵉ siècle. Travaillant à Rome. Italien.
Peintre et dessinateur pour la gravure au burin.
Élève de Pietro da Cortona.

UBALDINI Roberto
XVIIᵉ siècle. Actif à Ferrare de 1666 à 1695. Italien.
Peintre de décors et architecte.

UBALDINO
XIVᵉ siècle. Travaillant à Reggio Emilia de 1314 à 1315. Italien.
Peintre.

UBALDINO
XVIᵉ siècle. Actif à Florence en 1517. Italien.
Peintre.

UBALDINO Agostino. Voir BUGIARDINI

UBALDO
XIVᵉ siècle. Travaillant à Florence (?). Italien.
Peintre verrier.
Il a exécuté un vitrail dans l'église Sainte-Croix de Florence.

UBALDO Angelo
XVIᵉ siècle. Actif à Rome au début du XVIᵉ siècle. Italien.
Tailleur de camées.

UBALDO di Matteo
XVᵉ siècle. Actif à Gubbio en 1442. Italien.
Peintre.
Élève d'Ottavio Nelli.

UBALDO della Morcia, dit Scannavino
XVIᵉ siècle. Italien.
Peintre et peintre sur majolique.
Il était actif au XVIᵉ siècle.

UBANS Aleksandrs Karlis Konrads
Né le 31 décembre 1893 à Riga. XXᵉ siècle. Russe-Letton.

Peintre.
Il fut élève des Écoles des Beaux-Arts de Riga et d'Odessa. Il exposa dans plusieurs villes européennes de 1915 à 1939. De 1920 à 1925, il fut vice-directeur du Musée Municipal des Beaux-Arts de Riga. Il reçut le prix du Fonds de Culture en 1927 et 1936.
Musées : Riga – Tulums.

UBAUDI Pierre
XIXᵉ siècle. Français.
Sculpteur.
Il restaura les tombeaux des cardinaux d'Amboise et de Brézé dans la cathédrale de Rouen et sculpta des décorations à l'Hôtel de Ville de Lyon.

UBBELOHDE Otto
Né le 5 janvier 1867 à Marbourg. Mort le 8 mai 1922 à Grossfelden (près de Marbourg). XIXᵉ-XXᵉ siècles. Allemand.
Peintre de paysages, natures mortes, graveur, dessinateur, illustrateur, peintre de cartons de tapisserie.
Il fut élève de l'Académie de Munich, où il eut pour professeur Ludwig von Loefftz. Il fut membre des artistes de Worpswede puis vécut à Grossfelden. Il travailla aussi à Munich où il exposa de 1892 à 1897.
Il pratiqua la technique de l'eau forte. Il a illustré de nombreux ouvrages notamment les contes d'Andersen.
Bibliogr. : In : *Dict. des illustrateurs 1800-1914*, Ides et Calendes, Neuchâtel, 1989.
Musées : Darmstadt : *Nature Morte* – *Paysage* – Giessen : *Paysage de Mellnau* – Halle : *La Gardeuse d'oies* – Kassel : *Melibocus* – Wiesbaden : *Nature morte*.
Ventes Publiques : Heidelberg, 15-16 oct. 1993 : *Le canal des Tourbières*, aquat. (23,4x16,8) : DEM 2 800 – Heidelberg, 5-13 avr. 1994 : *Paysage avec des vaches*, eau-forte en brun (25,8x40,4) : DEM 4 600 – Heidelberg, 5-13 avr. 1994 : *Le village de Mellnau près de Marburg*, litho. (21x37) : DEM 8 600 – Heidelberg, 15 oct. 1994 : *Ruine* 1896, eau-forte (12x31,8) : DEM 1 500 – Heidelberg, 8 avr. 1995 : *Retour* 1920, eau-forte (17,1x33) : DEM 2 100.

UBE, pseudonyme de Beste Ursula
Née en 1939 à Rostock. XXᵉ siècle. Allemande.
Peintre, graveur.
Elle a figuré à l'exposition : *De Bonnard à Baselitz – Dix ans d'enrichissements du Cabinet des Estampes 1978-1988* à la Bibliothèque nationale à Paris, en 1992.
Musées : Paris (BN) : *Pierre et mouvement* 1980, eau-forte et aquat.

UBEDA Augustin
Né en 1925 en Castille. XXᵉ siècle. Actif en France. Espagnol.
Peintre de genre, figures, paysages, natures mortes, fleurs.
Il a vécu et travaillé à Paris. Il participa à Paris aux Salons des Terres Latines et Comparaisons. Il exposa en 1952, 1966, 1968 à Madrid ; 1956, 1957, 1959, 1960, 1963, 1966 à Barcelone ; puis à Paris, Genève ; 1970 à Bilbao et aux États-Unis.
Sa peinture, assez vivement colorée au début, semble née des traditions de l'imagerie populaire, aussi bien imprégnée de culture ibérique que musulmane, juive ou berbère. Les paysages ont des résonances volontiers médiévales et les scènes de genre évoquent les anciennes gravures ou les décorations de carreaux de faïence. La construction même, en petites touches carrées qui rappellent la mosaïque, garde le souvenir des techniques passées. Il a ensuite évolué, ses toiles se sont assombries, sont devenues plus tragiquement expressives, presque expressionnistes. Il reste alors presque toujours fidèle au même thème des femmes, du lit et du voyeur.
Ventes Publiques : Madrid, 18 mai 1976 : *Oiseaux*, h/t (46x65) : ESP 65 000 – Paris, 23 juin 1988 : *Ville*, h/t (54x64,5) : FRF 9 000 – Paris, 4 juin 1989 : *Nature morte*, h/t (73x92) : FRF 20 000 – Paris, 8 nov. 1989 : *Composition*, h/t (80x64) : FRF 25 000 – New York, 10 oct. 1990 : *La Nuit*, h/t (73,1x100,4) : USD 9 900 – New York, 12 juin 1991 : *Trompette de cirque* 1962, h/t (64,8x91,4) : USD 2 475 – New York, 5 nov. 1991 : *Musique*, h/t (155,5x130,2) : USD 7 150 – Paris, 15 avr. 1992 : *Composition abstraite*, h/t (60x81) : FRF 25 000 – New York, 9 mai 1992 : *Composition avec deux figures*, h/t (50,7x73,6) : USD 2 640 – New York, 10 nov. 1992 : *Composition*, h/t (80,5x100,5) : USD 2 860 – New York, 29 sep. 1993 : *Sans titre*, h/t (81,3x100,3) : USD 4 313 – Paris, 11 avr. 1994 : *La Guitare* 1961, h/t (74x120) : FRF 19 000 – New York, 24 fév. 1995 : *Épée et chandelle* 1962, h/t (64,8x81,3) : USD 2 070 – Paris, 27 mars 1996 : *Coupe à l'oiseau*, h/t (60x92) : FRF 16 000 – Paris, 1ᵉʳ juil. 1996 : *Cité imaginaire* vers 1960, h/t (61x81) :

FRF 10 000 – Paris, 20 oct. 1996 : *Bouquetins*, h/t (54x65) : **FRF 9 000** – Paris, 14 mars 1997 : *Nature morte aux poissons et oiseaux*, techn. mixte/t. (54x65) : **FRF 9 000** – Paris, 25 mai 1997 : *Composition*, h/t (65x50) : **FRF 12 000**.

UBEDA Thomas de, fray
xviiie siècle. Espagnol.
Peintre.
Il fut membre de l'Académie de Santa Barbara à Valence. Il peignit, en 1754, une *Judith* qui fut très appréciée à cette époque.

UBELESQUI Alexandre ou Ubielesqui, Ubeleski, Ubieleski, dit Alexandre Alexandris
Né en 1649 à Paris. Mort le 21 avril 1718. xviie-xviiie siècles. Français.
Peintre d'histoire.
Élève de Le Brun, troisième prix de peinture en 1671. Il alla compléter ses études à Rome et devint membre de l'Académie de Saint-Luc. Il peignit à Rome le dôme de la chapelle Santa Maria Troupontina. À son retour en France, il fut bien accueilli à la cour de Louis XIV, devint académicien en 1682 et professeur en 1695. Le Musée Mielzynski de Posen conserve de lui *Bacchante*, et le Musée de Rennes, *Annonciation* (dessin).

Alexandre pinx.

Ventes Publiques : Paris, 24 avr. 1716 : *Le Massacre des Innocents* : **FRF 1 350** – Paris, 1775 : *Le Christ parmi les docteurs ; Les filles de Jethro et un autre sujet*, dess. à la pl. et au bistre : **FRF 85** – Paris, 5 et 6 mai 1898 : *La collation*, sanguine et cr. noir : **FRF 42** – Paris, 29 avr. 1921 : *Départ de chasse*, sanguine : **FRF 500**.

UBELGERET Jacob
xvie siècle. Travaillant à Pont-à-Mousson en 1517. Français.
Sculpteur.

ÜBELHERR Johann Georg. Voir ÜBLHÖR

UBELL Rolf
Né le 20 mai 1881 à Vienne. xxe siècle. Autrichien.
Peintre de portraits, architectures, graveur.
Il fut élève de l'Académie de Munich. Il vécut et travailla à Graz.

UBER Christian Theophilus
Né le 14 mai 1795 à Stuttgart. Mort le 14 mars 1845 à Berlin. xixe siècle. Allemand.
Sculpteur, stucateur et doreur.
Il travailla pour la cour de Berlin. Il sculpta des médaillons et des ornements.

UBER Eduard
Né à Leipzig. xixe siècle. Travaillant à Berlin de 1838 à 1848. Allemand.
Dessinateur de portraits et lithographe.
Le Musée Municipal de Leipzig conserve de lui un portrait au fusain.

UBERFELDT Jean Braet Van
Né le 28 mars 1807 à Zevenier. xixe siècle. Hollandais.
Peintre de scènes de genre.
Il fut élève de J. A. Kruseman.
Ventes Publiques : Amsterdam, 10 fév. 1988 : *Marchande de poissons dans son échoppe 1836*, h/t (33x28) : **NLG 3 680**.

ÜBERLENDER Johann
xviie siècle. Actif à Salzbourg dans la première moitié du xviie siècle. Autrichien.
Peintre.
Il travailla pour le château de Hellbrunn et l'abbaye de Michaelbeuren.

ÜBERRÜCK Wilhelm
Né le 18 janvier 1884 à Breslau. xxe siècle. Allemand.
Peintre.
Il fut élève de l'Académie de Dresde.
Musées : Breslau, nom all. de Wroclaw (Mus. des Beaux-Arts) : *En avant-là haut !*

ÜBERSTREICHER Franz Nik. Voir STREICHER Franz Nikolaus

UBERTALLI Romolo
Né le 20 février 1871 à Mosso Santa Maria. Mort en 1928 à Biella (?). xixe-xxe siècles. Italien.
Peintre de paysages, pastelliste.
Il fut élève de Carlo Follini et d'Andrea Tavernier.
Musées : Novara – Rome – Turin – Verceil.

UBERTI Dino
Né le 25 mars 1885 à Biella. xxe siècle. Italien.
Peintre de portraits, paysages, natures mortes.
Il exposa à Milan de 1930 à 1932.

UBERTI Domenico
xviie siècle. Actif à Venise. Italien.
Peintre.
Il travailla pour les églises Saint-Samuel et Saint-Moïse de Venise.

UBERTI Giuseppe
Né à Turin. xixe siècle. Italien.
Peintre d'architectures.
Élève de Gamba. Le Musée de Saint-Étienne conserve de lui *Chapelle de La Bâtie (Loire)*.

UBERTI Lucantonio degli
Né à Florence. xvie siècle. Actif dans la première moitié du xvie siècle. Italien.
Graveur au burin et sur bois, imprimeur.
Il grava des sujets religieux, des plans et des figures.

UBERTI Paolo degli. Voir FARINATI Paolo

UBERTI Pietro
Né probablement en 1671. xviie-xviiie siècles. Actif à Venise. Italien.
Peintre.
Fils de Domenico Uberti. Il peignit des portraits et des sujets religieux.
Ventes Publiques : Monte-Carlo, 26 juin 1983 : *Portrait d'un sénateur devant une vue fantaisiste de Venise*, h/t (245x164) : **FRF 26 000**.

UBERTI Sicheo degli
xvie siècle. Travaillant à Pieve di Coriano de 1524 à 1579. Italien.
Peintre.

UBERTINI Baccio ou Bartolommeo
Né le 26 septembre 1484 à Florence. xvie siècle. Italien.
Peintre.
Élève et assistant du Pérugin.

UBERTINI Francesco. Voir BACCHIACA, il

UBERTO
xiie siècle. Travaillant à Trévise en 1141. Italien.
Mosaïste.
Il exécuta la mosaïque du sol de la cathédrale de Trévise.

UBERTUS ou Uberto da Lucca
Originaire de Lucques. xiie siècle. Italien.
Miniaturiste.
On lui attribue l'illustration du poème de Donizzone sur la comtesse Mathilde, écrit en 1115 par Zanelinus et conservé dans la Bibliothèque du Vatican.

UBICINI Giovanni
xixe siècle. Actif à Milan. Italien.
Dessinateur, graveur au burin, lithographe et sculpteur.
Élève de l'Académie de Milan. Il grava des portraits de contemporains et des scènes de son époque.

UBIELESKI Alexandro. Voir UBELESQUI Alexandre

UBIERNA José Manuel Gonzalez
Né le 15 mai 1901 à Salamanque. Mort le 7 juillet 1982. xxe siècle. Espagnol.
Peintre de paysages, paysages urbains.
Il fut élève de Vidal Gonzalez Arenal. Une rétrospective de son œuvre eut lieu dans sa ville natale en 1976. Il peint avec franchise et robustesse des vues urbaines familières de Salamanque, dans une pâte un peu lourde et un sobre registre d'ocres et de bruns nuancés.
Bibliogr. : In : *Cien Anos de pintura en Espana y Portugal, 1830-1930*, Antiqvaria, t. XI, Madrid, 1993.

UBLACKER Thomas
xviie siècle. Autrichien.
Sculpteur d'autels.
Il sculpta en 1684 un autel pour l'église de Tepl.

UBLAKA Joseph
Né en 1748 à Prague. xviiie siècle. Tchécoslovaque.
Sculpteur.

ÜBLHÖR Johann Georg ou Üblherr, Übelherr, Ybelher
Né le 21 avril 1700 à Wessobrunn. Mort le 27 avril 1763 à Steinbach. xviiie siècle. Allemand.

Sculpteur et stucateur.

Il travailla pour de nombreuses abbayes de Bavière, surtout pour celles de Kempten, d'Amorbach et d'Ettal, et d'Autriche (Engelszell et Wilhering). Il fut surtout sculpteur d'ornements, d'autels et de statues.

UBOLDI Carlo

Né en 1821 à Milan. XIXe siècle. Travaillant jusqu'en 1884. Italien.

Sculpteur.

Il exposa à Milan de 1860 à 1884, à Vienne en 1873 et à Naples en 1877.

UBRANKOVICS KOVACS Jozsef

Né en 1888 à Cegled. XXe siècle. Hongrois.

Peintre de figures, paysages.

UBRIACHI Baldassare

XIVe siècle. Actif à Florence. Italien.

Sculpteur.

Père de Benedetto Ubriachi.

UBRIACHI Benedetto

XIVe-XVe siècles. Travaillant à Florence. Italien.

Peintre verrier et céramiste.

Fils de Baldassare Ubriach. Il fit ses études à Venise.

UBRICH Charles F.

XIXe siècle. Actif aux États-Unis. Américain.

Peintre.

Il figura aux Expositions de Paris : mention honorable en 1889 (Exposition universelle).

UBSDELL R. H. C.

XIXe siècle. Actif à Porthmouth de 1833 à 1849. Britannique.

Peintre d'histoire, portraits.

UCCELLA Raffaele

Né le 5 janvier 1884 à S. Maria Capua Vetere. Mort le 12 février 1929. XXe siècle. Italien.

Sculpteur.

Il fut élève d'Achille d'Orsi. Il vécut et travailla à Naples.

Musées : Rome (Acad. des Beaux-Arts) : *La Vie des champs.*

UCCELLI Neri degli. Voir NERI Giovanni

UCCELLO, pseudonyme de Paolo di Dono

Né vers 1397 à Pratovecchio-Casentino. Mort le 10 décembre 1475 à Florence (Toscane). XVe siècle. Italien.

Peintre d'histoire, compositions religieuses, scènes de genre, fresquiste, peintre de cartons de mosaïques, cartons de vitraux.

On sait mal qui était Uccello, et d'abord pourquoi Uccello (Oiseau), alors qu'il n'en a représenté aucun dans les œuvres qui nous sont parvenues ? Les murs de sa maison auraient été couverts d'oiseaux peints, ou bien il aurait été un passionné d'ornithologie. En 1407, alors qu'il était âgé d'une dizaine d'années, il est mentionné comme « garzone di bottega » dans l'atelier de Ghiberti, lors de l'achèvement de la deuxième porte du baptistère de Florence. On peut supposer que ce fut là, à la source même auprès de Ghiberti, qu'il reçut les premières notions concernant le nouveau système perspectif que venaient d'imaginer le mathématicien Alberti, et les architectes et sculpteurs Brunelleschi et Ghiberti, en accord avec la géométrie euclidienne. On suppose aussi qu'il se forma auprès de Gherardo Starnina, puisqu'on sait qu'il participa à la peinture des fresques du *Tabernacle des Lippi et Macia*, en 1416. On attribue parfois à Uccello la *Thébaïde* des Offices, généralement donnée à Starnina. En 1424, il fut inscrit à la gilde de Saint-Luc. En 1425, il travailla comme mosaïste à Saint-Marc de Venise. Il composa un *Saint Pierre* pour la façade, disparu aujourd'hui mais qu'on connaît parce qu'il est représenté sur une peinture de Gentile Bellini. De nombreux auteurs avancent que ce fut son séjour à Venise qui expliquerait la persistance dans son œuvre de modèles venus du gothique tardif, ce qui sera analysé en son lieu, d'autant plus anachroniques qu'intégrés à une recherche spatiale novatrice.

Il était de retour à Florence en 1431. Ensuite, la biographie d'Uccello, à ce qui nous en est connu, ne se distinguant plus de la chronologie de l'élaboration de son œuvre, n'en sera donc pas ici isolée. Il peignit alors deux fresques : *La création d'Adam et des animaux*, et *La création d'Ève et la Chute*, pour le cloître, dit le « Cloître vert », de Santa Maria Novella, longtemps inaccessible au public pour cause de restauration, finalement assez mal conservées malgré des fragments émouvants. En 1436, il peignit dans la cathédrale de Florence le monument équestre de *Giovanni Acuto* (le condottiere anglais John Hawkwood). Cette

œuvre est de grande importance dans la chronologie de l'évolution d'Uccello : une haute console supporte le cénotaphe, les deux éléments allient l'étude des bas-reliefs antiques et la nouvelle perspective ; sur le cénotaphe se dresse le condottiere sur un cheval imposant (tel qu'on en retrouvera dans ses peintures ultérieures), l'ensemble, traité en dégradés de verts se détachant sur un fond sombre, proposant une traduction du modelé qu'on peut supposer avoir profité de l'exemple des fresques de Masolino et de Masaccio, récemment peintes à Santa Maria del Carmine, sur l'autre rive (l'Oltr'Arno). Au sujet de ce portrait équestre, Vasari remarqua, pour en critiquer l'irréalisme, que le cheval levait en même temps les deux jambes de droite ; on peut noter que si cette allure existe dans l'amble, il est plus probable qu'elle fut adoptée par Uccello purement pour des raisons de plastique, permettant de dégager également les deux autres jambes du fond. On situe à ce moment la peinture du cycle des *Vies de saints moines* de la galerie supérieure du cloître de San Miniato al Monte. Ce cycle de peintures ne fut redécouvert qu'en 1930 et très endommagé ; on y voit cependant encore un ange, dans le modelé du profil duquel on peut reconnaître de nouveau l'influence des fresques de Masolino et de Masaccio.

Ce fut peut-être à cette époque qu'il peignit les deux *Saint Georges et le dragon*. Celui du Musée Jacquemard-André de Paris est encore archaïque dans la disposition des personnages en frise et malgré au contraire l'étonnante profondeur du fond de paysage, et dans lequel on remarquera encore la ressemblance de la femme de profil avec celle du cortège de la reine de Saba de Piero della Francesca. Celui de la National Gallery, probablement plus tardif, est moins figé, donc plus dynamique, d'une composition moins étalée, l'action en étant plus ramassée. Les personnages sont intégrés à l'espace du fond. Le chevalier saint Georges et son cheval sont représentés de trois-quarts face, en volumes géométriquement simplifiés pour en faciliter la résolution perspective, tels qu'on en retrouvera dans les œuvres ultérieures. Le dragon porte sur ses ailes d'invraisemblables cocardes, témoignant déjà d'une faculté d'invention et d'une liberté de coloration sur lesquelles il n'est peut-être pas assez insisté en ce qui concerne Uccello, dont il ne faudrait pas limiter le mérite à sa seule maîtrise de la perspective.

En 1443, il travailla de nouveau pour la cathédrale de Florence. D'abord, il décora la grande horloge de quatre grandes *Têtes de prophètes*, puis, de 1443 à 1445, il donna les cartons pour deux vitraux ronds du tambour de la coupole : *Résurrection* et *Nativité*, Ghiberti exécutant l'oculus consacré à l'*Ascension*. Vers 1445 ou 1447, il peignit, de nouveau à Santa Maria Novella, une fresque consacrée au *Déluge* : deux épisodes de la vie de Noé se font face, les deux scènes situées dans un décor en perspective se rejoignent par les lignes de fuite entre lesquelles courent des personnages fuyant le désastre. Sous ces deux scènes figuraient encore *Le sacrifice de Noé*, et *La dérision de Noé*, presque totalement détruites par l'inondation de 1966. C'est à cette période que l'on situe la peinture des *Cinq fondateurs de l'art de la Renaissance* du Louvre, pour autant qu'elle soit de lui. Outre lui-même, les quatre autres fondateurs sont : le mathématicien Antonio Manetti, avec lequel il aurait étudié la géométrie, Giotto sans doute considéré comme l'inventeur du modelé, l'architecte Brunelleschi en tant que perspectiviste bien sûr, mais peut-être aussi comme inventeur de nouveaux rapports de proportions relatives dans les espaces bâtis, si l'on veut suivre Pierre Francastel, enfin son ami Donatello qui contribua à la traduction aisée des rapports de volumes dans l'espace ambiant. On ne s'étonnera pas de ne pas y voir figurer Fra Angelico, dont l'art est encore rattaché au gothique, on s'étonnera plus de ne pas y voir figurer Masaccio. Entre 1445 et 1448, Uccello aurait fait un séjour à Padoue, y peignant pour la Maison Vitaliani une série de *Géants*, œuvres perdues mais que l'on sait avoir été admirées par Mantegna.

On arrive enfin à ce qui est considéré, aujourd'hui et à juste titre, comme le triple sommet de son œuvre : entre 1456 et 1460, il peignit les trois épisodes de *La bataille de San Romano*, qui aujourd'hui sont dispersés entre les Offices, le Louvre et la National Gallery. Désormais, la maîtrise des composantes de son art est totale, dont sa science de la perspective. Dans la peinture du Louvre qui lui est parfois attribuée et qui représente *Les cinq fondateurs de l'art de la Renaissance*, il y est, ou il s'y est, lui-même figuré. C'est bien à peu près en tant que tel qu'il est toujours considéré de nos jours, surtout en tant que l'un des créateurs du système perspectif euclidien qui caractérise la représentation de l'espace à partir de la Renaissance et jusqu'à l'aube du XXe siècle, ainsi que Pierre Francastel l'a clairement montré. Le témoignage de Vasari, à travers les habituelles anecdotes douteuses, confirme qu'il était « fou de perspective » : il aurait peu montré ses peintures de crainte d'être incompris et raillé (pourtant il semble bien que toutes aient été l'objet de commandes !), cependant dévoilant une *Incrédulité de saint Thomas* à l'intention de Donatello, celui-ci se serait exclamé : « Oh Paolo, tu dévoiles ce que tu aurais dû tenir caché ! » Or, ces trois épisodes de *La bataille de San Romano* furent à l'origine accrochés dans la salle d'honneur du Palais Médicis (on voit de quelle façon il aurait été incompris !). Berenson, que son goût portera à la Renaissance académique, le reconnaîtra encore comme un maître de la perspective et plus bizarrement du naturalisme : « Les naturalistes, Uccello et ses nombreux successeurs, sont donc nuls au point de vue artistique », déclaration qui a au moins le mérite de la netteté !

Les trois épisodes sont assez semblablement composés, celui du Louvre, plus sombre, fait plus de place à la frise de la bataille de chevaliers du premier plan se détachant sur un fond confus, ceux de Florence et de Londres, plus clairs, dégagent mieux le paysage de campagne du fond dans lequel se poursuivent des combattants à pied. On a souvent analysé comment étaient résolues les difficultés de perspective de ces compositions : rappelons encore en effet que le combat de chevaliers en armures et à cheval se déroule comme en avant-scène, dans un espace étroit dans lequel cavaliers et chevaux sont traités géométriquement selon les lignes de construction des nouvelles règles ; à cet égard le cheval à terre de la peinture de Florence, ou les lances brisées sur le sol de celle de Londres, sont caractéristiques entre tous autres détails également révélateurs. Mais, tandis que la partie combat de la composition est donc savamment dessinée selon les lignes de fuite, cette sorte de bas-relief peint étant mis en valeur et détaché sur le fond sombre d'un rang de boqueteaux élégamment fleuris, par contre le paysage de campagne du fond, donc de l'autre côté de la rangée de buissons, est encore presque peint en perspective dite « cavalière », à la façon du Moyen Âge, sorte de rideau peint vertical fermant le décor. Dans ces grands chefs-d'œuvre de l'humanité, inépuisables au regard, on remarquera encore les enchevêtrements conjugués des jambes des chevaux, des lances, des corps et des têtes des chevaliers et des bêtes dont on ne sait pas toujours auxquels ils appartiennent, des cimiers, des masses d'arme et des oriflammes, dans une mêlée d'autant plus confuse que savamment orchestrée. On a souvent insisté sur l'extrême géométrisation des volumes des chevaux et des cavaliers en armures, géométrisation qu'on retrouvera chez les caravagesques puis chez les cubistes ou chez Chirico. Que cette géométrisation ait correspondu avec une vision particulièrement synthétique d'Uccello, que cette réduction géométrique des volumes en facilitait évidemment la mise en perspective, c'est certain, mais il faut aussi reconnaître que le sujet de cette bataille de robots dans leurs armures et juchés sur leurs montures caparaçonnées s'y prêtait. Dans les études de l'œuvre d'Uccello, un point est beaucoup moins souvent relevé : l'étrangeté irréelle des couleurs employées (qui a déjà été signalée à propos du dragon d'un des Saint Georges), et c'est surtout en cela que ses propres batailles se différencient des *Batailles de Constantin et Chosroes* peintes par Piero della Francesca à Arezzo, desquelles elles sont par ailleurs si proches. Avec Uccello, les chevaux sont bleus aussi bien qu'orangés, comme ailleurs il peint des champs bleus ou des villes rouges. Il y a là certainement une survivance de la grande liberté que prenaient les Primitifs avec la couleur, pour lesquels la couleur est ce qui différencie et décore, et non pas ce qui identifie et imite ; mais on peut penser aussi, ce qui se confirme à l'examen, que Uccello utilisait des contrastes colorés pour accentuer les effets de répartition différenciée des plans occupés par les personnages dans l'espace de la scène représentée. Enfin, il convient de ne pas s'obnubiler sur la volonté perspectiviste d'Uccello et de préserver encore cette éventualité qu'il pratiquait une telle gamme de couleurs parce que, très simplement, c'était celle qui correspondait à ce qu'il avait à exprimer, hypothèse d'autant plus plausible qu'on trouve cette gamme acide et irréelle dès ses premières œuvres, dans lesquelles ne se manifeste encore guère la préoccupation de perspective et de traduction des différents plans de l'espace. On retrouve une semblable somptuosité des rouges et ors éclatant sur des fonds sombres chez Carpaccio et Gentile Bellini à Venise, comme on retrouve aussi quelque chose de semblable avec ce qu'il y a d'étrange et d'inquiétant dans le heurt de couleurs plus inattendues que violentes chez le germanique Grünewald. On est naturellement en droit d'étudier chez les peintres la couleur dans sa fonction spatiale ou perspective,

mais on ne peut pour autant la négliger dans sa fonction expressive, même dans le cas d'Uccello.

En 1465, Uccello entra en relation avec la confrérie du Corpus Domini d'Urbino. Il s'y rendit en 1467, accompagné de son fils Donato, âgé de quatorze ans. On voit encore à Urbino, au Palais Ducal, une prédelle, ou partie de prédelle, représentant plusieurs épisodes du « Mystère » français de « La profanation de l'hostie », que le gonfalonier de Pie II, Frédéric de Montefeltre, exploitait contre les infidèles. Il semble à ce propos qu'Uccello aurait dû avoir la commande pour tout le maître-autel de la confrérie, mais que, à la vue de la prédelle, Piero della Francesca lui-même aurait dissuadé les religieux de lui confier le reste de l'œuvre. On rapporte souvent qu'à cette dernière période de sa vie, Uccello se consacrait de plus en plus aux mathématiques ; en effet, si les petites scènes de *La profanation de l'hostie* sont réparties en prédelle à la façon du Moyen Âge, par contre chacune d'elles est traitée dans l'espace selon un réseau de lignes de fuite très accentuées et en sorte que chaque scène paraisse se développer dans une profondeur divergente des autres. Dans ces scènes, dont le sujet ne manque par ailleurs pas d'étrangeté, d'autant qu'accrue, ici encore, par l'irréalité de la couleur, l'illusion perspective est telle qu'on n'en retrouvera guère d'autres exemples avant Chirico et les surréalistes. Dans un des compartiments de la prédelle qui situe une pièce dont les murs, les poutres du plafond et le carrelage du sol fuient complètement sur notre droite, ces petites filles sagement vêtues de sombre malgré leur chevelure flamboyante, de quoi sont-elles effrayées entre leur grande sœur et ce jeune homme tous deux en rouge sang et qui semblent gênés, et ne sont-elles pas les mêmes, bien que si éloignées dans le temps, que les petites filles innocentes que peindra Balthus exactement cinq siècles plus tard ?

On sait qu'après 1467-1468, Uccello, de plus en plus captivé par ses études de mathématiques, n'a plus peint d'œuvres importantes. Pourtant c'est de cette époque que l'on date *La chasse* de l'Ashmolean Museum d'Oxford. Encore une fois c'est Carpaccio et à Gentile Bellini que peut le plus faire penser la répartition dispersée des personnages et des animaux, peints dans des couleurs vives où les rouges dominent sur les verts, les bleus et les jaunes d'or, qui éclatent sur le fond sombre du paysage de forêt profonde, dont l'espace est rythmé par les troncs des arbres, telles les lances de San Romano, ou telles les gaffes des gondoliers sur la lagune de la *Légende de sainte Ursule* de Carpaccio, ou de ceux aux longues pattes d'araignées du *Miracle de la croix au pont de San Lorenzo* de Gentile Bellini. Elle a un charme, cette *Chasse*, avec ses cavaliers de rouge vêtus sur leurs chevaux harnachés de rouge aussi, l'un au pas, l'autre cabré, l'autre à l'arrêt, au milieu d'une foule éparse de rabatteurs et de chasseurs à pied multicolores et d'une meute de grands chiens jaunes qui courent dans tous les sens en aboyant. C'est une grande peinture de 0,65 mètre sur 1,65. Elle présente une caractéristique commune avec un autre petit compartiment de *La profanation de l'hostie* : celui qui représente la procession conduite par le pape qui se rend à la cérémonie expiatoire. Dans les deux cas, une étrange lumière totalement irréelle, ou irréaliste, est créée par le heurt des touches de couleurs vives se détachant sur un fond presque nocturne.

On remarquera que dans la plupart des peintures d'Uccello il est très difficile d'essayer de comprendre comment est orientée la lumière qui éclaire les différents personnages ou différents éléments de la composition. Contrairement à ce qui se passe avec Masaccio ou avec Piero della Francesca, Uccello n'essaye jamais d'imiter, de traduire la lumière. Date importante dans l'histoire de la peinture : il recrée la lumière : une lumière picturale, faite des heurts réciproques des couleurs entre elles. Que Uccello ait été passionné de perspective, c'est certain ; quelques dessins et quelques synopsis de fresques l'attesteraient ici ou là déjà évident dans les œuvres achevées. Mais, à y bien regarder, presque tous les peintres du Quattrocento ont appliqué les règles de la nouvelle perspective. Il serait donc très insuffisant de rapporter tout son mérite à un rôle finalement assez modeste dans l'invention de la perspective linéaire dite classique. Bien plutôt, il est de ces rares peintres, avec Carpaccio et Gentile Bellini, à n'avoir plus seulement utilisé le noir comme moyen de traduire les ombres, mais qui en ont fait une couleur, sans laquelle le rouge, les jaunes d'or, les verts et les bleus ne seraient que ce qu'ils sont. À la géométrie rigide du volume et de l'espace qui lui est si particulière, rendant irréel le monde représenté, il a donné la lumière qui convenait à cette irréalité, non la lumière imitée mais une lumière produite par le choc des couleurs les unes contre les autres, trouvant cette notion qui ne sera pleinement assimilée qu'au xxᵉ siècle : la lumière picturale. ■ Jacques Busse

Bibliogr. : Lionello Venturi : *Paolo Uccello*, in « L'Arte », 1930 – W. Boeck : *Paolo Uccello*, Berlin, 1939 – M. Pittaluga : *Paolo Uccello*, Rome, 1946 – M. Salmi : *Rifflessionni su Paolo Uccello*, in : « Commentari » I, 1950 – J. Pope-Hennessy : *Paolo Uccello*, Londres, 1950 – Lionello Venturi : *La peinture italienne, les créateurs de la Renaissance*, Skira, Genève, 1950 – E. Carli : *Tutta la pittura di Paolo Uccello*, Milan, 1954 – R. Palluchini : *L'arte a Venezia nel Quattrocento, la civiltà veneziana del Quattrocento*, Florence, 1957 – E. Sindona : *Paolo Uccello*, Paris, 1962 – Lucia Tongiorgi Tomas, Ennio Flaiano : *L'Œuvre complet de Uccello*, Rizzoli, Milan, 1971.

Musées : Chambéry (Mus. des Beaux-Arts) : *Portrait de jeune homme* – Florence (Mus. des Offices) : *La Bataille de San Romano* – Londres (Nat. Gal.) : *La Bataille de San Romano – Saint Georges et le dragon* – Oxford (Ashmolean Mus.) : *La Chasse* – Paris (Mus. du Louvre) : *La Bataille de San Romano – Portraits de Giotto, Paolo Uccello, Donatello, Brunelleschi, Giovanni Manetti* – Paris (Mus. Jacquemart-André) : *Saint Georges tuant le dragon* – Urbino : *Le Miracle de l'hostie*.

Ventes Publiques : Amsterdam, 1702 : *La Vierge avec Jésus, saint Jean, sainte Véronique et sainte Catherine* : FRF 930 – Paris, 1868 : *La Vierge et l'Enfant* : FRF 430 – Paris, 1895 : *Un meurtre* : FRF 2 625 – Paris, 1897 : *Le cheval de Troie* : FRF 8 100 – Londres, 5 avr. 1935 : *Le cheval de Troie* : GBP 199.

UCEDA de, duque
xviiiᵉ siècle. Travaillant à Madrid vers 1715. Espagnol.
Peintre amateur.
Élève de J. P. Belotti à Rome.

UCEDA Hernando de
xviᵉ siècle. Actif dans la seconde moitié du xviᵉ siècle. Espagnol.
Sculpteur.
Il sculpta des retables, des crucifix et des statues pour des églises de Séville, de Huelva, de Gibraltar et de Tarifa.

UCEDA Juan de, l'Ancien
xviᵉ siècle. Actif vers 1594. Espagnol.
Peintre.

UCEDA Juan de, le Jeune
xviiᵉ siècle. Actif vers 1660. Espagnol.
Peintre.

UCEDA Juan de
Né à Séville. Mort en 1785. xviiiᵉ siècle. Espagnol.
Peintre.
Élève de Domingo Martinez. Il a peint la *Légende d'Élie* pour le cloître du couvent « del Carme Calzado » à Séville.

UCEDA Juan Bauttista de
xviiᵉ siècle. Travaillant à Séville en 1617. Espagnol.
Peintre.

UCEDA Pedro de
Mort en 1592. xviᵉ siècle. Actif à Grenade. Espagnol.
Sculpteur et architecte.
Apellation erronée de Pedro d'Orea ou de Orea.

UCEDA Pedro de
Mort en 1741. xviiiᵉ siècle. Actif à Séville. Espagnol.
Peintre.
Élève de J. de Valdès Leal. Il a peint *La légende de saint Laurent* dans la cathédrale de Séville.

UCEDA CASTROVERDE Juan de ou Uzeda
Mort en 1631. xviᵉ-xviiᵉ siècles. Espagnol.
Peintre d'histoire.
Il passe pour avoir été l'un des plus brillants élèves de J. de Las Roeles. Il était actif à Séville en 1593. Il collabora à l'embellissement de la cathédrale. Le Musée de Séville conserve de lui une *Sainte famille*.

UCELAY URIARTE José Maria
Né le 1ᵉʳ novembre 1903 à Bermeo (Biscaye). Mort le 24 décembre 1979 à Busturia (Biscaye). xxᵉ siècle.
Peintre de genre, figures, paysages animés, natures mortes.
Dans un esprit très narratif et une facture légère, il rend compte avec vivacité et parfois du charme de ce qu'il voit ou de ce qu'il fantasme.

UCELLINI Valerio
Né à Arcevia. Mort jeune. xixᵉ siècle. Actif dans la première moitié du xixᵉ siècle. Italien.

Peintre.
Élève de Carlo Cignani.

UCETA Juan de
xviiiᵉ siècle. Actif à Lorca. Espagnol.
Sculpteur sur pierre et sur bois, graveur au burin.
Il travailla pour les églises de Lorca et la fontaine de Totana.

UCETA CABALLERO Jeronimo J.
xviiiᵉ siècle. Travaillant à Lorca vers 1780. Espagnol.
Sculpteur.
Fils de Juan de Uceta. Il sculpta une partie du retable de la Vierge de l'église Saint-Jacques de Lorca.

UCHATIUS Marie ou Mitzi
Née en 1882 à Vienne. Morte en 1958. xxᵉ siècle. Autrichienne.
Graveur d'animaux, dessinateur, décorateur.
Elle fut élève de Felicien von Myrbacn-Rheinfeld et d'O. Czeschka. Elle grava des animaux.
Bibliogr. : Michael Pabst : *Wiener Grafik um 1900*, Munich 1984.
Ventes Publiques : Londres, 23 sep. 1993 : *Deux anges*, encre et aquar. (31,5x21,5) : GBP 4 600.

UCHERMANN Karl Kristian
Né le 31 janvier 1855 à Borge. Mort en 1940. xixᵉ-xxᵉ siècles. Norvégien.
Peintre de scènes de chasse, de genre, animaux, paysages d'eau.
Élève d'Askevold à Bergen. Il travailla un an à l'Académie des Beaux-Arts de Munich, puis à Paris où il fut pendant trois ans, l'élève de Van Marcke, en 1881. Il travailla surtout à Oslo.

Karl Uchermann.-
1880
Karl Uchermann

Musées : Bergen : *Au bord de la rivière* – Bordeaux : *Halte à la chasse* – Chicago : *Élan mangé par des chiens* – Oslo (Gal. Nat.) : *Attelage de chiens flamands – L'Ennemi approche*.
Ventes Publiques : Londres, 16 mars 1989 : *L'hôte indésirable*, h/t (46,5x55,5) : GBP 8 250 – Londres, 29 mars 1990 : *Le convive indésirable* 1913, h/t (63,5x79,5) : GBP 5 500.

UCHIMA Ansei
Né en 1921 en Californie, d'origine japonaise. xxᵉ siècle. Américain.
Graveur.
Il se fit connaître au Japon après la guerre, puis retourna s'installer aux États-Unis. Il participe à plusieurs expositions de groupe parmi lesquelles la Triennale internationale de l'Estampe en couleurs de Grenchen en 1958, la Biennale de São Paulo en 1959, l'exposition d'Art japonais contemporain à Chicago en 1960, etc. Il est membre de l'Association Japonaise de Gravure.

UCHTERVELT Jakob. Voir OCHTERVELT

UCHTOMSKI Andréi Grigoriévitch. Voir OUCHTOMSKI Andréi Grigorovitch

UCLÉS Josep
Né en 1952 à Barcelone (Catalogne). xxᵉ siècle. Espagnol.
Peintre de figures. Nouvelles figurations.
Il participe à des expositions collectives depuis 1971, très régulièrement à Barcelone : 1972 Exposition d'art contemporain, 1979 fondation Joan Miro ; ainsi que 1982, 1983 Arco de Madrid. Il montre ses œuvres dans de très nombreuses expositions personnelles en Espagne : 1972 musée municipal de Barcelone ; 1972, 1981 musée municipal de Mataro, ainsi que 1993 Paris. Il peint des œuvres à tendance symboliste, où prennent vie dans une atmosphère nébuleuse des créatures mystérieuses, indécises, parfois réduites à des signes graphiques.
Bibliogr. : In : *Catalogo nacional de arte contemporaneo*, Iberico 2 mil, Barcelone, 1990.

UDALRICUS
xiiᵉ siècle. Actif à Salzbourg (?). Autrichien.
Peintre.

UDALTSOVA Nadezhda. Voir OUDALTSOVA Nadejda Andreevna

UDARTE Felipe ou **Philippe** ou **Hodart, Édouard, Odoarte, Oudart, Udart, Uduarte**
xvie siècle. Travaillant de 1522 à 1530. Portugais.
Sculpteur.
Le Musée de Coimbre conserve de lui une *Cène* provenant du réfectoire de la Sainte-Croix de Coimbre. *Voir aussi HODART.*

UDDE Abders
Suédois.
Peintre de portraits.
Il travailla à Upsala et peignit des portraits. Il fut aussi copiste.

UDE Johannes
Né le 27 février 1874 à Saint-Kanzian. xixe-xxe siècles. Autrichien.
Peintre, aquarelliste.
Il fut aussi théologien.

UDEMANS A.
xviie siècle. Actif à Middelbourg. Hollandais.
Graveur à l'eau-forte.

UDEMANS G.
xviie siècle. Hollandais.
Aquafortiste.
Il grava une *Vue de l'Hôtel de Ville d'Amsterdam.*

UDEMANS Willem
Né en 1723 à Middelbourg. Mort en 1797. xviiie siècle. Hollandais.
Dessinateur et peintre de marines.
Il fut aussi constructeur de bateaux.

UDEN Adriaen Van
xviie siècle. Actif au milieu du xviie siècle. Éc. flamande.
Peintre.
Il fut maître à Anvers en 1665.

UDEN Arnoldus Van
xviie siècle. Éc. flamande.
Peintre de miniatures.
Il fut maître à Anvers en 1695.

UDEN Artus Van
Né en 1544 à Anvers. Mort probablement après 1628. xvie-xviie siècles. Éc. flamande.
Paysagiste.
Il était en 1587 dans la gilde et fut peintre de la ville d'Anvers. Père de Lucas Van Uden et son premier maître.

UDEN Jacob Van
xviie siècle. Actif à Anvers. Éc. flamande.
Peintre de paysages.
Fils d'Artus Van Uden et père d'Adriaen Van Uden. Il était en 1641 dans la gilde d'Anvers. Il peignit des paysages dans le genre de ceux de son frère Lucas.

UDEN Lucas Van
Né le 18 octobre 1595 à Anvers. Mort fin 1672 ou 1673 à Anvers. xviie siècle. Éc. flamande.
Peintre de sujets religieux, figures, paysages animés, paysages, paysages d'eau, marines, graveur, dessinateur.
Élève de son père Artus Van Uden. Il fut maître en 1627, épousant la même année Anna Van Woelput. Sa fille *Marie Van Uden,* mariée en 1662 avec Carel Emanuel Biset, mourut le 4 août 1665 et fut peintre. Il eut pour élèves P. A. Van Immenraet et J. B. Bonnecroy.
Lucas Van Uden se forma surtout par une étude sévère de la nature, et c'est ce qui donne à ses ouvrages un charme particulier. Il est bien évident qu'il n'échappa pas à l'influence de certains maîtres de son temps, notamment à Rubens, qu'il admirait et à Paul Bril. On conçoit d'autant mieux la subordination de notre artiste à Rubens qu'il travailla fréquemment dans les tableaux du grand flamand, peignant des fonds, des paysages. Le maître orna quelquefois de figures, des tableaux de son collaborateur. Téniers lui fit le même honneur. Il a gravé des paysages.

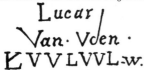

Musées : Amiens : *Paysage,* plusieurs – Anvers : *Abbaye de S. Bernard sur l'Escaut – Moulin à eau – Paysage – Maison hanséa-*tique d'Anvers au xviie siècle – Berlin : *Paysage avec colline* – Besançon : *Vue de Flandre – Vallée dans la Belgique –* Brunswick : *Paysage –* Bruxelles : *Paysage avec figures de Téniers –* Budapest : *La forêt –* Darmstadt : *Paysage –* Dresde : *Paysage – Sur le penchant de la colline, rivière et forêt – Paysage avec arc-en-ciel – Paysage avec Paul et Antoine, ermites, figures de Téniers – Paysage fluvial, avec pêcheurs – Rive ombragée, avec cavaliers – Troupeau dans la vallée – Pâturage près du bois –* Dublin : *Paysage étendu avec paysans dansant –* La Fère : *Paysage et animaux –* Francfort-sur-le-Main : *Paysage –* Glasgow : *Vierge et enfant Jésus dans un paysage –* Grenoble : *Paysage –* Hambourg : *Paysage –* Madrid : *Paysage avec montagne et ravin – Paysage rocheux et boisé –* Mayence : *Paysages –* Milan (Ambrosiana) : *Le péché d'Adam –* Moscou (Roumianzeff) : *Jésus et ses disciples – Paysages –* Munich : *Paysage plat, coucher du soleil – Paysage avec vue au loin –* Nice : *Mare sous bois –* Oslo : *Site forestier près d'un large canal –* Paris (Mus. du Louvre) : *Paysage –* Porto : *Marine, deux fois –* Rouen : *Paysage –* Saint-Pétersbourg (Mus. de l'Ermitage) : *Paysage –* Schleissheim : *Paysage –* Stockholm : *Paysage avec chemin côtier – Paysage avec chemin au bord d'une forêt –* Strasbourg : *Paysage d'été –* Stuttgart : *Fuite en Égypte et Repos en Égypte, paysages –* Toulouse : *Paysages –* Valenciennes : *Enlèvement de Proserpine – Cérès et la nymphe Cyané –* Vienne (Gal. Harrach) : *Paysages –* Weimar : *Deux paysages.*

Ventes Publiques : Paris, 1776 : *Deux paysages traversés par une rivière,* dess. coloriés : **FRF 600** – Paris, 1777 : *Deux paysages avec pièce d'eau et personnages,* ces derniers peints par David Téniers, ensemble : **FRF 1 200** – Londres, 1874 : *Paysage avec figures dansant au premier plan et moutons* : **FRF 13 500** – Paris, 1890 : *L'avenue du château* : **FRF 7 100** – Munich, 1899 : *Scène biblique dans un paysage* : **FRF 1 325** – Paris, 19 et 20 oct. 1909 : *Paysage fluvial* : **FRF 1 700** – Londres, 3 avr. 1911 : *Paysage boisé* : **GBP 18** – Londres, 11 et 12 mai 1911 : *Route dans un paysage avec figures et véhicules* : **GBP 10** – Paris, 28 fév. 1919 : *Paysage* : **FRF 1 950** – Paris, 6 et 7 mai 1920 : *Philémon et Baucis,* en collaboration avec Jacob Jordaens : **FRF 3 000** – Paris, 28 fév. 1921 : *La fête villageoise* : **FRF 3 100** – Paris, 2 déc. 1927 : *Paysage animé de figures* : **FRF 5 650** – Paris, 11 janv. 1943 : *Paysage* : **FRF 13 000** – Paris, 15 juin 1949 : *Paysage panoramique animé de personnages au premier plan,* attr. : **FRF 35 000** – Paris, 4 mai 1951 : *Le départ du chasseur,* attr. : **FRF 75 000** – Paris, 24 mai 1955 : *Les agréments de l'hiver* : **FRF 650 000** – Londres, 23 mars 1960 : *Paysage avec un cottage* : **GBP 1 300** – Londres, 29 juin 1962 : *Paysage avec vision de saint Hubert* : **GNS 600** – Paris, 10 juin 1964 : *Paysage d'hiver* : **FRF 8 000** – Cologne, 28 avr. 1965 : *Paysage fluvial* : **DEM 7 475** – Londres, 3 déc. 1969 : *Paysage boisé* : **GBP 2 600** – Londres, 7 juil. 1970 : *Paysage boisé animé de personnages* : **GNS 1 400** – Amsterdam, 23 nov. 1971 : *Scène de moisson* : **NLG 30 000** – Vienne, 6 juin 1972 : *Paysage à la chaumière* : **ATS 200 000** – Londres, 29 juin 1973 : *Troupeau se désaltérant dans un paysage* : **GNS 6 000** – Amsterdam, 26 nov. 1974 : *Paysage d'hiver* : **NLG 22 000** – Londres, 8 juil. 1977 : *Paysage boisé animé de personnages,* h/t (116,8x164,8) : **GBP 4 500** – Londres, 11 déc 1979 : *Une allée boisée,* aquar. et pl. (22x17,7) : **GBP 3800** – New York, 12 janv 1979 : *Mercure et Argus dans un paysage,* h/pan. (56x81) : **USD 40 000** – Amsterdam, 15 nov. 1983 : *Paysage boisé au lac animé de personnages,* pl. et lav./traits de craie noire (13,8x21) : **NLG 10 000** – New York, 10 juin 1983 : *Paysage boisé avec vue d'un château animé de bergers,* h/t (38x56) : **USD 22 000** – Amsterdam, 1er déc. 1986 : *Paysanne et troupeau sur un chemin de campagne boisé,* aquar., craie noire et pl. (18,7x28,9) : **NLG 75 000** – Paris, 18 déc 1987 : *Paysage animé,* h/t (114x163) : **BEF 40 000** – Londres, 10 avr. 1987 : *Paysan saluant le seigneur du manoir avec sa famille, un château à l'arrière-plan,* h/pan. (22,2x34) : **GBP 17 000** – Londres, 5 juil. 1989 : *La chasse aux canards,* h/t (81x103) : **GBP 19 800** – Amsterdam, 28 nov. 1989 : *Vaste paysage rocheux avec des chasseurs près d'une cascade,* h/pan. (20x25,2) : **NLG 46 000** – Londres, 8 déc 1989 : *Voyageurs rencontrant des paysans et du bétail dans un vaste paysage boisé,* h/pan., une paire (chaque 22,5x34) : **GBP 44 000** – Londres, 11 avr. 1990 : *Paysage boisé,* h/pan. (56x84) : **GBP 16 500** – Paris, 30 nov. 1990 : *L'assemblée musicale,* h/pan. (83x165) : **FRF 60 000** – Paris, 31 oct. 1991 : *Chevrier près de ruines avec son troupeau,* h/pan. (26x42) : **FRF 43 000** – Londres, 15 avr. 1992 : *Vaste paysage fluvial avec des paysans passant près d'une chapelle en revenant des champs,* h/t (108,6x164,4) : **GBP 10 000** – Monaco, 20 juin 1992 : *Paysage animé de figures,* h/cuivre (11,2x16,5) : **FRF 44 400** – Amsterdam, 25 nov. 1992 : *Route traversant un village,* mine de pb, encre et aquar. (18,5x28) : **NLG 86 250** –

LONDRES, 11 déc. 1992 : *Paysage boisé avec des paysans sur le chemin près d'un moulin à eau*, h/pan. (41,6x64,7) : **GBP 11 550** – AMSTERDAM, 6 mai 1993 : *Berger et son troupeau sur un sentier boisé avec une vallée au fond*, h/pan. (48,5x74) : **NLG 13 800** – PARIS, 28 juin 1993 : *Paysage des Flandres avec chevrier menant son troupeau*, h/pan. (73x125) : **FRF 110 000** – LONDRES, 8 déc. 1993 : *Vaste paysage d'hiver*, h/pan. (24,5x34,5) : **GBP 27 600** – NEW YORK, 12 jan. 1994 : *Vaste paysage avec un château sur une colline et des bergers au premier plan*, h/pan. (46,4x71,2) : **USD 63 000** – PARIS, 4 mai 1994 : *Paysage d'hiver avec patineurs*, h/pan. (37x50,5) : **FRF 180 000** – AMSTERDAM, 15 nov. 1994 : *Vaste paysage avec une maisonnette près d'une mare*, encre et lav. (15,5x26,1) : **NLG 14 950** – AMSTERDAM, 15 nov. 1995 : *Paysage avec une rivière et une chaumière parmi les arbres au bord de l'eau*, encre et lav. (15,8x25,5) : **NLG 80 240** – PARIS, 11 mars 1997 : *Chasseurs dans un paysage d'hiver*, pan. (47x68) : **FFR 65 000**.

UDEN Peeter Van
XVIIᵉ-XVIIIᵉ siècles. Actif à Anvers. Éc. flamande.
Miniaturiste.
Fils d'Adriaen Van Uden. En 1695, il fut dans la Gilde.

UDERS Emils Teodors. Voir UDRIS

UDINE, da. Voir aussi au prénom ou au nom qui y est adjoint.

UDINE Domenico ou Nani Domenico
Né en 1784 à Rovereto. Mort en 1850 à Florence. XIXᵉ siècle. Italien.
Peintre.
Élève de l'Académie de Florence qui possède plusieurs dessins de cet artiste. Il peignit surtout des tableaux d'autel pour des églises de Florence, de Pise, de Prato, de Rovereto et de Trente.

UDINE Eustachio da. Voir EUSTACHIO da Udine

UDINE Giovanni da. Voir NANNI Giovanni

UDINE Giovanni di Pantaleone da. Voir GIOVANNI di Pantaleone da Udine

UDINE Juan de
XVIᵉ siècle. Actif à Valladolid. Italien.
Peintre.
Peintre italien dont la manière s'inspirait des peintures du palais de Titus.

UDINE Leonardo da
XVIᵉ siècle. Travaillant à Rome de 1539 à 1544. Italien.
Graveur d'architectures et d'ornements.

UDINE Martino da, dit Pellegrino de San Daniele. Voir MARTINO di Battista

UDO Nils. Voir NILS-UDO

UDRIS Emils Teodors ou Uders
Né à Pilati (près de Wolmarshof). Mort en 1915 à Wolmar. XXᵉ siècle. Russe-Letton.
Peintre.
Il fit ses études à Saint-Pétersbourg. Il exposa à Riga en 1920 et en 1932.
MUSÉES : RIGA.

UDUARTE Felipe. Voir UDARTE

UDVARDY Gyula ou Jules
Né le 16 février 1880 à Budapest. XXᵉ siècle. Hongrois.
Peintre de portraits.

UDVARDY Ignac
Né le 8 août 1877 à Zalaegerszeg. XXᵉ siècle. Hongrois.
Peintre de paysages, graveur.
Il fit ses études à Budapest. Il peignit des paysages et grava sur bois.

UDVARDY Imre Laszlo ou Emerich Ladislas, pseudonyme : Spy
Né le 20 mars 1855 à Budapest. XIXᵉ siècle. Hongrois.
Peintre et illustrateur.
Assistant, à Londres, de Leslie Ward Spy. Fils de Gyula Udvardy.

UDVARLAKY Béla
Né en juillet 1849 à Vienne. Mort vers 1885 à Budapest. XIXᵉ siècle. Hongrois.
Peintre de genre et de natures mortes.

UDVARY Dezsö ou Desiderius
Né le 14 mars 1891 à Gyöngyöspata. XXᵉ siècle. Hongrois.
Peintre de figures, paysages.

Il fit ses études à Munich. Il vécut et travailla à Szolnok.
MUSÉES : PRESBOURG : Deux peintures.

UDVARY Géza
Né le 20 septembre 1872 à Perbenyik. Mort le 4 février 1932 à Budapest. XIXᵉ-XXᵉ siècles. Hongrois.
Peintre de genre, fresques, figures.
Il fit ses études à Budapest, à Munich et à Paris.
MUSÉES : BUDAPEST (Mus. mun.) : *Patricien.*

UDVARY Pal
Né en 1900 à Budapest. XXᵉ siècle. Hongrois.
Peintre de compositions religieuses, paysages.
Fils du peintre Géza Udvary, il fit ses études à Budapest.
MUSÉES : BUDAPEST.

UEBERBACHER Heinrich
Né le 6 juillet 1852 à Bozen. Mort le 23 février 1929 à Bozen. XIXᵉ-XXᵉ siècles. Autrichien.
Sculpteur de compositions religieuses.
Représentant de l'École nazaréenne, il sculpta surtout des sujets religieux en bois et en pierre. Il travailla longtemps à Munich.

UECHTRITZ-STEINKIRCH Cuno von
Né le 3 juillet 1856 à Breslau. Mort le 29 juillet 1908 à Berlin. XIXᵉ siècle. Allemand.
Sculpteur de monuments, figures.
Élève de V. Tilgner à Vienne. Il sculpta des monuments de Bismarck.
MUSÉES : POSEN : *Petit Savoyard.*
VENTES PUBLIQUES : COLOGNE, 22 juin 1979 : *Frédéric le Grand*, bronze (H. 38) : **DEM 2 000**.

UECKER Günther
Né en 1930 à Wendorf (Mecklenbourg). XXᵉ siècle. Allemand.
Peintre, sculpteur, graveur. Cinétique puis Land Art. Groupe Zéro.
Il fut élève en peinture de l'Académie de Berlin-Weissensee, puis, à partir de 1953, de l'Académie de Düsseldorf. En 1962, il fut, avec Heinz Mack et Otto Piene, le fondateur du groupe « Zéro », qui fut l'un des pôles du renouveau de la création artistique en Allemagne. Il vécut et travailla à Düsseldorf.
Le groupe « Zéro » se manifesta dans de nombreux pays, notamment à la Documenta de Kassel en 1964, ainsi qu'au Salon de Mai de Paris. Il a également figuré à la Biennale de Venise en 1970. Il a montré ses œuvres dans de très nombreuses expositions personnelles, en 1970 à l'Open Air Museum de Tokyo, à *L'Art par téléphone* au Museum of Contemporary Art de Chicago, à la Biennale de Venise, au 3ᵉ Salon International des Galeries Pilotes, musée cantonal de Lausanne et musée municipal d'Art Moderne de Paris, etc. Il a obtenu le Kunstpreis Nordrhein-Westfalen et le prix de la Biennale de Jeunes, à Paris.
Ce fut en 1957 qu'il utilisa pour la première fois, à l'occasion de sortes d'arbres-totems hérissés, le matériau qui allait constituer le médium de la presque totalité de ses œuvres : le clou. S'orientant peu après dans le sens de l'art optique, il constitue, soit tels quels, soit peints uniformément en blanc, des alignements divers de ces clous, en quinconces, en spirales, etc., ces alignements étant diversement perçus selon la position du spectateur, en accentuant les effets optiques d'alignements et d'interférences par des éclairages calculés, ou par des mouvements rotatifs ou latéraux de l'ensemble de l'œuvre, animée par des moteurs. En 1963, il traversa une période baroque, pendant laquelle il hérissa de ses clous, les objets du mobilier le plus quotidien : chaises, postes de télévision, un piano. Il revint aussitôt à ses réalisations cinétiques. On en vit une exposition personnelle, à Paris, en 1968, jouant désormais en plus de la longueur variable d'enfoncement des rangées de clous, ainsi que de leur inclinaison sur le support. Toutefois, dans les années 70, Uecker a abandonné de nouveau ses productions cinétiques, et s'est consacré à des activités tenant de l'art pauvre, représenté en Allemagne par Josef Beuys, des divers courants de l'art conceptuel et surtout du « land art » américain, dont il pratique plus précisément de la variante de l'« earth art », à partir de sable et de terre. ■ J.B.
BIBLIOGR. : *Catalogue du 3ᵉ Salon International des Galeries Pilotes*, Musée Cantonal, Lausanne, 1970 – Herta Wescher, in : *Nouveau diction. de la sculpt. mod.*, Hazan, Paris, 1970 – Frank Popper : *L'art cinétique*, Gauthier-Villars, Paris, 1970 – Sevim Riedinger, in : *Opus International*, Fall, Paris, juin 1972 – Marion Haedecke, Dieter Homisch : *Günter Uecker. Catalogue de son œuvre*, Ernst Klett, Stuttgart, 1983.
MUSÉES : BERLIN (Nouv. Gal.) – KREFELD (Wilhelm-Museum) – PARIS (BN).

VENTES PUBLIQUES : ANVERS, 14 oct. 1970 : *Spirale* : **BEF 80 000** – ANVERS, 27 avr. 1971 : *Composition* : **BEF 100 000** – MUNICH, 27 nov. 1974 : *Composition 1966* : **DEM 6 200** – MUNICH, 24 mai 1977 : *Champ blanc* 1965, clous/t. blanche mar./cart. (60x60) : **DEM 8 000** – MUNICH, 12 déc. 1978 : *Composition aux clous 1966*, avec moteur (80x80) : **DEM 6 400** – MUNICH, 29 mai 1979 : *Composition 1961*, clous, relief (65x40x28,5) : **DEM 4 500** – LONDRES, 6 déc. 1983 : *Sans titre 1963*, clous peints/t./pan. (35x35) : **GBP 1 900** – LONDRES, 27 juin 1985 : *Sans titre 1964*, clous peints/pan. (98x66) : **GBP 6 000** – HAMBOURG, 8 juin 1985 : *Aide au Vietnam 1976*, relief, clous/pan (50x50x8,3) : **DEM 14 000** – COLOGNE, 31 mai 1986 : *Für Internationale Solidarität 1973*, clous/t./pan. (80x80) : **DEM 13 000** – PARIS, 24 nov. 1987 : *Licht Diamant 1967*, bois, clous et girophare (160x160x30) : **FRF 230 000** – LONDRES, 20 oct. 1988 : *Sans titre 1982*, clous d'acier/pap./pan. (60,5x45,5) : **GBP 4 950** – LONDRES, 25 mai 1989 : *Disque lumineux 1965*, clous peints/pan. circulaire (diam. 60) : **GBP 16 500** – PARIS, 1er oct. 1990 : *Empreintes de clous 1965*, quatre œuvres de pap. (65x50) : **FRF 8 000** – LONDRES, 18 oct. 1990 : *Sans titre 1983*, émulsion et clous/t./pan. (90x90) : **GBP 12 100** – NEW YORK, 14 nov. 1990 : *Petite spirale 1966*, clous et t./bois (69,8x69,8) : **USD 38 500** – NEW YORK, 3 oct. 1991 : *Sans titre 1966*, clous peints et t./bois (81,3x81,3) : **USD 22 000** – LONDRES, 15 oct. 1992 : *Champ 1989*, h. et clous/t./cart. (110x90) : **GBP 30 800** – ZURICH, 14-16 oct. 1992 : *Anvers 1971*, cr. (61,5x86) : **CHF 1 500** – NEW YORK, 4 mai 1993 : *Sans titre 1964*, clous peints/pan. (97,8x66) : **USD 35 650** – ZURICH, 24 juin 1993 : *Clous, chaussure de football transpercée de clous 1972* : **CHF 1 400** – NEW YORK, 11 nov. 1993 : *Sans titre*, clous peints/pan. : **USD 37 375** – LONDRES, 3 déc. 1993 : *Fantôme blanc*, clous peints/t./cart. (110x200) : **GBP 49 900** – LONDRES, 23 mai 1996 : *Vrac 1986*, laque et clous/t. (200x160) : **GBP 29 900** – LONDRES, 24 oct. 1996 : *Interférences 1984*, clous et h/t/pan. (61x61x12,7) : **GBP 7 475** – AMSTERDAM, 10 déc. 1996 : *Son fort fort fort 1967*, clous peints/pan. (50x50) : **NLG 34 596.**

UEHLINGER Max
Né le 28 juin 1894 à Zurich. XXe siècle. Suisse.
Sculpteur.
Il se fixa à Minusio.
MUSÉES : SCHAFFHOUSE : *Jeune Fille marchant.*

UELLAND Heinrich August
Né vers 1827 à Bergen. Mort le 29 juillet 1855 à Anvers. XIXe siècle. Éc. flamande.
Peintre.

UELSMANN Jerry N.
Né en 1934 à Detroit (Michigan). XXe siècle. Américain.
Artiste.
Il a réalisé des photomontages.
MUSÉES : MONTRÉAL (Mus. d'Art Contemp.) : *Hothouse and eye 1975*, photomontage.

UEMAE Chiyu
XXe siècle. Japonais.
Artiste. Groupe Gutaï.

UEMARA Shoen
Née en 1875. Morte en 1949. XXe siècle. Japonaise.
Peintre de figures.
Elle fit ses études à Kyoto, où elle eut pour professeur Takeuchi. Elle fut décorée de l'ordre du mérite culturel Japonais en 1948. Du courant Nihonga, dans un style traditionnel qui refuse les apports picturaux de la modernité occidentale, elle a privilégié les personnages féminins d'un grand raffinement.
BIBLIOGR. : In : *Dict. de l'art mod. et contemp.*, Hazan, Paris, 1992.
VENTES PUBLIQUES : NEW YORK, 24 avr. 1997 : *Shunko*, encre coul./ soie (63,8x22,9) : **USD 27 600.**

UEMATSU Keiji
Né en 1947. XXe siècle. Japonais.
Sculpteur, auteur d'installations, dessinateur.
Il montre ses œuvres dans des expositions personnelles : 1977 Kunsthalle de Düsseldorf ; 1992 galerie Baudoin-Lebon à Paris. Il associe des volumes géométriques (cône, spirale) dans de fragiles constructions qui associent pierre, cuivre et bois, avec le « désir de créer une œuvre au sein de laquelle l'absence d'un unique élément ferait écrouler la structure dans son ensemble, l'existence invisible des choses et leur lien entre elles, comme un cosmos ».
VENTES PUBLIQUES : PARIS, 30 jan. 1989 : *Three Stones 1979*, dess. (70x100) : **FRF 8 000.**

UEMURA Shoko
Né en 1902 à Kyoto. XXe siècle. Japonais.

Peintre.
Il fut élève de l'École des Beaux-Arts de sa ville natale. Il fonda en 1948, la Société d'Art Créateur. Il vit à Kyoto, et enseigne depuis environ 1935. Il a voyagé en Chine en 1940 ; aux Indes en 1960 ; à Hawaï en 1963. En 1958, il a reçu le prix des Beaux-Arts.
BIBLIOGR. : B. Dorival, sous la direction de... : *Peintres Contemporains*, Mazenod, Paris, 1964.

UENO Chiya
Né en 1940 à Ojiya (Niigata). XXe siècle. Japonais.
Peintre, graveur.
Il fut membre de l'École des Beaux-Arts de Bigako à Tokyo. Il a figuré à l'exposition : *De Bonnard à Baselitz – Dix ans d'enrichissements du Cabinet des Estampes 1978-1988* à la Bibliothèque nationale à Paris, en 1992.
MUSÉES : PARIS (BN).

UENO Makoto
Né en 1909 dans la préfecture de Nagano. XXe siècle. Japonais.
Graveur.
Après avoir quitté l'Université des Beaux-Arts de Tokyo avant d'être diplômé, il devint instituteur, pratiquant la gravure sur bois pendant ses loisirs, et exposant aux Salons de la *Kokuga-kai*, où il gagna le prix en 1936. Depuis la guerre, il se consacra à la gravure et figura aux expositions d'Estampes du Peuple Japonais en Chine et aux États-Unis en 1951 et 1956. En 1959, il remporta la médaille d'or à la Foire internationale du Livre de Leipzig.

UENO Seizaku
Né en 1911 à Niigata. XXe siècle. Japonais.
Graveur.
Après ses études de professorat artistique jusqu'en 1933, il abandonne l'enseignement pour se consacrer à la gravure sur cuivre et à la lithographie, en 1945. Il est membre de l'Association des Beaux-Arts. Il est l'auteur de plusieurs livres, dont *L'Éducation Artistique*.
En 1953, il figure à l'exposition *Abstraction et Imagination* au Musée National d'Art Moderne de Tokyo, en 1957 à la première Biennale Internationale de l'Estampe de Tokyo et en 1960 à l'exposition *Développement de la Peinture Surréaliste* au Musée National d'Art Moderne de Tokyo.

UETZ Adalbert
Né le 7 février 1807 à Vienne. Mort le 2 mai 1864 à Graz. XIXe siècle. Autrichien.
Peintre de décorations.
Élève de l'Académie de Vienne où il exécuta des peintures au château et dans les palais.

UETZ Julius Siegfried
Né vers 1829 à Karlsruhe. Mort le 4 novembre 1885 à Fribourg. XIXe siècle. Allemand.
Portraitiste.
Le Musée de Fribourg-en-Brisgau conserve de lui trois portraits.

UF DER MUR Johann Jost. Voir MUR

U FAN LEE. Voir LEE U FAN

UFER Johannes Paul
Né le 12 août 1874 à Sachsenbourg. XIXe-XXe siècles. Allemand.
Peintre de genre, figures, portraits, intérieurs, paysages, fleurs, aquarelliste.
Il fut élève de l'Académie de Dresde, où il vécut et travailla.
MUSÉES : BAUTZEN : *Entente* – DRESDE : *Bibliothécaire.*

UFER Oswald Wilhelm ou Guillaume Oswald
Né le 3 avril 1828 à Stolpen. Mort le 14 mars 1883 à Leipzig. XIXe siècle. Allemand.
Graveur au burin.
Il a gravé des sujets religieux, d'après Signorelli, et des sujets de genre.

UFER Walter
Né le 22 juillet 1876 à Louisville (Kentucky). Mort en 1936. XXe siècle. Américain.
Peintre de genre, portraits, paysages.
Il fut élève de l'Académie Royale de Dresde. Il fut membre du Salmagundi Club. Il obtint de nombreuses récompenses.
Une de ses œuvres *Le Sommeil* a été présentée en 1987 au Salon d'Automne de Paris qui rendait hommage à la grande légende de l'Ouest américain.
Il était à la fois un romantique et un critique de la société. Ses peintures des indiens Taos reflètent non seulement son goût de la

beauté naturelle mais aussi sa philosophie basée sur la dignité humaine et la reconnaissance des droits individuels. Lui-même individualiste, il souhaitait préserver la culture primitive américaine, il soutenait les jeunes artistes réunis autour des Taos et souhaitait voir naître un « Art National » du Sud-Ouest américain.

Musées : Baltimore – Chicago – Los Angeles – New York – Oklahoma City (Nat. Hall of Fame) : *Le Sommeil* 1926 – *Le Repos* 1926 – Philadelphie – Washington D. C.

Ventes Publiques : New York, 24 fév. 1945 : *Méditation* : USD 300 – New York, 19 avr. 1968 : *Portrait d'Indien* : USD 5 000 – New York, 29 avr. 1976 : *October moon*, h/t (76,2x64) : USD 4 500 – New York, 21 avr. 1978 : *Mes visiteurs*, h/t (45,7x56) : USD 12 000 – New York, 5 déc. 1980 : *La récolte du maïs* 1927, h/t (76,2x91,8) : USD 160 000 – New York, 2 juin 1983 : *El Calcique del pueblo*, h/t (76,2x64) : USD 20 000 – San Francisco, 28 fév. 1985 : *The companions*, h/t (63,5x76,2) : USD 50 000 – New York, 1er déc. 1988 : *Eclaireur indien*, h/t (61x75) : USD 77 000 – New York, 24 mai 1989 : *Indienne Taos*, h/t (76,2x63,5) : USD 82 500 – New York, 1er déc. 1989 : *Bizarreries*, h/t (106,7x96,5) : USD 104 500 – New York, 30 nov. 1990 : *Ses seules richesses*, h/t (63,5x76,2) : USD 110 000 – New York, 22 mai 1991 : *Autoportrait 1918*, h/t/cart. (31,5x27,3) : USD 8 800 – New York, 4 déc. 1992 : *Bâtisseurs dans le désert*, h/t/alu. (127,6x127,6) : USD 242 000 – New York, 26 mai 1993 : *Ombres de midi*, h/t (64x64) : USD 41 400 – New York, 3 déc. 1993 : *Petite fille tyrolienne* 1922, h/t (55,4x45,5) : USD 16 100 – New York, 1er déc. 1994 : *Les « servantes » du maïs*, h/t (91,4x76,2) : USD 332 500 – New York, 14 sep. 1995 : *Le gué*, h/t (63,5x76,2) : USD 31 625 – New York, 5 juin 1997 : *L'Indien qui chante*, h/t (76,2x63,5) : USD 57 500.

UFERBACH Jenö ou Eugène
Né le 16 novembre 1874 à Gyula. Mort le 31 juillet 1926 à Budapest. xixe-xxe siècles. Hongrois.
Peintre de genre.

UFERT Oskar
Né le 27 janvier 1876 à Francfort-sur-le-Main. xxe siècle. Allemand.
Sculpteur.
Il fut élève de Wilhelm Schwind.
Musées : Francfort-sur-le-Main (Gal. mun.) : *Tourment* – *Petite Tête*.

UFFELEN Hanz Van
Mort le 12 février 1613 à Amsterdam. xvie-xviie siècles. Hollandais.
Peintre et collectionneur.

UFFENBACH Johann Friedrich Armand von
Né le 6 mai 1687 à Francfort. Mort en avril 1769. xviiie siècle. Allemand.
Dessinateur, graveur et critique d'art.
Il publia en 1726, un ouvrage intitulé l'*Imitation de Jésus-Christ* qu'il orna lui-même de nombreuses vignettes. Il légua sa collection de travaux à l'Université de Göttingen.

UFFENBACH Philipp ou Offenbach
Né en 1566 à Francfort-sur-le-Main. Mort en 1636 à Francfort-sur-le-Main. xvie-xviie siècles. Allemand.
Peintre et graveur au burin et à l'eau-forte.
Élève de Grimmer. Il a gravé des *Sujets religieux* et des *Sujets d'histoire*. Il a peint dans divers monuments de Francfort. Il fut le maître d'Elsheimer. Ce fut aussi un mécanicien distingué.
Musées : Francfort-sur-le-Main (Mus. mun.) : *Ascension* – *Résurrection d'Ezéchiel* – *Trois magistrats de Francfort* – *La grande salle de l'Hôtel de Ville de Francfort* – *Adoration des rois* – *Portraits de Vincenz Fettmilch* – Francfort-sur-le-Main (Mus. Staedel) : *Vierge devant la croix* – Vienne : *Annonciation* – Weimar : *Adoration des rois*.

UFFRECHT Rudolf
Né le 9 juillet 1840 à Althaldensleben près de Magdebourg. xixe siècle. Allemand.
Sculpteur et peintre.
Élève de l'Académie de Berlin. Il exécuta en terre cuite des portraits de musiciens, d'artistes et de poètes, ainsi que des allégories.

UGALDE Juan Bautista
Né en 1808 à Caracas. Mort en 1860 à Madrid. xixe siècle. Espagnol.
Miniaturiste.
Il exposa à partir de 1836.

UGALDE Manuel
Né en 1817. Mort en 1881. xixe siècle. Péruvien.
Peintre.
Ventes Publiques : New York, 19-20 nov. 1990 : *Portrait de Simon Bolivar*, h/t (78x57) : USD 14 300.

UGARTE Jean Pierre
Né le 7 janvier 1950 à Bordeaux (Gironde). xxe siècle. Français.
Peintre de paysages, dessinateur. Fantastique.
Il fut élève de l'École des Beaux-Arts de Bordeaux, de 1966 à 1971. Il participe à de nombreuses expositions collectives en France et à l'étranger, notamment : 1997 *Regards sur les arts* à la collégiale Notre-Dame de Lamballe (Côtes d'Armor) où il a été l'invité d'honneur. Il montre ses œuvres dans des expositions personnelles : 1984 pour la première fois à Montauban ; 1986, 1989 galerie Le Troisième Œil à Bordeaux ; 1991 musée des Beaux-Arts de Pau ; 1993 hôtel de ville de Nay, galerie Alain Blondel à Paris ; 1995, 1996 galerie Élysée Montaigne à Paris.
Dans une gamme de tons réduite, gris bleuté, beige, mordoré, qui évoque de vieilles photographies, Ugarte peint des paysages romantiques dans la lignée de Altdorfer et Caspar David Friedrich. Il révèle un monde pétrifié, déserté de l'homme, architectures de béton abandonnés, falaises de pierre, animées par quelques lueurs, progressivement envahies par la végétation, suggérant le pouvoir de la nature sur la civilisation.
Bibliogr. : *Ugarte, peintures 1984-1989*, Natiris, 1989 – Michel Random, Bernard Junca : *Jean-Pierre Ugarte, peintures et dessins 1989-1996*, Ramsay, Paris, 1996.
Musées : Montauban (Mus. Ingres) – Pau (Mus. des Beaux-Arts).

UGARTE BERECIARTU Ignacio
Né le 30 juillet 1858 à San-Sebastian. Mort le 14 juillet 1914. xixe-xxe siècles. Espagnol.
Peintre de scènes animées, paysages, marines. Post-impressionniste.
Il a consacré tout son œuvre à son Pays-Basque natal. Il en décrit les activités portuaires, de la pêche, des plaisirs de la plage. Bien qu'il s'agisse d'une peinture aux sujets très typés, pittoresques, Ugarte les traite en privilégiant leur picturalité potentielle. Une scène de jeux d'enfants sur la plage, dont les silhouettes devant l'accès des vagues se reflètent sur les flaques, dans un espace largement aéré, une lumière vivement argentée, évoque immanquablement la facture et la sensibilité d'Édouard Manet. Dans des mises en place pleines et rigoureuses, ses atmosphères de demi-jour des aubes ou des crépuscules occultent l'anecdotique au profit du poétique.

UGARTE MELEAN Jorge
Né à Tupiza. xxe siècle. Bolivien.
Peintre.
Il fit ses études à l'École des Beaux-Arts de La Paz.

UGGIONI Marco. Voir OGGIONO Marco d'

UGHETTI Beppe
Né le 5 décembre 1896 à Giaveno. xxe siècle. Italien.
Peintre.
Il fut élève de l'Académie de Turin. Il subit l'influence de Armando Spadini.

UGHETTO Henri
Né en 1941 à Lyon (Rhône). xxe siècle. Français.
Sculpteur, peintre.
Il participe à des expositions personnelles : 1985 musée Saint Pierre de Lyon ; 1985, 1992 Foire de Chicago, Bâle, Paris, Madrid ; 1993, 1997 Biennale d'Art Contemporain de Lyon ; 1995 Nantes. Il montre ses œuvres dans des expositions personnelles : de 1963 à 1993 régulièrement à la galerie L'Œil Écoute à Lyon ; 1981 musée des Beaux-Arts de Nice ; 1984 rétrospective au palais Saint Jean de Lyon ; 1993 musée de Francfort-sur-le-Main, musées de Graz et de Lotz ; 1995 centre culturel de Villefranche-sur-Saône.
« 31e année de mannequins imputrescibles, 21 millions de goutte de sang peintes », ainsi Ughetto rend compte de son activité d'artiste. Sur des mannequins « imputrescibles », son principal support, il fixe des œufs, recouverts de gouttes de sang peintes, mais aussi des seins, fruits ou légumes en plastique, des fragments de poupées, des objets de récupération, outil, crucifix... À partir des mêmes matériaux, il réalise des monuments funéraires, notamment en noir et or. Répertoriant ses œuvres, tenant un compte des plus précis des éléments utilisés, en particulier les gouttes de sang peintes, qui lui permet de mesurer le temps qui lui reste à vivre, l'artiste inscrit son activité obsessionnelle dans une esthé-

tique exubérante, kitsch, sous laquelle se révèle l'angoisse de la mutilation, de la mort.

BIBLIOGR. : Catalogue de l'exposition : *Henry Ughetto, Mannequins imputrescibles et œuvres funéraires diverses*, centre culturel, Villefranche-sur-Saône, 1995.

MUSÉES : LYON (Mus. Saint Pierre) – LYON (Mus. d'Art Contemp.) – LYON (FRAC) – PARIS (FNAC).

UGHETTO Jacopo di
Né à Modène. XVIe siècle. Actif dans la seconde moitié du XVIe siècle. Italien.
Stucateur.
Il termina les stucatures du palais ducal de Mantoue en 1576.

UGHETTO da Pisa
Mort vers 1440. XVe siècle. Actif à Gênes. Italien.
Peintre et sculpteur sur bois.

UGHI Luigi
Né à Ferrare (?). XVIIIe siècle. Actif dans la première moitié du XVIIIe siècle. Italien.
Graveur au burin.
Il a gravé un plan de Venise et commencé la gravure des tableaux et décorations du palais des Doges de la même ville.
VENTES PUBLIQUES : LONDRES, 21 avr. 1983 : *Iconografia rappresentativa della inclita Citta di Venezia*, grav./cuivre (130,5x177,3) : **GBP 800** – VENISE, 7-8 oct. 1996 : *Vue de Venise*, grav. (147,5x263,5) : **ITL 17 250.**

UGHI Luigi
Né en 1749 à Ferrare. Mort en 1823. XVIIIe-XIXe siècles. Italien.
Dessinateur et graveur au burin.
Il grava à la manière de Callot des paysages et des portraits.

UGLIENGO Carlo Maria
XVIIIe siècle. Actif dans la première moitié du XVIIIe siècle. Italien.
Sculpteur sur bois.
Il travailla pour le palais Royal de Turin.

UGLONE Marco ou Uglon. Voir OGGIONO Marco d'

UGLOW Euan
Né le 10 mars 1932 à Londres. XXe siècle. Britannique.
Peintre de nus.
Il fit ses études à l'École d'Art de Camberwell de 1948 à 1951, et à la Slade School de Londres de 1951 à 1954. Il obtint une bourse de voyage pour l'Espagne en 1952, et en 1953 il vécut en Italie pendant six mois. Il fut membre du London Group en 1959. Il enseigna aux Écoles d'Art de St-Albans et Camberwell.
Il participa aux manifestations organisées par la Royal Academy, en 1964 et 1967. Il fit sa première exposition personnelle à Londres en 1961.
MUSÉES : LONDRES (Tate Gal.) : *Nu debout* 1960-1961.

UGO Antonio
Né en 1870 à Palerme. XIXe-XXe siècles. Italien.
Sculpteur.
Il fut élève de Rota à Rome. Il prit une place distinguée parmi les sculpteurs italiens modernes. Parmi ses œuvres citons *David* d'un réalisme puissant et d'une remarquable expression.
MUSÉES : PALERME : *David* – ROME (Gal. d'Art Mod.) : *Buste du cardinal Celesia.*

UGO Scipione
XIXe siècle. Actif dans la première moitié du XIXe siècle. Italien.
Sculpteur.
Élève de l'Académie de Florence, puis de Rome.

UGO da Campione
Mort entre 1353 et 1360 en Lombardie. XIVe siècle. Italien.
Sculpteur.
Il a sculpté le sarcophage de l'évêque Berardo Maggi dans l'ancienne cathédrale de Brescia en 1308.

UGO da Carpi. Voir CARPI Ugo da

UGO de Comminellis. Voir COMMINELLIS

UGOLINI
XVIIIe siècle. Actif au Piémont. Italien.
Peintre.
Il peignit des sujets de chasse pour la cour de Victor Amédée de Savoie, en 1726.

UGOLINI Agostino Gaetano
Né le 12 avril 1755 à Vérone. Mort le 16 janvier 1824 à Vérone. XVIIIe-XIXe siècles. Italien.
Peintre.

Élève de G.-B. Burato. Il peignit des sujets religieux pour de nombreuses églises de Vérone et des environs.
VENTES PUBLIQUES : PARIS, 25 nov. 1974 : *Le Couronnement* 1787 : **FRF 31 000.**

UGOLINI Antoine
Né à Bologne. XVIIe-XVIIIe siècles. Italien.
Peintre et graveur à l'eau-forte.
Il a gravé des sujets allégoriques et religieux.

UGOLINI Benigno
XVIIe siècle. Travaillant à Rome en 1627. Italien.
Peintre.

UGOLINI Giuseppe
Né le 3 juin 1826 à Reggio Emilia. Mort le 28 octobre 1897 à San Felice Circeo. XIXe siècle. Italien.
Sculpteur et peintre de portraits.
Il exposa à Rome, Milan et Turin. La Pinacothèque de Reggio Emilia conserve de lui les portraits du *Colonel Rainero Toddei* et du *Capitaine Ottavi.*

UGOLINI de Guglielno da Boulogna ou Ghino
Né en 1313. Mort en 1350. XIVe siècle. Italien.
Miniaturiste.

UGOLINO
XVe siècle. Travaillant à Pérouse en 1458. Italien.
Dessinateur de cartons.

UGOLINO Antonio, dit Parmigiano
XVIIe-XVIIIe siècles. Actif à Parme. Italien.
Peintre.
Il peignit une bannière pour l'église Saint-Laurent de Florence vers 1700.

UGOLINO Lorenzetti. Voir UGOLINO-LORENZETTI

UGOLINO Ranieri d'. Voir RANIERI d'Ugolino

UGOLINO di Bartolomeo, dit Butella
XVIe siècle. Actif à Pérouse. Italien.
Sculpteur sur bois.
Le Musée du Vatican de Rome conserve de lui une *Assomption*, datée de 1517-1518.

UGOLINO di Gisberto
XVe siècle. Actif à Foligno à la fin du XVe siècle. Italien.
Peintre.
Il subit l'influence de Benozzo Gozzoli et de Niccolo di Liberator. La Pinacothèque de Foligno conserve de lui une série de fresques (*Madone avec l'Enfant et des anges, Madone avec saint François, Madone et deux anges*) et un petit panneau (*Madone avec saint François et saint Bernardin*).

UGOLINO di Nerio ou Ugolino di Neri ou da Siena
Né avant 1295 à Sienne (Toscane). Mort vers 1339. XIVe siècle. Italien.
Peintre de compositions religieuses.
Vasari croit qu'il fut l'élève de Cimabue ; d'autres biographes en font un disciple de Guido de Sienne. Il est certain qu'il imita le premier maître, mais il sut également accueillir les nouveautés de Duccio et Pietro Lorenzetti.
Il peignit un grand nombre d'ouvrages pour les églises d'Italie, en particulier le polyptyque pour le maître-autel de l'église Santa-Croce de Florence, dont la partie centrale a disparu et les panneaux latéraux sont distribués entre les musées de Berlin et Londres. On lui attribue le polyptyque du château Ricasoli à Broglio et la *Vierge de Miséricorde* de San Casciano.

BIBLIOGR. : In : *Diction. Univers. de la Peint.*, Le Robert, Paris, 1975 – in : *Diction. de la peinture italienne*, coll. Essentiels, Larousse, Paris, 1989.

MUSÉES : BERLIN (Staatliche Mus.) : *Saint Jean-Baptiste – Saint Pierre et saint Paul avec des anges – Flagellation du Christ – Mise au tombeau* – CLEVELAND – LONDRES (Nat. Gal.) : *La trahison de Judas – Procession au calvaire – Prophète – Deux anges – Quatre apôtres – Mise au tombeau* – LONDRES (Courtauld Inst.) : *Crucifixion et deux donateurs* – NEW YORK (Metropolitan Mus.) – OTTAWA (Nat. Gal. of Canada) : *Sainte Anne et la Vierge enfant* – PARIS (Mus. du Louvre) : *Vierge* – PHILADELPHIE (Mus. of Art) – SIENNE (Pina.) : *Crucifixion* – WILLIAMSTOWN (Clark Art Inst.).

VENTES PUBLIQUES : LONDRES, 16 jan. 1925 : *La Résurrection* : **GBP 1 575** – LONDRES, 8 juil. 1927 : *La Résurrection ; L'Incrédulité de saint Thomas*, ensemble : **GBP 1 522** – LONDRES, 2 déc. 1935 : *Le Christ prêchant* : **GBP 325** – LONDRES, 23 juin 1967 : *Un Saint* : **GNS 20 000** – NEW YORK, 21 mai 1992 : *Saint André*, temp./pan. à fond or (71,7x40,9) : **USD 93 500** – NEW YORK, 10 jan. 1996 : *Vierge* à *l'Enfant avec saint Pierre et un autre saint flanqués de quatre anges, au-dessus la Crucifixion*, temp./pan., de forme pointue à fond or (58x24,6) : **USD 77 300** – NEW YORK, 30 jan. 1997 : *Saint Jean l'Évangéliste*, fond argent, temp./pan., tondo (diam. 22,9) : **USD 79 500.**

UGOLINO di Pietro
XIVᵉ siècle. Actif à Sienne en 1324. Italien.
Peintre.
Peut-être le même qu'Ugolino di Nerio, ou da Siena.

UGOLINO di Prete Ilario
Né vers 1334 à Sienne. Mort après 1378. XIVᵉ siècle. Italien.
Peintre d'histoire et mosaïste.
Il exécuta des fresques dans la chapelle de Saint-Corporale, de la cathédrale d'Orvieto datées de 1364 et qui portent l'inscription : *Ugolinus pictor di Urbe Veleris*. On le cite également en 1378 occupé avec d'autres artistes de la décoration du chœur du même édifice.

UGOLINO di Roberto Filippo. Voir **FILIPPO di Ugolino di Roberto**

UGOLINO di Tedice
XIIIᵉ siècle. Actif à Pise de 1273 à 1277. Italien.
Peintre.
Il a peint un crucifix dans l'église S. Pierino de Pise.

UGOLINO-LORENZETTI
XIVᵉ siècle. Actif à Sienne. Italien.
Peintre.
C'est un artiste anonyme que l'on désigne ainsi en raison de ses parentés esthétiques avec Ugolino de Nerio et Pietro Lorenzetti. L'influence d'Ugolino de Nerio se ferait plus particulièrement ressentir à travers un polyptyque conservé au musée de Santa Croce (Florence) et une *Madone* de la Pinacothèque de Lucque. L'influence de Pietro Lorenzetti serait plus sensible sur une *Madone* de San Pietro à Ovile (Sienne) qui fait partie d'un autre groupe de peintures qui lui sont parfois retirées.

UGOLINUCCIO. Voir **NICCOLO d'Ugolino da Gubbio**

UGOLONE Marco. Voir **OGGIONO Marco d'**

UGONIA Giuseppe
Né le 25 juillet 1881 à Faenza. Mort le 5 octobre 1944 à Brisighella. XXᵉ siècle. Italien.
Peintre de paysages, lithographe.
Il fréquente l'École des Arts et Métiers Tommaso Minardi, avec Antonio Berti, qui est le « père spirituel de la jeune génération des peintres faentins ». Ugonia y apprend à dessiner directement sur la pierre, puis il se perfectionne à l'Académie des Beaux-Arts de Bologne où il est diplômé en 1909. Il devient professeur à l'École des Arts et Métiers de Brisighelle, puis sert la patrie durant la Première Guerre mondiale de 1915 à 1918. Il reprend son travail en 1918.
Il participe plusieurs fois à la Biennale de Venise de 1914 à 1930. Son œuvre est une vision poétique, musicale, de la réalité, vision idéalisée de la réalité plutôt inclinée vers le songe, aux paysages atténués où des bourgades lointaines se profilent entre les arbres comme faisant chanter la solitude. Il a fait de nombreux ex-libris, des faire-part de mariage, de naissance, de décès, ainsi que pour des invitations de toutes natures. Il fut spécialiste de chromolithographie.

UGRINOVIC Johannes ou Ugrinouich Pictor, dit **Zorneia** ou **Zornea**
XVᵉ siècle. Actif à Raguse de 1428 à 1459. Yougoslave.
Peintre.
Il peignit des tableaux d'autel et des objets du culte pour des églises de Raguse et des environs.

UGRUMOFF Gregor Ivanovitch ou Ugriumoff. Voir **OUGRUMOFF Gregory Ivanovitch**

UGUCCIONE
XVᵉ siècle. Actif à Vicence. Italien.
Peintre.
Il exécuta des fresques et des dorures pour des églises de Vicence.

UHART Pedro
Né le 11 septembre 1938 à Conception. XXᵉ siècle. Actif en France. Chilien.
Peintre de compositions animées, graveur, technique mixte.
Chilien, bien que de père basque, il étudie le droit et l'économie à l'université de Conception, alors qu'il se destine déjà à la pein-

ture. En 1965, il vient en Europe, commence des études à l'école des Beaux-Arts de Paris, qu'il abandonne bien vite jugeant l'enseignement trop académique. Jusqu'en 1971, il se partage entre un travail alimentaire et la peinture.
Il participe à de nombreuses expositions collectives dans la rue et dans des cadres plus traditionnels, notamment : 1973 VIIIᵉ Biennale de Paris ; 1974 FIAC (Foire internationale d'Art Contemporain) à Paris, Royal College of Arts de Londres ; 1975 Whitechapel Art Gallery de Londres, « muraux flottants » à Central Park et Washington Square à New York ; 1977 et 1979 Salon de Mai à Paris ; 1978 musée national d'Art moderne de Paris à l'atelier des enfants ; 1982 Biennale de Porto Rico ; 1983 *Images perdues rêvées amusées* au musée national d'Art moderne de Paris. Il montre son œuvre dans de nombreuses expositions personnelles en France et à l'étranger, notamment : 1977 Art 8/77 à la foire de Bâle ; 1979 musée d'Art moderne de San Domingo ; 1982 galerie Biren et galerie La Hune à Paris ; 1984 Down Town Gallery à New York ; 1985 et 1987 galerie Tartessos à Barcelone ; 1990 *Tropicalismo* à la Terne Gallery à New York ; 1991 galerie Kellart Art Mouvement à Paris ; 1992 galerie Jeanne à Munich ; 1997 galerie Mostini à Paris.
On sait que la peinture murale tient une place essentielle en Amérique du Sud, aussi est-il normal que Uhart se soit spontanément exprimé par cette technique. Ne pouvant s'adonner à la peinture murale en France, il crée ce qu'il nomme les *Floatings Murals* (muraux flottants), utilisant, comme support, de grands draps flottants aux dimensions monumentales qu'il suspend n'importe où, afin que tout le monde puisse les contempler. Parallèlement, dès 1976, il s'intéresse à la photographie, innovant dans ce domaine, par un travail original à partir de Polaroïds, qu'il gratte ou peint.
Ses peintures sont figuratives, très influencées par les traditions populaires de son pays. Son sujet de prédilection est l'homme au sein du groupe. Dans les années soixante-dix, ses toiles dénoncent la dictature chilienne, exaltent la lutte pour la liberté. Puis par cycles, Uhart évolue, ce sont les *Amazones*, les *Musiciens*, les *Canapés*, puis *Les Visions japonaises* inspirées de son séjour au Japon en 1990-1991. Dans cette série, il rend hommage à la vie japonaise des XVIIIᵉ et XIXᵉ siècles où des scènes de genre, des scènes érotiques, dans des chambres somptueusement décorées ouvrant sur des jardins luxuriants. Pedro Uhart, au cours des années, reste fidèle à son attrait pour la couleur pure. Les rouges, violets, roses, jaunes – encres fluorescentes et acryliques – cernés par le trait noir, claquent, ses couleurs sont un hymne à la vie, elles dansent sur la toile. ■ L. L.

BIBLIOGR. : André Laude : *Pedro Uhart*, Artension, n° 25, Rouen, juin 1991 – Catalogue de l'exposition : *Pedro Uhart*, Galerie Kellart Art Mouvement et Artension, Rouen, 1991 – Catalogue de l'exposition : *Visions japonaises*, Galerie Mostini, Paris, 1997.

MUSÉES : DALLAS – LONDRES (Whitechapel Art Gal.) – NEW YORK (Mus. of Mod. Art) : *Mascaras* – NEW YORK (Guggenheim Mus.) – PARIS (Mus. Nat. d'Art Mod.) : *Une Nuit au Crazy Horse saloon* – PARIS (Mus. d'Art Mod. de la ville) – PARIS (BN) : *Le Coup de téléphone 1977*, litho. – PARIS (CNAC) – SANTIAGO (Mus. Salvador Allende) – VARSOVIE (Mus. Narodov).

VENTES PUBLIQUES : PARIS, 7 mars 1990 : *Sofa de Grace Jones*, acryl./t. (150x188) : **FRF 28 000** – PARIS, 4 nov. 1991 : *Canapé des Amazones*, acryl./t. (138x118) : **FRF 22 000** – PARIS, 4 oct. 1997 : *Fouquet's Jazz Band*, acryl./t. (143x198) : **FRF 13 000** – PARIS, 19 oct. 1997 : *Bain de Minuit*, acryl./t. (97,5x136) : **FRF 4 500.**

UHDE Friedrich ou Fritz Karl Hermann von
Né le 22 mai 1848 à Wolkenbourg. Mort le 25 février 1911 à Munich. XIXᵉ-XXᵉ siècles. Allemand.
Peintre d'histoire, sujets religieux, scènes de genre, paysages, intérieurs, pastelliste.
Il est une des personnalités les plus originales et attachantes de la seconde moitié du XIXᵉ siècle allemand. Il étudia la peinture à Munich. Après avoir servi dix ans dans la cavalerie saxonne, il vint à Paris où il courut Munkacsy. Il n'est pas inutile de souligner l'incroyable prestige de Munkacsy après l'exposition dans son atelier de Paris en 1880, de son *Christ devant Pilate* qui eut un retentissement mondial. Cet immense succès ne fut pas étranger sans doute au choix que fit von Uhde de ne peindre presque exclusivement l'histoire sacrée : suivant en cela les initiatives prises par J. C. Cazin, Léon, Lhermitte, Jean Béraud, et tant d'autres.
Il figura dans des expositions collectives, obtenant diverses distinctions et récompenses : médaillé à Berlin et à Munich en 1884, à Paris en 1885, à Vienne en 1888, Grand Prix en 1889 (Exposition

universelle), Grand Prix en 1900 (Exposition universelle), à Chicago en 1893. En 1890, il fut membre honoraire de l'Académie des Beaux-Arts de Munich ; en 1895, de celle de Dresde et en 1896 de celle de Berlin. Il fut nommé chevalier de la légion d'honneur en 1891.

Friedrich von Uhde plaça toujours ses personnages sacrés dans un milieu contemporain. Il lui suffit de puiser dans les éléments réels de la vie. Il dut même y mettre quelque modération ; s'il avait reproduit toute la réalité, sans doute l'eût-on taxé d'invraisemblance. Après sa connaissance de l'impressionnisme il adopta les couleurs claires du plein air, abandonnant les tons roux bitumineux de ses débuts. S'il a parfaitement connu les autres maîtres réalistes de son temps, il ne les a pas répétés, et a conservé sa personnalité.

Musées : Bautzen : *Mise au tombeau* – Berlin : *Viens, Seigneur Jésus, sois notre hôte* – *Dans l'antichambre* – *Petite princesse de la lande* – Brême : *Marchande de radis* – *L'allée du jardin* – Breslau, nom all. de Wroclaw : *Travaux de classe* – *Intérieur hollandais* – Bucarest (Mus. Simu) : *Fillette lisant* – Chemnitz : *Nuit sacrée* – *Repos dans la forêt* – *Jésus appelle à lui un enfant* – *Mes Modèles* – Cologne : *Concert de famille* – *Les Filles de l'artiste* – *Femme pelant des pommes de terre* – Darmstadt : *Prière avant le repas* – Dresde : *Tambour bavarois* – *La Nuit sainte* – *Deux volets d'autel pour « La nuit sainte »* – *La Fille de l'artiste* – *L'Artiste* – *La route d'Emmaüs* – Düsseldorf : *Sous la tonnelle* – Essen : *Heure de classe* – *Les Sœurs* – *Étude pour une Ascension* – Francfort-sur-le-Main (Gal. mun.) : *Jeune fille à la fenêtre* – *Jeune fille* – Francfort-sur-le-Main (Gal. Stadel) : *Jésus et les disciples d'Emmaüs* – Hambourg : *Le Sénateur Hertz et sa femme* – *Chambre d'enfant* – *La Détente* – *Le joueur d'orgue de Barbarie arrive !* – *Le Matin* – *Le livre d'images* – Hanovre (Mus. Kestner) : *Dans l'atelier* – *Sermon du Christ* – *Saint Jérôme* – Hanovre (Mus. prov.) : *Homme passant son veston* – *Le Mendiant* – *Trois anges* – Kaliningrad, ancien. Königsberg : *Jeune fille dans un jardin* – Kiel (Kunsthalle) : *Le Christ dans une famille de paysans* – Leipzig : *Laissez venir à moi les petits enfants* – *La Fille de l'artiste avec un chien* – *La Bataille de Buzancy* – Magdebourg (Mus. Kaiser Friedrich) : *Les rois mages* – Mannheim : *Les Filles de l'artiste dans le jardin* – Munich (Gal. mun.) : *Enfants au jeu* – *Mère et enfant* – *Tête*, étude – Munich (Gal. Nat.) : *La Chanteuse* – *La Cueillette des épis* – *Démarche difficile* – *Départ de Tobie* – *En vacances* – *Jeunes filles au jardin* – *Soleil de midi* – *À la porte de la véranda* – *Dans le soleil d'automne* – *Petite Récréation à l'atelier* – *La Légende de Tobie* – *Une scène, esquisse* – *Paysage avec village* – *Auberge à Dachau* – *Ascension* – *Anges* – Noli me tangere – New York (Mus. Metropolitain) : *Sur le chemin de retour* – Nuremberg (Mus. mun.) : *Dans l'asile de vieillards de Zandvoort* – *Le Mendiant* – *La Grande Sœur* – *Intérieur d'étable* – Paris (Mus. du Louvre) : *Viens chez nous, Seigneur* – Saint Louis : *Intérieur hollandais* – Schleissheim : *Repas des chiens* – *Jardin d'une auberge à Dachau* – *Soleil d'après-midi* – *Atelier*, étude – *Ange en grandeur nature* – *Étude pour la fille de l'artiste* – Stettin : *Laissez venir à moi les enfants* – *Les Filles de l'artiste* – *Adoration des rois* – Stuttgart (Gal. Nat.) : *Trois Petits Paysans* – *La Dernière Cène* – *Saint Joseph et la Vierge* – Vienne (Gal. Autrichienne) : *Enfants de pêcheurs à Zandvoort* – *A. Wohlmuth dans le rôle de Richard III* – *Femme, pourquoi pleures-tu ?* – Vienne (Gal. Liechtenstein) : *Départ de Tobie* – *Sermon du lac* – Weimar : *L'Acteur A. Wohlmuth dans le rôle de Malvolio* – Wuppertal (Mus. mun.) : *Jeune Fille au jardin* – *La Lumière du monde* – *Deux Personnes sur un rocher* – Würzburg (Gal.) : *Roi nègre* – *Intérieur de forêt*.

Ventes Publiques : Paris, 13 mai 1897 : *Allant aux champs* : FRF 1 710 – Cologne, 1899 : *Paysanne avec enfant*, past. : FRF 1 062 – New York, 11 jan. 1962 : *Paysage à la tombée de la nuit* : USD 900 – Lucerne, 27 nov. 1964 : *Le Chemin du travail* : CHF 5 200 – Munich, 16-18 mars 1966 : *Deux Jeunes Hollandaises cousant dans un intérieur* : DEM 17 000 – Munich, 20 mars 1968 : *La Fillette à la poupée* : DEM 20 500 – Hambourg, 24 juin

1968 : *La Sainte Famille*, past. : **DEM 6 000** – Munich, 20 mai 1969 : *Le Chevalier moyenâgeux* : **DEM 7 000** – Munich, 11 juin 1970 : *Le Repos du modèle* : **DEM 3 500** – Zurich, 20 mai 1977 : *Jeune Fille au panier de fruits*, h/t (121x83) : **CHF 7 800** – Cologne, 30 mai 1981 : *L'Atelier de l'artiste* vers 1900-1902, h/t (92x75) : **DEM 12 000** – Zurich, 1er déc. 1984 : *Descente de croix*, gche/trait de craie (42,5x52,3) : **CHF 3 000** – Munich, 28 nov. 1985 : *La liseuse*, fus. reh. de blanc (35,5x24) : **DEM 4 400** – Munich, 1er-2 déc. 1992 : *Étude de nu féminin tourné vers la droite* 1875, sang. (27x28) : **DEM 1 610** – Londres, 19 nov. 1993 : *La Musique du soir* 1907, h/t (56x68) : **GBP 25 300** – Londres, 9 oct. 1996 : *Le Sermon sur la montagne*, h/t (75,5x60,5) : **GBP 7 475** – Vienne, 29-30 oct. 1996 : *Cavalier autrichien*, h/t/cart. (42x35,6) : **ATS 51 750**.

UHDEN Maria
Née le 6 août 1892 à Cobourg. Morte le 14 août 1918 à Munich. xxe siècle. Allemande.

Peintre, graveur. Expressionniste.

Elle subit l'influence de Chagall. Ses œuvres furent exposées à Berlin en 1915, à la galerie Dada, à la galerie Der Sturm, en 1918. Elle est considérée comme ayant fait partie du mouvement expressionniste allemand. Elle pratiqua la gravure sur bois.

UHER Rudolf
Né le 19 juillet 1913 à Lubina. xxe siècle. Tchécoslovaque.

Sculpteur, dessinateur.

Enfant de famille nombreuse, il aide très tôt son père, métayer, aux travaux des champs. Il passe son certificat d'études et fréquente l'Institut pédagogique, puis travaille comme instituteur dans différentes écoles primaires. Il étudie en même temps la sculpture, de 1941 à 1944 à l'École Technique de Bratislava avec Jozef Kostka. En 1946, il devient membre du « Groupe Artistique du 29 août », et en 1958, lors du remaniement et de la reconstitution de ce groupe sous le nom de « Groupe créateur de l'Union des Artistes Slovaques », il en devient l'un des fondateurs et des animateurs les plus actifs.

Il participe à de nombreuses expositions de groupe dès 1946, à Paris, Moscou, Leningrad, Varsovie, Cracovie, La Havane, Bochum, Baden-Baden, Lausanne, Paris, Berlin-Ouest, Essen, Tokyo, XXXIIIe Biennale de Venise. Il montre ses œuvres dans des expositions personnelles, pour la première fois en 1946 à Bratislava.

Les sculptures de la première période (1943-1947) se distinguent par une grande pureté de formes et un style très personnel, dont les *têtes*, *Pierre calcaire* (1945), *Bronze* (1947) et la *Fillette à la pomme* (1947) faisant partie d'un cycle intitulé *Terre*. Puis il fait une suite de dessins lapidaires mais expressifs (1946). À partir de 1957, Uher revient aux tendances de ses débuts, continuant à les développer de façon à liquider les influences retardataires des années 1950-1956. L'année 1961 marque un tournant important dans l'évolution esthétique du sculpteur, de l'état d'études il passe à de grandes compositions achevées (1962-1963), avec une nouvelle conception de la forme et du style. Ce qui domine dans son œuvre, est le sentiment de la terre, le bon sens épicurien, la recherche des vertus humaines.

UHL Emil
Né le 1er mars 1864 à Brux. xixe siècle. Autrichien.

Peintre de paysages, sujets orientaux.

Il fut élève de l'Académie de Munich et de Bonnat et de Roll à Paris.

Musées : Innsbruck (Ferdinandeum Mus.) : *Portrait du peintre Hugo Engl* – Prague (Gal. Nat.) : *Intérieur*.

Ventes Publiques : Londres, 17 mai 1985 : *Vue des souks*, h/pan. (46x37) : **GBP 2 000**.

UHL Heinrich
Né en 1882 à Altenteich. Mort en 1915 en Russie, tombé au front. xxe siècle. Allemand.

Peintre.

Il fut élève de Oskar Zwintscher à Dresde et de Lovis Corinth à Berlin.

Musées : Brême (Kunsthalle) : *Le Soir tombe*.

UHL Joseph
Né le 30 décembre 1877 à New York. xxe siècle. Allemand.

Graveur de compositions allégoriques, portraits.

Il fut élève de l'Académie de Munich. Il exécuta à l'eau-forte des gravures symboliques et des portraits.

UHL Louis ou Alois Franz
Né le 22 novembre 1860 à Vienne. Mort le 1er février 1902 à Vienne. xixe siècle. Autrichien.

Peintre de genre et portraitiste.

Élève de l'Académie de Vienne, ainsi que de Makart et d'Einsenmenger.

$Louis\ Uhl$

VENTES PUBLIQUES : VIENNE, 13 juin 1978 : *L'amie des fleurs*, h/t (64x55) : ATS 20 000.

UHL S. Jerome
Né en 1842. Mort le 12 avril 1916 à Cincinnati. XIXᵉ-XXᵉ siècles. Américain.
Peintre.
MUSÉES : CINCINNATI – COLUMBUS – WASHINGTON D. C.

UHL Walter Louis
Né au début du XXᵉ siècle à Vienne. XXᵉ siècle. Depuis 1932 actif en France. Autrichien.
Peintre. Tendance surréaliste.
Il fit ses études à l'Académie des Beaux-Arts de Vienne. Venu à Paris une première fois en 1926, il s'y fixe en 1932. Il travaille d'abord avec André Lhote, mais des difficultés financières l'empêchent de peindre. Après la guerre les difficultés continuent, il travaille comme dessinateur dans un cabinet d'architecte, puis devient restaurateur de tableaux, notamment pour le musée de Strasbourg et le musée de la Marine à Paris.
Il expose à Paris au Salon d'Automne à partir de 1970. En 1974, il montre ses œuvres dans une exposition personnelle au musée d'Art Moderne de la Ville de Paris.
En 1966, il se tourne résolument vers la peinture. Parfois proche du surréalisme il donne une atmosphère insolite à sa peinture. Il reconstitue une réalité en partie imaginaire, décrivant avec précision des maisons, des quartiers qui n'existent pas, des villes en pleine mutation. Il mêle, aux ruines des maisons détruites, les vastes chantiers des habitations en construction, jouant sur les effets curieux de ces amas enchevêtrés. Moins subtiles sont ses peintures de machines monstrueuses.

UHLE Bernard ou Albert Bernard
Né le 15 octobre 1847 à Chemnitz. Mort le 18 avril 1930 à Philadelphie. XIXᵉ-XXᵉ siècles. Actif et naturalisé aux États-Unis. Allemand.
Peintre de portraits.
Il fut élève de l'Académie de Philadelphie, ainsi que de Barth et d'Alexander Wagner à Munich.
VENTES PUBLIQUES : PARIS, 28 sep. 1949 : *Femme à l'éventail* : FRF 3 500.

UHLE Hans Jacob
Mort en 1703 ou 1704. XVIIᵉ siècle. Actif à Hanovre. Allemand.
Sculpteur.
Il sculpta de nombreuses statues et des bas-reliefs pour des églises et cimetières de Hanovre.

UHLEMANN Christian Friedrich Traugott ou Uhlmann
Né le 30 octobre 1765 à Dresde. Mort après 1857. XVIIIᵉ-XIXᵉ siècles. Allemand.
Graveur au burin.
Il grava des portraits de personnalités illustres de son époque entre 1786 et 1797 (Goethe, Schlegel, Napoléon).

UHLER Heinrich
Né le 16 avril 1876 à Neviges. XXᵉ siècle. Allemand.
Peintre de portraits, paysages, marines.
Il vécut et travailla à Plauen.
MUSÉES : PLAUEN : *Vapeur dans le port de Hambourg.*

UHLFELDT Ellen Christine
Née en 1643 à Copenhague. Morte le 11 décembre 1677 à Bruges. XVIIᵉ siècle. Danoise.
Peintre.
Fille d'Eléonore Christine Ulefeld.

UHLFELDT Leonora Christina d', comtesse. Voir ULEFELD Eléonore Christine d'

UHLICH
Né en 1682. Mort le 8 décembre 1741 à Leipzig. XVIIIᵉ siècle. Allemand.
Graveur au burin.
Son nom figure sur un portrait de Joham Melchior Jacob, avec la date de 1719. Selon Zani, Uhlich travaillait encore après 1740. Il grava des illustrations de livres, des portraits, des paysages et des perspectives.

UHLINGER Johann Caspar. Voir ULINGER

UHLIR Kaspar
Né en 1750. XVIIIᵉ siècle. Tchécoslovaque.

Peintre.
Il peignit des ornements dans le presbytère de Key en 1781.

UHLIR Katharina, plus tard Mme Skreisoska
Morte en 1912. XIXᵉ-XXᵉ siècles. Tchécoslovaque.
Peintre de natures mortes.
Elle fut élève d'Amalie Manes. Elle vécut et travailla à Prague.

UHLMAN Fred
Né en 1901. Mort en 1985. XXᵉ siècle. Actif en Grande-Bretagne. Allemand.
Peintre de paysages urbains.
Avocat dans les années trente, fuyant les idées du national-socialisme, il gagna l'Espagne en 1936 et s'établit à Tossa de Mar, où résidait alors une colonie de peintres et d'expatriés. Il se réfugia ensuite en Grande-Bretagne, accueillant les réfugiés intellectuels, soutenant la gauche espagnole et luttant contre le nazisme, puis, exclu, fut envoyé sur l'île de Man, où il se consacra à la peinture. Il est surtout connu pour ses romans, notamment : *l'Ami retrouvé*.
Après la guerre, il a exposé avec Epstein, Henri Moore et Matthew Smith.
Peintre, il fut encouragé par André Lhote.
VENTES PUBLIQUES : LONDRES, 3 mai 1990 : *Deux gratte-ciel*, h/cart. (49x38,5) : GBP 1 320.

UHLMANN. Voir aussi ULLMANN et ULMANN

UHLMANN François
XVIIIᵉ siècle. Actif à Lunéville en 1730. Français.
Sculpteur d'autels.

UHLMANN Hans
Né en 1900 à Berlin. Mort en 1975. XXᵉ siècle. Allemand.
Sculpteur de figures.
Après avoir suivi des études d'ingénieur à l'Université Technique de Berlin, il commença à sculpter à partir de 1925, suivant les cours de l'École des Arts Plastiques également à Berlin. En 1929, il fit un voyage à Paris, puis, en 1932, à Moscou. Il enseignait jusqu'en 1933. À l'arrivée du national-socialisme au pouvoir, il fut poursuivi et emprisonné pour ses opinions politiques. Libéré en 1935, il dut cependant cesser son activité artistique jusqu'en 1945.
Il participe à de très nombreuses expositions nationales et internationales, notamment en 1954 à la Biennale de Venise où une salle lui fut consacrée. Il montra la première exposition de ses œuvres en 1930, à l'École des Arts Plastiques de Berlin ; puis 1955 au Museum of Modern Art de New York ; 1957 et 1959 de nouveau à New York. En 1950, il reçut le Prix des Arts de la Ville de Berlin ; en 1954 le Prix des Critiques (allemands).
À la suite d'Oskar Schlemmer, il fut le second sculpteur allemand important à utiliser le métal, soit, selon les périodes, en lames de métal découpées et percées, soit en tiges cylindriques, soit en superposition d'éléments en relief, soit simplement en tordant des tiges métalliques dans l'espace évoquant souvent, dans ce cas, des esquisses de silhouettes d'oiseaux en vol. En 1965, il sculpta l'importante *Amsterdamer Plastik*, aujourd'hui en place à l'« Union Boden » de Hanovre ; il a créé aussi une sculpture pour l'entrée de la Beethovenhalle à Bonn ; une pour la Bibliothèque de l'Université de Fribourg ; le *Monument de la Résistance Allemande au IIIᵉ Reich* à Leverkusen. ■ J. B.
BIBLIOGR. : Sarane Alexandrian, in : *Diction. Univers. de l'Art et des Artistes*, Hazan, Paris, 1967 – Juliana Roh, in : *Nouveau diction. de la sculpt. mod.*, Hazan, Paris, 1970.
VENTES PUBLIQUES : COLOGNE, 17 mai 1980 : *Tête 1947*, encre aquar. (57,2x41) : DEM 2 200 – MUNICH, 1980 : *Portrait de jeune fille 1947*, aquar. et pl. (46,5x29) : DEM 1 800 – COLOGNE, 30 mai 1981 : *Détente vers 1948*, fils de fer (H. 130) : DEM 7 500 – HAMBOURG, 9 juin 1982 : *Figures abstraites 1952*, aquar. et craie (72,5x101,3) : DEM 3 200 – COLOGNE, 8 déc. 1984 : *Composition 1953*, craie noire (62x86) : DEM 2 100 – DÜSSELDORF, 9 nov. 1985 : *Dessin*, craie noire (62,5x88) : DEM 3 200 – COLOGNE, 31 mai 1986 : *Composition 1951*, craie noire/rouge (57,5x82) : DEM 3 600 – STOCKHOLM, 29 mai 1991 : *Jeune garçon assis près d'une urne*, bronze (H. 22) : SEK 4 900 – LONDRES, 24 oct. 1996 : *Personnages mouvants 1951*, fus. et past. coul./vinyl. (58x77) : GBP 2 530.

UHLRICH Heinrich Sigismund
Né le 22 janvier 1846 à Oschatz. XIXᵉ siècle. Britannique.
Graveur sur bois, illustrateur.
Il travailla dans le comté de Kent et fut collaborateur du *Graphic*. Il participa à une manifestation organisée par la Royal Academy, en 1905.

UHRDIN Sam
Né en 1886 à Siljansnäs. Mort en 1964. xxᵉ siècle. Actif aux États-Unis. Suédois.

Peintre de genre, intérieurs animés, figures, portraits.

Il fut élève de l'Académie de Stockholm. Il a surtout peint des scènes intimes de la vie et du labeur quotidien des femmes dans leur intérieur.

Sam Uhrdin -

Ventes Publiques : Göteborg, 24 mars 1976 : *Portrait de vieille femme* 1940, h/t (65x55) : **SEK 2 300** – Stockholm, 30 oct 1979 : *Deux paysannes au coin du feu* 1937, h/t (58,5x71,5) : **SEK 26 500** – Stockholm, 23 avr. 1980 : *Paysage d'hiver*, h/t (93x132) : **SEK 12 100** – Stockholm, 11 nov. 1981 : *La Baratteuse* 1917, h/t (83x71) : **SEK 28 000** – Stockholm, 16 nov. 1983 : *Paysage d'été*, h/t (103x115) : **SEK 42 000** – Stockholm, 9 avr. 1985 : *Dalkulla*, h/t (91x64) : **SEK 35 000** – Stockholm, 13 nov. 1987 : *Fileuse dans un intérieur* 1943, h/t (72x91) : **SEK 70 000** – Stockholm, 15 nov. 1988 : *Portrait d'une jeune femme*, h. (45x37) : **SEK 21 000** – Stockholm, 19 avr. 1989 : *Portrait d'une jeune fille vêtue de blanc* 1917, h/t (43x32) : **SEK 16 000** – Göteborg, 18 mai 1989 : *Intérieur avec une fileuse à son rouet*, h/t (75x92) : **SEK 86 000** – Stockholm, 15 nov. 1989 : *Intérieur avec une paysanne cardant de la laine à la lueur de la cheminée* 1945, h/t (100x81) : **SEK 82 000** – Stockholm, 16 mai 1990 : *« Un philosophe » : petite fille rêveuse accoudée à une table de cuisine*, h/t (82x65) : **SEK 77 000** – Stockholm, 14 nov. 1990 : *Jeune femme dans une cuisine éclairée par le feu de cheminée*, h/t (73x92) : **SEK 50 000** – Stockholm, 29 mai 1991 : *Soirée d'hiver : jeune fille devant une cheminée*, h/t (73x93) : **SEK 56 000** – Stockholm, 19 mai 1992 : *Intérieur de cuisine avec une jeune femme tricotant à la lueur de l'âtre*, h/t (74x92) : **SEK 41 000** – Stockholm, 5 sep. 1992 : *Intérieur de cuisine paysanne avec une femme barattant*, h/t (65x81) : **SEK 36 000**.

UHRE Arnt
Né en 1954 à Aarhus (Jutland). xxᵉ siècle. Danois.

Peintre, graveur, sculpteur.

Il a figuré à l'exposition : *De Bonnard à Baselitz – Dix ans d'enrichissements du Cabinet des Estampes 1978-1988* à la Bibliothèque nationale à Paris, en 1992.

Musées : Paris (BN) : *Autoportrait au trait de lumière* 1984, linogravure.

UHRL Franz
Né vers 1794 à Olmutz (Moravie). Mort le 18 mars 1862 à Budapest. xixᵉ siècle. Autrichien.

Sculpteur.

Élève de l'Académie de Vienne. Il sculpta des statues et des fontaines à Budapest et à Gyöngyös.

UHRSCHALL Gotthard. Voir URSCHALL

UHRWECKER. Voir URWERKER

UHRY Ghislain
Né en 1932 à Lwow (Pologne). xxᵉ siècle. Depuis 1958 actif en France. Polonais.

Peintre de paysages, peintre de décors de théâtre.

Il acheva ses études secondaires à Avignon. Il vit et travaille à Paris depuis 1958. Il participe à des expositions collectives, parmi lesquelles : depuis 1962 Salon des Réalités Nouvelles à Paris. Il a montré des expositions personnelles de ses œuvres : 1956, 1957 Strasbourg ; 1958, 1959 Paris.

Il a peint les décors pour le *Chevalier à la Rose*, monté au Festival de Spoleto. Sa peinture, expressive et gestuelle, s'apparente à l'abstraction, sans renoncer à la réalité suggérée.

Ventes Publiques : Paris, 28 mai 1993 : *Paysage* 1973, h/t (82x100) : **FRF 5 000**.

UIL. Pour les patronymes commençant par ces lettres, voir aussi **UYL**

UIP G. A.
xviiiᵉ siècle. Allemand.

Peintre.

Le Musée Germanique de Nuremberg conserve de lui *Portrait d'une dame*.

UITTENBOGAERD Abraham ou Uytenbogaart
Né le 23 octobre 1803 à Horn. xixᵉ siècle. Hollandais.

Peintre de portraits et architecte.

Fils et élève d'Izaak Uittenbogaerd. Il travailla aussi avec J. V. Piereman et J. Janson.

UITTENBOGAERD Izaac ou Izaäk ou Uytenbogaart
Né en 1767 à Amsterdam. Mort le 17 mai 1831 à Amsterdam. xviiiᵉ-xixᵉ siècles. Hollandais.

Peintre de genre et de natures mortes, paysagiste.

Élève de J. Audreissen. Il a peint surtout et dessiné au crayon et à l'encre de Chine des paysages avec animaux. Il fut directeur d'une fabrique de tapisseries à Hoorn. Il obtint le prix Félix Meritis en 1810. Le Musée Royal de Bruxelles conserve de lui *Paysage de Geldern*.

Ventes Publiques : Vienne, 1823 : *Paysage par temps d'orage*, dess. à l'encre de Chine : **FRF 52**.

UITZ Béla
Né en 1887 à Temesvar (Timisoara), d'autres sources donnent Mehala. Mort en 1971, ou 1972 à Budapest. xxᵉ siècle. Depuis 1926 actif aussi et naturalisé en Union soviétique. Hongrois.

Peintre de compositions allégoriques, figures, portraits, graveur, dessinateur.

Il était apparenté à Lajos Kassak. En 1908, tout en étant serrurier à Budapest, il fit ses études aux cours du soir de l'Académie des Beaux-Arts, où il eut pour professeur Karoly Ferenczy. En 1915, il collabora à la revue *A. Tett*, dirigée par Kassak. Après la Première Guerre mondiale, en Italie, il étudia l'architecture de la Renaissance. Il fut actif dans la vie artistique sous la République des Conseils et fut l'un des directeurs de l'Atelier populaire des Beaux-Arts. Il écrivait des articles à caractère politique, créa une affiche de recrutement. Emprisonné après la chute de la République des Conseils, en 1920 il put s'exiler à Vienne, l'année suivante à Moscou, puis de nouveau à Vienne. Jusqu'en 1922, il collabora au cercle et à la revue *MA*, dirigée aussi par Kassak, puis fonda, à Vienne, sa propre revue *Egysèg* (Unité). De 1924 à 1926, il vécut à Paris. Il résida ensuite plusieurs années à Moscou, où il est professeur aux Vhutemas. À partir de 1970, il s'installa de nouveau à Budapest, où il mourut en 1971.

Il était représenté, en 1980, à l'exposition *L'Art en Hongrie – 1905-1930 – Art et révolution*, au Musée d'Art et d'Industrie à Saint-Étienne ; en 1985, à l'exposition *Beöthy et l'Avant-Garde Hongroise* à la galerie Franka Berndt de Paris.

Parallèlement à ses peintures, il est l'auteur de grands dessins à l'encre de Chine. Graveur, il a réalisé des albums d'eaux-fortes. Il s'interroge sur le rapport des formes, du mouvement, de l'espace et de la couleur. D'abord influencé par Picasso, il se dota tôt de son propre style, un cubo-expressionnisme, tempéré de réalisme rendu nécessaire pour la communication politique, et marqué par une recherche dynamique inspirée du futurisme. Après 1920, pendant quelque temps, sous l'influence directe de Rodchenko et de Kassak, Uitz a réalisé des œuvres abstraites géométriques, qualifiées d'analytiques. ■ Jacques Busse

Bibliogr. : In : Catalogue de l'exposition *L'Art en Hongrie 1905-1930 – Art et révolution*, Mus. d'Art et d'Industrie, Saint-Étienne ; Mus. d'Art Mod. de la ville de Paris, 1980 – in : Catalogue de l'exposition *Beöthy et l'Avant-Garde Hongroise*, gal. Franka Berndt, Paris, 1985 – in : *Dict. de la sculpture*, Larousse, Paris, 1991 – in : *Dict. de l'art mod. et contemp.*, Hazan, Paris, 1992.

Musées : Budapest (Gal. Nat. hongroise) – Moscou (Mus. Pouchkine).

UITZ Janos ou Jean ou Rakosi-Uitz
Né le 16 mai 1887 à Apor. xxᵉ siècle. Hongrois.

Peintre de paysages.

UJHAZI Ferenc ou Franz
Né le 8 décembre 1827 à Szolnock. Mort le 7 juin 1921 à Budapest. xixᵉ-xxᵉ siècles. Hongrois.

Peintre d'histoire, de genre, de natures mortes.

Il fut élève de Jakab Warschag et de Giacomo Marastoni.

Musées : Budapest (Mus. Nat.).

UJVARY Ferenc ou Franz
Né le 8 juin 1898 à Kisoroszi. xxᵉ siècle. Hongrois.

Peintre d'animaux, paysages.

Ventes Publiques : Vienne, 8 déc. 1974 : *La cour de ferme* : **ATS 20 000** – Vienne, 19 juin 1979 : *La cour de ferme*, h/t (59x80) : **ATS 12 000** – Cologne, 18 mars 1989 : *Poules picorant devant la porte de l'étable*, h/t (40,5x50,5) : **DEM 1 500**.

UJVARY Ignac
Né le 20 septembre 1860 à Budapest. Mort le 4 juillet 1927 à Kisoroszi. xixᵉ-xxᵉ siècles. Hongrois.

Peintre de genre, histoire, paysages, fleurs.

Il figura aux Expositions de Paris ; notamment à l'Exposition universelle de 1900 où il reçut une médaille de bronze. Il peignit des scènes de genre et d'histoire nationale et des paysages.

UKIL Sarada Charan
Né vers 1890. xxᵉ siècle. Indien.

Peintre.

Il fit ses études à Calcutta. Il est un des représentants de l'École moderne du Bengale.

ULANOFF Kirill Ivanovitch. Voir **OULANOFF Kirill Ivanovitch**.

ULAY, pseudonyme de **Laysiepen F. Uwe**

Né le 30 novembre 1943 à Solingen. xxᵉ siècle. Depuis 1968 actif en Hollande. Allemand.

Artiste, auteur de performances, réalisateur de films et de vidéos. Body-art.

Ulay a commencé par faire des études d'ingénieur, entre 1957 et 1961. De 1962 à 1968, il étudie la photographie. Jusqu'en 1975 il habite Amsterdam, poursuivant ses travaux antérieurs et réalisant des films et des environnements. Il rencontre Marina Abramovic en 1975 et à partir de cette date jusqu'en 1989, ils ont travaillé collectivement. Pour cette période, voir la notice ABRAMOVIC Marina. Il vit et travaille à Amsterdam depuis 1968.

Il participe à des expositions collectives : 1992 *De Bonnard à Baselitz – Dix ans d'enrichissements du Cabinet des Estampes 1978-1988* à la Bibliothèque nationale à Paris ; 1995 Biennale de Lyon.

Il utilise beaucoup le polaroïd dans des œuvres critiquant le milieu de l'art.

Musées : Lyon (Mus. d'Art Contemp.) – Paris (BN).

ULBRICH Ignaz

Mort le 12 mai 1800 à Marienschein. xviiiᵉ siècle. Autrichien.

Peintre et copiste.

ULBRICH Johann Pius

Né le 15 décembre 1802 à Georgswalde. Mort le 15 septembre 1880 à Vienne. xixᵉ siècle. Autrichien.

Miniaturiste et peintre de genre.

ULBRICHT Johann Philipp

Né en 1762 à Francfort-sur-le-Main. Mort en 1836 à Francfort-sur-le-Main. xviiiᵉ-xixᵉ siècles. Allemand.

Paysagiste et peintre de genre.

Élève de J. A. B. Nothnagel. Le Musée Municipal de Francfort conserve de lui *L'arrivée des troupes françaises sous Kléber*.

Ventes Publiques : Paris, 29 nov. 1969 : *Paysage animé* : FRF 12 000.

ULBRICHT John

Né en 1926 à La Havane (Cuba). xxᵉ siècle. Actif aux États-Unis puis actif en Espagne. Cubain.

Peintre. Tendance hyperréaliste.

Il fut élève de l'Art Institute de Chicago, de 1946 à 1950. Il obtint une bourse de voyage en 1950, qui lui permit de vivre à Mexico jusqu'en 1952. Il fut employé comme assistant au Musée d'Art Moderne de Denver, de 1952 à 1954. Il est marié avec le peintre Angela von Neumann. Il vit en Europe depuis 1954 et s'est installé à Majorque.

Il participe à de nombreuses expositions de groupe. Depuis 1951, il a montré ses œuvres au cours de nombreuses expositions personnelles, à Mexico, au Denver Art Museum en 1953, Milwaukee Art Institute en 1954, à Majorque, Madrid, dans diverses villes des États-Unis.

Il peut être considéré comme l'un des précurseurs de l'hyperréalisme, décrivant une réalité quasi photographique, dans des dimensions considérablement agrandies, à la façon des affiches ou posters.

Bibliogr. : *Catalogue de l'exposition « John Ulbricht »*, Gal. J. Massol, Paris, 1969.

ULDRAGO Carlo. Voir **OLDRADO Carlo**

ULE Karl

Né le 14 avril 1858 à Halle. xixᵉ siècle. Allemand.

Peintre verrier.

Il peignit les vitraux d'églises à Munich, à Berchtesgaden et à Furth.

ULEFELD Éléonore Christine ou **Leonora Christina**, comtesse d', ou **Ulfeldt**

Née le 8 juillet 1621 à Friedriksborg. Morte le 16 mars 1698 à Mariboe. xviiᵉ siècle. Danoise.

Miniaturiste et sculpteur.

Fille du roi de Danemark Christian IV et femme du ministre Ulefeld. Elle fut élève de Karel Van Mander.

ULENBROCK Rombout ou **Ulenburch** ou **Ulenburgh**. Voir **UYLENBURGH Rombout**

ULENS Caspar

xviiᵉ siècle. Actif à Anvers. Éc. flamande.

Peintre.

Élève de Peter Lint en 1644.

ULERICK Pieter ou **Vlerick**. Voir **VLERICK**

ULFELDT Eleonore Christine d', comtesse. Voir **ULEFELD**

ULFRUM Markus

Mort au début de 1590. xviᵉ siècle. Suédois.

Sculpteur sur bois et architecte.

Il sculpta des plafonds et des portes au château de Kalmar.

ULFSTEIN Nicolay ou **Nicolai Martin**

Né le 29 septembre 1855 à Bergen. Mort le 24 décembre 1885 à Christiania (Oslo). xixᵉ siècle. Norvégien.

Peintre de paysages et de marines.

Il fit ses études à Karlsruhe, sous la direction de Gude. Il a donné une série de reproductions superbes, surtout de Jæderen et de la côte sud-ouest de la Norvège. Le Musée d'Oslo conserve trois œuvres de lui ; d'autres peintures se trouvent au Musée de Stavanger. Le Musée de Bergen possède de lui *Rue au Caire* et *Repos au désert*.

Ventes Publiques : Londres, 27 nov. 1985 : *Evening in Egypt*, h/pan. (36x75) : GBP 2 200.

ULFT Jacob Van der

Né le 21 décembre 1627 à Gorkum. Mort le 18 novembre 1689 à Nordwijk. xviiᵉ siècle. Hollandais.

Peintre d'histoire, sujets mythologiques, paysages animés, paysages, paysages d'eau, architectures, peintre verrier, peintre à la gouache, graveur, dessinateur.

Il est probable qu'il alla plusieurs fois en Italie. Il fut bourgmestre de Gorkum. Houbraken raconte qu'il fut peintre verrier et eut pour élève dans cet art Pieter Verbœck, mais d'après le docteur Wuezbach, il y aurait confusion avec un autre peintre du même nom, plus ancien. On lui doit plusieurs eaux-fortes.

Musées : Amsterdam : *Vue d'Italie – Port italien – Place de marché en Italie* – Berlin (Mus. Kaiser Friedrich) : *Le forum de Trajan – Marché italien* – Budapest : *Intérieur d'église* – Chambéry : *Intérieur d'un monastère italien* – Chantilly : une gouache – *Port de mer* – Cologne : *Forum romain avec cortège triomphal* – Darmstadt : *Architecture romaine* – Dresde : *Architecture romaine* – Genève (Ariana) : *Un astronome hollandais* – Haarlem : *Le forum de Néron à Rome* – La Haye : *Armée en marche* – Paris (Mus. du Louvre) : *Port de ville – Place d'une ville et préparatifs d'un cortège triomphal* – Pommersfelden : *Paysage italien* – Rotterdam : *La fiancée d'Allucius conduite devant Scipion – Paysage* – Saint-Pétersbourg (Mus. de l'Ermitage) : *Entrée triomphale de Scipion l'Africain à Rome*.

Ventes Publiques : Paris, 1776 : *Monuments, navires et personnages de diverses nations* : FRF 1 500 – Paris, 1776 : *La place publique d'Amsterdam ornée de nombreuses figures*, gche : FRF 1 540 – Paris, 1882 : *Vue d'un site du Levant* : FRF 7 870 – Paris, 1899 : *Place d'une ville romaine* : FRF 1 250 – Londres, 13 mars 1911 : *Piazza del Popolo à Rome* : GBP 10 – Paris, 18 et 19 mai 1921 : *Marché sur la place d'une ville* : FRF 2 000 – Paris, 28 nov. 1934 : *Paysage italien avec, au premier plan, un pont orné d'une statue*, pl. et lav. de bistre : **FRF 380** – Paris, 8 déc. 1938 : *Un port*, pl. et lav. : **FRF 820** – Paris, 19 juin 1947 : *Composition de style antique*, aquar. gchée : **FRF 9 000** – Paris, 2 déc. 1948 : *Paysage accidenté*, pl. et sépia : **FRF 17 000** – Paris, 6 déc. 1948 : *Personnages dans un paysage* : **FRF 12 200** – Paris, 10 juin 1949 : *Vue d'un port d'Italie* 1666, pl. et sépia : **FRF 10 000** – Paris, 6 juin 1951 : *Paysage d'Italie*, pl. et lav. : **FRF 5 200** – Londres, 25 fév. 1966 : *Arrivée d'une ambassade orientale au palais de Naples* : **GNS 1 300** – Londres, 26 nov. 1970 : *La construction de la tour de Babel*, gche : **GBP 560** – Versailles, 22 oct. 1972 : *Embarquement d'Antoine et Cléopâtre* : **FRF 11 500** – Londres, 12 juil. 1978 : *Vue de Rome*, h/pan. (40x56,5) : **GBP 10 500** – Paris, 7 nov 1979 : *Paysage romain* 1673, lav. de sépia (29x40) : **FRF 16 500** – Londres, 11 juil. 1980 : *Capriccio animé de nombreux personnages* 1657, h/pan. (40x60,2) : **GBP 7 500** – Londres, 10 avr. 1981 : *Capriccio* 1657, h/pan. (40x60,2) : **GBP 6 500** – Amsterdam, 22 nov. 1982 : *Capriccio romain*, pl. et lav. (19x29,8) : **NLG 4 800** – Amsterdam, 15 nov. 1983 : *Personnages au bord d'une rivière*, pl. et lav./traits de craie noire (19,7x29,3) : **NLG 9 600** – New York, 9 juin 1983 : *Capriccio avec ruines romaines et soldats*, h/pan. (40,5x56,5) : **USD 24 000** – Paris, 13 nov. 1985 : *Entrée d'une ville italienne*, pl. et lav. de bistre (14x20) : **FRF 9 600** – Londres, 22 mai 1985 : *Scène de marché*, h/t (61x96,5) : **GBP 6 400** – Paris, 28 juin 1988 : *L'embarquement de Cléopâtre*, h/pan. (45x65) : **FRF 40 000** – New York, 21 oct. 1988 : *Didon montrant à Enée les travaux de construction de Carthage*, h/t (81x134,5) : **USD 50 600** – Amsterdam, 14 nov. 1988 : *Villa sur la colline dans un paysage italien*, craie et lav. (22x32) : **NLG 2 530** – New York, 12 jan. 1990 : *Capriccio d'une antique cité romaine avec une parade d'animaux de cirque*, gche/parchemin/pan. (19,9x26,3) : **USD 36 300** – New York, 13 jan. 1993 : *Capriccio avec des ruines classiques sur une côte rocheuse, un château et des soldats emmenant des prisonniers vers un bateau*, gche/vélin (18,5x25,5) : **USD 13 800** – Paris, 26 avr. 1993 : *Procession triomphale sur une architecture antique*, h/pan. de chêne (35,5x56) : **FRF 230 000** – Amsterdam, 16 nov. 1993 : *Épreuve des Jeux olympiques se déroulant au pied de la statue de Zeus à Olympie*, h/pan. (36x58) : **NLG 32 200** – Amsterdam, 10 mai 1994 : *Vue de Maria del Popolo à Rome* 1674, encre et lav. (12x20,9) : **NLG 48 300** – Paris, 28 oct. 1994 : *Scène de marché sur un forum*, lav., encre et gche (22x34) : **FRF 30 000** – Londres, 3 juil. 1996 : *Vue de ruines romaines* 1667, encre et lav. (20,1x29,6) : **GBP 1 495** – Paris, 20 nov. 1996 : *Vue du Colisée*, pl. et lav. d'encre brune (13x22) : **FRF 5 500** – Paris, 25 avr. 1997 : *Paysage fantastique à l'obélisque* ; *Paysage fantastique au vase*, pl. et encre noire, lav. de sépia (23x33) : **FRF 23 000**.

ULI Julius
Né le 22 mai 1897. xxᵉ siècle. Allemand.
Sculpteur.
Il fut élève de Fritz Klimsch à Berlin.
Musées : Brème (Kunsthalle) : *Jeune Fille debout*.

ULIANOV. Voir OULIANOFF
ULIENGO Carlo Maria. Voir UGLIENGO
ULIN Pierre d'. Voir DULIN Pierre
ULINGER Johann Caspar ou Jean Gaspard ou Uhlinger
Né le 1ᵉʳ avril 1703 à Herrliberg. Mort le 17 juin 1768. xviiiᵉ siècle. Suisse.
Peintre de vues et graveur à l'eau-forte.
Il a gravé des paysages.

ULIVELLI Cosimo
Né en 1625 à Florence. Mort en 1704 à Florence. xviiᵉ siècle. Italien.
Peintre.
Élève et imitateur de Bald-Franceschini. La Galerie royale de Florence conserve son *Portrait par lui-même*. On voit aussi des œuvres de lui dans les églises de Florence.

ULIVI Pietro
Né en 1806 à Pistoia. Mort en 1880 à Pistoia. xixᵉ siècle. Italien.
Peintre d'histoire, de genre et de portraits.
Il obtint plusieurs récompenses aux expositions italiennes et fut professeur au Lycée Royal à Forteguerra. Ses portraits, par la richesse de leur coloris, par la sûreté de leur dessin lui valurent de nombreux succès. Victor Emmanuel lui acheta son tableau *Un père bénissant son fils partant pour être soldat*. Ulivi fut chargé, en vue de la gravure, de dessiner les frises de l'hôpital de Pistoia, comprenant les bas-reliefs des Della Robbia.

ULJANOFF Nicolaï Pavlovitch. Voir OULIANOFF Nicolaï Pavlovitch

ULKE Henry ou Heinrich
Né en 1821 à Frankenstein. Mort le 17 février 1910 à Washington. xixᵉ-xxᵉ siècles. Depuis 1952 actif et naturalisé aux États-Unis. Allemand.
Peintre de genre, portraits.
Il fut élève de Wilhelm Wach. Il exposa à Berlin en 1842 et en 1848. Il s'établit aux États-Unis en 1852 où il peignit plus de cent portraits de personnalités de son temps.

ULLBERG Irène
Née à Strangnas. xxᵉ siècle. Suédoise.
Peintre.
Elle fit ses études avec Endre Nemes et Torsten Renqvist à l'Académie de Göteborg de 1954 à 1957. Elle montre ses œuvres dans des expositions à Göteborg en 1962 et 1973, à Estilstuma en 1967 et 1971, à Stockholm en 1970, à Paris en 1972 et 1974.
Sa peinture est figurative, volontiers intimiste.
Musées : Stockholm (Mus. Nat.).

ULLBERG Johan
xviiiᵉ siècle. Travaillant vers 1770. Suédois.
Sculpteur.
Il sculpta et dora des épitaphes et des autels en Suède méridionale.

ULLIK Hugo
Né en 1838 à Prague. Mort le 9 janvier 1881 à Prague. xixᵉ siècle. Autrichien.
Peintre de paysages, peintre à la gouache, aquarelliste.
Élève de l'Académie de Prague.
Il subit à Munich l'influence d'Ed. Schleich. Il peignit à l'aquarelle et à la gouache des châteaux de Bohême et des montagnes de Bavière et de Suisse.
Ventes Publiques : Munich, 25 juin 1996 : *Vue des environs de Ruhpolding* 1894, h/t (34x57) : **DEM 2 160**.

ULLMAN ou Ullmann. Voir aussi ULLMANN
ULLMAN Alice Woods
Née à Goshen. xxᵉ siècle. Américaine.
Peintre, illustrateur.
Elle est la femme du peintre Eugène Paul Ullman. Elle travailla à Provincetown.

ULLMAN Allen
Né le 27 avril 1905 à Paris. xxᵉ siècle. Américain.
Sculpteur de figures.
Il fut élève de Eugène P. Ulman, son père, et de Ary J. L. Bitter. Il exposa dans des Galeries parisiennes.
Musées : New York (Mus. de Brooklyn) : *Le Boxeur*.

ULLMAN Eugène Paul
Né le 27 mars 1877 à New York. Mort le 20 avril 1953. xxᵉ siècle. Actif aussi en France. Américain.
Peintre de nus, portraits, paysages, natures mortes. Postcézannien.
Mari d'Alice Wodds Ullman, père de Paul et Allen Ullman, il fit ses premières études en Amérique, avec William Merrit Chase, puis vint en France dès 1899, où il subit l'influence des maîtres français, particulièrement sensible à la leçon de Manet.
Il a beaucoup voyagé, notamment en Hollande, Allemagne et en Espagne, exposant tant à Paris qu'à Londres, Berlin, Munich et à New York. Il appartient à la Société Nationale des Beaux-Arts de Paris.
À ses débuts, il a subi l'influence des maîtres français, particulièrement sensible à la leçon de Manet. Dans la maturité son art fut impressionné par les indications de Cézanne, et ce fut alors pour E. P. Ullman le temps d'une demi-retraite toute donnée à la méditation. Il a peint des portraits, des nus très construits mais sensuels, il a été aussi souvent un heureux interprète du paysage méditerranéen.

Eugène Paul Ullman

Musées : Brooklyn – Indianapolis – New York (Whitney Mus.).
Ventes Publiques : Paris, 29 oct. 1926 : *Nu* : **FRF 5 500**.

ULLMAN Paul
Né le 4 avril 1906 à Paris, de parents américains. Mort le 14 avril 1944 à Belfort, pour la France. xxᵉ siècle. Américain.
Peintre de compositions animées, figures, intérieurs, paysages, graveur.
On a vu la carrière assurée brillante de ce grand peintre américain de Paris, prématurément brisée par le sacrifice qu'il fit de sa vie à la cause française, aussi n'est-ce que justifié de rendre un hommage dû à l'homme et à l'artiste. Il était fils du peintre améri-

cain Eugène Paul Ullman et de l'écrivain américain Alice Woods. Il accomplit ses études dans les lycées parisiens, commençant à peindre sous les conseils de son père, avant que d'entrer à l'Académie de la Grande Chaumière. Le critique d'art Adolphe Basler réunit, en 1932, un groupe de peintres, de « moins de Trente Ans », où il trouve sa place, parmi Civet, Despierre, Jannot, etc. Il séjourna longuement en Provence ou en Bretagne, auprès de ses amis Joliot-Curie, Huisman ou Perrin, travaillant en étroit contact avec Gruber ou Hambourg. En 1939, bien que citoyen américain, il s'engagea sous l'uniforme français jusqu'à l'armistice. Après juin 1940, il rejoint les États-Unis, avec sa femme française et son fils, où il consacre aussitôt toute son activité à une fervente propagande française.

Il exposa tout d'abord, à cette époque, sous le nom de Paul Canvas, dans une galerie parisienne, en 1930, avec Favory, Brayer et Hambourg, auxquels se joindront, l'année suivante, Planson et Marcel Parturier. À partir de 1932, il participa, chaque année, à Paris, aux Salons des Indépendants et des Tuileries. Jusqu'en 1939, Ullman figurera dans toutes les sélections de jeunes peintres réunissant ceux déjà nommés et d'autres jeunes maîtres de la même tendance, Gruber et Tailleux, sans qu'il ne soit plus que fastidieux d'énumérer la succession de ces expositions. En 1942, le Metropolitan Museum de New York présente une exposition de ses œuvres rapportées de France. En 1943, alors que son père, avec Kisling, Cecil Howard Léon Dabo, etc., met sur pied « l'Aide américaine aux artistes français », Ullman rejoint les « Services spéciaux » alliés de Londres, où il accomplit un stage et se fait parachuter près de Montbéliard, le 12 avril 1944. Il réussit à accomplir une très importante mission et gagne le point de ralliement qui lui avait été fixé. Le 14, la maison est encerclée par les forces d'occupation, Ullman abattu de deux balles dans la tête. Son corps repose au cimetière américain de Varrois, par Dijon. En Amérique, il fit l'objet, à titre posthume, d'une citation pour la médaille de l'Étoile de Bronze, signée Harry Truman ; en France, lui furent décernées la décoration de la Légion d'honneur et la croix de guerre avec palme. En janvier et février 1945, une importante exposition des œuvres de Paul Ullman fut organisée à New York ; en 1946, une nouvelle exposition réunissait de ses œuvres à celles des peintres qu'il avait aimés : Corot, Courbet, Guardi, Latour. Le peu d'œuvres de lui demeurées en France, rend difficile l'organisation de l'exposition rétrospective qui s'impose. Néanmoins, Francis Gruber étant mort, son autre grand ami André Hambourg put réunir quelques peintures pour un hommage qui lui fut rendu dans le cadre du Salon des Indépendants, en 1948.

Il fait partie, de cœur et de fait, de la jeune et bien vivante École de Paris. Dans ses dessins, ses gravures, ses peintures, des paysages de France, des intérieurs, compositions avec sa femme et son très jeune fils pendant les derniers mois de sa vie en Amérique, on retrouve souvent non pas la trace de l'influence de Gruber, mais le témoignage d'une communauté d'esprit et de sensation qui authentifie son appartenance à un moment dans l'évolution de la peinture représenté par l'apport des œuvres de Francis Gruber, André Marchand, Tal Coat. ■ J. B.

ULLMAN Sigfrid Benjamin
Né le 3 février 1886 à Varberg. XXᵉ siècle. Suédois.
Peintre de portraits, paysages.
Il fut élève de Matisse à Paris et de Johan Rohde à Copenhague.
Musées : GÖTEBORG – STOCKHOLM.

ULLMAN Stéphane
Né en 1921 à Paris. XXᵉ siècle. Français.
Dessinateur, graveur.
Il vit et travaille à Saint-Cloud. Il a figuré à l'exposition : *De Bonnard à Baselitz – Dix ans d'enrichissements du Cabinet des Estampes 1978-1988* à la Bibliothèque nationale à Paris, en 1992.
Musées : PARIS (BN) : *L'Opérateur* 1979.

ULLMANN Franz
Né en 1809 à Vienne. Mort le 17 septembre 1870 à Vienne. XIXᵉ siècle. Autrichien.
Peintre.
Il fut élève de l'Académie des Beaux-Arts de Vienne.

ULLMANN Joszef ou Joseph
Né en 1833. Mort en 1922. XIXᵉ-XXᵉ siècles. Actif à Budapest. Hongrois.
Peintre de scènes de genre, natures mortes.
Il fit ses études à Vienne.
Ventes Publiques : LONDRES, 22 fév. 1995 : *Travaux des champs*, h/t (48x64) : **GBP 1 150.**

ULLMANN Julius
Né le 7 avril 1861 à Linz. Mort le 1ᵉʳ août 1918 à Salzbourg. XIXᵉ-XXᵉ siècles. Autrichien.
Peintre de paysages.
Il fut élève de Knirr à Munich et de l'Académie Julian à Paris.
Ventes Publiques : VIENNE, 18 mai 1976 : *Paysage aux chaumières* 1907, h/cart. (31x48,5) : **ATS 18 000.**

ULLMANN Lise. Voir BLOCQ-ULLMANN

ULLMANN Maria
Née en 1905 à Vienne. XXᵉ siècle. Active en Allemagne. Autrichienne.
Peintre de décors de théâtre.
Elle vécut et travailla à Munster.

ULLMANN Marie
Née en 1839 à Mnischek (Bohême). XIXᵉ siècle. Travaillant à Prague. Autrichienne.
Peintre de genre.

ULLMANN Robert
Né en 1903. XXᵉ siècle. Autrichien.
Sculpteur.
Il fut élève de l'Académie de Vienne et de Frantz Cizek. Il vécut et travailla à Vienne.

ULLMANN Rudolf Franz
Né le 8 décembre 1889 à Troppau. XXᵉ siècle. Autrichien.
Peintre de paysages.
Il vécut et travailla à Vienne.
Musées : VIENNE (Mus. mun.) : *Vue de Döbling.*

ULLMANN Walter
Né en 1861 à Londres (?). Mort en juin 1882 à Gretz (Seine-et-Marne). XIXᵉ siècle. Britannique.
Peintre.
Il exposa au Salon de 1882, *Jour d'automne* (paysage avec figures) qui fut très remarqué.

ULLOA A. S.
XVIIIᵉ siècle. Travaillant en 1740. Espagnol.
Graveur au burin.

ULLOA Gabriel
XVIIᵉ siècle. Travaillant à Tolède de 1630 à 1633. Espagnol.
Peintre et doreur.

ULLRICH Albert H.
Né le 24 avril 1869 à Berlin. XIXᵉ-XXᵉ siècles. Actif et naturalisé aux États-Unis. Allemand.
Peintre.
Il fut élève de l'Art Institute de Chicago. Il vécut et travailla à Evanstown.

ULLRICH Curt
Né le 19 janvier 1873 à Schkeuditz (près de Leipzig). XIXᵉ-XXᵉ siècles. Allemand.
Peintre, graveur.
Il fut élève de Marc Thedy à Weimar et de Loefftz à Munich, où il vécut et travailla.
Musées : HANOVRE : *Le Carrefour de Broodseinde près d'Ypres* – MUNICH (Mus. de l'Armée) : *Bombardement nocturne d'Ypres* – MUNICH (Mus. Nat.) : *Champ de bataille* – SCHLEISSHEIM : *Campement de Bohémiens.*

ULLRICH Dietmar
Né en 1940 à Breslau. XXᵉ siècle. Allemand.
Peintre de figures, sujets de sport. Groupe Zebra.
Il a participé à de nombreuses expositions collectives en Allemagne et fut invité à la Biennale de Paris en 1971. Il montre ses œuvres dans des expositions personnelles à partir de 1971 à Nuremberg, Bâle, etc.
Dietmar Ullrich fait partie du groupe Zebra avec lequel il expose. Ce groupe contribua à un renouveau du réalisme en Allemagne fédérale au milieu des années soixante. Par bien des points on peut le rapprocher de la Nouvelle Figuration qui, à la même époque, s'est manifestée en France. Les membres du groupe cherchaient à renouer avec un art figuratif, support de message, sans pour autant revenir à une figuration telle qu'on la pratiquait avec l'art abstrait. Ils ont donc eu recours à des techniques modernes de reproduction de l'image. Pour sa part, Ullrich a souvent utilisé le document photographique. Néanmoins, par la rigueur des formes, souvent massives et dures, par l'anonymat de la manière, il se démarque totalement du réalisme photographique. Les sentiments humains sont observés et reproduits avec froideur. Il cherche à « présenter l'anormal comme norme, à

montrer que non-sens et ordre fondé sur un sens sont deux choses identiques ». Ses tableaux d'enfants ne montrent pas des malformations mais des anomalies « normales ». Ses joueurs de football exécutent des gestes tout à fait ordinaires. Violentes, les peintures d'Ullrich communiquent un certain malaise.

ULLRICH Friedrich Andreas ou Ulrich
Né probablement vers 1760 près de Meissen. XVIIIe siècle. Allemand.
Sculpteur.
Élève de l'Académie de Dresde et, à Berlin, de Schadow. Il visita presque tous les pays d'Europe. Il sculpta des bustes, des tombeaux et des statues mythologiques.

ULLRICH Josef
Né en 1815. Mort en 1867. XIXe siècle. Actif à Fulnek. Autrichien.
Peintre et silhouettiste.

ULLU Giovanni
Mort vers 1840 à Cagliari, jeune. XIXe siècle. Italien.
Modeleur.

ULM Émile
Né au XIXe siècle à Rochefort (Charente-Maritime). XIXe siècle. Français.
Peintre et graveur de fleurs et de fruits.
Élève de Gleyre et Guès. Il exposa au Salon de 1864 à 1866. On lui doit des eaux-fortes originales.

ULMANN. Voir aussi ULLMANN

ULMANN Benjamin
Né le 24 mai 1829 à Blozheim (Haut-Rhin). Mort le 24 février 1884 à Paris. XIXe siècle. Français.
Peintre d'histoire, scènes de genre, portraits, aquarelliste.
Élève de Michel Drolling et de François Édouard Picot à l'École des Beaux-Arts de Paris, où il est entré en 1846 ; il reçut le deuxième prix de Rome en 1858 et le premier en 1859. Chevalier de la Légion d'honneur en 1872.
Il exposa au Salon de Paris à partir de 1855, obtenant une seconde médaille en 1872.
Il a traité aussi bien des scènes tirées de l'histoire romaine que de la guerre de 1870. Il reçut des commandes officielles de tableaux pour le palais de Justice, le Conseil d'État et la Cour des comptes, à Paris.

B. ULMANN.

BIBLIOGR. : Gérald Schurr, in : *Les Petits Maîtres de la peinture 1820-1920, valeur de demain*, Les Éditions de l'Amateur, t. IV, Paris, 1979.
MUSÉES : BAYEUX : *Caton expulsé du Sénat* – COLMAR : *Une étude – Guerrier blessé* – GUÉRET : *Loreley* – LOUVIERS (Gal. Roussel) : *Portrait* – LE MANS : *Patrocle chez Amphidamas – Deux joueurs d'osselets* – MARSEILLE : *L'Heure de la complainte à Piperno* – MELUN : *Junius Brutus* – NANCY : *Le remords* – LE PUY-EN-VELAY : *Le 3 août 1358* – STRASBOURG : *Ariane délaissée* – VERSAILLES : *Pillage d'une ferme en Alsace en 1870 – Thiers salué par la Chambre des Députés en 1877.*
VENTES PUBLIQUES : PARIS, 1873 : *Un épisode :* **FRF 900** – PARIS, 1884 : *Caton arraché du Sénat :* **FRF 2 060** ; *Le remords :* **FRF 2 530** – PARIS, 28 et 29 juin 1926 : *Samson et Dalila :* **FRF 100** – PARIS, 21 déc. 1978 : *Le denier du jeudi à Burgos,* h/t (30x52) : **FRF 1 100** – NEW YORK, 29 mai 1980 : *Le denier du jeudi, à Burgos,* h/t (30x52) : **USD 1 000.**

ULMANN Raoul André, dit Raoul-Ulmann
Né en 1867 à Paris. XIXe-XXe siècles. Français.
Peintre de paysages.
Il exposa à Paris à la Société Nationale des Beaux-Arts, à partir de 1907.
MUSÉES : PARIS (ancien Mus. du Luxembourg) : *La Seine au Trocadéro – Paysage.*
VENTES PUBLIQUES : PARIS, 4 et 5 déc. 1918 : *Moulins au bord d'une rivière :* **FRF 240** – PARIS, 16 fév. 1928 : *Marine par temps gris :* **FRF 500** – PARIS, 20 fév. 1942 : *Lever de lune 1920 :* **FRF 1 200** – PARIS, oct. 1945-Juillet 1946 : *Dans la rue :* **FRF 2 400** – PARIS, 4 déc. 1946 : *Le pont :* **FRF 3 000** – PARIS, 21 oct. 1949 : *La Seine 1917 :* **FRF 2 100** – PARIS, 25 mai 1951 : *Clair de lune :* **FRF 5 000** – AMSTERDAM, 31 oct 1979 : *Paysage fluvial 1917,* h/t (47,5x65) : **NLG 2 000** – PARIS, 27 nov. 1985 : *Péniche sur l'eau 1903,* h/t (48x65) : **FRF 17 500** – PARIS, 22 nov. 1996 : *Hollande : Moulins 1911,* h/t (122x153) : **FRF 11 000.**

ULMELLI Paolo ou Olmelli
XVIIe siècle. Actif à Imola, en 1684. Italien.
Sculpteur sur bois.
Il exécuta des statues pour les églises Saint-Jacques le Majeur et Saint-Gabriel de Bologne.

ULMER Axel Johannes
Né le 1er mars 1884 à Tingsted. XXe siècle. Danois.
Peintre de portraits, paysages.
Il fut élève de Holger K. Grönvold et de l'Académie de Copenhague, où il vit et travaille.
MUSÉES : AABENRAA – HORSENS – MARIBO.

ULMER Georg Nicolai Albert
Né le 19 février 1886 à Copenhague. Mort le 19 septembre 1920 à Copenhague. XXe siècle. Danois.
Sculpteur.
Il fut élève de l'Académie de Copenhague et de Kai Nielsen.
MUSÉES : COPENHAGUE (Mus. Nat.).

ULMER J. G.
XVIIe-XVIIIe siècles. Actif à Lindau. Allemand.
Peintre.
Le Musée de Buchau conserve de lui *Portrait de Sigismund von Cache.*

ULMER Johann Conrad
Né en 1783 à Berolzheim. Mort le 26 août 1820 à Francfort-sur-le-Main. XIXe siècle. Allemand.
Graveur au burin.
Élève de J. G. Muller. Il a gravé des sujets d'histoire. En 1806, il vint à Paris et durant plusieurs années fut employé à la reproduction du Musée Napoléon. En 1818, il revint en Allemagne, s'établit à Francfort et fut professeur au Städel Institut. Il se donna volontairement la mort. Il exposa au Salon en 1812.

ULMER Oskar E.
Né le 19 juin 1888 à Hambourg. XXe siècle. Allemand.
Sculpteur de statues, compositions religieuses, monuments, peintre.
Il fut élève de l'Académie de Munich. Il sculpta des statues pour la Kunsthalle de Hambourg, des monuments aux morts et des sujets religieux.

ULMER P.
XVIIIe siècle. Travaillant à Berne en 1722. Suisse.
Portraitiste.

ULMETTO, appellation erronée. Voir ULMELLI Paolo

ULMGREN Per
Né le 28 février 1767. Mort le 31 mai 1846 à Stockholm. XVIIIe-XIXe siècles. Suédois.
Peintre et collectionneur.

ULMUS Giovanni Paolo. Voir LOLMO Giovanni Paolo

ULNER Herman
Né à Termonde. XVIIe siècle. Actif au milieu du XVIIe siècle. Éc. flamande.
Sculpteur sur bois.
Il a sculpté un confessionnal dans l'église Notre-Dame de Lebbeke.

ULNER Jacob
XVIIe siècle. Actif à Termonde. Éc. flamande.
Sculpteur sur bois.
Il sculpta des stalles et des autels pour les églises de Denderbelle, de Moorsel et de Lebbeke.

ULNER Jan
XVIIe siècle. Actif à Lebbeke au milieu du XVIIe siècle. Éc. flamande.
Sculpteur sur bois.
Fils de Jacob Ulner. Il a sculpté une grille de chœur pour l'église Notre-Dame de Lebbeke.

ULNITZ E. C.
XIXe-XXe siècles. Danois.
Peintre de natures mortes, fleurs.
VENTES PUBLIQUES : COPENHAGUE, 25 oct. 1989 : *Nature morte de roses 1890,* h/t (16x20) : **DKK 7 000** – NEW YORK, 17 jan. 1990 : *Roses, géraniums et autres fleurs printanières dans un vase 1886,* h/t (31,8x22,2) : **USD 4 950** – COPENHAGUE, 21 fév. 1990 : *Nature morte de fleurs et de fruits 1917,* h/t (62x69) : **DKK 22 000** – COPENHAGUE, 25-26 avr. 1990 : *Vase de roses 1913,* h/t (44x38) : **DKK 10 000** – STOCKHOLM, 5-6 déc. 1990 : *Nature morte aux roses jaunes 1926,* h/t (62x70) : **SEK 7 000** – COPENHAGUE, 1er mai 1991 : *Vase de fleurs 1912,* h/t (66x60) : **DKK 5 000.**

ULP Clifford McCormick
Né le 23 août 1885 à Olean. xxᵉ siècle. Américain.
Peintre, illustrateur.
Il fut élève de William M. Chase et de Frank W. Taylor.
Musées : Washington D. C. (Gal. Nat.) : fresques.

ULREICH Eduard Buk
Né le 13 février 1889 à Güns. xxᵉ siècle. Américain.
Peintre de genre, portraits, paysages, dessinateur.
Il fut élève de F. Blumberg. Il vécut et travailla à New York.

ULRIC. Voir **GAHÉRY-ULRIC Angèle**, Mme

ULRICH, dit **Saint-Ulrich**
xᵉ siècle. Travaillant entre 923 et 973. Allemand.
Miniaturiste et enlumineur.
Il enlumina deux livres de prières ; l'un se trouve à la Bibliothèque royale de Munich, l'autre au British Museum à Londres.

ULRICH
xivᵉ siècle. Travaillant à Brunn de 1350 à 1358. Autrichien.
Enlumineur.

ULRICH
xvᵉ siècle. Travaillant à Haguenau. Allemand.
Sculpteur.
Musées : Haguenau : des fonts baptismaux.

ULRICH Charles ou **Karl**
xixᵉ siècle. Actif à Lucerne au début du xixᵉ siècle. Suisse.
Dessinateur et lithographe.
On lui doit des lithographies dans les *Souvenirs d'un voyageur en Suisse*, et *Collection complète des costumes*. Le Musée de Dieppe conserve une lithographie, signée Ulrich, *Vue prise à Arques* en 1825, qui paraît être de lui et qui prouverait, dans l'affirmative, qu'il aurait travaillé en Normandie.

ULRICH Charles Frederic
Né le 18 octobre 1858 à New York. Mort le 15 mai 1908 à Berlin. xixᵉ siècle. Allemand.
Peintre de genre.
Il fut élève de Löfftz et de Lindenschmit.
Musées : Düsseldorf (Mus. mun.) : *Femme occupée à coudre* – New York (Metropolitan Mus.) : *Souffleurs de verre à Murano* – Washington D. C. (Corcoran Gal.) : *En Terre Promise*.
Ventes Publiques : New York, 2 juin 1983 : *Vanitas*, h/pan., une paire (24,1x43,8 et 24,1x44,5) : USD 27 000 – New York, 30 mai 1985 : *Grand-mère*, h/pan. (25,4x30,5) : USD 29 000 – New York, 26 sep. 1996 : *Typographe hollandais*, h/pan. (33x21,6) : USD 16 100.

ULRICH Franz Joseph
xviiiᵉ siècle. Actif à Bylin de 1706 à 1720. Autrichien.
Peintre et enlumineur.

ULRICH Friedrich Andreas. Voir **ULLRICH**

ULRICH Géza
Né le 23 avril 1881 à Budapest. xxᵉ siècle. Actif en Suisse. Hongrois.
Peintre de figures, peintre de décors de théâtre.
Il vécut et travailla à Saint-Gall.
Ventes Publiques : Londres, 23 sep. 1981 : *Le Matin* ; *L'Après-midi* ; *Le Soir* ; *La Nuit*, h/t, suite de quatre peint. (chaque 105,5x52,5) : GBP 2 600.

ULRICH Hans Caspar
Né le 30 août 1880 à Zurich. xxᵉ siècle. Suisse.
Peintre de genre, portraits, paysages, graveur.
Il fut élève de Erwin Knirr à Munich et de William Bouguereau à Paris. Il vécut et travailla à Appenzell.

ULRICH Heinrich
Né vers 1572 à Nuremberg. Mort en 1621 à Nuremberg. xviᵉ-xviiᵉ siècles. Allemand.
Peintre, dessinateur et graveur.
Il a gravé des portraits, des sujets religieux et des paysages, formant un ensemble d'environ cent cinquante pièces. Il a travaillé à Nuremberg et à Vienne.

HV HXV

ULRICH J. B.
xviiiᵉ siècle. Suisse.
Dessinateur.
Le Musée National de Zurich conserve de lui un *Recueil de paysages*.

ULRICH Johann Jacob ou **Jakob**
Né en 1610 à Zurich. Mort en 1680 à Zurich. xviiᵉ siècle. Suisse.

Peintre de portraits.
Il fut élève de Conrad Fries.
On cite de lui plusieurs portraits exécutés pour la famille Escher de Glos.

ULRICH Johann ou **Hans Jacob**
Né le 28 février 1798 à Andelfingen. Mort le 17 mars 1877 à Zurich. xixᵉ siècle. Suisse.
Peintre d'animaux, paysages, paysages de montagne, paysages d'eau, marines, aquarelliste.
Il fut élevé par ses parents en vue du commerce mais ne tarda pas à s'adonner à la peinture. Il voyagea en France, en Italie, en Angleterre, en Hollande. À Paris, il fut l'ami de Bertin, des frères Leprince et, en leur compagnie, fit de nombreuses études en Normandie. Il exposa au Salon de Paris de 1824 à 1840.
Il réussit dans le paysage, les marines, les oiseaux, les animaux.
Musées : Berne : *Vue du port de Rotterdam, le soir* – Leipzig : *Navire à vapeur en feu sur une mer houleuse* – *Lac des quatre Cantons* – Nantes : *Vue de Suisse* – Orlans : *Vue du Mont Foedi*.
Ventes Publiques : Paris, 3 oct. 1940 : *Une vue du lac des Quatre Cantons* 1837 : FRF 1 600 – Lucerne, 12 juin 1970 : *La baie de Naples au clair de lune* : CHF 4 000 – Berne, 18 nov. 1972 : *Paysage de haute montagne* : CHF 4 400 – Londres, 21 juil. 1976 : *Paysage montagneux au lac* 1836, h/t (48,5x71) : GBP 2 600 – Vienne, 20 sep. 1977 : *Vue de Spitz sur le lac de Thoun* 1836, h/t (50x67) : ATS 75 000 – Lucerne, 21 mai 1980 : *Vue d'un lac sous l'orage* 1866, h/bois (24,5x34,5) : CHF 2 000 – New York, 18 sep. 1981 : *Feu de camp sur la plage* 1838, h/pan. (27x35) : USD 2 600 – Lucerne, 7 nov. 1985 : *Paysage fluvial boisé* 1830, h/cart. (26,5x36,5) : CHF 6 000 – Zurich, 13 juin 1986 : *Le Port de La Tour-de-Peilz sur le lac de Genève* 1842, h/t (97x130) : CHF 82 000 – Paris, 27 mars 1991 : *Bateaux sur la grève à marée basse* 1833, h/cart. (19,5x25) : FRF 13 500 – Zurich, 4 juin 1992 : *Les Chutes du Rhin* 1866, h/t (54x81) : CHF 9 605 – Milan, 3 déc. 1992 : *Vue de la côte romaine*, aquar./pap. (45x66,5) : ITL 3 616 000 – Zurich, 4 juin 1997 : *Ruisseau en forêt sous le soleil* 1855, h/t (94x79) : CHF 51 750.

ULRICH Johannes
xvᵉ siècle. Suisse.
Sculpteur.
Il travailla sur bois.
Musées : Aarau : Une Chaire sculptée.

ULRICH Joseph
Né en 1857 à Raudnitz. Mort en 1930 à Raudnitz. xixᵉ-xxᵉ siècles. Autrichien.
Dessinateur, illustrateur.

ULRICH Karl. Voir **ULRICH Charles**

ULRICH Karl Dominik
Né le 10 janvier 1826 à Lucerne. xixᵉ siècle. Suisse.
Peintre amateur et officier.

ULRICH Matthias
xviiᵉ siècle. Actif à Olmutz à la fin du xviiᵉ siècle. Autrichien.
Sculpteur.
Il a sculpté un portail dans le monastère de Hradisch en 1694.

ULRICH Sigmund Rudolf
Né en 1758 à Berne. Mort en 1837 à Berne. xviiiᵉ-xixᵉ siècles. Suisse.
Silhouettiste amateur.

ULRICH Sylvain
Né en 1908 à Looz. xxᵉ siècle. Belge.
Peintre. Naïf.
Autodidacte, il a été pendant plusieurs années garçon de salle d'une grande galerie d'art de Bruxelles où il s'est familiarisé avec la peinture, avant de se mettre lui-même à réaliser des œuvres d'art naïf.

ULRICH T.
Peintre de marines.
Cité par le *Art Prices Current*.
Ventes Publiques : Londres, 7 déc. 1908 : *Marine, et un pendant par Collins* : GBP 4.

ULRICH von Lachen. Voir **ROSENSTEIN Ulrich**

ULRICH von Strassburg
xvᵉ siècle. Allemand.
Enlumineur.
Il enlumina une chronique mondiale qui se trouve dans la Bibliothèque municipale d'Augsbourg.

ULRICHS Timm
Né le 31 mars 1940 à Berlin. xxᵉ siècle. Allemand.

Artiste, auteur de performances, créateur d'installations, dessinateur.

Il étudia l'architecture de 1954 à 1959. Autodidacte, il enseigna à l'école des Beaux-Arts de Braunschweig puis à l'institut d'éducation artistique de Munich et à l'académie des Beaux-Arts de Düsseldorf. Il vit et travaille à Hanovre.

Il participe à des expositions collectives : 1970 Kunsthalle de Cologne ; 1972 Städtisches Museum de Leverkusen ; 1974 Neuer Berliner Kunstverein de Berlin ; 1977 Documenta de Kassel ; 1978 Pratt Graphice Center de New York ; 1982 Kunstverein de Stuttgart ; 1992 *De Bonnard à Baselitz – Dix ans d'enrichissements du Cabinet des Estampes 1978-1988* à la Bibliothèque nationale à Paris. Il montre ses œuvres dans des expositions personnelles depuis 1961 : 1970 Kunstverein de Göttingen, Neue Galerie d'Aix-la-Chapelle ; 1971 Kunsthaus d'Hambourg, Städtisches Museum de Wiesbaden ; 1973 Kunsthalle de Bielefeld, Kunstverein de Celle ; 1974 Kunsthalle de Brême ; 1975 Kunstverein de Hanovre et rétrospective organisée par le Kunstverein de Braunschweig ; 1979 Kunstmuseum de Hanovre.

Musées : Brunswick (Kunstverein) – Hambourg (Kunsthalle) – Hanovre (Kunstmus.) – Krefeld (Kaiser-Wilhelm Mus.) – Paris (BN) : *Konstruktion und Rekonstruktion*, un livre – Wiesbaden.

ULRIK Sara Brigitte, née **Tscherning**
Née le 9 juillet 1855 à Oerholm. Morte le 22 mai 1916 à Copenhague. xixᵉ-xxᵉ siècles. Danoise.
Peintre de fleurs.
Elle fut la fille et l'élève d'Eleonore C. Tscherning.

ULRIKE ELEONORA
Née le 11 septembre 1656 à Copenhague. Morte le 26 juillet 1693 à Stockholm. xviiᵉ siècle. Suédoise.
Miniaturiste, peintre de paysages et de portraits amateur.
Femme de Charles XI. Le Musée de Stockholm conserve d'elle *Femme inconnue* et *Le professeur Olof Rudbeck*.

ULSAMER Rosa, plus tard Mme **Brill**
Née le 27 juillet 1884 à Nuremberg. xxᵉ siècle. Allemande.
Peintre de portraits, paysages, graveur.
Elle fit ses études à Munich et à Paris.
Musées : Nuremberg (Mus. mun.).

ULSEN H. Van
xviiiᵉ siècle. Hollandais.
Paysagiste et animalier.
Il vécut à Zwolle, travaillant vers 1785. On voit de lui un paysage à l'Université de Stockholm et un portrait au Musée de Zwolle.

ULSEN W. G.
xixᵉ siècle. Actif à Zwolle dans la première moitié du xixᵉ siècle. Hollandais.
Paysagiste.
Il exposa à Amsterdam en 1822.

ULTAN
Mort sans doute en 656. viiᵉ siècle. Actif à Lindisfarne. Irlandais.
Enlumineur et calligraphe.

ULTEMPERGERS. Voir **UNTERPERGHER**

ULTINKINS
xviiiᵉ siècle. Actif à Rome.
Peintre.
Cet artiste aurait peint les paysages décorant les dessus de portes de la cinquième salle de la Galerie Borghèse. Le nom n'est-il pas tronqué ?

ULTRADO Carlo. Voir **OLDRADO Carlo**

ULTVEDT Per Olof
Né en 1927 à Kemi. xxᵉ siècle. Depuis 1938 actif en Suède. Finlandais.
Sculpteur, auteur d'assemblages, peintre, graveur, dessinateur.
À partir de 1945, il étudia la peinture et la gravure à l'École des Beaux-Arts de Stockholm, où il enseigne dès 1968.
Ses processus d'appropriation relative à la machine et au matériel quotidien, ont permis parfois de le comprendre dans des expositions consacrées au Nouveau Réalisme. Il montre ses œuvres dans des expositions personnelles, notamment en 1968 au musée des Arts décoratifs de Paris ; en 1988 *P.O. Ultvedt : Tvivel och Övermod* à Konsthall de Malmö.
En 1954, il décida de renoncer à la peinture et commença la construction de machines qui, parallèlement à celles de Tinguely,

allaient à la fois constituer un acte d'appropriation du monde mécanique, en même temps que tourner celui-ci en dérision par la folie des éléments mis en action et l'inutilité agitée de leurs mouvements. Dès 1956, *L'Iconoclaste*, machine à crever les peintures, matérialisait sa désaffection de la peinture. En 1962, *Le Chasse-Mouches* imprimait la plus grande agitation à un assemblage complexe d'instruments ménagers. En 1962 encore, il construisit pour le Stedelijk Museum d'Amsterdam, une sorte de labyrinthe confectionné à partir d'un matériel hétéroclite de meubles détériorés, de bicyclettes ruinées, de vieilles planches, ainsi que d'un système de poulies et de courroies de transmission permettant aux spectateurs d'en modifier l'architecture. En 1965, à Amsterdam, il alla jusqu'au bout de ce parti à appeler la participation des spectateurs, en édifiant l'*Hommage à Christopher Polhem*, assemblage de planches peintes en rouge que l'on était invité à détruire progressivement. L'année suivante, avec Niki de Saint-Phalle et Tinguely, il réalise *Elle, une cathédrale*. Il a poursuivi depuis la réalisation d'assemblages mobiles de sortes de marionnettes mécaniques, introduisant notamment des membres (mains, fragments de corps), ou des machines folles.
Bibliogr. : Raoul-Jean Moulin, in : *Nouveau diction. de la sculpt. mod.*, Hazan, Paris, 1970 – divers : Catalogue de l'exposition *P.O. Ultvedt : Tvivel och Övermod : Arbeten Fran 1945 Till 1988*, Konsthall, Malmö, 1988 – in : *Dict. de la sculpture*, Larousse, Paris, 1991 – in : *Dict. de l'art mod. et contemp.*, Hazan, Paris, 1992.
Musées : Jérusalem (Israël Mus.) – Paris (Mus. Nat. d'Art Mod.) – Stockholm (Mod. Mus.).

ULTZINA Antonio
xivᵉ siècle. Actif à Barcelone dans la première moitié du xivᵉ siècle. Espagnol.
Peintre.

ULTZSTEIN Wenzel
xviiᵉ-xviiiᵉ siècles. Autrichien.
Graveur d'armoiries.
Il travailla en 1692 en Bohême.

ULUÇ Ömer
Né en 1931 à Istanbul. xxᵉ siècle. Turc.
Peintre, technique mixte, peintre de collages.
De 1949 à 1953, il étudie la peinture à Istanbul, puis aux États-Unis (Texas, Boston, New York). De 1965 à 1966, il vit et travaille à La Haye et Mexico, de 1971 à 1972 à Mexico et aux États-Unis, de 1973 à 1977 au Nigéria. Il participe à des expositions collectives : 1966-1971 Istanbul, São Paulo ; 1987, 1989 Biennale internationale d'Istanbul. Il montre ses œuvres dans des expositions personnelles : 1955 Boston ; 1965 La Haye, galerie La Roue à Paris ; 1983-1986 galerie Jean-Claude Riedel à Paris.
Ses séjours en divers lieux influencent sa peinture qui oscille entre abstraction et figuration. Il introduit le collage à la fin des années quatre-vingt, avec des figures abstraites composées d'entrelacs qui évoquent l'art byzantin et ottoman.
Bibliogr. : Carole Boulbès : *Ömer Uluç*, Art Press, n° 198, Paris, janv. 1995.
Musées : Paris (FNAC) : *Les Chats* 1987.

ULVI LIEGI. Voir **LEVI Luigi**

ULYSSE Denis
Né au xixᵉ siècle à Paris. xixᵉ siècle. Français.
Peintre et peintre verrier.
Élève de Abel de Pujol. Il débuta au Salon de 1859.

ULYSSE-BESNARD Jean Jude ou **Ulysse**, pseudonyme : **Besnard**
Né à Blois (Loir-et-Cher). Mort en 1884 à Blois. xixᵉ siècle. Français.
Peintre de sujets religieux, scènes de genre, faïencier.
Néoclassique.
Élève de V. Chavet, il participa au Salon de Paris de 1859 à 1861, puis à 1881. Il ouvrit, en 1862, une manufacture de faïence dans sa ville natale. Il est l'auteur de plusieurs toiles peintes pour des églises de sa région, notamment à Orléans et Vendôme.
Bibliogr. : Gérald Schurr : *Les Petits Maîtres de la peinture 1820-1920, valeur de demain*, Les Éditions de l'Amateur, t. II, Paris, 1982.
Musées : Blois : *Henri III et ses mignons.*
Ventes Publiques : Paris, 9 fév. 1955 : *La lecture* : FRF 16 000 – Berne, 8 mai 1982 : *Gutenberg entouré de ses compagnons*, h/l (47x56) : CHF 3 800.

ULYSSE-ROY Jean
Né à Bordeaux (Gironde). xixᵉ siècle. Français.
Peintre d'histoire, scènes de genre, portraits.

Il fut élève d'Alexandre Cabanel. Il exposa au Salon de Paris, puis au Salon des Artistes Français, de 1879 à 1891.

Musées : Le Mans : *Supplice d'un meurtrier au XVIIIe siècle*.

Ventes Publiques : Paris, 4 mars 1926 : *Brennus, vainqueur des Romains, jette son épée dans la balance* : **FRF 130**.

ULZURRUM Maria del Pilar
XVIIIe-XIXe siècles. Espagnole.
Peintre amateur.
Les Académies de Saragosse et de Valence conservent des œuvres de cette artiste.

UMANA Cristobal de
XVIe siècle. Actif à Valladolid dans la seconde moitié du XVIe siècle. Espagnol.
Sculpteur.
Il apparaît comme témoin dans le procès qui eut lieu entre Berruguete et les chapelains de l'église de Santiago à Caceres.

UMANA Gaspar de
XVIe siècle. Actif dans la seconde moitié du XVIe siècle. Espagnol.
Sculpteur sur bois.
Ce sculpteur est un de ceux qui travaillèrent le plus avec Isaac de Juni et Berruguette, on le retrouve particulièrement dans l'exécution du retable de Caceres.

UMBACH Jonas
Né vers 1624 à Augsbourg (Bavière). Mort le 28 avril 1693 à Augsbourg. XVIIe siècle. Allemand.
Peintre d'histoire, sujets religieux, compositions mythologiques, scènes de genre, intérieurs, paysages animés, paysages, natures mortes, graveur, dessinateur.
Peintre peu connu aujourd'hui, il paraît pourtant avoir joui de son vivant d'une notoriété considérable. Il séjourna en Italie, vers 1648, puis il revint dans son pays, où il fut peintre de l'évêque d'Augsbourg, des moines Bénédictins et de la bourgeoisie locale. Il a peint des sujets d'histoire, ainsi que de nombreux paysages avec bestiaux, des intérieurs de cuisine dans le goût hollandais, des tableaux de gibier ; on cite notamment : *Mélancolie – Cortèges – Bacchanales*. Il a réalisé pas moins de deux cent gravures à l'eau-forte, des sujets religieux et mythologiques et des paysages, parmi lesquels : *Passion du Christ – Sainte Famille – Paysage à l'arbre mort*, son œuvre gravé reflétant à la fois l'influence hollandaise de Ruysdaël et germanique d'Altdorfer.
Bibliogr. : In : *Diction. de la peint. allemande et d'Europe centrale*, coll. Essentiels, Larousse, Paris, 1990.
Musées : Berlin : *Paysage dans le bassin souabe* – Düsseldorf : *paysages*.

UMBACH Julius ou Friedrich Jules
Né le 22 septembre 1815 à Hanau (Hesse). Mort le 6 avril 1877 à Darmstadt. XIXe siècle. Allemand.
Graveur sur acier.
Élève de E. Schaeffer. On ne connaît de lui que des gravures de paysages.

UMBERT Melchior
XIXe siècle. Travaillant à Palma de Majorque en 1849. Espagnol.
Miniaturiste.
Fils de Pedro Antonio Umbert.

UMBERT Micaela
XIXe siècle. Active à Palma de Majorque. Espagnole.
Peintre.
Fille de Pedro Antonio Umbert. Elle a peint *Notre-Dame du Rosaire* dans la cathédrale de Palma de Majorque.

UMBERT Pedro Antonio
Né le 14 novembre 1786 à Palma de Majorque. Mort le 19 octobre 1818 à Palma de Majorque. XIXe siècle. Espagnol.
Portraitiste.
Il fit ses études à Palma de Majorque où se trouvent la plupart de ses œuvres.

UMBERTUS. Voir UNBERTUS

UMBHOFER Nicolaus
Né au XVIIe siècle à Klein-Eupstadt. XVIIe siècle. Allemand.
Peintre de portraits et de sujets religieux.
Il travailla à Gottorf pour la cour et pour l'Hôtel de Ville de Husum.

UMBRANOWSKI Kiprian. Voir OUMBRANOVSKI

UMBRICHT Honoré Louis
Né le 17 janvier 1860 à Obernai (Bas-Rhin). XIXe-XXe siècles. Français.

Peintre de genre, portraits, paysages, natures mortes.
Élève de Léon Bonnat, il débuta au Salon de Paris en 1884, où il obtint une médaille de troisième classe, puis une médaille de troisième classe en 1898. Sociétaire des Artistes Français depuis 1894. Il reçut une mention honorable à l'Exposition universelle de 1889, et une médaille de bronze à celle de 1900.
Parmi ses portraits, citons ceux de *Benoît XV, Albert Sorel, L'Aviatrice Hélène Boucher*.

H. Umbricht

Bibliogr. : Gérald Schurr, in : *Les Petits Maîtres de la peinture 1820-1920, valeur de demain*, Les Éditions de l'Amateur, t. III, Paris, 1976.
Musées : Nancy : *Homme allumant sa pipe*.
Ventes Publiques : Paris, 17-18 nov. 1922 : *Vase de chrysanthèmes* : **FRF 82** – Paris, 14-15 déc. 1925 : *Avant l'attaque* : **FRF 260** – Paris, 22 déc. 1975 : *Scènes d'intérieur*, deux h/t : **FRF 520** – New York, 16 fév. 1995 : *Le sabotier d'Ottrott*, h/t (209,6x167,6) : **USD 23 000**.

UMBRICHT Marie Thérèse
Née le 22 décembre 1889 à Paris. XXe siècle. Française.
Peintre.
Elle fut élève de Honoré L. Umbricht, son père. Elle exposa à Paris, au Salon des Artistes Français à partir de 1911.

UMEHARA Ryuzaburo
Né en 1888 à Tokyo. Mort en 1986. XXe siècle. Japonais.
Peintre de paysages.
Son père était marchand de soie à Tokyo. Il étudia à Kansai Bijutsuin sous la direction de Asai Chu. Il séjourna à deux reprises en France, de 1908 à 1913, à Paris, où il travailla à l'académie Julian et plus tard avec Renoir, puis en 1920. Il voyagea aussi en Espagne et Italie. Dans les années trente, il s'arrêta à Pékin et Taiwan jusqu'en 1943. De 1944 à 1952, il fut professeur à l'école des Beaux-Arts de Tokyo. En 1952, il fut décoré de l'ordre du Mérite culturel et en 1956 reçut le prix Asashi de la culture.
Il exposa pour la première fois au Shirakabakai et, en 1914, participa à la création du salon Nikakai.
Sa peinture, décorative, se révèle spontanée, peinte par suggestions, par aplats de couleurs vives et touches rapides, aux riches effets de matière.
Ventes Publiques : New York, 12 oct. 1989 : *Le Mont Fuji 1949*, encre et pigments minéraux /pap. doré (37,8x29,8) : **USD 1 430 000**.

UMEKUNI ou Mumekuni, surnom : Toyokawa, noms de pinceau : Shikitei, Kensan et Jugyôdô
XIXe siècle. Actif à Osaka vers 1823-1826. Japonais.
Maître de l'estampe.
Il serait un élève de Yoshikuni.

UMEYUKI, nom personnel : Umejirô, surnom : Iwai
XIXe siècle. Actif vers 1870 à Osaka. Japonais.
Maître de l'estampe.

UMEZAWA Ryushin
Né en 1874. Mort en 1955. XXe siècle. Japonais.
Peintre de paysages. Traditionnel.
Ventes Publiques : New York, 26 mars 1991 : *Cascades*, encre et pigments/soie, kakémono (104x36) : **USD 2 200**.

UMGELTER Christoph. Voir UNGELTER

UMGELTER Hermann Ludwig
Né le 28 février 1891 à Stuttgart. XXe siècle. Allemand.
Peintre de paysages, marines.
Il fit ses études à Munich.
Musées : Stuttgart (Gal. Nat.).

UMHAUS Michael ou Umhauser
Mort le 10 février 1784 à Thaur. XVIIIe siècle. Actif à Innsbruck. Autrichien.
Sculpteur.
Il sculpta des ornements pour plusieurs églises et palais d'Innsbruck.

UMILE
Italien.
Sculpteur sur bois.
De l'ordre des Franciscains, il a sculpté un crucifix pour l'église Saint-Antoine l'Abbé à Ascoli.

UMILE da Foligno
XVIIe siècle. Actif à Foligno. Italien.

Peintre.
De l'ordre des Franciscains, il exécuta des fresques dans les églises S. Maria in Aracoeli et Sainte Marguerite.

UMILE da Messina. Voir **IMPERATRICE Jacopo**

UMILE da Patralis, frate. Voir **PINTORNO Giovan Francesco**

UMILLEU A. T.
XVIIIe siècle. Travaillant en 1797-1798. Français.
Portraitiste.
Le Musée d'Abbeville conserve de lui *Portrait de Mme Tallien.*

UMILTA Ubaldo
Né le 24 septembre 1839 à Montecchio. XIXe siècle. Italien.
Peintre de portraits.
Il a fait de nombreux portraits de la famille royale et des hautes personnalités italiennes.

UMINSKA Jadwiga
Née le 29 février 1907 à Varsovie. XXe siècle. Polonaise.
Peintre.
Elle fut élève de l'Académie de Varsovie.
Musées : STOCKHOLM (Mus. Nat.) : *Prêtre bouddhiste – Diseuse de bonne aventure.*

UMLAUF Dominik
Né le 26 août 1791 à Lenz. XIXe siècle. Actif à Geiersberg. Autrichien.
Sculpteur.
Père d'Ignaz et de Johann Umlauf. Il exécuta des sculptures pour des églises de Bohême.

UMLAUF Ignaz
Né le 12 août 1821 à Lenz. Mort le 8 septembre 1851 à Geiersberg. XIXe siècle. Autrichien.
Peintre de scènes de genre, figures, portraits, paysages.
Fils de Dominik Umlauf et élève de Waldmüller à Vienne.

UMLAUF Johann
Né le 21 mai 1825 à Lenz. Mort en 1916 à Geiersberg. XIXe-XXe siècles. Autrichien.
Peintre de compositions religieuses, peintre de compositions murales.
Il est fils du peintre Dominik Umlauf et fut élève des Académies de Prague et de Vienne. Il peignit des tableaux pour des églises de Prague et des fresques pour celles de Pribram.

UMMENHOFER Johann Nepomuk
Né le 28 avril 1808 à Villingen. Mort le 4 juin 1883 à Villingen. XIXe siècle. Allemand.
Peintre.
Élève de l'Académie de Munich. La Galerie Donaueschingen conserve de lui *Intérieur d'une ferme de la Forêt Noire,* et le Musée de Fribourg, *Portrait de M. Wohrle.*

UMPFENBACH Émile ou Anton ou Apollonius Anton
Né le 5 mars 1821 à Francfort. Mort le 2 août 1892 à Francfort. XIXe siècle. Allemand.
Peintre de fleurs et de décorations.
Élève de l'Institut Städel de Francfort et de Scheel. Le Musée de Gênes conserve une œuvre de lui.

UMPO, de son vrai nom : **Ryôin,** nom de pinceau : **Umposai**
XVe siècle. Japonais.
Peintre.
Peintre de peinture à l'encre « *suiboku* » de l'époque Muromachi, il serait un élève de Shûbun (actif 1425-1450) et aurait travaillé à Chikuzen (actuelle préfecture de Fukuoka).

UMPÔ, de son vrai nom : **Ô-Oka Seikan,** surnom : **Kôritsu,** nom familier : **Jihei,** nom de pinceau : **Umpô**
Né en 1765. Mort en 1848. XVIIIe-XIXe siècles. Actif à Edo (actuelle Tokyo). Japonais.
Peintre.
Disciple de Fuyô (1749-1816), il fait partie de l'école Nanga (peinture de lettré).

UMSTADT Johann G. ou Ümstatt
XVIIIe siècle. Allemand.
Portraitiste.
Le Musée Wallraf-Richarz de Cologne conserve de lui *Portrait d'un homme.*

UM TAI-JUNG
Né en 1938. XXe siècle. Coréen.
Sculpteur. Tendance minimale.
Il participe à des expositions collectives : 1973 Biennale de São

Paulo ; 1978 *20 Ans d'art coréen contemporain* organisée par le National Museum of Contemporary Art de Seoul ; 1984 Taipei ; 1995, 1996 « Manif Seoul » à l'Arts Center de Séoul. Il montre ses œuvres dans des expositions personnelles : 1975 Tokyo ; depuis 1979 régulièrement à Séoul ; 1980 Londres.
« À la sculpture tactile que l'on peut modeler ou mouler, je préfère une sculpture qui peut être mesurée et calculée en d'autres termes une sculpture mathématique » (Um Tai-Jung).
Musées : SEOUL (Nat. Mus. of Contemp. Art).

UNBEREIT Paul
Né en 1884. Mort en 1937. XXe siècle. Allemand ou Autrichien.
Ventes Publiques : VIENNE, 15 fév. 1977 : *La cour de ferme,* h/pan. (25,5x35,5) : **ATS 18 000** – VIENNE, 16 janv. 1979 : *La cour de ferme,* h/pan. (55x43) : **ATS 20 000** – VIENNE, 12 oct. 1983 : *La Vieille Cour,* h/pan. (41x54) : **ATS 32 000** – VIENNE, 11 déc. 1985 : *Cour de ferme,* h/cart. (32x25) : **ATS 38 000** – NEW YORK, 19 jan. 1994 : *La rencontre,* h/cart. (30,5x41,9) : **USD 2 990.**

UNBERTUS ou Umbertus
XIe siècle. Actif au début du IXe siècle. Français.
Sculpteur.
Il a sculpté un chapiteau avec des *Scènes de l'Apocalypse* dans l'église de Saint-Benoît-sur-Loire.

UNCETA Y LOPEZ Marcelino de
Né le 23 octobre 1835 à Saragosse (Aragon). Mort le 10 mars 1905. XIXe siècle. Espagnol.
Peintre d'histoire, compositions religieuses, sujets militaires, scènes de genre, portraits, compositions murales, illustrateur, affichiste.
Il fut élève de l'Académie des Beaux-Arts de Saragosse, puis de celle de Madrid, dans l'atelier de C. L. Ribera de 1855 à 1857. Il enseigna lui-même à l'Académie de Saragosse.
Il prit part à des expositions collectives, obtenant diverses récompenses : une mention honorable à l'Exposition Nationale de Madrid en 1858 ; une troisième médaille à l'Exposition internationale de Bayonne en 1864 ; une deuxième médaille en 1868 à Madrid ; une première médaille à l'Exposition de Bruxelles en 1894 ; une autre à l'Exposition universelle du centenaire de l'Affiche à Paris. Plusieurs rétrospectives de son œuvre furent organisées, à titre posthume, à Saragosse, Buenos Aires, Madrid et Paris.
De 1870 à 1872, Unceta se consacra exclusivement à la réalisation des *Saint martyres en Aragon,* destinés à la coupole centrale de la basilique du Pilar, à Saragosse. Puis il travailla surtout comme portraitiste, affichiste et illustrateur, collaborant entre autres à la revue espagnole *Blanco y Negro.* Académique lorsqu'il traite des sujets historiques, il libère sa spontanéité pour des causes plus familières. Se référant volontiers à Goya, plus par l'image que par la facture, il peint des scènes de courses de taureaux, mais aussi de tout ce qui les conditionne dans le monde du cheval et de l'élevage.
Bibliogr. : F. Torralba Soriano : *Peinture contemporaine aragonaise,* Guara Editorial S. A., Saragosse, 1979 – T. Domingo et Julian Gallego : *Les esquisses et les peintures murales de la basilique du Pilar,* CAI, Saragosse, 1987 – in : *Cien Anos de pintura en Espana y Portugal, 1830-1930,* Antiqvaria, t. XI, Madrid, 1993.
Ventes Publiques : MADRID, 13 déc. 1973 : *Romeria de Sevilla :* **ESP 240 000** – MADRID, 24 oct. 1983 : *Cavaliers du Rif,* h/pan. (16x27) : **ESP 300 000** – MADRID, 20 juin 1985 : *La charge de cavalerie,* h/pan. (53,5x44,5) : **ESP 1 840 000** – LONDRES, 17 fév. 1989 : *Cavaliers espagnols,* h/pan., trois panneaux réunis (chaque 13,5x7,2) : **GBP 1 760** – LONDRES, 16 mai 1990 : *Chevalier sur son destrier,* h/t (41,5x26,6) : **GBP 3 300** – LONDRES, 11 oct. 1995 : *En attendant le coche* 1890, h/pan. (22x16) : **GBP 2 185.**

UNCHIKU, de son vrai nom : **Hayashi Kan,** nom familier : **Hachirô-Emon,** noms de pinceau : **Kitamuki Unchiku, Keiô, Gyokurandô** et **Taikyoan**
Né en 1632. Mort en 1703. XVIIe siècle. Actif à Kyoto. Japonais.
Peintre.
Peintre de bambous de l'école Nanga (peinture de lettré).

UNCINI Giuseppe
Né le 31 janvier 1929 à Fabriano. XXe siècle. Italien.
Sculpteur.
Il vécut et travailla à Rome. Il participe à un grand nombre d'expositions collectives, notamment 1955 Quadriennale de Rome ; 1966 Museum of Art de Baltimore ; 1971 Palais des expositions de Rome ; 1972 Palazzo Reale de Milan ; 1977 Museum Boymans Van Beuningen de Rotterdam ; 1980 Galerie nationale d'Art

moderne de Rome ; 1982 Hayward Gallery de Londres, ainsi qu'à la Biennale de Tokyo. Il expose depuis 1958 dans toute l'Italie.

D'abord intéressé par l'usage des matériaux non traditionnels, il les utilise pour des recherches informelles. S'éloignant par la suite de plus en plus de cet expressionnisme abstrait, il parvient à un néo-constructivisme. Laissant nue la structure des sculptures il développe dans l'espace des constructions linéaires souvent réalisées à partir d'un même module. L'utilisation exclusive qu'il fait du tube métallique pour la réalisation de ses sculptures incite à comparer celles-ci à un graphisme en trois dimensions. Son travail fait aussi appel à des effets optiques. Uncini fait partie du « Groupe 1 » qui, avec des moyens plastiques très simplifiés, propose des variations structurales.

Musées : ROME (Gal. Nat. d'Art Mod.) – ROTTERDAM (Boymans Van Beuningen) – TURIN (Mus. civ.).

Ventes Publiques : ROME, 17 avr. 1989 : *Forme imaginaire n° 4* 1963, ferrure (63x49) : **ITL 11 500 000** – ROME, 28 nov. 1989 : *Forme n° 8* 1963, ferrure/ciment (90x70) : **ITL 16 500 000** – ROME, 12 mai 1992 : *La place des choses*, ciment et oxydes polychromes/pan. (58x98) : **ITL 8 000 000** – MILAN, 12 déc. 1995 : *Esoaces de fer n° 51* 1989, fer et ciment (190x65x50) : **ITL 12 650 000**.

UNCKER C. d'. Voir UNKER Carl Henrik

UNDERDOOCK Julian
XIXᵉ siècle.

Peintre de paysages.

Cité par miss Florence Levy.

Ventes Publiques : NEW YORK, 23 et 24 fév. 1911 : *Après-midi d'automne* : **USD 50**.

UNDERHILL Frederick Charles
XIXᵉ siècle. Actif à Londres. Britannique.

Peintre de scènes de genre, paysages.

Il exposa à Londres de 1851 à 1875.

Ventes Publiques : LONDRES, 25 oct. 1977 : *La traversée de la rivière*, h/t (101x125) : **GBP 1 100** – MONTRÉAL, 23-24 nov. 1993 : *L'appel dans la montagne en Galles du Nord*, h/t (61x50,6) : **CAD 950**.

UNDERHILL William
XIXᵉ siècle. Actif à Londres. Britannique.

Peintre de scènes de genre, paysages.

Il exposa à Londres, de 1848 à 1870, treize œuvres à la Royal Academy, trente à la British Institution, dix-neuf à Suffolk Street.

Ventes Publiques : LONDRES, 12 fév. 1910 : *Retour du pêcheur au logis* ; *Le sentier*, deux pendants : **GBP 9** – AUCHTERARDER (Écosse), 29 août 1978 : *Les jeunes braconniers*, h/t (71x91) : **GBP 1 000** – LONDRES, 29 fév. 1980 : *La balançoire* 1857, h/t (147,5x114,2) : **GBP 1 700** – LONDRES, 21 mars 1990 : *Réunions libres*, h/t (102x128) : **GBP 3 080** – LONDRES, 29 mars 1996 : *La balançoire*, h/t (127,5x101,6) : **GBP 17 250**.

UNDERSTAINER Johann Baptist. Voir UNTERSTEINER

UNDERWOOD Annie ou Ann
Née le 12 janvier 1876 à East Grinstead. XXᵉ siècle. Britannique.

Peintre de portraits, enlumineur.

Elle fit ses études à Brighton et à Bushey. Elle a participé aux manifestations organisées par la Royal Academy, de 1907 à 1938.

UNDERWOOD Clarence F.
Né en 1871 à Jamestown. Mort en 1929. XIXᵉ-XXᵉ siècles. Américain.

Peintre, aquarelliste, enlumineur.

À Paris, il fut élève de Constant, Laurens et Bouguereau. Il vit et travaille à New York.

Ventes Publiques : MONTRÉAL, 4 juin 1991 : *Une balle perdue*, aquar. (48,2x38,1) : **CAD 1 200**.

UNDERWOOD Leon
Né le 25 décembre 1890 à Londres. Mort en 1975 ou 1978. XXᵉ siècle. Britannique.

Sculpteur de figures, peintre, illustrateur, graveur sur bois.

Il fit ses études à Londres, à l'École Polytechnique de Regent Street de 1907 à 1910, et au Royal College of Art de 1910 à 1913 et (après avoir servi sous les drapeaux pendant la guerre de 1914-1918), à la Slade School de 1919 à 1920. Il obtint le Prix de Rome en 1920, mais préféra l'Islande à l'Italie. Il créa sa propre école de dessin en 1921. Il visita la Hollande en 1911, la Russie en 1913, la Dalmatie et l'Italie en 1925, puis alla aux États-Unis et au Canada de 1926 à 1927, et publia *Animalia*, voyagea au Mexique en 1928

afin d'étudier la sculpture Maya et Aztèque, puis en Espagne. Il fonda le magazine *The Island* avec la participation de Henry Moore et C. R. W. Nevison. Écrivain, il est l'auteur de *Art for heaven's Sake* de 1934 et de plusieurs livres sur l'art africain.

Il participa aux manifestations organisées par la Royal Academy, de 1925 à 1966. Il fit sa première exposition personnelle en 1922 à Londres. Il a surtout réalisé des bronzes.

Underwood

Musées : LONDRES (Tate Gal.) : *The June of Youth* 1937 – *Herald of new day* 1932-1933.

Ventes Publiques : LONDRES, 19 juil. 1968 : *The new spirit*, bronze : **GNS 700** – LONDRES, 18 avr. 1969 : *Torse*, bronze : **GNS 600** – LONDRES, 22 avr. 1970 : *June of youth*, bronze : **GBP 450** – LONDRES, 12 juil. 1973 : *Torse*, bronze : **GNS 380** – LONDRES, 12 juil. 1974 : *The new spirit*, bronze : **GNS 950** – LONDRES, 9 juin 1978 : *Fisherman's Rosy Love, Iceland* 1927, h/t (63,5x76,2) : **GBP 650** – LONDRES, 12 juin 1981 : *Violin Rythm* 1934, bronze (H. avec socle 61) : **GBP 800** – LONDRES, 9 mars 1984 : *Vorticist Man*, aquar., pl. et cr. (22x14,7) : **GBP 2 200** – LONDRES, 15 mars 1985 : *Le pêcheur et sa femme* vers 1923-1928, h. et pl./t. (50,8x50,8) : **GBP 2 600** – LONDRES, 30 sep. 1986 : *Le Prisonnier politique inconnu*, bronze (H. 51) : **GBP 650** – LONDRES, 12 mai 1989 : *La poursuite des idées*, bronze (H. 36,3) : **GBP 2 860** – LONDRES, 10 nov. 1989 : *June of Youth* 1938, terre cuite (H. 55,9) : **GBP 8 250** – LONDRES, 9 mars 1990 : *Life section* 1959, bronze à patine brune (H. 57,2) : **GBP 6 600** – LONDRES, 24 mai 1990 : *Madonne africaine* 1963, bronze (H. 32,5) : **GBP 2 200** – LONDRES, 8 mars 1991 : *David et Goliath*, bronze patine brune (H. 32) : **GBP 3 850**.

UNDERWOOD Richard Thomas
Né vers 1765. Mort en 1836 à Paris. XVIIIᵉ-XIXᵉ siècles. Britannique.

Aquarelliste.

Élève de Munro. Ses œuvres figurèrent à la Cooke's Exhibition à Soho Square. L'Académie Royale de Londres conserve de lui un *Paysage*, et le Musée Victoria and Albert de la même ville, *Waltham Cross*.

Ventes Publiques : LONDRES, 11 nov. 1982 : *Hastings, Sussex*, aquar. et gche (33,5x34) : **DM 1 100**.

UNDERWOOD Thomas
Né vers 1795. Mort le 13 juillet 1849 à Lafayette. XIXᵉ siècle. Américain.

Graveur au burin.

UNDERWOOD Thomas
Né en 1809. Mort en 1882 à Londres. XIXᵉ siècle. Britannique.

Graveur au burin et écrivain d'art.

Il fit d'abord de la gravure, puis il s'adonna à la littérature d'art. On lui doit notamment *The Buildings of Birmingham, past and present*.

UNDI Maria
Née le 31 janvier 1877 à Györ. XXᵉ siècle. Hongroise.

Peintre, décorateur.

Elle fit ses études à Budapest, où elle travailla, et à Paris.

UNDIRWOOD
XVᵉ siècle. Actif à la fin du XVᵉ siècle. Britannique.

Peintre de figures.

Il travailla à l'église Notre-Dame sur la Colline (Saint Mary at Hill), Norfolk, de 1496 à 1497. Il fut également doreur.

UNDRILL
XVIIIᵉ siècle. Travaillant en 1750. Britannique.

Graveur d'ex-libris.

UN-EN, de son vrai nom : Anzai Oto, surnom : San-Un, nom familier : Torakichi, noms de pinceau : Un-En, Shû-setsu
Né à Édo (aujourd'hui Tokyo). Mort en 1852. XIXᵉ siècle. Japonais.

Peintre.

Peintre de l'école Nanga (peinture de lettré), il travaille dans le style de Somon, disciple de Yûshi (1768-1846) et est très versé dans les techniques de la peinture ancienne et de la calligraphie. Il est l'auteur du *Kinsei Shoga-dan*.

UNGE. Voir TAIGAN

UNGELTER Christoph
Né le 10 décembre 1646 à Saint-Gall. Mort en août 1693 à Berlin. XVIIᵉ siècle. Suisse.

Médailleur.
Il travailla à Augsbourg et se fixa à Berlin en 1688.

UNGER
XVIIIᵉ-XIXᵉ siècles. Travaillant de 1775 à 1811. Allemand.
Sculpteur.
Élève d'Oeser. Il a sculpté *La Vérité* et *L'Enfant répandant des roses* pour le monument de la reine Caroline Mathilde de Celle.

UNGER
XIXᵉ siècle. Français.
Peintre de miniatures.
Il débuta au Salon de 1812.

UNGER Alajos ou **Aloys**
Né en 1815 à Györ. XIXᵉ siècle. Hongrois.
Peintre.
Il fit ses études à Budapest et à Vienne. Il peignit des scènes historiques.

UNGER Arthur
Né le 11 juillet 1932 à Luxembourg. XXᵉ siècle. Luxembourgeois.
Peintre, dessinateur.
Il a passé deux années au Congo, avec les tribus Lunda et Baluba en 1956, séjour qui le marqua profondément.
Il participe à des expositions collectives, notamment : 1977 *Signes Espaces, ensemble de signes* à Paris. Il montre ses œuvres dans des expositions personnelles.
Il réalise des encres de Chine à partir de 1968, œuvres calligraphiques qui évoquent les idéogrammes.

UNGER Carl
Né en 1779 à Berlin. Mort en 1813 à Berlin. XIXᵉ siècle. Allemand.
Sculpteur.
Élève de Schadow et de Mattersberger à Dresde. Le Musée de Breslau conserve de lui *Buste du comte Hoym.*

UNGER Carl
Né en 1915 à Wolframitzkirchen (Basse-Autriche). XXᵉ siècle. Autrichien.
Peintre. Expressionniste puis abstrait.
Il fut élève de Herbert Boeckl, à l'Académie des Beaux-Arts de Vienne. Il fit de nombreux voyages d'étude, notamment à Rome en 1936 et 1938, sur la Côte d'Azur en 1957 ; en Crète en 1960 et en Belgique. Il vécut et travailla à Vienne. En 1947, il fut l'un des cofondateurs de l'Art Club de Vienne. Depuis 1951, il est professeur à l'Académie des Arts et Métiers.
Il participe à de nombreuses expositions nationales et internationales. En 1960, il obtint la médaille d'argent de la XIIᵉ Triennale de Milan.
Après une première période de caractère expressionniste, puis une période de transition marquée par l'analyse cubiste, il évolua à l'abstraction en 1949, à la suite d'une visite de l'exposition Kandinsky, à Paris, en cette même année.

C. Unger

BIBLIOGR. : B. Dorival, sous la direction de... : *Peintres Contemporains*, Mazenod, Paris, 1964.
MUSÉES : CINCINNATI (Art Mus.) – TOKYO (Mus. d'Art Mod.) – VIENNE (Gal. autr.) – VIENNE (Albertina Mus.).

UNGER Christian ou **Johann Christian**
Né le 20 septembre 1746 à Spandau. Mort le 9 mars 1827 à Berlin. XVIIIᵉ-XIXᵉ siècles. Allemand.
Sculpteur.
Élève de Tassaert et de Schadow. Il exécuta des bustes et des statues pour le château royal de Berlin.

UNGER Christian Wilhelm. Voir **UNGER Wilhelm**

UNGER Édouard
Né le 4 février 1853 à Holfheim. Mort le 4 août 1894 à Oberaudorf. XIXᵉ siècle. Allemand.
Peintre de genre et d'histoire, caricaturiste.
Élève de l'Académie de Munich et de Strähuber. Il travailla à Munich où il exposa en 1883. Il a fait des peintures murales pour plusieurs édifices de Munich et des illustrations pour des livres d'enfants.

W. Unger

UNGER Friedrich ou **Johann Friedrich August**
Né le 11 avril 1811 à Hof. Mort le 16 décembre 1858 à Nuremberg. XIXᵉ siècle. Allemand.
Peintre et illustrateur.
Élève de l'Académie de Munich. Il exécuta des illustrations de livres et des fresques pour l'église de Keilhau.

UNGER Gladys B.
Née au XIXᵉ siècle en Californie. XIXᵉ siècle. Américaine.
Peintre.
Elle figura au Salon des Artistes Français ; mention honorable en 1902.

UNGER Hans
Né le 26 août 1872 à Bautzen. Mort le 13 août 1936 à Dresde. XIXᵉ-XXᵉ siècles. Allemand.
Peintre de genre, figures, paysages, marines, graveur.
Il fut élève de l'Académie de Dresde. Il exposa à Dresde en 1897.
MUSÉES : BAUTZEN (Mus. mun.) : *Marine*, plusieurs – BUCAREST (Mus. Simu) : *La Mer* – CHEMNITZ : *Mère et enfant* – *Roses* – DRESDE (Gal. Mod.) : *La Muse* – *Retour* – *Jeune fille couchée* – MAGDEBOURG (Mus. Kaiser-Friedrich) : *Fanée, flétrie.*
VENTES PUBLIQUES : COLOGNE, 23 mars 1990 : *Terrasse ensoleillée*, h/pap. (75x100) : DEM 3 300.

UNGER Hans, maître. Voir **MIKO Janos**

UNGER Johann Friedrich Gottlieb
Né en 1775 (ou 1753) à Berlin. Mort le 26 décembre 1804 à Berlin. XVIIIᵉ siècle. Allemand.
Graveur sur bois, écrivain et éditeur.
Fils et élève de Johann Georg. Membre de l'Académie de Berlin, où il fut professeur. Il a beaucoup gravé d'après des dessins de J. W. Meil.

UNGER Johann Georg
Né le 26 octobre 1715 à Goes. Mort le 15 août 1788 à Berlin. XVIIIᵉ siècle. Allemand.
Imprimeur et graveur sur bois.
On lui doit des paysages qui ne sont pas sans intérêt. Il travailla aussi pour l'administration des Tabacs à Berlin. Il eut sa part d'influence dans la renaissance de la gravure sur bois.

UNGER Johann Théophile Friedrich
Né en 1755 à Berlin. Mort en 1804. XVIIIᵉ siècle. Allemand.
Graveur sur bois.
Il a gravé des sujets de genre et des portraits.

UNGER Johanna
Née le 6 mars 1837 à Hanovre. Morte le 11 février 1871 à Pise. XIXᵉ siècle. Allemande.
Peintre d'histoire et portraitiste.
Fille de l'historien d'art et du professeur à Gottingen, Friedrich Wilhelm Unger et du graveur William Unger, à Vienne. Élève de Carl Sohn, d'Otto Rethel et de Emanuel Lentze à Düsseldorf, puis de l'École Piloty à Munich.

UNGER Joseph I
Né en 1785 à Munich. XIXᵉ siècle. Allemand.
Dessinateur, lithographe et ingénieur.
Élève de l'Académie de Munich et père de Joseph Unger II. Il grava des architectures et des plans de Munich.

UNGER Joseph II
Né en 1811 à Munich. Mort le 30 juillet 1843. XIXᵉ siècle. Allemand.
Peintre d'histoire, aquafortiste et lithographe.
Élève de l'Académie de Munich. Il grava des sujets religieux.

UNGER Margit ou **Marguerite**, plus tard Mme **Walder**
Née en 1881 à Budapest. XXᵉ siècle. Hongroise.
Peintre.
Elle fit ses études à Munich et à Paris. Elle appartient à l'École impressionniste.

UNGER Max
Né le 26 janvier 1854 à Berlin. Mort le 31 mai 1918 à Kissingen. XIXᵉ-XXᵉ siècles. Allemand.
Sculpteur de statues, monuments.
Il fut élève de l'Académie de Berlin. Il sculpta de nombreuses statues équestres, des fontaines et des monuments aux morts dans des villes allemandes.

UNGER Wilhelm ou **Christian Wilhelm Jacob** ou **Chretien Guillaume Jacque**
Né le 25 février 1775 à Kirchlotheim. Mort le 18 août 1855 à Neustrelitz. XIXᵉ siècle. Allemand.
Peintre, lithographe et graveur à l'eau-forte.
Élève de Tischbein. Il a gravé des sujets de chasse, des portraits et des paysages.

UNGER William
Né le 11 septembre 1837 à Hanovre. Mort le 3 mars 1932 à Innsbruck. XIXᵉ-XXᵉ siècles. Allemand.
Peintre, aquarelliste, graveur.
Il est le fils du professeur d'art G. F. W. Unger et frère du peintre Johanna Unger. En 1854, il fut élève de Joseph Keller à Düsseldorf. Il continua ses études à Leipzig et travailla aussi avec Keller et Thater. Il fut professeur à Vienne. Il reçut une médaille de troisième classe en 1878 à l'Exposition universelle de Paris, une médaille à Vienne en 1888 et à Berlin en 1891.
On le considéra de son temps comme un très habile graveur au burin et à l'eau-forte. Il travailla beaucoup pour l'illustration.

UNGERER Jacob
Né le 13 juin 1840 à Munich. Mort le 27 avril 1920 à Munich. XIXᵉ-XXᵉ siècles. Allemand.
Sculpteur.
Il travailla à Munich et à Leipzig.
Musées : BUCAREST (Mus. Simu).

UNGERN Ragnar
Né en 1885. Mort en 1955. XXᵉ siècle. Finlandais.
Peintre de genre, paysages.
Il fit ses études à Abo et à Munich.
Musées : HELSINKI (Ateneum) : *Jeune Fille à la fenêtre*.
Ventes Publiques : LONDRES, 28 oct. 1992 : *Vue de Iniö* 1951, h/t (90x75) : **GBP 5 060.**

UNGERN-STERNBERG Johann Karl Emanuel
Né le 23 janvier 1773 à Pschlepp. Mort le 30 mars 1830 à Reval. XVIIIᵉ-XIXᵉ siècles. Allemand.
Portraitiste et lithographe amateur.
Élève de T. L. Pochmann à Leipzig. Il peignit des portraits de professeurs de l'Université de Dorpat.

UNGEWITTER Hugo
Né le 13 février 1869 à Kappel. XIXᵉ-XXᵉ siècles. Allemand.
Peintre d'histoire, peintre militaires.
Il fut élève de Peter J. Janssen à l'Académie de Düsseldorf.

UNGEWITTER

Musées : DÜSSELDORF (Mus. mun.) : *Frédéric II accepte une requête.*
Ventes Publiques : BERLIN, 30 oct. 1969 : *Frédéric le Grand à cheval* : **DEM 3 700** – LOS ANGELES, 8 avr. 1973 : *L'exode* : **USD 3 500** – COLOGNE, 17 mars 1978 : *Frédéric le Grand et ses généraux sur un champ de bataille* 1931, h/t (109x150) : **DEM 3 000** – COLOGNE, 30 mars 1979 : *Chasse à courre* 1928, h/t (86x133) : **DEM 7 000** – LUCERNE, 19 mai 1983 : *Le Repos du cavalier dans la steppe* 1919, h/t (84,5x120,5) : **CHF 5 500** – NEW YORK, 15 fév. 1985 : *Chasseur et chiens* 1934, h/t (91,4x135,8) : **USD 4 000** – LONDRES, 4 oct. 1989 : *Troupes à cheval dans une ville enneigée* 1910, h/t (73,5x105,5) : **GBP 4 400** – MUNICH, 29 nov. 1989 : *Frederic le Grand avec ses généraux* 1922, h/t (82,5x110) : **DEM 23 100** – LONDRES, 27 nov. 1992 : *Tigre dans un paysage enneigé* 1912, h/t (100,5x150) : **GBP 27 500** – NEW YORK, 23 oct. 1997 : *Tigre de Sibérie dans un paysage d'hiver* 1919, h/t (101,6x165,7) : **USD 167 500.**

UNGHERELLI
Mort en 1863. XIXᵉ siècle. Actif à Ferrare. Italien.
Peintre.

UNGHERO Nanni. Voir **GIOVANNI d'Alesso d'Antonio**

UNGHVARY Sandor ou **Alexandre**
Né en 1883 à Kaposvar. XXᵉ siècle. Hongrois.
Peintre de compositions religieuses, peintre de compositions murales.
Il fut élève de Szekely à Budapest. Il exécuta des fresques dans des églises et des bâtiments publics de Budapest.

UNGLEICH Anton
Né en 1725. Mort le 18 septembre 1758 à Vienne. XVIIIᵉ siècle. Autrichien.
Sculpteur.

UNGLEICH Filipp
Né à Eisenstadt (?). Mort après 1736 (?) à Budapest. XVIIIᵉ siècle. Hongrois.

Sculpteur.
Il se fixa à Budapest en 1712 où il sculpta une partie du monument de la Sainte-Trinité.

UNGLEICH Michael ou **Johann Michael**
Né en 1701 à Eisenstadt. Mort le 28 août 1746 à Vienne. XVIIIᵉ siècle. Autrichien.
Sculpteur.
Fils d'un certain Michael Ungleich.

UNGLEICH Paul
Né le 6 mars 1733 à Vienne. Mort le 29 septembre 1792 à Vienne. XVIIIᵉ siècle. Autrichien.
Sculpteur.

UNGLEICH Tobias
Né à Tann (Bavière). XVIIIᵉ siècle. Actif dans la première moitié du XVIIIᵉ siècle. Allemand.
Sculpteur.
Il sculpta des statues pour l'église de l'Université de Würzburg. Le Musée de cette ville conserve des statues et des bustes sculptés par cet artiste.

UNG NO LEE
Né en 1904 à Séoul. Mort le 10 janvier 1989 à Paris. XXᵉ siècle. Depuis 1959 actif en France. Coréen.
Peintre, dessinateur, sculpteur, graveur. Abstrait calligraphe.
Ung No Lee a fait d'abord une carrière exclusivement coréenne, aussi est-il considéré dans son pays comme l'un des principaux peintres coréens contemporains. En 1945, il fonda l'Institut de Peinture GO AM, à Séoul. Il enseigna les techniques traditionnelles de son art le sumi-é. Depuis 1948, il fut directeur des études de peinture orientale à l'Université de Hong-Ik. Il a fait un long séjour à Paris, en 1956, puis s'y établit en 1959.
Il participe à de nombreuses expositions collectives, notamment : 1961, 1963, 1966, 1970 Salon Comparaisons à Paris ; 1963, Iᵉʳ Salon International des Galeries Pilotes au Musée Cantonal de Lausanne ; 1965, Biennale de São Paulo ; 1989 et 1992 à la FIAC (Foire internationale d'Art Contemporain) à Paris. Il fit des expositions personnelles, entre autres au Musée municipal de Bonn en 1958 ; à Cologne et à Francfort-sur-le-Main en 1959 ; à Washington en 1960 ; à Paris : en 1962, 1965, 1971, au musée des Arts décoratifs en 1978, au musée Cernushi en 1988 où il faisait une démonstration calligraphique et en 1989 ; en Suisse en 1963, 1964, 1967, 1969 et 1971, 1984 ; à Munich en 1963 ; à Graz en 1964 ; à Copenhague en 1966 ; au Centre culturel de Toulouse en 1973 ; à Séoul en 1975, 1976, 1989 ; à Tokyo en 1981, 1989 ; à New York en 1986, 1988.
Sa peinture, abstraite, se fonde sur la calligraphie traditionnelle de l'Extrême-Orient. Il utilise souvent l'encre de Chine sur papier. De calligraphies d'inspiration traditionnelle, il passe à des compositions abstraites qui s'inspirent aussi directement des lavis de paysages des artistes chinois du XIᵉ au XIIIᵉ siècle. Il use aussi de techniques originales, réalisant des collages de coton sur papier. ∎ J. B.
Bibliogr. : In : *Catalogue du Iᵉʳ Salon International des Galeries Pilotes*, Musée Cantonal, Lausanne, 1963 – in : Catalogue de l'exposition *Écritures*, Villa Arson, Nice, 1984 – Patrick-Gilles Persin : *Ung No Lee*, Samsung Foundation of Art and Culture, Ho-Am Mus., Séoul, 1994.
Musées : LA CHAUX-DE-FONDS – COPENHAGUE (Mus. Nat.) – LAUSANNE (Mus. cant. des Beaux-Arts) – NEW YORK (Mus. d'Art Mod.) – PARIS (Cab. des Estampes) : *Forêt* 1980, bois – PITTSBURGH (Inst. Carnegie) – ROME (Mus. d'Art Mod.).
Ventes Publiques : PARIS, 14 mars 1990 : *Sans titre* 1976, encre et lav. (27x11,5) : **FRF 6 800.**

UNGRADT Philipp
XIXᵉ siècle. Travaillant à Budapest en 1808. Hongrois.
Sculpteur sur bois.
Il sculpta la chaire dans l'église de la Cité de Budapest.

UNIERZYSKI Jozef ou **Joseph**
Né le 20 décembre 1863 à Milev (Plock). XIXᵉ-XXᵉ siècles. Polonais.
Peintre de compositions religieuses.
Il étudia d'abord à Varsovie avec le professeur Guerson, puis en Italie, enfin à Cracovie, à l'École des Beaux-Arts, où il devint professeur.
Musées : CRACOVIE : *Déploration du Christ*.

UNIGIANA. Voir **GIOVANNI di Paolo d'Ambrogio da Siena**

UNJÖ

XII⁰-XIII⁰ siècles. Actif à Nara fin XII⁰-début XIII⁰ siècle. Japonais.
Sculpteur.
Sixième fils du sculpteur Unkei (mort en 1223), il est lui-même sculpteur bouddhiste et reçoit le titre de *hôkkyô* (pont de la loi, titre ecclésiastique conféré à des artistes laïques). Pendant l'ère Kenkyû (1190-1199), il participe à la confection des statues, désormais disparues, des Ni O de la grande porte sud et des Ni Ten (gardiens de porte) de la porte médiane du temple Kyôôgokoku-ji et, en 1208, à celle d'un ensemble de sculptures bouddhiques pour le pavillon octogonal septentrional du temple Kôfuku-ji de Nara.
BIBLIOGR. : Kobayashi Tsuyoshi : *Nara Tôdai.ji daikan*, Kôfuku.ji, Iwanamishoten, 1970 – Kobayashi Tsuyoshi : *Étude sur les sculpteurs japonais*, Yurindô, 1978.

UNKEI

Né entre 1140 et 1148 à Kyoto. Mort le 11 décembre 1223. XII⁰-XIII⁰ siècles. Japonais.
Sculpteur.
À la fin du XII⁰ siècle, le Japon connaît d'importants bouleversements sociaux qui se terminent par la victoire d'un gouvernement militaire, le *bakufu*, dirigé par Yoritomo Minamoto, à Kamakura en 1185. Kyoto, certes, reste le centre d'une culture raffinée, mais peu à peu un art nouveau et réaliste se fait jour. Dans le domaine de la sculpture, vigueur et naturalisme succèdent à la beauté idéalisée et éthérée des visages pleins de grâce de l'époque précédente. Parallèlement, de nouvelles sectes religieuses, qui ne trouvent plus d'appui auprès de l'aristocratie déchue, se tournent vers les classes populaires et s'adressent à elles dans un langage simple et concret, avec des images susceptibles de les émouvoir, proches de leur réalité quotidienne. Les grands sanctuaires de Nara, dévastés par la guerre civile, sont restaurés par des artistes qui sont amenés, ainsi, à se familiariser avec les chefs-d'œuvre imprégnés de réalisme de l'époque de Nara, au VIII⁰ siècle. Ce faisant, ils sont intellectuellement prêts à accueillir et à assimiler une nouvelle vague d'influences venues de Chine, dès lors que reprennent, dans la seconde moitié du XII⁰ siècle, les relations avec l'empire des Song, interrompues depuis trois siècles. Autant de facteurs qui se conjuguent pour que s'épanouisse une fois encore, à l'aube du XIII⁰ siècle, la sculpture japonaise : elle trouve sa meilleure expression dans l'art d'un maître de génie : Unkei, principal sculpteur de l'époque Kamakura. Sa vie nous est mal connue. Né à Kyoto, il serait le fils du sculpteur Kobei, lui-même descendant à la cinquième génération du célèbre sculpteur Jôchô (mort en 1057), fondateur à Kyoto de l'école de la Septième Rue (*Shichi-jô bussho*). Succédant à son père à la tête de cet atelier et entouré de collaborateurs aussi valables que Kaikei, Unkei redonne à cette école tout son éclat. Ses fils également sculpteurs sont Tankei, Kôun, Kôben, Kôshô, Unga et Unjô.
Artiste précoce, sa première œuvre authentique, une *Senju Kannon* (sanscrit : Sahasrabhyja, le Kannon aux mille bras) du temple Rengyôin de Kyoto, date de 1164 : il n'a alors que quinze ou seize ans. Son *Dainichi Nyorai* (sansc. : Vairocana ou Mahavairocana) du temple Enjô-ji de Nara, date de 1176. Ces deux œuvres ne sont pas encore celles d'un esprit novateur ; exécutées sous la direction de Kobei, elles restent dans le style traditionnel des Fujiwara : genoux écartés, jambes minces, composition triangulaire. Toutefois, des éléments sont infléchis dans le sens de recherches nouvelles : les bras s'écartent dans un mouvement souple, le visage, dont les yeux de cristal sont encastrés, est plus animé, la tête, plus volumineuse, porte une haute coiffure dans le style Song. Si la technique est parfaite, elle n'est pas encore originale, et c'est aux statues de sa maturité qu'Unkei doit sa renommée. En 1183, il réalise son vœu et termine la copie du Sutra du lotus ; il en subsiste quelques rouleaux dont les axes sont faits du bois d'un pilier du temple Tôdai-ji détruit par un incendie en 1180. Vers 1190, le *shôgun* Yoritomo le charge de la restauration de nombreux temples de Nara, où il peut étudier le style de Nara qu'il combinera bientôt avec le réalisme de son époque. Ces travaux lui vaudront les titres les plus honorifiques de la hiérarchie bouddhique, conférés à des artistes laïques : vers 1193, il devient *hokkyô* (pont de la loi), puis en 1195, *hôgen* (œil de la loi), enfin en 1203, lors de la cérémonie de consécration du temple Tôdai-ji de Nara, *hôin* (sceau de la loi), le plus haut de ces titres. Précisément au Tôdai-ji se trouvent deux des œuvres les plus remarquables : les deux gardiens géants (Niten) de la porte sud, exécutés en 1203 avec la collaboration de Kaikei et de seize assistants. La position dynamique de ces colosses (environ huit mètres de hauteur), leur expression menaçante, leurs gestes brusques et violents soulignés par des muscles tendus, leur confèrent un air de virilité majestueuse, tout en atteignant un expressionnisme nouveau que n'altèrent pas des siècles d'exposition en plein air. Les blocs de bois juxtaposés, qui sont actuellement desserrés, offrent un exemple parfait de la technique d'Unkei : c'est la technique par pièces assemblées (*yosegi*), mise au point par Jôchô, qu'il porte à la perfection. Moins entravé par les limites que lui impose la matière qu'il travaille, Unkei est plus libre pour traduire dans le bois la réalité qu'il appréhende et lui permettre de s'y épanouir. Les yeux de cristal, encastrés dans les orbites creuses selon une méthode neuve elle aussi, accentuent encore l'allure terrifiante des personnages. Ces deux gardiens, et d'autres travaux pour les temples Kyôôgokoku-ji et Hôshô-ji de Kyoto, les statues d'*Amida* (sansc. : Amithâba), de *Bishamon Ten* (sansc. : Vaisravana) et de *Fudô* (sansc. : Acala) du temple Ganjôju-in à Izu, le *Miroku* (Maitreya) et les portraits de *Seshin* et *Muchaku* du temple Kôfuku-ji de Nara, enfin le *Jizô Bosatsu* (sansc. : Ksitigarbha) du temple Rokuharamitsu-ji de Kyoto, de 1218, dernière pièce datée qui nous soit parvenue, témoignent de tout ce que le style de Kamakura doit à la personnalité d'Unkei, tant pour sa qualité spirituelle que pour ses innovations pratiques. Malheureusement, ses élèves au nombre desquels ses fils, Tankei, Kôben et Kôshô, perdront vite cette belle vigueur et la sculpture japonaise tombera, dès les XIV⁰ et XV⁰ siècles, dans la redite et la virtuosité. ■ M. M.
BIBLIOGR. : Kobayashi Tsuyoshi : *Etudes sur le sculpteur bouddhique Unkei*, Nara kokuritsubunkazai kenkyûsho gakuhô, Yôtôkusha, sept. 1954 – *Pageant of Japanese Art : Sculpture*, Tokyo, 1954 – T. Kuno : *A Guide to Japanese Sculpture*, Tokyo, 1963 – M. Mathelin : *Unkei*, in : *Encyclopaedia Universalis*, vol. 16, Paris, 1973.

UNKEI

XV⁰-XVI⁰ siècles. Japonais.
Peintre. École de peinture à l'encre (suiboku) de l'époque Muromachi.
Il était moine.

UNKELS

XIX⁰ siècle. Travaillant à Cork de 1835 à 1839. Irlandais.
Lithographe.

UNKER Carl Henrik ou Carl Henrik d'Unker ou d'Unker-Lutzow

Né le 9 février 1828 à Stockholm. Mort le 24 mars 1866 à Düsseldorf. XIX⁰ siècle. Suédois.
Peintre de scènes de genre, portraits.
Jusqu'en 1851, il fut officier des gardes suédois. Il travailla à l'Académie des Beaux-Arts de Düsseldorf sous la direction de K. Sohn, puis visita Paris et Amsterdam. Un accident l'ayant privé de son bras droit, il apprit rapidement à peindre avec la main gauche, mais, peu de temps après, il fut emporté par une maladie de poitrine. Peintre de la cour de Suède, il occupait aussi les fonctions de professeur à l'Académie royale de Stockholm, dont il était membre honoraire.
Il peignit des scènes de la vie quotidienne de Stockholm, des caractères et des caricatures.

C. d'Unker

MUSÉES : BERLIN (Gal. Nat.) : *Jeune fille – Scène policière* – BRÊME : *Mendiant devant le juge de paix* – GÖTEBORG : *Tête, étude, trois fois – Le prétendant – Écuyers de cirque – Salle de jeu à Wiesbaden – Magicienne* – HANOVRE : *Magicienne* – LINKOPING : *Leçon de musique – Intérieur avec deux vieillards* – NORRKOPING : *Portrait de l'artiste – L'artiste assis devant son chevalet* – STOCKHOLM (Mus. Nat.) : *Petit garçon pauvre – Vendeuse de fleurs – Vieille femme chuchotant dans l'oreille d'un vieillard – Le mont de piété*, deux fois – *Famille de bohémiens en prison – Salle d'attente de 1ʳᵉ et 2ᵉ classe – Salle d'attente de 3ᵉ et 4ᵉ classe.*
VENTES PUBLIQUES : COPENHAGUE, 7 juin 1977 : *Homme regardant la vitrine d'une boutique* 1860, h/t (36x26) : **DKK 10 200** – STUTTGART, 9 mai 1981 : *Les Coulisses* 1860, h/t (33x27) : **DEM 8 000** – STOCKHOLM, 24 avr. 1984 : *Les coulisses* 1864, h/t (33x27) : **SEK 36 000** – STOCKHOLM, 4 nov. 1986 : *Pierrot et Colombine à l'auberge* 1850, h/t (97x136) : **SEK 220 000** – GÖTEBORG, 18 mai 1989 : *Le foyer des artistes*, h/t (88x132) : **SEK 50 000** – COPENHAGUE, 25-26 avr. 1990 : *Jeune écossais* 1853, h/t (85x68) : **DKK 16 000**.

UNKOKU. Voir SESSHÛ

UNKOKU TÔGAN. Voir **TÔGAN UNKOKU**

UNNA Moritz
Né le 31 décembre 1811 à Copenhague. Mort le 2 décembre 1871 à Copenhague. XIXᵉ siècle. Danois.
Peintre de scènes de genre.
Il fut élève de l'Académie des Beaux-Arts de Copenhague.
MUSÉES : COPENHAGUE (Mus. Nat.).
VENTES PUBLIQUES : COPENHAGUE, 29 août 1978 : *Le fumeur de pipe* 1834, h/t (60x53) – DKK 6 800 – LONDRES, 24 mars 1982 : *Le conscrit* 1857, h/t (124x156) : GBP 1 000 – COPENHAGUE, 6 sep. 1993 : *Adieux mélancoliques* 1839, h/t (80x66) : DKK 8 000.

UNOLD Max
Né le 1ᵉʳ octobre 1885 à Memmingen. Mort en 1964 à Münich. XXᵉ siècle. Allemand.
Peintre de genre, paysages, natures mortes, aquarelliste, dessinateur, graveur.
Il fut élève de Hugo Habermann à l'Académie de Munich. Il exposa dans cette ville à partir de 1912. Il fut membre de la Secession de Munich.

Unold

MUSÉES : BURGHAUSEN : *Repas de paysans* – MUNICH (Gal. mun.) : *Hiver* – PFORZHEIM : *En robe de chambre violette* – ULM : *Rameurs* – WUPPERTAL : *Coin de rue.*
VENTES PUBLIQUES : MUNICH, 25 mai 1976 : *Nature morte* 1922, aquar. (48x42,5) : DEM 870 – MUNICH, 24 mai 1977 : *Vendanges dans le Tyrol*, h/t (90x70) : DEM 2 700 – MUNICH, 31 mai 1979 : *Nature morte* 1922, aquar. (47,5x42) : DEM 1 800 – MUNICH, 30 mai 1980 : *Barques au port*, h/t (53x75) : DEM 3 300 – HEIDELBERG, 15-16 oct. 1993 : *Somptueux bouquet* 1916, aquar. (23,3x29,5) : DEM 1 800.

UNREIN Janos ou Jean
Né en 1829 à Budapest. XIXᵉ siècle. Hongrois.
Graveur.
Élève de Marastoni. Il grava les premiers timbres-poste de Hongrie.

UNRUHE Johann Georg ou Unruh
Né en 1724 à Passau (Bavière). Mort en 1801 à Passau. XVIIIᵉ siècle. Allemand.
Peintre, surtout à fresque.
Élève de Paul Troger, et son assistant pour les fresques de la cathédrale de Brixen. Il exécuta de nombreux tableaux d'autel pour les églises de Bavière. Le Musée National de Munich conserve de lui *Martyre d'un saint.*

UNSELD Albert
Né le 5 octobre 1879 à Ulm. XXᵉ siècle. Allemand.
Peintre, graveur, sculpteur de monuments.
Architecte, il sculpta également des monuments aux morts.
MUSÉES : DESSAU – MUNICH – ULM.

UNSHIKU Kenji
Né en 1922 dans la préfecture de Chiba. XXᵉ siècle. Japonais.
Graveur.
Après un diplôme de peinture à l'huile de l'Université des Beaux-Arts de Tokyo, il entreprend des études de sculpture qu'il abandonne en cours de route pour se consacrer à la gravure. Il est membre de l'Association Japonaise de Gravure, du Club d'Art Moderne et du Club d'Art Graphique.
Il participe à des expositions collectives, en 1957, 1960 et 1962, aux Biennales Internationales de l'Estampe de Tokyo. Il montre ses œuvres dans plusieurs expositions personnelles au Japon et à l'étranger.
Graveur, ses œuvres les plus originales sont exécutées avec des planches en plastique laqué.

UNSHIN. Voir **SEKIHO**

UNSHITSU, de son vrai nom : **Kôsen** puis **Ryôki**, surnoms : **Gengi** et **Kôhan**, nom de pinceau : **Unshitsu**
Né en 1753, originaire d'Edo, aujourd'hui Tokyo. Mort en 1827. XVIIIᵉ-XIXᵉ siècles. Japonais.
Peintre.
Peintre de l'école Nanga (peinture de lettré), il est aussi connu comme lettré confucianiste, écrivain et poète. Il fonde un groupe de poètes intitulé le *Fukyûghinsha*, et est l'auteur de différents écrits sur l'art : *Sansui Cho* et *Essay of Unshitsu.*

UNSHO, de son vrai nom : **Maita Ryô**, surnom : **Kôhitsu**, nom de pinceau : **Unsho**
Né en 1812, originaire de la préfecture de Fukui. Mort en 1865. XIXᵉ siècle. Japonais.
Peintre.
Peintre de bambous de l'école Nanga (peinture de lettré).

UNSWORTH Ken
Né en 1931. XXᵉ siècle. Australien.
Sculpteur, auteur d'installations.
Il participe à des expositions collectives : 1985 Nouvelle Biennale de Paris. Il réalise des formes abstraites en acier et présente des installations.
BIBLIOGR. : In : *Creating Australia – 200 years of art 1788-1988*, Adelaïde, 1988.

UNTAN, de son vrai nom : **Kaburagi Shôin**, surnom : **Sankitsu,** noms de pinceau : **Untan** et **Shôsasei**
Né en 1782. Mort en 1852. XIXᵉ siècle. Actif à Edo (actuelle Tokyo). Japonais.
Peintre.
Disciple de Bunchô (1763-1840), il est peintre de paysages de l'école Nanga (peinture de lettré).

UNTCH Johann
Né en 1926 à Sighisoara. XXᵉ siècle. Depuis 1982 actif en Allemagne. Roumain.
Dessinateur de compositions d'imagination, graveur, illustrateur. Surréaliste.
Il fut élève de l'institut d'Arts Plastiques N. Grigorescu de Bucarest, où il a enseigné.
Il participe à de nombreuses expositions collectives en Roumanie et dans le reste de l'Europe, ainsi qu'au Liban, en Israël, à Cuba, aux États-Unis, en URSS. Il montre ses œuvres dans des expositions personnelles : 1969, 1975 Bucarest ; 1974 Helsinki ; à partir de 1976 régulièrement en Allemagne.
Dessinateur au lavis, à la plume, il pratique également l'eau-forte, la gravure au burin, sur linoléum, la lithographie. Dans un dessin classique, il réalise des compositions imaginaires, mettant en scène des éléments disparates, statues ou architectures en ruine, formes géométriques, êtres hybrides, qu'il agence selon une composition rigoureuse qui ne doit rien au hasard.
BIBLIOGR. : Ionel Jianou et autres : *Les Artistes roumains en Occident*, American Romanian Academy of Arts and Sciences, Los Angeles, 1986.

UNTERBERGER Christoph
Né en 1660 à Cavalese. Mort en 1747 à Cavalese. XVIIᵉ-XVIIIᵉ siècles. Autrichien.
Peintre de figurines et doreur.
Père de Franz Sebald Unterberger.

UNTERBERGER Christoph
Né le 27 mai 1732 à Cavalese (Tyrol). Mort le 25 janvier 1798 à Rome. XVIIIᵉ siècle. Autrichien.
Peintre d'histoire, de genre, de paysages, de fruits et fleurs et d'ornements.
Il commença ses études artistiques avec son oncle Franz Unterberger. Il alla ensuite à Vienne, à Venise, à Vérone, où il fut élève de Cignoroli et, en 1758, à Rome. Il y rencontra Rafael Mengs qui lui donna des conseils et étudia surtout Pietro da Cortona. Il s'inspira du style de ce maître dans divers travaux historiques, notamment dans deux tableaux d'autel pour la cathédrale de Brileu. La protection de Mengs lui valut des travaux importants, notamment des ornements joints à la bibliothèque de Raphaël au Vatican. Il copia aussi pour l'Empereur de Russie les *Loggie* du Vatican.
MUSÉES : BURGHAUSEN : *Saint Bruno* – INNSBRUCK (Ferdinandeum) : *L'artiste ?* – *Martyre de sainte Agnès* – *La Vierge et l'enfant Jésus endormi* – MUNICH (Gal. Nat.) : *Sainte Trinité* – VIENNE (Gal. Liechtenstein) : *Peintures.*
VENTES PUBLIQUES : VIENNE, 19 sep. 1972 : *Vénus, Énée, Jupiter et Junon* : ATS 45 000 – MILAN, 26 nov. 1985 : *Etude de deux angelots pour une salle du Vatican*, h/t (33x37) : ITL 4 000 000.

UNTERBERGER Franz Richard
Né le 15 août 1838 à Innsbruck (Autriche). Mort le 25 mai 1902 à Neuilly-sur-Seine (Hauts-de-Seine). XIXᵉ siècle. Belge.
Peintre de genre, architectures, paysages animés, paysages, paysages d'eau.
Élève de l'Académie de Munich, puis d'Albert Zimmermann à Weimar, et enfin d'Andreas Achenbach à Düsseldorf, il voyagea beaucoup. Il passa quelque temps à Milan en 1858, revint à Munich en 1859, fit un voyage en Norvège et au Danemark en 1860, avant de s'établir à Bruxelles. Il exposa à Vienne en 1874.

Il a peint notamment les environs de Naples et de la Sicile, dans une atmosphère brumeuse, leur donnant un caractère romantique.

F. J. Unterberger (signature)

BIBLIOGR. : Gérald Schurr, in : *Les Petits Maîtres de la peinture 1820-1920, valeur de demain,* Les Éditions de l'Amateur, t. III, Paris, 1976.

MUSÉES : LOUVIERS (Gal. Roussel) : *Amalfi, golfe de Salerne – Venise, église Santa Maria della Salute –* MELBOURNE : *Golfe de Salerne –* TROYES : *Ile de Capri.*

VENTES PUBLIQUES : NEW YORK, 10-20 jan. 1905 : *Capri, golfe de Naples :* **USD 450** – LONDRES, 23 juin 1961 : *Venise, rio San Bernardo :* **GBP 1 575** – NEW YORK, 24 fév. 1971 : *La route vers Palerme :* **USD 11 500** – LONDRES, 14 juin 1974 : *Amalfi, la baie de Sorrente :* **GNS 4 500** – BERNE, 22 oct. 1976 : *Bord de mer au clair de lune,* h/t (65x11) : **CHF 27 000** – VIENNE, 15 mars 1977 : *Vue de Naples,* h/t (78,7x119,4) : **ATS 380 000** – NEW YORK, 12 oct 1979 : *Le marché de Castellamare, baie de Naples,* h/t (70x110,5) : **USD 18 000** – NEW YORK, 29 mai 1981 : *Le Grand Canal, Venise,* h/t (59,7x99) : **USD 36 000** – NEW YORK, 29 fév. 1984 : *La promenade le long de la Riva degli Schiavoni, Venise,* h/t (66x100) : **USD 19 000** – NEW YORK, 23 mai 1985 : *Amalfi, baie de Salerno,* h/t (130,6x112,4) : **USD 23 000** – NEW YORK, 29 oct. 1986 : *Scène de canal, Venise,* h/t (82,5x73) : **USD 26 000** – NEW YORK, 29 oct. 1987 : *Promenade le long de la Riva degli Schiavoni à Venise,* h/t (66x100) : **USD 37 000** – LONDRES, 28 fév. 1988 : *Paysage alpin avec un lac et un gardien de chèvres près d'un chalet,* h/t (71x110,5) : **GBP 3 850** – NEW YORK, 22 fév. 1989 : *Amalfi, Golfe de Salerne,* h/t (61x100,3) : **USD 57 750** – NEW YORK, 23 fév. 1989 : *Marché napolitain avec le Vésuve au fond,* h/t (57,1x113,8) : **USD 13 200** – LONDRES, 17 mars 1989 : *Anacapri,* h/t (90,5x136) : **GBP 16 500** – NEW YORK, 24 oct. 1989 : *Promenade en gondole ; Barque de pêche près de la Salute,* h/pan., une paire (chaque 54,9x34,6) : **USD 41 250** – LONDRES, 24 nov. 1989 : *Palazzo Donn'Anna à Posillipo près de Naples,* h/t (63x94) : **GBP 16 500** – LONDRES, 16 fév. 1990 : *Vue de Pompeï,* h/t (57x86) : **GBP 8 800** – NEW YORK, 1ᵉʳ mars 1990 : *Les adieux après la fête,* h/t (81,3x71,1) : **USD 30 800** – AMSTERDAM, 2 mai 1990 : *Débardeurs s'approchant d'un cargo ancré au large,* h/pan. (54x40) : **NLG 25 300** – LONDRES, 28 nov. 1990 : *Pêcheurs de Campanella dans le golfe de Sorrente,* h/t (79x69) : **GBP 26 400** – NEW YORK, 28 fév. 1991 : *Sur la côte de Calabre,* h/t (81,9x133,3) : **USD 44 000** – PARIS, 16 mars 1991 : *Amalfi – golfe de Salerne,* h/t (82x71) : **FRF 186 000** – NEW YORK, 22 mai 1991 : *Le pont Paglia sur le quai des esclaves à Venise,* h/t (61x50,8) : **USD 46 750** – ROME, 28 mai 1991 : *Vue de Capri depuis Sopramonte,* h/t (90x135) : **ITL 84 000 000** – NEW YORK, 22 mai 1991 : *Une petite calanque de Capri,* h/t (82x66) : **GBP 12 100** – AMSTERDAM, 5-6 nov. 1991 : *Rue d'un village d'Italie méridionale,* h/pan. (35,5x30,5) : **NLG 4 830** – LONDRES, 29 nov. 1991 : *Venise – le Grand Canal et Santa Maria della Salute à l'arrière-plan,* h/t (84x71) : **GBP 41 800** – LONDRES, 20 mars 1992 : *Le Quai Zorzi et Santa Barbara à Venise,* h/t (130,8x111,1) : **GBP 52 800** – LONDRES, 17 juin 1992 : *Vue de la baie de Naples,* h/t (58x110) : **GBP 22 000** – NEW YORK, 29 oct. 1992 : *Les pêcheurs sur la terrasse,* h/t (85,7x121,9) : **USD 46 750** – ROME, 19 nov. 1992 : *Vue d'Amalfi depuis le couvent des Capucins,* temp. (30x52) : **ITL 4 370 000** – LONDRES, 25 nov. 1992 : *Le Monastère des Capucins à Amalfi,* h/t (115x101) : **GBP 18 150** – AMSTERDAM, 20 avr. 1993 : *Village près de Naples,* h/t (40,5x51,5) : **NLG 7 130** – LONDRES, 23 mai 1995 : *Le Campanile des Frères depuis un clocher,* h/t (83x71) : **GBP 44 400** – NEW YORK, 16 fév. 1995 : *Le Canal San Bernardo à Venise,* h/t (61,6x49,5) : **USD 60 250** – MUNICH, 27 juin 1995 : *L'Attente d'une gondole,* gche/pap. (30,5x18) : **DEM 4 140** – LONDRES, 15 nov. 1995 : *Vue de Venise depuis le jardin public,* h/t (81x69) : **GBP 41 100** – ÉDIMBOURG, 23 mai 1996 : *Le Mole à Venise avec des promeneurs,* h/t (82x70,2) : LONDRES, 12 juin 1996 : *Vue de Monaco,* h/t (81x69,5) : **GBP 21 850** – AMSTERDAM, 5 nov. 1996 : *Famille sur un banc au bord de la rivière,* h/pan. (23x33) : **NLG 3 894** – LONDRES, 21 nov. 1996 : *Village alpin,* h/t (94,5x132) : **GBP 13 800** – MELBOURNE, 20-21 août 1996 : *Isola StJ... Maggiore, Venise,* h/pan. (58,5x35) : **AUD 25 300** – LONDRES, 21 nov. 1997 : *Moureale, Palerme,* h/t (63x93) : **GBP 41 100** – NEW YORK, 23 oct. 1997 : *Palais Papadopoli, Venise,* h/t (82,6x71,1) : **USD 65 750.**

UNTERBERGER Franz Sebald
Né le 1ᵉʳ août 1706 à Cavalese. Mort le 23 janvier 1776 à Cavalese. XVIIIᵉ siècle. Autrichien.

Peintre de sujets religieux, portraits, dessinateur.
Il est le fils de Christoph Unterberger, et frère de Michelangelo Unterberger, avec qui il collabora certainement ; il est parfois difficile de distinguer les esquisses de Franz Sebald de celles de son frère. Il travailla à Brixen pendant quarante années.
Il a peint de nombreux tableaux d'autels pour la cathédrale et des églises de Brixen et des environs. On cite notamment : *Mort de la Vierge,* pour la cathédrale de Brixen, qui lui fut inspirée par l'*Assomption* (1735), de Giambattista Piazzetta ; *Jésus parmi les docteurs,* pour l'église des Augustins à Vienne.

BIBLIOGR. : In : *Diction. de la peint. allemande et d'Europe centrale,* coll. Essentiels, Larousse, Paris, 1990.

MUSÉES : BUDAPEST – CAVALESE (Pina.) : *Madone et saints –* INNSBRUCK (Ferdinandeum) : *L'artiste – Portrait du comte Sigbert Heister – Saint Aloyse donne la communion à saint Charles Borromée – Saint Pierre d'Alcantara – Sainte Madeleine –* TRENTE : *Deux portraits.*

VENTES PUBLIQUES : CÔME, 1ᵉʳ juin 1971 : *Chez le boucher :* **ITL 1 400 000.**

UNTERBERGER Ignaz
Né le 24 juillet 1748 à Cavalese. Mort le 4 décembre 1797 à Vienne. XVIIIᵉ siècle. Autrichien.
Peintre et graveur en manière noire.
Frère cadet de Christoph Unterberger. Il commença ses études avec Franz Unterberger, son oncle, puis alla à Rome, où il devint élève de Rafael Mengs. Il peignit l'histoire et dans ce genre, s'inspira de Corregio. Il fit aussi des ornements grotesques et des bambochades. En 1776, il vint s'établir à Vienne, y obtint un rapide succès et fut membre de l'Académie de cette ville. On cite parmi ses ouvrages : *Descente de croix* (à la cathédrale de Koniggratz), *Madone* (à l'église italienne, à Vienne).

MUSÉES : BUDAPEST : *La charité –* FRANCFORT-SUR-LE-MAIN : *Junon et Flore – Jupiter et Hiché,* marbres – MONTEFORTINO : *Assomption – Le Christ au Mont des Oliviers – Flagellation du Christ – Triomphe de Bacchus –* PRAGUE (Mus. Nat.) : *Bethsabée au bain –* VIENNE (Acad.) : *Adoration des bergers – Vénus avec des amours – Vénus et Adonis – L'amour et Psyché.*

UNTERBERGER Josef
Né le 20 juillet 1776 à Rome. Mort le 26 octobre 1846 à Rome. XIXᵉ siècle. Italien.
Peintre.
Fils de Christoph Unterberger. Élève de Pietro Benvenuti. Il peignit des tableaux d'autels pour l'église de Cavalese.

UNTERBERGER Josef Anton
Né en 1703 à Cavalese. Mort en 1743 à Cavalese. XVIIIᵉ siècle. Autrichien.
Peintre de figurines et doreur.
Père de Christoph et d'Ignaz Unterberger.

UNTERBERGER Karl Severin
Né en 1893 à Schwaz. XXᵉ siècle. Autrichien.
Sculpteur de figures, monuments, décorateur.
Il fit ses études à Munich et à Vienne. Il sculpta des figures, des bas-reliefs et des monuments aux morts.

UNTERBERGER Martin
XVIIIᵉ siècle. Autrichien.
Peintre.
Il a peint une *Immaculée Conception* et une *Sainte Marguerite* dans l'église Saint-Marc de Leopoldsdorf.

UNTERBERGER Michelangelo
Né le 11 août 1695 à Cavalese. Mort le 27 juin 1758 à Vienne. XVIIIᵉ siècle. Autrichien.
Peintre d'histoire, sujets religieux, portraits, dessinateur.
Il est le frère de Franz Sebald Unterberger. Il fut élève de Giovanni Alberti et de Giambattista Piazzetta. Il poursuivit ses études artistiques à l'Académie des Beaux-Arts de Vienne, où il reçut une médaille d'or en 1738 ; il en fut nommé directeur en 1751.
Il a peint de nombreux tableaux d'autel pour des églises et couvents bavarois, notamment au couvent de Passau.

BIBLIOGR. : In : *Diction. de la peint. allemande et d'Europe centrale,* coll. Essentiels, Larousse, Paris, 1990.

MUSÉES : AUGSBOURG (Mus. mun.) : *Rebecca à la fontaine – La fille de Jephté – Découverte du petit Moïse – Joseph vendu par ses frères –* INNSBRUCK (Ferdinandeum) : *La descente du saint Esprit – Mort de la Vierge – Sermon de saint Jean-Baptiste – La naissance de la Vierge – L'artiste –* VIENNE : *Portrait du peintre Aug. Querfurt – Sainte Famille.*

VENTES PUBLIQUES : LONDRES, 6 avr. 1984 : *L'Archange Michel* *combattant Lucifer et les Anges rebelles*, h/t (66x34,3) : GBP 8 000.

UNTERGASSER Karl Franz
Né le 12 octobre 1855 à Sand-in-Taufers. xixᵉ siècle. Autrichien.
Peintre.
Il fut élève de l'Académie de Munich. Il vécut et travailla à Gaimberg. Il fut assistant d'Alfons Siber pour les restaurations des fresques du Moyen-Âge en Tyrol.

UNTERHOLZER Josef
Né le 15 mars 1880 à Lankowitz. xxᵉ siècle. Autrichien.
Sculpteur de statues, monuments.
Il fut élève de Bitterlich et de Hellmer à l'Académie de Vienne. Il sculpta des monuments aux morts, des plaquettes et des statues.

UNTERHUBER Karl Jakob
Né en 1700. Mort le 19 février 1752 à Vienne. xviiiᵉ siècle. Autrichien.
Peintre.
Il peignit des tableaux d'autel pour les églises de Friedberg, de Mariazell et de Vorau.

UNTERKALMSTEINER Hans. Voir KALMSTEINER Johann

UNTERLECHNER Aloys
Né à Nassreith. xixᵉ siècle. Actif dans la première moitié du xixᵉ siècle. Allemand.
Peintre.
Élève de l'Académie de Munich.
Ventes Publiques : Vienne, 14 oct. 1980 : *La légende de Bad Gastein* 1845, triptyque/t. (102x147) : ATS 28 000.

UNTERLEITNER Joseph
xviiiᵉ siècle. Travaillant à Freising vers 1736. Allemand.
Peintre et sculpteur.

UNTERNÄHRER Sophie
Née au xixᵉ siècle à Paris. xxᵉ siècle. Française.
Peintre de portraits.
Elle débuta au Salon de 1868.

UNTERNÄHRER Wilhelm
Né vers 1870 à Lucerne. Mort en novembre 1923. xixᵉ-xxᵉ siècles. Suisse.
Peintre de figures, paysages, et lithographe.
Il travailla à Munich, à Dresde, à Bâle et à Leipzig.

UNTERPERGHER François ou Ultempergers (?)
xviiiᵉ siècle. Travaillant à Rome.
Peintre d'histoire.
Il est cité comme ayant travaillé avec Raphael Mengs à la peinture de la voûte de la neuvième salle de la Galerie Borghèse, représentant les travaux d'Hercule. Ce travail fut probablement exécuté durant le troisième séjour de Mengs à Rome (1752-1761). Le nom de cet artiste paraît tronqué.

UNTERRAINER Johann Baptist ou Unterrhainer
Né à Kitzbuhel. xviiiᵉ siècle. Travaillant à Landshut en 1700. Autrichien.
Peintre.

UNTERRAINER Josef
Né vers 1770. Mort le 27 novembre 1830 à Salzbourg. xviiiᵉ-xixᵉ siècles. Autrichien.
Peintre.
Il travailla à Mauerkirchen et à Salzbourg et exécuta des tableaux d'autel.

UNTERSBERGER Josef
Né à Saint-Georgen. Mort le 6 janvier 1912 à Gmunden. xxᵉ siècle. Autrichien.
Sculpteur de compositions religieuses.
Il s'établit à Gmunden où il sculpta sur bois des sujets religieux.

UNTERSTEINER Johann Baptist ou Understainer
Mort le 31 décembre 1713 à Munich. xviiiᵉ siècle. Allemand.
Peintre.
Élève de Johann Andr. Wolff à Munich. Il peignit de nombreux tableaux d'autel dans des églises de Bavière.

UNTERSTELLER Hélène. Voir DELAROCHE-UNTERSTELLER

UNTERSTELLER Nicolas Pierre
Né le 26 mars 1900 à Stiring-Wendel (Moselle). Mort en 1968. xxᵉ siècle. Français.
Peintre de compositions religieuses, peintre de compositions murales, peintre de cartons de vitraux, décorateur.
Il fut élève, à l'École des Beaux-Arts de Paris, de Cormon et J. P. Laurens. Directeur de l'École des Beaux-Arts de Paris, après la guerre 1939-1945, il a tenté de rajeunir les méthodes et les cadres d'enseignement de la vieille maison, tâchant de l'ouvrir aux audaces de l'art libre.
Il exposa à Paris aux Salons des Artistes Français et d'Automne.
Il reçut en 1927 une médaille d'argent et le prix de la Savoie ; en 1928 le prix Zwiller, une bourse de voyage et le Prix de Rome, en 1932 et 1937 des médailles d'or aux Expositions Internationales de Paris.
Artiste aux conceptions monumentales, on lui doit, entre autres travaux, des fresques dans l'église de la cathédrale de cette ville, des fresques dans l'église Saint-Pierre de Chaillot à Paris, les décorations intérieures de l'église des Saints-Anges de Gravelle à Saint-Maurice (Val-de-Marne).
Ventes Publiques : Paris, oct. 1945-juil. 1946 : *Deux baigneuses* 1945 : FRF 2 800.

UNTHANK Gertrude
Née le 26 octobre 1878 à Economy (Indiana). xxᵉ siècle. Américaine.
Peintre de natures mortes.
Elle fut élève de J. E. Bechdy, Martha Walter et Pedro J. Lemos. Elle fut membre de la Ligue Américaine des Artistes Professeurs et de la Fédération Américaine des Arts.

UNVER A.
xxᵉ siècle. Turc.
Peintre de portraits.
Peintre de portraits, on connaît de lui ceux de *Rarabi* et de *Fuzuli*.

UNVERZAGT Georg Ivanovitch
Né en 1701. Mort en 1767. xviiiᵉ siècle. Actif à Saint-Pétersbourg. Russe.
Graveur au burin.
Il grava des frontispices, des vignettes et des cartes.

UNWIN Francis Sydney
Né le 11 février 1885 à Stalbridge. Mort le 26 novembre 1925 à Mundeley. xxᵉ siècle. Britannique.
Dessinateur, graveur.
Il fit ses études à Londres à la Winchester School of Art et à la Slade School de 1902 à 1905. Il voyagea en Hollande, en France et en Italie. Il passa l'hiver 1908 en Égypte, dessinant des intérieurs de tombes pour une exposition archéologique. Il s'installa à Londres en 1909, devint membre du New English Art Club en 1913. Écrivain, il publia *The Decorative Arts in the service of the Church* en 1912. Il commença à souffrir de consomption en 1916. Il fit un voyage en Suisse pour sa santé en 1920 et 1921. Il fit sa première exposition avec Randolph Schwabe en 1915. Graveur, il privilégia les techniques de l'eau-forte et de la gravure sur bois et réalisa également des lithographies. Ses derniers dessins montrent une influence postimpressionniste.
Musées : Londres (Tate Gal.) : *Cromer Hotels* 1922 – *The Ambulatory, Groote Kerke, Dordrecht* 1907.

UNWIN H., Miss
xixᵉ siècle. Britannique.
Sculpteur.
Le Musée de Bradford conserve d'elle *L'Annonciation* (relief en plâtre coloré).

UNWIN Nora S.
xxᵉ siècle. Britannique.
Graveur de portraits, animaux, paysages, fleurs, illustrateur.
Elle participa aux manifestations organisées par la Royal Academy, de 1934 à 1952.
Elle pratiqua la gravure sur bois.
Bibliogr. : Linda Clark Mc Goldrick : *Nora S. Unwin. Artist and wood engraver*, Scolar Press, Londres, 1991.

UNWIN Robert
xviiiᵉ-xixᵉ siècles. Actif à Londres. Britannique.
Peintre d'émaux et miniaturiste.
Il a peint des portraits, des paysages, des sujets d'histoire, des miniatures et travailla pour les orfèvres. Il exposa à la Royal Academy de 1785 à 1812.

UNY Pierre
xxᵉ siècle. Français.
Sculpteur, sculpteur de décorations murales. Abstrait.
Il vécut et travailla à Mantes-la-Jolie, près de Paris. De 1950 à

1956, il participa à Paris au Salon des Réalités Nouvelles, avec des réalisations très variées, allant de sculptures polychromes à des environnements architecturaux, fondés sur une abstraction à tendance géométrique.

UNYA Mark, dit **« Chief Mark Unya »**
XXᵉ siècle. Nigérian.
Sculpteur de masques.
Il crée des masques dans la tradition Ekpeye, non sans ajouter aux thèmes classiques aquatiques ou animaliers, des éléments étrangers à sa culture, comme des ampoules ou des parapluies. Il travaille souvent en collaboration avec Nathan Emeden.
BIBLIOGR. : In : Catalogue de l'Exposition : *Magiciens de la terre*, Centre Georges Pompidou et la Grande Halle La Villette, Paris, 1989.

UNZAN, de son vrai nom : **Yamazaki Ryûkichi**, surnom : **Genshô**, noms de pinceau : **Unzan** et **Bunken**
Né en 1761 à Noto (préfecture d'Ishikawa). Mort en 1837. XVIIIᵉ-XIXᵉ siècles. Actif à Kyoto. Japonais.
Peintre.
Peintre de paysages et de fleurs de l'école Nanga (peinture de lettré).

UNZELMAN Friedrich Ludwig
Né en 1797 à Berlin. Mort le 29 août 1854 à Vienne. XIXᵉ siècle. Allemand.
Graveur sur bois.
Élève de Gubitz à l'Académie de Berlin. Il prit rapidement une place parmi les bons graveurs de son époque, et produisit particulièrement des sujets d'architectures, des paysages, des portraits, et des sujets de genre. Il grava d'après Menzel les illustrations pour les œuvres du Frederic II le Grand. En 1843, il fut nommé membre de l'Académie de Berlin et en 1845 professeur.

UNZEN, de son vrai nom : **Kushiro Shû**, surnom : **Chûfu**, nom familier : **Bumpei**, noms de pinceau : **Unzen, Rikuseki** et **Rairakukoji**
Né en 1759 à Shimabara (île de Kyûshû). Mort en 1811. XVIIIᵉ-XIXᵉ siècles. Japonais.
Peintre.
Peintre de paysages de l'école Nanga (peinture de lettré), il commence par étudier son art avec un artiste chinois de Nagasaki, d'où une influence chinoise sur son œuvre. Il est par la suite lié avec de nombreux peintres de Kyoto et d'Osaka, puis s'installe à Niigata où il devient un peintre local réputé.

UOTILA Aukusti
Né en 1858. Mort en 1886 à Ajaccio (Corse). XIXᵉ siècle. Finlandais.
Peintre de paysages et de figures.
Il fit ses études à Helsinki et à Paris. L'Atemeum de Helsinki conserve cinq peintures de cet artiste.

UP DE ZWANNE Willim. Voir **ZWANNE**

UPADHAYA-GARC Urmila
Née en 1939 à Jaipur. XXᵉ siècle. Indienne.
Peintre, graveur.
En 1958, elle fut diplômée en peinture de la Sir J. J. School of Arts de Bombay, où elle poursuivit des études de peinture murale jusqu'en 1961, obtenant des prix dans cette discipline en 1958 et 1960. De 1962 à 1966, elle fut élève de Brianchon à l'École des Beaux-Arts de Paris, bénéficiant d'une bourse du gouvernement français. Elle travailla dans l'atelier de W. Hayter à partir de 1963. Elle montra la première exposition de ses œuvres en 1959. Elle figura à Paris au Salon des Réalités Nouvelles, en 1965 et 1966, pour la gravure. Elle évolua vers une expression abstraite, fondée sur des textures à l'eau-forte.

UPHAM John William
Né en 1773 (?) à Offuvell. Mort le 5 janvier 1828 à Weymouth. XVIIIᵉ-XIXᵉ siècles. Britannique.
Peintre de paysages, d'architectures et graveur.
Il travailla à Weymouth et exposa à la Royal Academy de 1801 à 1812. Il peignit et grava de nombreuses vues du Devonshire, du Dorsetshire, du Pays de Galles et de la Suisse. Le Victoria and Albert Museum, à Londres, conserve deux aquarelles de lui.
VENTES PUBLIQUES : LONDRES, 25 nov. 1986 : *Cerne Abbey* 1802, aquar. et cr. (32x37,5) : **GBP 1 000**.

UPHOFF Carl Emil
Né le 17 mars 1885 à Witten. Mort en 1971. XXᵉ siècle. Allemand.
Peintre, illustrateur, graveur, sculpteur.

Il fut élève de Christian Rohlfs. Il fonda à Worpswede la Communauté de Worpswede et fut aussi écrivain de théâtre.
À Paris, il subit l'influence de Matisse. Il publia des illustrations de livres où écriture et image se trouvent sur la même plaque.

VENTES PUBLIQUES : BRÊME, 3 juin 1978 : *Paysage fluvial boisé* 1908, h/t (100x100) : **DEM 2 500** – COLOGNE, 30 mars 1979 : *Maison dans les arbres* 1909, h/t mar./pan. (60x49) : **DEM 4 000**.

UPHUES Josef ou **Joseph**
Né le 23 mai 1850 à Sassenberg. Mort le 2 janvier 1911 à Berlin. XIXᵉ-XXᵉ siècles. Éc. alsacienne.
Sculpteur de monuments, sujets mythologiques, figures.
Il fut élève de R. Begas à l'Académie des Beaux-Arts de Berlin. Il figura au Salon des Artistes Français de Paris, obtenant une médaille d'argent en 1900, pour l'Exposition Universelle.
Il sculpta de nombreux monuments pour des places publiques à Berlin et dans d'autres villes d'Allemagne.
MUSÉES : MELBOURNE : *Sagittaire*.
VENTES PUBLIQUES : COLOGNE, 16 juin 1978 : *Le chasseur d'aigles*, bronze (H. 122) : **DEM 2 000** – COLOGNE, 22 mars 1980 : *frédéric le Grand*, bronze (H. 64) : **DEM 2 600** – LONDRES, 17 juil. 1984 : *L'archer*, bronze (H. 56,5) : **GBP 1 200** – LONDRES, 21 mars 1985 : *Le chasseur à l'arc*, bronze, patine brune (H. 127) : **GBP 2 100** – NEW YORK, 20 juil. 1994 : *Hercule et l'oiseau stymphalien*, bronze (H. 57,2) : **USD 2 645**.

UPJOHN Anna Milo
Née à Dover (New Jersey). Morte en 1951. XXᵉ siècle. Américaine.
Peintre de portraits.
Elle fit partie de la Croix-Rouge pendant la Première Guerre mondiale et rencontra des enfants de tous les pays européens qui devinrent sa source essentielle d'inspiration. Ses portraits, souvent poignants, firent sa réputation.
VENTES PUBLIQUES : NEW YORK, 23 sep. 1992 : *Une procession solennelle*, h/t (77x86,7) : **USD 6 600**.

UPPINK Hermanus
Né en 1753 à Amsterdam. Mort en 1798 à Amsterdam. XVIIIᵉ siècle. Hollandais.
Peintre de fleurs et de fruits.
Le Musée d'Amsterdam conserve de lui un tableau de fleurs.

VENTES PUBLIQUES : PARIS, 1864 : *Bouquet de fleurs, pêches et raisins* : **FRF 8 500** – PARIS, 1870 : *Fleurs et fruits sur une table* : **FRF 2 000** – LONDRES, 30 oct. 1981 : *Nature morte à la rose et aux fruits* 1788, h/pan. (46,7x36,8) : **GBP 5 500**.

UPPINK Willem
Né en 1757 à Amsterdam. Mort le 3 janvier 1849 à Amsterdam. XVIIIᵉ-XIXᵉ siècles. Hollandais.
Peintre de scènes de chasse, sujets de genre, portraits, paysages animés, paysages, compositions murales, cartons de tapisseries.
Il est peut-être frère de Hermanus Uppink. Il fut l'un des principaux décorateurs des belles maisons le long des canaux d'Amsterdam au XVIIIᵉ siècle, il réalisa des panneaux muraux, notamment pour une demeure au nº 269 Keizersgracht.
BIBLIOGR. : J. Knoef : *Willem Uppinck, Oud, Holland*, 1936.
MUSÉES : AMSTERDAM : *Peintre assis devant son chevalet* – *Portrait d'un peintre* – *Portrait d'une dame* – HAARLEM : *Paysage*.
VENTES PUBLIQUES : PARIS, 14 juin 1985 : *Le gué*, h/t (238x206) : **FRF 102 000** – NEW YORK, 15 jan. 1993 : *Paysages avec des familles de paysans*, h/t, une paire (188,3x177,2) : **USD 35 650** – NEW YORK, 12 jan. 1996 : *Paysans chargeant un tronc d'arbre dans un tombereau, Paysans et leur bétail traversant un gué*, et *Chasseurs et leurs chiens se reposant après la chasse*, trois h/t (236,8x201,3 ; 274,3x134 ; 275x170,8) : **USD 112 500**.

UPRKA Franta ou **Franz**
Né le 24 février 1868 à Knezdub. Mort le 8 septembre 1929 à Tuchmerice (près de Prague). XIXᵉ-XXᵉ siècles. Tchécoslovaque.
Sculpteur de figures.
Il fut l'assistant de Joseph Capek et de Bohuslav Schnirch à Prague.

Musées : Prague (Gal. Mod.) : *Au sortir de l'église – Travailleur agricole avec une houe – Batteur de blé,* trois statuettes en bronze.

UPRKA Joza
Né le 26 octobre 1861 à Knezdub. XIXᵉ siècle. Tchécoslovaque.
Peintre de genre, scènes typiques, aquarelliste, graveur.
Frère du sculpteur Franta Uprka, il fut élève des Académies de Prague et de Munich. Il peignit des scènes folkloriques de Moravie. Il fit partie du mouvement Libres Tendances. Graveur, il privilégia la technique de l'eau-forte.
Musées : Brunn : *Pèlerinage à Saint Antoine – Slovaque jouant de la cornemuse* – Chicago (Art Inst.) : *Aquarelle* – Prague (Gal. Mod.) : *Chanson de la Vierge,* triptyque – *Étude de Velka – Casseur de pierres – Bœufs – Aquarelle.*

UPTON
XVIIIᵉ siècle. Travaillant en 1786. Britannique.
Miniaturiste.

UPTON Arthur
XXᵉ siècle. Britannique.
Peintre de paysages, aquarelliste.
Il a séjourné en Espagne, d'où il a rapporté des paysages. Il participa aux manifestations organisées par la Royal Academy, de 1944 à 1964.

UPTON Edward
XIXᵉ siècle. Britannique.
Miniaturiste.
Membre de la Society of British Artists. Il exposa à Londres de 1838 à 1874, cinquante-quatre miniatures à la Royal Academy et une à Suffolk Street. Peut-être à comparer avec Eddis (Eden Upton).

UPTON Florence K. ou Upston
Née en 1873 à New York. Morte le 16 ou 17 octobre 1922 à Londres. XXᵉ siècle. Active aussi en France et en Grande-Bretagne. Américaine.
Peintre de portraits, intérieurs, paysages, marines, dessinatrice, illustratrice.
Elle fut élève de Kenyon Cox et de R. Collin à Paris, où elle travailla au début du siècle. Elle a exposé à la Fine Art Society et à la Royal Academy de 1905 à 1915.
Elle exécuta des illustrations de livres d'enfants et des ouvrages sur les poupées. Elle a également réalisé des vues de ports.

URACH, von. Voir au prénom
URAGAMI GYOKUDÔ. Voir GYOKUDÔ
URANGA Ignacio de
Né à Tolosa. XVIIIᵉ-XIXᵉ siècles. Espagnol.
Miniaturiste.
Élève de l'Académie de Saragosse. Il travailla pour la Manufacture de porcelaine de Buen Retiro de Madrid.

URANGA Pablo de ou Uranga Diaz de Arcaya
Né en 1861 à Vitoria (Pays Basque). Mort le 6 novembre 1934 à Saint-Sébastien (Pays Basque). XIXᵉ-XXᵉ siècles. Espagnol.
Peintre de sujets religieux, scènes de genre, portraits, animaux, compositions murales, copiste. Réaliste.
Il étudia à l'École des Beaux-Arts de Vitoria, puis à celle de Madrid, à partir de 1881. Il commença par copier des œuvres de Velasquez et de Goya au Musée du Prado, puis il séjourna à Paris, de 1888 à 1894 ; vivant une vie de bohème à Montmartre, il se lia d'amitié avec Zuloaga, Rusinol et Utrillo. Il s'établit définitivement à Saint-Sébastien en 1918, et effectua un voyage aux États-Unis en 1921.
Il prit part à diverses expositions collectives, obtenant une deuxième médaille à l'Exposition Hispano-française de Saragosse en 1908. Il exposa à Barcelone, à Madrid, à Paris personnellement en 1897, et à Mexico. Une rétrospective de son œuvre fut organisée, à titre posthume, à Saint-Sébastien en 1949. Dans un esprit pittoresque, il traite des occupations traditionnelles du quotidien espagnol, des travaux de la ferme aux scènes de rue, ou aux préparatifs des élégantes pour la féria. On lui doit également des tableaux d'autel pour les églises de provinces basques, et, réalisées en collaboration avec Zuloaga, les peintures murales du casino de Bermeo.
Bibliogr. : In : *Catalogue National d'Art Contemporain,* Éditions d'art Iberico 2000, Barcelone, 1990 – in : *Cien Años de pintura en España y Portugal, 1830-1930,* Antiqvaria, t. XI, Madrid, 1993.
Musées : Bilbao (Mus. des Beaux-Arts) : *Épreuve des bœufs* – Luxembourg – Madrid (Mus. d'Art Contemp.) – Paris (ancien Mus. du Luxembourg).
Ventes Publiques : Paris, 13 juin 1990 : *Le jeu des chats,* h/t (71x55) : FRF 45 000.

URANGA Remedios. Voir VARO URANGA Remedios
URANOVSKY
Né en 1939 au Cap (Afrique du Sud). XXᵉ siècle. Sud-Africain.
Peintre de figures.
Fils d'émigrés russes, il fréquenta de 1958 à 1960 l'École des Beaux-Arts de l'université du Cap. En 1968 à Paris, il étudia la gravure à l'Atelier 17 de Hayter.
Il a montré ses œuvres dans de nombreuses expositions en Afrique du Sud, en 1987 à New York, 1989 au Musée de Nice. Il obtint la troisième récompense au Grand Prix International des Arts Plastiques en France.
Ventes Publiques : Paris, 31 oct. 1990 : *Femme avec cerceau 1988,* acryl./t. (111,5x81,5) : FRF 13 000.

URAY Hilde, plus tard Mme Leitich
Née le 2 octobre 1904 à Schladming. XXᵉ siècle. Autrichienne.
Sculpteur de compositions religieuses, figures, graveur.
Elle fut élève de Bitterlich à l'Académie de Vienne, où elle vécut et travailla.
Elle sculpta sur bois et en terre cuite des figurines et des sujets religieux.

URBACH Josef
Né en 1889 à Neuss. XXᵉ siècle. Allemand.
Peintre de genre, paysages, natures mortes, aquarelliste, graveur.
Musées : Essen : *Mine de charbon – Nature morte* – quatre aquarelles.
Ventes Publiques : Amsterdam, 11 sep. 1990 : *Nature morte avec un vase oriental, un pichet de terre-cuite des roses et une orange et un citron dans une assiette et du matériel de peintre sur une table,* h/t (81x58) : NLG 2 185.

URBAIN Alexandre
Né le 1ᵉʳ mars 1875 à Sainte-Marie-aux-Mines (Haut-Rhin). Mort en 1953. XXᵉ siècle. Français.
Peintre de genre, paysages, peintre de compositions murales, graveur.
Il fut élève de l'atelier Luc Olivier Merson, à l'École des Beaux-Arts de Paris. Il exposa à Paris, aux Salons des Artistes Français à partir de 1905, aux Indépendants à partir de 1903, d'Automne à partir de 1906 et aux Tuileries. Il fut président du Salon des Indépendants jusqu'en 1952, chevalier de la Légion d'honneur.
Il a réalisé une centaine d'estampes. On lui doit les décorations murales, escalier d'honneur de la mairie du XIIIᵉ arrondissement de Paris, Salle des fêtes de la mairie de Vincennes, Palais de la Découverte à Paris, etc.
Musées : Strasbourg.
Ventes Publiques : Paris, 25 avr. 1927 : *La lanterne rouge à Castellamare :* FRF 230 – Paris, 24 fév. 1936 : *Rue ensoleillée en Provence :* FRF 560 – Paris, 22 juil. 1942 : *Deux baigneuses :* FRF 400 – Paris, 9 avr. 1945 : *Soir à Torre del Greco :* FRF 5 000 – Paris, 19 jan. 1949 : *Bord de lac,* sépia : FRF 800 – Paris, 24 mai 1950 : *Diane surprise :* FRF 5 500 – Paris, 13 juin 1994 : *La pêche aux coquillages,* h/cart./t. (33x41) : FRF 4 000.

URBAIN d'Ypres. Voir URBANUS Van Yperen
URBAIN-CHOFFRAY Francine ou Urbin-Choffray
Née le 21 novembre 1929 à Houffalize. XXᵉ siècle. Belge.
Peintre de paysages, marines, dessinateur, sculpteur, graveur. Tendance fantastique.
Elle a évolué d'un post-expressionnisme tardif vers une plus grande liberté formelle. Toujours figuratif, son art évoque les zones poétiques et fantastiques de l'univers, avec des paysages désertés, de vastes étendues marines ou volcaniques. Ses dessins révèlent son attrait pour le surréalisme.
Bibliogr. : In : *Dict. biogr. illustré des artistes en Belgique depuis 1830,* Arto, Bruxelles, 1987.

URBAN
XVIᵉ siècle. Autrichien.
Peintre verrier.
Il a exécuté cinq vitraux dans l'abbaye de Saint-Lambrecht d'Aflenz près de Bruck-sur-la-Mur.

URBAN Bruno ou Carl Bruno
Né le 2 février 1851 à Pulsnitz. Mort le 16 novembre 1910 à Dresde. XIXᵉ-XXᵉ siècles. Allemand.
Peintre de cartons de vitraux.
Il fut élève de l'Académie de Dresde. Il exécuta de nombreux vitraux pour des églises de Saxe.

URBAN David
Né en 1966 à Toronto. XXᵉ siècle. Canadien.

Peintre.

Il fit des études littéraires et se consacre lui-même à la poésie. Il vit et travaille à Toronto.

Il participe à des expositions collectives régulièrement à New York ainsi que : 1994 Amsterdam ; 1996 Regional Art Museum de London (Canada) ; 1997 *Abstraction/Abstractions – Géométries provisoires* au musée d'Art moderne de Saint-Étienne. Il montre ses œuvres dans des expositions personnelles régulièrement à la Sable Castelli Gallery de Toronto, à New York...

Sur le fond blanc qui est partie intégrante de la composition, se superposent, s'associent, se font écho des références à l'expressionnisme abstrait, au « hard edge », mais aussi des fragments de figuration. La ligne, qui évoque l'organique, domine, donne le rythme, mime les incertitudes de l'artiste, par ses ruptures, ses nœuds, ses ondulations et revirements.

Bibliogr. : In : *Abstraction/Abstractions – Géométries provisoires*, catalogue d'exposition, Musée d'Art moderne, Saint-Étienne, 1997.

URBAN Eugen

Né le 21 octobre 1868 à Leipzig. Mort le 21 octobre 1929 à Leipzig. XIXe-XXe siècles. Allemand.

Peintre de portraits.

Il fut élève des Académies de Leipzig et de Munich. Il peignit des portraits de membres de familles princières allemandes.

URBAN Franz

Né le 15 juillet 1868 à Karolinenthal. XIXe-XXe siècles. Autrichien.

Peintre de compositions religieuses.

Il fut élève de Josef Zenisek à Prague. Il a peint le plafond de l'église d'Einsiedl, en 1905.

URBAN Gretl

Née à Vienne. XXe siècle. Autrichienne.

Peintre de figures, paysages, fleurs, dessinateur, décorateur.

Elle fut d'abord élève de son père Urban, architecte. Dessinatrice de costumes d'opéra, inventant aussi des décors de music-hall, elle vint à Paris se former à l'art de peindre. Elle a participé à Paris au Salon d'Automne à partir de 1932.

Elle a signé des figures de femmes, des tableaux de fleurs et des paysages.

URBAN Hans Georg

XVIIIe siècle. Actif à Bâle. Suisse.

Sculpteur.

Il sculpta entre autres des fontaines et des portails à Lucerne de 1721 à 1756.

URBAN Hermann

Né le 8 octobre 1866 à la Nouvelle-Orléans. XIXe-XXe siècles. Américain.

Peintre de paysages.

Il travailla à Munich, en Italie, en Sicile, et se fixa à Munich.

Musées : Budapest : *Neige fondante* – Gdansk, ancien. Dantzig : *Neige fondante* – Munich : *Matin – Le Lac Némi*.

URBAN Humberto

Né en 1936. XXe siècle. Mexicain.

Peintre.

Ventes publiques : New York, 21 nov. 1988 : *Murs* 1987, h/t (120x150) : USD 3 300 – New York, 17 mai 1989 : *Verger avec une porte en arche* 1986, h/t (100x80) : USD 3 575.

URBAN Janos

Né le 5 novembre 1934 à Szeged. XXe siècle. Depuis 1956 actif et depuis 1976 naturalisé en Suisse. Hongrois.

Peintre.

Il fut élève de l'École Secondaire des Beaux-Arts de Budapest. Il étudia ensuite l'histoire de l'art et l'histoire de la philosophie, à l'Université d'Eotvos Lorand, à Budapest. Il voyagea en Tchécoslovaquie, en 1956. À partir de son installation à Lausanne en 1957, il continua ses études à l'École Cantonale des Beaux-Arts de Lausanne, jusqu'en 1960. Il a effectué d'autres voyages dans divers pays. Il a enseigné, à partir de 1963, à l'école des beaux-arts de Lausanne, où il vit et travaille.

Il a participé à des expositions collectives : 1969 Stedelijk

Museum d'Amsterdam ; 1972 musée d'Art moderne de Buenos Aires ; 1973 Kunsthaus de Zurich ; 1979 City Art Museum de Bradford ; 1980 Museum Folkwang d'Essen. Il montre ses œuvres dans des expositions personnelles depuis 1961 régulièrement à Lausanne. En 1960 lui fut décerné le Prix de la Jeune Peinture et en 1964 le Prix Alice-Bailly.

Après 1956, il est passé du surréalisme de l'école hongroise à la peinture informelle puis à la visualisation des progrès technologiques. Usant de techniques de reproduction photographique, de matériaux contemporains, de techniques modernes, plexiglas, couleurs fluorescentes, etc., ses réalisations se rattachent à la fois au pop art, et au mec art.

Bibliogr. : *Catalogue du 3e Salon International des Galeries Pilotes*, Musée Cantonal, Lausanne, 1970.

URBAN Joseph

Né le 25 mai 1872 à Vienne. Mort le 10 juillet 1933 à New York. XIXe-XXe siècles. Depuis 1914 actif et naturalisé aux États-Unis. Autrichien.

Illustrateur, peintre de décors.

Il fut élève de l'Académie de Vienne. Il se fixa aux États-Unis en 1914. Architecte, il exécuta aussi des peintures d'intérieurs. Il réalisa des illustrations de livres de contes.

Ventes publiques : New York, 12 juin 1981 : *Rio Rita* vers 1927, aquar. et cr., projet de décor (25,5x23,8) : USD 1 500.

URBAN Rolf

Né en 1959. XXe siècle. Allemand (?).

Peintre, dessinateur.

Il fut élève de Markus Lupertz.

Il montre ses œuvres dans des expositions personnelles en 1993 en Belgique.

Il a réalisé une série de linogravures, travaillant sur la structure de la grille, du réseau, exploitant les différents passages.

URBANI, fra

Né en 1631. Mort en 1701. XVIIe siècle. Italien.

Miniaturiste.

Il vécut à Venise.

URBANI Andrea

Né le 23 août 1711 à Venise. Mort en 1797 à Padoue. XVIIIe siècle. Italien.

Peintre d'architectures.

Il travailla pour les Opéras de Venise, de Saint-Pétersbourg et de Padoue. Il peignit des plafonds à Padoue, Trévise et Venise.

URBANI Angelo

Né à Este. XVIIIe-XIXe siècles. Italien.

Peintre, graveur au burin et orfèvre.

Élève d'A. Scarabello.

URBANI Bartolomeo

XVIIIe siècle. Actif à Rome de 1702 à 1703. Italien.

Peintre.

Assistant de Carlo Maratti à l'occasion de la restauration des fresques des *Chambres* de Raphaël au Vatican.

URBANI Giovanni Andrea

Mort le 18 août 1632 à Urbino. XVIIe siècle. Italien.

Peintre.

Il exécuta des tableaux d'autel dans les églises d'Urbino et de Sanseverino.

URBANI Lodovico, dit **Lodovico di Sanseverino**

XVe siècle. Actif à Sanseverino dans la seconde moitié du XVe siècle. Italien.

Peintre.

Il peignit des fresques pour la cathédrale de Recanati et des églises de Sanseverino et de Potenza Picena.

URBANI Michel Angelo

Né à Cortona. XVIe siècle. Actif dans la seconde moitié du XVIe siècle. Italien.

Peintre verrier.

Élève de Guillaume de Marcillat.

URBANI Urbano

XVIe siècle. Travaillant en 1587. Italien.

Peintre verrier.

Il a exécuté les vitraux de la façade de S. M. Nuova de Cortona.

URBANI DE GHELTOF Giuseppe

Né le 11 décembre 1899 à Venise. XXe siècle. Italien.

Peintre de paysages urbains.

Il n'eut aucun maître. Il peignit des vues de Mestre et d'autres villes.

URBANIJA Josef
Né en 1877 à Ljubljana. xxᵉ siècle. Autrichien.
Sculpteur de compositions allégoriques.
Il fut élève de l'Académie des beaux-arts de Vienne, où il vécut et travailla.
Musées : Ljubljana (Mus. Nat.) : *Consolatrice du dernier combat – Allégories de l'Électricité et des Eaux.*

URBANINO da Alessandria
xvᵉ siècle. Actif à Milan en 1422. Italien.
Sculpteur sur bois.

URBANIS Giovanni Giuseppe
Né en 1592 à Udine. Mort en 1633. xviiᵉ siècle. Italien.
Peintre.
Fils de Giulio Urbanis.

URBANIS Giulio
xviᵉ-xviiᵉ siècles. Actif à San Daniele près d'Udine. Italien.
Peintre.
Il travailla pour les églises d'Udine et peignit des tableaux d'autel.

URBANO Pietro
Né à Pistoie. xviᵉ siècle. Italien.
Peintre.
Élève et assistant de Michel-Ange. Vasari le cite parmi les artistes qui vivaient dans la maison du maître.

URBANO Valentin
xixᵉ siècle. Actif à Madrid dans la première moitié du xixᵉ siècle. Espagnol.
Peintre et sculpteur sur bois.

URBANO da Cortona. Voir **URBANO di Pietro da C.**

URBANO da Pavia. Voir **SURSO Urbano de**

URBANO di Pietro da Cortona ou **da Firenze** ou **di Fiorenza**
Né en 1426 (?) à Cortona. Mort le 8 mai 1504 à Sienne. xvᵉ siècle. Italien.
Sculpteur.
Élève de Donatello. Il exécuta de nombreuses sculptures pour les cathédrales de Sienne et de Pérouse et pour l'église Saint-Antoine à Padoue.

URBANO da Venezia, appelé aussi **Urbano di Andrea da Pavia**
xvᵉ siècle. Actif à la fin du xvᵉ siècle. Italien.
Peintre.
Les biographes du xviiiᵉ siècle mentionnent qu'il aida Francesco Tacconi à peindre les portes de l'orgue de Saint-Marc à Venise.

URBANO Y CALVO Eduardo
xixᵉ siècle. Travaillant à partir de 1881. Espagnol.
Peintre.

URBANOWICZ Christophor von
Né le 25 février 1785 à Berken. Mort en mars 1839 à Mitau (nom allemand de Ielgava, Lettonie). xixᵉ siècle. Allemand.
Portraitiste amateur et officier.

URBANSKI Jan Jerzy
xviiiᵉ siècle. Actif dans la première moitié du xviiiᵉ siècle. Polonais.
Graveur au burin.

URBANSKY Johann George
xviiᵉ-xviiiᵉ siècles. Allemand.
Sculpteur de statues, bas-reliefs, monuments.
Ce sculpteur sur pierre et sur albâtre travailla à Breslau aux xviiᵉ et xviiiᵉ siècles. Il fut élève de Johann Brokoff à Prague. Il sculpta des statues, des bas-reliefs et des tombeaux pour la cathédrale de Breslau.

URBANUS Van Yperen ou **Urbain d'Ypres**
xviiᵉ siècle. Actif à La Haye. Hollandais.
Peintre.
Élève de Johannes Mytens. Il fut un des quarante-sept artistes qui fondèrent la nouvelle « Camera Van Pietira », à La Haye en 1656.

URBARIO Giulio
xviᵉ siècle. Actif dans la seconde moitié du xviᵉ siècle. Italien.
Peintre.
Il a peint des fresques dans la sacristie de l'église Saint-Pierre de Zuglio.

URBASEK Milos
Né le 28 juillet 1932 à Ostrava (Silésie). xxᵉ siècle. Tchécoslovaque.
Graveur. Tendance abstraite.
De 1958 à 1964, il fut élève de l'Académie des Beaux-Arts de Bratislava, où il vécut et travailla. Il participe à de très nombreuses expositions collectives de gravure, en Tchécoslovaquie et dans plusieurs pays d'Europe. Il montre ses œuvres dans des expositions personnelles, notamment en 1963 à Varsovie, en 1965 à Francfort-sur-le-Main, en 1966 à Brno.
Ses gravures sont souvent consacrées à l'expression du mouvement, à la dynamisation circulaire de formes arbitraires, parfois des chiffres, se répétant avec des fréquences variables au long de cercles concentriques.

URBIETA Jésus
Né en 1959 à Juchitan (province de Oaxaca). xxᵉ siècle. Mexicain.
Peintre, technique mixte.
Il a participé à l'exposition Marco à Monterrey intitulée *Hechizo de Oaxaca*, en 1991. Depuis 1980 il montre ses œuvres dans de nombreuses expositions personnelles au Mexique.
Ventes Publiques : New York, 18 mai 1994 : *Une histoire de cheval* 1989, h. et sable/t. (149,9x189,5) : **USD 9 200** – New York, 16 nov. 1994 : *Personnage et machine III* 1991, h. et sable/t. (189,9x150) : **USD 9 200.**

URBIN Domingo de. Voir **URBINO**

URBIN-CHOFFRAY Francine. Voir **URBAIN-CHOFFRAY**

URBINA Diego de ou **Urbino**, dit **Diego Ampuero de Urbina.** Voir **DIEGO de Urbina**

URBINA Francesco de ou **Urbino.** Voir **FRANCESCO da Urbino**

URBINA Giovanni Maria ou **Urbino.** Voir **GIOVANNI MARIA da Urbino**

URBINA Jehan del. Voir **JEHAN del Urbina**

URBINELLI Giovanni Battista
xviiᵉ siècle. Actif à Urbino au milieu du xviiᵉ siècle. Italien.
Peintre.
Il peignit l'*Adoration des rois* dans la cathédrale d'Urbino.

URBINELLI Mariano
xviiᵉ siècle. Travaillant à Urbino en 1670. Italien.
Peintre.
Il peignit les orgues de l'église Saint-Jean d'Urbino.

URBINELLI Paolo
xviiᵉ siècle. Travaillant en 1600. Italien.
Peintre.

URBINI Carlo ou **Charles** ou **Urbino**, dit **Carlo da Crema**
Né à Crema. Mort dans la deuxième moitié du xviᵉ siècle à Milan. xviᵉ siècle. Italien.
Peintre d'histoire et d'architectures.
Cité par Lampe en 1585. Il subit l'influence de B. Luini et de Bernardino Campi. Il peignit des fresques dans des églises de Crema et de Milan.
Ventes Publiques : Milan, 27 mai 1980 : *Scène de bataille*, pl. (16x59,4) : **ITL 800 000** – Londres, 12 déc. 1985 : *Noli Me Tangere*, craie noire, pl. et encre brune (30,7x36,2) : **GBP 1 000.**

URBINI F.
xixᵉ siècle. Actif au début du xixᵉ siècle. Italien.
Dessinateur.
Le Musée de Ravenne conserve de lui une *Vue de Ravenne*, datée de 1806.

URBINO
Né le 19 juillet 1929 à Mouscron (Prov. du Hainaut). xxᵉ siècle. De 1967 à 1980 actif en Espagne. Belge.
Peintre de portraits, figures, nus, paysages, dessinateur.
Autodidacte, il vécut et travailla à Majorque (Espagne) de 1967 à 1980. Il montre ses œuvres dans des expositions personnelles, de 1956 à 1961 annuellement à Bruxelles, depuis 1970 fréquemment à Palma de Majorque, et Madrid ; en 1975, 1976, 1977 à Paris. Il a reçu le prix de la Jeune Peinture belge en 1949.
Il a peint de nombreux portraits de personnalités, notamment acteurs de théâtre, cinéma, mais aussi des paysannes aux mains usées par le travail, des paysages aux ciels gris. Il a également réalisé des dessins à l'encre de Chine, de nus notamment.

URBINO. Voir aussi au prénom et au nom qui y est adjoint

URBINO Carlo. Voir **URBINI**

URBINO Clemente da. Voir **CLEMENTE da Urbino**

URBINO Diego de. Voir **DIEGO de Urbina**

URBINO Domingo de ou **Urbin**
XVIIe siècle. Actif à Lorca. Espagnol.
Peintre et doreur.
Il travailla dans l'église Sainte-Catherine de Higuera en 1631.

URBINO Fabiano da. Voir **FABIANO**

URBINO Francesco de. Voir **FRANCESCO da Urbino**

URBINO Giovanni Maria. Voir **GIOVANNI MARIA da Urbino**

URBINO Lucas da
Italien.
Graveur.
Il grava un livre d'études, d'après les dessins de Michel-Ange, des Carracci, etc.

URCIO Constantino di Andrea
XVe siècle. Italien.
Peintre et enlumineur.
Il fut maître de la corporation à Pérouse, où il travailla de 1462 à 1476.

URCLÉ Paul d'
Né le 26 novembre 1813 à Breteuil. XIXe siècle. Français.
Peintre.

URCULO Eduardo
Né en 1938 à Santurce (Vizcaya). XXe siècle. Espagnol.
Peintre.
À 14 ans il commence à travailler dans une entreprise minière jusqu'à l'âge de 17 ans, moment où il décide de se consacrer à la peinture. Autodidacte, il vient à Paris en 1959 et y habite pendant un an. Puis il rentre en Espagne afin d'accomplir son service militaire au Sahara (Afrique Occidentale). Plus tard il vit aux Îles Canaries pendant un an.
Il participe à des expositions de groupe dès 1959 en Espagne, en France, aux Îles Canaries, aux U.S.A., au Danemark, en 1970 deuxième Biennale Hispano-Américaine d'Art de Medellin (Colombie) et XXXVe Biennale Internationale d'Art de Venise, en 1971 VIIe Biennale d'Art de Paris. Il montre ses œuvres dans de nombreuses expositions personnelles dès 1963 en Espagne, au Danemark et en Allemagne.
Il eut à ses débuts une époque informelle. En 1962 à Paris, il commence alors la période d'expressionnisme social sur des thèmes pour lui familiers, tels que mineurs, ouvriers, femmes, enfants, dans une ambiance sombre, et dans un climat d'injustice. En 1966 il abandonne cette tendance, et se fixe dans l'île d'Ibiza où commence une nouvelle période, celle de la sensualité, du goût érotique, et de la conformation des mobiles du bonheur, faisant face à la perte du plaisir et de la beauté, corps de femmes et tissus enroulés.
MUSÉES : BOGOTA – MADRID – OSTENDE – ROME – VILLAFAMES.
VENTES PUBLIQUES : LOKEREN, 11 oct. 1997 : *Composition* 1970, h/t (162x130) : BEF 65 000.

URDIN Kiro
Né en 1945 à Strumica (Macédoine). XXe siècle. Actif en France. Yougoslave.
Peintre de compositions animées, figures, portraits, animaux, technique mixte, aquarelliste, dessinateur, lithographe. Expressionniste.
Il fut élève de la Faculté de Droit à l'Université de Belgrade, et diplômé en 1969. Il eut ensuite diverses activités pour la télévision. En 1973-74, il étudia le dessin et la peinture à Paris.
Il participe depuis 1985 à des expositions collectives à Paris, Hambourg, New York, dans plusieurs villes de Belgique notamment en 1989 au musée d'Art moderne de Liège, etc. Il montre aussi son travail dans des expositions personnelles, plusieurs chaque année depuis 1986, dans de nombreux pays, à Paris, New York, Los Angeles, Tokyo et plusieurs villes du Japon, en Belgique, etc.
En 1982-1983, il réalisa les portraits de Neruda, Montale, Guillevic et autres participants aux *Soirées Poétiques de Struga*. Il pratique une technique mixte d'esquisse à l'aquarelle reprise à l'huile et en épaisseurs. S'il privilégie la gamme chaude des ocres et des bruns, il la renforce volontiers d'accents rouges, bleus ou verts. Ces masses pigmentaires sont finalement structurées d'un dessin nerveux au trait noir, qui suggère plus qu'il ne précise ses quelques sujets de prédilection : musiciens, artisans, vagabonds, et de nombreuses figures féminines, des foules, des chevaux et

des chiens. L'écriture et la couleur de sa peinture l'inscrivent dans le large courant expressionniste d'Europe centrale, de Jawlensky à Cobra.
VENTES PUBLIQUES : AMSTERDAM, 22 mai 1990 : *Regards dans le futur* 1986, aquar./pap. (48x58,5) : NLG 46 000 – AMSTERDAM, 12 déc. 1990 : *Personnages dans un paysage* 1986, aquar./pap. (49,5x64,5) : NLG 17 250 – AMSTERDAM, 22 mai 1991 : *Patience*, h/t (93x73) : NLG 55 200 – AMSTERDAM, 19 mai 1992 : *Le médecin*, h/t (50x61) : NLG 43 700 – LOKEREN, 11 oct. 1997 : *La Matière spirituelle* 1990, aquar. et gche (48,5x63) : BEF 170 000.

UREA GALLARDO José
Né le 17 avril 1890 à Séville. XXe siècle. Espagnol.
Peintre de genre, figures, paysages.
Il exposa à Madrid à partir de 1924. Il peignit des paysages et des types populaires espagnols.

URECH P. S.
XIXe siècle. Travaillant à Othmarsingen et à Burgdorf de 1825 à 1839. Suisse.
Paysagiste.

URECH Rudolf
Né le 17 février 1888 à Bâle. Mort en 1951. XXe siècle. Suisse.
Peintre, aquarelliste, graveur, illustrateur.
Il grava des affiches et des illustrations de livres.
MUSÉES : AARAU (Aargauer Kunsthaus) : *Rendez vous* 1935, aquar.

URECH-SEON Rudolf
Né en 1876. Mort en 1959. XXe siècle. Suisse.
Peintre de paysages.
MUSÉES : AARAU (Aargauer Kunsthaus) : *Au bord du ruisseau* 1920 – *Arbre dans le vent* vers 1920 – *Sentier forestier* vers 1920 – *Maison en hauteur* 1929 – *Jour d'hiver* 1929 – *Abstraction avec groupe de poiriers* 1932.
VENTES PUBLIQUES : LUCERNE, 25 mai 1991 : *Moderne* 1947, h/t (42x43) : CHF 1 900.

UREN Esref
Né en 1897. Mort en 1980. XXe siècle. Turc.
Peintre de portraits, paysages. Postimpressionniste.
En 1946 il présentait à l'exposition *L'Art Turc* au musée Cernuschi, des portraits et des paysages, dans la suite de l'impressionnisme. Il paraît identique à Esbref Uren.

$E \cdot UREN$

URFE Matt.
XVIe siècle.
Miniaturiste.
Il emprunta ses sujets à l'histoire naturelle. Sa signature se trouve à la fin d'un « Herbier » conservé à la Bibliothèque de Modène et contenant de nombreuses peintures de plantes.

URGELL, Maître d'. Voir **MAÎTRES ANONYMES**

URGELL CARRERAS Ricardo
Né en 1874 à Barcelone. Mort en 1924 à Barcelone. XIXe-XXe siècles. Espagnol.
Peintre de genre, paysages. Impressionniste.
Fils de Modesto Urgell y Inglada. Il peignit surtout des scènes de théâtre, des scènes d'intérieur, dans un esprit en général postimpressionniste, ou au contraire en recherchant des effets violents d'éclairage nocturne artificiel.
MUSÉES : BARCELONE.
VENTES PUBLIQUES : MADRID, 24 mai 1977 : *Printemps* 1900, h/t (86x123) : ESP 100 000 – NEW YORK, 2 mai 1979 : *La vieille église*, h/t (74,5x123) : USD 3 250 – BARCELONE, 26 mai 1983 : *Ermita al atardecer*, h/pan. (55x96) : ESP 380 000 – BARCELONE, 30 avr. 1985 : *Marine*, h/t (69x130) : ESP 625 000 – LONDRES, 21 juin 1989 : *Le guitariste* 1909, h/t (92,5x87) : GBP 8 800 – LONDRES, 16 nov. 1994 : *Canards sur une rivière*, h/t (83x146) : GBP 7 130.

URGELL Y GUIX Francisco
XIXe siècle. Espagnol.
Peintre.
Élève des Académies de Madrid et de Valence. Il exposa à partir de 1864.

URGELL Y INGLADA Modesto
Né le 2 ou 13 juin 1839 à Barcelone (Catalogne). Mort le 3 avril 1919 à Barcelone. XIXe-XXe siècles. Espagnol.
Peintre de genre, figures, paysages animés, paysages, marines, paysages d'eau. Postromantique.

Il est le père de Ricardo Urgell Carreras. Il fut élève de Marti Alsina à l'École des Beaux-Arts de sa ville natale, puis il séjourna à diverses reprises à Paris. Il s'établit à Gérone en 1868. En 1895, il fut nommé professeur de perspective et de paysage à l'École des Beaux-Arts de Barcelone.

S'il est dit qu'il subit l'influence de Gustave Courbet, ce qui le caractérise le plus c'est un sentiment typiquement romantique des sites désolés, de l'immensité des ciels au-dessus des grands espaces déserts que rompt la verticale d'un cyprès, des éclairages angoissants du couchant ou d'un pâle soleil que filtrent les flocons de neige.

Bibliogr. : In : *Cien Años de pintura en España y Portugal, 1830-1930*, Antiqvaria, t. XI, Madrid, 1993.

Musées : Barcelone – Gérone – Madrid.

Ventes Publiques : Barcelone, 28 fév. 1980 : *Crépuscule*, h/t (77,5x128) : **ESP 300 000** – Barcelone, 5 mai 1981 : *Paysage au crépuscule*, h/t (69x138) : **ESP 475 000** – Barcelone, 17 mars 1983 : *Paysage nocturne*, h/t (95x185) : **ESP 700 000** – Barcelone, 28 nov. 1985 : *Paysage au crépuscule*, h/t (58x115) : **ESP 500 000** – Barcelone, 17 déc. 1987 : *Paysanne et enfant sur un chemin de campagne*, h/t (204x113,6) : **ESP 3 900 000** – Londres, 23 nov. 1988 : *Personnages sur un chemin de campagne*, h/pan. (17x25,5) : **GBP 1 650** – Londres, 17 fév. 1989 : *Marée basse*, h/t (28,5x55,7) : **GBP 5 500** – Londres, 15 fév. 1990 : *Paysage*, h/t (39x26) : **GBP 1 540** – Londres, 16 mars 1994 : *Canards au bord d'une rivière*, h/t (83x146) : **GBP 10 350**.

URGELLES DE TOVAR Félix
Né en 1845 à Barcelone (Catalogne). Mort en 1919 à Barcelone. xixe-xxe siècles. Espagnol.
Peintre de paysages animés, paysages urbains, peintre de décors de scène et d'opéra.
Autodidacte, il se forma principalement dans les musées de Madrid, Paris et Londres où il étudia les œuvres des grands maîtres. Entre 1881 et 1890, il s'associa avec Miguel Moragas pour réaliser des décors de théâtres en Espagne, ainsi qu'à Buenos Aires, Montevideo et la Havane.
La mise en place des éléments de ses peintures, paysage ou site et personnages, participe de son expérience de décorateur de théâtre et d'opéra. Il semble s'agir pour lui de transgresser la vision anecdotique pour atteindre à l'expression des sentiments dont sont porteurs les spectacles de la nature.
Bibliogr. : In : *Cien Años de pintura en España y Portugal, 1830-1930*, Antiqvaria, t. XI, Madrid, 1993.
Musées : Barcelone (Mus. d'Art Mod.) – Barcelone (Inst. théâtral) – Gérone (Mus. provincial) – Madrid (Gal. Mod.) : *Embouchure du Ter*.

URHEGYI Alajos ou Aloys
Né le 31 mai 1871 à Miske. xixe-xxe siècles. Hongrois.
Peintre de paysages.
Il travailla à Arad et à Budapest.

URI Aviva
Née en 1927 à Safed. Morte en 1989. xxe siècle. Israélienne.
Dessinatrice de figures, pastelliste, peintre de technique mixte, collages.
Elle fut élève du peintre israélien Hendler. En 1959, elle participa à la Ire Biennale des jeunes, à Paris ; en 1960, elle fut sélectionnée pour la Biennale de Venise. En 1956, elle fut distinguée par le Prix Dizengoff. Son graphisme est tout de spontanéité et de violence expressive.
Bibliogr. : B. Dorival, sous la direction de... : *Peintres Contemporains*, Mazenod, Paris, 1964.
Ventes Publiques : Tel-Aviv, 3 jan. 1990 : *Personnages* 1969, acryl./t. (200x200) : **USD 4 180** – Tel-Aviv, 19 juin 1990 : *Personnages*, acryl./t. (81,5x65) : **USD 2 530** – Tel-Aviv, 1er jan. 1991 : *Sans titre*, fus. (50,5x53) : **USD 1 040** – Tel-Aviv, 12 juin 1991 : *Corps dans l'espace*, acryl. et techn. mixte/t. (100x100) : **USD 2 640** – Tel-Aviv, 14 jan. 1996 : *Tête de femme aux yeux triple*, acryl./t. (81,5x60) : **USD 7 820** – Tel-Aviv, 7 oct. 1996 : *Composition* 1977, past., collage et encre indienne/pap./cart. (85x63) : **USD 2 875** – Tel-Aviv, 12 jan. 1997 : *Autoportrait* vers 1958, fus. (49,5x33,5) : **USD 4 140** ; *Sans titre* 1977, fus. et techn. mixte/pap. (100x70) : **USD 1 898** ; *Fleurs et feuilles* vers 1955, fus. (48,5x65,5) : **USD 3 450** – Tel-Aviv, 25 oct. 1997 : *Composition* 1969, h. et acryl./t. (130x130) : **USD 12 650**.

URIA AZA Antonio
Né le 29 septembre 1903 à Ribadasella (Asturies). xxe siècle. Espagnol.
Peintre, décorateur.

Il est le frère des peintres Bernardo et Tyno Uria Aza. Autant que la peinture, cet artiste a pratiqué les arts industriels : tailles dorées, reliefs, d'un rare fini d'exécution.

URIA AZA Bernardo
Né en 1894 à Ribadasella (Asturies). xxe siècle. Espagnol.
Peintre de paysages.
Il est le frère des peintres Antonio et Tyno Uria Aza et fut élève de Llado. La critique espagnole a situé haut son talent de paysagiste.

URIA AZA Tyno
Né le 18 décembre 1905 à Ribadasella (Asturies). xxe siècle. Espagnol.
Peintre de portraits, affichiste.
Il est le frère des peintres Antonio et Bernardo Uria Aza. Il obtint des prix à Santander en 1927 et Gijon en 1929. Il collabora avec ses frères aux revues d'art de Madrid et de Barcelone.

URIA MONZON Antonio
Né le 3 juillet 1929 à Madrid. Mort le 14 juillet 1997 à Saint-Hilaire-de-Lusignan (Lot-et-Garonne). xxe siècle. Depuis 1952 actif en France. Espagnol.
Peintre de sujets religieux, scènes animées, portraits, animalier, paysages, graveur, sculpteur. Composite.
Il fréquenta le cercle des beaux-arts de Madrid en 1934, où il eut pour professeur Fujita. Il vécut et travailla à Saint-Hilaire-de-Lusignan près d'Agen. Il participait à des expositions collectives, dont à Paris les Salons d'Automne en 1961, Comparaisons en 1964, 1972. Il exposait individuellement : en 1965 à Paris, en 1977 dans la salle de l'Athénée à Madrid, en 1980 au Musée d'Agen, en 1992 au Musée de Marmande, dans sa propre galerie à Saint-Jean-de-Luz.
Portraitiste habile, il a surtout peint dans une manière très allusive, presque informelle, des scènes de tauromachie et des scènes animalières.

URIA Y URIA José Maria
Né en 1861 à Oviedo (Asturies). Mort en 1939. xixe-xxe siècles. Espagnol.
Peintre de scènes de genre, portraits.
Musées : Madrid : *L'arc du roi Casto – Fin de grève – Le Prince don Carlos*.
Ventes Publiques : Londres, 22 nov. 1989 : *Les joueurs de cartes*, h/t (50,5x63) : **GBP 6 600** – New York, 16 fév. 1995 : *La pause 1880*, h/pan. (45,1x55,9) : **USD 23 575**.

URIBE Y FARFAN Aida ou Maria Aida
Née en 1894. xxe siècle. Guatémaltèque.
Peintre de paysages.
Elle fut élève des frères Zubiaurre et de Daniel Vazquez Diaz.

URIBURU Nicolas Garcia
Né en 1937 à Buenos Aires. xxe siècle. Actif en France. Argentin.
Auteur de performances, peintre de figures, portraits, animaux, paysages, peintre de compositions murales, sculpteur.
Il a séjourné à Paris. Il se manifesta dans de nombreuses expositions collectives, notamment : 1961 musée d'art moderne de Lima ; 1961, 1965, 1971, 1972, 1980, 1981 musée d'art moderne de Buenos Aires ; 1963 musées d'art moderne de Santiago du Chili, Madrid, Barcelone, Zurich ; 1965 Solomon R. Guggenheim Museum of New York ; 1966 musée d'Art moderne de la ville de Paris ; depuis 1967 Salon de Mai de Paris ; 1968 fondation Maeght de Saint Paul de Vence, musée de Saint-Étienne, 1968 Biennale de Venise ; 1971 musée des Beaux-Arts de Boston ; 1972 Institut d'Art moderne de Lima ; 1974 Centre culturel international d'Anvers, palais des beaux-arts de Bruxelles, Institut d'art contemporain de Londres ; 1980 fondation Juan Miro de Madrid ; 1980, 1981 Metropolitan Museum de Tokyo ; 1981 musée national d'art d'Osaka, musée des beaux-arts de Berne ; 1982 Documenta de Kassel ; 1990 *De Bonnard à Baselitz – Dix ans d'enrichissements du Cabinet des Estampes 1978-1988* à la Bibliothèque nationale à Paris... Il montre ses œuvres dans des expositions personnelles depuis 1954 à Buenos Aires ; 1962 Mexico ; 1967, 1968 galerie Iris Clert à Paris ; 1968 Institute General Electric de Montevideo ; 1972 Anvers ; 1973 musée d'art moderne de la ville à Paris ; 1974 galerie Léo Castelli à New York ; 1974 musée Galliéra à Paris ; 1979 musée d'Art latino-américain à Maldonado (Uruguay) ; 1979 salon national des expositions à Buenos Aires ; 1982 musée Hara à Tokyo ; 1984 centre culturel de Buenos Aires. Il a reçu le Grand Prix national d'Argentine en 1968, le premier prix de la Biennale de Tokyo en 1975.
Architecte, il a débuté avec des réalisations librement inspirées

du courant international du « Pop'art ». Dans une première période de peintures il recourt au folklore et à la couleur locale argentins, avec notamment des scènes de « colectivos » (petits autobus de Buenos Aires). Puis dans une deuxième période il découpa des silhouettes grandeur nature de personnages, de nuages, de cascades, d'animaux, de vaches, moutons, perroquets, en Plexiglas peints de couleurs vives, se fondant sur la gaieté et l'humour. Il a également réalisé à Paris des caricatures d'œuvres célèbres dans une gamme de couleurs psychédéliques. À partir de 1968, délaissant momentanément la peinture, il travailla directement avec et sur la nature, rejoignant ainsi le mouvement du « Land Art » qui, à la même époque, avec Heizer, Oppenheim ou même Christo, se développa aux États-Unis. Pour sa part, Uriburu intervenait sur l'élément liquide, principalement urbain, qu'il colorait. En 1968, lors de la Biennale, il teinte en vert, la couleur plus proche de la nature, les eaux du Grand Canal de Venise. Se servant toujours de fluorescine, colorant non toxique utilisé aussi en hydrographie, il colore ainsi l'East River à New York, la Seine à Paris, le Rio de la Plata, les bassins du Parc de Vincennes ou les fontaines de Kassel lors de la Documenta en 1972. Conceptualisant ensuite sa démarche, il a dressé un vaste projet de coloration des eaux à l'échelle internationale, projet purement mental d'abolition des frontières humaines. Il affirme en 1971 : « Je dénonce avec mon art l'antagonisme entre la nature et la civilisation. C'est pour ça que je colore mon corps, mon sexe et les eaux du monde. Les pays les plus évolués sont en train de détruire l'eau, la terre, l'air : réserves du futur dans les pays latino américains ». Revenant plus récemment à la peinture, vers 1974, il a peint une série de paysages de New York dans des camaïeux de verts, comme si la ville aussi avait subi cette coloration universelle, cette métamorphose par la lumière verte. Plastiquement ces dernières peintures sont proches d'un réalisme photographique apparenté aux courants hyperréalistes.
BIBLIOGR. : *Uriburu coloration 1968-1978*, Jacques Damase, Paris, 1978 – Catalogue de l'exposition : *Nicolas Garcia Uriburu*, Centre culturel de la ville, Buenos Aires, 1984 – Damian Bayon, Roberto Pontual : *La Peinture de l'Amérique latine au xxᵉ siècle*, Mengès, Paris, 1990.
MUSÉES : PARIS (BN) : *First Green Venise, june 19* 1968.
VENTES PUBLIQUES : PARIS, 27 nov. 1973 : *Le miroir* : FRF 5 100 – PARIS, 22 mars 1977 : *Composition*, acryl./t. (180x200) : FRF 6 000 – NEW YORK, 17 oct 1979 : *Ombu*, acryl./t. (70x90) : USD 3 400 – NEW YORK, 7 mai 1981 : *Intérieur d'autobus* 1966, acryl. et collage/t. (89x130) : USD 2 800 – PARIS, 6 nov. 1984 : *Marie Antoinette en famille* 1966, h/t (162x130) : FRF 7 600 – PARIS, 31 oct. 1990 : *Le grand fourmilier*, acryl./t. (111x181) : FRF 85 000 – NEW YORK, 22-23 nov. 1993 : *Main*, acryl./t. (99,2x101) : USD 2 415.

URIELLO
XVIᵉ siècle. Actif à Crema. Italien.
Peintre.
Il peignit des sujets religieux.

URIOT Charles
Né en 1773 à Stuttgart. XVIIIᵉ-XIXᵉ siècles. Français.
Peintre.
Il travailla chez Durameau à Paris en 1789.

URISARRI LOPEZ Juan de. Voir LOPEZ Juan

URK A. Th. Van
Né le 6 septembre 1891 à Leyde. XXᵉ siècle. Hollandais.
Peintre, graveur.

URLASS Louis ou Ernst Louis Fürchtegott
Né le 7 janvier 1809 à Dresde. XIXᵉ siècle. Allemand.
Portraitiste.
Élève de l'Académie de Dresde. Il exposa de 1837 à 1857.

URLAUB Georg Anton
Né le 20 juin 1713 à Thüngersheim. Mort le 20 février 1759 à Würzburg. XVIIIᵉ siècle. Allemand.
Peintre de compositions religieuses, dessinateur.
Fils de Georg Sebastian Urlaub et élève de l'Académie de Vienne. Il travailla à Bologne et à Würzburg. Beaucoup de ses dessins ont été attribués à Tiepolo.
VENTES PUBLIQUES : BERNE, 17 juin 1987 : *L'Adoration des Rois mages*, pl. et lav. reh. de blanc/pap. bleu (28,8x19,8) : CHF 23 000.

URLAUB Georg Anton Abraham
Né le 31 décembre 1744 à Kitzingen. Mort en 1788 à Mayence. XVIIIᵉ siècle. Allemand.
Peintre de portraits.

Il travailla pour les cours de Würzburg et de Mayence.
MUSÉES : AUGSBOURG : *L'artiste* – MUNICH (Mus. Nat.) : *Jeune dame.*
VENTES PUBLIQUES : PARIS, 9 avr. 1991 : *Portrait de Henriette Haussmann à son clavecin*, h/t (92,5x79) : FRF 230 000.

URLAUB Georg Christian
Né en 1718. Mort en 1766. XVIIIᵉ siècle. Actif à Thüngersheim. Allemand.
Peintre d'histoire.
Élève de l'Académie de Vienne. Il travailla à Bamberg et à Würzburg. Il peignit des tableaux d'autel.

URLAUB Georg Johann Christian
Né le 25 décembre 1844 à Saint-Pétersbourg. Mort en 1914. XIXᵉ-XXᵉ siècles. Allemand.
Peintre de compositions religieuses, figures, graveur.
Il fit ses études à Saint-Pétersbourg, à Berlin et à Munich. Il privilégia la technique de l'eau-forte.
MUSÉES : MOSCOU (Gal. Tretiakov) : *Un Boyard* – RIGA : *Résurrection de la fille de Jaïre.*

URLAUB Georg Karl
Né le 3 octobre 1749 à Ansbach. Mort le 26 octobre 1811 à Darmstadt. XVIIIᵉ-XIXᵉ siècles. Allemand.
Peintre de genre, de batailles, de sujets mythologiques, portraitiste et pastelliste.
MUSÉES : BERLIN : *L'artiste et sa femme* – COBLENCE : *La lessive* – FRANCFORT-SUR-LE-MAIN : *Le règlement de comptes – Portrait de Johann Justus Georg von Geyligen-Altheim – Le combat près de la porte de Friedberg – L'attaque de la porte de Friedberg – Maîtresse et servante – Portraits de Henriette Karoline Anna Sibylle et de Friedrich Adolf Karl von Holzhausen* – KASSEL : *Prise de Francfort par les troupes de Hesse – Portraits de L. F. A. von Geyligen-Altheim, de Karoline von Reischach, de Eberhard, de Friedrich von Geylingen-Altheim, de Fritz von Geylingen-Altheim, d'Auguste Wilhelmine(deux fois) et de Jakob et Wilhelm Grimm* – MAYENCE : *Entrée de Frédéric-Guillaume II de Prusse à Mayence après la capitulation de la ville, 27 juillet 1793* – WIESBADEN : *Portrait de M. Pigbort.*
VENTES PUBLIQUES : HANOVRE, 19 mars 1982 : *Mère et enfants dans un intérieur* 1793, h/pan. parqueté (50x38) : DEM 30 000.

URLAUB Georg Sebastian ou Sebastian
Né le 9 mai 1685 à Thüngersheim. Mort le 20 mai 1763 à Würzburg. XVIIIᵉ siècle. Allemand.
Peintre.
Il travailla à Bamberg, à Pommersfelden et à Würzburg où il peignit des tableaux d'autel.

URLAUB Henriette, née Muller
XVIIIᵉ-XIXᵉ siècles. Active en 1800. Allemande.
Peintre d'animaux, fleurs, peintre à la gouache, graveur.
On lui doit plusieurs gravures représentant des fleurs exécutées à la gouache sur fond noir.
MUSÉES : DARMSTADT (Cab. d'Estampes).
VENTES PUBLIQUES : NEW YORK, 10 jan. 1995 : *Faucon harnaché pour la chasse* 1829, gche avec reh. de blanc (32,9x22,5) : USD 5 175.

URLAUB Johann Andreas
Né en 1735. Mort en 1781. XVIIIᵉ siècle. Allemand.
Peintre de fresques.
Élève d'Ignaz Roth à Würzburg et de l'Académie de Vienne. Il peignit des fresques et des tableaux d'autel pour des églises de Würzburg et des environs. Il réalisa peut-être aussi des portraits.

URLIENS Juan Miguel et Nicolas de. Voir ORLIENS

URMENETA Juan José de
Né au XIXᵉ siècle à Cadix. Mort le 24 février 1883 à Cadix. XIXᵉ siècle. Espagnol.
Portraitiste et peintre d'histoire.
Le Musée de Cadix conserve de lui *Portrait de la femme de l'artiste.*

URMILA UPADHAYA-GARC. Voir UPADHAYA-GARC Urmila

URMOWSKI Leon
XIXᵉ siècle. Actif dans la première moitié du XIXᵉ siècle. Polonais.
Dessinateur et aquafortiste.
Le Musée National de Cracovie conserve des dessins de cet artiste.

UROOM. Voir VROOM

URQUHART G.
Britannique.
Peintre ou dessinateur.

URQUHART Murray Mc Neel Caird
Né le 24 avril 1880 à Kirkcudbright. Mort en 1972. xxᵉ siècle.
Britannique.
Peintre de compositions religieuses, portraits, paysages urbains, compositions murales.
Il travailla à Londres. Il participa aux manifestations organisées par la Royal Academy, de 1912 à 1961.
Il peignit des fresques historiques et des tableaux d'autel.
VENTES PUBLIQUES : LONDRES, 3 mars 1978 : *Portrait of Juley on « Bess »* 1923, h/t (43,5x51) : **GBP 650** – STOCKHOLM, 29 mai 1991 : *Scène de rue au crépuscule*, h/t (90x120) : **SEK 15 500**.

URQUHART Tony
Né en 1934 à Niagara Falls. xxᵉ siècle. Canadien.
Sculpteur, peintre, graveur.
Il vit et travaille à Ontario. Il a figuré à l'exposition : *De Bonnard à Baselitz – Dix ans d'enrichissements du Cabinet des Estampes 1978-1988* à la Bibliothèque nationale à Paris, en 1992.
Depuis 1965 Tony Urquhart fabrique des « boîtes », sortes de reliquaires avec des ouvertures articulées, des fentes, des fenêtres, qui révèlent des intérieurs secrets. Ces sculptures fascinantes évoquent quelques paysages mentaux en trois dimensions.
MUSÉES : PARIS (BN) : *The Cave* 1980, litho.

URQUIOLA Y AGUIRRE Eduardo
Né en 1869 à Algorta. Mort en 1932 à Madrid. xixᵉ siècle.
Espagnol.
Peintre de figures.
Il peignit, avec tendresse et non sans humour, des portraits et des types populaires d'Espagne et notamment les femmes de Madrid.
BIBLIOGR. : In : *Cien Años de pintura en España y Portugal, 1830-1930*, Antiqvaria, t. XI, Madrid, 1993.

URRABIETA ORTIZ Vicente
Mort en décembre 1879 à Paris. xixᵉ siècle. Espagnol.
Dessinateur et lithographe.
Père de Daniel et de Samuel Urrabieta. Il fut collaborateur de plusieurs revues espagnoles.

URRABIETA ORTIZ Y VIERGE Daniel. Voir **VIERGE Daniel**

URRABIETA ORTIZ Y VIERGE Samuel
xixᵉ siècle. Actif en France. Espagnol.
Peintre et dessinateur.
Frère de Daniel Vierge. Il se fixa aussi à Paris.

URREA Pero Guillen de. Voir **GUILLEN de Urrea Pedro**

URRIES Y BUCARELLI Fernando
xviiiᵉ-xixᵉ siècles. Espagnol.
Peintre amateur.
L'Académie de Saragosse possède de lui *Tête de femme* et un dessin.

URRIZA Louise de
Née au xixᵉ siècle à Dunkerque (Nord). xixᵉ siècle. Française.
Peintre.
Élève de A. Lafond et C. Saunier. Elle a débuté au Salon de 1870.

URRUCHI Juan
Né en 1828 à Mexico. Mort en 1892 à Mexico. xixᵉ siècle.
Mexicain.
Portraitiste.
Élève de Pelegrin Clavé y Roqué.

URRUCHUA Demetrio
Né en 1902. Mort en 1986. xxᵉ siècle. Argentin.
Peintre, peintre de compositions murales.
Il travaille en Argentine et Uruguay à partir de 1939, date à laquelle l'université des Femmes de Montevideo lui commande une œuvre. Il collabora à la décoration de la coupole des Galerias Pacifico à Buenos Aires.
BIBLIOGR. : Damian Bayon, Roberto Pontual : *La Peinture de l'Amérique latine au xxᵉ siècle*, Mengès, Paris, 1990.

URRUTIA José
xixᵉ siècle. Espagnol.
Peintre.
Il travailla à Saragosse en 1883.

URRUTIA DE URMENETA Ana Gertrudis de
Née en 1812 à Cadix. Morte le 5 novembre 1850 à Cadix. xixᵉ siècle. Espagnole.
Peintre.
Sœur et élève de Javier de Urrutoia et femme de Juan José de Urmeneta. Ses œuvres se trouvent dans les églises de Cadix. Le Musée Romantique de Madrid conserve d'elle *Portrait d'une femme*.

URRUTIA Y GARCHITORENA Javier de, ou **Francisco Javier**
Né en 1807 à Cadix (Andalousie). Mort le 7 décembre 1869 à Cadix. xixᵉ siècle. Espagnol.
Peintre de sujets religieux.
Il a peint pour la cathédrale de Cadix : *Martyre du saint évêque Hiscio*. Il écrivit également sur l'art, on cite notamment : *Description historique et artistique de la cathédrale de Cadix*.
MUSÉES : MADRID (Mus. de la Marine) : *Diorama de Cadix*.

URRUTIA OLARAN Jenaro de
Né le 9 septembre 1895 à Plencia. Mort le 2 janvier 1965 à Bilbao (Pays Basque). xxᵉ siècle.
Peintre de figures, paysages, natures mortes, fleurs, compositions murales.
Il étudia à l'École des Arts et Métiers de Bilbao, puis il reçut une bourse d'études pour Paris et Rome, villes où il résida jusqu'en 1924. Il exposa à Madrid en 1925, à Saint-Sébastien en 1928, à Bilbao en 1939 et 1960.
On lui doit des peintures murales dans l'église du Bon Pasteur à Luchana et dans l'église Saint-Jean-Baptiste de la Salle à Bilbao.
Il traite des thèmes classiques avec une totale authenticité de sentiment et une facture juste et souvent puissante.
BIBLIOGR. : In : *Cien Años de pintura en España y Portugal, 1830-1930*, Antiqvaria, t. XI, Madrid, 1993.

URRUTIA Y PARRA Mariano
Né dans la seconde moitié du xixᵉ siècle à Madrid. xixᵉ siècle.
Espagnol.
Peintre de genre, portraits, paysages, aquarelliste.
Il étudia à Madrid et à Paris. Il débuta au Salon de la Société Nationale des Beaux-Arts de Madrid en 1878.
BIBLIOGR. : In : *Cien Años de pintura en España y Portugal, 1830-1930*, Antiqvaria, t. XI, Madrid, 1993.

URRUTY Alphonse
xixᵉ siècle. Travaillant vers 1835. Français.
Lithographe.

URSAGE Jakob von
Mort avant le 15 décembre 1586. xviᵉ siècle. Actif à Malines.
Éc. flamande.
Peintre.

URSCHALL Gotthard ou **Uhrschall**
xviiiᵉ-xixᵉ siècles. Travaillant à Innsbruck vers 1800. Autrichien.
Graveur au burin.
Il grava des scènes de guerre entre 1796 et 1809 et des sujets religieux.

URSCHALL Rupert Gotthard
Né le 23 avril 1799 à Innsbruck. Mort le 2 juin 1848 à Innsbruck. xixᵉ siècle. Autrichien.
Graveur au burin.
Fils de Gotthard Urschall. Il grava des images saintes et des portraits.

URSCHBACH Fritz
Né le 11 décembre 1880 à Venningen. xxᵉ siècle. Allemand.
Peintre de figures, paysages.
Il fut élève de l'Académie de Munich, où il vécut et travailla.
MUSÉES : MUNICH (Mus. mun.) : *Jeune Fille avec chien – Paysages avec des moutons*.

URSCHENTHALER. Voir **URSENTHALER**

URSEL Frans Van ou **Hursel** ou **Ussel**
Né probablement à Malines. Mort après 1802. xviiiᵉ siècle.
Actif à Anvers. Éc. flamande.
Sculpteur.
Il travailla surtout pour l'église Sainte-Rosalie de Rotterdam.

URSELA ou **Orsela**
xviiᵉ siècle. Actif en Hollande. Hollandais.
Peintre de genre.
On croit qu'il fut élève de Fr. Mieris.

URSELE Godefroid ou **Godevaert Van** ou **Urssele, Ussele, Orssele, Esel, Esele**
Né le 28 avril 1525 à Louvain. xviᵉ siècle. Éc. flamande.

Peintre.
Bourgeois de Louvain.

URSELE Hans Van ou **Orssele, Urssele, Ussele**
XVIe siècle. Actif à Middelbourg en 1581. Hollandais.
Peintre.

URSELE Henri Van ou **Orssele, Urssele, Ussele**
XVIe siècle. Travaillant à Malines en 1561. Éc. flamande.
Peintre de figurines.

URSELINCX Jan ou **Johannes** ou **Urseline**
Né vers 1598. Enterré le 24 octobre 1664 à Amsterdam. XVIIe siècle. Hollandais.
Peintre de sujets religieux, scènes de genre, paysages animés, paysages.
MUSÉES : DÜSSELDORF (Werner Dahl) : *Paysanne conduisant des canards.*
VENTES PUBLIQUES : COLOGNE, 26 nov. 1970 : *Diane dans un paysage* : DEM 12 500 – LONDRES, 8 déc. 1993 : *Village dans une clairière*, h/pan. (32,8x53,9) : GBP 8 050 – NEW YORK, 14 jan. 1994 : *Paysage avec un puits au bord du chemin*, h/pan. (27,3x37,5) : USD 23 575 – AMSTERDAM, 6 mai 1996 : *La rencontre de Jacob et de Rachel*, h/pan. (39,5x63,5) : NLG 15 930.

URSELLA Enrico
Né le 4 mai 1887 à Buia. Mort en 1955. XXe siècle. Italien.
Peintre.
Il fut élève d'Ettore Tito à Venise. Il continua ses études à Rome.
VENTES PUBLIQUES : MILAN, 21 avr. 1983 : *Fête champêtre*, h/t (56,5x71) : ITL 2 600 000.

URSCHENTHALER Gabriel ou **Urschenthaler**
Mort vers 1580. XVIe siècle. Travaillant à Salzbourg. Autrichien.
Médailleur.
Frère d'Ulrich I Ursenthaler.

URSENTHALER Ulrich I ou **Urschenthaler**
Né en 1482. Mort en 1562. XVIe siècle. Actif à Hall (Tyrol). Autrichien.
Médailleur.
Il grava des médailles à l'effigie de l'empereur Maximilien Ier ainsi que des sceaux.

URSENTHALER Ulrich II ou **Urschenthaler**
Mort le 4 juillet 1574. XVIe siècle. Actif à Hall (Tyrol). Autrichien.
Médailleur.
Fils de Gabriel Ursenthaler.

URSINO Gennaro
XVIIIe siècle. Travaillait à Naples en 1728. Italien.
Peintre.
Il a peint les fresques du plafond de l'église Saint-Dominique le Majeur de Naples.

URSO ou **Orso** ou **Ursus**
VIIIe siècle. Travaillant à Vérone en 712. Italien.
Sculpteur.
Il exécuta le ciborium pour l'église Saint-Georges à Valpolicella près de Vérone dont le Musée Lapidaire de Vérone possède quelques restes.

URSO ou **Ursus**
VIIIe siècle. Actif dans la première moitié du VIIIe siècle. Italien.
Sculpteur.
Il a sculpté l'autel de l'église Saint-Pierre à Ferentilo en 739. Peut-être identique au précédent.

URSO ou **Ursus**
XIIe siècle. Italien.
Sculpteur.
Il a sculpté le portail de l'église Saint-Paul à Gaudiano.

URSO ou **Ursus**
XIIe siècle. Actif dans la seconde moitié du XIIe siècle. Italien.
Sculpteur.
Il a exécuté divers travaux pour le tombeau de saint Guillaume de Verceil. Peut-être identique au précédent.

URSONI Filippo
XVIe siècle. Italien.
Dessinateur d'ornements.
Le Musée Victoria et Albert de Londres conserve de lui des dessins représentant des armures, des pommeaux d'épée et des harnais datés de 1554.
VENTES PUBLIQUES : PARIS, 1893 : *Recueil d'armures*, dess. à la pl. : FRF 5 450.

URSSELLE. Voir **URSELE**

URSULA, pseudonyme de **Schultze-Bluhm Ursula** ou **Blum-Schultze Ursula**
Née en 1921 à Mittenwald. XXe siècle. Allemande.
Peintre, dessinatrice, auteur d'assemblages.
On a vu de ses œuvres dans le contexte du groupe surréaliste au Salon de Mai de Paris. Une galerie de Hanovre montre ses créations en permanence. À Paris, elle est représentée par la galerie Darthea Speyer.
Artiste sans formation œuvrant dans une totale spontanéité, son courant créateur n'a pas débouché sur la veine populaire naïve, mais s'apparente plutôt à l'art médiumnique. Le caractère instinctif de son langage s'accommode mieux des moyens d'expression les plus directs, notamment les crayons de couleurs. Les surréalistes se sont intéressés à sa production. Elle réalise également des objets, à partir de matériaux typiquement féminins : fourrure, perle, broderie.

Ursula

BIBLIOGR. : José Pierre : *Le Surréalisme*, in : *Histoire Générale de la peint.*, tome 21, Rencontre, Lausanne, 1966 – in : *Dict. de l'art mod. et contemp.*, Hazan, Paris, 1992.

URSULARRE Y ECHEBARRIA Juan de ou **Echevarria**
XVIIe siècle. Actif dans la seconde moitié du XVIIe siècle. Espagnol.
Sculpteur sur bois.
Il a sculpté le tabernacle du maître-autel de l'église Saint-François d'Assise de Madrid en 1664.

URSUS. Voir **URSO**

URSZENYI-BREZNAY Helena Maria
Née le 22 octobre 1908. XXe siècle. Roumaine.
Peintre de portraits, fleurs, aquarelliste, pastelliste.
Elle fit ses études à l'Académie Royale Hongroise durant quatre ans, puis fut élève du professeur Miróslav Sylhavy, à Prague. Elle a exposé ses huiles, pastels et aquarelles à Budapest en 1929, en Tchécoslovaquie en 1932, à Bratislava en 1938, Ashanti en 1948, Acra en 1951, Londres en 1963, Birmingham en 1964.
Dans un style réaliste, elle peint des études de fleurs, des portraits et particulièrement des portraits africains.

URTEAGA Mario
Né en 1875 à Cajamarca. XXe siècle. Péruvien.
Peintre de genre, paysages, paysages urbains, peintre de compositions murales. Tendance naïve.
Il montra sa première exposition en 1934. Il obtint le premier prix du Concours International de Vino del Mar (Chili), en 1937. Il a été distingué par l'Institut pour l'Art Contemporain de Lima.
Peignant des scènes de la vie paysanne péruvienne, bien que sans avoir reçu aucune formation, il est difficile de le classer dans la catégorie mal définie des peintres naïfs, tant ses accords colorés ont de délicatesse, évitant les contrastes brutaux de tons qui ont l'aspect délavé des anciennes tapisseries, ou des ornements funéraires retrouvés dans les tombeaux incas.
BIBLIOGR. : Oto Bihalji-Merin : *Les Peintres Naïfs*, Delpire, Paris, s.d. – Damian Bayon, Roberto Pontual : *La Peinture de l'Amérique latine au XXe siècle*, Mengès, Paris, 1990.
MUSÉES : NEW YORK (Mus. of Mod. Art) : *Composition.*

URTHALER Wilhelmine. Voir **REDLICH Wilhelmine**

URTIN Paul François Marie
Né le 12 juillet 1874 ou 1887 à Grenoble (Isère). Mort le 8 mai 1962 à Paris. XIXe-XXe siècles. Français.
Peintre de genre, portraits, intérieurs, paysages, fleurs.
Il fut élève de Jean C. T. Bastet à Grenoble et de Gustave Moreau à l'école des beaux-arts de Paris. Il a travaillé avec François Guiguet.
Il exposa à Paris au Salon des Artistes Français à partir de 1921. Il reçut une médaille d'argent en 1929, d'or en 1932, de bronze en 1937 à l'Exposition Internationale.
Peintre intimiste, il a réalisé de nombreux paysages de sa région et représenté à diverses reprises sa femme.
BIBLIOGR. : Maurice Wantellet : *Deux Siècles et plus de peinture dauphinoise*, Maurice Wantellet, Grenoble, 1987.
MUSÉES : ANNECY – BREST – GRENOBLE : *Intérieurs, portraits et paysages* – LYON – MARSEILLE.
VENTES PUBLIQUES : PARIS, 11 déc. 1926 : *Ménagère à l'office* : FRF 90 – PARIS, 21 jan. 1928 : *La cuisinière à l'office* : FRF 260 – PARIS, 26 mai 1988 : *Le salon bleu*, h/t (93x73) : FRF 10 500.

URTREL Simon. Voir **HURTREL**

URUENA Juan de
XVIᵉ siècle. Actif à Valladolid. Espagnol.
Peintre.
Témoin dans le grand procès soutenu par Junis contre Giralte.

URUETA Cordelia
Née en 1908. XXᵉ siècle. Mexicaine.
Peintre, technique mixte.
VENTES PUBLIQUES : NEW YORK, 17 mai 1989 : *Oxido 1977*, h. et sable/t. (130,2x170,2) : **USD 26 400** – NEW YORK, 1ᵉʳ mai 1990 : *Balance del miedo 1975*, h/t (130x170) : **USD 16 500** – NEW YORK, 20-21 nov. 1990 : *Contour 1985*, h/t (100x120) : **USD 16 500** – NEW YORK, 18-19 mai 1992 : *Pyramide 1989*, h/t (120,5x100,7) : **USD 27 500** – NEW YORK, 25 nov. 1992 : *La barque perdue 1989*, h/t (140x120) : **USD 19 800** – NEW YORK, 18 mai 1993 : *Vieille barque 1989*, h/pap. (35,5x43,5) : **USD 4 025** – NEW YORK, 23-24 nov. 1993 : *Iman 1960*, h/t (150,5x110,5) : **USD 25 300**.

URWERKER Andreas ou **Uhrwerker**
XVIIIᵉ siècle. Actif à Trèves dans la seconde moitié du XVIIIᵉ siècle. Allemand.
Sculpteur.
Il travailla dans le Palais électoral de Trèves et dans le château de Monrepos sur le Rhin.

URWICK Walter C.
Né le 17 décembre 1864 à Londres. Mort le 24 novembre 1943. XIXᵉ-XXᵉ siècles. Britannique.
Peintre de genre, figures.
Dès l'âge de six ans, il s'adonna à l'étude de la peinture et travailla, durant son jeune âge, presque toujours sans maître. En 1842, il devint élève des écoles de la Royal Academy à Londres et il commença à exposer à cet Institut à partir de 1887 jusqu'en 1933.
MUSÉES : LEEDS : *Jeune fille du Comté de Kent*.

URY Lesser
Né le 7 novembre 1861 à Birnbaum. Mort le 18 octobre 1931 à Berlin. XIXᵉ-XXᵉ siècles. Allemand.
Peintre de scènes de genre, portraits, paysages, paysages urbains, natures mortes, pastelliste.
Il fit ses études à Anvers, Düsseldorf, Munich, Stuttgart. Il fut également élève de Jean François Portaels à Bruxelles et de Léon Bonnat à Paris. Il obtint en 1890 une bourse de voyage.
Il a réalisé essentiellement des paysages urbains et ruraux, à l'huile ou au pastel.

L Ury

MUSÉES : BERLIN – GÖRLITZ – GRAZ : *L'Orage*.
VENTES PUBLIQUES : COLOGNE, 26 mars 1976 : *Scène de rue à Londres*, past. (36x50) : **DEM 26 000** – COLOGNE, 12 nov. 1976 : *L'arrêt des fiacres au Tiergarten, Berlin*, h/t mar./pan. (16x9,5) : **DEM 11 000** – LONDRES, 1ᵉʳ déc. 1976 : *Arbres au bord de l'eau*, past. (44,5x35) : **GBP 1 150** – MUNICH, 26 mai 1977 : *Paysage à l'étang 1911*, past. (51x72) : **DEM 12 200** – MUNICH, 26 nov. 1977 : *London, promeneurs à Hyde Park 1926*, h/t (47x73) : **DEM 28 000** – HAMBOURG, 3 juin 1978 : *Au café 1907*, craies de coul. (49,2x35,8) : **DEM 10 000** – LONDRES, 5 juil 1979 : *Le fiacre, la nuit*, pointe sèche (20,7x11,6) : **GBP 550** – LONDRES, 10 mai 1979 : *Le pont de Westminster*, gche, aquar. et past. (33x48,3) : **GBP 5 000** – LONDRES, 20 juin 1979 : *Le retour des champs 1886*, h/t (70x94) : **GBP 7 500** – HAMBOURG, 13 juin 1981 : *Paysage de Hollande 1922*, pointesèche, suite de sept : **DEM 2 500** ; *Scène de rue sous la pluie*, craies coul. (34,9x50) : **DEM 22 000** – LONDRES, 17 juin 1982 : *La Tiergartenstrasse, Berlin* past. (39,5x30) : **GBP 8 500** – LONDRES, 30 nov. 1982 : *Scène de rue devant la porte de Brandenburg*, h/t (32x42) : **GBP 18 500** – LONDRES, 22 mars 1983 : *Au café 1928*, h/t (32,5x24,5) : **GBP 15 500** – BERLIN, 25 mai 1984 : *Fiacres et promeneurs dans une rue*, eau-forte (22x15,4) : **DEM 2 600** – COPENHAGUE, 7 nov. 1984 : *Une allée de Tiegarten de Berlin, par jour de pluie*, past. (41x55) : **DKK 270 000** – BERLIN, 25 mai 1984 : *Paysage au lac*, craie de coul. (46,3x35) : **DEM 13 000** – MUNICH, 29 oct. 1985 : *Paysannes hollandaises portant des seaux d'eaux 1912*, fus. (32,5x49,5) : **DEM 4 400** – BERLIN, 6 déc. 1986 : *On the embankment, London 1926*, dess. à la craie reh. de blanc (24x35) : **DEM 9 500** – HAMBOURG, 10 juin 1986 : *Paysage au lac, Berlin*, h/t (115,7x85,2) : **DEM 76 000** – MUNICH, 28 oct. 1987 : *Damen aus einer Droschke aussteigend 1920*, h/t (49x69,5) : **DEM 140 000** –

PARIS, 22 juin 1988 : *Promeneurs et fiacres en bordure du parc*, h/t (32x24) : **FRF 180 000** – LONDRES, 28 juin 1988 : *Haus Vaterland à Berlin*, h/t (33x24) : **GBP 30 800** – MUNICH, 26 oct. 1988 : *Scène de rue avec un fiacre*, past. (47x32) : **DEM 48 400** – NEW YORK, 6 oct. 1988 : *La place Nollendorf à Berlin 1922*, h/t (69,8x100,3) : **USD 79 200** – LONDRES, 29 nov. 1988 : *La Porte de Brandebourg à Berlin*, h/t (36x52) : **GBP 55 000** – TEL-AVIV, 2 jan. 1989 : *Portrait d'une jeune femme rousse 1919*, past. (49x55,5) : **USD 7 700** – AMSTERDAM, 24 mai 1989 : *Femme lisant dans un intérieur 1884*, h/t (78,5x48,5) : **NLG 59 800** – MUNICH, 7 juin 1989 : *La lisière de la forêt 1902*, past. (68x48) : **DEM 35 200** – NEW YORK, 15 nov. 1989 : *Avenue de Berlin avec des fiacres 1924*, h/t (50,8x35,6) : **USD 110 000** – NEW YORK, 13 nov. 1989 : *Vieil homme au jardin public*, past./cart. (35,6x26,7) : **USD 126 500** – MUNICH, 13 déc. 1989 : *Paysage d'automne*, h/t (32,5x24,5) : **DEM 63 800** – TEL-AVIV, 3 jan. 1990 : *Paysage montagneux*, past./cart. (48,5x35) : **USD 25 300** – NEW YORK, 21 fév. 1990 : *Homme endormi sur une table 1883*, encre et gche/cart. (22,9x25,4) : **USD 6 050** – NEW YORK, 1ᵉʳ mars 1990 : *Nature morte de pommes*, h/t (35,5x51) : **USD 35 200** – MUNICH, 31 mai 1990 : *Femme remplissant son seau à la rivière au crépuscule 1892*, h/t (99x79,5) : **DEM 39 600** – MUNICH, 31 mai 1990 : *Les quais à Londres 1926*, h/t (50,2x70,5) : **DEM 165 000** – TEL-AVIV, 1ᵉʳ juin 1990 : *Cour de ferme avec une fontaine 1888*, h/t (79x97) : **USD 28 600** – MUNICH, 12 juin 1991 : *Village du Tessin 1893*, past./cart. (35,5x49,5) : **DEM 33 000** – TEL-AVIV, 12 juin 1991 : *Arbre au bord d'un lac*, past. (49,5x34) : **USD 27 500** – TEL-AVIV, 26 sep. 1991 : *Rue de Berlin*, past./cart. écru (34x49) : **USD 46 200** – TEL-AVIV, 6 jan. 1992 : *Vollage du Tessin 1893*, past. (35,5x49,5) : **USD 24 200** – NEW YORK, 30 oct. 1992 : *Joseph enchaîné 1919*, h/t (70,2x99,1) : **USD 9 900** – NEW YORK, 12 nov. 1992 : *Scène de rue*, past./cart. (50,2x34,9) : **USD 41 800** – LONDRES, 1ᵉʳ déc. 1992 : *Bord d'un lac*, past./pap. (34x51) : **GBP 6 600** – TEL-AVIV, 4 avr. 1993 : *Paysage avec des bouleaux*, past./cart. (69x47) : **USD 63 000** – NEW YORK, 13 mai 1993 : *Paysage*, past./cart. (34,9x49,5) : **USD 36 800** – MUNICH, 22 juin 1993 : *Scène d'intérieur avec une femme lisant sur une terrasse 1894*, h/t (72x51,5) : **DEM 57 500** – LONDRES, 30 nov. 1993 : *Rue de Berlin avec un fiacre 1910*, h/t (100,3x70,5) : **GBP 128 000** – PARIS, 27 mars 1994 : *Quai de Londres 1920*, h/pan. (11,5x16) : **FRF 46 000** – TEL-AVIV, 4 avr. 1994 : *La Porte de Brandebourg*, past. (34x49) : **USD 79 500** – NEW YORK, 26 mai 1994 : *Le Salon de thé (la Banquette rouge) 1888*, h/t (45,1x32,4) : **USD 74 000** – TEL-AVIV, 30 juin 1994 : *Le Lac de Berg au soleil couchant*, h/t (85x114) : **USD 83 750** – LONDRES, 29 nov. 1995 : *Paysage avec arbre 1893*, h/t (88x66,5) : **GBP 23 000** – TEL-AVIV, 11 avr. 1996 : *Paysage avec des arbres 1893*, h/t (89x67) : **USD 57 500** – TEL-AVIV, 7 oct. 1996 : *Au bord du lac*, h/t (49x69,2) : **USD 24 150** – TEL-AVIV, 30 sep. 1996 : *Au café*, h/t (58,4x35,3) : **USD 36 800** – NEW YORK, 24 oct. 1996 : *Un cottage près d'un lac au coucher du soleil 1891*, past./pap. (49,5x75,6) : **USD 28 750** – NEW YORK, 9 jan. 1997 : *Paysage d'hiver*, past./pap. (26x36,5) : **USD 10 350** – TEL-AVIV, 12 jan. 1997 : *Willemsdorf 1913*, past./pan. (50x70) : **USD 21 850** – HEIDELBERG, 11-12 avr. 1997 : *Zoo de Berlin, fiacre dans une allée ensoleillée 1889*, fus. (31,5x22) : **DEM 14 000** – TEL-AVIV, 24 avr. 1997 : *Rue de Berlin sous la pluie*, h/t (69,9x99,7) : **USD 120 000** – TEL-AVIV, 23 oct. 1997 : *Femme assise dans un café*, h/t (50,4x38) : **USD 88 300** – TEL-AVIV, 25 oct. 1997 : *Scène de rue*, h/t (70,5x50,7) : **USD 63 000**.

URZANQUI Andrès
Né en 1606 à Cascante. XVIIᵉ siècle. Espagnol.
Peintre.
Le Musée Provincial de Saragosse conserve de lui *Saint Benoît* et *Portrait de Fernando de Aragon, archevêque de Saragosse*.

URZANQUI Francisco
Mort en 1679 à Saragosse. XVIIᵉ siècle. Espagnol.
Peintre.
Frère d'Andrès Urzanqui.

USADEL Lotte
Née en 1900 à Stettin. XXᵉ siècle. Allemande.
Peintre de paysages, pastelliste, dessinateur.
Elle fut élève de l'Académie de Berlin.
MUSÉES : STETTIN : *Lac dans la forêt* – dessins et pastels.

USAMI Keiji
Né en 1940 à Suita (préfecture d'Osaka). XXᵉ siècle. Japonais.
Peintre.
Installé depuis 1959 à Tokyo, il y enseigne les beaux-arts. Il figure à de nombreuses manifestations de groupe parmi lesquelles, *Tendances de la Sculpture et de la Peinture Japonaises Contempo-*

raines au musée d'Art moderne de Kyoto en 1964, *Peinture Japonaise Moderne* au Kunsthaus de Zurich en 1965. Il montre ses œuvres régulièrement dans des expositions personnelles. En 1964, il reçoit le premier Prix Stralem à l'Exposition Internationale des Jeunes Artistes, à Tokyo.

USCH. Pour les patronymes commençant par ces lettres, voir aussi **OUCH** et **OUSCH**

USCHAKEWITSCH Vassili
XVIIᵉ siècle. Actif à Lemberg dans la seconde moitié du XVIIᵉ siècle. Russe.
Graveur sur bois.

USCHAKOFF Semion. Voir **OUCHAKOFF**

USCHNER Julius ou **Rudolph Julius**
Né le 17 janvier 1805 à Lubben. Mort le 25 juin 1885 à Dresde.
XIXᵉ siècle. Allemand.
Peintre d'histoire et portraitiste.
Élève des Académies de Dresde et de Düsseldorf. Il exposa dans cette dernière ville en 1838. Il peignit des costumes à la manière des Nazaréens et des portraits de style Biedermeier.

USEL DE GUIMBARDA Manuel. Voir **USSEL DE GUIMBARDA**

USELLINI Gian Filippo
Né le 15 mai 1903 à Milan. Mort le 21 août 1971 à Arona. XXᵉ siècle. Italien.
Peintre de compositions d'imagination.
Il fut élève de l'Académie Brera de Milan. Il débuta au Salon de Venise en 1926. Il a participé à la Biennale de Venise en 1940.
M. U. Apollonio le classe parmi les narratifs féeriques traitant des thèmes non asservis à l'imitation du réel. En effet, quoique toujours figuratif, il décrit un monde imaginaire, proche des fables et du théâtre, étrange comme le Carnaval. On décèle souvent une pointe d'humour et d'insolite dans sa peinture.

G.-F. USELLINI

MUSÉES : LUCERNE – MILAN (Gal. d'Art Mod.) – ROME (Gal. d'Art Mod.).
VENTES PUBLIQUES : MILAN, 19 déc. 1978 : *La fin des libres penseurs* 1959, h/t (70x100) : ITL **1 900 000** – MILAN, 24 juin 1980 : *Le masque rouge* 1956, temp./t. (70x50) : ITL **2 600 000** – MILAN, 22 mai 1980 : *L'argano* 1962, h/t (70x101) : ITL **1 600 000** – ROME, 23 nov. 1981 : *Il diavolo nel chiostro* 1956, h/t (30x40) : ITL **3 000 000** – MILAN, 18 déc. 1984 : *Méditation* 1965, gche et pl. (32x41) : ITL **1 800 000** – ROME, 21 mars 1989 : *Dimanche de carême* 1953, h/t (60x75) : ITL **11 000 000** – ROME, 17 avr. 1989 : *Micarême* 1968, h/t (25x40) : ITL **4 400 000** – MILAN, 7 nov. 1989 : *Diablotins* 1952, h/t (20x30) : ITL **3 000 000** – MILAN, 27 mars 1990 : *Sacré et profane* 1956, h/t (70x40) : ITL **5 500 000** – MILAN, 27 mars 1991 : *L'éléphant* 1971, h/t (24x18) : ITL **950 000** – MILAN, 14 nov. 1991 : *Fuite* 1965, h/t (40x70) : ITL **10 000 000** – ROME, 27 mai 1993 : *Ébauche* 1925, h/cart. (30x39) : ITL **9 000 000** – MILAN, 5 mai 1994 : *Les masques* 1947, h/pan. (21x65) : ITL **14 375 000** – MILAN, 27 avr. 1995 : *Fin de carnaval* 1954, h/t (100x70) : ITL **13 800 000** – ROME, 12 juin 1995 : *Jetée de Rapallo* 1953, h/t (35x50) : ITL **5 750 000** – MILAN, 18 juin 1996 : *Le Retour de l'alpiniste* 1927, h/pan. (92x72) : ITL **7 475 000**.

USEN. Voir **OGAWA MOKICHI**

USESQUE Fortaner de
XVᵉ siècle. Actif au milieu du XVᵉ siècle. Espagnol.
Sculpteur.
Il fut chargé des sculptures d'un autel dans l'église des Franciscains, à Saragosse, en 1446.

USHER Leila
XXᵉ siècle. Américaine.
Sculpteur de portraits, peintre de portraits.
Elle fut élève de Geo T. Brewster à Cambridge (Massachusetts), et de l'Art Students' League de New York et étudia également à Paris. Elle fut membre de la Ligue Américaine des Artistes Professeurs et de la Fédération Américaine des arts.

USHU, de son vrai nom : **Kanai Jibin,** surnoms : **Shishû** et **Sachûta,** nom de pinceau : **Ushû**
Né en 1796. Mort en 1857. XIXᵉ siècle. Actif à Edo (actuelle Tokyo). Japonais.
Peintre.
Disciple de Haruki Nanko, il fait des paysages dans le style traditionnel japonais.

USIGLIO Sophie. Voir **CLAR**

USINGER Heinrich ou **Johann Heinrich**
Né le 9 juin 1745 à Mayence. Mort le 4 avril 1813 à Mayence.
XVIIIᵉ-XIXᵉ siècles. Allemand.
Peintre de blasons et peintre sur porcelaine.
Il travailla pour la Manufacture de porcelaine de Höchst. Le British Museum de Londres conserve de lui, *Faune et Nymphe, Fresque antique,* et le Musée de Mayence, *Figures dans un paysage* (peintures sur porcelaine).

USLÉ Juan
Né en 1954 à Santander. XXᵉ siècle. Espagnol.
Peintre. Abstrait.
Il vit et travaille à New York et Santander. Il participe à des expositions collectives, à Madrid, Londres, Paris, ainsi que : 1992 Documenta de Kassel ; 1997 *Abstraction/Abstractions – Géométries provisoires* au musée d'Art moderne de Saint-Étienne ; 1995 museo de Artes visuales de Caracas, Kunstverein für die Rheinlande und Westfalen de Düsseldorf ; 1996 Centro d'arte contemporaneo Reina Sofia de Madrid puis à Barcelone, Bielefeld. Il montre ses œuvres dans des expositions personnelles : 1987, 1989, 1991 galerie Farideh Cadot à Paris ; 1988, 1992, 1994 New York ; 1995 galerie Daniel Templon à Paris ; 1996 musée d'Art contemporain de Barcelone ; 1996 IVAM de Valence.
Il travaille à partir de grilles superposées, de formes organiques, qui s'intègrent parfaitement dans une structure poétique. Ses œuvres abstraites, légères, d'où point l'ironie, s'inscrivent dans « la durée, la mesure du temps. La tentative de déposer et suspendre dans une œuvre tout le temps possible » (J. Uslé).
BIBLIOGR. : Catalogue de l'exposition : *Juan Uslé, Ojo roto,* Musée d'Art contemporain, Barcelone, 1996 – Catalogue de l'exposition : *Abstraction/Abstractions – Géométries provisoires,* Musée d'Art moderne, Saint-Étienne, 1997.
VENTES PUBLIQUES : PARIS, 19 mars 1993 : *Sans titre* 1987, peint. et assemblage/pap. (52x35,5) : FRF **4 500** – PARIS, 24 juin 1994 : *Sans titre* 1983, techn. mixte/h/pap. (80x62) : FRF **3 500** – NEW YORK, 8 mai 1996 : *La dernière lettre* 1992, h/t (198x118,2) : USD **11 500**.

USLENGHI Bernardino
XVIIᵉ siècle. Actif à Pavie. Italien.
Peintre.
Il peignit de nombreux tableaux d'autel pour les églises de Pavie.

USQUIN Henri
Né au XIXᵉ siècle à Paris. XIXᵉ siècle. Français.
Peintre de paysages.
Élève de Steuben et V. Petit. Il débuta au Salon de 1852. Il a peint des vues de Suisse.

USSEL Frans Van. Voir **URSEL**

USSEL DE GUIMBARDA Manuel ou **Usel**
Né à Trinidad (Cuba). XIXᵉ siècle. Actif dans la seconde moitié du XIXᵉ siècle. Espagnol.
Peintre d'histoire et de genre, portraitiste.
Il exposa à Séville à partir de 1866. Le Musée National de Séville conserve de lui *La bataille de Lépante.*

USSELE. Voir **URSELE**

USSI Stefano
Né le 3 septembre 1822 ou 1832 à Florence (Toscane). Mort le 11 juillet 1901 à Florence. XIXᵉ siècle. Italien.
Peintre d'histoire, compositions religieuses, sujets allégoriques, scènes de genre, portraits, paysages animés, paysages.
Il fit ses études à l'Académie des Beaux-Arts de Florence puis à Rome. Il séjourna en Égypte. Il exposa à Florence, Milan et à plusieurs reprises à Paris, et prit part au concours Alinari en 1900.
L'apparition de son tableau *La chasse du duc d'Athènes,* assura sa réputation. Pour le Khédive d'Égypte, il peignit *La Fête du tapis ou le pèlerinage à La Mecque.*

S Ussi

MUSÉES : AREZZO (Mus. mun.) : *Jeune fille* – FLORENCE (Prato) : *Joie maternelle* – *Portrait de G. B. Nicolini* – *Chasse à Florence* – FLORENCE (Palais Pitti) : *Portrait de l'artiste* – ROME (Gal. d'Art Mod.) : *Machiavel* – *Fantasia* – *Benghazi* – *Réception de l'ambassade italienne au Maroc.*
VENTES PUBLIQUES : MILAN, 12 juin 1973 : *Caravane dans le désert* : ITL **1 500 000** – MILAN, 28 mars 1974 : *Dante et Béatrice* : ITL **3 300 000** – LONDRES, 3 nov. 1977 : *Jeune fille dans une oasis*

1872, h/t (84x58,3) : **GBP 800** – MILAN, 20 mars 1980 : *La famille de l'Arabe dans le désert*, h/t (31x110) : **ITL 4 500 000** – MILAN, 10 nov. 1982 : *Portrait de femme* 1886, h/pan. (24,5x18) : **ITL 2 400 000** – NEW YORK, 24 mai 1984 : *Séduction dans le sérail*, h/t (138,5x98) : **USD 13 500** – LONDRES, 20 mars 1985 : *Camp de nomades*, h/t (45,5x83) : **GBP 13 000** – LONDRES, 27 juin 1988 : *L'ange*, h/pan. (30x18,5) : **GBP 2 200** – MILAN, 9 nov. 1993 : *L'exilé regardant l'Italie depuis les Alpes*, h/t (107,5x81) : **ITL 16 100 000** – MILAN, 29 mars 1995 : *Femme priant*, h/t (22x25,5) : **ITL 3 450 000** – PARIS, 17 nov. 1996 : *Turc à la pipe de Tophané* 1869, h/t (55,5x45,5) : **FRF 24 000** – ROME, 11 déc. 1996 : *Le Marchand d'esclaves*, aquar./pap. (28x42) : **ITL 2 796**.

USSING Stefan ou **Stephan Peter Johannes Hjort**
Né le 15 septembre 1828 à Ribe. Mort le 19 juillet 1855 à Copenhague. XIXᵉ siècle. Danois.
Sculpteur.
Le Musée de Copenhague conserve de lui : *Enfants avec un crabe*, *Scène d'irrigation* et *Le meurtre des enfants de Bethléem*.

USSING Stephan Peter Jakob Johann Hjort
Né le 17 juin 1868 à Skanderborg. XIXᵉ siècle. Danois.
Peintre de paysages et d'architectures.
Élève de K. Zahrtmann à l'Académie de Copenhague et de J. Lefebvre à Paris. Il travailla à la Manufacture de porcelaine de Copenhague. Le Musée de Ribe conserve de lui une peinture.

USTAD MOHAMMEDI HAREWI. Voir **MOHAMMEDI IBN MIRZA Ali**

USTER Heinrich I
Né en 1761 à Zollikon. XVIIIᵉ siècle. Suisse.
Peintre.
Père de Heinrich II Uster.

USTER Heinrich II ou **Uster-Bleuler**
Né en 1794 à Zollikon. Mort en 1866. XIXᵉ siècle. Suisse.
Peintre à la gouache.
Fils de Heinrich I Uster. Probablement apparenté aux Bleuler.

USTER Heinrich III
XIXᵉ siècle. Actif à Aarau. Suisse.
Peintre.

USTER M. ou **W.**
XVIIIᵉ siècle. Suisse.
Peintre.
Le Musée Municipal de Zug conserve de lui *Décollation de saint Jean-Baptiste*, peinture datée de 1789.

USTERI Albert ou **Caspar Albert**
Né le 11 juin 1830 à Zurich. Mort le 27 février 1914 à Nyon. XIXᵉ-XXᵉ siècles. Suisse.
Peintre de portraits.
MUSÉES : LAUSANNE (Mus. canton.) : *Portrait du pasteur Fabre*.

USTERI Hans
XVIᵉ siècle. Travaillant à Zurich de 1570 à 1587. Suisse.
Peintre verrier.

USTERI Hans Rudolf
Né en 1625 à Zurich. Mort en 1690 à Zurich. XVIIᵉ siècle. Suisse.
Peintre.
Il voyagea beaucoup en Italie et en Grèce.

USTERI Heinrich
Né en 1754 à Zurich. Mort en 1802 à Zurich. XVIIIᵉ siècle. Suisse.
Dessinateur de paysages et de cartes géographiques.
Oncle de Johann Martin Usteri.

USTERI Johann Martin ou **Martin**
Né en 1763 à Zurich. Mort le 29 juillet 1827 à Rapperswil. XVIIIᵉ-XIXᵉ siècles. Suisse.
Dessinateur et poète.
Il fut élève du sculpteur Sonnenschein. En 1783 il entreprit un voyage en Europe, visitant l'Allemagne, les Pays-Bas, la France. Ses dessins à la plume traitent souvent des sujets de mœurs ; ils sont généralement remarquablement finis et quelquefois rehaussés de couleurs, comme des miniatures.

USTERI Konrad ou **Hans Konrad** ou **Usteri-Wegmann**
Né le 19 avril 1795 à Zurich. Mort le 14 septembre 1872. XIXᵉ siècle. Suisse.
Paysagiste amateur.

USTERI Paulus
Né le 29 octobre 1768 à Zurich. Mort le 13 octobre 1795 à Zurich. XVIIIᵉ siècle. Suisse.

Dessinateur et caricaturiste.
Frère de Johann Martin Usteri.

USTIANOVITCH Kornilo. Voir **OUSTIANOVITCH Kornilo**

USTINOV Igor
Né en 1956. XXᵉ siècle. Russe (?).
Sculpteur de figures, animaux.
Il montre ses œuvres dans des expositions personnelles à Paris : 1988 galerie Eolia ; 1996 galerie Felix Vercel où il présentait un ensemble de sculptures intitulé *Ombres et silhouettes*.
Figuratif, il réalise des formes légères en bronze, qui racontent des histoires.
VENTES PUBLIQUES : PARIS, 3 fév. 1992 : *Le mathématicien* 1979, bronze (52x33x21) : **FRF 35 000**.

USTRATOFF Piotr Nicolaïévitch. Voir **OUSTRATOFF Piotr Nicolaïévitch**

UTAGAWA Kunimaru, nom familier : **Iseya Ihachi**, nom de pinceau : **Ichiensai, Gosairô, Honchôan, Keiun-Tei** et **Saikarô**
Né en 1794. Mort en 1830. XIXᵉ siècle. Actif à Edo (actuelle Tokyo). Japonais.
Maître de l'estampe.
Élève de Utagawa Toyokuni (1769-1825), il est spécialiste de portraits d'acteurs de *kabuki*.
VENTES PUBLIQUES : NEW YORK, 20 avr. 1989 : *Jeune femme debout près de pivoines en fleurs*, estampe oban tate-e (37,5x26) : **USD 660**.

UTAGAWA Kunimasa, nom familier : **Jinsuke**, nom de pinceau : **Ichijûsai**
Né en 1773. Mort en 1810. XVIIIᵉ-XIXᵉ siècles. Japonais.
Maître de l'estampe, peintre de portraits, illustrateur.
Élève de Utagawa Toyokuni (1769-1825), il a été actif de 1796 à 1805 environ.
Il a dessiné plus de trente portraits en buste d'acteurs, assez remarquables par leur expression dramatique. Il a été plus influencé probablement par les œuvres de Sharaku (actif 1794-1795) et, sans atteindre l'intensité de ce dernier, il a su rendre le côté outrancier des acteurs de *kabuki*. Avec Toyokuni, il a illustré le livre « Haiyû Gakuya Tsu » (Guide des loges d'acteurs), publié en 1799, et fait aussi deux ou trois belles estampes de femmes.
VENTES PUBLIQUES : NEW YORK, 21 mars 1989 : *Portrait de l'acteur Nakamura Noshio II dans un rôle féminin*, estampe oban tate-e (37,2x25,5) : **USD 209 000** ; *L'acteur Danjuro I dans un rôle de guerrier avec sa cuirasse et une épée*, estampe kakuban (22x18,6) : **USD 5 500** – NEW YORK, 16 oct. 1989 : *Portrait okubi-e de l'acteur Ichigawa Danjuro VI dans le rôle de Yakko Ippei* 1799, estampe oban tate-e (38,6x25,8) : **USD 71 500**.

UTAGAWA Kuninao, nom familier : **Taizô**, noms de pinceau : **Ukiyo-an, Ichi-Ensai, Dokusuisha, Enryûrô** et **Shashinsai**
Né en 1793 à Shinano (préfecture de Nagano). Mort en 1854. XIXᵉ siècle. Japonais.
Maître de l'estampe.
Élève de Utagawa Toyokuni (1769-1825) à Edo (actuelle Tokyo), il est très influencé par Hokusai (1760-1849) et illustre de nombreux livres.

UTAGAWA Kunisada I, deviendra **Utagawa Toyokuni III**, surnom : **Tsunoda**, noms de pinceau : **Ichiyûsai, Goto-tei, Kôchôrô, Kinraisha** et **Gepparô**
Né en 1786. Mort en 1864. XIXᵉ siècle. Actif à Edo (actuelle Tokyo). Japonais.
Maître de l'estampe, peintre de portraits, illustrateur.
Disciple de Utagawa Toyokuni (1769-1825), il prend le nom de Toyokuni III en devenant chef de l'école Utagawa, vers 1830.
Il fait de nombreuses illustrations de livres, ainsi que des portraits d'acteurs et de jolies femmes de la fin de la période Edo, gagnant ainsi les faveurs du public et reflétant les us et coutumes ainsi que l'atmosphère de son temps. Il s'intéressa aussi à la technique du peintre Itchô (1652-1724), par l'intermédiaire de l'arrière-petit-fils de ce dernier, Ikkei.
VENTES PUBLIQUES : LONDRES, 16 juin 1988 : *Femme sous une moustiquaire essayant de tuer un moustique avec un bâtonnet enflammé*, estampe oban tate-e (35,6x23,6) : **GBP 4 400** – NEW YORK, 21 mars 1989 : *Portrait en gros plan de l'acteur Arashi Hinasuke I dans le rôle de Fujiwara Tokihira*, estampe oban tate-e (37,8x25,5) : **USD 8 800** – NEW YORK, 16 oct. 1989 : *Jeune fille se rendant en pèlerinage un jour de printemps*, estampe kakuban

(21x18,5) : **USD 1 540** – LONDRES, 22 mars 1990 : *L'acteur Iwai Hanshiro V dans le rôle de Yaoya Oshici*, estampe okubi-e (37,8x25,5) : **GBP 9 350** ; *Femme assise sur un banc lisant un poème*, pigments/soie, kakémono (190x53) : **GBP 16 500** – NEW YORK, 26 mars 1991 : *Beautés*, encre et pigments/soie, kakémono, une paire (chaque 68,4x28,2) : **USD 66 000** – NEW YORK, 23 oct. 1991 : *Jeune femme se maquillant devant un miroir*, encre et pigments/pap., éventail (38x20,2) : **USD 7 150**.

UTAGAWA Kunisada II
XIXᵉ siècle. Actif dans la seconde moitié du XIXᵉ siècle à Tokyo. Japonais.
Maître de l'estampe.

UTAGAWA Kuniteru
XIXᵉ siècle. Actif dans la seconde moitié du XIXᵉ siècle à Tokyo. Japonais.
Maître de l'estampe.

UTAGAWA Kunitsuru, nom de pinceau : Ichijusai
XIXᵉ siècle. Actif à Edo (actuelle Tokyo) et à Osaka dans la première moitié du XIXᵉ siècle. Japonais.
Maître de l'estampe.
Disciple de Utagawa Toyokuni II.

UTAGAWA Kuniyoshi, surnom : Igusa, nom familier : Magosaburô, noms de pinceau : Ichiyûsai et Chôrô
Né en 1797. Mort en 1861. XIXᵉ siècle. Actif à Edo (actuelle Tokyo). Japonais.
Maître de l'estampe, peintre de portraits, paysages animés, paysages.
Disciple de Utagawa Toyokuni (1769-1825), il est un des derniers bons représentants de l'*ukiyo-e*, à l'aube d'un Japon occidentalisé, et à une époque où l'augmentation du nombre des tirages abaisse la qualité du travail et des matériaux employés.
Il est l'auteur de très beaux paysages, avec une influence occidentale marquée, et de nombreux portraits d'acteurs et de guerriers, qui relèvent souvent de la caricature. Ses paysages servent souvent de cadre à des scènes historiques. C'est un des artistes les plus habiles à représenter les poissons et il passe maître dans l'art du tatouage.
VENTES PUBLIQUES : LONDRES, 16 juin 1988 : *Portrait en gros plan de Nakamura Utaemon IV dans le rôle de Daruma*, estampe oban tate-e (36,7x25,6) : **GBP 715** – NEW YORK, 21 mars 1989 : *Les chutes des roches sacrées du mont Oyama*, estampe oban yoko-e (25,1x36,7) : **USD 5 720** – LONDRES, 22 mars 1990 : *La pluie commence à tomber tandis que Nichiren prie pour sa venue*, estampe oban yoko-e (24x38,3) : **GBP 1 210** – LONDRES, 6 juin 1990 : *Okane dressant un cheval sauvage de la série « La forte femme Okane de la province d'Omi »*, estampe oban yoko-e (25,2x37,4) : **GBP 15 400** – NEW YORK, 15 juin 1990 : *Le mont Asama vu du défilé de Usui*, estampe oban yoko-e (25,8x38,2) : **USD 13 200** – NEW YORK, 27 mars 1991 : *Combat de lutteurs au Mont Akazawa*, estampe oban tate-e (36,8x24,9) : **USD 15 400**.

UTAGAWA Toyoharu, nom familier : Tajimaya Shôjirô, noms de pinceau : Ichiryûsai Senryûsai et Sen-Ô
Né en 1735 à Bungo (préfecture d'Oita). Mort en 1814. XVIIIᵉ-XIXᵉ siècles. Japonais.
Maître de l'estampe.
Après s'être initié à la peinture avec un obscur artiste de l'école Kanô de Kyoto, Tsurusawa Tangei, élève d'un disciple du célèbre Kanô Tannyû, il se rend à Edo, vers 1765, où il devient élève de Toriyama Sekien, le maître d'Utamaro.
Sans doute, Toyaharu a-t-il vu à Kyotô les *megane-e* (images pour jeu optique) de Maruyama Okyo, mais il est aussi possible qu'il ait eu connaissance à Tokyo autour de Sekien, d'ouvrages occidentaux, apportés de Hollande par Nagasaki, où il peut copier des gravures sur cuivre. Il compose en tous cas des paysages appelés « uki-e » (peinture en profondeur), notamment une vue de Venise où il s'essaye à moduler le ciel assez maladroitement grâce à des nuages foncés, tandis que sont rendues des ombres miroitant dans l'eau. Notons aussi une représentation de soi-disant Arméniens, avec un porche de palais flanqué de statues antiques d'un effet curieux (Musée National de Tokyo) et une image de la côte hollandaise. Après 1772, il adapte surtout ces nouveaux procédés d'interprétation de l'espace à des scènes japonaises, soit des vues d'Edo, soit des scènes de théâtre. Il est par ailleurs, et surtout, un peintre de jolies femmes : ses premières estampes de femmes accusent l'influence de Harunobu (1725-1770) et il se spécialisera dans les groupes extérieurs de deux ou trois femmes debout. Et tout comme ses paysages posent les fondations des futures estampes de paysages, ses peintures de femmes aux traits anguleux, d'un pinceau puissant, annoncent le style prédominant au XIXᵉ siècle chez ses nombreux disciples. Il est le fondateur de la puissante école Utagawa ou s'illustreront, à la suite, Toyokuni, Kuniyoshi et Kunisada, à la fin du shôgunat Tokugawa et qui donnera naissance à Hiroshige (1797-1858). En 1796, il est chargé de la réparation des peintures du Mausolée de Nikko.
VENTES PUBLIQUES : NEW YORK, 21 mars 1989 : *Intérieur d'une maison de plaisir dans le Shin-Yoshiwara*, estampe oban yoko-e (25,1x38,2) : **USD 4 950** – NEW YORK, 17 oct. 1989 : *Les servantes du sel Matsukaze et Murasame*, encre et pigments/soie, kakémono (94x37,5) : **USD 17 600**.

UTAGAWA Toyohiro, de son vrai nom : Okajima, nom familier : Tôjirô, nom de pinceau : Ichiyûsai
Né en 1773 à Edo (aujourd'hui Tokyo). Mort en 1828 à Edo. XVIIIᵉ-XIXᵉ siècles. Japonais.
Maître de l'estampe, animalier.
Artiste de talent, de quatre ans le cadet de Utagawa Toyokuni (1769-1825) avec qui il travaille, il est bien formé aux traditions des écoles Tosa et Kanô. Homme moins dominateur et moins autoritaire que Toyokuni, il s'adonne surtout à la peinture de femmes et de sujets de genre au coup de pinceau élégant et raffiné et à la conception précise. C'est aussi un bon animalier dont les représentations de faucons sont fort appréciées. Maître de Hiroshige (1797-1858), il lui transmet son style doux et plein de retenue et sa sensibilité poétique.
VENTES PUBLIQUES : LONDRES, 16 juin 1988 : *Groupe de femmes devant un marché couvert*, estampe oban tate-e, tryptyque (dim. totale 38,5x74,5) : **GBP 1 980** – LONDRES, 13 nov. 1989 : *Femme portant son bambin sur une épaule accompagnée d'une autre femme et d'une fillette sous des arbres fleuris*, estampe oban tate-e (37x24,3) : **GBP 1 540**.

UTAGAWA Toyokuni I, surnom : Kurahashi, nom familier : Kumakichi et plus tard Kumauemon, nom de pinceau : Ichiyôsai
Né en 1769 à Edo (aujourd'hui Tokyo). Mort en 1825. XVIIIᵉ-XIXᵉ siècles. Japonais.
Maître de l'estampe.
Fils du ciseleur Kurohashi Gorobei, il est mis très jeune en apprentissage chez Utagawa Toyoharu (1735-1814) et commence, dès 1789, une carrière féconde où, à ses débuts, son travail appliqué est assez impersonnel et reflète l'influence d'Utamaro et de Kyonaga.
Vers 1793, il se révèle dans ses représentations d'acteurs sur scène de la série *Yakusha butai no sugata-e* (Portraits d'acteurs sur scène), luxueusement publiée chez l'éditeur Izumiya Ichibei. Dans ces images, presque contemporaines de celles de Sharaku (1794-1795), Toyokuni se distingue de ce dernier maître par les lignes moins souples, des visages aux traits moins accusés mais plus anguleux, en général, et un art plus simple et plus clair, souvent dépourvu de sensibilité. Vers 1797, il fait une série d'acteurs en buste, dans les poses exagérées et dont les expressions fixes sont accentuées par des maquillages savants, qui prendront une importance croissante et donneront bientôt aux acteurs un aspect stéréotypé. Le théâtre restera la préoccupation principale de Toyokuni, au point que, peignant des *geisha*, il les représente dans les attitudes favorites des acteurs populaires. Au début du XIXᵉ siècle, il cristallise son style en un canon de l'école Utagawa, avec des formules que ses disciples perpétueront et qui annoncent le type assez décadent des beautés du XIXᵉ siècle, bien qu'elles conservent pour nous une certaine valeur documentaire sur les costumes de la fin de la période Edo.
VENTES PUBLIQUES : LONDRES, 9 Nov. 1988 : *Portrait en gros-plan d'un acteur dans un rôle de courtisane en atours*, estampe oban tate-e (36,9x25,6) : **GBP 2 200** – NEW YORK, 21 mars 1989 : *Portrait de Sawamura Sojoro III dans le rôle de Satsuma Gengobei en gros plan*, estampe oban tate-e (37,8x26) : **USD 22 000** – NEW YORK, 20 avr. 1989 : *Portrait de l'acteur Sawamura Sojoro III sous un kotatsu ; Gaisha tenant une lampe*, estampe nagaban tate-e (51,5x18,6) : **USD 9 900** – LONDRES, 22 mars 1990 : *Deux bijin et un jeune pêcheur tenant un panier près d'une maison de thé sur les rives de la rivière Sumida*, estampe oban tate-e (38x25,6) : **GBP 770** – NEW YORK, 15 juin 1990 : *Double portrait en buste des acteurs Iwai Hanshiro et Nakamura Matsue*, estampe oban tate-e (38x26) : **USD 4 180** – NEW YORK, 27 mars 1991 : *Portrait okubi-e de l'acteur Ichikawa Yaozo III avec les bras croisés à l'intérieur de larges manches et le front ceint d'un bandeau hachimaki*, estampe oban tate-e (36x23,8) : **USD 41 800**.

UTAGAWA Toyokuni II, nom familier : **Genzô**, noms de pinceau : **Kunishige, Toyoshige, Ichiryûsai, Kôsotei, Ichieisai** et **Ichibetsusai**

Né en 1777. Mort en 1835. XIXe siècle. Actif à Edo (actuelle Tokyo). Japonais.

Maître de l'estampe, illustrateur.

Fils adoptif et disciple de Utagawa Toyokuni, il travaille à Edo comme marchand de céramique, et fait de nombreuses illustrations de livres et de figures féminines.

VENTES PUBLIQUES : NEW YORK, 21 mars 1989 : *Pluie nocturne sur Oyama vue depuis le temple Fudo*, estampe oban yoko-e (23,9x37) : **USD 18 700** – NEW YORK, 20 avr. 1989 : *Portrait en buste de l'acteur Danjuro VII dans le rôle de Kaigekiyo*, estampe chuban tate-e (20,5x13,8) : **USD 1 100** – NEW YORK, 15 juin 1990 : *Jeune femme assise parmi les chrysanthèmes et écrivant un poème*, estampe surimono (42,7x57) : **USD 1 650**.

UTAGAWA Toyokuni III. Voir **UTAGAWA Kunisada**

UTAKUNI, de son vrai nom : **Nunoya Ujisuke**, surnoms : **Hamamatsu** et **Yaegaki**, noms de pinceau : **Shikitei** et **Fûfûtei Nansui**

Né en 1777. Mort en 1827. XIXe siècle. Actif à Osaka vers 1814-1816. Japonais.

Maître de l'estampe.

Auteur de pièces de *kabuki*, mais aussi de portraits d'acteurs.

UTAMARO II, appelé aussi **Oagawa Tetsugoro** ou **Baigado** ou **Riteitei** ou **Yukimachi** ou **Harumachi II**

XIXe siècle. Actif dans la première moitié du XIXe siècle. Japonais.

Maître de l'estampe, peintre de scènes de genre, portraits, dessinateur.

Il fut successeur d'Utamaro Kitagawa. Il se consacra beaucoup au dessin pour la gravure sur bois.

VENTES PUBLIQUES : NEW YORK, 15 juin 1990 : *Portrait d'une jeune femme tenant son enfant*, estampe okubi-e (39,3x26,3) : **USD 880** – PARIS, 16 fév. 1996 : *Promenade d'une courtisane près d'une palissage* 1808, estampe coul. oban tate-e : **FRF 11 000**.

UTAMARO KITAGAWA, noms familiers : **Ichitarô, Yûsuke**, noms de pinceau : **Katagawa Toyoaki, Sekiyô, Entaisai** et **Murasaki-Ya**

Né en 1753 ou 1754. Mort en 1806. XVIIIe siècle. Actif à Edo (actuelle Tokyo). Japonais.

Maître de l'estampe, peintre de scènes de genre, portraits, nus, illustrateur.

« Découvert » par les Goncourt à la fin du XIXe siècle, Utamaro sera longtemps en Occident le plus célèbre des maîtres de l'estampe. Il fut élève à Edo, sous le nom de Toyoshô ou Toyoaki, d'un émule de l'école Kanô, Toriyama Sekien.

Jusqu'en 1780, il illustre des petits livres populaires de nouvelles (*kibyôshi*) et c'est alors, semble-t-il, qu'il est remarqué par un éditeur renommé, Tsutaya Jûzaburô, et qu'il prend le nom d'Utamaro qui le rendra illustre, signant d'abord *Utamaro ga* (peint par), puis *Utamaro hitsu* (du pinceau de). Il restera avec Jûzaburô jusqu'à la mort de celui-ci, en 1797, et ses premières œuvres le montrent influencé par Torii Kiyonaga (1752-1815) et Harunobu (1725-1770), dans de savantes compositions de jeunes filles en groupe dans un cadre pittoresque. Vers 1790, s'affirme l'originalité de son style et de son inspiration. De 1788 date un ensemble de douze ôban (37,7 × 26,4 cm) érotiques, *Le poème de l'oreiller*, où s'allient audace et délicatesse. Par ailleurs, des livres illustrés témoignent de son don de l'observation et de son raffinement : *Le livre illustré des insectes* (1788) (un exemplaire conservé à la Bibliothèque Nationale de Paris), avec ses vers luisants, chenilles, mantes religieuses dans les herbes et les plantes, *Les dons de la marée basse* (1789) (un exemplaire conservé à la Bibliothèque Nationale de Paris), avec ses coquillages nacrés, *Les poèmes satiriques sur les oiseaux* (1790) (un exemplaire conservé à la Bibliothèque Nationale de Paris). Puis s'ouvre la période de ses chefs-d'œuvre, selon une représentation entièrement nouvelle et personnelle de portraits de femmes aux « grands visages » (*ôkubi-e*), en gros plan. Il est par excellence le peintre de la femme, le portraitiste inlassable du charme féminin, non seulement celui des dames des « maisons vertes », selon l'expression d'Edmond de Goncourt, mais aussi de tous les types d'âges et de milieux. Son œuvre sera considérable et il travaillera pour une quarantaine d'éditeurs. Nul mieux que lui ne sait observer la plénitude des formes, la diversité des poses et des attitudes, les occupations multiples. Les corps s'allongent, les lignes s'assouplissent et il atteint le sommet de son art dans l'expression des visages triom-

phants ou lassés et dans le traitement des chairs féminines, notamment des nus, rarement abordés jusque-là dans la peinture japonaise : Utamaro le rend avec sensualité dans le triptyque des *Pêcheuses d'Awabi*, une de ses œuvres les plus célèbres, ou dans la série *Yamauba et Kintarô* (la femme de la montagne et l'enfant qu'elle a recueilli) où le corps blanc de la femme contraste avec la chevelure noire d'une finesse inégalée. Citons les admirables ensembles, *Les dix études de physiognomonie féminine*, les *Dix types de visages féminins* où il explore la psychologie de personnages saisis en un instant donné d'anxiété, de lassitude, d'attente amoureuse. Quant aux prostituées, aux courtisanes, aux serveuses, aux jeunes femmes bourgeoises ou du peuple, il indique leur diversité par la variété du vêtement et du maintien, traitant avec minutie les formes des « kimonos » et les décors des tissus. Ses séries les plus célèbres sont : *Les douze heures des quartiers de plaisir*, avec les courtisanes au repos, à la toilette, au coucher, *Les encres de cinq couleurs du pays du nord*, allusion à un club poétique du célèbre Yoshiwara, à Edo, *Neige, lune, fleur*, *Le cadran solaire des jeunes filles*, *Les douze heures des maisons vertes*, *Le miroir choisi des occupations féminines*, *Poésies d'amour* où toute la psychologie de l'amour est traitée par des moyens uniquement plastiques. Toutes ces œuvres se caractérisent par l'harmonie subtile, infiniment variée, de la gamme colorée, équilibrée par de larges masses noires. Les fonds jaune uni, saupoudrés parfois de mica ou d'or, font ressortir le dessin et la recherche du réel conduit même à cerner les chairs de rouge léger au lieu de noir, voire à supprimer tout contour pour délimiter le galbe des visages ou des bras. Utamaro se sert avec beaucoup d'habileté de toutes les ressources techniques du « nishiki-e », la gravure polychrome inaugurée par Harunobu, qui exige un papier épais, résistant aux nombreux passages sous presse, le papier « hôshô », d'un blanc très pur, ouaté, dont la surface tendre ajoute par sa matière un nouvel élément de beauté à l'estampe et permet des effets de profondeur, par transparence. Dans sa production très abondante, le trait se durcit peu à peu et l'on trouve de nombreuses redites ; de plus, vers la fin de sa vie, et pour satisfaire une censure devenue plus rigoriste, il lui faut donner une signification édifiante à des sujets qui le sont fort peu. Il ne réussit pas cependant à éviter les foudres des autorités et, en 1804, est condamné à trois jours de prison et à cinquante jours de carcan. Mal remis de cette humiliation, il meurt deux ans plus tard à Edo. Parmi ses nombreux disciples, on compte Tsukimaro, Kikumaro, Shikimaro et Utamaro II. ■ M. M.

BIBLIOGR. : E. de Goncourt : *Outamaro, le peintre de maisons vertes*, Paris, 1891 – J. Hillier : *Utamaro*, Londres, 1961 – *Catalogue de l'exposition « Six maîtres de l'estampe japonaise au XVIIIe siècle »*, Paris, Orangerie des Tuileries, 1971 – D. Lion-Goldschmidt : *Utamaro, Kitagawa*, in : *Encyclopaedia Universalis*, vol. 16, Paris, 1973.

VENTES PUBLIQUES : LONDRES, 16 juin 1988 : *Deux servantes près d'un puits*, estampe oban tate-e (36,2x23,7) : **GBP 990** – LONDRES, 9 Nov. 1988 : *Deux jeunes femmes et un enfant en buste regardant une chouette sur un perchoir*, estampe oban tate-e (37,8x25) : **GBP 1 760** – *Okubi-e d'une courtisane avec dans le coin en haut à gauche un cartouche en forme d'éventail et un poème en surimpression*, estampe oban tate-e (37,6x24,8) : **GBP 4 950** ; *Okubi-e de la courtisane de Shin-Yoshiwara*, estampe oban tate-e (38,5x25,5) : **GBP 8 800** – NEW YORK, 21 mars 1989 : *Jeune fille regardant la lanterne magique, de la série des « Dix expressions de visages féminins »*, estampe oban tate-e (38,1x25,5) : **USD 24 200** ; *Portrait en buste de la célèbre serveuse de maison de thé Naniwaya Okita*, estampe oban tate-e (37,9x25,2) : **USD 319 000** – LONDRES, 13 nov. 1989 : *Okubi-e de la courtisane Shinohara de Tsuraya*, estampe oban tate-e (33,7x24,9) : **GBP 4 400** – LONDRES, 22 mars 1990 : *Deux servantes près d'un puits l'une tirant la corde*, estampe oban tate-e (38,7x25,2) : **GBP 1 760** – LONDRES, 6 juin 1990 : *Le chanteur Tomimoto Itsutomi tenant un éventail*, estampe oban tate-e (36,3x23,8) : **GBP 2 640** – NEW YORK, 27 mars 1991 : *Portrait « okubi-e » de la courtisane Tagasode*, estampe oban tate-e (37,8x25,3) : **USD 30 800** – PARIS, 3 juin 1992 : *L'amour pensif*, estampe oban (37,5x25,5) : **FRF 2 400 000** – PARIS, 22 mars 1995 : *Une femme d'un caractère honnête (de la série jugement des parents sur les femmes*, estampe oban tate-e : **FRF 7 900** – PARIS, 16 fév. 1996 : *Portrait d'une jeune femme en buste pliant une serviette*, estampe oban tate-e, okubi-e : **FRF 50 500** – PARIS, 6 nov. 1996 : *Jeune femme, le bras gauche replié tenant le col de son kimono*, estampe oban tate-e, okubi-e (37,3x24) : **FRF 37 000**.

UTAMASA I, appelé aussi **Maki Sjinjiro** ou **Nobumichi** ou **Noboru** ou **Gek'Kotei Bokusen** ou **Hokutei** ou **Hyakusai** ou **Toenro** ou **Suiboku Sanjin**
Né en 1761. Mort le 8 avril 1810. xviiie-xixe siècles. Japonais.
Graveur sur bois et au burin (?).
Élève d'Utamaro I et de Hokusai. Connu comme maître d'Utamasa II, ce qui paraît étrange si l'on accepte les dates de naissance proposées ici.

UTAMASA II, appelé aussi **Numata Heizaemon** ou **Shii** ou **Gessai** ou **Ryoun**
Né en 1737. Mort le 29 juin 1804. xviiie siècle. Japonais.
Graveur.
Peut-être élève d'Utamasa I.

UTAMASA III, appelé aussi **Hanihara Jiroemon** ou **Kunai** ou **Gekko** ou **Gessai**
xviiie-xixe siècles. Japonais.
Graveur.
Élève d'Utamasa II.

UTANDE Gregorio
xviie siècle. Actif à Alcala de Henares. Espagnol.
Peintre.

UTANOSUKE. Voir **KANÔ Yukinobu**

UTCHISON
xviiie siècle. Actif à Londres. Britannique.
Miniaturiste.
Il exposa une miniature à la Royal Academy à Londres, en 1791.

UTECH Bogislav Friedrich Gotthilf
Né le 2 mars 1782 à Heydebreck. Mort le 25 novembre 1829 à Belgard. xixe siècle. Allemand.
Sculpteur et architecte.
Il décora ses constructions de têtes décoratives de dieux et de héros grecs dont les Musées de Kolberg et de Stettin conservent chacun dix exemplaires.

UTECH Joachim Christoph Ludwig
Né le 15 mai 1889 à Belgard. xxe siècle. Allemand.
Sculpteur de bustes, statues.
Il fut élève des Académies de Berlin et de Leipzig. Il sculpta surtout des statues et des bustes.
MUSÉES : BERLIN (Gal. Nat.) : *Homme du Nord* – DESSAU : *Tête d'un enfant* – ESSEN : *Fiancée* – GORLITZ : *Jeune Poméranienne* – KOLBERG : *Guerrier* – KOSLIN : *Grenadier poméranien* – ROME (Mus. Nat.) : *Vieux berger* – STETTIN (Mus. mun.) : *Tête de jeune fille* – *Jeune fille, torse* – VENISE (Gal. d'Art Mod.) : *Tête de jeune fille*.

UTEN ZWANE Nicolas
Né à Bruxelles. xve siècle. Éc. flamande.
Sculpteur.
Identique au sculpteur Claas Uytenswaan. Il sculpta *L'archange Gabriel* pour une maison de Bruges en 1433.

UTENBROECK Moyses Van. Voir **UYTTENBROECK**

UTENHOVE Joris ou **Georis**
xve siècle. Actif à Ypres dans la seconde moitié du xve siècle. Éc. flamande.
Peintre.

UTENS Domenico
Né le 2 juillet 1589 à Carrare. Mort en 1657. xviie siècle. Italien.
Peintre.
Fils de Giusto Utens. Il travailla pour l'église Notre-Dame des Larmes de Carrare.

UTENS Giusto
Mort avant le 19 juillet 1609. xvie siècle. Italien.
Peintre.
Père de Domenico Utens. Le Musée Topographique de Florence conserve de lui une architecture.

UTERMOHLEN William
xxe siècle. Britannique.
Peintre.
Il fit partie de la London School aux côtés de Hockney et Kitaj. Une exposition de ses œuvres a été présentée en 1996 à la galerie Toft à Paris.

UTEWAEL Paulus Van. Voir **WTTEWAEL Paulus Van**

UTH Max
Né le 24 novembre 1863 à Berlin. Mort le 15 juin 1914 à Hermannswerder. xixe-xxe siècles. Allemand.
Peintre de compositions animées, paysages, aquarelliste.
Il fut élève de l'Académie de Berlin. Il exposa à Berlin en 1902.

MUSÉES : KIEL (Kunsthalle) : aquarelle.
VENTES PUBLIQUES : PARIS, 27 mars 1945 : *Fillette au bord d'un ruisseau* : FRF 750 – PARIS, 6 mai 1988 : *La campagne*, aquar. (70x70) : FRF 15 500.

UTHER Johan Baptista Van
Mort en octobre 1597. xvie siècle. Suédois.
Peintre.
Il travailla pour des châteaux du roi de Suède à partir de 1562. Il peignit aussi des armoiries et des portraits de princes.

UTILI Andrea
xve siècle. Travaillant à Faenza en 1482. Italien.
Peintre.
La Pinacothèque de Faenza conserve de lui *Pieta* et *Madone, l'Enfant et deux saints*.

UTILI Giovanni Battista
xvie siècle. Travaillant à Faenza de 1505 à 1515. Italien.
Peintre.
Probablement identique à Giovanni Battista Bertucci le vieux.
VENTES PUBLIQUES : PARIS, 7 déc. 1950 : *La Vierge et l'Enfant*, attr. à Utili G.B. et aussi à Sebastiano Mainardi : FRF 340 000 – NEW YORK, 22 oct. 1970 : *Scène de la vie de Joseph* : USD 50 000.

UTINGER Gebhard
Né le 3 avril 1874 à Baar. xixe-xxe siècles. Suisse.
Peintre de compositions religieuses, sculpteur de monuments.
Il fut élève de l'Académie de Dresde. Il fut aussi architecte. Il travailla surtout en Silésie où il exécuta des tableaux d'autel et des monuments aux morts.
MUSÉES : BRIEG.

UTINGER W. B. Christian ou **Christen**
Né le 19 mars 1819 à Zug. Mort le 1er avril 1893 à Zug. xixe siècle. Suisse.
Sculpteur.
Il travailla surtout à Rome, où il était garde suisse au Vatican et sculpta sur marbre, sur albâtre et sur buis.

UTKIN. Voir **OUTKIN**

UTNE Lars
Né le 24 novembre 1862 à Ullensvang. Mort le 8 août 1922 à Asker. xixe-xxe siècles. Norvégien.
Sculpteur de figures, décorateur.
Il fut élève de Brynjulf-Larsen Bergslien à Oslo. Il exécuta des sculptures décoratives pour le Reichstag de Berlin et le Théâtre National d'Oslo.
MUSÉES : OSLO (Gal.) : *Enfant portant une ceinture*.

UTRECHT Adriaen Van
Né le 12 janvier 1599 à Anvers. Mort le 5 octobre 1652 à Anvers, certaines sources donnent 1653. xviie siècle. Éc. flamande.
Peintre de sujets religieux, scènes de genre, animaux, natures mortes, fleurs et fruits.
Élève de Harmen de Neyt en 1614. Il voyagea en France, en Italie, en Allemagne, en Espagne, où Philippe IV l'employa fréquemment. Il fut maître à Anvers en 1625 et épousa en 1628 la femme poète Constantia Van Nieuroelandt.
Utrecht peignit souvent des fleurs et des fruits dans les tableaux de ses confrères.

A·VAN·
VTRECHT
1629

Adriaen Van utrecht
fe en 1647

Adriaen Van
Uytrecht fe 1652

MUSÉES : AMIENS : *Jésus chez Marthe et Marie* – *Nature morte* – AMSTERDAM : *Nature morte* – ANVERS : *Nature morte* – BÉZIERS : *Coqs, poules et poussins* – BRUNSWICK : *Fruits* – *Nature morte* – BRUXELLES : *Guirlande de fruits* – *Nature morte* – COLOGNE : *Nature* morte – COPENHAGUE : *Fruits* – DRESDE : *Nature morte avec combat de chien et de chat* – LA FÈRE : *La marchande de légumes* – GAND : *Poissonnerie* – KARLSRUHE : *Femme et provisions de cuisine* – KASSEL : *Morceau de gâteau* – *Nature morte* – LEIPZIG : *Volailles* – LILLE : *Combat de coqs* – MADRID : *Victuailles* – *Victuailles avec oiseaux morts, fleurs, fruits et un perroquet* – *Fruits et légumes* – MUNICH : *Lièvres et oiseaux morts parmi les fruits et des légumes* – SAINT-PÉTERSBOURG (Mus. de l'Ermitage) : *Fruits* – SCHWERIN : *Deux tables de déjeuner* – TROYES : *Brochette de petits oiseaux morts* – VIENNE : *Fruits suspendus.*

VENTES PUBLIQUES : AMSTERDAM, 1702 : *Gibiers, fruits et personnages* : **FRF 270** – PARIS, 1768 : *Concert d'oiseaux présidé par un hibou* : **FRF 1 500** – LONDRES, 28 avr. 1822 : *Nature morte* : **GBP 199** – BRISTOL, 1838 : *Le Marché à la volaille* : **FRF 1 615** ; *Le Marché aux poissons* : **FRF 1 715** – PARIS, 1892 : *Garde-manger* : **FRF 7 700** – PARIS, 29 juin 1900 : *Nature morte* : **FRF 900** – LONDRES, 7 mai 1909 : *Intérieur* : **GBP 17** – LONDRES, 11 fév. 1911 : *Nature morte aux fruits 1639* : **GBP 73** – PARIS, 18-20 mars 1920 : *Aras, faisan, geai, cygnes dans un paysage* : **FRF 1 900** – LONDRES, 7 mai 1926 : *Scène de cuisine* : **GBP 252** – PARIS, 30 jan. 1933 : *Cour de ferme* : **FRF 3 300** – BRUXELLES, 6-7 déc. 1938 : *Nature morte* : **BEF 42 000** – PARIS, 24 mars 1939 : *Un concert d'oiseaux* : **FRF 160 000** – VIENNE, 14 juin 1950 : *Nature morte* : **ATS 2 500** – PARIS, 15 juin 1951 : *Le Poulailler 1650* : **FRF 125 000** – PARIS, 5 déc. 1951 : *Nature morte au gibier de poil et de plume* : **FRF 315 000** – LONDRES, 1ᵉʳ avr. 1960 : *Nature morte avec figures* : **GBP 1 260** – LONDRES, 14 nov. 1961 : *Scène de marché* : **GBP 400** – LONDRES, 14 mai 1965 : *Volatiles dans une grange* : **GNS 900** – LONDRES, 25 nov. 1966 : *Volatiles* : **GNS 1 900** – LONDRES, 29 mars 1968 : *Deux femmes autour d'une table couverte de victuailles* : **GNS 1 700** – VIENNE, 18 mars 1969 : *La Basse-cour* : **ATS 320 000** – LONDRES, 26 oct. 1973 : *Jeune Fille dans l'embrasure d'une fenêtre* : **GNS 4 500** – ZURICH, 12 nov. 1976 : *Nature morte aux fruits 1628*, h/t : **CHF 44 000** – PARIS, 21 juin 1977 : *Guirlande de fruits 1643*, h/t (82x117) : **FRF 23 500** – LONDRES, 18 avr. 1980 : *Nature morte*, h/t (127x102) : **GBP 16 000** – LONDRES, 30 nov. 1983 : *Nature morte aux fruits et aux légumes*, h/t (79x119,5) : **GBP 13 000** – LONDRES, 9 avr. 1986 : *Nature morte aux paniers de fruits*, h/t (72,5x99) : **GBP 36 000** – MONACO, 16 juin 1989 : *Nature morte aux fruits avec un singe sur un entablement*, h/t (75x117) : **FRF 310 800** – PARIS, 8 déc. 1989 : *Nature morte au perroquet et au hannap d'argent*, h/t (62x51) : **FRF 110 000** – LONDRES, 20 juil. 1990 : *Nature morte avec du gibier et un panier de légumes sur une table 1945*, h/t (76x115,7) : **GBP 18 700** – PARIS, 6 déc. 1990 : *Nature morte aux fruits et au gibier*, h/t (122x164) : **FRF 380 000** – LYON, 20 oct. 1991 : *Couple devant un étal de fruits, légumes et gibier*, h/t (156x225) : **FRF 350 000** – LONDRES, 10 juil. 1992 : *Garde-chasse tenant son fusil avec une servante portant un lièvre mort dans un cellier rempli de victuailles 1639*, h/t (154,3x199) : **GBP 93 500** – SAINT-DIÉ, 16 mai 1993 : *Scène de basse-cour dans un paysage*, h/t (154x206) : **FRF 285 000** – NEW YORK, 19 mai 1993 : *Grande composition de fleurs de printemps dans un vase de verre avec un épis de mais et un insecte sur une table drapée 1642*, h/pan. (99,4x68,9) : **USD 134 500** – LONDRES, 10 déc. 1993 : *Couple de paons, coqs, poules canards et poussins dans une cour de ferme avec un jeune paysan leur apportant du grain 1650*, h/t (153,8x206,8) : **GBP 155 500** – PARIS, 29 avr. 1994 : *Nature morte au vase d'orfèvrerie avec un ara*, h/t (61x50) : **FRF 108 000** – LONDRES, 6 juil. 1994 : *Cour de ferme avec des poulets, des dindons et un paon 1650*, h/t (148x195) : **GBP 78 500** – LONDRES, 11 déc. 1996 : *Nature morte aux raisins, pêches et autres fruits, panier retourné et singe 1642*, h/t (81,5x116) : **GBP 23 000** – LONDRES, 3 juil. 1997 : *Nature morte aux prunes, raisins, pommes, noix, melon et une corbeille renversée avec un singe, le tout posé sur une table partiellement couverte d'un tissu bleu 1642*, h/t (83x120) : **GBP 56 500** – NEW YORK, 16 oct. 1997 : *Dindes, paons, canards et canetons, poulets et poussins dans une basse-cour*, h/t (116,8x166,1) : **USD 46 000**.

UTRECHT Adriaen Van
XVIIIᵉ siècle. Hollandais.

Sculpteur de compositions religieuses, bas-reliefs.

Il fit le maître-autel de la Nouvelle Église de Delft en 1784.

UTRECHT Christoph Van. Voir **CHRISTOPH Van Utrecht**

UTRECHT Collart d'. Voir **COLLART d'Utrecht**

UTRECHT Denys Van. Voir **DENYS Van Utrecht**

UTRECHT Jacob Van. Voir **CLAESSENS Jacobus**

UTRECHT Jacques Van ou Uytrecht
Mort le 11 avril 1728. XVIIIᵉ siècle. Actif à Anvers. Éc. flamande.

Sculpteur.

Il a sculpté un reliquaire pour l'église Saint-Jacques d'Anvers en 1681.

UTRECHT Joao de
D'origine hollandaise. XVIᵉ siècle. Actif dans la première moitié du XVIᵉ siècle. Hollandais.

Sculpteur.

Il a sculpté un retable pour la cathédrale de Lamego de 1506 à 1509.

UTREQUE Cristovam de ou Utrecht. Voir **CHRISTOPH van Utrecht**

UTRERA Y CADENAS José
Né le 26 décembre 1827 à Cadix. Mort le 8 mai 1848 à Madrid. XIXᵉ siècle. Espagnol.

Peintre d'histoire et portraitiste.

Élève des Académies de Cadix et de Madrid. Le Musée de Cadix conserve une peinture exécutée par cet artiste.

UTRILLO Maurice
Né le 25 décembre 1883 à Paris. Mort le 5 novembre 1955 à Dax (Landes), enterré au cimetière Saint-Vincent à Montmartre. XXᵉ siècle. Français.

Peintre de paysages animés, paysages urbains, peintre à la gouache, aquarelliste, pastelliste, dessinateur, illustrateur, peintre de décors de théâtre.

Fils de Suzanne Valadon, héritier du nom d'un peintre espagnol, Maurice Utrillo est un enfant de la Butte. Montmartre a longtemps retenti des cris poussés par cet extravagant les soirs qu'il s'évadait, littéralement, du logis de la rue Cortot, au numéro 12, maison fameuse par le passage d'illustres locataires. Maurice Utrillo est obsédé de toutes sortes de manies enfantines, c'est ce qu'ont dénoncé ses plus dévots admirateurs. Sa mère, Suzanne Valadon, son beau-père, André Utter, ont veillé sur un grand nombre de ses années, au-delà de la maturité, comme on veille sur un mineur, un petit garçon qui ferait de la grande enfance. Dans les dernières années, ce fut la femme d'Utrillo, Mme Lucie Valore, qui conduisait comme pas à pas cet innocent génie.

À partir de 1909, il exposa à Paris, au Salon d'Automne et à partir de 1912 au Salon des Indépendants. Dès 1913, il ne se produit plus guère que seul ; ses expositions particulières revêtent finalement un caractère mondain à ne pas prévoir aux premières années du siècle. Parmi ses expositions à Paris : 1913 galerie Eugène Blot ; entre 1916 et 1920 galerie Weill et galerie Bernheim jeune ; 1934 galerie Schoeller ; à partir de 1935 régulièrement à la galerie Paul Pétridès ; mais, après sa mort : 1959 galerie Charpentier ; 1965 galerie Drouet... ; et à l'étranger : 1939 New York, 1950 Biennale de Venise, 1960 Haus der Kunst de Munich, 1963 Musée d'Art de Berne, 1967 Musée Central de Tokyo, Musée Municipal des Beaux-Arts de Kyoto...

Il est à la fois trop facile et extrêmement difficile de traiter du cas de Maurice Utrillo, cet adolescent se sauvant de chez sa mère, cherchant à troquer un *Sacré-Cœur* au *Lapin agile* contre un litre de gros rouge. La facilité réside tout d'abord en ceci que l'art de ce peintre étant d'immédiate sensibilité, rien ne s'oppose à ce que l'on se satisfasse d'accorder notre propre sensibilité à celle de l'artiste. On en vient vite tout de même à s'inquiéter, car ces accords de sensibilités ne se pourraient exercer sur des œuvres qui seraient privées des fortes qualités purement picturales qui ont fait longtemps la force des compositions de Maurice Utrillo. Mais encore... Est-ce ici mal à propos que l'on vient d'employer le terme de « compositions » ? Maurice Utrillo a été retenu, au passage, par divers paysages, il a porté là son chevalet et commencé de peindre, avec application. D'autres fois, il s'est seulement souvenu de certaines impressions reçues devant le paysage pour tirer, à l'atelier, quelque chose de simples cartes postales. Tout le monde sait cela.

Longue serait la liste des œuvres du peintre qui a tant produit, si purement, sans jamais nous convaincre entièrement d'un réel désir de peindre. Il a multiplié les églises chères à son âme aérienne et brûlante, les coins pittoresques d'une butte qui ne l'a pas oublié, les casernes où il put regretter, de vieil enfant, de n'avoir pas « joué au soldat », les maisons de sa chère Jeanne d'Arc, les murs et les alentours du château de sa mère (quand elle devint glorieuse) à Saint-Bernard, dans l'Ain, des coins du Nord de la France, des aspects de Paris, loin de Montmartre, dont : *La Porte Saint-Denis, Panorama de Saint-Denis*. Il a été lithographe, s'inspirant tour à tour de Montmartre et de Notre-Dame de Paris, illustrant *Bécon-les-Bruyères* d'Emmanuel Bove, *En suivant la Seine* de Gustave Coquiot, *Tableaux de Paris*, etc.

Enfin, si l'on veut, essayant de juger Utrillo, aller au-delà de la seule sensibilité, on est bien fâché de se devoir dire que l'on va faire son chemin tout seul, sans le peintre, qui, apparemment maître de vertus picturales généralement acquises par la raison était une sorte d'innocent radicalement incapable d'un gouvernement patient et logique de l'esprit. Il est tout à l'opposé de cet artiste idéal conçu par le méditant André Derain et qui s'impose de « se poser tous les problèmes de la peinture chaque fois qu'il saisit un pinceau ». Et pourtant, ces hautes et indéniables vertus picturales ont été acquises plus ou moins lentement par Utrillo. Elles ne lui ont pas été accordées comme par grâce, miraculeusement « données ». On s'est bien souvent extasié, jusqu'à l'abus, sur les dessins et barbouillages des petits enfants ; on a abondamment écrit du charme angélique, féerique que nous communiquent les tripoteurs de couleurs sans danger. Les enfants qui ne savent rien encore nous émerveillent. Ils commencent à subir le moindre enseignement, ils commencent aussi de se sentir apprentis hommes et femmes, c'en est fait de leur miraculeux et fragile talent. La grâce accordée à Maurice Utrillo (une grâce à donner le frisson), aura été de ne jamais entrer dans une vraie peau d'homme. C'est dans une peau de petit enfant qu'il a pour la première fois passé le seuil d'un cabaret, car à l'innocence native il faut ajouter tels effets de la boisson ; c'est dans une peau d'enfant qu'il a continué de vieillir. Le petit peintre enfantin est devenu grand sans le bien concevoir ; il ne s'est pas laissé enseigner grand-chose, et peut-être n'a-t-il tout, mais il a pu ignorer la fatale rupture qui rejette dans l'ombre les bébés peintres et en même temps apprendre en apprenant tout de lui-même, en se perfectionnant par la pratique, encore que dans une totale inconscience. C'est un cas, magnifique et atroce.

On admire Utrillo, on ne le saurait donner en exemple. L'adolescent se connut-il la vocation de peintre ? Est-ce tout à fait vrai ce que l'on conte, à savoir que la peinture fut conseillée à Suzanne pour Maurice que cette forme d'application pouvait rendre au moindre calme ? Après la maison maternelle un peu trop bien fermée à son gré, après les bistrots de la Butte, quand il s'échappait, après les maisons de santé, il goûta dans ses dernières années les joies de la vie de château dans la banlieue parisienne. Quoi qu'il en soit, cet artiste unique en son genre, célébré, à qui une importante littérature a été consacrée, produisait des œuvres dignes d'admiration dans leur ensemble, quand même si certaines prêtent à discuter. Que dire encore ? Ceci, par exemple, que Maurice ayant achevé une toile, si d'après nature ou d'après carte postale (on compte de ses plus remarquables tableaux ainsi exécutés), le grand artiste devait être surveillé de près afin que lui soit ravi le loisir de tout gâter par l'effet d'une de ses obsessions. Mais au fait, n'a-t-on pas un temps exploité au moins l'une de ces obsessions ? Il y eut un marchand, je pense, puis des amateurs pour trouver que les paysages de Maurice Utrillo gagnaient à être animés de figures féminines, assez mal mises en place, comme en surcharge, remarquablement callipyges.

Maintenant d'autres doivent être entendus, et surtout Francis Carco qui a publié tant d'études solides sur l'art d'un de ses peintres favoris et à qui l'on doit : *La Légende et la vie d'Utrillo*. Citons : « Le succès d'Utrillo ne gêne personne et il l'a mérité ». Chez cet artiste, dont Derain me déclarait, hier encore : « On peut le discuter, mais on rencontre presque toujours dans ses toiles le miracle », admirons ce miracle qu'il a souvent réalisé. Son cas est à peu près unique. Son art qu'on a voulu classer échappe à toute comparaison. « Il aurait pu être le Corot de son temps – entendrez-vous dire par les peintres – ou le Vermeer ou un nouveau Rousseau ». Il aurait pu ! il ne l'a pas été. Mais il reste Utrillo ; cela suffit... « De ces malheurs qui l'accablaient, de cette bohème farouche et résignée à la dégradation, peintre ou poète, il fallait pour exprimer le drame de toutes ses heures un artiste capable d'être sincère. Utrillo l'a été. Il n'a même été que cela. Sa franchise, sa gaucherie, son absence de culture, sa naïveté en ont fait ce qu'il est ». Maurice Utrillo était, ou plutôt était devenu, mystique, dévot sans beaucoup plus de catéchisme que, peintre, il n'était rôdé de doctrine. Il honorait Jeanne d'Arc entre tous les saints, il faisait le signe de la croix avant de vider bouteille. Il eut parfaitement conscience de sa célébrité, de la place qu'il occupait dans le monde des arts, l'hommage d'un amateur étranger lui

était agréable certains jours quand, d'autres jours, il refusait de recevoir le client qu'il injuriait. C'est le Président Édouard Herriot qui épingla la croix de la Légion d'honneur sur le veston du vieil enfant, déçu, car il avait rêvé des palmes académiques !

J'ai naguère joint ma voix à celles des critiques accordant toute son importance à l'art de Maurice Utrillo. Je suis trop aise d'avoir soutenu ce peintre pour rien renier aujourd'hui de mon propos d'hier. J'ai voulu seulement, me plaçant entre les laudateurs et les indifférents (non pas les détracteurs car personne ne songe à attaquer l'artiste), éclairer davantage une figure extraordinaire ; j'ai voulu, sans que personne songe à me disputer cette pas trop agréable position, pousser aussi loin que possible l'esquisse (s'il n'en peut aller que d'une esquisse) de celui qu'il faudrait appeler : un grand homme des Limbes. ■ André Salmon, J. B.

BIBLIOGR. : Gustave Coquiot : *Maurice Utrillo*, Paris, 1925 – Adolphe Tabarant : *Utrillo*, Bernheim jeune, Paris, 1926 – Maurice Raynal : *Anthologie de la peinture en France, de 1906 à nos jours*, Montaigne, Paris, 1927 – Francis Carco : *Utrillo*, Paris, 1928 – Florent Fels : *Utrillo*, Druet, Paris, 1930 – Maximilien Gauthier : *Maurice Utrillo*, Pétridès, Paris, 1944 – Pierre Courthion : *Utrillo*, Berne, 1947 – René Huyghe : *Les Contemporains*, Tisné, Paris, 1949 – Maurice Raynal : *Peinture Moderne*, Skira, Genève, 1953 – F. Jourdain : *Utrillo*, Braun, Paris, 1953 – Frank Elgar, in : *Diction. de la peint. mod.*, Hazan, Paris, 1954 – Bernard Dorival : *Les peintres du xxᵉ siècle*, Tisné, Paris, 1957 – Paul Pétridès : *L'œuvre complet de Maurice Utrillo*, Pétridès, Paris, 1959-1969 – Georges Boudaille : *Utrillo*, Nouvelles Édit. Franç., Paris, 1967 – Oto Bihalji-Merin : *Les peintres naïfs*, Delpire, Paris, s.d. – Georges Charensol : *Les grands maîtres de la peint. mod.*, in : *Histoire Générale de la peint.*, tome 22, Rencontre, Lausanne, 1967 – Paul Pétridès : *L'Œuvre complet de Maurice Utrillo*, Galerie Paul Pétridès, Paris, 1959-1974 – Jean Fabris : *Utrillo, sa vie, son œuvre*, Frédéric Birr, Paris, 1982.

MUSÉES : AARAU (Aargauer Kunsthaus) : *La Savoyarde à Montmartre* vers 1908 – BERNE (Mus. des Beaux-Arts) : *Faubourg de Paris* 1910 – *Rue Muller* 1912 – COLOGNE (Wallraf-Richarts Mus.) : *Montmartre avec le Sacré-Cœur* vers 1910 – COPENHAGUE (Mus. des Beaux-Arts) : *Paris vu du square Saint-Pierre* 1906-1907 – LIÈGE (Mus. des Beaux-Arts) : *Le Moulin de la Galette* 1922 – LONDRES (Tate Gal.) : *La Porte Saint-Martin* 1911 – *Église Saint-Hilaire* 1911 – *Place du Tertre* 1911 – MANNHEIM (Kunsthalle) : *Église de Sainte-Marguerite* vers 1911 – PARIS (Mus. Nat. d'Art Mod.) : *Les Toits de Montmagny* vers 1906 – *Le jardin de Montmagny* 1908-1909 – *L'impasse Cottin à Montmartre* 1910-1911 – *Vue de Montmartre* 1910 – *Le Lapin Agile* 1910-1912 – *L'église blanche* 1915 – *La Rue du Mont-Cenis* 1915 – *Église de banlieue, le clocher* 1917-1918 – *Le Quartier Saint-Romain, à Anse* 1925 – *Rue Saint-Rustique, à Montmartre* 1926 – PARIS (Mus. mun. d'Art Mod.) : *Église des Blancs-Manteaux* – *Rue la Corte* 1913 – *La Fère-en-Tardenois* 1912 – *La Maison de Berlioz* 1915 – *La Rue Seveste* 1923 – PARIS (Mus. de l'Orangerie) : *Notre-Dame* 1910 – *Grande cathédrale* 1910 – *Rue du Mont-Cenis* 1914 – *La Maison de Berlioz* 1914 – *L'Église de Clignancourt* 1914 – *Église Saint-Pierre* 1914 – *La Maison Bernot* 1924 – *La Maison au drapeau* 1924 – WASHINGTON D. C. (Nat. Gal.) : *L'Église Saint-Séverin* 1912.

VENTES PUBLIQUES : PARIS, 14-15 fév. 1919 : *Portraits d'homme et de femme*, dess., une paire : **FRF 340** – PARIS, 11 avr. 1924 : *Portrait d'homme à collerette*, pierre noire, reh. : **FRF 710** – PARIS, 18 mars 1938 : *Portrait d'homme en buste, à col blanc*, cr. noir : **FRF 450** – VIENNE, 15 juin 1971 : *Mère et enfants* : **ATS 70 000** – LONDRES, 8 fév. 1978 : *Portrait d'un jeune garçon à la collerette*, h/t (68x57) : **GBP 2 100** – LONDRES, 12 déc 1979 : *Portrait d'un jeune homme*, h/t (71x60,5) : **GBP 8 000** – LONDRES, 20 nov. 1980 : *La famille de l'artiste*, mezzotinte (24,1x31,8) : **GBP 750** – PARIS, 24 mars 1981 : *Église de Châteldon* 1922, h/t (46x33) : **FRF 690 000** – NEW YORK, 30 avr. 1982 : *Portrait d'homme*, craie noire reh. de blanc/pap. gris-bleu (39,3x33,8) : **USD 1 400** – NEW YORK, 2 mai 1984 : *Le Moulin de la Galette* 1926, litho. coul. (24x31) : **USD 4 250** – ZURICH, 30 nov. 1984 : *Le Sacré-Cœur et la rue Norvins* 1936, gche (63x48) : **CHF 110 000** – LONDRES, 3 déc. 1984 : *Rue à Sannois* vers 1911, h/cart. (49,5x72,5) : **GBP 108 000** – PARIS, 17 juin 1985 : *Le Vésinet, Seine-et-Oise* 1944, mine de pb

(32,5x25) : **FRF 62 000** – Londres, 1er déc. 1986 : *La Conciergerie du Quai de l'Horloge, Paris* vers 1920, h/t (65x50) : **GBP 120 000** – Stockholm, 15 nov. 1988 : *Nature morte de gibier abattu sur un entablement*, h. (24x34) : **SEK 24 000** – Londres, 14 déc. 1990 : *Portrait en buste de l'artiste portant un turban drapé*, h/t, de forme ovale (73,5x59,5) : **GBP 66 000** – New York, 10 jan. 1991 : *Trompe-l'œil de lettres tenues sur un panneau de bois par des cordons*, h/t (51,5x41,5) : **USD 41 800** – Londres, 7 juil. 1992 : *Portrait du Marquis de Mondejar portant une armure, en buste*, craies noire et blanche/pap. bleu (58,5x45,1) : **GBP 1 100** – Paris, 25 nov. 1993 : *Portrait d'homme*, sanguine (32,5x26) : **FRF 5 500** – Londres, 8 juil. 1994 : *Trompe-l'œil avec des gravures, une plume, une craie dans un ratelier sur une paroi de bois 1671*, h/t (61x45) : **GBP 18 400** – Londres, 9 déc. 1994 : *Jeune chasseur rapportant un canard et un lièvre*, h/t (64x55) : **GBP 19 550** – New York, 11 jan. 1995 : *Portrait d'un homme jeune en habit noir à jabot de lin blanc*, h/t (diam. 48,2) : **USD 41 400** – Londres, 1er nov. 1996 : *Portrait d'un gentilhomme en buste*, h/t/pan., de forme ovale (28x25,4) : **GBP 8 625** – Heidelberg, 11-12 avr. 1997 : *Buste d'un gentilhomme tourné vers la droite, en habit noir et col blanc ; Buste d'une dame tournée vers la gauche portant une coiffe et un col en dentelle blanche 1650*, fus. et reh. de blanc, deux pendants (39,2x34,2 et 39,6x33,4) : **DEM 20 000**.

UTRILLO Miguel, don
Né le 16 février 1862 à Barcelone. Mort en janvier 1934 à Stipes (Catalogne). XIXe-XXe siècles. Actif aussi en France. Espagnol.

Peintre, dessinateur, illustrateur.
En plus de ses dons de peintre, il était archéologue, ingénieur, critique d'art et historien. Grand voyageur, il parcourut les États-Unis, l'Afrique, habita la Bulgarie, l'Allemagne, la Belgique et se fixa un certain temps en France. C'est durant son séjour à Paris, en 1891, qu'il reconnut et servit de père adoptif au fils de Suzanne Valadon, Maurice Utrillo. Il fonda plusieurs revues d'art en Espagne et se lia avec le peintre Zuloaga. Il créa, à l'Exposition Universelle de Barcelone, le village catalan pour lequel il exécuta d'importants et curieux panoramas. Chevalier de la Légion d'honneur. Ses œuvres personnelles, par-delà les maladresses techniques, sont la matérialisation d'une vaste information culturelle où se rencontrent les influences des symbolistes autour de Puvis de Chavannes, de l'Art Nouveau de Mucha aussi bien que de Aubrey Beardsley, les pré-Raphaélites de Rossetti, ainsi que les simples allégories édifiantes de l'imagerie d'Épinal. Il a exécuté un important ensemble de dessins, très représentatif de la totalité de son inspiration, pour illustrer les *Oracions* de Santiago Rosiñol.

UTRILLO Pedro de
XVe siècle. Actif à Tolède de 1459 à 1472. Espagnol.
Sculpteur.
Il travailla pour la cathédrale de Tolède.

UTSOND Gunnar Karenius
Né le 30 août 1864 à Kviteseid. XIXe-XXe siècles. Norvégien.
Sculpteur.
Il subit l'influence de Rodin. Il débuta au Salon de 1894. Son *Cheval de l'Enfer*, exposé à Paris en 1900, fut remarqué.

UTSUMIYA Isao
Né en 1945 à Morioka (préfecture d'Iwate). XXe siècle. Depuis 1957 actif en France. Japonais.
Peintre. Tendance pop'art.
Diplômé de l'Université des Beaux-Arts de Musashino, près de Tokyo, en 1967, il vient s'installer à Paris, où il réside depuis. Depuis 1969, il participe à des expositions collectives à Paris : 1969 *Art Libre* au musée national d'Art moderne de Paris, puis au Salon Comparaisons. En 1971, il obtient le Prix Argent à l'exposition du Prix Europe au Musée d'Ostende, et en 1973 à l'exposition des Peintres Japonais à l'Étranger, au Musée National d'Art Moderne de Tokyo. En 1972, il montre ses œuvres dans une exposition particulière à Paris.
Il opte pour une technique spontanée, riche en matière. Denses, à tendance expressionniste, ses œuvres fortement colorées, chargées de personnages, d'objets, souvent cernés d'un trait, proposent une vision symbolique de l'existence.
Ventes Publiques : Lokeren, 9 oct. 1993 : *Composition 1971*, h/t (116x88) : **BEF 44 000** – Lokeren, 10 déc. 1994 : *Composition 1971*, h/t (116x88) : **BEF 44 000**.

UTTENHEIM, Maître d'. Voir MAÎTRES ANONYMES

UTTER André
Né le 20 mars 1886 à Paris. Mort le 7 février 1948 à Paris. XXe siècle. Français.

Peintre de portraits, paysages, natures mortes, fleurs, illustrateur, peintre de décors de théâtre.
Cet artiste aura dû beaucoup plus à son instinct qu'à une formation rationnelle. Peut-être sa chance, compte tenu de certains dangers locaux, fut-elle d'avoir été un enfant de la Butte Montmartre. L'exemple contradictoire de Picasso pas encore cubiste, de Derain, de Friesz, de Modigliani aura porté cet autodidacte de l'instinct à la méditation.
La ville de Bourg-en-Bresse a organisé un hommage à Utrillo, Valadon, Utter, présenté au musée de l'Ain à Brou.
Il serait curieux de retrouver les notes fiévreuses griffonnées par A. Utter sur un petit calepin de poche quand la place du Tertre était un Forum de l'art nouveau. Le critique G. Coquiot passe pour avoir découvert et moins lancé l'artiste en 1912. Singulière aventure pour un jeune peintre se cherchant encore que de devenir le mari de Suzanne Valadon et par conséquent le beau-père de Maurice Utrillo ! Le mérite de A. Utter est d'avoir tout de même défendu sa personnalité modeste mais robuste. Le plus fâcheux fut la nécessité de se faire le « manager » de sa nouvelle famille, si, en effet, cela lui fit trop souvent délaisser son propre atelier. Je me félicite d'avoir un jour écrit du gentil Utter « Il a eu l'ambition d'une peinture solide, franche... il n'a eu souci que de l'authentique ». On citera d'entre ses œuvres principales : *Montmagny, Paysage béarnais, La Saône à Saint-Bernard*, des natures mortes, des fleurs, *L'Espagnole* et *Portrait de l'artiste*. Il a illustré *Théâtre à lire*, d'Oscar Wilde et exécuta des décors pour les Ballets Russes.   ■ André Salmon

Bibliogr. : Robert Beachboard : *La Trinité maudite – Valadon, Utter, Utrillo*, Amiot-Dumont, Paris, 1952 – Catalogue de l'exposition : *Utrillo, Valadon, Utter*, Bourg-en-Bresse, 1965 – Héron de Villefosse : *André Utter*, Galerie 5, Paris, 1974.
Ventes Publiques : Paris, 28 mars 1919 : *Paysage parisien* : **FRF 310** – Paris, 21 juin 1920 : *Portrait du peintre* : **FRF 455** – Paris, 7 avr. 1924 : *Nature morte* : **FRF 450** – Paris, 2 mars 1925 : *Nature morte* : **FRF 900** – Paris, 2 mars 1942 : *Le chemin au bord du lac* : **FRF 1 750** – Paris, 27 nov. 1942 : *Nature morte à l'œuf* : **FRF 1 800** – Paris, 9 nov. 1945 : *Femme au torse nu se coiffant* : **FRF 4 000** ; *Friperie d'atelier* : **FRF 5 200** – Paris, oct. 1945-juil. 1946 : *Environs d'Orthez 1923* : **FRF 4 000** ; *Gâteaux 1923* : **FRF 3 300** – Paris, 27 nov. 1946 : *Fleurs dans un bocal, d'autres dans un verre* : **FRF 7 000** ; *Paysage à Saint-Denis* : **FRF 5 800** – Paris, 27 avr. 1951 : *Paysage de Corte* : **FRF 7 800** ; *Nature morte au compotier* : **FRF 6 100** – Versailles, 26 nov. 1972 : *Barque amarrée devant la grande maison* : **FRF 6 000** – Zurich, 16 mai 1974 : *Le Pont à Corte* : **CHF 16 000** – Madrid, 1er avr. 1976 : *Nature morte à la guitare 1920*, h/t (100x81) : **ESP 15 000** – Versailles, 17 mars 1977 : *Guéridon à la mandoline devant le Sacré-Cœur de Montmartre 1919*, h/t (92x72,5) : **FRF 6 000** – Versailles, 9 juil. 1978 : *Le pont Saint-Bernard sur la Saône*, h/t (46x55) : **FRF 2 700** – Zurich, 3 nov 1979 : *Portrait de Micheline 1946*, h/t (92x65) : **CHF 3 000** – Munich, 11 juin 1985 : *Nature morte à la guitare*, h/t (92x73) : **DEM 13 700** – Paris, 9 mai 1988 : *La jeune fille nue 1928*, h/t (73x100) : **FRF 4 000** – Paris, 20 mai 1988 : *Bouquet de fleurs*, h/t (55x46) : **FRF 8 500** – La Varenne-Saint-Hilaire, 29 mai 1988 : *Composition V à la coupe de fruits*, h/t (54x46) : **FRF 9 500** – Versailles, 6 nov. 1988 : *Fruits et poteries*, h/t (27x41) : **FRF 7 800** – Paris, 19 déc. 1988 : *Nature morte aux fruits*, h/t (27x41) : **FRF 6 000** – Paris, 19 juin 1990 : *Femme espagnole à la mantille 1922*, h/t (65x54) : **FRF 20 000** – Paris, 20 nov. 1991 : *La pinède à Fontvieille (Bouches du Rhône)*, h/t (50x61) : **FRF 6 000** – Paris, 20 nov. 1994 : *Portrait de Melle Suz-Gérard*, h/t (61x50) : **FRF 13 000** – Paris, 5 avr. 1995 : *Maison dans les arbres*, h/cart.

(45x59) : **FRF 6 000** – Paris, 10 juin 1996 : *Paysage*, h/t (81x60) : **FRF 6 000** – Paris, 13 nov. 1996 : *Barque amarrée devant la grande maison* vers 1910, h/t (60x81) : **FRF 40 000**.

UTTERHEIM Erik
Né le 14 septembre 1662. Mort le 25 juin 1717 à Stockholm. XVIIe-XVIIIe siècles. Suédois.
Peintre sur émail et miniaturiste.
Il peignit des scènes bibliques et des portraits de princes et de princesses.
Musées : Stockholm (Mus. Nat.) : *Lavement des pieds – Cène – Le Christ à Gethsémani – Portement de la croix – Crucifixion – Portraits du roi Charles XI de Suède (deux fois), de Charles XII, du roi Christian IV du Danemark et de la reine Ultika Eleonora l'Ancienne de Suède (deux fois)*.

UTZ, Mme. Voir **CANNAUT Micheline**

UTZ Johann Leonhard. Voir **UZ**

UTZON-FRANK Einar ou **Aksel Einar**
Né le 30 mars 1888 à Copenhague. Mort en 1955. XXe siècle. Danois.
Sculpteur de figures.
Il fut élève de Holger Grönvold à l'Académie de Copenhague. Il subit l'influence de la Renaissance.
Musées : Aabenraa – Amsterdam – Bergen – Brighton – Copenhague – Dresde – Kolding – Odense – Oslo – Stockholm – Tondern.
Ventes Publiques : Copenhague, 20 oct. 1976 : *Diane*, bronze patiné (H. 39) : **DKK 2 100** – Copenhague, 30 nov. 1988 : *Jeune fille se coiffant*, bronze (H.41) : **DKK 7 000** – Copenhague, 10 mai 1989 : *Aphrodite* 1914, sculpt. de pierre (H. 180) : **DKK 34 000** – Copenhague, 31 oct. 1990 : *Portrait de Bertel Thorvaldsen* 1930, bronze (H. 90) : **DKK 8 000** – Copenhague, 21 oct. 1992 : *Pégase, cheval ailé*, bronze (H. 70) : **DKK 36 000** – Copenhague, 13 avr. 1994 : *Projet pour la fontaine de Grabrodretory* 1932, bronze (H. 54) : **DKK 5 000** – Lucerne, 4 juin 1994 : *Jeune fille nue au châle*, bronze (H. 36) : **CHF 2 000** – Copenhague, 27 avr. 1995 : *Jeune femme debout*, bronze (H. 65) : **DKK 14 000** ; *Jeune fille allongée*, pierre (H. 70, L. 145, prof. 50) : **DKK 37 000**.

UUTENENG Joh.
XVIe siècle. Actif à Florence. Éc. flamande.
Peintre.
Il travailla pour le Palais ducal et diverses églises de Florence.

UVA Cesare
Né à Avellino. XIXe siècle. Italien.
Peintre de scènes de genre, paysages animés, paysages, paysages d'eau, peintre à la gouache, aquarelliste.
Il exposa à Naples et Milan.
Ventes Publiques : Milan, 10 déc. 1987 : *Barques de pêcheurs au large d'Ischia*, temp. (37x55) : **ITL 4 200 000** – Rome, 4 déc. 1990 : *Les sources du Clitunno* ; *Paysage lacustre*, h/t, une paire (61x66) : **ITL 12 500 000** – Rome, 9 juin 1992 : *Retour de promenade à la campagne*, temp./cart. (27x43,5) : **ITL 4 000 000** – Lugano, 8 mai 1993 : *La corniche d'Amalfi* ; *Le lac d'Averne*, gche/pap., une paire (37x57) : **CHF 7 500** – Paris, 31 mars 1995 : *Personnages au bord d'un golfe du sud de l'Italie*, gche et h/pap. (71x104) : **FRF 31 000** – Rome, 5 déc. 1995 : *Jeune pêcheur*, aquar./pap. (45x24) : **ITL 2 121 000** – Londres, 22 nov. 1996 : *Sur le littoral napolitain*, gche/pap. (36,8x67,3) : **GBP 2 530**.

UVEDALE Samuel
Mort vers 1866. XIXe siècle. Irlandais.
Peintre de portraits, paysages, fleurs.
Il exposa à Londres de 1845 à 1847.

UVODIC Angjeo
Né en 1880 à Split. XXe siècle. Yougoslave.
Graveur de portraits, figures, monuments.
Il fut aussi écrivain d'art. Il grava des caricatures d'artistes croates et des reproductions de monuments de Split.

UWINS Thomas
Né le 25 février 1782 à Pentoville. Mort le 25 août 1857 à Staines. XIXe siècle. Britannique.
Peintre d'histoire, scènes de genre, portraits, architectures intérieures, aquarelliste, illustrateur.
Il fit son apprentissage comme graveur, mais son goût pour la peinture le fit entrer en 1798 aux Écoles de la Royal Academy de Londres. Il gagna sa vie, d'abord par des illustrations et des frontispices pour les libraires. En 1809, il fut nommé associé de la Water Colour Society et l'année suivante membre titulaire. En 1814 son fâcheux état de santé l'obligea à un séjour dans le midi de la France. En 1818 des difficultés pécuniaires l'amenèrent à

quitter la Water Colour Society. Ses affaires étant rétablies, il entreprit en 1824 un voyage en Italie qui se prolongea jusqu'en 1831. À son retour en Angleterre, il abandonna l'aquarelle pour peindre à l'huile et obtint dans ce genre un grand prix. Il fut nommé associé de la Royal Academy en 1833 et académicien en 1838. Uwins accepta aussi les fonctions de Bibliothécaire de la Royal Academy en 1844, d'Inspecteur des peintures de la Couronne en 1845, et de conservateur de la National Academy en 1847.
Musées : Blackburn : *Manufacture de saints à Rome* – Dundee : *Vendanges près de Bordeaux* – Glasgow : *Comus donne à une femme un gobelet magique – Le chapeau de brigand* – Leicester : *Une manufacture d'objets de piété à Naples – Intérieur d'un magasin* – Londres (Nat. Gal.) : *Sir Guyon – Sir W. Gell et Frances Maria Kelly* – Londres (Victoria and Albert Mus.) : *Portraits de J. Buckner, évêque de Chichester, du graveur Ch. Grignion et de Th. Maurice – Mère italienne enseignant la tarentelle à sa fille – Sir Juyau arrivant au berceau du favori – Le couronnement de George IV – Le berger favori* – Nottingham : *Aquarelle* – Sheffield : *Le chapeau de brigand*.
Ventes Publiques : Londres, 18 mars 1980 : *En allant à l'école*, aquar. avec reh. de blanc (28x20,5) : **GBP 700** – New York, 28 oct. 1981 : *Paysans se rendant à une fête* 1845, h/pan. (61,5x81,5) : **USD 2 000** – Londres, 3 nov. 1989 : *La fête*, h/t (76,5x64) : **GBP 6 380** – Londres, 3 juin 1992 : *Jeunes napolitains revenant de la fête de Saint Antoine*, h/t (76x63,5) : **GBP 7 700** – Londres, 3 fév. 1993 : *La fin d'un refrain* 1828, h/pan. (38x48) : **GBP 2 185** – Londres, 5 nov. 1993 : *Enfants endormis dans un vignoble* 1838, h/t (50,2x62) : **GBP 2 415**.

UXA W. Konrad
Né en 1885 à Brunn. XXe siècle. Autrichien.
Peintre d'architectures, natures mortes.

UYL C. den
XVIIe siècle. Hollandais.
Peintre de fleurs.

UYL Jan, le Jeune
Né vers 1624 à Amsterdam (?). Mort après 1670. XVIIe siècle. Hollandais.
Peintre.
Fils de Jan Jansz Uyl. Il a gravé des animaux. Le Musée Boymans de Rotterdam conserve des dessins de cet artiste.

UYL Jan Jansz ou **Johannes Van den**, l'Ancien ou **den Uyl** ou **Vuyl**
Né vers 1595 à Utrecht. Mort en 1639 ou 1640 à Amsterdam. XVIIe siècle. Hollandais.
Peintre de paysages, natures mortes, graveur, dessinateur.
On lui doit diverses eaux-fortes.
Musées : Berlin (Mus. Kaiser Friedrich) : *Nature morte* – Rotterdam (Mus. Boymans) : *Nature morte* – Vienne (Gal. Liechtenstein) : *Nature morte*.
Ventes Publiques : Paris, 6 juin 1951 : *Vue d'un village avec église*, pl. et lav. : **FRF 10 000** – Londres, 6 déc. 1967 : *Nature morte* : **GBP 4 800** – Paris, 23 juin 1981 : *Nature morte aux pièces d'orfèvrerie et au jambon*, h/t (71x91) : **FRF 60 000** – Copenhague, 2 mai 1984 : *Nature morte* 1633, h/pan. (90x72) : **DKK 4 000 000** – New York, 14 jan. 1988 : *Nature morte de cristaux, d'argenterie et de fruits sur un entablement drapé* 1633, h/pan. (90x72) : **USD 2 200 000** – Paris, 12 avr. 1989 : *Nature morte au petit déjeuner*, h/pan. (61,5x52) : **FRF 2 000 000** – New York, 11 jan. 1996 : *Nature morte avec pichet d'étain, un verre de vin, une assiette avec des petits pains un couteau et une noix ouverte avec une serviette blanche sur une table drapée de noir*, h/pan. (62,2x52,1) : **USD 442 500**.

UYLENBURG Jumffer
XVIIe siècle. Hollandaise.
Peintre.
Elle peignit des fleurs.

UYLENBURGH Abraham
Mort en 1668 à Dublin. XVIIe siècle. Hollandais.
Peintre.
Fils de Hendrick Uylenburgh. Il fut peintre de la duchesse d'Ormond.

UYLENBURGH David
XVIIe siècle. Travaillant en 1665. Hollandais.
Peintre.
Il travailla pour la cour de Gottorf.

UYLENBURGH Gerrit ou **Gerard** ou **Uilenburg** ou **Ulenburgh**

Né vers 1626 à Amsterdam. Mort vers 1690 en Angleterre. XVIIe siècle. Hollandais.

Peintre de portraits, paysagiste et marchand de tableaux.

Fils de Hendrick Uylenburgh, cousin de la femme de Rembrandt (Saskia) ; il fut élève de Rembrandt vers 1650 et épousa en 1666 Elisabeth Just Van Coninschergen. A la mort de son père, il reprit le magasin d'œuvres d'art et forma une remarquable collection de peintures. En 1671, il envoya au prince de Brandebourg treize tableaux italiens qui furent soupçonnés d'être faux, ce qui donna lieu à Amsterdam à un long procès. Il fut cependant payé en 1675, malgré ce règlement il quitta le commerce, on croit qu'il passa en Angleterre et qu'il fut employé par Peter Lely à la peinture de fonds et de draperies.

UYLENBURGH Hendrick

Né entre 1584 et 1589. Mort vers 1660. XVIIe siècle. Actif à Amsterdam. Hollandais.

Peintre et marchand de tableaux.

Frère de Rombout Van Uylenburgh et père d'Abraham et de Gerrit Uylenburgh.

UYLENBURGH Rombout Van ou **Uylenburch, Ulenborch, Ulenbrock, Ulenburgh**

Mort avant le 8 mars 1628. XVIIe siècle. Actif à Amsterdam. Hollandais.

Peintre.

Il était à Dantzig et à Cracovie en 1650.

UYÔ. Voir **NAOTAKE**

UYTENAEL Joachim. Voir **UYTEWAEL**

UYTENBOGAART. Voir **UITTENBOGAERD**

UYTENBROECK. Voir **UYTTENBROECK**

UYTENSWAAN Claas. Voir **UTEN Zwane Nicolas**

UYTEWAEL Joachim Anthonisz ou **Uytenael, Uytenwael, Vytenwael, Wtewael,** etc.

Né vers 1566 à Utrecht. Mort le 13 août 1638 à Utrecht. XVIe-XVIIe siècles. Hollandais.

Peintre de compositions mythologiques, sujets religieux, paysages animés, natures mortes, dessinateur.

Petits-fils de J. Van Schayck, fils et élève d'un peintre verrier Antonis Uytewael. Il fut élève de Joost de Beere vers 1584, et de Fr. Floris. Il alla en Italie, resta quatre ans avec Charles de Bourgneuf évêque de Saint-Malo et voyagea deux ans en France. Il revint en 1592 à Utrecht, épousa en 1603 Christine Van Halen et s'occupa de la fondation de la gilde des peintres en 1611. Il eut pour élève De Keyser en 1613, P. Van Winsen, en 1614, Van Bockhoven en 1624. Ce fut un maniériste, comme son contemporain plus connu Mierevelt.

Revenu dans sa ville natale, il y peignit des sujets mythologiques parfois bibliques, en petits formats sur bois ou sur cuivre. Quand il traite de ces sujets profanes, comme : *Le Parnasse, Le jugement de Pâris, Mars et Vénus*, l'influence italienne prédomine. Quand il choisit des sujets chrétiens, la tradition de l'Académie des Beaux-Arts de Haarlem reprend le dessus, ainsi dans *Loth et ses filles*, ou dans *L'Adoration des Bergers*. On mentionne encore de lui une *Sainte Famille*, qui lui a été attribuée tardivement. Dans les sujets religieux, il atteint à une rare qualité de la distribution des lumières et des ombres, créant des clairs-obscurs dramatiques.

BIBLIOGR. : Lindeman : Joachim Anthonisz Wtewael, Utrecht, 1929 – Robert Genaille, in : *Diction. Univers. de l'Art et des Artistes,* Hazan, Paris, 1967 – Anne Lowenthal : *Joachim Wtewael and Dutch Mannerism,* 1986.

MUSÉES : AMSTERDAM : *Saint Marc, saint Luc, David et Abigaïl – Annonciation aux bergers –* BERLIN (Mus. Nat.) : *Paysage sylvestre avec Mercure et Argus – Paysage avec Mercure et Bacchus – La mort d'Argus – Loth et ses filles – Nature morte avec un gâteau –* BRUNSWICK : *Festin de dieux –* BUDAPEST : *Le jugement de Pâris –* COPENHAGUE : *Prédication de saint Jean-Baptiste –* DRESDE : *Le Parnasse –* GOTHA : *La Vierge et l'Enfant Jésus – Apollon et Pallas –* LA HAYE : *Mars et Vénus surpris par Vulcain –* MADRID : *Adoration des*

bergers – POMMERSFELDEN : *Adoration des bergers –* SAINT-PÉTERSBOURG : *Le Christ bénit les enfants –* SIBIU : *Cérès, Bacchus, Vénus et Cupidon –* STOCKHOLM : *Jugement de Pâris – Vénus entourée d'amours –* UTRECHT : *Portrait du peintre – Christine Van Halen, femme du peintre –* VIENNE : *Diane et Actéon – Adoration des bergers.*

VENTES PUBLIQUES : AMSTERDAM, 7 juin 1708 : *Une cuisine :* FRF 180 – COLOGNE, 11 nov. 1964 : *Mars et Vénus :* DEM 14 000 – LONDRES, 5 déc. 1969 : *Le baptême du Christ :* GNS 11 000 – LONDRES, 26 nov. 1971 : *La résurrection de Lazare :* GNS 5 500 – LONDRES, 20 juil. 1973 : *Jésus parmi les docteurs :* GNS 7 500 – LONDRES, 28 juin 1974 : *Joseph et la femme de Putiphar :* GNS 3 000 – AMSTERDAM, 3 mai 1976 : *Hallebardier debout, vu de dos, pl. et lav. de blanc* (25,7x15,3) : NLG 8 000 – LONDRES, 25 avr. 1978 : *L'asservissement des Pays-Bas : l'évêque et les persécutions, pl. et lav. de gris* (19,1x25) : GBP 6 000 – LONDRES, 4 mai 1979 : *Les préparatifs du dîner, h/t* (109,8x130,2) : GBP 2 800 – LONDRES, 30 nov 1979 : *Le Baptême du Christ, h/t* (97,8x142,9) : GBP 8 000 – ROUEN, 13 déc. 1981 : *Persée délivrant Andromède 1611, h/t* (181x151) : FRF 100 000 – LONDRES, 9 juil. 1982 : *La résurrection de Lazare, h/t* (131x172) : GBP 9 000 – LONDRES, 10 déc. 1982 : *Le baptême de Jésus, h/t* (97,8x142,9) : GBP 6 000 – LONDRES, 6 juil. 1983 : *Mars et Vénus surpris par les dieux, h/cuivre* (20,2x15,5) : GBP 230 000 – NEW YORK, 16 jan. 1985 : *Le jugement du Comte Guillaume III du Hainaut, pl. et lav.* (25x38,5) : USD 7 000 – NEW YORK, 3 juin 1988 : *Vénus et Cupidon avec Bacchus et Cérès, h/cuivre, de forme ovale* (11,2x9,5) : USD 3 000 – MONACO, 16 juin 1989 : *La Sainte Famille avec Saint Jean Baptiste et d'autres Saints, recevant l'offrande de fruits par un ange dans un paysage boisé, h/cuivre* (10,8x15,5) : FRF 3 330 000 – LONDRES, 11 avr. 1990 : *Le mariage de Pélée et de Thétis 1612, h/cuivre* (36,5x42) : GBP 770 000 – NEW YORK, 8 jan. 1991 : *Étude d'un ange tenant un écusson non gravé par deux liens, encre et lav. sur craie noire avec reh. de blanc* (26,7x19) : USD 28 600 – NEW YORK, 19 mai 1993 : *Adam et Ève, h/t* (156x113) : USD 717 500 – NEW YORK, 12 jan. 1994 : *La Résurrection de Lazare, h/t* (76,8x101,6) : USD 772 500 – NEW YORK, 30 jan. 1997 : *Diane et Actéon 1608, h/cuivre* (15,9x21,3) : USD 2 587 500.

UYTEWAEL Paulus Van. Voir **WTTEWAEL Paulus**

UYTHOECK Henrick Pietersz. Voir **HUYTSCHOECK Henrick Pietersz**

UYTRECHT Jacques Van. Voir **UTRECHT**

UYTTENBOGAART. Voir **UITTENBOGAERD**

UYTTENBROECK Jan Van

Né en 1585 (?). Mort avant le 27 janvier 1651. XVIIe siècle. Actif à La Haye. Hollandais.

Peintre.

Frère de Moyses Van Uyttenbroeck.

UYTTENBROECK Moyses Van ou **Uyt den Broech, Uitenbroeck, Uytenbroeck, Uytenbrouck, Wyttenbrouch, Wyttenbroeck,** dit **le peintre Moïse**

Né vers 1590 à La Haye. Mort en 1647 ou 1648 à La Haye. XVIIe siècle. Hollandais.

Peintre de compositions mythologiques, sujets religieux, paysages animés, paysages, paysages d'eau, graveur.

Élève d'Elsheimer à Rome. Il fut membre de la gilde de La Haye en 1620, doyen en 1627.

MUSÉES : AMSTERDAM : *Pan et Syrinx – Le bon Samaritain –* ARENBERG : *Paysage –* AUGSBOURG : *Junon livre à Argus la vache Io –* BERLIN (Mus. Kaiser Friedrich) : *Mercure dans la forêt – Mort d'Argus – Paysage avec deux scènes de l'histoire de Mercure et Bacchus –* BRUNSWICK : *Bacchanale – Jupiter et Mercure chez Philémon et Baucis –* BRUXELLES : *Paysage –* BUDAPEST : *Paysage d'Arcadie –* COPENHAGUE : *Le bon Samaritain –* FLORENCE : *Bergers dansant –* LA HAYE (Mus. mun.) : *Paysage d'Arcadie – Nymphes et dieux – Paysage avec des nymphes –* KASSEL : *Triomphe de Bacchus – Jugement de Pâris –* MILAN : *Belgiojosa –* NUREMBERG : *Mercure – Argus et Io –* PRAGUE : *Bacchus et Ariane à Naxos –* VIENNE : *Paysage avec nymphes – Paysage avec bergers dansant.*

VENTES PUBLIQUES : AMSTERDAM, 28 mars 1708 : *Thomas et Judas dans un paysage :* FRF 45 – LONDRES, 16 mars 1908 : *Paysage :*

GBP 14 – PARIS, 15 juin 1908 : *Bord de rivière* : FRF 51 – PARIS, 12 juin 1919 : *Paysage et animaux* : FRF 330 – PARIS, 3 déc. 1941 : *Le repos des moissonneurs* : FRF 16 800 – PARIS, 28 déc. 1949 : *Paysage* : FRF 28 500 – LONDRES, 26 nov. 1965 : *Les filles de Cécrops* : GNS 950 – LONDRES, 7 juil. 1972 : *Diane et Calliste* : GNS 3 800 – LONDRES, 7 juin 1974 : *Mercure et Argus* : GNS 1 900 – LONDRES, 24 mars 1976 : *La chute de Phaéton*, h/t (54x42,5) : GBP 5 000 – NEW YORK, 9 juin 1978 : *Paysage fluvial boisé avec personnages* 1626, h/pan. (40x62) : USD 125 000 – LONDRES, 30 mars 1979 : *Silène ivre avec les paysans phrygiens*, h/pan. (53,9x69,2) : GBP 8 000 – NEW YORK, 18 jan. 1981 : *Paysage fluvial boisé avec bergers et troupeau* 1624, h/pan. (33x58) : USD 45 000 – PARIS, 12 déc. 1988 : *Alphée poursuivant Aréthuse*, h/t (31,5x44,5) : FRF 380 000 – AMSTERDAM, 28 nov. 1989 : *Bacchantes complimentant une laitière dans un paysage fluvial italien*, h/pan. (50x88) : NLG 86 250 – AMSTERDAM, 16 nov. 1993 : *Le jugement de Midas* 1622, h/pan. (36x50) : NLG 103 500 – PARIS, 29 mars 1994 : *Alphée poursuivant Aréthuse*, h/pan. de chêne (41x66) : FRF 230 000 – LONDRES, 20 avr. 1994 : *Paysage fluvial classique avec des paysans menant des animaux sur un chemin*, h/pan. (35x57,5) : GBP 11 500 – LONDRES, 5 juil. 1995 : *Deux nymphes au bain* 1644, h/pan. (49,8x39,8) : GBP 13 800.

UYTTER LEMMING Wouter ou Uytter-Limmege, Uyter Limmeye, Uiterlimmige

Né en 1730 à Dordrecht. Mort en 1784 à Dordrecht. XVIIIᵉ siècle. Hollandais.

Peintre de portraits et d'oiseaux et marchand de tableaux.

Élève de A. Schouman. Il était à La Haye en 1749.

UYTTERHOEVE J.

XVIIIᵉ siècle. Actif à Louvain dans la seconde moitié du XVIIIᵉ siècle. Éc. flamande.

Peintre.

Il exécuta des peintures au plafond de l'Hôtel de Ville de Louvain.

UYTTERSCHAUT Victor

Né le 17 novembre 1847 à Bruxelles. Mort le 4 octobre 1917 à Boulogne-sur-Mer (Pas-de-Calais). XIXᵉ-XXᵉ siècles. Belge.

Peintre de paysages, marines, aquarelliste.

Il fut élève de Paul Lauters à l'académie des beaux-arts de Bruxelles. Il participa à des expositions collectives, notamment à Paris en 1889 à l'Exposition universelle.

MUSÉES : ANDERLECHT – ANVERS : *À Rhodes* – BRUXELLES : *Barques échouées* – Linkebeke.

VENTES PUBLIQUES : BRUXELLES, 9 oct. 1990 : *Verger ensoleillé*, aquar. (39x55) : BEF 50 000.

UYTTERSPROT Jan

XVIᵉ siècle. Travaillant à Bruxelles en 1574. Éc. flamande.

Graveur au burin et éditeur.

UYTVANCK Benoît Van

Né le 25 juin 1857 à Hamme. Mort le 6 novembre 1927 à Louvain. XIXᵉ-XXᵉ siècles. Belge.

Sculpteur de compositions religieuses.

Il fut élève de Jean Baptiste Béthune. Il fut surtout restaurateur de sculptures. Il travailla pour des églises de Louvain et de Malines.

UYTVANCK Joseph François Benoît Van

Né le 27 juillet 1884 à Louvain. Mort le 10 mars 1967 à Jette. XXᵉ siècle. Belge.

Sculpteur de compositions religieuses, statues.

Fils et assistant de Benoît Van Uytvanck, il sculpta des statues et des autels pour des églises de Louvain et de Malines.

UYTVANCK Valentin Edgar Van

Né en 1896 à Anvers. Mort en 1950 à Cochem. XXᵉ siècle. Belge.

Peintre, dessinateur de portraits. Expressionniste.

Il fut élève de l'académie d'Anvers. Il vécut et travailla à Amsterdam.

MUSÉES : LA HAYE (Mus. mun.) : *Le Peintre Raoul Hynckes*.

UZ Johann Leonhard ou Utz

Né le 18 juillet 1706 à Crailsheim. XVIIIᵉ siècle. Allemand.

Peintre sur faïence et sur porcelaine.

Il travailla pour le château d'Ansbach. Le Musée National de Nuremberg conserve de lui une cruche peinte.

UZANNE Jules

Né au XIXᵉ siècle à Versailles (Yvelines). XIXᵉ siècle. Français.

Peintre de portraits.

Élève de P. Delaroche et de Ingres. Il exposa au Salon de 1844 à 1861.

UZARSKI Adolf

Né le 14 avril 1885. XXᵉ siècle. Allemand.

Peintre, graveur, illustrateur.

Il fut élève de l'Académie de Düsseldorf. Il fut aussi écrivain. Il vécut et travailla à Ruhrort.

Il exécuta de nombreuses illustrations de livres de voyages et de romans, des affiches et des ex-libris.

VENTES PUBLIQUES : COLOGNE, 5 déc 1979 : *Couple d'amoureux à la fenêtre* 1921, aquar./cr. et encre (39,8x29) : DEM 3 600.

UZEBAY

XXᵉ siècle. Espagnol.

Peintre de paysages. Surréaliste.

Il a peint des paysages d'inspiration surréaliste.

UZEDA Juan de. Voir UCEDA CASTROVERDE

UZELAC Laetitia

Née en Angleterre. XXᵉ siècle. Active en France. Britannique.

Peintre de paysages animés. Naïf.

En France, elle vit en Normandie. Elle participe au Salon International d'art naïf, à Paris.

Elle transfère aux paysages du village normand où elle est établie un velouté brumeux très britannique qui les rend mystérieux.

UZELAC Milivoy

Né le 27 juillet 1897 à Mostar (Bosnie-Herzégovine). XXᵉ siècle. Yougoslave.

Peintre de figures, nus, illustrateur, sculpteur.

Il fut élève de Jan Preisler à l'académie des Beaux-Arts de Prague.

Il exposa à Paris, aux Salons des Indépendants à partir de 1922, d'Automne, des Tuileries, en 1946 à l'Exposition ouverte au Musée d'Art Moderne, par l'Organisation des Nations unies, ainsi qu'à Bruxelles, Londres, Amsterdam, Zagreb, Belgrade.

Il subit l'influence des maîtres de l'École française moderne. Il a illustré *Requiem* de Serge Essenine, *La Rencontre avec Pascal* de François Mauriac, *Le Moyen de parvenir* de Béroalde de Verville, etc.

MUSÉES : BELGRADE – PARIS (anc. Mus. du Jeu de Paume) – ZAGREB.

VENTES PUBLIQUES : PARIS, 24 fév. 1934 : *Nu couché, de dos* : FRF 130 – PARIS, 17 déc. 1943 : *Danseuses et guitaristes*, gche : FRF 780 – PARIS, 30 avr. 1945 : *Négresse assise, de dos* : FRF 1 700 ; *Négresse dansant* : FRF 2 100.

UZÈS. Voir LEMOT J.

UZÈS d', duchesse. Voir MANUÉLA

UZIEMBLO Henryk

Né le 27 février 1879 à Krze. XXᵉ siècle. Polonais.

Peintre de paysages, graveur, décorateur.

Il fut élève de Stanislawski, des Académies de Cracovie et de Paris. Il s'établit à Cracovie.

MUSÉES : CRACOVIE – LEMBERG – VARSOVIE.

UZORINAK Mirko. Voir OUZORINAK

VAA Dyre
Né le 19 janvier 1903 à Kviteseid. xxᵉ siècle. Norvégien.
Sculpteur de statues, peintre.
Il fut élève de l'Académie d'Oslo et de W. Rasmussen. Il sculpta surtout des statues.
Musées : Oslo (Gal. Nat.) : *Ivar Tveiten – Thora – Henrik Sörensen* – Trondhem : *Skrubbefar – Le noir et le jaune – Automne à Nordberg.*

VAAL Frans de. Voir **DIEUSSORT Francisco**

VAAMONDE Domingo de
xvııᵉ-xvıııᵉ siècles. Actif à Saint-Jacques-de-Compostelle. Espagnol.
Sculpteur sur bois.
Il sculpta des retables pour les églises de Lestedo et d'Illobre.

VAAMONDE Joaquin ou **Vahamonde**
Né en 1872 à La Coruna. Mort en 1900. xıxᵉ siècle. Espagnol.
Pastelliste.
Élève d'Isidore Brocas. Il peignit des portraits de la famille royale et de la noblesse espagnole.

VAARBERG Joannes Christoffel
Né en 1825. Mort en 1871. xıxᵉ siècle. Hollandais.
Peintre de genre, scènes animées, intérieurs.
Ventes Publiques : Londres, 26 nov. 1980 : *Couple d'amoureux* 1866, h/pan. (23x30,5) : **GBP 2 000** – Amsterdam, 11 mai 1982 : *Marchand de légumes à la lumière d'une bougie*, h/pan. (47x53) : **NLG 5 200** – Londres, 21 mars 1984 : *Une marchande de légumes à la lumière d'une bougie* 1862, h/pan. (57x42) : **GBP 1 200** – Vienne, 20 mars 1985 : *Scène de famille* 1858, h/pan. (48,5x40,5) : **ATS 60 000** – Amsterdam, 24 avr. 1991 : *Intérieur avec une femme faisant de la dentelle près du berceau d'un enfant*, h/pan. (18x15) : **NLG 2 990** – Amsterdam, 5-6 nov. 1991 : *Enfants devant le Bureau de Protection de l'Enfance*, h/t (80x106) : **NLG 5 520** – Londres, 17 nov. 1993 : *Marchés au poissons nocturne* 1868, h/pan. (76x58) : **GBP 7 475** – Amsterdam, 19-20 fév. 1997 : *Mère et enfant dans un intérieur éclairé à la bougie* 1861, h/pan. (24x20,5) : **NLG 4 382.**

VAARDT A. Van der
xvıııᵉ siècle. Actif dans la première moitié du xvıııᵉ siècle. Hollandais.
Peintre.
Il peignit des scènes de chasse. Peut-être identique à Waard (Antonie de).

VAARDT Jan Van der ou **Waart**
Né en 1647 à Haarlem. Mort en 1721 à Londres. xvııᵉ-xvıııᵉ siècles. Hollandais.
Peintre d'histoire, portraits, paysages, natures mortes, graveur.
Il alla à Londres en 1674, et fut élève de Thomas Wyck. Il fut le maître du célèbre graveur John Smith.
Il peignit d'abord des portraits et des natures mortes. Plus tard William Wisning l'employa à la peinture des draperies. En 1713 il abandonne l'art pour se consacrer à la restauration de tableaux, et tout à la fin de sa vie il s'adonne à la gravure, à la manière noire. Ses gravures sont estimées. Il a gravé des sujets d'histoire.
Ventes Publiques : New York, 10 oct. 1991 : *Paysage méridional montagneux avec des personnages près d'un ruisseau*, h/t (75x62,5) : **USD 8 250.**

VAARZON MOREL Willem F. A. J. Voir **MOREL**

VAAST Paul
Né le 3 février 1879 à Paris. xxᵉ siècle. Français.
Sculpteur de bustes, statues, peintre.
Il fut élève de Poulin et de Thruphème. Il débuta au Salon en 1900 et sculpta des statues et des bustes.
Musées : Paris (Mus. Galliera) : *Femme avec une gourde.*

VABE François
xvıııᵉ siècle. Actif à Besançon en 1750. Français.
Sculpteur.

VACANI Gaetano ou **Vaccani**
Né en 1763 à Milan. Mort le 2 novembre 1844 à Milan. xvıııᵉ-xıxᵉ siècles. Italien.
Peintre d'ornements et de décorations.
Élève de G. Albertolli. Il travailla pour la cathédrale et le palais royal de Milan, ainsi que pour l'Académie et l'église Saint-Ambroise.

VACANI Olimpiostene
xıxᵉ siècle. Actif dans la première moitié du xıxᵉ siècle. Italien.
Peintre de décorations.
Fils de Gaetano Vacani.

VACARO Nicolas
Mort en 1722 ? xvıııᵉ siècle. Espagnol.
Peintre.
Il fut peintre à la cour du roi Philippe V d'Espagne.

VACATKO Ludwig
Né en 1873 à Simmering. xıxᵉ-xxᵉ siècles. Actif en Tchécoslovaquie. Autrichien.
Peintre de nus, animalier, sculpteur.
Il vécut et travailla à Prague. Il exposa à Munich en 1906 et en 1908 et à Vienne à partir de 1910. Il peignit surtout des nus et des chevaux.
Ventes Publiques : New York, 4 juin 1993 : *Cavalier*, h/t (200x158,8) : **USD 6 900.**

VACCA Alessandro
Né en 1836 à Turin. xıxᵉ siècle. Italien.
Peintre.
Élève de Aug. Ferri et de l'Académie de Turin.

VACCA Andrea
xvııᵉ-xvıııᵉ siècles. Actif à Massa di Carrara. Italien.
Sculpteur.
Il travailla pour les églises et les cathédrales de Pistoie, de Pescia, de Florence et de Pise.

VACCA Angelo, l'Ancien
Né en 1746 à Turin (Piémont). Mort le 31 décembre 1814 à Turin. xvıııᵉ-xıxᵉ siècles. Italien.
Peintre de sujets allégoriques, figures, animaux, fleurs.
Il peignit principalement des animaux, des fleurs et des amours, et travailla surtout pour la cour de Turin.
Ventes Publiques : Rome, 23 fév. 1988 : *Amours avec des fleurs sur un nuage*, h/pan. (42x51,5) : **ITL 3 000 000.**

VACCA Angelo, le Jeune
Né en 1783 à Turin (Piémont). Mort le 21 septembre 1823 à Turin. xıxᵉ siècle. Italien.
Peintre de miniatures.

Fils d'Angelo Vacca l'Ancien, il fut élève de Bussolino.
Il peignit des portraits de princes du Piémont et du prince
Borghèse.

VACCA Carlo
XVIIe siècle. Actif à Turin. Italien.
Peintre.
Peintre à la cour de Charles Emmanuel Ier de Savoie.

VACCA Carlo Vincenzo
Né le 16 novembre 1789 à Turin. Mort le 9 janvier 1848 à
Turin. XIXe siècle. Italien.
Miniaturiste.
Élève de son frère Angelo Vacca le Jeune. Peintre à la cour des
rois Charles-Félix et Charles-Albert du Piémont.

VACCA Emanuele
XIVe siècle. Actif à Albenga et à Fassolo en 1368. Italien.
Peintre.

VACCA Felice
Né en 1780. Mort après 1856. XIXe siècle. Italien.
Peintre de fleurs, d'animaux et de décorations.
Frère de Carlo Vincenzo et d'Angelo Vacca le Jeune.

VACCA Ferdinando
XVIIIe siècle. Actif à Massa di Carrara dans la première moi-
tié du XVIIIe siècle. Italien.
Sculpteur.
Il sculpta des tombeaux dans la cathédrale de Pise et dans des
églises de Pistoïe, ainsi que des statues pour la cathédrale de
Ferrare.

VACCA Flaminio
Né en 1538 à Rome (?). Mort le 26 octobre 1605 à Rome
(?). XVIe siècle. Italien.
Sculpteur, restaurateur.
Il sculpta des monuments, des statues et des bas-reliefs pour
des églises, des palais et des places publiques de Rome. Il res-
taura également des antiquités.

VACCA Giorgio
Né à Mantoue. Mort en 1576. XVIe siècle. Italien.
Peintre.
Élève de Giulio Romano.

VACCA Giovanni
Né en 1787 à Turin. Mort en 1839 à Turin. XIXe siècle. Ita-
lien.
Peintre.
Fils d'Angelo Vacca l'Ancien et élève de Laurent Pécheux. Il
exécuta des peintures dans l'abbaye de Hautecombe.

VACCA Giuseppe
XVIIIe siècle. Actif à Massa di Carrara de 1747 à 1768. Italien.
Sculpteur.
Il sculpta un autel dans une chapelle de la cathédrale de Pise.

VACCA Giuseppe
Né le 22 décembre 1803 à Carrare. Mort le 12 décembre
1871 à Naples. XIXe siècle. Italien.
Sculpteur.
Il a sculpté le tombeau du général F. Salluzzo dans l'église
Saint-Dominique Majeur de Naples.

VACCA Luigi
Né en 1778 à Turin. Mort le 6 janvier 1854 à Turin. XIXe
siècle. Italien.
Peintre.
Il peignit surtout à fresque. Il travailla pour des théâtres, pour
des églises de Turin et des environs et pour l'abbaye de Hautecombe.

VACCA Raffaele
Né le 8 septembre 1801 à Turin. XIXe siècle. Italien.
Lithographe, surtout portraitiste.
Fils de Luigi Vacca.

VACCA Simone, appellation erronée. Voir TACCA

VACCA Simplicio
Né en 1793. Mort en 1834. XIXe siècle. Italien.
Peintre d'ornements.
Fils d'Angelo Vacca l'Ancien et assistant de ses frères.

VACCAI Giuseppe
Né le 21 août 1836 à Pesaro. XIXe siècle. Italien.

Paysagiste.
Élève de Carlo Gavardini à Rome. Il a exposé à Turin, Milan,
Rome, Naples et Bologne.

VACCANEO Pietro
Mort en 1755 ou peu avant cette date. XVIIIe siècle. Italien.
Sculpteur.
Il travailla pour la cathédrale de Milan et sculpta des bas-reliefs
et des gargouilles.

VACCANI Gaetano. Voir VACANI

VACCARELLA Giovanni, fra
XVIe siècle. Travaillant en 1550. Italien.
Peintre.
Il exécuta Madone et l'Enfant avec deux saints pour le monas-
tère du chancelier de Palerme.

VACCARI. Voir aussi VACCARO

VACCARI Alfredo
Né le 16 avril 1877 à Turin (Piémont). Mort le 22 septembre
1933 à Turin. XXe siècle. Italien.
Peintre de portraits, animalier, dessinateur, illustra-
teur.
Il fut élève de l'Académie de Milan. Il travailla à Paris pour Le
Monde Illustré.
VENTES PUBLIQUES : MILAN, 18 déc. 1996 : Paysans en plein air,
h/t (49,5x34,5) : ITL 2 912 000.

VACCARI Francesco
Né à Modène. Mort vers 1786. XVIIIe siècle. Italien.
Peintre de décorations.

VACCARI Lorenzo ou Vaccario
XVIe siècle. Actif à Bologne et à Rome de 1575 à 1587. Ita-
lien.
Graveur au burin.
Il fut également éditeur d'estampes.

VACCARI Wainer
Né en 1950 à Modène (Emilie-Romagne). XXe siècle. Italien.
Peintre de figures, compositions animées.
Il réalise une peinture narrative d'une précision maîtrisée dans
les détails.

VACCARINI Bartolomeo
XVe siècle. Actif à Ferrare en 1407. Italien.
Peintre.

VACCARO Andrea
Né entre 1598 et 1604 à Naples (Campanie). Mort en 1670 à
Naples. XVIIe siècle. Italien.
Peintre de compositions religieuses, figures, fresquiste.
Il fut élève de Girolamo Imparato. Très fortement impressionné par le style de Angelo da Caravaggio, il imita d'abord ce beau
maître et certains des premiers ouvrages de Vaccaro pourraient être attribués à son illustre modèle. Plus tard il s'inspira
de la manière de Guido Reni. Vaccaro partagea la faveur du
public napolitain avec Massimo Stanzioni, mais à la mort du
peintre, Vaccaro fut considéré comme le plus grand peintre de
sa ville natale. Il fallut la venue de Luca Giordano pour faire
pâlir son étoile.
Vaccaro réussit particulièrement dans les figures et les
tableaux de chevalet. À la fin de sa vie, il exécuta quelques
fresques, mais avec moins de bonheur. Son monogramme rappelle celui d'Andrea del Sarto.

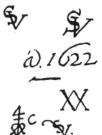

MUSÉES : AIX : Vénus et Adonis – BESANÇON : Laban promet à
Jacob la main de Rachel – Orphée, les animaux sont de Castiglione – BUDAPEST : Saint Sébastien – CHAMBÉRY : L'Enfant Jésus

endormi – DRESDE : *Le Rédempteur devant sa mère* – MADRID (Mus. du Prado) : *Phase de la vie de saint Gaetan* – *Désintéressement de saint Gaetan* – *Mort de saint Gaetan* – *Madeleine au désert* – *Sainte Angès, les seins coupés, attend le moment de voler à la gloire* – *Entrevue d'Isaac et de Rébecca* – *Saint Janvier, patron de Naples* – *Sainte Rosalie de Palerme, en extase* – *Résurrection du Christ* – *Cléopâtre se donnant la mort* – MUNICH : *Flagellation* – *L'Enfant Jésus dormant dans les bras de saint Jean, paysage* – NANCY : *Le Christ ressuscité apparaissant à sa mère* – NAPLES : *Saint Sébastien* – *Sainte Madeleine, quatre fois* – *Sainte Cécile* – *Suzanne* – *Sainte Agathe* – *Sainte famille* – *Massacre des innocents* – NUREMBERG : *Le Christ en Croix, la Vierge, saint Jean et Madeleine* – ORLÉANS : *Baptême du Christ* – SAINT-PÉTERSBOURG (Mus. de l'Ermitage) : *Madeleine repentante* – VALENCE : *Sainte Thérèse* – VIENNE : *Marie l'Égyptienne* – *Marie-Madeleine* – *Adoration des bergers* – VIENNE (Harrach) : *Meurtre de Judas Thaddée.*

VENTES PUBLIQUES : PARIS, 11 déc. 1925 : *La mort de Cléopâtre :* **FRF 1 900** – PARIS, 1er mars 1929 : *La fuite en Égypte,* dess. : **FRF 310** – MILAN, 15 mai 1962 : *La Vanita :* **ITL 1 700 000** – VIENNE, 17 mars 1970 : *Jésus et saint Pierre entourés de saints personnages :* **ATS 65 000** – ROME, 7 mai 1974 : *Le triomphe de David :* **ITL 1 500 000** – LONDRES, 9 mars 1983 : *Sainte Agathe,* h/t (127x88) : **GBP 2 800** – MILAN, 27 oct. 1987 : *Diane et Actéon,* h/t (129x101) : **ITL 36 000 000** – MILAN, 12 déc. 1988 : *La résurrection,* h/t (340x235) : **ITL 26 000 000** – ROME, 13 avr. 1989 : *Saint Jean enfant,* h/t (68x54) : **ITL 19 000 000** – LONDRES, 7 juil. 1989 : *Saint François en extase avec deux anges,* h/t (161x121) : **GBP 15 400** – NEW YORK, 31 mai 1991 : *Une vision de saint Antoine,* h/t (125,1x98,4) : **USD 7 150** – NEW YORK, 21 mai 1992 : *Judith tenant la tête d'Holopherne accompagnée de sa servante,* h/t (126,4x100,6) : **USD 14 300** – NEW YORK, 14 jan. 1993 : *Sainte Agathe,* h/t (97,7x71,1) : **USD 14 300** – ROME, 21 mai 1996 : *Le Jugement de Salomon,* h/t (102x127) : **ITL 28 750 000** – ROME, 9 déc. 1997 : *La Vierge et sainte Marie-Madeleine,* h/t (74x95) : **ITL 29 900 000.**

VACCARO Domenico Antonio
Né en 1676 à Naples (Campanie). Mort en 1745 à Naples. XVIIe-XVIIIe siècles. Italien.
Peintre de scènes mythologiques, sujets religieux, compositions murales, sculpteur, décorateur.
Il est le fils de Lorenzo Vaccaro.
Les œuvres picturales de cet artiste sont peu nombreuses ; il a fait surtout de la sculpture et de l'architecture. Il a peint aussi les plafonds de l'église de Monte Vergine.
MUSÉES : NAPLES : *Transfiguration de la Vierge.*
VENTES PUBLIQUES : MILAN, 16 mai 1974 : *Scènes bibliques,* deux pendants : **ITL 4 000 000** – MILAN, 12 juin 1989 : *Triton et Galatée,* h/t (98,5x90,5) : **ITL 14 000 000** – LONDRES, 28 fév. 1990 : *Le jugement de Pâris,* h/t (92x74) : **GBP 11 550** – ROME, 11 mai 1993 : *Diane et ses servantes,* h/pan. octogonal (56x50) : **ITL 30 000 000** – ROME, 31 mai 1994 : *Une sainte martyre en gloire,* h/cuivre, de forme ovale (18,5x14) : **ITL 8 250 000** – LONDRES, 5 juil. 1996 : *La Présentation dans le temple,* h/t (62,8x80) : **GBP 35 000** – LONDRES, 13 déc. 1996 : *La Vierge au calvaire,* h/t (100,7x74,6) : **GBP 28 750.**

VACCARO Francesco ou Vicaro
Né vers 1636 à Bologne. Mort le 31 mai 1687. XVIIe siècle. Italien.
Peintre et graveur d'ornements.
Élève de Francesco Albani. On le connaît surtout par ses tableaux d'architecture et ses perspectives. Il publia un traité de perspective, illustré de douze planches vues de ruines, de fontaines, etc., gravées par lui.

VACCARO Francesco
Né le 7 janv. 1808 à Caltagirone (Sicile). Mort le 19 juillet 1882 à Caltagirone. XIXe siècle. Italien.
Peintre.
Père de Mario et de Vincenzo Vaccaro et élève de G. Patania. Il exécuta surtout des peintures religieuses pour des églises de Sicile.

VACCARO Giuseppe
Né vers 1793 à Caltagirone (Sicile). Mort le 17 février 1866 à Caltagirone. XIXe siècle. Italien.
Peintre et sculpteur.
Frère de Francesco Vaccaro et son assistant pour l'exécution de peintures dans la cathédrale de Caltagirone. Il exécuta des

figurines représentant des types populaires de Sicile. Le Musée Municipal de Caltagirone conserve des œuvres de cet artiste.

VACCARO Lorenzo
Né vers 1655 à Naples. Mort le 10 août 1706 à Torre del Greco. XVIIe siècle. Italien.
Sculpteur, stucateur, décorateur et orfèvre.
Père de Domenico Antonio Vaccaro. Précurseur du « barochetto » italien. Il sculpta de nombreux autels, statues, amours et décorations pour des églises de Naples.

VACCARO Ludovico
Né vers 1725. XVIIIe siècle. Actif à Naples. Italien.
Peintre et architecte.
Fils de Domenico Antonio Vaccaro.

VACCARO Mario, l'Ancien
Né en 1845 à Caltagirone (Sicile). Mort en 1866 à Florence. XIXe siècle. Italien.
Peintre.
Élève et fils de Francesco Vaccaro. Il fit ses études à l'Académie de Florence.

VACCARO Mario, le Jeune
Né en 1869 à Caltagirone (Sicile). Mort après 1934. XIXe-XXe siècles. Italien.
Peintre.
Il fut élève de D. Morelli à Naples et de L. Nono à Venise. Il travailla pour l'Hôtel de Ville de Catania.

VACCARO Nicola
Né en 1637 à Naples (Campanie). Mort le 23 mai 1709 ou 1717 à Naples (?). XVIIe siècle. Italien.
Peintre de compositions religieuses.
Fils d'Andrea Vaccaro, il commença son instruction dans l'atelier de son père. Plus tard il partit pour Rome où il rencontra Salvador Rosa et Nicolas Poussin.
MUSÉES : NAPLES : *Les pèlerins d'Emmaüs* – *La fuite en Égypte.*
VENTES PUBLIQUES : MILAN, 18 avr. 1972 : *Loth et ses filles :* **ITL 1 300 000** – ROME, 19 nov. 1990 : *La Madeleine dans un paysage,* h/t (89x112,5) : **ITL 5 520 000** – NEW YORK, 30 mai 1991 : *L'Ange apparaissant à Joachim et à Anne,* h/t (176,2x224,8) : **USD 41 250** – ROME, 29-30 nov. 1993 : *Madeleine pénitente,* h/t (93x114,5) : **ITL 10 607 000** – LONDRES, 19 avr. 1996 : *Suzanne et les vieillards,* h/t (130,8x161,2) : **GBP 9 200** – ROME, 9 déc. 1997 : *Moïse défendant les filles de Jéthro,* h/t (200x256) : **ITL 46 000 000.**

VACCARO Vincenzo
Né le 14 novembre 1858 à Caltagirone (Sicile). Mort le 10 février 1929 à Caltagirone. XIXe-XXe siècles. Italien.
Peintre de portraits.
Il fut élève de l'Académie de Naples.
VENTES PUBLIQUES : ROME, 1er déc. 1982 : *Dispute familiale,* h/t (36x44) : **ITL 2 300 000.**

VACCELLINI Gaetano ou Cajetano. Voir VASCELLINI

VACCHETTI Filippo
Né en 1873 à Carru. XIXe-XXe siècles. Italien.
Peintre de genre, portraits, natures mortes, paysages.
Il fut élève de l'Académie de Turin. Il débuta au Salon de cette ville en 1910.

VACCHI Bartolomeo, dit Riverenza ou dal Palazzo
Mort avant le 28 septembre 1548. XVIe siècle. Actif à Venise. Italien.
Peintre.

VACCHI Sergio
Né en 1925 à Castenaso (Bologne). XXe siècle. Italien.
Peintre. Abstrait informel.
Il vit et travaille à Bologne. Il expose depuis 1949. Il participe à de très nombreuses expositions collectives, en Italie : Biennale de Venise, 1956, 1958 ; Quadriennale de Rome, 1959 ; à l'étranger : Biennale de São Paulo, 1951, 1955, 1959. Il a été sélectionné pour le Prix Guggenheim, à New York, en 1950 ; pour le Prix Spolete, en 1961.
Après une première période influencée par l'analyse cubiste des formes menée aux limites de l'abstraction, il évolua franchement à une expression informelle, à partir de 1955, dont le jeu des matières évoque des analogies avec des corps organiques ouverts brutalement et sanglants.
BIBLIOGR. : B. Dorival, sous la direction de... : *Peintres Contemporains,* Mazenod, Paris, 1964.

Musées : Bologne – Rome.
Ventes Publiques : Rome, 27 nov. 1973 : *Les dernières maisons de Bologne :* ITL **1 800 000** – Milan, 29 oct. 1974 : *Paysage maritime* 1953 : ITL **1 100 000** – Rome, 18 mai 1976 : *Da il Concilio* 1966, h/t (120x100) : ITL **950 000** – Milan, 25 oct. 1977 : *Paysage* 1969, cart. (49x69) : ITL **1 000 000** – Rome, 15 nov. 1988 : *Paysage de Sardaigne* 1974, h/t (40x50) : ITL **1 300 000** ; *Les objets du Lot n° 2* 1962, h/t (100x140) : ITL **2 800 000** – Milan, 7 juin 1989 : *Visage perdu,* h/t (149x129) : ITL **8 500 000** – Milan, 27 mars 1990 : *Paysage* 1965, h/cart. entoilé (50x70) : ITL **2 200 000** – Rome, 30 oct. 1990 : *Petite histoire n° 12* 1959, h/t (80x64,5) : ITL **2 000 000** – Milan, 15 déc. 1992 : *Passante sur la pelouse* 1976, h/t (100x90) : ITL **3 800 000** – Rome, 30 nov. 1993 : *Ulysse* 1978, h/t (90x100) : ITL **5 750 000** – Rome, 14 nov. 1995 : *Le Salut de la mer* 1970, h/t (70x50) : ITL **1 725 000** – Milan, 10 déc. 1996 : *Maisons de nuit* 1955, h/t (35,5x40) : ITL **4 660 000**.

VACEK B.
XIXe siècle. Actif à Roth-Kosteletz dans la seconde moitié du XIXe siècle. Tchécoslovaque.
Peintre.
Élève de l'Académie de Prague. Il exécuta des tableaux d'autel pour les églises de Nachod et de Grossjesewitz.

VACEK Gustav. Voir WATZEK

VACEK Wenzel ou Waczek
XIXe siècle. Tchécoslovaque.
Peintre d'histoire, portraits.
Il s'établit à Prague en 1830. Travaillant en 1854, il était actif à Mikovitz. Il peignit un tableau d'autel représentant *Saint Florien* pour l'église de Kladno.

VACHA Pavel
Né le 9 décembre 1948. XXe siècle. Tchécoslovaque.
Peintre de paysages animés.
Il s'est formé à l'École des Arts Décoratifs à Uherské Hradiste. Ses vues de paysages possèdent un charme presque naïf.

VACHA Rudolf
Né le 19 juin 1860 à Hlubocka. XIXe siècle. Tchécoslovaque.
Peintre et illustrateur.
Il figura au Salon des Artistes Français ; médaille de bronze en 1900 (Exposition Universelle).

VACHAL Josef
Né en 1884. Mort en 1969. XXe siècle. Tchécoslovaque.
Peintre, graveur.

VACHÉ Armand
Né au XIXe siècle à Nogent-sur-Marne (Val-de-Marne). XIXe siècle. Français.
Peintre de paysages et de portraits.
Élève de Valbrun et Léon Coigniet. Il débuta au Salon de 1868.
Ventes Publiques : Paris, 14 fév. 1951 : *La descente de la Courtille :* FRF **50 000**.

VACHER ?
Né à Niort (Deux-Sèvres). XIXe siècle. Français.
Sculpteur.
Le Musée de Niort conserve un motif sur pierre (*Armes de la ville de Niort*) offert par l'auteur.

VACHER Charles
Né le 22 juin 1818 à Westminster. Mort le 21 juillet 1883 à South Kensington. XIXe siècle. Britannique.
Peintre de genre, paysages, aquarelliste.
Élève de la Royal Academy, membre de la Water Colour Society, il prit part à ses expositions et à celles de la Royal Academy, de 1838 à 1881.
Il exécuta des esquisses au cours d'un voyage qu'il fit en Italie, Sicile, Algérie, Égypte et en Orient en 1839 ; mais il se plut surtout à reproduire de nombreuses scènes de la vie italienne.
Musées : Londres (British Mus.) – Londres (Tate Gal.) – Londres (Victoria and Albert Mus.).
Ventes Publiques : Londres, 5 mars 1910 : *Fontaine au Caire* 1865 : GBP **26** – Londres, 16 avr. 1980 : *Vue de Louxor au crépuscule* 1871, aquar. (67,2x130,8) : GBP **600** – Londres, 17 oct. 1984 : *L'éruption du Vésuve, le 26 avril 1872,* aquar. reh. de blanc (56,5x130,8) : GBP **1 000** – Londres, 10 oct. 1985 : *Naples depuis la villa Pausillippo,* aquar. reh. de blanc (56x76) : GBP **800** – Londres, 24 sep. 1987 : *Santa Croce à Jerusalemme, Rome* 1865, aquar. reh. de gche (39x89) : GBP **1 000** – Londres, 9 mai 1996 : *Roquebrune près de Menton sur la Côte d'Azur,* aquar./traces de cr. (47x98) : GBP **1 035** – Londres, 12 mars 1997 : *La Côte méditerranéenne,* aquar. (68x115) : GBP **3 450**.

VACHER Claude
XVIIe siècle. Français.
Peintre et sculpteur.
Il peignit pour la cathédrale de Troyes en 1611 et exécuta une *Pietà* dans l'église Saint-Nizier de la même ville.

VACHER Pierre
XVIIe siècle. Actif à Toulon dans la seconde moitié du XVIIe siècle. Français.
Sculpteur.
Il travailla dans l'arsenal de Toulon où il sculpta des figures de proue.

VACHER DE TOURNEMINE Charles Émile de. Voir TOURNEMINE

VACHERON
XVIIIe siècle. Travaillant à Douai de 1700 à 1710. Français.
Graveur d'ex-libris.

VACHEROT Ernest Francis
Né en 1811. XIXe siècle. Actif à Alger de 1841 à 1849. Français.
Peintre de genre.
Il débuta au Salon de 1841.
Ventes Publiques : Cannes, 7 août 1997 : *Les Marchands d'esclaves au Faubourg Babazoun à Alger,* h/t (164x232) : FRF **255 000**.

VACHEROT Nicolas
XVIIIe siècle. Français.
Sculpteur sur bois.
Il sculpta en 1739 et 1740 des tabernacles pour les églises de Fontette, de Doulaincourt et de Châteauvillain.

VACHEROT Philippe
Né en 1933. XXe siècle. Français.
Peintre, graveur, lithographe. Tendance fantastique.
Il s'est formé à l'École des Métiers d'art de Paris. Il participe à de nombreuses expositions de groupe en France et à l'étranger.
Il grave sur laque des créatures fantastiques : femmes-oiseaux, femmes-libellules, femmes-poissons. Il constitue parfois des visages par accumulation-juxtaposition de représentations hétérogènes, à la manière des têtes d'Arcimboldo, procédé qu'il affectionne.

VACHEZ Hervé
XXe siècle. Français.
Sculpteur.
Originaire de Bordeaux, il vit et travaille à Paris depuis 1980. Il fait fondre des sculptures en terre.

VACHIER Denis
XVIIe siècle. Actif dans la seconde moitié du XVIIe siècle. Français.
Sculpteur sur bois.
Ébéniste à Embrun, il sculpta une chaire, un confessionnal et des statues pour la cathédrale d'Embrun.

VACHINI Octaviano
XVIe siècle. Travaillant à Viterbo en 1599. Italien.
Sculpteur.
Il sculpta, avec Valeriano di Silvestro da Bagnaia une balustrade de chœur qui se trouve au Musée Municipal de Viterbo.

VACHON Alfred
Né en 1907 à Saint-Tropez (Var). XXe siècle. Français.
Peintre de paysages, aquarelliste.
Bien que vivant et travaillant à Saint-Tropez il expose également dans les grands Salons annuels parisiens. Il expose surtout à Paris et dans le Midi. Il est Sociétaire du Salon d'Automne.
Après avoir pratiqué un art non tout à fait libéré du paysage régional, sensible à l'exemple de Jacques Villon, il a spiritualisé son graphisme et raisonné plastiquement la couleur. En effet, après ses aquarelles où de simples touches recréaient la trans-

parence du ciel, les moirures de la mer et l'ondoiement des feuilles, il a abordé une peinture à la frontière de l'abstraction, divisant la toile en plans colorés et juxtaposés.

Musées : Marseille – Paris (Mus. d'art moderne de la Ville) – Saint-Tropez (Mus. de L'Annonciade).

VACHOT Lucille. Voir **FOULLON-VACHOT Lucille Louise**

VACLAV ou **Vacslav**
xvie siècle. Actif à Cracovie vers 1599. Polonais.
Peintre.
Le couvent des Dominicains de la Sainte Trinité à Cracovie, conserve un tableau représentant *Le supplice de saint Pierre Dominicain*, signé *Frère Venceslavs Oswietimen A. D. 1599*.

VACOSSIN Georges Lucien
Né le 1er mars 1870 à Granvilliers (Oise). xixe-xxe siècles.
Français.
Sculpteur et graveur en médailles.
Élève de M. Lemaire. Expose au Salon des Artistes Français depuis 1902, mention honorable en 1904, sociétaire en 1905, médaille de troisième classe en 1908, médaille de deuxième classe en 1913.
Ventes Publiques : Paris, 11 mai 1979 : *Chien assis et chat*, bronze, patine verte (H. 38) : FRF 4 550.

VACOSSIN Marie-Thérèse
Née le 19 avril 1929 à Paris. xxe siècle. Française.
Peintre.
Elle commence à peindre très tôt, suit des cours à l'École de Décoration de la Ville de Paris de 1945 à 1949, puis à l'École de Décoration du Louvre. Elle apprend aussi la peinture avec Lapoujade. Elle expose à Paris et à Bâle.
Le réel sert de point de départ à des variations sur la forme, la matière, la couleur.

VACQUERETTE Mathias
xviie siècle. Travaillant à Arras en 1601. Français.
Sculpteur sur bois.

VADAGNINO. Voir **VAVASSORE Giovanni Andrea**

VADASZ Endre ou **Andreas**
Né le 28 février 1901 à Szeged. xxe siècle. Hongrois.
Peintre de compositions à personnages, portraits, paysages animés, graveur.
Il fit ses études à Budapest et s'établit à Debrecen. Il gravait à l'eau-forte et sur bois.
Il exécuta des scènes de plage et des portraits de pêcheurs.

VADASZ Miklos ou **Nikolaus**
Né le 27 juin 1884 à Budapest. Mort le 10 août 1927 à Paris.
xxe siècle. Hongrois.
Peintre, graveur, dessinateur, illustrateur.
Il exécuta des portraits et collabora à plusieurs revues françaises et anglaises. Il Illustra *Benjamin Rozes*, de Léon Hennique.
Musées : Budapest (Gal. Nat.) : plusieurs œuvres.
Ventes Publiques : Paris, 29 oct. 1926 : *1860* : FRF 3 500.

VADDER Lodewyk de
Baptisé le 8 avril 1605 à Bruxelles. Enterré le 10 août 1655 à Bruxelles. xviie siècle. Éc. flamande.
Peintre de scènes de chasse, paysages animés, paysages, graveur.
On ne sait pas qui fut son maître, mais il se montra un des plus habiles paysagistes flamands. On croit qu'il visita l'Italie, probablement Venise, dans tous les cas il semble avoir subi l'influence de Titien. Maître à Bruxelles en 1628, il eut pour élève Ignatius Van der Stock.
Quand on étudie ses dessins, on reconnaît combien ses études furent sincères et sérieuses. On lui doit quelques jolies eaux-fortes traitées dans la manière de Lucas Van Uden.

Musées : Berlin (Mus. Nat.) : *Paysage avec village* – Chambéry (Mus. des Beaux-Arts) : *Paysage* – Compiègne (Palais) : *Paysage* – Copenhague : *Paysage* – Darmstadt : *Paysage* – Dublin : *Paysage avec figures et bétail* – Deux œuvres – Innsbruck : *Deux paysages*, ornés par Téniers – Lille : *Paysage* – Mayence : *Paysage* – Munich : *Chemin creux avec trois cavaliers* – Prague : *Paysage* – Stockholm : *Lisière d'un bois*.

Ventes Publiques : Paris, 1868 : *Paysage* : FRF 155 – Paris, 1891 : *Paysage avec figures* : FRF 180 – Munich, 1899 : *Paysage animé de figures* : FRF 1 312 – Paris, 18 au 25 mars 1901 : *Paysage accidenté* : FRF 150 – New York, 22-24 mars 1911 : *Paysage avec figures* : USD 135 – Paris, 27 et 28 mai 1926 : *La chaumière* : FRF 12 500 – Paris, oct. 1945-juil. 1946 : *Cavaliers et promeneurs dans une forêt* : FRF 11 000 – Paris, 14 juin 1954 : *Le repos au bord de la route* : FRF 160 000 – Cologne, 11 nov. 1964 : *Paysage* : DEM 6 000 – Lucerne, 26 juin 1965 : *Paysage* : CHF 6 000 – Paris, 26 nov. 1967 : *Le chemin du village* : FRF 9 000 – Vienne, 30 nov. 1971 : *Voyageurs dans un paysage boisé* : ATS 200 000 – Londres, 8 déc. 1976 : *Paysage animé de personnages*, h/t (56,5x79,5) : GBP 4 200 – Londres, 29 nov. 1977 : *Paysage boisé avec une route*, pierre noire, pl. et lav. et touches de rouge (33x32,4) : GBP 1 800 – Lindau, 11 mai 1977 : *Paysage à la ferme*, h/pan. (34x52) : DEM 40 000 – Londres, 14 juil. 1978 : *Paysans dans un paysage boisé*, h/pan. (48,3x60,5) : GBP 6 000 – Amsterdam, 29 oct 1979 : *Paysage boisé à l'église*, pl. et lav. (23,2x36,7) : NLG 4 600 – Londres, 12 déc 1979 : *Paysage animé de personnages*, h/t (59x81) : GBP 7 800 – Londres, 24 juin 1980 : *Paysage boisé*, aquar., pierre noire et encre brune (25x37,7) : GBP 950 – Londres, 8 juil. 1981 : *Paysage avec dune*, h/t (60x74) : GBP 4 000 – Amsterdam, 15 nov. 1983 : *Paysage boisé avec une ferme*, craies noire et blanche et lav. (29,6x48,3) : NLG 10 000 – Londres, 13 avr. 1983 : *Chemin de campagne boisé*, h/t (95x82,5) : GBP 3 400 – Londres, 19 fév. 1987 : *Paysage au pont de bois*, craie noire et lav. de gris (30x32,5) : GBP 1 600 – Saint-Dié, 20 mars 1988 : *Scène de chasse dans la forêt de Soignes aux environs de Bruxelles*, h/t (110x134) : FRF 61 000 – Paris, 7-12 déc. 1988 : *Le repos au bord de la route*, h/t (44,5x57) : FRF 75 000 – Londres, 30 mars 1989 : *Paysans sur un sentier forestier*, h/pan. (17,2x11,4) : GBP 1 760 – Paris, 14 déc. 1989 : *Paysan marchant le long d'un talus de sable*, h/t (59,5x78) : FRF 48 000 – New York, 31 mai 1990 : *Vaste paysage de dunes avec un sentier*, h/pan. (47x64,2) : USD 24 200 – Monaco, 7 déc. 1990 : *Chasseurs dans un large paysage*, h/t (114x158) : FRF 83 250 – Paris, 30 jan. 1991 : *Promeneurs le long d'un gué*, h/pan. (21x28) : FRF 16 000 – Londres, 1er nov. 1991 : *Vaste paysage vallonné et boisé avec des paysans et une chasse à courre*, h/pan./t. (47x67,3) : GBP 8 800 – Amsterdam, 14 nov. 1991 : *Voyageurs sur un sentier près d'une mare*, h/t (55,5x85,5) : NLG 8 050 – Paris, 3 avr. 1992 : *Paysage boisé avec un chemin*, pl., pierre noire et lav. gris/pap. beige (19,5x31,7) : FRF 9 500 – Londres, 5 juil. 1995 : *Voyageurs dans des paysages vallonnés*, h/pan., une paire (17,7x23,7) : GBP 7 820.

VADDERE Jérôme de
Mort vers 1598 ou 1599. xvie siècle. Actif à Malines. Éc. flamande.
Peintre.
Membre de la gilde en 1574.

VADELL Y MAS Damian
Né à Manacor (île de Majorque). xixe siècle. Travaillant de 1836 à 1884. Espagnol.
Sculpteur.
Élève de Claude Ramey à Paris. Il sculpta des statues, des tombeaux et des bustes. Il séjourna vingt-cinq ans à Paris, puis revint en Espagne.

VADI Francesco
xviiie siècle. Travaillant à Bologne vers 1725. Italien.
Peintre de figures.

VADING Daniel
Mort vers 1705. xviie siècle. Autrichien.
Graveur au burin.
Il se fixa à Vienne en 1673. Il grava sur ivoire et fut tourneur. Le Musée des Beaux-Arts de cette ville conserve des œuvres de cet artiste.

VADLER Jenö ou **Eugen**
Né le 21 août 1887 à Györ. xxe siècle. Hongrois.
Peintre de figures, paysages.

VADON Benjamin
Né le 5 juin 1888 à Nyüved. xxe siècle. Hongrois.
Peintre de paysages.
Il vécut et travailla à Budapest.

VADUS Urs. Voir **WERDER**

VAENIUS. Voir **VEEN**

VAERE Jan ou **Jean Antoine de**, dit **John**
Né le 10 mars 1754 ou 1755 à Gand. Mort le 3 janvier 1830 à Gand. XVIIIe-XIXe siècles. Éc. flamande.
Sculpteur.
Il fut élève de son oncle F. Timmerman. Il visita Paris et Londres. En 1787, on le cite à Rome et jusqu'en 1811 en Angleterre. Il exposa à Gand à partir de 1812.
VENTES PUBLIQUES : NEW YORK, 10 jan. 1990 : *Appolon* 1800, marbre blanc (H. 137) : USD 60 500.

VAERNEWYCK Marc Van ou **Vaernewike**
XVe siècle. Travaillant à Gand à partir de 1495. Éc. flamande.
Sculpteur.

VAERTEN Jan
Né le 5 août 1909 à Turnhout (Anvers). Mort en 1980. XXe siècle. Belge.
Peintre, peintre de décors de théâtre, cartons de tapisseries. Tendance abstraite.
Autodidacte. Il ne commence à peindre que vers 1940, participant dès 1943 aux expositions du groupe *Apport*. En 1948 et 1952 il est invité à la Biennale de Venise. Depuis la même période de il fait des expositions particulières à Bruxelles. Depuis 1951 il est professeur à l'Institut des Beaux-Arts d'Anvers.
Figuratif, Vaerten ne semble pas attacher une grande importance au sujet, plus attentif semble-t-il à en traduire l'idée qu'à le rendre littéralement. Il transpose le sujet dans des jeux baroques de lignes et de couleurs, simplifiant les formes et soulignant les surfaces colorées d'un graphisme rapide et brillant plein d'envolées élégantes.

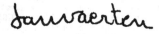

BIBLIOGR. : In : *Dictionnaire biographique illustré des artistes en Belgique depuis 1830*, Arto, Bruxelles, 1987.
MUSÉES : ANVERS.
VENTES PUBLIQUES : LOKEREN, 23 mai 1992 : *Cheval bondissant* 1951, h/t (100x81) : BEF 170 000 – LOKEREN, 10 oct. 1992 : *Trois éléments* 1974, h/pan. (61x53) : BEF 38 000 – AMSTERDAM, 9 déc. 1992 : *La cheminée* 1945, h/t (90x70) : NLG 10 350.

VAES Francis
Né en 1948 à Tirlemont (Brabant). XXe siècle. Belge.
Peintre, sculpteur. Abstrait-géométrique.
Il a été élève de son père Jef Vaes et de Richard Mortensen. Il a étudié à la Cambre à Bruxelles, puis a poursuivi sa formation à Copenhague et à la Slade School of Fine Arts à Londres. Il obtint le prix de la Jeune Sculpture Belge en 1972, et le prix de Rome en 1977. Il est professeur de dessin à l'Académie de Tirlemont.
Son travail est proche, dans la facture, d'une certaine esthétique industrielle de tendance minimaliste.
BIBLIOGR. : In : *Dictionnaire biographique illustré des artistes en Belgique depuis 1830*, Arto, Bruxelles, 1987.

VAES Jef
Né en 1920 à Tirlemont (Brabant). XXe siècle. Belge.
Peintre, sculpteur, graveur, aquarelliste, céramiste.
Il a été élève de l'Académie des Beaux-Arts de Tirlemont, où il enseigne depuis 1947, et de l'Académie Saint-Luc à Bruxelles.
BIBLIOGR. : In : *Dictionnaire biographique illustré des artistes en Belgique depuis 1830*, Arto, Bruxelles, 1987.
MUSÉES : BRUXELLES (Cab. des Estampes).

VAES Walter
Né le 12 février 1882 à Borgerhout (Anvers). Mort le 3 avril 1958 à Anvers. XXe siècle. Belge.
Peintre de figures, portraits, paysages, marines, fleurs, natures mortes, graveur, dessinateur. Groupe Eenigen.
Il a été élève à l'Académie des Beaux-Arts et de l'Institut supérieur d'Anvers. Il obtint le Prix de Rome en 1904, et fut ensuite professeur de l'Institut supérieur des Beaux-Arts d'Anvers. Il est membre fondateur du groupe *Eenigen*.
Il subit l'influence de Hendrik Leys. Il peignait avec prédilection la mer ou les ports, soit à Anvers, Venise ou en Orient (Palestine), dans des couleurs vives et riches. Son œuvre, traditionnelle et peu inventive, est entièrement soumise à l'observation sensible du sujet qu'il évoque d'une manière paisible et chatoyante. En revanche, il a su créer une œuvre de graveur

indépendante de sa technique picturale, mêlant au réel des éléments purement fantastiques.

Walter Vaes

BIBLIOGR. : Gérald Schurr, in : *Les Petits Maîtres de la peinture 1820-1920, valeur de demain*, Les Éditions de l'Amateur, t. II, Paris, 1982 – in : *Dictionnaire biographique illustré des artistes en Belgique depuis 1830*, Arto, Bruxelles, 1987.
MUSÉES : ANVERS : *Portrait du père de l'artiste* – *Barbeau de mer* – DÜSSELDORF (Mus. mun.) : *Lampes d'argent* – GAND – LIÈGE.
VENTES PUBLIQUES : BRUXELLES, 8-9 déc. 1965 : *Vase de fleurs* : BEF 45 000 – AMSTERDAM, 12 mai 1971 : *Nature morte* : NLG 10 100 – ANVERS, 22 oct. 1974 : *Nature morte aux poires* : BEF 150 000 – AMSTERDAM, 27 avr. 1976 : *Nature morte aux fruits*, h/t (44,5x54,5) : NLG 9 400 – AMSTERDAM, 26 avr. 1977 : *Gondoles à Venise* 1906, h/t (37x45) : NLG 4 000 – AMSTERDAM, 25 avr. 1978 : *Vase d'anémones*, h/t (49x44) : NLG 3 800 – ANVERS, 23 oct 1979 : *La famille*, sanguine (16x23) : BEF 30 000 – ANVERS, 28 oct. 1980 : *Nature morte aux roses*, h/t (43x61) : BEF 55 000 – LOKEREN, 20 oct. 1984 : *Nature morte aux oies* 1904, h/t (85x135) : BEF 95 000 – LOKEREN, 28 mai 1988 : *Nature morte aux fleurs* 1922, h/t (66x83) : BEF 350 000 – AMSTERDAM, 12 déc. 1990 : *Nature morte d'asters*, h/t (68x55,8) : NLG 10 350 – AMSTERDAM, 22 mai 1991 : *Anémones dans un vase*, h/t (38x47) : NLG 9 200 – AMSTERDAM, 16 déc. 1992 : *Vue d'une maison au fond d'un jardin* 1906, h/pan. (26x36) : NLG 10 925 – AMSTERDAM, 1er juin 1994 : *Nature morte de fleurs*, h/t (39x47) : NLG 23 000 – AMSTERDAM, 8 déc. 1994 : *Fleurs de magnolia et tulipes*, h/t (60,5x105) : NLG 28 750 – LOKEREN, 10 déc. 1994 : *Nature morte avec une assiette de poissons*, h/t (37x48) : BEF 95 000 – AMSTERDAM, 6 déc. 1995 : *Glaïeuls* 1942, h/t (45x55) : NLG 10 350 – LOKEREN, 5 oct. 1996 : *Fleurs*, h/t (83x65) : BEF 260 000 – AMSTERDAM, 17-18 déc. 1996 : *Nature morte de pivoines dans un vase*, h/t (44x56,5) : NLG 10 856 – LOKEREN, 18 mai 1996 : *Le Saumon*, h/t (50x60) : BEF 180 000 – AMSTERDAM, 2 déc. 1997 : *Nature morte de fleurs et bouteille*, h/t (50x70) : NLG 29 983 ; *Poisson sur une assiette*, h/t (45x50) : NLG 21 910 – AMSTERDAM, 2-3 juin 1997 : *Fleurs*, h/t (101x65,5) : NLG 42 480.

VAFFART Pierre
XVIe siècle. Actif à Marseille en 1532. Français.
Sculpteur.
Il travailla exclusivement sur bois.

VAFFLARD Pierre Antoine Augustin
Né le 19 décembre 1777 ou 1779. Mort après 1838, peut-être en 1840. XIXe siècle. Français.
Peintre d'histoire, scènes de genre, lithographe.
Élève de Jean Baptiste Regnault, il débuta au Salon de Paris en 1800 et obtint une médaille en 1824.
Étant employé à la restauration des peintures des Palais de Versailles et des Tuileries, il exécute ses peintures avec une grande maîtrise technique. À peint des sujets de la vie de Napoléon, de Poniatowski et des scènes de genre, placés sous un éclairage très contrasté, donnant des effets caravagesques.
BIBLIOGR. : Gérald Schurr, in : *Les Petits Maîtres de la peinture 1820-1920, valeur de demain*, Les Éditions de l'Amateur, t. III, Paris, 1976.
MUSÉES : ANGOULÊME : *Young enterrant sa fille morte* – DIJON : *Sommeil d'Oreste* – ÉVREUX : *Dernière bénédiction de l'évêque Bourlier* – RENNES : *Le gouverneur de Château-Randon déposant les clefs de la place, sur le lit de mort de Duguesclin* – VERSAILLES : *La colonne de Rosbach renversée par l'armée française* – *Pythagore inspiré par les Muses*.
VENTES PUBLIQUES : PARIS, 6 mai 1929 : *Portrait de Mlle Dupuy* : FRF 900 – PARIS, 26 nov. 1941 : *Le musicien aveugle et son chien* : FRF 6 000 – MONTE-CARLO, 27 mai 1984 : *Sapho* 1819, h/t (65,5x81,5) : FRF 80 000 – NEW YORK, 31 oct. 1985 : *Sapho* 1819, h/t (65,5x81,5) : USD 3 500 – PARIS, 23 juin 1988 : *Les plus jolies étrennes pour 1822*, h/t (46x38,5) : FRF 70 000.

VAFIADIS Michel
Né en 1931 à Alexandrie (Égypte). XXe siècle. Depuis 1959 actif en France. Grec.
Peintre de nus, lithographe.
Il participe à diverses expositions de groupe, parmi lesquelles : 1952, Biennale d'Alexandrie ; 1962, *Les peintres grecs à Paris*, Musée d'Art Moderne de Paris ; depuis 1962, aux expositions

d'Antibes ; musée d'Amiens ; à Athènes ; 1964, *25 peintres grecs*, Anvers ; 1968, *9 peintres et sculpteurs grecs*, Toulouse ; 1966, 1968, Biennale de Menton ; etc. Il a montré des expositions personnelles dans diverses villes de France et d'Italie. Figuratif intimiste, il peint des nus agréables.

Vafiadis

VAGA Pierino del ou Pietro. Voir BUONACCORSI Pietro

VAGAGGINI Memo
Né le 15 juin 1892 à Santa Fiora. xxᵉ siècle. Italien.
Peintre.
Il n'eut aucun maître. Il exposa à Venise en 1932.
Musées : FLORENCE (Gal. Mod.) : *Les Maremmes* – ROME (Gal. des Corporations) : *Monte Morello* – SIENNE (Gal. des Beaux-Arts) : *Gemilla dans le val d'Aoste*.

VAGARINI Cesare
Né le 14 décembre 1905 à Rome. xxᵉ siècle. Italien.
Peintre de compositions religieuses.
Il a été élève des Académies de Florence et Milan.

VAGGELLI Bartolomeo Giovanni ou Vaggeli
xviiiᵉ siècle. Actif à Florence. Italien.
Médailleur.
Élève de Massimo Soldani.

VAGGIONI P.
xviiiᵉ siècle. Italien.
Peintre.
Il exécuta une fresque l'*Immaculée* dans l'église Saint-François de Pescia. Il était moine.

VAGH Albert
Né le 10 novembre 1931 à Montreuil-sous-Bois (Seine-Saint-Denis). xxᵉ siècle. Français.
Peintre de figures, paysages, fleurs. Tendance expressionniste.
Il fut élève de l'École des Beaux-Arts de Paris. Il vit et travaille à Ventabrun. Il participe à des Salons annuels à Paris. Il a montré des expositions individuelles de ses œuvres dans diverses villes de France, en Allemagne et à Washington.
Il traite paysages, figures, fleurs, dans une pâte épaisse, caractéristique d'un expressionnisme à la façon de Vlaminck.
Bibliogr. : Catalogue de l'exposition *Albert Vagh*, Athènes, 1966.
Musées : AVIGNON (Mus. Calvet) – SALON.

VAGH WEINMANN Elemer
Né le 20 décembre 1906 à Budapest. xxᵉ siècle. Actif puis naturalisé en France. Hongrois.
Peintre de portraits, paysages, compositions animées. Expressionniste.
Frère de Nandor et Maurice Vagh Weinmann ; sans doute reçut-il les conseils de ses aînés. Dans un premier temps, il participa de leur communauté de vie et d'expression.
Les principales expositions de ses œuvres eurent lieu : à Paris, en 1933, 1951, 1954, 1957 ; ainsi qu'à Rennes, Salon-de-Provence, Carpentras. Chevalier des Arts et Lettres. L'État a acquis de lui : *Marseille*, en 1960, la Ville de Paris *Composition*, en 1947, et *L'hiver à Neuilly*, en 1957.
Peintre expressionniste, il peint paysages, compositions, portraits, en pleine pâte, dans une facture « enlevée ».
Musées : AGEN – ANNECY – AVIGNON (Mus. Calvet) – MARSEILLE (Mus. Longchamp) – PARIS (Mus. du Petit Palais).
Ventes Publiques : PARIS, 8 déc. 1959 : *Fleurs* : FRF 400 000 – PARIS, 12 juin 1972 : *Fruits* : FRF 10 500 – PARIS, 8 déc. 1973 : *Intérieur* : FRF 5 800 – PARIS, 30 mai 1990 : *Cour de ferme*, h/t (54,5x73,5) : FRF 8 000 – PARIS, 5 juil. 1991 : *Crépuscule 1970*, h/t (60x73) : FRF 5 000 – CALAIS, 5 avr. 1992 : *Vase de fleurs*, h/t (82x65) : FRF 10 500.

VAGH-WEINMANN Émeric. Voir ÉMERIC

VAGH WEINMANN Maurice
Né le 20 août 1899 à Budapest. Mort en 1986. xxᵉ siècle. Hongrois.
Peintre de portraits, paysages.
Il travaille en association avec ses frères Nandor et Elemer. On connaît certaines œuvres peintes en commun. Ils ne se séparent pas, même pour peindre, les sujets sont les mêmes : paysages tourmentés ou portraits enlevés mais fidèles. La facture impétueuse, en pleine pâte, les confond encore. D'aucune école, violents et sensuels, ils sont bien d'Europe centrale. Les Musées de Hongrie conservent de leurs œuvres.

Maurice V. Weinmann

Musées : AGEN – GRENOBLE – TOULOUSE.
Ventes Publiques : PARIS, 28 mars 1955 : *Gare sous la neige, à la nuit* : FRF 100 000 – PARIS, 1ᵉʳ juil. 1988 : *Paysage enneigé au train*, h/t (54x65) : FRF 8 200 – VERSAILLES, 22 avr. 1990 : *Ventabren 1958*, h/t (65x55) : FRF 11 000 – PARIS, 30 mai 1990 : *Paysans devant la ferme*, h/cart. (37x50) : FRF 4 000 – PARIS, 29 nov. 1990 : *Le mont Golgotha*, h/pan. (50x61) : FRF 6 500 – PARIS, 14 jan. 1991 : *Couple sur la plage*, h/t (54x65) : FRF 6 500 – NEUILLY, 20 oct. 1991 : *La fête foraine*, h/t (60x74) : FRF 11 500 – PARIS, 24 mars 1996 : *La chaumière*, h/t (60x75) : FRF 7 000.

VAGH WEINMANN Nandor
Né le 3 octobre 1897 à Budapest. Mort le 12 décembre 1978 près de Montereau (Seine-et-Marne), accidentellement. xxᵉ siècle. Depuis 1931 actif, puis naturalisé en France. Hongrois.
Peintre de sujets religieux, portraits, paysages, compositions animées.
En 1931 il vint en France, à Toulouse, puis voyagea à travers le pays. Il habite le Pays basque (à Urrugne, Pyrénées-Atlantiques), où il a fondé une école artistique. Il a travaillé en association avec ses frères Maurice et Elemer. Divers musées possèdent de ses œuvres.
Jusqu'à l'âge de trente-quatre ans il a été imprégné par la vie populaire et l'âme de la Hongrie. Dès quinze ans il peint des portraits, des paysages, des compositions. Il a toujours peint sur nature, mais, de 1949 à 1951, il a exécuté une importante série de peintures inspirées par la Bible. Il a trouvé une expression dans ces peintures religieuses.
Nandor Vagh Weinmann estime que la peinture est un sacerdoce. Il proclame à travers sa peinture l'enthousiasme pour tout ce qui vit. Il exécute immédiatement ce qu'il ressent et conçoit. Sa première touche est définitive. Il utilise de nombreuses couleurs qu'il emploie pures ou en des mélanges instinctifs d'une exécution rapide. Il aime l'harmonie, il a horreur des artifices, de la mode, des réussites truquées.
Ventes Publiques : PARIS, 8 déc. 1959 : *La brodeuse*, signée Nandor, Maurice Vagh Weinmann : FRF 430 000 – PARIS, 16 mars 1989 : *Fillette dans l'atelier et autoportrait*, h/t (72x59) : FRF 12 500 – VERSAILLES, 21 jan. 1990 : *Le raccommodeur*, h/isor. (60x73,5) : FRF 11 500 – NEUILLY, 26 juin 1990 : *La Jeune Fille assoupie*, h/pan. (80x60) : FRF 10 000 – PARIS, 4 juil. 1990 : *Bateaux de pêche*, h/pan. (84x112) : FRF 15 000 – PARIS, 28 mars 1991 : *Tournesols*, h/t (81x65) : FRF 4 100 – PARIS, 22 mars 1993 : *Bateaux*, h/pan. (84x112,5) : FRF 4 000.

VAGHERI Angelo ou Vagherino, appellations erronées. Voir NACCHERINO Michelangelo

VAGIOLI Astolfo
Originaire de Vérone. xviiᵉ siècle. Polonais.
Peintre.
Il travailla à Cracovie en 1617. Il peignit des tableaux d'autel pour l'église du Corpus Christi de Cracovie.

VAGLIANI Alessandro. Voir VAJANI

VAGLIANI Giuseppe. Voir VALIANI

VAGLIENTE Francesco. Voir VALENTE Francesco di Antonio del

VAGLIERI Tino, pour Giustino
Né en 1929 à Trieste (Frioul-Vénétie-Julienne). xxᵉ siècle. Italien.
Peintre. Tendance abstraite.
À partir de 1948, il fut élève de l'Académie de Brera à Milan. Il vécut et travailla à Milan.
Il participe à de nombreuses expositions collectives depuis 1955, notamment : 1958, 1959, Prix Marzotto ; 1959, Biennale de São Paulo ; 1961, 1963, 1965, 1967, Prix Lissone ; 1964, Biennale de Venise ; 1971, Biennale de Milan ; etc. Il a montré de nombreuses expositions personnelles de ses œuvres dans de nombreuses villes d'Italie, depuis 1956.

Avec une technique plus expressionniste, et un langage entre symbole et abstraction, il a été touché par le graphisme net et la couleur en aplats vifs du pop art.

Bibliogr. : B. Dorival, sous la direction de... : *Peintres Contemporains* Mazenod, Paris, 1964 – Catalogue de l'exposition *Vaglieri*, Gal. delle Ore, Milan, 1972.

Ventes Publiques : Milan, 21 déc. 1976 : *Composition* 1958, h/t (50x60) : **ITL 500 000** – Milan, 26 avr 1979 : *Al limite* 1964, h/t (130x134) : **ITL 750 000** – Milan, 20 mars 1989 : *Citadin* 1984, h/t (50x40) : **ITL 3 800 000** – Milan, 7 juin 1989 : *Composition* 1961, h/t (60x71) : **ITL 2 000 000** – Milan, 7 nov. 1989 : *Essai* 1959, h/t (80x80) : **ITL 2 200 000** – Milan, 27 mars 1990 : *Composition* 1981, h/t (50x60) : **ITL 1 000 000** – Milan, 27 sep. 1990 : *Habitant de la ville* 1984, h/t (50x40) : **ITL 1 000 000** – Milan, 19 juin 1991 : *Intérieur* 1958, h/t (100x80) : **ITL 3 000 000** – Milan, 6 avr. 1993 : *Figure* 1983, h/cart. (98x68) : **ITL 1 000 000** – Milan, 22 nov. 1993 : *Matin* 1958, temp., encre et fus./pap. (34x48) : **ITL 1 768 000** – Milan, 5 mai 1994 : *Personnage* 1961, h/t (146x157) : **ITL 5 750 000**.

VAGLIO Giovanni

Né à Pettinengo. xviie siècle. Travaillant de 1682 à 1684. Italien.
Sculpteur sur bois.
Il a sculpté le maître-autel de l'église de la Trinité de Biella.

VAGNARD Jean

Mort en 1668 à Paris. xviie siècle. Français.
Peintre.

VAGNAT Louis

Né le 16 février 1841 ou 1842 à Grenoble (Isère). Mort le 2 février 1886 à Grenoble. xixe siècle. Français.
Peintre.
Il fut élève de Ravanat à l'École municipale de Grenoble. Il débuta au Salon de 1877 et envoya au Salon de 1880 *La Bréda à Allevard*. Il a peint à Sassenage et à Proveyzieux.
Bibliogr. : Maurice Wantellet : *Deux siècles et plus de peinture dauphinoise*, Maurice Wantellet, Grenoble, 1987.
Musées : Grenoble : *La Bréda à Allevard*.
Ventes Publiques : Grenoble, 7 mai 1979 : *Soleil couchant sur le Taillefer à Sassenage*, h/t (49x65) : **FRF 5 000** – Grenoble, 14 mai 1984 : *L'Isère et le Saint-Eynard* 1878, h/t (23,5x50) : **FRF 27 000**.

VAGNER Andor ou Andreas

Né le 31 janvier 1874 à Varsad. xixe-xxe siècles. Hongrois.
Peintre de paysages.
Il vécut et travailla à Szekszard.

VAGNETTI Fausto

Né le 24 mars 1876 à Anghiari. xxe siècle. Italien.
Peintre de sujets religieux, portraits, verrier.
Il a été élève de l'Académie de Rome. Il exposa à Rome à partir de 1899.
Il peignit des portraits des rois d'Italie et des sujets religieux.

VAGNETTI Giovanni ou Gianni

Né le 21 mars 1898 à Florence (Toscane). Mort en 1956. xxe siècle. Italien.
Peintre.
Il n'eut aucun maître. Il exposa dans plusieurs villes d'Europe. En 1928, il vint travailler à Paris. Il obtint le premier prix de peinture de la IVe Exposition Quadriennale. De nombreux Musées d'Italie conservent des œuvres de cet artiste.
Musées : Baltimore – Grenoble – Lima – Paris.
Ventes Publiques : Milan, 9 nov. 1976 : *Nature morte*, h/isor. (74x90) : **ITL 1 100 000** – Milan, 22 mai 1980 : *La Parturiente* 1936, h/t (70x83) : **ITL 2 400 000** – Rome, 11 juin 1981 : *Nature morte au poisson* 1931, h/cart. (47,5x64) : **ITL 3 600 000** – Rome, 15 mai 1984 : *Nature morte aux huîtres*, h/t (23,5x50) : **ITL 2 200 000** – Rome, 8 juin 1989 : *Nu féminin* 1928, h./contreplaqué (75x57,5) : **ITL 9 500 000**.

VAGNETTI Italo

Né le 19 juillet 1864 à Florence (Toscane). Mort le 17 avril 1933 à Florence. xixe-xxe siècles. Italien.
Sculpteur, médailleur.
Père de Giovanni Vagnetti. Il fut élève de l'Académie de Rome. Il sculpta des statues et des bustes ainsi que des tombeaux.

VAGNETTI Vieri

D'origine florentine. xxe siècle. Italien.

Peintre. Abstrait-paysagiste.
Il peint des paysages de brouillard dans des gris colorés où s'affirment des structures presque géométriques.

VAGNIER Prosper Louis

Né à Reims (Marne). xixe-xxe siècles. Français.
Peintre de genre.
Élève de Bouguereau, J. P. Laurens, Toudouze et Baschet. Sociétaire des Artistes Français depuis 1905 ; médaille de troisième classe en 1905.

VAGNUCCI Francesco

Né à Assise. xvie siècle. Actif à Assise vers 1500. Italien.
Peintre.
On trouve quelques vestiges des œuvres de ce primitif dans les édifices de sa ville natale.

VAGO Gabor ou Gabriel

Né en 1894 à Belényes. xxe siècle. Hongrois.
Sculpteur de statues.
Il fit ses études à Rome.

VAGO Paul ou Pal

Né le 6 juin 1853 à Jaszapati. Mort le 15 octobre 1928 à Budapest. xixe-xxe siècles. Hongrois.
Peintre d'histoire, genre.
Il figura aux Expositions de Paris. Il obtint une médaille d'argent en 1900 à Paris lors de l'Exposition universelle.
Musées : Budapest : plusieurs peintures.
Ventes Publiques : Londres, 5 juil. 1978 : *Le cheval emballé*, h/t (57x78,5) : **GBP 750**.

VAGO Sandor ou Alexander

Né le 8 août 1887 à Mezölaborc. xxe siècle. Actif aux États-Unis. Hongrois.
Peintre de portraits, natures mortes.
Il fit ses études à Budapest et à Munich. Il se fixa à Cleveland.
Musées : Cleveland : plusieurs peintures.

VAGO Valentino

Né en 1931 ou 1934 à Barlassina (Milan). xxe siècle. Italien.
Peintre. Abstrait.
Après avoir été influencé par Poliakoff, il évolua vers les zones extrêmes de l'ascétisme pictural, méditant la leçon de Rothko et adoptant une démarche assimilable à celle des minimalistes américains. Ses peintures sont limitées à une ou deux zones de couleurs tendres, les couleurs suggestives étant impitoyablement écartées, tels le vert à cause de la végétation et le bleu à cause du ciel, dont l'unicité est à peine irritée de quelques rares traits, parfois discrètement ou grattés dans la couleur.
Bibliogr. : Roberto Sanesi : *Valentino Vago*, Opus International, no 24-25, Paris, mai 1971.
Ventes Publiques : Milan, 5 mars 1974 : *Composition* 1970 : **ITL 700 000** – Milan, 13 déc. 1977 : *Composition* 1967, h/t (195x130) : **ITL 1 200 000** – Milan, 22 mai 1980 : *Composition* 1973, acryl./t. (100x80) : **ITL 950 000** – Milan, 7 juin 1989 : *Sans titre* 1970, h/t (100x79) : **ITL 3 000 000** – Milan, 19 déc. 1989 : *Sans titre* 1973, h/t (100x81) : **ITL 2 200 000** – Milan, 12 juin 1990 : *M 337* 1969, h/t (54x65,5) : **ITL 1 100 000** – Milan, 5 déc. 1994 : *Composition* 1967, h/t (81x116) : **ITL 2 530 000** – Milan, 9 mars 1995 : *V 333* 1970, h/t (100x80) : **ITL 2 875 000** – Milan, 18 juin 1996 : *Sans titre* 1969, h/t (73x92) : **ITL 2 300 000**.

VAHAMONDE Joaquin. Voir VAAMONDE

VAHAP Asvar

xxe siècle. Turc.
Artiste d'installations.
Il a participé en 1994 à la Biennale d'art contemporain de La Havane.

VAHIA Alejo de

xve-xvie siècles. Actif à Becerril. Espagnol.
Sculpteur sur bois.
Il sculpta un *Saint Jean* et une *Sainte Madeleine* au-dessus du maître-autel de la cathédrale de Palencia.

VAHLDIECK Johannes

Né en 1839 à Brunswick. Mort le 12 janvier 1914 à Eutin. xixe-xxe siècles. Allemand.
Peintre de portraits, paysages.
Élève de H. J. Brandes et de Bokelmann à Düsseldorf. On cite de lui quatre-vingt quinze peintures, mais il n'en a vendu qu'une seule dans sa vie, étant très fortuné.

VAIANI Alessandro. Voir VAJANI

VAIANI Anna Maria
XVIIe siècle. Florentine, travaillant à Rome vers 1630. Italienne.
Peintre, miniaturiste et aquafortiste.
Elle grava des sujets religieux et des allégories.

VAIANI Giuseppe
Né le 14 novembre 1886 à Lodi. XXe siècle. Italien.
Peintre de genre, portraits, nus, paysages, marines.
Il n'eut aucun maître. Il débuta au Salon des Artistes Français en 1905.
Musées : LODI (Mus. mun.) : *Nostalgie – Nature morte –* MILAN (Gal. d'Art Mod.) : *Nu.*

VAIANI Lorenzo. Voir **SCIORINI**

VAIANI Sebastiano
Né à Florence. XIXe siècle. Travaillant à Rome dans la première moitié du XIXe siècle. Italien.
Aquafortiste.
Fils d'Alessandro Vajani. Il peignit des sujets religieux.

VAICHLIA Léonid
Né en 1922. XXe siècle. Russe.
Peintre de compositions à personnages, nus. Post-impressionniste.
Il a étudié à l'Institut Répine (Académie des Beaux-Arts de Leningrad) sous la direction de Youri Neprintcev. Membre de l'Association des Peintres de Leningrad.
Il participe à partir de 1951 à des expositions collectives, notamment à Leningrad, et en 1986 à Montréal.
Sa peinture décline des thèmes traditionnels, avec une prédilection pour les scènes typiques campagnardes.
Bibliogr. : In : Catalogue de la vente *L'École de Leningrad*, Drouot, Paris, 19 nov. 1990.
Musées : CHADRINSK (Mus. des Beaux-Arts) – MOSCOU (min. de la Culture) – NOVGOROD (Mus. des Beaux-Arts) – ROSTOV-SUR-LE-DON (Gal. d'Art russe) – SAINT-PÉTERSBOURG (Mus. d'Hist.).
Ventes Publiques : PARIS, 19 nov. 1990 : *Premiers rayons de soleil*, h/t (70x108) : FRF 15 500 – PARIS, 10 juin 1991 : *Les amies au bord de l'eau*, h/t (59x75) : FRF 3 500.

VAIENTI Giovanni. Voir **SPERANZA**

VAIGNEUX Emmanuel. Voir **BAGNIEUX**

VAIL A. D., Miss
XIXe siècle. Travaillant à New York de 1838 à 1841. Américaine.
Miniaturiste.

VAIL Eugène Lawrence ou Laurent
Né le 29 septembre 1857 à Saint-Servan (Ille-et-Vilaine), de père américain. Mort en 1934. XIXe-XXe siècles. Depuis 1882 actif en France. Américain.
Peintre de genre, paysages, marines.
Son père était américain, sa mère française ; il participa de ces deux cultures. Élève de l'Art Student's League à New York, il vint, en 1882, poursuivre ses études à Paris, à l'École des Beaux-Arts, dans les ateliers d'Alexandre Cabanel, puis de Raphaël Collin et de Dagnan-Bouveret.
Depuis 1883, il participa aux Salons des Artistes Français, médaille de troisième classe en 1888, membre du jury international et médaille d'or à l'Exposition Universelle de 1889, médaille d'or en 1893, chevalier de la Légion d'honneur en 1894 ; de la Société Nationale des Beaux-Arts ; aux Tuileries ; il exposa aussi à Berlin, Munich, Anvers, Liège, Vienne, Budapest, Saint Louis, Chicago, Pittsburgh.
Bibliogr. : Gérald Schurr, in : *Les Petits Maîtres de la peinture 1820-1920, valeur de demain*, Les Éditions de l'Amateur, t. II, Paris, 1982 – William H. Gerdts, D. Scott Atkinson, Carole L. Shelby, Jochen Wierich : *Impressions de toujours – Les peintres américains en France 1865-1915*, Mus. Américain de Giverny, Terra Foundation for the Arts, Evanston, 1992.
Musées : BREST (Mus. mun.) : *Le Port de pêche, Concarneau* vers 1884 – BROOKLYN – GIVERNY (Mus. Américain Terra Foundation for the Arts) – NEW YORK – ODESSA – PARIS (Mus. d'Orsay) : *Le port de pêche de Concarneau* – VENISE – WASHINGTON D. C.
Ventes Publiques : PARIS, 4 mars 1925 : *Canal à Venise* : FRF 160 – PARIS, 16 oct. 1950 : *Deux promeneuses à Venise* : FRF 1 000 – BOSTON, 2 mai 1980 : *Le port d'Audierne*, h/t (38,7x46,4) : USD 2 400 – NEW YORK, 11 mars 1982 : *Portrait de Mlle Hoffbauer*, h/t (82,6x67,4) : USD 1 500 – NEW YORK, 30 sep.

1985 : *Les femmes de Venise*, h/t (112x216) : USD 6 000 – VERSAILLES, 15 nov. 1987 : *La conversation au bord du lac*, h/t (61x46,5) : FRF 55 000.

VAILATE Nicolino da
XVIe siècle. Travaillant à Verceil en 1529. Italien.
Sculpteur sur bois.

VAILLANCOURT Armand
Né en 1932 à Blake Lake (Québec). XXe siècle. Canadien.
Sculpteur. Abstrait.
Il fut élève de l'École des Beaux-Arts de Montréal. Au Canada, il fut des premiers à organiser des « happenings » tels que sculpter, en public, devant les passants, un arbre (*L'Arbre de la rue Durocher*, Montréal, 1954).
Abstrait jusqu'à l'informel, il donne la priorité d'expression à la nature du matériau utilisé : d'abord terre glaise, bois en taille directe ou en brûlage contrôlé, puis assemblages de pièces métalliques de récupération, os, béton, verre, résines synthétiques, etc. Son œuvre, n'obéissant qu'à son enthousiasme, n'a cessé d'explorer toutes les directions, avec une prédilection pour tout ce qui évoque la nature. Il n'hésite pas en outre à conférer un message politique à sa création, dénonçant toute forme d'oppression. Il a eu de nombreuses occasions de réaliser des œuvres d'animation monumentales, pour lesquelles il revint à la classique fonte métallique, ou aux pierres naturelles, mettant en œuvre des techniques industrielles. En 1968 il a construit à San Francisco la colossale fontaine de l'Embarcadère, plus récemment une sculpture-fontaine sur le site du nouveau palais de Justice de la ville de Québec.
Bibliogr. : Denys Chevalier, in : *Nouveau diction. de la sculpt. mod.*, Hazan, Paris, 1970 – in : *Dictionnaire de l'art moderne et contemporain*, Hazan, Paris, 1992.
Musées : MONTRÉAL (Mus. d'Art Contemp.) : *Justice aux Indiens d'Amérique* 1957 – *Bois brûlé* 1964 – *Sans titre* 1962, chêne brûlé – *Hommage au tiers monde* 1966, fonte.
Ventes Publiques : MONTRÉAL, 27 avr. 1986 : *Construction* 1966, bronze (H. 43) : CAD 2 100.

VAILLANT A. J. B.
Né vers 1817. Mort le 17 juillet 1852 à Paris. XIXe siècle. Français.
Peintre d'animaux, peintre à la gouache, aquarelliste.
Il privilégia la représentation de sujets d'histoire naturelle.
Ventes Publiques : LONDRES, 3 avr. 1995 : *Goéland*, aquar. et gche/vélin (28,2x38,6) : GBP 805.

VAILLANT Achille
Né au XIXe siècle à Paris. XIXe siècle. Français.
Peintre.
Élève de Bonnat. Il débuta au salon en 1876.

VAILLANT André ou Andries
Né le 7 juillet 1655, baptisé à Amsterdam. Mort en 1693 à Berlin. XVIIe siècle. Éc. flamande.
Graveur.
Élève de son frère Wallerant Vaillant. Il alla deux ans à Paris, épousa en 1678 Eva Hoen et partit à Berlin en 1689. Il a gravé des portraits.

$\mathcal{A}$

VAILLANT Bernard
Né en 1632 à Lille. Mort en 1698 à Leyde. XVIIe siècle. Éc. flamande.
Peintre de portraits, pastelliste et graveur.
Frère aîné et élève de Wallerant Vaillant. Il l'accompagna à Francfort, et travailla pour l'empereur Leopold. Il vécut à Rotterdam et épousa, en 1670, Agnès Menton. Il grava aussi des portraits et des sujets religieux.

BVF
Vaillant
1670

Musées : AMSTERDAM : *Johannes Parker* – LEYDE (Mus. Lakenhal) : *Portraits de Thomas Parker, d'Adriaan Baert et de sa femme –* LILLE (Mus. Wicar) : *Tête de Madone – Quatre portraits –* NIMÈGUE : *Portrait de H. Van Beveringk, de W. Van Haren et d'Aloysius de Bevilaqua.*

VENTES PUBLIQUES : LONDRES, 24 juin 1980 : *Portrait d'homme à la collerette de dentelle* 1672, craies de coul./pap. gris (39,7x29,7) : **GBP 400.**

VAILLANT Jacques ou Jacob, dit Keewerik
Né vers 1625 à Lille (Nord). Mort en 1691 à Berlin. XVIIe siècle. Éc. flamande.
Peintre d'histoire, compositions mythologiques, sujets religieux, scènes de genre, portraits.
Quatrième frère et élève de Wallerant Vaillant. Il alla à Rome vers 1664, et y passa deux ans. Il y prit le surnom de Keewerik. Il travailla à Amsterdam, à Rotterdam, fut peintre d'histoire dans la Confrérie de La Haye en 1670 et peintre de la Cour de Berlin en 1672. Il alla à Vienne envoyé par l'Électeur de Brandebourg pour y peindre le portrait de l'Empereur.

J. Vaillant fecit 1660.

MUSÉES : BERLIN (Cab. Impérial) : *Le grand prince électeur – Sa femme Louise Henriette d'Orange* – BRUNSWICK : *Le grand prince électeur* – GENÈVE : *Portrait du Grand Électeur* – KASSEL : *Sacrifice d'Iphigénie* – PRAGUE (Nostitz) : *Moïse frappe le rocher – Moïse et le serpent d'airain – Mort de Sénèque.*
VENTES PUBLIQUES : MILAN, 3 avr. 1996 : *Fête paysanne,* h/t (57x80) : **ITL 13 800 000.**

VAILLANT Jacques Gaston Émile
Né le 20 mai 1879 à Melun (Seine-et-Marne). Mort le 4 février 1934 à Paris. XXe siècle. Français.
Peintre de compositions à personnages, portraits, paysages.
Peut-on faire l'éloge d'un artiste, ou mieux d'un tempérament d'artiste, en disant que Jacques Vaillant a manqué sa carrière ? Ce peintre fut une grande figure, ce dont nul ne se doute parmi les amateurs, de la plus brillante époque de Montmartre. Avoir son atelier au Bateau-Lavoir ce n'est rien ; y être l'ami d'un principal locataire se nommant Picasso et l'ami aussi des hôtes de l'illustre bâtisse, d'André Derain à Guillaume Apollinaire et Max Jacob, c'est mieux. Cinq ans avant la Grande Guerre, peintres et poètes prenaient intérêt aux larges compositions de J. Vaillant, le seul, il faut le dire, capable avec Picasso de grouper cinq ou six personnages grandeur nature sur la toile. L'enseignement des Beaux-Arts manqua de faire de J. Vaillant prétendant au Prix de Rome, un « pompier ». Mais il comprit vite, par ses nouveaux camarades, dans quel sens il lui faudrait reprendre, transposer telle *Noce bretonne.* Quelle sorte de courage manqua à ce peintre trop ardent à vivre et qui serait un splendide soldat sur le front ? On ne lui doit aucune des grandes toiles attendues mais de légers paysages qu'il n'eut même pas l'ambition de faire bien placer, selon leur mérite mesuré mais réel, au Salon d'Automne. Il a peint de nombreux paysages du Finistère où il travailla près de Maurice Asselin, des portraits dont *Portrait de ma mère* et le curieux portrait de l'homme étrange que fut le dessinateur militaire, Montmartrois d'une époque antérieure : *Tire-Bognet.* ■ André Salmon

Jacques Vaillant

Jacque Vaillant

VAILLANT Jean ou Jan
Né en 1627 à Lille (Nord). XVIIe siècle. Éc. flamande.
Peintre de paysages, portraits, graveur.
Second frère Wallerant Vaillant, il fut son élève. Il vivait à Francfort vers 1752, s'y maria en 1660 et était à Frankenthal en 1668. À la fin de sa vie, il abandonna l'art pour le commerce. On lui doit des eaux-fortes, paysages et portraits.
MUSÉES : GENÈVE : *Portrait de l'électeur Frédéric-Guillaume de Prusse.*

VAILLANT Louis David
Né le 14 décembre 1875 à Cleveland (Oklahoma). XIXe siècle. Actif à New York. Américain.
Peintre de décorations murales.

Élève de Henry Siddons Mowbray, à l'Art Students' League de New York. Membre du Salmagundi Club et de la Fédération Américaine des Arts.

VAILLANT Louise Jeanne, née Duchange
Née à Cambrai (Nord). XIXe siècle. Française.
Peintre.
Élève de M. Bergerat et de Mme Jacobber. Elle débuta au Salon de 1877.

VAILLANT Maximilien
Né le 6 mai 1891 à Douai (Nord). XXe siècle. Français.
Peintre de paysages.
Il fut élève de F. Sabatté. Il a exposé, à Paris, au Salon des Artistes Français, de même qu'à Douai et Lille.

VAILLANT Pierre Henri
Né le 30 janvier 1878 à Paris. Mort en 1939. XXe siècle. Français.
Peintre de genre, graveur.
Il fut élève de Baschet et Humbert. Il a exposé, à Paris, au Salon des Artistes Français de 1905 à 1913, y obtenant une médaille en 1913, au Salon de la Société Nationale des Beaux-Arts, duquel il devint sociétaire en 1921, puis membre du Comité en 1931. Il a également figuré aux Salons des Indépendants et des Tuileries. Légion d'honneur en 1937. On lui doit les décorations de l'Hôtel des Postes, à Chartres.
MUSÉES : CHARTRES – PARIS (Mus. d'Art Mod. de la Ville).

VAILLANT V. J.
XIXe siècle. Travaillant à Boulogne-sur-Mer (Pas-de-Calais), en Angleterre et au Pays de Galles au XIXe siècle. Britannique.
Aquafortiste amateur, peintre d'architectures et de paysages.
Il exposa à Londres en 1874.

VAILLANT Wallerant ou Wallerand
Baptisé le 30 mai 1623 à Lille. Enterré le 2 septembre 1677 à Amsterdam. XVIIe siècle. Hollandais.
Peintre de portraits, natures mortes, pastelliste, graveur, dessinateur.
Ce remarquable portraitiste, l'aîné de cinq frères qui furent peintres comme lui, commença ses études artistiques dans sa ville natale. Il alla ensuite à Anvers et y fut élève d'Erasmus Quellinus en 1637. Il entra dans la gilde de Middelbourg en 1647. On le cite à Amsterdam en 1652, puis à Francfort vers 1665. Le prince Rupert lui apprit la gravure à la manière noire, nouvellement inventée. Wallerant Vaillant travailla aussi pour l'empereur Léopold. Il résida quatre ans à Paris avec le marquis de Grammont, et y peignit plusieurs personnes de la famille royale et gagna beaucoup d'argent. On croit qu'il alla aussi en Angleterre. Il revint après 1662 à Amsterdam, fut peintre de la Cour du prince Villem Friso, statthalter de Frise. Il a gravé de nombreux portraits à la manière noire et à l'eau-forte.
Wallerant Vaillant est avant tout un dessinateur dans la tradition des maîtres portraitistes français du XVIe siècle. Sa facture reste toujours très près du modèle. Peut-on risquer le mot de « sincérité » pour un artiste du XVIIe siècle ? Tous se croyaient sincères, même les plus académiques. Ses portraits au pastel sont vigoureux, austères, et d'une gravité rappelant celle de Philippe de Champaigne (1602-1674). Sa couleur est sobre, mais vibrante.

BIBLIOGR. : Friedrich Wilhelm Heinrich Hollstein : *Dutch and Flemish Etchings, Engravings and Woodcuts circa 1450-1700,* vol. II-XVI, Menno Hertzberger, Van Gendt & Co., Amsterdam, 1949-1974 – Georg Kaspar Nagler : *Die Monogrammisten,* 5 vol., G. Franz, Munich 1858-1879, Nieukoop, 1966-1977.
MUSÉES : AMSTERDAM : *Pieter de Graeff – Jacoba Bicker – Maria Van Oostervyck – Une dame et ses trois enfants – Portraits de jeune femme* – DESSAU : *Dame cousant avec des enfants –*

DRESDE : *Trompe-l'œil avec des lettres* – LILLE : *Deux portraits d'hommes – Jeune homme dessinant d'après le plâtre – Portrait de femme* – LONDRES (Nat. Gal.) : *Le jeune artiste* – LONDRES (Mus. Victoria and Albert) : *Portrait d'une dame* – MAYENCE : *Portrait de François d'Orville – Portrait de son frère – Portrait de sa femme – Portrait de sa fille – Portrait de Daniel d'Orville* – OLDENBOURG : *Amiral hollandais* – PARIS (Mus. du Louvre) : *Enfant dessinant une statue de l'amour.*
VENTES PUBLIQUES : PARIS, 14 et 15 fév. 1919 : *Portraits d'homme et de femme*, deux dessins : FRF 340 – PARIS, 11 avr. 1924 : *Portrait d'homme à collerette*, pierre noire, reh. : FRF 710 – PARIS, 18 mars 1938 : *Portrait d'homme en buste, à col blanc*, cr. noir : FRF 450 – VIENNE, 15 juin 1971 : *Mère et enfants* : ATS 70 000 – LONDRES, 8 fév. 1978 : *Portrait d'un jeune garçon à la collerette*, h/t (68x57) : GBP 2 100 – LONDRES, 12 déc 1979 : *Portrait d'un jeune homme*, h/t (71x60,5) : GBP 8 000 – LONDRES, 20 nov. 1980 : *La famille de l'artiste*, mezzotinte (24,1x31,8) : GBP 750 – NEW YORK, 30 avr. 1982 : *Portrait d'homme*, craie noire reh. de blanc/pap. gris-bleu (39,3x33,8) : USD 1 400 – LONDRES, 15 juin 1983 : *Portrait d'homme*, h/pan. (34x27,5) : GBP 2 200 – LONDRES, 27 juin 1984 : *David tenant la tête de Goliath*, mezzotine/pap. filigrané (32,5x39,7) : GBP 1 300 – BERNE, 22 juin 1984 : *Portrait d'un aristocrate* 1648, craie noire reh. de blanc/pap. bleu (40x35,5) : CHF 4 200 – NEW YORK, 6 juin 1985 : *Trompe-l'œil : lettres et plume* 1658, h/t (52x41,5) : USD 24 000 – MONTE-CARLO, 6 déc. 1987 : *Le jeune sculpteur*, h/t (93x63) : FRF 110 000 – STOCKHOLM, 15 nov. 1988 : *Nature morte de gibier abattu sur un entablement*, h. (24x34) : SEK 24 000 – LONDRES, 14 déc. 1990 : *Portrait en buste de l'artiste portant un turban drapé*, h/t, de forme ovale (73,5x59,5) : GBP 66 000 – NEW YORK, 10 jan. 1991 : *Trompe-l'œil de lettres tenues sur un panneau de bois par des cordons*, h/t (51,5x41,5) : USD 41 800 – LONDRES, 7 juil. 1992 : *Portrait du Marquis de Mondejar portant une armure, en buste*, craies noire et blanche/pap. bleu (58,5x45,1) : GBP 18 400 – PARIS, 25 nov. 1993 : *Portrait d'homme*, sanguine (32,5x26) : FRF 5 500 – LONDRES, 8 juil. 1994 : *Trompe-l'œil avec des gravures, une plume, une craie dans un ratelier sur une paroi de bois* 1671, h/t (61x45) : GBP 18 400 – LONDRES, 9 déc. 1994 : *Jeune chasseur rapportant un canard et un lièvre*, h/t (64x55) : GBP 19 550 – NEW YORK, 10 jan. 1995 : *Portrait d'un homme jeune en habit noir à jabot de lin blanc*, h/t (diam. 48,2) : USD 41 400 – LONDRES, 1er nov. 1996 : *Portrait d'un gentilhomme en buste*, h/t/pan., de forme ovale (28x25,4) : GBP 8 625 – HEIDELBERG, 11-12 avr. 1997 : *Buste d'un gentilhomme tourné vers la droite, en habit noir et col blanc* ; *Buste d'une femme tournée vers la gauche portant une coiffe et un col en dentelle blanche* 1650, fus. et reh. de blanc, deux pendants (39,2x34,2 et 39,6x33,4) : DEM 20 000.

VAILLANT-BAUDRY Huguette
Née le 22 septembre 1931 à Paris. XXe siècle. Française.
Peintre. Abstrait-lyrique.
Ancienne élève de l'École du Louvre, elle a dirigé une Académie de dessin à Montparnasse. Sociétaire des grands salons parisiens, chef du groupe abstraction-lyrique au Salon Comparaisons, elle a fait partie du jury du Salon d'Automne. Elle participe à des expositions collectives, notamment, à Paris, aux Salons des Réalités Nouvelles, Comparaisons, de Mai, puis : 1991, *Rimbaud. Vingt peintres, vingt auteurs contemporains*, Paris. Elle montre ses œuvres dans des expositions personnelles, dont : 1979, Château de Gramont ; 1981, Musée de Sofia ; 1981, 1985, 1989, galerie Alix Lemarchand ; 1984, Musée d'Issy-les-Moulineaux ; 1990, galerie Couleurs du temps, Genève ; 1991, Centre des Arts, Taiwan.
Elle réalise une peinture à tendance abstraite composée de signes graphiques superposés à un jeu de formes cotonneuses. Ces compositions sont tantôt très colorées, tantôt presque monochromes, en variations de gris par exemple.

VAILLS Ramon. Voir VALLS

VAILLY. Voir WAILLY

VAINES Maurice de
Né le 2 mars 1815 à Bar-le-Duc (Meuse). Mort le 14 août 1872 à Antibes (Alpes-Maritimes). XIXe siècle. Français.
Peintre.
Élève d'Auguste Couder et de Picot. Il exposa au Salon de 1839 à 1861. Il obtint une médaille de troisième classe en 1841. Il a peint la chapelle du séminaire de Blois et le chœur de l'église de Chailles. Le Musée d'Orléans conserve de lui *Derniers*

moments d'Eustache Le Sueur à la Chartreuse de Paris, et celui de Marseille, *Le marché d'esclaves.*

VAINI Pietro
Né en 1847 à Rome. Mort en 1875 à New York. XIXe siècle. Italien.
Peintre de genre et portraitiste.
Il exerça son art d'abord dans sa ville natale, puis alla s'établir à New York. Il se plaisait dans la reproduction des sujets tragiques. Il se donna la mort dans des conditions tout à fait dramatiques.

VAINSTEIN Ether
Née en 1947. XXe siècle. Péruvienne.
Artiste, dessinatrice. Conceptuel.
Elle crée des installations et les photographie. Elle expose aussi bien dans le désert que dans une galerie.
BIBLIOGR. : Damian Bayon, Roberto Pontual : *La peinture d'Amérique latine au XXe siècle*, Mengès, Paris, 1990.

VAIROLI Luca
XVIe siècle. Italien.
Peintre verrier.
Il exécuta les vitraux du chœur de la cathédrale de Crémone en 1578.

VAISMAN Meyer
Né en 1960 à Caracas. XXe siècle. Actif aux États-Unis. Vénézuélien.
Peintre.
Il est issu d'une famille d'immigrés juifs originaires d'Europe de l'Est (Carpates) fixés en Israël en 1945. Il a commencé des études d'ingénieur à Miami en Floride, puis a intégré la Parsons School of Design de New York en 1980. Il a ouvert, en 1984, à New York une galerie qui exposa des artistes comme Peter Halley, General Idea, Jeff Koons et Richard Prince. Il est apparu sur la scène artistique dans les années quatre-vingt. Il participe à de nombreuses expositions collectives, parmi lesquelles : 1995, *Tissus conceptuels, sens matériels*, John Michael Kohler Arts Center, Sheboygan dans le Wisconsin. Il montre ses œuvres dans des expositions personnelles, dont : 1987, 1992, Leo Castelli, New York ; 1989, Capc, Bordeaux ; 1991, Serpentine Gallery, Londres ; 1993, Musée d'Art Contemporain, Lyon ; 1922, 1994, à la galerie Templon à Paris. Son œuvre joue sur l'humour, le kitsch et le mélange des cultures. Ses premiers travaux sont des représentations simplement quadrillées de la toile agrandies (les *Filler Paintings*, ou peintures bouche-trou). Dans une série célèbre, il affuble des dindes empaillées de costumes composés d'éponges, de dentelles, de voiles ou de perruques. Il s'amuse également du trompe-l'œil : *Brun Toile*, juxtapose une scène bucolique du XIXe siècle avec un drap kitsch, ailleurs, il imprime sur des tissus des scènes classiques ou romantiques – scènes de chasse à courre, sujets décoratifs – qui laissent croire à des tapisseries, des œuvres dans lesquelles il a habilement introduit des figures de comics. Les œuvres de Meyer Vaisman sont souvent le témoignage d'une critique de l'art et de la culture.
BIBLIOGR. : Jim Lewis : *Meyer Vaisman*, in : *Artstudio*, n° 23, Paris, hiver 1991.
VENTES PUBLIQUES : NEW YORK, 1986 : *Vaismen*, encre plastifiée/t. (157,5x156) : USD 41 250 – NEW YORK, 1er mai 1991 : *The dung market* 1985, acryl. et sérig./tissu avec des embouts de bouteille (102,2x82x11,5) : USD 24 750 – NEW YORK, 13 nov. 1991 : *Remplissage* 1986, encre d'imprimerie/t./pan. de contreplaqué (182,8x182,8x27,3) : USD 20 900 – NEW YORK, 19 nov. 1992 : *Gaspillage polluant*, encre/t. pan. de contre-plaqué, feuilles de plastique, verre, rés. (181,5x130x43,5) : USD 11 000 – NEW YORK, 11 nov. 1993 : *Sans titre* 1990, acryl./sérig./t./ construction de bois (184,2x175,3x17,5) : USD 34 500 – NEW YORK, 3 mai 1995 : *Peinture correcte* 1986, encre sérigraphique/ t./pan. de bois (en tout 182,9x182,9x27,9) : USD 11 500 – NEW YORK, 21 nov. 1996 : *Les Croisés* 1990, tapisserie, anneaux et semences en laiton/tissus (194,3x221) : USD 20 125.

VAISSEUR Pierre
XVIe siècle. Français.
Sculpteur et fondeur.
Il a exécuté un lutrin pour la cathédrale de Beauvais en 1562.

VAITO Agathe
Née en 1928 à Baja (Hongrie). Morte vers 1974 à Paris, par suicide. XXe siècle. Depuis 1949 active en France. Hongroise.

Peintre. Tendance abstraite, puis figuratif.
Elle fut élève de l'École des Beaux-Arts de Budapest. Elle est arrivée à Paris en 1949. Elle épousa le marchand de tableaux Pierre Loeb.
Elle a figuré à des expositions collectives, parmi lesquelles : 1951, 1952, Salon des Surindépendants, Paris ; à partir de 1954 et à plusieurs reprises, Salon de Mai, Paris ; 1954, Salon d'Octobre ; 1955, Galerie Blanche, Stockholm ; 1956, Salon des Réalités Nouvelles, Paris ; Salon des Terres Latines, Paris ; 1956, Galerie de France et Galerie de l'Art Vivant, Paris ; 1959, *Huit peintres de trente ans*, Paris ; 1961, *Formes et couleurs*, Galerie Charpentier, Paris ; 1963, Ier Salon International des Galeries Pilotes au Musée Cantonal de Lausanne ; 1970, Musée National des Beaux-Arts, Budapest. Elle a montré des expositions personnelles de ses peintures, à Paris, en 1951, 1961, 1963.
Partie d'une abstraction allusive, elle a évolué à un retour à la figuration avec des natures mortes de légumes, des nus, des marines, des paysages (scènes de Provence,) attentive surtout à l'éclat des reflets de la lumière sur les matières.

XL

BIBLIOGR. : Michel Seuphor : *Diction. de la peint. abstr.*, Hazan, Paris, 1957 – *Catalogue du Ier Salon International des Galeries Pilotes*, Musée Cantonal, Lausanne, 1963.

VAJANI Alessandro ou **Vajano** ou **Vaiani** ou **Vagliani**, dit **il Fiorentino**
Né vers 1570 à Florence. XVIe siècle. Italien.
Graveur au burin et peintre.
Certains biographes le font naître à Milan, mais d'après son surnom, il semble bien que Florence soit sa ville natale. Il travailla surtout dans la capitale de la Lombardie et y acquit un renom considérable. Il décora, notamment à Milan, les églises San Carlo et Sant' Antonio Abate. On cite aussi de ses travaux à Gênes. Il a gravé des sujets religieux.

VAJDA Julia
Née en 1913. XXe siècle. Hongroise.
Peintre. Surréaliste.
Femme de Lajos Vajda, elle fait partie du groupe surréaliste de Szentendre. Le peintre surréaliste Balint l'a considérée comme l'un des bons peintres hongrois contemporains.

VAJDA Lajos
Né en 1908 à Zalaegerszeg. Mort le 7 septembre 1941 à Budapest. XXe siècle. Hongrois.
Peintre, peintre de collages, dessinateur, aquarelliste. Surréaliste.
À Budapest, il a fréquenté les membres du groupe *Kassak*. Autour de 1930, il fit un séjour de plusieurs années à Paris, où il travailla dans l'esprit et dans l'entourage du groupe surréaliste, en exploitant les techniques spécifiques, notamment le collage. Il se fixa à son retour à Szentendre et à Szigetmonostor. Une importante exposition rétrospective de l'ensemble de son œuvre fut organisée à Budapest, en 1945.
La région de Szentendre, où il passa son enfance, ainsi que Belgrade, où il étudia, conservent d'importantes icônes, dont on décèle l'influence dans les périodes les plus diverses de son œuvre. Il a établi une synthèse de ses souvenirs de la peinture néobyzantine, des folklores hongrois et serbe, des expressions modernes vues chez les surréalistes et les cubistes pendant le séjour parisien. Le résultat de ce brassage donna, tant dans les très nombreux dessins qu'il a produits, que dans les aquarelles et les peintures, un message poético-dramatique, où la réalité du monde de l'homme est transcrite en un langage formel dont la richesse d'invention ne peut pas ne pas évoquer la verve d'un Paul Klee, mais souvent d'un Paul Klee de l'angoisse, surtout à partir de la période des visages brumeux et des masques, de 1936 à 1938. Avec Balint peut-être, Lajos Vajda doit être considéré comme le plus important des peintres de l'avant-garde hongroise de la première moitié du siècle, quand bien même leurs œuvres aient pu être tenues ensuite à l'écart par des instances officielles en désaccord avec leurs audaces relatives, tenues pour l'expression d'un élitisme intellectualo-bourgeois. ■ J. B.
BIBLIOGR. : B. Dorival, sous la direction de... : *Peintres Contemporains*, Mazenod, Paris, 1964 – Mandy Stefania : *Vajda Lajos*, Budapest, 1964 – Lajos Nemeth : *Moderne ungarische Kunst*,

Corvina, Budapest, 1969 – in : *Dictionnaire de l'art moderne et contemporain*, Hazan, Paris, 1992.

VAJDA Zsigmond ou **Sigmund**
Né le 11 mai 1860 à Bucarest. Mort le 22 mai 1931. XIXe-XXe siècles. Hongrois.
Peintre de genre, fresques.
Il fit ses études à Budapest et y travailla pour le Parlement et des églises.
MUSÉES : BUDAPEST (Gal. Nat.) : plusieurs peintures.

VAKALO Georges
Né au XXe siècle à Athènes. XXe siècle. Grec.
Peintre de nus, compositions animées, décorateur.
Il a travaillé à Paris et expose à Athènes.

VAKOWSKAÏ
Né à Amiens (Somme), de parents slaves. XXe siècle. Français.
Peintre de figures, paysages urbains, paysages animés, natures mortes. Symboliste.
Il s'est formé entre 1950 et 1960 à l'Académie Julian et à l'atelier de la Grande Chaumière à Montparnasse.
Il participe à des expositions collectives, parmi lesquelles : 1973, Salon d'Automne, Paris. De 1968 à 1979 il a été représenté par la galerie Emmanuel David à Paris.
Vakowskaï peint des symboles. Ses compositions, notamment des vues de villes désertes, des objets insolites, des animaux et des végétaux, tout en atmosphère colorée et en lignes aériennes, s'ouvrent vers le rêve et l'irréalité. *Les grandes forces de la nature* ; *Transparence* ; *Féminité* ; *Le vide*, sont quelques-uns des titres de ses œuvres.
MUSÉES : ALÈS – BRUXELLES – DÜSSELDORF – SAINT-TROPEZ (Mus. de l'Annonciade).

VAL, du. Voir DUVAL

VAL Aurélia
Née en 1901 à Losonz (Hongrie). XXe siècle. Depuis 1927 active et depuis 1945 naturalisée en France. Hongroise.
Peintre, mosaïste. Abstrait-géométrique.
Elle fut élève de l'Académie des Beaux-Arts de Budapest. Elle a participé à des expositions de groupe à partir 1953 : Salon d'Art Sacré, Salon des Réalités Nouvelles, ainsi qu'à des expositions à Auvernier-Neuchâtel. Elle a réalisé des décorations murales à Crans-sur-Sierre, La Chaux-de-Fonds, Neuchâtel et Auvernier.
À partir de 1950, elle a abandonné la pratique de la peinture pour la mosaïque. Utilisant des matériaux variés et inédits, et des tours techniques audacieux, laissant des vides entre les formes constituées d'éléments groupés en bandes fortement rythmées, elle se rattache à la plus stricte abstraction à tendance géométrique.

VAL Nicolaud
Né en 1870 près de Bruxelles. Mort en 1943 près de Bruxelles. XXe siècle. Belge.
Peintre de paysages, natures mortes.
Il a été élève de Renoir.
BIBLIOGR. : In : *Dictionnaire biographique illustré des artistes en Belgique depuis 1830*, Arto, Bruxelles, 1987.
MUSÉES : LA HAYE.

VAL Sébastien d'
XVIe siècle. Italien.
Peintre d'histoire, graveur.
Seulement cité par Mireur. Son nom est probablement incomplet.

VAL Valentine, pseudonyme de **Valentine Fray**, épouse **Synave**
Née en 1870 à Bruxelles. Morte en 1943 à Paris. XIXe-XXe siècles. Belge.
Peintre de portraits, paysages, natures mortes, fleurs.
Elle fut élève d'Eugène Carrière à l'Académie de la rue de Rennes à Paris ; elle travailla également sous l'influence de Renoir, ami de son premier mari Charles Fray, et dont elle était aussi le modèle. En 1911, après vingt ans de mariage, elle divorça et épousa le peintre Tancrède Synave.
Elle débuta au Salon de Paris en 1913, exposa ensuite aux Salons des Indépendants, d'Automne, des Tuileries, de la Société Nationale des Beaux-Arts. Elle a montré ses œuvres dans des expositions personnelles : 1923, galerie Balzac, Paris ; 1925, 1937, galerie E. Druet, Paris ; 1935, galerie Bernheim

Jeune, Paris ; 1941, galerie de Berri, Paris ; 1947, galerie Krohg, Paris.

Influencée par les expressionnistes flamands et l'art de Renoir, elle peint ses bouquets, paysages du Midi, de Bretagne et des environs de Paris dans des tonalités claires, lumineuses, irisées, supprimant de sa palette les bruns et les noirs.

BIBLIOGR. : Gérald Schurr, in : *Les Petits Maîtres de la peinture 1820-1920, valeur de demain*, Les Éditions de l'Amateur, t. VII, Paris, 1989.

MUSÉES : LA HAYE : *Fleurs*.

VENTES PUBLIQUES : PARIS, 15 jan. 1943 : *Vase de fleurs* : FRF 1 000 – PARIS, 24 nov. 1950 : *Vase de fleurs 1924* : FRF 5 000 – L'ISLE-ADAM, 21 juin 1987 : *Autoportrait à la palette*, h/t (81x65) : FRF 80 000 – PARIS, 26 juin 1988 : *Bouquet de fleurs*, h/t (81x65) : FRF 15 000 – L'ISLE-ADAM, 25 sep. 1988 : *Guinguettes à Nogent 1927*, h/t (46x60) : FRF 26 000 – VERSAILLES, 28 jan. 1990 : *Bouquet de fleurs et coquillages*, h/t (61x65) : FRF 36 000 – VERSAILLES, 25 mars 1990 : *Le chaudron de fleurs*, h/cart. (71x91) : FRF 20 000.

VALADE Gabrielle Marie Marguerite

Née à Montpellier (Hérault). XIXe siècle. Française.

Peintre de natures mortes.

Élève de Vely et Parrot. Elle débuta au Salon de Paris, en 1877.

VENTES PUBLIQUES : NEW YORK, 24 oct. 1989 : *Chapeau de paille rempli de fleurs sauvages*, h/t (59,7x73) : USD 12 100.

VALADE Jean

Né en 1709 à Poitiers. Mort le 12 décembre 1787 à Paris. XVIIIe siècle. Français.

Peintre de portraits, pastelliste, dessinateur.

On l'a considéré comme l'un des portraitistes les plus estimables du XVIIIe siècle français. Si on ne va pas jusqu'à le comparer à Nattier (1685-1766) ou à Tocqué (1696-1771), il est permis de le rapprocher des portraitistes contemporains comme Aved (1702-1766), ou Simon Belle (1674-1734). Il fut agréé à l'Académie des Beaux-Arts de Paris le 28 novembre 1754.

Jean Valade débuta au Salon de Paris, en 1751 ; la liste que nous donnons des œuvres qu'il exposa au Salon, suffit à démontrer le cas que ses contemporains occupant de hautes charges faisaient de son talent. Ont figuré les œuvres suivantes au Salon de 1751 : Portrait en pied de M. le marquis de Caumont – Portrait de M. le chevalier Pinon, capitaine au régiment de Caraman ; de 1755 : Portrait de M. Lamoignon, chancelier de France – Portrait de M. Pichaud du Pavillon – Portrait de M. D'Ars, sous-lieutenant des gardes du roi – Portrait de Mme D'Ars – Portrait de feu M. Guyot de Reverseau, avocat (portrait peint sur une cire moulée après sa mort) – Portrait de M. Dalibard, de l'Académie des Sciences – Portrait de Mme Dalibard – Portrait de M. Pinçon, argentier de la petite écurie du roi – Portrait de M. Le Breton-des-Chapelles, trésorier de France – Portrait de Mme Godeffroid chargée de l'entretien des tableaux du roi – Portrait de M. Remond ; de 1757 : Portrait de M. Montamy, premier maître d'hôtel de Mgr le duc d'Orléans – Deux portraits – Deux portraits, pastels même numéro ; de 1763 : Portrait de Mme de Bourgogne – Portrait de M. Coutard, chevalier de Saint-Louis – Portrait de Mme son épouse, même numéro – Portrait de M. Loriot, ingénieur mécanicien ; de 1765 : Portrait de M. Raimond de Saint-Sauveur, lieutenant général des Eaux et Forêts – Portrait de Mme Raimond de Saint-Sauveur ; de 1767 : Tableau allégorique en l'honneur de M. le maréchal de Belle-Isle (appartient à l'archevêque de Toulouse) – Portrait de M. de Ravanne, grand-maître des Eaux et Forêts d'Orléans, pastel – Portrait de M. Chauffar, architecte ; de 1769 : Portrait de M. le duc de Noailles – Portrait d'un jeune enfant habillé en espagnol, pastels ; de 1781 : Portrait de M. Raulin, conseiller, médecin ordinaire du roi – Portrait de M. Cadet, chirurgien de l'école royale de Saint-Côme – Portrait de Mlle Barbereux, pastels.

Il a la couleur claire de son époque, et si ses portraits n'ont pas le caractère des grandes œuvres, ils sont néanmoins très plaisants et décoratifs.

MUSÉES : ORLÉANS : *La femme de l'artiste* – Deux dessins – PARIS (Mus. du Louvre) : *Jean-Baptiste Lemoyne le jeune* – VERSAILLES : *Le peintre Louis de Silvestre* – *Tableau allégorique en l'honneur de M. le maréchal de Belle-Isle*.

VENTES PUBLIQUES : PARIS, 17 avr. 1920 : *Portrait présumé d'Henri Cochin, avocat au Parlement de Paris* : FRF 3 600 – PARIS, 10 déc. 1926 : *Portrait de Marguerite Catherine Baudoin* ;

Portrait d'homme, past., une paire : FRF 9 500 – PARIS, 14 mars 1955 : *Portrait de femme en buste, tenant un œillet*, past. : FRF 66 000 – VERSAILLES, 13 mai 1970 : *Portrait d'homme*, past. : FRF 6 000 – PARIS, 2 juil. 1980 : *Portrait d'homme*, past. (93x74) : FRF 29 000 – MONTE-CARLO, 8 fév. 1981 : *Portrait de Guillaume de Lamoignon, chancelier de France*, past. (64x52,5) : FRF 11 000 – PARIS, 23 mars 1982 : *Portrait d'un couple dans un intérieur*, h/t (101x81) : FRF 52 000 – NEW YORK, 9 juin 1983 : *Portrait présumé du jeune Lafayette jouant aux cartes 1768*, h/t, de forme ovale (72x57) : USD 25 000 – VERSAILLES, 14 déc. 1986 : *Portrait d'un gentilhomme en habit clair*, past. (54x43) : FRF 24 500 – PARIS, 19 mars 1987 : *Dame de qualité vue en buste presque de face 1763*, past., de forme ovale (65,5x55) : FRF 20 000 – PARIS, 12 déc. 1989 : *Portrait de Monsieur Carré de Candé et de ses trois fils*, h/t (163x130) : FRF 1 900 000 – PARIS, 25 mars 1991 : *Portrait d'un couple dans son intérieur*, h/t (100x80) : FRF 150 000 – MONACO, 21 juin 1991 : *Portrait de Joseph Balthazar Gibert 1767*, h/t (145x112) : FRF 255 300.

VALADE Pierre L. J.

Né le 10 septembre 1909 à Poitiers (Vienne). XXe siècle. Français.

Peintre.

Il fut élève des Écoles des Arts Décoratifs et des Beaux-Arts à Paris. Il a exposé, à Paris, aux Salons des Artistes Français, y obtenant une médaille d'argent en 1933, une autre en 1937 lors de l'Exposition Internationale, de même qu'aux Salons des Indépendants et d'Automne. Il fut pensionnaire de la Casa Velasquez à Madrid en 1935. Il obtint une bourse de voyage de l'État en 1941.

Il a exécuté des travaux très importants dans le cadre des recherches, restaurations et répliques des fresques romanes, françaises, notamment à Poitiers, Saint-Savin, au Puy, etc. Il a réalisé diverses décorations monumentales.

VALADEZ Emiliano

Né à Mexico. XIXe-XXe siècles. Mexicain.

Graveur au burin.

Il figura aux Salons de Paris, mention honorable en 1907.

VALADIÉ Jean-Baptiste

Né en 1933. XXe siècle. Français.

Peintre de genre, figures, fleurs, peintre à la gouache, aquarelliste.

VENTES PUBLIQUES : LE TOUQUET, 12 nov. 1989 : *Les séductrices*, h/t (65x80) : FRF 36 500 – CALAIS, 4 mars 1990 : *Contre-jour*, h/t (46x55) : FRF 35 000 – PARIS, 8 avr. 1991 : *Le Voyageur*, h/t (92x73) : FRF 27 500 – CALAIS, 20 oct. 1991 : *Jeux de dames*, aquar. (58x94) : FRF 12 500 – LE TOUQUET, 8 nov. 1992 : *Jeune Femme et son fils 1961*, h/t (100x50) : FRF 12 000 – CALAIS, 13 déc. 1992 : *Romantisme*, h/t (56x46) : FRF 21 000 – CALAIS, 12 déc. 1993 : *Les Enfants*, h/t (80x40) : FRF 8 500 – CALAIS, 11 déc. 1994 : *Bouquets de violettes et d'anémones*, gche et aquar. (49x63) : FRF 15 000 – CALAIS, 15 déc. 1996 : *Mère et Enfant 1961*, h/t (100x50) : FRF 8 000.

VALADIER C. Luigi ou Louis

Né le 26 février 1726 à Rome. Mort le 15 septembre 1785 à Rome, en se jetant dans le Tibre. XVIIIe siècle. Français.

Sculpteur, fondeur et orfèvre.

Pour le Vatican, il fit de nombreux travaux en argent et a serti d'or des camées antiques. Aidé de Bartolomeo Hecher, il exécuta une reproduction de la Colonne Trajane, en argent doré sur fond de lapis-lazuli, renfermant une horloge. Il fit également des centres de table ornés d'obélisques, de temples, de colonnes en pierres dures et décorées de bronze et argent. Sur le plan monumental, on lui doit un autel en argent pour l'église de Monreale à Palerme. Le Musée du Louvre conserve de lui un calice en vermeil.

VALADON Jules Emmanuel

Né le 5 octobre 1826 à Paris. Mort le 28 mars 1900 à Paris. XIXe siècle. Français.

Peintre de scènes de genre, portraits, natures mortes.

Il fut élève de Léon Cogniet, Drolling et Lehmann. Il débuta au Salon de Paris, en 1857 ; obtenant une troisième médaille en 1880.

Certains de ses tableaux, tels que *La Bohème artiste* (Salon de 1857), *Coin de jardin* et *Un paysan* eurent du succès. La virtuosité avec laquelle il peignit les objets, surtout précieux, a fait apprécier ses natures mortes. Il peignit également des jardins.

J. VALADON

Musées : Cahors : *Le repos éternel* – Calais : *Un vieux* – Châteauroux : *La charité* – Digne : *Le cellier* – Épinal : *Portrait de Mlle Gay de Vernon* – Lille : *Rêve de jeunesse* – Mulhouse : *Le peintre Gluck* – Narbonne : *La bohème artiste* – Orléans : *L'artiste* – Paris (Mus. d'Orsay) : *Portrait du peintre Alphonse Osbert* – Périgueux : *Un dessinateur* – Provins : *Frère et sœur* – Poissons, vases – Strasbourg : *Simplicité* – Versailles : *Portrait de François Coppée*.

Ventes Publiques : Paris, 1884 : *Vieillard lisant* : **FRF 5 200** – Paris, 16 mai 1895 : *Le marchand de bijoux* : **FRF 100** – Paris, 18 avr. 1928 : *Vision douloureuse*, étude : **FRF 190** – Paris, 1er juil. 1943 : *Nature morte à la lanterne* : **FRF 650** – Paris, 26 avr. 1944 : *Portrait d'homme* : **FRF 700** – Paris, 2 déc. 1946 : *Portrait de vieille femme* : **FRF 1 100** – Paris, 14 nov. 1990 : *L'enfant endormi*, h/t (79x127) : **FRF 5 000** – Paris, 4 mars 1992 : *Nature morte aux fruits*, h/pap. (17x28) : **FRF 3 200**.

VALADON Maurice. Voir UTRILLO

VALADON Suzanne, de ses vrais prénoms : Maria Clémentine

Née le 23 septembre 1865 à Bessines-sur-Gartempe (Haute-Vienne). Morte le 7 avril 1938 à Paris. XIXe-XXe siècles. Française.

Peintre de figures, nus, paysages, paysages urbains, natures mortes, dessinatrice, pastelliste.

Entre 1865 et 1870, Suzanne Valadon et sa mère déménagèrent à Paris. Elles habitèrent d'abord le quartier de la Bastille, puis la butte Montmartre. La mère faisait des ménages, la fille, Suzanne, fut instruite dans une école religieuse jusqu'en 1876, année où elle fut renvoyée pour mauvaise conduite. Elle entra comme apprentie dans un atelier de confection, chez un fleuriste, puis sur un marché en plein air. Elle était déjà passionnée par le dessin. René Barotte écrivait dans la précédente édition de ce dictionnaire : « Elle a raconté à Robert Rey comment, à l'aide de morceaux de braisette que lui donnait une charbonnier, elle traçait de fougueuses académies sur le trottoir de la place Vintimille. Elle a même confié à l'écrivain : Je n'y comprends rien quand j'y songe, moi qui ne serais pas capable aujourd'hui de dessiner de mémoire un sucrier. » Plus tard, Suzanne Valadon s'entraîna à devenir acrobate, mais une chute de trapèze la contraignit de s'arrêter. Ensuite, pour gagner sa vie, elle devint modèle à quinze ans. Elle posera pour Puvis de Chavannes (*Le Bois Sacré*), Renoir (*La Danse à la ville* ; *Les grandes baigneuses*), Toulouse-Lautrec (*La Buveuse* ou *Gueule de bois*), Henner (*Mélancolie*), Wertheimer (*Le Baiser de la Sirène*), Vojtech Hynais et Hector Leroux. Son nom de modèle était Maria, son prénom d'artiste sera Suzanne. Son fils, né le 25 décembre 1883, fut reconnu en 1891 par un Espagnol, Miguel Utrillo y Morlius, peintre et biographe du Greco, qui ne voulut pas laisser l'enfant sans état civil. Cependant la véritable paternité de Maurice Utrillo n'est pas établie. Elle fut tour à tour attribuée à Puvis de Chavannes, Renoir ou Boissy. Quant au talent de Suzanne Valadon, René Barotte écrivait : « Lautrec fut sans doute le premier qui s'émerveilla devant certaines études de nus qu'elle lui montra presque en cachette. Un peu plus tard, Degas aida à son tour s'exprimer le talent de la jeune artiste ; il ne perdit jamais de vue celle qu'il appelait *la terrible Maria* et à laquelle il écrivait encore en août 1894 : « J'ai voulu acheter hier chez De Bouteville votre dessin excellent mais je n'en savais pas le prix, venez vite avec votre carton pour voir si vous n'avez pas quelque chose de mieux. Vous savez combien j'aime à voir ces gros traits si souples. » Cette même année, Degas acheta une de ses cinq œuvres exposées au Salon de la Société Nationale des Beaux-Arts, ce fut le début d'une longue amitié. Il lui enseigna également la gravure en taille-douce sur sa propre presse. En 1896 Suzanne se maria avec le fortuné agent de change Paul Mousis, vécut entre Paris et Pierrefitte. Maurice Utrillo, sujet de fréquentes crises d'éthylisme, quitta l'école en 1900. Sur les conseils d'un médecin qui diagnostiqua une schizophrénie, Suzanne Valadon lui enseigna la peinture. Elle rencontra en 1909 le jeune peintre André Utter et se sépara officiellement de Paul Mousis en 1913. Avec Utter, elle vécut dans le milieu de Salmon, Max Jacob, Mac Orlan, Derain, Apollinaire. En 1924, elle signa un contrat avec la galerie Bernheim Jeune. En 1933, elle adhéra au groupe des Femmes Artistes Modernes (F.A.M.) avec lequel elle exposa jusqu'à sa mort.

Elle a participé à de nombreuses expositions collectives, parmi lesquelles : 1894, Société Nationale des Beaux-Arts, Paris ; 1907, galerie Eugène Blot, Paris ; 1909, 1910, 1911 et régulièrement, Salon d'automne, Grand Palais, Paris ; à partir de 1911 et régulièrement, 1926 (rétrospective), Salon des Indépendants, Paris ; 1917, *Utrillo, Valadon, Utter*, galerie Berthe Weill, Paris ; 1920, *Deuxième exposition de la jeune peinture française*, galerie Manzy Joyant, Paris ; 1921, *La Jeune peinture*, Palais d'Ixelles ; 1927, 1928, Salon des Tuileries, Paris ; à partir de 1933 et régulièrement, Salon des Femmes Artistes Modernes, Paris. Après sa mort : 1940, XXIIe Biennale internationale des Beaux-Arts, Paris ; 1949, *Les grands courants de la peinture contemporaine de Manet à nos jours*, Musée des Beaux-Arts, Lyon ; 1964, Documenta, Kassel ; 1969, 14e Salon de Montrouge ; 1976, *Women Artists (1550-1950)*, Los Angeles County Museum of Art.

Elle a montré ses œuvres dans des expositions personnelles, dont : 1911, la première, galerie Clovis Sagot ; 1915, 1919, 1927 (rétrospective), 1928, galerie Berthe Weil, Paris ; 1922, 1923, 1929, galerie Bernheim Jeune, Paris ; 1928, galerie des Archers, Lyon ; 1929, 1937, galerie Bernier, Paris ; 1931, 1932, galerie Le Portique, Paris ; 1931, galerie Le Centaure, Bruxelles ; 1932, rétrospective avec préface d'Édouard Herriot, galerie Georges Petit, Paris. Expositions posthumes : 1938, 1942, 1947, 1959, 1962, galerie Pétridès, Paris ; 1939, 1947, galerie Bernier, Paris ; 1948, *Hommage à Suzanne Valadon*, Musée National d'Art Moderne, Paris ; 1956, The Lefevre Gallery, Londres ; 1967, Musée National d'Art Moderne, Paris ; 1996, Suzanne Valadon, Fondation Pierre Gianada, Martigny.

Une fois que sera reconnu, dans les années vingt, le talent de Suzanne Valadon, sa vie commencera à passionner nombre de commentateurs, en particulier sa vie sentimentale et ses relations avec son fils, le peintre Maurice Utrillo. Lorsqu'elle montra des tableaux de 1909 à 1911, aux Indépendants, elle n'intéressa guère en effet la critique. Seul Tabarant la défendit. Parmi les autres personnalités qui suivirent son travail, citons Robert Rey qui écrivit sa première monographie en 1920, Francis Carco, Gustave Coquiot et Edouard Herriot. Artiste autodidacte, elle apprit pour ainsi dire la peinture lors de ses séances de pose. Son *Autoportrait au pastel* qui date de 1883 est sa première œuvre connue. Entre 1884 et 1890, elle réalisera nombre de dessins (crayons, sanguines, fusains) : des portraits, des autoportraits, des scènes familiales et des nus, de jeunes filles et d'enfants, dont ceux de son fils Maurice Utrillo. De 1892-1893 date le portrait d'Erik Satie avec qui elle entretint une liaison. Dès cette époque, son style possède déjà cette fermeté du trait qu'accentuent les cernes dessinant les figures. C'est entre 1903-1908 qu'elle exécute ses premiers tableaux, de grands nus féminins campés dans des intérieurs sobres. Son véritable maître sera Degas dont elle reprend d'ailleurs certains thèmes comme les femmes à la toilette, les nus couchés ou les scènes d'intérieur. Sa rencontre avec Utter modifie son œuvre. Il l'incite davantage à peindre. Entre 1883 et 1909, on connaît moins de vingt peintures et quantité de dessins et pastels, entre 1909 et 1938 quatre cents cinquante huiles. Seule femme admise à la Société Nationale des Beaux-Arts en 1894, elle est une des premières femmes peintres à clairement nommer le plaisir de l'amour physique : *Adam et Eve* (1909) – tableau à propos duquel la censure du Salon lui demandera de masquer le sexe masculin d'Adam (André Utter) –, *La joie de vivre* (1911) et *Lancement du filet* (1914) sont parmi les tableaux les plus évocateurs. Mis à part les nus figurant André Utter en peinture et dessin (1909-1914), Suzanne Valadon privilégiera cependant l'observation de la morphologie du corps féminin dépeint souvent de manière sculpturale et sans complaisance. Elle exécute vers 1913 des scènes avec plusieurs personnages. Entre 1918 et 1938, elle varie ses thèmes : une belle série de nus et baigneuse vers 1923, des vues de paysages et du château Saint-Bernard, près de Lyon – qu'elle acquit sur un coup de tête –, et des natures mortes vers 1927-29. Elle eut plusieurs commandes de portraits, tous exécutés sans idéalisation aucune. Son dernier autoportrait date de 1931, elle s'y représente le corps flétri, les yeux absents (*Autoportrait aux seins nus*). On perçoit dans quelques-unes de ses œuvres l'influence de l'espace cloisonniste de l'École de Pont-Aven, effet sans doute accentué par l'utilisation constante de cernes. La gamme chromatique utilisée est souvent composée de teintes contrastées (*Nu à la draperie rouge*, vers 1914), particulièrement dans ses natures mortes de fleurs (*Bouquet dans un vase Empire*, 1920) et pour *La chambre bleue* de 1923. Sa palette ira d'ailleurs en s'élargissant. René Barotte écrivait encore dans la précédente édition du dictionnaire : « Peintre plein de force, elle a laissé un œuvre plus mâle que celui de beaucoup d'hommes. On peut retenir cette belle pensée de l'artiste : *Chacun peint comme il voit, ce qui revient à dire, chacun peint comme il peut.* Consciente de son talent longtemps méconnu, en visitant un jour le Louvre avec Utter son mari, elle lui confia : « J'aurai peut-être plus tard ma place ici. » Il ne semble pas qu'elle se soit trompée. ■ Christophe Dorny

Suzanne Valadon

Suzanne Valadon

S Valadon

Bibliogr. : Robert Rey : *Suzanne Valadon*, N.R.F., Paris, vers 1920 – Maurice Raynal : *Anthologie de la peinture en France, de 1906 à nos jours*, Montaigne, Paris, 1927 – René Huyghe : *Les Contemporains*, Tisné, Paris, 1949 – N. Jacometti : *Suzanne Valadon*, Cailler, Genève, 1947 – John Rewald, in : *Diction. de la peint. mod.*, Hazan, Paris, 1954 – B. Dorival : *Les peintres du XXᵉ siècle*, Tisné, Paris, 1957 – *Suzanne Valadon*, catalogue d'exposition, Musée National d'Art Moderne, Paris – Paul Pétridès : *L'œuvre complet de Suzanne Valadon*, Compagnie Française des Arts Graphiques, Paris, 1971 – in : *L'Art du XXᵉ siècle*, Larousse, Paris, 1991 – Jeanine Warnod : *Suzanne Valadon*, Editions Flammarion, Paris, 1981 – in : *Dictionnaire de l'art moderne et contemporain*, Hazan, Paris, 1992 – Thérèse Diamand-Rosinsky : *Suzanne Valadon*, collection Universe Series on Women Artists, Universe Publishing Co., New York, 1994 – *Suzanne Valadon*, catalogue d'exposition, Fondation Pierre Gianadda, Martigny, 1996.

Musées : Albi : *Nature morte au verre à pied* – Alger : *La rue Cortot* – Belgrade : *Nature morte, fleurs et tissu rayé* – Berne (Kunstmuseum) : *Les œufs de cane* 1931, dépôt de la Fondation Im Obersteg – Besançon (Mus. des Beaux-Arts) : *Le canard* 1930 – Cambrai (Mus. des Beaux-Arts) : *Portrait de Madame Lévy* 1922, dépôt du Musée national d'art moderne de Paris – Cologne (Wallraf-Richartz Mus.) : *Portrait de femme* 1925-1928 – Genève (Petit Palais) : *Après le bain* 1908, past. – *L'avenir dévoilé, ou la Tireuse de cartes* 1912 – *Femme à la contrebasse* vers 1914-1915 – *Nu debout aux cheveux longs* 1916, cr. – *Nu allongé sur un canapé rouge* 1920 – *Nu à la draperie* 1920 – Limoges (Mus. de l'Evêché) : *Fillette nue et servante* 1896, sanguine – *La couturière* 1914 – *Bouquet de fleurs au napperon brodé* 1930, dépôt du Musée national d'Art moderne de Paris – Lyon : *Berthe et sa fille à la poupée* – Lyon (Mus. des Beaux-Arts) : *La toilette* 1908, cr. et past. – *Marie Coca et sa fille Gilberte* 1914 – Monte-Carlo : *Portrait de Mauricia Gustave-Coquiot* – Nancy (Mus. des Beaux-Arts) : *La femme aux bas blancs* 1924 – New York (The Metropolitan Mus. of Art) : *Après le bain* 1893, cr. – *Jeune fille nue assise à sa toilette* vers 1895, cr. – *La joie de vivre* 1911 – *Nu couché* 1928 – Paris (Mus. Nat. d'Art Mod.) : *Portrait de l'artiste* 1883, past. – *La grand-mère* 1883, sanguine – *Maurice Utrillo enfant* 1896, sanguine – *Jeune fille faisant du crochet* vers 1892 – *Maurice Utrillo nu, assis sur un divan* 1895, cr. – *Deux nus : femme assise, femme étendue* 1897, fus. – *Portrait de l'artiste* 1903, sanguine – *Fillette nue assise sur le sol, les jambes allongées* 1894, fus. et gche – *Autoportrait* 1903, sanguine – *Femme nue assise sur une serviette* 1908, fus. et past. – *Femme nue sortant du bain près d'un fauteuil* vers 1908, fus. et sanguine – *Modèle nu debout et femme nettoyant une baignoire* vers 1908, fus. – *Adam et Ève* 1909 – *Ni blanc ni noir, ou face* vers 1909, fus. – *Adam et Ève* 1909 – *Ni blanc ni noir, ou Après le bain* 1909 – *Maurice Utrillo, sa grand-mère et son chien* 1910 – *Portrait de Maurice Utrillo, la tête appuyée sur le poing, ou Utrillo pensif* 1911, fus. sur pap. calque – *Nature morte à la théière* 1911, fus. – *André Utter, nu debout* 1911, fus., étude pour La joie de vivre – *Portrait de la mère de l'artiste* 1912 – *Deux études de nus, ou Nus au Miroir* 1914, fus. et past. – *La couturière* 1914 – *Les lanceurs de filets (ou Le Lancement du filet)* 1914 – *Fleurs* 1920 – *Portrait de la famille Utter* vers 1921 –

La femme à la commode (Mrs Walton) 1922 – *Portrait de Miss Lily Walton* 1922 – *Portrait de Madame Nora Kars* 1922 – *Maison dans un jardin (Château de Sogalas, Basses-Pyrénées)* 1923 – *La chambre bleue* 1923 – *La chambre bleue* 1923 – *Femme nu debout tenant une palette* 1927, fus., étude pour une affiche – *Village de Saint-Bernard, Ain* 1929 – Paris (Mus. du Petit Palais) : *Nu à la couverture rayée* 1922 – *Le violon* – Paris (Mus. d'Art Mod. de la Ville) : *Mère et enfant* vers 1900, cr. gras – *Maurice Utrillo devant son chevalet* 1919 – *Nu au bord du lit* 1922 – *La boîte à violon* 1923 – *Nature morte à la draperie et au bouquet d'œillets* 1924 – Paris (Mus. de Montmartre) : *Autoportrait* 1894, cr. et pl. – Prague : *Fleurs* – Sannois (Mus. Maurice-Utrillo) : *Portrait de famille* 1913, cr. – Washington D. C. (The Nat. Mus. of Women in the Arts) : *Nu se coiffant* vers 1916 – *La poupée délaissée* 1921.

Ventes Publiques : Paris, 28 mars 1919 : *Après le bain*, past. : FRF 300 – Paris, 8-10 juin 1920 : *Maison à Montmartre, rue Cortot* : FRF 950 – Paris, 16 déc. 1920 : *Nu*, past. : FRF 1 700 – Paris, 2 mars 1925 : *Paysage de Montmartre* : FRF 1 150 – Paris, 16 juin 1926 : *Après la séance*, past. : FRF 4 720 – Paris, 2 juin 1928 : *Une table bien garnie* : FRF 10 000 – Paris, 8 mai 1941 : *Sous-bois* : FRF 9 000 – Paris, 9 mars 1942 : *Le pavillon de campagne* : FRF 32 800 – Paris, 24 juin 1942 : *Paysage de roses au vase chinois* 1923 : FRF 47 500 – Paris, 21 déc. 1942 : *Fleurs dans un vase bleu* : FRF 110 000 – Paris, 3 fév. 1943 : *Fleurs et fruits* 1918 : FRF 82 000 – Paris, 5 mars 1945 : *Nu assis au fauteuil* : FRF 136 000 – Paris, 24 jan. 1947 : *Apprêts de danseuse*, past. : FRF 60 000 – Paris, 23 nov. 1949 : *Vase de pivoines* : FRF 76 000 – Paris, 7 déc. 1949 : *Femme nue étendue* 1919 : FRF 180 100 ; *Femme nue au canapé* 1903, sanguine : FRF 22 500 – Paris, 10 mai 1950 : *Jeune fille à la fenêtre* 1930 : FRF 220 000 – Paris, 30 juin 1950 : *Nature morte aux fruits* 1921 : FRF 302 000 – Paris, 27 nov. 1950 : *La leçon de maintien* 1917, cr. noir : FRF 34 000 – Paris, 20 déc. 1950 : *L'arbre* : FRF 90 000 – Paris, 19 mars 1951 : *Les tulipes* : FRF 227 000 ; *Le petit pavillon* : FRF 105 000 ; *Nu assis* 1919, past. : FRF 24 000 – New York, 14 avr. 1951 : *Fleurs dans une cruche* 1930 : USD 825 – Paris, 20 juin 1951 : *Portrait d'Alfredine* 1929 : FRF 100 000 – Paris, 27 juin 1951 : *Le compotier* : FRF 260 000 – Paris, 2 juil. 1951 : *Le tub* 1905, past. : FRF 69 000 – Paris, 24 mars 1955 : *Femme chaussant une fillette* 1931 : FRF 600 000 – New York, 7 nov. 1957 : *La vachère* : USD 7 750 – Paris, 15 déc. 1958 : *Clownesse*, sur bois : FRF 1 600 000 – Paris, 16 juin 1959 : *Fleurs dans un pot de grès sur une table de bois* 1931 : FRF 4 250 000 – Paris, 31 mars 1960 : *Fillette à la poupée* : FRF 30 000 – Londres, 7 juil. 1960 : *Jeune fille nue étendue*, cr. : GBP 2 200 – Paris, 13 mars 1961 : *Paysage* : FRF 21 000 – Londres, 5 juil. 1961 : *Portrait de femme* : GBP 920 – Versailles, 29 nov. 1961 : *Nu couché* : FRF 35 000 – Paris, 8 nov. 1962 : *Femme à la chemise rose*, past. : FRF 11 500 – Paris, 21 mars 1963 : *Nu au canapé* : FRF 47 000 – Paris, 8 juin 1964 : *Leda au cygne*, past. : FRF 15 200 – New York, 14 avr. 1965 : *L'arbre de la carrière de Montmagny* : USD 13 000 – Paris, 17 juin 1966 : *Autoportrait* : FRF 60 000 – Paris, 10 déc. 1968 : *Germaine Utter à sa fenêtre* : FRF 80 000 – Paris, 12 mars 1969 : *Nu de dos sur un fauteuil*, past. : FRF 60 000 – Genève, 14 juin 1970 : *Fleurs rouges et chat* : CHF 60 000 – Paris, 10 déc. 1971 : *La poupée délaissée* : FRF 95 000 – Londres, 28 nov. 1972 : *Bouquet de fleurs dans un pot de grès* : GNS 7 500 – Versailles, 3 juin 1973 : *Nu à la draperie bleue* : FRF 80 000 – Zurich, 16 mai 1974 : *Nu debout* 1922 : CHF 96 000 – Versailles, 8 déc. 1974 : *La Brune et la Rousse* 1919, past. : FRF 19 500 – Los Angeles, 22 sep. 1976 : *Paysage à Meyzieux* 1917, h/t (73x92) : USD 11 500 – Versailles, 5 déc. 1976 : *Jeune femme se tenant le pied* vers 1904-1905, cr. (20x14) : FRF 12 000 – New York, 10 fév. 1977 : *Louise au tub s'essuyant le pied* 1908, pointe sèche en sépia (21,1x23,1) : USD 2 500 – Paris, 9 déc. 1977 : *Jeune fille nue et grand-mère à la toilette* 1910, cr. noir (22x23) : FRF 31 000 – Paris, 15 juin 1977 : *Nu au tub* 1909, past. et reh. de gche (31x27) : FRF 26 000 – Zurich, 23 nov. 1977 : *Nu couché* 1921, h/t (60x81) : CHF 38 000 – New York, 16 févr 1979 : *Portrait d'Utrillo (profil à droite)* 1928, litho. en noir, reh. de cr. et de cr. orange/simili Japon (22,4x17,9) : USD 900 – Paris, 22 mars 1979 : *Autoportrait*, cr. noir (19x25) : FRF 12 000 – Enghien-les-Bains, 27 mai 1979 : *Le bain* 1909, past. et gche (31x27,5) : FRF 57 100 – Los Angeles, 19 juin 1979 : *Nature morte au chandelier et à la fontaine de faïence* 1921, h/t (91,5x64,6) : USD 40 000 – Paris, 24 mars 1981 : *Nature morte aux fruits et aux fleurs* 1922, h/t (50x65) : FRF 130 000 – Paris, 22 juin 1983 :

Adèle préparant le tub et Ketty aux bras levés 1905, vernis mou : **FRF 11 000** – PARIS, 15 déc. 1983 : *Jeune Femme au tub* 1903, cr. noir et sanguine avec reh. à l'h. (25,5x20) : **FRF 38 000** – NEW YORK, 16 nov. 1983 : *Nu se coiffant* vers 1916, h/t (104,9x75,6) : **USD 18 000** – NEW YORK, 13 nov. 1985 : *Fillette à la poupée* 1920, h/t (65,5x49,2) : **USD 25 000** – PARIS, 17 fév. 1986 : *Bouquet de fleurs* 1936, h/t : **FRF 126 000** – NEW YORK, 14 mai 1986 : *Nu dans un fauteuil* 1923, h/t (73,6x61) : **USD 47 000** – NEW YORK, 18 fév. 1988 : *Rue Cortot*, h/pap. (50x61) : **USD 8 250** – PARIS, 20 mai 1988 : *Vase de fleurs devant une draperie*, h/t (55,5x38,5) : **FRF 215 000** – PARIS, 12 juin 1988 : *Nu au tub*, monotype (23x22) : **FRF 14 000** – PARIS, 15 juin 1988 : *Nu debout à la draperie* 1924, h/t (82x65) : **FRF 340 000** – PARIS, 22 juin 1988 : *Nu assis se coiffant* 1920, fus. et past. (51x37) : **FRF 90 000** – LONDRES, 29 juin 1988 : *Nu à la draperie* 1921, h/t (92x73) : **GBP 60 500** – PARIS, 19 et 20 oct. 1988 : *Nu se coiffant*, dess. au fus. (46x32) : **FRF 42 500** ; *Nu*, dess. mine de pb (20x27) : **FRF 18 000** – PARIS, 22 nov. 1988 : *Nu se coiffant* 1920, dess. au fus. (54,5x32) : **FRF 30 000** – LONDRES, 22 fév. 1989 : *Vase de fleurs* 1915, h/pap./t. (54,4x45) : **GBP 24 200** – PARIS, 9 avr. 1989 : *Portrait de Germaine Utter*, h/t (81x65) : **FRF 155 000** – PARIS, 13 avr. 1989 : *Le Château du Jonchet, Anse* 1931, h/t (81x65) : **FRF 145 000** – NEW YORK, 5 oct. 1989 : *Vase de fleurs sur un fauteuil* 1924, h/t (61,5x50,2) : **USD 55 000** – LONDRES, 25 oct. 1989 : *Château du Jonchet, Anse* : **GBP 35 200** – NEW YORK, 13 nov. 1989 : *Femme nue devant un miroir* 1904, past. /pap. (59x48) : **USD 57 200** – PARIS, 20 nov. 1989 : *Nu allongé sur un canapé* 1928, h/t (73x100) : **FRF 700 000** – PARIS, 4 fév. 1990 : *Femme allongée dans un hamac*, h/t (81x100) : **FRF 640 000** – NEW YORK, 26 fév. 1990 : *Nature morte au compotier* 1918, h/t (61x50,2) : **USD 187 000** – PARIS, 26 mars 1990 : *Paysage vue de la rue Cortot* 1916, h/t (65x50) : **FRF 260 000** – PARIS, 19 juin 1990 : *Jeune fille couchée* 1922, h/t (65x93) : **FRF 600 000** – LONDRES, 17 oct. 1990 : *Château du Jonchet à Anse dans le Rhône* 1931, h/t (81x65) : **GBP 33 000** – NEW YORK, 15 nov. 1990 : *Nu assis sur le bord d'un lit* 1929, h/t (81,3x65,1) : **USD 110 000** – PARIS, 16 juin 1991 : *Jeune femme à sa coiffure* 1924, h/t (56x47) : **FRF 250 000** – LONDRES, 25 juin 1991 : *Femme aux seins nus (autoportrait)* 1917, h/t (65x50) : **GBP 44 000** – PARIS, 18 mai 1992 : *La toilette*, mine de pb (15x15) : **FRF 11 000** – PARIS, 19 juin 1992 : *Femme peintre* 1927, lav. d'encre de Chine et sanguine (61x37) : **FRF 24 500** – PARIS, 17 nov. 1992 : *Compotier de fruits, pot et serviette* 1924, h/t (33x46) : **FRF 140 000** – PARIS, 4 avr. 1993 : *Femmes s'essuyant* 1896, vernis mou (28,5x20) : **FRF 14 000** – NEW YORK, 12 mai 1993 : *Femme assise devant un bouquet de fleurs* 1929, h/t (100,3x81) : **USD 28 750** – PARIS, 17 déc. 1993 : *Les Trois Grâces* 1929, dess. (56,5x45) : **FRF 40 000** – PARIS, 3 juin 1994 : *Catherine prépare le tub et Louise se coiffe* 1895, vernis mou (23x28) : **FRF 20 000** – PARIS, 22 juin 1994 : *Vase de tulipes et pot espagnol* 1929, h/t (65x51) : **FRF 136 000** – NEW YORK, 28 sep. 1994 : *Vase de fleurs* 1929, h/t (65x50) : **USD 28 750** – PARIS, 4 oct. 1994 : *Femmes et enfant au bord de l'eau* 1904, eau-forte : **FRF 4 000** – NEW YORK, 10 mai 1995 : *Femme et chat* 1919, h/t (65,4x54) : **USD 51 750** ; *La Lune et le Soleil ou La Brune et la Blonde* 1903, h/cart. (100x81) : **FRF 320 000** – NEW YORK, 8 nov. 1995 : *Marie Coca avec l'Arbi* 1927, h/t (65,3x92,5) : **USD 12 650** – PARIS, 13 juin 1996 : *Ketty s'étirant* 1904, vernis mou et pointe sèche (158x199) : **FRF 8 000** – PARIS, 19 juin 1996 : *Femme assise penchée en avant* 1920, dess. et fus. /pap. (36,5x27,5) : **FRF 17 000** – PARIS, 6 nov. 1996 : *Femme se coiffant* 1920, cr./pap. (52,5x30) : **FRF 14 500** – LONDRES, 3 déc. 1996 : *L'Acrobate ou la Roue* vers 1916, h/t (38x46) : **GBP 36 700** – PARIS, 12 déc. 1996 : *Nature morte à la théière*, h/cart. (46x55) : **FRF 100 000** – LONDRES, 19 mars 1997 : *Autoportrait* 1917, h/t (64x50) : **GBP 38 900** – NEW YORK, 13 mai 1997 : *Mère et enfant dans un intérieur* 1910, craie noire/pap./pan. (19,5x26,6) : **USD 18 400** – LONDRES, 25 juin 1997 : *Nu debout à la draperie* 1921, h/t (73x54) : **GBP 35 600** – PARIS, 27 oct. 1997 : *Les Abords du château Saint-Bernard*, h/t (66x54) : **FRF 49 000**.

VALAGER Anne
Née en 1744. Morte en 1818. XVIIIᵉ-XIXᵉ siècles. Française.
Peintre.

VALANCE. Voir **VALENCE**

VALANCIENNE Louis Noël
Né le 5 février 1827 à Paris. Mort le 28 mai 1885 à Paris. XIXᵉ siècle. Français.
Peintre de portraits, de natures mortes et de genre.

Élève de Léon Cogniet. Il débuta au Salon de 1848. Valancienne eut à son époque une certaine renommée comme peintre de portraits et par ses tableaux de genre.

VALANTIN Paul
Né au XIXᵉ siècle à Lyon (Rhône). XIXᵉ siècle. Français.
Peintre de genre et de natures mortes.
Élève de M. Reignier. Il débuta au Salon de 1861.

[signature: Valantin]

VENTES PUBLIQUES : PARIS, 7 fév. 1951 : *Fleurs et fruits* 1865 : **FRF 4 000**.

VALAPERTA Francesco
Né le 20 janvier 1836 à Milan (Lombardie). Mort le 25 janvier 1908 à Milan. XIXᵉ siècle. Italien.
Peintre d'histoire, scènes de genre, portraits.
Il exposa à Milan, Parme, Naples.
VENTES PUBLIQUES : LONDRES, 21 juin 1991 : *Portrait de Marguerite de Neufville assise vêtue d'une robe ivoire à ceinture bleue et tenant des marguerites* 1881, h/t (73,5x46,5) : **GBP 6 600**.

VALAPERTA Ignazio
Né à Côme. XVIIIᵉ siècle. Italien.
Miniaturiste.
Il peignit en 1764 un *Portrait de J. J. Rousseau à Môtiers*.

VALARA Giuseppe ou **Valari**. Voir **VALLARA**

VALASCO Joao ou **Hanneken**. Voir **VELASCO**

VALAYER-COSTER Anne. Voir **VALLAYER-COSTER**

VALBRUN Alexis Léon Louis
Né le 3 janvier 1803 à Paris. Mort en 1852 à Paris. XIXᵉ siècle. Français.
Peintre d'histoire, portraits.
Il fut élève de Gosse et de Gros. Il débuta au Salon de Paris, en 1831.
MUSÉES : AVIGNON : *L'amiral de Brancas* – SAINT-LÔ : *La mort de Saphire* – VERSAILLES : *Philippe V d'Espagne*.
VENTES PUBLIQUES : MADRID, mai 1974 : *Portrait du Marquis de Rumigny* 1831 : **ESP 110 000** – MONACO, 3 déc. 1988 : *Comte de Peyronnet en habit sombre et portant l'ordre de Saint-Louis et l'ordre de la Légion d'honneur* 1830, h/t (73,3x60) : **FRF 19 800**.

VALBUDEA Étienne Jacques ou **Stefen Ionescu**
Né en 1865 à Bucarest. Mort en 1918. XIXᵉ-XXᵉ siècles. Roumain.
Sculpteur.
Il a figuré aux Expositions de Paris. Il obtint une mention honorable en 1885, une médaille de bronze en 1889 à l'Exposition universelle à Paris.
MUSÉES : BUDAPEST (Pina.) : *Mihai Nebunul.*

VALBUENA Francisco
Né en 1932 à Barcelone. XXᵉ siècle. Espagnol.
Peintre.

VALCARCEL Alvaro de
XVIᵉ siècle. Espagnol.
Sculpteur.
Quelques œuvres d'une importance relativement secondaire lui sont attribuées dans plusieurs églises de Valladolid.

VALCARCEL Y DAOIZ Juan
XVIIIᵉ siècle. Actif dans la seconde moitié du XVIIIᵉ siècle. Espagnol.
Portraitiste.

VALCAZAR Gabriel de
XVIIᵉ siècle. Actif à Valladolid en 1661. Espagnol.
Peintre.

VALCHE Peter. Voir **VALCKX**

VALCIN Gérard
Né en 1923 à Port-au-Prince. Mort en 1988. XXᵉ siècle. Haïtien.
Peintre.
Il travailla dans le bâtiment avant de s'adonner à la peinture. De Witt Peters l'encouragea, à l'exemple d'Hector Hyppolite, à poursuivre dans cette voie après une exposition au Centre d'Art en 1959. Il vivait et travaillait à Port-au-Prince.

Il a exposé à Londres en 1968, à New York en 1970, à Paris en 1973. Il a figuré à l'exposition *L'Art haïtien dans la collection Angela Gross*, au Woodmere Art Museum de Philadelphie, en 1984-1985.

Il peint des scènes de la vie campagnarde et du culte vaudou. Il décora, en 1950, la nouvelle cathédrale de Port-au-Prince.

BIBLIOGR. : J.-P. Bouvet : Catalogue de l'exposition *Peintres Naïfs d'Haïti*, Musée Henri-Rousseau, Laval, 1970.
VENTES PUBLIQUES : NEW YORK, 22 nov. 1977 : *Restaurant 1966*, cart. (61x91,5) : **USD 3 300** – NEW YORK, 30 mai 1984 : *Village 1970*, h/isor. (121,3x122) : **USD 5 000** – NEW YORK, 29 mai 1985 : *Coumbite 1973*, h/isor. (101,8c101,8) : **USD 2 500**.

VALCK. Voir aussi **VALK**

VALCK Adriaen de
Né le 20 juillet 1622, baptisé à Haarlem. XVIIe siècle. Hollandais.
Peintre.
Fils d'Aelbert de Valck. Il travailla à Haarlem de 1648 à 1664.

VALCK Aelbert de
XVIIe siècle. Travaillant à Haarlem dans la seconde moitié du XVIIe siècle. Hollandais.
Peintre de décorations.

VALCK Albert Symonsz de
Né à Flessingue. Enterré à Haarlem le 19 avril 1657. XVIIe siècle. Hollandais.
Peintre.
Il eut pour élève Jan ten Hage en 1640 et P. Villems Van den Hoove en 1642.

VALCK Gerrit ou **Gerard Leendertsz** ou **Valk**
Né en 1651 ou 1652 à Amsterdam. Mort le 21 octobre 1726 à Amsterdam. XVIIe-XVIIIe siècles. Hollandais.
Graveur au burin.
D'abord domestique puis élève d'Abraham Blooteling, dont il épousa la sœur. Il alla à Londres en 1672 et revint en 1673. Il grava des portraits et des sujets de genre et collabora fréquemment avec son beau-frère. Il travailla aussi avec Peter Schenck à un important atlas en deux volumes en 1683. Ses ouvrages sont estimés.
VENTES PUBLIQUES : AMSTERDAM, 28 mars 1708 : *Un maître d'école* : FRF 150 ; *Réunion de paysans* : FRF 95.

VALCK Hendrik de. Voir l'article **VALK H. de**

VALCK Jérémias. Voir **FALK Jérémias**

VALCK Peter. Voir aussi **VALCKX**

VALCK Peter, dit l'Ancien
XVIe siècle. Hollandais.
Graveur de sujets religieux, scènes de genre.
Il a exposé à Venise en 1575 et à Leeuwarden en 1584, où il était peut-être établi. Il a gravé au burin.

VALCK Peter Jacobsz de, dit le Jeune ou **Valk**
Né en 1584 à Leeuwarden. Mort entre 1625 et 1629. XVIIe siècle. Hollandais.
Peintre de genre, portraits, paysages.
Il alla en Italie et se maria à son retour.

VALCK Simon Van der
XVIIe siècle. Actif à Delft ou à Leyde en 1615. Hollandais.
Peintre et orfèvre.

VALCK Simon de
XVIIIe siècle. Travaillant à Leyde vers 1740. Hollandais.
Portraitiste.

VALCK Stefan
Mort avant 1492. XVe siècle. Actif à Flessingue. Hollandais.
Peintre.

VALCKE Francis
Né en 1938 à Ostende (Flandre-Occidentale). XXe siècle. Belge.
Céramiste.
Il fut élève de l'École des métiers d'art à Maredsous. Il fabrique des céramiques originales.
BIBLIOGR. : In : *Dictionnaire biographique illustré des artistes en Belgique depuis 1830*, Arto, Bruxelles, 1987.

VALCKE N.
XVIIIe siècle. Actif à Ypres. Éc. flamande.
Peintre de portraits.
Le Musée d'Ypres conserve de lui *Portrait d'Hynderyckx, sculpteur à Ypres*.

VALCKENAERE Léon
Né le 3 août 1853 à Bruges. XIXe siècle. Belge.
Peintre de marines.
Il exposa à Anvers de 1876 à 1926, à Bruxelles, Gand, Ostende, en France et aux États-Unis. Le Musée d'Ostende conserve de lui *Entrée d'un vapeur dans le port d'Ostende*.
MUSÉES : OSTENDE.

VALCKENBORCH Lodewijk Van de. Voir **BOSCH Lodewyck Jansz Van den**

VALCKENBORCH Lucas Van. Voir **VALKENBORCH Lucas**

VALCKENBORCH Martin. Voir **VALKENBORCH**

VALCKENBORGH ou **Valckenborch**. Voir **VALKENBORCH** et **VALKENBURG**

VALCKENBURG Frederik Van. Voir **VALKENBORCH** et **VALKENBURG**

VALCKENBURG Gerhard von
XVIe siècle. Autrichien.
Peintre.
Il travaillait à Olmutz en 1572. Il exécuta des fresques pour la cathédrale et la ville d'Olmutz.

VALCKENER Erhart. Voir **FALKENER Erhart**

VALCKERT Werner ou **Warnard** ou **Warner Van den** ou **Valkaert**
Né vers 1585 à Amsterdam. Mort en 1627 à Amsterdam (?). XVIIe siècle. Hollandais.
Peintre de scènes mythologiques, compositions religieuses, sujets de genre, portraits, graveur, peintre sur faïence.
Peut-être élève de H. Goltzius. Il vivait en 1619 à Amsterdam avec sa femme Reyntze Jans, puis alla à Copenhague et travailla au château de Frederiksborg. Il revint en Hollande et on le cite à Delft en 1635.
On mentionne de ses ouvrages dans les églises d'Utrecht. À Delft, il peignit des faïences. Il a gravé également des portraits et des sujets d'histoire et mythologiques.

MUSÉES : AMSTERDAM : *Quatre syndics et un huissier de la corporation des merciers 1622* – *Quatre régents et le directeur de l'hospice des lépreux 1624* – *Trois régentes et la directrice de l'hospice des lépreux 1624* – *La compagnie du capitaine Alb. Coenraetsz Burgh et du lieutenant P. Everstz Hulft 1625* – *Arrivée des enfants à l'orphelinat dit Aalmoezeniers Weesthuis – Inscription des pauvres par un régent de cet orphelinat – Distribution des vêtements par un régent – Visite aux pauvres, faite par un régent de l'orphelinat accompagné du grand prévôt – Distribution de pain par les régents de l'orphelinat 1627 – La toilette de Vénus* – BERLIN (Mus. Kaiser Friedrich) : *Le président de la grande gilde* – BERLIN (Mus. Nat.) : *Cinq régents de la grande gilde* – BOSTON : *Portrait d'homme* – CHÂTEAUROUX : *Portrait d'homme* – EMDEN : *Sainte Famille* – UTRECHT : *Le Christ bénissant les enfants*.
VENTES PUBLIQUES : AMSTERDAM, 1901 : *Portrait de femme* : FRF 210 – PARIS, 9-11 avr. 1902 : *Portrait d'homme* : **FRF 6 800** – LONDRES, 25 fév. 1911 : *Portrait de l'amiral Swartenhout* : **GBP 52** – LONDRES, 2 juil. 1976 : *Allégories des médecins vues par leurs malades*, h/pan., quatre panneaux formant pendants (95,2x95,2) : **GBP 19 000** – LONDRES, 21 avr. 1989 : *Amphitrite : Neptune 1619*, h/pan., une paire (chaque 70,4x75,5) : **GBP 52 800** – STOCKHOLM, 19 mai 1992 : *Portrait d'une dame avec une fraise et une coiffe*, h/pan. (63x54) : **SEK 14 500**.

VALCKH Martin. Voir **FALCK Martin**

VALCKX Peter ou **Valck** ou **Valche**
Né le 1er mars 1734 à Malines. Mort le 3 mai 1785 à Malines. XVIIIe siècle. Éc. flamande.
Sculpteur.
Élève de Th. Verhagen. Il fit les stalles de Saint-Jean à Malines

et travailla aussi pour l'église Notre-Dame Sainte-Catherine et Saint-Rombaut de la même ville.

VALCKX Petrus
Né en 1920 à Ekeren. xxᵉ siècle. Belge.
Peintre de paysages, natures mortes, dessinateur, pastelliste. Hyperréaliste.
Il fut élève de Carl De Roover à l'Académie d'Anvers.
Bibliogr. : In : *Dictionnaire biographique illustré des artistes en Belgique depuis 1830,* Arto, Bruxelles, 1987.
Musées : Dimona (Mus. Neguiv) – Ostende – Saint-Martens-Latem – Skopje (Mus. d'Art Contemp.).

VALCOM. Voir **LE BRUN Pierre Damien**

VALCONE Federico di quondam. Voir **FEDERICO di quondam**

VALCOP Conrad de
xvᵉ siècle. Travaillant à Paris en 1454. Français.
Peintre.
Frère d'Henry de Valcop.

VALCOP Henry de
xvᵉ siècle. Travaillant en 1454. Français.
Enlumineur.
Il décora « d'hystoires » le Livre d'heures de Marie d'Anjou.

VALCOURT Jean
Né en 1894 à Nîmes (Gard). xxᵉ siècle. Français.
Peintre.
Il fut élève de Gaussen et de l'École des Beaux-Arts de Lyon. Sociétaire du Salon des Indépendants à Paris depuis 1928. Il a également exposé à Lyon et à Cannes.

VALCX Josse
Mort en 1487 à Louvain. xvᵉ siècle. Éc. flamande.
Peintre.

VALDAHON Jules César Hilaire Lebœuf de, comte.
Voir **LEBŒUF Jules César Hilaire**

VALDAMBRINO Ferdinando, dit **Romano**
xviiᵉ siècle. Travaillant à Milan et à Pavie de 1617 à 1653. Italien.
Peintre de sujets religieux.

VALDAMBRINO Francesco di, appelé aussi **di Domenico Francesco,** dit **Valdambrino**
xivᵉ-xvᵉ siècles. Travaillant à Sienne. Italien.
Sculpteur sur marbre et sur bois et orfèvre.
Il sculpta des statues de saints pour la cathédrale de Sienne et les églises de Volterra, de Lucques et de Pise.

VALDAMI Alessandro
Né en 1712 à Val d'Intelvi ou à Chiasso. Mort en 1773. xviiiᵉ siècle. Suisse.
Peintre.
De la Compagnie de Jésus,, il fut élève de P. A. Magagni. Il travailla pour les églises de Côme, de Bergame et de Chiavenna.

VALDEC Rudolph ou **Rudolf**
Né le 8 mars 1872 à Krapina. Mort le 1ᵉʳ février 1929 à Zagreb (Croatie). xixᵉ-xxᵉ siècles. Yougoslave.
Sculpteur de bustes, monuments.
Il sculpta de nombreux bustes de personnalités de Croatie et des monuments publics.

VALDECRAS Francisco Antonio
xviiᵉ siècle. Espagnol.
Peintre.
Cet artiste avait beaucoup de talent. Il a peint des tableaux et des fresques dans le Monastère de Santa Maria de la Espina.

VALDELANTE Reinalde ou **Rainaldo de**
xviiᵉ siècle. Actif à Valladolid vers 1635. Espagnol.
Peintre.
Excellent coloriste, il est considéré comme un des bons artistes de son époque. Il y a des peintures de lui dans le grand cloître du couvent des Barnabites à Valladolid.

VALDELMIRA DE LEON Juan
Né vers 1630 à Tafalla. Mort vers 1660. xviiᵉ siècle. Espagnol.
Peintre de fleurs.
Il commença ses études avec son frère à Valladolid et, après la mort de celui-ci, alla à Madrid et y fut élève de Francisco Rizi. Il

collabora fréquemment avec ce maître notamment à l'église portugaise, à Tolède et au Retiro. Ce fut surtout un remarquable peintre de fleurs.

VALDELVIRA Andrés de
Né en 1509 à Alcaraz. Mort en 1579 (?) à Jaén. xviᵉ siècle. Espagnol.
Sculpteur et architecte.
Fils de Pedro de Valdelvira et son élève. Il sculpta vingt et une statues du maître-autel de l'église du Saint-Sauveur à Ubeda.

VALDELVIRA Pedro de
Né en 1476 à Alcaraz. Mort en 1565 à Alcaraz. xviᵉ siècle. Espagnol.
Sculpteur et architecte.
Père d'Andrés de Valdelvira. Il orna de sculptures l'église d'Ubeda construite par lui.

VALDEPARAS Y MERIOH Eusebio
xixᵉ siècle. Espagnol.
Peintre d'histoire.
À rapprocher de Eusebio Valldeperas.
Musées : Madrid (Gal. Mod.) : *Suzanne et les deux vieillards.*

VALDEPERE Antonio
xviiᵉ siècle. Travaillant en 1667. Espagnol.
Peintre.
Le Musée Cerralbo de Madrid conserve de lui *Annonciation.*

VALDERRAMA Y MARINO Vicente
Né à Saint-Jacques-de-Compostelle. Mort en 1866. xixᵉ siècle. Espagnol.
Peintre de genre et portraitiste.
Élève de l'Académie de Madrid.

VALDES Alonso de
xvᵉ-xviᵉ siècles. Espagnol.
Miniaturiste.
Il travailla pour la cathédrale de Séville de 1496 à 1512.

VALDES Juan de
Né à Séville. xviiiᵉ siècle. Espagnol.
Dessinateur et graveur au burin.
Fils et élève de Lucas de Valdes. Il occupa une place distinguée, particulièrement comme illustrateur d'ouvrages sur la dévotion.

VALDES Juan de
xviiᵉ siècle. Travaillant à Séville en 1666. Espagnol.
Peintre.

VALDÉS Lucas de ou **Valdes y Daza**
Né à Cordoue (Andalousie). xviᵉ-xviiᵉ siècles. Espagnol.
Graveur.
Il travaillait de 1589 à 1634. Il grava au burin et fut également orfèvre.

VALDÉS Lucas de
Né en 1661 à Séville (Andalousie). Mort en 1724 à Cadix (Andalousie). xviiᵉ-xviiiᵉ siècles. Espagnol.
Peintre de compositions religieuses, sujets allégoriques, scènes de genre, portraits, compositions murales, graveur, dessinateur, décorateur.
Il fut élève de son père Juan de Valdés Leal. À la fin de sa carrière, il fut nommé professeur de mathématique au collège de la marine, à Cadix, mais il continua quand même l'exercice de son art, tout au moins comme dessinateur et graveur.
Dès l'âge de onze ans, il grava quatre planches relatives à la canonisation de saint Fernand. Il peignit de nombreuses compositions murales dans la cathédrale de Séville et diverses églises de la ville, dont l'église de l'Université (ancienne église jésuite San Luis), l'église San Pablo (ancienne église des Dominicains) et la nef des *Venerables Sacerdotes.* On lui doit aussi des figures de saints et des portraits, dont il reproduisit un certain nombre par la gravure au burin ou à l'eau-forte, et qui témoignent de l'influence de Murillo. On cite notamment : *Apparition de la Vierge et de l'Enfant Jésus à saint Félix de Cantalicio – Portrait du père jésuite Francisco Tamariz.*

Bibliogr. : In : *Dictionnaire de la peinture espagnole et portugaise du Moyen Âge à nos jours,* coll. Essentiels, Larousse, Paris, 1989.

MUSÉES : HUELVA, Andalousie : *Sainte Isabelle de Portugal faisant l'aumône* – MONTAUBAN : *La joaillerie* – *La gravure* – SÉVILLE : *Sainte Élizabeth de Hongrie* – *Allégorie sur l'institution du Tiers-Ordre*.

VENTES PUBLIQUES : MONTE-CARLO, 5 mars 1984 : *La Sainte Famille servie par les Anges*, h/t (108x166) : **FRF 28 000**.

VALDES Luis Miguel
Né en 1949 à Pinar del Rio. XXᵉ siècle. Cubain.
Graveur, dessinateur.
Il a étudié à l'École d'arts plastiques de Pinar del Rio à partir de 1965, et à l'École Nationale d'art en 1969 de La Havane où il est devenu ensuite professeur.
Il a figuré à l'exposition *Cuba* – *Peintres d'aujourd'hui* au Musée d'Art Moderne de la Ville de Paris en 1977-1978. Il montre ses œuvres dans une première exposition personnelle de dessins à La Havane en 1970 (galerie Extension universitaire). Il a obtenu plusieurs prix, dont : 1966, prix de la lithographie, Milan ; 1968, prix collectif, Salon de Mai, Paris ; 1975, prix de xylographie, Salon de gravure de la galerie Amélia Pelaez, La Havane.
Dans ses gravures figuratives, le trait minutieux dessine des vues d'architectures fantastiques.
BIBLIOGR. : Divers, dont Jacques Lassaigne, Alejo Carpentier, in : *Catalogue de l'exposition Cuba* – *Peintres d'aujourd'hui*, Mus. d'Art Mod. de la Ville, Paris, 1977-78.

VALDES Luisa de. Voir MORALES Luisa

VALDÉS Manuel ou Manolo
Né en 1942 à Valence. XXᵉ siècle. Espagnol.
Peintre, technique mixte, collages, sculpteur.
Membre, de 1964 à 1981, du groupe *Equipo Cronica* qui considère la peinture comme l'un des moyens de la lutte politique (pour l'analyse de l'œuvre durant cette période et la liste des musées, se reporter à la notice consacrée au groupe). Après la dissolution d'*Equipo Cronica*, il continue son œuvre personnelle. Il vit et travaille à Valence.
Il montre régulièrement ses œuvres à la galerie Maeght de Barcelone, de même : 1983, 1985, galerie Del Palau, Valence ; 1987, galerie Maeght, Paris ; 1989, Musée des Beaux-Arts, Bilbao ; 1990, Centre d'Art Reina Sofia, Madrid. Il a obtenu le prix national des Beaux-Arts en 1984.
Il est intéressé par la peinture dans sa dimension historique, ce en quoi il ne rompt pas avec les préoccupations d'*Equipo Cronica*. Sa série intitulée *Les Ménines* a une interprétation actuelle du tableau de Vélasquez et de son rôle dans l'évolution de la peinture – on songe naturellement à la série de Picasso consacrée au même thème.
BIBLIOGR. : In : *Catalogue de l'exposition Écritures dans la peinture*, Villa Arson, Nice, 1984 – in : *Catalogue National d'Art Contemporain*, Éditions d'art Iberico 2000, Barcelone, 1990 – in : *L'Art du XXᵉ siècle*, Larousse, Paris, 1991.
MUSÉES : MADRID (Fond. March).
VENTES PUBLIQUES : MADRID, 28 nov. 1991 : *L'Infante Dona Margarita* 1987, fus., collage de cart. et h/pan. (200x150) : **ESP 4 256 000** – LONDRES, 29 mai 1992 : *Le Bain* 1988, h/toile d'emballage (148,6x148,6) : **GBP 14 300** – MADRID, 26 nov. 1992 : *Infante* 1987, bois et fer (165x185x50) : **ESP 8 960 000** – LONDRES, 4 déc. 1996 : *La Reine Mariana d'Autriche* 1988, techn. mixte/t. (230x130) : **GBP 36 700**.

VALDÉS Maria de
Née en 1664 à Séville. Morte en 1730. XVIIᵉ-XVIIIᵉ siècles. Espagnole.
Miniaturiste et portraitiste.
Cette artiste était fille et élève de Valdés Léal ; religieuse cistercienne au couvent de San-Clémente à Séville, elle s'adonnait également à la peinture à l'huile et à la miniature.

VALDÉS LEAL Juan de, pseudonyme de Nisa Juan de
Né le 4 mai 1622 à Séville (Andalousie). Mort le 15 octobre 1690 à Séville. XVIIᵉ siècle. Espagnol.
Peintre de compositions religieuses, sujets allégoriques, portraits, sculpteur, doreur, graveur, dessinateur.
Il fut élève d'Antonio del Castello. Il était l'ami de Murillo dont il paraît avoir subi l'influence. Comme Sanchez Cœllo, Vélasquez et Claudio Cœllo, Valdés Leal était à moitié portugais. Son père, Fernando de Nisa, était un orfèvre, émigré du Portugal. Il prit le nom de sa mère, qui était andalouse. On donne peu de détail sur sa vie, mais d'après certaines indications, il occupait une situation importante à Séville. En 1665, il avait chez lui

deux aides : Melchior de Escobedo, natif de Séville, âgé de quarante-six ans et Manuel de Rivadenayra, né en Galice, âgé de vingt-cinq ans, plus un nommé Manuel de Tolède, né à Cordoue, âgé de dix-huit ans, que l'on désigne et comme aide et comme domestique. Il demeurait rue del Amor de Dios, paroisse de San Andres où on le trouve encore au moment de sa mort. Sa femme, Isabella Carasquilla, son fils Lucas de Valdés, ses filles Maria et Laura, étaient peintres comme lui. Il fut un des fondateurs de l'académie publique de dessin de Séville en 1660, ce qui lui causa peut-être des démêlés avec son ami Murillo. La même année, la confrérie de San Juan (confrérie des peintres) l'élut comme son alcade ; en 1665, il fut nommé majordome de l'Académie.
Valdés Leal a gravé à l'eau-forte divers sujets religieux et des portraits, mais il est surtout connu comme l'un des grands peintres de l'école andalouse. Son œuvre est considérable, il n'est guère dans Séville d'église ou de chapelle qui ne renferme quelque tableau de lui. Sa production révèle plusieurs manières. Ses premiers ouvrages qu'on voit à Cordoue sont plus naïfs et presque brutaux, tels le *Saint André* de San Francisco de Cordoue, de 1647-1649, puis le cycle de *Sainte Claire*, de 1653-1654, pour les Clarisses de Carmona. À Cordoue, il peignit encore, de 1654 à 1658, le retable du Carmen Calzado. Valdés Leal peignait alors d'après le modèle, aussi ces œuvres sont-elles empreintes d'une vivacité et d'un naturel qui ne se retrouvent rarement à un degré égal dans ses peintures postérieures. Sa manière est caractérisée par son dessin hardi, la couleur brillante, sa fertile imagination et son style audacieux allant parfois jusqu'à l'extrême limite de l'angoisse. Ce qu'il recherche avant tout, c'est l'effet dramatique ; aussi tous ses premiers plans sont-ils traités en vigueur, servant d'énergiques repoussoirs au reste de la composition. Il eut un grand souci de la destination de ses peintures, et il les adapta parfaitement bien, sacrifiant alors beaucoup à la perspective. Aussi ses grandes œuvres quand elles sont exposées dans les musées ou les collections, semblent-elles un peu traitées en « décor », d'un faire heurté ; c'est au contraire le peintre qui, sachant qu'une toile devait être vue dans un éclairage donné, s'imposait alors la facture exacte qui convenait. Il ne recherche pas les harmonies chères à Murillo. Ce sont les sujets les plus violents auxquels il donne sa préférence : les supplices, les épisodes sanglants des martyres, tels l'*Histoire du prophète Élie* et le *Martyre de saint André* dans l'église San Francisco de Cordoue ; il montre une complaisance constante à représenter les plus repoussantes laideurs de la mort, ainsi que l'œuvre d'un réalisme affolé conservée à l'hôpital de la Charité de Séville et connue sous le titre : *Les deux cadavres*, qu'il peignit vers 1672. Son parti pris de tons violacés ou verdâtres l'apparente aux transpositions des peintres modernes. Depuis son installation à Séville, il y avait peint, entre autres œuvres, en 1657-1658, le *Cycle de la vie de saint Jérôme*. En 1661, il peignit *La Remise de la chasuble à saint Ildefonse*, de la cathédrale de Séville ; ainsi que *L'Immaculée Conception*, de Londres.
Les fortes impressions que produisent ses œuvres, ont leur source dans l'émotion du peintre au moins autant que dans la vigueur personnelle de sa touche. Le sentiment est aussi profond que l'exécution est puissante. Accompagnant l'*Allégorie de la Mort*, il peignit aussi une *Vanité*, pour la même église de l'Hôpital de la Caridad, fondé par Don Miguel de Manara. Cette *Vanité*, souvent reproduite, donne la mesure du baroquisme macabre de l'inspiration de Valdés Leal, apte à réveiller les ombres des victimes de Torquemada. Après l'apogée des Allégories de l'Hôpital de la Caridad, en 1672 il semble que son talent déclina. Il se fit probablement aider par son fils Lucas. On trouve des tableaux encore signés de lui jusqu'en 1686. Puis, il fut frappé d'apoplexie. Dans l'école espagnole, le baroquisme tempétueusement dynamique de *L'Attaque des Sarrasins au couvent de saint François* et l'inspiration macabre des *Vanités* de la Caridad de Séville font de Valdes Leal un phénomène isolé. ▪ J. B.
BIBLIOGR. : C. Lopez Martinez : *Valdés Leal y sus discipulos*, Séville, 1907 – A. de Beruete : *Valdés Leal*, Madrid, 1911 – J. Gestoso Perez : *Biografia del pintor D. Juan de Valdés Leal*, Séville, 1917 – C. Lopez Martinez : *Valdés Leal*, Séville, 1922 – A. Guichot : *Los famosos jeroglificos de la Muerte de Juan de Valdés Leal de 1672. Estudio critico*, Séville, 1930 – Jacques Lassaigne : *La peinture espagnole de Vélasquez à Picasso*, Skira, Genève, 1952 – Yves Bottineau, in : *Diction. Univers. de l'Art et des Artistes*, Hazan, Paris, 1967.

MUSÉES : BARCELONE : *Saint Ildephonse* – BARNARD CASTLE : *Religieuse de l'ordre de saint Jérôme* – BUDAPEST : *Portrait de femme* – CORDOUE : *Le prophète Élie* – *Madone* – *Mort de saint Ignace* – DOUAI : *Têtes de saint Pierre et de saint Paul* – DRESDE : *Saint Basco de Portugal devant son couvent* – DUBLIN : *Immaculée Conception* – GRENOBLE : *Saint Jérôme* – *Le frère Alonso de Ocaña* – KANSAS CITY : *Saint André* – LISBONNE : *Saint Vincent Ferrer* – LONDRES (Nat. Gal.) : *Assomption* – *Immaculée Conception* – MADRID (Mus. Cerralbo) : *Tête de saint Paul* – MADRID (Mus. du Prado) : *Présentation de la Vierge, enfant, au temple* – *Jésus discutant avec les docteurs* – *Saint Jérôme* – LE MANS : *Une abbesse* – NARBONNE : *Le Christ portant sa croix* – PARIS (Mus. du Louvre) : *Assomption de la Vierge* – SAINT-PÉTERSBOURG (Mus. de l'Ermitage) : *Nativité* – *Baptême du Christ* – *Descente de croix* – *Jeune femme* – SÉVILLE : *Conception* – *Assomption* – *Saint Jérôme pénitent* – *La Vierge, les trois Marie et saint Jean à la recherche du Christ* – *Saint Jérôme au désert* – *Évêque, moine et saint évêque de l'ordre de saint Jérôme* – *Baptême de saint Jérôme* – *Religieux de l'ordre de saint Jérôme* – *Moine de saint Jérôme* – *Mariage de sainte Catherine* – *Saint Ignace de Loyola* – *Saint Basile le Grand* – TOLÈDE (Casa del Greco) : *Sainte Hermangilde*.
VENTES PUBLIQUES : PARIS, 1843 : *L'Apparition de la Vierge* : **FRF 400** – PARIS, 1852 : *Le Mariage de la Vierge* : **FRF 600** – PARIS, 1859 : *La Vierge couronnée*, dess. au pinceau lavé de bistre : **FRF 42** – PARIS, 1895 : *La Communion de la Vierge* : **FRF 300** – PARIS, 30 mai-1er juin 1912 : *L'Assomption de la Vierge* : **FRF 8 000** – LONDRES, 18 mars 1960 : *Mors Imperator* : **GBP 735** – LUCERNE, 7 déc. 1963 : *L'Annonciation* : **CHF 5 400** – LONDRES, 28 juin 1974 : *Portrait de Don Enrique Vaca de Alfaro de Cordoba* : **GNS 1 500** – LONDRES, 8 juil. 1977 : *David et Goliath*, h/t (145,7x107,2) : **GBP 3 800** – EL QUEXIGAL (prov. de Madrid), 25 mai 1979 : *San Luis Beltran*, h/t (116x89) : **ESP 190 000** – PARIS, 25 mars 1981 : *Épisode de la vie d'un saint*, h/t (120x107) : **FRF 110 000** – PARIS, 27 avr. 1983 : *Saint Michel terrassant le dragon*, h/t (170x111) : **FRF 365 000** – LONDRES, 5 juil. 1985 : *L'Assomption de la Vierge*, h/pan. (39,5x25,5) : **GBP 26 000** – NEW YORK, 15 jan. 1986 : *La Sainte Vierge remettant la chasuble à saint Ildefonso*, h/t (86,5x140) : **USD 18 000** – NEW YORK, 12 jan. 1989 : *L'Immaculée Conception 1682*, h/t (206,5x144) : **USD 79 750** – NEW YORK, 12 oct. 1989 : *Le Bon Pasteur*, h/t (57,8x68,6) : **USD 16 500** – LONDRES, 19 avr. 1991 : *L'Immaculée Conception*, h/pan. (39x25,5) : **GBP 55 000** – PARIS, 15 déc. 1991 : *Saint Michel terrassant les dragons*, h/t (112x79) : **FRF 105 000** – MADRID, 18 mai 1993 : *Saint Antoine de Padoue avec l'Enfant Jésus*, h/t (110x82,5) : **ESP 2 000 000** – NEW YORK, 12 jan. 1995 : *Le jeune saint Jean Baptiste dans le désert* ; *Saint Pierre dans le désert*, h/cuivre, une paire (21,3x15,9) : **USD 70 700** – PARIS, 22 mars 1995 : *Saint Michel terrassant le dragon*, h/pan. (34x24,4) : **FRF 82 000**.

VALDÉS LEAL Isabella, née Carasquilla
Morte en 1730 à Séville. XVIIIe siècle. Espagnole.
Peintre.
Cette artiste épousa Valdés Leal.

VALDÉS SOLIS Maruja
Né à Oviedo (Asturies). XXe siècle. Espagnol.
Peintre, dessinateur.
Il travaille dans la région des Asturies. Il montre ses œuvres dans des expositions collectives et personnelles : 1973, 1980 Gijon ; 1981 Madrid ; 1983 Barcelone ; 1986 Cuenca ; 1987 Musée de la Rioja à Logrono, Arco 87, Foire Internationale d'Art Contemporain à Madrid ; 1988 Valladolid.
Dans des œuvres très graphiques telles que : *La Feria* ou *Hommage à l'espagnol*, il développe un système, plus ou moins poussé, de dégradés de bleus, mauves et ocres, si bien que certaines de ses toiles atteignent à une totale abstraction par rapport à la représentation des éléments de la réalité dont elles s'inspirent.
BIBLIOGR. : In : *Catalogue National d'Art Contemporain*, Éditions d'art Iberico 2000, Barcelone, 1990.
MUSÉES : GRENADE – LOGRONO.

VALDIVIA Martin de. Voir MARTIN de Valdivia

VALDIVIELSO
XIVe siècle. Actif dans la province d'Alava (?). Espagnol.
Sculpteur.
Il a sculpté le maître-autel de la cathédrale de Vitoria.

VALDIVIELSO Francisco de ou Valdivieso
XVIe siècle. Espagnol.

Peintre verrier.
Il travailla pour la cathédrale d'Huesca de 1516 à 1518.

VALDIVIESO Diego de
XVIe siècle. Actif dans la seconde moitié du XVIe siècle. Espagnol.
Peintre verrier.
Il travailla pour la cathédrale de Cuenca en 1562.

VALDIVIESO Fernando de
XVIe siècle. Actif à Séville vers 1534. Espagnol.
Peintre.

VALDIVIESO Juan de ou Valdivielso
XVe siècle. Travaillant à Burgos à la fin du XVe siècle. Espagnol.
Peintre verrier.
Il exécuta des vitraux dans la cathédrale d'Avila.

VALDIVIESO Juan de
XVIe siècle. Travaillant à Séville en 1570. Espagnol.
Peintre.

VALDIVIESO Luis de
XVIe siècle. Espagnol.
Peintre de compositions religieuses.
Il vécut à Séville entre 1569 et 1582. Céan dit de Valdivieso que ce fut un artiste dont les toiles étaient très estimées.
Travaillant à Séville, il collabora à l'exécution d'un retable pour l'église Saint-Nicolas et peignit un *Jugement dernier*, pour l'hôpital de la Miséricorde, qui fut d'abord attribué à Luis de Vargas.
MUSÉES : SÉVILLE : *Jugement dernier*.

VALDIVIESO Pedro de ou Valdivielso
XVIe siècle. Actif dans la seconde moitié du XVIe siècle. Espagnol.
Peintre verrier.
Il exécuta des vitraux pour la cathédrale de Cuenca et l'église Saint-Dominique-le-vieux de Tolède.

VALDIVIESO Raul
Né en 1931 à Santiago. XXe siècle. Chilien.
Sculpteur.
Il a figuré au Salon de Mai de Paris, en 1966 ; ainsi qu'à la Foire d'Art de Cologne.
Il utilise surtout la technique traditionnelle de la fonte du bronze, dans des œuvres abstraites, recourant cependant à des correspondances allusives avec des formes organiques, voire corporelles.
VENTES PUBLIQUES : NEW YORK, 30 nov. 1983 : *Adam et Ève*, zinc (H. 53) : **USD 1 100**.

VALDIVIESO Y HENAREJOS Domingo
Né le 30 août 1830 à Mazarron. Mort le 22 novembre 1872 à Madrid. XIXe siècle. Espagnol.
Peintre d'histoire et de genre.
Élève de Juan Albacete puis de l'Académie de Madrid. Il poursuivit ses études à Paris et à Rome. De retour à Madrid, il fut nommé professeur d'anatomie à l'Académie de San Fernando. Vers 1870, des troubles cérébraux interrompirent sa carrière. On voit de lui à la Galerie Moderne de Madrid *Descente de Croix* et *La Première communion*, et au Musée de Murcie, *Le Christ mort*.

VALDO-BARBEY Louis, pseudonyme de Barbey Valdo Louis
Né en 1883 à Valleyres (Suisse). Mort en 1965. XXe siècle. Français.
Peintre de figures, nus, portraits, paysages, natures mortes.
Il fut élève de Georges Desvallières et d'Eugène Burnand ; il voyagea beaucoup dans le Midi de la France, en Afrique du Nord, à la recherche de paysages ensoleillés.
Il a exposé au Salon des Indépendants depuis 1906, au Salon d'Automne, de 1909 à 1938, à celui de la Société Nationale des Beaux-Arts, de 1910 à 1914 et à celui des Tuileries depuis 1923. Il figura à l'Exposition Internationale de 1937.
Son art se tempère toujours d'un souci d'élégance. À la rétrospective des Indépendants, en 1926, on put voir de lui : *Le paysan* – *Marianne* – *Bateaux de pêche* – *Nu*. Parmi ses derniers envois au Salon des Tuileries, on peut citer : *Pêcheurs italiens 1933* – *Tête de femme* – *Le pont* – *Le canal* – *Les lavoirs* – *Le ruisseau 1935* – *Nature morte espagnole* – *Cuirasse et tambour*

1939 – *Le port – Cargo quittant Le Havre – Port d'Anvers* 1941 – *La dormeuse* 1943.
Musées : Paris (Mus. d'Art Mod.) : *La mappemonde – Le globe – Le port de Marseille.*
Ventes Publiques : Paris, 9 avr. 1927 : *Paysage* : **FRF 85** ; *Le quai Malaquais* : **FRF 170** – Paris, 29-30 mars 1943 : *Femme assise*, sanguine : **FRF 3 000** – Versailles, 17 déc. 1978 : *Le cabinet des curiosités*, gche (20x17) : **FRF 700**.

VALDOMA Martin de ou **Vandoma**
Né entre 1510 et 1515 à Siguenza. xvie siècle. Espagnol.
Sculpteur et architecte.
Il orna la cathédrale de Siguenza de sculptures et y sculpta une chaire.

VALDONI Antonio
Né le 6 février 1834 à Trieste. Mort le 7 août 1890 à Milan. xixe siècle. Italien.
Peintre de genre et paysagiste.
Il exposa à Milan, Naples et Rome. Le Musée d'Art Moderne de Milan et le Musée Revoltella de Trieste conservent des peintures de cet artiste.

VALDOR Jan. Voir **WALDOR Jan**

VALDORP J. G.
xixe siècle.
Peintre de marines.
Le Musée de Mulhouse conserve une œuvre de lui. Très certainement identique à Waldorp (Antonie).

VALDRE Vinzenzo, dit **il Faenza** ou **il Faetino**
Né vers 1750 à Faenza. Mort après 1800. xviiie siècle. Italien.
Peintre.
Élève de l'Académie de Parme. Il ne semble pas y avoir lieu de le rapprocher de Vincenzo Waldre.
Musées : Parme (Gal. mun.) : *Agar au désert*, dess.

VALDROME Paul Chevandier de. Voir **CHEVANDIER de Valdrome Paul**

VALEANO
Né en Roumanie. xxe siècle. Roumain.
Peintre.

VALEANU Stella
Née le 7 mai 1909 à Bucarest. xxe siècle. Depuis 1960 active en France. Roumaine.
Émailleur, décoratrice.
Elle a étudié à la Kunstgewerbeschule de Vienne et dans l'atelier du peintre Jean Al. Steriadi à Bucarest. Elle se fixe à Paris en 1960.
Elle a commencé par exposer des reliures d'art en 1948 à Bucarest. Elle participe à des expositions de groupe consacrées à l'art de l'émail. Elle a obtenu une médaille d'argent à l'exposition de Limoges en 1973. En 1962, elle a réalisé un grand panneau d'émail pour la décoration intérieure de l'Aviation Club de Paris.
Elle s'est fait un nom dans la reliure d'art en Roumanie, pratiquant une technique à base de mosaïque. Tout comme sa reliure, son travail en émail, composé de figurines et d'animaux, exprime un art décoratif aux formes géométriques, dont elle puise les éléments dans la culture populaire roumaine.
Bibliogr. : Ionel Jianou et autres : *Les Artistes roumains en Occident*, American Romanian Academy of Arts and Sciences, Los Angeles, 1986.

VALEE Simon de La ou **Valé.** Voir **LA VALLÉE Simon de**

VALEGGIO. Voir aussi **VALESIO**

VALEGGIO Tommaso
Originaire de Vérone. xviie siècle. Italien.
Graveur de cartes géographiques.
Il travailla à Venise.

VALENCE, Maître de. Voir **MAÎTRE de PEREA**

VALENCE François ou **Valance** ou **Vallence**
Mort en 1572 à Tours. xvie siècle. Français.
Peintre.
Il collabora aux décorations du château de Fontainebleau entre 1540 et 1550.

VALENCE Pierre de ou **Valance** ou **Vallence**
Mort en avril ou mai 1518 à Tours. xvie siècle. Français.

Sculpteur, céramiste et ébéniste.
Il travailla pour Château-Gaillon et pour l'abbaye de Saint-Ouen de Tours, ainsi que pour les églises de Rouen.

VALENCE Yves de, de son vrai nom **Yves de Valence de Minardière**
Né le 5 septembre 1928 à Nantes (Loire-Atlantique). xxe siècle. Français.
Peintre de compositions animées, portraits, paysages, intérieurs, peintre à la gouache. Postimpressionniste.
Il a étudié à l'École des Beaux-Arts d'Angers (1947-1949), a poursuivi sa formation à l'atelier Charpentier à Paris, puis a été élève à l'École des Beaux-Arts dans l'atelier de Souverbie (1950-1955). Il est sociétaire de la Société des Artistes Français, de la Société Nationale des Beaux-Arts, de la Société des Artistes Orléanais. Il vit et travaille dans le Loiret.
Il participe à des expositions collectives, notamment : Salon d'Automne ; Salon des Terres latines ; 1953, 1954, galerie Breteau, Paris ; 1959, galerie Bernheim, Paris ; 1986, *Artistes Orléanais d'aujourd'hui*, Musée des Beaux-Arts d'Orléans ; 1993-1994, *Vignes et Vergers*, exposition itinérante ; 1994, Musée de Germigny-des-Prés.
Il montre ses œuvres dans des expositions particulières, dont : 1962, galerie Arts et Curiosités, Orléans ; 1971, galerie Le Lutrin, Autun ; 1973, galerie Bernier, Paris ; 1982, galerie Aleph, Paris.
Dans une palette aux tons sourds, il compose des paysages des environs de Saint-Benoît-sur-Loire, des figures de jeunes filles, et des intérieurs intimistes, tel ce *Déjeuner en Anjou*, où il met en scène une réunion de personnages un peu dans la tradition des maîtres hollandais.
Bibliogr. : In : *Artistes orléanais d'aujourd'hui*, Musée des Beaux-Arts d'Orléans, 1986.
Musées : Autun (Mus. Rolin) – Orléans (Mus. des Beaux-Arts) – Paris (coll. de la Ville) : *Le Crestet* – Sofia (Mus. des Beaux-Arts) : *Travaux à Orléans – Neige à Bouzy-la-Forêt.*

VALENCIA Antonio
Né en 1923 à Circasia. xxe siècle. Colombien.
Peintre de compositions à personnages, scènes typiques. Figuratif, puis tendance abstraite.
Il reçut sa formation à Bogota, où il fonda ensuite la revue *Plastica*, qui parut durant plusieurs années. Il vit et travaille à Bogota.
Depuis 1951, il participe à de nombreuses expositions de groupe, notamment aux diverses Biennales des pays de l'Amérique latine.
D'abord peintre figuratif, de compositions à personnages typiques de la vie d'Amérique du Sud, il a évolué, surtout à la suite de plusieurs séjours en Europe, notamment en Allemagne, et il tend aujourd'hui à une certaine abstraction.
Bibliogr. : B. Dorival, sous la direction de... : *Peintres Contemporains*, Mazenod, Paris, 1964.

VALENCIA Jacoppo, Jacomo, ou **Giacomo** ou **Valentina** ou **Davalenso**
xve-xvie siècles. Actif entre 1488 et 1509. Italien.
Peintre d'histoire.
On croit qu'il apprit le métier de peintre à Murano, auprès de Bartolomeo et Alvise Vivarini (ou Verarini). Le premier en date de ses ouvrages, peint en 1485, est *Madone et l'Enfant Jésus*. A Venise, au Musée Correr figure une œuvre de même genre, datée de 1488, avec *La Vierge, l'Enfant Jésus, saint Jean et sainte Catherine.* On voit encore de lui à l'église San Giovanni, à Sarravalle, une *Vierge au trône et l'Enfant Jésus*, de 1502, et à la cathédrale de Cenedo, deux *Madones*, dont l'une porte le millésime 1508. Il faut citer encore une *Vierge et l'Enfant Jésus* à l'Académie de Venise et deux *Madones* au Musée de Berlin.
Musées : Bergame : *Le Christ bénissant* – Berlin (Kais. Fried.) : *Vierge à l'Enfant* – Darmstadt : *Le Christ pleuré.*

VALENCIA Jeronimo de. Voir **JERONIMO de Valencia**

VALENCIA Marcelo de
xixe siècle. Actif dans la première moitié du xixe siècle. Espagnol.
Enlumineur.
L'Académie de San Fernando de Madrid conserve des œuvres de cet artiste.

VALENCIA LINS Darel
Né en 1924 à Palmarès Pernambuco. xxe siècle. Brésilien.

Dessinateur, graveur.
Il a fréquenté l'École des Beaux-Arts de Recife. Il enseigne la lithographie à l'École des Beaux-Arts depuis 1955. Il a exposé au Brésil et à Rome.

VALENCIENNES, Maître de. Voir **MAÎTRES ANONYMES**

VALENCIENNES Pierre Henri ou **Henry de** ou **Devalenciennes**
Né le 6 décembre 1750 ou 1756 à Toulouse (Haute-Garonne). Mort le 16 février 1819 à Paris. XVIIIᵉ-XIXᵉ siècles. Français.
Peintre d'histoire, scènes de genre, paysages animés, paysages, architectures, aquarelliste, dessinateur.
Après de premières études dans sa ville natale, il vint à Paris et y fut élève de Doyen. Il voyagea ensuite en Italie et y étudia particulièrement les œuvres de Claude Gellée et de Poussin. Son activité en Italie fut longtemps méconnue jusqu'à l'exposition au Musée du Louvre en 1976, des cent vingt esquisses de la donation de la princesse Louis de Croy. De retour à Paris, il acquit rapidement la réputation d'habile paysagiste. Il fonda une école de paysage classique et y forma de nombreux élèves. Il fut reçu membre de l'Académie royale de peinture le 18 juillet 1789 et parut pour la première fois au Salon de la même année. On lui doit un ouvrage : *Éléments de perspective pratique à l'usage des artistes.* La donation de la princesse de Croy fut faite en souvenir de son père le comte de l'Espine. En fait, ces paysages, représentant des sites de Rome et des environs – entre Frascati et Nemi –, faisaient partie de la collection constituée dans la première moitié du XIXᵉ siècle par l'arrière-grand-père de la donatrice. Restées inconnues jusqu'à leur entrée au Musée du Louvre, en 1930, elles constituèrent alors une révélation pour les historiens d'art, en raison d'une liberté de vision et de facture, inattendue chez un artiste seulement connu – et de ce fait bien oublié – par de sérieux paysages composés. Annonciatrices des vues d'Italie de Corot, elles restent néanmoins d'abord le témoignage de la méthode de travail d'un artiste néoclassique, que l'on surnomma en son temps le « David du paysage ». Les recherches entreprises en vue de leur présentation en 1976, ont permis de regrouper les esquisses en plusieurs séries cohérentes, minutieusement établies par l'artiste lui-même, soit après son retour définitif d'Italie vers 1785-86, soit vers 1817. Elles constituaient, dans leur grande majorité un des instruments de son enseignement de la perspective, enseignement qu'il commença en 1795, longtemps avant de devenir titulaire en 1812 du poste de professeur de perspective à l'École des Beaux-Arts de Paris, fonction qu'il continua d'exercer sous la Restauration : il fut alors, en 1816, un des responsables de la création du Prix de Rome de paysage historique. Dans ses *Éléments de perspective pratique* publiés en l'an VIII (1800), Valenciennes explique sa méthode de travail. Comme il le fait lui-même, il conseille à ses élèves d'exécuter des esquisses à l'huile, les harmonies de couleurs étant la base de la perspective aérienne, et précise que ces « études ne doivent être que des maquettes faites à la hâte pour saisir la nature sur le fait », qu'il faut y passer deux heures au plus et une demi-heure seulement au lever et au coucher du soleil. Il recommande aussi de copier de « ressouvenir » les esquisses déjà faites, selon une méthode qui annonce l'enseignement de Lecoq de Boisbaudran et qui explique l'existence de plusieurs versions du même site, lorsqu'il ne s'agit pas de la même vue « peinte à différentes heures du jour pour observer les différences que produit la lumière sur les formes ». Ainsi, il énonce des principes que l'on croirait être de Monet, s'ils ne s'appliquaient aux exercices préparatoires à la composition du paysage historique. Ses contemporains furent sensibles au succès de sa méthode, puisque Paillet pouvait noter, en 1819, que, dans ses tableaux de Salon – il exposa de 1787 à 1819 – « tous les effets de la nature étaient tellement saisis qu'il semblait disputer de vérité avec elle ». Dans l'exposition de 1976, le tableau du Salon de 1787, *L'ancienne ville d'Agrigente, paysage composé,* également conservé au Louvre, fut présenté à titre de comparaison. Le catalogue de sa vente posthume (26 avril 1819) indique sous le nº 7 : « environ 120 esquisses peintes à l'huile faites d'après nature à Rome et ayant servi de modèle aux élèves de feu M. Valenciennes ». Elles sont pour la plupart entrées au Louvre en 1930, mais la donation contenait en outre une vingtaine d'esquisses provenant de la vente posthume (11 avril 1825) du peintre Girodet, qui regrettait lors de son séjour

italien de n'avoir pu se consacrer, autant qu'il l'eût souhaité, à ce genre du paysage d'après nature, si utile à la formation d'un artiste néoclassique, et qui possédait une cinquantaine d'esquisses peintes de Valenciennes.
BIBLIOGR. : Catalogue de l'exposition *Les paysages de P. H. de Valenciennes,* Louvre, Paris, 1976.
MUSÉES : AUCH : *Paysage historique* – LANGRES : *Paysage avec figures* – PARIS (Mus. du Louvre) : *Cicéron, questeur en Sicile, découvre le tombeau d'Archimède* – Cent vingt esquisses – PÉRIGUEUX : *L'orage* – TOULOUSE : *Légende de Bélisaire* – *Paysage historique* – *Paysage composé.*
VENTES PUBLIQUES : PARIS, 1810 : *Paysage* : FRF 950 – PARIS, 1813 : *Deux paysages* : FRF 950 – PARIS, 1863 : *Soleil couchant* : FRF 300 – PARIS, 1879 : *Deux paysages,* pendants : FRF 1 400 – PARIS, 1885 : *Portrait de femme* : FRF 5 000 – PARIS, 1891 : *Paysage avec personnages* : FRF 2 120 – PARIS, 31 mai et 1ᵉʳ juin 1920 : *La Cascade ; Le Pont de pierre,* deux toiles : FRF 23 000 – PARIS, 20 mars 1941 : *Le Temple antique* : FRF 3 000 – PARIS, 7 avr. 1943 : *Composition de style antique* : FRF 5 100 – PARIS, oct. 1945-juil. 1946 : *Le jeune pêcheur* : FRF 7 100 – PARIS, 6 mars 1950 : *Personnages sur un rocher au bord d'une rivière,* cr. noir : FRF 2 800 – PARIS, 8 déc. 1954 : *Le pêcheur à la ligne* : FRF 8 900 – PARIS, 20 mai 1955 : *Paysage* : FRF 85 000 – PARIS, 7 déc. 1967 : *Vue d'un parc* : FRF 8 000 – NEW YORK, 12 nov. 1970 : *Vue du Forum Romanum* : USD 4 250 – MONTE-CARLO, 26 nov 1979 : *La cascade de Tivoli,* pierre noire (63,6x47) : FRF 20 000 – LONDRES, 17 déc. 1981 : *Vues de la villa d'Hadrien près de Tivoli,* h/t, une paire (chaque 12x26) : GBP 4 000 – LONDRES, 15 mars 1983 : *Paysage classique animé de personnages* 1788, h/t (81x119) : GBP 34 000 – PARIS, 17 oct. 1984 : *Vue extérieure de la Porte de Rome animée de personnages,* pierre noire et lav. d'encre de Chine reh. de blanc/pap. teinté (17,7x22) : FRF 25 000 – LONDRES, 2 juil. 1985 : *Paysage dans le Castravan...,* aquar. pierre noire et pl. reh. de blanc (42,8x56,4) : GBP 2 800 – ROME, 7 mars 1989 : *Ulysse et Nausicaa,* aquar. et encre/pap. (26,5x35) : ITL 3 200 000 – MONACO, 7 déc. 1990 : *Paysage de rivière boisée avec un dieu Fleuve et une femme éplorée sur une tombe,* craie noire (42,3x54,6) : FRF 13 320 – LONDRES, 10 déc. 1993 : *Paysage classique avec des lavandière près d'un bassin avec une cité fortifiée à l'arrière-plan* 1809, h/t (205,7x162,8) : GBP 33 350 – PARIS, 29 nov. 1995 : *Monastère dans la campagne romaine,* h/pap./t. (25x37,5) : FRF 29 000 – NEW YORK, 11 jan. 1996 : *Paysage classique avec un personnage agenouillé au bord d'une mare* 1806, h/t (70,5x97,2) : USD 112 500.

VALENKAMPH Theodor Victor Carl
Né en 1868 à Stockholm. Mort en mars 1924 à Gloucester (Gloucestershire). XIXᵉ-XXᵉ siècles. Américain.
Peintre de marines, paysages.
VENTES PUBLIQUES : NEW YORK, 27 jan. 1984 : *Voilier en mer* 1904, h/t (61x76,2) : USD 1 800 – NEW YORK, 21 mai 1991 : *Barques de pêche à l'aube,* h/t (30,8x35,6) : USD 1 650 – NEW YORK, 18 déc. 1991 : *Une caravelle* 1904, h/t (55,9x81,3) : USD 2 200.

VALENS Carel Van. Voir **FALENS**

VALENSI André
Né en 1947 à Paris. XXᵉ siècle. Français.
Peintre, technique mixte. Groupe Support-Surface, 1968-1971.
L'œuvre de Valensi se situe dans le contexte du groupe *Support/Surface,* dont il a fait partie et avec lequel il a exposé à plusieurs reprises à partir de 1970.
Il participe à des expositions collectives, parmi lesquelles : 1969, Coaraze ; 1970, *100 artistes dans la ville,* Montpellier ; 1970, Support/Surface, Musée d'Art Moderne de la Ville de Paris ; 1970, galerie Jean Fournier, Paris ; 1971, *Support/Surface,* Théâtre municipal, Nice ; 1974, *Nouvelle peinture en France,* Musée d'art et d'industrie, Saint-Étienne, puis Musée de Chambéry, Musée de Lucerne (Suisse), Neue Galerie, Aix-la-Chapelle ; 1975, *Nouvelle peinture en France,* Fondation Gulbenkian, Lisbonne ; 1975, Biennale de Paris.
Il montre ses œuvres dans des expositions personnelles, dont : 1973-1974, galerie Daniel Templon, Paris.
Né incontestablement de l'abstraction américaine qui s'est affirmée depuis les *all over* de Pollock, tributaire notamment des recherches de Newman, Reinhardt ou même Rothko, ce mouvement s'est très fortement affirmé en France à partir de 1970. Envisageant le tableau en fonction de sa seule existence

matérielle, voire matérialiste, Valensi, comme tous les autres membres de Support/Surface, propose un travail de peinture dont le sujet même serait la peinture. Indépendant de tous autres messages, le tableau s'affirme alors pour ce qu'il est : surface, texture, peinture, couleur... Valensi a ainsi proposé une importante série de toiles où, par découpes et coutures, il juxtaposait sur une même surface l'envers et l'avers d'une même toile initialement imprégnée de couleur. Dans ce jeu de l'endroit et de l'envers, dans cette construction née d'une déconstruction, il mettait surtout l'accent sur ce passage de la peinture, sur sa marque, son marquage à travers la texture. La peinture n'est plus écran, n'est plus recouvrement, mais pénétration. Habilement modulée, la couleur, un brun profond, livrait dans son corps la subtilité de ses divers composants, bleu, rouge, jaune, violet.

BIBLIOGR. : Mathieu Bénezet : *L'Étoilement de la peinture*, in : *Art Press*, n° 11, Paris, mai 1974 – G. B. Jassaud : *Interview avec Valensi*, in : *Art Press*, n° 11, Paris, mai 1974 – Catherine Masson : *Le problème de la limite dans la peinture d'André Valensi*, galerie Fabian Carlsson, mai 1975 – Yves Aupetitallot : *André Valensi. Déconstruction de la peinture*, in : *Art Press*, n° 154, Paris.

VENTES PUBLIQUES : PARIS, 18 oct. 1990 : *Sans titre 1972*, teinture/t. (102x106) : FRF 16 000 – PARIS, 19 nov. 1995 : *Sans titre 1973*, h./assemblage de t. libre (116x116) : FRF 5 500.

VALENSI Henry ou Henri

Né le 17 septembre 1883 à Alger. Mort en 1960 à Bailly (Yvelines). XXᵉ siècle. Français.

Peintre, peintre à la gouache, technique mixte. Post-impressionniste, néo-impressionniste, puis abstrait. Groupe Musicaliste.

Il se fixa à Paris en 1898. Cet artiste, qui se fera connaître comme promoteur de la peinture « effusionniste », communément dite « musicaliste », après avoir suivi, sur les conseils de Bonnat, les cours de l'École des Beaux-Arts de Paris dans les ateliers de Jules Lefebvre et Tony Robert-Fleury, consacra ses jeunes années, jusqu'à la guerre de 1914, à des voyages d'étude qui le mènent à travers l'Europe entière, en Russie à Odessa, Kiev, Moscou, Saint-Pétersbourg, et particulièrement en Turquie et en Grèce, où il trouve son climat électif. En 1912, il participa à la création de la *Section d'or* aux côtés de Marcel Duchamp, Dumont, Gleizes, Picabia... Durant la Première Guerre mondiale, peintre de l'État-Major du général Gouraud, il réunit de nombreux documents, dont la plupart figurent maintenant au Musée de la Guerre de Vincennes. La guerre terminée, il reprend les routes et les mers et concave au hasard de ses escales. Il a fréquemment voyagé en Europe et en Afrique. En 1932, il publia avec Charles Blanc-Gatti, Gustave Bourgogne et Vito Stracquadaini le *Manifeste des Artistes Musicalistes* et fonda l'Association des Artistes Musicalistes. Il organisa vingt-trois Salons de Peinture musicaliste, à Paris, le premier ayant eu lieu en 1932 à la galerie Renaissance. Pendant la Seconde Guerre mondiale, il se réfugia en Algérie. Louis Vauxcelles, Georges Turpin, André Salmon lui ont consacré des études.

Il a exposé à partir de 1905 au Salon des Orientalistes et à partir de 1907 au Salon des Indépendants, à Paris, auquel il restera fidèle. Il participa à tous les Salons de Peinture musicaliste qui, jusqu'en 1939, se tiendront dans une salle spéciale du Salon des Indépendants. Des expositions musicalistes eurent lieu à Prague en 1936, à La Haye, Rotterdam et Amsterdam en 1937, à Budapest, Brno, Bratislava en 1938, à Limoges en 1939. Entre 1946 et 1954, un groupe musicaliste se reforma au Salon des Réalités Nouvelles, Salon dont il devint ensuite vice-président du comité. En 1973 eut lieu la première rétrospective des salons musicalistes, galerie Hexagramme à Paris. Valensi fut représenté à l'exposition *Paris-Moscou*, au Centre Georges-Pompidou, à Paris, en 1979.

Il a montré ses œuvres dans des expositions personnelles : 1909, la première, Vichy ; 1913, galerie La Boétie, Paris ; 1923, exposition organisée par Marinetti, Rome. Après sa mort et récemment : 1963, *Valensi et le musicalisme*, Musée des Beaux-Arts, Lyon ; 1996, galerie Patrice Trigano, Paris.

Ses futures théories commençaient à se faire jour dans ses recherches picturales lorsque, en 1912, il participait activement à l'organisation du Salon de la Section d'Or, avec Jacques Villon, Marcel Duchamp, Gleizes, Picabia et Delaunay. Donc après les pochades scolaires, communes à l'ensemble des jeunes peintres, après avoir côtoyé le néo-impressionnisme, orientant

toutes les fines touches vers le centre d'intérêt de la composition, il s'était montré le brillant paysagiste reconnu, exposant aux quatre coins du monde, là où il avait planté son chevalet, lorsqu'il ressentit l'insuffisance de la seule objectivité en tant que moyen d'expression. C'est alors qu'il se créa un instrument bien à lui, que l'on renonça à assimiler à aucun futurisme ni expressionnisme et que lui-même laisse nommer « musicalisme », faisant référence au sonnet des *Correspondances* de Baudelaire, et profitant d'une division rythmique de sa toile, comme une partition musicale verticale, pour y superposer les différents aspects sensoriels d'une même vision. À chaque époque, faisait-il remarquer, les œuvres d'art étaient tributaires d'un art majeur : l'architecture pour les Égyptiens, la sculpture en Grèce, la peinture sous la Renaissance, la littérature au XVIIᵉ au XIXᵉ siècle. Selon lui la musique reflétait bien le dynamisme scientifique du XXᵉ siècle : l'art devait donc se « musicaliser » et l'artiste intégrer dans ses œuvres les grandes lois de la composition musicales : évocation, rythme, dynamisme, symbolisation... Parmi ses œuvres les plus caractéristiques : *Marche funèbre de Chopin* (1912), *Prière à sainte Sophie* (1914), *Essai d'une perspective nouvelle, basée sur le temps et l'espace* (1921), *Tolède, hommage au Greco* (1927). Avec sa conception de la peinture effusionniste, ou musicaliste, recourant à des formes géométriques, sans aucun rapport avec la réalité, il ne fait aucun doute que Henry Valensi, dans un registre discret, a pris place parmi les artistes abstraits de la seconde génération.

■ J. B.

BIBLIOGR. : Waldemar-George : Catalogue de l'exposition *Henry Valensi. Peintures et gouaches de 1912 à 1957*, gal. de l'Institut, Paris, 1957 – Michel Seuphor, in : *Diction. de la peint. abstr.*, Hazan, Paris, 1957 – Frank Popper, in : *L'art cinétique*, Gauthier-Villars, Paris, 1970 – in : Catalogue de l'exposition : *Paris-Moscou*, Centre Georges Pompidou, Paris, 1979.

MUSÉES : PARIS (Mus. Nat. d'art Mod.) : *Moscou 1912* – PARIS (Mus. d'Art Mod. de la Ville).

VENTES PUBLIQUES : PARIS, 26 nov. 1972 : *L'altruiste* : FRF 7 500 – PARIS, 19 juin 1974 : *Symphonie corse 1909* : FRF 7 000 – MUNICH, 28 mai 1976 : *St-Ives 1907*, h/t (81x100) : DEM 3 300 – LONDRES, 6 avr. 1978 : *St-Ives, Cornwall 1902*, h/t (81x100) : GBP 1 400 – PARIS, 9 mars 1987 : *La Locomotive 1921*, gche (28x48) : FRF 24 000 – PARIS, 27 juin 1988 : *Sans titre*, techn. mixte/bâche (117x113) : FRF 6 500 – PARIS, 3 mars 1989 : *La Clairière*, h/pan. (50x40) : FRF 5 500 – PARIS, 22 nov. 1989 : *Symphonie stockholmoise 1955*, h/t (89x145) : FRF 61 000 ; *Fugue en jaune 1948*, h/t (82x101) : FRF 130 000 ; *La Vie paysanne 1949*, h/t (97x130) : FRF 90 000 ; *La Danse espagnole 1958*, h/t (90x145) : FRF 130 000 – PARIS, 8 oct. 1989 : *Tolède ou Hommage au Gréco*, h/t (195x130) : FRF 220 000 – AMSTERDAM, 5-6 fév. 1991 : *Ferme et Meule de foin à Laren 1910*, h/pan. (32x40) : NLG 2 300 – PARIS, 6 oct. 1993 : *Voyage en chemin de fer 1927*, aquar., gche et encre de Chine (23x38,5) : FRF 25 000 ; *L'Automobile 1920*, h/pan. (23,5x33) : FRF 68 000 – PARIS, 4 nov. 1994 : *Symphonie en rose 1946*, gche/pap. (24x32) : FRF 5 300 – PARIS, 28 nov. 1995 : *Transatlantique 1922*, gche (12,7x17) : FRF 7 200 – PARIS, 17 avr. 1996 : *La Locomotive 1921*, gche/pap. (30x50) : FRF 19 500 – PARIS, 25 mai 1997 : *Vision musicaliste de Carcassonne*, h. et fond or/pan. (30x48) : FRF 9 000.

VALENSISE Giovanni Battista

Né le 29 décembre 1824 à Polistena. Mort le 9 août 1859 à Naples. XIXᵉ siècle. Italien.

Peintre d'histoire et portraitiste.

VALENTA Jiri

Né en 1936 à Prague. XXᵉ siècle. Tchécoslovaque.

Peintre. Abstrait.

De 1953 à 1959, il fut élève en peinture de M. Holy et K. Soucek, à l'Académie des Beaux-Arts de Prague. Il vit et travaille à Prague. Depuis 1964, il est membre de l'Exposition D.

Il participe à des expositions de groupe, notamment : 1965, *Peinture et Graphisme Modernes Tchécoslovaques*, Munich ; 4ᵉ Biennale des Jeunes, Paris ; 1966, *5 peintres de l'Europe de l'Est*, Paris ; 4ᵉ Exposition Internationale, *Peinture et Gra-*

phisme, Maison de l'Europe, Vienne ; etc. Il montre des expositions personnelles de ses œuvres, en 1963 à Prague ; en 1965, à Brno. Il pratique une abstraction à tendance informelle, dont les correspondances poétiques sont fondées sur les hasards et les somptuosités des effets de matières.

VALENTE
Né à Milan. XVIe siècle. Travaillant à Rome. Italien.
Sculpteur.

VALENTE Francesco di Antonio del ou Vagliente
Né à Florence. XVe siècle. Italien.
Sculpteur.
Élève de Donatello à Padoue. Il assista son maître pour l'exécution des statues de l'ancien maître-autel de l'église Saint-Antoine.

VALENTE di Valcone
Né au XIVe siècle à Gemona. XIVe siècle. Italien.
Peintre.
Il fut chargé de peintures pour l'église Notre-Dame de Buja en 1328.

VALENTI
XIXe siècle. Travaillant à Rome vers 1820. Italien.
Graveur au burin.

VALENTI Andrea ou Antonio
XVe siècle. Actif à Mantoue à la fin du XVe siècle. Italien.
Peintre.
Élève de Mantegna.

VALENTI Egidio
Né le 1er mars 1897 à Livourne (Toscane). XXe siècle. Italien.
Peintre de natures mortes, fleurs, marines.
Il exposa à Florence et à Rome à partir de 1930.

VALENTI Giuseppe
XIXe siècle. Actif dans la première moitié du XIXe siècle. Italien.
Sculpteur.
Père de Salvatore Valenti. Il travailla pour des églises de Palerme.

VALENTI Giuseppe
XIXe siècle. Actif dans la seconde moitié du XIXe siècle. Italien.
Sculpteur.
Fils de Salvatore Valenti. Il sculpta des statues et des tombeaux.

VALENTI Italo
Né en 1912 à Milan (Lombardie). Mort en 1995. XXe siècle. Suisse.
Peintre. Abstrait-informel. Groupe Corrente.
Il fut élève de l'Académie des Beaux-Arts de Venise, puis de l'Académie de la Brera, à Milan. Membre fondateur du groupe Corrente. Il vit et travaille à Ascona.
S'il avait exposé à partir de 1932, ce fut plus tard qu'il participa à des expositions importantes : Biennale de Venise, 1948, 1950, 1958 ; Quadriennale de Rome, 1948. Il fut distingué par le Prix des Frères Fabbri, à la XXVe Biennale de Venise, en 1950.
Il ne se rattache cependant pas tant à l'expressionnisme qu'à un graphisme lyrique. Après la Seconde Guerre mondiale, il évolua à l'abstraction informelle.

I. VALENTI

BIBLIOGR. : B. Dorival, sous la direction de... : Peintres Contemporains, Mazenod, Paris, 1964 – Sylvio Acatos : Italo Valenti, La Bibliothèque des Arts, Lausanne-Paris, 1987.
MUSÉES : AARAU (Aargauer Kunsthaus) : Isola rossa 1968 – ASCONA – BOSTON – GALLARATE – MILAN – ROME – TEL-AVIV.
VENTES PUBLIQUES : ZURICH, 8 nov. 1980 : Composition, h/t (23,5x32,5) : CHF 2 600 – MILAN, 12 juin 1984 : Ciel gris 1959, temp. (35x50) : ITL 2 200 000 ; Composition 1957, h/t (80x100) : ITL 11 500 000 – ZURICH, 8 juin 1985 : Rembrandt 1965, collage sur pavatex (33x41) : CHF 6 500 – BERNE, 26 oct. 1988 : Brise, collage/pan. (31,5x49) : CHF 6 500 – MILAN, 19 déc. 1989 : Acquarium, h/t (70x75) : ITL 8 000 000 – MILAN, 13 déc. 1990 : Villa Cademartori 1949, h/t (60x80) : ITL 9 500 000 – ZURICH, 21 juin 1991 : Paysage 1952, craie noire (42,3x59) : CHF 3 400 – MILAN, 19 déc. 1991 : Deux personnages 1952, h/t (100x80) : ITL 12 000 000 – ZURICH, 13 oct. 1993 : Composition 1961, collage (19x24) : CHF 5 000 – ZURICH, 3 déc. 1993 : Marine 1955, h/t (60x80) : CHF 10 000 – ZURICH, 13 oct. 1994 : Serment 1993, collage de pap. de coul./rés. synth. (24,5x27) : CHF 6 000 – ZURICH, 23 juin 1995 : Mesure 1974, gche et collage sur bois (52x39,5) : CHF 6 250 – LUCERNE, 8 juin 1996 : Bise 1964, gche, collage et h/bois (32,2x49,4) : CHF 3 800 – ZURICH, 17-18 juin 1996 : Cerf-volant 1990, collage pap. coul./rés. synth. (41x42) : CHF 8 000 – ZURICH, 12 nov. 1996 : Composition V199 1961, collage/Pavatex (19,5x30) : CHF 4 000.

VALENTI Salvatore ou Valente
Né en 1835 à Palerme. Mort en 1903. XIXe siècle. Italien.
Sculpteur.
Élève de son père, sculpteur sur bois, assez estimé. Il a participé à diverses expositions italiennes ; il fut chargé de la décoration du pavillon de la Section italienne à l'Exposition Universelle de Paris en 1878.

VALENTIEN Albert R. Voir VALENTINE

VALENTIM
XVIIIe siècle. Actif à Lisbonne. Portugais.
Sculpteur.

VALENTIM Ruben
Né en 1922. XXe siècle. Brésilien.
Peintre. Tendance abstraite.
S'inspirant d'une organisation néoconstructiviste des formes à la manière de Torres-Garcia, il n'en oublie pas moins d'évoquer ses origines afro-brésiliennes.
BIBLIOGR. : Damian Bayon, Roberto Pontual : La peinture d'Amérique latine au XXe siècle, Mengès, Paris, 1990.

VALENTIN
XVIIIe-XIXe siècles. Actif à Grenade. Espagnol.
Peintre.
Il a peint des portraits.

VALENTIN Alexandre M. de
XIXe siècle. Actif à Paris. Français.
Peintre de scènes de genre, portraits, dessinateur.
Il débuta au Salon de Paris, en 1834.
VENTES PUBLIQUES : PARIS, 9 déc. 1992 : Portrait de la marquise d'Harcourt née Sainte-Aulaire 1833, cr. de coul. (40x28,5) : FRF 18 000.

VALENTIN Augustin
Né dans la vallée d'Enneberg. XIXe siècle. Travaillant à Brixen. Autrichien.
Sculpteur de compositions religieuses, autels.
Il travailla pour des églises du Tyrol du Sud.

VALENTIN Benjamin
XVIIIe siècle. Actif dans la première moitié du XVIIIe siècle. Français.
Sculpteur.
Il assista Jacques Bernus pour l'exécution du tombeau de l'évêque Gaspar de Lascaris dans la cathédrale de Carpentras.

VALENTIN François
Né le 10 avril 1738 à Guingamp. Mort le 21 août 1805 à Quimper (Finistère). XVIIIe siècle. Français.
Peintre.
Élève de Vien. Professeur à l'École centrale. Il séjourna à Rome de 1769 à 1772. Il figura au Salon de 1791.

VALENTIN Gottfried
Né en 1661 à Leipzig. Mort le 20 mars 1711 à Leipzig. XVIIe-XVIIIe siècles. Allemand.
Peintre d'animaux, de scènes de chasse, de sujets allégoriques.
Le Musée de Brunswick conserve de lui Nature morte avec lièvres et perdrix, et celui de Kassel, deux Natures mortes avec de petits oiseaux.

VALENTIN Hélène
XXe siècle. Active aux États-Unis. Française.
Peintre. Abstrait.
Elle vit et travaille à New York. Elle a montré un ensemble de ses œuvres au Musée de Toulon vers la fin des années soixante-dix, puis : 1991, Centre d'Art Contemporain Arts 04, Saint-Rémy de Provence.
Elle compose une peinture abstraite dans des très grands formats qui pourraient faire référence à Monet et à Turner.
BIBLIOGR. : Denis Baudier, in : Art Press, no 163, Paris, nov. 1991.

Achevé d'imprimer
en mars 1999
sur les presses de l'imprimerie Hérissey
à Évreux (Eure)

N° d'imprimeur : 82138
Imprimé en France